D1131156

LANGENSCHEIDT'S ENCYCLOPAEDIC DICTIONARY

OF THE ENGLISH AND GERMAN LANGUAGES

"Der Große Muret-Sanders"

PART I

English-German

FIRST VOLUME A—M

EDITED BY

DR. OTTO SPRINGER

Professor of Germanic Languages and Literatures
University of Pennsylvania

LANGENSCHEIDT

BERLIN · MUNICH · VIENNA · ZURICH · NEW YORK

LANGENSCHEIDTS ENZYKLOPÄDISCHES WÖRTERBUCH

DER ENGLISCHEN UND DEUTSCHEN SPRACHE

„Der Große Muret-Sanders“

TEIL I

Englisch-Deutsch

1. BAND A—M

HERAUSGEGEBEN VON

DR. OTTO SPRINGER

Professor für germanische Sprachen und Literaturen
University of Pennsylvania

LANGENSCHEIDT

BERLIN · MÜNCHEN · WIEN · ZÜRICH · NEW YORK

8. Auflage 1986

Druck: Druckhaus Langenscheidt, Berlin-Schöneberg

Printed in Germany

ISBN 3-468-01120-2

VORWORT

Im Jahre 1869 schloß Professor Gustav Langenscheidt mit Professor Dr. Eduard Muret einen Vertrag über die Ausarbeitung eines großen Wörterbuches der englischen und deutschen Sprache, für dessen zweiten, deutsch-englischen Teil er den bekannten Lexikographen Professor Dr. Daniel Sanders gewann. Zwanzig Jahre lang arbeitete Muret an seinem handschriftlichen Manuskript, und im Jahre 1889 sollten die Setzer ihre Arbeit beginnen.

Da erschien in Amerika „The Century Dictionary – An Encyclopedic Lexicon of the English Language", das damals vollständigste Wörterbuch der englischen Sprache. Noch einmal wurde das gesamte Manuskript einer gründlichen Durchsicht und Umarbeitung unterzogen, um es auf den modernsten Stand zu bringen. Muret konnte dabei bereits auch die ersten Bände des „New English Dictionary" von Sir J. A. H. Murray und Henry Bradley benutzen. Endlich, im Jahre 1891, erschien die erste Lieferung, und 10 Jahre später lag das vier Bände umfassende „Enzyklopädische englisch-deutsche und deutsch-englische Wörterbuch" von Muret und Sanders vollständig vor.

Noch vor Beendigung des großen Werkes erschienen 1897 und 1900 die beiden Bände der „Hand- und Schulausgabe" des „Muret-Sanders". Diese erfuhren vor dem 1. Weltkriege eine Neubearbeitung und wurden immer wieder bis in die dreißiger Jahre durch Nachträge ergänzt und den Erfordernissen der Gegenwart angepaßt.

Im Jahre 1950 entschloß sich der Verlag, eine Neubearbeitung des „Muret-Sanders" in Angriff zu nehmen. Unter der Leitung von Professor Dr. Otto Springer waren Philologen und Fachmitarbeiter aus England, USA, Deutschland, Österreich und der Schweiz ein Jahrzehnt damit beschäftigt, den gesamten Wortschatz der englischen Sprache zu sichten und die Stichwörter für dieses umfassende Nachschlagewerk zu bearbeiten (vgl. Herausgeber- und Mitarbeiterverzeichnis, S. XIII ff.).

Es zeigte sich bald, daß die im Laufe des letzten halben Jahrhunderts erfolgten Veränderungen des englischen und deutschen Wortschatzes sowie die Fortschritte unserer sprachwissenschaftlichen Anschauungen sich nicht bei einer bloßen Revision des alten Werkes berücksichtigen ließen, sondern daß eine von Grund auf neue Bearbeitung erforderlich war.

Für jedes einzelne englische Wort der Allgemeinsprache und der Fachsprache, das aufgenommen werden sollte, wurde ein Zettel angelegt, oft auch mehrere, so daß sich im Laufe der Jahre ein Manuskript von über einer halben Million Zettel ergab. Die Grundbearbeitung und Überarbeitung der Zettelmanuskripte erfolgte durch die Muret-Sanders-Redaktion in Berchtesgaden, während die Überprüfung der Fachgebiete durch die jeweiligen Spezialisten in Deutschland, England und den USA vorgenommen wurde.

Mit dem Absetzen des Zettelmanuskriptes waren jedoch die redaktionellen Arbeiten am neuen „Enzyklopädischen Wörterbuch der englischen und deutschen Sprache" keineswegs abgeschlossen. In zwei Fahnenkorrekturen und drei Revisionen wurden Tausende von Ergänzungen und Verbesserungen durch den Herausgeber und die anglistische Abteilung der Langenscheidt-Redaktion in Berlin vorgenommen. Bei der Auswahl der Mitarbeiter sowie bei der Entscheidung gewisser sprachwissenschaftlicher Einzelfälle halfen uns zahlreiche namhafte Anglisten der in- und ausländischen Universitäten. Wir möchten ihnen an dieser Stelle für ihre wertvolle Unterstützung herzlich danken.

Das Ergebnis all dieser Arbeiten ist ein enzyklopädisches Wörterbuch, ein „neuer Muret-Sanders", der Aktualität und Spezialisierung mit dem lexikalischen Reichtum des vierbändigen alten Muret-Sanders verbindet. Selbstverständlich baut diese Neubearbeitung auf den bewährten Grundsätzen auf, denen der Muret-Sanders seinen Ruf, seinen Rang und seinen Nachschlagewert verdankt. Sie steht jedoch auch im Einklang mit den neueren Erkenntnissen und Forderungen von Sprachwissenschaft und lexikalischer Praxis. So wird das amerikanische Englisch in Aussprache, Schreibung und Wortschatz ebenso gründlich behandelt wie das britische Englisch – ein Novum in einem englisch-deutschen Wörterbuch. Die phonetische Umschrift wird nach den Grundsätzen der „International Phonetic Association" mit zwei durch das amerikanische Englisch bedingten Sonderzeichen angegeben. Die neuesten in England und USA entstandenen Wortprägungen wurden in das Wörterbuch aufgenommen; selbst in den letzten Revisionsphasen des Werkes wurden noch laufend Neologismen eingearbeitet, die den praktischen Nachschlagewert des Buches beträchtlich steigern.

Mit über 180000 englischen Hauptstichwörtern und einem Vielfachen an Übersetzungen, Anwendungsbeispielen und Redewendungen bietet das „Enzyklopädische Wörterbuch" — auf dem differenzierten Grundwortschatz des seit Jahrzehnten bewährten Muret-Sanders aufbauend — eine wohlausgewogene Mischung des allgemein- und fachsprachlichen Wortschatzes des modernen Englisch. Alle Zweige der Wissenschaften und des praktischen Lebens sind bei der Festlegung des aufzunehmenden Wortschatzes berücksichtigt worden. Neben den reinen Übersetzungen geben ausführliche Hinweise eine Fülle zusätzlicher Informationen. So findet der Zoologe und der Botaniker hinter der Übersetzung die ihm vertrauten lateinischen Bezeichnungen, dem Chemiker hilft die Angabe der Formeln — jedem Benutzer aber dient die sorgfältige Registrierung der grammatikalischen Besonderheiten sowie die Kennzeichnung der Sprachgebrauchsebene und der regionalen Verbreitung.

Es versteht sich von selbst, daß andere bewährte Errungenschaften der Langenscheidt-Wörterbücher auch in Langenscheidts Enzyklopädischem Wörterbuch Aufnahme gefunden haben. Hier seien nur das Prinzip der Erläuterungen (in Kursivschrift neben der Übersetzung), die genaue Übereinstimmung der Sprachgebrauchs- und Stilebene zwischen Stichwort und Übersetzung, das Verweissystem, die Hinweise auf Synonyma und das Anzeigen der Silbentrennungsmöglichkeiten im englischen Stichwort genannt. Eine eingehende Beschreibung von Einzelheiten der lexikographischen Darstellung in Langenscheidts Enzyklopädischem Wörterbuch findet der Benutzer in dem Abschnitt „Anlage des Wörterbuches mit Hinweisen für den Benutzer" (vgl. S. XVII ff.).

Die Übersichtlichkeit der Seiten des neuen Wörterbuches wird durch eine moderne, ausgewogene Typographie mit vielen differenzierenden Schriftarten und Untergliederungen gefördert.

Wir hoffen, daß diese Vorzüge sowie der Umfang des Werkes und die Intensität der Bearbeitung den guten Ruf des von Muret und Sanders begründeten Enzyklopädischen Wörterbuches erneut bestätigen werden. Wir sind uns jedoch klar darüber, daß trotz ehrlichen Bemühens wohl noch manches besser gemacht werden kann. Es liegt in der Natur der Sache – in der Sprache gibt es weder Stillstand noch absolute lexikalische Gleichungen –, daß auch dieses umfassendste englisch-deutsche Wörterbuch unvollkommen ist wie alle menschlichen Bemühungen. Ein Goethe-Zitat, das Professor Muret dem Vorwort der ersten Auflage seines Werkes voranstellte, mag dies unterstreichen: „So eine Arbeit wird eigentlich nie fertig. Man muß sie für fertig halten, wenn man nach Zeit und Umständen das Möglichste getan hat."

Herausgeber und Verlag

PREFACE

In the year 1869, Professor Gustav Langenscheidt signed a contract with Professor Eduard Muret for the compilation of a large dictionary of the English and German languages. For the German-English part he secured the services of the well-known lexicographer, Professor Daniel Sanders. Muret had laboured for twenty years when finally, in 1889, his hand-written manuscript was ready to go to press.

That very year, however, the most comprehensive English dictionary that had so far been published, appeared in America, "The Century Dictionary—An Encyclopedic Lexicon of the English Language". Once again the entire manuscript was subjected to a minute scrutiny and thorough revision for the purpose of bringing it up-to-date. At the same time Muret was able to consult the first volumes of "A New English Dictionary on Historical Principles" by Sir James A. H. Murray and Henry Bradley. At long last, in 1891, the first instalment appeared. Ten years later all four volumes of the "Encyclopaedic English-German and German-English Dictionary" by E. Muret and D. Sanders were in print.

Even before the last volume of this comprehensive dictionary was published, a two-volume "Abridged Edition" of Muret-Sanders, for use at school and in the home, had appeared in 1897 and 1900. The volumes of this edition were completely revised before World War I, and right through to the thirties supplements continued to be added in order to keep the volumes of this edition up-to-date.

In 1950 the publishers decided to bring out a new edition of the four-volume work. For ten years linguists and special consultants from Great Britain, the United States, Germany, Austria, and Switzerland, under the general editorship of Professor Otto Springer, were busy examining the entire vocabulary of the English language and preparing the entries for this comprehensive work of reference (cf. the list of editors, editorial staff members, and contributors on pp. XIII—XV).

It soon became evident that a mere revision of the old work could not possibly take into account the innumerable changes which both the English and the German vocabulary had undergone in the course of the last fifty years. Nor was a mere revision able to do justice to recent advances in linguistic research. It was necessary to start from scratch and to write a completely new dictionary.

Each word, whether in general or in special usage, required one or more separate cards or slips, with the result that in the course of time a "manuscript" of more than half a million such paper slips accumulated. The compiling and editing of this "manuscript" was done by the Muret-Sanders editorial staff at Berchtesgaden, whereas the checking of terms used in special fields was the responsibility of the various special consultants in Germany, Great Britain, and the United States. However, the work of revising and editing did not cease even after the manuscript of the new "Encyclopaedic Dictionary" had been set in type. Thousands of last-minute additions and improvements were made by the editor and the English Department of the Langenscheidt editorial staff at Berlin in the course of the different stages of proofreading. Numerous authorities on the English language at German and other European universities as well as in the United States—all of them eminent scholars in their fields—helped in the selection of staff members and in resolving certain linguistic problems. We wish to take this opportunity to express to them our gratitude for much valuable assistance.

The result of these labours is an encyclopaedic dictionary, a new Muret-Sanders, which combines up-to-dateness and specialization with the lexicological wealth of its four-volume predecessor. It goes without saying that the new work adheres to the principles which gave the old Muret-Sanders its reputation, its eminence, and its singular usefulness as a work of reference.

In addition, the new dictionary has been compiled in accordance with the results of modern linguistic science and the requirements of present-day lexicographical practice. Thus in pronunciation, spelling, and vocabulary, American English is treated with the same degree of completeness and accuracy as British English—a new feature, indeed, in an English-German dictionary. The phonetic transcription is, in principle, that of the International Phonetic Association, with the exception of two special symbols used to designate variant pronunciations in British and American English. Many of the most recently coined terms in British and American English have been included in the present dictionary; even during the last stages of proofreading, neologisms continued to be added to increase the practical usefulness of the book.

With its 180,000 main entries in English and with its translations, sample phrases, and idiomatic expressions many times that number, Langenscheidt's new "Encyclopaedic Dictionary" of English and German—based as it is on the very rich and variegated vocabulary of the older work—aims at a happy blend of the general and the specialized vocabulary of modern English. All branches of science and all fields of practical life have been considered in the selection of entries. References and explanations which supplement the German equivalents of the English entries afford a good deal of additional information. Thus the zoologist and the botanist will find the familiar Latin names after the German translation; the listing of formulae will be useful to the chemist; all users, it is hoped, will profit from the meticulous indication of grammatical peculiarities, level of usage, and geographical distribution.

It goes without saying that many other features of the Langenscheidt dictionaries which have stood the test of time, have been incorporated in Langenscheidt's new Encyclopaedic Dictionary. Mention need only be made here of the principle of explanations (in italics, following the translation), the closest possible correspondence in level of usage between entry and translation, the system of cross references, the listing of synonyms, and the syllabification in the entry word. For further details of the organization of the material in the new Encyclopaedic Dictionary the reader is referred to the section "Arrangement of the Dictionary and Guide for the User" (Cf. pp. XVII—XXVIII).

A modern and carefully balanced typography, with its several distinct styles of type and a variety of subdivisions, is designed to enhance the appearance and readability of the new dictionary.

We hope that these qualities, in addition to the scope and thoroughness of the work, will make Langenscheidt's Encyclopaedic Dictionary a worthy successor of the Muret-Sanders of past renown. On the other hand, we are by no means unaware of the fact that in spite of all our honest efforts, there is much that could have been done better. This is, after all, in the nature of things: in language everything is in flux and between languages there are no perfect lexical equations. Hence the most comprehensive English-German dictionary to date, too, must needs be as imperfect as any other kind of human endeavor. In this sense we concur with Goethe in the words which Eduard Muret cited at the head of the preface to his work: "Such a task can in reality never be finished. We must regard it as finished when we have done the utmost that time and circumstances allow."

EDITOR & PUBLISHERS

INHALTSVERZEICHNIS
CONTENTS

Der zweite Band des Wörterbuches enthält das alphabetische Wörterverzeichnis N-Z, das Verzeichnis der Abkürzungen des britischen und amerikanischen Englisch, das Verzeichnis der englischen Eigennamen mit Aussprache und Erläuterungen und weitere Anhänge.

The second volume of the dictionary contains the alphabetical word list N-Z, a list of general abbreviations used in British and American English, a list of English proper names together with pronunciation and explanations, and other appendices.

HERAUSGEBER- UND MITARBEITER-VERZEICHNIS
EDITORIAL STAFF AND SPECIAL CONSULTANTS

Verantwortlicher Herausgeber / Editor in Chief

DR. OTTO SPRINGER
Professor für germanische Sprachen und Literaturen, University of Pennsylvania

Mitherausgeber / Associate Editor

DR. KEITH SPALDING
Professor für germanische Philologie, University College of North Wales

Amerikanischer Sprachgebrauch / American Usage

DR. GEORGE J. METCALF
Professor für germanische Philologie, University of Chicago

Muret-Sanders-Redaktion Berchtesgaden
Muret-Sanders Editorial Staff Berchtesgaden

Leitung: DR. HARALD VIGL †,
DR. SIEGFRIED SCHMITZ

Verlagsredaktion Anglistik Berlin
English Department of Langenscheidt KG, Berlin

Leitung: DR. WALTER VOIGT

Lexikographische Mitarbeiter / Editorial Assistants and Contributors

in Berchtesgaden:

HANS BREIN (Bischofswiesen)

PATRICIA L. BUTT, M. A. (Ealing, England)

ILSEMARIE CROPP (München)

DR. TATJANA FABIAN-LANKO (Marburg)

DR. ERIKA FICKEL (Tübingen)

MARTHA GASSERT (Freiburg)

DR. KARL HELLER-MERRICKS (Innsbruck)

LOTHAR WILFRIED HILBERT, Ph. D. (Paris)

DR. ANNELIESE HUBER (München)

ILLA VON JOEDEN (München)

WALTER KIPPE (Berchtesgaden)

DR. GISELA KITSCHELT (Hamburg)

DR. WILHELM F. KLATTE (New Orleans)

DR. KAMILLA KNOPF, M.A. (Weinheim/Bergstraße)

DR. SIEGFRIED KORNINGER, M.A., o. Professor (Wien)

HANS KRANICH (Göttingen)

DR. HANS MEIER (Zürich)

DR. HEINZ MOENKEMEYER (Philadelphia)

DR. GEORGE REINHART (New York)

Hans Richard Schley (Frankfurt/M.)

Ursula Schley-Schmieder (Frankfurt/M.)

Dr. Alfred Schopf (München)

Helga Zander (Freiburg)

Herbert Zirker-Wolff (Heidelberg)

in Berlin:

Dr. Dietrich Roy (Freiburg)

Hans-Reinhard Fischer (München)

Peter Fischer (London)

Luise-Juliane Geiger † (Berlin)

Benno Heyer † (Berlin)

Gisela Klatt (Berlin)

Philipp Koch † (Berlin)

Dr. Elisabeth Landau (Berlin)

Dr. Gisela Nowak (Berlin)

Fritz Preuss (Berlin)

Dr. Olaf Reetz (Berlin)

Friedrich Stattmann (Erlangen)

Gisela Türck (Berlin)

Phonetische Umschrift / Pronunciation

Phyllis Spalding (Bangor, Wales), Prof. Dr. George J. Metcalf (Chicago)

Fachberater und Fachmitarbeiter / Special Consultants

Einige Fachgebiete wurden von den Spezialisten unter den vorstehend genannten lexikographischen Mitarbeitern betreut. Daneben waren zusätzlich als Fachberater tätig:

Biologie: siehe *Botanik* und *Zoologie*

Botanik:

Dr. Friedrich Markgraf,
o. Professor für systematische Botanik, Zürich

Chemie:

Ing. Dr. Dr. Otto Gerhardt †, Innsbruck
(Buchstabe *A-Cons-*)

Dr. Christoph Rüchardt,
Institut für organische Chemie, Universität München
(Buchstabe *Cons-* bis *Z*)

Elektrotechnik:

Dipl.-Ing. Gerhard Miesner,
Deutsche Betriebsgesellschaft für drahtlose Telegrafie mbH, Hamburg

Geologie:

Ing. Dr. Dr. Otto Gerhardt †, Innsbruck
(Buchstabe *A* bis *Cons-*)

Dr. Albert Maucher,
o. Professor für allgemeine und angewandte Geologie und Mineralogie. München (Buchstabe *Cons-* bis *Z*)

Jurisprudenz:

John Fosberry,
juristischer und wissenschaftlicher Fachübersetzer, München

Luftfahrt, Mathematik:

Dipl.-Ing. Gerhard Miesner,
Deutsche Betriebsgesellschaft für drahtlose Telegrafie mbH, Hamburg

Militärwesen:

Regierungsrat Friedrich Krollmann,
Leiter des Übersetzerdienstes der Bundeswehr, Mannheim

Mineralogie: siehe *Geologie*

Musik:

Hans Gerber, München

Photographie:

KLAUS KNIPPING, Dozent am Sprachen- und Dolmetscher-Institut München

Physik: siehe *Mathematik*

Schiffahrt:

DR. OSKAR FINK,
Lehrbeauftragter an der Universität Hamburg

Sport:

DR. WALTER JAHN, Füssen
FRANZ RIEDERER, München

Technik:

DIPL.-ING. GERHARD MIESNER,
Deutsche Betriebsgesellschaft für drahtlose Telegrafie mbH, Hamburg, und weitere Mitarbeiter

Volkswirtschaft:

DR. RER. POL. WILHELM ULRICH,
z. Zt. Leiter der Deutschen Schule, Bandung/Indonesien

Zoologie:

DR. FRANZ MÖHRES,
o. Professor für Zoologie, Tübingen
DR. EGON POPP,
Zoologische Staatssammlung, München

Redaktionssekretariat / Secretariat of Editorial Staff: URSULA HILLEBRANDT

Herausgeber, lexikographische Mitarbeiter und Fachberater haben bei der Ausarbeitung der Stichwörter eine Vielzahl von Quellen benutzt. Bei dem enzyklopädischen Charakter des Wörterbuches waren dies nicht nur nahezu alle in den letzten Jahrzehnten erschienenen einsprachig-englischen und englisch-deutschen oder deutsch-englischen Wörterbücher, sondern auch eine umfangreiche Fachliteratur der verschiedenen Wissensgebiete. Alle während der Bearbeitungszeit von über einem Jahrzehnt konsultierten Werke hier zu verzeichnen, würde weit über den Rahmen einer Bibliographie hinausgehen. Herausgeber und Verlag möchten jedoch an dieser Stelle allen Verfassern und Kompilatoren von englischen und deutschen Wörterbüchern danken, denen „Langenscheidts Enzyklopädisches Wörterbuch der englischen und deutschen Sprache“ Anregungen und Belehrungen irgendwelcher Art verdankt.

In preparing the entries for this dictionary the editors, the editorial staff and the special consultants have utilized a large number of sources. To maintain the encyclopaedic character of the dictionary it was not only necessary to incorporate information from nearly all the English, English-German or German-English dictionaries published during the last decades, but also to consult a comprehensive library of special works covering the various fields of learning. It would far exceed the limits of a bibliography to list all the books consulted in the course of more than ten years of compilation. The editor and the publishers, however, wish to express their thanks to all the authors and compilers of English and German dictionaries from which "Langenscheidt's Encyclopaedic Dictionary of the English and German Languages" has drawn suggestions or information of any kind.

ANLAGE DES WÖRTERBUCHS MIT HINWEISEN FÜR DEN BENUTZER

ARRANGEMENT OF THE DICTIONARY AND GUIDE FOR THE USER

A. ALLGEMEINES

I. SCHRIFTARTEN

Der Unterscheidung des im Wörterbuch gebotenen Stoffes dienen vier Schriftarten:

halbfett	für die englischen Stichwörter und ihre etwaigen unregelmäßigen Formen,
Auszeichnungsschrift	für die englischen Anwendungsbeispiele und Redewendungen,
Grundschrift	für die deutschen Übersetzungen und
kursiv	für alle erklärenden Zusätze, Definitionen, Ursprungsbezeichnungen, Bezeichnungen der Wortart, des Sachgebietes, der regionalen Verbreitung oder der Sprachgebrauchsebene eines Stichworts.

II. ANORDNUNG DER STICHWÖRTER

1. Alphabetische Reihenfolge

Die halbfetten Stichwörter sind streng alphabetisch geordnet. Unregelmäßige Formen und orthographische Varianten sind an ihrem alphabetischen Platz verzeichnet mit Verweis auf das Stichwort, unter dem sie behandelt werden. Außerhalb der alphabetischen Reihenfolge stehen die als halbfette Stichwörter aufgeführten Verbindungen von Verben mit Präpositionen bzw. Adverbien. Sie folgen dem betreffenden Verbartikel unmittelbar in besonderen Abschnitten.

2. Britische und amerikanische Schreibvarianten

Orthographische Varianten des britischen oder amerikanischen Englisch werden nach dem Grundsatz der Gleichwertigkeit behandelt. Sowohl die britische als auch die amerikanische Schreibvariante eines englischen Wortes wird als halbfettes Stichwort an ihrem jeweiligen alphabetischen Platz gegeben. Die lexiko-

A. GENERAL INDICATIONS

I. STYLES OF TYPE

Four different styles of type are used for the following four categories of information:

boldface	for the entry word and any irregular forms,
lightface	for illustrative phrases and idiomatic expressions,
plain	for the German translation, and
italic	for all explanations and definitions, for labels indicating the origin of an entry word, its part of speech, its specialized senses, its geographical distribution, and its level of usage.

II. ARRANGEMENT OF ENTRIES

1. Alphabetical Order

Every boldface entry is given in its alphabetical order. Irregular forms and variant spellings are listed in the proper alphabetical order with cross reference to the entry word where they are treated in full. In the case of verb phrases which are entered in boldface type the alphabetical order has been abandoned. They are dealt with separately, directly after the respective verb entries.

2. British and American Orthographic Differences

Where British and American spelling differ, the two forms are regarded as having equal status. Both the British and the American spelling of an English word appear in boldface type in their respective alphabetical places. However, full lexicographical treatment is only given with the prior alphabetical form. There the other

graphische Behandlung erfolgt jedoch nur bei derjenigen Schreibvariante, in der das betreffende englische Wort alphabetisch zuerst erscheint. An dieser Stelle ist zusätzlich die andere Schreibvariante hinter dem Stichwort verzeichnet. Bei der alphabetisch später aufgeführten Variante wird auf die alphabetisch frühere Schreibvariante verwiesen, unter der das betreffende Wort lexikographisch behandelt wird.

Wenn orthographische Varianten (vollständig angeführt oder durch eingeklammerte Buchstaben angezeigt) nicht als „britisch" oder „amerikanisch" gekennzeichnet sind, so gelten sie für beide Sprachzweige.

Ist beim zweiten Bestandteil einer Zusammensetzung ein Buchstabe eingeklammert, so ist beim betreffenden Simplex zu ersehen, ob es sich hierbei um eine britische bzw. amerikanische Variante handelt oder ob die Variante für beide Sprachzweige gilt.

3. Zusammensetzungen

Die meisten Zusammensetzungen sind als halbfette Stichwörter an ihrer alphabetischen Stelle verzeichnet (z. B. **coal dust, coast guard**). Weniger gebräuchliche Zusammensetzungen findet man unter einem ihrer Kompositionsglieder (z. B. cabinet edition unter **cabinet** 9).

Zusammensetzungen mit of bilden, wenn sie häufig oder wichtig sind, eigene halbfette Stichwörter (z. B. **Congress of Vienna**), andernfalls sind sie unter einem der sinntragenden Bestandteile zu suchen (z. B. bed of coal unter **coal**).

4. Ableitungen

Ableitungen stehen als halbfette Stichwörter an ihrer alphabetischen Stelle. Nur wenn sie sehr selten sind oder wenn sich ihre Bedeutung ohne weiteres aus der des Stammworts ergibt, wurden sie nicht eigens aufgeführt.

Adverbialformen auf -ly werden nur dann verzeichnet, wenn sie in Bildungsweise oder Bedeutung eine Besonderheit aufweisen.

5. Wortbildungselemente

Um dem Benutzer die Möglichkeit zu geben, eventuell nicht verzeichnete wissenschaftliche und sonstige Spezialausdrücke zu erschließen, wurden englische Wortbildungselemente aufgenommen.

6. Eigennamen und Abkürzungen

Wichtige Eigennamen aus der Bibel, Götternamen, Namen aus der antiken Mythologie, von historischen oder architektonischen Örtlichkeiten und von Sternen sind im Hauptteil behandelt. Eigennamen biographischer und geographischer Art sowie Abkürzungen sind in besonderen Verzeichnissen nach dem alphabetischen Wörterbuchteil A-Z am Schluß des Werkes zusammengestellt.

spelling variant, properly labelled, is also listed immediately following the entry word. A cross reference from the later alphabetical form to the prior form indicates where the word in question is treated.

When variant spellings (either entered in full or indicated by brackets only) are not marked British or American they are common to both countries.

When in the second element of a compound entry a letter is placed in brackets the user is referred to the respective base word to find out whether the variant spellings constitute orthographic differences between British and American usage or are common to both countries.

3. Compound Entries

Most compounds are entered in boldface type in their proper alphabetical position (e.g. **coal dust, coast guard**). Less frequent compounds are given under one or other of their components (e.g. cabinet edition under **cabinet** 9).

Phrases with of appear as boldface entries if they are frequent or important (e.g. **Congress of Vienna**), otherwise they are entered under one of the significant components (e.g. bed of coal under **coal**).

4. Derivatives

Derivatives are given in their proper alphabetical position as boldface entries. They have been omitted only when they are very rare or when their meaning can easily be gathered from that of their base word.

Adverbs ending in -ly are only listed when formation and meaning show irregularities.

5. Combining Forms

In order to enable the user to gather the meaning of any scientific or other technical terms not listed in the dictionary English combining forms are given.

6. Proper Names and Abbreviations

The more important proper names from the Bible, names of gods, names occurring in Greek and Roman mythology, names of historical places, of buildings, and of stars in the stellar system are dealt with in the main vocabulary. Biographical and geographical names as well as abbreviations are listed in special appendixes at the end of the dictionary.

B. AUFBAU EINES STICHWORT-ARTIKELS

Die Unterteilung eines Stichwort-Artikels geschieht durch

1. römische Ziffern zur Unterscheidung der Wortarten (Substantiv, transitives oder intransitives Verb, Adjektiv etc.),

2. arabische Ziffern (fortlaufend im Artikel und unabhängig von den römischen Ziffern) zur Unterscheidung der einzelnen Bedeutungen,

3. kleine Buchstaben zur weiteren Bedeutungsdifferenzierung innerhalb einer arabischen Ziffer.

Die Elemente eines Stichwort-Artikels in ihrer Reihenfolge sind:

I. Englisches Stichwort
II. Aussprache
III. Ursprungsbezeichnung (bei nicht-anglisierten Stichwörtern)
IV. Wortartbezeichnung
V. Bezeichnung des Sachgebiets
VI. Bezeichnung der regionalen Verbreitung
VII. Bezeichnung der Sprachgebrauchsebene
VIII. Deutsche Übersetzung des englischen Stichworts
IX. Hinweise zur Rektion
X. Anwendungsbeispiele
XI. Besondere Redewendungen
XII. Verbindungen mit Präpositionen bzw. Adverbien
XIII. Verweise
XIV. Synonyme

I. ENGLISCHES STICHWORT

Das englische Stichwort erscheint in halbfetter Schrift entweder nach links ausgerückt oder, im Falle von Ableitungen und Zusammensetzungen, innerhalb des fortlaufenden Textes der Spalte.

1. Silbentrennpunkte. Bei mehrsilbigen Stichwörtern und ihren etwaigen unregelmäßigen Formen ist die Silbentrennung durch auf Mitte stehenden Punkt oder durch Betonungsakzent angezeigt. Bei Wortbildungselementen wird die Silbentrennungsmöglichkeit nicht angegeben, da sich diese, je nach den weiteren Bestandteilen des zu bildenden Wortes, verändern kann (z. B. **aceto-**).

2. Exponenten. Verschiedene Wörter gleicher Schreibung (Homonyme, Homogramme) werden mit Exponenten versehen, wobei im allgemeinen diejenige Form, die am häufigsten und wichtigsten ist, den Exponenten 1 erhält, die nächst häufige und wichtige den Exponenten 2 usw. (z. B. **bail¹, bail², bail³, bail⁴**). Ein Exponent wird auch in den Fällen gesetzt, in denen bei Homonymen eine äußerliche Differenzierung durch Groß- bzw. Kleinschreibung vorliegt, wie bei

B. TREATMENT OF ENTRIES

Subdivisions may be made in the entries by means of

1. Roman numerals to distinguish the various parts of speech (noun, transitive or intransitive verb, adjective, etc.),

2. Arabic numerals (running consecutively through the entire entry, irrespective of the Roman numerals) to distinguish the various senses,

3. small letters as a further means of splitting up into several related meanings a primary sense of a word under an Arabic numeral.

The various elements of a dictionary entry are given in the following order:

I. The English Entry Word
II. Pronunciation
III. Indication of Origin (for non-assimilated foreign entry words)
IV. Part-of-Speech Label
V. Subject Label
VI. Geographical Label
VII. Usage Label
VIII. The German Translation of the English Entry Word
IX. Indication of Grammatical Context
X. Illustrative Phrases
XI. Idiomatic Expressions
XII. Verb Phrases
XIII. Cross References
XIV. Synonyms

I. THE ENGLISH ENTRY WORD

The English entry word is printed in boldface type and appears either at the left-hand side of a column (slightly further over into the left margin than the rest of the text) or is—in the case of derivatives and compounds—run on after the preceding entry.

1. Syllabification. In entry words of more than one syllable and in their irregular forms syllabification is indicated by centered dots or stress marks. In the case of combining forms syllabification has not been given since it may vary according to the other components of the word to be formed (e.g. **aceto-**).

2. Superscription. Different words with the same spelling (homographs) have been given numbers in superscript. The form which is most frequent and most important has received the superscript 1, the next in frequency and importance the superscript 2, etc. (e. g. **bail¹, bail², bail³, bail⁴**). The same superscription has also been used when the difference between two words is capitalization of the initial letter, as in

ar·gen·tine¹
Ar·gen·tine²

3. Bindestrich. Mußte ein mit Bindestrich geschriebenes englisches Wort an der Stelle des Bindestrichs getrennt werden, so wurde der Bindestrich zu Anfang der folgenden Zeile wiederholt.

4. Tilde. Folgen einem ausgerückten Stichwort eine oder mehrere angehängte Zusammensetzungen mit diesem Stichwort als erstem Bestandteil, so wird es nicht jedesmal wiederholt, sondern durch eine halbfette Tilde (~) ersetzt:

cad·mi·um ['kædmiəm] *s chem.* Kadmium *n* (Cd). — **~ or·ange** *s* 'Kadmiumo,range *n.* —'**~-,plate** *v/t tech.* ...

Ist das ausgerückte Stichwort bereits selbst eine Zusammensetzung, die durch die nachfolgende Tilde nicht als Ganzes wieder aufgenommen werden soll, sondern nur mit ihrem ersten Bestandteil, so steht hinter diesem ersten Bestandteil ein senkrechter Strich. In den darauffolgenden angehängten Stichwörtern ersetzt die halbfette Tilde also nur den vor dem senkrechten Strich stehenden Bestandteil des ausgerückten Stichworts:

ab·stract| noun *s ling.* Ab'straktum *n.* — **~ of ti·tle** *s jur.* Besitztitel *m*, ...

Um den Wechsel zwischen Groß- und Kleinschreibung bei den mit Tilde angehängten Stichwörtern anzuzeigen, wurde der große bzw. kleine Anfangsbuchstabe unmittelbar vor die Tilde gesetzt:

Great| Mo·gul *s* **1.** Großmogul *m.* – **2. g~ m~** *fig.* wichtige Per'sönlichkeit. — **g~ mo·rel** → belladonna 1. —

5. Unregelmäßige Formen. Die unregelmäßigen Formen sind an ihrer alphabetischen Stelle verzeichnet mit Verweis auf ihr jeweiliges Grundwort, unter dem sie behandelt werden.

a) Substantiv

Der regelmäßig und ausschließlich durch Anfügung von -s oder -es gebildete Plural sowie der Plural von Substantiven, die auf Konsonant + y oder Vokal + y enden, werden nicht angegeben. Dagegen werden die Pluralformen aller Substantive auf -a, -o, -um, -us — soweit sie existieren — durch Wiedergabe der letzten Silbe oder der letzten Silben verzeichnet:

cac·tus ['kæktəs] *pl* **-ti** [-tai], **-tus·es** *s bot.* Kaktus *m* (*Fam. Cactaceae*).

Bei allen anderen Substantiven, die unregelmäßige Pluralbildung aufweisen, sind die Pluralformen voll ausgeschrieben:

knife [naif] **I** *s pl* **knives** [naivz] ...
bi·jou ['bi:ʒu:; bi:'ʒu:] *pl* **bi·joux** [-ʒu:z] ...

ar·gen·tine¹
Ar·gen·tine²

3. Hyphen. Where hyphen and division mark coincide in the division of a hyphened English entry, the hyphen is repeated at the beginning of the next line.

4. Swung Dash or "Tilde". When a left-margin entry word is followed by one or more compounds (with the entry word as their first element), the entry word has not been repeated every time but has been replaced by a boldface tilde (~):

cad·mi·um ['kædmiəm] *s chem.* Kadmium *n* (Cd). — **~ or·ange** *s* 'Kadmiumo,range *n.* —'**~-,plate** *v/t tech.* ...

When the left-margin entry word is itself a compound of which only the first element is to be repeated by the following tilde, then this element is separated off by means of a vertical bar. In the run-on entry words following, the boldface tilde repeats only that element of the left-margin entry word which precedes the vertical bar:

ab·stract| noun *s ling.* Ab'straktum *n.* — **~ of ti·tle** *s jur.* Besitztitel *m*, ...

When the initial letter of run-on entry words represented by a tilde changes from small to capital or vice versa the small or capital letter has been placed immediately in front of the tilde:

Great| Mo·gul *s* **1.** Großmogul *m.* – **2. g~ m~** *fig.* wichtige Per'sönlichkeit. — **g~ mo·rel** → belladonna 1. —

5. Irregular Forms. Irregular forms are listed in their proper alphabetical place with cross reference to the respective base form under which they are treated.

a) Noun

All regular plural forms taking -s or -es and the plural of nouns ending in -y preceded by a consonant or a vowel have not been listed. However, the plural forms of all nouns ending in -a, -o, -um, -us—when such nouns require a plural—are indicated by repetition of the last syllable or syllables:

cac·tus ['kæktəs] *pl* **-ti** [-tai], **-tus·es** *s bot.* Kaktus *m* (*Fam. Cactaceae*).

The plural forms of all other irregularly inflected nouns are entered in full:

knife [naif] **I** *s pl* **knives** [naivz] ...
bi·jou ['bi:ʒu:; bi:'ʒu:] *pl* **bi·joux** [-ʒu:z] ...

Wenn sich bei Substantiven, die auf -th enden, die Aussprache des -th durch die Anfügung des Plural-s ändert, so wird auch hier der Plural voll ausgeschrieben:

> **bath**[2] [*Br.* bɑːθ; *Am.* bæ(ː)θ] **I** *s pl* **baths** [-ðz] ...

Erscheint ein Substantiv mit unregelmäßigem Plural als letzter Bestandteil einer Zusammensetzung, so weist die Abkürzung *irr* (= irregular) auf die Unregelmäßigkeit hin. Die unregelmäßige Pluralform findet man an derjenigen Stelle, an der der letzte Bestandteil der Zusammensetzung als Stichwort verzeichnet ist:

> **al·der·wom·an** [ˈɔːldərˌwumən] *s irr* Stadträtin *f.*
> **wom·an** [ˈwumən] **I** *s pl* **wom·en** [ˈwimin] **1.** Frau *f*, ...

b) Verbum

Verben, bei welchen keine weitere Grundform angegeben ist, bilden Präteritum und Partizip Perfekt regelmäßig, d. h. sofern der Infinitiv auf -e endet, durch Anfügung von -d (manage—managed), sofern der Infinitiv auf Konsonant + y endet, durch Umwandlung des -y in -ied (carry—carried), in allen anderen regelmäßigen Fällen durch Anfügung von -ed (turn—turned; play—played). Bei Verben, die ihre Grundformen abweichend von dieser Regel bilden, werden Präteritum (*pret*) und Partizip Perfekt (*pp*) verzeichnet. Hierunter fallen die unregelmäßigen starken und schwachen Verben und Verben mit Konsonantenverdopplung:

> **freeze** [friːz] **I** *v/i pret* **froze** [frouz] *pp* **froz·en** [ˈfrouzn] **1.** (ge)frieren, ...
>
> **build** [bild] **I** *v/t pret u. pp* **built** **1.** bauen, ...
>
> **hop**[1] [hɒp] **I** *v/i pret u. pp* **hopped** ...

Bei abgeleiteten oder zusammengesetzten unregelmäßigen Verben wird die Unregelmäßigkeit nur durch die Abkürzung *irr* angedeutet; Einzelheiten sind beim Simplex nachzuschlagen:

> **ˌo·verˈflow I** *v/i irr* **1.** ˈüberlaufen, ...

c) Adjektiv

Adjektive, die den auslautenden Konsonanten im Komparativ und Superlativ verdoppeln, sowie alle Adjektive und Adverbien, die unregelmäßig gesteigert werden, sind mit ihren Steigerungsformen gegeben:

> **big**[1] [big] *comp* **ˈbig·ger** *sup* **ˈbig·gest** ...
>
> **bad**[1] [bæd] **I** *adj comp* **worse** [wəːrs] *sup* **worst** [wəːrst] ...

II. AUSSPRACHE

Grundsätzlich ist bei jedem einfachen Stichwort die Aussprache ganz oder teilweise angegeben. Die Aussprachebezeichnung erfolgt nach den Grundsätzen der „International Phonetic Association" mit zwei durch

If in nouns ending in -th the pronunciation of -th is modified because of the addition of the plural -s the plural form is also entered in full:

> **bath**[2] [*Br.* bɑːθ; *Am.* bæ(ː)θ] **I** *s pl* **baths** [-ðz] ...

When a noun with an irregular plural appears as the last element of a compound, the irregularity is indicated only by the abbreviation *irr* (= irregular). The irregular plural form is given where the last element of the compound is listed as a separate entry word:

> **al·der·wom·an** [ˈɔːldərˌwumən] *s irr* Stadträtin *f.*
> **wom·an** [ˈwumən] **I** *s pl* **wom·en** [ˈwimin] **1.** Frau *f*, ...

b) Verb

When no principal parts are indicated, the past tense and past participle are formed regularly, i.e. in the following way: if the infinitive ends in -e, by adding -d (manage—managed); if the infinitive ends in -y preceded by a consonant, by changing the final -y into -ied (carry—carried); in all other regular cases by adding -ed (turn—turned; play—played). The past tense (*pret*) and past participle (*pp*) of verbs whose principal parts do not conform to this rule are given. Among these are the strong and irregular weak verbs and verbs which have a doubling of the final consonant:

> **freeze** [friːz] **I** *v/i pret* **froze** [frouz] *pp* **froz·en** [ˈfrouzn] **1.** (ge)frieren, ...
>
> **build** [bild] **I** *v/t pret u. pp* **built** **1.** bauen, ...
>
> **hop**[1] [hɒp] **I** *v/i pret u. pp* **hopped** ...

The irregularity of the compound and derived irregular verbs is shown by the abbreviation *irr* only. The user should consult the base verbs for the principal parts:

> **ˌo·verˈflow I** *v/i irr* **1.** ˈüberlaufen, ...

c) Adjective

Adjectives which double the final consonant in the comparative and in the superlative, and all irregularly compared adjectives and adverbs are entered with both comparative and superlative forms:

> **big**[1] [big] *comp* **ˈbig·ger** *sup* **ˈbig·gest** ...
>
> **bad**[1] [bæd] **I** *adj comp* **worse** [wəːrs] *sup* **worst** [wəːrst] ...

II. PRONUNCIATION

It is a general rule that either full or partial pronunciation is given for every simple entry word. The symbols used are those laid down by the International Phonetic Association with the addition of two special symbols

das amerikanische Englisch bedingten Sonderzeichen. Alle im Wörterbuch verwendeten Lautzeichen werden in der Lauttabelle auf S. XXIX ff. erklärt. Die phonetischen Angaben werden nach einem der folgenden Grundsätze gemacht:

1. Bei jedem ausgerückten Stichwort, das nicht eine Zusammensetzung von an anderer Stelle verzeichneten und phonetisch umschriebenen Stichwörtern ist, wird die Aussprache in eckigen Klammern — in der Regel unmittelbar hinter dem Stichwort — gegeben:

ask [*Br.* ɑːsk; *Am.* æ(ː)sk] **I** *v/t* **1.** ...

2. Jedes Stichwort, das ein mit Bindestrich verbundenes oder zusammengeschriebenes Kompositum ist aus zwei oder mehr an anderer Stelle phonetisch umschriebenen Stichwörtern, ist nur mit Betonungsakzenten vor den betonten Silben versehen. Das Zeichen [ˈ] stellt den Hauptakzent, das Zeichen [ˌ] den Nebenakzent dar. Die Aussprache ist beim jeweiligen Simplex nachzuschlagen und mit dem bei der Zusammensetzung gegebenen Betonungsschema zu kombinieren:

ˈblack-ˌeyed *adj* dunkel-, schwarz...
(siehe unter **black** und **eyed**)

3. Bei Stichwörtern, die getrennt geschriebene Komposita sind, werden keine Betonungsakzente gegeben. Die Aussprache ist beim jeweiligen Simplex nachzuschlagen:

con·ic pro·jec·tion *s* ˈKegel...

4. Stichwörter, die als Ableitungen an ein Simplex angehängt sind, werden häufig nur mit Betonungsakzenten und Teilumschrift versehen. Die Aussprache des nicht umschriebenen Wortteils ist unter Berücksichtigung eines eventuellen Akzentumsprungs dem vorausgehenden Stichwort zu entnehmen:

flu·or·o·scope [ˈfluərəˌskoup] *s phys.* Fluoroˈskop *n*, Röntgenbildschirm *m*. — **ˌflu·or·oˈscop·ic** [-ˈskɒpik] *adj* Röntgen...

Mehrere besonders häufige Endungen sind jedoch nicht bei jeder Ableitung, sondern nur in einer zusammenfassenden Liste auf S. XXXIII phonetisch umschrieben:

im·be·cile [ˈimbəsil] **I** *adj* **1.** *med.* geistesschwach, ... **ˌim·beˈcil·i·ty** *s* ...

5. Ändert sich die hinter dem Stichwort verzeichnete Aussprache für eine Wortart oder Bedeutung, so steht die veränderte Aussprache unmittelbar vor der entsprechenden Wortart oder Bedeutung, auf die sie sich bezieht:

con·crete [kɒnˈkriːt; kən-] **I** *v/t* ...
II *v/i* ... **III** *adj* [ˈkɒnkriːt; kɒnˈkriːt] ...

for American English. All the phonetic symbols used in the dictionary are explained in the Guide to Pronunciation on pp. XXIX—XXXIII. One or other of the following principles determines the pronunciation:

1. Every left-margin entry word that is not compounded of words listed and phonetically transcribed elsewhere in the dictionary is followed by the pronunciation in square brackets:

ask [*Br.* ɑːsk; *Am.* æ(ː)sk] **I** *v/t* **1.** ...

2. All compound entries, whether hyphened or written as one word, with elements listed and phonetically transcribed elsewhere in the dictionary are provided with stress marks in front of the stressed syllables. The notation [ˈ] stands for strong stress, the notation [ˌ] for weak stress. For the pronunciation of the different elements the user must consult the respective entries and combine what he finds there with the stress scheme given within the compound entry:

ˈblack-ˌeyed *adj* dunkel-, schwarz...
(cf. **black** and **eyed**)

3. No accents are given in compound entries written as two or more separate words. For the pronunciation the user must consult the respective simple entries:

con·ic pro·jec·tion *s* ˈKegel...

4. Derivatives run on after a simple entry often have only accents and part of the pronunciation given. That part of the word which is not transcribed phonetically has, apart from differences in stress, a pronunciation that is identical with that of the corresponding part of the preceding entry:

flu·or·o·scope [ˈfluərəˌskoup] *s phys.* Fluoroˈskop *n*, Röntgenbildschirm *m*. — **ˌflu·or·oˈscop·ic** [-ˈskɒpik] *adj* Röntgen...

A number of the more common suffixes, however, have not been transcribed phonetically after every derivative entry. They are shown, together with their phonetic transcription, in a comprehensive list on p. XXXIII:

im·be·cile [ˈimbəsil] **I** *adj* **1.** *med.* geistesschwach, ... **ˌim·beˈcil·i·ty** *s* ...

5. When the pronunciation given after the entry word changes for a particular part of speech or for a particular sense the different pronunciation appears immediately before the part of speech or sense to which it refers:

con·crete [kɒnˈkriːt; kən-] **I** *v/t* ...
II *v/i* ... **III** *adj* [ˈkɒnkriːt; kɒnˈkriːt] ...

III. URSPRUNGSBEZEICHNUNG

Nicht-anglisierte Stichwörter aus anderen Sprachen sind mit dem Kennzeichen ihrer Herkunft versehen und, wenn es sich um deutsche, französische, italienische oder spanische Wörter handelt, in der Herkunftssprache phonetisch umschrieben. Die Ursprungsbezeichnung, die kursiv in Klammern hinter der Ausspracheklammer steht, zeigt in diesen Fällen also gleichzeitig die Artikulationsbasis an:

ca·ma·ïeu [kama'jø] (*Fr.*) ...

Stehen in der eckigen Klammer zwei Lautschriften, so bezieht sich die erste auf die Herkunftssprache, die zweite stellt eine anglisierte Aussprache dar:

dé·jeu·ner [deʒœ'ne; 'deiʒəˌnei] (*Fr.*) ...

III. INDICATION OF ORIGIN

Non-assimilated foreign entry words are marked with the label of their origin. In addition German, French, Italian, and Spanish words are transcribed phonetically according to the respective language of origin. In these cases the origin label also indicates the basis of articulation:

ca·ma·ïeu [kama'jø] (*Fr.*) ...

When two pronunciations are given in square brackets the first refers to the language of origin, the second is an anglicized pronunciation:

dé·jeu·ner [deʒœ'ne: 'deiʒəˌnei] (*Fr.*) ...

IV. WORTARTBEZEICHNUNG

Die Angabe der Wortart (*s, adj, v/t, v/i, adv, pron, prep, conjunction*) folgt meist unmittelbar auf die Aussprache. Gehört ein Stichwort mehreren grammatischen Kategorien an, so steht die Wortartbezeichnung hinter jeder römischen Ziffer. Bei Stichwörtern mit pluralischem **-s** wie **acoustics, aesthetics** wird stets angegeben, ob das Wort als Singular oder als Plural konstruiert wird.

IV. PART-OF-SPEECH LABEL

As a rule the part-of-speech label immediately follows the pronunciation (*s, adj, v/t, v/i, adv, pron, prep, conjunction*). When an entry word has several parts of speech the part-of-speech label is given after every Roman numeral. In entries with plural **-s** as in **acoustics, aesthetics**, etc., there is always an indication as to whether the word in question is singular or plural in grammatical function.

V. BEZEICHNUNG DES SACHGEBIETS

Stichwörter, die einem besonderen Sachgebiet angehören, sind mit einer entsprechenden Bezeichnung versehen:

clause [klɔːz] *s* **1.** *ling.* Satz *m* ... **2.** *jur.* Klausel *f* ...

Die Stellung der Sachgebietsbezeichnung innerhalb des Stichwort-Artikels richtet sich danach, ob sie für das ganze Stichwort gilt oder nur für einige Bedeutungen. Unmittelbar hinter der Aussprache eines ausgerückten Stichworts kann sie für alle angehängten Ableitungen und Zusammensetzungen gelten, sofern diese nicht selbst andere Sachgebietsbezeichnungen tragen.

V. SUBJECT LABEL

Entries belonging to a particular field of knowledge are labelled accordingly:

clause [klɔːz] *s* **1.** *ling.* Satz *m* ... **2.** *jur.* Klausel *f* ...

The position of the subject label within an entry depends on whether it refers to the whole entry or only to one or more senses within the entry. When the subject label stands immediately after the pronunciation of a left-margin entry word it can refer to all run-on derivatives and compounds provided that these are not themselves marked with other subject labels.

VI. BEZEICHNUNG DER REGIONALEN VERBREITUNG

Die auf einen bestimmten Teil des englischen Sprachgebiets beschränkten Stichwörter sind mit der Angabe ihrer regionalen Verbreitung (*Am., Austral., Br., Canad.* etc.) versehen. Diese Bezeichnungen sind annähernde Hinweise auf gegenwärtige Sprachverhältnisse oder berücksichtigen die historische Entwicklung.

VI. GEOGRAPHICAL LABEL

Entry words used only or chiefly in a particular area of the English-speaking world are marked with a label of geographical distribution (*Am., Austral., Br., Canad.*, etc.). These labels are to be taken as approximate indications of present linguistic conditions or as referring to the historical development.

VII. BEZEICHNUNG DER SPRACHGEBRAUCHSEBENE

Bei Stichwörtern, die auf irgendeine Weise von der Hochsprache (Standard English) abweichen, ist vermerkt, auf welcher Sprachgebrauchsebene sie stehen (*vulg.*, *sl.*, *colloq.*, *dial.*, *poet.*, *obs.*, *hist.*). Wo immer möglich, wurde als deutsche Übersetzung ein Wort derselben Sprachgebrauchsebene gegeben. Bei den mit *vulg.*, *sl.* oder *colloq.* gekennzeichneten Stichwörtern steht die deutsche Übersetzung, wenn sie derselben Sprachgebrauchsebene angehört, in einfachen Anführungszeichen; ihr folgt (wo notwendig) der hochsprachliche Ausdruck als zusätzliche Übersetzung oder Erläuterung:

broke[3] [brouk] *adj sl.* **1.** ‚abgebrannt', ‚pleite', ‚blank' (*ohne Geld*): ...

VII. USAGE LABEL

When an entry deviates in any way from Standard English the level of usage is indicated (*vulg.*, *sl.*, *colloq.*, *dial.*, *poet.*, *obs.*, *hist.*). Wherever possible, the German translation has been drawn from the same usage-level. In entries designated as *vulg.*, *sl.*, or *colloq.* the German translation—if drawn from the same level of usage—is placed in inverted commas and is followed, wherever necessary, by the pertinent standard expression in German as an additional translation or explanation:

broke[3] [brouk] *adj sl.* **1.** ‚abgebrannt', ‚pleite', ‚blank' (*ohne Geld*): ...

VIII. DEUTSCHE ÜBERSETZUNG DES ENGLISCHEN STICHWORTS

Die deutsche Übersetzung des englischen Stichworts erscheint in Grundschrift. Bei der Anordnung der verschiedenen durch arabische Ziffern getrennten Bedeutungen wurden die häufigsten und wichtigsten Bedeutungen zuerst aufgeführt.

1. Rechtschreibung und Genusangabe. Für die Rechtschreibung war im wesentlichen „Duden, Rechtschreibung der deutschen Sprache und der Fremdwörter" maßgebend. Abweichend von den Grundsätzen der Dudenredaktion wurden jedoch, um Mißverständnisse auszuschließen, die zu Tier- und Pflanzennamen gehörenden Adjektive, sofern sie mit den Substantiven einen festen Begriff bilden, groß geschrieben. Die Angabe des Geschlechts eines Substantivs durch *m*, *f*, *n* wurde, so weit als möglich, in Anlehnung an Duden durchgeführt. Die Genusangabe unterblieb

a) in den Fällen, in denen das Geschlecht eines Substantivs aus dem Kontext eindeutig hervorgeht (z. B. niedriger Tisch; Arbeiter, der etwas einbettet),

b) wenn die Übersetzung die männliche oder weibliche Endung in Klammern bringt, wobei sich der Benutzer den unbestimmten Artikel hinzudenken muß: Unverheiratete(r), Verkäufer(in),

c) bei kursiven Erklärungen,

d) bei den Übersetzungen von Anwendungsbeispielen und

e) wenn das deutsche Substantiv im Plural steht. In diesem Fall steht die Bezeichnung *pl* hinter dem deutschen Wort.

2. Akzente. Bei allen deutschen Wörtern, die dem nichtdeutschen Benutzer in der Betonung Schwierigkeiten verursachen könnten, sind Betonungsakzente gesetzt.

VIII. THE GERMAN TRANSLATION OF THE ENGLISH ENTRY

The German translation of the English entry is printed in plain type. In the arrangement of the separate senses indicated by Arabic numerals the most frequent and most important have been listed first.

1. Spelling and Gender. As a rule the spelling given is that recommended by "Duden, Rechtschreibung der deutschen Sprache und der Fremdwörter". In the case, however, of animal and plant names, where adjectives are combined with nouns in established terms, we have departed from the practice of the editors of "Duden", and have given these adjectives initial capitals, in order to avoid any possibility of ambiguity. The gender of nouns (indicated by the notations *m*, *f*, *n*) is, as far as possible, in accordance with "Duden". Gender is not indicated

a) whenever it can be clearly inferred from the context (e.g. niedriger Tisch; Arbeiter, der etwas einbettet),

b) whenever in the translation the masculine or feminine suffix is given in brackets; in such cases the user must insert the required form of the indefinite article: Unverheiratete(r), Verkäufer(in),

c) in all explanations in italics,

d) in the translations of illustrative phrases, and

e) whenever the German noun is in the plural. In this case the designation *pl* follows the German word.

2. Stress Marks. Accentuation is given with those German words which might cause difficulty to the non-German user. The primary stress is indicated by the

Der Hauptakzent wird durch das Zeichen [ˈ], der Nebenakzent durch das Zeichen [ˌ] wiedergegeben. Die Akzente stehen vor dem Buchstaben, mit dem die betonte orthographische Silbe beginnt. Sie werden gesetzt bei

a) Fremdwörtern, die nicht auf der ersten Silbe betont werden,

b) deutschen Wörtern, die nicht auf der ersten Silbe betont werden, außer wenn es sich um eine der stets unbetonten Vorsilben be-, emp-, ent-, er-, ge-, ver-, zer- handelt, und

c) deutschen Wörtern, die mit einer bald betonten, bald unbetonten Vorsilbe beginnen: durch-, her-, hin-, hinter-, miß-, über-, um-, unter-, wider-, wieder-.

Ist bei einer deutschen Übersetzung ein Bestandteil eingeklammert, zum Zeichen dafür, daß er auch wegfallen kann, so erfolgt die Akzentsetzung mit Haupt- und Nebenakzent für das gesamte Wort. Steht bei Wegfall des eingeklammerten Wortbestandteils nur ein Nebenakzent auf dem verbleibenden Wort, so wird dieser zum Hauptakzent, z. B. (Kriˈstall)Deˌtektorempfänger.

Bei kursiven Erklärungen und bei den Übersetzungen von Anwendungsbeispielen werden keine Akzente gegeben.

3. Namen chemischer Stoffe. Bei Stichwörtern aus den Sachgebieten der Chemie und Mineralogie, die chemische Stoffe bezeichnen, wird hinter der deutschen Übersetzung die Summenformel in Klammern angegeben, im Falle von Elementen nur das chemische Zeichen.

4. Namen von Pflanzen und Tieren. Bei Pflanzen- und Tiernamen wird hinter der deutschen Übersetzung die lateinische Bezeichnung in Klammern und kursiv gegeben. Der unbestimmte Artikel (kursiv und in Klammern) vor einem Pflanzen- oder Tiernamen deutet an, daß entweder die deutsche Übersetzung und die lateinische Bezeichnung bedeutungsmäßig umfassender sind als das englische Stichwort oder daß die deutsche Übersetzung umfassender ist als das englische Stichwort und die lateinische Bezeichnung.

5. Kursive Erklärungen können anstelle der Übersetzung stehen — meist nur, wenn es sich um einen unübersetzbaren Ausdruck handelt — oder in Klammern hinter einer Übersetzung.

IX. HINWEISE ZUR REKTION

Vor der deutschen Übersetzung stehen in der Regel (kursiv und in Klammern) Dativ- und Akkusativobjekte von Verben:

notation [ˈ], the secondary stress by the notation [ˌ]. The stress marks have been placed immediately before the first letter of the stressed orthographical syllable. The following categories of words have been given stress marks:

a) foreign words which are not stressed on the first syllable,

b) German words which are not stressed on the first syllable except for those beginning with one of the following unstressed prefixes: be-, emp-, ent-, er-, ge-, ver-, zer-, and

c) German words beginning with a prefix which is sometimes stressed and sometimes not: durch-, her-, hin-, hinter-, miß-, über-, um-, unter-, wider-, wieder-.

When an element of the German translation is given in brackets, as an indication that omission is possible, the accentuation (with primary and secondary stress) applies to the entire word. When such an element is omitted, however, and there is a secondary stress on the remaining component, this then becomes the primary stress, e.g. (Kriˈstall)Deˌtektorempfänger.

No accentuation is given in explanations in italics nor in the translations of illustrative phrases.

3. Names of Chemical Substances. Entries denoting chemical substances drawn from the fields of chemistry and mineralogy have the appropriate formulae in brackets after the German translation; in the case of elements the chemical symbol only is given.

4. Names of Plants and Animals. In such entries the German translation is followed by the Latin name (italicized and in brackets). When the German translation of such an entry is preceded by an indefinite article (italicized and in brackets), this indicates either that the German translation and the Latin term for it cover a wider variety of meaning than the English entry word, or that the German translation covers a wider variety of meaning than both the English entry and the Latin term for it.

5. Explanations in Italics may be given instead of the translation—but generally only when the English word is untranslatable—or in brackets after the translation.

IX. INDICATION OF GRAMMATICAL CONTEXT

The direct and indirect objects of verbs are printed in italics. They have been placed in brackets before the German translation:

e·lude ... *v/t* ... **2.** (*Gesetz etc*) um'gehen ...

Hinter der deutschen Übersetzung kann (kursiv und in Klammern) ein Subjekt verzeichnet sein:

eas·y ... *adj* ... **12.** locker, frei (*Moral etc*) ...
die ... *v/i* ... **2.** eingehen (*Pflanze, Tier*) ...

Ist ein englisches transitives Verb nicht transitiv übersetzt, so wird die abweichende Rektion bei der deutschen Übersetzung angegeben:

di·rect ... *v/t* ... **8.** (*j-m*) den Weg zeigen *od.* weisen ...

Bei englischen Stichwörtern (Substantiven, Adjektiven, Verben), die von einer bestimmten Präposition regiert werden, sind diese Präposition (in Auszeichnungsschrift) und ihre deutsche Entsprechung (in Grundschrift) innerhalb der arabischen Unterabteilung angegeben. Folgende Anordnungen sind möglich:

1. Steht die englische Präposition zusammen mit der deutschen Rektionsangabe *am Ende* aller Übersetzungen einer arabischen Untergruppe, dann gilt die deutsche Rektionsangabe für alle Übersetzungen dieser Untergruppe:

de·tach·ment ... *s* **1.** Absonderung *f*, (Ab)Trennung *f*, (Los)Lösung *f* (**from** von) ...

2. Steht die englische Präposition *vor* den deutschen Übersetzungen einer arabischen Untergruppe und die deutsche Rektionsangabe jeweils hinter den einzelnen Übersetzungen, dann gilt die deutsche Rektionsangabe nur für die Übersetzung oder die Übersetzungen, die ihr unmittelbar vorausgehen:

con·sent ... *s* **5.** (**to**) Zustimmung *f* (zu), Einwilligung *f* (in *acc*), Genehmigung *f* (für) ...

con·gru·ent *adj* **1.** (**with**) über'einstimmend (mit), entsprechend, gemäß (*dat*) ...

d. h., „entsprechend" und „gemäß" werden mit dem Dativ konstruiert.

stip·u·late ... *v/i* **1.** (**for**) über'einkommen, eine Vereinbarung treffen (über *acc*), ausbedingen, stipu'lieren (*acc*).

d. h., „übereinkommen" und „eine Vereinbarung treffen" werden mit über + Akkusativ konstruiert, „ausbedingen" und „stipulieren" mit dem Akkusativ.

Bei den deutschen Präpositionen, die sowohl den Dativ als auch den Akkusativ regieren können, wird der Kasus angegeben:

com·mem·o·rate ... erinnern an (*acc*) ...

e·lude ... *v/t* ... **2.** (*Gesetz etc*) um'gehen ..

Where necessary the subject of an adjective or verb is indicated in italics and in brackets after the German translation:

eas·y ... *adj* ... **12.** locker, frei (*Moral etc*) ...
die ... *v/i* ... **2.** eingehen (*Pflanze, Tier*) ...

When an English transitive verb cannot be translated with an appropriate German transitive verb the difference in construction has been indicated:

di·rect ... *v/t* ... **8.** (*j-m*) den Weg zeigen *od.* weisen ...

English prepositions governing certain entry words (nouns, adjectives, verbs) are indicated within the subdivisions under Arabic numerals in lightface type, followed by their German equivalents in plain type. The following arrangements are possible:

1. When the English preposition and its German equivalent (either a preposition or indication of the case required) *follow* all the translations of a particular subdivision under an Arabic numeral, the German preposition (or other grammatical indication) then applies to all the translations of this particular subdivision:

de·tach·ment ... *s* **1.** Absonderung *f*, (Ab)Trennung *f*, (Los)Lösung *f* (**from** von) ...

2. When the English preposition *precedes* the German translations of a subdivision under an Arabic numeral and the German preposition or prepositions (or other grammatical indication) follow each individual translation, the latter applies only to the translation or the translations immediately preceding:

con·sent ... *s* **5.** (**to**) Zustimmung *f* (zu), Einwilligung *f* (in *acc*), Genehmigung *f* (für) ...

con·gru·ent *adj* **1.** (**with**) über'einstimmend (mit), entsprechend, gemäß (*dat*) ...

i.e. "entsprechend" and "gemäß" are construed with the dative.

stip·u·late ... *v/i* **1.** (**for**) über'einkommen, eine Vereinbarung treffen (über *acc*), ausbedingen, stipu'lieren (*acc*).

i.e. "übereinkommen" and "eine Vereinbarung treffen" are construed with "über" + accusative, "ausbedingen" and "stipulieren" with the accusative only.

For German prepositions which can govern both the dative and the accusative, the required case is indicated:

com·mem·o·rate ... erinnern an (*acc*) ...

X. ANWENDUNGSBEISPIELE

Sie dienen der weiteren Information über das Stichwort (Konstruktion im Satzzusammenhang, Wendungen, nominale Verbindungen) und stehen in Auszeichnungsschrift unmittelbar hinter der deutschen Übersetzung des Stichworts. Die magere Tilde ersetzt dabei stets das gesamte halbfette Stichwort:

get ... ~ **a·long** ... to ~ well gut vorwärtskommen, gute Fortschritte machen. (Das Anwendungsbeispiel lautet also to get along well).

Die deutsche Übersetzung des Anwendungsbeispiels ist gelegentlich weggelassen, wenn sie sich aus den Bedeutungen der einzelnen Wörter von selbst ergibt.

X. ILLUSTRATIVE PHRASES

Illustrative phrases have been supplied to give further information on the entry word (i.e. construction within a given sentence, idiomatic usage, noun phrases). They follow the German translation of the entry word. The English phrase is printed in lightface type, the German translation in plain type. The lightface tilde always replaces the entire boldface entry word:

get ... ~ **a·long** ... to ~ well gut vorwärtskommen, gute Fortschritte machen. (The illustrative phrase in this case is to get along well).

When the German translation of an illustrative phrase can easily be gathered from the meanings of the separate words, it has occasionally been omitted.

XI. BESONDERE REDEWENDUNGEN

Bei sehr umfangreichen Stichwörtern sind idiomatische Wendungen und sprichwörtliche Redensarten in einem gesonderten Abschnitt „Besondere Redewendungen" am Ende des Stichwort-Artikels zusammengefaßt.

XI. IDIOMATIC EXPRESSIONS

In some instances, where the entry is very long, idiomatic expressions and proverbs have been collected in a special paragraph ("Besondere Redewendungen") at the end of the entire entry.

XII. VERBINDUNGEN MIT PRÄPOSITIONEN BZW. ADVERBIEN

Verbindungen mit Präpositionen oder Adverbien sind als halbfette Stichwörter in einem gesonderten Abschnitt unmittelbar an den jeweiligen Verb-Artikel angehängt und stehen somit außerhalb der strengen alphabetischen Reihenfolge. Verbindungen mit Präpositionen wurden als Einheit aufgefaßt und als transitiv gekennzeichnet.

XII. VERB PHRASES

Verb-preposition and verb-adverb phrases are entered in boldface type in a separate paragraph following on the simple verb entry; they are hence not in strict alphabetical order. Verb-preposition phrases have been treated as a single unit and are consequently marked transitive.

XIII. VERWEISE

1. Verweise von Stichwörtern. Mit der Abkürzung *cf.* werden Verweise zwischen Stichwörtern begonnen, die sich nur in der Schreibung, nicht in Aussprache oder Bedeutung unterscheiden:

hark·en *cf.* hearken.

In allen anderen Fällen, in denen nur Bedeutungsgleichheit zwischen verschiedenen Stichwörtern besteht, wird durch einen Pfeil vom weniger gebräuchlichen auf das gebräuchlichere verwiesen:

a·nat·i·fer ... → goose barnacle.

XIII. CROSS REFERENCES

1. Cross references between entry words. The designation *cf.* is used for cross references between entry words that differ in spelling only, but not in pronunciation or meaning:

hark·en *cf.* hearken.

An arrow is used when two or more entry words have the same meaning but differ in spelling and pronunciation. The cross reference is made from the less frequent to the more frequent entry:

a·nat·i·fer ... → goose barnacle.

2. Verweise von Anwendungsbeispielen. Oft wird hinter oder anstelle von Anwendungsbeispielen mittels Pfeil auf ein anderes Stichwort verwiesen. Dort findet der Benutzer ein Anwendungsbeispiel, in dem beide Stichwörter vorkommen:

> **bat²** ... *s* **1.** *zo.* Fledermaus *f* ...: **to be as blind as a ~** stockblind sein; → **belfry** 2. ...
> **bel·fry** ... *s* **1.** ... **2.** Glockenstuhl *m*, -gehäuse *n*: **he has bats in his ~** ...

> **be·fore** ... **7.** vor (*unter dem Antrieb von*): → **carry** 15; ...
> **car·ry** ... **15.** fortreißen, -tragen: ...; **to ~ all** (*od.* **everything** *od.* **the world**) **before one** ...

XIV. SYNONYME

Bei gewissen Stichwörtern werden, durch die Abkürzung *SYN.* gekennzeichnet, sinnverwandte Wörter gegeben, oder es wird auf ein sinnverwandtes Stichwort verwiesen (*SYN. cf.*), wo sich eine solche Zusammenstellung findet. Dies geschieht nicht im Sinne einer systematischen Synonymik, sondern soll — in enger Anlehnung an *Webster's New Collegiate Dictionary* — dem Benutzer die Möglichkeit zum Nachschlagen weiterer deutscher Entsprechungen bieten.

2. Cross references between illustrative phrases. In many cases a cross reference to another entry by means of an arrow is given after or in place of an illustrative phrase. In the place referred to the user will find an illustrative phrase containing both entry words:

> **bat²** ... *s* **1.** *zo.* Fledermaus *f* ...: **to be as blind as a ~** stockblind sein; → **belfry** 2. ...
> **bel·fry** ... *s* **1.** ... **2.** Glockenstuhl *m*. -gehäuse *n*: **he has bats in his ~** ...

> **be·fore** ... **7.** vor (*unter dem Antrieb von*): → **carry** 15; ...
> **car·ry** ... **15.** fortreißen, -tragen: ...; **to ~ all** (*od.* **everything** *od.* **the world**) **before one** ...

XIV. SYNONYMS

After certain entries a list of related words is given preceded by the abbreviation *SYN.*, or reference is made to such a list by means of the designation *SYN. cf.* This arrangement, adapted from *Webster's New Collegiate Dictionary*, is not meant to be a systematic synonymy; the purpose is rather to help the user in his quest for more German equivalents.

ERLÄUTERUNG DER PHONETISCHEN UMSCHRIFT

GUIDE TO PRONUNCIATION

Die phonetische Umschrift wird in diesem Wörterbuch nach den Grundsätzen der „International Phonetic Association“ (IPA) gegeben. Da die Aussprache des amerikanischen Englisch – nach dem Grundsatz der Gleichberechtigung von britischem und amerikanischem Englisch – bei allen wesentlichen Abweichungen vom britischen Englisch angezeigt wird, mußten auch zwei für das britische Englisch nicht notwendige phonetische Zeichen herangezogen werden. Diese werden in Anlehnung an IPA-Prinzipien verwendet und sind auch an sich leicht verständlich, so daß sie den nur auf die Aussprache des britischen Englisch Wert legenden Benutzer nicht stören.

A. Vokale und Diphthonge (*Vgl. auch unter C*)

Die *Länge* eines Vokals wird durch das Zeichen [ː] angegeben, die Kürze wird nicht bezeichnet, z. B. see [siː] und it [it].

Lautsymbol	Englisches Beispielwort	Lautcharakteristik
[iː]	see [siː]	Langes i, wie in „Biene“, jedoch dumpfer, also näher dem [e] liegend, als süddeutsches langes i. Vorderzungenvokal. Die Vorderzunge ist in der höchstmöglichen Stellung. Mund nur wenig geöffnet; Lippen nicht stark gespreizt (auseinandergezogen).
[i]	it [it]	Kurzes, offenes i, wie in „mit“. Zungenstellung und Mundöffnung etwa wie bei [iː], jedoch Zunge etwas niedriger. Die Sprachorgane sind nicht so gespannt wie bei [iː], sondern schlaff.
[e]	get [get]	Kurzes e, wie in „Bett“. Schlaffer Vorderzungenvokal. Mund nur wenig geöffnet.
[ɛ]	fair [fɛ*r*]	Offener, zwischen [e] und [æ] liegender Laut wie ä in „lästig“. Lippen etwas gespreizt (auseinandergezogen). [ɛ] kommt nur vor r vor, das im amerikanischen Englisch gesprochen, im britischen Englisch durch [ə] ersetzt wird. In letzterem Falle entsteht der Diphthong [ɛə]. Vgl. unter [r] und [*r*].
[æ]	cat [kæt]	Laut existiert im Deutschen nicht. Er ähnelt dem Vokal in „bäh!“ (Schafblöken) oder der Interjektion „äh!“. Vorderzunge tief, Mund weit geöffnet. Laut nicht zu kurz sprechen.
[æ(ː)]	half *Am.* [hæ(ː)f]	Kurzes oder langes [æ] im amerikanischen Englisch, wie es im Westen und Süden der USA – mit Ausnahme von Ostvirginia – gesprochen wird und auch im Osten weiter im Vordringen ist.

Lautsymbol	Englisches Beispielwort	Lautcharakteristik
[ɑː]	father ['fɑːðər]	Langes, „dunkles", ein wenig nach [ɔ] klingendes a, deutlich vom „hellen" deutschen a unterschieden. Hinterzungenvokal. Die Zunge liegt tief. Mund ziemlich weit geöffnet. Keine Lippenrundung.
[ɑ]	Vgl. unter [ɒ]	
[ɒ]	hot [hɒt]	
	= [ɔ] im britischen Englisch [hɔt]	Sehr offenes, kurzes o, dem [ɑ] nahestehend. Hinterzungenvokal. Tiefe Zungenstellung. Leichte Lippenrundung ohne Vorstülpung. Mund ziemlich weit geöffnet.
	= [ɑ] im amerikanischen Englisch [hɑt]	Kurzes a, weitere Lautcharakteristik wie bei [ɑː]. Auch die „Entrundung" von [ɔ] führt zu [ɑ].
[ɔ]	Vgl. unter [ɒ]	
[ɔː]	saw [sɔː]	Langes [ɔ], aber nicht so offen wie bei [ɔ] und Lippen stärker gerundet.
[o]	molest [mo'lest]	Kurzes, geschlossenes o wie in „Protest". Anstelle dieses relativ seltenen [o] in unbetonten Silben steht häufig [ou] oder [ə].
[u]	put [put]	Kurzes u wie in „Kutsche". Hinterzungenvokal. Lippen gerundet, aber nicht vorgestülpt. Mund nur wenig geöffnet.
[uː]	too [tuː]	Langes u wie in „Kuh". Geschlossener Hinterzungenvokal. Mund weniger geöffnet und Lippenrundung stärker als bei [u].
[ʌ]	up [ʌp]	Laut existiert im Deutschen nicht. Keinesfalls deutsches ö, besser schon kurzes a als Ersatz. Hinterzungenvokal, doch schon an der Grenze zum Mittelzungenvokal. Lippen ein wenig gespreizt (auseinandergezogen). Mund ziemlich weit geöffnet.
[əː]	bird [bəːrd]	Ähnlich dem e in „Gabe", aber lang. Mittelzungenvokal. Lippen gespreizt (auseinandergezogen). Mund wenig geöffnet. Vgl. auch [r].
[ə]	china ['tʃainə]	Etwa gleich dem e in „bitte". Findet sich im Englischen und Deutschen nur in unbetonten Silben. Dieser sog. „neutrale Vokal" oder „Murmellaut" kann in unbetonten Silben für alle Vollvokale eintreten. Sehr kurzer Mittelzungenvokal.
	bacterial [bæk'ti(ə)riəl]	(ə) in runder Klammer zeigt an, daß ein ə im britischen Englisch, jedoch nicht im amerikanischen Englisch, zu sprechen ist.
[ei]	day [dei]	Diphthong bestehend aus [e] und folgendem [i].
[ou]	go [gou]	Diphthong bestehend aus [o] und folgendem [u].
[ai]	fly [flai]	Diphthong bestehend aus „hellem" (palatalem) [a], wie in „Mann", und folgendem [i]; jedoch erreicht die Zunge die [i]-Stellung meist nicht ganz, sondern nur [e].
[au]	how [hau]	Diphthong bestehend aus „hellem" (palatalem) [a], wie in „Mann", und folgendem [u]; jedoch erreicht die Zunge die [u]-Stellung meist nicht ganz, sondern nur [o].
[ɔi]	boy [bɔi]	Diphthong bestehend aus [ɔː] — jedoch ohne Länge — und folgendem [i].

B. Konsonanten (*Vgl. auch unter C*)

Die Konsonanten [b, p, d, t, g, k, f, h, m und n] werden im großen ganzen wie im Deutschen ausgesprochen. [b, d, g] werden voll stimmhaft, [p, t, k] deutlich stimmlos (mit nachfolgendem Hauch) gesprochen. Das Reibegeräusch bei f ist stärker als im Deutschen.

Lautsymbol	Englisches Beispielwort	Lautcharakteristik
[l]		Mit [l] werden zwei Arten von l-Lauten im Englischen wiedergegeben.
	1. leg [leg]	Helles l vor Vokalen. Mit Hebung der Vorderzunge.
	2. table ['teibl]	Dunkles (u-haltiges) l vor Konsonanten und im absoluten Auslaut. Mit Hebung der Hinterzunge.
[r]	bright [brait]	Weder ein deutsches Zäpfchen-r noch ein gerolltes Zungenspitzen-r. [r] wird in diesem Wörterbuch für eine Reihe von r-Lauten verwandt. Allen gemeinsam ist die Beteiligung der Zungenspitze an der Lautbildung. Die Zungenspitze bildet mit dem oberen Zahnwulst eine lose Enge, durch die der Ausatmungsstrom mit Stimmton hindurchgetrieben wird, ohne den Laut zu rollen. Im amerikanischen Englisch entsteht ein Reibegeräusch nur noch selten, so daß der Laut Vokalcharakter annimmt. Beim sog. retroflexen r biegt sich die Zungenspitze sogar noch in Richtung des harten Gaumens zurück, so daß keine echte Enge mehr entsteht. Dieses retroflexe r ist charakteristisch für das amerikanische Englisch. Im Gegensatz zum britischen Englisch wird es von der Mehrzahl der amerikanischen Sprecher vor allem im Auslaut und vor Konsonant gesprochen (fathe*r*, fa*r*m).
[*r*]	farm [fɑː*r*m]	Dieses r in Kursivschrift steht in allen Fällen, in denen im amerikanischen Englisch im Gegensatz zum britischen Englisch ein r gesprochen wird (vgl. Erläuterung zu [r]). Die entsprechende Aussprache für das britische Englisch erzielt man durch Weglassen von *r* nach [ɑː], [ɔː], [əː] und [ə] bzw. durch Ersetzen des *r* durch ə nach [i], [u], [ɛ], [ai] und [au]. [*r*] am Ende eines Wortes zeigt auch an, wo im britischen Englisch meist ein r zur Bindung gesprochen wird, wenn das unmittelbar folgende Wort mit einem Vokal beginnt.
[v]	very ['veri]	Aussprache des englischen [v] wie w in „Welt". Deutlich stimmhaft und mit stärkerem Reibegeräusch als im Deutschen.
[s]	soul [soul]	Stimmloses s, etwa wie in „reißen".
[z]	zone [zoun]	Stimmhaftes s, etwa wie in „Rose".
[ŋ]	long [lɒŋ]	Wie ng in „lang", aber ohne den im Deutschen häufigen g- oder k-Nachlaut.
[ʃ]	ship [ʃip]	Stimmlos wie deutsches sch, aber ohne Vorstülpen der Lippen oder Lippenrundung.
[ʒ]	measure ['meʒə*r*]	Stimmhaftes sch wie es für g bzw. j in deutschen Fremdwörtern französischen Ursprungs gesprochen wird: *G*enie, Eta*g*e, *J*ournal.
[θ]	thin [θin]	Laut existiert im Deutschen nicht. Stimmloser Reibelaut. Die Zungenspitze wird an die Rückwand der oberen Schneidezähne angelegt. Häufig schiebt sich bei der Artikulation die Zungenspitze zwischen die oberen und unteren

Lautsymbol	Englisches Beispielwort	Lautcharakteristik
		Schneidezähne. Die Zunge bleibt ohne Spannung, flach und „breitgezogen". Kräftiges Reibegeräusch. Keinesfalls Ersetzung durch einen s- oder f-Laut.
[ð]	then [ðen]	Wie [θ] gebildet, aber deutlich stimmhaft.
[x]	loch [lɒx]	Velarer Reibelaut wie ch in „ach". Nur im Schottischen üblich.
		Halbvokale
[w]	water [ˈwɔːtər]	Laut existiert im Deutschen nicht. Keinesfalls deutsches w oder v. Zungenstellung und Lippenrundung wie bei [uː]. Aus dieser Mundstellung heraus wird flüchtiges [u] gesprochen mit einem Hinübergleiten zum folgenden Vokal des betreffenden Wortes.
[(h)w]	wheel [(h)wiːl]	Im amerikanischen Englisch wird in der Aussprache genau zwischen der w- und wh-Schreibung unterschieden. Bei wh-Wörtern wird [hw] gesprochen, d. h. ein Hauchlaut [h], dem sich unmittelbar ein [w] anschließt. [hw] wird in wh-Wörtern auch von manchen Engländern gesprochen.
[j]	yes [jes]	Im Unterschied zum deutschen [j] hat das englische [j] weniger Reibegeräusch. Es ist mehr ein Gleitlaut, der mit einem flüchtigen [i] beginnt und zum folgenden Vokal weitergleitet.

C. Lautsymbole der nicht-anglisierten Stichwörter

In nicht-anglisierten Stichwörtern, d. h. in Fremdwörtern, die noch nicht als eingebürgert empfunden werden, wurden gelegentlich einige zusätzliche Lautsymbole der IPA verwandt, um die nicht-englische Lautung zu kennzeichnen. Die nachstehende Liste gibt einen Überblick über diese Symbole und Beispielwörter der betreffenden Sprache.

	Deutsch	Französisch	Italienisch	Spanisch
a	Ratte	femme	partire	cabaña
aː	Qual	noir		
ɑ		pas		
ɑː		âme		
ɑ̃		enfant		
ɑ̃ː		danse		
ɛ	fällen	belle	castello	central
ɛː	gähnen	mère		
ɛ̃		fin		
ɛ̃ː		prince		
ɔ̃		bonbon		
ɔ̃ː		nombre		
ø		feu		
øː	schön	chanteuse		
œ	öfter	jeune		
œː		fleur		
œ̃		lundi		
œ̃ː		humble		
y		vu		
yː	Mühle	mur		
ɲ		Allemagne	signore	cabaña
ɥ		muet		
ʎ			egli	caballero
ç	ich			
x	ach			jefe

D. Betonungsakzente

Die Betonung der englischen Wörter wird durch Akzente vor den zu betonenden Silben angezeigt. ['] bedeutet Hauptakzent, [ˌ] Nebenakzent. Sind zwei Silben eines Wortes mit Hauptakzenten versehen, so sind beide gleichmäßig zu betonen, z. B. „downstairs" ['daun'stɛrz]. Häufig wird in diesen Fällen, je nach der Stellung des Wortes im Satzverband oder in nachdrucksvoller Sprache, nur eine der beiden Silben betont, z. B. „the downstairs rooms" ['daunstɛrz] oder „on going downstairs" [daun'stɛrz]. Diese mehr satzphonetisch bedingten Akzente können naturgemäß in einem Wörterbuch nicht angezeigt werden.

E. Endungen ohne Lautschrift

Um Raum zu sparen, werden die häufigsten Endungen der englischen Stichwörter hier im Vorwort einmal mit Lautschrift gegeben, dann aber im Wörterverzeichnis ohne Lautumschrift verzeichnet (sofern keine Ausnahmen vorliegen).

-ability [-əbiliti]
-able [-əbl]
-age [-idʒ]
-al [-(ə)l]
-ally [-əli]
-an [-ən]
-ance [-əns]
-ancy [-ənsi]
-ant [-ənt]
-ar [-ər]
-ation [-eiʃən]
-cious [-ʃəs]
-cy [-si]
-dom [-dəm]
-ed [-(i)d]
-en [-(ə)n]
-ence [-(ə)ns]
-ent [-(ə)nt]
-er [-ər]
-ess [-is]
-fication [-fikeiʃən; -fə-]
-ficence [-fisns; -fəsns]
-ficent [-fisnt; -fəsnt]
-hood [-hud]
-ial [-iəl; -jəl]
-ian [-iən; -jən]
-ibility [-əbiliti; -ib-; -əti]
-ible [-əbl; -ibl]
-ic [-ik]
-ical [-ikəl]
-ically [-ikəli]
-ily [-ili; -əli]
-ing [-iŋ]
-ish [-iʃ]
-ism [-izəm]
-ist [-ist]
-istic [-istik]
-istical [-istikəl]
-istically [-istikəli]
-ite [-ait]
-ity [-iti; -əti]
-ive [-iv]
-ization [-aizeiʃən; *Am. auch* -iz-; -əz-]
-ize [-aiz]
-izing [-aiziŋ]
-less [-lis]
-ly [-li]
-ment [-mənt]
-most [-moust; -məst]
-ness [-nis]
-oid [-ɔid]
-oidic [-ɔidik]
-ous [-əs]
-scence [-sns]
-scent [-snt]
-ship [-ʃip]
-sion [-ʃən]
-ties [-tiz]
-tion [-ʃən]
-tious [-ʃəs]
-trous [-trəs]
-ward [-wərd]
-y [-i]

VERZEICHNIS DER IM WÖRTERBUCH VERWANDTEN ABKÜRZUNGEN

ABBREVIATIONS USED IN THIS DICTIONARY

acc	*accusative*, Akkusativ
act	*active*, aktiv
adj	*adjective*, Adjektiv
adv	*adverb*, Adverb
aer.	*aeronautics*, Luftfahrt
afrik., *afrik.*	afri'kanisch, *African*
agr.	*agriculture*, Landwirtschaft
allg., *allg.*	allgemein, *generally*
Am.	(*originally or chiefly*) *American English*, (ursprünglich oder hauptsächlich) amerikanisches Englisch
amer., *amer.*	ameri'kanisch, *American*
antiq.	*antiquity*, Antike
Apg.	Apostelgeschichte, *Acts of the Apostles*
(*Arab.*)	*Arabic*, arabisch
arab., *arab.*	a'rabisch, *Arabic*
arch.	*architecture*, Architektur
asiat., *asiat.*	asi'atisch, *Asiatic*
astr.	*astronomy*, Astronomie, *astrology*, Astrologie
Austral.	*Australian*, australisch
austral., *austral.*	au'stralisch, *Australian*
belg., *belg.*	belgisch, *Belgian*
bes.	besonders, *especially*
Bibl.	*Bible*, Bibel, *Biblical*, biblisch
biol.	*biology*, Biologie
bot.	*botany*, Botanik
Br.	*British English*, britisches Englisch
Br.Ind.	*Anglo-Indian*, angloindisch
brasil., *brasil.*	brasili'anisch, *Brazilian*
b.Redw.	Besondere Redewendungen, *idiomatic expressions*
brit., *brit.*	britisch, *British*
Canad.	*Canadian*, kanadisch
cf.	*confer*, vergleiche
chem.	chemisch, *chemical*
chem.	*chemistry*, Chemie
chines., *chines.*	chi'nesisch, *Chinese*
collect.	*collective*, Kollektivum
colloq.	*colloquial*, umgangssprachlich
comp	*comparative*, Komparativ
dat	*dative*, Dativ
d. h.	das heißt, *that is*
dial.	*dialectal*, dialektisch
dt., *dt.*	deutsch, *German*
econ.	*economics*, Volkswirtschaft
electr.	*electricity*, Elektrizität
elektr., *elektr.*	e'lektrisch, *electric*
ellipt.	*elliptical*, elliptisch
engl., *engl.*	englisch, *English*
etc	*etcetera*, usw.
euphem.	*euphemistic*, euphemistisch
europ., *europ.*	euro'päisch, *European*
f	*feminine*, weiblich
Fam.	Fa'milie, *family*
fig.	*figuratively*, figürlich, bildlich
(*Fr.*)	*French*, französisch
franz., *franz.*	fran'zösisch, *French*
Gattg	Gattung, *genus*
Gattgen	Gattungen, *genera*
gen	*genitive*, Genitiv
geogr.	geo'graphisch, *geographical*
geogr.	*geography*, Geographie
geol.	*geology*, Geologie
(*Ger.*)	*German*, deutsch
griech., *griech.*	griechisch, *Greek*

her.	*heraldry*, Heraldik
hist.	*historical*, historisch, *history*, Geschichte
holl., *holl.*	holländisch, *Dutch*
humor.	*humoristic*, humoristisch
hunt.	*hunting*, Jagd
impers	*impersonal*, unpersönlich
Ind.	*Indian*, indisch
ind	*indicative*, Indikativ
indef	*indefinite*, unbestimmt
inf	*infinitive*, Infinitiv
intens	*intensive*, verstärkend
interj	*interjection*, Interjektion
interrog	*interrogative*, fragend
irr	*irregular*, unregelmäßig
(*Ital.*)	*Italian*, italienisch
ital., *ital.*	itali'enisch, *Italian*
jap., *jap.*	ja'panisch, *Japanese*
j-d, *j-d*	jemand, *someone* (*nom*)
Jer.	Jeremias, *Jeremiah*
Jh., *Jh.*	Jahr'hundert, *century*
j-m, *j-m*	jemandem, *to someone*
j-n, *j-n*	jemanden, *someone* (*acc*)
Joh.	Johannes, *John*
j-s, *j-s*	jemandes, *of someone*
jüd., *jüd.*	jüdisch, *Jewish*
jur.	*jurisprudence*, *law*, Recht
kaliforn., *kaliforn.*	kali'fornisch, *Californian*
kanad., *kanad.*	ka'nadisch, *Canadian*
kath., *kath.*	ka'tholisch, *Catholic*
(*Lat.*)	*Latin*, lateinisch
lat., *lat.*	la'teinisch, *Latin*
ling.	*linguistics*, Sprachwissenschaft
m	*masculine*, männlich
mar.	*maritime terminology*, Schiffahrt
math.	*mathematics*, Mathematik
med.	*medicine*, Medizin
metr.	*metrics*, Metrik
mexik., *mexik.*	mexi'kanisch, *Mexican*
mil.	*military terminology*, Militär
min.	*mineralogy*, Mineralogie
mittelamer.	'mittelameri,kanisch, *Central American*
moham., *moham.*	mohamme'danisch, *Mohammedan*
Mos.	Moses
mus.	*music*, Musik
n	*neuter*, sächlich
n. Chr.	nach Christus, *A.D.*
neg	*negative*, verneinend
New Zeal.	*New Zealand*, neuseeländisch
niederl., *niederl.*	niederländisch, *Dutch*
nördl., *nördl.*	nördlich, *northern*
nom	*nominative*, Nominativ
nordamer., *nordamer.*	'nordameri,kanisch, *North American*
npr	*nomen proprium* (*proper name*), Eigenname
obj	*object*, Objekt
obs.	*obsolete*, veraltet
od.	oder, *or*
Offenb.	Offen'barung, *Revelation*
Ordng	Ordnung, *order*
Ordngen	Ordnungen, *orders*
orient., *orient.*	orien'talisch, *oriental*
österr., *österr.*	österreichisch, *Austrian*
östl., *östl.*	östlich, *eastern*
pass	*passive*, passivisch
ped.	*pedagogy*, Pädagogik
(*Pers.*)	*Persian*, persisch
pers., *pers.*	persisch, *Persian*
philos.	*philosophy*, Philosophie
phot.	*photography*, Photographie
photograph., *photograph.*	photo'graphisch, *photographical*
phys.	*physics*, Physik
pl	*plural*, Plural
poet.	*poetical*, dichterisch
pol.	*politics*, Politik
portug., *portug.*	portu'giesisch, *Portuguese*
pp	*past participle*, Partizip Perfekt
pred	*predicate*, prädikativ
prep	*preposition*, Präposition
pres	*present*, Präsens
pres p	*present participle*, Partizip Präsens
pret	*preterite*, Präteritum
print.	*printing*, Buchdruck
pron	*pronoun*, Pronomen
psych.	psycho'logisch, *psychological*
psych.	*psychology*, Psychologie

reflex	*reflexive*, reflexiv
relig.	*religion*, Religion
röm., *röm.*	römisch, *Roman*
röm.-kath., *röm.-kath.*	'römisch-ka'tholisch, *Roman Catholic*
rumän., *rumän.*	ru'mänisch, *Romanian*
(*Russ.*)	*Russian*, russisch
russ., *russ.*	russisch, *Russian*
s	*substantive, noun*, Substantiv
S. Afr.	*South African*, südafrikanisch
Sam.	Samuel
schott., *schott.*	schottisch, *Scottish*
schwed., *schwed.*	schwedisch, *Swedish*
Scot.	*Scottish*, schottisch
sg	*singular*, Singular
skandinav., *skandinav.*	skandi'navisch, *Scandinavian*
sl.	*slang*, Slang
s.o.	*someone*, jemand
sociol.	*sociology*, Soziologie
s.o.'s	*someone's*, jemandes
(*Span.*)	*Spanish*, spanisch
span., *span.*	spanisch, *Spanish*
s.th.	*something*, etwas
subj	*subjunctive*, Konjunktiv
subtrop., *subtrop.*	subtropisch, *subtropical*
südafrik., *südafrik.*	'südafri,kanisch, *South African*
südamer., *südamer.*	'südameri,kanisch, *South American*
südl., *südl.*	südlich, *southern*
sup	*superlative*, Superlativ
SYN.	*synonym(s)*, Synonym(e)
tech.	*technology*, Technik
(*TM*)	*trademark*, Warenzeichen
trop., *trop.*	tropisch, *tropical*
(*Turk.*)	*Turkish*, türkisch
türk., *türk.*	türkisch, *Turkish*
u., *u.*	und, *and*
UdSSR, *UdSSR*	Union der Sozialistischen Sowjetrepubliken, *Union of Soviet Socialist Republics*
ungar., *ungar.*	ungarisch, *Hungarian*
USA, *USA*	*United States*, Vereinigte Staaten
v	*verb*, Verb
var.	*variety*, Abart
v. Chr.	vor Christus, *B.C.*
vet.	*veterinary medicine*, Tiermedizin
v/i	*intransitive verb*, intransitives Verb
v/impers	*impersonal verb*, unpersönliches Verb
v/reflex	*reflexive verb*, reflexives Verb
v/t	*transitive verb*, transitives Verb
vulg.	*vulgar*, vulgär
westafrik.	'westafri,kanisch, *West African*
westamer.	'westameri,kanisch, *of the western United States*
westl., *westl.*	westlich, *western*
z. B.	zum Beispiel, *for instance*
zo.	*zoology*, Zoologie

ENGLISCH-DEUTSCHES WÖRTERVERZEICHNIS

A-M

ENGLISH-GERMAN DICTIONARY

A-M

Als „Trademark“ geschützte englische Wörter werden in diesem Wörterbuch durch das Zeichen (*TM*) kenntlich gemacht. Das Fehlen eines solchen Hinweises begründet jedoch nicht die Annahme, daß eine Ware oder ein Warenname frei ist und von jedem benutzt werden darf. Dies gilt auch von den deutschen Entsprechungen dieser englischen Wörter, die nicht noch einmal gesondert als geschützte Warenzeichen gekennzeichnet sind.
In einigen Fällen mußte auf die Aufnahme einer Ware oder eines Warennamens ganz verzichtet werden.

Words included in this work which are believed to be trademarks have been designated herein by the designation *TM* (after the word). The inclusion of any word in this dictionary is not an expression of the publisher's opinion on whether or not such word is a registered trademark or subject to proprietary rights. It should be understood that no definition in this dictionary or the fact of the inclusion of any word herein is to be regarded as affecting the validity of any trademark. This will apply also with regard to German translations of English words which are accompanied by the letters *TM*; in these cases no additional trademark designation has been used for the German translation of such words.
In a few cases it was found necessary to omit the names of particular makes of products or specific trademarks.

A

A[1], **a**[1] [ei] **I** *s pl* **A's, As, Aes, a's, as, aes** [eiz] **1.** A *n*, a *n* (*1. Buchstabe des engl. Alphabets*): **a capital** (*od.* **large**) **A** ein großes A; **a little** (*od.* **small**) **a** ein kleines A; **from A to Z**; → **izzard.** – **2.** *mus.* A *n*, a *n* (*Tonbezeichnung*): **A flat** As, as; **A sharp** Ais, ais; **A double flat** Ases, ases; **A double sharp** Aisis, aisis. – **3.** A (*1. angenommene Person bei Beweisführungen*). – **4.** a (*1. angenommener Fall bei Aufzählungen*). – **5.** a *math.* a (*1. bekannte Größe*). – **6.** A *ped. bes. Am.* Eins *f*, Sehr Gut *n*. – **7.** A, a (*Vorderseite eines Blatts in Büchern mit Blattnumerierung*). – **8.** *Am.* Ia, erste Quali'tät (*Fleisch, Konserven*). – **9.** A A *n*, A-förmiger Gegenstand. – **II** *adj* **10.** erst(er, e, es): **Company A** die 1. Kompanie. – **11.** A A-..., A-förmig: **A tent.**

a[2] [ə; *betont*: ei] (*vor konsonantisch anlautenden Wörtern*), **an** [ən; *betont*: æn] (*vor vokalisch anlautenden Wörtern*) *adj od. unbestimmter Artikel* **1.** ein, eine, ein: **a man** ein Mann; **a town** eine Stadt; **an hour** eine Stunde; **silver is a metal** Silber ist ein Metall; **a Stuart** ein(e) Stuart; **a Mr. Arnold** ein (gewisser) Herr Arnold; **she is a teacher** sie ist Lehrerin; **he died a rich man** er starb reich *od.* als reicher Mann; **to be born a cripple** als Krüppel geboren werden. – **2.** ein (zweiter), eine (zweite), ein (zweites): **a Daniel** ein wahrer Daniel; **he is a Cicero in eloquence** er ist ein Cicero an Beredsamkeit. – **3.** ein, eine, ein, der-, die-, das'selbe: **all of a size** alle in *od.* von derselben Größe; **two of a kind** zwei von ein u. derselben Art; → **feather** 1. – **4.** *meist ohne dt. Entsprechung*: **a few** einige, ein paar; **a very few** sehr wenige; **a great** (*od.* **good**) **many** sehr viele. – **5.** per, pro, je: **£10 a year** £ 10 *od.* zehn Pfund im Jahr; **five times a week** fünfmal die *od.* in der Woche, fünfmal wöchentlich; **a dollar a dozen** ein Dollar das Dutzend.

a-[1] [ə] *Wortelement mit der Bedeutung* in, an, auf, zu, *bes. zur Bezeichnung von* a) *Lage, Bewegung* (**abed, ashore**), b) *Zustand* (**afire, alive**), c) *Zeit* (**nowadays**), d) *Art u. Weise* (**aloud**), e) *poet. u. dial. Handlung, Vorgang* (**ahunt**).

a-[2] [ei] *Wortelement zum Ausdruck der Verneinung*: **amoral; asexual.**

A 1 *adj* **1.** *mar.* erstklassig (*Bezeichnung von Schiffen erster Qualität in Lloyds Verzeichnis*): **the ship is A 1.** – **2.** *sl.* prima, fa'mos, Ia: **I am A 1** es geht mir prima *od.* famos; **he is A 1** er ist ein Prachtkerl; **to be A 1 at s.th.** etwas aus dem Effeff verstehen. – **3.** *mil.* kriegsverwendungsfähig, k.'v. (*auch fig.*): **this country has an A 1 population** dieses Land hat eine kerngesunde Bevölkerung. – **4.** *econ. colloq.* von erster Güte, erstklassig, mündelsicher (*Wertpapiere*).

a·a la·va ['ɑːˌɑː] *s geol.* Aa-Lava *f*, Spritzlava *f*.

aard·vark ['ɑːrdˌvɑːrk] *s zo.* Erdferkel *n* (*Gattg Orycteropus; Afrika*).

aard·wolf ['ɑːrdˌwulf] *s irr zo.* Erdwolf *m* (*Proteles cristata; Afrika*).

Aar·on ['ɛ(ə)rən] **I** *npr Bibl.* Aaron *m* (*Bruder des Moses, erster Hoherpriester der Israeliten*). – **II** *s fig.* hoher kirchlicher Würdenträger. — **'Aar·onˌite** [-ˌnait] *s* Abkömmling *m* Aarons.

'Aar·on's|-'beard ['ɛ(ə)rənz] *s bot. eine bartähnliche Pflanze, bes.* a) → **great St.-John's-wort**, b) → **beefsteak saxifrage**, c) (*ein*) Zimbelkraut *n* (*Cymbalaria muralis*), d) Weißhaar-Feigenkaktus *m* (*Opuntia leucotricha*). — **'~-'rod** *s bot.* **1.** Königskerze *f* (*Verbascum thapsus*). – **2.** → **golden rod.** — **~ rod** *s* **1.** *Bibl.* Aarons Stab *m od.* Stecken *m*. – **2.** *arch.* Aaronsstab *m*.

aas·vo·gel ['ɑːsˌfougəl] (*Dutch*) *s zo.* Schmutzgeier *m*, Südafrik. Aasgeier *m* (*Neophron percnopterus*).

ab- [æb] *electr. Wortelement mit der Bedeutung* absolut: **abfarad** Abfarad, absolutes Farad.

a·ba ['ɑːbə] *s* Aba *m* (*grober Wollstoff u. daraus gefertigtes ärmelloses Oberkleid im Orient*).

a·ba·cá [ˌɑːbɑː'kɑː] *s bot.* A'baka *m*, Ma'nilahanf *m* (*Musa textilis*).

a·bac·i·nate [ə'bæsiˌneit; -sə-] *v/t selten* durch Vorhalten von weißglühendem Me'tall blenden.

ab·a·cis·cus [ˌæbə'siskəs] *s arch.* viereckiges Feld eines Mosa'ikfußbodens.

ab·a·cist ['æbəsist] *s* Aba'zist *m*, Rechner *m* (*der ein Rechengestell benutzt*).

a·back [ə'bæk] *adv* **1.** *mar.* back, gegen den Mast. – **2.** rückwärts: **to be taken ~** *fig.* bestürzt *od.* verblüfft sein, aus der Fassung gebracht sein *od.* werden. – **3.** nach hinten, zu'rück.

ab·ac·ti·nal [æ'bæktinl; ˌæbæk'tainl] *adj zo.* abakti'nal, der Mundöffnung entgegengesetzt (*bei Stachelhäutern*).

ab·a·cus ['æbəkəs] *pl* **-ci** [-ˌsai], **-cus·es** *s* **1.** *math.* Abakus *m*, 'Rechengestell *n*, -brett *n*, -maˌschine *f* (*mit Kugeln an Stäben*). – **2.** *arch.* Abakus *m*, Kapi'telldeckplatte *f*, Säulendeckplatte *f*. – **3.** *antiq.* Seitentisch *m*, Schrank *m*, Kre'denz(tisch *m*) *f*.

A·bad·don [ə'bædən] *s Bibl.* Abad'don *m*: a) Abgrund *m* der Hölle, Hölle *f* (*auch fig.*), b) *der Würgengel aus dem Abgrund.*

a·baft [ə'bɑːft; *Am.* ə'bæ(ː)ft] *mar.* **I** *prep* achter, hinter. – **II** *adv* nach achtern zu, nach hinten.

ab·a·lo·ne [ˌæbə'louni] *s zo. Am.* See-, Meerohr *n*, Ohrschnecke *f* (*Gattg Haliotis*).

a·ban·don [ə'bændən] **I** *v/t* **1.** verlassen, im Stich lassen, aufgeben, preisgeben, fallenlassen. – **2.** abfallen von. – **3.** (*etwas*) über'lassen (**to** *dat*): **to ~ a position to the enemy.** – **4.** *econ. jur.* abandon'nieren, (*Option*) aufgeben, verzichten auf (*acc*), (*Klage*) zu'rückziehen, (*Forderung*) fallenlassen, (*Kinder*) aussetzen. – **5.** *mar.* (*Schiff*) aufgeben, verlassen. – **6.** *reflex* sich 'hingeben *od.* ergeben (**to** *dat*): **to ~ oneself to despair** sich der Verzweiflung hingeben. – *SYN.* a) **desert**[1], **forsake**, b) *cf.* **relinquish.** – **II** *v/i* **7.** *sport* aufstecken, (das Spiel) aufgeben. – **III** *s* **8.** Ungezwungenheit *f*, Sich'gehenlassen *n*, Unbeherrschtheit *f*, Hemmungslosigkeit *f*: **with ~** mit Hingabe, rückhaltlos.

a·ban·doned [ə'bændənd] *adj* **1.** verlassen, aufgegeben: **~ property** herrenloses Gut. – **2.** verworfen, liederlich, lasterhaft: **an ~ villain.** – *SYN.* **dissolute, profligate, reprobate.** – **3.** ungezwungen, rückhaltlos, hemmungslos: **a fit of ~ sobbing.**

a·ban·don·ee [əˌbændə'niː] *s jur. Assekurant, dem das Wrack eines Schiffes (zur Auswertung etc) überlassen wird.*

a·ban·don·ment [ə'bændənmənt] *s* **1.** Preisgegebensein *n*, Verlassenheit *f*. – **2.** Preisgabe *f*, Preisgeben *n*, Verlassen *n*, Im-'Stich-Lassen *n*. – **3.** *econ. jur.* Verzicht(leistung *f*) *m*, Aban'don *m*, Abtretung *f*, Über'lassung *f* (*von Waren*): **~ of an action** Rücknahme einer Klage. – **4.** *mar. Abtretung aller Eigentumsrechte auf ein verunglücktes Schiff an den Versicherer unter Beanspruchung der (gesamten) Versicherungssumme.* – **5.** 'Hingabe *f*, Selbstvergessenheit *f*. – **6.** (*Eherecht*) böswilliges Verlassen. – **7.** *mil.* befehlswidriges Verlassen (*eines Postens etc*).

ab·ap·tis·ton [ˌæbæp'tistən], *auch* **ˌab·ap'tis·tum** [-təm] *s med.* Abap'tiston *n*, konische Trepa'niersäge.

ab·ar·tic·u·lar [ˌæbɑːr'tikjulər; -jə-] *adj med.* vom Gelenk entfernt (gelegen). — **ˌab·arˌtic·u'la·tion** *s med.* Verrenkung *f*, Diar'throse *f*.

a·base [ə'beis] *v/t* **1.** erniedrigen, demütigen, entmutigen, entwürdigen, degra'dieren. – **2.** *obs.* senken, niederlassen. – *SYN.* **debase, degrade, demean, humble, humiliate.** — **a·based** [ə'beist] *adj* gesenkt, erniedrigt. — **a'base·ment** *s* **1.** Erniedrigung *f*, Demütigung *f*. – **2.** Niedergeschlagenheit *f*, Mutlosigkeit *f*.

a·bash [ə'bæʃ] *v/t* beschämen, demütigen, in Verlegenheit *od.* aus der Fassung bringen: **to stand** (*od.* **be**) **~ed** beschämt sein, in Verlegenheit sein. – *SYN. cf.* **embarrass.** — **a'bash·ment** *s* Beschämung *f*, Verlegenheit *f*, Betroffenheit *f*.

a·bask [*Br.* ə'bɑːsk; *Am.* ə'bæ(ː)sk] *adv u. pred adj* in der Sonne (liegend).

a·bat·a·ble [ə'beitəbl] *adj jur.* 'umstoßbar, aufhebbar, einstellbar, abziehbar.

a·bate[1] [ə'beit] **I** *v/t* **1.** (*Preis*) her'absetzen, ermäßigen, ablassen: **to ~ a tax** eine Steuer erniedrigen. – **2.** (*et-

was) her'untersetzen, vermindern, verringern. – 3. lindern, mildern, stillen, mäßigen. – 4. *jur.* 'umstoßen, abschaffen, aufheben. – **II** *v/i* 5. (*an Stärke*) abnehmen, nachlassen, abflauen, sich legen (*Wind, Schmerz etc*). – 6. fallen (*Preis*). – 7. nachgeben: he ~d er ließ mit sich handeln. – 8. *jur.* ungültig werden. – *SYN.* a) **ebb, subside, wane,** b) *cf.* **decrease.**

a·bate² [ə'beit] *jur.* **I** *v/reflex* sich 'widerrechtlich niederlassen (into in *einem Haus od. einer Wohnung*). – **II** *v/i* sich ungesetzlich (*in einem Haus*) niederlassen (*vor Besitzergreifung durch den Erben*).

a·bate·ment [ə'beitmənt] *s* 1. Abnehmen *n*, Abnahme *f*, Nachlassen *n*, Verminderung *f*, Linderung *f*. – 2. Abzug *m*, Preisabbau *m*, (Preis-, Steuer)Nachlaß *m*, Ra'batt *m*. – 3. Abgang *m*, Verlust *m*. – 4. *jur.* 'Umstoßung *f*, Abschaffung *f*, Beseitigung *f* (*eines Mißstandes*), Ungültigmachung *f*. – 5. *her.* entehrendes Wappenzeichen.

a·bat·er [ə'beitər] *s* 1. Verminderer *m*, Zerstörer *m*. – 2. Dämpfungs-, Milderungsmittel *n*. – 3. *jur. j-d der eine prozeßhindernde Einrede vorbringt od. die Einstellung eines Prozesses verlangt.*

ab·a·tis ['æbətis; ˌæbə'ti:; ə'bæti] *s sg u. pl mil.* Ast-, Baumverhau *m*, Baumsperre *f*.

a·bat-jour [aba'ʒu:r] (*Fr.*) *s arch.* Abat'jour *n*, Schrägfenster *n*, Oberlicht *n*.

ab·a·ton ['æbəˌtɒn] *pl* **-ta** [-ə] *s antiq.* Abaton *n*, Aller'heiligstes *n* (*im Tempel*).

a·ba·tor¹ [ə'beitər] *s jur.* j-d der einen 'Mißstand abstellt.

a·ba·tor² [ə'beitər] *s jur.* j-d der 'widerrechtlich Besitz ergreift.

ab·at·toir [ˌæbə'twɑ:r] *s* (öffentliches) Schlachthaus, Schlachthof *m*.

ab·a·ture ['æbətʃər] *s hunt.* Abtritt *m*, Gräslein *n*, Einschlag *m* (*Spuren des Hirsches an Gras u. Unterholz*).

a·bat-vent [aba'vɑ̃] (*Fr.*) *s arch.* schräges Turmdach, Wetterdach *n*.

a·bat-voix [aba'vwa] (*Fr.*) *s arch.* Schalldecke *f* (*über Kanzel od. Rednerbühne*).

ab·ax·i·al [æ'bæksiəl] *adj* nicht in der Achse liegend.

abb [æb] *s tech.* 1. (*Weberei*) Einschlag *m*, 'Durchschuß *m*, Kette(ngarn *n*) *f*. – 2. schlechte Wollsorte (*vom Rand des Vlieses*).

Ab·ba ['æbə] *s* Abba *m*: a) *Bibl.* Vater *m* (*auch als Anruf Gottes*), b) *Anrede für hohe Priester etc in der griech.-orthodoxen Kirche.*

ab·ba·cy ['æbəsi] *s* 1. Amt *n od.* Würde *f od.* Gerichtsbarkeit *f* eines Abtes, Abtschaft *f*. – 2. Amtsdauer *f* eines Abts *od.* einer Äb'tissin. — **ab·ba·tial** [ə'beiʃəl] *adj* Abtei..., Abts..., Äbtissinnen..., äbtlich, ab'teilich.

ab·bé [a'be; 'æbei] (*Fr.*) *s* Ab'bé *m*, Priester *m* (*in Frankreich Titel der Weltgeistlichen*).

ab·bess ['æbis] *s* Äb'tissin *f*.

ab·bey ['æbi] *s* 1. Kloster *n*, Vereinigung *f* von Mönchen unter einem Abt *od.* von Nonnen unter einer Äb'tissin. – 2. Abtschaft *f*, Äb'tissinnenschaft *f*, Ab'tei *f*. – 3. Ab'teikirche *f*: **the A~** *Br.* die Westminsterabtei. – 4. *Br. herrschaftlicher Wohnsitz, der früher eine Abtei war.* – *SYN. cf.* **cloister.** — **~ lub·ber** *s* 1. fauler Mönch, j-d der von der Mildtätigkeit der Klöster lebt. – 2. *fig.* Faulenzer *m*.

ab·bot ['æbət] *s* 1. Abt *m*. – 2. *auch* **lay ~** *weltliche Person, der die Klostereinkünfte übertragen waren:* **commendatory ~** weltlicher Titularabt. — **'ab·botˌship,** *auch* **'ab·bot·cy** *s* Abtschaft *f*, Abtswürde *f*.

ab·bre·vi·ate I *v/t* [ə'bri:viˌeit] 1. abkürzen, kürzen, zu'sammenziehen. – 2. *math. selten* (*Brüche*) heben. – *SYN. cf.* **shorten.** – **II** *adj* [-it; -ˌeit] 3. verkürzt. – 4. verhältnismäßig kurz. — **abˌbre·vi'a·tion** *s* 1. Abkürzung *f*, Verkürzung *f*. – 2. Auszug *m*, Syn'opsis *f*. – 3. *mus.* Abbrevia'tur *f*, Kürzung *f*. — **ab'bre·vi·ˌa·tor** [-tər] *s* 1. Verfertiger *m* eines Auszugs, (Ab)Kürzer *m*. – 2. *relig.* Abbrevi'ator *m* (*päpstlicher Beamter*).

ab·bre·vi·a·ture [ə'bri:viətʃər] *s* Auszug *m*, Syn'opsis *f*, Zu'sammenfassung *f*.

abb wool *s* (*Weberei*) Wolle *f* für den 'Durchschuß *od.* die Kette.

ABC [ˌeiˌbi:'si:] **I** *s pl* **ABC's** 1. *Am. oft pl* Ab'c *n*, Abe'ce *n*, Alpha'bet *n*. – 2. *fig.* Ab'c *n*, Anfangsgründe *pl*: **he does not know the ~ of finance** er kennt noch nicht einmal die Grundbegriffe des Finanzwesens. – 3. alpha'betisches A'krostichon. – 4. *Br.* alpha'betischer Eisenbahn-Fahrplan. – **II** *adj* 5. ABC-..., die AB'C-Staaten (*Argentinien, Brasilien, Chile*) betreffend: **the ~ powers.** – 6. *mil.* ABC-..., A'tomwaffen, bio'logische u. chemische Waffen betreffend: **~ weapons; ~ warfare** ABC-Kriegführung.

Ab·de·ri·an [æb'di(ə)riən] *adj* abde'ritisch, albern, lächerlich, schildbürgerlich. — **Ab·de·rite** ['æbdəˌrait] *s* 1. Abde'rit *m* (*Bewohner von Abdera*): **the ~** Demokrit (*altgriech. Philosoph*). – 2. *fig.* Krähwinkler *m*, Schildbürger *m*, einfältiger Mensch, Tölpel *m*.

ab·di·ca·ble ['æbdikəbl; -də-] *adj* aufgebbar. — **'ab·diˌcate** [-ˌkeit] **I** *v/t* 1. (*Amt, Recht etc*) aufgeben, abtreten, niederlegen, (*dat*) entsagen, verzichten auf (*acc*). – 2. *jur.* (*bes. Kind*) verstoßen, enterben. – **II** *v/i* 3. abdanken. – *SYN.* **renounce, resign.**

ab·di·ca·tion [ˌæbdi'keiʃən; -də-] *s* 1. Abdankung *f*, Verzicht *m* (**of** auf *acc*), freiwillige Niederlegung (*eines Amtes etc*): **~ of the throne** Thronentsagung. – 2. *jur.* Verstoßung *f*, Enterbung *f*. — **'ab·diˌca·tive** *adj* 1. Abdankung bewirkend *od.* bedeutend. – 2. Abdankungs..., Verzicht...

ab·do·men ['æbdəmən; æb'dou-] *s* 1. *med.* Ab'domen *n*, 'Unterleib *m*, Bauch *m*. – 2. *zo.* Leib *m*, 'Hinterleib *m*.

ab·dom·i·nal [æb'dɒminl; -mə-] **I** *adj med.* 1. Abdominal..., Unterleibs..., Bauch... – 2. *zo.* Hinterleibs... – **II** *s* 3. *zo.* Bauchflosse *f*, -schuppe *f*. — **~ breath·ing** *s med.* Bauchatmung *f*, -atmen *n*. — **~ bris·tle** *s zo.* 'Hinterleibsborste *f*. — **~ cav·i·ty** *s med.* Bauchhöhle *f*, -raum *m*. — **~ col·ic** *s med.* Bauchgrimmen *n*. — **~ leg** *s zo.* Abdomi'nalfuß *m*. — **~ plex·us** *s med.* Bauchgeflecht *n*. — **~ seg·ment** *s zo.* 'Hinterleibsring *m*. — **~ so·mite** *s zo.* 'Urseg,ment *n* des 'Hinterleibs. — **~ sur·face** *s med.* Bauch(ober)fläche *f*. — **~ su·ture** *s med.* Bauchdeckennaht *f*. — **~ ter·gite** *s zo.* 'Hinterleibsschild *m*. — **~ vis·cer·a** *s pl med.* Bauch-, 'Unterleibseingeweide *pl*. — **~ wall** *s med. zo.* Bauchdecke *f*.

ab·dom·i·no·tho·rac·ic [æbˌdɒminoθo'ræsik; -mə-] *adj med.* auf Bauchhöhle und Brustraum bezüglich.

ab·dom·i·nous [æb'dɒminəs; -mə-] *adj* dickbäuchig.

ab·duce [æb'dju:s; *Am. auch* -'du:s] *v/t* weg-, abziehen. — **ab'du·cent** [-sənt] **I** *adj* wegführend, zu'rück-, abziehend. – **II** *s etwas was wegzieht.*

ab·duct [æb'dʌkt] **I** *v/t* 1. (*j-n heimlich*) wegführen, (*gewaltsam*) entführen. – 2. *med.* abdu'zieren, weg-, abziehen, (*ein Glied*) aus seiner Lage bringen. – **II** *v/i* 3. eine Entführung bewerkstelligen. — **ab'duc·tion** *s* 1. Entführung *f*. – 2. *med.* Abdukti'on *f*, Muskel- *od.* Gliedbewegung *f* (*vom Körper weg*). – 3. *philos.* Abdukti'on *f* (*Syllogismus od. logischer Übergang, dessen Schluß nur wahrscheinlich, aber nicht beweisbar ist*). — **ab'duc·tor** [-tər] *s* 1. Entführer *m*. – 2. *auch* **~ muscle** *med.* Ab'duktor *m*, Abziehmuskel *m*.

a·beam [ə'bi:m] *adv u. pred adj* 1. *mar.* querab (*im rechten Winkel zum Kiel*), dwars. – 2. *aer.* querab.

a·be·ce·dar·i·an [ˌeibisi'dɛ(ə)riən] **I** *s* 1. Ab'c-Schütze *m*. – 2. Ab'c-Lehrer *m*. – 3. *relig.* Abece'darier *m* (*Wiedertäufer*). – **II** *adj* 4. zum Ab'c gehörig, elemen'tar. – 5. mit den fortlaufenden Buchstaben des Alpha'bets beginnend (*z.B. 119. Psalm im Hebräischen*). – 6. *selten* alpha'betisch geordnet. — **ˌa·be·ce'dar·i·um** [-əm] *pl* **-i·a** [-ə] *s* Ab'c-Buch *n*, Fibel *f*. — **ˌa·be'ce·da·ry** [-'si:dəri] **I** *s* 1. Ab'c-Buch *n*, Fibel *f*. – 2. Ab'c-Schüler *m*. – 3. Ab'c-Lehrer *m*. – **II** *adj* → **abecedarian** II.

a·bed [ə'bed] *adv* 1. zu *od.* im Bett. – 2. im Wochenbett: **to be brought ~** niederkommen, in die Wochen kommen. – 3. bettlägerig.

a·bele [ə'bi:l; 'eibəl] *s bot.* Silberpappel *f* (*Populus alba*).

a·bel·mosk ['eibəlˌmɒsk], *auch* **'a·bel·ˌmusk** [-ˌmʌsk] *s bot.* 1. Bisamstrauch *m* (*Abelmoschus moschatus*). – 2. Bisamkörner *pl* (*Samen von* 1).

ab·er·de·vine [ˌæbərdi'vain; -də-] *s zo.* Zeisig *m* (*Carduelis spinus*).

Ab·er·do·ni·an [æbər'douniən] **I** *adj* von *od.* aus Aber'deen. – **II** *s* Bewohner(in) von Aber'deen.

ab·er·rance [æ'berəns], *auch* **ab'er·ran·cy** *s* 1. *biol.* Abweichung *f* (*von der natürlichen Gestalt*). – 2. Abirrung *f* (*von der Rechtlichkeit*). – 3. Verirrung *f*, Irrtum *m*, Fehler *m*. — **ab'er·rant** *adj* 1. *biol.* Ausnahme..., von der Regel abweichend, ano'mal. – 2. abirrend, irrtümlich, gegen die Regeln verstoßend.

ab·er·rate ['æbəˌreit] *v/i* 1. abirren. – 2. *phys.* eine Abirrung bewirken. — **ˌab·er'ra·tion** *s* 1. Abirrung *f*, Abweichung *f*, Abfall *m*. – 2. Irrweg *m*, Irrgang *m*, (geistige) Verirrung, Irrsinn *m*. – 3. *phys.* Aberrati'on *f*, (Brechungs)Abweichung *f*. – 4. *biol.* Abweichung *f* von der Regel *od.* vom na'türlichen Typus. – 5. *astr.* Aberrati'on *f*.

a·bet [ə'bet] *pret u. pp* **a'bet·ted** *v/t* 1. unter'stützen, ermutigen, (*dat*) helfen, (*dat*) Vorschub leisten (*meist in zweifelhaften Unternehmungen*): → **aid** 4. – 2. aufhetzen, anstiften. – *SYN. cf.* **incite.** — **a'bet·ment** *s* 1. Beihilfe *f*, -stand *m*, Vorschub *m*. – 2. Aufhetzung *f*, Anstiftung *f*. — **a'bet·tor** [-tər], *auch* **a'bet·ter** *s* (Helfers)Helfer *m*, Anstifter *m*.

ab·e·vac·u·a·tion [ˌæbiˌvækju'eiʃən] *s med.* teilweise *od.* ano'male Entleerung.

a·bey [ə'bei] *v/t* unentschieden lassen, außer acht lassen. — **a'bey·ance** *s* 1. *jur.* Schwebe *f* (*bes. wenn eine Erbschaft od. ein Amt nicht angetreten werden kann, weil über den rechtlichen Erben od. Amtsnachfolger noch nicht entschieden ist*): **in ~** herrenlos. – 2. Unentschiedenheit *f*, unentschiedener Zustand, (Zustand *m* der) Ungewißheit; **he left the matter in ~** er ließ die Sache unentschieden; **the question is in ~** die Frage ist noch ungelöst; **to fall into ~** *econ.* zeitweilig außer Kraft treten. — **a'bey·ant** *adj* unentschieden, in der Schwebe (befindlich). – *SYN. cf.* **latent.**

ab·hor [əb'hɔːr] *pret u. pp* **-'horred** *v/t* verabscheuen, hassen, zu'rückschrecken vor (*dat*). – *SYN. cf.* hate[1]. — **ab·hor·rence** [əb'hɒrəns; *Am. auch* -'hɔːr-] *s* **1.** (of) Abscheu *m, f* (vor *dat*), Abneigung *f* (gegen). – **2.** Gegenstand *m* des Abscheus. — **ab'hor·rent** *adj* **1.** verabscheuungswürdig, abstoßend: that is ~ to me das ist mir verhaßt. – *SYN. cf.* a) hateful, b) repugnant. – **2.** verabscheuend. – **3.** zu'wider, unverträglich, unvereinbar. — **ab'hor·ring** [-'hɔːriŋ] *s* Abscheu *m, f,* Verabscheuen *n.*

a·bid·al [ə'baidl] *s* **1.** Aufenthalt *m.* – **2.** Aufenthaltsort *m,* Wohnstätte *f.*

a·bid·ance [ə'baidəns] *s* **1.** Aufenthalt *m.* – **2.** Verharren *n,* Verweilen *n.* – **3.** Befolgung *f*: ~ **by the rules** Befolgung der Regeln.

a·bide [ə'baid] *pret u. pp* **a·bode** [ə'boud] *u.* **a'bid·ed,** *pp selten* **a·bidden** [ə'bidn] **I** *v/i* **1.** bleiben, verweilen. – **2.** leben, wohnen (with bei; in, at in *dat*). – **3.** ausharren, beharren, verharren, fortdauern. – **4.** (by) treu bleiben (*dat*), festhalten (an *dat*), (*etwas*) anerkennen, sich begnügen (mit): **I ~ by what I have said** ich bleibe bei meiner Aussage; **to ~ by the consequences** die Folgen auf sich nehmen; **to ~ by the rules** sich an die Regeln halten; **to ~ by the law** dem Gesetz Folge leisten. – *SYN. cf.* a) **continue,** b) **stay**[1]. – **II** *v/t* **5.** erwarten, warten auf (*acc*), abwarten. – **6.** ertragen, aushalten, auf sich nehmen. – **7.** sich ergeben in (*acc*), (er)dulden. – **8.** *colloq.* (v)ertragen, ausstehen: **I can't ~ him** ich kann ihn nicht ausstehen. – **9.** *obs.* (*od. auf Verwechslung mit* aby *beruhend*) büßen, (*etwas*) verantworten müssen. – *SYN. cf.* **bear**[1]. — **a'bid·ing** *adj* dauernd, beständig, bleibend, anhaltend: ~ **place** *poet.* Aufenthaltsort, Wohnstätte.

ab·i·e·tate ['æbiəˌteit] *s chem.* abie'tinsaures Salz. — **'ab·i·eˌtene** [-ˌtiːn] *s* Abie'tin *n* ($C_{19}H_{28}$; *Destillationsprodukt aus Harzöl*). — **ˌab·i'et·ic** [-'etik] *adj chem.* Abietin...: ~ **acid** Abietinsäure ($C_{20}H_{30}O_2$).

ab·i·et·i·form hair [ˌæbi'etiˌfɔːrm] *s biol.* Tannenbaumhaar *n.*

ab·i·gail ['æbiˌgeil; -bə-] **I** *s* (Kammer)-Zofe *f.* – **II** *v/i selten* Zofendienste verrichten.

a·bil·i·ty [ə'biliti; -ləti] *s* **1.** Fähigkeit *f,* Befähigung *f,* Geschicklichkeit *f,* Geschick *n.* – **2.** Ta'lent *n,* Vermögen *n,* Können *n*: **to the best of one's ~** nach besten Kräften. – **3.** *meist pl* geistige Anlagen *pl,* Veranlagung *f,* Gaben *pl.* – **4.** *tech.* Leistungsfähigkeit *f.* – **5.** *econ.* Fähigkeit *f*: ~ **to pay** Zahlungsfähigkeit, Solvenz. – **6.** *biol.* Vermögen *n,* Fähigkeit *f*: ~ **to absorb** Aufsaugungs-, Absorptionsvermögen; ~ **to conceive** Konzeptionsfähigkeit.

ab·i·o·gen·e·sis [ˌæbio'dʒenisis; -nə-] *s biol.* Abio'genesis *f,* Urzeugung *f,* Selbstentstehung *f* (*lebender Organismen aus leblosen*). — **ˌab·i·o·ge'net·ic** [-dʒə'netik], **ˌab·i·o·ge'net·i·cal** *adj* abioge'netisch. — **ˌab·i·o·ge'net·i·cal·ly** *adv* (*auch zu* **abiogenetic**). — **ˌab·i'og·e·nist** [-'ɒdʒənist] *s* Anhänger *m* der 'Selbstentˌstehungstheoˌrie.

a·bi·o·log·i·cal [ˌeibaiə'lɒdʒikəl] *adj* abio'logisch (*das Studium lebloser Dinge betreffend*). — **ˌa·bi'ol·o·gy** [-'ɒlədʒi] *s* Abiolo'gie *f,* Studium *n* lebloser Dinge.

ab·i·ot·ro·phy [ˌæbi'ɒtrəfi] *s med.* Abiotro'phie *f,* Fehlen *n od.* Nachlassen *n* der Lebenskraft.

ab·ir·ri·tant [æb'iritənt; -rə-] **I** *s med.* Beruhigungsmittel *n.* – **II** *adj* besänftigend, beruhigend, Beruhigungs... — **ab'ir·riˌtate** [-ˌteit] *v/t* beruhigen. — **abˌir·ri'ta·tion** *s* **1.** *med.* Erregbarkeitsverminderung *f.* – **2.** Schwäche *f.*

ab·ject I *adj* ['æbdʒekt; æb'dʒ-] **1.** a) erniedrigt, tief gesunken, verworfen, gemein, b) zu verachten(d), verachtenswert, c) kriecherisch, unter'würfig. – **2.** erniedrigend, entmutigend. – **3.** niedergeschlagen. – **4.** *fig.* tiefst(er, e, es), äußerst(er, e, es), hochgradig: in ~ **despair** in höchster Verzweiflung; in ~ **misery** im tiefsten Elend. – *SYN. cf.* **mean**[2]. – **II** *s* ['æbdʒekt] **5.** *selten* Verworfene(r), Elende(r). — **ab'ject·ed·ness** *s* **1.** Niedergeschlagenheit *f.* – **2.** Niedrigkeit *f,* Verächtlichkeit *f.* — **ab'jec·tion** *s* **1.** Niedergeschlagenheit *f.* – **2.** Verworfenheit *f.* — **ab·ject·ness** ['æbdʒektnis; æb'dʒ-] → **abjectedness.**

ab·judge [æb'dʒʌdʒ] *v/t selten* aberkennen, verwerfen.

ab·junc·tion [æb'dʒʌŋkʃən] *s biol.* Abschnürung *f.*

ab·ju·ra·tion [ˌæbdʒu(ə)'reiʃən] *s* Abschwörung *f,* (feierliche) Entsagung. — **ab'jur·a·to·ry** [*Br.* -ətəri; *Am.* -əˌtɔːri] *adj* abschwörend, entsagend. — **ab·jure** [æb'dʒur] *v/t* **1.** a) (*dat*) abschwören, verschwören, (*dat*) entsagen, zu'rücknehmen, wider'rufen, b) (*etwas*) abschwören: **to ~ the realm** *jur. Br.* unter Eid versprechen, das Land auf immer zu verlassen. – **2.** abschwören lassen, zum 'Widerruf zwingen. – *SYN.* **forswear, recant, renounce, retract.** — **ab'jure·ment** *s* Abschwörung *f,* 'Widerruf *m.*

ab·ka·ri, *auch* **ab·ka·ry** [ɑːb'kɑːri] *s Br. Ind.* Alkoholsteuer *f,* Getränkebesteuerung *f.*

ab·lac·tate [æb'lækteit] *v/t med.* (der Mutterbrust) entwöhnen. — **ˌab·lac'ta·tion** *s* Ablaktati'on *f,* Entwöhnung *f* (*eines Säuglings*), Absetzen *n* (*von der Mutterbrust*), Abstillen *n.*

a·blast ['eiblæst] *s bot.* Fehlschlag *m.* — **ˌa·blas'tem·ic** [-'temik; -'tiː-] *adj* nicht keimend. — **a'blas·tous** *adj bot.* keimlos, unfruchtbar.

ab·late [æb'leit] *v/t u. v/i med.* (opera'tiv) entfernen, ampu'tieren. — **ab'la·tion** *s* **1.** Wegführung *f.* – **2.** (opera'tive) Entfernung, Amputati'on *f.* – **3.** *geol.* Ablati'on *f,* Abschmelzen *n* (*von Schnee od. Gletschereis*), (Gesteins)Abtragung *f*: **zone of ~** Zehrgebiet (*bei Gletschern*).

ab·la·ti·tious [ˌæblə'tiʃəs] *adj astr.* wegnehmend, vermindernd.

ab·la·ti·val [ˌæblə'taivəl] → **ablative II.** — **'ab·la·tive** [-tiv] **I** *s* **1.** Ablativ *m.* – **2.** (Wort *n* im) Ablativ *m.* – **II** *adj* **3.** Ablativ...

ab·laut ['æblaut; 'ap-] *s ling.* Ablaut *m* (*Veränderung des Vokals in Verbalsystem, Wortbildung etc*).

a·blaze [ə'bleiz] *adv u. pred adj* **1.** in Flammen, flammend, lodernd, funkelnd (with von). – **2.** *fig.* (with) glänzend (vor *dat,* von), erregt (vor *dat*), sehr begierig: all ~ Feuer u. Flamme; **to set ~** anfachen.

a·ble ['eibl] *adj* **1.** fähig, tauglich, geschickt: **to be ~ to see clearly** imstande *od.* in der Lage sein, deutlich zu sehen; **he was not ~ to get up** er konnte nicht aufstehen, er vermochte nicht aufzustehen; ~ **to pay** zahlungsfähig, solvent; ~ **to work** arbeitsfähig, -tauglich. – **2.** begabt, befähigt, tüchtig: an ~ **man.** – **3.** (vor)trefflich: **a very ~ speech.** – **4.** *jur.* berechtigt, fähig (*zu Vertragsabschlüssen etc*). – *SYN.* **capable, competent, qualified.**

-able [əbl] *Wortelement mit der Bedeutung* ...bar, ...sam.

'a·ble-'bod·ied *adj* **1.** körperlich leistungsfähig, kerngesund, kräftig: ~ **seaman** *bes. Br.* Vollmatrose (*abgekürzt* A.B.). – **2.** *mil.* wehrfähig, (dienst)tauglich. — **'a·ble-'bod·ied·ness** *s* Vollbesitz *m* aller körperlichen Kräfte.

ab·le·gate ['æbliˌgeit] **I** *v/t obs.* ins Ausland senden. – **II** *s relig.* Able'gat *m* (*päpstlicher Gesandter, der einem neuerwählten Kardinal die Insignien seines Amtes überbringt*).

'a·ble-'mind·ed *adj* geistig leistungsfähig.

ab·le·pha·ri·a [ˌæbli'fɛ(ə)riə], **a·bleph·a·ron** [ə'blefəˌrɒn] *s med.* Ablepha'rie *f,* Fehlen *n* der Augenlider.

ab·let ['æblit] *s zo.* Weiß-, Karpfenfisch *m* (*Fam. Cyprinidae*).

a·ble-whack·ets ['eiblˌ(h)wækits] *s Kartenspiel der Matrosen, bei dem der Verlierer mit einem festgedrehten Taschentuch auf die Handflächen geschlagen wird.*

a·bloom [ə'bluːm] *adv u. pred adj* in Blüte, blühend.

ab·lu·ent ['æbluənt] **I** *adj* reinigend. – **II** *s* Reinigungsmittel *n.*

a·blush [ə'blʌʃ] *adv u. pred adj* (scham)-rot, von Schamröte über'gossen.

ab·lu·tion [ə'bluːʃən; æ'b-] *s* **1.** (Ab)-Waschung *f* (*auch med.*): ~**s** *Br.* Waschraum, -vorrichtung (*in der brit. Armee*). – **2.** Wasch-, Spülflüssigkeit *f.* – **3.** *relig.* Abluti'on *f*: a) *Ausspülen des Kelches und Waschung der Finger des Priesters,* b) *die hierzu benutzte Mischung von Wein und Wasser.* – **4.** *chem.* Auswaschen *n.*

a·bly ['eibli] *adv* mit Geschick, geschickt.

A-B meth·od *s electr.* A-B-Betrieb *m.*

ab·ne·gate ['æbniˌgeit] *v/t* (ab)leugnen, verleugnen, aufgeben, verweigern, sich (*etwas*) versagen. — **ˌab·ne'ga·tion** *s* Ableugnung *f,* (Selbst)Verleugnung *f,* Verzicht *m* (of auf *acc*). — **'ab·neˌga·tive** *adj* (ab)leugnend, entsagend, negativ. — **'ab·neˌga·tor** [-tər] *s* (Ab)-Leugner *m.*

ab·nerv·al [æb'nəːrvəl] *adj med.* vom Nerv ab- *od.* ausgehend.

ab·nor·mal [æb'nɔːrməl] *adj* **1.** ab'norm, ano'mal, regelwidrig, ungewöhnlich, 'mißgestaltet: ~ **psychology** Psychopathologie. – **2.** *tech.* normwidrig. — **ˌab·nor'mal·i·ty** [-'mæliti; -lə-] *s* **1.** Abweichen *n* von der Regel. – **2.** Abweichung *f,* Regelwidrigkeit *f,* 'Mißbildung *f,* -gestalt *f.* – **3.** *med.* Anoma'lie *f,* Deformi'tät *f.*

ab·nor·mi·ty [æb'nɔːrmiti; -mə-] *s* Abnormi'tät *f,* Abweichung *f* von der Regel, Regelwidrigkeit *f,* Entartung *f,* 'Mißbildung *f,* 'Mißgeburt *f,* -gestalt *f.* — **ab'nor·mous** *adj selten* ab'norm, ano'mal, regelwidrig, 'mißgestaltet.

a·board [ə'bɔːrd] **I** *adv u. pred adj* **1.** *mar.* an Bord: **to go ~** an Bord gehen, sich einschiffen; all ~! a) alle Mann *od.* alle Reisenden an Bord! b) *fig. Am.* alles einsteigen! (*in ein Verkehrsmittel*); **to fall ~** ansegeln, anfahren. – **II** *prep* **2.** *mar.* an Bord (*gen*): **to go ~ a ship.** – **3.** *Am.* in: ~ **a train** im Zug; **to go ~ a train** in einen Zug (ein)steigen.

a·bode[1] [ə'boud] *pret u. pp von* **abide.**

a·bode[2] [ə'boud] *s* **1.** Bleiben *n,* Verweilen *n,* Aufenthalt *m.* – **2.** Aufenthalts-, Wohnort *m,* Wohnung *f*: of no (*od.* without) **fixed ~** ohne festen Wohnsitz.

a·bo·ga·do [abo'gaðo] (*Span.*) *s Am. dial.* Advo'kat *m,* Anwalt *m.*

a·boil [ə'bɔil] *adv u. pred adj* **1.** im Sieden, in Wallung. – **2.** *fig.* in Wallung, in großer Aufregung.

a·bol·ish [ə'bɒliʃ] *v/t* **1.** abschaffen, aufheben, tilgen, ungültig machen. – **2.** *poet.* zerstören, vernichten. – *SYN.* **annihilate, extinguish.** — **a'bol·ish·a·ble** *adj* abschaffbar, tilgbar. — **a'bol·ish·ment** *s* **1.** Abschaffung *f,*

Aufhebung *f*. – **2.** *Am. hist.* Abschaffung *f* der Sklave'rei.
ab·o·li·tion [ˌæbəˈliʃən] *s* **1.** Abschaffung *f* (*Am. bes. der Sklaverei*), Aufhebung *f*, Beseitigung *f*, Tilgung *f*. – **2.** *jur.* Aboliti'on *f* (*Niederschlagung eines schwebenden Verfahrens*). — ˌ**ab·o'li·tion·ar·y** [*Br.* -nəri; *Am.* -ˌneri] *adj* Abschaffungs..., Tilgungs... — **ab·o·li·tion·ism** [ˌæbəˈliʃəˌnizəm] *s* **1.** *Am. hist.* Abolitio'nismus *m*, (Prin'zip *n od.* Poli'tik *f* der) Sklavenbefreiung *f*. – **2.** Abolitio'nismus *m* (*Bekämpfung einer bestehenden Einrichtung etc*). — ˌ**ab·o'li·tion·ist** *s* **1.** *Am. hist.* Abolitio'nist *m*, Verfechter *m* der 'Sklavenbeˌfreiungsiˌdee. – **2.** *Gegner einer bestehenden Einrichtung etc.*
a·bol·la [əˈbɒlə] *pl* **-lae** [-iː] (*Lat.*) *s* wollener Winterrock *od.* 'Umhang (*im alten Rom*).
a·bo·ma [əˈboumə] *s zo.* A'bomaschlange *f* (*Boa aboma*).
ab·o·ma·sum [ˌæboˈmeisəm] *pl* **-sa** [-ə], ˌ**ab·o'ma·sus** [-əs] *pl* **-si** [-ai] *s zo.* Lab-, Fettmagen *m*, vierter Magen (*der Wiederkäuer*).
'**A-**ˌ**bomb** *s* A'tombombe *f*.
a·bom·i·na·ble [əˈbɒminəbl; -mə-] *adj* ab'scheulich, 'widerwärtig, scheußlich. – *SYN. cf.* hateful. — **a'bom·i·na·ble·ness** → abomination 2. — **a·bom·i·nate I** *v/t* [əˈbɒmiˌneit; -mə-] verabscheuen. – *SYN. cf.* hate[1]. – **II** *adj* [-nit; -ˌneit] → abominable. — **a**ˌ**bom·i'nation** *s* **1.** Verabscheuung *f*, Abscheu *m, f* (of vor *dat*). – **2.** Schändlichkeit *f*, Gemeinheit *f*. – **3.** Greuel *m*, Scheusal *n*, Gegenstand *m* des Abscheus: **smoking is her pet ~** *colloq.* das Rauchen ist ihr ein wahrer Greuel.
ab·o·ral [æˈbɔːrəl] *adj med. zo.* abo'ral (*dem Mund entgegengesetzt*).
ab·o·rig·i·nal [ˌæbəˈridʒənl] **I** *adj* **1.** eingeboren, ureingesessen, ursprünglich, erst, einheimisch, Ur... – *SYN. cf.* native. – **II** *s* **2.** einheimisches Tier, einheimische Pflanze. – **3.** Ureinwohner *m*. — ˌ**ab·o**ˌ**rig·i'nal·i·ty** [-ˈnæliti; -lə-] *s* ursprüngliche Seßhaftigkeit (*in einem Lande*).
ab·o·rig·i·ne [ˌæbəˈridʒiˌniː; -dʒə-] *s* **1.** *meist pl* Ureinwohner *m*, Eingeborene(r): **~s** Urbevölkerung. – **2.** *pl* (*die*) ursprüngliche Flora und Fauna (*eines Gebietes*).
ab o·ri·gi·ne [æb oˈridʒiˌniː] (*Lat.*) von Urbeginn, von Anfang an.
a·bort [əˈbɔːrt] **I** *v/t* **1.** *med.* zu einer Fehlgeburt bringen. – **2.** *med.* nicht zur Entwicklung kommen lassen: **to ~ a disease** eine Krankheit im Anfangsstadium unterdrücken. – **3.** *mil. Am. sl.* ‚vermasseln' (*zu einem vorzeitigen nutzlosen Ausgang bringen*). – **II** *v/i* **4.** abor'tieren, fehlgebären, zu früh gebären. – **5.** *biol.* verkümmern, fortfallen (*Teil eines Organs*). – **6.** *mil. Am. sl.* miß'lingen, fehlschlagen. – **III** *s* **7.** Ab'ort(us) *m*, Fehlgeburt *f*. — **a'bort·ed** *adj* **1.** fehlgeboren. – **2.** *biol.* → **abortive** 4.
a·bor·ti·cide [əˈbɔːrtiˌsaid; -tə-] *s med.* **1.** Her'beiführung *f* einer Fehlgeburt, Tötung *f* der Frucht im Mutterleib, Abtreibung *f*. – **2.** Abor'tiv-, Abtreibungsmittel *n*. — **a·bor·tient** [əˈbɔːrʃənt] *adj* Fehlgeburt verursachend, abtreibend. — **a·bor·ti·fa·cient** [əˌbɔːrtiˈfeiʃənt; -tə-] *med.* **I** *adj* Fehlgeburt verursachend, abtreibend. – **II** *s* Abor'tiv-, Abtreibungsmittel *n*.
a·bor·tion [əˈbɔːrʃən] *s* **1.** *med.* Ab'ort(us) *m*, Fehlgebären *n*. – **2.** *med.* Fehl-, Frühgeburt *f*. – **3.** 'Mißgeburt *f* (*auch fig.*). – **4.** Abtreibung *f*. – **5.** *fig.* Fehlschlag *m*, Miß'lingen *n*. – **6.** *biol.* Verkümmerung *f*, Fehlbildung *f*. – **7.** *med.* Behandlung *f od.* Heilung *f* (*einer Krankheit*) im frühesten Stadium. — **a'bor·tion·al** *adj* **1.** *med.* eine Fehlgeburt betreffend. – **2.** *fig.* fehlschlagend. — **a'bor·tion·ist** *s* Abtreiber(in) (*der Leibesfrucht*).
a·bor·tive [əˈbɔːrtiv] **I** *adj* **1.** zu früh geboren. – **2.** vorzeitig, verfrüht, unzeitig, unreif. – **3.** fehlgeschlagen, miß'lungen, fruchtlos, verfehlt: **to prove ~** sich als Fehlschlag erweisen, mißlingen. – **4.** *biol.* a) verkümmert, unvollkommen (entwickelt) (*Organ*), b) fortgefallen (*ein in der Regel vorhandener Teil*). – **5.** *bot.* ste'ril, taub, unfruchtbar. – **6.** *med.* abor'tierend, Frühgeburt verursachend, abtreibend. – **7.** *med.* (*eine Krankheit*) im Anfangsstadium heilend. – **II** *s* **8.** *med.* Abor'tiv-, Abtreibungsmittel *n*.
a·bor·tus [əˈbɔːrtəs] *pl* **-tus** (*Lat.*) *s med.* Ab'ort(us) *m*, Fehl-, Frühgeburt *f*, abor'tierte *od.* zu früh geborene Frucht.
a·bou·li·a [əˈbuːliə] → abulia.
a·bound [əˈbaund] *v/i* **1.** im 'Überfluß *od.* reichlich vor'handen sein. – **2.** 'Überfluß haben, reich sein (in an *dat*). – **3.** (with) (an)gefüllt sein (mit), voll sein (von), wimmeln (von). – **4.** sich ergehen (*obs. außer in*): **to ~ in one's own sense** nach seinem eigenen Kopf handeln, bei seiner Meinung bleiben. — **a'bound·ing** *adj* **1.** reichlich (vor'handen). – **2.** reich (in an *dat*), voll (with von). — **a'bound·ing·ly** *adv* vollauf, im 'Überfluß, sattsam, zahlreich.
a·bout [əˈbaut] **I** *adv* **1.** (rund) her'um, (rund) um'her, rings herum: **all ~** überall. – **2.** in der Runde, im Kreise: **a long way ~** ein großer Umweg. – **3.** hier und da: **~ and ~** überall, nach allen Seiten. – **4.** ungefähr, etwa, fast, nahezu, beinahe: **it's ~ right** *colloq.* ‚es kommt so ungefähr hin' (*es stimmt so ungefähr*). – **5.** halb her'um, in der entgegengesetzten Richtung: *Am.* **~ face!** *Br.* **~ turn!** *mil.* ganze Abteilung, kehrt! **to look ~** sich umsehen; **to go ~** *aer. mar.* den Kurs ändern. – **6.** *mar.* gewendet: **to be ~** klar zum Wenden sein; → **put ~** 1. – **7.** *colloq.* in der Nähe: **there is no one ~**. –
II *prep* **8.** um, um ... her'um. – **9.** (irgendwo) um'her in (*dat*): **to wander ~ the streets** in den Straßen umherwandern. – **10.** bei, auf, an, um: **have you any money ~ you?** haben Sie Geld bei sich? **there is nothing good ~ him** es ist kein gutes Haar an ihm. – **11.** um, gegen, etwa: **~ my height** ungefähr meine Größe; **~ this time** etwa um diese Zeit; → **size**[1] 5. – **12.** wegen, über, um, in betreff, in bezug auf: **be quick ~ it!** mach schnell damit! **well, what ~ it?** nun, wie steht's damit? **go ~ your business!** kümmere dich um deine Sachen! → **send**[1] 5. – **13.** im Begriff: **he was ~ to go out** er war im Begriff auszugehen, er wollte gerade ausgehen. – **14.** *colloq.* beschäftigt mit: **he knows what he is ~** er weiß, was er tut *od.* was er will; **what are you ~?** was machst du da? was hast du vor? **mind what you're ~!** nimm dich in acht! –
III *pred adj* **15.** auf, auf den Beinen, in Bewegung: **to be ~ early in the morning**. –
IV *v/t* **16.** *mar.* (*Schiff*) wenden.
a·bout-face I *s* [əˈbautˌfeis] **1.** 'Umdrehen *n*, Kehrtmachen *n*. – **2.** Änderung *f* des Standpunktes, Meinungswechsel *m*. – **II** *v/i* [əˈbautˈfeis] **3.** kehrtmachen. – **4.** seinen Standpunkt vollkommen ändern. — **a'bout-'ship** *v/t u. v/i mar.* wenden. — **a'bout-**ˌ**sledge** *s tech.* Vorschlaghammer *m*, Pos'sekel *m*.
a·bove [əˈbʌv] **I** *adv* **1.** oben, da oben, droben, oberhalb, strom'aufwärts. – **2.** *relig.* oben, droben im Himmel: **from ~** von oben (her), vom Himmel, von Gott. – **3.** über, dar'über (hin'aus): **over and ~** obendrein, überdies, noch dazu. – **4.** weiter oben, vor..., oben...: **~-cited**; **~-mentioned**; **~-named**. – **5.** nach oben, in die Höhe, aufwärts. – **II** *prep* **6.** über, oberhalb: **~ the earth** über der Erde, oberirdisch; **~ sea level** über dem Meeresspiegel; → **average** 1. – **7.** *fig.* über, mehr als, stärker als, erhaben über (*acc*): **~ all** vor allem, vor allen Dingen; **he is ~ that** er steht über der Sache, er ist darüber erhaben; **she was ~ taking advice** sie war zu stolz, Rat anzunehmen; sie ließ sich nichts sagen; → **par** 1 *u.* 4; **to be ~ s.o.** j-m überlegen sein; **to get ~ s.o.** j-n überflügeln; **it is ~ me** es ist mir zu hoch, es geht über meinen Horizont *od.* Verstand. – **III** *adj* **8.** obig, obenerwähnt: **the ~ observations** die obigen Bemerkungen. – **9.** *relig.* höher: **the powers ~** die himmlischen Mächte; **his thoughts are on things ~**. – **IV** *s* **10.** Obiges *n*, Obenerwähntes *n*: **as mentioned in the ~** wie oben erwähnt. — **a'bove**ˌ**board** *adv u. pred adj* offen, ehrlich, redlich. — **a'bove**ˌ**deck** *adv u. pred adj* **1.** *mar.* auf Deck (befindlich). – **2.** *fig.* offen, ehrlich, redlich. — **a'bove**ˌ**ground** *adv u. pred adj* **1.** *tech.* über Tage (*im Bergbau*), oberirdisch. – **2.** (noch) auf Erden, am Leben. — **a'bove**ˌ**stairs** *adv* **1.** oben (im Hause), droben, in einem höheren Stockwerk. – **2.** *fig.* bei der Herrschaft.
ab o·vo [æb ˈouvou] (*Lat.*) von Anfang an (*mit langweiliger Ausführlichkeit*).
a·box [əˈbɒks] *adv u. pred adj mar. hist.* mit den Vorsegeln backgebraßt.
A-B pow·er pack *s electr.* Gerät *n* zur Lieferung von Heiz- und An'odenleistung.
ab·ra·ca·dab·ra [ˌæbrəkəˈdæbrə] *s* **1.** Abraka'dabra *n*, 'Buchstabenamuˌlett *n* in Dreiecksgestalt. – **2.** *fig.* Kauderwelsch *n*, Unsinn *m*. – **3.** Geˌheimnistue'rei *f*.
ab·ra·dant [əˈbreidənt] **I** *adj* **1.** (ab)reibend, (ab)schleifend. – **2.** *med.* Ablösung erzeugend (*bes. der Haut*). – **II** *s* **3.** Reibepulver *n*, Schleifmittel *n*, Schmirgel *m*. — **ab·rade** [əˈbreid] **I** *v/t* **1.** abschaben, abschleifen, abreiben, zerreiben. – **2.** *fig.* schädigen, unter'graben, zerstören. – **3.** aufreiben, zermürben, erschöpfen. – **4.** *med.* abschaben, abkratzen, abschürfen, abschälen. – **5.** *tech.* (ab-, ein)schleifen, verschleißen. – **6.** *geol.* abscheuern. – **II** *v/i* **7.** schaben, schleifen, scheuern, reiben. – *SYN.* chafe, excoriate, fret[1], gall[2]. — **ab'rad·ed** *adj med.* wund, ab-, aufgeschürft, aufgescheuert (*Haut*).
A·bra·ham [ˈeibrəˌhæm] *npr Bibl.* Abraham *m*. — ˌ**A·bra'ham·ic** *adj* abra'hamisch. — ˌ**A·bra'ham·i**ˌ**dae** [-miˌdiː] *s pl* **1.** Abraha'miden *pl*, Nachkommen *pl* Abrahams. – **2.** He'bräer *pl*. — '**A·bra·ham**ˌ**ite** [-ˌmait] *s relig.* Abraha'mit *m*: a) *Anhänger Abrahams von Antiochien*, b) *Anhänger einer böhmischen Sekte im 18. Jh.* — ˌ**A·bra·ham'it·ic** [-ˈmitik] → Abrahamic.
A·bra·ham-man [ˈeibrəhæmˌmæn] *s irr hist. verrückter od. sich verrückt stellender wandernder Bettler im 16. u. 17. Jh. in England.*
A·bra·ham's| bos·om *s Bibl.* Abrahams Schoß *m*. — **~ eye** *s Zaubermittel, das einen leugnenden Dieb blind machen sollte.*
A·bram [ˈeibrəm] *s nur in der Wendung*: **to sham ~** sich krank *od.* verrückt stellen. — '**~-**ˌ**man** → Abraham-man.

a·bran·chi·al [ei'bræŋkiəl] *adj zo.* kiemenlos. — **a'bran·chi·alˌism** *s* Kiemenlosigkeit *f.* — **a'bran·chi·an** **I** *adj* kiemenlos. – **II** *s* kiemenloses Tier. — **a'bran·chi·ate** [-kiit; -ˌeit], **a'bran·chi·ous** *adj* kiemenlos.

ab·rase [ə'breis] *v/t* abschaben, -reiben, -schürfen, -schleifen. — **ab'ra·sion** [-ʒən] *s* **1.** Abschaben *n*, Abreiben *n*, Abschleifen *n*. – **2.** Abschabsel *n*, (*das*) Abgeriebene. – **3.** Abnutzung *f*, Abnützung *f* (*einer Münze*). – **4.** *med.* 'übermäßige Abnutzung (*der Zähne*). – **5.** *med.* (Haut)Abschürfung *f*, Abschrammung *f*, Schürfwunde *f*, Scheuerstelle *f*, Schramme *f*. – **6.** *tech.* Aufrauhung *f*, Reibung *f*, Abrieb *m*, Verschleiß *m*: ~ **of the insulation** Abscheuerung der Isolation. — **ab·ra·sive** [ə'breisiv] **I** *adj* abreibend, abschleifend, schmirgelartig, Schleif...: ~ **action** Scheuerwirkung; ~ **cloth** Schmirgelleinen; ~ **hardness** Schneid-, Ritzhärte; ~ **paper** Sand-, Schleif-, Polierpapier. – **II** *s* Schleif-, Po'lier-, Abreibungsmittel *n*, Putzsand *m*, Schmirgel *m*.

ab·raum ['æbraum] *s* Farberde *f* (*besonderer Rötel zum Färben von Mahagoni*). — ~ **salts** *s pl chem.* Abraumsalze *pl.*

a·brax·as [ə'bræksəs] *s* **1.** A'braxas *m* (*mystische Formel*). – **2. A~** A'braxas *m* (*gnostische Gottheit*). – **3.** *auch* ~ **stone** A'braxasgemme *f*, -stein *m*.

ab·re·act [ˌæbri'ækt] *v/t psych.* 'abreaˌgieren. — **ˌab·re'ac·tion** *s* 'Abreaˌgierung *f*.

a·breast [ə'brest] **I** *adv* **1.** Seite an Seite, nebenein'ander: **they marched four** ~. – **2.** *mar.* Bord an Bord (*in gleicher Fahrtrichtung*). – **3.** gegen'über (of von). – **4.** *mar.* in Front, dwars: **the ship was** ~ **of the cape** das Schiff lag auf der Höhe des Kaps. – **5.** *fig.* bis zu einem bestimmten Grad, auf der (gleichen) Höhe, auf dem Ni'veau: → **keep** ~. – **II** *prep* **6.** *mar.* dwars ab, gegen'über.

a·breu·voir [abrœ'vwa:r] (*Fr.*) *s tech.* Mörtel-, Kittspalte *f*.

a·bri [a'bri] (*Fr.*) *s bes. mil.* 'Unterstand *m*, Deckung *f*, Schutzraum *m*.

a·bridge [ə'bridʒ] *v/t* **1.** abkürzen, (ver)kürzen, stutzen: **to** ~ **a procedure** *math.* ein Verfahren abkürzen. – **2.** vermindern, verringern, beschränken, einschränken, schmälern. – **3.** zu'sammenfassen, -ziehen. – **4.** berauben (**of** *gen*). – *SYN. cf.* **shorten.** — **a'bridged** *adj* (ab)gekürzt, verkürzt, Kurz... — **a'bridg(e)·ment** *s* **1.** Abkürzung *f*, (Ver)Kürzung *f*. – **2.** Abriß *m*, Auszug *m*. – **3.** Verringerung *f*, Verminderung *f*, Beschränkung *f*, Einschränkung *f*, Schmälerung *f*. – *SYN.* **abstract, brief, conspectus, epitome, synopsis.**

a·broach [ə'broutʃ] *adv u. pred adj* angezapft, angestochen: **to set** ~ a) (*Faß*) anstechen, anzapfen, b) *fig.* (*Unfug*) anstiften, c) *fig.* verbreiten.

a·broad [ə'brɔ:d] **I** *adv u. pred adj* **1.** draußen, außen, auswärts, im *od.* ins Ausland: **to be** ~ im Ausland sein; → **go** ~. – **2.** weit verbreitet: **to spread** (*od.* **scatter**) ~ verbreiten, aussprengen; **the matter has got** ~ die Sache ist ruchbar geworden; **a rumo(u)r is** ~ es geht das Gerücht (um). – **3.** aus dem Haus, außerhalb, im Freien. – **4.** weit ausein'ander, weithin, weit um'her, überall'hin. – **5.** weit vom Ziel, weit von der Wahrheit: **all** ~ a) ganz im Irrtum, b) verwirrt. – **II** *s* **6.** Ausland *n*.

ab·ro·ga·ble ['æbrəgəbl] *adj* abschaffbar, aufhebbar.

ab·ro·gate ['æbrəˌgeit] *v/t* **1.** abschaffen, aufheben. – **2.** beseitigen, beenden, bei'seite setzen. – **3.** *jur.* (*Gesetz*) aufheben, außer Kraft setzen. – *SYN. cf.* **nullify.** — **ˌab·ro'ga·tion** *s* Abschaffung *f*, Aufhebung *f*. — **'ab·roˌga·tive** *adj* auf Abschaffung 'hinzielend.

a·brot·a·num [ə'brɒtənəm] → **southernwood.**

ab·ro·tin(e) ['æbroˌti:n; -tin] *s chem.* Abro'tin *n* ($C_{21}H_{22}N_2O$).

ab·rupt [ə'brʌpt] **I** *adj* **1.** abgerissen, abgebrochen, zu'sammenhanglos (*auch fig.*): ~ **cadence** *mus.* unterbrochene Kadenz, Trugschluß. – **2.** jäh, steil. – **3.** kurz angebunden, rauh, schroff. – **4.** jäh, plötzlich, hastig, über'eilt. – **5.** *bot.* abgestutzt, abgestumpft. – **6.** *geol.* schroff, abschüssig, jäh: ~ **sharp angle** scharfer Absatz, scharf abgesetzte Stelle. – *SYN. cf.* a) **precipitate,** b) **steep**[1]. – **II** *s* **7.** *poet.* Kluft *f*, Abgrund *m*. — **ab'rup·tion** *s* **1.** Abbrechen *n*, Abreißen *n*, plötzliche Unter'brechung (*der Rede od. des Gedankenganges*). – **2.** Abbrechen *n*, Zerreißen *n*. — **ab'rupt·ness** *s* **1.** Abgerissenheit *f*, Abgebrochenheit *f*, Zu'sammenhanglosigkeit *f*. – **2.** Steilheit *f*. – **3.** Rauheit *f*, Schroffheit *f*. – **4.** Plötzlichkeit *f*, Hast *f*, Über'eilung *f*.

Ab·sa·lom ['æbsələm] **I** *npr* **1.** *Bibl.* Absalom *m*. – **II** *s* **2.** Lieblingssohn *m*. – **3.** geliebter, aber abtrünniger Sohn.

ab·scess ['æbsis; -ses] *s med.* Ab'szeß *m*, Geschwür *n*, Eiterbeule *f*, -geschwulst *f*. — **'ab·scessed** *adj* absze'diert, mit Geschwüren behaftet, eiternd.

ab·scess| for·ma·tion *s med.* Ab'szeßbildung *f*, Absze'dierung *f*. — **'~ˌroot** *s bot.* Nordamer. Himmelsleiter-Staude *f* (*Polemonium reptans*).

ab·scind [æb'sind] *v/t selten* abszin'dieren, abschneiden, entzweireißen.

ab·scise [æb'saiz] *v/t bot.* abschneiden.

ab·scis·sa [æb'sisə] *pl* **-sae** [-i:] *od.* **-sas,** *auch* **ab·sciss(e)** ['æbsis] *s math.* Ab'szisse *f*.

ab·scis·si·o in·fi·ni·ti [æb'siʃiou ˌinfi'naitai] (*Lat.*) *s philos.* ab'scissio *f* infi'niti: a) *logische Überlegung, bei der alle unhaltbaren Hypothesen der Reihe nach ausgeschieden werden,* b) *Klassifizierung eines Gegenstandes durch sukzessives Ausscheiden der Klassen, zu denen er nicht gehört.*

ab·scis·sion [æb'siʒən] *s* **1.** Abschneiden *n* (*einer Silbe, eines Gliedes*), Abtrennen *n*, Abtrennung *f*, Entfernen *n*. – **2.** plötzliches Abbrechen. – **3.** Abgeschnittensein *n*. – **4.** *biol.* Abschnürung *f*. – **5.** *bot.* Lostrennung *f* (*des Blattes vom Zweig*): ~ **layer** Trennungsgewebe, -schicht.

ab·sconce [æb'skɒns] *s relig.* La'terne *f* (*in Klöstern u. Kirchen bei der Frühmesse verwendet*).

ab·scond [æb'skɒnd] *v/i* **1.** *jur.* entweichen, flüchtig werden, sich den Gesetzen entziehen, flüchten (**from** vor *dat*): **an** ~**ing debtor** ein flüchtiger Schuldner. – **2.** sich heimlich da'vonmachen, 'durchbrennen, sich drücken. – **3.** sich verbergen *od.* verstecken. – *SYN.* **decamp, escape, flee, fly**[1]. — **ab'scond·ed** *adj* verborgen, versteckt. — **ab'scond·ence** *s selten* Verbergen *n*, Entweichen *n*.

ab·sence ['æbsəns] *s* **1.** Abwesenheit *f*, Entfernung *f*: **on leave of** ~ auf Urlaub; ~ **over leave** *mil.* Urlaubsüberschreitung; ~ **without leave** *mil.* unerlaubte Entfernung von der Truppe. – **2.** (**from**) Aus-, Fernbleiben *n* (von), Nichterscheinen *n* (in *dat*, zu). – **3.** Fehlen *n*, Nichtvor'handensein *n*, Ermangelung *f*, Mangel *m* (**of** an *dat*): **in the** ~ **of any positive proof** in Ermangelung eines positiven Beweises; ~ **of current** *electr.* Stromlosigkeit; ~ **of mind** Geistesabwesenheit, Gedankenlosigkeit, Zerstreutheit, Unachtsamkeit. – **4.** *med.* Bewußtlosigkeit *f*, kurze Bewußtseinstrübung.

ab·sent I *adj* ['æbsənt] **1.** abwesend, nicht erschienen. – **2.** fehlend, nicht vor'handen, fremd. – **3.** geistesabwesend, zerstreut, unaufmerksam. – **II** *v/reflex* [æb'sent] **4.** (**from**) fernbleiben (*dat od.* von), sich entfernen (von, aus), sich fernhalten (von): **he** ~**ed himself from the meeting** er hielt sich von der Versammlung fern. — **ˌab·sen'ta·tion** *s* Sichent'fernen *n*.

ab·sen·tee [ˌæbsən'ti:] **I** *s* **1.** Abwesende(r). – **2.** *j-d der sich von seinen Ämtern fernhält.* – **3.** im Ausland Lebende(r) (*bes. Grundbesitzer*). – **II** *adj* **4.** abwesend, nicht zu Hause lebend, im Ausland lebend: ~ **landlord;** ~ **voter** *pol. Am.* Briefwähler. — **ˌab·sen'tee·ism** *s* **1.** Absen'tismus *m*, Wohnen *n* im Ausland. – **2.** Arbeitsversäumnis *f*, *n*, (unentschuldigtes) Fernbleiben (*von der Arbeit*).

'ab·sent-'mind·ed *adj* geistesabwesend, zerstreut, unaufmerksam. — **'ab·sent-'mind·ed·ness** *s* Geistesabwesenheit *f*, Zerstreutheit *f*.

ab·sent with·out leave *pred adj mil.* abwesend ohne Urlaub (*abgekürzt* **A.W.O.L., AWOL**).

ab·sinth(e) ['æbsinθ] *s* **1.** *bot.* Wermut *m* (*Artemisia absinthium*). – **2.** Ab'sinth *m* (*franz. Branntwein*). — **ab'sin·thi·al, ab'sin·thi·an** *adj* wermutartig, bitter. — **ab'sin·thiˌate** [-ˌeit] *v/t* mit Wermut mischen *od.* durch'tränken. — **ab'sin·thic** *adj* Absinth... — **ab'sin·thi·in** [æb'sinθiin] *s chem.* Absin'thin *n*, Bitterstoff *m* des Wermuts ($C_{15}H_{20}O_4$). — **ab'sin·thine** [-θin; -θain] *adj* ab'sinthartig, bitter. — **ab·sinth·ism** ['æbsinˌθizəm] *s med.* Absin'thismus *m*, Ab'sinthvergiftung *f*.

ab·sit o·men ['æbsit 'oumən] (*Lat.*) möge sich die schlimme Ahnung *od.* Befürchtung nicht verwirklichen!

ab·so·lute ['æbsəˌlu:t; -ˌlju:t] **I** *adj* **1.** abso'lut, unabhängig, unbedingt. – **2.** abso'lut, 'unumˌschränkt, unbeschränkt, 'unkontrolˌliert: → **monarchy** 1. – **3.** abso'lut, vollkommen, rein, völlig, vollständig. – **4.** *philos.* abso'lut, frei, abgelöst, an u. für sich bestehend, schlecht'hinnig, unbeziehlich. – **5.** über'zeugt, sicher, bestimmt, entschieden. – **6.** kate'gorisch, positiv. – **7.** wirklich, tatsächlich. – **8.** *chem.* rein, unvermischt. – **9.** *ling.* abso'lut (*ohne Objekt* [*Verben*]; *vom übrigen Satz unabhängig*). – **10.** *math.* abso'lut, unbenannt, ohne Berücksichtigung des Vorzeichens: ~ **number.** – **11.** *phys.* abso'lut, unabhängig, nicht rela'tiv. – **II** *s* **12. the** ~ das Abso'lute. — ~ **al·co·hol** *s chem.* abso'luter *od.* wasserfreier Alkohol (C_2H_5OH). — ~ **al·ti·tude** *s aer.* abso'lute Höhe, Flughöhe *f* über Grund. — ~ **bill of sale** *s econ.* unbedingter Lieferschein. — ~ **fo·cus** *s tech.* Brennpunkt *m*. — ~ **in·cli·nom·e·ter** *s aer. mar.* künstlicher Hori'zont.

ab·so·lute·ly ['æbsəˌlu:tli; ˌæbsə'lu:tli; -lju:t-] *adv* **1.** abso'lut, gänzlich, völlig, vollkommen, vollends, durchaus, über'haupt. – **2.** an u. für sich. – **3.** *colloq.* unbedingt, ganz bestimmt.

ab·so·lute| ma·jor·i·ty *s* abso'lute Mehrheit. — ~ **ma·nom·e·ter** *s tech.* 'Knudsen-Manoˌmeter *n*. — ~ **mu·sic** *s* abso'lute Mu'sik (*im Gegensatz zu Programmusik*).

ab·so·lute·ness ['æbsəˌlu:tnis; -ˌlju:t-] *s* **1.** Abso'lutheit *f*, Vollständigkeit *f*, Vollkommenheit *f*. – **2.** unbeschränkte Gewalt, 'Unumˌschränktheit *f*, Unbedingtheit *f*. – **3.** (unbedingte) Gewißheit, Wirklichkeit *f*. – **4.** (*das*) Abso'lute.

ab·so·lute| pitch *s mus.* **1.** abso'lute Tonhöhe. – **2.** abso'lutes Gehör *od.* Tonbewußtsein. — **~ pres·sure** *s phys.* Abso'lutdruck *m*: ~ 735.5 mm mercury at 0°C absoluter Druck von 735,5 mm Quecksilbersäule bei 0° C. — **~ sys·tem of meas·ures** *s math. phys.* abso'lutes 'Maßsy,stem. — **~ tem·per·a·ture** *s phys.* abso'lute Tempera'tur, 'Kelvin-Tempera,tur (*auf den absoluten Nullpunkt bezogen*). — **~ te·nac·i·ty** *s tech.* Zugfestigkeit *f.* — **~ u·nit** *s math. phys.* abso'lute Einheit. — **~ vac·u·um** *s phys.* abso'lute (Luft)-Leere. — **~ ze·ro** *s math. phys.* abso'luter Nullpunkt.

ab·so·lu·tion [,æbsə'lu:ʃən; -'lju:-] *s* **1.** *jur.* Frei-, Lossprechung *f*, Entbindung *f* (from, of von). – **2.** *relig.* Absoluti'on *f*, Sündennachlaß *m.*

ab·so·lut·ism ['æbsəlu:,tizəm; -lju:-] *s* **1.** *pol.* Absolu'tismus *m* (*unbeschränkte Herrschaft*). – **2.** *relig.* Lehre *f* von Gottes abso'luter Gewalt. – **3.** *philos.* a) Lehre *f* vom Abso'luten, b) (*Ästhetik*) Lehre *f* von der Schönheit an sich. – **4.** → absoluteness. — **ab·so·lut·ist** ['æbsə,lu:tist; -,lju:-] **I** *s philos. pol.* Absolu'tist *m*, Anhänger *m* des Absolu'tismus. – **II** *adj* absolu'tistisch, des'potisch. — **,ab·so·lu'tis·tic** → absolutist II.

ab·sol·u·to·ry [*Br.* əb'sɒljutəri; *Am.* -jə,tɔ:ri] *adj* frei-, lossprechend.

ab·solv·a·ble [æb'sɒlvəbl; əb-; -'zɒlv-] *adj* freizusprechen(d). — **ab'solve** *v/t* **1.** (of, from) absol'vieren, frei-, lossprechen, entbinden (von), entheben (*gen*). – **2.** voll'enden, beenden. – *SYN. cf.* exculpate.

ab·sol·vent [æb'sɒlvənt; əb-; -'z-] **I** *adj* frei-, lossprechend. – **II** *s* Freisprechende(r).

ab·so·nant ['æbsənənt] *adj* **1.** *mus.* 'mißtönend, -klingend, 'unhar,monisch. – **2.** *fig.* (to, from) im 'Widerspruch stehend (zu), nicht entsprechend (*dat*), nicht im Einklang (mit).

ab·sorb [əb'sɔ:rb; æb-; -'z-] *v/t* **1.** absor'bieren, auf-, einsaugen, (ver)-schlucken, in sich einziehen. – **2.** aufzehren, verschlingen. – **3.** *fig.* ganz in Anspruch nehmen, beschäftigen, fesseln. – **4.** *phys.* absor'bieren, resor'bieren, in sich aufnehmen, verschlucken: to ~ a shock einen Stoß auffangen *od.* absorbieren *od.* dämpfen. – *SYN.* assimilate, imbibe. — **ab,sorb·a'bil·i·ty** *s* Absor'bierbarkeit *f.* — **ab'sorb·a·ble** *adj* absor'bierbar. — **ab·sorb·an·cy** *cf.* absorbency.

ab·sorbed [əb'sɔ:rbd; -'z-; æb-] *adj* **1.** absor'biert, aufgesaugt, verschluckt: ~ radiation *phys.* absorbierte Strahlung. – **2.** gefesselt, ganz in Anspruch genommen: ~ in thought in Gedanken vertieft. – *SYN. cf.* intent[2]. — **ab'sorb·ed·ly** [-bidli] *adv.* — **ab'sorb·ed·ness** [-bidnis] *s* Versunkensein *n.*

ab·sor·be·fa·cient [əb,sɔ:rbi'feiʃənt; -bə-; -,z-; æb-] **I** *adj* aufsaugend. – **II** *s* aufsaugendes Mittel, Absorpti'on bewirkende Vorrichtung.

ab·sorb·en·cy [əb'sɔ:rbənsi; -'z-; æb-] *s* Absor'bierfähigkeit *f*, Absorpti'onsvermögen *n.* — **ab'sorb·ent I** *adj* **1.** auf-, einsaugend: ~ liquid *phys.* Absorptionsflüssigkeit; ~ material *phys.* Absorptionsmittel; ~ vessel *biol.* Einsaugader. – **II** *s* **2.** aufsaugender *od.* Säuren neutrali'sierender Stoff, Absorpti'onsmittel *n.* – **3.** *med.* absor'bierendes Mittel: ~ cotton Verbandwatte. – **4.** *med.* Ab'sorbens *n*, Saug-, Milch-, Lymphgefäß *n*: ~s Absorbentia, Resorbentia. — **ab'sorb·er** *s* **1.** *tech.* Absorpti'onsgefäß *n.* – **2.** *electr.* Ab'sorber *m* (*angepaßter Abschlußwiderstand*), Saugkreis *m*: ~ circuit Saug-, Absorptionskreis. – **3.** (*Atomphysik*) Ab'sorber *m.*

ab·sorb·ing [əb'sɔ:rbiŋ; -'z-; æb-] *adj* **1.** aufsaugend. – **2.** *fig.* fesselnd, packend. – **3.** *biol.* Absorptions...: ~ cell; ~ tissue. – **4.** *tech.* absor'bierend, Absorptions..., Aufnahme...: ~ effect absorbierende Wirkung; ~ power Absorptionsvermögen, -fähigkeit. – **5.** *econ.* Aufnahme...: ~ capacity Aufnahmefähigkeit (*des Marktes*).

ab·sorp·ti·om·e·ter [əb,sɔ:rpʃi'ɒmitər; -,z-; -mə-; æb-] *s chem. phys.* Absorptio'meter *n* (*zur Messung der Gasaufnahme durch Flüssigkeiten*).

ab·sorp·tion [əb'sɔ:rpʃən; -'z-; æb-] *s* **1.** Versunkensein *n*, Versunkenheit *f*, Vertieftsein *n*, inten'sive Beschäftigung (in mit), gänzliche In'anspruchnahme (in durch). – **2.** *chem. phys.* Absorpti'on *f*, Resorpti'on *f*, Aufnahme *f*, Verschlucken *n*, Einfangen *n* (*von Energie, Licht, Geräusch, Gasen, Molekülen, Atomen etc*): ~ band Absorptionsstreifen, -band; ~ coefficient *phys.* Absorptionskoeffizient, Absorptionsziffer; ~ liquid Absorptionsflüssigkeit; ~ of energy Energieabsorption, -verbrauch; ~ tube Absorptionsröhre, Eudiometer. – **3.** *tech.* Absorpti'on *f*: ~ method Absorptionsverfahren; ~ of shocks Stoßdämpfung; ~ of water Wasseraufnahme, -verbrauch. – **4.** *electr.* Absorpti'on *f*: ~ circuit Absorptions-, Saugkreis; ~ wavemeter Absorptionswellenmesser, -frequenzmesser. – **5.** *biol.* Absorpti'on *f*, Auf-, Einsaugung *f*, Bindung *f*: ~ band Absorptionsstreifen (*im Chromatogramm*); ~ capacity Absorptions-, Bindungs-, Aufsaugungsvermögen; ~ test Absorptions-, Absättigungsversuch. — **ab'sorp·tive** *adj* absorp'tiv, absor'bierend, absorpti'ons-, aufnahmefähig. — **ab'sorp·tive·ness, ab·sorp·tiv·i·ty** [,æbsɔ:rp'tiviti; -z-; -və-] *s* Aufnahmefähigkeit *f.*

ab·squat·u·late [æb'skwɒtju,leit; -tʃə-] *v/i Am. humor.* 'durchbrennen, sich aus dem Staube machen.

ab·stain [əb'stein; æb-] *v/i* **1.** sich enthalten (from *gen*), sich zu'rückhalten. – **2.** enthaltsam leben. – *SYN. cf.* refrain[1]. — **ab'stai·ner** *s* Absti'nenzler *m*, Tempe'renzler *m.*

ab·ste·mi·ous [æb'sti:miəs] *adj* mäßig (*im Essen u. bes. im Genuß geistiger Getränke*), enthaltsam, genügsam. — **ab'ste·mi·ous·ness** *s* Mäßigkeit *f*, Enthaltsamkeit *f*, Genügsamkeit *f.*

ab·sten·tion [æb'stenʃən] *s* Enthaltung *f* (from von): ~ from voting Stimmenthaltung. — **ab'sten·tious** *adj* enthaltsam, mäßig.

ab·sterge [æb'stə:rdʒ] *v/t* **1.** reinigen (*auch fig.*), auswaschen. – **2.** *med.* abführen. — **ab'ster·gent I** *adj* **1.** reinigend, abwaschend. – **2.** *med.* abführend. – **II** *s* **3.** Reinigungsmittel *n.* – **4.** *med.* Abführmittel *n.* — **ab'ster·sion** [-ʃən] *s* **1.** Abwaschung *f*, Reinigung *f.* – **2.** Abführen *n.* — **ab'ster·sive** [-siv] → abstergent.

ab·sti·nence ['æbstinəns; -stə-], *auch* **'ab·sti·nen·cy** *s* Absti'nenz *f*, Enthaltung *f* (from von), Enthaltsamkeit *f* (*bes. Keuschheit, Fasten, Enthaltung vom Alkoholgenuß*). — **'ab·sti·nent I** *adj* enthaltsam, mäßig. – **II** *s* Absti'nent(in), Absti'nenzler *m*, Tempe'renzler *m.*

ab·stract I *adj* ['æbstrækt; æb'strækt] **1.** ab'strakt: ~ concept, ~ idea abstrakter Begriff; ~ truth abstrakte Wahrheit. – **2.** *math.* unbenannt, abso'lut, ab'strakt: the ~ number 10. – **3.** ab'strakt, ab'strus, dunkel, schwer verständlich: ~ speculations abstrakte Spekulationen. – **4.** a) ab'strakt (*Wort, Begriff*), b) allgemein (*Begriff*). – **5.** theo'retisch, nicht angewandt, rein, ab'strakt (*Wissenschaft*). – **6.** ab'strakt, gegenstandslos (*Kunst*): ~ music → absolute music. – **II** *s* ['æbstrækt] **7.** Ab'straktes *n*, bloß Gedachtes *n*: in the ~ ohne Bezug auf praktische Durchführbarkeit, rein theoretisch betrachtet, an und für sich. – **8.** *ling.* Ab'straktum *n*, Begriffswort *n.* – **9.** Auszug *m*, Abriß *m.* – **10.** *med.* Refe'rat *n*, Inhaltsangabe *f.* – **11.** *econ.* Auszug *m*, 'Übersicht *f*: ~ of account Konto-, Rechnungsauszug; ~ of balance Vermögensübersicht; ~ of a balance sheet Bilanzauszug. – **12.** *med. Am.* mit Milchzucker versetzter 'Pflanzenex,trakt. – *SYN. cf.* abridg(e)ment. – **III** *v/t* [æb'strækt] **13.** abziehen, ablenken. – **14.** (ab)sondern, trennen. – **15.** abstra'hieren (from von), für sich *od.* (ab)gesondert betrachten. – **16.** heimlich wegnehmen, entwenden. – **17.** *chem.* destil'lieren. – **18.** (*das Hauptsächliche aus einem Buch*) (her)-'ausziehen. – *SYN.* detach, disengage. – **IV** *v/i* **19.** abstra'hieren, absehen (from von). — **ab'stract·ed** *adj* **1.** abgezogen, (ab)gesondert, getrennt, abstra'hiert. – **2.** zerstreut, geistesabwesend, unaufmerksam. — **ab'stract·ed·ness** *s* **1.** Absonderung *f.* – **2.** Zerstreutheit *f*, Geistesabwesenheit *f.*

ab·strac·tion [æb'strækʃən] *s* **1.** Abstrakti'on *f*, Abstra'hieren *n.* – **2.** *philos.* Abstrakti'on *f*, ab'strakter Begriff, bloß Gedachtes, Theo'rie *f.* – **3.** Abgeschiedenheit *f*, Zu'rückgezogenheit *f*, zu'rückgezogenes Leben. – **4.** 'Unterschleif *m*, Entwendung *f*, Wegnahme *f*, Entfremdung *f.* – **5.** Geistesabwesenheit *f*, Zerstreutheit *f.* – **6.** *chem. tech.* Absonderung *f*: ~ of water Wasserentziehung, -extraktion. – **7.** ab'strakte Kompositi'on (*in der Kunst*). — **ab'strac·tion·al** *adj* abstrakti'onsmäßig. — **ab'strac·tion·ist** *s* **1.** Begriffsmensch *m.* – **2.** ab'strakter Künstler. — **ab·strac·tive** [æb'stræktiv] *adj* **1.** der Abstrakti'on fähig, abstra'hierungsfähig. – **2.** *philos.* durch Abstrakti'on erhalten (*Begriff*). — **ab·stract·ness** ['æbstræktnis; æb'strækt-] *s* **1.** Ab'straktheit *f*, Begrifflichkeit *f*, Unwirklichkeit *f.* – **2.** (*das*) Ab'strakte. – **3.** Spitzfindigkeit *f.*

ab·stract| noun *s ling.* Ab'straktum *n.* — **~ of ti·tle** *s jur.* Besitztitel *m*, Auszug *m* aus den Grundakten *od.* dem Grundbuch.

ab·strict·ed [æb'striktid] *adj* **1.** losgebunden. – **2.** *biol.* los-, abgelöst (*durch Einschnürung der Zellwände*). — **ab'stric·tion** *s* **1.** Losbinden *n*, Freimachen *n.* – **2.** *biol.* Ein-, Abschnürung *f* (*der Zellwände zur Zellenbildung*).

ab·struse [æb'stru:s] *adj* verborgen, dunkel, undeutlich, schwer verständlich, ab'strus, verworren. — **ab'struse·ness** *s* Unklarheit *f*, Dunkelheit *f*, Verworrenheit *f*, unklarer Sinn.

ab·stru·si·ty [æb'stru:siti; -sə-] *s obs.* Unklarheit *f*, Verworrenheit *f.*

ab·sume [æb'sju:m] *v/t obs.* all'mählich aufzehren, vernichten.

ab·surd [əb'sə:rd; -'z-; æb-] *adj* **1.** sinnwidrig, ab'surd, der Vernunft wider'sprechend, albern, lächerlich. – **2.** *math.* ab'surd, sinnlos, 'widersinnig, unsinnig. – *SYN.* foolish, preposterous, silly. — **ab'surd·i·ty, ab'surd·ness** *s* **1.** Sinnwidrigkeit *f*, Ungereimtheit *f*, Albernheit *f*, Unsinn *m*, Abgeschmacktheit *f.* – **2.** *bes. math.* Absurdi'tät *f*, Sinnlosigkeit *f*, 'Widersinn *m*, Unsinnigkeit *f.*

ab·ter·mi·nal [æb'tə:rminl; -mə-] *adj biol.* abtermi'nal (*von den Endpunkten nach der Mitte zu*).

ab·thain [ˈæbθein] *s* Abˈtei *f* (*der alten schottischen Kirche*).

a·bu·li·a [əˈbjuːliə] *s psych.* Abuˈlie *f*, Willens-, Entschluß-, Enerˈgielosigkeit *f* (*bei Neurotikern*). — **aˈbu·lic** *adj* enerˈgielos. — **a·bu·lo·ma·ni·a** [əˌbjuːloˈmeiniə] *s med.* durch Willenslosigkeit charakteriˈsierter Irrsinn.

a·bu·na [əˈbuːnə] *s relig.* Aˈbuna *m*: a) *Titel der Priester in der syrischen Kirche*, b) A~ *Oberhaupt der abessinischen Kirche.*

a·bun·dance [əˈbʌndəns] *s* **1.** (of) ˈÜberfluß *m* (an *dat*, von), Fülle *f* (von), große Anzahl (von), (ˈüberschüssige) Menge (an *dat*, von): **in ~** in Hülle und Fülle; **~ of seams** *tech.* Flözreichtum. – **2.** *Kontrakt im Solo-Whist-Spiel, der dazu verpflichtet, daß man allein neun Stiche macht*: **~ déclarée** *Kontrakt, demgemäß man alle 13 Stiche zu machen unternimmt.*

a·bun·dant [əˈbʌndənt] *adj* **1.** reichlich (vorˈhanden), ˈüberflüssig, ˈüberschüssig. – **2.** im ˈÜberfluß *od.* ˈÜbermaß besitzend, reich (in an *dat*), reichlich versehen (**with** mit). – **3.** *math.* abunˈdant, ˈüberschießend, ˈüberfließend: **~ number** Überzahl. – *SYN. cf.* **plentiful.**

a·burst [əˈbəːrst] *adv u. pred adj* im Bersten *od.* im Ausbruch begriffen.

a·bur·ton [əˈbəːrtn] *adv u. pred adj mar.* dwars im Raum (*befestigt*), nach zwei Seiten hin (*angelascht*) (*Fässer, Kisten etc im Schiffsraum*).

a·bus·a·ble [əˈbjuːzəbl] *adj* dem ˈMißbrauch *od.* Hohn ausgesetzt.

a·buse I *v/t* [əˈbjuːz] **1.** a) (*Recht, Gesetz*) mißˈbrauchen, b) (*Reichtum etc*) falsch gebrauchen, schlechten Gebrauch machen von. – **2.** (*j-n*) verletzen, mißˈhandeln, kränken, schmähen, beschimpfen. – **3.** (*j-n*) entehren, schänden, verführen, sich vergehen an (*dat*). – **4.** *obs.* täuschen, im falschen Lichte zeigen. – *SYN.* **ill-treat, maltreat, mistreat, misuse, outrage.** – **II** *s* [əˈbjuːs] **5.** ˈMißbrauch *m*, ˈMißstand *m*, falscher Gebrauch, Fehl-, ˈÜbergriff *m*: **crying ~** grober Mißbrauch; **~ of authority** *jur.* Amtsmißbrauch, Mißbrauch des Ermessens. – **6.** Mißˈhandlung *f*, Schädigung *f*, Schmähung *f*, Kränkung *f*, Beschimpfung *f*, Schimpfworte *pl*, Beleidigungen *pl*. – **7.** Verführung *f*, Entehrung *f*, Notzucht *f*, Schändung *f*. – **8.** *obs.* Täuschung *f*, Betrug *m*. – *SYN.* **billingsgate, invective, obloquy, scurrility, vituperation.** —

a·bus·ee [əˌbjuːˈziː] *s* mißˈbrauchte *od.* beschimpfte Perˈson, Verführte(r).

a·bu·sive [əˈbjuːsiv] *adj* **1.** mißˈbrauchend, ˈMißbrauch treibend. – **2.** ˈmißbräuchlich. – **3.** beleidigend, schmähend: **~ language** Schimpfworte. – **4.** verkehrt, verdreht, falsch angewendet. – *SYN.* **contumelious, opprobrious, scurrilous, vituperative.** — **aˈbu·sive·ness** *s* mißˈbrauchende *od.* beleidigende Art.

a·but [əˈbʌt] *pret u. pp* **aˈbut·ted I** *v/i* **1.** anstoßen, -liegen, -grenzen (**on, upon, against** an *acc*). – **2.** gerade aufeinˈander treffen. – **3.** (*von einem Punkte*) auslaufen, vorspringen. – **II** *v/t* **4.** berühren, grenzen an (*acc*). – **5.** *tech.* mit den Enden zuˈsammenfügen.

a·bu·ti·lon [əˈbjuːtiˌlɒn] *s bot.* Sammetmalve *f* (*Gattg Abutilon*).

a·but·ment [əˈbʌtmənt] *s* **1.** Angrenzen *n* (**on, upon, against** an *acc*), Aneinˈanderstoßen *n*, Berühren *n*. – **2.** *arch.* Strebe-, Stütz-, Gewölbepfeiler *m*, ˈWiderlager *n* (*einer Brücke etc*). Kämpfer *m*, Strebe *f*: **~ arch** Endbogen (*einer Brücke*); **~ beam** Stoßbalken. – **3.** (*auf eine Stütze*) auslaufendes Ende. — **a·but·tal** [əˈbʌtəl] *s* **1.** *meist pl* (Land)Grenze *f*, Angrenzung *f*, (*die*) äußersten Enden *pl* (*eines Landstreifens*). – **2.** Berührung *f* (*mit einem anderen Grundstück etc*): **to come in ~** sich berühren, angrenzen. — **aˈbut·ter** *s* Angrenzer *m*, Anrainer *m*. — **aˈbut·ting** *adj* angrenzend, vorragend, vorspringend. – *SYN. cf.* **adjacent.**

a·buzz [əˈbʌz] *adv u. pred adj* summend, voll Gesumm.

a·by(e) [əˈbai] *pret u. pp* **a·bought** [əˈbɔːt] *v/i u. v/t obs.* **1.** teuer bezahlen (*auch fig.*), büßen. – **2.** aushalten, ausdauern.

a·bysm [əˈbizəm] *s poet.* Abgrund *m*, Schlund *m*, bodenlose Tiefe. — **aˈbys·mal** [-məl] *adj* **1.** abgrundtief, bodenlos, endlos, abgrundartig, unergründlich (*auch fig.*): **~ depth** unendliche Tiefe; **~ ignorance** grenzenlose Dummheit. – **2.** *geol.* in der Tiefe (*des Plutons*) abgeschieden (*Gestein*). – *SYN. cf.* **deep.** — **aˈbys·mal·ly** *adv* abgrundartig, -tief, grenzenlos, höchst (*auch fig.*).

a·byss [əˈbis] **I** *s* **1.** Abgrund *m*, Schlund *m*, bodenlose *od.* unendliche Tiefe: **marginal ~** *geol.* Randgraben. – **2.** Hölle *f*. – **3.** *fig.* Unergründlichkeit *f*, Unendlichkeit *f*: **the ~ of time.** – **4.** unterste Wasserschicht (*im Meer*). – **II** *v/t* **5.** *selten* verschlingen. — **aˈbyss·al** *adj* **1.** aˈbyssisch, abgrundtief, tiefliegend. – **2.** abysˈsal (*zur untersten Meereszone gehörig*): **~ fauna** abyssale Fauna; **~ zone** Tiefsee. – **3.** *fig.* unergründlich.

Ab·ys·sin·i·an [ˌæbiˈsiniən; -bə-; -njən] **I** *adj* abesˈsinisch: **~ gold** a) Talmigold, b) Aluminium-Bronze. – **II** *s* Abesˈsinier(in).

a·byss·ite [əˈbisait] *s geol.* Abysˈsit *m* (*Tiefen- od. Pluton-Gestein*). — **a·bys·so·lith** [əˈbisəliθ] *s geol.* **1.** Abyssoˈlith *m* (*Tiefengestein*). – **2.** Bathoˈlith *m*.

a·ca·cia [əˈkeiʃə] *s* **1.** *bot.* Aˈkazie *f* (*Gattg Acacia*). – **2.** *bot.* Gemeine Roˈbinie, Heuschreckenbaum *m* (*Robinia pseudoacacia*). – **3.** Aˈkaziengummi *m*.

A·ca·cian [əˈkeiʃən] *relig. hist.* **I** *s* Acaciˈaner *m* (*Anhänger des Bischofs Acacius von Cäsarea*). – **II** *adj* acaciˈanisch.

a·ca·ci·in [əˈkeisiin] *s chem.* Akaˈzin *n* ($C_{28}H_{32}O_{13}$).

ac·a·deme [ˌækəˈdiːm] *s poet.* Schule *f*, Akadeˈmie *f*. — **ˌac·aˈde·mi·al** *adj selten* akaˈdemisch.

ac·a·dem·ic [ˌækəˈdemik] **I** *adj* **1.** A~ akaˈdemisch, zur Schule Platos gehörig. – **2.** akaˈdemisch, theoˈretisch, peˈdantisch, unpraktisch, ohne praktischen Nutzen: **an ~ question** eine (rein) akademische Frage. – **3.** akaˈdemisch, mit dem Universiˈtätsstudium zuˈsammenhängend: **~ costume** *bes. Am.*, **~ dress** *bes. Br.* akademische Tracht (*Mütze u. Talar*); **~ freedom** Lehrfreiheit (*nicht wie im Deutschen Lehr- u. Lernfreiheit*). – **4.** gelehrt, wissenschaftlich: **~ achievement** Leistung in den wissenschaftlichen *od.* theoretischen Fächern. – **5.** allgeˈmeinbildend, geisteswissenschaftlich, humaˈnistisch: **an ~ course.** – **6.** konventioˈnell, traditioˈnell, ˈhergebrachten Regeln folgend. – *SYN.* **bookish, pedantic, scholastic, speculative, theoretical.** – **II** *s* **7.** Akaˈdemiker *m*. — **ˌac·aˈdem·i·cal I** *adj* → **academic I.** – **II** *s pl* akaˈdemische Tracht. — **ˌac·aˈdem·i·cal·ly** *adv* (*auch zu* **academic**).

a·cad·e·mi·cian [əˌkædəˈmiʃən] *s* Mitglied *n* einer Akadeˈmie. — **ac·a·dem·i·cism** [ˌækəˈdemiˌsizəm] *s* **1.** A~ akaˈdemische Philosoˈphie. – **2.** (*das*) Akaˈdemische, (akademischer) Formaˈlismus. — **a·cad·e·mism** [əˈkædəˌmizəm] → **academicism 2.** — **aˈcad·e·mist** *s* **1.** Mitglied *n* einer Akadeˈmie. – **2.** A~ Philoˈsoph, der den Lehren der Plaˈtonischen Akadeˈmie folgt.

a·cad·e·my [əˈkædəmi] *s* **1.** A~ Akadeˈmie *f* (*Platos Philosophenschule*). – **2.** (höhere) Bildungsanstalt: a) *allgemeiner Art* (*oft in privaten Händen*), b) *spezieller, oft beruflicher Art*: **riding ~** Reitschule, c) *Am. od. Scot.* höhere Schule mit Interˈnat (*hist. außer in Eigennamen*): **Andover ~**; **Edinburgh ~.** – **3.** Hochschule *f*, höhere Bildungsanstalt. – **4.** Akadeˈmie *f* (*der Wissenschaften etc*), akaˈdemische Gesellschaft, Gelehrtenverein *m*. – **5.** ˈKunstakadeˌmie *f*, Künstlerschule *f*, (*jährliche*) Kunstausstellung.

a·ca·di·a·lite [əˈkeidiəˌlait] *s min.* rötlicher Chabaˈsit.

A·ca·di·an [əˈkeidiən] **I** *adj* **1.** aˈkadisch, neuˈschottländisch. – **2.** *geol.* aˈkadisch, zur mittleren Lage der kambrischen Schicht gehörig: **~ disturbance** Akadische Faltung. – **II** *s* **3.** Aˈkadier(in), Bewohner(in) (franz. Abstammung) von Neuˈschottland. – **4.** *Am.* Nachkomme *m* der Aˈkadier in Louisiˈana. — **Aˈca·dic ge·o·syn·cline** *s geol.* Aˈkadische ˈGeosynkliˌnale *od.* Sammelmulde. — **Aˈca·dis** [-dis] *s geol.* Aˈkadia *f*, ausgehende Deˈvon-EˌLpoche.

ac·a·jou [ˈækəˌʒuː] *s bot.* **1.** → **cashew.** – **2.** → **mahogany** 1, 2, 4.

ac·a·leph [ˈækəˌlef] *s zo.* Akaˈlephe *f*, Scheibenqualle *f* (*Gruppe Acalephae*). — **ˌac·aˈle·phan** [-ˈliːfən] **I** *s* → **acaleph.** – **II** *adj* zu den Akaˈlephen gehörig. — **ˈac·aˌlephe** [-ˌliːf] → **acaleph.** — **ˌac·aˈle·phoid** [-ˈliːfɔid] *adj* scheibenquallenartig.

a·cal·y·cine [eiˈkælisin; -ˌsain], **ac·a·lyc·i·nous** [ˌækəˈlisinəs] *adj bot.* kelchlos. — **ˌac·aˈlyc·u·late** [-ˈlikjulit; -ˌleit] *adj bot.* ohne Außenkelch.

a·camp·si·a [eiˈkæmpsiə] *s med.* Akampˈsie *f*, Gelenksteifheit *f*.

a·canth [əˈkænθ] → **acanthus.**

a·can·tha [əˈkænθə] *pl* **-thae** [-iː] *s* **1.** *bot.* Stachel *m*, Dorn *m*. – **2.** *zo.* Stachelflosse *f*. – **3.** *med.* a) Wirbelsäule *f*, b) Dornfortsatz *m*.

ac·an·tha·ceous [ˌækənˈθeiʃəs] *adj bot.* **1.** stach(e)lig, dornig. – **2.** zu den AˌcanthaˈCeen gehörig.

a·can·thine[1] [əˈkænθin; -θain] *adj bot.* **1.** aˈkanthusartig. – **2.** zu den AˌcanthaˈCeen gehörig.

a·can·thine[2] [əˈkænθiːn; -θin] *s chem.* Akanˈthin *n* ($C_{15}H_{22}N_4O_4$).

a·can·thite [əˈkænθait] *s min.* Akanˈthit *m*, gediegenes Schwefelsilber (Ag_2S).

acantho- [əkænθo] *Wortelement mit der Bedeutung* Stachel, Dorn(en).

a·can·tho·ceph·a·lan [əˌkænθoˈsefələn] *zo.* **I** *s* Kratzer *m*, Kratzwurm *m* (*Ordng Acanthocephala*). – **II** *adj* zu den Kratzern gehörig.

a·can·thoid [əˈkænθɔid] *adj* stach(e)lig.

ac·an·thol·y·sis [ˌækænˈθɒlisis; -lə-] *s med.* Akanthoˈlyse *f* (*Atrophie der Stachelzellenschicht der Haut*).

ac·an·tho·ma [ˌækænˈθoumə] *s med.* Akanˈthom *n* (*Tumor der Stachelzellenschicht der Haut*).

ac·an·thop·ter·yg·i·an [ˌækænˌθɒptəˈridʒiən] *zo.* **I** *adj* zu den Stachelflossern gehörig. – **II** *s* Stachelflosser *m*.

ac·an·tho·sis [ˌækænˈθousis] *s med.* Akanˈthosis *f* (*Erkrankung der Stachelzellenschicht der Haut*).

a·can·thous [əˈkænθəs] *adj* stach(e)lig.

a·can·thus [əˈkænθəs] *pl* **-thus·es** *od.* **-thi** [-ai] *s* **1.** *bot.* Aˈkanthus *m*, Bärenklau *m, f* (*Gattg Acanthus*). – **2.** *arch.* Aˈkanthus *m*, Laubverzierung *f*, Säulenlaubwerk *n* (*am korinthischen Kapitell*).

a·cap·ni·a [əˈkæpniə] *s med.* Akapˈnie *f* (*Kohlensäuremangel im Blut*).
a cap·pel·la [a kkapˈpɛlla] (*Ital.*) *adj u. adv mus.* a capˈpella, unbegleitet (*Chorgesang*).
a ca·pric·cio [a kkaˈprittʃo] (*Ital.*) *mus.* **1.** kapriziˈös. – **2.** a caˈpriccio, nach Belieben, frei (im Vortrag).
a·ca·rá [ˌɑːkɑːˈrɑː] *s zo.* (*ein*) Buntbarsch *m* (*Fam. Cichlidae; Südamerika*).
a·car·di·a [eiˈkɑːrdiə] *s med.* Akarˈdie *f*, Fehlen *n* des Herzens. — **aˈcar·diˌac** [-ˌæk] *adj* ohne Herz, herzlos.
ac·a·ri·a·sis [ˌækəˈraiəsis] *s med.* Acaˈriasis *f* (*Hautbefall durch Milben*).
a·car·i·cide [əˈkæriˌsaid] *s* milbentötendes Mittel.
ac·a·rid [ˈækərid] *s zo.* Akaˈride *f*, Milbe *f* (*Ordng Acarina*).
acaro- [ækəro] *Wortelement mit den Bedeutungen* Milben..., Juck...
ac·a·roid [ˈækəˌrɔid] *adj* milbenartig. — **~ gum, ~ res·in** *s chem.* Akaroˈidharz *n* (*Saft von Xanthorrhoea hostilis*).
a·car·pel·(l)ous [eiˈkɑːrpələs] *adj bot.* ohne Fruchtblätter.
a·car·pous [eiˈkɑːrpəs] *adj bot.* ohne Frucht, unfruchtbar.
ac·a·rus [ˈækərəs] *pl* **-ri** [-ˌrai] *s zo.* Krätzmilbe *f* (*Gattg Acarus*).
a·cat·a·lec·tic [eiˌkætəˈlektik] *metr.* **I** *adj* akataˈlektisch (*ohne Fehlsilbe im letzten Versfuß*). – **II** *s* akataˈlektischer Vers.
a·cat·a·lep·si·a [eiˌkætəˈlepsiə] *s* **1.** *med.* Akatalepˈsie *f*, Unsicherheit *f* der Diaˈgnose. – **2.** Störung *f* des Begriffsvermögens, Geistesschwäche *f*. — **aˈcat·aˌlep·sy** *s philos.* Akataˈleptik *f* (*Lehre, daß wir nie wirklich wissen, sondern nur in Wahrscheinlichkeiten rechnen können*). — **aˌcat·aˈlep·tic I** *adj* unbegreiflich, unfaßbar. – **II** *s* Akataˈleptiker *m*.
a·cat·a·ma·the·si·a [eiˌkætəməˈθiːʒiə; -ziə] *s med.* Verminderung *f* des sprachlichen Verständnisses.
a·cat·a·pha·si·a [eiˌkætəˈfeiʒiə; -ziə] *s med.* Akataphaˈsie *f* (*Verlust der [logischen] Ausdrucksfähigkeit*).
ac·a·thar·si·a [ˌækəˈθɑːrsiə], **ˈac·aˌthar·sy** [-si] *s med.* Akatharˈsie *f*, Unreinheit *f*.
a·cau·dal [eiˈkɔːdl], **aˈcau·date** [-deit] *adj* schwanzlos.
ac·au·les·cence [ˌækɔːˈlesəns] *s bot.* Stengellosigkeit *f*. — **ˌac·auˈles·cent** *adj* stengellos. — **a·cau·line** [eiˈkɔːlin; -lain], **aˈcau·lose** [-lous], **aˈcau·lous** [-ləs] *adj bot.* stengellos.
ac·cede [ækˈsiːd] *v/i* **1.** (to) beitreten (*dat*), beipflichten (*dat*), eingehen (auf *acc*), einwilligen (in *acc*), zustimmen (*dat*): to ~ to terms Bedingungen zustimmen. – **2.** (to) gelangen (zu), erhalten (*acc*): to ~ to an office ein Amt antreten; to ~ to the throne den Thron besteigen. – **3.** hinˈzukommen, näher kommen. – *SYN. cf.* assent. — **acˈced·ence** *s* **1.** Beitritt *m*. – **2.** Einwilligung *f*, Zustimmung *f*. – **3.** Antreten *n* (*Amt*).
ac·cel·er·a·ble [ækˈselərəbl] *adj* beschleunigungsfähig, zu beschleunigen(d).
ac·cel·er·an·do [ækˌseləˈrændou] *adv mus.* allˈmählich schneller.
ac·cel·er·ant [ækˈselərənt] **I** *adj* **1.** beschleunigend. – **II** *s* **2.** Beschleuniger *m* (*Person od. Gerät*). – **3.** *chem.* (positiver) Katalyˈsator.
ac·cel·er·ate [ækˈseləˌreit] **I** *v/t* **1.** *bes. phys.* beschleunigen, die Geschwindigkeit (*eines Fahrzeugs etc*) erhöhen. – **2.** *bes. biol.* (be)fördern, die raschere Entwicklung (*eines Vorgangs etc*) bewirken: to ~ a pupil *ped. Am.* einen Schüler rascher versetzen. – **3.** (*Zeitpunkt*) vorverlegen, näherbringen: to ~ one's departure. – **II** *v/i* **4.** schneller vorrücken, rascher gehen, schneller handeln, die Geschwindigkeit erhöhen. – *SYN.* quicken, speed. — **acˈcel·erˌat·ed** *adj* **1.** beschleunigt: ~ course Schnellkurs. – **2.** *psych.* frühreif, ˈüberdurchschnittlich begabt. — **acˈcel·erˌat·ing** *adj* Beschleunigungs...: ~ grid *electr.* Beschleunigungs-, Schirmgitter.
ac·cel·er·a·tion [ækˌseləˈreiʃən] *s* **1.** *bes. phys.* Beschleunigung *f*, zunehmende Geschwindigkeit: ~ along the (flight) path *aer. tech.* (Flug-)Bahnbeschleunigung; ~ endurance *aer.* Beschleunigungsertrāglichkeit; ~ of gravitation Erd-, Gravitationsbeschleunigung; ~ test (on pilots) *aer.* Beschleunigungsprobe (an Piloten); ~ voltage *electr.* (Nach)Beschleunigungsspannung. – **2.** *bes. biol.* Beschleunigung *f*, raschere Entwicklung, *bes.* Entwicklung, die von Generatiˈon zu Generation schneller wird: ~ stimulus Beschleunigungsreiz. – **3.** *ped.* beschleunigter Fortschritt (*in der Schule*). – **4.** Vorverlegung *f* (*eines Zeitpunkts*). – **5.** *psych.* Akzeleratiˈon *f*, Frühreife *f*. — **acˈcel·erˌa·tive** *adj* beschleunigend.
ac·cel·er·a·tor [ækˈseləˌreitər] *s* **1.** *bes. tech.* Beschleuniger *m*. – **2.** *tech.* Gashebel *m*, ˈGaspeˌdal *n*: to step on the ~ Gas geben. – **3.** *med.* Symˈpathicus *m*, Treibmuskel *m*: ~ urinae Harnschneller. – **4.** (Brief)Postwagen *m* (*zur Eisenbahn*). – **5.** *chem.* Beschleuniger *m*. – **6.** *phot.* Beschleuniger *m*, Beschleunigungsbad *n*. – **7.** Spannstück *n* (*beim Gewehr*). — **acˈcel·er·a·to·ry** [*Br.* -ətəri; *Am.* -əˌtɔːri] → accelerative. — **acˌcel·erˈom·e·ter** [-ˈrɒmitər; -mə-] *s tech.* Beschleunigungsmesser *m*, G-Messer *m*.
ac·cend·i·bil·i·ty [ækˌsendiˈbiliti; -lə-] *s chem.* Entzündbarkeit *f*. — **acˈcen·sion** [-ʃən] *s chem. obs.* Entzündung *f*, Entflammung *f*.
ac·cent I *s* [ˈæksent; -sənt] **1.** Ton *m*, Betonung *f*, Akˈzent *m*, Hebung *f* (*der Stimme*), Schärfung *f* (*einer Silbe*). – **2.** Tonzeichen *n*, Akˈzent *m*. – **3.** Aussprache *f*, (*lokale od. fremdländische*) Klangfärbung, Akˈzent *m*, Tonfall *m*. – **4.** *math.* Akˈzent *m*, Unterˈscheidungszeichen *n*, Strich *m*. – **5.** *mus.* a) Akˈzent *m*, Betonung *f*, b) Akˈzentzeichen *n*, c) Betonungsart *f*. – **6.** *fig.* Nachdruck *m*, Schärfe *f*. – **7.** *fig.* marˈkanter *od.* bezeichnender Ton *od.* Klang *od.* Ausdruck: the ~ and character of Rubens. – **8.** *meist pl poet.* Rede *f*, Sprache *f*. – **II** *v/t* [ækˈsent; ˈæksent] **9.** akzentuˈieren: a) betonen, b) mit einem Akˈzent(zeichen) versehen *od.* bezeichnen. – **10.** herˈvorheben, verschärfen.
ac·cen·tor [ækˈsentər] *s zo.* **1.** Brauˈnelle *f* (*Gattg Prunella*), *bes.* → hedge sparrow. – **2.** → oven bird 1.
ac·cen·tu·a·ble [*Br.* ækˈsentjuəbl; *Am.* -tʃu-] *adj* akzentuˈierbar. — **acˈcen·tu·al** *adj* **1.** *metr.* akzentuˈierend: ~ verse. – **2.** *metr. mus.* zum Akˈzent gehörig, Akzent... — **acˌcen·tuˈal·i·ty** [-ˈæliti; -lə-] *s* **1.** Akzentuˈiertheit *f*. – **2.** *pl* (Eigentümlichkeiten *pl* der) Akˈzentsetzung *f*.
ac·cen·tu·ate I *v/t* [*Br.* ækˈsentjuˌeit; *Am.* -tʃu-] akzentuˈieren, betonen, herˈvorheben, mit Tonzeichen versehen. – **II** *adj* [-it; -ˌeit] betont. — **acˌcen·tuˈa·tion** *s* **1.** Akzentuatiˈon *f*, Betonung *f*, Tonbezeichnung *f*. – **2.** *mus.* Akzentuˈierung *f*, Betonung(sart) *f*. – **3.** *electr.* Anhebung *f*, Bevorzugung *f* (*bestimmter Frequenzen od. Frequenzbänder*). — **acˈcen·tuˌa·tor** [-tər] *s electr.* Schaltungsglied *n* zur Anhebung bestimmter Freˈquenzen.
ac·cen·tus [ækˈsentəs] *s mus. relig.* Acˈcentus *m*, (einfacher) Priester- *od.* Alˈtargesang.
ac·cept [əkˈsept; æk-] **I** *v/t* **1.** annehmen, empfangen. – **2.** gelten lassen, sich gefallen lassen, glauben, ˈhinnehmen (as als), akzepˈtieren: the teacher ~ed his apology; to ~ combat *mil.* sich zum Kampf stellen. – **3.** auffassen, daˈfür halten: how are these words to be ~ed? wie sind diese Worte aufzufassen? – **4.** freundlich aufnehmen, in Gnaden annehmen. – **5.** (*Verantwortung etc*) auf sich nehmen. – **6.** *econ.* (*Wechsel*) akzepˈtieren, (*Auftrag etc*) annehmen, entgegennehmen: to ~ the tender Zuschlag erteilen. – **7.** *electr.* empfangen, ˈdurchlassen. – **II** *v/i* **8.** (das Angebot) annehmen, (damit) einverstanden sein, zusagen: have they ~ed? haben sie zugesagt? – **9.** *Bibl.* annehmen (of *acc*): peradventure he will ~ of me vielleicht wird er mich annehmen. – *SYN. cf.* receive. — **acˌcept·aˈbil·i·ty** *s* **1.** Annehmbarkeit *f*, Eignung *f*. – **2.** Annehmlichkeit *f*, Erwünschtheit *f*. – **3.** *econ.* Annehmbarkeit *f*. — **acˈcept·a·ble** *adj* **1.** annehmbar (to für). – **2.** angenehm, willˈkommen, erwünscht. – **3.** *econ.* annehmbar, akzepˈtabel. — **acˈcept·a·ble·ness** → acceptability.
ac·cept·ance [əkˈseptəns; æk-] *s* **1.** Annahme *f*, Annehmen *n*, Entgegennahme *f*. – **2.** (*gute, günstige*) Aufnahme, Empfang *m*, Beifall *m*, Billigung *f*, Glaube *m*, Genehmigung *f*, Einwilligung *f*, Gunst *f* (with bei). – **3.** Annehmbarkeit *f*. – **4.** *econ.* a) Akˈzept *n*, angenommener Wechsel, b) Annahme *f od.* Anerkennung *f* (*eines Wechsels, einer Tratte*), c) Annahmeerklärung *f*, -vermerk *m*. – **5.** *jur.* Zustimmung *f*, Einwilligung *f*. – **6.** *ling.* Sinn *m*, verstandene Bedeutung (*eines Wortes*). – **7.** Geltung *f* (*einer Person*). — **~ band** *s electr.* ˈDurchlaßbreite *f*. — **~ flight** *s aer. mil.* Abnahmeflug *m*. — **~ house** *s econ. Br.* Akˈzept-, Wechselbank *f*. — **~ ledg·er** *s econ.* Obligo-, Akˈzeptbuch *n*. — **~ line** *s econ.* Akˈzeptˌhöchstkreˌdit *m*. — **~ sam·pling** → sampling inspection. — **~ tol·er·ance** *s econ.* ˈAbnahmetoleˌranz *f*. — **~ up·on pro·test** *s econ.* Interventiˈonsakˌzept *n*.
ac·cept·an·cy [əkˈseptənsi; æk-] *s* **1.** An-, Aufnahmefähigkeit *f*. – **2.** *poet.* Annahme *f*, (*günstige*) Aufnahme. — **acˈcept·ant I** *adj* empfänglich, an-, aufnahmebereit (of für). – **II** *s* Akzepˈtant *m*, An-, Abnehmer *m*.
ac·cep·ta·tion [ˌæksepˈteiʃən] *s* **1.** *ling.* beigelegter Sinn, verstandene Bedeutung, allgemein angenommener Sinn. – **2.** *obs. für* acceptance. – *SYN. cf.* meaning.
ac·cept·ed [əkˈseptid; æk-] *adj* **1.** angenommen, gebilligt, allgemein anerkannt. – **2.** *obs.* annehmbar, angenehm. – **3.** *econ.* anerkannt, akzepˈtiert (*Schuldschein, Wechsel etc*): ~ bill Akzept, angenommener Wechsel. — **acˈcept·er** *s* **1.** An-, Abnehmer *m*. – **2.** *econ.* Wechselnehmer *m*, Akzepˈtant *m*.
ac·cep·ti·late [əkˈseptiˌleit; æk-] *v/t jur.* (*eine nicht getilgte Schuld*) erlassen. — **acˌcep·tiˈla·tion** *s* **1.** *jur.* mündlicher Erlaß einer Schuld. – **2.** *relig.* Sündenerlaß *m*, Vergebung *f*.
ac·cep·tive [əkˈseptiv; æk-] *adj* annehmbar.
ac·cep·tor [əkˈseptər; æk-] *s* **1.** *cf.* accepter. – **2.** *phys.* Akzepˈtant *m*: ~ circuit Saugkreis, Serien(resonanz)kreis.
ac·cess [ˈækses] *s* **1.** (to) Zutritt *m* (bei, zu), Zugang *m* (zu), Gehör *n* (bei), Audiˈenz *f* (bei): to gain ~ to Zutritt erhalten zu. – **2.** Zugänglich-

keit *f*, 'Umgänglichkeit *f*. – **3.** Her'ankommen *n*, Eintritt *m*. – **4.** *fig.* Anwandlung *f*, Anfall *m*, Ausbruch *m* (*Wut etc*). – **5.** *med.* Anfall *m* (*Krankheit*). – **6.** *arch.* Vorplatz *m*, Zugangsweg *m*. – **7.** *jur.* Erlaubnis *f* zum Geschlechtsverkehr zwischen Ehegatten. – **8.** *Bibl.* Zugang *m* (*zu Gott durch Christus*).

ac·ces·sa·ry *cf.* accessory.

ac·cess hatch *s* Einsteigluke *f*.

ac·ces·si·bil·i·ty [ækˌsesiˈbiliti; -lə-] *s* Zugänglichkeit *f*, Erreichbarkeit *f*, Leutseligkeit *f*. — **acˈces·si·ble** *adj* **1.** leicht zugänglich (to für), ersteigbar: the town was ~ by a bridge die Stadt war durch eine Brücke zugänglich. – **2.** erreichbar, verfügbar, erhältlich, zugänglich: that document was not ~ to me. – **3.** *fig.* 'um-, zugänglich, leutselig (*Person*). – **4.** zugänglich (to für): ~ to bribery bestechlich.

ac·ces·sion [ækˈseʃən] **I** *s* **1.** Annäherung *f*, Hin'zutritt *m*. – **2.** Beitreten *n*, Beitritt *m* (*zu einem Bündnis etc*), Eintritt *m*, Zustimmung *f*. – **3.** Gelangen *n* (*zu einer Würde*), Antritt *m* (*eines Amtes*): ~ to the throne Thronbesteigung. – **4.** Zuwachs *m*, Zunahme *f*, (Neu)Anschaffung *f*, Akzessi'on *f* (*bes. von Büchern einer Bibliothek*), Vermehrung *f*, Hin'zukommen *n* (*von Besitztum etc*), Vergrößerung *f*, Ausdehnung *f*: an ~ to knowledge eine Erweiterung des Wissens. – **5.** *med.* (Krankheits)Anfall *m*. – **6.** *jur.* Zuwachsrecht *n*. – **II** *v/t* **7.** *Am.* (*bes. Bücher in einer Bibliothek*) akzessio'nieren, eintragen.

ac·ces·sit [ækˈsesit] (*Lat.*) *s ped. Br.* Anerkennung *f* als Zweitbeste(r), Auszeichnung *f* mit dem zweiten Preis.

ac·ces·so·ri·al [ˌækseˈsɔːriəl; -səˈs-] *adj* **1.** Beitritts..., Zuwachs... – **2.** hin'zukommend. — **acˈces·so·ri·ly** [-sərili; -rə-] *adv* beiläufig, nebenher. — **acˈces·so·ri·ness** *s* **1.** 'untergeordneter Zustand, Nebensächlichkeit *f*. – **2.** Beteiligung *f*, Mitschuld *f*, Vorschubleistung *f*.

ac·ces·so·ry [ækˈsesəri] **I** *adj* **1.** hin'zugefügt, hin'zukommend, zusätzlich, 'untergeordnet, akzes'sorisch, Bei..., Neben..., Begleit..., Zusatz...: ~ lens *phot.* Vorsatzlinse. – **2.** nebensächlich, beiläufig. – **3.** beitragend, mithelfend, Hilfs... – **4.** teilnehmend, mitschuldig (to an *dat*). – **5.** *biol.* aushilfsweise, Neben... – *SYN.* adjuvant, auxiliary, contributory, subsidiary. – **II** *s* **6.** Zusatz *m*, Anfügung *f*, Anhang *m*, Begleiterscheinung *f*. – **7.** *oft pl* Zubehör *n*, Beiwerk *n*, Hilfsmittel *n*, Nebensache *f*. – **8.** *pl aer. mar.* 'Bordaggreˌgat *n*. – **9.** *pl tech.* Gerät *n*, Zubehör(teile *pl*) *n*. – **10.** *pl biol.* 'Neben-, 'Hilfsorˌgane *pl*. – **11.** *jur.* Helfershelfer *m*, Mitschuldiger *m*, Teilnehmer *m*: ~ after the fact Hehler; ~ before the fact Anstifter zu einem Verbrechen. – **12.** *mus.* Hilfszug *m*, Spielhilfe *f* (*der Orgel*). — ~ **bud** *s bot.* Beiknospe *f*. — ~ **cell** *s bot.* Nebenzelle *f* (*einer Spaltöffnung*). — ~ **chro·mo·some** *s bot.* Ge'schlechts-Chromoˌsom *n*. — ~ **pro·tu·ber·ance** *s biol.* Nebenhöcker *m*. — ~ **symp·tom** *s med.* Begleit-, Nebenerscheinung *f*.

ac·cess road *s* Zufahrtsstraße *f*.

ac·ci·dence [ˈæksidəns; -sə-] *s ling.* Formenlehre *f*.

ac·ci·den·cy [ˈæksidənsi; -səd-] *s* Zufall *m*, Glücksfall *m*, zufälliger 'Umstand.

ac·ci·dent [ˈæksidənt; -sə-] **I** *s* **1.** Zufall *m*, zufälliges Ereignis: they met by ~ sie trafen sich zufällig; by ~ on purpose scheinbar unbeabsichtigt; → design 15; fatal 1. – **2.** zufällige *od.* unwesentliche Eigenschaft, Nebensache *f*. – **3.** Unfall *m*, Unglücksfall *m*. – **4.** *philos.* Akzi'denz *n*, Unwesentliches *n*. – **5.** *pl ling. obs.* für accidence. – **6.** *geol.* (*auffallende*) Unebenheit, Veränderung *f* (*im Boden, Terrain*). – *SYN.* chance, fortune, hazard, luck. – **II** *adj selten* **7.** zufällig. — ~ **ben·e·fit** *s econ.* Unfallentschädigung *f*, -rente *f*. — ~ **in·sur·ance** *s econ.* Unfallversicherung *f*. — ~ **pol·i·cy** *s econ.* 'Unfallverˌsicherungspoˌlice *f*.

ac·ci·den·tal [ˌæksiˈdentl; -sə-] **I** *adj* **1.** zufällig (vor'handen, geschehen *od.* hin'zugekommen): ~ cover *mil.* natürliche Deckung; ~ hit *mil.* Zufallstreffer. – **2.** in keinem unmittelbaren Zu'sammenhang stehend. – **3.** unwesentlich, nebensächlich: ~ colo(u)r Nebenfarbe. – **4.** Unfall...: ~ death Unfalltod. – **5.** *mus.* alte'riert, tonartfremd. – *SYN.* adventitious, casual, contingent, fortuitous, incidental. – **II** *s* **6.** (*etwas*) Zufälliges. – **7.** zufällige Eigenschaft. – **8.** Nebensache *f*, Unwesentliches *n*. – **9.** *mus.* Versetzungs-, Vorzeichen *n*. – **10.** *meist pl* Nebenlichter *pl* (*Malerei*).

ac·ci·den·tal·ism [ˌæksiˈdentəˌlizəm; -sə-] *s* **1.** Zufälligkeit *f*. – **2.** *med.* Akzidenta'lismus *m*. – **3.** Wirkung *f* durch Nebenlichter (*in der Malerei*). – **4.** *philos.* Lehre *f* von der Zufälligkeit der Ereignisse. — ˌ**ac·ci·denˈtal·i·ty** [-ˈtæliti; -lə-] *s* Zufälligkeit *f*. — ˌ**ac·ciˈden·tal·ly** *adv* zufällig, unbeabsichtigt. — ˌ**ac·ciˈden·tal·ness** *s* Zufälligkeit *f*.

ac·ci·den·tal point *s* (perspek'tivischer) Einfallspunkt.

ac·ci·dent·ed [ˈæksiˌdentid; -sə-] *adj* uneben (*Boden*).

ac·ci·den·tial [ˌæksiˈdenʃəl] *adj* unwesentlich.

ac·cip·i·ter [ækˈsipitər] *pl* **-ters** *od.* **-tres** [-ˌtriːz] *s* **1.** *zo.* (*ein*) Habichtartiger *m* (*Unterfam. Accipitrinae*), *bes.* Habicht *m u.* Sperber *m* (*Gattg Accipiter*). – **2.** (*pl* -ters) *med.* Habichtsbinde *f*, Nasenverband *m*. — **acˈcip·i·tral** [-trəl] *adj* wie ein Raubvogel, raubvogelartig, falkenähnlich, scharfsichtig. — **acˈcip·iˌtrine** [-ˌtrain; -trin] *adj* raubvogelartig, raubgierig.

ac·cis·mus [ækˈsizməs] *s* (*Rhetorik*) fin'gierte Zu'rückweisung einer sehnlichst begehrten Sache.

ac·claim [əˈkleim] **I** *v/t* **1.** freudig *od.* mit Beifall begrüßen, (*j-m*) Beifall spenden *od.* zujauchzen. – **2.** jauchzend ausrufen, durch (*begeisterte*) Zurufe (*zu einem Amt*) ernennen. – **II** *v/i* **3.** Beifall spenden. – *SYN.* eulogize, extol, laud, praise. – **III** *s* **4.** Beifall *m*, freudiger Zuruf.

ac·cla·ma·tion [ˌækləˈmeiʃən] *s* **1.** lauter Beifall, Zujauchzen *n*, Jubelgeschrei *n*, Zuruf *m*, Zustimmung *f*. – **2.** *pol.* mündliche Abstimmung, (einmütige) Ernennung durch Zuruf, Akklamati'on *f*. — **ac·clam·a·to·ry** [*Br.* əˈklæmətəri; *Am.* -ˌtɔːri] *adj* Beifalls..., beifällig, zujauchzend.

ac·cli·ma·ta·tion [əˌklaiməˈteiʃən] → acclimatization 1. — **ac·cli·mate** [əˈklaimit; ˈækliˌmeit; -lə-] → acclimatize. — **ac·cli·ma·ti·za·tion** [əˌklaimətaiˈzeiʃən; -ti-] *s* **1.** Akklimati'sierung *f*, Eingewöhnung *f*, Einbürgerung *f* (*von Tieren u. Pflanzen*). – **2.** akklimati'siertes Tier, akklimatisierte Pflanze. — **acˈcli·maˌtize** [-ˌtaiz] **I** *v/t* akklimati'sieren, gewöhnen (to an *acc*). – **II** *v/i* (to) sich akklimati'sieren, sich eingewöhnen (in *dat*), sich gewöhnen (an *ein Klima etc*) (*auch fig.*). — **acˈcli·ma·ture** [-tʃər] → acclimatization.

ac·cli·nal [əˈklainl], **ac·cli·nate** [ˈækliˌneit; -lə-] *adj geol.* aufwärts geneigt.

ac·cliv·i·tous [əˈklivitəs; -və-] *adj* berg'an gehend, (an)steigend, steil. — **acˈcliv·i·ty** *s* **1.** steil ansteigende (An-)Höhe. – **2.** Auffahrt *f*, Rampe *f*, Böschung *f*. – **3.** *fig.* Hindernis *n*, Schwierigkeit *f*. — **ac·cli·vous** [əˈklaivəs] → acclivitous.

ac·cloy [əˈklɔi] *v/t* **1.** lähmen. – **2.** über'laden, über'füllen. – **3.** hemmen, verstopfen, ersticken.

ac·co·lade [ˌækoˈleid; -ˈlɑːd; -kə-] *s* **1.** Akko'lade *f*, Ritterschlag *m* (*Umarmung, Kuß od. Schulterschlag*). – **2.** Ehrung *f*, Anerkennung *f*, Lob *n*. – **3.** Zeichen *n* des Re'spektes. – **4.** *mus.* (Sy'stem)Klammer *f*, Akko'lade *f*. — ˌ**ac·coˈlad·ed** *adj* zum Ritter geschlagen.

ac·col·lé [ˌækoˈlei] *adj* **1.** um den Hals gewunden, bekränzt. – **2.** *her.* verschlungen, vereinigt, angeschlossen. – **3.** nebenein'ander gesetzt (*z.B. zwei Profile auf einer Münze*). – **4.** gekreuzt.

ac·com·mo·da·ble [əˈkɒmədəbl] *adj* anwendbar, anpassungsfähig, passend. — **acˈcom·mo·da·ble·ness** *s* Anwendbarkeit *f*, Anpassungsfähigkeit *f*.

ac·com·mo·date [əˈkɒməˌdeit] **I** *v/t* **1.** (*j-m*) einen Gefallen tun *od.* erweisen: to ~ a friend. – **2.** (with) (*j-n*) versorgen *od.* versehen (mit), (*j-m*) aushelfen (mit): to ~ s.o. with money j-m mit Geld aushelfen. – **3.** (*Person*) a) 'unterbringen, beherbergen, 'einquarˌtieren, b) versorgen, bewirten. – **4.** (*j-n od. etwas*) anpassen, angleichen (to *dat*), in Über'einstimmung bringen (to mit): to ~ oneself to circumstances sich den Verhältnissen anpassen. – **5.** (*Unterschiede*) ausgleichen, (*Streit*) beilegen, (*Streitende*) versöhnen: to ~ differences (Meinungs)-Verschiedenheiten ausgleichen. – **6.** fassen, aufnehmen: the car ~s five persons. – **II** *v/i* **7.** passen, gemäß sein, über'einstimmen. – *SYN. cf.* a) adapt, b) contain. – **III** *adj* [-ˌdeit; -dit] **8.** *obs.* passend, angemessen.

ac·com·mo·dat·ing [əˈkɒməˌdeitiŋ] *adj* **1.** gefällig, entgegen-, zu'vorkommend: on ~ terms *econ.* unter annehmbaren Bedingungen. – **2.** 'Unterkunft gewährend, gastlich (aufnehmend). – **3.** *tech.* Anpassungs..., Akkommodations...: ~ connection for extension stations *electr.* Anpassungsschaltung für Nebenstellen.

ac·com·mo·da·tion [əˌkɒməˈdeiʃən] *s* **1.** Anpassung *f* (to an *acc*). – **2.** Gemäßheit *f*, Angemessenheit *f*, Über'einstimmung *f*. – **3.** Hilfsbereitschaft *f*, Entgegenkommen *n*. – **4.** Versorgen *n*, Versorgung *f* (with mit), 'Unterbringung *f*. – **5.** Aushilfe *f*, Vorschuß *m*, Anleihe *f*, Darlehen *n*, geldliche Hilfe: ~ acceptance *econ.* Gefälligkeitsakzept. – **6.** Beilegung *f*, Schlichtung *f* (*eines Streites*), Verständigung *f*, gütlicher Vergleich. – **7.** *meist pl* Annehmlichkeit *f*, Kom'fort *m*, Bequemlichkeit *f* (*einer Wohnung etc*). – **8.** *Am. meist pl* 'Unterkunft *f*, 'Unterkommen *n*: ~ registry *Br.* Wohnungsnachweis. – **9.** *mil.* 'Unterbringung *f*, 'Einquarˌtierung *f*. – **10.** *med. phys.* Akkommodati'on *f* (*Anpassung des Auges an verschiedene Entfernungen*). – **11.** *relig.* Akkommodati'onslehre *f*. – **12.** *sociol.* Anpassung *f* (*eines Individuums an seine soziale Umgebung*). – **13.** *auch* ~ train *Am. hist. od. dial.* Bummelzug *m*. — **acˌcom·moˈda·tion·al** *adj* Anpassungs...

ac·com·mo·da·tion| bill, ~ **draft** *s econ.* Ge'fälligkeitsakˌzept *n*, Gefälligkeits-, Freundschafts-, Pro'forma-, Ide'alwechsel *m*. — ~ **lad·der** *s mar.* Fallreep *n*, Fallreepstreppe *f*. — ~ **note**, ~ **pa·per** → accommodation

bill. — ~ **stores** *s pl mil. Br.* ˈUnterkunftsgerät *n.* — ~ **u·nit** *s* (*Behördensprache*) Wohneinheit *f.*
ac·com·mo·da·tive [əˈkɒməˌdeitiv] *adj* **1.** Bequemlichkeit gewährend. – **2.** Aushilfe verschaffend. – **3.** *med.* akkommodaˈtiv. — **acˈcom·moˌda·tive·ness** *s* Gefälligkeit *f.*
ac·com·pa·ni·ment [əˈkʌmpənimənt] *s* **1.** *bes. mus.* Begleitung *f.* – **2.** Zubehör *n*, (schmückendes) Beiwerk, Beilage *f.* – **3.** Begleiterscheinung *f*: ~ **consciousness** *psych.* Begleitbewußtsein.
ac·com·pa·nist [əˈkʌmpənist] *s bes. mus.* Begleiter(in).
ac·com·pa·ny [əˈkʌmpəni] **I** *v/t* **1.** begleiten, geleiten. – **2.** *mus.* begleiten. – **3.** begleiten, eine Begleiterscheinung sein von (*oft pass*): **to be accompanied with** (*od.* **by**) begleitet sein von, verbunden sein mit. – **II** *v/i* **4.** *mus.* begleiten, die Begleitung spielen. – *SYN.* attend, conduct[1], convoy, escort. — **acˈcom·pa·ny·ing** *adj* begleitend, konkomiˈtierend, Begleit...: ~ **stimulus** Begleitreiz. — **acˈcom·pa·ny·ist** *s bes. mus.* Begleiter(in).
ac·com·plice [əˈkɒmplis] *s* **1.** Komˈplice *m* (**of** *od.* **with s.o.** j-s; **in, of** bei *einem Verbrechen*), Mittäter(in), Mitschuldige(r). – **2.** *obs.* Teilnehmer(in).
ac·com·plish [əˈkɒmpliʃ] *v/t* **1.** (*Aufgabe*) vollˈenden, vollˈführen, vollˈbringen, aus-, ˈdurchführen. – **2.** (*Wünsche, Versprechen*) erfüllen. – **3.** (*Kreislauf*) vollˈenden, (*Zeitspanne*) durchˈleben, (*etwas*) (ganz) ˈdurchmachen. – **4.** (*Geist, Körper*) ausbilden, vervollkommnen. – **5.** (*Zweck*) erreichen, (*etwas Begehrtes*) erlangen. – **6.** *econ.* leisten, ausführen, fertigstellen. – **7.** *selten* versehen, ausstatten. – *SYN. cf.* perform. — **acˈcom·plish·a·ble** *adj* erreichbar, aus-, ˈdurchführbar, erfüllbar.
ac·com·plished [əˈkɒmpliʃt] *adj* **1.** vollkommen, vollständig ausgeführt: **an** ~ **fact** eine vollendete Tatsache. – **2.** a) voll ausgebildet, (fein) gebildet, b) vollˈendet, perˈfekt: **an** ~ **villain** ein Erzgauner, ein Bösewicht durch u. durch. – **3.** vorˈzüglich, wohl bewandert, gut beschlagen.
ac·com·plish·ment [əˈkɒmpliʃmənt] *s* **1.** Aus-, ˈDurchführung *f*, Bewirkung *f*, Vollˈbringung *f.* – **2.** Vollˈendung *f*, Ergänzung *f.* – **3.** Erfüllung *f*, Eintreffen *n* (*einer Prophezeiung*). – **4.** Vollkommenheit *f*, Ausbildung *f*, Vervollkommnung *f*, Schliff *m.* – **5.** Leistung *f.* – **6.** *meist pl* Bildung *f*, Erziehung *f*, Kenntnisse *pl*, Fertigkeiten *pl*, Taˈlente *pl* (*bes. in Musik, Handarbeiten, Sprachen*). – **7.** *econ.* Leistung *f*, Erfüllung *f.* – *SYN. cf.* acquirement.
ac·cord [əˈkɔːrd] **I** *v/t* **1.** (*als passend*) anerkennen, zugeben, einräumen, bewilligen, gewähren. – **2.** *selten* in Einklang *od.* in Ordnung bringen, (*Streit etc*) beilegen. – **II** *v/i* **3.** im Einklang sein, überˈeinstimmen, harmoˈnieren. – *SYN. cf.* a) agree, b) grant. – **III** *s* **4.** Überˈeinstimmung *f*, Einklang *m*, Eintracht *f*, Einigkeit *f.* – **5.** Bei-, Zustimmung *f.* – **6.** Überˈeinkommen *n*, Abkommen *n*, Vergleich *m*: **with one** ~ einstimmig, einmütig. – **7.** Harmoˈnie *f*, richtige Verteilung (*von Licht u. Schatten in der Malerei*). – **8.** (*freiwilliger, plötzlicher*) Antrieb: **of one's own** ~ aus eigenem Antrieb, freiwillig, von selbst. — **acˈcord·a·ble** *adj selten* vereinbar (**with** mit).
ac·cord·ance [əˈkɔːrdəns] *s* **1.** Überˈeinstimmung *f*, Einverständnis *n*, Gemäßheit *f*: **in** ~ **with** in Übereinstimmung mit, laut (*gen*), gemäß (*dat*), zufolge (*dat*); **in** ~ **with the accounts** (*od.* **books**) *econ.* rechnungsmäßig. – **2.** Bewilligung *f.* — **acˈcord·ant** *adj* **1.** (**with**) überˈeinstimmend (mit), im Einklang (mit), entsprechend (*dat*), gemäß (*dat*). – **2.** *biol.* gleichsinnig. – **3.** *geol.* gleich...: ~ **junction** gleichsohlige Mündung; ~ **summits** gleichhohe Gipfel.
ac·cord·ing [əˈkɔːrdiŋ] **I** *adj* **1.** überˈeinstimmend, harˈmonisch. – **II** *adv* **2.** (**to**) gemäß, entsprechend, nach, zuˈfolge (*dat*), laut (*gen*), mit Rücksicht (auf *acc*): ~ **to contract** *econ.* vertragsgemäß; ~ **to directions** vorschriftsmäßig; ~ **to mathematic law** mathematischem Gesetz zufolge; ~ **to taste** (je) nach Geschmack; ~ **to that** demnach; → **rule** 3. – **3.** ~ **as** so wie, je nachˈdem (wie), insofern, im Verhältnis zu. — **acˈcord·ing·ly** *adv* danach, demgemäß, demnach, folglich, also.
ac·cor·di·on [əˈkɔːrdiən] **I** *s* Akˈkordeon *n*, ˈZieh-, ˈHandharˌmonika *f.* – **II** *adj* wie eine ˈZiehharˌmonika zuˈsammenfaltbar, faltbar, Falt...: ~ **map**; ~ **door**; ~ **pleats** (*Schneiderei*) Ziehharmonikafalten. — **acˈcor·di·on·ist** *s* Akˈkordeonˌspieler(in).
ac·cost [əˈkɒst; *Am. auch* əˈkɔːst] **I** *v/t* **1.** sich (*j-m*) nähern, herˈantreten an (*acc*). – **2.** vertraulich ansprechen *od.* -reden *od.* grüßen. – **3.** (*j-n*) ansprechen (*Prostituierte*). – **II** *s* **4.** Anrede *f*, Begrüßung *f.* — **acˈcost·a·ble** *adj* ˈumgänglich, leutselig, zugänglich.
ac·cost·ed [əˈkɒstid; *Am. auch* əˈkɔːs-] *adj her.* **1.** nebeneinˈander gestellt. – **2.** auf beiden Seiten gestützt.
ac·couche [əˈkuːʃ] *v/t u. v/i med.* (*eine Frau*) entbinden. — **acˈcouche·ment** [-mɑ̃ː; -mənt] *s* Entbindung *f*, Niederkunft *f.* — **ac·cou·cheur** [ˌækuːˈʃəːr] *s* Geburtshelfer *m.* — **ˌac·couˈcheuse** [-ˈʃəːz] *s* Hebamme *f.*
ac·count [əˈkaunt] **I** *v/t* **1.** achten, schätzen, ansehen als, halten für, betrachten als: **to** ~ **oneself well-paid** sich für wohlbezahlt halten; **to be** ~**ed a statesman** für einen Staatsmann gehalten werden *od.* gelten. – **2.** (*Geld etc*) anweisen, gutschreiben (**to** *dat*). –
II *v/i* **3.** (**for**) Rechenschaft *od.* Rechnung ablegen (über *acc*), sich verantworten (für). – **4.** die Verantwortung tragen, verantwortlich sein, einstehen (**for** für). – **5.** (**for**) genügenden Grund angeben (für), erklären, begründen (*acc*): **how do you** ~ **for that?** wie erklären Sie sich das? **there is no** ~**ing for taste** über den Geschmack läßt sich nicht streiten. – **6.** ~ **for** *hunt.* töten, schießen, erledigen (*auch fig.*). – **7.** *nur pass* günstig beurteilen: **he is well** ~**ed of** er hat einen guten Leumund. –
III *s* **8.** Berechnung *f*, Rechnung *f*, Fakˈtur(a) *f.* – **9.** Rechnung *f*, Note *f.* – **10.** Konto *n*, Soll *n* und Haben *n*, Einnahmen *pl* und Ausgaben *pl.* – **11.** Rechenschaft *f*, Verantwortung *f*, Rechnungslage *f*, Rechenschaftsbericht *m*: **to call to** ~ zur Rechenschaft ziehen; **to give** ~ **of** Rechenschaft ablegen über (*acc*); **to give a good** ~ **of oneself** sich hervortun, sich bewähren; **to keep** ~ (*od.* **the** ~**s**) Buch führen; **he has to put to** ~ **every single item** er muß jeden Posten verrechnen. – **12.** Bericht *m*, Darstellung *f*, Erzählung *f*, Beschreibung *f*, *auch* (*künstlerische*) Interpretatiˈon: **by all** ~**s** nach allem, was man hört; **to give an** ~ **of** Bericht erstatten über (*acc*). – **13.** Liste *f*, Verzeichnis *n.* – **14.** *Br.* Liquidatiˈonsterˌmin *m* (*an der Börse*). – **15.** *jur. Rechtsverfahren* (*gegen einen Verwalter, Vormund etc*), *das auf Erlangen eines Rechenschaftsberichtes zielt.* – **16.** Erwägung *f*, Berücksichtigung *f*, ˈHinsicht *f*: **to leave out of** ~ außer Betracht lassen; → **take** *b. Redw.*; **on** ~ **of** um ... willen, wegen; **on no** ~ auf keinen Fall, keineswegs, unter keinen Umständen; **on all** ~**s** auf jeden Fall, in jeder Hinsicht; **on that** ~ deswegen, darum. – **17.** Grund *m*, Ursache *f.* – **18.** Schätzung *f*, Achtung *f*, Wert *m*, Wertschätzung *f*, Wichtigkeit *f*, Bedeutung *f*, Ansehen *n*, Geltung *f*: **of no** ~, *Am. colloq. oft abgekürzt* **no-**~ unbedeutend, ohne Bedeutung, wertlos; **he's a no-**~ er ist eine ‚Null'. – **19.** Gewinn *m*, Nutzen *m*, Vorteil *m*: **to find one's** ~ **in s.th.** bei etwas profitieren; → **turn to** (*prep*) 9; **on one's own** ~ auf eignes Risiko, aus sich, für sich, auf eigne Rechnung. – **20.** (*spätere*) Begleichung: **sale for the** ~ Geschäft (*an der Börse*), das später (*am nächsten Abrechnungstag*) beglichen wird; **payment on** ~ Teilzahlung, Abschlags-, Anzahlung; **the great** ~ *fig.* das Jüngste Gericht; **he is gone to his** ~ *fig.* er ist vor Gottes Richterstuhl getreten. –
Besondere Redewendungen:
~(**s**) **agreed upon** Rechnungsabschluß; ~ **carried forward** Vortrag auf neue Rechnung; ~ **current** Kontokorrent, laufende Rechnung; ~ **rendered** zur Begleichung nochmals vorgelegte Rechnung, Rechenschaftsbericht; ~**s payable** buchmäßige Schulden, Buchschulden, Verbindlichkeiten, Verpflichtungen, Schuldenlast; **to balance an** ~ ein Konto ausgleichen; **to carry to** ~ in Rechnung stellen, (*einen Betrag*) aufs Konto setzen; **to carry to a new** ~ auf neue Rechnung übertragen; **to charge against an** ~ ein Konto belasten; **clearing up of** ~**s** Kostenbereinigung; **closing of** ~**s** Kassenabschluß, Schließung eines Kontos; **continuing** ~ Kontokorrentkonto; **to draw up an** ~ eine Rechnung ausschreiben; **enterprise for** (*od.* **on**) **joint** ~ Partizipationsgeschäft; **for** ~ **and risk** auf Rechnung und Gefahr; **for the** ~ **of a conto**; **in** ~ **with** in Rechnung mit; **in full discharge of our** ~**s** zum Ausgleich unserer Rechnung; **to include in the** ~ mit einrechnen; **to make out** (*od.* **up**) **an** ~ eine Rechnung ausschreiben *od.* ausstellen; **to make up the cash** ~**s** Kasse machen; **on** ~ auf Rechnung, a conto, auf Zeit, auf Abschlag; **to open an** ~ **with s.o.** bei j-m ein Konto eröffnen; **to pass an** ~ eine Rechnung anerkennen; **to pay into an** ~ auf ein Konto einzahlen; **payment per** ~ Saldozahlung; **per** (*od.* **to**) ~ **rendered** laut eingeschickter Rechnung; **to place** (*od.* **put**) **to** ~ in Rechnung stellen, auf Rechnung bringen, berechnen; **received on** ~ in Gegenrechnung empfangen; **to settle an** ~ ein Konto bereinigen, eine Rechnung bezahlen; **to settle** ~**s with** *fig.* abrechnen mit; **submission of** ~**s** Rechnungsvorlage; **third** ~ fremde Rechnung; → **bring** 1; **dividend** 3; **extract** 9; **receivable** 2; **running** ~ 1; **square** 25.
ac·count·a·bil·i·ty [əˌkauntəˈbiliti; -əti] *s* Verantwortlichkeit *f*, Verpflichtung *f* zur Rechenschaftsablegung.
ac·count·a·ble [əˈkauntəbl] *adj* **1.** verantwortlich, rechenschaftspflichtig: **to be** ~ Rechenschaft schuldig sein. – **2.** erklärlich. – *SYN. cf.* **responsible**. — **acˈcount·a·ble·ness** → **accountability**.
ac·count a·nal·y·sis *s econ.* ˈKostenanaˌlyse *f.*
ac·count·an·cy [əˈkauntənsi] *s* **1.** Rechnungswesen *n*, Buchhaltung *f*, -führung *f.* – **2.** Buchhalterstellung *f.*
ac·count·ant [əˈkauntənt] *s* **1.** Buchhalter *m*, Rechnungsführer *m*, Kalkuˈlator *m.* – **2.** ˈBücherreˌvisor *m*, Rechnungs-, Wirtschaftsprüfer *m.* –

3. j-d der Rechnung ablegt *od.* sich (*vor Gericht*) für etwas verantwortet. – *SYN. cf.* bookkeeper. — ~ **gen·er·al** *pl* **ac·count·ants gen·er·al** *s* Oberrechnungs-, Hauptrechnungsführer *m*, Hauptbuchhalter *m*, Proku'rist *m*.

ac·count·ant·ship [ə'kauntənt,ʃip] *s* Buchhalterstelle *f*, Amt *n* eines Rechnungsführers.

ac·count| bal·ance *s* Kontostand *m*, Kontensaldo *m*. — ~ **day** *s Br.* Abrechnungstag *m*, Zahl(ungs)tag *m* (*an der Börse*). — ~ **ex·ec·u·tive** *s Am.* mit der Kundenwerbung betrauter Geschäftsleiter.

ac·count·ing [ə'kauntiŋ] *s* Rechnungswesen *n*, -legung *f*, Buchführung *f*.

ac·count| of dis·burse·ments *s* Auslagenota *f*. — ~ **of re·draft** *s* Rückrechnung *f* eines Wechsels. — ~ **of sales** *s* Rechnungslegung *f*, Verkaufsrechnung *f*. — ~ **turn·o·ver** *s* 'Konto-,umsatz *m*.

ac·cou·ple·ment [ə'kʌplmənt] *s arch.* Anker(verbindung *f*) *m*, Balkenband *n*.

ac·cou·ter, *bes. Br.* **ac·cou·tre** [ə'kuːtər] *v/t bes. mil.* einkleiden, ausrüsten. – *SYN. cf.* furnish. — **ac'cou·ter·ment,** *bes. Br.* **ac'cou·tre·ment** *s meist pl* **1.** Kleidung *f*, 'Ausstattung *f*, -staf,fierung *f*. – **2.** *mil.* Ausrüstung *f*.

ac·cred·it [ə'kredit] *v/t* **1.** (*Gesandten etc*) beglaubigen, bevollmächtigen, akkredi'tieren (to bei). – **2.** Glauben *od.* Vertrauen schenken (*dat*), trauen (*dat*), achten. – **3.** bestätigen, als berechtigt *od.* allen Ansprüchen genügend anerkennen. – **4.** zuschreiben: he ~ed him with the remark, he ~ed the remark to him er schrieb ihm die Bemerkung zu. – **5.** *econ.* akkredi'tieren, ein Akkredi'tiv einräumen (*dat*). – *SYN. cf.* approve. — **ac,cred·it'a·tion** *s* Beglaubigung *f*, Akkredi'tierung *f*. — **ac'cred·it·ed** *adj* beglaubigt, autori'siert, (offizi'ell) anerkannt, akkredi'tiert.

ac·cre·men·ti·tial [,ækrimen'tiʃəl] *adj biol.* or'ganisch wachsend. — **,ac·cre·men'ti·tion** *s* or'ganisches Wachstum.

ac·cresce [ə'kres] *v/i jur.* erwachsen. — **ac'cres·cence** *s* Wachstum *n*, Zuwachs *m*. — **ac'cres·cent** *adj* **1.** zunehmend, wachsend. – **2.** *bot.* sich vergrößernd (*z. B. Kelch nach dem Abblühen*).

ac·crete [ə'kriːt] **I** *v/i* zu'sammenwachsen, sich vereinigen, (*durch äußeres Hinzukommen*) wachsen. – **II** *v/t* anwachsen lassen, aufnehmen, an sich anschließen. – **III** *adj* zu'sammengewachsen, verwachsen (*auch fig.*).

ac·cre·tion [ə'kriːʃən] *s* **1.** Zunahme *f*, Zuwachs *m*, or'ganisches Wachstum, Wachsen *n* von innen. – **2.** Ansetzen *n*, Wachsen *n* von außen. – **3.** angewachsenes *od.* zugesetztes Stück, Zusatz *m*, Anfügung *f*, Hin'zufügung *f*. – **4.** *fig.* Zu'sammenfügung *f*. – **5.** *jur.* Landzuwachs *m* (*durch Anschwemmung*). – **6.** *jur.* Erbzuwachs *m*. – **7.** *med.* Zu'sammenwachsen *n*, Verwachsung *f*, Adhäsi'on *f*, Adhä'renz *f*. — **ac'cre·tion·ar·y** [*Br.* -nəri; *Am.* -,neri], **ac'cre·tive** [-tiv] *adj* zunehmend, wachsend.

ac·croach [ə'kroutʃ] *v/t* sich anmaßen, sich aneignen, an sich ziehen *od.* reißen.

ac·cru·al [ə'kruːəl] *s* Zuwachs *m*.

ac·crue [ə'kruː] **I** *v/i* **1.** *jur.* als Anspruch erwachsen, zufallen (to *dat*; from, out of aus), anwachsen (*Rechte*). – **2.** erwachsen, entstehen, zukommen, zuwachsen, anwachsen (to *dat*; from, out of aus): ~d dividend laufende Dividende; ~d interest aufgelaufene Zinsen, Stückzinsen. – **3.** zum Nutzen *od.* Schaden gereichen. – **II** *v/t* **4.** *econ.* als Zuwachs buchen. – **III** *s* **5.** (*Näherei*) hin'zugefügter Stich, Extrastich *m*. — **ac'crue·ment** *s* Zuwachs *m*, Vermehrung *f*. — **ac'cru·er** *s jur.* **1.** Landzuwachs *m* (*durch Anschwemmung*). – **2.** Erbzuwachs *m*.

ac·cu·ba·tion [,ækju'beiʃən] *s antiq.* Liegen *n* (beim Mahl).

ac·cul·tu·ra·tion [ə,kʌltʃə'reiʃən] *s Am.* Kul'turüber,tragung *f*, -aneignung *f*, -annahme *f*.

ac·cum·ben·cy [ə'kʌmbənsi] → accubation. — **ac'cum·bent I** *adj* **1.** *antiq.* (*beim Mahle*) liegend. – **2.** *bot.* (*gegen etwas*) anliegend, anein'anderliegend. – **3.** *zo.* eng (*an eine Oberfläche*) anliegend. – **II** *s* **4.** *antiq.* j-d der liegend eine Mahlzeit einnimmt.

ac·cu·mu·late [ə'kjuːmju,leit; -mjə-] **I** *v/t* **1.** ansammeln, auf-, anhäufen: ~d earnings (*Bilanz*) Gewinnvortrag – **2.** *tech.* (auf)speichern, ansammeln: ~d temperature Wärmesumme; ~d value Endwert. – **II** *v/i* **3.** anwachsen, mehr werden, sich vermehren, sich anhäufen. – **4.** *tech.* auflaufen, sich sum'mieren: the errors ~ die Fehler summieren sich. – *SYN.* amass, hoard. – **III** *adj* [-lit; -,leit] **5.** (an)gehäuft.

ac·cu·mu·la·tion [ə,kjuːmju'leiʃən; -mjə-] *s* **1.** (An-, Auf)Häufung *f*, Ansammlung *f*: ~ of an annuity *econ.* Endwert einer Annuität; ~ point *math.* Häufungspunkt. – **2.** (angehäufte) Masse, Haufe(n) *m*. – **3.** *tech.* Akkumulati'on *f*, Kumulati'on *f*, (Auf)Speicherung *f*, Stauung *f*: ~ of heat Wärmestauung. – **4.** *econ.* Akkumu'lierung *f*, Kapi'talansammlung *f*. – **5.** Geldverdienen *n*. – **6.** gleichzeitiges Ablegen (*mehrerer akademischer Prüfungen*). — **ac'cu·mu,la·tive** [-,leitiv; *Br. auch* -lə-] *adj* **1.** (sich) anhäufend, wachsend, Häufungs..., Zusatz... – **2.** angehäuft, zu'sammengezogen. – **3.** gewinnsüchtig. — **ac'cu·mu,la·tive·ness** *s* Ansammlungsfähigkeit *f*.

ac·cu·mu·la·tor [ə'kjuːmju,leitər; -mjə-] *s* **1.** Anhäufer *m*, Ansammler *m*. – **2.** *electr.* Akkumu'lator *m*, Akku *m*, (Strom)Sammler *m*: ~ acid Sammlersäure, Füllsäure; ~ battery Sammlerbatterie; ~ box, ~ jar Sammlergefäß; ~ cell Sammlerzelle; ~ grid plate Sammlergitterplatte; ~ trough Sammlertrog; to charge an ~ einen Akkumulator aufladen. – **3.** *electr.* 'Sammelzy,linder *m*, Vorrichtung *f* zur Aufspeicherung von Ener'gie. – **4.** *electr.* Sekun'därele,ment *n*. – **5.** (*Gletscherkunde*) Gebiet *n*, in dem mehr Schnee fällt als abschmilzt. – **6.** *tech.* Stoßdämpfer *m*.

ac·cu·ra·cy ['ækjurəsi; -jə-] *s* **1.** Genauigkeit *f*, Sorgfalt *f*. – **2.** sorgfältige Ausführung. – **3.** Richtigkeit *f*, Pünktlichkeit *f*, Genauigkeit *f*: ~ life *mil.* Lebensdauer (*einer Waffe*); ~ of a clock Ganggenauigkeit einer Uhr; ~ of fire *mil.* Treffsicherheit, Treffgenauigkeit; ~ to ga(u)ge *tech.* Maßhaltigkeit.

ac·cu·rate ['ækjurit; -jə-] *adj* **1.** genau, sorgfältig, akku'rat, pünktlich (*Person*). – **2.** genau, richtig, ex'akt (*Sache*): ~ to five decimal places *math.* auf fünf Dezimalen genau; ~ passing *sport* genaues Zuspiel; ~ly dimensioned *tech.* maßhaltig. – *SYN. cf.* correct. — **'ac·cu·rate·ness** *s* Genauigkeit *f*, Richtigkeit *f*.

ac·curse [ə'kəːrs] *pret u. pp* **ac'cursed** *od. poet.* **ac'curst** [-'kəːrst] *v/t* verfluchen, verwünschen (*meist pass*). — **ac'curs·ed** [-id; *Am. auch* -st] *adj* **1.** verflucht, verwünscht, verdammt. – **2.** ab'scheulich, verworfen, gottlos. — **ac'curs·ed·ness** [-idnis] *s* Verfluchtsein *n*. — **ac'curst** [-st] → accursed.

ac·cus·a·ble [ə'kjuːzəbl] *adj* anklagbar, tadelnswert, strafbar (of wegen). — **ac'cus·al** *s* Anklage *f*. — **ac'cus·ant** *s* Kläger(in).

ac·cu·sa·tion [,ækju'zeiʃən; -jə-] *s* Anklage *f*, Beschuldigung *f*: to bring an ~ against s.o. eine Anklage gegen j-n erheben, j-n anklagen.

ac·cu·sa·tive [ə'kjuːzətiv] **I** *adj* **1.** *ling.* 'akkusa,tivisch. – **2.** anklagend, Klage... – **II** *s* **3.** *ling.* Akkusativ *m*, Wenfall *m*.

ac·cu·sa·to·ri·al [ə,kjuːzə'tɔːriəl] *adj* einen Ankläger betreffend. — **ac'cu·sa·to·ry** [*Br.* -təri; *Am.* -,tɔːri] *adj* **1.** anklagend, Klage... – **2.** → accusatorial.

ac·cuse [ə'kjuːz] **I** *v/t* **1.** anklagen, beschuldigen, bezichtigen, zeihen (of *gen*). – **2.** tadeln, miß'billigen. – **3.** *selten* sichtbar machen, verdeutlichen. – **II** *v/i* **4.** Anklage erheben, eine Klage vorbringen. – *SYN.* arraign, charge, impeach, incriminate, indict. — **ac'cused** *adj* angeklagt: the ~ der *od.* die Angeklagte *od.* Angeschuldigte. — **ac'cus·er** *s* Ankläger(in). — **ac'cus·ing** *adj* anklagend, vorwurfsvoll.

ac·cus·tom [ə'kʌstəm] *v/t* gewöhnen (to an *acc*): to get ~ed to the climate sich an das Klima gewöhnen. — **ac'cus·tomed** *adj* **1.** (to) gewohnt (zu *inf*), gewöhnt (an *acc*), vertraut (mit): to be ~ed to do s.th. gewohnt sein *od.* pflegen, etwas zu tun. – **2.** gewöhnlich, üblich, gebräuchlich. – *SYN. cf.* usual. — **ac'cus·tomed·ness** *s* Gewohnheit *f*, Gewohntsein *n*.

'A.C./'D.C.-,set *s electr.* Allstromgerät *n*.

ace [eis] **I** *s* **1.** As *n* (*Spielkarte*): to have an ~ in the hole *Am. colloq.* ein As *od.* einen geheimen Trumpf in petto haben; he stands ~-high with me *Am. colloq.* er ist bei mir gut angeschrieben. – **2.** Eins *f* (*auf Würfeln*). – **3.** *sport* a) durch 'einen Schlag *od.* Wurf erzielter Punkt, b) (*Tennis*) (Aufschlag-)As *n*, nicht zu'rückzuschlagender Aufschlagball. – **4.** Kleinigkeit *f*: he came within an ~ of losing er hätte beinahe *od.* um ein Haar verloren; er war nahe daran, zu verlieren. – **5.** außerordentlich erfolgreicher Kampfflieger, (Flieger)As *n*. – **6.** *bes. sport* ‚Ka'none' *f*, As *n*. – **II** *v/t* **7.** *sport* gegen (*j-n*) einen Punkt mit 'einem Schlag gewinnen. – **III** *adj* **8.** *sport* ausgezeichnet.

-acea [eiʃiə] *zo. Wortelement zur Bezeichnung einer Klasse od. Ordnung.*

-aceae [eisiiː] *bot. Wortelement zur Bezeichnung einer Pflanzenfamilie.*

ac·e·an·threne [,æsi'ænθriːn] *s chem.* Acean'thren *n* $(C_{16}H_{12})$. — **~·qui·none** [-kwi'noun; -'kwinoun] *s chem.* Acean'threnchi,non *n* $(C_{16}H_8O_2)$.

,ac·e'caf·fine [,æsi'kæfiːn; -in], *auch* **,ac·e'caf·fin** [-in] *s chem.* Acekaf'fin *n* $(C_6H_{11}N_3O_2)$.

a·ce·di·a[1] [,ɑːsei'diːɑː] *s zo. ein Plattfisch (Symphurus plagusia).*

a·ce·di·a[2] [ə'siːdiə] *s* Trägheit *f*, Apa'thie *f*.

A·cel·da·ma [ə'seldəmə] *s Bibl.* **1.** Hakel'dama *m*, Blutacker *m*. – **2.** *oft* a~ *fig.* Schlachtfeld *n*.

ac·e·naph·thene [,æsi'næfθiːn] *s chem.* Acenaph'then *n* $(C_{12}H_{10})$. — **,ac·e'naph·the·nyl** [-θinil] *s chem.* ,Acenaphthe'nyl *n* $(C_{12}H_9-$; *einwertiger Rest*). — **,ac·e'naph·thy,lene** [-θi,liːn; -θə-] *s chem.* ,Acenaphthy'len *n* $(C_{12}H_8)$.

a·cen·sua·da [aθen'swaðа; asen-] (*Span.*) *s jur.* steuerpflichtiger Grundbesitz (*in Mexiko*).

a·cen·tric [ei'sentrik] **I** *adj* **1.** nicht zentrisch, vom Mittelpunkt entfernt. – **2.** *med.* nicht zu einem Nervenzentrum gehörig. – **II** *s* **3.** Bruchstück *n* eines Chromo'soms ohne Zentro'mer.

-aceous [eiʃəs] *Wortelement in adjektivischen Bildungen zur Bezeichnung der Zugehörigkeit (bes. zu einer Tier- od. Pflanzenfamilie, -klasse etc).*

a·ceph·al [ei'sefəl] *s* **1.** (*sagenhaftes*) kopfloses Tier. – **2.** *zo.* Muschel *f* (*Klasse Lamellibranchiata*).

A·ceph·a·li [ə'sefəˌlai] *s pl* Aze'phalen *pl*: a) *sagenhafte Menschen ohne Kopf,* b) *relig. Sekten ohne Oberhaupt.* — **ac·e·pha·li·a** [ˌæsi'feiliə] *s* Azepha'lie *f*, Kopflosigkeit *f*. — **a'ceph·a·ˌlism** [-ˌlizəm] → **acephalia.**

acephalo- [eisefəlo] *Wortelement mit der Bedeutung* kopflos: **acephalobrachia** Kopf- u. Armlosigkeit.

a·ceph·a·lous [ei'sefələs] *adj* **1.** *zo.* kopflos, ohne Kopf. – **2.** *metr.* mit einer Kürze anfangend. – **3.** aze'phalisch, ohne Anfang (*bes. von verstümmelten Büchern od. Versen*). – **4.** *med.* aze'phal. – **5.** *fig.* führerlos. — **a'ceph·a·lus** [-ləs] *pl* **-li** [-ˌlai] *s med.* A'cephalus *m*, kopflose 'Mißgeburt.

a·ce·quia [a'θekja] (*Span.*) *s Am.* Bewässerungsgraben *m*. — **a·ce·quia·dor** [aθekja'ðər] (*Span.*) *s Am.* Aufseher *m* einer Bewässerungsanlage.

ac·er·ate ['æsərit; -ˌreit] *adj* **1.** nadelförmig. – **2.** *bot.* eine Spitze besitzend.

a·cerb [ə'səːrb] *adj* **1.** bitter, herb, scharf. – **2.** *fig.* hart, streng, rauh.

ac·er·bate I *v/t* ['æsərˌbeit] **1.** bitter *od.* herb *od.* scharf machen. – **2.** *fig.* verbittern. – **II** *adj* [ə'səːrbit; -beit] **3.** bitter, herb, scharf. — **a'cer·bic** → **acerbate II.**

a·cer·bi·ty [ə'səːrbiti; -bə-] *s* **1.** Herbheit *f*, herber Geschmack. – **2.** *fig.* Bitterkeit *f*, Härte *f*, Schärfe *f*, Barschheit *f*, Strenge *f*, Heftigkeit *f*. – *SYN. cf.* **acrimony.**

ac·er·ose ['æsəˌrous] *adj* nadelförmig.

a·ce·rous [ei'si(ə)rəs] *adj* **1.** *zo.* ohne Fühlhörner. – **2.** nadelförmig.

ac·er·tan·nin [ˌæsər'tænin] *s chem.* Acertan'nin *n* ($C_{20}H_{20}O_{13}$; *Tannin aus Blättern des Amur-Ahorns*).

a·cer·vate [ə'səːrvit; -veit] *adj* gehäuft, in Haufen wachsend. — **ac·er·va·tion** [ˌæsər'veiʃən] *s* Aufhäufung *f*. — **a'cer·va·tive** [-vətiv] *adj* zur Häufung neigend. — **a'cer·vu·line** [-vjulin; -ˌlain; -vjə-] *adj* häufchenartig.

a·ces·cence [ə'sesns] *s* Säuerlichkeit *f*, (Neigung *f* zum) Sauerwerden *n*. — **a'ces·cen·cy** *s* Säuerlichkeit *f*, Angesäuertheit *f*. — **a'ces·cent** *adj* sauer werdend, säuernd, säuerlich, herb.

a·ces·o·dyne [ə'sesoˌdain; -səˌd-] *adj med.* schmerzstillend.

acet- [æsit] → **aceto-.**

ac·e·tab·u·lar [ˌæsi'tæbjulər; -jə-] *adj* **1.** becherförmig. – **2.** *med. zo.* zur Hüftgelenkpfanne gehörig, pfannenartig: ~ **fossa** Gelenkpfannengrube; ~ **margin** Gelenkpfannenrand. — **ˌac·eˌtab·u'lif·er·ous** [-'lifərəs] *adj zo.* Saugnäpfe an den Armen besitzend (*Polypen*). — **ˌac·e'tab·u·liˌform** [-liˌfɔːrm] *adj bot.* (saug)napfartig. — **ˌac·e'tab·u·lum** [-ləm] *pl* **-la** [-lə] *s* **1.** *antiq.* Ace'tabulum *n*, Essigbecher *m*. – **2.** *med.* Ace'tabulum *n*, (Hüft)Gelenkpfanne *f*, Beckenknochenpfanne *f*, Essignäpfchen *n*. – **3.** *zo.* Gelenkpfanne *f* (*von Insekten*). – **4.** *zo.* Saugnapf *m* (*an den Armen von Polypen*).

ac·e·tal ['æsiˌtæl] *s chem.* Ace'tal *n* ($R{\cdot}CH(OR_1)_2$).

ac·et·al·de·hyde [ˌæsi'tældihaid] *s chem.* A'cetaldeˌhyd *m* (CH_3CHO).

ac·e·tal·i·za·tion [ˌæsiˌtælai'zeiʃən; -li-] *s* Acetali'sierung *f*. — **ac·e·tal·ize** ['æsitæˌlaiz] *v/t chem.* acetali'sieren, in ein Ace'tal verwandeln.

ac·et·am·ide [ˌæsi'tæmid; ə'setəmid; -ˌmaid], *auch* **ac·et·am·id** [ˌæsi'tæmid; ə'setəmid] *s chem.* Aceta'mid *n* (CH_3CONH_2).

ac·et·an·i·lide [ˌæsi'tænilid; -ˌlaid], *auch* **ˌac·et'an·i·lid** [-lid] *s chem.* Acetani'lid *n* ($CH_3CONHC_6H_5$). — **ˌac·et'an·iˌside** [-ˌsaid; -sid] *s chem.* Acetanisi'did *n* ($CH_3CONHC_6H_4OCH_3$).

ac·e·tar·i·ous [ˌæsi'tɛ(ə)riəs] *adj* zu Sa'lat verwendbar (*Pflanze*).

ac·et·ar·sone [ˌæsi'tɑːrsoun] *s chem.* Acetar'son *n*, Stovar'sol *n* ($C_8H_{10}O_5$-AsN).

ac·e·tate ['æsiˌteit; -tit] *s* **1.** *chem.* Ace'tat *n* (*Salz od. Ester der Essigsäure*). – **2.** Ace'tatseide *f*.

a·cet·e·nyl [ə'setinil] *s chem.* Acete'nyl *n* (*einwertiger Rest*; HC≡C-).

a·ce·tic [ə'siːtik; ə'setik] *adj chem.* essigsauer: ~ **acid** Holzessig, Essigsäure (CH_3COOH); ~ **anhydride** Essigsäureanhydrid [$(CH_3CO)_2O$]; **glacial** ~ **acid** Eisessig, wasserfreie Essigsäure; ~ **fermentation** Essigsäuregärung. — **a·cet·i·fi·ca·tion** [əˌsetifi'keiʃən; -tə-] *s chem.* Essigsäurebildung *f*, Essigsäuregärung *f*. — **a'cet·iˌfi·er** [-ˌfaiər] *s chem.* Schnellsäurer *m* (*Apparat zur Beschleunigung des Säuerungsprozesses bei der Essigsäuregärung*). — **a'cet·iˌfy** [-ˌfai] **I** *v/t* in Essig verwandeln, (an)säuern, sauer machen. – **II** *v/i* sauer werden.

ac·e·tim·e·ter [ˌæsi'timitər; -mə-], **ˌac·e'tim·e·try** [-tri] → **acetometer, acetometry.**

ac·e·tin ['æsitin], *auch* **ac·e·tine** [-tin; -ˌtiːn] *s chem.* Ace'tin *n*.

aceto- [æsito; əsiːto] *Wortelement mit der Bedeutung* Essigsäurerest (CH_3CO-) im Molekül.

ac·e·tom·e·ter [ˌæsi'tɒmitər; -mə-] *s chem.* Aceto'meter *n*, Säure-, Essigmesser *m* (*zur Bestimmung des Essiggehaltes*). — **ˌac·e'tom·e·try** [-tri] *s* Acetome'trie *f*, Essigsäuremessung *f*.

ac·e·to·nae·mi·a [ˌæsito'niːmiə] *s med.* Acetonä'mie *f* (*Auftreten von Aceton im Blut*), Ketonä'mie *f*, Ke'tosis *f*.

ac·e·tone ['æsiˌtoun] *s chem.* Ace'ton *n* (C_3H_6O).

ac·e·to·ne·mi·a *cf.* **acetonaemia.**

ac·e·ton·ic [ˌæsi'tɒnik] *adj chem.* Aceton...: ~ **acid** Acetonsäure [$(CH_3)_2$-$C(OH)CO_2H$].

ac·e·to·nu·ri·a [ˌæsito'nju(ə)riə] *s med.* Acetonu'rie *f*, Ketonu'rie *f*.

ac·e·tose ['æsiˌtous], **'ac·e·tous** [-təs] *adj* essigsauer.

a·ce·tum [ə'siːtəm] *pl* **-ta** [-tə] *s* Essig *m*.

ac·e·tyl ['æsitil; -ˌtiːl] *s chem.* Ace'tyl *n* ($CH_3{\cdot}CO$-; *einwertiger Rest*). — **a·cet·y·la·tion** [əˌseti'leiʃən] *s chem.* Acety'lierung *f*. — **ac·e·tyl·cho·line** [ˌæsitil'kouliːn; -'kɒl-; -in] *s med.* Aceˌtylcho'lin *n*.

a·cet·y·lene [ə'setiˌliːn; -lin] *s chem.* Acety'len *n*, Ä'thin *n* (C_2H_2): ~ **cutter** (Acetylen)Schneid(e)brenner; ~ **gas** Acetylengas; ~ **gas searchlight** Acetylenscheinwerfer; ~ **generator** Acetylenentwickler, -erzeuger; ~ **lamp** Acetylenlampe; ~ **welding** Acetylenschweißung.

ac·e·tyl·sal·i·cyl·ic ac·id ['æsitilˌsæli'silik] *s med.* Aceˌtylsali'cylsäure *f*, Aspi'rin *n*.

ac·e·tyl·tan·nic ac·id [ˌæsitil'tænik] *s med.* Tanni'gen *n*.

A·chae·no·don [ə'kiːnoˌdɒn] *s zo.* A'chänodon *n* (*nordamer. fossile Säugergattung*).

a·chae·tous [ə'kiːtəs] *adj zo.* borstenlos.

a·char [ə'tʃɑːr] *s Br.Ind.* scharf gewürzte Zukost (*bes. aus Bambussprossen*).

a·char·ne·ment [aʃarnə'mɑ̃] (*Fr.*) *s* Blutdurst *m*, Raubgier *f*, Wut *f*.

ach·ate ['ækit] *s selten* A'chat *m*.

A·cha·tes [ə'keitiːz] **I** *npr* A'chates *m* (*treuer Gefährte des Äneas*). – **II** *s* treuer Freund.

ache[1] [eik] **I** *v/i* **1.** schmerzen, weh(e) tun. – **2.** *colloq.* sich sehnen (for nach), mit Schmerzen darauf warten, darauf brennen: **he is aching to pay him back** er brennt darauf, ihm heimzuzahlen. – **II** *v/t* **3.** *obs.* schmerzen. – **III** *s* **4.** (*anhaltender*) Schmerz, Weh *n*. – *SYN.* **pain, pang, smart, stitch, throe, twinge.**

ache[2] *cf.* **aitch.**

a·chei·li·a [ei'kailiə] *s med.* Achi'lie *f*, Lippenlosigkeit *f*. — **a'chei·lous** *adj* lippenlos.

a·chei·ri·a [ei'kai(ə)riə] *s med.* **1.** Achi'rie *f*, Handlosigkeit *f*. – **2.** Gefühllosigkeit *f* der Haut (*jeder Berührung gegenüber*).

a·chene [ei'kiːn] *s bot.* A'chäne *f* (*Schließfrucht mit verwachsener Frucht- u. Samenschale*). — **a'che·ni·al** [-niəl] *adj* schließfrüchtig.

A·cher·nar ['eikərˌnɑːr] *s astr.* Alpha *n* (*Stern im südl. Sternbild Eridanus*).

Ach·er·on ['ækəˌrɒn] **I** *npr* Acheron *m* (*Fluß der Unterwelt*). – **II** *s* 'Unterwelt *f*, Hölle *f*. — **ˌAch·er'on·tic** *adj* **1.** den Acheron betreffend, aus der 'Unterwelt. – **2.** teuflisch, scheußlich. – **3.** düster. – **4.** dem Tode nahe.

A·cheu·le·an, A·cheu·li·an [ə'ʃəːliən] *geol.* **I** *adj* das Acheulé'en betreffend, Acheuléen... – **II** *s* Acheulé'en *n* (*dritte Periode der Steinzeit; nach St. Acheul bei Amiens*).

ache·weed ['eitʃˌwiːd] → **goutweed.**

a·chiev·a·ble [ə'tʃiːvəbl] *adj* ausführbar, erreichbar.

a·chieve [ə'tʃiːv] **I** *v/t* **1.** voll'bringen, voll'enden, leisten, zu'stande bringen, ausführen, erledigen (*auch fig.*). – **2.** (*mühsam*) erlangen, erringen. – **3.** (*Ziel*) erreichen, (*Erfolg*) erzielen, (*Zweck*) erfüllen. – **4.** zu Ende bringen *od.* führen. – **II** *v/i* **5.** zu einem Abschluß gelangen, sein Ziel erreichen. – **6.** *jur. hist.* sein Gelübde als Va'sall ablegen (*nach Annahme eines Lehens*). – *SYN. cf.* a) **perform,** b) **reach.**

a·chieve·ment [ə'tʃiːvmənt] *s* **1.** 'Durch-, Ausführung *f*, Voll'endung *f*. – **2.** (*mühsame*) Erlangung. – **3.** *meist pl* Groß-, Heldentat *f*, Werk *n*, Errungenschaft *f*. – **4.** Leistung *f*. – **5.** *her.* durch Ruhmestat erworbenes Wappenbild. – *SYN. cf.* **feat**[1]. — **~age** *s psych.* Leistungsalter *n* (*Durchschnittsalter, in dem bei einem Leistungstest eine bestimmte Bewertung erzielt wird*). — **~quotient** *s psych.* 'Leistungsquotiˌent *m* (*Leistungsalter geteilt durch tatsächliches Alter; der Leistungsquotient eines Zehnjährigen, der die Leistung eines Zwölfjährigen erzielt, beträgt demnach 1,2*). — **~test** *s psych.* Leistungstest *m* (*zur Ermittlung der Unterrichts- u. Lernergebnisse, nicht der angeborenen Intelligenz*).

a·chill [ə'tʃil] *adv u. pred adj* frostig, kalt.

Ach·il·le·an [ˌæki'liːən] *adj* dem A'chilles gleich, unbesiegbar, fast unverwundbar. — **ˌAch·il'le·id** [-id] *s* Achil'leis *f* (*Bücher 1, 8, 11-22 der Ilias*).

ach·il·le·ine [ˌæki'liːiːn; -in], *auch* **ˌach·il'le·in** [-'liːin] *s chem.* Achille'in *n* ($C_{20}H_{38}N_2O_{15}$; *Alkaloid aus Achillea*).

A·chil·les [ə'kiliːz] *npr* A'chill(es) *m*: ~' (*od.* ~) **heel, heel of** ~ *fig.* Achillesferse (*wunder Punkt*); ~' (*od.* ~) **tendon, tendon of** ~ *med.* Achillessehne.

a·chil·lo·bur·si·tis [əˌkilobər'saitis] *s med.* Aˌchillobur'sitis *f*, Entzündung *f* des A'chillessehnenschleimbeutels. — **aˌchil·lo'dyn·i·a** [-'diniə; -'dai-] *s med.* Achillody'nie *f*, A'chillessehnenschmerz *m*.

a·chime [ə'tʃaim] *adv u. pred adj* läutend.

ach·ing ['eikiŋ] I *adj* schmerzhaft, schmerzlich. – II *s* Schmerz *m*, Weh *n*.
a·chi·o·te [atʃi'ote] (*Span.*) *s bot.* 1. *collect.* Samen *pl* vom Orleanbaum. – 2. Orleanbaum *m* (*Bixa orellana*).
a·chlam·y·date [ei'klæmi͵deit; -dit] *adj zo.* nackt, mantellos (*Molluske*).
ach·la·myd·e·ous [æklə'midiəs] *adj bot.* nacktblütig.
a·chlor·hy·dri·a [͵eiklɔːr'haidriə] *s med.* Achlorhy'drie *f*, Anazidi'tät *f* (*Fehlen freier Salzsäure im Magensaft*).
a·chlo·ro·phyl·lous [ei͵klɔːro'filəs] *adj biol.* ohne Chloro'phyll *od.* Blattgrün.
a·chlor·op·si·a [͵eiklɔː'rɒpsiə] *s med.* Grünblindheit *f*, Deuterano'pie *f*.
a·cho·li·a [ei'kouliə] *s med.* Acho'lie *f*, Ausbleiben *n* der 'Gallensekreti͵on. — **a·chol·ic** [ei'kɒlik], **ach·o·lous** ['ækələs] *adj med.* a'cholisch, ohne Galle, gallenlos.
a·chon·drite [ei'kɒndrait] *s geol.* (*kleiner*) Meteo'rit.
a·chon·dro·pla·si·a [ei͵kɒndro'pleiʒiə; -ziə] *s med.* Achondropla'sie *f*, Störung *f* des Knorpelwachstums.
a·chor·date [ei'kɔːr͵deit] *zo.* I *s* chorda- *od.* rückensaitenloses Tier. – II *adj* chordalos.
ach·ras ['ækræs] → **sapodilla** 1.
a·chroi·o·cy·th(a)e·mi·a [ei͵krɔiosai'θiːmiə] *s med.* Farbstoffmangel *m* in den roten Blutkörperchen.
ach·ro·ite ['ækro͵ait] *s min.* Achro'it *m*: a) farbloser Turma'lin, b) *daraus geschnittenes Schmuckstück.*
a·chro·ma [ei'kroumə] *s med.* Pig'mentmangel *m*, Blässe *f*.
a·chro·ma·cyte [ei'krouma͵sait] *s med.* Achroma'cyt *m*, Blutschatten *m*.
ach·ro·ma·si·a [͵ækro'meiʒiə; -ziə] *s* Achroma'sie *f*: a) *med.* Pig'mentverlust *m*, ab'norm weiße Hautfärbung, Blässe *f*, b) *phys.* Farblosigkeit *f*, schlechte Färbbarkeit.
ach·ro·mat·ic [͵ækro'mætik] *adj* 1. *phys.* achro'matisch, farblos: ~ **lens**; ~ **objective**. – 2. *biol.* farblos, nicht färbbar: ~ **substance** achromatische Substanz des Zellkerns (*im Gegensatz zum Chromatin*). – 3. *mus.* nicht chro'matisch. — **a·chro·ma·tic·i·ty** [ei͵kroumə'tisiti; -səti] *s* Farblosigkeit *f*.
a·chro·ma·tin [ei'kroumətin] *s biol.* Achroma'tin *n* (*Gewebe, das nicht von Farben affiziert wird*). — **a'chro·ma·tism** *s* Achroma'tismus *m*, Achroma'sie *f*, Farblosigkeit *f*.
a·chro·ma·ti·za·tion [ei͵kroumətai'zeiʃən; -ti-] *s tech.* Achromati'sierung *f*. — **a'chro·ma͵tize** [-͵taiz] *v/t phys.* achromati'sieren.
a·chro·ma·to·cyte [ei'kroumәto͵sait] → **achromacyte**.
a·chro·ma·top·si·a [ei͵kroumə'tɒpsiə] *s med.* Achromatop'sie *f*, Farbenblindheit *f*.
a·chro·ma·to·sis [ei͵kroumə'tousis] *s med.* Achroma'tose *f* (*krankhafte Pigmentarmut*).
a·chro·ma·tous [ei'kroumətəs] *adj* farblos, ohne Farbe, von ab'norm weißer Färbung, 'unpigmen͵tiert.
a·chro·mic [ei'kroumik], **a'chro·mous** [-məs] *adj* farblos.
ach·ro·ous ['ækroəs] *adj* achro'matisch, farblos.
ach·y ['eiki] *adj* von Schmerz befallen, leidend.
a·chy·li·a [ei'kailiə] *s med.* Achy'lie *f* (*Fehlen von Fettsäften*). — **a'chy·lous** *adj* an Chylusmangel leidend.
a·chy·mi·a [ei'kaimiə] *s med.* mangelnde Chymusbildung.
a·cic·u·la [ə'sikjulə; -jə-] *pl* **-lae** [-͵liː] *s* 1. Stachelborste *f*. – 2. nadelförmiger Kri'stall.
a·cic·u·lar [ə'sikjulər; -jə-] *adj* 1. *zo.* stachelborstig: ~ **bristle** Pfriemenborste (*bei Meeresborstenwürmern*). – 2. *biol.* nadelförmig: ~ **crystal** Kristallnädelchen. – 3. *zo.* feinrissig. – 4. *tech.* nadelartig. — **a'cic·u·late** [-lit; -͵leit] → **acicular**. — **a'cic·u͵lat·ed** [-͵leitid] *adj zo.* feingestreift.
a·cic·u·lum [ə'sikjuləm; -jə-] *pl* **-la** [-lə] *od.* **-lums** *s* 1. *zo.* Borste *f* (*bei Meeresborstenwürmern*). – 2. Nadel *f* (*der Nadelbäume*).
ac·id ['æsid] I *adj* 1. sauer, herb, streng, scharf (*Geschmack*): ~ **drops** *Br.* saure Drops. – 2. *fig.* beißend, bissig, bitter: an ~ **remark**. – 3. *chem. tech.* säurehaltig, Säure...: ~ **bath** Säurebad; ~ **carboy** Säureballon; ~ **corrosion** Säureangriff; ~ **fumes** Säuredampf. – 4. *tech.* durch einen 'Säurungspro͵zeß her'vorgebracht (*bes. in der Metallkunde*). – *SYN. cf.* **sour**. – II *s* 5. *chem.* Säure *f*. – 6. saurer Stoff. — '~-͵**fast** *adj* säurefest, säurebeständig. — '~-͵**fast·ness** *s* Säurebeständigkeit *f*. — '~-͵**form·ing** *adj* säurebildend.
a·cid·ic [ə'sidik] *adj* 1. säurebildend, säurereich, säurehaltig. – 2. *min.* reich an Silika. — **a'cid·i͵fi·a·ble** [-͵faiəbl] *adj chem.* (an)säuerbar. — **a͵cid·i·fi'ca·tion** [-fi'keiʃən] *s chem.* (An)Säuerung *f*, Säurebildung *f*. — **a'cid·i·͵fi·er** [-͵faiər] *s chem.* Säurebilder *m*, Säuerungsmittel *n*. — **a'cid·i͵fy** [-͵fai] I *v/t* (an)säuern, sauer machen, in Säure verwandeln. – II *v/i* sauer werden (*auch fig.*).
ac·i·dim·e·ter [͵æsi'dimitər; -mə-] *s chem.* Acidi'meter *n*, Säuremesser *m*. — ͵**ac·i'dim·e·try** [-tri] *s* Acidime'trie *f*, Säuremessung *f*.
a·cid·i·ty [ə'siditi; -əti] *s* 1. Säure *f*, Schärfe *f*, Herbheit *f*. – 2. Azidi'tät *f*, Säuregehalt *m*, -grad *m*. – 3. *bes. med.* 'Über-, 'Superazidi͵tät *f*. — **ac·id·ize** ['æsidaiz] *v/t* 1. mit Säure behandeln. – 2. → **acidify** I. – 3. (*Ölgruben*) mit Säure erschließen. — **ac·id·ness** ['æsidnis] *s* Säuregehalt *m*, saure Beschaffenheit.
a·cid·o·cyte [ə'sido͵sait] *s med.* Eosino'cyt *m*.
ac·id·oid ['æsidɔid] *agr.* I *adj* sauer. – II *s* saurer Boden.
ac·i·do·phil ['æsido͵fil; ə'sid-; -də-] → **acidophile**. — '**ac·i·do͵phile** [-͵fail; -͵fil] *biol.* I *s* acido'phile Zelle *od.* Sub'stanz (*die auf Farben aus Säuren besonders reagiert*). – II *adj* acido'phil, eosino'phil. — ͵**ac·i·do'phil·ic** [-'filik] → **acidophile** II. — ͵**ac·i'doph·i·lus milk** [-'dɒfiləs] *s med.* mit Bak'terien (*bes. mit Lactobacillus acidophilus*) durch'setzte Milch.
ac·i·do·sis [͵æsi'dousis] *s med.* Azi'dose *f*, 'Überazidi͵tät *f*, Über'säuerung *f* des Blutes (*bes. bei Zuckerkranken*). — ͵**ac·i'dot·ic** [-'dɒtik] *adj* azi'dotisch, 'übera͵zid.
'**ac·id**|'**proof** *adj tech.* säurebeständig, säurefest: ~ **lining** säurefeste Auskleidung. — ~ **re·sist·ance** *s* Säurebeständigkeit *f*, Säurefestigkeit *f*. — '~-**re**'**sist·ant**, '~-**re**'**sist·ing** *adj* säurebeständig, säurefest. — ~ **test** *s* 1. *chem.* Scheideprobe *f* (*mit Hilfe von Säuren*). – 2. *fig.* strenge Prüfung, Prüfung *f* auf Herz und Nieren, Feuerprobe *f*.
a·cid·u·late [*Br.* ə'sidju͵leit; *Am.* -dʒə-] *v/t* (an)säuern, säuerlich machen. — **a'cid·u·lent** [-lənt] *adj* 1. säuerlich, herb. – 2. mürrisch, sauertöpfisch, verdrießlich. — **a'cid·u·lous** *adj* 1. leicht sauer, säuerlich: ~ **spring**, ~ **water** *geol. med.* Säuerling, Sauerbrunnen. – 2. grämlich, bissig. – *SYN. cf.* **sour**.
ac·id yel·low *s chem.* Ani'lingelb *n* $(C_{12}H_{11}N_3)$.
ac·i·er·age ['æsiəridʒ] *s tech.* Verstählung *f* (*von Kupfer- u. anderen Metallplatten*). — '**ac·i·er͵ate** [-͵reit] *v/t tech.* (*Eisen*) verstählen, in Stahl verwandeln. — ͵**ac·i·er'a·tion** *s* Stahlgewinnung *f*.
ac·i·form ['æsi͵fɔːrm] *adj* nadelförmig.
ac·i·na·ceous [͵æsi'neiʃəs] *adj bot.* 1. scheinbeerig. – 2. Kerne enthaltend.
a·cin·a·ces [ə'sinə͵siːz] *s antiq.* A'cinaces *n* (*kurzes, gerades Schwert*).
a·cin·a·ci·fo·li·ous [ə͵sinəsi'fouliəs] *adj bot.* mit säbelförmigen Blättern. — **ac·i·nac·i·form** [͵æsi'næsi͵fɔːrm] *adj bot.* säbelförmig (*Blatt*).
ac·i·nar·i·ous [͵æsi'nɛ(ə)riəs] *adj bot.* scheinbeerig.
a·cin·i·form [ə'sini͵fɔːrm] *adj med.* azi'nös, traubenförmig, beerenförmig.
ac·i·nose ['æsi͵nous], '**ac·i·nous** [-nəs] *adj* beerig, traubenförmig, azi'nös, klein granu'liert (*z.B. Erz*).
ac·i·nus ['æsinəs] *pl* **-ni** [-͵nai] *s* 1. *bot.* Einzelbeerchen *n* (*einer Sammelfrucht wie Himbeere*). – 2. *bot.* Trauben-, Beerenkern *m*. – 3. *med.* a) Traubendrüse *f*, b) Drüsenbläschen *n*, Acinus *m*.
ac·i·pen·ser·ine [͵æsi'pensə͵rain; -rin] I *adj zo.* störartig. – II *s chem. Produkt aus den Spermatozoen des Störs Acipenser guldenstaedtii.*
ack-ack ['æk'æk] *sl.* (*Funkerabkürzung*) I *s* 1. Flakfeuer *n*. – 2. 'Flugzeug͵abwehrka͵none *f*, Flak *f*. – II *adj* 3. Flugzeugabwehr..., Flak...
ack em·ma [æk 'emə] *Br. sl.* (*Funkerabkürzung*) I *adv* vormittags. – II *s* 'Flugzeugme͵chaniker *m*.
Ack·er·man steer·ing ['ækərmən] *s tech.* Achsschenkellenkung *f*.
ac·knowl·edge [ək'nɒlidʒ; æk-] *v/t* 1. anerkennen. – 2. zugestehen, eingestehen, zugeben, einräumen: he ~d that he was wrong er gab zu, daß er unrecht *od.* sich geirrt hatte. – 3. sich bekennen zu. – 4. dankbar anerkennen, erkenntlich sein für. – 5. (*Empfang*) bestätigen, quit'tieren, (*Gruß*) erwidern. – *SYN.* **admit, avow, confess, own**. — **ac'knowl·edge·a·ble** *adj* anerkennbar. — **ac'knowl·edged** *adj* anerkannt, wohlbekannt, bewährt.
ac·knowl·edg(e)·ment [ək'nɒlidʒmənt; æk-] *s* 1. Anerkennung *f*. – 2. Eingeständnis *n*, Zugeständnis *n*, Einräumen *n* (*einer Tatsache*). – 3. Bekenntnis *n*. – 4. Erkenntlichkeit *f*, lobende Anerkennung, Dank *m*. – 5. (Empfangs)Bestätigung *f*, Bescheinigung *f*, Quittung *f*. – 6. *jur.* Erklärung *f* (*vor einer Behörde od. eines Anwaltes vor einer Behörde*), offizi'elle Bescheinigung (*über eine abgegebene Erklärung*), Beglaubigungsklausel *f*.
a·clas·tic [ei'klæstik] *adj phys.* a'klastisch, (das Licht) nicht brechend.
a·cli·nal [ei'klainl] *adj* a'klinisch, horizon'tal, ohne Neigung. — **a·clin·ic** [ei'klinik] *adj phys.* a'klinisch, ohne Inklinati'on: ~ **line** Akline (*magnetischer Äquator, Isokline der Inklination 0°*).
ac·me ['ækmi] *s* 1. Gipfel *m*, Spitze *f*. – 2. *fig.* höchste Vollkommenheit, Höhepunkt *m*. – 3. *med.* Ak'me *f*, Krisis *f*, Krise *f*, Wendepunkt *m*. – 4. *biol.* Vollblüte *f*. – *SYN. cf.* **summit**.
ac·mite ['ækmait] *s min.* Ak'mit *m* $(NaFe(SiO_3)_2)$.
ac·ne ['ækni] *s med.* Akne *f*, Finnenausschlag *m*. — '**ac·ne͵form** [-͵fɔːrm], **ac'ne·i͵form** [-'niːi͵fɔːrm] *adj med.* akneähnlich.
ac·ne·mi·a [æk'niːmiə] *s med.* 'Wadenatro͵phie *f*.
ac·no·dal [æk'noudl] *adj* Kurvenrückkehr(punkt)... — '**ac·node** *s math.* Rückkehrpunkt *m* (*einer Kurve*).
a·cock [ə'kɒk] *adj u. pred adj* 1. schief, aufgestülpt. – 2. *fig.* keck, her'ausfordernd.

a·cock·bill [əˈkɒkˌbil] *adj mar.* **1.** klar zum Fallen (*Anker*). – **2.** aufgetoppt (*Rah an Stelle eines Ladebaums*).

a·coe·lo·mate [eiˈsiːlomit; -ˌmeit] *adj zo.* **1.** ohne Leibeshöhle (*Wurm*). – **2.** bandwurmartig. — **aˈcoe·lous** *adj zo.* **1.** ohne Leibeshöhle. – **2.** afterlos.

A·coem·e·tae [əˈsemiˌtiː; -mə-] *s pl relig. hist.* Nonnen *pl* des Ordens der Akoiˈmeten. — **Aˈcoem·eˌti** [-ˌtai] *s pl* Akoiˈmeten *pl* (*Mönche der östlichen Kirche, die ununterbrochen Chorgebet hielten*).

ac·o·in [ˈækoin], **ˈac·o·ine** [-in; -ˌiːn] *s med.* Acoˈin *n* ($C_{23}H_{26}ClN_3O_3$; *Mittel zur örtlichen Betäubung*).

a·cold [əˈkould] *pred adj Br. obs. od. Am. dial.* kalt.

ac·o·log·ic [ˌækoˈlɒdʒik; -kə-] *adj* akoˈlogisch. — **a·col·o·gy** [əˈkɒlədʒi] *s med.* Akoloˈgie *f*, Heilmittelkunde *f*.

ac·o·lyte [ˈækoˌlait; -kə-] *s* **1.** *relig.* Akoˈluth *m*: a) Meßgehilfe *m*, Alˈtardiener *m*, b) *Inhaber der höchsten der vier niederen Weihen.* – **2.** *astr.* Begleitstern *m*. – **3.** Gefährte *m*, Genosse *m*, Gehilfe *m*, Helfer *m*.

a·co·mi·a [əˈkoumiə] *s med.* Kahlheit *f*.

a·con [aˈkɔ̃] (*Fr.*) *s mar.* (*flaches*) Boot (*im Mittelmeer*).

a·con·dy·lous [eiˈkɒndiləs] *adj med.* gelenklos.

a·con·ic ac·id [eiˈkɒnik] *s chem.* Aconsäure *f* ($C_5H_4O_4$).

ac·o·nine [ˈækoˌniːn; -nin], *auch* **ˈac·o·nin** [-nin] *s chem.* Acoˈnin *n* ($C_{26}H_{21}O_{11}N$; *Alkaloid aus Aconitus-Arten*).

ac·o·nite [ˈækoˌnait; -kə-] *s* **1.** *bot.* Eisen-, Sturmhut *m* (*Gattg Aconitum, bes. A. napellus*). – **2.** *chem.* Acoˈnit *n* ($C_6H_6O_6$; *tribasische Säure*).

a·con·i·tine [əˈkɒniˌtiːn; -tin], *auch* **aˈcon·i·tin** [-tin] *s chem.* Aconiˈtin *n* ($C_{34}H_{42}O_{11}N$; *Alkaloid aus Aconitum*).

a·cop·ic [eiˈkɒpik] *adj med.* Müdigkeit vertreibend.

a·cor [ˈeikɔːr] *s med.* Akor *m*, saure Beschaffenheit.

a·corn [ˈeikɔːrn; *Am. auch* -kərn] *s* **1.** *bot.* Eichel *f*, Ecker *f*. – **2.** *mar.* Flügelspill *n*, Mastspitzenstück *n*. – **3.** *zo.* Meereichel *f*, Seepocke *f* (*Fam. Balanidae*). – **4.** rötlichgelbliche matte Farbe. – **5.** eichelförmiger Zierat. — **~ cup** *s bot.* Eichelnapf *m*.

a·corned [ˈeikɔːrnd; *Am. auch* -kərnd] *adj* **1.** Eicheln tragend. – **2.** *bes. her.* mit Eicheln versehen. – **3.** mit Eicheln gemästet.

a·corn| moth *s zo.* Eichelmotte *f* (*Valentinia glandulella*). — **~ shell** *s* **1.** *bot.* Eichelschale *f*. – **2.** → acorn 3. — **~ squash** *s bot. amer. Kulturrasse des Kürbis Cucurbita pepo.* — **~ tube** *s electr.* Eichelröhre *f* (*eichelförmige Hochvakuumröhre für hohe Frequenzen*). — **~ wee·vil** *s zo.* Eichelbohrer *m* (*Balaninus glandium*).

a·cos·mic [eiˈkɒzmik] *adj* chaˈotisch, unordentlich. — **aˈcos·mism** *s philos.* Akosˈmismus *m* (*Lehre, die keine Welt, sondern nur Gott u. Mensch kennt*). — **aˈcos·mist** *s* Anhänger *m* des Akosˈmismus.

a·cot·y·le·don [eiˌkɒtiˈliːdən; -tə-] *s bot.* Akotyleˈdone *f*, Nacktkeimer *m*, Kryptoˈgame *f* (*Pflanze ohne Keimblätter*).

a·cou·chi [əˈkuːʃi], *auch* **~ res·in** *s bot.* Aˈcouchibalsam *m* (*Harz des Tacamahac-Baums Protium aracouchili*).

a·cou·chy [əˈkuːʃi] *s zo.* ˈFerkelkaˌninchen *n*, Meerschweinchen *n* (*Myoprocta acouchy*).

a·cou·me·ter [əˈkuːmitər; -mə-; -ˌmiː-] *s med. phys.* Akuˈmeter *n*, Hörschärfemesser *m*. — **aˈcou·me·try** [-tri] *s* Akumeˈtrie *f*, Gehörmessung *f*, Cochleˈarisprüfung *f*.

ac·ou·o·phone [ˈækuːəˌfoun] *s med.* ˈHörappaˌrat *m*.

ac·ous·mat·ic [ˌækuːsˈmætik] *s selten* Anhänger *m* der pythagoˈreischen Philosoˈphie.

a·cous·tic [əˈkuːstik] **I** *s* gehörstärkendes Mittel, ˈOhrenarzˌnei *f*. – **II** *adj med. phys.* aˈkustisch, Gehör..., Schall-..., Hör...: **~ clarifier** Klangreiniger; **~ correction** Ausschaltung des Schallverzugs; **~ duct** Gehörgang; **~ feedback** akustische Rückkoppelung; **~ frequency** Hörfrequenz; **~ meatus** Gehörgang; **~ mine** *mil.* Geräuschmine; **~ nerve** Gehörnerv; **~ orientation** akustische Ortung; **~ radiator** Schallstrahler (*bes. die schwingenden Teile von Lautsprechern*). — **aˈcous·ti·cal** → acoustic II. — **aˈcous·ti·cal·ly** *adv* (*auch zu* acoustic II). — **ac·ous·ti·cian** [ˌækuːsˈtiʃən] *s* Aˈkustiker *m*.

a·cous·tics [əˈkuːstiks] *s pl* **1.** (*meist als sg konstruiert*) a) *phys.* Aˈkustik *f*, Lehre *f* vom Schall, b) *psych.* Psycholoˈgie *f* des Hörens, ˈTonpsychoˌloˌgie *f*. – **2.** (*als pl konstruiert*) *arch.* Aˈkustik *f* (*eines Raumes*).

ac·quaint [əˈkweint] **I** *v/t* **1.** bekannt *od.* vertraut machen (**with** mit): **to ~ oneself with s.th.** etwas kennenlernen, sich mit etwas bekannt machen. – **2.** (**with**) bekanntmachen (mit), in Kenntnis setzen (von), (*j-m*) mitteilen (*acc*) *od.* berichten (von): **she ~ed me with the facts** sie hat mir die Tatsachen berichtet *od.* mitgeteilt. – **II** *v/i* **3.** *obs.* (**with**) sich bekannt machen (mit), die Bekanntschaft machen (von). – *SYN. cf.* **inform**[1]. – **III** *adj* **4.** *obs.* bekannt, vertraut.

ac·quaint·ance [əˈkweintəns] *s* **1.** Bekanntschaft *f*, Bekanntsein *n*: **to keep up an ~ with s.o.** Umgang mit j-m haben; **on closer ~** bei näherer Bekanntschaft. – **2.** (**with**) Vertrautsein *n* (mit), Kenntnis *f* (von). – **3.** Bekannte(r), Bekanntschaft *f* (*Person*), Bekanntenkreis *m*: **an ~ of mine** eine(r) meiner Bekannten. — **acˈquaint·anceˌship** *s* Bekanntschaft *f*.

ac·quaint·ed [əˈkweintid] *adj* **1.** bekannt, vertraut: **to be ~ with s.o. (s.th.)** j-n (etwas) kennen; **to become ~ with s.o. (s.th.)** j-n (etwas) kennenlernen; **we are ~** wir kennen uns, wir sind Bekannte. – **2.** *obs.* allgemein bekannt, nicht neu. — **acˈquaint·ed·ness** *s* Bekannt-, Vertrautsein *n*, Vertrautheit *f*.

ac·quest [əˈkwest] *s* **1.** Erwerb *m*. – **2.** *jur.* durch Kauf erworbenes Eigentum.

ac·qui·esce [ˌækwiˈes] *v/i* **1.** (**in**) sich beruhigen (bei), sich fügen (in *acc*), sich schicken (in *acc*), sich (*etwas*) gefallen lassen, ruhig ˈhinnehmen (*acc*). – **2.** einwilligen. – *SYN. cf.* **assent.** — **ˌac·quiˈes·cence** *s* (**in**) Sichˈfügen *n* (in *acc*), Ergebung *f* (in *acc*), Beruhigung *f* (bei), Einwilligung *f* (in *acc*). — **ˌac·quiˈes·cent I** *adj* ergeben, geduldig, fügsam, nachgiebig. – **II** *s selten* nachgiebiger Mensch.

ac·quir·a·ble [əˈkwai(ə)rəbl] *adj* erreichbar, erwerbbar, erlangbar.

ac·quire [əˈkwair] *v/t* **1.** erwerben, erlangen, an sich bringen, erreichen, gewinnen, bekommen: **to ~ by purchase** käuflich erwerben; **duly ~d** *econ.* wohlerworben; **to ~ a nationality** eine Staatsangehörigkeit erwerben. – **2.** lernen, erlernen, (*durch Gewöhnung*) erwerben: **to ~ a taste for s.th.** Geschmack an etwas gewinnen; **~d characters** *biol.* erworbene Eigenschaften. – *SYN. cf.* **get.** — **acˈquire·ment** *s* **1.** Erwerbung *f*, Erlangung *f*. – **2.** Erworbenes *n*, Erlangtes *n*, Angeeignetes *n*, (erworbene) Fähigkeit *od.* Fertigkeit. – *SYN.* **accomplishment, acquisition, attainment.**

ac·qui·si·tion [ˌækwiˈziʃən; -wə-] *s* **1.** Erwerbung *f*, Erwerb *m*, Erlernung *f*, Erfassen *n*: **~ radar** *mil.* Erfassungsradar. – **2.** erworbenes Gut, Erlerntes *n*, Errungenschaft *f*. – **3.** Vermehrung *f*, Anschaffung *f*, (An)Kauf *m*, Bereicherung *f*, Hinˈzufügung *f* (*zu einer Sammlung*), (Neu)Erwerbung *f* (*für eine Bibliothek od. ein Museum*). – *SYN. cf.* **acquirement.**

ac·quis·i·tive [əˈkwizitiv; -zə-] *adj* **1.** gewinnsüchtig, auf Erwerb gerichtet: **~ capital** Erwerbskapital. – **2.** habsüchtig, raubgierig. – **3.** lernbegierig. – *SYN. cf.* **covetous.** — **acˈquis·i·tive·ness** *s* Gewinn-, Aneignungssucht *f*, Erwerbslust *f*, -trieb *m*, Lernbegier(de) *f*. — **acˈquis·i·tor** [-tər] *s* Erwerber *m*.

ac·quit [əˈkwit] *pret u. pp* **-ˈquit·ted** *v/t* **1.** lossprechen, entlasten (**of** von). – **2.** *jur.* freisprechen: **to ~ s.o. of a charge** j-n von einer Anklage freisprechen. – **3.** (*Schuld*) abzahlen, abtragen, bezahlen, quitˈtieren, (*Verbindlichkeit*) erfüllen. – **4.** *reflex* (**of**) sich entledigen (*gen*), erfüllen (*acc*): **to ~ oneself of one's duty.** – **5.** *reflex* sich benehmen, sich halten: **the soldiers ~ted themselves well in the battle** die Soldaten hielten sich gut in der Schlacht; **how did he ~ himself?** wie hat er seine Sache gemacht? – *SYN. cf.* a) **behave,** b) **exculpate.** — **acˈquit·ment** *s econ.* Abtragung *f* (*von Verpflichtungen*). — **acˈquit·tal** *s* **1.** *jur.* Freispruch *m*, Frei-, Lossprechung *f*, Erlassung *f* (*einer Schuld*): **hono(u)rable ~** Freispruch wegen erwiesener Unschuld. – **2.** Erfüllung *f* (*einer Pflicht*). — **acˈquit·tance** *s* **1.** Erfüllung *f* (*einer Verpflichtung*), Tilgung *f*, Abtragung *f*, Bezahlung *f*, Begleichung *f* (*einer Schuld*). – **2.** Quittung *f*, Empfangsbestätigung *f*. – **3.** Frei-, Lossprechung *f* (*von Verpflichtungen*).

ac·ral·de·hyde [ækˈrældiˌhaid] *s chem.* Akroleˈin *n* ($CH_2{:}CH{\cdot}CHO$).

a·cra·ni·a [eiˈkreiniə] *s med.* Akraˈnie *f* (*angeborenes Fehlen des Schädels od. der Schädeldecke*). — **aˈcra·ni·al** *adj med.* schädel(decken)los. — **aˈcra·ni·us** [-niəs] *s med.* Aˈcranius *m*, Krötenkopf *m* (*Mißgeburt*).

a·cra·si·a [əˈkreiʒiə; -ziə] *s med. psych.* Unmäßigkeit *f*, Überˈtreibung *f*, mangelnde Selbstbeherrschung.

a·cra·ti·a [eiˈkreiʃiə] *s* Schwäche *f*, Hilflosigkeit *f*, Kraftverlust *m*.

a·cre [ˈeikər] *s* **1.** Acre *m* (= *4047 qm*), Morgen *m*: **40 ~s of land** 40 Morgen Land. – **2.** *obs.* Acker *m*, Feld *n*: → **God's ~.** – **3.** *pl poet.* Ländeˈreien *pl*, Grundstücke *pl*. — **ˈa·cre·a·ble** [-rəbl] *adj* je Morgen, auf einem Morgen erzeugt: **~ produce** Ertrag pro Morgen. — **ˈa·cre·age** [-ridʒ] *s* **1.** Flächeninhalt *m od.* ˈUmfang *m* (*nach Acres*). – **2.** Anbau-, Weidefläche *f*. — **ˈa·cred** *adj* mit Land begütert.

ˈa·cre|-ˈfoot *s irr* Wassermenge *f* von 1233,5 cbm (*die einen Acre 1 Fuß hoch bedeckt*). — **ˈ~-ˈinch** *s* zwölfter Teil eines acre-foot (= *102,8 cbm*).

ac·rid [ˈækrid] *adj* scharf, herb, ätzend, beißend, bissig (*auch fig.*).

ac·ri·dan [ˈækriˌdæn], **ˈac·riˌdane** [-ˌdein] *s chem.* Acriˈdan *n* ($C_{13}H_{11}N$).

a·crid·ic [əˈkridik] *adj chem.* die Acriˈdinsäure ($C_{11}H_7O_4N$) betreffend.

ac·ri·dine [ˈækriˌdiːn; -din], *auch* **ˈac·ri·din** [-din] *s chem.* Acriˈdin *n* ($C_{13}H_9N$). — **ˌac·riˈdin·ic** → acridic.

a·crid·i·ty [əˈkriditi; -əti] *s* Schärfe *f*, Herbheit *f*, Ätzendes *n*, Beißendes *n*, Bissigkeit *f* (*auch fig.*).

ac·rid·ness [ˈækridnis] → acridity.

ac·ri·doph·a·gus [ˌækriˈdɒfəgəs] *pl* **-gi** [-ˌdʒai] *s* Akridoˈphage *m*, Heuschreckenesser *m*.

ac·ri·dyl ['ækridil] *s chem.* Acridyl... ($C_{13}H_8N$-; *einwertiger Rest*).

ac·ri·fla·vine [ˌækri'fleiviːn; -vin], *auch* **ˌac·ri'fla·vin** [-vin] *s chem.* Trypafla'vin *n* ($C_{14}H_{14}N_3Cl$).

ac·ri·mo·ni·ous [ˌækri'mouniəs; -rə-; -jəs] *adj* scharf, herb, bitter, beißend, bissig (*meist fig.*). – *SYN. cf.* angry. — **ˌac·ri'mo·ni·ous·ness** *s* Herbheit *f*, Bitterkeit *f*, Schärfe *f*.

ac·ri·mo·ny [*Br.* 'ækriməni; *Am.* -ˌmouni] *s* Schärfe *f*, Herbheit *f*, Bitterkeit *f*, Bissigkeit *f* (*meist fig.*). – *SYN.* acerbity, asperity.

a·cris·i·a [ə'krisiə] *s med.* Akri'sie *f* (*Unbestimmtheit des Krankheitszustandes od. -befundes*). — **a·crit·i·cal** [ei'kritikəl] *adj med.* krisenlos, keine Krise zeigend.

acro- [ækro] *Wortelement mit der Bedeutung* die Extremitäten *od.* die äußersten Spitzen betreffend.

ac·ro·a·ma [ˌækro'eimə] *pl* **-am·a·ta** [-'æmətə] *s* **1.** *philos.* akroa'matische Lehrweise (*bei welcher der Schüler nur zuhört*). – **2.** *antiq.* Akro'ama *n*, Vortrag *m*, Vorstellung *f* (*dramatisch, musikalisch*). – **3.** *antiq.* Vortragende(r), Schauspieler *m*, Sänger *m*. — **ˌac·ro·a'mat·ic** [-ə'mætik] *adj* akroa'matisch: a) mündlich mitgeteilt *od.* vermittelt, b) eso'terisch, dunkel. — **ˌac·ro·a'mat·ics** *s pl* akroa'matische Lehren *pl* (des Ari'stoteles).

ac·ro·bat ['ækrəˌbæt] *s* **1.** a) Akro'bat *m*, b) Seiltänzer *m*. – **2.** *fig.* (*politischer*) Akro'bat, j-d der seine Ansichten leicht wechselt. — **ˌac·ro'bat·ic, ˌac·ro'bat·i·cal** *adj* akro'batisch: acrobatic flying Kunstfliegen, -flug. — **ˌac·ro'bat·i·cal·ly** *adv* (*auch zu* acrobatic). — **ˌac·ro'bat·ics** *s pl* **1.** (*meist als sg konstruiert*) Akro'batik *f*, Akro'batentum *n*, ˌSeiltänze'rei *f*. – **2.** akro'batische Künste *pl od.* Kunststücke *pl*. – **3.** *aer. sport* Kunstflug *m*, -fliegen *n*. — **'ac·roˌbat·ism** *s* Akro'batentum *n*.

ac·ro·car·pous [ˌækro'kɑːrpəs] *adj bot.* akro'karp, gipfelfrüchtig (*Moos*).

ac·ro·ce·pha·li·a [ˌækrosi'feiliə; -sə-] *s med.* Spitzköpfigkeit *f*. — **ˌac·ro·ce'phal·ic** [-'fælik], **ˌac·ro'ceph·a·lous** [-'sefələs] *adj* hoch-, spitzköpfig. — **ˌac·ro'ceph·a·ly** [-li] → acrocephalia.

ac·ro·chor·don [ˌækro'kɔːrdən; -rə-] *s med.* Akro'chordon *f*, gestielte Hautgeschwulst.

ac·ro·dont ['ækroˌdɒnt; -rə-] *adj zo.* mit auf der Kieferkante befestigten Zähnen.

ac·ro·drome ['ækroˌdroum; -rə-], **a·crod·ro·mous** [ə'krɒdrəməs] *adj bot.* an der Blattspitze zu'sammenlaufend (*Blattnerven*).

ac·ro·dyn·i·a [ˌækro'diniə; -'dai-; -rə-] *s med.* Akrody'nie *f*, Feersche Krankheit, Gliedendenschmerz *m*.

ac·ro·gen·ic [ˌækro'dʒenik; -rə-], **a·crog·e·nous** [ə'krɒdʒənəs] *adj bot.* akro'genisch (*an der Blattspitze entstehend*).

a·crog·ra·phy [ə'krɒgrəfi] *s tech.* Akrogra'phie *f*, Hochätzung *f*.

a·cro·le·in [ə'krouliin] *s chem.* Akrole'in *n* (CH_2:CH·CHO).

ac·ro·lith ['ækroliθ; -rə-] *s* Akro'lith *m* (*Holzbildsäule mit steinernen Gliedern*).

ac·ro·me·ga·li·a [ˌækromi'geiliə] *s med.* Akromega'lie *f* (*übermäßiges Spitzenwachstum*). — **ˌac·ro'meg·a·ly** [-'megəli] → acromegalia.

a·crom·e·ter [ə'krɒmitər; -mə-] *s tech.* Ölmesser *m* (*zur spezifischen Gewichtsbestimmung von Ölen*).

a·cro·mi·al [ə'kroumiəl] *adj med.* akromi'al, das A'kromion betreffend.

acromio- [əkroumio] *Wortelement mit der Bedeutung* Schulter..., Schulterblatt...

a·cro·mi·on [ə'kroumiən] *pl* **-mi·a** [-ə] *s med.* **1.** A'kromion *n*, Schulterblattspitze *f*. – **2.** *selten* Schulterhöhe *f*.

ac·ro·mon·o·gram·mat·ic [ˌækroˌmɒnogrə'mætik; -krə-] *adj metr.* akromonogram'matisch, jeden Vers mit dem Endbuchstaben des vor'hergehenden Verses beginnend.

a·crom·pha·lus [ə'krɒmfələs] *s med.* **1.** ano'males Vorstehen des Nabels. – **2.** Mitte *f* des Nabels.

ac·ro·my·o·di·an [ˌækromai'oudiən] *zo.* **I** *adj* pfriemenschnäbelig. – **II** *s* Pfriemenschnäbler *m* (*Gruppe Acromyodi*).

ac·ro·nar·cot·ic [ˌækronɑːr'kɒtik; -rə-] *med.* **I** *adj* scharf nar'kotisch. – **II** *s* scharfes nar'kotisches Gift.

a·cron·i·c(h)al, a·cron·y·c(h)al [ə'krɒnikəl] *adj astr.* akro'nitisch, mit 'Sonnenˌuntergang aufgehend *od.* mit Sonnenaufgang 'untergehend.

ac·ro·nym ['ækrənim] *s ling.* Akro'nym *n*, Kurzwort *n* (*aus den Anfangsbuchstaben aufeinanderfolgender Wörter gebildetes Wort, z.B. Flak*). — **ˌac·ro'nym·ic** *adj* Akronym... — **a·cron·y·mize** [ə'krɒniˌmaiz] *v/t u. v/i* mit Anfangsbuchstaben schreiben. — **a'cron·y·mous** → acronymic.

a·crook [ə'kruk] *adv u. pred adj* gekrümmt, gebogen, schief, krumm.

a·crop·e·tal [ə'krɒpitl] *adj bot.* akrope'tal, spitzenwärts fortschreitend (*die Blattanlagen am Sproßscheitel*).

ac·ro·pho·bi·a [ˌækro'foubiə; -rə-] *s med.* Akropho'bie *f*, Höhenangst *f*, -furcht *f*.

a·crop·o·lis [ə'krɒpəlis] *pl* **-lis·es** *od.* **-leis** [-ˌlais] *antiq.* **I** *s* A'kropolis *f*, Stadtburg *f*. – **II** *npr* **A~** A'kropolis *f* (*Burg oberhalb Athens*).

ac·ro·some ['ækroˌsoum; -rə-] *s med.* Akro'som *n* (*vorderer Kopfteil des Spermatozoons*).

ac·ro·spire ['ækroˌspair; -rə-] **I** *s* (*Brauerei*) Blattfederchen *n* des keimenden Gerstenkorns. – **II** *v/i* keimen.

ac·ro·spore ['ækroˌspɔːr; -rə-] *s bot.* endständige Ko'nidie (*bei Pilzen*).

a·cross [ə'krɒs; ə'krɔːs] **I** *prep* **1.** a) (quer) über (*acc*), von einer Seite (*einer Sache*) zur anderen, b) (quer) durch, c) quer zu: **a bridge ~ a river** eine Brücke über einen Fluß; **to run ~ the road** über die Straße laufen; **to lay one stick ~ another** einen Stock quer über den anderen legen; **to swim ~ a river** durch einen Fluß schwimmen, einen Fluß durchschwimmen; **~ the grain** (*Bergbau*) quer zur Schichtung; **~ (the) country** querfeldein; **to put it ~ s.o.** *sl.* a) es j-m heimzahlen, b) j-n ‚hereinlegen', c) j-m imponieren. – **2.** auf der anderen Seite von, jenseits (*gen*), über (*dat*): **by this time he is ~ the Channel** jetzt ist er über den Kanal *od.* jenseits des Kanals. – **3.** in Berührung mit: **we came ~ our friends** wir stießen auf unsere Freunde. – **II** *adv* **4.** a) *bes. Am.* hin'über, her'über, b) quer durch, c) im 'Durchmesser: **he came ~ in a steamer** er kam mit einem Dampfer herüber; **to saw directly ~** quer durchsägen; **the lake is three miles ~** der See ist 3 Meilen breit. – **5.** a) drüben, auf der anderen Seite, b) nach drüben, auf die andere Seite. – **6.** *fig.* hin'über: **the idea got ~** die Idee wurde erfaßt *od.* verstanden; **to put ~** a) (*Plan etc*) durchführen, -setzen, b) (*Gedanken etc*) ausdrücken; **to put s.th. ~ to s.o.** j-m etwas verständlich *od.* begreiflich machen, j-m etwas klarmachen. – **7.** kreuzweise, über'kreuz: **with arms (legs) ~** mit verschränkten Armen (übereinandergeschlagenen Beinen). – **8.** *Am. colloq.* her'aus: **come ~ (with it)!** a) heraus damit! (*gib es zu, sag es*), b) her(aus) damit! (*gib es her*).

a'cross-the-'board *adj* allgemein, glo'bal: an ~ tax cut.

a·crost [ə'krɒst; ə'krɔːst] *Am. dial. od. vulg. für* across.

a·cros·tic [ə'krɒstik; *Am. auch* -'krɔːs-] *metr.* **I** *s* A'krostichon *n* (*Gedicht, in dem die ersten, mittleren od. letzten Buchstaben der Verse einen Namen, Sinnspruch od. das Alphabet ergeben*): **double (triple) ~** Akrostichon, in dem zwei (drei) Buchstabenreihen einen Namen *od.* Satz bilden. – **II** *adj* akro'stichisch. — **a'cros·ti·cal** → acrostic II. — **a'cros·ti·cal·ly** *adv* (*auch zu* acrostic II).

ac·ro·tar·si·um [ˌækro'tɑːrsiəm; -rə-] *s med. zo.* Spann *m* (*des Fußes*).

ac·ro·te·leu·tic [ˌækroti'ljuːtik; -rə-] *s relig.* gesungene Antwort der Gemeinde im Gottesdienst (*aus einem Zusatz od. einem Vers bestehend*).

ac·ro·te·ri·al [ˌækro'ti(ə)riəl] *adj* Giebel..., Podest... — **ˌac·ro'te·ri·um** [-riəm] *pl* **-ri·a** [-ə] *s* **1.** *arch.* Akro'terion *n*, Akro'terium *n*, Giebel-, Firstschmuck *m*. – **2.** *mar.* ornamen'taler Schiffsschnabel (*an antiken Galeeren*).

a·crot·ic [ə'krɒtik] *adj med.* **1.** die Oberfläche befallend, oberflächlich. – **2.** a'krot, eine Pulsstörung betreffend. — **ac·ro·tism** ['ækrəˌtizəm] *s* Akro'tismus *m*, Unfühlbarkeit *f od.* Fehlen *n* des Pulses.

a·crot·o·mous [ə'krɒtəməs] *adj min.* paral'lel mit der Grundfläche spaltbar.

acryl- [ækril] → acrylo-.

ac·ry·late ['ækriˌleit] *s chem.* Salz *n* der A'crylsäure. — **a·cryl·ic** [ə'krilik] *adj* a'crylsauer, Acrylsäure...

acrylo- [ækrilo] *chem. Wortelement mit der Bedeutung* Acryl...

ac·ryl·yl ['ækrilil] *s chem.* einwertiger A'crylsäurerest (CH_2:CH·CO-).

act [ækt] **I** *s* **1.** Tat *f*, Werk *n*, Handlung *f*, Ereignis *n*, Akt *m*: **~ of war** kriegerische Handlung, feindlicher Akt. – **2.** Tun *n*, Handeln *n*, Ausführung *f*, Betätigung *f*, Tätigkeit *f*, Eingreifen *n*, Vorgehen *n*, Schritt *m*: **A~ of God** höhere Gewalt, Naturereignis, *mil.* Force majeure; **in the ~ of going** im Begriff zu gehen; → very 8. – **3.** Urkunde *f*, Akte *f*, Aktenstück *n*: **~ of sale** Kaufvertrag. – **4.** Beschluß *m*, Resoluti'on *f*, Erlaß *m*, Verfügung *f*, -ordnung *f*, Gesetz *n*, Akte *f*: **~ of parliament** Parlamentsbeschluß, -akte; **~ of faith** a) Autodafé, Ketzerverbrennung, b) auf Glauben beruhende Tat; **~ of grace** Gnadenakt, Amnestie. – **5.** **A~** *Br.* Verteidigung *f* einer These (*an den älteren Universitäten*). – **6.** Festakt *m*, Feier *f*, Feierlichkeit *f*. – **7.** (*Theater*) Aufzug *m*, Akt *m*. – **8.** *Am. colloq.* ‚The'ater' *n*: **they did the hospitality ~** sie spielten sich als Gastgeber auf. – **9.** *philos.* Akt *m* (*im Gegensatz zu Potenz*). – **10.** (*Artistik*) Akt *m*, Nummer *f*, Darbietung *f*, Auftritt *m*. – *SYN. cf.* action. – **II** *v/t* **11.** (*Theater*) (*Person*) darstellen, (*Rolle, Person, Stück, Vorgang*) spielen: **to ~ Hamlet** den Hamlet spielen *od.* darstellen; **to ~ a part** eine Rolle spielen; **to ~ out** szenisch darstellen. – **12.** *fig.* spielen: **to ~ outraged virtue.** – **13.** sich benehmen wie: **to ~ the fool** sich wie ein Narr benehmen, den Narren spielen. – **14.** *obs.* bewegen, anreizen, antreiben. – *SYN.* impersonate, represent. – **III** *v/i* **15.** spielen, auftreten, The'ater spielen (*auch fig.*): **he ~s rich** er spielt den Reichen. – **16.** bühnenfähig sein, sich aufführen lassen (*Stück*): **his plays don't ~ well** seine Stücke lassen sich nicht gut aufführen. – **17.** sich benehmen, sich betragen, a'gieren, handeln, tätig sein, wirken: **to ~ as** auftreten als, fungieren als, dienen als;

it ~s as a check es setzt einen Dämpfer auf, es bremst; to ~ as secretary die Feder führen; to ~ in a case in einer Sache vorgehen; to ~ by verfahren nach; to ~ for s.th. zu etwas dienen; to ~ (up)on sich richten nach; to ~ up to a principle einem Grundsatz gemäß *od.* nach einem Grundsatz handeln; we ~ on your advice wir handeln nach Ihrem Rat; to ~ ... toward(s) s.o. sich j-m gegenüber ... benehmen; to ~ up *Am. colloq.* a) sich ungezogen benehmen, einen Streich spielen, b) ,angeben', prahlen. – **18.** (ein)wirken, Einfluß haben (on auf *acc*). – **19.** gehen, laufen, in Betrieb sein, funktio'nieren. – **20.** eintreten, stellvertretend am'tieren, Dienst tun (for für). – **21.** verfahren, vorgehen, handeln. – *SYN.* behave, function, operate, work.

act·a·bil·i·ty [ˌæktəˈbiliti; -əti] *s* **1.** Aufführbarkeit *f* (*eines Stücks*). – **2.** ˈDurchführbarkeit *f*. — **ˈact·a·ble** *adj* **1.** bühnengerecht, -reif, aufführbar. – **2.** ˈdurchführbar.

Ac·tae·on [ækˈtiːən] **I** *npr* **1.** *antiq.* Ak'täon *m* (*Jäger, der Diana im Bade überraschte u. in einen Hirsch verwandelt wurde*). – **II** *s* **2.** Jäger *m*. – **3.** *poet.* Gehörnter *m*, Hahnrei *m*.

act drop *s* Zwischenaktvorhang *m*.

ac·tin [ˈæktin] *s chem. med.* Ac'tin *n* (*Globulin der Muskelsubstanz*).

ac·ti·nal [ˈæktinl; ækˈtainl] *adj zo.* zur Mundseite gehörig (*bei Stachelhäutern*).

act·ing [ˈæktiŋ] **I** *adj* **1.** handelnd, wirkend, tätig. – **2.** stellvertretend, interi'mistisch. – **3.** diensttuend, am'tierend, verantwortlich, geschäftsführend. – **4.** (*Theater*) spielend, darstellend, Bühnen...: ~ version Bühnenausgabe. – **II** *s* **5.** (*Theater*) Spiel *n*, Aufführung *f*, Darstellung *f*, Schauspielkunst *f*. – **6.** Handeln *n*, Tun *n*, Betätigung *f*. – **7.** Verstellung *f*. – **8.** *meist pl* Handlung *f*, Tat *f*.

ac·tin·i·a [ækˈtiniə] *pl* **-i·ae** [-ˌiː] *od.* **-i·as** *s zo.* Ak'tinie *f*, Seerose *f*, 'Seeaneˌmone *f* (*Gattg Actinia*). — **acˈtin·i·an** *zo.* **I** *adj* zu den Ak'tinien gehörig. – **II** *s* → actinia.

ac·tin·ic [ækˈtinik] *adj chem. phys.* ak'tinisch, durch Strahlen chemisch wirksam: ~ conjunctivitis Gletscherkatarrh; ~ light aktinisches Licht (*das chemische Veränderungen hervorruft*); ~ quality Helligkeit; ~ value Helligkeitswert.

ac·ti·nif·er·ous [ˌæktiˈnifərəs] *adj chem.* Ak'tinium enthaltend.

ac·tin·i·form [ækˈtiniˌfɔːrm] *adj zo.* **1.** strahlenförmig. – **2.** ak'tinienähnlich.

ac·tin·i·o·chrome [ækˈtinioˌkroum] *s chem.* Aktinio'chrom *n* (*rötliches Pigment aus Korallen u. Strahlentierchen*).

ac·tin·ism [ˈæktiˌnizəm] *s chem. phys.* Aktini'tät *f*, Lichtstrahlenwirkung *f* (*chemische Wirkung der Sonnenstrahlen u. anderer photochemisch wirkender Strahlen*).

ac·tin·i·um [ækˈtiniəm] *s chem.* Ak'tinium *n* (Ac).

actino- [æktino] *Wortelement mit den Bedeutungen* a) Sonnenstrahl..., b) strahlenförmig, Strahlen..., c) Aktinität betreffend.

ac·ti·no·chem·is·try [ˌæktinoˈkemistri] *s chem.* ˌAktinoche'mie *f*, 'Strahlencheˌmie *f* (*die sich mit der Aktinität befaßt*).

ac·ti·no·cri·nite [ˌæktinoˈkrainait] *s zo.* fos'siler Enkri'nit (*Stachelhäuter*).

ac·ti·no·der·ma·ti·tis [ˌæktinoˌdəːrməˈtaitis] *s med.* 'Licht-, 'Strahlendermaˌtitis *f*, 'Röntgen(strahlen)dermaˌtitis *f*.

ac·ti·no·e·lec·tric [ˌæktinoiˈlektrik] *adj* 'licht-, 'photoeˌlektrisch. — **ˌac·ti·no·eˌlecˈtric·i·ty** [-ˈtrisiti; -əti] *s chem.* ak'tinische Elektrizi'tät.

ac·tin·o·graph [ækˈtinoˌgræ(ː)f; *Br. auch* -ˌgrɑːf] *s chem. phys.* Aktino'graph *m* (*Strahlen-, Belichtungsmesser*).

ac·ti·noid [ˈæktiˌnɔid] *adj zo.* strahlenförmig.

ac·tin·o·lite [ækˈtinəˌlait] *s min.* Aktino'lith *m*, Strahlstein *m* ($Ca(Mg,Fe)_3 (SiO_3)_4$). — **ˌac·ti·noˈlit·ic** [-ˈlitik] *adj* **1.** strahlsteinartig. – **2.** strahlsteinhaltig.

ac·ti·nol·o·gy [ˌæktiˈnɒlədʒi] *s chem.* Aktinolo'gie *f* (*Lehre von der chemischen Wirkung der Lichtstrahlen*).

ac·tin·o·mere [ækˈtinoˌmir] *s zo.* radi'är-symˌmetrischer Teil (*bei Stachelhäutern*).

ac·ti·nom·e·ter [ˌæktiˈnɒmitər; -mə-] *s phys.* Aktino'meter *n*, (Licht)Strahlenmesser *m*. — **ˌac·tiˈnom·e·try** [-tri] *s* Aktinome'trie *f*, Strahlenmessung *f*.

ac·ti·no·mor·phic [ˌæktinoˈmɔːrfik], **ˌac·ti·noˈmor·phous** [-fəs] *adj biol.* aktino'morph, strahlenförmig, radi'är, radi'är-symˌmetrisch.

ac·ti·no·my·ces [ˌæktinoˈmaisiːz] *s biol.* Strahlenpilz *m* (*Gattg Actinamyces*). — **ˌac·ti·no·myˈco·sis** [-ˈkousis] *s bes. vet.* Aktinomy'kose *f*, Strahlenpilzkrankheit *f*.

ac·ti·non [ˈæktiˌnɒn] *s chem.* Ak'tinium-Emanatiˌon *f*.

ac·tin·o·phone [ækˈtinəˌfoun] *s phys.* Aktino'phon *n* (*Apparat zur Erzeugung von Tönen mittels Lichtstrahlen*).

ac·tin·o·phore [ækˈtinəˌfɔːr] *s zo.* Strahlengerüst *n*. — **ˌac·tiˈnoph·o·rous** [-ˈnɒfərəs] *adj* stachelbesetzt, stach(e)lig.

ac·ti·nop·ter·an [ˌæktiˈnɒptərən] *zo.* **I** *adj* zu den Knochenfischen u. Schmelzschuppern gehörig. – **II** *s Bezeichnung für Knochenfische* (*Überordng Teleostei*) *u. Schmelzschupper* (*Ordng Ganoidei*).

ac·tin·o·some [ækˈtinoˌsoum], *auch* **ˌac·ti·noˈso·ma** [-ˈsoumə] *s zo.* strahlenförmiger Leib (*der Strahltierchen*).

ac·ti·no·trich·i·um [ˌæktinoˈtrikiəm] *pl* **-i·a** [-ə] *s zo.* Strahlenfaser *f* (*erste Entwicklungsform der Flosse beim Fischembryo*).

ac·tin·u·la [ækˈtinjulə; -jə-] *pl* **-lae** [-ˌliː] *s zo.* Ak'tinula *f* (*Cnidarierlarve*).

ac·tion [ˈækʃən] **I** *s* **1.** Handeln *n*, Tun *n*, Unter'nehmen *n*, Handlung *f*: man of ~ Mann der Tat; ready for ~ bereit, gerüstet; to take ~ against vorgehen gegen; → course 5. – **2.** Tat *f*: to put into ~ in die Tat umsetzen. – **3.** Tätigkeit *f*, Arbeit *f*, Verrichtung *f*, Funkti'on *f* (*eines Körperteils*), Gang *m* (*einer Maschine*), Funktio'nieren *n* (*eines Mechanismus*). – **4.** Wirkung *f*, wirkende Kraft, Wirksamkeit *f*, Einfluß *m*: → reaction 6; extent of ~ Wirkungsbereich. – **5.** *chem. phys.* Vorgang *m*, Pro'zeß *m*, Einwirkung *f*: the ~ of this acid on metal die Einwirkung dieser Säure auf Metall. – **6.** Handlung *f* (*eines Dramas*). – **7.** Stellung *f*, Haltung *f* (*einer Figur auf einem Bild*). – **8.** Bewegung *f*, Gangart *f* (*eines Pferdes*): in ~ in Bewegung. – **9.** Vortrag(sweise *f*) *m*, Ausdruck *m* (*eines Schauspielers*). – **10.** *fig.* Benehmen *n*, Betragen *n*, Führung *f*, Haltung *f*. – **11.** *tech.* Me'chanik *f*, ('Antriebs- *od.* Be'wegungs)Mechaˌnismus *m*, Werk *n*, Auslöser *m*, Hahn *m*, (Bedienungs-)Knopf *m*: in ~ eingeschaltet, in *od.* im Betrieb; to put (*od.* set) in ~ in Gang *od.* in Betrieb setzen; to put out of ~ aus-, abschalten, außer Betrieb setzen. – **12.** *tech.* Spiel *n*. – **13.** *math.* Akti'on *f*, Ef'fekt *m*, Wirkung *f*. – **14.** *jur.* Klage *f*, Pro'zeß *m*, Amtshandlung *f*, Rechtsverfahren *n*, -handel *m*: → bring 4; to take ~ ein Gerichtsverfahren einleiten, Klage erheben, (*im weiteren Sinne*) einen Beschluß fassen. – **15.** *jur.* Klagegrund *m*, -recht *n*. – **16.** *mil.* (Feuer)Gefecht *n*, Gefechts-, Kampfhandlung *f*, Unter'nehmen *n*, Einsatz *m*, (*Luftwaffe*) Feindflug *m*: died (*od.* killed) in ~ gefallen; to go into ~ eingreifen, ins Gefecht kommen; to put out of ~ außer Gefecht setzen, kampfunfähig machen; ~ rear! nach rückwärts protzt ab! ~ front! Stellung! Augenrichtung! – **17.** *Am.* beschließende *od.* gesetzgebende *od.* voll'ziehende Tätigkeit (*jeder Art, z. B. des Kongresses, Präsidenten, eines Gerichtes, Ausschusses*). – **18.** *mus. tech.* a) ('Spiel)Meˌchanik *f*, b) Trak'tur *f* (*der Orgel*). – *SYN.* a) act, deed, b) *cf.* battle. – **II** *v/t* **19.** *selten* einen Pro'zeß gegen (*j-n*) anstrengen, (*j-n*) verklagen.

ac·tion·a·ble [ˈækʃənəbl] *adj* **1.** zu belangen(d), verklagbar (*Person*). – **2.** gerichtlich verfolgbar (*Handlung*). — **ˈac·tion·al** *adj* tätig, Tätigkeits...

ac·tion·ar·y [*Br.* ˈækʃənəri; *Am.* -ˌneri] *s selten* Aktio'när *m*, Aktienbesitzer *m* (*einer europ. Gesellschaft*).

ac·tion| cur·rent *s biol.* Akti'onsstrom *m*. — **~ cy·cle** *s tech.* 'Arbeitsperiˌode *f*.

ac·tion·er [ˈækʃənər] *s* Me'chaniker, der den Be'wegungsmechaˌnismus (*eines Gewehrs, Klaviers etc*) macht.

ac·tion·ize [ˈækʃəˌnaiz] *v/t selten* einen Pro'zeß gegen (*j-n*) anstrengen.

ac·tion| noun *s ling.* **1.** Substantiv, das eine Handlung ausdrückt, Nomen *n* acti'onis. – **2.** substanti'vierter Infinitiv, Ge'rundium *n*. — **~ ser·mon** *s relig.* Predigt *f* vor dem Abendmahl (*bes. in schott. Kirchen*). — **ˈ~-ˌtak·ing** *adj selten* pro'zeß-, streitsüchtig. — **~ tur·bine** *s tech.* 'Gleichdruck-, Akti'onsturˌbine *f*.

ac·ti·vate [ˈæktiˌveit; -tə-] *v/t* **1.** akti'vieren. – **2.** *chem.* radioak'tiv machen. – **3.** *tech.* einspannen, erregen, in Betrieb setzen. – **4.** *tech.* absorpti'onsfähiger machen: ~d carbon (*od.* charcoal) Absorptionskohle, absorbierende *od.* aktive Kohle. – **5.** *mil.* (*eine Einheit, Division etc*) aufstellen, ak'tiv machen. – **6.** *mil.* (*Zünder*) scharfmachen. — **ˌac·tiˈva·tion** *s* Akti'vierung *f*, Anregung *f*, Entwicklungserregung *f*.

ac·tive [ˈæktiv] **I** *adj* **1.** wirkend, wirksam, ak'tiv: an ~ volcano ein tätiger Vulkan. – **2.** *ling.* a) ak'tiv, b) transitiv: ~ voice Aktiv(um). – **3.** emsig, geschäftig, tätig, handelnd, rührig. – **4.** lebhaft, behend(e), flink. – **5.** ak'tiv, tätig (*im Gegensatz zu kontemplativ*): the ~ life das tätige Leben. – **6.** *med.* schnell wirkend, ak'tiv: an ~ remedy ein wirksames Mittel. – **7.** *biol.* wirksam, ak'tiv: ~ principle Wirkursache, wirksamer Anteil; ~ scar tissue Wundheilgewebe. – **8.** *chem. phys.* ak'tiv, wirksam: ~ coal Aktivkohle; ~ line (*Fernsehen*) Abtastlinie, wirksame Zeile; ~ current Wirkstrom; ~ force Wucht; ~ mass wirksame Masse; ~ materials aktive Materialien (*bei Batterien*); ~ oxygen Ozon. – **9.** *econ.* belebt, rege, schwunghaft, gesucht, zinstragend (*Aktien, Wertpapiere*): ~ bonds Prioritätsobligationen, festverzinsliche Obligationen. – **10.** *econ.* Aktiv..., produk'tiv, zur Ak'tivseite gehörig: ~ balance Aktivsaldo; ~ capital Aktiva; ~ circulation Notenumlauf; ~ debts Außenstände; ~ property Aktienvermögen, Aktiva. – **11.** *mil.* ak'tiv: ~ army stehendes Heer; on ~ duty (*od.* list) im aktiven Dienst; ~ duty for training *mil. Am.* Wehrdienstübung. – *SYN.* dynamic, live, operative. – **II** *s* 12. *sport* Ak'tiver *m*, aktiver Sportler. – 13. *ling.* Aktiv(um) *n*. — **'ac·tive·ness** *s* Geschäftigkeit *f*.

ac·tive serv·ice *s mil.* 1. Frontdienst *m*. – 2. ak'tiver Dienst (*im stehenden Heer od. in der Flotte*): to be on ~ aktiv dienen.

ac·tiv·ism ['ækti,vizəm] *s* Akti'vismus *m*: a) *Lehre, welche die Tätigkeit betont*, b) *philos. Lehre, daß Tätigkeit schöpferisch ist*, c) *philos. Lehre, die betont, daß Erkenntnis ein aktiver (nicht ein passiver) Prozeß ist.* — **'ac·tiv·ist** *s* 1. Anhänger(in) des Akti'vismus. – 2. Akti'vist *m*: a) *j-d der sich für die Erreichung der Ziele seiner Partei stark einsetzt*, b) *Arbeiter, der die Produktion steigert.*

ac·tiv·i·ty [æk'tiviti; -əti] *s* 1. Tätigkeit *f*, Emsigkeit *f*, Fleiß *m*: sphere of ~ Tätigkeitsbereich, Geschäfts-, Wirkungskreis. – 2. wirkende Kraft, Wirksamkeit *f*. – 3. Behendigkeit *f*, Beweglichkeit *f*, Lebhaftigkeit *f*. – 4. *econ.* Tätigkeit *f*, Betriebsamkeit *f*, Rührigkeit *f*: in full ~ in vollem Gang. – 5. *biol.* Aktivi'tät *f*, Tätigkeit *f*: condition of ~ Wirkungs-, Funktionsbedingung. – 6. *phys.* Arbeitsleistung *f*. – 7. *oft pl ped.* nicht zum Schulplan gehörende Betätigung. – 8. *pl* 'Umtriebe *pl*.

ac·ton ['æktən] *s hist.* 1. Wams *n* unter der Rüstung. – 2. Panzerhemd *n*.

ac·tor ['æktər] *s* 1. Schauspieler *m*. – 2. handelnde Per'son, Täter *m*. – 3. *jur.* Kläger *m*. – 4. *jur.* Anwalt *m* (*in Zivilprozessen*). — '~-'**man·ag·er** *s* The'aterdi,rektor, der selbst Rollen über'nimmt.

ac·tress ['æktris] *s* Schauspielerin *f*.

Acts (of the A·pos·tles) [ækts] *s pl* (*als sg konstruiert*) *Bibl.* A'postelgeschichte *f*.

ac·tu·al ['æktʃuəl; *Br. auch* -tjuəl] **I** *adj* 1. wirklich, tatsächlich, vor'handen, re'al, tatsächlich, eigentlich: ~ report *mil.* Iststärke(meldung); ~ strength *mil.* Iststärke. – 2. wirkend, wirksam. – 3. gegenwärtig, vorliegend, jetzig. – 4. zur Zeit wirksam *od.* tätig, aktu'ell, zeitgemäß, -nah, zur Zeit bedeutsam *od.* von Inter'esse: he was caught in the ~ crime er wurde bei dem soeben begangenen Verbrechen ertappt. – 5. *econ.* gegenwärtig, Effektiv...: ~ amount, ~ balance Effektivbestand, Istbestand; ~ business Effektivgeschäft; ~ costs Selbstkosten; ~ prices gegenwärtige Preise, Tagespreise; ~ receipts, ~ takings Effektiveinnahmen. – 6. *tech.* effek'tiv: ~ cathode reelle Kathode; ~ size natürliche Größe. – 7. *math.* aktu'ell, tatsächlich, effek'tiv: ~ value Realwert, effektiver *od.* tatsächlicher Wert. – *SYN. cf.* real[1]. – **II** *s* 8. Wirklichkeit *f*, Wirkliches *n*. – 9. *pl econ.* wirkliche Einnahmen *pl*.

ac·tu·al grace *s relig.* wirkende Gnade.

ac·tu·al·ism ['æktʃuə,lizəm; *Br. auch* -tju-] *s philos.* Aktua'lismus *m*. — **'ac·tu·al·ist** *s philos.* 1. Anhänger *m* des Aktua'lismus. – 2. Rea'list *m*. — **,ac·tu·al'is·tic** *adj* aktua'listisch.

ac·tu·al·i·ty [,æktʃu'æliti; -ləti; *Br. auch* -tju-] *s* 1. Aktuali'tät *f*, Tatsächlichkeit *f*, (*gegenwärtige*) Wirklichkeit. – 2. *pl* Tatsachen *pl*, tatsächliche Zustände *pl*: the actualities of life die Gegebenheiten des Lebens. – 3. Wirklichkeitstreue *f*, Rea'lismus *m*.

ac·tu·al·i·za·tion [,æktʃuəlai'zeiʃən; -li'z-; *Br. auch* -tju-] *s* Verwirklichung *f*. — **'ac·tu·al,ize** *v/t* 1. verwirklichen. – 2. rea'listisch darstellen.

ac·tu·al·ly ['æktʃuəli; *Br. auch* -tju-] *adv* 1. eigentlich, wirklich, in der Tat. – 2. jetzt, im gegenwärtigen Augenblick. – 3. so'gar, tatsächlich (*obwohl man es nicht erwartete*). — **'ac·tu·al·ness** *s* Tatsächlichkeit *f*, Wirklichkeit *f*.

ac·tu·ar·i·al [,æktʃu'ɛ(ə)riəl; *Br. auch* -tju-] *adj* ver'sicherungssta,tistisch, einen Ver'sicherungssta,tistiker betreffend, Tafel...: ~ method Tafelmethode; ~ rate Tafelziffer; ~ statistics Versicherungsstatistik; ~ theory Versicherungsmathematik.

ac·tu·ar·y [*Br.* 'æktjuəri; -tʃu-; *Am.* 'æktʃu,eri] *s* 1. *jur.* Gerichtsschreiber *m*, Regi'strator *m*, Aktu'ar *m*. – 2. Ver'sicherungssta,tistiker *m*, -mathe,matiker *m*, -kalku,lator *m*.

ac·tu·ate ['æktʃu,eit; *Br. auch* -tju-] *v/t* 1. in Bewegung *od.* Tätigkeit setzen, in Gang bringen. – 2. beeinflussen, (*zum Handeln*) antreiben, anreizen: to be ~d by hatred. – 3. *tech.* steuern: actuating rod Regel-, Antriebsstange. – *SYN. cf.* move. — **,ac·tu'a·tion** *s* 1. In'gangsetzen *n*, In-'Tätigkeit-Setzen *n*. – 2. In'gang-Gebracht-Werden *n*. – 3. Antrieb *m*, Anstoß *m*, als Antrieb wirkende Kraft. – 4. *tech.* Betätigung *f*. — **'ac·tu,a·tor** [-tər] *s* 1. *mil.* Spannvorrichtung *f* (*bei automatischen Waffen*). – 2. *aer.* Ver'stellor,gan *n* (*am Flugzeugruder*).

ac·u·ate ['ækjuit; -,eit] *adj* scharf, spitz. — **,ac·u'a·tion** *s* Schärfen *n*. —

a·cu·i·ty [ə'kju:iti; -əti] *s* Schärfe *f*, Spitzigkeit *f*.

a·cu·le·ate [ə'kju:liit; -li,eit] **I** *adj* 1. *zo.* a) einen Stachel besitzend, b) stach(e)lig, mit Stacheln (*Insektenflügel*), c) zu den Stechimmen gehörig. – 2. *bot.* (klein)stach(e)lig. – **II** *s* 3. *zo.* Stechimme *f* (*Unterordng Aculeata*). — **a'cu·le,at·ed** [-,eitid] → aculeate I. — **a'cu·le·o·late** [-əlit; -,leit] *adj* mit scharfen Stachelchen *od.* Spitzchen besetzt. — **a'cu·le·us** [-əs] *pl* **-le·i** [-,ai] *s biol.* Stachel *m*.

a·cu·men [ə'kju:min; -mən] *s* 1. Scharfsinn *m*. – 2. *bot.* Zuspitzung *f* (*eines Blatts*). – *SYN. cf.* discernment.

a·cu·mi·nate I *adj* [ə'kju:minit; -,neit; -mə-] 1. spitz, scharf, zugespitzt, in eine(r) Spitze auslaufend. – 2. *bot.* zugespitzt. – **II** *v/t* [-,neit] 3. schärfen, zuspitzen. – **III** *v/i* 4. spitz zulaufen. — **a,cu·mi'na·tion** *s* 1. Zuspitzung *f*. – 2. scharfe Spitze. — **a'cu·mi,nose** [-,nous; -mə-] *adj* fast spitz. — **a'cu·mi·nous** [-nəs] *adj* 1. scharfsinnig. – 2. spitz, zugespitzt. — **ac·u·min·u·late** [,ækju'minjulit; -,leit; -jə-] *adj* in eine winzige Spitze auslaufend.

ac·u·press ['ækju,pres; -jə-] *v/t med.* (*Blutung*) durch Akupres'sur stillen. —**'ac·u,pres·sure** [-,preʃər] *s med.* Akupres'sur *f*, Nadeldruckblutstillung *f*.

ac·u·punc·tu·ate [,ækju'pʌŋktʃu,eit] *v/t* 1. *med.* eine Akupunk'tur 'durchführen an (*dat*). – 2. *fig.* (*j-m*) Nadelstiche geben. — **,ac·u,punc·tu'ra·tion** [-tʃə'reiʃən], **'ac·u,punc·ture** [-tʃər] *s med.* Akupunk'tur *f*, 'Nadelpunk,tierung *f*.

a·cus ['eikəs] *pl* **'a·cus** (*Lat.*) *s antiq.* Nadel *f* (*z.B. für das Haar*).

a·cush·la [ə'xuʃlə] *s* Liebling *m* (*englisch-irisches Kosewort*).

a·cut·an·gu·lar [ə,kju:t'æŋgjulər; -gjə-] *adj* spitzwink(e)lig.

a·cute [ə'kju:t] **I** *adj* 1. scharf, spitz, spitzig, zugespitzt. – 2. *math.* spitz(winkelig): ~ angle spitzer Winkel; ~ triangle spitzwinkeliges Dreieck. – 3. scharf, stechend, heftig (*Schmerz*). – 4. a'kut, brennend (*Frage*), kritisch, bedenklich: ~ shortage kritischer Mangel, akute Knappheit. – 5. scharf, fein: ~ eyesight ein scharfes Auge; an ~ feeling ein feines Gefühl. – 6. a) scharfsinnig, klug, b) verschmitzt, schlau. – 7. schrill, gellend, 'durchdringend. – 8. *ling.* mit A'kut: ~ accent Akut, Acutus. – 9. *med.* a'kut, heftig *od.* schnell verlaufend (*im Gegensatz zu chronisch*). – 10. *biol.* scharfkantig, (*geradrandig*) spitz. – *SYN.* a) critical, crucial, b) *cf.* sharp. – **II** *v/t* 11. *ling.* (*Laut*) mit einem A'kut kennzeichnen. – **III** *s* 12. *ling.* A'kut *m*, Acutus *m* (*Akzent*).

a·cute·ness [ə'kju:tnis] *s* 1. Spitze *f*, Schärfe *f*, Stechen *n*. – 2. Schärfe *f*, Feinheit *f*: ~ of vision Sehschärfe, -vermögen. – 3. Scharfsinn *m*, Klugheit *f*, Schlauheit *f*, Verschmitztheit *f*. – 4. schriller Klang, Gellen *n*, scharfe Betonung. – 5. *med.* Heftigkeit *f* (*eines Schmerzes*), a'kutes Stadium (*einer Krankheit*).

a·cu·ti·fo·li·ate [ə,kju:ti'fouliit; -,eit] *adj bot.* spitzblätt(e)rig.

a·cu·ti·lo·bate [ə,kju:ti'loubeit] *adj bot.* spitzlappig (*Blätter*).

acuto- [əkju:to] *Wortelement mit der Bedeutung* spitz, scharf.

a·cu·ya·ri palm [,ɑ:ku:'jɑ:ri] → grugru 1.

a·cy·a·no·blep·si·a [ei,saiəno'blepsiə], **a,cy·a'nop·si·a** [-'nɒpsiə] *s med.* ,Acyanoblep'sie *f*, ,Acyanop'sie *f*, Blaublindheit *f*, Blaugelbblindheit *f*.

a·cy·clic [ei'saiklik; -'sik-] *adj* 1. *bot.* a'zyklisch (*nicht kreis- od. quirlförmig angeordnet*). – 2. *zo.* nicht zyklisch, ohne regelmäßige Wieder'holung. – 3. *med. phys.* a'zyklisch.

ad [æd] *s colloq.* (Zeitungs)Anzeige *f*, An'nonce *f* (*Kurzform für* advertisement).

ad- [æd] *Wortelement zum Ausdruck von* Richtung, Tendenz, Hinzufügung: advert; advent.

a·dac·tyl(e) [ei'dæktil] *adj zo.* 1. zehen- *od.* fingerlos. – 2. klauen- *od.* krallenlos. — **,a·dac'tyl·i·a** [-iə] *s* Fehlen *n* von Fingern *od.* Zehen (*von Geburt an*). — **a'dac·ty·lous** *adj zo.* 1. ohne Finger *od.* Zehen. – 2. ohne Klauen *od.* Krallen.

ad·age ['ædidʒ] *s* Sprichwort *n*. – *SYN.* maxim, motto, proverb, saw, saying. — **a·da·gi·al** [ə'deidʒiəl] *adj* sprichwörtlich.

a·da·gio [ə'dɑ:dʒou; -dʒiou] *mus.* **I** *s pl* **-gios** A'dagio *n*: a) *langsames Tempo*, b) *langsames Stück*, c) *eine Ballettfigur*. – **II** *adv u. adj* a'dagio, langsam.

Ad·am[1] ['ædəm] **I** *npr Bibl.* Adam *m*: I don't know him from ~ *colloq.* ich kenne ihn überhaupt nicht. – **II** *s fig.* Adam *m* (*menschliche Schwäche, Erbsünde*): the old ~ der alte Adam; the offending ~ der sündige Adam.

Ad·am[2] ['ædəm] *adj* im Stil der Brüder Adam (*zur Bezeichnung eines engl. Bau- u. Möbelstils im 18. Jh.*).

'Ad·am-and-'Eve → puttyroot.

ad·a·mant ['ædə,mænt; *Br. auch* -mənt] **I** *s* 1. *hist.* Ada'mant *m*: a) *imaginärer Stein von großer Härte*, b) Dia'mant *m*. – 2. a) ungewöhnliche Härte, außerordentlich harte Sub'stanz, b) 'unüber,windliches Hindernis. – 3. *obs.* Ma'gnet *m*. – **II** *adj* 4. sehr hart, 'undurch,dringlich. – 5. *fig.* fest, unverrückbar, 'unüber,windlich, reso'lut, unnachgiebig, unerbittlich: he remains ~ on this issue er beharrt in dieser Frage unerschütterlich auf seinem Standpunkt. – *SYN. cf.* inflexible. — **,ad·a'man·tine** [-tin; -ti:n; -tain] *adj* 1. sehr hart, dia'manten, dia'mantartig: ~ spar *min.* Korund, Diamantspat (Al_2O_3). – 2. *fig.* reso'lut, unnachgiebig, 'unüber,windlich. – 3. *med.* Zahnschmelz...

ad·a·man·ti·no·ma [,ædə,mænti'noumə] *pl* **-ma·ta** [-tə], **-mas** *s med.* Adamanti'nom *n*, 'Schmelzepi,thelgeschwulst *f*. — **,ad·a'man·to,blast** [-to,blæst] *s med.* 'Zahne,mailzelle *f*.

ad·a·man·toid [ˌædəˈmæntɔid] *s min.* Adamantoˈid *n* (*diamantähnlicher 48-Flächner*).

A·dam·ic [əˈdæmik], **Aˈdam·i·cal** *adj* Adams...: ~ **costume** Adamskostüm.

ad·am·ine [ˈædəmin; -ˌmiːn], **ˈad·am·ˌite**¹ *s min.* Adaˈmit *m.*

Ad·am·ite² [ˈædəˌmait] *s* **1.** Abkömmling *m* Adams, Mensch *m.* – **2.** *relig.* Adaˈmit *m* (*Sektierer, der Kleidung verwirft*). — ˌ**Ad·amˈit·ic** [-ˈmitik], ˌ**Ad·amˈit·i·cal** *adj* **1.** zu Adam gehörig. – **2.** *relig.* zu den Adaˈmiten gehörig.

Ad·am's| ale [ˈædəmz] *s colloq.* Wasser *n*, ‚Gänsewein' *m.* — ~ **ap·ple** *s med.* Adamsapfel *m* (*Kehlkopfknorpel*). — ˈ~-ˈ**fig** *s bot.* ˈMehlbaˌnane *f* (*Musa paradisiaca*). — ˈ~-ˈ**flan·nel** → **mullein.**

ad·ams·ite [ˈædəmˌzait] *s chem.* Adamˈsit *m*, Dipheˌnylaˈminchlorarˌsin *n* (*Blaukreuz-Kampfstoff*).

ˈAd·am's|-ˈnee·dle *s bot.* **1.** (*eine*) Palmlilie (*Gattg Yucca*). – **2.** *pl* → **lady's-comb.** — ~ **nee·dle-and-thread** → **Adam's-needle 1.**

a·dance [*Br.* əˈdɑːns; *Am.* əˈdæ(ː)ns] *adv u. pred adj* tanzend.

a·dan·gle [əˈdæŋgl] *adv u. pred adj* baumelnd.

a·dapt [əˈdæpt] *v/t* **1.** an-, einpassen (for, to an *acc*), anbequemen: to ~ **oneself to circumstances** sich den Verhältnissen anpassen, sich nach den Verhältnissen richten; to ~ **the means to the end** die Mittel dem Zweck anpassen; to ~ **a factory to the production of other products** *econ.* einen Betrieb auf die Herstellung anderer Produkte umstellen. – **2.** anwenden (to auf *acc*). – **3.** (*Theaterstück etc*) bearbeiten (from nach): ~**ed from the English** nach dem Englischen bearbeitet. – **4.** *math.* angleichen, anschmiegen (to an *acc*). – **5.** *phys.* akkommoˈdieren. – *SYN.* **accommodate, adjust, conform, reconcile.** — **aˌdapt·aˈbil·i·ty** *s* **1.** Anwendbarkeit *f* (to auf *acc*). – **2.** Geeignetheit *f* (to, for zu, für). – **3.** Anpassungsfähigkeit *f*, -vermögen *n* (to an *acc*). – **4.** *econ.* Verwendungsbereich *m.* — **aˈdapt·a·ble** *adj* **1.** anwendbar (to auf *acc*). – **2.** geeignet (for, to für, zu). – **3.** anpassungsfähig (to an *acc*), biegsam, geschmeidig. – **4.** *phys.* akkommoˈdabel. – *SYN. cf.* **plastic.** — **aˈdapt·a·ble·ness** → **adaptability.**

ad·ap·ta·tion [ˌædæpˈteiʃən; *bes. Am.* -dəp-] *s* **1.** Anpassung *f* (to an *acc*), Anpassungsform *f.* – **2.** Anwendung *f.* – **3.** ˈUmarbeitung *f*, ˈHerrichtung *f*, Bearbeitung *f* (*eines fremden Stücks für die einheimische Bühne, eines Romans für Film od. Rundfunk*). – **4.** überˈarbeitetes *od.* angepaßtes Stück. – **5.** *biol.* Anpassung *f* (*bes. Helligkeitsanpassung des Auges*), Adaptatiˈon *f*, Einrichtung *f*: ~ **in two directions** zweiseitige Anpassung. – **6.** *sociol.* Anpassung *f.* – **7.** *math.* Angleichung *f*, Anschmiegung *f.* – **8.** *phys.* Akkommodatiˈon *f.* — ˌ**ad·apˈta·tion·al** *adj* Anwendungs..., Anpassungs... — **a·dapt·a·tive** [əˈdæptətiv] *adj* anpassungsfähig. — **a·dapt·er** [əˈdæptər] *s* **1.** Bearbeiter *m* (*eines Theaterstücks etc*). – **2.** *chem.* Zwischenstück *n* mit Kühler und Vorlage, Vorstoß *m* (*zu Destillationsgefäßen*). – **3.** *phys.* Aˈdapter *m*, Anpassungsstück *n*, -vorrichtung *f.* – **4.** *electr.* Aˈdapter *m*, Zwischenstecker *m*, -sockel *m.* – **5.** *tech.* Zwischen-, ˈÜbergangsstück *n* (*eines Mikroskops etc*), Zusatzgerät *n*, Anschluß-, Verlängerungs-, Einsatz-, Paßstück *n*, Stutzen *m*: ~ **key** Paßfeder; ~ **to stand** Stativaufsatz. – **6.** *mil. Am.* Mundloch *n*: ~ **plug** Steckhülse; ~ **thread** Mundlochgewinde. — **aˈdap·tion** *s* **1.** *electr.* Anpassung *f*: ~ **of impedance** Scheinwiderstandsanpassung. – **2.** *math.* Angleichung *f*, Anschmiegung *f.* — **aˈdap·tive** *adj* sich anpassend, anpassungsfähig: ~ **character** *biol.* Anpassungsmerkmal. — **aˈdap·tive·ness** *s* Anpassungsfähigkeit *f.* — **a·dap·tor** *cf.* **adapter.**

ad·a·ti, *auch* **ad·a·ty** [ˈædəti] *s* Adati *f* (*Baumwollstoff aus Bengalen*).

a·dawn [əˈdɔːn] *adv u. pred adj* (auf)dämmernd, aufleuchtend (*auch fig.*).

ad·ax·i·al [æˈdæksiəl] *adj bot.* auf der Achsenseite gelegen.

add [æd] **I** *v/t* **1.** bei-, hinˈzufügen, hinˈzuzählen, hinˈzurechnen, beitragen (to zu): ~ **to this that** ... hinzu *od.* dazu kommt, daß ...; → **fuel** 5; to ~ **interest to the capital** Zinsen zum Kapital schlagen. – **2.** *auch* ~ **up,** ~ **together** adˈdieren, zuˈsammenzählen, -rechnen: **five** ~**ed to five** fünf plus fünf. – **3.** *econ. math. tech.* aufschlagen, aufrechnen, zusetzen: to ~ **the thermal expansion** die Wärmeausdehnung aufrechnen *od.* berücksichtigen; to ~ **5% to the price** 5% auf den Preis aufschlagen; to ~ **ores** Erz nachsetzen. – **4.** ~ **in** einschließen. – **5.** zuzahlen, zuschießen. – **II** *v/i* **6.** hinˈzukommen: **that** ~**s to my worries** das vermehrt meine Sorgen. – **7.** adˈdieren. – **8.** ~ **up** *math.* aufgehen, ausgehen, stimmen (*auch fig.*): **that** ~**s up** *colloq.* das stimmt. – *SYN.* **annex, subjoin.**

ad·da [ˈædə] *s zo.* Apoˈthekersking *m* (*Scincus officinalis; ägyptische Eidechse*).

ad·dax [ˈædæks] *s zo.* Wüstenkuh *f*, ˈMendesantiˌlope *f* (*Addax nasomaculata*).

add·ed| line [ˈædid] *s mus.* Hilfslinie *f.* — ~ **per·form·ance** *s bes. mus.* Zu-, Dreingabe *f.*

ad·dend [ˈædend; əˈdend] *s math.* zweites Glied einer Summe, zweiter Sumˈmand, Adˈdend *m.*

ad·den·dum [əˈdendəm] *pl* **-da** [-ə] *s* **1.** Hinˈzufügung *f*, (*etwas*) Hinˈzuzufügendes. – **2.** *oft pl* Zusatz *m*, Anhang *m*, Nachtrag *m*, Adˈdenda *pl.* – **3.** *tech.* Länge *f* des Zahnes (*am Zahnrad*): ~ **circle** Kopfkreis, von den Zahnspitzen gebildete Kreislinie; ~ **envelope (of gear)** Hüllfläche (des Getriebes).

add·er¹ [ˈædər] *s* **1.** *j-d der hinzufügt.* – **2.** Additiˈonsmaˌschine *f.*

ad·der² [ˈædər] *s zo.* **1.** Natter *f*, Otter *f*, Viper *f*, *bes.* Gemeine Kreuzotter (*Vipera berus*): → **deaf** 1. – **2.** Große Meernadel (*Syngnathus acus*).

ad·der| bead *s* Schlangenstein *m* (*Druidenamulett, das Schlangengift absorbieren soll*). — ~ **fly** → **dragon fly.** — ~ **pike** *s zo.* Petermännchen *n* (*Trachinus vipera; Fisch*).

ˈad·der's|-ˌfern *s bot.* Tüpfelfarn *m*, Engelsüß *n* (*Polypodium vulgare*). — ˈ~-ˌ**flow·er** → **red campion.** — ˈ~-ˌ**mouth** *s bot.* **1.** Weichwurz *f* (*Gattg Malaxis*). – **2.** → **snakemouth.**

ˈad·der|ˌspit *s bot.* Adlerfarn *m* (*Pteridium aquilinum*). — ~ **stone** → **adder bead.**

ˈad·der's|-ˌtongue *s bot.* Natterzunge *f* (*Gattg Ophioglossum*). — ~ **vi·o·let** → **rattlesnake plantain.**

ˈad·derˌwort *s bot.* **1.** Wiesenknöterich *m*, Natterwurz *f* (*Polygonum bistorta*). – **2.** Natternkopf *m* (*Echium vulgare*).

add·i·bil·i·ty [ˌædiˈbiliti; -də-; -əti] *s* Vermehrbarkeit *f.* — **ˈadd·i·ble** *adj* vermehrbar, hinˈzufügbar.

ad·dict I *s* [ˈædikt] **1.** Süchtige(r): **drug** ~ Rauschgiftsüchtige(r); **film** ~ *humor.* Filmnarr. – **II** *v/t* [əˈdikt] **2.** *reflex* sich ˈhingeben, sich ergeben, sich überˈlassen (to *dat*): **he** ~**ed himself to art.** – **3.** (to) widmen (*dat*), (*seinen Sinn*) richten (auf *acc*). – **4.** *jur.* förmlich überˈweisen. — **adˈdict·ed** *adj* zugetan, ergeben, geneigt: ~ **to drink** dem Trunk ergeben, trunksüchtig. — **adˈdict·ed·ness** *s* **1.** Vorliebe *f* (to für). – **2.** Hang *m*, eingewurzelte Gewohnheit. – **3.** Ergebenheit *f.* — **adˈdic·tion** *s* **1.** Ergebung *f*, Neigung *f*, Hang *m*, Sucht *f* (to zu). – **2.** *jur.* Zusprechung *f* (*durch eine Behörde*).

add·ing ma·chine [ˈædiŋ] *s* Adˈdier-, Additiˈonsmaˌschine *f.*

ad·di·son·ism [ˈædisnˌizəm; -də-] *s med.* Addisoˈnismus *m* (*leichtere Form der Nebennierenrindeninsuffizienz*).

Ad·di·son's dis·ease [ˈædisnz; -də-] *s med.* Addisonsche Krankheit, Bronzekrankheit *f*, ˈNebenniereninsuffiˌzienz *f.*

ad·dit·a·ment [əˈditəmənt] *s* Zusatz *m*, Beigabe *f.*

ad·di·tion [əˈdiʃən] *s* **1.** Beifügung *f*, Hinˈzufügung *f*: **in** ~ noch dazu, außerdem; **in** ~ **to** außer (*dat*). – **2.** Anhang *m*, Vermehrung *f*, Zusatz *m*, Zuwachs *m* (*bes. zusätzliche Gebäude u. Grundstücke*). – **3.** *math.* Additiˈon *f*, Adˈdierung *f*, Zuˈsammenzählen *n*: ~ **sign** Pluszeichen. – **4.** *econ.* Zurechnung *f*, Aufschlag *m* (*zum Preis*): **to pay in** ~ zuzahlen. – **5.** *tech.* Anbau *m*, Zusatz *m*: ~ **of colo(u)r** Farbzusatz. – **6.** *Am.* a) zusätzlicher Gebäudeteil, Anbau *m*, b) *econ.* neu erschlossenes städtisches Baugelände. – **7.** *her.* ehrendes Beizeichen. – **8.** *jur.* Beiname *m*, Titelbezeichnung *f.* – *SYN.* **accession, accretion, increment.**

ad·di·tion·al [əˈdiʃənl] *adj* **1.** hinˈzugefügt, hinˈzugekommen: ~ **pipe** *tech.* Ansatzrohr. – **2.** zusätzlich, (neu) hinˈzukommend, ergänzend, weiter(er, -e, -es), nachträglich: ~ **agreement** *jur.* Nebenabrede; ~ **charge** a) *econ.* Aufrechnung, Aufschlag, Zuschlag, b) *electr.* Nachladung; ~ **charges** *econ.* a) Neben-, Mehrkosten, b) Nachporto; ~ **order** *econ.* Nachbestellung; ~ **plant** *tech.* Nebenanlage; ~ **voltage** *electr.* Zusatz-, Zuschaltespannung. – **3.** erhöht, vermehrt: ~ **pressure** *tech.* Überdruck. – **4.** Zusatz...: ~ **dividend** *econ.* Zusatzdividende; ~ **load** *tech.* Zusatzbelastung; ~ **resistance** *electr.* Ersatzwiderstand; ~ **set** *electr.* Zusatzaggregat. — **adˈdi·tion·al·ly** [-nəli] *adv* als Zusatz, zusätzlich, in verstärktem Maße, noch daˈzu, außerdem. — **ad·di·ti·tious** [ˌædiˈtiʃəs] *adj* **1.** zusätzlich. – **2.** *astr.* die Anziehung zwischen Himmelskörpern erhöhend. — **ˈad·di·tive I** *adj* **1.** hinˈzufügbar, vermehrbar. – **2.** hinˈzufügend, vermehrend: ~ **effect** *biol.* steigernde Wirkung (*von Genen*). – **3.** *math.* addiˈtiv. – **II** *s* **4.** Zusatz *m*, Wirkstoff *m*, Addiˈtiv *n.*

ad·dle [ˈædl] **I** *adj* **1.** unfruchtbar, faul (*Ei*). – **2.** leer, ungesund, verwirrt, verschroben. – **II** *v/t* **3.** a) verwirren, b) faul *od.* unfruchtbar machen, verderben. – **III** *v/i* **4.** faul werden, verderben (*Ei*). — ˈ~ˌ**brain** *s* Hohlkopf *m*, Einfaltspinsel *m.* — ˈ~ˌ**brained,** ˈ~ˌ**head·ed,** ˈ~ˌ**pat·ed** *adj* hohlköpfig, unbesonnen.

ad·dorsed [əˈdɔːrst] *adj* **1.** *her.* Rücken an Rücken. – **2.** *biol.* zugewandt.

ad·dress [əˈdres] **I** *v/t* **1.** (*Worte, Botschaft*) richten (to an *acc*), (*j-n*) anreden *od.* ansprechen, (*Briefe*) adresˈsieren. – **2.** eine Ansprache halten an (*acc*), eine Rede halten vor (*dat*): to ~ **a gathering.** – **3.** (*Waren*) (ab)schicken, (ab)senden, konsiˈgnieren (to an *acc*). – **4.** (*Golf*) (*den Ball*) anspielen, ansprechen. – **5.** *reflex* (to) sich widmen (*dat*), sich vorbereiten (auf *acc*), sich anschicken (zu): he ~ed himself to the task. – 6. *reflex* sich wenden (an *acc*). – **II** *s* [*Am. auch* ˈædres] 7. Anrede *f*, Ansprache *f*. – 8. Rede *f*, Vortrag *m*. – 9. Aˈdresse *f*, (Brief)Anschrift *f*, Aufschrift *f*: in case of change of ~ falls verzogen. – 10. Eingabe *f*, Denk-, Bitt-, Dankschrift *f*. – 11. Erˈgebenheitsaˌdresse *f*. – 12. Benehmen *n*, Lebensart *f*, Anstand *m*, Maˈnieren *pl*. – 13. *pl* Huldigungen *pl*, Bewerbung *f* (*um eine Dame*): he paid his ~es to the lady er machte der Dame den Hof. – 14. Geschick *n*, Gewandtheit *f*. – 15. (*Golf*) Ansprechen *n od*. Anspielen *n* (*des Balles*). – *SYN. cf.* tact. — **ad·dress·ee** [ˌædreˈsiː; *Am. auch* əˈdreˈsiː] *s* Adresˈsat(in), Empfänger(in). — **adˈdress·er** *s* 1. Adresˈsant *m*, Absender(in), Überˈsender(in). – 2. Unterˈzeichner(in).

ad·dress·ing ma·chine [əˈdresiŋ] *s* Adresˈsiermaˌschine *f*. — **adˈdres·so·ˌgraph** [-səˌgræ(ː)f; *Br. auch* -ˌgrɑːf] **I** *s* → addressing machine. – **II** *v/t* (*Briefe*) mit einer Maˈschine adresˈsieren.

ad·dres·sor [əˈdresər; -ɔːr] → addresser.

ad·duce [əˈdjuːs; *Am. auch* əˈduːs] *v/t* (*Beweise*) anführen, beibringen, ziˈtieren, sich berufen auf (*acc*): to ~ evidence *jur*. einen Beweis *od*. Nachweis erbringen. – *SYN*. advance, allege, cite. — **adˈduce·a·ble** → adducible. — **adˈdu·cent** *adj med*. adduˈzierend, (her)ˈanziehend, zur Mittellinie ˈhinbewegend: ~ muscle Anzieh(ungs)muskel. — **adˈduc·i·ble** *adj* anführbar.

ad·duct I *v/t* [əˈdʌkt] *med*. adduˈzieren, (her)ˈanziehen, (*Glieder einander*) nähern, nach der Mittellinie (*des Körpers*) herˈanführen. – **II** *s* [ˈædʌkt] *chem*. Additiˈonsproˌdukt *n*. — **adˈduc·tion** [əˈd-] *s* 1. Anführung *f* (*von Tatsachen etc*). – 2. *med*. Adduktiˈon *f* (*Heranführung eines Gliedes nach der Mittellinie des Körpers hin*). — **adˈduc·tive** *adj* anführend, herˈbeiführend, herˈunterholend. — **adˈduc·tor** [-tər] *s* 1. *med. zo*. Adˈduktor *m*, Beuge-, Anziehmuskel *m*: ~ muscle Einwärtszieher, Beugemuskel. – 2. *zo*. Schließmuskel *m* (*der Muschelklappen bei Weichtieren*).

ade [eid] *s* Getränk *n* aus Fruchtsaft, Wasser und Zucker.

-ade[1] [eid] *Wortelement zur Bildung von Substantiven, die einen Vorgang od. das Ergebnis einer Handlung ausdrücken*: blockade; escapade; masquerade.

-ade[2] [eid] *Wortelement zur Bildung von kollektiven Substantiven*: decade; brigade.

a·dead [əˈded] *adv u. pred adj* tot.

a·deem [əˈdiːm] *v/t jur*. 1. widerˈrufen. – 2. vorverfügen über (*acc*).

a·deep [əˈdiːp] *adv u. pred adj selten* tief, in der *od*. die Tiefe.

ad·e·lite [ˈædiˌlait; -də-] *s min*. Adeˈlit *m* [$(MgOH)CaAsO_4$].

a·de·lo·mor·phic [əˌdiːloˈmɔːrfik], **aˌde·loˈmor·phous** [-fəs] *adj biol*. nicht fest geformt, von unbestimmter Form (*Zellen*).

a·dempt·ed [əˈdemptid] *adj jur*. weggenommen (*vom Testator*). — **aˈdemp·tion** *s jur*. Wegnahme *f*, Entziehung *f*, ˈWiderruf *m* (*eines Vermächtnisses*).

ad·e·nal·gi·a [ˌædiˈnældʒiə; -dʒə] *s med*. Drüsenschmerz *m*. — **ˌad·eˈnec·to·my** [-ˈnektəmi] *s med*. ˈDrüsenentfernung *f*, -exstirpatiˌon *f*. — **a·de·ni·a** [əˈdiːniə] *s med*. Drüsenerweiterung *f*, Adeˈnie *f*. — **a·den·i·form** [əˈdeniˌfɔːrm] *adj biol. med*. drüsenförmig.

ad·e·nine [ˈædiˌniːn; -nin], *auch* **ad·e·nin** [ˈædinin; -də-] *s chem*. Adeˈnin *n*.

ad·e·ni·tis [ˌædiˈnaitis] *s med*. Drüsenentzündung *f*, Adeˈnitis *f*.

adeno- [ædino] *Wortelement mit der Bedeutung* Drüsen...

ad·e·noid [ˈædiˌnɔid; -də-] *med*. **I** *adj* 1. die Drüsen betreffend, Drüsen... – 2. adenoˈid, drüsenähnlich, -artig. – **II** *s* 3. *meist pl* Poˈlypen *pl* (*in der Nase*). — **ˌad·eˈnoi·dal** → adenoid I. — **ˌad·e·noidˈec·to·my** [-ˈdektəmi; -dən-] *s med*. operaˈtive Entfernung von Poˈlypen (*aus der Nase*). — **ad·e·no·ma** [ˌædiˈnoumə; -də-] *pl* **-ma·ta** [-mətə] *od*. **-mas** *s med*. Adeˈnom *n*, Drüsengeschwulst *f*. — **ˌad·eˈnom·a·tous** [-ˈnɒmətəs; -ˈnoum-] *adj* adenomaˈtös, drüsengeschwülstig.

a·den·o·phore [əˈdenoˌfɔːr] *s bot*. Stiel *m*, Stielchen *n* (*des Nektariums*).

ad·e·noph·thal·mi·a [ˌædinɒfˈθælmiə; -də-] *s med*. Entzündung *f* der Augenlidertalgdrüsen.

ad·e·no·scle·ro·sis [ˌædinoskli(ə)ˈrousis; -də-] *s med*. Drüsenverhärtung *f*.

ad·e·nose [ˈædiˌnous; -də-] *adj* 1. drüsenartig. – 2. drüsig, voll Drüsen.

a·den·o·sine [əˈdenoˌsiːn; -sin; -nə-] *s chem*. Adenoˈsin *n* ($C_{10}H_{13}N_5O_4$).

ad·e·nyl·ic ac·id [ˌædiˈnilik; -də-] *s chem*. Adeˈnylsäure *f* ($C_{10}H_{13}N_5O_4 \cdot HPO_3$).

a·deps [ˈædeps] (*Lat.*) *s med*. Aˈdeps *m*, tierisches Fett: ~ lanae Wollfett.

ad·ept I *s* [ˈædept] Aˈdept *m*: a) Eingeweihte(r), Meister *m* (in in *dat*), b) *hist*. Alchiˈmist *m*, Goldmacher *m*. – **II** *adj* [əˈdept; ˈædept] eingeweiht, erfahren, geschickt (in in *dat*). – *SYN. cf.* proficient. — **aˈdept·ness** *s* Eingeweihtheit *f*, (*besondere*) Tüchtigkeit, Beschlagenheit *f*.

ad·e·qua·cy [ˈædikwəsi; -də-] *s* Angemessenheit *f*, Gemäßheit *f*, Zweckdienlichkeit *f*, Zulänglichkeit *f*.

ad·e·quate [ˈædikwit; -də-] *adj* 1. angemessen, passend, entsprechend, adäˈquat. – 2. ˈhinreichend, ˈhinlänglich, zureichend. – 3. vollständig, erschöpfend. – *SYN. cf.* sufficient. — **ˈad·e·quate·ness** *s* Angemessenheit *f*, Gemäßheit *f*, Zulänglichkeit *f*, Genüge *f*. — **ˌad·eˈqua·tion** [-ˈkweiʃən] *s* 1. Gleichmachung *f*, Ausgleichung *f*, richtiges Verhältnis. – 2. Gleichwertigkeit *f*. — **ˈad·eˌqua·tive** *adj* 1. entsprechend. – 2. gleichwertig.

a·der·mi·a [eiˈdəːrmiə] *s med*. Hautlosigkeit *f*, angeborenes Fehlen der Haut.

a·der·min [eiˈdəːrmin] *s biol*. Aderˈmin *n*, Vitaˈmin *n* B_6, Pyridoˈxin *n* ($C_8H_{12}O_3NCl$).

a·des·po·ta [əˈdespətə] (*Greek*) *s pl* anoˈnyme liteˈrarische Werke *pl*.

ad·here [ədˈhir; æd-] *v/i* 1. (an)kleben, (an)haften, klebenbleiben (to an *dat*): wax ~s to the finger. – 2. (to) sich (an)hängen *od*. (an)klammern (an *acc*), bleiben (bei *dat*), treu bleiben (*dat*): he ~s to his plan. – 3. (to) sich anschließen (*dat*, an *acc*), sich halten (zu), es halten (mit): to ~ to a party. – 4. (to) anhangen (*dat*), sich halten (an *acc*), zugetan sein (*dat*). – 5. *biol. med*. (to) anwachsen (an *acc*), anhaften (*dat*), zuˈsammenwachsen, zuˈsammenhängen, verwachsen sein (mit). – 6. *jur. Scot*. bestätigen. – 7. *obs*. konseˈquent sein, überˈeinstimmen. – *SYN. cf.* stick[2]. — **ad·her·ence** [ədˈhi(ə)rəns; æd-], *auch* **adˈher·en·cy** *s* 1. Ankleben *n*, Festhaften *n* (to an *dat*). – 2. (to) Anhänglichkeit *f* (an *dat*), Ergebenheit *f* (gegenˈüber). – 3. (to) Festhalten *n* (an *dat*), Beharren *n* (bei). – 4. *biol. med*. (to) Anhaften *n*, Hängenbleiben *n* (an *dat*), Verkleben *n* (mit). – 5. *bot*. Verwachsensein *n* (to mit). – 6. *tech*. Adhäsiˈon *f*, Haftvermögen *n*. – *SYN*. adhesion.

ad·her·ent [ədˈhi(ə)rənt; æd-] **I** *adj* 1. anklebend, anhaftend, sich anklammernd. – 2. *fig*. festhaltend, fest verbunden (to mit), anhänglich. – 3. (*mit etwas*) verbunden, (*etwas*) begleitend. – 4. *med*. adhäˈrent, angewachsen. – 5. *bot*. verwachsen. – 6. *ling*. attribuˈtiv (bestimmend). – **II** *s* 7. Anhänger(in) (of *gen*). – *SYN. cf.* follower. — **ad·he·res·cence** [ˌædhi(ə)ˈresns] *s* Adhäresˈzenz *f*. — **ˌad·heˈres·cent** *adj* eng aneinˈanderhängend.

ad·he·sion [ədˈhiːʒən; æd-] *s* 1. Anhaften *n*, Festhaften *n*, Anhangen *n*, Ankleben *n*. – 2. Anhänglichkeit *f*, Festhalten *n* (to an *dat*): ~ to a policy. – 3. Beitritt *m*, Überˈeinstimmung *f*, Einwilligung *f*: ~ to a contract. – 4. *phys*. Adhäsiˈon *f*. – 5. *phys. tech*. a) Haften *n*, Haftvermögen *n*, Haftfestigkeit *f*, b) Griffigkeit *f* (*von Autoreifen etc*). – 6. *biol*. Verwachsensein *n* (*sonst getrennter Teile*). – 7. *med*. a) Adhäsiˈon *f*, Zuˈsammenwachsen *n* (*nach Entzündung*), b) Adhäˈrenz *f*, Verwachsung *f*. – 8. *selten* Anhang *m*, Anhängsel *n*. – *SYN*. adherence.

ad·he·sive [ədˈhiːsiv; æd-] **I** *adj* 1. anhaftend, klebend, klebrig, Kleb(e)...: ~ plaster, ~ tape Heftpflaster; ~ rubber Klebgummi. – 2. anhänglich, bleibend, dauernd. – 3. *phys. tech*. adhäˈsiv, haftend, Adhäsions..., Haft...: ~ capacity Haftvermögen, Adhäsion; ~ power Adhäsionskraft, Klebkraft; ~ tension Haftspannung. – 4. *biol*. Haft..., Saug...: ~ bowl Saugnapf; ~ disk Haftscheibe, -ballen; ~ organ Haftglied. – **II** *s* 5. (*das*) Klebrige. – 6. Bindemittel *n*, Klebstoff *m*. – 7. gumˈmierte Briefmarke. – 8. *Am*. Heftpflaster *n*. — **adˈhe·sive·ness** *s* 1. Anhaften *n*. – 2. Klebrigkeit *f*. – 3. *phys. tech*. Adhäsiˈon *f*, Adhäsiˈons-, Haftvermögen *n*. – 4. *psych*. Geselligkeitssinn *m*, Neigung *f*, sich an andere anzuschließen.

ad·hib·it [ədˈhibit; æd-] *v/t* 1. zulassen. – 2. anwenden, gebrauchen. – 3. (*Heilmittel*) eingeben. – 4. aufkleben. — **ad·hi·bi·tion** [ˌædhiˈbiʃən] *s* 1. Anwendung *f*. – 2. Befestigung *f*.

ad hoc [æd hɒk] (*Lat.*) **I** *adv* ad hoc, nur für diesen Fall *od*. bestimmten Zweck. – **II** *adj* ad hoc, besonder(er, e, es), Sonder..., speziˈell.

ad hom·i·nem [æd ˈhɒminem] (*Lat.*) an den Menschen (*bes. an Affekte u. nicht den Intellekt*) appelˈlierend (*Argument etc*).

ad·i·a·bat·ic [ˌædiəˈbætik; ˌeidaiə-] *phys*. **I** *adj* adiaˈbatisch (*ohne Wärmeaustausch mit der Umgebung*): ~ exponent Adiabatenexponent. – **II** *s* adiaˈbatische Kurve, Adiaˈbate *f*.

ad·i·ac·tin·ic [ˌædiækˈtinik] *adj chem. phys*. nicht diakˈtinisch (*chemisch wirksame Lichtstrahlen nicht durchlassend*).

ad·i·an·tum [ˌædiˈæntəm] *s bot*. Frauenhaarfarn *m* (*Gattg Adiantum*).

ad·i·aph·o·re·sis [ˌædiˌæfəˈriːsis] *s med*. Schweißmangel *m*. — **ˌad·iˌaph·oˈret·ic** [-ˈretik] **I** *adj* schweißverhütend. – **II** *s* Schweißverhütungsmittel *n*.

ad·i·aph·o·rism [ˌædiˈæfəˌrizəm] *s philos. relig*. Eintreten *n* für die Lehre der sittlichen Mitteldinge — **ˌad·iˈaph·o·rist** *s* Adiaphoˈrist *m*: a) *j-d der gewisse Kulte für unwesentlich hält*, b) *in Glaubenssachen Gleichgültiger*.

ad·i·aph·o·ron [ˌædiˈæfərən] *pl* **-ra** [-rə] *s meist pl* Adiˈaphora *pl*: a) *philos. Mitteldinge zwischen Tugend u. Laster*, b) *religiöse Bräuche, die weder gefordert noch verboten sind u. daher dem Gewissen des einzelnen überlassen blei-*

ben. — **ˌad·i'aph·o·rous** *adj* **1.** gleichgültig, neu'tral. – **2.** unwesentlich, harmlos.

ad·i·a·ther·mal [ˌædiə'θəːrməl] *adj phys.* 'wärmeˌundurchlässig. — **ˌad·i·a'ther·man·cy** [-mənsi] *s phys.* 'Wärmeˌundurchlässigkeit *f.*

a·dic·i·ty [ə'disiti; -sə-] *s chem.* Wertigkeit *f.*

a·dieu [ə'djuː; *Am. auch* ə'duː] **I** *interj* lebe wohl! Gott befohlen! a'dieu! – **II** *s pl* **a·dieus** [-uːz] *od.* **a·dieux** [-uː] Lebe'wohl *n*, A'dieu *n*: **to bid ~** Abschied nehmen, Lebewohl sagen, sich verabschieden.

ad in·fi·ni·tum [æd ˌinfi'naitəm; -fə-] (*Lat.*) ad infi'nitum, endlos, ins Unendliche (führend).

ad·i·nole ['ædiˌnoul] *s geol.* Adi'nol *m* (*Art Kieselschiefer*).

ad in·te·rim [æd 'intərim] (*Lat.*) in'zwischen, zeitweise, zeitweilig, Interims..., vorläufig: **an ~ report** ein vorläufiger Bericht, ein Zwischenbericht. – *SYN.* **acting, provisional, supply, temporary.**

ad·i·on ['ædˌaiən] *s chem. phys.* an einer Oberfläche adsor'biertes I'on.

a·dios [a'djos; ˌædi'ous] (*Span.*) *interj* lebe wohl! Gott befohlen! ‚a'dios'!

ad·i·pate ['ædiˌpeit] *s chem.* Salz *n od.* Ester *m* der Adi'pinsäure.

a·dip·ic [ə'dipik] *adj chem.* Fettstoffe enthaltend. — **~ ac·id** *s chem.* Adi'pinsäure ($C_6H_{10}O_4$).

ad·i·po·cele ['ædipoˌsiːl; -də-] *s med.* Adipo'zele *f*, Fettbruch *m* (*Bruch, der nur Fettgewebe enthält*).

ad·i·po·cere ['ædipoˌsir; -də-] *s* Adipo'cire *f*, Fett-, Leichenwachs *n.*

ad·i·pose ['ædiˌpous; -də-] **I** *adj* adi'pös, fettig, fetthaltig, ölig, talgig, Fett..., Talg...: **~ tissue** Fettgewebe; **~ fin** Fettflosse. – **II** *s* Fett *n* (*im Fettgewebe*). — **ˌad·i'po·sis** [-sis] *s med.* **1.** Fettsucht *f*, Fettleibigkeit *f.* – **2.** Verfettung *f*, Fettablagerung *f.* — **ˌad·i'pos·i·ty** [-'pɒsiti; -səti] *s* Fettheit *f*, Fettsucht *f.*

a·dip·si·a [ei'dipsiə] *s med.* Adip'sie *f*, Durstlosigkeit *f.* — **a'dip·sous** *adj* durststillend, durstlindernd.

ad·it ['ædit] *s* **1.** Eintritt *m*, Zutritt *m.* – **2.** *tech.* nahezu waag(e)rechter Eingang (*in ein Bergwerk*), Stollen *m*, Schurf *m*: **~ drainage** Wasserstollen; **~ end** Abbaustoß; **end of an ~** Stollenort; **to run an ~** einen Stollen vortreiben. – **3.** 'unterirdischer 'Abzugskaˌnal.

ad·i·tus ['æditəs] *pl* **-tus** *od.* **-tus·es** *s med. zo.* Aditus *m*, Eingang *m.*

ad·ja·cen·cy [ə'dʒeisənsi] *s* **1.** Angrenzen *n*, Berührung *f.* – **2.** *meist pl* Angrenzendes *n*, Anstoßendes *n*, 'Umgegend *f*, Um'gebung *f.*

ad·ja·cent [ə'dʒeisənt] **I** *adj* **1.** angrenzend (**to** an *acc*), naheliegend, berührend. – **2.** *bes. math.* anstoßend, anliegend, benachbart, Neben...: **~ angle** Nebenwinkel, anstoßender Winkel; **a side and the ~ angles** eine Seite und die anliegenden Winkel; **~ cell** *biol.* Nachbarzelle. – *SYN.* **abutting, adjoining, contiguous.** – **II** *s* **3.** Angrenzendes *n*, Naheliegendes *n.*

ad·ject [ə'dʒekt] *v/t* hin'zufügen, hin'zutun. — **ad'jec·tion** *s* Hin'zufügung *f*, Zusatz *m.*

ad·jec·ti·val [ˌædʒek'taivəl] *adj* **1.** adjektivisch. – **2.** adjektivisch, mit Adjektiven über'laden (*Stil*).

ad·jec·tive ['ædʒiktiv] **I** *s* **1.** Adjektiv *n*, Eigenschaftswort *n.* – **2.** 'Nebenˌumstand *m*, Nebensache *f*, (*etwas*) Abhängiges. – **3.** (*Logik*) Akzidens *n*, (*etwas*) Einschränkendes. – **II** *adj* **4.** adjektivisch. – **5.** abhängig. – **6.** (*Logik*) a) akziden'tell, abgeleitet, b) einschränkend, begrenzend, modifi'zierend. – **7.** (*Färberei*) adjek'tiv, Beiz...: **~ dye** Beizfarbe. – **8.** *jur.* auf das Verfahren bezüglich. – **III** *v/t* **9.** adjektivisch ausdrücken. – **10.** in ein Adjektiv verwandeln.

ad·ji·ger ['ædʒigər; -dʒə-] *s zo.* Tigerschlange *f* (*Python molurus*).

ad·join [ə'dʒɔin] **I** *v/t* **1.** (an)stoßen *od.* (an)grenzen an (*acc*). – **2.** *math.* adjun'gieren. – **3.** *obs.* (**to**) anfügen (an *acc*), beifügen (*dat*), hin'zufügen (zu), verbinden (mit). – **II** *v/i* **4.** angrenzen, naheliegen. — **ad'joined** *adj* verbunden, vereinigt, beigefügt. — **ad'join·ing** *adj* anliegend, angrenzend, anstoßend, benachbart, Neben..., verknüpft: **to be ~** *math.* anliegen; **~ rail** *tech.* Neben-, Anschlagschiene. – *SYN. cf.* **adjacent.**

ad·journ [ə'dʒəːrn] **I** *v/t* **1.** aufschieben, vertagen: **to ~ sine die** *jur.* auf unbestimmte Zeit vertagen. – **2.** *Am.* (*Versammlung, Sitzung etc*) schließen, aufheben. – **II** *v/i* **3.** sich vertagen, den Sitzungsort verlegen (**to** nach). – *SYN.* **dissolve, prorogue.** — **ad'journ·al** *obs. für* **adjournment** 1. — **ad'journ·ment** *s* **1.** Vertagung *f*, -schiebung *f*, Aufschub *m.* – **2.** Vertagungszeit *f*, Aufschub *m.*

ad·judge [ə'dʒʌdʒ] **I** *v/t* **1.** entscheiden, richten, erkennen, erklären für (*schuldig etc*), (*ein Urteil*) fällen: **to be ~d (a) bankrupt** für bankrott erklärt werden. – **2.** *jur.* (*gerichtlich*) zuerkennen. – **3.** *bes. sport* (*einen Preis, den Sieg etc*) zusprechen, zuerkennen. – **4.** verurteilen (**to** zu). – **5.** *selten* erachten, da'fürhalten. – **II** *v/i* **6.** urteilen.

ad·ju·di·cate [ə'dʒuːdiˌkeit; -də-] **I** *v/t* **1.** zuerkennen, zusprechen. – **2.** zuschlagen (*bei Versteigerungen*). – **3.** (*Entscheidung, Urteil*) fällen. – **II** *v/i* **4.** urteilen, (zu Recht) erkennen, entscheiden (**upon** über *acc*). – **5.** als Schieds-, Preisrichter fun'gieren (**at** bei). — **adˌju·di'ca·tion** *s* **1.** Zuerkennung *f*, Zusprechung *f.* – **2.** Zuschlag *m* (*bei Versteigerungen*): **time of ~** Zuschlagsfrist. – **3.** richterliche Entscheidung, Rechtsspruch *m*, Urteil *n.* – **4.** *jur.* Kon'kursverhängung *f.* — **ad'ju·diˌca·tive** *adj* **1.** Zuerkennungs... – **2.** auf richterliche Entscheidung bezüglich. — **ad'ju·diˌca·tor** [-tər] *s* Schieds-, Preisrichter *m.* — **ad'ju·di·ca·ture** [-kətʃər; -ˌkei-] → **adjudication.**

ad·junct ['ædʒʌŋkt] **I** *s* **1.** Zusatz *m*, Beigabe *f*, Anhang *m*, Anhängsel *n.* – **2.** Amtsgenosse *m*, Kol'lege *m*, Mitarbeiter *m.* – **3.** Ad'junkt *m*, Gehilfe *m*, Amtsgehilfe *m*, Beigeordneter *m.* – **4.** *bes. philos.* zufällige Eigenschaft, 'Nebenˌumstand *m.* – **5.** *ling.* Attri'but *n*, Beifügung *f.* – **6.** *mus. selten* Nebentonart *f.* – **7.** *auch* **~ professor** *ped. Am.* außerordentlicher Pro'fessor (*jetzt selten*). – *SYN.* **accessory, appendage, appurtenance.** – **II** *adj* **8.** (**to**) verbunden, verknüpft (mit), beigesellt, beigeordnet (*dat*).

ad·junc·tion [ə'dʒʌŋkʃən] *s* **1.** Beigesellen *n*, Beiordnen *n*, Beifügen *n.* – **2.** *jur.* Vereinigung *f* der Besitzungen von zwei Per'sonen. – **3.** *math.* Adjunkti'on *f.* — **ad'junc·tive I** *adj* zugesellt, beigeordnet, verbunden, Anknüpfungs..., Beifügungs... – **II** *s* Beigeordneter *m*, (*das*) Beigefügte.

ad·ju·ra·tion [ˌædʒu(ə)'reiʃən] *s* **1.** Beschwörung *f*, Anrufung *f*, dringende Bitte. – **2.** Vereidigung *f.* — **ad·jur·a·to·ry** [*Br.* ə'dʒu(ə)rətəri; *Am.* -ˌtɔːri] *adj* beschwörend.

ad·jure [ə'dʒur] *v/t* **1.** beschwören, anrufen, dringend bitten. – **2.** *obs.* vereidigen. – *SYN. cf.* **beg.**

ad·just [ə'dʒʌst] **I** *v/t* **1.** anpassen, angleichen (**to** *dat od.* an *acc*): **to ~ a garment to the body** ein Kleid dem Körper anpassen; **to ~ one's behavio(u)r to the circumstances** sein Benehmen den Umständen anpassen; **to ~ oneself to one's environments** sich seiner Umgebung anpassen. – **2.** (*Gerät, Instrument*) (richtig) einstellen, regu'lieren: **to ~ a carburet(t)or** einen Vergaser einstellen. – **3.** (*Streitigkeiten*) beilegen, schlichten, ausgleichen, (*Widersprüche, Unterschiede*) ausgleichen, beseitigen: **to ~ differences** Unterschiede beseitigen; **to ~ accounts** Konten abstimmen; → **average** 2. – **4.** (*Versicherungswesen*) (*Versicherungsansprüche*) regu'lieren, (*Versicherungssumme*) festsetzen. – **5.** systemati'sieren, regu'lieren, anordnen: **to ~ the orthography of a text** die Orthographie eines Textes vereinheitlichen. – **6.** *mil.* (*Geschütz*) einstellen, ju'stieren. – *SYN. cf.* **adapt.** – **II** *v/i* **7.** sich anpassen: **he ~s readily to circumstances** er paßt sich leicht den Umständen an. – **8.** sich einstellen lassen: **a telescope that ~s** ein einstellbares Fernrohr.

ad·just·a·ble [ə'dʒʌstəbl] *adj bes. tech.* regu'lierbar, einstellbar, verstellbar, nachstellbar, verschiebbar, Lenk..., Dreh..., (Ein)Stell...: **~ axle** Lenkachse; **~ cam** verstellbarer Nocken; **~ coil instrument** Drehspulinstrument; **~ pitch propeller** *aer.* Einstell-Luftschraube; **~ wedge** Stellkeil.

ad·just·er [ə'dʒʌstər] *s* **1.** Einsteller *m* (*j-d der ein Gerät etc einstellt*). – **2.** (*Versicherungswesen*) Feststellungsbeamter *m* (*der Schaden und Schadenersatzansprüche berechnet*). – **3.** *zo. cf.* **adjustor.** – **4.** *zo.* Anpassungsmuskel *m* (*bei Brachiopoden*).

ad·just·ing [ə'dʒʌstiŋ] **I** *s* Richten *n*, Einstellung *f*, Ju'stierung *f*, Regu'lierung *f.* – **II** *adj bes. tech.* Stell..., Einstell..., Richt..., Justier...: **~ balance** Justierwaage; **~ lever** (Ein)Stellhebel; **~ nut** (Nach)Stellmutter; **~ pivot** Einstellzapfen; **~ point** *mil.* Einschießpunkt; **~ rod** Regelstange; **~ screw** Justier-, Nachstellschraube; **~ shop** Zurichterei; **~ table** Richtplatte.

ad·just·ment [ə'dʒʌstmənt] *s* **1.** a) Anpassung *f*, Angleichung *f*, b) Beilegung *f* (*eines Streits*), Ausgleich *m* (*von Widersprüchen*), c) (*richtige*) Anordnung: **~ of the calendar** Kalenderangleichung; **amicable ~** gütliche Beilegung. – **2.** Einstellung *f*, Einstellvorrichtung *f* (*eines Instruments*): **the ~ of a microscope.** – **3.** *psych. sociol.* Anpassung *f* (*des Individuums an die Umgebung od. die Gesellschaft*). – **4.** (*Versicherungswesen*) a) Schadensfestsetzung *f*, Feststellung *f* der Ersatzleistung, b) Regelung *f* des Anspruchs. – **5.** *econ.* a) 'Kontenabstimmung *f*, -glattstellung *f*, -reguˌlierung *f*, -ausgleichung *f*, b) Anteilberechnung *f.*

ad·jus·tor [ə'dʒʌstər] *s zo.* ˌKoordinati'onszentrum *n*, zen'trales 'Nervenorˌgan.

ad·ju·tage ['ædʒutidʒ] *s* Düse *f*, Auslaufröhre *f*, Aufsatz *m* (*auf Springbrunnen*).

ad·ju·tan·cy ['ædʒətənsi] *s* Adjutan'tur *f*, Adju'tantenstelle *f.*

ad·ju·tant ['ædʒətənt] **I** *s* **1.** *mil.* Adju'tant *m.* – **2.** *zo.* Adju'tant *m*, Argalakropfstorch *m* (*Leptoptilus dubius*). – **3.** *selten* Assi'stent *m*, Helfer *m*, Beistand *m.* – **II** *adj* **4.** helfend, Hilfs... — **~ bird, ~ crane** → **adjutant** 2. — **~ gen·er·al** *pl* **~s gen·er·al** *s* **1.** *mil.* Gene'raladjuˌtant *m*, Adju'tant *m* in einem höheren Stab. – **2. A~ G~** *mil. Am.* Gene'raladjuˌtant *m*: **A~ G~'s Department** Büro des Generaladjutanten. – **3.** *relig.* Assi'stent *m* (*des Jesuitengenerals*). — **~ stork** → **adjutant** 2.

ad·ju·vant ['ædʒuvənt] **I** *adj* **1.** helfend, behilflich, hilfreich, förderlich, nützlich. – *SYN.* auxiliary, contributory, subsidiary. – **II** *s* **2.** Gehilfe *m*, Hilfe *f*, Hilfsmittel *n*. – **3.** *med.* Ad'juvans *n* (*unterstützendes Mittel*).

ad-lib [æd'lib] *colloq.* **I** *v/t pret u. pp* **ad-'libbed** (*Text od. Melodie*) beliebig abwandeln *od.* vari'ieren, extempo'rieren, improvi'sieren. – **II** *v/i* extempo'rieren, improvi'sieren. – **III** *adj* frei hin'zugefügt: an ~ remark.

ad lib·i·tum [æd 'libitəm] (*Lat.*) **1.** ad 'libitum, nach Belieben, nach Herzenslust. – **2.** *mus.* ad 'libitum: a) frei (*im Vortrag*), b) wahlfrei, c) aus dem Stegreif.

ad·lu·mine [æd'ljuːmiːn; -min; -'luː-], *auch* **ad'lu·min** [-min] *s chem.* Adlu'min *n* ($C_{39}H_{39}NO_{12}$; *Alkaloid aus Adlumia fungosa*).

ad ma·jo·rem De·i glo·ri·am [æd məˈdʒɔːrem 'diːai 'glɔːriˌæm] (*Lat.*) ad ma'iorem Dei gloriam (*zur größeren Ehre Gottes; Devise der Jesuiten*).

ad·man ['ædmən] *s irr Am. colloq.* **1.** Werbefachmann *m*. – **2.** Setzer *m* für den Werbeteil (*einer Zeitung etc*).

ad·mar·gin·ate [æd'mɑːrdʒiˌneit; -dʒə-] *v/t* (*Buch etc*) mit Randbemerkungen versehen.

ad·mass ['ædməs] *s* Massenpublikum *n* der Werbesendungen.

ad·meas·ure [æd'meʒər] *v/t* **1.** abmessen, ausmessen, eichen. – **2.** *jur.* (*Mitgift, Weiden etc*) zuteilen, zumessen. — **ad'meas·ure·ment** *s* **1.** Messen *n*, Abmessung *f*, Ausmessung *f*, Eichung *f*: bill of ~ *mar.* Meßbrief (*eines Schiffes*). – **2.** Zumessung *f* (*von Anteilen*). – **3.** Maß *n*.

ad·me·di·al [æd'miːdiəl], **ad'me·di·an** [-ən] *adj biol.* nahe der Mittellinie gelegen.

ad·min·i·cle [æd'minikl] *s* **1.** Stütze *f*, Hilfe *f*, Hilfsmittel *n*, Stützpunkt *m*, Beistand *m*. – **2.** *jur.* Nebenbeweis *m*, stützender 'Umstand. — **ˌad·mi'nic·u·lar** [-kjulər; -jə-], **ˌad·mi'nic·u·lar·y** [*Br.* -ləri; *Am.* -ˌleri] *adj* stützend, Hilfs...: ~ evidence *jur.* Hilfsbeweis.

ad·min·is·ter [əd'ministər; *Am. auch* æd-] **I** *v/t* **1.** (*Regierungsgeschäfte*) wahrnehmen, ausüben, führen, (*Gesetze*) ausführen, (*Institution, Stadt*) verwalten: to ~ the government die Regierungsgeschäfte wahrnehmen. – **2.** (*Recht*) sprechen, (*Hilfe*) leisten, (*Sakrament*) spenden. – **3.** (*Arznei, Schlag*) verabreichen, (*Schläge*) austeilen, (*Tadel*) erteilen. – **4.** (*Eid*) abnehmen: to ~ an oath to s.o. j-n vereidigen. – **5.** *jur.* (*als Bevollmächtigter od. Testamentsvollstrecker*) verwalten. – *SYN. cf.* execute. – **II** *v/i* **6.** beitragen, beisteuern, dienen. – **7.** abhelfen: to ~ to the needs of the poor der Not der Armen steuern. – **8.** als Verwalter *od.* Admini'strator fun'gieren. — **adˌmin·is'te·ri·al** [-'ti(ə)riəl] *adj* Verwaltungs...

ad·min·is·tra·ble [əd'ministrəbl] *adj* verwaltbar. — **ad'min·is·trant I** *adj* verwaltend, exeku'tiv. – **II** *s* Verwalter *m*, Verwaltungsbeamter *m*. — **ad'min·isˌtrate** [-ˌstreit] → administer I.

ad·min·is·tra·tion [ədˌmini'streiʃən; -nə-] *s* **1.** Administrati'on *f*, Staats-, Vermögens-, Betriebsverwaltung *f*. – **2.** Verwaltungsbehörde *f*, Mini'sterium *n*. – **3.** Austeilung *f*, Darreichung *f*, Spendung *f*. – **4.** Verabreichung *f* (*einer Arznei*). – **5.** *jur.* Verwaltung *f* (*eines Nachlasses*): → letter[1] 3. – **6.** *jur.* Abnahme *f* (*eines Eides*). – **7.** *pol.* a) Re'gierung *f*, b) *Am.* Amtsdauer *f*, -zeit *f* (*eines Präsidenten etc*): the Truman ~ die Truman-Regierung; the picture was taken during the Hoover ~ das Bild wurde während der Amtszeit Präsident Hoovers aufgenommen. – **8.** *ped.* 'Durchführung *f* (*von Tests*). — **adˌmin·is'tra·tion·ist** *s pol. Am.* Re'gierungsanhänger *m*. — **ad'min·is·tra·tive** [*Br.* -strətiv; *Am.* -ˌstreitiv] *adj* **1.** administra'tiv, verwaltend, Verwaltungs..., Regierungs..., Exekutiv...: ~ body Behörde, Verwaltungskörper, -einrichtung; ~ district Verwaltungs-, Regierungsbezirk. – **2.** erteilend, spendend. – **3.** behilflich, förderlich.

ad·min·is·tra·tor [əd'miniˌstreitər; -nə-] *s* **1.** Admini'strator *m*, Verwalter *m*. – **2.** Spender *m* (*der Sakramente etc*). – **3.** *jur.* Testa'mentsvollˌstrecker *m*, Nachlaßverwalter *m*. — **ad'min·isˌtra·torˌship** *s* Verwalteramt *n*. — **ad'min·isˌtra·trix** [-triks] *pl* **-tri·ces** [-triˌsiːz] *s jur.* Verwalterin *f*, Testa'mentsvollˌstreckerin *f*.

ad·mi·ra·ble ['ædmərəbl] *adj* bewundernswert, vortrefflich, herrlich. —'**ad·mi·ra·ble·ness** *s* Trefflichkeit *f*, Bewunderungswürdigkeit *f*.

ad·mi·ral ['ædmərəl] *s* **1.** Admi'ral *m*: A~ of the Fleet (*Am.* Fleet A~) Großadmiral; Lord High A~ *Br.* Großadmiral, Oberbefehlshaber zur See. – **2.** Flaggschiff *n*. – **3.** *zo.* (*ein*) Fleckenfalter *m* (*Fam. Nymphalidae*). — ~ **shell** *s zo.* Admi'ral *m* (*Conus admiralis; Kegelschnecke*).

ad·mi·ral·ty ['ædmərəlti] **I** *s* **1.** Admi'ralsamt *n*, -würde *f*. – **2.** Admirali'tät *f*: The Lords Commissioners of A~ *Br.* (*bis 1964*) Marineministerium; First Lord of the A~ *Br.* Erster Lord der Admiralität. – **3.** A~ *Br.* Admirali'tätsgebäude *n* (*in London*). – **II** *adj* **4.** Admiralitäts...

ad·mi·ra·tion [ˌædmə'reiʃən] *s* **1.** Bewunderung *f* (of, for für), Entzücken *n*: to be struck with ~ von Bewunderung hingerissen sein. – **2.** Gegenstand *m* der Bewunderung *od.* des Entzückens: she was the ~ of everyone sie wurde von allen bewundert, sie war der Gegenstand allgemeiner Bewunderung. – **3.** *obs.* Erstaunen *n*, Verwunderung *f*.

ad·mire [əd'mair] **I** *v/t* **1.** bewundern (for wegen). – **2.** hochschätzen, verehren. – **II** *v/i* **3.** *obs.* sich wundern (at über *acc*). – **4.** *Br. u. Am. dial.* (*etwas*) liebend gerne (*tun*) mögen: I'd ~ to see her ich würde sie liebend gerne sehen. – *SYN. cf.* regard. — **ad'mir·er** *s* Bewunderer *m*, Verehrer *m*. — **ad'mir·ing** *adj* bewundernd, bewunderungsvoll.

ad·mis·si·bil·i·ty [ədˌmisə'biliti; -əti] *s* Zulässigkeit *f*. — **ad'mis·si·ble** *adj* **1.** zulässig, erlaubt, annehmbar. – **2.** *jur.* (*als Rechtsbeweis*) zulässig.

ad·mis·sion [əd'miʃən] *s* **1.** a) Einlaß *m*, Aufnahme *f*, b) Ein-, Zutritt *m*: the ~ of aliens into a country die Aufnahme von Ausländern in ein Land; ~ into society Aufnahme in die Gesellschaft; to grant s.o. ~ j-m Zutritt gewähren. – **2.** Eintritt(spreis) *m*. – **3.** Zulassung *f* (*zu einem Amt, Beruf etc*): ~ to the bar *jur.* Zulassung zur Advokatur *od.* als Rechtsanwalt. – **4.** Zugeben *n*, Eingeständnis *n*, Bekennen *n*: his ~ of the theft sein Eingeständnis des Diebstahls. – **5.** Zugeständnis *n*, Einräumung *f*. – **6.** *tech.* a) Einlaß *m*, Zufuhr *f* (*von Arbeitsflüssigkeit etc zum Zylinder*), b) Beaufschlagung *f* (*von Turbinen*): ~ pipe Einlaßrohr; ~ stroke Einlaßhub; ~ valve Ansaug-, Einlaßventil. – *SYN. cf.* admittance. — **ad·mis·sive** [əd'misiv] *adj* **1.** zulässig, statthaft. – **2.** zulassend. — **ad'mis·so·ry** [-səri] *adj* Einlaß...

ad·mit [əd'mit] *pret u. pp* **ad'mit·ted** **I** *v/t* **1.** (*zu einer Institution*) zulassen, (*in ein Haus etc*) (her)'einlassen, (*in die Gesellschaft*) aufnehmen: to ~ a student to college einen Studenten zum College zulassen; to ~ s.o. into one's confidence j-n ins Vertrauen ziehen; to ~ a serious thought into the mind einen ernsthaften Gedanken fassen; this ticket ~s one diese Eintrittskarte ist (nur) für eine Person gültig. – **2.** (*zu einem Amt, Beruf etc*) zulassen: → bar[1] 19. – **3.** gestatten, erlauben: this law ~s no exception. – **4.** anerkennen, gelten lassen: to ~ the force of an argument die Schlagkraft eines Arguments gelten lassen; to ~ the justification of a criticism die Berechtigung *od.* Rechtfertigung einer Kritik anerkennen. – **5.** Platz haben für, aufnehmen: this passage ~s two abreast in diesem Gang haben zwei nebeneinander Platz; a dock ~ting two boats ein Dock, in dem zwei Schiffe Platz haben *od.* das zwei Schiffe aufnimmt. – **6.** zugeben, (ein)gestehen, bekennen: he ~ted his guilt er gab seine Schuld zu. – **7.** zugeben, einräumen (that daß): I ~ that you are right ich gebe zu, daß Sie recht haben. – *SYN. cf.* a) acknowledge, b) receive. – **II** *v/i* **8.** Zugang *od.* Eintritt gewähren, zum Eintritt berechtigen: a gate that ~s to the garden ein Tor, das zum Garten führt; a ticket ~ting to the balcony eine (Eintritts)Karte für den Balkon. – **9.** ~ of gestatten, erlauben, zulassen: circumstances do not ~ of this die Umstände gestatten das nicht; a sentence that ~s of two interpretations ein Satz, der zwei Interpretationen zuläßt. — **ad'mit·ta·ble** *adj* zulässig, zuzulassen(d).

ad·mit·tance [əd'mitəns] *s* **1.** Zulassung *f*, Einlaß *m*, Eintritt *m*, Zutritt *m*: no ~ except on business Zutritt für Unbefugte verboten; to gain ~ Einlaß finden; price of ~ Eintrittspreis. – **2.** Aufnahme *f*: ~ into the church. – **3.** *electr.* Scheinleitwert *m*, Admit'tanz *f* (*Kehrwert der Impedanz*). – *SYN.* admission.

ad·mit·ted·ly [əd'mitidli] *adv* **1.** anerkanntermaßen. – **2.** zugegeben(ermaßen). — **ad·mit·tee** [ˌædmi'tiː] *s Am.* Zugelassene(r).

ad·mix [æd'miks; əd-] **I** *v/t* beimischen. – **II** *v/i* sich (ver)mischen. — **ad'mix·tion** [-'mikstʃən] *s* Beimischung *f*, Zusatz *m*, Vermischen *n*. — **ad'mix·ture** [-tʃər] *s* **1.** Vermischen *n*, Beimischen *n*. – **2.** *tech.* Mischung *f*, Zuschlag *m*. – **3.** Zusatz(stoff) *m*, Beimengung *f*, -mischung *f*.

ad·mon·ish [əd'mɒniʃ; æd-] **I** *v/t* **1.** ermahnen, erinnern (of an *acc*). – **2.** warnen (of, against, for vor *dat*). – **3.** mahnen zu: to ~ silence. – **4.** verwarnen, belehren. – **II** *v/i* **5.** einen Verweis erteilen. – *SYN. cf.* reprove. — **ad'mon·ish·ment** → admonition.

ad·mo·ni·tion [ˌædmə'niʃən] *s* **1.** Ermahnung *f*. – **2.** Warnung *f*, Verweis *m*. – **3.** Belehrung *f*. – **4.** *jur.* Verwarnung *f*. — **ˌAd·mo'ni·tion·er** *s relig. Puritaner, der die Errichtung einer presbyterianischen Kirche in England im 16. Jh. befürwortete.*

ad·mon·i·tor [əd'mɒnitər; -nə-] *s* Ermahner *m*. — **ad'mon·i·to·ry** [*Br.* -təri; *Am.* -ˌtɔːri] *adj* ermahnend, erinnernd, warnend.

ad·nas·cence [æd'næsns; -'nei-] *s* Verwachsung *f*, Anwachsen *n*. — **ad·nate** ['ædneit] *adj bot. zo.* angewachsen, zu'sammengewachsen, verwachsen. — **ad'na·tion** *s* Verwachsung *f*.

ad nau·se·am [æd 'nɔːʃiˌæm; -siˌæm] (*Lat.*) (bis) zum Erbrechen, zum 'Überdruß.

ad·ner·val [æd'nɔːrvəl] *adj med.* zum Nerv hin sich bewegend.

ad·neu·ral [æd'nju(ə)rəl; *Am. auch* -'nu-] *adj med.* in Nervennähe gelegen, nervnah.

ad·nex·a [æd'neksə] *s pl med.* Ad'nexe *pl*, Anhänge *pl.*

ad·nom·i·nal [æd'nɒminl; -mə-] *adj ling.* attribu'tiv, adjektivisch, adnomi'nal.

ad·noun ['ædˌnaun] *s ling.* Attri'but *n*, Beiwort *n*, attribu'tives Adjektiv.

a·do [ə'duː] *pl* **a'dos** *s* Tun *n*, Treiben *n*, Lärm *m*, Aufheben(s) *n*, Wesen *n*: „Much A~ about Nothing" „Viel Lärm um nichts" (*Shakespeare*); **without any more ~** ohne weitere Umstände. – *SYN. cf.* **stir**¹.

a·do·be [ə'doubi] **I** *s* **1.** A'dobe *m*, luftgetrockneter Ziegel. – **2.** Lehm *m.* – **3.** Haus *n* aus A'dobeziegeln. – **II** *adj* **4.** aus A'dobeziegeln (gebaut). – **5.** *Am. dial.* (*südwestl. USA*) aus Mexiko (stammend): **~ dollar** mexikanischer Peso.

ad·o·les·cence [ˌædo'lesns; -də-] *s* (*späterer Abschnitt der*) Jugend(zeit) *f*, Reifezeit *f*, Adoles'zenz *f* (*bei Männern vom 14. zum 25., bei Frauen vom 12. zum 21. Lebensjahr*). — **ˌad·o'les·cen·cy** *s* Jugendlichkeit *f.* — **ˌad·o'les·cent I** *s* **1.** Jugendliche(r), Jüngling *m*, junges Mädchen. – **II** *adj* **2.** her'anwachsend, her'anreifend, jugendlich. – **3.** Jünglings..., Jungmädchen..., Jugend...

A·don·ic [ə'dɒnik] **I** *adj* a'donisch. – **II** *s* a'donischer Vers. — **A·do·nis** [ə'dounis; -'dɒn-] **I** *npr* **1.** *antiq.* A'donis *m.* – **II** *s* **2.** *fig.* A'donis *m*, außerordentlich schöner junger Mann. – **3.** Geck *m*, Stutzer *m.* – **4.** *bot.* A'donisröschen *n* (*Gattg Adonis*). – **5.** **a~** *med.* A'donisröschen *n* (*Kraut von Adonis vernalis, das Herzgift Adonin enthaltend*). – **6.** **a~** *zo.* A'donisfalter *m* (*Polyommatus Adonis*). — **ad·o·nize** ['ædoˌnaiz] *selten* **I** *v/t* schön machen. – **II** *v/i* sich schön machen, sich her'ausputzen, sich schniegeln.

a·dopt [ə'dɒpt] *v/t* **1.** adop'tieren, (*an Kindes Statt*) annehmen, aufnehmen. – **2.** *fig.* annehmen, sich aneignen, sich zu eigen machen. – **3.** *pol.* (*einer Gesetzesvorlage*) zustimmen, (*einen Beschluß*) annehmen, (*Maßregeln*) ergreifen. – **4.** *pol. Br.* (*einen Kandidaten*) annehmen (*für die nächste Wahl*). – *SYN.* **embrace, espouse.** — **a'dopt·a·ble** *adj* annehmbar. — **a'dopt·a·tive** [-tətiv] *adj* Adoptions..., Adoptiv... — **a'dopt·ed** *adj* **1.** adop'tiert, (*an Kindes Statt*) angenommen, Adoptiv...: **his ~ country** sein neues Vaterland, seine Wahlheimat. – **2.** vom Staat (zur Erhaltung) über'nommen: **~ road.** — **ad·op·tee** [ˌædɒp'tiː] *s bes. Am.* Adop'tierte(r), Adop'tivkind *n.* — **a'dopt·er** *s* **1.** Adop'tierende(r). – **2.** *chem.* Vorlage *f.* — **a'dop·tian** [-ʃən] *adj relig.* adopti'anisch, zur Lehre der Adopti'aner gehörig.

a·dop·tion [ə'dɒpʃən] *s* **1.** Adopti'on *f*, Annahme *f* (*an Kindes Statt.*) – **2.** Aufnahme *f* (*in eine Gesellschaft, Gemeinschaft etc*). – **3.** *fig.* Annahme *f*, Aneignung *f.* – **4.** *ling.* 'Übernahme *f* (*ohne Formänderung*) eines Wortes einer anderen Sprache. — **a'dop·tion·al** *adj* Adoptions... — **a'dop·tionˌism** *s relig.* Aˌdoptia'nismus *m* (*Lehre, daß Christus als Mensch Gottes angenommener Sohn ist*). — **a'dop·tive** *adj* **1.** angenommen, Adoptiv... – **2.** über'nommen, nicht eingeboren: **~ arms** (*nach erfolgter Schenkung*) übernommenes Wappen.

a·dor·a·bil·i·ty [əˌdɔːrə'biliti; -əti] → **adorableness.** — **a'dor·a·ble** *adj* **1.** anbetungs-, verehrungswürdig. – **2.** *colloq.* allerliebst, entzückend. — **a'dor·a·ble·ness** *s* Bewunderungswürdigkeit *f.*

ad·o·ral [æ'dɔːrəl] *adj med. zo.* ado'ral, mundwärts (gelegen).

ad·o·ra·tion [ˌædə'reiʃən] *s* **1.** Anbetung *f*, Verehrung *f.* – **2.** *fig.* (innige) Liebe, (tiefe) Bewunderung. – **3.** Gegenstand *m* der Anbetung. – **4.** Anbetung(sszene) *f* (*Gemälde*). — **a·dor·a·to·ry** [*Br.* ə'dɒrətəri; *Am.* -ˌtɔːri] *s selten* Anbetungs-, Kultstätte *f.*

a·dore [ə'dɔːr] **I** *v/t* **1.** anbeten, verehren. – **2.** *fig.* (innig) lieben, (tief) bewundern. – **3.** *colloq.* schwärmen für. – **II** *v/i* **4.** Verehrung bezeigen *od.* empfinden. – *SYN. cf.* **revere.** — **a'dor·er** *s* **1.** Anbeter(in). – **2.** Verehrer *m*, Bewunderer *m*, Liebhaber *m.*

a·dorn [ə'dɔːrn] *v/t* **1.** schmücken, zieren. – **2.** Glanz verleihen (*dat*), verschöne(r)n. – *SYN.* **beautify, deck, decorate, embellish, garnish, ornament.** — **a'dorn·ment** *s* **1.** Schmuck *m*, Verzierung *f*, Verschönerung *f.* – **2.** Schmücken *n.*

ad·os·cu·la·tion [æˌdɒskju'leiʃən; -jə-] *s zo.* Befruchtung *f* durch äußere Berührung.

a·down [ə'daun] *adv u. prep poet.* (her)'nieder, hin'ab, her'ab.

ad·re·nal [ə'driːnl] *med.* **I** *adj* **1.** adre'nal, zur Nebenniere gehörig, Nebennieren...: **~ cortex** Nebennierenrinde. – **2.** nahe bei *od.* oberhalb der Niere gelegen. – **II** *s* **3.** Nebenniere *f.* — **adˌre·nal'ec·to·my** [-nə'lektəmi] *s med.* opera'tive Entfernung der Nebennierendrüsen.

ad·re·nal glands *s pl med.* Nebennierendrüsen *pl.*

ad·ren·al·in [ə'drenəlin], **ad'ren·al·ine** [-lin; -ˌliːn] *s chem. med.* Adrena'lin *n* ($C_9H_{13}O_3N$). — **ad'ren·alˌize** *v/t* mit Adrena'lin behandeln. — **ad·ren·er·gic** [ˌædre'nəːrdʒik] *adj med.* adre'nergisch, Adrena'lin absondernd. — **ad·ren·in** [ə'drenin], **ad'ren·ine** [-in; -iːn] *s med.* Adrena'lin *n*, 'Nebennierenhorˌmon *n.*

A·dri·an·o·ple red [ˌeidriə'noupl] *s* Adrian'opelrot *n*, Türkischrot *n.*

a·drift [ə'drift] *adv u. pred adj* **1.** (um'her)treibend, Wind und Wellen preisgegeben, den Wellen zum Spiel: **to cut ~** treiben lassen; **to be cut ~** den Wellen überlassen werden. – **2.** *fig.* hilflos, führerlos, dem Schicksal preisgegeben: **to be all ~** weder aus noch ein wissen; **to cut oneself ~** sich losreißen; **to turn ~** a) (*Gedanken*) (ab)schweifen lassen, b) (*j-n*) vertreiben, c) hinauswerfen, hinaussetzen, entlassen.

a·droit [ə'drɔit] *adj* geschickt, gewandt, behend(e), schlagfertig, pfiffig. – *SYN. cf.* a) **clever,** b) **dexterous.**

a·droit·ness [ə'drɔitnis] *s* Geschicklichkeit *f*, Gewandtheit *f.*

ad·ros·tral [æd'rɒstrəl] *adj zo.* am Schnabel sitzend.

a·dry [ə'drai] *adj* **1.** trocken. – **2.** durstig.

ad·sci·ti·tious [ˌædsi'tiʃəs] *adj* hin'zugefügt, Zusatz..., zusätzlich.

ad·script ['ædskript] *adj* angefügt, hin'zugefügt, beigeschrieben, da'nebengeschrieben. — **ad'scrip·tion** → **ascription 1.**

ad·smith ['ædˌsmiθ] *s Am. humor.* 'Zeitungsanˌnoncenverˌfasser *m.* — **'adˌsmith·ing** *s* Verfassen *n* von 'Zeitungsanˌnoncen.

ad·sorb [æd'sɔːrb] *v/t chem.* adsor'bieren, ansaugen, anlagern, binden. — **adˌsorb·a'bil·i·ty** *s* Adsorpti'onsfähigkeit *f.* — **ad'sorb·a·ble** *adj* adsor'bierbar. — **ad·sorb·ate** [æd'sɔːrbeit] *s chem.* Adsor'bat *n.* — **ad'sorb·ent** *chem.* **I** *adj* adsor'bierend, konden'sierend, bindend. – **II** *s* Adsor'bent *m*, Sub'stanz, die (*Gase etc*) konden'siert *od.* bindet.

ad·sorp·tion [æd'sɔːrpʃən] *s chem.* Adsorpti'on *f.*: **~ exchange** Austauschadsorption. — **ad'sorp·tive** *adj* anhaftend, bindend.

ad·stip·u·late [æd'stipjuˌleit; -jə-] *v/i jur.* zu einer (*geschäftlichen*) Abmachung hin'zugezogen werden. — **adˌstip·u'la·tion** *s* Hin'zuziehung *f* zu *od.* Teilnahme *f* an einer (*geschäftlichen*) Abmachung.

ad·su·ki bean [æd'suːki; -'zuː-] → **adzuki bean.**

ad·ter·mi·nal [æd'təːrminl; -mə-] *adj med.* gegen das Ende einer Muskelfaser gerichtet.

ad·te·vac proc·ess ['ædtəvæk] *s med. Verfahren zur Bereitung von Blutkonserven* (*Abkürzung aus* **adsorption - temperature - vacuum**).

ad·u·lar·i·a [*Br.* ˌædju'lɛ(ə)riə; *Am.* -dʒə-] *s min.* Adu'lar *m*, Mondstein *m.*

ad·u·late [*Br.* 'ædjuˌleit; *Am.* -dʒə-] *v/t* (*j-m*) lobhudeln, (*j-m*) aufdringlich schmeicheln. — **ˌad·u'la·tion** *s* (*niedere*) Schmeiche'lei, ˌLobhude'lei *f*, ˌSpeichellecke'rei *f.* — **'ad·uˌla·tor** [-tər] *s* Schmeichler *m*, Lobhudler *m*, Speichellecker *m.* — **'ad·u·la·to·ry** [*Br.* -lətəri; *Am.* -ˌtɔːri] *adj* schmeichlerisch, lobhudelnd.

a·dult [ə'dʌlt; 'ædʌlt] **I** *adj* erwachsen, reif. – **II** *s* Erwachsene(r). — **~ ed·u·ca·tion** *s* Erwachsenenbildung *f*, Volksbildung *f* (*im engeren Sinne*).

a·dul·ter·ant [ə'dʌltərənt] **I** *adj* verfälschend. – **II** *s* Verfälschungs-, Streckmittel *n*, unechter Zusatz.

a·dul·ter·ate I *v/t* [ə'dʌltəˌreit] **1.** (*Nahrungsmittel*) verfälschen. – **2.** *fig.* verschlechtern, verderben. – **3.** (*Wein*) verschneiden, panschen. – **II** *adj* [-rit; -ˌreit] **4.** verfälscht, falsch, verdorben. – **5.** ehebrecherisch. — **aˌdul·ter'a·tion** *s* **1.** Verfälschung *f.* – **2.** Verschneidung *f*, Panschen *n* (*Wein*). – **3.** verfälschtes Pro'dukt, Fälschung *f.* — **a'dul·terˌa·tor** [-tər] *s* **1.** Fälscher *m*, Verfälscher *m.* – **2.** *jur.* Falschmünzer *m.*

a·dul·ter·er [ə'dʌltərər] *s* Ehebrecher *m.* — **a'dul·ter·ess** [-ris] *s* Ehebrecherin *f.* — **a'dul·ter·ine** [-rin; -ˌrain] *adj* **1.** im Ehebruch erzeugt: **~ children.** – **2.** unecht, 'untergeschoben, verfälscht. – **3.** ungesetzlich, illegi'tim: **~ castles** ohne Erlaubnis der Krone errichtete Schlösser. — **a'dul·terˌize** *v/i selten* Ehebruch begehen. — **a'dul·ter·ous** *adj* ehebrecherisch.

a·dul·ter·y [ə'dʌltəri] *s* **1.** Ehebruch *m.* – **2.** *Bibl.* Unkeuschheit *f.* – **3.** *Bibl.* Götzendienst *m*, Abtrünnigkeit *f.* – **4.** *relig.* von der Kirche nicht anerkannte Ehe. – **5.** *jur. relig.* kirchlicher Ehebruch (*Eindringen in ein Amt bei Lebzeiten des Inhabers*).

a·dult·hood [ə'dʌlthud] *s* Erwachsensein *n*, Erwachsenen-, Mannesalter *n.*

ad·um·bral [æ'dʌmbrəl] *adj* beschattend, schattig, Schatten... — **ad'um·brant I** *adj* abschattend, im Schattenriß darstellend. – **II** *s* (*leicht angedeutete*) Schat'tierung.

ad·um·brate [æ'dʌmbreit; 'ædəm-] *v/t* **1.** (*Theorie, Vorschlag*) flüchtig entwerfen, skiz'zieren, andeuten, ein Bild geben von. – **2.** den Schatten vor'auswerfen von (*kommenden Ereignissen*), *Am.* 'hindeuten auf (*acc*). – **3.** über'schatten, (*teilweise*) verdunkeln. — **ˌad·um'bra·tion** *s* **1.** flüchtiger Entwurf, Andeutung *f*, Skizze *f.* – **2.** Andeutung *f*, Vorahnung *f.* – **3.** Schatten *m.* – **4.** Beschattung *f*, Verdunkelung *f.* – **5.** *her.* Schattenriß *m.* — **ad·um·bra·tive** [æ'dʌmbrətiv] *adj* schwach andeutend, sinnbildlich.

a·dunc [ə'dʌŋk] *adj* hakenförmig, (einwärts) gekrümmt, krumm. — **a·dun·ci·ty** [ə'dʌnsiti; -səti] *s* hakenförmige Krümmung. — **a·dun·cous** [ə'dʌŋkəs] → **adunc.**

ad·u·rol [ˈædjurəl] *s phot.* Aduˈrol *n* (*Entwickler*).

a·dust [əˈdʌst] **I** *adj* **1.** verbrannt, verdorrt, versengt. – **2.** gebräunt, sonn(en)verbrannt. – **3.** sehr heiß. – **4.** heftig, heißblütig. – **5.** *med. obs.* hitzig (*Blut*). – **6.** *obs.* düster, schwermütig. – **II** *s* **7.** Sonnenbräune *f.*

ad va·lo·rem [æd vəˈlɔːrem] (*Lat.*) *adj u. adv* dem Wert entsprechend.

ad·vance [*Br.* ədˈvɑːns; *Am.* -ˈvæ(ː)ns] **I** *v/t* **1.** (*Truppen*) nach vorn verlegen, vorverlegen, vorschieben, (*Hand*) ausstrecken, (*Fuß*) vorsetzen: **the troops were ~d to the front line** die Truppen wurden zur Frontlinie vorgeschoben. – **2.** (*Vorschlag, Argument*) vorbringen, vortragen, (*Anspruch*) geltend machen. – **3.** (*Plan etc*) fördern, vorˈan-, vorwärtsbringen: **to ~ one's own interests** die Eigeninteressen fördern. – **4.** (*rangmäßig*) befördern, verbessern. – **5.** (*Preis*) erhöhen. – **6.** (*Wachstum*) beschleunigen, befördern, (*Ereignisse*) schnell herˈbeiführen. – **7.** a) im voraus liefern, b) (*Geld*) vorˈauszahlen, vorschießen, vorstrecken: **to ~ money on loan.** – **8.** *obs.* (*Lider*) heben. – *SYN.* a) **forward, further, promote,** b) *cf.* **adduce.** – **II** *v/i* **9.** vorgehen, vorwärtsgehen, vorrücken, vordringen: **to ~ to the base** (*Baseball*) das Mal erreichen; **to ~ in column** *mil.* in Kolonne vormarschieren. – **10.** zunehmen (**in** an *dat*), steigen. – **11.** *fig.* vorˈankommen, vorwärtskommen, Fortschritte machen: **to ~ in knowledge.** – **12.** (*im Range*) aufrücken, avanˈcieren, befördert werden. – **13.** *econ.* in die Höhe gehen, (an)steigen, anziehen (*Preis*): **prices ~ sharply** die Preise ziehen stark an. – *SYN.* **progress.** – **III** *s* **14.** Vorwärtsgehen *n*, Vorwärtskommen *n*, Vorrücken *n*, Vorstoß *m* (*auch fig.*). – **15.** Aufrücken *n* (*im Amt*), Avanceˈment *n*, Beförderung *f.* – **16.** Fortschritt *m*, Verbesserung *f*, Verˈvollkommnung *f.* – **17.** Vorsprung *m*: **to be in ~** Vorsprung haben (**of** vor *dat*). – **18.** *meist pl* Annäherungsversuch *m*, Antrag *m*, Anerbieten *n*: **to make ~s to s.o.** a) j-m die Hand bieten, j-m gegenüber den ersten Schritt tun, j-m entgegenkommen, b) sich an j-n heranmachen. – **19.** Vorschuß *m*, Auslage *f*, Kreˈdit *m*, Darlehen *n*: **in ~** im voraus; **~ (money)** Vorschuß; **~s against customers** an Kunden ausgeliehene Gelder; **~ against products** Warenbevorschussung. – **20.** höheres Angebot, Mehrgebot *n* (*bei Versteigerungen*). – **21.** (Preis-)Erhöhung *f*, Auf-, Zuschlag *m*, Steigerung *f*: **in ~** höher (im Preis). – **22.** *mil.* Vorgehen *n*, Vormarsch *m*, Vorrücken *n*: **~ by bounds** sprungweises *od.* abschnittweises Vorgehen; **~ by echelon** staffelweises Vorgehen; **~ from cover to cover** Sichvorarbeiten, Vorgehen von Deckung zu Deckung; **~ by rushes** sprungweises Vorgehen; **~ to attack** Anmarsch zum Angriff; **~ to contact** Annäherungsmarsch. – **23.** *mil.* Befehl *m* zum Vorrücken. – **24.** → **~ guard.** – **25.** *tech.* Vorschub *m*: **~ mechanism.** – **26.** *electr.* Voreilung *f.* – **27.** in **~** a) vorn, b) (im) vorˈaus, vorher: **order in ~** Vor(aus)bestellung; **seats booked in ~** vorbestellte Plätze. – **IV** *adj* **28.** vorˈausgehend, vorˈausgesandt: **the ~ section of a train.** – **29.** Vorher..., Voraus..., Vor...: **~ copy** *print.* Vorausexemplar; **~ payment** Voraus(be)zahlung; **~ sale** Vorverkauf. – **30.** *mil.* Vorhut..., Spitzen..., vorgeschoben: **~ command post** vorgeschobener Gefechtsstand *od.* vorgeschobene Befehlsstelle; **~ party** Vortrupp, Vorausabteilung, Spitzenkompanie; **~ position** vorgeschobene Stellung.

ad·vanced [*Br.* ədˈvɑːnst; *Am.* -ˈvæ(ː)nst] *adj* **1.** vorgesetzt, vorgeschoben: **with foot ~** den Fuß vorgesetzt; **~ base** vorgeschobene Versorgungsbasis. – **2.** fortgeschritten, für Fortgeschrittene: **~ student** Fortgeschrittene(r); **an ~ course in French** ein Französischkurs für Fortgeschrittene; **~ studies** wissenschaftliche Forschung. – **3.** fortschrittlich, moˈdern: **~ views; ~ opinions; ~ thinkers.** – **4.** vorgerückt, fortgeschritten: **a gentleman ~ in years** ein Herr in vorgerücktem *od.* fortgeschrittenem Alter; **an ~ age** ein vorgerücktes Alter; **~ in pregnancy** hochschwanger. — **~ cap·i·tal** *s econ.* Einlage *f.* — **~ ig·ni·tion** *s tech.* Vor-, Frühzündung *f.* — **~ land·ing ground** *s aer.* Absprunghafen *m*, Absprungplatz *m.* — **~ stall** *s aer.* vorgerückter *od.* überˈzogener Flug. — **~ stand·ing** *s ped. Am. Anerkennung der in einer anderen Schule od. Hochschule erworbenen Zeugnisse.*

ad·vance guard *s mil.* Vorhut *f.* — **~ ac·tion** *s* Vorhutgefecht *n.* — **~ point** *s* Spitze *f* (*der Vorhut*). — **~ re·serve** *s* Haupttrupp *m* (*der Vorhut*). — **~ sup·port** *s* Vortrupp *m* (*der Vorhut*).

ad·vance·ment [*Br.* ədˈvɑːnsmənt; *Am.* -ˈvæ(ː)ns-] *s* **1.** Vor(wärts)gehen *n*, Vorrücken *n*, Anrücken *n.* – **2.** Beförderung *f*: **his hopes of ~** seine Hoffnungen auf Beförderung. – **3.** Fortschritt *m* (*in Kenntnissen*), Wachstum *n.* – **4.** Vorschuß *m.* – **5.** *jur.* Vorversorgung *f* (*für ein Kind*). — **adˈvanc·er** *s* **1.** Geld-, Darlehnsgeber *m*, Förderer *m.* – **2.** zweite Sprosse am Hirschgeweih. — **ad·vance sheets** *s pl print.* Aushängebogen *pl.*

ad·van·tage [*Br.* ədˈvɑːntidʒ; *Am.* -ˈvæ(ː)n-] **I** *s* **1.** Vorteil *m*, Vorˈaussein *n*, Überˈlegenheit *f*, ˈÜbergewicht *n*: **to have the ~ of s.o.** a) besser dran sein als j-d, j-m gegenüber im Vorteil sein, etwas j-m voraushaben, b) j-n kennen, ohne ihm bekannt zu sein. – **2.** Nutzen *m*, Gewinn *m*: **to take ~ of s.o.** j-n übervorteilen *od.* ausnutzen; **to take ~ of s.th.** etwas ausnutzen, einen Vorteil aus etwas ziehen; **to ~** vorteilhaft, mit Gewinn; **to derive ~ from s.th.** aus etwas Nutzen ziehen. – **3.** günstige Gelegenheit. – **4.** (*Tennis*) Vorteil *m*, Vorsprung *m* (*nach Gleichstand*): **~ game** ‚Spiel vor', um einen Punkt voraus; **~ server** Vorteilaufschläger; **~ set** Satz mit Spielvorteil. – **5.** *tech.* ˈNutzefˌfekt *m.* – **II** *v/t* **6.** (be)fördern, (ver)mehren, (*j-m*) einen Vorteil geben. – **III** *v/i* **7.** nützen, vorteilhaft sein. — **~ ground** *s selten* vorteilhafte Stellung, Vorteil *m.*

ad·van·ta·geous [ˌædvənˈteidʒəs] *adj* vorteilhaft, günstig, nützlich. – *SYN. cf.* **beneficial.**

ad·vec·tion [ædˈvekʃən] *s* (*Meteorologie*) Advektiˈon *f* (*horizontale Verschiebung von Luftmassen*). — **ˌad·vecˈti·tious** [-ˈtiʃəs] *adj* herˈbeigeführt, zugetragen. — **adˈvec·tive** *adj* Advektions...

ad·ve·hent [ˈædvihənt] *adj* zuführend.

ad·vene [ædˈviːn] **I** *v/i* hinˈzukommen. – **II** *v/t* erreichen. — **adˈven·ient** [-jənt] *adj* hinˈzukommend, -gefügt.

Ad·vent [*Br.* ˈædvənt; *Am.* -vent] *s* **1.** *relig.* Adˈvent *m*, Adˈventszeit *f*: **~ Sunday** der 1. Advent(ssonntag). – **2.** *relig.* Ankunft *f* Christi. – **3.** a~ (Auf)Kommen *n*, Ankunft *f.* – *SYN. cf.* **arrival.** — **ˈAd·ventˌism** *s relig.* Advenˈtismus *m* (*Lehre von der bevorstehenden Wiederkunft Christi*). — **ˈAd·vent·ist I** *s* Advenˈtist *m*, Anhänger(in) des Advenˈtismus. – **II** *adj* den Advenˈtismus betreffend.

ad·ven·ti·ti·a [*Br.* ˌædvənˈtiʃiə; *Am.* -ven-] *s med.* Advenˈtitia *f*, äußerste Gefäßhaut.

ad·ven·ti·tious [*Br.* ˌædvənˈtiʃəs; *Am.* -ven-] *adj* **1.** hinˈzukommend, hinˈzugekommen. – **2.** zufällig, nebensächlich, fremd. – **3.** *biol.* zufällig *od.* an ungewöhnlicher Stelle auftretend, Neben..., Adventiv... – **4.** *med.* zufällig erworben (*nicht ererbt*). – **5.** *med.* Häutchenbildung betreffend. – **6.** *ling.* hiˈstorisch nicht zum Wort gehörig, zufällig hinˈzugekommen (*Buchstabe*). – *SYN. cf.* **accidental.**

ad·ven·tive [ædˈventiv] **I** *adj bot. zo.* nicht einheimisch, Adventiv... – **II** *s bot.* Einwanderer *m*, Zukömmling *m*, Advenˈtivpflanze *f.*

ad·ven·ture [ədˈventʃər] **I** *s* **1.** Abenteuer *n*, gewagtes Unterˈnehmen, Wagestück *n*, Wagnis *n.* – **2.** Erlebnis *n.* – **3.** Spekulatiˈonsgeschäft *n.* – **4.** *obs.* Zufall *m.* – **5.** *obs.* Gefahr *f.* – **II** *v/t* **6.** wagen, risˈkieren, unterˈnehmen. – **7.** aufs Spiel setzen, gefährden. – **8.** *reflex* sich erkühnen, sich wagen (**into** in *acc*). – **III** *v/i* **9.** sich wagen (**on, upon** in, auf *acc*). – **10.** Gefahr laufen, es darˈauf ankommen lassen. — **adˈven·tur·er** *s* **1.** Abenteurer *m*, Glücksritter *m*, Wagehals *m.* – **2.** Spekuˈlant *m*, Unterˈnehmer *m* (*auf gut Glück*). — **adˈven·ture·some** [-səm] *adj* abenteuerlich, verwegen, waghalsig. — **adˈven·tur·ess** [-ris] *s* Abenteu(r)erin *f.* — **adˈven·turˌism** *s sociol. Auflehnung gegen hergebrachte Verhaltensweisen.* — **adˈven·tur·ous** *adj* abenteuerlich, kühn, verwegen, waghalsig, unterˈnehmungslustig. – *SYN.* **daredevil, daring, foolhardy, rash, reckless, temerarious, venturesome, venturous.**

ad·verb [ˈædvəːrb] *ling.* **I** *s* Adˈverb *n*, ˈUmstandswort *n.* – **II** *adj* adverbiˈal. — **ad·ver·bi·al** [ədˈvəːrbiəl] *adj* adverbiˈal. — **adˈver·bi·alˌize** *v/t* als Adˈverb gebrauchen. — **adˌver·bi·ˈa·tion** [-ˈeiʃən] *s* adverbiˈale Redensart.

ad·ver·sa·ri·a [ˌædvərˈsɛ(ə)riə] *s pl* Adverˈsarien *pl*, (*Sammlung von*) Noˈtizen *pl*, Bemerkungen *pl.*

ad·ver·sa·ry [*Br.* ˈædvərsəri; *Am.* -ˌseri] **I** *s* **1.** Gegner(in), ˈWidersacher(in), Feind(in). – **2. the A~** *relig.* der ˈWidersacher (*Teufel*). – *SYN. cf.* **opponent.** – **II** *adj* **3.** *jur.* gegnerisch, bestritten: **~ suit** Prozeß mit einer Gegenpartei. – **4.** *obs.* feindlich, gegnerisch.

ad·ver·sa·tive [ədˈvəːrsətiv] **I** *adj* einen Gegensatz bezeichnend, gegensätzlich, adversaˈtiv. – **II** *s* adversaˈtives Wort *od.* adversativer Satz.

ad·verse I *adj* [ˈædvəːrs; ədˈvəːrs] **1.** entgegenwirkend, zuˈwider, widrig, ˈwiderwärtig (**to** *dat*). – **2.** gegenˈüberliegend. – **3.** gegnerisch, feindlich: **~ party** Gegenpartei. – **4.** ungünstig, nachteilig, verderblich, unglücklich (**to** für). – **5.** *bot.* gegenläufig, ˈumgekehrt. – **6.** *jur.* entgegenstehend, entgegengesetzt, mit den eigenen Ansprüchen unvereinbar, zu Gegenmaßnahmen zwingend. – *SYN.* **antagonistic, counter**[3], **counteractive.** – **II** *v/t* [ədˈvəːrs] **7.** bestreiten, bekämpfen. — **ˈad·verse·ness** → **adversity.** — **adˈver·si·ty** *s* ˈMißgeschick *n*, Not *f*, Unglück *n.* – *SYN. cf.* **misfortune.**

ad·vert I *v/i* [ədˈvəːrt; æd-] **1.** aufmerken, achtgeben. – **2.** ˈhinweisen, anspielen (**to** auf *acc*). – **II** *s* [ˈædvəːrt] **3.** *Br. colloq. für* **advertisement.** — **adˈvert·ence, adˈvert·en·cy** *s* Aufmerksamkeit *f*, Beachtung *f.* — **adˈvert·ent** *adj* aufmerksam, achtsam.

ad·ver·tise ['ædvərˌtaiz; ˌædvər'taiz] **I** *v/t* **1.** ankündigen, anzeigen, (*durch die Zeitung etc*) bekanntmachen, bekanntgeben. – **2.** (*durch Zeitungsanzeige etc*) Re'klame machen für, werben für. – **3.** (of) benachrichtigen, in Kenntnis setzen, unter'richten (von), wissen lassen (*acc*). – **4.** *obs.* ermahnen, warnen. – **II** *v/i* **5.** inse'rieren, annon'cieren: to ~ for durch Inserat suchen. – **6.** werben, Re'klame machen.

ad·ver·tise·ment [əd'vəːrtismənt; -tiz-; *Am. auch* ˌædvər'taiz-] *s* **1.** (*öffentliche*) Anzeige, Ankündigung *f* (*in Zeitung*), Inse'rat *n*, An'nonce *f*: ~ **columns** Inseraten-, Anzeigenteil; ~ **office** Inseratenannahme; **to put an** ~ **in a newspaper** ein Inserat in eine Zeitung setzen. – **2.** Re'klame *f*, Werbung *f*. — **ad·ver·tis·er** ['ædvərˌtaizər] *s* **1.** Inse'rent(in). – **2.** Anzeiger *m*, Anzeigenblatt *n*.

ad·ver·tis·ing ['ædvərˌtaiziŋ] **I** *s* **1.** Inse'rieren *n*, Ankündigung *f* durch An'noncen. – **2.** Re'klame *f*, Werbung *f*. – **II** *adj* **3.** Anzeigen..., Reklame..., Werbe...: ~ **agency** a) Anzeigenannahme, Annoncenexpedition, Inseratenbüro, b) Werbe-, Reklamebüro; ~ **agent** Anzeigenvertreter; ~ **allowance** Reklamenachlaß; ~ **angle** Werbestandpunkt; ~ **appropriation** Reklamefonds; ~ **campaign** Werbefeldzug; ~ **expert** Werbefachmann, -berater; ~ **revenue** Einnahmen durch Inserate.

ad·ver·tize, ad·ver·tize·ment, ad·ver·tiz·er, ad·ver·tiz·ing *cf.* advertise *etc.*

ad·vice [əd'vais] *s* **1.** Rat *m*, Ratschlag *m*, Gutachten *n*: **to take medical** ~ ärztlichen Rat einholen, einen Arzt zu Rate ziehen; **acting on his** ~ seinem Rat folgend; **take my** ~ folge meinem Rat; **to seek** ~ **from** Rat suchen bei, sich Rat holen von *od.* bei. – **2.** Nachricht *f*, Kunde *f*, Meldung *f*, Anzeige *f*, (schriftliche) Mitteilung: ~ **of collection** Einziehungsanzeige, -benachrichtigung. – **3.** *econ.* A'vis *m*, Bericht *m*: → **letter**[1] 2; ~ **of draft** Trattenavis; ~ **of delivery** Rückschein, Aufgabeschein; **as per** ~ laut Aufgabe *od.* Bericht. – *SYN.* **counsel.**

ad·vis·a·bil·i·ty [ədˌvaizə'biliti; -əti] *s* Ratsamkeit *f*, Rätlichkeit *f*. — **ad'vis·a·ble** *adj* **1.** ratsam, rätlich: **it is** ~ es empfiehlt sich. – **2.** für Rat empfänglich *od.* zugänglich. – *SYN. cf.* **expedient.** — **ad'vis·a·to·ry** [*Br.* -təri; *Am.* -ˌtɔːri] *adj* ratgebend, beratend.

ad·vise [əd'vaiz] **I** *v/t* **1.** (*j-m*) (an)raten, den *od.* einen Rat erteilen, (an)empfehlen, (*j-n*) beraten: **be** ~**d by me** folge meinem Rat; **they were** ~**d to go** man riet ihnen zu gehen. – **2.** ermahnen (to zu), warnen (against vor *dat*): **to** ~ **s.o. against s.th.** j-m von etwas abraten. – **3.** benachrichtigen, in Kenntnis setzen, (*j-m*) Mitteilung machen (of von): **as** ~**d by** laut Bericht von. – **4.** *econ.* avi'sieren. – **5.** *obs.* erwägen, über'legen. – *SYN.* **counsel.** – **II** *v/i* **6.** Ratschläge geben, raten. – **7.** beratschlagen, sich beraten, zu Rate gehen (with mit).

ad·vised [əd'vaizd] *adj* **1.** bedachtsam, besonnen, über'legt, beraten: → **well**[1] 1. – **2.** infor'miert, benachrichtigt: **kept thoroughly** ~. – **3.** 'wohlbedacht, -überˌlegt, vorsätzlich. — **ad'vis·ed·ly** [-idli] *adv* **1.** mit Bedacht *od.* Über'legung. – **2.** 'wohlbedacht, -überˌlegt, vorsätzlich. — **ad'vis·ed·ness** *s* Bedachtsamkeit *f*, Vorbedacht *m*. — **ad·vi·see** [ˌædvai'ziː] *s bes. ped.* j-d der beraten wird. — **ad'vise·ment** *s* **1.** Über'legung *f*, Betrachtung *f*: **to take under** ~ sich durch den Kopf gehen lassen. – **2.** *obs.* Rat *m*. — **ad'vis·er** *s* **1.** Berater *m*, Ratgeber *m*. – **2.** *ped. Am.* Studienberater *m*. — **ad'vi·sive** [-siv] *adj obs.* ratend, mahnend. — **ad'vi·sor** [-zər] *Am. für* adviser. — **ad'vi·so·ry** [-zəri] *adj* **1.** ratsam, rätlich. – **2.** ratgebend, beratend, einen Rat enthaltend: ~ **board** Beratungsausschuß, Beirat; ~ **body,** ~ **council** Beirat; ~ **committee** Gutachterkommission, beratender Ausschuß; ~ **office** Beratungsstelle.

ad·vo·ca·cy ['ædvəkəsi] *s* **1.** Advoka'tur *f*, Anwaltschaft *f*, Tätigkeit *f* eines Anwalts. – **2.** (of) Verteidigung *f*, Befürwortung *f*, Empfehlung *f* (*gen*), Eintreten *n* (für). – **3.** *selten* Pfründenbesetzungsrecht *n*.

ad·vo·cate I *s* ['ædvəkit; -ˌkeit] **1.** Verfechter *m*, Befürworter *m*: **an** ~ **of peace.** – **2.** *bes. relig.* Verteidiger *m*, Fürsprecher *m*, Vermittler *m*. – **3.** *jur. Scot. od. hist.* Advo'kat *m*, Anwalt *m*, Rechtsbeistand *m*. – **II** *v/t* [-ˌkeit] **4.** verteidigen, vertreten, verfechten, befürworten, empfehlen, eintreten für. – *SYN. cf.* **support.**

ad·vo·ca·tion [ˌædvə'keiʃən] *s* Anwaltschaft *f*, Verteidigung *f*, Fürsprache *f*. — **'ad·voˌca·tor** [-tər] *s* Befürworter *m*, Fürsprecher *m*, Verteidiger *m*. — **ad·voc·a·to·ry** [*Br.* 'ædvəˌkeitəri; *Am.* əd'vɑkəˌtɔːri] *adj* Anwalts..., Advokaten...

ad·vo·ca·tus di·a·bo·li [ˌædvo'keitəs dai'æbəˌlai] *s* Advo'catus *m* di'aboli: a) *relig.* Teufelsanwalt *m*, 'Widerpart *m* (*bes. der Kanonisierung*), b) *fig. j-d der* (*aus Widerspruchsgeist in der Debatte*) *die weniger beliebte od. aussichtsreiche Seite vertritt.*

ad·vow·ee [ˌædvau'iː] *s* 'Kirchenpaˌtron *m*, kirchlicher Schutzherr. — **ad·vow·son** [əd'vauzən] *s* kirchliches Patro'nat, Pfründenbesetzungsrecht *n*.

ad·y·na·mi·a [ˌædi'neimiə] *s med.* Adyna'mie *f*, Kraftlosigkeit *f*, Schwäche *f*. — **ˌad·y'nam·ic** [-'næmik] *adj* ady'namisch, kraftlos, schwach. — **a·dyn·a·my** [ə'dinəmi] → adynamia.

ad·y·tum ['æditəm] *pl* **-ta** [-tə] *s relig.* Adyton *n*, Aller'heiligstes *n*, Heiligtum *n* (*auch fig.*).

adz(e) [ædz] **I** *s* Breit-, Dachs-, Hohlbeil *n*, Krummaxt *f*. – **II** *v/t* mit dem Breitbeil bearbeiten.

ad·zu·ki bean [æd'zuːki] *s bot.* Reisbohne *f* (*Phaseolus angularis; Ostasien*).

ae·ci·al stage ['iːʃiəl], **ae·cid·i·al stage** [i'sidiəl] → aecidiostage.

ae·cid·i·o·spore [i'sidioˌspɔːr] *s bot.* Ä'cidioˌspore *f*, Becherspore *f* (*eines Rostpilzes*). — **ae'cid·i·oˌstage** [-ˌsteidʒ] *s bot.* Ä'cidienform *f* (*erste Entwicklungsstufe von Rostpilzen*). — **ae'cid·i·um** [-əm] *pl* **-i·a** [-ə] *s bot.* Ae'cidium *n*, Becherrost *m* (*Vermehrungsform der Rostpilze, früher als Gattung betrachtet*).

ae·ci·um ['iːʃiəm; -si-] *s bot.* Ä'cidium *n*, Sporenbecher *m* (*eines Rostpilzes*).

a·ë·des [ei'iːdiːz] *s zo.* A'edes *f* (*Stechmückengattg Aedes, bes. A. aegypti, Hauptüberträger des gelben Fiebers und des Denguefiebers*).

ae·dic·u·la [i'dikjulə; -jə-] *pl* **-lae** [-ˌliː] *s antiq.* **1.** a) Zimmer *n*, b) *meist pl* Häuschen *n*. – **2.** Nische *f* (*für Statuen*).

ae·dile ['iːdail] *s antiq.* Ä'dil *m* (*Aufseher über öffentliche Gebäude in Rom*). — **ae·dil·i·an** [i'diliən], **ae'dil·ic, ae·di·li·tian** [ˌiːdi'liʃən] *adj* Ädil... — **ae'dil·i·ty** *s* Amt *n* eines Ä'dilen.

ae·ga·grop·i·la [ˌiːgə'grɒpilə] *pl* **-lae** [-ˌliː], **ae·ga·gro·pile** [i'gægroˌpail] *s zo.* Haarballen *m*, Gemsenkugel *f* (*im Magen von Wiederkäuern*).

ae·gag·rus [i'gægrəs] *pl* **-ri** [-ai] *s zo.* Bezo'arziege *f* (*Capra aegagrus*).

ae·ger ['iːdʒər] (*Lat.*) *Br.* (*Universitätssprache*) **I** *adj* krank. – **II** *s* (*ärztlicher*) Entschuldigungsschein, 'Krankheitsatˌtest *n*.

ae·gir·ine ['iːdʒərin; -ˌriːn] *s min.* Ägi'rin *m* (*Varietät des Akmits*). — **'ae·girˌite** [-ˌrait] → aegirine.

ae·gis ['iːdʒis] *pl* **-gis·es** *s* **1.** *antiq.* Ägis *f* (*Schild des Zeus u. der Athene*). – **2.** *fig.* Ä'gide *f*, Schutz(herrschaft *f*) *m*.

Ae·gle ['iːgli; 'egli] *s antiq.* Ägle *f*: a) *eine der Hesperiden,* b) *Mutter der Grazien,* c) *eine Nymphe.*

ae·gro·tat [iː'groutæt] (*Lat.*) *s Br.* (*Universitätssprache*) **1.** 'Krankheitsatˌtest *n*. – **2.** *auch* ~ **degree** wegen Krankheit in Abwesenheit *od.* ohne Prüfung verliehener aka'demischer Grad.

ae·gyr·ite ['iːdʒəˌrait] → aegirine.

a·ë·ne·an [ei'iːniən] *adj obs.* bronzen. — **a'ë·ne·ous** *adj zo.* bronzefarben.

Ae·o·li·an [iː'ouliən] **I** *adj* **1.** den Äolus (*Gott der Winde*) betreffend, Äols... – **2.** ä'olisch, aus Ä'olien. – **3.** a~ *geol.* durch Windwirkung entstanden, ä'olisch: ~ **deposit.** – **II** *s* **4.** Ä'olier(in). — **a~ harp** *s mus.* Äolsharfe *f*. — **a~ mode** *s mus.* Ä'olische (Kirchen)Tonart (*auf a*).

ae·ol·i·pile, ae·ol·i·pyle [iː'ɒliˌpail] *s* Äoli'pile *f*: a) (*durch Dampfausströmung*) *sich um seine Achse drehender Äolsball,* b) Gebläse-, Lötlampe *f*.

ae·o·lis·tic [iːə'listik] *adj* langatmig.

ae·o·lo·trop·ic [ˌiːəlo'trɒpik] *adj phys.* aniso'trop (*nach verschiedenen Richtungen verschiedene Eigenschaften zeigend*).

ae·on ['iːən] *s* **1.** a) Ä'on *m*, Zeit-, Weltalter *n*, b) *selten* Ewigkeit *f*. – **2.** (*Gnostik*) Ä'on *m* (*Emanation des höchsten Wesens*). — **ae·o·ni·al** [iː'ouniəl], **ae'o·ni·an** *adj* ä'onisch, ewig.

aer-, aër- [ɛ(ə)r; eiər] → aero-.

ae·rar·i·an [i'rɛ(ə)riən] *antiq.* **I** *adj* ä'rarisch, fis'kalisch. – **II** *s* Ä'rarier *m* (*nicht stimmberechtigter Bürger, der nur Kopfsteuer zahlte*).

a·er·ate, a·ër·ate ['ɛ(ə)reit; 'eiəˌreit] *v/t* **1.** der Luft aussetzen, (durch)'lüften. – **2.** mit Kohlensäure sättigen. – **3.** zum Sprudeln bringen. – **4.** *med.* (*dem Blut*) durch Einatmen von Luft Sauerstoff zuführen. – **5.** (*der Milch etc vermittels eines Durchlüftungsverfahrens*) den Geruch entziehen. — **'a·erˌat·ed, 'a·ërˌat·ed** *adj* mit Luft *od.* Kohlensäure durch'setzt, lufthaltig: ~ **bread** mit Kohlensäure locker gemachtes Brot; ~ **water** kohlensaures Wasser. — **ˌa·er'a·tion, ˌa·ër'a·tion** *s* Durch'dringen *n* mit Luft *od.* Kohlensäure, Luftzufuhr *f*, Ventilati'on *f*, Belüftung *f*, (Durch)'Lüftung *f*. — **'a·erˌa·tor, 'a·ërˌa·tor** [-tər] *s* **1.** Belüftungsanlage *f*, Lüfter *m*, Entlüfter *m*, Venti'lator *m*. – **2.** a) *Apparat, der Kohlensäure in Wasser einführt,* b) *Räucherapparat zum Bleichen von Getreide,* c) Milchkühler *m* (*zur Geruchsentziehung*).

a·er·en·chy·ma, a·ër·en·chy·ma [ɛ(ə)'reŋkimə; ˌeiər-] *s bot.* Aëren'chym *n*, Durch'lüftungsgewebe *n*.

a·er·i·al, a·ër·i·al ['ɛ(ə)riəl; ei'i(ə)r-] **I** *adj* **1.** luftig, zur Luft gehörend, in der Luft lebend, Luft..., atmo'sphärisch, hoch: ~ **advertising** Luftwerbung, Himmelsschrift; ~ **cableway** Drahtseilbahn; ~ **ladder** Feuerwehrleiter; ~ **perspective** Luftperspektive; ~ **railway** Hänge-, Schwebebahn; ~ **root** *bot.* Luftwurzel. – **2.** aus Luft bestehend, leicht, flüchtig, ä'therisch (*auch fig.*). – **3.** *fig.* wesenlos, schemenhaft, nicht greifbar, nur in der Vorstellung bestehend, außergewöhnlich zart (*Musik*). – **4.** *aer.* zu einem Flugzeug *od.* zum Fliegen gehörig, fliegerisch: ~ **attack** Luft-, Fliegerangriff; ~ **barrage** a) Luftsperr-, Flakfeuer, b) Ballonsperre; ~ **bombardment** Luftbombardement; ~**-burst fuse** (*od.* **fuze**) Zeitzünder (mit Einstellung für Luftsprengpunkt); ~ **camera** Luftbildgerät; ~ **combat** Luftkampf; ~ **defence** (*Am.* **defense**) Luftabwehr, -verteidigung; ~ **Derby** Luftrennen; ~ **gas attack** *mil.* Gasangriff aus der Luft; ~ **gun** Bordkanone; ~ **gunner** Bordschütze; ~ **inspection** Luftinspektion, -überwachung; ~ **map** Luftbildkarte; → **mine** 10; ~ **mosaic** Luftbildmosaik, Reihenbild; ~ **navigation** Luftfahrt, Luftschiffahrt; ~ **photography** Luftbildwesen, -bildtechnik; ~ **reconnaissance** Luftaufklärung, -überwachung; ~ **torpedo** Lufttorpedo; ~ **view** Flugzeugaufnahme, Luftbild. – **5.** *tech.* oberirdisch, Ober..., Frei..., Luft...: ~ **cable** oberirdisches Kabel, Luftkabel; ~ **conduit,** ~ **line,** ~ **wire** *electr.* Ober-, Freileitung; ~ **cut-out** *electr.* Freileitungssicherung; ~ **network** *electr.* Freileitungsanlage. – **6.** (*Radio*) Antennen...: ~ **matching** Antennenanpassung; ~ **loading coil** Antennenverlängerungsspule; ~ **wire** Antennendraht. – **II** *s* **7.** (*Radio*) An'tenne *f.*

a·e·ri·al·ist, a·ë·ri·al·ist ['ɛ(ə)riəlist] *s* 'Luftakroˌbat *m,* Tra'pezkünstler *m.* — ˌ**a·e·ri'al·i·ty,** ˌ**a·ë·ri'al·i·ty** [-'æliti; -əti] *s* **1.** Luftigkeit *f.* – **2.** *fig.* Wesen-, Gegenstandslosigkeit *f.*

a·er·ie, a·ër·ie ['ɛ(ə)ri; 'eiəri; 'i(ə)ri] *s* **1.** Horst *m* (*Nest eines Raubvogels*). – **2.** *fig.* luftiger Ort, erhöhter Wohnsitz. – **3.** adliges *od.* königliches Haus. – **4.** Brut *f,* Kinderschar *f.*

a·er·if·er·ous, a·ër·if·er·ous [ɛ(ə)'rifərəs; ˌeiə'r-] *adj* Luft zuführend.

a·er·i·fi·ca·tion, a·ër·i·fi·ca·tion [ˌɛ(ə)rifi'keiʃən; eiˌi(ə)r-; -rəfə-] *s* **1.** Verflüchtigung *f,* Verdampfung *f.* – **2.** Zerstäubung *f,* Vergasung *f* (*von Brennstoff*).

a·er·i·form, a·ër·i·form ['ɛ(ə)riˌfɔːrm; ei'i(ə)r-; -rəˌf-] *adj* **1.** luftförmig, gasartig. – **2.** ungreifbar, unwirklich.

a·er·i·fy, a·ër·i·fy ['ɛ(ə)riˌfai; ei'i(ə)r-; -rə-] *v/t* **1.** mit Luft füllen. – **2.** (*Treibstoff*) zerstäuben, vergasen.

a·er·o, a·ër·o ['ɛ(ə)rou] **I** *s pl* **-os** *colloq.* Flugzeug *n,* Luftschiff *n.* – **II** *adj* Flugzeug..., Luftschiffahrt... – **III** *v/i colloq.* fliegen.

aero-, aëro- [ɛ(ə)rou; eiəro] *Wortelement mit den Bedeutungen* a) Luft..., b) Gas... – *Alle Komposita mit* **aero-** *können auch* **aëro-** *geschrieben werden.*

a·er·o·bate ['ɛ(ə)roˌbeit] *v/i selten* in der Luft wandeln. — ˌ**a·er·o'bat·ic** [-'bætik] *adj* 'luftakroˌbatisch. — ˌ**a·er·o'bat·ics** *s pl* (*als sg konstruiert*) Luftsport *m,* Kunstfliegen *n,* -flug *m.*

a·er·obe ['ɛ(ə)roub] *s biol.* Ae'robe *f,* Ae'robier *m* (*Lebewesen, bes. Bakterien, die Sauerstoff benötigen*). — **a·er'o·bi·an I** *adj* Ae'roben betreffend. – **II** *s* Ae'robe *f.* — **a·er'o·bic** *adj biol.* **1.** ae'rob, nur bei Sauerstoffanwesenheit lebensfähig *od.* wirksam. – **2.** durch Ae'roben her'vorgebracht. — **a·er'o·bi·cal·ly** *adv.*

a·er·o·bi·ol·o·gy [ˌɛ(ə)robai'ɒlədʒi] *s biol.* 'Aerobioloˌgie *f* (*Zweig der Biologie, der sich mit Bakterien, Samen u. anderen in der Luft befindlichen Lebewesen befaßt*).

a·er·o·bi·o·scope [ˌɛ(ə)ro'baiəˌskoup] *s med.* Instru'ment *n* zur Feststellung des Bak'teriengehalts der Luft.

a·er·o·bi·o·sis [ˌɛ(ə)robai'ousis] *s biol.* Leben *n* in Sauerstoff *od.* Luft.

a·er·o·boat ['ɛ(ə)roˌbout] *s* Wasserflugzeug *n.*

a·er·o·bus ['ɛ(ə)roˌbʌs] *s colloq.* großes Flugzeug.

a·er·o·cab ['ɛ(ə)roˌkæb] *s* Hubschrauber *m* als Zubringer(flugzeug).

a·er·o·cyst ['ɛ(ə)roˌsist] *s bot.* Luftblase *f* (*einer Alge*).

a·er·o·done ['ɛ(ə)roˌdoun] *s* Segelflugzeug *n.* — ˌ**a·er·o·do'net·ics** [-do'netiks] *s pl* (*als sg konstruiert*) Lehre *f* vom Segelflug.

a·er·o·drome ['ɛ(ə)rəˌdroum] **I** *s bes. Br.* Flugplatz *m,* -hafen *m.* – **II** *v/t* in einem Flughafen 'unterbringen.

a·er·o·dy·nam·ic [ˌɛ(ə)rodai'næmik; -di-] *adj* aerody'namisch: ~ **balance** aerodynamischer Ausgleich, Auswiegen; ~ **center** (*Br.* **centre**) Druck-, Neutralpunkt; ~ **damping** Dämpfung durch Luftwiderstand; ~ **volume displacement** Luftverdrängung. — ˌ**a·er·o·dy'nam·i·cal** → aerodynamic. — ˌ**a·er·o·dy'nam·i·cist** *s* [-isist] *s* Aerody'namiker *m.* — ˌ**a·er·o·dy'nam·ics** *s pl* (*als sg konstruiert*) *phys.* Aerody'namik *f.*

a·er·o·dyne ['ɛ(ə)rəˌdain] *s* Luftfahrzeug *n* schwerer als Luft.

a·er·o·em·bo·lism [ˌɛ(ə)ro'embəˌlizəm] *s med.* 'Luftemboˌlie *f,* Höhenkrankheit *f.*

a·er·o·en·gine [ˌɛ(ə)ro'endʒin; -dʒən] *s* Flug(zeug)motor *m.*

a·er·o·foil ['ɛ(ə)rəˌfɔil] *s Br.* Tragfläche *f.*

a·er·o·gen·ic [ˌɛ(ə)ro'dʒenik] *adj* **1.** aero'gen, aus der Luft stammend. – **2.** gasbildend.

a·er·og·no·sy [ɛ(ə)'rɒgnəsi] *selten für* **aerology.**

a·er·o·gram ['ɛ(ə)rəˌgræm] *s* **1.** durch Radio *od.* Flugzeug über'mittelte Nachricht, Funkspruch *m.* – **2.** *med.* Röntgenbild, das nach Einblasen von Luft in einen Hohlraum gewonnen wird. – **3.** Luftpostleichtbrief *m.*

a·er·og·ra·pher [ˌɛ(ə)'rɒgrəfər] *s* **1.** j-d der Luftbedingungen beschreibt. – **2.** *Am.* Wetterbeobachter *m* (*in den amer. Luftstreitkräften*). — ˌ**a·er·o'graph·ics** [-rə'græfiks] *s pl* (*als sg konstruiert*) wissenschaftliches Studium aller atmo'sphärischen Erscheinungen. — ˌ**a·er'og·ra·phy** [-'rɒgrəfi] *s* Luftbeschreibung *f,* Aerogra'phie *f.*

a·er·o·hy·drous [ˌɛ(ə)ro'haidrəs] *adj min.* Wasser und Luft enthaltend.

a·er·o·lite ['ɛ(ə)rəˌlait], *auch* '**a·er·o·lith** [-liθ] *s* Aero'lith *m,* Mete'orstein *m.* — ˌ**a·er·o·li'thol·o·gy** [-li'θɒlədʒi] *s* Lehre *f* von den Mete'orsteinen. — ˌ**a·er·o'lit·ic** [-'litik] *adj* Meteor(stein)...

a·er·o·log·ic [ˌɛ(ə)rə'lɒdʒik], ˌ**a·er·o'log·i·cal** [-kəl] *adj* **1.** aero'logisch. – **2.** aero'nautisch. — ˌ**a·er'ol·o·gy** [-'rɒlədʒi] *s phys.* **1.** Aerolo'gie *f,* Lehre *f* von den Eigenschaften der Atmo'sphäre. – **2.** aero'nautische Wetterkunde.

a·er·o·man·cer ['ɛ(ə)rəˌmænsər] *s* 'Wetterproˌphet *m.* — '**a·er·oˌman·cy** *s* **1.** Aeroman'tie *f,* ˌWahrsage'rei *f* aus Lufterscheinungen. – **2.** 'Wettervorˌhersage *f.*

a·er·o·ma·rine [ˌɛ(ə)romə'riːn] *adj* die Luftschiffahrt über dem Meere betreffend.

a·er·o·me·chan·ic [ˌɛ(ə)romi'kænik] **I** *s* 'Flugzeugmeˌchaniker *m.* – **II** *adj* 'flugzeugmeˌchanisch. — ˌ**a·er·o·me'chan·i·cal** → **aeromechanic** II. — ˌ**a·er·o·me'chan·ics** *s pl* (*als sg konstruiert*) 'Aero-, 'Strömungsmeˌchanik *f.*

a·er·o·me·te·or·o·graph [ˌɛ(ə)ro'miːtiərəˌgræ(ː)f; *Br. auch* -ˌgrɑːf] *s* 'Flugzeugmeteoroˌgraph *m.*

a·er·om·e·ter [ɛ(ə)'rɒmitər; -mə-] *s phys.* Aero'meter *m,* (Luft)Dichtemesser *m* (*Instrument*).

a·er·o·mo·tor ['ɛ(ə)roˌmoutər] *s* Flug(zeug)motor *m.*

a·er·o·naut ['ɛ(ə)rəˌnɔːt] *s* Luftfahrer *m,* Luftschiffer *m.* — ˌ**a·er·o'nau·tic** → aeronautical. — ˌ**a·er·o'nau·ti·cal** *adj* aero'nautisch, Luftfahrt...: ~ **research** Luftfahrtforschung; ~ **station** Bodenfunkstelle; ~ **weather service** Flugwetterdienst. — ˌ**a·er·o'nau·ti·cal·ly** *adv* (*auch zu* **aeronautic**). — ˌ**a·er·o'nau·tics** *s pl* (*als sg konstruiert*) Aero'nautik *f,* Luftfahrt *f,* Flugwesen *n.*

a·er·o·neu·ro·sis [ˌɛ(ə)ronju(ə)'rousis; *Am. auch* -nu-] *s med.* Luftkrankheit *f.*

a·er·o·o·ti·tis me·di·a [ˌɛ(ə)roou'taitis 'miːdiə] *s med.* Mittelohrentzündung *f* (*der Flieger*), ,Fliegerohr' *n.*

a·er·o·pause ['ɛ(ə)roˌpɔːz] *s* Aero'pause *f* (*Bereich in großer Höhe, etwa 20-200 km über der Erde*).

a·er·o·pha·gi·a [ˌɛ(ə)ro'feidʒiə; -rə-] *s med.* Aeropha'gie *f,* (krankhaftes) Luftschlucken.

a·er·o·phane ['ɛ(ə)rəˌfein] *s* dünner Krepp, Gaze *f.*

a·er·o·pho·bi·a [ˌɛ(ə)rə'foubiə] *s med.* Aeropho'bie *f,* krankhafte Scheu vor (Zug)Luft.

a·er·o·phone ['ɛ(ə)rəˌfoun] *s* **1.** Aero'phon *n,* 'Stimmverˌstärkungsinstruˌment *n,* Schalltrichter *m.* – **2.** *pl mus.* 'Blasinstruˌmente *pl.*

a·er·o·phore ['ɛ(ə)roˌfɔːr; -rə-] *s* Aero'phor *m,* 'Sauerstoffappaˌrat *m.*

a·er·o·phyte ['ɛ(ə)roˌfait; -rə-] *s bot.* Aero'phyt *m,* Luftpflanze *f.*

a·er·o·plane ['ɛ(ə)rəˌplein] *bes. Br.* **I** *s* Flugzeug *n.* – **II** *v/i* im Flugzeug reisen, fliegen.

a·er·o·pleus·tic [ˌɛ(ə)rə'pluːstik; -ro-] *adj* aero'nautisch.

a·er·o·scep·sis [ˌɛ(ə)rə'skepsis; -ro-], '**a·er·oˌscep·sy** [-si] *s zo.* Wetterfühligkeit *f.*

a·er·o·scope ['ɛ(ə)rəˌskoup] *s biol.* Aero'skop *n.* — **a·er·os·co·py** [ɛ(ə)-'rɒskəpi] *s* Aerosko'pie *f,* Wetter-, Luftbeobachtung *f.*

ae·rose [i'rous; 'i(ə)rous] *adj* bronzen.

a·er·o·sid·er·ite [ˌɛ(ə)rə'sidəˌrait; -ro-] *s min.* Mete'orstein, der hauptsächlich aus Eisen besteht. — ˌ**a·er·o'sid·er·oˌlite** [-rəˌlait] *s min.* Mete'orstein, der aus Eisen und anderen Mine'ralien (*Olivin etc*) besteht.

a·er·o·sol ['ɛ(ə)rəˌsɒl; -ˌsoul] *s chem. phys.* Aero'sol *n*: ~ **bomb** Aerosolbombe (*Insektenpulver verstäubender Metallbehälter*).

a·er·o·sphere ['ɛ(ə)roˌsfir] *s* Aero'sphäre *f* (*Bereich, in dem sich der normale Flugverkehr abspielt*).

a·er·o·stat ['ɛ(ə)rəˌstæt] *s* **1.** Aero'stat *m,* Luftfahrzeug *n* leichter als Luft (*Luftschiff, Ballon*). – **2.** *zo.* Luftsack *m* (*in einem Insekt*).

a·er·o·stat·ic [ˌɛ(ə)rə'stætik], ˌ**a·er·o'stat·i·cal** [-kəl] *adj* **1.** aero'statisch. – **2.** *selten* Luft...: ~ **voyage.** — ˌ**a·er·o'stat·ics** *s pl* (*als sg konstruiert*) Aero'statik *f* (*Lehre vom Gleichgewicht der Gase*).

a·er·o·sta·tion [ˌɛ(ə)rə'steiʃən] *s* Bal'lonschiffahrt *f.*

a·er·o·ther·a·peu·tics [ˌɛ(ə)roθerə'pjuːtiks] *s pl* (*als sg konstruiert*) *med.* 'Aerotheraˌpie *f,* Luft-, Klimabehandlung *f.* — ˌ**a·er·o'ther·a·py** → **aerotherapeutics.**

a·er·ot·ro·pism [ɛ(ə)'rɒtrəˌpizəm] *s bot.* Aerotro'pismus *m* (*Wachstumskrümmung durch Luftberührung*).

ae·ru·gi·nous [i'ruːdʒinəs] *adj* Grünspan..., grünspanähnlich, pati'niert. — **ae'ru·go** [-gou] *s* Grünspan *m,* Edelrost *m,* Patina *f.*

a·er·y, a·ër·y ['ɛ(ə)ri; 'eiəri] **I** *adj poet.* **1.** luftig. – **2.** ä'therisch, wesenlos. – **II** *s cf.* aerie 1.

aes·chy·nite *cf.* **eschynite.**

Aes·cu·la·pi·an [*Br.* ˌiːskjuˈleipiən; *Am.* ˌeskjə-] **I** *adj* **1.** äskuˈlapisch, Äskulap...: ~ **snake** *zo.* Äskulapnatter (*Elaphe longissima*). – **2.** ärztlich. – **II** *s* **3.** Arzt *m.*

aes·the·si·a [*Br.* iːsˈθiːziə; *Am.* esˈθiːʒə], *auch* **aesˈthe·sis** [-sis] *s* Ästheˈsie *f*, Empfindungsvermögen *n.*

aes·the·si·om·e·ter *cf.* esthesiometer.

aes·thete [ˈesθiːt; *Br. auch* ˈiːs-] *s* **1.** Äsˈthetiker *m*, äsˈthetisch gebildeter Mensch. – **2.** Äsˈthet *m*, Schöngeist *m*, überˈfeinerter Mensch. — **aesˈthet·ic** [-ˈθetik] **I** *adj* äsˈthetisch, den Gesetzen des Schönen entsprechend. – *SYN. cf.* artistic. – **II** *s* Äsˈthetik *f*, Schönheitslehre *f.* — **aesˈthet·i·cal** → aesthetic I. — **aesˈthet·i·cal·ly** *adv* (*auch zu* aesthetic I).

aes·the·ti·cian [ˌesθiˈtiʃən; *Br. auch* ˌiːs-] *s* Äsˈthetiker *m*, Kunstkenner *m.* — **aes·thet·i·cism** [esˈθetiˌsizəm; -tə-; *Br. auch* iːs-] *s* **1.** Ästhetiˈzismus *m.* – **2.** Sinn *m* für Äsˈthetik, Schönheitssinn *m.* — **aesˈthet·iˌcize** *v/t* ästhetiˈsieren, äsˈthetisch machen, verschönern, verfeinern.

aes·thet·ics [esˈθetiks; *Br. auch* iːs-] *s pl* (*als sg konstruiert*) Äsˈthetik *f.*

aes·tho·phy·si·ol·o·gy [ˌesθoˌfiziˈɒlədʒi; *Br. auch* ˌiːs-] *s med.* Physioloˈgie *f* der ˈSinnesorˌgane.

aes·ti·val, aes·ti·vate, aes·ti·va·tion *cf.* estival, estivate, estivation.

ae·ther, ae·the·re·al *cf.* ether, ethereal.

ae·thri·o·scope [ˈiːθriəˌskoup; ˈeθ-] *s phys.* Äthrioˈskop *n* (*Differentialthermometer*).

ae·ti·o·log·i·cal, ae·ti·ol·o·gy *bes. Br. für* etiological, etiology.

a·far [əˈfɑːr] *adv* fern, weit (weg), entfernt, von fern, von weitem: **from** ~ von weit her, aus weiter Ferne.

a·fear(e)d [əˈfird] *adj obs.* erschrocken, bange, furchtsam, ängstlich.

a·fe·brile [eiˈfiːbril; -ˈfebrəl] *adj* fieberlos, -frei.

af·fa·bil·i·ty [ˌæfəˈbiliti; -əti] *s* Leutseligkeit *f*, Freundlichkeit *f*, Güte *f.* — ˈ**af·fa·ble** *adj* leutselig, freundlich, ˈumgänglich. – *SYN. cf.* gracious.

af·fa·brous [ˈæfəbrəs] *adj selten* kunstfertig, meisterhaft.

af·fair [əˈfɛr] *s* **1.** Angelegenheit *f*, Sache *f*, Geschäft *n*: **that is not my** ~ das geht mich nichts an; **that is his** ~ das ist seine Sache; **to make an** ~ **of s.th.** aus etwas eine wichtige Angelegenheit machen; **to attend to one's own** ~**s** seinen eigenen Geschäften nachgehen; ~ **of hono(u)r** Ehrenhandel (*Duell*) – **2.** *pl* Angelegenheiten *pl*, Verhältnisse *pl*, Zustände *pl*: **public** ~**s** öffentliche Angelegenheiten, das Gemeinwesen; ~**s of state** Staatsangelegenheiten; **state of** ~**s** Lage der Dinge, Sachlage; **proper state of** ~**s** geordnete Zustände *od.* Verhältnisse; **Secretary of State for Foreign A**~**s** *Br.* Minister des Auswärtigen, Außenminister; **a man of many** ~**s** ein vielseitiger *od.* vielbeschäftigter Mann; **as** ~**s stand** so wie die Dinge liegen *od.* stehen. – **3.** Ding *n*, Sache *f*: **this apparatus is a complicated** ~. – **4.** Ereignis *n*, Geschichte *f*, Afˈfäre *f*, Sache *f*: **when did this** ~ **happen?** – **5.** Liebschaft *f*, (Liebes)Verhältnis *n*: **to have an** ~ **with s.o.** – **6.** *Am. colloq.* ‚Sache' *f*, Veranstaltung *f.* – **7.** *mil.* Scharˈmützel *n*, Treffen *n*, Gefecht *n.*

af·faire [aˈfɛːr] (*Fr.*) → affair 5.

af·fect[1] [əˈfekt] **I** *v/t* **1.** lieben, Gefallen finden an (*dat*), gern mögen. – **2.** lieben, neigen zu, vorziehen: **to** ~ **loud neckties** auffallende Krawatten bevorzugen. – **3.** erkünsteln, (er)heucheln, vortäuschen, zur Schau tragen, annehmen: **to** ~ **a limp** sich hinkend stellen; **to** ~ **an Oxford accent** die Oxforder Aussprache affektieren. – **4.** sich (*j-n*) zum Vorbild nehmen, (*j-n*) nachahmen. – **5.** gern aufsuchen, bewohnen, vorkommen in (*dat*) (*Tiere u. Pflanzen*): **to** ~ **the woods** in Wäldern vorkommen, sich gern in Wäldern aufhalten. – **6.** *obs.* begehren, streben nach. – **II** *v/i* **7.** sich zieren, sich affekˈtiert benehmen. – *SYN. cf.* **assume.**

af·fect[2] [əˈfekt] **I** *v/t* **1.** betreffen, berühren, (ein)wirken auf (*acc*), beeinflussen, beeinträchtigen. – **2.** bewegen, rühren, ergreifen. – **3.** *med.* affiˈzieren, angreifen, befallen. – **4.** *meist pass Br.* zuteilen. – *SYN.* **impress**[1], **influence, strike, sway, touch.** – **II** *s* **5.** *obs.* Neigung *f*, Hang *m.* – **6.** [ˈæfekt] *psych.* Afˈfekt *m*, Erregung *f*, Gemütsbewegung *f.*

af·fec·ta·tion [ˌæfekˈteiʃən; -ik-] *s* **1.** Affekˈtiertheit *f*, Zier eˈrei *f.* – **2.** Heucheˈlei *f*, Verstellung *f.* – **3.** Vorgeben *n*, Erheucheln *n.* – **4.** (überˈtriebene) Vorliebe (**of** für). – **5.** *obs.* Streben *n*, Trachten *n* (**of** nach). – *SYN. cf.* **pose**[1].

af·fect·ed[1] [əˈfektid] *adj* **1.** affekˈtiert, gekünstelt, geschraubt, geziert. – **2.** angenommen, erheuchelt, vorgetäuscht. – **3.** geneigt, gesinnt.

af·fect·ed[2] [əˈfektid] *adj* **1.** *med.* affiˈziert, befallen (**with** von), angegriffen. – **2.** ergriffen, beeindruckt, betroffen, berührt. – **3.** gerührt, bewegt. – **4.** *Br.* bestimmt (**to** für), zugewiesen. – **5.** *math.* zuˈsammengesetzt.

af·fect·ed·ness [əˈfektidnis] *s* Affekˈtiertheit *f.*

af·fect·i·bil·i·ty [əˌfektəˈbiliti; -əti] *s* Reizbarkeit *f*, Empfindlichkeit *f.* — **afˈfect·i·ble** *adj* reizbar, empfindlich.

af·fect·ing [əˈfektiŋ] *adj* rührend, ergreifend. – *SYN. cf.* **moving.**

af·fec·tion [əˈfekʃən] **I** *s* **1.** *oft pl* Liebe *f*, (Zu)Neigung *f* (**for, toward[s]** zu). – **2.** Afˈfekt *m*, Gemütsbewegung *f*, Erregungszustand *m*, Stimmung *f*, Rührung *f.* – **3.** *med.* Affektiˈon *f*, Erkrankung *f*, Leiden *n.* – **4.** Einfluß *m*, Einwirkung *f.* – **5.** Hang *m*, Neigung *f*, Vorliebe *f.* – **6.** *obs.* Eigenschaft *f*, Beschaffenheit *f.* – *SYN. cf.* **feeling.** – **II** *v/t* **7.** lieben, eine Zuneigung empfinden zu.

af·fec·tion·al [əˈfekʃənl] *adj* gefühlsmäßig, Gefühls..., Gemüts...

af·fec·tion·ate [əˈfekʃənit] *adj* **1.** gütig, liebevoll, zärtlich. – **2.** herzlich (*Gruß etc*). – **3.** gewogen, geneigt, zugetan. – *SYN.* **devoted, doting, fond, loving.** — **afˈfec·tion·ate·ness** *s* Zärtlichkeit *f*, Gewogenheit *f.*

af·fec·tive [əˈfektiv] *adj* **1.** ergreifend, erregend. – **2.** Gemüts..., Gefühls... – **3.** *psych.* emotioˈnal, affekˈtiv, Affekt...: ~ **crisis** Affektausbruch. — **af·fec·tiv·i·ty** [ˌæfekˈtiviti; -əti] *s* Affektiviˈtät *f*, Reizbarkeit *f.*

af·fen·pin·scher [ˈafənˌpinʃər] (*Ger.*) *s* Affenpinscher *m* (*Hunderasse*).

af·fer·ent [ˈæfərənt] *adj med.* **1.** zuführend, afˈferens (*Gegensatz: efferens*). – **2.** zentripeˈtal, senˈsorisch: ~ **nerve** Empfindungsnerv.

af·fet·tuo·so [əˌfetjuˈouzou] *mus.* **I** *s pl* **-sos** Affettuˈoso *n* (*gefühlvoller Satz*). – **II** *adj u. adv* affettuˈoso (*mit Wärme u. Gefühl*).

af·fi·ance [əˈfaiəns] **I** *s* **1.** Vertrauen *n*, Zutrauen *n*, Verlaß *m.* – **2.** Verlobung *f*, Eheversprechen *n.* – **II** *v/t* **3.** versprechen, geloben. – **4.** (*j-n*) verloben. – **5.** (*j-m*) die Ehe versprechen. — **afˈfi·anced** *adj* verlobt (**to** mit).

af·fi·ant [əˈfaiənt] *s jur. Am.* Aussteller *m* einer eidesstattlichen Erklärung.

af·fiche [aˈfiʃ] (*Fr.*) *s* Anschlag *m*, Plaˈkat *n.*

af·fi·da·vit [ˌæfiˈdeivit; -fə-] *s jur.* Afˈdavit *n*, (*schriftliche*) eidesstattliche Erklärung: **to swear** (*od.* **take**) **an** ~ eine eidesstattliche Erklärung abgeben.

af·fil·i·ate [əˈfiliˌeit] **I** *v/t* **1.** adopˈtieren, annehmen. – **2.** (*als Mitglied*) aufnehmen. – **3.** *jur.* a) die Vaterschaft feststellen von (*unehelichem Kind*), b) die Vaterschaft (*eines Kindes*) zuschreiben (**to** *dat*): **to** ~ **a child to s.o.** – **4.** zuˈrückführen (**on, upon** auf *acc*). – **5.** (**to**) affiliˈieren, (eng) verbinden, verknüpfen, verbünden (mit), angliedern, anschließen (*dat*, an *acc*). – **II** *v/i* **6.** (**with**) sich gesellen (zu), sich verbünden (mit), sich anschließen (an *acc*). – **7.** *Am.* (**with**) verkehren, Freundschaft schließen (mit), sich anschließen (*dat*, an *acc*). – **III** *adj* [-liit; -liˌeit] **8.** → **affiliated.** – **IV** *s* [-liit; -liˌeit] **9.** Verbündeter *m*, Genosse *m.* – **10.** *econ.* Teilnehmer *m*, -haber *m.* – **11.** *Am.* ˈZweigorganisatiˌon *f.* — **afˈfil·iˌat·ed** *adj* angeschlossen, Schwester..., Tochter...: ~ **company** Tochtergesellschaft; ~ **society** Zweiggesellschaft.

af·fil·i·a·tion [əˌfiliˈeiʃən] *s* **1.** Adoptiˈon *f.* – **2.** Aufnahme *f* (*als Mitglied etc*). – **3.** *jur.* Zuschreibung *f* der Vaterschaft. – **4.** Zuˈrückführung *f* (*auf den Ursprung*). – **5.** Affiliatiˈon *f*, Verschmelzung *f*, Vereinigung *f*, Verbindung *f*, Angliederung *f.* – **6.** *relig. Am.* Mitgliedschaft *f* (*in einer Gemeinde*): **what is your church** ~? zu welcher Kirche gehören Sie?

af·fi·nal [əˈfainl] *adj* verwandt, von gleicher Abstammung.

af·fine[1] [əˈfain] *v/t* (*Rohzucker*) läutern.

af·fine[2] [əˈfain] *adj math.* afˈfin, verwandt.

af·fined [əˈfaind] *adj* **1.** verwandt, verbunden (**to** *dat*, mit). – **2.** *selten* gebunden, verpflichtet. — **af·fin·i·ta·tive** [əˈfiniˌteitiv; -nə-] *adj* verwandt. — **afˈfin·i·tive** *adj* **1.** verwandt. – **2.** *math.* afˈfin. — **afˈfin·i·ty** *s* **1.** Verwandtschaft *f* (*durch Heirat*), Verschwägerung *f.* – **2.** (*geistige*) Verwandtschaft *f*, Überˈeinstimmung *f*, Affiniˈtät *f.* – **3.** (ˈHin)Neigung *f*, Wahlverwandtschaft *f*, gegenseitige Anziehung. – **4.** Wahlverwandte(r), geistig verwandte Perˈson. – **5.** Ähnlichkeit *f.* – **6.** *chem.* Affiniˈtät *f*, stofflich-chemische Verwandtschaft. – *SYN. cf.* a) **attraction,** b) **likeness.**

af·firm [əˈfəːrm] **I** *v/t* **1.** behaupten, versichern, bejahen. – **2.** bekräftigen, (*Urteil*) bestätigen, ratifiˈzieren. – **3.** *jur.* an Eides Statt erklären. – **II** *v/i* **4.** bejahen, bestätigen. – **5.** *jur.* eine eidesstattliche Erklärung abgeben. – *SYN. cf.* **assert.** — **afˈfirm·a·ble** *adj* bestätigungsfähig, vertretbar. — **afˈfirm·ance** *s* Bekräftigung *f*, Bestätigung *f*, Versicherung *f.* — **afˈfirm·ant I** *adj* bestätigend, bekräftigend. – **II** *s* j-d der (*eine Aussage etc*) bestätigt. — **af·fir·ma·tion** [ˌæfərˈmeiʃən] *s* **1.** Behauptung *f*, Versicherung *f.* – **2.** Bekräftigung *f*, Bestätigung *f*, Bejahung *f.* – **3.** *jur.* eidesstattliche Erklärung. – **4.** *pol.* Amtseid *m* (*eines neuen Abgeordneten*). — **afˈfirm·a·tive I** *adj* **1.** behauptend. – **2.** bestätigend. – **3.** bejahend, zustimmend. – **4.** bestimmt, dogˈmatisch. – **5.** *math.* positiv. – **II** *s* **6.** Affirmaˈtive *f*, Bejahung *f*: **to answer in the** ~ bejahend antworten, bejahen. – **7.** Bestätigung *f*, Zustimmung *f.* — **afˈfirm·a·to·ry** [*Br.* -təri; *Am.* -ˌtɔːri] → affirmative I.

af·fix I *v/t* [əˈfiks] **1.** befestigen (**to** an *dat*), anheften, hängen, anschlagen, ankleben (**to** an *acc*). – **2.** hinˈzu-, beifügen, beilegen. – **3.** (*einen Stempel*) aufdrücken (*auch fig.*). – *SYN. cf.*

fasten. – **II** *s* ['æfiks] **4.** *ling.* Af'fix *n.* – **5.** Hin'zu-, Beifügung *f,* Anhang *m.* — **af'fix·ture** [-tʃər] *s* **1.** Halt *m,* Anhaften *n.* – **2.** Angeheftetsein *n.* – **3.** Anhang *m.*

af·fla·tion [ə'fleiʃən] *s* Eingebung *f,* Inspirati'on *f.* — **af'fla·tus** [-təs] *s* Inspirati'on *f,* (höhere) Eingebung. – *SYN. cf.* inspiration.

af·flict [ə'flikt] *v/t* betrüben, kränken, peinigen, plagen, quälen: to ~ oneself sich grämen (at über *acc,* wegen). – *SYN.* grill, rack, torment, torture, try. — **af'flict·ed** *adj* **1.** niedergeschlagen, bedrückt, betrübt. – **2.** befallen, geplagt (with von). – **3.** leidend, krank (with an *dat*). — **af'flic·tion** *s* **1.** Betrübnis *f,* Niedergeschlagenheit *f.* – **2.** Schmerz *m,* Leid(en) *n,* Elend *n,* Kummer *m.* – **3.** *astr.* unheilvolle Konstellati'on. – *SYN.* cross, trial, tribulation, visitation. — **af'flic·tive** *adj* **1.** betrübend, kränkend, schmerzend. – **2.** quälend.

af·flu·ence ['æfluəns] *s* **1.** Zufluß *m,* Zu'sammenfluß *m,* Zuströmen *n.* – **2.** Reichtum *m,* Fülle *f,* 'Überfluß *m.* — **'af·flu·ent I** *adj* **1.** reichlich fließend. – **2.** reichlich. – **3.** wohlhabend, reich (in an *dat*). – *SYN. cf.* rich. – **II** *s* **4.** Nebenfluß *m.* — **af·flux** ['æflʌks] *s* **1.** Zufluß *m,* Zuwachs *m,* Zustrom *m* (*auch fig.*). – **2.** *med.* Zustrom *m,* Andrang *m.*

af·force [ə'fɔːrs] *v/t* (*durch neue Mitglieder*) verstärken. — **af'force·ment** *s* Verstärkung *f.*

af·ford [ə'fɔːrd] *v/t* **1.** sich leisten, sich erlauben, die Mittel haben für: we can't ~ a car wir können uns keinen Wagen leisten. – **2.** aufbringen, erschwingen, erübrigen. – **3.** gewähren, bieten. – **4.** (*als Produkt*) liefern: olives ~ oil. – **5.** (*Gewinn*) einbringen, abwerfen. – *SYN. cf.* give.

af·for·est [ə'fɒrist; *Am. auch* ə'fɔːrist] *v/t* aufforsten, mit Bäumen bepflanzen. — **afˌfor·est'a·tion** *s* **1.** Aufforstung *f.* – **2.** aufgeforstetes Land.

af·fran·chise [ə'fræntʃaiz] *v/t* befreien, freigeben, -lassen.

af·fray [ə'frei] **I** *v/t* **1.** *obs.* erschrecken, aufschrecken. – **II** *s* **2.** Raufe'rei *f,* Schläge'rei *f,* Handgemenge *n.* – **3.** Tu'mult *m,* Aufruhr *m,* Kra'wall *m.* – **4.** *jur.* Landfriedensbruch *m.*

af·freight [ə'freit] *v/t mar.* (*ein Schiff ganz od. teilweise*) zum 'Frachtenˌtransˌport mieten. — **af'freight·ment** *s* Vollcharter *m,* Raumcharter *m.*

af·fri·cate *ling.* **I** *s* ['æfrikit; -ˌkeit] Affri'kata *f* (*Verbindung von Verschluß- u. Reibelaut*). – **II** *v/t* [ə'frikeit] affri'zieren. — **af·fric·a·tive** [ə'frikətiv] **I** *adj* affri'ziert, angerieben. – **II** *s* → affricate I.

af·fright [ə'frait] *obs.* **I** *v/t* erschrecken. – **II** *s* Erschrecken *n,* Schreck *m.*

af·front [ə'frʌnt] **I** *v/t* **1.** beleidigen, beschimpfen, (*j-s Gefühle*) verletzen. – **2.** trotzen (*dat*), die Stirn bieten (*dat*). – *SYN. cf.* offend. – **II** *s* **3.** Beleidigung *f,* Af'front *m,* Beschimpfung *f,* Schimpf *m,* Verletzung *f,* Schmach *f.* – *SYN.* indignity, insult. — **af'fron·tive** *adj* beleidigend, beschimpfend.

af·fuse [ə'fjuːz] *v/t selten* über'gießen. — **af'fu·sion** [-ʒən] *s* **1.** Begießen *n,* Über'gießen *n,* Besprengen *n.* – **2.** *med.* Über'gießung *f,* Guß *m.*

Af·ghan ['æfgæn; *Am. auch* -gən] **I** *s* **1.** Af'ghane *m,* Af'ghanin *f.* – **2.** 'Afghan *m* (*Teppich*). – **3.** a~ Wolldecke *f.* – **4.** *ling.* Af'ghanisch *n,* das Afghanische. – **II** *adj* **5.** af'ghanisch: ~ hound afghanischer Windhund. — **af'ghan·i** [-i], *auch* ~ **ru·pee** *s* Af'ghani *m* (*afghanische Silbermünze*).

a·field [ə'fiːld] *adv* **1.** im Feld. – **2.** ins *od.* aufs Feld. – **3.** in der Ferne, (von Hause) weg, draußen. – **4.** in die Ferne, hin'aus. – **5.** in die Irre, vom rechten Wege ab.

a·fire [ə'fair] *adv u. pred adj* in Brand, brennend, in Flammen (*auch fig.*): to be all ~ Feuer und Flamme sein.

a·flame [ə'fleim] *adv u. pred adj* in Flammen, flammend, glühend (*auch fig.*).

a·float [ə'flout] *adv u. pred adj* **1.** flott, schwimmend: to keep ~ sich über Wasser halten (*auch fig.*). – **2.** an Bord, auf dem Meere. – **3.** in 'Umlauf, 'umlaufend: to set ~ in Umlauf bringen. – **4.** *fig.* flott, in (vollem) Gang. – **5.** unstet, unsicher. – **6.** über'schwemmt.

a·flut·ter [ə'flʌtər] *adv u. pred adj* **1.** flatternd. – **2.** unruhig, in Unruhe, aufgeregt.

a·foot [ə'fut] *adv u. pred adj* **1.** zu Fuß, auf den Beinen: not to know whether one is ~ or horseback *Am. sl.* nicht wissen, wo einem der Kopf steht. – **2.** in Bewegung, im Gang(e).

a·fore [ə'fɔːr] *obs.* **I** *adv* zu'vor, vorher. – **II** *prep* vor, in Gegenwart von. – **III** *conjunction* bevor, ehe, lieber als daß. — **a'foreˌmen·tioned, a'foreˌnamed, a'foreˌsaid** *adj* obenerwähnt *od.* -genannt, besagt. — **a'foreˌthought I** *adj* vorbedacht. – **II** *s* Vorbedacht *m.* — **a'foreˌtime I** *adv* vormals, ehemals, früher. – **II** *adj* früher, ehemalig.

a for·ti·o·ri ['ei ˌfɔːrʃi'ɔːrai] (*Lat.*) um so viel mehr, erst recht.

a·foul [ə'faul] *adv u. pred adj* **1.** verwickelt (of in *acc*). – **2.** im Zu'sammenstoß: to run ~ of zusammenstoßen mit; to run ~ of the law mit dem Gesetz in Konflikt geraten.

a·fraid [ə'freid] *adj* **1.** bange (of vor *dat*), ängstlich, furchtsam: to be ~ of Angst haben vor (*dat*); to be ~ to do sich scheuen zu tun; ~ of hard work *colloq.* faul, arbeitsscheu; I'm ~ leider, ich bedaure. – **2.** erschrocken. – *SYN. cf.* fearful.

af·reet ['æfriːt] *s* böser Dämon (*in der moham. Mythologie*).

a·fresh [ə'freʃ] *adv* von neuem, abermals, wieder: to begin ~.

a·fret [ə'fret] *adv u. pred adj* zerrissen.

Af·ric ['æfrik] → African II.

Af·ri·can ['æfrikən] **I** *s* **1.** Afri'kaner(in). – **2.** *Am.* Neger(in) (*in Amerika lebend*). – **II** *adj* **3.** afri'kanisch. – **4.** (*ursprünglich*) afri'kanischer Abstammung, Neger... (*auf Neger in Amerika u. ihre kirchlichen u. anderen Einrichtungen bezüglich*). — ~ **al·mond** *s bot.* Zepterbaum *m* (*Brabejum stellatifolium; Protacee*). — ~ **black·wood** *s bot.* Afrik. Ebenholz *n* (*Dalbergia melanoxylon; Leguminose*). — ~ **box·thorn** *s bot.* Afrik. Bocksdorn *m* (*Lycium tetrandrum*). — ~ **ca·per** *s bot.* Afrik. Kap(p)ernstrauch *m* (*Capparis aphylla*). — ~ **dai·sy** *s bot. eine südafrik. Komposite* (*Lonas inodora*). — ~ **hemp** *s bot.* Zimmerlinde *f* (*Sparmannia africana*). — ~ **hon·ey·suck·le** *s bot. eine südafrik. Scrophulariacee* (*Halleria lucida*).

Af·ri·can·i·za·tion [ˌæfrikənai'zeiʃən; -ni'z-] *s* Afrikani'sierung *f.* — **'Af·ri·canˌize** *v/t* **1.** afrikani'sieren. – **2.** unter die Herrschaft von Negern stellen.

Af·ri·can| ju·ni·per *s bot.* Abes'sinischer Wa'cholder (*Juniperus procera*). — ~ **lo·cust** *s bot.* Doura-Baum *m* (*Parkia africana*). — ~ **mar·i·gold** *s bot.* Stu'dentenblume *f* (*Tagetes erecta; Mexiko*). — ~ **milk·bush** *s bot.* Milchbusch *m* (*Synadenium grantii u. andere Euphorbiaceen*). — ~ **mus·tard** *s bot.* Schotendotter *m* (*Cheirinia repanda*). — ~ **oak** *s bot.* Afrik. Eiche *f* (*Oldfieldia africana*). — ~ **oil palm** *s bot.* Ölpalme *f* (*Elaeis guineensis*). — ~ **rose·wood** *s bot.* Afrik. Rosenholz *n,* Westafrik. Tiekholz *n* (*Pterocarpus erinaceus*). — ~ **rue** *s bot.* Harmelstaude *f* (*Peganum harmala*). — ~ **saf·fron** *s bot.* Kap-Safran *m* (*Lyperia crocea*). — ~ **sat·in·bush** *s bot. ein silbriger Leguminosenstrauch* (*Podalyria sericea; Südafrika*). — ~ **sleep·ing sick·ness** *s med.* Schlafkrankheit *f.* — ~ **snail** *s zo.* A'chatschnecke *f* (*Achatina fulica*). — ~ **snow·drop tree** *s bot. eine südafrik. Ebenacee* (*Royena lucida*). — ~ **tea tree** *s bot.* (*ein*) südafrik. Bocksdorn *m* (*Lycium afrum*). — ~ **va·le·ri·an** *s bot.* Vierlingskraut *n* (*Fedia cornucopiae*). — ~ **vi·o·let** *s bot.* Usam'bara-Veilchen *n* (*Saintpaulia ionantha*). — ~ **wal·nut** *s bot.* Tigerholzbaum *m,* Westafrik. Walnußbaum *m* (*Lovoa klaineana*).

Af·ri·kaans [ˌæfri'kɑːns; -z] *s ling.* Afri'kaans *n,* Kapholländisch *n.* — **ˌAf·ri'kan·der** [-'kændər] *s* Afri'kander *m,* Weiße(r) aus Süd'afrika. — **ˌAf·ri'kan·derˌism** *s ling.* Spracheigenheit *f* des Afri'kaans.

af·rit(e) *cf.* afreet.

'Af·ro-A'mer·i·can ['æfro-] *Am.* **I** *s* 'Afro-Ameriˌkaner(in) (*in Amerika lebend*). – **II** *adj* 'afro-ameriˌkanisch.

aft [*Br.* ɑːft; *Am.* æ(ː)ft] *adv mar.* achtern, hinten (*im Schiff*): fore and ~ von vorn nach achtern (zu), in der Längsrichtung (*des Schiffes*); fore-and-~-rigged in Schonertakelung.

aft·er [*Br.* 'ɑːftər; *Am.* 'æ(ː)f-] **I** *adv* **1.** nach(her), hinter'her, da'nach, später, dar'auf(folgend), hinten'nach: that comes ~ das kommt nach(her); shortly ~ kurz (da)nach. – **II** *prep* **2.** hinter ... (*dat*) her: to be ~ s.o. hinter j-m her sein; to run ~ s.th. hinter etwas herlaufen. – **3.** nach: to look ~ s.o. nach j-m sehen; to search ~ s.th. nach etwas streben; ~ hours nach Büro- *od.* Ladenschluß; ~ all nach alledem, also doch. – **4.** nach, gemäß, entsprechend: a picture ~ Rubens ein Gemälde nach (*im Stil von*) Rubens; handsome ~ its kind hübsch in seiner Art; to do s.th. ~ a fashion etwas recht und schlecht tun. – **5.** 'herstammend von. – **III** *adj* **6.** hinter(er, e, es), zweit(er, e, es), nachträglich, zukünftig. – **7.** Nach... – **IV** *conjunction* **8.** nach'dem. — **'~ˌbirth** *s med.* Nachgeburt *f.* — **'~ˌbirth weed** *s bot. ein nordamer. Schmetterlingsblütler* (*Stylosanthes biflora*). — **'~ˌbod·y** *s mar.* Achterschiff *n.* — **'~ˌborn** *adj* **1.** später geboren, jünger. – **2.** nachgeboren. – **3.** *jur.* nach dem letzten Testa'ment des Vaters geboren. — **'~ˌbrain** *s med.* 'Hinterhirn *n.* — **'~ˌburn·er** *s aer. tech.* Nachbrenner *m* (*an Strahlturbinen*). — **'~ˌburn·ing** *s aer.* Nachbrennen *n,* -verbrennung *f.* — **'~ˌcare** *s* **1.** *med.* Nachbehandlung *f.* – **2.** Fürsorge *f:* ~ for discharged prisoners Entlassenenfürsorge. — **'~ˌclap** *s selten* **1.** nachträglicher (*unerwarteter*) Schlag. – **2.** nachträgliche (*bes.* unangenehme) Über'raschung, Nachspiel *n.* — **'~ˌdamp** *s tech.* Nachschwaden *m* (*im Bergwerk*). — **'~ˌdate** *v/t* 'nachdaˌtieren, mit späterem Datum versehen. — **'~ˌdeck** *s mar.* Achterdeck *n.* — **'~ˌdin·ner** *adj* nach Tisch, nach Beendigung der Mahlzeit: ~ speech Tischrede. — **'~·efˌfect** *s* Nachwirkung *f.* — **'~ˌglow** *s* Nachglut *f,* Nachglühen *n,* Abendrot *n.* — **'~ˌgrass** *s agr.* Grummet *n,* zweite Grasernte. — **'~ˌguard** *s mar.* Achterwache *f.* — **'~ˌhold** *s mar.* Achterraum *m.* — **'~ˌim·age** *s med. psych.* Nachbild *n,* Nachempfindung *f* (*auf der Netzhaut*). — **'~ˌlife** *s* **1.** Leben *n* nach dem Tode. – **2.** späteres *od.* (zu)künftiges Leben. — **'~,math** *s* **1.** *agr.* Nachmahd *f*, Grummet *n*, Spätheu *n*. – **2.** Nachwirkungen *pl*: the ~ of war die Kriegsnachwirkungen. — **'~·most** [-ˌmoust; -məst] *adj* **1.** hinterst(er, e, es). – **2.** *mar.* dem Heck am nächsten.

aft·er·noon [*Br.* ˌɑːftər'nuːn; *Am.* ˌæ(ː)f-] **I** *s* Nachmittag *m*: good ~! guten Tag! the ~ of life der frühe Lebensabend. – **II** *adj* Nachmittags...: → watch 5. — **~ la·dy** *s bot.* Wunderblume *f* (*Mirabilis jalapa*).

'aft·er|ˌnote *s mus.* Nachschlag *m*. — **'~ˌpains** *s pl med.* Nachwehen *pl*. — **'~ˌpeak** *s mar.* Achterpiek *f* (*hinterer Raum eines Schiffes*). — **'~ˌpiece** *s* **1.** hinterstes Stück, hinterster Teil. – **2.** (*Theater*) Nachspiel *n*. – **3.** *mar.* Ruderhacke *f* (*Absatz am Rudersteven*). — **'~ˌrip·en·ing** *s bot.* Nachreifen *n* (*von Samen, die noch nicht keimfähig sind*). — **'~ˌshaft** *s zo.* Nebenfeder *f*, -schaft *m*. — **'~ˌsong** *s* Nach-, Abgesang *m*. — **'~ˌsound** *s* Nachklang *m*. — **'~ˌtaste** *s* Nachgeschmack *m* (*auch fig.*). — **'~ˌthought** *s* nachträglicher *od.* späterer Einfall, nachträgliche *od.* spätere Über'legung, nachträgliche Erklärung *od.* Entschuldigung. — **'~ˌtime** *s* Zukunft *f*, Folgezeit *f*. — **'~ˌtreat·ment** *s med.* Nachbehandlung *f*.

aft·er·ward(s) [*Br.* 'ɑːftərwərd(z); *Am.* 'æ(ː)f-] *adv* später, her'nach, nachher, hinter'her, nachträglich.

'aft·erˌworld *s* Nachwelt *f*.

'aftˌship *s mar.* Achterschiff *n*.

a·func·tion [ei'fʌŋkʃən] *s biol.* Funkti'onsverlust *m*.

af·wil·lite [æf'wilait] *s min.* Afwi'lit *m*.

a·ga ['ɑːgɑː; 'ægə] *s* Aga *m* (*Titel türk. Befehlshaber, auch Ehrentitel im Nahen Osten*).

ag·a·ba·nee [ˌægə'bɑːniː] *s* Baumwollstoff *m* mit ˌSeidenstickeˈrei.

a·gain [ə'gen; ə'gein] *adv* **1.** 'wieder(um), von neuem, abermals, nochmals: → now *b. Redw.*; time and ~, ~ and ~ immer wieder. – **2.** schon wieder: that fool ~ schon wieder dieser Narr! – **3.** außerdem, ferner, ebenfalls, gleichfalls, ebenso, noch da'zu. – **4.** noch einmal: as much ~ noch einmal so viel. – **5.** andrerseits, da'gegen, hin'gegen, aber.

a·gainst [ə'genst; ə'geinst] *prep* **1.** gegen, wider, entgegen: ~ the grain gegen den Strich; to be up ~ it *colloq.* in der Klemme sein; to run up ~ s.o. auf j-n stoßen, j-n (zufällig) treffen. – **2.** gegen, gegen'über. – **3.** (bis) an, vor, nahe, (*dicht*) bei. – **4.** auf ... (*acc*) zu, nach ... (*dat*) hin, gegen. – **5.** verglichen mit, im Vergleich zu. – **6.** in Vorsorge für, in Erwartung von: money saved ~ a rainy day in Vorsorge für schlechte Zeiten gespartes Geld.

ag·a·lac·ti·a [ˌægə'lækʃiə] *s med. zo.* Agalak'tie *f*, Ausbleiben *n* der Milch (*bei Wöchnerinnen*).

a·gal·loch [ə'gælək] *s* Adlerholz *n* (*Holz von Aquilaria agallocha*).

ag·al·mat·o·lite [ˌægəl'mætəˌlait] *s min.* Bildstein *m*, chi'nesischer Speckstein, Pa'godenstein *m*.

a·ga·ma [ə'geimə] *s zo.* Dickzungeneidechse *f* (*Gattg Agama*).

ag·a·mi ['ægəmi] → trumpeter 4.

a·gam·ic [ə'gæmik] *adj biol.* **1.** a'gam, geschlechtslos, ungeschlechtlich. – **2.** krypto'gam.

ag·a·mo·gen·e·sis [ˌægəmo'dʒenisis; -nə-] *s biol.* geschlechtslose Zeugung, ungeschlechtliche Fortpflanzung.

ag·a·moid ['ægəˌmɔid] *zo.* **I** *s* → agama. – **II** *adj* a'gameartig.

ag·a·mous ['ægəməs] → agamic. — **ag·a·my** ['ægəmi] *s* **1.** Aga'mie *f*, Ehelosigkeit *f*. – **2.** → agamogenesis.

a·gan·gli·on·ic [eiˌgæŋgli'ɒnik] *adj zo.* ohne Ganglien, ganglienlos.

ag·a·pan·thus [ˌægə'pænθəs] *s bot.* Schmucklilie *f* (*Gattg Agapanthus*).

a·gape[1] [ə'geip] *adv u. pred adj* gaffend, mit offenem Munde.

ag·a·pe[2] ['ægəˌpiː] *pl* **-pae** [-ˌpiː] *s relig.* A'gape *f*, Liebesmahl *n*.

Ag·a·pem·o·ne [ˌægə'peməˌniː] *s* Haus *n* der Liebe (*nach einer 1849 in Spaxton, England, gegründeten klosterähnlichen Institution, in der nach allgemeiner Auffassung freie Liebe herrschte*). — **ˌAg·a'pem·oˌnite** [-ˌnait] *s Mitglied der* Agapemone.

a·gar ['eigɑːr; -gər] *s biol.* **1.** Nährboden *m*: spore ~ Keimkornnährboden. – **2.** → agar-agar. — **'~-'a·gar** *s biol. med.* Agar-Agar *m* (*aus Meeralgen gewonnene Pflanzengelatine*).

a·gar·ic [ə'gærik; 'ægərik] **I** *s* **1.** *bot.* a) Blätterpilz *m*, -schwamm *m* (*Fam. Agaricaceae*), b) Unechter Feuerschwamm (*Fomes igniarius*). – **2.** *med.* Schweißverhütungsmittel *n* (*aus dem Pilz Fomes officinalis hergestellt*). – **II** *adj* **3.** Pilz..., Schwamm... — **aˌgar·i'ca·ceous** [-'keiʃəs] *adj bot.* zu den Blätterpilzen gehörig.

a·gar·ic| ac·id *s chem.* Agari'zinsäure *f* ($C_{22}H_{40}O_7$). — **~ gnat** *s zo.* Pilzmücke *f* (*Fam. Mycetophilidae*).

a·gar·i·ci·form [ə'gærisiˌfɔːrm] *adj* (blätter)pilzförmig.

a·gar·i·cine [ə'gæriˌsiːn; -sin] *s chem.* Agari'zin *n*.

a·gar·i·coid [ə'gæriˌkɔid] *adj* (blätter)pilzartig.

a·gasp [*Br.* ə'gɑːsp; *Am.* ə'gæ(ː)sp] *adv u. pred adj* **1.** keuchend. – **2.** eifrig.

a·gas·tric [ei'gæstrik] *adj zo.* darmlos.

ag·ate ['ægət] **I** *s* **1.** *min.* A'chat *m*. – **2.** *tech.* Wolfszahn *m* (*Polierstein der Golddrahtzieher*). – **3.** bunte Glasmurmel. – **4.** *print. Am.* Pa'riser Schrift *f*. – **5.** *obs.* kleines Per'sönchen, Kerlchen *n*. – **6.** Talisman *m*. – **II** *adj* **7.** a'chatähnlich, -farben. — **~ glass** *s* A'chatglas *n* (*mit bandförmigen Streifen*). — **~ jas·per** *s min.* A'chat-, Bandjaspis *m*. — **~ shell** *s zo.* A'chatschnecke *f* (*Gattg Achatina*). — **~ ware** *s* **1.** a'chatfarbenes Steingut. – **2.** email'liertes Eisengeschirr.

ag·a·thin ['ægəθin] *s chem.* Aga'thin *n* ($C_{14}H_{14}N_2O$; *Antineuralgicum*).

ag·a·thism ['ægəˌθizəm] *s philos.* Aga'thismus *m* (*Lehre, daß alle Dinge einem guten Ende zustreben*).

ag·a·tif·er·ous [ˌægə'tifərəs] *adj* a'chathaltig. — **'ag·a·tiˌform** [-ˌfɔːrm] *adj* a'chatförmig. — **'ag·at·ine** [-tin; -ˌtain] *adj* a'chatartig. — **'ag·atˌize** *v/t* **1.** in A'chat verwandeln. – **2.** a'chatähnlich machen.

a·ga·ve [ə'geivi] *s bot.* A'gave *f* (*Gattg Agave*).

a·gaze [ə'geiz] *adv u. pred adj* staunend.

age [eidʒ] **I** *s* **1.** Alter *n*, Lebensalter *n*, -zeit *f*. – **2.** Reife *f*, Mündigkeit *f*: of ~ mündig; under ~ minderjährig; → come *b. Redw.*; coming 4. – **3.** vorgeschriebenes Alter (*für ein Amt*). – **4.** Zeit *f*, 'Zeitalter *n*, -periˌode *f*: the ~ of reason die Aufklärung, das Zeitalter der Vernunft. – **5.** (hohes) Alter, Greisenalter *n*. – **6.** Menschenalter *n*, Geschlecht *n*, Generati'on *f*. – **7.** *oft pl colloq.* unendlich lange Zeit, Ewigkeit *f*: I haven't seen him for ~s ich habe ihn eine Ewigkeit nicht gesehen. – **8.** Jahr'hundert *n*. – **9.** *geol.* Peri'ode *f*. – **10.** (*Pokerspiel*) Vorhand *f*. – *SYN. cf.* period. – **II** *v/t* **11.** altern, alt machen, zur Reife bringen. – **12.** *tech.* (*Farbe*) vergüten. – **III** *v/i* **13.** alt werden, altern. — **aged** *adj* **1.** [eidʒd] im Alter von ..., ...jährig, alt: ~ twenty zwanzigjährig. – **2.** ['eidʒid] vorgeschrittenen Alters, alt, bejahrt: the ~ alte Leute, die alten Leute. – *SYN.* elderly, old, superannuated. — **a·ged·ness** ['eidʒidnis] *s* Altsein *n*, Alter *n*.

age| group *s* Altersklasse *f*, Jahrgang *m*. — **~ hard·en·ing** *s tech.* Aushärtung *f*, Vergütung *f*, Tempern *n*.

age·ing *cf.* aging.

age·less ['eidʒlis] *adj* nicht alternd, zeitlos.

age| lim·it *s* Altersgrenze *f*. — **'~ˌlong** *adj* **1.** lebenslang, ein Lebensalter dauernd. – **2.** unendlich lang, ewig.

a·gen·cy ['eidʒənsi] *s* **1.** Tätigkeit *f*, Wirksamkeit *f*, Wirkung *f*. – **2.** Vermittlung *f*. – **3.** *econ.* a) Agen'tur *f*, A'gentschaft *f*, Vertretung *f*, b) Ver'kaufsbüˌro *n*, Lieferstelle *f*, c) Bezirk *m od.* Amt *n* eines A'genten. – *SYN. cf.* means[3]. — **~ busi·ness** *s econ.* **1.** Kommissi'onsgeschäft *n*. – **2.** Agen'tur *f*, Geschäftsbesorgung *f*. – **3.** Fakto'reihandel *m*.

a·gen·da [ə'dʒendə] *s pl* (*meist als sg konstruiert*) **1.** Tagesordnung *f*, zu erledigende Punkte *pl* (*in einer Sitzung*), Verhandlungsgegenstände *pl*. – **2.** *relig.* ('Kirchen)AˌGende *f*. – **3.** *selten* No'tizbuch *n*.

ag·e·ne·si·a [ˌædʒi'niːsiə; -ʃə] → agenesis. — **a·gen·e·sis** [ei'dʒenisis; -nə-] *s med.* Agene'sie *f*, Or'ganschrumpfung *f*.

ag·en·ne·sis [ˌædʒə'niːsis] *s med.* Unfruchtbarkeit *f*, Impotenz *f*.

a·gent ['eidʒənt] **I** *s* **1.** Handelnde(r), Wirkende(r), Urheber(in). – **2.** *biol. chem. med. phys.* Agens *n*, (be)wirkende Kraft *od.* Ursache, Mittel *n*: protective ~ Schutzmittel. – **3.** *mil.* Kampfstoff *m*. – *SYN. cf.* means[3]. – **4.** *econ.* A'gent *m*, Vertreter *m*, Bevollmächtigter *m*, Kommissio'när *m*, Handelsbeauftragter *m*, Makler *m*, Vermittler *m*: power of an ~ Handlungsvollmacht. – **5.** *colloq.* Reisender *m* (*für eine Firma*). – *SYN.* attorney, deputy, factor, proxy. – **6.** *mil.* A'gent *m*, V-Mann *m*. – **II** *adj* **7.** *obs.* handelnd, tätig. – **III** *v/i* **8.** *colloq.* als A'gent auftreten, eine Firma vertreten.

a·gent·ess ['eidʒəntis] *s selten* A'gentin *f*.

'a·gent-'gen·er·al *pl* **'a·gents-'gen·er·al** *s* **1.** Gene'ralaˌgent *m*, -vertreter *m*, Geschäftsführer *m*. – **2.** A~-G~ *Br.* Gene'ralvertreter *m* (*der in London einen Mitgliedsstaat des brit. Empires vertritt*).

a·gen·tial [ei'dʒenʃəl], *auch* **a·gen·ti·val** [ˌeidʒən'taivəl] *adj* **1.** tätig, ak'tiv. – **2.** einen Vertreter *od.* eine Vertretung betreffend, Vertreter...

a·gent pro·vo·ca·teur [a'ʒɑ̃ prɔvɔka'tœːr] *pl* **a·gents pro·vo·ca·teurs** (*Fr.*) *s* Lockspitzel *m*, A'gent *m* provoca'teur.

a·ger·a·tum [ˌædʒə'reitəm] *s bot.* **1.** Leberbalsam *m* (*Gattg Ageratum*). – **2.** (*ein blaublühender*) Wasserdost (*Gattg Eupatorium*).

a·geu·si·a [ə'gjuːsiə; -ʃə] *s med.* Ageu'sie *f*, Geschmacksverlust *m*.

ag·ger ['ædʒər] *s antiq.* Erdwerk *n*, Wall *m*, Schanze *f*, Damm *m*.

Ag·gie ['ægi] *s Am. colloq.* **1.** Landwirtschaftshochschule *f* (*Kurzform für* Agricultural College). – **2.** Stu'dent(in) einer Landwirtschaftshochschule.

ag·glom·er·ate I *v/t* [ə'glɒməˌreit] **1.** zu'sammenballen, an-, aufhäufen, zu einer Masse vereinigen. – **II** *v/i* **2.** sich zu'sammenballen, sich (an)häufen (*auch fig.*). – **III** *s* [-rit; -ˌreit] **3.** Anhäufung *f*, angehäufte Masse. – **4.** *geol.* Agglome'rat *n* (*durch vulkanische Einwirkung vereinigte Trümmer*). – **5.** *phys. tech.* Agglome'rat *n*. – **6.** *tech.* Sinterstoff *m*, -erzeugnis *n*. – **IV** *adj* [-rit; -ˌreit] **7.** zu'sammengeballt, geknäuelt. – 8. *bot.* gehäuft. — **ag·glom·er·at·ed** [əˈglɒməˌreitid] *adj* zuˈsammengeballt, gehäuft: ~ coal Preßkohle. — **ag·glom·er·at·ic** [əˌglɒməˈrætik] *adj geol.* agglomeˈratartig. — **agˌglom·erˈa·tion** *s* 1. Zuˈsammenballung *f*, Anhäufung *f*, Ansammlung *f*. – 2. (wirrer) Haufen, zuˈsammenhängende Masse. — **agˈglom·erˌa·tive** *adj* sich zuˈsammenballend.

ag·glu·ti·nant [əˈgluːtinənt; -tə-] **I** *adj* an-, zuˈsammenleimend, klebend, verbindend. – **II** *s* Klebe-, Bindemittel *n*.

ag·glu·ti·nate I *adj* [əˈgluːtinit; -ˌneit; -tən-] 1. zuˈsammengeklebt, verbunden. – 2. *bot.* angewachsen. – 3. *ling.* aggiutiˈniert (*aus einfachen od. Wurzelwörtern zusammengesetzt*). – **II** *v/t* [-ˌneit] 4. zuˈsammenleimen, -kleben, verbinden. – 5. *biol.* aggiutiˈnieren, zuˈsammenfügen. – 6. *med.* an-, zuˈsammenheilen. – 7. *ling.* aggiutiˈnieren – **III** *v/i* 8. sich zu Leim verbinden.

ag·glu·ti·na·tion [əˌgluːtiˈneiʃən; -tə-] *s* 1. Zuˈsammenleimen *n*, -kleben *n*, -halten *n*. – 2. Zuˈsammengeklebtes *n*, aneinˈanderklebende Masse. – 3. *biol.* Agglutinatiˈon *f*: ~ phenomenon Agglutinationserscheinung, Eiweißklumpung. – 4. *med.* Zuˈsammenheilung *f*. – 5. *ling.* Agglutinatiˈon *f*. — **agˈglu·tiˌna·tive** *adj bes. ling.* agglutiˈnierend: ~ languages.

ag·glu·ti·nin [əˈgluːtinin; -tən-] *s med.* Agglutiˈnin *n* (*organische Substanz zur Zusammenballung der Erreger von bestimmten Infektionskrankheiten*).

ag·glu·tin·o·gen [ˌægluˈtinədʒən] *s med.* Agglutinoˈgen *n* (*agglutinierbarer Stoff der roten Blutkörperchen*).

ag·glu·ti·noid [əˈgluːtiˌnɔid] *s med.* Agglutinoˈid *n*.

ag·gra·da·tion [ˌægrəˈdeiʃən] *s geol.* Aufschüttung *f*, Anschwemmung *f*. — **ag·grade** [əˈgreid] *v/t* zuschütten, ablagern.

ag·gran·dize [ˈægrənˌdaiz; əˈgræn-] *v/t* 1. vergrößern, ausdehnen, erweitern. – 2. die Macht *od.* den Reichtum vergrößern von (*Staaten, Personen*): Venice was ~d by commerce durch Handel wurde Venedig reich u. mächtig. – 3. verherrlichen, ausschmücken, überˈtreiben. – 4. (*j-n*) erheben, erhöhen. – *SYN.* exalt, magnify. — **ag·gran·dize·ment** [əˈgrændizmənt] *s* Vergrößerung *f*, Erweiterung *f*, Zunahme *f*, Vermehrung *f*, Erhöhung *f*, Beförderung *f*.

ag·gra·vate [ˈægrəˌveit] *v/t* 1. erschweren, verschärfen, verschlimmern, ärger machen. – 2. *colloq.* erbittern, aufbringen, ärgern. – 3. *selten* überˈtreiben. – *SYN. cf.* intensify. — **ˈag·graˌvat·ing** *adj* 1. erschwerend, verschärfend, verschlimmernd. – 2. *colloq.* erbitternd, ärgerlich, unangenehm. — **ˌag·graˈva·tion** *s* 1. Erschwerung *f*, Verschlimmerung *f*. – 2. *colloq.* Verärgerung *f*, Ärger *m*. – 3. *jur.* erschwerender ˈUmstand. – 4. *relig.* Rüge *f* (*unter Androhung des Kirchenbannes*).

ag·gre·gate I *adj* [ˈægrigit; -ˌgeit; -rə-] 1. (an)gehäuft, angesammelt, gesamt, zu einer Masse vereint: ~ amount Gesamtbetrag. – 2. *biol. med.* aggreˈgiert, gehäuft, zuˈsammengesetzt, gemengt. – 3. *ling.* Sammel..., kollekˈtiv. – **II** *v/t* [-ˌgeit] 4. zuˈsammen-, anhäufen, ansammeln, zu einer Masse vereinigen, verbinden (to mit). – 5. (to) aufnehmen (in *acc*), (*als Mitglied*) beigesellen (*dat*). – 6. *colloq.* sich belaufen auf, kommen auf (*wenn zusammengezählt*). – **III** *v/i* 7. sich (an)häufen, sich ansammeln. – 8. *tech.* auflagern. – **IV** *s* [-git; -ˌgeit] 9. Anhäufung *f*, Ansammlung *f*, Menge *f*, Masse *f*, Summe *f*: in the ~ alles zusammengerechnet, im ganzen genommen. – 10. *biol.* Aggreˈgat *n*. – 11. *electr. tech.* Gerät *n*, Aggreˈgat *n*, Satz *m* (*von beliebigen Maschinen*). – 12. *geol.* Gehäufe *n*. – *SYN. cf.* sum. — ~ **fruit** *s bot.* Sammelfrucht *f* (*verwachsen aus Teilen, die in der Blüte frei waren*).

ag·gre·ga·tion [ˌægriˈgeiʃən; -rə-] *s* 1. (An)Häufung *f*, Ansammlung *f*, Vereinigung *f*. – 2. *phys.* Aggreˈgat *n*: state of ~ Aggregatzustand. – 3. *biol.* Aggregatiˈon *f*. – 4. *math.* Einklammerung *f*: ~ in parentheses Klammerausdruck. — **ˈag·greˌga·tive** *adj* 1. zuˈsammengenommen, -fassend, gesamt. – 2. *selten* sich zuˈsammenscharend, gesellig. — **ˈag·gre·ga·to·ry** [*Br.* -gətəri; *Am.* -gəˌtɔːri] *adj* zufällig zuˈsammengebracht, zuˈsammengewürfelt.

ag·gress [əˈgres] **I** *v/i* (*meist* on) angreifen (*acc*), ˈherfallen (über *acc*), einen Streit anfangen (mit). – **II** *v/t selten* belästigen, aufdringlich werden gegen.

ag·gres·sion [əˈgreʃən] *s* Angriff *m*, ˈÜberfall *m*, Aggressiˈon *f*, Angreifen *n*. – *SYN.* attack, offence (*Am.* offense), offensive. — **agˈgres·sive** [-siv] *adj* 1. aggresˈsiv, angreifend, angriffslustig, Angriffs... – 2. die Initiaˈtive ergreifend, rührig, unterˈnehmungslustig. – *SYN.* assertive, militant, pushing, self-assertive. — **agˈgres·sive·ness** *s* Angriffslust *f*. — **agˈgres·sor** [-sər] *s* Angreifer *m*, Agˈgressor *m*.

ag·grieve [əˈgriːv] *v/t* betrüben, kränken, quälen, bedrücken. – *SYN. cf.* wrong. — **agˈgrieved** *adj* 1. betrübt, gekränkt. – 2. *jur.* unter einer Schmälerung seiner Rechte leidend, eines Rechtes beraubt.

a·gha *cf.* aga.

a·ghast [*Br.* əˈgɑːst; *Am.* əˈgæ(ː)st] *pred adj* entgeistert, erschreckt, erschrocken, entsetzt (at über *acc*).

ag·ile [*Br.* ˈædʒail; *Am.* -dʒil] *adj* beweglich, flink, gelenkig, lebhaft, behend, hurtig. – *SYN.* brisk, nimble, spry. — **a·gil·i·ty** [əˈdʒiliti; -lə-] *s* Beweglichkeit *f*, Flinkheit *f*, Behendigkeit *f*.

ag·ing [ˈeidʒiŋ] **I** *s* 1. Altern *n*. – 2. *tech.* Aushärtung *f*, Vered(e)lung *f*, Tempern *n*: ~ test Alterungsprobe. – 3. Fiˈxieren *n* (*der Farbe*). – **II** *adj* 4. alternd, altmachend.

ag·i·o [ˈædʒou; -dʒiˌou] *pl* **ˈag·i·os** *s econ.* 1. Agio *n*, Auf-, Wechselgeld *n*, Zuschlag *m*. – 2. *selten* Geldwechsel *m*. — **ag·i·o·tage** [ˈædʒətidʒ] *s* Agioˈtage *f*, Wechselgeschäft *n*, ˈBörsenspekulatiˌon *f*, -spiel *n*.

a·gist [əˈdʒist] **I** *v/t jur.* 1. (*Vieh*) gegen Entschädigung in Weide nehmen. – 2. *Br. selten* besteuern. – **II** *v/i* 3. auf gepachteter Weide grasen. — **aˈgist·ment** *s jur.* 1. Weidenlassen *n*. – 2. Weiderecht *n*. – 3. Weidegeld *n*, Weidevertrag *m*. – 4. Steuer *f* (*von Weidelandbesitzern*). – 5. auf Schutzdeiche erhobene Steuer.

ag·i·tate [ˈædʒiˌteit; -dʒə-] **I** *v/t* 1. hin und her bewegen, in heftige Bewegung versetzen, erschüttern, schütteln, rühren. – 2. *fig.* stören, beunruhigen, aufregen, erregen, aufwiegeln. – 3. (*Pläne*) ausbrüten, planen, erwägen. – 4. erörtern, debatˈtieren, verhandeln. – 5. in Tätigkeit setzen, (*eine Frage*) aufwerfen. – **II** *v/i* 6. agiˈtieren, wühlen, Propaˈganda machen (for für). – *SYN. cf.* a) discompose, b) shake. — **ˈag·iˌtat·ed·ly** *adv* aufgeregt, erregt.

ag·i·ta·tion [ˌædʒiˈteiʃən; -dʒə-] *s* 1. Erschütterung *f*, heftige Bewegung, Schütteln *n*. – 2. Gemütsbewegung *f*, Aufregung *f*, Erregung *f*, Unruhe *f*. – 3. Agitatiˈon *f*, Aufwiegelung *f*. – 4. *obs.* Erwägung *f*.

a·gi·ta·to [adʒiˈtaːto] (*Ital.*) *adv mus.* bewegt, erregt (*Spielanweisung*).

ag·i·ta·tor [ˈædʒiˌteitər; -dʒə-] *s* 1. Agiˈtator *m*, Aufwiegler *m*, Wühler *m*. – 2. A~ *hist.* Solˈdatenvertreter *m* (*in Cromwells Armee*). – 3. *tech.* ˈRührappaˌrat *m*, -arm *m*, -werk *n*. — **ˌag·i·taˈto·ri·al** [-təˈtɔːriəl] *adj* aufwieglerisch, agitaˈtorisch. — **ˌag·iˈta·trix** [-ˈteitriks] *s* Aufwieglerin *f*.

ag·it·prop [ˈædʒitˌprɒp] **I** *adj* Agitprop...: ~ theater (*Br.* theatre) Agitproptheater. – **II** *s* Agitˈpropredner *m*.

a·gleam [əˈgliːm] *adv u. pred adj* glänzend.

ag·let [ˈæglit] *s* 1. Nestel-, Senkel-, Meˈtallstift *m*, Senkelblech *n* (*eines Schnürbandes*), Zierat *m*, *f* (*am Ende von Fransen*), Meˈtallplättchen *n* (*als Besatz*). – 2. *bot.* Blütenkätzchen *n*, hängender Staubbeutel. – 3. Achselschnur *f*, Fangschnur *f* (*an Uniformen*). – 4. Korˈsettschnur *f*. — **ˈ~ˌhead** *s bot.* Sumpfbinse *f* (*Eleocharis palustris*).

a·gley [əˈglai; əˈgliː] *adv bes. Scot. od. dial.* schief, krumm.

a·glim·mer [əˈglimər] *adv u. pred adj* schimmernd.

a·glit·ter [əˈglitər] *adv u. pred adj* glitzernd, strahlend.

ag·lo·bu·li·a [ˌægloˈbjuːliə], **a·glob·u·lism** [eiˈglɒbjuˌlizəm; -bjə-] *s med.* Aglobuˈlie *f* (*Verminderung der roten Blutkörperchen*).

a·glos·sal [əˈglɒsl] *adj* 1. zungenlos. – 2. *zo.* zu den Aˈglossa gehörig.

a·glos·si·a [əˈglɒsiə] *s med.* Aglosˈsie *f*, angeborenes Fehlen der Zunge, Stummheit *f*, Verlust *m* der Sprache.

a·glow [əˈglou] *adv u. pred adj* glühend, errötend, gerötet (with von, vor *dat*).

ag·lu·ti·tion [ˌægluˈtiʃən] *s med.* Schluckbeschwerden *pl*, -unfähigkeit *f*.

ag·mi·nate [ˈægminit; -mə-; -ˌneit], **ˈag·miˌnat·ed** [-ˌneitid] *adj* gehäuft, dicht gedrängt.

ag·nail [ˈægneil] *s* Nied-, Neidnagel *m* (*am Finger*).

ag·name [ˈægˌneim] *s* Bei-, Zuname *m*. — **ˈagˌnamed** *adj* zubenannt, mit Beinamen.

ag·nate [ˈægneit] **I** *s* 1. Aˈgnat *m* (*Verwandter im Mannesstamme od. von väterlicher Seite*). – **II** *adj* 2. aˈgnatisch, väterlicherseits verwandt, von dem gleichen Vorfahren abstammend. – 3. stammverwandt, die gleiche Eigenschaft besitzend.

ag·na·thi·a [ægˈneiθiə] *s zo.* Fehlen *n od.* mangelhafte Entwicklung der Kiefer. — **agˈnath·ic** [-ˈnæθik], **ˈag·na·thous** [-nəθəs] *adj* kieferlos.

ag·nat·ic [ægˈnætik], **agˈnat·i·cal** [-kəl] *adj* aˈgnatisch, väterlicherseits verwandt. — **agˈnat·i·cal·ly** *adv* (*auch zu* agnatic). — **agˈna·tion** [-ˈneiʃən] *s* 1. Agnatiˈon *f* (*Verwandtschaft im Mannesstamme od. von väterlicher Seite*). – 2. Stammverwandtschaft *f*, (Wesens)Verwandtschaft *f*.

Ag·ni [ˈʌgni] *s* 1. *relig.* Agni *m* (*indischer Feuergott*). – 2. a~ Opfer-, Alˈtarfeuer *n*.

ag·nize [ægˈnaiz] *v/t obs.* bekennen, eingestehen, ˈwiedererkennen.

ag·noi·ol·o·gy [ˌægnɔiˈɒlədʒi] *s philos.* Lehre *f* vom Nichtwissen.

ag·no·men [ægˈnoumen; -mən] *pl* **-nom·i·na** [-ˈnɒminə] *s antiq.* Aˈgnomen *n*, Bei-, Zuname *m*.

ag·nom·i·cal [ægˈnɒmikəl; -mə-] *adj* absichtslos, unvorsätzlich.

ag·nom·i·nal [ægˈnɒminl; -mə-] *adj* den Bei- *od.* Zunamen betreffend.

ag·nom·i·na·tion [ægˌnɒmiˈneiʃən; -mə-] *s* 1. Belegung *f* mit einem Beinamen. – 2. Zu-, Beiname *m*. – 3. Alliteratiˈon *f*, Stabreim *m*.

ag·nos·tic [ægˈnɒstik] **I** *s* Aˈgnostiker *m*. – *SYN. cf.* atheist. – **II** *adj* a'gnostisch. — **ag'nos·ti·cal** *adj* 1. a'gnostisch. – 2. *med.* unfähig, vertraute Gegenstände 'wiederzuerkennen. — **ag'nos·ti·cal·ly** *adv* (*auch zu* agnostic). — **ag'nos·ti͵cism** [-͵sizəm] *s* Lehre *f* der A'gnostiker, Agnosti'zismus *m.*

ag·nus cas·tus ['ægnəs 'kæstəs] *s bot.* Keuschbaum *m*, -lamm *n*, Abrahamsstrauch *m* (*Vitex agnus-castus*).

Ag·nus De·i ['ægnəs 'di:ai] (*Lat.*) *s relig.* Agnus Dei *n*: a) *Darstellung des Gotteslammes als Sinnbild Christi*, b) *vom Papst geweihte Wachsmedaille mit dem Bild des Gotteslammes*, c) *Teil der röm.-kath. Messe.*

a·go [ə'gou] *adv u. adj* (*nur nachgestellt*) vor: ten years ~ vor zehn Jahren; long ~ vor langer Zeit.

a·gog [ə'gɒg] *adv u. pred adj* voll(er) Verlangen, gespannt, erpicht (for, about auf *acc*).

a·gog·ic [ə'gɒdʒik] *mus.* **I** *adj* a'gogisch. – **II** *s pl* (*meist als sg konstruiert*) A'gogik *f* (*dynamische Elastizität des Rhythmus*).

a·go·ing [ə'gouiŋ] *adj colloq.* im *od.* in Gang.

ag·om·phi·a·sis [͵ægəm'faiəsis] *s med.* Lockersein *n* der Zähne, Zahnlosigkeit *f.* — **a·gom·phi·ous** [ə'gɒmfiəs] *adj* mit lockeren Zähnen, zahnlos.

a·gone [ə'gɒn] *obs. für* ago.

a·go·ni·a·da [ə͵gouni'ɑ:də], *auch* ~ **bark** *s bot. Rinde von Plumieria lancifolia* (*südamer. Apocynacee*). — **ag·o·ni·a·din** [͵ægo'naiədin] *s chem.* Agonia'din *n* (*Glykosid aus Plumieria lancifolia*).

a·gon·ic [ei'gɒnik] *adj math.* a'gonisch, keinen Winkel bildend: ~ line Agone (*Isogone der Mißweisung 0°*).

ag·o·nist ['ægənist] *s* 1. *antiq.* Ago'nist *m*, Preiskämpfer *m.* – 2. A~ Ago'nistiker *m.* – 3. *med.* zu'sammenziehender (Pri'mär)Muskel. — **͵ag·o'nis·tic**, **͵ag·o'nis·ti·cal** *adj* 1. *antiq.* die Kampfspiele betreffend. – 2. po'lemisch, streitsüchtig. – 3. angestrengt, über'trieben, auf Ef'fekt berechnet.

ag·o·nis·tics [͵ægə'nistiks] *s pl* (*als sg konstruiert*) *antiq.* Ago'nistik *f*, Kampfkunst *f.*

ag·o·nize ['ægə͵naiz] **I** *v/t* 1. quälen, martern. – **II** *v/i* 2. Todespein erdulden, mit dem Tode ringen, in den letzten Zügen liegen. – 3. kämpfen, sich (ab)quälen, verzweifelt ringen.

ag·o·ny ['ægəni] *s* 1. heftiger Schmerz, Marter *f*, Pein *f*, Seelenangst *f*: ~ column *bes. Br. colloq.* Seufzerspalte (*in der Zeitung, in der Verluste etc angezeigt werden*). – 2. A~ Ringen *n* Christi mit dem Tode. – 3. Ago'nie *f*, Todeskampf *m.* – 4. Kampf *m*, Ringen *n.* – 5. heftige Erregung, Verzückung *f.* – *SYN. cf.* distress.

ag·o·ra ['ægərə] *pl* **-rae** [-͵ri:] *s antiq.* Ago'ra *f*: a) Volksversammlung *f*, b) Versammlungsplatz *m*, Markt(platz) *m.*

ag·o·ra·pho·bi·a [͵ægərə'foubiə] *s med.* Agorapho'bie *f*, Platzangst *f.*

a·gou·ti, *auch* **a·gou·ty** [ə'gu:ti] **I** *s pl* **-tis** *od.* **-ties** 1. *zo.* A'guti *n*, Goldhase *m* (*Dasyprocta aguti*). – 2. A'gutifarbe *f.* – **II** *adj* 3. a'gutifarbig.

a·graffe, *auch* **a·grafe** [ə'græf] *s* 1. A'graffe *f*, Spange *f*, Klammer *f.* – 2. Saitenhalter *m* (*am Klavier*). – 3. *arch.* Klammereisen *n.*

a·gram·ma·tism [ə'græmə͵tizəm] *s med.* Agramma'tismus *m*, Unfähigkeit *f* Sätze zu bilden.

a·gran·u·lo·cy·to·sis [ei͵grænjulosai'tousis; -jə-] *s med.* Agranulozy'tose *f* (*Blutkrankheit*).

a·graph·i·a [ei'græfiə] *s med.* Agra'phie *f*, Unfähigkeit *f* zu schreiben. — a'**graph·ic** *adj* schreibunfähig.

a·grar·i·an [ə'grɛ(ə)riən] **I** *adj* 1. a'grarisch, landwirtschaftlich, Agrar..., Acker..., Land... (*bes. Staatsgrundbesitz*). – 2. gleichmäßige Verteilung des Grundbesitzes betreffend. – 3. *bot.* wild wachsend. – **II** *s* 4. Befürworter *m* der gleichmäßigen Verteilung des Grundbesitzes. – 5. *Am.* Befürworter *m* der landwirtschaftlichen Inter'essen. — **a'grar·i·an͵ism** *s* 1. Lehre *f* von der gleichmäßigen Verteilung des Grundbesitzes. – 2. Bewegung *f* zur Förderung der landwirtschaftlichen Inter'essen. — **a'grar·i·an͵ize** *v/t* 1. (*Grundbesitz*) gleichmäßig verteilen. – 2. mit den I'deen des agrarianism erfüllen.

a·gree [ə'gri:] **I** *v/t* 1. zugeben, einräumen. – 2. *econ. selten* in Einklang bringen, abstimmen: to ~ accounts. – **II** *v/i* 3. (to) zustimmen (*dat*), einwilligen (in *acc*), beipflichten (*dat*), sich einverstanden erklären (mit), sich verstehen (zu). – *SYN. cf.* assent. – 4. (on, upon) über'einkommen (in *dat*), einig werden, sich einigen *od.* verständigen (über *acc*), vereinbaren, verabreden (*acc*): as ~d upon wie verabredet; → price 1. – 5. sich vergleichen, sich versöhnen: let us ~ to differ streiten wir nicht länger, wenn wir auch verschiedener Meinung sind. – 6. einig sein, zu'sammenpassen, in Eintracht leben, auskommen, sich vertragen. – *SYN.* coincide, concur. – 7. (with) über'einstimmen (mit), entsprechen (*dat*). – 8. *ling.* über'einstimmen (*in Zahl, Geschlecht etc*). – 9. zuträglich sein, bekommen, zusagen (with *dat*): this food does not ~ with me dieses Essen bekommt mir nicht. – *SYN.* accord, comport, conform, correspond, harmonize, square.

a·gree·a·bil·i·ty [ə͵gri:ə'biliti; -lə-] *s* angenehmes Wesen, Anmut *f*, Reiz *m*, Annehmlichkeit *f.*

a·gree·a·ble [ə'gri:əbl] **I** *adj* 1. angenehm, gefällig, liebenswürdig, ansprechend. – 2. einverstanden (to mit): I am ~ to that mir ist das recht. – 3. über'einstimmend, entsprechend, passend, angemessen, gemäß. – *SYN. cf.* pleasant. – **II** *s meist pl* 4. Annehmlichkeit *f.* — **a'gree·a·ble·ness** → agreeability.

a·greed [ə'gri:d] *adj* 1. einig, im Einklang: they were ~ sie waren sich einig. – 2. abgemacht! einverstanden!

a·gree·ment [ə'gri:mənt] *s* 1. Abkommen *n*, Vereinbarung *f*, Verabredung *f*, Vergleich *m*, Verständigung *f*, Über'einkunft *f*, Vertrag *m*: to come to an ~ eine Verständigung erzielen, sich verständigen; by ~ laut *od.* gemäß Übereinkunft; by mutual ~ in gegenseitigem Einvernehmen; ~ country Verrechnungsland; ~ currency Verrechnungswährung. – 2. Einigkeit *f*, Eintracht *f.* – 3. Über'einstimmung *f*, Einklang *m*, Ähnlichkeit *f*, Verwandtschaft *f*: there is general ~. – 4. *ling.* Über'einstimmung *f*, Kongru'enz *f.* – 5. *jur.* Genehmigung *f*, Zustimmung *f*, Kon'sens *m.*

a·gres·tal [ə'grestl], **a'gres·tial** [-tʃəl] *adj* wild, auf dem Felde wachsend. — **a'gres·tian** [-tʃən] **I** *adj* ländlich, bäuerlich, grob. – **II** *s* Landbewohner *m*, bäuerischer Mensch. — **a'gres·tic** [-tik] *adj* ländlich, bäuerisch, grob.

ag·ri·cul·tur·al [͵ægri'kʌltʃərəl; -tʃur-] *adj* landwirtschaftlich, Ackerbau treibend *od.* betreffend, Landwirtschaft(s)..., Land..., Ackerbau...: ~ labo(u)r Landarbeit; ~ labo(u)rer Landarbeiter; ~ product landwirtschaftliches Erzeugnis; ~ roller *tech.* Ackerwalze. — **͵ag·ri'cul·tur·al·ist** *s* Landwirt *m.* — **'ag·ri͵cul·ture** *s* Landwirtschaft *f*, Ackerbau *m.* — **͵ag·ri'cul·tur·ist** *s* 1. Landwirt *m.* – 2. wissenschaftlich gebildeter Landwirt, Kenner *m* der Landwirtschaft.

ag·ri·mo·ny [*Br.* 'ægriməni; *Am.* -rə͵mouni] *s bot.* Odermennig *m* (*Gattg Agrimonia*), *bes.* Gemeiner Oder- *od.* Ackermennig (*A. eupatoria*).

ag·ri·mo·tor ['ægri͵moutər] *s* landwirtschaftlicher Traktor, Ackerschlepper *m.*

ag·ri·o·log·i·cal [͵ægriə'lɒdʒikəl] *adj* das vergleichende Studium wilder Völker betreffend. — **͵ag·ri'ol·o·gy** [-'ɒlədʒi] *s* vergleichendes Studium wilder Völker.

agro- [ægro] *Wortelement mit der Bedeutung* Feld, Land(wirtschaft), Acker(bau).

ag·ro·bi·ol·o·gy [͵ægrobai'ɒlədʒi] *s* 'Agrobiolo͵gie *f.*

a·gro·dol·ce [͵agro'doltʃe] (*Ital.*) **I** *adj* süßsauer. – **II** *s* Gericht *n* aus süßen u. sauren Bestandteilen.

ag·ro·ge·o·log·i·cal [͵ægro͵dʒi:ə'lɒdʒikəl] *adj* landwirtschaftliche Geolo'gie betreffend. — **͵ag·ro·ge'ol·o·gy** [-dʒi'ɒlədʒi] *s* landwirtschaftliche Geolo'gie.

ag·ro·log·ic [͵ægro'lɒdʒik; -rə-], **͵ag·ro'log·i·cal** [-kəl] *adj* bodenkundlich. — **a·grol·o·gy** [ə'grɒlədʒi] *s* landwirtschaftliche Bodenkunde.

ag·rom ['ægrəm] *s med.* Rauheit *f od.* Aufgerissenheit *f* der Zunge (*in Indien auftretende Krankheit*).

ag·ro·nome ['ægrə͵noum] → agronomist. — **͵ag·ro'nom·ic** [-'nɒmik], **͵ag·ro'nom·i·cal** [-kəl] *adj* landwirtschaftlich, agro'nomisch, ackerbaulich: ~ value Anbauwert, -würdigkeit, Pflanztauglichkeit. — **͵ag·ro'nom·ics** *s pl* (*meist als sg konstruiert*) Ackerbaukunde *f.* — **a·gron·o·mist** [ə'grɒnəmist] *s* Agro'nom *m*, wissenschaftlich gebildeter Landwirt. — **a'gron·o·my** *s* Agrono'mie *f*, Ackerbaukunde *f.*

ag·ros·tog·ra·phy [͵ægrəs'tɒgrəfi] *s bot.* Gräserbeschreibung *f*, -kunde *f.* — **͵ag·ros'tol·o·gy** [-'tɒlədʒi] *s bot.* Agrostolo'gie *f*, Gräserkunde *f.*

ag·ro·tech·ny ['ægro͵tekni; -rə-] *s Zweig der Landwirtschaftslehre, der sich mit der Verwandlung landwirtschaftlicher Produkte in Fertiggüter befaßt.*

a·ground [ə'graund] *adv u. pred adj* 1. gestrandet: to run ~ auf (den) Grund laufen, auflaufen, stranden; to be ~ aufgelaufen sein. – 2. *fig.* in Verlegenheit: to be ~ festgefahren sein.

a·gryp·ni·a [ei'gripniə] *s med.* Schlaflosigkeit *f*, Agryp'nie *f.* — **ag·ryp·not·ic** [͵ægrip'nɒtik] *med.* **I** *adj* schlafhindernd. – **II** *s* schlafhinderndes Mittel.

a·gua ['ɑ:gwɑ:] *s zo.* Aga *f*, Riesenkröte *f* (*Bufo marinus*).

a·guar·dien·te [agwar'djɛnte] (*Span.*) *s Am.* Schnaps *m*, starkes alko'holisches Getränk (*bes. im Südwesten der USA*).

a·gua toad → agua.

a·gue ['eigju:] **I** *s* 1. Fieber *n*, Fieberfrost *m*, Schüttelfrost *m* (*auch fig.*). – 2. *med.* Wechselfieber *n.* – **II** *v/t* 3. *selten* Fieber her'vorrufen bei. — ~ **bark** *s bot.* Rinde *f* des Fieberbaums *Ptelea.* — ~ **cake** *s med.* Milzanschwellung *f* (*durch Malaria*). — ~ **grass** → colicroot. — ~ **tree** → sassafras. — ~ **weed** *s bot.* 1. → boneset. – 2. Nordamer. Enzian *m* (*Gentiana quinquefolia*).

a·gue·y ['eigju:i], **'a·gu·ish** [-iʃ] *adj* 1. fieberhaft, fieb(e)rig. – 2. fiebererzeugend (*Klima*). – 3. zitternd, bebend.

ag·y ['eidʒi] *adj selten* alt, bejahrt.
ag·y·nar·i·ous [ˌædʒi'nɛ(ə)riəs], **'ag·y·nar·y** [*Br.* -nəri; *Am.* -ˌneri] *adj bot.* stempellos.
a·gy·rate [ei'dʒai(ə)reit] *adj bot.* nicht in Quirlen *od.* Kreisen geordnet.
ah [ɑː] *interj* ah! ach! oh! ha! ei!
a·ha [ɑː'hɑː; ə'hɑː] *interj* a'ha! ha'ha!
a·head [ə'hed] *adv u. pred adj* **1.** vorn, nach vorn zu. – **2.** weiter vor, vor'an, vor'aus, vorwärts, einen Vorsprung habend, an der Spitze: **right** ~ geradeaus; → **forge²**; **to be** ~ **of s.o.** j-m voraus sein; **to get** ~ *Am. colloq.* vorwärts kommen, Karriere machen; **to get** ~ **of s.o.** j-n überholen *od.* überflügeln; **to go** ~ vorgehen; **go** ~! *colloq.* mach weiter! geh zu! vorwärts! (geh) los! **full speed** ~ *mar.* volle Kraft *od.* mit Volldampf voraus; **right** ~ *mar.* recht voraus (*Schiffskurs*); ~ **and astern** *tech.* Vor- und Rückwärtsgang.
a·heap [ə'hiːp] *adv* auf einen *od.* einem Haufen, in einem Haufen.
a·hem [ə'hem; (h)m] *interj* hm!
a·hey [ə'hei] *interj* he! heda!
a·hoy [ə'hɔi] **I** *interj* ho! a'hoi! (*Schiffsanruf*). – **II** *v/i* a'hoi rufen.
a·hu [ɑː'huː] *s zo.* 'Kropfantiˌlope *f* (*Gazella subgutturosa*).
a·hue·hue·te [ˌɑːwei'weitei] *s bot.* Monte'zuma-Zyˌpresse *f* (*Taxodium mucronatum*).
a·hull [ə'hʌl] *adv u. adj mar.* vor Topp und Takel, beigedreht.
a·hun·gered [ə'hʌŋgərd], **a'hun·gry** [-gri] *adv u. pred adj* ausgehungert, sehr hungrig.
a·hunt [ə'hʌnt] *adv u. pred adj* jagend, auf der Jagd.
ai ['ɑːi] *s zo.* Ai *n*, Dreizehiges Faultier (*Bradypus tridactylus*).
Aich met·al [aiç], *auch* **Aich's met·al** [aiçs] *s tech.* 'Aichmeˌtall *n*.
aid [eid] **I** *v/t* **1.** unter'stützen, (*j-m*) helfen, beistehen, Beistand leisten, behilflich sein: ~**ing the enemy** Feindbegünstigung. – **2.** fördern: **to** ~ **the digestion**. – **3.** *tech.* steuern. – **II** *v/i* **4.** helfen: **to** ~ **and abet** *jur.* Beihilfe *od.* Vorschub leisten. – *SYN. cf.* **help**. – **III** *s* **5.** Hilfe *f* (**to** für), Hilfeleistung *f* (**in** bei), Unter'stützung *f*, Beistand *m*: **he came to her** ~ er kam ihr zu Hilfe; **they lent** (*od.* **gave**) **their** ~ sie leisteten Hilfe; **by** *od.* **with** (**the**) ~ **of** mit Hilfe von, mittels (*gen*); **in** ~ **of** a) zum Besten (*gen*), zugunsten von (*od. gen*), b) zur Erreichung von (*od. gen*); **an** ~ **to memory** eine Gedächtnisstütze. – **6.** Helfer(in), Gehilfe *m*, Gehilfin *f*, Beistand *m*. – **7.** Hilfsmittel *n*: ~**s and appliances**. – **8.** *meist pl hist.* Geldleistungen *pl* an den König *od.* Lehensherrn. – **9.** *jur.* Rechtshilfe *f*.
aid·ance ['eidəns] *s* Hilfe *f*, Hilfsmittel *n*.
aid·ant ['eidənt] **I** *adj* behilflich, hilfreich. – **II** *s* Helfer *m*, Beistand *m*.
aid-de-camp ['eiddə'kæmp] *pl* **'aids-de-'camp**, **'aid-de-'camp·ship** → aide-de-camp, aide-de-campship.
aide [eid] *s* **1.** *mar. mil.* Adju'tant *m*. – **2.** *pl* 'Hilfspersoˌnal *n*.
aide-de-camp ['eiddə'kɑ̃; *Am. auch* -'kæmp] *pl* **'aides-de-'camp** ['eidz-] *s* Adju'tant *m* (*eines Generals*), 'Flügeladjuˌtant *m*. — **'aide-de-'camp·ship** *s* Adjutan'tur *f*.
aide-mé·moire [ɛdmem'waːr] (*Fr.*) *s sg u. pl* **1.** Gedächtnisstütze *f*, (schriftliche) No'tiz. – **2.** *pol.* Denkschrift *f*, Aide-me'moire *n*.
aid·er ['eider] *s* Helfer *m*, Hilfe *f*, Beistand *m*.
aid·ful ['eidful; -fəl] *adj* hilfreich, helfend.
aid|man *s irr mil.* Sani'täter *m*. — ~**sta·tion** *s mil.* Truppenverbandplatz *m*.
ai·glet ['eiglit] → aglet.
ai·gre·more ['eigərˌmɔːr] *s* Holzkohle *f* (*zur Herstellung von Schießpulver*).
ai·grette ['eigret; ei'gret] *s* **1.** *zo.* → egret 1. – **2.** Federbusch *m* (*aus Reiherfedern*), Kopfschmuck *m* (*aus Federn, Blumen, Edelsteinen etc*). – **3.** *phys.* Funkenbüschel *n*. – **4.** *biol.* Haarkrone *f*.
ai·guille ['eigwiːl; ei'gwiːl] *s* **1.** nadelförmiger Gipfel, Felsnadel *f*. – **2.** (*Bergbau*) Bohrnadel *f*.
ai·guil·lette [ˌeigwi'let] *s* Achselschnur *f*, Fangschnur *f* (*an Uniformen*).
ai·kin·ite ['eikiˌnait] *s min.* Aiki'nit *m*.
ail [eil] **I** *v/t* schmerzen, weh(e) tun (*dat*), anfechten. – *SYN.* **distress**, **trouble**. – **II** *v/i* Schmerzen haben, unwohl *od.* unpäßlich sein. – **III** *s* Unpäßlichkeit *f*, Unwohlsein *n*, (*körperliches od. seelisches*) Unbehagen, Weh *n*, Leiden *n*, Schmerz *m*.
ai·lan·ter·y [ei'læntəri] *s* Hain *m* von Götterbäumen. — **ai'lan·thus** [-θəs] *s bot.* Ai'lanthus *m*, Götterbaum *m* (*Gattg Ailanthus*). — **ai'lan·tine** [-tin] **I** *adj* Ailanthus...: a) *den Götterbaum betreffend*, b) *den Ailanthusspinner betreffend*. – **II** *s* Seide *f* des Ai'lanthusspinners.
ai·ler·on ['eiləˌrɒn] *s aer.* Querruder *n*, -steuer *n*, Ruder *n* (*an den Tragflächenenden eines Flugzeugs*): ~ **angle** Querruderausschlag; ~ **compensation** Querruderausgleich; ~ **deflection** Querruderausschlag.
ai·lette [ei'let] *s* Schulterplatte *f* (*der Rüstung*).
ail·ing ['eiliŋ] *adj* kränklich, leidend, unpäßlich. — **ail·ment** ['eilmənt] *s* Unpäßlichkeit *f*, (*körperliches od. seelisches*) Unbehagen, Weh *n*, Leiden *n*, Schmerz *m*.
ail·weed ['eilˌwiːd] *s bot.* Kleeseide (*Cuscuta trifolii*).
aim [eim] **I** *v/i* **1.** zielen (**at** auf *acc*, nach). – **2.** *fig.* (**at**) beabsichtigen, im Sinn(e) haben (*acc*), ('hin-, ab)zielen (auf *acc*), (**at, for**) bezwecken (*acc*). – **3.** streben, trachten (**at** nach). – **4.** (**at**) 'hinzielen, 'hindeuten, anspielen (auf *acc*). – **II** *v/t* **5.** (*Gewehr etc*) richten, anlegen (**at** auf *acc*), mit (*einem Gewehr etc*) zielen (**at** auf *acc*, nach). – **6.** (*Satire etc*) loslassen, richten (**at** gegen). – **III** *s* **7.** Ziel *n*, Richtung *f*, Zielscheibe *f*: ~ **corrector** *mil.* Zielspiegel; **to take** ~ **at** zielen auf (*acc*) *od.* nach, anschlagen, anvisieren. – **8.** Korn *n* (*am Gewehr*), Vi'sier *n*, Absehen *n*. – **9.** Zweck *m*, Ziel *n*. – **10.** Vorhaben *n*, Absicht *f*. – *SYN. cf.* **intention**. — **'aim·ful** [-fəl; -ful] *adj* zielbewußt.
aim·ing| cir·cle ['eimiŋ] *s* (*Artillerie*) Richtkreis *m*. — ~ **ex·er·cise** *s* Richtübung *f*. — ~ **po·si·tion** *s* Anschlag *m* (*mit dem Gewehr*) — ~ **sil·hou·ette** *s* Kopfscheibe *f*, 'Pappkameˌrad' *m*.
aim·less ['eimlis] *adj* **1.** ohne Ziel. – **2.** zwecklos, ziellos, planlos. — **'aim·less·ness** *s* Ziel-, Planlosigkeit *f*.
'aimˌwor·thi·ness *s* Zielsicherheit *f*.
aî·né [ɛ'ne] (*Fr.*) *adj* älter(er) (*Bezeichnung für den älteren Sohn*). — **aî·née** [ɛ'ne] (*Fr.*) *adj* älter(e) (*Bezeichnung für die ältere Tochter*).
ain·hum ['einhəm] *s med.* Ainhum *m*, Verlust *m* der kleinen Zehen (*trop. Negerkrankheit*).
ain't [eint] *vulg. Kurzform für* **am not, is not, are not, has not, have not.**
air¹ [ɛr] **I** *s* **1.** Luft *f*, Atmo'sphäre *f*: **by** ~ auf dem Luftwege, im *od.* per Flugzeug; → **open** ~; **to beat the** ~ a) in die Luft hauen, b) *fig.* sich erfolglos bemühen; **change of** ~ Luftveränderung; **to take the** ~ a) frische Luft schöpfen, b) *aer.* aufsteigen, starten, c) sich in die Lüfte schwingen (*Vogel*); **to walk** (*od.* **tread**) **on** ~ sich wie im (siebenten) Himmel fühlen; **to give s.o. the** ~ *Am. sl.* j-m den Laufpaß geben, j-n an die (frische) Luft setzen (*j-n hinauswerfen, entlassen*); **to be in the** ~ *fig.* in der Luft liegen; (**quite up**) **in the** ~ (völlig) ungewiß, in der Schwebe; **his plans are still (up) in the** ~ seine Pläne hängen noch (völlig) in der Luft; → **castle** 1. – **2.** Luftströmung *f*, Wind *m*, Luftzug *m*, Lüftchen *n*: ~ **in motion** bewegte Luft. – **3.** luftförmiger Körper, Gas *n*. – **4.** *obs.* Duft *m*, Dunst *m*. – **5.** (*Bergbau*) Wetter *n*: **foul** ~ schlagende Wetter. – **6.** Art *f*, Stil *m*. – **7.** Miene *f*, Gebärde *f*, Äußeres *n*, Schein *m*, Anschein *m*. – **8.** Auftreten *n*, Gebaren *n*, Al'lüre *f*, Getue *n*, Air *n*: **noble** ~ edler Anstand, Würde; **to put on** ~**s**, **to give oneself** ~**s** sich zieren, vornehm tun. – *SYN. cf.* **pose**. – **9.** Gang *m*, Gangart *f* (*eines Pferdes*). – **10.** (*Radio*) Äther *m*: **on the** ~ durch *od.* im Rundfunk; **to be on the** ~ senden (*Rundfunksender*), gesendet werden (*Rundfunkprogramm*); **to go on the** ~ die Sendung beginnen; **to go off the** ~ die Sendung beend(ig)en; **to put on the** ~ (*Musik etc*) im Rundfunk senden, übertragen, (*Nachricht etc*) durch Rundfunk verbreiten, im Rundfunk für (*etwas*) werben. –
II *v/t* **11.** an die Luft bringen, der Luft aussetzen, lüften, venti'lieren. – **12.** Luft einlassen in (*acc*). – **13.** (*Getränke*) abkühlen, verschlagen lassen. – **14.** (*Wäsche*) trocknen, zum Trocknen aufhängen. – **15.** an die Öffentlichkeit bringen, öffentlich besprechen, zur Schau tragen: **to** ~ **one's views** seine Ansichten bekanntgeben. – **16.** *Am. colloq.* senden, über den Rundfunk verbreiten. – *SYN. cf.* **express**. –
III *v/i* **17.** frische Luft schöpfen, sich erfrischen. –
IV *adj* **18.** pneu'matisch, Luft...
air² [ɛr] *s mus.* **1.** Lied *n*, Melo'die *f*, Weise *f*. – **2.** Melo'diestimme *f*. – **3.** Air *n* (*Tanzstück od. -satz*). – **4.** Arie *f*.
air| ad·mis·sion *s tech.* Luftzutritt *m*: ~ **port** Lufteinlaßschlitz. — ~ **ag·i·ta·tion** *s aer.* Böigkeit *f*. — ~ **a·lert** *s* **1.** 'Flieger-, 'Luftaˌlarm *m*. – **2.** (*Luftwaffe*) A'larmbereitschaft *f*: ~ **mission** Bereitschaftsauftrag, -einsatz. — ~ **arm** *s aer. Br.* Luftstreitkräfte *pl*. — ~ **at·tack** *s* Luft-, Fliegerangriff *m*. — ~ **bar·rage** *s aer.* Luftsperre *f*. — ~ **base** *s aer.* Luftstützpunkt *m*. — ~ **bath** *s* Luftbad(en) *n*. — ~ **bea·con** *s aer.* Leuchtfeuer *n*. — ~ **bed** *s bes. Br.* 'Luftmaˌtratze *f*. — ~ **bell** *s* Luftblase *f*. — ~ **bends** → aeroembolism. — ~ **blad·der** *s* **1.** *zo.* Schwimmblase *f* (*der Fische*). – **2.** Luftblase *f*. — ~ **blast** *s tech.* Gebläse *n*: ~ **transformer** luftgekühlter Transformator. — '~ˌ**borne** *adj* **1.** a) *mil.* Luftlande..., b) durch die Luft getragen, im Flugzeug befördert *od.* eingebaut, Bord...: ~ **troops** Luftlandetruppen; ~ **transmitter** Bordsender - **2.** in der Luft befindlich, aufgestiegen: **the squadron is** ~. — ~ **bot·tle** *s tech.* (Preß-)Luftflasche *f*. — '~ˌ**bound** *adj* durch Luft verstopft. — ~ **brake** *s* **1.** *tech.* Luft(druck)-, Vakuumbremse *f*. – **2.** *aer.* Bremsklappe *f*, Luftbremse *f*: ~ **parachute** Landefallschirm. — ~ **brick** *s tech.* Loch-, Luftziegel *m*, Ventilati'onsstein *m*. — ~ **bridge** *s* **1.** *tech.* Luftbrücke *f* (*im Flammenofen*). – **2.** *aer.* Luftbrücke *f* (*durch Lufttransport*). — '~ˌ**brush** *s tech.* Farbzerstäubungsbürste *f*, 'Spritzpiˌstole *f*. — ~ **bub·ble** *s* Luftblase *f*. — ~ **buff·er** *s tech.* Luftpuffer *m*. — ~ **bump** *s aer.* Bö *f*, aufsteigender Luftstrom, Stelle *f* verdichteter Luft.

— ~ bump·er s tech. Luftpolster n, -puffer m. — ~ burst s mil. Luftsprengpunkt m, 'Luftdetonatiˌon f (einer Atomwaffe). — ~ car·riage s aer. Luftbeförderung f. — ~ cas·ing s tech. Luftmantel m (um eine Röhre). — '~ˌcast → broadcast 7 u. 8. — ~ cas·tle s Luftschloß n. — ~ cell s 1. zo. Luftsack m (bei Vögeln). – 2. aer. Luftsack m (Teil eines Fesselballons). – 3. tech. Luftspeicher m: ~ engine Luftspeicher-Dieselmotor. — ~ cham·ber s 1. biol. Luftkammer f. – 2. tech. Luftkasten m, -kammer f, -behälter m, Windkessel m, -kammer f. — ~ chief mar·shal s Br. Gene'ral m der Luftwaffe. — ~ chuck s tech. Preßluftfutter n. — ~ cir·cu·la·tion s tech. 'Luftˌumlauf m. — ~ clean·er s tech. Luftreiniger m, -filter m. — ~ clutch·ing s tech. Preßluftsteuerung f. — ~ coach s Passa'gierflugzeug n der Tou'ristenklasse. — ~ cock s tech. Luft-, Entlüftungshahn m. — ~ com·pres·sor s tech. Luftverdichter m, Preßlufterzeuger m. — ~ con·dens·er s tech. 'Luftverdichter m, -kondenˌsator m. — '~-con'di·tion v/t tech. mit Klimaanlage versehen, klimati'sieren. — ~ con·di·tion·ing s tech. Luftreinigung f, Luftzurichtung f, Klimati'sierung f: ~ plant, ~ installation Klimaanlage. — '~-con'tain·ing adj biol. luftführend. — ~ con·trols s pl tech. Preßluftsteuerung f, -schalter m. — '~-ˌcool v/t durch Luft kühlen. — '~-ˌcooled adj luftgekühlt: ~ steel windgefrischter Stahl. — '~-ˌcool·ing s Luftkühlung f. — ~ core s tech. Luftkern m: ~ coil electr. Luftspule. — ~ corps s mil. 1. Fliegerkorps n. – 2. A~ C~ Am. hist. Luftstreitkräfte pl des Heeres. — ~ cor·ri·dor s aer. Luftkorridor m, Einflugschneise f. — ~ cov·er s aer. Luftsicherung f.

'airˌcraft s aer. 1. Flugzeug n. – 2. allg. Luftfahrzeug n (Luftschiff, Ballon etc). – 3. collect. a) Flugzeuge pl, b) Luftfahrzeuge pl. — ~ car·ri·er s Flugzeugträger m. — ~ en·gine s Flugmotor m. — '~·man [-mən] s irr Br. Flieger m (niedrigster Dienstgrad beim brit. Luftwaffen-Bodenpersonal): ~ second class Flieger; ~ first class (Flieger)Gefreiter. — ~ ra·di·o s aer. Bordfunkgerät n, Flugfunk m. — ~ ra·di·o room s 'Bord(ˌfunk)statiˌon f. — ~ shed s kleine Flugzeughalle, Flugzeugschuppen m. — ~ wir·ing sys·tem s aer. Bordnetz n.

'air|ˌcrew s aer. Flugzeugbesatzung f, fliegendes Perso'nal. — '~-ˌcure v/t tech. (Tabak etc) einer Luftbehandlung aussetzen. — '~-ˌcur·rent s Luftstrom m, -strömung f. — ~ cush·ion s 1. Luftkissen n, -polster n. – 2. tech. Luftkammer f, Luftkasten m. — ~ cyl·in·der s tech. 1. Luftpuffer m (zur Abschwächung des Rückstoßes). – 2. Luftbehälter m, 'Luftzyˌlinder m. — ~ damp·ing s tech. Luftdämpfung f, -federung f. — ~ de·fence, Am. ~ de·fense s mil. Luft-, Flugabwehr f, Luftverteidigung f. — ~ de·pres·sion s tech. ('Luft)ˌUnterdruck m. — ~ dis·play s aer. Flugschau f, -vorführung f. — ~ drain s 1. Luftloch n (an Öfen). – 2. tech. 'Luftkaˌnal m (um die Grundmauern eines Gebäudes). — '~-ˌdrawn adj 1. in die Luft gezeichnet. – 2. fig. eingebildet, imagi'när. — '~ˌdrome s aer. Flughafen m, -platz m. — '~ˌdrop I s Abwurf m (mit Fallschirm) vom Flugzeug. – II v/t (mit Fallschirm) abwerfen. — '~-ˌdry I adj lufttrocken. – II v/t an der Luft od. durch Luft trocknen: air-dried luftgetrocknet, -trokken. — ~ duct s tech. 'Luft(ˌzuführungs)kaˌnal m, Luftschlauch m, Lutte f.

Aire·dale ['ɛrˌdeil] s zo. Airedale m (Hunderasse).

air| ed·dy s aer. Luftstrudel m, -wirbel m. — ~ feed s aer. Luftversorgung f. — '~ˌfield s aer. Flugplatz m, -hafen m, (Luftwaffe) Horst m. — ~ fil·ter s tech. Luftfilter n, -reiniger m. — ~ flap s tech. Luftklappe f. — '~ˌflow s aer. Luftstrom m. — '~ˌfoil s aer. Tragfläche f, -flügel m: ~ section Tragflächenprofil. — ~ force s aer. 1. Luftwaffe f, Luftstreitkräfte pl, Luftflotte f (als Verband). – 2. A~ F~ a) (die brit.) Luftwaffe (Kurzform für Royal Air Force), b) (die amer.) Luftwaffe (Kurzform für United States Air Force). — ~ frame s aer. Flugwerk n, (Flugzeug)Zelle f. — '~ˌfreight s Luftfracht f. — ~ fresh·en·er s Luftreiniger m. — ~ gap s tech. Luftspalt m, lufterfüllter Abstand. — ~ gas s aer. Luftgas n. — ~ gate s tech. Wettertür f, Schütz n. — '~ˌgraph I s 1. Luftpostbeförderung von Briefen, die auf einem Mikrofilm aufgenommen worden sind. – 2. photogra'phierter Luftpostbrief. – II v/t 3. durch Luftpost in photogra'phierter Form befördern. — '~-'ground adj aer. Bord zu Boden, Bord-Boden-...: ~ communication. — ~ gun s tech. Luftgewehr n. — '~ˌhead s 1. mil. Luftlandekopf m. – 2. tech. Wetterstrecke f. — ~ hole s 1. Luftloch n, Zugloch n, Windfang m, -pfeife f. – 2. tech. Gußblase f. – 3. aer. Fallbö f, Luftloch n (Stelle niedrigerer Luftdichte). – 4. offene Stelle in einer vereisten Wasserfläche.

air·i·ly ['ɛ(ə)rili; -rə-] adv 1. leichten Sinns, leichten Gemüts, leichtfertig, locker. – 2. affek'tiert, hochtrabend. — 'air·i·ness s 1. Luftigkeit f, Luftiges n, luftige Lage. – 2. Zierlichkeit f, Leichtigkeit f, Zartheit f. – 3. Lebhaftigkeit f, Munterkeit f. — 'air·ing s 1. Lüftung f, Belüftung f, Trocknen n: ~ plant Ent-, Belüftungsanlage. – 2. Spa'ziergang m, -ritt m, -fahrt f: to take an ~ frische Luft schöpfen; to give an ~ to (Kinder) ausführen, (Pferde) bewegen. – 3. Bekanntmachung f, Zur'schaustellen n.

air| in·jec·tion s tech. Drucklufteinspritzung f. — ~ in·let s tech. Lufteintritt m, -zutritt m, -einlaß m. — ~ in·take s aer. Lufteintritt m.

air·ish ['ɛ(ə)riʃ] adj Am. dial. luftig, kühl, frisch.

air| jack·et s 1. Schwimmweste f. – 2. tech. Luft(kühl)mantel m. — ~ jet s tech. Luftstrahl m, -düse f. — ~ lane s aer. Luftstraße f.

air·less ['ɛrlis] adj 1. luftlos. – 2. stickig, dumpf. – 3. still, regungslos.

air| let·ter s 1. Luftpostbrief m. – 2. Am. Luftpostleichtbrief m. — ~ lev·el s tech. Li'belle f, Setzwaage f. — '~ˌlift aer. I s Luftbrücke f, Beförderung f od. Versorgung f auf dem Luftwege. – II v/t (Güter etc) auf dem Luftwege transpor'tieren. — ~ lift cf. airlift I. — '~ˌline cf. air line 2. — ~ line s 1. bes. Am. Luftlinie f (kürzeste Entfernung zwischen 2 Orten). – 2. Luftverkehrslinie f, Luftverkehrsgesellschaft f. — '~-ˌline adj schnurgerade. — ~ lin·er s aer. Verkehrsflugzeug n. — ~ lock s tech. 1. pneu'matische Schleuse, Gasschleuse f, 'Luftvenˌtil n (im Senkkasten). – 2. Druckstauung f. — ~ mail s Luftpost f: by (od. per) ~ mit od. per Luftpost. — '~·man [-mən] s irr Flieger m (in der Luftwaffe der USA): basic ~ Flieger; ~ third class Gefreiter; ~ second class Obergefreiter; ~ first class Unteroffizier. — '~ˌmark v/t (Stadt) mit 'Bodenmarˌkierung versehen (für Flugzeuge). — ~ mar·shal s aer. Br. Gene'ralleutnant m der Luftwaffe. — ~ mass s Luftmasse f. — ~ me·chan·ic s 'Bordmonˌteur m. —'~-ˌmind·ed adj luft(fahrt)begeistert, am Flugzeugwesen interes'siert. — '~-ˌmind·ed·ness s Flugbegeisterung f. — A~ Min·is·try s Br. (bis 1964) 'Luftwaffenminiˌsterium n. — ~ nav·i·ga·tion s 'Flugnavigatiˌon f, Luftfahrt f. — ~ noz·zle s tech. Luftdüse f. — '~-ˌop·er·at·ed adj tech. preßluftbetätigt. — ~ out·let s tech. Luftauslaß m. — '~ˌpark s Kleinflughafen m. — ~ pas·sage s 1. biol. med. Luft-, Atemweg m. – 2. tech. Luftschlitz m. — ~ pas·sen·ger s Fluggast m. — ~ pho·to s Luftbild n. — '~ˌplane s bes. Am. Flugzeug n. — '~ˌplane car·ri·er → aircraft carrier. — ~ plant s bot. 1. Luftpflanze f (Gegensatz: Wasserpflanze). – 2. Brutblatt n (Bryophyllum calycinum). — ~ plot s aer. Aufzeichnung f von Kurs u. Entfernung. — ~ pock·et s 1. aer. Fallbö f, Luftloch n, -sack m (Stelle niedrigerer Luftdichte). – 2. tech. Luftblase f (in Gußstücken), Lunker m. — ~ pol·lu·tion s Luftverunreinigung f. — '~ˌport s aer. Flughafen m, -platz m: ~ of departure Abflughafen. — ~ post s Luftpost f. — '~-ˌpost·er tow·ing s Re'klameschlepp m. — ~ po·ta·to s bot. Yamsbohne f (Dioscorea bulbifera). — ~ pres·sure s tech. Luft-, Atmo'sphärendruck m: ~ brake Luftdruckbremse; ~ ga(u)ge Luftdruckmesser; ~ line Druckluftleitung; ~ valve Preßluftventil. — '~ˌproof I adj luftdicht, -beständig, von der Luft nicht angreifbar. – II v/t luftdicht machen, vor Einflüssen der Luft schützen. — ~ pump s tech. Luftpumpe f. — ~ raft s Schlauchboot n. — ~ raid s Luftangriff m. — ~ raid·er s angreifendes (feindliches) Flugzeug.

'air-ˌraid| pre·cau·tions s pl Luftschutz m. — ~ shel·ter s Luftschutzraum m, -keller m, (Luftschutz)-Bunker m. — ~ ward·en s Luftschutzwart m. — ~ warn·ing s Luftwarnung f, 'Fliegeraˌlarm m.

air| ram s tech. 'Preßluftzyˌlinder m. — ~ re·sist·ance s biol. 'Luftbeständigkeit f, -ˌwiderstand m. — ~ ri·fle s tech. Luft(druck)gewehr n. — ~ route s Luftstrecke f. — ~ sac s biol. Luftsack m. — ~ scoop s tech. Luft(ansauge)stutzen m, Luftsackmaul n, Lufthutze f. — ~ scout s Luftspäher m. — '~ˌscrew s Br. Luftschraube f, 'Flugzeugproˌpeller m. — '~-ˌsea·soned adj tech. lufttrocken. — '~-ˌseed v/t aus der Luft besäen. — ~ shaft s tech. Luft-, Wind-, Wetterschacht m. — '~ˌship s Luftschiff n. — '~ˌsick adj luftkrank. — '~-ˌslake v/t (Kalk) durch feuchte Luft löschen. — ~ sleeve, ~ sock s aer. Luftsack m. — ~ sound·ing s phys. Schall(höhen)messung f. — '~ˌspace s Luftraum m. — ~ speed s aer. (Flug)Eigengeschwindigkeit f: ~ indicator Fahrtmesser. — '~-ˌspray adj tech. Spritz(gebläse)... — ~ staff s mil. Gene'ralstab m der Luftwaffe. — '~ˌstrip s aer. 1. Behelfsflugplatz m. – 2. Start- u. Landestreifen m. — ~ sup·ply s tech. Luftzufuhr f, -zutritt m, -versorgung f. — ~ switch s electr. Luftschalter m (mit luftgetrennten Kontakten). — ~ tee s aer. Landekreuz n. — ~ ter·mi·nal s aer. 1. Großflughafen m. – 2. Flughafenabfertigungsgebäude n. — '~'tight adj 1. luftdicht, her'metisch, unter Luftabschluß. – 2. fig. unangreifbar, dem Gegner keine Möglichkeit zum Angriff gebend: an ~ case ein todsicherer Fall. — ~ time s (Radio) Sendezeit f. — '~-to-'air gun·ner·y s mil. Luftzielbeschuß m, Luftkampf m. — '~-to-'air mis·sile s Luftkampf-Flugkörper m. — '~-to-'ground at·tack s Bord-Boden-Angriff *m.* — ˈ~-to-ˈ**ground ra·di·o** *s aer.* Bord-Boden-(Funk)Verkehr *m.* — ~ **train** *s aer.* Luftschleppzug *m.* — ~ **troops** *s pl* Luftlandetruppen *pl.* — ~ **tube** *s* **1.** *tech.* Luftschlauch *m*, -reifen *m.* – **2.** *med.* Luftröhre *f.* — ~ **valve** *s tech.* ˈLuftvenˌtil *n*, -klappe *f.* — ~ **vent** *s tech.* Entlüftungs-, Belüftungsrohr *n*, ˈAuslaßvenˌtil *n.* — ~ **ves·i·cle** *s zo.* Luftblase *f*, -gefäß *n*, -röhre *f.* — ˈ~-ˌ**void** *adj phys. tech.* luftleer: ~ **interstellar space** luftleerer Weltenraum. — ˈ~ˌ**way** *s* **1.** *(Bergbau)* Wetterstrecke *f.* – **2.** *aer.* Luftstraße *f.* – **3.** *electr.* a) Luftstrecke *f*, b) Kaˈnal *m*, Freˈquenzband *n.* — ~ **well** *s tech.* Luft-, Wetterschacht *m.* — ˈ~ˌ**wom·an** *s irr* Fliegerin *f.* — ˈ~ˌ**wor·thi·ness** *s aer.* Flugfähigkeit *f*, Lufttüchtigkeit *f.* — ˈ~ˌ**wor·thy** *adj aer.* flugfähig, lufttüchtig.

air·y [ˈɛ(ə)ri] *adj* **1.** aus Luft bestehend, die Luft betreffend, Luft... – **2.** luftig, hoch. – **3.** luftähnlich, leicht. – **4.** *fig.* äˈtherisch, zart, dünn, stofflos, ˈdurchsichtig. – **5.** lebhaft, leichten Sinnes, leichtfertig. – **6.** eitel, nichtig, leer, hohl. – **7.** *sl.* hochtrabend, affekˈtiert.

aisle [ail] *s* **1.** *arch.* Seitenschiff *n*, -chor *m (einer Kirche)*. – **2.** Schiff *n*, Halle *f*, Abˈteilung *f (einer Kirche od. eines größeren Gebäudes)*. – **3.** Gang *m (zwischen Sitzbänken, Ladentischen od. im Zug)*. – **4.** *fig.* Schneise *f*, Weg *m* zwischen Bäumen. — ˈ~ˌ**sit·ter** *s Am. colloq.* Schauspiel-, Theˈaterkritiker *m.*

ait [eit] *s Br.* Werder *m*, kleine Insel *(in einem Fluß od. einem See)*.

aitch [eitʃ] **I** *s* H *n*, h *n (Buchstabe)*. – **II** *adj* H-..., H-förmig.

ˈ**aitch**ˌ**bone** *s* **1.** Lendenknochen *m.* – **2.** Lendenstück *n (vom Rind)*.

a·jar[1] [əˈdʒɑːr] *adv u. pred adj* halb offen, angelehnt *(Tür etc)*.

a·jar[2] [əˈdʒɑːr] *adv u. pred adj fig.* in Zwiespalt.

a·jog [əˈdʒɒg] *adj* im langsamen Schaukeltrab *od.* im Paß (reitend).

a·joint [əˈdʒɔint] *adj selten* **1.** auf einem Zapfen, im Gelenk. – **2.** gelenkig.

à jour [aˈʒuːr] *(Fr.) adj* à jour, durchˈbrochen *(Stickerei etc)*.

aj·u·tage *cf.* adjutage.

a·jut·ment [əˈdʒʌtmənt] *s selten* Vorsprung *m*, vorspringender Teil.

a·ka·a·ka·i [ɑːˌkɑːɑːˈkɑːi] *(Hawaiian) s bot.* Teichbinse *f (Scirpus lacustris)*.

a·ka·la [ɑːˈkɑːlɑː] *s bot. (eine)* Brombeere *(Rubus macraei; Hawaii)*.

a·ka·mat·su [ˌɑːkɑːˈmɑːtsu] *s bot.* Jap. Rotkiefer *f (Pinus densiflora)*.

a·ka·ro·a [ˌɑːkəˈrouə] → **ribbon tree.**

a·ke·a·ke [ˈɑːkeiˌɑːkei] *s bot.* **1.** *ein trop. Sapindaceenstrauch (Dodonaea viscosa)*. – **2.** *(eine)* Oleˈarie *(Olearia avicenniaefolia u. O. traversii; neuseeländische Komposite)*.

a·ke·bi [ˈɑːkeiˌbiː] *s bot.* Fingerwinde *f (Akebia quinata)*.

ak·ee [ˈækiː; æˈkiː] *s bot.* Aki-Baum *m (Blighia sapida)*.

a·ke·ki [ˈɑːkeiˌkiː] *s bot.* Hiba *f (Thujopsis dolabrata; Japan)*.

A·kel·da·ma [əˈkeldəmə] → Acel-dama.

a·ke·ley [əˈkiːli] *s bot. (eine)* Akeˈlei *(Gattg Aquilegia)*.

a·kene *cf.* achene.

a·ke·pi·ro [ˌɑːkeiˈpiːrou] *s bot. (eine)* Oleˈarie *(Olearia furfuracea)*.

a·kim·bo, *Br.* **a-kim·bo** [əˈkimbou] *adv u. pred adj* in die Seite gestemmt: **to stand with arms ~** mit in die Seite gestemmten Armen dastehen.

a·kin [əˈkin] *pred adj* **1.** (bluts)verwandt (to mit). – **2.** *fig.* (eng)verwandt, (völlig) entsprechend (to *dat*). – *SYN. cf.* **similar.**

ak·i·ne·si·a [ˌækiˈniːsiə] *s med.* Akineˈsie *f*, Bewegungsarmut *f.*

Ak·kad [ˈækæd; ˈɑːkɑːd] **I** *npr* Akkad *n.* – **II** *adj* akˈkadisch *(die semitische Bevölkerung Mesopotamiens betreffend)*.

Ak·ka·di·an [əˈkeidiən; əˈkɑː-] **I** *s* **1.** *ling.* Akˈkadisch *n*, das Akkadische. – **2.** Akˈkadier(in). – **II** *adj* **3.** akˈkadisch.

a·kon·ge [əˈkɒŋgei] *s bot. eine trop. Tiliacee (Triumfetta semitriloba)*.

ak·ro·chor·dite [ˌækroˈkɔːrdait] *s min.* Akrochorˈdit *m.*

a·ku [ˈɑːkuː] *s zo.* Thunfisch *m (Euthynnus vagans)*.

a·ku·le [ɑːˈkuːlei] *s zo.* ˈKönigsmaˌkrele *f (Trachurops brachychira)*.

a·la [ˈeilə] *pl* ˈ**a·lae** [-liː] *s* **1.** *biol.* Flügel *m*, flügelartiger Teil. – **2.** *bot.* Flügel *m (schmale, hohe Auswüchse, an allerlei Pflanzenteilen)*. – **3.** *antiq.* Ala *f*: a) Flügel *m* einer Arˈmee, b) *arch.* Flügel *m od.* Seitenteil *m* eines Gebäudes *od.* Raumes.

à la [a la; ɑː lɑː; ɑː lə] *(Fr.)* à la, nach ... Art, wie: ~ **jardinière** (nach) Gärtnerinnen Art.

al·a·bam·ine [ˌæləˈbæmiːn; -in] *s chem.* Alabaˈmin *n* (Ab *od.* Am).

al·a·ban·dine [ˌæləˈbændin] → alabandite.

al·a·ban·dite [ˌæləˈbændait] *s min.* Manˈganblende *f*, Alabanˈdin *n* (MnS).

al·a·bas·ter [ˈæləˌbæ(ː)stər; -ˌbɑː-] **I** *s* **1.** *min.* Alaˈbaster *m.* – **2.** Gegenstand *m* aus Alaˈbaster. – **3.** Alaˈbasterfarbe *f.* – **II** *adj* **4.** alaˈbastern, alaˈbasterweiß, Alabaster... — ˌ**a·laˈbas·tri·an** [-triən], ˌ**a·laˈbas·trine** [-trin] → alabaster II.

al·a·bas·trum [ˌæləˈbæstrəm] *pl* **-tra** [-ə] *s* **1.** *antiq.* Salbenbüchse *f* aus Alaˈbaster. – **2.** *bot.* Blütenknospe *f.*

à la carte [a la karte; ɑː lɑː ˈkɑːrt; ɑː lə] à la carte, nach der (Speise)Karte.

a·lack [əˈlæk], **a·lack·a·day** [əˈlækəˈdei] *interj obs.* ach! o weh!

al·a·cre·a·tin(e) [ˌæləˈkriːəˌtiːn; -tin] *s chem.* Alakreaˈtin *n* ($C_4H_9O_2N_3$).

a·lac·ri·fy [əˈlækriˌfai; -rə-] *v/t selten* anregen, anstacheln.

a·lac·ri·tous [əˈlækritəs; -rə-] *adj* munter. — **aˈlac·ri·ty** *s* **1.** Heiterkeit *f*, Munterkeit *f.* – **2.** Bereitwilligkeit *f*, Eifer *m.* – *SYN. cf.* **celerity.**

A·lad·din's lamp [əˈlædinz] *s* **1.** Aladdins Wunderlampe *f (aus „1001 Nacht")*. – **2.** *fig.* wunderwirkender Talisman.

à la fran·çaise [a la frɑ̃ˈsɛːz] *(Fr.)* auf franˈzösische Art.

al·a·ite [ˈæləˌait] *s min.* Alaˈit *m* ($V_2O_5H_2O$).

à la king [ɑː lɑː ˈkiŋ; ɑː lə] mit Jaˈmaikapfeffer zubereitet: **chicken ~.**

a·la·li·a [əˈleiliə] *s med.* Alaˈlie *f*, Apheˈmie *f*, Sprachlosigkeit *f.*

al·a·lite [ˈæləˌlait] *s min.* Alaˈlit *m*, Diopˈsid *m* [$CaMg(Si_2O_6)$].

al·a·lus [ˈæləlas] *pl* **-li** [-ˌlai] *od.* **-loi** [-ˌlɔi] *s (sprachloser)* Affenmensch *(Zwischenstufe vom Affen zum Menschen; hypothetisch)*.

al·a·me·da [ˌæləˈmeidə] *s Am.* Promeˈnade *f*, ˈPappelalˌlee *f (bes. im Südwesten der USA)*.

al·a·mo [ˈæləˌmou; ˈɑː-] *pl* **-mos** *s bot. Am. dial.* Pappel *f (Gattg Populus)*.

a·la·mode [ˌæləˈmoud], *auch* **à la mode** [ɑː lɑː ˈmoud; ɑː lə] **I** *adj* **1.** à la mode, modisch, der Mode entsprechend. – **2.** gespickt, geschmort und mit Gemüse zubereitet *(Rindfleisch)*. – **3.** *Br.* gepreßt: ~ **beef** gepreßtes Rindfleisch. – **4.** *Am.* mit einer Portiˈon Speiseeis darˈauf: **cake ~.** – **II** *s* **5.** dünner, glänzender Seidenstoff. – **6.** *Br.* gepreßtes Rindfleisch.

à la mort [a la ˈmɔːr] *(Fr.)* **I** *adj* **1.** halb tot. – **2.** melanˈcholisch, niedergeschlagen. – **II** *adv* **3.** tödlich.

à la New·burg [ɑː lɑː ˈnjuːbəːrg; ɑː lə; *Am. auch* ˈnuː-] in einer Sauce aus Sahne, Eidotter, Butter und Wein serˈviert *(z.B. Hummer)*.

à l'an·glaise [a lɑ̃ˈglɛːz] *(Fr.)* auf englische Art.

al·a·nin(e) [ˈæləˌniːn; -nin] *s chem.* Alaˈnin *n* ($CH_3CH(NH_2)CO_2H$).

a·lan·to·lac·tone [əˌlæntoˈlæktoun] *s chem.* Alantoˈlakton *n* ($C_{15}H_{20}O_2$).

al·a·nyl [ˈælənil] *s chem.* Alaˈnyl *n.*

a·lar [ˈeilər] *adj* **1.** geflügelt, flügelartig, -förmig, Flügel...: ~ **cartilage** *biol.* Flügelknorpel; ~ **foramen** *biol.* Flügelloch. – **2.** *zo.* Schulter...

a·larm [əˈlɑːrm] **I** *s* **1.** Aˈlarm *m*: **to sound the ~** Alarm schlagen *od.* blasen. – **2.** Warnung *f*, Warnruf *m.* – **3.** Wecker *m*, Läutewerk *n (einer Uhr)*, Aˈlarmvorrichtung *f*, -gerät *n.* – **4.** *(plötzlicher)* Angriff, ˈÜberfall *m*, Aufruhr *m.* – **5.** Angst *f*, Furcht *f*, Bestürzung *f.* – *SYN. cf.* **fear.** – **II** *v/t* **6.** alarˈmieren, warnen. – **7.** beunruhigen, erschrekken (at über *acc*, by durch): **you need not be ~ed** Sie brauchen sich nicht zu ängstigen. – **III** *v/i* **8.** Lärm schlagen, wie eine Aˈlarmglocke tönen. — ~ **bell** *s* Aˈlarm-, Sturmglocke *f.* — ~ **bird** *s zo.* Lärmvogel *m (in Australien Lobibyx novaehollandiae, in Afrika Chizaerhis concolor)*. — ~ **clock** *s* Wecker *m*, Weckuhr *f.* — ~ **ga(u)ge** *s tech.* Sicherheitsanzeiger *m (zur Anzeige abnormer Druckverhältnisse)*.

a·larm·ing [əˈlɑːrmiŋ] *adj* beunruhigend, beängstigend, besorgniserregend, alarˈmierend. — **aˈlarm·ism** *s* Bangemachen *n*, ˌSchwarzseheˈrei *f.* — **aˈlarm·ist I** *s* Bangemacher *m* Schwarzseher *m.* – **II** *adj* beunruhigend.

a·larm| lamp *s tech.* Warn-, Siˈgnallampe *f.* — ~ **post** *s mil.* Aˈlarm-, Sammelposten *m*, Sammelplatz *m* bei Alarm. — ~ **re·lay** *s tech.* Aˈlarmschütz *n*, -ˌauslösereˌlais *n.* — ~ **signal** *s tech.* Aˈlarmzeichen *n*, -siˌgnal *n*, Warnungszeichen *n.*

a·lar·um [əˈlærəm; -ˈlɑː-] *obs. für* alarm.

a·la·ry [ˈeiləri; ˈæl-] *adj* **1.** flügelartig. – **2.** zum Flügel gehörig, Flügel...

a·las [əˈlæs; -ˈlɑːs] *interj* ach! o weh! leider!

A·las·tor [əˈlæstɔːr] *s* Aˈlastor *m*, Rächer *m*: a) *antiq. Beiname griech. Götter, bes. des Zeus*, b) *fig.* rächende Gottheit, Nemesis *f.*

a·las·trim [əˈlæstrim] *s med.* Aˈlastrim *f*, (milde Form der) Pocken *pl.*

a·late [ˈeileit], ˈ**a·lat·ed** [-id] *adj* **1.** *bes. bot.* geflügelt. – **2.** *zo.* flügelförmig ausgebreitet *(Außenlippe an Schnecken)*.

al·a·tern [ˈæləˌtəːrn], ˌ**al·aˈter·nus** [-əs] *s bot.* Immergrüner Kreuz- *od.* Wegdorn *(Rhamnus alaternus)*.

a·la·tion [eiˈleiʃən] *s* Beflügelung *f*, Geflügeltsein *n.*

a·lau·dine [əˈlɔːdain; -din] *adj zo.* lerchenartig.

alb [ælb] *s relig.* Albe *f*, Chor-, Meßhemd *n.*

al·ba [ˈælbə] *s med. (weiße)* ˈHirn-, ˈRückenmarksubˌstanz.

al·ba·core [ˈælbəˌkɔːr] *s zo.* Albacore *m (Germo alalunga; Thunfisch)*.

al·ban [ˈælbən] *s chem.* Alˈban *n* ($C_{10}H_{16}O$).

Al·ba·ni·an [ælˈbeiniən] **I** *adj* **1.** alˈbanisch, albaˈnesisch. – **II** *s* **2.** Alˈbaner(in), Albaˈnese, Albaˈnesin. – **3.** *ling.* Alˈbanisch *n*, das Albanische.

al·bar·i·um [ælˈbɛ(ə)riəm] *s* Stuck *m (aus Marmorstaub)*.

al·bas·pi·din [ælˈbæspidin] *s chem.* Albaspiˈdin *n* ($C_{25}H_{32}O_8$).

al·ba·ta [ælˈbeitə] *s* Neusilber *n.*

al·ba·tross ['ælbəˌtrɒs; *Am. auch* -ˌtrɔːs] *s* **1.** *zo.* Albatros *m*, Sturmvogel *m* (*Gattg Diomedea u. Verwandte*). – **2.** *auch* ~ **cloth** *dünnes, nicht geköpertes, wollenes Gewebe.*

al·be·do [æl'biːdou] *s phys.* Al'bedo *f* (*Verhältnis der zurückgeworfenen zur Gesamtlichtmenge bei nicht spiegelnden Oberflächen, bes. bei Planeten*).

al·be·it [ɔːl'biːit] *conjunction* ob'gleich, ob'wohl, ungeachtet.

al·bert ['ælbərt], *auch* **A~ chain** *s* kurze Uhrkette (*wie sie Prinz Albert, Gemahl der Königin Viktoria, trug*). — **A~ Hall** *s Konzerthalle im Westen Londons.*

Al·ber·ti bass [ɑːl'berti beis] *s mus.* Al'bertibässe *pl* (*gleichförmig gebrochene Akkordbegleitung*).

al·ber(t)·type ['ælbərˌtaip; 'ælbərt-ˌtaip] *s print.* Albertoty'pie *f* (*Lichtdruckverfahren nach Joseph Albert*).

al·bes·cence [æl'besns] *s* Weiß(lich)werden *n*, weiß(lich)er Schein. — **al'bes·cent** *adj* weiß(lich) (werdend).

al·bi·nal [æl'biːnl; -'bai-] *adj* Albi'nismus *od.* Albino'ismus zeigend.

al·bi·ness [æl'biːnis; -'bai-] *s* Al'bina *f* (*weiblicher Albino*).

al·bin·ic [æl'binik] *adj* **1.** Albi'nismus *od.* Albino'ismus betreffend. – **2.** an Albi'nismus *od.* Albino'ismus leidend.

al·bi·nism ['ælbiˌnizəm; -bə-] *s* **1.** *med.* Albi'nismus *m*, Albino'ismus *m* (*angeborener Pigmentmangel des ganzen Körpers*). – **2.** *bot.* Albi'nismus *m*, Weißblättrigkeit *f*, Pig'mentlosigkeit *f*.

al·bi·no [æl'biːnou; -'bai-] *pl* **-nos** *s* Al'bino *m*, Kakerlak *m* (*an Farbstoffmangel leidendes Lebewesen*). — **al'bi·noˌism** → **albinism.**

Al·bion ['ælbiən; -bjən] *npr poet.* Albion *n* (*meist ganz Britannien, gelegentlich auf Schottland beschränkt*).

al·bite ['ælbait] *s min.* Al'bit *m*, Natronfeldspat *m* ($NaAlSi_3O_8$).

al·boc·ra·cy [æl'bɒkrəsi] *s* Herrschaft *f* der weißen Rasse.

al·bo·lite ['ælboˌlait; -bə-], **'al·bo·lith** [-liθ] *s* Kunstelfenbein *n*, weißer Kunststein, Albo'lith *m*.

Alb Sun·day *s relig.* Weißer Sonntag.

al·bu·gin·e·ous [ˌælbju'dʒiniəs] *adj* **1.** weiß (*in bezug auf das Weiße im Auge u. Ei*). – **2.** eiweißhaltig.

al·bu·go [æl'bjuːgou] *pl* **-gi·nes** [-dʒiˌniːz] *s med.* weißlicher Hornhautfleck, Leu'kom *n*.

al·bum ['ælbəm] *s* **1.** Album *n*, Stammbuch *n*: **photograph** ~; **stamp** ~; ~ **leaf** Albumblatt (*auch Musikstück*). – **2.** *Am.* Gästebuch *n*. – **3.** (*gedruckte*) Sammlung von Gedichten, Bildern *od.* Mu'sikstücken. – **4.** *antiq.* öffentliche Verordnungstafel.

al·bu·men [æl'bjuːmin; -en; *Br. auch* 'ælbju-] *s* **1.** *zo.* Eiweiß *n*, Al'bumen *n*. – **2.** *bot.* Eiweiß *n* (*meist für jede Art Nährgewebe im Samen verwendet*). – **3.** *chem.* Albu'min *n*, Eiweißstoff *m*. — **al'bu·menˌize** *v/t* mit Eiweiß *od.* mit einer Albu'minlösung behandeln.

al·bu·min [æl'bjuːmin; -ən; *Br. auch* 'ælbju-] *s chem.* Albu'min *n* (*Eiweißart*). — **al'bu·miˌnate** [-ˌneit] *s chem.* Albumi'nat *n* (*Verbindung mit Albumin*).

albumini- [ælbjuːmini] *Wortelement mit der Bedeutung* Eiweiß.

al·bu·mi·nim·e·ter [ælˌbjuːmi'nimitər; -mət-] *s chem. med.* Albumini'meter *n*, Eiweißmesser *m*.

albumino- [ælbjuːmino] → **albumini-.**

al·bu·mi·noid [æl'bjuːmiˌnɔid] *biol.* **I** *s* Albumino'id *n*, Eiweißkörper *m*, -stoff *m*, Prote'id *n*. – **II** *adj* albu'minähnlich, -artig. — **alˌbu·mi'no·sis** [-'nousis] *s med.* Albumi'nose *f* (*erhöhter Bluteiweißspiegel*). — **al'bu·mi·nous** *adj* **1.** albu'min-, eiweißhaltig, albumi'nös. – **2.** albu'min-, eiweißartig.

al·bu·mi·nu·ri·a [ælˌbjuːmi'nju(ə)riə] *s med.* Albuminu'rie *f*, Eiweißharnen *n* (*Nierenkrankheit*).

al·bu·mose ['ælbjuˌmous] *s chem.* Albu'mose *f*. — **ˌal·bu·mo'su·ri·a** [-mo'sju(ə)riə] *s med.* Albu'mosenausscheidung *f* im U'rin, Eiweißharnen *n*.

al·bur·nous [æl'bəːrnəs] *adj* Splint... — **al'bur·num** [-əm] *s bot.* Splint(holz *n*) *m*.

al·ca·hest *Br. Nebenform für* **alkahest.**

Al·ca·ic [æl'keiik] *metr.* **I** *adj* al'käisch: ~ **meter** alkäisches Versmaß. – **II** *s* al'käischer Vers.

al·caide [æl'keid] *s* **1.** Komman'dant *m* einer Festung (*in Spanien, Portugal u. bei den Mauren*). – **2.** Gefängniswärter *m*.

al·cal·de [ɑːl'kɑːldei] *s* Al'kalde *m* (*Ortsvorsteher u. Richter in Spanien, seinen Kolonien u. im Südwesten der USA*).

Al·can·ta·rines [æl'kæntərinz] *s pl relig.* Alkanta'rinermönche *pl*.

al·car·ra·za [ˌælkə'rɑːzə] *s* (*poröser*) Kühlkrug aus Ton.

al·caz·ar [æl'kæzər; 'ælkəˌzɑːr] *s* Al'cazar *m*, Festung *f*, Schloß *n*.

al·chem·ic [æl'kemik], **al'chem·i·cal** [-kəl] *adj* alchi'mistisch. — **al'chem·i·cal·ly** *adv* (*auch zu* **alchemic**). — **al·che·mist** ['ælkimist; -kə-] *s* Alchi'mist *m*, Goldmacher *m*. — **ˌal·che'mis·tic, ˌal·che'mis·ti·cal** → **alchemic.** — **ˌal·che'mis·ti·cal·ly** *adv* (*auch zu* **alchemistic**). — **'al·cheˌmize** *v/t* durch Alchi'mie verwandeln. — **'al·che·my** [-kimi; -kə-] *s* **1.** Alchi'mie *f*, Goldmacherkunst *f*. – **2.** *fig.* magische Verwandlungskraft. – **3.** *obs.* goldfarbene Me'tall-Leˌgierung. – **4.** *obs.* Trom'pete *f*.

al·chi·tran [ˌælki'træn] *s chem.* **1.** flüssiges Harz der Nadelbäume. – **2.** Zeder-, Wa'cholderöl *n*. – **3.** Erdpech *n*.

al·clad ['ælˌklæd] *s tech.* Alkladblech *n* (*Duralumin mit Außenschicht aus Reinaluminium*).

Alc·man·i·an [ælk'meiniən] **I** *adj* alk'manisch (*nach dem dorischen lyrischen Dichter Alkman*). – **II** *s* alk'manischer Vers (*von 4 Daktylen*).

al·co ['ælkou] *s zo.* Alko *m* (*kleine Hundeart im trop. Amerika*).

al·co·gene ['ælkoˌdʒiːn; -kə-] *s chem.* 'Kühlappaˌrat *m* (*für Dämpfe*).

al·co·hol ['ælkəˌhɒl] *s* **1.** (Äthyl)Alkohol *m*, Sprit *m*, Weingeist *m*. – **2.** *chem.* Alkohol *m* (*im weiteren Sinne*), Al'kyloˌxyd *n*: → **wood** ~. — **'al·co·holˌate** [-ˌleit] *s chem.* Alkoho'lat *n* (*Salz eines Alkohols*). — **ˌal·co'hol·a·ture** [-ətʃər] *s* alko'holische Tink'tur (*aus frischen Pflanzen*).

'al·coˌhol|-ˌblend·ed fu·el *s tech.* Alkoholkraftstoff *m*. — ~ **burn·er** *s tech.* Spirituskocher *m*, -brenner *m*. — ~ **en·gine** *s tech.* Alkohol(dampf)motor *m*, Spiritusmotor *m*.

al·co·hol·ic [ˌælkə'hɒlik] **I** *adj* **1.** alkohol-, weingeistartig, alko'holisch, Alkohol...: ~ **delirium** Säuferwahnsinn, Trinkerdelirium; ~ **strength** Alkoholgehalt. – **2.** Alkohol enthaltend, alkoholhaltig. – **II** *s* **3.** Säufer *m*, Gewohnheitstrinker *m*, Alko'holiker *m*. – **4.** *pl* alko'holische *od.* geistige Getränke *pl*. — **'al·co·holˌism** *s med.* Alkoho'lismus *m*, Alkoholvergiftung *f*. — **ˌal·co·hol·i'za·tion** *s* Alkoholi'sierung *f*. — **'al·co·holˌize** *v/t* **1.** *tech.* (*Spiritus*) rektifi'zieren. – **2.** *chem.* mit Alkohol versetzen *od.* sättigen *od.* mischen, alkoholi'sieren. – **3.** *chem.* in Alkohol *od.* Weingeist verwandeln.

al·co·hol·om·e·ter [ˌælkəhɒ'lɒmitər; -mə-] *s* Alkoholo'meter *n*. — **ˌal·co·hol'om·e·try** [-tri] *s* Alkoholome'trie *f* (*Bestimmung des Alkoholgehaltes in Flüssigkeiten*).

Al·cor [æl'kɔːr] *s astr.* Alkor *m*, Reiterchen *n* (*kleiner Stern im Großen Bären*).

Al·co·ran [ˌælko'rɑːn; -'ræn] *s* (Al)Ko'ran *m* (*heiliges Buch der Mohammedaner*). — **ˌAl·co'ran·ic** [-'rænik] *adj* Koran... — **ˌAl·co'ran·ist** *s* Ko'rangläubiger *m* (*der den Koran als einzige Autorität anerkennt*).

al·cor·no·que [ˌɑːlkor'noukei] *s bot.* Al'cornoco-Rinde *f*: a) *Gerbrinde verschiedener Bäume wie Alchornea, Korkeiche* (*Quercus suber*) *u. Byrsonima-Arten,* b) *Arzneirinde von Bowdichia virgilioides.*

al·cove ['ælkouv] *s* **1.** *arch.* Al'koven *m*, Nische *f*, (kleiner) gewölbter Nebenraum. – **2.** *meist poet.* (Garten)Laube *f*, Erker *m*, Grotte *f*.

al·cy·on ['ælsiən] *s zo.* Seemannshand *f* (*Gattg Alcyonium; Nesseltier*).

Al·cy·o·ne [æl'saiəni] **I** *npr* Al'kyone *f* (*Tochter des Äolus*). – **II** *s astr.* Alcy'one *f* (*Hauptstern der Plejaden*).

al·cy·on·i·form [ˌælsi'ɒniˌfɔːrm] *adj zo.* 'lederkoˌrallenförmig. — **'al·cy·oˌnoid** [-əˌnɔid] *zo.* **I** *adj* 'lederkoˌrallenartig. – **II** *s* 'lederkoˌrallenartiges Tier.

Al·deb·a·ran [æl'debərən] *s astr.* Aldeba'ran *m* (*Hauptstern im Sternbild Stier*).

al·de·hyd·ase ['ældiˌhaideis; -də-] *s chem.* Aldehy'dase *f* (*Enzym, das die Bildung von Säuren aus Aldehyden verursacht*).

al·de·hyde ['ældiˌhaid; -də-] *s chem.* **1.** Alde'hyd *m* (CH_3CHO). – **2.** Alde'hyd *m* (*im weiteren Sinne*). — ~ **am·mo·ni·a** *s chem.* **1.** Alde'hydammoniˌak *n* ($CH_3CH(OH)NH_2$). – **2.** Alde'hydammoniˌak *n* (*im weiteren Sinne*).

al·de·hy·dic [ˌældi'haidik; -də-] *adj chem.* Aldehyd...

al·der ['ɔːldər] *s bot.* Erle *f*, Eller *f*, Else *f* (*Gattung Alnus*). — ~ **blight** *s zo.* Erlenblattlaus *f* (*Prociphilus tessellatus*). — ~ **buck·thorn** *s bot.* Faulbaum *m* (*Rhamnus frangula*). — ~ **fly·catch·er** *s zo.* Erlenfliegenschnäpper *m* (*Empidonax traillii; amer. Vogelart*). — **'~-ˌleaved buck·thorn** *s bot.* Nordamer. Kreuzdorn *m* (*Rhamnus alnifolia*). — **'~-ˌleaved dog·wood** *s bot.* Nordamer. Hartriegelstrauch *m* (*Cornus rugosa*).

al·der·man ['ɔːldərmən] *s irr* **1.** Aldermann *m*, Ratsherr *m*, Stadtrat *m*. – **2.** *Br. sl. obs.* halbe Krone (*engl. Münze von 2 1/2 Schillingen*). – **3.** *sl. obs.* Truthahn *m*, Puter *m*. — **'al·der·manˌate** [-ˌneit] *s* **1.** Amt *n od.* Rang *m* eines Aldermanns. – **2.** *collect.* Stadtrat *m*. — **'al·der·man·cy** *s* Amt *n* eines Aldermanns. — **'al·der·man·ess** *s* Frau *f* eines Aldermanns. — **ˌal·der'man·ic** [-'mænik] *adj* **1.** stadträtlich, einen Ratsherrn betreffend, ratsherrlich. – **2.** *fig.* würdevoll, gravi'tätisch. — **'al·der·manˌlike** *adj u. adv* **1.** ratsherr-, stadtratähnlich, nach Art eines Aldermanns. – **2.** *fig.* würdevoll, gravi'tätisch. — **'al·der·man·ly** → **aldermanic.** — **'al·der·man·ry** *s* **1.** Stadtbezirk *m*, den ein Aldermann vertritt. – **2.** Amt *n* eines Aldermanns. — **'al·der·manˌship** *s* Aldermannsamt *n*.

al·dern ['ɔːldərn] **I** *adj* erlen, ellern, von *od.* aus Erlenholz. – **II** *s* → **alder.**

Al·der·ney ['ɔːldərni] *s* Alderney-Kuh *f*.

al·der·wom·an ['ɔːldərˌwumən] *s irr* [Stadträtin *f*.]

Al·dine ['ɔːldain] **I** *adj* **1.** al'dinisch (*aus der Druckerei des Aldus Manutius u. seiner Nachkommen, Venedig, 1494 bis 1597*). – **2.** erstklassig in buchtechnischer 'Hinsicht. – **II** *s* **3.** Al'dine *f* (*Druck-Erzeugnis aus der Werkstatt des Manutius*).

Al·dis| lamp ['ɔːldis] *s aer. mar.* Aldislampe *f (zum Signalisieren).* — **~ lens** *s phot.* Aldislinse *f.* — **~ u·nit sight** *s tech.* Vi'sier *n (in Flugzeugen).*
al·dol ['ældɒl; -doul] *s chem.* Al'dol *n.*
al·dose ['ældous] *s chem.* Al'dose *f,* Alde'hydzucker *m.*
ale [eil] *s* **1.** Ale *n, (engl.)* Bier *n:* → cake 1. – **2.** *Br. (ländliches)* Fest *(auf dem viel Bier getrunken wird).*
a·le·a·to·ry [*Br.* 'eiliətəri; *Am.* -ˌtɔːri] *adj* **1.** *jur.* Eventual...: ~ contract Eventualkontrakt. – **2.** *sociol.* vom Zufall abhängig.
a·lec ['eilik; -lek] *s* **1.** Fischtunke *f.* – **2.** Hering *m.* — **al·e·cize** ['æliˌsaiz] *v/t* mit Fischtunke anrichten.
'ale|-ˌcon·ner *s Br.* Biereichmeister *m,* Bierprüfer *m (heute nur noch als Titel).* — **'~ˌcost** → costmary.
A·lec·to [ə'lektou] *npr antiq.* A'lekto *f (eine der Erinnyen).*
a·lec·try·om·a·chy [əˌlektri'ɒməki] *s* Alektryoma'chie *f,* Hahnenkampf *m.*
a·lec·try·o·man·cy [ə'lektrioˌmænsi] *s* Alektryoman'tie *f (Wahrsagen aus dem Körnerfressen eines Hahns).*
A·lec·try·on [ə'lektriˌɒn] **I** *npr* A'lektryon *m (der von Ares in einen Hahn verwandelt wurde).* – **II** *s poet.* Hahn *m.*
a·lee [ə'liː] *adv u. pred adj mar.* in Lee, nach Lee zu, leewärts.
a·lef *cf.* aleph.
a·left [ə'left] *adv* (nach) links.
al·e·gar ['æligər] *s* saures Bier, Bieressig *m.*
ale| gar·land *s* Kranz *m (der an einem Wirtshaus ausgesteckt wird).* — **'~ˌhoof** → ground ivy. — **'~ˌhouse** *s* Bierhaus *n,* -schenke *f.*
al·em[1] ['ælem] *(Turk.) s* türk. Reichsbanner *n (unter den Ottomanen).*
a·lem[2] ['ɑːlem] *s bot.* ein *trop.-asiat. Euphorbiaceenbaum (Mallotus ricinoides).*
a·lem·bic [ə'lembik] *s* **1.** Destil'lierblase *f,* -kolben *m,* -appaˌrat *m.* – **2.** *fig.* Re'torte *f.*
a·lem·broth [ə'lembrɒθ] *s chem.* A'lembrothsalz *n.*
A·len·çon lace [ə'lensən] *s* Alen'çonspitzen *pl.*
a·leph ['ɑːlef; 'ei-] *s* Alef *n (erster Buchstabe im hebräischen Alphabet).*
a·lep·i·dote [ei'lepiˌdout] *zo.* **I** *adj* schuppenlos. – **II** *s* schuppenloser Fisch.
A·lep·po| boil, ~ but·ton [ə'lepou] *s med.* A'leppo-, Orientbeule *f.* — **~ gall** *s chem.* a'leppischer Gallapfel *(Präparat aus Quercus infectoria).*
a·lerce, a·lerse [ə'ləːrs] *s* **1.** *arch.* Bauholz *n* vom Sandarakbaum. – **2.** *bot.* Pata'gonische Zy'presse *(Fitzroya cupressoides).*
a·lert [ə'ləːrt] **I** *adj* **1.** wachsam, auf der Hut, auf dem Posten, 'um-, vorsichtig. – **2.** rege, munter, lebhaft, flink, rasch. – *SYN. cf.* a) intelligent, b) watchful. – **II** *s* **3.** *mil.* A'larmbereitschaft: ~ phase Alarm-, Bereitschaftsstufe; to be on the ~ auf der Hut sein. – **4.** *bes. aer.* A'larm(siˌgnal *n*) *m,* Warnung *f:* to sound the ~ Alarm geben. – **5.** In-Be'reitschaft-Stehen *n,* Bereitstehen *n.* – **6.** Zeitdauer *f* der A'larmbereitschaft. – **III** *v/t* **7.** zur Wachsamkeit aufrufen, warnen *(bes. im Fall eines bevorstehenden Angriffs).* – **8.** *bes. mil.* alar'mieren. — **a'lert·ness** *s* **1.** Wachsamkeit *f,* Vorsicht *f.* – **2.** Munterkeit *f,* Flinkheit *f.*
a·le·thi·ol·o·gy [əˌliːθi'ɒlədʒi] *s philos.* Lehre *f* von der Wahrheit und den Beweismitteln.
a·leth·o·scope [ə'leθoˌskoup; -'liː-; -θə-] *s* Aletho'skop *n (optisches Gerät, das die Naturwahrheit des betrachteten Gegenstandes erhöht).*

a·lette [ə'let] *s arch.* Strebepfeiler *m,* Pi'laster *m.*
a·leu·ro·man·cy [ə'lju(ə)roˌmænsi] *s* Aleuroman'tie *f,* Wahrsagen *n* aus Mehl.
al·eu·rom·e·ter [ˌælju'rɒmitər; -mə-] *s* Mehlprüfer *m (Instrument).*
a·leu·rone [ə'lju(ə)roun; -rɒn] *s bot. chem.* A'leuron *n,* Weizen-, Klebermehl *n,* Mehlkorn *n.*
Al·e·ut ['æliˌuːt] *s* **1.** Ale'ute *m,* Ale'utin *f (Mitglied eines Eskimostammes der Atka- od. Unalaska-stämme).* – **2.** *ling.* Sprache *f* der Ale'uten. — **A·leu·tian** [*Am.* ə'luːʃən; ə'ljuː-; *Br.* ə'luːʃjən; -'ljuː-; -ʃ(i)ən] **I** *adj* ale'utisch. – **II** *s* → Aleut 1.
al·e·vin ['ælivin] *s zo.* junge Fischbrut, Setzling *m.*
ale·wife[1] ['eilˌwaif] *s irr* Wirtin *f* einer Schenke, Schankwirtin *f.*
ale·wife[2] ['eilˌwaif] *s irr zo. Am.* **1.** Großaugenhering *m (Pomolobus pseudoharengus).* – **2.** Maifisch *m (Alosa alosa).*
al·ex·an·ders [ˌælig'zændərz; *Br. auch* -'zɑːn-] *s bot.* Gelbdolde *f (Smyrnium olusatrum; in USA auch Thaspium trifoliatum).*
Al·ex·an·dra palm [ˌælig'zændrə; *Br. auch* -zɑːn-] *s bot.* Alex'andra-Palme *f (Archontophoenix alexandrae).*
Al·ex·an·dre·id [ˌælig'zændriid; *Br. auch* -zɑːn-] *s (mittelalterliche)* Alex'anderdichtung.
Al·ex·an·dri·an [ˌælig'zændriən; *Br. auch* -zɑːn-] *adj* **1.** alexan'drinisch, Alex'andria *(in Ägypten)* betreffend. – **2.** alexan'drinisch, helle'nistisch. – **3.** *metr.* alexan'drinisch, Alexandriner... — **ˌAl·ex'an·dri·anˌism** *s philos. relig.* Alexandri'nismus *m.*
Al·ex·an·drine [ˌælig'zændrin; -ˌdriːn; *Br. auch* -zɑːn-] *metr.* **I** *s* Alexan'driner *m (12- od. 13füßiger Vers aus 6 Jamben).* – **II** *adj* → Alexandrian 3.
al·ex·an·drite [ˌælig'zændrait; *Br. auch* -zɑːn-] *s min.* Alexan'drit *m.*
a·lex·i·a [ə'leksiə] *s med.* Ale'xie *f,* Unvermögen *n* zu lesen, Buchstaben-, Schrift-, Wortblindheit *f.*
a·lex·in [ə'leksin] *s med.* Ale'xin *n.*
a·lex·i·phar·mic [əˌleksi'fɑːrmik] **I** *s* Gegengift *n,* -mittel *n.* – **II** *adj* als Gegengift dienend.
a·lex·i·py·ret·ic [əˌleksipai'retik] *med.* **I** *adj* fieberheilend. – **II** *s* Fiebermittel *n.*
a·lex·i·ter·ic [əˌleksi'terik] *med.* **I** *adj* gegen Vergiftung *od.* Ansteckung wirkend. – **II** *s* Gegengift *n,* Schutz-, Abwehrmittel *n.*
ale·yard ['eilˌjɑːrd] *s ein Biermaßgefäß, das früher als Bierglas benutzt wurde.*
a·le·zan [al'zɑ̃] *(Fr.) s* Fuchs(stute *f*) *m.*
al·fa ['ælfə], *auch* **~ grass** *s bot.* Halfa-, E'spartogras *n (Stipa tenacissima).*
al·fa·je [ɑːl'fɑːhei] *s bot. ein Meliaceenbaum (Trichilia tuberculata).*
al·fal·fa [æl'fælfə] *s bot.* Lu'zerne *f (Medicago sativa).*
al·fa·qui(n) [ˌælfə'kiː(n)] *s* Fa'kih *m (moham. Jurist od. Geistlicher).*
al·fe·nide ['ælfiˌnaid; -nid] *s tech.* Alfe'nid *n, (galvanisch versilbertes)* Neusilber.
al·fil·a·ri·a [ælˌfilə'riːə], *auch* **alˌfil·e'ril·la** [-'riːjə] *s bot.* Reiherschnabel *m (Erodium cicutarium).*
al fi·ne [al 'fine] *(Ital.) mus.* al fine, bis ‚Fine'.
al·for·ja [æl'fɔːrdʒə] *s Am. dial.* **1.** Satteltasche *f.* – **2.** Ledertasche *f,* Beutel *m.* – **3.** *zo.* Backentasche *f (z. B. eines Affen).*
al·fres·co [æl'freskou] *adj u. adv* im Freien: ~ lunch.
al·ga ['ælgə] *pl* **-gae** [-dʒiː] *s bot.* Alge *f (Unterstamm Algae).* — **'al·gal** [-gəl] *adj* Algen...
al·gar·ro·ba [ˌælgə'roubə] *s bot.* **1.** Jo'hannisbrotbaum *m (Ceratonia siliqua).* – **2.** Süßhülsenbaum *m (Prosopis juliflora).*
al·ge·bra ['ældʒibrə; -dʒə-] *s math.* Algebra *f,* Buchstabenrechnung *f.* — **ˌal·ge'bra·ic** [-'breiik], **ˌal·ge'bra·i·cal** *adj* alge'braisch: algebraic sign algebraisches Zeichen; → calculus[2]. — **'al·geˌbra·ist** [-ˌbreiist] *s* Alge'braiker *m.* — **'al·ge·braˌize** [-brəˌaiz] *v/t* **1.** alge'braisch berechnen. – **2.** auf eine alge'braische Formel bringen.
Al·ge·ri·an [æl'dʒi(ə)riən], **Al·ge·rine** [ˌældʒə'riːn; 'ældʒəˌriːn] **I** *adj* al'gerisch. – **II** *s* Al'gerier(in).
al·ge·si·a [æl'dʒiːziə; -siə] *s med.* Alge'sie *f,* Schmerzempfindlichkeit *f,* Hyperästhe'sie *f.*
al·ge·sic [æl'dʒiːsik] *adj* schmerzend. — **al'ge·sis** [-sis] *s* Schmerzgefühl *n.* — **al'get·ic** [-'dʒetik] *adj* al'getisch, Schmerz verursachend.
-algia [ældʒə] *Wortelement mit der Bedeutung* Schmerz.
al·gid ['ældʒid] *adj* kühl, kalt, eisig *(bes. infolge plötzlicher Funktionsstörungen).*
al·gif·ic [æl'dʒifik] *adj* kühlend, Kälte erzeugend.
al·gi·nate ['ældʒəˌneit; -dʒi-] *s chem.* Algi'nat *n (Salz der Alginsäure).*
al·gist ['ældʒist] *s bot. selten* Algo'loge *m,* Algenkundiger *m.*
al·god·o·nite [æl'gɒdoˌnait; -də-] *s min.* Algodo'nit *m* (Cu_6As).
al·goid ['ælgɔid] *adj* algenartig.
Al·gol ['ælgɒl] *s astr.* Al'gol *m (Stern im Perseus).*
al·go·lag·ni·a [ˌælgo'lægniə] *s psych.* Algola'gnie *f,* Schmerzwollust *f:* active ~ Sadismus; passive ~ Masochismus. — **'al·goˌlag·nist** *s* Algola'gnist *m.*
al·go·log·i·cal [ˌælgo'lɒdʒikəl; -dʒə-] *adj* algo'logisch, algenkundlich. — **al'gol·o·gist** [-'gɒlədʒist] *s* Algo'loge *m.* — **al'gol·o·gy** *s bot.* Algolo'gie *f,* Algenkunde *f.*
al·gom·e·ter [æl'gɒmitər; -mə-] *s med. Instrument zum Registrieren von Schmerzempfindungen bei Nadelstichen.*
Al·gon·ki·an [æl'gɒŋkiən] **I** *adj* **1.** *geol.* algon'kinisch, al'gonkisch. – **2.** → Algonquian I. – **II** *s* **3.** *geol.* Al'gonkium *n.* – **4.** → Algonquian II.
Al·gon·qui·an [æl'gɒŋkiən; -kwiən] **I** *adj* **1.** *ling.* algon'kinisch, al'gonkisch. – **II** *s* **2.** *ling.* al'gonkische *od.* algon'kinische 'Sprachenfaˌmilie. – **3.** Al'gonkin(indiˌaner[in]) *m.*
al·go·pho·bi·a [ˌælgo'foubiə; -gə-] *s* krankhafte Furcht vor Schmerz.
al·gor ['ælgɔːr] *s med.* Kältegefühl *n,* Fieberfrost *m.*
al·go·rism ['ælgəˌrizəm] *s math.* Algo'rismus *m:* a) a'rabisches 'Ziffer- *od.* 'Zahlensyˌstem, b) Rechnen *n* mit a'rabischen Ziffern.
al·go·rithm ['ælgəˌriðəm] *s math.* **1.** Algo'rithmus *m,* Rechnungsart *f,* Rechenverfahren *n.* – **2.** → algorism.
al·gous ['ælgəs] *adj bot.* **1.** algenartig, Algen... – **2.** voll Algen.
al·gua·zil [ˌælgwə'ziːl], **al·gua·cil** [algwa'θil] *(Span.) s* Büttel *m.*
al·gum ['ælgəm] *s Bibl.* Sandelholz *n.*
Al·ham·bra [æl'hæmbrə] *npr* Al'hambra *f.* — **ˌAl·ham'bra·ic** [-'breiik], **ˌAl·ham'bresque** [-'bresk] *adj* im Stil der Al'hambra.
a·li·as ['eiliəs] **I** *jur. adv* **1.** alias, sonst, sonst ... genannt. – **II** *s pl* **'al·i·as·es 2.** angenommener Name. – **3.** *hist.* gerichtlicher *(wiederholter)* Voll'streckungsbefehl.
al·i·bi ['æliˌbai; -lə-] **I** *adv* **1.** anderswo, an einem anderen Orte *(als dem Tatorte).* – **II** *s* **2.** *jur.* Alibi *n:* to establish one's ~ sein Alibi beibringen. – **3.** *colloq.* Ausrede *f,* Entschuldigung *f.*

– *SYN. cf.* apology. – **III** *v/i* **4.** *Am. colloq.* sich her'ausreden.
al·i·bil·i·ty [ˌæli'biliti; -ləti] *s* Nahrhaftigkeit *f.* — **'al·i·ble** *adj* nahrhaft.
Al·i·cant ['ælikənt], ˌ**Al·i'can·te** [-'kænti] *s* Ali'cantewein *m* (*süßer Wein aus Alicante in Spanien*).
al·i·chel ['æliʃəl; -ʃel] *s astr.* Winkelstellung *f* (*eines Planeten*).
a·li·co·che [ˌɑːli'koutʃei] *s bot. ein mexik. Kaktus mit eßbaren Früchten* (*Echinocereus conglomeratus*).
al·ic·ti·sal [ˌælik'taizəl] *s astr.* Konjunkti'on *f* (*zweier Planeten, die sich nach derselben Richtung bewegen*).
al·i·cy·clic [ˌæli'saiklik; -lə-; -'sik-] *adj chem.* ali'cyklisch.
al·i·dade ['æliˌdeid], *auch* '**al·iˌdad** [-ˌdæd] *s astr. math.* Alhi'dade *f*, Di'opter(lineˌal) *n*, Vi'sier *n*, Kippregel *f.*
al·ien ['eiljən; -liən] **I** *adj* **1.** fremd, anderen gehörig, von anderen stammend: ~ property Feindvermögen. – **2.** im Ausland lebend *od.* wohnend, ausländisch, e'xotisch. – **3.** *fig.* andersartig, fernliegend. – **4.** *fig.* nicht 'hergehörig, nicht angemessen, fremd. – **5.** *fig.* entgegen, zu'wider, unfreundlich, 'unsymˌpathisch: he expressed ideas ~ to me. – *SYN. cf.* extrinsic. – **II** *s* **6.** Fremde(r), Ausländer(in). – **7.** nicht naturali'sierter Bewohner des Landes. – **8.** *fig.* Fremdling *m.* – **9.** in Ungnade Gefallene(r). – *SYN.* foreigner, stranger. – **III** *v/t* → alienate. — ˌ**al·ien·a'bil·i·ty** *s* Veräußerlichkeit *f*, Über'tragbarkeit *f.* — '**al·ien·a·ble** *adj* veräußerlich, verkäuflich, über'tragbar.
al·ien·age ['eiljənidʒ; -liən-] *s* **1.** Ausländertum *n*, Fremdheit *f.* – **2.** Veräußertsein *n*, anderweitige Angehörigkeit.
al·ien·ate ['eiljəˌneit; -liə-] *v/t* **1.** *jur.* veräußern, über'tragen. – **2.** entfremden, abspenstig machen (from *dat od.* von): they ~d his best friend from him sie entfremdeten ihm seinen besten Freund; his behavio(u)r ~d his father durch sein Wesen wurde ihm sein Vater entfremdet. – **3.** abwendig *od.* abgeneigt machen. – *SYN. cf.* estrange. — ˌ**al·ien'a·tion** *s* **1.** *jur.* Veräußerung *f*, Über'tragung *f* (*eines Besitzrechtes*). – **2.** Entfremdung *f* (from von), Abwendung *f*, Abneigung *f*, Abgeneigtheit *f.* – **3.** Entfremdetsein *n*: mental ~ Geistesgestörtheit, Geisteskrankheit.
al·ien·ee [ˌeiljə'niː; -liə-] *s jur.* Erwerber(in) eines Besitzes *od.* Besitzrechtes, neuer Eigentümer.
al·ien en·e·my *s* feindlicher Ausländer.
al·ien·ism ['eiljəˌnizəm; -liə-] *s* **1.** Fremdheit *f*, Ausländertum *n.* – **2.** Studium *n od.* Behandlung *f* von Geisteskrankheiten. — '**al·ien·ist** *s* Nervenarzt *m*, Psychi'ater *m.*
al·ien·or ['eiljənər; -liə-; -ˌnɔːr] *s jur.* Veräußerer *m*, Über'tragender *m* (*eines Eigentums od. Besitzrechtes*).
a·lif ['ɑːlif] *s* Alif *n* (*erster Buchstabe des arabischen Alphabets*).
a·lif·er·ous [ə'lifərəs] *adj* geflügelt.
al·i·form ['ælifɔːrm; -lə-] *adj* flügelförmig, -artig.
a·lig·er·ous [ə'lidʒərəs] *adj* geflügelt.
a·light[1] [ə'lait] *pret u. pp* **a'light·ed,** *selten* **a·lit** [ə'lit] *v/i* **1.** ab-, aussteigen, (*vom Pferd*) absitzen. – **2.** (sanft) fallen (*Schnee*), sich niederlassen, sich setzen (*Vogel*). – **3.** *aer.* niedergehen, landen: to ~ on sea auf dem Meer landen. – **4.** (on, upon) (zufällig) stoßen (auf *acc*), antreffen (*acc*).
a·light[2] [ə'lait] *adj* angezündet, brennend, in Flammen (*auch fig.*), erleuchtet, erhellt (with von).
a·light·ing [ə'laitiŋ] *s aer.* Landen *n*, Landung *f*: ~ run Landestrecke; ~ on earth Bodenlandung.
a·lign [ə'lain] **I** *v/t* **1.** in eine (gerade) Linie bringen: to ~ figures (properly) Ziffern (ordentlich) untereinanderschreiben. – **2.** in gerader Linie aufstellen, ausrichten: to ~ sights on *mil.* anvisieren (*acc*). – **3.** *fig.* (*j-n*) in eine Gruppe (*Gleichgesinnter*) einschließen: they ~ed themselves with people of similar feelings sie schlossen sich mit ähnlich denkenden Menschen zusammen. – **4.** *tech.* eichen. – **5.** *tech.* abgleichen, trimmen. – **II** *v/i* **6.** (with) eine (gerade) Linie bilden (mit), sich ausrichten (nach). – *SYN. cf.* line[1].
a·lign·ment [ə'lainmənt] *s* **1.** In-'Linie-Bringen *n*, Anordnung *f* in einer (geraden) Linie, Ausrichten *n* (*von Soldaten etc*). – **2.** Stehen *n od.* Liegen *n* in einer (geraden) Linie: in ~ with in 'einer Linie mit; out of ~ schlecht ausgerichtet, nicht in einer Linie. – **3.** *tech.* Richtung *f*, Absteckungslinie *f*, Trasse *f.* – **4.** *tech.* Anpassung *f*, Nacheichung *f*, (Aus)-Richten *n*, Fluchtung *f*, Ausfluchten *n* (*von Rädern etc*). – **5.** Flucht *f*, Gleichlauf *m.* — ~ **chart** *s tech.* Rechenblatt *n*, -tafel *f*, Leitertafel *f*, Fluchtlinientafel *f*, Nomo'gramm *n.*
a·like [ə'laik] **I** *adj* gleich, ähnlich (to *dat*). – *SYN. cf.* similar. – **II** *adv* gleich, ebenso, in gleicher Weise, gleicherweise, -maßen: she helps enemies and friends ~.
al·i·ment ['ælimənt; -lə-] **I** *s* **1.** Speise *f*, Futter *n*, Nahrung(smittel *n*) *f.* – **2.** 'Unterhalt *m.* – *SYN. cf.* food. – **II** *v/t* [*Am. auch* -ˌment] **3.** (*j-n*) nähren, speisen. – **4.** unter'halten. — ˌ**al·i'men·tal** [-'mentəl] *adj* nährend, nahrhaft.
al·i·men·ta·ry [ˌæli'mentəri; -lə-] *adj* **1.** nährend, nahrhaft. – **2.** zur Nahrung *od.* zum 'Unterhalt dienend, Nahrungs...: ~ disequilibrium gestörtes Nahrungsgleichgewicht. – **3.** der Ernährung dienend, Ernährungs..., Speise...: ~ canal Verdauungskanal, Magendarmkanal.
al·i·men·ta·tion [ˌælimen'teiʃən; -lə-] *s* **1.** Ernährung *f*, Verpflegung *f*, Beköstigung *f*, Speisung *f*, 'Unterhalt *m.* – **2.** Ernährungsweise *f.* — ˌ**al·i'men·ta·tive** [-tətiv] *adj* nährend, Nahrungs..., nahrhaft.
al·i·mo·nied [*Br.* 'æliməniḍ; *Am.* -ˌmou-] *adj* unter'halten, versorgt. — '**al·i·mo·ny** *s* **1.** Ernährung *f*, 'Unterhalt *m.* – **2.** *jur.* Ali'mente *pl*, 'Unterhalt(sbeitrag) *m* (*für die getrennt lebende od. geschiedene Frau*).
al·i·na·sal [ˌæli'neizəl] *adj med.* die Nasenflügel betreffend, Nasenflügel...
a·line *cf.* align. — **a·line·ment** *cf.* alignment.
Al·i·oth ['æliˌɒθ] *s astr.* Ali'oth *m* (*Stern im Großen Bären*).
al·i·ped ['æliped; -lə-] *zo.* **I** *adj* mit Flatterfüßen (versehen) (*z.B. Fledermaus*). – **II** *s* Flatterfüßler *m.*
al·i·phat·ic [ˌæli'fætik] *adj chem.* ali'phatisch, fetthaltig: ~ compound Fettverbindung.
al·i·quant ['ælikwənt; -lə-] *adj math.* ali'quant, ungleichteilend, nicht (*ohne Rest*) aufgehend.
al·i·quot ['ælikwət; -lə-] **I** *adj* **1.** *math.* ali'quot, gleichteilend, (*ohne Rest*) aufgehend. – **2.** *mus.* Oberton... – **II** *s* **3.** *math.* ali'quoter Teil, Ali'quote *f.*
al·i·san·ders [ˌæli'sændərz; *Br. auch* -'sɑːn-] → alexanders.
al·ish ['eiliʃ] *adj* bierartig.
a·lis·mad [ə'lizmæd] *s bot.* Froschlöffel *m* (*Fam. Alismataceae*). — **a'lis·mal** *adj* froschlöffelartig.
al·i·son ['ælisn; -lə-] *s bot.* Steinkraut *n* (*Gattung Alyssum*). — '**al·i·sonˌite** [-sən-] *s min.* Kupferbleiglanz *m.*
al·i·sphe·noid [ˌæli'sfiːnɔid] *med.* **I** *s* (*größerer*) Flügel des Keilbeins (*am Schädel*), Schläfenflügel *m*, Flügelbein *n.* – **II** *adj* Keilbein...
a·lit [ə'lit] *selten pret u. pp von* alight.
al·i·trunk ['æliˌtrʌŋk] *s zo.* Flügelstück *n.*
a·li·un·de [ˌeili'ʌndi] (*Lat.*) *adj u. adv jur.* 'anderswoˌher, aus einer anderen Rechtsquelle.
a·live [ə'laiv] **I** *adj* **1.** lebend, le'bendig, am Leben. – **2.** tätig, in voller Kraft *od.* Wirksamkeit. – **3.** le'bendig, lebhaft, aufgeweckt, munter, rege, belebt: ~ and kicking *sl.* gesund und munter. – **4.** lebhaft empfindend, fühlend, empfänglich (to für): man ~! *sl.* Mensch! Menschenskind! to be ~ to s.th. sich einer Sache bewußt sein, etwas zu schätzen wissen, etwas würdigen. – **5.** aufmerksam, achtsam (to auf *acc*). – **6.** gedrängt voll, belebt: to be ~ with wimmeln von; this dog is ~ with fleas dieser Hund ist voller Flöhe. – **7.** von allen Lebenden, (zu) seiner *od.* ihrer Zeit: he was the proudest man ~; no man ~ kein Sterblicher. – **8.** *electr.* Strom führend, unter Spannung (befindlich). – *SYN. cf.* a) aware, b) living. – **II** *adv* **9.** lebhaft. – **10.** *sl.* schnell: look ~! nun aber los!
a·liz·a·rate [ə'lizəˌreit] *s chem.* aliza'rinsaures Salz. — **a·liz·a·rin** [ə'lizərin], *auch* **a'liz·aˌrine** [-ˌriːn; -rin] *s chem.* Aliza'rin *n*, Färber-, Krapprot *n* ($C_{14}H_6O_2(OH)_2$).
al·ka·hest ['ælkəˌhest] *s* (*Alchimie*) Alka'hest *n*, Univer'sallösungsmittel *n* (*auch fig.*).
al·kal·am·ide [ˌælkəl'æmid; -maid] *s chem.* Alkala'mid *n*, basisches A'mid.
al·ka·les·cence [ˌælkə'lesns], ˌ**al·ka'les·cen·cy** [-si] *s chem.* Alkales'zenz *f*, Al'kalischwerden *n*, Neigung *f* zum Al'kalischen. — ˌ**al·ka'les·cent** *adj* alkali'sierend, al'kalisch werdend, leicht alkalisch.
al·ka·li ['ælkəˌlai] **I** *pl* **-lies** *od.* **-lis** *s* **1.** *chem.* Al'kali *n*, Laugensalz *n.* – **2.** *chem.* al'kalischer Stoff: mineral ~ kohlensaures Natron. – **3.** *agr. geol.* kalzi'nierte Soda: ~ soil. – **4.** *bot.* Salzkraut *n*, Ba'rillakraut *n* (*Salsola kali*). – **5.** *Am.* Landstrich *m* al'kalihaltigen Bodens. – **6.** *Am.* Bewohner(in) eines al'kalihaltigen Landstrichs. – **II** *adj* **7.** *chem.* al'kalisch.
al·ka·li fast·ness *s tech.* Al'kali-Echtheit *f* (*von Farbstoffen*).
al·ka·li·fi·a·ble ['ælkəliˌfaiəbl] *adj* alkali'sierbar.
al·ka·li flat *s geol.* Salztonebene *f.*
al·ka·li·fy ['ælkəliˌfai; æl'kæl-; -lə-] *v/t u. v/i* (sich) in ein Al'kali verwandeln.
al·ka·li| grass *s bot.* **1.** Al'kaligras *n* (*Distichlis maritima*). – **2.** *eine amer. Liliacee* (*Zygadenus elegans*). — ~ **heath** *s bot. eine amer. Frankeniacee* (*Frankenia grandifolia*). — ~ **met·al** *s tech.* Al'kalimeˌtall *n.*
al·ka·lim·e·ter [ˌælkə'limitər; -mə-] *s chem.* Al'kalimesser *m.* — ˌ**al·ka·li'met·ric** [-'metrik], ˌ**al·ka·li'met·ri·cal** *adj* alkali'metrisch. — ˌ**al·ka'lim·e·try** *s* Alkalime'trie *f.*
al·ka·line ['ælkəˌlain; -lin] *adj chem.* al'kalisch, al'kalihaltig, basisch: ~ earths Erdalkalien; ~ salt Alkali-, Abraumsalz; ~ water alkalischer Säuerling. — ˌ**al·ka'lin·i·ty** [-'liniti; -nə-] *s* Alkalini'tät *f*, al'kalische Eigenschaft *od.* Beschaffenheit. — ˌ**al·ka·ˌlin·i'za·tion** [-nai'zeiʃən; -ni'z-] *s chem.* Alkali'sierung *f.* — '**al·ka·lin·ˌize** *v/t chem.* alkali'sieren.
al·ka·li·zate ['ælkəliˌzeit] *v/t chem. obs.* alkali'sieren. — '**al·kaˌlize** *v/t* **1.** in ein Al'kali verwandeln. – **2.** alkali'sieren.
al·ka·loid ['ælkəˌlɔid] *chem.* **I** *s* Alkalo'id *n* (*organische Pflanzenbase*). –

II *adj* al'kaliartig, laugenhaft. — **ˌal·ka'loi·dal** → alkaloid II.

al·ka·lo·sis [ˌælkə'lousis] *s med.* Alka'lose *f* (*erhöhter Alkaligehalt in Blut u. Geweben*).

al·kanes ['ælkeinz] *s pl chem.* Al'kane *pl.*

al·ka·net ['ælkəˌnet] *s* **1.** *bot.* Al'kannawurzel *f* (*Alkanna od. Anchusa tinctoria*). – **2.** *chem.* Al'kannarot *n.*

al·kan·nin [æl'kænin] *s chem.* Alkan'nin *n* (*roter Farbstoff*).

al·ke·ken·gi [ˌælki'kendʒi] *s bot.* Judenkirsche *f* (*Physalis alkekengi*).

al·kene ['ælkiːn] *s chem.* Al'ken *n* (*Äthylenkohlenwasserstoff*; C_nH_{2n}).

al·ker·mes [æl'kəːrmiːz] *s med.* Kermesbeersaft *m*, 'Kermesbeerlatˌwerge *f.*

al·ki·tran *cf.* alchitran.

Al·ko·ran *cf.* Alcoran.

al·kyd res·ins ['ælkid] *s pl chem.* Al'kydharze *pl.*

al·kyl·a·tion [ˌælki'leiʃən; -kə-] *s chem.* Alky'lierung *f.*

al·kyl| group ['ælkil] *s chem.* Al'kylrest *m* (C_nH_{2n+1}; *einwertiger Rest*). — **~ hal·ide** *s chem.* Al'kylhalogeˌnid *n.*

all [ɔːl] **I** *adj* **1.** all, gesamt, vollständig, ganz: **~ the world** die ganze Welt, jedermann; **in ~ conscience** auf Ehre und Gewissen; **with ~ my heart** von ganzem Herzen; **that's ~ my eye** *sl.* das mach andern weis, dummes Zeug! **~ hands** a) *mar.* die gesamte Schiffsmannschaft, b) *colloq.* jeder, die ganze Gesellschaft; **~ the morning (summer)**, *Am.* **~ morning (summer)** den ganzen Morgen (Sommer). – **2.** jed(er, e, es), irgendein(e): **at ~ events** auf alle Fälle, unter allen Umständen; **beyond ~ question** ganz außer Frage; → **intent**[1] 1; **mean**[3] 10. – **3.** vollkommen, völlig, rein: **~ wool** *Am.* reine Wolle; **~ wool and a yard wide** *Am. colloq.* echt, zuverlässig. – *SYN. cf.* **whole.** – **II** *adv* **4.** ganz und gar, gänzlich, völlig: **~ the** um so ...; **~ the better** um so besser; **he was ~ ears** er war ganz Ohr; **he is ~ for making money** *sl.* er ist nur aufs Geldverdienen aus; → **once** 5b. – **5.** für jede Seite, beide: **the score was two ~** das Ergebnis war 2:2 (zwei zu zwei) *od.* 2 beide. – **6.** *poet.* gerade, eben. – **III** *pron* **7.** alles, das Ganze: **he ate ~ of it** er hat es ganz (auf)gegessen; **and ~ that** und dergleichen; **what is it ~ about?** worum handelt es sich? **when ~ is done** *colloq.* zuletzt, letzten Endes, im Grunde (genommen); **~ of us** wir alle; **~ in good time** alles zu seiner Zeit; **~ that it should be** alles, was man nur verlangen kann; **it cost him ~ of $100** *Am.* es kostete ihn volle 100 Dollar; → **beat**[1] 25; **hang** 11. – **IV** *s* **8.** Alles *n*, Hab u. Gut *n.* – **9.** *philos.* (Welt)All *n.* – *Besondere Redewendungen*: **~ along** a) der ganzen Länge nach, b) (*Buchbinderei*) durchausgeheftet, c) *colloq.* die ganze Zeit (über); **~ and sundry** alle, jedermann, die Gesamtheit u. jeder einzelne; **~ in** *sl.* ‚fertig', ‚total erledigt'; **~ in ~** alles (in allem), als ganzes (genommen *od.* gesehen); **~ out** a) *sl.* ‚völlig erledigt' *od.* ‚kaputt', b) *colloq.* ‚auf dem Holzweg' (*im Irrtum*), c) *sl.* mit aller Macht *od.* Kraft(anstrengung), d) *Am. colloq.* vollkommen, vollständig; **~ over** a) in vollem (Aus)Maß, b) *colloq.* ganz u. gar, durch u. durch, in jeder Hinsicht, vollkommen, c) fertig, erledigt, d) überall; **that is Dickens ~ over** das ist ganz *od.* typisch Dickens; **news from ~ over** Nachrichten von überall her; **~ right** a) ganz recht, schon gut, ganz wohl, alles in Ordnung, fertig, korrekt, b) *sl.* schön! gut! in Ordnung! **~ round** a) rund (her)um, b) überall, in jeder Richtung, c) ‚durch die Bank', durchweg; **~ set** *colloq.* fertig, gehörig vorbereitet, bereit, in der richtigen Geistesverfassung; **~ there** *sl.* a) pfiffig, gewitzt, gescheit, b) ‚auf Draht' (*gut informiert, gewitzt, auf alles vorbereitet*); **~ up** *sl.* ‚ganz erledigt', ‚total fertig', völlig erschöpft; **after ~** a) nach allem, nach reiflicher Überlegung, im Grunde (genommen), übrigens, also doch, am Ende (doch), b) trotz alledem; **at ~** überhaupt, durchaus, gänzlich; **for ~** a) dessenungeachtet, trotzdem, b) soviel ... betrifft; **for ~ I care**, *Am. auch* **for ~ of me** *sl.* meinetwegen; **in ~** in allem, im ganzen, alles zusammen(genommen); → **but** 3 *u.* 4; **kind** 1; **four** 5; **once** 1; **one** 3; **same** 8; **square** 41; **standing** 5; **sundry**; **tell** 13; **wind**[1] 14; **world** *b. Redw.*

al·la bre·ve ['alla 'brɛve] (*Ital.*) *mus.* **I** *adv* alla breve, mit doppelten Zählzeiten. – **II** *s* alla breve *n*, zweischlägiger Vierertakt.

all a·broad *colloq.* **1.** weit vom Ziel entfernt, fehlerhaft: **to be ~** sich irren. – **2.** in Verlegenheit, betreten.

al·la·bu·ta [ˌælə'bjuːtə] *s tech.* Alla'butakorn *n* (*Körner von Chenopodium album*).

al·lac·tite [ə'læktait] *s min.* Allak'tit *m.*

Al·lah ['ælə; -lɑː] *s relig.* Allah *m.*

ˌall-A'mer·i·can I *adj* **1.** ganz ameri'kanisch, ganz aus Ameri'kanern bestehend. – **2.** die ganzen Vereinigten Staaten vertretend. – **3.** *sport* (*bes. amer. Fußball*) fähig, in einer Natio'nalmannschaft zu spielen: **the ~ team** das Presse-Team (*von der Presse aufgestellte, theoretisch bestmögliche Mannschaft*); **~ player.** – **II** *s* **4.** *sport Am.* Spieler *m* in einem Presse-Team.

al·la·mon·ti [ˌælə'mɒnti], **'al·laˌmoth** [-ˌmɒθ], **ˌal·la'mot·ti** [-'mɒti] → **stormy petrel** 1.

al·lan·ic ac·id [ə'lænik] *s chem.* Al'lansäure *f* ($C_4H_5N_5O_5$).

al·lan·ite ['æləˌnait] *s min.* Alla'nit *m.*

al·lan·ti·a·sis [ˌælən'taiəsis] *s med.* Wurstvergiftung *f*, Botu'lismus *m.*

al·lan·to·ic [ˌælən'touik] *adj med. zo.* **1.** zur Al'lantois gehörig. – **2.** in der Al'lantois befindlich. – **3.** eine Al'lantois besitzend.

al·lan·to·ic ac·id *s chem.* Allanto'insäure *f* ($C_4H_8O_4N_4$).

al·lan·toid [ə'læntɔid] **I** *adj* **1.** wurstförmig. – **2.** *med.* die Al'lantois betreffend. – **II** *s* **3.** *med. zo.* Al'lantois *f*, embryo'nale Harnblase.

al·lan·to·in [ə'læntoin] *s chem.* Allanto'in *n* ($C_4H_6O_3N_4$).

al·lan·to·is [ə'læntois] *s med. zo.* Al'lantois *f*, Urharnsack *m* (*des Fötus*).

al·lan·tox·a·i·din [əˌlæntɒk'seiidin] *s chem.* Allantoxai'din *n* ($C_3H_3O_2N_3$).

al·lan·tox·an·ic ac·id [əˌlæntɒk'sænik] *s chem.* Allanto'xan-, O'xonsäure *f* ($C_4H_3O_4N_3$).

al·lan·tu·ric [ˌælən'tju(ə)rik] *adj chem.* Allantur...: **~ acid** Allantursäure.

al·lar·gan·do [allar'gando] (*Ital.*) *adv mus.* all'mählich breiter (*langsamer u. stärker*) werdend.

'all-a'round *Am. für* **all-round.**

al·lay [ə'lei] *v/t* beruhigen, beschwichtigen, mildern, lindern, (*Hunger, Durst*) stillen. – *SYN. cf.* **relieve.** — **al'lay·ment** *s* Linderung *f.*

all·bone ['ɔːlˌboun] *s bot.* Großblumige Sternmiere (*Stellaria holostea*).

all| clear *s* Ent'warnung(ssiˌgnal *n*) *f* (*bes. nach einem Luftangriff*). — **'~-ˌdu·ty** *adj* Allzweck...: **~ tractor.**

al·le·ga·tion [ˌæli'geiʃən; -lə-] *s* **1.** (*nicht erwiesene*) Behauptung, Anführung *f*, Aussage *f*, Darstellung *f*: **false ~** fälschliche Beschuldigung. – **2.** *jur.* (*zu beweisende*) Aussage. – **3.** *jur.* Aufzählung *f* der strittigen Punkte *od.* Klagepunkte.

al·lege [ə'ledʒ] *v/t* **1.** an-, vorgeben, (*Unerwiesenes*) behaupten, versichern: **he is ~d to have sworn** er soll geschworen haben. – **2.** *jur.* aussagen, erklären, (*als Beweis*) vorbringen. – **3.** *obs.* zi'tieren, anführen. – *SYN. cf.* **adduce.** — **al'leged** *adj* angeblich: **an ~ crime.** — **al'leg·ed·ly** [-idli] *adv* an-, vorgeblich.

Al·le·ghe·ny| fringe ['æləˌgeini], **~ vine** *s bot.* (*eine*) Ad'lumie (*Adlumia fungosa*).

al·le·giance [ə'liːdʒəns] *s* **1.** 'Untertanenpflicht *f*, -treue *f*, -gehorsam *m*: → **oath** 1. – **2.** Treue *f*, Ergebenheit *f.* – *SYN. cf.* **fidelity.** — **al'le·giant** *adj* treu, lo'yal.

al·le·gor·ic [ˌæli'gɒrik; -lə-; *Am. auch* -'gɔːrik], **ˌal·le'gor·i·cal** [-kəl] *adj* alle'gorisch, (sinn)bildlich. — **ˌal·le'gor·i·cal·ly** *adv* (*auch zu* **allegoric**).

al·le·go·rist ['æligərist; -lə-] *s* Allego'rist *m*, Gleichnisredner *m.*

al·le·gor·i·za·tion [ˌæliˌgɒrai'zeiʃən; -ri-; -lə-; *Am. auch* -ˌgɔːr-] *s* alle'gorische Behandlung *od.* Darstellung *od.* Erklärung. — **al·le·go·rize** ['æligəˌraiz; -lə-] **I** *v/t* **1.** allegori'sieren, alle'gorisch *od.* sinnbildlich darstellen. – **2.** alle'gorisch verstehen *od.* auslegen. – **II** *v/i* **3.** in Allego'rien *od.* Gleichnissen reden. – **4.** eine alle'gorische Deutung geben.

al·le·go·ry ['æligəri; -lə-; *Am.* -ˌgɔːri] *s* Allego'rie *f*, Sinnbild *n*, sinnbildliche Darstellung, Gleichnis *n.*

al·le·gret·to [ˌæli'gretou; -le-] *mus.* **I** *adj u. adv* alle'gretto, leicht beschwingt, etwas lebhaft. – **II** *s* Alle'gretto *n* (*Tempo u. Musikstück*).

al·le·gro [ə'leigrou] *mus.* **I** *adj u. adv* al'legro, lebhaft, munter. – **II** *s* Al'legro *n* (*Tempo u. Musikstück, auch Ballettgattung*).

al·lele [ə'liːl], *auch* **al·lel** [ə'lel] *s biol.* Al'lel *n*, Erbfaktor *m* (*mendelnder Genpaarling der Vererbung*). — **al'le·lic** [-'liːl-] *adj* allelo'morph. — **al'le·lism** *s* Allelomor'phismus *m*, Alle'lismus *m.*

al·le·lo·morph [ə'liːloˌmɔːrf] *s biol.* Al'lel *n*, Erbfaktor *m*, Allelo'gen *n*: **~s** Erbfaktoren-, Merkmalspaar. — **alˌle·lo'mor·phic** *adj* allelo'morph. — **alˌle·lo'mor·phism** *s* Allelomor'phismus *m.*

al·le·lu·ia[1] [ˌæli'luːjə; -lə'l-] *s bot.* Gemeiner Sauerklee (*Oxalis acetosella*).

al·le·lu·ia[2], **al·le·lu·iah** [ˌæli'luːjə; -lə'l-] **I** *s* Halle'luja *n*, Loblied *n.* – **II** *interj* halle'luja! lobet Gott!

al·le·lu·ja *cf.* alleluia[2].

al·le·mande [*Br.* 'ælmɑ̃ːnd; *Am.* ˌælə'mænd; al'mɑ̃ːd] (*Fr.*) *s mus.* Alle'mande *f*: a) *altdeutscher Schreittanz*, b) *Suitensatz*, c) Ländler *m*, Deutscher Tanz.

al·le·mande sauce *s* mit Sahne und Eigelb angedickte Soße.

al·le·mont·ite [ˌæli'mɒntait] *s min.* Allemon'tit *m*, Ar'senikantiˌmon *n.*

al·ler·gen ['ælərˌdʒen] *s med.* Aller'gen *n*, Aller'giestoff *m* (*Substanz, die Allergie herbeiführt*). — **ˌal·ler'gen·ic** *adj* Aller'gie her'beiführend.

al·ler·gic [ə'ləːrdʒik] *adj* **1.** al'lergisch. – **2.** 'überempfindlich (**to** gegen).

al·ler·gy ['ælərdʒi] *s* **1.** *bot. med. zo.* Aller'gie *f.* – **2.** 'Überempfindlichkeit *f* (*des Körpers gewissen Stoffen gegenüber*). – **3.** *colloq.* Abneigung *f*, 'Widerwille *m.*

al·le·ri·on [ə'li(ə)riən] *s her.* Adler *m* mit ausgebreiteten Flügeln, ohne Klauen und Schnabel.

al·le·vi·ate [ə'liːviˌeit] *v/t* **1.** erleichtern, mildern, lindern, (ver)mindern, verringern. – **2.** *selten* (*Fehler etc*) als weniger schlimm darstellen, abschwächen. – *SYN. cf.* **relieve.** —

al̦le·vi'a·tion *s* **1.** Erleichterung *f*, Linderung *f*, Milderung *f*, Abschwächung *f*: ~ **of tension** Entspannung. – **2.** Linderungsmittel *n*. — **al'le·vi̦a·tive I** *adj* lindernd. – **II** *s* Linderungsmittel *n*.

al·ley[1] ['æli] *s* **1.** Al'lee *f*, Baumgang *m*, Gang *m*. – **2.** (schmale) Gasse, ('Hinter)Gäßchen *n*, 'Durchgang *m*: ~ **cat** *Am.* a) verwilderte, herrenlose Katze, b) *sl.* Lumpenkerl, Gassenbengel, Schlampe. – **3.** *arch.* Verbindungsgang *m*, Korridor *m*. – **4.** *arch.* Seitenschiff *n*, Chorgang *m*. – **5.** Spielbahn *f*: **that's down** (*od.* **up**) **my** ~ *colloq.* das ist etwas für mich, das ist mein Fach. – **6.** *print.* Gasse *f* zwischen 'Satzre̦galen.

al·ley[2], *bes. Br.* **al·ly** ['æli] *s* (*bes. schöne bunte*) (Glas)Murmel, Marmel *f*.

al·ley·ite ['æli̦ait] *s* Bewohner(in) einer kleinen Gasse.

Al·leyn·ian [ə'leiniən] *s Br.* Mitglied *n* des **Dulwich College** (*das von E. Alleyn begründet wurde*).

al·ley·way ['æli̦wei] *s* 'Durchgang *m*, schmaler Gang, kleine *od.* enge Gasse.

'All-̦fa·ther *s relig.* Allvater *m*.

'all|-̦fired *adj u. adv bes. Am. sl.* verteufelt, höllisch, außerordentlich, ungewöhnlich. — ~ **fives** *s ein Kartenspiel mit fünf Trümpfen.* — **A~ Fools' Day** *s* der erste A'pril. — ~ **fours** *s ein Kartenspiel mit vier Trümpfen.* — ̦**~-'Ger·man** *adj* gesamtdeutsch. — ~ **hail** *interj obs.* heil! sei(d) gegrüßt! — ̦**~-'hail** *v/t* (*feierlich*) begrüßen. — **A~·hal·lows** [̦ɔːl'hælouz] *s relig.* Aller'heiligen(tag *m*) *n* (*1. November*). — ̦**A~'hal·low̦tide** *s* Zeit *f* um Aller'heiligen. — **'~̦heal** *s bot.* **1.** → **valerian** 1. – **2.** Opo'panax *m* (*Opopanax chironium*). – **3.** → **selfheal** 1.

al·li·a·ceous [̦æli'eiʃəs] *adj* **1.** *bot.* lauchartig. – **2.** nach Knoblauch *od.* Zwiebeln riechend.

al·li·ance [ə'laiəns] **I** *s* **1.** Verbindung *f*, Bund *m*, Bündnis *n*, Alli'anz *f*: **offensive and defensive** ~ Schutz- und Trutzbündnis; **to enter into** (*od.* **form**) **an** ~ ein Bündnis schließen. – **2.** Heirat *f*, Verwandtschaft *f* durch Heirat, Verschwägerung *f*. – **3.** Verwandtschaft *f* (*im weiteren Sinne*). – **4.** *fig.* Band *n*, (Arbeits-, Inter'essen)Gemeinschaft *f*. – **5.** Vertrag *m*, Über'einkunft *f*. – **6.** *bot. zo.* 'Unterordnung *f*, 'Unterklasse *f* (*ehemalige Bezeichnung*). – *SYN.* **coalition, confederacy, federation, league.** – **II** *v/t* **7.** verbinden, vereinigen. – **III** *v/i* **8.** sich verbinden, sich vereinigen. – **9.** verwandt sein.

al·lice ['ælis], ~ **shad** *s zo.* Maifisch *m*, Alse *f* (*Alosa alosa*).

al·li·cien·cy [ə'liʃənsi] *s* Anziehungskraft *f*. — **al'li·cient** *adj* anziehend, verlockend.

al·lied [ə'laid; 'ælaid] *adj* **1.** (*durch Vertrag*) verbündet. – **2.** verwandt: ~ **species.** – **3.** **A~** alli'iert, die Alliierten betreffend (*im 1. u. 2. Weltkrieg*): **A~ Control Commission** Alliierter Kontrollrat; **A~ Forces** alliierte Streitkräfte.

Al·lies ['ælaiz; ə'laiz] *s pl* (die) Alli'ierten *pl* (*im 1. u. 2. Weltkrieg*).

al·li·ga·tion [̦æli'geiʃən; -lə-] *s math.* Alligati'onsregel *f*: **rule of** ~ Misch(ungs)rechnung.

al·li·ga·tor ['æli̦geitər; -lə-] **I** *s* **1.** *zo.* Alli'gator *m* (*Gattg Alligator u. Verwandte*). – **2.** *zo. Am.* (*braune*) Zauneidechse (*Sceloporus undulatus*). – **3.** *tech.* Steinhaue *f* (*zum Zerkleinern von Steinen*). – **4.** *tech.* Luppenquetsche *f* (*bei Puddelöfen*). – **5.** *Am. sl.* Swingbegeisterte(r), Boogie-'Woogie-Narr *m*. – **6.** *mil.* am'phibischer Panzerwagen. – **II** *v/i* **7.** Risse *od.* Querstreifen aufweisen (*Filme, Farbenanstriche*). — ~ **ap·ple** → **pond apple.** — ~ **fish** *s zo.* Alli'gatorfisch *m* (*Podothecus acipenserinus*). — ~ **gar** *s zo.* (*ein*) Hornhecht *m* (*Gattg Lepisosteus*). — ~ **pear** → **avocado.** — ~ **shears** *s pl tech.* Hebelschere *f*. — ~ **skin** *s* Kroko'dilleder *n*. — ~ **snap·per,** ~ **ter·ra·pin,** ~ **tor·toise** *s zo.* Alli'gatorschildkröte *f* (*Macrochelys temminckii*). — ~ **tree** *Am. dial. für* **sweet gum.** — ~ **tur·tle** → **alligator snapper.**

'all-'in *adj bes. Br.* alles inbegriffen: ~ **insurance** Gesamt-, Generalversicherung; ~ **wrestling** Ringkampfart, in der jeder Griff erlaubt ist.

al·lit·er·al [ə'litərəl] *adj* allite'rierend, stabreimend.

al·lit·er·ate [ə'litə̦reit] **I** *v/i* **1.** allite'rieren (*mit demselben Buchstaben od. derselben Buchstabengruppe beginnen*). – **2.** im Stabreim dichten. – **II** *v/t* **3.** den Stabreim anwenden bei *od.* in (*dat*). – **III** *adj* [-rit; -̦reit] **4.** allite'rierend, stabreimend. — **al̦lit·er'a·tion** *s* Alliterati'on *f*, Stabreim *m*. — **al'lit·er̦a·tive** → **alliteral.**

al·li·um ['æliəm] *s bot.* Lauch *m* (*Gattg Allium*).

'all|-̦met·al *adj tech.* Ganzmetall...: ~ **airplane** (Ganz)Metallflugzeug; ~ **construction** Ganzmetallbau(weise). — **'~̦mouth** → **angler** 2.

all·ness ['ɔːlnis] *s* Allheit *f*, Totali'tät *f*.

allo- [ælo] *Wortelement mit der Bedeutung* anders, entgegengesetzt, verschieden.

al·lo·ca·ble ['æləkəbl; -lo-] *adj* anweisbar, zuteilbar, (*in einer Aufstellung*) 'unterzubringen(d).

al·lo·cat·a·ble ['ælə̦keitəbl; -lo-] → **allocable.** — **'al·lo̦cate** *v/t* **1.** bei'seite legen (*für einen bestimmten Zweck*), zuteilen, an-, zuweisen, zuwenden. – **2.** den Platz bestimmen für, eine Stelle anweisen (*dat*). – *SYN. cf.* **allot.** — ̦**al·lo'ca·tion** *s* **1.** Zuteilung *f*, An-, Zuweisung *f*, Zuwendung *f*, Kontin'gent *n*: ~ **of contracts** *econ.* Auftragslenkung; ~ **of frequencies** *electr.* Wellen-, Frequenzverteilung; ~ **of manpower** Arbeitskräfteverteilung. – **2.** Anordnung *f*, Aufstellung *f*. – **3.** Bestätigung *f od.* Billigung *f* eines Rechnungspostens.

al·lo·ca·tur [̦ælə'keitər; -lo-] (*Lat.*) *s jur.* Bestätigung *f*, Bekräftigung *f* (*eines Dokumentes durch schriftlichen Vermerk, z. B. Kostenentscheid*).

al·lo·chro·ic [̦ælə'krouik; -lo-] *adj* veränderlich in der Farbe, allo'chroisch.

al·loch·ro·ite [ə'lɒkro̦ait] *s min.* Allochro'it *m*, brauner 'Eisengra̦nat.

al·lo·chro·mat·ic [̦ælokro'mætik; -lə-] *adj phys.* allochro'matisch.

al·loch·ro·ous [ə'lɒkroəs] → **allochroic.**

al·loc(h)·tho·nous [ə'lɒkθənəs] *adj geol. tech.* alloch'thon, fremdbürtig (*nicht an Ort u. Stelle entstanden*).

al·lo·cute ['ælə̦kjuːt; -lo-] *v/i* eine feierliche Ansprache halten. — ̦**al·lo'cu·tion** *s* **1.** Ansprache *f*, feierliche Anrede. – **2.** Allokuti'on *f* (*feierliche Ansprache des Papstes an die Kardinäle*).

al·lod, al·lo·di·al, al·lo·di·um *cf.* **alod, alodial, alodium.**

al·loe·o·sis [̦æli'ousis] *s med.* Änderung *f* der 'Körperkonstituti̦on. — ̦**al·loe'ot·ic** [-'ɒtik] *adj* allö'otisch.

al·log·a·mous [ə'lɒgəməs] *adj* allo'gam. — **al'log·a·my** *s bot.* Alloga'mie *f*, Kreuzbefruchtung *f*, Fremdbestäubung *f*.

al·lo·ge·ne·i·ty [̦ælodʒi'niːiti; -lə-] *s* Wesensverschiedenheit *f*. — ̦**al·lo'ge·ne·ous** [-'dʒiːniəs] *adj* stammes-, wesensverschieden.

al·lo·graph ['ælo̦græ(ː)f; -lə-; *Br. auch* -̦grɑːf] *s jur.* Allo'graphum *m* (*von einem anderen für j-n geschriebenes Dokument od. geleistete Unterschrift*).

al·lom·er·ism [ə'lɒmə̦rizəm] *s chem. min.* Allome'rismus *m*. — **al'lom·er·ous** *adj* allo'merisch.

al·lo·morph ['ælə̦mɔːrf; -lo-] *s* **1.** *min.* allo'morpher Stoff. – **2.** *ling.* Allo'morph *n* (*Variation eines Morphems*). — ̦**al·lo'mor·phic** *adj* allo'morph.

al·longe [ə'lʌndʒ] *s* **1.** Ansatzstück *n*. – **2.** *econ.* Al'longe *f*, Verlängerungsabschnitt *m* (*an einem Wechsel*).

al·lo·nym ['ælənim; -lo-] *s* **1.** Decknamen *m* eines Schriftstellers (*welcher der wirkliche Name einer anderen Person ist*). – **2.** unter einem Decknamen erschienenes Werk. — **al·lon·y·mous** [ə'lɒniməs] *adj* unter einem Decknamen veröffentlicht, allo'nym.

al·lo·pal·la·di·um [̦æləpə'leidiəm; -lo-] *s min.* gediegenes Pal'ladium.

al·lo·path ['æləpæθ; -lo-] *s med.* Allo'path *m*. — ̦**al·lo'path·ic** *adj* allo'pathisch. — **al·lop·a·thist** [ə'lɒpəθist] *s med.* **1.** Allo'path *m*. – **2.** j-d der an Allopa'thie glaubt. — **al'lop·a·thy** [-θi] *s med.* Allopa'thie *f*.

al·lo·phane ['ælə̦fein; -lo-] *s min.* Allo'phan *m*. — ̦**al·lo'phan·ic** [-'fænik] *adj chem.* Allophan...: ~ **acid** Allophansäure ($H_2N{\cdot}CO{\cdot}NH{\cdot}CO_2H$).

al·lo·phone ['ælə̦foun; -lo-] *s ling.* Allo'phon *n* (*Variation eines Phonems*).

al·lo·phyl·i·an [̦ælə'filiən; -lo-] **I** *adj* **1.** zu einem Volk gehörig, das weder eine indoger'manische noch se'mitische Sprache spricht. – **2.** *ling.* weder indoger'manisch noch se'mitisch (*Sprache*). – **II** *s* **3.** Fremdstämmling *m* (*weder Arier noch Semit*).

al·lo·plasm ['ælə̦plæzəm; -lo-] *s biol.* Fremdplasma *n* (*bei Kreuzungen*).

al·lo·plas·ty ['ælə̦plæsti; -lo-] *s med.* Allo'plastik *f*.

al·lo·pol·y·ploid [̦ælo'pɒli̦ploid] *s biol.* Allo'polyploid *n* (*Lebewesen mit vervielfachter Chromosomenzahl nach Fremdbefruchtung*).

al·lo·qui·al [ə'loukwiəl] *adj* Anrede..., anredend. — **al'lo·qui·al̦ism** *s* Anrede(form) *f*.

'all-or-'none, 'all-or-'noth·ing *adj* entweder in vollem Ausmaße od. über'haupt nicht eintretend, Entweder-oder-...: **an** ~ **reaction.**

al·lo·some ['ælə̦soum; -lo-] *s biol.* Ge'schlechts-, 'Gonochromo̦som *n*.

al·lot [ə'lɒt] *pret u. pp* **al'lot·ted I** *v/t* **1.** durch Los verteilen. – **2.** austeilen, verteilen, zuerkennen, zu(er)teilen, vergeben, bewilligen. – **3.** bestimmen (to, for für). – *SYN.* **allocate, apportion, assign.** – **II** *v/i* **4.** *Am.* sich verlassen (upon auf *acc*).

al·lo·the·ism ['ælə̦θiːizəm; -lo-] *s* Anbetung *f* fremder Götter.

al·lot·ment [ə'lɒtmənt] *s* **1.** Auslosung *f*, Verteilung *f* (durch Los), Anweisung *f*. – **2.** Los *n* (*auch fig.*), Anteil *m*, Zuteilung *f*, Zugewiesenes *n* (*auch vom Schicksal*). – **3.** *Br.* (*kleines*) (Pacht)Grundstück, Par'zelle *f*, Schrebergarten *m*. – **4.** Zahlung *f* eines (*von einem Soldaten, Matrosen etc*) festgesetzen Teils der Löhnung an eine bestimmte Per'son.

al·lot·ri·o·mor·phic [ə̦lɒtrio'mɔːrfik] *adj geol. min.* xeno'morph (*eine fremde Gitterstruktur tragend*).

al·lot·ri·oph·a·gy [ə̦lɒtri'ɒfədʒi], *auch* **al̦lot·ri·o'pha·gi·a** [-o'feidʒiə] *s med.* Allotriopha'gie *f*, krankhafter Appe'tit auf Ungenießbares, Pica *f*.

al·lo·trope ['ælətroup; -lo-] *s chem.* Allo'trop *m*. — ̦**al·lo'trop·ic** [-'trɒpik], ̦**al·lo'trop·i·cal** *adj* allo'tropisch. — **al·lot·ro·pism** [ə'lɒtrə̦pizəm], **al'lot·ro·py** [-pi] *s chem.* Allotro'pie *f*, Vielgestaltigkeit *f*.

all' ot·ta·va [all ot'tava] (*Ital.*) *mus.* in der Ok'tave (*8 Töne höher od. tiefer zu spielen*).

al·lot·tee [əˌlɒ'tiː] *s* j-d dem etwas zugeteilt wird, Empfänger *m* (einer Zuteilung *etc*). — **al·lot·ter** [ə'lɒtər] *s* 1. Ausloser *m*, Zuteiler *m*, Verteiler *m*. – 2. (*Telephon*) Wählersucher *m*.

'all|-'out *adj* vollkommen, unbedingt, uneingeschränkt. — **'~ˌo·ver I** *s* 1. Stoff *m*, dessen Muster die ganze Oberfläche bedeckt. – 2. Muster *n*, das sich über die ganze Oberfläche erstreckt *od.* das stets wieder'holt wird. – **II** *adj* 3. die ganze Oberfläche bedeckend (*Muster, Dekoration*). — **ˌ~-'o·ver·ish** [-'ouvəriʃ] *adj colloq.* ein allgemeines Unwohlsein verspürend. — **ˌ~-'o·ver·ish·ness** *s colloq.* allgemeines Unwohlsein *od.* Unbehagen.

al·low [ə'lau] **I** *v/t* 1. erlauben, gestatten, zugestehen, zuerkennen, bewilligen, zubilligen, gewähren: to be **~ed** dürfen; **smoking ~ed** Rauchen gestattet; to **~ oneself** sich gönnen; to **~ more time** mehr Zeit gewähren *od.* sich mehr Zeit nehmen; to **~ extenuating circumstances** mildernde Umstände zubilligen. – 2. (*Summe*) aus-, ansetzen, bestimmen, auswerfen, geben. – 3. gelten lassen, einräumen, zugeben. – 4. dulden, stattgeben (*dat*), lassen: **she ~ed the food to get cold** sie ließ das Essen kalt werden; **cement must be ~ed to set** man muß Zement sich abbinden lassen. – 5. in Anrechnung *od.* in Abzug bringen, ab-, anrechnen, abziehen, absetzen, rabat'tieren, nachlassen, vergüten. – 6. *Am. dial.* behaupten, erklären, versichern. – 7. *obs.* gutheißen, billigen, anerkennen. – *SYN. cf.* **let**[1]. – **II** *v/i* 8. (**of**) erlauben, gestatten, zulassen (*acc*), sich einverstanden erklären (mit). – 9. (**for**) Rücksicht nehmen (auf *acc*), in Betracht ziehen, in Anschlag bringen, berücksichtigen (*acc*): to **~ for the waste**. – 10. *Am. dial.* sagen, erklären, denken. – 11. *obs.* annehmen, akzep'tieren.

al·low·a·ble [ə'lauəbl] *adj* 1. erlaubt, zulässig, zu bewilligen(d): **~ tolerance** *tech.* zulässige Abweichung. – 2. rechtmäßig, richtig. – 3. abziehbar.

al·low·ance [ə'lauəns] **I** *s* 1. Erlaubnis *f*, Zulassung *f*, Bewilligung *f*, Einwilligung *f*, Bestätigung *f*, Anerkennung *f*: **~ of claim** Forderungsanerkennung. – 2. aus- *od.* angesetzte Summe, (bestimmter) gewährter Betrag, zugeteilte Rati'on, Zuschuß *m*, Taschengeld *n*: **weekly ~** wöchentliche Zuwendung, Wochengeld; **~ for board** Verpflegungsgelder; **~ for dependents** Familienunterstützung, -beihilfe; **~ for rent** Miets-, Wohnungsgeldzuschuß; **~ for special expenditure** Aufwandsentschädigung. – 3. Nachsicht *f*, Rücksichtnahme *f*: **to make ~ for** Nachsicht üben wegen, in Betracht ziehen, in Anschlag bringen. – 4. Entschädigung *f*, Vergütung *f*. – 5. *jur.* (*der gewinnenden Partei außer dem Kostenersatz*) zuerkannter Sonderbetrag. – 6. *econ.* Nachlaß *m*, Ra'batt *m*, Ermäßigung *f*: **to make an ~** Rabatt gewähren, nachlassen. – 7. Nachlaß *m*, Re'medium *n* (*erlaubte Abweichung im Feingehalt einer Münze*). – 8. *math. tech.* Tole'ranz *f*, zulässige Abweichung, Spielraum *m*. – 9. *sport* Vorgabe *f* (*die ein schwächerer Teilnehmer an einem Wettkampf erhält*). – **II** *v/t* 10. auf Rati'onen setzen. – 11. (*j-m Geld*) regelmäßig anweisen.

al·low·ed·ly [ə'lauidli] *adv* erlaubterweise, anerkanntermaßen.

al·lox·an [ˌælɒk'sæn] *s chem.* Allo'xan *n* ($C_4H_2O_4N_2$). — **al·lox·a·nate** [ə'lɒksəˌneit] *s* allo'xansaures Salz.

al·lox·an·tin [ˌælɒk'sæntin] *s chem.* Alloxan'tin *n* ($C_8H_6O_8N_4$).

al·loy I *s* ['ælɔi; ə'lɔi] 1. Me'tallleˌgierung *f*. – 2. *tech.* Le'gierung *f*, Mischung *f*, Gemisch *n*: **~ of gold with copper (silver)** rote (weiße) Karatierung. – 3. *fig.* (Bei)Mischung *f*, Zu-, Beisatz *m*, Verschlechterung *f*. – **II** *v/t* [ə'lɔi] 4. (*Metalle*) le'gieren, (ver)mischen, versetzen: **~ing component** (*od.* **element** *od.* **metal**) Legierungsbestandteil. – 5. *fig.* (*durch Mischung*) verschlechtern, verringern. – **III** *v/i* 6. sich (ver)mischen, sich verbinden (*Metalle*). — **al·loy·age** [ə'lɔiidʒ] *s tech.* 1. Le'gieren *n*, Mischen *n* (*von Metallen*), Le'gierungs-, Mischverfahren *n*. – 2. Le'gierung *f*.

al·loy| bal·ance *s tech.* Le'gierungswaage *f*, Me'tallmischungswaage *f*. — **~ steel** *s tech.* le'gierter Stahl.

al·lo·zo·oid [ˌælo'zouɔid] *s zo.* Allozoo'id *n*.

ˌall|-'par·ty *adj* Allparteien... — **ˌ~-pos'sessed** *adj Am. colloq.* von bösen Geistern besessen, von allen guten Geistern verlassen. — **'~-'pur·pose** *adj* für jeden Zweck *od.* verschiedene Zwecke verwendbar, Allzweck...: **~ type** All-, Mehrzweckbauart. — **'~-'round** *adj colloq.* vielseitig, in allem bewandert, zu allen Zwecken dienend: **an ~ education**; **~ champion** *sport* Mehrkampfmeister, vielseitiger Meistersportler; **an ~ boat**; **~ defence** (*Am.* **defense**) *mil.* Rundumverteidigung; **~-defended position** *mil.* Igelstellung. – *SYN. cf.* **versatile**. — **ˌ~-'round·ed·ness** *s colloq.* Beschlagenheit *f* auf jedem Gebiet. — **A~ Saints' Day** *s* Aller'heiligen(tag *m*) *n* (*1. November*). — **'~ˌseed** *s bot.* 1. Vierblättriges Nagelkraut (*Polycarpon tetraphyllum*). – 2. Vogelknöterich *m* (*Polygonum aviculare*). – 3. Vielsamiger Gänsefuß (*Chenopodium polyspermum*). – 4. Zwergflachs *m*, Kleines Tausendkorn (*Radiola linoides*). — **A~ Souls' Day** *s* Aller'seelen(tag *m*) *n* (*2. November*). — **~·spice** ['ɔːlˌspais], *auch* **'~ˌspice tree** *s bot.* Nelken-, Ja'maikapfeffer *m* (*Pimenta officinalis*). — **'~-ˌstar** *adj* (*Sport, Theater etc*) *Am.* Star..., aus den her'vorragendsten Spielern bestehend: **an ~ team**; **an ~ cast** eine Starbesetzung. — **'~-ˌsteel** *adj* Ganzstahl..., ganz aus Stahl bestehend: **~ body** Ganzstahlaufbau, -karosserie. — **'~ˌthorn** *s bot. eine mexik. Simarubacee* (*Koeberlinia spinosa*). — **'~ˌtime** *adj* 1. ganzzeitlich beschäftigt. – 2. die gesamte Zeit erfordernd *od.* betreffend: **this is an ~ record** *sport* dies ist eine bisher unerreichte Rekordleistung. – 3. *fig.* beispiellos, (noch) nie dagewesen.

al·lude [ə'luːd; ə'ljuːd] *v/i* anspielen, 'hindeuten (**to** auf *acc*). – *SYN. cf.* **refer**.

'all-'up weight *s aer.* Gesamt(flug)gewicht *n*.

al·lu·ran·ic ac·id [ˌælju(ə)'rænik] *s chem.* Allu'ransäure *f* ($C_5H_6O_5N_4$).

al·lure[1] [ə'lur; ə'ljur] **I** *v/t u. v/i* 1. ködern, anlocken, verlocken. – 2. anziehen, bezaubern, reizen. – *SYN. cf.* **attract**. – **II** *s* → **allurement**.

al·lure[2] [a'lyːr] (*Fr.*) *s* Al'lüre *f*, Benehmen *n*.

al·lure·ment [ə'lurmənt; -'ljur-] *s* 1. (Ver)Lockung *f*, Reizung *f*, Verführung *f*. – 2. Lockmittel *n*, Köder *m*. – 3. Anziehungskraft *f*, Zauber *m*, Reiz *m*.

al·lur·ing [ə'lu(ə)riŋ; -'lju(ə)r-] *adj* anlockend, verlockend, verführerisch, bezaubernd, reizend. — **al'lur·ing·ness** *s* Zauber *m*, Reiz *m*.

al·lu·sion [ə'luːʒən; ə'ljuː-] *s* 1. (**to**) Anspielung *f* (auf *acc*), Andeutung *f*, (*gelegentliche*) Erwähnung (von). – 2. Anspielung *f*, 'indiˌrekte Bezugnahme (*bes. eines Schriftstellers auf das Werk eines Vorgängers*). — **al'lu·sive** [-siv] *adj* 1. anspielend, verblümt. – 2. *obs.* sym'bolisch. – 3. *her.* sprechend: **~ arms** sprechendes Wappen.

al·lu·vi·al [ə'luːviəl; ə'ljuː-] *geol.* **I** *adj* angespült, angeschwemmt, alluvi'al. – **II** *s* Schwemmland *n*, angeschwemmter Boden, goldreiche Erde (*in Australien*). — **~ cone** *s* (An)Schwemmkegel *m*. — **~ de·pos·it** *s* An-, Aufschwemmung *f*. — **~ fan** *s* Anschwemmland *n*, (Fluß)Delta *n*. — **~ gold** *s* Alluvi'al-, Seifengold *n*. — **~ ore de·pos·it** *s* Erzseife *f*. — **~ plain** *s* Schwemmlandebene *f*. — **~ soil** *s* Schwemmlandboden *m*.

al·lu·vi·on [ə'luːviən; ə'ljuː-] *s* 1. Anspülung *f* (*des Wassers ans Ufer*). – 2. Über'schwemmung *f*. – 3. angeschwemmtes Land. – 4. *jur.* Alluvi'on *f* (*Landvergrößerung durch Anschwemmung*). — **al'lu·vi·ous** *adj selten* angeschwemmt.

al·lu·vi·um [ə'luːviəm; ə'ljuː-] *pl* **-vi·ums** *od.* **-vi·a** [-ə] (*Lat.*) *s geol.* Al'luvium *n*, angeschwemmtes Land.

'all|-ˌwave *adj electr.* alle Wellenlängen empfangend: **~ receiving set** Allwellenempfänger, -empfangsanlage. — **'~-ˌweath·er** *adj* für jedes Wetter (geeignet), Allwetter...: **~ body** *tech.* Allwetterkarosserie; **~ fighter** *aer. mil.* Allwetterjäger. — **'~-ˌwheel** *adj tech.* Allrad..., alle (vier) Räder (*eines Fahrzeugs*) betreffend: **~ brake** Allradbremse; **~ drive** Allradantrieb. — **'~ˌwhith·er** *adv* 'überallˌhin. — **'~-ˌwing** *adj aer. tech.* nur aus Flügeln bestehend: **~ type aircraft** Nurflügelflugzeug. — **'~-ˌwood** *adj tech.* ganz *od.* nur aus Holz bestehend: **~ construction** Ganzholzbauweise.

al·ly[1] **I** *v/t* [ə'lai] 1. (*durch Heirat, Bündnis*) vereinigen, verbinden, alli'ieren. – 2. (*durch Freundschaft, Verwandtschaft, Ähnlichkeit*) verbinden. – 3. *reflex* **~ oneself** sich verbünden (**to, with** mit) (*auch fig.*). – **II** *v/i* 4. sich vereinigen, sich verbinden, sich verbünden, eng verbunden sein (**to, with** mit). – **III** *s* ['ælai; ə'lai] 5. Alli'ierte(r), Verbündete(r), Bundesgenosse *m*, Bundesgenossin *f* (*auch fig.*). – 6. *bot. zo.* verwandte Sippe, verwandtes Taxon (*Varietät, Art, Gattung, Familie etc*).

al·ly[2] *bes. Br. für* **alley**[2].

al·lyl ['ælil] *s chem.* Al'lyl *n*. — **~ al·co·hol** *s chem.* Al'lylalkohol *m*.

al·lyl·a·mine [ˌælilə'miːn; -'æmin] *s chem.* Al'lylaˌmin *n*.

al·lyl·ene ['æliˌliːn] *s chem.* Ally'len *n* ($CH:C{\cdot}CH_3$; *Methylacetylen*).

al·lyl| group, *auch* **~ rad·i·cal** *s chem.* Al'lylrest *m* (*einwertiger Rest* $CH_2:CH{\cdot}CH_2$). — **~ sul·fide** *s chem.* Al'lylsulˌfid *n* [$(C_3H_5)_2S$].

Al·ma·gest ['ælməˌdʒest] *s* 1. Alma'gest *m* (*astronomisches Werk des Ptolemäus*). – 2. **a~** *allg.* astro'logisches *od.* alchi'mistisches Werk (*des Mittelalters*).

al·ma·gra [æl'meigrə] *s min.* Al'magra *f*, (*dunkelroter*) Ocker, span. Braunrot *n*, persische Erde.

al·ma(h) ['ælmə] → **alme(h)**.

Al·main ['ælmein] **I** *s* 1. *obs.* Deutschland *n*. – 2. *obs.* Deutsche(r). – 3. Alle'mande *f* (*Tanz*). – **II** *adj* 4. *obs.* deutsch. — **Al·maine** *cf.* Almain 1.

Al·main riv·ets *s pl mittelalterliche Rüstung aus beweglichen Nietstücken.*

Al·ma Ma·ter ['ælmə 'meitər; 'ɑːlmə 'mɑːtər] (*Lat.*) *s* 1. *antiq.* Alma mater *f*, nährende Mutter (*Name für verschiedene Göttinnen*). – 2. *meist*

a~ m~ Alma Mater *f* (*Bezeichnung für die eigene Universität*).
Al·man ['ælmən] → **Almain** 1.
al·ma·nac ['ɔːlməˌnæk] *s* Almanach *m*, Ka'lender *m*, Jahrbuch *n*.
al·man·dine ['ælmənˌdiːn; -din] *s min*. Alman'din *m*, roter Gra'nat, 'Eisenˌton(erde)graˌnat *m*, Kar'funkel *m* ($Al_2Fe_3(SiO_4)_3$).
al·man·dite ['ælmənˌdait] *s min*. (*tiefrote Art*) Gra'nat *m* ($Al_2Fe_2(SiO_4)_3$).
al·me(h) ['ælme] *s* Al(i)me *f* (*orient., bes. ägyptische Sängerin u. Tänzerin*).
al·me·mar [æl'miːmaːr] *s relig*. Al'memor *m* (*Art Kanzel in Synagogen*).
al·men·drón [almen'drən] (*Span.*) *s bot*. Para-Nußbaum *m* (*Bertholletia excelsa*).
al·might·i·ness [ɔːl'maitiˌnis] *s* Allmacht *f*. — **al'might·y** *adj* **1.** all'mächtig: the **A~** der Allmächtige, Gott; the ~ dollar die Allmacht des Geldes. – **2.** *Am. colloq*. riesig, kolos'sal.
al·mi·que [ɑːl'miːki] *s bot*. Ku'banischer Eisenholzbaum (*Labourdonnaisia albescens*; *Sapotacee*).
al·mi·rah [æl'mai(ə)rə; -'miːr-] *s Br. Ind*. Schrank *m*, Kom'mode *f*.
al·mon [ɑːl'moun] *s bot*. (*ein*) Dammarbaum *m* (*Shorea eximia*).
al·mond ['ɑːmənd] *s* **1.** *bot*. Mandel *f*, Mandelbaum *m* (*Amygdalus communis*). – **2.** Mandelfarbe *f*. – **3.** mandelförmiger Gegenstand (*z.B. Glasmandel an Kronleuchtern*). – **4.** *med*. Mandel *f*. — '~-ˌ**eyed** *adj* mit mandelförmigen Augen, mandeläugig. — ~ **milk** *s med*. Mandelmilch *f* (*Emulsio amygdalarum*). — ~ **wil·low** *s bot*. Mandelweide *f* (*Salix amygdalina*).
al·mon·er ['ælmənər; 'ɑːm-] *s* **1.** Almosenpfleger *m*. – **2.** Beamter *m* eines Krankenhauses (*der sich mit Sozialfürsorge für die Patienten u. der Bezahlung ihrer Gebühren befaßt*). — '**al·mon·ry** *s* **1.** Wohnung *f* des Almosenpflegers. – **2.** Ort *m* (*z.B. in Klöstern*), wo Almosen verteilt werden.
al·most ['ɔːlmoust] *adv* fast, beinah(e), bald.
alms [ɑːmz] *s* (*als sg od. pl konstruiert*) **1.** Almosen *n*, Liebesgabe *f*. – **2.** *obs*. Armenhilfe *f*, Almosengeben *n*. — ~ **box** *s Br*. Opferbüchse *f*, -stock *m* (*in der Kirche*). — ~ **dish** *s* Opferteller *m* (*in der Kirche*). — ~ **fee** *s* Peterspfennig *m*. — '~ˌ**folk** *s* Almosenempfänger *pl*. — '~ˌ**giv·er** *s* Almosenspender(in). — '~ˌ**giv·ing** *s* Almosenspenden *n*. — '~ˌ**house** *s* **1.** *Br*. Altersheim *n*, Spi'tal *n* für Arme (*aus Privatspenden errichtet*). – **2.** *Am*. Armenhaus *n* (*öffentliche Einrichtung*). — ~ **land** *s jur. Br*. Kirchenland *n*. — '~**·man** [-mən] *s irr* **1.** Almosenempfänger *m*, Hausarmer *m*. – **2.** *selten* Almosenspender *m*. — '~ˌ**wom·an** *s irr* **1.** Almosenempfängerin *f*, Hausarme *f*. – **2.** *selten* Almosenspenderin *f*.
al·muce ['ælmjuːs] → **amice**[2].
al·mug ['ælmʌg] → **algum**.
al·nage ['ælnidʒ; 'ɔːl-] *s Br. hist*. **1.** amtliche Tuchmessung nach Ellen. – **2.** Abgabe(n *pl*) *f* für die Tuchmessung.
al·ni·co ['ælniˌkou] *s tech*. Alnico *m* (*Werkstoff für Dauermagnete*).
al·nus ['ælnəs] *s bot*. Erle *f* (*Gattg Alnus*).
al·od ['ælɒd] *s jur*. Al'lodium *n*, Freigut *n*. — **a·lo·di·al** [ə'loudiəl] **I** *adj* allodi'al, ein Freigut betreffend, (lehens)zinsfrei u. erbeigen. – **II** *s* Allodi'albesitz *m*. — **a'lo·di·alˌism** *s jur*. Allodi'alsyˌstem *n*. — **a'lo·di·an** *adj jur*. allodi'al. — **a'lo·di·a·ry** [*Br*. -əri; *Am*. -ˌeri] *s* Freigutbesitzer *m*. — **a·lod·i·fi·ca·tion** [əˌlɒdifi'keiʃən; -də-] *s jur*. Allodifikati'on *f* (*Änderung des Landbesitztitels von Lehensbesitz in Freigut*). — **a·lo·di·um** [ə'loudiəm] *pl* **-di·a** [-ə] → **alod**.
al·oe ['ælou] *pl* **-oes** *s* **1.** *bot*. Aloe *f* (*Gattg Aloe*): hedgehog ~ Igelaloe (*A. echinata*); horse ~ Roßaloe (*A. caballina*); noble ~ Edelaloe (*A. nobilis*); Socotrine ~ Sokotraaloe (*A. perryi*); spiked ~ Ährige Aloe (*A. spicata*). – **2.** *med*. Aloe *f* (*Saft aus den Blüten der Aloe*). – **3.** Aloefarbe *f*. — ~ **cre·ole** → **aloe malgache**.
al·oed ['æloud] *adj* **1.** mit Aloen bepflanzt. – **2.** mit Aloen vermischt. – **3.** *med*. mit Aloe gemischt.
al·oe| hemp *s* Aloehanf *m*, Pita *f*. — ~ **mal·gache** [mæl'gæʃ] *s bot*. Mau'ritiushanf *m* (*Furcraea gigantea*).
al·o·em·o·din [ˌælo'emodin] *s chem*. Aloemo'din *n* ($C_{15}H_{10}O_5$).
al·oes·wood ['ælouzˌwud] *s* Adler-, Ka'lumbak-, Para'dies-, Aloeholz *n* (*Holz von Aquilaria agallocha*).
al·o·et·ic [ˌælo'etik] *chem. med*. **I** *adj* alo'etisch, mit Aloe versetzt: ~ acid Aloesäure ($C_{15}H_6N_4O_{13}$). – **II** *s* 'Aloepräpaˌrat *n*.
al·oe·tine ['ælotin; -ˌtiːn] → **aloin**.
'**al·oeˌwood** *s bot*. *eine trop.-amer. Borraginacee* (*Cordia sebestena*).
a·loft [ə'lɒft] **I** *adv* **1.** *poet*. hoch (oben), in der *od*. die Höhe, em'por, droben, im Himmel: to go ~ *fig*. sterben. – **2.** *mar*. oben, in der Takelung. – **II** *prep* **3.** *obs*. (oben) über.
a·log·i·cal [ei'lɒdʒikəl] *adj* alogisch. — **al·o·gism** ['æləˌdʒizəm] *s* alogische Aussage.
a·lo·ha [ɑː'louhɑː; ə'louə] (*Hawaiian*) *s* **1.** Liebe *f*, Zärtlichkeit *f*. – **2.** Will'kommen! Lebe'wohl! (*Gruß*).
al·oid ['æləid] *adj* aloeartig.
al·o·in ['æloin] *s chem*. Alo'in *n*.
A·lom·bra·dos [ˌɑːlom'brɑːðous] → **Alumbrados**.
a·lone [ə'loun] **I** *adj* **1.** al'lein, einsam: let it ~ laß das bleiben, laß die Finger davon; leave me ~ laß mich in Frieden *od*. in Ruhe; to leave s.th. ~ etwas sein lassen, sich nicht um etwas kümmern; → let *b. Redw*. – **2.** *selten* einzig, ohnegleichen. – **3.** *obs*. einzeln, einzig, al'leinig. – *SYN*. desolate, forlorn, lone, lonely, lonesome, solitary. – **II** *adv* **4.** al'lein, bloß, nur.
a·long[1] [ə'lɒŋ; *Am. auch* ə'lɔːŋ] **I** *prep* **1.** entlang, längs, an ... vor'bei, an ... her, an ... hin. – **2.** während, hier und da im Laufe von ... – **II** *adv* **3.** ~ by entlang, längs, der Länge nach. – **4.** (weiter) fort, vorwärts, weiter: → get ~; the afternoon was well ~ *Am. colloq*. der Nachmittag war schon bald vorbei. – **5.** ~ with (zu'sammen) mit: to take ~ mitnehmen; to come ~ with s.o. mit j-m mitkommen. – **6.** *colloq*. da, her, hin: I'll be ~ in a few minutes ich werde in ein paar Minuten da sein. – **7.** right ~ *Am. colloq*. fortwährend: he has been working here right ~ er hat hier ständig gearbeitet.
a·long[2] [ə'lɒŋ; *Am. auch* ə'lɔːŋ] *adv vulg. od. dial*. wegen.
a·long·shore [ə'lɒŋˌʃɔːr] *adv* die *od*. der Küste entlang, längs der Küste. — **a'longˌshore·man** [-mən] *s irr* **1.** Werftarbeiter *m*. – **2.** Küstenfahrer *m*. – **3.** Seemann *m* auf Vergnügungsbooten in Seebädern.
a'long'side I *adv* **1.** *mar*. längsseit(e), Bord an Bord, langseit. – **2.** Seite an Seite, neben('her). – **3.** *colloq*. (with) verglichen (mit), im Vergleich (zu). – **II** *prep* **4.** an der Seite von, neben (*dat od. acc*), längsseit(s): → free ~ ship. – **5.** im gleichen Ausmaß wie, schritthaltend mit.
a·loof [ə'luːf] **I** *adv* fern (*aber noch in Sicht*), entfernt, abseits, von fern, von weitem, in der Ferne. – **II** *pred adj* fern, abseits (*bleibend od. sich haltend*), reser'viert, zu'rückhaltend. – *SYN. cf*. indifferent. — **a'loof·ness** *s* Zu'rückhaltung *f*, Reser'viertheit *f*.
a·lop [ə'lɒp] *adj* einseitig, schief, 'überhängend.
al·o·pe·ci·a [ˌælo'piːʃiə; -lə-] *s med*. Alope'zie *f*, Haarausfall *m*, Kahlheit *f*. — **a·lop·e·cist** [ə'lɒpisist] *s* j-d der Haarausfall verhindert *od*. heilt.
a·lor·cic ac·id [ə'lɔːrsik], *auch* **al·or·cin·ic ac·id** [ˌæləːr'sinik] *s chem*. Alor'cinsäure *f* ($C_9H_{10}O_3$).
a·lose [ə'lous] *s zo*. A'lose *f*, Else *f* (*Alosa vulgaris*; *Fisch*).
al·ou·atte [ˌælu'æt] → **howling monkey**.
a·lou·chi res·in [ə'luːtʃi] *s* Elemi-Harz *n od*. Taka'mahak *n* (*Harz der Burseraceenbäume Protium aracouchini u. P. heptaphyllum*).
a·loud [ə'laud] *adv* laut, mit lauter Stimme.
a·low[1] [ə'lou] *adv mar*. unten, her-, hin'unter, nach unten.
a·low[2], *auch* **a·lowe** [ə'lou] *adv u. pred adj Br. dial*. in Flammen.
al·o·ys·i·a [ˌælo'isiə] *s bot*. Zi'tronen-Verˌbene *f*, Punschpflanze *f* (*Lippia citriodora*).
alp[1] [ælp] *s* Alp(e) *f*, Alm *f*.
alp[2] [ælp] *s* Alp *m*, Unhold *m*.
al·pac·a [æl'pækə] *s* **1.** *zo*. Pako *m*, Al'paka *n*, Peru'anisches Ka'mel (*Lama guanicoë*). – **2.** Al'pakahaar *n*, -wolle *f*. – **3.** Al'pakastoff *m*.
al·pa·so·tes [ˌɑːlpɑː'souteis] *s bot*. Wohlriechender Gänsefuß (*Chenopodium ambrosioides*).
Al·pen ['ælpən] *adj* die Alpen betreffend, Alpen...
'**al·pen|ˌglow** *s* Alpenglühen *n*. — '~ˌ**horn** *s* Alp(en)horn *n*. — '~ˌ**stock** *s* Bergstock *m*. — '~ˌ**stock·er** *s colloq*. ‚Kraxler' *m* (*Bergsteiger*).
al·pes·tri·an [æl'pestriən] *s* Alpi'nist *m*, Bergsteiger *m*.
al·pes·trine [æl'pestrin] *adj* **1.** auf die Alpen bezüglich, Alpen... – **2.** *bot*. subal'pinisch (*unter der Baumgrenze wachsend*).
al·pha ['ælfə] *s* **1.** Alpha *n* (*erster Buchstabe des griech. Alphabets*). – **2.** *fig*. Alpha *n*, der, die, das erste *od*. beste, Anfang *m*: ~ and omega der Anfang u. das Ende, das A u. O.
al·pha·bet ['ælfəˌbet] **I** *s* **1.** Alpha'bet *n*, Ab'c *n*, Abe'ce *n*: ~ noodles Buchstabennudeln. – **2.** *fig*. 'Grundeleˌmente *pl*, Rudi'mente *pl*, Ab'c *n* (*einer Wissenschaft*). – **II** *v/t* **3.** alpha'betisch ordnen.
al·pha·bet·ar·i·an [ˌælfəbe'tɛ(ə)riən] *s* **1.** j-d der das Alpha'bet lernt *od*. Alpha'bete stu'diert. – **2.** Ab'c-Schütze *m*. – **3.** *fig*. Anfänger *m*.
al·pha·bet·ic [ˌælfə'betik], ˌ**al·pha'bet·i·cal** [-əl] *adj* alpha'betisch, Buchstaben...: alphabetical agency Institution mit abgekürzter Bezeichnung. — ˌ**al·pha'bet·i·cal·ly** *adv* (*auch zu* alphabetic). — ˌ**al·pha'bet·ics** *s pl* (*als sg konstruiert*) Alpha'betik *f*.
al·pha·bet·ism ['ælfəbeˌtizəm] *s* **1.** Gebrauch *m* eines Alpha'bets. – **2.** Ausdrücken *n* der Laute durch ein Alpha'bet. – **3.** Anwendung *f* von Buchstaben statt des vollen Namens (*in Unterschriften od. Verfasserschaftsangaben*). — '**al·phaˌbet·ist** *s* Kenner *m* von Alpha'beten, Erfinder *m* eines Alpha'bets.
al·pha·bet·ize ['ælfəbeˌtaiz; -bə-] *v/t* **1.** (*Laute*) durch alpha'betische Zeichen ausdrücken. – **2.** alphabeti'sieren, alpha'betisch ordnen. – *SYN. cf*. assort.
al·pha·duct ['ælfəˌdʌkt] *s tech*. fle'xible, 'nichtmeˌtallische Leitung.
al·pha| par·ti·cle *s phys*. Alphateilchen *n*. — ~ **plus** *adj* allerbestens, einzigartig (gut). — ~ **priv·a·tive** *s*

ling. Alpha *n* priva'tivum (*verneinendes od. subtrahierendes Präfix*). — **~ ra·di·a·tor** *s phys.* Alphastrahler *m.* — **~ ray** *s phys.* Alphastrahl *m.* — **~ test** *s psych. Am.* Alpha-Test *m* (*Intelligenzprüfung*). — **~ wave** *s* (*Elektro-Enzephalographie*) Alpha-Welle *f.*

al·phen·ic [æl'fenik] *s med.* weißer Gerstenzucker.

al·phit·o·mor·phous [æl,fito'mɔ:rfəs; -tə-] *adj bot.* mehlartig.

al·phol ['ælfɒl; -foul] *s chem.* α-Naph'thylsalicy,lat *n* ($HOC_6H_4COOC_{10}H_7$).

Al·phon·sine [æl'fɒnsin; -zin] *adj* al'fonsisch, alfon'sinisch: **~ tables** *astr.* alfons(in)ische Sterntafeln.

'alp,horn → **alpenhorn.**

al·phos ['ælfɒs] *s med.* Alphus *m* (*Art Aussatz*).

al·pho·sis [æl'fousis] *s med.* Pig'mentmangel *m*, weißes Aussehen.

al·pi·gene ['ælpi,dʒi:n] *adj* auf den Alpen wachsend.

Al·pine ['ælpain; -pin] *adj* **1.** die Alpen betreffend, in den Alpen wachsend, Alpen... – **2.** a~ al'pin, in Hochgebirgen wachsend, Hochgebirgs...

al·pine| a·nem·o·ne *s bot. eine amer. Anemone* (*Anemone tetonensis*). — **~ as·ter** *s bot. eine amer. Aster* (*Aster meritus*). — **~ a·za·le·a** *s bot.* Felsenröschen *n*, 'Alpen-Aza,lee *f* (*Loiseleuria procumbens*). — **~ bart·si·a** *s bot.* Bartschie *f*, Alpenhelm *m* (*Bartsia alpina*). — **~ bear·ber·ry** *s bot.* Alpenbärentraube *f* (*Arctostaphylos alpina*). — **~ beard·tongue** *s bot.* (*ein*) amer. Bartfaden *m* (*Pentstemon ellipticus*; *Scrophulariacee*). — **~ birch** *s bot.* Zwergbirke *f* (*Betula nana*). — **~ bis·tort** *s bot.* Knöllchen-Knöterich *m* (*Polygonum viviparum*). — **~ brook sax·i·frage** *s bot.* (*ein*) Steinbrech *m* (*Saxifraga rivularis*). — **~ cam·pi·on** *s bot.* Alpen-Pechnelke *f* (*Viscaria alpina*). — **~ catch·fly** *s bot.* Alpen-Strahlensame *m* (*Heliosperma alpestre*). — **~ clo·ver** *s bot.* Alpenklee *m* (*Trifolium alpinum*). — **~ col·um·bine** *s bot.* Nordamer. Ake'lei *f* (*Aquilegia coerulea*). — **A~ com·bi·na·tion** *s sport* al'pine Kombinati'on (*Abfahrtslauf u. Slalom*). — **~ cress** *s bot.* Alpenschaumkraut *n* (*Cardamine bellidifolia*). — **A~ dock** *s bot.* Alpenampfer *m* (*Rumex alpinus*). — **~ eye·bright** *s bot.* (*ein*) Augentrost *m* (*Euphrasia monroi*). — **~ fir** *s bot.* Westamer. Balsamtanne *f* (*Abies lasiocarpa*). — **~ fire·weed** *s bot.* Breitblättriges Weidenröschen (*Chamaenerion latifolium*). — **~ for·get-me-not** *s bot.* (*ein amer.*) Himmelsherold *m* (*Eritrichium howardi*).

al·pine| ge·ra·ni·um *s bot.* Si'birischer Storchschnabel (*Geranium sibiricum*). — **~ gold·en·rod** *s bot.* (*eine amer.*) Goldrute (*Solidago ciliosa*). — **~ hem·lock** *s bot.* (*eine*) Schierlingstanne (*Tsuga mertensiana*). — **~ ho·ly grass** *s bot.* Arktisches Ma'riengras (*Hierochloë alpina*). — **~ la·dy fern** *s bot.* Alpen-Waldfarn *m* (*Athyrium alpestre*). — **~ larch** *s bot.* Filzige Lärche (*Larix lyallii*). — **~ louse·wort** *s bot.* (*ein amer.*) Läusekraut *n* (*Pedicularis contorta*). — **~ Par·nas·si·a** *s bot.* (*ein amer.-arktisches*) Herzblatt (*Parnassia kotzebuei*). — **~ pop·py** *s bot.* Zwergmohn *m* (*Papaver pygmaeum*). — **~ rock cress** *s bot.* Alpengänsekresse *f* (*Arabis alpina*). — **A~ sal·a·man·der** *s zo.* 'Alpensala,mander *m* (*Salamandra atra*). — **~ sedge** *s bot.* (*eine nordamer.*) Segge (*Carex scopulorum*). — **~ spring beau·ty** *s bot.* (*eine amer.*) Clay'tonie (*Claytonia megarrhiza*). — **~ straw·ber·ry** *s bot.* Einblättrige Walderdbeere (*Fragaria vesca monophylla*). — **~ troops** *s pl mil.* Gebirgsjäger *pl*, Hochgebirgstruppen *pl.* — **~ um·brel·la plant** *s bot.* (*ein*) Wollknöterich *m* (*Eriogonum androsaceum*). — **~ white·bark pine** *s bot.* Weiß-Stamm-Zirbe *f* (*Pinus albicaulis*). — **~ wood·si·a** *s bot.* Alpen-Woodsie *f* (*Woodsia alpina*).

al·pin·i·a [æl'piniə] *s bot.* Al'pinie *f* (*Gattg Alpinia*).

Al·pin·ism ['ælpi,nizəm] *s* Alpi'nismus *m.* — **'Al·pin·ist** *s* Alpi'nist *m*, Bergsteiger *m.*

al·pist ['ælpist] *s bot.* Ka'nariengrassamen *m* (*Samen von Phalaris canariensis*).

Alps [ælps] *s pl* (*die*) Alpen *pl.*

al·qui·fou [,ælki'fu:] *s* Bleiglanz *m*, Gla'surerz *n.*

al·read·y [ɔ:l'redi] *adv* schon, bereits.

al·right [,ɔ:l'rait] *inkorrekte Schreibung von* **all right.** ['trin *n.*]

Al·sace gum ['ælsæs] *s chem.* Dex-]

Al·sa·ti·a [æl'seiʃiə] **I** *npr* **1.** Elsaß *n.* – **2.** Whitefriars (*in London, wo Verbrecher Asylrecht genossen*). – **II** *s* **3.** Freistatt *f*, Zufluchtsort *m* (*für Verbrecher*).

Al·sa·tian [æl'seiʃiən; -ʃən] **I** *adj* **1.** elsässisch, das Elsaß betreffend. – **2.** Alsatia in London betreffend. – **II** *s* **3.** Elsässer(in). – **4.** Wolfshund *m*, deutscher Schäferhund. — **~ wolf dog,** *Br.* **~ wolf-hound** *s* Wolfshund *m*, deutscher Schäferhund.

al se·gno [al 'seɲo] (*Ital.*) *adv mus.* bis zum Zeichen (*Spielanweisung*).

al·sike (clo·ver) ['ælsaik; -sik; 'ɔ:l-] *s bot.* Bastardklee *m* (*Trifolium hybridum*).

Al Si·rat [æl si'rɑ:t] *s relig.* Si'rat *f* (*Brücke über den Höllengrund, die jeder überschreiten muß*).

al·so ['ɔ:lsou] **I** *adv* auch, da'zu, ferner, außerdem, ebenso, ebenfalls, gleichfalls. – **II** *conjunction colloq.* und.

al·soph·i·la [æl'sɒfilə] *s bot.* Hainfarn *m* (*Gattg Alsophila*).

'al·so-,ran *s* **1.** (*Rennsport*) siegloses Pferd. – **2.** *sl. j-d der sich nicht besonders auszeichnet*: **he is an ~ er** kommt unter ‚ferner liefen'.

al·sto·nine ['ælsto,ni:n; -nin; -stə-] *s chem.* Chloroge'nin *n* ($C_{21}H_{20}N_2O_4$).

alt [ælt] *mus.* **I** *s* Alt(stimme *f*) *m*: **in ~** a) *mus.* in der Oktave über dem Violinsystem, b) *fig.* in gehobener Stimmung, aufgeregt, schwärmerisch begeistert. – **II** *adj* hoch, Alt...

Al·ta·ian [æl'teiən; -'taiən], **Al'ta·ic** [æl'teiik] **I** *adj* **1.** al'taisch (*die Sprachen u. Völker zwischen dem Altai u. dem Eismeer betreffend*). – **II** *s* **2.** Al'taier(in). – **3.** *ling.* Al'taisch *n*, das Altaische.

Al·ta·ir [*Br.* æl'tɛə; *Am.* æl'tɑ:ir] *s astr.* Al'tair *m* (*Stern im Adler*; *Alpha Aquilae*).

al·ta·ite [æl'teiait] *s min.* Alta'it *m*, Tel'lurblei *n* (PbTe).

al·tar ['ɔ:ltər] **I** *s* **1.** Al'tar *m*, Opferherd *m.* – **2.** Al'tar(tisch) *m*, Tisch *m* des Herrn: **to lead to the ~** (*j-n*) zum Altar führen. – **3.** *fig.* Kirche *f.* – **4.** *obs.* Zueignungsgedicht *n.* – **5.** *mar. sl.* Stufenweg *m* an den Seiten eines Trockendocks. – **6.** A~ *astr.* Al'tar *m* (*südl. Sternbild*). – **II** *adj* **7.** Altar...: **~ cloth** Altartuch.

al·tar·age ['ɔ:ltəridʒ] *s* **1.** Al'targeschenk *n*, Opfergabe *f.* – **2.** Al'targeld *n*, 'Meßsti,pendium *n.* – **3.** Stiftung *f* (*zum Lesen von Seelenmessen*).

al·tar| bread *s* Abendmahlsbrot *n*, Hostie *f.* — **~ chime** *s* (Satz *m* von drei) Al'targlöckchen *pl.*

al·tared ['ɔ:ltərd] *adj* **1.** mit einem Al'tar versehen. – **2.** als Al'tar verwendet.

al·tar·ist ['ɔ:ltərist] *s* Al'tardiener *m.*

'al·tar|,piece *s* Al'tarbild *n*, -gemälde *n.* — **~ plate** *s* Abendmahlsteller *m.* — **~ rail** *s* Al'targitter *n.* — **'~,wise** *adv* wie ein Al'tar (gestellt) (*Vorderseite nach Westen*).

alt·az·i·muth [æl'tæziməθ] *s astr.* Altazi'mut *n* (*Meßinstrument*).

al·ter ['ɔ:ltər] **I** *v/t* **1.** ändern, anders machen, verändern, ab-, 'umändern, verwandeln. – **2.** *med. obs.* langsam heilen. – **3.** *Am. dial.* (*Tiere*) verschneiden, ka'strieren. – **4.** *mus.* alte'rieren, chro'matisch verändern. – **II** *v/i* **5.** sich (ver)ändern, anders werden. – *SYN. cf.* **change.** — **,al·ter·a'bil·i·ty** *s* Veränderlichkeit *f*, Wandelbarkeit *f*, Veränderungsfähigkeit *f.* — **'al·ter·a·ble** *adj* änderungsfähig, veränderlich, wandelbar. — **'al·ter·a·ble·ness** → **alterability.**

al·ter·ant ['ɔ:ltərənt] **I** *adj* Änderung her'vorbringend, 'umändernd. – **II** *s* Änderungsmittel *n* (*bes. zur Farbtönung*).

al·ter·a·tion [,ɔ:ltə'reiʃən] *s* **1.** (Ver)-Änderung *f*, Ab-, 'Umänderung *f*, Abwechslung *f*, 'Umbildung *f*, Neuerung *f* (*auch das Ergebnis der Änderung, der geänderte Gegenstand*): **~ to gneiss** *min.* Vergneisung. – **2.** *mus.* Alterati'on *f*, Alte'rierung *f*, chro'matische Veränderung. — **'al·ter·,a·tive** **I** *adj* **1.** verändernd. – **2.** *med.* langsame Gesundung her'beiführend. – **II** *s* **3.** *med.* Altera'tiv *n*, Blutreinigungsmittel *n.*

al·ter·cate ['ɔ:ltər,keit] *v/i* streiten, zanken. — **,al·ter'ca·tion** *s* Wortwechsel *m*, Zank *m*, Streit *m.* – *SYN. cf.* **quarrel**[1]. — **'al·ter,ca·tive** *adj* streitend, zankend, Streit...

al·ter e·go ['æltər 'i:gou; 'egou] (*Lat.*) Alter ego *n*: a) zweites Selbst, b) Busenfreund *m.*

al·ter·i·ty [ɔ:l'teriti; -rəti; æl-] *s* Anderssein *n*, Verschiedenheit *f.*

al·tern ['ɔ:ltə:rn] *adj* **1.** abwechselnd. – **2.** *min.* alter'nierend. — **al'ter·na·cy** [-'tə:rnəsi] *s obs.* Abwechslung *f.* — **al'ter·nant** **I** *adj* abwechselnd. – **II** *s math.* alter'nierende Größe.

al·ter·nate [*Br.* ɔ:l'tə:nit; *Am.* 'ɔ:ltər-] **I** *adj* **1.** (mitein'ander) abwechselnd, alter'nierend, in (*regelmäßiger*) Abwechslung aufein'ander folgend: **~ angles** *math.* Wechselwinkel; **~ position** *mil.* Ausweich-, Wechselstellung. – **2.** *bot.* wechselständig: **~-leaved** mit wechselständigen Blättern. – *SYN. cf.* **intermittent.** – **II** *s* **3.** das mit etwas anderem (*regelmäßig*) Abwechselnde. – **4.** *bes. pol. Am.* Stellvertreter *m.* – **III** *v/t* ['ɔ:ltər,neit] **5.** wechselweise tun *od.* verrichten. – **6.** (aufein'ander) folgen lassen, abwechseln lassen: **to ~ the spokes** die Speichen versetzt anordnen. – **7.** (*miteinander*) vertauschen, 'umsetzen, versetzen. – **8.** *tech.* über'springen. – **9.** *tech.* 'hin- und 'herbewegen. – **10.** *electr.* durch Wechselstrom in Schwingungen versetzen. – **11.** *electr. tech.* (peri'odisch) verändern. – **IV** *v/i* **12.** wechselweise (*aufeinander*) folgen, alter'nieren, (*miteinander*) abwechseln. – **13.** sich gegenseitig (*regelmäßig*) abwechseln *od.* ablösen. – **14.** *electr.* wechseln (*Strom*). — **al·ter·nate·ly** [*Br.* ɔ:l'tə:nitli; *Am.* 'ɔ:ltər-] *adv* abwechselnd, wechselweise, wechselständig, durch Versetzung. — **al·ter·nate·ness** [*Br.* ɔ:l'tə:nitnis; *Am.* 'ɔ:ltər-] *s selten* Abwechslung *f.* — **al·ter·nat·ing** ['ɔ:ltər,neitiŋ] *adj* abwechselnd, Wechsel...: **~ current** *electr.* Wechselstrom; **~ field** *electr.* Wechsel(strom)-feld; **~ perforation** *tech.* Zickzacklochung; **~ stress** *tech.* Wechselbeanspruchung; **~ three-phase current** *electr.* Drehstrom; **~ voltage** *electr.* Wechselspannung.

al·ter·na·tion [,ɔ:ltər'neiʃən] *s* **1.** Abwechslung *f*, Wechsel *m*, Alter'nieren *n*, wechselseitige Folge: **~ of genera-**

tions *biol.* Generationswechsel, Kernphasenwechsel. – **2.** *math. selten* Permutati'on *f*, Versetzung *f*. – **3.** *math.* alter'nierende Proporti'on. – **4.** *relig.* Respon'sorium *n* (*Wechselgesang*). – **5.** *electr.* (peri'odischer) Vorzeichenwechsel (*elektrischer Größen*), (Strom)Wechsel *m*, 'Halbperiˌode *f*.

al·ter·na·tive [ɔːl'təːrnətiv] **I** *adj* **1.** alterna'tiv, die Wahl lassend (*zwischen zwei od. mehreren Dingen*), ein'ander ausschließend: ~ **airfield** Ausweichflugplatz. – **2.** ander(er, e, es) (*von zweien*). – **3.** in Wechselbeziehung stehend. – **II** *s* **4.** Alterna'tive *f*, Entweder-Oder *n*, (Aus)Wahl *f* (*zwischen zwei od. mehreren Möglichkeiten*). – **5.** (*der, die, das*) andere (*von zweien*), andere Wahl. – *SYN. cf.* **choice.**

al·ter·na·tor ['ɔːltərˌneitər] *s electr.* Wechselstromerzeuger *m*, 'Wechselstromgeneˌrator *m*: ~ **armature** Wechselstromanker.

al·th(a)e·a [æl'θiːə] *s bot.* Al'thaea *f*, Al'thee *f*, Eibisch *m* (*Hibiscus syriacus*).

al·the·ine [æl'θiːiːn; -in], *auch* **al·the·in** [-in] *s chem.* Aspara'gin *n*.

Al·thing ['ɑːlθiŋ; 'ɔːl-] *s* Althing *n* (*gesetzgebende Versammlung von Island*).

al·tho [ɔːl'ðou] *Am. Nebenform für* although.

alt·horn ['æltˌhɔːrn] *s mus.* Althorn *n*.

al·though, *Am. auch* **al·tho** [ɔːl'ðou] *conjunction* ob'wohl, ob'gleich, wenn auch.

al·ti·graph ['æltiˌgræ(ː)f; *Br. auch* -ˌgrɑːf] *s phys.* Alti'graph *m*, Höhenschreiber *m* (*Höhenmesser mit Schreibvorrichtung*).

al·til·o·quence [æl'tilokwəns] *s* schwülstige Rede, Bom'bast *m*.

al·tim·e·ter [æl'timitər; -mə-; 'æltiˌmiːtər] *s phys.* Höhenmesser *m*, Alti'meter *n*. — **al'tim·e·try** *s* Höhenmessung *f*, Höhenmeßkunde *f*.

al·ti·scope ['æltiˌskoup] *s phys.* Alti'skop *n* (*Spiegelfernrohr*).

al·tis·o·nant [æl'tisonənt; -sə-] *adj* hochtönend, hochtrabend.

al·tis·si·mo [æl'tisimou; -sə-] *adj mus.* al'tissimo, höchst, sehr hoch: in ~ in der zweiten Oktave über dem Violinsystem.

al·ti·tude ['æltiˌtjuːd; -tə-; *Am. auch* -ˌtuːd] *s* **1.** Höhe *f*, Gipfel *m*. – **2.** *fig.* Erhabenheit *f*, Hoheit *f*. – **3.** *aer. astr. math.* Höhe *f*, (abso'lute) Höhe (*über dem Meeresspiegel*), Flughöhe *f*: ~ **anoxia** Höhenkrankheit (*des Fliegers*), Fliegerkrankheit; ~ **cabin** Überdruckkammer; ~ **control** Höhensteuerung; ~**-correction ruler** Erdkrümmungslineal; ~ **of the sun** Sonnenstand; ~ **range** *mil.* Steighöhe (*eines Geschosses*). – *SYN. cf.* **height.** — ˌ**al·ti'tu·di·nal** [-dinl; -də-] *adj* Höhen...

al·ti·tu·di·nar·i·an [ˌæltiˌtjuːdi'nɛ(ə)riən; -tə-; -də-; *Am. auch* -ˌtuːd-] **I** *adj* em'porstrebend, hohe Ide'ale besitzend, hochtrabend. – **II** *s* Mensch *m* mit hochfliegenden Plänen.

al·to ['æltou] *mus.* **I** *s pl* **'al·tos** *od.* **'al·ti** [-iː] Alt *m*: a) Altstimme *f* (*eines Sängers*), b) 'Altstimme *f*, -parˌtie *f* (*einer Komposition*), c) Altlage *f*, d) Al'tist(in), Altsänger(in), e) 'Altinstruˌment *n*, *bes.* Vi'ola *f*, Bratsche *f*, f) (Chor)Alt *m* (*Stimmgruppe*), g) 'Altsaxoˌphon *n*. – **II** *adj* hoch. — ~ **clef** *s mus.* Altschlüssel *m*. — ˌ~**-'cu·mu·lus** *s* (*Meteorologie*) Alto'kumulus *m*, grobe Schäfchenwolke.

al·to·geth·er [ˌɔːltə'geðər] **I** *adv* **1.** zu'sammen, insgesamt, gänzlich, völlig, ganz und gar, durchaus. – **2.** im ganzen genommen. – **II** *s* **3.** Ganzes *n*, Gesamtheit *f*. – **4.** **the** ~ *colloq.* die vollkommene Nacktheit.

al·to horn → althorn.

al·tom·e·ter [æl'tɒmitər; -mə-] *s phys.* Höhenmesser *m*.

al·to|-re·lie·vo ['æltou ri'liːvou] *pl* **-vos,** ~**-ri·lie·vo** ['ɑlto ri'ljɛvo] *pl* **-vi** [-vi] (*Ital.*) *s* 'Hochreliˌef *n*, erhabene Arbeit. — ˌ~**-'stra·tus** *s* (*Meteorologie*) Alto'stratus *m*, hohe Schichtwolke.

al·tru·ism ['æltruˌizəm] *s* Altru'ismus *m*, Nächstenliebe *f*, Selbstlosigkeit *f*, Uneigennützigkeit *f*. — **'al·tru·ist** *s* Altru'ist(in). — ˌ**al·tru'is·tic** *adj* altru'istisch, selbstlos.

al·u·del ['æljuˌdel] *s chem.* Alu'del *m* (*birnenförmige Verbindung zweier Gefäße*). — ~ **fur·nace** *s tech.* Doppelofen *m* (*zur Reduktion von Quecksilbererzen*).

al·u·la ['æljulə] *pl* **-lae** [-ˌliː] *s zo.* **1.** Daumenflügel *m*. – **2.** Flügelschüppchen *n* (*der Zweiflügler*).

al·um ['æləm] *s chem.* A'laun *m* (*Doppelsalz eines ein- u. dreiwertigen Metalls*): → **chrome** ~.

A·lum·bra·dos [ˌɑːluːm'brɑːðous] *s pl relig.* Alum'brados *pl* (*Anhänger der span. Illuminatensekte*).

al·um cake *s chem.* A'launkuchen *m*.

a·lu·mi·na [ə'ljuːminə; *Am. auch* ə'luː-] *s chem.* Tonerde *f* (*Aluminiumoxyd*; Al_2O_3). — **a'lu·miˌnate** [-ˌneit] *s* Alumi'nat *n*: ~ **of copper** Kupferalaun. — **al·u·min·ic** [ˌælju'minik; -ljə-] *adj* Alu'minium enthaltend *od.* betreffend, Aluminium... — **a·lu·mi·nide** [ə'ljuːminaid; *Am. auch* -luː-] *s* alu'miniumhaltige Le'gierung (*od. anderweitige Kombination*). — **aˌlu·mi'nif·er·ous** [-'nifərəs] *adj* alu'miniumhaltig. — **a'lu·miˌnite** [-ˌnait] *s min.* Alumi'nit *m* [$(Al_2(OH)_4 \cdot SO_4) \cdot H_2O$].

al·u·min·i·um [ˌælju'miniəm; -jə-], *Am.* **a·lu·mi·num** [ə'luːminəm] *chem.* **I** *s* Alu'minium *n*. – **II** *adj* Aluminium...: ~ **bronze** Aluminiumbronze; ~ **oxide** Alaun-, Tonerde; ~ **sulfate** Aluminiumsulfat ($Al_2(SO_4)_3$); ~ **rolling mill** Aluminiumwalzwerk. — **a·lu·mi·nize** [ə'ljuːmiˌnaiz; *Am. auch* -'luː-] *v/t chem.* **1.** mit A'laun *od.* Tonerde behandeln *od.* versetzen. – **2.** mit Alu'minium über'ziehen. — **a'lu·miˌnose** [-ˌnous] → aluminous.

a·lu·mi·no·ther·my [ə'ljuːminoˌθəːrmi; *Am. auch* -luː-] *s phys.* Aluˌminother'mie *f*.

a·lu·mi·nous [ə'ljuːminəs; *Am. auch* -luː-] *adj chem.* A'laun *od.* Alu'minium enthaltend *od.* betreffend: ~ **cement** *tech.* Schmelzzement. — **a'lu·miˌnox** [-ˌnɒks] *s tech.* Ko'rund *m*. — **a'lu·mi·num** [-nəm] *Am. für* **aluminium.**

a·lum·na [ə'lʌmnə] *pl* **-nae** [-iː] *s* **1.** *antiq.* Pflegetochter *f*, Schülerin *f*. – **2.** *hist.* Stu'dentin *f*. – **3.** *Am.* ehemalige Stu'dentin *od.* Schülerin. — **a'lum·nus** [-nəs] *pl* **-ni** [-ai] *s* **1.** *antiq.* Pflegesohn *m*, Schüler *m*. – **2.** *hist.* Stu'dent *m*. – **3.** *Am.* ehemaliger Stu'dent *od.* Schüler. – **4.** *Am. colloq.* ehemaliges Mitglied (*irgendeiner Gruppe, z. B. einer Sportmannschaft*).

al·um| rock → alunite. — ~ **root** *s bot.* A'launwurzel *f* (*Heuchera americana*). — ~ **schist,** ~ **shale,** ~ **slate** *s min.* A'launschiefer *m*. — ~ **stone** → alunite.

A·lun·dum, a~ [ə'lʌndəm] (*TM*) *s chem. tech.* A'lundum *n* (*reines kristallines Aluminiumoxyd*).

al·u·nite ['æljuˌnait; -jə-] *s min.* A'launstein *m*, 'Bergaˌlaun *m* ($K(AlO)_3(SO_2)_4 \cdot 3H_2O$). — ˌ**al·uˌni·ti'za·tion** *s* A'launbildung *f*.

a·lu·no·gen [ə'ljuːnodʒen; *Am. auch* ə'luː-] *s min.* 'Federaˌlaun *m*, Haarsalz *n* ($Al_2(SO_4)_3 \cdot 18H_2O$).

al·ure ['æljur] *s selten* Gang *m*, Gale'rie *f*, Weg *m*.

a·lu·ta [ə'ljuːtə] *s ein weiches weißgegerbtes Leder.* — **al·u·ta·ceous** [ˌælju'teiʃəs] *adj* lederartig, -farben, braun.

al·ve·ar·y [*Br.* 'ælviəri; *Am.* -ˌeri] *s* **1.** Bienenstock *m*. – **2.** *med.* Alve'arium *n* (*äußerer Gehörgang*).

al·ve·o·lar ['ælviələr; æl'viː-] **I** *adj* **1.** bienenzellenähnlich, zellig, röhrenförmig: ~ **cytoplasm** *biol.* Wabenplasma. – **2.** *med.* alveo'lar, den Zahndamm betreffend: ~ **arch** Zahnhöhlenbogen. – **3.** *med.* die Lungenbläschen betreffend. – **4.** *ling.* alveo'lar, am Zahndamm artiku'liert. – **II** *s* **5.** *med.* Alveo'larfortsatz *m*. – **6.** *ling.* Alveo'lar *m*. — ˌ**al·ve·o'lar·iˌform** [-'læriˌfɔːrm] *adj* bienenzellenförmig. — **'al·ve·o·lar·y** [*Br.* -ləri; *Am.* -ˌleri] → alveolar I.

al·ve·o·late [æl'viːəlit; -ˌleit], **al've·oˌlat·ed** [-id] *adj* (bienen)zellenförmig, mit kleinen Höhlungen *od.* Fächern versehen. — **al·ve·ole** ['ælviˌoul] → alveolus. — **al've·o·liˌform** [-liˌfɔːrm] *adj* (bienen)zellenförmig. — **al've·oˌlite** [-ˌlait] *s zo.* Alveo'lit *m* (*fossiler Korallenpolyp*). — **al've·o·lus** [-ləs] *pl* **-li** [-ˌlai] *s* **1.** (Wachs)Zelle *f*, Höhle *f*. – **2.** *med.* Alve'ole *f*, Zahnhöhle *f*, -fach *n*.

al·vi·du·cous [ˌælvi'djuːkəs] *adj med.* [abführend.]

al·vine ['ælvin; -vain] *adj med.* die Abfallstoffe *od.* den Darm *od.* Bauch *od.* Ver'dauungskaˌnal betreffend.

al·way ['ɔːlwei] *adv obs.* immer, stets.

al·ways ['ɔːlweiz; -wiz] *adv* **1.** immer, jederzeit, stets, (be)ständig. – **2.** *obs. od. dial.* auf jeden Fall, nichtsdestoweniger.

al·y·pin ['ælipin; -lə-], *auch* **'al·yˌpine** [-ˌpiːn; -pin] *s chem. med.* Aly'pin *n* ($C_{16}H_{27}O_2N_2Cl$; *Alypinhydrochlorid*).

a·lys·sum [ə'lisəm; 'ælisəm] *s bot.* **1.** Steinkraut *n* (*Gattg Alyssum*). – **2.** → **sweet alyssum.**

am [æm] bin (*1. sg pres von* **to be**): I ~ ich bin.

am·a·bil·i·ty [ˌæmə'biliti; -ləti] *s* Liebenswürdigkeit *f*.

am·a·da·vat [ˌæmədə'væt] *s zo.* Ama'davat *m* (*Sporaeginthus amandava*).

am·a·del·phous [ˌæmə'delfəs] *adj zo.* in Herden lebend.

am·a·dou ['æməˌduː] *s* Feuerschwamm *m* (*Zündmittel u. blutstillendes Mittel*).

a·ma·ga [ˌɑːmɑː'gɑː] *s bot.* (*ein*) Ebenholzbaum *m* (*Diospyros discolor*).

a·mah ['ɑːmə; 'æmə] *s Br. Ind.* Amme *f*, Kinderwärterin *f*, Dienerin *f*.

a·main [ə'mein] *adv* **1.** mit voller Kraft, mit (aller) Macht, geschwind, ungestüm. – **2.** sehr, außerordentlich.

Am·a·lek·ite [ə'mæləˌkait; 'æməˌlek-] *s Bibl.* Amale'kiter *m*.

a·mal·gam [ə'mælgəm] *chem. tech.* **I** *s* **1.** Amal'gam *n* (*Quecksilberlegierung*): ~ **gilding** Quecksilber-, Feuervergoldung. – **2.** innige (Stoff)Verbindung, Mischung *f*, Gemenge *n*. – **II** *v/t* **3.** amalga'mieren, vermischen, mit Amal'gam über'ziehen. – **III** *v/i* **4.** sich vermischen. — **a'mal·gam·a·ble** *adj* amalga'mierbar.

a·mal·gam·ate [ə'mælgəˌmeit] *chem. tech.* **I** *v/t* **1.** amalga'mieren, mit Quecksilber le'gieren. – **2.** vereinigen, vermischen, verschmelzen. – *SYN. cf.* **mix.** – **II** *v/i* **3.** sich amalga'mieren, sich vereinigen, sich vermischen. – **III** *adj* [-mit; -ˌmeit] **4.** amalga'miert, vereinigt, verschmolzen. — **a·mal·gam·a·tion** [əˌmælgə'meiʃən] *s* **1.** Amalga'mieren *n*, Le'gierung *f*, Verbindung *f*. – **2.** Vereinigung *f*, Verschmelzung *f*, Zu'sammenschluß *m*, -legung *f*, Fusi'on *f*, Fusio'nierung *f*. – **3.** *Am.* Rassenmischung *f*. — **a'mal·gamˌa·tor** [-tər] *s tech.* Amalga'mierˌmaˌschine *f*. — **a'mal·gamˌize** *v/t* amalga'mieren, verbinden, vermischen.

a·mal·ic ac·id [əˈmælik] *s chem.* Amaˈlinsäure *f* ($C_{12}H_{14}O_8N_4$).

a·mal·tas [əˈmæltəs] *s* Gerbstoff *m* aus Röhrenkassie (*Cassia fistula*).

a·ma·ma·u [ˌɑːmɑːˈmɑːu] *s bot.* (*ein*) Baumfarn *m* (*Sadleria cyatheoides*).

a·man·din [əˈmændin; ˈæmən-] *s chem.* Amanˈdin *n* (*Eiweißstoff*).

am·a·ni·ta [ˌæməˈnaitə] *s bot.* Wulstling *m* (*Untergattung Amanita*).

a·man·i·tin [əˈmænitin], **aˈman·iˈtine** [-tiːn; -tin] *obs. für* cholin.

a·man·u·en·sis [əˌmænjuˈensis] *pl* **-ses** [-siːz] *s* Amanuˈensis *m*, (Schreib-)Gehilfe *m*, Sekreˈtär(in).

am·a·ranth [ˈæməˌrænθ] *s* **1.** *bot.* Amaˈrant *m*, Fuchsschwanz *m* (*Gattg Amarantus*). – **2.** *poet.* unverwelkliche Blume. – **3.** Amaˈrantfarbe *f*, Purpurrot *n*. — **ˌam·aˈran·thine** [-θain; -θin] **I** *adj* **1.** *bot.* amaˈrantartig. – **2.** *poet.* unverwelklich. – **3.** amaˈrantrot. – **II** *s* **4.** Purpurrot *n*. — **ˌam·aˈran·thoid** [-θɔid] **I** *adj* amaˈrantartig, -ähnlich. – **II** *s* amaˈrantartige Pflanze.

am·a·relle [ˌæməˈrel] *s bot.* Amaˈrelle *f*, Glaskirsche *f* (*gezüchtete Sauerkirsche*).

a·mar·go·so [ˌɑːmɑːrˈgousou] *pl* **-sos** *s bot.* Bitter-, Quassiarinde *f* (*Quassia amara; Simarubacee aus Südamerika*).

a·ma·ril·lo [ˌɑːməˈriːljou] *pl* **-los** *s bot.* *Name verschiedener Baumarten bes. der span.-portug. Tropen* (*wie Aspidosperma vargasii; Terminalia obovata; Lafoensia punicifolia*).

am·a·rine [ˈæməˌriːn; -rin], *auch* **ˈam·a·rin** [-rin] *s chem.* Amaˈrin *n*, Bitterstoff *m* ($C_{21}H_{18}N_2$).

am·a·ryl·lid [ˌæməˈrilid] *s bot.* amaˈryllisartige Pflanze. — **am·a·ryl·lid·e·ous** [ˌæməriˈlidiəs] *adj* amaˈryllisartig.

am·a·ryl·lis [ˌæməˈrilis] *s* **1.** *bot.* Amaˈryllis *f*, Narˈzissenlilie *f*, Bellaˈdonnalilie *f* (*Amaryllis belladonna*). – **2.** *bot.* Ritterstern *m*, Hippeˈastrum *n* (*Fam. Amaryllidaceae*). – **3.** A~ *poet.* Schäferin *f*, Geliebte *f* (*in der Schäferdichtung*).

a·mass [əˈmæs] *v/t* an-, aufhäufen, ansammeln, (*Truppen*) zuˈsammenziehen: **~ing of capital** Kapitalansammlung. – *SYN.* **accumulate, hoard.**

a·mass·ment [əˈmæsmənt] *s* Anhäufung *f*, Ansammlung *f*, Haufen *m*.

a·mate[1] [əˈmeit] *v/t obs.* unterˈdrücken, entmutigen, erschrecken.

a·ma·te[2] [ɑːˈmɑːtei] *s bot.* Südamer. Feigenbaum *m* (*Ficus glabrata*).

am·a·teur [ˈæməˌtəːr; -ˌtʃur; -ˌtjur] **I** *s* **1.** Bewunderer *m*, Liebhaber *m* (*von Dingen*). – **2.** Diletˈtant *m*, Nichtfachmann *m*, Stümper *m*. – **3.** *sport* Amaˈteur *m*: **~ flying** Sportfliegerei. – *SYN.* **dabbler, dilettante, tyro** (*od.* **tiro**). – **II** *adj* **4.** Amateur..., Dilettanten..., Liebhaber... — **ˌam·aˈteur·ish** *adj* diletˈtantisch, unfachmännisch, stümperhaft. — **ˌam·aˈteur·ish·ness** *s* Diletˈtantentum *n*. — **ˈam·aˌteur·ism** *s* Amaˈteurtum *n*, -sport *m*.

A·ma·ti [əˈmɑːti; ɑː-] *s* Aˈmati *f* (*Geige aus der Werkstatt der Familie Amati*).

am·a·tive [ˈæmətiv] *adj* Liebes... — **ˈam·a·tive·ness** *s* Sinnlichkeit *f*, Liebesdrang *m*.

am·a·tol [ˈæməˌtɒl] *s chem.* Amaˈtol *n* (*Sprengstoff aus Ammoniumnitrat u. Trinitrotoluol*).

am·a·to·ri·al [ˌæməˈtɔːriəl] *adj* verliebt, Liebes...

am·a·to·ry [*Br.* ˈæmətəri; *Am.* -ˌtɔːri] **I** *adj* verliebt, Liebes..., sinnlich, eˈrotisch. – *SYN.* **amorous, erotic.** – **II** *s* Liebestrank *m*.

am·au·ro·sis [ˌæmɔːˈrousis] *s med.* Amauˈrose *f*, Blindheit *f*. — **ˌam·auˈrot·ic** [-ˈrɒtik] *adj* amauˈrotisch, blind.

a·maze [əˈmeiz] **I** *v/t* in (Er)Staunen setzen, mit Verwunderung erfüllen, überˈraschen. – *SYN. cf.* **surprise.** – **II** *v/i obs.* (er)staunen, bestürzt sein. – **III** *s poet.* Verwunderung *f*, (Er-)Staunen *n*, Bestürzung *f*, Verwirrung *f*. – **IV** *adj* erstaunt, bestürzt. — **aˈmazed** *adj* erstaunt (at über *acc*). — **aˈmaz·ed·ness** [-idnis] *s* Erstaunen *n*.

a·maze·ment [əˈmeizmənt] *s* **1.** (Er-)Staunen *n*, Überˈraschung *f*, Verwunderung *f*. – **2.** Überˈraschung *f*, (*etwas*) Staunenerregendes.

a·maz·ing [əˈmeiziŋ] **I** *adj* erstaunlich, wundervoll. – **II** *adv Am. colloq.* erstaunlich, sehr, ‚furchtbar‘: **~ nice.**

Am·a·zon [ˈæməzən; -ˌzɒn] *s* **1.** *antiq.* Amaˈzone *f*. – **2.** a~ *fig.* Amaˈzone *f*, Mannweib *n*. – **3.** *zo.* Amaˈzonenameise *f* (*Gattg Polyergus*). – **4.** *zo.* Amaˈzonenpapaˌgei *m* (*Gattg Amazona*). — **~ ant** → Amazon 3.

Am·a·zo·ni·an [ˌæməˈzouniən] **I** *adj* **1.** amaˈzonenhaft, Amazonen... – **2.** den Amaˈzonenstrom betreffend. – **II** *s* **3.** Amaˈzone *f*. – **4.** Indiˈaner(in) aus dem Amaˈzonasgebiet.

am·a·zon·ite [ˈæməzəˌnait] *s min.* Amaˈzonenstein *m* (*Kalifeldspat*).

am·bage [ˈæmbidʒ] *s* **1.** *meist pl selten* Ausflüchte *pl*, ˈUmschweife *pl*. – **2.** *pl* Winkelzüge *pl*, Spitzfindigkeiten *pl*. — **am·ba·gi·os·i·ty** [æmˌbeidʒiˈɒsiti; -əti] *s* Herˌumredeˈrei *f*, Weitschweifigkeit *f*. — **am·ba·gious** [æmˈbeidʒəs] *adj* umˈschreibend, weitschweifig, gewunden, ˈindiˌrekt.

am·ban [ˈæmbæn] *s* Amban *m* (*chines. Beamter in Tibet*).

am·ba·ree[1], **am·ba·ri**[1] [ʌmˈbɑːriː] *s Br. Ind.* Polstersitz *m* mit Vorhängen (*auf dem Rücken eines Elefanten*).

am·ba·ree[2], **am·ba·ri**[2] *cf.* ambary.

am·ba·ry, **~ hemp** [æmˈbɑːri] *s bot.* **1.** Kenaf *m*, Hanfeibisch *m* (*Hibiscus cannabinus*). – **2.** Gambo-, Amˈbarihanf *m* (*aus Hibiscus cannabinus*).

am·bash [ˈæmbæʃ] → ambatch.

am·bas·sa·dor [æmˈbæsədər] *s* **1.** *auch* **~ extraordinary** Gesandter *m* (*in einem bestimmten Auftrag*), diploˈmatischer Vertreter, Bevollmächtigter *m*. – **2.** Botschafter *m*, (*ständiger*) Gesandter (*ersten Ranges*): **~-at-large** Sonderbotschafter. – **3.** Abgesandter *m*, Bote *m* (*auch fig.*). — **amˌbas·saˈdo·ri·al** [-ˈdɔːriəl] *adj* Gesandtschafts... — **amˈbas·sa·dorˌship** *s* Stellung *f* eines Gesandten.

am·bas·sa·dress [æmˈbæsədris] *s* **1.** Gesandtin *f*, Botschafterin *f*. – **2.** Gattin *f* eines Gesandten.

am·bas·sage [ˈæmbəsidʒ] → embassage. — **ˈam·bas·sy** → embassy.

am·batch [ˈæmbætʃ] *s bot.* Markbaum *m*, Ambatsch *m* (*Aeschynomene elaphroxylon*).

am·bay [ˈæmbei] *s bot.* *eine brasilianische Moracee* (*Cecropia adenopus*).

am·ber [ˈæmbər] **I** *s* **1.** *min.* Bernstein *m*, gelber Amber. – **2.** Bernsteinfarbe *f*. – **3.** *bot.* Joˈhanniskraut *n* (*Hypericum perforatum*). – **4.** *bot.* Amberbaum *m* (*Liquidambar styraciflua*). – **5.** Ambra *f*, graue Ambra. – **II** *adj* **6.** Bernstein... – **7.** bernsteinfarben, gelbbraun. – **8.** ambraduftend. – **III** *v/t* **9.** mit grauer Ambra parfüˈmieren. – **10.** bernsteinfarbig machen, gelbbraun färben.

am·ber·gris [ˈæmbərˌgriːs; -gris] *s* (graue) Ambra.

am·ber jack *s zo.* Amberfisch *m* (*Seriola dumerili*).

am·ber·oid [ˈæmbəˌrɔid] *s* (*synthetischer*) bernsteinähnlicher Stoff.

am·ber snail *s zo.* Bernsteinschnecke *f* (*Succinea ovalis*). — **~ tree** *s bot.* Bernsteinkiefer *f* (*Pinites succinifer*).

am·ber·y [ˈæmbəri] *adj* bernsteinähnlich.

ambi- [æmbi] *Wortelement mit der Bedeutung* beide, zweifach.

am·bi·ance [ɑ̃ˈbjɑ̃ːs] (*Fr.*) *s* Umˈgebung *f*, ˈUmwelt *f*, Ambiˈente *n* (*in der Kunst bes. der das Hauptmotiv umgebende Schmuck*).

am·bi·dex·ter [ˌæmbiˈdekstər; -bə-] **I** *adj* **1.** mit beiden Händen gleich geschickt, beidhändig geübt. – **2.** (*ungewöhnlich*) gewandt, geschickt. – **3.** *fig.* doppelzüngig, falsch, es mit beiden Seiten haltend. – **4.** *selten* auf beiden Seiten wirkend *od.* funktioˈnierend. – **II** *s* **5.** Beidhänder *m*, j-d der die linke wie die rechte Hand gebrauchen kann. – **6.** *jur.* j-d der sich von beiden Seiten bestechen läßt. – **7.** *fig.* Achselträger *m*. — **ˌam·bi·dexˈter·i·ty** [-deksˈteriti; -əti] *s* Ambidexˈtrie *f*, Beidhändigkeit *f*. — **ˌam·biˈdex·trous** → ambidexter 1, 2, 3. — **ˈam·biˈdex·trous·ness** *s* Beidhändigkeit *f*.

am·bi·ent [ˈæmbiənt] **I** *adj* **1.** umˈgebend, einschließend: **~ noise** *tech.* Neben-, Umgebungsgeräusch; **~ temperature** *tech.* umgebende Temperatur, Raumtemperatur. – **2.** umˈkreisend, ˈumlaufend. – **II** *s* **3.** Umˈgebung *f*, umˈgebende Luft, Atmoˈsphäre *f*, Ambiˈente *n*.

am·big·e·nous [æmˈbidʒinəs] *adj bot.* diplochlamyˈdeisch (*von Blüten, mit Kelch u. Krone*).

am·bi·gu·i·ty [ˌæmbiˈgjuːiti; -əti] *s* Zwei-, Mehr-, Vieldeutigkeit *f*, Doppelsinn *m*, Ambiguiˈtät *f*.

am·big·u·ous [æmˈbigjuəs] *adj* **1.** zwei-, mehr-, vieldeutig, doppelsinnig, dunkel (*Ausdruck*), unbestimmt, unklar, verschwommen. – **2.** sich doppeldeutig ausdrückend. – **3.** probleˈmatisch, ungewiß. – **4.** *bot. zo.* von zweifelhaftem systeˈmatischem Chaˈrakter, nicht eindeutig einer Verwandtschaftseinheit zuweisbar. – *SYN. cf.* **obscure.** — **amˈbig·u·ous·ness** → ambiguity.

am·bi·lat·er·al [ˌæmbiˈlætərəl; -bə-] *adj med.* beide Seiten betreffend, beidseitig.

am·bi·le·vous [ˌæmbiˈliːvəs; -bə-] *selten für* ambisinister.

am·bip·a·rous [æmˈbipərəs] *adj bot.* die Anlagen zu Blüten und Blättern enthaltend (*Knospe*).

am·bi·sin·is·ter [ˌæmbiˈsinistər], **ˌam·biˈsin·is·trous** [-trəs] *adj* linkshändig, mit beiden Händen gleich ungeschickt.

am·bit [ˈæmbit] *s* **1.** ˈUmfang *m*, ˈUmkreis *m*. – **2.** Gebiet *n*, Bereich *m*, Grenzen *pl*: **to fall within the ~ of an agreement** in den Bereich eines Vertrags fallen.

am·bi·tend·en·cy [ˌæmbiˈtendənsi; -bə-] *s psych.* Ambitenˈdenz *f* (*Zustand, in dem sich mit einer Neigung stets die entsprechende Gegenneigung verbindet*).

am·bi·tion [æmˈbiʃən] **I** *s* **1.** Ehrgeiz *m*, Ehrsucht *f*, ehrgeiziges Streben, Ambiˈtiˈon *f*, Begierde *f*. – **2.** Ehrgeiz *m*, Ambitiˈon *f* (*Gegenstand des Ehrgeizes*). – *SYN.* **aspiration, pretension.** – **II** *v/t* **3.** ehrgeizig streben nach. — **amˈbi·tion·ist** *s selten* ehrgeiziger Streber.

am·bi·tious [æmˈbiʃəs] *adj* **1.** ehrgeizig, ehrsüchtig. – **2.** ehrgeizig strebend, begierig (of nach). – **3.** prunkend (*Stil*). — **amˈbi·tious·ness** → ambition 1.

am·bi·tus [ˈæmbitəs] *s* **1.** ˈUmfang *m*, äußerer Rand (*eines Blattes, einer Muschel*). – **2.** *philos.* ˈUmfang *m* (*eines Begriffes*). – **3.** *mus.* Ambitus *m*, ˈTonˌumfang *m* (*eines Kirchentons*).

am·biv·a·lence [æmˈbivələns; *Br. auch* ˈæmbiˈveiləns], **amˈbiv·a·len·cy** [-si]

s bes. psych. Ambiva'lenz *f*, Doppelwertigkeit *f*: a) *Empfinden widersprüchlicher Gefühle gegenüber derselben Person od. Sache*, b) *Erregung solcher Gefühle durch eine Person od. Sache.* — **am'biv·a·lent** *adj bes. psych.* ambiva'lent, doppelwertig.
am·bi·ver·sion [ˌæmbi'vəːrʒən; -bə-] *s psych.* Zwischenzustand *m* zwischen ˌIntroversi'on und ˌExtroversi'on.
am·ble ['æmbl] **I** *v/i* **1.** den *od.* im Paß- *od.* Zeltergang gehen. – **2.** *fig.* tänzeln, schlendern, gemächlich gehen. – **II** *s* **3.** Paß *m*, Zeltergang *m* (*eines Pferdes*). – **4.** gemächlicher Gang, Schlendern *n* (*von Personen*).
am·blot·ic [æm'blɒtik] *med.* **I** *adj* A'bortus her'beiführend. – **II** *s* A'bortus her'beiführendes Mittel.
am·blyg·o·nite [æm'bligoˌnait; -gə-] *s min.* Amblygo'nit *m* ($LiAl(PO_4)FOH$).
am·bly·o·car·pous [ˌæmblio'kɑːrpəs] *adj bot.* mit verkümmerten Samen (versehen).
am·bly·ope ['æmbliˌoup] *s* an Schwachsichtigkeit Leidender. — ˌ**am·bly'o·pi·a** [-piə] *s med.* Schwachsichtigkeit *f*, Amblyo'pie *f*
am·bo ['æmbou] *pl* **-bos** *s* Ambo *m* (*kanzelartige Bühne in altchristlichen Kirchen*).
am·bo·cep·tor ['æmboˌseptər] *s med.* Ambo'zeptor *m*, Zwischenkörper *m*, Im'munkörper *m*.
Am·boi·na| pine [æm'bɔinə] *s bot.* Dam'mara-Tanne *f* (*Agathis alba*). — **~ wood** *s* **1.** *bot.* Malabar-Kinobaum *m* (*Pterocarpus marsurpium*). – **2.** (*schön gesprenkeltes*) Holz des Malabar-Kinobaumes.
am·bra·in ['æmbreiin] *s chem.* Amberfett *n* (*Cholesterin aus grauer Ambra*).
am·brette [æm'bret] *s bot.* Abelmosch *m*, Am'brette-, Bisamkörner *pl* (*Abelmoschus moschatus*).
am·brite ['æmbrait] *s* fos'siles Harz (*in Neuseeland vorkommend*).
am·broid ['æmbrɔid] → **amberoid.**
am·brol·o·gy [æm'brɒlədʒi] *s* Bernsteinkunde *f*.
am·brose ['æmbrouz] *s bot.* **1.** → ambrosia 3. – **2.** 'Waldgaˌmander *m* (*Teucrium scorodonia*).
am·bro·si·a [æm'brouziə; -ʒə] *s* **1.** *antiq.* Am'brosia *f*, Götterspeise *f* (*auch fig.*). – **2.** *bot.* → **ragweed** 2. – **3.** *bot.* Am'brosienkraut *n*, Klebriger Gänsefuß (*Chenopodium botrys*). — **~ bee·tle** *s zo.* Am'brosiakäfer *m* (*Xyleborus xylographus u. andere Käfer der Familie Scolytidae*).
am·bro·si·al [æm'brouziəl; -ʒəl], **am'bro·si·an**[1] [-ən] *adj* **1.** am'brosisch. – **2.** *fig.* köstlich.
Am·bro·si·an[2] [æm'brouziən; -ʒən] *relig.* **I** *s* Mitglied *m* eines der Orden des St. Am'brosius. – **II** *adj* ambrosi'anisch, St. Am'brosius betreffend: **~ chant** Ambrosianischer Lobgesang.
am·bros·ter·ol [æm'brɒstəˌroul; -ˌrɒl] *s chem.* Ambroste'rol *n* ($C_{20}H_{34}O$).
am·bry ['æmbri] *s* **1.** Speisekammer *f*, Schrank *m*. – **2.** Kirchen-, Ar'chivschrank *m*.
ambs·ace ['eimzˌeis; 'æmz-] *s* **1.** Pascheins *f* (*niedrigster Wurf im Würfelspiel*). – **2.** *fig.* a) Pech *n*, b) (*etwas*) Wertloses, (*das*) Fast-Nichts, Wertlosigkeit *f*.
am·bu·la·cral [ˌæmbju'leikrəl; -bjə-] *adj* ambula'kral. — ˌ**am·bu'la·crum** [-əm] *pl* **-cra** [-ə] *s zo.* Ambu'lakrum *n*, 'Wassergefäßsyˌstem *n* (*der Stachelhäuter*).
am·bu·lance ['æmbjuləns; -bjə-] **I** *s* **1.** Ambu'lanz *f*, Krankenwagen *m*, -auto *n*, Sani'täts-, Laza'rettwagen *m*. – **2.** *mil.* 'Feldlazaˌrett *n*. – **II** *v/t* **3.** im Krankenwagen befördern. – **III** *v/i* **4.** einen Krankenwagen fahren. — **~ bat·tal·ion** *s mil.* 'Krankentransˌportbatailˌlon *n*. — **~ chas·er** *s Am. sl. Anwalt od. sein Agent, der j-n dazu überredet, wegen erlittenen Unfalls auf Schadenersatz zu klagen.* — **~ dog** *s mil.* Sani'tätshund *m*.
am·bu·lant ['æmbjulənt; -bjə-] *adj* wandernd, hin u. her gehend, ambu'lant, beweglich. — '**am·buˌlate** [-ˌleit] **I** *v/i* (um'her)wandeln. – **II** *v/t* spa'zierenführen. — '**am·buˌla·tor** [-tər] *s* Spa'ziergänger *m*. — ˌ**am·bu·la'to·ri·al** [-lə'tɔːriəl] *adj* Geh..., Wandel... — '**am·bu·la·to·ry** [*Br.* -lətəri; *Am.* -ləˌtɔːri] **I** *adj* **1.** ambula'torisch, nicht an einem Orte bleibend, Wander...: **~ limb** *biol.* Gangbein. – **2.** veränderlich, vor'übergehend. – **3.** *jur.* nicht gesetzlich fest: **~ will** widerrufliches Testament. – **4.** *med.* ambula'torisch. – **II** *s* **5.** *arch.* Ar'kade *f* (*bes. in Kirche od. Kloster*), Wandelbahn *f*, -gang *m*.
am·bur·y ['æmbəri] → **anbury.**
am·bus·cade [ˌæmbəs'keid] → **ambush.** [*s obs.* 'Hinterhalt *m.*]
am·bus·ca·do [ˌæmbəs'keidou] *pl* **-dos**
am·bush ['æmbuʃ] **I** *s* **1.** 'Hinterhalt *m*, Versteck *n*. – **2.** 'Überfall *m* aus dem 'Hinterhalt. – **3.** *mil.* im 'Hinterhalt liegende Truppen *pl*. – **II** *v/t* **4.** (*Truppen*) in einen 'Hinterhalt legen. – **5.** aus einem 'Hinterhalt angreifen, von hinten über'fallen. – **III** *v/i* **6.** im 'Hinterhalt *od.* auf der Lauer liegen.
a·me·ba, a·me·bic *cf.* amoeba, amoebic.
âme dam·née [ɑːm dɑ'ne] (*Fr.*) *s* **1.** zur Verdammnis verurteilte Seele. – **2.** *fig.* gefügiges Werkzeug, blindlings ergebener Anhänger, Sklave *m*.
a·meer *cf.* amir.
am·el·corn ['æməlˌkɔːrn] *s bot.* Emmer *m*, Amelkorn *n* (*Triticum dicoccum*).
a·mel·io·ra·ble [ə'miːljərəbl; -liə-] *adj* verbesserungsfähig. — **a'mel·io·rant** *s* **1.** Verbesserer *m*. – **2.** *agr.* Bodenverbesserer *m*. — **a'mel·io·ˌrate** [-ˌreit] **I** *v/t* (*bes. Ackerboden*) verbessern. – **II** *v/i* besser werden, sich bessern (*Zustände*). – *SYN. cf.* improve.
a·mel·io·ra·tion [əˌmiːljə'reiʃən; -liə-] *s* **1.** Verbesserung *f* (*Tätigkeit od. Resultat*), *bes.* Bodenverbesserung *f*. – **2.** *fig.* Vered(e)lung *f*, Läuterung *f*. – **3.** *econ.* (Preis)Steigerung *f*. — **a'mel·io·ˌra·tive** [-ˌreitiv; -rətiv] *adj* (ver)bessernd.
a·men ['ei'men; 'ɑː-] **I** *interj* **1.** amen! so sei es! so geschehe es! – **2.** *sl.* (geht) in Ordnung, ganz meine Meinung. – **II** *s* **3.** Amen *n*: **~ cadence** *mus.* Plagal-, Kirchenschluß. – **4.** *fig.* Schluß *m*, Ende *n*. – **III** *adv* **5.** wahrlich. – **IV** *v/t* **6.** ja und amen sagen zu, billigen, feierlich bestätigen.
a·me·na·bil·i·ty [əˌmiːnə'biliti; -lə-] *s* **1.** Zugänglichkeit *f* (to für). – **2.** Verantwortlichkeit *f*. — **a'me·na·ble** *adj* **1.** zugänglich. – **2.** verantwortlich, abhängig, unter'worfen. – *SYN. cf.* a) obedient, b) responsible. — **a'me·na·ble·ness** → amenability.
a·men cor·ner *s Am.* **1.** a) *Platz in der Kirche, wo jene Gemeindemitglieder sitzen, die im Wechselgesang anführen*, b) *Platz in der Kirche, wo die Übereifrigen sitzen.* – **2.** *für vertrauliche politische Gespräche verwendeter Raum.*
a·mend [ə'mend] **I** *v/t* **1.** (ver)bessern, von Fehlern reinigen, (*Irriges*) ausmerzen *od.* berichtigen. – **2.** *fast obs.* heilen. – **3.** *pol.* (*Gesetzentwurf*) abändern *od.* ergänzen, (*Verfassung*) ändern. – **II** *v/i* **4.** besser werden, sich bessern. – **5.** *obs.* genesen. – *SYN. cf.* correct. — **a'mend·a·ble** *adj* verbesserungsfähig. — **a'mend·a·to·ry** [*Br.* -təri; *Am.* -ˌtɔːri] *adj* Verbesserungs...
a·mende [a'mɑ̃ːd] (*Fr.*) *s* **1.** A'mende *f*, Geldstrafe *f*. – **2.** (*freiwillige*) Abbitte, 'Widerruf *m*. — **~ ho·no·ra·ble** [ɔnɔ'rabl] (*Fr.*) *s* öffentliche Abbitte, Ehrenerklärung *f*, Kirchenbuße *f*.
a·mend·ment [ə'mendmənt] *s* **1.** Besserung *f*, Verbesserung *f*, Berichtigung *f*. – **2.** (Ab)Änderungs-, Zusatz-, Verbesserungsantrag *m* (*zu einem Gesetz*), verfassungsänderndes Gesetz.
a·mends [ə'mendz] *s pl* (*als sg konstruiert*) **1.** (Schaden)Ersatz *m*, Vergütung *f*, Schadloshaltung *f*, Genugtuung *f*: to make **~** Schadenersatz leisten, entschädigen. – **2.** *obs.* Besserung *f* (*der Gesundheit*).
a·mene [ə'miːn] *adj* angenehm.
a·men·i·ty [ə'miːniti; -men-; -nə-] *s* **1.** Annehmlichkeit *f*, Anmut *f*, angenehme Lage, Liebenswürdigkeit *f*, Artigkeit *f*, Höflichkeit *f*. – **2.** *pl* na'türliche Vorzüge *pl*, Reize *pl*.
a·men·or·rhe·a [eiˌmenə'riːə] *s med.* Amenor'rhöe *f*, Ausbleiben *n* der Regel. — **aˌmen·or'rhe·al, aˌmen·or'rhe·ic** *adj* amenor'rhoisch. — **a·men·or·rhoe·a, a·men·or·rhoe·al, a·men·or·rhoe·ic** *cf.* amenorrhea *etc.*
a men·sa et t(h)o·ro [ei 'mensə et 'θourou; 'tou-] (*Lat.*) *jur.* von Tisch und Bett (*gesetzlich erlaubtes Getrenntleben von Ehegatten*).
am·ent[1] ['æmənt; 'ei-] *s bot.* Kätzchen *n*.
a·ment[2] ['eimənt] *s* Blödsinnige(r), Verrückte(r), Geistesgestörte(r).
a·men·tal[1] [ə'mentl] *adj bot.* kätzchentragend.
a·men·tal[2] [ei'mentl] *adj* ungeistig.
a·men·ti·a [ei'menʃiə] *s* Verrücktheit *f*, Geistesgestörtheit *f*, -schwäche *f*.
am·en·tif·er·ous [ˌæmən'tifərəs] *adj bot.* kätzchentragend. — **a·men·ti·form** [ə'mentiˌfɔːrm] *adj bot.* kätzchenförmig.
a·merce [ə'məːrs] *v/t* **1.** mit einer Geldstrafe belegen (*deren Höhe dem Gerichtshof anheimgestellt ist*). – **2.** (be)strafen. — **a'merce·a·ble** *adj* straffällig. — **a'merce·ment** *s* Geldstrafe *f*, Bestrafung *f* (*durch Geldbuße*). — **a'mer·ci·a·ment** [-siəmənt] *s selten* Geldstrafe *f*.
A·mer·i·can [ə'merikən; -rə-] **I** *adj* ameri'kanisch: a) *Nord- und/od. Südamerika betreffend*, b) *die USA betreffend.* – **II** *s* Ameri'kaner(in): a) *Bewohner(in) von Nord- od. Südamerika*, b) *Bewohner(in) od. Bürger(in) der USA.* — **Aˌmer·i'ca·na** [-'kɑːnə; -'keinə] *s pl* Ameri'kana *pl* (*Schriften etc über Amerika*).
A·mer·i·can| al·der *s bot.* (*eine amer.*) Erle (*Alnus rugosa*). — **~ al·oe** → **century plant.** — **~ ar·bor·vi·tae** *s bot.* Amer. Lebensbaum *m* (*Thuja occidentalis*). — **~ ar·row·wood** *s bot.* (*ein amer.*) Schneeball *m* (*Viburnum dentatum*). — **~ as·pen** *s bot.* Amer. Zitterpappel *f*, Amer. Espe *f* (*Populus tremuloides*). — **~ balm of Gil·e·ad** *s bot.* Ca'ranna-Baum *m* (*Protium carana*). — **~ bar·ber·ry** *s bot.* Amer. Berberitze *f* (*Berberis canadensis*). — **~ bar·ren·wort** *s bot.* Amer. Sockenblume *f* (*Vancouveria hexandra*). — **~ Beau·ty** *s bot. Am.* **1.** *eine Spielart der Rose mit blaß- bis hochroten Blüten.* – **2.** *eine Spielart des Apfels.* — **~ beech** *s bot.* Amer. Rotbuche *f* (*Fagus grandifolia*). — **~ black oak** *s bot.* Färber-Eiche *f* (*Quercus velutina*). — **~ black snake·root** *s bot.* (*eine amer.*) Sa'nikel (*Sanicula marylandica*). — **~ blad·der·nut** *s bot.* Amer. Pimpernuß *f* (*Staphylea trifolia*). — **~ bone·set** *s bot.* (*ein amer.*) Wasserdost *m* (*Eupatorium hyssopifolium*). — **~ brook·lime** *s bot.* Amer. Ehrenpreis *m* (*Veronica americana*). — **~ cen·tau·ry** *s bot.* Amer.

Tausend'güldenkraut *n* (*Sabbatia angularis u. S. stellaris*). — ~**cha·me·le·on** *s zo.* Saumfingereidechse *f*, A'nolis *f* (*Anolis carolinensis*). — ~**chi·na·root** *s bot.* (*eine amer.*) Sarsapa'rille (*Smilax pseudochina*). — ~ **cin·na·mon** *s bot.* Amer. Zimt *m* (*Nectandra cinnamomoides*). — ~ **co·lum·bo** *s bot.* Co'lumbo-Wurzel *f* (*Frasera carolinensis*). — ~ **cow pars·nip** *s bot.* Wolliger Bärenklau (*Heracleum lanatum*). — ~ **cow·slip** *s bot.* Götterblume *f* (*Dodecatheon meadia*). — ~ **crab ap·ple** *s bot.* Duft-, Kronenapfel *m* (*Malus coronaria*). — ~ **dag·ger moth** *s zo.* Dolcheule *f* (*Acronycta americana*). — ~ **deal** *s bot.* Weymouthskiefer *f* (*Pinus strobus*). — — ~ **dog·bane** *s bot.* Kolikwurzel *f* (*Apocynum androsaemifolium*). — ~ **dog vi·o·let** *s bot.* Amer. Hundsveilchen *n* (*Viola conspersa*). — ~ **dwarf birch** *s bot.* Amer. Zwergbirke *f* (*Betula glandulosa*). — ~ **ea·gle** *s Am.* Amer. Adler *m* (*Staatswappen der USA*). — ~ **elm** *s bot.* Weißulme *f*, Amer. Ulme *f* (*Ulmus americana*). — ~ **false dai·sy** *s bot. eine amer. Komposite* (*Verbesina alba*). — ~ **false elm** *s bot.* Amer. Zürgelbaum *m* (*Celtis occidentalis*). — ~ **false hemp** *s bot.* Kaliforn. Hanf *m* (*Datisca glomerata*). — ~ **false net·tle** *s bot. eine amer. Ramiepflanze* (*Boehmeria cylindrica*). — ~ **feath·er·foil** *s bot.* Amer. Wasserfeder *f* (*Hottonia inflata*). — ~ **fe·ver·few** *s bot. eine amer. Komposite* (*Parthenium integrifolium*). — ~ **fly hon·ey·suck·le** *s bot.* Kanad. Heckenkirsche *f* (*Lonicera canadensis*). — ~ **gin·seng** *s bot.* Amer. Ginseng *m* (*Panax quinquefolius*). — ~ **goose·ber·ry mil·dew** *s bot.* Amer. Stachelbeer-Mehltau *m* (*Sphaerotheca mors-uvae*). — ~ **gray birch** *s bot.* Pappelblättrige Birke (*Betula populifolia*). — ~ **grom·well** *s bot.* (*ein*) Steinsame *m* (*Lithospermum latifolium*). — ~ **hel·le·bore** *s bot.* Grüner Germer (*Veratrum viride*). — ~ **horn·beam** *s bot.* Amer. Hainbuche *f* (*Carpinus caroliniana*). — ~ **i·ron·wood** *s bot.* (*ein*) Eisenholz *n* (*Bumelia lycioides*).

A·mer·i·can·ism [ə'merikə͵nizəm; -rə-] *s* Amerika'nismus *m*: a) *Begeisterung für die USA*, b) *auf die USA od. ganz Amerika beschränkter Brauch*, c) *ling. amer. Redewendung od. sprachliche Eigenheit.*

A·mer·i·can·ist [ə'merikənist; -rə-] *s* **1.** Amerika'nist *m*, Kenner *m* ameri'kanischer Verhältnisse. – **2.** Anhänger(in) ameri'kanischer Ide'ale u. Poli'tik. – **3.** Kenner(in) der Indi'anersprachen. — **A͵mer·i·can'is·tic** *adj* amerika'nistisch.

A·mer·i·can·i·za·tion [ə͵merikənai'zeiʃən; -rə-; -ni-] *s* **1.** Amerikani'sierung *f*, Einbürgerung *f* in A'merika, Aufgehen *n* in amer. Geiste. – **2.** 'Unterricht *m* für Einwanderer in amer. Geschichte, Staatsbürgerkunde *etc.* — **A'mer·i·can͵ize I** *v/t* amerikani'sieren, zum Ameri'kaner machen. – **II** *v/i* sich amerikani'sieren, amer. Eigenheiten annehmen, Ameri'kaner werden.

A·mer·i·can| jas·mine *s bot.* Prunk-, Sternwinde *f* (*Quamoclit coccinea*). — ~ **Ju·das tree** *s bot.* Amer. Judasbaum *m* (*Cercis canadensis*). — ~ **larch** *s bot.* Amer. Lärche *f* (*Larix laricina*). — ~ **lark·spur** *s bot.* Amer. Rittersporn *m* (*Delphinium exaltatum*). — ~ **lau·rel** *s bot.* Breitblättrige Lorbeerrose (*Kalmia latifolia*). — ~ **lin·den** *s bot.* Schwarzlinde *f* (*Tilia americana*). — ~ **lo·cust** *s zo.* Amer. Heuschrecke *f* (*Schistocerca americana*). — ~ **lo·tus** *s bot.* Amer. *od.* Gelbe Lotosblume (*Nelumbo lutea*). — ~ **mas·tic** *s bot.* Pfefferbaum *m*, Amer. Mastix *m* (*Schinus molle*). — ~ **milk pea** *s bot. ein amer. Schmetterlingsblüter* (*Galactia regularis*). — ~ **mis·tle·toe** *s bot.* Amer. Zwergmistel *f* (*Arceuthobium pusillum, auch Phoradendron flavescens*). — ~ **oil cloth** *s* Wachstuch *n*. — ~ **or·gan** *s mus.* amer. Orgel *f* (*Art Harmonium*). — ~ **or·pine** *s bot.* (*eine*) Fetthenne (*Sedum telephioides*). — ~ **os·trich fern** *s bot.* Straußfarn *m* (*Matteuccia struthiopteris*). — ~ **pel·li·to·ry** *s bot.* Amer. Glas- *od.* Mauerkraut *n* (*Parietaria pennsylvanica*). — ~ **plan** *s Am. Prinzip der Hotelbewirtschaftung, nach dem alle Gäste volle Pension bezahlen.* — ~ **plane tree** *s bot.* Amer. Pla'tane *f* (*Platanus occidentalis*). — ~ **pond·weed** *s bot.* Wasserpest *f* (*Elodea canadensis*). — ~ **Rev·o·lu·tion** *s* Amer. Freiheitskrieg *m* (*1775-83*). — ~ **rock brake** *s bot.* Amer. Krausfarn *m* (*Cryptogramma acrostichoides*).

A·mer·i·can| sa·ble *s zo.* Fichtenmarder *m* (*Martes americana*). — ~ **salt·wort** *s bot.* Amer. Strandkraut *n* (*Batis maritima*). — ~ **san·i·cle** *s bot.* A'launwurzel *f* (*Gattg Heuchera*). — ~ **sea rock·et** *s bot.* Amer. Meersenf *m* (*Cakile edentula*). — ~ **shield fern** *s bot.* (*ein*) Schildfarn *m* (*Dryopteris intermedia*). — ~ **sneeze·wort** *s bot.* Sonnenbraut *f* (*Helenium autumnale*). — ~ **snow·ball** *s bot.* (*ein amer.*) Storaxbaum *m* (*Styrax grandifolia*). — ~ **spike·nard** *s bot.* Traubige A'ralie (*Aralia racemosa*). — ~ **Stand·ard As·so·ci·a·tion** *s* Amer. 'Normenbü͵ro *n*. — ~ **star grass** *s bot. eine grasähnliche Amaryllidacee* (*Hypoxis hirsuta*). — ~ **sys·tem** *s Am. hist.* Poli'tik *f* der hohen Schutzzölle (*von Befürwortern so genannt*). — ~ **toad·flax** *s bot.* Kanad. Löwenmaul *n* (*Linaria canadensis*). — ~ **veg·e·ta·ble wax** *s tech. wächserner Stoff aus den Beeren von Myrica cerifera.* — ~ **way** *s* amer. Art *f* und Lebensweise *f*, amer. Weltanschauung *f*: the ~ of life. — ~ **wa·ter cress** *s bot.* Rundblättriges Schaumkraut (*Cardamine rotundifolia*). — ~ **wa·ter·weed** *s bot.* Wasserpest *f* (*Elodea canadensis*). — ~ **white av·ens** *s bot.* Kanad. Nelkenwurz *f* (*Geum canadense*). — ~ **wis·ta·ri·a** *s bot.* Amer. Gly'zine *f* (*Wistaria frutescens*). — ~ **witch al·der** *s bot. ein amer. Hamamelidaceenstrauch* (*Fothergilla gardeni*).

am·er·i·ci·um [͵æmə'riʃiəm] *s chem.* Ame'ricium *n* (Am).

A·mer·i·co·ma·ni·a [ə͵meriko'meiniə; -rə-] *s* über'triebene Vorliebe für alles Ameri'kanische.

Am·er·ind ['æmə͵rind] *s* amer. Indi'aner *m od.* Eskimo *m*. — ͵**Amer'in·di·an I** *s* → Amerind. – **II** *adj* ameri͵kanisch-indi'anisch. — ͵**Am·er'in·dic** → Amerindian II.

ames·ace *cf.* ambsace.

ames·ite ['eimzait] *s min.* Ame'sit *m*, Chlo'rit-Gra͵nat *m*.

Am·e·tab·o·la [͵æmi'tæbələ] → Ametabolia. — ͵**am·e'tab·o͵le** [-͵liː] → ametabolism. — **A·met·a·bo·li·a** [ei͵metə'bouliə] *s pl zo.* In'sekten *pl* ohne Metamor'phose. — **a·me·tab·o·lism** [͵eimi'tæbə͵lizəm] *s zo.* Entwicklung *f* (*von Insekten*) ohne Metamor'phose.

a·met·al·lous [ei'metələs] *adj selten* 'nichtme͵tallisch.

a·me·thod·i·cal [͵eime'θɒdikəl; -mə-] *adj* 'ame͵thodisch.

am·e·thyst ['æmiθist; -mə-] *s* **1.** *min.* Ame'thyst *m* (SiO_2; *violetter Quarz*). – **2.** *her.* Purpurfarbe *f*. – **3.** purpurnes Vio'lett. — ͵**am·e'thys·tine** [-tin; -tain] *adj* Amethyst...

a·me·tri·a [ə'miːtriə; ə'met-] *s med.* Fehlen *n* des Uterus.

am·e·trom·e·ter [͵æmi'trɒmitər; ͵æmə-; -ətər] *s med.* Ametro'meter *n* (*zur Messung der Fehlsichtigkeit*).

am·e·trope ['æmi͵troup] *s* an Ametro'pie Leidende(r). — ͵**am·e'tro·pi·a** [-piə] *s med.* Ametro'pie *f*, Fehlsichtigkeit *f* (*krankhaftes Brechungsvermögen des Auges*).

a·me·trous [ə'miːtrəs] *adj* ohne Uterus.

Am·har·ic [æm'hærik] **I** *s* Am'harisch *n* (*Hof- u. Landessprache Abessiniens*). – **II** *adj* am'harisch.

a·mi·a·bil·i·ty [͵eimiə'biliti; -lə-] *s* Freundlichkeit *f*, Liebenswürdigkeit *f*.

a·mi·a·ble ['eimiəbl] *adj* **1.** liebenswürdig, leutselig, liebreich, freundlich, reizend. – **2.** *obs.* begehrenswert, bewunderungswürdig. – *SYN.* a) complaisant, good-natured, obliging, b) *cf.* lovable. — '**a·mi·a·ble·ness** *s* Liebenswürdigkeit *f*.

am·i·an·thine [͵æmi'ænθin; -θain] *adj* as'bestisch, Asbest... — ͵**am·i'an·thoid,** ͵**am·i·an'thoi·dal** *adj* as'bestähnlich. — ͵**am·i'an·thus** [-əs] *s min.* Ami'ant *m*, Amphi'bolas͵best *m*.

am·i·ca·bil·i·ty [͵æmikə'biliti; -lə-] *s* Freund(schaft)lichkeit *f*. — '**am·i·ca·ble** *adj* freund(schaft)lich, friedlich: ~ agreement gütliche Einigung; ~ game Freundschaftsspiel; ~ numbers *math.* Freundschaftszahlen (*zwei Zahlen, bei denen die Summe der Teiler gleich der der anderen Zahl ist*). – *SYN.* friendly, neighbo(u)rly. — '**am·i·ca·ble·ness** → amicability. — '**am·i·ca·bly** *adv* freundschaftlich, in Güte, gütlich.

am·ice[1] ['æmis] *s* (*weißes*) Achseltuch (*des Meßpriesters*).

am·ice[2] ['æmis] *s relig.* A'micia *f*, Chorpelzkragen *m*, 'Pelzka͵puze *f*, pelzgefütterte Ka'puze.

a·mid[1] [ə'mid] **I** *prep* in'mitten (*gen*), (mitten) unter: ~ tears unter Tränen. – **II** *adv obs.* in der Mitte, in'mitten.

am·id[2] ['æmid] → amide. — **am·i·dase** ['æmi͵deis] *s chem.* Ami'dase *f* (*Enzym, das Säureamide spaltet*).

am·i·date ['æmi͵deit] *chem.* **I** *s* Ami'dat *n*. – **II** *v/t* in ein A'mid verwandeln, ami'dieren. — ͵**am·i'da·tion** *s chem.* A'midbildung *f*, Ami'dierung *f*. — **am·ide** ['æmid; -maid] *s chem.* A'mid *n*. — **a·mid·ic** [ə'midik] *adj* Amid...

am·i·din ['æmidin], **am·i·dine** [-͵diːn; -din] *s chem.* Ami'din *n*, Stärkegummi *m* (*Lösung von Stärke in Wasser*).

a·mi·do [ə'miːdou; 'æmi͵dou] *adj chem.* die einwertige Gruppe $-NH_2$ betreffend *od.* enthaltend, Amido...

amido- [əmiːdo; æmido] *chem. Wortelement mit der Bedeutung* die Gruppe NH_2 enthaltend.

a·mi·do·gen [ə'miːdodʒen; ə'mid-; -də-] *s chem.* a'midbildend.

am·i·dol ['æmi͵dɒl; -͵doul] *s chem.* Ami'dol *n* ($C_6H_3(NH_2)_2OH$; *photographischer Entwickler*).

a·mid·ship(s) [ə'midʃip(s)] *mar.* **I** *adv* mittschiffs. – **II** *pred adj* in der Mitte des Schiffes (befindlich).

a·midst [ə'midst] *prep* mitten in, mitten unter, in'mitten (*gen*), um'geben von (*auch fig.*).

a·mid·u·lin [ə'midʒulin; -dʒə-; *Br. auch* -dju-] *s chem.* Amidu'lin *n* (*lösliches Stärkemehl*).

Am·i·gen, a~ ['æmidʒen; -ədʒən] (*TM*) *s chem.* Ami'gen *n* (*als Heilmittel verwendetes Eiweißspaltprodukt*).

a·mi·go [a'migo] (*Span.*) *s Am.* Freund *m*.

a·mil ['ɑːmil] *s bot. eine indische Schmarotzerpflanze* (*Cuscuta reflexa*).

a·mil·dar ['ɑːmilˌdɑːr] *s Br. Ind.* eingeborener Steuererheber (*in Indien*).
am·in ['æmin] → amine.
am·i·nate ['æmiˌneit] *chem.* **I** *s* Ami'nat *n.* – **II** *v/t* ami'nieren. — ˌ**am·i·'na·tion** *s* Ami'nierung *f.*
a·mine [ə'miːn; 'æmin] *s chem.* A'min *n.*
amino- [əmiːno; æmino] *chem. Wortelement mit der Bedeutung* Amino..., amino...
a·mi·no·ben·zo·ic ac·id [ə'miːnoben'zouik; 'æmino-] *s chem.* A'minobenˌzoesäure *f* ($H_2NC_6H_4CO_2H$).
a·mi·no·plast [ə'miːnoˌplæst; 'æmino-] *s chem.* Amino'plast *n* (*Kunstharz mit Amingehalt*).
a·mi·no·pu·rine [əˌmiːno'pju(ə)riːn; -rin; 'æmino-] *s chem.* Ade'nin *n* ($C_5H_5N_5$).
a·mi·no·py·rine [əˌmiːno'pai(ə)rin; ˌæmino-] *s chem.* A'minopyˌrin *n* ($C_{13}H_{17}N_3O$).
a·mir [ə'mir] *s* mohamme'danischer Adliger (*bes. Fürst in Afghanistan*).
Am·ish ['æmiʃ; 'ɑːmiʃ] **I** *adj* zu den Amischen Menno'niten (*die Jakob Amens Lehre folgen*) gehörig. – **II** *s collect.* Amische Menno'niten *pl.*
a·miss [ə'mis] **I** *adv* verkehrt, falsch, unstatthaft, verfehlt, schlecht: it would not be ~ es wäre ganz in Ordnung; to come ~ ungelegen kommen; to take ~ übelnehmen. – **II** *pred adj* unpassend, verkehrt, fehlerhaft, falsch, übel. — aˌ**mis·si'bil·i·ty** *s selten* Verlierbarkeit *f.* — a'**mis·si·ble** *adj* verlierbar.
am·i·to·sis [ˌæmi'tousis] *s bot. zo.* Ami'tose *f,* di'rekte Zell- *od.* Kernteilung (*ohne Chromosomen*).
am·i·ty ['æmiti; -mə-] *s* Freundschaft *f,* gutes Einvernehmen: treaty of ~ and commerce Freundschafts- und Handelsvertrag. – *SYN.* comity, friendship, good will.
am·ma ['æmə] *s relig.* Äb'tissin *f.*
am·me·lide ['æməˌlaid; -lid] *s chem.* Amme'lid *n* ($C_3N_3(NH_2)(OH)_2$).
am·me·lin(e) ['æməˌliːn; -lin] *s chem.* Amme'lin *n* ($C_3N_3(NH_2)_2OH$).
am·me·ter [*Br.* 'æmitə; *Am.* 'æmˌmiːtər] *s electr.* Am'pereˌmeter *n,* Strom(stärke)messer *m*: ~ shunt Amperenebenwiderstand.
am·mi·a·ceous [ˌæmi'eiʃəs] *adj bot.* schirmdoldig, zu den Umbelli'feren gehörig.
am·mine ['æmiːn; ə'miːn] *s chem.* Am'min *n,* ammoni'akhaltiges Kom'plexsalz.
am·mi·no com·pounds [ə'miːno; 'æmino] *s pl chem.* Am'minverbindungen *pl.*
am·mo ['æmou] *s mil. sl.* ‚Muni' *f,* Muniti'on *f.*
am·mo·cete ['æmoˌsiːt; -mə-] *s zo.* Larve *f* des Bachneunauges *Petromyzon planeri.*
am·mo·chryse ['æmoˌkrais; -mə-] *s tech.* Goldglimmer *m.*
am·mo·coete *cf.* ammocete.
Am·mon ['æmən] *npr antiq. relig.* Ammon *m*: a) *ägyptischer Sonnengott,* b) *Beiname für Jupiter u. Zeus in Nordafrika.*
am·mo·nal ['æmoˌnæl; -mə-] *s chem.* Ammo'nal *n* (*Sicherheitssprengstoff aus Ammoniumnitrat u. Aluminium*).
am·mo·ni·a [ə'mounjə; -niə] *s chem.* Ammoni'ak *n* (NH_3): ~ drum Ammoniakflasche. — **am'mo·niˌac** [-ˌæk] **I** *adj* ammonia'kalisch. – **II** *s* Ammoni'akgummi *m.* — **am·mo·ni·a·cal** [ˌæmo'naiəkəl; -mə-] *adj chem.* ammonia'kalisch, Ammoniak...: ~ engine mit Ammoniakdampf getriebene Maschine; ~ liquor Ammoniakwasser.
am·mo·ni·a·cum [ˌæmo'naiəkəm; -mə-] (*Lat.*) *s chem.* Ammoni'akgummi *m.*
am·mo·ni·a| me·ter *s chem.* Ammoni'akmesser *m.* — ~ **so·lu·tion** *s chem.* Salmiakgeist *m.*
am·mo·ni·ate [ə'mouniˌeit] *chem.* **I** *s* **1.** Am'min *n* (*ammoniakhaltiges Komplexsalz*). – **2.** or'ganischer stickstoffhaltiger Stoff (*Düngemittel*). – **II** *v/t* **3.** mit Ammoni'ak verbinden: ~d potassium tartrate Ammoniakweinstein.
am·mon·ic [ə'mɒnik; ə'mou-], *auch* **am'mon·i·cal** [-kəl] *adj chem.* Am'monium enthaltend, Ammoniak...
am·mon·i·fi·ca·tion [əˌmɒnifi'keiʃən; -nəfə-] *s chem.* Ammoni'akdüngung *f.* — **am'mon·iˌfy** [-ˌfai] **I** *v/i* Ammoni'ak 'herstellen. – **II** *v/t* mit Ammoni'ak versetzen.
am·mo·nite[1] ['æməˌnait] *s geol.* Ammonshorn *n,* Ammo'nit *m.*
Am·mon·ite[2] ['æməˌnait] *s Bibl.* Ammo'niter *m.*
am·mo·ni·tif·er·ous [ˌæmənai'tifərəs] *adj geol.* Ammo'niten enthaltend.
am·mo·ni·um [ə'mouniəm; -njəm] *s chem.* Am'monium *n* (NH_4). — ~ **car·bon·ate** *s* Hirschhornsalz *n.* — ~ **chlo·ride** *s* Am'moniumchloˌrid *n,* Salmiak *m* (NH_4Cl). — ~ **hy·drox·ide** *s* Am'moniumhydroˌxyd *n* (NH_4OH). — ~ **ni·trate** *s* Am'moniumniˌtrat *n,* Ammoni'aksalˌpeter *m* (NH_4NO_3). — ~ **sul·fate** *s* Am'moniumsulˌfat *n* [$(NH_4)_2SO_4$].
am·mo·res·in·ol [ˌæmo'reziˌnɒl; -ˌnoul] *s chem.* Pflanzenharz *n* ($C_{18}H_{24}O_3$).
am·mu·ni·tion [ˌæmju'niʃən; -mjə-] **I** *s* Muniti'on *f* (*auch fig.*): ~ belt Patronengurt, MG-Gurt; ~ carrier Munitionswagen; ~ clip Ladestreifen (*des Gewehrs*); → dump[1] 16. – **II** *v/t* mit Muniti'on versehen *od.* versorgen.
am·ne·mon·ic [ˌæmni'mɒnik] *adj* ohne Gedächtnis, Gedächtnisverlust betreffend.
am·ne·si·a [æm'niːziə; -ʒiə; -ʒə] *s med.* Amne'sie *f,* Gedächtnisverlust *m.* — **am'ne·sic** [-'niːsik], **am'nes·tic** [-'nestik] *adj* am'nestisch.
am·nes·ty ['æmnesti; -nəs-] **I** *s* Amne'stie *f,* allgemeiner Straferlaß. – **II** *v/t* amne'stieren, eine Amne'stie erlassen für, begnadigen.
am·nic ['æmnik] *adj med.* das Schafhäutchen betreffend, Schafhäutchen...
am·ni·on ['æmniən] *pl* **-ni·ons** *od.* **-ni·a** [-ə] *s med.* Amnion *n,* Frucht-, Embryo'nalhülle *f,* Frucht-, Schafhaut *f,* Schafhäutchen *n.* — ˌ**am·ni'on·ic** [-'ɒnik] *adj* Schafhäutchen...: ~ fluid Fruchtwasser.
am·ni·ot·ic [ˌæmni'ɒtik] → amnionic.
a·moe·ba [ə'miːbə] *pl* **-bae** [-iː] *od.* **-bas** *s biol.* **1.** A'möbe *f,* Wechseltierchen *n.* – **2.** Wanderzelle *f* (*der höheren Tiere*).
am·oe·bae·an [ˌæmi'biːən] *adj* Wechselgesang(s)... — ˌ**am·oe'bae·um** [-əm] *pl* **-bae·a** [-ə] *s* Wechselgesang *m.*
a·moe·ban [ə'miːbən] *adj* a'möbisch.
am·oe·be·an, am·oe·be·um *cf.* amoebaean, amoebaeum.
a·moe·bic [ə'miːbik] *adj biol.* a'möbisch: ~ dysentery Amöbenruhr, echte Tropenruhr.
a·moe·bi·form [ə'miːbiˌfɔːrm], **a'moe·boid** [-bɔid] *adj biol.* a'möbenartig.
a·mok [ə'mɒk] → amuck.
a·mo·le [ə'moulei; ɑː'mɔːle] *s bot.* **1.** A'mole *f* (*als Seife gebrauchte Wurzel*). – **2.** *Am. verschiedene Pflanzen, deren Wurzeln als Seife gebraucht werden* (*bes. Chlorogalum pomeridianum u. die Gattgen Agave, Manfreda, Prochnyanthes*).
a·mo·lil·la [ˌɑːmo'liːjɑː] *s bot. Am. eine agavenähnliche Liliacee* (*Prochnyanthes viridescens*).
a·mo·mum [ə'moumәm] *s bot.* Ingwergewürz *n,* Para'dieskörner *pl,* Karda'mom *n* (*Amomum cardamomum*).
a·mong(st) [ə'mʌŋ(st)] *prep* **1.** (mitten) unter, zwischen, bei: from ~ von, aus, aus der Mitte heraus; there is not one ~ a thousand es ist nicht einer unter tausend; to be ~ the missing *mil.* zu den Vermißten zählen. – **2.** gemeinsam *od.* zu'sammen mit.
a·mon·til·la·do [əˌmɒnti'lɑːdou; -'ljɑː-] *s* Amontil'lado *m* (*heller, herber Sherry*).
a·mor·al [ei'mɒrəl] *adj* 'amoˌralisch, mo'ralisch indiffe'rent.
am·o·ret·to [ˌæmə'retou] *pl* **-ti** [-i] *s* Amo'rette *f,* Liebesgott *m.*
a·mo·ri·no [amo'rino] *pl* **-ni** [-i] (*Ital.*) *s* Amo'rette *f,* Liebesgott *m.*
am·o·rist ['æmərist] *s* Liebhaber *m.* — ˌ**am·o'ris·tic** *adj* Liebes...
Am·o·rite ['æməˌrait] *s Bibl.* Amo'riter *m.*
a·mo·ro·sa [amo'rosa] *pl* **-se** [-e] (*Ital.*) *s* **1.** Kurti'sane *f.* – **2.** Geliebte *f.*
am·o·ros·i·ty [ˌæmə'rɒsiti; -sə-] *s* Verliebtheit *f,* Liebe *f.*
a·mo·ro·so [amo'roso] (*Ital.*) **I** *s pl* **-si** [-i] Liebhaber *m,* Geliebter *m.* – **II** *adv mus.* zärtlich, innig.
am·o·rous ['æmərəs] *adj* **1.** liebebedürftig. – **2.** verliebt. – **3.** Liebes... – *SYN.* amatory, erotic. — '**am·o·rous·ness** *s* Verliebtheit *f.*
a·mor·pha [ə'mɔːrfə] *s bot.* Bastardindigo *m,* Falscher Indigo (*Gattung Amorpha*).
a·mor·phic [ə'mɔːrfik] *adj* a'morph, formlos. — **a'mor·phism** *s* Amor'phismus *m,* Formlosigkeit *f.*
a·mor·pho·phyte [ə'mɔːrfoˌfait; -fəˌf-] *s bot.* Pflanze *f* mit Blüten von unregelmäßiger Form.
am·or·pho·tae [ˌæmər'foutiː] *s pl astr.* Sterne *pl,* die keinem Sternbild angehören.
a·mor·phous [ə'mɔːrfəs] *adj* **1.** formlos, gestaltlos, unregelmäßig, 'mißgestaltet, a'morph. – **2.** *min.* a'morph, 'unkristalˌlinisch. — **a'mor·phous·ness**, *selten* **a'mor·phy** [-fi] *s* Formlosigkeit *f,* Amor'phie *f.*
a·mort [ə'mɔːrt] *adv u. pred adj* **1.** erstorben, tot, leblos. – **2.** *fig.* betrübt, niedergeschlagen.
a·mor·tiz·a·ble [e'mɔːrtizəbl; *Am. auch* 'æmərˌtaiz-] *adj* amorti'sierbar, tilgbar.
a·mor·ti·za·tion [əˌmɔːrti'zeiʃən; *Am. auch* ˌæmərtə-] *s* **1.** Amortisati'on *f,* Amorti'sierung *f,* Tilgung *f* (*von Schulden*), Tilgungsfonds *m.* – **2.** *jur.* Veräußerung *f* (*von Grundstücken*) an die tote Hand. — **a·mor·tize** [ə'mɔːrtaiz; *Am. auch* 'æmər-] *v/t* **1.** amorti'sieren, tilgen, abzahlen. – **2.** *jur.* an die tote Hand veräußern. — **a·mor·tize·ment** [ə'mɔːrtizmənt] *s* **1.** → amortization. – **2.** *arch.* abgeschrägte oberste Fläche eines Pfeilers *od.* einer Stütze. – **3.** *arch.* oberster Teil eines Gebäudes.
A·mos ['eiməs] *Bibl.* **I** *npr* Amos *m* (*jüd. Prophet*). – **II** *s* (das Buch) Amos.
a·mo·tion [ə'mouʃən] *s obs.* **1.** Entfernung *f* (*aus einem Amt*), Entlassung *f.* – **2.** Entziehung *f* (*eines Besitzes*).
a·mount [ə'maunt] **I** *v/i* **1.** (to) steigen, sich erstrecken, sich belaufen (auf *acc*), betragen, ausmachen (*acc*). – **2.** hin'auslaufen (to auf *acc*). – **II** *s* **3.** Betrag *m,* Summe *f,* Höhe *f* (*einer Summe*), Bestand *m,* Ergebnis *n,* Menge *f,* Ausmaß *n*: gross ~ Bruttobetrag; to the ~ of (bis) zum Betrage von; ~ of assets Vermögenshöhe; ~ carried forward Saldoübertrag; ~ in cash Bar(geld)betrag, -bestand, -vorrat; ~ of flow Fördermenge, Durchsatz (*bei Pumpen*); ~ of rainfall Niederschlagsmenge; ~ of resistance Widerstandswert; ~ of revenue Nutzungswert; →

actual 5; deficient 3; partial 1; total 1. – 4. *fig.* Inhalt *m*, Bedeutung *f*, Kern *m*. – *SYN. cf.* sum.

a·mour [ə'mur; æ'm-] *s* A'mour *f*, Liebe *f*, Liebschaft *f*.

am·ou·rette [ˌæmu'ret] *s* **1.** Liebe'lei *f*, Liebschaft *f*. – **2.** Liebesgott *m*, Ku'pido *m*. – **3.** *bot.* Zittergras *n* (*Briza media*).

a·mour-pro·pre [amur'prɔpr] (*Fr.*) *s* Eigenliebe *f*, Selbstachtung *f*, -gefühl *n*, Eitelkeit *f*.

a·mov·a·bil·i·ty [əˌmuːvə'biliti; -əti] *s* Absetzbarkeit *f*. — **a'mov·a·ble** *adj* absetzbar.

am·pa·ro [am'paro] (*Span.*) *s* **1.** vorläufiger schriftlicher Besitztitel (*eines Ansiedlers*) auf Land. – **2.** *jur. Am.* *Verfahren, das dem Habeascorpus-Verfahren entspricht.*

am·pe·lite ['æmpəˌlait] *s min.* Ampe'lit *m*, Erdharz *n*, Bergtorf *m*.

am·pe·lop·sis [ˌæmpi'lɒpsis; -pə-] *s bot.* Wilder Wein (*Gattg Parthenocissus*).

am·per·age [æm'pi(ə)ridʒ; æm'pɛ(ə)ridʒ] *s electr.* Stromstärke *f* (*in Ampere ausgedrückt*), Am'perezahl *f*.

am·pere [*Br.* 'æmpɛə; *Am.* 'æmpir, *auch* æm'pir], **am·père** [ɑ̃'pɛːr] (*Fr.*) *s electr.* Am'pere *n* (*Maßeinheit der elektrischen Stromstärke*). — '~-'**foot** *s irr electr.* Am'perefuß *m* (*Produkt aus Stromstärke u. der vom Strom durchlaufenen Strecke*). — '~-'**hour** *s electr.* Am'perestunde *f*: ~ meter Amperestundenzähler. — '~ˌ**me·ter** *s electr.* Am'pereˌmeter *n*, Strommesser *m*. — ~ **turn** *s electr.* Am'perewindung *f*.

Am·pe·ri·an [æm'pi(ə)riən; -'pɛ(ə)riən] *adj* Ampere...

am·per·om·e·ter [ˌæmpi(ə)'rɒmitər; -mət-] → amperemeter.

am·per·sand ['æmpərˌsænd] *s print.* Et-Zeichen *n* (*das Zeichen &*).

am·phet·a·mine [æm'fetəˌmiːn; -min] *s chem.* Benze'drin *n*.

amphi- [æmfi] *Wortelement mit der Bedeutung* doppelt, zwei..., zweiseitig, beid..., beiderseitig, umher...

am·phi·ar·thro·di·al [ˌæmfiɑːr'θroudiəl] *adj* Wackelgelenk... — ˌ**am·phi·ar'thro·sis** [-sis] *s med.* Amphiar'throse *f* (*Wackel-, Schiebe-, Halbgelenk*).

Am·phib·i·a [æm'fibiə] *s pl zo.* Am'phibien *pl*, Lurche *pl* (*Wirbeltierklasse*). — **am'phib·i·al** *adj selten* am'phibisch.

am·phib·i·an [æm'fibiən] **I** *adj* **1.** *zo.* am'phibisch. – **2.** Amphibien..., Wasserland... – **II** *s* **3.** *zo.* Am'phibie *f*, Lurch *m* (*Klasse Amphibia*). – **4.** *aer.* Am'phibium *n*, Am'phibien-, Wasserlandflugzeug *n* (*das auf dem Wasser u. auf der Erde niedergehen kann*). – **5.** *mil.* Schwimmkampfwagen *m*.

am·phib·i·o·log·i·cal [æmˌfibiə'lɒdʒikəl] *adj* am'phibienkundlich. — **amˌphib·i'ol·o·gy** [-'ɒlədʒi] *s zo.* Lurch-, Am'phibienkunde *f*.

am·phi·bi·ot·ic [ˌæmfibai'ɒtik] *adj zo.* in 'einer Lebensstufe auf dem Lande, in einer anderen im Wasser lebend.

am·phib·i·ous [æm'fibiəs] *adj* **1.** *zo.* am'phibisch, beidlebig (*im Wasser u. auf dem Lande*). – **2.** zum Leben *od.* zur Fortbewegung *etc* so'wohl im Wasser wie auf dem Lande geeignet. – **3.** von gemischter Na'tur, zweierlei Wesen habend. – **4.** *mil. tech.* Amphibien..., Wasserland...: ~ landing amphibische Landung *od.* Operation; ~ truck Schwimmlastkraftwagen.

am·phib·i·um [æm'fibiəm] *pl* **-i·a** [-ə] *selten für* amphibian 3.

am·phi·blas·tic [ˌæmfi'blæstik] *adj zo.* amphi'blastisch.

am·phi·bole ['æmfiˌboul] *s min.* Amphi'bol *m*.

am·phi·bol·ic[1] [ˌæmfi'bɒlik] *adj* **1.** amphi'bolisch, zweideutig. – **2.** *zo.* fähig, vorwärts und rückwärts gerichtet zu werden. – **3.** *med.* doppeldeutig, ungewiß, wechselvoll.

am·phi·bol·ic[2] [ˌæmfi'bɒlik] *adj min.* amphi'bolisch, hornblendeartig.

am·phib·o·lite [æm'fibəˌlait] *s min.* Hornblendegestein *n*.

am·phib·o·log·i·cal [æmˌfibə'lɒdʒikəl] *adj* zweideutig, zweifelhaft. — ˌ**am·phi'bol·oˌgism** [-'bɒləˌdʒizəm] *s* zweideutiger Satz. — **am·phi·bol·o·gy** [ˌæmfi'bɒlədʒi] *s* Amphibo'lie *f*, Zweideutigkeit *f*, Doppelsinn *m*. — **am·phib·o·lous** [æm'fibələs] *adj philos.* doppeldeutig, doppelsinnig (*durch Auswechslung der Begriffe*).

am·phi·brach ['æmfiˌbræk] *s* Am'phibrachys *m*, Amphi'brach *m* (*Versfuß*).

am·phi·car·pic [ˌæmfi'kɑːrpik] *adj bot.* doppelfrüchtig, amphi'karp (*oberirdische Kapseln u. unterirdische Schließfrüchte bildend*).

am·phi·cen·tric [ˌæmfi'sentrik] *adj* doppelzentrisch.

am·phi·chro·ic [ˌæmfi'krouik], ˌ**am·phi·chro'mat·ic** [-kro'mætik] *adj chem.* amphi'chroisch (*Eigenschaft von Indikatoren, deren Farbänderungen sich gegenseitig aufheben*).

am·phi·coe·lous [ˌæmfi'siːləs] *adj zo.* amphi'zöl, auf beiden Seiten kon'kav (*Wirbel*).

am·phic·ty·on [æm'fiktiˌɒn; -ən] *s antiq.* Amphikty'one *m* (*Vertreter eines altgriech. Staatenbundes*). — **am'phic·ty·o·ny** [-əni] *s antiq.* Amphiktyo'nie *f*.

am·phi·cyr·tic [ˌæmfi'səːrtik] *adj* auf beiden Seiten gekrümmt.

am·phi·dip·loid [ˌæmfi'diplɔid] *s bot. zo.* amphidiplo'id (*mit doppeltem Chromosomensatz, der von zwei verschiedenen Eltern herrührt*).

am·phi·gae·an [ˌæmfi'dʒiːən] *adj* **1.** *bot. zo.* über alle Zonen verbreitet. – **2.** *bot. zo.* in beiden gemäßigten Zonen vorkommend. – **3.** *bot.* mit Blüten, die unmittelbar aus dem Wurzelstock her'vorwachsen.

am·phi·gam ['æmfiˌgæm] *s bot.* amphi'game Pflanze (*die sowohl mit Fremdbestäubung als auch mit Selbstbestäubung fruchtbar ist*).

am·phi·ge·an *cf.* amphigaean.

am·phig·o·nous [æm'figənəs] *adj bot. zo.* amphi'gon, sich geschlechtlich vermehrend. — **am'phig·o·ny** *s* Amphigo'nie *f*, geschlechtliche Fortpflanzung.

am·phi·gor·ic [ˌæmfi'gɒrik] *adj* amphi'gurisch, bur'lesk. — '**am·phi·go·ry** [*Br.* -gəri; *Am.* -ˌgɔːri] *s* Amphigu'rie *f*, Kauderwelsch *n*, unsinniges Scherzgedicht. — ˌ**am·phi'gou·ri**, ˌ**am·phi'gou·ry** [-'gu(ə)ri] → amphigory.

am·phim·a·cer [æm'fiməsər] *s* Am'phimazer *m*, Kretikus *m* (*griech. Versfuß*).

am·phi·mix·is [ˌæmfi'miksis] *s biol.* **1.** Amphi'mixis *f*, Keimzellenvereinigung *f* (*bei der Fortpflanzung*). – **2.** Inzucht *f*.

am·phi·o·xus [ˌæmfi'ɒksəs] *s zo.* Lan'zettfisch *m* (*Branchiostoma lanceolatum*).

am·phip·neust ['æmfipˌnjuːst] *s zo.* Olm *m* (*Proteus anguineus; Molchart*).

am·phi·pod ['æmfiˌpɒd] *zo.* **I** *s* Flohkrebs *m* (*Unterordnung Amphipoda*). – **II** *adj* zu den Flohkrebsen gehörig.

am·phip·ro·sty·lar [æmˌfipro'stailər] → amphiprostyle I. — **am'phip·roˌstyle** [-ˌstail] *arch.* **I** *adj* mit einer Säulenreihe an beiden Enden (*aber keinen Säulen an den Seiten*). – **II** *s* Amphipro'styl *n* (*Gebäude mit Säulenreihen an beiden Enden*).

am·phi·sar·ca [ˌæmfi'sɑːrkə] *s bot.* *selten* hartschalige, oberständige Fleischfrucht.

am·phis·bae·na [ˌæmfis'biːnə] *s* **1.** *antiq.* (*in Fabeln*) Schlange *f* mit einem Kopf an jedem Ende. – **2.** *zo.* Doppelschleiche *f* (*Gattung Amphisbaena*).

am·phis·ci·ans [æm'fiʃiənz], **am·phis·ci·i** [æm'fiʃiˌai] *s pl* Am'phiscii *pl*, Tropenbewohner *pl*.

am·phi·sto·mat·ic [ˌæmfisto'mætik] *adj bot.* mit Spaltöffnungen auf Ober- und 'Unterseite (*Blätter*).

am·phis·to·mous [æm'fistoməs] *adj zo.* mit zwei Saugnäpfen versehen.

am·phi·sty·lar [ˌæmfi'stailər] *adj arch.* mit Säulen auf beiden Seiten *od.* an beiden Enden.

am·phi·the·a·ter, *bes. Br.* **am·phi·the·a·tre** ['æmfiˌθiːətər] *s* **1.** Am'phitheˌater *n*. – **2.** *fig.* Am'phitheˌater *n*, amphithea'tralische Anlage (*Zuschauerraum etc*). — ˌ**am·phi'the·a·tered**, *bes. Br.* ˌ**am·phi'the·a·tred** *adj* amphithea'tralisch gebaut *od.* angeordnet. — ˌ**am·phi'the·a·tral** *adj* amphithea'tralisch.

am·phi·the·a·tre, am·phi·the·a·tred *bes. Br. für* amphitheater, amphitheatered.

am·phi·the·at·ric [ˌæmfiθi'ætrik], ˌ**am·phi·the'at·ri·cal** *adj* amphithea'tralisch.

am·phi·the·ci·um [ˌæmfi'θiːʃiəm] *pl* **-ci·a** [-ə] *s bot.* Amphi'thekium *n* (*äußere Zellschichten der Mooskapsel*).

am·phit·ri·cha [æm'fitrikə] *s pl biol.* ringsum bewimperte Infu'sorien *pl*.

Am·phi·tri·te [ˌæmfi'traiti] *npr* Amphi'trite *f* (*Gattin Poseidons*).

am·phit·ro·pal [æm'fitropəl], **am'phit·ro·pous** *adj bot.* amphi'trop, zweiseitswendig (*von Samenanlagen*).

Am·phit·ry·on [æm'fitriən] **I** *npr* Am'phitryon *m* (*König von Theben, Gemahl der Alkmene*). – **II** *s fig.* Am'phitryon *m*, Gastgeber *m*.

am·phi·va·sal [ˌæmfi'veisl] *adj bot.* lepto'zentrisch (*Leitbündel mit rings vom Holzteil umgebenem Siebteil*).

am·phiv·o·rous [æm'fivərəs] *adj zo.* fleisch- und pflanzenfressend.

am·phod·e·lite [æm'fɒdəˌlait] *s min.* Amphode'lit *m* (*Abart des Anorthits*).

am·pho·ra ['æmfərə] *pl* **-rae** [-ˌriː] (*Lat.*) *s antiq.* Amphora *f* (*zweihenkliges Tongefäß*). — '**am·pho·ral** *adj* Amphoren...

am·phor·ic [æm'fɒrik] *adj med.* am'phorisch, hohlklingend (*Husten, Atem*). — **am·pho·roph·o·ny** [ˌæmfə'rɒfəni] *s med.* hohlklingendes Atmungsgeräusch, Krugatmen *n*.

am·pho·ter·ic [ˌæmfo'terik] *adj chem.* ampho'ter (*sowohl als Säure wie als Base reagierend*).

am·ple ['æmpl] *adj* **1.** ausgedehnt, weit, groß, geräumig, breit. – **2.** unbeschränkt, weitläufig, ausführlich, um'fassend. – **3.** reich, reichlich, (vollauf) genügend, stattlich: ~ means reich(lich)e Mittel – *SYN. cf.* plentiful.

am·plec·tant [æm'plektənt] *adj bot.* (*eine Stütze*) um'klammernd.

am·ple·ness ['æmplnis] *s* **1.** Weite *f*, Geräumigkeit *f*. – **2.** Unbegrenztheit *f*, Ausführlichkeit *f*. – **3.** Reichlichkeit *f*, Fülle *f*.

am·plex·i·cau·date [æmˌpleksi'kɔːdeit] *adj zo.* mit um'schlossenem Schwanz (*z.B. Fledermäuse*).

am·plex·i·caul [æm'pleksiˌkɔːl], **amˌplex·i'cau·line** [-lin; -lain] *adj bot.* 'stengelumˌfassend.

am·plex·i·fo·li·ate [æmˌpleksi'fouliˌeit; -liit] *adj bot.* mit 'stengelumˌfassenden Blättern.

am·pli·ate ['æmpliˌeit; -liit] *adj zo.* mit auffallendem äußerem Rand (*Insekt*).

am·pli·a·tion [ˌæmpliˈeiʃən] *s* **1.** Erweiterung *f*, Vergrößerung *f*. – **2.** *jur.* Vertagung *f*, Aufschub *m* des Rechtsspruches. — **am·pli·a·tive** [ˈæmpliˌeitiv] *adj* **1.** *selten* vergrößernd, erweiternd. – **2.** *philos.* weiter ausführend, einen einfachen Begriff erweiternd.

am·pli·dyne [ˈæmpliˌdain; -plə-] *s electr.* Ampliˈdyne *f* (*Verstärkermaschine*).

am·pli·fi·ca·tion [ˌæmplifiˈkeiʃən; -pləfə-] *s* **1.** Erweiterung *f*, Vergrößerung *f*. – **2.** *ling.* Ausdehnung *f*, Erweiterung *f*. – **3.** weitere Ausführung, Weitschweifigkeit *f*, Überˈtreibung *f*. – **4.** *electr. phys.* Vergrößerung *f* (*von Bildern*), Verstärkung *f*, Entdämpfung *f* (*von Lauten, elektr. Strömen*). — ˈ**am·pli·fiˌca·tor** [-tər] *s selten* Erweiterer *m*, Verstärker *m*. — **am·plif·i·ca·to·ry** [*Br.* ˈæmplifiˌkeitəri; *Am.* æmˈplifəkəˌtɔːri] *adj* verstärkend.

am·pli·fi·er [ˈæmpliˌfaiər; -plə-] *s* **1.** Erweiterer *m*, Vergrößerer *m*. – **2.** *phys.* Vergrößerungslinse *f*. – **3.** *electr. phys.* Verstärker *m* (*von Lauten, elektr. Strömen*): ~ **equipment** Verstärkeranlage; ~ **noises** Pfeifen *od.* Rauschen der Verstärkerröhren; ~ **tube**, ~ **valve** Verstärkerröhre.

am·pli·fy [ˈæmpliˌfai; -plə-] **I** *v/t* **1.** erweitern, vergrößern, ausdehnen: ~**ing lens** Vergrößerungslinse, Lupe. – **2.** ausmalen, ausschmücken. – **3.** *electr. phys.* verstärken: ~**ing without distortion** verzerrungsfreie Verstärkung. – **II** *v/i* **4.** sich weitläufig auslassen *od.* ausdrücken (on, upon über *acc*). – *SYN. cf.* **expand.**

am·pli·tude [ˈæmpliˌtjuːd; -plə-; *Am. auch* -ˌtuːd] *s* **1.** Größe *f*, Weite *f*, ˈUmfang *m* (*auch fig.*): ~ **of variation** Variationsbreite. – **2.** *astr.* Ampliˈtude *f*, Gestirnweite *f*, Poˈlarwinkel *m*. – **3.** *fig.* Reichlichkeit *f*, Fülle *f*, Reichtum *m* (*der Mittel*). – **4.** *phys.* Ampliˈtude *f*, Schwingungs-, Ausschlagsweite *f* (*z.B. eines Pendels*): ~ **characteristic** Frequenzgang; ~ **distortion** Amplitudenstörung, -verzerrung; ~ **modulation** Amplitudenmodulation (*bei Sendern*). – **5.** Schußweite *f*.

am·ply [ˈæmpli] *adv* reichlich.

am·poule [ˈæmpuːl], *auch* ˈ**am·pul** [-pʌl], ˈ**am·pule** [-puːl] *s med.* Amˈpulle *f* (*Glasröhrchen mit Injektionsstoff*).

am·pul·la [æmˈpʌlə] *pl* **-lae** [-iː] *s* **1.** *antiq.* Amˈpulla *f*, Phiˈole *f*, Salbengefäß *n*. – **2.** Blei- *od.* Glasflasche *f* (*von Reisenden im Mittelalter*). – **3.** *med. zo.* Amˈpulle *f*, erweitertes Ende eines Gefäßes *od.* Kaˈnals (*z. B. Bogengangskanal im Ohr, Gehörampulle*). – **4.** *bot.* Kanne *f*, Blase *f* (*von insektenfressenden Pflanzen*). – **5.** *relig.* Amˈpulle *f*: a) Krug *m* für Wein und Wasser (*bei der Messe*), b) Gefäß *n* für das heilige Öl (*für die Firmung, Ölung od. Krönung*). — **am·pul·la·ceous** [ˌæmpəˈleiʃəs] *adj* amˈpullenförmig, blasenähnlich. — **amˈpul·lar** *adj* flaschenförmig.

am·pul·late [æmˈpʌleit; ˈæmpə-; -lit], ˈ**am·pulˌlat·ed** *adj* **1.** mit einer Amˈpulle versehen. – **2.** blasen-, flaschenartig. — **amˈpul·liˌform** [-iˌfɔːrm] *adj* flaschenförmig.

am·pu·tate [ˈæmpjuˌteit; -pjə-] *v/t* **1.** stutzen. – **2.** *med.* ampuˈtieren, (*ein Glied*) abnehmen. — ˌ**am·puˈta·tion** *s* Amputatiˈon *f*, Abnahme *f* (*eines Gliedes*). — ˌ**am·puˈtee** [-ˈtiː] *s* Ampuˈtierte(r).

am·ra [ˈɑːmrə] *s bot.* Amra *f* (*Spondias mangifera*).

Am·ram·ites [ˈæmræˌmaits] *s pl Bibl.* Amraˈmiten *pl.*

am·ri·ta, *auch* **am·ree·ta** [ʌmˈriːtə] *s relig.* Amrita *n*, Unsterblichkeitstrank *m* (*bei den Indern*).

am·sel [ˈæmzəl] *s zo.* **1.** Amsel *f* (*Turdus merula*). – **2.** Ringamsel *f* (*Turdus torquatus*).

Am·stutz [ˈæmstʌts; ˈɑːmʃtuts] *s sport* Feder *f* an Schneeschuhen (*zum Anhalten der Schuhe am Absatz*).

amt [æmt] *s* Reˈgierungsbeˌzirk *m* (*in Dänemark*).

Am·torg [ˈæmtɔːrg] *s* Amtorg *f* (*russ. Gesellschaft für Handel zwischen Rußland u. den Vereinigten Staaten*).

am·track [ˈæmtræk] *s mil.* amˈphibische ˈZugmaˌschine.

a·muck [əˈmʌk] **I** *adv* in blinder Wut: **to run** ~ a) Amok laufen, b) (at, on, against) in blinder Wut anfallen, mit übertriebenem Eifer angreifen (*acc*), blind losgehen (auf *acc*). – **II** *s meist* **amok 3.** Amoklauf(en *n*) *m*, mörderischer Wutanfall (*bei den Malaien, auch fig.*).

am·u·let [ˈæmjulit; -jə-] *s* Amuˈlett *n*, Zauber(schutz)mittel *n*. – *SYN. cf.* **fetish.**

a·mul·la [əˈmʌlə] *s bot. eine austral. Myoporacee* (*Myoporum debile*).

a·mur·ca [əˈmɔːrkə] *s* Aˈmurka *f*, Bodensatz *m* von Oˈlivenöl.

A·mur cork [ɑːˈmuːr; əˈmur] *s bot.* Aˈmur-Korkbaum *m* (*Phellodendron amurense*).

a·mur·cous [əˈmɔːrkəs] *adj selten* voll Bodensatz.

a·mus·a·ble [əˈmjuːzəbl] *adj* leicht zu unterˈhalten(d) *od.* zu ergötzen(d).

a·muse [əˈmjuːz] *v/t* amüˈsieren, unterˈhalten, belustigen, ergötzen: **to be** ~**d at** (*od.* **by, in, with**) sich freuen über (*acc*); **it** ~**s them** es macht ihnen Spaß; **to** ~ **oneself** sich amüsieren, sich ergötzen. – *SYN.* **divert, entertain, recreate.** — **aˈmused** *adj* amüˈsiert, belustigt. — **aˈmuse·ment** *s* Unterˈhaltung *f*, Belustigung *f*, Kurzweil *f*, Zeitvertreib *m*: **for** ~ zum Vergnügen; ~ **tax** Vergnügungs-, Lustbarkeitssteuer. — **aˈmus·ing** *adj* amüˈsant, unterˈhaltend, ergötzlich. — **aˈmus·ing·ness** *s* Unterˈhaltsamkeit *f*. — **aˈmu·sive** *adj* unterˈhaltsam, zerstreuend. — **aˈmu·sive·ness** → **amusingness.**

a·mu·yon [ˌɑːmuːˈjoun] *s bot.* **1.** *eine Anonacee* (*Phaeanthus ebracteolatus*). – **2.** *eine Leguminose* (*Ormosia calavensis*).

a·my·e·len·ce·pha·li·a [əˌmaiəˌlensiˈfeiliə] *s med.* Fehlen *n* von Hirn und Rückenmark. — **aˌmy·eˌlen·ceˈphal·ic** [-ˈfælik], **aˌmy·e·lenˈceph·a·lous** [-ˈsefələs] *adj* ohne Zenˈtralˌnervensyˌstem.

am·y·e·li·a [ˌæmiˈiːliə] *s med.* Amyeˈlie *f*, Rückenmarklosigkeit *f*.

a·myg·da·la [əˈmigdələ] *pl* **-lae** [-ˌliː] *s* **1.** *bot.* Mandel *f*. – **2.** *med.* Mandel *f* (*im Hals*), Halsdrüse *f*, Tonˈsille *f*. — **aˌmyg·daˈla·ceous** [-ˈleiʃəs] *adj* mandelähnlich.

a·myg·da·late [əˈmigdəlit; -ˌleit] **I** *adj* **1.** mandelartig, Mandel... – **II** *s* **2.** *med.* Mandelmilch *f*. – **3.** *chem.* amygdaˈlinsaures Salz.

am·yg·dal·ic ac·id [ˌæmigˈdælik] *s chem.* **1.** Amygdaˈlinsäure *f* ($C_{20}H_{28}O_{13}$). – **2.** Mandelsäure *f*.

a·myg·da·lif·er·ous [əˌmigdəˈlifərəs] *adj* **1.** *bot.* Mandeln tragend. – **2.** *geol.* mandelsteinartig.

a·myg·da·lin [əˈmigdəlin] *s chem.* Amygdaˈlin *n* ($C_{20}H_{27}NO_{11}$).

a·myg·da·line [əˈmigdəlin; -ˌlain] *adj* Mandel...

a·myg·da·loid [əˈmigdəˌlɔid] **I** *s geol.* Amygdaloˈid *n*, Mandelstein *m*. – **II** *adj* mandelförmig. — **aˌmyg·daˈloi·dal I** *s geol.* mandelsteinartiges Gestein. – **II** *adj* mandelförmig.

a·myg·dule [əˈmigdjuːl; *Am. auch* -duːl] *s geol.* Kriˈstallknötchen *n* im Mandelstein.

am·yl [ˈæmil] *s chem.* Aˈmyl *n* (C_5H_{11}; *einwertiger Rest*). — ˌ**am·yˈla·ceous** [-ˈleiʃəs] *adj* stärkemehlartig, stärkehaltig.

am·yl| ac·e·tate *s chem.* Aˈmylaceˌtat *n* ($CH_3CO_2C_5H_{11}$). — ~ **al·co·hol** *s chem.* Aˈmylˌalkohol *m* ($C_5H_{11}OH$).

am·yl·a·mine [ˌæmiləˈmiːn; -ˈæmin] *s chem.* Amylaˈmin *n* ($C_5H_{11}NH_2$).

am·yl·ase [ˈæmiˌleis] *s chem.* Amyˈlase *f* (*stärkespaltendes Enzym*).

am·yl·ate [ˈæmiˌleit] *s chem.* Stärkeverbindung *f*.

am·yl·ene [ˈæmiˌliːn] *s chem.* Amyˈlen *n* (C_5H_{10}).

a·myl·ic [əˈmilik] *adj chem.* Amyl...

am·y·lif·er·ous [ˌæmiˈlifərəs] *adj bot.* Stärke enthaltend.

am·y·lin [ˈæmilin] *s chem.* Amyˈlin *n* (*Zellulosemembran von Stärkekörnern*).

ˈ**am·yl|ˌi·soˈval·er·ate** *s chem.* Aˈmylˌisovaleriaˌnat *n*, ˌIsovaleriˈansäure *f* ($C_5H_{10}O_2{\cdot}C_5H_{11}$). — ~ **ni·trite** *s chem.* Aˈmylniˌtrit *n* ($C_5H_{11}NO_2$).

am·y·lo·dex·trin [ˌæmiloˈdekstrin] *s chem.* Stärkegummi *m*.

a·myl·o·gen [əˈmilodʒen] *s chem.* lösliche Stärke.

am·y·loid [ˈæmiˌlɔid] **I** *s* **1.** stärkehaltige Nahrung. – **2.** *chem.* Amyloˈid *n*, stärkemehlartige Subˈstanz. – **II** *adj* **3.** stärkeartig, -haltig. — ˌ**am·yˈloi·dal** → amyloid II.

am·y·lol·y·sis [ˌæmiˈlɒlisis; -ləsis] *s chem.* Amyloˈlyse *f*, Verwandlung *f* von Stärke in Dexˈtrin und Zucker. — ˌ**am·y·loˈlyt·ic** [-loˈlitik] *adj* amyloˈlytisch.

am·y·lo·pec·tin [ˌæmiloˈpektin] *s chem.* Amylopekˈtin *n* (*Stärkebestandteil*).

am·y·lo·plast [ˈæmiloˌplæst], ˌ**am·y·loˈplas·tid** [-tid], ˌ**am·y·loˈplas·tide** [-taid; -tid] *s chem.* stärkemehlbildender Stoff, Stärkebildner *m*.

am·y·lop·sin [ˌæmiˈlɒpsin] *s chem.* Amyloˈpsin *n*, feine Amyˈlase (*Stärke in Zucker verwandelndes Ferment*).

am·yl·ose [ˈæmiˌlous] *s chem.* Amyˈlose *f*.

am·y·lum [ˈæmiləm] *s chem.* Stärke *f*.

a·my·o·sthe·ni·a [əˌmaioˈsθiːniə] *s med.* Muskellähmung *f*. — **aˌmy·oˈsthen·ic** [-ˈsθenik] **I** *adj* Muskellähmung betreffend. – **II** *s* die Muskelkraft lähmendes Mittel.

a·my·o·tro·phi·a [əˌmaioˈtroufiə] *s med.* Amyotroˈphie *f*, ˈMuskelatroˌphie *f*, -schwund *m*. — **aˌmy·oˈtroph·ic** [-ˈtrɒfik] *adj* amyoˈtrophisch. — **am·y·ot·ro·phy** [ˌæmiˈɒtrəfi] → **amyotrophia.**

am·y·rin [ˈæmirin] *s chem.* Amyˈrin *n* ($C_{30}H_{50}O$; *kristallisierbarer Stoff aus Elemiharzen*).

am·y·rol [ˈæmiˌrɒl; -ˌroul] *s chem.* Amyˈrol *n* ($C_{15}H_{26}O$; *Bestandteil des Elemiharzes*).

am·y·tal [ˈæmiˌtæl; -ˌtɔːl] *s chem.* Amyˈtal *n* ($C_{11}H_{18}N_2O_3$; *ein Anästhetikum*).

an[1] [ən; *betont*: æn] *vor vokalisch anlautenden Wörtern für* **a**[2].

an[2], **an'** [æn] *conjunction* **1.** *dial. für* and. – **2.** *obs.* wenn, falls.

an- [æn] *Vorsilbe mit der Bedeutung* nicht, ohne.

-an [ən] *Wortelement zur Bezeichnung der Zugehörigkeit.*

a·na[1] [ˈɑːnə; ˈei-] *s* Ana *f* (*Sammlung von j-s Aussprüchen od. kleinen Schriften etc*).

an·a[2] [ˈænə] *adv med.* ana, āā (*zu gleichen Teilen; Vorschrift auf Rezepten*).

ana- [ænə] *Vorsilbe mit den Bedeutungen*: a) auf, aufwärts, b) zurück, rückwärts, c) wieder, aufs neue, d) sehr, außerordentlich.

-ana [ɑːnə; einə] *an Orts- u. Personennamen angehängtes Wortelement mit der Bedeutung* Anekdoten, Mitteilungen (über), Aussprüche (von): Americana, Johnsoniana.

an·a·bae·na [ˌænəˈbiːnə] *s bot.* Wasserblüte *f* (*Gattg Anabaena; Blaualge*).

An·a·bap·tism [ˌænəˈbæptizəm] *s* **1.** Anabapˈtismus *m*, Lehre *f* der ˈWiedertäufer. – **2.** a~ zweite *od.* wiederˈholte Taufe. — ˌ**An·aˈbap·tist I** *s* Anabapˈtist *m*, ˈWiedertäufer *m*. – **II** *adj* anabapˈtistisch, ˈwiedertäuferisch. — ˌ**an·a·bapˈtize** [-ˈtaiz] *v/t* ˈwiedertaufen.

an·a·bas [ˈænəˌbæs] *s zo.* Kletterfisch *m* (*Gattg Anabas*).

a·nab·a·sis [əˈnæbəsis] *pl* **-ses** [-ˌsiːz] *s* **1.** miliˈtärische Expeditiˈon. – **2.** A~ Aˈnabasis *f* (*Kriegszug des jüngeren Cyrus gegen Artaxerxes, von Xenophon in der „Anabasis" dargestellt*). – **3.** *med. obs.* Aˈnabasis *f* (*Verschlimmerung einer Krankheit*).

an·a·bat·ic [ˌænəˈbætik] *adj* **1.** *phys.* anaˈbatisch, sich aufwärts bewegend, nach oben ziehend (*Luftstrom*): ~ wind Hang-, Aufwind. – **2.** *med.* anaˈbatisch, zunehmend (*Fieber*).

an·a·bi·o·sis [ˌænəbaiˈousis] *s biol. med.* Anabiˈose *f*, ˈWiederbelebung *f*, Trockenstarre *f*. — ˌ**an·a·biˈot·ic** [-ˈɒtik] *adj* scheintot.

an·a·bol·ic [ˌænəˈbɒlik] *adj* aufbauend. — **a·nab·o·lin** [əˈnæbolin; -bə-] → anabolite. — **aˈnab·oˌlism** [-ˌlizəm] *s bot. zo.* Anaboˈlismus *m*, aufbauende Lebensvorgänge *pl*, Aufbau *m*. — **aˈnab·oˌlite** [-ˌlait] *s biol.* Proˈdukt *n* eines Assimilatiˈonsproˌzesses. — **aˈnab·oˌlize** *v/i biol.* einen Assimilatiˈonsproˌzeß vollˈziehen, sich assimiˈlieren.

an·a·branch [*Br.* ˈænəˌbrɑːntʃ; *Am.* -ˌbræ(ː)ntʃ] *s* **1.** *Austral.* Arm eines Flusses, der in den Hauptstrom zuˈrückkehrt. – **2.** Flußarm, der im Sand versickert.

a·na·ca·hui·ta[ˌɑːnɑːkɑːˈwiːtɑː],ˌ**a·na·caˈhui·te** [-tei] *s ein mexik. Hustensaft aus Früchten von Cordia boissieri.*

an·a·camp·sis [ˌænəˈkæmpsis] *s phys. selten* Zuˈrückwerfung *f* (*des Schalles, Lichtes etc*).

an·a·canth [ˈænəˌkænθ] *s zo.* Weichflosser *m*. — ˌ**an·aˈcan·thous** *adj* **1.** *zo.* weichflossig. – **2.** *bot.* dornlos.

an·a·card [ˈænəˌkɑːrd] *s bot.* Anaˈcardiengewächs *n* (*Fam. Anacardiaceae*). — ˌ**an·aˌcar·diˈa·ceous** [-diˈeiʃəs] *adj* zu den Anaˈcardiengewächsen gehörend. — ˌ**an·aˈcar·dic** *adj* die Acaˈjounuß betreffend: ~ acid Anakardsäure ($C_{22}H_{32}O_3$). — **an·aˈcar·di·um** [-iəm] *pl* **-di·a** [-ə] *s bot.* Nierenbaum *m* (*Gattg Anacardium*).

an·a·ca·thar·sis [ˌænəkəˈθɑːrsis] *s med.* Anakaˈtharsis *f*, Erbrechen *n*, Auswerfen *n*. — ˌ**an·a·caˈthar·tic** [-tik] **I** *adj* anakaˈthartisch, Erbrechen herˈbeiführend. – **II** *s* anakaˈthartisches Mittel, Brechmittel *n*.

an·a·ceph·a·lae·o·sis [ˌænəˌsefəliˈousis] *s selten* Rekapitulatiˈon *f* (*der Hauptteile einer Rede*).

a·nach·o·rism [əˈnækoˌrizəm] *s etwas was nicht zu dem Charakter des Landes paßt, auf das es bezogen wird.*

an·a·chron·ic [ˌænəˈkrɒnik], ˌ**an·aˈchron·i·cal** *adj* anachroˈnistisch, zeitwidrig.

a·nach·ro·nism [əˈnækrəˌnizəm] *s* Anachroˈnismus *m*. — **aˈnach·ro·nist** *s* **1.** j-d der einen Anachroˈnismus begeht. – **2.** Unzeitgemäßer *m*. — **aˌnach·roˈnis·tic, aˌnach·roˈnis·ti·cal** *adj* anachroˈnistisch. — **aˈnach·roˌnize** *v/t* zeitlich verkehrt angeben, in eine andere Zeit versetzen *od.* verlegen. — **aˈnach·ro·nous** → anachronistic.

an·ac·id [æˈnæsid] *adj med.* an Säuremangel leidend. — ˌ**an·aˈcid·i·ty** [ˌænəˈsiditi; -də-] *s* Anazidiˈtät *f*, Säuremangel *m*.

a·nac·la·sis [əˈnækləsis] *s med.* Rückbiegung *f* eines verrenkten Gliedes.

an·a·clas·tic [ˌænəˈklæstik] *adj* anaˈklastisch: a) *phys.* durch Brechung herˈvorgebracht, mit Brechung zuˈsammenhängend, b) eˈlastisch, zuˈrückspringend.

an·a·clas·tics [ˌænəˈklæstiks] *s pl* (*als sg konstruiert*) *phys.* Anaˈklastik *f* (*Strahlenbrechungslehre*).

an·a·cli·nal [ˌænəˈklainl] *adj geol.* dem Bodengefälle entgegenlaufend.

a·nac·li·sis [əˈnæklisis] *s med.* Aˈnaklisis *f* (*Lage eines Kranken im Bett*): dorsal ~ Rückenlage.

an·a·clit·ic [ˌænəˈklitik] *adj* **1.** anaˈklitisch, sich anlehnend. – **2.** *bes. psych.* abhängig (*mit Bezug auf die Abhängigkeit eines Triebes von einem andern*).

an·a·coe·no·sis [ˌænəsiˈnousis] *s* Anakoiˈnosis *f* (*fragende Redewendung an den Gegner*).

an·a·co·lu·thi·a [ˌænəkoˈluːθiə; -ˈljuː-] *s ling.* Anakoluˈthie *f* (*fehlender Zusammenhang, fehlerhafte Satzkonstruktion*). — ˌ**an·a·coˈlu·thic** *adj* anakoˈluthisch, ˈunzuˌsammenhängend, folgewidrig.

an·a·co·lu·thon [ˌænəkoˈluːθɒn; -ˈljuː-] *pl* **-tha** [-ə] *s ling.* Anakoˈluth(on) *n* (*Abspringen von der angefangenen grammatischen Konstruktion*).

an·a·con·da [ˌænəˈkɒndə] *s zo.* **1.** Anaˈkonda *f* (*Eunectes murinus; südamer. Riesenschlange*). – **2.** *allg.* Riesenschlange *f*.

A·nac·re·on·tic [əˌnækriˈɒntik] **I** *adj* **1.** anakreˈontisch. – **2.** *fig.* leicht, lustig, anmutig, gesellig, liebesfroh. – **II** *s* **3.** anakreˈontisches Liebesgedicht, Liebeslied *n*.

an·a·crot·ic [ˌænəˈkrɒtik] *adj med.* anaˈkrot. — **a·nac·ro·tism** [əˈnækrəˌtizəm] *s* Anakroˈtie *f* (*anomale Pulsbewegung*).

an·a·cru·sis [ˌænəˈkruːsis] *s metr. mus.* Auftakt *m*, Vorschlag(silbe *f*) *m*.

an·a·cu·si·a [ˌænəˈkjuːʒiə; -ziə] *s med.* Anaˈkusis *f*, völlige Taubheit.

an·a·dem [ˈænəˌdem] *s poet.* Anaˈdem *n*, Blumenkranz *m* (*als Kopfschmuck*).

an·a·di·crot·ic [ˌænədaiˈkrɒtik] *adj med.* ˈüberdiˌkrot. — ˌ**an·aˈdi·croˌtism** [-krəˌtizəm] *s* Anadichroˈtie *f*.

an·a·di·plo·sis [ˌænədiˈplousis] *s* (*Rhetorik*) Anadiˈplosis *f*, ˈWortwiederˌholung *f* (*indem der neue Satz mit dem Worte beginnt, mit dem der vorhergehende schloß*).

an·a·drom [ˈænəˌdrɒm] *s zo.* zur Laichzeit flußˈaufwärts wandernder Fisch.

a·nae·ma·to·sis *cf.* anematosis.

a·nae·mi·a, a·nae·mic *cf.* anemia, anemic.

an·a·er·o·ba·tion, an·a·ër·o·ba·tion [æˌnɛ(ə)roˈbeiʃən; -ˌneiər-] *s chem.* anaëˈrobische Gärung.

an·a·er·obe, an·a·ër·obe [æˈnɛ(ə)roub; -ˈneiər-] *s zo.* Anaëˈrobier *m* (*Bakterie, die ohne freien Sauerstoff besteht*). — **anˌa·erˈo·bic, anˌa·ërˈo·bic** *adj* anaëˈrob(isch). — **an·a·er·o·bi·o·sis, an·a·ër·o·bi·o·sis** [æˌnɛ(ə)robaiˈousis; -ˌneiər-] *s bot. zo.* Anaërobiˈose *f* (*Leben in sauerstoff-freier Atmosphäre*).

an·a·er·o·phyte, an·a·ër·o·phyte [æˈnɛ(ə)roˌfait; -ˈneiər-] *s* **1.** *bot.* Anaëroˈphyt *m* (*ohne Luft lebensfähiger pflanzlicher Organismus*). – **2.** *zo.* Anaërobiˈont *m*.

an·aes·the·si·a, an·aes·the·si·ant, an·aes·the·sim·e·ter, an·aes·the·sis, an·aes·thet·ic, an·aes·the·tist, an·aes·thet·i·za·tion, an·aes·the·tize *cf.* anesthesia *etc.*

an·a·gen·e·sis [ˌænəˈdʒenisis] *s med.* (Geˈwebe)Regeneratiˌon *f*, Gewebeneubildung *f*.

an·a·glyph [ˈænəglif] *s* **1.** Anaˈglyphe *f*, (flach)erhabenes Bildwerk, ˈBasreliˌef *n*. – **2.** *phys.* Anaˈglyphe *f* (*eines von 2 zusammengehörenden Teilbildern eines Raumbildverfahrens*). — ˌ**an·aˈglyph·oˌscope** [-oˌskoup] *s* Anaˈglyphenbrille *f*.

a·nag·ly·phy [əˈnæglifi] *s* **1.** Anaˈglyptik *f* (*Reliefbildnerei*). – **2.** (flach)erhabene Arbeit, ˈBasreliˌef *n*. — **an·a·glyp·tics** [ˌænəˈgliptiks] → anaglyphy 1.

an·a·glyp·to·graph [ˌænəˈgliptoˌgræ(ː)f; *Br. auch* -ˌgrɑːf] *s tech.* Maˈschine *f* zur ˈHerstellung halberhabener Drucke.

an·a·glyp·ton [ˌænəˈgliptɒn] → anaglyph.

an·ag·nor·i·sis [ˌænægˈnɒrisis] *s* Lösung *f* des Knotens (*im Drama*).

an·a·go·ge [ˌænəˈgoudʒi] *s relig.* **1.** Anagoˈgie *f*, Erhebung *f* der Seele zu Gott. – **2.** sinnbildliche *od.* mystische Auslegung (*bes. der Bibel*). — ˌ**an·aˈgog·ic** [-ˈgɒdʒik], ˌ**an·aˈgog·i·cal** *adj* anaˈgogisch, mystisch, alleˈgorisch, sinnbildlich. — ˈ**an·aˌgo·gy** [-ˌgoudʒi] → anagoge.

an·a·gram [ˈænəˌgræm] **I** *s* Anaˈgramm *n* (*Wortbildung durch Buchstabenversetzung*). – **II** *v/t u. v/i selten für* anagrammatize. — ˌ**an·a·gramˈmat·ic** [-grəˈmætik], ˌ**an·a·gramˈmat·i·cal** *adj* anagramˈmatisch, ein Anaˈgramm betreffend *od.* bildend. — ˌ**an·aˈgram·maˌtize I** *v/t* anagramˈmatisch versetzen. – **II** *v/i* Anaˈgramme machen.

a·na·gua [ɑːˈnɑːgwɑː] → anaqua.

an·a·gy·rin [ˌænəˈdʒai(ə)rin], *auch* ˌ**an·aˈgy·rine** [-riːn; -rin] *s chem.* Anagyˈrin *n* ($C_{15}H_{18}ON_2$; *Alkaloid aus den Samen von Anagyris foetida*).

An·a·kim [ˈænəkim], *auch* ˈ**An·a·kims** [-z] *od.* **A·naks** [ˈeinæks] *s pl Bibl.* Enaˈkiter *pl* (*Riesenvolk im Süden Kanaans*).

a·nal [ˈeinl] **I** *adj* **1.** *med.* aˈnal, Anal..., After... – **2.** *zo.* Anal..., Steiß..., Schwanz..., After...: ~ aperture After(öffnung), Zellafter; ~ cell Analzelle (*im Insektenflügel*); ~ field Anal-, Hinterfeld; ~ fin Afterflosse; ~ gland Afterdrüse; ~ sphincter Afterschließmuskel. – **II** *s* **3.** *zo.* Afterflosse *f*.

an·al·cime [æˈnælsim; -saim], **anˈal·cite** [-sait; ˈænəlˌsait] *s min.* Analˈcim *m*, ˈWürfelzeoˌlith *m*.

an·a·lec·ta [ˌænəˈlektə] → analects. — ˌ**an·aˈlec·tic** *adj* Analekten... — ˈ**an·aˌlects** *s pl* Anaˈlekten *pl*, ausgewählte Stücke *pl*, Lesefrüchte *pl*.

an·a·lem·ma [ˌænəˈlemə] *s* **1.** *math.* Anaˈlemma *n* (*orthographische Projektion der Erdkugel auf die Fläche des Meridians*). – **2.** *astr.* (*Art*) Astroˈlabium *n*. – **3.** *math.* Skala *f* durch die heiße Zone eines Globus (*um die tägliche Deklination der Sonne zu zeigen*).

an·a·lep·tic [ˌænəˈleptik] *med.* **I** *adj* anaˈleptisch, stärkend, kräftigend, anregend, belebend. – **II** *s* Anaˈleptikum *n*, Kräftigungs-, Anregungs-, Belebungsmittel *n*.

an·al·ge·si·a [ˌænælˈdʒiːziə] *s med.* Analgeˈsie *f*, Unempfindlichkeit *f* gegen Schmerz, Schmerzlosigkeit *f*. — ˌ**an·alˈge·sic** [-sik] **I** *adj* schmerzlindernd. – **II** *s* Analˈgetikum *n*, schmerzlinderndes Mittel. — ˌ**an·alˈge·sis** [-sis] → analgesia. — **an·alˈget·ic** [-ˈdʒetik] → analgesic. —

an'al·gi·a [-dʒiə] → analgesia. — **an'al·gic** → analgesic I. — **an·al·gize** ['ænəlˌdʒaiz] *v/t* schmerz'unempfindlich machen.

an·al·lag·mat·ic [ˌænəlæg'mætik] *adj math.* anallag'matisch (*so beschaffen, daß die Gestalt durch Umkehrung nicht geändert wird*): ~ **curve (surface)** anallagmatische *od.* unveränderliche Kurve (Fläche).

an·a·log *cf.* analogue.

an·a·log·ic [ˌænə'lɒdʒik], ˌ**an·a'log·i·cal** *adj* ana'log, ähnlich, entsprechend, Analogie... — ˌ**an·a'log·i·cal·ly** *adv* (*auch zu* analogic).

a·nal·o·gism [ə'nælәˌdʒizəm] *s philos.* Analo'gismus *m*, Analo'gie-, Ähnlichkeitsschluß *m.* — **a'nal·o·gist** *s* **1.** Ana'logiker *m.* – **2.** j-d der nach Analo'gien sucht. — **aˌnal·o'gis·tic** *adj* analo'gistisch. — **a'nal·oˌgize I** *v/i* **1.** (with) ana'log sein (*dat*), im Einklang stehen (mit). – **2.** Analo'gieschlüsse ziehen, nach Analogie verfahren. – **II** *v/t* **3.** analogi'sieren, ana'logisch erklären *od.* darstellen.

a·nal·o·gon [ə'næləˌgɒn] *pl* **-ga** [-ə] *s* An'alogon *n* (*Vergleichs-, Seitenstück, Ähnlichkeitsregel*).

a·nal·o·gous [ə'næləgəs] *adj* **1.** ana'log, ähnlich, entsprechend (to *dat*): ~ **form** *biol.* Parallelerscheinung. – **2.** *bot.* gleich aussehend (*aber von ungleichem Formwert*). – *SYN. cf.* similar.

an·a·logue ['ænəˌlɒg; *Am. auch* -ˌlɔːg] *s* An'alogon *n*, entsprechender Ausdruck, Ähnliches *n*, Entsprechung *f.* — ~ **com·put·er** *s electr.* 'Rechenmaˌschine *f.*

a·nal·o·gy [ə'nælədʒi] *s* **1.** Analo'gie *f*, Ähnlichkeit *f*, Über'einstimmung *f*, Verwandtschaft *f*: **constructed on the** ~ **of** (*od.* **by** ~ **with**) analogisch konstruiert nach. – **2.** *math.* Proporti'on *f*, Ähnlichkeit *f.* – **3.** *selten* An'alogon *n.* – *SYN. cf.* likeness.

an·al·pha·bet [æ'nælfəˌbet], **an'al·phaˌbete** [-ˌbiːt] *s selten* Analpha'bet *m.* — ˌ**an·al·pha'bet·ic**, ˌ**an·al·pha'bet·i·cal** *adj* analpha'betisch. — **an'al·pha·betˌism** *s* Analphabe'tismus *m.*

an·a·lyse, an·a·lys·er *etc cf.* analyze, analyzer *etc.*

a·nal·y·sis [ə'næləsis] *pl* **-ses** [-ˌsiːz] *s* **1.** Ana'lyse *f*, Zerlegung *f* (in die Grundbestandteile): **to make an** ~ eine Analyse vornehmen; **in the last** ~ letzten Endes, im Grunde. – **2.** kritische Zergliederung, Durch'forschung *f*, Darlegung *f*, Abriß *m* (*des Inhaltes eines Buches etc*): ~ **sheet** *econ.* Bilanzzergliederung. – **3.** *ling.* Zergliederung *f* (*eines Satzes etc*). – **4.** *chem.* Ana'lyse *f*, Zerlegung *f* (*eines Stoffes in seine Bestandteile*). – **5.** *philos.* Zerlegung *f* (*eines Begriffes*). – **6.** *psych.* (Psycho)Ana'lyse *f.* – **7.** *math.* An'alysis *f*, Auflösung *f*: ~ **situs** (analytische) Geometrie der Lage; ~ **of variance** Streuungszerlegung. – *SYN.* **breakdown, dissection, resolution.** — **an·a·lyst** ['ænəlist] *s chem. math.* Ana'lytiker *m*: **public** ~ Gerichtschemiker.

an·a·lyt·ic [ˌænə'litik], ˌ**an·a'lyt·i·cal** *adj* ana'lytisch: **analytic geometry** analytische Geometrie. — ˌ**an·a'lyt·i·cal·ly** *adv* (*auch zu* analytic). — ˌ**an·a'lyt·ics** *s pl* (*als sg konstruiert*) Ana'lytik *f.*

an·a·lyz·a·ble ['ænəˌlaizəbl] *adj* analy'sierbar. — ˌ**an·a·ly'za·tion** *s* Analy'sieren *n*, Ana'lyse *f.*

an·a·lyze ['ænəˌlaiz] *v/t* **1.** analy'sieren, zergliedern, zerlegen, auflösen, auswerten, scheiden: **analyzing of the picture** *electr.* (Bild)Abtastung. – **2.** *fig.* genau unter'suchen. – *SYN.* **break down, dissect, resolve.** — '**an·aˌlyz·er** *s* **1.** Ana'lytiker *m*, Analy'sierender *m.* – **2.** Auflösungsmittel *n.* – **3.** *phys.* Analy'sator *m.* – **4.** *tech.* Prüfgerät *n.*

a·nam·e·site [ə'næmiˌsait] *s min. selten* Aname'sit *m.*

an·am·ne·sis [ˌænæm'niːsis] *s* **1.** Rückerinnerung *f.* – **2.** *med.* Anam'nese *f*, Vorgeschichte *f* eines Krankheitsfalles. — ˌ**an·am'nes·tic** [-'nestik] *adj* anam'nestisch, gedächtnisstärkend.

an·a·mor·phism [ˌænə'mɔːrfizəm] *s* **1.** *bot.* Rückbildung *f* (*von abgeleiteten Blütenphyllomen in primitivere*), *auch* Vergrünung *f* von Blüten. – **2.** *zo.* Verwandlung *f* aus einem niederen Typus in einen höheren. – **3.** *geol.* Höher- *od.* Weiterbildung *f* (*bes. in der Abfolge der Fossilien*).

an·a·mor·pho·scope [ˌænə'mɔːrfəˌskoup] *s phys.* Anamorpho'skop *n* (*Zylinderspiegel für Zerrbilder*).

an·a·mor·phose [ˌænə'mɔːrfouz] *v/t* verzerren, zu einem Zerrbild machen. — ˌ**an·a'mor·pho·sis** [-'mɔːrfəsis; -mɔːr'fousis] *pl* **-ses** [-siːz] *s* **1.** Anamor'phose *f*, (perspek'tivisches) Zerrbild. – **2.** *bot.* → anamorphism 1. – **3.** *zo.* → anamorphism 2. — ˌ**an·a'mor·phous** *adj phys.* ana'morph(isch), verzerrt.

a·na·na(s) [ə'nɑːnə(s)] *s bot.* Ananas *f* (*Ananas sativus*).

an·an·drar·i·ous [ˌænən'drɛ(ə)riəs] *adj* an'andrisch, staubblattlos. — **an·an·dri·a** [æ'nændriə] *s med.* Anan'drie *f*, Fehlen *n* männlicher Geschlechtsmerkmale. — **an'an·drous** *adj bot.* an'andrisch, staubblattlos.

An·a·ni·as [ˌænə'naiəs] **I** *npr Bibl.* Ana'nias *m.* – **II** *s humor.* Schwindler *m*, Lügner *m.* – **III** *adj Am. humor.* lügnerisch, Lügner...: ~ **Club** ‚Bruderschaft der Lügner'.

an·an·ther·ate [æ'nænθəˌreit; -rit], **an'an·ther·ous** [-θərəs] *adj bot.* ohne Staubbeutel.

an·an·thous [æ'nænθəs] *adj bot.* ohne Blüten, blütenlos.

an·a·nym ['ænənim] *s* Ana'nym *n* (*rückwärts geschriebener Name*).

an·a·paest ['ænəˌpest; -ˌpiːst] *s metr.* **1.** Ana'päst *m* (*Versfuß*). – **2.** ana'pästischer Vers. — ˌ**an·a'paes·tic**, *auch* ˌ**an·a'paes·ti·cal I** *adj* ana'pästisch. – **II** *s* ana'pästischer Vers.

an·a·pa·gan·ize [ˌænə'peigəˌnaiz] *v/t selten* wieder zu Heiden machen.

an·a·phase ['ænəfeiz] *s bot. med. zo.* Ana'phase *f* (*Wandern der Chromosomenhälften nach den Polen zu*).

a·naph·o·ra [ə'næfərə] *s* A'naphora *f*, A'napher *f* (*Wiederholung desselben Wortes zu Anfang mehrerer Satzglieder*).

an·aph·ro·dis·i·a [æˌnæfrə'diziə] *s med.* Anaphrodi'sie *f*, Fehlen *n* des Geschlechtstriebes. — **anˌaph·ro'dis·iˌac** [-ˌæk] *med.* **I** *adj* den Geschlechtstrieb schwächend. – **II** *s* Anaphrodi'siakum *n*, den Geschlechtstrieb schwächendes Mittel.

an·aph·ro·dit·ic [æˌnæfrə'ditik] *adj zo.* ohne Zeugung entstehend *od.* entstanden. — **anˌaph·ro'di·tous** [-'daitəs] *adj* anaphro'ditisch, ohne Geschlechtstrieb.

an·a·phy·lac·tic [ˌænəfi'læktik] *adj* anaphy'laktisch. — ˌ**an·a·phy'lax·is** [-'læksis] *s bot. med. zo.* Anaphyla'xie *f*, über'triebene Empfindlichkeit (*bes. Eiweißstoffen gegenüber*).

an·a·plas·tic [ˌænə'plæstik] *adj med.* ana'plastisch. — '**an·aˌplas·ty** *s* Ana'plastik *f*, Ana'plasis *f* (*Ersetzung vernichteter Gewebe durch Verwendung gesunden Gewebes*).

an·a·ple·ro·sis [ˌænəpli'rousis] *s med.* Fleischerzeugung *f* (*bei Wunden*).

a·nap·no·graph [ə'næpnəˌgræ(ː)f; *Br. auch* -ˌgrɑːf] *s med.* Instru'ment *n* zum Regi'strieren der Atemzüge.

an·ap·no·ic [ˌænæp'nouik] *adj med.* das Atmen betreffend.

an·ap·nom·e·ter [ˌænæp'nɒmitər; -mə-] *s med.* Instru'ment *n* zum Messen der Atemzüge.

an·ap·o·deic·tic [æˌnæpə'daiktik] *adj philos.* anapo'diktisch (*logisch nicht beweisbar*).

an·ap·tot·ic [ˌænæp'tɒtik] *adj ling.* Flexi'onsendungen aufgebend, wieder flexi'onslos.

a·na·qua [ɑː'nɑːkwɑː] *s bot. ein mexik. Obstbaum* (*Ehretia elliptica*).

a·na·rak ['ɑːnəˌrɑːk] → anorak.

an·arch ['ænɑːrk] *s* Anar'chist *m*, Re'bell *m.* — **an·ar·chic** [æ'nɑːrkik], **an'ar·chi·cal** *adj* an'archisch, anar'chistisch, gesetzlos, zügellos. — **an·arch·ism** ['ænərˌkizəm] *s* **1.** Anar'chie *f*, Re'gierungs-, Gesetzlosigkeit *f.* – **2.** Anar'chismus *m*, Grundsätze *pl* der Anar'chisten. — '**an·arch·ist I** *s* Anar'chist *m*, 'Umstürzler *m.* – **II** *adj* anar'chistisch, 'umstürzlerisch. — ˌ**an·ar'chis·tic** → anarchist II. — '**an·archˌize** *v/t* in Anar'chie verwandeln.

an·arch·y ['ænərki] *s* Anar'chie *f*, Re'gierungs-, Gesetzlosigkeit *f.* – *SYN.* **chaos, lawlessness.**

an·ar·thri·a [æ'nɑːrθriə] *s med.* Anar'thrie *f*, gestörte 'Sprachartikulatiˌon, Buchstabenstottern *n.*

an·ar·throus [æ'nɑːrθrəs] *adj* **1.** *ling.* ohne (den) Ar'tikel. – **2.** *zo.* ohne Gelenke.

an·a·sar·ca [ˌænə'sɑːrkə] *s med.* Ana'sarka *f*, Hautwassersucht *f.*

an·a·seis·mic [ˌænə'saizmik] *adj geol.* sich auf- und abwärts bewegend (*von Bewegungen bei Erdbeben*).

an·a·stal·sis [ˌænə'stælsis] *s med.* **1.** Blutstillung *f.* – **2.** 'Antiperiˌstaltik *f*, in'verse Bewegung des Darmes. — **an·a'stal·tic I** *adj* ana'staltisch, blutstillend. – **II** *s* Ana'staltikon *n*, blutstillendes Mittel.

an·a·state ['ænəˌsteit] *s med.* Stoffgebilde *n* durch Assimilati'on.

an·a·stat·ic [ˌænə'stætik] *adj* **1.** *print.* ana'statisch: ~ **printing** anastatischer Druck. – **2.** *med.* ana'statisch, heilend, 'herstellend.

an·as·tig·mat [æ'næstigˌmæt] *s phot.* Anastig'mat *m.* — **an·as·tig·mat·ic** [ˌænæstig'mætik; æˌnæs-; ˌænəs-] *adj phys.* anastig'matisch (*Linse*).

a·nas·to·mose [ə'næstəˌmouz] **I** *v/i* **1.** *med.* anastomo'sieren, inein'ander-, zu'sammenmünden. – **2.** *bot.* sich verästeln (*von Leitbündeln*). – **II** *v/t* **3.** durch Inein'andermünden verbinden. — **aˌnas·to'mo·sis** [-sis] *pl* **-ses** [-siːz] *s* **1.** *bot. med. zo.* Anasto'mose *f*, Querverbindung *f*, Inein'andermünden *n* (*der Blutgefäße*), Verästelung *f* (*der Leitbündel*). – **2.** Verästelung *f* (*von Wasserläufen, Eisenbahnlinien etc*).

a·nas·tro·phe [ə'næstrəfi] *s ling.* A'nastrophe *f*, Wortversetzung *f.*

an·a·tase ['ænəˌteiz] *s min.* Ana'tas *m* (TiO_2).

an·a·the·ma¹ [ˌænə'θiːmə] *pl* **-them·a·ta** [-'θemətə] *s relig.* A'nathema *n*, Weih(e)geschenk *n*, (*das*) Gottgeweihte.

a·nath·e·ma² [ə'næθəmə; -θi-] *pl* **-mas** *s* **1.** *relig.* A'nathema *n*, Bannfluch *m*, Kirchenbann *m.* – **2.** *fig.* Fluch *m*, Verwünschung *f.* – **3.** *relig.* ˌExkommuni'zierte(r), Verfluchte(r). – **4.** *fig.* (*etwas*) Verhaßtes *od.* Hassenswertes.

a·nath·e·ma·tism [ə'næθəməˌtizəm; -θi-], **aˌnath·e·ma·ti'za·tion** *s* ˌExkommunikati'on *f*, Verfluchung *f*, Belegung *f* mit dem Kirchenbann. — **a'nath·e·maˌtize I** *v/t* anathemati'sieren, in den Bann tun, mit dem Kirchenbann belegen, verfluchen. – **II** *v/i* fluchen. – *SYN. cf.* execrate.

a·nat·i·fer [ə'nætifər] → goose barnacle.

an·a·tine ['ænətain; -tin] *adj zo.* **1.** zur 'Entenfa͵milie gehörig. – **2.** entenähnlich.

a·nat·o·cism [ə'nætə͵sizəm] *s jur.* Anato'zismus *m*, (Fordern *n* von) Zinseszins *m*.

an·a·tom·ic [͵ænə'tɒmik], **͵an·a'tom·i·cal** *adj* ana'tomisch. — **a·nat·o·mism** [ə'nætə͵mizəm] *s* **1.** Anato'mismus *m*, Sucht *f* zu zergliedern. – **2.** Darstellung *f* ana'tomischer Verhältnisse. — **a'nat·o·mist** *s* **1.** *med.* Ana'tom *m*. – **2.** Zergliederer *m* (*auch fig.*). — **a'nat·o͵mize** *v/t* **1.** *med.* zerlegen, se'zieren, anato'mieren. – **2.** *fig.* zergliedern. — **a'nat·o͵miz·er** *s* Zergliederer *m* (*auch fig.*).

a·nat·o·my [ə'nætəmi] *s* **1.** *med.* Anato'mie *f*: a) ana'tomische Zerlegung, b) ana'tomischer Aufbau *od.* Bau der Teile eines or'ganischen Körpers, c) Wissenschaft *f* vom Bau eines or'ganischen Körpers. – **2.** (Abhandlung *f* über) Anato'mie *f*. – **3.** Mo'dell *n* eines ana'tomisch zerlegten Körpers. – **4.** *fig.* peinlich genaue Unter'suchung *od.* Zergliederung, Ana'lyse *f*. – **5.** Ske'lett *n*. – **6.** *humor.* magere Per'son, ‚wandelndes Gerippe'.

a·nat·o·pism [ə'nætə͵pizəm] *s* Anato'pismus *m*, 'Unterbringung *f* an falscher Stelle.

an·a·trep·tic [͵ænə'treptik] *adj* zu'rückweisend, wider'legend (*in bezug auf platonische Dialoge*).

an·a·trip·sis [͵ænə'tripsis] *s med.* Ana'tripsis *f*, Frot'tiermas͵sage *f*.

a·nat·ro·pus [ə'nætrəpəs] *adj biol. bot.* ana'trop (*von Samenanlagen*), 'umgewendet, gegenläufig.

a·nat·to [ə'nɑːtou] → annatto.

an·bu·ry ['ænbəri] *s* **1.** *vet.* schwammige Blutblase (*bei Pferden u. Rindern*). – **2.** *bot.* → clubroot.

an·ces·tor ['ænsestər; *Br. auch* 'ænsis-] **I** *s* **1.** Vorfahr *m*, Ahn(herr) *m*, Stammvater *m* (*auch fig.*). – **2.** *jur.* Vorbesitzer *m*, Ante'zessor *m*. – **3.** Vorläufer *m*. – *SYN.* forbear, progenitor. – **II** *v/t* **4.** mit Ahnen versorgen. — **͵an·ces'to·ri·al** [-'tɔːriəl] → ancestral.

an·ces·tor wor·ship *s* Ahnenkult *m*.

an·ces·tral [æn'sestrəl] *adj* die Vorfahren *od.* die Abstammung betreffend, angestammt, Ahnen..., Ur..., Erb..., ererbt: ~ estate ererbter Grundbesitz, Erbhof. — **'an·ces·tress** [-tris; *Br. auch* -sistris] *s* Ahnfrau *f*, Ahne *f*, Stammutter *f*. — **'an·ces·try** *s* **1.** Geschlecht *n*, Abstammung *f*, (*hohe*) Geburt. – **2.** Vorfahren *pl*, Ahnen *pl*: ~ research Ahnenforschung. – *SYN.* lineage, pedigree.

an·chi·there ['æŋkiθiər] *s zo.* Anchi'therium *n* (*ausgestorbene Gattung der Pferdefamilie*).

an·chor ['æŋkər] **I** *s* **1.** *mar.* Anker *m*: kedge ~ kleinster Anker; at ~ vor Anker; to cast ~, to come to ~ ankern, vor Anker gehen; → weigh[1] 5b. – **2.** *fig.* Rettungsanker *m*, Zuflucht *f*, fester Grund. – **3.** *tech.* a) Anker *m*, Zugeisen *n*, Querbolzen *m*, b) Schließe *f*, Schlüsselanker *m*. – **4.** *arch.* Schlangenzunge *f* (*im Eierstab*). – **5.** *tech.* Anker *m* (*in der Uhr*). – **6.** *zo.* Anker *m* (*in der Haut der Seewalzen*). – **II** *v/t* **7.** verankern, vor Anker legen. – **8.** *fig.* verankern, befestigen: to be ~ed in s.th. in etwas verankert sein. – **III** *v/i* **9.** ankern, vor Anker liegen, Anker werfen. – **10.** *fig.* (on, upon) festhaften (an *dat*), fußen, sich verlassen (auf *acc*), stehenbleiben (bei). — **'an·chor·a·ble** *adj* zum Ankern tauglich *od.* geeignet.

an·chor·age[1] ['æŋkəridʒ] *s* **1.** Ankergrund *m*, -platz *m*. – **2.** Anker-, Liegegebühr *f*. – **3.** *mar.* Ankergeschirr *n*. – **4.** Ankern *n*, Vor-'Anker-Liegen *n*. – **5.** fester Halt, Verankerung *f*. – **6.** *fig.* sicherer Hafen, verläßliche Stütze. – **7.** *med.* Zahn *m*, an dem eine Brücke *od.* ein Gebiß befestigt ist. – **8.** *med.* Befestigung *f* (*eines Organs, z.B. einer Wanderniere*).

an·chor·age[2] ['æŋkəridʒ] *s* Einsiedlerklause *f*.

an·chor| ball *s mar.* **1.** Ball *m* (*kugelförmiges schwarzes Zeichen, das auf einem vor Anker liegenden Schiff gehißt wird*). – **2.** *obs.* Enterhaken *m* mit Brandkugel. – **3.** *obs.* Geschoß *n* mit Haken (*das in ein Wrack gefeuert wird*). — **~ bed** *s mar.* Ankerbett *n* (*Schutzunterlage auf Deck*). — **~ bolt** *s tech.* Ankerbolzen *m*. — **~ buoy** *s mar.* Ankerboje *f*. — **~ chock** *s mar.* **1.** Schweinsrücken *m* (*Ankerruhe auf dem Bug*). – **2.** *obs.* Ausfütterung *f* (*des Ankerstocks*).

an·chored ['æŋkərd] *adj* **1.** *mar.* vor Anker liegend, verankert, ankerfest. – **2.** *fig.* fest(gehalten). – **3.** ankerförmig, gabelig. – **4.** *bes. her.* mit ankerförmigen Verzierungen, mit geschweiften Enden: ~ cross Ankerkreuz. – **5.** (*Billard*) dicht beiein'ander liegend (*Kugeln*).

an·chor es·cape·ment *s tech.* Ankerhemmung *f* (*in der Uhr*).

an·cho·ress ['æŋkəris] *s* Anacho'retin *f*, Einsiedlerin *f*. — **'an·cho͵ret** [-͵ret] *s* Anacho'ret *m*, Einsiedler *m*, Klausner *m*. — **͵an·cho'ret·ic** *adj* einsiedlerisch, Anachoreten... — **'an·cho·ret͵ism** *s* Einsiedlerleben *n*.

an·chor| hold *s* **1.** *mar.* Festhalten *n* des Ankers. – **2.** *fig.* fester Halt, Sicherheit *f*. — **~ hoy** *s mar. obs.* Lichterschiff *n* (*zum Anker- u. Kettenheben*). — **~ ice** *s* Grund-, Bodeneis *n*.

an·cho·rite ['æŋkə͵rait] → anchoret. — **'an·cho͵rit·ess** → anchoress. — **͵an·cho'rit·ic** [-'ritik], **͵an·cho'rit·i·cal** → anchoretic. — **'an·cho·rit͵ism** [-rai͵tizəm] → anchoretism.

an·chor|·less ['æŋkərlis] *adj* **1.** ankerlos. – **2.** *fig.* ohne festen Halt, unstet. — **~ light** *s mar.* Ankerlicht *n* (*eines vor Anker liegenden Schiffes*). — **~ lin·ing** *s mar. hist.* Ankerfütterung *f*, -scheuer *f*. — **~ plant** *s bot. eine südamer. Rhamnacee* (*Colletia cruciata*). — **~ plate** *s tech.* Ankerplatte *f* (*zur Verankerung von Kabeln etc*). — **~ rock·et** *s mar.* 'Ankerra͵kete *f* (*zur Rettung Schiffbrüchiger*). — **~ shack·le** *s mar.* Ankerschäkel *m*. — **~ shot** *s mar.* Ankerkugel *f* (*mit Leine zur Rettung Schiffbrüchiger*). — **~ watch** *s mar.* Ankerwache *f*.

an·cho·vy [æn'tʃouvi; 'æn-; -tʃə-] *s zo.* An'schovis *f*, Sar'delle *f* (*Engraulis encrasicholus*): ~ paste Sardellenpaste. — **~ pear** *s bot.* An'schovisbirne *f* (*Grias cauliflora*).

an·chu·sa [æŋ'kjuːsə] → bugloss 1.

an·chu·sin [æŋ'kjuːsin] *s chem.* An'chu'sin *n* ($C_{35}H_{40}O_3$).

an·chy·lose, an·chy·lo·sis *cf.* ankylose, ankylosis.

an·cienne no·blesse [ɑ̃'sjɛn nɔ'blɛs] (*Fr.*) *s* franz. Adel *m* aus der 'vorrevolutio͵nären Zeit (*vor 1789*).

an·cien ré·gime [ɑ̃'sjɛ̃ re'ʒim] (*Fr.*) *s* **1.** Ancien ré'gime *n* (*politische und soziale Ordnung in Frankreich vor der Revolution 1789*). – **2.** *allg.* über'holte Re'gierungsform.

an·cient[1] ['einʃənt] **I** *adj* **1.** alt, aus alten Zeiten stammend, das Altertum betreffend. – **2.** (*von Sachen*) seit langer Zeit bestehend, uralt, altberühmt. – **3.** *obs.* (*von Personen*) alt, hochbetagt, ehrwürdig, erfahren. – **4.** altertümlich, altmodisch. – **5.** *jur.* von mehr als 20- bis 30jähriger Dauer, durch Verjährung zu Recht bestehend. – *SYN. cf.* old. – **II** *s* **6.** Alte(r), alter Mann, alte Frau, Greis(in). – **7.** j-d der im klassischen Altertum lebte: the ~s die Alten (*Griechen u. Römer*). – **8.** Klassiker *m* (*bes. der Antike*). – **9.** Vorfahr *m* (*einer Sippe*).

an·cient[2] ['einʃənt] *s obs.* **1.** Fahne *f*, Stan'darte *f*, Flagge *f*. – **2.** *auch* ~ bearer Bannerträger *m*, Fähnrich *m*.

an·cient·ly ['einʃəntli] *adv* vor alter Zeit, ehemals, von alters her.

an·cient·ness ['einʃəntnis] *s* Alter *n*, Altertum *n*.

An·cient of Days *s Bibl.* (*der*) Alte, (*der*) Hochbetagte (*Name Gottes*).

an·cient·ry ['einʃəntri] *s* **1.** hohes Alter, Altertum *n*. – **2.** altmodischer Stil.

an·ci·le [æn'sailiː] *pl* **-li·a** [-'siliə] (*Lat.*) *s antiq.* An'cile *n* (*heiliger Schild der Römer*).

an·cil·la [æn'silə] (*Lat.*) *s selten* Magd *f*, Dienerin *f*, Dienstmädchen *n*. — **an·cil·lar·y** [*Br.* æn'siləri; *Am.* 'ænsə͵leri] *adj* (to) 'untergeordnet (*dat*), ergänzend (*acc*), dienend (*dat*): ~ industries Zulieferbetriebe; ~ unit *mil.* Versorgungseinheit.

an·cip·i·tal [æn'sipitl; -pə-] *adj bot.* zweischneidig. — **an'cip·i·tous** *adj* **1.** *bot.* zweischneidig. – **2.** *obs.* zweifach (brauchbar), zweideutig.

an·cis·troid [æn'sistrɔid] *adj* hakenförmig.

an·cle *Br. Nebenform für* ankle.

an·con ['æŋkɒn] *pl* **-co·nes** [-'kouniːz] (*Lat.*) *s* **1.** *med.* Ell(en)bogen *m*. – **2.** *arch.* Krag-, Tragstein *m*, Kon'sole *f*, Eckstein *m*, Querbalken *m*. — **an·co·ne·al** [æŋ'kouniəl] *adj med.* den Ell(en)bogen betreffend, Ell(en)bogen... — **͵an·co'ne·us** [-ko'niːəs] *pl* **-ne·i** [-'niːai] *s med.* Ellbogenstreckmuskel *m*. — **'an·co͵noid** *adj med.* ellbogenförmig. — **'an·co·ny** *s tech. selten* (*an den Enden nicht ausgeschmiedete*) Eisenstange.

anc·ress ['æŋkris] *Br. Nebenform für* anchoress.

an·cy·los·to·mi·a·sis [͵ænsi͵lɒsto'maiəsis] *s med.* Hakenwurmkrankheit *f*.

and [ænd; ənd; ən; nd] *conjunction* **1.** und: → forth 5; better ~ better besser und besser, immer besser; he ran ~ ran er lief und lief, er lief immer weiter; there are books ~ books es gibt gute und schlechte Bücher, es gibt solche Bücher und solche; four ~ twenty *poet.* vierundzwanzig; two hundred ~ forty zweihundert(und)vierzig; two ~ two zwei und zwei, zu zweit, paarweise; for miles ~ miles viele Meilen weit; thousands ~ thousands (Tausende und) aber Tausende; ~ all *sl.* und so weiter, und dazu. – **2.** mit: a coach ~ four eine Kutsche mit vier Pferden, ein Vierspänner; bread ~ butter Butterbrot; soap ~ water Seifenwasser; toast ~ butter butterbestrichener Toast. – **3.** *eine bedingende Konjunktion ersetzend*: move, ~ I shoot eine Bewegung, und ich schieße; a little more ~ ... es fehlte nicht viel, so ... – **4.** *in infinitiversetzenden Fügungen*: try ~ come versuchen Sie zu kommen; mind ~ bring it bringen Sie es aber bestimmt; look ~ see sieh (mal) nach. – **5.** und das, und zwar: he was found, ~ by chance er wurde gefunden, aber nur durch (einen) Zufall.

an·da [ɑːn'dɑː], **an·da-as·su** [ɑːn'dɑː-'ɑːsuː] *s bot.* (*ein*) brasil. Schlafbaum *m* (*Joannesia princeps*).

an·da·ba·ta [æn'dæbətə] *pl* **-tae** [-͵tiː] (*Lat.*) *s antiq.* Anda'bat *m* (*Gladiator, der mit helmbedeckten Augen focht*).

An·da·lu·sian [ændə'luːziən; -'luːʒən] **I** *s* **1.** Anda'lusier(in). – **2.** *auch* ~ fowl *zo.* Anda'lusier *m* (*Haushuhnrasse*). –

II *adj* 3. anda'lusisch. — ~ **wool** *s eine feine, weiche Wolle.*

an·da·lu·site [ˌændə'lu:sait] *s min.* Andalu'sit *m* (Al_2SiO_5).

An·da·man red·wood ['ændəmən; -ˌmæn] *s* rotes Sandelholz (*Holz von Pterocarpus santalinus*).

an·dan·te [æn'dænti] *mus.* **I** *adj u. adv* an'dante, ruhig gehend, mäßig langsam. – **II** *s* An'dante *n* (*ruhiges Tempo od. Musikstück*).

an·dan·ti·no [ˌændæn'ti:nou] *mus.* **I** *adj u. adv* andan'tino, etwas ruhig (*etwas schneller als andante*). – **II** *s* Andan'tino *n* (*Tempo od. Musikstück, auch kleines Andante*).

an·des·ine ['ændizin] *s min.* Ande'sin *m*, Natronkalkfeldspat *m.*

an·des·ite ['ændiˌzait; -də-] *s min.* Ande'sit *m* (*Eruptivgestein*).

and·i·ron ['ændˌaiərn] *s* Feuer-, Brat-, Ka'minbock *m.*

andr- [ændr] → andro-.

an·dra·dite ['ændrəˌdait] *s min.* Andra'dit *m* (*Art Granat*).

an·dra·nat·o·my [ˌændrə'nætəmi] *s med.* Anato'mie *f* des Menschen (*bes. des Mannes*).

An·drew ['ændru:] *npr Bibl.* An'dreas *m* (*Schutzheiliger Schottlands*).

andro- [ændro] *Wortelement mit der Bedeutung* a) Mann, männlich, b) Staubfaden.

an·dro·clin·i·um [ˌændro'kliniəm] *s bot.* Andro'clinium *n* (*Höhlung in der Säule von Orchideenblüten*).

an·dro·di·e·cious, an·dro·di·oe·cious [ˌændrodai'i:ʃəs] *adj bot.* androdi'özisch (*mit Zwitterblüten auf der einen u. männlichen Blüten auf der anderen Pflanze*).

an·droe·cial [æn'dri:ʃəl] *adj* Staubblätter... — **an'droe·ci·um** [-ʃiəm] *pl* **-ci·a** [-ə] *s bot.* An'droeceum *n*, Gesamtheit *f* der Staubblätter.

an·dro·gen ['ændrədʒən] *s chem.* Andro'gen *n* (*männliche Geschlechtsmerkmale hervorbringende Substanz*).

an·drog·y·nal [æn'drɒdʒinl; -dʒə-] *adj selten* zwitterartig, zweigeschlechtig. — **an'drog·y·nar·y** [*Br.* -nəri; *Am.* -ˌneri] *adj bot.* andro'gynisch. — **an·dro·gyne** ['ændrədʒin; -ˌdʒain] *s* 1. Andro'gyn *m*, Zwitter *m*, Hermaphro'dit *m*. – 2. *fig.* weibischer Mann, Weichling *m*, Eu'nuch *m*. – 3. Mannweib *n*. – 4. *bot.* zwitterblütige *od.* einhäusige Pflanze. — **an'drog·y·ˌnism** *s* 1. Androgy'nie *f*, Hermaphrodi'tismus *m*. – 2. *bot.* Zwitterblütigkeit *f*. — **an'drog·y·nous** *adj* 1. andro'gyn(isch), zwitterartig, zweigeschlechtig, hermaphro'ditisch. – 2. *astr.* manchmal heiß und manchmal kalt (*von Planeten*). – 3. *bot.* zwitt(e)rig. — **an'drog·y·ny** → androgynism 1.

an·droid ['ændrɔid] *s* Andro'id(e) *m*, (*Automat in Menschengestalt*). — **an'droi·dal** *adj* andro'idisch. — **an'droi·des** [-di:z] → android.

an·dro·ma·ni·a [ˌændrə'meiniə] *s med.* Androma'nie *f*, Mannstollheit *f.*

An·drom·e·da [æn'drɒmidə] **I** *npr antiq.* 1. An'dromeda *f.* – **II** *s* 2. *gen* **-dae** [-di:] *astr.* An'dromeda *f* (*nördl. Sternbild*). – 3. a~ *bot.* Gränke *f*, Rosma'rinheide *f* (*Gattg Andromeda*).

An·dro·mede ['ændroˌmi:d], **An·drom·e·did** [æn'drɒmidid] *s astr.* Androme'dide *m* (*von der Andromeda periodisch ausgehende Sternschnuppe*).

an·drom·e·do·tox·in [ænˌdrɒmidou'tɒksin] *s med.* Andromedoto'xin *n* (*Giftstoff*).

an·dro·mo·ne·cious, an·dro·mo·noe·cious [ˌændromo'ni:ʃəs] *adj bot.* andromo'nözisch (*mit männlichen u. Zwitterblüten auf derselben Pflanze*).

an·dro·mor·phous [ˌændro'mɔ:rfəs] *adj med.* von männlichem Aussehen.

an·dro·pet·al·ar [ˌændro'petələr], ˌ**an·dro'pet·al·ous** *adj bot.* gefülltblütig (*durch Umwandlung von Staubblättern*).

an·droph·a·gous [æn'drɒfəgəs] *adj* menschenfressend.

an·dro·pho·bi·a [ˌændro'foubiə] *s* Andropho'bie *f*, Männerscheu *f.*

an·dro·pho·no·ma·ni·a [ˌændroˌfouno'meiniə] *s med.* Mordsucht *f*, krankhafte Mordgier.

an·dro·phore ['ændrəfɔ:r] *s* Andro'phor *n*: a) *bot.* Staubblattträger *m*, b) *zo.* männliche Fortpflanzungsknospe (*bei Polypen*).

an·droph·o·rum [æn'drɒfərəm] *pl* **-ra** [-ə] *s bot.* Staubblattträger *m*, Andro'phor *n.*

an·dros·e·me [æn'drɒsiˌmi:] *s bot.* Grundheil *m* (*Hypericum androsaemum*).

an·dro·sphinx ['ændrəˌsfiŋks] *s* Sphinx *f* mit Löwenleib und Manneskopf.

an·dro·spore ['ændrəˌspɔ:r] *s bot.* Andro'spore *f*, männliche Algenspore.

an·dros·ter·one [æn'drɒstəˌroun] *s chem.* Androste'ron *n* ($C_{19}H_{30}O_2$; *männliches Hormon*).

-androus [ændrəs] *bot.* *Wortelement mit der Bedeutung* (*eine bestimmte Art od. Anzahl von*) Staubfäden besitzend.

a·near [ə'nir] **I** *prep poet.* nahe bei. – **II** *adv poet. od. dial. od. obs.* beinahe, fast.

an·e·cho·ic [ˌæne'kouik] *adj* echofrei (*Raum*).

an·ec·do·ta [ˌænik'doutə; -nek-] *s pl* An'ekdota *pl* (*unveröffentlichte historische Details*). — ˌ**an·ec'dot·age** *s* 1. Anek'dotensammlung *f.* – 2. schwatzhaftes Greisenalter (*Wortspiel mit dotage*).

an·ec·do·tal [ˌænik'doutl; -nek-] *adj* anek'dotenhaft, anek'dotisch.

an·ec·dote ['ænikˌdout; -nek-] **I** *s* 1. Anek'dote *f.* – 2. *pl* → anecdota. – **II** *v/i* 3. *selten* Anek'doten erzählen. – **III** *v/t* 4. *selten* (*j-n*) zum Gegenstand einer Anek'dote machen. — ˌ**an·ec'dot·ic** [-'dɒtik], ˌ**an·ec'dot·i·cal** *adj* 1. anek'dotenhaft, Anekdoten... – 2. gerne Anek'doten erzählend, redselig. — '**an·ecˌdot·ist** [-ˌdoutist] *s* Anek'dotenerzähler(in).

an·e·cho·ic [ˌæne'kouik] *adj* echofrei.

a·nele [ə'ni:l] *v/t obs.* salben, (*j-m*) die Letzte Ölung spenden.

an·e·lec·tric [ˌæni'lektrik] *phys.* **I** *adj* 'uneˌlektrisch. – **II** *s* 'uneˌlektrischer Stoff.

an·e·lec·tro·ton·ic [ˌæniˌlektro'tɒnik] *adj phys.* ˌaneˌlektro'tonisch. — ˌ**an·e·lec'trot·o·nus** [-'trɒtənəs] *s med.* ˌAneˌlektro'tonus *m* (*verminderte Reizbarkeit eines Nervs in der Nähe des positiven Pols*).

an·el·y·trous [æn'elitrəs] *adj zo.* ohne Flügeldecken, mit häutigen Flügeln.

a·ne·ma·to·sis [əˌni:mə'tousis] *s med.* Anäma'tose *f*, allgemeine Blutarmut.

a·ne·mi·a [ə'ni:miə] *s med.* Anä'mie *f*, Blutarmut *f*, Bleichsucht *f.* — **a'ne·mic** *adj* an'ämisch, blutarm, bleich(süchtig).

anemo- [ænimo] *Wortelement mit der Bedeutung* Luft, Wind, Einatmen.

a·nem·o·chord [ə'nemoˌkɔ:rd] *s mus.* Anemo'chord *n*, 'WindklaˌVier *n.*

a·nem·o·gram [ə'nemoˌgræm; -mə-] *s phys.* Anemo'gramm *n* (*Aufzeichnung eines Windmessers*).

a·nem·o·graph [ə'nemoˌgræ(:)f; *Br. auch* -ˌgrɑ:f; -mə-] *s phys.* Anemo'graph *m*, Regi'strieranemoˌmeter *n* (*Windmeßinstrument*). — **an·e·mog·ra·phy** [ˌæni'mɒgrəfi] *s phys.* 1. Beschreibung *f* der Winde. – 2. Anemogra'phie *f* (*Aufzeichnung von Windstärke u. Windrichtung*).

an·e·mo·log·i·cal [ˌænimə'lɒdʒikəl] *adj* windkundlich. — ˌ**an·e'mol·o·gy** [-'mɒlədʒi] *s phys.* Anemolo'gie *f*, Windkunde *f.*

an·e·mom·e·ter [ˌæni'mɒmitər; -mət-] *s phys.* Anemo'meter *n*, Windstärke-, Windgeschwindigkeitsmesser *m.*

an·e·mo·met·ro·graph [ˌænimo'metrəˌgræ(:)f; *Br. auch* -ˌgrɑ:f] *s phys.* 'WindmeßinstruˌMent *n*, Windschreiber *m.*

an·e·mom·e·try [ˌæni'mɒmitri; -mət-] *s phys.* Windmessung *f.*

a·nem·o·nal [ə'nemənl] *adj selten* Wind...

a·nem·o·ne [ə'neməni] *s* 1. *bot.* Ane'mone *f* (*Gattg Anemone*). – 2. *zo.* → sea ~.

an·e·mon·ic ac·id [ˌæni'mɒnik] *s chem.* Ane'monsäure *f* ($C_{10}H_{10}O_5$).

a·nem·o·nin [ə'nemonin] *s chem.* Anemo'nin *n*, Ane'monenkampfer *m* ($C_{10}H_8O_4$). — **a·nem·o·nin·ic ac·id** [əˌnemo'ninik] *s chem.* Anemo'ninsäure *f* ($C_{10}H_{12}O_6$).

an·e·moph·i·lous [ˌæni'mɒfələs] *adj bot.* anemo'phil, auf Windbestäubung eingerichtet. — ˌ**an·e'moph·i·ly** *s bot.* Anemophi'lie *f*, Windbestäubung *f.*

a·nem·o·scope [ə'neməˌskoup] *s phys.* Anemo'skop *n*, Windrichtungsanzeiger *m*, Windfahne *f.*

an·en·ce·pha·li·a [æˌnensi'feiliə] *s med.* Anenkepha'lie *f*, Gehirnlosigkeit *f.* — **anˌen·ce'phal·ic** [-'fælik], ˌ**an·en'ceph·a·lous** [-'sefələs] *adj med.* gehirnlos. — ˌ**an·en'ceph·a·lus** [-ləs] *pl* **-li** [-ˌlai] *s med.* 'Mißgeburt *f* ohne Gehirn. — ˌ**an·en'ceph·a·ly** → anencephalia.

a·nent [ə'nent] *prep obs. od. dial.* 1. neben (*dat*), in gleicher Linie *od.* auf gleicher Höhe mit. – 2. gegen, gegen'über. – 3. in betreff, bezüglich (*gen*), über (*acc*).

an·en·ter·ous [æ'nentərəs] *adj zo.* darmlos.

an·ep·i·thym·i·a [æˌnepi'θimiə] *s med.* Appe'titmangel *m.*

an·er·gy ['ænərdʒi] *s med.* 1. Aner'gie *f*, Unempfindlichkeit *f*. – 2. Ener'giemangel *m.*

an·er·oid ['ænəˌrɔid] *phys.* **I** *adj* keine Flüssigkeit enthaltend, Aneroid... (*Barometer*). – **II** *s auch* ~ **barometer** Anero'id(baroˌmeter) *n*, 'Druckdosenbaroˌmeter *n.*

an·e·sis ['ænisis] *s mus.* 1. Tonabstieg *m*. – 2. Tieferstimmen *n* (*der Saiten*).

an·es·the·si·a [ˌænis'θi:ziə; -ʒə; -nəs-] *s med.* 1. Anästhe'sie *f*, Nar'kose *f*, Betäubung *f*. – 2. Gefühllosigkeit *f.* — ˌ**an·es'the·si·ant** *s* Betäubungsmittel *n.* — **an·es·the·sim·e·ter** [æˌnisθi'simitər; -ˌnes-] *s med.* Anästhesi'meter *n.* — **an·es·the·sis** [ˌænis'θi:sis; -nəs-] → anesthesia.

an·es·thet·ic [ˌænis'θetik; -nəs-] **I** *adj* 1. *med.* a) anä'sthetisch, nar'kotisch, betäubend, b) gefühllos, unempfindlich. – 2. *fig.* verständnislos (to gegen'über). – **II** *s* 3. Betäubungsmittel *n*, Nar'kotikum *n.* — ˌ**an·es'thet·i·cal·ly** *adv.* — **an·es·the·tist** [*Br.* æ'ni:sθətist; *Am.* ə'nes-] *s med.* Narkoti'seur *m*, Nar'kosearzt *m.* — ˌ**an·esˌthet·i'za·tion** *s med.* Anästhe'sierung *f*, Betäubung *f*, Nar'kose *f.* — **an'es·theˌtize** *v/t med.* anästhe'sieren, betäuben, narkoti'sieren.

an·e·thol(e) ['æniˌθoul] *s chem.* Ane'thol *n* ($C_{10}H_{12}O$).

an·eu·rin ['ænju(ə)rin; ə'nju(ə)rin] *s chem.* Aneu'rin *n*, Thia'min *n*, Vita'min B_1 *n* ($C_{12}H_{17}ON_4SCl$, HCl).

an·eu·rism, an·eu·ris·mal, an·eu·ris·mat·ic *cf.* aneurysm *etc.* — **an·eu·rysm** ['ænju(ə)ˌrizəm; -jə-] *s med.* Aneu'rysma *n*, Pulsadergeschwulst *f*, krankhafte Ar'terienerweiterung. — ˌ**an·eu'rys·mal**, *auch* ˌ**an·eu·rys'mat·ic** [-'mætik] *adj* aneurys'matisch.

a·new [ə'njuː] *adv* **1.** von neuem, aufs neue, 'wieder(um), noch einmal. – **2.** neu, auf neue Art und Weise.
an·frac·tu·ose [æn'fræktjuous; -tʃu-] → anfractuous. — **anˌfrac·tu'os·i·ty** [-'ɒsiti] *s* **1.** Krummsein *n*, Gewundenheit *f*, Windung *f*. – **2.** *med.* Gehirnfurche *f* (*zwischen zwei Hirnwindungen*). — **an'frac·tu·ous** *adj* schraubenförmig, gewunden.
an·ga·kok ['æŋgəˌkɒk], **'an·gaˌkut** [-ˌkʌt] → ange(k)kok.
an·ga·ra·lite [æŋ'gɑːrəˌlait] *s min.* Angara'lit *m*.
an·ga·ry ['æŋgəri] *s jur.* Anga'rie *f* (*Recht einer kriegführenden Macht, das Eigentum Neutraler, bes. Schiffe, zu beschlagnahmen, zu benutzen od. zu zerstören*).
an·ge(k)·kok ['æŋgəˌkɒk], *auch* **'an·geˌkut** [-ˌkʌt] *s* Angekok *m* (*Zauberpriester der Eskimos*).
an·gel ['eindʒəl] *s* **1.** Engel *m*: ~ **of death** Todesengel; **visits like those of ~s** kurze und seltene Besuche; **to rush in where ~s fear to tread** sich törichterweise in gefährliche *od.* delikate Dinge einmischen, an die sich sonst niemand heranwagt; **talk of an ~ and you'll hear his wings** wenn man vom Teufel spricht, ist er nicht weit; → **entertain** 2. – **2.** *fig.* Engel *m*, engelgleiche Per'son (*bes. Kind od. Frau*): **be an ~ and ...** sei doch so gut, und ...; **she is my good ~** sie ist mein guter Engel. – **3.** *relig.* Gottesbote *m*, von Gott Beauftragter *m* (*Prophet, Priester, Geistlicher mancher Sekten*). – **4.** *Bibl.* Engel *m*, Hirte *m*. – **5.** Engel *m*, Seele *f* im Himmel: **to join the ~s** in den Himmel kommen. – **6.** *sl.* fi'nanzkräftiger 'Hintermann (*einer Bühne, eines Schauspielers, Am. auch eines politischen Kandidaten*). – **7.** *auch* **~-noble** Engelstaler *m* (*alte engl. Goldmünze*). – **8.** *zo.* → **~fish**, *bes.* 2. – **9.** (*Christliche Wissenschaft*) Botschaft *f od.* Eingebung *f* höherer guter Mächte.
an·ge·late ['ændʒəˌleit] *s chem.* an'gelikasaures Salz.
an·gel| bed *s* offenes Bett (*ohne Pfosten*). — **~ cake** *s* (leichter) Kuchen (*aus Mehl, Zucker u. Eiweiß*).
an·gel·et ['eindʒəlit] *s* **1.** Engelchen *n* (*auch fig.*). – **2.** halber Engelstaler (*alte engl. Goldmünze*).
'an·gel|ˌfish *s zo.* **1.** Gemeiner Meerengel, Engelhai *m* (*Rhina squatina u. R. dumeril*). – **2.** Engelbarsch *m* (*Fam. Chaetodontidae*). – **3.** → **scalare**. — **~ food cake** *Am. oft für* **angel cake**.
an·gel·hood ['eindʒəlˌhud] *s* Engelhaftigkeit *f*, engelhaftes Wesen.
an·gel·ic[1] [æn'dʒelik] *adj* engelhaft, -gleich, Engels...: **A~ Doctor** Doktor angelicus (*Beiname Thomas' von Aquin*); **A~ Hymn** Englischer Lobgesang; **A~ Salutation** Englischer Gruß.
an·gel·ic[2] [æn'dʒelik] *adj chem.* Angelika...: ~ **acid** Angelikasäure ($C_5H_8O_2$).
an·gel·i·ca [æn'dʒelikə] *s* **1.** *bot.* An'gelika *f*, Brustwurz *f* (*Gattg Angelica*), *bes.* (Erz)Engelwurz *f* (*A. archangelica*). – **2.** kan'dierte An'gelikawurzel, An'gelikakonˌfekt *n*. – **3.** An'gelikaliˌkör *m*.
an·gel·i·cal [æn'dʒelikəl] → **angelic**[1]. — **an'gel·i·cal·ness** *s* Engelhaftigkeit *f*.
an·gel·i·ca| oil *s chem.* An'gelikaöl *n* (*aus der Pflanze Angelica archangelica*). — **~ tree** *s bot.* An'gelikabaum *m* (*Aralia spinosa*).
an·gel·i·cize [æn'dʒeliˌsaiz] *v/t* engelhaft machen, zum Engel machen.
an·gel·i·co [æn'dʒeliˌkou] *s bot.* Christophkrautblättriges Liebstöckel (*Ligusticum actaeifolium*).
an·ge·lin ['ændʒəlin] *s bot.* Wurmrinden-, Kohlbaum *m* (*Andira inermis*).
an·gel·ize ['eindʒəˌlaiz] *v/t* zum Engel erheben, engelgleich machen.
an·gel light *s arch.* (*dreieckiges*) Oberlicht (*in einem Kirchenfenster*).
angelo- [ændʒəlo] *Wortelement mit der Bedeutung* Engel.
an·gel·ol·a·try [ˌeindʒəl'ɒlətri] *s* Angelola'trie *f*, Engelverehrung *f*.
an·gel·ol·o·gy [ˌeindʒəl'ɒlədʒi] *s* Angelolo'gie *f*, Engellehre *f*.
an·ge·lot ['ændʒəˌlɒt] *s* **1.** Engelstaler *m* (*alte engl. Goldmünze*). – **2.** *mus.* An'gelica *f* (*alte 17saitige Laute*). – **3.** Ange'lot *m* (*normannische Käsesorte*).
an·gel shark → **angelfish** 1.
an·gels on horse·back *s pl Br.* in Speckschnitten gewickelte Austern *pl*.
'an·gel's-ˌtrum·pet *s bot.* 'Engelspoˌsaune *f* (*Datura suaveolens u. arborea, südamer. Stechapfelarten*).
An·ge·lus ['ændʒələs] *s relig.* **1.** Angelus(gebet *n*, -geläut *n*) *m*. – **2.** *auch* ~ **bell** Angelusglocke *f*.
an·gel wa·ter *s* An'gelikawasser *n* (*Parfüm*).
an·ger ['æŋgər] **I** *s* **1.** Ärger *m*, Unwille *m* (at über *acc*). – **2.** Zorn *m*, Wut *f* (at über *acc*). – **3.** Wutanfall *m*, Zornausbruch *m*. – **4.** *obs. od. dial.* a) Entzündung *f*, b) Schmerz *m*. – **5.** *obs.* Leid *n*. – *SYN.* **fury, indignation, ire, rage, wrath**. – **II** *v/t* **6.** erzürnen, ärgern, aufbringen, reizen. – **7.** *obs. od. dial.* entzünden. – **III** *v/i* **8.** in Wut geraten, ärgerlich werden. — **'an·ger·ly** *adv obs.* **1.** voll Ärger. – **2.** wütend.
An·ge·vin ['ændʒivin], **'An·ge·vine** [-vin; -ˌvain] **I** *adj* **1.** aus An'jou (*in Frankreich*). – **2.** ange'vinisch, die Plan'tagenets (*engl. Königshaus*) betreffend. – **II** *s* **3.** Bewohner(in) von An'jou. – **4.** Mitglied *n* des Hauses Plan'tagenet.
angi- [ændʒi] → **angio-**.
an·gi·i·tis [ˌændʒi'aitis] *s med.* An'gitis *f*, Gefäßentzündung *f*.
an·gi·na [æn'dʒainə] *s med.* **1.** An'gina *f*, Mandelentzündung *f*, Rachen-, Halsentzündung *f*. – **2.** → ~ **pectoris**. — ~ **pec·to·ris** ['pektəris] *s med.* An'gina *f* pectoris, Herzbräune *f*, Stenokar'die *f*.
an·gi·noid ['ændʒiˌnɔid] *adj med.* an'ginaartig, -ähnlich.
an·gi·nose ['ændʒiˌnous], **'an·gi·nous** [-nəs] *adj med.* angi'nös.
angio- [ændʒio] *Wortelement mit der Bedeutung* Gefäß.
an·gi·o·car·pous [ˌændʒio'kɑːrpəs] *adj bot.* angio'karp, deckfrüchtig (*Flechten*).
an·gi·o·cho·li·tis [ˌændʒiokə'laitis] *s med.* Gallengangsentzündung *f*.
an·gi·o·graph ['ændʒioˌgræ(ː)f; *Br. auch* -ˌgrɑːf] *s med.* Pulsmesser *m*. — **ˌan·gi'og·ra·phy** [-'ɒgrəfi] *s med.* (röntgeno'logische) Vasogra'phie, Gefäßdarstellung *f*.
an·gi·ol·o·gy [ˌændʒi'ɒlədʒi] *s med.* Angiolo'gie *f*, Gefäßlehre *f*.
an·gi·o·ma [ˌændʒi'oumə] *pl* **-o·ma·ta** [-mətə] *od.* **-o·mas** *s med.* Angi'om *n*, Blutschwamm *m*, Geschwulst *f* eines Blutgefäßes.
an·gi·o·neu·ro·sis [ˌændʒionju(ə)'rousis; *Am. auch* -nu-] *s med.* Angio-, Vasoneu'rose *f*.
an·gi·o·spasm ['ændʒioˌspæzəm] *s med.* Gefäßkrampf *m*.
an·gi·o·sperm ['ændʒioˌspəːrm] *s bot.* Angio'sperme *f*, bedecktsamige Pflanze. — **ˌan·gi·o'sper·mous** *adj* bedecktsamig.
an·glaise [ɑːŋ'gleiz] *s mus.* An'glaise *f* (*alter engl. Volkstanz, auch Suitensatz*).
an·gle[1] ['æŋgl] **I** *s* **1.** *bes. math.* Winkel *m*: → **acute** 2; **adjacent** 2; **obtuse** 2; **salient** 1; **vertical** 2; **~ between cranks** *tech.* Kurbelversetzung; ~ **of advance** *electr. phys.* Voreilungswinkel; ~ **of attack** *aer.* Anstellwinkel (*Tragfläche, Höhenflosse*); ~ **of climb** a) *tech.* Anstiegswinkel, b) *aer.* Steigwinkel; ~ **of departure** (*Ballistik*) Abgangswinkel; ~ **of depression** (*Ballistik*) Senkungswinkel; ~ **of divergence** (*Artillerie*) Streuwinkel (*einer Batterie*); ~ **of elevation** Elevations-, Steigungswinkel; ~ **of impact** (*Ballistik*) Auftreffwinkel; ~ **of incidence** a) Einfallswinkel, b) *aer.* Anstellwinkel; ~ **of inclination** Neigungswinkel; ~ **of intersection** Schnittwinkel; ~ **of jaw** *med.* Kieferwinkel; ~ **of lag** *electr. phys.* Verzögerungs-, Nacheilungswinkel; ~ **of pitch** *aer.* Anstellwinkel (*der Luftschraube*); ~ **of reflection** Reflexionswinkel; ~ **of refraction** *phys.* Refraktions-, Brechungswinkel; ~ **of ricochet** (*Ballistik*) Abprallwinkel; ~ **of sight** *phys.* Gesichtswinkel; ~ **of slope** Neigungswinkel; ~ **of taper** Konizität (*des Kegels*); ~ **of traverse** (*Artillerie*) Seitenrichtbereich, -richtfeld, Schwenkwinkel; **at right ~s** to im rechten Winkel zu; **at an ~ with** in einem Winkel stehend mit. – **2.** *math. phys.* Neigung *f*. – **3.** *tech.* Knie(stück) *n*. – **4.** Ecke *f* (*eines Gebäudes; entlegene Gegend*). – **5.** scharfe, spitze Kante. – **6.** *astr.* Haus *n*. – **7.** *fig.* Standpunkt *m*, Gesichtswinkel *m*, Seite *f*. – **8.** *fig.* Seite *f*, A'spekt *m*: **to consider all ~s of a question**. – **9.** *Am.* Me'thode *f od.* Technik *f* (*etwas anzupacken od. ein Ziel zu erreichen*). – *SYN. cf.* **phase**. – **II** *v/t* **10.** 'umbiegen. – **11.** *tech.* bördeln, (*den Rand von Blechteilen*) 'umbiegen. – **12.** entstellen, verdrehen, tendenzi'ös darstellen: **to ~ the news**. – **III** *v/i* **13.** sich biegen. – **14.** sich winden. – **15.** in eine Ecke laufen, im Winkel abbiegen.
an·gle[2] ['æŋgl] **I** *v/i* **1.** angeln. – **2.** *fig.* angeln (for nach): **to ~ for s.th.** nach etwas fischen *od.* angeln, etwas zu bekommen versuchen. – **II** *v/t* **3.** angeln. – **III** *s* **4.** *selten* Angeln *n*. – **5.** *obs.* a) Angelhaken *m*, b) Fischangel *f*: **brother of the ~** Angelbruder, Angler.
an·gle| bar *s tech.* (*gewalztes od. gezogenes*) 'Winkelproˌfilstück, Winkeleisen *n*, -schiene *f*. — **~ bead** *s tech.* Eckrundstab *m*, Kantenleiste *f*. — **~ beam** *s tech.* (*eiserner*) Winkelbalken, 'Winkelproˌfilträger *m*. — **'~ˌber·ry** *s vet.* Tuberku'lose *f* (*im Innern des Thorax*). — **~ brace** *s tech.* **1.** Winkelband *n*. – **2.** Winkelbohrer *m*. — **~ brack·et** *s tech.* Winkelband *n*, 'Winkelkonˌsole *f*. — **~ brick** *s tech.* (*schiefwinkliger*) Winkelziegel. — **~ cam** *s tech.* Winkelhebel *m*. — **~ cap·i·tal** *s arch.* 'Eckkapiˌtell *n*.
an·gled ['æŋgld] *adj* **1.** winklig, winkelförmig. – **2.** *her.* winklig gebrochen.
an·gle|·doz·er ['æŋglˌdouzər] *s tech.* **1.** Pla'nierraupe *f* mit Schwenkschild, Seitenräumer *m*. – **2.** Schwenkschild *n*. — **~ i·ron** *s tech.* Winkelband *n*, -eisen *n*. — **~ me·ter** *s* **1.** *tech.* Winkelmesser *m*. – **2.** *geol.* Fallwinkelmesser *m*. — **~ piece** *s tech.* Winkelstück *n*. — **'~ˌpod** *s bot. eine nordamer. Asclepiadacee* (*Gonolobus carolinensis*). — **~ pul·ley** *s tech.* Ablenkrolle *f*, 'Umlenkrolle *f*.
an·gler ['æŋglər] *s* **1.** Angler(in). – **2.** *zo.* See-, Meerteufel *m* (*Lophius piscatorius*). – **3.** *obs. sl.* Dieb, der mit Hilfe einer langen Stange Wertgegenstände angelt.
an·gle raft·er *s arch.* Grat-, Walmsparren *m* (*am Dach*).
An·gles ['æŋglz] *s pl* Angeln *pl* (*westgermanischer Volksstamm, der England besiedelte*).

an·gle·site ['æŋglˌsait] *s min.* Angle'sit *m* (*Bleisulfat*, $PbSO_4$, *als kristallisiertes Mineral*).

'an·gle|ˌsmith *s tech.* Schmied *m* von Winkelbändern u. -eisen. — **~ staff** *s irr arch.* Eckrundstab *m.* — **~ tie** *s tech.* Winkelband *n.* — **'~ˌwise** *adv* winkelförmig. — **'~ˌworm** *s* Regenwurm *m* (*als Angelköder*).

An·gli·an ['æŋgliən] **I** *adj* **1.** anglisch. – **II** *s* **2.** Angehörige(r) des Volksstammes der Angeln. – **3.** *ling.* Anglisch *n*, das Anglische.

An·glic ['æŋglik] *adj* anglisch.

An·gli·can ['æŋglikən] **I** *adj* **1.** *relig.* angli'kanisch: the ~ Church die Anglikanische Kirche. – **2.** *Am.* a) britisch, b) englisch. – **II** *s* **3.** *relig.* a) Angli'kaner(in), b) Hochkirchler(in). — **'An·gli·canˌism** *s relig.* Anglika'nismus *m* (*Lehre u. System der Anglikanischen Kirche*).

An·gli·ce ['æŋglisi] (*Lat.*) *adv* auf englisch, in englischer Sprache.

An·gli·cism ['æŋgliˌsizəm; -glə-] *s* **1.** *ling.* Angli'zismus *m* (*engl. Spracheigenheit*). – **2.** Besonderheit *f* der Engländer, (*etwas*) typisch Englisches. – **3.** engl. Wesen *n*, engl. Art *f.*

An·gli·cist ['æŋglisist; -glə-] *s* An'glist *m* (*Spezialist für die engl. Sprache u. Literatur*).

An·gli·ci·za·tion, a~ [ˌæŋglisai'zeiʃən; -si'z-; -glə-] *s* Angli'sierung *f.* — **'An·gliˌcize,** *auch* **'an·gliˌcize I** *v/t* angli'sieren, englisch machen. – **II** *v/i* sich angli'sieren, englisch werden.

An·gli·fi·ca·tion [ˌæŋglifi'keiʃən; -glə-fə-] *s* Angli'sierung *f.* — **'An·gliˌfy** [-ˌfai] *v/t* **1.** englisch machen, angli'sieren. – **2.** *ling.* angli'sieren, in die engl. Sprache aufnehmen.

an·gling ['æŋgliŋ] *s* **1.** Angeln *n.* – **2.** Angelsport *m.*

An·glist ['æŋglist] *s* An'glist(in), Englandkenner(in). — **An·glis·tics** [æŋ'glistiks] *s pl* (*als sg konstruiert*) An'glistik *f*, Studium *n* der engl. Sprache und Litera'tur.

Anglo- [æŋglou] *Wortelement mit der Bedeutung* Englisch, Englisch und ..., England.

ˌAn·glo-A'mer·i·ca *s* ˌAnglo-A'merika *n* (*Teil Amerikas, der hauptsächlich von Ansiedlern engl. Abstammung bewohnt ist*). — **ˌAn·glo-A'mer·i·can I** *adj* ˌangloameri'kanisch: a) *England bzw. Großbritannien u. die USA betreffend*, b) *Amerikaner engl. Abstammung betreffend.* – **II** *s* ˌAngloameri'kaner(in) (*Amerikaner[in] engl. Abstammung*).

ˌAn·glo-'Cath·o·lic *relig.* **I** *s* **1.** ˌAnglokatho'lik(in). – **2.** Hochkirchler(in). – **II** *adj* **3.** ˌangloka'tholisch. – **4.** der Hochkirche angehörend. — **ˌAn·glo--Ca'thol·i·cism** *s* ˌAnglokatholi'zismus *m.*

ˌAn·glo-'French I *adj* **1.** *ling.* ˌanglonor'mannisch, ˌanglofran'zösisch. – **2.** ˌanglofran'zösisch, England und Frankreich betreffend: the ~ Wars die Kriege zwischen England und Frankreich. – **II** *s* **3.** *ling.* ˌAnglonor'mannisch *n*, ˌAnglofran'zösisch *n* (*die franz. Sprache der normannischen Eroberer Englands*).

An·glo·gae·a [ˌæŋglo'dʒiːə] *s biol. geogr.* ne'arktische Regi'on (*das arktische u. nördliche Nordamerika umfassend*). — **ˌAn·glo'gae·an** *adj* ne'arktisch.

ˌAn·glo-'In·di·an I *adj* **1.** ˌanglo'indisch: a) *England und Indien betreffend*, b) *ein Wort betreffend, das aus dem Indischen ins Englische übergegangen ist*, c) *den früher engl. Teil Ostindiens betreffend.* – **II** *s* **2.** in Indien lebender Engländer. – **3.** ˌAnglo-'Inder(in) (*Ostinder[in] von teilweise indischer, teilweise europ. Abstammung*).

'An·glo·man [-mən] *s irr* Förderer *m* engl. Inter'essen in A'merika, in A'merika lebender Englandfreund.

An·glo·mane ['æŋgloˌmein] → Anglomaniac.

An·glo·ma·ni·a [ˌæŋglo'meiniə] *s* ˌAngloma'nie *f* (*übertriebene Bewunderung für engl. Wesen*). — **ˌAn·glo'ma·niˌac** [-ˌæk] *s* Anglo'mane *m.*

ˌAn·glo-'Nor·man I *s* **1.** ˌAnglonor'manne *m.* – **2.** *ling.* ˌAnglonor'mannisch *n.* – **II** *adj* **3.** ˌanglonor'mannisch (*die Normannen in England u. ihre Nachkommen betreffend*).

An·glo·phile ['æŋgloˌfail; -fil], *auch* **'An·glo·phil** [-fil] **I** *s* Anglo'phile *m*, Englandfreund *m.* – **II** *adj* anglo'phil, englandfreundlich.

An·glo·phobe ['æŋgloˌfoub] **I** *s* Anglo'phobe *m*, Englandfeind *m.* – **II** *adj* englandfeindlich. — **ˌAn·glo'pho·bi·a** [-biə] *s* ˌAnglopho'bie *f.* — **ˌAn·glo'pho·biˌac** [-biˌæk] *s* Anglo'phobe *m.* — **ˌAn·glo'pho·bic** *adj* englandfeindlich. — **'An·gloˌpho·bist** *s* Anglo'phobe *m.*

An·glo-Sax·on [ˌæŋglo'sæksən] **I** *s* **1.** Angelsachse *m*: a) *Bewohner der englisch sprechenden Welt*, b) *Angehöriger der altengl. germanischen Stämme*, c) *Person engl. Abstammung und mit engl. Traditionen.* – **2.** *ling.* Altenglisch *n*, Angelsächsisch *n.* – **3.** (*urwüchsiges u. einfaches*) Englisch. – **II** *adj* **4.** angelsächsisch. – **5.** *ling.* altenglisch, angelsächsisch. – **6.** (*urwüchsig*) englisch. — **ˌAn·glo-'Sax·on·dom** [-dəm] *s* **1.** (*das*) von den Angelsachsen bewohnte Gebiet. – **2.** *collect.* (*die*) Angelsachsen *pl.* — **ˌAn·glo-Sax'on·ic** [-sæk'sɒnik] → Anglo-Saxon II. — **ˌAn·glo-'Sax·onˌism** *s* **1.** angelsächsische (Sprach)-Eigenheit. – **2.** angelsächsisches Wesen.

An·go·la [æŋ'goulə] → Angora.

An·go·ra [æŋ'gɔːrə] *s* **1.** Gewebe *n od.* Kleidungsstück *n* aus An'gorawolle. – **2.** *zo.* a) → ~ cat, b) → ~ goat, c) → ~ rabbit. — **~ cat** *s zo.* An'gorakatze *f* (*Felis domestica angorensis*). — **~ goat** *s zo.* An'goraziege *f* (*Capra hircus angorensis*). — **~ rab·bit** *s zo.* An'gora-, 'Seidenkaˌninchen *n* (*Lepus cuniculus angorensis*). — **~ wool** *s* **1.** An'gorawolle *f.* – **2.** Mo'hair *n.*

an·gos·tu·ra [ˌæŋgəs'tju(ə)rə] → ~ bark. — **~ bark** *s bot.* Ango'sturarinde *f* (*vom Baum Cusparia trifoliata*). — **~ bit·ters** *s* Ango'sturabitter *m* (*als Zusatz zu Likören, Cocktails etc verwendet*).

an·gri·ly ['æŋgrili] *adv* verärgert, aufgebracht, voll Ärger.

an·gri·ness ['æŋgrinis] *s* Aufgebrachtheit *f*, Verärgerung *f*, Zorn *m.*

an·gry ['æŋgri] **1.** (at, about) ärgerlich (auf, über *acc*), verärgert (über *j-n od. etwas*), aufgebracht (gegen *j-n*; über *etwas*), zornig, böse (auf *j-n*, über *etwas*; with mit *j-m*): to get ~ in Zorn geraten. – **2.** *med.* entzündet. – **3.** *fig.* a) erregt, stürmisch, b) finster, düster. – **4.** *fig.* kräftig, angeregt (*Appetit*). – **5.** *obs.* böse, leicht ärgerlich werdend. – *SYN.* acrimonious, indignant, irate, wrathful. — **~ young man** *s irr* zorniger junger Mann (*der seinem Zorn über das Versagen der älteren Generation Luft macht*).

ang·strom, *auch* **Ang·strom** ['æŋstrəm], **Ång·ström** ['ouŋˌstrɜːm; 'ɔːŋ-] → angstrom unit. — **ang·strom u·nit** *s phys.* Angström(einheit *f*) *n* (*Einheit für sehr kurze Wellenlängen*).

an·guid ['æŋgwid] *s zo.* Schleiche *f* (*Fam. Anguidae*).

an·gui·form ['æŋgwiˌfɔːrm] *adj* schlangenförmig, geschlängelt.

an·guil·li·form [æŋ'gwilifɔːrm] *adj zo.* aalförmig. — **an'guil·loid** *adj zo.* aalähnlich.

an·guine ['æŋgwin] *adj zo.* **1.** schlangenähnlich. – **2.** Schlangen... — **an'guin·e·ous** *adj* schlangenartig.

an·guish ['æŋgwiʃ] **I** *s* Qual *f*, Pein *f*, Schmerz *m*: ~ of mind Seelenqual. – *SYN. cf.* sorrow. – **II** *v/t* peinigen, quälen. – **III** *v/i* Schmerz erleiden, Qual erdulden. — **'an·guished** *adj* **1.** angstvoll, gequält, bekümmert. – **2.** durch Angst her'vorgerufen, Angst...

an·gu·lar ['æŋgjulər; -jə-] *adj* **1.** winklig, winkelförmig, eckig, kantig, spitz. – **2.** Winkel..., Scheitel... – **3.** *fig.* eckig, knochig. – **4.** *fig.* eckig, steif, ungeschickt, linkisch. – **5.** *fig.* steif, for'mell. – **6.** *med.* in einem Winkel (*bes. im Augenwinkel*) befindlich. – **7.** *tech.* scharfgängig (*Gewinde*). — **~ ac·cel·er·a·tion** *s phys.* Winkelbeschleunigung *f.* — **~ ad·vance** *s electr. phys.* Winkelvoreilung *f.* — **~ ap·er·ture** *s* **1.** *phys.* Winkelöffnung *f* (*bei Linsen*). – **2.** *zo.* Öffnungswinkel *m* (*der Augen*). — **~ cap·i·tal** *s arch.* 'Eckkapiˌtell *n.* — **~ cut** *s tech.* Schrägschnitt *m.* — **~ de·gree** *s math.* Winkelgrad *m.* — **~ dis·tance** *s* **1.** *math.* Winkelabstand *m.* – **2.** *aer. mar.* 'Richtungsˌunterschied *m.*

an·gu·lar·i·ty [ˌæŋgju'læriti; -gjə-; -əti] *s* **1.** winklige *od.* kantige Beschaffenheit. – **2.** *fig.* Knochigkeit *f.* – **3.** *fig.* Eckigkeit *f*, Steifheit *f*, Ungelenkheit *f.*

an·gu·lar| min·ute *s math.* 'Winkelmiˌnute *f.* — **~ mo·men·tum** *s phys. tech.* Drall *m*, 'Drehmoˌment *n.* — **~ mo·tion** *s phys.* Winkelbewegung *f* (*bes. eines Pendels*).

an·gu·lar·ness ['æŋgjulərnis; -gjə-] → angularity.

an·gu·lar| point *s math. phys.* Scheitelhöhe *f*, -punkt *m.* — **~ proc·ess** *s med.* Winkelfortsatz *m* (*des Stirnbeins*). — **~ sum** *s math.* Winkelsumme *f.* — **~ thread** *s tech.* Spitzgewinde *n.* — **~ ve·loc·i·ty** *s* **1.** *math. phys.* Winkelgeschwindigkeit *f.* – **2.** *electr.* 'Kreisfreˌquenz *f.* – **3.** *tech.* 'Umlauf-, Drehgeschwindigkeit *f.* — **~ wheel** *s tech.* Kegelrad *n.*

an·gu·late ['æŋgjuˌleit; -gjə-] **I** *v/t* eckig *od.* kantig machen. – **II** *v/i* eckig *od.* kantig werden. – **III** *adj* [-lit; -ˌleit] eckig, kantig. — **'an·gu·late·ness** *s* Eckigkeit *f*, Kantigkeit *f.* — **ˌan·gu'la·tion** *s* **1.** Winkelbildung *f.* – **2.** winklige Beschaffenheit. – **3.** *med.* a) Winkelbildung *f*, b) winklige Schlaufe (*im Darm*).

an·gu·lif·er·ous [ˌæŋgju'lifərəs; -gjə-] *adj zo.* mit winkelförmiger letzter Windung (*Schneckengehäuse*).

an·gu·li·nerved ['æŋgjuliˌnɜːrvd; -gjə-] *adj bot.* winkelnervig.

an·gu·lom·e·ter [ˌæŋgju'lɒmitər; -gjə-; -mə-] *s tech.* Winkelmesser *m* (*Werkzeug*).

an·gu·lous ['æŋgjuləs; -gjə-], *auch* **'an·guˌlose** [-ˌlous] *adj* winklig, eckig, kantig.

an·gu·ri·a [æŋ'gju(ə)riə] *s bot.* An'gurie *f*, Amer. Gurke *f* (*Cucumis anguria*).

angusti- [æŋgʌsti] *Wortelement mit der Bedeutung* eng, schmal.

an·gus·ti·fo·li·ate [æŋˌgʌsti'fouliˌeit; -iit], **anˌgus·ti'fo·li·ous** [-liəs] *adj bot.* schmalblättrig.

an·gus·ti·ros·trate [æŋˌgʌsti'rɒstreit] *adj zo.* schmalschnäbelig.

an·gus·tu·ra *cf.* angostura.

an·har·mon·ic [ˌænhɑːr'mɒnik] *adj math. phys.* 'unharˌmonisch, 'nichtharˌmonisch.

an·he·la·tion [ˌænhi'leiʃən] *s selten* **1.** *med.* Atemnot *f.* – **2.** Streben *n*,

Begehren *n.* — **an'he·lous** [-'hiːləs] *adj selten* kurzatmig, keuchend.

an·hi·dro·sis [ˌænhi'drousis] *s med.* Anhi'drose *f* (*verminderte od. gestörte Schweißabsonderung*). — **ˌan·hi'drot·ic** [-'drɒtik] **I** *adj* schweißverhindernd. – **II** *s* schweißverhinderndes Mittel.

an·hin·ga [æn'hiŋgə] *s zo.* An'hinga *n*, Amer. Schlangenhalsvogel *m* (*Anhinga anhinga*).

an·his·tic [æn'histik], **an'his·tous** *adj zo.* ohne erkennbare Struk'tur.

an·hy·drae·mi·a *cf.* anhydremia.

an·hy·drate [æn'haidreit] *v/t chem.* (*einem Körper*) Wasser entziehen.

an·hy·dre·mi·a [ˌænhai'driːmiə] *s med.* Anhydrä'mie *f* (*Verminderung des Wassergehalts im Blutplasma*). — **ˌan·hy'dre·mic** [-'driːmik; -'dremik] *adj* anhy'drämisch.

an·hy·dride [æn'haidraid; -drid], *auch* **an'hy·drid** [-drid] *s chem.* Anhy'drid *n*.

an·hy·drite [æn'haidrait] *s min.* Anhy'drit *m* ($CaSO_4$).

anhydro- [ænhaidro] *Wortelement mit der Bedeutung* wasserlos.

an·hy·drous [æn'haidrəs] *adj biol. chem.* an'hydrisch, wasserfrei (*bes. ohne Kristallisationswasser*).

a·ni ['ɑːni] *s zo.* Ani *m*, Madenfresser *m*: common ~ Schwarzer Ani (*Crotophaga ani*); groove-billed ~ Furchenschnäbliger Ani (*C. sulcirostris*).

an·i·con·ic [ˌænai'kɒnik] *adj* weder menschlich noch tierisch gestaltet (*von sinnbildlichen Darstellungen*).

an·i·cut ['æniˌkʌt] *s Br. Ind.* Flußdamm *m*, -wehr *n* (*in Bewässerungsanlagen in Indien*).

a·nigh [ə'nai] *adv u. prep obs.* nahe, in der Nähe.

an·il[1] ['ænil] *s bot.* **1.** Indigopflanze *f* (*Indigofera tinctoria u. I. anil*). – **2.** Unechter Indigo (*Tephrosia tinctoria*).

an·il[2] ['ænil] *s chem.* A'nil *n* (*einen Anilrest enthaltende Verbindung*).

an·ile ['einail; 'æn-] *adj* altweiberlich.

an·i·lide ['æniˌlaid; -lid], *auch* **'an·i·lid** [-lid] *s chem.* Ani'lid *n*.

an·i·line ['æniˌlain; -ˌliːn; -lin], *auch* **'an·i·lin** [-lin] *chem.* **I** *s* Ani'lin *n* ($C_6H_5NH_2$). – **II** *adj* Anilin...

an·i·line dye *s* **1.** *chem.* Ani'linfarbstoff *m*. – **2.** (*im weiteren Sinne*) chemisch 'hergestellte Farbe.

an·i·lin·ism ['æniliˌnizəm; -nə-] *s med.* Ani'lismus *m*, Ani'linvergiftung *f*.

a·nil·i·ty [ə'niliti; -əti] *s* **1.** Zustand *m* einer alten, schwachen Frau. – **2.** a) Alt'weiberiˌdee *f*, b) Alt'weiberhaftigkeit *f*.

a·nil·la [ə'nilə] → **anil**[1].

an·i·lo·py·rine [ˌænilo'pai(ə)riːn; -rin], *auch* **ˌan·i·lo'py·rin** [-rin] *s chem.* Anilopy'rin *n* ($C_{17}H_{17}N_3$).

an·i·ma ['ænimə] *s* **1.** Atem *m*, Odem *m*. – **2.** Seele *f*, Geist *m*. – **3.** *bes. mus.* Beseeltheit *f*: con ~ → animato.

an·i·ma·bil·i·ty [ˌænimə'biliti; -əti] *s* Belebungsfähigkeit *f*. — **'an·i·ma·ble** *adj* belebbar, belebungsfähig.

an·i·ma bru·ta ['ænimə 'bruːtə] (*Lat.*) *s* 'Lebensprinˌzip *n* niederer Tiere, Tierseele *f*.

an·i·mad·ver·sion [ˌænimæd'vəːrʃən; -nə-] *s* **1.** Tadel *m*, Rüge *f*, Kri'tik *f*: to make ~s on s.o.'s conduct an j-s Benehmen Kritik üben. – **2.** Kriti'sieren *n*. – *SYN.* aspersion, reflection, stricture.

an·i·mad·ver·sive [ˌænimæd'vəːrsiv; -nə-] *adj* wahrnehmungsfähig, wahrnehmend.

an·i·mad·vert [ˌænimæd'vəːrt; -nə-] **I** *v/i* **1.** (on, upon) kritische Bemerkungen machen, sich kritisch äußern, Tadel aussprechen (über *acc*), kriti'sieren (*acc*). – **2.** *obs.* Wahrnehmungen *od.* Beobachtungen machen. – **II** *v/t* **3.** beobachten, wahrnehmen. – **4.** bemerken, feststellen.

an·i·mal ['æniməl; -nə-] **I** *s* **1.** Tier *n*. – **2.** tierisches Lebewesen (*im Gegensatz zu den Pflanzen*). – **3.** *fig.* viehischer Mensch, Tier *n*, Vieh *n*, Bestie *f*. – **II** *adj* **4.** tierisch, Tier... – **5.** *fig.* ani'malisch, tierisch. – **6.** *fig.* ani'malisch, fleischlich, sinnlich. – *SYN. cf.* carnal.

an·i·mal| char·coal *s biol.* Tierkohle *f*. — **~ crack·er** *s meist pl Am.* Gebäck *n* in Tiergestalt.

an·i·mal·cu·la [ˌæni'mælkjulə; -kjə-] *pl von* animalculum. — **ˌan·i'mal·cu·lar** *adj zo.* **1.** mikro'skopisch kleine Tierchen betreffend. – **2.** einem mikro'skopisch kleinen Tierchen ähnlich. — **ˌan·i'mal·cule** [-kjuːl] *s zo.* **1.** mikro'skopisch kleines Tierchen. – **2.** *obs.* sehr kleines Tier. — **ˌan·i'mal·cuˌline** [-ˌlain; -lin] → animalcular. — **ˌan·i'mal·culˌism** *s biol.* Animalku'lismus *m*: a) *Lehre, daß Gärung, Fäulnis, Infektionen etc auf Aufgußtierchen zurückzuführen sind,* b) *Lehre, daß das Samentierchen den ganzen Embryo enthält.* — **ˌan·i'mal·cul·ist** *s* **1.** Vertreter *m* des Animalku'lismus. – **2.** Spezia'list *m* für mikro'skopisch kleine Tiere. — **ˌan·i'mal·cu·lum** [-ləm] *pl* **-cu·la** [-lə] → animalcule.

an·i·mal| flow·er *s zo.* Blumentier *n* (*Seerosen- u. Korallentiere*). — **~ food** *s* Fleischnahrung *f*. — **~ heat** *s* tierische Wärme. — **~ hus·band·ry** *s* Viehzucht *f*.

an·i·ma·li·an [ˌæni'meiliən], **ˌan·i'mal·ic** [-'mælik] *adj* tierisch, Tier...

an·i·mal·ism ['æniməˌlizəm] *s* **1.** Tierheit *f*, Vertiertheit *f*. – **2.** Anima'lismus *m*, Sinnlichkeit *f*, ani'malisches Wesen. – **3.** Lebenstrieb *m*, -kraft *f*. – **4.** Anima'lismus *m*, Lehre *f*, daß die Menschen nur Tiere sind. — **'an·i·mal·ist** *s* **1.** Anhänger *m* des Anima'lismus. – **2.** Tiermaler *m*, Tierbildhauer *m*. — **ˌan·i·mal'is·tic** *adj* anima'listisch.

an·i·mal·i·ty [ˌæni'mæliti; -əti] *s* **1.** Tierheit *f*, tierische Na'tur. – **2.** Vitali'tät *f*, Lebenskraft *f*. – **3.** 'Tiernaˌtur *f*, (*das*) Tierische (*im Menschen*). – **4.** Tierreich *n*.

an·i·mal·i·za·tion [ˌæniməlai'zeiʃən; -li'z-] *s* **1.** *zo.* 'Umwandlung *f* in tierischen Stoff durch Assimilati'on. – **2.** *chem.* Animali'sierung *f*. – **3.** Vertierung *f*, Verwilderung *f*. – **4.** reli'giöse *od.* künstlerische Darstellung in Tiergestalt. – **5.** (*Statistik*) Tierbestand *m*, Verteilung *f* der Tierwelt (*in einem Land*). — **'an·i·malˌize** *v/t* **1.** *zo.* durch Assimilati'on in tierischen Stoff verwandeln. – **2.** *chem.* (*Zellulosefasern etc*) animali'sieren, wollähnlich machen. – **3.** zu einem Tier erniedrigen, zum Vieh machen. – **4.** *zo.* (*Bakterien*) durch einen tierischen Körper leiten. – **5.** *obs.* in Tierform darstellen.

an·i·mal king·dom *s zo.* Tierreich *n*.

an·i·mal·ly ['æniməli] *adv* ani'malisch, physisch, in körperlicher 'Hinsicht.

an·i·mal| mag·net·ism *s* tierischer Magne'tismus. — **~ spir·its** *s pl* Vitali'tät *f*, Lebenskraft *f*, -geister *pl*.

an·i·mas·tic [ˌæni'mæstik], **ˌan·i'mas·ti·cal** *adj* belebt, (geistiges) Leben besitzend.

an·i·mate ['æniˌmeit] **I** *v/t* **1.** beseelen, beleben, (*dat*) Leben geben – **2.** geistig beleben, anregen, aufmuntern, anfeuern. – **3.** beleben: to ~ a cartoon einen Trickfilm zeichnen. – **4.** veranlassen, antreiben. – *SYN. cf.* quicken. – **II** *v/i* **5.** le'bendig werden, sich beleben. – **III** *adj* [-mit; -ˌmeit] **6.** belebt, le'bendig, beseelt. – **7.** lebhaft, munter. – *SYN. cf.* living. — **'an·iˌmat·ed** *adj* **1.** le'bendig, beseelt (with, by von), voll Leben: ~ cartoon Zeichentrickfilm. – **2.** zur Tätigkeit angetrieben, rege, ermutigt. – **3.** lebhaft, angeregt. – **4.** geneigt, bereit (*etwas zu tun*). – *SYN. cf.* a) living, b) lively. — **'an·iˌmat·er** *s* Belebende(r, s), Beseelende(r, s). — **ˌan·i'ma·tion** *s* **1.** Leben *n*, Feuer *n*, Lebhaftigkeit *f*. – **2.** *selten* Belebtsein *n*. – **3.** *selten* Belebung *f*, Beseelung *f*. – **4.** 'Herstellung *f* von Zeichentrickfilmen.

an·i·ma·tism ['æniməˌtizəm] *s* Anima'tismus *m* (*Glaube an die Allbelebung der Natur, ohne Personifizierung od. Beseelung*).

an·i·ma·tive ['æniˌmeitiv; -mə-] *adj* **1.** belebend, beseelend. – **2.** ani'mistisch.

a·ni·ma·to [ani'mato] (*Ital.*) *adj u. adv mus.* **1.** beseelt, mit Seele. – **2.** bewegt(er), lebhaft(er).

an·i·ma·tor ['æniˌmeitər; -nə-] *s* **1.** *cf.* animater. – **2.** Trick(film)zeichner *m*.

an·i·mé ['æniˌmei; -mi] *s* E'lemiharz *n*, Ko'pal *m*, Ani'me-Harz *n* (*ungenaue Bezeichnung für verschiedene Harze*).

an·i·mism ['æniˌmizəm] *s* Ani'mismus *m*: a) *Glaube an die Beseeltheit der Natur u. der Naturkräfte,* b) *Lehre, daß die Seele das regierende Prinzip der Körperwelt sei.* — **'an·i·mist I** *s* Ani'mist(in). – **II** *adj* ani'mistisch. — **ˌan·i'mis·tic** *adj* ani'mistisch.

an·i·mos·i·ty [ˌæni'mɒsiti; -nə-; -əti] *s* feindselige Gesinnung, Feindseligkeit *f*, Haß *m*, Erbitterung *f*, Animosi'tät *f*. – *SYN. cf.* enmity.

an·i·mus ['æniməs] *s* **1.** (belebender) Geist. – **2.** Absicht *f*, Neigung *f*. – **3.** feindselige Stimmung, Groll *m*, Haß *m*. – *SYN. cf.* enmity.

an·i·on ['ænˌaiən] *s chem. phys.* 'Aniˌon *n*, negatives I'on. — **ˌan·i'on·ic** [-'ɒnik] *adj* Anion...

an·i·rid·i·a [ˌænai'ridiə] *s med.* Aniri'die *f*, Fehlen *n* der Iris.

an·i·sate ['æniˌseit] **I** *s chem.* a'nissaures Salz. – **II** *v/t* mit A'nis durch'setzen *od.* tränken.

an·ise ['ænis] *s* **1.** *bot.* A'nis *m* (*Pimpinella anisum*). – **2.** A'nis(samen) *m*. — **~ cam·phor** *s chem.* A'niskampfer *m*, Ane'thol *n* ($C_{10}H_{12}O$).

an·i·seed ['æniˌsiːd; 'ænisˌsiːd] *s* **1.** A'nissamen *m*. – **2.** Ani'sett *m* (*Anislikör*).

'an·iseˌroot *s bot.* A'niswurzel *f* (*Collinsonia anisata; nordamer. Labiate*).

an·i·sette [ˌæni'zet; -'set] *s* A'niswasser *n*, Ani'sett *m* (*Anislikör*).

a·nis·ic [ə'nisik; -'nais-] *adj chem.* Anis...: ~ acid Anissäure ($C_8H_8O_3$).

a·nis·i·dine [ə'nisiˌdiːn; -din], *auch* **a'nis·i·din** [-din] *s chem.* Anisi'din *n* ($CH_3OC_6H_4NH_2$).

an·i·sil ['ænisil] *s chem.* Ani'sil *n* ($C_{16}H_{14}O_4$).

aniso- [ænaiso] *Wortelement mit der Bedeutung* ungleich, verschieden.

an·i·so·dac·tyl·ic [æˌnaisodæk'tilik], **anˌi·so'dac·ty·lous** *adj zo.* ungleichzehig.

an·i·sog·a·my [ˌænai'sɒgəmi] *s biol.* Anisoga'mie *f* (*Fortpflanzung durch ungleiche Gameten*).

an·i·sog·y·nous [ˌænai'sɒdʒinəs; -dʒə-] *adj bot.* mit weniger *od.* mehr Frucht- als Kelchblättern.

a·nis·o·in [ə'nisoin] *s chem.* ˌDimethˌoxybenzo'in *n* ($C_{16}H_{16}O_4$).

an·i·sole ['æniˌsoul], *auch* **'an·iˌsol** [-ˌsoul; -ˌsɒl] *s chem.* Ani'sol *n* ($C_6H_5OCH_3$).

an·i·so·mer·ic [æˌnaiso'merik] *adj chem.* nicht iso'mer. — **ˌan·i'som·er·ous** [-'sɒmərəs] *adj bot.* ungleichzählig (*von Blüten*), aniso'mer.

an·i·so·met·ric [æˌnaisoˈmetrik] *adj phys.* anisoˈmetrisch, (*in den drei Achsenrichtungen*) ungleichmäßig.
an·i·so·me·tro·pi·a [æˌnaisomiˈtroupiə] *s med.* Anisometroˈpie *f* (*Ungleichheit der Brechungskraft beider Augen*).
an·i·so·trope [æˈnaisoˌtroup] *phys.* **I** *adj* anisoˈtrop. – **II** *s* anisoˈtropischer Körper. — **anˌi·soˈtrop·ic** [-ˈtrɒpik], **anˌi·soˈtrop·i·cal** *adj biol. phys.* anisoˈtrop(isch). — **anˌi·soˈtrop·i·cal·ly** *adv* (*auch zu* anisotropic). — **ˌan·iˈsot·roˌpism** [-sɒtrəˌpizəm] → anisotropy. — **ˌan·iˈsot·ro·pous** → anisotropic. — **ˌan·iˈsot·ro·py** *s biol. phys.* Anisotroˈpie *f* (*ungleiche Reaktionsweise auf gleiche Einflüsse*).
a·ni·trog·e·nous [ˌeinaiˈtrɒdʒənəs] *adj chem.* nicht stickstoffhaltig.
an·jan [ˈændʒæn] *s bot. eine indische Leguminose* (*Hardwickia binata*).
an·ker [ˈæŋkər] *s* Anker *m* (*altes norddeutsches u. holl. Flüssigkeitsmaß, etwa 38 l*).
an·ker·ite [ˈæŋkəˌrait] *s min.* Ankeˈrit *m*, Braunspat *m*.
ankh [æŋk] *s* Henkelkreuz *n* (*altägyptisches Lebenssymbol*).
an·kle [ˈæŋkl] *s med.* **1.** (Fuß-)Knöchel *m*: → sprain I. – **2.** a) Knöchelgegend *f* (*des Beins*), b) Fessel *f*. – **3.** Fußwurzel *f*. — **ˈ~ˌbone** *s med.* Sprungbein *n*. — **~ boot** *s* **1.** Halbstiefel *m*. – **2.** Knöchelbinde *f* (*für Pferde*). — **~ clo·nus** *s med.* Fuß-, Knöchelklonus *m* (*klonischer Krampf im Fuß*). — **ˈ~-ˌdeep** *adj* knöchel-, fußtief. — **ˈ~ˌjack** *s* Halbstiefel *m* (*der ein wenig über den Knöchel reicht*). — **~ jerk** *s med.* ˈKnöchelreˌflex *m*, Aˈchillessehnenreˌflex *m*. — **~ joint** *s med.* Fuß-, Knöchel-, Sprunggelenk *n*. — **~ ring** *s* Knöchelring *m* (*Schmuckstück am Fuß*). — **~ strap** *s* Schuhspange *f*.
an·klet [ˈæŋklit] *s* **1.** Fußring *m*, -spange *f* (*als Schmuck*). – **2.** Fußfessel *f*, -eisen *n*. – **3.** Halbsocke *f*, Knöchelsöckchen *n*. – **4.** *selten* kleiner Fußknöchel.
an·kle tie *s* Sanˈdale *f*, Sandaˈlette *f*.
an·kus [ˈʌŋkəʃ] *s* Stachelstock *m* (*des Elefantentreibers in Indien*).
ankylo- [æŋkilo] *Wortelement mit der Bedeutung* a) gebogen, gekrümmt, b) verwachsen, zusammengewachsen.
an·ky·lose [ˈæŋkiˌlous] *med.* **I** *v/t* **1.** (*Knochen*) fest vereinigen, zu einem Knochen verbinden. – **2.** (*Gelenk*) steif machen. – **II** *v/i* **3.** fest verwachsen (*Knochen*). – **4.** sich versteifen, steif werden (*Gelenk*). — **ˌan·kyˈlo·sis** [-sis] *s* **1.** *med.* Ankyˈlose *f*, Gelenkversteifung *f*. – **2.** *med. zo.* Bildung *f* eines Knochens aus mehreren, Knochenverwachsung *f*.
an·ky·los·to·mi·a·sis [ˌæŋkiˌlɒstoˈmaiəsis] → ancylostomiasis.
an·ky·lot·ic [ˌæŋkiˈlɒtik] *adj med.* ankyˈlotisch, versteift.
an·lace [ˈænlis] *s* (*Art*) Dolch *m od.* kurzes Schwert.
An·la·ge, *auch* **a~** [ˈanlɑːgə] *pl* **-gen** *od.* **-ges** (*Ger.*) *s* **1.** (*Embryologie*) Anlage *f*. – **2.** Anlage *f*, Neigung *f*.
an·laut [ˈanlaut] *pl* **-lau·te** [-tə] *s ling.* Anlaut *m*.
an·na [ˈænə] *s* Anˈna *m* (*indische Münze; sechzehnter Teil einer Rupie*).
an·na·berg·ite [ˈænəbəːrˌgait] *s min.* Annaberˈgit *m*, Nickelblüte *f*.
an·nal·ist [ˈænəlist] *s* Annaˈlist *m*, Chroˈnist *m*, Anˈnalen-, Jahrbuchverfasser *m*. — **ˌan·nalˈis·tic** *adj* annaˈlistisch.
an·nals [ˈænlz] *s pl* **1.** Anˈnalen *pl*, Jahrbücher *pl*. – **2.** geschichtliche Erzählung, hiˈstorischer Bericht (*in chronologischer Ordnung*). – **3.** (*in Zeitschriftenform erscheinende regelmäßige*) Berichte *pl* (*von Fachgelehrten*). – **4.** *sg* Bericht *m* über die Ereignisse eines Jahres *od.* über ein einzelnes Ereignis.
An·na·mese [ˌænəˈmiːz] **I** *s* **1.** *sg u. pl* Annaˈmite *m*, Annaˈmitin *f*. – **2.** *ling.* Annaˈmitisch *n*, das Annaˈmitische. – **II** *adj* **3.** annaˈmitisch.
an·nates [ˈæneits; -nits], *auch* **ˈan·nats** [-næts; -nits] *s pl jur. relig.* Anˈnaten *pl*, Jahrgelder *pl* (*Abgaben des ersten [Halb]Jahresertrages eines neu besetzten Benefiziums*).
an·nat·to [ɑːˈnɑːtou] *s* Orlean *m* (*roter od. gelbroter Farbstoff aus Bixa orellana*).
an·neal [əˈniːl] *v/t* **1.** *tech.* (*Metall, bes. Stahl*) ausglühen, anlassen, vergüten, tempern. – **2.** *tech.* (*Glas*) kühlen. – **3.** *tech.* emailˈlieren, farbig glaˈsieren. – **4.** *fig.* härten, stählen, zäh machen.
an·neal·ing| curve [əˈniːliŋ] *s tech.* Anlaßkurve *f*. — **~ fur·nace** *s tech.* Glüh-, Temper-, Kühlofen *m*.
an·nec·tent [əˈnektənt] *adj* anknüpfend, verbindend.
an·ne·lid [ˈænəlid], **an·nel·i·dan** [əˈnelidən] **I** *s zo.* Ringelwurm *m* (*Unterstamm Annelida*). – **II** *adj* zu den Ringelwürmern gehörig, Ringelwurm... — **ˈan·neˌlism** *s zo.* ringelwurmartige Beschaffenheit. — **ˈan·neˌloid I** *adj* ringelwurmartig. – **II** *s* ringelwurmartiges Tier.
an·nex [əˈneks] **I** *v/t* **1.** (*am Ende*) anfügen, beifügen, anhängen (to an *acc*). – **2.** verbinden, verknüpfen (to mit): to ~ a penalty to a prohibition. – **3.** (*ein Land*) annekˈtieren, einverleiben. – **4.** *sl.* (sich) ‚organiˈsieren', sich aneignen. – *SYN.* add, append. – **II** *v/i* **5.** *selten* verbunden sein, anstoßen (to an *acc*). – **III** *s* [ˈæneks] **6.** Anhang *m*, Zusatz *m*, Nachtrag *m*. – **7.** Nebengebäude *n*, Anbau *m*. – **8.** Anlage *f* (*in einem Brief*).
an·nex·a·tion [ˌænekˈseiʃən] *s* **1.** Anfügung *f*, Hinˈzufügung *f* (to zu). – **2.** Verbinden *n*, Verbindung *f*, Vereinigung *f* (to mit). – **3.** Annexiˈon *f*, Annekˈtierung *f*, Einverleibung *f* (to in *acc*). – **4.** Hinˈzugefügtes *n*, Verbundenes *n*. – **5.** Gebietserwerbung *f*. – **6.** *jur.* Immobiliˈsierung *f* (*beweglicher Güter*). — **ˌan·nexˈa·tion·al** *adj* Annexions... — **ˌan·nexˈa·tion·ist** *s* Annexioˈnist *m* (*Anhänger einer Annexionspolitik*).
an·nexe [əˈneks] *s* Anbau *m*, Neben-gebäude *n*.
an·nexed [əˈnekst] *adj econ.* anˈbei, nebenstehend: as ~ laut Anlage.
An·nie Oak·ley [ˈæni ˈoukli] *s Am. sl.* Freikarte *f* (*für Sportveranstaltungen etc; nach der amer. Kunstschützin Annie Oakley*).
an·ni·hi·la·bil·i·ty [əˌnaiələˈbiliti; -əti] *s* Zerstörbarkeit *f*. — **anˈni·hi·la·ble** *adj* zerstörbar.
an·ni·hi·late [əˈnaiəˌleit] *v/t* **1.** vernichten, zerstören, ausrotten, niederreißen. – **2.** *mil.* aufreiben. – **3.** *fig.* ˈumstoßen, zuˈnichte machen, aufheben. – *SYN. cf.* abolish. — **anˌniˈhiˈla·tion** *s* Vernichtung *f*, Zerstörung *f*, Aufhebung *f*. — **anˌni·hiˈla·tionˌism** *s relig.* Lehre *f* von der völligen Vernichtung der Bösen (*für die es nach dem Tode keine Unsterblichkeit gibt*). — **anˈni·hi·la·tive** [-lətiv; -ˌleitiv] *adj* vernichtend, zerstörend. — **anˈni·hiˌla·tor** [-ˌleitər] *s* Vernichter *m*, Zerstörer *m*. — **anˈni·hi·la·to·ry** [*Br.* -ˌleitəri; *Am.* -ləˌtɔːri] *adj* vernichtend.
ann·ite [ˈænait] *s min.* Anˈnit *m*.
an·ni·ver·sa·ry [ˌæniˈvəːrsəri] **I** *s* **1.** Jahrestag *m*, -fest *n*, -feier *f*: the 50th ~ of his death sein fünfzigster Todestag. – **2.** *relig.* a) Anniverˈsarium *n* (*jährliche Seelenmesse*), b) Anniverˈsarmesse *f* (*die täglich ein Jahr lang für eine Seele gelesen wird*). – **3.** Jubiˈläum *n*. – **4.** jährliche Veröffentlichung. – **II** *adj* **5.** jährlich an einem bestimmten Tage ˈwiederkehrend. – **6.** a) einen Jahrestag betreffend, Jahrestags..., b) Jubiläums...
an·no·dat·ed [ˈænoˌdeitid] *adj her.* S-förmig, gekrümmt.
an·no Dom·i·ni [ˈænou ˈdɒmiˌnai] Anno Domini, im Jahre des Herrn.
an·no·tate [ˈænoˌteit] **I** *v/t* (*eine Schrift*) mit Anmerkungen versehen, kommenˈtieren. – **II** *v/i* (on, upon) Anmerkungen machen (zu), einen Kommenˈtar schreiben (über *acc*, zu). – *SYN.* gloss². — **ˌan·noˈta·tion** *s* **1.** Anmerken *n*, Kommenˈtieren *n*. – **2.** Anmerkung *f*, Glosse *f*. — **ˈan·noˌta·tive** *adj* anmerkend, kommenˈtierend. — **ˈan·noˌta·tor** [-tər] *s* Kommenˈtator *m*.
an·no·tine [ˈænotain; -tin; -nə-] *zo.* **I** *adj* ein Jahr alt. – **II** *s* einjähriger Vogel. — **an·not·i·nous** [əˈnɒtənəs] *adj bot. zo.* ein Jahr alt.
an·not·to [ɑːˈnɔːtɔː] → annatto.
an·nounce [əˈnauns] *v/t* **1.** ankünd(ig)en, in Aussicht stellen. – **2.** verkünd(ig)en, bekanntmachen, ansagen. – **3.** zeigen, verraten, enthüllen: this act ~s his brutality. – **4.** (an)melden. – *SYN. cf.* declare. — **anˈnounce·ment** *s* **1.** Ankündigung *f*, Verkündigung *f*, Ansage *f*, Bekanntmachung *f*. – **2.** Veröffentlichung *f*, Anzeige *f*: ~ of sale *econ.* Verkaufsanzeige. – **3.** (An)Meldung *f*. – **4.** *mus.* Angabe *f*, Aufstellung *f*, Vortrag *m*, erstes Auftreten (*eines Fugenthemas*). — **anˈnounc·er** *s* **1.** Ankündiger(in). – **2.** Ansager(in) (*im Radio*).
an·noy [əˈnɔi] **I** *v/t* **1.** ärgern: to be ~ed sich ärgern (at s.th. über etwas, with s.o. über j-n). – **2.** beunruhigen, plagen, behelligen, belästigen, stören. – **3.** *mil.* (*den Feind*) stören, belästigen. – **II** *v/i* **4.** lästig sein *od.* fallen. – *SYN.* bother, irk, vex.
an·noy·ance [əˈnɔiəns] **1.** Plagen *n*, Belästigen *n*. – **2.** Störung *f*, Belästigung *f*. – **3.** Ärger *m*, Verdruß *m*, Plage *f*. – **4.** Plage(geist *m*) *f*, lästiger Mensch. — **anˈnoy·ing** *adj* lästig, ärgerlich, verdrießlich. — **anˈnoy·ing·ness** *s* Lästigkeit *f*, Ärgerlichkeit *f*, Verdrießlichkeit *f*. — **anˈnoy·ment** → annoyance.
an·nu·al [ˈænjuəl] **I** *adj* **1.** jährlich (*stattfindend od. wiederkehrend*). – **2.** Jahres..., ein Jahr betreffend. – **3.** a) ein Jahr dauernd *od.* lebend *od.* gültig, einjährig, b) *bot.* einjährig. – **4.** innerhalb eines Jahres sich ereignend, jährlich, Jahres... – **II** *s* **5.** jährlich erscheinende Veröffentlichung, Jahrbuch *n*. – **6.** *relig.* a) Jahresgedächtnis(messe *f*) *n*, b) Meßgeld *n* für eine Jahresgedächtnismesse. – **7.** *bot.* einjährige Pflanze, Sommergewächs *n*. – **8.** *jur. Scot.* Grund-, Erbpachtzins *m*. – **9.** Jahresgehalt *n*, -rente *f*. — **~ bal·ance** *s econ.* ˈJahres-, ˈSchlußbiˌlanz *f*. — **~ blue·grass** *s bot.* Einjähriges Rispengras (*Poa annua*).
an·nu·al·ist [ˈænjuəlist] *s* Verfasser(in) *od.* Herˈausgeber(in) *od.* Mitarbeiter(in) eines Jahrbuches *od.* -heftes. — **ˈan·nu·alˌize** *v/i* für ein Jahrbuch schreiben.
an·nu·al| par·al·lax *s astr.* jährliche Abweichung. — **~ rain·fall** *s* jährliche Regenmenge. — **~ re·port** *s* Jahresbericht *m*. — **~ ring** *s bot.* Jahresring *m*.
an·nu·ar·y [*Br.* ˈænjuəri; *Am.* -ˌeri] jährliche Veröffentlichung, Jahrbuch *n*.
an·nu·ent [ˈænjuənt] *adj med.* vorwärts-, abwärtsbeugend: ~ muscle Nickmuskel.

an·nu·i·tant [əˈnjuitənt; -ət-; *Am. auch* əˈnuː-] *s* Empfänger(in) einer Jahresrente, Rentner(in).

an·nu·i·ty [əˈnjuiti; -əti; *Am. auch* əˈnuː-] *s* **1.** Jahres-, Leibrente *f*, jährliche Pfründe: → contingent 1; immediate 3; terminable 2. – **2.** Jahrgeld *n*, Jahresgehalt *n*, jährliches Einkommen. – **3.** Annuiˈtät *f*, Jahresrate *f*, -zahlung *f*. – **4.** jährlich zu zahlende Zinsen *pl*. – **5.** *pl* ˈRentenpaˌpiere *pl*. – **6.** *Am. hist.* jährliche Austeilung (*meist von Waren u. Lebensmitteln*) an Indiˈaner. — ~ **bank** *s econ.* Rentenbank *f*. — ~ **bond** *s econ.* Rentenbrief *m*. — ~ **hold·er** *s* Soziˈalrentner *m*.

an·nul [əˈnʌl] *pret u. pp* **anˈnulled** *v/t* **1.** annulˈlieren, vernichten, zerstören, austilgen. – **2.** (*Gesetze*) aufheben, annulˈlieren, für ungültig *od.* nichtig erklären, (*Gebräuche etc*) abschaffen. – **3.** tilgen, widerˈrufen, zuˈrücknehmen. – *SYN. cf.* nullify.

an·nu·lar [ˈænjulər; -jə-] **I** *adj* **1.** ringförmig, einen Ring *od.* Ringe bildend, geringelt, voller Ringe. – **2.** Ring... – **II** *s selten* **3.** Ringfinger *m*. — ~ **au·ger** *s tech.* Ring-, Kreisbohrer *m*. — ~ **cog wheel** *s tech.* Zahnrad *n* mit Innenverzahnung. — ~ **duct** *s bot.* Ringgefäß *n*. — ~ **e·clipse** *s astr.* ringförmige Sonnenfinsternis. — ~ **gear** *s tech.* Getriebe *n* mit Innenzahnung.

an·nu·lar·i·ty [ˌænjuˈlæriti; -jə-; -əti] *s* Ringförmigkeit *f*, Ringähnlichkeit *f*.

an·nu·lar| lig·a·ment *s med.* den Fußknöchel *od.* das Handgelenk umˈschließendes Muskelband. — ~ **mi·crom·e·ter** *s tech.* Mikroˈmeterzirkel *m*. — ~ **saw** *s tech.* Kron-, Ringsäge *f*. — ~ **vault** *s arch.* Ringgewölbe *n*.

an·nu·lar·y [*Br.* ˈænjuləri; *Am.* -ˌleri] **I** *s* **1.** Ringfinger *m*. – **II** *adj* **2.** ringförmig. – **3.** Ring...

an·nu·late [ˈænjuˌleit; -lit; -jə-], **ˈan·nuˌlat·ed** [-id] *adj* **1.** geringelt, aus Ringen bestehend. – **2.** von Farbringen umˈgeben. – **3.** *bot.* ringförmig. – **4.** *zo.* zu den Ringelwürmern gehörig. – **5.** Ring...: ~ column *arch.* Ringsäule. — **ˌan·nuˈla·tion** *s* **1.** Ringform *f*. – **2.** Ringbildung *f*. – **3.** Ring *m*, Gürtel *m*.

an·nu·let [ˈænjulit; -jə-] *s* **1.** kleiner Ring, Ringelchen *n*. – **2.** *arch.* a) schmale ringförmige Verzierung, b) *bes. pl* Anuli *pl*, Riemchen *pl* (*am dorischen Kapitell*). – **3.** *her.* Ring *m* (*als Wappenzeichen*).

an·nu·let·tée [ˌænjuleˈtei] *adj her.* mit Ringelchen an den Enden.

an·nu·lism [ˈænjuˌlizəm; -jə-] *s* Geringeltsein *n*, ringförmiger Bau *od.* Wuchs.

an·nul·la·bil·i·ty [əˌnʌləˈbiliti; -əti] *s* Annulˈlierbarkeit *f*, Aufhebbarkeit *f*, Tilgbarkeit *f*. — **anˈnul·la·ble** *adj* annulˈlierbar, aufhebbar, tilgbar.

an·nul·ment [əˈnʌlmənt] *s* **1.** Ungültigkeitserklärung *f*, Aufhebung *f*: ~ of marriage Nichtigkeitserklärung der Ehe (*durch das Gericht*). – **2.** Annulˈlierung *f*, Tilgung *f*. – **3.** Vernichtung *f*.

an·nu·loid [ˈænjuˌlɔid; -jə-] *zo.* **I** *adj* zu den Ringelwürmern gehörig. – **II** *s* Ringelwurm *m*. — **ˈan·nuˌlose** [-ˌlous] *adj zo.* **1.** mit Ringen versehen. – **2.** zu den Ringelwürmern gehörig.

an·nu·lus [ˈænjuləs; -jə-] *pl* **-li** [-ˌlai] *od.* **-lus·es** *s* **1.** Ring *m*. – **2.** *math.* Kreisring *m*. – **3.** *biol.* Ring *m*. – **4.** *med.* a) Ring *m*, ringförmige Öffnung, b) Bruchring *m*. – **5.** *bot.* Annulus *m*, Ring *m* (*an Pilzen, am Farnsporangium etc*). – **6.** *astr.* Lichtkreis *m* um den Mondrand (*bei Sonnenfinsternis*). – **7.** → annulet 2.

an·nun·ci·ate [əˈnʌnʃiˌeit] *v/t* ankündigen, verkünden, berichten, anzeigen. — **anˌnun·ciˈa·tion** *s* **1.** Ankündigung *f*, Verkündigung *f*, Bekanntmachung *f*. – **2.** A~ *relig.* Maˈriä Verkündigung. – **3.** A~, *auch* A~ Day Fest *n* der Verkündigung Maˈriä, Mariä Verkündigung *f* (*25. März*). — **anˈnun·ciˌa·tive** *adj* ankünd(ig)end, verkünd(ig)end. — **anˈnun·ciˌa·tor** [-tər] *s* **1.** Verkünd(ig)er *m*, Ankünder *m* (*von Nachrichten etc*). – **2.** *electr.* Siˈgnalappaˌrat *m*, -tafel *f*, -einrichtung *f*.

ano-[1] [eino] *med. Wortelement mit der Bedeutung* Anus, After.

ano-[2] [æno] *Wortelement mit der Bedeutung* aufwärts.

A No. 1 [ei ˈnʌmbər ˈwʌn] *Am. oft für* A 1.

a·no·a [əˈnouə] *s zo.* Aˈnoabüffel *m* (*Anoa depressicornis*).

a·no·ci·as·so·ci·a·tion [əˈnousiəˌsousiˈeiʃən], *auch* **a·no·ci·a·tion** [əˌnousiˈeiʃən] *s med.* Vorbehandlung *f* des zu opeˈrierenden Patiˈenten (*um Schock u. Erschöpfung nach der Operation zu verhindern*).

an·o·dal [æˈnoudl] → anodic.

an·ode [ˈænoud] *s electr.* Anˈode *f*, positiver Pol: DC ~ Anodenruhestrom. — ~ **bat·ter·y** *s* Anˈodenbatteˌrie *f*. — ~ **cir·cuit** *s* Anˈodenkreis *m*. — ~ **cur·rent** *s* Anˈodenstrom *m*. — ~ **de·tec·tion** *s* Anˈodengleichrichtung *f*. — ~ **rays** *s pl* Anˈodenstrahlen *pl*. — ~ **spot** *s* Fokus *m* (*bei Bildröhren etc*).

an·od·ic [æˈnɒdik] *adj* **1.** aufsteigend. – **2.** *electr.* anˈodisch, Anoden... – **3.** *bot.* anˈodisch (*Vorderrand eines Blattes in Richtung der Blattstellungsspirale*). — ~ **coat·ing** *s electr. tech.* anˈodischer ˈÜberzug, Eloˈxalˌüberzug *m*. — ~ **cur·rent den·si·ty** *s electr.* Anˈodenstromdichte *f*. — ~ **mud** *s electr.* Anˈodenschlamm *m*. — ~ **treat·ment** *s* Eloˈxalverfahren *n*.

an·od·ize [ˈænoˌdaiz] *v/t tech.* (*Metall*) anodiˈsieren, eloˈxieren, elektroˈlytisch behandeln.

an·o·dyne [ˈænoˌdain] *med.* **I** *adj* schmerzstillend (*auch fig.*): ~ necklace a) Zahnhalsband (*von zahnenden Kindern im 18. Jh. als Talisman getragen*), b) *humor.* Galgenstrick. – **II** *s* Anoˈdynum *n*, schmerzstillendes Mittel. — **ˌan·oˈdyn·ic** [-ˈdinik] *adj* schmerzstillend.

an·o·et·ic [ˌænoˈetik] *adj* **1.** *selten* undenkbar, unbegreiflich. – **2.** *psych.* idiˈotisch. [wurzelt.]

an·o·gen·ic [ˌænoˈdʒenik] *adj* tief ver-

a·no·ine [əˈnouain; -in] *adj zo.* aˈnoabüffelartig.

a·noint [əˈnɔint] *v/t* **1.** einölen. – **2.** einfetten, -reiben, -schmieren. – **3.** salben: the Lord's Anointed Gesalbter des Herrn, Herrscher von Gottes Gnaden. – **4.** *humor.* ˈdurchprügeln, versohlen. — **aˈnoint·ment** *s* Salbung *f*.

a·no·li, *auch* **a·no·le** [əˈnouli] *s zo.* Saumfingereidechse *f* (*Gattg Anolis*).

an·o·lyte [ˈænoˌlait] *s electr.* Anoˈlyt *m*, Anˈodenflüssigkeit *f*.

a·nom·a·li·flo·rous [əˌnɒməliˈflɔːrəs] *adj bot.* mit unregelmäßiger Blüte.

a·nom·a·li·ped [əˈnɒməliˌped], **aˈnom·a·liˌpod** [-ˌpɒd] *zo.* **I** *adj* mit Schreitfüßen. – **II** *s* Vogel *m* mit Schreitfüßen.

a·nom·a·lism [əˈnɒməˌlizəm] *s* Anomaˈlie *f*, Abweichung *f* (von der Regel), Unregelmäßigkeit *f*. — **aˈnom·a·list** *s ling. philos.* Anomaˈlist *m* (*Anhänger des Krates von Mallos*). — **aˌnom·aˈlis·tic**, *auch* **aˌnom·aˈlis·ti·cal** *adj* **1.** anoˈmal, unregelmäßig. – **2.** *astr.* die Anomaˈlie betreffend. – **3.** *ling. philos.* anomaˈlistisch. — **aˌnom·aˈlis·ti·cal·ly** *adv* (*auch zu* anomalistic).

anomalo- [ənɒməlo] *Wortelement mit der Bedeutung* unregelmäßig (gebildet).

a·nom·a·lo·scope [əˈnɒməloˌskoup] *s phys.* Anomaloˈskop *n* (*vereinfachter spektraler Farbmischapparat*).

a·nom·a·lous [əˈnɒmələs] *adj* **1.** anoˈmal, abˈnorm, regel-, normwidrig. – **2.** unregelmäßig, ungewöhnlich. – *SYN. cf.* irregular.

a·nom·a·ly [əˈnɒməli] *s* **1.** Anomaˈlie *f*, Abweichung *f* von der Norm, Abnormiˈtät *f*. – **2.** Unregelmäßigkeit *f*, Ungewöhnlichkeit *f*. – **3.** *astr.* Anomaˈlie *f* (*Winkelabstand eines Planeten od. Kometen vom Perihel seiner Bahn*). – **4.** *biol.* ˈMißbildung *f*. – **5.** *mus.* kleine Abweichung (*der Intervalle von der vollkommenen Stimmung*).

a·nom·ic [əˈnɒmik] *sociol.* **I** *s* → anomie. – **II** *adj* aˈnomisch. — **an·o·mie** [ˌænouˈmiː] *s* Anoˈmie *f* (*Zustand der Lockerung od. des Fehlens sozialmoralischer Leitideen*).

an·o·mite [ˈænoˌmait; -nə-] *s zo.* fosˈsile Zwiebelmuschel.

An·o·moe·an [ˌænoˈmiːən] *s relig. hist.* Anoˈmöer *m* (*arianischer Sektierer*).

an·o·mo·rhom·boid [ˌænəmoˈrɒmbɔid] *s min. phys.* unregelmäßig rhomboˈidischer Körper.

an·om·pha·lous [æˈnɒmfələs] *adj med.* nabellos.

an·o·mu·ral [ˌænoˈmju(ə)rəl] → anomuran I. — **ˌan·oˈmu·ran** *zo.* **I** *adj* mit unregelmäßigem Schwanz (*bes. Krustentiere*). – **II** *s* Krustentier *n* mit unregelmäßigem Schwanz (*Einsiedlerkrebs u. Verwandte*).

a·non [əˈnɒn] **I** *adv* **1.** schnell, bald, in kurzer Zeit. – **2.** ein anderes Mal, ˈwieder(um). – **3.** *obs.* soˈfort. – **II** *interj* **4.** *obs.* zu Ihrer Verfügung! zu Diensten! ich komme soˈfort.

a·no·nol [əˈnounɒl; -noul] *s chem.* Anoˈnol *n* ($C_{23}H_{38}O_4$).

an·o·nym [ˈænənim] *s* **1.** Anˈonymus *m* (*j-d der seinen Namen nicht angibt*). – **2.** Pseudoˈnym *n*, falscher Name. – **3.** Iˈdee, für die man kein Wort hat. — **a·non·y·ma** [əˈnɒnimə] *s med.* Anˈonyma *f*, Arˈteria *f* anˈonyma, unbenannte Schlagader. — **an·o·nyme** *cf.* anonym. — **ˌan·oˈnym·i·ty** *s* Anonymiˈtät *f*. — **a·non·y·mous** [əˈnɒniməs] *adj* anoˈnym, namenlos, ungenannt, ohne Namen, inˈkognito. — **aˌnon·yˈmun·cule** [-ˈmʌŋkjuːl] *s selten* unbedeutender anoˈnymer Schriftsteller.

an·o·öp·si·a [ˌænoˈɒpsiə] *s med.* Anopˈsie *f*, Aufwärtsschielen *n*.

a·noph·e·les [əˈnɒfiˌliːz; -fə-] *s zo.* Fiebermücke *f* (*Gattg Anopheles*).

an·oph·thal·mi·a [ˌænɒfˈθælmiə] *s med.* Anophthalˈmie *f*, angeborene Augenlosigkeit.

an·op·si·a [æˈnɒpsiə] *s med.* **1.** Anopˈsie *f*, Blindheit *f*, Nichtsehen *n*, Untätigkeit *f* der sonst gesunden Netzhaut. – **2.** → anoöpsia.

a·no·rak [ˈɑːnoˌrɑːk] *s* Anorak *m* (*Windjacke mit Kapuze*).

an·or·chi·a [æˈnɔːrkiə], **an·or·chism** [-kizəm] *s med.* Anorˈchie *f*, angeborene Hodenlosigkeit. — **anˈor·chous** *adj* hodenlos.

an·o·rec·tic [ˌænoˈrektik], **ˌan·oˈrec·tous** *adj med.* appeˈtitlos, ohne Eßlust. — **ˌan·oˈrex·i·a** [-ˈreksiə], **ˈan·oˌrex·y** *s med.* Anoreˈxie *f*, Appeˈtitlosigkeit *f*.

an·or·ga·na [æˈnɔːrgənə] *s pl* ˈanorˌganische Körper *pl*. — **an·or·ganˌism** *s* ˈanorˌganischer Körper. — **anˌor·gaˈnol·o·gy** [-ˈnɒlədʒi] *s selten* Lehre *f* von den ˈanorˌganischen Körpern.

a·nor·mal [eiˈnɔːrməl] *adj selten* anoˈmal. — **an·or·mal·i·ty** [ˌænɔːrˈmæliti; -əti] *s selten* Anomaˈlie *f*.

an·or·thic [æ'nɔːrθik] *adj math.* **1.** ohne rechte Winkel. – **2.** mit einem Achsenkreuz aus ungleichen, sich schiefwinklig schneidenden Achsen, tri'klinisch.
an·or·thite [æ'nɔːrθait] *s min.* Anor'thit *m.*
an·or·tho·pi·a [ˌænɔːr'θoupiə] *s med.* Schielen *n.*
an·or·tho·scope [æ'nɔːrθəˌskoup] *s phys.* Anortho'skop *n (Vorrichtung zur Erzielung optischer Täuschungen).*
an·or·tho·site [æ'nɔːrθəˌsait] *s min.* Anortho'sit *m.*
an·os·mi·a [æ'nɒzmiə; -'nɒs-] *s med.* Anos'mie *f,* Fehlen *n* des Geruchssinnes. — **an'os·mic** *adj* an'osmisch.
an·oth·er [ə'nʌðər] *adj u. pron* **1.** ein anderer, eine andere, ein anderes (than als), ein verschiedener, eine verschiedene, ein verschiedenes: → one 7 *u.* 10; **that is ~ pair of shoes** *colloq.*, **that is ~ thing altogether** das ist eine ganz andere Sache; **he is ~ man now** er ist jetzt ein anderer Mensch; **in ~ place** a) anderswo, b) *pol. Br.* im anderen Hause dieses Parlaments (*Höflichkeitsformel, gebraucht wenn ein Mitglied des Unterhauses ein Geschehnis im Oberhaus erwähnt u. umgekehrt*). – **2.** noch ein(er, e, es), ein zweiter, eine zweite, ein zweites, ein weiterer, eine weitere, ein weiteres: **will you take ~ cup?** (trinken Sie) noch eine Tasse? **yet ~** noch ein(er, e, es); **~ day or two** noch einige Tage; **~ five weeks** noch fünf Wochen; **not ~ word!** kein Wort mehr! **~ Shakespeare** ein zweiter Shakespeare; **you're ~!** *sl.* selber eine(r)! (*als Entgegnung auf einen Vorwurf*); **tell us ~** *sl.* das kannst du uns nicht erzählen; **A.N.Other** *sport* ein (ungenannter) Ersatzmann (*bes. im Kricket u. Fußball*). — **an'oth·er-ˌguess** *adj obs.* von anderer Art, verschiedenartig.
an·ox·(a)e·mi·a [ˌænɒk'siːmiə] *s med.* Anoxä'mie *f (Sauerstoffmangel im Blut).* — **ˌan·ox'(a)e·mic** *adj* **1.** Anoxä'mie betreffend, ano'xämisch. – **2.** sauerstoffarm (*Blut*).
an·ox·i·a [æ'nɒksiə] *s med.* Sauerstoffmangel *m.*
an·sa ['ænsə] *pl* **-sae** [-iː] *s* **1.** *antiq.* Henkel *m.* – **2.** *astr. henkelartig aussehender Teil eines Himmelskörpers, bes. jede der sichtbaren Hälften des Saturnringes.* – **3.** *med.* Schleife *f,* Schlinge *f.*
an·sar [æn'sɑːr] *s pl* An'saren *pl (die ersten Anhänger Mohammeds).*
an·sate ['ænseit] *adj* **1.** mit Henkel(n) *od.* Griff(en). – **2.** henkelförmig. — **~ cross** → **ankh.**
an·sa·tion [æn'seiʃən] *s* 'Herstellung *f* von Henkeln *od.* Griffen.
An·ser ['ænsər] *s astr.* Gans *f (Stern in der Milchstraße).*
an·ser·at·ed ['ænsəˌreitid] *adj her.* an den Enden mit doppelten Adler-, Löwen- *od.* Schlangenköpfen versehen.
an·ser·in ['ænsərin] → **anserine**[2].
an·ser·ine[1] ['ænsəˌrain; -rin] *adj* **1.** gänseartig, Gänse... – **2.** *fig.* dumm wie eine Gans, albern. – **3.** *zo.* zu den Anseres *od.* den Anse'rinae gehörig.
an·ser·ine[2] ['ænsəˌriːn; -rin] *s chem.* Anse'rin *n* ($C_{10}H_{16}N_4O_3$).
an·ser·ous ['ænsərəs] *adj* **1.** gänseartig. – **2.** *fig.* dumm, albern.
an·swer [*Br.* 'ɑːnsər; *Am.* 'æ(ː)n-] **I** *s* **1.** Antwort *f,* Erwiderung *f,* Entgegnung *f* (to auf *acc*): **in ~ to s.th.** a) in Beantwortung einer Sache, b) auf etwas hin. – **2.** *fig.* Antwort *f,* Reakti'on *f*: **his ~ was a new attack** seine Antwort war ein neuer Angriff. – **3.** Gegenmaßnahme *f.* – **4.** *jur.* a) Klagebeantwortung *f,* Gegenschrift *f,* b) Verteidigung *f,* (*im weiteren Sinne*) Rechtfertigung *f.* – **5.** *bes. math.* (Auf)Lösung *f (einer Aufgabe),* Resul'tat *n,* Ergebnis *n.* – **6.** *mus.* Antwort *f,* Beantwortung *f.* – **II** *v/i* **7.** antworten, eine Antwort geben (to auf *acc*): **to ~ back** *colloq.* freche Antworten geben, widersprechen. – **8.** *fig. tech.* rea'gieren (to auf *acc*): **the steering ~s to the slightest movement** die Steuerung gehorcht der leichtesten Bewegung. – **9.** *jur.* sich verteidigen, Einspruch erheben. – **10.** sich verantworten, sich rechtfertigen, Rechenschaft ablegen, Rede (und Antwort) stehen (for für). – **11.** verantwortlich sein, die Verantwortung tragen, haften, (sich ver)bürgen (for für). – **12.** (for) dienen, entsprechen (*dat*), passen, taugen (für): **to ~ for a purpose** einem Zwecke dienen. – **13.** genügen, ausreichen, taugen (for für), seinen Zweck erfüllen: **it did not ~ well** es erfüllte seinen Zweck nicht gut. – **14.** glücken, gelingen: **to ~ well.** – **15.** (to) über'einstimmen (mit), gemäß sein, entsprechen (*dat*): **he ~s this description** diese Beschreibung paßt auf ihn. – **16.** hören (to auf *einen Namen*). –
III *v/t* **17.** (*j-m*) antworten, erwidern, entgegnen. – **18.** antworten auf (*acc*), beantworten: **to ~ s.o. a question** j-m eine Frage beantworten. – **19.** *fig.* rea'gieren auf (*acc*): **to ~ the bell** (*od.* **door**) (*auf das Läuten od. Klopfen*) die Tür öffnen. – **20.** sich verteidigen gegen (*Anklage etc*). – **21.** (*j-m*) Rede stehen *od.* Rechenschaft geben (for für, über *acc*), sich verantworten *od.* rechtfertigen vor (*j-m*). – **22.** Folge leisten, entsprechen, nachkommen (*dat*), befriedigen, erfüllen: **he ~ed my wishes** er erfüllte meine Wünsche. – **23.** (*j-m*) genügen, (*j-n*) zu'friedenstellen: **this room will ~ him** dieses Zimmer wird ihm genügen. – **24.** (*einem Zweck*) dienen, entsprechen. – **25.** *bes. math.* (*Aufgabe*) lösen. – **26.** (*Auftrag*) ausführen, voll'führen, erledigen. – **27.** (*Vertrag*) erfüllen. – **28.** (*einer Beschreibung*) entsprechen, über'einstimmen mit, passen zu. – **29.** *econ.* (*Wechsel*) decken, hono'rieren. – **30.** *tech.* rea'gieren auf (*acc*), gehorchen (*dat*): **the ship ~s her helm.** – **31.** *mus.* (*Thema*) beantworten. – *SYN.* **rejoin**[2], **reply, respond, retort**[1].
an·swer·a·bil·i·ty [*Br.* ˌɑːnsərə'biliti; -lə-; *Am.* ˌæ(ː)n-] *s* Verantwortlichkeit *f.* — **'an·swer·a·ble** *adj* **1.** verantwortlich, haftbar (for für): **to be ~ to s.o. for s.th.** j-m für etwas haften *od.* bürgen, sich vor j-m *od.* sich j-m gegenüber für etwas verantworten müssen. – **2.** *obs.* entsprechend, angemessen, gemäß (to *dat*). – **3.** *selten* beantwortbar, zu beantworten(d). – *SYN. cf.* **responsible.** — **'an·swer·a·ble·ness** *s* Verantwortlichkeit *f.* — **'an·swer·less** *adj* **1.** ohne Antwort, unbeantwortet. – **2.** unbeantwortbar, nicht zu beantworten(d).
ant [ænt] *s zo.* Ameise *f (Fam. Formicidae).*
ant- [ænt] *Vorsilbe mit der Bedeutung* gegen, wider (*vor Vokalen*).
an't [ɑːnt; eint] → **ain't.**
an·ta[1] ['æntə] *pl* **-tae** [-tiː] *s arch.* Ante *f,* Pi'laster *m,* Eckpfeiler *m.*
an·ta[2] ['ɑːntə] *s zo.* Anta *n,* Gemeiner Amer. Tapir (*Tapirus americanus*).
ant·ac·id [æn'tæsid] **I** *s med.* Anti'acidum *n,* gegen Magensäure wirkendes Mittel. – **II** *adj* Säuren entgegenwirkend, Säuren neutrali'sierend.
an·tae ['æntiː] *pl von* **anta**[1].
an·tag·o·nism [æn'tægəˌnizəm] *s* **1.** Antago'nismus *m,* 'Widerstreit *m,* Zwiespalt *m,* Zwist *m,* Feindschaft *f* (**between** zwischen *dat*). – **2.** Entgegenwirken *n,* 'Widerstand *m,* Wider'streben *n* (against, to gegen). – **3.** *med.* Antago'nismus *m,* Wechsel-, Gegenwirkung *f.* – *SYN. cf.* **enmity.** — **an'tag·o·nist I** *s* **1.** Antago'nist *m,* Gegner *m,* 'Widersacher *m,* Feind *m.* – **2.** *med.* Antago'nist *m,* Gegenmuskel *m,* -wirker *m.* – **3.** *biol. chem.* antago'nistisch wirkender Stoff. – *SYN. cf.* **opponent.** – **II** *adj* **4.** Gegen...: **~ muscle** Gegenmuskel. – **5.** → **antagonistic.** — **anˌtag·o'nis·tic, anˌtag·o'nis·ti·cal** *adj* antago'nistisch, gegnerisch, wider'streitend, entgegenwirkend. – *SYN. cf.* **adverse.** — **an'tag·oˌnize I** *v/t* **1.** entgegenwirken (*dat*), ankämpfen gegen, bekämpfen. – **2.** sich (*j-n*) zum Gegner machen, sich verfeinden mit (*j-m*). – **II** *v/i* **3.** wider'streben, wider'streiten. – **4.** 'Widerstand her'vorrufen, Feindschaft erwecken. – *SYN. cf.* **oppose.**
ant·al·ka·li [æn'tælkəˌlai; -li] *pl* **-lies** *od.* **-lis** *s chem.* Gegenmittel *n* gegen Al'kali. — **ant'al·kaˌline** [-ˌlain; -lin] **I** *adj* al'kalische Wirkungen aufhebend. – **II** *s* → **antalkali.**
ant·a·nac·la·sis [ˌæntə'nækləsis] *s* (*Rhetorik*) Anta'naklasis *f*: a) *Wiederholung eines Wortes in verschiedener Bedeutung,* b) *Wiederholung eines Wortes nach langem Zwischensatz.*
ant·a·pol·o·gy [ˌæntə'pɒlədʒi] *s* Gegenverteidigung *f.*
ant·arch·ism ['æntɑːrˌkizəm] *s selten* Anar'chismus *m,* 'Widerstand *m* gegen jede Re'gierungsform. — **'ant·arch·ist** *s selten* Anar'chist *m.*
Ant·arc·ta·li·a [ˌæntɑːrk'teiliə] *s biol. geogr.* Bereich *m* der ant'arktischen Meeresfauna.
ant·arc·tic [æn'tɑːrktik] **I** *adj* **1.** ant'arktisch, Südpol... – **II** *s* **2.** südlicher Po'larkreis. – **3.** Südpol *m.* – **4.** Ant'arktis *f.* — **Ant'arc·ti·ca** [-kə] *s* Ant'arktik *f.*
Ant·arc·tic| Cir·cle *s geogr.* südlicher Po'larkreis. — **~ O·cean** *s* südliches Eismeer. — **~ Zone** *s* Ant'arktis *f.*
An·tar·es [æn'tɛ(ə)riːz] *s astr.* Ant'ares *m (großer roter Stern im Skorpion).*
ant| bear *s zo.* **1.** Ameisenbär *m (Myrmecophaga jubata).* – **2.** → **aardvark.** — **~ bird, ~ catch·er** *s zo.* Ameisenvogel *m (Fam. Formicariidae).*
an·te ['ænti] (*Lat.*) **I** *adv u. prep* **1.** vor, vorher: → **~ meridiem.** – **II** *s* **2.** (*Pokerspiel*) *Am.* Einsatz *m.* – **III** *v/t u. v/i* **3.** *meist* **~ up** (*Pokerspiel*) *Am.* (ein)setzen. – **4.** *auch* **~ up** *Am. fig.* seine Schulden begleichen, (be)zahlen.
ante-[1] [ænti] *Wortelement mit der Bedeutung* vor, vorher, vorangehend, früher.
ante-[2] [ænti] *obs. für* **anti-.**
an·te·al ['æntiəl] *adj* im Vordergrund stehend, vor'angehend, da'vor.
'antˌeat·er *s zo.* **1.** → **ant bear.** – **2.** → **echidna.** – **3.** Ameisenbeutler *m (Myrmecobius fasciatus).* – **4.** → **ant bird.**
an·te·bel·lum ['ænti'beləm] (*Lat.*) *adj* **1.** vor dem Kriege, Vorkriegs... – **2.** *bes. Br.* vor dem ersten Weltkriege.
ˌan·te'bra·chi·al *adj med.* den 'Unterarm betreffend.
'an·teˌcab·i·net *s* Vorzimmer *n (zu einem privaten Audienzzimmer).*
an·te·ce·da·ne·ous [ˌæntisi'deiniəs] *adj* vor'hergehend, vorig, vorgängig.
an·te·cede [ˌænti'siːd] **I** *v/i* **1.** vor'hergehen. – **2.** den Vorrang haben. — **II** *v/t* **3.** den Vorrang haben vor (*dat*), über'treffen. – **4.** (*einer Sache*) vor'ausgehen. — **ˌan·te'ced·ence** [-'siːdəns] *s* **1.** Vortritt *m,* Vorrang *m.* – **2.** *astr.* Rückläufigkeit *f (eines Planeten von Ost nach West).* — **ˌan·te-**

'ced·en·cy *s* 1. Vortritt *m*, Vorrang *m*. – 2. *pl* Anteze'denzien *pl*, vor'hergegangene Ereignisse *pl*. — ˌ**an·te-'ced·ent I** *adj* 1. vor'her-, vor'angehend, vorig, vorgängig: ~ phrase *mus*. Vordersatz. – 2. *philos*. a pri'ori angenommen, ohne vor'ausgehende Ergründung. – *SYN. cf.* preceding. – **II** *s* 3. *pl* Anteze'denzien *pl*, frühere 'Umstände *od*. Vorfälle *pl*. – 4. *ling*. Ante'zedens *n*, Beziehungswort *n*. – 5. *philos*. Ante'zedens *n*, Prä'misse *f*. – 6. *math*. Vorderglied *n*, erstes Glied eines Verhältnisses. – 7. *mus*. a) Vordersatz *m*, b) (Kanon- *od*. Fugen)Thema *n*, Dux *m*. – *SYN. cf.* cause.

an·te·ces·sor [ˌænti'sesər] *s* Vorgänger *m*.

'an·teˌcham·ber *s* Vorzimmer *n*.

'an·teˌchap·el *s* Vorhalle *f* einer Ka'pelle.

'an·teˌchoir *s arch*. Vorchor *m* (*in Kirchen*).

'an·teˌchurch *s arch*. Vorhalle *f* einer Kirche.

ˌ**an·te·com'mun·ion** *s* (*anglikanische Kirche*) 'Vorkommuniˌon *f*.

'an·teˌdate I *s* 1. 'Vor- *od*. Zu'rückdaˌtierung *f*. – **II** *v/t* 2. 'vor- *od*. zu'rückdaˌtieren. – 3. früher eintreten lassen, beschleunigen. – 4. vor'wegnehmen. – 5. (*der Zeit nach*) vor'angehen (*dat*).

an·te·di·lu·vi·al [ˌæntidi'luːviəl] *adj* ˌantediluvi'anisch, vorsintflutlich. — ˌ**an·te·di'lu·vi·an I** *adj* 1. ˌantedilu-vi'anisch, vorsintflutlich. – 2. *fig*. rückständig, über'lebt, veraltet. – **II** *s* 3. vorsintflutliches Wesen, rückständige Per'son. – 4. sehr alte Per'son.

an·te·fix ['æntiˌfiks] *pl* **-fix·es** *od*. **-fix·a** [-ə] *s arch*. (*ornamentaler*) Stirnziegel.

an·te·flexed [ˌænti'flekst] *adj med*. vorwärts geknickt, nach vorn verlagert (*bes. Gebärmutter*). — ˌ**an·te'flex·ion** [-'flekʃən] *s med*. Vorwärtsknickung *f*, Verlagerung *f* nach vorn (*bes. der Gebärmutter*).

ant egg *s zo*. Ameisenpuppe *f*.

an·te·grade ['æntiˌgreid] *adj* fortschreitend, fortschrittlich.

an·te·lo·ca·tion [ˌæntilo'keiʃən] *s med*. Vorverlagerung *f* (*eines Organs, bes. der Gebärmutter*).

an·te·lope ['æntiˌloup] *pl* **-lope** *od*. **-lopes** *s* 1. *zo*. Anti'lope *f* (*Unterfam. Antilopinae*). – 2. Anti'lopenleder *n*. — ~ **brush** *s bot*. *eine nordamer. Rosacee* (*Purshia tridentata*).

an·te·lu·can [ˌænti'ljuːkən] *adj* vor Tagesanbruch (stattfindend) (*bes. von Versammlungen der ersten Christen*).

ˌ**an·te·me'rid·i·an** *adj* vormittägig, am Vormittag stattfindend, Vormittags... — **an·te me·rid·i·em** ['ænti mi'ridiem; -diəm] (*Lat*.) 1. vormittags (*abgekürzt* a.m.). – 2. (*die Zeit*) zwischen null und zwölf Uhr mittags.

ˌ**an·te'mun·dane** *adj* vorweltlich.

ˌ**an·te'na·tal** *adj* vor der Geburt (geschehen[d] *od*. liegend).

an·te·na·ti [ˌænti'neitai] (*Lat*.) *s pl jur*. vorher Geborene *pl* (*Leute, die vor einem bestimmten Ereignis geboren wurden*).

'an·teˌnave *s arch*. Kirchenvorschiff *n*.

ˌ**an·te-Ni'cae·an**, ˌ**an·te-'Ni·cene** *adj relig*. 'vorniˌzäisch (*vor dem ersten Konzil von Nicäa liegend*).

an·ten·na [æn'tenə] **I** *s* 1. *pl* **-nae** [-iː] *zo*. Fühler *m*, Fühlhorn *n*. – 2. *fig*. Fühler *m*. – 3. *pl* **-nas** *electr*. An'tenne *f*. – **II** *v/t* 4. mit den Fühlern berühren. — ~ **coil** *s electr*. An'tennenspule *f*. — ~ **dou·ble** *s electr*. An'tennenpaar *n*.

an·ten·nal club [æn'tenl] *s zo*. Fühlerkeule *f*.

an·ten·na·ry [æn'tenəri] *adj zo*. 1. die Fühler betreffend, Fühler... – 2. fühler- *od*. fühlhornartig. — **an'ten·nate** [-it; -eit], ˌ**an·ten'nif·er·ous** [-tə'nifərəs] *adj zo*. Fühler besitzend. — **an'ten-niˌform** [-ˌfɔːrm] *adj zo*. fühlhornartig. — **an'ten·nu·lar** [-julər; -jə-], **an'ten·nu·lar·y** [*Br*. -ləri; *Am*. -ˌleri] *adj zo*. 1. An'tennulas betreffend *od*. tragend. – 2. an'tennulaartig. — **an-'ten·nule** [-juːl] *s zo*. An'tennula *f*, kleines Fühlhorn *od*. fühlhornartiges Or'gan, 'Vorderfühler *m*, -anˌtenne *f*.

ˌ**an·te'nup·tial** *adj* vorehelich: ~ contract Ehevertrag.

an·te·pag·men·ta [ˌæntipæg'mentə], ˌ**an·te'pag·ments** [-mənts] *s pl antiq. arch*. Archi'trav *m* (*an Türen etc*).

'an·teˌpast *s* Vorgeschmack *m*.

an·te·pen·di·um [ˌænti'pendiəm] *pl* **-di·a** [-ə] *s relig*. Ante'pendium *n*, Al'tarvorhang *m*.

an·te·pe·nult [ˌænti'piːnʌlt] *s* drittletzte Silbe. — ˌ**an·te·pe'nul·ti·mate** [-pi'nʌltimit; -ˌmeit] **I** *s* 1. drittletzte Silbe. – 2. (*Whistspiel*) drittniedrigste Karte einer Farbe. – **II** *adj* 3. drittletzt(er, e, es) (*bes. von Silben*).

ant·eph·i·al·tic [ænˌtefi'æltik] *med*. **I** *adj* gegen Alpdruck dienend. – **II** *s* gegen Alpdruck wirksames Mittel.

ˌ**an·te·po'si·tion** *s* 1. *ling*. Vor'anstellung *f*. – 2. *bot*. Überein'anderstehen *n* (*der Blätter zweier aufeinanderfolgender Quirle*). – 3. *med*. Vorverlagerung *f* (*eines Organs*).

an·te·ri·or [æn'ti(ə)riər] *adj* 1. vorder, Vor..., Vorder... – 2. vor'hergehend, vor, (*zeitlich*) früher, älter (to als). – *SYN. cf.* preceding. — ~ **cer·e·bral ar·ter·y** *s med*. Balkenschlagader *f*. — ~ **horn** *s med*. Vorderhorn *n*.

an·te·ri·or·i·ty [ænˌti(ə)ri'ɒriti; -əti], **an'te·ri·or·ness** [-ərnis] *s* 1. Vor'hergehen *n*, früheres Stattfinden. – 2. Vorrang *m*.

antero- [æntəro] *Wortelement mit der Bedeutung* vorn, von vorn, Vorderseite: anteroexternal mit der Vorderseite nach außen; anterolateral nach vorn und nach der Seite gelegen *od*. gerichtet.

'an·teˌroom *s* 1. Vorraum *m*, Vesti'bül *n*. – 2. Vor-, Wartezimmer *n*.

'an·teˌscript *s* vor'hergehende Bemerkung (*in einem Schriftstück*).

'an·teˌtem·ple *s* Vorhalle *f* eines Tempels.

'an·teˌtype *s* Vor-, Urbild *n*, Proto'typ *m*.

an·te·ven·ient [ˌænti'viːnjənt] *adj* vor'herkommend.

an·te·ver·sion [ˌænti'vəːrʃən] *s med*. Vorwärtsbeugung *f* (*bes. der Gebärmutter*). — ˌ**an·te'vert** *v/t* nach vorne neigen, vorwärtsbeugen.

ant fly *s zo*. geflügelte Ameise.

anth- [ænθ] → antho-.

an·the·la [æn'θiːlə] *pl* **-lae** [-iː] *s bot*. Spirre *f* (*ein Blütenstand*).

ant·he·li·on [ænt'hiːliən; æn'θiː-] *pl* **-li·a** [-ə] *od*. **-li·ons** *s astr*. Ant'helion *n*, Gegensonne *f*.

an·thel·min·tic [ˌænθel'mintik] *med*. **I** *adj* wurmvertreibend, anthel'mintisch. – **II** *s* Wurmmittel *n*, Anthel'mintikum *n*.

an·them ['ænθəm] *mus*. **I** *s* 1. *relig*. (*anglikanisches*) Anthem: a) (Chor-)Hymne *f*, Cho'ral *m*, Kirchenlied *n*, b) Mo'tette *f*, c) Kan'tate *f*, d) *obs*. Wechselgesang *m*. – 2. Hymne *f*, Preis-, Jubel-, Festgesang *m*. – **II** *v/t* 3. *poet*. mit Hymnen feiern *od*. preisen.

an·the·mene ['ænθiˌmiːn] *s chem*. Anthe'men *n* ($C_{18}H_{36}$).

an·the·mi·on [æn'θiːmiən] *pl* **-mi·a** [-ə] *s arch*. An'themion *n* (*stilisiertes Geißblattornament*).

'an·themˌwise *adv mus*. nach Art eines Wechselgesangs, im Wechsel.

an·ther ['ænθər] *s bot*. An'there *f*, Staubbeutel *m*. — **'an·ther·al** *adj* Staubbeutel...

an·ther·id ['ænθərid] → antheridium. — ˌ**an·ther'id·i·al** *adj* das Anthe'ridium betreffend. — ˌ**an·ther'id·i·um** [-iəm] *pl* **-i·a** [-ə] *s bot*. Anthe'ridium *n* (*männliches Geschlechtsorgan der Gefäßkryptogamen u. Moose, mancher Pilze u. Algen*).

an·ther·if·er·ous [ˌænθə'rifərəs] *adj bot*. Staubbeutel tragend. — **'an-therˌoid** *adj bot*. staubbeutelartig *od*. -ähnlich.

an·ther·o·zo·id [ˌænθəro'zouid] *s bot*. Spermatozo'id *n*.

an·the·sis [æn'θiːsis] *s bot*. Blüte(zeit) *f*.

'antˌhill, ant hill·ock *s zo*. Ameisenhügel *m*.

an·thine ['ænθain; -θin] *adj* 1. *bot*. Blüten betreffend, Blüten... – 2. *zo*. die Pieper (*Vögel der Gattung Anthus*) betreffend, Pieper...

antho- [ænθo] *Wortelement mit der Bedeutung* Blume, Blüte.

an·tho·carp ['ænθoˌkɑːrp; -θə-] *s bot*. Frucht *f* mit bleibender Blütenhülle.

an·tho·clin·i·um [ˌænθo'kliniəm; -θə-] *pl* **-i·a** [-ə] *s bot*. Blütenboden *m*.

an·tho·cy·an [ˌænθo'saiən; -θə-], ˌ**an-tho'cy·a·nin** [-nin] *s chem*. Anthocy'an *n* (*blauer Farbstoff der Pflanzen*).

an·tho·di·um [æn'θoudiəm] *pl* **-di·a** [-ə] *s bot*. Blütenkörbchen *n*.

an·thog·ra·phy [æn'θɒgrəfi] *s bot*. Blütenbeschreibung *f*.

an·thoid ['ænθɔid] *adj* blumen- *od*. blütenartig.

an·tho·lite ['ænθoˌlait; -θə-] *s geol*. Antho'lit *m* (*versteinerte Blume od. blumenähnliches Fossil*).

an·tho·log·i·cal [ˌænθə'lɒdʒikəl] *adj* antho'logisch, eine Antholo'gie betreffend. — **an·thol·o·gist** [æn'θɒlədʒist] *s* Her'ausgeber(in) einer Antholo'gie. — **an'thol·oˌgize I** *v/i* 1. Antholo'gien zu'sammenstellen. – **II** *v/t* 2. in eine Antholo'gie aufnehmen. – 3. in einer Antholo'gie zu'sammenfassen. — **an'thol·o·gy** *s* 1. Antholo'gie *f*, Sammlung *f* (*von Gedichten od. sonstigen Schriften*). – 2. *selten* Blumengebinde *n*, Blumensammlung *f*. – 3. *relig*. Gebetsammlung *f* (*der Ostkirche*).

an·thol·y·sis [æn'θɒlisis; -lə-] *s bot*. Antho'lyse *f* (*abnorme Rückbildung der Blütenteile*).

An·tho·nin ['ænθənin; -tə-] *s relig*. Antoni'aner *m*, Anto'niter *m*.

An·tho·ny pig ['æntəni] *s* An'toniusschwein *n* (*kleinstes Ferkel eines Wurfes*).

an·tho·phil·i·an [ˌænθo'filiən; -θə-], **an·thoph·i·lous** [æn'θɒfiləs; -fə-] *adj zo*. blütenliebend, sich von Blüten nährend.

an·tho·phore ['ænθoˌfɔːr; -θə-] *s bot*. stielartig verlängerte Blütenachse. — **an·thoph·o·rous** [æn'θɒfərəs] *adj* blütentragend.

an·tho·phyl·lite [ˌænθə'filait; æn'θɒfəˌlait] *s min*. Anthophyl'lit *m*.

an·tho·sid·er·ite [ˌænθo'sidəˌrait; -θə-] *s min*. Anthoside'rit *m*.

an·tho·tax·y ['ænθoˌtæksi; -θə-] *s bot*. Blütenstand *m*, Inflores'zenz *f*.

an·tho·xan·thin [ˌænθo'zænθin; -θə-] *s chem*. Anthoxan'thin *n*, Blumengelb *n*.

an·tho·zo·an [ˌænθo'zouən; -θə-] *zo*. **I** *s* Blumen-, Ko'rallentier *n* (*Klasse Anthozoa*). – **II** *adj* zu den Blumen- *od*. Ko'rallentieren gehörend.

an·thra·cene ['ænθrəˌsiːn] *s chem*. Anthra'cen *n*, Anthra'cin *n* ($C_{14}H_{10}$).

an·thra·chrys·one [ˌænθrə'krisoun] *s chem*. Anthrachry'son *n* ($C_{14}H_8O_6$).

an·thra·ci·a [æn'θreiʃiə] *s med*. Anthrax *m*, Milzbrand *m*. — **an·thrac·ic**

[æn'θræsik] *adj* den Anthrax *od.* Milzbrand betreffend.
an·thra·cif·er·ous [ˌænθrə'sifərəs] *adj geol.* anthra'zithaltig.
an·thra·cite ['ænθrəˌsait] *min.* **I** *s* Anthra'zit *m*, Glanzkohle *f.* – **II** *v/t* in Anthra'zit verwandeln.
an·thrac·nose [æn'θræknous] *s bot.* Anthrak'nose *f*, schwarzer Brenner, Pech *n* (*durch Pilze hervorgerufene Erkrankung der Reben*).
an·thra·coid ['ænθrəˌkɔid] *adj* **1.** *med.* milzbrandähnlich. – **2.** *min.* kar'funkelartig. – **3.** anthra'zitartig.
an·thra·com·e·ter [ˌænθrə'kɒmitər; -mət-] *s phys.* Kohlensäuremesser *m.*
an·thrac·o·nite [ˌæn'θrækəˌnait] *s min.* Anthrako'nit *m.*
an·thra·co·sis [ˌænθrə'kousis] *s med.* Anthra'kose *f*, Kohlenstaublunge *f.*
an·thra·qui·none [ˌænθrəkwi'noun] *s chem.* Anthrachi'non *n* ($C_{14}H_8O_2$).
an·thrax ['ænθræks] *s* **1.** *med.* a) Anthrax *m*, Milzbrand *m*, b) *selten* Blutseuche *f.* – **2.** *antiq. min.* Kar'funkel *m.*
anthrop- [ænθrəp; -θroup], **anthropo-** [ænθrəpo] *Wortelemente mit der Bedeutung* Mensch.
an·thro·po·cen·tric [ˌænθrəpo'sentrik] *adj philos.* anthropo'zentrisch (*den Menschen als Mittelpunkt der Welt u. Ziel des Weltgeschehens betrachtend*).
an·thro·po·gen·e·sis [ˌænθrəpo'dʒenisis; -nə-] *s* Anthropoge'nie *f*, (Studium *n* der) Entwicklungsgeschichte *f* des Menschen. — **ˌan·thro·po·ge'net·ic** [-dʒə'netik] *adj* anthropo'gen.
an·thro·po·ge·og·ra·phy [ˌænθrəpodʒi'ɒgrəfi] *s* Anthropogeogra'phie *f*, Lehre *f* von der Verbreitung menschlicher Lebensformen.
an·thro·po·graph·ic [ˌænθrəpo'græfik] *adj* anthropo'graphisch. — **ˌan·thro'pog·ra·phy** [-'pɒgrəfi] *s* Anthropogra'phie *f*, Unter'suchung *f* und Beschreibung *f* des Menschen(geschlechts).
an·thro·poid ['ænθrəˌpɔid] *zo.* **I** *adj* anthropo'id, menschenähnlich. – **II** *s* Anthropo'id *m*, Menschenaffe *m.*
an·thro·pol·a·try [ˌænθrə'pɒlətri] *s relig.* Anthropola'trie *f*: a) Vergöttlichung *f* eines menschlichen Wesens, b) Anbetung *f* eines in Menschengestalt vorgestellten Gottes.
an·thro·po·lith [æn'θroupəliθ], **an'thro·poˌlite** [-ˌlait] *s* Anthropo'lith *m* (*fossiler Menschenrest*).
an·thro·po·log·i·cal [ˌænθrəpo'lɒdʒikəl], *auch* **ˌan·thro·po'log·ic** *adj* anthropo'logisch. — **ˌan·thro'pol·o·gist** [-'pɒlədʒist] *s* Anthropo'loge *m.* — **ˌan·thro'pol·o·gy** *s* Anthropolo'gie *f*, Lehre *f* vom Menschen.
an·thro·po·man·cy ['ænθrəpoˌmænsi] *s* Anthropoman'tie *f*, Wahrsagen *n* aus menschlichen Eingeweiden.
an·thro·pom·e·ter [ˌænθrə'pɒmitər; -mət-] *s* Anthropo'meter *n* (*Instrument zur Messung der Körpergröße*). — **ˌan·thro'pom·e·try** *s* Anthropome'trie *f*, Messung *f* des menschlichen Körpers.
an·thro·po·mor·phic [ˌænθrəpo'mɔːrfik], **ˌan·thro·po'mor·phi·cal** *adj* anthropo'morph(isch), in Menschengestalt. — **ˌan·thro·po'mor·phism** *s* Anthropomor'phismus *m*, Vermenschlichung *f*: a) *relig.* Vorstellung *f* (eines) Gottes in Menschengestalt, b) Über'tragung *f* menschlicher Eigenschaften auf Tiere *od.* leblose Dinge. — **ˌan·thro·po'mor·phite** [-fait] *s relig.* Anthropomor'phit *m*, j-d der Gott Menschengestalt zuschreibt. — **ˌan·thro·po'mor·phize** *v/t* anthropomorphi'sieren, (*einem Gott, Tier od. leblosen Ding*) menschliche Gestalt zuschreiben. — **ˌan·thro·po·mor'phol·o·gy** [-'fɒlədʒi] *s* Vorstellung *f* Gottes in menschlicher Gestalt. — **ˌan·thro·po'mor·pho·sis** [-'mɔːrfəsis; -mɔːr'fousis] *s* Anthropomor'phose *f*, 'Umwandlung *f* in menschliche Gestalt. — **ˌan·thro·po'mor·phous** *adj* anthropo'morph(isch), von menschlicher *od.* menschenähnlicher Gestalt. — **ˌan·thro·po'nom·ics** [-'nɒmiks], **ˌan·thro'pon·o·my** [-'pɒnəmi] *s* Anthropono'mie *f*, Wissenschaft *f* vom menschlichen Verhalten.
an·thro·po·path·ic [ˌænθrəpo'pæθik] *adj* anthropo'pathisch, mit menschlichen Empfindungen (*Gottheit, Tier, Pflanze etc*). — **ˌan·thro'pop·aˌthism** [-'pɒpəˌθizəm] → anthropopathy. — **ˌan·thro'pop·aˌthite** [-ˌθait] *s* Anthropopa'thist *m*, j-d der (einem) Gott menschliche Empfindungen zuschreibt. — **ˌan·thro'pop·a·thy** [-θi] *s* Anthropopa'thie *f*, Vorstellung *f* nichtmenschlicher Wesen mit menschlichen Empfindungen.
an·thro·poph·a·gi [ˌænθrə'pɒfəˌdʒai] *s pl* Anthropo'phagen *pl*, Menschenfresser *pl*, Kanni'balen *pl.* — **an·thro·po·phag·ic** [ˌænθrəpo'fædʒik], **ˌan·thro·po'phag·i·cal** *adj* anthropo'phagisch, menschenfressend. — **ˌan·thro'poph·a·gist**, **ˌan·thro'poph·aˌgite** [-ˌdʒait] *s* Anthropo'phag *m*, Menschenfresser *m*, Kanni'bale *m.* — **ˌan·thro'poph·a·gous** [-gəs] *adj* menschenfressend, kanni'balisch. — **ˌan·thro'poph·a·gus** [-gəs] *sg von* anthropophagi. — **ˌan·thro'poph·a·gy** [-dʒi] *s* Anthropopha'gie *f*, ˌMenschenfresse'rei *f*, Kanniba'lismus *m.*
an·thro·poph·u·ism [ˌænθrə'pɒfjuˌizəm] *s* Ausstattung *f* (eines) Gottes mit menschlichen Eigenschaften, Vermenschlichung *f* der Götter.
an·thro·poph·y·site [ˌænθrə'pɒfəˌsait] *s* j-d der Gott menschliche Eigenschaften beilegt.
an·thro·po·soph·i·cal [ˌænθrəpo'sɒfikəl; -fə-] *adj* anthropo'sophisch. — **ˌan·thro'pos·o·phist** [-'pɒsəfist] *s* Anthropo'soph(in). — **ˌan·thro'pos·o·phy** *s* **1.** Anthroposo'phie *f* (*Lehre Rudolf Steiners*). – **2.** *philos.* Wissen *n* von der Na'tur des Menschen.
an·thro·po·tom·i·cal [ˌænθrəpo'tɒmikəl] *adj med.* ana'tomisch. — **ˌan·thro'pot·o·mist** [-'pɒtəmist] *s* Ana'tom *m.* — **ˌan·thro'pot·o·my** *s* Anato'mie *f* des menschlichen Körpers.
an·thro·pur·gic [ˌænθrə'pəːrdʒik] *adj selten* vom Menschen bearbeitet *od.* bewirkt.
an·thu·ri·um [æn'θju(ə)riəm] *s bot.* Blütenschweif *m* (*Gattg Anthurium*).
ant·hy·poph·o·ra [ˌænthi'pɒfərə; ˌænθi-] *s* Anthypo'phora *f*, Beantwortung *f* eines vor'hergesehenen 'Widerspruchs.
an·ti ['ænti; -tai] *pl* **'an·tis** *s colloq.* j-d der prinzipi'ell wider'spricht, 'Widersacher *m*, Gegner *m*, Quertreiber *m*, ‚Anti' *m.*
anti-[1] [ænti] *Wortelement mit der Bedeutung* a) wider, (ent)gegen, gegen ... eingestellt *od.* wirkend, Gegen..., anti..., Anti..., feindlich, Feind..., b) nicht..., un..., c) entgegengesetzt.
anti-[2] [ænti] *bes. med. Wortelement mit der Bedeutung* vor, vorn, vorder (*fälschlich für* **ante-**).
an·ti·ae ['æntiˌiː] *s pl zo.* Schnabelfedern *pl*, Schnurrborsten *pl.*
ˌan·ti'airˌcraft, **ˌan·ti-'airˌcraft** *adj mil.* Flugabwehr...: ~ **artillery** Flugabwehrtruppe; ~ **gun** Flakgeschütz, Flugabwehrkanone.
ˌan·ti·al'ler·gic *adj med.* antial'lergisch.
an·ti·ar ['æntiɑːr] *s bot.* **1.** Antscharod. Upasbaum *m* (*Antiaris toxicaria*). – **2.** Pfeilgift *n* des Antscharbaums. — **an·ti·a·rin** ['æntiərin] *s chem.* Antia'rin *n* (*Gift des Upasbaumes*).
an·ti·bac·chi·us [ˌæntibə'kaiəs] *pl* **-chi·i** [-'kaiai] *s metr.* Antibac'chius *m* (*Versfuß*).
an·ti·bac·ter·i·al [ˌæntibæk'ti(ə)riəl] *adj* antibakteri'ell, bak'terienfeindlich, -tötend.
an·ti·bi·o·sis [ˌæntibai'ousis] *s biol. med.* Antibi'ose *f* (*entwicklungshemmende Wirkung organisch gebildeter Stoffe auf Krankheitserreger*). — **ˌan·ti·bi'ot·ic** [-'ɒtik] *med.* **I** *s* Antibi'oticum *n* (*z.B. Penicillin*). – **II** *adj* antibi'otisch.
'an·tiˌbod·y *s biol. chem.* Antikörper *m*, Abwehrstoff *m.*
an·tic ['æntik] **I** *s* **1.** *oft pl* Posse *f*, Fratze *f*, gro'teske Stellung *od.* Handlung. – **2.** *arch.* gro'teskes *od.* fratzenhaftes Orna'ment. – **3.** *obs.* Narr *m*, Hans'wurst *m*, Possenreißer *m.* – **4.** *obs.* gro'tesker Aufzug, groteskes Zwischenspiel. – **II** *adj* **5.** gro'tesk, bi'zarr, fratzenhaft, phan'tastisch. – **6.** pos'sierlich, komisch, lächerlich. – **III** *v/t pret u. pp* **'an·ticked** *od.* **'an·tickt** **7.** zum Narren machen. – **IV** *v/i* **8.** Possen treiben, den Hans'wurst spielen.
ˌan·ti'car·diˌac *adj med.* die Magengrube betreffend, Magengruben... — **ˌan·ti'car·di·um** *s med.* Magengrube *f.*
ˌan·ti'cat·a·lyst *s chem.* Antikataly'sator *m.*
ˌan·ti·ca'tarrh·al *med.* **I** *adj* gegen Ka'tarrh wirksam. – **II** *s* Mittel *n* gegen Ka'tarrh.
ˌan·ti'cath·ode *s electr.* Antika'thode *f* (*bei Röntgenröhren*).
an·ti·chlor ['æntiˌklɔːr], **ˌan·ti'chlo·rine** [-riːn; -rin] *s chem.* Antichlor *n.*
'an·tiˌchrist *s relig.* **1.** Antichrist *m*, 'Widersacher *m* Christi *od.* des Christentums. – **2.** A~ *Bibl.* Antichrist *m*, 'Widerchrist *m.* – **3.** falscher Mes'sias. — **ˌan·ti'chris·tian I** *adj* den Antichrist betreffend, antichristlich. – **II** *s* Antichrist *m*, Gegner *m* der christlichen Lehre.
ˌan·ti-'Chris·tian I *adj* christenfeindlich, den Christen *od.* dem Christentum feindlich. – **II** *s* Christenfeind(in).
an·tich·thon [æn'tikθɒn; -θoun] *pl* **-tho·nes** [-θəˌniːz] *s* **1.** Gegenerde *f.* – **2.** *pl* Antich'thonen *pl*, Bewohner *pl* der entgegengesetzten Erdhälfte, Anti'poden *pl.*
an·tic·i·pant [æn'tisipənt; -sə-] **I** *adj* antizi'pierend, vorempfindend, erwartend, vor'wegnehmend (of *acc*). – **II** *s* → anticipator.
an·tic·i·pate [æn'tisiˌpeit; -sə-] **I** *v/t* **1.** vor'ausempfinden, im voraus erkennen *od.* fühlen. – **2.** vor'aussehen, -ahnen. – **3.** erwarten, erhoffen. – **4.** im voraus tun. – **5.** vor'wegnehmen. – **6.** (*j-m, einem Wunsch etc*) zu'vorkommen. – **7.** vorzeitig erwähnen *od.* behandeln. – **8.** beschleunigen: to ~ one's arrival. – **9.** *econ.* a) vor dem Ter'min bezahlen *od.* einlösen, im voraus bezahlen, b) (*Gelder etc*) im voraus verbrauchen *od.* ausgeben: ~d **payment** Vorauszahlung. – **10.** *fig.* vorbauen (*dat*), verhindern (*acc*). – **II** *v/i* **11.** früher *od.* vorzeitig eintreten. – **12.** vorgreifen (*in einer Erzählung*). – *SYN. cf.* a) foresee, b) prevent.
an·tic·i·pa·tion [ænˌtisi'peiʃən; -sə-] *s* **1.** Vor('aus)empfindung *f*, Vorgefühl *n*, (Vor)Ahnung *f*, Vor'aussicht *f*, Vorgeschmack *m.* – **2.** Erwartung *f*, Hoffnung *f*: **contrary to** ~ wider Erwarten; **in** ~ **of s.th.** in Erwartung einer Sache; **with pleasant** ~ in angenehmer Erwartung. – **3.** Vor'aus-, Vor'wegnahme *f*: **thanking you in** ~ Ihnen im voraus dankend; **in** ~ **of s.th.**

etwas vorwegnehmend. – **4.** Zu'vorkommen *n*: **right of** ~ *jur*. Vorkaufsrecht. – **5.** Vorgreifen *n*. – **6.** *econ*. Vor'aus-, Abschlagszahlung *f*, Vorschuß *m*: **by** ~ im voraus, auf Abschlag. – **7.** *jur*. Auszahlung *f*, Entnahme *f od*. Zuweisung *f* treuhänderisch verwalteten Geldes vor dem erlaubten Ter'min. – **8.** Vor('aus)da,tierung *f*. – **9.** Verfrühtheit *f*. – **10.** *med*. zu früher Eintritt (*z.B. der Menstruation*). – **11.** *mus*. Antizipati'on *f*, Vor'aus-, Vor'wegnahme *f* (*eines Akkordtons od. Akkords*). – *SYN. cf*. **prospect**. — **an'tic·i,pa·tive** *adj* **1.** ahnungsvoll, vor'ausempfindend, -fühlend. – **2.** erwartungsvoll, erwartend. – **3.** vor'wegnehmend, vorgreifend. – **4.** zu'vorkommend. – **5.** vor-, frühzeitig. — **an'tic·i,pa·tor** [-tər] *s* j-d der vor'ausempfindet, -sieht, vor'wegnimmt, zu'vorkommt *od*. vorzeitig handelt.

an·tic·i·pa·to·ry [*Br*. æn'tisi,peitəri; *Am*. -pə,tɔːri] *adj* **1.** antizi'pierend, vor'wegnehmend, vorgreifend, erwartend: ~ **expenditure** Vorgriff. – **2.** *ling*. (*das logische Subjekt od. Objekt*) vor'wegnehmend, (*auf ein späteres Wort*) vor'ausdeutend.

an·ti·cize ['ænti,saiz] *v/i* Possen treiben.

an·ticked, an·tickt ['æntikt] *pret u. pp von* antic.

,an·ti'clas·tic *adj math*. anti'klastisch (*doppelt u. entgegengesetzt gekrümmt*).

,an·ti'cler·i·cal I *adj* ,antikleri'kal, dem geistlichen Stande feindlich, kirchenfeindlich. – **II** *s* Antikleri'kale(r), Priesterfeind *m*. — **,an·ti'cler·i·cal,ism** *s* Antiklerika'lismus *m*, Priesterfeindschaft *f*.

,an·ti·cli'mac·tic *adj* (auf enttäuschende Weise) abfallend. — **,an·ti'cli·max I** *s* **1.** Anti'klimax *f*, Gegensteigerung *f*. – **2.** *fig*. zu dem Vor'angegangenen im Gegensatz stehender Abstieg, enttäuschendes (Ab)Fallen, Sinken *n*. – **II** *v/i* **3.** enttäuschend (ab)fallen, sinken (*in Qualität, Interesse etc*). – **III** *v/t* **4.** zu einem enttäuschenden Ende bringen.

an·ti·cli·nal [,ænti'klainl] **I** *adj* anti-kli'nal (*sich dachartig entgegengesetzt neigend*): ~ **axis** Sattellinie. – **II** *s geol*. Sattel-, Neigungslinie *f*. — **'an·ti,cline** *s geol*. Antikli'nale *f*, Sattel *m*, Gegenneigung *f*. — **,an·ti·cli'no·ri·um** [-'nɔːriəm] *pl* **-ri·a** [-ə] *s geol*. sattelförmig aufgefaltete Gesteinsschichten.

,an·ti'clock,wise *adj tech*. gegen den Uhrzeigersinn, links her'um: ~ **motion** Linksdrehung.

,an·ti·con'ta·gious *adj med*. infekti'onswidrig.

,an·ti·con'vul·sive *med*. **I** *s* krampflösendes Mittel, Spasmo'lytikum *n*. – **II** *adj* antispas'modisch, krampflösend, -lindernd.

an·ti·cor ['ænti,kɔːr] *s vet*. Brust-, Herzgeschwulst *f* (*der Pferde u. Rinder*).

,an·ti·cor'ro·sive *adj tech*. rostfest: ~ **composition** Rostschutzmittel.

,an·ti·co'se·cant *s math*. Arkus'kosekans *m*.

,an·ti'co,sine *s math*. Arkus'kosinus *m*.

,an·ti·co'tan·gent *s math*. Arkus'kotangens *m*.

an·ti·cous [æn'taikəs] *adj bot*. gegen die Achse gewendet.

,an·ti'creep·er *s tech*. Schienenklemme *f* (*gegen das Wandern von Bahnschienen*).

'an·ti'cy·clone *s* (*Meteorologie*) **1.** Antizy'klone *f*, Hochdruckgebiet *n*, Hoch *n*. – **2.** Antizy'klon *m*, Gegenwirbelsturm *m*.

'an·ti,dac·tyl *s metr*. Ana'päst *m*, 'umgekehrter Daktylus (*Versfuß*).

,an·ti-'daz·zle *adj* Blendschutz..., Abblend...: ~ **lamp** blendfreie Lampe, Blendschutzlampe; ~ **screen** Blendschutzscheibe.

an·ti·det·o·nant [,ænti'detonənt; -tə-] *adj tech*. klopffest.

,an·ti-'dim, ,an·ti-'dim·ming *adj tech*. klare Sicht gestattend, Klarsicht..., Klar... (*Glas, Scheibe*).

,an·ti,diph·the'rit·ic *med*. **I** *adj* 'antidiph,therisch, diphthe'riebekämpfend. – **II** *s* Mittel *n* gegen Diphthe'rie.

,an·ti·dis'tor·tion *s electr*. Entzerrung *f*: ~ **device** Entzerrer; ~ **switch** Entzerrungsschalter.

an·ti·do·ron [,ænti'dɔːrɒn] *pl* **-ra** [-ə] *s* (*Ostkirche*) Anti'dorum *n* (*Rest des gesegneten, nicht geweihten Brotes*).

an·ti·dot·al ['ænti,doutl; ,ænti'doutl] *adj* als Gegengift dienend (*auch fig*.), Gegengift... — **'an·ti,dote I** *s* Anti'dot *n*, Gegengift *n*, Gegenmittel *n* (*auch fig*.). – **II** *v/t* ein Gegenmittel verabreichen *od*. anwenden gegen *od*. bei (*auch fig*.).

an·ti·dote lil·y *s bot*. (*eine*) asiat. Liliendolde (*Crinum asiaticum*).

,an·ti'dot·i·cal [-'dɒtikəl] *adj* als Gegengift dienend (*auch fig*.).

an·tid·ro·mal [æn'tidrəməl] *adj* **1.** *bot*. → **antidromous**. – **2.** *med*. → **antidromic**. — **an·ti·drom·ic** [,ænti'drɒmik] *adj med*. anti'drom, gegenläufig, doppelsinnig (*von Nervenströmen od. -fasern*). — **an·tid·ro·mous** [æn'tidrəməs] *adj bot*. anti'drom, gegenläufig (*Blattstellungsspirale*).

an·ti·en·er·gis·tic [,ænti,enər'dʒistik] *adj phys*. antago'nistisch.

,an·ti'en·zyme *s med*. Antifer'ment *n*.

,an·ti'fad·ing *electr*. **I** *s* Schwundausgleich *m*. – **II** *adj* schwundmindernd: ~ **aerial**.

,an·ti'fe·brile *med*. **I** *adj* fieberbekämpfend. – **II** *s* Fiebermittel *n*.

an·ti·fe·brin [,ænti'fiːbrin] *s med*. Antife'brin *n*, Acetani'lid *n*.

,an·ti'fed·er·al *adj* antiföde'ral, bundesfeindlich. — **,an·ti'fed·er·al,ism** *s* ,Antiföderal'ismus *m*. — **,an·ti'fed·er·al·ist** *s Am. hist*. Antiföderal'list *m*, Gegner *m* der Bundesverfassung.

,an·ti'fer·ment *s chem*. Antifer'ment *n*, Gärung verhinderndes Mittel. — **,an·ti·fer'ment·a·tive** *adj* gärungsverhindernd.

,an·ti'fly·ing wire → **antilift wire**.

,an·ti'foul·ing coat *s tech*. Holzschutzanstrich *m*.

,an·ti-'freeze *chem. tech*. **I** *s* Gefrier-, Frostschutzmittel *n*. – **II** *adj* Gefrier-, Frostschutz... (*das Gefrieren bes. des Wassers im Kühler eines Motors verhindernd*): ~ **agent**, ~ **compound**, ~ **fluid**, ~ **mixture**, ~ **solution** Frostschutzmittel. — **,an·ti-'freez·ing** → **anti-freeze II**.

,an·ti'fric·tion *s phys*. Mittel *n* gegen Reibung, Schmiermittel *n* (*auch fig*.): ~ **metal** *tech*. Antifriktionsmetall, Lagermetall.

,an·ti-'gas *adj mil*. Gasschutz..., Gasabwehr...

an·ti·gen ['æntidʒen; -dʒən] *s med*. Anti'gen *n* (*Gegengift erzeugende u. ins Blut eingeführte Substanz*), Anti-, Im'mun-, Schutzkörper *m*.

,an·ti-'glare → **anti-dazzle**.

an·tig·o·rite [æn'tigə,rait] *s min*. Antigo'rit *m*, 'Blätterserpen,tin *m*.

an·ti·grop·e·los [,ænti'grɒpilɒs; -louz] *s sg u. pl* wasserdichte 'Ledergа,maschen *pl*.

an·ti·gug·gler [,ænti'gʌglər] *s* Flaschenheber *m* (*zur Verhütung des Sprudelns beim Ausgießen*).

,an·ti'ha·lo *adj phot*. lichthoffrei (*Film*): ~ **base** Lichthofschutz.

,an·ti'he·lix *pl* **-li,ces** *s* **1.** *med*. Antihelix *m*, Gegenleiste *f* am äußeren Ohr. – **2.** *tech*. Gegenkreis *m*.

,an·ti,hem·or'rhag·ic *adj med*. antihämor'rhagisch, blutstillend.

,an·ti'his·ta,mine *s chem. med*. Antihista'min *n* (*Stoffe, die der Histaminwirkung physiologisch entgegenwirken*).

,an·ti'hum de·vice *s electr*. Entbrummer *m*.

an·ti·hy·dro·pin [,ænti'haidropin] *s med*. Antihydro'pin *n* (*Mittel gegen Wassersucht*).

,an·ti,hy·per'bol·ic *adj math*. in'vers-hyper,bolisch: ~ **function** inverse Hyperbelfunktion.

,an·ti-'i·cer *s tech*. Enteiser *m*, Vereisungsschutzgerät *n*.

,an·ti-ic'ter·ic *med*. **I** *adj* 'anti-ik,terisch, gegen Gelbsucht wirksam. – **II** *s* Mittel *n* gegen Gelbsucht.

,an·ti·im'pe·ri·al·ist *s* Gegner *m* des Imperia'lismus.

,an·ti·in'crust·ant *adj tech*. Kesselsteinbildung verhütend. — **,an·ti-in'crus·ta·tor** *s tech*. Kesselsteinbildung verhindernde Masse.

,an·ti-,in·ter'fer·ence con·dens·er *s electr*. Ent'störungskonden,sator *m*.

,an·ti'jam *v/t u. v/i electr*. entstören.

,an·ti,ke·to'gen·e·sis *s biol. chem*. Verhinderung *f* der Ke'tonbildung. — **,an·ti,ke·to·ge'net·ic, ,an·ti,ke·to'gen·ic** *adj* antiketo'gen.

,an·ti'knock *chem. tech*. **I** *adj* das Klopfen (*des Motors*) verhindernd, klopffest: ~ **quality**, ~ **rating**, ~ **value** Klopffestigkeit(sgrad). – **II** *s* Anti'klopfmittel *n* (*gegen Klopfen des Motors*).

,an·ti·lap'sar·i·an [,æntilæp'sɛ(ə)riən] *s relig*. j-d der nicht an den Sündenfall glaubt.

an·ti·le·gom·e·na [,æntili'gɒminə] *s pl Bibl*. Antile'gomena *pl* (*nicht allgemein für echt gehaltene Schriften des Neuen Testaments*).

,an·ti·li'bra·tion *s* gegenseitiges Abwägen, Gleichgewicht *n*.

,an·ti'lift wire *s aer*. Fangseil *n*.

,an·ti'lith·ic *med*. **I** *adj* gegen Blasenstein wirksam, Steinbildungen verhindernd. – **II** *s* Mittel *n* gegen Blasenstein.

an·ti·lo·bi·um [,ænti'loubiəm] *s med*. Tragus *m*, Gehörganghaar *n*, Erhebung *f* vor dem Gehörgang.

,an·ti'log·a,rithm *s math*. Antiloga'rithmus *m*, Numerus *m* (*Zahl, zu welcher der Logarithmus gehört*).

'an·ti,log·ic ['ænti,lɒdʒik] *s* falsche Logik, Unverstand *m*. — **an·til·o·gy** [æn'tilədʒi] *s* 'Widerspruch *m* (*in Gedanken od. im Ausdruck*).

an·ti·lys·sic [,ænti'lisik] *med*. **I** *adj* gegen Tollwut wirksam. – **II** *s* Mittel *n* gegen Tollwut.

an·ti·ma·cas·sar [,æntimə'kæsər] *s* Antima'kassar *m*, Sofaschoner *m* (*Schutzdeckchen gegen Haarölflecken*).

,an·ti·ma'lar·i·al *med*. **I** *adj* gegen Ma'laria wirksam. – **II** *s* Mittel *n* gegen Ma'laria.

'an·ti,mask, 'an·ti,masque *s* (*Theater*) lustiges Zwischenspiel.

an·ti·mere ['ænti,mir] *s zo*. sym'metrisch entgegengesetzte Körperhälfte.

an·ti·me·tab·o·le [,æntimi'tæboliː; -mə-] *s* Antime'tabole *f* (*Wiederholung von Worten in veränderter Folge*).

,an·ti·me'tath·e·sis *s* Antime'tathesis *f* (*Umstellung einer Antithese*).

,an·ti-'mis·sile mis·sile *s mil*. ,Antira'keten-Ra,kete *f*.

,an·ti·mne'mon·ic I *adj* gedächtnisschädlich. – **II** *s* etwas was dem Gedächtnis schadet.

,an·ti·mo'nar·chi·cal *adj* antimon'archisch, monar'chiefeindlich. — **,an·ti'mon·arch·ist** *s* Gegner *m* der Monar'chie.

an·ti·mo·nate ['æntimə,neit] *s chem*. anti'monsaures Salz. — **,an·ti'mo·ni·al** [-'mouniəl] *chem*. **I** *adj* Antimon... – **II** *s* anti'monhaltiges Präpa'rat. — **ˌan·ti'mo·niˌat·ed** [-ˌeitid] *adj chem.* mit Anti'mon verbunden: ~ **tartar** Brechweinstein. — **ˌan·ti'mo·nic** [-'mounik; -'mɒn-] *adj chem.* Antimon...: ~ **acid** Antimonsäure. — **'an·ti·mo·nid** [-mənid], **'an·ti·mo·ˌnide** [-ˌnaid; -nid] *s chem.* Antimo'nid *n*, Me'tallderiˌvat *n* des Anti'monwasserstoffs. — **ˌan·ti·mo'nif·er·ous** [-mə'nifərəs] *adj chem.* anti'monhaltig. — **ˌan·ti'mo·ni·ous** [-'mouniəs] *adj chem.* anti'monig: ~ **acid** antimonige Säure (H_3SbO_3). — **'an·ti·moˌnite** [-məˌnait] *s* **1.** *chem.* anti'monigsaures Salz. – **2.** *min.* Grauspießglanzerz *n* (Sb_2S_3). — **an·ti·mo·ni·u·ret·(t)ed** [ˌæntimə'naiju(ə)ˌretid] *adj chem.* mit Anti'mon verbunden, anti'monhaltig, antimo'nid.

ˌan·ti·mon'soon *s* (*Meteorologie*) atmo'sphärische Gegenströmung über einem Mon'sun.

an·ti·mo·ny ['æntiməni, *Am. auch* -ˌmouni] *s chem. min.* Anti'mon *n* (Sb), Spießglanz *m*: **black** ~ Antimonsulfid (Sb_2S_3); **yellow** ~ Antimon-, Neapelgelb ($Pb_5(SbO_5)_2$). — ~ **blende** *s min.* Rotspießglanzerz *n* (Sb_2S_2O). — ~ **bloom** *s min.* Anti'monblüte *f*, Weißspießglanzerz *n* (Sb_2O_3). — ~ **chlo·ride** *s chem.* Anti'mon(III)-Chloˌrid *n* ($SbCl_3$). — ~ **glance** *s min.* Grauspießglanzerz *n* (Sb_2S_3).

an·ti·mo·nyl ['æntimənil] *s chem.* Antimo'nyl *n* (SbO).

ˌan·ti·neu'ral·gic *med.* **I** *adj* Neural'gie behebend. – **II** *s* Mittel *n* gegen Neural'gie, Antineu'ralgikum *n*.

ˌan·ti'neu·tron *s phys.* Antineutron *n*.

an·tin·i·al [æn'tiniəl] *adj med.* dem 'Hinterkopf entgegengesetzt.

'an·tiˌnode *s phys.* Gegenknoten *m*, Schwingungs-, Strombauch *m* (*Mitte zwischen zwei Schwingungsknoten*).

ˌan·ti'noise *adj tech.* geräuschdämpfend.

an·ti·no·mi·an [ˌænti'noumiən] *relig.* **I** *adj* antino'mistisch. – **II** *s* Antino'mist *m* (*der das moralische Gesetz nicht für bindend hält*). — **ˌan·ti'nom·ic** [-'nɒmik], **ˌan·ti'nom·i·cal** *adj* anti'nomisch, einen 'Widerspruch enthaltend (*Gesetze*), 'widerspruchsvoll. — **an·tin·o·my** [æn'tinəmi] *s* Antino'mie *f*: a) *jur.* 'Widerspruch *m* zweier Gesetze, b) *philos.* Widerspruch *m* der Vernunft mit sich selbst.

ˌan·tiˌo·don'tal·gic *med.* **I** *adj* gegen Zahnschmerz wirksam. – **II** *s* Mittel *n* gegen Zahnschmerz.

ˌan·ti'ox·i·dant *s* **1.** *chem.* Anti'oxydans *n* (*Oxydation hindernder Stoff*). – **2.** *tech.* Alterungsschutzmittel *n*. – **3.** *tech.* Oxydati'onsbremse *f*.

an·ti·pae·do·bap·tism, an·ti·pae·do·bap·tist *cf.* antipedobaptism, antipedobaptist.

ˌan·ti'par·al·lel *math.* **I** *adj* ˌantiparal'lel. – **II** *s* ˌAntiparal'lele *f*.

an·ti·pas·to [anti'pasto] (*Ital.*) *s* **1.** Vorgericht *n*. – **2.** Appe'titanreger *m*.

ˌan·ti·pa'thet·ic, *auch* **ˌan·ti·pa'thet·i·cal** *adj* **1.** abgeneigt (to *dat*): **she was ~ to any change.** – **2.** zu'wider (to *dat*): **the whole place was ~ to her.** — **ˌan·ti'path·ic** [-'pæθik] *adj* anti'pathisch. — **an·tip·a·thize** [æn'tipəˌθaiz] **I** *v/i* Abneigung fühlen *od.* zeigen, nicht über'einstimmen. – **II** *v/t* mit Abneigung erfüllen. — **an'tip·a·thy** *s* **1.** Antipa'thie *f*, na'türliche Abneigung, 'Widerwille *m*, Wider'streben *n*. – **2.** Gegenstand *m* der Abneigung. – *SYN. cf.* enmity.

ˌan·tiˌpe·do'bap·tism *s relig.* Ablehnung *f* der Kindertaufe. — **ˌan·ti·ˌpe·do'bap·tist** *s* Gegner *m* der Kindertaufe.

ˌan·ti'pep·tone *s chem.* Antipep'ton *n*.

ˌan·tiˌpe·ri'od·ic *med.* **I** *adj* gegen peri'odische Krankheiten wirksam. – **II** *s* Mittel *n* gegen peri'odische Krankheiten.

ˌan·tiˌper·i'stal·sis *s med.* 'Anti-, 'Gegenperiˌstaltik *f*, in'verse Peri'staltik. — **ˌan·tiˌper·i'stal·tic** *adj* **1.** antiperi'staltisch, 'Gegenperiˌstaltik betreffend. – **2.** die Darmtätigkeit her'absetzend *od.* hemmend.

an·ti·pe·ris·ta·sis [ˌæntipə'ristəsis] *s* **1.** *phys.* einseitige *od.* gegenseitige verstärkende Einwirkung zweier entgegengesetzter Kräfte. – **2.** Antiperi'stase *f* (*Zugeben der Tatsachen, aber Leugnen der Schlüsse*).

ˌan·tiˌper·son'nel *adj mil.* gegen Per'sonen (*nicht Maschinen od. Einrichtungen*) gerichtet: ~ **bomb** Splitterbombe; ~ **mine** Schützenmine.

ˌan·ti'pet·a·lous *adj bot.* epipe'tal, vor den Blütenblättern (*z. B. Staubgefäße*).

an·ti·phar·mic [ˌænti'fɑːrmik] *adj med.* als Gegenmittel dienend.

an·ti·phlo·gis·tian [ˌæntiflo'dʒistʃən] *chem.* **I** *adj* antiphlo'gistisch. – **II** *s* Antiphlo'gistiker *m* (*Gegner der Stahlschen Lehre vom Phlogiston*). — **ˌan·ti·phlo'gis·tic** [-'dʒistik] **I** *adj* **1.** *chem.* antiphlo'gistisch. – **2.** *med.* Entzündung dämpfend, entzündungswidrig. – **II** *s* **3.** *med.* Antiphlo'gistikum *n*, Mittel *n* zur Linderung von Entzündungen.

an·ti·phon ['æntiˌfɒn; -fən] *s mus. relig.* **1.** Anti'phon *f*: a) Gegen-, Wechselgesang(stück *n*) *m*, b) Rahmenvers *m* (*für einen Psalm etc*). – **2.** → antiphony 1. — **an·tiph·o·nal** [æn'tifənl], **an'tiph·o·nar·y** [*Br.* -nəri; *Am.* -ˌneri] **I** *s* Antipho'nale *n*, Antipho'narium *n* (*liturgisches Gesangbuch*). – **II** *adj* anti'phonisch, Wechsel(gesang)...

ˌan·ti·pho'net·ic[1] *adj* reimend, gleichklingend.

ˌan·ti·pho'net·ic[2] *adj* 'unphoˌnetisch, der pho'netischen Aussprache wider'sprechend.

an·ti·phon·ic [ˌænti'fɒnik] *adj* anti'phonisch. — **an·tiph·o·ny** [æn'tifəni] *s* **1.** Antipho'nie *f*, Anti'phonen-, Gegen-, Wechselgesang *m*. – **2.** → antiphon 1.

an·tiph·ra·sis [æn'tifrəsis] *s* Anti'phrase *f* (*Bezeichnung durch das Gegenteil*).

ˌan·ti'plas·tic *med.* **I** *adj* **1.** die plastische Wirkung her'absetzend. – **2.** den 'Heilungs- *od.* 'Blutbildungsproˌzeß vermindernd. – **II** *s* **3.** anti'plastisches Mittel.

an·tip·o·dal [æn'tipədl] *adj* **1.** anti'podisch, gegenfüßlerisch. – **2.** völlig entgegengesetzt. — **an·ti·pode** ['æntiˌpoud] *s* **1.** Gegenteil *n*, -satz *m*. – **2.** *chem.* optischer Anti'pode. — **anˌtip·o'de·an** [-'diːən] **I** *adj* **1.** gegenfüßlerisch, anti'podisch, *Br. bes.* au'stralisch. – **2.** auf den Kopf gestellt, das Unterste nach oben gekehrt. – **II** *s* **3.** Anti'pode *m*, Gegenfüßler *m*. — **an'tip·oˌdes** [-ˌdiːz] *s pl* **1.** die diame'tral gegen'überliegenden Teile *pl* der Erde. – **2.** *selten* Anti'poden *pl*, Gegenfüßler *pl*. – **3.** *sg u. pl* Gegenteil *n*, -satz *m*.

'an·tiˌpoints *s pl math.* Gegenpunkte *pl*.

'an·tiˌpole *s* **1.** Gegenpol *m*. – **2.** *fig.* di'rektes Gegenteil.

ˌan·ti'pol·e·mist *s* Gegner *m* des Krieges.

'an·tiˌpope *s* Gegenpapst *m*.

ˌan·ti'pro·ton *s phys.* Antiproton *n*.

ˌan·ti·pru'rig·i·nous, ˌan·ti·pru'rit·ic *adj med.* juckreizmildernd, -lindernd, -stillend.

an·ti·pso·ric [ˌænti'sɒrik] *s med.* Anti'psorikum *n*, psorisches Mittel, Krätzemittel *n*.

ˌan·tiˌpu·tre'fac·tive *adj med.* fäulniswidrig, fäulnisverhindernd.

an·ti·py·re·sis [ˌæntipai'riːsis] *s med.* Antipy'rese *f*, Fieberbekämpfung *f*. — **ˌan·ti·py'ret·ic** [-'retik] *med.* **I** *adj* antipy'retisch, fieberverhütend, -vermindernd, -mildernd. – **II** *s* Antipy'retikum *n*, Mittel *n* gegen Fieber.

an·ti·py·rin(e) [ˌænti'pai(ə)rin] *s chem.* Antipy'rin *n* ($C_{11}H_{12}N_2O$). — **ˌan·ti·py'rot·ic** [-'rɒtik] *med.* **I** *adj* Brandwunden heilend. – **II** *s* Mittel *n* gegen Brandwunden.

an·ti·qua [æn'tiːkwə] *print.* **I** *adj* Antiqua... (*Schrift in lateinischen Druckbuchstaben*). – **II** *s* An'tiqua(schrift) *f*.

an·ti·quar·i·an [ˌænti'kwɛ(ə)riən] **I** *adj* **1.** anti'quarisch, altertümlich. – **II** *s* **2.** → antiquary I. – **3.** *tech.* 'Zeichenpaˌpier *n* (*großen Formats*). — **ˌan·ti'quar·i·anˌism** *s* ˌLiebhabe'rei *f* für Altertümer, ˌAltertüme'lei *f*. — **ˌan·ti'quar·i·anˌize** *v/i colloq.* sich mit Altertümern befassen, altes Zeug sammeln. — **'an·ti·quar·y** [*Br.* -kwəri; *Am.* -ˌkweri] **I** *s* Altertumskenner *m*, -forscher *m*, -sammler *m*. – **II** *adj selten* altertümlich, alt.

an·ti·quate I *v/t* ['æntiˌkweit; -tə-] **1.** veralten lassen, als veraltet abschaffen. – **2.** antiki'sieren, (*einer Sache*) den Anschein des An'tiken geben. – **II** *adj* [-kwit; -ˌkweit] **3.** *fast obs.* veraltet. — **'an·tiˌquat·ed** *adj* anti'quiert, veraltet, altmodisch, über'holt. – *SYN. cf.* old. — **'an·tiˌquat·ed·ness** *s* Veraltetsein *n*, Anti'quiertheit *f*. — **ˌan·ti'qua·tion** *s* **1.** Veraltenlassen *n*, Abschaffen *n* (*als veraltet*). – **2.** Veraltetsein *n*. – **3.** (künstliche) Antiki'sierung.

an·tique [æn'tiːk] **I** *adj* **1.** an'tik, alt, von ehrwürdigem Alter. – **2.** altmodisch, altfränkisch, veraltet, über'holt. – **3.** an'tik, in an'tikem Geist *od.* Stil. – **4.** (*Buchbinderei*) blindgeprägt. – *SYN. cf.* old. – **II** *s* **5.** An'tike *f*, altes Möbelstück, alter Kunstgegenstand: ~ **shop** Antiquitätenladen. – **6.** *print.* Jonisch *f*, Egypti'enne *f*. – **III** *v/t* **7.** in an'tikem Stil 'herstellen, (*dat*) den Anschein des Antiken geben, antiki'sieren. – **8.** (*Buchbinderei*) blindprägen. — **an'tique·ness** *s* Altertümlichkeit *f*, altes Aussehen.

an·ti·quist ['æntikwist] *selten für* **antiquary I.**

an·tiq·ui·tar·i·an [ænˌtikwi'tɛ(ə)riən] *s* Anhänger *m* altertümlicher Anschauungen *od.* Gebräuche, Altertümler *m*. — **an'tiq·ui·ty** *s* **1.** Altertum *n*, Vorzeit *f*. – **2.** die Alten *pl* (*bes. Griechen u. Römer*), Vorwelt *f*. – **3.** An'tike *f*. – **4.** *pl* Antiqui'täten *pl*, Altertümer *pl* (*alte Kunstwerke, Sitten etc*). – **5.** Alter *n*: **a family (castle) of great ~.**

an·ti·rab·ic [ˌænti'reibik; -'ræb-] *med.* **I** *adj* gegen Tollwut wirksam. – **II** *s* Mittel *n* gegen Tollwut, Anti'rabikum *n*.

ˌan·ti·ra'chit·ic *med.* **I** *adj* antira'chitisch, gegen engl. Krankheit wirksam. – **II** *s* antira'chitisches Mittel, Mittel *n* gegen engl. Krankheit.

ˌan·ti·re'mon·strant *s relig. hist.* Gegner *m* einer Remonstrati'on (*bes. auf die Synode zu Dordrecht bezüglich*).

ˌan·ti'res·o·nance fre·quen·cy *s electr.* 'Eigenfreˌquenz *f* (*Sperrkreis*).

ˌan·ti'res·o·nant| band *s electr.* Sperrkreisbereich *m*. — ~ **cir·cuit** *s* Sperrkreis *m*.

ˌan·ti·rheu'mat·ic *med.* **I** *adj* antirheu'matisch. – **II** *s* Antirheu'matikum *n*, antirheu'matisches Mittel.

an·tir·rhi·num [ˌænti'rainəm] *s bot.* Löwenmaul *n* (*Gattg Antirrhinum*).

'an·tiˌroll *adj mar. tech.* das Schlingern verhindernd: ~ **device** Schlingertank.

ˌan·tiˈrust *adj tech.* gegen Rost schützend, Rostschutz...: ~ **paint.**

ˌan·ti-ˌSab·baˈtar·i·an *relig.* **I** *s* Gegner *m* der strengen Sonntagsheiligung. – **II** *adj* der strengen Sonntagsheiligung abgeneigt.

ˌan·ti·saˈloon *adj Am. hist.* ˈHerstellung und Genuß von alkoˈholischen Getränken bekämpfend: **The Anti-Saloon League** Verein, der für die Einführung der Prohibition kämpfte, (*Art*) ‚Blaues Kreuz'.

ˌan·ti-ˈscal·ing *adj tech.* Kesselstein lösend.

an·tis·cians [ænˈtiʃənz], **anˈtis·ciˌi** [-ʃiˌai] (*Lat.*) *s pl* Anˈtiscii *pl*, gegenschattige Völker *pl.*

ˌan·ti·scorˈbu·tic *med.* **I** *adj* skorˈbutheilend. – **II** *s* Mittel *n* gegen den Skorˈbut.

ˌan·tiˈscrip·tur·al *adj* bibelfeindlich.

ˌan·ti-ˈSem·ite *s* Antiseˈmit *m*, Judenfeind *m*, -hasser *m*. — **ˌan·ti-Seˈmit·ic** *adj* antiseˈmitisch, judenfeindlich. — **ˌan·ti-ˈSem·iˌtism** *s* Antisemiˈtismus *m*, Judenfeindlichkeit *f.*

ˌan·tiˈsep·al·ous *adj bot.* episeˈpal, vor den Kelchblättern stehend.

ˌan·tiˈsep·sis *s med.* Antiˈsepsis *f*, antiˈseptische Wundbehandlung. — **ˌan·tiˈsep·tic I** *adj* antiˈseptisch, fäulnisverhindernd. – **II** *s* antiˈseptisches Mittel, Antiˈseptikum *n*. — **ˌan·tiˈsep·ti·cal·ly** *adv.* — **ˌan·ti-ˈsep·tiˌcize** *v/t* antiˈseptisch behandeln *od.* machen.

ˌan·tiˈse·rum *pl* **-rums** *od.* **-ra** *s med.* Antiˈserum *n*, ˈHeil-, Imˈmunˌserum *n.*

ˌan·tiˈskid *adj tech.* rutschsicher, -fest, gleit-, schleudersicher, Gleitschutz...

ˌan·tiˈslav·er·y I *adj* gegen Sklaveˈrei (eingestellt), Antisklaverei... – **II** *s* Bekämpfung *f* der Sklaveˈrei.

ˌan·tiˈslip *s* Gleitschutzpolster *n*, Fersenschoner *m* (*an Schuhen*).

ˌan·tiˈso·cial *adj* **1.** ˈasoziˌal, gesellschaftsfeindlich: **crime is** ~. – **2.** ungesellig.

ˌan·ti·spasˈmod·ic *med.* **I** *adj* krampflösend, -stillend. – **II** *s* Mittel *n* gegen Krampf, Antispasˈmodikum *n.*

an·ti·spast [ˈæntiˌspæst] *s metr.* Antiˈspast *m* (*Versfuß*).

ˌan·tiˈspas·tic *adj* **1.** *med.* krampfstillend, antiˈspastisch. – **2.** *metr.* antiˈspastisch (*Vers*).

an·tis·tro·phal [ænˈtistrəfəl] → **antistrophic.** — **anˈtis·tro·phe** [-fi] *s* **1.** Antiˈstrophe *f* (*Gegengesang im griech. Drama u. in der Lyrik*). – **2.** Wechselbeziehung *f*, Gegenwirkung *f*. – **3.** ˈUmkehrung *f* einer Redensart. – **4.** ˈumgekehrte Anwendung eines gegnerischen Beweisgrundes. — **ˌan·tiˈstroph·ic** [-ˈstrɒfik] *adj* antiˈstrophisch.

ˈan·tiˌsub·ma·rine *adj mil.* U-Boot-Abwehr..., U-Boot-Bekämpfungs...

ˈan·tiˌtan·gent *s math.* Arkusˈtangens *m.*

ˌan·tiˈtank *adj mil.* Panzerabwehr...: ~ **gun** Panzerabwehrkanone; ~ **rifle** Panzerbüchse.

an·ti·tha·li·an [ˌæntiˈθeiliən; -θəˈlaiən] *adj* dem Scherz und Frohsinn feind.

ˌan·tiˈthe·ism *s relig.* Bekämpfung *f* des Theˈismus *od.* des Gottesglaubens.

an·tith·e·nar [ænˈtiθinər] *med.* **I** *adj* Antithenar..., Kleinfingerballen... – **II** *s* Antitheˈnar *n*, Kleinfingerballen *m.*

an·tith·e·sis [ænˈtiθisis; -θə-] *pl* **-ses** [-ˌsiːz] *s* **1.** *philos.* Antiˈthese *f*, Gegensatz *m*. – **2.** Antiˈthese *f*, ˈWiderspruch *m* (**of, between,** to zu). — **ˌan·ti-ˈthet·ic** [-ˈθetik], *auch* **ˌan·tiˈthet·i·cal** *adj* antiˈthetisch, gegensätzlich. – *SYN. cf.* **opposite.** — **anˈtith·eˌsize** [-ˌsaiz] *v/t* in Gegensätzen ausdrücken, in ˈWiderspruch bringen.

ˈan·tiˌtorque mo·ment → **antitwisting moment.**

ˌan·tiˈtox·ic *adj med.* als Gegengift dienend, Gegengift...

ˌan·tiˈtox·in(e) *s med.* Antitoˈxin *n*, Gegengift *n.*

ˈan·tiˌtrades *s pl* (*Meteorologie*) ˈGegenpasˌsat(winde *pl*) *m.*

an·tit·ra·gus [ænˈtitrəgəs; ˌæntiˈtreigəs] *pl* **-gi** [-ai] *s med.* Antiˈtragus *m*, Gegenecke *f*, -bock *m* (*am Ohr*).

ˌan·tiˌtrig·o·noˈmet·ric *adj math.* inˈverstrigonoˌmetrisch, zykloˈmetrisch.

ˌan·tiˌtrin·iˈtar·i·an *relig.* **I** *adj* antitriniˈtarisch, gegen die (Lehre von der) Dreiˈeinigkeit eingestellt. – **II** *s* Antitriniˈtarier *m*, Gegner *m* der Triniˈtätslehre.

an·ti·trope [ˈæntiˌtroup] *s zo.* Körperteil, der mit einem anderen symˈmetrisch ist. — **ˌan·tiˈtrop·ic** [ˌæntiˈtrɒpik], **ˌan·tiˈtrop·i·cal** [-kəl] *adj* **1.** *bot.* entgegengerichtet. – **2.** *zo.* symˈmetrische Körperteile betreffend.

ˌan·tiˈtrust *adj econ.* Antitrust...

ˌan·tiˈtwist·ing mo·ment *s phys.* ˈGegenˌdrehmoˌment *n.*

ˌan·tiˈtyp·al → **antitypic.** — **ˈan·tiˌtype** *s bes. relig.* Gegen-, Vorbild *n*, Antiˈtyp(us) *m*. — **ˌan·tiˈtyp·ic, ˌan·tiˈtyp·i·cal** *adj* gegenbildlich, antiˈtypisch.

an·tit·y·py [ænˈtitipi; -təp-] *s phys. selten* ˈWiderstand *m* der Maˈterie.

ˌan·tiˈun·ion *adj Am.* gewerkschaftsfeindlich.

ˌan·tiˈven·ene, ˌan·tiˈven·in *s med.* Mittel *n* gegen tierische Gifte, Schlangenserum *n.*

ˌan·tiˈvi·ral *adj med.* gegen ein Virus wirkend.

ant·ler [ˈæntlər] *s hunt. zo.* **1.** Geweihende *n*, -sprosse *f*, -zacke *f*. – **2.** *pl* Geweih *n*, Gehörn *n*. – **3.** Augensprosse *f* (*am Hirschgeweih*). — **ˈant·lered** *adj* geweiht, Geweih tragend.

ant li·on *s zo.* Ameisenlöwe *m* (*Gattg Myrmeleon*).

an·to·no·ma·si·a [ˌæntonoˈmeiʃiə; ænˌtɒn-] *s* Antonomaˈsie *f* (*Ersetzung einer Eigenschaft durch einen Eigennamen*).

an·to·nym [ˈæntəˌnim] *s* Antoˈnym *n*, Wort *n* entgegengesetzter Bedeutung. — **an·ton·y·mous** [ænˈtɒniməs; -nə-] *adj* entgegengesetzt. – *SYN. cf.* **opposite.**

ant plant *s bot.* Ameisenpflanze *f* (*verschiedene Arten Myrmecophyten*).

an·tral [ˈæntrəl] *adj med.* eine Höhlung betreffend, Kieferhöhlen...

an·tre [ˈæntər] *s obs. od. poet.* Höhle *f.*

an·tri·tis [ænˈtraitis] *s med.* Kieferhöhlenentzündung *f*, Anˈtritis *f* maxilˈlaris.

an·trorse [ænˈtrɔːrs] *adj biol.* vorwärts *od.* aufwärts gerichtet.

an·trum [ˈæntrəm] *pl* **-tra** [-ə] *s* **1.** Höhle *f*. – **2.** *med.* Höhlung *f.*

ˈant's-ˌwood *s bot.* Eisenholz *n* (*Bumelia angustifolia, Sideroxylon obovatum*).

ant| thrush *s zo.* **1.** Ameisenvogel *m*, Schreivogel *m* (*Fam. Formicariidae*). – **2.** Ameisendrossel *f* (*Gattg Pitta*). — ~ **tree** *s bot.* Ameisenbaum *m* (*Cecropia adenopus*). — ~ **wren** *s zo.* *Name für verschiedene Ameisenvögel d. Gattg Microrhopias.*

an·tu [ˈæntuː] *s* (*Art*) Rattengift *n*, -pulver *n.*

a·nu·cle·ar [eiˈnjuːkliər; *Am. auch* -ˈnuː-], **aˈnu·cle·ate** [-it; -ˌeit] *adj biol. phys.* kernlos.

A num·ber 1 *Am. oft für* A 1.

an·u·ran [əˈnju(ə)rən] → **salientian II.**

an·u·re·sis [ˌænjuˈriːsis; -jə-] → **anuria.** — **ˌan·uˈret·ic** [-ˈretik] → **anuric.**

an·u·ri·a [əˈnju(ə)riə; *Am. auch* -ˈnur-] *s med.* Anuˈrie *f*, Uˈrinverhaltung *f*. — **anˈu·ric** *adj* anuˈretisch.

an·u·rous [əˈnju(ə)rəs] *adj zo.* schwanzlos (*Frösche, Kröten*).

a·nus [ˈeinəs] *s med.* Anus *m*, After(mündung *f*) *m.*

an·vil [ˈænvil] **I** *s* **1.** Amboß *m*: **on the** ~ *fig.* in Arbeit, im Werke; **between hammer and** ~ zwischen Hammer u. Amboß (*in großer Bedrängnis*). – **2.** *med.* Amboß *m* (*Knochen im Ohr*). – **3.** *tech.* Federeisen *n* (*der Uhrmacher*): ~ **with one arm** Galgen-, Hornamboß. – **II** *v/t pret u. pp* **ˈan·viled,** *bes. Br.* **ˈan·villed 4.** auf dem Amboß bearbeiten (*auch fig.*). – **III** *v/i* **5.** am Amboß arbeiten. — ~ **bed** *s tech.* Schaˈbotte *f*, Amboßfutter *n*. — ~ **block** *s tech.* Amboßstock *m*, Prellklotz *m*. — ~ **chis·el** *s tech.* (Ab)Schrotmeißel *m*, Setzeisen *n*, Abschroter *m.*

anx·i·e·tude [æŋˈzaiəˌtjuːd; æŋg-; *Am. auch* -tuːd] *selten für* **anxiety.**

anx·i·e·ty [æŋˈzaiəti; æŋg-] *s* **1.** Angst *f*, Ängstlichkeit *f*, Beängstigung *f*, Unruhe *f*, Besorgnis *f*, Sorge *f* (**for** wegen *gen*, um). – **2.** *med.* Beängstigung *f*, Beklemmung *f*: ~ **neurosis.** – **3.** starkes Verlangen, eifriges (Be)Streben (**for** nach). – *SYN. cf.* **care.**

anx·ious [ˈæŋkʃəs; -ŋʃ-] *adj* **1.** ängstlich, angstvoll, bange, besorgt, bekümmert, unruhig: **to be** ~ **for** (*od.* **about**) **s.th.** wegen *od.* um etwas besorgt sein; **you need not be** ~ **about that** Sie brauchen sich darüber keine Sorge(n) zu machen. – **2.** *fig.* (**for**) bestrebt (nach), begierig, gespannt (auf *acc*): **to be** ~ **to do** ängstlich bestrebt sein zu tun; **I am** ~ **to know** ich bin begierig zu wissen; **I am very** ~ **to see him** mir liegt viel daran, ihn zu sehen; **he is** ~ **to please** er bemüht sich zu gefallen *od.* es recht zu machen. – *SYN. cf.* **eager**[1]. — ~ **bench** → **anxious seat.**

anx·ious·ness [ˈæŋkʃəsnis; -ŋʃ-] *s* **1.** Ängstlichkeit *f*, Bangigkeit *f*, Besorgnis *f*. – **2.** Sorgsamkeit *f*, Sorgfalt *f*, eifriges Bemühen. — **anx·ious seat** *s relig.* *Sitzreihe in einer Erweckungsversammlung, die von denen besetzt ist, die am meisten um ihr Seelenheil besorgt sind.*

an·y [ˈeni] **I** *adj* **1.** (*in Frage- u. Verneinungssätzen*) (irgend)ein(e), einige *pl*, (irgend)welche *pl*, etwas: **not** ~ gar keine; **is there** ~ **hope?** besteht noch irgendwelche Hoffnung? **have you** ~ **money on you?** haben Sie Geld bei sich? **I cannot eat** ~ **more** ich kann nichts mehr essen. – **2.** (*in bejahenden Sätzen*) jed(er, e, es), jed(er, e, es) beliebige, jeglich(er, e, es), der *od.* die *od.* das erste beste: ~ **of these books will do** jedes dieser Bücher *od.* von diesen Büchern genügt (für den Zweck); ~ **cat will scratch** jede Katze kratzt; ~ **number of** jede Anzahl *od.* Menge von (*od. gen*), eine Menge von; ~ **amount** ein ganzer Haufen; **at** ~ **rate, in** ~ **case** auf jeden Fall; **at** ~ **time** jederzeit; **under** ~ **circumstances** unter allen Umständen. – **II** *pron sg u. pl* **3.** irgendein(er, e, es), irgendwelche: **if there be** ~ ... sollten irgendwelche ... sein; **no money and no prospect of** ~ kein Geld und keine Aussicht auf welches. – **III** *adv* **4.** irgend(wie), ein wenig, etwas, (nur) noch: **will he be** ~ **the happier for it?** wird ihn das im geringsten glücklicher machen? ~ **more?** noch mehr? **not** ~ **more than** ebensowenig wie; **have you** ~ **more to say?** haben Sie noch (irgend) etwas zu sagen? – **5.** *Am.* (*in negativen Sätzen*) gar (*nicht*), überˈhaupt (*nicht*): **this didn't help matters** ~ damit wurde der Sache keineswegs geholfen; **he didn't mind that** ~ das hat ihm gar nichts ausgemacht.

'an·y,bod·y I *pron* 1. irgend jemand, irgendeine(r), ein beliebiger, eine beliebige. – 2. jeder(mann): ~ **but you** jeder andere eher als du. – **II** *s* 3. j-d der etwas ist, bedeutet *od.* vorstellt, wichtige Per'sönlichkeit: ~ **who is** ~ **in this town** jeder der in dieser Stadt überhaupt etwas ist. – 4. der *od.* die erste beste: **ask** ~ **you meet** fragen Sie den ersten besten, den Sie treffen.

'an·y,how *adv* 1. irgendwie, auf irgendeine Art und Weise, so gut wie's geht. – 2. trotzdem, jedenfalls, sowie'so, immer'hin. – 3. sorglos, unbekümmert, recht und schlecht: **to muddle along** ~ ,fortwursteln'.

'an·y,one *pron* 1. irgend jemand, irgendeine(r), ein beliebiger, eine beliebige. – 2. jeder(mann).

'an·y,thing I *pron* 1. (irgend) etwas, etwas Beliebiges: **not for** ~ um keinen Preis; **not** ~ gar nichts, überhaupt nichts; **he is as drunk as** ~ *colloq.* er ist blau wie sonst etwas (*völlig betrunken*); **for** ~ **I know** soviel ich weiß. – 2. alles (was es auch sei): ~ **but** alles andere als. – **II** *adv* 3. irgend, irgendwie, in etwas, über'haupt, in gewissem Maße: **he is a little better if** ~ es geht ihm etwas besser, wenn man von Besserung überhaupt reden kann. – **III** *s* 4. Etwas *n*, Alles *n*.

an·y·thing·ar·i·an [,eniθiŋ'ɛ(ə)riən] *s* Indifferen'tist *m* (*bes. in der Religion*). — **,an·y·thing'ar·i·an,ism** *s* Indifferen'tismus *m*.

'an·y,way *adv* 1. auf irgendeine Weise, irgendwie. – 2. wie dem auch sei, jedenfalls, sowie'so.

'an·y,ways *adv* 1. *obs. od. colloq.* auf irgendeine Weise, irgendwie. – 2. *colloq.* jedenfalls.

'an·y,when *adv bes. dial.* irgendwann, irgendeinmal, je(mals).

'an·y,where *adv* irgendwo, -woher, -wohin: ~ **near finished** annähernd fertig, beinahe am Ende.

'an·y,wise *adv* 1. auf irgendeine Art und Weise. – 2. über'haupt.

An·zac ['ænzæk] **I** *s colloq.* Angehöriger *m* der austral. und neu'seeländischen Truppen (*bes. der Einheiten, die im ersten Weltkrieg bei Gallipoli kämpften; gebildet aus den Anfangsbuchstaben von* **Australian and New Zealand Army Corps**). – **II** *adj* Truppen aus Au'stralien und Neu'seeland betreffend: ~ **Cove**; ~ **Day**.

A one *cf.* A 1.

A·o·ni·an maids [ei'ouniən] *s pl poet.* Äo'niden *pl*, Musen *pl*.

a·o·rist ['eiərist; 'ɛər-] *ling.* **I** *adj* ao'ristisch. – **II** *s* Ao'rist *m*. — **,a·o'ris·tic** *adj* 1. *ling.* ao'ristisch. – 2. unbestimmt.

a·or·ta [ei'ɔːrtə] *pl* **-tas** *od.* **-tae** [-iː] *s med.* A'orta *f*, Körper-, Hauptschlagader *f*. — **a'or·tal, a'or·tic** *adj* zur A'orta gehörig: ~ **arch** Aortenbogen.

a·ou·dad ['ɑːu,dæd] *s zo.* Mähnenschaf *n* (*Ammotragus lervia*).

a·pace [ə'peis] *adv* schnell, eilig, geschwind, stark: → **weed**[1] 1.

A·pach·e[1] [ə'pætʃi] *s* 1. *pl* **-es** *od.* **-e** A'pache *m*, A'patsche *m* (*Angehöriger eines amer. Indianerstammes*). – 2. *ling.* A'pache *n* (*athapaskische Sprache*). – 3. a~ Ka'kaofarbe *f*.

a·pache[2] [ə'pɑːʃ; ə'pæʃ] *s* A'pache *m*, 'Unterweltler *m* (*bes. in Paris*).

A·pach·e plume [ə'pætʃi] *s bot. eine amer. Rosacee* (*Fallugia paradoxa*).

ap·a·go·ge [,æpə'goudʒi] *s philos.* Apago'gie *f* (*Beweis einer Tatsache aus der Unmöglichkeit od. Widersinnigkeit des Gegenteils*). — **,ap·a'gog·ic** [-'gɒdʒik], **,ap·a'gog·i·cal** *adj* apa'gogisch, 'indi,rekt.

ap·a·nage *cf.* appanage.

a·par [ɑː'pɑːr], **a·pa·ra** [ɑː'pɑːrɑː] *s zo.* Apar *m*, Kugelgürteltier *n*, Matako *m* (*Tolypeutes tricinctus*).

a·pa·re·jo [,æpə'reihou; ,ɑːpæ-] *pl* **-jos** *s Am.* Saumsattel *m* (*bes. im Südwesten der USA*).

ap·a·rith·me·sis [,æpəriθ'miːsis] *s* 1. Einzelaufzählung *f* (*der Teile*). – 2. *philos.* Scheidung *f* in Teile.

a·part [ə'pɑːrt] *adv* 1. einzeln, für sich, besonders, (ab)gesondert (from von), getrennt: **a class** ~; **to keep** ~ getrennt halten; **to live** ~; ~ **from** abgesehen von. – 2. abseits, bei'seite: **joking** ~ Scherz beiseite; **to set s.th.** ~ **for s.o.** etwas für j-n beiseite setzen *od.* aufbewahren *od.* reservieren. – 3. (in einzelne Teile) getrennt *od.* zerlegt, ausein'ander: **to take a watch** ~.

a·part·heid [ə'pɑːrtheit; -hait] *s* (*Südafrika*) A'partheid *f*, (Poli'tik *f* der) Rassentrennung *f*.

a·part·ment [ə'pɑːrtmənt] *s* 1. *Br.* (Einzel)Zimmer *n*: ~**s to let** Zimmer zu vermieten. – 2. *Am.* Zimmerflucht *f*, Wohnung *f*, E'tage *f*. – 3. *pl Br.* Zimmerflucht *f*, Wohnung *f*: **to live in furnished** ~**s** möbliert wohnen. — ~ **ho·tel** *s Am.* 'Wohnho,tel *n* (*in dem ganze Wohnungen mit Bedienung, teilweise auch möbliert und mit Verpflegung, zu mieten sind*). — ~ **house** *s Am.* E'tagenhaus *n*, 'Mehrfa,milienhaus *n* (mit Kom'fort).

ap·a·tet·ic [,æpə'tetik] *adj zo.* sich in Farbe und Form der jeweiligen Um'gebung anpassend.

ap·a·thet·ic [,æpə'θetik], **,ap·a'thet·i·cal** [-kəl] *adj* a'pathisch, abgestumpft, gleichgültig, teilnahmslos, unempfänglich, lustlos, gefühllos. – *SYN. cf.* **impassive**. — **,ap·a'thet·i·cal·ly** *adv* (*auch zu* apathetic).

a·path·ic [ə'pæθik] *adj med.* a'pathisch, aner'getisch, gefühllos.

ap·a·thy ['æpəθi] *s* 1. Apa'thie *f*, Teilnahmslosigkeit *f*, Gefühllosigkeit *f*. – 2. *fig.* Gleichgültigkeit *f*, Inter'esselosigkeit *f*, Stumpfheit *f*. – 3. *med.* Unempfindlichkeit *f*.

ap·a·tite ['æpə,tait] *s min.* Apa'tit *m*.

ape [eip] **I** *s* 1. *zo.* Affe *m* (*Ordng Primates außer dem Menschen*): **anthropoid** ~ Menschenaffe. – 2. *fig.* Affe *m*, Nachäffer *m*, Geck *m*, alberner Mensch. – **II** *v/t* 3. nachäffen. – *SYN. cf.* **copy**.

ape| hand *s med.* Affenhand *f* (*atrophische Mißbildung der Hand*). — '~**,like** *adj* affenartig. — ~ **man** *s irr* Affenmensch *m* (*bes. Pithecanthropus erectus*).

a·peak [ə'piːk] *adv u. pred adj mar.* auf und nieder, (nahezu) senkrecht: **oars** ~! die Riemen senkrecht!

a·pep·sia [ei'pepsiə; -ʃə] *s med.* Apep'sie *f*, mangelhafte Verdauung, Verdauungsstörung *f*, -unfähigkeit *f*. — **,a·pep'sin·i·a** [-'siniə] *s med.* Pep'sinmangel *m*. — **a'pep·sy** [-si] = apepsia. — **a'pep·tic** [-tik] *adj* a'peptisch.

a·per·çu [aper'sy; *Br. auch* ,æpəː'sjuː] (*Fr.*) *pl* **-çus** [-'sy; *Br. auch* -'sjuːz] *s* Aper'çu *n*: a) Geistesblitz *m*, geistreiche Bemerkung, b) 'übersichtliche, kurze Darstellung, kurzer 'Überblick. – *SYN. cf.* **compendium**.

a·pe·ri·ent [ə'pi(ə)riənt] *med.* **I** *adj* öffnend, abführend, la'xierend. – **II** *s* Abführmittel *n*, Laxa'tiv *n*.

a·pe·ri·od·ic [,eipi(ə)ri'ɒdik] *adj* 1. 'aperi,odisch, 'nichtperi,odisch, unregelmäßig. – 2. *tech.* schwingungsfrei. – 3. *electr. math. phys.* gedämpft. – 4. *electr.* fre'quenz,unab,hängig: ~ **antenna**.

a·pé·ri·tif [aperi'tif] (*Fr.*) *s* Aperi'tif *m* (*appetitanregendes alkoholisches Getränk*).

a·per·i·tive [ə'peritiv; -rə-] → **aperient**.

ap·er·ture ['æpərtʃər] *s* 1. Öffnung *f*, Schlitz *m*, Spalt(e *f*) *m*, Lücke *f*, Loch *n*. – 2. *phys. tech.* Aper'tur *f*, Blende *f*, 'Durchmesser *m* des Objek'tivs. – 3. *med.* Aper'tur *f*, Ostium *n*. – 4. *zo.* Mündung *f*. – *SYN.* **interstice, orifice**.

ap·er·ture di·a·phragm *s phys. tech.* Aper'turblende *f*.

ap·er·y ['eipəri] *s* 1. ,Nachäffe'rei *f*, Nachäffen *n*. – 2. alberner Streich, ,Possentreibe'rei *f*. – 3. *selten* Affenhaus *n*.

a·pet·al·ous [ei'petələs] *adj bot.* ohne Blütenblätter, blumenblattlos, kronenlos, ape'tal.

a·pex ['eipeks] *pl* **'a·pex·es** *od.* **a·pi·ces** ['eipi,siːz; 'æp-] *s* 1. Spitze *f* (*eines Dreiecks, Kegels etc*), Gipfel *m*, Scheitel *m*, Scheitelpunkt *m* (*eines Winkels etc*), höchster Punkt, *bes. med.* Apex *m*. – 2. *fig.* Gipfel *m*, Kulminati'ons-, Höhepunkt *m*, Krisis *f*. – 3. *sl.* Kopf *m*: **to go base over** ~ sich überschlagen, einen Purzelbaum schlagen. – *SYN. cf.* **summit**.

a·phaer·e·sis [ə'ferisis; -rə-; -'fi(ə)r-] *s ling.* Aphä'rese *f* (*Abfall eines Buchstabens od. einer unbetonten Silbe am Wortanfang*).

a·pha·ki·a [ə'feikiə] *s med.* Apha'kie *f*, Fehlen *n* der Kri'stallinse des Auges.

aph·a·nite ['æfə,nait] *s min.* Apha'nit *m*, Dio'rit *m*.

a·pha·si·a [ə'feiʒiə; -ziə; -ʒə] *s med.* Apha'sie *f* (*zentral bedingter Verlust der Sprechfähigkeit und des Sprachververständnisses*). – **a'pha·si,ac** [-zi,æk], **a'pha·sic** [-zik] *med.* **I** *adj* a'phatisch, sprachgestört, sprachlos, stumm. – **II** *s* j-d der das Sprachvermögen verloren hat.

a·phe·li·on [ə'fiːliən; -liən] *pl* **a'phe·li·a** [-liə] *s* 1. *astr.* A'phel(ium) *n*. – 2. *fig.* entferntester Punkt.

a·phe·li·ot·ro·pism [ə,fiːli'ɒtrə,pizəm] *s bot.* negativer ,Heliotro'pismus.

a·phe·mi·a [ə'fiːmiə] *s med.* Aphe'mie *f*, Verlust *m* der artiku'lierten Sprache, Wortstummheit *f*.

aph·e·sis ['æfisis; -fə-] *s ling.* all'mählicher Verlust eines unbetonten 'Anfangsvo,kals. — **'aph·e,tize** *v/t* (*Wort*) um den 'Anfangsvo,kal kürzen.

aph·i·cide ['æfisaid; 'ei-] *s* Mittel *n* gegen Blattläuse.

a·phid ['eifid; 'æf-] *pl* **aph·i·des** ['æfi,diːz] *s zo.* Blattlaus *f* (*Fam. Aphididae*). — **a·phid·i·an** [ə'fidiən] *adj* die Blattläuse betreffend. – **II** *s* → **aphid**.

a·phis ['eifis; 'æf-] → **aphid**.

a·phlo·gis·tic [,eiflo'dʒistik] *adj phys.* aphlo'gistisch (*ohne Flamme brennend*).

a·pho·ni·a [ei'founiə; æ'f-] *s med.* Apho'nie *f*, Verlust *m* der Stimme, Stimmlosigkeit *f*. — **'aph·o·nous** ['æf-] *adj* ohne Stimme, a'phonisch.

a·phon·ic [ei'fɒnik] **I** *adj* 1. stumm. – 2. *ling.* stimmlos. – 3. *ling.* nicht vo'kalisch. – 4. *med.* stimmlos, Stimmverlust betreffend, von Stimmverlust befallen. – **II** *s* 5. *med.* an Stimmverlust Leidende(r).

aph·o·ny ['eifəni; 'æf-] → **aphonia**.

aph·o·rism ['æfə,rizəm] *s* Apho'rismus *m*, Ma'xime *f*. – *SYN.* **adage, proverb, saw**[3], **saying**. — **,aph·o·ris'mat·ic** [-'mætik], **,aph·o'ris·mic** *adj* apho'ristisch.

aph·o·rist ['æfərist] *s* Apho'ristiker *m*, Verfasser *m* von Apho'rismen. — **,aph·o'ris·tic**, *auch* **,aph·o'ris·ti·cal** *adj* apho'ristisch. — **,aph·o'ris·ti·cal·ly** *adv* (*auch zu* aphoristic).

aph·o·rize ['æfə,raiz] *v/i* in Apho'rismen sprechen *od.* schreiben.

a·pho·tic [ei'foutik] *adj* lichtlos, a'photisch: **the** ~ **region of the ocean depths**.

aph·rite ['æfrait] *s min.* Aph'rit *m*, Schaumkalk *m* (*poröser Kalkstein*).

aph·ro·dis·i·ac [ˌæfroˈdiziˌæk; -frə-] **I** *adj* **1.** aphroˈdisisch, eˈrotisch, sinnlich, wollüstig. – **2.** *med.* den Geschlechtstrieb erhöhend. – **II** *s* **3.** *med.* Aphrodiˈsiakum *n*, den Geschlechtstrieb anregendes Mittel. — ˌ**aph·ro·ˈdis·i·an** *adj* der Venus dienend, sinnlich.

Aph·ro·di·te [ˌæfrəˈdaiti; -fro-] **I** *npr* **1.** Aphroˈdite *f*, Venus *f* (*Göttin der Liebe und der Schönheit*). – **II** *s* **2.** *zo.* (*ein*) Perlˈmutterfalter *m* (*Argynnis aphrodite*). – **3.** *min.* (*Art*) Meerschaum *m*.

aph·tha [ˈæfθə] *pl* **-thae** [-θiː] *s med.* Aphthe *f*, Mundschwamm *m*, Entzündung *f* der Schleimhaut.

aph·thit·a·lite [æfˈθitəˌlait] *s min.* naˈtürliches schwefelsaures Kali *od.* Natrium [$(K,Na)_2SO_4$].

a·phyl·lous [eiˈfiləs] *adj bot.* blattlos, aˈphyllisch.

a·pi·a·ceous [ˌeipiˈeiʃəs] *adj bot.* schirmdoldig, sellerieartig.

a·pi·an [ˈeipiən] *adj* Bienen..., die Bienen betreffend. — **a·pi·ar·i·an** [ˌeipiˈɛ(ə)riən] *adj* die Bienen(zucht) betreffend. — **a·pi·a·rist** [ˈeipiərist] *s* Bienenzüchter *m*, Imker *m*, Zeidler *m*. — **a·pi·ary** [*Br.* ˈeipiəri; *Am.* -ˌeri] *s* Bienenhaus *n*, Bienenstand *m*.

ap·i·cal [ˈæpikəl] *adj* **1.** *biol. med.* apiˈkal, die Spitze betreffend, Apikal..., Spitzen...: ~ **cone** Wachstumsspitze; ~ **pore** Apikalöffnung; ~ **sucker** Mundsaugnapf. – **2.** *math.* an der Spitze befindlich: ~ **angle** Winkel an der Spitze.

ap·i·ces [ˈeipiˌsiːz; ˈæp-] *pl von* **apex**.

ap·i·co·ec·to·my [ˌæpikoˈektəmi] *s med.* Apikoektoˈmie *f*, ˈZahnwurzel-, ˈWurzelspitzenresektiˌon *f*.

a·pic·u·late [əˈpikjuˌleit; -lit], **aˈpic·u·ˌlat·ed** [-ˌleitid] *adj bot.* feinspitzig (*mit aufgesetzter, stielrunder Spitze*).

a·pi·cul·ture [ˈeipiˌkʌltʃər] *s* Bienenzucht *f*.

a·pic·u·lus [əˈpikjuləs; -kjə-] *s biol.* Spitzchen *n*.

a·piece [əˈpiːs] *adv* **1.** für jedes Stück, pro Stück: **20 cents** ~. – **2.** für jeden, pro Kopf, pro Perˈson: **he gave us £5** ~ er gab jedem von uns 5 Pfund.

a·pi·ol(e) [ˈeipioul; ˈæpi-; -ɒl] *s chem.* Apiˈol *n* ($C_{12}H_{14}O_4$).

ap·ish [ˈeipiʃ] *adj* **1.** affenartig. – **2.** *fig.* affig, äffisch, sklavisch nachäffend, närrisch, albern, läppisch. — ˈ**ap·ish·ness** *s* Affigkeit *f*, albernes Wesen.

a·piv·o·rous [eiˈpivərəs] *adj* bienenfressend.

a·pla·cen·tal [ˌeipləˈsentl] *adj zo.* ohne Plaˈcenta.

ap·la·nat·ic [ˌæpləˈnætik] *adj phys.* aplaˈnatisch, ohne sphärische Abweichung (*Linse*).

a·pla·si·a [əˈpleiʒiə; -ziə] *s biol. med.* Aplaˈsie *f*, fehlerhafte *od.* unvollkommene Entwicklung (*angeborenes Fehlen eines Gliedes od. Organs*).

a·plas·tic [eiˈplæstik] *adj* **1.** unplastisch. – **2.** *biol. med.* aˈplastisch, fehlerhaft *od.* unvollkommen entwickelt.

a·plen·ty, *auch* **a plen·ty** [əˈplenti] *Am. colloq.* **I** *adj* (*nachgestellt*) viel(e), in großer Menge, in Hülle und Fülle: **food** ~; **cattle** ~. – **II** *adv* eine Menge, viel: **he works** ~; **look** ~! mach die Augen auf!

ap·lite [ˈæplait] *s min.* Aˈplit *m* (*ein helles Ganggestein*). — **apˈlit·ic** [-ˈlitik] *adj* aˈplitisch.

a·plomb [əˈplɒm] *s* **1.** senkrechte *od.* lotrechte Richtung *od.* Lage. – **2.** *fig.* Aˈplomb *m*, (Selbst)Sicherheit *f*, (selbst)sicheres Auftreten. – *SYN. cf.* **confidence.**

ap·n(o)e·a [æpˈniːə] *s med.* Apnoe *f*, Atemstillstand *m*, Atemlähmung *f*, -not *f*.

A·poc·a·lypse [əˈpɒkəlips] *s* **1.** *Bibl.* Apokaˈlypse *f*, Offenˈbarung *f* Joˈhannis. – **2.** a~ *fig.* Enthüllung *f*, Offenˈbarung *f*. – **3.** a~ *relig.* apokaˈlyptische Schrift.

a·poc·a·lyp·tic [əˌpɒkəˈliptik] **I** *adj* **1.** apokaˈlyptisch, nach Art der Offenˈbarung Joˈhannis. – **2.** *fig.* dunkel, rätselhaft, geheimnisvoll. – **II** *s* **3.** Apokaˈlyptiker *m*, Offenˈbarungsforscher *m*, -gläubiger *m*. – **4.** religiˈöser Seher. — **aˌpoc·aˈlyp·ti·cal** → **apocalyptic I.** — **aˌpoc·aˈlyp·ti·cal·ly** *adv* (*auch zu* **apocalyptic I**).

a·poc·a·lyp·tist [əˌpɒkəˈliptist] *s* Apokaˈlyptiker *m*.

ap·o·carp [ˈæpoˌkɑːrp; -pək-] *s bot.* apoˈkarpe Pflanze (*mit getrennten Fruchtblättern in jeder Blüte*).

ap·o·car·pous [ˌæpoˈkɑːrpəs; ˌæpə-] *adj bot.* apoˈkarp, mit getrennten Fruchtblättern.

ap·o·chro·mat·ic [ˌæpəkroˈmætik] *adj phys.* apochroˈmatisch (*die sphärische u. chromatische Abirrung des Lichtes verbessernd*): ~ **objective** Apochromat.

a·poc·o·pate [əˈpɒkəˌpeit] **I** *v/t* (*Wort*) apokoˈpieren (*am Ende verkürzen*). – **II** *adj* apokoˈpiert. — **aˌpoc·oˈpa·tion** *s* Endverkürzung *f*. — **a·poc·o·pe** [əˈpɒkəpi] *s ling.* Aˈpokope *f*.

A·poc·ry·pha [əˈpɒkrifə; -rə-] *s pl* (*oft als sg mit pl* **-phas** *behandelt*) **1.** *Bibl.* Apoˈkryphen *pl*, Apoˈkrypha *pl* (*die nicht kanonischen Bücher des Alten Testaments*). – **2.** a~ a) apoˈkryph(isch)e *od.* nicht als echt anerkannte Schriften *pl*, b) Schriften *pl* mit unbekannter Verfasserschaft.

a·poc·ry·phal [əˈpɒkrifəl; -rə-] *adj* apoˈkryph(isch): a) von zweifelhafter Verfasserschaft, unecht, verdächtig, ˈuntergeschoben, b) *Bibl.* nicht kaˈnonisch. – *SYN. cf.* **fictitious.**

a·poc·y·na·ceous [əˌpɒsiˈneiʃəs] *adj bot.* zu den ˌApocynaˈceen gehörend.

ap·od [ˈæpɒd] *zo.* **I** *adj* **1.** fußlos. – **2.** ohne Bauchflossen. – **II** *s* **3.** fußloses Tier. – **4.** Kahlbauch *m*. — ˈ**ap·o·dal** [-odl; -ədl] *adj* ohne Füße *od.* Bauchflossen. — ˈ**ap·ode** [-oud] → **apod 3.**

ap·o·deic·tic [ˌæpoˈdaiktik; -pə-] → **apodictic.** — ˌ**ap·oˈdeic·ti·cal·ly** → **apodictically.**

ap·o·dic·tic [ˌæpoˈdiktik; -pə-] **I** *adj* apoˈdiktisch, ˈunwiderˌlegbar, unbedingt, unbestreitbar. – **II** *s* Apoˈdiktik *f* (*Methode, zu sicherem Wissen zu gelangen*). — ˌ**ap·oˈdic·ti·cal·ly** *adv* (*auch zu* **apodictic I**).

ap·o·dix·is [ˌæpoˈdiksis; -pə-] *s* Apoˈdeixis *f*, vollständiger Beweis, ˈunwiderˌlegbare Beweisführung.

ap·o·dous [ˈæpədəs] *adj zo.* fußlos.

ap·o·gam·ic [ˌæpoˈgæmik; -pə-], **a·pog·a·mous** [əˈpɒgəməs] *adj bot.* apoˈgamisch. — **aˈpog·a·my** [-mi] *s bot.* Apogaˈmie *f* (*Samenbildung aus unbefruchteten Zellen der Samenanlage*).

ap·o·gee [ˈæpəˌdʒiː; -po-] *s* **1.** *astr.* Apoˈgäum *n* (*größte Erdferne des Mondes*). – **2.** *fig.* entferntester *od.* höchster Punkt, Höhepunkt *m*.

ap·o·ge·o·trop·ic [ˌæpədʒiːəˈtrɒpik] *adj* negativ geoˈtropisch (*entgegen der Schwerkraft wachsend*). — **ap·o·ge·ot·ro·pism** [ˌæpədʒiˈɒtrəˌpizəm] *s bot.* negativer Geotroˈpismus.

ap·o·graph [ˈæpəˌgræ(ː)f; *Br. auch* -ˌgrɑːf] *pl* **a·pog·ra·pha** [əˈpɒgrəfə] *s* Abschrift *f*, ˈUmschrift *f*.

a·po·lar [eiˈpoulər] *adj biol. math.* [apoˈlar.]

a·po·lar·i·ty [ˌeipoˈlæriti; -rəti] *s bes. math.* ˌApolariˈtät *f*.

ap·o·laus·tic [ˌæpoˈlɔːstik; -pə-] *adj* genießerisch, leichtlebig.

A·pol·li·nar·i·an [əˌpɒliˈnɛ(ə)riən; -lə-] **I** *adj* **1.** → **Apollonian 1.** – **2.** apolliˈnarisch, Apolliˈnaris betreffend: ~ **games** Apollinarische Spiele (*im römischen Altertum*). – **II** *s relig.* **3.** Apollinaˈrist *m* (*Anhänger des Bischofs Apollinaris*). — **Aˌpolˌliˈnarˌiˌanˌism** *s relig.* Apollinaˈrismus *m*, Lehre *f* des Apolliˈnaris.

A·pol·li·na·ris [əˌpɒliˈnɛ(ə)ris; -lə-], *auch* ~ **wa·ter** *s* Apolliˈnaris-, Mineˈralwasser *n* (*aus dem Apollinarisbrunnen in Bad Neuenahr, Rheinland*).

A·pol·lo [əˈpɒlou] **I** *npr* Aˈpoll(o) *m* (*Gott der Poesie u. der Künste*). – **II** *s fig.* Aˈpoll(o) *m*, schöner Jüngling.

Ap·ol·lo·ni·an [ˌæpəˈlouniən] *adj* **1.** aˈpollisch, apolˈlinisch, Aˈpollo betreffend. – **2.** aˈpollogleich, heiter, majeˈstätisch, ausgeglichen, von klassischer Schönheit.

a·pol·o·get·ic [əˌpɒləˈdʒetik] **I** *adj* **1.** rechtfertigend, verteidigend, Verteidigungs..., apoloˈgetisch, entschuldigend, Entschuldigungs..., reumütig. – **II** *s* **2.** Verteidigung *f*, Entschuldigung *f*. – **3.** *relig.* Apoloˈgetik *f*. — **aˌpol·oˈget·i·cal** [-kəl] → **apologetic I.** — **aˌpol·oˈget·i·cal·ly** *adv* (*auch zu* **apologetic I**).

a·pol·o·get·ics [əˌpɒləˈdʒetiks] *s pl* (*als sg konstruiert*) *relig.* Apoloˈgetik *f*.

ap·o·lo·gi·a [ˌæpəˈloudʒiə] *s* Apoloˈgie *f*, Verteidigung *f*, (Selbst)Rechtfertigung *f*. – *SYN. cf.* **apology.**

a·pol·o·gist [əˈpɒlədʒist] *s* **1.** Verteidiger *m*. – **2.** *relig.* Apoloˈget *m* (*bes. frühchristlicher Autor*). – **3.** *fig.* Ehrenretter *m*.

a·pol·o·gize [əˈpɒləˌdʒaiz] **I** *v/i* sich entschuldigen (for wegen), um Entschuldigung bitten (to *acc*, bei), Abbitte tun (to *dat*): **I have to** ~ ich muß um Entschuldigung bitten; **you ought to** ~ **to your father for him** Sie sollten ihn bei Ihrem Vater entschuldigen. – **II** *v/t selten* verteidigen, rechtfertigen. — **a·pol·o·giz·er** [əˈpɒləˌdʒaizər] *s* **1.** Rechtfertiger *m*, Verteidiger *m*, Entschuldiger *m*, Verfechter *m*. – **2.** *fig.* Ehrenretter *m*.

ap·o·logue [ˈæpəˌlɒg; *Am. auch* -ˌlɔːg] *s* **1.** Apoˈlog *m*, diˈdaktische Erzählung, moˈralische Fabel. – **2.** Gleichnis *n*, Allegoˈrie *f*.

a·pol·o·gy [əˈpɒlədʒi] *s* **1.** Entschuldigung *f*, Rechtfertigung *f*: **in** ~ **for** zur *od.* als Entschuldigung für; **to make an** ~ **to s.o. for** sich bei j-m entschuldigen für; **letter of** ~ Entschuldigungsschreiben. – **2.** Abbitte *f*. – **3.** Apoloˈgie *f*, Verteidigungsrede *f*, -schrift *f*. – **4.** *colloq.* minderwertiger Ersatz, Notbehelf *m*, Surroˈgat *n* (for für): **an** ~ **for a meal** ein armseliges Essen. – *SYN.* **alibi, apologia, excuse, plea, pretext.**

ap·o·me·com·e·ter [ˌæpəmiˈkɒmitər; -mət-] *s* Entfernungs-, Höhenmesser *m*. — ˌ**ap·o·meˈcom·e·try** [-tri] *s* Entfernungs-, Höhenmessung *f*.

ap·o·mix·is [ˌæpoˈmiksis; -pə-] *s biol.* ungeschlechtliche Fortpflanzung, ˌParthenogeˈnese *f*, Apogaˈmie *f*, Apoˈmixis *f*.

ap·o·mor·phi·a [ˌæpoˈmɔːrfiə; -pə-], ˌ**ap·oˈmor·phin** [-fin], ˌ**ap·oˈmor·phine** [-fiːn; -fin] *s chem. med.* Apomorˈphin *n* ($C_{17}H_{17}NO_2$).

ap·o·neu·rol·o·gy [ˌæponju(ə)ˈrɒlədʒi; -pə-; *Am. auch* -nu-] *s med.* Lehre *f* von den Muskelsehnen, Faszienlehre *f*.

ap·o·neu·ro·sis [ˌæponju(ə)ˈrousis; -pə-; *Am. auch* -nu-] *s med. zo.* Aponeuˈrose *f*, Faszie *f*, Sehnenhaut *f*. — ˌ**ap·o·neuˈrot·ic** [-ˈrɒtik] *adj med. zo.* aponeuˈrotisch, sehnig. — ˌ**ap·o·neuˈrot·o·my** [-ˈrɒtəmi] *s med.* Aponeuˈrosenspaltung *f*.

a·poop, *auch* **a-poop** [əˈpuːp] *adv u. pred adj mar.* achtern, hinten (*im Schiff*).

ap·o·pemp·tic [ˌæpəˈpemptik] **I** *adj* Abschieds...: ~ **song.** – **II** *s* Abschiedsrede *f*, -gesang *m*.

ap·o·pet·al·ous [ˌæpəˈpetələs] *adj bot.* **1.** freiblättrig (*Blumenkronen*). – **2.** → **polypetalous.**

a·poph·a·sis [əˈpɒfəsis] *s* **1.** Aˈpophasis *f*, scheinbare Ableugnung. – **2.** *philos.* negatives Urteil.

ap·o·phleg·mat·ic [ˌæpofleɡˈmætik; -pə-] *med.* **I** *adj* schleimabsondernd (wirkend). – **II** *s* Exˌpektoˈrantium *n*.

ap·o·phthegm *cf.* **apothegm.**

a·poph·y·ge [əˈpɒfiˌdʒiː; -fə-] *s arch.* Verbindungskehle *f*, Säulenablauf *m* (*am oberen od. unteren Säulenende*).

a·poph·yl·lite [əˈpɒfiˌlait; -fə-; ˌæpəˈfilait] *s min.* Fischaugenstein *m*.

ap·o·phyl·lous [ˌæpəˈfiləs] *adj bot.* mit getrennten Kelchblättern.

a·poph·y·sar·y [*Br.* əˈpɒfisəri; *Am.* -fəˌseri] → **apophyseal.**

a·poph·y·sate [əˈpɒfisit; -ˌseit; -fə-] *adj bot.* mit Apoˈphyse versehen.

ap·o·phys·e·al, ap·o·phys·i·al [ˌæpəˈfiziəl] *adj med. zo.* die Apoˈphyse betreffend, Apophysen...

a·poph·y·sis [əˈpɒfisis; -fə-] *s* **1.** *med. zo.* Apoˈphyse *f*, Knochenfortsatz *m*, Proˈcessus *m*. – **2.** *biol.* Anhang *m* (*am Chitinpanzer der Insekten etc*). – **3.** *biol.* Ansatz *m*, Baˈsalstumpf *m*. – **4.** *bot.* Apoˈphyse *f* (*flaschenförmiger Ansatz unter der Fruchtkapsel der Lebermoose*). – **5.** *geol.* a) Ausläufer *m* eines Ganges *od.* Stocks, b) Ausstülpung *f*, c) Trum *m*.

ap·o·plec·tic [ˌæpəˈplektik] *med.* **I** *adj* **1.** apoˈplektisch, Schlagfluß...: ~ **stroke** Schlaganfall, -fluß; → **fit**[2] 1. – **2.** zum Schlagfluß neigend. – **II** *s* **3.** Apoˈplektiker *m*. — ˌ**ap·oˈplec·ti·cal·ly** *adv*.

ap·o·plec·ti·form [ˌæpəˈplektiˌfɔːrm] *adj med.* schlagflußartig.

ap·o·plex·y [ˈæpəˌpleksi] *s med.* Apopleˈxie *f*, Schlag(anfall, -fluß) *m*: **to be struck with** ~ vom Schlag gerührt *od.* getroffen werden.

a·po·ri·a [əˈpɔːriə] *s* (*Rhetorik*) Apoˈrie *f*, Verlegenheit *f*, Ratlosigkeit *f*.

ap·o·rose [ˈæpəˌrous] *adj zo.* porenlos.

a·port [əˈpɔːrt] *adv mar.* nach backbord: **helm** ~ Ruder backbord!

ap·o·sat·urn [ˈæpəˌsætərn] *s astr.* Aposaˈturnium *n* (*Punkt der größten Entfernung zwischen Saturn u. einem seiner Monde*).

ap·o·sep·al·ous [ˌæpəˈsepələs] *adj bot.* mit freien Kelchblättern.

ap·o·si·o·pe·sis [ˌæpəˌsaiəˈpiːsis] *s* Aposioˈpese *f* (*plötzliches Abbrechen der Rede*). — ˌ**ap·oˌsi·oˈpet·ic** [-ˈpetik] *adj* plötzlich abbrechend.

ap·o·si·ti·a [ˌæpəˈsiʃiə; -tiə] *s med.* Ekel *m* vor dem Essen, Eßunlust *f*.

ap·o·sit·ic [ˌæpəˈsitik] *adj med.* die Eßlust vermindernd.

a·pos·ta·sis [əˈpɒstəsis] *s med.* **1.** Aˈpostasis *f*, Abˈszeß *m*. – **2.** Beendigung *f od.* Ausgang *m* einer Krankheit mit einer Krise.

a·pos·ta·sy [əˈpɒstəsi] *s* Apostaˈsie *f*, Abfall *m*, Abtrünnigkeit *f* (*vom Glauben, von einer Partei etc*). — **a·pos·tate** [əˈpɒsteit; -tit] **I** *s* Apoˈstat *m*, Abtrünniger *m*, Reneˈgat *m*. – **II** *adj* abtrünnig. — **ap·o·stat·ic** [ˌæpəˈstætik], ˌ**ap·oˈstat·i·cal** [-kəl] *adj* apoˈstatisch, abtrünnig. — ˌ**ap·oˈstat·i·cal·ly** *adv* (*auch zu* **apostatic**). — **a·pos·ta·tism** [əˈpɒstəˌtizəm] *s* Abtrünnigwerden *n*, Abfallen *n* (**from** von). — **aˈpos·taˌtize** *v/i* **1.** abfallen (**from** von). – **2.** abtrünnig *od.* untreu werden (**from** *dat*). – **3.** ˈübergehen (**from ... to** von ... zu).

ap·os·teme [ˈæpəsˌtiːm] *s med.* Abˈszeß *m*, Geschwür *n*, Eitergeschwulst *f*.

a pos·te·ri·o·ri [ei pɒsˌti(ə)riˈɔːrai] *adj u. adv philos.* **1.** a ˌposteriˈori, von der Wirkung auf die Ursache schließend, aus der Beobachtung gewonnen, indukˈtiv. – **2.** aposteriˈorisch, aus der Erfahrung gewonnen, emˈpirisch.

a·pos·til(le) [əˈpɒstil] *s* Apoˈstill *m*, Randbemerkung *f*, Anmerkung *f*, Glosse *f*.

a·pos·tle [əˈpɒsl] *s* **1.** *relig.* Aˈpostel *m*. – **2.** *fig.* Aˈpostel *m*, Glaubensbote *m*. – **3.** Aˈpostel *m* (*ein höherer Priester bei den Mormonen*).

A·pos·tles' Creed *s relig.* Apoˈstolisches Glaubensbekenntnis.

a·pos·tle·ship [əˈpɒslˌʃip] *s relig.* Aˈpostelamt *n*, -würde *f*.

a·pos·to·late [əˈpɒstəlit; -ˌleit] *s* Apostoˈlat *n*, Aˈpostelamt *n*, -würde *f*.

ap·os·tol·ic [ˌæpəˈstɒlik] *relig.* **I** *adj* **1.** apoˈstolisch: ~ **succession** (ununterbrochene) apostolische Nachfolge; **A**~ **Fathers** Apostolische Väter. – **2.** päpstlich: → **see**[2] 1; **vicar** ~. – **II** *s* **3.** **A**~ *oft pl* Apoˈstoliker *m* (*Anhänger verschiedener christlicher Sekten*). — ˌ**ap·osˈtol·i·cal** → **apostolic** I. — ˌ**ap·osˈtol·i·cal·ly** *adv* (*auch zu* **apostolic** I). — ˌ**ap·osˈtol·iˌcism** [-ˌsizəm] *s* Anspruch *m* auf AˌpostolizIˈtät. — **a·pos·to·lic·i·ty** [əˌpɒstəˈlisiti; -sə-] *s* Aˌpostoliziˈtät *f*, Besitz *m* der reinen apoˈstolischen Lehre.

a·pos·tro·phe[1] [əˈpɒstrəfi] *s* **1.** Aˈpostrophe *f*, Anrede *f*. – **2.** *bot.* Apoˈstrophe *f* (*Ansammlung von Chlorophyllkörnern an der gemeinsamen Wand zweier Zellen*).

a·pos·tro·phe[2] [əˈpɒstrəfi] *s ling.* Apoˈstroph *m*.

ap·os·troph·ic [ˌæpəˈstrɒfik] *adj* **1.** *ling.* apoˈstrophisch. – **2.** eine Aˈpostrophe enthaltend *od.* betreffend.

a·pos·tro·phize [əˈpɒstrəˌfaiz] **I** *v/t* **1.** (*j-n*) plötzlich *od.* lebhaft anreden. – **2.** apostroˈphieren, mit einem Apoˈstroph versehen. – **II** *v/i* **3.** sich plötzlich wenden (**to** an *acc*). – **4.** einen Apoˈstroph setzen.

a·poth·e·car·ies'|meas·ure [*Br.* əˈpɒθikəriz; *Am.* əˈpɑθəˌkeriz] *s* Apoˈthekermaß *n*. — ~ **weight** *s* Apoˈthekergewicht *n*.

a·poth·e·car·y [*Br.* əˈpɒθikəri; *Am.* -θəˌkeri] *s obs.* **1.** Apoˈtheker *m*. – **2.** Droˈgist *m*. – **3.** *hist.* Arzt *m* mit dem Recht, Medikaˈmente zuˈsammenzustellen und zu verkaufen. – *SYN. cf.* **druggist.**

ap·o·the·ci·um [ˌæpoˈθiːʃiəm; -siəm; -pə-] *pl* **-ci·a** [-ʃiə; -siə] *s bot.* Fruchtlager *n* (*der Flechten*). — ˌ**ap·oˈthe·cial** [-ʃəl] *adj* Fruchtlager betreffend.

ap·o·thegm [ˈæpəˌθem] *s* Apoˈphthegma *n* (*kurzer treffender Sinnspruch*). — ˌ**ap·o·thegˈmat·ic** [-θeɡˈmætik], ˌ**ap·o·thegˈmat·i·cal** *adj* apophthegˈmatisch.

ap·o·them [ˈæpəθem] *s math.* Apoˈthem *n*, Inkreisradius *m* eines regelmäßigen Vielecks.

a·poth·e·o·sis [əˌpɒθiˈousis] *s* **1.** Apotheˈose *f*, Vergöttlichung *f*. – **2.** *fig.* Apotheˈose *f*, Verherrlichung *f*, Vergötterung *f*. – **3.** *fig.* Ideˈal *n*: **the** ~ **of womanhood.** – **4.** *fig.* Auferstehung *f*, Verherrlichung *f* im Himmel.

a·poth·e·o·size [əˈpɒθiəˌsaiz; ˌæpəˈθiə-] *v/t* **1.** vergöttlichen, unter die Götter versetzen. – **2.** *fig.* vergöttern, verherrlichen.

a·poth·e·sis [əˈpɒθəsis] *s* **1.** *arch.* Säulenanlauf *m*. – **2.** *med.* ˈWiedereinrichtung *f od.* -einrenkung *f* eines Gliedes.

a·pot·ro·pous [əˈpɒtrəpəs] *adj bot.* abgewendet, apoˈtrop (*Samenanlagen, deren Samennaht gegen das Innere des Fruchtknotens liegt*).

A pow·er sup·ply *s electr.* Kaˈthodenhitzung *f*, Heizspannungsquelle *f*, -versorgung *f*.

ap·o·zem [ˈæpəˌzem] *s med.* Abkochung *f*, Absud *m*, Kräutertrank *m*.

ap·pal *pret u. pp* **apˈpalled** *cf.* **appall.**

Ap·pa·lach·i·an [ˌæpəˈlætʃiən; -ˈlei-] *adj* appaˈlachisch: ~ **Mountains** Appalachen (*Gebirge im Osten Nordamerikas*). — ~ **tea** *s* **1.** *bot.* Pflanze *f od.* Blätter *pl* von Stechpalmenarten (*Ilex glabra, I. vomitoria*). – **2.** Tee *m* aus den Blättern von Stechpalmen. – **3.** *bot.* (*ein*) Schneeball *m* (*Viburnum cassinoides*).

ap·pall [əˈpɔːl] *pret u. pp* **apˈpalled** *v/t* erschrecken, entsetzen: **to be** ~**ed at** entsetzt sein über (*acc*). – *SYN. cf.* **dismay.**

ap·pall·ing [əˈpɔːliŋ] *adj* erschreckend, entsetzlich, schrecklich. – *SYN. cf.* **fearful.**

ap·pa·nage [ˈæpənidʒ] *s* **1.** Apaˈnage *f*, Jahrgeld *n*, Leibgedinge *n*, standesgemäßer ˈUnterhalt (*eines Prinzen*). – **2.** *fig.* (An-, Erb-, Pflicht)Teil *m*. – **3.** abhängiges Gebiet. – **4.** *fig.* Merkmal *n*, Zubehör *n*, angeborene Eigenschaft.

ap·pa·ra·tus [ˌæpəˈreitəs; -ˈrætəs] *pl* **-tus, -tus·es** *s* **1.** Appaˈrat *m*, Gerät *n*, Vorrichtung *f*, Einrichtung *f*: ~ **for maze learning** *biol.* Labyrinth, Irrwegapparat; ~ **for swimming** *biol.* Schwimmwerkzeug(e). – **2.** *collect.* Appaˈrate *pl*. – **3.** *oft pl* Hilfsmittel *n*. – **4.** *med. zo.* Syˈstem *n*, Appaˈrat *m*: **muscular** ~ Muskulatur, Muskelsystem; **respiratory** ~ Atmungsapparat. – **5.** *sport* Turn-, Übungsgerät *n*: ~ **work** Geräteturnen. — ~ **cri·ti·cus** [ˌæpəˈreitəs ˈkritikəs] (*Lat.*) *s* **1.** Appaˈrat *m* (*für eine philologische Arbeit zusammengestellte einschlägige Literatur*). – **2.** kritischer Appaˈrat, Variˈanten *pl*, Lesarten *pl* (*in einer wissenschaftlichen Textausgabe*).

ap·par·el [əˈpærəl] **I** *v/t pret u. pp* **apˈpar·eled,** *bes. Br.* **apˈpar·elled 1.** *poet.* (be)kleiden. – **2.** *fig.* ausstatten, (aus)schmücken. – **II** *s* **3.** Kleider *pl*, Kleidung *f*, Gewand *n*, Tracht *f*. – **4.** *fig.* Schmuck *m*, Gewand *n*, Kleid *n*: **gay** ~ **of spring.** – **5.** Stickeˈrei *f* (*an Priestergewändern etc*). – **6.** *mar. obs.* Schiffsgerät *n*, -ausrüstung *f*.

ap·par·ent [əˈpærənt] *adj* **1.** sichtbar, wahrnehmbar (**to** für): ~ **defects.** – **2.** offenbar, -sichtlich, einleuchtend, klar (**to s.o.** j-m), augenscheinlich. – **3.** anscheinend, scheinbar, Schein..., schein...: ~ **component** *electr.* Scheinwert; ~ **conductivity** *electr.* Scheinleitwert; ~ **watts** Scheinleistung. – **4.** recht-, gesetzmäßig (*Erbe*). – *SYN.* a) *cf.* **evident,** b) **illusory, ostensible, seeming.** — **apˈpar·ent·ness** *s* Augenscheinlichkeit *f*, Gewißheit *f*.

ap·pa·ri·tion [ˌæpəˈriʃən] *s* **1.** Erscheinen *n*, Sichtbarwerden *n*, Auftreten *n*. – **2.** Erscheinung *f*, Gesicht *n*, Gespenst *n*, Geist *m*. – **3.** Gestalt *f*, (unerwartete) Erscheinung. – **4.** *astr.* Sichtbarwerden *n*, Sichtbarkeit *f*. — ˌ**ap·paˈri·tion·al** *adj* **1.** sichtbar, zu sehen(d). – **2.** geister-, schemenhaft, wesenlos.

ap·par·i·tor [əˈpæritər; -rə-] *s* Gerichts-, Ratsdiener *m*, Peˈdell *m*.

ap·pas·sio·na·to [ɑːpɑːsjouˈnɑːtɔː; əˌpæsiəˈnɑːtə] *adj mus.* appassioˈnato, leidenschaftlich.

ap·peal [əˈpiːl] **I** *v/t* **1.** *jur. Am.* vor einen höheren Gerichtshof bringen, (*Rechtsfall*) verweisen (**to** an *acc*). – **2.** *jur. obs.* anklagen. – **II** *v/i* **3.** *jur.* Berufung einlegen, ein Rechtsmittel ergreifen (**gegen against**). – **4.** (**to**) appelˈlieren *od.* sich wenden (an *acc*), anrufen (*acc*), sich berufen (auf *acc*). – **5.** (**to**) Gefallen *od.* Anklang finden (bei), gefallen, zusagen (*dat*), wirken (auf *acc*). – **6.** (**to**) (*j-n*) dringend bitten (**for** um), sich einsetzen (bei):

to ~ to one's father for help seinen Vater um Hilfe bitten. – **III** *s* 7. *jur.* a) Rechtsmittel *n*, Appellati'on *f*, Berufung *f*, b) Appellati'onsrecht *n*, c) *obs.* Klage *f*, Beschuldigung *f*: **to give notice of ~** Berufung einlegen. – **8.** Verweisung *f*, Berufung *f* (to auf *acc*). – **9.** *fig.* Ap'pell *m*, Anrufen *n*, Aufruf *m*: **the ~ to reason; to make an ~ to charity** an die Nächstenliebe appellieren. – **10.** *fig.* (flehentliche *od.* dringende) Bitte (for um): **an ~ on behalf of the Red Cross.** – **11.** *fig.* Anziehung(skraft) *f*, Wirkung *f* (to auf *acc*), Anklang *m* (to bei): **the ~ of adventure to youth; to make an ~ to s.o.** bei j-m Anklang finden; **~ to customers** *econ.* Anziehungskraft auf Kunden. – *SYN.* **petition, plea, prayer[1], suit.** — **ap'peal·a·ble** *adj jur.* appellati'onsfähig: **the decision is ~** gegen die Entscheidung kann Berufung eingelegt werden. — **ap'peal·ing** *adj* appel'lierend, bittend, flehend, mitleidheischend. — **ap'peal·ing·ness** *s* Flehentlichkeit *f*, flehentlicher Blick *od.* Ausdruck.

ap·pear [ə'pir] *v/i* **1.** erscheinen, sichtbar werden *od.* sein, sich zeigen, auftreten: **a cloud ~ed on the horizon.** – **2.** erscheinen, sich stellen (*vor Gericht etc*): **to ~ against s.o.** gegen j-n (vor Gericht) auftreten; **failure to ~** Nichterscheinen vor Gericht. – **3.** scheinen, den Anschein haben, aussehen, den Eindruck erwecken, (*j-m*) vorkommen: **it ~s to me you are right** mir scheint, Sie haben recht; **he ~s tired** er wirkt müde. – **4.** sich ergeben *od.* her'ausstellen, her'vorgehen: **it ~s from this** hieraus geht hervor. – **5.** (öffentlich) auftreten: **Olivier ~ed as Hamlet.** – **6.** erscheinen, her'auskommen: **the book ~ed five years ago.** – **7.** *math.* vorkommen, auftreten. – **8.** *econ.* (*auf einem Konto*) erscheinen, figu'rieren. – **9.** *mus.* auftreten (*Thema*).

ap·pear·ance [ə'pi(ə)rəns] *s* **1.** Erscheinen *n*, Sichtbarwerden *n*: **non-~** *biol.* Ausbleiben. – **2.** Auftreten *n*, Vorkommen *n*. – **3.** *jur.* Erscheinen *n* (vor Gericht). – **4.** (äußere) Erscheinung, Aussehen *n*, Äußeres *n*, Anblick *m*. – **5.** (Na'tur)Erscheinung *f*, Phäno'men *n*: **an ~ in the sky.** – **6.** *pl* äußerer Schein, (An)Schein *m*: **~s are against him.** – **7.** Eindruck *m*, Schein *m*: **the blue of distant hills is an ~ only.** – **8.** *philos.* Erscheinung *f*. – **9.** Erscheinung *f*, Gespenst *n*. – **10.** Veröffentlichung *f*, Erscheinen *n*. – **11.** (öffentliches) Auftreten. – **12.** *mus.* Auftreten *n*, -tritt *m* (*eines Themas*). –
Besondere Redewendungen:
in ~ anscheinend, dem Anschein nach; **to all ~(s)** allem Anschein nach; **at first ~** beim ersten Anblick; **to make** (*od.* **put in**) **one's ~** sich zeigen, erscheinen, zum Vorschein kommen, auftreten; **for ~'s sake** des Scheines wegen, um den Schein zu wahren; **there is every ~** that es hat ganz den Anschein, daß; **to assume an ~** sich den Anschein geben; **as far as ~s go** nach dem Schein zu urteilen; **to have the ~ of being stingy** den Anschein erwecken, geizig zu sein; **to keep up** (*od.* **save**) **~s** den Schein wahren; **to have a poor ~** armselig aussehen.

ap·pease [ə'pi:z] *v/t* **1.** (*Zorn etc*) beruhigen, besänftigen, beschwichtigen. – **2.** (*Streit*) schlichten, beilegen, (*Leiden*) mildern. – **3.** (*Durst etc*) befriedigen, stillen, lindern, löschen. – **4.** aussöhnen, versöhnen. – **5.** *pol.* (*potentiellen Aggressor*) (durch Zugeständnisse) beschwichtigen. – *SYN. cf.* **pacify.** — **ap'peas·a·ble** *adj* zu beruhigen(d), zu besänftigen(d), zu stillen(d), versöhnlich. — **ap'pease·ment** *s* **1.** Beruhigung *f*, Befriedigung *f*, Beschwichtigung *f*, Stillung *f*, Versöhnung *f*, Nachgiebigkeit *f*. – **2.** *pol.* Beschwichtigung *f* (*einer aggressiven Macht durch Zugeständnisse u. durch Opferung von Prinzipien*): **policy of ~** Beschwichtigungspolitik. — **ap'peas·er** *s* Besänftiger *m*, Friedensstifter *m*, Versöhner *m*, Beschwichtiger *m*, j-d der um jeden Preis den Frieden erhalten will. — **ap'peas·ing** *adj bes. med.* besänftigend, beruhigend, lindernd.

ap·pel [a'pɛl] (*Fr.*) *s* Ap'pell *m* (*beim Fechten*).

ap·pel·lant [ə'pelənt] **I** *adj* **1.** *jur.* appel'lierend, Berufungs... – **2.** *fig.* appel'lierend, bittend. – **II** *s* **3.** *jur.* Appel'lant *m*, Berufungskläger *m*. – **4.** *fig.* Bitt-, Gesuchsteller(in).

ap·pel·late I *adj* [ə'pelit; -eit] *jur.* die Berufung betreffend, Appellations...: **~ court** Oberlandesgericht, Appellationsgericht, Gericht zweiter Instanz. – **II** *v/t* [-eit] *selten* (be)nennen, bezeichnen.

ap·pel·la·tion [ˌæpə'leiʃən] *s* **1.** Benennung *f*. – **2.** Name *m*, Bezeichnung *f*.

ap·pel·la·tive [ə'pelətiv] **I** *adj* **1.** *ling.* appella'tiv: **~ name** Gattungsname. – **2.** benennend, (*eine Gattung*) bezeichnend. – **II** *s* **3.** *ling.* Appella'tiv(um) *n*, Gattungsname *m*. – **4.** Benennung *f*, Bezeichnung *f*.

ap·pel·lee [ˌæpə'li:] *s jur.* Appel'lat *m*, Berufungsbeklagter *m*.

ap·pend [ə'pend] *v/t* **1.** befestigen, festmachen, anbringen (to an *dat*), anhängen (to an *acc*): **a seal ~ed to a record.** – **2.** bei-, hin'zufügen (to *dat*, zu), anfügen (to *dat*, an *acc*): **notes ~ed to a chapter.** – *SYN.* **add, annex, subjoin.**

ap·pend·age [ə'pendidʒ] *s* **1.** Anhang *m*, Anhängsel *n*, Zubehör *n*. – **2.** *fig.* Beigabe *f*, -werk *n*, Zugabe *f*, Begleiterscheinung *f*. – **3.** *fig.* Anhängsel *n*, (ständiger) Begleiter. – **4.** *biol.* Anhang(sgebilde *n*) *m*, Anhängsel *n*, Fortsatz *m*, Ansatz *m*. – *SYN.* **adjunct, appurtenance.** — **ap'pend·aged** *adj* mit einem Anhang *etc* (versehen), als Beigabe.

ap·pend·ant [ə'pendənt] **I** *adj* (to, on) **1.** da'zugehörig, gehörig *od.* gehörend (zu), begleitend (*acc*), verbunden (mit), beigefügt (*dat*): **the salary ~ to a position** das mit einer Stellung verbundene Gehalt. – **2.** *jur.* als Recht gehörend (zu), zustehend (*dat*). – **3.** angehängt, bei-, hin'zugefügt, angeschlossen (*dat*). – **II** *s* **4.** Anhang *m*, Anhängsel *n*, Zusatz *m*, Beiwerk *n*. – **5.** *jur.* zustehendes Erbe *od.* Recht. – **6.** abhängiges *od.* zugehöriges Gebiet. – **7.** Abhängiger *m*.

ap·pen·dec·to·my [ˌæpən'dektəmi] *s med.* 'Blinddarmoperatiˌon *f*.

ap·pen·dent *cf.* **appendant.**

ap·pen·di·cal [ə'pendikəl] *adj* als Anhang *od.* Beiwerk hin'zugefügt, wie ein Anhang *od.* Zusatz.

ap·pen·di·ces [ə'pendiˌsi:z; -də-] *pl von* **appendix.**

ap·pen·di·ci·tis [əˌpendi'saitis; -də-] *s med.* Appendi'citis *f*, Blinddarmentzündung *f*.

ap·pen·di·cle [ə'pendikl] *s* kleines Anhängsel, kleiner Anhang.

ap·pen·dic·u·lar [ˌæpən'dikjulər; -kjə-] *adj med.* **1.** appendiku'lar, die Glieder betreffend: **the ~ skeleton.** – **2.** den Wurmfortsatz *od.* Blinddarm betreffend, Blinddarm...: **~ inflammation.** – **3.** Anhangs...: **~ gland** Anhangsdrüse.

ap·pen·dic·u·lar·i·an [ˌæpənˌdikju'lɛ(ə)riən; -kjə-] *zo.* **I** *adj* zu den Appendiku'larien gehörig. – **II** *s* Appendiku'larie *f* (*Manteltier*).

ap·pen·dix [ə'pendiks] *pl* **-dix·es, -diˌces** [-diˌsi:z; -də-] *s* **1.** Ap'pendix *m*, Anhang *m* (*eines Buches*). – **2.** Anhängsel *n*, Zubehör *n*. – **3.** *aer. tech.* Füllansatz *m*. – **4.** *med.* Anhang *m*, Fortsatz *m*, *bes.* Wurmfortsatz *m*, Blinddarm *m*. – *SYN.* **addendum, supplement.**

ap·per·ceive [ˌæpər'si:v] *v/t* **1.** *psych.* apperzi'pieren (*neuen Bewußtseinsinhalt in das System vorhandenen Wissens eingliedern*). – **2.** *obs.* wahrnehmen, bemerken.

ap·per·cep·tion [ˌæpər'sepʃən] *s* **1.** *psych.* Apperzepti'on *f*, Aufmerksamkeit *f*, bewußtes Auffassen *od.* Wahrnehmen. – **2.** *philos.* Apperzepti'on *f*, urteilende Auffassung, Wahrnehmung *f*, Erkenntnis *f*. — **ˌap·per'cep·tive** *adj philos. psych.* apperzep'tiv, mit Bewußtsein wahrnehmend.

ap·per·tain [ˌæpər'tein] *v/i* (to) gehören (zu), betreffen (*acc*), (zu)gehören, zustehen, zukommen, gebühren (*dat*).

ap·pe·tence ['æpitəns; -pə-], **'ap·pe·ten·cy** *s* **1.** Verlangen *n*, Begierde *f*, Gelüst(e) *n* (of, for, after nach). – **2.** instink'tive Neigung, Hang *m*, (Na'tur)Trieb *m*. – **3.** Wahlverwandtschaft *f*, Affini'tät *f*, na'türliche Anziehung. — **'ap·pe·tent** *adj* **1.** verlangend, begehrend, Verlangen betreffend. – **2.** *ling.* in der Artikulati'on schwankend (*Gleitlaut*). – **3.** *selten* begierig, lüstern (of, for, after nach).

ap·pe·ti·ble ['æpitəbl; -pət-] *adj* begehrenswert, wunscherregend.

ap·pe·tite ['æpiˌtait; -pə-] *s* **1.** Verlangen *n*, Begierde *f* (for nach). – **2.** (for) Gefallen *n* (an *dat*), Hunger *m* (nach), Neigung *f*, Trieb *m* (zu). – **3.** Appe'tit *m*, Hunger *m* (for auf *acc*), Eßlust *f*: **~ comes with eating** der Appetit kommt beim Essen; **a good ~ is the best sauce, a good ~ needs no sauce** Hunger ist der beste Koch; **to have an ~** Appetit haben; **to take away** (**spoil**) **s.o.'s ~** j-m den Appetit nehmen (verderben). — **ˌap·pe'ti·tion** [-'tiʃən] *s* Begehren *n*, Verlangen *n*. — **'ap·peˌti·tive** [-ˌtaitiv] *adj* begehrend, Begehrungs...: **~ faculty** Begehrungsvermögen. — **'ap·peˌtiz·er** [-ˌtaizər] *s* appe'titanregendes Mittel *od.* Gericht *od.* Getränk, pi'kante Vorspeise, Aperi'tif *m*. — **'ap·peˌtiz·ing** *adj* **1.** appe'titanregend, -reizend, -machend, appe'titlich. – **2.** *fig.* begehrenswert, Begierde erweckend, Inter'esse erregend.

ap·pla·nate ['æpləˌneit] *adj bot.* abgeflacht, schildförmig. — **ˌap·pla'na·tion** *s med.* Abflachung *f*: **~ of cornea** Hornhautabflachung (*Auge*).

ap·plaud [ə'plɔ:d] **I** *v/i* **1.** applau'dieren, Beifall spenden. – *SYN.* **cheer, hurrah, huzza, root[3].** – **II** *v/t* **2.** beklatschen, (*j-m*) Beifall spenden. – **3.** *fig.* loben, preisen, billigen, (*j-m*) zustimmen. — **ap'plaud·er** *s* **1.** Applau'dierender *m*, Beifallspend(end)er *m*. – **2.** *fig.* Lobpreiser *m*, Beipflichtender *m*, Zustimmender *m*.

ap·plause [ə'plɔ:z] *s* **1.** Ap'plaus *m*, Beifall(klatschen *n*) *m*: **to break into ~** in Beifall ausbrechen; → **round[1]** 37. – **2.** *fig.* Beifall *m*, Zustimmung *f*, Billigung *f*, Anerkennung *f*. — **ap'plau·sive** [-siv] *adj* **1.** applau'dierend, Beifall klatschend *od.* spendend *od.* zollend, Beifalls... – **2.** lobend, preisend, billigend, Lob..., Billigungs..., Preis...

ap·ple ['æpl] *s* **1.** Apfel *m*. – **2.** apfelähnliche *od.* -artige Frucht. — **'~ˌber·ry** *s bot.* Billar'diere *f* (*Billardiera scandens*). — **~ blight** *s* **1.** *bot.* Apfel-Mehltau *m* (*Podosphaera leucotricha*). – **2.** *zo.* (*eine*) Blutlaus (*bes. Eriosoma lanigerum*). — **~ bor·er** *s* *zo. Am.* **1.** Rundköpfiger Apfelbaumbohrer (*Saperda candida*). – **2.** Plattköpfiger Apfelbaumbohrer (*Chrysobothris femorata*). — **~ bran·dy** → apple jack 1. — **~ but·ter** *s Am.* 'Apfelkonfi,türe *f.* — **~ cart** *s* Apfelkarren *m*: to upset s.o.'s ~ *fig.* j-s Pläne über den Haufen werfen. — **~ cheese** *s* Apfeltrester *pl.* — **~ cur·cu·li·o** *s zo.* Apfelblütenstecher *m*, Brenner *m* (*Anthonomous quadrigibbus*). — **~ frit·ters** *s pl* Apfelschnitten *pl.* — **~ green** *s* **1.** Apfel-, Hellgrün *n*.–**2.** Apfelgrüne *f* (*eine künstliche Angelfliege*). — '**~-'green** *adj* apfelgrün.—'**~,jack** *s* **1.** *Am.* Apfel-, Obstschnaps *m.* – **2.** *Br. dial.* mit Äpfeln gefülltes Gebäck, ‚Apfel *m* im Schlafrock'. — **~ mint** *s bot.* Rundblätterige Minze (*Mentha rotundifolia*). — **~ moth** *s zo.* Apfelwickler *m* (*Carpocapsa pomonella*). — **~ of Cain** *s bot.* **1.** Erdbeerbaum *m* (*Arbutus unedo*). – **2.** Frucht *f* des Erdbeerbaums. — **~ of dis·cord** *s* Zankapfel *m.* — **~ of Sod·om** *s* **1.** *bot.* Sodomsapfel *m* (*Calotropis procera*). – **2.** *fig.* Täuschung *f*, vergebliche Sache. — **~ of the eye** *s* **1.** Pu'pille *f* (*des Auges*). – **2.** *fig.* Augapfel *m*, Liebling *m*: he is the apple of his father's eye. — **~ pie** *s* **1.** gedeckter Apfelkuchen. – **2.** *bot. Br.* Zottiges Weidenröschen (*Epilobium hirsutum*). — '**~-,pie bed** *s Bett, in dem Laken und Decken aus Scherz so gefaltet sind, daß man sich nicht ausstrecken kann.* —'**~-,pie order** *s colloq.* beste *od.* schönste Ordnung: everything is in ~ ‚alles ist in Butter' *od.* in bester Ordnung. — **~ pol·ish·er** *s sl.* ‚Speichellecker' *m*, Schmeichler *m.* — '**~,sauce** *s* **1.** Apfelmus *n.* – **2.** *Am. sl.* ‚Schmus' *m* (*Schmeichelei*). – **3.** *Am. sl.* ‚Quatsch' *m* (*Unsinn*). — **~ shell, ~ snail** *s zo.* (*eine*) Kugelschnecke *f* (*Gattg Ampullaria*).

Ap·ple·ton lay·er ['æpltən] *s phys.* Appletonschicht *f* (*Teil der oberen Atmosphäre*).

ap·ple tree *s bot.* **1.** Apfelbaum *m* (*Gattg Malum*). – **2.** Austral. Myrtenapfel *m* (*Angophora subvelutina*).

ap·pli·ance [ə'plaiəns] *s* **1.** (Hilfs-)Mittel *n*, Gerät *n*, Vorrichtung *f.* – **2.** Anwendung *f.* – *SYN. cf.* implement.

ap·pli·ca·bil·i·ty [,æplikə'biliti; -əti] *s* (to) Anwendbarkeit *f* (auf *acc*), Eignung *f* (für). — '**ap·pli·ca·ble** *adj* (to) anwendbar (auf *acc*), passend, geeignet, zu gebrauchen(d) (für). – *SYN. cf.* relevant. — '**ap·pli·ca·ble·ness** *s* Anwendbarkeit *f*, Geeignetheit *f.*

ap·pli·cant ['æplikənt; -lə-] *s* Bewerber(in) (for um), Bittsteller(in), Stellungsuchende(r), Antragsteller(in): ~ for a patent Patentanmelder; ~ for credit Kreditsuchender.

ap·pli·ca·tion [,æpli'keiʃən; -lə-] *s* **1.** (to) Anwendung *f* (auf *acc*), Verwendung *f*, Gebrauch *m* (für): this has no ~ to the case in question dies findet keine Anwendung auf den vorliegenden Fall, das trifft auf diesen Fall nicht zu; range of ~ Anwendungsbereich; the ~ of poison gas der Gebrauch *od.* die Verwendung von Giftgas. – **2.** Nutzanwendung *f*: economic ~ wirtschaftliche Verwendung, Nutzanwendung; the ~ of a theory. – **3.** Verwendbarkeit *f*, Anwendbarkeit *f*: words of varied ~. – **4.** (to) Beziehung *f* (zu), Zu'sammenhang *m* (mit), Bedeutung *f* (für): this has no ~ to the question. – **5.** *med.* Applikati'on *f*, Anwendung *f*, Anlegung *f*, Auflegen *n*: the ~ of a poultice. – **6.** *med.* Mittel *n*, Verband *m*, 'Umschlag *m.* – **7.** Bitten *n*, Ersuchen *n*: an ~ for help. – **8.** Bitte *f* (for um), Antrag *m* (for auf), Gesuch *n* (for um), Eingabe *f* (to an *acc*): an ~ for a scholarship ein Gesuch um ein Stipendium; on the ~ of auf das Gesuch von; on ~ auf Ersuchen *od.* Wunsch; ~ blank, ~ form Antrags-, Bewerbungs-, Anmeldungsformular. – **9.** Bewerbung *f*, Bewerbungsschreiben *n*, Stellengesuch *n.* – **10.** Fleiß *m*, 'Hingabe *f*, Eifer *m*, Aufmerksamkeit *f*: his ~ was not equal to his talents sein Fleiß entsprach nicht seiner Begabung; the ~ to his studies der Eifer, mit dem er sich seinen Studien widmet. – *SYN. cf.* attention. – **11.** *tech.* Einbau *m.* – **12.** *phys.* point of ~ Angriffspunkt *m.* – **13.** *astr.* Annäherung *f* (*eines Planeten an einen Aspekt*). — '**ap·pli,ca·tive** *adj* anwendbar, geeignet, praktisch.

ap·pli·ca·tor ['æpli,keitər; -lə-] *s med.* **1.** Appli'kator *m*, Instru'ment *n*, Hilfsmittel *n.* – **2.** Strahlungsgerät *n* (*Röntgen*). – **3.** Salbenspatel *m.* — '**ap·pli·ca·to·ry** [*Br.* -kətəri; *Am.* -,tɔːri] *adj* praktisch, anwendbar.

ap·plied [ə'plaid] *adj* praktisch, angewandt: ~ music *Am.* praktische Musik; ~ science angewandte Wissenschaft.

ap·pli·qué [*Br.* æ'pliːkei; *Am.* ,æpli'kei] **I** *adj* **1.** aufgelegt, -genäht, appli'ziert: ~ lace a) übertragene Stickerei, b) applizierte Spitzen; ~ work Applikation(sstickerei). – **2.** *tech.* aufgelegt (*Metallarbeit*). – **II** *s* **3.** aufgelegte *od.* aufgenähte Arbeit, Applikati'on(en *pl*) *f.* – **4.** Auflege-, Applikati'onsstück *n.* – **III** *v/t* **5.** mit Auflege- *od.* Aufnähstücken versehen, als Auflege- *od.* Aufnähstück verwenden: ~d pockets aufgesetzte Taschen.

ap·ply [ə'plai] **I** *v/t* **1.** (to) auflegen, -tragen, anlegen, legen (auf *acc*), anbringen (an, auf *dat*): to ~ a plaster. – **2.** (to) verwenden (auf *acc*, für), anwenden (auf *acc*), gebrauchen (zu): to ~ a rule; to ~ the brakes bremsen. – **3.** auswerten, verwerten (to zu, für): to ~ one's knowledge. – **4.** (als passend) anbringen: to ~ an epithet. – **5.** (to) beziehen (auf *acc*), in Verbindung bringen (mit). – **6.** (to) (*Sinn*) richten, lenken (auf *acc*), beschäftigen (mit). – **7.** *reflex* (to) sich 'hingeben, sich widmen (*dat*), sich legen (auf *acc*): to ~ oneself to one's task sich seiner Aufgabe widmen. – **8.** *reflex* (to) sich Mühe geben (mit), sich befleißigen (*gen*): to ~ oneself to one's studies sich seiner Studien befleißigen, sich seinen Studien widmen. – **9.** *pass phys.* ausüben (to auf *acc*): the force is applied to the longer lever arm die Kraft greift am längeren Hebelarm an. – **II** *v/i* **10.** (to) zur Anwendung kommen, sich anwenden lassen (auf *acc*), passen (auf *acc*, zu), anwendbar sein (auf *acc*), sich beziehen (auf *acc*), gelten (für): this applies to all cases dies gilt für alle Fälle *od.* läßt sich auf alle Fälle anwenden. – **11.** (to) sich wenden (an *acc*), sich melden (bei, for wegen): ~ to the office wenden Sie sich an das Büro. – **12.** (for) beantragen (*acc*), nachsuchen (um), anmelden (*acc*): to ~ for consent Genehmigung einholen; → patent 11. – **13.** sich bewerben (for um): to ~ for a job. – **14.** bitten, ersuchen (to *acc*; for um): to ~ to a friend for help einen Freund um Hilfe bitten; to ~ for an increase in salary um eine Gehaltserhöhung ersuchen.

ap·pog·gia·tu·ra [ə,pɒdʒə'tu(ə)rə] *s mus.* Appogia'tur *f*: a) (kurzer *od.* langer) Vorschlag, b) freier Vorhalt.

ap·point [ə'pɔint] **I** *v/t* **1.** ernennen, machen zu, berufen, anstellen, bestellen, einsetzen: to ~ s.o. governor j-n zum Gouverneur bestellen *od.* ernennen, j-n als Gouverneur berufen *od.* einsetzen; to ~ s.o. to a professorship j-n zum Professor ernennen. – **2.** befehlen, anordnen, vorschreiben: laws ~ed by God. – **3.** festsetzen, -legen, bestimmen, ansetzen, anberaumen, verabreden: to ~ a day for trial; ~ed time festgesetzter Termin. – **4.** *jur.* a) erb- und eigentümlich über'weisen, b) in den erb- und eigentümlichen Besitz setzen, c) (*zum Vormund*) bestellen. – **5.** ausstatten, -rüsten, einrichten, versehen (with mit): a well-~ed house. – *SYN. cf.* furnish. – **6.** *obs.* tadeln, anklagen. – **II** *v/i* **7.** *obs.* bestimmen, beschließen (to do zu tun). — **ap·point·ee** [ə,pɔin'tiː] *s* **1.** Ernannte(r), (*zu einem Amt*) Berufene(r), Angestellte(r), Beamter *m.* – **2.** *jur.* Nutznießer (-in), Bestallter *m.* — **ap'poin·tive** *adj* **1.** Anstellung *od.* Ernennung betreffend, Ernennungs..., Anstellungs... – **2.** durch Ernennung *od.* Anstellung zu besetzen(d): an ~ office.

ap·point·ment [ə'pɔintmənt] *s* **1.** Ernennung *f*, Anstellung *f*, Bestellung *f*, Berufung *f*: ~ of trustees; document of ~ Anstellungsurkunde; by special ~ to the King Königlicher Hoflieferant. – **2.** Amt *n*, Stelle *f*, Stellung *f*: to hold an ~ eine Stelle innehaben. – **3.** Festsetzung *f*, -legung *f*, Bestimmung *f*, Anberaumung *f* (*bes. eines Termins*). – **4.** Verabredung *f*, Zu'sammenkunft *f*, Treffen *n*: by ~ nach Vereinbarung, laut Verabredung; to make an ~ eine Verabredung treffen, eine Zusammenkunft festsetzen; to keep (break) an ~ eine Verabredung (nicht) einhalten. – **5.** Beschluß *m*, Auftrag *m*, Anordnung *f*, Bestimmung *f*, Vorschrift *f.* – **6.** *jur.* Einsetzung *f*, Bestellung *f* (*eines Vormunds*), Ernennung *f* (*des Nutznießers*). – **7.** *meist pl* Ausstattung *f*, Einrichtung *f*: ~s for a hotel.

ap·poin·tor [ə'pɔintər] *s jur. Erbe, der die Nutznießung seines Besitzes einem anderen übertragen kann.*

ap·port [ə'pɔːrt] **I** *s* **1.** (*Spiritismus*) Materialisati'on *f*, Her'beibringen *n* von Gegenständen durch Geister. – **II** *v/t* **2.** (*Spiritismus*) (*Gegenstände*) her'beibringen. – **3.** *obs.* erzeugen.

ap·por·tion [ə'pɔːrʃən] *v/t* **1.** (*einen Anteil*) anweisen, zuteilen, zumessen. – **2.** gleichmäßig *od.* gerecht zuteilen *od.* verteilen, zumessen: to ~ the costs die Kosten umlegen. – *SYN. cf.* allot.

ap·por·tion·ment [ə'pɔːrʃənmənt] *s* **1.** (proportio'nale *od.* gerechte) Verteilung *od.* Zuteilung: ~ of costs Kostenumlage, -verteilung. – **2.** *jur. Am. Verteilung der zu wählenden Abgeordneten od. der direkten Steuern auf die einzelnen Staaten od. Wahlbezirke.*

ap·pos·a·ble [ə'pouzəbl; æ'p-] *adj* **1.** vor-, auflegbar. – **2.** vereinbar. – **3.** oppo'nierbar (*Daumen des Menschen*). — **ap'pose** *v/t* **1.** vor-, an-, auflegen. – **2.** nebenein'anderlegen, -stellen, -setzen, zu'sammenbringen, gegen'überstellen. – **3.** (*Speise*) vorsetzen. – **4.** (*Siegel*) aufdrücken.

ap·po·site ['æpəzit; -po-] *adj* **1.** passend, angemessen, geeignet (to für), angebracht, treffend, schicklich: an ~ answer. – *SYN. cf.* relevant. – **2.** nebenein'ander,liegend, dar'an-, da'beiliegend, Seite an Seite liegend, nahe. — '**ap·po·site·ness** *s* Angemessenheit *f*, Schicklichkeit *f.*

ap·po·si·tion [,æpə'ziʃən; -po-] *s* **1.** Bei-, Hin'zufügen *n*, Nebenein'anderlegen *n*, -stellen *n*, Zu'sammenfügen *n*, -bringen *n.* – **2.** Bei-, Hin'zufügung *f*, Bei-, Zusatz *m.* – **3.** Entsprechen *n*, Nebenein'anderliegen *n*, enge Berührung, Paralle'lismus *m.* – **4.** *ling.* Appositi'on *f*, Beifügung *f*,

Beisatz *m.* – **5.** *biol. med.* Apposi'ti'on *f*, Anein'ander-, Auf-, Anlagerung *f.* – **6.** *bot.* Auflagerung *f* (*von Zellwandschichten*). — ˌ**ap·po'si·tion·al** *adj bes. ling.* appositio'nell, beigefügt, beifügend, Appositions...

ap·pos·i·tive [ə'pɒzitiv; -zə-] *ling.* **I** *adj* appositio'nell, beigefügt, als Beifügung, in Appositi'on. – **II** *s* Appositi'on *f.*

ap·prais·a·ble [ə'preizəbl] *adj* (ab)schätzbar.

ap·prais·al [ə'preizəl] *s* **1.** (Ab)Schätzung *f*, Ta'xierung *f.* – **2.** *bes. ped.* Bewertung *f.* – **3.** *fig.* Wertschätzung *f*, Würdigung *f*: a critical ~.

ap·praise [ə'preiz] *v/t* **1.** (ab)schätzen, ta'xieren, den Wert (*einer Sache*) bestimmen, bewerten: ~d value Schätz-, Schätzungswert. – **2.** *tech.* auswerten. – **3.** *fig.* bewerten, würdigen. – *SYN. cf.* estimate. — **ap'praise·ment** *s* **1.** (Ab)Schätzung *f*, Bewertung *f*, Ta'xierung *f*: ~ of the productive capacity *econ.* Bonitierung (*Forstwirtschaft etc*). – **2.** Abschätzungs-, Schätz-, Taxwert *m.* — **ap'prais·er** *s* (Ab)Schätzer *m*, Ta'xator *m.*

ap·pre·ci·a·ble [ə'priːʃəbl; -ʃiəbl] *adj* **1.** bemerkenswert, nennenswert: not in any ~ degree in keinem nennenswerten Grade, kaum nennenswert. – **2.** (ab)schätzbar, ta'xierbar, bestimmbar. – *SYN. cf.* perceptible.

ap·pre·ci·ate [ə'priːʃiˌeit] **I** *v/t* **1.** (hoch)schätzen, richtig einschätzen, würdigen, zu würdigen wissen: to ~ s.o.'s ability. – **2.** schätzen, empfänglich *od.* aufgeschlossen sein für, den Wert (*einer Sache*) erkennen, Gefallen finden an (*dat*): to ~ music. – **3.** (dankbar) anerkennen, schätzen: to ~ a gift. – **4.** (voll und ganz) erkennen *od.* einsehen, sich (*einer Gefahr etc*) bewußt sein *od.* werden, merken, (*einer Schwierigkeit etc*) gewahr werden, erfassen: to ~ a difficulty. – **5.** *bes. Am.* den Wert *od.* Preis (*einer Sache*) erhöhen *od.* steigern. – **6.** *obs.* (*Wert, Menge etc*) (ab)schätzen, ta'xieren. – **II** *v/i* **7.** im Wert *od.* Preis steigen. – *SYN.* a) cherish, prize², treasure, value, b) *cf.* understand.

ap·pre·ci·a·tion [əˌpriːʃi'eiʃən; -si-] *s* **1.** (Ab)Schätzen *n*, Würdigung *f*, Würdigen *n*, (Wert)Schätzung *f*, Anerkennung *f.* – **2.** Verständnis *n*, Aufgeschlossenheit *f* (of, for für), Empfänglichkeit *f* (*bes. für Kunst*): musical ~ Musikverständnis. – **3.** (klares) Einsehen, Erkennen *n*, Wahrnehmung *f.* – **4.** kritische Würdigung, (*bes. günstige*) Kri'tik. – **5.** (dankbare) Anerkennung, Ausdruck *m* der Dankbarkeit. – **6.** *econ.* Wertsteigerung *f*, -zuwachs *m*, Preiserhöhung *f.* – **7.** *econ.* Aufwertung *f.* — **apˌpre·ci'a·tion·ist** *s bes. Am.* Vertreter(in) der auf Mu'sikverständnis zielenden päda'gogischen Bewegung. — **ap·pre·ci·a·tive** [*Br.* ə'priːʃiətiv; *Am.* -ʃiˌeitiv] *adj* **1.** anerkennend, würdigend, (hoch)schätzend, achtungsvoll. – **2.** fähig zu schätzen *od.* zu würdigen, verständnisvoll, empfänglich (of für): ~ of music musikverständig. — **ap'pre·ci·a·tive·ness** *s* Fähigkeit *f*, (*etwas*) zu schätzen *od.* zu würdigen, Empfänglichkeit *f*, Aufgeschlossenheit *f* (of für).

ap·pre·ci·a·tor [ə'priːʃiˌeitər] *s* j-d der (ab)schätzt, einsieht, wertet, würdigt, anerkennt. — **ap'pre·ci·a·to·ry** [*Br.* -ʃiətəri; *Am.* -ˌtɔːri] *adj* **1.** (hoch)schätzend, anerkennend, würdigend. – **2.** verständnisvoll, empfänglich (of für).

ap·pre·hend [ˌæpri'hend] **I** *v/t* **1.** ergreifen, fassen, festnehmen, gefangennehmen, verhaften: to ~ a thief. – **2.** *fig.* (*einer Sache*) gewahr werden, (*etwas*) wahrnehmen, gewahren, vernehmen: to ~ a voice from heaven eine Stimme vom Himmel vernehmen. – **3.** *fig.* begreifen, erfassen, verstehen, einsehen. – **4.** *fig.* erwarten, vor'aussehen, (be)fürchten, sich sorgen um: I ~ no violence. – *SYN. cf.* foresee. – **5.** *obs.* (er)greifen, (an)fassen, nehmen. – **II** *v/i* **6.** verstehen, meinen, (sich) denken. – **7.** (sich) fürchten, besorgt sein.

ap·pre·hen·si·bil·i·ty [ˌæpriˌhensə'biliti; -lə-] *s* **1.** Faßlichkeit *f*, Verständlichkeit *f.* – **2.** Erkennbarkeit *f*, Wahrnehmbarkeit *f.* — ˌ**ap·pre'hen·si·ble** *adj* **1.** faßlich, begreiflich, verständlich. – **2.** wahrnehmbar, erkennbar, zu erkennen(d), wahrzunehmen(d).

ap·pre·hen·sion [ˌæpri'henʃən] *s* **1.** Festnehmen *n*, -nahme *f*, Ergreifung *f*, Verhaftung *f.* – **2.** *fig.* Begreifen *n*, Erfassen *n*, Auffassung *f*, Verständnis *n*: stimulus of ~ *biol.* Erfassungsreiz. – **3.** Auffassungsgabe *f*, -vermögen *n*, Verstand *m*, Begriffs-, Vorstellungsvermögen *n*, Fassungskraft *f*: a man of clear ~. – **4.** Begriff *m*, Meinung *f*, Ansicht *f*, Vorstellung *f*: according to popular ~. – **5.** Besorgnis *f*, Befürchtung *f*, Vor'ausahnen *n*, Erwartung *f*, Ahnung *f* (*von Unheil*). – *SYN.* foreboding, misgiving, presentiment. – **6.** *psych.* Apprehensi'on *f.* – **7.** *obs.* Wahrnehmen *n*, Wahrnehmung *f.*

ap·pre·hen·sive [ˌæpri'hensiv] *adj* **1.** leicht begreifend, schnell *od.* leicht auffassend, rasch lernend. – **2.** klug, scharfsinnig, fähig. – **3.** empfindlich, empfindsam. – **4.** besorgt (for um), furchtsam, ängstlich: to be ~ for one's life um sein Leben besorgt sein; to be ~ of dangers sich vor Gefahren fürchten. – *SYN. cf.* fearful. — ˌ**ap·pre'hen·sive·ness** *s* **1.** leichtes Auffassungsvermögen, Scharfsinn *m.* – **2.** Furcht *f*, Besorgnis *f*, Ängstlichkeit *f.*

ap·pren·tice [ə'prentis] **I** *s* **1.** Lehrling *m*, Lehrbursche *m*, -junge *m*, Volon'tär *m*, E'leve *m.* – **2.** *fig.* Anfänger *m*, Neuling *m.* – **3.** *meist* ~ seaman Ma'trose *m*, 'Seekaˌdett *m* (*bes. amer. Flotte*). – **II** *v/t* **4.** in die Lehre geben: to be ~d to in die Lehre kommen zu, in der Lehre sein bei. — **ap'pren·tice·ment** *selten für* apprenticeship. — **ap'pren·ticeˌship** *s* **1.** Lehrlingstand *m*, -schaft *f.* – **2.** Lehrjahre *pl*, -zeit *f*, -verhältnis *n*, Lehre *f*: → serve 15; to be through one's ~ seine Lehre beendet haben, ausgelernt haben.

ap·pressed [ə'prest] *adj bot. zo.* angedrückt, dicht bei'sammenstehend *od.* -liegend, dicht anliegend, fest zu'sammengepreßt, eng angepreßt.

ap·pres·so·ri·um [ˌæprə'sɔːriəm] *s biol. bes. bot.* 'Haftorˌgan *n.*

ap·prise¹ [ə'praiz] *v/t* benachrichtigen, in Kenntnis setzen (of von). – *SYN. cf.* inform¹.

ap·prise² *cf.* apprize¹.

ap·prize¹ [ə'praiz] *v/t Br. obs. od. Am.* (ab)schätzen, ta'xieren.

ap·prize² *cf.* apprise¹.

ap·pro ['æprou] *s econ. Br. nur in der Wendung* on ~ zur Probe, zur Ansicht.

ap·proach [ə'proutʃ] **I** *v/i* **1.** sich nähern, nahe *od.* näher kommen, her'annahen, -rücken, nahen. – **2.** *fig.* (to) nahekommen, ähnlich *od.* fast gleich sein (*dat*), grenzen (an *acc*). – **3.** *aer.* anfliegen. – **4.** (*Golf*) einen Annäherungsschlag machen. – **II** *v/t* **5.** sich nähern (*dat*): to ~ the city; to ~ a limit *math.* sich einem Grenzwert nähern. – **6.** *fig.* nahekommen (*dat*), (fast) erreichen: to ~ a certain standard. – **7.** her'antreten *od.* -gehen an (*acc*): to ~ a work of art sich einem Kunstwerk nähern; to ~ a task an eine Aufgabe herangehen. – **8.** her'antreten *od.* sich wenden *od.* sich her'anmachen an (*acc*): to ~ a purchaser an einen Kunden (*mit einem Angebot*) herantreten. – **9.** *bes. pol. Am.* sich wenden *od.* sich her'anmachen an (*acc*) (*oft in unehrlicher Absicht*). – **10.** (*j-n*) bitten, angehen (for um). – **11.** zu reden *od.* sprechen kommen auf (*acc*), (*ein Thema etc*) anschneiden. – **12.** näherbringen, -rücken, (an)nähern. – **13.** *hunt. Am.* sich her'anpirschen *od.* -schleichen an (*acc*). – **III** *s* **14.** (Her'an)Nahen *n*, Nahe-, Näherkommen *n*, (Her)'Anrücken *n*, Kommen *n*: the ~ of summer; the ~ of a storm. – **15.** *fig.* Annäherung *f*, Nahekommen *n*: a fair ~ to accuracy. – **16.** Ähnlichkeit *f* (to mit). – **17.** *fig.* Schritt *m*, (erster) Versuch. – **18.** (to) Betrachten *n*, Betrachtung(sweise) *f* (*gen*), Einstellung *f* (zu), Stellungnahme *f*, Verhalten *n* (gegenüber *dat*): new lines of ~; one's method of ~ to a subject. – **19.** Annäherung *f*, Her'antreten *n* (*an Personen*): her ~ was obviously friendly; ~es Annäherungsversuch(e). – **20.** Zugang *m*, Zutritt *m*, Zufahrt *f*, Auffahrt *f*, Zugangs-, Zufahrtsstraße *f*: elevated ~ Rampe. – **21.** *fig.* Weg *m*, Zugang *m*: the best ~ to Shaw is through Ibsen. – **22.** *tech.* Anlauf *m.* – **23.** (*Ski*) Anlaufbahn *f.* – **24.** *mar.* a) Ansteuerung *f*, b) Re'vier *n* (*Seegebiet in Hafennähe*). – **25.** *pl mil.* a) Laufgräben *pl*, Ap'prochen *pl*, b) Vormarschstraße *f.* – **26.** (*Gartenbau*) → inarching. – **27.** *aer.* Anflug *m.*

ap·proach·a·bil·i·ty [əˌproutʃə'biliti; -əti] *s* **1.** Erreichbarkeit *f*, Zugänglichkeit *f.* – **2.** *fig.* Zugänglichkeit *f*, Leutseligkeit *f.* — **ap'proach·a·ble** *adj* erreichbar, zugänglich (*auch fig.*).

ap·proach| flight *s aer.* Zielanflug *m.* — **~ path** *s aer.* Anflugweg *m.* — **~ sec·tion** *s* Anrück-, Annäherungsabschnitt *m.* — **~ shot** *s* (*Golf*) Annäherungsschlag *m.*

ap·pro·bate ['æprəˌbeit; -ro-] *Br. obs. od. Am.* **I** *v/t* (amtlich) billigen, gutheißen, genehmigen, appro'bieren. – **II** *v/i* die Genehmigung erteilen.

ap·pro·ba·tion [ˌæprə'beiʃən; -ro-] *s* **1.** Billigung *f*, Genehmigung *f*, Approbati'on *f*, Sankti'on *f.* – **2.** Bestätigung *f*, Zustimmung *f*, Beifall *m*: on ~ zur Ansicht. – **3.** *obs.* Bewährung *f.* – **4.** *obs.* Beweis *m.* — **'ap·pro·ba·to·ry** [*Br.* -ˌbeitəri; *Am.* -bəˌtɔːri] *adj* billigend, genehmigend, zustimmend, gutheißend, beifällig, Approbations...

ap·pro·pin·qui·ty [ˌæprə'piŋkwiti; -kwə-; -ro-] *s selten* Nähe *f.*

ap·pro·pri·a·ble [ə'proupriəbl] *adj* verwendbar (to für), anwendbar (to auf *acc*).

ap·pro·pri·ate **I** *adj* [ə'proupriit] **1.** (to, for) passend, geeignet (für, zu), angemessen, dienlich (*dat*): an ~ example. – *SYN. cf.* fit¹. – **2.** eigen, besonder(er, e, es), bestimmt: each played his ~ part. – **3.** zu eigen über'lassen, zugehörig. – **II** *v/t* [-ˌeit] **4.** verwenden, bestimmen, anweisen, bewilligen (to zu; for für): to ~ money for the navy. – **5.** sich (*etwas*) an- *od.* zueignen, in Besitz nehmen, Besitz ergreifen von: to ~ a piece of land. – *SYN. cf.* arrogate. — **ap'pro·pri·ate·ness** *s* Verwendbarkeit *f*, Anwendbarkeit *f.*

ap·pro·pri·a·tion [əˌproupri'eiʃən] *s* **1.** Bestimmung *f*, Verwendung *f* (*bes. von Geldern für einen bestimmten Zweck*). – **2.** (Geld)Bewilligung *f*, (Geld)Zuwendung *f*, Fondsanweisung *f*: ~ bill *pol.* Gesetzesvorlage zur Bewilligung von Geldern (*für einen* *bestimmten Zweck*). – **3.** Aneignung *f*, Zueignung *f*, Besitznahme *f*, -ergreifung *f*. — **ap'pro·pri·a·tive** [*Br.* -ətiv; *Am.* -ˌeitiv] *adj* aneignend, geneigt sich (*etwas*) anzueignen, nach Besitz strebend. — **ap'pro·pri·a·tive·ness** *s* Aneignungssucht *f*, -trieb *m*. — **ap'pro·priˌa·tor** [-ˌeitər] *s j-d der sich etwas aneignet od. der etwas für sich verwendet.*

ap·prov·a·ble [ə'pru:vəbl] *adj* zu billigen(d), anerkennenswert, beifallswürdig.

ap·prov·al [ə'pru:vəl] *s* **1.** Billigung *f*, Genehmigung *f*, Sankti'on *f*: with the ~ of the authorities mit Genehmigung der Behörden; to give ~ to billigen. – **2.** Anerkennung *f*, Beifall *m*, Lob *n*: to meet with ~ Beifall finden. – **3.** Probe *f*, Prüfung *f*: on ~ zur Ansicht *od.* Einsichtnahme, auf Probe; ~ sheet Probebogen (*von neugedruckten Briefmarken*).

ap·prove [ə'pru:v] **I** *v/t* **1.** billigen, gutheißen, (als gut *od.* richtig) anerkennen, empfehlen, (*Dissertation*) annehmen: I ~ his choice. – **2.** (for'mell *od.* autorita'tiv) bestätigen, ratifi'zieren, genehmigen: to ~ the decision of a court-martial. – **3.** *reflex* sich als wahr *od.* würdig zeigen *od.* erweisen, sich bewähren, sich bestätigen: to ~ oneself as good sich als gut erweisen. – **4.** zeigen, an den Tag legen: opportunities to ~ his worth. – **II** *v/i* **5.** (of) billigen, anerkennen, gutheißen, gelten lassen, genehmigen (*acc*), zustimmen (*dat*): to ~ of s.o. eine gute Meinung von j-m haben; to be ~d of Anklang finden. – *SYN.* accredit, certify, endorse *od.* indorse, sanction. — **ap'proved** *adj* **1.** erprobt, bewährt: an ~ friend. – **2.** anerkannt: ~ bill anerkannter Wechsel; ~ school *Br.* staatliche Erziehungs- *od.* Besserungsanstalt. — **ap'prov·er** *s* **1.** Billiger *m*, Beipflicht(end)er *m*. – **2.** *jur. Br.* Kronzeuge *m*. — **ap'prov·ing·ly** *adv* zustimmend, beipflichtend, beifällig.

ap·prox·i·mal [ə'prɒksiməl; -sə-] *adj med.* approxi'mal, sich berührend, anein'anderstoßend, angrenzend: ~ surfaces of teeth.

ap·prox·i·mate I *adj* [ə'prɒksəmit; -si-] **1.** *bes. math.* approxima'tiv, angenähert, annähernd, Näherungs..., ungefähr, beiläufig: ~ amount ungefährer Betrag *od.* Wert; ~ calculation Näherungsrechnung; ~ formula Näherungs-, Faustformel; ~ regulation Grobregelung; ~ result angenähertes *od.* annähernd richtiges Resultat; ~ value Näherung, Näherungswert. – **2.** nahe, nahe bei'sammen *od.* beiein'ander. – **3.** *biol.* dicht zu'sammenstehend, eng anein'anderwachsend. – **4.** *fig.* sehr ähnlich, annähernd gleich. – **II** *s* [-mit] **5.** *math.* Näherungswert *m*. – **III** *v/t* [-ˌmeit] **6.** *bes. math.* approxi'mieren, sich nähern (*dat*), nahekommen (*dat*), fast erreichen: to ~ a certain value sich einem bestimmten Wert nähern, einem bestimmten Wert annähernd gleich sein; beauty that ~s perfection. – **7.** nahebringen, nähern. – **8.** *fig.* angleichen, anpassen, ähnlich machen. – **IV** *v/i* **9.** sich nähern, nahe *od.* näher kommen (to *dat*) (*auch fig.*): to ~ to the mean *math.* ausmitteln.

ap·prox·i·ma·tion [əˌprɒksi'meiʃən; -sə-] *s* **1.** Annäherung *f* (to an *acc*), Nahekommen *n*, Nähe *f* (*auch fig.*). – **2.** *bes. math.* Approximati'on *f*, (An-)Näherung *f*: ~ to the exact value Annäherung an den genauen Wert; ~ method Näherungsverfahren; rough (close) ~ grobe (genaue) Näherung. – **3.** *math.* Näherungswert *m*, Konvergenz *f*, Fehlergrenze *f*. – **4.** *fig.* annähernde Gleichheit. — **ap'prox·i·ma·tive** [*Br.* -mətiv; *Am.* -ˌmeitiv] *adj* approxima'tiv, annähernd.

ap·pui [a'pɥi] (*Fr.*) *s* **1.** Stütze *f*. – **2.** (*Reiten*) Druck *m* des Zügels auf die Hand.

ap·pulse [ə'pʌls] *s* **1.** Stoß *m*, Anstoß *m*, Anrennen *n*. – **2.** *astr.* Berührung *f*, Konjunkti'on *f*. — **ap'pul·sive** *adj* (an)stoßend, berührend.

ap·pur·te·nance [ə'pə:rtinəns; -tə-] *s* **1.** Zubehör *n*, *m*, Anhängsel *n*, Zusatz *m*, Beigabe *f*. – **2.** Zugehören *n*. – *SYN.* adjunct, appendage. – **3.** *jur.* a) Perti'nenzstück *n*, b) *pl* Perti'nenzien *pl*, Re'alrechte *pl* (*aus Eigentum an Liegenschaften*). – **4.** *meist pl* Appa'rat *m*, Zubehör *n*, *m*, Gerätschaften *pl*, Ausrüstung *f*, Ausstattung *f*. — **ap'pur·te·nant I** *adj* **1.** (to) zugehörig (*dat*), gehörig (zu). – **2.** *jur.* anhaftend (*von Rechten*). – **II** *s* **3.** Zubehör *n*, *m*, Besitz *m*.

a·prax·i·a [ei'præksiə] *s med.* Apra'xie *f* (*Unfähigkeit, kombinierte Bewegungen auszuführen*).

ap·ri·cate ['æpriˌkeit; -rə-] *v/t* der Sonne aussetzen, sonnen.

a·pri·cot ['eipriˌkɒt] *s* **1.** *bot.* a) Apri'kose *f*, Ma'rille *f*, b) Apri'kosen-, Ma'rillenbaum *m* (*Prunus armeniaca*). – **2.** Apri'kosenfarbe *f*, Rotgelb *n*.

A·pril ['eiprəl; -ril] *s* **1.** A'pril *m*: ~ fool Aprilnarr; to make an ~ fool of s.o. j-n in den April schicken; ~-fool-day *Br.*, ~ Fools' Day *Am.* der erste April. – **2.** *fig. poet.* Unbeständigkeit *f*.

a pri·o·ri [ˌei prai'ɔ:rai] *adj u. adv philos.* **1.** a pri'ori, deduk'tiv, von Ursache auf Wirkung schließend. – **2.** unabhängig von aller Erfahrung, von der Vernunft ausgehend. – **3.** *colloq.* mutmaßlich, ohne (Über)'Prüfung. — **ˌa·pri'o·rism** *s* Aprio'rismus *m*. — **ˌa·pri'o·rist** *s philos.* Apri'oriker *m*, Aprio'rist *m*. — **ˌa·pri·o'ris·tic** [-ə'ristik] *adj* **1.** a pri'ori. – **2.** aprio'ristisch. — **ˌa·pri'or·i·ty** [-'ɒriti; -rə-] *s* Apriori'tät *f*.

a·proc·tous [ei'prɒktəs] *adj zo.* afterlos.

a·pron ['eiprən] *s* **1.** Schürze *f*. – **2.** Schurz(fell *n*) *m*. – **3.** Schurz *m* (*von Bischöfen od. Freimaurern*). – **4.** *tech.* a) Seitenverankerung *f*, b) 'Uferfaˌschine *f* (*eines Flusses od. am Meer*), c) Balkenböschung *f* (*am Seestrand*), d) Plankenbettung *f* (*einer Schleuse*), e) Dockboden *m*, -sohle *f* (*am Eingang eines Docks*), f) Drempel *m* (*einer Schleuse*). – **5.** *tech.* Schutzblech *n*, -haube *f*, -tuch *n* (*an Maschinen*). – **6.** *tech.* Trans'portband *n*. – **7.** Blechschutz *m* (*unter dem Autokühler*). – **8.** Schutzvorrichtung *f*, Schutzleder *n*, -tuch *n*, -brett *n*, Kniedecke *f*, -leder *n* (*an Fahrzeugen*). – **9.** *mar.* Schutzleiste *f*, -brett *n* (*eines Bootes*). – **10.** *mar.* Binnenvorsteven *m* (*eines Schiffes*). – **11.** *aer.* (Hallen-)Vorfeld *n* (*vor einem Hangar*). – **12.** *arch.* Schutzblech *n*, -blei *n* (*unter der Dachrinne*). – **13.** *mil. hist.* Zündlochkappe *f*. – **14.** *zo.* deckelförmiger 'Hinterleib (*der Krabben*). – **15.** *zo.* Bauchhaut *f* (*der Gans od. Ente*). – **16.** *agr. Am.* begattungshindernde Vorrichtung für einen Widder. – **17.** *geol.* Sand- und Kiesablagerung *f* vor einer Mo'räne, Schuttfächer *m*. – **II** *v/t* **18.** (*j-m*) eine Schürze 'umbinden, mit einem Schurz versehen. — ~ **lin·ing** *s arch.* Beschalung *f* der Treppenbalken. — ~ **piece** *s arch.* Treppenträger *m*. — ~ **strings** *s pl* Schürzenbänder *pl*: to be tied to one's mother's ~ an Mutters Schürzenzipfel hängen; to be tied to a woman's ~ unter dem Pantoffel (einer Frau) stehen.

ap·ro·pos [ˌæprə'pou] **I** *adv* **1.** angemessen, gelegen, zur rechten Zeit, wie gerufen: he arrived very ~ er kam sehr gelegen *od.* gerade zur rechten Zeit. – **2.** 'hinsichtlich (of *gen*): ~ of our talk in bezug *od.* im Hinblick auf unsere Unterredung, was unser Gespräch anbelangt. – **3.** apro'pos, was ich sagen wollte, nebenbei bemerkt, übrigens: ~, I saw her yesterday. – **II** *adj* **4.** passend, angemessen, (zweck-)dienlich, zur Sache gehörig, glücklich angebracht, rele'vant: a tale extremely ~. – *SYN. cf.* relevant.

ap·ro·ter·o·dont [ˌæpro'terodɒnt] *adj zo.* ohne Vorderzähne (*von Schlangen*).

apse [æps] *s* **1.** *arch.* Apsis *f*. – **2.** *astr.* Ap'side *f*, Kehr-, Wendepunkt *m* (*eines Planeten*). – **3.** *math.* Ex'trempunkt *m* einer Kurve (*in Polarkoordinaten*). — ~ **aisle** *s arch.* Apsisschiff *n*.

ap·si·dal ['æpsidl] *adj* **1.** *astr.* Apsiden..., die Ap'siden betreffend. – **2.** *arch.* zur Apsis gehörig, Apsis...

ap·si·des ['æpsiˌdi:z; -'sai-] *pl von* apsis.

ap·sid·i·ole [æp'sidiˌoul] *s arch.* **1.** kleine Apsis, zweite Apsis, Nebenapsis *f*. – **2.** äußerlich vortretende 'Apsiskaˌpelle.

ap·sis ['æpsis] *pl* **ap·si·des** ['æpsiˌdi:z; -'sai-] *s* **1.** *astr.* Ap'side *f*, Kehr-, Wendepunkt *m* (*eines Planeten*): higher ~ höhere Apside, Aphel; lower ~ tiefere Apside, Perihel; line of apsides Apsidenlinie. – **2.** *arch.* Apsis *f*. – **3.** *math.* Ex'trempunkt *m* einer Kurve (*in Polarkoordinaten*).

ap·sy·chi·cal [æp'saikikəl; ei'sai-] *adj* **1.** nicht psychisch. – **2.** unbewußt.

apt [æpt] *adj* **1.** passend, geeignet, tauglich: they do not always have ~ instruments. – **2.** (zu)treffend, passend, angemessen: an ~ quotation. – **3.** unter'worfen, ausgesetzt, neigend, empfänglich (*von Sachen*): peaches are ~ to bruise easily Pfirsiche können leicht beschädigt werden. – **4.** geneigt, bereit, willig: too ~ to slander others; ~ to be overlooked leicht zu übersehen. – **5.** fähig, befähigt (at für), geschickt, gewandt (at in *dat*), klug, scharfsinnig: an ~ pupil. – **6.** *Am.* wahrscheinlich: I am ~ to find him at home ich werde ihn wohl zu Hause treffen. – *SYN. cf.* a) fit[1], b) quick.

ap·ter·al ['æptərəl] *adj* **1.** *zo.* ungeflügelt, flügellos. – **2.** *arch.* an den Seiten säulenlos.

ap·te·ri·al [æp'ti(ə)riəl] *adj* federlos. — **ap'te·ri·um** [-əm] *pl* **-ri·a** [-ə] *s zo.* federlose Stelle, Federrain *m*.

ap·ter·oid ['æptəˌrɔid] *adj zo.* mit unentwickelten Flügeln (*Vögel*). — **'ap·ter·ous** *adj* **1.** *zo.* flügellos, ungeflügelt. – **2.** *bot.* ungeflügelt.

ap·ter·yg·i·al [ˌæptə'ridʒiəl] *adj zo.* glieder-, flossen-, flügellos.

ap·ter·yx ['æptəˌriks] *s zo.* Schnepfenstrauß *m*, Kiwi *m* (*Gattg Apteryx*).

ap·ti·tude ['æptiˌtju:d; -təˌt-; *Am. auch* -ˌtu:d] *s* **1.** *bes. psych.* Anlage *f*, Begabung *f*, Befähigung *f*, Eignung *f*, Fähigkeit *f*, Geschick *n*, Ta'lent *n*, Tüchtigkeit *f*. – **2.** (na'türliche *od.* erworbene) Neigung, Hang *m*, Eigenschaft *f*. – **3.** Auffassungsgabe *f*, Intelli'genz *f*: a boy of remarkable ~. – **4.** *ped. psych.* Sonder-, Spezi'albegabung *f* (*bes. für Leistungen nicht rein theoretischer Art: Musik, Handarbeit etc*). – **5.** Angemessenheit *f*, Geeignetheit *f*, Tauglichkeit *f*. – *SYN. cf.* gift. — ~ **test** *s ped. psych.* **1.** Eignungsprüfung *f*. – **2.** Test *m* für eine Sonderbegabung.

ap·ti·tu·di·nal [ˌæpti'tju:dinl; -tə't-; -də-; *Am. auch* -'tu:d-] *adj* Begabungs..., Befähigungs..., Eignungs...

apt·ness ['æptnis] *s* **1.** Angemessenheit *f*, Geeignetheit *f*, Tauglichkeit *f*,

Zweckdienlichkeit *f*. – **2.** Geneigtheit *f*, Neigung *f*, Hang *m*: the ~ of men to follow examples. – **3.** Begabung *f*, Befähigung *f*, Eignung *f*, Geschicklichkeit *f* (for, to für, in *dat*, zu): an ~ to learn. – **4.** Eigenschaft *f*, Ten'denz *f*: the ~ of iron to rust.

ap·tote ['æptout] *s ling.* Ap'toton *n* (*undeklinierbares Nomen*). — **ap'tot·ic** [-'tɒtik] *adj ling.* flexi'onslos.

a·pul·mon·ic [ˌeipʌl'mɒnik] *adj zo.* ohne Lunge(n).

A·pus ['eipəs] *s* **1.** *gen* **Ap·o·dis** ['æpədis] *astr.* Apus *m*, Para'diesvogel *m* (*südl. Sternbild*). – **2.** a~ *med.* Apus *m* (*Mißgeburt ohne Füße od. Beine*).

a·py·ret·ic [ˌeipai(ə)'retik; ˌæp-] *adj med.* fieberfrei.

a·py·rex·i·a [ˌeipai(ə)'reksiə; ˌæp-] *s med.* **1.** Apyre'xie *f*, (momen'tane) Fieberlosigkeit. – **2.** fieberfreier Tag (*bei Wechselfieber*). — ˌ**a·py'rex·i·al** *adj* fieberfrei.

a·py·ro·type [ei'pai(ə)roˌtaip; -rə-] *s print.* in Me'tall geschnittene Type.

a·py·rous [ei'pai(ə)rəs] *adj* feuerfest, -beständig, unschmelzbar.

aq·ua ['ækwə; 'ei-] *pl* **'aq·uae** [-wiː] *od.* **'aq·uas** *s* (*bes. Pharmazeutik*) **1.** Wasser *n*. – **2.** Flüssigkeit *f*. – **3.** Lösung *f* (*bes. in Wasser*). – **4.** Blaugrün *n*. — ~ **am·mo·ni·a** [ə'mounjə], ~ **am'mo·niˌae** [-niˌiː] *s chem.* Ammoni'akwasser *n*, flüssiges Ammoni'ak.

aq·ua·belle ['ækwəˌbel] *s* Badeschönheit *f*.

aq·ua·cade ['ækwəˌkeid] *s* (ar'tistische) Wasserschau.

aq·ua for·tis, *auch* **aq·ua·for·tis** ['ækwə 'fɔːrtis; 'ei-] *s* **1.** *chem.* Scheide-, Ätzwasser *n*, Sal'petersäure *f* (HNO_3). – **2.** (*Kupferstecherkunst*) Ätzen *n* mit Sal'petersäure. – **3.** (*Pharmazeutik*) starke Lösung. — ˌ**aq·ua'for·tist** *s* Ätzer *m*, Kupferstecher *m*.

aq·ua lab·y·rin·thi ['ækwə ˌlæbi'rinθai; 'ei-] *s med.* Laby'rinthwasser *n* (*im Ohr*).

aq·ua·lung ['ækwəˌlʌŋ; 'ɑː-] *s* Taucherlunge *f*, 'Unterwasser-Atmungsgerät *n*: ~ **diving** Tauchen mit Atmungsgerät.

aq·ua·ma·rine [ˌækwəmə'riːn] *s* **1.** *min.* Aquama'rin *m*, (*Art*) Be'ryll *m* ($Al_2Be_3Si_6O_{18}$). – **2.** Aquama'rinfarbe *f*, Bläulichgrün *n*, Meergrün *n*.

aq·ua·me·ter ['ækwəˌmiːtər] *s tech.* Pulso'meter *n* (*kolbenlose Dampfdruckpumpe zum Anheben von Wasser*).

aq·ua·plane ['ækwəˌplein] *sport* **I** *s* Gleitbrett *n* (*zum Wellenreiten*). – **II** *v/i* wellenreiten.

aq·ua·punc·ture ['ækwəˌpʌŋktʃər] *s med.* Aquapunk'tur *f*.

aq·ua| pu·ra ['ækwə 'pju(ə)rə; 'ei-] *s chem.* reines Wasser. — ~ **re·gi·a** ['riːdʒiə] *s chem.* Königs-, Scheidewasser *n* (*Gemisch von* HNO_3 *u.* HCl).

aq·ua·relle [ˌækwə'rel] *s* **1.** Aqua'rell *n* (*Gemälde in Wasserfarben*). – **2.** Aquaˌrellmale'rei *f*. — ˌ**aq·ua'rel·list** *s* Aqua'rellmaler(in), Aquarel'list(in).

a·quar·i·al [ə'kwɛ(ə)riəl] → aquarian I.

a·quar·i·an [ə'kwɛ(ə)riən] **I** *adj* ein A'quarium betreffend, Aquarium... – **II** *s* A~ *relig. hist.* A'quarier *m* (*Sektierer, die nur Wasser beim Abendmahl zuließen*).

a·quar·i·um [ə'kwɛ(ə)riəm] *pl* **-i·ums** *od.* **-i·a** [-ə] *s* A'quarium *n*.

A·quar·i·us [ə'kwɛ(ə)riəs] *s astr.* Wassermann *m* (*Sternbild u. elftes Tierkreiszeichen*).

a·quar·ter [ə'kwɔːrtər] *adv mar.* 45 Grad achterlicher als dwars.

aq·ua·stat ['ækwəstæt; 'ei-] *s* 'Wassertemperaˌturregler *m*.

a·quat·ic [ə'kwætik] **I** *adj* **1.** *biol.* auf dem *od.* im Wasser lebend *od.* wachsend, Wasser...: ~ **plants** Wasserpflanzen; ~ **fowls** Wasservögel. – **2.** auf dem *od.* im Wasser betrieben *od.* ausgeübt, Wasser...: ~ **sports** Wassersport. – **II** *s* **3.** *biol.* Wassertier *n*, -pflanze *f*. – **4.** *pl* Wassersport *m*. — **a'quat·i·cal** → aquatic I. — **a'quat·i·cal·ly** *adv* (*auch zu* aquatic I). — **aq·ua·tile** ['ækwətil; -ˌtail] → aquatic 1 *u.* 3.

aq·ua·tint ['ækwəˌtint] **I** *s* **1.** Aqua'tinta(maˌnier) *f*, 'Tuschmaˌnier *f*. – **2.** Aqua'tintastich *m*, -abdruck *m*: ~ **engraving** Kupferstich in Tuschmanier. – **II** *v/t* **3.** in Aqua'tinta- *od.* 'Tuschmaˌnier ausführen. — **'aq·uaˌtint·er** *s* Zeichner *m od.* Kupferstecher *m* in Aqua'tintamaˌnier.

a·qua·vit [ˌækwə'viːt; 'ækwəˌviːt] *s* Aqua'vit *m* (*Gewürzbranntwein*).

aq·ua vi·tae ['ækwə 'vaitiː] *s* **1.** *chem. hist.* Alkohol *m*. – **2.** Branntwein *m*, Schnaps *m*.

aq·ue·duct ['ækwiˌdʌkt] *s* **1.** Aquä'dukt *m*, offene Wasserleitung. – **2.** *med.* Ka'nal *m* (*Mittelhirnkanal etc*).

a·que·o·gla·cial [ˌeikwio'gleiʃəl] *adj geol.* ˌfluvioglazi'al.

a·que·ous ['eikwiəs; 'æk-] *adj* **1.** wässerig, wäßrig, wasserartig, -ähnlich, -haltig: ~ **ammonia** Ammoniakwasser; ~ **solution** wäßrige Lösung; ~ **humo(u)r** *med.* Humor aqueus des Auges, Kammerwasser. – **2.** *geol.* durch Ablagerung aus Wasser gebildet: → **rock** 3.

aq·ui·cul·tur·al [ˌækwi'kʌltʃərəl] *adj* Wassertierzucht ... — **'aq·uiˌcul·ture** *s* Aufzucht *f* von Wassertieren (*Fischzucht etc*).

aq·ui·fer ['ækwifər] *adj bes. geol.* wasserführend, -haltig.

Aq·ui·la ['ækwilə] *s* **1.** *gen* **-lae** [-liː] *astr.* Adler *m* (*Sternbild*). – **2.** a~ *antiq.* Adler *m*, Stan'darte *f* (*römisches Feldzeichen*).

aq·ui·le·gi·a [ˌækwi'liːdʒiə] *s bot.* Ake'lei *f*, Ag'lei *f* (*Gattung Aquilegia*).

aq·ui·line ['ækwiˌlain; -lin; -wə-] *adj* **1.** Adler..., adlerähnlich, -artig. – **2.** gebogen, hakenförmig, Adler..., Habichts...: → **nose** *b. Redw.*

A·qui·nist [ə'kwainist] *s philos. relig.* Anhänger *m* der Lehren des Thomas von A'quino.

a·quiv·er [ə'kwivər] *adv u. pred adj* zitternd, (er)bebend.

a·quose ['eikwous; ə'kwous] *adj selten* wässerig, wäßrig, wasserhaltig, aus Wasser, Wasser...

A·ra[1] ['eirə] *gen* **'A·rae** [-riː] → **altar** 6.

a·ra[2] ['ɑːrɑː] → **macaw**[1].

Ar·ab ['ærəb] **I** *s* **1.** Araber *m*, A'raberin *f*. – **2.** Araber *m*, a'rabisches Pferd. – **3.** → **street** ~. – **II** *adj* **4.** a'rabisch.

a·ra·ba[1] ['ɑːrəˌbɑː] *s* Araba *f*, Ochsenwagen *m* (*in Rußland od. im Orient*).

ar·a·ba[2] ['ærəbə] *s zo.* (*ein*) südamer. Brüllaffe *m* (*Alouatta straminea*).

ar·a·besque [ˌærə'besk] **I** *s* **1.** (*Kunst*) a) Ara'beske *f*, b) Ara'beskenarbeit *f*, -stil *m*. – **2.** *mus.* Ara'beske *f*: a) *melodische Zierfigur*, b) *Stücktitel*. – **II** *adj* **3.** ara'besk, ara'beskenartig, -haft: ~ **ornament** Arabeske. – **4.** A~ *selten* a'rabisch, maurisch.

A·ra·bi·an [ə'reibiən] **I** *adj* **1.** a'rabisch. – **II** *s* **2.** Araber *m*, A'raberin *f*. – **3.** Araber *m*, a'rabisches Pferd. — ~ **bird** *s* Phönix *m*. — ~ **cam·el** *s zo.* Drome'dar *n* (*Camelus dromedarius*). — ~ **jas·mine** *s bot.* A'rabischer Jas'min, Nachtblume *f*, Sam'ba *m* (*Jasminum sambae*). — ~ **Nights** *s pl* Tausendundeine Nacht.

Ar·a·bic ['ærəbik] **I** *adj* a'rabisch. – **II** *s ling.* A'rabisch *n*, das Arabische: in ~ auf arabisch. — **a~ ac·id** *s chem.* Lack-, Gummisäure *f*. — ~ **fig·ures** *s pl* a'rabische Zahlen *pl*. — Ziffern *pl*. — ~ **gum** *s* ˌGummia'rabikum *n*. — ~ **nu·mer·als** → **Arabic figures**.

ar·a·bil·i·ty [ˌærə'biliti; -lə-] *s* Pflügbarkeit *f*, Kul'turfähigkeit *f* (*des Bodens*).

ar·a·bin ['ærəbin] *s chem.* Ara'binsäure *f*.

a·rab·i·nose [ə'ræbiˌnous; 'ærə-] *s chem.* Arabi'nose *f*, Pen'tose *f*, Gummizucker *m* ($C_5H_{10}O_5$). — **aˌrab·i'no·sic** *adj* arabi'nosenhaltig, Arabinosen...

Ar·ab·ism ['ærəˌbizəm] *s ling.* Ara'bismus *m*, a'rabische Spracheigenheit.

Ar·ab·ist ['ærəbist] *s* Ara'bist *m*, Kenner *m* der a'rabischen Sprache und Litera'tur.

ar·a·ble ['ærəbl] **I** *adj* pflügbar, urbar, bestellbar, anbaufähig, kul'turfähig. – **II** *s* Ackerland *n*.

Ar·a·by ['ærəbi] *s poet.* A'rabien *n*.

ar·a·can·ga [ˌærə'kæŋgə] *s zo.* Ara'kanga *m*, Ma'kao *m* (*Ara macao*).

a·ra·ça·ri [ˌɑːrə'sɑːri] *s zo.* Aras'sari *m*, Prediger *m* (*verschiedene Arten Pfefferfresser der Gattung Pteroglossus*).

a·ra·ceous [ə'reiʃəs] *adj bot.* aronartig, zu den Aron(stab)gewächsen gehörend.

a·rach·ic [ə'rækik], **ar·a·chid·ic** [ˌærə'kidik] *adj chem.* Arachis..., Erdnuß...: ~ **acid** Erdnußsäure ($CH_3(CH_2)_{18}CO_2H$).

ar·a·chis ['ærəkis] *s bot.* Erdnuß *f* (*Gattg Arachis*): ~ **oil** Erdnußöl.

a·rach·nid [ə'ræknid], **a'rach·ni·dan** [-dən] *zo.* **I** *s* spinnenartiges Tier. – **II** *adj* spinnenartig.

ar·ach·nid·i·um [ˌæræk'nidiəm] *pl* **-i·a** [-ə] *s zo.* Spinnwerkzeug *n* (*der Spinnen*).

ar·ach·ni·tis [ˌæræk'naitis] *s med.* Arach'nitis *f* (*Entzündung der Spinnwebenhaut*).

a·rach·noid [ə'ræknɔid] **I** *adj* **1.** spinnweb(en)artig, -ähnlich, Spinnweb... – **2.** *zo.* spinnenartig. – **3.** *med.* Spinnwebenhaut..., Arachnoidal... – **4.** *bot.* spinnwebig behaart. – **II** *s* **5.** *zo.* spinnenartiges Tier. – **6.** *med.* Arachno'ides *f*, Spinnwebenhaut *f* (*des Gehirns*).

ar·ach·nol·o·gist [ˌæræk'nɒlədʒist] *s* Spinnenforscher *m*. — ˌ**ar·ach'nol·o·gy** *s zo.* Spinnenkunde *f*.

a·rag·o·nite [ə'rægəˌnait] *s min.* Arago'nit *m*, Sprudelstein *m* ($CaCO_3$).

a·rake [ə'reik] *pred adj u. adv mar.* geneigt, 'überhängend (*bes. Mast*).

a·ra·li·a [ə'reiliə] *s* **1.** *bot.* A'ralie *f* (*Gattg Aralia*). – **2.** *med.* A'ralienwurzel *f* (*Heilmittel*). — **aˌra·li'a·ceous** [-'eiʃəs] *adj bot.* zu den A'ralien gehörig, a'ralienartig.

Ar·a·mae·an *cf.* **Aramean.**

Ar·a·ma·ic [ˌærə'meiik] → **Aramean** 2 *u.* 3.

Ar·a·me·an [ˌærə'miːən] **I** *s* **1.** Ara'mäer(in). – **2.** *ling.* Ara'mäisch *n*, das Aramäische. – **II** *adj* **3.** ara'mäisch.

a·ra·ne·id [ə'reiniid] *s zo.* (Webe)-Spinne *f* (*Ordng Araneida*). — ˌ**ar·a'ne·i·dan** *zo.* **I** *s* (Webe)Spinne *f*. – **II** *adj* zu den (Webe)Spinnen gehörig. — ˌ**ar·a'ne·iˌform** [-iˌfɔːrm; -əˌf-] *adj zo.* spinnenartig. — **a·ra·ne·ol·o·gist** [əˌreini'ɒlədʒist] *s* Spinnenkenner *m*. — **aˌra·ne'ol·o·gy** *s zo.* Spinnenkunde *f*. — **a'ra·neˌose** [-ˌous], **a'ra·ne·ous** [-əs] *adj* spinnweb(en)artig, hauchdünn.

a·ran·go [ə'ræŋgou] *pl* **-goes** *s* Karne'olperle *f*.

A·rap·a·ho(e) [ə'ræpəˌhou] *pl* **-ho(e)**, **-hoes** *s* Arapa'ho(indiˌaner[in]).

ar·a·pai·ma [ˌærə'paimə] *s zo.* Arapa'ima *m* (*Arapaima gigas*; *Fisch*).

ar·a·pho·ros·tic [ˌærəfo'rɒstik], ˌ**ar·a'phos·tic** [-'fɒstik] *adj* nahtlos.

ar·ar ['ɑːrɑːr] → **sandarac tree** 1.

a·ra·rau·na [əˌrɑːrəˈuːnə] *s zo.* Araˈrauna *m* (*Ara araruna; Papagei*).
a·ra·tion [əˈreiʃən] *s* Pflügen *n.*
A·rau·can [əˈrɔːkən] *s ling.* Arauˈkanisch *n*, das Araukanische. — **Ar·au·ca·ni·an** [ˌærɔːˈkeiniən] **I** *s* Arauˈkaner(in). – **II** *adj* arauˈkanisch.
ar·au·ca·ri·a [ˌærɔːˈkɛ(ə)riə] *s bot.* Zimmer-, Schirmtanne *f*, Arauˈkarie *f* (*Gattg Araucaria*).
A·ra·wak [ˈɑːrɑːˌwɑːk] **I** *s* ˈArawak(indiˌaner[in]). – **II** *adj* Arawak... — **ˌA·raˈwa·kan** *adj ling.* Arawaˈkanisch *n*, das Arawakanische.
ar·ba·lest [ˈɑːrbəlist] *s* **1.** Armbrust *f.* – **2.** Armbrustschütze *m.* – **3.** *astr. hist.* Jakobsstab *m* (*Höhenmeßinstrument*). — **ˈar·baˌlest·er** *s* Armbrustschütze *m.*
ar·ba·list *cf.* arbalest. — **ar·ba·list·er** *cf.* arbalester.
ar·bi·ter [ˈɑːrbitər] *s* **1.** Schiedsrichter *m*, Schiedsmann *m*, ˈUnparˌteiischer *m.* – **2.** Herr *m*, Gebieter *m*, *fig.* Richter *m.* — **~ e·le·gan·ti·ae** [-ˌeliˈgænʃiˌiː], **~ ˌe·leˌgan·tiˈa·rum** [-ˈeirəm] (*Lat.*) *s* Arbiter *m* elegantiˈarum.
ar·bi·tra·ble [ˈɑːrbitrəbl; -bət-] *adj* schiedsrichterlich zu entscheiden(d) *od.* entscheidbar.
ar·bi·trage [ˈɑːrbitridʒ; -bə-] *s* **1.** *econ.* Arbiˈtrage *f* (*Nutzung der Kursunterschiede*): **~ dealings** Arbitragegeschäfte. – **2.** Schiedsspruch *m*, schiedsrichterliche Entscheidung, Schieds(gerichts)verfahren *n.* — **ˈar·bi·trag·er** *s* Arbitraˈgeur *m*, Kaufmann, der Arbiˈtragegeschäfte abschließt. — **ˈar·bi·trag·ist** → arbitrager. — **ˈar·bi·tral** *adj* schiedsrichterlich: **~ jurisdiction.** — **ar·bit·ra·ment** [ɑːrˈbitrəmənt] *s* **1.** schiedsrichterliche Gewalt, Entscheidungsgewalt *f*, Schiedsrichteramt *n.* – **2.** Schiedsspruch *m*, schiedsrichterliches Gutachten. – **3.** *obs.* freier Wille, Willkür *f*, Entscheidungsfreiheit *f.*
ar·bi·trar·i·ness [*Br.* ˈɑːrbitrərinis; *Am.* -bəˌtrer-] *s* **1.** Willkür *f.* – **2.** *math.* Beliebigkeit *f*: **~ in the choice of the constant.**
ar·bi·trar·y [*Br.* ˈɑːrbitrəri; *Am.* -bəˌtreri] *adj* **1.** willkürlich, beliebig. – **2.** launenhaft, unvernünftig, unbestimmt: **too ~ as a critic.** – **3.** desˈpotisch, tyˈrannisch, eigenmächtig, ˈunumˌschränkt, willkürlich, absoˈlut: **an ~ ruler.** – **4.** *math.* beliebig, willkürlich (gewählt): **~ constant** willkürliche Konstante; **~ number** beliebige Zahl. – **5.** der richterlichen Gewalt unterˈliegend, vom (Schieds)Richter abhängig.
ar·bi·trate [ˈɑːrbiˌtreit; -bə-] **I** *v/t* **1.** (als Schiedsrichter *od.* durch Schiedsspruch) entscheiden, bestimmen, festsetzen, -legen, schlichten, beilegen. – **2.** einem Schiedsspruch *od.* einer Entscheidung unterˈwerfen. – **3.** *econ.* durch Kursvergleich feststellen. – **II** *v/i* **4.** Schiedsrichter *od.* ˈMittelsperˌson sein, als Schiedsrichter funˈgieren, vermitteln: **to ~ between parties to a suit.**
ar·bi·tra·tion [ˌɑːrbiˈtreiʃən; -bə-] *s* **1.** Schiedsspruchverfahren *n*, schiedsrichterliches Verfahren. – **2.** (schiedsrichterliche) Entscheidung, Schiedsspruch *m*, -urteil *n*, Gutachten *n*: **~-court for trade-disputes** Gewerbegericht; **to submit to ~** einem Schiedsgericht unterwerfen; **~ treaty** Schiedsgerichtsvertrag. – **3.** Schlichtung *f*, Vergleich *m*: **~ board** *Am.* Schlichtungsamt; **~ bond** *jur.* Kompromißakte; **~ clause** Schiedsgerichtsklausel; **~ committee** Schlichtungsausschuß. – **4.** **~ of exchange** *econ.* ˈWechselarbiˌtrage *f*, Wechselkursvergleich *m*, Arbiˈtragenrechnung *f.* — **ˌar·biˈtra·tion·al** *adj* schiedsrichterlich. — **ˈar·biˌtra·tive** *adj* schiedsrichterlich, Schiedsrichter..., Schieds... — **ˈar·biˌtra·tor** [-tər] *s* **1.** *econ. jur. sport* Schiedsrichter *m*, Schiedsmann *m*, ˈUnparˌteiischer *m.* – **2.** *econ. jur.* Schlichter *m.* – **3.** Herr *m*, Gebieter *m.*
ar·bi·tress [ˈɑːrbitris; -bə-] *s* Schiedsrichterin *f.*
ar·blast [ˈɑːrblæst] → arbalest.
ar·bor[1], *bes. Br.* **ar·bour** [ˈɑːrbər] *s* **1.** Laube *f*, Laubengang *m.* – **2.** *obs.* a) Rasen *m*, b) (Obst)Garten *m.*
ar·bor[2] [ˈɑːrbər; -bɔːr] *s* **1.** *pl* **ˈar·boˌres** [-ˌriːz] *bot.* Baum *m.* – **2.** *pl* **ˈar·bors** *tech.* a) Balken *m*, Holm *m*, Drehbaum *m*, -balken *m*, b) Achse *f*, Welle *f*, Spindel *f*, Spille *f*, c) Drehstift *m*, Dorn *m*, Bolzen *m*: **~ of balance wheel** Unruhewelle.
ar·bo·ra·ceous [ˌɑːrbəˈreiʃəs], **ˈar·bo·ral** [-rəl], **ˈar·bo·rar·y** [*Br.* -rəri; *Am.* -ˌreri] → arboreal.
Ar·bor Day *s bes. Am. od. Austral.* Baumpflanz(ungs)tag *m*, Tag *m* des Baumes.
ar·bo·re·al [ɑːrˈbɔːriəl] *adj* **1.** baumartig, -ähnlich, zu den Bäumen gehörend, Bäume betreffend, Baum... – **2.** auf Bäumen lebend: **~ animals.**
ar·bo·re·an [ɑːrˈbɔːriən] → arboreal.
ar·bored, *bes. Br.* **ar·boured** [ˈɑːrbərd] *adj* **1.** mit einer Laube *od.* Lauben versehen, laubenartig. – **2.** mit Bäumen besetzt *od.* umˈsäumt. – **3.** von Laub beschattet: **an ~ walk.**
ar·bo·re·ous [ɑːrˈbɔːriəs] *adj* **1.** baumreich, waldig, bewaldet. – **2.** → arboreal. – **3.** baumartig verzweigt *od.* wachsend *od.* sich ausbreitend. – **4.** mit baumartiger Zeichnung.
ar·bo·res·cence [ˌɑːrbəˈresns] *s* **1.** baumartiger Wuchs. – **2.** *bes. min.* baumartige Bildung *od.* Form. — **ˌar·boˈres·cent** *adj* **1.** baumartig wachsend *od.* verzweigt *od.* sich ausbreitend. – **2.** *bes. min.* mit baumartiger Zeichnung, denˈdritenartig: **~ agate** Baumachat.
ar·bo·re·tum [ˌɑːrbəˈriːtəm] *pl* **-tums, -ta** [-ə] *s* Arboˈretum *n*, Baumgarten *m.*
ar·bor·i·cole [ɑːrˈbɒriˌkoul] *adj zo.* baumbewohnend. — **ar·bo·ric·o·line** [ˌɑːrbəˈrikəˌlain; -lin] *adj bot.* auf Bäumen wachsend, Baum... — **ˌar·boˈric·o·lous** *adj* **1.** *bot.* auf Bäumen wachsend, baumbewohnend. – **2.** *zo.* auf Bäumen lebend.
ar·bo·ri·cul·tur·al [ˌɑːrbəriˈkʌltʃərəl] *adj* Baumzucht... — **ˈar·bo·riˌcul·ture** *s* Baumzucht *f.* — **ˌar·bo·riˈcul·tur·ist** *s* Baumzüchter *m*, -gärtner *m*, -pflanzer *m.*
ar·bo·ri·form [ˈɑːrbəriˌfɔːrm] *adj* baumförmig.
ar·bo·ri·sé [arbɔriˈze] (*Fr.*) *adj min. tech.* mit (*natürlichen od. künstlichen*) Baumzeichnungen versehen.
ar·bor·ist [ˈɑːrbərist] *s* **1.** Baumkenner *m.* – **2.** Baumgärtner *m.*
ar·bor·i·za·tion [ˌɑːrbəraiˈzeiʃən; -ri-] *s* **1.** baumförmige Bildung. – **2.** *min.* denˈdritenartige Bildung, Denˈdrit *m.* – **3.** *med.* baumartige Verzweigung, baumartiger Fortsatz, Denˈdrit *m* (*Nervenzellen*): **~-block** Arborisationsblock, Astblock.
ar·bor·ize [ˈɑːrbəˌraiz] **I** *v/t* **1.** baumförmig bilden *od.* gestalten *od.* formen. – **2.** *tech.* mit baumförmigen Zeichnungen versehen. – **II** *v/i* **3.** eine baumartige Form annehmen.
ar·bor·ol·a·try [ˌɑːrbəˈrɒlətri] *s* Baumverehrung *f*, -anbetung *f.*
ar·bor·ous [ˈɑːrbərəs] *adj* auf Bäume bezüglich, Baum..., aus Bäumen bestehend.
ar·bor| shaft *s tech.* Drehstiftstuhl *m* (*Uhr*). — **~ vine** *s bot.* (*eine*) trop. Knollenwinde (*Operculina tuberosa*). — **ˌ~ˈvi·tae** *cf.* arbor vitae 1. — **~ vi·tae** [ˈvaitiː] *s* **1.** *bot.* Lebensbaum *m* (*Gattg Thuja*). – **2.** *med.* Lebensbaum *m* (*Zeichnung des Kleinhirns auf dem Medianschnitt*).
ar·bour [ˈɑːrbər], **ˈar·boured** [-bərd] *bes. Br. für* arbor[1], arbored.
ar·bus·cle [ˈɑːrbʌsl], **ar·bus·cu·la** [ɑːrˈbʌskjulə; -kjə-] *s bot.* Zwergbaum *m.* — **arˈbus·cu·lar** *adj* **1.** *bot.* zwergbaumartig. – **2.** *zo.* büschel-, fransenartig, bewimpert.
ar·bus·cule [ɑːrˈbʌskjuːl] *s zo.* Büschel *n*, Fransen *pl*, Wimpern *pl.*
ar·bu·tin [ˈɑːrbjutin] *s chem.* Arbuˈtin *n* ($C_{12}H_{16}O_7$).
ar·bu·tus [ɑːrˈbjuːtəs] *s bot.* **1.** Erdbeerbaum *m* (*Gattg Arbutus*). – **2.** *auch* **trailing ~** Kriechende Heide (*Epigaea repens*).
arc [ɑːrk] **I** *s* **1.** Bogen *m*: **the colo(u)red ~** der Regenbogen. – **2.** *math.* Bogen *m*, Segˈment *n* (*eines Kreises etc*), Arkus *m*: **~-hyperbolic function** inverse Hyperbelfunktion, invershyperbolische Funktion; **~ secant** Arkussekans; **~ sine** Arkussinus; **~ trigonometric** inverstrigonometrisch, zyklometrisch; **~ (length) in radian measure** Bogen(länge) im Längenmaß; **to describe an ~** einen (Kreis)-Bogen schlagen. – **3.** *astr.* a) Bogen *m*, (Tag-, Nacht)Kreis *m*, b) Winkelgeschwindigkeitsmaß *n* (*der Bewegung von Himmelskörpern*). – **4.** *tech.* Bogen *m*, Rundung *f*: **~ arrester** Bogenblitzableiter; **~ breaker** Funkenlöscher. – **5.** *electr.* (Licht)Bogen *m*: **~ ignition** Lichtbogenzündung; **~ length** Lichtbogenlänge; **~ spectrum** Bogenspektrum; **~ on closing circuit** Schließungsbogen. – **II** *v/i pret u. pp* **arced, arcked** [ɑːrkt] **6.** *electr.* einen Bogen bilden.
ar·cade [ɑːrˈkeid] **I** *s* **1.** *arch.* Arˈkade *f*, Säulen-, Bogen-, Laubengang *m.* – **2.** ˈDurchgang *m*, Pasˈsage *f.* – **3.** Haus *n od.* Galeˈrie *f* mit Bogengang. – **4.** *arch.* Arˈkade *f*, Bogen *m.* – **II** *v/t* **5.** mit Arˈkaden versehen.
Ar·ca·di·a [ɑːrˈkeidiə] **I** *npr* Arˈkadien *n* (*alter Name des peloponnesischen Hochlandes*). – **II** *s fig.* Arˈkadien *n* (*Land idyllischen Hirtenlebens*).
Ar·ca·di·an[1] [ɑːrˈkeidiən] **I** *s* **1.** Arˈkadier(in). – **II** *adj* **2.** arˈkadisch, aus Arˈkadien. – **3.** *fig.* arˈkadisch, iˈdyllisch, friedlich, Hirten..., Schäfer...
ar·ca·di·an[2] [ɑːrˈkeidiən] *adj arch.* mit einer Arˈkade versehen, Arkaden...
Ar·ca·dy [ˈɑːrkədi] *s poet.* Arˈkadien *n.*
ar·cane [ɑːrˈkein] *adj* geheim, geheimnisvoll, verborgen.
ar·ca·num [ɑːrˈkeinəm] *pl* **-na** [-ə] *s* **1.** *meist pl* Geheimnis *n*, Myˈsterium *n*: **the arcana of political intrigue** das Hintergründige der politischen Intrige. – **2.** Arˈkanum *n*, Eliˈxier *n*, Geheimmittel *n* (*gegen Krankheiten*). – **3.** *chem. hist.* Arˈkanum *n*, Geheimmittel *n.*
ar·ca·ture [ˈɑːrkətʃər] *s arch.* **1.** kleine Arˈkade (*als Balustrade etc*). – **2.** ˈBlendarˌkade *f.*
arc back *s electr.* Rückstrom *m*, Bogenrückschlag *m.*
arc-bou·tant [ar(k)buˈtɑ̃] *pl* **arcs-bou·tants** [ar(k)buˈtɑ̃] (*Fr.*) *s arch.* Strebebogen *m*, -pfeiler *m.*
arc| flame *s electr.* Flammenbogen *m*, (Licht)Bogenflamme *f.* — **~ gen·er·ator** *s* ˈLichtbogengeneˌrator *m* (*zur Erzeugung von Hochfrequenzschwingungen*).
arch[1] [ɑːrtʃ] **I** *s* **1.** *arch.* (Brücken-, Fenster-, Gewölbe-, Schwib)Bogen *m.* – **2.** *arch.* überˈwölbter Gang, Gewölbe *n*, ˈDurchfahrt *f*, -gang *m.* – **3.** Bogen *m*, Rundung *f*, Wölbung *f*: **the ~ of the instep** Rist des Fußes, Spann; **the ~ of the eye-brow; ~ of**

the cranium *biol.* Hirnschädelgewölbe; neural ~. – **4.** *fig. poet.* Himmelsbogen *m*: a) Regenbogen *m*, b) Himmelsgewölbe *n*, Himmel *m*, (*die*) Himmel *pl.* – **5.** *tech.* a) Vorofen *m*, b) Feuer-, Schmelzofen *m.* – **6.** (*Phonetik*) Gaumenbogen *m.* – **II** *v/t* **7.** mit Bogen versehen *od.* über'spannen *od.* über'wölben: to ~ over überwölben; to ~ up emporhalten, erheben. – **8.** bogenförmig machen, wölben, runden, krümmen, biegen. – **III** *v/i* **9.** sich wölben: the sky ~es overhead.

arch² [ɑːrtʃ] *adj* **1.** erst(er, e, es), oberst(er, e, es), größt(er, e, es), Haupt..., Ur..., Erz..., Riesen...: ~ rogue Erzschurke. – **2.** schlau, durch'trieben, listig. – **3.** schelmisch, ko'kett: an ~ look.

-arch¹ [ɑːrk] *Wortelement mit der Bedeutung* Herrscher: demarch, oligarch.

-arch² [ɑːrk] *bot. Wortelement mit der Bedeutung* von einem gewissen Typ *od.* Ursprung: endarch, pentarch.

arch- [ɑːrtʃ] *Wortelement bei Titeln und Benennungen mit der Bedeutung* erst, oberst, hauptsächlich, Haupt..., Erz..., Ur...

Ar·chae·an [ɑːr'kiːən] *geol.* **I** *adj* a'zoisch, ar'chäisch. – **II** *s* A'zoikum *n*, Ar'chaikum *n*, Ur-, Grundgebirge *n.*

archaeo- [ɑːrkio] *Wortelement mit der Bedeutung* alt, altertümlich, archaisch, Altertums...

ar·chae·og·ra·phy [ˌɑːrki'ɒgrəfi] *s* **1.** Archäogra'phie *f*, Beschreibung *f* von Altertümern. – **2.** Abhandlung *f* über Altertümer.

ar·chae·o·lith·ic [ˌɑːrkio'liθik] *adj* archäo'lithisch, die ältere Steinzeit betreffend.

ar·chae·ol·o·ger [ˌɑːrki'ɒlədʒər] → archaeologist.

ar·chae·o·log·ic [ˌɑːrkiə'lɒdʒik], **ˌar·chae·o'log·i·cal** [-kəl] *adj* archäo'logisch, Altertums... — **ˌar·chae·o'log·i·cal·ly** *adv* (*auch zu* archaeologic). — **ˌar·chae'ol·o·gist** [-'ɒlədʒist] *s* Archäo'loge *m*, Altertumsforscher *m.* — **ˌar·chae'ol·o·gy** *s* **1.** Archäolo'gie *f*, Altertumskunde *f*, -wissenschaft *f.* – **2.** Altertümer *pl*, Kul'turreste *pl*: the ~ of the Incas.

ar·chae·op·ter·yx [ˌɑːrki'ɒptəriks] *s zo.* Archä'opteryx *m*, Urvogel *m* (*Gattg Archaeopteryx; fossil*).

Ar·chae·o·zo·ic *cf.* Archeozoic.

ar·cha·ic [ɑːr'keiik] *adj* **1.** ar'chaisch, frühzeitlich, altertümlich (*Kunst etc*): ~ smile äginetisches Lächeln. – **2.** *ling.* ar'chaisch, veraltet, altmodisch (*bes. von Wörtern*). – **3.** (*Psychoanalyse*) ar'chaisch, regres'siv. – *SYN. cf.* old. — **ar'cha·i·cal** *selten für* archaic. — **ar'cha·i·cal·ly** *adv* (*auch zu* archaic).

ar·cha·i·cism [ɑːr'keiiˌsizəm; -əˌs-] *s* Archa'ismus *m*, veralteter Ausdruck.

ar·cha·ism ['ɑːrkeiˌizəm; -ki-] *s* **1.** Archa'ismus *m*, Gebrauch *m* ar'chaischen Stils *od.* veralteter Ausdrücke. – **2.** ar'chaischer *od.* altertümlicher Stil. – **3.** *ling.* Archa'ismus *m*, veralteter *od.* ar'chaischer Ausdruck. – **4.** (*etwas*) Altertümliches *od.* Veraltetes. — **'ar·cha·ist** *s* **1.** Altertumsforscher *m*, Anti'quar *m.* – **2.** j-d der Archa'ismen verwendet. — **ˌar·cha'is·tic** *adj* archa'istisch. — **'ar·chaˌize** **I** *v/t* archai'sieren. – **II** *v/i* alte Formen *od.* Gebräuche nachahmen.

arch·an·gel ['ɑːrk'eindʒəl] *s* **1.** Erzengel *m.* – **2.** *bot.* An'gelika *f*, Brust-, Engelwurz *f* (*Archangelica officinalis, in Nordamerika A. atropurpurea*). — **ˌarch·an'gel·ic** [-æn'dʒelik], **ˌarch·an'gel·i·cal** *adj* Erzengel...

'archˌband ['ɑːrtʃ-] *s arch.* Pfeiler-, Gurtbogen *m.*

'arch'bish·op *s* Erzbischof *m.* — **ˌarch'bish·op·ric** *s* **1.** Erzbistum *n.* – **2.** Erzbischofsamt *n*, -würde *f.*

arch| brace *s arch.* Bogenstrebe *f.* — **~ brick** *s* **1.** *arch.* (keilförmiger) Gewölbeziegel. – **2.** *tech.* verglaster (Archen)Ziegel. — **~ bridge** *s tech.* Bogen-, Jochbrücke *f.*

'arch'dea·con *s* 'Archidiaˌkon *m*, 'Erzdiaˌkon *m.* — **ˌarch'dea·con·ate** [-nit], **ˌarch'dea·con·ry** [-ri], **ˌarch'dea·conˌship** *s* 'Archi-, 'Erzdiakoˌnat *n.*

ˌarch·di'oc·e·san *adj* eine 'Erzdiöˌzese betreffend, zu einer Erzdiözese gehörig. — **'arch'di·o·cese** *s* 'Erzdiöˌzese *f.*

ˌarch'du·cal *adj* erzherzoglich. — **'arch'duch·ess** *s* Erzherzogin *f.* — **'arch'duch·y** *s* Erzherzogtum *n.* — **'arch'duke** *s* Erzherzog *m.* — **ˌarch'duke·dom** *s* Erzherzogtum *n.*

Ar·che·an [ɑːr'kiːən] *bes. Am. für* Archaean.

ar·che·bi·o·sis [ˌɑːrkibai'ousis] *s* Urzeugung *f.*

arched [ɑːrtʃt] *adj* **1.** gewölbt, über'wölbt: ~ charge *mil.* gewölbte Ladung; ~ roof Tonnendach; ~ outward vorgewölbt. – **2.** bogenförmig, gebogen, gekrümmt: ~ trajectory *aer. phys.* gekrümmte Flugbahn.

ar·che·gone ['ɑːrkiˌgoun] → archegonium. — **ˌar·che'go·ni·al** *adj* das Arche'gonium betreffend. — **ˌar·che'go·ni·ate** [-niit; -ˌeit] *adj* mit Arche'gonien (versehen). — **ˌar·che'go·ni·um** [-niəm] *pl* **-ni·a** [-ə] *s bot.* Arche'gonium *n* (*Eizellenbehälter der Gefäßkryptogamen*).

arch·en·e·my ['ɑːrtʃ'enimi; -nə-] *s* Erzfeind *m*, Satan *m.*

ar·chen·ter·ic [ˌɑːrken'terik] *adj zo.* archente'ral, Urdarm...: ~ cavity Urdarmhöhle. — **ar'chen·terˌon** [-ˌrɒn] *s zo.* Ar'chenteron *n*, Urdarm *m*, Ento'dermsäckchen *n* (*in der Gastrula*).

archeo- *cf.* archaeo-.

ar·che·o·log·ic, ar·che·o·log·i·cal *etc Am. Nebenform für* archaeologic, archaeological *etc.*

Ar·che·o·zo·ic [ˌɑːrkiə'zouik] *geol.* **I** *adj* a'zoisch. – **II** *s* A'zoikum *n*, Ar'chaikum *n*, archäo'zoische Formati'onsgruppe (*älteste geologische Periode*).

arch·er ['ɑːrtʃər] *s* **1.** Bogenschütze *m.* – **2.** A~ *astr.* Schütze *m* (*Sternbild u. neuntes Tierkreiszeichen*). — **'arch·er·y** *s* **1.** Bogenschießen *n*, Bogenschützenkunst *f.* – **2.** Ausrüstung *f* eines Bogenschützen. – **3.** *collect.* Bogenschützen *pl.*

ar·che·spore ['ɑːrkiˌspɔːr] *s bot.* Arche'spor *n* (*Urzelle des sporogenen Gewebes und des Tapetengewebes*). — **ˌar·che'spo·ri·um** [-riəm] → archespore.

ar·che·typ·al ['ɑːrkiˌtaipəl; -kə-] *adj* **1.** *bes. philos. psych.* arche'typisch, urbildlich, vorbildlich, ursprünglich. – **2.** Muster..., Original...

ar·che·type ['ɑːrkiˌtaip; -kə-] *s* **1.** Urbild *n*, Urform *f*, Vorbild *n*, Mo'dell *n*, Origi'nal *n*, Muster *n.* – **2.** *bot. zo.* Arche'typus *m*, Arche'typ *m*, Urform *f.* – **3.** Arche'typ *m*, Urhandschrift *f* (*meist nicht mehr vorhanden, von der andere Abschriften stammen*), erster Druck. – **4.** *psych.* Arche'typus *m* (*bei C. G. Jung*). – **5.** Ju'stiergewicht *n* (*von Münzen*).

ar·che·typ·ist ['ɑːrkiˌtaipist; -kə-] *s* Kenner *m od.* Erforscher *m* der Frühdrucke, Inku'nabelforscher *m.*

ar·che·us [ɑːr'kiːəs] *s philos. hist.* Ar'chäus *m*, geistiges 'Urprinˌzip des Lebens (*bei den Paracelsisten*).

arch·fiend ['ɑːrtʃ'fiːnd] *s* Erzfeind *m*, Satan *m*, Teufel *m.*

archi- [ɑːrki] *Wortelement mit der Bedeutung* a) Haupt..., Ober..., oberst, erst, b) *bot. med. zo.* ursprünglich, primitiv.

ar·chi·bald ['ɑːrtʃiˌbɔːld] → archie.

ar·chi·blast ['ɑːrkiˌblæst] *s biol.* **1.** Eiplasma *n.* – **2.** äußeres Keimblatt (*des Embryos*). — **ˌar·chi'blas·tic** *adj zo.* das Eiplasma betreffend, aus dem Eiplasma entstanden.

ar·chi·carp ['ɑːrkiˌkɑːrp] *s bot.* Asco'gon *n* (*Träger des sporenbildenden Gewebes bei den Ascomyceten*).

ar·chi·di·ac·o·nal [ˌɑːrkidai'ækənl] *adj* archidia'konisch. — **ˌar·chi·di'ac·o·nate** [-nit; -ˌneit] *s* ˌArchidiako'nat *n.*

ar·chie ['ɑːrtʃi] *s mil. Br. sl.* Flak *f* (*Fliegerabwehrkanone*).

ar·chi·e·pis·co·pa·cy [ˌɑːrkii'piskəpəsi; -kiə-] *s* **1.** 'Kirchenreˌgierung *f* durch Erzbischöfe. – **2.** *obs. für* archiepiscopate. — **ˌar·chi·e'pis·co·pal** *adj* erzbischöflich. — **ˌar·chi·e·ˌpis·co'pal·i·ty** [-'pæliti; -lə-] *s* erzbischöfliche Würde. — **ˌar·chi·e'pis·co·pate** [-pit; -ˌpeit] *s* **1.** erzbischöfliches Amt, erzbischöfliche Würde. – **2.** Erzbistum *n.*

ar·chi·gen·e·sis [ˌɑːrki'dʒenisis] *s biol.* Urzeugung *f*, Archi'genesis *f.*

ar·chil ['ɑːrkil] *s* **1.** *tech.* Or'seille *f* (*Farbstoff*). – **2.** *bot.* Färberflechte *f*, Or'seille *f* (*Roccella tinctoria etc*).

ar·chi·mage ['ɑːrkiˌmeidʒ] *s* Erzzauberer *m.*

ar·chi·man·drite [ˌɑːrki'mændrait] *s relig.* Archiman'drit *m* (*Erzabt in der griech. Kirche, auch Ehrentitel*).

Ar·chi·me·de·an [ˌɑːrki'miːdiən] *adj* archi'medisch. — **~ screw, ˌAr·chi'me·des' screw** [-'miːdiːz] *s tech.* archi'medische Schraube, Wasser-, Förderschnecke *f.*

ar·chi·mime ['ɑːrkiˌmaim] *s* **1.** *antiq.* Hauptmime *m.* – **2.** Hauptspaßmacher *m.*

arch·ing ['ɑːrtʃiŋ] **I** *s* **1.** Bogen *m*, Gewölbe *n.* – **2.** *geol.* Aufwölbung *f.* – **II** *adj* **3.** bogenförmig, gewölbt.

ar·chi·pe·la·gi·an [ˌɑːrkipə'leidʒiən], **ˌar·chi·pe'lag·ic** [-'lædʒik] *adj* archi'pelisch. — **ˌar·chi'pel·aˌgo** [-'peləˌgou] *pl* **-goes, -gos** *s* Archi'pel *m*, Inselmeer *n*, Inselgruppe *f.*

ar·chi·plasm ['ɑːrkiˌplæzəm] *s biol.* Urplasma *n*, die das Zentro'som um'gebende Sub'stanz, Astro'sphäre *f.*

ar·chip·ter·yg·i·um [ɑːrˌkiptə'ridʒiəm] *s zo.* Urflosse *f.*

ar·chi·tect ['ɑːrkiˌtekt; -kə-] *s* **1.** Ar'chi'tekt *m*, Baumeister *m*, Erbauer *m.* – **2.** *fig.* Schöpfer *m*, Urheber *m*: the ~ of one's fortune des eigenen Glückes Schmied. — **'ar·chiˌtec·tive** *adj* zum Bau(en) gehörig *od.* geeignet *od.* erforderlich, Bau...

ar·chi·tec·ton·ic [ˌɑːrkitek'tɒnik] **I** *adj* **1.** architek'tonisch, baukünstlerisch, baulich, die Architek'tur *od.* Baukunst betreffend. – **2.** (den Regeln) der Baukunst entsprechend *od.* ähnlich. – **3.** zum Bau(en) gehörig *od.* geeignet, Bau... – **4.** konstruk'tiv, planvoll, struktu'rell. – **5.** *mus. philos.* systemati'sierend, klar u. logisch aufgebaut. – **6.** (*Kunst*) tek'tonisch. – **II** *s* **7.** *auch pl* Architek'tonik *f*, Architek'tur *f* (*als Wissenschaft*), (Lehre *f* von der) Baukunst, Bauwissenschaft *f.* – **8.** *auch pl* (planmäßiger) Aufbau, Anlage *f*, Struk'tur *f*, Planung *f.* – **9.** *philos.* a) Systemati'sierung *f* des Wissens, b) Sy'stemgedanke *m.* — **ˌar·chi·tec'ton·i·cal·ly** *adv.*

ar·chi·tec·tress ['ɑːrkiˌtektris; -kə-] *s* Archi'tektin *f*, Baumeisterin *f.*

ar·chi·tects' scale *s arch. tech.* 'Reißbrettlineˌal *n* (*mit spezieller Skalenteilung für verschiedene Maßstäbe*).

ar·chi·tec·tur·al [ˌɑːrki'tektʃərəl; -kə-] *adj* **1.** die Baukunst *od.* Architek'tur betreffend, Architektur..., Bau...: ~ design *tech.* Raumgestaltung; ~ **engineering** *tech.* Hochbau. – **2.** der Baukunst *od.* Architek'tur entsprechend, architek'tonisch. — **ˌar·chi'tec·tur·al·ist** *s* Baukundige(r), Bausachverständige(r).

ar·chi·tec·ture ['ɑːrkiˌtektʃər; -kə-] *s* **1.** Architek'tur *f*, Baukunst *f*: **school of** ~ Bauschule, Bauakademie. – **2.** Architek'tur *f*, Bauart *f*, Baustil *m*. – **3.** Bauen *n*, Konstrukti'on *f*. – **4.** (Auf)Bau *m*, Bauplan *m*, Struk'tur *f*, Anlage *f* (*auch fig.*): **the** ~ **of trees.** – **5.** Bau(werk *n*) *m*, Gebäude *n*, Baulichkeit *f*. – **6.** *collect.* Gebäude *pl*, Bauten *pl*. – **7.** *poet.* Schöpfung *f*, Schöpferkunst *f*: **the earth is a piece of divine** ~.

ar·chi·tra·val ['ɑːrkiˌtreivəl; -kə-] *adj* Architrav... — **'ar·chiˌtrave** *s arch.* **1.** Archi'trav *m*, Säulen-, Tragbalken *m*, Epi'stylion *n*: ~ **cornice** Säulengebälk ohne Fries. – **2.** archi'travähnliche Einfassung (*bei Türen etc*). – **3.** Archi'volte *f*, Schwibbogengesims *n*. — **'ar·chiˌtraved** *adj* mit einem Archi'trav versehen.

ar·chi·val [ɑːr'kaivəl] *adj* archi'valisch, urkundlich, zu einem Ar'chiv gehörig, in Archiven enthalten, Archiv... — **ar·chive** ['ɑːrkaiv] *s* **1.** *fast immer pl* Ar'chiv *n*, Urkundensammelstelle *f*. – **2.** *meist pl* Urkunden-, Doku'mentensammlung *f*. — **'ar·chi·vist** [-ki-; -kə-] *s* Archi'var *m*.

ar·chi·volt ['ɑːrkiˌvoult; -kə-] *s arch.* Archi'volte *f*, Bogeneinfassung *f*, -verzierung *f*, Schwibbogengesims *n*, -verzierung *f*.

arch·lute ['ɑːrtʃˌljuːt; -ˌluːt] *s mus.* Erz-, Baßlaute *f*.

arch·ly ['ɑːrtʃli] *adv* schelmisch, schalkhaft.

arch·ness ['ɑːrtʃnis] *s* Schalkhaftigkeit *f*, Schelme'rei *f*, Kokette'rie *f*, Mutwille *m*.

ar·chol·o·gy [ɑːr'kɒlədʒi] *s* Archolo'gie *f* (*Lehre vom Ursprung*).

ar·chon ['ɑːrkɒn; -kən] *s* **1.** *antiq.* Ar'chon(t) *m*. – **2.** *fig.* Leiter *m*, Herrscher *m*, Re'gent *m*.

'arch'pres·by·ter *s relig.* Erzpriester *m*. — **ˌarch·pres'byt·er·ate** *s* **1.** *relig. hist.* Di'strikt *m* einer Diö'zese. – **2.** *relig.* 'Landdekaˌnat *n*.

'arch'priest *s relig. hist.* Erzpriester *m*. — **ˌarch'priest·hood** *s* **1.** Erzpriesterschaft *f* (*Amt od. Würde*). – **2.** Bezirk *m* eines Erzpriesters.

'arch'see *s relig.* Erzbischofssitz *m*, 'Erzdiöˌzese *f*.

arch| stone *s* **1.** *arch.* Gewölbe-, Schlußstein *m*. – **2.** *tech.* (*flacher*) Deckstein. — ~ **sup·port** *s med.* Plattfußeinlage *f*, Schuheinlage *f*. — **'~ˌway** *s arch.* **1.** Bogengang *m*, über'wölbter Torweg. – **2.** Bogen *m* (*über einer Tür od. einem Tor etc*). — **~·wise** ['ɑːrtʃˌwaiz] *adv* bogenartig.

-archy [ɑːrki; ərki] *Wortelement mit der Bedeutung* Herrschaft: **monarchy, anarchy.**

ar·ci·form ['ɑːrsiˌfɔːrm] *adj* bogenförmig, gebogen.

arc·ing ['ɑːrkiŋ] *s electr.* Lichtbogenbildung *f*: ~ **over** Überschlagen von Funken.

arcked, arck·ing *pret u. pres p von* arc.

arc| lamp *s electr.* Bogen(licht)lampe *f*: ~ **carbon** Lichtbogenkohle; **enclosed** ~ Dauerbrandbogenlampe, geschlossene Bogenlampe. — ~ **light** *s electr.* **1.** Bogenlichtlampe *f*. – **2.** Bogenlicht *n*.

arc·o·graph ['ɑːrkogræ(ː)f; -kə-; *Br. auch* -grɑːf] *s* Arko'graph *m*, Gerät *n* zum Bogenzeichnen.

Arc·ta·li·a [ɑːrk'teiliə] *s* (*Tiergeographie*) arktischer Seebereich.

arc·ta·tion [ɑːrk'teiʃən] *s med.* Verengung *f*, Zu'sammenziehung *f* (*des Darmes etc*).

arc·ti·an ['ɑːrkʃiən; -tiən] → **arctiid.**

arc·tic ['ɑːrktik] **I** *adj* **1.** arktisch, nördlich, Nord..., Polar...: **A~ Ocean** Nördliches Eismeer; **A~ Circle** nördlicher Polarkreis; → **fox** 1; ~ **seal** Seal-Imitation aus Kaninchenfell. – **2.** *fig.* kalt, eisig. – **II** *s* **3.** nördliche Po'largegend, nördlicher Po'larkreis. – **4.** *meist pl Am.* gefütterte wasserdichte 'Überschuhe *pl*. — **'arc·ti·cal·ly** *adv*.

arc·ti·id [ɑːrk'taiid] *zo.* **I** *s* Bärenspinner *m* (*Fam. Arctiidae*). – **II** *adj* zu den Bärenspinnern gehörig.

Arc·to·g(a)e·a [ˌɑːrkto'dʒiːə] *s* (*Tiergeographie*) nördliche Halbkugel.

arc·toid ['ɑːrktɔid] *zo.* **I** *adj* bärenähnlich, -artig. – **II** *s* bärenartiges Tier.

arc trans·mit·ter *s electr.* Lichtbogensender *m*.

Arc·tu·rus [ɑːrk'tju(ə)rəs] *s astr.* Ark'tur(us) *m*, Bärenhüter *m* (*Hauptstern im Sternbild des Bootes*).

ar·cu·al ['ɑːrkjuəl] *adj* bogenförmig, Bogen...

ar·cu·ate ['ɑːrkjuit; -ˌeit], **'ar·cuˌat·ed** [-ˌeitid] *adj* bogenförmig, gebogen, krumm. — **ˌar·cu'a·tion** *s* **1.** Krümmen *n*, Biegen *n*. – **2.** Krümmung *f*, Biegung *f*. – **3.** *arch.* a) Bogenbau *m*, Verwendung *f* von Bogen, b) 'Bogensyˌstem *n*.

ar·cus ['ɑːrkəs] *pl* **'ar·cus** (*Lat.*) *s* Arkus *m*, Bogen *m*, Torbogen *m*. — ~ **se·ni·lis** [-si'nailis] (*Lat.*) *s med.* Greisenbogen *m*, Geronto'xon *n* (*ringförmige Hornhauttrübung*).

'arc|-ˌweld *v/t electr.* mit dem Lichtbogen *od.* e'lektrisch schweißen. — ~ **weld,** ~ **weld·ing** *s electr.* Lichtbogenschweißung *f*, elektr. Schweißung *f*.

ar·das·sine [ˌɑːrdə'siːn] *s* Ardas'sinestoff *m*, feine persische Seide.

ar·deb ['ɑːrdeb] *s* Ar'deb *n* (*Mengenmaß Ägyptens und der meisten islamischen Länder*).

ar·den·cy ['ɑːrdənsi] *s* **1.** Hitze *f*, Glut *f*, Brennen *n*. – **2.** *fig.* Wärme *f* (*des Gefühls*), Inbrunst *f*, Glut *f*, Feuer *n*, Heftigkeit *f*, Leidenschaft(lichkeit) *f*: **the** ~ **of love.**

ar·dent ['ɑːrdənt] *adj* **1.** heiß, brennend, feurig, glühend, hitzig: ~ **fever** hitziges Fieber. – **2.** leuchtend, aufblitzend, glühend: ~ **eyes.** – **3.** *fig.* feurig, heiß, heftig, innig, inbrünstig, leidenschaftlich, hitzig: ~ **love;** ~ **temper.** – **4.** *fig.* eifrig, begeistert. – *SYN. cf.* **impassioned.** — **'ar·dent·ness** → **ardency.**

ar·dent spir·its *s pl* 'hochproˌzentige alko'holische Getränke *pl*.

ar·dish ['ɑːrdiʃ] *s arch.* Stuck *m* mit eingelegtem Spiegelglas.

ar·dis·i·a [ɑːr'diziə] *s bot.* Spitzblume *f*, Ar'disie *f* (*Gattg Ardisia*).

ar·dor, *bes. Br.* **ar·dour** ['ɑːrdər] *s* **1.** Hitze *f*, Glut *f*. – **2.** *fig.* Leidenschaft(lichkeit) *f*, Heftigkeit *f*, Inbrunst *f*. – **3.** *fig.* Eifer *m*, Begeisterung *f* (**for** für). – *SYN. cf.* **passion.**

ar·du·ous [*Br.* 'ɑːrdjuəs; *Am.* -dʒu-] *adj* **1.** schwierig, schwer, anstrengend, mühsam: **an** ~ **enterprise.** – **2.** eifrig, emsig, arbeitsam, ausdauernd, zäh, e'nergisch: ~ **efforts** große Anstrengungen; **an** ~ **worker.** – **3.** steil, jäh, schwer ersteigbar *od.* zu ersteigen(d) (*Berg etc*). – **4.** streng, schwer: **an** ~ **winter.** – *SYN. cf.* **hard.** — **'ar·du·ous·ness** *s* **1.** *fig.* Schwierigkeit *f*, Mühsal *f*. – **2.** Anstrengung *f*, Eifer *m*, Ausdauer *f*. – **3.** Steilheit *f*, jähe Höhe.

are[1] [ɑːr] *pl u. 2. sg pres von* **be.**

are[2] [ɛr; ɑːr] *s* Ar *n* (*Flächenmaß = 100 qm = 119,6 square yards*).

a·re·a ['ɛ(ə)riə] *pl* **-as,** *bes. biol. med.* **-re·ae** [-ˌiː] *s* **1.** (begrenzte) Fläche, Flächenraum *m*, Ober-, Grundfläche *f*. – **2.** Bezirk *m*, Gebiet *n*, Regi'on *f*, Zone *f*: **the settled** ~ das besiedelte Gebiet; ~ **of low pressure** (*Meteorologie*) Tiefdruckgebiet. – **3.** freier Platz. – **4.** Grundstück *n*. – **5.** *fig. econ.* Bereich *m*, Gebiet *n*, Spielraum *m*. – **6.** *math.* Flächeninhalt *m*, -raum *m*, (Grund)Fläche *f*, Inhalt *m*: ~ **of a circle** Kreisfläche; ~ **of a rectangle** Flächeninhalt eines Rechtecks. – **7.** *math. phys. tech.* (Ober)Fläche *f*: ~ **of contact** Begrenzungs-, Berührungsfläche; ~ **under moment curve** Momentenfläche; **~-preserving** flächentreu. – **8.** *biol.* Feld *n*, Bezirk *m*: ~ **of optimum comfort** Behaglichkeitsfeld, Optimum. – **9.** *med.* Zone *f*, Gegend *f*, Sphäre *f*, Area *f*, Zentrum *n* (*in der Gehirnrinde etc*). – **10.** *arch.* lichter Raum, Raum *m* im Lichten. – **11.** *mil.* Abschnitt *m* (*senkrecht zur Front*): ~ **command** *Am.* Militärbereich. – **12.** → **~way.**

a·re·al ['ɛ(ə)riəl] *adj* Flächen..., Flächeninhalts... — ~ **lin·guis·tics** *s pl* (*als sg konstruiert*) 'Sprachgeograˌphie *f*.

a·rear [ə'rir] *adv* im Rücken, nach hinten.

a·re·a| vec·tor *s math.* 'Vektorproˌdukt *n*. — **'~ˌway** *s* **1.** Lichtschacht *m*, -raum *m*, -hof *m*, Kellervorhof *m*. – **2.** *Am.* 'Durchgang *m*, Pas'sage *f*.

ar·e·ca (palm) ['ærikə; ə'riː-] *s bot.* **1.** → **betel palm.** – **2.** *eine der Betelnußpalme verwandte Zierpalme.*

a·reek [ə'riːk] *pred adj* rauchend, dampfend, stinkend, rauchgeschwängert.

a·re·na [ə'riːnə] *pl* **-nas, -nae** [-niː] *s* **1.** *antiq.* A'rena *f*: ~ **theater** (*Br.* **theatre**) Theater mit einer von Sitzreihen umgebenen Zentralbühne. – **2.** *bes. sport* A'rena *f*, Kampfbahn *f*, -platz *m*. – **3.** *fig.* Schauplatz *m*, Stätte *f*, Weltbühne *f*: **the** ~ **of politics.** – **4.** *med.* Harngrieß *m*.

ar·e·na·ceous [ˌæri'neiʃəs; -rə-] *adj* **1.** sandig, sandartig, -haltig. – **2.** *bot.* in sandigem Boden wachsend.

ar·e·nar·i·ous [ˌæri'nɛ(ə)riəs] → **arenaceous.**

ar·e·na·tion [ˌæri'neiʃən] *s med.* 'Sandtheraˌpie *f*.

a·ren·dal·ite [ə'rendəˌlait] *s min.* Arenda'lit *m*, grüner Epi'dot.

a·reng [ə'reŋ] → **gomuti** 1.

ar·e·nic·o·lite [ˌæri'nikoˌlait] *s min.* Sandwurmloch *n*. — **ˌar·e'nic·o·lous** *adj zo.* im Sand lebend. — **a·ren·i·lit·ic** [əˌreni'litik; -nə-] *adj geol.* sandsteinartig, -haltig. — **ar·e·nose** ['æriˌnous; -rə-] *adj* sandig, voll Sand.

aren't [ɑːrnt] *colloq. für* **are not.**

ar·e·o·cen·tric [ˌærio'sentrik] *adj astr.* Mars zum Mittelpunkt habend.

ar·e·og·ra·phy [ˌæri'ɒgrəfi] *s astr.* Beschreibung *f* der Marsoberfläche.

a·re·o·la [ə'riːələ] *pl* **-lae** [-iː], **-las** *s* **1.** *biol.* Are'ole *f*, Feldchen *n* (*kleine begrenzte Fläche zwischen Blattnerven, auf Insektenflügeln etc*), Spiegelzelle *f*. – **2.** *med.* a) Are'ole *f*, Hof *m*, b) *auch* ~ **of the nipple** Brustwarzenhof *m*, -ring *m*, c) entzündeter Hautring (*um eine Pustel etc*), d) *Teil der Iris, der an die Pupille grenzt.* – **3.** *tech.* Kreis *m*. — **a're·o·lar** *adj med.* areo'lar, zellig, netzförmig: ~ **tissue** Zellengewebe.

a·re·o·late [ə'riːəlit; -ˌleit], **a're·oˌlat·ed** [-ˌleitid] *adj bot. zo.* maschen-, netzförmig, gegittert, zellig. — **ar·e·o·la·tion** [ˌærio'leiʃən] *s bot. med. zo.* **1.** Are'olen-, Maschenbildung *f*. – **2.** Are'ole *f*.

ar·e·ole ['ɛ(ə)riˌoul] → **areola.**

a·re·o·let [ə'riːəlit; 'ɛ(ə)ri-] *s zo.* kleine Are'ole.

ar·e·ol·o·gy [ˌæri'ɒlədʒi] *s astr.* Marskunde *f*.

ar·e·om·e·ter [ˌæri'ɒmitər; -mə-] *s phys.* Aräo'meter *n*, Tauch-, Spindel-, Senkwaage *f*. — ˌ**ar·e·o'met·ric** [-ə'metrik], ˌ**ar·e·o'met·ri·cal** *adj* aräo'metrisch. — ˌ**ar·e'om·e·try** [-tri] *s* Aräome'trie *f* (*Messung des spezifischen Gewichts von Flüssigkeiten*).

Ar·e·op·a·gus [ˌæri'ɒpəgəs] **I** *npr* **1.** Areo'pag *m* (*Hügel in Athen*). – **II** *s* **2.** *antiq.* Areo'pag *m* (*oberster Gerichtshof Athens*). – **3.** *fig.* Gericht *n*, Gerichtshof *m*.

ar·e·ta·ics [ˌæri'teiiks] *s pl* (*als sg konstruiert*) *philos.* Tugendlehre *f*.

a·rête [ə'reit; *bes. Br.* æ'reit] *s* (Berg)-Kamm *m*, (Fels)Grat *m*.

Ar·e·thu·sa [ˌæri'θjuːzə; *Am. auch* -'θuː-] **I** *npr* Are'thusa *f* (*Nymphe in der griech. Mythologie; Quelle bei Syrakus*). – **II** *s* **a**~ *bot.* Are'thusa *f* (*Gattg Arethusa*).

Ar·e·tin·i·an [ˌæri'tiniən] *adj mus.* are'tinisch, gui'donisch: ~ **syllables** aretinische Silben (*dem Guido von Arezzo zugeschriebene Solmisationssilben*).

ar·gal[1] *cf.* **argol**[1].

ar·gal[2] ['ɑːrgəl] → **argali**.

ar·gal[3] *cf.* **argol**[2].

ar·ga·la ['ɑːrgələ] *s zo.* Argalastorch *m* (*Leptoptilus dubius*).

ar·ga·li ['ɑːrgəli] *pl* **-li, -lis** *s* **1.** *zo.* Argali *m* (*Ovis ammon*). – **2.** *zo. Am.* (*ein*) Gebirgsschaf *n* (*Ovis montana*). – **3.** langfaserige Wolle (*von sibirischen Schafen*).

ar·gand ['ɑːrgænd], *auch* **A**~ **burn·er** *s tech.* Argand-, Rundbrenner *m*: ~ (*od.* **A**~) **lamp** Lampe mit zylindrischem Docht.

ar·gel ['ɑːrgel] *s bot.* Syrischer Hundswürger (*Solenostemma argel*).

ar·gem·o·ne [ɑːr'dʒeməni] *s bot.* Stachelmohn *m* (*Gattg Argemone*).

ar·gent ['ɑːrdʒənt] **I** *s* **1.** *her.* Silber-(farbe *f*) *n*. – **2.** *poet.* Silber *n*, Weiß *n*. – **3.** *obs.* Silbermünze *f*, Geld *n*. – **II** *adj* **4.** silbern, silberfarben, -farbig, weiß(lich), hell, glänzend. — **ar'gen·tal** [-'dʒentəl] *adj* silbern, silberhaltig, Silber...: → **mercury 5**.

ar·gen·ta·tion [ˌɑːrdʒən'teiʃən] *s* Versilberung *f*, 'Silberˌüberzug *m*. — **ar·gen·te·ous** [ɑːr'dʒentiəs] *adj* silbern.

ar·gen·tic [ɑːr'dʒentik] *adj chem.* silberhaltig, Silber...: ~ **chloride** Silberchlorid; ~ **nitrate** salpetersaures Silberoxyd, Höllenstein.

ar·gen·tif·er·ous [ˌɑːrdʒən'tifərəs] *adj min.* silberführend, silberhaltig: ~ **concrete earth** Silberkalk.

ar·gen·tine[1] ['ɑːrdʒənˌtain; -tin] **I** *adj* **1.** silberartig, -farben, silbern, aus Silber. – **2.** *fig.* silberrein, hell(tönend), Silber... – **II** *s* **3.** Silber *n*. – **4.** Neusilber *n*. – **5.** Schaumkalk *m*, A'phrit *m*. – **6.** *tech.* Silberfarbstoff *m* (*aus Fischschuppen*). – **7.** *zo.* → **pearlsides**.

Ar·gen·tine[2] ['ɑːrdʒənˌtain; -ˌtiːn] **I** *adj* argen'tinisch. – **II** *s* Argen'tinier(in).

Ar·gen·tin·e·an [ˌɑːrdʒən'tiniən] *s* Argen'tinier(in).

ar·gen·tite ['ɑːrdʒənˌtait] *s min.* Silberglanz *m* (Ag_2S).

ar·gen·tol ['ɑːrdʒənˌtoul; -ˌtɒl] *s chem.* Argen'tol *n* ($C_9H_5N(OH)SO_3Ag$).

ar·gen·tous [ɑːr'dʒentəs] *adj chem.* Silber...: ~ **chloride** Silberchlorür.

ar·gen·tum [ɑːr'dʒentəm] *s chem.* Silber *n*: ~ **fulminans** Knallsilber; ~ **musivum** Malersilber.

ar·ghel *cf.* **argel**.

ar·gil ['ɑːrdʒil] *s* Ton *m*, Töpfererde *f*. — ˌ**ar·gil'la·ceous** [-'leiʃəs] *adj geol.* lehmig, tonartig, tonhaltig, Ton...: ~ **earth** Tonerde. — ˌ**ar·gil'lif·er·ous** [-'lifərəs] *adj geol.* tonhaltig, -reich.

ar·gil·lite ['ɑːrdʒiˌlait] *s geol.* Argil'lit *m*, Tonschiefer *m*. — ˌ**ar·gil'lit·ic** [-'litik] *adj* tonschieferhaltig.

ar·gil·lo·ar·e·na·ceous [ɑːrˌdʒiloˌæri'neiʃəs] *adj min.* lehm- und sandhaltig.

ar·gil·lo·cal·car·e·ous [ɑːrˌdʒilokæl'kɛ(ə)riəs] *adj min.* ton- und kalkhaltig.

ar·gil·lo·fer·ru·gi·nous [ɑːrˌdʒilofe'ruːdʒinəs; -dʒə-] *adj min.* ton- und eisenhaltig.

ar·gil·loid [ɑːr'dʒiləid] *adj min.* tonartig. — **ar'gil·lous** *adj min.* tonartig, tönern, tonig.

ar·gi·nine ['ɑːrdʒiˌniːn; -nin], *auch* '**ar·gi·nin** [-nin] *s chem.* Argi'nin *n* (*eine Aminosäure*).

Ar·give ['ɑːrgaiv; -dʒaiv] **I** *adj* ar'givisch, Argos betreffend, griechisch. – **II** *s* Ar'giver *m*, Grieche *m*.

ar·gle-bar·gle ['ɑːrgl'bɑːrgl] *v/i Br. humor.* hin und her reden.

Ar·go ['ɑːrgou] **I** *npr* Argo *f* (*Schiff der Argonauten*). – **II** *s auch* ~ **Navis** *astr.* Schiff *n* Argo (*südl. Sternbild*).

ar·gol[1] ['ɑːrgəl] *s chem.* roher Weinstein.

ar·gol[2] ['ɑːrgəl] (*Mongolian*) *s* getrockneter Tiermist (*Brennstoff*).

ar·gon ['ɑːrgɒn] *s chem.* Argon *n* (A).

Ar·go·naut ['ɑːrgəˌnɔːt] *s* **1.** (*griech. Mythologie*) Argo'naut *m*. – **2.** *Am.* kaliforn. Goldsucher *m* (*1848/49*). – **3.** **a**~ *zo.* → **paper nautilus**. — ˌ**Ar·go'nau·tic** *adj* argo'nautisch.

ar·go·sy ['ɑːrgəsi] *s* **1.** großes (Handels)-Schiff. – **2.** Flotte *f*.

ar·got ['ɑːrgou] *s* Ar'got *n*, Jar'gon *m*, Slang *m*, Geheimsprache *f*, *bes.* Gaunersprache *f*. – *SYN. cf.* **dialect**.

ar·gu·a·ble ['ɑːrgjuəbl] *adj* **1.** disku'tierbar, disku'tabel, zu erörtern(d). – **2.** bestreitbar, unsicher.

ar·gue ['ɑːrgjuː] **I** *v/i* **1.** argumen'tieren, Gründe anführen: **to** ~ **for s.th.** etwas verteidigen, für etwas eintreten; **to** ~ **against s.th.** gegen etwas Einwände machen. – **2.** streiten, rechten, hadern (**with** mit). – **3.** sprechen, reden, dispu'tieren (**about** über *acc*, **for** für, **against** gegen, **with** mit). – **II** *v/t* **4.** beweisen, erweisen: **to** ~ **that s.th. must be so**. – **5.** besprechen, erörtern, verhandeln, disku'tieren. – **6.** (*j-n*) über'reden, bewegen: **to** ~ **s.o. into s.th.** j-n zu etwas überreden; **to** ~ **s.o. out of s.th.** j-n von etwas abbringen. – **7.** behaupten, schließen, folgern: **to** ~ **that drinking is a vice**. – **8.** bekunden, verraten, anzeigen, andeuten, dartun: **his clothes** ~ **poverty** seine Kleidung zeugt von Armut. – **9.** über'führen (**of** *gen*), über'zeugen (**of** von). – *SYN. cf.* **discuss**. — '**ar·gu·er** *s* j-d der argumen'tiert *od.* dispu'tiert.

ar·gu·fy ['ɑːrgjuˌfai] *colloq. od. dial.* **I** *v/i* **1.** hartnäckig argumen'tieren, streiten. – **2.** beweisen. – **3.** bedeuten. – **II** *v/t* **4.** durch Streiten *od.* Dispu'tieren ermüden.

ar·gul *cf.* **argol**[2].

ar·gu·ment ['ɑːrgjumənt; -gjə-] *s* **1.** Argu'ment *n*, Grund *m*, Beweisgrund *m*: **an** ~ **for (against) a proposition**; **a strong** ~ ein wichtiges Argument; **clinching** (*od.* **clenching**) ~ entscheidender Beweis. – **2.** Beweisführung *f*, Schlußfolgerung *f*, Erhärtung *f* (*eines Punktes*): → **design 18**. – **3.** Erörterung *f*, De'batte *f*, Verhandlung *f*, Besprechung *f*: **to hold an** ~ diskutieren. – **4.** *colloq.* Streit *f*, Ausein'andersetzung *f*. – **5.** Thema *n*, Gegenstand *m*, Stoff *m*. – **6.** a) (Haupt)-Inhalt *m*, b) Inhaltsangabe *f*. – **7.** *math.* a) Beweisführung *f*, b) Argu'ment *n*, unabhängige Vari'able, c) Leerstelle *f*, d) Ampli'tude *f*, Po'larwinkel *m*, Azi'mut *m*, *n*, Anoma'lie *f* (*komplexe Zahlen etc*): **functional symbol with n** ~ **places** Funktionszeichen mit n Leerstellen. – **8.** *astr.* Argu'ment *n*. – **9.** *philos.* mittlerer Teil eines Syllo'gismus. – **10.** *obs.* Beweis *m*, Anzeichen *n*. – **11.** *obs.* Streitpunkt *m*, -frage *f*.

ar·gu·men·tal [ˌɑːrgju'mentl; -gjə-] *adj* **1.** beweisend, Beweis... – **2.** → **argumentative**.

ar·gu·men·ta·tion [ˌɑːrgjumen'teiʃən; -gjə-] *s* **1.** Argumentati'on *f*, Beweisführung *f*, Schlußfolgerung *f*. – **2.** Erörterung *f*, Besprechung *f*, De'batte *f*. – **3.** Beweisschrift *f*.

ar·gu·men·ta·tive [ˌɑːrgju'mentətiv; -gjə-] *adj* **1.** streitsüchtig, -lustig, po'lemisch. – **2.** strittig, um'stritten, bestreitbar. – **3.** (**of**) dartuend, anzeigend, beweisend (*acc*), 'hinweisend (**auf** *acc*). – **4.** folgerichtig, konse'quent, logisch. — ˌ**ar·gu'men·ta·tive·ness** *s* **1.** Streit-, Debat'tierlust *f*. – **2.** Beweiskraft *f*. — '**ar·gu·menˌta·tor** [-ˌteitər] *s* **1.** Po'lemiker *m*. – **2.** Beweisführer *m*.

Ar·gus ['ɑːrgəs] **I** *npr* **1.** (*griech. Mythologie*) Argus *m*. – **II** *s* **2.** *fig.* Argus *m*, wachsamer Hüter. – **3.** *zo.* → **a**~ **pheasant**. — '~-ˌ**eyed** *adj* argusäugig, mit Argusaugen, wachsam, scharfsichtig. — **a**~ **pheas·ant** *s zo.* 'Pfaufaˌsan *m*, Arguspfau *m* (*Gattg Argusianus*). — ~ **shell** *s zo.* Argus-, Porzel'lanschnecke *f* (*Cypraea argus*).

ar·gute [ɑːr'gjuːt] *adj* **1.** scharf, schrill. – **2.** geistreich, scharfsinnig. – **3.** verschmitzt. — **ar'gute·ness** *s* **1.** Schärfe *f*. – **2.** Scharfsinn *m*, Spitzfindigkeit *f*.

ar·gyr·i·a [ɑːr'dʒi(ə)riə] *s med.* Argy'rie *f*, Silbervergiftung *f*, Silbereinlagerung *f*.

ar·gyr·ic [ɑːr'dʒi(ə)rik] → **argentic**.

ar·gy·rite ['ɑːrdʒiˌrait; -dʒə-] → **argentite**.

ar·gyr·o·dite [ɑːr'dʒi(ə)roˌdait; -rə-] *s min.* Argyro'dit *m* (Ag_8GeS_6).

ar·gy·rol ['ɑːrdʒiˌroul; -ˌrɒl; -dʒə-] *s chem.* 'Silbervitelˌlin *n*.

ar·gy·rose ['ɑːrdʒiˌrous; -dʒə-] → **argentite**.

a·ri·a ['ɑːriə; 'ɛ(ə)riə] *s mus.* Arie *f*.

-aria [ɛ(ə)riə] *Nominalsuffix zur Bildung von pluralischen Gattungs- und Gruppennamen*: **Calceolaria**.

Ar·i·an[1] *cf.* **Aryan**.

Ar·i·an[2] ['ɛ(ə)riən] *relig.* **I** *adj* ari'anisch. – **II** *s* Ari'aner *m*. — '**Ar·i·anˌism** *s* Aria'nismus *m*. — '**Ar·i·anˌize** **I** *v/t* zum Aria'nismus bekehren. – **II** *v/i* sich zum Aria'nismus bekennen.

ar·i·cin(e) ['æriˌsiːn; -sin] *s chem.* Ari'cin *n* ($C_{23}H_{26}N_2O_4$).

ar·id ['ærid] *adj* **1.** dürr, trocken, a'rid, unfruchtbar. – **2.** *fig.* trocken, reizlos, leer, schal, nüchtern. – *SYN. cf.* **dry**. — **a·rid·i·ty** [ə'riditi; -əti] *s* **1.** Dürre *f*, Trockenheit *f*, Unfruchtbarkeit *f* (*auch fig.*). – **2.** *fig.* Reiz-, Leblosigkeit *f*, Leere *f*, Schalheit *f*. — '**ar·id·ness** → **aridity**.

Ar·i·el[1] ['ɛ(ə)riəl] *s astr.* Ariel *m* (*Uranusmond*).

ar·i·el[2] ['ɛ(ə)riəl], ~ **ga·zelle** *s zo.* (*eine*) arab. Ga'zelle (*Gazella arabica*).

A·ri·es ['ɛ(ə)riˌiːz; -riːz] *gen* **A·ri·e·tis** [ə'raiətis] *s* **1.** *astr.* Widder *m*, Aries *m* (*Sternbild u. erstes Tierkreiszeichen*). – **2.** **a**~ *antiq.* Widder *m*, Mauerbrecher *m*.

ar·i·et·ta [ˌæri'etə], *auch* ˌ**ar·i'ette** [-'et] *s mus.* Ari'ette *f*, kleine einfachere Arie (*oft liedmäßig*).

a·right [ə'rait] *adv* **1.** recht, richtig, zu Recht: **to set** ~ richtigstellen, berichtigen, ordnen. – **2.** *selten* rechts. – **3.** *obs.* gerade(swegs), di'rekt.

ar·il ['æril] *s bot.* A'rillus *m*, Samenmantel *m*. — '**ar·iled** *bes. Am. für* **arillate**. — '**ar·il·lar·y** [*Br.* -ləri; *Am.* -ˌleri] *adj* Samenmantel... — '**ar·ilˌlate** [-ˌleit], '**ar·ilˌlat·ed** *adj* von einem Samenmantel um'hüllt. — '**ar·illed** *bes. Br. für* **arillate**.

ar·il·lode ['æriˌloud] *s bot.* falscher Samenmantel.

ar·i·ose ['æri,ous; ,æri'ous] → arioso II.
a·rio·so [,ɑːr'jousou; -ri'ou-] *mus.* **I** *s* Ari'oso *n*: a) arienartiger Satz, b) großer Arienstil. – **II** *adj u. adv* ari'os, arienartig, -haft.
a·ri·ot [ə'raiət] *adv u. pred adj* lärmend, in *od.* im Aufruhr.
a·rip·ple [ə'ripl] *pred adj* in kräuselnder Bewegung (*Wasser*).
a·rise [ə'raiz] *pret* **a·rose** [ə'rouz] *pp* **a·ris·en** [ə'rizn] *v/i* **1.** entstehen, entspringen, her'vorgehen, -kommen (from, out, of aus), die Folge sein (from von): many accidents ~ from heavy traffic. – **2.** entstehen, entspringen, sich erheben, erscheinen, a'kut werden, aufkommen, auftreten, auftauchen: new problems ~. – **3.** *poet.* aufstehen, sich erheben (*aus dem Bett etc*), sich auflehnen (*Volk, Gefühle*), auferstehen (*von den Toten*), aufkommen, sich erheben (*Wind etc*), aufgehen (*Sonne etc*), aufsteigen, sich erheben (*Nebel etc*). – *SYN. cf.* spring.
a·ris·ta [ə'ristə] *pl* **-tae** [-iː] *s* **1.** *bot.* Granne *f.* – **2.** *zo.* Borste *f*, Fühlerborste *f*, Fäserchen *n.* — **a'ris·tate** [-teit] *adj* **1.** *bot.* Grannen tragend. – **2.** *zo.* borstig, mit Borsten *od.* Fäserchen versehen.
Ar·is·tarch ['æris,tɑːrk] *s* Ari'starch *m*, strenger Kritiker *od.* Kunstrichter. — **,Ar·is'tar·chi·an** *adj* ari'starchisch, streng kriti'sierend.
aristo- [æristo; əristə] *Wortelement mit der Bedeutung* best(er, e, es).
ar·is·toc·ra·cy [,æris'tɒkrəsi; -rəs't-] *s* **1.** Aristokra'tie *f*, Adelsherrschaft *f.* – **2.** *collect.* Aristokra'tie *f*, Adel *m.* – **3.** Herrschaft *f* der Besten. – **4.** *fig.* Adel *m*, E'lite *f.*
a·ris·to·crat [ə'ristə,kræt; 'æris-] *s* **1.** Aristo'krat *m*, Adliger *m.* – **2.** Anhänger *m* der Aristokra'tie, Aristo'krat *m.* – **3.** *fig.* Herr *m*, Aristo'krat *m*, Pa'trizier *m.* – *SYN.* gentleman, patrician.
a·ris·to·crat·ic [ə,ristə'krætik; ,æris-], *auch* **a,ris·to'crat·i·cal** [-kəl] *adj* **1.** aristo'kratisch, Aristokraten..., ad(e)lig, Adels...: an aristocratic party. – **2.** *fig.* ad(e)lig, vornehm, exklu'siv. — **a,ris·to'crat·i·cal·ly** *adv* (*auch zu* aristocratic). — **a,ris·to'crat·i·cal·ness** *s* aristo'kratisches Wesen.
a·ris·to·crat·ism [ə'ristəkræ,tizəm; 'æris,to-] *s* Aristo'kratentum *n.*
a·ris·to·lo·chi·a·ceous [ə,ristə,louki'eiʃəs] *adj bot.* zu den Aristolochia'ceen gehörig.
a·ris·to·log·i·cal [ə,ristə'lɒdʒikəl] *adj* feinschmeckerisch. — **ar·is·tol·o·gy** [,æris'tɒlədʒi] *s* Feinschmeckerkunst *f*, Gastroso'phie *f.*
Ar·is·to·phan·ic [,æristo'fænik] *adj* aristo'phanisch, mutwillig ausgelassen.
Ar·is·to·te·le·an *cf.* Aristotelian. — **Ar·is·to·te·li·an** [,æristo'tiːliən; -tə't-] **I** *adj* aristo'telisch: ~ logic aristotelische *od.* traditionelle *od.* formale Logik. – **II** *s* Aristo'teliker *m.* — **,Ar·is·to'te·li·an,ism** *s* Aristote'lismus *m*, aristo'telische Philoso'phie. — **,Ar·is·to'tel·ic** [-'telik] → Aristotelian I. — **,Ar·is'tot·e,lism** [-'tɒtə,lizəm] → Aristotelianism.
a·ris·to·type [ə'ristətaip] *s phot.* **1.** *Verwendung von Aristopapier.* – **2.** Abzug *m* auf A'ristopa,pier.
a·ris·tu·late [ə'ristju,leit; -tʃu-; -lit] *adj bot.* mit kurzer Granne.
a·rith·me·tic[1] [ə'riθmətik] *s* **1.** Arith'metik *f.* – **2.** Rechnen *n*, Rechenkunst *f*: → mental[1] 1; business ~, commercial ~ kaufmännisches Rechnen. – **3.** Arith'metik-, Rechenbuch *n.*
ar·ith·met·ic[2] [,æriθ'metik], **,ar·ith'met·i·cal** *adj* arith'metisch, Rechen...: → mean[3] 6; arithmetical progression (series) arithmetische Progression (Reihe); ~ operation Rechenoperation. — **a,rith·me'ti·cian** [-'tiʃən] *s* Arith'metiker *m*, Rechner *m.*
a·rith·me·ti·za·tion [ə,riθmətai'zeiʃən; -ti-] *s math.* Entwicklung *f* geo'metrischer *od.* mathe'matischer Theo'reme aus den Eigenschaften ganzer Zahlen.
a·rith·mo·gram [ə'riθmə,græm] *s* durch die Buchstaben eines Wortes *od.* Satzes ausgedrückte Zahl. — **a'rith·mo,graph** [-,græ(ː)f; *Br. auch* -,grɑːf] *s* (*Art*) 'Rechenma,schine *f.* — **ar·ith·mog·ra·phy** [,æriθ'mɒgrəfi] *s* Darstellung *f* einer Zahl durch Buchstaben, die bestimmten Zahlen entsprechen. — **,ar·ith'mom·e·ter** [-'mɒmitər; -mət-] *s* Arithmo'meter *n*, einfache Multipli'zierma,schine.
ark [ɑːrk] *s* **1.** Arche *f.* – **2.** *fig.* Zufluchtsort *m.* – **3.** *auch* ~ of the covenant *Bibl.* Bundeslade *f.* – **4.** *obs. od. dial.* Kasten *m*, Lade *f*, Truhe *f*, Kiste *f*, Koffer *m*, Korb *m.* – **5.** *Am. hist.* Flußschiff *n*, Flachboot *n.*
ark·ite ['ɑːrkait] **I** *adj* zur Arche (Noahs) gehörend, Archen... – **II** *s* Bewohner *m* der Arche.
ar·kose [ɑːr'kous] *s geol.* Ar'kose *f*, feldspatreicher Sandstein.
ark shell *s zo.* Arche(nmuschel) *f* (*Arca noa*).
arles [ɑːrlz] *s pl Br. dial.* Miets-, Hand-, Angeld *n.*
arm[1] [ɑːrm] **I** *v/t* **1.** am Arm führen. – **2.** um'armen. – **II** *v/i* **3.** *bot.* Seitentriebe bilden (*Hopfen etc*). – **III** *s* **4.** Arm *m* (*des Menschen*): ~pit Achselhöhle. – **5.** *zo.* a) Vorderbein *n*, Arm *m* (*des Affen, Bären etc*), b) Arm *m*, armähnlicher Fortsatz, c) vordere Extremi'tät, Vorderglied *n* (*der Wirbeltiere*). – **6.** *bot.* Ast *m*, Zweig *m.* – **7.** Fluß-, Meeresarm *m.* – **8.** *med.* Zweig *m*, Abzweigung *f* (*Nerven-, Aderzweig etc*). – **9.** Arm-, Seitenlehne *f.* – **10.** Ärmel *m.* – **11.** *tech.* a) Arm *m* (*eines Hebels, einer Maschine etc*), b) Zeiger *m*, Stab *m*: ~ of a balance Waagebalken; ~ of lever Hebelarm; ~ of a wheel Radarm, Radspeiche. – **12.** *mar.* a) (Rah-)Nock *f*, b) Arm *m* (*eines Ankers, Ruders etc*). – **13.** *fig.* Arm *m*, Macht *f*, Stärke *f*, Kraft *f*, Gewalt *f*: the ~ of the law der Arm des Gesetzes. – **14.** *fig.* Stütze *f*, Unter'stützung *f.* – *Besondere Redewendungen*:
at ~'s length a) auf Armeslänge (entfernt), b) *fig.* in angemessener Entfernung; to keep s.o. at ~'s length *fig.* sich j-n vom Leibe halten; within ~'s reach in Reichweite, leicht zu erreichen; with open ~s *fig.* mit offenen Armen; to fly into s.o.'s ~s j-m in die Arme fliegen; with one's ~s across, with folded ~s mit verschränkten Armen; to give (offer) one's ~ to s.o. j-m seinen Arm reichen (anbieten); to hold out one's ~s to s.o. j-m die Arme entgegenstrecken; to make a long ~ *colloq.* a) den Arm ausstrecken, b) *fig.* sich anstrengen; child in ~s kleines Kind; Kind, das auf dem Arm getragen werden muß.
arm[2] [ɑːrm] **I** *v/t* **1.** (be)waffnen, (mit Waffen) ausrüsten: to ~ with guns bestücken; to ~ the country; to ~ oneself sich (be)waffnen; → tooth 8. – **2.** *mil.* ar'mieren, befestigen, bewehren. – **3.** (ver)stärken, beschlagen, versehen (*mit Metall, Eisen etc*), schützen, sichern, bedecken: to ~ the hilt of a sword. – **4.** fertig-, zu'rechtmachen, vorbereiten: to ~ a hook in angling; to ~ a fuse; to ~ a grenade eine Handgranate scharf machen. – **5.** *auch reflex* rüsten, wappnen, vorbereiten, bereit machen, versehen. – *SYN. cf.* furnish. – **II** *v/i* **6.** sich (be)waffnen, sich wappnen, sich rüsten. – **III** *s* **7.** *meist pl mil.* Waffe *f*, Waffen *pl.* – **8.** *mil.* a) Waffen-, Truppengattung *f* (*Infanterie etc*), b) Wehrmachtsteil *m* (*Heer etc*). – **9.** *pl* Kriegs-, Waffentaten *pl.* – **10.** *pl* a) Mili'tärdienst *m*, b) Kriegskunde *f*, -wissenschaft *f.* – **11.** *pl her.* Wappen(schild) *n.* – **12.** *pl bot. zo.* Waffen *pl*, 'Angriffs- *od.* Ver'teidigungsor,gane *pl.* – **13.** *pl fig.* geistige Waffen *pl*, Hilfsmittel *pl.* – *Besondere Redewendungen*:
in ~s in Waffen, bewaffnet, gewaffnet, gerüstet; → rise 16; up in ~s a) kampfbereit, b) in vollem Aufruhr; to be up in ~s in Harnisch geraten; all up in ~s *colloq.* in hellem Zorn; under ~s a) unter Waffen, b) kampfbereit, in Schlachtordnung; by force of ~s mit Waffengewalt; to bear ~s a) Waffen tragen, b) als Soldat dienen, kämpfen, c) ein Wappen führen; → lay down 1; capable of bearing ~s waffenfähig; to take up ~s die Waffen ergreifen (*auch fig.*); passage of (*od.* at) ~'s Waffengang (*auch fig.*); ~s of courtesy stumpfe Waffen; to turn one's ~s against angreifen, Krieg führen gegen; → ground[1] 1; order arms II; pile ~s setzt die Gewehre zusammen! → present[2] 14; slope 14; shoulder ~s Gewehr an Schulter (*in Schützenregimentern*); → stand 19; to 2.
ar·ma·da [ɑːr'mɑːdə] *s* **1.** Kriegsflotte *f.* – **2.** A~ *hist.* Ar'mada *f.* – **3.** Luftflotte *f*, Geschwader *n.*
ar·ma·dil·lo [,ɑːrmə'dilou] *s zo.* **1.** Arma'dill *n*, Gürteltier *n* (*Gattg Dasypus*). – **2.** Apo'theker,assel *f* (*Gattg Armadillidium*).
Ar·ma·ged·don [,ɑːrmə'gedn] *s* **1.** *Bibl.* der Berg 'Harma,geddon (*Schauplatz des letzten Kampfes zwischen Gut und Böse*). – **2.** *fig.* Entscheidungskampf *m*, Weltkrieg *m.*
ar·ma·ment ['ɑːrməmənt] *s mil.* **1.** Kriegsstärke *f*, Mili'tärmacht *f*, 'Kriegspotenti,al *n* (*eines Landes*). – **2.** Bewaffnung *f*, Ar'mierung *f*, Bestückung *f*, Feuerstärke *f*, -kraft *f* (*eines Kriegsschiffes, einer Befestigung etc*): ~ of a tank Bestückung eines Kampfwagens; ~ officer Waffenoffizier (*der Luftwaffe*). – **3.** a) (Kriegs)Ausrüstung *f*, b) (Kriegs)Rüstung *f.* – **4.** Aufrüstung *f*: ~ race Wettrüsten.
ar·ma·ture ['ɑːrmətʃər] **I** *v/t* **1.** mit einem Anker *od.* einer Arma'tur versehen. – **II** *s* **2.** Rüstung *f*, Panzer *m*, Bewaffnung *f*, Waffen *pl*, *bes.* Schutzwaffen *pl.* – **3.** *mar.* Panzer *m*, Panzerung *f*, Beschlag *m*, Ar'mierung *f.* – **4.** *fig.* Waffe *f*, Schutz *m*: the ~ of prayer. – **5.** *biol.* Bewaffnung *f*, Schutzmittel *pl*: without ~ unbewaffnet. – **6.** *tech.* a) Kabelbewehrung *f*, b) Gerät *n*, c) (Me'tall)Beschlag *m.* – **7.** *arch.* Arma'tur *f*, Verstärkung *f* (*eines Balkens*), Hängewerk *n.* – **8.** (*Skulptur*) Gerüst *n.* – **9.** *phys.* Anker *m* (*eines Magneten*). – **10.** *electr.* a) (*Radio*) pri'mär schwingender Teil eines Lautsprechers, b) Anker *m*, Arma'tur *f*, Belegung *f*, Läufer *m*, Rotor *m*, Re'lais *n*: ~ band Ankerbandage; ~ bar Ankerstab; ~ bore Ankerbohrung; ~ coil Ankerwicklung, -spule; ~ core plate Ankerblech; ~ current Läufer-, Ankerstrom; ~ demagnetization (dem Feld) entgegengesetzte magnetische Wirkung des Ankerstroms; the ~ drops das Relais fällt ab; ~ key Ankerkeil; ~ leakage Ankerstreuung; ~ leakage flux Ankerstreufluß; ~ resistor Ankerkreiswiderstand; ~ shaft Ankerwelle; ~ sheet Ankerblech, Dynamoblech für den Anker; ~ short Lamellenschluß; ~ slip Ankerschlüpfung, -schlupf; ~ slot Ankernut; ~ spider Ankerbüchse; ~ tooth Ankerpol; ~ turn Ankerwindung, -schleife; ~ varnish

Anker(tränk)lack, Trafolack; ~ **winding** Ankerwicklung.

arm| band *s* Armbinde *f.* — ~ **board** *s* (*Gerberei*) Armholz *n*, Reck-, Krispelholz *n.* — '~ˌ**chair I** *s* **1.** Arm-, Lehnstuhl *m*, Lehnsessel *m.* – **II** *adj* **2.** theo'retisch, vom grünen Tisch. – **3.** Bierbank..., Stammtisch...: ~ **strategists** Stammtischstrategen.

arme blanche [arm 'blɑ̃:ʃ] (*Fr.*) *s* **1.** Waffen *pl* der Kavalle'rie. – **2.** Kavalle'rie *f.*

armed[1] [ɑːrmd] *adj* mit ... Armen, ...armig: **one-**~ einarmig; **bare-**~ mit bloßen Armen.

armed[2] [ɑːrmd] *adj* **1.** *bes. mil.* bewaffnet, bewehrt, (aus)gerüstet, gepanzert: ~ **forces,** ~ **services** (Gesamt)Streitkräfte, Streitmacht; ~ **neutrality** bewaffnete Neutralität; ~ **service** Dienst mit der Waffe; ~ **ship,** ~ **merchant cruiser** bewaffnetes (Handels)Schiff, Handelskreuzer; ~ **with guns** *mar.* bestückt. – **2.** *mil.* scharf, zündfertig (*Munition*). – **3.** *mil.* geladen (*Geschütz*). – **4.** entsichert (*Gewehr etc*). – **5.** *zo.* gepanzert, bewehrt, mit 'Angriffs- *od.* Ver'teidigungsorˌganen versehen. – **6.** *bot.* stach(e)lig, dornig. – **7.** *her.* mit (andersfarbigen) Füßen *od.* Hörnern *od.* Spitzen versehen.

armed mag·net *s phys.* mit Arma'tur versehener Ma'gnet.

Ar·me·ni·an [ɑːr'miːniən] **I** *adj* **1.** ar'menisch: ~ **bole** armenischer Bolus, Färbererde; ~ **stone** *min.* armenischer Stein, Bergblau. – **II** *s* **2.** Ar'menier(in). – **3.** *ling.* Ar'menisch *n*, das Armenische.

ar·met ['ɑːrmet] *s mil.* Sturmhaube *f.*

arm·ful ['ɑːrmful] *s* Armvoll *m*: **an** ~ **of books** ein Armvoll Bücher.

'**armˌhole** *s* **1.** *med.* Achselhöhle *f.* – **2.** Armloch *n* (*am Kleidungsstück*).

ar·mied ['ɑːrmid] *adj* heerartig.

ar·mi·ger ['ɑːrmidʒər] *pl* **ar'mig·eˌri** [-ˌrai] *s* **1.** Waffenträger *m*, Knappe *m.* – **2.** Wappenträger *m*, Inhaber *m* eines Wappens. — **ar'mig·er·al** *adj* zum niederen Adel gehörig. — **ar'mig·er·ous** *adj* ein Wappen führend.

ar·mil·la [ɑːr'milə] *pl* **-lae** [-iː] *s* **1.** Armband *n.* – **2.** *med.* ringförmiges Band (*um die Handwurzel*). — '**ar·mil·lar·y** [*Br.* -ləri; *Am.* -ˌleri] *adj* ringförmig, aus Ringen bestehend, Ring..., Reifen...: ~ **sphere** *astr. hist.* Armillarsphäre. — '**ar·milˌlat·ed** [-ˌleitid] *adj* ein Armband tragend.

arm·ing ['ɑːrmiŋ] *s* **1.** Bewaffnung *f*, (Aus)Rüstung *f.* – **2.** Aus-, Zurüstung *f*, Ar'mierung *f.* – **3.** *her.* Wappen *n.* – **4.** *phys.* Arma'tur *f* (*eines Magneten*). – **5.** *mar.* a) Talgstück *n* in der Höhlung eines Senkbleis, Talgbeschickung *f* beim Handlot, b) *pl* (*Art*) Enternetz *n.* – **6.** Handschutz *m* (*eines Bogens*). – **7.** Scharfwerden *n* (*Zünder*): ~ **party** (Minen)Schärftrupp.

arm·ing press *s tech.* Deckelpresse *f.*

Ar·min·i·an [ɑːr'miniən] *relig.* **I** *adj* armini'anisch. – **II** *s* Armini'aner *m.* — **Ar'min·i·anˌism** *s relig.* (Glaubens)Lehre *f* des Ar'minius, Arminia'nismus *m.*

ar·mip·o·tent [ɑːr'mipətənt] *adj poet.* waffenmächtig, schlachtengewaltig.

ar·mi·stice ['ɑːrmistis; -məs-] *s* Waffenstillstand *m.* — **A**~ **Day** *s* Jahrestag *m* des Waffenstillstandes vom 11. No'vember 1918.

arm·less[1] ['ɑːrmlis] *adj* armlos, ohne Arm.

arm·less[2] ['ɑːrmlis] *adj* unbewaffnet, wehrlos.

arm·let ['ɑːrmlit] *s* **1.** kleiner (Meeres- *od.* Fluß)Arm. – **2.** Armring *m*, -reif *m.* – **3.** *bes. mil.* Armbinde *f* (*Erkennungszeichen*). – **4.** kurzer Ärmel.

'**arm|-ˌlev·el** *s* (*Ringkampf u. Jiu-Jitsu*) Armhebel *m.* — '~ˌ**load** *s* Armvoll *m.* — '~ˌ**lock** *s* **1.** (*Ringkampf*) Armschlüssel *m.* – **2.** (*Jiu-Jitsu*) Armfessel *f.*

ar·moire [ɑːr'mwɑːr] *s* (Kleider)Schrank *m.*

ar·mor, *bes. Br.* **ar·mour** ['ɑːrmər] **I** *s* **1.** Rüstung *f*, Harnisch *m*, Panzer *m.* – **2.** *fig.* Waffe *f*, Schutz *m*, Panzer *m*: **the** ~ **of virtue.** – **3.** Panzer(ung *f*) *m*, Ar'mierung *f* (*von Schiffen, Flugzeugen etc*): ~ **plate** Panzerblech, Panzerplatte; ~ **thickness** Panzerstärke; ~**-cased** gepanzert; ~**proof glass** Panzerglas, kugelsicheres Glas. – **4.** Taucheranzug *m.* – **5.** *bot. zo.* Panzer *m*, Schutz *m*, Schutzmittel *n*, -decke *f.* – **6.** *collect. mil.* Panzerfahrzeuge *pl* u. -truppen *pl.* – **II** *v/t* **7.** (be)waffnen, (aus)rüsten. – **8.** panzern. – **III** *v/i* **9.** sich (be)waffnen *od.* panzern. — '~**-ˌbear·er** *s* Waffenträger *m*, Schildknappe *m.* — ~ **belt** *s mar.* Panzergürtel *m.* — '~**-ˌclad I** *adj* gepanzert, Panzer...: ~ **ship.** – **II** *s* Panzerschiff *n.*

ar·mored, *bes. Br.* **ar·moured** ['ɑːrmərd] *adj mil. tech.* gepanzert, Panzer..., bewehrt, ar'miert: ~ **battery** Panzerbatterie; ~ **cable** bewehrtes *od.* armiertes Kabel, Panzerkabel; ~ **car** Panzerkampfwagen, Panzerspähwagen; ~ **car body** gepanzerte Karosserie; ~ **chassis** Panzerwanne (*beim Tank*); ~ **combat car** Panzerkampfwagen; ~ **concrete** armierter Beton, Eisenbeton; ~ **cruiser** Panzerkreuzer; ~ **fighting vehicle** *Br.* Panzerkampfwagen; ~ **infantry** Panzergrenadiere; ~ **mount** Panzerlafette; ~ **sleeve,** ~ **pipe** Panzerrohr.

ar·mor·er, *bes. Br.* **ar·mour·er** ['ɑːrmərər] *s* **1.** *mil. mar.* Waffenmeister *m*, 'Waffenˌunteroffiˌzier *m*, Waffenmeistergehilfe *m.* – **2.** *hist.* Waffenschmied *m*, Schwertfeger *m*, Büchsenmacher *m.*

ar·mo·ri·al [ɑːr'mɔːriəl] **I** *adj* Wappen..., he'raldisch: ~ **bearings** Wappen(schild). – **II** *s* Wappenbuch *n.*

Ar·mor·ic [ɑːr'mɒrik] *adj* ar'morisch, bre'tonisch. — **Ar'mor·i·can I** *s* **1.** Armori'kaner(in). – **2.** *ling.* Bre'tonisch *n*, das Bretonische. – **II** *adj* → Armoric.

ar·mor·ied ['ɑːrmərid] *adj* mit Wappen bedeckt. — '**ar·mor·ist** *s* Wappenkundiger *m*, He'raldiker *m.*

'**ar·mor-ˌpierc·ing,** *bes. Br.* '**ar·mour-ˌpierc·ing** *adj mil.* panzerbrechend, -durchschlagend, Panzerspreng...: ~ **ammunition** a) Panzer(spreng)munition, b) (*Gewehr*) Stahlkernmunition; ~ **cap,** ~ **head,** ~ **nose** Panzerkopf; ~ **projectile** Panzerspreng-, Stahlkerngeschoß.

ar·mor·y[1] ['ɑːrməri] *s* He'raldik *f*, Wappenkunde *f.*

ar·mor·y[2], *bes. Br.* **ar·mour·y** ['ɑːrməri] *s* **1.** Rüst-, Waffenkammer *f*, Waffenmeiste'rei *f*, -werkstatt *f*, Arse'nal *n*, Zeughaus *n* (*auch fig.*). – **2.** *Am.* 'Waffenfaˌbrik *f.* – **3.** *Am.* Exer'zier-, Ausbildungshalle *f.* – **4.** Waffen(schmiede)handwerk *n.* – **5.** *obs.* Rüstung *f*, Panzer *m.* – **6.** *obs.* Wappen *n.*

ar·mour, ar·moured, ar·mour·er *bes. Br. für* armor *etc.*

ar·mour·y *bes. Br. für* armory[2].

'**arm|ˌscye** *s* Ärmelausschnitt *m.* — ~ **strap** *s tech.* Halteschlaufe *f.*

ar·mure ['ɑːrmjur; -jər] *s* (*Art*) Woll- *od.* Seidenstoff *m* mit eingewebten Reli'efmustern.

ar·my ['ɑːrmi] *s* **1.** Ar'mee *f*, Heer *n*, Landstreitkräfte *pl*: ~ **contractor** Heereslieferant; ~ **group** Heeresgruppe; ~ **kitchen** Feldküche; **A**~ **List,** *Am.* **A**~ **Register** Rangordnung (*des Heeres*); ~ **manual,** ~ **regulation** Heeresdienstvorschrift; ~ **post office** Feldpostamt; ~ **service area** rückwärtiges Armeegebiet; **A**~ **Welfare Services** Heeresbetreuung; **he is in the** ~ er dient im Heer; **to join the** ~ Soldat werden; **relieving** ~ Entsatzheer; → **corps** 1 a; **enter** 5; **occupation** 3. – **2.** Ar'mee *f* (*als militärische Einheit*). – **3.** Mili'tär *n*: **the** ~ *Br.* der Militärdienst. – **4.** (organi'sierte) Körperschaft, Organisati'on *f*: → **Salvation A**~. – **5.** *fig.* Heer *n*, Menge *f*, Schwarm *m*, Schar *f.* – *SYN.* host, legion, multitude. — ~ **ant** → **driver** ant. — ~ **chap·lain** *s mil.* Heerespfarrer *m*, Feldgeistlicher *m.* — ~ **com·mis·sar·y** *s mil.* Heeresverpflegungsamt *n.* — ~ **host·ess** *s mil. Am.* zur außerdienstlichen Betreuung der Sol'daten angestellte Dame. — **A**~ **Nurse Corps** *s mil. Am.* Heereskrankenschwesternkorps *n.* — **A**~ **War Col·lege** *s mil. Am.* 'Kriegsakadeˌmie *f.* — ~ **worm** *s zo.* Heerwurm *m*, Raupe *f* der Baumwollenmotte (*Cirphis od. Leucania unipuncta*).

ar·na ['ɑːrnɑː] *s zo.* Arni *m*, Riesenbüffel *m* (*Bubalus bubalus*).

ar·ni·ca ['ɑːrnikə] *s* **1.** *med.* Arnika *f.* – **2.** *bot.* Arnika *f*, Wohlverleih *m* (*Gattg Arnica*), *bes.* Bergwohlverleih *m* (*A. montana*).

arn't, ar'n't [ɑːrnt] *colloq. Kurzform für* are not.

a·roar [ə'rɔːr] *pred adj* brausend, brüllend.

ar·oid ['æroid; 'ɛ(ə)r-] *bot.* **I** *adj* zu den Aronstabgewächsen gehörig. – **II** *s* Aronstab *m* (*Fam. Araceae*). — **a·roi·de·ous** [ə'rɔidiəs] *adj bot.* ara'ceen-, arumartig.

a·roint thee [ə'rɔint] *poet.* fort! weg!

a·ro·li·um [ə'rouliəm] *pl* **-li·a** [-ə] *s zo.* Haftläppchen *n.*

a·rol·la [ə'rɒlə] *s bot.* Arve *f*, Zirbelkiefer *f* (*Pinus cembra*).

a·ro·ma [ə'roumə] *s* **1.** A'roma *n*, Duft *m*, Würze *f*, Blume *f* (*des Weines*). – **2.** *fig.* Würze *f*, Reiz *m.* – **3.** *obs.* Gewürz *n.* – *SYN. cf.* smell.

A·ro·ma·ra·ma [*Br.* ə'roumaˌrɑːmə; *Am.* -ˌræ(ː)mə] (*TM*) *s* Geruchsfilm *m.*

ar·o·mat·ic [ˌæro'mætik] **I** *adj* **1.** aro'matisch, würzig, duftig: ~ **bath** *med.* Kräuterbad. – **2.** *chem.* aro'matisch: ~ **fats.** – **II** *s* **3.** aro'matische Sub'stanz *od.* Pflanze. — ˌ**aro'mat·i·cal·ly** *adv.*

a·ro·ma·ti·za·tion [əˌroumətai'zeiʃən; -ti-] *s* Würzen *n.* — **a'ro·maˌtize** *v/t* aromati'sieren, wohlriechend *od.* aro'matisch machen, würzen, A'roma *od. fig.* Reiz verleihen (*dat*). — **a'ro·ma·tiz·er** *s* Würzer *m*, Würze *f* (*auch fig.*).

a·rose [ə'rouz] *pret von* arise.

a·round [ə'raund] **I** *adv* **1.** her'um, rund-, ringsher'um, ringsum'her, im Kreise. – **2.** nach *od.* auf allen Seiten, ringsher'um, -um'her, über'all. – **3.** *Am. colloq.* um'her, von Ort zu Ort: **to travel** ~ **from town to town.** – **4.** *Am. colloq.* in der Nähe, nahe'bei, da'bei: **the man was standing** ~ **when the fight took place.** – **5.** *Am.* zu'rück, nach rückwärts *od.* hinten: **he looks** ~ **to say farewell.** – **II** *prep* **6.** um, um ... her('um), rund um, rings'um. – **7.** nach allen Seiten, um ... her: **to cast a radiance** ~ **him.** – **8.** *Am. colloq.* (rings)her'um, durch, von einem Teil zum andern: **to travel** ~ **the country.** – **9.** *Am. colloq.* ungefähr (um), etwa, um ... her'um: ~ **two thousand tons.** – **10.** *Am. colloq.* (nahe) bei, her'um, in: **to stay** ~ **the house** sich im *od.* beim Hause aufhalten, zu Hause bleiben.

a'round-the-'clock *adj* den ganzen Tag über, 'durchgehend, Dauer...

a·rous·al [ə'rauzəl] *s* Erwecken *n*, Erweckung *f.*

a·rouse [ə'rauz] **I** *v/t* **1.** aufwecken, -jagen, wecken: **to** ~ **from sleep** aus dem Schlaf reißen *od.* wecken. –

2. *fig.* erregen, erwecken, auf-, wachrütteln, wachrufen. – **II** *v/i* 3. aufwachen, erwachen (from aus).
ar·peg·gio [ɑːr'pedʒiˌou] *s mus.* 1. Ar'peggio *n* (*harfenartig gespielter, gebrochener Akkord*). – 2. Arpeg'gieren *n* (*Art Akkordbrechung*).
ar·pent ['ɑːrpənt] *s* 1. Ar'pent *m* (*altes franz. Flächenmaß von verschiedener Größe; in Kanada teilweise noch üblich als 34,2 Ar*). – 2. *in Teilen Kanadas übliches Längenmaß von 57,8 m.*
ar·que·bus ['ɑːrkwibəs] → harquebus.
ar·que·rite ['ɑːrkəˌrait] *s min.* 'Silberamalˌgam *n.*
ar·ra·ca·cha [ˌærə'kɑːtʃə], *auch* **ˌar·ra'cach** *s bot. eine südamer. Umbellifere* (*Arracacia xanthorrhiza*).
ar·rack ['ærək] *s* Arrak *m* (*Branntwein, bes. aus Reis*).
ar·rah ['ærə] *interj Irish* aber! nicht doch! nun!
ar·raign [ə'rein] **I** *v/t* 1. *jur.* vor Gericht stellen *od.* bringen, zur Anklage vernehmen. – 2. anklagen, beschuldigen. – 3. *fig.* anfechten, anklagen, zur Rechenschaft ziehen. – *SYN.* accuse, charge, indict. – **II** *s* 4. Anklage *f*: the clerk of the ~s Beamter, der die Anklageschrift fertigt. — **ar'raign·er** *s* Ankläger *m*, Tadler *m.* — **ar'raign·ment** *s* 1. *jur.* Vorge'richtstellen *n*, Vorführung *f* zum Unter'suchungsverhör, Anklage *f.* – 2. Anklage *f*, Beschuldigung *f*, Tadel *m.*
ar·range [ə'reindʒ] **I** *v/t* 1. arran'gieren, (an)ordnen, aufbauen, -stellen, in Ordnung bringen, (ein)richten, organi'sieren: to ~ in layers *tech.* schichten; ~d in tandem *tech.* hintereinander angeordnet. – 2. *bes. math.* gliedern, grup'pieren, einteilen, (*Gleichung*) ansetzen: to be ~d sich gliedern. – 3. festsetzen, -legen, bestimmen, vorbereiten, planen. – 4. Vorkehrungen treffen für, veranstalten: to ~ a meeting. – 5. abmachen, vereinbaren: as ~d wie vereinbart; to ~ an insurance eine Versicherung abschließen. – 6. (*Zeit*) festsetzen, verabreden, ausmachen, bestimmen. – 7. (*Streit*) schlichten, beilegen. – 8. erledigen, machen, 'durchführen, tun. – 9. *reflex* sich einrichten *od.* vorbereiten (for auf *acc*). – 10. *tech.* einfluchten, einbauen. – 11. *bes. mus.* arran'gieren, einrichten, bearbeiten. – 12. *econ.* (*Rechnung*) ausgleichen. – 13. *mil.* (*Truppen*) aufstellen. – *SYN. cf.* order. – **II** *v/i* 14. sich verständigen *od.* einigen, ins reine kommen (about über *acc*): to ~ with a creditor about one's debts sich mit einem Gläubiger über seine Schulden einigen. – 15. Anordnungen *od.* Vorkehrungen treffen, sorgen (for für): I will ~ for the car to be there ich will dafür sorgen, daß das Auto da ist. – 16. *mus.* sich arran'gieren lassen.
ar·range·ment [ə'reindʒmənt] *s* 1. (An)Ordnen *n*, Aufbauen *n*, Aufstellen *n*, Verteilen *n*, Grup'pieren *n.* – 2. (An)Ordnung *f*, Aufbau *m*, Aufstellung *f*, Dispositi'on *f*, Verteilung *f*, Grup'pierung *f*, Einrichtung *f*, Gliederung *f*: ~ of chromosomes *biol.* Chromosomenanordnung. – 3. *math.* a) Ansatz *m* (*einer Gleichung*), Einteilung *f*, Anordnung *f*, Gliederung *f*, b) Komplexi'on *f*: ~ of elements of a set Komplexion von Elementen einer Menge. – 4. Vorbereitung *f*, Festsetzung *f.* – 5. Vereinbarung *f*, Verabredung *f*, Über'einkunft *f*, Abkommen *n*: to make an ~ (*od.* to enter into an ~) with s.o. mit j-m ein Übereinkommen treffen. – 6. Beilegung *f*, Schlichtung *f*, Vergleich *m* (*mit Gläubigern*): to come to an ~ zu einem Vergleich kommen, sich vergleichen. – 7. Erledigung *f*, 'Durchführung *f.* – 8. *pl* Vorkehrungen *pl*, Vorbereitungen *pl*: to make ~s Vorkehrungen *od.* Vorbereitungen treffen. – 9. *mus.* Arrange'ment *n*, Einrichtung *f*, Bearbeitung *f.* – 10. *arch.* Gliederung *f.* – 11. Arrange'ment *n*, Zu'sammenstellung *f*, Kombinati'on *f*: an ~ in gray and white. – 12. *mil.* Aufstellung *f* (*von Truppen*). — **ar'rang·er** *s* 1. Arran'geur *m*, (An)Ordner *m.* – 2. *bes. mus.* Arran'geur *m*, Bearbeiter(in).
ar·rant ['ærənt] *adj* 1. völlig, vollkommen, ausgesprochen: an ~ fool. – 2. schändlich, arg, durch'trieben, abgefeimt, berüchtigt, Erz...: ~ rogue Erzgauner. – 3. offenkundig, no'torisch: ~ nonsense. – 4. um'herlungernd: ~ thief Wegelagerer, Straßenräuber. – 5. *obs.* um'herschweifend, -wandernd.
ar·ras ['ærəs] *s* 1. gewirkter Teppich, gewirkte Ta'pete. – 2. Wandbehang *m*, -teppich *m*, Gobe'lin *m.* — **'ar·rased** *adj* mit einem gewirkten Teppich *od.* Wandbehang versehen.
ar·ra·sene [ˌærə'siːn] *s* che'nilleartiger Faden zum Sticken.
ar·ras·tra [ɑːr'rɑːstrə], **ar'ras·tre** [-trei] *s tech.* Pochmühle *f* (*zum Zerkleinern der Erze, bes. im Südwesten der USA*).
ar·ray [ə'rei] **I** *v/t* 1. (*Truppen etc*) ordnen, aufstellen. – 2. kleiden, (her'aus)putzen, schmücken: to ~ oneself sich kleiden *od.* putzen. – 3. *jur.* (*Geschworene*) ernennen, aufrufen: to ~ to the panel. – *SYN. cf.* line[1]. – **II** *s* 4. Ordnung *f*, Reihe *f.* – 5. *mil.* Schlachtordnung *f*, Gefechtsaufstellung *f.* – 6. (in Reih und Glied aufgestellte) Menge *od.* Schar. – 7. *mil.* Truppenkörper *m*, Truppe *f.* – 8. impo'nierende *od.* stattliche Reihe, Menge *f*, Schar *f*, Aufgebot *n* (of von): an ~ of figures. – 9. Kleidung *f*, Anzug *m*, Aufmachung *f*, Staat *m*, Putz *m.* – 10. *math.* Anordnung *f*, Schema *n*, Verteilung *f* (*Reihen, Kolonnen, Matrix*): the square ~ of a determinant das quadratische Schema einer Determinante; ~ of data primäre Verteilungstafel. – 11. *jur.* a) Einsetzung *f* eines Geschworenengerichtes, b) Geschworenenliste *f*, -verzeichnis *n*, c) (*die*) Geschworenen *pl*, Geschworenengericht *n.* — **ar'ray·al** *s* 1. Reihe *f*, (An)Ordnung *f.* – 2. Schar *f*, Menge *f.* – 3. Musterung *f.* — **ar'ray·ment** *s* 1. (An)Ordnung *f*, Aufstellung *f.* – 2. *obs.* Tracht *f*, Anzug *m.*
ar·rear [ə'rir] *s* 1. *meist pl* Rückstand *m*, rückständige Summe, Rückstände *pl*, ausstehende Forderungen *pl*, Schulden *pl*: ~s in (*od.* of) rent rückständige Miete; ~s of interest rückständige Zinsen; ~s on interest Verzugszinsen; to be in ~(s) for (*od.* in) s.th. mit etwas im Rückstand sein. – 2. (*etwas*) Zu'rückgehaltenes, Re'serve *f.* – 3. *obs.* Ende *n*, Schluß *m*, rückwärtiger Teil.
ar·rear·age [ə'ri(ə)ridʒ] *s* 1. Zu'rückbleiben *n*, Im-'Rückstand-Sein *n.* – 2. Rückstand *m*, Schulden *pl*, Restsumme *f.* – 3. Re'serve *f.*
ar·rect [ə'rekt] *adj* 1. aufrecht. – 2. mit gespitzten Ohren, aufmerksam.
ar·rec·tor [ə'rektər] *s med.* Aufrichter *m*, Haaraufrichter *m* (*Muskel*).
ar·rent [ə'rent] *v/t* verpachten.
ar·rest [ə'rest] **I** *s* 1. An-, Aufhalten *n*, Hemmung *f*, Stockung *f*, Stillstand *m*: ~ of development *biol.* Entwicklungs-, Bildungshemmung; ~ of growth *biol.* Wachstumsstillstand; ~ of judg(e)ment *jur.* Urteilssistierung, Unterbrechung *od.* Aussetzung des Verfahrens. – 2. Ergreifung *f*, Verhaftung *f*, Festnahme *f.* – 3. *jur.* Beschlagnahme *f*, Se'quester *m*: ~ of goods Warenbeschlagnahme. – 4. Haft *f*, Ar'rest *m*: under ~ in Haft. – 5. *tech.* Sperre *f*, Anhaltevorrichtung *f.* – **II** *v/t* 6. an-, auf-, zu'rückhalten, (*dat*) Einhalt gebieten, hemmen, hindern, zum Stillstand bringen. – 7. ergreifen, festhalten, an sich bringen, sich bemächtigen (*gen*). – 8. *fig.* (*Aufmerksamkeit etc*) fesseln, bannen, festhalten. – 9. *jur.* a) festnehmen, verhaften, b) in Beschlag nehmen, c) to ~ judg(e)ment ein gerichtliches Verfahren aussetzen. – 10. *med.* hemmen, zum Stillstand bringen: ~ed tuberculosis. – 11. *tech.* anhalten, arre'tieren, sperren. – 12. *electr.* (*Blitz etc*) ableiten.
ar·res·ta·tion [ˌæres'teiʃən] *s* 1. Aufhalten *n*, Hindern *n*, Hinderung *f.* – 2. Verhaftung *f.*
ar·rest·er [ə'restər] *s* 1. j-d der anhält *od.* hemmt. – 2. j-d der verhaftet *od.* beschlagnahmt. – 3. *electr.* (Scheiben-)Blitzableiter *m*: lightning ~. – 4. → ~ cable. — **~ ca·ble**, **~ gear** *s aer. mil.* Fangkabel *n*, Gummiseil *n* (*auf einem Flugzeugträger*). — **~ hook** *s aer. mil.* Fanghaken *m* (*am Flugzeug*).
ar·rest·ing [ə'restiŋ] **I** *adj* fesselnd, eindrucksvoll, interes'sant. – **II** *s tech.* Arre'tierung *f.* — **~ cam** *s tech.* Auflaufnocken *m.* — **~ de·vice** *s tech.* Anschlagvorrichtung *f*, Sperreinrichtung *f.* — **~ gear** *s tech.* Sperrgetriebe *n*, Abbremsvorrichtung *f.*
ar·res·tive [ə'restiv] *adj* 1. fesselnd. – 2. *ling.* einschränkend (*Bindewörter, wie „aber" etc*).
ar·rest·ment [ə'restmənt] *s* 1. An-, Aufhalten *n*, Hemmen *n.* – 2. Hemmnis *n*, Hindernis *n.* – 3. *jur.* Beschlagnahme *f*, Verhaftung *f.* — **ar'res·tor** [-tər] *s* Filtervorrichtung *f* zur Absonderung von Schwebstoffen aus Abgasen (*in Fabrikschornsteinen etc*).
ar·rêt [a'rɛ; ə'rei] (*Fr.*) *s* 1. *jur.* Ar'rêt *m*, Urteilsspruch *m* eines höheren Gerichts (*franz. Recht, Kanada, Louisiana*). – 2. *hist.* Erlaß *m* (*des franz. Königs od. Parlaments*).
ar·rha ['ærə] *pl* **-rhae** [-iː] (*Lat.*) *s jur.* Aufgeld *n.*
ar·rhe·not·o·ky [ˌæri'nɒtəki] *s zo.* Arrhenoto'kie *f* (*Parthenogenese, bei der nur männliche Nachkommen erzeugt werden*).
ar·rhi·zal [ə'raizəl], **ar'rhi·zous** [-zəs] *adj bot.* wurzellos (*Schmarotzerpflanze*).
ar·rhyth·mi·a [ə'riθmiə] *s med.* Arrhyth'mie *f*, Unregelmäßigkeit *f* (*des Pulses*). — **ar'rhyth·mic**, **ar'rhyth·mi·cal** *adj* 1. a) unrhythmisch, b) rhythmuslos. – 2. *med.* ar'rhythmisch. — **ar'rhyth·mi·cal·ly** *adv* (*auch zu* arrhythmic). — **ar'rhyth·mous** *adj med.* unregelmäßig (*Puls*). — **ar·rhyth·my** ['æriθmi; ə'rið-] *s selten* Unregelmäßigkeit *f*, Rhythmuslosigkeit *f.*
ar·ride [ə'raid] *v/t obs.* gefallen (*dat*), ansprechen.
ar·rière|-ban [arjɛr'bɑ̃; 'æriɛr'bæn] (*Fr.*) *s* 1. *hist.* Aufruf *m od.* Proklamati'on *f* zum Waffendienst. – 2. *hist.* Heerbann *m*, Landsturm *m.* — **~-garde** [arjɛr'gard] (*Fr.*) *s mil.* Nachhut *f.* — **~-pen·sée** [arjɛrpɑ̃'se] (*Fr.*) *s* 'Hintergedanke *m.* — **ˌ~-'vas·sal** [ˌæriɛr-] *s hist.* 'Afterva,sall *m.*
ar·rie·ro [ar'rjero] (*Span.*) *s* Maultiertreiber *m.*
ar·ris ['æris] *s tech. bes. arch.* ausspringende Ecke, (scharfe) Kante, Fuge *f*, Grat *m*, Gratlinie *f*, Kamm *m.* — **~ beam** *s tech.* Grat(stich)balken *m.* — **~ fil·let** *s arch.* Gratleiste *f.* — **~ gut·ter** *s arch.* spitzwinkelige Dachrinne, Gratdachrinne *f.* — **~ rail** *s* (*Tischlerei*) Gratriegel *m.* — **'~ˌways**,

'~,wise *adv arch.* diago'nal (*Dachziegel*).

ar·riv·al [ə'raivəl] *s* **1.** Ankunft *f*, Ankommen *n*, Eintreffen *n*: the day of ~; on his ~ bei *od.* gleich nach seiner Ankunft. – **2.** Erscheinen *n*, Auftauchen *n*. – **3.** a) Angekommener *m*, Ankömmling *m*, b) (*etwas*) Angekommenes. – **4.** *pl* ankommende Züge *od.* Schiffe *od.* Per'sonen *pl*. – **5.** *fig.* Erreichung *f*, Gelangen *n*, Kommen *n*: ~ at a conclusion. – **6.** *oft pl econ.* Eingänge *pl*, Zufuhr *f*: ~ of goods Warenzufuhr, -eingang; ~ notice Eingangsbenachrichtigung. – **7.** *colloq.* Neuankömmling *m*, neugeborenes Kind: he (she) is a recent ~. – *SYN.* advent.

ar·rive [ə'raiv] **I** *v/i* **1.** (an)kommen, eintreffen, anlangen (at, in an *od.* in *dat*). – **2.** erscheinen, auftauchen. – **3.** *fig.* (at) erreichen (*acc*), kommen *od.* gelangen (zu): to ~ at a conclusion zu einem Schluß kommen. – **4.** kommen: the time has ~d. – **5.** Erfolg haben, Anerkennung finden, ,es schaffen', es in der Welt zu etwas bringen: a genius who had never ~d. – **6.** *obs.* geschehen. – **7.** *obs.* landen, ans Land kommen *od.* gelangen. – **II** *v/t* **8.** *poet.* erreichen. – **9.** *obs.* bringen.

ar·ri·vé [ari've] (*Fr.*) *s* Arri'vierte(r), Em'porkömmling *m*.

ar·ro·ba [ɑː'roubɑː; *Br. auch* ə'roubə] *s* Ar'roba *f*: a) *span. Gewicht = 25,36 engl. Pfund od. 11,51 kg*, b) *portug. Gewicht = 32,38 engl. Pfund od. 14,69 kg*, c) *Hohlmaß Spaniens u. einiger seiner alten Kolonien.*

ar·ro·gance ['ærəgəns] *s* Arro'ganz *f*, Dünkel *m*, Anmaßung *f*, Einbildung *f*. — **'ar·ro·gan·cy** *s* Eingebildetheit *f*, Vermessenheit *f*, Unverschämtheit *f*, Frechheit *f*.

ar·ro·gant ['ærəgənt] *adj* arro'gant, anmaßend, hochmütig, unverschämt, eingebildet, vermessen, stolz, frech. – *SYN. cf.* proud.

ar·ro·gate ['æroˌgeit; -rə-] *v/t* **1.** (*etwas für sich unrechtmäßig od. hochmütig*) beanspruchen, fordern, verlangen, sich aneignen *od.* anmaßen: to ~ a right to oneself sich ein Recht anmaßen, ein Recht für sich verlangen; to ~ a property to oneself sich ein Eigentum unrechtmäßig aneignen. – **2.** zuschreiben, zuschieben, zusprechen: to ~ a right to one's friends seinen Freunden ein Recht zusprechen. – *SYN.* appropriate, confiscate, pre-empt, usurp. — **ˌar·ro'ga·tion** *s* **1.** Anmaßung *f*, Aneignung *f*. – **2.** *jur.* Annahme *f* eines Mündigen an Kindes Statt.

ar·ron·disse·ment [arɔ̃dis'mɑ̃] (*Fr.*) *s* Arrondisse'ment *n*: a) 'Unterabˌteilung *f* eines Departe'ments, b) Stadtbezirk *m* (*in Paris*).

ar·row ['ærou] **I** *s* **1.** Pfeil *m* (*auch fig.*). – **2.** Pfeil(zeichen *n*) *m* (*als Richtungsweiser*). – **3.** *tech.* Zähl-, Mar'kierstab *m* (*beim Vermessen*). – **4.** A~ *astr.* Pfeil *m*, Sa'gitta *m* (*Sternbild*). – **5.** *bot.* Spitze *f* des Hauptstengels vom Zuckerrohr. – **II** *v/i* **6.** Pfeile (ab)schießen. – **7.** wie ein Pfeil da'hin- *od.* her'vorschießen. – **8.** blühen (*Zuckerrohr*). — **'ar·rowed** *adj poet.* pfeilförmig, mit Pfeilen versehen.

ar·row| grass *s bot.* Dreizack *m* (*Gattg Triglochin*). — **'~ˌhead** *s* **1.** Pfeilspitze *f*. – **2.** a) Pfeil *m* (*in technischer Zeichnung etc*), b) Keil *m* (*in Keilschrift*). – **3.** *bot.* Pfeilkraut *n* (*Gattg Sagittaria*). — **'~ˌhead·ed** *adj* **1.** pfeilspitzenförmig. – **2.** keilförmig. — **'~ˌleaf** *s irr* → arrowhead 3.

ar·row·let ['æroulit] *s* Pfeilchen *n*, kleiner Pfeil.

'ar·row|ˌroot *s bot.* **1.** Pfeilwurz *f* (*Gattg Maranta, bes. M. arundinacea*). – **2.** Arrowroot *m*, Pfeilwurzstärke *f*, -mehl *n*. — **'~-ˌshaped** *adj* pfeilförmig. — **'~ˌstone** *s min.* Belem'nit *m*. — **'~-ˌtype** *adj tech.* pfeilförmig: ~ wing *aer.* pfeilförmige Tragfläche, Pfeilflügel. — **'~ˌwood** *s bot.* Pfeilholz *n* (*Viburnum dentatum od. Pluchea sericea u. borealis*). — **'~ˌworm** *s zo.* Pfeilwurm *m* (*Gattg Sagitta*).

ar·row·y ['æroui] *adj* **1.** pfeilförmig, Pfeil... – **2.** *fig.* pfeilschnell. – **3.** *fig.* spitz wie ein Pfeil.

ar·roy·o [ə'rɔiou] *s Am.* **1.** Wasserlauf *m*, Strom-, Flußbett *n*. – **2.** Trokkental *n*.

ar·sa·nil·ic ac·id [ˌɑːrsə'nilik] *s chem. med.* Arsa'nilsäure *f* ($NH_2C_6H_4AsO(OH)_2$).

arse [ɑːrs] *s Am. obs. od. dial. u. Br. vulg.* ,Arsch' *m*, ,Hintern' *m*, ,Hinterer' *m*, Steiß *m*.

ar·se·nal ['ɑːrsənl] *s* **1.** Arse'nal *n*, Zeughaus *n*, Waffenlager *n*. – **2.** 'Waffen-, Muniti'onsfaˌbrik *f*.

ar·se·nate ['ɑːrsəˌneit; -nit] *s chem.* ar'sensaures Salz (Me_3AsO_4).

ar·se·ni·a·sis [ˌɑːrsə'naiəsis] *s med.* chronische Ar'senvergiftung.

ar·se·nic I *s* ['ɑːrsnik; -sən-] *chem.* **1.** Ar'sen *n*. – **2.** ar'senige Säure, weißes Ar'senik (As_2O_3). – **II** *adj* [ɑːr'senik] **3.** ar'senhaltig, Arsen(ik)...: ~ acid Arsensäure (H_3AsO_4); ~ trisulfide *med.* Operment; ~ vesicant vapo(u)r *mil.* Lewisitdampf. — **ar'sen·i·cal** [-'senikəl] *chem.* **I** *adj* ar'sen(ik)haltig, Arsen(ik)... – **II** *s* ar'sen(ik)haltige Sub'stanz.

ar·sen·i·cate [ɑːr'seniˌkeit; -nə-] *v/t chem.* mit Ar'sen verbinden *od.* behandeln.

ar·se·nic glass *s tech.* Ar'senglas *n*.

ar·sen·i·cism [ɑːr'seniˌsizəm; -nə-] → arsenism.

ar·sen·i·cize [ɑːr'seniˌsaiz; -nə-] → arsenicate.

ar·se·nide ['ɑːrsəˌnaid; -nid] *s chem.* Ar'senmeˌtall *n*, -verbindung *f*.

ar·se·nif·er·ous [ˌɑːrsə'nifərəs] *adj chem.* ar'senhaltig.

ar·se·nil·lo [ˌɑːrsə'nilou] *s tech.* gemahlener Ataka'mit.

ar·se·ni·ous [ɑːr'siːniəs] *adj chem.* **1.** ar'senig, Arsen..., dreiwertiges Arsen enthaltend. – **2.** Ar'senik enthaltend, Arsenik...: ~ acid Arsensäure (H_3AsO_3).

ar·se·nism ['ɑːrsiˌnizəm; -səˌn-] *s med.* chronische Ar'senvergiftung.

ar·se·nite ['ɑːrsiˌnait; -sə-] *s chem.* ar'senigsaures Salz.

ar·se·niu·ret·(t)ed [ɑːr'siːnju(ə)ˌretid; -'sen-] *adj chem.* mit Ar'sen verbunden, Arsen...: ~ hydrogen Arsenwasserstoff.

ar·se·no·py·rite [ˌɑːrsino'pai(ə)rait; ɑːr'seno-] *s min.* Arˌsenopy'rit *m* (FeAsS).

ar·se·nous ['ɑːrsinəs; -sə-] → arsenious.

ar·shin *auch* **ar·sheen, ar·shine** [ɑːr'ʃiːn] *s* Ar'schin *f* (*Längenmaß in der UdSSR, in Bulgarien u. Jugoslawien = 0,711 m; in der Türkei = 0,685 m, neuerdings = 1,000 m*).

ar·sine [ɑːr'siːn; 'ɑːrsiːn; -sin] *s chem.* Ar'senwasserstoff *m* (AsH_3).

ar·sis ['ɑːrsis] *pl* **-ses** [-siːz] *s* **1.** *metr.* a) *hist.* unbetonter Teil eines Versfußes, b) Hebung *f*, Arsis *f*. – **2.** *mus.* Arsis *f*: a) Auf(wärts)schlag *m* (*im Takt*), b) unbetonter Taktteil.

ar·son ['ɑːrsn] *s jur.* Brandstiftung *f*. — **'ar·son·ist, 'ar·sonˌite** *s* Brandstifter *m*.

ars·phen·a·mine [ɑːrs'fenəˌmiːn; -min] *s chem.* Salvar'san *n*, Dioxydiaminoarsenobenzol *n*.

art[1] [ɑːrt] **I** *s* **1.** Kunst *f*, künstlerisches Schaffen, *bes.* bildende Kunst: the ~ of painting (die Kunst der) Malerei; objects of ~ Kunstgegenstände. – **2.** *collect.* Kunstwerke *pl*, Kunst *f*. – **3.** Kunst(fertigkeit) *f*, Geschicklichkeit *f*, Gewandtheit *f*: the ~ of sewing. – **4.** Kunst *f* (*als praktische Anwendung von Wissen und Geschick*): ~ and part Entwurf u. Ausführung; to be ~ and part in s.th. planend u. ausführend an etwas beteiligt sein; the ~ of building; the ~ of navigation; applied ~ angewandte Kunst, Kunstgewerbe; industrial ~ Handwerk; ~ of surveying mines *tech.* Markscheidekunst. – **5.** Findigkeit *f*, Erfindungskraft *f*. – **6.** Wissenszweig *m*. – **7.** *pl* a) Geisteswissenschaften *pl*, b) *hist.* (*die*) freien Künste *pl* (*des Mittelalters*): Master of A~s Magister der freien Künste *od.* der philosophischen Fakultät; Faculty of A~s philosophische Fakultät. – **8.** *meist pl* Kunstgriff *m*, Kniff *m*, Trick *m*, Mittel *n*: the ~s and wiles of politics. – **9.** List *f*, Schlauheit *f*, Verschlagenheit *f*, Berechnung *f*: glib and oily ~. – **10.** gekünsteltes *od.* geziertes Benehmen, 'Unnaˌtürlichkeit *f*, Affek'tiertheit *f*. – **11.** Künstlichkeit *f*, Konventionali'tät *f* (*in der Kunst*). – **12.** *obs.* Wissenschaft *f*, Gelehrsamkeit *f*. – **13.** *obs.* Ma'gie *f*, magische Kunst. – *SYN.* artifice, craft, cunning, skill[1]. – **II** *adj* **14.** Kunst..., kunstvoll: ~ ballad Kunstballade; ~ music Kunstmusik; ~ song Kunstlied. – **15.** künstlerisch, dekora'tiv: ~ pottery.

art[2] [ɑːrt] *obs. 2. sg pres von* be.

ar·tal ['ɑːrtɑːl] *pl von* rotl.

art di·rec·tor *s* Ateli'erleiter *m* (*der Werbeabteilung einer Firma*).

ar·te·fact *cf.* artifact.

ar·tel [ɑːr'tel] *s* Ar'tel *n* (*genossenschaftlicher Zusammenschluß von Werktätigen in der UdSSR*).

ar·te·mi·a [ɑːr'tiːmiə] → brine shrimp.

ar·te·mis·i·a [ˌɑːrti'miziə; -ʃiə; -tə-] *s bot.* Beifuß *m*, Wermut *m* (*Gattg Artemisia*).

arteri- [ɑːrti(ə)ri] → arterio-.

ar·te·ri·a [ɑːr'ti(ə)riə] *pl* **-ri·ae** [-ˌiː] (*Lat.*) *s med.* Ar'terie *f*, Schlagader *f*. — **ar'te·ri·al** *adj* **1.** *med.* arteri'ell, Arterien..., Schlagader...: ~ branch Arterien-, Schlagaderast; ~ plexus Schlagadergeflecht; ~ ramification Arterienverzweigung. – **2.** *med. zo.* arteri'ell, arteri'ös (*Blut*). – **3.** *fig.* eine (Haupt)Verkehrsader betreffend: ~ road Ausfallstraße, Hauptverkehrsader; ~ highway *Am.* Durchgangsstraße; ~ railway Hauptstrecke (*der Eisenbahn*).

ar·te·ri·al·i·za·tion [ɑːrˌti(ə)riəlai'zeiʃən; -li-] *s med.* Verwandlung *f* in Ar'terienblut (*in der Lunge*). — **ar'te·ri·alˌize** *v/t med.* in Ar'terienblut verwandeln.

arterio- [ɑːrti(ə)rio] *Wortelement mit der Bedeutung* Arterien.

ar·te·ri·o·cap·il·lar·y [*Br.* ɑːrˌti(ə)riouk ə'piləri; *Am.* -'kæpəˌleri] *adj med.* auf Ar'terien und Haargefäße bezüglich.

ar·te·ri·ole [ɑːr'ti(ə)riˌoul] *s med.* Arteri'ole *f*, kleine Ar'terie.

ar·te·ri·ol·o·gy [ɑːrˌti(ə)ri'ɒlədʒi] *s med.* Arˌteriolo'gie *f*, Lehre *f* von den Schlagadern.

ar·te·ri·o·scle·ro·sis [ɑːrˌti(ə)riouskli(ə)'rousis] *s med.* Arˌterioskle'rose *f*. — **arˌte·ri·o·scle'rot·ic** [-'rɒtik] *adj* arˌterioskle'rotisch.

ar·te·ri·ot·o·my [ɑːrˌti(ə)ri'ɒtəmi] *s med.* Pulsadereröffnung *f*, Aderlaß *m*.

ar·te·ri·ous [ɑːr'ti(ə)riəs] → arterial.

ar·te·ri·o·ve·nous [ɑːrˌti(ə)riou'viːnəs] *adj med.* arˌteriove'nös.

ar·te·ri·tis [ˌɑːrtə'raitis] *s med.* Arteri'itis *f*, Ar'terienentzündung *f*.

ar·ter·y ['ɑːrtəri] **I** *s* **1.** *med.* Ar'terie *f*, Puls-, Schlagader *f*. – **2.** *fig.* (Haupt)-

Verkehrsader *f*, *bes.* Hauptstraße *f*, Hauptwasserstraße *f*: ~ **of commerce.** – **II** *v/t* **3.** mit Adern *od.* (puls)aderartig über'ziehen.

ar·te·sian well [ɑːrˈtiːʒən; -ziən] *s* **1.** ar'tesischer Brunnen. – **2.** *Am.* tiefer Brunnen.

art·ful [ˈɑːrtfəl; -ful] *adj* **1.** schlau, listig, verschlagen, gerieben: ~ **schemes.** – *SYN. cf.* **sly.** – **2.** gewandt, geschickt. – **3.** *selten* kunstvoll, kunstreich. – **4.** künstlich. — **'art·ful·ness** *s* **1.** List *f*, Schläue *f*, Schlauheit *f*, Verschmitztheit *f*, Verschlagenheit *f*. – **2.** Gewandtheit *f*.

ar·thel [ˈɑːrθəl] → **arval**[1].

arthr- [ɑːrθr] → **arthro-**.

ar·thral [ˈɑːrθrəl] *adj med.* auf Gelenke bezüglich, Gelenk... — **ar·thral·gia** [ɑːrˈθrældʒə] *s med.* Ge'lenkschmerz *m*, -neural,gie *f*.

ar·thrit·ic [ɑːrˈθritik] *med.* **I** *adj* ar'thritisch, gelenkleidend, gichtisch, gichtkrank. – **II** *s* Ar'thritiker *m*, Gichtkranker *m*. — **ar'thrit·i·cal** → **arthritic I.** — **ar'thri·tis** [-ˈθraitis] *pl* **ar'thrit·i,des** [-ˈθriti,diːz] *s med.* Ar'thritis *f*, Gelenkentzündung *f*, *bes.* Gicht *f*. — **'ar·thri,tism** [-θri,tizəm] *s* Arthri'tismus *m*, Neigung *f* zu gichtischen Beschwerden, gichtische Dia'these.

arthro- [ɑːrθro] *Wortelement mit der Bedeutung* Gelenk..., Glied(er)...

ar·thro·derm [ˈɑːrθro,dəːrm] *s zo.* Flügeldecke *f* (*von Insekten*), Schale *f* (*von Krustentieren*).

ar·throd·e·sis [ɑːrˈθrɒdisis] *s med.* opera'tive Ge'lenkversteifung, -blok,kierung *f*, -verödung *f*.

ar·thro·lith [ˈɑːrθroliθ] *s med.* Gelenkmaus *f*, freier Gelenkkörper. — **ar·throl·o·gy** [ɑːrˈθrɒlədʒi] *s med.* Lehre *f* von den Gelenkfügungen *od.* Gelenken. — **'ar·thro,mere** [-,mir] *s zo.* Teil *m*, Glied *n* (*des Körpers von Gliedertieren*).

ar·thron [ˈɑːrθrɒn] *pl* **'ar·thra** [-ə] *s med.* Gelenk *n*. — **ar·thro·plas·ty** [ˈɑːrθro,plæsti] *s med.* Gelenkplastik *f*.

ar·thro·pod [ˈɑːrθro,pɒd; -θrə-] *zo.* **I** *adj* zu den Gliederfüßern gehörig. – **II** *s* Gliederfüßer *m* (*Stamm Arthropoda*). — **ar'throp·o·dal**, [-ˈθrɒpə-], **ar'throp·o·dan**, **ar'throp·o·dous** *adj* zu den Gliederfüßern gehörig, die Gliederfüßer betreffend.

ar·thro·sis [ɑːrˈθrousis] *pl* **-ses** [-siːz] *s med.* Ar'throse *f*, (*chronische*) Gelenkerkrankung.

ar·thro·spore [ˈɑːrθro,spɔːr] *s bot.* Arthro'spore *f*, Gliederspore *f* (*der Pilze*).

ar·throt·o·my [ɑːrˈθrɒtəmi] *s med.* Gelenkeröffnung *f*, Gelenkschnitt *m*.

Ar·thu·ri·an [ɑːrˈθju(ə)riən; *Am. auch* -ˈθuːriən] *adj* (König) Arthur *od.* Artus betreffend, Arthur..., Artus...

ar·ti·ad [ˈɑːrti,æd; -ʃi,æd] *s* **1.** *zo.* Paarzeher *m*. – **2.** *chem. hist.* Ele'ment *n od.* Radi'kal *n* gleicher Äquiva'lenz.

ar·ti·choke [ˈɑːrti,tʃouk] *s bot.* Arti'schocke *f* (*Cynara scolymus*).

ar·ti·cle [ˈɑːrtikl] **I** *s* **1.** Ar'tikel *m*, Aufsatz *m* (*in einer Zeitung etc*). – **2.** Gegenstand *m*, Ding *n*, Sache *f*, Ar'tikel *m*, Stück *n*: **what is that** ~? ~ **of dress** Bekleidungsstück. – **3.** *bes. econ.* (Ge'brauchs-, 'Handels)Ar,tikel *m*, Ware *f*, Warenposten *m*, Fabri'kat *n*, Gut *n*: ~ **of consumption** Bedarfsartikel, Gebrauchsgegenstand; ~ **of average quality** Durchschnittsware; ~ **of high quality** hochwertiger Artikel; ~ **of quick sale** Zugartikel, Verkaufsschlager; ~**s on commission** Kommissionsgut; ~ **made in (the) bulk** Massenartikel. – **4.** *ling.* Ar'tikel *m*, Geschlechtswort *n*. – **5.** Ar'tikel *m*, Para'graph *m*, Abschnitt *m*, Absatz *m*, Satz *m* (*eines Gesetzes, Schriftstückes etc*): **the Thirty-Nine A~s** die 39 Glaubensartikel (*der Anglikanischen Kirche*); ~**s of war** Kriegsartikel; **A~s of Confederation** *Am. hist.* Bundesartikel (*von 1777, die erste Verfassung der 13 Kolonien*). – **6.** Ar'tikel *m*, Punkt *m*, Klausel *f*, Sta'tut *n*, Bedingung *f* (*eines Vertrages etc*), Vertrag *m*, Kon'trakt *m*: ~**s of agreement** Vertragsartikel, -punkte; ~**s of apprenticeship** Lehrvertrag; **to serve one's** ~**s** als Lehrling dienen; **ship's** ~**s** Heuervertrag; ~**s of association** Statuten einer Handelsgesellschaft, Gesellschaftsvertrag (*einer Aktiengesellschaft*); ~**s of corporation** Satzung, Gesellschaftsstatut; ~**s of partnership** Gesellschaftsvertrag (*einer offenen Handelsgesellschaft*). – **7.** Teil *m*, Einzelheit *f*, Punkt *m*: **the next** ~. – **8.** *zo.* Abschnitt *m*, Glied *n*, Seg'ment *n* (*von Insekten*). – **9.** *obs.* Augenblick *m*, genauer Zeitpunkt: **in the** ~ **of death.** –

II *v/t* **10.** ar'tikelweise abfassen, Punkt für Punkt darlegen, in Ar'tikel einteilen. – **11.** (als Lehrling) kon'traktlich *od.* kon'traktmäßig binden, in die Lehre geben (to bei). – **12.** anklagen, verklagen (for wegen). –

III *v/i* **13.** klagen, Anklagepunkte vorbringen (**against** gegen). – **14.** *obs.* Bedingungen festsetzen.

ar·ti·cled [ˈɑːrtikld] *adj* **1.** kon'traktlich verpflichtet *od.* gebunden. – **2.** in die Lehre gegeben, in der Lehre (to bei).

ar·tic·u·lar [ɑːrˈtikjulər; -kjə-] *adj biol. med.* artiku'lär, Glied(er)..., Gelenk...: ~ **bristle** *biol.* Gliederborste; ~ **cavity** *med.* Gelenkhöhle, -pfanne; ~ **eminence** *med.* Gelenkhügel; ~ **pivot of antenna** *biol.* Fühlergelenk; ~ **surface** *biol.* Gleit-, Gelenkfläche; ~ **surface of bone** *med.* Knochengelenkfläche. — **ar'tic·u·lar·y** [*Br.* -julәri; *Am.* -jə,leri] → **articular.**

ar·tic·u·late I *adj* [ɑːrˈtikjulit; -jə-] **1.** klar (erkenntlich *od.* her'vortretend), deutlich, gesondert, scharf gegliedert. – **2.** artiku'liert, (in den einzelnen Teilen) klar *od.* deutlich ausgesprochen, verständlich, vernehmlich (*Wörter, Silben, Töne etc*). – **3.** fähig (deutlich *od.* ausdrucksvoll) zu sprechen. – **4.** *bot. med. zo.* gegliedert, durch Glieder *od.* gliedartig verbunden, aus einzelnen Gliedern bestehend, Glieder..., Gelenk..., gelenkhaft: ~ **animal** Gliedertier. – **II** *v/t* [-,leit] **5.** artiku'lieren, (deutlich) aussprechen: **to** ~ **a word.** – **6.** (*Phonetik*) (*einen Laut*) bilden, artiku'lieren. – **7.** verbinden, zu'sammen-, anein'anderfügen, gliedartig *od.* durch Glieder *od.* Gelenke verbinden. – **8.** *tech.* anlenken. – **9.** äußern (*acc*), Ausdruck verleihen (*dat*). – **10.** in ein Ganzes einfügen. – **11.** *obs.* ar'tikelweise *od.* einzeln abfassen *od.* aufzählen, spezifi'zieren. – **III** *v/i* [-,leit] **12.** artiku'liert sprechen, deutlich *od.* (leicht) verständlich sprechen. – **13.** (*Phonetik*) artiku'lieren. – **14.** ein Glied bilden, sich gliedartig verbinden (**with** mit). – **15.** *obs.* über'einkommen, verhandeln (**with** mit). – **IV** *s* [-lit] **16.** *zo.* Gliedertier *n*.

ar·tic·u·lat·ed [ɑːrˈtikju,leitid; -jə-] *adj* **1.** gegliedert: ~ **appendages** *biol.* Gliedmaßen. – **2.** (*Phonetik*) artiku'liert. – **3.** *tech.* gelenkig, Gelenk...: ~ **coupling** Gelenkkupplung; ~ **pipe** Gelenkschlauch; ~ **rod** Gelenkstange; ~ **vehicle** Gelenkfahrzeug.

ar·tic·u·late·ness [ɑːrˈtikjulitnis; -jə-] *s* Artiku'liertheit *f*, Deutlichkeit *f*.

ar·tic·u·la·tion [ɑːr,tikjuˈleiʃən; -jə-] *s* **1.** *bes. ling.* Artikulati'on *f*, Artiku'lierung *f*, (deutliche) Aussprache, artiku'liertes Sprechen, Lautbildung *f*. – **2.** *ling.* artiku'lierter Laut, *bes.* Konso'nant *m*. – **3.** Zu'sammen-, Anein'anderfügung *f*, Verbinden *n*, Verbindung *f*. – **4.** Deutlichkeit *f*, Bestimmtheit *f*. – **5.** *tech.* Gelenk(verbindung *f*) *n*: ~ **piece** Gelenkstück; ~ **by ball and socket** Kugelgelenk. – **6.** (*Telephon*) Verständlichkeit *f*: ~ **of letters** *od.* **sentences** Laut- *od.* Satzverständlichkeit. – **7.** *med. zo.* Gliederung *f*, Gefüge *n*, Knochen-, Gelenkfügung *f*, Gelenk(verbindung *f*) *n*, Gliederfuge *f*. – **8.** *bot.* Knoten *m*, Stengelglied *n*, Gelenk *n*. – **9.** *mus.* Artikulati'on *f* (*Tonformung u. -abgrenzung*).

ar·tic·u·la·tion·ist [ɑːr,tikjuˈleiʃənist; -jə-] *s* j-d der Taubstumme das Aussprechen artiku'lierter Laute lehrt.

ar·tic·u·la·tive [ɑːrˈtikju,leitiv; -lə-; -jə-] *adj* (*Phonetik*) die Artikulati'on betreffend, Artikulations...

ar·tic·u·la·tor [ɑːrˈtikju,leitər; -jə-] *s* **1.** deutlicher Sprecher. – **2.** Zerleger *m* von Gelenken (*zur Zusammenstellung von Skeletten*). – **3.** *med. zahntechnische Vorrichtung zur Erzielung deutlicher Aussprache bei künstlichem Gebiß.* – **4.** (*Telephon*) Schwingungs- u. Tonregler *m*. — **ar'tic·u·la·to·ry** [*Br.* -,leitəri; *Am.* -lə,tɔːri] *adj* **1.** Aussprache..., Artikulations... – **2.** Glieder...

ar·ti·fact [ˈɑːrti,fækt] *s* **1.** Arte'fakt *n*, (primi'tiver) Gebrauchsgegenstand, Werkzeug *n od.* Gerät *n* (*bes. primitiver od. vorgeschichtlicher Kulturen*). – **2.** *biol.* durch den Tod *od.* ein Rea'gens her'vorgerufene Struk'tur *od.* Sub'stanz in Geweben *od.* Zellen. – **3.** *med.* Arte'fakt *n*, 'Kunstpro,dukt *n*. — **,ar·ti·fac'ti·tious** [-ˈtiʃəs] *adj* künstlich, Kunst...

ar·ti·fice [ˈɑːrtifis; -tə-] *s* **1.** Kunst(fertigkeit) *f*, Geschick(lichkeit *f*) *n*. – **2.** Schlauheit *f*, List *f*, Verschlagenheit *f*. – **3.** Kunstgriff *m*, Kniff *m*, Trick *m*. – **4.** *obs.* Werk *n*, Arbeit *f*. – *SYN. cf.* a) **art**[1], b) **trick.** — **ar'tif·i·cer** [-ˈtifisər; -fə-] *s* **1.** (Kunst)Handwerker *m*, Kunstgewerbler *m*, Me'chaniker *m*. – **2.** *mil.* a) Feuerwerker *m*, b) Kompa'niehandwerker *m*. – **3.** *fig.* Künstler *m*, Urheber *m*, Schöpfer *m*, Erfinder *m*, Anstifter *m*.

ar·ti·fi·cial [,ɑːrtiˈfiʃəl; -tə-] **I** *adj* **1.** künstlich, von Menschenhand gemacht, künstlich her'vorgerufen, erzwungen: ~ **lake** künstlicher See; ~ **selection** *biol.* künstliche Zuchtwahl; ~ **disintegration** *phys.* erzwungener Zerfall; ~ **radioactivity** *phys.* künstliche Radioaktivität; ~ **voice** *mus.* Kastratenstimme. – **2.** erkünstelt, gekünstelt, erheuchelt, unwirklich, unecht, unwahr, gemacht, vorgetäuscht, erdichtet, falsch. – **3.** künstlich, 'unna,türlich, affek'tiert, geziert. – **4.** künstlich, syn'thetisch, nachgemacht, Kunst..., unecht, Ersatz...: ~ **aging** *tech.* künstliche Alterung, Warmaushärtung; ~ **antenna** *tech.* künstliche Antenne, Ersatzantenne; ~ **cotton** Kunstbaumwolle; ~ **fertilizer** Kunstdünger; ~ **gem** synthetischer Edelstein; ~ **material** Kunst-, Werkstoff; ~ **pearl** künstliche Perle; → **tooth** 1; ~ **wood articles** Xylolithwaren. – **5.** *biol.* 'unor,ganisch. – **6.** *bot.* nicht einheimisch, angebaut, gezogen, gezüchtet. – **7.** *obs.* schlau, listig, betrügerisch. – **8.** *obs.* geschickt, gekonnt, fachmännisch, kunstreich. – *SYN.* **factitious, synthetic.** – **II** *s* **9.** *Am.* a) 'Kunstpro,dukt *n*, b) *bes. pl* Kunstdünger *m*.

ar·ti·fi·cial| gum *s tech.* Dex'trin *n*, Klebestärke *f*. — ~ **ho·ri·zon** *s aer. astr.* künstlicher Hori'zont. — ~ **in·sem·i·na·tion** *s med. zo.* künstliche Befruchtung.

ar·ti·fi·ci·al·i·ty [ˌɑːrtiˌfiʃiˈæliti; -tə-; -əti] *s* 1. Künstlichkeit *f*, Gekünsteltheit *f*. – 2. (*etwas*) Künstliches *od.* Gekünsteltes.
ar·ti·fi·cial·ness [ˌɑːrtiˈfiʃəlnis; -tə-] *s* Künstlichkeit *f*.
ar·ti·fi·cial per·son *s jur.* juˈristische Perˈson.
ar·til·ler·ist [ɑːrˈtilərist] *s* 1. Artilleˈrist *m*. – 2. Kanoˈnier *m*. – 3. Artilleˈriefachmann *m*.
ar·til·ler·y [ɑːrˈtiləri] *s* 1. *collect.* Artilleˈrie *f*, Geschütze *pl*, Kaˈnonen *pl*. – 2. Artilleˈriekorps *n*, Artillerie *f* (*Truppengattung*). – 3. Geschützwesen *n*, Artilleˈriewissenschaft *f*. – 4. *collect. hist.* ˈKriegsmaˌschinen *pl*, Wurfgeschütze *pl* (*Katapulte, Schleudern etc*). — **arˈtil·ler·y·man** [-mən] *s irr* 1. Artilleˈrist *m*. – 2. Kanoˈnier *m*.
ar·til·ler·y| mount *s mil.* Laˈfette *f*. — **~ plant** *s bot.* Kanoˈnierblume *f* (*Pilea microphylla*).
ar·til·ler·y·ship [ɑːrˈtiləriˌʃip] *s mil.* artilleˈristische Erfahrung.
ar·ti·o·dac·tyl [ˌɑːrtioˈdæktil] *zo.* I *adj* 1. paarzehig, spalthufig. – 2. die Paarzeher betreffend, Paarhufer... – II *s* 3. Paarzeher *m*, Paarhufer *m*.
ar·ti·san [*Br.* ˌɑːtiˈzæn; *Am.* ˈɑːrtəzən] *s* 1. (Kunst)Handwerker *m*, Meˈchaniker *m*. – 2. *obs.* Künstler *m*.
art·ist [ˈɑːrtist] *s* 1. (bildender) Künstler, (bildende) Künstlerin. – 2. Künstler(in) (*ausübend*), *bes.* a) Musiker(in), b) Sänger(in), c) Tänzer(in), d) Schauspieler(in), e) Arˈtist(in). – 3. Künstler *m*, Könner *m*, geschickter Arbeiter *od.* Handwerker, tüchtiger Mensch (*in einem bestimmten Fach, Haar-, Kochkünstler etc*). – 4. *obs.* Gelehrter *m*. – 5. *obs.* Meˈchaniker *m*. – 6. *obs.* Ränkeschmied *m*, Intriˈgant *m*.
ar·tiste [ɑːrˈtiːst] → artist 1-3.
ar·tis·tic [ɑːrˈtistik], **arˈtis·ti·cal** [-kəl] *adj* 1. Kunst *od.* Künstler betreffend, Kunst..., Künstler..., künstlerisch, kunstfertig, -gemäß, -gerecht: **artistic glass** Kunstglas. – 2. künstlerisch, kunst-, geschmackvoll. – *SYN. cf.* **aesthetic.** — **arˈtis·ti·cal·ly** *adv* (*auch zu* artistic).
art·ist·ry [ˈɑːrtistri] *s* 1. Künstlertum *n*, Künstlerberuf *m*. – 2. künstlerische Leistung *od.* Wirkung *od.* Vollˈendung. – 3. Kunstfertigkeit *f*, künstlerische Fähigkeit(en *pl*).
Ar·ti·um| Bac·ca·lau·re·us [ˈɑːrʃiəm ˌbækəˈlɔːriəs; -tiəm] (*Lat.*) *s* Bakkaˈlaureus *m* der freien Künste. — **~ Ma·gis·ter** [məˈdʒistər] (*Lat.*) *s* Maˈgister *m* der freien Künste.
art·less [ˈɑːrtlis] *adj* 1. *fig.* aufrichtig, arglos, einfach, offen: **an ~ mind.** – 2. ungekünstelt, naˈtürlich, schlicht, einfach, naˈiv: **~ grace** natürliche Anmut. – 3. unkünstlerisch, kunstlos, kunstwidrig, plump, stümperhaft. – 4. ungebildet, ungesittet, unwissend, ungeschickt. – *SYN. cf.* **natural.** — **ˈart·less·ness** *s* 1. Arglosigkeit *f*, Offenheit *f*. – 2. Naˈtürlichkeit *f*, Einfachheit *f*. – 3. Kunstlosigkeit *f*, Kunstwidrigkeit *f*, Stümperhaftigkeit *f*. – 4. Ungebildetheit *f*, Unwissenheit *f*.
ar·to·car·pad [ˌɑːrtoˈkɑːrpæd] *s bot.* Brot(frucht)baum *m* (*Gattg Artocarpus*).
ar·to·car·pe·ous [ˌɑːrtoˈkɑːrpiəs], ˌ**ar·toˈcar·pous** [-pəs] *adj* Brotfruchtbaum... — ˌ**ar·toˈcar·pus** [-pəs] *s bot.* Brot(frucht)baum *m* (*Gattg Artocarpus*).
ar·toph·a·gous [ɑːrˈtɒfəgəs] *adj selten* brotessend.
ar·to·type [ˈɑːrtoˌtaip] *s print.* Lichtdruck *m* (*Art Photolithographie*). — **ˈar·toˌtyp·y** *s* Artotyˈpie *f* (*lithographisches Lichtdruckverfahren*).
art pa·per *s tech.* ˈKunstdruckpaˌpier *n*.
ˈartˌwork *s* Illustratiˈonen *pl*, Grafik *f*.

art·y [ˈɑːrti] *adj colloq.* 1. sich als Künstler gebend, gewollt bohemiˈenhaft (*Person*): **he is the ~ type** ,er macht auf Künstler'. – 2. künstlerisch aufgemacht (*Gegenstand*): **~ furniture; ~-and-crafty** *Br. humor.* künstlerisch, aber unpraktisch (*bes. Möbel*).
ar·um [ˈɛ(ə)rəm] *s bot.* 1. Aronstab *m* (*Gattg Arum*). – 2. Feuerkolben *m* (*Gattg Arisaema*). – 3. Drachenwurz *f* (*Gattg Dracunculus*).
Ar·un·del [ˈærəndl], ˌ**Ar·unˈde·li·an** [-ˈdiːliən] *adj* Arunˈdelisch: **~ marbles** Arundelische Marmortafeln.
ar·un·dif·er·ous [ˌærənˈdifərəs] *adj* rohrtragend, schilfreich. — **a·run·di·na·ceous** [əˌrʌndiˈneiʃəs] *adj* schilf-, rohrartig, Schilf..., Rohr... — ˌ**ar·unˌdin·e·ous** [-ˈdiniəs] *adj* schilfig, schilfreich.
a·rus·pex [əˈrʌspeks; ˈærəs-] → **haruspex.**
ar·val[1] [ˈɑːrvəl] *s Br. dial.* I festliches Leichenbegängnis. – II *adj* Begräbnis...
Ar·val[2] [ˈɑːrvəl] *adj antiq.* arˈvalisch, den Landbau betreffend: **~ Brothers, ~ Brethren** Arvalische Brüder (*röm. Priesterkollegium zum Kult der Flurgöttin Dea Dia*).
ar·vel *cf.* arval[1].
ar·vic·o·line [ɑːrˈvikoˌlain; -lin] *adj* 1. auf dem Felde wohnend, auf Feldern hausend. – 2. *zo.* zu den Wühlmäusen gehörend, Wühlmaus...
Ar·y·an [ˈɛ(ə)riən] I *s* 1. Arier *m*, ˌIndogerˈmane *m*. – 2. *ling.* a) arische Sprachengruppe (*indo-iranische Sprachen*), b) ˌindogerˈmanische Sprachen *pl*. – 3. Arier *m*, Nichtjude *m* (*in nationalsozialistischer Ideologie*). – II *adj* 4. arisch. – 5. *ling.* a) arisch, ˌindoiˈranisch, b) ˌindogerˈmanisch. – 6. arisch, nichtjüdisch (*in nationalsozialistischer Ideologie*). — **ˈAr·y·anˌize** *v/t* ariˈsieren, arisch *od.* den Ariern ähnlich machen.
ar·yl [ˈæril] *s chem.* Aˈryl *n*, Aˈrylgruppe *f*.
ar·yl·a·mines [ˌærilǝˈmiːnz; -ˈæminz] *s pl chem.* Arylaˈmine *pl* (*z.B. Anilin*).
ar·y·te·noid [ˌæriˈtiːnɔid; əˈriti-] *med.* I *adj* kannenförmig, gießbeckenförmig, Gießbecken... (*Knorpel u. Muskeln im Kehlkopf*): **~ cartilage** Gießbeckenknorpel, Stellknorpel. – II *s* Gießbeckenknorpel *m*, -muskel *m*.
as[1] [æz; əz] I *adv* 1. so, ebenso, gerade so: **~ good ~ gold** so gut wie Gold; **I ran ~ fast ~ I could** ich lief so schnell ich konnte; **just ~ certainly will he come** ebenso sicher wird er kommen. – 2. wie (zum Beispiel): **a beast of prey, ~ the lion or tiger** ein Raubtier wie Löwe od. Tiger. –
II *conjunction* 3. (gerade) wie: **as often ~ they wish** so oft (wie) sie wünschen; **~ you wish** wie Sie wünschen; **~ is the case** wie es der Fall ist; **~ it is** (so) wie die Dinge liegen; **~ a rule** in der Regel; **soft ~ butter** butterweich; **quiet ~ a mouse** mäuschenstill; **~ requested** wunschgemäß; **I did not so much ~ hear them** ich hörte sie überhaupt nicht; → **compare** 1. – 4. ebenso wie, genau so wie, auf dieˈselbe Weise wie: **you will reap ~ you sow** wie man sät, so erntet man; **I begin ~ I mean to end.** – 5. (so) wie: **~ I said before** wie ich vorher sagte; **~ was their habit** wie es ihre Gewohnheit war, ihrer Gewohnheit entsprechend *od.* gemäß. – 6. als, während, inˈdem: **it struck me ~ I was speaking** als ich sprach, fiel mir ein; **~ he was writing** als er schrieb, beim Schreiben. – 7. obˈwohl, obˈgleich, wenn auch: **late ~ he was, he attended the session** er hatte sich zwar verspätet, nahm aber doch an der Sitzung teil; **old ~ I am** wenn ich auch alt bin; **try ~ he would** so viel er auch versuchte;

bad ~ it was so schlecht es (auch) war. – 8. da, weil, insofern als: **~ you are not ready we must go alone** da du nicht fertig bist, müssen wir allein gehen. – 9. (als *od.* so) daß: **so clearly guilty ~ to leave no doubt** so offensichtlich schuldig, daß kein Zweifel bleibt; **be so kind ~ to send me the goods** seien Sie so freundlich, mir die Waren zu schicken; seien Sie so freundlich und schicken Sie mir die Waren; **write it so ~ not to hurt him** fassen Sie es so ab, daß Sie ihn nicht verletzen. –
III *pron* 10. der, die, das, welch(er, e, es) (*nach* such *od.* same): **such ~ need our help** diejenigen, welche unsere Hilfe brauchen; **the same man ~ was here yesterday** derselbe Mann, der gestern hier war. – 11. was, welche Tatsache, wie: **his health is not good, ~ he himself admits** seine Gesundheit läßt zu wünschen übrig, was er selbst zugibt; **he was a foreigner, ~ they perceived from his accent** er war Ausländer, wie sie an seinem Akzent merkten. –
IV *prep* 12. als: **a job ~ a teacher** eine Stellung als Lehrer; **she was hired ~ a cook** sie wurde als Köchin eingestellt; **to appear ~ Hamlet** als Hamlet auftreten; **he is ~ a father to me** er ist wie ein Vater zu mir. –
Besondere Redewendungen:
as ... as (eben)so ... wie; **~ high ~ the Eiffel Tower** (eben)so hoch wie der Eiffelturm; **~ far ~** soweit (wie), soviel; **~ far ~ can be ascertained** soweit sicher festgestellt werden kann; **~ far ~ I know** so viel ich weiß; **~ follow(s)** wie folgt, folgendermaßen; **their names are ~ follows** ihre Namen lauten wie folgt; **~ for** was ... anbetrifft; **~ for me and my family, we are well** was mich und meine Familie betrifft, wir sind wohlauf; **~ good ~** so gut wie, praktisch; **my knife is ~ good ~ lost** mein Messer ist so gut wie verloren; **~ if, ~ though** als ob, als wenn, wie wenn; **he ran ~ if** (*od.* **~ though**) **pursued by enemies** er lief als wäre er von Feinden verfolgt; **~ is** *econ.* im gegenwärtigen Zustand, in der augenblicklichen Form; **the car was sold ~ is** der Wagen wurde, so wie er war, verkauft; **~ it were** sozusagen, gewissermaßen, gleichsam; **he was, ~ it were, compromised** er war gewissermaßen kompromittiert; **~ long ~** a) solange, b) wenn, insofern, insoweit; **~ long ~ he stays here** solange er hierbleibt; **~ long ~ you are going I'll go, too** wenn du gehst, werde ich auch gehen; **~ much** gerade das, eben das, (eben)so; **I thought ~ much** (eben) das dachte ich mir; **~ much ~ to say** so viel wie, mit anderen Worten; **this is ~ much ~ to say he is a fool** das heißt, er ist ein Narr; **~ regards, ~ respects** was ... (an)betrifft *od.* angeht, bezüglich (*gen*), betreffend, im Hinblick auf (*acc*), hinsichtlich (*gen*); **~ regards our children** was unsere Kinder betrifft, hinsichtlich unserer Kinder; **~** (*od.* **so**) **soon ~** so bald als, sobald, unmittelbar nachdem, gleich als; **~ soon ~ possible** so bald wie *od.* als möglich; **~ soon ~ he comes** sobald er kommt; **~ such** an sich, als solch(er, e, es); **photography ~ such** die Photographie als solche; **~ to** a) was ... (an)betrifft, im Hinblick auf (*acc*), b) nach, gemäß, im Verhältnis zu; **~ to this question** was diese Frage betrifft; **he is taxed ~ to his earnings** er wird nach seinem Verdienst besteuert; **~ usual** wie gewöhnlich *od.* üblich, in gewohnter Weise; **~ well** a) noch dazu, außerdem, auch, ferner, ebenfalls, b) besser, lieber, ebensogut; **shall I bring the paper**

~ well? soll ich auch die Zeitung bringen? I might ~ well speak at once ich könnte ebensogut gleich sprechen; ~ well ~ (eben)so gut wie, sowohl ... als auch; good ~ well ~ beautiful sowohl gut als auch schön; ~ yet bis jetzt, bisher; I haven't seen him ~ yet bis jetzt habe ich ihn nicht gesehen; ~ you were! *mil.* Kommando zurück!

as² [æs] *pl* **'as·ses** [-iz] *s antiq.* **1.** As *n* (*röm. Kupfermünze*). – **2.** Pfund *n* (*Gewicht = 327,45 g*).

as³ [ɑːs] *pl* **as** (*Fr.*) *s* (*Kartenspiel*) As *n*.

ås [ous] *pl* **ås·ar** ['ousər] (*Swedish*) → eskar.

as·a dul·cis ['æsə 'dʌlsis; 'eisə] *s* **1.** *med.* Lasersaft *m* (*aus Thapsia garganica*). – **2.** Benzoeharz *n*.

as·a·f(o)et·i·da [ˌæsə'fetidə] *s med.* Asa'fötida *f*, Teufelsdreck *m*, ('Stink)Aˌsant *m* (*Gummiharz; krampflösendes Mittel u. Beruhigungsmittel*).

as·a·phi·a [ˌæsə'faiə; ə'sæfiə] *s med.* Asa'phie *f*, undeutliche Aussprache (*auf Grund organischer Fehler, z.B. bei Wolfsrachen*).

as·a·ra·bac·ca [ˌæsərə'bækə] *s bot.* Haselwurz *f* (*Gattg Asarum*).

as·a·ron ['æsəˌrɒn], *auch* **'as·aˌrone** [-ˌroun] *s chem.* Asa'ron *n*, Asarumkampfer *m* ($C_{12}H_{16}O_3$).

as·a·rum ['æsərəm] *s bot. Am.* getrocknete Wurzel der Kanad. Haselwurz *Asarum canadense*.

as·best [æs'best; æz-; 'æsbest] *s obs.* As'best *m*.

as·bes·tic [æz'bestik; æs-] *tech.* **I** *s* (sandartige) Mischung von minderwertigem As'best und Serpen'tin. – **II** *adj* as'bestartig, Asbest...

as·bes·ti·form [æz'bestiˌfɔːrm; æs-] *adj min.* as'bestförmig, -artig. — **as'bes·tine** [-tin] *adj* **1.** as'bestartig, Asbest... – **2.** unverbrennlich. — **as'bes·toid**, **ˌas·bes'toi·dal** *adj* as'bestähnlich.

as·bes·tos [æz'bestəs; æs-] *min.* **I** *s* As'best *m*, Ami'ant *m*, Berg-, Steinflachs *m*: ~ **board** Asbestpappe; ~ **fiber** (*Br.* ~ **fibre**) Asbestfaser, *med.* Asbestwolle; ~ **milk** Asbestaufschlämmung; ~ **packing** *tech.* Asbestdichtung. – **II** *adj* as'besthaltig, -artig, aus As'best, Asbest... — **ˌas·bes'to·sis** [-'tousis] *s med.* As'bestlunge *f*, -staubkrankheit *f*. — **as'bes·tous** → asbestine.

as·bes·tus *cf.* asbestos.

as·bo·lin ['æzbolin; 'æs-] *s med.* Asbo'lin *n*.

as·bo·lite ['æzboˌlait; 'æs-] *s min.* Asbo'lit *m*, Asboli'tan *m*, Erdkobalt *m*, kobalthaltiger Braunstein.

as·can ['æskən] *adj bot.* Sporenschlauch...

as·ca·rid ['æskərid] *s zo.* Aska'ride *f*, Spulwurm *m* (*Fam. Ascaridae*).

as·cend [ə'send] **I** *v/i* **1.** (auf-, em'por-, hin'auf)steigen, in die Höhe fliegen, sich erheben. – **2.** ansteigen, (schräg) in die Höhe gehen, (aufwärts) geneigt sein. – **3.** *fig.* sich erheben, aufsteigen (*im Rang etc*). – **4.** *fig.* (hin'auf)reichen, zu'rückgehen (to, into bis in *acc*, bis auf *acc*): the inquiries ~ to the remotest antiquity die Untersuchungen gehen bis in die graueste Vorzeit zurück. – **5.** aufgehen (*Gestirn*). – **6.** *mus.* an-, aufsteigen, aufwärtsgehen. – **7.** *math.* steigen, zunehmen: arranged by ~ing powers nach steigenden Potenzen geordnet. – **II** *v/t* **8.** besteigen, ersteigen, (hin'auf)steigen auf (*acc*), erklettern: to ~ the throne den Thron besteigen. – **9.** (*Fluß*) hin'auffahren, (*Quelle*) zu'rückverfolgen. – *SYN.* climb, mount¹, scale³. — **as'cend·a·ble** *adj* besteigbar, ersteigbar, erkletterbar.

as·cend·ance [ə'sendəns] *s* **1.** → ascendancy. – **2.** *bes. psych.* Neigung *f*, andere Menschen zu führen.

as·cend·an·cy [ə'sendənsi] *s* 'Übergewicht *n*, Über'legenheit *f*, Vorherrschaft *f* (over über *acc*): to rise to ~ zur Macht *od.* ans Ruder kommen; to gain ~ over a country Überlegenheit über *od.* bestimmenden Einfluß auf ein Land gewinnen. – *SYN. cf.* supremacy.

as·cend·ant [ə'sendənt] **I** *s* **1.** *astr.* a) Aszen'dent *m*, Aufgangspunkt *m* (*einer Gestirnbahn*), b) Horo'skop *n*: → star 3. – **2.** *fig.* 'Übergewicht *n*, Über'legenheit *f*, Einfluß *m*, Gewalt *f* (over über *acc*): to gain the ~ over s.o. über j-n das Übergewicht gewinnen; to be in the ~ *fig.* im Aufsteigen begriffen sein. – **3.** Aszen'dent *m*, Vorfahr *m od.* Verwandter *m* in aufsteigender Linie. – **4.** *arch.* Tür-, Fensterpfosten *m*. – **II** *adj* **5.** *astr.* aufgehend, aufsteigend. – **6.** (auf)steigend, sich (er)hebend, em'porkommend. – **7.** *fig.* über'legen (over *dat*), (vor)herrschend, über'wiegend, über'treffend. – **8.** *bot.* aufwärts wachsend (*Stengel etc*).

as·cend·en·cy, as·cend·ent *cf.* ascendancy, ascendant.

as·cen·der [ə'sendər] *s* **1.** Aufsteigende(r), Besteigende(r). – **2.** *print.* a) (Klein)Buchstabe *m* mit Oberlänge, b) Oberlänge *f* (*eines Buchstabens*).

as·cend·i·ble [ə'sendibl] → ascendable.

as·cend·ing [ə'sendiŋ] *adj* **1.** (auf)steigend (*auch fig.*). – **2.** (an)steigend, nach aufwärts geneigt. – **3.** *fig.* nach oben strebend, sich zu einer höheren Form entwickelnd. – **4.** aufsteigend (*Stammbaum*). – **5.** *bot.* a) schräg *od.* krumm aufwärts wachsend, b) raze'mos. — ~ **air cur·rent** *s phys.* Aufwind *m*: ~ due to topography dynamischer Aufwind. — ~ **cloud** *s phys.* Aufgleitwolke *f*. — ~ **con·vec·tion cur·rent** *s phys.* thermischer Aufwind, Wärmeaufwind *m*. — ~ **gust** *s phys.* Steigbö *f*. — ~ **let·ter** → ascender 2a. — ~ **node** *s astr.* aufsteigender Knoten (*der Planetenbahn*). — ~ **se·ries** *s math.* steigende Reihe.

as·cen·sion [ə'senʃən] *s* **1.** (Hin)'Aufsteigen *n*, Aufstieg *m*, Besteigen *n*, Besteigung *f*, Steigen *n*, Auffahrt *f*. – **2.** the A~ die Himmelfahrt Christi, Christi Himmelfahrt *f*: A~ Day Christi Himmelfahrt, Himmelfahrtstag. – **3.** *astr.* Aufsteigen *n* (*eines Gestirns*): right ~ Rektaszension. — **as'cen·sion·al** *adj* das (Auf)Steigen betreffend, em'porstrebend, (Auf)Steigungs...: ~ power Steigkraft (*eines Ballons etc*); ~ difference *astr.* Aszensionaldifferenz: a) Aufsteigungsunterschied eines Gestirns, b) Zeitunterschied zwischen Auf- *od.* Untergang eines Gestirns und 6 Uhr. — **as'cen·sive** [-siv] *adj* **1.** (auf)steigend, nach oben strebend, em'porstrebend. – **2.** *ling. selten* verstärkend.

as·cent [ə'sent] *s* **1.** (Auf-, Hin'auf)Steigen *n*, Aufstieg *m*, Auffahrt *f*. – **2.** *tech.* Aufwärtshub *m*. – **3.** *fig.* Em'porkommen *n*, Fortschritt *m*, Anstieg *m*, Aufstieg *m*, Aufsteigen *n*. – **4.** Besteigen *n*, Ersteigen *n*, Besteigung *f*, Ersteigung *f*, Aufstieg *m*: the ~ of Mount Everest die Besteigung des Mount Everest; the ~ to the top der Aufstieg auf den Gipfel. – **5.** *bes. math. tech.* Steigung *f*, Gradi'ent *m*, Gefälle *n*: the road has an ~ of five degrees. – **6.** Anstieg *m*, Hang *m*, Höhe *f*. – **7.** Auffahrt *f*, Rampe *f*, Aufstieg *m*, (Treppen)Aufgang *m*. – **8.** *fig.* Zu'rückgehen *n*, -verfolgen *n* (*zum Beginn, zur Quelle etc*). – **9.** *mus.* Ansteigen *n*, Anstieg *m*, Aufwärtsgehen *n*, -gang *m*.

as·cer·tain [ˌæsər'tein] *v/t* **1.** feststellen, ermitteln, her'ausbringen, in Erfahrung bringen, erfahren: to ~ a balance *econ.* einen Saldo vergleichen. – **2.** *obs.* festsetzen, genau angeben, bestimmen. – **3.** *reflex obs.* sich vergewissern (of *gen*). – **4.** *obs.* sichern. – *SYN. cf.* discover. — **ˌas·cer'tain·a·ble** *adj* feststellbar, ermittelbar. — **ˌas·cer'tain·a·ble·ness** *s* Ermittelbarkeit *f*. — **ˌas·cer'tain·ment** *s* **1.** Feststellung *f*, Ermittlung *f*. – **2.** *obs.* Vergewisserung *f*, genaue Bestimmung, Festsetzung *f*.

as·cet·ic [ə'setik] **I** *adj* as'ketisch, enthaltsam, Asketen... – *SYN. cf.* severe. – **II** *s* As'ket *m*, enthaltsam lebender Mensch. — **as'cet·i·cal** → ascetic I. — **as'cet·i·cal·ly** *adv* (*auch zu* ascetic I). — **as'cet·iˌcism** [-ˌsizəm] *s* As'kese *f*, mönchische Entsagung, harte Selbstzucht.

as·cham ['æskəm] *s* Schrank *m* für Bogen und Pfeile.

a·schist·ic [ei'skistik] *adj min.* 'undifferenˌziert (*Ganggesteine etc*).

as·ci ['æsai] *pl von* ascus.

as·ci·an ['æʃiən; 'æʃən] *s* Schattenloser *m* (*zwischen den Wendekreisen Wohnender*).

as·cid·i·an [ə'sidiən] *s zo.* **1.** As'zidie *f*, Seescheide *f* (*Ordng Ascidiacea*). – **2.** Manteltier *n* (*Stamm Tunicata*).

as·cid·i·ate [ə'sidiˌeit] *adj* **1.** *bot.* mit flaschen- *od.* schlauchförmigen Or'ganen versehen. – **2.** → ascidiform. — **as'cid·iˌform** [-ˌfɔːrm] *adj* **1.** *bot.* flaschen-, schlauchförmig. – **2.** *zo.* seescheidenförmig, tuni'katenähnlich. — **as'cid·iˌoid** [-ˌɔid] *zo.* **I** *adj* seescheidenartig, -förmig. – **II** *s* → ascidian. — **asˌcid·i·o'zo·oid** [-o'zouɔid] *s zo.* Einzeltier *n* einer zu'sammengesetzten Seescheide.

as·cid·i·um [ə'sidiəm] *pl* **-i·a** [-ə] *s* **1.** *bot.* flaschen- *od.* schlauchförmiges Or'gan, Blattschlauch *m*. – **2.** *zo. eine Seescheidengattung* (*Ascidia*), *die als Glied in der Entwicklung der Wirbeltiere betrachtet wird*.

as·cif·er·ous [ə'sifərəs], **as·cig·er·ous** [ə'sidʒərəs] *adj bot.* mit Sporenschläuchen *od.* Schlauchzellen versehen.

as·ci·tes [ə'saitiːz] *s med.* Bauchwassersucht *f*. — **as·cit·ic** [ə'sitik], **as'cit·i·cal** *adj* **1.** bauchwassersüchtig. – **2.** die Bauchwassersucht betreffend.

As·cle·pi·ad [æs'kliːpiˌæd] *s* **1.** *antiq.* Asklepi'ade *m*, Arzt *m*. – **2.** *metr.* asklepi'adischer Vers. – **3.** a~ *bot.* Seidenpflanze(ngewächs *n*) *f* (*Fam. Asclepiadaceae*). — **asˌcle·pi·a'da·ceous** [-ə'deiʃəs] *adj bot.* zu den Seidenpflanzen gehörig. — **Asˌcle·pi·a'de·an** [-ə'diːən] *metr.* **I** *adj* asklepi'adisch, asklepia'deisch. – **II** *s* asklepi'adischer Vers. — **asˌcle·pi'a·de·ous** [-'eidiəs] *adj bot.* seidenpflanzenartig, Seidenpflanzen...

as·cle·pi·as [æs'kliːpiəs] *s bot.* Seidenpflanze *f* (*Gattg Asclepias*).

as·co·carp ['æskoˌkɑːrp; -kəˌk-] *s bot.* Sporenschlauchfrucht *f*.

as·co·go·ni·um [ˌæsko'gouniəm] *pl* **-ni·a** [-ə] *s bot.* Asko'gon *n* (*Befruchtungsorgan der Schlauchpilze*).

as·co·my·cete [ˌæskomai'siːt; -kə-] *s bot.* Schlauchpilz *m* (*Klasse Ascomycetes*). — **ˌas·co·my'ce·tous** *adj* zu den Schlauchpilzen gehörig.

as·con ['æskɒn] *s zo.* Kalkschwamm *m* (*mit einfachem Kanalsystem*).

as·co·phore ['æskoˌfɔːr; -kə-] *s bot.* Asko'phor *m*, Sporenschlauchträger *m* (*an Schlauchpilzen*). — **as'coph·o·rous** [-'kɒfərəs] *adj* mit Asko'phoren versehen.

a·scor·bic ac·id [ei'skɔːrbik] *s chem.* Ascor'binsäure *f*, Vita'min C *n*.

as·co·spore [ˈæskoˌspɔːr; -kə-] *s bot.* Askoˈspore *f.* — ˌ**as·coˈspor·ic** [-ˈspɒrik], **as·cos·po·rous** [æsˈkɒspərəs; -koˈspɔːrəs] *adj* Askoˈsporen betreffend, Askosporen...

as·cot [ˈæskət] **I** *npr* A~ Ascot (*Pferderennbahn bei Windsor*). – **II** *adj* A~ Ascot..., die Pferderennbahn in Ascot betreffend: A~ **week.** – **III** *s Am.* breite Kraˈwatte, Halstuch *n.*

as·crib·a·ble [əˈskraibəbl] *adj* zuschreibbar, zuzuschreiben(d), beizulegen(d).

as·cribe [əˈskraib] *v/t* **1.** (to) zuˈrückführen (auf *acc*), zuschreiben, zuweisen (*dat*): **his death was ~d to an accident.** – **2.** (*Eigenschaft etc*) zuschreiben, beimessen, beilegen, als zugehörig *od.* eigen betrachten: **omnipotence is ~d to God.** – *SYN.* **assign, attribute, credit, impute, refer.**

as·crip·tion [əˈskripʃən] *s* **1.** Zuˈrückführen *n*, Zuschreiben *n*, Zuschreibung *f*, Zuweisen *n*, Beimessen *n*, Beilegen *n.* – **2.** *relig.* Lob *n* Gottes.

as·cus [ˈæskəs] *pl* **as·ci** [ˈæsai] *s bot.* Sporenschlauch *m*, Askus *m.*

as·dic [ˈæzdik] → **sonar.**

ase [eis; eiz] *s biol. chem.* Enˈzym *n*, Ferˈment *n.*

-ase [eis; eiz] *chem. Suffix zur Bildung der Namen von Enzymen, in Wörtern wie*: **amylase, protease** *etc.*

a·sea [əˈsiː] *adv* auf See, zur See, seewärts.

a·seis·mat·ic [ˌeisaisˈmætik; ˌeisaiz-] *adj* die Wirkungen eines Erdbebens verringernd, den Wirkungen eines Erdbebens widerˈstehend. — **aˈseis·mic** *adj* erdbebenfrei, aˈseismisch: **an ~ region.**

a·se·i·ty [əˈsiːiti; -əti] *s philos.* Aseiˈtät *f*: a) *Existenz durch Selbsterschaffung, das vollkommene In-und-Durch-sich-selbst-Sein*, b) *die absolute Selbständigkeit und Unabhängigkeit Gottes.*

a·sel·lid [əˈselid] *s zo.* Wasserassel *f* (*Asellus aquaticus*).

a·sep·sis [eiˈsepsis; əˈs-; æˈs-] *s med.* Aˈsepsis *f*: a) Keimfreiheit *f*, Freiheit *f* von Fäulnis, b) aˈseptische Wundbehandlung. — **aˈsep·tic** [-tik] **I** *adj* aˈseptisch, keimfrei, steˈril: ~ **surgery.** – **II** *s* aˈseptische Subˈstanz. — **aˈsep·ti·cal·ly** *adv.*

a·sep·ti·cism [eiˈseptiˌsizəm; əˈs-; æˈs-] *s med.* aˈseptische Wundbehandlung. — **aˈsep·tiˌcize** [-ˌsaiz] *v/t* **1.** keimfrei *od.* aˈseptisch machen, steriliˈsieren. – **2.** aˈseptisch behandeln.

a·sex·u·al [eiˈsekʃuəl; -sjuəl; əˈs-; æˈs-] *adj* **1.** *biol.* asexuˈal, ungeschlechtig, geschlechtslos. – **2.** *biol.* ungeschlechtlich, ohne sexuˈellen Proˈzeß entstehend: ~ **generation** Ammengeneration, ungeschlechtliche Generation; ~ **organism** Amme; ~ **reproduction** ungeschlechtliche Vermehrung, Ammenzeugung. – **3.** asexuˈal, sich nicht auf das Geschlechtliche beziehend. — **aˌsex·uˈal·i·ty** [-ˈæliti; -əti] *s* **1.** Ungeschlechtigkeit *f*, Geschlechtslosigkeit *f.* – **2.** Ungeschlechtlichkeit *f.*

a·sex·u·al·i·za·tion [eiˌsekʃuəlaiˈzeiʃən; əˌs-; æˌs-; -ksju-; -li-] *s* Steriliˈsierung *f*, Kastratiˈon *f.* — **aˈsex·u·alˌize** *v/t* zeugungs- *od.* fortpflanzungsunfähig machen, kaˈstrieren, steriliˈsieren.

As·gard [ˈæsgɑːrd; ˈɑːs-], **ˈAsˌgar·dhr** [-ðər], **ˈAs·garth** [-gɑːrð] *s* Asgard *m* (*Sitz der nordischen Götter*).

ash[1] [æʃ] **I** *s* **1.** *bot.* Esche *f* (*Gattg Fraxinus*): ~ **key** geflügelter Samen der Esche; ~ **tree** Eschenbaum. – **2.** Eschenholz *n.* – **II** *adj* **3.** eschen, aus Eschenholz, Eschen...

ash[2] [æʃ] **I** *s* **1.** *chem.* Asche *f*, Verbrennungsrückstand *m.* – **2.** Asche *f* (*einer Zigarette etc*). – **3.** Aschgrau *n.* – **4.** *fig.* Totenblässe *f.* – **5.** *pl* → **ashes.** – **II** *v/t* **6.** mit Asche bestreuen. – **7.** in Asche verwandeln, einäschern. – **III** *v/i* **8.** Asche bilden.

a·shake [əˈʃeik] *adv* zitternd, bebend.

a·shame [əˈʃeim] **I** *v/t selten* beschämen. – **II** *v/i obs.* sich schämen.

a·shamed [əˈʃeimd] *adj* beschämt, verschämt, sich schämend: **to be** (*od.* **feel**) ~ **of oneself** sich schämen; **to be** ~ **of s.o.** sich j-s schämen; **be** ~ **of yourself!** schäme dich! — **aˈsham·ed·ness** [-idnis] *s* Beschämtheit *f*, Verschämtheit *f.*

A·shan·ti [əˈʃænti] *pl* **-tis, -ties,** *auch* **Aˈshan·tee** *s* **1.** Aˈschanti *m* (*westafrik. Neger*). – **2.** *ling.* Aˈschanti(sprache *f*) *n.*

ash| bar·rel *s Am.* Mülltonne *f.* — ~ **bin** *s bes. Br.* Asch(en)-, Kehricht-, Müllkasten *m.* — ~ **box** *s tech.* Asch(en)kasten *m*, Aschenfall *m.* — ~ **cake** *s Am.* Aschenkuchen *m*, in Asche gebackener (Mais)Kuchen. — ~ **can** *s Am.* **1.** Aschenkasten *m*, -kübel *m*, Abfall-, Müllkübel *m*, Mülltonne *f*, -kasten *m*, -eimer *m.* – **2.** *sl.* (Unter)ˈWasserbombe *f.* — ~ **con·crete** *s tech.* ˈLöschbeˌton *m.* — ~ **con·tent** *s biol. tech.* **1.** Aschenbestandteil *m.* – **2.** Aschengehalt *m.* — ~ **de·ter·mi·na·tion** *s* **1.** *tech.* Aschengehaltsbestimmung *f.* – **2.** *biol.* Aschenermittlung *f.*

ash·en[1] [ˈæʃn] *adj* eschen, von Eschenholz, Eschen..., Eschenholz...

ash·en[2] [ˈæʃn] *adj* **1.** wie Asche, aus Asche bestehend, Aschen... – **2.** aschfarben, aschig. – **3.** *fig.* aschfahl, -grau.

ash·er·y [ˈæʃəri] *s* **1.** Aschenbehälter *m.* – **2.** ˈPottaschenfaˌbrik *f.*

ash·es [ˈæʃiz] *s pl* **1.** Asche *f*, Verbrennungsrückstand *m*: **to burn to** (*od.* **to lay in**) ~ einäschern, niederbrennen, in einen Aschenhaufen verwandeln; **to do penance** (*od.* **to mourn**) **in sackcloth and** ~ in Sack und Asche Buße tun. – **2.** *fig.* a) Asche *f*, (sterbliche) ˈÜberreste *pl*, b) Trümmer *pl*, Ruˈinen *pl.* – **3.** *fig.* Totenblässe *f*: **a face of** ~. – **4.** *geol.* Vulˈkanasche *f.* – **5.** (*Kricket*) *nur in der Wendung*: **to win** (*od.* **bring**) **back the** ~ die Niederlage wettmachen (*im Vergleichskampf Englands gegen Australien*).

ash·et [ˈæʃit] *s Br. dial.* Suppenteller *m*, Schüssel *f.*

ash| fur·nace *s tech.* Glasschmelz-, Frittofen *m.* — ~ **gray** *s* Aschgrau *n*, aschgraue Farbe. — ˈ~-ˈ**gray** *adj* aschgrau, -farben, -blond.

a·shine [əˈʃain] *pred adj* leuchtend, glänzend.

a·ship·board [əˈʃipˌbɔːrd] *adv mar.* an Bord.

a·shiv·er [əˈʃivər] *pred adj* zitternd.

Ash·ke·naz·ic [ˌæʃkiˈnæzik] *adj* die As(ch)keˈnasim betreffend. — ˌ**Ash·keˈnaz·im** [-zim] *s pl* As(ch)keˈnasim *pl* (*Juden Mittel- und Nordeuropas*).

ash·lar [ˈæʃlər] *s* **1.** *arch.* Quaderstein *m*, behauener Bruchstein: **small** ~ Füllstein. – **2.** *arch.* Haustein-, Quadermauer *f*, ˈHausteinfasˌsade *f.* – **3.** (*Zimmerei*) innere Dachverschalung. — ˈ**ash·lar·ing** *s* **1.** Haustein-, Quadermauer *f.* – **2.** (innere) Dachverschalung, Stützen *pl* der Dachverschalung.

a·shore [əˈʃɔːr] *adv u. pred adj mar.* **1.** ans Ufer *od.* Land: **to go** ~ an Land gehen. – **2.** am Ufer *od.* Land. – **3.** auf Grund geraten, gestrandet, festgekommen: **to run** ~ auf Land auflaufen.

ˈ**ash|ˌpan** *s* Aschenkasten *m*, -lade *f*, -fall *m*: ~ **damper** Aschenfallklappe. — ˈ~ˌ**pit** *s* Aschenfall *m*, -grube *f*, -kasten *m.* — ~ **re·mov·al** *s tech.* Entaschung *f.* — ~ **tray** *s* Aschenbecher *m*, -schale *f*, Ascher *m.* — A~ **Wednes·day** *s* Ascherˈmittwoch *m.* — ˈ~ˌ**weed** *s bot.* Giersch *m*, Geißfuß *m* (*Aegopodium podagraria*).

ash·y [ˈæʃi] *adj* **1.** aus Asche (bestehend), aschig, Aschen... – **2.** mit Asche bestreut *od.* bedeckt. – **3.** aschfarben, -grau, aschig. – **4.** *fig.* aschfahl, totenblaß, -bleich. – **5.** *fig. Am. dial.* a) bleich *od.* blaß vor Zorn, b) wütend.

A·sian [ˈeiʃən; -ʒən] → **Asiatic.** — ˌ**A·siˈan·ic** [-ʃiˈænik; -ʒi-] *adj* **1.** asiˈatisch. – **2.** *ling.* asiˈanisch, die ˈkleinasiˌatische Sprachengruppe (*Lydisch, Lykisch etc*) betreffend. — ˈ**A·sian·ˌism** *s ling. hist.* Asiaˈnismus *m* (*blumenreicher Sprachstil der hellenistischen Zeit*).

A·si·arch [ˈeiʃiˌɑːrk] *s antiq.* Asiˈarch *m* (*Priester u. Leiter der öffentlichen Spiele in der Provinz Asien*).

A·si·at·ic [ˌeiʃiˈætik; -ʒi-] **I** *adj* **1.** asiˈatisch. – **2.** *fig.* schwülstig, blumenreich (*wie im hellenistischen Asianismus*). – **II** *s* **3.** Asiˈat(in). — ˌ**A·siˈat·i·cal·ly** *adv.*

A·si·at·ic| bee·tle *s zo.* (*ein*) Laubkäfer *m* (*Anomala orientalis*). — ~ **chol·er·a** *s med.* Cholera *f.*

A·si·at·i·cism [ˌeiʃiˈætiˌsizəm; ˌeiʒi-] *s* asiat. Eigentümlichkeit *f* (*Sitte, Stil etc*). — **A·siˌat·i·ciˈza·tion** [-saiˈzeiʃən; -siˈz-] *s* Asiatiˈsierung *f.* — ˌ**A·siˈat·iˌcize** *v/t* asiatiˈsieren, asiˈatischem Stil *etc* anpassen.

a·side [əˈsaid] **I** *adv* **1.** beiˈseite, auf die Seite, seitwärts, abseits: **to step** ~ zur Seite treten. – **2.** beiˈseite, weg: **to lay** ~. – **3.** (*Theater*) für sich, leise, beiˈseite (*gesprochene Worte*): **to speak** ~. – **4.** *Am.* abgesehen, mit Ausnahme (**from** von). – **II** *s* **5.** (*Theater*) Aˈparte *n*, beiˈseite gesprochene Worte *pl.* – **6.** *Br.* ˈNebenefˌfekt *m*, -bemerkung *f.* – **III** *prep Scot.* **7.** neben.

as·i·en·to *cf.* **assiento.**

a·si·lid [əˈsailid] *zo.* **I** *s* Raubfliege *f* (*Fam. Asilidae*). – **II** *adj* Raubfliegen...

a·sim·mer [əˈsimər] *pred adj* gelinde kochend.

as·i·ne·go [ˌæsiˈniːgou] *pl* **-goes** *s obs. od. dial.* **1.** kleiner Esel. – **2.** *fig.* Esel *m*, Narr *m*, Dummkopf *m.*

as·i·nine [ˈæsiˌnain; -sə-] *adj* **1.** eselartig, Esels... – **2.** *fig.* eselhaft, dumm, blöd. – *SYN. cf.* **simple.** — ˌ**as·iˈnin·i·ty** [-ˈniniti; -əti] *s* Dummheit *f*, Eselhaftigkeit *f.*

a·si·ti·a [əˈsiʃiə] *s med.* Asiˈtie *f*, Appeˈtitlosigkeit *f*, ˈWiderwille *m* gegen Nahrung.

ask [*Br.* ɑːsk; *Am.* æ(ː)sk] **I** *v/t* **1.** (be)fragen (*acc*), eine Frage stellen (*dat*): **to** ~ **s.o.** j-n fragen. – **2.** (*j-n*) fragen nach, erfragen (*acc*): **to** ~ **s.o. the way** j-n nach dem Weg fragen, sich bei j-m nach dem Weg erkundigen; **to** ~ **s.o. (for) his name** j-n nach seinem Namen fragen. – **3.** bitten *od.* fragen *od.* ersuchen um, (*etwas*) erbitten: **to** ~ **advice.** – **4.** (*j-n*) bitten *od.* fragen *od.* ersuchen um: → **favor** 9; **permission; to** ~ **s.o. in** j-n hereinbitten; ~ **him for advice** fragen Sie ihn um Rat. – **5.** verlangen, fordern, begehren: **to** ~ **a price for s.th.; to** ~ **moderate prices** angemessene Preise berechnen. – **6.** *fig.* erfordern, erheischen, verlangen: **this matter** ~**s (for) attention.** – **7.** einladen, bitten, auffordern: **to** ~ **guests; to** ~ **s.o. to dinner; to be** ~**ed out** eingeladen sein. – **8.** (*Brautleute*) aufbieten: **to be** ~**ed in church** *colloq.* aufgeboten werden. – **II** *v/i* **9.** fragen, sich erkundigen (**for, about, after** nach), bitten (**for** um): **to** ~ **about** (*od.* **after**) **s.o.'s health** j-n nach seinem Befinden fragen, sich bei j-m nach dem Befinden erkundigen; **to** ~ **for help** um Hilfe bitten *od.* ersuchen; **to** ~ **for larger credits** *econ.* um größere Kredite ersuchen; I ~ed for him ich fragte nach ihm, ich wünschte ihn zu sprechen; he ~ed for trouble *colloq.* er wollte es ja so haben, er hat es herausgefordert *od.* heraufbeschworen. – *SYN.* a) enquire *od.* inquire, interrogate, query, question, b) request, solicit.

a·skance [ə'skæns], *selten* **a·skant** [ə'skænt] *adv* **1.** von der Seite, seitwärts, schief, quer. – **2.** *fig.* schief, scheel, 'mißtrauisch, neidisch: he looked ~ at the offer.

as·ka·ri ['æskəri; æs'kɑːri] *s* As'kari *m*, eingeborener Sol'dat (*der Kolonialmächte in Afrika*).

ask·er [*Br.* 'ɑːskər; *Am.* 'æ(ː)s-] *s* **1.** Frager(in), Fragende(r), Bittende(r), Bittsteller(in). – **2.** Bettler(in).

a·skew [ə'skjuː] **I** *adv* **1.** seitwärts, von der Seite, schief, schräg. – **2.** *fig.* schief, verächtlich, scheel: to look ~. – **II** *adj* **3.** *math.* schiefwinklig. – **4.** *tech.* schiefliegend, schief: an ~ arch.

ask·ing [*Br.* 'ɑːskiŋ; *Am.* 'æ(ː)s-] *s* **1.** Fragen *n*, Bitten *n*, Bitte *f*: to be had for the ~ umsonst *od.* leicht *od.* mühelos zu haben sein. – **2.** Verlangen *n*, Forderung *f*. – **3.** (Ehe)Aufgebot *n*.

ask·ing·ly [*Br.* 'ɑːskiŋli; *Am.* 'æ(ː)s-] *adv* flehentlich.

a·slant [*Br.* ə'slɑːnt; *Am.* ə'slæ(ː)nt] **I** *adv u. pred adj* schräg, schief (liegend), quer, von der Seite. – **II** *prep* quer über *od.* durch.

a·sleep [ə'sliːp] *adv u. pred adj* **1.** schlafend, im *od.* in den Schlaf: to be ~ schlafen, eingeschlafen sein; to be fast (*od.* sound) ~ fest schlafen; to fall ~ einschlafen; to put ~ einschläfern. – **2.** *fig.* entschlafen, leblos, tot. – **3.** *fig.* untätig, unaufmerksam, träge, teilnahmslos. – **4.** *fig.* eingeschlafen (*Glied*).

a·slope [ə'sloup] *adv u. pred adj* abschüssig, schräg, schief.

a·smear [ə'smir] *pred adj* beschmiert, schmierig.

As·mo·de·us [ˌæsmou'diːəs; ˌæz-; æs'moudiəs] **I** *npr* As'modi *m* (*böser Geist*). – **II** *s humor.* Eheteufel *m*.

a·smol·der, *Br.* **a·smoul·der** [ə'smouldər] *pred adj* schwelend.

a·snort [ə'snɔːrt] *pred adj* schnaubend, schnarchend.

a·soak [ə'souk] *pred adj* vollgesogen, durch'tränkt.

a·so·cial [ei'souʃəl] *adj* **1.** *psych. sociol.* ungesellig, eigenbrötlerisch. – **2.** ego'istisch, selbstisch.

a·so·ma·to·phyte [ei'soumətoˌfait; -tə-] *s bot.* Pflanze *f*, in der Körper- u. Keimplasma ungetrennt sind (*Bakterien etc*).

a·so·ma·tous [ei'soumətəs] *adj* ˌaso'matisch, unkörperlich.

a·south [ə'sauθ] *adv* im *od.* nach Süden.

asp[1] [æsp] *s* **1.** *zo.* U'räusschlange *f*, Ä'gyptische Brillenschlange (*Naja haje*). – **2.** *zo.* Aspisviper *f* (*Vipera aspis*). – **3.** *poet.* Natter *f*, Viper *f*, Giftschlange *f*. – **4.** (*Archäologie*) → uraeus.

asp[2] [æsp] *poet. für* aspen I.

as·par·a·gine [əs'pærəˌdʒiːn; -dʒin], *auch* **as'par·a·gin** [-dʒin] *s chem.* Aspara'gin *n* ($C_4H_8N_2O_3$).

as·pa·rag·i·nous [ˌæspə'rædʒinəs; -dʒə-] *adj* spargelartig, -ähnlich, Spargel...: ~ plants Spargelgewächse.

as·par·a·gus [əs'pærəgəs] *s bot.* Spargel *m* (*Gattg Asparagus*): ~ bed Spargelbeet; ~ tips Spargelspitzen. — **~ bee·tle** *s zo.* Zirpkäfer *m*, Spargelhähnchen *n* (*Crioceris asparagi*). — **~ stone** *s min.* Spargelstein *m* (*Abart des Apatits*).

a·spar·kle [ə'spɑːrkl] *pred adj* funkelnd.

as·par·tate [æs'pɑːrteit] *s chem.* aspara'ginsaures Salz.

as·par·tic ac·id [æs'pɑːrtik] *s chem.* Aspara'ginsäure *f* ($C_2H_3(NH_2){\cdot}(CO_2H)_2$).

as·pect ['æspekt] *s* **1.** Aussehen *n*, Erscheinung *f*, Anblick *m*, Form *f*, Gestalt *f*, Bild *n*: the physical ~ of the country die physikalische Gestalt des Landes. – **2.** Miene *f*, Gesicht(s-ausdruck *m*) *n*: serious in ~ mit ernster Miene. – **3.** *fig.* A'spekt *m*, Seite *f*, Gesichts-, Blickpunkt *m*, Perspek'tive *f*: both ~s of a question; from a different ~. – **4.** Beziehung *f*, 'Hinsicht *f*, Bezug *m*. – **5.** Aussicht *f*, -blick *m*, Lage *f*, Richtung *f*: the house has a southern ~ das Haus liegt nach Süden. – **6.** Seite *f*, Fläche *f*, Teil *m*: the dorsal ~ of a fish. – **7.** *astr.* A'spekt *m*. – **8.** *ling.* a) Akti'onsart *f* (*bes. des Verbs*), b) A'spekt *m*. – **9.** *tech.* Ansicht *f* von der Seite *od.* von oben (*in bezug auf ein umgebendes Medium*). – **10.** *fast obs.* a) (An)Blicken *n*, Betrachten *n*, b) Blick *m*. – *SYN. cf.* phase. — **as'pect·a·ble** *adj selten* **1.** sichtbar. – **2.** sehenswert. — **as'pect·ant** *adj her.* ein'ander anblickend (*Tiere*).

as·pect ra·tio *s* **1.** *tech.* a) Flächen-, Streckenverhältnis *n*, b) Schlankheitsverhältnis *n*, -grad *m*. – **2.** *aer. tech.* Längen-, Streckungsverhältnis *n*, Flügelstreckung *f*. – **3.** *electr.* Verhältnis *n* von Breite zu Höhe bei Fernsehbildern.

as·pec·tu·al [æs'pektjuəl; -tʃu-] *adj ling.* auf die Akti'onsart *od.* den A'spekt bezüglich.

as·pen ['æspən] **I** *s* **1.** *bot.* Espe *f*, Zitterpappel *f* (*Populus tremula*). – **II** *adj* **2.** *bot.* espen, aus Espenholz, Espen... – **3.** *fig.* zitternd, bebend: to tremble like an ~ leaf wie Espenlaub zittern.

as·per[1] ['æspər] *s ling.* Spiritus *m* asper.

as·per[2] ['æspər] *s* Asper *m* (*türk. Münze*).

as·per·ate I *adj* ['æspərit; -ˌreit] sich rauh anfühlend. – **II** *v/t* [-ˌreit] rauh machen, aufrauhen.

as·per·ga·tion [ˌæspər'geiʃən] *s* Benetzung *f*. — **as'perge** [-'pɔːrdʒ] *v/t* besprengen, benetzen.

As·per·ges [æs'pɔːrdʒiːz; əs'p-] *s relig.* **1.** Besprengung *f* mit Weihwasser. – **2.** As'perges *n* (*Hymne*). – **3.** a~ Weihwedel *m*.

as·per·gil·li·form [ˌæspər'dʒiliˌfɔːrm; -lə-] *adj bot.* wedelförmig.

as·per·gil·lo·sis [æsˌpɔːrdʒi'lousis; -dʒə-] *s biol.* Aspergil'lose *f* (*durch den Kolbenschimmel Aspergillus hervorgerufene Krankheit bei Tieren u. Pflanzen*).

as·per·gil·lum [ˌæspər'dʒiləm] *pl* **-lums, -la** [-lə] *s relig.* Asper'gill *n*, Weih-, Sprengwedel *m*.

as·per·gil·lus [ˌæspər'dʒiləs] *pl* **-li** [-ai] *s bot.* Kolbenschimmel *m* (*Pilzgattg Aspergillus*).

as·per·i·fo·li·ate [ˌæspəri'fouliit; -ˌeit], **ˌas·per·i'fo·li·ous** [-əs] *adj bot.* rauhblätt(e)rig.

as·per·i·ty [æs'periti; -rəti] *s* **1.** a) Rauheit *f*, Unebenheit *f* (*der Oberfläche*), b) *pl* Unebenheiten *pl*. – **2.** *fig.* Rauheit *f*, Schroffheit *f*, Strenge *f* (*des Charakters*). – **3.** Härte *f*, Unannehmlichkeit *f*, 'Widerwärtigkeit *f*, Strenge *f*, Schwierigkeit *f*. – **4.** Rauheit *f*, Strenge *f* (*des Klimas*). – **5.** *obs.* Rauheit *f* (*des Tones*), Heiserkeit *f* (*der Stimme*). – **6.** *obs. fig.* Härte *f*, Herbheit *f* (*des Stils*). – *SYN. cf.* acrimony.

a·sper·mat·ic [ˌeispɔːr'mætik] *adj med.* asper'matisch, samenlos, zeugungsunfähig. — **a'sper·maˌtism** [-məˌtizəm] *s* Asperma'tismus *m*, Zeugungsunfähigkeit *f*.

as·perse [ə'spɔːrs] *v/t* **1.** verleumden, verdächtigen, anschwärzen, beschmutzen, schmähen. – *SYN. cf.* malign. – **2.** *selten* besprengen, bespritzen, bestreuen. — **as'pers·er** *s* **1.** Anschwärzer(in), Verleumder(in). – **2.** Weihwedel *m*.

as·per·sion [ə'spɔːrʃən; -ʒən] *s* **1.** *fig.* Verleumden *n*, Verdächtigen *n*, Beschmutzen *n*, Schmähen *n*: to cast ~s on s.o. j-n anschwärzen *od.* verdächtigen, j-s Ehre beflecken. – **2.** *fig.* Verleumdung *f*, falsche Anschuldigung, Beschimpfung *f*, Anwurf *m*. – *SYN. cf.* animadversion. – **3.** Besprengen *n*, Bespritzen *n*, Bestreuen *n*: to baptize by ~. – **4.** Guß *m*, Regen *m*, Schauer *m* (*von Wasser, Schmutz etc*). — **as'per·sive** *adj* verleumderisch.

as·per·so·ri·um [ˌæspər'sɔːriəm] *pl* **-ri·a** [-ə], **-ri·ums** *s relig.* Weihwasserkessel *m*, -becken *n*.

as·per·so·ry [ə'spɔːrsəri] → aspersive.

as·phalt ['æsfælt; *Am. auch* -fɔːlt] **I** *s* **1.** *min.* As'phalt *m*, Erdharz *n*, -pech *n*: ~ seam *geol.* Asphaltflöz. – **2.** *tech.* As'phalt(zeˌment) *m* (*für Straßenbelag etc*). – **II** *adj* **3.** Asphalt... – **III** *v/t* **4.** asphal'tieren. — **as'phal·tene** [-tiːn] *s* Asphal'ten *n* (*Hauptbestandteil des Asphalts*). — **as'phal·tic** *adj* aus As'phalt, Asphalt...: ~ roofing board Dachpappe. — **as'phal·tite** [-tait] → asphaltic. — **as'phal·tum** [-təm] → asphalt 1.

as·phet·er·ism [æs'fetəˌrizəm] *s selten* Gütergemeinschaft *f*, Kommu'nismus *m*.

as·pho·del ['æsfəˌdel] *s bot.* **1.** Aspho'dill *m*, Affo'dill *m* (*Gattung Asphodelus*). – **2.** *poet.* Nar'zisse *f*.

as·phyx·i·a [æs'fiksiə] *s med.* Asphy'xie *f*, Pulsstockung *f*, Erstickung *f*, Sauerstoffmangel *m*, Scheintod *m*. — **as'phyx·i·al** *adj* as'phyktisch. — **as'phyx·i·ant I** *adj* **1.** Pulsstockung *od.* Erstickung bewirkend. – **2.** zu Erstickung neigend. – **II** *s* **3.** Pulsstockung *od.* Erstickung her'vorrufendes Gift. – **4.** *mil.* erstickender Kampfstoff.

as·phyx·i·ate [æs'fiksiˌeit] **I** *v/t med.* ersticken, in Erstickungszustand versetzen. – **II** *v/i Am.* ersticken. — **asˌphyx·i'a·tion** *s* **1.** *med.* a) Her'vorrufen *n* der Erstickung, b) Erstickungszustand *m*, c) Erstickung *f*. – **2.** *bot.* (*durch Luftmangel verursachte*) (Pflanzen)Verbildung.

as·phyx·i·a·tor [æs'fiksiˌeitər] *s* **1.** *med.* → asphyxiant 3. – **2.** *tech.* Appa'rat *m* zum Ersticken von Tieren.

as·phyx·y [æs'fiksi] **I** *s* → asphyxia. – **II** *v/t* → asphyxiate I.

as·pic[1] ['æspik] *s bot.* (Breitblättriger) La'vendel, Spike *f* (*Lavandula latifolia*).

as·pic[2] ['æspik] *s* A'spik *m*, Sülze *f*.

as·pic[3] ['æspik] *s meist poet.* giftige Natter, Viper *f*.

as·pi·dis·tra [ˌæspi'distrə] *s bot.* Aspi'distra *f*, Sternschild *n* (*Gattg Aspidistra*), *bes.* Schildblume *f* (*A. eliator*).

as·pid·i·um [æs'pidiəm] *s bot. eine Polypodiacee, bes.* a) Schildfarn *m* (*Gattg Aspidium*), b) Dry'opteris *f* (*Gattg Dryopteris*), c) Punktfarn *m* (*Gattg Polystichum*).

as·pir·ant [ə'spai(ə)rənt; 'æspirənt; -pə-] **I** *adj poet.* **1.** strebsam, (auf-, em'por)strebend, trachtend, ehrgeizig. – **2.** auf-, em'porsteigend. – **II** *s* **3.** (to, after, for) Aspi'rant(in), Kandi'dat(in) (für), Bewerber(in) (um), Strebende(r) (nach).

as·pi·ra·ta [ˌæspi'reitə] *pl* **-ra·tae** [-iː] *s ling.* Aspi'rata *f*, Hauchlaut *m*, behauchter Laut (*bes. im Griechischen*).

as·pi·rate ['æspərit] **I** *s ling.* **1.** Aspi'rata *f*, Hauchlaut *m*. – **2.** Spiritus *m* asper. – **II** *adj ling.* **3.** aspi'riert, behaucht. – **III** *v/t* [-ˌreit] **4.** *ling.* aspi'rieren, behauchen. – **5.** *tech.* ansaugen, aufsaugen, absaugen: aspirating cylinder Ansaugzylinder; aspirating dredger Saugbagger. – 6. *med.* mittels Aspirati'on behandeln. — **'as·pi,rat·ed** [-,reitid] → aspirate II.

as·pi·ra·tion [,æspə'reiʃən] *s* 1. (Ein)-Atmen *n*, Atemzug *m*. – 2. *fig.* Streben *n*, Bestrebung *f*, Trachten *n*, heftiges Verlangen, Sehnsucht *f* (for, after, toward[s] nach). – 3. *ling.* a) Aspirati'on *f*, Behauchung *f*, b) Hauchlaut *m*, -zeichen *n*. – 4. *med.* a) Hauch *m*, Einatmen *n*, b) Aspirati'on *f*, Auf-, Ansaugen *n* (*bes. von krankhaften Ergüssen*). – 5. *tech.* Auf-, Einsaugung *f*, Ansaugen *n*. – *SYN. cf.* ambition.

as·pi·ra·tor ['æspə,reitər] *s* 1. *tech.* 'Saugappa,rat *m* (*Saugpumpe etc*). – 2. *med.* Aspi'rator *m*, 'Saugappa,rat *m*, -spritze *f*. — **as·pir·a·to·ry** [*Br.* ə'spai(ə)rətəri; *Am.* -,tɔːri] *adj* Aspirations...

as·pire [ə'spaiər] **I** *v/i* 1. streben, trachten, verlangen, sich sehnen (to, after nach): to ~ after immortality; to ~ to be a leader. – 2. em'porstreben, -steigen, sich erheben, aufsteigen: a tall thin flame ~d. – **II** *v/t obs.* 3. erstreben. — **as'pir·ing** *adj* 1. (auf)strebend, trachtend *od.* verlangend (to, after nach). – 2. ehrgeizig, strebsam. – 3. sich erhebend, auf-, em'porsteigend.

as·pi·rin ['æspərin] *s med.* Aspi'rin *n* ($C_9H_8O_4$).

asp·ish ['æspiʃ] *adj* schlangenhaft, Schlangen...

a·splanch·nic [ei'splæŋknik] *adj zo.* ohne Ver'dauungska,nal.

a·spo·rous [ei'spɔːrəs] *adj bot.* sporenlos.

as·port [æs'pɔːrt] *v/t selten* forttragen, 'widerrechtlich fortschaffen. — **,as·por'ta·tion** *s jur.* 'widerrechtliches Fortschaffen von Gütern.

a·spout [ə'spaut] *pred adj* sprudelnd.

a·sprawl [ə'sprɔːl] *adv u. pred adj* lang ausgestreckt.

a·spread [ə'spred] *pred adj* ausgebreitet.

a·sprout [ə'spraut] *pred adj* sprossend.

asp tree → aspen I.

a·squat [ə'skwɒt] *pred adj* hockend.

a·squint [ə'skwint] *adv u. pred adj* schielend, schief, scheel: to look ~ schielen, scheel *od.* verstohlen *od.* mißtrauisch blicken.

a·squirm [ə'skwəːrm] *pred adj bes. Am.* sich krümmend.

ass [æs] *s* 1. *zo.* Esel *m* (*Equus asinus*). – 2. *fig.* Esel *m*, Dummkopf *m*, Tölpel *m*, Narr *m*: an utter ~ ein vollkommener Esel; to make an ~ of s.o. j-n zum Narren halten; to make an ~ of oneself sich blamieren *od.* lächerlich machen. – 3. *dial. od. colloq. für* arse.

as·sa·f(o)et·i·da *cf.* asaf(o)etida.

as·sa·gai ['æsə,gai] *s* 1. Assa'gai *m* (*südafrik. Wurfspieß*). – 2. *bot.* Assa'gaibaum *m* (*Curtisia faginea*).

as·sai[1] [ə'sɑːiː] *s* 1. *bot.* As'saipalme *f* (*Euterpe edulis*). – 2. Getränk *n od.* Würze *f* aus den Früchten der As'saipalme.

as·sai[2] [as'sai] (*Ital.*) *adv mus.* as'sai, recht, sehr: allegro ~ sehr lebhaft.

as·sail [ə'seil] **I** *v/t* 1. angreifen, anfallen, über'fallen, bestürmen, berennen: to ~ s.o. with blows j-n mit Schlägen überfallen; to ~ a city. – 2. *fig.* bestürmen, über'fallen, angreifen: to ~ s.o. with abuse. – 3. (*Aufgabe etc*) in Angriff nehmen, anpacken. – *SYN. cf.* attack. – **II** *s obs.* 4. Angriff *m*. — **as'sail·a·ble** *adj* 1. angreifbar. – 2. *fig.* anfechtbar, angreifbar. — **as'sail·ant** **I** *s* 1. Angreifer *m*, Gegner *m*. – 2. *fig.* Kritiker *m*, Tadler *m*, Krittler *m*. – **II** *adj* 3. angreifend, anfallend. — **as'sail·er** → assailant I. — **as'sail·ment** *s* 1. Angriff *m*, Anfall *m* (*auch von Krankheiten etc*). – 2. Angriffskraft *f*.

as·sai palm → assai[1] 1.

as·sa·pan [,æsə'pæn], **,as·sa'pan·ic** [-nik] *s zo.* Vir'ginisches Flughörnchen (*Glaucomys volans*).

as·sart [ə'sɑːrt] *s jur. hist.* **I** *s* 1. Ausroden *n* (*von Bäumen*), Urbarmachen *n*, Rodung *f*. – 2. Forstfrevel *m* (*durch Rodung*). – 3. Rodeland *n*, Rodung *f*, Lichtung *f*. – **II** *v/t* 4. (*Waldbäume*) ausroden, -graben, (*Wald*) lichten.

as·sas·sin [ə'sæsin] *s* 1. (gedungener) Meuchelmörder: hired ~ gedungener Mörder. – 2. A~ *hist.* Assas'sine *m* (*Mitglied des mittelalterlichen moham. Assassinenbundes*).

as·sas·si·nate [ə'sæsi,neit; -sə,n-] **I** *v/t* 1. meuchlerisch *od.* meuchlings (er)morden *od.* 'umbringen. – 2. *fig.* (*den Ruf, guten Namen, die Ehre etc*) morden, vernichten, zerstören. – *SYN. cf.* kill. – **II** *s* 3. *obs.* a) Mörder *m*, b) Meuchelmord *m*. — **as,sas·si'na·tion** *s* Meuchelmord *m*, Ermordung *f*. — **as'sas·si,na·tor** [-tər] *s* (Meuchel)Mörder *m*.

as·sas·sin bug *s zo.* Mordwanze *f* (*Familie Reduviidae*; *Hemiptera*).

as·sault [ə'sɔːlt] **I** *s* 1. Angriff *m*, Anfall *m* (upon, on auf *acc*). – 2. *fig.* Angriff *m*: to make an ~ on s.o.'s character. – 3. *mil.* Sturm *m*, Bestürmung *f*: to carry (*od.* take) by ~ erstürmen, im Sturm nehmen: ~ boat Sturmboot, kleines Landungsfahrzeug; ~ cable, ~ wire Feldkabel; ~ craft Landungsboot, Sturmlandefahrzeug; ~ echelon Sturmwelle; ~ gap Sturmgasse; ~ gun Sturmgeschütz; ~ ship großes Landungsfahrzeug. – 4. *jur.* tätliche Drohung *od.* Beleidigung: ~ and battery tätliche Beleidigung, gewalttätiger Angriff. – 5. Fechtübung *f*, Waffengang *m*: ~ of (*od.* at) arms Kontrafechten; ~ play (*Fechten*) Ausfallstellung. – 6. *euphem.* Vergewaltigung *f*. – *SYN.* attack, onset, onslaught. – **II** *v/t* 7. angreifen, anfallen, bestürmen. – 8. *fig.* angreifen: to ~ s.o.'s reputation. – 9. *mil.* (be)stürmen. – 10. *jur.* tätlich *od.* schwer beleidigen. – 11. *euphem.* vergewaltigen. – *SYN. cf.* attack. – **III** *v/i* 12. angreifen, einen Angriff machen.

as·say **I** *s* [ə'sei; 'æsei] 1. *chem. tech.* Probe *f*, Versuch *m*, Prüfung *f*, Ana'lyse *f*, Unter'suchung *f* (*von Metallen, Drogen etc nach Gewicht, Qualität etc*): ~ balance Probier-, Goldwaage; the ~ averages die Probe ergibt durchschnittlich; ~ crucible Probiertiegel; ~ office Prüfungsamt. – 2. *chem. tech.* Probe *f*, *bes.* Me'tall- *od.* Münzprobe *f*, (*das*) zu prüfende *od.* unter'suchende Me'tall: ~ sample Probe(stück). – 3. *chem. tech.* a) Resul'tat *n* der Probe, Prüfungsergebnis *n*, b) Gehalt *m* (*an Edelmetall etc*). – 4. *hist.* Kon'trolle *f*, Prüfung *f* (*von Maßen u. Gewichten*). – 5. *fig. obs.* Probe *f*, Versuch *m*, Erprobung *f*, Prüfung *f*. – **II** *v/t* [ə'sei] 6. *bes. chem. tech.* (*Metall, Drogen etc*) (er)proben, prüfen, unter'suchen, eichen. – 7. *fig.* (über)'prüfen, (kritisch) unter'suchen, bewerten: to ~ one's strength. – 8. *fig.* (*etwas*) versuchen, pro'bieren. – **III** *v/i* 9. *chem. tech. Am.* (in) einen Gehalt haben (an *dat*), enthalten (*acc*): the ore ~s high in silver das Erz enthält sehr viel Silber. – 10. *poet.* versuchen, sich bemühen: to ~ to speak. – *SYN. cf.* attempt. — **as'say·er** *s chem. tech.* Prober *m*, Prüfer *m*.

as·say·ing [ə'seiiŋ] *s* Prüfen *n*, Unter'suchen *n* (*von Metallen, Erzen etc*).

as·say ton *s* Pro'biertonne *f* (*= 29,166 Gramm*).

'ass-,ear *s bot.* Schwarzwurz *f* (*Symphytum officinale*).

as·se·gai ['æsi,gai; -sə-] → assagai.

as·sem·blage [ə'semblidʒ] *s* 1. Versammeln *n*, Zu'sammenrufen *n*, -bringen *n*, -kommen *n* (*von Personen*). – 2. Sammeln *n*, Zu'sammentragen *n*, -bringen *n* (*von Sachen*). – 3. Ansammlung *f*, Schar *f*, Menge *f*, Haufen *m* (*von Personen u. Sachen*). – 4. Versammlung *f*, Vereinigung *f*: a political ~. – 5. *arch.* a) Verbindung *f*, Verband *m*, Verschwalbung *f*, b) Einrahmen *n*, -schwalben *n*, Verbinden *n*. – 6. *tech.* Zu'sammensetzen *n*, -stellen *n*, Mon'tage *f*, Verbindung *f*, Anschluß *m*, Zu'sammenbau *m*: ~ with key piece Schurzwerk. – 7. *math.* Menge *f*.

as·sem·blé [asɑ̃'ble] (*Fr.*) *s* (*Ballett*) assem'blé (*zusammengebracht; Schritt*).

as·sem·ble [ə'sembl] **I** *v/t* 1. (ver)sammeln, zu'sammenberufen, -bringen, (*Truppen*) zu'sammenziehen. – 2. *tech.* zu'sammensetzen, -stellen, -bauen, aufstellen, mon'tieren: ~d ball bearing (fertig) montiertes Kugellager; ~d position Gebrauchslage; to ~ a car einen Wagen montieren *od.* zusammenbauen. – **II** *v/i* 3. sich (ver)sammeln, zu'sammenkommen, zu'sammentreten (*Parlament etc*). – *SYN. cf.* gather. — **as'sem·bler** *s* 1. *j-d der zusammenbringt od. -stellt od. (ver)sammelt*. – 2. *tech.* Mon'teur *m*. – 3. Versammlungsteilnehmer *m*, -mitglied *n*.

as·sem·bly [ə'sembli] *s* 1. Versammlung *f*, Versammeln *n*, Zu'sammenkommen *n*, Zu'sammenkunft *f*, Gesellschaft *f*: an unlawful ~; place of ~ Treffpunkt. – 2. *relig.* a) (*Art*) Sy'node *f* (*der reformierten Kirchen*), b) Gemeinde *f*. – 3. *pol.* beratende *od.* gesetzgebende Körperschaft. – 4. A~ *pol. bes. Am.* gesetzgebende Versammlung, Repräsen'tantenhaus *n*, 'Unterhaus *n* (*in einigen Staaten*). – 5. *tech.* Gruppe *f*, Zu'sammenstellung *f*, -stellen *n*, -setzung *f*, -setzen *n*, Mon'tierung *f*, Mon'tage *f*, Fertigung *f*, Zu'sammenbau *m*, Verbinden *n*, Zu'sammenstellungszeichnung *f*: ~ hangar Helling; ~ shop Montagehalle, -werkstatt. – 6. *mil.* Bereitstellung *f* (*von Truppen etc*): ~ area Bereitstellungs-, Versammlungsraum. – 7. *mil.* Si'gnal *n* zum Sammeln. – 8. *Am.* Versammlungssaal *m*. – 9. gesellschaftliche Zu'sammenkunft *od.* Veranstaltung. — ~ **line** *s tech.* Mon'tagebahn *f*, -band *n*, Fließband *n*, laufendes Band.

as'sem·bly|·man [-mən] *s irr* Mitglied *n* einer gesetzgebenden Körperschaft. — ~ **room** *s* 1. Versammlungssaal *m*, Aula *f*. – 2. Unter'haltungs-, Kur-, Ballsaal *m*. – 3. *tech. Am.* Mon'tagehalle *f*.

as·sent [ə'sent] **I** *v/i* (to) 1. zustimmen (*dat*), beipflichten (*dat*), (*etwas als wahr*) zugeben. – 2. einwilligen (in *acc*), billigen (*acc*), genehmigen (*acc*). – *SYN.* accede, acquiesce, agree, consent, subscribe. – **II** *s* 3. Zustimmung *f*, Beipflichtung *f*. – 4. Einwilligung *f*, Billigung *f*, Genehmigung *f*: Royal ~ *pol. Br.* königliche Genehmigung. — **as·sen·ta·ne·ous** [,æsən'teiniəs] *adj* zur Zustimmung geneigt. — **,as·sen'ta·tion** *s* Beipflichtung *f*, Zustimmung *f* (*bes. aus Schmeichelei od. Unterwürfigkeit*). — **,as·sen'ta·tious** *adj* bereitwillig beistimmend. — **'as·sen,ta·tor** [-tər] *s selten* Schmeichler *m*. — **as'sent·er** *s* [-sent-] Beipflichtender *m*. — **as'sen·tient** [-'senʃənt] **I** *adj* 1. zustimmend, beipflichtend. – 2. genehmigend. – **II** *s* 3. Beipflichtender *m*. — **as'sen·tive** *adj* beipflichtend, zustimmend, Zustimmungs... — **as'sen·tor** [-tər] *s* 1. Beipflichtender *m*. – 2. *pol. Br.* Unter'stützer *m* eines Wahlvorschlages.

as·sert [ə'sə:rt] *v/t* 1. behaupten, versichern, erklären: to ~ that one is innocent. – 2. behaupten, geltend machen, bestehen auf (*dat*), verfechten, verteidigen, einstehen für: we ~ our liberties. – 3. *reflex* sich behaupten, sich geltend machen *od.* 'durchsetzen, sich zur Geltung bringen: he knows how to ~ himself er weiß sich geltend zu machen *od.* durchzusetzen. – 4. *math.* behaupten, aussagen. – *SYN.* a) affirm, aver, avouch, avow, declare, protest, b) *cf.* maintain. — **as'sert·a·ble** *adj* behauptungsfähig, behauptenswert, zu verteidigen(d). — **as'sert·a·tive** [-ətiv] *selten für* assertive. — **as·sert·er** *cf.* assertor. — **as'sert·i·ble** *adj philos.* 'widerspruchsfrei. — **as'ser·tion** *s* 1. Behauptung *f*, Versicherung *f*, Erklärung *f*, Bejahung *f*: to make an ~ eine Behauptung aufstellen. – 2. Einstehen *n* (*für etwas*), Verteidigung *f*, Verfechtung *f*. – 3. Geltendmachen *n*, -machung *f* (*eines Anspruches etc*). – 4. *math.* Behauptung *f*, Aussage *f*. — **as'ser·tive** *adj* 1. bejahend, positiv, bestimmt, ausdrücklich. – 2. dog'matisch. – 3. *math. philos.* asser'torisch, behauptend (*Urteil*). – 4. aggres'siv, anmaßend. – *SYN. cf.* aggressive. — **as'ser·tive·ness** *s* selbstbewußtes *od.* anmaßendes Wesen *od.* Vorgehen, Anmaßung *f*. — **as'ser·tor** [-tər] *s* 1. j-d der etwas behauptet, erklärt *od.* versichert. – 2. Verfechter *m*, Verteidiger *m*. — **as·ser·to·ri·al** [ˌæsər'tɔ:riəl] *adj* asser'torisch, behauptend, versichernd. — **ˌas·ser'tor·i·cal** [-'tɒrikəl] *adj philos.* asser'torisch: an ~ proposition. — **ˌas·ser'tor·i·cal·ly** *adv.* — **as'ser·to·ry** [-təri] *adj* 1. behauptend, versichernd, bejahend. – 2. *philos.* asser'torisch: an ~ proposition.

ass·es' bridge ['æsiz] *s* 1. Eselsbrücke *f* (*der 5. Satz von Euklids Elementen*). – 2. *ped. humor.* Eselsbrücke *f*.

as·sess [ə'ses] *v/t* 1. festsetzen, -legen, bestimmen: to ~ damages at 150 dollars. – 2. (*Vermögen, Einkommen etc als Grundlage für Besteuerung*) (ab)schätzen, ta'xieren, veranschlagen, veranlagen, bewerten (at auf *acc*): ~ed value a) *math.* Schätz(ungs)wert, b) *econ.* Steuerwert; to ~ for taxable value nach dem Steuerwert abschätzen. – 3. besteuern, (*Steuern, Geldstrafe etc*) auferlegen: to ~ s.o. a tax *Am.* j-n besteuern, j-m eine Steuer auferlegen. – 4. *math.* (ab)schätzen. – 5. *fig.* ab-, einschätzen, (be)werten. – 6. *Am.* einen Beitrag fordern von (*Vereinsmitgliedern etc*). – *SYN. cf.* estimate. — **as'sess·a·ble** *adj* 1. (ab)schätzbar. – 2. steuer-, abgabepflichtig.

as·sess·ee [ˌæsə'si:] *s Am.* j-d dem eine Zahlung auferlegt wird, Zahlungspflichtiger *m*.

as·ses·sion [ə'seʃən] *s* Beisitz *m*, Zu'sammensitzen *n*.

as·sess·ment [ə'sesmənt] *s* 1. Festsetzung *f*, -legung *f*, Bestimmung *f* (*einer Entschädigung etc*): ~ of damages. – 2. (Steuer)Veranlagung *f*, Ta'xierung *f*, (Ab-, Ein)Schätzung *f*, Steueranschlag *m*, (Vermögens)Aufnahme *f*, Bewertung *f*: ~ of (*od.* on) property; ~ of income tax Einkommensteuerveranlagung. – 3. a) Steuer *f*, Abgabe *f*, b) Besteuerung *f*, 'Steuersyˌstem *n*, c) 'Steuertaˌrif *m*. – 4. Abgabe *f*. – 5. *math.* (Ab)Schätzung *f*: ~ of value Wertermittlung *od.* -berechnung. – 6. *fig.* (Ab)Schätzung *f*, (Be)Wertung *f*. – 7. *Am.* (*einmaliger, meist nur zu bestimmten Zwecken erhobener*) Beitrag, 'Umlage *f*. — ~ **work** *s* (*Bergbau*) *Am.* jährliche Arbeit (*zur Sicherung des Besitztitels auf ein Bergwerk*).

as·ses·sor [ə'sesər] *s* 1. Steuereinschätzer *m*, Ta'xator *m*. – 2. Beisitzer *m*, Assi'stent *m*, Ratgeber *m*. – 3. (Friedens)Richter *m*. – 4. Amtsgenosse *m*, -bruder *m*, Kol'lege *m*. — **as·ses·so·ri·al** [ˌæsə'sɔ:riəl] *adj* beisitzend, Beisitzer...

as·set ['æset] *s* 1. *econ.* Posten *m* auf der Ak'tivseite, Haben *n*. – 2. Besitzstück *n*. – 3. *fig.* nutzbringende *od.* wertvolle Eigenschaft *od.* Sache, Vorzug *m*, Wert *m*, (wichtiger) Faktor, Hilfe *f*, Stütze *f*: intelligence is an ~. – 4. *pl econ. jur.* Ak'tiva *pl*, Ak'tivposten *m*, Vermögen *n*, Vermögensstand *m*, Gut *n*, Guthaben *n*: ~s and liabilities Aktiva u. Passiva, Soll u. Haben; American ~s abroad amer. Guthaben im Ausland; → foreign 2; frozen 7. – 5. *pl jur.* a) Eigentum *n* (*zur Deckung von Schulden*), b) Nachlaß *m*, Erbmasse *f*, Hinter'lassenschaft *f*, Fal'lit-, Kon'kursmasse *f*: ~s of a bankrupt Vermögensmasse des Konkursschuldners.

as·sev·er·ate [ə'sevəˌreit] *v/t* beteuern, versichern, feierlich erklären. — **asˌsev·er'a·tion** *s* Beteuerung *f*, Versicherung *f*. — **as'sev·erˌa·tive** [-ˌreitiv; -ətiv] *adj* beteuernd, feierlich versichernd, bekräftigend.

as·sib·i·late [ə'sibiˌleit; -bə-] *v/t ling.* assibi'lieren, mit einem Zischlaut aussprechen, in einen Sibi'lanten verwandeln. — **asˌsib·i'la·tion** *s ling.* Assibi'lierung *f*.

as·si·du·i·ty [ˌæsi'dju:iti; -sə-; -əti; *Am. auch* -'du:-] *s* 1. Emsigkeit *f*, ausdauernder *od.* anhaltender Fleiß, Beharrlichkeit *f*, Aufmerksamkeit *f*. – 2. *meist pl* beharrliche Aufmerksamkeit, Dienstfertigkeit *f*, Gefälligkeit(en *pl*) *f*. — **as·sid·u·ous** [*Br.* ə'sidjuəs; *Am.* -dʒuəs] *adj* 1. emsig, fleißig, eifrig. – 2. ausdauernd, beharrlich, unverdrossen. – 3. aufmerksam, gefällig, dienstbeflissen. – *SYN. cf.* busy. — **as'sid·u·ous·ness** *s* Ausdauer *f*, unermüdlicher Fleiß, Beharrlichkeit *f*.

as·si·en·to [ˌæsi'entou] *s hist.* Assi'ento *m*, Sklavenlieferungsvertrag *m* (*zwischen Spanien u. England im 18. Jh.*).

as·siette [a'sjɛt] (*Fr.*) *s* 1. Teller *m*, Gang *m* (*eines Mahls*). – 2. (*Buchbinderei*) Vergoldegrund *m*.

ass·i·fy ['æsiˌfai; -sə-] *v/t humor.* zum Narren machen *od.* halten.

as·sign [ə'sain] I *v/t* 1. (*Anteil, Aufgabe etc*) zu-, anweisen, zuteilen: to ~ rooms. – 2. (*Amt, Aufgabe etc*) über'tragen, über'geben, anvertrauen, (auf)geben: to ~ a task eine Aufgabe stellen. – 3. (*j-n*) ernennen, bestellen, bestimmen, einteilen (to zu): to ~ to a post. – 4. (*Aufgabe, Zeitpunkt etc*) vorschreiben, festlegen, -setzen, bestimmen: to ~ a day for trial. – 5. (*Grund etc*) anführen, angeben, vorbringen: to ~ a reason. – 6. (*etwas einer Person, Zeit etc*) zuweisen, zuschreiben: to ~ to an earlier date (author). – 7. *math.* a) zuordnen: to ~ a coordinate to each point, b) beilegen: to ~ a meaning to a constant; each element is ~ed two indices jedes Element ist mit zwei Indizes versehen. – 8. *jur.* abtreten, über'tragen, -'weisen, -'eignen, ze'dieren: to ~ claims Ansprüche abtreten *od.* zedieren. – 9. *mil.* (*einem Regiment etc*) zuweisen, zuteilen. – 10. *obs.* unter'zeichnen. – *SYN. cf.* a) allot, b) ascribe. – II *v/i* 11. *jur.* eine 'Eigentumsüberˌtragung vornehmen. – III *s meist pl* 12. *jur.* Zessio'nar *m*, Rechtsnachfolger *m*: payable to his ~s.

as·sign·a·bil·i·ty [əˌsainə'biliti; -əti] *s* Bestimmbarkeit *f*, Zuweisbarkeit *f*. — **as'sign·a·ble** *adj* 1. bestimmbar, anweisbar, zuweisbar, zuzuschreiben(d) (*Zahl, Zeit etc*). – 2. angebbar, anführbar (*Grund*). – 3. *jur.* über'tragbar.

as·sig·nat ['æsigˌnæt] *s* Assi'gnate *f* (*franz. Staatspapier 1790-1796*).

as·sig·na·tion [ˌæsig'neiʃən] *s* 1. Zu-, Anweisung *f*, Bestimmung *f*, Aufteilung *f*. – 2. *jur.* Über'tragung *f*, Abtretung *f*, Zessi'on *f*. – 3. Ursprungsnachweis *m*, Zuschreibung *f*. – 4. (*etwas*) Zugewiesenes, (Geld)Zuwendung *f*. – 5. 'Stelldichˌein *n*, Verabredung *f* (*meist im schlechten Sinn*): ~ house *Am.* elegantes Bordell.

as·signed [ə'saind] *adj* 1. zugewiesen, angewiesen, zugeteilt: ~ frequency *tech.* zugeteilte (Soll)Frequenz. – 2. bestimmt, ernannt, festgesetzt. – 3. aufgegeben. – 4. zugeschrieben. – 5. *jur.* über'tragen, abgetreten.

as·sign·ee [ˌæsi'ni:; -sai-] *s jur.* 1. Zessio'nar *m*, Rechtsnachfolger *m*. – 2. Bevollmächtigter *m*, Vertreter *m*: ~ in bankruptcy Konkursverwalter.

as·sign·er [ə'sainər] *s* 1. Anweisender *m*, Bestimmender *m*, Zuteilender *m*. – 2. *jur.* → assignor.

as·sign·ment [ə'sainmənt] *s* 1. An-, Zuweisung *f*: an ~ of land to veterans. – 2. Bestimmung *f*, Festlegung *f*, -setzung *f*. – 3. *bes. Am.* a) (Schul)Aufgabe *f*, Arbeit *f*, b) (*Zeitungswesen*) Zuweisung *f* eines Vorfalls für einen (Sonder)Bericht. – *SYN. cf.* task. – 4. Angabe *f*, Anführen *n*, Zuschreiben *n*: an ~ of reasons. – 5. *math.* Beilegung *f*, Zuordnung *f*. – 6. *econ. jur.* Über'tragung *f*, Über'eignung *f*, Abtretung *f*, Zessi'on *f*: ~ of policy Abtretung der Versicherungsforderung; ~ in blank *Am.* Blankoindossament. – 7. *jur.* Abtretungs-, Zessi'onsurkunde *f*. – 8. *jur.* Festsetzung *f*, Bestimmung *f*: ~ of dower Festsetzung des Witwenteils. – 9. *econ.* Anweisung *f*, tras'sierter Wechsel.

as·sign·or [ˌæsi'nɔ:r] *s jur.* Abtretender *m*, Ze'dent *m*.

as·sim·i·la·bil·i·ty [əˌsimilə'biliti; -əti] *s* Assimi'lierbarkeit *f*, Angleichungsfähigkeit *f*. — **as'sim·i·la·ble** *adj* 1. assimi'lierbar, angleichungsfähig. – 2. vergleichbar, zu vergleichen(d) (to mit).

as·sim·i·late [ə'simiˌleit; -mə-] I *v/t* 1. ähnlich *od.* gleich machen (to, with *dat*). – 2. (to, with) vergleichen (mit), als gleich *od.* ähnlich 'hinstellen (*dat*). – 3. angleichen, anpassen (to *dat*, an *acc*). – 4. *biol.* (*Nahrung*) assimi'lieren, einverleiben, 'umsetzen, in körpereigene Sub'stanz verwandeln. – 5. *bes. sociol.* assimi'lieren, aufnehmen, aufsaugen, absor'bieren, sich aneignen, einverleiben, anpassen. – 6. *ling.* assimi'lieren, angleichen. – *SYN. cf.* absorb. – II *v/i* 7. gleich *od.* ähnlich sein *od.* werden, sich anpassen, sich angleichen. – 8. *biol.* sich assimi'lieren *od.* einverleiben lassen, assimiliert *od.* 'umgesetzt werden: some foods ~ more readily than others.

as·sim·i·la·tion [əˌsimi'leiʃən; -mə-] *s* 1. (to) Assimilati'on *f* (an *acc*), Ähnlichmachen *n*, -werden *n* (*dat*), Angleichung *f* (an *acc*). – 2. Ähnlichkeit *f*. – 3. *zo.* Assimilati'on *f*, Einverleibung *f*, Verwandlung *f* in 'Körpersubˌstanz. – 4. *bot.* Assimilati'on *f*, 'Photosynˌthese *f*. – 5. *bes. psych. sociol.* Assimilati'on *f*, Angleichung *f*, Anpassung *f*, Einverleibung *f*. – 6. *ling.* Assimi'lierung *f*, Assimilati'on *f*. — **as'sim·iˌla·tive** *adj* 1. (sich leicht) assimi'lierend, Assimilierungs... – 2. Assimilati'on bewirkend, Assimilations... – 3. assimi-

'lierbar. — **as'sim·iˌla·tive·ness** *s* Assimi'lierungstenˌdenz *f*, ˌAssimi'lierbarkeit *f*. — **as'sim·i·la·to·ry** [*Br.* -ˌleitəri; *Am.* -ləˌtɔːri] → **assimilative.**

as·sise [æ'siːz] *s geol.* Schicht(gruppe) *f*, Stufe *f*, Formati'on *f*, Lager *n*.

as·sish ['æsiʃ] *adj selten* **1.** eselartig. – **2.** eselhaft, dumm, albern, stur.

as·sist [ə'sist] **I** *v/t* **1.** (aus)helfen (*dat*), (*j-m*) beistehen, (*j-m*) zu Hilfe kommen, unter'stützen (*acc*): **~ed take-off** *aer.* Abflug mit Starthilfe. – **2.** fördern, unter'stützen: **to ~ the voltage** die Spannung erhöhen. – **II** *v/i* **3.** (aus)helfen, Hilfe leisten, mitarbeiten, mithelfen (in bei): **to ~ in doing a job** bei einer Arbeit (mit)helfen; **God ~s to the end.** – **4.** beiwohnen (at *dat*), zu'gegen *od.* da'bei sein (at bei), teilnehmen (at, in an *dat*): **to ~ at** (*od.* in) **a meeting** einer Versammlung beiwohnen, an einer Versammlung teilnehmen. – **5.** (*Baseball, Eishockey etc*) vorlegen, zuspielen. – *SYN. cf.* **help.** – **III** *s* **6.** *sport* Vorlage *f*, Zuspiel(en) *n*.

as·sist·ance [ə'sistəns] *s* **1.** Hilfe *f*, Beistand *m*, Unter'stützung *f*, Mithilfe *f*, -wirkung *f*: **to afford ~** Hilfe gewähren; **to render** (*od.* **lend**) **~** Hilfe leisten; **I need** (*od.* **I stand in need of**) **~** ich brauche Hilfe, ich bin hilfsbedürftig. – **2.** *obs.* a) Anwesenheit *f*, b) (*die*) Anwesenden *pl.*

as·sist·ant [ə'sistənt] **I** *adj* **1.** behilflich, helfend, beistehend, hilfreich (to *dat*): **genius and learning are ~ to each other.** – **2.** assi'stierend, stellvertretend, Hilfs..., Unter...: **~ adjutant** *mil.* zweiter Adjutant; **~ architect** Bauführer; **~ engineer** *mar.* Hilfsingenieur, Schiffsingenieurassistent; **~ judge** *jur.* Gerichtsassessor; **A~ Secretary of Defense** *mil. Am.* Abteilungsleiter im Verteidigungsministerium; **~ professor** a) *Br. Professor eines Teilgebiets, dem nicht die ganze Abteilung untersteht*, b) *Am. Professor im Range zwischen* **instructor** *u.* **associate professor.** – **II** *s* **3.** Assi'stent(in), Helfer(in), Gehilfe *m*, Gehilfin *f*, Hilfskraft *f*, Mitarbeiter(in), Beistand *m*. – **4.** *auch* **shop ~** Ladengehilfe *m*, -gehilfin *f*, Verkäufer(in). – **5.** *jur.* Beisitzer *m*, Hilfsrichter *m*. – **6.** *relig.* Assi'stent *m* (*eines Jesuitengenerals*). – **7.** *ped. Am.* Assi'stent(in) (*Hilfslehrkraft an Universitäten*). – **8.** *fig.* Hilfe *f*, Hilfsmittel *n*, Stütze *f*.

as·sist·er [ə'sistər] *s* Helfer *m*, Gehilfe *m*, Beistand *m*. — **as'sis·tive** *adj* helfend. — **as'sist·less** *adj poet.* hilflos. — **as'sis·tor** [-tər] *s jur.* As'sessor *m*, Beisitzer *m*.

as·size [ə'saiz] **I** *s* **1.** *hist.* (gesetzgebende) Versammlung, (beratende) Sitzung. – **2.** *hist.* Verfügung *f*, E'dikt *n*, Beschluß *m*: **the A~s of Clarendon.** – **3.** *jur.* a) Gerichtssitzung *f*, -tagung *f*, Verhandlung *f*, gerichtliche Unter'suchung, Pro'zeß *m*, b) gerichtliche Verfügung, Vorladung *f*, c) richterlicher Beschluß, Spruch *m*, Ver'dikt *n*. – **4.** *meist pl jur. Br.* a) As'sisengericht *n*, peri'odisches Geschworenengericht, b) Zeit *f od.* Ort *m* zur Abhaltung der Assisen, c) Sitzung *f* des Geschworenengerichtes. – **5.** *fig.* Gericht *n*: **the last** (*od.* **great**) **~.** – **II** *v/t hist.* **6.** (*Preis, Gewicht, Maß*) festsetzen. — **as'size·ment** *s hist.* Inspekti'on *f od.* Festlegung *f* von Maßen u. Gewichten. — **as'siz·er** *s hist.* Marktmeister *m*, Beamter, der Maße, Gewichte u. Preise beaufsichtigt.

as·so·ci·a·bil·i·ty [əˌsouʃiə'biliti; -əti] *s* **1.** Vereinbarkeit *f*. – **2.** *med.* Fähigkeit *f* der Mitempfindung (*von Nerven etc*). — **as'so·ci·a·ble** *adj* **1.** vereinbar, zu vereinigen(d), assozi'ierbar (*bes. gedanklich u. gefühlsmäßig*). – **2.** *med.* mitempfindend, sym'pathisch (*Organe, Muskeln, Nerven etc*). — **as'so·ci·a·ble·ness** → **associability.**

as·so·ci·ate **I** *v/t* [ə'souʃiˌeit] **1.** vereinigen, verbinden, verbünden, zugesellen, anschließen, hin'zufügen: **to ~ others with us in business; to ~ oneself with a party** sich einer Partei anschließen; **~d company** *econ.* angegliederte Gesellschaft. – **2.** verbinden, zu'sammenfügen, -setzen: **particles of gold ~d with other substances.** – **3.** *bes. psych.* assozi'ieren, verbinden, in Verbindung *od.* Zu'sammenhang bringen *od.* setzen, verknüpfen. – **4.** *chem.* (lose) verbinden, assozi'ieren. – **5.** *math.* zuordnen: **to every polynomial we can ~ another polynomial.** –
II *v/i* **6.** (with) sich gesellen (zu), sich anschließen (an *acc*), verkehren (mit), 'Umgang pflegen (mit): **to ~ with intelligent people.** – **7.** sich verbinden *od.* verbünden, zu'sammenarbeiten (with mit). – *SYN. cf.* **join.** –
III *adj* [-ʃiit; -ˌeit] **8.** eng verbunden *od.* verbündet, sich eng berührend (*im Interesse, Handeln etc*). – **9.** beigesellt, beigegeben, beigeordnet, zugesellt, Mit...: **~ counsel** Mitanwalt; **~ editor** Mitherausgeber; **~ justice** beigeordneter Richter; **A~ Justice** *Am.* Richter am Obersten Gerichtshof; **~ professor** *Am.* außerordentlicher Professor. – **10.** außerordentlich (*Mitglied*). – **11.** begleitend, Begleit..., verwandt, zur selben Art *od.* Katego'rie gehörig. – **12.** *math.* assozi'iert, zugeordnet. –
IV *s* [-ʃiit; -ˌeit] **13.** *econ.* Teilhaber *m*, Gesellschafter *m*. – **14.** Gefährte *m*, Begleiter *m*, Freund *m*. – **15.** (Bundes)-Genosse *m*, Verbündeter *m*. – **16.** Amtsbruder *m*, -genosse *m*, Kol'lege *m*, Mitarbeiter *m*. – **17.** Spießgeselle *m*, (Helfers)Helfer *m*, Kom'plice *m*. – **18.** *fig.* Begleit-, Nebenerscheinung *f*. – **19.** außerordentliches Mitglied, Beigeordneter *m* (*einer Akademie etc*). – **20.** *Am.* Lehrbeauftragter *m* an einer Universi'tät. – **21.** *psych.* Assoziati'onswort *n od.* -iˌdee *f*. – **22.** *biol.* Mitbewohner *m*, Begleiter *m*. – **23.** *min.* Beimischung *f*, Beimengung *f*, Be'gleitmineˌral *n*. – *SYN.* **companion, comrade, crony, pal.**

as·so·ci·a·tion [əˌsousi'eiʃən; -ouʃi-] *s* **1.** Vereinigung *f*, Verbindung *f*, Anschluß *m*, Assoziati'on *f*. – **2.** Bund *m*, Bündnis *n*. – **3.** Verein(igung *f*) *m*, Gesellschaft *f*. – **4.** *econ.* Genossenschaft *f*, (Handels)Gesellschaft *f*, Verband *m*. – **5.** Freundschaft *f*, Kame'radschaft *f*. – **6.** 'Umgang *m*, Verkehr *m*, Bei'sammensein *n*. – **7.** Beiziehung *f*, Her'anziehung *f*: **the ~ of a second doctor in a case.** – **8.** Erinnerung *f* (*Gefühl, Gedanke etc, verknüpft mit einer Sache od. Person*). – **9.** *psych.* Assoziati'on *f*, Gedankenverbindung *f*. – **10.** *biol.* Gesellschaftsbildung *f*, Vergesellschaftung *f*, Zu'sammenleben *n*: **~ type** Gesellschaftseinheit. – **11.** *bot.* Assoziati'on *f* (*Pflanzengesellschaft von gesetzmäßiger Artenzusammensetzung*): **a heath ~.** – **12.** *chem.* Zu'sammentreten *n* gleichartiger Mole'küle zu einem losen Verband. – **13.** (*Statistik*) Abhängigkeit *f*: **~ of quantitative attributes** Abhängigkeit zahlenmäßiger Merkmale. — **asˌso·ci'a·tion·al** *adj* **1.** einen Verein *od.* eine Genossenschaft betreffend, Vereins..., Genossenschafts... – **2.** die (I'deen)Assoziatiˌon betreffend, Assoziations...

as·so·ci·a·tion| cen·ter, *bes. Br.* **~ cen·tre** *s med.* Assoziati'onszentrum *n*. — **~ foot·ball** *s sport Br.* Fußball(spiel *n*) *m* (*identisch mit dem deutschen Fußballspiel, im Gegensatz zu* **Rugby football**).

as·so·ci·a·tion·ism [əˌsousi'eiʃəˌnizəm; -ouʃi-] *s* **1.** *psych.* Assoziati'onstheoˌrie *f*, -psycholoˌgie *f*. – **2.** *sociol. hist.* Lehre *f od.* Sy'stem *n* Fouri'ers (*französischer Sozialist*). — **asˌso·ci'a·tion·ist** *s* **1.** *psych.* Anhänger(in) der Assoziati'onstheoˌrie *od.* -psycholoˌgie. – **2.** Anhänger(in) Fouri'ers.

as·so·ci·a·tion of i·de·as *s psych.* I'deen-, Ge'dankenassoziatiˌon *f*.

as·so·ci·a·tive [ə'souʃiˌeitiv] *adj* **1.** (sich) vereinigend *od.* verbindend. – **2.** gesellig. – **3.** *psych.* assozia'tiv, durch Assoziati'on erworben: **an ~ reaction.** – **4.** *math.* assozia'tiv: **~ law for addition** (**multiplication**) Assoziativgesetz der Addition (Multiplikation).

as·soil [ə'sɔil] *v/t obs.* (*j-n*) los-, freisprechen, absol'vieren, lösen, (*j-m*) die Absoluti'on erteilen (of, from von).

as·so·nance ['æsənəns] *s* **1.** Asso'nanz *f*, vo'kalischer Gleichklang (*von Wörtern od. Silben*). – **2.** *metr.* Asso'nanz *f*. – **3.** *fig.* ungefähre Entsprechung *od.* Über'einstimmung, Ähnlichkeit *f*: **~ between facts seemingly remote.** — **'as·so·nanced** → **assonant I.** — **'as·so·nant I** *adj* asso'nierend, anklingend. – **II** *s* asso'nierendes Wort. — **ˌas·so'nan·tal** [-'næntl], **ˌas·so'nan·tic** → **assonant I.** — **'as·soˌnate** [-ˌneit] *v/i* asso'nieren, vo'kalisch gleichklingen.

as·sort [ə'sɔːrt] **I** *v/t* **1.** sor'tieren, ordnen, grup'pieren, aussuchen, passend zu'sammenstellen: **~ing sieve** Sortiersieb; **to ~ samples.** – **2.** *econ.* assor'tieren, mit verschiedenen Sorten *od.* mit einem Sorti'ment versehen *od.* ausstatten *od.* beliefern, (*Lager*) ergänzen, auffüllen: **to ~ a cargo** eine Ladung (aus verschiedenen Sorten) zusammenstellen. – **II** *v/i* **3.** (with) passen *od.* stimmen (zu), zu'sammenpassen, -gehören, über'einstimmen (mit). – **4.** verkehren, 'umgehen (with mit). – *SYN.* **alphabetize, classify, pigeonhole, sort**[2]. — **as'sort·a·tive** [-ətiv] *adj* **1.** ordnend. – **2.** zu'sammenpassend. – **3.** auswählend: **~ mating** *biol.* Gattenwahl. — **as'sort·ed** *adj* **1.** sor'tiert, geordnet. – **2.** assor'tiert, zu'sammengestellt, gemischt, verschiedenartig. – **3.** passend, über'einstimmend.

as·sort·ment [ə'sɔːrtmənt] *s* **1.** Sor'tieren *n*, Ordnen *n*. – **2.** Assor'tieren *n*, Zu'sammenstellen *n*. – **3.** Ordnung *f*, Zu'sammenstellung *f*, Sammlung *f*: **an ~ of tools.** – **4.** *econ.* (As)Sorti'ment *n*, Auswahl *f*, Satz *m* von Waren, Lager *n*. – **5.** *geol.* Aufbereitung *f*.

ass pars·ley *s bot.* 'Hundspeterˌsilie *f* (*Aethusa cynapium*).

'ass's|-ˌear ['æsiz-] *s zo.* See-, Meerohr *n* (*Haliotis asininus*). — **'~-ˌfoot** *s irr bot.* Huflattich *m*, Eselsfuß *m* (*Tussilago farfara*).

as·suade [ə'sweid] *v/t selten* anraten.

as·suage [ə'sweidʒ] *v/t* **1.** erleichtern, lindern, mildern: **to ~ grief.** – **2.** stillen, befriedigen: **to ~ thirst** Durst stillen. – **3.** mäßigen, besänftigen, beruhigen: **to ~ God with sacrifice** Gott durch Opfer besänftigen. – *SYN. cf.* **relieve.** – **II** *v/i obs.* **4.** geringer werden, sich legen, abnehmen. — **as'suage·ment** *s* **1.** Erleichterung *f*, Linderung *f*, Stillung *f*. – **2.** Linderungs-, Beruhigungsmittel *n*.

as·sua·sive [ə'sweisiv] *adj* lindernd, beruhigend, besänftigend.

as·sum·a·ble [ə'sjuːməbl; -'suːm-] *adj* annehmbar, anzunehmen(d).

as·sume [ə'sjuːm; -'suːm] *v/t* **1.** (*als wahr od. erwiesen*) annehmen, vor'aussetzen, glauben: **assuming that** vorausgesetzt *od.* angenommen, daß. – **2.** (*Amt, Schulden, Verantwortung etc*) über'nehmen, auf sich nehmen: to ~ an office. – **3.** (*Wert, Gestalt etc*) annehmen, bekommen: the function ~s a definite value; the house ~s a different look das Haus bekommt ein anderes Aussehen. – **4.** annehmen, sich angewöhnen: to ~ new habits of life. – **5.** annehmen, anlegen, einnehmen, sich geben: to ~ a pose. – **6.** vorgeben, (er)heucheln, annehmen: to ~ a false humility. – **7.** sich aneignen *od.* anmaßen: to ~ a right to oneself. – **8.** *philos.* (*den Untersatz zu einem Schluß*) hin'zufügen. – **9.** (*Kleider*) anlegen, anziehen, (*Hut, Brille etc*) aufsetzen. – **10.** *obs.* auf-, annehmen: to ~ a new member. – *SYN.* affect[1], counterfeit, feign, pretend, sham, simulate. — **as'sumed** *adj* **1.** (nur) angenommen, vor'ausgesetzt. – **2.** angeeignet, angemaßt. – **3.** vorgetäuscht, geheuchelt: an ~ character. – **4.** angenommen, unecht, unwirklich, Schein..., Deck...: ~ name Deckname. — **as'sum·ed·ly** [-idli] *adv* vermutlich, mußmaßlich, angenommenermaßen. — **as'sum·ing I** *adj* anmaßend, vermessen, stolz. – **II** *s* Anmaßung *f*, Dünkel *m*. — **as'sum·ing·ness** *s* Anmaßung *f*.

as·sump·sit [ə'sʌmpsit; ə'sʌmsit] *s jur.* **1.** (*mündlich od. schriftlich eingegangene, aber nicht besiegelte*) Verpflichtung *od.* Verbindlichkeit. – **2.** Pro'zeß *m* wegen nicht erfüllter Verbindlichkeit, Klage *f* wegen Versprechensbruches.

as·sump·tion [ə'sʌmpʃən] *s* **1.** Annahme *f*, Vor'aussetzung *f*, Vor'aussetzen *n*, Postu'lat *n*, Vermutung *f*: on the ~ that in der Annahme *od.* unter der Voraussetzung, daß; by ~ nach *od.* gemäß der Annahme. – **2.** Über'nehmen *n*, 'Übernahme *f*, Aufsichnehmen *n*, Annahme *f*: ~ of power Machtübernahme. – **3.** Aneignung *f*, 'widerrechtliche Besitzergreifung, Usurpati'on *f*. – **4.** Anmaßung *f*, Dünkel *m*, Über'heblichkeit *f*, Arro'ganz *f*: an air of haughty ~. – **5.** *relig.* Aufnahme *f* in den Himmel: A~ (Day) Mariä Himmelfahrt (*15. August*). – **6.** *philos. selten* 'Untersatz *m* (*eines Schlusses*). — **as'sump·tious** [-ʃəs] *adj selten* anmaßend. — **as·sump·tive** [ə'sʌmptiv] *adj* **1.** angenommen, vor'ausgesetzt. – **2.** geneigt (*etwas*) anzunehmen, als selbstverständlich annehmend, kri'tiklos. – **3.** anmaßend. – **4.** ~ arms *her.* (rechtmäßig) angenommenes Wappen.

as·sur·ance [ə'ʃu(ə)rəns] *s* **1.** Versicherung *f*, Beteuerung *f*, Zusicherung *f*, Zusage *f*, Versprechen *n*. – **2.** Bürgschaft *f*, Sicherheit *f*, Garan'tie *f*. – **3.** *Br.* (Lebens)Versicherung *f*, Asseku'ranz *f*. – **4.** Sicherheit *f* (*als Zustand*). – **5.** Sicherheitsgefühl *n*, Zuversicht(lichkeit) *f*, Vertrauen *n*, Gewißheit *f*. – **6.** Selbstsicherheit *f*, -vertrauen *n*, Unerschrockenheit *f*. – **7.** Frechheit *f*, Unverschämtheit *f*, Dreistigkeit *f*, Anmaßung *f*. – **8.** *relig.* Gewißheit *f* göttlicher Gnade *od.* Verzeihung *od.* Rettung. – **9.** *jur.* (*schriftliche*) Sicherheit, Über'eignung(svertrag *m*) *f*. – *SYN. cf.* a) certainty, b) confidence.

as·sure [ə'ʃur] *v/t* **1.** (*j-m*) versichern, bestimmt *od.* mit Sicherheit sagen: I ~ you that it is true ich versichere Ihnen, daß es wahr ist. – **2.** versichern, über'zeugen: he ~s her of his sympathy er versichert sie seiner Teilnahme. – **3.** sichern (from, against gegen), sicherstellen, sicher machen, garan'tieren, festigen: this ~s the success of our work; to ~ s.o.'s position. – **4.** (*j-m*) Sicherheit verleihen *od.* geben, ermutigen, (*j-m*) Zuversicht einflößen, bestärken: his kindly manner ~d her. – **5.** *Br.* (*Leben*) versichern, asseku'rieren. – **6.** (*j-m*) zusichern: to ~ s.o. of a definite salary j-m ein bestimmtes Gehalt zusichern. – *SYN. cf.* ensure.

as·sured [ə'ʃurd] **I** *adj* **1.** versichert, über'zeugt, gewiß: to be ~ of s.th. von etwas überzeugt sein, einer Sache versichert sein; be (*od.* rest) ~ that this is true du kannst sicher sein, daß dies wahr ist. – **2.** gestärkt, bestärkt, ermutigt. – **3.** sicher, gewiß, unzweifelhaft. – **4.** gesichert, gefestigt. – **5.** zuversichtlich. – **6.** selbstsicher, -bewußt. – **7.** frech, keck, anmaßend, dreist. – **II** *s* **8.** Versicherungsnehmer *m*, Versicherte(r). — **as'sur·ed·ly** [ə'ʃu(ə)ridli] *adv* sicherlich, zuversichtlich. — **as'sur·ed·ness** *s* **1.** Sicherheit *f*, Gewißheit *f*. – **2.** Zuversichtlichkeit *f*, Selbstvertrauen *n*. – **3.** Dreistigkeit *f*. — **as'sur·er** *s* **1.** j-d der versichert *od.* ermutigt – **2.** *Br.* Asseku'rant *m*, Versicherer *m*. – **3.** Versicherter *m* (*in einer Lebensversicherung*).

as·sur·gen·cy [ə'səːrdʒənsi] *s* Aufwärtsstreben *n*. — **as'sur·gent** *adj* **1.** aufstrebend, (auf)steigend, em'porstrebend. – **2.** *bot.* aufsteigend, schräg nach oben wachsend.

as·sur·ing [ə'ʃu(ə)riŋ] *adj* **1.** Vertrauen einflößend. – **2.** versichernd, Sicherheit verleihend.

as·sur·or [ə'ʃu(ə)rər; -ər] → assurer 2.

As·syr·i·an [ə'siriən] **I** *adj* **1.** as'syrisch. – **II** *s* **2.** As'syrer(in). – **3.** *ling.* As'syrisch *n*, das Assyrische.

As·syr·i·o·log·i·cal [əˌsiriə'lɒdʒikəl] *adj* assyrio'logisch. — **As,syr·i'ol·o·gist** [-'ɒlədʒist] *s* Assyrio'loge *m*. — **As'syr·i·o,logue** [-iəˌlɒg; *Am. auch* -ˌlɔːg] → Assyriologist. — **As,syr·i·'ol·o·gy** *s* Assyriolo'gie *f*.

a·star·board [ə'stɑːrbərd; -bɔːrd] *adv mar.* nach Steuerbord.

a·stare [ə'stɛr] *pred adj* starrend, große Augen machend.

a·start [ə'stɑːrt] *adv* plötzlich, mit einem Ruck.

As·tar·te [æs'tɑːrti] *npr* A'starte *f*, Astaroth *f* (*phönizische Göttin*).

a·sta·si·a [ə'steiʒiə; -ʒə] *s med.* Aba'sie *f*, mo'torische ˌKoordinati'ons-ˌstörung beim Stehen.

a·stat·ic [ei'stætik] *adj* **1.** unstet, veränderlich, 'unstaˌbil. – **2.** *phys.* a'statisch. — **a'stat·i·cal·ly** *adv*. — **a'stat·iˌcism** [-ˌsizəm] *s phys.* a'statischer Zustand. — **a'stat·ics** *s pl* (*als sg konstruiert*) *phys. Lehre vom Gleichgewicht eines starren Körpers in einem System, in dem Richtung und Größe der angreifenden Kräfte sowie ihr Angriffspunkt gegeben sind.*

as·ta·tine ['æstətiːn; -tin] *s chem.* Asta'tin *n* (At) (*früher* alabamine).

as·ta·tize ['æstəˌtaiz] *v/t phys.* a'statisch machen.

a·stay [ə'stei] *adv u. pred adj mar.* im spitzen Winkel zur Wasserfläche, stagweise.

a·ste·a·to·sis [əˌstiːə'tousis] *s med.* Astea'tosis *f* (*fehlende Talgdrüsenabsonderung*).

a·steep [ə'stiːp] *pred adj* eintauchend.

as·te·ism ['æstiˌizəm] *s* (*Rhetorik*) Aste'ismus *m*, feine Iro'nie.

as·ter ['æstər] *s* **1.** *bot.* Aster *f*, Sternblume *f* (*Gattg Aster u. Verwandte*). – **2.** *biol.* Aster *n*, Teilungsstern *m* im Beginn der Mi'tose. – **3.** *zo.* sternförmige Nadel (*bei Schwämmen*).

-aster[1] [æstər] *Suffix mit der Bedeutung* Stern, *gebraucht in der Biologie für* a) *Strukturbezeichnungen, wie* diaster, b) *Gattungsnamen, wie* Geaster.

-aster[2] [æstər] (*Lat.*) *Suffix mit der Bedeutung* minderwertiger Vertreter eines Berufs: medicaster, poetaster.

as·ter·a·ceous [ˌæstə'reiʃəs] *adj bot.* asternartig.

a·ster·e·og·no·sis [əˌsteriɒg'nousis] *s med.* Astereogno'sie *f*, Tastlähmung *f*.

as·te·ri·a [æs'ti(ə)riə] *pl* **-ri·ae** [-riˌiː] *s* 'Sternsaˌphir *m*.

as·te·ri·at·ed [æs'ti(ə)riˌeitid] *adj min.* **1.** sternförmig, strahlig, Stern... – **2.** mit sternförmiger Lichtbrechung.

as·ter·isk ['æstərisk] **I** *s* **1.** *print.* Sternchen *n*, Sternzeichen *n*, Aste'riskus *m*. – **2.** (*etwas*) Sternähnliches. – **3.** *relig.* Aste'riskos *m* (*liturgisches Gerät der griech. Kirche*). – **II** *v/t* **4.** mit einem Sternchen versehen.

as·ter·ism ['æstəˌrizəm] *s* **1.** *astr.* Sterngruppe *f*, -bild *n*, Gestirn *n*. – **2.** *min.* Aste'rismus *m* (*sternförmige Lichtbrechung*). – **3.** *print.* (Gruppe *f* von) drei Sternchen. — **ˌas·ter'is·mal** [-'rizməl] *adj astr.* ein Sternbild betreffend.

a·stern [ə'stəːrn] *mar.* **I** *adv* **1.** achtern, hinter dem Schiff, hinten. – **2.** nach achtern, nach hinten, rückwärts, zu'rück: to drift ~. – **3.** *bes. Br.* im *od.* am Achterschiff, achtern, achteraus. – **II** *adj* **4.** im *od.* am Achterschiff gelegen *od.* liegend. – **5.** achteraus, rückwärtig, hinter(er, e, es): right ~ recht achteraus (*Richtungsangabe für Schiffskurs*); ~ running *tech.* Rückwärtsgang *od.* -lauf; ~ turbine *tech.* Rückwärtsturbine.

a·ster·nal [ei'stəːrnl] *adj med. zo.* **1.** nicht mit dem Brustbein verbunden. – **2.** ohne Brustbein, brustbeinlos (*Schlangen etc*).

as·ter·oid ['æstəˌrɔid] **I** *adj* **1.** sternartig, -ähnlich, -förmig. – **2.** *bot.* asterblütig. – **3.** *zo.* zu den Seesternen gehörig, seesternartig, -ähnlich. – **II** *s* **4.** *astr.* Astero'id *m*, Planeto'id *m*. – **5.** *zo.* seesternartiges Tier. — **ˌas·ter'oi·dal** *adj* **1.** *astr.* die Astero'iden betreffend, Asteroiden... – **2.** → asteroid I.

as·ter·oi·de·an [ˌæstə'rɔidiən] *zo.* **I** *adj* die Seesterne betreffend. – **II** *s* Seestern *m* (*Klasse Asteroidea*).

as·ter·o·phyl·lite [ˌæstəro'filait] *s bot.* fos'siles Sternblatt (*Gattung Asterophyllites; den Calamites zugerechnet*).

as·the·ni·a [æs'θiːniə; ˌæsθi'naiə] *s med.* Asthe'nie *f*, Körperschwäche *f*, Kraftlosigkeit *f*. — **as·then·ic** [æs'θenik] *med.* **I** *adj* **1.** a'sthenisch, schwach, kraftlos. – **2.** (*Anthropologie*) a'sthenisch, von leichtem *od.* zartem Körperbau, lepto'som: ~ type asthenischer Typ. – **II** *s* **3.** an Körperschwäche leidender Mensch. – **4.** A'stheniker *m*, Mensch *m* von leichtem Körperbau.

as·the·nol·o·gy [ˌæsθi'nɒlədʒi] *s med.* Asthenolo'gie *f*, Lehre *f* von den Erschöpfungskrankheiten.

as·the·no·pi·a [ˌæsθi'noupiə] *s med.* Astheno'pie *f*, Augenschwäche *f*, Schwachsichtigkeit *f*. — **ˌas·the'nop·ic** [-'nɒpik] *adj* asthe'nopisch, schwachsichtig.

asth·ma ['æsmə; 'æz-; 'æsθ-] *s med.* Asthma *n*, Atemnot *f*, Kurzatmigkeit *f*. — **asth'mat·ic** [-'mætik] **I** *adj* **1.** *med.* asth'matisch, Asthma..., kurzatmig, engbrüstig. – **2.** *fig.* asth'matisch, schnaufend, keuchend: an ~ automobile. – **II** *s* **3.** *med.* Asth'matiker(in). — **asth'mat·i·cal** → asthmatic I. — **asth'mat·i·cal·ly** *adv* (*auch zu* asthmatic I).

as·ti·chous ['æstikəs] *adj bot.* nicht in Reihen geordnet.

as·tig·mat·ic [ˌæstig'mætik], *auch* **ˌas·tig'mat·i·cal** [-kəl] *adj med. phys.* astig'matisch, stab-, zerrsichtig. — **ˌas·tig'mat·i·cal·ly** *adv* (*auch zu* astigmatic). — **a·stig·ma·tism**

[ə'stigmə,tizəm] *s* **1.** *phys.* Astigma'tismus *m.* – **2.** *med.* Astigma'tismus *m,* Stab-, Zerrsichtigkeit *f.* — **a'stig·ma,tiz·er** [-,taizər] *s phys.* Lichtentfernungsmesser *m.*

a·stig·mi·a [ə'stigmiə] *s med.* Astigma'tismus *m.*

as·tig·mom·e·ter [,æstig'mɒmitər; -mət-] *s med. phys.* Kerato'skop *n.*

a·stip·u·late [ei'stipju,leit; -jə-] *adj bot.* ohne Nebenblätter.

a·stir [ə'stə:r] *pred adj* **1.** in Bewegung, auf den Beinen. – **2.** auf(gestanden), aus dem Bett, wach, munter. – **3.** aufgeregt, in Aufregung *od.* Aufruhr (with von, durch).

a·stom·a·tous [ei'stɒmətəs; -'stou-] *adj* **1.** *zo.* mundlos (*Infusorien*). – **2.** *bot.* ohne Spaltöffnungen. — **as·to·mous** ['æstoməs; -tə-] *adj* **1.** *zo.* mundlos. – **2.** *bot.* kleisto'karp (*mit Sporenkapseln ohne Öffnung; Moose*).

as·ton·ied [əs'tɒnid] *adj obs.* betäubt, gelähmt (*vor Schreck*), bestürzt.

as·ton·ish [əs'tɒniʃ] *v/t* **1.** in Erstaunen *od.* Verwunderung setzen: **he was ~ed to hear the news** er war überrascht, die Neuigkeit zu hören; **she is ~ed at his behavio(u)r** sie wundert sich über sein Verhalten. – **2.** verblüffen, über'raschen, befremden. – **3.** *obs.* in Schrecken *od.* Furcht versetzen, erschrecken. – *SYN. cf.* **surprise.** — **as'ton·ish·ing** *adj* erstaunlich, über'raschend, verblüffend, wunderbar. — **as'ton·ish·ment** *s* **1.** Verwunderung *f,* (Er)Staunen *n,* Über'raschung *f* (at über *acc*): **to cause ~** Staunen erregen; **to fill** (*od.* **strike**) **with ~** in Staunen versetzen; **he recovered from his ~** er erholte sich von seinem Staunen. – **2.** Über'raschung *f,* Ursache *f od.* Gegenstand *m* des (Er)Staunens.

as·tound [əs'taund] **I** *v/t* verblüffen, in Staunen *od.* Schrecken versetzen, äußerst über'raschen. – *SYN. cf.* **surprise.** – **II** *v/i* Verwunderung erregen. – **III** *adj obs.* verblüfft, höchst über'rascht. — **as'tound·ing** *adj* verblüffend, über'raschend, erstaunlich: **an ~ statement.** — **as'tound·ment** *s* Erstaunen *n.*

as·tra·chan [*Br.* ,æstrə'kæn; *Am.* 'æstrəkən] *s* **1.** *cf.* **astrakhan.** – **2.** A~ Astrachanapfel *m* (*Apfelsorte*).

a·strad·dle [ə'strædl] *pred adj* rittlings: **~ on** reitend auf (*dat*).

as·trae·an [æs'tri:ən] *adj zo.* Asträen..., Sternkorallen... — **as'trae·i,form** [-i,fɔ:rm; -ə,f-] *adj zo.* 'sternko,rallen-,ähnlich.

as·tra·gal ['æstrəgəl] *s* **1.** Astra'gal *m*: a) *med.* Sprungbein *n,* b) *antiq.* Würfel *m,* Spielstein *m,* c) *arch.* Rundstab *m,* Ring *m* (*an einer Säule*). – **2.** *mil.* Ring *m,* Gurt *m* (*am Geschützrohr*). — **as·trag·a·lar** [æs'trægələr] *adj med.* das Sprungbein betreffend. — **as'trag·a·lus** [-ləs] *pl* **-li** [-,lai] → **astragal** 1 a *u.* c.

a·strain [ə'strein] *pred adj* gespannt, angestrengt.

as·tra·khan [*Br.* ,æstrə'kæn; *Am.* 'æstrəkən] *s* **1.** Astrachanfell *n.* – **2.** Astrachan *m,* Krimmer *m.*

as·tral ['æstrəl] *adj* **1.** Stern(en)..., Astral...: **~ lamp** Astrallampe; **~ spirits** Astralgeister. – **2.** sternförmig, -artig. – **3.** gestirnt, sternig. – **4.** (*Alchimie*) a'stral, von den Sternen bestimmt, Astral...: **~ gold.** – **5.** *biol.* a'stral (*den Teilungsstern bei der Mitose betreffend*): **~ rays.** – **6.** (*Theosophie*) a'stral, Astral...: **~ body** Astralleib. – **II** *s* **7.** *tech.* A'strallampe *f.* – **8.** (*Theosophie*) A'stralleib *m,* -geist *m.*

a·strand [ə'strænd] *pred adj* gestrandet, auf dem Strand.

a·stray [ə'strei] **I** *adv* **1.** vom rechten Wege ab, irre (*auch fig.*): **to go ~** irregehen, sich verirren *od.* verlieren, verlorengehen, abschweifen; **to lead ~** irreführen, verleiten, verführen. – **II** *pred adj* **2.** irregehend, irrend, abweichend, abschweifend (*auch fig.*): **~ from the path of rectitude.** – **3.** *fig.* irrig, falsch: **his calculations are all ~.**

as·trict [əs'trikt] *v/t* **1.** zu'sammenziehen, -pressen, -schnüren, einengen. – **2.** *med.* a) abbinden, b) verstopfen. – **3.** *fig.* einschränken, beschränken, begrenzen (to auf *acc*). – **4.** *fig.* verpflichten, binden. — **as'tric·tion** *s* **1.** Zu'sammenziehen *n,* Einengen *n.* – **2.** *med.* a) Zu'sammenschnüren *n,* Abbinden *n,* b) Verstopfung *f.* – **3.** *fig.* Einschränkung *f,* Beschränkung *f.* — **as'tric·tive** *med.* **I** *adj* adstrin'gierend, stopfend, zu'sammenziehend. – **II** *s* adstrin'gierendes Mittel. — **as'tric·tive·ness** *s* adstrin'gierende Wirkung.

a·stride [ə'straid] *adv u. prep u. pred adj* rittlings, mit gespreizten Beinen: **~ of** reitend auf (*dat*); **to ride ~** im Herrensattel reiten; **~ a horse** zu Pferde, auf einem Pferde sitzend *od.* reitend.

as·tringe [əs'trindʒ] *v/t* **1.** zu'sammenbinden, -ziehen, -pressen, festbinden, anein'anderbinden. – **2.** *med.* adstrin'gieren, zu'sammenziehen. — **as'trin·gen·cy** [-dʒənsi] *s* **1.** zu'sammenziehende Eigenschaft *od.* Kraft. – **2.** *fig.* Härte *f,* Strenge *f,* Ernst *m.* — **as'trin·gent I** *adj* **1.** *med.* adstrin'gierend, zu'sammenziehend, stopfend. – **2.** *fig.* streng, hart, ernst. – **II** *s* **3.** *med.* Ad'stringens *n,* adstrin'gierendes Mittel.

as·tri·on ['æstri,ɒn] (*Lat.*) *s min. obs.* 'Sternsa,phir *m.*

astro- [æstro] *Wortelement mit der Bedeutung* Stern(en)..., Gestirn...

as·tro·cyte ['æstro,sait] *s med.* Astro'zyte *f,* Sternzelle *f,* Ca'jalsche Spinnenzelle (*in der Glia*).

as·tro·dome ['æstro,doum] *s* **1.** *aer.* Astrokuppel *f* (*für astronomische Beobachtung*). – **2.** Vollsichtkuppel *f* (*auf Eisenbahnwagen*).

as·tro·graph ['æstro,græ(:)f; *Br. auch* -grɑ:f] *s astr.* Astro'graph *m* (*Fernrohr mit Einrichtung zur photographischen Aufnahme von Gestirnen*). — **as·trog·ra·phy** [æs'trɒgrəfi] *s* Astrogra'phie *f,* Sternbeschreibung *f.*

as·troid ['æstrɔid] **I** *adj* sternförmig. – **II** *s math.* Astro'ide *f,* Astero'ide *f,* Hypozyklo'ide *f.*

as·tro·ite ['æstro,ait] *s min.* 'Sternsa,phir *m* (*Varietät des Korunds*).

as·tro·labe ['æstrə,leib] *s astr.* **1.** Astro'labium *n,* Sternhöhenmesser *m.* – **2.** Plani'sphäre *f.*

as·tro·li·thol·o·gy [,æstroli'θɒlədʒi] *s* Mete'orsteinkunde *f.*

as·trol·o·ger [ə'strɒlədʒər] *s* Astro'loge *m,* Sterndeuter *m.* — **as·tro·log·ic** [,æstrə'lɒdʒik], **,as·tro'log·i·cal** *adj* astro'logisch, sterndeuterisch. — **,as·tro'log·i·cal·ly** *adv* (*auch zu* **astrologic**). — **as'trol·o,gize I** *v/t* astro'logisch ermitteln. – **II** *v/i selten* sich mit Astrolo'gie beschäftigen. — **as'trol·o·gous** [-gəs] → **astrologic.** — **as'trol·o·gy** [-dʒi] *s* Astrolo'gie *f,* ,Sterndeute'rei *f,* Sterndeutekunst *f.*

as·tro·me·te·or·ol·o·gy [,æstromi:tiə'rɒlədʒi] *s* 'Astro,meteorolo,gie *f.*

as·trom·e·ter [æs'trɒmitər; əs-] *s astr.* Astro'meter *n* (*Instrument für die Messung der Sternhelligkeit*). — **as'trom·e·try** [-tri] *s* Astrome'trie *f* (*Sternmessung*).

as·tro·naut ['æstro,nɔ:t] *s* Weltraumfahrer *m,* Astro'naut *m.*

as·tro·nau·tics [,æstro'nɔ:tiks] *s pl* (*als sg konstruiert*) Astro'nautik *f,* (Wissenschaft *f* von der) Raumfahrt *f od.* Raumschiffahrt *f.*

as·tron·o·mer [əs'trɒnəmər] *s* Astro'nom *m,* Sternforscher *m,* -kundiger *m.* — **as·tro·nom·ic** [,æstrə'nɒmik] → **astronomical.** — **,as·tro'nom·i·cal** *adj* astro'nomisch, Stern..., Himmels...: **~ chart** Himmels-, Sternkarte; **~ clock** astronomische Uhr .**..~ year** Sternjahr, siderisches Jahr; → **horizon** 1; **time** 3. — **,as·tro'nom·i·cal·ly** *adv* (*auch zu* **astronomic**). — **as'tron·o,mize** *v/i selten* Astrono'mie stu'dieren *od.* betreiben. — **as'tron·o·my** *s* Astrono'mie *f,* Sternkunde *f.*

as·tro·pho·to·graph·ic [,æstro,foutə'græfik] *adj* 'astrophoto,graphisch. — **,as·tro·pho'tog·ra·phy** [-fə'tɒgrəfi] *s* 'Astrophotogra,phie *f.*

as·tro·phys·i·cal [,æstro'fizikəl] *adj* astrophysi'kalisch. — **,as·tro'phys·i·cist** [-sist] *s* Astro'physiker *m.* — **,as·tro'phys·ics** [-iks] *s pl* (*als sg konstruiert*) Astrophy'sik *f.*

as·tro·scope ['æstrə,skoup] *s astr.* Astro'skop *n,* Sternsucher *m.*

as·tro·sphere ['æstrə,sfir] *s biol.* Astro'sphäre *f.*

as·tu·cious [æs'tju:ʃəs; *Am. auch* -'tu:-] → **astute.**

As·tu·ri·an [æs'tu(ə)riən] **I** *adj* a'sturisch. – **II** *s* A'sturier(in).

as·tute [əs'tju:t; *Am. auch* -'tu:t] *adj* **1.** scharfsinnig, klug. – **2.** schlau, gerieben, listig, verschmitzt, durch'trieben. – *SYN. cf.* **shrewd.** — **as'tute·ness** *s* **1.** Scharfsinn(igkeit *f*) *m,* Klugheit *f.* – **2.** Schlauheit *f,* Geriebenheit *f,* (Arg)List *f.*

as·tu·tious [əs'tju:ʃəs; *Am. auch* -'tu:-] → **astute.**

a·sty·lar [ei'stailər] *adj arch.* ohne Säulen *od.* Pfeiler, säulen-, pfeilerlos.

a·sun·der [ə'sʌndər] **I** *adv* ausein'ander, ent'zwei, in Stücke, in einzelne Teile: **to cut s.th. ~.** – **II** *pred adj* (vonein'ander) getrennt, ausein'ander liegend, abgesondert: **wide ~ in meaning.**

as·wail ['æsweil] *s zo.* Lippenbär *m* (*Melursus ursinus*).

a·swarm [ə'swɔ:rm] *adv u. pred adj* schwärmend, wimmelnd (with von).

a·sway [ə'swei] *adv u. pred adj* schwankend, sich hin und her bewegend.

a·swim [ə'swim] *adv u. pred adj* schwimmend.

a·swoon [ə'swu:n] *adv u. pred adj* ohnmächtig, in Ohnmacht.

a·syl·lab·ic [,eisi'læbik], **,a·syl'lab·i·cal** [-kəl] *adj* nicht silbisch, nicht silbenbildend.

a·sy·lum [ə'sailəm] *s* **1.** A'syl *n,* Heim *n,* (Versorgungs)Anstalt *f*: **~ for the blind** Blindenanstalt, -institut. – **2.** Irrenanstalt *f.* – **3.** A'syl *n,* Freistätte *f,* Zufluchtsort *m,* -stätte *f.* – **4.** *jur. pol.* (po'litisches) A'syl. – **5.** *fig.* Zuflucht *f,* Schutz *m.*

a·sym·met·ric [,æsi'metrik; ,ei-], **,a·sym'met·ri·cal** [-kəl] *adj* asym'metrisch, 'unsym,metrisch, ungleichmäßig, unebenmäßig. — **,a·sym'met·ri·cal·ly** *adv* (*auch zu* **asymmetric**). — **a'sym·me·try** [-'simitri] *s* Asymme'trie *f,* 'Unsymme,trie *f,* Ungleichmäßigkeit *f,* Unebenmäßigkeit *f.*

as·ymp·tote ['æsim,tout; -simp-] *s math.* Asym'ptote *f.* — **,as·ymp'tot·ic** [-'tɒtik], **,as·ymp'tot·i·cal** *adj* asym'ptotisch, auf die Asym'ptote bezüglich. — **,as·ymp'tot·i·cal·ly** *adv* (*auch zu* **asymptotic**).

as·ymp·tot·ic cone *s math.* Asym'ptotenkegel *m.*

a·syn·chro·nism [æ'siŋkrə,nizəm; *Am. auch* ei-] *s* 'Nichtüber,einstimmung *f* in der Zeit.

a·syn·chro·nous [æ'siŋkrənəs; *Am. auch* ei-] *adj* asyn'chron, nicht gleichzeitig. — **~ gen·er·a·tor** *s electr.* Asyn'chrongene,rator *m.* — **~ mo·tor** *s electr.* Asyn'chronmotor *m.*

as·yn·det·ic [ˌæsinˈdetik] *adj ling.* asynˈdetisch, verbindungslos. — ˌ**as·ynˈdet·i·cal·ly** *adv.* — **a·syn·de·ton** [əˈsinditən; -də-] *s* Aˈsyndeton *n* (*Auslassung der Bindewörter*).

as·y·ner·gi·a [ˌæsiˈnəːrdʒiə], **a·syn·er·gy** [əˈsinərdʒi] *s med.* Asynerˈgie *f*, Koordinatiˈonsstörung *f*.

a·sys·to·le [eiˈsistəˌliː], **aˈsys·to·lism** [-ˌlizəm] *s med.* Asystoˈlie *f* (*Kontraktionsstörung des Herzens*).

at[1] [æt; ət] *prep* **1.** (*Ort, Stelle*) in (*dat*), an (*dat*), bei, zu, auf (*dat*) (*in Verbindung mit Städtenamen steht* at *im allgemeinen bei kleineren Städten, bei großen Städten nur dann, wenn sie bloß als Durchgangsstationen, bes. auf Reisen, betrachtet werden; bei London u. der Stadt, in der der Sprecher wohnt, ebenso nach* here, *steht stets* in, *nie* at): ~ **the baker's** beim Bäcker; ~ **the battle of N.** in der Schlacht bei N.; ~ **the corner** an der Ecke; ~ **court** bei Hofe; ~ **a distance** in einiger Entfernung; ~ **the door** an der Tür; ~ **hand** bei der *od.* zur Hand; ~ **home** zu Hause, daheim; ~ **school** in der Schule; ~ **sea** zur *od.* auf der See; **to keep s.o. ~ arm's length** sich j-n vom Leibe halten; **he lives ~ 48, Main Street** er wohnt Main Street Nr. 48; **educated ~ Christ's College** in Christ's College ausgebildet. – **2.** (*Richtung, Ziel etc*) auf (*acc*), gegen, nach, bei, durch: **to aim ~ s.th.** auf etwas zielen; **he threw a stone ~ the door** er warf einen Stein gegen die Tür; **he snatched ~ the bag** er griff nach der Tasche; **to enter ~ the west gate** durch das *od.* beim Westtor eintreten; **he threw himself ~ her feet** er warf sich ihr zu Füßen. – **3.** (*Beschäftigung, Handlung etc*) bei, beschäftigt mit, in (*dat*): **clever ~ swimming** geschickt im Schwimmen; ~ **work** bei der Arbeit; **to be good ~ s.th.** in einer Sache geschickt sein, etwas gut können; **to be ~ s.th.** bei etwas sein, mit etwas beschäftigt sein; **what are you ~?** was machst du da? ~ **it** dabei, damit beschäftigt – **4.** (*Art u. Weise, Zustand, Lage*) in (*dat*), zu, unter (*dat*), nach, vor: ~ **all** überhaupt; **not ~ all** überhaupt *od.* durchaus nicht, keineswegs; ~ **one blow** mit einem Schlag; ~ **my cost** auf meine Kosten; ~ **one** einig, im Einverständnis; ~ **your service** zu Ihren Diensten; ~ **war** im Kriegszustand; ~ **retail (wholesale)** *econ. Am.* im Kleinhandel (Großhandel). – **5.** (*Ursprung, Grund, Anlaß*) über (*acc*), bei, von, aus, auf (*acc*), anläßlich: **alarmed ~** beunruhigt über (*acc*); **to laugh ~ s.th.** über etwas lachen; **to receive s.th. ~ s.o.'s hands** etwas von j-m erhalten. – **6.** (*Preis, Wert, Verhältnis, Ausmaß, Grad etc*) um, zu, auf, mit, bei: ~ **best** höchstens, im besten Falle, bestenfalls; **charged ~** berechnet mit; ~ **6 dollars** um *od.* für *od.* zu 6 Dollar; **to estimate ~ 50** auf 50 schätzen; ~ **full speed** mit *od.* bei voller Geschwindigkeit; ~ **half the price** zum halben Preis, um *od.* für den halben Preis; ~ **that** *colloq.* a) dabei, damit, b) noch dazu, obendrein, c) dafür, zu diesem Preis; **we'll let it go ~ that** wir wollen es damit bewenden lassen; **it is disagreeable ~ that** es ist obendrein unangenehm. – **7.** (*Zeit, Alter*) um, bei, zu, im Alter von: ~ **21** mit 21 (Jahren), im Alter von 21 Jahren; ~ **3 o'clock** um 3 Uhr; ~ **Christmas** zu Weihnachten; ~ **his death** bei seinem Tod; ~ **this moment** in diesem Augenblick; **three ~ a time** drei auf einmal, drei gleichzeitig.

At[2] [æt] *s Br. colloq.* Angehörige *f* des (Women's) Auxiliary Territorial Service.

at·a·bal [ˈætəˌbæl] *s* maurische Kesselpauke *od.* Trommel.

At·a·brine, a~ [ˈætəbrin; -ˌbriːn] (*TM*) *s chem. med.* Ateˈbrin *n* ($C_{23}H_{30}N_3OCl$).

a·tac·a·mite [əˈtækəˌmait] *s min.* Atakaˈmit *m*, ˈKupfersmaˌragd *m*.

a·tac·tic [əˈtæktik] *adj* **1.** ˈunzuˌsammenhängend. – **2.** *ling.* aˈtaktisch, nicht synˈtaktisch. – **3.** *med.* aˈtaktisch.

at·a·ghan [ˈætəˌgæn] → yatag(h)an.

at·a·man [ˈætəmən] *pl* **-mans** → hetman.

at·a·mas·co [ˌætəˈmæskou], *auch* **~ lil·y** *s bot.* Virˈginische Zephyrblume (*Zephyranthes atamasco; Amaryllidacee*).

at·a·rax·i·a [ˌætəˈræksiə], **at·a·rax·y** [ˈætəˌræksi] *s* Ataraˈxie *f*, Unerschütterlichkeit *f*, Seelenruhe *f*.

a·taunt [əˈtɔːnt; -ˈtɑːnt] *pred adj* **1.** *mar.* vollständig aufgetakelt, aufgeriggt. – **2.** *fig.* in Ordnung, bereit. — **aˈtaun·to** [-tou] *bes. Br. für* ataunt 1.

a·tav·ic [əˈtævik] *adj* **1.** entfernte Ahnen betreffend, von entfernten Ahnen. – **2.** → atavistic.

at·a·vism [ˈætəˌvizəm] *s biol.* Ataˈvismus *m*, Entwicklungsrückschlag *m*, Wiederˈauftreten *n* stammesgeschichtlicher Merkmale. — **ˈat·a·vist** *s* j-d bei dem plötzlich stammesgeschichtliche Merkmale auftreten. — ˌ**at·aˈvis·tic** *adj* ataˈvistisch. — ˌ**at·aˈvis·ti·cal·ly** *adv.*

a·tax·i·a [əˈtæksiə] *s* **1.** Unregelmäßigkeit *f*, Unordnung *f*. – **2.** *med.* Ataˈxie *f*, Koordinatiˈonsstörung *f*. — **aˈtax·ic** *med.* **I** *adj* aˈtaktisch: ~ **aphasia** Aphemie, Wortstummheit. – **II** *s* j-d der an Ataˈxie leidet.

a·tax·ite [eiˈtæksait] *s min.* Ataˈxit *m*, Tufflava *f*.

a·tax·y [əˈtæksi] → ataxia.

ate[1] [*Br.* et; eit; *Am.* eit] *pret von* eat.

A·te[2] [ˈeiti] **I** *npr* Ate *f* (*griech. Göttin der Verblendung*). – **II** *s* **a~** *fig.* Verblendung *f*.

at·e·brin [ˈætəbrin] → atabrine.

at·e·lec·ta·sis [ˌætiˈlektəsis] *s med.* Atelekˈtase *f* (*Lungenkollaps*). — ˌ**at·e·lecˈtat·ic** [-ˈtætik] *adj* atelekˈtatisch.

at·el·ier [ˈætəlˌjei] *s* Ateliˈer *n*, Studio *n*, Arbeitszimmer *n* (*eines Künstlers*).

atelo- [ætilo] *med. Wortelement mit der Bedeutung* unvollständig entwickelt.

a tem·po [a ˈtɛmpo] (*Ital.*) *adv mus.* a tempo, wieder im Tempo.

Ath·a·bas·can [ˌæθəˈbæskən] **I** *s* Athaˈbaske *m* (*Indianer*). – **II** *adj* athaˈbaskisch.

a·thal·line [eiˈθælin; -lain] *adj bot.* ohne Thallus.

ath·a·na·si·a [ˌæθəˈneiʒiə] *s* Athanaˈsie *f*, Unsterblichkeit *f*.

Ath·a·na·sian [ˌæθəˈneiʃən; -ʒən] *relig.* **I** *adj* athanasiˈanisch. – **II** *s* Athanasiˈaner *m*. — **~ Creed** *s relig.* Athanasiˈanisches Glaubensbekenntnis.

a·than·a·sy [əˈθænəsi] → athanasia.

Ath·a·pas·can [ˌæθəˈpæskən] **I** *adj* athaˈpaskisch. – **II** *s* Athaˈpaske *m* (*Indianer der athapaskischen Sprachfamilie*).

a·the·ism [ˈeiθiˌizəm] *s* **1.** Atheˈismus *m*, Gottesleugnung *f*. – **2.** Gottlosigkeit *f*, gottloses Benehmen.

a·the·ist [ˈeiθiist] *s* **1.** Atheˈist *m*, Gottesleugner *m*. – **2.** Gottloser *m*, gottloser Mensch. – *SYN.* agnostic, deist, freethinker, infidel, unbeliever. — ˌ**a·theˈis·tic**, ˌ**a·theˈis·ti·cal** *adj* **1.** atheˈistisch, gottesleugnerisch. – **2.** gottlos. — ˌ**a·theˈis·ti·cal·ly** *adv* (*auch zu* atheistic).

ath·el·ing [ˈæθəliŋ] *s hist.* Edeling *m*, Fürst *m* (der Angelsachsen), *bes.* Thronerbe *m*.

ath·e·n(a)e·um [ˌæθəˈniːəm] *s* Atheˈnäum *n*: a) *Institut zur Förderung von Literatur und Wissenschaft*, b) *Lesesaal, Bibliothek*, c) *literarischer od. wissenschaftlicher Klub*, d) *antiq. Hadrianische Schule (in Rom)*, e) **A~** *Heiligtum der Athene in Athen, von Dichtern u. Gelehrten besucht.*

A·the·ni·an [əˈθiːniən] **I** *adj* aˈthenisch. – **II** *s* Aˈthener(in). — **Ath·ens** [ˈæθinz; -ənz] **I** *npr* Aˈthen *n*. – **II** *s fig.* Aˈthen *n* (*Stadt von kultureller u. literarischer Bedeutung*): **the ~ of the North** das Athen des Nordens (*Edinburgh od. Kopenhagen*).

ath·er·ine [ˈæθərin; -ˌrain] *s zo.* (*ein*) Ährenfisch *m* (*Gattg Atherina*).

a·ther·man·cy [*Br.* əˈθəːrmənsi; *Am.* ei-] *s phys.* Eigenschaft *f* Wärmestrahlen nicht ˈdurchzulassen. — **aˈther·ma·nous**, **aˈther·mous** *adj* atherˈman, ˈwärmeˌundurchlässig.

ath·er·o·ma [ˌæθəˈroumə] *pl* **-mas**, **-ma·ta** [-tə] *s med.* **1.** Atheˈrom *n*, Grützbeutel *m*, Balggeschwulst *f*. – **2.** atheromaˈtöse Veränderung der Gefäßwände. — ˌ**ath·erˌo·maˈto·sis** [-ˈtousis] *s* Atheromaˈtose *f*. — ˌ**ath·erˈom·a·tous** [-ˈrɒmətəs; -ˈrou-] *adj* atheromaˈtös: ~ **cyst** → atheroma 1.

ath·e·to·sis [ˌæθiˈtousis] *s med.* Atheˈtose *f* (*ungeordnete Bewegung*).

a·thirst [əˈθəːrst] *pred adj* **1.** durstig. – **2.** begierig (for nach). – *SYN. cf.* eager[1].

ath·lete [ˈæθliːt] *s* **1.** Athˈlet *m*, Wettkämpfer *m*. – **2.** *Br.* ˈLeichtathˌlet *m*. – **3.** Sportler *m*, Turner *m*. – **4.** *fig.* Athˈletiker *m*, Hüne *m*.

ath·lete's foot *s med.* Dermatophyˈtose *f* der Füße, Epidermophyˈtosis *f*.

ath·let·ic [æθˈletik] *adj* **1.** athˈletisch, Kampf..., Sport... – **2.** athˈletisch, von athletischem Körperbau. – **3.** (*Anthropologie*) athˈletisch. – **4.** stark, kräftig, muskuˈlös. — **athˈlet·i·cal·ly** *adv.*

ath·let·ic| field *s* Sportplatz *m*. — **~ foot** → athlete's foot. — **~ heart** *s med.* Sportherz *n*.

ath·let·i·cism [æθˈletiˌsizəm] *s* Pflege *f* körperlicher Übungen.

ath·let·ics [æθˈletiks] *s pl* **1.** (*als pl konstruiert*) a) *Am.* Athˈletik *f*, Sport *m*, b) *Br.* ˈLeichtathˌletik *f*. – **2.** (*als sg konstruiert*) a) sportliche Geschicklichkeit, b) sportliche Betätigung.

ath·o·dyd [ˈæθədid] *s aer. tech.* Athoˈdyd *m*, Strahldüse *f*, Lorin-Triebwerk *n*.

at home I *adv* **1.** zu Hause: to feel ~ sich wie zu Hause fühlen. – **2.** zu Hause, im eigenen Lande. – **3.** zum Empfang von Gästen bereit. – **4.** *fig.* (*in einer Wissenschaft etc*) zu Hause. – **II** *s* **5.** Empfang *m* (*von Gästen im eigenen Heim*). — **at-ˈhome** *cf.* at home II.

a·thwart [əˈθwɔːrt] **I** *adv* **1.** quer, schräg, schief, kreuzweise. – **2.** *mar.* dwars (ˈüber). – **3.** *fig.* verkehrt, falsch. – **4.** *fig.* ungelegen. – **II** *prep* **5.** (quer) über (*acc*), (quer) durch: **a bridge ~ the river** eine Brücke (quer) über den Fluß. – **6.** *mar.* dwars, dwars über (*acc*): **to stand ~ the waves** dwars See liegen. – **7.** *fig.* (ent)gegen. — **aˈthwartˌhawse** *adj u. adv mar.* quer vor dem Bug (*eines anderen vor Anker liegenden Schiffes*): ~ **sea** Dwarssee. — **aˈthwart·ship** *mar.* **I** *adj* querschiffs *od.* dwarsschiffs (liegend). – **II** *adv* querschiffs, dwarsschiffs. — **aˈthwartships** → athwartship II.

a·thym·i·a [əˈθimiə; -ˈθai-], **ath·y·my** [ˈæθimi; -θə-] *s med.* Athyˈmie *f*, Niedergeschlagenheit *f*, Melanchoˈlie *f*, Schwermut *f*.

a·tilt [əˈtilt] *adv u. pred adj* **1.** vorgebeugt, vornˈübergeneigt, -gebeugt, -kippend. – **2.** mit eingelegter Lanze: **to run (od. ride) ~ at (od. with** *od.*

against) s.o. a) mit eingelegter Lanze auf j-n losgehen, b) *fig.* gegen j-n zu Felde ziehen.

At·kins, Tom·my *cf.* Tommy Atkins.

at·lan·tad [æt'læntæd] *adv med.* nach dem oberen Teil des Körpers, nach dem (*obersten*) Halswirbel hin.

at·lan·tal [æt'læntl] *adj med.* den Atlas betreffend, zum obersten Halswirbel gehörig.

At·lan·te·an [ˌætlæn'tiːən] *adj* **1.** at'lantisch, den Halbgott Atlas betreffend, dem Atlas ähnlich. – **2.** *fig.* kraftvoll, stark, mächtig: ~ **shoulders.** – **3.** at'lantisch, (*die sagenhafte Insel*) At'lantis betreffend.

at·lan·tes [æt'læntiːz] *s pl arch.* At'lanten *pl*, Simsträger *pl*, Tela'monen *pl*.

At·lan·tic [ət'læntik] **I** *adj* **1.** den At'lantischen Ozean betreffend, at'lantisch, Atlantik... – **2.** das Atlasgebirge betreffend, Atlas... – **3.** *med.* den Atlas betreffend. – **4.** den Halbgott Atlas betreffend. – **II** *s* **5.** At'lantik *m*, At'lantischer Ozean. — ~ **Char·ter** *s pol.* At'lantik-Charta *f* (*am 14. 8. 1941 von Churchill u. F. D. Roosevelt verkündet*). — ~ **stand·ard time** *s* At'lantische (Standard)Zeit (*im Osten Kanadas, genaue Zeit am 60. Meridian*). — ~ **States** *s pl Am.* Bundesstaaten *pl* der USA an der At'lantischen Küste. — ~ **time** → Atlantic standard time.

At·lan·ti·des [æt'læntiˌdiːz] *s pl astr.* Ple'jaden *pl*.

At·lan·tis [æt'læntis] *s* At'lantis *f* (*sagenhafte versunkene Insel*).

atlanto-[1] [ætlænto] *med. Wortelement mit der Bedeutung* Atlas.

Atlanto-[2] [ætlænto] *geogr. Wortelement mit der Bedeutung* Atlantik.

at·las[1] ['ætləs] *s* **1.** *geogr.* Atlas *m* (*Kartenwerk*). – **2.** (Fach)Atlas *m* (*der Anatomie etc*), Bildtafelwerk *n*. – **3.** *med.* Atlas *m* (*oberster Halswirbel*). – **4.** A~ (*griech. Mythologie*) Atlas *m* (*Träger des Himmelsgewölbes*). – **5.** A~ *fig.* Atlas *m*, Träger *m* einer schweren Last, Hauptstütze *f*. – **6.** *sg von* atlantes. – **7.** → ~ folio. – **8.** *großes Papierformat* (*0,84 × 0,66 m*).

at·las[2] ['ætləs] *s* Atlas(seide *f*) *m*.

at·las fo·li·o *s print.* 'Atlasforˌmat *n*.

atlo- [ætlo] → atlanto-[1].

at·loid ['ætlɔid] → atlantal.

at·man ['ɑːtmən] *s* (*Hinduismus*) Atman *m, n*: a) Atem *m*, b) 'Lebensprinˌzip *n*, c) (Einzel)Seele *f*, Selbst *n*, d) A~ Brahman *n*, Weltseele *f*.

at·mi·dom·e·ter [ˌætmi'dɒmitər; -mət-] → atmometer

atmo- [ætmo] *Wortelement mit der Bedeutung* Dunst, Dampf.

at·mo·clas·tics [ˌætmo'klæstiks; -mə-] *s pl geol.* atmo'klastische Gesteine *pl*.

at·mo·log·ic [ˌætmo'lɒdʒik; -mə-], ˌ**at·mo'log·i·cal** [-kəl] *adj phys.* atmo'logisch. — **at'mol·o·gist** [-'mɒlədʒist] *s* Atmo'loge *m*. — **at'mol·o·gy** *s* Atmolo'gie *f*, Verdunstungslehre *f*.

at·mol·y·sis [æt'mɒlisis; -lə-] *s phys.* Atmo'lyse *f*. — **at·mo·lyze** ['ætməˌlaiz] *v/t* durch Atmo'lyse trennen. — '**at·moˌlyz·er** *s* Instru'ment *n* zur Trennung von Gasen.

at·mom·e·ter [æt'mɒmitər; -mət-] *s phys.* Atmo'meter *n*, Verdunstungsmesser *m* (*Instrument*).

at·mos·phere ['ætməsˌfir] **I** *s* **1.** Atmo'sphäre *f*, Lufthülle *f* (*eines Himmelskörpers, bes. der Erde*). – **2.** *chem.* Gashülle *f* (*allgemein*). – **3.** Luft *f*: a moist ~. – **4.** *tech.* Atmo'sphäre *f* (*Druckeinheit*: *1 kp/cm²*). – **5.** *fig.* Atmo'sphäre *f*, Um'gebung *f*, Einfluß *m*. – **6.** *fig.* Atmo'sphäre *f*, Stimmung *f* (*eines Romans etc*). – **II** *v/t* **7.** mit einer Atmo'sphäre um'geben.

at·mos·pher·ic [ˌætməs'ferik], *auch* ˌ**at·mos'pher·i·cal** [-kəl] *adj* **1.** atmo'sphärisch, Luft... – **2.** Witterungs..., Wetter... – **3.** *tech.* mit (Luft)Druck betrieben, (Luft)Druck..., pneu'matisch. – **4.** *fig.* a) stimmungschaffend, stimmungerzeugend, b) Stimmung habend. — ˌ**at·mos'pher·i·cal·ly** *adv* (*auch zu* atmospheric).

at·mos·pher·ic| con·di·tion *s* Wetterlage *f*. — ~ **dis·turb·ance** *s* **1.** atmo'sphärische Störung. – **2.** *electr.* atmo'sphärischer Störpegel. — ~ **pres·sure** *s phys.* Luftdruck *m*.

at·mos·pher·ics [ˌætməs'feriks] *s pl tech.* atmo'sphärische Störungen *pl*.

at·mos·pher·ic| top·ping *s tech.* atmo'sphärische Destillati'on. — ~ **wa·ter** *s phys.* Niederschlagswasser *n*.

at·mos·pher·ol·o·gy [ˌætməsfi(ə)'rɒlədʒi] *s phys.* Atmosphärolo'gie *f*, Lehre *f* von der Atmo'sphäre.

at·mos·te·on [æt'mɒstiɒn] *pl* **-te·a** [-ə] *s zo.* Luftknochen *m* (*der Vögel*).

at·oll ['ætɒl; ə'tɒl] *s* A'toll *n*, ringförmige Ko'ralleninsel.

at·om ['ætəm] *s* **1.** *chem. philos. phys.* A'tom *n*. – **2.** *fig.* A'tom *n*, winziges Teilchen, Deut *m*, Spur *f*, Bißchen *n*.

at·om bomb → atomic bomb.

at·o·me·chan·ics [ˌætomi'kæniks] *s pl* (*als sg konstruiert*) *phys.* Lehre *f* von der Bewegung der A'tome.

a·tom·ic [ə'tɒmik] *adj* **1.** *chem. phys.* ato'mar, a'tomisch, Atom... – **2.** A'tome *od.* A'tomenerˌgie *od.* A'tombomben betreffend, Atom... – **3.** *fig.* a'tomisch, winzig, sehr klein. – **4.** *philos.* ato'mistisch. — ~ **age** *s* A'tomzeitalter *n*.

a·tom·i·cal [ə'tɒmikəl] → atomic. — **a'tom·i·cal·ly** *adv* (*auch zu* atomic).

a·tom·ic| base *s mil.* Abschußbasis *f* für A'tomraˌketen. — ~ **bomb** *s mil.* A'tombombe *f*. — ~ **clock** *s* A'tomuhr *f*. — ~ **core** *s phys.* A'tomkern *m*. — ~ **de·cay** *s phys.* A'tomzerfall *m*. — ~ **dis·in·te·gra·tion** *s phys.* A'tomzerfall *m*. — ~ **dis·place·ment** *s chem.* A'tomverschiebung *f*. — ~ **e·lec·tric sta·tion** *s* A'tomkraftwerk *n*. — ~ **en·er·gy** *s phys.* A'tomenerˌgie *f*. — **A~ En·er·gy Com·mis·sion** *s pol.* A'tomenerˌgiekommissiˌon *f*. — ~ **heat** *s phys.* A'tomwärme *f*. — ~ **hy·dro·gen weld·ing** *s tech.* Arca'tomschweißen *n*, -schweißung *f*, Wasserstoff-Lichtbogenschweißung *f*, a'tomische Wasserstoffschweißung. — ~ **hy·poth·e·sis** → atomic theory. — ~ **in·dex** → atomic number.

at·o·mic·i·ty [ˌætə'misiti; -səti] *s* **1.** *chem.* a) Va'lenz *f*, Wertigkeit *f*, b) A'tomzahl *f* eines Mole'küls. – **2.** *chem. phys.* Bestehen *n* aus A'tomen.

a·tom·ic| link·age *s chem.* A'tomverkettung *f*, Bindung *f* der A'tome unterein'ander. — ~ **mass** *s chem. phys.* A'tommasse *f*: ~ **unit** → mass unit. — ~ **nu·cle·us** *s phys.* A'tomkern *m*. — ~ **num·ber** *s chem. phys.* A'tomzahl *f*, Kernladungszahl *f*, Ordnungszahl *f*. — ~ **pile** *s phys.* A'tombatteˌrie *f*, A'tomsäule *f*, -meiler *m*. — ~ **pool** *s* A'tomgemeinschaft *f*.

a'tom·ic|-ˌpow·ered *adj* mit A'tomkraft betrieben: ~ **submarine** Atomunterseeboot, Atom-U-Boot. — ~ **pow·er plant** *s tech.* A'tomkraftwerk *n*. — ~ **rays** *s pl phys.* ato'mare Strahlen *pl*.

a·tom·ics [ə'tɒmiks] *s pl* (*meist als sg konstruiert*) *phys.* A'tomphyˌsik *f*.

a·tom·ic| struc·ture *s phys.* Raumgitter *n*, A'tomaufbau *m*, -strukˌtur *f*. — ~ **the·o·ry** *s chem. phys.* A'tomtheoˌrie *f*. — ~ **va·lence** *s phys.* A'tombindungskraft *f*, -wertigkeit *f*. — ~ **war·fare** *s mil.* A'tomkrieg(führung *f*) *m*. — ~ **war·head** *s mil.* A'tomgefechtskopf *m*, -sprengkopf *m*. — ~ **weight** *s chem. phys.* A'tomgewicht *n*. — ~ **yield** *s phys.* Detonati'onswert *m* (*einer Atombombe*).

at·om·ism ['ætəˌmizəm] *s philos.* Ato'mismus *m* (*naturphilosophische Lehre, daß alle Dinge aus Atomen bestehen u. alle Vorgänge auf Verbindung u. Trennung von Atomen beruhen*). — '**at·om·ist I** *s* Ato'mist *m*, Anhänger *m* des A'tomismus. – **II** *adj* ato'mistisch. — **at·om·is·tic** [ˌætə'mistik] *adj* ato'mistisch.

at·om·i·za·tion [ˌætəmai'zeiʃən; -mi-; -mə-] *s tech.* Atomi'sierung *f*, Zerstäubung *f*.

at·om·ize ['ætəˌmaiz] *v/t* **1.** ver-, zerstäuben: ~d fuel Ölnebel. – **2.** in A'tome auflösen, atomi'sieren. — '**at·omˌiz·er** *s tech.* Zerstäuber *m*, 'Sprayappaˌrat *m*.

at·om| nu·cle·us *s chem. phys.* A'tomkern *m*. — ~ **smash·er** *s phys. sl.* Teilchenbeschleuniger *m*, *bes.* Zyklo'tron *n*. — ~ **smash·ing** *s phys.* A'tomzertrümmerung *f*. — ~ **split·ting** *s phys.* A'tomkernspaltung *f*, A'tomzerspaltung *f*.

at·o·my[1] ['ætəmi] *s* **1.** A'tom *n*. – **2.** *fig.* Zwerg *m*, Knirps *m*.

at·o·my[2] ['ætəmi] *s humor.* Gerippe *n*, Ske'lett *n*.

a·ton·al [ei'tounl; æ-] *adj mus.* ato'nal. — **a'ton·alˌism** [-nəl-] *s* Atona'lismus *m*, Atonali'tät *f* (*als Prinzip*). — ˌ**a·to'nal·i·ty** [-'næliti; -lə-] *s* Atonali'tät *f*.

at one *adv* einig, gleicher Meinung.

a·tone [ə'toun] **I** *v/i* **1.** (for) Ersatz leisten, büßen (für *Verbrechen etc*), sühnen, wieder'gutmachen, aufwiegen (*acc*). – **2.** *obs.* einig sein, über'einstimmen. – **II** *v/t* **3.** büßen, sühnen, genugtun für. – **4.** vereinigen, versöhnen, in Einklang bringen.

a·tone·ment [ə'tounmənt] *s* **1.** Buße *f*, Sühne *f*, Genugtuung *f*, Ersatz *m* (for für). – **2.** *relig.* Sühneopfer *n* (Christi). – **3.** (*Christliche Wissenschaft*) Exemplifikati'on *f* der Einheit des Menschen mit Gott. – **4.** *obs.* Eintracht *f*, Einigkeit *f*, Versöhnung *f*.

a·ton·ic [ə'tɒnik] **I** *adj* **1.** *med.* a'tonisch, abgespannt, schlaff, kraftlos. – **2.** *med.* erschlaffend, schwächend: an ~ disease. – **3.** *ling.* unbetont: an ~ syllable. – **4.** *ling.* stimm-, tonlos. – **II** *s ling.* **5.** unbetonte Silbe, unbetontes Wort. – **6.** stimmloser Konso'nant. — ~ **in·ter·rupt·er** *s electr.* fre'quenzveränderlicher Unter'brecher.

at·o·ny ['ætəni] *s* **1.** *med.* Ato'nie *f*, Schwäche *f*, Schlaffheit *f*. – **2.** *ling.* Unbetontheit *f* (*einer Silbe etc*).

a·top [ə'tɒp] **I** *adv u. pred adj* oben('auf), zu'oberst. – **II** *prep* (oben) auf (*dat*).

a·tox·ic [ei'tɒksik] *adj med.* a'toxisch, ungiftig.

at·ra·bil·i·ar [ˌætrə'biliər; -ljər] → atrabilious.

at·ra·bil·ious [ˌætrə'biljəs] *adj* **1.** schwarzgallig. – **2.** melan'cholisch, hypo'chondrisch, schwermütig. – **3.** *fig.* scharf, bitter. — ˌ**at·ra'bil·ious·ness** *s* **1.** Schwarzgalligkeit *f*. – **2.** Melancho'lie *f*, Schwermut *f*.

a·trem·ble [ə'trembl] *adv u. pred adj* zitternd.

a·tre·si·a [ə'triːʒiə; -ziə] *s med.* Atre'sie *f*, Imperforati'on *f*.

a·tri·al ['eiːtriəl] *adj med.* das Atrium betreffend, Herzvorhöfe betreffend.

a·tri·o·ven·tric·u·lar [ˌeitrioven'trikjulər; -kjə-] *adj med.* atrioventriku'lär, Vorhöfe und Kammern betreffend: ~ **valve** Vorhofs(kammer)klappe, Segelventil.

a·trip [ə'trip] *adv u. pred adj mar.* **1.** aus dem Grunde gehoben, frei vom Grund, gelichtet (*Anker*). – **2.** steifgeheißt u. klar zum Trimmen (*Segel*).

a·tri·um ['eitriəm] *pl* **'a·tri·a** [-ə] *s* **1.** *antiq.* Atrium *n*, Vorhalle *f*. – **2.** *med.* Atrium *n*, Höhlung *f*, Schlauch *m*, *bes.* Herzvorhof *m*.

a·tro·cious [ə'trouʃəs] *adj* **1.** ab'scheulich, scheußlich, gräßlich, schrecklich, entsetzlich, grausam. – **2.** *colloq.* scheußlich, furchtbar, mise'rabel, sehr schlecht. – *SYN. cf.* **outrageous.** — **a'tro·cious·ness** *s* Ab'scheulichkeit *f*, Scheußlichkeit *f*, Gräßlichkeit *f*.

a·troc·i·ty [ə'trɒsiti; -sə-] *s* **1.** Ab'scheulichkeit *f*, Scheußlichkeit *f*, Gräßlichkeit *f*. – **2.** Greueltat *f*, Greuel *m*. – **3.** *colloq.* grober Fehler, Verstoß *m*, Ungeheuerlichkeit *f*.

at·ro·pa·ceous [ˌætro'peiʃəs] *adj* zu den Tollkirschen gehörig.

at·ro·pal ['ætrəpəl] *adj bot.* aufrecht, nicht 'umgekehrt, a'trop (*Samenanlage im Fruchtknoten*).

a·tro·phi·at·ed [ə'troufiˌeitid] → atrophied.

a·troph·ic [ə'trɒfik] *adj med.* a'trophisch, schrumpfend, verkümmernd, rückbildend, abzehrend.

at·ro·phied ['ætrəfid] *adj* **1.** ausgemergelt, abgemagert, abgezehrt. – **2.** *med.* atro'phiert, geschrumpft, verkümmert, rückgebildet, abgezehrt.

at·ro·phy ['ætrəfi] **I** *s* **1.** Verkümmerung *f*, Schwinden *n*, Entartung *f*. – **2.** *med.* Atro'phie *f*, Abmagerung *f*, Abzehrung *f*, Schrumpfung *f*, Verkümmerung *f*, Schwund *m*, Rückbildung *f*. – **II** *v/t* **3.** aus-, abzehren, zermürben, absterben *od.* einschrumpfen *od.* schwinden lassen. – **III** *v/i* **4.** schwinden, verkümmern, absterben, zu'sammen-, einschrumpfen.

a·trop·ic [ə'trɒpik] *adj chem.* Atro'pin betreffend, Atropin...

at·ro·pine ['ætrəˌpiːn; -pin; -ro-], *auch* **'at·ro·pin** [-pin; -ro-] *s chem.* Atro'pin *n* ($C_{17}H_{23}NO_3$).

at·ro·pin·i·za·tion [ˌætrəpinai'zeiʃən; -ni-; -nə-] *s med.* Atropini'sieren *n*, Behandlung *f od.* Vergiftung *f* mit Atro'pin.

at·ro·pin·ize ['ætrəpiˌnaiz] *v/t med.* atropini'sieren, mit Atro'pin behandeln *od.* vergiften.

at·ro·pism ['ætroˌpizəm; -rə-] *s med.* Atro'pinvergiftung *f*, -sucht *f*.

at·ro·pous ['ætrəpəs] → atropal.

at·ta ['ætə] *s Br. Ind.* (Weizen-)Mehl *n*.

at·ta·bal *cf.* atabal.

at·tac·ca [at'takka] (*Ital.*) *imperative mus.* at'tacca! gleich weiter!

at·tach [ə'tætʃ] **I** *v/t* **1.** (to) befestigen, festmachen, anheften, anbinden, anknüpfen, anfügen (an *acc*), verbinden (mit). – **2.** *fig.* an sich ziehen, gewinnen, fesseln, für sich einnehmen: **to ~ oneself to** sich anschließen (*dat*) *od.* an (*acc*); **to be ~ed to s.o.** j-m zugetan sein, an j-m hängen. – **3.** zuweisen, über'weisen, beigeben, zuteilen, zur Verfügung stellen, atta'chieren. – **4.** *fig.* bei-, zumessen, zurechnen, beilegen: **to ~ importance to an event.** – **5.** *fig.* (to) verbinden (mit), heften (an *acc*): **a curse is ~ed to this treasure** ein Fluch liegt auf diesem Schatz. – **6.** *jur.* a) verhaften, festnehmen (for, of wegen), b) (*Güter*) mit Beschlag belegen, beschlagnahmen. – *SYN. cf.* **fasten.** – **II** *v/i* **7.** (to) haften (an *dat*), sich knüpfen (an *acc*), zukommen, zugehören (*dat*). – **8.** verknüpft *od.* verbunden sein (to mit): **no blame ~es to him** ihn trifft keine Schuld. – **9.** in Kraft treten, wirksam werden.

at·tach·a·ble [ə'tætʃəbl] *adj* **1.** *jur.* a) zu verhaften(d), b) mit Beschlag zu belegen(d). – **2.** *fig.* verknüpfbar, beizulegen(d), zuzuschreiben(d). – **3.** 'hingabefähig, anhänglich. – **4.** anfügbar, an-, aufsteckbar: **~ yellow glass** *phot.* aufsteckbarer Gelbfilter.

at·ta·ché [*Br.* ə'tæʃei; *Am.* ˌætə'ʃei] *s* Atta'ché *m*. — **~ case** *s* Aktentasche *f*, -mappe *f*, -koffer *m*.

at·tached [ə'tætʃt] *adj* **1.** *zo.* unbeweglich, fest. – **2.** *biol.* festgewachsen, festsitzend. – **3.** *arch.* eingebaut.

at·tach·ment [ə'tætʃmənt] *s* **1.** Verknüpfung *f*, Verbindung *f*, Anknüpfung *f*, Anfügung *f*, Befestigung *f*, Anbringung *f*. – **2.** (*etwas*) An- *od.* Beigefügtes, Anhängsel *n*, Beiwerk *n*. – **3.** Band *n*, Verbindung *f*: **the ~s of a muscle** *med.* Muskelbänder. – **4.** *fig.* (to) Treue *f* (zu, gegen), Ergebenheit *f* (gegen), Anhänglichkeit *f* (an *acc*). – **5.** *fig.* (Zu)Neigung *f*, Bindung *f*, Liebe *f* (to, for zu). – **6.** *jur.* a) Verhaftung *f*, b) Haftbefehl *m*, c) Beschlagnahme *f*. – **7.** *tech.* Zusatzgerät *n*. – *SYN.* **affection, love.** — **~ disk** *s bot. zo.* Haftscheibe *f* (*einer Alge*). — **~ plug** *s electr.* Zwischenstecker *m*, Abzweigfassung *f*.

at·tack [ə'tæk] **I** *v/t* **1.** angreifen, anfallen, über'fallen. – **2.** *fig.* angreifen, 'herfallen über (*acc*), beschimpfen, schmähen. – **3.** *fig.* in Angriff nehmen, anpacken, sich an (*eine Arbeit etc*) machen, über (*eine Mahlzeit etc*) 'herfallen. – **4.** *fig.* befallen (*Krankheit*), angreifen, anfressen (*Säuren*). – **5.** *mus.* (*Ton sicher od. genau*) ansetzen, -singen, -tönen, -schlagen, -blasen, bringen, einsetzen mit. – **II** *v/i* **6.** einen Angriff machen. – **7.** *mus.* ein-, ansetzen. – *SYN.* **assail, assault, bombard, storm.** – **III** *s* **8.** Angriff *m*, 'Überfall *m*. – **9.** *fig.* Angriff *m*, Beschimpfung *f*, (scharfe) Kri'tik. – **10.** *med.* At'tacke *f*, Anfall *m*, In'sult *m*: **nervous ~** Nervenanfall, -krise. – **11.** *fig.* Anpacken *n*, Beginnen *n*, In'angriffnahme *f* (*einer Arbeit etc*). – **12.** *mil.* a) Angriff *m*, Sturm *m*, Offen'sive *f*, b) Angreifer *m*, angreifende *od.* stürmende Truppen *pl*: **~ transport** Landungsschiff. – **13.** Angreifen *n* (*Säuren etc*). – **14.** *mus.* (sicherer *od.* genauer) Ein-, Ansatz *od.* Anschlag. – *SYN.* **assault, onset, onslaught.** — **at'tack·a·ble** *adj* angreifbar. — **at'tack·er** *s* Angreifer *m*, angreifender Teil.

at·tack·ing zone [ə'tækiŋ] *s* (*Eishockey*) Angriffszone *f*, -drittel *n*.

at·tain [ə'tein] **I** *v/t* **1.** erreichen, erhalten, erlangen, gewinnen: → **end**[1] 9. – **2.** erreichen, gelangen nach *od.* zu *od.* an (*acc*): **to ~ a ripe old age; to ~ the opposite shore.** – *SYN. cf.* **reach.** – **II** *v/i* **3.** (to) gelangen *od.* kommen (zu), erreichen (*acc*): **to ~ to knowledge** Wissen erlangen.

at·tain·a·bil·i·ty [əˌteinə'biliti; -əti] *s* Erreichbarkeit *f*.

at·tain·a·ble [ə'teinəbl] *adj* erreichbar, zu erlangen(d), zu erreichen(d).

at·tain·der [ə'teindər] *s* **1.** *jur.* a) Verunehrung *f od.* Schändung *f* der Per'son (*infolge der Verurteilung wegen eines Kapitalverbrechens*), b) Verlust *m* der bürgerlichen Ehrenrechte und Einziehung *f* des Vermögens (*als Folge einer solchen Verurteilung*): **bill of ~** parlamentarischer Strafbeschluß (*ohne vorhergehende Gerichtsverhandlung*). – **2.** *obs.* Schande *f*, Makel *m*.

at·tain·ment [ə'tainmənt] *s* **1.** Erreichung *f*, Erzielung *f*, Erringung *f*, Erwerbung *f*, Aneignung *f*. – **2.** (*das*) Erreichte *od.* Erworbene. – **3.** (geistige) Fähigkeit, Kenntnis *f*, Fertigkeit *f*. – *SYN. cf.* **acquirement.**

at·taint [ə'teint] **I** *v/t* **1.** *jur.* a) zum Tode und zur Ehrlosigkeit verurteilen (*ohne richterliche Verhandlung wegen eines Kapitalverbrechens*), b) *obs.* über'führen (of a crime eines Verbrechens), c) *obs.* anklagen. – **2.** befallen, anstecken (*Krankheit*). – **3.** *fig.* anstecken, vergiften, befallen. – **4.** *fig.* beflecken, entehren, -weihen, brandmarken, besudeln. – **II** *s* **5.** *jur.* → attainder 1. – **6.** *fig.* Schandfleck *m*, Schande *f*, Makel *m*. – **7.** *vet.* Beinverletzung *f* (*eines Pferdes, bes. durch Hufschlag*). – **8.** *obs.* Stoß *m* (*bes. im Turnier*).

at·tain·ture [ə'teintʃər] *s* **1.** → attainder. – **2.** *obs.* Beschuldigung *f*, Bezichtigung *f*.

at·tar ['ætər] *s* 'Blumenesˌsenz *f*, *bes.* Rosenöl *n*.

at·tem·per [ə'tempər] *v/t* **1.** (*durch Mischung*) schwächen, mildern, dämpfen, vermindern. – **2.** (*Luft etc*) tempe'rieren. – **3.** *fig.* dämpfen, mäßigen, besänftigen, mildern, lindern. – **4.** (to) anpassen (*dat*, an *acc*), in Einklang bringen (mit). — **at'tem·per·a·ment** *s* richtige Mischung.

at·tem·per·ate [ə'tempəˌreit] *v/t* tempe'rieren. — **atˌtem·per'a·tion** *s* Tempe'rierung *f*. — **at'tem·perˌa·tor** [-tər] *s tech.* Tempera'turreguˌlator *m* (*für Flüssigkeiten*).

at·tempt [ə'tempt; ə'temt] **I** *v/t* **1.** versuchen, pro'bieren, wagen: **to ~ to sing.** – **2.** zu nehmen *od.* zu über'wältigen suchen, angreifen: **to ~ s.o.'s life** einen Mordanschlag auf j-n unternehmen. – **3.** zu bewältigen suchen, anpacken, sich machen an (*acc*). – **4.** *obs.* versuchen, in Versuchung führen. – *SYN.* **assay, endeavo(u)r, essay, strive, struggle, try.** – **II** *s* **5.** Versuch *m*: **~ at explanation** Erklärungsversuch. – **6.** Unter'nehmung *f*, Bemühung *f*. – **7.** Angriff *m*, Anschlag *m*, Atten'tat *n*: **an ~ on s.o.'s life.** — **at'tempt·a·ble** *adj* versuchbar.

at·tend [ə'tend] **I** *v/t* **1.** bedienen, pflegen, warten, über'wachen, beaufsichtigen: **to ~ machinery.** – **2.** (*Kranke*) pflegen, warten, behandeln. – **3.** a) als Diener begleiten, in (*j-s*) Gefolge sein, (*dienstlich*) begleiten, b) (*j-m*) seine Aufwartung machen, (*j-m*) aufwarten: **his companion ~s him.** – **4.** *fig.* begleiten, folgen (*dat*): **this action will be ~ed by ill effects** diese Handlung wird schlimme Auswirkungen zur Folge haben *od.* nach sich ziehen. – **5.** beiwohnen (*dat*), anwesend sein bei, (*Schule*) besuchen, (*Vorlesung*) hören. – **6.** *obs.* erwarten. – **7.** *obs.* hören auf (*acc*), beachten (*acc*), Gehör schenken (*dat*): **~ my words.** – *SYN. cf.* **accompany.** – **II** *v/i* **8.** achten, achtgeben, hören, merken (to auf *acc*): **~ to these directions.** – **9.** sich widmen *od.* 'hingeben (to *dat*): → **business** 7. – **10.** (to) sich einsetzen (für), erledigen, besorgen, 'durchführen (*acc*). – **11.** da *od.* zu'gegen *od.* anwesend sein (at bei, in *dat*), sich einfinden, erscheinen (in *vor dat*): **to ~ personally in court** persönlich vor Gericht erscheinen. – **12.** (on, upon) begleiten (*acc*), folgen (*dat*). – **13.** (on, upon) bedienen, pflegen (*acc*), dienen, aufwarten, zur Verfügung stehen (*dat*). – **14.** *obs.* a) warten, verweilen, b) erwarten.

at·tend·ance [ə'tendəns] *s* **1.** Dienst *m*, Bereitschaft *f*, Aufsicht *f*: **physician in ~** diensthabender Arzt. – **2.** Bedienung *f*, (Auf)Wartung *f*, Pflege *f* (upon *gen*), Dienstleistung *f*. – **3.** Besuch *m*, Behandlung *f*, Beistand *m* (*eines Arztes etc*). – **4.** Anwesenheit *f*, Gegenwart *f*, Besuch *m*: **to be in ~ at** anwesend sein bei. – **5.** Bereitschaft *f*, Warten *n*. – **6.** Begleitung *f*, Dienerschaft *f*, Gefolge *n*. – **7.** a) Besucher(zahl *f*) *pl*, b) Fre'quenz *f*, Besuch *m*.

at·tend·ant [ə'tendənt] **I** *adj* **1.** begleitend, folgend. – **2.** im Dienst befindlich *od.* stehend (on, upon bei). –

3. *jur.* (to) abhängig (von), verpflichtet (*dat*). – 4. *fig.* (on, upon) verbunden (mit), folgend (auf *acc*), anschließend (an *acc*). – 5. anwesend, gegenwärtig. – 6. *mus.* nächstverwandt (*Tonarten*). – **II** *s* 7. Begleiter *m*, Gefährte *m*, Gesellschafter *m*. – 8. Diener *m*, Knecht *m*, Gefolgsmann *m*. – 9. *pl* Dienerschaft *f*, Gefolge *n*. – 10. Anwesender *m*, Besucher *m*. – 11. Wärter *m*, Aufseher *m*. – 12. *fig.* Begleiterscheinung *f*, Folge *f* (on, upon *gen*). — **~ phe·nom·e·non** *s phys.* Nebenerscheinung *f*.

at·tend·er [əˈtendər] *s* 1. Begleiter *m*, Gefährte *m*, Genosse *m*. – 2. Anwesender *m*.

at·tent [əˈtent] **I** *adj* aufmerksam (to, on, upon auf *acc*). – **II** *s obs.* Aufmerksamkeit *f*.

at·ten·tion [əˈtenʃən] *s* 1. Aufmerksamkeit *f*: to call ~ to die Aufmerksamkeit lenken auf (*acc*); to pay close ~ gespannt aufmerken, genau achtgeben; to be all ~ ganz Ohr sein, bei der Sache sein; to attract ~ Aufmerksamkeit erregen; for the ~ of zu Händen von. – 2. Beachtung *f*, Berücksichtigung *f*: your letter will receive ~. – 3. Aufmerksamkeit *f*, Gefälligkeit *f*, Freundlichkeit *f*. – 4. *pl* Aufmerksamkeiten *pl*, Höflichkeitsbezeigungen *pl*: to pay one's ~s to s.o. j-m den Hof machen. – 5. *mil.* a) Grundstellung *f*, b) Stillgestanden! Achtung! (*als Kommando*). – 6. *tech.* Wartung *f*. – *SYN.* application, concentration, study.

at·ten·tive [əˈtentiv] *adj* 1. aufmerksam, achtsam (to auf *acc*). – 2. *fig.* aufmerksam, gefällig, höflich, hilfsbereit. – *SYN. cf.* thoughtful. — **atˈten·tive·ness** *s* 1. Aufmerksamkeit *f*. – 2. Gefälligkeit *f*, Höflichkeit *f*.

at·ten·u·a·ble [əˈtenjuəbl] *adj* verdünnbar.

at·ten·u·ant [əˈtenjuənt] *med.* **I** *adj* verdünnend. – **II** *s* verdünnendes Mittel.

at·ten·u·ate [əˈtenjuˌeit] **I** *v/t* 1. dünn *od.* mager *od.* schlank *od.* fein machen. – 2. *bes. chem. med.* verdünnen, -flüchtigen. – 3. *fig.* vermindern, verringern, verkleinern, (ab)schwächen, mildern. – 4. *med.* die Viruˈlenz vermindern von: an ~d virus. – **II** *v/i* 5. dünner *od.* schwächer *od.* geringer werden, abnehmen, sich vermindern, abmagern. – **III** *adj* [-it; -ˌeit] 6. verdünnt, vermindert, abgeschwächt. – 7. abgemagert, hager, mager. – 8. *bot.* zugespitzt, spitz zulaufend. – 9. *biol.* verjüngt, verschmälert.

at·ten·u·a·tion [əˌtenjuˈeiʃən] *s* 1. Verminderung *f*, Abnehmen *n*, -nahme *f*. – 2. Verdünnung *f* (*einer Flüssigkeit*). – 3. *med.* Abnahme *f* der Kräfte, Schwächung *f*, Abmagerung *f*, Abzehrung *f*. – 4. *phys.* Verkleinerung *f*, Zerbröckelung *f*. – 5. (*Brauerei*) Verdünnung *f*, Vergärung *f*. – 6. *electr. phys.* Dämpfung *f*, Abschwächung *f*. – 7. *electr.* ˈDurchlässigkeit *f*. – 8. *biol.* Verjüngung *f*, Verschmälerung *f*. – 9. *fig.* Verringerung *f*, Abschwächung *f*. — **~ coil** *s electr.* Dämpfungsspule *f*. — **~ dis·tor·tion** *s electr.* Dämpfungsverzerrung *f*. — **~ ra·tio** *s phys.* Dämpfungsverhältnis *n*.

at·ten·u·a·tor [əˈtenjuˌeitər] *s electr.* (regelbarer) Abschwächer, (regelbares) Dämpfungsglied.

at·test [əˈtest] **I** *v/t* 1. bezeugen, beglaubigen, bescheinigen, bekunden, atteˈstieren, amtlich bestätigen *od.* beglaubigen: to ~ the truth of a statement. – 2. zeugen von, bestätigen, beweisen, erweisen, zeigen: his works ~ his industry. – 3. vereidigen. – **II** *v/i* 4. zeugen, Zeugnis geben *od.* ablegen (to für). – **III** *s* 5. Bescheinigung *f*, Zeugnis *n*. – 6. Beweis *m*. — **atˈtest·ant I** *adj* bezeugend, bestätigend. – **II** *s* Atteˈstierender *m*, Zeuge *m*. — **at·tes·ta·tion** [ˌætesˈteiʃən] *s* 1. Bezeugen *n*, Bezeugung *f*, Bestätigung *f*. – 2. Zeugnis *n*, Beweis *m*, Aussage *f*. – 3. Bescheinigung *f*, Bestätigung *f*, Atˈtest *n*. – 4. Bestätigung *f*, Bekräftigung *f* (*durch Eid*), Beglaubigung *f* (*durch Unterschrift*). – 5. Eidesleistung *f*, Vereidigung *f*. — **atˈtest·er**, *auch* **atˈtes·tor** [-tər] *s* Beglaubiger *m*, Bescheiniger *m*, Zeuge *m*.

at·tic[1] [ˈætik] *s* 1. *arch.* Attika *f*. – 2. *arch.* a) Dachgeschoß *n*, b) Dachstube *f*, Manˈsarde *f*. – 3. *fig. humor.* Oberstübchen *n*, Kopf *m*.

At·tic[2] [ˈætik] **I** *adj* 1. attisch, aˈthenisch. – 2. *fig.* attisch, (rein) klassisch. – **II** *s* 3. Aˈthener *m*. – 4. *ling.* Attisch *n*, attischer Diaˈlekt.

At·tic| base *s arch.* attische Basis, attischer Säulenfuß. — **~ faith** *s fig.* unverletzliche Treue.

At·ti·cism, a~ [ˈætiˌsizəm] *s* 1. Vorliebe *f* für Aˈthen. – 2. Attiˈzismus *m*, attischer Stil *od.* Ausdruck. – 3. *fig.* Eleˈganz *f od.* Reinheit *f* der Sprache. — **ˈAt·tiˌcize, a~ I** *v/t* 1. attischer Sitte *od.* Denkart *etc* anpassen. – **II** *v/i* 2. attische Sitten *etc* nachahmen. – 3. den Aˈthenern zugetan sein.

At·tic| or·der *s arch.* attische Säulenordnung. — **a~ ridge** *s arch.* unterer Balkensatz (*eines gebrochenen Daches*). — **~ salt, ~ wit** *s fig.* attisches Salz, Scharfsinn *m*, feiner beißender Witz.

at·tire [əˈtair] **I** *v/t* 1. (be)kleiden, anziehen. – 2. schmücken, putzen, zieren. – **II** *s* 3. Kleidung *f*, Gewand *n*. – 4. Putz *m*, Schmuck *m*. – 5. *hunt.* Geweih *n*. — **atˈtire·ment** *s obs.* Kleidung *f*.

at·ti·tude [ˈætiˌtjuːd; -təˌt-; *Am. auch* -ˌtuːd] *s* 1. Stellung *f*, (Körper-)Haltung *f*, Lage *f*, Gebärde *f*, Posiˈtur *f*: to strike an ~ eine theatralische Haltung annehmen. – 2. Haltung *f*, Verhalten *n*: ~ of mind Geisteshaltung. – 3. Standpunkt *m*, Stellung(nahme) *f*, Einstellung *f*. – 4. *aer.* (Luft)Lage *f*: ~ of flight Fluglage.

at·ti·tu·di·ni·za·tion [ˌætiˌtjuːdinaiˈzeiʃən; -ni-; -təˌt-; -dənə-; *Am. auch* -ˌtuː-] *s* Annehmen *n* einer theaˈtralischen Haltung, Sich-in-Posiˈtur-Setzen *n*, Poˈsieren *n*.

at·ti·tu·di·nize [ˌætiˈtjuːdiˌnaiz; -təˈt-; -də-; *Am. auch* -ˈtuː-] *v/i* eine gezierte *od.* theaˈtralische Stellung einnehmen, sich in Posiˈtur setzen, poˈsieren, sich (selbst) ins Licht rücken, geziert sprechen *od.* schreiben. — **ˌat·tiˈtu·diˌniz·er** *s* Poˈseur *m*.

at·torn [əˈtəːrn] **I** *v/i* 1. (*Feudalrecht*) a) einen neuen Lehnsherrn anerkennen, b) huldigen und dienen (to *dat*). – 2. *jur.* einen *od.* den neuen Gutsherrn anerkennen. – **II** *v/t* 3. *jur.* (*Lehnspflicht etc*) auf einen anderen Lehnsherrn überˈtragen.

at·tor·ney [əˈtəːrni] *s* 1. *jur. bes. Am.* (Rechts)Anwalt *m*. – 2. *jur. bes. Am.* Bevollmächtigter *m*, gesetzlicher Vertreter. – 3. *jur.* Bevollmächtigung *f*, (Proˈzeß)Vollmacht *f* (*nur noch in*): letter (*od.* warrant) of ~ schriftliche Vollmacht; by ~ in Vertretung *od.* Vollmacht, im Auftrag; → power 5. – 4. *obs.* Vertreter *m*, Sachwalter *m*. – *SYN. cf.* a) agent, b) lawyer. — **~ at law** *s jur. bes. Am.* (Rechts)Anwalt *m*. — **~ gen·er·al** *pl* **~s gen·er·al** *od.* **~ gen·er·als** *s jur.* 1. *Br.* erster Kronanwalt, Geneˈralstaatsanwalt *m*. – 2. *Am.* a) Juˈstizmiˌnister *m*, b) oberster Juˈstizbeamter eines Bundesstaates.

at·tor·ney·ship [əˈtəːrniˌʃip] *s jur.* Anwaltschaft *f*.

at·torn·ment [əˈtəːrnmənt] *s jur.* Anerkennung *f* eines neuen Lehns- *od.* Gutsherren.

at·tract [əˈtrækt] **I** *v/t* 1. anziehen. – 2. *fig.* anziehen, (an)locken, fesseln, reizen, gewinnen, für sich einnehmen: to ~ admirers; → attention 1. – **II** *v/i* 3. Anziehung(skraft) besitzen *od.* ausüben (*auch fig.*). – 4. *fig.* anziehend wirken, anziehend *od.* gewinnend *od.* fesselnd sein. – *SYN.* allure[1], bewitch, captivate, charm[1], enchant, fascinate. — **atˈtract·a·ble** *adj* anziehbar, der Anziehung unterˈworfen. — **atˈtract·a·ble·ness** *s* Anziehbarkeit *f*.

at·trac·tile [əˈtræktil] *adj* anziehend, Anziehungskraft besitzend.

at·trac·tion [əˈtrækʃən] *s* 1. Anziehungskraft *f*, Reiz *m*: the ~ of a country. – 2. Attraktiˈon *f*, (*etwas*) Anziehendes. – 3. *phys.* Attraktiˈon *f*, Anziehung(skraft) *f*: ~ of gravity Schwereanziehung, Gravitationskraft. – 4. *ling.* Attraktiˈon *f*. – *SYN.* affinity, sympathy.

at·trac·tive [əˈtræktiv] *adj* 1. anziehend: ~ force Anziehungskraft. – 2. anziehend, reizend, reizvoll, gewinnend, fesselnd, attrakˈtiv. — **atˈtrac·tive·ness** *s* 1. anziehendes Wesen, gewinnende Art. – 2. (*das*) Anziehende *od.* Reizende. – 3. Reiz *m*, Anziehungskraft *f*.

at·trac·tive pow·er *s* 1. Anziehungskraft *f*. – 2. *electr.* ˈDurchgriff *m* (*bei Elektronenröhren*).

at·tra·hent [ˈætrəhənt] **I** *adj* anziehend. – **II** *s* anziehender Körper, Maˈgnet *m*.

at·trib·ut·a·ble [əˈtribjutəbl] *adj* zuschreibbar, zuzuschreiben(d), beizumessen(d).

at·trib·ute I *v/t* [əˈtribjuːt] 1. zuschreiben, -eignen, beilegen, -messen (to *dat*): to ~ false motives to s.o. j-m falsche Beweggründe unterschieben. – 2. zuˈrückführen (to auf *acc*): to ~ a disease to filth. – *SYN. cf.* ascribe. – **II** *s* [ˈætriˌbjuːt; -trə-] 3. Attriˈbut *n*, Eigenschaft *f*, (wesentliches) Merkmal: mercy is an ~ of God; statistical ~ *math.* festes Merkmal. – 4. Attriˈbut *n*, (Kenn)Zeichen *n*, Sinnbild *n*, Symˈbol *n*: a club is the ~ of Hercules. – 5. *ling.* Attriˈbut *n*. – 6. *obs.* Ruf *m*, Ehre *f*. – *SYN. cf.* quality. — **ˌat·triˈbu·tion** [ˌæt-] *s* 1. Zuschreibung *f*, Zuerkennung *f*, Beilegung *f*. – 2. beigelegte Eigenschaft. – 3. überˈtragene Funktiˈon, zuerkanntes Recht, (erteilte) Befugnis.

at·trib·u·tive [əˈtribjutiv; -bjə-] **I** *adj* 1. zuerkennend, beilegend. – 2. zugeschrieben. – 3. *ling.* attribuˈtiv. – **II** *s* 4. *ling.* Attriˈbut *n*.

at·trite [əˈtrait] *adj* 1. *relig.* (unvollkommen) bereuend (*aus Furcht*). – 2. *obs. für* attrited. — **atˈtrit·ed** *adj* abgenutzt, abgerieben.

at·tri·tion [əˈtriʃən] *s* 1. Abreibung *f*, Zerreibung *f*, Abnutzung *f*. – 2. *med.* a) Friktiˈon *f*, Ein-, Abreibung *f*, b) Abrasiˈon *f*, Wundreiben *n* (*der Haut*). – 3. *relig.* unvollkommene Reue (*aus Furcht*). – 4. *fig.* Mürbemachen *n*, Zermürbung *f*: war of ~ *mil.* Zermürbungskrieg. – 5. *tech.* (Auf)Reibung *f*.

at·tune [əˈtjuːn, *Am. auch* əˈtuːn] *v/t* 1. *mus.* (ein-, ab)stimmen (to auf *acc*). – 2. *fig.* ein-, abstimmen, einstellen (to auf *acc*). — **atˈtune·ment** *s* Ein-, Abstimmung *f*, Einstellung *f* (to auf *acc*).

a·twain [əˈtwein] *adv obs.* entzwei.

at·weel [ætˈwiːl; ɑːt-] *adv Scot.* sicherlich.

a·tween [əˈtwiːn] *obs. od. dial.* **I** *prep* zwischen. – **II** *adv* daˈzwischen.

At·wood's ma·chine [ˈætwudz] *s phys.* Atwoodsche ˈFallmaˌschine.

a·typ·ic [eiˈtipik], **a·typ·i·cal** [-kəl] *adj* aˈtypisch, unregelmäßig, von der

Regel abweichend. — **a'typ·i·cal·ly** *adv (auch zu* **atypic**).

au·bade [o'bad] (*Fr.*) *s* Au'bade *f*, Morgenständchen *n*, -lied *n*.

au·baine [o'bɛn] (*Fr.*) *s auch* **right of ~** *jur. hist.* Heimfallsrecht *n*.

au·ber·gine [obɛr'ʒin; *Br.* 'oubəʒi:n] (*Fr.*) *s bot.* Auber'gine *f*, Eierfrucht *f* (*Solanum melongena*).

au·burn ['ɔ:bərn] **I** *adj* **1.** nuß-, ka'stanienbraun (*Haar*). – **2.** *obs.* hellgelb, -braun. – **II** *s* **3.** Nuß-, Ka'stanienbraun *n* (*Farbe*).

auc·tion ['ɔ:kʃən] **I** *s* Aukti'on *f*, (öffentliche) Versteigerung: *Am.* **to sell** (*od.* **put up**) **at ~**, *Br.* **to sell by** (*od.* **put up to**) **~** verauktionieren, versteigern, zur Versteigerung bringen; **sale by ~** (Verkauf durch) Versteigerung; **~ of an estate** Nachlaßversteigerung. – **II** *v/t meist* **~ off** versteigern. — **~ bill** *s econ.* Aukti'ons-, Versteigerungsliste *f*. — **~ block** *s Am. hist.* Stand *m*, auf dem Sklaven versteigert wurden: **to be put** (*od.* **placed**) **on the ~** *fig.* zur Versteigerung gebracht werden. — **~ bridge** *s* (*Kartenspiel*) Aukti'ons-, Lizitati'onsbridge *n*.

auc·tion·eer [ˌɔ:kʃə'nir] **I** *s* Auktio'nator *m*, Versteigerer *m*: **~'s fees** Auktionsgebühren. – **II** *v/t* versteigern. **ˌauc·tion'eer·ing** *s* Versteigern *n*.

auc·tion| fees *s pl econ.* Aukti'onsgebühren *pl*, Versteigerungskosten *pl*. — **~ law** *s jur.* Gantrecht *n* (*früher Recht zur Zwangsversteigerung, jetzt Konkursrecht*). — **~ sale** *s* Versteigerung *f*.

au·cu·ba ['ɔ:kjubə] *s bot.* Aukube *f* (*Gattg Aucuba*).

au·cu·pate ['ɔ:kjuˌpeit; -kjə-] *v/t obs.* erschleichen, erlisten.

au·da·cious [ɔ:'deiʃəs] *adj* **1.** kühn, verwegen. – **2.** keck, dreist, unverschämt, frech. — **au'da·cious·ness** → **audacity**.

au·dac·i·ty [ɔ:'dæsiti; -səti] *s* **1.** Kühnheit *f*, Verwegenheit *f*, Waghalsigkeit *f*. – **2.** Frechheit *f*, Keckheit *f*, Dreistigkeit *f*, Unverschämtheit *f*: **he had the ~ to come again** er besaß die Unverfrorenheit, nochmals zu kommen. – *SYN. cf.* **temerity**.

au·di·bil·i·ty [ˌɔ:di'biliti; -də-; -əti] *s* Hörbarkeit *f*, Vernehmbarkeit *f*. — **'au·di·ble** *adj* hör-, vernehmbar, vernehmlich (**to** für).

au·di·ence ['ɔ:diəns; -djəns] *s* **1.** (An)-Hören *n*, Anhörung *f*, Gehör *n*: **to give ~ to s.o.** j-m Gehör geben *od.* schenken, j-n anhören; **to find attentive ~** aufmerksames Gehör finden. – **2.** Audi'enz *f* (**of, with** bei): **to have an ~ of the King** eine Audienz beim König haben. – **3.** Audi'torium *n*, Zuhörer(schaft *f*) *pl*, Publikum *n*. – **4.** Leser(kreis *m*) *pl*. — **~ cham·ber** *s* Audi'enzraum *m*, -zimmer *n*. — **A~ Court** *s jur. relig.* Audi'enzgericht *n*.

au·di·ent ['ɔ:diənt; -djənt] *adj* aufmerksam zuhörend.

au·dile ['ɔ:dil; -dail] **I** *adj med.* audi'tiv, Hör..., Gehör... – **II** *s psych.* audi'tiver Typ.

audio- [ɔ:diou] *Wortelement mit der Bedeutung* a) Hör..., b) *electr.* audio... (*Frequenzen bis 20 000 Hertz od. ihre Übertragung betreffend*).

au·di·o| am·pli·fi·er ['ɔ:diou] *s electr. phys.* 'Tonfreˌquenz-, 'Niederfreˌquenzverˌstärker *m*. — **~ con·trol en·gi·neer** *s* 'Toningeniˌeur *m*, -meister *m*. — **~ de·tec·tor** *s* NF-Gleichrichter *m*. — **~ fre·quen·cy** *s* 'Audio-, 'Nieder-, 'Ton-, 'Hörfreˌquenz *f*.

au·di·o·gen·ic [ˌɔ:dio'dʒenik] *adj* durch Töne verursacht *od.* ausgelöst.

au·di·o·gram ['ɔ:diəˌgræm] *s med.* Audio'gramm *n*, Hörkurve *f*: **noise ~** Geräuschaudiogramm.

au·di·ol·o·gy [ˌɔ:di'ɒlədʒi] *s med.* Audiolo'gie *f* (*Lehre vom Hören*).

au·di·om·e·ter [ˌɔ:di'ɒmitər; -mə-] *s electr. med.* Audio'meter *n* (*elektroakustisches Gerät zum Messen des Hörvermögens*). — **ˌau·di·o'met·ric** [-o'metrik] *adj* audio'metrisch, die Gehörprüfung betreffend. — **ˌau·di'om·e·try** [-'ɒmitri; -mə-] *s* **1.** *med.* Audiome'trie *f*, Gehörmessung *f*: **puretone-~** Tonaudiometrie; **speech-~** Sprechaudiometrie. – **2.** *electr.* 'Tonfreˌquenzmessung *f*, NF-Messung *f*.

au·di·on ['ɔ:diˌɒn] *s* (*Radio*) Audion *n*: **~ receiver** Audionempfänger; **~ tube** Audionröhre.

au·di·o| os·cil·la·tor *s electr.* 'Tonfreˌquenzgeneˌrator *m*. — **~·phile** ['ɔ:dioufail; -fil] *s* 'Hi-Fi-Faˌnatiker *m*. — **~ sig·nal** *s* **1.** *tech.* a'kustisches Si'gnal. – **2.** *electr.* 'Ton(freˌquenz)-siˌgnal *n*. — **~ stage** *s* 'NiederfreˌquenzstufeNF-Stufe *f*. — **~ trans·form·er** *s* 'Tonfreˌquenzüberˌtrager *m*, NF-Trafo *m*. — **'~-'vis·u·al** *adj* 'audio-visuˌell: **~ instruction** Unterricht mit Lehrfilmen.

au·di·phone ['ɔ:diˌfoun; -də-] *s med.* Audi'phon *n*, 'Hörappaˌrat *m* (*für Schwerhörige*).

au·dit ['ɔ:dit] **I** *s* **1.** *econ.* a) 'Bücherreviˌsiˌon *f*, Buchprüfung *f*, 'Rechnungsprüfung *f*, -revisiˌon *f*, -abnahme *f*, b) Schlußrechnung *f*, Bi'lanz *f*: **continuous ~** laufend durchgeführte Prüfung; **commissioner of ~** Beamter der Rechnungskammer. – **2.** *fig.* Rechenschaft(slegung) *f*. – **3.** *econ. jur.* Pachtzahlung *f*. – **4.** *obs.* Zeugenverhör *n*. – **II** *v/t* **5.** *econ.* (*Rechnungen*) abnehmen, prüfen, revi'dieren. – **6.** *ped. Am.* (*einen Lehrgang etc*) als Gasthörer(in) besuchen. – **III** *v/i* **7.** *econ.* die Bücher revi'dieren, eine Rechnungsprüfung vornehmen. — **~ ale** *s besonders starkes Bier einiger engl. Universitäten.* — **~ day** *s econ.* (Ab)Rechnungstag *m*. — **~ house** *s* Rechnungszimmer *n* (*Anbau an engl. Kathedralen für Geschäftssachen*).

au·dit·ing ['ɔ:ditiŋ] *s econ.* Rechnungsprüfung *f*, Revisi'on *f*: **~ of accounts** Rechnungsprüfung; **~ above local level** überörtliche Prüfung. — **~ com·pa·ny** *s econ.* Revisi'onsgesellschaft *f*, 'Treuhandbüˌro *n*. — **~ de·part·ment** *s econ.* Fi'nanzprüfungsabˌteilung *f*, Revisi'onsabˌteilung *f*.

au·di·tion [ɔ:'diʃən] **I** *s* **1.** *med.* Hörvermögen *n*, Gehör *n*: **~ of thoughts** Gedankenhören. – **2.** (*das*) Gehörte. – **3.** Anhören *n*, Hörprobe *f*, Probesingen *n od.* -spielen *n*. – **II** *v/t* **4.** einer Hörprobe unter'ziehen, probesingen *od.* -spielen lassen. – **III** *v/i* **5.** sich einer Hörprobe unter'ziehen, probesingen *od.* -spielen.

au·di·tive ['ɔ:ditiv; -də-] *adj* audi'tiv, Gehör..., Hör...

au·dit of·fice *s* Rechnungsprüfungsamt *n*, Oberrechnungskammer *f*.

au·di·tor ['ɔ:ditər; -də-] *s* **1.** Hörer(in), Zuhörer(in). – **2.** *ped. Am.* Gasthörer(in) (*an Universitäten*). – **3.** *econ.* Rechnungs-, Kassen-, Buchprüfer *m*, ('Bücher)Reˌvisor *m*: **~s of the exchequer** *Br.* Kollegium der Rechnungskammer; **official ~** Revisionsbeamter. — **A~ Gen·er·al** *s* Präsi'dent *m* der Oberrechnungskammer.

au·di·to·ri·um [ˌɔ:di'tɔ:riəm; -də-] *pl* **-ums, -ri·a** [-ə] *s* **1.** Audi'torium *n*, Zuhörerraum *m*. – **2.** Vortrags-, Vorführungsraum *m*. – **3.** Sprechzimmer *n* (*in Klöstern etc*).

au·di·tor·ship ['ɔ:ditərˌʃip] *s econ.* Rechnungsprüfer-, Re'visoramt *n*.

au·di·to·ry [*Br.* 'ɔ:ditəri; *Am.* -dəˌtɔ:ri] **I** *s* **1.** Zuhörer(schaft *f*) *pl*. – **2.** Audi'torium *n*, Zuhörerraum *m*, Hörsaal *m*. – **II** *adj* **3.** *med.* Gehör...: **~ area** Hörsphäre, kortikales Hörzentrum; **~ nerve** Gehörnerv.

au·dit sys·tem *s econ.* Rechnungsprüfungswesen *n*, Revisi'onswesen *n*.

Au·er met·al ['auər] *s tech.* Zereisen *n*, 'Auermeˌtall *n*.

au fait [o fɛ] (*Fr.*) bewandert, eingeweiht, auf dem laufenden, vertraut.

au fond [o fɔ̃] (*Fr.*) im Grunde, im wesentlichen.

Au·ge·an [ɔ:'dʒi:ən] *adj* **1.** Augias...: **to cleanse the ~ stables** den Augiasstall reinigen. – **2.** *fig.* überaus schmutzig, kor'rupt.

au·ge·lite ['ɔ:dʒiˌlait; -dʒə-] *s min.* Auge'lit *m* ($Al_2(OH)_3PO_4$).

au·gend ['ɔ:dʒend; ɔ:'dʒend] *s math.* Anzahl *f od.* Menge *f*, der etwas hin'zugefügt wird.

au·ger ['ɔ:gər] *s tech.* **1.** großer Bohrer, Loch-, Schneckenbohrer *m*, Bohrschappe *f*, Vorbohrer *m*: **taper ~** konischer Hohlbohrer; **~'s bore** Bohrloch. – **2.** Erdbohrer *m*. – **3.** Brunnen-, Löffelbohrer *m*. — **~ bit** *s tech.* **1.** Bohrspitze *f*, -eisen *n*. – **2.** Löffel-, Hohlbohrer *m*.

Au·ger ef·fect ['ouʒei] *s phys.* 'Auger-Efˌfekt *m*.

au·ger| fau·cet *s tech.* Bohrzapfen *m*. — **~ hole** *s* Bohrloch *n*. — **~ shell** *s zo.* Schale *f* der Schraubenschnecke.

augh [ɔ:x] *interj Scot.* bah! pah!

aught[1] [ɔ:t] **I** *pron* (irgend) etwas: **for ~ I care** meinetwegen; **for ~** (**that**) **I know** soviel ich weiß. – **II** *adv* irgendwie. – **III** *s* Null *f*.

aught[2] [ɔ:xt] *s obs. od. dial.* Besitz *m*.

au·gite ['ɔ:dʒait] *s min.* Au'git *m* ($MeSiO_3$). — **~ por·phy·ry** *s geol.* Au'gitporˌphyr *m*, Mela'phyr *m*.

au·git·ic [ɔ:'dʒitik] *adj min.* au'gitartig.

aug·ment [ɔ:g'ment] **I** *v/t* **1.** vermehren, vergrößern. – **2.** *ling.* (*einer Sprachform*) ein Aug'ment vorsetzen. – **3.** *mus.* (*Thema*) vergrößern. – **II** *v/i* **4.** sich vermehren, zunehmen. – *SYN. cf.* **increase**. – **III** *s* ['ɔ:gmənt] **5.** *med.* Zunahme *f*, Verschlimmerung *f* (*einer Krankheit*). – **6.** *ling.* Aug'ment *n* (*Vorsilbe der griech. Verben zur Tempusbildung*): **syllabic ~** Vorsilbe (*zur Tempusbildung*); **temporal ~** Verlängerung (*der ersten Silbe eines griech. Verbs zur Tempusbildung*). – **7.** *obs.* Vergrößerung *f*, Vermehrung *f*.

aug·men·ta·tion [ˌɔ:gmen'teiʃən] *s* **1.** Vergrößerung *f*, Vermehrung *f*, Wachstum *n*, Zunahme *f*, Erhöhung *f*: **~ of salary** Gehaltserhöhung. – **2.** Zusatz *m*, Zuwachs *m*. – **3.** *her.* besonderes hin'zugefügtes Ehrenzeichen (*im Wappen*). – **4.** *mus.* Vergrößerung *f* (*eines Themas*).

aug·ment·a·tive [ɔ:g'mentətiv] **I** *adj* vermehrend, verstärkend, Verstärkungs... (*auch von Ausdrücken*). – **II** *s ling.* Augmenta'tiv *n* (*Wort, das einen Begriff verstärkt*).

aug·ment·ed [ɔ:g'mentid] *adj* **1.** vermehrt, verstärkt. – **2.** *mus.* 'übermäßig (*Intervall, Dreiklang*). – **3.** *her.* durch ein Ehrenzeichen bereichert.

au gra·tin [o gra'tɛ̃; *Am. auch* ˌou'grætn] (*Kochkunst*) au gra'tin, über'krustet (*mit Semmelbröseln, Butter u. eventuell Käse*).

au·gur ['ɔ:gər] **I** *s* **1.** *antiq.* Augur *m* (*Wahrsager aus dem Flug od. Geschrei der Vögel*). – **2.** Wahrsager *m*, Pro'phet *m*. – **II** *v/t u. v/i* **3.** vor'aus-, weissagen, mutmaßen, ahnen (lassen), verheißen, prophe'zeien: **to ~ ill** (**well**) a) ein schlechtes (gutes) Zeichen *od.* Omen sein (**for** für), b) Böses (Gutes) erwarten (**of** von, **for** für). – *SYN. cf.* **foretell**. — **'au·gu·ral** [-gjə-; -gju-] *adj.* **1.** die Au'guren betreffend, Auguren... – **2.** vorbedeutend. — **'au·gur·ˌship** *s* Amt *n* eines Augurs. — **au·gu·ry** ['ɔ:gjuri; -gjə-] *s* **1.** Wahrsagen *n* (*aus dem Flug od. Geschrei der Vögel*). – **2.** Au'gurium *n*, Weissagung *f*, Prophe'zeiung *f*. – **3.** Vorbedeutung *f*, Vor-, Anzeichen *n*. – **4.** Vorahnung *f* (of von).

au·gust[1] [ɔː'gʌst] *adj* erhaben, hehr, herrlich, erlaucht, maje'stätisch. – *SYN. cf.* grand.

Au·gust[2] ['ɔːgəst] *s* (*Monat*) Au'gust *m*: in ~ im August.

au·gust[3], **au·guste** ['august] *s* dummer August (*Zirkusclown*).

Au·gus·tan [ɔː'gʌstən] **I** *adj* **1.** den Kaiser Au'gustus betreffend, augu'steisch. – **2.** *relig.* Augu'stanisch, Augsburgisch (*Konfession*). – **II** *s* **3.** Schriftsteller *m* des Augu'steischen Zeitalters. — ~ **age** *s* **1.** Augu'steisches Zeitalter. – **2.** klassisches Zeitalter (*einer nationalen Literatur*; *in England Zeitalter der Königin Anna*). — ~ **e·ra** *s* Augu'steische Zeitrechnung (*vom 14. Februar 27 v. Chr. an*).

Au·gus·tine [ɔː'gʌstin; *Am. auch* -tiːn] **I** *npr* Augu'stin(us) *m*: St. ~ der heilige Augustin. – **II** *s* Augu'stiner(mönch) *m*. – **III** *adj* augu'stinisch. — ~ **fri·ar**, ~ **monk** *s* Augu'stinermönch *m*.

Au·gus·tin·i·an [ˌɔːgəs'tiniən] *relig.* **I** *s* **1.** Anhänger *m* des Augusti'nismus. – **2.** Augu'stiner(mönch) *m*. – **II** *adj* **3.** augu'stinisch. — ˌ**Au·gus'tin·i·anˌism, Au·gus·tin·ism** [ɔː'gʌstiˌnizəm] *s* Augusti'nismus *m*, Lehre *f* des heiligen Augu'stinus.

au·gust·ness [ɔː'gʌstnis] *s* Erhabenheit *f*, Hoheit *f*.

auk [ɔːk] *s zo.* Alk *m* (*Fam. Alcidae*).

auk·let ['ɔːklit] *s zo.* kleiner Alk (*bes. Gattg Aethia*).

au·la ['ɔːlə] *pl* **-lae** [-liː] *s* **1.** Aula *f*, Halle *f*. – **2.** *med.* vorderer Teil der dritten Gehirnhöhle.

au lait [o lɛ] (*Fr.*) mit Milch: **café** ~ Milchkaffee.

au·lar·i·an [ɔː'lɛ(ə)riən] **I** *adj* zu einem Studienhaus gehörig. – **II** *s* Mitglied *n* eines Studienhauses (**hall** *im Gegensatz zu* **college** *an den Universitäten Oxford u. Cambridge*).

auld [ɔːld] *adj Scot. od. dial.* alt. — ~ **lang syne** [læŋ 'sain] *Scot.* **1.** (*wörtlich*) vor langer Zeit. – **2.** *fig.* die gute alte Zeit (*Titel eines Liedes von Robert Burns*). — **A**~ **Reek·ie** ['riːki] *s Scot.* ‚altes Rauchnest' (*Spitzname von Edinburgh*).

au·lic ['ɔːlik] *adj* zu einem Hofe gehörig, höfisch, Hof...

au na·tu·rel [o naty'rɛl] (*Fr.*) **1.** na'türlich, wie in der Na'tur, nackt. – **2.** einfach zubereitet (*Speisen*).

aunt [*Br.* ɑːnt; *Am.* æ(ː)nt] *s* **1.** Tante *f*, Muhme *f* (*auch fig.*): **maiden** ~ unverheiratete Tante. – **2.** *obs.* Alte *f*, alte Klatschbase. – **3.** *obs.* Kupplerin *f*, Hure *f*. — '**aunt·ie** [-ti] *s* Tantchen *n*.

Aunt Sal·ly *s Wurfspiel auf Jahrmärkten.*

aunt·y *cf.* auntie.

au·ra ['ɔːrə] *pl* **-rae** [-riː] *s* **1.** (*von einem Körper ausströmender*) Hauch, Duft *m*. – **2.** A'roma *n*. – **3.** *med.* a) Aura *f*, Vorgefühl *n* vor (epi'leptischen *od.* hy'sterischen) Anfällen, b) Benommenheit *f* (*des Kopfes*). – **4.** *fig.* Aura *f*, Atmo'sphäre *f*. – **5.** *obs.* Luftzug *m*, Zephyr *m*.

au·ral[1] ['ɔːrəl] *adj* Dunst..., Strömungs...

au·ral[2] ['ɔːrəl] *adj* **1.** durch das Ohr vernommen. – **2.** Ohr..., Ohren...

au·ral| for·ceps *s med.* 'Ohrenpinˌzette *f*. — ~ **null** *s* (*akustische*) Minimumstelle (*bei der Funkpeilung*). — ~ **surgeon** *s med.* Ohrenarzt *m*.

au·ra·mine [ˌɔːrə'miːn; 'ɔːrəˌmiːn; -min], *auch* '**au·ra·min** [-min] *s chem.* Aura'min *n* ($C_{17}H_{22}N_3Cl$).

au·ran·ti·a·ceous [ɔːˌrænti'eiʃəs] *adj bot.* o'rangenartig.

au·rar ['əirɑr] *pl von* eyrir.

au·rate ['ɔːreit] **I** *adj* goldhaltig, -farbig, vergoldet. – **II** *s chem.* 'Goldoˌxydsalz *n*: ~ **of ammonia** Knallgold; ~ **of iridium** Iridiumgold.

au·rat·ed ['ɔːreitid] *adj* mit Ohren (versehen).

au·re·ate ['ɔːriit; -ˌeit] *adj* **1.** golden, vergoldet, goldgelb. – **2.** *fig.* glänzend, prächtig.

au·re·li·a [ɔː'riːliə; -ljə] *s zo.* **1.** Puppe *f*, *bes.* eines Schmetterlings. – **2.** Ohrenqualle *f* (*Gattg Aurelia*). — **au're·li·an** **I** *adj* **1.** *zo.* Ohrenquallen... – **2.** *zo.* puppenartig, Puppen... – **3.** golden, goldfarben. – **II** *s* **4.** Schmetterlingssammler *m*, -züchter *m*.

au·re·o·la [ɔː'riːələ] → aureole.

au·re·ole ['ɔːriˌoul] **I** *s* **1.** Aure'ole *f*, Strahlenkrone *f*, Heiligen-, Glorienschein *m* (*auf Gemälden*). – **2.** *fig.* Nimbus *m*, Ruhmeskranz *m*, Glorienschein *m*. – **3.** *astr.* Aure'ole *f*, Hof *m* (*um Sonne od. Mond*). – **II** *v/t* **4.** mit einem Strahlenkranz *etc* um'geben.

au·re·o·lin [ɔː'riːəlin], *auch* ~ **yel·low** *s chem.* Aureo'lin *n* (*gelber Farbstoff*).

au·re·o·my·cin [ˌɔːriou'maisin] *s chem. med.* Aureomy'cin *n* (*Antibiotikum aus Streptomyces aureofaciens*).

au·re·ous ['ɔːriəs] *adj* goldfarbig.

au re·voir [o rə'vwaːr] (*Fr.*) auf 'Wiedersehen!

auri-[1] [ɔːri] *Wortelement mit der Bedeutung* Gold.

auri-[2] [ɔːri] *Wortelement mit der Bedeutung* Ohr.

au·ric ['ɔːrik] *adj* **1.** Gold... – **2.** *chem.* aus Gold gewonnen.

au·ri·chal·cite [ˌɔːri'kælsait] *s min.* Aurichal'cit *m*, Messingblüte *f*.

au·ri·cle ['ɔːrikl] *s* **1.** *med.* Au'ricula *f*, äußeres Ohr, Ohrmuschel *f*. – **2.** *auch* ~ **of the heart** *med.* Herzvorhof *m*, Herzohr *n*, Atrium *n* cordis. – **3.** *bot.* Öhrchen *n* (*am Blattgrund*). – **4.** (*Art*) Hörrohr *n*. — '**au·ri·cled** *adj bot. zo.* geohrt, mit ohrförmigen Ansätzen.

au·ric·u·la [ɔː'rikjulə; -kjə-] *pl* **-lae** [-ˌliː] *s* **1.** *bot.* Au'rikel *f* (*Primula auricula*). – **2.** *med.* → auricle 1.

au·ric·u·lar [ɔː'rikjulər; -kjə-] **I** *adj* **1.** das Ohr betreffend, Ohren..., Hör...: ~ **feathers** → ~ 5; ~ **finger** → ~ 6; ~ **nerves** *med.* Ohrennerven; ~ **tube** äußerer Gehörgang. – **2.** durch das Ohr vernommen, ins Ohr geflüstert, Ohren...: ~ **assurance** mündliche Versicherung; ~ **confession** Ohrenbeichte; ~ **witness** Ohrenzeuge. – **3.** *med.* zu den Herzohren gehörig. – **4.** *med.* auriku'lär, ohrförmig. – **II** *s* **5.** *zo.* Federbüschel *n* (*über den Ohren gewisser Vögel*). – **6.** kleiner Finger. — ~ **ap·pen·dix** *s med.* Auriku'laranhang *m*, Herzohr *n*. — ~ **ca·nal** *s med.* 'Ohrkaˌnal *m*. — ~ **com·plex** *s med.* Vorhof-, Atriumzacke *f*.

au·ric·u·lar·ly [ɔː'rikjulərli; -kjə-] *adv* heimlich, flüsternd.

au·ric·u·late [ɔː'rikjulit; -ˌleit; -kjə-], **au'ric·uˌlat·ed** [-ˌleitid] *adj zo.* **1.** geohrt. – **2.** ohrförmig.

au·rif·er·ous [ɔː'rifərəs] *adj* goldhaltig.

au·ri·fi·ca·tion [ˌɔːrifi'keiʃən; -rəfə-] *s* Arbeiten *n* in Gold, Goldfüllung *f* (*eines Zahnes*).

au·ri·form ['ɔːriˌfɔːrm] *adj bes. med.* ohrförmig, auriku'lär.

au·ri·fy ['ɔːriˌfai; -rə-] **I** *v/t* in Gold verwandeln. – **II** *v/i* sich in Gold verwandeln.

Au·ri·ga [ɔː'raigə] *gen* **-gae** [-dʒiː] *s astr.* Au'riga *m*, Fuhrmann *m* (*nördl. Sternbild*).

au·ri·lave ['ɔːriˌleiv] *s* Ohrbürste *f*.

au·rin ['ɔːrin], '**au·rine** [-rin; -riːn] *s chem.* Au'rin *n* ($C_{19}H_{14}O_3$).

au·ri·punc·ture ['ɔːriˌpʌŋktʃər] *s med.* Auripunk'tur *f*, 'Trommelfellpunktiˌon *f*.

au·ri·scalp ['ɔːriˌskælp] *s* **1.** Ohrlöffel *m*. – **2.** *med.* Ohrsonde *f*.

au·ri·scope ['ɔːriˌskoup] *s med.* Auri'skop *n*, Ohrenspiegel *m*. — **au'ris·co·py** [-'riskəpi] *s med.* Unter'suchung *f* mit dem Ohrenspiegel.

au·rist ['ɔːrist] *s med.* Ohrenarzt *m*, Oto'loge *m*.

auro- [ɔːro] → auri-[1].

au·rochs ['ɔːrɒks] *s sg u. pl zo.* Auerochs *m*, Ur *m* (*Bos primigenius*).

au·ro·cy·a·nide [ˌɔːro'saiəˌnaid; -nid] *s chem.* Zy'an-Goldverbindung *f*, 'Goldzyaˌnid *n* ($Au(CN)_3$).

au·ro·ra [ɔː'rɔːrə] *pl* **-ras**, *selten* **-rae** [-iː] *s* **1.** *poet.* Au'rora *f*, Morgen(röte *f*) *m*. – **2.** **A**~ Au'rora *f* (*Göttin der Morgenröte*). – **3.** → ~ borealis. – **4.** *electr. Bezeichnung für kreisförmige Meßleitungen mit rotierender Abtastung.* — ~ **aus·tra·lis** [ɔː'streilis] *s phys.* Po'lar-, Südlicht *n*. — ~ **bo·re·a·lis** [ˌbɔːri'eilis; *Am. auch* -'ælis] *s phys.* Nordlicht *n*.

au·ro·ral [ɔː'rɔːrəl] *adj* **1.** a) die Morgenröte betreffend, b) wie Morgenrot glänzend. – **2.** a) das Nordlicht betreffend, b) wie ein Nordlicht.

au·ro·ra shell *s zo.* Seeohr *n* (*Schnecke der Gattung Haliotis*).

au·ro·re·an [ɔː'rɔːriən] *adj* morgenrotähnlich, rosig.

au·ro·ric [ɔː'rɔːrik] *adj* nordlichtartig.

au·ro·tel·lu·rite [ˌɔːro'teljuˌrait; -ljə-] *s min.* goldhaltiges Tel'lurerz.

au·rous ['ɔːrəs] *adj* **1.** goldhaltig. – **2.** *chem.* Gold..., Goldoxydul...

au·rum ['ɔːrəm] *s chem.* Gold *n* (Au).

aus·cul·tate ['ɔːskəlˌteit] *v/t u. v/i med.* auskul'tieren, (*Lunge, Herz etc*) abhorchen (*mit dem Stethoskop*). — ˌ**aus·cul'ta·tion** *s med.* Auskultati'on *f*, Auskul'tieren *n*. — '**aus·cul·ˌta·tive** *adj med.* auskulta'tiv, Hör... — '**aus·culˌta·tor** [-tər] *s med.* **1.** auskul'tierender Arzt. – **2.** Stetho'skop *n* (*Hörrohr*).

Au·so·ni·a [ɔː'souniə] *npr* Au'sonien *n* (*poetischer Name für Italien*).

aus·pex ['ɔːspeks] *pl* **-pi·ces** [-piˌsiːz] *s antiq.* Auspex *m*, Vogelflugdeuter *m*.

aus·pi·cate ['ɔːspiˌkeit] *v/t* unter günstigen Vorbedingungen beginnen *od.* einführen, inaugu'rieren.

aus·pice ['ɔːspis] *s* **1.** *antiq.* Au'spizium *n*. – **2.** *pl fig.* Vorbedeutung *f*, An-, Vorzeichen *n*, Au'spizien *pl*: **under favorable** ~**s** unter günstigen Anzeichen. – **3.** *pl fig.* Au'spizien *pl*, Schirmherrschaft *f*, Schutz *m*, Beistand *m*, Leitung *f*: **under the** ~**s of s.o.** unter j-s Auspizien *od.* Schutz.

aus·pi·cious [ɔːs'piʃəs] *adj* **1.** günstig, unter günstigen Au'spizien (*Ereignisse*). – **2.** glücklich, Gutes verheißend (*Personen*). – **3.** günstig, geneigt, wohlwollend. – *SYN. cf.* **favorable**. — **aus'pi·cious·ness** *s* günstige Aussicht *od.* Vorbedeutung, Glück *n*.

Aus·sie [ɔːsi; 'ɒsi] *s sl.* Au'stralier *m*: the ~**s** die austral. Truppen (*in beiden Weltkriegen*).

aus·ten·ite ['ɔːstəˌnait] *s chem.* Auste'nit *m*.

Aus·ter ['ɔːstər] *s poet.* Südwind *m*.

aus·tere [ɔːs'tir] *adj* **1.** streng, herb (*Geschmack*). – **2.** *fig.* ernst, einfach, schmucklos (*Stil etc*). – **3.** streng, nüchtern. – **4.** herb, rauh, hart, unfreundlich, abweisend. – **5.** mäßig, enthaltsam. – **6.** einfach, ungeziert (*Wesen*). – *SYN. cf.* **severe**. — **aus'tere·ness** → austerity. — **aus·ter·i·ty** [ɔːs'teriti; -rə-] *s* **1.** Ernst *m*, Einfachheit *f*, Schmucklosigkeit *f*. – **2.** Strenge *f*, Nüchternheit *f*. – **3.** wirtschaftliche Einschränkung, Sparmaßnahmen *pl* in Notzeiten (*bes. in Großbritannien während des zweiten Weltkrieges*). – **4.** rauhes Wesen, Härte *f*,

Unfreundlichkeit *f.* – 5. Mäßigung *f*, Enthaltsamkeit *f.* – 6. *relig.* Ka'steiung *f.* – 7. strenge Einfachheit.
Aus·tin ['ɔːstin] **I** *npr* Augu'stin(us) *m.* – **II** *s* Augu'stiner(mönch) *m.* – **III** *adj* augu'stinisch, Augustiner...: ~ **friars** Augustinermönche.
aus·tral ['ɔːstrəl] *adj astr.* südlich: the ~ **signs** die sechs südlichen Himmelszeichen (*des Tierkreises*).
Aus·tral·a·sian [ˌɔːstrə'leiʒən; -ʒiən; -ʃən] **I** *adj* au'stralˌasisch. – **II** *s* Au'stralˌasier(in), Bewohner(in) Oze'aniens.
aus·tra·lene ['ɔːstrəˌliːn] *s chem.* Austra'len *n* ($C_{10}H_{16}$).
Aus·tral·ian [ɔːs'treiljən] **I** *adj* au'stralisch. – **II** *s* Au'stralier(in). — ~ **bal·lot** *s pol. Am. nach austral. Muster eingeführter Stimmzettel, auf dem alle Kandidaten verzeichnet stehen u. der völlige Geheimwahl sichert.* — ~ **grip** *s sl.* kräftiger Händedruck.
Aus·tri·an ['ɔːstriən] **I** *adj* österreichisch. – **II** *s* Österreicher(in).
Austro- [ɔːstro] *Wortelement mit der Bedeutung* österreichisch, Austro...: ~**-Hungarian Monarchy** Österreichisch-Ungarische Monarchie.
Aus·tro·ne·sian [ˌɔːstro'niːʒən; -ʃən] *adj* austro'nesisch (*die auf den ozeanischen Inseln gesprochenen Sprachen bezeichnend*).
au·ta·coid ['ɔːtəˌkɔid] *s med.* Autako'id *n*, In'kret *n*, *bes.* Hor'mon *n.* — ˌ**au·ta'coi·dal** *adj* autako'id.
au·tar·chic [ɔː'tɑːrkik], **au'tar·chi·cal** [-kəl] *adj* 1. selbstherrlich, auto'kratisch. – 2. 'selbstreˌgierend, Selbstregierungs... – 3. *cf.* autarkic. — '**au·tarch·y** *s* 1. Selbstherrschaft *f*, Autokra'tie *f.* – 2. 'Selbstreˌgierung *f.* – 3. *cf.* autarky.
au·tar·kic [ɔː'tɑːrkik], **au'tar·ki·cal** [-kəl] *adj econ.* 1. selbstgenügsam. – 2. au'tark, wirtschaftlich unabhängig. — '**au·tar·kist** *s econ.* Anhänger *m* der Autar'kie. — '**au·tar·ky** *s econ.* 1. Selbstgenügen *n*, Selbstgenügsamkeit *f.* – 2. Autar'kie *f*, wirtschaftliche Unabhängigkeit, au'tarkes 'Wirtschaftssyˌstem.
au·te·cious *cf.* autoecious.
au·then·tic [ɔː'θentik] **I** *adj* 1. au'thentisch, glaubwürdig, zuverlässig, verbürgt. – 2. *jur.* a) gültig, rechtskräftig, urkundlich beglaubigt *od.* belegt (*Dinge*), b) autori'siert, gesetzlich quali'fiziert (*Personen*). – 3. wirklich. – 4. echt, au'thentisch, verbürgt: **an** ~ **record** eine verbürgte Überlieferung. – 5. origi'nal, eigenhändig, urschriftlich. – 6. *mus.* au'thentisch: ~ **modes** authentische Kirchentonarten, Haupttonarten. – 7. *obs. für* **authoritative**. – *SYN.* **bona fide, genuine, veritable**. – **II** *s* 8. *obs.* maßgebendes Buch *od.* Doku'ment. — **au'then·ti·cal** → authentic I. — **au'then·ti·cal·ly** *adv* (*auch zu* **authentic** I).
au·then·ti·cate [ɔː'θentiˌkeit] *v/t* 1. authenti'sieren, beglaubigen, rechtskräftig *od.* -gültig machen, legali'sieren. – 2. als echt erweisen, verbürgen. – *SYN. cf.* **confirm**. — **auˌthen·ti'ca·tion** *s* 1. Authenti'sierung *f*, Beglaubigung *f*, Legali'sierung *f.* – 2. *mil.* (Rück)Kennung *f.*
au·then·tic·i·ty [ˌɔːθen'tisiti; -θən-; -səti] *s* 1. Authentizi'tät *f*, Echtheit *f.* – 2. Rechtsgültigkeit *f*, Urkundlichkeit *f.* – 3. Glaubwürdigkeit *f.*
au·thor ['ɔːθər] **I** *s* 1. Urheber(in), Schöpfer(in), Begründer(in). – 2. Ursache *f*, Veranlassung *f.* – 3. Autor *m*, Au'torin *f*, Schriftsteller(in), Verfasser(in). – 4. *selten* Her'ausgeber(in). – 5. *pl* (*als sg konstruiert*) *Am. ein Kartenspiel.* – **II** *v/t* 6. schreiben, zu'sammenstellen. — '**au·thor·ess** [-ris] *s* Au'torin *f*, Schriftstellerin *f*, Verfasserin *f.* — **au·tho·ri·al** [ɔː'θɔːriəl] *adj* Autoren..., Verfasser...
au·thor·i·tar·i·an [ɔːˌθɒri'tɛ(ə)riən; əˌθ-; *Am. auch* -ˌθɔːr-] *adj pol.* autori'tär. — **auˌthor·i'tar·i·anˌism** *s pol.* autori'täres Re'gierungssyˌstem.
au·thor·i·ta·tive [ɔː'θɒriˌteitiv; ə'θ-; *Br. auch* -tət-; *Am. auch* -'θɔːr-] *adj* 1. gebieterisch, herrisch (*Wesen, Ton*). – 2. autorita'tiv, Autori'tät habend, maßgebend. – 3. bevollmächtigt. — **au'thor·iˌta·tive·ness** *s* 1. gebieterisches *od.* herrisches Wesen. – 2. Bevollmächtigtsein *n.*
au·thor·i·ty [ɔː'θɒriti; ə'θ-; -rəti; *Am. auch* -'θɔːr-] *s* 1. Autori'tät *f*, gesetzmäßige Kraft, Gewalt *f*: **on one's own** ~ aus eigener Machtbefugnis; **signed on** ~ amtlich bescheinigt; **to be in** ~ die Gewalt in Händen haben; **misuse of** ~ Mißbrauch der Amtsgewalt. – 2. Ansehen *n*, Kraft *f*, Nachdruck *m*, Gewicht *n*: **the** ~ **of example** das Gewicht des Beispiels; **of great** ~ von großem Ansehen. – 3. Vollmacht *f*: **written** ~ schriftliche Vollmacht; **to have full** ~ **to act** volle Handlungsvollmacht besitzen; **to be invested with full** ~ mit Vollmacht ausgestattet *od.* versehen sein; **joint** ~ Gesamtvollmacht. – 4. *meist pl* Re'gierung *f*, (Verwaltungs)Behörde *f*: **the local authorities** die örtlichen Behörden; **central** ~ Zentralbehörde; **civilian** ~ Zivilbehörde; **competent** ~ zuständige Behörde; **British Electricity** A~; **Tennessee Valley** A~. – 5. Autori'tät *f*, Zeugnis *n* (*einer angesehenen Person, eines Schriftstellers etc*), Quelle *f*, Beleg *m* (**for** für): **on the best** ~ aus bester Quelle. – 6. Autori'tät *f*, Gewährsmann *m*, Sachverständiger *m*, Fachmann *m*, (Fach)Größe *f*: **to be an** ~ **on a subject** eine Autorität in einer Sache *od.* auf einem Gebiet sein. – 7. *jur.* Vorgang *m*, Präze'denzfall *m*, gerichtliche Entscheidung: **there is no** ~ **for such a proceeding** es gibt keinen Vorgang, der ein solches Verfahren rechtfertigen würde. – 8. mo'ralischer Einfluß (*einer Person*). – 9. Glaubwürdigkeit *f*: **of unquestioned** ~ unbedingt glaubwürdig, unangefochten; **of suspected** ~ unglaubwürdig. – 10. Befehl *m*, Auftrag *m*, Ermächtigung *f*: **on** (*od.* **under**) **the** ~ **of** im Auftrage von, berechtigt durch, auf Grund (*gen*) *od.* von; **printed by** (*od.* **with, under**) ~ mit amtlicher Druckerlaubnis; **signed on** ~ amtlich bescheinigt. – 11. *mil.* Befehls-, Kom'mandogewalt *f.* – *SYN. cf.* a) **influence**, b) **power**.
au·thor·iz·a·ble ['ɔːθəˌraizəbl] *adj* autori'sierbar, gutzuheißen(d), zu billigen(d).
au·thor·i·za·tion [ˌɔːθərai'zeiʃən; -ri-; -rə-] *s* Autorisati'on *f*, Ermächtigung *f*, Bevollmächtigung *f*, Genehmigung *f*: **subject to** ~ genehmigungspflichtig; ~ **to fill in a blank** *econ.* Blankettausfüllungsbefugnis. — '**au·thorˌize** *v/t* 1. autori'sieren, ermächtigen, bevollmächtigen, berechtigen, (*j-m*) (den) Auftrag geben: **to** ~ **s.o. to do s.th.** j-n ermächtigen, etwas zu tun. – 2. gutheißen, billigen, genehmigen, (*Handlung*) rechtfertigen. – 3. *obs.* bestätigen. — '**au·thorˌized** *adj* 1. autori'siert, bevollmächtigt, befugt, verfügungsberechtigt: ~ **agent** *econ.* Bevollmächtigter, Vertreter; ~ **capital** *econ.* bewilligtes Kapital; ~ **strength** *mil.* Soll-, Etatstärke. – 2. *jur.* rechtsverbindlich. – 3. beauftragt. – 4. *relig.* kirchlich autori'siert: A~ **Version** engl. Bibelversion von 1611.
au·thor·less ['ɔːθərlis] *adj* ohne Verfasser, ano'nym.
au·thor·ship ['ɔːθərˌʃip] *s* 1. Autorschaft *f*, Verfasserschaft *f.* – 2. Urheberschaft *f.* – 3. Schriftstellerberuf *m*, -laufbahn *f*, ˌSchriftstelle'rei *f.*
au·tism ['ɔːtizəm] *s psych.* Au'tismus *m* (*Denken nach affektiven statt logischen Zusammenhängen u. Sichabschließen von der Realität*). — '**au·tist** *s* Au'tist *m.*
au·to ['ɔːtou] *pl* **-tos** *s Am. colloq.* Auto *n.*
auto-[1] [ɔːto] *Wortelement mit der Bedeutung* selbst..., Selbst...
auto-[2] [ɔːto] *Wortelement mit der Bedeutung* Auto..., Kraftwagen..., sich durch eigene Kraft fortbewegend.
Au·to·bahn, a~ ['autoˌbɑːn] *pl* **-ˌbah·nen** [-nən] (*Ger.*) *s* Autobahn *f.*
au·to·bi·og·ra·pher [ˌɔːtobai'ɒgrəfər; -tə-; -bi-] *s* 'Auto-, 'Selbstbioˌgraph *m.* — ˌ**au·toˌbi·o'graph·ic** [-ə'græfik], ˌ**au·toˌbi·o'graph·i·cal** *adj* autobio'graphisch. — ˌ**au·toˌbi·o'graph·i·cal·ly** *adv* (*auch zu* **autobiographic**). — ˌ**au·to·bi'og·ra·phy** *s* 'Auto-, 'Selbstbiograˌphie *f.*
au·to·bus ['ɔːtoˌbʌs; -tə-] *s bes. Am.* Autobus *m.*
au·to·cade ['ɔːtoˌkeid; -tə-] → motorcade.
au·to·car ['ɔːtoˌkɑːr] *s selten* Auto(mo'bil) *n*, Kraftwagen *m.*
au·to·car·pi·an [ˌɔːto'kɑːrpiən], ˌ**au·to'car·pic** [-pik], ˌ**au·to'car·pous** [-pəs] *adj bot.* 'selbstferˌtil (*durch Selbstbestäubung befruchtbar*).
au·to·ca·tal·y·sis [ˌɔːtokə'tælisis; -lə-] *s chem.* Autokata'lyse *f.*
au·to·ceph·a·lous [ˌɔːto'sefələs; -tə-] *adj relig.* autoke'phal, (vom Patri'archen) unabhängig (*griech. Kirche*).
au·to·chrome ['ɔːtoˌkroum; -tə-] *s phot.* Auto'chromplatte *f* (*für Farbphotographie*).
au·to·chron·o·graph [ˌɔːto'krɒnəgræ(ː)f; *Br. auch* -grɑːf] *s* 'selbstregiˌstrierender Zeitmesser.
au·toch·thon [ɔː'tɒkθən] *pl* **-thons, -tho·nes** [-ˌniːz] *s* Auto'chthone *m*, Urbewohner *m.* — **au'toch·tho·nal**, ˌ**au·toch'thon·ic** [-'θɒnik] *adj* auto'chthon. — **au'toch·thoˌnism** *s* Urbewohnerschaft *f*, Bodenständigkeit *f.* — **au'toch·tho·nous** *adj* 1. auto'chthon, alteingeboren, ureingesessen, bodenständig. – 2. die Ureinwohner betreffend. – 3. *geol.* auto'chthon, bodeneigen. — **au'toch·tho·ny** *s* 1. Autochtho'nie *f*, Bodenständigkeit *f.* – 2. ursprüngliche Beschäftigung.
au·to·clas·tic [ˌɔːto'klæstik] *adj geol.* auto'klastisch.
au·to·clave ['ɔːtəˌkleiv] **I** *s* Auto'klav *m*, (*Art*) Schnellkoch-, Dampfkochtopf *m.* – **II** *v/t* mittels Auto'klav kochen, sterili'sieren.
au·to court → motel.
au·to·co·her·er [ˌɔːtoko'hi(ə)rər] *s* (*Radio*) (*Art*) De'tektor *m.*
au·toc·ra·cy [ɔː'tɒkrəsi] *s* Autokra'tie *f*, Selbstherrschaft *f.* — **au·to·crat** ['ɔːtəˌkræt] *s* Auto'krat *m*, Selbstherrscher *m.* — ˌ**au·to'crat·ic**, ˌ**au·to'crat·i·cal** *adj* auto'kratisch, selbst-, al'leinherrschend. — ˌ**au·to'crat·i·cal·ly** *adv* (*auch zu* **autocratic**). — **au'toc·raˌtrix** [-ˌtriks] *s* Auto'kratin *f*, Selbstherrscherin *f.*
au·to-da-fé [ˌɔːtodɑː'fei; -də-] *pl* ˌ**au·tos-da-'fé** [-toz-] *s hist.* Autoda'fé *n*, feierliches Ketzer- *od.* Glaubensgericht, Ketzerverbrennung *f.*
au·to de fe ['auto dei 'fei] → auto-da-fé.
au·to·de·tec·tor [ˌɔːtodi'tektər] *s* (*Radio*) (*Art*) De'tektor *m.*
au·to·di·dact [ˌɔːtodiˌdækt; -dai-] *s* Autodi'dakt *m.* — ˌ**au·to·di'dac·tic** *adj* autodi'daktisch.
au·to·di·ges·tion [ˌɔːtodi'dʒestʃən] *s med.* Autodigesti'on *f*, Auto'lyse *f*, Selbstverdauung *f.*

au·to·dy·nam·ic [ˌɔːtodaiˈnæmik; -di-] *adj phys. tech.* autodyˈnamisch, selbstwirkend, durch eigene Kraft bewegt.
au·to·dyne [ˈɔːtoˌdain; -tə-] (*Radio*) **I** *s* Autoˈdyn *n* (*Art Heterodyn*). – **II** *adj* Autodyn...
au·toe·cious [ɔːˈtiːʃəs] *adj bot.* auˈtözisch (*von parasitischen Pilzen: ohne Wirtswechsel*).
au·to·e·rot·ic, *Br.* **au·to-e·rot·ic** [ˌɔːtoiˈrɒtik] *adj psych.* autoeˈrotisch. — ˌ**au·to·eˈrot·iˌcism**, *Br.* ˌ**au·to-eˈrot·iˌcism** [-ˌsizəm] → autoerotism. — ˌ**au·toˈer·oˌtism**, *Br.* ˌ**au·to-ˈer·oˌtism** [-ˈerəˌtizəm] *s psych.* Autoeroˈtismus *m*, Autoeraˈstie *f*, Narˈzißmus *m*.
au·tog·a·mous [ɔːˈtɒgəməs] *adj bot.* autoˈgam, selbstbefruchtend. — **auˈtog·a·my** *s bot.* Autogaˈmie *f*, Selbstbefruchtung *f*.
au·to·gen·e·sis [ˌɔːtoˈdʒenisis; -nə-] *s* Selbstentstehung *f*. — ˌ**au·to·geˈnet·ic** [-dʒiˈnetik; -dʒə-] *adj bes. biol.* autoˈgen, durch sich selbst entstanden *od.* erzeugt. — ˌ**au·to·geˈnet·i·cal·ly** *adv.* — **au·tog·e·nous** [ɔːˈtɒdʒənəs] *adj* **1.** selbst (*ohne äußere Einwirkung*) entstanden *od.* erzeugt. – **2.** *med.* autoˈgen, im Orgaˈnismus selbst erzeugt: ~ **vaccine** Autovakzin. – **3.** *tech.* autoˈgen: ~ **cutting** autogenes Schneiden; ~ **welding** autogene Schweißung, Autogenschweißung, Gasschmelzschweißung. — **auˈtog·e·ny** *s* Selbstentstehung *f*.
au·to·gi·ro [ˌɔːtoˈdʒai(ə)rou] *pl* **-ros** *s aer.* Autoˈgiro *n*, Tragschrauber *m*.
au·to·graph [ˈɔːtəˌgræ(ː)f; *Br. auch* -ˌgrɑːf] **I** *s* **1.** Autoˈgramm *n*, eigenhändige ˈUnterschrift. – **2.** eigene Handschrift. – **3.** Autoˈgraph *n*, Urschrift *f*, Origiˈnal *n*, eigenhändig geschriebene Schrift. – **4.** *print.* autoˈgraphischer Abdruck. – **II** *adj* **5.** autoˈgraphisch, eigenhändig geschrieben. – **III** *v/t* **6.** eigenhändig (unter)ˈschreiben. – **7.** mit seinem Autoˈgramm versehen, eigenhändig zeichnen. – **8.** *print.* autograˈphieren, autograˈphisch vervielfältigen. — ˌ**au·toˈgraph·ic** [-ˈgræfik], ˌ**au·toˈgraph·i·cal** *adj* **1.** autoˈgraphisch, eigenhändig geschrieben, Autographen... – **2.** *electr. tech.* ˈselbstregiˌstrierend. — ˌ**au·toˈgraph·i·cal·ly** *adv* (*auch zu* autographic). — **au·tog·ra·phy** [ɔːˈtɒgrəfi] *s* **1.** Handschriftenkunde *f*. – **2.** → autograph 2 *u.* 3. – **3.** *print.* Autograˈphie *f*, autoˈgraphischer Druck.
au·to·gy·ro *cf.* autogiro.
au·to·harp [ˈɔːtoˌhɑːrp] *s mus.* Klaviaˈturzither *f*.
au·to·hem·o·ther·a·py [ˌɔːtoˌhiːmoˈθerəpi] *s med.* Autohämotheraˈpie *f*, Eigenblutbehandlung *f*.
au·to·hyp·no·sis [ˌɔːtohipˈnousis] *s med.* ˈSelbsthypˌnose *f*. — ˌ**au·toˈhyp·noˌtism** [-nəˌtizəm] → autohypnosis.
au·toi·cous [ɔːˈtɔikəs] → autoecious.
au·to·ig·ni·tion [ˌɔːtoigˈniʃən] *s tech.* Selbstzündung *f*.
au·to·in·fec·tion [ˌɔːtoinˈfekʃən] *s med.* ˈAuto-, ˈSelbstinfektiˌon *f*.
au·to·in·oc·u·la·tion [ˌɔːtoinˌɒkjuˈleiʃən; -kjə-] *s med.* ˈAuto-, ˈSelbstinokulatiˌon *f* (*Überimpfung von einer Stelle des Körpers auf eine andre*).
au·to·in·tox·i·ca·tion [ˌɔːtoinˌtɒksiˈkeiʃən; -sə-] *s med.* ˈAutointoxikatiˌon *f*, Autotoxiˈkose *f*, Selbstvergiftung *f*.
au·to·ist [ˈɔːtoist] *s bes. Am. colloq.* Autofahrer *m*.
au·to·ki·net·ic [ˌɔːtokaiˈnetik; -ki-], *auch* ˌ**au·to·kiˈnet·i·cal** [-kəl] *adj* sich von selbst bewegend.
au·to·lith [ˈɔːtoliθ; -tə-] *s geol.* endoˈgener Einschluß.
au·to·load·ing [ˈɔːtoˌloudiŋ] *adj mil.* selbstladend, Selbstlade..., autoˈmatisch (*Feuerwaffen*).
au·to·ly·sin [ˌɔːtoˈlaisin] *s med.* Autolyˈsin *n* (*die Blutkörperchen des eignen Organismus auflösende Substanz*).
au·tol·y·sis [ɔːˈtɒlisis; -lə-] *s biol.* Autoˈlyse *f* (*Selbstverdauungsprozeß*).
au·to·mat [ˈɔːtəˌmæt] *s* Autoˈmat *m*, Autoˈmatenbüˌfett *n*, -restauˌrant *n*.
au·tom·a·ta [ɔːˈtɒmətə] *pl von* automaton.
au·to·mate [ˈɔːtəˌmeit] *v/t* automatiˈsieren: ~d vollautomatisiert.
au·to·mat·ic [ˌɔːtəˈmætik] **I** *adj* **1.** autoˈmatisch, selbsttätig, sich selbst bewegend, Selbst...: ~ **aerial camera** Reihenbildgerät. – **2.** *mil.* autoˈmatisch, Repetier..., Selbstlade...: ~ **cannon** Maschinenkanone; ~ **fire** Dauerfeuer. – **3.** *tech.* maˈschinenmäßig, meˈchanisch. – **4.** *fig.* unbewußt, unwillkürlich, meˈchanisch. – *SYN. cf.* **spontaneous.** – **II** *s* **5.** *tech.* Autoˈmat *m*, selbsttätig arbeitende Maˈschine. – **6.** *mil.* ˈSelbstladepiˌstole *f*. – **7.** *mil.* → ~ **rifle.** — ˌ**au·toˈmat·i·cal** → automatic 1, 3, 4. — ˌ**au·toˈmat·i·cal·ly** *adv* (*auch zu* automatic I).
au·to·mat·ic| cir·cuit break·er *s electr.* Selbstausschalter *m*, ˈSelbstunterˌbrecher *m*, ˈSicherungsautoˌmat *m*. — ~ **ex·change** *s electr.* Selbstanschlußamt *n*, Selbstwählamt *n*. — ~ **gun** *s mil.* autoˈmatisches Geschütz, Schnellfeuer-, Maˈschinengeschütz *n*.
au·tom·a·tic·i·ty [ɔːˌtɒməˈtisiti; -səti] *s* Autoˈmatik *f*.
au·to·mat·ic| ma·chine *s tech.* Autoˈmat *m*. — ~ **pen·cil** *s* Druck(blei)stift *m*. — ~ **pi·lot** *s aer.* autoˈmatische (Kurs)Steuerung. — ~ **pis·tol** *s mil.* ˈSelbstladepiˌstole *f*. — ~ **ri·fle** *s mil.* Selbstladegewehr *n*, autoˈmatisches Gewehr, Sturmgewehr *n*. — ~ **start·er** *s tech.* Selbstanlasser *m*. — ~ **tel·e·phone** *s electr.* autoˈmatisches Teleˈphon, ˈSelbstˌwähltelеˌphon *n*. — ~ **trans·mis·sion** *s tech.* autoˈmatisches Getriebe. — ~ **vol·ume con·trol** *s electr.* (selbsttätiger) Schwundausgleich, Fadingausgleich *m*, autoˈmatische Lautstärkeregelung.
au·tom·a·tin [ɔːˈtɒmətin] *s med.* Automaˈtin *n* (*Hormon*).
au·to·ma·tion [ˌɔːtəˈmeiʃən] *s* Automatiˈon *f*, Automatiˈsierung *f*.
au·tom·a·tism [ɔːˈtɒməˌtizəm] *s* **1.** Unwillkürlichkeit *f*, Selbstbewegung *f*. – **2.** maˈschinenmäßige Bewegung *od.* Tätigkeit, unwillkürliche Tätigkeit *od.* Handlung. – **3.** *med. psych.* Automaˈtismus *m*. – **4.** *philos. Lehre von der rein mechanisch-körperlichen Bestimmtheit der Handlungen von Menschen und Tieren (ohne Beteiligung des wachen Bewußtseins).* — **auˈtom·a·tist** *s philos. Anhänger der Lehre der nur-physiologischen Bestimmtheit aller Handlungen von Menschen u. Tieren.*
au·tom·a·tize [ɔːˈtɒməˌtaiz] *v/t* **1.** automatiˈsieren. – **2.** zum Autoˈmaten machen.
au·tom·a·ton [ɔːˈtɒmətən; -ˌtɒn] *pl* **-ta** [-tə], **-tons** *s* **1.** Autoˈmat *m*, sich (*scheinbar*) selbst bewegendes Kunstwerk (*bes. in Menschen- od. Tiergestalt*). – **2.** Verˈkaufsautoˌmat *m*. – **3.** Gliederpuppe *f*. – **4.** *fig.* Autoˈmat *m* (*mechanisch handelnder Mensch*). — **auˈtom·a·tous** *adj* autoˈmatisch.
au·to| me·chan·ic *s* ˈAutomeˌchaniker *m*. — ~ **me·chan·ics** *s pl* (*auch als sg konstruiert*) ˈAutomeˌchanik *f*.
au·to·met·ric [ˌɔːtoˈmetrik] *adj* autoˈmetrisch. — **au·tom·e·try** [ɔːˈtɒmitri; -mə-] *s* **1.** Selbstmessung *f*, -schätzung *f*. – **2.** Messung *f* der Teile einer Fiˈgur (*durch die Höhe der letzteren*).
au·to·mo·bile I *adj* [ˌɔːtəˈmoubiːl; -bil] selbstbeweglich, sich von selbst fortbewegend. – **II** *s* [*auch* ˈɔːtəməˌbiːl; ˌɔːtəməˈbiːl] *bes. Am.* Auto *n*, Automoˈbil *n*, Kraftwagen *m*, Kraftfahrzeug *n*. – **III** *v/i* [ˌɔːtəməˈbiːl] (mit einem) Auto fahren. — ~ **bod·y** *s tech.* (ˈAuto)Karosseˌrie *f*. — ~ **head** *s tech.* Kraftwagenverdeck *n*. — ~ **in·sur·ance** *s econ.* Kraftfahrzeugversicherung *f*.
au·to·mo·bil·ism [ˌɔːtəməˈbiːlizəm; -ˈmoubil-] *s* ˌAutomobiˈlismus *m*, Kraftfahrwesen *n*. — ˌ**au·to·moˈbil·ist** *s* ˌAutomobiˈlist *m*, Kraftfahrer *m*.
au·tom·o·lite [ɔːˈtɒməˌlait] *s min.* Automoˈlit *m*.
au·to·mor·phic [ˌɔːtoˈmɔːrfik] *adj* autoˈmorph. — ˌ**au·toˈmor·phism** *s* Beurteilung *f* anderer nach sich selbst.
au·to·mo·tive [ˌɔːtoˈmoutiv; -tə-] *adj* **1.** selbstbewegend, selbstfahrend. – **2.** *Am.* die selbstfahrenden Fahrzeuge betreffend, Auto...
au·to·nom·ic [ˌɔːtəˈnɒmik], *auch* ˌ**au·toˈnom·i·cal** [-kəl] *adj* **1.** autoˈnom, sich selbst reˈgierend. – **2.** *med.* selbständig funktioˈnierend *od.* reaˈgierend. – **3.** *biol.* durch innere Vorgänge verursacht, autoˈnom. — ˌ**au·toˈnom·i·cal·ly** *adv* (*auch zu* autonomic). — **au·ton·o·mist** [ɔːˈtɒnəmist] *s* Autonoˈmist *m*, Verteidiger *m* der Autonoˈmie. — **auˈton·o·mous** *adj* **1.** autoˈnom, sich selbst reˈgierend. – **2.** die Autonoˈmie betreffend. – **3.** *biol.* → autonomic 3. – *SYN. cf.* **free.** — **auˈton·o·my** *s* **1.** Autonoˈmie *f*, Eigengesetzlichkeit *f*, Selbständigkeit *f*. – **2.** *philos.* Autonoˈmie *f* (*sittliche Selbstbestimmung*).
au·to·nym [ˈɔːtənim] *s* Autoˈnym *n* (*Buch, das unter dem wirklichen Verfassernamen erscheint*).
au·to·pep·si·a [ˌɔːtoˈpepsiə; -ʃə] *s med.* Autopepˈsie *f*, Selbstverdauung *f*.
au·toph·o·ny [ɔːˈtɒfəni] *s med.* Autophoˈnie *f* (*verstärktes Hören der eigenen Stimme*).
au·to·phyte [ˈɔːtəˌfait] *s bot.* autoˈtrophe Pflanze.
au·to·pi·lot [ˌɔːtoˈpailət; -tə-] *s aer.* ˈAutopiˌlot *m*, autoˈmatische Steuervorrichtung *od.* Kurssteuerung.
au·to·plast [ˈɔːtoˌplæst; -tə-] *s biol.* durch Selbstbildung entstandene (Embryo)Zelle. — ˌ**au·toˈplas·tic** *adj* autoˈplastisch. — ˈ**au·toˌplas·ty** *s biol. med.* Autoˈplastik *f* (*Neubildung von abgestorbenen od. verletzten Teilen durch Teile desselben Körpers*).
au·top·sic [ɔːˈtɒpsik], **auˈtop·si·cal** [-kəl] *adj* aus eigener Anschauung, nach dem Augenschein, durch Autopˈsie. — **auˈtop·si·cal·ly** *adv* (*auch zu* autopsic). — ˈ**au·top·sy** *s* **1.** Autopˈsie *f*, eigene Anschauung, Augenschein *m*. – **2.** *fig.* kritische Zergliederung. – **3.** *med.* Autopˈsie *f*, Obduktiˈon *f*, Leichenöffnung *f*, Sektiˈon *f* (*zwecks Feststellung der Todesursache*).
au·to·ra·di·o·gram [ˌɔːtoˈreidiəˌgræm] *s* ˈRadioappaˌrat *m* mit Plattenwechsler.
au·to·ra·di·o·graph [ˌɔːtoˈreidiəˈgræ(ː)f; *Br. auch* -ˌgrɑːf] → radioautograph.
au·to·ro·ta·tion [ˌɔːtoroˈteiʃən] *s aer. phys.* Eigendrehung *f*.
au·to·scope [ˈɔːtəˌskoup] *s med.* Autoˈskop *n* (*Instrument zur Untersuchung des eigenen Auges*). — **au·tos·co·py** [ɔːˈtɒskəpi] *s med.* Autoskoˈpie *f*.
au·to·se·ro·ther·a·py [ˌɔːtoˌsi(ə)roˈθerəpi] *s med.* ˈAutoserumtheraˌpie *f*, Eigenserumbehandlung *f*.
au·to·si·lo [ˈɔːtoˌsailou] *s* (*Art*) ˈHochhausgaˌrage *f*, Autosilo *m*.
au·to·site [ˈɔːtəˌsait] *s med.* Autoˈsit *m* (*lebensfähige Mißbildung*).
au·to·sled [ˈɔːtoˌsled] *s* Motorschlitten *m*.

au·to·some [ˈɔːtəˌsoum] *s med.* Autoˈsom *n*, Euchromoˈsom *n* (*nicht geschlechtsbestimmendes Chromosom*).
au·to·sta·bil·i·ty [ˌɔːtostəˈbiliti; -ləti] *s tech.* ˈEigenstabiliˌtät *f.*
au·to·stra·da [autoˈstrada] *pl* **-de** [-e] (*Ital.*) *s* Autobahn *f* (*in Italien*).
au·to·sug·ges·tion [ˌɔːtosəˈdʒestʃən] *s* Autosuggestiˈon *f.* — **ˌau·to·sugˈges·tive** *adj* autosuggeˈstiv.
au·to·syn [ˈɔːtəsin] *s mil.* ˈSelbstsynchroniˌsierungsˌvorrichtung *f.*
au·tot·o·my [ɔːˈtɒtəmi] *s zo.* Autotoˈmie *f*, Selbstverstümmelung *f.*
au·to·tox·(a)e·mi·a [ˌɔːtotɒkˈsiːmiə] *s med.* Selbstvergiftung *f* (*im Blut*).
au·to·tox·in [ˌɔːtoˈtɒksin] *s med.* Autotoˈxin *n*, im Körper erzeugtes Toˈxin.
au·to·trans·form·er [ˌɔːtotrænsˈfɔːrmər] *s electr.* ˈSpar-, ˈAutotransforˌmator *m.*
au·to·trans·fu·sion [ˌɔːtotrænsˈfjuːʒən] *s med.* ˈAutotransfusiˌon *f.*
au·to·trans·plan·ta·tion [ˌɔːtoˌtrænsplænˈteiʃən; -plɑːn-] *s med.* ˈAutotransplantatiˌon *f.*
au·to·troph [ˈɔːtoˌtrɒf; -təˌt-] *s bot.* autoˈtrophe Pflanze. — **ˌau·toˈtroph·ic** *adj bot.* autoˈtroph, sich selbst ernährend (*durch Assimilation mit Chlorophyll*). — **au·tot·ro·phy** [ɔːˈtɒtrəfi] *s bot.* Autotroˈphie *f*, Selbsternährung *f.*
au·to·truck [ˈɔːtoˌtrʌk] *s Am.* Lastauto *n*, Last(kraft)wagen *m.*
au·to·type [ˈɔːtəˌtaip] *phot. print.* **I** *s* **1.** Autotyˈpie *f*, Rasterätzung *f* (*photograph. Pigmentdruckverfahren*). – **2.** Autotyˈpie *f*, Rasterbild *n*. – **3.** Fakˈsimileabdruck *m*. – **II** *v/t* **4.** mittels Autotyˈpie vervielfältigen. — **ˌau·toˈtyp·ic** [-ˈtipik] *adj* autoˈtypisch, Autotyp... — **ˌau·to·tyˈpog·ra·phy** [-taiˈpɒgrəfi; -tiˈp-] *s print.* Autotypograˈphie *f*, autoˈgraphischer Buchdruck. — **ˈau·toˌtyp·y** [-ˌtaipi; -tə-] → autotype 1.
au·to·vac [ˈɔːtoˌvæk; -tə-] *s tech.* ˈUnterdruckförderer *m* (*z.B. bei Kraftfahrzeugen*).
au·to·vac·cine [ˌɔːtoˈvæksiːn; -sin] *s med.* ˈAutovakˌzine *f*, Eigenimpfstoff *m.*
au·tox·i·da·tion [ɔːˌtɒksiˈdeiʃən] *s chem.* Autoxydatiˈon *f.*
au·tumn [ˈɔːtəm] **I** *s* **1.** Herbst *m* (*auch fig.*): the ~ of life. – **II** *v/t* **2.** reifen lassen. – **III** *v/i* **3.** reifen. – **IV** *adj* **4.** Herbst...
au·tum·nal [ɔːˈtʌmnəl] *adj* herbstlich, Herbst... (*auch fig.*). — **~ e·qui·nox** *s astr.* ˈHerbstäquiˌnoktium *n* (*23. September*). — **~ point** *s astr.* Herbstpunkt *m.*
au·tumn bells *s pl bot.* Lungenenzian *m* (*Gentiana pneumonanthe*; *in Nordamerika G. saponaria*).
au·tun·ite [ˈɔːtəˌnait] *s min.* Autuˈnit *m*, Uraˈnit *m* ($CaU_2P_2O_{12}{\cdot}8H_2O$).
aux·e·sis [ɔːkˈsiːsis] *s* **1.** Hyˈperbel *f*, Überˈtreibung *f*. – **2.** *biol.* ˈÜberentwicklung *f* (*von Zellen*). — **auxˈet·ic** [-ˈsetik], **auxˈet·i·cal** *adj* auˈxetisch. — **auxˈet·i·cal·ly** *adv* (*auch zu* auxetic).
aux·il·ia·ry [ɔːgˈziljəri; -ləri] **I** *adj* **1.** helfend, zur Hilfe dienend, mitwirkend, Hilfs... – **2.** zusätzlich, Zusatz... – **3.** *math.* proviˈsorisch, Hilfs...: ~ circle of the ellipse Kreis über der großen Achse der Ellipse. – *SYN.* accessory, adjuvant, subservient, subsidiary. – **II** *s* **4.** Helfer *m*, Verbündeter *m*, Beistand *m*. – **5.** *pl mil.* Hilfstruppen *pl*. – **6.** *ling.* → ~ verb. – **7.** *math.* Hilfsgröße *f*. – **8.** *mar.* Hilfsschiff *n*. — **~ cruis·er** *s mar.* Hilfskreuzer *m* (*bewaffnetes Handelsschiff*). — **~ en·gine** *s tech.* Hilfsmotor *m*. — **~ e·qua·tion** *s math.* Hilfsgleichung *f*. — **~ keel** *s mar.* Schlinger-, Kimm-, Seitenkiel *m*. — **~ line** *s math.* Hilfslinie *f*. — **~ quan·ti·ty** *s math.* Hilfsgröße *f*. — **~ var·i·a·ble** *s math.* Nebenveränderliche *f*. — **~ verb** *s ling.* Hilfsverb *n*, -zeitwort *n.*
aux·in [ˈɔːksin] *s biol.* Auˈxin *n.*
aux·o·car·di·a [ˌɔːksoˈkɑːrdiə] *s med.* Auxokarˈdie *f*, Herzvergrößerung *f.*
aux·o·chrome [ˈɔːksoˌkroum; -sə-] *s chem.* Auxoˈchrom *n.*
aux·o·spore [ˈɔːksəˌspɔːr] *s bot.* Auxoˈspore *f*, Wachstumsspore *f* (*der Diatomeen*).
a·vail [əˈveil] **I** *v/t* **1.** nützen (*dat*), helfen (*dat*), fördern. – **2.** *reflex* sich (*einer Sache*) bedienen, sich (*etwas*) zuˈnutze machen: to ~ oneself of an opportunity eine Gelegenheit ausnutzen. – **II** *v/i* **3.** nutzen, helfen, nützlich sein, von Nutzen sein: what ~s it? was nützt es? – **4.** *obs.* Nutzen haben (of von). – **III** *s* **5.** Nutzen *m*, Vorteil *m*, Gewinn *m*: that is of no ~ das nützt nichts; of what ~ is it? wozu nützt es? of little ~ von geringem Nutzen. – **6.** *pl econ. Am.* Ertrag *m*, Erlös *m*, Gewinn *m*. – *SYN.* advantage, profit, service, use.
a·vail·a·bil·i·ty [əˌveiləˈbiliti; -əti] *s* **1.** Nützlichkeit *f*, Nutzbarkeit *f*, Verwendbarkeit *f*. – **2.** Verfügbarkeit *f*. – **3.** *jur.* Gültigkeit *f*, Kraft *f*. – **4.** *pol. Am.* Erfolgschance *f* (*eines Kandidaten*).
a·vail·a·ble [əˈveiləbl] *adj* **1.** zu Gebote stehend, verfügbar, erhältlich, vorˈhanden: to employ all ~ means alle zu Gebote stehenden Mittel benutzen; all ~ resources alle verfügbaren Hilfsmittel. – **2.** *econ.* lieferbar, vorrätig, dispoˈnibel: ~ in all sizes in allen Größen lieferbar. – **3.** zugänglich, benutzbar (for für). – **4.** *jur.* zulässig, statthaft, gültig: that plea is not ~ dieser Einwand ist nicht statthaft; return ticket ~ for three days Rückfahrkarte mit dreitägiger Gültigkeitsdauer. – **5.** *pol. Am.* mit Aussichten auf Erfolg (*Kandidat*). – **6.** *obs.* nützlich, vorteilhaft.
a·val [aˈval] (*Fr.*) *s jur.* Aˈval *m*, Wechselbürgschaft *f.*
av·a·lanche [*Br.* ˈævəˌlɑːnʃ; *Am.* -ˌlæ(ː)ntʃ] **I** *s* **1.** Laˈwine *f*, Schneesturz *m*: dry ~ Staublawine; wet ~ Grundlawine. – **2.** *fig.* große Masse *od.* Menge: ~ of words Wortschwall. – **II** *v/i* **3.** wie eine Lawine herˈabstürzen.
av·ant|-cour·i·er [ˈævɑ̃ˈkurir] **I** *s* Vorläufer *m*, -bote *m* (*auch fig.*). – **II** *v/t* ankündigen. — **ˈ~-ˈgarde** [-ˈgɑːrd] *s meist fig.* Aˈvantgarde *f* (*bes. Vertreter einer modernen Kunstrichtung*). — **ˈ~-ˈgard·ist** [-ˈgɑːrdist] *s meist fig.* Aˌvantgarˈdist *m.*
av·a·rice [ˈævəris] *s* Geiz *m*, Habsucht *f*. — **ˌav·aˈri·cious** [-ˈriʃəs] *adj* geizig, habsüchtig, karg (of mit). – *SYN. cf.* covetous. — **ˌav·aˈri·cious·ness** *s* Geiz *m*, Habsucht *f*, Kargheit *f.*
a·vast [*Br.* əˈvɑːst; *Am.* əˈvæ(ː)st] *v/t u. v/i mar.* aufhören, stoppen, festhieven: ~! fest! ~ heaving! festhieven!
av·a·tar [ˌævəˈtɑːr] *s* **1.** (*Hinduismus*) Avaˈtara *m* (*Verkörperung göttlicher Wesen beim Herabsteigen auf die Erde*). – **2.** Verehrungsgegenstand *m*, Offenˈbarung *f.*
a·vaunt [əˈvɔːnt] *interj obs.* fort! weg da! hinˈweg!
a·ve [ˈeivi; ˈɑːvi] **I** *interj* **1.** Heil dir! sei gegrüßt! – **2.** leb wohl! – **II** *s* **3.** Ave *n* (*Willkommens- od. Abschiedsruf*). – **4.** A~ *relig.* → A~ Maria 1 *u.* 2.
a·vel·lan [əˈvelən; ˈævələn] **I** *adj* **1.** *bot.* Hasel...: ~ nut Haselnuß. – **2.** *her.* Haselnuß...: Cross A~ Hasel(nuß)-kreuz. – **II** *s* **3.** *her.* Hasel(nuß)-kreuz *n.*
A·ve Ma·ri·a [ˈɑːvi məˈriə], *auch* **A·ve Ma·ry** [ˈeivi ˈmɛ(ə)ri] *s relig.* **1.** Ave Maˈria *n*, Englischer Gruß. – **2.** Zeit *f* des Avebetens. – **3.** Rosenkranzperle *f.*
av·e·na·ceous [ˌæviˈneiʃəs; -və-] *adj bot.* haferartig.
a·ven·a·lin [əˈvenəlin] *s biol. chem.* Avenaˈlin *n* (*kristallinisches Globulin*).
a·venge [əˈvendʒ] **I** *v/t* **1.** (*j-n*) rächen: to ~ one's friend seinen Freund rächen; to ~ oneself, to be ~d sich rächen. – **2.** (*etwas*) rächen (on, upon an *dat*), ahnden. – **II** *v/i* **3.** sich rächen, Rache üben. – *SYN.* revenge. — **aˈvenge·ful** [-ful] *adj* rachevoll, rächend, ahndend. — **aˈveng·er** *s* Rächer *m.*
a·ve·nin [əˈviːnin] *s chem.* Aveˈnin *n*, ˌGlukovanilˈlin *n.*
av·ens [ˈævinz; -ənz] *s bot.* Nelkenwurz *f* (*Gattg Geum*).
av·en·tail, av·en·taile, av·en·tayle [ˈævənˌteil] *s mil. hist.* ˈHelmviˌsier *n.*
Av·en·tine [ˈævənˌtain; -tin] **I** *npr* Avenˈtin *m*. – **II** *s poet.* Zufluchtsort *m*. – **III** *adj* avenˈtinisch, den aventinischen Hügel (*in Rom*) betreffend.
a·ven·tu·rine, *auch* **a·ven·tu·rin** [əˈventʃərin] **I** *s* **1.** *min.* Aventuˈrin *n*, Glimmerquarz *m*. – **2.** *tech.* Aventuˈringlas *n* (*dunkelgrün mit roten Flittern*). – **3.** Aventuˈrin-, Gold-(siegel)lack *m*. – **II** *adj* **4.** aventuˈrinartig: ~ glass Aventuringlas; ~ glaze braune Porzellanglasur.
av·e·nue [ˈæviˌnjuː; -və-; *Am. auch* -ˌnuː] *s* **1.** *meist fig.* Zugang *m*, Weg *m* (to, of zu): an ~ to fame ein Weg zum Ruhm. – **2.** Alˈlee *f*, mit Bäumen bepflanzte Straße. – **3.** *bes. Am.* Aveˈnue *f*, Promeˈnade *f*, große und breite Straße, Prachtstraße *f.*
a·ver [əˈvɔːr] *pret u. pp* **aˈverred** *v/t* **1.** behaupten, als Tatsache ˈhinstellen, versichern (that daß). – **2.** den Beweis erbringen für, beweisen, bekräftigen. – *SYN. cf.* assert.
av·er·age [ˈævəridʒ; ˈævridʒ] **I** *s* **1.** ˈDurchschnitt *m*, Mittelwert *m*, mittleres Verhältnis: above (the) ~ über dem Durchschnitt; at (*od.* on, upon) an ~ im Durchschnitt, durchschnittlich; rough ~ annähernder Durchschnitt; ~ of ~s Oberdurchschnitt; calculation of ~s Durchschnittsrechnung; positional ~s Mittelwerte der Lage; to strike (*od.* take) the ~ den Durchschnitt nehmen. – **2.** *jur. mar.* Havaˈrie *f*, Haveˈrei *f*, Seeschaden *m*: petty ~ kleine Havarie; to make ~ havarieren; to adjust (*od.* to settle) the ~ die Havariedispache aufmachen; free from ~ nicht gegen Havarie versichert; particular ~ besondere *od.* partikuläre Havarie. – **3.** *jur. mar.* verhältnismäßige Teilung der Havaˈriekosten. – **4.** *jur. mar.* Anteil *m* an den Havaˈriekosten. – **5.** *jur. mar.* a) kleiner Aufschlag auf die Fracht, b) *obs.* Warenzoll *m*. – *SYN.* mean[3], median[2], norm. –
II *adj* **6.** ˈdurchschnittlich, Durchschnitts..., Mittel...: ~ amount Durchschnittsbetrag; ~ performance durchschnittliche Leistung. – *SYN.* fair, mediocre, medium. –
III *v/t* **7.** den ˈDurchschnitt schätzen (at auf *acc*) *od.* ermitteln *od.* nehmen von (*od. gen*): to ~ the amounts die Durchschnittszahl der Beträge ermitteln. – **8.** *econ.* anteilsmäßig aufgliedern: to ~ one's losses a) seinen Schadensbetrag anteilsmäßig aufgliedern, b) seine Verluste reduzieren (*indem man Wertpapiere derselben Art zu niedrigem Kurse kauft*). – **9.** ˈdurchschnittlich betragen *od.* haben *od.* geben *od.* leisten *od.* liefern *od.* verteilen *od.* zahlen: to ~ fifty miles an hour eine Durchschnitts-

geschwindigkeit von fünfzig Meilen pro Stunde fahren. – **IV** *v/i* **10.** einen (*bestimmten*) 'Durchschnitt erzielen: to ~ as expected den erwarteten Durchschnitt erzielen. – **11.** *econ. Waren, Papiere etc zusätzlich kaufen, um einen günstigeren Durchschnittspreis zu erzielen.*

av·er·age| ad·just·er *s jur. mar.* Dispa'cheur *m.* — **~ a·gent** *s econ.* Hava'riea͵gent *m*, -vertreter *m.* — **~ bill** *s econ.* Hava'rierechnung *f*, Seeschadensberechnung *f.* — **~ clause** *s econ.* Freizeichnungsklausel *f.* — **~ date** *s econ.* mittlerer ('Zahlungs)Ter͵min. — **~ goods** *s pl econ.* Hava'riewaren *pl.* — **~ mon·ey** *s econ.* Hava'riegeld *n.* — **~ num·ber** *s math.* 'Durchschnittszahl *f.* — **~ price** *s econ.* 'Durchschnittspreis *m.*

av·er·ag·er ['ævəridʒər; -vri-] → average adjuster.

av·er·age| sort *s econ.* Mittelsorte *f.* — **~ speed** *s* 'Durchschnittsgeschwindigkeit *f.* — **~ state·ment** *s econ.* Seeschädenberechnung *f*, Hava'rieaufmachung *f*, -rechnung *f*, Dis'pache *f.*

a·ver·du·pois *cf.* avoirdupois.

a·ver·in ['eivərin; 'eivrin] *s bot. Scot.* Multe-, Schellbeere *f* (*Rubus chamaemorus*).

a·ver·ment [ə'vəːrmənt] *s* **1.** Bestätigung *f*, Behauptung *f.* – **2.** Bekräftigung *f.* – **3.** *jur.* Beweisantrag *m* (*einer Partei vor Gericht*).

A·ver·nal [ə'vəːrnl] *adj* **1.** den A'vernus betreffend. – **2.** *poet.* höllisch, Höllen...

A·ver·nus [ə'vəːrnəs] **I** *npr* A'vernus *m* (*See in Italien, als Eingang zur Hölle betrachtet*). – **II** *s poet.* 'Unterwelt *f.*

Av·er·ro·ism [͵ævə'rouizəm] *s philos.* Averro'ismus *m*, Lehre *f* des (a'rabischen Arztes und Philo'sophen) A'verroës (*Versuch einer Verschmelzung aristotelischer Philosophie mit den Lehren des Islam*). — **͵Av·er'ro·ist** *s* Anhänger *m* des A'verroës. — **͵Av·er·ro'is·tic** *adj* averro'istisch.

av·er·run·ca·tor [*Am.* ͵ævə'rʌŋkeitər; *Br.* -rʌŋ'keitə] *s* Ast-, Baumschere *f*, Astschneider *m.*

a·verse [ə'vəːrs] *adj* **1.** (to) abgeneigt (*dat*), abhold (*dat*), eine Abneigung habend (gegen): to be ~ to abgeneigt sein (*dat*), verabscheuen, hassen (*acc*); to be ~ to all change kein Freund von Veränderungen sein; to be ~ to doing s.th. abgeneigt sein, etwas zu tun. – **2.** *bot.* von der Mittelachse abgewendet. – **3.** ungünstig (to für). – **4.** *obs.* abgewendet, nach unten gewendet. – *SYN. cf.* disinclined. — **a'verse·ness** *s* Abgeneigtheit *f*, 'Widerwille *m*, Abscheu *m.*

a·ver·sion [ə'vəːrʃən; -ʒən] *s* **1.** 'Widerwille *m*, Abscheu *m*, *f*, Abneigung *f*, Aversi'on *f* (to, for gegen, from vor *dat*): to have an ~ to s.o. eine Abneigung gegen j-n hegen; to take an ~ to s.th. (s.o.) eine Abneigung gegen etwas (j-n) fassen. – **2.** Unlust *f.* – **3.** Gegenstand *m* des Abscheus *od.* 'Widerwillens, Greuel *m*: it is my ~ es ist mir ein Greuel; beer is my pet ~ gegen Bier habe ich eine besondere Abneigung.

a·vert [ə'vəːrt] **I** *v/t* **1.** abwenden, wegkehren (from von): to ~ one's face sein Gesicht abwenden. – **2.** (*Unheil etc*) abwenden, verhüten: to ~ a catastrophe ein Unglück verhüten. – **3.** *obs.* abspenstig machen (from *dat*). – *SYN. cf.* prevent. – **II** *v/i* **4.** *obs.* sich abwenden. — **a'vert·a·ble** → avertible. — **a'vert·er** *s* **1.** Abwender *m.* – **2.** abwendendes Mittel. — **a'vert·i·ble** *adj* abwendbar.

a·ver·tin [ə'vəːrtin] *s chem.* Tribromoetha'nol *n* (CBr_3CH_2OH).

A·ves ['eiviːz] *s pl zo.* Vögel *pl* (*Klasse*).

A·ves·ta [ə'vestə] *npr* A'vesta *n* (*die heiligen Bücher der Parsen*). — **A'ves·tan I** *adj* das A'vesta betreffend. – **II** *s ling.* A'vestisch *n* (*Sprache des Avesta*).

avi- [eivi] *Wortelement mit der Bedeutung* Vogel...

a·vi·an ['eiviən] *adj zo.* Vögel betreffend, Vogel.

a·vi·ar·ist [*Br.* 'eiviərist; *Am.* -͵erist] *s* Vogelzüchter *m*, Besitzer *m* eines Vogelhauses.

a·vi·ar·y [*Br.* 'eiviəri; *Am.* -͵eri] *s* Vogelhaus *n.*

a·vi·ate ['eivi͵eit; 'æv-] *v/i aer.* **1.** (*im Flugzeug*) fliegen. – **2.** Luftfahrt betreiben.

a·vi·a·tion [͵eivi'eiʃən; ͵æv-] *s aer.* Luftfahrt *f*, Flugwesen *n*, Luftschiffahrt *f*, Fliegen *n*, Flugsport *m*, Fliege'rei *f.* — **~ badge** *s mil. Am.* Fliegerabzeichen *n* (*das nach abgeschlossener Ausbildung verliehen wird*). — **~ in·dus·try** *s* 'Flugzeugindu͵strie *f.*

a·vi·a·tor ['eivi͵eitər; 'æv-] *s* Flieger *m*, Flugzeugführer *m*, Pi'lot *m.* — **'a·vi͵a·tress** [-tris], **͵a·vi'a·trix** [-triks] *s* Fliegerin *f*, Pi'lotin *f.*

a·vic·u·lar [ə'vikjulər; -kjə-] *adj zo.* (die kleinen) Vögel betreffend, Vogel...

a·vi·cul·ture ['eivi͵kʌltʃər] *s* Vogelzüchten *n*, Vogelzucht *f.* — **͵a·vi'cul·tur·ist** *s* Vogelzüchter *m.*

av·id ['ævid] *adj* gierig (of, for nach). – *SYN. cf.* eager.

av·i·din ['ævidin; -və-; ə'vidin] *s chem.* Avi'din *n.*

a·vid·i·ty [ə'viditi; -əti] *s* **1.** Gier(igkeit) *f*, Begierde *f*, Habsucht *f* (of, for nach). – **2.** *chem.* betonte Affini'tät.

a·vi·fau·na [͵eivi'fɔːnə] *s zo.* Vogelwelt *f*, Vogelfauna *f* (*die in einem Bezirke vorkommenden Vögel*).

av·i·gate ['ævi͵geit; -və-] *v/i aer. Am.* ein Flugzeug steuern, fliegen. — **͵av·i'ga·tion** *s aer.* Avigati'on *f*, 'Flugnavigati͵on *f.* — **'av·i͵ga·tor** [-tər] *s* Pi'lot *m*, Flugzeugführer *m.*

a·vir·u·lent [ei'virulənt; -rju-] *adj med.* aviru'lent, nicht viru'lent.

a·vi·so [ə'vaizou] *pl* **-sos** *s* **1.** A'viso *n*, Benachrichtigung *f.* – **2.** *mar.* A'viso *m*, Meldeboot *n.*

a·vi·ta·min·o·sis [ei͵vaitəmi'nousis] *s med.* Avitami'nose *f*, Vita'minmangelkrankheit *f.*

av·o·ca·do [͵ævə'kɑːdou; ͵ɑːv-] *pl* **-dos** *s bot.* Avo'catobirne *f* (*Persea gratissima*).

av·o·ca·tion [͵ævo'keiʃən; -və-] *s* **1.** (Neben)Beschäftigung *f*, Steckenpferd *n.* – **2.** *bes. Br. colloq.* Beruf *m*, Berufsgeschäft *n.* – **3.** *obs.* a) Zerstreuung *f*, b) Abhaltung *f* (from von).

a·voc·a·to·ry [*Br.* ə'vɒkətəri; *Am.* -͵tɔːri] **I** *adj* ab(be)rufend, Ab(be)rufungs... – **II** *s* Ab(be)rufungsschreiben *n.*

av·o·cet ['ævo͵set; -və-] *s zo.* (*ein*) Säbelschnäbler *m* (*Gattg Recurvirostra*).

A·vo·ga·dro's law [͵ɑːvə'gɑːdrouz] *s phys.* Avo'gadrosches Gesetz.

a·void [ə'vɔid] **I** *v/t* **1.** (ver)meiden, (*einer Sache od. j-m*) ausweichen, (*Schwierigkeit*) um'gehen, (*einer Gefahr*) entgehen, entrinnen: to ~ s.o. j-n meiden; to ~ doing s.th. es vermeiden, etwas zu tun. – **2.** *jur.* aufheben, anfechten, annul'lieren, ungültig machen. – **3.** *obs.* (aus)leeren. – **4.** *obs.* vertreiben. – **II** *v/i* **5.** *obs.* sich entfernen. – *SYN. cf.* escape. — **a'void·a·ble** *adj* **1.** vermeidbar, vermeidlich: not ~ unvermeidlich, unumgänglich. – **2.** annul'lierbar.

a·void·ance [ə'vɔidəns] *s* **1.** Vermeidung *f* (of s.th. einer Sache), Meidung *f* (of s.o. einer Person): in (the) ~ of um zu vermeiden. – **2.** *jur.* Anfechtung *f*, Aufhebung *f*, 'Widerruf *m*, Nichtigkeitserklärung *f.* – **3.** Freiwerden *n*, Erledigung *f*, Va'kanz *f* (*eines Amtes etc*).

av·oir·du·pois [͵ævərdə'pɔiz] *s* **1.** *econ.* → ~ weight. – **2.** *Am. colloq.* Gewicht *n*, Schwere *f* (*einer Person*). — **~ pound** *s econ.* Handelspfund *n.* — **~ weight** *s econ.* gesetzliches Handelsgewicht (*1 Pfund = 16 Unzen, 1 Unze = 16 Drams; für alle Waren außer Edelsteinen, Edelmetallen u. Arzneien*).

av·o·set *cf.* avocet.

a·vouch [ə'vautʃ] **I** *v/t* **1.** behaupten, versichern, bekräftigen. – **2.** verbürgen. – **3.** anerkennen, eingestehen. – **4.** *obs.* a) beweisen, b) als Zeugen anrufen. – **II** *v/i* **5.** einstehen, garan'tieren (for für). – *SYN. cf.* assert. – **III** *s obs.* **6.** Behauptung *f*, Bekräftigung *f.* — **a'vouch·a·ble** *adj* erweislich, anführbar. — **a'vouch·ment** *s* Erklärung *f*, Behauptung *f*, Versicherung *f*, Bekräftigung *f.*

a·vow [ə'vau] *v/t* **1.** *bes. jur.* offen bekennen, (ein-, zu)gestehen, rechtfertigen: to ~ oneself the author sich als Autor bekennen. – **2.** anerkennen. – *SYN. cf.* a) assert, b) acknowledge. — **a'vow·a·ble** *adj* anerkennbar. — **a'vow·al** *s* offenes Bekenntnis *od.* Geständnis, Erklärung *f.* — **a'vow·ant** *s jur. Beklagter, der die Beschlagnahme im Wege der Selbsthilfe gepfändeter Güter eingesteht u. zu rechtfertigen sucht.* — **a'vowed** *adj* erklärt, offen ausgesprochen *od.* anerkannt. — **a'vow·ed·ly** [-idli] *adv* eingestandenermaßen, offen. — **a·vow·ry** [ə'vauri] *s* Eingeständnis *n* (*bes. des Beklagten in einer Klage auf Herausgabe im Wege der Selbsthilfe gepfändeter Güter an den Eigentümer*).

a·vul·sed [ə'vʌlsid] *adj med.* mit weggerissenem Gewebe, ausgerissen.

a·vul·sion [ə'vʌlʃən] *s* **1.** Ab-, Ausreißen *n*, Ausein'anderreißen *n.* – **2.** abgerissener Teil *od.* Gegenstand. – **3.** *jur.* Abschwemmen *n* (*von Land durch Überschwemmung etc*), Losreißung *f* (*eines Stückes Boden vom Land des einen u. Anschwemmung an das Land eines anderen*). – **4.** *med.* Abreißung *f*, Absprengung *f*: phrenic ~ Phrenikusexairese; skin ~ Hautabreißung.

a·vun·cu·lar [ə'vʌŋkjulər; -kjə-] *adj* **1.** Onkel... – **2.** *humor.* einen Pfandleiher betreffend, Pfandleiher...

a·wait [ə'weit] **I** *v/t* **1.** erwarten (*acc*), warten auf (*acc*), entgegensehen (*dat*): ~ing your answer in Erwartung Ihrer Antwort; to ~ instructions Anweisungen abwarten. – **2.** (*j-n*) erwarten (*Dinge*), bestimmt sein für (*od. dat*). – **3.** *obs.* (*j-m*) auflauern. – **II** *v/i* **4.** warten (for auf *acc*).

a·wake [ə'weik] *pret* **a·woke** [ə'wouk], **a·waked**, *pp* **a'waked**, **a'woke**, *obs.* **a'wok·en**, **a'wak·en I** *v/t* **1.** (*aus dem Schlaf*) (auf)wecken, erwecken. – **2.** *fig.* (*zur Tätigkeit etc*) erwecken, wach-, aufrütteln (from aus): to ~ s.o. to s.th. j-n einer Sache bewußt werden lassen. – **II** *v/i* **3.** aufwachen, erwachen. – **4.** *fig.* (*zu neuem Leben, neuer Tätigkeit etc*) erwachen: to ~ to s.th. sich einer Sache (voll) bewußt werden, über eine Sache volle Klarheit gewinnen. – **5.** *selten* a) wach sein, b) wach bleiben. – **III** *adj* **6.** wach, wachend: to be (wide) ~ (völlig) wach sein; to keep ~ wach (er)halten; to lie ~ all night die ganze Nacht wach liegen. – **7.** *fig.* bewußt: to be ~ to s.th. sich einer Sache bewußt sein, etwas wohl wissen. – **8.** *fig.* aufmerksam, auf der Hut, wachsam: to be ~ sich vorsehen. – *SYN. cf.* aware.

a·wak·en [ə'weikən] **I** *v/t* **1.** wecken, aufwecken, erwecken. – **2.** *fig.* erwecken, ermuntern, beleben, anfeuern (to zu). – **II** *v/i* **3.** erwachen, aufwachen (*auch fig.*). — **a'wak·en·a·ble** *adj* erweckbar. — **a'wak·en·ing I** *adj* **1.** erwachend (*auch fig.*). – **2.** aufweckend. – **3.** *fig.* wach-, aufrüttelnd. – **II** *s* **4.** Erwachen *n* (*auch fig.*). – **5.** Erwecken *n*, Aufwecken *n*. – **6.** *fig.* Erwecken *n*, Erweckung *f*, *bes.* religi'öse Erweckung.

a·ward [ə'wɔːrd] **I** *v/t* **1.** (durch Urteils- *od.* Schiedsspruch) zuerkennen *od.* zusprechen: he was ~ed the prize der Preis wurde ihm zuerkannt; to be ~ed damages Schadenersatz zugesprochen bekommen. – **2.** (*allgemein*) gewähren. – *SYN. cf.* grant. – **II** *v/i selten* **3.** entscheiden, ein Urteil abgeben (that daß). – **III** *s* **4.** Urteil *n*, Entscheidung *f*, Schiedsspruch *m*: state ~ staatlicher Schiedsspruch. – **5.** zuerkannte Belohnung *od.* Strafe, (Ordens)Verleihung *f*. – **6.** *econ.* Prämie *f*: highest possible ~s höchstmögliche Prämien. — **a'ward·a·ble** *adj* **1.** zu entscheiden(d). – **2.** zuerkennbar.

a·ware [ə'wɛr] *adj* **1.** (of) gewahr (*gen*), unter'richtet (von), in Kenntnis (von *od. gen*): to be ~ of s.th. von etwas wissen *od.* Kenntnis haben; I am well ~ that ich weiß wohl, daß; to become ~ of s.th. etwas gewahr werden, etwas merken. – **2.** *obs.* wachsam, auf der Hut. – *SYN.* alive, awake, cognizant, conscious, sensible. — **a'ware·ness** *s* Bewußtsein *n*, Bewußtheit *f*.

a·wash [ə'wɒʃ; *Am. auch* ə'wɔːʃ] *adv u. pred adj mar.* **1.** mit der Wasseroberfläche abschneidend (*Sandbänke etc*), in gleicher Höhe (with mit). – **2.** a) bespült von Wasser, b) unter Wasser. – **3.** auf dem Wasser treibend. – **4.** zwischen Wind und Wasser.

a·way [ə'wei] *adv u. pred adj* **1.** weg, hin'weg, fort: to go ~ weg-, fortgehen. – **2.** (weit) entfernt, (weit) weg (*örtlich u. zeitlich*): six miles ~ sechs Meilen entfernt; ~ back *bes. Am.* a) weit hinten, b) vor längerer Zeit; far (and) ~ *fig.* bei weitem. – **3.** abwesend, fort, außer Hause: he is ~ er ist fort, er ist verreist. – **4.** weg, zur Seite, in andere(r) Richtung: to turn ~ sich ab- *od.* wegwenden. – **5.** weithin. – **6.** fort, weg (*aus seinem Besitz, Gebrauch etc*): to give all one's money ~ sein ganzes Geld weggeben. – **7.** *fig.* fort, weg: to waste ~ time Zeit vertrödeln. – **8.** drauf'los, beständig, ohne Unter'brechung: to work ~ drauflosarbeiten, immerzu arbeiten; → fire 27b. – **9.** *colloq.* so'fort, so'gleich, ohne zu zögern, stracks: → right 26. – **10.** *Am.* weit, bei weitem: ~ below the average. – **11.** *poet. Kurzform für* go ~ *od.* hasten ~: I must ~ ich muß fort; I'll ~ to meet him ich will ihm entgegeneilen; let us ~! gehen wir! – **12.** *dial.* a) tot, gestorben, b) ohnmächtig. –
Besondere Redewendungen:
~ aloft! *mar.* enter auf! ~ with the stags! *mar.* Innentakel auf! ~ with it! weg damit! ~ with you! fort mit dir! to be ~ on leave auf Urlaub sein; to be ~ on a journey verreist *od.* auf Reisen sein; to do ~ with s.th. etwas abschaffen *od.* beseitigen, etwas verschwinden lassen; that does ~ with the difficulty damit ist die Schwierigkeit behoben; to idle (*od.* trifle) ~ one's time seine Zeit vertrödeln; to make ~ with aus dem Wege räumen; to make ~ with oneself sich umbringen; to make ~ with one's money sein Geld verprassen *od.* durchbringen; to run ~ with an idea sich etwas in den Kopf setzen; to while ~ the time die Zeit verbringen *od.* vertändeln, sich die Zeit vertreiben; that is ~ from the question das gehört nicht zur Sache. [spiel *n*.]

a·way game *s* (*Fußball*) Auswärts-

awe[1] [ɔː] **I** *s* **1.** Ehrfurcht *f*, (heilige) Scheu, Furcht *f*: in ~ of aus Ehrfurcht vor (*dat*); to hold (*od.* keep) s.o. in ~ j-m (Ehr)Furcht *od.* (ehrfürchtige) Scheu einflößen (of vor *dat*); to inspire s.o. with ~ j-m Ehrfurcht *od.* Scheu einflößen; to stand in ~ of a) eine Scheu besitzen *od.* sich fürchten vor (*dat*), b) einen gewaltigen Respekt haben vor (*dat*); to strike with ~ mit Ehrfurcht *od.* ehrfurchtsvoller Scheu erfüllen; to be struck with ~ von Scheu ergriffen werden. – **2.** *obs.* ehrfurchtgebietende Größe *od.* Macht. – **3.** *obs.* Furcht *f*, Schrecken *m*. – **II** *v/t* **4.** Ehrfurcht gebieten *od.* einflößen (*dat*), mit (Ehr)Furcht erfüllen (*acc*). – **5.** einschüchtern: to ~ s.o. into s.th. j-n durch Furcht zu etwas bringen; to be ~d into obedience so eingeschüchtert werden, daß man gehorcht.

awe[2] [ɔː] *s tech.* Schaufel *f* eines 'unterschlächtigen Wasserrads.

a·wea·ried [ə'wi(ə)rid] *adj poet.* müde. — **a'wea·ry** *adj* müde, 'überdrüssig (of *gen*).

a·weath·er [ə'weðər] *adv u. pred adj mar.* luvwärts.

a·week, *Br.* **a-week** [ə'wiːk] *adv* wöchentlich, in der Woche: five times ~.

a·weigh [ə'wei] *adv u. pred adj mar.* los, aus dem Grund (*Anker*): to be ~ Anker auf sein.

awe·less *bes. Br. für* awless.

awe·some ['ɔːsəm] *adj* **1.** ehrfurchtgebietend, furchteinflößend. – **2.** ehrfürchtig, von Ehrfurcht erfüllt, scheu.

'awe-ˌstrick·en, 'awe-ˌstruck *adj* von Ehrfurcht *od.* Scheu ergriffen.

aw·ful ['ɔːfəl; -ful] **I** *adj* **1.** furchtbar, schrecklich, entsetzlich. – **2.** *colloq.* furchtbar, riesig, kolos'sal: an ~ lot eine riesige Menge. – **3.** *colloq.* furchtbar, scheußlich, entsetzlich: an ~ noise ein schrecklicher Lärm. – **4.** ehrfurchtgebietend, erhaben, ehrwürdig, hehr. – **5.** ehrfurchtsvoll, ehrerbietig. – *SYN. cf.* fearful. – **II** *adv* **6.** *colloq. od. dial.* furchtbar, sehr, überaus, höchst, äußerst. — **'aw·ful·ly** *adv* **1.** *colloq.* furchtbar, äußerst, sehr, ungemein, riesig: ~ cold furchtbar kalt; ~ jolly ungemein lustig; ~ nice furchtbar *od.* riesig nett. – **2.** *colloq.* furchtbar, scheußlich, schrecklich, entsetzlich, ekelhaft. – **3.** in ehrfurchtgebietender Weise, maje'stätisch. – **4.** *obs.* ehrfurchtsvoll. — **'aw·ful·ness** *s* **1.** Schrecklichkeit *f*, Ab'scheulichkeit *f*. – **2.** Ehrwürdigkeit *f*.

a·while [ə'hwail] *adv* eine Zeitlang, eine Weile: to wait ~ ein wenig *od.* ein bißchen warten.

awk·ward ['ɔːkwərd] *adj* **1.** ungeschickt, unbeholfen, linkisch, plump. – **2.** tölpelhaft. – **3.** verlegen. – **4.** peinlich, mißlich, 'widerwärtig, unangenehm: an ~ situation eine peinliche *od.* unangenehme Lage; an ~ mistake ein fatales Versehen; to be placed in a very ~ position in eine sehr mißliche Lage versetzt sein. – **5.** unhandlich, schwer zu handhaben(d): an ~ implement. – **6.** schwer zu behandeln(d), unangenehm: an ~ customer. – **7.** unangenehm, lästig, gefährlich: an ~ street corner. – **8.** *obs.* verkehrt, widrig. – *SYN.* clumsy, gauche, inept, maladroit. — **'awk·ward·ness** *s* **1.** Ungeschicklichkeit *f*, Unbeholfenheit *f*, linkisches *od.* plumpes Wesen. – **2.** Verlegenheit *f*, Peinlichkeit *f*, 'Widerwärtigkeit *f*. – **3.** Unhandlichkeit *f*. – **4.** Lästigkeit *f*.

awl [ɔːl] *s* **1.** *tech.* Ahle *f*, Pfriem(e *f*) *m* (*der Schuhmacher etc*). – **2.** *mar.* Marleisen *n*, Marlspieker *m*.

aw·less, *bes. Br.* **awe·less** ['ɔːlis] *adj* **1.** unehrerbietig. – **2.** furchtlos. – **3.** *obs.* keine Ehrfurcht einflößend.

'awl|-ˌshaped *adj* pfriemförmig. — **'~ˌwort** *s bot.* Wasserpfriemkresse *f* (*Subularia aquatica*).

awn [ɔːn] *bot.* **I** *s* **1.** Granne *f*, Achel *f* (*am Getreide od. Gras*). – **2.** *collect.* Grannen *pl*. – **II** *v/t* **3.** entgrannen. — **awned** *adj* mit Grannen versehen, begrannt. — **'awn·er** *s* **1.** Entgranner *m*. – **2.** *agr. tech.* Ent'grannungsmaˌschine *f*, Entgranner *m*.

awn·ing ['ɔːniŋ] *s* **1.** Zeltbahn *f*, Plane *f*. – **2.** Mar'kise *f*. – **3.** *mar.* Sonnenzelt *n*, -segel *n*. — **~ deck** *s mar.* Sturmdeck *n*.

awn·less ['ɔːnlis] *adj bot.* ohne Grannen. — **'awn·y** *adj bot.* grannig, bärtig.

a·woke [ə'wouk] *pret u. pp von* awake. — **a'wok·en** *obs. pp von* awake.

a·work [ə'wɔːrk] *adv u. pred adj* an der Arbeit, in Tätigkeit, am Werk.

a·wry [ə'rai] *adv u. pred adj* **1.** schief, nicht gerade, krumm: his hat was all ~ sein Hut saß ganz schief. – **2.** schielend: to look ~ a) schielen, b) *fig.* schief *od.* scheel blicken. – **3.** *fig.* verkehrt, schief: to go (*od.* run, step, tread, walk) ~ irren (*Personen*), schiefgehen (*Sachen*). – **4.** *fig.* schief, entstellt, unwahr. – **5.** *fig.* unrecht, ungehörig, 'unnaˌtürlich.

ax, axe [æks] **I** *s* **1.** Axt *f*, Beil *n*, Haue *f*, Hacke *f*: boarding ~ Enterbeil; headsman's ~ Henkerbeil; to have an ~ to grind Privatinteressen verfolgen; to put the ~ in the helve *colloq.* den Zweifel beseitigen, ein Problem lösen; the ~ fell on him, he got the ~ *Am. colloq.* er ist ‚rausgeflogen' *od.* entlassen worden. – **2.** *fig.* rücksichtslose Sparmaßnahme: the Geddes ~ *Br.* vom Geddes-Ausschuß (1923) vorgeschlagene starke Streichung der Staatsausgaben. – **II** *v/t* **3.** mit der Axt bearbeiten. – **4.** mit der Axt *od.* dem Beil niederschlagen. – **5.** *fig.* (*Ausgaben*) radi'kal her'absetzen. – **6.** *fig.* rücksichtslos beseitigen, (*Dienststellen etc*) abbauen.

ax·es[1] ['æksiz] *pl von* ax(e).

ax·es[2] ['æksiːz] *pl von* axis[1].

ax| han·dle *s* Axt-, Beilstiel *m*. — **~ head** *s* Eisen *n* der Axt. — **~ helve** *s* Axt-, Beilstiel *m*.

ax·i·al ['æksiəl] *adj* **1.** *tech.* axi'al, achsenförmig, achsrecht, Achsen... – **2.** *math.* axi'al, in Richtung der Achse, mit der Achse zu'sammenfallend.

-axial [æksiəl] *Wortelement mit der Bedeutung* ...achsig.

'ax·i·al|-'flow tur·bine *s tech.* Axi'alturˌbine *f*. — **~ force** *s phys. tech.* Längsdruck *m*.

ax·i·al·i·ty [ˌæksi'æliti; -əti] *s tech.* axi'aler Zustand, Axiali'tät *f*.

ax·i·al| skel·e·ton *s med.* 'Achsenskeˌlett *n*. — **~ sym·me·try** *s math.* 'Achsensymmeˌtrie *f*. — **~ thrust** *s phys. tech.* Axi'alschub *m*.

ax·il ['æksil] *s bot.* Achsel *f* (*Ansatzwinkel des Blattes an der Achse*).

ax·ile[1] ['æksail; -sil] *adj bot.* achselständig (*aus der Achsel eines Tragblattes entspringend*).

ax·ile[2] ['æksail; -sil] → axial.

ax·il·la [æk'silə] *pl* **-lae** [-iː] *s* **1.** *med. zo.* Arm-, Achselhöhle *f*. – **2.** *bot.* → axil. — **ax·il·lar** ['æksilər; æk'silər] **I** *s zo.* Feder *f* an der 'Unterseite eines Vogelflügels. – **II** *adj* → axillary I. — **ax·il·lar·y** [*Br.* æk'siləri; 'æksil-; *Am.* 'æksəˌleri] **I** *adj* **1.** *med. zo.* Achsel... – **2.** *bot.* blattachselständig. – **II** *s* → axillar I.

ax·il·lar·y gland *s med. zo.* Achsellymphdrüse *f*.

ax·ine ['æksain; -sin] *adj zo.* den Axis(hirsch) betreffend.

ax·i·nite ['æksi,nait; -sə-] *s min.* Axi'nit *m* ($Ca_2(Mn,Fe)Al_2BH(SiO_4)_4$).

ax·in·o·man·cy [æk'sino,mænsi; -nə-] *s* Axinoman'tie *f* (*Weissagung aus den Bewegungen einer auf einen Block gelegten Axt*).

ax·i·om ['æksiəm] *s* **1.** Axi'om *n*, Grundsatz *m* (*der unbeweisbar ist u. eines Beweises nicht bedarf*): ~ **of continuity** *math.* Stetigkeitsaxiom, Kontinuitätsaxiom. – **2.** allgemein anerkannter Grundsatz. — **,ax·i·o·'mat·ic** [-'mætik], **,ax·i·o'mat·i·cal** *adj* **1.** axio'matisch, einleuchtend, 'unum,stößlich, von vornherein sicher. – **2.** voller Axi'ome, apho'ristisch: ~ **wisdom** aphoristische Weisheit. — **,ax·i·o'mat·i·cal·ly** *adv* (*auch zu* axiomatic). — **ax·i·om·a·ti·za·tion** [,æksi,ɒmətai'zeiʃən; -ti'z-] *s* Axiomati'sierung *f*. — **,ax·i'om·a,tize** *v/t* axiomati'sieren.

ax·is[1] ['æksis] *pl* **'ax·es** [-si:z] **I** *s* **1.** *math. phys. tech.* Achse *f*, Mittellinie *f*: ~ **of a balance** Achse einer Waage; ~ **of the earth** Erdachse; ~ **of incidence** Einfallslot; → **transverse**[1]. – **2.** *med. zo.* a) Dreher *m*, zweiter Halswirbel, b) Achse *f*: **cardiac** ~ Herzachse; **vertical** ~ Körperlängsachse. – **3.** *bot.* Achse *f*. – **4.** *min.* Achse *f* (*eines Kristalls*). – **5.** *aer.* Leitlinie *f*. – **6.** (*Malerei etc*) Bild-, Zeichnungsachse *f*. – **7.** *pol.* Achse *f* (*Bündnis zwischen Großmächten*): **the A~** die Achse (Berlin-Rom-Tokio) (*vor u. in dem 2. Weltkrieg*). – **II** *adj* **8. A~** *pol.* Achsen...: **the A~ powers** die Achsenmächte.

ax·is[2] ['æksis] *s zo.* Axis(hirsch) *m*, Gangesreh *n* (*Axis axis*).

ax·is| cyl·in·der *s med. zo.* 'Achsenzy,linder *m* (*innerster Teil eines Nervenstranges*). — ~ **deer** → **axis**[2]. — **'~-,free gy·ro** *s phys.* freier Kreisel. — ~ **of ab·scis·sas** *s math.* Ab'szissenachse *f*, x-Achse *f*. — ~ **of a curve** *s* (Symme'trie)Achse *f* einer Kurve. — ~ **of cur·va·ture** *s* Po'lare *f*, Krümmungsachse *f*. — ~ **of or·di·nates** *s* Ordi'natenachse *f*, y-Achse *f*. — ~ **of os·cil·la·tion** *s* Mittellinie *f* einer Schwingung. — ~ **of rev·o·lu·tion** *s* Rotati'ons-, Drehungsachse *f*. — ~ **of sup·ply** *s mil.* Nachschub-, Versorgungsachse *f*. — ~ **of sym·me·try** *s math.* Symme'trieachse *f*. — ~ **of the bore** *s mil.* Seelenachse *f* (*von Waffen*).

ax·le ['æksl] *s* **1.** (Rad)Achse *f*, Welle *f*. – **2.** Angel(zapfen *m*) *f*. – **3.** *obs. für* **axis**[1]. — ~ **arm** *s tech.* Achszapfen *m*. — ~ **bar** *s* Achsstock *m*, -stange *f*. — ~ **bear·ing** *s* Achslager *n*. — ~ **bed** *s* Achsfutter *n*. — ~ **box** *s* **1.** Achs-, Schmierbüchse *f*. — **2.** Achsgehäuse *n*. — ~ **end** *s* Wellenzapfen *m*. — ~ **grease box** *s* Achsschmierbüchse *f*. — ~ **guard** *s* Achshalter *m*, -gabel *f*. — ~ **jour·nal** *s* Achsschenkel *m*, Achs(en)lagerhals *m*. — ~ **load** *s* Achsbelastung *f*. — ~ **pin** *s* Achsnagel *m*, Splint *m*. — ~ **seat** *s* Achs(en)lager *n*. — ~ **swiv·el** *s* Achsschenkel *m*. — **'~,tree** *s* (Rad)Achse *f*, Welle *f*: ~ **arm** Achsschenkelzapfen; ~ **bed** Achsfutter; ~ **box** Achsbüchse.

ax·man ['æksmən] *s irr* Holzfäller *m*, -hacker *m*.

Ax·min·ster ['æks,minstər] **I** *npr* Axminster *n* (*Stadt in England*). – **II** *s auch* ~ **carpet** Axminsterteppich *m*.

ax·oid[1] ['æksɔid] *s math.* Axo'ide *f*.

ax·oid[2] ['æksɔid] *adj med.* den Dreher (*zweiten Halswirbel*) betreffend.

ax·o·lotl ['æksə,lɒtl] *s zo.* Axo'lotl *m*, Kolbenmolch *m* (*Gattg Ambystoma*).

ax·om·e·ter [æk'sɒmitər; -mə-] *s phys.* Achsenmesser *m*, Axono'meter *n* (*für Brillengläser*).

ax·on ['æksɒn] *s med.* **1.** Rückgrat *n*. – **2.** Neu'rit *m*, 'Achsenzy,linder,fortsatz *m* (*der Ganglienzelle*). — **'ax·one** [-soun] → **axon** 2.

ax·o·no·met·ric [,æksəno'metrik] *adj math.* axono'metrisch. — **,ax·o'nom·e·try** [-'nɒmitri; -mə-] *s math.* Axonome'trie *f*, Achsenmessung *f*.

ax·o·sper·mous [,æksо'spə:rməs; -sə-] *adj bot.* achsenständig (*Samen*).

ax·ot·o·mous [æk'sɒtəməs] *adj min.* in der Richtung der Achse spaltbar.

'ax|,seed *s bot.* Kronwicke *f* (*Coronilla varia*). — **'~,stone** *s min.* Beilstein *m*, Ne'phrit *m* (*Strahlsteinaggregat*).

ay[1] [ei] *interj obs. od. dial.* ach! oh!

ay[2] [ei] *adv poet. od. dial.* immer, ewig: **for ever and** ~ für immer und ewig.

ay[3] *cf.* **aye**[1].

a·yah ['aiə; 'ɑ:jə] *s Br. Ind.* Aja *f*, indisches Kindermädchen.

aye[1] [ai] **I** *interj* **1.** *mar. od. dial.* ja, ja'wohl, freilich, gewiß. – **2.** *pol.* ja (*im Parlament bei Abstimmungen*). – **II** *adv* **3.** ja, freilich, wirklich, wahrlich: ~ **but** ja, aber. – **III** *s* **4.** Ja *n*, bejahende Antwort. – **5.** *pol.* Jastimme *f*: **the** ~**s have it** die Mehrheit ist dafür, der Antrag ist angenommen.

aye[2] *cf.* **ay**[2].

aye-aye ['ai,ai] *s zo.* Fingertier *n* (*Daubentonia madagascariensis*).

Ayr·shire ['ɛrʃir; -ʃər] *s zo.* Ayrshire-Rind *n* (*Rinderrasse*).

a·yun·ta·mien·to [ajunta'mjento] *pl* **-tos** (*Span.*) *s* **1.** Stadtbehörde *f* (*in Spanisch-Amerika*). – **2.** Rathaus *n*.

az- [æz-; eiz-] → **azo-**.

a·za·le·a [ə'zeiliə; -ljə] *s bot.* Aza'lee *f* (*Gattg Azalea*).

a·zan [ɑ:'zɑ:n] (*Arab.*) *s* Ruf *m* zum Gebet (*durch den Muezzin*).

az·a·role ['æzə,roul] *s bot.* **1.** Aza'rolweißdorn *m* (*Crataegus azarolus*). – **2.** *Frucht von* 1.

a·zed·a·rach [ə'zedə,ræk] → **china-[berry tree 1.]**

a·ze·o·trope [ə'zi:ə,troup] *s chem.* azeo'tropes Gemisch.

A·zil·i·an [ə'ziljən] *adj geol.* zum Azili'en (*einer Kulturstufe der Mittelsteinzeit*) gehörig, Azilien...

az·i·muth ['æzimәθ; -zə-] *s astr.* Azi'mut *m*, Scheitelkreis *m*, Seitenwinkel *m*, Bogen *m* des Hori'zonts (*zwischen dem Meridian u. dem Höhenkreis eines Gestirns*). — **,az·i'muth·al** [-'mʌθəl] *adj* azimu'tal, Azimutal..., scheitelwinklig: ~ **equidistant projection** Scheitel-, Azimutalprojektion; ~ **quantum number** azimutale Quantenzahl.

az·i·muth| an·gle *s* (*Artillerie*) Seitenwinkel *m*. — ~ **cir·cle** *s* **1.** *astr.* Höhen-, Azi'mutkreis *m*. – **2.** *mil.* Seitenteilkreis *m*, Seitenrichtskala *f*. — ~ **dif·fer·ence** *s* (*Artillerie*) Paral'laxwinkel *m*. — ~ **in·stru·ment** *s tech.* Peilgerät *n*. — ~ **read·ing** *s mil. tech.* Nadelzahl *f*.

az·ine ['æzi:n; 'ei-; -zin], *auch* **'az·in** [-zin] *s chem.* A'zin *n*.

azo- [æzo; eizo] *chem.* *Wortelement mit der Bedeutung* Azo...

az·o·ben·zene [,æzo'benzi:n; -ben'zi:n; ,eiz-], **,az·o'ben·zol** [-zɒl; -zoul] *s chem.* 'Azoben,zol *n* ($C_6H_5N{:}NC_6H_5$).

az·o| dye *s chem.* Azofarbstoff *m*. — ~ **group** *s chem.* Azogruppe *f*.

a·zo·ic [ə'zouik] *adj geol.* a'zoisch (*den Formationen vor dem Auftreten von Lebewesen zugehörig*).

az·ole ['æzoul; ə'zoul] *s chem.* A'zol *n*.

az·on bomb ['æzɒn] *s aer. mil.* der Seite nach fernlenkbare Fliegerbombe.

a·zon·ic [ei'zɒnik] *adj* nicht auf eine Zone beschränkt.

A·zo·ri·an [ə'zɔ:riən] **I** *adj* a'zorisch. – **II** *s* Bewohner(in) der A'zoren.

az·o·rite ['æzə,rait] *s min.* Azo'rit *m*.

az·ote ['æzout; ə'zout] *s chem. obs.* Stickstoff *m*.

az·oth ['æzɒθ] *s* (*Alchimie*) *hist.* A'zoth *n*: a) *Quecksilber*, b) *Universalmittel des Paracelsus*.

a·zot·ic [ə'zɒtik] *adj chem. selten* Stickstoff..., stickstoffhaltig.

az·o·tine ['æzo,ti:n; -tin; -zə-], *auch* **'az·o·tin** [-tin] *s chem.* Azo'tin *n*.

az·o·tite ['æzə,tait] *s chem.* sal'petersaures Salz ($MeNO_3$).

az·o·tize ['æzə,taiz] *v/t chem.* azo'tieren, mit Stickstoff verbinden.

a·zo·to·bac·ter [ə'zouto,bæktər; -tə,b-] *s med.* Azotobak'terium *n* (*Stickstoff in elementarer Form, bes. Luftstickstoff, assimilierende Bakterienart*).

az·o·tom·e·ter [,æzo'tɒmitər; -zə-; -mə-] *s chem.* Azoto'meter *n* (*Stickstoffmeßapparat*).

a·zo·tous [ə'zoutəs] *adj chem.* sal'pet(e)rig.

Az·tec ['æztek] **I** *adj* **1.** az'tekisch. – **II** *s* **2.** Az'teke *m*, Az'tekin *f*. – **3.** *ling.* Nahuatl *n* (*eine uto-aztekische Sprache*). — **'Az·tec·an** *adj* az'tekisch.

az·ure ['æʒər; 'ei-] **I** *adj* **1.** a'zurn, a'zur-, himmelblau: ~ **copper ore** Kupferlasur. – **2.** a'zurn (*Himmel*). – **II** *s* **3.** (A'zur-, Himmel)Blau *n*. – **4.** blauer Farbstoff, *bes.* Kobaltblau *n*. – **5.** *poet.* A'zur *m*, Blau *n* des Himmels. – **6.** *her.* blaues Feld. – **III** *v/t* **7.** himmelblau färben. — ~ **spar** *s min.* Lazu'lith *m*, Blauspat *m*. — ~ **stone** *s min.* La'surstein *m*.

az·u·rine ['æʒu,rain; -rin; -ʒə-] *adj* a'zurn, a'zur-, himmelblau.

az·u·rite ['æʒu,rait; -ʒə-] *s min.* Azu'rit *m*, La'surstein *m*.

az·y·gos ['æzi,gɒs], **'az·y·gous** [-gəs] *adj med.* a'zygisch, unpaar(ig), nicht paarweise vor'handen (*Adern, Muskeln etc*).

az·ym ['æzim], **az·yme** ['æzaim; -zim] *s relig.* Azymon *n*, ungesäuertes Brot. — **'az·y·mous** [-ziməs] *adj* ungesäuert (*Brot*).

B

B, b [biː] **I** *s pl* **B's, Bs, b's, bs** [biːz] **1.** B *n*, b *n* (*2. Buchstabe des engl. Alphabets*): a capital (*od.* large) B ein großes B; a little (*od.* small) b ein kleines B. – **2.** *mus.* H *n*, h *n* (*Tonbezeichnung*): B flat B, b; B sharp His, his; B double flat Heses, heses; B double sharp Hisis, hisis. – **3.** B (*2. angenommene Person bei Beweisführungen*). – **4.** b (*2. angenommener Fall bei Aufzählungen*). – **5.** b *math.* b (*2. bekannte Größe*). – **6.** B *ped. bes. Am.* Zwei *f*, Gut *n*. – **7.** B, b (*Rückseite eines Blatts in Büchern mit Blattnumerierung*). – **8.** zweite Quali'tät, Güteklasse *f* B (*Konserven etc*): grade B plums Pflaumen Güteklasse B. – **9.** b, *auch* b flat *colloq.* Wanze *f*. – **10.** B *n*, B-förmiger Gegenstand. – **II** *adj* **11.** zweit(er, e, es): company B die 2. Kompanie. – **12.** B B-..., B-förmig.

ba [bɑː] *s relig.* die unsterbliche Seele (*im Glauben der alten Ägypter*).

baa [bɑː] **I** *s* Blöken *n*, Geblök *n* (*des Schafes*). – **II** *v/i* blöken. – **III** *interj* bäh!

Ba·al ['beiəl] *pl* **'Ba·a·lim** [-lim] **I** *npr Bibl.* Baal *m* (*Gottheit der alten semitischen Völker, bes. der oberste Gott der Phönizier*). – **II** *s allg.* Abgott *m*, Götze *m*. — **'Ba·al,ism** *s* Anbetung *f* des Baal, Götzendienst *m*. — **'Ba·al·ist, 'Ba·al,ite** [-ˌlait] *s* Baalsanbeter *m*, Götzendiener *m*.

baas [bɑːs] *s S.Afr.* Baas *m*, Herr *m* (*bes. als Anrede*).

ba·ba ['bɑːbɑː] *s* (*Art*) Kuchen *m* aus Hefeteig mit Rum.

ba·ba·co·ote ['bɑːbɑːkoˌout] *s zo.* Babakoto *m*, Indri *m* (*Halbaffe auf Madagaskar; Indri brevicaudatus*).

ba·bas·su [ˌbɑːbə'suː] *s bot.* Babas'su-Palme *f* (*Orbignya speciosa; Brasilien*).

bab·bitt[1] ['bæbit] *tech.* **I** *s* **1.** 'Babbit-, 'Weiß-, 'Lagermeˌtall *n*. – **2.** Lager(futter) *n* aus 'Babbitmeˌtall. – **II** *v/t* **3.** mit 'Weißmeˌtall ausgießen, mit 'Babbitmeˌtall versehen.

Bab·bitt[2] ['bæbit] *s Am.* Babbitt *m*, selbstzufriedener Spießer (*nach dem gleichnamigen Roman von Sinclair Lewis*).

Bab·bitt met·al → babbitt[1] 1.

Bab·bitt·ry ['bæbitri] *s Am.* Spießertum *n*.

bab·ble ['bæbl] **I** *v/i* **1.** stammeln, lallen. – **2.** babbeln, plappern, schnattern, schwatzen. – **3.** plätschern, murmeln. – **II** *v/t* **4.** stammeln, lallen. – **5.** plappern, schwatzen. – **6.** ausplappern, ausplaudern: to ~ a secret. – **III** *s* **7.** Gestammel *n*. – **8.** Gebabbel *n*, Geplapper *n*, Geschwätz *n*. – **9.** Geplätscher *n*, Gemurmel *n*. — **'bab·ble·ment** → babble III.

bab·bler ['bæblər] *s* **1.** Schwätzer *m*. – **2.** *zo.* Schwätzer *m* (*Bezeichnung für zahlreiche Vögel, bes. solche der Familie Timaliidae*).

babe [beib] *s* **1.** kleines Kind, Säugling *m*, Baby *n* (*auch fig.*): ~ in the woods naives *od.* großes Kind (*unschuldige, vertrauensselige, hilflose Person*). – **2.** *Am. sl.* ‚Puppe' *f* (*fesches, reizvolles Mädchen*).

Ba·bel ['beibəl] **I** *npr Bibl.* **1.** Babel *n*, Babylon *n*. – **II** *s oft* b~ **2.** Szene *f* voll Lärm und Verwirrung, Durchein'ander *n*. – **3.** (Sprach)Verwirrung *f*.

bab·i·a·na [ˌbæbi'einə] *s bot.* Babi'ana *f* (*Gattg Babiana*).

'ba·bies'-ˌbreath ['beibiz] *s bot.* **1.** Schleierkraut *n* (*Gypsophila paniculata*). – **2.** *eine nordamer. Rubiacee* (*Houstonia angustifolia*). – **3.** → grape hyacinth. – **4.** *eine Liliacee* (*Androstephium coeruleum*). – **5.** Weißes Labkraut (*Galium mollugo*).

bab·i·ru·sa, *auch* **bab·i·rous·sa, bab·i·rus·sa** [ˌbæbi'ruːsə; ˌbɑː-] *s zo.* Hirscheber *m* (*Babirussa babirussa*).

Bab·ism ['bɑːbizəm] *s relig.* Ba'bismus *m* (*moderne pantheistische Religionslehre in Persien*). — **'Bab·ist** *adj* ba'bistisch.

ba·boo ['bɑːbuː] *pl* **-boos** *s Br. Ind.* **1.** Herr *m* (*bei den Hindus*). – **2.** einheimischer Kom'mis in Indien, der englisch schreiben kann. – **3.** Inder *m* mit oberflächlicher engl. Bildung.

ba·boon [bæ'buːn; bə'b-] *s* **1.** *zo.* (*ein*) Pavian *m* (*Gattg Papio u. verwandte Gattgen*). – **2.** *fig. vulg.* ‚Affe' *m*.

ba·boon·er·y [bæ'buːnəri; bə'b-] *s* **1.** *zo. collect.* Paviane *pl*, 'Pavianenkoloˌnie *f*. – **2.** *fig.* Äffe'rei *f*, äffisches Benehmen.

ba·boon·ish [bæ'buːniʃ; bə'b-] *adj* **1.** *zo.* pavianartig. – **2.** *fig.* affenartig, äffisch.

ba·bouche [bɑː'buːʃ] *s* Ba'busche *f* (*orientalischer Pantoffel*).

ba·bu *cf.* baboo.

ba·bul [bɑː'buːl; 'bɑːbuːl] *s bot.* **1.** (*eine*) A'kazie (*Gattg Acacia*), *bes.* Babul *m* (*A. arabica*). – **2.** Babulrinde *f od.* -schoten *pl*.

ba·bush·ka [bə'buʃkə; -'buːʃ-] *s Am.* (dreieckiges) Frauenkopftuch (*das unter dem Kinn verknotet wird*).

ba·by ['beibi] **I** *s* **1.** Baby *n*, Säugling *m*, Kleinkind *n*: to hold the ~ *Br. sl.* den Kopf hinhalten. – **2.** (*der, die, das*) Jüngste: the ~ of the family. – **3.** kindischer Mensch, ‚Kindskopf' *m*. – **4.** *sl.* ‚Sache' *f*, ‚Geschichte' *f* (*Leistung, auf die man stolz ist*). – **5.** *sl.* Mädchen *n*, Schatz *m*. – **II** *adj* **6.** einem Baby gehörig *od.* passend, (Klein)Kinder..., Baby..., Säuglings... – **7.** kindlich, infan'til: a ~ face. – **8.** *colloq.* klein, Klein... – **9.** kindisch. – **III** *v/t* **10.** wie ein Baby behandeln, verzärteln. – *SYN. cf.* indulge. — ~ **beef** *s Am.* **1.** Rindkalb *n* (*zwischen 12 u. 20 Monaten*). – **2.** (Rind)Kalbfleisch *n*. — ~ **blue-eyes** *s bot. Am.* (*eine*) Hainblume (*Nemophila insignis od. phacehoides; USA*). — ~ **bond** *s econ. Am.* Baby-Bond *m* (*Wertpapier mit geringem Nominalwert*). — ~ **bot·tle** *s* Saug-, Milchflasche *f*. — ~ **bug·gy** *s Am.* Kinderwagen *m*. — ~ **car** *s* Kleinwagen *m*. — ~ **car·riage** *s* Kinderwagen *m*. — ~ **con·vert·er** *s tech.* kleine Thomasbirne, Kleinbirne *f*. — ~ **farm** *s* Säuglingsheim *n*. — ~ **fight·er** *s aer.* von einem Bomber getragener Begleitjäger. — ~ **grand** *s mus.* Stutzflügel *m*.

ba·by·hood ['beibiˌhud] *s* erste Kindheit, Säuglingsalter *n*.

'ba·byˌhouse *s* Puppenhaus *n*.

ba·by·ish ['beibiiʃ] *adj* **1.** kindisch. – **2.** kindlich, kindhaft, wie ein Säugling. — **'ba·by·ish·ness** *s* kindisches Wesen.

ba·by| jump·er *s Am.* (*mit einer elastischen Schnur an der Decke befestigte*) Wippvorrichtung für Kleinkinder. — **'~ˌlike** *adj* kindlich. — ~ **lin·en** *s* Kinderwäsche *f*.

Bab·y·lon ['bæbilən; -bə-] **I** *npr* Babylon *n*. – **II** *s fig.* (Sünden)Babel *n*, Stadt *f* des Wohlstands u. der Sünde.

Bab·y·lo·ni·an [ˌbæbi'louniən; -bə-; -njən] **I** *adj* **1.** baby'lonisch: ~ captivity Babylonische Gefangenschaft. – **2.** *fig.* riesig, riesengroß. – **3.** *fig.* sündhaft, sündig. – **II** *s* **4.** Baby'lonier(in). – **5.** *ling.* Baby'lonisch *n*, das Babylonische. — ~ **wil·low** *s bot.* **1.** Trauerweide *f* (*Salix Babylonica; China*). – **2.** → bahan.

ba·by nurs·er·y *s* Säuglingsheim *n*.

ba·by's-breath *cf.* babies'-breath.

'ba·by|-ˌsit *v/i irr* (Klein)Kinder hüten. — ~ **sit·ter** *s* Babysitter *m*, Kinderwärter(in). — ~ **talk** *s* Babysprache *f*, kindische Ausdrucksweise. — **'~-ˌtend** → baby-sit. — ~ **things** *s pl* Spiel-, Puppenkram *m*.

bac [bæk] *s* **1.** (*Brauerei etc*) Kühlschiff *n*, Bottich *m*. – **2.** *mar. selten* Fähre *f*, Fährkahn *m*, Prahm *m*.

ba·ca·ba [bə'kɑːbə] *s bot.* Bakuba-Palme *f* (*Gattg Oenocarpus, bes. O. distichus*).

bac·ca·lau·re·an [ˌbækə'lɔːriən] *adj ped.* einen Bakka'laureus betreffend, Studenten...

bac·ca·lau·re·ate [ˌbækə'lɔːriit] *s ped.* **1.** Bakkalaure'at *n* (*niedrigster akademischer Grad*). – **2.** *bes. Am.* Gottesdienst *m* bei der aka'demischen Promoti'on. – **3.** → ~ sermon. — ~ **sermon** *s ped. Am.* Abschiedspredigt *f* an die promo'vierten Stu'denten.

bac·ca·rat, *auch* **bac·ca·ra** ['bækəˌrɑː; ˌbækə'rɑː] *s* Bakkarat *n* (*Glücksspiel*).

bac·cate ['bækeit] *adj bot.* **1.** beerenartig. – **2.** beerentragend.

Bac·chae ['bækiː] *s pl antiq.* **1.** Begleiterinnen *pl* des Bacchus. – **2.** Priesterinnen *pl* des Bacchus. – **3.** Teilnehmerinnen *pl* an den Baccha'nalien.

bac·cha·nal ['bækənl; -ˌnæl] **I** *s* **1.** Bac'chant(in), Begleiter(in) des

Bacchus. – **2.** ausgelassener Zecher, trunkener Schwärmer. – **3.** Bac'cha'nal *n*, Orgie *f*. – **II** *adj* **4.** bacchisch, Bacchus *od.* das Bacchusfest betreffend. – **5.** bac'chantisch, ausgelassen, trunken.

Bac·cha·na·li·a [ˌbækəˈneiliə; -ljə] *s pl* **1.** *antiq.* Baccha'nal *n*, Bacchusfest *n*. – **2. b~** *fig.* wüstes Trinkgelage, Orgie *f*. — **ˌbac·cha'na·li·an I** *adj* → bacchanal II. – **II** *s* → bacchanal 2. — **ˌbac·cha'na·li·anˌism** *s* wüste Ausschweifung.

bac·chant [ˈbækənt] **I** *s pl* **-chants, -chan·tes** [bəˈkæntiːz] **1.** *antiq.* Bac'chant *m*. – **2.** *fig.* ausschweifender Schwelger. – **II** *adj* **3.** bac'chantisch. — **bac·chante** [bəˈkænti; -ˈkænt] *s* Bac'chantin *f*. — **bac'chan·tic** *adj* bac'chantisch.

Bac·chic [ˈbækik] *adj* **1.** bacchisch, bac'chantisch. – **2.** *meist* **b~** *fig.* ausschweifend, ausgelassen, trunken.

bacci- [bæksi] *bot. Wortelement mit der Bedeutung* Beere.

bac·cif·er·ous [bækˈsifərəs] *adj bot.* beerentragend. — **ˈbac·ciˌform** [-siˌfɔːrm] *adj biol.* beerenförmig.

bac·civ·o·rous [bækˈsivərəs] *adj zo.* beerenfressend.

bac·cy [ˈbæki] *colloq. für* tobacco.

bach [bætʃ] *v/i oft* ~ it *Am. sl.* ein Junggesellenleben führen, als Junggeselle hausen, seinen Haushalt selbst führen.

bach·e·lor [ˈbætʃələr] *s* **1.** Junggeselle *m*. – **2.** *ped.* Bakka'laureus *m* (*j-d der den niedrigsten akademischen Grad erworben hat*): ~ of arts Bakkalaureus der philosophischen Fakultät; ~ of science Bakkalaureus der Naturwissenschaften. – **3.** *hist.* Knappe *m* niedrigsten Ranges (*der unter der Fahne eines anderen dient*). – **4.** *zo.* Tier *n* (*bes.* junger Seehund) ohne Weibchen während der Brunstzeit. — **'~-at-'arms** *pl* **'~s-at-'arms** → bachelor 3.

bach·e·lor·dom [ˈbætʃələrdəm] *s* **1.** Junggesellenstand *m*. – **2.** *collect.* Junggesellen(schaft *f*) *pl*.

bach·e·lor girl *s* Junggesellin *f*.

bach·e·lor·hood [ˈbætʃələrˌhud] *s* **1.** Junggesellenstand *m*. – **2.** *ped.* Bakkalaure'at *n*.

bach·e·lor| of·fi·cers' quar·ters *s pl mil.* Offi'ziersledigenheim *n*. — **~ quar·ters** *s pl* Junggesellenwohnung *f*, Wohnung *f* für Al'leinstehende.

'bach·e·lor's|-'but·ton *s* **1.** *bot.* a) Kornblume *f* (*Centaurea cyanus*), b) 'Kugel-Amaˌrant *m* (*Gomphrena globosa*), c) Scharfer Hahnenfuß (*Ranunculus acer*). – **2.** Pa'tentknopf *m* (*Knopf, der nicht angenäht, sondern durch den Stoff geknipst wird*). — **~ de·gree** *s ped.* Bakkalaure'at *n*.

bach·e·lor·ship [ˈbætʃələrˌʃip] → bachelorhood.

ba·cil·lar [bəˈsilər; ˈbæsilər] → bacillary.

bac·il·lar·y [*Br.* bəˈsiləri; *Am.* ˈbæsiˌleri] *adj* **1.** ba'zillen-, stäbchenförmig. – **2.** *med.* bazil'lär, Bazillen...

bac·il·le·mi·a [ˌbæsiˈliːmiə] *s med.* Bazillä'mie *f*.

ba·cil·li·form [bəˈsiliˌfɔːrm] *adj* ba'zillenförmig, stäbchenförmig.

ba·cil·lo·pho·bi·a [bəˌsiloˈfoubiə] *s med.* Baˌzillopho'bie *f*, Ba'zillenangst *f*.

bac·il·lu·ri·a [ˌbæsiˈlju(ə)riə] *s med.* Bazillu'rie *f*.

ba·cil·lus [bəˈsiləs] *pl* **-li** [-ai] *s med.* **1.** Ba'zillus *m*, 'Stäbchenbakˌterie *f*. – **2.** Bak'terie *f*. — **~ car·ri·er** *s med.* Ba'zillenträger *m*. — **~ co·li** [ˈkoulai] *s med.* 'Kolibaˌzillus *m*. — **~ of black leg, ~ of quar·ter** *s med.* 'Rauschbrandbaˌzillus *m*. — **~ tet·a·ni** [ˈtetəˌnai] *s med.* 'Starrkrampfbaˌzillus *m*. — **~ wel·chi·i** [ˈwelkiˌai] *s med.* Fraenkelscher Ba'zillus.

bac·i·tra·cin [ˌbæsiˈtreisin] *s chem. med.* aus dem 'Heubaˌzillus gewonnenes Antibi'otikum.

back[1] [bæk] **I** *s* **1.** Rücken *m* (*von Mensch u. Tier*), Kreuz *n* (*des Pferdes*): at the ~ of hinter (*dat*); at the ~ of one's mind in seinen verborgensten Gedanken; (in) ~ of *Am.* hinter (*dat*); to turn one's ~ on s.o. sich von j-m abwenden, j-n im Stiche lassen; behind s.o.'s ~ hinter j-s Rücken, in j-s Abwesenheit, im geheimen; flat on one's ~ gänzlich herunter, hilflos; to have s.o. on one's ~ j-n auf dem Hals haben; to have one's ~ to the wall an die Wand gedrückt sein, in Schwierigkeiten sein; to put (*od.* set, get) s.o.'s ~ up j-n hoch- *od.* aufbringen; → break 24; duck[1] 1; turn *b. Redw.* – **2.** 'Hinter-, Rückseite *f* (*des Kopfes, Hauses, Briefes, einer Tür etc*), untere Seite (*eines Blattes*), Rücken *m* (*der Hand, eines Berges, Buches, Rockes, Messers etc*), Kehrseite *f* (*einer Münze*), (Rück)Lehne *f* (*eines Stuhls*), linke Seite (*des Tuches*), Boden *m*, Platte *f* (*eines Saiteninstruments*). – **3.** Körper *m*, Leib *m*: the clothes on his ~. – **4.** Rücksitz *m* (*des Autos*): in the ~ of the car auf dem Rücksitz des Autos. – **5.** 'Hintergrund *m*, hinterer *od.* fernst gelegener Teil (*eines Waldes etc*). – **6.** Rückenteil *m* (*eines Kleidungsstückes*). – **7.** 'Hinterstück *n*: ~ of a roe Rehziemer. – **8.** Rückgrat *n*: to break one's ~ sich das Kreuz brechen. – **9.** *fig.* Rücken *m* (*Kraft, Lasten zu tragen*): he has a strong ~ er hat einen breiten Rücken. – **10.** *arch.* Hauptdachbalken *m*. – **11.** (*Fußball*) Verteidiger *m*, Läufer *m*, (*Faustball, Rugby etc*) 'Hinterspieler *m*. – **12.** *mil. obs.* Nachtrab *m*, -hut *f*. –

II *adj* **13.** rückwärtig, letzt(er, e, es), hinter(er, e, es), Hinter..., Rück... – **14.** *ling.* hinten im Mund geformt: a ~ vowel ein dunkler Vokal. – **15.** fern, abgelegen. – **16.** rückläufig, rückwärts laufend: a ~ current. – **17.** rückständig, verfallen, zu'rückliegend (*Miete, Wechsel, Nummer einer Zeitung etc*): ~ issue alte Ausgabe *od.* Nummer. –

III *adv* **18.** zu'rück, rückwärts. – **19.** (wieder) zu'rück: he is ~ (again) er ist wieder da; to pay ~ a) zurück(be)zahlen, b) *fig.* heim-, zurückzahlen, vergelten; to take ~ (*Beleidigung etc*) zurücknehmen, widerrufen. – **20.** zu'rück, vorher, früher: 20 years ~ vor 20 Jahren. – **21.** *colloq.* zu'rück, im Rückstand: to be ~ in one's rent mit der Miete im Rückstand sein. – **22.** zu'rück, im Rückhalt: to keep ~ the truth mit der Wahrheit zurückhalten, die Wahrheit für sich behalten. –

IV *v/t* **23.** *auch* ~ up unter'stützen, verteidigen, (*etwas*) bekräftigen, beistehen (*dat*), den Rücken stärken *od.* decken (*dat*). – **24.** *auch* ~ up (*Auto etc*) rückwärts fahren lassen, in verkehrter Richtung laufen *od.* gehen lassen: ~ her! *mar.* zurück! to ~ sails *mar.* die Segel backholen; to ~ water a) *mar.* ein Schiff rückwärtsrudern *od.* nach rückwärts laufen lassen, rückwärts fahren, b) *Am. colloq.* sich zurückziehen, klein beigeben. – **25.** wetten *od.* setzen auf (*acc*), Vertrauen haben zu: to ~ a horse auf ein Pferd wetten *od.* setzen; to ~ the wrong horse auf das falsche Pferd setzen (*auch fig.*). – **26.** (*Pferd etc*) besteigen. – **27.** *auch* ~ up (*Buch etc*) mit einem Rücken versehen, an der Rückseite (ver)stärken, (*Stuhl*) mit einer Lehne versehen. – **28.** (*Wechsel*) indos'sieren, gegenzeichnen. – **29.** auf der Rückseite beschreiben *od.* bedrucken. – **30.** im Rücken liegen von, den 'Hintergrund bilden für: the lake is ~ed by mountains Berge bilden den Hintergrund des Sees. – **31.** *auch* ~ up zu'rückbewegen, -rücken, -stoßen, -schieben, -treiben. – **32.** *colloq.* auf dem Rücken tragen, auf den Rücken nehmen. – **33.** *hunt.* hinter und mit (*dem Leithunde*) (vor)stehen (*Meute*). – *SYN. cf.* support. –

V *v/i* **34.** *oft* ~ up sich zu'rückbewegen, zurückgehen, -kommen, -treten. – **35.** *mar.* zu'rückspringen, links 'umspringen, linksdrehen, rückdrehen (*Wind*). – **36.** ~ and fill a) *mar.* back und voll brassen, la'vieren, kurze Gänge machen, b) *Am. colloq.* unschlüssig sein, schwanken. – *SYN. cf.* recede[1]. –

Verbindungen mit Adverbien:

back| down *v/i fig.* klein beigeben, abstehen (from von): to ~ from a statement eine Aussage widerrufen; to ~ from a claim von einem Anspruch zurücktreten. — **~ off** *v/i* sich zu'rückziehen (from von). — **~ out** *v/i* (of) zu'rücktreten (von), (*einer Gefahr etc*) ausweichen, ‚sich drücken' (um), ‚kneifen' (vor *dat*): to ~ of an engagement. — **~ up** → back[1] 23, 24, 27, 31, 34.

back[2] *cf.* bac 1.

'back|ˌache *s med.* Rückenschmerzen *pl*. — **~ al·ley** *s Am.* (ob'skures) Seitengäßchen. — **~ and forth,** *Br.* **~ and for·ward** *adv* hin und her. — **~ bal·ance** *s tech.* Gegengewicht *n*. — **'~ˌband** *s* Kreuzriemen *m*, Rückengurt *m* (*eines Pferdes*). — **~ bas·ket** *s* Kiepe *f*, Rückentragkorb *m*. — **B~ Bay** *s vornehmer Stadtteil in Boston, Mass.* — **~ bench** *s* hintere Sitzreihe (*bes. im brit. Unterhaus*). — **'~'bench·er** *s pol. Br.* weniger bedeutendes Mitglied des 'Unterhauses. — **~ bend** *s* (*Ringen*) Brücke *f*. — **'~ˌbite** *irr* **I** *v/t* verleumden, hinter (*j-s*) Rücken reden, reden *od.* 'herziehen über (*j-n*). – **II** *v/i* afterreden. — **'~ˌbit·er** *s* Verleumder(in). — **'~ˌbit·ing I** *adj* verleumderisch. – **II** *s* Verleumdung *f*. — **'~ˌboard I** *s* **1.** Rückenbrett *n*, hinteres Brett, Lehnbrett *n* (*hinten im Boot, Wagen etc*). – **2.** *med.* Rückenbrett *n*, Geradehalter *m* (*zur Verbesserung der Haltung*). – **3.** (*Basketball*) Rückbrett *n* (*an dem der Korb angebracht ist*). – **4.** *tech.* Gegenschlagbug *m*, Schlingerschlagbug *m*. – **II** *v/t* **5.** *med.* (*j-n*) ein Rückenbrett tragen lassen. — **'~'bone** *s* **1.** Wirbelsäule *f*, Rückgrat *n* (*auch fig.*): to the ~ bis auf die Knochen, durch und durch, ganz und gar. – **2.** Rücken *m*, Hauptgebirgszug *m*. – **3.** (Buch)Rücken *m*. – **4.** *fig.* (Willens-)Kraft *f*, Festigkeit *f*. – *SYN. cf.* fortitude. — **'~ˌbreak·ing** *adj* erschöpfend, ermüdend, zermürbend. — **'~ˌchat** *s sl.* **1.** freche Antwort(en). – **2.** *Br.* schnelle, schneidige Wechselrede (*zwischen Komikern im Varieté*). — **~ cloth** → backdrop. — **~ contact** *s electr.* 'Ruhekonˌtakt *m*. — **~ coun·try** *s bes. Am.* 'Hinterland *n*. — **~ course** *s* Gegenkurs *m*. — **~ court** *s* (*Tennis*) hinteres Spielfeld, 'Hinterfeld *n*. — **'~ˌcross** *biol.* **I** *v/t* rückkreuzen, (*Bastard*) mit einer Elterform kreuzen. – **II** *s* Rückkreuzung *f*. — **~ cur·rent** *s* Rück-, Gegenstrom *m*. — **~ door** *s* **1.** 'Hintertür *f*. – **2.** *fig.* 'Hintertür *f*, Ausweg *m*. — **'~ˌdoor** *adj* geheim, heimlich, 'hinterlistig. — **'~ˌdrop** *s* 'Hintergrund *m*, Pro'spekt *m* (*gemalter Vorhang, der den hinteren Teil der Bühne abschließt*).

backed [bækt] *adj* mit Rücken, Lehne *etc* versehen, ...rückig, ...lehnig.

back| e·lec·tro·mo·tive force *s electr.* 'gegene,lektromo,torische Kraft, Gegen-EMK *f.* — **~ end** *s* **1.** letzter Teil. – **2.** *Br.* Spätherbst *m.*

back·er ['bækər] *s* **1.** Unter'stützer(in), Helfer(in), Beistand *m.* – **2.** *econ.* Indos'sierer *m*, Indos'sant *m (fremder Wechsel).* – **3.** *econ.* 'Hintermann *m.* – **4.** Wett(end)er *m.*

'back|,fall *s* **1.** *(Ringen)* Fall *m* auf den Rücken *(auch fig.).* – **2.** etwas was zu'rückfällt. – **3.** *tech.* Sattel *m*, Kropf *m*, Berg *m (eines Papierholländers).* — **'~,field** *s (amer. Fußball)* **1.** hinteres Feld. – **2.** *collect.* 'Hinterfeld(spieler *pl*) *n*, Verteidiger *pl.* — **'~,fire I** *v/i* **1.** *tech.* früh-, fehlzünden. – **2.** *electr. tech.* zu'rückschlagen *(Flamme, Lichtbogen).* – **3.** *fig.* fehlschlagen *(zum Nachteil des Urhebers)*: the plot ~d. – **4.** *Am.* ein Gegenfeuer legen *(um einen Prairiebrand etc aufzuhalten).* – **II** *s* **5.** *tech.* a) Früh-, Fehlzündung *f*, b) (Auspuff-)Knall *m.* – **6.** *electr. tech.* (Flammen-)Rückschlag *m.* – **7.** *Am.* Gegenfeuer *n.* — **~ for·ma·tion** *s ling.* Rückbildung *f.* — **~ freight** *s econ.* Rückfracht *f.* — **'~,gam·mon** *s* Puffspiel *n (Art Halma).* — **'~,ground** *s* **1.** 'Hintergrund *m*: to form a ~ to s.th. einen Hintergrund für etwas bilden; ~ count *phys.* Untergrundzählstoß, Nulleffektimpuls. – **2.** *fig.* 'Hintergrund *m*, Lebenslauf *m*, Vergangenheit *f (eines Menschen).* – **3.** Mu'sik-, Ge'räuschku,lisse *f.* — **'~,hand I** *s* **1.** nach links geneigte Handschrift. – **2.** *sport* Rückhand(schlag *m*) *f (bes. Tennis).* – **3.** unerwarteter Schlag *(in ungewöhnlicher Richtung).* – **II** *adj* → backhanded. — **'~'hand·ed** *adj* **1.** Rückhand..., mit dem Handrücken *(Schlag).* – **2.** nach links geneigt *(Schrift).* – **3.** doppelsinnig, zweifelhaft, sar'kastisch. – **4.** 'indi,rekt. – **5.** verkehrt gedreht *(Seil).* — **'~'hand·er** *s* **1.** Rückhandschlag *m.* – **2.** 'indi,rekter Angriff. – **3.** Extraglas *n (Wein etc).* — **'~,house** *s* **1.** 'Hinterhaus *n.* – **2.** *Am. colloq.* ‚Häuschen' *n*, Abtritt *m.*

back·ing ['bækiŋ] *s* **1.** Stütze *f*, Unter'stützung *f*, Hilfe *f.* – **2.** *collect.* Gruppe *f* von Unter'stützern, 'Hintermänner *pl.* – **3.** versteifende Ausfütterung, Verstärkung *f.* – **4.** *econ.* a) Indos'sierung *f*, b) Deckung *f (der Banknoten)*, c) Stützungskäufe *pl.* — **~ met·al** *s tech.* Hinter'gießme,tall *n.* — **'~-'off lathe** *s tech.* 'Hinterdrehbank *f.* — **~ plate** *s tech.* Stützplatte *f.*

'back|,kick *s* **1.** *tech.* Rückschlag *m.* – **2.** *electr.* Rückentladung *f*, Rückzündung *f.* — **~ land** *s* billigeres Bauland. — **'~,lash** *s* **1.** *tech.* Spielraum *m*, (unvorschriftsmäßiges) Spiel, toter Gang. – **2.** verwickelte Angelschnur am Haspel. – **3.** plötzliche heftige Rückwärtsbewegung, Rückprall *m.*

back·lins ['bæklinz] *adv dial.* rückwärts.

'back|,log *s* **1.** *bes. Am.* großes Scheit im Herd *(um das Feuer zu erhalten).* – **2.** Rückstand *m.* – **3.** *colloq.* Vorrat *m*, Rücklage *f.* — **~ num·ber** *s* **1.** alte Nummer *(einer Zeitschrift etc).* – **2.** *colloq. (etwas)* Rückständiges, rückständiger Mensch, altmodische Angelegenheit. — **~ part** *s tech.* 'Hintergestell *n (eines Hochofens).* — **~ pay** *s econ.* rückständiger Lohn. — **'~-,ped·al** *v/i* **1.** ein-, innehalten. – **2.** einen Rückzieher machen. – **3.** *(Boxen)* sich vom Gegner lösen. — **'~,ped·al·(l)ing brake** *s tech. Br.* Rücktrittbremse *f.* — **'~,piece** *s* Rücken-, 'Hinterstück *n.* — **~ pitch** *s electr.* Wicklungsschritt *m.* — **~ pres·sure** *s tech.* Gegendruck *m*, *bes.* Auspuffdruck *m*: ~ valve Rückschlagventil. — **~ room** *s* 'Hinterraum *m*, -zimmer *n.* — **'~-,room boy** *s colloq.* Ex'perte *m (bes. Wissenschaftler für Geheimwaffen).* — **'~,saw** *s tech.* deutscher Fuchsschwanz, Fuchsschwanz *m* mit Rückenschiene. — **~ seat** *s* **1.** Rücksitz *m.* – **2.** *colloq.* 'untergeordnete Stellung: to take a ~ in den Hintergrund treten. — **'~-,seat driv·er** *s* **1.** *Mitfahrer, der alles besser wissen u. können will als der Fahrer.* – **2.** *j-d der freigebig ist mit Ratschlägen, ohne die Verantwortung dafür übernehmen zu müssen.* — **'~,set** *s* **1.** (Glücks)Wechsel *m*, Verzögerung *f*, Rückfall *m*, Rückschlag *m.* – **2.** *mar.* Gegenströmung *f*, Wirbel *m*, Versetzung *f (durch Strömung).*

back·sheesh, back·shish *cf.* bakshesh.

'back|'side *s* **1.** *meist* back side Kehr-, Rückseite *f*, hintere *od.* linke Seite. – **2.** *oft pl* 'Hinterteil *n*, Gesäß *n.* — **'~,sight** *s* **1.** *tech.* Vi'sier *n.* – **2.** *mil.* Kimme *f*, 'Klappvi,sier *n (am Gewehr).* – **3.** *arch.* Rückansicht *f.* – **4.** *(Landvermessung)* 'Standvi,sier *n*, Stöckel *n.* — **~ slang** *s* 'Umkehrung *f* der Wörter. — **~ slap·per** *s Am. sl.* plump vertrauliche Per'son. — **,~'slide** *v/i irr* auf die schiefe Bahn geraten, abfallen *(bes. vom Glauben)*, abtrünnig werden, zu'rückfallen (into in *acc*). — **,~'slid·er** *s* Rückfällige(r). — **~ som·er·sault** *s sport* Rückwärtssalto *m*, Salto *m* nach rückwärts. — **'~,spac·er** *s* Rücktaste *f (der Schreibmaschine).* — **'~,spin** *s sport* 'Rückef,fet *n.* — **~ spring lock** *s tech.* Schnapp-, Bastardschloß *n.* — **'~'stage** *(Theater)* **I** *s* **1.** 'Hinterbühne *f.* – **II** *adv* **2.** (hinten) auf der Bühne. – **3.** hinter dem Vorhang *od.* in den Garde'roben. – **III** *adj* **4.** hinter dem Vorhang gelegen *od.* sich ereignend. — **'~,stair(s)** *adj* **1.** Hintertreppen... – **2.** *fig.* ränkevoll, unehrlich, krumm. — **~ stairs** *s* **1.** 'Hintertreppe *f*, Aufgang *m* für Dienstboten. – **2.** *fig.* 'Hintertreppe *f*, krummer Weg. — **'~,stay** *s* **1.** *mar.* Par'dune *f.* – **2.** *tech.* hinteres Verstärkungs- *od.* Schutzstück. — **'~,stitch** *s* Steppstich *m.* — **'~,stop** *s* **1.** *(Kricket)* Feldspieler *m*, Fänger *m (der weit hinter dem Kricketschlußmann steht).* – **2.** *(Baseball etc)* Netz *n* hinter dem Fänger, *(Tennis)* Zaun *m* hinter der Grundlinie. – **3.** *Am.* Kugelfang *m (in einer Schießbude).* — **'~,stretch** *s sport* Gegengerade *f.* — **'~,stroke** *s* **1.** *sport* Rückschlag *m (des Balls).* – **2.** *(Schwimmen)* Rücken(gleich)schlag *m.* – **3.** *tech.* Rückschlag *m*, -lauf *m*, Rückwärtshub *m.* — **'~-,sweep** *s mar.* 'Widersee *f.* — **'~,swept** *adj tech.* nach hinten verjüngt, pfeilförmig. — **'~,sword** *s* **1.** einschneidiges Schwert, Pallasch *m.* – **2.** ra'pierähnlicher Fechtstock. – **3.** → backsword(s)man. — **'~,sword(s)·man** *s irr* Kämpfer *m* mit einem einschneidigen Schwert *od.* Ra'pier. — **~ talk** *s sl.* unverschämte Antworten *pl.* — **'~-to-'back** *adj* aufein'anderfolgend. — **~ tool** *s tech.* Fi'let *n.* — **'~,track** *v/i* **1.** den'selben Weg zu'rückgehen *od.* -verfolgen. – **2.** sich von einer Unter'nehmung zu'rückziehen, einen Standpunkt *etc* aufgeben, die 'umgekehrte Richtung einschlagen.

back·ward ['bækwərd] **I** *adj* **1.** rückwärts gerichtet, Rück(wärts)... – **2.** im Rücken befindlich, hinten gelegen, Hinter... – **3.** langsam, träge, *fig.* schwer(fällig) *(von Begriff)*: to be ~ in one's duty seine Pflicht vernachlässigen. – **4.** *(im Wachstum, in der Entwicklung etc)* zu'rück(geblieben), spät reifend *(Früchte)*, spät eintretend *(Jahreszeit).* – **5.** rückständig: a ~ country. – **6.** zögernd, abgeneigt, unlustig, 'widerwillig. – **7.** zu'rückhaltend, schüchtern, scheu. – **8.** vergangen. – **II** *adv* **9.** rückwärts, zu'rück: ~ and forward hin und her. – **10.** rücklings, verkehrt. – **11.** in die Vergangenheit. – **12.** früher, vorher. – **III** *s* **13.** *obs.* Vergangenheit *f.*

back·ward·a·tion [,bækwər'deiʃən] *s econ.* De'port *m (Abzug, den der Wechselmakler dem Käufer für eine Frist vor Auslieferung der Papiere gestattet).*

back·ward| cant *s tech.* Nachlauf *m.* — **~ e·ro·sion** *s geol.* tal'aufwärts verlaufende Erosi'on.

back·ward·ness ['bækwərdnis] *s* **1.** Rückständigkeit *f.* – **2.** Langsamkeit *f*, Trägheit *f.* – **3.** Abneigung *f*, 'Widerwille *m* (to gegen). – **4.** langsames Wachstum, Zu'rückbleiben *n.*

back·ward pitch *s electr.* Rückwärtsschritt *m.*

back·wards ['bækwərdz] → backward II.

'back|,wash *s* **1.** zu'rücklaufende Welle *od.* Strömung, *(durch ein Schiff hervorgerufener)* Wellengang. – **2.** *fig.* Nachwirkung *f.* — **'~,wa·ter** *s* **1.** *(durch Wasser- od. Dampferrad)* zu'rückgeworfenes Wasser. – **2.** Stauwasser *n.* – **3.** totes Wasser, Haffwasser *n.* – **4.** *fig.* Ort *m od.* Zustand *m* der Rückständigkeit und Stagnati'on, Leere *f*, Öde *f.* — **'~'wood** → backwoods II. — **'~'woods I** *s pl* **1.** 'Hinterwälder *pl*, abgelegene Wälder *pl.* – **II** *adj* **2.** 'hinterwäldlerisch *(auch fig.)* – **3.** *fig.* rückständig. — **'~'woods·man** *s irr* 'Hinterwäldler *m (auch fig.).* — **~ yard** *s* 'Hinterhof *m.*

ba·con ['beikən] *s* Speck *m*: he brought home the ~ *colloq.* sein Unternehmen ist ihm geglückt; a flitch of ~ eine Speckseite; to save one's ~ mit heiler Haut davonkommen. — **~ bee·tle,** *auch* **~ bug** *s zo. Am.* Speckkäfer *m (Gattung Dermestes).*

Ba·co·ni·an [bei'kouniən] **I** *adj* ba'conisch, Sir Francis Bacon betreffend. – **II** *s* Anhänger *m* der Philoso'phie von Francis Bacon. — **~ the·o·ry** *s* 'Bacon-Theo,rie *f (Theorie, daß Sir Francis Bacon der Verfasser der dramatischen Werke Shakespeares sei).*

ba·con·y ['beikəni] *adj* speckähnlich, speckig, fettig.

bacter- [bæktər] → bacterio-.

bac·te·r(a)e·mi·a [,bæktə'riːmiə] → bacteriemia.

bacteri- [bækti(ə)ri] → bacterio-.

bac·te·ri·a [bæk'ti(ə)riə] *s pl med. zo.* Bak'terien *pl*, Spaltpilze *pl.*

bac·te·ri·ae·mi·a *cf.* bacteriemia.

bac·te·ri·al [bæk'ti(ə)riəl] *adj* bakteri'ell, Bakterien...: ~ warfare Bakterienkrieg; → culture 5.

bac·te·ri·cid·al [bæk,ti(ə)ri'saidl; -rə-] *adj med.* bakteri'zid, bak'terientötend, bakterienfeindlich. — **bac'te·ri,cide** [-,said] *s* Bakteri'zid *n*, Anti'septikum *n*, Desinfekti'onsmittel *n.*

bac·te·ri·e·mi·a [bæk,ti(ə)ri'iːmiə] *s med.* Bakteriä'mie *f.*

bac·te·rin ['bæktərin] *s* Bak'terienex,trakt *m*, Bak'terienvak,zin *n.*

bacterio- [bækti(ə)rio] *Wortelement mit der Bedeutung* Bakterien...

bac·te·ri·o·log·i·cal [bæk,ti(ə)riə'lɒdʒikəl] *adj* bakterio'logisch: ~ warfare bakteriologische Kriegführung. — **bac,te·ri'ol·o·gist** [-'ɒlədʒist] *s* Bakterio'loge *m*, Bak'terienforscher *m.* — **bac,te·ri'ol·o·gy** *s* Bakteriolo'gie *f*, Bak'terienkunde *f*, -forschung *f.*

bac·te·ri·ol·y·sis [bæk,ti(ə)ri'ɒlisis; -lə-] *s* **1.** von Bak'terien verursachte chemische Auflösung. – **2.** Bakterio'lyse *f*, Zersetzung *f* von Bak'terienzellen.

bac·te·ri·o·phage [bækˈti(ə)rioˌfeidʒ; -riə-] *s med.* Bakterioˈphage *m.*
bac·te·ri·o·scop·i·cal [bækˌti(ə)rio-ˈskɒpikəl; -riə-] *adj* bakterioˈskopisch. — **bacˌte·riˈos·co·py** [-ˈɒskəpi] *s* Bakterioskoˈpie *f,* mikroˈskopische Bakˈterienunterˌsuchung.
bac·te·ri·o·sta·sis [bækˌti(ə)rioˈsteisis; -riə-] *s* Bakterioˈstase *f,* Vermehrungshemmung *f* von Bakterien. — **bacˌte·ri·oˈstat·ic** [-ˈstætik] *adj* bakterioˈstatisch.
bac·te·ri·o·ther·a·py [bækˌti(ə)rio-ˈθerəpi; -riə-] *s med.* Bakˌterio-theraˈpie *f.*
bac·te·ri·um [bækˈti(ə)riəm] *sg von* bacteria.
bac·te·ri·u·ri·a [bækˌti(ə)riˈju(ə)riə] *s med.* Bakteriuˈrie *f.*
bac·ter·ize [ˈbæktəˌraiz] *v/t* der bakteriˈellen Wirkung aussetzen, durch Bakˈterien modifiˈzieren.
bactero- [bækti(ə)ro] → bacterio-.
bac·ter·oid [ˈbæktəˌrɔid] **I** *adj* bakˈterienähnlich. – **II** *s bot.* Bakteroˈid *n.* — **ˌbac·teˈroi·dal** *adj* bakˈterienähnlich.
Bac·tri·an cam·el [ˈbæktriən] *s zo.* Zweihöckeriges Kaˈmel, Trampeltier *n* (*Camelus bactrianus*).
ba·cu·li·form [bəˈkjuːliˌfɔːrm; ˈbækjuː-] *adj biol.* stäbchenförmig.
bac·u·line [ˈbækjulin; -ˌlain] *adj* (*Schläge etc*) mit dem Stock, Prügel..., Stock...
bac·u·lite [ˈbækjuˌlait; -jə-] *s zo.* Bakuˈlit *m* (*fossiler Kopffüßer*).
bad¹ [bæd] **I** *adj comp* **worse** [wəːrs] *sup* **worst** [wəːrst] **1.** *allg.* schlecht, böse, schlimm, arg. – **2.** böse, ungezogen. – **3.** verdorben, lasterhaft. – **4.** unanständig, unflätig: ~ **language** a) Zoten, b) Fluchworte. – **5.** falsch, fehlerhaft. – **6.** unzureichend, unbefriedigend: **not** ~ nicht schlecht *od.* übel; **not** ~ **fun** kein schlechter Spaß, ganz amüsant. – **7.** ungünstig. – **8.** schädlich, ungesund. – **9.** unangenehm, ärgerlich: **that's too** ~ das ist schade, das ist (doch) zu dumm. – **10.** faul (*Schuld, Forderung etc*), minderwertig, ungültig, falsch (*Münze etc*). – **11.** schlecht, verdorben (*Fleisch, Ei etc*). – **12.** schlecht, angegriffen (*Gesundheit*). – **13.** unwohl, krank: **she is very** ~ **today** es geht ihr heute sehr schlecht, sie fühlt sich heute gar nicht wohl. – **14.** böse, arg, heftig, stark: **I have a** ~ **cold** ich habe eine starke Erkältung. – *SYN.* **evil, ill, naughty, wicked.** – **II** *s* **15.** (*das*) Schlechte, (*das*) Böse, Unglück *n*: **to take the** ~ **with the good; to go to the** ~ *colloq.* auf die schiefe Bahn geraten. – **16.** *econ.* Defizit *n*: **to the** ~ in Defizit. – **III** *adv* → **badly.**
bad² [bæd] *obs. pret von* **bid** 8 *u.* III.
bad| bar·gain *s econ.* schlechtes Geschäft, unvorteilhafter Handel. — ~ **blood** *s fig.* böses Blut, Haß *m,* Groll *m.*
bad·der·locks [ˈbædərˌlɒks] *s bot.* (*eßbarer*) arktischer Seetang (*Alaria esculenta*).
bad·dish [ˈbædiʃ] *adj* ziemlich schlecht.
bade [bæd; *Br. auch* beid] *pret von* **bid** 8 *u.* III.
bad| egg *s sl.* ‚übler Kunde', übler Bursche. — ~ **form** *s* schlechte Maˈnieren *pl.*
badge [bædʒ] **I** *s* **1.** Abzeichen *n,* Amts-, Dienst-, Kennzeichen *n,* Marke *f,* Merkmal *n* (*auch fig.*). – **2.** (Verˈdienst)MeˌdailIe *f,* miliˈtärische Auszeichnung. – **II** *v/t* **3.** mit einem Abzeichen versehen. – **4.** bezeichnen, kennzeichnen. — **ˈ~·man** [-mən] *s irr* **1.** Abzeichenträger *m.* – **2.** *Br. hist.* Armenhäusler *m,* konzessioˈnierter Bettler.
badg·er [ˈbædʒər] **I** *s* **1.** *zo.* Dachs *m* (*Meles meles u. Taxidea taxus*). – **2.** Dachspelz *m.* – **3.** *Austral.* a) → **wombat,** b) → **bandicoot** 3. – **4.** B~ *Am.* (*Spitzname für einen*) Bewohner von Wisˈconsin: B~ **State** Wisconsin. – **II** *v/t* **5.** (wie einen Dachs) hetzen. – **6.** *fig.* plagen, unaufhörlich belästigen. – *SYN. cf.* **bait.** — ~ **bait·ing** *s* Dachshetze *f.* — ~ **dog** *s* Dachshund *m.* — ~ **draw·ing** *s* Dachshetze *f.* — ~ **game** *s Am. sl.* Erpressung *f* eines Mannes durch eine ihn kompromitˈtierende Frau. — **ˈ~-ˌlegged** [-ˌlegd; *Am. auch* -ˌlegid] *adj* dachsbeinig.
ˈbadg·er's-ˌbane *s bot.* Gelber Eisenhut (*Aconitum lycoctonum*).
bad hat *s Br. sl.* ‚übler Kunde', übler Bursche.
bad·i·a·ga [ˌbædiˈeigə] *s zo.* Badiˈaga *f* (*Gattg Spongilla; Süßwasserschwamm*).
ba·di·geon [bəˈdidʒən] *s tech.* Gips-, Stuckmörtel *m,* Bildhauerkitt *m.*
bad·i·nage [ˌbædiˈnɑːʒ; ˈbædinidʒ; -də-] **I** *s* Scherz *m,* Schäkeˈrei *f,* Tändeˈlei *f.* – *SYN.* **persiflage, raillery.** – **II** *v/t* necken.
ˈbadˌlands *s pl* Badlands *pl* (*wüstenähnliche zerklüftete Landschaft am Kleinen Missouri*).
bad·ly [ˈbædli] *adv* **1.** schlecht, schlimm: **he is** ~ (*Am. auch* **bad**) **off** es geht ihm sehr schlecht. – **2.** *colloq.* ernstlich, dringend, sehr: **that is a thing I want** ~ das ist etwas, was ich dringend *od.* nötig brauche. – **3.** unzureichend, ungenügend. – **4.** arg, heftig.
bad·mash [ˈbʌdmɑːʃ] *s Br. Ind.* Schurke *m,* schlechter Mensch.
bad·min·ton [ˈbædmintən] *s* **1.** *sport* Federballspiel *n.* – **2.** Erfrischungstrank *m* (*aus Rotwein, Sodawasser u. Zucker*).
bad mor·tar *s tech.* Halbmörtel *m.*
bad·ness [ˈbædnis] *s* **1.** schlechter Zustand, schlechte Beschaffenheit. – **2.** Schlechtigkeit *f,* Bösartigkeit *f,* Verderbtheit *f.* – **3.** Schädlichkeit *f.*
bad| sail·or *s* j-d der leicht seekrank wird. — **ˈ~-ˈtem·pered** *adj* schlecht gelaunt.
Bae·de·ker [ˈbeidikər; -də-] *s* Baedeker *m,* Reiseführer *m,* -handbuch *n.* — ~ **raids** *s pl mil. Br. deutsche Luftangriffe auf britische Städte mit berühmten Bauwerken* (*die im Baedeker mit Sternchen gekennzeichnet sind*).
bael *cf.* bel².
baff [bæf] *s* **1.** *Scot.* Schlag *m,* Puff *m.* – **2.** (*Golf*) Schlag *m,* bei dem der Schläger den Boden anschlägt.
baf·fle [ˈbæfl] **I** *v/t* **1.** verwirren. – **2.** durchˈkreuzen, vereiteln, zuˈschanden machen, hindern. – *SYN. cf.* **frustrate.** – **3.** *mar.* (*Schiff*) an der Bewegung hindern (*Wind etc*). – **4.** *tech.* (*Gas*) drosseln. – **5.** *obs.* a) täuschen, narren, b) verspotten, verächtlich behandeln. – **II** *v/i* **6.** vergeblich kämpfen (**with** mit, gegen *Wind etc*). – **III** *s* **7.** Verwirrung *f.* – **8.** Hindernis *n,* Hemmung *f.* – **9.** *tech.* Ablenkplatte *f,* Scheidewand *f, bes.* Schallwand *f,* -dämpfer *m.* — **ˈ~ˌgab** → **gobbledygook.**
baf·fle·ment [ˈbæflmənt] *s* **1.** Verwirrtheit *f,* Verwirrung *f.* – **2.** Vereitelung *f.*
baf·fle plate *s tech.* Ablenkplatte *f,* Scheidewand *f* (*zur Regulierung strömender Gase od. Flüssigkeiten*).
baf·fler [ˈbæflər] *s* **1.** Vereiteler *m,* Vereitelnd(er, e, es). – **2.** Perˈson *od.* Sache, die j-n aus der Fassung bringt. – **3.** → **baffle plate.**
baf·fling [ˈbæfliŋ] *adj* **1.** verwirrend. – **2.** vereitelnd, durchˈkreuzend. – **3.** unstet (*Wind*).
baff·y [ˈbæfi] *s* (*Golf*) kurzer hölzerner Golfschläger (*zum Hochschlagen*).
bag [bæg] **I** *s* **1.** Sack *m,* Beutel *m,* (Schul-, Reise-, Hand- *etc*)Tasche *f*: **to give s.o. the** ~ *colloq.* j-m den Laufpaß geben (*entlassen*); **to hold the** ~ *Am. colloq.* den Kopf hinhalten, die Sache ausbaden; **it's in the** ~ *sl.* das haben wir in der Tasche *od.* sicher; **the whole** ~ **of tricks** a) das ganze Repertoire, b) alles (einbezogen); → **cat** *b. Redw.* – **2.** Reisetasche *f.* – **3.** *Br.* Geldbeutel *m,* -börse *f.* – **4.** Inhalt *m* eines Sackes *etc.* – **5.** *hunt.* a) Jagdtasche *f,* b) Jagdbeute *f.* – **6.** Postsack *m,* -beutel *m.* – **7.** Tüte *f.* – **8.** Sack *m* (*als Maß*). – **9.** *zo.* a) Euter *n,* b) Honigmagen *m* (*einer Biene*). – **10.** (*Baseball*) *Am.* a) Mal *n,* b) Sandsack *m* (*um das Mal zu bezeichnen*). – **11.** *vulg.* ‚alte Schachtel', ‚schlampiges Frauenzimmer'. – **12.** *colloq.* a) ‚Sack' *m,* weites Kleidungsstück, b) *pl* Hosen *pl.* – **II** *v/t pret u. pp* **bagged** **13.** in einen Sack *od.* eine Tasche stecken, einsacken. – **14.** *hunt.* erlegen, zur Strecke bringen, fangen (*auch fig.*). – *SYN. cf.* **catch.** – **15.** *sl.* einsacken, ‚klauen', stehlen. – **16.** *Br. sl.* beanspruchen: **I** ~, *oft* ~**s I.** – **17.** aufbauschen, ausdehnen. – **III** *v/i* **18.** sich sackartig ausbauchen, sich bauschen, aufschwellen. – **19.** sitzen wie ein Sack (*Kleidungsstück*). – **20.** ~ **away** *mar.* nach Lee sacken.
bag and bag·gage I *s* Sack und Pack, Hab und Gut *n.* – **II** *adv* mit Sack und Pack, mit allem Drum und Dran.
ba·gasse [bəˈgæs] *s* Baˈgasse *f* (*ausgepreßtes Zuckerrohr*).
bag·a·telle [ˌbægəˈtel] *s* **1.** Bagaˈtelle *f,* Kleinigkeit *f,* Lapˈpalie *f.* – **2.** *mus.* Bagaˈtelle *f* (*kurzes Musikstück*). – **3.** Tivolispiel *n.*
bag·gage [ˈbægidʒ] *s* **1.** *Am.* (Reise-)Gepäck *n* (= *Br.* **luggage**). – **2.** *mil. Br.* Baˈgage *f,* Gepäck *n,* Troß *m.* – **3.** *vulg.* liederliches Frauenzimmer, Dirne *f.* – **4.** *colloq. humor.* schnippisches Mädel, ‚Fratz' *m.* — ~ **car** *s* (*Eisenbahn*) *Am.* Gepäckwagen *m.* — ~ **check** *s Am.* Gepäckschein *m.* — ~ **train** *s mil.* Troß *m.*
bag·gi·ness [ˈbæginis] *s* **1.** sackartiges Aussehen, sackartige Form. – **2.** Bauschigkeit *f,* Aufgebauschtheit *f.*
bag·ging [ˈbægiŋ] **I** *s* **1.** Sack-, Packleinwand *f.* – **2.** Einpacken *n* in Säcke, Einsacken *n.* – **3.** sackartiges Herˈabhängen. – **4.** Aufbauschung *f,* Aufblähung *f*: ~ **of the uterus** *med.* Ballondilatation, Metreuryse. – **II** *adj* **5.** ausbauschend, sich bauschend. – **6.** sackartig herˈabhängend (*Kleider*). — ~ **hop·per** *s tech.* Einsacktrichter *m.*
bag·gy [ˈbægi] *adj* **1.** sackartig. – **2.** aufgebauscht, bauschig. – **3.** sackartig herˈabhängend. – **4.** ausgebeult (*Hose etc.*).
ˈbag·man [-mən] *s irr Br.* Handlungsreisender *m,* (Handels)Vertreter *m.*
bagn·io [ˈbænjou; ˈbɑːn-] *pl* **-ios** *s* **1.** Borˈdell *n.* – **2.** Bad *n,* Badehaus *n* (*in Italien u. der Türkei*). – **3.** Bagno *n,* (Sklaven)Gefängnis *n* (*im Orient*).
ˈbag|ˌnut *s bot.* Pimpernuß *f* (*Staphylea pinnata*). — ~ **of bones** *s colloq.* ‚Gerippe' *n,* magerer Mensch. — **ˈ~ˌpipe I** *s auch pl mus.* Sackpfeife *f,* Dudelsack *m.* – **II** *v/t mar.* (*Segel*) back legen: **to** ~ **the mizzen** das Besansegel back legen. – **III** *v/i* (auf dem) Dudelsack spielen. — **ˈ~ˌpip·er** *s* Dudelsackpfeifer *m.* — **ˈ~ˌreef** *s mar.* ˈUnterreff *n.* — ~ **scoop** *s tech.* Löffelbagger *m.*
ba·guet(te) [bæˈget] *s* **1.** Edelstein *m* von länglicher, rechteckiger Form. – **2.** *arch.* Rundstäbchen *n* (*am Gesimse*).

'bag|ˌwig *s hist.* Pe'rücke *f* mit Haarbeutel. — **'~ˌworm** *s zo.* Raupe *f* des Sackträgers: ~ **moth** Sackträger (*Motte der Familie Psychidae*).

bah [bɑ; bɑː] *interj* bah! pah! (*Ausdruck der Verachtung od. des Widerwillens*).

ba·ha·dur, B~ [bəˈhɑːdər] *s* **1.** Ba'hadur *m* (*indischer Ehrentitel*). – **2.** *Br. Ind. sl.* einflußreiche Per'sönlichkeit.

Ba·ha·i [bəˈhɑːiː] *relig.* **I** *s* Anhänger *m* des Baha'ismus. – **II** *adj* Bahaismus... — **Ba'ha·ism** *s* Baha'ismus *m*.

ba·han [bəˈhæn] *s bot.* Euphrat-Pappel *f* (*Populus euphratica*).

baht [bɑːt] *pl* **bahts, baht** *s silberne Währungseinheit von Siam.*

bai·gnoire [bɛɲˈwaːr; ˈbeinˌwɑːr] (*Fr.*) *s* Par'terreloge *f* (*im Theater*).

bai·kal·ite [ˈbaikəˌlait] *s min.* Baika'lit *m* (*Abart des Augits*).

bail[1] [beil] *jur.* **I** *s* **1.** Bürgschaft *f*, Sicherheitsleistung *f*, Kauti'on *f*: **to go** (*od.* **stand**) ~ (**for s.o.**) Bürge sein *od.* Bürgschaft leisten (für j-n); **to allow** ~, **to admit to** ~ gegen Bürgschaft freilassen, Bürgschaft zulassen; **to be out (up)on** ~ gegen Bürgschaft auf freiem Fuß sein; **to forfeit one's** ~ nicht (*vor Gericht*) erscheinen, die Kaution verfallen lassen; **to give** ~ a) eine Kaution hinterlegen, b) einen Bürgen stellen; **to save one's** ~ vor Gericht erscheinen. – **2.** (*nur sg*) Bürge(n *pl*) *m*: **to find** ~ sich Bürgen verschaffen. – **3.** Freilassung *f od.* Haftentlassung *f* gegen Sicherheitsleistung. – **II** *v/t* **4.** (*j-s*) Freilassung gegen Sicherheitsleistung erwirken: **to** ~ **out** (*bereits Inhaftierten*) durch Bürgschaft aus der Haft befreien. – **5.** gegen Bürgschaft freilassen. – **6.** (*Güter*) kon'traktlich über'geben.

bail[2] [beil] **I** *v/t* **1.** (*Wasser etc*) ausschöpfen: **to** ~ **water out of a boat.** – **2.** *meist* ~ **out** (*Boot*) ausschöpfen: **to** ~ **out a boat.** – **3.** *fig.* (*etwas od. j-n*) retten. – **II** *v/i* **4.** Wasser ausschöpfen. – **5.** ~ **out** *aer.* ‚aussteigen', (mit dem Fallschirm) abspringen. – **6.** ~ **out** *mar. sl.* ‚aussteigen', das Schiff unberechtigt verlassen. – **III** *s obs.* **7.** Schöpfeimer *m*.

bail[3] [beil] **I** *s* **1.** Bügel *m*, Henkel *m* (*eines Eimers etc*), (Hand)Griff *m*. – **2.** Reif *m*, Halbreifen *m* (*z.B. zur Stütze eines Planwagendaches*). – **II** *v/t* **3.** mit einem Bügel *od.* Reif versehen.

bail[4] [beil] **I** *s* **1.** Schranke *f* (*in einem Stalle zur Trennung der Tiere*). – **2.** (*Kricket*) Querholz *n* (*eines von den beiden Querstäbchen, die über den* **stumps** *liegen*). – **3.** *obs.* äußere Burgmauer, Außenmauer *f*. – **4.** *meist pl mil. obs.* äußere Schanzpfahlreihe. – **II** *v/t obs.* **5.** einschließen, -schränken.

bail·a·ble [ˈbeiləbl] *adj jur.* **1.** bürgschaftsfähig, gegen Bürgschaft aus der Haft zu entlassen. – **2.** eine Haftentlassung gegen Sicherheitsleistung gestattend (*Vergehen*).

bail bond *s jur.* Bürgschaftsschein *m*, Wechselbürgschaft *f*.

bail·ee [ˌbeiˈliː] *s jur.* Deposi'tar *m*, Bewahrer *m* (*dem etwas anvertraut ist*), Rechtsinhaber *m*.

bail·er[1] [ˈbeilər] → **bailor.**

bail·er[2] [ˈbeilər] *s mar.* **1.** j-d der Wasser aus einem Boote schöpft. – **2.** Ösfaß *n*, Schöpfeimer *m* (*zum Ausschöpfen übergekommenen Wassers*).

bail·er[3] [ˈbeilər] *s* j-d der Eimer *od.* Kessel mit Henkeln versieht.

bail·er[4] [ˈbeilər] *s* (*Kricket*) Ballwurf, der die Querhölzer trifft.

bai·ley [ˈbeili] *s* **1.** *hist.* Außenmauer *f* (*einer Burg od. Stadt*). – **2.** Burghof *m*: → **Old B~.**

Bai·ley bridge [ˈbeili] *s mil. tech.* Baileybrücke *f*.

bail·ie [ˈbeili] *s* Stadtverordneter *m*, Magi'stratsmitglied *n* (*in Schottland*).

bail·iff [ˈbeilif] *s* **1.** *jur.* Gerichtsvollzieher *m*, Gerichtsdiener *m*, Büttel *m*. – **2.** (Guts)Verwalter *m*, In'spektor *m*, *bes.* Renteneinnehmer *m*. – **3.** *hist.* königlicher Beamter (*z. B.* **sheriff, mayor** *etc; noch heute Titel gewisser hoher Beamter*). – **4.** *zur Bezeichnung verschiedener ausländischer Beamter gebraucht, z. B.* Amtmann *m*, Landvogt *m*.

bail·i·wick [ˈbeiliwik; -lə-] *s bes. Am.* **1.** *jur.* Amtsbezirk *m* eines **bailiff.** – **2.** *fig.* Spezi'alfach *n*, -gebiet *n*.

bail·ment [ˈbeilmənt] *s jur.* **1.** Freilassung *f* aus der Haft gegen Bürgschaft. – **2.** Hinter'legung *f*, Kauti'on *f*, Verbürgung *f*.

bail·or [ˌbeiˈlɔːr; ˈbeilər] *s jur.* Hinter'leger *m*, Depo'nent *m*.

bails·man [ˈbeilzmən] *s irr jur.* Bürge *m*.

bain-ma·rie [bɛ̃maˈri] *pl* **bains--ma·rie** [bɛ̃-] (*Fr.*) *s* Heißwasserbad *n* (*in dem Speisen etc erhitzt werden*).

Bai·ram [baiˈrɑːm; ˈbairɑːm] *s* Bei'ram *m, n* (*moham. Fest*).

bairn [bɛrn] *s Scot. od. dial.* Kind *n*.

bait [beit] **I** *s* **1.** Köder *m*, Lockspeise *f*: **live** ~ lebender Köder (*kleine Fische od. Würmer*); **to take the** ~ sich ködern lassen, in die Falle *od.* auf den Leim gehen. – **2.** *fig.* Köder *m*, Lockung *f*, Reiz *m*. – **3.** Imbiß *m*, Erfrischung(spause) *f*, Rast *f* (*auf der Reise*). – **4.** Füttern und Tränken *n* (*der Pferde etc*). – **II** *v/t* **5.** mit einem Köder versehen. – **6.** *fig.* ködern, (an)locken. – **7.** *hunt.* mit Hunden hetzen. – **8.** *fig.* hetzen, quälen, plagen. – **9.** (*Pferde etc bes. auf der Reise*) füttern und tränken. – *SYN.* **badger, chevy** (*od.* **chivy, chivvy**), **heckle, hector, hound.** – **III** *v/i* **10.** *bes. Br.* einkehren, Rast machen, einen Imbiß einnehmen. – **11.** fressen (*Pferde etc an einem Haltepunkt*).

bait·er [ˈbeitər] *s* Hetzer *m*, Quäler *m*.

bait·ing [ˈbeitiŋ] *s* **1.** *bes. fig.* Hetze *f*, Quäle'rei *f*. – **2.** Einkehren *n*, Rastmachen *n*. – **3.** Füttern *n* (*der Pferde*). – **4.** Ködern *n*.

baize [beiz] *s* **1.** Boi *m* (*Art Flanell od. Fries, meist grün*). – **2.** Vorhang *m od.* 'Tischˌüberzug *m etc* aus Boi.

bake [beik] **I** *v/t* **1.** backen, im Ofen braten. – **2.** (*Ziegel*) dörren, härten, brennen. – **II** *v/i* **3.** backen, braten, gebacken werden (*Brot etc*). – **4.** dörren, hart werden, zu'sammenbacken. – **III** *s* **5.** *Scot.* Keks *m, n*. – **6.** *Am.* gesellige Zu'sammenkunft (*bei der Gebackenes vorgesetzt wird*).

baked meat → **bakemeat.**

Ba·ke·lite, b~ [ˈbeikəˌlait] (*TM*) *s tech.* Bake'lit *n* (*synthetisches Harz*).

'bake|ˌmeat *s* **1.** gebackene Speise. – **2.** *obs.* 'Fleischpaˌstete *f*. — **'~-ˌoff** *s Am. colloq.* Backwettbewerb *m*.

bak·er [ˈbeikər] *s* **1.** Bäcker *m*: **~-legged** *colloq.* X-beinig; **pull devil, pull** ~ *Ermutigung, die man beiden Seiten in einem Konflikt (abwechselnd) zukommen läßt;* → **dozen**[1] **2.** – **2.** *Am.* tragbarer Backofen.

bak·er·y [ˈbeikəri] *s* Bäcke'rei *f*.

'bakeˌstone *s* Backstein *m*, -platte *f*.

bakh·shish *cf.* **baksheesh.**

bak·ing [ˈbeikiŋ] *s* **1.** Backen *n*. – **2.** Gebäck *n*, Schub *m* (*Brote etc*). – **3.** *tech.* Brennen *n* (*von Ziegeln*). – **4.** *tech.* Sinterung *f*. — **~ pow·der** *s* Backpulver *n*. — **~ so·da** *s chem.* 'Natriumˌbikarboˌnat *n* ($NaHCO_3$).

bak·sheesh, bak·shish [ˈbækʃiːʃ] **I** *s* (*im Englischen immer ohne Artikel*) Bakschisch *n*, Trink-, Bestechungsgeld *n*. – **II** *v/t* (*j-m*) Bakschisch geben. – **III** *v/i* Bakschisch geben.

Ba·laam [ˈbeiləm; -læm] **I** *npr* **1.** *Bibl.* Bileam *m*. – **II** *s* **2.** *fig.* enttäuschender Pro'phet. – **3.** *Br. sl.* 'Füllarˌtikel *m*, Lückenbüßer *m* (*in einer Zeitung*).

Ba·la·cla·va hel·met [ˌbæləˈklɑːvə] *s mil. Br.* Wollmütze *f* (*die auch Ohren u. Hals bedeckt*).

bal·a·lai·ka [ˌbæləˈlaikə] *s mus.* Bala'laika *f* (*russ. dreieckiges Zupfinstrument*).

bal·ance [ˈbæləns] **I** *s* **1.** Waage *f* (*auch fig.*). – **2.** Gleichgewicht *n*: **to hold the** ~ a) das Gleichgewicht bewahren, b) *fig.* das Zünglein an der Waage bilden; **in the** ~ *fig.* in der Schwebe; **his fate hung in the** ~. – **3.** *fig.* Gleichgewicht *n*, Fassung *f*, Gemütsruhe *f*: **to lose one's** ~ die Fassung verlieren. – **4.** Gegengewicht *n*. – **5.** *fig.* Abwägen *n*, Erwägung *f*: **on** ~ wenn man alles berücksichtigt, alles in allem genommen. – **6.** (*Kunst*) har'monisches Verhältnis, Ausgewogenheit *f*. – **7.** *econ.* Bi'lanz *f*, Rechnungsabschluß *m*, Kontostand *m*, Bestand *m* (*Bankguthaben*), (Rechnungs)Saldo *m*, 'Überschuß *m*: **adverse** ~ Unterbilanz; ~ **due** noch ausstehender Betrag; ~ **carried forward** Saldovortrag; ~ **in cash** Barbestand; ~ **in favo(u)r** Saldoguthaben; ~ **in hand** Überschuß, Kassenbestand; **to show a** ~ einen Saldo aufweisen; **to strike the** ~ den Saldo ziehen. – **8.** *colloq.* ('Über)-Rest *m*. – **9.** 'Übergewicht *n*. – **10.** Ba'lance *f* (*Tanzschritt*). – **11.** *tech.* Unruhe *f* (*der Uhr*). – **12.** *electr.* (Null)Abgleich *m*. – **13.** **B~** *astr.* Waage *f* (*Sternbild*). – **14.** *obs.* Waagschale *f*. –
II *v/t* **15.** wiegen. – **16.** *fig.* wägen, abwägen, erwägen: **to** ~ **one thing against another** eine Sache gegen eine andere abwägen. – **17.** im Gleichgewicht halten, ins Gleichgewicht bringen, ausgleichen. – **18.** *electr. tech.* 'ausbalanˌcieren, ins Gleichgewicht bringen, abgleichen. – **19.** *tech.* (*Räder etc*) auswuchten. – **20.** *econ.* (*Rechnungen*) ausgleichen, begleichen, sal'dieren, bilan'zieren: **to** ~ **one item against another** einen Posten gegen einen anderen aufrechnen; **to** ~ **our account** zum Ausgleich unserer Rechnung; **to** ~ **the ledger** das Hauptbuch (ab)schließen. – **21.** *econ.* gleichstehen mit: **the expenses** ~ **the receipts.** – **22.** (*Kunst*) har'monisch ausgleichen *od.* gestalten. – **23.** *mar.* mit Ba'lancereff reffen. –
III *v/i* **24.** im Gleichgewicht sein, sich im Gleichgewicht halten (*auch fig.*). – **25.** *tech.* (sich) einspielen (*Zeiger etc*). – **26.** *econ.* balan'cieren, sich ausgleichen (*Rechnungen*). – **27.** *econ.* Bi'lanz machen. – **28.** schwanken, unschlüssig sein. – **29.** (*beim Tanz*) sich im Schwebeschritt hin und her bewegen. – *SYN. cf.* **compensate.**

bal·ance| ac·count *s econ.* Restbetrag *m*, -summe *f*. — **~ arm, ~ beam** *s* Waagearm *m*, -balken *m*. — **~ bridge** *s tech.* Wippbrücke *f*. — **~ crane** *s tech.* Kran *m* mit Gegengewicht.

bal·anced [ˈbælənst] *adj* im Gleichgewicht befindlich, ausgewogen, ausgeglichen (*auch fig.*). — **~ ar·ma·ture** *s tech.* Ma'gnetanker *m*. — **~ bridge net·work** *s electr.* Kreuzspulgerät *n*. — **~ cir·cuit** *s electr.* Reso'nanzkreis *m*, 'ausbalanˌcierter Kreis. — **~ di·et** *s* ausgeglichene Kost; Kost, die alle Nahrungsbedürfnisse befriedigt. — **~ sur·face** *s aer.* ausgewogene Trag- *od.* Leitfläche.

bal·ance| fish → **hammerhead.** — **~ le·ver** *s tech.* Schwengel *m*. — **~ of pay·ments** *s econ.* 'Zahlungsbi,lanz *f.* — **~ of pow·er** *s pol.* po'litisches Gleichgewicht, Gleichgewicht *n* der Kräfte. — **~ of trade** *s econ.* 'Handelsbi,lanz *f.* — **~ pis·ton** *s tech.* Entlastungskolben *m.*

bal·anc·er ['bælənsər] *s* **1.** j-d der *od.* etwas was (sich) im Gleichgewicht hält. – **2.** Seiltänzer(in), Schwebekünstler(in). – **3.** *tech.* Schwinghebel *m,* Stabili'sator *m.* – **4.** *tech.* 'Auswuchtma,schine *f.* – **5.** *electr.* Ausgleichsregler *m,* Enttrübungsregler *m* (*bei Funkpeilgeräten*). – **6.** *zo.* Schwingkölbchen *n* (*rudimentärer Flügel*). — **~ coil** *s electr.* Symme'trier-, Ausgleichsspule *f.* — **~ set** *s electr.* sym'metrisches ('Gleichstrom)-Aggre,gat.

bal·ance| sheet *s econ.* **1.** Bi'lanz(bogen *m,* -aufstellung *f*) *f,* Rechnungsabschluß *m.* – **2.** 'Kassen,übersicht *f.* — **~ spring** *s tech.* Unruhefeder *f* (*Uhr*). — **~ tab** *s mar.* Trimmruder *n.* — **~ weight** *s tech.* Gegen-, Ausgleichsgewicht *n.* — **~ wheel** *s tech.* Hemmungsrad *n,* Unruhe *f.*

bal·anc·ing ['bælənsiŋ] **I** *s* **1.** Wägen *n,* Erwägen *n,* Ausgleichen *n.* – **2.** Ausgleichung *f,* 'Ausbalan,cierung *f.* – **3.** *math.* Gegenrechnung *f,* Ausgleichung *f,* Auf-, Anrechnung *f,* Kompensati'on *f.* – **4.** *econ.* Bilan'zieren *n,* Sal'dieren *n,* Ausgleichen *n*: ~ of accounts Bücher-, Kassenabschluß, Saldierung. – **5.** *electr.* Abgleich *m,* Abgleichen *n*: ~ by condensers Kondensatorabgleich. – **6.** *tech.* Auswuchten *n* (*Räder*). — **~ ap·pa·ra·tus** *s tech.* 'Nullinstru,ment *n.* — **~ bat·ter·y** *s electr.* 'Ausgleichsbatte,rie *f.* — **~ con·dens·er** *s electr.* 'Ausgleichskonden,sator *m,* Trimmer *m.* — **~ form** *s sport* Schwebebaum *m,* -stange *f.* — **~ net·work** *s electr.* Entzerrer *m,* (Leitungs)-Nachbildung *f.* — **~ tool** *s tech.* Ju'stierstift *m.* — **~ wheel** *s tech.* Schwungrad *n.*

bal·a·nid ['bælənid] *s zo.* Meereichel *f,* Seepocke *f* (*Gattg Balanus; Krebs*).

bal·a·nif·er·ous [,bælə'nifərəs] *adj bot.* Eicheln tragend.

bal·a·nite ['bælə,nait] *s geol.* fos'sile Meereichel.

bal·a·ni·tis [,bælə'naitis] *s med.* Bala'nitis *f,* Eichelentzündung *f.*

bal·a·noid ['bælə,nɔid] **I** *adj* **1.** eichelförmig. – **2.** *zo.* meereichelähnlich. – **II** *s* → **balanid.**

bal·as ['bæləs; 'bei-], *meist* **bal·as ru·by** *s min.* 'Balasru,bin *m,* roter Spi'nell.

ba·la·ta ['bælətə] *s* **1.** *bot.* Ba'latabaum *m* (*Mimusops balata*). – **2.** *auch* ~ **gum** Ba'lata *f* (*eingetrockneter Milchsaft von* 1).

ba·laus·ta [bə'lɔːstə] *s bot. eine granatapfelartige Frucht.*

bal·bo·a [bæl'bouə] *s* Bal'boa *m* (*silberne Münzeinheit von Panama*).

bal·brig·gan [bæl'brigən] *s Am.* Baumwollstoff *m* (*bes. für Unterwäsche*).

bal·bu·ti·es [bæl'bjuːʃi,iːz] *s med.* Stammeln *n,* Stottern *n.*

bal·co·ny ['bælkəni] *s* **1.** Bal'kon *m.* – **2.** (*Theater*) Bal'kon *m* (*meistens zwischen 1. Rang u. Galerie*). – **3.** *mar.* 'Heck-, 'Hinter-, 'Achtergale,rie *f.*

bald [bɔːld] **I** *adj* **1.** kahl(köpfig), unbehaart. – **2.** kahl: a) ohne Vegetati'on (*Land*), b) ohne Laub (*Bäume*), c) ohne Federn (*Vögel*). – **3.** *fig.* kahl, schmucklos, armselig, dürftig. – **4.** *fig.* nackt, unverhüllt, offen: a ~ lie eine glatte Lüge. – **5.** weißköpfig (*Vögel*), weißfleckig (*Pferde, bes. am Kopf*). – *SYN. cf.* **bare**[1]. – **II** *s* **6.** *Am.* kahler Berggipfel.

bal·da·chin, *auch* **bal·da·quin** ['bɔːldəkin; *Am. auch* 'bæl-] *s* **1.** Baldachin *m,* Thron-, Traghimmel *m.* – **2.** *arch.* Baldachin *m.* – **3.** 'Gold-, 'Silberbro,kat *m* (*mit Gold od. Silber durchwirkter Seidenstoff*).

bald| buz·zard *s zo.* Fischadler *m* (*Pandion haliaëtus*). — **~ coot** *s zo.* Schwarzes Wasserhuhn, Bläßhuhn *n* (*Fulica atra*). — **~ cy·press** *s bot.* 'Sumpfzy,presse *f* (*Taxodium distichum*). — **~ ea·gle** *s zo.* Weißköpfiger Seeadler (*Haliaëtus leucocephalus; Wappentier der USA*).

bal·der·dash ['bɔːldər,dæʃ] *s* Gewäsch *n,* unsinniges Geschwätz *od.* Geschreibsel, Quatsch *m.*

bald| face *s Am.* **1.** *zo.* Wildente *f* (*Mareca americana*). – **2.** *sl.* ‚Fusel' *m* (*schlechter Whisky*). — **'~,head** *s* **1.** Kahlkopf *m.* – **2.** *zo.* a) (*eine*) Haustaube, b) → **blue goose.** — **'~-'head·ed** *adj* kahlköpfig: to go (it) ~ *sl.* sich Hals über Kopf hinein- *od.* darauf stürzen; ~ **row** *Am. sl.* vorderste Sperrsitzreihe (*in der Revue, die oft von älteren Lebemännern besetzt ist*).

bal·di·coot ['bɔːldi,kuːt] *s* **1.** → **bald coot.** – **2.** (*verächtlich*) Glatzkopf *m,* Mönch *m.*

bald·ing ['bɔːldiŋ] *adj* kahl werdend, eine Glatze bekommend.

bald·ly ['bɔːldli] *adv* **1.** kahl. – **2.** schmucklos. – **3.** knapp, mager. – **4.** *fig.* unverblümt, geradezu, schlechtweg.

'bald,mon·ey *s bot.* Bärwurz *f* (*Meum athamanticum*).

bald·ness ['bɔːldnis] *s* **1.** Kahlheit *f.* – **2.** *fig.* Schmucklosigkeit *f,* Dürftigkeit *f,* Nacktheit *f.*

'bald,pate I *s* **1.** Kahl-, Glatzkopf *m.* – **2.** *zo.* Amer. Pfeifente *f* (*Anas americana*). – **II** *adj* **3.** kahl-, glatzköpfig. — **'~-'pat·ed** *adj* kahl-, glatzköpfig. — **'~,rib** *s* mageres Rippenstück (*vom Schwein*).

bal·dric ['bɔːldrik] *s* Bandeli'er *n,* (Horn-, Degen-, Wehr)Gehenk *n,* -Gehänge *n.*

Bald·win ['bɔːldwin] *s Am. eine gelblich-rote Apfelsorte.*

bald·y ['bɔːldi] *s Am. colloq.* Glatzkopf *m* (*auch auf Berge übertragen*).

bale[1] [beil] **I** *s* **1.** *econ.* Ballen *m* (*auch Maßbezeichnung*): a ~ of cotton. – **2.** *colloq.* ‚Haufen' *m,* (große) Menge. – **II** *v/t* **3.** embal'lieren, in Ballen verpacken.

bale[2] [beil] *s poet. od. obs.* **1.** Unheil *n,* Unglück *n.* – **2.** Elend *n,* Leid *n,* Weh *n,* Qual *f.*

bale[3] *cf.* **bail**[2].

bale[4] [beil] *obs. für* **balefire.**

ba·leen [bə'liːn] *s* **1.** Fischbein *n.* – **2.** *obs.* Walfisch *m.*

'bale,fire *s* **1.** großes offenes Feuer, Si'gnal-, Freudenfeuer *n.* – **2.** *obs.* Scheiterhaufen *m.*

bale·ful ['beilfəl] **1.** unheilvoll, verderblich. – **2.** *obs.* elend, traurig, kläglich, unglücklich. – *SYN. cf.* **sinister.** — **'bale·ful·ness** → **bale**[2] 2.

bale goods *s pl econ.* Ballengüter *pl.*

bal·er ['beilər] *s* **1.** Verpacker *m.* – **2.** Ballenpresse *f,* Packpresse *f.*

bale tie *s* **1.** Vorrichtung *f* zur Befestigung der Packbänder am Ballen. – **2.** Ballenschnur *f.*

Bal·four Dec·la·ra·tion ['bælfur; -fɔːr] *s pol.* 'Balfour-Deklarati,on *f* (*Erklärung der brit. Regierung 1917, daß sie die Errichtung einer Heimstätte für Juden in Palästina billige*).

ba·line [bə'liːn] *s* grobes Packtuch.

Ba·li·nese [,bɑːli'niːz; -'niːs] **I** *s* **1.** Bali'nese *m,* Bali'nesin *f,* Bewohner(in) von Bali. – **2.** *ling.* Bali'nesisch *n,* das Balinesische. – **II** *adj* **3.** bali'nesisch.

bal·in·ger ['bælindʒər] *s mar.* 'Kriegscha,luppe *f* (*im 15./16. Jh.*).

bal·i·saur ['bæli,sɔːr] *s zo.* Indischer Dachs (*Arctonyx collaris*).

bal·is·tra·ri·a [,bælis'trɛ(ə)riə] *s mil. hist.* kreuzförmige Schießscharte für Armbrustschützen.

balk [bɔːk] **I** *s* **1.** Hindernis *n.* – **2.** Enttäuschung *f.* – **3.** *Br. dial. od. Am.* Auslassung *f,* Fehler *m,* Schnitzer *m.* – **4.** (Furchen)Rain *m* (*beim Pflügen übergangenes Stück*). – **5.** *arch.* Balken *m,* Haupt-, Zug-, Spannbalken *m* (*eines Gebäudes, auch einer Schiffsbrücke*), Dachbinderbalken *m* (*eines Hauses*). – **6.** (*Billard*) Quar'tier *n,* Kessel *m* (*Raum zwischen Bande u.* balk line): miss-in-~ absichtlicher Fehlstoß. – **7.** (*Baseball*) vorgetäuschter Wurf (des Werfers) (*Regelverstoß*). – **8.** Hauptau *n* eines Fischernetzes. – **9.** *dial.* Waagebalken *m.* – **II** *v/i* **10.** plötzlich anhalten, stocken, stutzen. – **11.** störrisch werden, scheuen (at vor *dat*) (*Pferde*). – **12.** (at) haltmachen (vor *dat*), (*Speise etc*) verschmähen, zu'rückweisen. – **III** *v/t* **13.** aufhalten, (ver)hindern. – **14.** durch'kreuzen, vereiteln. – **15.** verfehlen, über'sehen, nicht beachten, sich entgehen lassen: ~ed landing *aer.* Fehllandung. – **16.** (*einer Pflicht*) ausweichen. – *SYN. cf.* **frustrate.**

Bal·kan ['bɔːlkən] **I** *adj* Balkan... – **II** *s* the ~s *pl* die Balkanstaaten *pl,* der Balkan.

Bal·kan·ize ['bɔːlkə,naiz] *v/t* (*Gebiet*) balkani'sieren (*in viele kleine feindliche Länder aufspalten*).

balk·ing ['bɔːkiŋ] *adj* **1.** hinderlich, widrig. – **2.** störrisch (*Pferd*).

balk line *s sport* **1.** (*Billard*) Begrenzungs-, Feldlinie *f*: balk-line game Karreespiel. – **2.** (*Feldspiele*) Sperrlinie *f.*

balk·y ['bɔːki] *adj* störrisch (*Pferd*), plötzlich stehenbleibend, nicht weiter wollend. – *SYN. cf.* **contrary.**

ball[1] [bɔːl] **I** *s* **1.** Ball *m,* Kugel *f,* kugelförmiger Körper, Knäuel *m, n* (*Garn etc*), runder Pack, Ballen *m.* – **2.** (Spiel)Kugel *f.* – **3.** Kugel *f* (*zum Schießen*), *auch collect.* Kugeln *pl,* Blei *n*: spent ~ matte Kugel; to load with ~ scharf laden. – **4.** runder Körperteil: ~ of the eye Augapfel; ~ of the foot Ballen des Fußes; ~ of the thumb Handballen. – **5.** *sport* (Spiel)Ball *m*: tennis ~. – **6.** *sport* Ballspiel *n, bes.* Baseballspiel *n.* – **7.** *sport* Ball *m,* Wurf *m*: a low ~ ein niedrig gespielter Ball; no ~! der Wurf gilt nicht! wide ~! zu weit geworfen! – **8.** (*Baseball*) nicht vorschriftsmäßig geworfener Ball. – **9.** *arch.* Kuppel *f,* Turmknopf *m.* – **10.** *astr.* kugelförmiger Himmelskörper, *bes.* Erdball *m,* -kugel *f.* – **11.** rundlicher Gegenstand: a) Linse *f* (*am Pendel*), b) Kugel *f* (*zur Gewichtsabstimmung*), c) Ko'kon *m* (*der Seidenraupe*). – **12.** (*Tischlerei*) Po'lierwachs *n.* – **13.** *tech.* Luppe *f,* Deul *m.* – **14.** *vet.* große Pille (*für Pferde*). – **15.** *hunt.* Fuchsfährte *f.* – *Besondere Redewendungen*:
to have the ~ at one's feet *Br.* das Spiel in der Hand haben, Herr der Situation sein; to keep the ~ up (*od.* rolling) das Gespräch *od.* die Sache in Gang halten, seinen Teil zum Fortgang der Unterhaltung *od.* der Sache beitragen; the ~ is with you du bist an der Reihe; to play ~ a) *sport* den Ball anspielen, b) *fig.* mit (irgend)einer Tätigkeit beginnen, c) *colloq.* harmonisch mit anderen zusammenarbeiten; to have s.th. on the ~ *Am. sl.* ‚etwas auf dem Kasten haben' (*bes. tüchtig sein*); to keep one's eye on the ~ *Am. sl.* ‚auf dem Kien sein' (*etwas nicht aus den Augen lassen*). – **II** *v/t* **16.** zu'sammenballen, zu Kugeln *od.* Ballen formen. – **17.** ~ up *sl.* hoffnungslos verwirren, durch-

ein'anderbringen. – 18. *tech.* (*Metall*) zu Luppen verarbeiten. – **III** *v/i* 19. sich (zu'sammen)ballen. – 20. Schnee- *od.* Erdklumpen ansetzen (*Pferdehuf etc*). – 21. ~ up *tech.* Luppen bilden.

ball[2] [bɔːl] *s* Ball *m*, Tanzgesellschaft *f*, -vergnügen *n*: fancy-dress ~ Kostümball; masked ~ Maskenball; to open the ~ a) den Ball eröffnen, b) *fig.* die Diskussion *od.* den Reigen eröffnen, den Tanz *od.* Streit beginnen.

bal·lad ['bæləd] *s* 1. Bal'lade *f.* – 2. 'Volksbalˌlade *f*, Bänkellied *n.*

bal·lade [bæ'lɑːd; bə-] *s* 1. Bal'lade *f* (*Gedichtform aus meist drei Strophen mit je 7, 8 od. 10 Versen u. Refrain*). – 2. *mus.* Bal'lade *f.* — ~ **roy·al** *s Ballade mit Strophen von 7 od. 8 zehnsilbigen Zeilen.*

bal·lad| meas·ure, ~ **me·ter**, *bes. Br.* ~ **me·tre** *s* Bal'ladenversmaß *n.* — '~ˌ**mon·ger** *s* Bänkelsänger *m*, Dichterling *m.*

bal·lad·ry ['bælədri] *s* Bal'ladendichtung *f*, -gut *n.*

bal·lad stan·za *s* Bal'ladenstrophe *f* (*4 Zeilen zu abwechselnd 4 u. 3 Jamben mit Wechselreim*).

bal·la·hoo, *auch* **bal·la·hou** ['bæləˌhuː] *s Am.* 1. westindisches zweimastiges Schiff. – 2. (*verächtlich*) ‚alter Kahn', plumpes, vernachlässigtes Schiff.

ball| am·mu·ni·tion *s mil.* 'Vollmunitiˌon *f.* — ~ **and chain** *s Am.* 1. Kugel- und Kettenfessel *f.* – 2. *fig.* Hindernis *n*, Kreuz *n.* – 3. *sl.* ‚Klotz *m* am Bein', Hauskreuz *n* (*Ehefrau*). — ~ **and sock·et** *s tech.* Kugelzapfen *m.* — '~-**and-'sock·et joint** *s med. tech.* 'Kugelscharˌnier *n*, Kugel-, Drehgelenk *n.*

bal·lan wrasse ['bælən] *s zo.* Gefleckter Lippfisch (*Labrus maculatus u. bergylta*).

bal·last ['bæləst] **I** *s* 1. *mar.* Ballast *m*, Beschwerung *f*: in ~ in Ballast, ohne (frachtbringende) Ladung. – 2. *aer.* Ballast *m*, Sandsäcke *pl.* – 3. *fig.* (sittlicher) Halt, Grundsätze *pl*: he's got no ~ in him er ist ein unausgeglichener *od.* haltloser Mensch. – 4. *tech.* Steinschotter *m*, 'Bettungsmateriˌal *n.* – **II** *v/t* 5. mit Ballast beladen, ballasten. – 6. *fig.* im Gleichgewicht halten, (*j-m*) Halt geben. – 7. (*Bahndamm etc*) beschottern, bekiesen.

bal·last·age ['bæləstidʒ] *s* Ballastgebühren *pl* (*für das Entnehmen von Ballast*).

bal·last| car *s Am.* Kieswagen *m.* — ~ **con·crete** *s tech.* 'Schotterbeˌton *m.* — ~ **en·gine** *s tech.* 'Baggermaˌschine *f.*

bal·last·ing ['bæləstiŋ] *s* 1. *mar.* Beladen *n* mit Ballast. – 2. Beschotterung *f* (*von Straßen etc*). – 3. Ballast *m.*

bal·last| lamp *s electr.* 'Widerstandslampe *f*, Belastungs(glüh)birne *f.* — ~ **light·er** *s mar.* 1. Ballastl(e)ichter *m.* – 2. Baggerprahm *m.* — ~ **pit** *s tech.* Schottergrube *f.* — ~ **port** *s mar.* Ballastpforte *f* (*an der Schiffsseite*). — ~ **re·sis·tor** *s electr.* 'Ballastˌwiderstand *m*, (auto'matisch wirkender) 'Regelˌwiderstand, Kaltleiter *m.* — ~ **tank** *s mar.* Ballasttank *m*, Wasserballastbehälter *m.*

ball| bear·ing *s tech.* Kugellager *n*: ~ cup Kugellagergehäuse, -schale; ~ sleeve Kugellagerbüchse. — ~ **boy** *s* (*Tennis*) Balljunge *m.* — ~ **car·tridge** *s mil.* 'Voll-, 'Kugelpaˌtrone *f.* — ~ **cast·er** *s* Kugelrolle *f* (*an Möbelfüßen*). — ~ **check valve** *s tech.* 'Kugelˌrückschlagvenˌtil *n.* — ~ **club** *s sport Am.* (*bes.* Baseball)Mannschaft *f.* — ~ **cock** *s tech.* Hahn *m* mit Kugelschwimmer, 'Schwimmerhahn *m*, -venˌtil *n.* — ~ **con·trol** *s sport* Ballbeherrschung *f.*

bal·le·ri·na [ˌbælə'riːnə] *pl* **-nas** *od.* **-ne** [-ei] *s* 1. (Prima)Balle'rina *f.* – 2. Bal'lettänzerin *f.*

bal·let ['bælei; -li; bæ'lei] *s* Bal'lett *n*: a) Bal'lettkunst *f*, -stil *m*, b) Bal'lettkorps *n*, c) Bal'lettkompositiˌon *f.* — ~ **danc·er** *s* Bal'lettänzer(in). — ~ **girl** *s* Bal'lettmädchen *n*, -tänzerin *f.* — ~ **mas·ter** *s* Bal'lettmeister *m.* — ~ **mis·tress** *s* Bal'lettmeisterin *f.*

bal·let·o·mane [bæ'letoˌmein] *s* Bal'lettfaˌnatiker(in).

'**ball|-ˌflow·er** *s arch.* Ballenblume *f* (*gotische Verzierung*). — ~ **game** *s sport Am.* Baseballspiel *n.* — ~ **grind·er** *s tech.* Zer'kleinerungsappaˌrat *m* mit eingeschlossenen rollenden Me'tallkugeln. — ~ **gudg·eon** *s tech.* Kugelzapfen *m.*

ball·ing| fur·nace ['bɔːliŋ] *s tech.* Schweiß-, Sodaofen *m.* — ~ **gun**, ~ **i·ron** *s vet.* Gerät *n* zur Verabreichung von Pillen an Pferde *od.* Rinder.

ball i·ron *s tech.* Luppeneisen *n.*

bal·lis·ta [bə'listə] *pl* **-tae** [-iː] *s antiq.* Bal'liste *f*, Wurfgeschütz *n.*

bal·lis·tic [bə'listik] *adj mil. phys.* bal'listisch: ~ conditions ballistische Einflüsse; ~ elements, ~ data ballistische Werte. — **bal'lis·ti·cal·ly** *adv.*

bal·lis·tic| cam *s tech.* Kurvenkörper *m* (*in Rechengeräten*). — ~ **cap** *s mil.* Geschoßhaube *f.* — ~ **curve** *s mil. phys.* bal'listische Kurve.

bal·lis·ti·cian [ˌbælis'tiʃən] *s* Bal'listiker *m.*

bal·lis·tic| mis·sile *s mil.* Ra'kete *f.* — ~ **pa·rab·o·la** *s phys.* 'Wurfpaˌrabel *f.*

bal·lis·tics [bə'listiks] *s pl* (*meist als sg konstruiert*) *mil. phys.* Bal'listik *f*, Schieß-, Wurflehre *f.*

ball| joint *s med. tech.* Kugelgelenk *n.* — ~ **le·ver** *s tech.* Regu'lierungshebel *m.* — ~ **nut** *s tech.* Kugelmutter *f.*

bal·lo·net [ˌbælə'net] *s aer.* Ballo'nett *n*, Luftsack *m* (*im Gasraum des Luftschiffes*).

bal·loon[1] [bə'luːn] **I** *s* 1. *aer.* ('Luft)Balˌlon *m*: the ~ goes up *sl.* ‚die Sache steigt' (*es geht los*). – 2. 'LuftbalˌIon *m* (*als Kinderspielzeug*). – 3. *arch.* Kugel *f* (*auf einem Pfeiler*). – 4. *chem.* Bal'lon *m*, Rezipi'ent *m.* – 5. (*in Witzblättern etc*) 'Umriß *m*, in dem die angeblich gesprochenen Worte einer gezeichneten Fi'gur enthalten sind. – 6. (*Weberei*) Trockenhaspel *m.* – 7. *sport sl.* ‚Kerze' *f* (*hoher Schuß im Fußball, Schlag hoch in die Luft im Kricket*). – **II** *v/i* 8. *aer.* (*bei der Landung*) springen (*Flugzeug*). – 9. im Bal'lon aufsteigen. – 10. wie ein Bal'lon aufschwellen, sich blähen. – **III** *v/t* 11. mit Luft füllen, aufblasen, ausdehnen (*bes. med. von Körperteilen*). – 12. *econ.* (*Aktien*) künstlich in die Höhe treiben. – 13. im Bal'lon aufsteigen lassen. – 14. *sport sl.* (*Ball*) hoch in die Luft schießen *od.* schlagen. – **IV** *adj* 15. bal'lonförmig, aufgebläht, aufgebauscht: ~ sleeve Puffärmel.

bal·loon[2] [bə'luːn] *s* sia'mesische Staatsbarke.

bal·loon| a·pron *s mil.* 'Fesselbalˌlonschutz *m* (*Luftsperre*). — ~ **bar·rage** *s mil.* Bal'lonsperre *f.*

bal·loon·ing [bə'luːniŋ] *s aer.* 1. Bal'lonluftfahrt *f.* – 2. Bal'lontechnik *f.*

bal·loon·ist [bə'luːnist] *s* Bal'lonflieger(in).

bal·loon| jib *s mar.* Jacker *m* (*dreieckiges Jachtsegel*), Bal'lonsegel *n.* — ~ **sail** *s mar.* leichtes Jachtsegel. — ~ **tire**, ~ **tyre** *s tech.* Bal'lonreifen *m.* — ~ **vine** *s bot.* Bal'lonrebe *f* (*Cardiospermum halicacabum*).

bal·lot[1] ['bælət] **I** *s* 1. Wahl-, Stimmzettel *m.* – 2. Gesamtzahl *f* der abgegebenen Stimmen. – 3. geheimes 'Wahlsyˌstem: voting is by ~ die Wahl ist geheim. – 4. Wahl *f*, Abstimmung *f*: ~ vote Urabstimmung (*bei Lohnkämpfen*). – 5. Wahlgang *m*: in the first ~. – 6. *hist.* Wahlkugel *f.* – **II** *v/i* 7. (for) stimmen (für), in geheimer Wahl wählen (*acc*). – 8. (for) durch Lose abstimmen (über *acc*), losen (um). – **III** *v/t* 9. abstimmen über (*acc*). – 10. auslosen.

bal·lot[2] ['bælət] *s* kleiner Ballen.

bal·lo·tade [ˌbælo'teid; -'tɑːd] *s* (*Reitkunst*) Ballo'tade *f.*

bal·lot| box *s pol.* Wahlurne *f.* — ~ **pa·per** *s pol.* Stimmzettel *m.*

bal·lotte·ment [bə'lɒtmənt] *s med.* 1. Ballo'tieren *n* (*früher übliche Methode, durch Tasten Schwangerschaft festzustellen*). – 2. Ballotte'ment *n*: ~ of the patella Tanzen der Kniescheibe.

bal·low ['bælou] *s mar.* Tiefwasser *n* (*hinter einer Sandbank od. Barre*).

ball| park *s sport Am.* Baseballplatz *m.* — ~ **pin** *s tech.* Kugelbolzen *m.* — '~ˌ**play·er** *s sport* 1. Baseballspieler *m.* – 2. Ballspieler *m.* — '~-ˌ**point pen** *s* Kugelschreiber *m.* — ~ **pol·ish·ing** *s tech.* 'Hochglanzpoˌlieren *n.* — '~ˌ**proof** *adj* kugelfest, -sicher. — ~ **race** *s tech.* 1. Führungsring *m* (*eines Kugellagers*), Kugellager-, Laufring *m.* – 2. Kugelkorb *m*, -kranz *m.* — '~ˌ**room** *s* Ball-, Tanzsaal *m*: ~ dancing Gesellschaftstanz.

balls [bɔːlz] *s pl vulg.* 1. ‚Eier' *pl*, Hoden *pl.* – 2. ‚Quatsch' *m.*

ball| screw *s mil.* Kugelzieher *m*, Entladeschraube *f* (*am Ende des Ladestocks*). — ~ **seat·er** *s mil.* Kugelpasser *m* (*zur Befestigung der Kugel in der Hülse*). — ~ **sock·et** *s tech.* Kugelpfanne *f.* — ~ **syr·inge** *s med.* Bal'lonspritze *f.* — ~ **tap** → ball cock. — ~ **thrust bear·ing** *s tech.* Kugeldrucklager *n*, Druckkugellager *n.* — ~ **valve** *s tech.* 'Kugelvenˌtil *n.* — '~ˌ**weed** → knapweed.

bal·ly ['bæli] *adj u. adv Br. sl.* verflucht, verdammt.

bal·ly·hack ['bæliˌhæk] *s sl.* Verderben *n*, Verdammnis *f*: go to ~! *Am. sl.* geh zum Henker!

bal·ly·hoo ['bæliˌhuː] *colloq.* **I** *s pl* **-hoos** ‚Tamtam' *n*, ‚Re'klamerummel' *m*, unverschämte Re'klame. – **II** *v/t* ‚Tamtam' machen um, aufdringlich anpreisen. – **III** *v/i* ‚Tamtam' *od.* aufdringliche Re'klame machen.

bal·ly·rag ['bæliˌræg] → bullyrag.

balm [bɑːm] *s* 1. Balsam *m*, aro'matisches Harz (*verschiedener Bäume u. Sträucher*). – 2. *med. relig.* Balsam *m*, wohlriechende Salbe. – 3. *fig.* Balsam *m*, Linderungsmittel *n*, Trost *m.* – 4. *fig.* bal'samischer Duft, Wohlgeruch *m.* – 5. *bot. Name verschiedener Pflanzen, bes.* a) Me'lisse *f* (*Gattg Melissa*), *bes.* Zi'tronen-, 'Garteneme ˌlisse *f* (*M. officinalis*), b) → ~ of Gilead 1.

bal·ma·caan [ˌbælmə'kɑːn] *s* 'Überrock *m* aus rauhem Wollstoff mit Raglanärmeln.

balm| ap·ple → balsam apple. — ~ **crick·et** *s zo.* Feldgrille *f* (*Gryllus campestris*).

balm·i·ness ['bɑːminis] *s* 1. bal'samische Beschaffenheit. – 2. Milde *f*, Lindheit *f* (*des Wetters*).

balm| mint → balm 5a. — ~ **of Gil·e·ad** *s bot.* 1. Balsamstrauch *m* (*Commiphora opobalsamum*). – 2. Mekkabalsam *m.* – 3. (*eine*) nordamer. Pappel (*Populus candicans*). – 4. → balsam fir. — ~ **of Mec·ca** → balm of Gilead 1 *u.* 2.

bal·mo·ny ['bælməni] → shell flower.

bal·mor·al [bæl'mɒrəl; *Am. auch* -'mɔːr-] *s* 1. Tou'risten-, Schnürstiefel *m.* – **2.** (*Art*) Schottenmütze *f.* – **3.** B~ wollener 'Unterrock.

balm·y ['bɑːmi] *adj* **1.** bal'samisch, duftend. – **2.** lind, mild (*Wetter*). – **3.** heilend. – **4.** Balsam liefernd. – **5.** *Br. sl.* ‚weich' (*ein wenig verrückt*).

bal·ne·al ['bælniəl] *adj* Bade...

bal·ne·ar·y [*Br.* 'bælniəri; *Am.* -ˌeri] **I** *adj* Bade... – **II** *s* Bad *n*, Badeort *m.*

balneo- [bælnio] *Wortelement mit der Bedeutung* Bad.

bal·ne·o·log·i·cal [ˌbælniə'lɒdʒikəl] *adj* balneo'logisch. — ˌ**bal·ne'ol·o·gist** [-'ɒlədʒist] *s* Balneo'loge *m.* — ˌ**bal·ne'ol·o·gy** [-dʒi] *s med.* Balneolo'gie *f*, Bäderkunde *f.*

ba·lo·ney *cf.* boloney.

bal·sa ['bɔːlsə; 'bɑːl-] *s* **1.** *bot.* Balsabaum *m* (*Ochroma lagopus*). – **2.** *Am.* leichtes Brandungsfloß. – **3.** *Am.* Talsperre *f* (*zu Bewässerungszwecken*).

bal·sam ['bɔːlsəm] **I** *s* **1.** Balsam *m*, aro'matisches Harz. – **2.** *med. relig.* Balsam *m*, wohlriechende Salbe. – **3.** *fig.* Balsam *m*, Linderungsmittel *n*, Trost *m.* – **4.** *bot.* Springkraut *n* (*Gattg Impatiens*). – **5.** *bot. ein Balsam liefernder Baum, bes.* a) → ~ **fir**, b) → ~ **poplar**. – **6.** → ~**weed**. — ˌ**bal·sa'ma·ceous** [-'meiʃəs] *adj* balsamartig.

bal·sam| ap·ple *s bot.* Echter Balsamapfel (*Momordica balsamina, M. charantia*): **wild** ~ Wilder Balsamapfel (*Echinocystis lobata*). — ~ **bog** *s bot.* Bolaxpflanze *f* (*Bolax glebaria; Falklandinseln*). — ~ **fig** *s bot.* Balsamfeige *f* (*Clusia rosea*). — ~ **fir** *s bot.* Balsamtanne *f* (*Abies balsamea*).

bal·sam·ic [bɔːl'sæmik] *adj* **1.** bal'samisch, balsamartig, Balsam... – **2.** Balsam enthaltend. – **3.** bal'samisch (duftend), aro'matisch. – **4.** *fig.* mild, sanft. – **5.** *fig.* lindernd, heilend. — **bal'sam·i·cal·ly** *adv.*

bal·sam·if·er·ous [ˌbɔːlsə'mifərəs] *adj* Balsam erzeugend.

bal·sa·mine ['bɔːlsəmin] *s* **1.** → **garden balsam**. – **2.** → **balsam apple**.

bal·sam| of Pe·ru *s med.* Pe'rubalsam *m* (*von Myroxylon pereirae*). — ~ **pear** *s bot.* Bitterer Balsamapfel (*Momordica charantia*). — ~ **pop·lar** *s bot. Am.* Balsampappel *f* (*Populus tacamahaca*). — ~ **shrub** → **torchwood 2.** — ~ **spruce** → **balsam fir**. — '~ˌ**weed** *s bot.* Nordamer. Ruhrkraut *n* (*Gattg Gnaphalium*).

Bal·tic ['bɔːltik] **I** *adj* **1.** baltisch. – **2.** Ostsee... – **II** *s* **3.** Ostsee *f.* – **4.** *ling.* Baltisch *n*, das Baltische (*indogermanische Sprachgruppe, Litauisch, Lettisch u. Altpreußisch umfassend*).

Bal·ti·more o·ri·ole ['bɔːltiˌmɔːr; -tə-] *s zo.* Baltimorevogel *m* (*Icterus galbula*).

Balto- [bɔːlto] *Wortelement mit der Bedeutung* baltisch, Baltisch.

Bal·to-Slav·ic ['bɔːlto'slævik], '**Bal·to-Sla'von·ic** [-slə'vɒnik] **I** *adj* balto-'slawisch. – **II** *s ling.* Balto'slawisch *n* (*Sprachgruppe, in der man früher die baltischen u. slawischen Sprachen zusammenfaßte*).

ba·lu ['bɑːluː] *s zo.* Su'matrische Wildkatze (*Felis sumatrana*).

bal·un ['bælən] *s* (*Fernsehen*) Symme'triertopf *m*, -glied *n.*

bal·us·ter ['bæləstər] *s arch.* **1.** Ba'luster *m*, Geländerdocke *f*, -säule *f* (*einer Treppe*): ~**s** Balustrade. – **2.** Seitenteil *m*, *n* (*der Schnecke am ionischen Kapitell*). — ~ **rail·ing** *s arch.* Geländer *n* mit Docken. — ~ **shaft** *s arch.* Dockenpfeiler *m.* — ~ **stem** *s* dockenartiger Fuß (*eines Kelches etc*).

bal·us·trade [ˌbæləs'treid] *s arch.* Balu'strade *f*, Docken-, Treppen-, Brückengeländer *n*, Brüstung *f.*

bam [bæm] *sl. obs.* **I** *v/t u. v/i pret u. pp* **bammed** (be)schwindeln. – **II** *s* Schwindel *m.*

bam·bi·no [bam'bino] *pl* **-ni** [-ni] (*Ital.*) *s* **1.** Kind *n.* – **2.** Jesuskind *n* (*bes. in der ital. Malerei*).

bam·boc·ci·ade [bæmˌbɒtʃi'ɑːd] *s* Bambocci'ade *f* (*Darstellung des Volks- u. Bauernlebens in niederl. Manier*).

bam·boo [bæm'buː] *pl* **-boos** *s* **1.** *bot.* Bambus(rohr *n*) *m* (*Gattg Bambusa*). – **2.** Bambusstock *m.* – **3.** *Maßeinheit verschiedener Art in Ostindien.* — ~ **bri·er** *s bot. Am.* Rundblättrige Stechwinde (*Smilax rotundifolia*). — ~ **cur·tain** *s pol.* Bambusvorhang *m* (*des kommunistischen China*). — ~ **par·tridge** *s zo.* Bambu(s)huhn *n* (*Gattg Bambusicola*). — ~ **rat** *s zo.* (*eine*) Bambusratte (*Gattg Rhizomys*).

bam·boo·zle [bæm'buːzl] *colloq.* **I** *v/t* **1.** beschwindeln (*betrügen*). – **2.** aus dem Kon'zept bringen, verwirren. – **II** *v/i* **3.** schwindeln. — **bam'boo·zle·ment** *s colloq.* Schwinde'lei *f*, Schwindel *m.* — **bam'boo·zler** *s colloq.* Schwindler *m.*

ban[1] [bæn] **I** *v/t pret u. pp* **banned** **1.** verbieten: **to** ~ **a play**. – **2.** (*j-n*) durch Verbot abhalten *od.* hindern: **to** ~ **s.o. from speaking** j-m verbieten zu sprechen. – **3.** *sport* sperren, (*j-m*) Startverbot auferlegen. – **4.** *obs.* a) verfluchen, in den Bann tun, b) verfluchen, verwünschen. – *SYN. cf.* **execrate**. – **II** *s* **5.** (amtliches) Verbot: ~ **of gathering** Versammlungsverbot. – **6.** (gesellschaftliche) Ächtung, Ablehnung *f* durch die öffentliche Meinung: **under a** ~ geächtet. – **7.** *jur.* Bann *m*, Acht *f*, Verbannung *f*, Landesverweisung *f*: **to put s.o. under the** ~ **of the Empire** über j-n die Reichsacht verhängen. – **8.** *relig.* (Kirchen)Bann *m*, Exkommunikati'on *f*, Ana'them *n.* – **9.** Fluch *m*, Verwünschung *f.* – **10.** öffentliche Aufforderung *od.* Bekanntmachung. – **11.** *pl* → **banns**.

ban[2] [bæn] *s hist.* Ban *m*, Banus *m* (*Statthalter, früher in Ungarn, später in Kroatien u. Slowenien*).

ban[3] [bɑn] *pl* **ba·ni** ['bɑːni] *s* Ban *m* (*kleinste rumän. Münzeinheit*).

Ban·a·gher ['bænəgər] *npr Stadt in Irland*: **that beats** ~ (**and** ~ **beats the devil**) so etwas ist noch nicht dagewesen.

ba·nal[1] [bə'næl; -'nɑːl; 'beinl] *adj* **1.** ba'nal, abgedroschen. – *SYN. cf.* **insipid**. – **2.** *jur.* feu'daldienstlich.

ba·nal[2] ['bænəl] *adj* das Ba'nat *od.* den Banus betreffend.

ba·nal·i·ty [bə'næliti; -lə-] *s* **1.** Banali'tät *f*, Abgedroschenheit *f.* – **2.** Banali'tät *f*, Gemeinplatz *m*, abgedroschenes Zeug.

ba·nan·a [*Br.* bə'nɑːnə; *Am.* -'næ(ː)nə] *s bot.* **1.** Ba'nane *f* (*Gattg Musa*). – **2.** Ba'nane *f* (*Frucht, bes. von Musa sapientum*): **a hand of** ~**s** eine Hand Bananen. — ~ **bird** *s zo.* Ba'nanenvogel *m* (*Icterus leucopteryx*). — ~ **eat·er** *s zo.* Ba'nanenfresser *m* (*Vogel der Fam. Musophagidae*). — ~ **oil** *s chem.* A'mylaceˌtat *n* (CH_3-$CO_2C_5H_{11}$). — ~ **plug** *s electr.* Ba'nanenstecker *m.*

ban·at(e) ['bænət] *s hist.* **1.** Ba'nat *n* (*Grenzgebiet in Kroatien, Slowenien u. Ungarn unter einem Ban*). – **2.** Banuswürde *f*, -amt *n.*

ba·nau·sic [bə'nɔːsik] *adj* handwerksmäßig, rein me'chanisch.

Ban·bu·ry cake [*Br.* 'bænbəri; *Am.* -ˌberi; 'bæm-] *s Art Gewürzkuchen aus Banbury* (*Oxfordshire*).

banc [bæŋk] *s jur.* Gerichtsbank *f*, Richterbank *f*: **sitting in** ~ (*auch* in banco) vollamtliche Gerichtssitzung, vollzähliger Gerichtshof.

ban·co[1] ['bæŋkou] *pl* **-cos** *s econ.* Pa'pier-, Rechnungsgeld *n*, -münze *f.*

ban·co[2] ['bæŋkou] → **banc**.

band[1] [bænd] **I** *s* **1.** Schar *f*, Gruppe *f* (*zu gemeinsamen Zwecken vereinigt*). – **2.** *mus.* a) (Mu'sik-, *bes.* 'Blas)-Kaˌpelle *f*, ('Tanz-, Unter'haltungs)-Orˌchester *n*, Musi'kanten *pl*, b) *mil.* Mu'sikkorps *n*, c) (Instru'menten)-Gruppe *f* (*im Orchester*), d) (Jazz)-Band *f*: **big** ~ großes Jazzorchester. – **3.** bewaffnete Schar, Bande *f* (*bes. von Räubern*). – **4.** Gruppe *f* von No'maden. – **5.** *Am.* Herde *f* (*von Büffeln etc*). – *SYN.* **company, troop, troupe**. – **II** *v/t* **6.** zu einer Truppe, Bande *etc* vereinigen, *meist reflex* sich vereinigen *od.* verbinden *od.* zu'sammenrotten. – **III** *v/i* **7.** *meist* ~ **together** sich zu'sammentun *od.* verbinden.

band[2] [bænd] **I** *s* **1.** (flaches) Band, Schnur *f*: **rubber** ~ Gummiband. – **2.** Band *n*, Gürtel *m*, Binde *f*, Bund *m* (*an Kleidern*). – **3.** Streif(en) *m* (*von anderer Beschaffenheit, Farbe etc als die Umgebung*), Borte *f*: → **absorption 2** *u.* **5.** – **4.** *zo.* Querstreifen *m* (*z.B. beim Zebra*), Querlinie *f.* – **5.** *med.* Verband *m*, Binde *f*, Ban'dage *f.* – **6.** *med.* (Gelenk)Band *n*: ~ **of connective tissue** Bindegewebsbrücke. – **7.** (*Radio*) (Fre'quenz)Band *n*: **wave** ~ **filter** Bandfilter. – **8.** Reifen *m*, Ring *m*: **wedding** ~ Ehering. – **9.** *tech.* Lauf-, Treibriemen *m*: **endless** ~ Band ohne Ende. – **10.** *hist.* a) (halb aufrecht stehender span.) Halskragen, b) → **falling** ~. – **11.** *pl* Beffchen *n* (*der Richter, Priester etc*). – **12.** *arch.* Band *n*, Borte *f*, Leiste *f*, Platte *f*, Plinthe *f.* – **13.** (*Buchbinderei*) (Heft)-Schnur *f*, Gebinde *n*, Bund *n.* – **14.** Band *n*, Ring *m* (*als Verbindungsglied*). – **15.** *arch.* Bindeschiene *f*, Eisenband *n.* – **16.** *tech.* (Rad)-Schiene *f.* – **17.** *tech.* Türband *n.* – **18.** *tech.* Fenster-, Haftblei *n* (*des Glasers*). – **19.** Band *n* (*am Sattelbogen*). – **20.** (Stroh)Band *n* (*für Garben etc*). – **21.** (*Bergbau*) Zwischenschicht *f*, Bergmittel *n.* – **22.** *meist pl* Band *n*, Bande *pl*, Bindung *f*, Verpflichtung *f.* – **23.** *obs.* Fessel *f.* – **II** *v/t* **24.** (ver)binden, mit einem Band zu'sammenbinden *od.* (*Vogel etc*) kennzeichnen, (*Bäume*) mit einer (Leim)Binde versehen. – **25.** mit (einem) Streifen versehen, streifen. – **26.** *tech.* verankern.

band·age ['bændidʒ] **I** *s* **1.** *med.* Ban'dage *f*, Verband *m*, Binde *f*: ~ **case** Verbandskasten. – **2.** Binde *f*, Band *n.* – **3.** *arch. obs.* eisernes Band, Eisenring *m* (*zur Befestigung*). – **II** *v/t* **4.** (*Wunde etc*) banda'gieren, verbinden. — '**band·ag·ist** *s* Banda'gist *m.*

ban·da·la [bɑːn'dɑːlɑː] *s* Ma'nilahanf *m*, A'baka- *od.* Ba'nanenfaser *f* (*Bastfaser des Gewebepisangs Musa textilis*).

ban·dan·(n)a [bæn'dænə] *s* **1.** großes, buntes, weißgeflecktes Taschen- *od.* Halstuch. – **2.** (*Textilwesen*) Ban'danadruck *m.*

ban·dar ['bʌndər] *s zo.* Rhesusaffe *m* (*Macaca rhesus*): B~**-log** Affenvolk (*bei Kipling*).

'**band|**ˌ**box** *s* Putz-, Hutschachtel *f*: **she looked as if she had come out of the** ~ sie sah wie aus dem Ei gepellt aus. — ~ **brake** *s tech.* **1.** Bandbremse *f.* – **2.** Riemenbremse *f.* — ~ **chain** *s* Band-, Gelenkkette *f.* — ~ **con·vey·or** *s tech.* Fließ-, Transportband *n.*

ban·dé [ˌbɑ̃'dei] *adj her.* durch einen rechten Schrägbalken abgeteilt.

ban·deau [bæn'dou; 'bændou] *pl* **-deaux** [-douz] *s* (Kopf)Binde *f*, Stirnband *n* (*bes. der Frauen*).

band·ed ['bændid] *adj* **1.** mit Bändern versehen, in Bändern *od.* Streifen gelagert, gebändert, streifig, gestreift. – **2.** *geol.* schlierenähnlich, gebankt. — **~ drum** *s zo. Am.* Knurrfisch *m* (*Pogonias cromis*). — **~ mail** *s mil. hist.* Ringpanzer *m.* — **~ rat·tle·snake** *s zo.* Klapperschlange *f* (*Crotalus horridus*). — **~ struc·ture** *s* **1.** *geol.* Schichtengefüge *n.* – **2.** *min.* streifiges Gefüge. – **3.** *tech.* 'Zeilenstruk,tur *f.*

band·e·let(te) ['bændə,let] *s arch.* Leistchen *n.*

ban·de·ril·la [,bande'riʎa] (*Span.*) *s* Bande'rilla *f* (*mit Bändern geschmückter Spieß mit Widerhaken*). — **,ban·de·ril'le·ro** [banderi'ʎero] (*Span.*) *s* Banderil'lero *m* (*Stierkämpfer, der mit den Banderillas den Stier reizt*).

ban·de·rol(e) ['bændə,roul] *s* **1.** langer Gefechtswimpel (*mit gespaltenem Ende*). – **2.** Lanzenfähnlein *n.* – **3.** Bande'role *f*, Inschriftenband *n.* – **4.** *her.* Wimpel *m* unter der Krücke des Bischofsstabs. – **5.** Trauerfahne *f.*

'band,fish → ribbonfish.

ban·di·coot ['bændi,ku:t] *s zo.* **1.** Ma-la'barratte *f* (*Mus giganteus*). – **2.** Große Ratte (*Nesokia bandicota*). – **3.** *auch* ~ **rat** Beuteldachs *m*, Bandikut *m* (*Gattg Perameles*).

band·ie ['bændi] *s zo. Scot. od. dial.* Stichling *m* (*Gasterosteus aculeatus*).

ban·di·kai ['bændi,kai] *s bot.* Eßbarer Eibisch (*Hibiscus esculentus*).

ban·dit ['bændit] *pl* **-dits, -dit·ti** [-'diti] *s* **1.** Ban'dit *m*, (Straßen-) Räuber *m*: **a banditti** *collect.* eine Räuberbande. – **2.** *aer. sl.* Feindflugzeug *n.* — **'ban·dit·ry** [-ri] *s* **1.** Räuberwesen *n.* – **2.** *collect.* Räuber *pl*, Ban'diten *pl.*

band·le lin·en ['bændl] *s* grobe irische Hausmacherleinwand.

'band,mas·ter *s mus.* **1.** Ka'pellmeister *m.* – **2.** *mil.* Mu'sikmeister *m.*

ban·dog ['bæn,dɒg; *Am. auch* -,dɔ:g] *s selten* Kettenhund *m*, Bullenbeißer *m* (*auch fig.*).

ban·do·leer [,bændə'lir] *s mil.* Pa'tronengurt *m*, Schulterriemen *m*, Bandeli'er *n*, Pa'tronentasche *f.* — **~ fruit** *s bot.* Bandeli'erfrucht *f* (*Beere von Zanonia indica*).

ban·do·le·ro [bando'lero] *pl* **-ros** [-ros] (*Span.*) *s* Straßenräuber *m.*

ban·do·line ['bændə,li:n; -lin] **I** *s* **1.** Bando'lin *n* (*Art Haarpomade*). – **2.** *bot.* Bando'linholzbaum *m* (*Machilus thunbergii*). – **II** *v/t* **3.** (*das Haar*) mit Bando'lin einfetten.

ban·dore [bæn'dɔ:r; 'bændɔ:r] *s mus.* Ban'dora *f*, Pan'dora *f* (*alte Lautenart*).

'band|-,pass fil·ter *s* (*Radio*) Bandpaßfilter *m, n.* — **'~-,pass width** *s* (*Radio*) 'Durchlaßbereich *m*, Bandbreite *f.* — **~ pul·ley** *s tech.* Riemenscheibe *f*, Schnurrad *n.* — **~ saw** *s tech.* (laufende) Bandsäge. — **~ shell** *s* (muschelförmiger) Mu'sikpavillon.

bands·man ['bændzmən] *s irr mus.* **1.** Musiker *m*, Mitglied *n* einer (Mu'sik)Ka,pelle. – **2.** *mil.* Spielmann *m.*

band| spec·trum *s phys.* Band-, Streifenspektrum *n.* — **~ spread** *s* (*Radio*) Bandspreizung *f.* — **'~,stand** *s* Mu'sik-, Or'chesterpavillon *m.* — **'~,string** *s* **1.** (*Buchbinderei*) Heftschnur *f.* – **2.** Halskrausenband *n* (*im 16. u. 17. Jh.*). — **~ switch** *s* (*Radio*) Wellenschalter *m*, Fre'quenz-(band),umschalter *m.* — **~ wag·(g)on** *s* **1.** Wagen *m* mit einer Mu'sikka,pelle (*bes. beim Straßenumzug eines Zirkus etc*). – **2.** *colloq.* erfolgreiche (po'litische) Bewegung: **to climb** (*od.* **get**) **on** (*od.* **aboard**) **the ~** ,mitlaufen', zur erfolgreichen Partei umschwenken. — **~ wheel** *s tech.* **1.** Riemenscheibe *f.* – **2.** Bandsägenscheibe *f.* — **~ width** *s* (*Radio*) Bandbreite *f.* — **'~,work** *s* Gruppen-, Gemeinschaftsarbeit *f.*

ban·dy¹ ['bændi] **I** *v/t* **1.** (*einen Ball*) 'hin- und 'herschlagen. – **2.** *fig.* 'hin- und 'herschleudern. – **3.** (*Worte, Blicke etc*) sich zuwerfen, wechseln, (aus)tauschen. – **4.** (*Geschichten, Gerüchte*) her'umtragen, -erzählen: **to ~ s.th. about.** – **II** *v/i* **5.** 'hin- und 'herstreiten: **to ~ about s.th. with s.o.** mit j-m ein Wortgefecht haben. – **III** *s selten sport* **6.** (*Art*) Hockeyspiel *n.* – **7.** *Schläger für dieses Spiel.*

ban·dy² ['bændi] *adj* **1.** gekrümmt, (nach außen) gebogen. – **2.** säbelbeinig, O-beinig.

ban·dy³ ['bændi] *s* (Ochsen)Wagen *m* (*in Indien*).

'ban·dy-,leg·ged [-,legd; *Am. auch* -,legid] *adj* O-beinig, krummbeinig.

bane [bein] **I** *s* **1.** Vernichtung *f*, Tod *m*, *bes.* tödliches Gift (*obs. außer in gewissen Zusammensetzungen*): rats~ Rattengift. – **2.** *fig. poet.* Verderben *n*, Pest *f*, Ru'in *m*, Plage *f*: **this is the ~ of his existence** das nagt an seinem Leben(snerv), das ist ein Nagel zu seinem Sarg. – **II** *v/t* **3.** *obs.* töten, vergiften, verderben (*auch fig.*). — **'~,ber·ry** *s bot. Am.* **1.** Christophskraut *n* (*Gattg Actaea*). – **2.** *Beere von* 1.

bane·ful ['beinful; -fəl] *adj* giftig, tödlich, verderblich (*auch fig.*). – *SYN. cf.* **pernicious.** — **'bane·ful·ness** *s* Giftigkeit *f*, Tödlichkeit *f*, Verderblichkeit *f.*

'bane,wort *s bot.* Tollkirsche *f* (*Atropa belladonna*).

bang¹ [bæŋ] **I** *s* **1.** schallender Schlag, Hieb *m.* – **2.** Bums *m*, Krach *m*, Knall *m*: **to go off with a ~** laut losknallen. – **3.** *colloq.* lärmendes Auffahren, plötzliche Bewegung. – **4.** Ener'gie *f*, Schwung *m.* – **5.** *Am. sl.* Aufregung *f*, Erregung *f*, Spannung *f.* – **II** *v/t* **6.** dröhnend schlagen, knallen *od.* krachen lassen, (*Tür etc*) heftig zuschlagen: **to ~ one's fist on the table** mit der Faust auf den Tisch schlagen; **to ~ off** (*Feuerwaffe*) losknallen, (*Musikstück auf dem Klavier*) herunterhämmern. – **7.** *oft* **~ about** *fig.* her'umstoßen, miß'handeln, unsanft behandeln: **to ~ s.o. about.** – **8.** mit lärmenden Schlägen her'vorbringen: **to ~ out a tune.** – **9.** *colloq.* (ver)prügeln, (ver)hauen, besiegen. – **10.** *colloq.* schlagen, über'treffen. – **11.** *econ.* (*Preise*) drücken. – **12.** (*etwas*) einbleuen, einpauken, -hämmern, (wie mit Schlägen) ein- *od.* austreiben: **to ~ sense into s.o.** – **III** *v/i* **13.** heftig stoßen, knallend schlagen. – **14.** schallen, (zu)knallen, zuschlagen (*Tür*): **to ~ away** drauflosknallen. – **15.** *oft* **~ up** plötzlich *od.* polternd aufspringen, -fahren. – **IV** *adv* **16.** mit plötzlichem *od.* heftigem Knall *od.* Krach: **to go ~** explodieren. – **17.** plötzlich, auf 'einmal: **~ went the money** auf einmal *od.* bums war das Geld weg! – **V** *interj* **18.** päng! paff! bum(s)!

bang² [bæŋ] **I** *s* **1.** *meist pl* Ponies *pl*, 'Ponyfri,sur *f.* – **II** *v/t* **2.** (*Haare*) an der Stirn kurz abschneiden. – **3.** (*Schwanz*) stutzen.

bang³ *cf.* **bhang.**

ban·ga·lore tor·pe·do ['bæŋgə,lɔ:r] *s mil.* gestreckte Ladung, Rohrsprengladung, Reihenladung *f.*

bang beg·gar *s dial.* Büttel *m*, Gerichtsbote *m.*

bang·er ['bæŋər] *s* **1.** etwas was knallt. – **2.** *sl.* Aufschneide'rei *f*, Mordslüge *f.*

ban·ghy ['bæŋgi] *s Br. Ind.* **1.** (Bambus)-Trage *f*, Schulterjoch *n.* – **2.** Pa'ketpost *f.*

bang·ing ['bæŋiŋ] *adj colloq.* e'norm, ungeheuer, riesig.

bang·kok ['bæŋkɒk] *s* **1.** (*Art*) sia'mesisches Stroh. – **2.** Hut *m od.* Kopfbedeckung *f* aus sia'mesischem Stroh.

ban·gle ['bæŋgl] *s* Armring *m*, -reif *m*, -band *n*, Spange *f* (*auch für das Fußgelenk, bes. in Ostindien u. Afrika*).

ban·gled ['bæŋgld] *adj* mit Armbändern *od.* Armreifen geschmückt.

ban·gle ear *s* Schlappohr *n* (*bei Pferden*).

Bang's dis·ease [bɑ:ŋz] *s vet.* Bangsche Krankheit.

bang·ster ['bæŋstər] *s obs. od. dial.* **1.** Eisenfresser *m*, Prahler *m.* – **2.** Sieger *m.*

'bang,tail *s* **1.** gestutzter Schwanz, Stutzschwanz *m.* – **2.** Pferd *n* mit gestutztem Schwanz.

'bang-,up *adj u. adv sl.* ,tipp'topp', ,fa'mos', ,prima', ausgezeichnet, erstklassig, nach der neuesten Mode.

ban·gy *cf.* **banghy.**

ba·ni ['bɑ:ni] *pl von* **ban³.**

ban·ian ['bænjən; -niən] *s* **1.** Bani'an(e) *m* (*Händler od. Kaufmann, der zur Vaischyakaste der Hindus gehört u. sich des Fleischgenusses enthält*). – **2.** loses (Baumwoll)Hemd, lose Jacke (*in Indien getragen*). – **3.** *cf.* **banyan.** — **'~-'day** *s mar. sl.* Fasttag *m*, fleischloser Tag. — **'~-'hos·pi·tal** *s* Tierpflegeanstalt *f.* — **'~-'tree** → banyan.

ban·ish ['bæniʃ] *v/t* **1.** verbannen, ausweisen (**from** aus), des Landes verweisen: **he was ~ed from the country** er wurde des Landes verwiesen. – **2.** *fig.* (ver)bannen, verscheuchen, vertreiben: **to ~ care.** – **3.** *obs.* ächten, in den Bann tun. – *SYN.* **deport, exile, transport.** — **'ban·ish·ment** *s* **1.** Verbannung *f*, Ausweisung *f*: **~ from the field** *sport* Platzverweis. – **2.** *fig.* Vertreiben *n*, Bannen *n.*

ban·is·ter ['bænistər] *s* **1.** Geländerdocke *f*, -säule *f.* – **2.** *pl* Treppengeländer *n.*

ban·jo ['bændʒou] **I** *s pl* **-jos, -joes** Banjo *n* (*Tamburin-Gitarre*). – **II** *adj* banjoförmig, Banjo... — **~ frame** *s mar.* Rahmen *m* zum Hochheben der Schraube.

ban·jo·ist ['bændʒouist] *s* Banjospieler *m.*

bank¹ [bæŋk] **I** *s* **1.** *econ.* Bank *f*: **the B~** *Br.* die Bank von England; **at the ~** auf der Bank; **to deposit money in** (*od.* **at**) **a ~** Geld in einer Bank deponieren. – **2.** *econ.* Bank-(gebäude *n*, -haus *n*) *f.* – **3.** Bank *f* (*bei Hasardspielen*): → **break** 36; **to go (the) ~** Bank setzen; **to keep the ~** Bank halten. – **4.** *obs.* gemeinsames Kapi'tal, gemeinschaftliche Kasse. – **5.** Vorrats-, Stapelplatz *m.* – **6.** Vorrat *m*, Re'serve *f.* – **7.** *obs.* Wechslertisch *m.* – **II** *v/i* **8.** *econ.* eine Bank haben, ein Bankgeschäft führen. – **9.** *econ.* ein Bankkonto haben, Geld auf der Bank haben: **where do you ~?** was ist Ihre Bankverbindung? wo haben Sie Ihr Bankkonto? – **10.** Bank halten (*im Hasardspiel*). – **11.** *colloq.* sich verlassen, zählen (**on, upon** auf *acc*). – **III** *v/t* **12.** *econ.* (*Geld*) auf die Bank bringen, bei einer Bank depo'nieren. – **13.** *econ.* flüssig machen, reali'sieren.

bank² [bæŋk] **I** *s* **1.** Erdwall *m*, -aufschüttung *f*, Damm *m*, Wall *m* (*an Wegen, Kanälen etc*). – **2.** Böschung *f* (*einer Straße, Eisenbahnstrecke etc*). – **3.** Über'höhung *f* (*in Kurven*). – **4.** (steiler) Abhang. – **5.** *oft pl* (abfallendes) Ufer (*eines Flusses etc*): **the ~s of the Potomac** das Ufer des Potomac. – **6.** (Fels-, Sand)Bank *f*,

Untiefe *f*: the ~s of Newfoundland die Neufundlandbänke. – **7.** Bank *f*, geschlossene horizon'tale Masse (*Wolken, Sand, Schnee etc*): a ~ of clouds eine Wolkenbank. – **8.** *geol.* Bank *f*, Steinlage *f* (*in Steinbrüchen*). – **9.** bearbeitetes Kohlenlager. – **10.** (*Bergbau*) Tagesfläche *f* des Grubenfeldes. – **11.** *aer.* Querlage *f*, -neigung *f* (*eines Flugzeuges, bes. in der Kurve*): angle of ~ Querneigungswinkel. – **12.** (*Billard*) Bande *f*. – **II** *v/t* **13.** eindämmen, mit einem Wall um'geben. – **14.** (*Straße etc auf der Außenseite einer Kurve*) über'höhen: ~ed curve überhöhte Kurve. – **15.** ~ up aufhäufen, zu'sammenballen: to ~ up the clouds. – **16.** *aer.* (*Flugzeug*) in die Kurve legen, in Schräglage bringen. – **17.** (*Billard*) (*den Ball*) a) an die Bande legen, b) (*durch Treiben gegen die Bande*) ins Loch spielen. – **18.** (*ein Feuer*) mit frischem Brennstoff *od.* mit Asche belegen (*um den Zug zu vermindern*). – **19.** *tech.* die Unruhe (*der Uhr*) beschränken. – **III** *v/i* **20.** *auch* ~ up sich aufhäufen, eine Bank bilden (*Wolken etc*). – **21.** *aer.* in die Kurve gehen. – **22.** (*Uhrmacherei*) gegen die Ausschwingungsstifte anstoßen.

bank[3] [bæŋk] **I** *s* **1.** (zu'sammengehörige) Gruppe, Serie *f*, Reihe *f* (*z. B. Tastatur der Schreibmaschine*). – **2.** *tech.* Reihe *f*, Reihenanordnung *f*. – **3.** *electr.* Serien-, Paral'lelschaltung *f*. – **4.** *mus.* Manu'al *n* (*einer Orgel*). – **5.** Ruderbank *f* (*in einer Galeere*). – **6.** Reihe *f* von Ruderern. – **II** *v/t* **7.** in eine Reihe bringen, in einer Reihe anordnen.

bank·a·ble ['bæŋkəbl] *adj econ.* bankfähig, diskon'tierbar.

bank| ac·cept·ance *s econ.* 'Bankak,zept *n* (*Bankwechsel, der von der Bank indossiert ist, auf die der Wechsel gezogen ist*). — ~ **ac·count** *s* Bankkonto *n*, -guthaben *n*. — ~ **an·nu·i·ties** → consols. — ~ **bal·ance** *s* Banksaldo *m*, -guthaben *n*: ~ sheet Bankbilanz. — ~ **bill** *s* Bankwechsel *m* (*von einer Bank auf eine andere gezogen*). — '~,**book** *s* Kontobuch *n*. — ~ **check,** *bes. Br.* ~ **cheque** *s* Bankscheck *m*. — ~ **clerk** *s Br.* Bankangestellte(r), -beamte *m*. — ~ **cred·it** *s* 'Bankkre,dit *m*. — ~ **de·pos·it** *s* 'Bankeinlage *f*, -de,pot *n*. — ~ **dis·count** *s* 'Bankdis,kont *m*, Dis'kontsatz *m* einer Bank. — ~ **draft** *s* Bankscheck *m*, -tratte *f*.

bank·er[1] ['bæŋkər] *s* **1.** *econ.* Banki'er *m*: his ~s seine Bank. – **2.** (*Kartenspiel*) Banki'er *m*, Bankhalter *m*. – **3.** (*Art*) Ha'sardspiel *n*.

bank·er[2] ['bæŋkər] *s* **1.** *mar. Am.* Schiff *n od.* Fischer *m* für den Dorschfang auf den Neufundlandbänken. – **2.** *sport* Springpferd *n* (*das Dämme u. Gehege gut überspringt*). – **3.** Damm-, Erdarbeiter *m*.

bank·er[3] ['bæŋkər] *s* Maßbrett *n* (*der Maurer*), Model'lierbank *f* (*der Bildhauer*).

bank·er·ese [,bæŋkə'ri:z] *s* Bankfach[sprache *f*.]

'bank·er-,mark *s* Handzeichen *n* des Steinmetzen.

bank·er's| ac·cept·ance → bank acceptance. — ~ **ad·vance** *s econ.* 'Bankkre,dit *m*. — ~ **bill** → bank bill. — ~ **dis·count** → bank discount. — ~ **dis·cre·tion** *s econ.* Bankgeheimnis *n*.

ban·ket [bæŋ'ket] *s geol.* goldhaltiges [Konglome'rat.]

bank| funds *s pl econ.* 'Bankkapi,tal *n*. — ~ **group** *s* 'Bankenkon,sortium *n*, -gruppe *f*. — ~ **hol·i·day** *s Br.* Bankfeiertag *m* (*in England: Karfreitag, Ostermontag, letzter Montag im Mai u. August od. 1. Montag im Juni u. September, 1. u. 2. Weihnachtsfeiertag*).

bank·ing[1] ['bæŋkiŋ] *econ.* **I** *s* Bankwesen *n*, -geschäft *n*, Geldhandel *m*. – **II** *adj* Bank...

bank·ing[2] ['bæŋkiŋ] *s aer.* Schräglage *f*, Querneigung *f* (*eines Flugzeugs*).

bank·ing| ac·count *s econ.* Bankkonto *n*. — ~ **com·mu·ni·ca·tion** *s econ.* Bankverkehr *m*. — ~ **law** *s econ.* Bankrecht *n*. — ~ **pin** *s tech.* Anschlagstift *m* (*bes. der Unruhe einer Uhr*). — ~ **syn·di·cate** *s econ.* 'Bank(en)kon,sortium *n*. — ~ **wax** *s tech.* Randwachs *n* (*für Ätzplatten*).

bank| mar·tin → bank swallow. — ~ **mon·ey** *s econ.* 'Bankgeld *n*, -va,luta *f*. — ~ **night** *s* Kinovorstellung *f* mit Lotte'rie u. Preisverteilung. — ~ **note** *s* Banknote *f*, Kassenschein *m*: circulation of ~s (Bank)Notenumlauf. — ~ **of cir·cu·la·tion** *s* Girobank *f*. — ~ **of com·merce** *s* Handelsbank *f*. — ~ **of de·pos·it** *s* Depo'sitenbank *f*. — ~ **of is·sue** *s* Noten-, Emissi'onsbank *f*.

ban·ko ware ['bæŋkou] *s* jap. 'unglа,siertes Steingut.

bank| pa·per *s econ.* **1.** *collect.* 'Bankwechsel *pl*, -pa,piere *pl*. – **2.** bankfähiges 'Handelspa,pier. — ~ **place** *s econ.* Bankplatz *m*. — ~ **post bill** *s econ. Br.* Solawechsel *m* der Bank von England (*zahlbar sieben Tage nach Sicht*). — ~ **rate** *s econ.* Banksatz *m*, -rate *f*, amtlicher Zinsfuß, Dis'kontsatz *m*, 'Bankdis,kont *m* (*bes. einer amtlich anerkannten Zentralbank, wie der Bank von England od. Federal Reserve Bank, USA*). — ~ **roll** *s Am.* Rolle *f* von Geldscheinen (*auch fig.*): he has a big ~ es steht ihm viel Geld zur Verfügung.

bank·rupt ['bæŋkrʌpt; -rəpt] **I** *s* **1.** *jur.* Zahlungsunfähige(r), Insol'vente(r), Fal'lit *m*, Gemeinschuldner *m*: creditor of a ~ Konkursgläubiger. – **2.** zahlungsunfähiger Mensch, no'torischer Schuldenmacher, (betrügerischer) Bankrot'teur. – **3.** *fig.* bank(e)'rotter *od.* unfähiger *od.* her'untergekommener Mensch. – **II** *adj* **4.** *jur.* bank(e)'rott, zahlungsunfähig, fal'lit, insol'vent: to become (*od.* go) ~ in Konkurs geraten, Bankrott machen, pleite gehen; to declare oneself ~ den Konkurs anmelden; → adjudge 1. – **5.** *fig.* arm (in an *dat*), verarmt, erschöpft, pleite, am Ende. – **6.** *jur.* einen Bank'rott betreffend, Konkurs...: ~ estate Konkursmasse. – **III** *v/t* **7.** *jur.* bank(e)'rott machen. – **8.** *fig.* zu'grunde richten, arm machen (of an *dat*). – *SYN. cf.* deplete.

bank·rupt·cy ['bæŋkrəptsi; -rəpsi] *s* **1.** *jur.* Zahlungseinstellung *f*, Bank(e)'rott *m*, Kon'kurs *m*, Insol'venz *f*: court of ~ Konkursgericht; petition in ~ Konkursantrag; he filed a petition in ~ er hat Konkurs angemeldet; preference in ~ Konkursvorrecht. – **2.** *fig.* Bank(e)'rott *m*, Schiffbruch *m*, Ru'in *m*. — ~ **act** *s jur.* Kon'kursordnung *f*. — ~ **pe·ti·tion** *s* Kon'kursantrag *m*. — ~ **pro·ceed·ing** *s* Kon'kursverfahren *n*.

bank·rupt's| cred·i·tor *s jur.* Kon'kursgläubiger *m*, Gemeingläubiger *m*. — ~ **es·tate** *s jur.* Kon'kursmasse *f*.

banks·hall ['bæŋkshɔ:l] *s Br. Ind.* **1.** (Waren)Lager *n*. – **2.** Hafenmeister *m*, -behörde *f*.

bank·si·a ['bæŋksiə] *s bot.* Banksie *f* (*Gattg Banksia*). — ~ **rose** *s bot.* Lady Bank's Rose *f* (*Rosa banksiae*).

banks·man ['bæŋksmən] *s irr* (*Bergbau*) Grubenaufseher *m*.

bank| stock *s* 'Bankkapi,tal *n* (*bes. Aktien der Bank von England*). — ~ **swal·low** *s zo.* Uferschwalbe *f* (*Riparia riparia*). — ~ **tell·er** *s Am.* Bankangestellte(r).

ban·lieue [bɑ̃'ljø] (*Fr.*) *s* Bannmeile *f*, Weichbild *n*.

ban·ner ['bænər] **I** *s* **1.** *auch her.* Banner *n*, Pa'nier *n*. – **2.** *bes. poet.* Banner *n*, Heeres-, Reichsfahne *f*. – **3.** *fig.* Banner *n*, Fahne *f*: the ~ of freedom. – **4.** Banner, das ein Motto *od.* eine Inschrift trägt, Transpa'rent *n* (*bei politischen Umzügen*). – **5.** Vereins-, Kirchenfahne *f*. – **6.** *bot.* Fahne *f* (*oberstes Blatt der Schmetterlingsblüten*). – **7.** *auch* ~ head, ~ line Schlagzeile *f* über die ganze Breite einer Zeitung. – **8.** *obs.* Banner *n* (*Soldatenabteilung*). – **II** *adj Am.* **9.** über'ragend, führend, her'vorragend: a ~ year for crops ein hervorragendes Erntejahr. – **III** *v/t* **10.** mit einem Banner *od.* mit Bannern versehen *od.* schmücken. – **IV** *v/i obs.* **11.** das Banner erheben. — ~ **cry** *s* **1.** Sammelruf *m*, Si'gnal *n* zum Sammeln. – **2.** Schlagwort *n*.

ban·nered ['bænərd] *adj* **1.** mit Bannern versehen, ein Banner führend, unter einem Banner. – **2.** *her.* als Wappen auf einem Banner befindlich.

ban·ner·et[1] ['bænə,ret] *s hist.* Bannerherr *m*: a) *Ritter, der ein eigenes Banner führen durfte*, b) *Adelstitel nächst dem Baron*, c) *hoher Beamter in der Schweiz u. den ital. Republiken.*

ban·ner·et[2], **ban·ner·ette** [,bænə'ret] *s* kleines Banner, Fähnlein *n*.

ban·ner·ol ['bænə,roul] → banderole.

ban·ner| plant *s bot.* Schwanz-, Schweifblume *f* (*Gattg Anthurium*). — ~ **screen** *s* Ofen- *od.* Lichtschirm *m* (*in Fahnengestalt*). — ~ **stone** *s* (*prähistorischer*) Bannerstein (*in Amerika gefunden, angeblich als Amtsabzeichen getragen*).

ban·nis·ter *cf.* banister.

ban·nock ['bænək] *s Scot. od. dial.* (*Art*) Hafer- *od.* Gerstenmehlkuchen *m*. — ~ **fluke** *s zo. Scot.* Steinbutt *m* (*Rhombus maximus*).

banns [bænz] *s pl relig.* Aufgebot *n*, (drei) Aufgebote (*des Brautpaares vor der Ehe*): to ask (*od.* publish, put up) the ~ of s.o. j-n kirchlich aufbieten (*vor der Ehe*); to forbid the ~ Einspruch gegen die Eheschließung erheben.

ban·quet ['bæŋkwit] **I** *s* **1.** Ban'kett *n*, Festessen *n*: ~ hall, ~ room Bankettsaal; at the ~ auf dem Bankett. – **2.** *obs.* Nachtisch *m*. – **3.** *obs.* einfaches Zwischenmahl. – **II** *v/t* **4.** festlich bewirten. – **III** *v/i* **5.** banket'tieren, schmausen, sich gütlich tun. — ,**ban·quet'eer** [-'tir], '**ban·quet·er** *s* Teilnehmer *m* an einem Ban'kett, Schmauser *m*, Schwelger *m*.

ban·quette [bæŋ'ket] *s* **1.** *mil.* Ban'kett *n*, Wallbank *f* (*Erhöhung an der Innenseite der Mauer einer Festung etc*), Schützenauftritt *m*: ~ slope Abhang nach der Innenseite; ~ tread Weg oben auf der Wallbank. – **2.** Ban'kette *f*, erhöhter Fußweg (*neben dem Fahrweg*). – **3.** *Am.* Bürgersteig *m*, Gehweg *m*. – **4.** *tech.* Ban'kett *n*, steile Böschung. – **5.** (*Archäologie*) gesimseähnliche Plattform an der Innenwand einer Höhle.

bans *cf.* banns.

ban·shee, *auch* **ban·shie** ['bænʃi; bæn'ʃi] *s* (*im irischen u. schottischen Volksglauben*) Todesfee *f*, todverkündender Geist (*in Gestalt einer jammernden Frau*): ~ howl.

ban·stick·le ['bæn,stikl] *s zo. dial.* Stichling *m* (*Gasterosteus aculeatus*).

bant [bænt] *v/i humor.* eine Entfettungskur machen.

ban·tam ['bæntəm] **I** *s* **1.** *meist* B~ *zo.* Bantam-, Zwerghuhn *n*, -hahn *m*. – **2.** *fig.* kleiner draufgängerischer Mensch, Knirps *m*. – **3.** *sport* → ~weight. – **4.** *mil.* Jeep *m*. – **II** *adj* **5.** Zwerg...: ~ rooster. – **6.** *fig.* winzig, klein: ~ battalion. – 7. *fig.* streitsüchtig. — '~,**weight** *s* (*Boxen*) Bantamgewicht *n* (*Gewichtsklasse von 50,8—53,5 kg*).

ban·teng ['bænteŋ] *s zo.* Banteng *m*, Ja'vanisches Rind (*Bibos banteng*).

ban·ter ['bæntər] **I** *v/t* **1.** necken, hänseln, aufziehen. – **2.** her'ausfordern (for zu). – **3.** *obs.* täuschen, prellen, betrügen. – **II** *v/i* **4.** necken, Spaß machen. – **III** *s* **5.** Necke'rei *f*, Scherz *m*, scherzendes Hänseln. — '**ban·ter·ing·ly** *adv* scherzend, nekkend.

Ban·ting·ism ['bæntiŋ,izəm] *s* Banting-Kur *f* (*eine Entfettungskur*). — '**ban·ting,ize** *v/i* eine Banting- *od.* Entfettungskur machen.

bant·ling ['bæntliŋ] *s* Balg *m*, *n*, *bes.* Bankert *m* (*verächtlich für kleines Kind*).

Ban·tu ['bæn,tu:] **I** *s pl* **-tu** *od.* **-tus** **1.** *pl* Bantu *pl* (*Gruppe von Negerstämmen in Mittel- u. Südafrika*). – **2.** Angehörige(r) der Bantuvölker, Bantuneger(in). – **3.** *ling.* Bantu *n*, Sprache *f* der Bantuvölker. – **II** *adj* **4.** Bantu..., die Bantuvölker *od.* -sprachen betreffend.

banx·ring ['bæŋksriŋ] *s zo.* (*ein*) Spitzhörnchen *n* (*Gattg Tupaia*).

ban·yan ['bænjən; -jæn] *s bot.* Banyan *m* (*Ficus bengalensis*).

ban·zai ['bɑ:n'zɑ:i; -'zai] *interj* **1.** Banzai! (*Hochruf auf den jap. Kaiser: 10000 Lebensjahre Dir!*). – **2.** Banzai! (*jap. Schlachtruf*): ~ attack *mil.* selbstmörderischer (Massen)Angriff (*jap. Soldaten*).

ba·o·bab ['beio,bæb] *s bot.* Baobab *m*, Affenbrotbaum *m* (*Adansonia digitata*).

bap [bæp] *s Scot.* Brötchen *n*.

bap·tis·i·a [bæp'tiziə; -ʒiə] *s bot.* Wildindigo *m* (*Gattg Baptisia*).

bap·tism ['bæptizəm] *s* **1.** *relig.* Taufe *f*: certificate of ~ Taufschein; ~ of blood Bluttaufe, Märtyrertod; ~ of fire Feuertaufe (*Ausgießung des Heiligen Geistes*). – **2.** *fig.* Taufe *f*, Einweihung *f*: ~ of fire *mil.* Feuertaufe (*Teilnahme an der ersten Schlacht*). – **3.** (*Christliche Wissenschaft*) Reinigung *f* durch den Geist. — **bap'tis·mal** *adj relig.* zur Taufe gehörig, Tauf...: ~ font Taufstein; ~ name Taufname; ~ regeneration Wiedergeburt durch die Taufe.

Bap·tist ['bæptist] *relig.* **I** *s* **1.** Bap'tist(in) (*Anhänger einer protestantischen Sekte, welche die Taufe nur gläubigen Erwachsenen zubilligt*). – **2.** b~ Täufer *m*: John the B~ Johannes der Täufer. – **II** *adj* **3.** bap'tistisch. — '**bap·tis·ter·y** [-təri; -tri] *s* **1.** Bapti'sterium *n*, 'Taufka,pelle *f*. – **2.** Taufbecken *n*, -stein *m*. – **3.** (*bei den Baptisten*) 'Taufbas,sin *n* (*für die Taufe durch Untertauchen*). — **bap'tis·tic** *adj relig.* **1.** die Taufe betreffend, Tauf... – **2.** B~ die (Lehre der) Bap'tisten betreffend, baptistisch, Baptisten... — '**bap·tist·ry** [-tri] → baptistery.

bap·tize [bæp'taiz; 'bæp-] **I** *v/t* **1.** *relig.* taufen. – **2.** *fig.* reinigen, läutern. – **3.** *fig.* taufen, nennen, heißen, (*j-m od. einer Sache*) einen Namen geben. – **4.** *sl.* (*Wein, Milch etc*) ‚taufen', verdünnen, (ver)wässern. – **II** *v/i* **5.** taufen, die Taufe spenden. — **bap'tize·ment** *s* Taufe *f*.

bar[1] [bɑ:r] **I** *s* **1.** Stange *f*, Barre *f*, Stab *m* (*meistens aus Holz od. Metall*): ~s Gitter; behind ~s *fig.* hinter Gittern, hinter Schloß und Riegel. – **2.** Riegel *m*, Querbalken *m*, -holz *n*, -latte *f*, -stange *f*, -stück *n*, Schranke *f* (*bes. um ein Fenster, Tor od. eine Tür zu versperren*). – **3.** *fig* Hindernis *n* (to für), Schranke *f* (to gegen): to let down the ~s alle (*bes. moralischen*) Beschränkungen fallen lassen, *Am.* die polizeiliche Überwachung (*bes. des Nachtlebens*) auflockern. – **4.** Riegel *m*, Stange *f*: a ~ of soap ein Riegel *od.* Stück Seife; → chocolate 1. – **5.** Brechstange *f*. – **6.** *econ. tech.* Barren *m*, Zain *m* (*z.B. aus Gold od. Silber*). – **7.** *tech.* a) Zugwaage *f* (*am Wagen*), b) Schwengel *m*, c) (*Gießerei*) Schiene *f*, d) (*Maschinenbau*) Führungs-, Leitschiene *f od.* -stange *f*, e) Riegel(holz *n*) *m* (*am Faßboden*), f) Schieber *m*, Schubriegel *m*. – **8.** *mar.* a) (Ketten)Steg *m*, b) Spake *f* (*des Spills*). – **9.** Barren *m*, Stange *f* (*als Maßeinheit*). – **10.** Band *n*, Streifen *m*, Strahl *m* (*von Farbe, Licht etc*). – **11.** *mar.* Barre *f*, Sandbank *f*: to cross the ~ in einen Hafen einlaufen (*Schiff*). – **12.** (dicker) Strich: a vertical ~. – **13.** *mus.* a) Taktstrich *m*, b) Takt *m* (*als Quantität*): ~ rest (Ganz)Taktpause. – **14.** a) Bar *f*, b) Schanktisch *m*, Bü'fett *n*. – **15.** *jur.* (Gerichts)Schranke *f*: at the ~ of the court in offenem Gerichtshof; to be called within the ~ *Br.* zum King's (Queen's) Counsel ernannt werden. – **16.** *jur.* Platz *m* des Angeklagten im Gerichtssaal, Schranken *pl*. – **17.** *jur.* Gerichtshof *m*, Gericht *n*. – **18.** *fig.* Gericht *n*, Tribu'nal *n*, Schranke *f*: at the ~ of public opinion vor der Schranke der öffentlichen Meinung; at the ~ of conscience. – **19.** *jur.* Anwaltsberuf *m*, Advoka'tur *f*: to be called (*Am.* admitted) to the ~ als Barrister *od.* Advokat *od.* plädierender Anwalt zugelassen werden; to practise at the ~ den Anwaltsberuf ausüben. – **20.** *jur. collect.* Rechtsanwaltschaft *f*, Gesamtheit *f* der Advo'katen, Barristerstand *m*: to go to the ~ Barrister werden. – **21.** *jur.* peremp'torischer Einwand gegen eine Klage. – **22.** Barri'ere *f*, Schranke *f*, Sperre *f* (*in einem Raum, bes. im brit. Unterhaus, bis zu der diejenigen treten dürfen, die als Zeugen etc vor das Haus geladen sind*). – **23.** *phys.* Bar *n* (*Maßeinheit des Drucks*). – **24.** a) Schaumstange *f* (*eines Stangengebisses*), b) Träger *pl* (*Teile des Pferdegaumens, gegen die das Gebiß gelegt wird*), c) *pl* Sattelbäume *pl*, Stege *pl*, Trachten *pl*. – **25.** Verbindungs-, Querfaden *m* (*zwischen den Spitzenmustern*). – **26.** *her.* (horizon'taler) Balken: → ~ sinister. – **27.** silbernes Querband an einer Me'daille, Ordensspange *f*. – **28.** *sport* a) (Reck)Stange *f*, b) (Barren-)Holm *m*. – **29.** Stallbaum *m* (*im Pferdestall*). –

II *v/t pret u. pp* **barred** **30.** verriegeln, zuriegeln. – **31.** vergittern, mit Schranken um'geben. – **32.** hemmen, (ver)hindern, verhüten, Einhalt tun (*dat*). – **33.** verbieten, unter'sagen. – **34.** (ver)sperren: it ~red the way for him es versperrte ihm den Weg. – **35.** *jur.* (*Klage, Rechtsweg etc*) ausschließen, (*dat*) entgegenstehen. – **36.** abhalten, trennen, ausschließen (from von). – **37.** ausnehmen, absehen von. – **38.** streifen, mit Streifen versehen. – **39.** *mus.* mit Taktstrichen versehen, in Takte einteilen. – **40.** *Br. sl.* nicht leiden *od.* ausstehen können. – **41.** ~ in einsperren. – **42.** ~ out aussperren, ausschließen. – **43.** ~ up verriegeln, vergittern, versperren. –

III *prep* **44.** außer, ausgenommen, abgesehen von: I'll back the field ~ one *sport sl.* ich wette auf sämtliche Pferde, eins ausgenommen; ~ none alle ohne Ausnahme.

bar[2] [bɑ:r] *s zo.* Adlerfisch *m* (*Sciaena aquila*).

ba·ra·ba·ra [,bɑ:rə'bɑ:rə] *s Am.* (*halb od. völlig*) 'unterirdische Hütte der Einwohner der Ale'uten.

bar·a·lip·ton [,bærə'liptən] *s* Bara'lipton *n* (*logischer Schluß*).

Ba·ra·ny noise-box ['bɑ:rɑ:ni] *s med.* Baranysche Lärmtrommel (*Apparat zur Ausschaltung eines Ohrs bei Hörprüfungen*).

Ba·ra·ny's| ca·lor·ic test *s med.* Baranyscher Ny'stagmusversuch. — ~ **symp·tom** *s* Baranyscher Fallversuch.

bar as·so·ci·a·tion *s Am.* Advo'katenverband *m* (*halbamtliche Anwaltsvereinigung*).

bar·a·the·a [,bærə'θi:ə] *s* feines wollenes Tuch (*mit od. ohne Seide u. Baumwolle*).

bar·a·thrum ['bærə,θrʌm], *auch* '**bar·a,thron** [-,θrɒn] **I** *npr* Barathron *n* (*Felsenschlund bei Athen, in den zum Tode verurteilte Verbrecher gestürzt wurden*). – **II** *s pl* **-thra** [-ə] Abgrund *m*, Hölle *f*.

barb[1] [bɑ:rb] **I** *s* **1.** 'Widerhaken *m* (*an Pfeilen, Drahtzäunen, Angeln etc*). – **2.** *fig.* Stachel *m*. – **3.** *bot. zo.* Bart *m* (*begrenzt behaarte Stelle*). – **4.** *zo.* Fahne *f* (*einer Feder*). – **5.** *zo.* Bartfaden *m* (*eines Fisches*). – **6.** *pl vet.* Frosch *m* (*wildes Fleisch unter der Zunge von Pferden u. Vieh*). – **7.** gefältelte Hals- und Brustbedeckung aus weißem Leinen (*jetzt nur von Nonnen getragen*). – **8.** *her.* Kelchblatt *n* (der Rose). – **9.** *tech.* Grat *m*, Bart *m*. – **10.** *obs.* Bart *m*. – **II** *v/t* **11.** mit 'Widerhaken *od.* Stacheln versehen.

barb[2] [bɑ:rb] *s zo.* **1.** Berberpferd *n*. – **2.** Berbertaube *f*.

bar·ba·cou ['bɑ:rbə,ku:] → puffbird.

Bar·ba·dos| al·oe [bɑ:r'beidouz] *s bot. med.* Bar'badosaloe *f* (*Aloe vera*). — ~ **cher·ry** *s bot.* **1.** *Strauch der Malpighiaceen-Gattgen Malpighia, Bunchosia, Byrsonima.* – **2.** *Frucht eines solchen Strauches.* — ~ **leg** *s med.* Bar'badosbein *n* (*eine Art Elefantiasis*). — ~ **lil·y** *s bot.* Ritterstern *m* (*Hippeastrum puniceum*). — ~ **nut** *s bot.* Pur'giernuß *f* (*Jatropha curcas*). — ~ **tar** *s min.* Bergteer *m* (*Naturasphalt.*)

Bar·ba·ra ['bɑ:rbərə] *s* (*Logik*) Barbara *m* (*erstes Wort der mnemonischen Zeilen zur Bezeichnung eines bestimmten Schlusses*).

bar·bar·i·an [bɑ:r'bɛ(ə)riən] **I** *s* **1.** Bar'bar *m*, Angehöriger *m* eines 'unzivili,sierten Volkes. – **2.** Bar'bar *m*, ungebildeter *od.* ungesitteter Mensch. – **3.** Bar'bar *m*, grausamer Mensch, Unmensch *m*. – **4.** *hist.* (*verächtlich*) Bar'bar *m*, Fremder *m*. – **II** *adj* **5.** bar'barisch, 'unzivili,siert. – **6.** ungebildet, ungesittet. – **7.** bar'barisch, roh, grausam. – **8.** (*verächtlich*) ausländisch, fremd. – *SYN.* barbaric, barbarous, savage.

bar·bar·ic [bɑ:r'bærik] *adj* **1.** bar'barisch, wild, roh, ungesittet. – **2.** bar'barisch, ungeschlacht, von wilder Großartigkeit (*Stil*). – **3.** fremd(ländisch). – *SYN. cf.* barbarian. — **bar'bar·i·cal·ly** *adv*.

bar·ba·rism ['bɑ:rbə,rizəm] *s* **1.** Barba'rismus *m*, Sprachwidrigkeit *f* (*bes. Sprach- u. Stilmischung*). – **2.** Bar'barentum *n*. – **3.** Barba'rei *f*, 'Unkul,tur *f*, Roheit *f*, Unwissenheit *f*.

bar·bar·i·ty [bɑ:r'bæriti; -rəti] *s* **1.** Barba'rei *f*, Roheit *f*, Grausamkeit *f*, Unmenschlichkeit *f*. – **2.** rohe Handlung, grausame Tat. – **3.** Barba'rismus *m*, Grobheit *f*, Ungeschlachtheit *f* (*des Stils*).

bar·ba·ri·za·tion [,bɑ:rbərai'zeiʃən; -ri'z-] *s* Verrohung *f*.

bar·ba·rize ['bɑ:rbə,raiz] **I** *v/t* **1.** in den Zustand der Barba'rei versetzen, bar'barisch machen, verrohen *od.* verwildern lassen. – **2.** (*Sprache, Kunst etc*) barbari'sieren, durch Stilwidrigkeiten *etc* verderben. – **II** *v/i* **3.** in Barba'rei versinken. – **4.** Sprachfehler machen. — **'bar·ba·rous** *adj* **1.** bar'barisch, roh, ungesittet. – **2.** bar'barisch, grausam, unmenschlich. – **3.** bar'barisch, sprachwidrig, unklassisch. – **4.** bar'barisch, rauh(klingend), wild (*Sprache, Musik*). – **5.** (*verächtlich*) ausländisch. – *SYN. cf.* a) barbarian, b) fierce. — **'bar·ba·rous·ness** → **barbarity.**

Bar·ba·ry| ape ['bɑːrbəri] *s zo.* Magot *m*, Berberischer Affe (*Macacus sylvanus*). — ~ **horse** *s* Berberpferd *n*.

bar·ba·stel(le) ['bɑːrbəˌstel; ˌbɑːrbə'stel] *s zo.* Mopsfledermaus *f* (*Barbastellus barbastellus*).

bar·bate ['bɑːrbeit] *adj* **1.** bärtig. – **2.** *bot. zo.* (fein) gebärtet.

bar·be·cue ['bɑːrbiˌkjuː] **I** *v/t* **1.** (auf dem Rost *od.* am Spieß über offenem Feuer) im ganzen *od.* in großen Stücken braten. – **2.** (*kleine Fleisch- od. Fischstücke*) in stark gewürzter (Essig)Soße zubereiten. – **3.** auf dem Rost braten, grillen. – **4.** *Am.* auf einem Lattengerüst dörren *od.* räuchern. – **II** *s* **5.** am Spieß *od.* auf dem Rost gebratenes, pi'kant gewürztes Tier (*bes. Ochs, Schwein*). – **6.** Bratrost *m*, (Garten)Grill *m* (*auf dem ganze Tiere gebraten werden*). – **7.** *Am.* Gartengrillfest *n*, Festessen *n* im Freien (*wobei ganze Ochsen etc gebraten werden*). – **8.** *Am.* Boden *m* zum Dörren (*von Kaffeebohnen etc*).

barbed [bɑːrbd] *adj* **1.** mit 'Widerhaken *od.* Stacheln versehen, Stachel... – **2.** stachelartig. – **3.** *fig.* scharf, verletzend: a ~ **comment.** — ~ **wire** *s* Stacheldraht *m*.

bar·bel ['bɑːrbl] *s zo.* **1.** (Fluß-)Barbe *f* (*Barbus fluviatilis*). – **2.** → **barb**[1] 5. – **3.** → **barb**[1] 6.

bar bell *s sport* Hantel *f* (*mit langer Stange*), Kugelhantel *f*.

bar·bel·late ['bɑːrbəˌleit; bɑːr'belit; -ˌleit] *adj bot.* (fein) gebärtet.

bar·bel·lu·la [bɑːr'beljulə] *pl* **-lae** [-ˌliː] *s zo.* sehr kleine Borste. — **bar'bel·lu·late** [-lit; -ˌleit] *adj* mit sehr kleinen Borsten.

bar·ber ['bɑːrbər] **I** *s* **1.** ('Herren-)Friˌseur *m*, Bar'bier *m*. – **2.** *zo.* a) *ein tasmanischer Fisch* (*Caesioperca rasor*), b) Südafrik. Seewolf *m* (*Clarias capensis*). – **II** *v/t Am.* **3.** a) bar'bieren, ra'sieren, b) fri'sieren (*auch fig.*).

bar·be·ra [bar'bɛra] (*Ital.*) *s* Bar'bera *m* (*piemontesischer Rotwein*).

'bar·berˌfish *s zo.* **1.** → **surgeonfish.** – **2.** *ein hellroter Fisch* (*Gattg Anthias*), *bes.* Bar'bier *m* (*A. sacer*).

bar·ber·ry ['bɑːrbəri; -ˌberi] *s bot.* **1.** Sauerdorn *m*, Berbe'ritze *f* (*Gattg Berberis*). – **2.** Berbe'ritzenbeere *f*. — ~ **rust** *s bot.* Berbe'ritzen-, Getreiderost *m* (*Puccinia graminis*).

bar·ber's| ba·sin *s* Ra'sierschüssel *f*. — ~ **block** *s* Pe'rückenstock *m*.

'bar·berˌshop *s Am.* Fri'seurladen *m*: ~ **quartet** *Am.* Quartett von Amateuren, das beliebte (*bes.* sentimentale) Lieder singt.

bar·ber's| itch *s med.* Bartflechte *f*. — ~ **pole** *s spiralig bemalte Stange als Geschäftszeichen der Friseure.* — ~ **shop** *Br. für* **barbershop.**

'bar·ber-ˌsur·geon *s hist.* Bader *m*, Wundarzt *m*.

bar·bet ['bɑːrbit] *s zo.* **1.** kleiner, langhaariger Pudel. – **2.** (*ein*) Bartvogel *m* (*Fam. Capitonidae*). – **3.** → **puffbird.**

bar·bette [bɑːr'bet] *s* **1.** *mil.* Bar'bette *f*, Geschützbank *f* (*erhöhte Fläche od. Plattform hinter der Brustwehr zur Aufstellung von Geschützen*): ~ **carriage** Geschützbanklafette. – **2.** *mar.* Panzerschutz *m* für eine Geschützbank (*auf einem Kriegsschiff*).

bar·bi·can[1] ['bɑːrbikən] *s mil.* Außenwerk *n*, Vorwerk *n*, *bes.* Brückenkopf *m*, Wachtturm *m*.

bar·bi·can[2] ['bɑːrbikən] *s zo.* (*ein*) Bartvogel *m* (*Fam. Capitonidae, bes. Gattg Pogonorhynchus*).

bar·bi·cel ['bɑːrbiˌsel] *s zo.* Strählchen *n* (*nicht gekrümmter Seitenteil eines Strahles der Vogelfeder*).

bar·big·er·ous [bɑːr'bidʒərəs] *adj* bärtig, mit einem Haarbüschel besetzt.

bar·bi·on ['bɑːrbiən] *s zo.* (*ein*) Bartvogel *m* (*Fam. Capitonidae, bes. Gattg Pogoniulus*).

bar·bi·tal ['bɑːrbiˌtæl; -ˌtɔːl] *s chem. med. Am.* Barbi'tal *n* ($C_8H_{12}O_3N_2$). — ~ **so·di·um** *s chem.* Natriumsalz *n* von Barbi'tal ($C_8H_{11}N_2O_3Na$).

bar·bi·ton ['bɑːrbiˌtɒn] *pl* **-ta** [-ə] *s mus.* Barbiton *n* (*altgriech. sechssaitige Leier*).

bar·bi·tone ['bɑːrbiˌtoun] *s chem. med. Br.* Barbi'tal *n* ($C_8H_{12}P_3N_2$).

bar·bi·tu·rate [bɑːr'bitju(ə)ˌreit; -tʃə-; ˌbɑːrbi'tju(ə)reit] *s chem. med.* 'Salz- *od.* 'Esterderiˌvat *n* von Barbi'tursäure (*Gruppe von einschläfernden od. nervenberuhigenden Arzneien*), Barbi'tursäurepräpaˌrat *n*.

bar·bi·tu·ric ac·id [ˌbɑːrbi'tju(ə)rik; *Am. auch* -'tu-] *s chem.* Barbi'tursäure *f*, Diä'thylmaloˌnylharnstoff *m* ($C_4H_4N_2O_3$).

Bar·bi·zon School ['bɑːrbiˌzɒn] *s* Schule *f* von Barbi'zon (*nach dem nordfranz. Dorf Barbizon genannt, in dem um die Mitte des 19. Jh. die intime Landschaftsmalerei begründet wurde*).

bar·bo·la [bɑːr'boulə] *s* Schmücken *n* (*kleiner Gegenstände*) durch Aufkleben bunter Plastikblumen *od.* -früchte.

bar bolt *s tech.* Hakenstift *m*.

bar·bo·tine ['bɑːrbətin] *s* (*Töpferei*) Schlicker *m*, Tonschlamm *m*.

bar·bule ['bɑːrbjuːl] *s* **1.** *bot.* Bärtchen *n*. – **2.** *zo.* Strahl *m* eines Astes der Federfahne.

'barbˌwire → **barbed wire.**

bar·ca·rol(l)e ['bɑːrkəˌroul] *s mus.* Barka'role *f*, Barke'role *f* (*venezianisches Gondellied*).

Bar·ce·lo·na nut [ˌbɑːrsi'lounə; -sə-] *s bot.* Lambertsnuß *f* (*Corylus maxima*).

bar| chart *s math.* 'Stab-, 'Balken-, 'Rechteck-, 'Säulendiaˌgramm *n*. — ~ **cop·per** *s tech.* Stangenkupfer *n*.

bard[1] [bɑːrd] *s* **1.** Barde *m* (*keltischer Sänger*). – **2.** *fig.* Barde *m*, Dichter *m*: the B~ of Avon Shakespeare.

bard[2] [bɑːrd] *mil. hist.* **I** *s* **1.** Panzer *m* eines Schlachtrosses. – **2.** *pl* Plattenpanzer *m*. – **II** *v/t* **3.** (*Schlachtroß*) mit einem Panzer versehen, panzern.

bard[3] [bɑːrd] *s* Barde *f*, Speckschnitte *f* (*zum Spicken*).

barde *cf.* **bard**[2].

bard·ic ['bɑːrdik], **'bard·ish** [-diʃ] *adj* bardisch, Barden...

bard·ism ['bɑːrdizəm] *s* **1.** Bardentum *n*. – **2.** Kunst *f* der Barden.

Bard·ol·a·try [bɑːr'dɒlətri] *s* Shakespearevergötterung *f*.

bare[1] [bɛr] **I** *adj* **1.** nackt, unbekleidet, bloß, entblößt. – **2.** *selten* barhaupt, barhäuptig. – **3.** kahl, leer, nackt, bloß: ~ **walls** kahle Wände; → **pole**[1] 4. – **4.** *bot.* a) kahl, entlaubt, b) ohne Rinde. – **5.** *zo.* kahl, unbehaart. – **6.** blank, gezogen (*Waffen*). – **7.** offen(bar), klar, unverhüllt: ~ **nonsense** barer *od.* blanker *od.* reiner Unsinn; **to lay** ~ a) bloßlegen, b) *fig.* offen darlegen, aufdecken. – **8.** *fig.* nackt, bloß, einfach, schmucklos, ungeschminkt: **the** ~ **facts** die nackten Tatsachen. – **9.** *obs.* schutzlos, unbewaffnet. – **10.** abgetragen, fadenscheinig, schäbig. – **11.** (of) dürftig, arm (an *dat*), leer, entblößt (von). – **12.** bloß, kaum 'hinreichend, nackt, knapp: the ~ **necessities of life** die allernotwendigsten Lebensbedürfnisse. – **13.** bloß, ohne Zusatz, al'lein: ~ **words will not do** mit Worten allein ist nichts getan. – **14.** *jur.* bedingungslos: ~ **contract** bedingungslose Abmachung. – **15.** *mus.* leer, hohl (*Quint, Oktav*). – *SYN.* **bald, barren, naked, nude.** – **II** *v/t* **16.** entblößen, entkleiden, enthüllen. – **17.** *fig.* enthüllen, bloßlegen, offen'baren: **to** ~ **one's heart** sein Herz offenbaren.

bare[2] [bɛr] *obs. pret von* **bear**[1].

'bare|ˌback *adj u. adv* ohne Sattel, sattellos, ungesattelt: **to ride** ~. — **'~ˌbacked** → **bareback.** — **'~ˌbone** *s sl.* ‚Gerippe' *n*, sehr magerer Mensch. — **'~ˌboned** *adj* dürr, mager. — **'~ˌfaced** *adj* **1.** bartlos. – **2.** mit unverhülltem Gesicht, ohne Maske. – **3.** *fig.* unverhüllt, unverschämt, schamlos, frech: ~ **lie.** — **ˌ~'fac·ed·ly** [-'feisidli] *adv.* — **ˌ~'fac·ed·ness** [-'feisidnis] *s* **1.** Bartlosigkeit *f*. – **2.** Unverhülltheit *f*, 'Unmasˌkiertheit *f*. – **3.** *fig.* Frechheit *f*, Unverschämtheit *f*. — **'~ˌfoot** *adj u. adv* barfuß. — **'~ˌfoot·ed** *adj* barfuß, barfüßig.

ba·rège [ba'rɛːʒ] (*Fr.*) *s* Ba'rège *m, f* (*dünner Stoff aus reiner od. mit Seide od. Baumwolle gemischter Wolle*).

'bare|ˌhand·ed *adj* **1.** mit bloßen Händen. – **2.** *fig.* mit leeren Händen, mittellos. — **'~'head·ed** *adj u. adv* barhäuptig, barhaupt. — **ˌ~'head·ed·ness** *s* Barhäuptigkeit *f*. — **'~ˌleg·ged** [-ˌlegd; -ˌlegid] *adj* nacktbeinig, mit nackten Beinen.

bare·ly ['bɛrli] *adv* **1.** kaum, knapp, gerade, bloß: he is ~ **twenty** er ist kaum zwanzig. – **2.** nackt, bloß, entblößt. – **3.** ärmlich, spärlich. – **4.** offen, ohne Scheu. – **5.** *obs.* nur.

bare·ness ['bɛrnis] *s* **1.** Nacktheit *f*, Entblößtheit *f*, Blöße *f*. – **2.** Kahlheit *f*, Unbehaartheit *f*. – **3.** Kahlheit *f*, Schmucklosigkeit *f*, Leere *f*. – **4.** Unverhülltheit *f*. – **5.** Dürftigkeit *f*, Knappheit *f*. – **6.** Armut *f*.

bare pile *s* (A'tom)Reˌaktor *m* ohne Re'flektor.

bare·sark ['bɛrsɑːrk] **I** *s* Ber'serker *m* (*wilder nordischer Krieger*). – **II** *adv* ohne Rüstung.

bar·es·the·si·a [ˌbæres'θiːziə] *s med.* Barästhe'sie *f*, Drucksinn *m*.

'barˌfly *s Am. sl.* Kneipenhocker *m*, Säufer(in).

bar·gain ['bɑːrgin] **I** *s* **1.** Vertrag *m*, Über'einkunft *f*, Abmachung *f*. – **2.** Kauf(vertrag) *m*, Handel *m*: a **good (bad)** ~ ein gutes (schlechtes) Geschäft. – **3.** vorteilhafter Kauf *od.* Verkauf, vorteilhaftes Geschäft. – **4.** Gelegenheit(skauf *m*) *f*, Sonderangebot *n*: **it is a** ~. – **5.** *fig.* Handel *m*, Sache *f*, Angelegenheit *f*, Geschäft *n*. – **6.** (günstig) gekaufte *od.* verkaufte Sache. – **7.** (*Bergbau*) Gedinge *n* auf Längen. –

Besondere Redewendungen:

it's a ~**!** abgemacht! es bleibt dabei! **into the** ~ obendrein, noch dazu; **to strike a** ~ handelseinig werden; **Dutch** (*od.* **wet**) ~ *colloq.* mit einem Trunk ‚begossene' Abmachung; **to make the best of a bad** ~ einer mißlichen Angelegenheit die beste Seite abgewinnen, sich mit Humor aus der Affäre ziehen; **to drive a hard** ~ bei einem Geschäft seine Interessen rücksichtslos durchsetzen, rücksichtslos seinen Vorteil wahren. –

II *v/i* **8.** handeln, schachern, feilschen (for um). – **9.** (for) verhandeln, über'einkommen (über *acc*), etwas verabreden (in betreff): **as** ~**ed for**

wie verabredet. – **10.** ein Geschäft abschließen. – **11.** (for) rechnen (mit), gefaßt sein (auf *acc*), erwarten (*acc*) (*meist in verneinten Sätzen*): **we did not ~ for that!** darauf waren wir nicht gefaßt! **more than we ~ed for!** da sind wir schön reingefallen! – **III** *v/t* **12.** gegen Entgelt über'geben, (ein)tauschen: **to ~ one horse for another** ein Pferd gegen ein anderes eintauschen. – **13.** (durch Über'einkommen) festlegen. – **14. ~ away** verkaufen, verschachern, (durch Verkauf) verlieren: **to ~ away one's birthright.**

bar·gain| and sale *s jur.* Kaufvertrag *m* (*bes. bei Grundstücksverkäufen*). — **~ base·ment** *s* 'Untergeschoß *n* eines Kaufhauses, wo ständig Sonderangebote verkauft werden. — **~ count·er** *s Am.* Verkaufstisch *m* für Sonderangebote (*auch fig.*).

bar·gain·ee [ˌbɑːrgiˈniː] *s jur.* Käufer(in).

bar·gain·er [ˈbɑːrginər] *s* **1.** Händler(in), Feilscher(in). – **2.** → **bargainor.**

bar·gain·or [ˌbɑːrgiˈnɔːr; ˈbɑːrginər] *s jur.* Verkäufer(in).

bar·gain work *s* (*Bergbau*) Gedinge-, Kon'traktarbeit *f.*

barge [bɑːrdʒ] **I** *s* **1.** *mar.* flaches Fluß- *od.* Ka'nalschiff, Last-, Schleppkahn *m*, Leichter *m*, Zille *f*, Schute *f.* – **2.** *mar.* Scha'luppe *f*, Schlup *f.* – **3.** *mar.* zweites Boot eines Kriegsschiffes, (Offi'ziers)Barˌkasse *f* (*für die obersten Offiziere*). – **4.** *mar.* (geschmücktes) Gala(ruder)boot. – **5.** *mar.* Hausboot *n.* – **6.** *Am. dial.* großer Wagen, Omnibus *m.* — **II** *v/i* **7.** sich ungeschickt und schwerfällig bewegen. – **8.** *colloq.* taumeln, torkeln, stürzen (**into** in *acc*, **against** gegen). – **9.** *colloq.* sich in ungehobelter Weise eindrängen (**into** in *acc*). – **10. ~ in** *colloq.* her'einplatzen, sich einmischen. – **III** *v/t* **11.** *Am.* mit einem großen Boot fortschaffen.

barge- [bɑːrdʒ] *arch. Wortelement mit der Bedeutung* Giebel.

'barge|ˌboard *s arch.* Giebelschutz-, Stirnbrett *n.* — **~ cou·ple** *s arch.* Spannriegel *m.* — **~ course** *s arch.* **1.** Firstpfette *f.* – **2.** (*Dachdeckerei*) Trauf-, Ort-, Bordschicht *f.*

bar·gee [ˌbɑːrˈdʒiː] *s mar. Br.* (*verächtlich*) Kahnführer *m*, Schutenschiffer *m*, Leichterführer *m*: **to swear like a ~** fluchen wie ein Landsknecht; **lucky ~** *colloq.* Glückskind.

'barge|·man [-mən] *s irr mar.* Kahnführer *m*, Schutenschiffer *m*, Leichterführer *m.* — **'~-ˌpole** *s* Bootstange *f*: **I wouldn't touch him with a ~** *Br. colloq.* ich möchte nicht das geringste mit ihm zu tun haben, ich kann ihn nicht ausstehen. — **~ stone** *s arch.* Giebelstein *m* (*einer der Steine, welche die schrägen Ränder eines Giebels bilden*).

bar·ghest [ˈbɑːrgest] *s* unheilbringender Kobold (*meist in Hundegestalt*).

bar graph → **bar chart.**

bar·guest *cf.* **barghest.**

bar·ic[1] [ˈbærik] *adj chem.* Barium betreffend *od.* enthaltend, Barium...

bar·ic[2] [ˈbærik] *adj phys.* baro'metrisch, Gewichts...

ba·ril·la [bəˈrilə] *s* **1.** *bot.* Salz-, Ba'rillakraut *n* (*Salsola kali u. S. soda*). – **2.** *econ.* Ba'rilla *f*, rohe Soda.

bar i·ron *s tech.* Stabeisen *n*, Stangeneisen *n*: **~ cutter** Stabeisenschere.

bar·ite [ˈbɛ(ə)rait; ˈbær-] *s min.* Ba'ryt *m*, Schwerspat *m* ($BaSO_4$).

bar·i·tone [ˈbæriˌtoun; -rə-] *s mus.* **1.** Bariton *m*: a) Baritonstimme *f* (*eines Sängers*), b) 'Baritonstimme *f*, -parˌtie *f* (*einer Komposition*), c) Baritonlage *f*, d) Baritonsänger *m*: **~ clef** Baritonschlüssel. – **2.** Baryton *n*: a) B- *od.* C-Saxhorn *n*, b) *obs.* Vi'ola *f* di bor'done.

bar·i·um [ˈbɛ(ə)riəm; ˈbær-] *s chem.* Barium *n* (Ba). — **~ chlo·ride** *s* 'Bariumchloˌrid *n* ($BaCl_2 \cdot 2H_2O$). — **~ ni·trate** *s* 'Bariumniˌtrat *n* ($Ba(NO_3)_2$). — **~ ox·ide** *s* 'Bariumoˌxyd *n*, Ba'ryterde *f* (BaO). — **~ sul·fate** *s* 'Bariumsulˌfat *n*, Ba'ryt *m*, Schwerspat *m* ($BaSO_4$). — **~ tung·state** *s electr. tech.* 'Bariumwolfraˌmat *n.*

bark[1] [bɑːrk] *s* **1.** *bot.* (Baum)Rinde *f*, Borke *f.* – **2.** → **Peruvian bark.** – **3.** (*Gerberei*) (Gerber)Lohe *f.* – **4.** *dial.* Haut *f*, ‚Fell' *n.* – **II** *v/t* **5.** (*Bäume*) abrinden, entrinden, abschälen. – **6.** (*Bäume*) ringeln (*durch ringförmiges Ausschneiden der Rinde zum Absterben bringen*). – **7.** mit Rinde bedecken *od.* über'ziehen. – **8.** *tech.* mit Lohe gerben, lohgerben. – **9.** abschürfen: **to ~ one's knees** sich die Knie abschürfen.

bark[2] [bɑːrk] **I** *v/i* **1.** bellen, kläffen, blaffen (*auch fig.*): **~ing dogs never bite** bellende Hunde beißen nicht; **to ~ at the moon** den Mond anbellen (*auch fig.*); **to ~ up the wrong tree** *colloq.* auf falscher Fährte sein. – **2.** *fig.* belfern, barsch *od.* schroff sprechen. – **3.** *Am. sl.* marktschreierisch Kunden werben. – **4.** *colloq.* ‚bellen' (*husten*). – **II** *v/t* **5.** (*Worte*) bellend *od.* barsch her'vorstoßen. – **III** *s* **6.** Bellen *n*, Kläffen *n*, Blaffen *n*, Gebell *n.* – **7.** *fig.* Gebelfer *n* (*von Menschen*): **his ~ is worse than his bite** er bellt nur (aber beißt nicht). – **8.** *colloq.* ‚Bellen' *n*, Husten *m*, *n.* – **9.** *fig.* Donnern *n* (*der Geschütze*).

bark[3] [bɑːrk] *s mar.* **1.** Barke *f.* – **2.** *poet.* Schiff *n.* – **3.** Bark *f*, Barkschiff *n* (*dreimastiges Segelschiff, das zwei vollgetakelte Masten u. den Besanmast mit Schonertakelung hat*).

bark·an·tine *cf.* **barkentine.**

'bark|-ˌbed *s* Lohbeet *n* (*in einem Treibhaus*). — **~ bee·tle** *s zo.* Borkenkäfer *m* (*Fam. Scolytidae*). — **'~ˌbound** *adj* durch zu feste Rinde im Wachstum gehemmt. — **~ cloth** *s* Zeug *n* aus Feigenbaumbast (*in Afrika*).

'bar|ˌkeep *Am. colloq. für* **barkeeper.** — **'~ˌkeep·er** *s* **1.** Barbesitzer *m*, -inhaber *m.* – **2.** Barkellner *m*, -mixer *m.*

bark·en[1] [ˈbɑːrkən] *Scot.* **I** *v/t* zu einer Kruste verhärten, mit einer Kruste bedecken. – **II** *v/i* eine Kruste bilden.

bark·en[2] [ˈbɑːrkən] *adj poet.* borken, borkig, rinden, aus Rinde.

bark·en·tine [ˈbɑːrkənˌtiːn] *s mar.* Schonerbark *f.*

bark·er[1] [ˈbɑːrkər] *s* **1.** Beller *m*, Kläffer *m.* – **2.** marktschreierischer Kundenwerber, Anpreiser *m.* – **3.** *sl.* ‚Schießeisen' *n* (*Pistole*).

bark·er[2] [ˈbɑːrkər] *s* Rindenschäler *m.*

bark·er·y [ˈbɑːrkəri] → **bark house.**

bark graft·ing *s bot. Am.* Pfropfen *n* in die Rinde (= *Br.* **crown grafting**).

Bark·hau·sen-Kurz cir·cuit [ˈbɑːrkhauzənˈkurts] *s electr.* Barkhausen-Kurz-Schaltung *f*, Bremsfeldschaltung *f.*

bark house *s* (*Gerberei*) Lohhaus *n.*

bark·ing| bill [ˈbɑːrkiŋ] *s* Spitzhacke *f* zum Entrinden von Bäumen. — **~ bird** *s zo.* (*ein*) südamer. Bellvogel *m* (*Pteroptochus rubecula*). — **~ i·ron** *s tech.* Rindenschäleisen *n.*

bark| louse *s irr zo.* Rindenlaus *f* (*Gattg Schizoneura*). — **~ mill** *s tech.* **1.** (*Gerberei*) Lohmühle *f.* – **2.** Ent'rindungsmaˌschine *f.*

bark·om·e·ter [bɑːrˈkɒmitər; -mə-] *s* (*Gerberei*) Lohmesser *m*, 'Meßappaˌrat *m* für die Stärke der Lohbrühe.

bark| pit *s* (*Gerberei*) Lohgrube *f.* — **~ tree** *s bot.* Chi'ninbaum *m*, Chinarindenbaum *m* (*Cinchona succirubra*).

bark·y [ˈbɑːrki] *adj* borkig, rindig.

bar lathe *s tech.* Prisma-, Prismendrehbank *f.*

bar·ley[1] [ˈbɑːrli] *s bot.* Gerste *f* (*Gattg Hordeum*): → **pearl ~.**

bar·ley[2] [ˈbɑːrli] *interj Scot. od. dial.* (*in Kinderspielen*) halt! frei!

'bar·ley|ˌbird *s zo.* **1.** Wendehals *m* (*Iynx torquilla*). – **2.** Grünfink *m* (*Chloris chloris*). – **3.** Nachtigall *f* (*Erithacus megarhynchus*). — **'~ˌbrake**, **'~ˌbreak** *s ein ländliches Fangspiel.* — **'~-ˌbree** [-ˌbriː], *auch* **'~-ˌbroo** [-ˌbruː] *s Scot.* Starkbier *n.* — **~ broth** *s* **1.** Gerstensuppe *f.* – **2.** Starkbier *n.* — **'~ˌcorn** *s* **1.** Gerstenkorn *n*: (Sir) John B~ *scherzhafte Personifikation der Gerste als Grundstoff von Bier od. Whisky.* – **2.** *altes Längenmaß* (= *8,5 mm*). — **~ fork** *s* Gerstengabel *f.* — **'~-ˌmow** *s* Gerstenschober *m.* — **~ sug·ar** *s* Gerstenzucker *m.* — **~ wa·ter** *s med.* Gerstenschleim *m*, -trank *m.* — **~ wine** *s* Gerstensaft *m*, feines Gerstenbier.

bar link *s tech.* **1.** Kettenglied *n*, Schake *f* mit Steg. – **2.** Mitnehmerzapfen *m.*

bar·low [ˈbɑːrlou] *s Am.* großes einschneidiges Taschenmesser.

Bar·low's dis·ease [ˈbɑːrlouz] *s med.* (Möller-)Barlowsche Krankheit *f*, 'Säuglingsskorˌbut *m.*

bar·ly *cf.* **barley**[2].

barm [bɑːrm] *s* Bärme *f*, (Bier)Hefe *f.*

bar| mag·net *s phys.* 'Stabmaˌgnet *m.* — **'~ˌmaid** *s* Bar-, Schankmädchen *n*, Kellnerin *f.* — **'~·man** [-mən] *s irr Br.* Bar-, Schankkellner *m*, Büfet'tier *m.*

barm·brack [ˈbɑːrmˌbræk] *s Irish* (*Art*) Ro'sinenkuchen *m.*

Bar·me·cide [ˈbɑːrmiˌsaid; -mə-] **I** *s* **1.** Barma'kide *m.* – **2.** *fig.* Barma'kide *m* (*j-d der Scheinwohltaten erweist*). – **II** *adj* **3.** barma'kidenhaft, nur scheinbar wohltätig.

bar mi(t)z·vah [ˈbɑːrˈmitsvə] (*Hebrew*) *s relig.* Bar-Miz'wa *m*: a) *jüd. Knabe, der das 13. Jahr vollendet hat*, b) *seine feierliche Aufnahme in die Kultgemeinschaft.*

barm·y [ˈbɑːrmi] *adj* **1.** hefig, gärend, schaumig. – **2.** *auch* **~ on the crumpet** *Br. sl.* ‚verdreht', ‚blöd(e)', verrückt: **to go ~** verrückt werden.

barn[1] [bɑːrn] *s* **1.** Scheune *f*, Scheuer *f*, Schuppen *m.* – **2.** *fig.* ‚Scheune' *f*, kahles *od.* schmuckloses Gebäude. – **3.** *Am.* (Vieh)Stall *m.*

barn[2] [bɑːrn] *s phys.* Barn *n* (*Einheit des Wirkungsquerschnitts*).

Bar·na·by [ˈbɑːrnəbi] *npr* Barnabas *m*: **~ Day, ~ bright** Barnabastag (*11. Juni; im Kalender alten Stils Tag der Sommersonnenwende*).

Bar·na·by's this·tle *s bot.* Sommerflockenblume *f* (*Centaurea solstitialis*).

bar·na·cle[1] [ˈbɑːrnəkl] *s* **1.** *zo.* (*ein*) Rankenfußkrebs *m* (*Ordng Cirripedia*), *bes.* Entenmuschel *f* (*Lepas anatifera, L. fascicularis*). – **2.** *fig.* ‚Klette' *f* (*lästiger, nicht abzuschüttelnder Mensch*). – **3.** *zo.* Weißwangengans *f* (*Branta leucopsis*).

bar·na·cle[2] [ˈbɑːrnəkl] *s* **1.** *meist pl* Bremse *f*, Nasenknebel *m* (*für unruhige Pferde*). – **2.** *pl Br. colloq.* Brille *f*, Kneifer *m*, Klemmer *m.*

bar·na·cled [ˈbɑːrnəkld] *adj* mit anhaftenden Rankenfußkrebsen bedeckt.

bar·na·cle goose *s irr* → **barnacle**[1] **3.**

barn| dance *s Am.* (*Art*) ländlicher Tanz (*ursprünglich in einer Scheune getanzt*). — **~ door** *s* **1.** Scheunentor *n*: **as big as a ~** *colloq.* groß wie ein Scheunentor, nicht zu verfehlen, nicht zu übersehen. – 2. (*Theater*) Lichtblende *f*. — **'~-ˌdoor fowl** → domestic fowl.

bar·ney¹ ['bɑːrni] *s Br. sl.* 1. Streit *m*, Kra'wall *m*. – 2. Schwindel *m*. – 3. unehrlicher sportlicher Wettkampf.

bar·ney² ['bɑːrni] *s* (*Bergbau*) kleiner Karren.

barn| grass *s bot.* Hühnerhirse *f* (*Echinochloa crus-galli*). — **~ owl** *s zo.* Schleiereule *f* (*Tyto alba*). — **'~ˌstorm** *v/i colloq.* in kleinen Orten *od.* auf dem Lande The'ateraufführungen veranstalten, *auch* Wahlreden *etc* halten, ‚auf die Dörfer gehen'. — **'~ˌstorm·er** *s* Schmierenschauspieler *m*. — **~ swal·low** *s zo.* Rauchschwalbe *f* (*Hirundo rustica*). — **'~ˌyard** *s* Scheunenhof *m*: ~ fowl Haushuhn.

baro- [bæro] *Wortelement mit der Bedeutung* Gewicht, Druck.

bar·og·no·sis [ˌbærɒg'nousis] *s med.* Baro'gnose *f*, Gewichts-, Drucksinn *m*.

bar·o·gram ['bæroˌgræm; -rə-] *s* (*Meteorologie*) Baro'gramm *n* (*Luftdruckaufzeichnung*).

bar·o·graph ['bæroˌgræ(ː)f; -rəˌg-; *Br. auch* -ˌgrɑːf] *s* (*Meteorologie*) Baro'graph *m* (*Luftdruckmesser*). — **ˌbar·o'graph·ic** [-'græfik] *adj* baro'graphisch.

ba·rol·o·gy [bə'rɒlədʒi] *s phys.* Barolo'gie *f*, Lehre *f* von der Schwere.

ba·rom·e·ter [bə'rɒmitər; -mə-] *s* 1. *phys.* Baro'meter *n*, Luftdruckmesser *m*. – 2. *fig.* Baro'meter *n*, Stimmungsmesser *m*: ~ of public opinion. — **~ ga(u)ge** *s* 1. 'Niederdruckmanoˌmeter *n*. – 2. *aer.* (baro'metrisches) Höhenmeßgerät. — **~ read·ing** *s phys.* Baro'meterstand *m*.

bar·o·met·ric [ˌbæro'metrik; -rə'm-], **ˌbar·o'met·ri·cal** *adj phys.* 1. baro'metrisch. – 2. Barometer... — **ˌbar·o'met·ri·cal·ly** *adv* (*auch zu* barometric).

bar·o·met·ric| cell *s phys.* Druckdose *f*. — **~ col·umn** *s* Baro'metersäule *f*. — **~ lev·el·(l)ing** *s* baro'metrische Höhenmessung. — **~ max·i·mum** *s* (*Meteorologie*) Hoch *n*, Hochdruckgebiet *n*. — **~ pres·sure** *s* (Außen)Luftdruck *m*, Atmo'sphärendruck *m*.

bar·o·met·ro·graph [ˌbæro'metroˌgræ(ː)f; -rə'metrə-; *Br. auch* -ˌgrɑːf] → barograph.

ba·rom·e·try [bə'rɒmitri; -mə-] *s phys.* Barome'trie *f*, Luftdruckmessung *f*.

bar·on ['bærən] *s* 1. *Br. hist.* Pair *m*, Ba'ron *m*. – 2. (*heute*) Ba'ron *m* (*Angehöriger der niedrigsten Stufe des höheren brit. Adels*). – 3. (*nicht-brit.*) Ba'ron *m*, Freiherr *m*. – 4. *Am. colloq.* Ba'ron *m*, Ma'gnat *m*: beef ~; beer ~. – 5. *her. jur.* Ehemann *m*: ~ and fem(m)e a) Mann u. Frau, b) vereintes Wappen von Mann und Frau. – 6. ungeteilte Lendenstücke *pl*: ~ of beef. — **'bar·on·age** [-idʒ] *s* 1. *collect.* (Gesamtheit *f* der) Ba'rone *pl*. – 2. Verzeichnis *n* der Ba'rone. – 3. Würde *f od.* Rang *m* eines Ba'rons, Baro'nie *f*. — **'bar·on·ess** *s* 1. Ba'ronin *f* (*Gattin eines brit. Barons*). – 2. Ba'ronin *f* (*aus eigenem Recht*). – 3. (*nicht-brit.*) Ba'ronin *f*, Freifrau *f*, Freiin *f*.

bar·on·et ['bærənit; -ˌnet] **I** *s* 1. Baronet *m* (*Angehöriger des niederen engl. Adels zwischen* knight *u.* baron). – 2. Rang *m od.* Würde *f* eines Baronets (*niederster erblicher Adelsrang*). – **II** *v/t* 3. zum Baronet ernennen. — **'bar·on·et·age** [-idʒ] *s* 1. *collect.* (Gesamtheit *f* der) Baronets *pl*. – 2. Verzeichnis *n* der Baronets. – 3. Rang *m* eines Baronets. — **'bar·on·et·cy** *s* Titel *m od.* Rang *m* eines Baronets.

ba·rong [bɑː'rɒŋ] *s* (breites) Schwert *od.* Messer der Moros (*Philippinen*).

ba·ro·ni·al [bə'rouniəl] *adj* 1. Baronen..., Barons..., freiherrlich. – 2. prunkvoll, großartig. — **bar·o·ny** ['bærəni] *s* 1. Baro'nie *f*, Herrschaftsgebiet *n* eines Ba'rons. – 2. Baro'nie *f*, Ba'ronenwürde *f*, -rang *m*, Freiherrnwürde *f*.

ba·roque [bə'rouk; *Br. auch* -'rɒk] **I** *adj* 1. (*Kunst- u. Kulturgeschichte*) ba'rock. – 2. *fig.* ba'rock, verschnörkelt, über'laden. – 3. ba'rock, schiefrund (*Perlen*). – **II** *s* 4. Ba'rock *n*, *m*, Ba'rockstil *m*. – 5. ba'rockes Kunstwerk. – 6. (*etwas*) über'trieben Verschnörkeltes, (*etwas*) geschmacklos Über'ladenes.

bar·o·scope ['bæroˌskoup; -rə-] *s phys.* Baro'skop *n*, Schweremesser *m*. — **ˌbar·o'scop·ic** [-'skɒpik], **ˌbar·o'scop·i·cal** *adj phys.* baro'skopisch.

ba·rouche [bə'ruːʃ] *s* Landauer *m*, viersitzige Kutsche.

bar·ox·y·ton [bə'rɒksiˌtɒn] *s mus.* Baroxy'ton *n* (*Blechinstrument*).

bar| par·lo(u)r *s Br.* Schank-, Schenkstube *f*. — **~ pin** *s* lange schmale Ziernadel *od.* Brosche. — **'~ˌpost** *s* Schlagbaumpfosten *m*.

barque *cf.* bark³.

bar·quen·tine *cf.* barkentine.

bar·ra·ble ['bɑːrəbl] *adj jur.* aufhaltbar.

bar·rack¹ ['bærək] *s* 1. *meist pl mil.* Ka'serne *f*: to confine to ~s mit Kasernenarrest bestrafen; ~s stores *Br.* Unterkunftsgerät. – 2. *meist pl fig.* 'Mietskaˌserne *f* (*elendes, überfülltes Wohngebäude*). – 3. Ba'racke *f*, Hütte *f*. – **II** *v/t* 4. in Ka'sernen 'unterbringen, kaser'nieren. – **III** *v/i* 5. in Ka'sernen wohnen.

bar·rack² ['bærək] *bes. Austral. colloq.* **I** *v/i* (*bei einem Wettkampf*) lärmend Par'tei ergreifen. – **II** *v/t* lärmend Par'tei ergreifen für *od.* gegen.

bar·rack(s)| bag *s mil.* Kleidersack *m*. — **~ square, ~ yard** *s mil.* Ka'sernenhof *m*.

bar·ra·coon [ˌbærə'kuːn] *s hist.* 'Sklaven-, 'Sträflingsbaˌracke *f*.

bar·ra·coo·ta, bar·ra·cou·ta [ˌbærə'kuːtə] *pl* **-ta** [-ə], **-tas** → barracuda.

bar·ra·cu·da [ˌbærə'kuːdə] *pl* **-da** [-ə], **-das** *s zo.* Barra'cuda *m*, Pfeilhecht *m* (*Gattg Sphyraena*).

bar·rad ['bærəd] *s* Barrad *m* (*spitze irische Mütze*).

bar·rage¹ [*Br.* 'bærɑːʒ; *Am.* bə'rɑːʒ] **I** *s* 1. *mil.* Sperrfeuer *n*. – 2. *mil.* Sperre *f*. – 3. *fig.* über'wältigende Menge: a ~ of questions ein Schwall von Fragen. – **II** *v/t* 4. *mil.* mit Sperrfeuer belegen. – **III** *v/i* 5. *mil.* Sperrfeuer schießen.

bar·rage² ['bɑːridʒ] *s tech.* 1. Absperrung *f*, -dammung *f*, *bes.* Talsperre *f*. – 2. Damm *m*, Buhne *f*, Wehr *n*.

bar·rage| bal·loon [*Br.* 'bærɑːʒ; *Am.* bə'rɑːʒ] *s mil.* 'Fessel-, 'Sperrbalˌlon *m*. — **~ chart** *s mil.* Sperrfeuerskizze *f*.

bar·ra·mun·da [ˌbærə'mʌndə] *pl* **-da, -das** *s zo.* 1. Barra'munda *m* (*Ceratodus Forsteri*). – 2. *ein austral. Flußfisch* (*Scleropages leichhardtii*).

bar·ra·mun·di [ˌbærə'mʌndi] *pl* **-di, -dis, -dies** → barramunda.

bar·ran·ca [bə'ræŋkə] *s geol. Am.* Wasserriß *m*, tiefe Schlucht, radi'ale Abflußrinne.

bar·ras ['bærəs] *s tech.* weißes Fichtenharz (*aus Südfrankreich*), Gali'pot *n*.

bar·ra·tor, *auch* **bar·ra·ter** ['bærətər] *s* 1. *mar.* j-d der eine Barrate'rie begeht. – 2. *jur.* bestechlicher Richter. – 3. *obs.* Händelstifter *m*, streitsüchtiger Mensch. – 4. j-d der öffentliche Ämter kauft *od.* verkauft.

bar·ra·try ['bærətri] *s jur.* 1. *mar.* Baratte'rie *f* (*Veruntreuung eines Schiffsführers od. Besatzungsangehörigen gegenüber dem Reeder od. Charterer zum Schaden von Schiff u./od. Ladung*). – 2. Händelstiften *n*, ständiges Anstiften von Streit, mutwilliges Prozes'sieren. – 3. Ämterkauf *m*, *bes. relig.* Simo'nie *f*.

barred [bɑːrd] *adj* 1. ge-, verschlossen, (ab)gesperrt, verriegelt. – 2. aus Quer- *od.* Gitterstäben zu'sammengesetzt, Stangen... – 3. gestreift (*bes. Gewebe*). – 4. durch eine (Sand-, Felsen)Barre unzugänglich (*Hafen*). – 5. *mus.* durch Taktstriche abgeteilt. — **~ owl** *s zo.* *eine große amer. Eule* (*Strix varia*). — **~ Rock** → Plymouth Rock 2.

bar·rel ['bærəl] **I** *s* 1. Faß *n*, Tonne *f*: goods in ~s Faßwaren. – 2. Faß *n*, Tonne *f* (*als Maß*): by the ~ faßweise. – 3. *colloq.* große Menge: a ~ of money; a ~ of fun. – 4. *tech.* a) Walze *f*, Rolle *f*, Trommel *f*, b) Lauf-, Zy'linderbüchse *f*, c) (Gewehr)Lauf *m*, (Geschütz)Rohr *n*, d) Federgehäuse *n* (*der Uhr*), e) Stiefel *m*, Kolbenrohr *n* (*einer Pumpe*), f) zy'lindrischer Rumpf (*eines Dampfkessels*), g) Tintenbehälter *m* (*einer Füllfeder*), h) Glockenkörper *m*, i) Ka'none *f* (*am Uhrschlüssel*), j) Walze *f* (*der Drehorgel*), k) Kasten *m* (*einer Trommel*), l) Gasdrehgriff *m*. – 5. *mar.* Trommel *f* (*des Gangspills od. der Winde*). – 6. *med.* Zy'linder *m* (*der Spritze*). – 7. *zo.* Kiel *m* (*einer Feder*). – 8. Leib *m*, Rumpf *m* (*eines Pferdes od. Ochsen*). – **II** *v/t pret u. pp* **'bar·reled,** *bes. Br.* **'bar·relled** 9. in Fässer packen, auf Fässer füllen. – **III** *v/i* 10. sausen (*Auto, Flugzeug etc*). — **'~-ˌbel·lied** *adj* dickbäuchig. — **~ burst** *s mil.* 'Rohrkreˌpierer *m*, -zerspringer *m*, -zerscheller *m*. — **~ chair** *s* Lehnstuhl *m* mit hoher runder Lehne. — **~ com·pass** *s tech.* Trommelkompaß *m*. — **~ drain** *s arch. tech.* gemauerter runder 'Abzugskaˌnal.

bar·reled, *bes. Br.* **bar·relled** ['bærəld] *adj* 1. faßförmig. – 2. mit einem Lauf *od.* mit Läufen versehen: → double-~. – 3. in Fässer gefüllt.

bar·rel| fish *s zo.* Faß-, Ruderfisch *m* (*Lirus perciformis*). — **'~ˌhead** *s* Faßboden *m*. — **~ house** *s Am. sl.* Spe'lunke *f*, Kneipe *f*. — **'~-ˌhouse** *adj mus. Am. sl.* roh u. grob, ordi'när (*Jazzmusik*).

bar·relled ['bærəld] *bes. Br. für* barreled.

'bar·rel|ˌmak·er *s* Faßbinder *m*. — **~ or·gan** *s mus.* 1. Orgelwalze *f* (*mechanische Orgel*). – 2. Drehorgel *f*, Leierkasten *m*. — **~ re·flec·tor** *s* (*Artillerie*) Seelenprüfgerät *n*. — **~ roll** *s aer.* Rolle *f* (*im Kunstflug*). — **~ roof** *s arch.* Tonnendach *n*, tonnenförmiges Dach. — **~ saw** *s tech.* zy'linderförmige Rundsäge. — **~ vault** *s arch.* Tonnengewölbe *n*.

bar·ren ['bærən] **I** *adj* 1. unfruchtbar, ste'ril (*Mensch, Tier, Pflanze*). – 2. unfruchtbar, öde, trocken, dürr, kahl, 'unproduktˌtiv (*Land*). – 3. *fig.* trocken, 'uninteresˌsant, wertlos, öde, seicht. – 4. *fig.* (*geistig*) 'unprodukˌtiv, dumm, langweilig. – 5. *fig.* dürftig, leer, arm (of an *dat*). – 6. 'unprodukˌtiv, ergebnislos: ~ money totes Kapital. – 7. gelt, milchlos (*Kuh*). – 8. *geol.* taub (*Gestein*). – *SYN. cf.* a) bare¹, b) sterile. – **II** *s* 9. *meist pl Am.* ödes, *bes.* baumloses Land, Ödland *n*. — **~ i·vy** *s bot.* Efeu *m* (*Hedera helix*).

bar·ren·ness ['bærənnis] *s* 1. *biol.* Unfruchtbarkeit *f*, Sterili'tät *f*. – 2. Unfruchtbarkeit *f* (*eines Landes*). – 3. *fig.* Trockenheit *f*, 'Uninteresˌsantheit *f*. – 4. geistige Leere. – 5. Dürftigkeit *f*, Armut *f* (of an *dat*). – 6. *geol.* Taubheit *f* (*des Gesteins*).

bar·ren| straw·ber·ry *s bot.* Erdbeerfingerkraut *n* (*Potentilla sterilis*). —

'~,**wort** *s bot.* Sockenblume *f*, Bischofsmütze *f* (*Epimedium alpinum*).

bar·ret ['bærit] *s* Bi'rett *n*.

bar·rette [bɑː'ret; bə'ret] *s* Haarspange *f* (*für Damen*).

bar·ri·cade [ˌbæri'keid; -rə-; *Am. auch* 'bærəˌkeid] **I** *s* **1.** *mil.* Barri'kade *f*, Verschanzung *f*, Versperrung *f*. – **2.** *fig.* Barri'kade *f*, Hindernis *n*. – **II** *v/t* **3.** (ver)barrika'dieren, verrammeln, (ver)sperren (*auch fig.*). – **4.** mit einer Barri'kade verteidigen. — ˌ**bar·ri'cad·er** *s* j-d der Barri'kaden errichtet.

bar·ri·ca·do [ˌbæri'keidou] **I** *s pl* **-does** *selten für* **barricade** I. – **II** *v/t selten für* **barricade** II.

bar·ri·er ['bæriər] **I** *s* **1.** Schranke *f*, Barri'ere *f*, Sperre *f* (*auch fig.*): trade ~s Handelsschranken. – **2.** Schlag-, Grenzbaum *m*, Fallgitter *n*, Schutzgatter *n*. – **3.** *mil.* (*meist* Straßen)Sperre *f*. – **4.** *geol.* a) Barri'ere *f*, Boden- *od.* Gebirgsschwelle *f*, b) der Küste vorgelagerte Barriere. – **5.** *oft* B~ *geogr.* 'Eisbarriˌere *f* der Ant'arktis. – **6.** Stangengeländer *n*, Brüstung *f*. – **7.** *fig.* Hindernis *n* (to für). – **8.** Grenze *f*. – **9.** Festung *f* an einer Grenze. – **10.** (*Pferderennen*) bewegliche Startsperre. – **11.** *pl hist.* (*Art*) Tur'nier *n* (*bei dem die Kämpfenden durch eine Schranke getrennt waren*). – **II** *v/t* **12.** *oft* ~ in, ~ off absperren, abschließen. — ~ **beach** *s geol.* Lido *m*, freier Strandwall. — ~ **gate** *s arch. mil.* Gittertor *n*. — ~ **gear** *s mil.* Fangvorrichtung *f* (*auf einem Flugzeugträger*). — ~ **guard** *s electr.* Schutz(netz)gitter *n*. — ~ **reef** *s geogr.* Barri'ere-, Wallriff *n*.

bar·ri·gu·do [ˌbæri'guːdou] *pl* **-dos** *s zo.* (*ein*) Wollaffe *m* (*Gattg Lagothrix*).

bar·ring ['bɑːriŋ] *prep* abgesehen von, ausgenommen: ~ bad weather wenn nicht schlechtes Wetter eintritt.

bar·ring en·gine *s tech.* 'Dreh-, 'Schalt-, 'Schwung-, 'Anlaßmaˌschine *f*.

bar·ring out *s Br.* Aussperren *n* des Lehrers (*durch Verbarrikadieren des Schulzimmers*).

bar·ri·o ['bɑːriˌou; -riˌɔː] *pl* **-os** *s* Ortschaft *f*, Kreis *m* (*bes. auf den Philippinen*).

bar·ris·ter ['bæristər] *s jur.* **1.** *Br.* Barrister *m*, (*vor den höheren Gerichten plädierender*) Rechtsanwalt (*im Gegensatz zum* **solicitor** *od.* **attorney**): ~**-at-law** *voller Titel eines Barristers*; **revising** ~ Barrister, der die Liste der Wähler für das Parlament revidiert. – **2.** *Am. allg.* Rechtsanwalt *m*. – *SYN. cf.* **lawyer**.

'**barˌroom** *s* Schenk-, Schankstube *f*.

bar·row[1] ['bærou] **I** *s* **1.** (Schub-, Schieb)Karren *m*, (-)Karre *f*: ~ way Laufbrett, -bohle (*im Bergwerk*). – **2.** (Hand)Bahre *f*, Trage *f*. – **3.** Karrenladung *f*. – **4.** (*Salzbereitung*) Weidenkorb *m* zum Trocknen des Salzes. – **II** *v/t* **5.** karren, mit einem Karren *od.* einer Trage transpor'tieren.

bar·row[2] ['bærou] *s* **1.** (*Archäologie*) Tumulus *m*, Hügelgrab *n*. – **2.** Hügel *m* (*nur noch in Ortsnamen*).

bar·row[3] ['bærou] *s agr. dial. od. Am.* verschnittener Eber, Borg *m*.

bar·row[4] ['bærou] *s Br. hist.* langes, ärmelloses Fla'nellkleid für kleine Kinder.

'**bar·row|-ˌboy** *s Br.* **1.** Höker *m*, Besitzer *m* eines fahrbaren Verkaufsstandes (*bes. in Großstädten*). – **2.** *fig.* Schwarzhändlertyp *m* (*der niederen Klassen*). — '~**·man** [-mən] *s irr* **1.** Kärrner *m*, Karrenschieber *m*. – **2.** *Br.* Höker *m*. — ~ **tram** *s* Stange *f*, Arm *m* (*einer Trage, eines Schubkarrens*). — ~ **truck** *s* zweirädriger (Hand)Karren.

bar·ru·let ['bærulet; -lit; -rju-] *s her.* schmaler (Horizon'tal)Balken.

bar·ru·ly ['bæruli; -rju-] *adj her.* durch schmale (Horizon'tal)Balken geteilt (*Wappenfeld*).

bar·ry ['bɑːri] *adj her.* horizon'tal durch in zwei Farben abwechselnde Balken geteilt (*Wappenschild*).

bar| shoe *s tech.* Ringschuh *m*, Ringeisen *n* (*hinten geschlossenes Hufeisen*). — ~ **shot** *s mil. hist.* Stangenkugel *f* (*zwei durch eine kurze Stange verbundene Geschützkugeln*). — ~ **sight** *s mil.* 'Stangenviˌsier *n*. — ~ **sin·is·ter** *s* **1.** *her.* Schräglinksbalken *m* (*als Zeichen unehelicher Geburt*). – **2.** *fig.* uneheliche Geburt. — ~ **spring** *s tech.* Stabfeder *f*. — ~ **steel** *s tech.* Stangenstahl *m*. — '~ˌ**tend·er** *s* Barmixer *m*.

bar·ter ['bɑːrtər] **I** *v/i* **1.** Tauschhandel treiben. – **II** *v/t* **2.** (*im Handel*) (ein-, 'um)tauschen, austauschen (for, against gegen): ~ away a) im Tausch weggeben, b) verschleudern, verschachern. – **III** *s* **3.** Tausch *m*, Tauschhandel *m*, -geschäft *n* (*auch fig.*). – **4.** eingetauschte Sache, 'Tauschobˌjekt *n*, -mittel *n*. – **5.** *math.* Tauschregel *f* (*zur Vergleichung der Werte verschiedener Waren*). — '**bar·ter·er** *s* Tauschhändler *m*. — '**bar·ter·ing** *s econ.* Tauschgeschäft *n*, -handel *m*: ~ **agreement** Tauschhandelsabkommen.

bar·ter trans·ac·tion *s econ.* Kompensati'onsgeschäft *n*, Tausch(handels)geschäft *n*.

bar·tho·lin·i·tis [ˌbɑːrtəli'naitis] *s med.* Bartholi'nitis *f* (*Entzündung der Bartholinischen Drüsen*).

Bar·thol·o·mew [bɑːr'θɒləˌmjuː] *npr Bibl.* Bartholo'mäus *m* (*einer der zwölf Apostel*): (St.) ~'s Day, ~tide Bartholomäustag (*24. August*).

bar tin *s tech.* Stangenzinn *n*.

bar·ti·zan ['bɑːrtiˌzæn; ˌbɑːrti'zæn; 'bɑːrtəzən] *s arch.* Erkertürmchen *n* (*einer Burg od. Kirche*).

Bart·lett ['bɑːrtlit], *auch* ~ **pear** *s eine gelbe, saftige amer. Birnensorte.*

bar·ton ['bɑːrtn] *s agr. Br.* **1.** Wirtschaftshof *m*. – **2.** nicht mit dem übrigen Gut verpachtetes, für den Besitzer reser'viertes Landgut.

bar trac·er·y *s arch.* Maßwerk *n* in Querstrichen.

Bart's [bɑːrts] *s* (*das*) Bartholo'mäuskrankenhaus (in London).

Bar·uch ['bɛ(ə)rək] *npr Bibl.* **1.** Baruch *m* (*Freund u. Gehilfe des Jeremias*). – **2.** (das Buch) Baruch (*apokryphes Buch des Alten Testaments*).

bar·u·ri·a [bæ'rju(ə)riə] *s med.* Baru'rie *f* (*Harnen von Urin von hohem spezifischem Gewicht*).

'**bar|ˌway** *s* Gittertor *n*. — ~ **wim·ble** *s tech.* Riegelbohrer *m*. — ~ **wind·ing** *s electr.* Stabwindung *f*, -wicklung *f*. — '~ˌ**wise** *adv her.* horizon'tal. — '~ˌ**wood** → **camwood**. — '~-ˌ**wound ar·ma·ture** *s electr.* Stabanker *m*, Anker *m* mit Stabwicklung.

bar·y·cen·tric [ˌbæri'sentrik] *adj* bary'zentrisch, Schwerpunkt(s)...

bar·y·lite ['bæriˌlait] *s min.* Bary'lit *m*.

bar·y·pho·ni·a [ˌbæri'founiə] *s med.* Barypho'nie *f*, Schwierigkeit *f* beim Sprechen.

bar·y·sphere ['bæriˌsfir] *s geol.* Barysphäre *f* (*innerster Teil der Erde*).

ba·ry·ta [bə'raitə] *s chem.* 'Bariumoˌxyd *n* (BaO), Ba'ryt(erde *f*) *m*: **carbonate of** ~ kohlensaurer Baryt. — ~ **wa·ter** *s chem. med.* Ba'rytwasser *n* ($Ba(OH)_2$).

ba·ry·tes [bə'raitiːz] *s chem.* Schwerspat *m*, 'Bariumsulˌfat *n* ($BaSO_4$).

ba·ryt·ic [bə'ritik] *adj min.* ba'rytartig, -haltig, Baryt...

bar·y·tine ['bæritin; -ˌtain; -rə-] → **barite**.

ba·ry·to·cal·cite [bəˌraito'kælsait] *s min.* Baˌrytokal'zit *m* ($BaCO_3·CaCO_3$).

bar·y·tone[1] ['bæriˌtoun; -rə-] *ling.* **I** *s* Ba'rytonon *n* (*griech. Wort mit unbetonter letzter Silbe*). – **II** *adj* mit unbetonter letzter Silbe.

bar·y·tone[2] *cf.* **baritone**.

bas·al ['beisl] **I** *adj* **1.** an der Basis *od.* Grundfläche befindlich, ba'sal, Grund... – **2.** *fig.* grundlegend, fundamen'tal. – **3.** *biol. med.* ba'sal, an der Basis liegend, basisständig, Basal... – **II** *s* **4.** *zo.* Grundplatte *f* (*eines Stachelhäuters*). — ~ **bod·y** *s biol.* Ba'salkörperchen *n*. — ~ **cell** *s biol.* Grund-, Ba'salzelle *f*. — ~ **cleav·age** *s min.* mit der Horizon'talachse paral'lele Spaltung. — ~ **disk** *s zo.* Fußblatt *n*, -scheibe *f* (*der Anthozoen*). — ~ **leaf** *s irr bot.* grundständiges Blatt. — ~ **met·a·bol·ic rate** *s med.* 'Grundˌumsatz *m*. — ~ **me·tab·o·lism** *s med.* Grundstoffwechsel *m*. — '~-ˌ**nerved** *adj bot.* grundnervig (*Blattnerven am Blattgrunde entspringend*). — ~ **pin·a·coid** *s min.* basisches Pinako'id, Schiefendfläche *f*. — ~ **plane** *s min.* Basis-, Grundebene *f* (*von Kristallen*). — ~ **plate** *s zo.* Fuß-, Grund-, Ba'salplatte *f*.

ba·salt ['bæsɔːlt; bə'sɔːlt] *s* **1.** *geol.* Ba'salt *m*, Säulenstein *m*. – **2.** Ba'salt-, Steingut *n*, Ba'saltmasse *f* (*schwarzes Steingut*). — **ba'sal·tic** *adj geol.* ba'saltisch, Basalt... — **ba'sal·ti·ˌform** [-ˌfɔːrm] *adj* ba'saltförmig. — **ba'sal·toid** *adj* ba'saltähnlich.

'**ba·saltˌware** → **basalt** 2.

bas·an ['bæzən] *s* (*mit Eichen- od. Lärchenrinde*) gegerbte Schafhaut, Schafleder *n*.

bas·a·nite ['bæzəˌnait] *s min.* Basa'nit *m*, Pro'bierstein *m*.

bas·cart [*Br.* 'bɑːsˌkɑːt; *Am.* 'bæ(ː)sˌkɑːrt] *Kurzform für* **basket cart**.

bas·cule ['bæskjuːl] *s tech.* Hebe-, Schnellbaum *m*, Klappe *f*. — ~ **bridge** *s tech.* Hub-, Klappbrücke *f* (*Art Zugbrücke*).

base[1] [beis] **I** *s* **1.** Basis *f*, unterster Teil, Grund *m*, Grundlage *f*. – **2.** *fig.* Basis *f*, Grundlage *f*, Funda'ment *n*. – **3.** Ausgangspunkt *m*. – **4.** Grund-, Hauptbestandteil *m* (*einer Arznei etc*), Grundstoff *m*. – **5.** *chem.* Base *f*. – **6.** *arch.* a) Basis *f*, Fuß *m*, Sockel *m*, Posta'ment *n* (*einer Säule etc*), b) Funda'ment *n* (*eines Gebäudes*). – **7.** *math.* a) Basis *f* (*einer ebenen Figur od. eines Körpers*), Grundlinie *f* (*einer ebenen Figur*), Grundfläche *f* (*eines Körpers*), b) Träger *m* (*einer Punktreihe*), c) Basis *f*, Grundzahl *f* (*eines Logarithmen- od. Zahlensystems od. einer Potenz*). – **8.** (*Landvermessung*) Standlinie *f*. – **9.** *bot. zo.* a) Befestigungspunkt *m* (*eines Organs am Körper*), b) Basis *f*, Grund *m*, 'Unterteil *m*: **at the** ~ basal, unterwärts. – **10.** *med.* Basis *f*, Grund *m*: ~ **of the brain** Gehirnbasis. – **11.** *mil.* a) (Operati'ons- *od.* Versorgungs)Basis *f*, Stützpunkt *m*, b) *aer.* Flugbasis *f*, *Am.* (Flieger)Horst *m*, c) E'tappe *f*, d) Bettung *f*, Sockel *m* (*eines Geschützes*), e) Bodenkammer *f* (*einer Granate*), f) (Stoß)Boden *m*: ~ **of cartridge case** Hülsenboden; ~ **of shell** Geschoßboden. – **12.** *sport* a) (*Baseball*) Mal *n*, b) Startlinie *f*, c) (*bes. Hockey*) Tor *n*, Goal *n*, d) **prisoner's** ~ Barlaufspiel *n*. – **13.** *ling.* Stamm *m*. – **14.** *tech.* a) Grundplatte *f*, Sockel *m*, Gestell *n*, b) Funda'ment *n*, 'Unterlage *f*, Standfläche *f*, Bettung *f*, c) Sohle *f* (*einer Mauer*), d) (*Straßenbau*) Packlage *f*. – **15.** *electr.* Sockel *m*, *bes.* Röhrensockel *m*, -fassung *f*: ~ **with external**

contacts Außenkontaktsockel. – **16.** (*Färberei*) Beize *f*. – **17.** *geol.* (*das*) Liegende. – **18.** *min.* Endfläche *f* (*eines Kristalls*). – **19.** *her.* Schildfuß *m*. – **20.** *mus. obs. für* **bass**[1] I. – *SYN.* **basis, foundation, ground**[1], **groundwork.** – **II** *v/t* **21.** stützen, gründen (on, upon auf *acc*): to be ~d on beruhen *od.* basieren auf (*dat*); to ~ oneself on sich verlassen auf (*acc*). – **22.** eine Basis bilden für. – **III** *adj* **23.** als Basis dienend, Grund..., Ausgangs...: a ~ line.

base[2] [beis] *adj* **1.** gemein, niedrig, niederträchtig, verächtlich, feig. – **2.** minder-, geringwertig. – **3.** unedel, gering: ~ **metals.** – **4.** falsch, unecht: ~ **coins.** – **5.** *ling.* unrein, unklassisch: ~ **Latinity.** – **6.** knechtisch, ser'vil. – **7.** *jur. Br. hist.* dienend: ~ **estate** durch gemeine Dienstleistungen erworbenes Lehen. – **8.** *mus.* tief(tonig, -tönend), Baß...: ~ **tones** Baßtöne. – **9.** *obs.* unehelich (geboren). – **10.** *obs.* niedrigen Standes. – **11.** *obs.* niedrig, von geringer Höhe. – *SYN.* **low**[1], **vile.**

base| an·gle *s* **1.** *mil.* Grundrichtungswinkel *m*. – **2.** *math.* Basiswinkel *m*. — **'~ball** *s sport* Baseball *m*: a) *Schlagballspiel auf 4 Malen, von 2 Mannschaften mit je 9 Spielern gespielt,* b) *der in diesem Spiel verwendete Ball.* — **'~,board** *s* Fuß-, Scheuer-, Wandleiste *f*. — **'~born** *adj* **1.** von niedriger Geburt. – **2.** unehelich. — **'~'burn·er** *s* Füll-, Regu'lierofen *m*. — **~ charge** *s* Hauptladung *f* (*Munition*). — **~ cir·cle** *s tech.* Grundkreis *m* (*von Zahnrädern*). — **'~,court** *s* **1.** 'Hinterhof *m*, äußerer Hof. – **2.** *jur. Br.* 'Untergericht *n*. — **~ crude** *s tech.* Rohöl *n*.

based [beist] *adj* **1.** mit einer Grundfläche versehen. – **2.** gegründet, ba'siert: ~ **on fact** auf Tatsachen gegründet.

base de·pot *s mil.* 'Hauptde,pot *n*.

Ba·se·dow's dis·ease ['bɑːzə,douz] *s med.* Basedowsche Krankheit *f*.

base| ex·change *s chem.* Basenaustausch *m*. — **~ hit** *s* (*Baseball*) *Schlag, der es einem Spieler ermöglicht, das erste Mal zu erreichen.* — **~ hos·pi·tal** *s mil.* 'Kriegslaza,rett *n*.

base·less ['beislis] *adj* **1.** grundlos, ohne Basis, ohne Funda'ment. – **2.** unbegründet. — **'base·less·ness** *s* **1.** Grundlosigkeit *f*. – **2.** Unbegründetheit *f*.

base| lev·el *s geol.* Denudati'ons-, 'Abtragungsni,veau *n*, Erosi'onsbasis *f*. — **~ line** *s* **1.** Grundlinie *f*. – **2.** (*Perspektive*) Horizon'tallinie *f*. – **3.** (*Landvermessung*) Standlinie *f*. – **4.** *mil.* Basislinie *f*. – **5.** *mil.* Grundrichtungslinie *f*. – **6.** *sport* a) (*Baseball*) Lauflinie *f* (*welche die Male verbindet*), b) (*Tennis*) Grundlinie *f*: ~ **game** Grundlinienspiel; ~ **service** Grundlinienaufschlag. — **~ load** *s electr.* Grundlast *f*, -belastung *f*. — **~ main·te·nance** *s mil.* 'Parkin,standsetzung *f*. — **'~·man** [-mən] *s irr* (*Baseball*) Basenhüter *m*.

base·ment ['beismənt] *s arch.* **1.** vertieftes Erdgeschoß, Kellergeschoß *n*: **English** ~ *Am.* Parterre(geschoß). – **2.** Grundmauer *f*, Grundbau *m*, Funda'ment *n*. – **3.** Sockel *m*. — **~ com·plex** *s geol.* **1.** Urgebirge *n*, Urgestein *n*. – **2.** Grundgebirge *n*. — **~ mem·brane** *s biol.* Ba'salmem,bran *f*, -haut *f*.

base| met·al *s tech.* **1.** unedles Me'tall. – **2.** Hauptbestandteil *m* (*einer Legierung*). – **3.** Metall, das mit einem 'Überzug *etc* versehen wird. — **'~-,mind·ed** *adj* von unedler Gesinnung, gemein.

base·ness ['beisnis] *s* **1.** Gemeinheit *f*, Niedrigkeit *f*, Niederträchtigkeit *f*. – **2.** Minderwertigkeit *f*. – **3.** Falschheit *f*, Unechtheit *f*. – **4.** Niedrigkeit *f* (*der Geburt*). – **5.** niederträchtige Handlung, gemeine Tat, Gemeinheit *f*.

ba·sen·ji ['bɑːsən,jiː] *s zo.* kleiner brauner afrik. Jagdhund.

base| on balls *s* (*Baseball*) *Erreichen des ersten Mals durch einen Spieler infolge von 4 mißlungenen Würfen seines Gegners.* — **~ pin** *s electr.* Sockelstift *m*. — **~ plate** *s* **1.** *tech.* Grund-, Boden-, Abstützplatte *f*, 'Unterlage *f*. – **2.** *tech.* Funda'ment *n*. – **3.** *electr.* Sockelplatte *f*. — **~ ring** *s* **1.** *mil.* Bodenstückring *m* (*einer Kanone*). – **2.** *tech.* Drehkranz *m* (*eines Kranes etc*). — **~ rock·et** *s bot.* Wilde Re'seda, Gelber Wau (*Reseda lutea*). — **~ run·ner** *s* (*Baseball*) *Spieler, der wenigstens das erste Mal erreicht (aber noch nicht das ganze Feld durchlaufen) hat.*

ba·ses ['beisiːz] *pl von* **basis.**

base| serv·ic·es *s pl mil.* (Luftwaffen-)Bodendienste *pl*. — **'~,spir·it·ed** *adj* gemein, verächtlich, feig. — **~ stake** *s* (*Landvermessung*) Richtlatte *f*. — **~ string** *cf.* **bass string.** — **~ tin** *s tech.* Halbzinn *n*. — **~ tree** *s bot.* Goldregen *m* (*Cytisus laburnum*). — **~ wal·lah** *s mil. Br. sl.* ,E'tappenschwein' *n*.

bash [bæʃ] **I** *v/t colloq.* heftig schlagen, dreschen: **to ~ one's head against the wall** mit dem Kopf gegen die Wand rennen; **to ~ in s.o.'s head** j-m den Schädel einschlagen; **to ~ in a window** ein Fenster einschmeißen *od.* zertrümmern. – **II** *s colloq.* heftiger Schlag: **to have a ~ at s.th.** *sl.* etwas versuchen, an eine Sache (he)rangehen. – **III** *adv u. interj* p(l)atsch!

ba·shaw [bə'ʃɔː] *s* **1.** *obs. für* **pasha.** – **2.** *fig.* Pascha *m*, Ma'gnat *m*.

bash·ful ['bæʃfəl; -ful] *adj* schüchtern, verschämt, scheu. – *SYN. cf.* **shy**[1]. — **'bash·ful·ness** *s* Schüchternheit *f*, Verschämtheit *f*, Scheu(heit) *f*.

bash·i-ba·zouk [,bæʃibə'zuːk] *s mil. hist.* Baschi-Bo'suk *m* (*irregulärer türk. Soldat, berüchtigt wegen Brutalität*). — **,bash·i-ba'zouk·er·y** [-əri] *s* bru'tales Benehmen (*von Soldaten*).

basi- [beisi] *Wortelement mit der Bedeutung* Basis.

ba·si·ate ['beizi,eit; -si-] *v/t u. v/i obs.* küssen. — **,ba·si'a·tion** *s selten* Küssen *n*.

ba·si·brac·te·o·late [,beisi'bræktiəlit; -,leit] *adj bot.* mit Brak'teen *od.* Brakte'olen am Grunde.

bas·ic ['beisik] **I** *adj* **1.** die Basis bildend, grundlegend, fundamen'tal, Grund...: ~ **driving** *bes. mil.* elementare Fahrschulung; ~ **flying training** *aer.* fliegerische Grundausbildung. – **2.** *chem.* basisch. – **3.** *med.* → **basilar** 2. – **4.** *tech.* im Thomasverfahren 'hergestellt, Thomas...: ~ **steel.** – **5.** *geol. min.* basisch (*weniger als 52% Kieselsäure* (SiO_2) *enthaltend*). – **6.** *biol.* basisch. – **7.** *electr.* ständig (*Belastung*). – **II** *s* **8.** B~ → **Basic English.** — **'bas·i·cal·ly** *adv* im Grunde, grundsätzlich, im wesentlichen.

bas·ic| Bes·se·mer con·vert·er steel *s tech.* Thomas(fluß)stahl *m*. — **~ Bes·se·mer pig i·ron** *s tech.* Thomasroheisen *n*. — **~ Bes·se·mer proc·ess** → **basic process.** — **B~ Eng·lish** *s* Basic English *n* (*auf 850 Grundwörter beschränktes u. in der Grammatik vereinfachtes Englisch; von C. K. Ogden entwickelt*). — **~ for·mu·la** *s math.* Grundformel *f*. — **~ in·dus·try** *s* 'Grundstoff-, 'Schlüsselindu,strie *f*. — **~ i·ron** *s tech.* Thomaseisen *n*.

ba·sic·i·ty [bei'sisiti; -əti] *s chem.* **1.** Basei'tät *f*, Basizi'tät *f*, Basi'tät *f* (*einer Säure*). – **2.** basischer Zustand, basische Beschaffenheit.

bas·ic| lin·ing *s tech.* basisches Futter. — **~ load** *s* **1.** *electr.* ständige Grundlast. – **2.** *mil.* (Muniti'ons)Grundausstattung *f*. — **~ o·pen-hearth fur·nace** *s tech.* basischer Martinofen. — **~ op·er·a·tion** *s math.* Grundrechnung *f*, 'Grundoperati,on *f*. — **~ proc·ess** *s tech.* basisches Verfahren, Thomasverfahren *n* (*Roheisengewinnung*). — **~ pro·te·in** *s biol.* Al'kalieiweiß *n*.

ba·si·cra·ni·al [,beisi'kreiniəl] *adj* die Hirn- *od.* Schädelbasis betreffend, basokrani'al.

bas·ic| re·search *s* Grundlagenforschung *f*. — **~ size** *s tech.* Sollmaß *n*. — **~ slag** *s chem.* Thomasschlacke *f*. — **~ steel** *s tech.* Thomasstahl *m*. — **~ train·ing** *s* Grundausbildung *f*. — **~ wage** *s econ.* Grundlohn *m*.

ba·sid·i·al [bə'sidiəl] *adj bot.* zu den Ba'sidien gehörig, Basidien...

ba·sid·i·o·my·cete [bə,sidiomai'siːt] *s bot.* Ba'sidienpilz *m* (*Klasse Basidiomycetes*). — **ba,sid·i·o·my'ce·tous** *adj* zu den Ba'sidienpilzen gehörig.

ba·sid·i·o·spore [bə'sidio,spɔːr] *s bot.* Basidio'spore *f* (*Spore eines Basidienpilzes*). — **ba,sid·i'os·po·rous** [-'ɒspərəs; -o'spɔːrəs] *adj* Sporen aus Ba'sidien erzeugend.

ba·sid·i·um [bə'sidiəm] *pl* **-i·a** [-ə] *s bot.* Ba'sidie *f* (*sporentragende Zelle der höheren Pilze*).

ba·si·fa·cial [,beisi'feiʃəl] *adj med.* die untere Gesichtshälfte betreffend.

ba·si·fi·ca·tion [,beisifi'keiʃən] *s chem.* Basischmachen *n* (*eines Körpers*).

ba·si·fi·er ['beisi,faiər] *s chem.* Basenbildner *m*, basisch machender Stoff.

ba·si·fixed ['beisi,fikst] *adj bot.* an *od.* mit dem unteren Ende festsitzend *od.* angewachsen.

ba·si·fy ['beisi,fai] *v/t chem.* in eine Salzbasis verwandeln, basisch machen.

bas·il[1] ['bæzl; -zil] *s bot.* (*ein*) Ocimum *n* (*Gattg Ocimum*), *bes.* a) → **sweet** ~, b) *auch* **bush** ~, **lesser** ~ Kleine 'Nelkenba,silie (*O. minimum, O. suave*).

bas·il[2] ['bæzl; -zil] → **bezel.**

bas·il[3] ['bæzl; -zil] → **basan.**

bas·i·lar ['bæsilər; -sə-] *adj* **1.** *bot.* grundständig, Grund... – **2.** *med.* basi'lar, die Schädelbasis betreffend. – **3.** grundlegend, fundamen'tal, Grund...: ~ **instinct** Grundtrieb. — **~ ar·ter·y** *s med.* Basi'larar,terie *f* (*Hauptblutader des Gehirns*).

bas·i·lar·y [*Br.* 'bæsiləri; *Am.* -,leri] → **basilar.**

Ba·sil·i·an [bə'siliən] *relig.* **I** *adj* **1.** basili'anisch, auf Ba'silius den Großen bezüglich: ~ **rule** Regel des heiligen Basilius; ~ **monk,** ~ **nun** → **Basilian** 2. – **II** *s* **2.** Basili'aner(in), Ba'siliusmönch *m*, -nonne *f* (*nach der Regel des heiligen Basilius*). – **3.** Basili'aner(priester) *m* (*Mitglied einer 1822 in Frankreich gegründeten Ordensgesellschaft*).

ba·sil·ic [bə'silik] *adj* **1.** *selten* königlich. – **2.** → **basilican.**

ba·sil·i·ca [bə'silikə; -'zil-] *s* Ba'silika *f*: a) *antiq. längliches Gebäude mit Säulenhallen für Handelsverkehr u. Rechtsprechung,* b) *arch. im Basilikastil erbaute Kirche,* c) *relig. eine der 7 Hauptkirchen Roms od. eine Kirche mit denselben Privilegien.*

ba·sil·i·cal [bə'silikəl] → **basilic.**

ba·sil·i·can [bə'silikən] *adj arch.* **1.** eine Ba'silika betreffend, Basilika... – **2.** ba'silikenförmig, -artig. – **3.** *selten* königlich.

ba·sil·i·con [bə'sili,kɒn], **ba'sil·i·cum** [-kəm] *s chem.* **1.** Ba'silikum *n*, Königssalbe *f*. – **2.** *ein Zerat aus Harz, gelbem Wachs u. Schweinefett.*

ba·sil·ic vein *s med.* Vena *f* ba'silica, große Armvene.

bas·i·lisk ['bæzilisk; -sil-; -əl-] **I** *s* **1.** Basi'lisk *m* (*Fabeltier mit tödlichem Atem u. Blick*). – **2.** *zo.* Basi'lisk *m* (*Gattg Basiliscus*). – **3.** *mil. obs.* Basi'lisk *m* (*Kanone*). – **II** *adj* **4.** basi'liskenartig, Basilisken...: ~ eye Basiliskenauge; ~ glance Basiliskenblick.

bas·il| mint → mountain mint. — **~ thyme** *s bot.* Steinquendel *m* (*Satureja acinos*). — **'~,weed** *s bot.* Wirbeldost *m* (*Satureja vulgare*).

ba·sin ['beisn] **I** *s* **1.** (Wasser-, Wasch-, Ra'sier- *etc*)Becken *n*, Schale *f*, Schüssel *f*: rinsing ~ Spülschüssel; wash-~ Waschbecken. – **2.** Becken(voll) *n*, Inhalt *m* eines Beckens: a ~ of water ein Becken Wasser. – **3.** (*einzelne*) Waagschale. – **4.** (*natürliches od. künstliches größeres*) Wasserbecken: a) Bas'sin *n*, Wasserbehälter *m*, b) Teich *m*, c) Bai *f*, kleine Bucht, d) Ausweichstelle *f* (*in einem Kanal*), e) Hafenbecken *n*, Innenhafen *m*, f) *mar. tech.* Dock(raum *m*) *n*, g) Schwimmbecken *n*. – **5.** (*Hutmacherei*) Steifer *m*, Filzblech *n*. – **6.** (*Optik*) Schleifschale *f*. – **7.** Einsenkung *f*, Vertiefung *f*, Einbuchtung *f*. – **8.** *geol.* a) Bas'sin *n*, Becken *n*, Schüssel *f* (*Einsenkung*), b) Becken *n* (*eines Sees od. Flusses*), c) Senkungsmulde *f*, Kessel *m*, d) → river ~. – **9.** *med.* a) dritte Gehirnhöhlung, b) Becken *n* (*im Rumpf etc*). – **II** *v/t* **10.** (*Hutmacherei*) (*Filz*) steifen. — **'ba·sined** *adj geol.* in einem Becken (gelegen).

bas·i·net ['bæsi,net; -sə-] *s mil. hist.* Stahl-, Kessel-, Sturmhaube *f*.

'ba·sin-,shaped *adj* becken-, muldenförmig.

ba·si·on ['beisi,ɒn] *s med.* Basion *n* (*Mittelpunkt des vorderen Randes des Foramen magnum*).

ba·sip·e·tal [bei'sipətl] *adj* **1.** zur Basis hin gerichtet. – **2.** *bot.* basipe'tal.

ba·si·ros·tral [,beisi'rɒstrəl] *adj zo.* am unteren Teil des Schnabels (sitzend).

ba·sis ['beisis] *pl* **-ses** [-si:z] *s* **1.** *bes. arch.* Basis *f*, Grund *m*, Funda'ment *n*, Fuß *m*. – **2.** *bot. zo.* Basis *f*, unterer Teil (*eines Organs*). – **3.** Grund-, Hauptbestandteil *m*. – **4.** *mil.* (Operati'ons)Basis *f*. – **5.** *fig.* Basis *f*, Grundlage *f*: to form (*od.* lay) the ~ of s.th. den Grund zu etwas legen. – **6.** *math.* a) Grund-, Basisfläche *f*, b) Grundlinie *f*, Basis *f*. – *SYN. cf.* base[1]. — **~ con·di·tion** *s math.* Basissatz *m*, Grundbedingung *f*.

ba·si·scop·ic [,beisi'skɒpik] *adj bot.* zur Basis 'hingewandt.

ba·si·tem·po·ral [,beisi'tempərəl] *adj zo.* am unteren Teil der Schläfengegend (gelegen).

bask [*Br.* bɑːsk; *Am.* bæ(ː)sk] **I** *v/i* sich wärmen, sich sonnen (*auch fig.*): to ~ in the sun. – **II** *v/t* erwärmen.

Bas·ker·ville ['bæskərvil] *s print.* Baskerville *f* (*Schriftart*).

bas·ket [*Br.* 'bɑːskit; *Am.* 'bæ(ː)s-] **I** *s* **1.** Korb *m* (*auch als Maß*): waste-paper ~ Papierkorb; to be left in the ~ übrigbleiben; the pick of the ~ das Beste *od.* Feinste (*von allen, vom Ganzen*); → egg[1]. – **2.** Korbinhalt *m*, Korbvoll *m*: a ~ of potatoes ein Korbvoll Kartoffeln. – **3.** *fig.* milde Gaben *pl* (*bes. Kleidungsstücke, die Damen für Arme zurechtmachen, od. Lebensmittel für Gefangene etc*): to make up a ~ milde Gaben für Arme sammeln und zusammenstellen. – **4.** (*Basketball*) a) Korb *m*, b) Treffer *m*, Korb *m*. – **5.** *mil.* Säbelkorb *m*. – **6.** *aer.* (Passa'gier)Korb *m*, Gondel *f*. – **7.** *tech.* a) (*bes. Bergbau*) Fördergefäß *n*, b) Baggereimer *m*. – **8.** *arch.* Korb *m* (*am korinthischen Kapitell*). – **9.** a) Wagenkorb *m*, Korbgestell *n*, b) Korbsitz *m* (*einer Postkutsche*). – **10.** *zo.* Körbchen *n* (*der Biene*). – **11.** Strohtasche *f*, Bastkörbchen *n*. – **II** *v/t* **12.** in einen Korb *od.* in Körbe legen, einpacken, verpacken (*auch fig.*). – **13.** in den Pa'pierkorb werfen, *fig.* als ungeeignet *od.* nutzlos verwerfen. – **14.** (*Flaschen etc*) mit Korbgeflecht über'ziehen. — **'~,ball, ~ ball** *s sport* Basketball *m* (*ein Korbballspiel; auch der dabei verwendete Ball*). — **~ bea·gle** *s hunt. kleiner Hund zur Hetze des Korbhasen.* — **~ but·ton** *s* Me'tallknopf *m* mit korbgeflechtähnlichem Muster. — **~ car·riage** *s* Korbwagen *m*. — **~ cart** *s* Korb *m* mit Fahrgestell (*in Selbstbedienungsläden etc*). — **~ case** *s* 'Arm- u. 'Beinampu,tierter *m*. — **~ chair** *s* Korbsessel *m*. — **~ coil** *s electr.* Korbspule *f*. — **~ din·ner** *s Am.* Picknick *n*. — **~ fern** *s bot.* **1.** Wurmfarn *m* (*Dryopteris filix-mas*). – **2.** Schwertfarn *m* (*Nephrolepis exaltata u. cordifolia*). — **~ fish** *s zo.* Me'dusenhaupt *n* (*Schlangenstern der Gattung Gorgonocephalus*).

bas·ket·ful [*Br.* 'bɑːskitfəl; -ful; *Am.* 'bæ(ː)s-] *s* Korb(voll) *m*: by ~s korbweise.

bas·ket| han·dle *s* **1.** Korbhenkel *m*. – **2.** *auch* ~ arch *arch.* Korbhenkel-, Stichbogen *m*. — **~ hilt** *s* Degen-, Säbelkorb *m*. — **'~-,hilt·ed** *adj* mit Korbgriff versehen (*Säbel etc*). — **~ hoop** *s bot.* Glänzender Kroton (*Croton lucidus; Jamaika*). — **~ lunch** *s Am.* Picknick *n*. — **~ mak·er** *s* **1.** Korbmacher *m*. – **2.** B~ M~ Korbflechter *m* (*prähistorischer Bewohner der südwestl. USA u. angrenzender Gebiete Mexikos*). — **~ mast** *s mar.* Korb-, Gerüstmast *m*. — **~ o·sier** *s bot.* Korbweide *f* (*Salix purpurea u. S. viminalis*). — **~ palm** → talipot palm.

bas·ket·ry [*Br.* 'bɑːskitri; *Am.* 'bæ(ː)s-] *s* **1.** Korbwaren *pl*. – **2.** a) Korbflechten *n*, b) Korbflechtkunst *f*.

bas·ket| salt *s* Tafelsalz *n*. — **~ stitch** *s* Korbstich *m* (*beim Sticken*). — **~ sword** *s* Korbdegen *m*. — **~ weave** *s* (*Weberei*) Korbweben *n*. — **~ withe** *s bot. eine trop.-amer. Borraginacee* (*Tournefortia volubilis od. Heliotropium fruticosum*). — **'~,wood** *s bot.* Vielblätterige Ser'janie (*Serjania polyphylla*). — **'~,work** *s* **1.** Korbflechterarbeit *f*, Kreuz-, Korbgeflecht *n*, Flechtwerk *n*. – **2.** Korbwaren *pl*. – **3.** a) Korbflechtkunst *f*, b) Korbflechtergewerbe *n*.

bask·ing shark [*Br.* 'bɑːskiŋ; *Am.* 'bæ(ː)s-] *s zo.* Riesenhai *m* (*Selache maxima*).

ba·so·cyte ['beiso,sait] *s med.* baso'phile Leuko'cyte.

bas·oid ['beisɔid] *agr.* **I** *adj* al'kalisch. – **II** *s* al'kalischer Boden.

ba·son[1] ['beisn] (*Hutmacherei*) **I** *s* Steifer *m*, Filzblech *n*. – **II** *v/t* (*Filz*) steifen.

ba·son[2] ['beisn] *bes. relig. für* basin.

ba·so·phile ['beiso,fail; -fil; -sə-] *biol.* **I** *s* baso'phile Zelle. – **II** *adj* → basophilic. — **,ba·so'phil·ic** [-'filik], **ba'soph·i·lous** [-'sɒfiləs] *adj* baso'phil (*auf basische Färbmittel ansprechend*).

Basque [bæsk] **I** *s* **1.** Baske *m*, Baskin *f*. – **2.** *ling.* Baskisch *n*, das Baskische. – **3.** b~ kurzes Verlängerungsstück des Mieders. – **4.** b~ (*Art*) Schoßjacke *f*. – **II** *adj* **5.** baskisch.

bas·qui·na [bɑs'kiːnɑ], **bas'quine** [-'kiːn] *s* Bas'kine *f* (*Rock der Baskinnen u. Spanierinnen*).

bas-re·lief [,bɑːri'liːf; 'bæs-] *s* (*Bildhauerei*) 'Bas-, 'Flachreli,ef *n*.

bass[1] [beis] *mus.* **I** *s* Baß *m*: a) Baßstimme *f* (*eines Sängers*), b) 'Baßstimme *f*, -par,tie *f* (*einer Komposition*), c) Baßton *m*, -lage *f*, d) Baßsänger *m*, -spieler *m*, Bas'sist *m*, e) 'Baßinstru,ment *n*, *bes.* Streich-, Kontrabaß *m u.* Baßtuba *f*, f) (Chor-)Baß *m* (*Stimmgruppe*). – **II** *adj* tief, niedrig, Baß...

bass[2] [bæs] *pl* **'bass·es**, *bes. collect.* **bass** *s zo.* **1.** Flußbarsch *m* (*Perca fluviatilis*). – **2.** Seebarsch *m* (*Labrax lupus*). – **3.** *verschiedene nordamer. Barscharten* (*z.B. Huro floridana, Micropterus dolomieu, Pomoxis sparoides, Centropristes striatus etc*).

bass[3] [bæs] *s* **1.** (Linden)Bast *m*. – **2.** → basswood 1 *u.* 2. – **3.** Bastmatte *f*. – **4.** dicke Matte(nlage), Fußkissen *n* (*bes. zum Knien in der Kirche*).

bas·sa·risk ['bæsərisk] *s zo.* Katzenfrett *n*, Cacamizli *n* (*Bassariscus astutus*).

'bass|-,bar [beis] *s mus.* (Baß-)Balken *m* (*der Geige etc*). — **~ clef** *s mus.* Baßschlüssel *m*. — **~ con·trol** *s* (*Radio*) Baßregler *m*. — **~ drum** *s mus.* große Trommel, Pauke *f*.

bas·set[1] ['bæsit] *s zo.* Dachshund *m*.

bas·set[2] ['bæsit] (*Bergbau*) **I** *s* Ausgehendes *n* eines Flözes, (Schichten-)Ausbiß *m*. – **II** *adj* ansteigend, (zu Tage) ausgehend. – **III** *v/i* zu Tage ausgehen (*oben sichtbar werden; Kohlenflöz*).

bas·set[3] ['bæsit] *s* Bas'setspiel *n* (*im 18. Jh. beliebtes Kartenspiel*).

bas·set| horn *s mus.* Bas'setthorn *n*. — **~ hound** → basset[1].

bass horn [beis] *s mus.* **1.** Baßtuba *f*. – **2.** (Englisch)Baßhorn *n*.

bas·si·net [,bæsi'net; -sə-; 'bæsi,net] *s* **1.** a) Korbwiege *f*, b) Korbkinderwagen *m* (*mit Verdeck über dem Kopfende*). – **2.** *Am.* (tragbares) Korbkinderbettchen. – **3.** *cf.* basinet.

bass·ist ['beisist] *s mus.* Bas'sist *m*: a) Baßsänger *m*, b) Baßspieler *m*.

bas·so ['bæsou; 'bɑːs-] → bass[1] I, *bes.* d. — **~ con·ti·nuo** ['basso kon'tinwo] (*Ital.*) *s mus.* Basso *m* con'tinuo, Gene'ralbaß *m*.

bas·soon [bə'suːn; -'zuːn; 'bæ-] *s mus.* Fa'gott *n* (*auch Orgelregister*). — **bas'soon·ist** *s* Fagot'tist *m*.

bas·so| os·ti·na·to ['basso osti'nato] (*Ital.*) *s mus.* Basso *m* osti'nato, osti'nater Baß (*Motiv*). — **~ pro·fun·do** ['bæsou pro'fʌndou] *s mus.* tiefer Baß: a) *Stimmgattung*, b) *Sänger*. — **,~-re'lie·vo** [-ri'liːvou] *pl* **-vos**, *auch* **bas·so-ri·lie·vo** ['bɑːsoːriː'ljevoː] *pl* **bas·si-ri·lie·vi** ['bɑːsiːriː'ljeviː] → bas-relief.

bas·so·rin ['bæsərin] *s chem.* Basso'rin *n* (*Bestandteil des Gummitragantes*).

'bass-re'lief ['bæs-] → bas-relief.

bass| string [beis] *s mus.* Baß-, Begleitsaite *f* (*der Zither etc*). — **~ trom·bone** *s mus.* 'Baßpo,saune *f*. — **~ vi·ol** *s mus.* **1.** Gambe *f*. – **2.** (*fälschlich*) Kontrabaß *m*.

'bass,wood ['bæs-] *s bot.* **1.** Linde *f* (*Gattg Tilia*), *bes.* Schwarzlinde *f* (*T. americana*). – **2.** Linde(nholz *n*) *f*. – **3.** *fälschlich für* tulip tree.

bast [bæst] **I** *s* **1.** (Linden)Bast *m*: Cuba ~ Zigarrenbast (*von Hibiscus elatus*). – **2.** *bot.* Bast(schicht *f*) *m*. – **3.** Bastmatte *f*, -seil *n*.

bas·tard ['bæstərd] **I** *s* **1.** Bastard *m*, Bankert *m*, uneheliches Kind. – **2.** *bot. zo.* Bastard *m*, Mischling *m*. – **3.** *fig.* (*etwas*) Unechtes, Fälschung *f*, Sache *f* zweifelhafter *od.* schlechter 'Herkunft. – **4.** *vulg.* ‚Schweinehund' *m* (*grobes Schimpfwort*). – **5.** (*Zuckerraffinerie*) Bastern *m* (*große Hutform*). – **6.** unreiner, grober Braunzucker. – **II** *adj* **7.** außer-, unehelich, na'türlich, Bastard... – 8. *biol.* dem *od.* der echten ähnlich, unecht, Bastard..., Mischlings..., Pseudo... – 9. *fig.* falsch, unecht, verfälscht, unrein, Bastard..., Zwitter..., Pseudo... – 10. *fig.* ab'norm, unregelmäßig, ungewöhnlich.

bas·tard| a·ca·cia *s bot.* Ro'binie *f*, Falsche A'kazie (*Robinia pseudacacia*). — **~ balm** *s bot.* Immenblatt *n* (*Melittis melissophyllum*). — **~ ce·dar** *s bot.* 1. Bastardzeder *f* (*Guazuma ulmifolia*). – 2. Bar'badoszeder *f* (*Cedrela odorata*). — **~ cher·ry** *s bot.* (*eine*) Eh'retie (*Ehretia tinifolia*). — **~ clo·ver** *s bot.* Bastardklee *m* (*Trifolium hybridum*). — **~ cress** *s bot.* Ackertäschelkraut *n* (*Thlaspi arvense*). — **~ dit·ta·ny** *s bot.* Diptam *m* (*Dictamnus albus*). — **~ file** *s tech.* Bastard-, Vorfeile *f*. — **~ hawk·weed** *s bot.* (*ein*) Pippau *m* (*Gattung Crepis*). — **~ hel·le·bore** *s bot.* (*eine*) 'Sumpforchi,dee (*Gattung Arethusa*). — **~ in·di·go** *s bot.* Bastardindigo *m* (*Amorpha fruticosa*). — **~ i·ron·wood** *s bot.* Falsches Eisenholz (*Fagara pterota*).

bas·tard·i·za·tion [ˌbæstərdaiˈzeiʃən; -di-] *s jur.* Unehelicherklärung *f*.

bas·tard·ize ['bæstərˌdaiz] **I** *v/t* 1. *jur.* für unehelich erklären, zum Bastard machen. – 2. verschlechtern, verfälschen, verderben. – 3. entarten lassen. – **II** *v/i* 4. entarten. — **'bas·tard,ized** *adj* entartet, Mischlings..., Bastard...

bas·tard jas·mine *s bot.* Hammerstrauch *m* (*Gattg Cestrum*).

bas·tard·ly ['bæstərdli] *adj obs.* 1. unehelich. – 2. niedrig geboren. – 3. verfälscht, unecht. – 4. entartet.

bas·tard| night·shade *s bot.* Ri'vina *f* (*Gattg Rivina*). — **~ pars·ley** *s bot.* Haftdolde *f* (*Caucalis daucoides*). — **~ pine** *s bot.* Bastardkiefer *f* (*mehrere amer. Kiefernarten*: *Pinus caribaea, serotina, taeda, virginiana*). — **~ plan·tain** *s bot.* Heli'konie *f* (*Heliconia bihai*). — **~ plov·er** *s zo.* Gemeiner Kiebitz (*Vanellus vanellus*). — **~ rhu·barb** *s bot.* Alpenampfer *m* (*Rumex alpinus*). — **~ ribs** *s pl med.* kurze, falsche Rippen *pl*. — **~ rock·et** *s bot.* Ackersenf *m* (*Sinapis arvensis*). — **~ saf·fron** → **safflower** 1. — **~ sen·na** *s bot.* Blasenstrauch *m* (*Colutea arborescens*). — **~ serv·ice tree** *s bot.* Bastard-Eberesche *f* (*Sorbus hybrida*). — **~ slip** *s fig.* Bastard *m*, uneheliches Kind. — **~ ti·tle** *s print.* Schmutztitel *m*. — **~ toad·flax** *s bot.* 1. *Br.* Leinblatt *n* (*Gattg Thesium*). – 2. *Am. eine verwandte Santalacee* (*Comandra umbellata u. C. pallida*). — **~ type** *s print.* Schrift *f* auf anderem Kegel. — **~ wing** *s zo.* Daumenfittich *m*, Afterflügel *m* (*bei Vögeln*).

bas·tar·dy ['bæstərdi] *s* 1. Bastardschaft *f*, uneheliche Geburt *od.* 'Herkunft. – 2. Zeugung *f* eines unehelichen Kindes.

baste[1] [beist] *v/t* 1. (ver)hauen, 'durch-, ausprügeln, verprügeln. – 2. *fig.* (*mit Worten*) angreifen, (heftig) schelten.

baste[2] [beist] *v/t* 1. (*Braten etc*) mit Fett begießen. – 2. (*Docht der Kerze*) mit geschmolzenem Wachs begießen.

baste[3] [beist] *v/t* (*mit weiten Stichen*) (an)heften, lose (zu'sammen)nähen.

bas·tide [bæs'ti:d; 'bæstid; bɑ:s-] *s* 1. *hist.* befestigter Turm, kleines Fort. – 2. südfranz. Landhaus *n*.

bas·tille, *auch* **bas·tile** [bæs'ti:l] *s* 1. *mil. hist.* a) Brücken-, Torturm *m*, b) Zita'delle *f*. – 2. **B~** *hist.* Ba'stille *f* (*befestigte Burg u. Gefängnis in Paris, erstürmt am 14. Juli 1789*). – 3. *allg.* Zwingburg *f*, Gefängnis *n*.

Bas·tille Day *s* franz. Natio'nalfeiertag *m* am 14. Juli.

bas·ti·na·do [ˌbæsti'neidou] *pl* **-does**, *auch* **ˌbas·ti'nade** [-'neid] **I** *s* 1. Stockschlag *m*. – 2. Prügel *pl*, Schläge *pl*. – 3. Basto'nade *f* (*orient. Strafe: Stockschläge auf die Fußsohlen*). – 4. Prügel *m*, Stock *m* (*zur Bastonade*). – **II** *v/t* 5. (*j-m*) die Basto'nade geben, (*j-n*) prügeln.

bast·ing[1] ['beistiŋ] *s sl.* 1. ('Durch)Prügeln *n*. – 2. Prügel *pl*, Schläge *pl*.

bast·ing[2] ['beistiŋ] *s* 1. a) Begießen *n* (*des Bratens*) mit Fett, b) Fett *n* zum Begießen, 'Überguß *m*. – 2. *tech.* Ausgießen *n* des geschmolzenen Wachses (*über die Dochte bei der Kerzenherstellung*).

bast·ing[3] ['beistiŋ] *s* 1. loses (Zu'sammen)Heften, Nähen *n od.* Heften *n* mit weiten Stichen. – 2. *meist pl* weite Stiche *pl*, Vorderstiche *pl*. – 3. Heftfaden *m*, -garn *n*.

bas·tion ['bæstiən; -tʃən] *s* 1. *mil.* Basti'on *f*, Ba'stei *f*, Bollwerk *n*. – 2. *fig.* Bollwerk *n*. — **'bas·tioned** *adj mil.* (durch Basti'onen *od.* eine Bastion) befestigt.

bas·ton ['bæstən] *s* 1. *arch.* Rundstab *m*, Pfühl *m*. – 2. *her.* → **baton** 5. – 3. *obs.* Stock *m*, Knüttel *m*, Prügel *m*.

bast| palm *s bot.* 1. Pias'savapalme *f* (*Attalea funifera*). – 2. 'Para-Pias'savapalme *f* (*Leopoldinia piassaba*). — **~ tree** → **basswood** 1 *u.* 2.

bat[1] [bæt] **I** *s* 1. (*bes. Baseball u. Kricket*) Schlagholz *n*, Schläger *m*, Schlagkeule *f*: **to carry one's ~** (*Kricket*) nicht aus sein; **off one's own ~** (*Kricket u. fig.*) selbständig, ohne fremde Hilfe; **you'll have an answer hot off** (*od.* **from**) **the ~** *Am. colloq.* du kriegst prompt *od.* sofort eine Antwort. – 2. (*Tennis, Tischtennis*) Schläger *m*. – 3. a) Schlagen *n*, b) Recht *n* zum Schlagen: **to be at (the) ~** am Schlagen sein, dran sein; **to go to ~ for s.o.** (*Baseball u. fig.*) für j-n eintreten. – 4. (*Kricket*) Schläger *m* (*Spieler*). – 5. a) Knüttel *m*, Keule *f*, Stock *m*, b) *dial.* Spa'zierstock *m*. – 6. *colloq.* Stockhieb *m*, scharfer Schlag (*mit einem Stock*). – 7. *tech.* a) Schlegel *m* (*in verschiedener Verwendung*), b) Stück *n*, Klumpen *m*, Brocken *m* (*von Ziegeln, Gips etc*), c) (*Bergbau*) Kohlen-, Brandschiefer *m*. – 8. *cf.* batt. – 9. *colloq. od. dial.* (Schritt)Tempo *n*. – 10. *Am. od. Canad. sl.* Kneipe'rei *f*, ‚Bierreise' *f*, Kneiptour *f*: **to go on a ~** eine Kneiptour machen. – **II** *v/t pret u. pp* **'bat·ted** 11. (*mit einem Schlagholz*) schlagen, treffen (*bes. den Ball*). – **III** *v/i* 12. (*Kricket, Baseball etc*) a) mit dem Schlagholz den Ball schlagen, b) am Schlagen sein, als Schläger spielen. – 13. *Am. sl.* ‚flitzen', eilen, rasen, stürzen.

bat[2] [bæt] *s* 1. *zo.* Fledermaus *f* (*Ordng Chiroptera*): **to be as blind as a ~** stockblind sein; → **belfry** 2. – 2. **B~** *aer. mil.* radargelenkte Gleitbombe.

bat[3] [bæt] *pret u. pp* **'bat·ted I** *v/i* 1. zwinkern, blinzeln. – 2. *obs. dial.* flattern, mit den Flügeln schlagen. – **II** *v/t Am. od. dial.* 3. blinzeln *od.* zwinkern mit (*den Augen*): **to ~ the eyes.**

bat[4] [bɑ:t; bæt] *s Br. Ind. colloq.* ('Umgangs)Sprache *f od.* Jar'gon *m* der Einheimischen *od.* Eingeborenen (*ursprünglich Indiens*): **to sling the ~** *Br. mil. sl.* die (Umgangs)Sprache der Einheimischen sprechen.

ba·ta·ta [bɑ:'tɑ:tə] *s bot.* Ba'tate *f*, Süße Kar'toffel (*Ipomoea batatas*).

Ba·ta·vi·an [bə'teiviən] **I** *adj* 1. ba'tavisch. – 2. holländisch. – **II** *s* 3. Ba'tavier(in), Bewohner(in) der Stadt Ba'tavia. – 4. Holländer(in).

bat| bolt *s tech.* an der Spitze gekerbter *od.* gerieferter Bolzen. — **~ boy** *s* (*Baseball*) Schlägerträger *m*.

batch [bætʃ] **I** *s* 1. Schub *m* (*auf einmal gebackene Menge*): **a ~ of bread** ein Schub Brot. – 2. Schub *m*, Menge *f*, Trupp *m*, Gruppe *f* (*gleicher Personen*): **he came with the first ~** er kam mit dem ersten Schub; **a ~ of prisoners** ein Trupp Gefangener. – 3. Schicht *f*, Satz *m*, Stoß *m*, Par'tie *f* (*gleicher Dinge*): **a ~ of letters** ein Stoß Briefe. – 4. *tech.* in einem vollständigen Arbeitsgang gleichzeitig erzeugte Menge (*ein Brand Ziegel etc*). – 5. *tech.* für einen Arbeitsvorgang erforderliches Materi'al, Satz *m*, Schicht *f*, Füllung *f*, *bes.* a) (*Gießerei*) (Beschickungs)Schicht *f*, b) (*Glasfabrikation*) (Glas)Satz *m*, Masse *f*, c) (*Töpferei*) Satz *m*, Ofenvoll *m*, d) (*Papierfabrikation*) Stampfhaufen *m*, e) (*Bäckerei*) Mehl- *od.* Teigmenge *f* für einen Schub. – **II** *v/t* 6. in gleichen Mengen, Lagen *od.* Stößen aufhäufen *od.* anordnen. – 7. *tech.* a) (*Färberei*) (*gefärbtes Tuch*) aufwickeln, b) (*Jute*) batschen, mit Öl und Wasser weich machen.

bate[1] [beit] **I** *v/t* 1. abziehen, nachlassen, abrechnen (*auch fig.*). – 2. *fig.* schwächen, verringern, vermindern. – 3. (*Neugier etc*) mäßigen, (*Hoffnung etc*) her'absetzen, (*Atem*) anhalten, verhalten: **with ~d breath** mit verhaltenem Atem. – 4. *obs.* a) nieder-, abschlagen, b) wegnehmen, entfernen. – 5. *obs.* berauben. – **II** *v/i* 6. sich vermindern, abnehmen, da'hinschwinden.

bate[2] [beit] (*Gerberei*) **I** *s* Beizbrühe *f*, Beize *f*, Ätzlauge *f*. – **II** *v/t* (*Häute*) in die Beizbrühe legen.

bate[3] [beit] *v/i* 1. (*unruhig*) um'herflattern, mit den Flügeln schlagen (*beizender Falke*). – 2. *fig.* ruhelos sein, um'herflattern.

bate[4] [beit] *s Br. sl.* Wut *f*, Zorn *m*: **to be in a ~** wütend sein.

ba·te·a [bɑ:'teiə] *s* Goldwäschertrog *m*.

ba·teau [bæ'tou] *pl* **-teaux** [-'touz] *s* (*bes. in Kanada u. Louisiana*) 1. leichtes langes Flußboot. – 2. Brückenkahn *m*, Ponton *m*. — **~ bridge** *s* Pontonbrücke *f*.

bate·ment ['beitmənt] *s* 1. *arch.* Maßwerk *n*. – 2. *obs.* Verminderung *f*, Nachlaß *m*. — **~ light** *s arch.* Maßwerklichte *f* (*am gotischen Fenster*).

'bat|,fish *s zo.* 1. Fledermausfisch *m* (*Ogcocephalus vespertilio*). – 2. Fliegender Fisch (*Dactylopterus volitans*). – 3. Adlerrochen *m* (*Aëtobatus californicus*). — **'~,fowl** *v/t u. v/i* bei Nacht (Vögel) (*mit Licht u. Netz*) fangen. — **'~,fowl·er** *s* nächtlicher Vogelfänger. — **'~,fowl·ing** *s* nächtlicher Vogelfang.

Bath[1] [*Br.* bɑ:θ; *Am.* bæ(:)θ] *npr* Bath *n* (*Stadt u. Badeort in England*): **go to ~!** *Br. sl.* ‚hau ab'! geh los!

bath[2] [*Br.* bɑ:θ; *Am.* bæ(:)θ] **I** *s pl* **baths** [-ðz] 1. (Wannen)Bad *n*: **medicated ~, medicinal ~** medizinisches Bad; **steam ~** Dampfbad; **~ of blood** *fig.* Blutbad; **to have** (*od.* **take**) **a ~** ein Bad nehmen. – 2. Badewasser *n*, -flüssigkeit *f*. – 3. Badewanne *f*: **to sit in one's ~** in der (Bade)Wanne sitzen. – 4. Bad *n*, Badezimmer *n*, -stube *f*. – 5. *meist pl* Badehaus *n*, -anstalt *f*, Bäder *pl*, Bad *n*. – 6. *meist pl* (Heil-, Kur)Bad *n*, Badeort *m*. – 7. a) Bad *n*, Flüssigkeit *f* (*in die etwas eingetaucht wird*), b) Behälter *m* (*für eine solche Flüssigkeit*). – 8. *chem. phot.* (Farb-, *etc*)Bad *n*, Lösung *f*, galvano'plastisches Bad: **fixing ~** Fixierbad. – 9. *tech.* Vorrichtung *f* zum Kühlen *od.* Erwärmen (*durch Wasser, Öl, Sand etc*). – 10. Gebadetsein *n* (*in Schweiß* etc). – 11. the (Order of the) B~ *Br.* der Bathorden: **Knight of the B~** Ritter des Bathordens; **Knight Commander of the B~** Komtur des Bathordens. – **II** *v/t* **12.** (*Kind etc*) baden. – **III** *v/i* **13.** baden, ein Bad nehmen.

bath[3] [bæθ] *s* Eimer *m*, Bath *m* (*altes hebräisches Flüssigkeitsmaß; etwa 40 l*).

Bath| brick *s* Bathziegel *m*, Putzstein *m*. — **~ bun** *s ein überzuckertes Hefegebäck.* — **~ chair** *s* Rollstuhl *m*, Krankenfahrstuhl *m*. — **~ chap** *s* (eingepökelte *od.* geräucherte) Schweinsbacke.

bathe [beið] **I** *v/t* **1.** baden, in Wasser tauchen: **to ~ oneself** (sich) baden. – **2.** waschen. – **3.** befeuchten, anfeuchten, benetzen. – **4.** (wie) mit Wasser bedecken *od.* um'schließen. – **5.** *fig.* baden, um'hüllen (*Sonnenlicht*). – **6.** *fig.* baden, eintauchen (in in *acc*): **to be ~d in tears** in Tränen schwimmen. – **7.** *poet.* bespülen, um'spülen: **the river ~s the mountain.** – **II** *v/i* **8.** (sich) baden, ein Bad nehmen. – **9.** baden, schwimmen (gehen). – **10.** (Heil)Bäder nehmen. – **11.** *fig.* sich baden, eingetaucht *od.* um'geben *od.* gebadet sein. – **III** *s* **12.** *bes. Br.* Bad *n* (*im Freien*): **to have a ~ in the sea** im Meer baden.

ba·thet·ic [bəˈθetik] *adj* **1.** baˈthetisch: a) vom Erhabenen zum Gewöhnlichen *od.* Lächerlichen sinkend, b) dem Niedrigen *od.* Niedrig-Komischen angehörend. – **2.** triviˈal, abgedroschen. – **3.** voll von falschem Pathos.

ˈbath͵house *s* **1.** Bad *n*, Badeanstalt *f*. – **2.** ˈUmkleideräume *pl*, -ka͵binen *pl* (*eines Schwimmbades*).

bath·ing [ˈbeiðiŋ] *s* Baden *n*. — **~ beau·ty** *s colloq.* Badeschönheit *f*. — **~ box** *s* Badehäuschen *n*. — **~ cos·tume** *s* ˈBadeko͵stüm *n*, -anzug *m*. — **~ dress** *s* Badeanzug *m*. — **~ es·tab·lish·ment** *s* Badeanstalt *f*. — **~ fa·tal·i·ty** *s* Bade-, Schwimmunfall *m*. — **~ gown** *s* Bademantel *m*. — **~ ma·chine** *s* Badekarren *m* (*fahrbare Umkleidekabine*). — **~ place** *s* **1.** Badestelle *f*, -platz *m*. – **2.** Badeort *m*. — **~ sea·son** *s* ˈBadesai͵son *f*. — **~ suit** *s* Badeanzug *m*. — **~ wrap** *s* Badetuch *n*, -mantel *m*.

bath keep·er *s* Bademeister *m*, Besitzer *m* eines (Heil)Bades.

Bath met·al *s tech.* ˈBathme͵tall *n*, Tombak *m*.

batho- [bæθo] *Wortelement mit der Bedeutung* tief, Tiefen...

bath·o·lite [ˈbæθo͵lait; -θə-], *auch* **ˈbath·o·lith** [-θəliθ] *s geol.* Bathoˈlith *m* (*Tiefengesteinskörper*). — **͵bath·oˈlith·ic, ͵bath·oˈlit·ic** [-ˈlitik] *adj* bathoˈlithisch.

Bath Ol·i·ver [*Br.* bɑːθ ˈɒlivər; *Am.* bæ(ː)θ] *s Br.* (*Art*) Keks *m*, *n* (*nach Dr. W. Oliver aus Bath benannt*).

ba·thom·e·ter [bəˈθɒmitər; -mə-] *s* Bathoˈmeter *n*, (Meeres)Tiefenmesser *m* (*Gerät*), Tiefseelot *n*.

Bath·o·ni·an [*Br.* bɑːˈθouniən; *Am.* bæ(ː)-] **I** *s* Bewohner(in) von Bath (*England*). – **II** *adj* Bath betreffend, aus *od.* von Bath, Bath...

ˈbat͵horse *s mil.* Packpferd *n*.

ba·thos [ˈbeiθɒs] *s* Bathos *n*: a) ˈÜbergang *m* vom Erhabenen zum Lächerlichen *od.* Triviˈalen, b) Gemeinplatz *m*, Trivialiˈtät *f*, c) falsches Pathos, d) *fig.* Tiefe *f*.

Bath pa·per, Bath post *s* feines ˈBriefpa͵pier.

ˈbath|͵robe *s* Bademantel *m*. — **ˈ~͵room** *s* **1.** Badezimmer *n*. – **2.** Toiˈlette *f*. — **~ salts** *s pl* Badesalz *n*. — **~ sponge** *s* Badeschwamm *m*. — **B~ stone** *s geol.* Muschelkalkstein *m*. — **~ tub** *s* Badewanne *f*.

ˈbath͵wort → birthroot.

bathy- [bæθi] *Wortelement mit der Bedeutung* a) Tiefen..., b) Tiefsee...

bath·y·al [ˈbæθiəl] *adj* bathyˈal, Tiefsee...

bath·y·an·(a)es·the·si·a [͵bæθi͵ænisˈθiːziə; -ʒə] *s med.* ˈTiefenanästhe͵sie *f*.

ba·thyb·i·an [bəˈθibiən] *adj* Tiefseeschleim..., Bathybius...

ba·thyb·i·us [bəˈθibiəs] *s zo.* Baˈthybius *m* Haeckelii, Tiefseeschleim *m*.

bath·y·col·pi·an [͵bæθiˈkɒlpiən] *adj* vollbusig, mit üppiger Brust.

ba·thym·e·try [bəˈθimitri; -mə-] *s* **1.** Tiefenmessung *f*. – **2.** Tiefseemessung *f*.

bath·y·or·o·graph·i·cal [͵bæθi͵ɒrəˈgræfikəl] *adj* die Meerestiefen und Bergeshöhen betreffend.

bath·y·plank·ton [ˈbæθi͵plæŋktən] *s biol.* Tiefseeplankton *n*.

bath·y·scaphe [ˈbæθi͵skeif] *s* Bathyˈskaph *m*, *n* (*Tiefseetauchgerät*).

bath·y·sphere [ˈbæθi͵sfir] *s tech.* Tiefsee-Taucherkugel *f*.

ba·tik [ˈbætik; bəˈtiːk] **I** *s* **1.** Batik(druck) *m*. – **2.** gebatikter Stoff. – **II** *v/t* **3.** batiken (*mit Wachsaufguß mustern*).

bat·ing [ˈbeitiŋ] *prep* abgerechnet, abgesehen von, ausgenommen: **~ a few mistakes** abgesehen von einigen Fehlern.

ba·tiste [bæˈtiːst; bə-] *s* Baˈtist *m*.

bat|·man [ˈbætmən] *s irr mil. Br.* **1.** Offiˈziersbursche *m*, Putzer *m*. – **2.** *obs.* Führer *m* eines Baˈgagepferdes. — **~ mon·ey** *s mil. hist.* Geld(bewilligung *f*) *n* für den Transˈport des Feldgepäcks.

bat·oid [ˈbætɔid] *zo.* **I** *adj* rochenartig. – **II** *s* rochenartiger Fisch (*Fam. Batoidei*).

ba·ton [ˈbætən; bæˈtɒn; bɑˈtɔ̃] **I** *s* **1.** (Amts-, Komˈmando)Stab *m*: **Field Marshal's ~** Marschall(s)stab. – **2.** *mus.* a) Taktstock *m*, (Diriˈgier-, Diriˈgenten)Stab *m*, b) Mehrtaktpause *f*: **to wield a good ~** gut dirigieren. – **3.** *sport* Staffelstab *m*, -holz *n*: **~ changing** Stabwechsel. – **4.** *Br.* kurzer Stock, (Poliˈzei-, Gummi)Knüppel *m*, Knüttel *m*. – **5.** *her.* (schmaler) Schrägbalken: **~ sinister** verkürzter Schräglinksbalken (*als Zeichen unehelicher Geburt*). – **6.** *obs.* Knüttel *m*, Keule *f*. – **II** *v/t* **7.** mit einem Stock schlagen. — **ˈba·toned** *adj* **1.** mit einem Stock ausgerüstet (*z.B. Polizist*). – **2.** *her.* mit einem (schmalen) Schrägbalken (versehen).

bat·o·pho·bi·a [͵bætəˈfoubiə] *s med.* krankhafte Furcht vor großen Höhen *od.* hohen Gegenständen, *bes.* hohen Gebäuden.

ˈbat|-͵pay → bat money. — **~ print·ing** *s* (*Porzellanfabrikation*) ˈÜberdruck *m* von Mustern.

ba·tra·chi·an [bəˈtreikiən] *zo.* **I** *adj* frosch-, krötenartig. – **II** *s* Baˈtrachier *m*, Froschlurch *m* (*Ordng Batrachia*).

bat·ra·chite [ˈbætrə͵kait] *s geol.* **1.** fosˈsiler Krötenstein. – **2.** Batraˈchit *m*.

bat·ra·choid [ˈbætrə͵kɔid] *adj zo.* frosch-, krötenähnlich.

bat·ra·choph·a·gous [͵bætrəˈkɒfəgəs] *adj zo.* froschfressend.

bat·ra·cho·pho·bi·a [͵bætrəkoˈfoubiə] *s med.* krankhafte Furcht vor Fröschen und Kröten.

bat shell *s zo.* Fledermaus-Rollschnecke *f* (*Voluta vespertilio*).

bats·man [ˈbætsmən] *s irr* (*Kricket, Baseball etc*) Schläger *m*, Schlagmann *m*.

bats·wing| burn·er [ˈbætswiŋ] *s tech.* Fledermaus-, Schlitzbrenner *m*. — **~ cor·al** *s bot.* (*ein*) Koˈrallenbaum *m* (*Erythrina vespertilio*).

batt [bæt] *s meist pl* minderwertige Baumwollwatte (*zum Füllen von Matratzen etc*).

bat·ta [ˈbætə] *s Br. Ind.* **1.** *mil.* Extrazulage *f* (*für brit. Offiziere, Soldaten etc in Indien*). – **2.** ˈUnterhaltsgebühren *pl* (*für Gefangene, Zeugen etc*), Unkostenvergütung *f*.

bat·tail·ous [ˈbætiləs] *adj obs.* kriegerisch, kampfbegierig.

bat·ta·lia [bəˈteiljə; -ˈtæl-] *s mil. obs.* **1.** Schlachtordnung *f*. – **2.** in Schlachtordnung aufgestellte Arˈmee. — **~ pie** *s* (*Art*) ˈFleischpa͵stete *f*.

bat·tal·ion [bəˈtæljən] *mil.* **I** *s* Batailˈlon *n*, Abˈteilung *f*: **labo(u)r ~** Arbeits-, Arbeiterbataillon. – **II** *v/t* zu einem Batailˈlon forˈmieren.

bat·teau *cf.* **bateau.**

bat·tel [ˈbætl] (*Universität Oxford*) **I** *s* (*nur im pl verwendet*) Collegerechnung *f* (*für gelieferte Lebensmittel, im weiteren Sinn für sämtliche Collegekosten eines Studenten*). – **II** *v/i* im College gegen Zahlung beköstigt werden. — **ˈbat·tel·er** *s* **1.** Teilnehmer *m* an den Collegemahlzeiten. – **2.** *hist. Student, der sein Essen vom Koch bezog, ohne am gemeinsamen Mahl teilzunehmen.*

bat·ten[1] [bætn] **I** *v/i* **1.** fett werden (on von), gedeihen. – **2.** a) fruchtbar werden (*Boden*), b) ˈübermäßig wachsen, wuchern (*Pflanze*). – **3.** *auch fig.* (on, upon) sich mästen (mit), sich gütlich tun (an *dat*). – **4.** *fig.* sich weiden (on an *dat*), schwelgen (in in *dat*). – **II** *v/t* **5.** mästen (on mit).

bat·ten[2] [ˈbætn] **I** *s* **1.** Latte *f*, Leiste *f*. – **2.** *mar.* a) achteres Schalstück (*der Rahen*), b) Perˈsenningsleiste *f*: **~ of the hatch** Schalkleiste, (Luken)Schalklatte. – **3.** *tech.* a) (Heft)Latte *f*, Leiste *f*, b) Diele *f*, (Fußboden)Brett *n*, (Fußboden)Latte *f*, c) (*Bauwesen*) Richtscheit *n*, Richtlatte *f*, d) (*Weberei*) Lade *f*, Schlag *m*, e) (*Seilerei*) Schlagholz *n*. – **II** *v/t* **4.** *auch* **~ down, ~ up** (mit Latten) verkleiden *od.* verschalen *od.* befestigen. – **5.** *mar.* verschalken: **to ~ down the hatch** die Luke schalken.

bat·ten| door *s* Latten-, Leistentür *f*. — **~ end** *s tech.* kurzes vierkantiges Brett. — **~ fence** *s* Lattenzaun *m*.

bat·ten·ing [ˈbætniŋ] *s arch.* Lattenwerk *n*.

bat·ter[1] [ˈbætər] **I** *v/t* **1.** heftig *od.* wiederˈholt schlagen *od.* klopfen *od.* stoßen gegen. – **2.** zerschlagen, -schmettern (*auch fig.*): **to ~ in** einschlagen, einbeulen; **to ~ in s.o.'s skull** j-m den Schädel einschlagen. – **3.** *mil.* bombarˈdieren, beschießen: **to ~ down** nieder-, zusammenschießen. – **4.** abnutzen, beschädigen, ver-, zerbeulen: **an old ~ed hat** ein alter schäbiger Hut. – **5.** *fig.* arg mitnehmen, böse zurichten. – **II** *v/i* **6.** heftig schlagen, wiederˈholt klopfen *od.* stoßen (upon gegen, auf *acc*; at an *acc*): **to ~ at the door** gegen die Tür hämmern. – **7.** *mil.* schießen (upon auf *acc*). – **III** *s* **8.** *selten* a) heftiger Schlag, b) *mil.* Beschuß *m*. – **9.** *print.* beschädigte Type, abgequetschter *od.* deˈfekter Schriftsatz.

bat·ter[2] [ˈbætər] *arch.* **I** *v/i* sich verjüngen (*von einer Mauer, die oben nach innen zurücktritt*). – **II** *v/t* einziehen, verjüngen: **~ed face** Böschungsfläche (*einer Ufermauer*). – **III** *s* Böschung *f*, Verjüngung *f*, Abdachung *f*.

bat·ter[3] [ˈbætər] *s* geschlagener, dünner Eierteig.

bat·ter[4] [ˈbætər] → batsman.

ˈbat·ter͵cake *s Am.* (*Art*) Eierkuchen *m*.

bat·tered [ˈbætərd] *adj* **1.** zerschmettert, zerschlagen. – **2.** abgenutzt, arg mitgenommen: **~ jade** Klepper,

Kracke; ~ pavement abgetretenes Pflaster; ~ veteran alter, invalider Soldat.

bat·ter·ing ['bætəriŋ] *adj* **1.** *arch.* a) sich verjüngend, b) sich bauchend. – **2.** schlagend, zerschmetternd. – **3.** *mil. hist.* a) Sturm..., Angriffs..., b) Belagerungs... — ~ **charge** *s* volle Pulverladung. — ~ **gun,** ~ **piece** *s mil. hist.* Belagerungsgeschütz *n.* — '~-ˌ**ram** *s mil. hist.* (Belagerungs)-Widder *m*, Sturmbock *m.*

bat·ter rule *s tech.* Bleilot *n* (*mit dreieckigem Rahmen*).

bat·ter·y ['bætəri] *s* **1.** *mil. hist.* Angriff *m* (*mit dem Sturmbock etc*), Beschießen *n*, Bestürmen *n* (*auch fig.*). – **2.** Schlagen *n*, Schläge'rei *f.* – **3.** *jur.* tätlicher Angriff, Tätlichkeit *f*, Körperverletzung *f*: → **assault** 4. – **4.** *mil. Am.* Batte'rie *f*: a) *mehrere Geschütze unter einem Kommando*, b) *kleinste geschlossene Artillerieeinheit*, c) Geschützstellung *f*, d) *Br.* Artille'rieabˌteilung *f*, -batailˌlon *n*: **to silence a** ~ eine (feindliche) Batterie zum Schweigen bringen. – **5.** *mar.* Geschütze *pl*, Gruppe *f* von Geschützen (*eines Kriegsschiffes*). – **6.** *electr.* (elektr. *od.* gal'vanische) Batte'rie: **to short-circuit a** ~ eine Batterie kurzschließen; → **charge** 3. – **7.** (*Optik*) Reihe *f*, Satz *m* (*in einem Instrument vereinigte Linsen u. Prismen*), 'Linsen- u. 'Prismensyˌstem *n.* – **8.** (gehämmertes) Kupfer-, Messinggeschirr. – **9.** *tech.* Batte'rie *f* (*mehrere zusammenwirkende Geräte, Kessel etc*). – **10.** (*Baseball*) *collect.* Werfer *m* u. Fänger *m* (*zusammen*). – **11.** *hunt. Am.* (*im Wasser liegendes kastenartiges*) Boot zur (Enten)Jagd. – **12.** *mus. colloq.* Schlagzeug *n.* – **13.** *psych.* Test(reihe *f*) *m.*

bat·ter·y| ac·id *s electr.* Akkumula'toren-, Sammlersäure *f.* — ~ **box** *s* Batte'riekasten *m*, -gehäuse *n.* — ~ **cell** *s* Sammlerzelle *f*, Batte'rieeleˌment *n.* — ~ **charg·er** *s* 'Ladesatz *m*, -gerät *n*, -maˌschine *f.* — '~-ˌ**charg·ing sta·tion** *s* Batte'rieladestelle *f.* — ~ **dis·charg·er** *s* (Batte'rie)Entˌladeˌwiderstand *m.* — ~ **e·lim·i·na·tor** *s* 'Netzaˌnode *f.* — ~ **hy·drom·e·ter** *s* Acidi'meter *n*, Säureheber *m.* — ~ **ig·ni·tion** *s tech.* Batte'riezündung *f* (*an Motoren*). — '~-'**op·er·at·ed** *adj* mit Batte'riebetrieb, batte'riegespeist: ~ **set** (*Radio*) Batterieempfänger.

bat tick *s zo.* Fledermausfliege *f* (*Fam. Nycteribiidae*).

bat·tik *cf.* **batik.**

bat·ting ['bætiŋ] *s* **1.** Schlagen *n*, Klopfen *n* (*bes. Rohbaumwolle*). – **2.** (*Kricket, Baseball etc*) Schlagen *n* (*Ball*): **his** ~ **was good** er war ein guter Schläger. – **3.** (Baum)Wolle *f* in Lagen (*für Steppdecken etc*). — ~ **av·er·age** *s sport* 'Durchschnittsleistung *f* eines Schlägers: a) (*Baseball*) *Zahl der erfolgreichen Schläge, dividiert durch die Zahl der Gelegenheiten, bei denen der Schläger am Schlagen war*: **Musial's** ~ **is** .348, b) (*Kricket*) *Zahl der Läufe innerhalb einer gegebenen Zeit, dividiert durch die Zahl der Spielperioden*: **Hutton's** ~ **is** 60.68. — ~ **block** *s tech.* Schlagblock *m* (*zum Flachklopfen des nassen Tons*). — ~ **eye** *s* (*Baseball, Kricket*) (*zum guten Schlägerspiel erforderliches*) Augen(maß). — ~ **ham·mer** *s tech.* Schläger *m* (*zum Behandeln von Flachs etc*).

bat·tle ['bætl] **I** *v/i* **1.** *bes. fig.* kämpfen, streiten, fechten (**with** mit; **for** um; **against** gegen): **to** ~ **it (out)** es auskämpfen. – **II** *v/t* **2.** *Am.* bekämpfen (*auch fig.*). – **III** *s* **3.** Schlacht *f*, Treffen *n*, Gefecht *n*: ~ **of Britain** Luftschlacht um England (*2. Weltkrieg*). – **4.** Zweikampf *m*, Du'ell *n*: **trial by** ~ *hist.* Ordal, Gottesurteil durch Zweikampf. – **5.** *fig.* Kampf *m*, Ringen *n* (**for** um). – **6.** Sieg *m*: **to have the** ~ den Sieg davontragen. – **7.** *mil. hist.* a) Heer *n*, 'Heeresabˌteilung *f* (*in der Schlacht*), Schlachtreihe *f* (*auch fig.*), b) *auch* **main** ~ Haupttreffen *n.* – *SYN.* **action, engagement.** –
Besondere Redewendungen:
to do ~ kämpfen, fechten, sich schlagen (**for** um); **to fight a** ~ einen Kampf ausfechten *od.* führen; **to give** ~ eine Schlacht liefern; **to fight one's own** ~**s** sich allein durchschlagen; **to fight s.o.'s** ~ j-s Sache vertreten; **field of** ~ Schlachtfeld; **the** ~ **is to the strong** der Sieg gehört den Starken; **that is half the** ~ das ist schon ein großer Gewinn; **a good start is half the** ~ frisch gewagt ist halb gewonnen; ~ **of words** Wortgefecht; → **join** 5.

bat·tle| ar·ray → **battle order** 1. — '~-ˌ**ax(e)** *s* **1.** *mil. hist.* a) Streitaxt *f*, b) Helle'barde *f*, c) *mar.* Enterbeil *n.* – **2.** *colloq.* ‚Drache' *m*, Xan'thippe *f.* — ~ **call** *s* Schlachtruf *m*, -geschrei *n.* — ~ **clasp** *s mil.* Erinnerungs-, Schlachtenspange *f.* — ~ **club** *s* Kriegskeule *f* (*der Südseeinsulaner*). — ~ **cruis·er** *s mar.* Schlachtkreuzer *m.* — ~ **cry** → **battle call.**

bat·tled ['bætld] *adj* **1.** in Schlachtordnung aufgestellt. – **2.** *poet.* gefochten, gekämpft, ausgetragen (*Schlacht*).

bat·tle·dore ['bætlˌdɔːr] **I** *s* **1.** Waschschlegel *m*, -bleuel *m.* – **2.** *sport* Ra'kett *n* (*Schläger für das Federballspiel*). – **3.** *auch* ~ **and shuttlecock** *sport* Federballspiel *n.* – **4.** *mar. obs.* Kanupaddel *n.* – **5.** Bäckerschaufel *f* (*zum Broteinschieben*). – **6.** (*Glashütte*) Streicheisen *n.* – **7.** *obs.* AB'C-Buch *n*, Fibel *f.* – **II** *v/t* **8.** 'hin- u. 'herwerfen. – **III** *v/i* **9.** 'hin- u. 'hergeworfen werden, schwanken.

bat·tle| dress *s mil. Br.* Dienst-, Kampf-, Feldanzug *m* (*Uniform*). — ~ **fa·tigue** *s mil. psych.* 'Kriegsneuˌrose *f.* — '~ˌ**field,** '~ˌ**ground** *s* Kampf-, Schlachtfeld *n.* — ~ **lantern** *s mar.* Ge'fechtslaˌterne *f.*

bat·tle·ment ['bætlmənt] **I** *s* **1.** *mil.* Festungsmauer *f od.* Brustwehr *f* mit Zinnen. – **2.** *pl* Zinnen *pl.* – **3.** mit Zinnen versehener Gebäudeteil. – **II** *v/t* **4.** *arch.* mit Zinnen versehen. — '**bat·tleˌment·ed** [-ˌmentid] *adj* mit Zinnen versehen.

bat·tle| or·der *s mil.* **1.** Schlachtordnung *f*, Gefechtsgliederung *f.* – **2.** Gefechtsbefehl *m*, taktischer Befehl. — ~ **piece** *s* Schlachtszene *f* (*in Malerei, Literatur etc*). — '~ˌ**plane** *s aer. mil.* Frontflugzeug *n.* — ~ **roy·al** *s* **1.** Handgemenge *n*, allgemeiner Kampf. – **2.** erbitterter Kampf, Kampf *m* bis aufs Messer (*auch fig.*). — '~-ˌ**scarred** *adj* von (Kampfes)Narben bedeckt. — '~ˌ**ship** *s mar.* Schlacht-, Linienschiff *n.*

bat·tle·some ['bætlsəm] *adj selten* streitbar, -süchtig, kämpferisch.

bat·tle| star *s mil. Am.* Erinnerungsabzeichen *n* (*für Teilnahme an einer Schlacht*). — '~ˌ**wag·(g)on** *s mar. sl.* Schlachtschiff *n.* — ~ **word** → **battle call.**

bat·tol·o·gize [bə'tɒləˌdʒaiz] **I** *v/t* (*Worte etc*) unnötig wieder'holen. – **II** *v/i* sich unnötig wieder'holen. — **bat'tol·o·gy** [-dʒi] *s* (nutzlose) Wieder'holung.

bat·tue [bæ'tuː; -'tjuː] *s* **1.** *auch* ~ **shooting** Treibjagd *f* (*auch fig.*): **driven at** ~ zusammengetrieben (*Wild*). – **2.** zu'sammengetriebenes Wild. – **3.** *fig.* große Razzia. – **4.** *fig.* Metze'lei *f*, Niedermetzelung *f* (wehrloser Menschen).

bat·ture [ba'tyːr; bə'tjur] (*Fr.*) *s* Sandbank *f*, angeschwemmtes Land.

bat·tu·ta [bat'tuta] (*Ital.*) *s mus.* Taktschlag(en *n*) *m.*

bat·ty ['bæti] *adj* **1.** fledermausartig. – **2.** *sl.* ‚plem'plem' (*verrückt*): **to be** ~ **in the bean** ‚einen Vogel haben' (*verrückt sein*).

'**batˌwing I** *s* **1.** Fledermausflügel *m.* – **2.** *tech.* Fledermaus-, Fächerbrenner *m.* – **II** *adj* **3.** Fledermausflügel..., Fächer... — ~ **burn·er** → **batwing** 2.

bau·ble ['bɔːbl] *s* **1.** Nippsache *f*, (kleines) Spielzeug, Tand *m.* – **2.** *fig.* Spiele'rei *f*, lächerliche Sache. – **3.** *obs.* a) Narrenstab *m*, -zepter *n*, b) Kinderspielzeug *n*, c) närrischer Kindskopf. — **bau·ble·ry** ['bɔːblri] *s* Spiele'rei *f*, Kinde'rei *f.* — **bau·bling** ['bɔːbliŋ] *adj obs.* verächtlich, wertlos.

baud [bɔːd] *s electr.* Baud *n* (*Einheit der Telegraphiergeschwindigkeit*).

bau·de·kin ['bɔːdikin], *auch* **baud·kin** ['bɔːdkin] *s obs.* Baldachin *m* (*Stoff*).

Bau·hin's valve ['bɔːhinz] *s med.* Blinddarmklappe *f*, Bauhinsche Klappe.

bau·lite ['bɔːlait] *s min.* Bau'lit *m.*

baulk *cf.* **balk.**

Bau·mé [ˌbo'mei] *adj chem. phys.* Baumé... (*die Baumésche Skala des Hydrometers betreffend*).

baum·hau·er·ite [baum'hauəˌrait] *s min.* Baumhaue'rit *n* ($4PbS \cdot 3As_2S_3$).

bau·son ['bɔːsn] *s zo. obs.* Dachs *m.*

bau·sond ['bɔːsnd] *adj Scot. od. dial.* (*von Tieren*) **1.** weiß gefleckt. – **2.** mit einer Blesse auf der Stirn.

'**bau·son-ˌfaced** → **bausond** 2.

baux·ite ['bɔːksait; 'bouzait] *s min.* Bau'xit *n* ($Al_2O_3 \cdot 2H_2O$).

Ba·var·i·an [bə'vɛ(ə)riən] **I** *adj* bay(e)-risch. – **II** *s* Bayer(in).

bav·a·roy ['bævəˌrɔi] *s obs.* (*Art*) Mantel *m*, 'Überrock *m.*

ba·vi·an ['beiviən] → **baboon.**

bav·in ['bævin] **I** *s* **1.** (Bündel *n*) Reisholz *n*, Reisig *n.* – **2.** *mil.* Fa'schine *f.* – **II** *adj* **3.** *poet.* (*wie Reisig*) leicht aufflackernd, schnell verbrennend.

baw·cock ['bɔːˌkɒk] *s colloq.* feiner Kerl, Prachtkerl *m.*

bawd[1] [bɔːd] **I** *s* **1.** Kuppler(in), Bor'dellwirt(in). – **2.** → **bawdy** II. – **II** *v/i* **3.** *obs.* kuppeln, Kuppe'lei treiben.

bawd[2] [bɔːd; bɑːd] *s Scot. od. dial.* Hase *m.*

bawd·i·ness ['bɔːdinis] *s* **1.** Unzucht *f.* – **2.** Unflätigkeit *f*, Unzüchtigkeit *f.*

bawd·ry ['bɔːdri] *s obs.* **1.** Kuppe'lei *f.* – **2.** Unzucht *f*, Hure'rei *f.* – **3.** Unflätigkeit *f*, Zote *f*, Obszöni'tät *f.*

bawd·y ['bɔːdi] **I** *adj* unzüchtig, unflätig, schlüpfrig (*Rede etc*). – **II** *s* ob'szönes Gerede, Zoten *pl*: **to talk** ~ Zoten reißen. — ~ **bas·ket** *s* Händler *m* mit unzüchtigen Schriften. — '~ˌ**house** *s* Bor'dell *n.*

bawl [bɔːl] **I** *v/t* **1.** *oft* ~ **out** (laut *od.* marktschreierisch) ausrufen. – **2.** ~ **out** *Am. sl.* (*j-n*) anbrüllen, ‚anschnauzen', ‚her'untermachen' (*schelten*). – **II** *v/i* **3.** schreien, brüllen, kreischen: **to** ~ **about the house** im Haus herumbrüllen; **to** ~ **at s.o.** j-n anbrüllen. – **4.** (*vor Schmerz etc*) brüllen, heulen. – **III** *s* **5.** (lauter) Schrei, Geheul *n*, Gebrüll *n.* — '**bawl·ing I** *s* Schreien *n*, Kreischen *n.* – **II** *adj* schreiend, kreischend.

bawn [bɔːn] *s* **1.** befestigter Schloßhof. – **2.** (Vieh)Gehege *n* (*in Irland*).

bay[1] [bei] *s* **1.** *auch* ~ **tree,** ~ **laurel** *bot.* Lorbeerbaum *m* (*Laurus nobilis*). – **2.** *meist pl* a) Lorbeerkranz *m*, b) *fig.* Lorbeeren *pl*, Ehren *pl*: **to carry off the** ~**s** Lorbeeren ernten, den Ruhm *od.* Sieg davontragen. – **3.** *obs.* Beere *f* (*bes. des Lorbeerbaums*).

bay² [bei] *s* **1.** Bai *f*, Bucht *f*: B~ of Biscay Bucht von Biscaya. – **2.** Talbucht *f*, -mulde *f*. – **3.** *Am.* Prä'riearm *m* (*zwischen Wäldern*).

bay³ [bei] *s arch.* **1.** Lücke *f*, Öffnung *f* (*in einer Mauer*): ~ of a door Türöffnung. – **2.** Joch *n*, Fach *n*, (*senkrechter*) Zwischenraum, Ab'teilung *f* (*von Pfeiler zu Pfeiler, von Balken zu Balken*): ~ of a bridge Brückenjoch, -feld, -glied; ~ of joists Balkenlage; ~ of a lock Schleusenhaupt; ~ of masonry Wandfach; ~ of roofing Dachsparren(gerüst) (*zwischen zwei Hauptbalken*). – **3.** Fensternische *f*. – **4.** Erker(fenster *n*) *m*. – **5.** Banse(nfach *n*) *f*, Bansen *m* (*einer Scheune*). – **6.** Feld *n*, Fach *n*, Kas'sette *f* (*einer Balkendecke*). – **7.** *aer.* a) Ab'teilung *f* zwischen den Streben u. Schotten (*eines Flugzeugs*), b) Ab'teilung *f od.* Zelle *f* im Flugzeugrumpf: → bomb ~. – **8.** *mar.* 'Schiffslaza,rett *n*. – **9.** (*Eisenbahn*) 'Endstati,on *f* einer Nebenlinie, Seitenbahnsteig *m*.

bay⁴ [bei] **I** *v/i* **1.** (dumpf) bellen, Laut geben (*Hund*): to ~ at s.o. (s.th.) j-n (etwas) anbellen. – **2.** *fig.* schreien, brüllen: to ~ at s.o. j-n anschreien. – **II** *v/t* **3.** anbellen, bellend verfolgen *od.* angreifen: to ~ the moon den Mond anbellen. – **4.** (*von Jagdhunden*) a) (*Wild*) stellen, b) jagen, hetzen. – **5.** *fig.* mit bellender Stimme *od.* laut äußern. – **6.** *fig.* in Schach halten. – **III** *s* **7.** (tiefes) Bellen (*Meute*). – **8.** a) Gestelltwerden *n*, -sein *n* (*durch die Jagdhunde*), b) *fig.* Enge *f*, Verlegenheit *f*, Bedrängnis *f*, Klemme *f*, Not *f*, verzweifelte Lage: to be (*od.* stand) at ~ a) gestellt sein (*Hirsch*), b) *fig.* in höchster Not sein, c) zum Äußersten getrieben sein, sich zur Wehr setzen; to bring (*od.* drive) to ~, to hold (*od.* keep) at ~ a) (*Wild*) stellen, b) *fig.* in Schach halten.

bay⁵ [bei] **I** *adj* rötlich-, ka'stanienbraun (*Pferd etc*): ~ horse Brauner. – **II** *s* Brauner *m* (*Pferd*): The Queen's Bays *das brit. 2. Gardedragonerregiment.*

bay⁶ [bei] **I** *s* (Mühlen-, Teich)Damm *m*, Deich *m*. – **II** *v/t* eindeichen, -dämmen: to ~ back zurückdämmen; to ~ up aufdämmen.

bay⁷ [bei] *s zo.* Eissprosse *f* (*Geweih*).

ba·ya [bəˈjɑː] *s zo.* Webervogel *m* (*Ploceus baya*).

ba·ya·dere [ˌbɑːjəˈdiːr; -ˈdɛr] **I** *s* **1.** Baja'dere *f*. – **2.** buntes Streifenmuster. – **3.** buntgestreifter Stoff. – **II** *adj* **4.** quergestreift (*in grellen Farben*).

ba·yal [bɑːˈjɑːl] *s* (*Art*) feine Rohbaumwolle.

ba·ya·mo [bɑːˈjɑːmou] *s* Ba'yamo-,sturm *m* (*heftiger Gewittersturm an der Südküste Kubas*).

bay ant·ler → bay⁷.

Bay·ard¹ [ˈbeiərd; -ɑːrd] *s fig.* Ehrenmann *m*, Muster *n* an Mut u. Ehrenhaftigkeit.

bay·ard² [ˈbeiərd; -ɑːrd] **I** *s* **1.** Brauner *m*, ka'stanienbraunes Pferd. – **2.** (*ironisch*) Roß *n*, Renner *m*. – **3.** *obs.* dummdreister Mensch. – **II** *adj* **4.** (ka'stanien)braun (*Pferd*).

bay·ber·ry [ˈbei,beri; -bəri] *s bot.* **1.** Frucht *f* des Lorbeerbaumes. – **2.** *Am.* Frucht *f* der Wachsmyrte *Myrica cerifera*. – **3.** Pi'mentbaum *m* (*Pimenta acris*). — ~ **bark** *s med.* Rinde *f* der Wachsmyrte. — ~ **candle** *s Am.* Kerze *f* aus Myrtenwachs. — ~ **oil** *s* **1.** grünes Wachs, Myrtenwachs *n*. – **2.** Lorbeeröl *n*.

bay| bird *s zo. Am. ein regenpfeiferod. schnepfenartiger Sumpfvogel.* — '~-,**col·o(u)red** *adj* braun(farbig).

bayed [beid] *adj* **1.** gefacht, (*durch Querbalken*) in Ab'teilungen, Fächer, Felder *etc* geteilt. – **2.** fach-, nischenförmig. — '~-'**up** *adj tech.* aufgedämmt.

Ba·yeux tap·es·try [*bes. Am.* beiˈjuː; *Br.* baiˈjəː] *s* Teppich *m* von Ba'yeux (*mit Darstellungen der normannischen Eroberung 1066*).

'**bay|,gall** *s Am. dial.* mit sumpfigem Boden u. verfilzten Pflanzenfasern bedeckte Landstrecke. — ~ **ice** *s mar.* junges Eis (*in Buchten od. Fjorden der Arktis*). — ~ **lau·rel** → bay¹ 1. — ~ **leaf** *s irr* Lorbeerblatt *n*.

bay·let [ˈbeilit] *s* kleine Bai *od.* Bucht.

bay| ma·hog·a·ny → baywood. — '~**man** [ˈbeimən] *s irr* **1.** Anwohner *m* (*Fischer, Arbeiter etc*) einer Bai. – **2.** Maha'goniholz-Fäller *m* (*in Brit.-Honduras*). – **3.** *mar. Am.* Krankenwärter *m* (*bes. auf Kriegsschiffen*). — ~ **oil** → bayberry oil.

bay·o·net [ˈbeiənit] *mil.* **I** *s* **1.** Bajo'nett *n*, Seitengewehr *n*: to take (*od.* carry) at the point of the ~ mit dem Bajonett nehmen; the ~ at the charge mit gefälltem Bajonett; to fix the ~ das Bajonett aufpflanzen. – **2.** the ~(s) *fig.* das Mili'tär, die Sol'daten *pl*: 5000 ~s 5000 Mann Infanterie. – **II** *v/t* **3.** mit dem Bajo'nett forttreiben *od.* erstechen. – **4.** mit Gewalt nehmen. – **5.** mit dem Bajo'nett *od.* mit mili'tärischer Gewalt erzwingen. — ~ **belt** *s mil.* Bajo'nettgurt *m*, -riemen *m*. — ~ **catch** → bayonet fixing. — ~ **clasp** *s mil.* Bajo'nettring *m*. — ~ **cou·pling** *s tech.* Schnellkupplung *f*.

bay·o·net·ed [ˈbeiə,nitid] *adj* **1.** mit Bajo'nett(en) ausgerüstet. – **2.** mit dem Bajo'nett erstochen.

bay·o·net| fenc·ing *s* Bajo'nettfechten *n*, Bajonet'tieren *n*. — ~ **fix·ing**, ~ **joint** *s tech.* Bajo'nettverschluß *m*, -verbindung *f*, Muffen-, Hülsenführung *f*. — ~ **lamp·hold·er**, ~ **sock·et** *s tech.* Bajo'nettfassung *f*, -sockel *m*. — ~ **work** *s tech.* Bund-, Fach-, Riegelwand *f*.

bay·ou [ˈbaiuː; -ou] *s Am.* Altwasser *n*, Ausfluß *m* aus einem See, sumpfiger Nebenarm (*Fluß*).

bay| rum *s* Bayrum *m*, Pi'mentrum *m*, -spiritus *m* (*Haar-, Rasierwasser etc*). — ~ **salt** *s* Bai-, Seesalz *n*. — ~ **seal** *s* 'Sealimitati,on *f* (*aus Kaninchenfell*). — **B~ State** *s Am.* (*Spitzname für*) Massa'chusetts *n*. — ~ **stone** *s arch.* Grundstein *m* (*eines leichten Gebäudes*). — ~ **win·dow** *s* Erkerfenster *n*.

'**bay-,winged** *adj zo.* mit (rötlich)-braunen Flügeln. — ~ **bun·ting** *s zo.* Grasammer *f* (*Pooecetes gramineus*).

'**bay|,wood** *s* Kam'pescheholz *n* (*Art leichtes Mahagoniholz*). — '~,**work** *s arch.* Fachwerk *n*.

ba·zaar, *auch* **ba·zar** [bəˈzɑːr] *s* **1.** (*Orient*) Ba'sar *m*, Markt(platz) *m*, Ladenstraße *f*. – **2.** *econ.* (billiges) Warenhaus. – **3.** 'Wohltätigkeitsba,sar *m*.

ba·zoo·ka [bəˈzuːkə] *s mil.* Ba'zooka *f*, (Ra'keten)Panzerbüchse *f*, ‚Ofenrohr' *n*. — **ba'zoo·ka·man** [-mən] *irr*, *auch* **ba,zoo'kier** [-ˈkir] *s mil.* Ba'zooka-Schütze *m*.

B bat·ter·y *s electr.* An'odenbatte,rie *f*.

BB gun *s Am. colloq.* Luftgewehr *n*. — **BB shot** *s Am. colloq.* Luftgewehrschrot *m*, *n*.

BCG vac·cine *s med.* BC'G-Impfstoff *m* (*Bacillus-Calmette-Guerin; gegen Tuberkulose*).

bdell- [del] → bdello-.

bdel·li·um [ˈdeliəm] *s* **1.** *auch* ~ shrub *bot.* (*ein*) Balsamstrauch *m* (*Commiphora roxburghiana, Indien, od. C. africana, Afrika*). – **2.** *chem.* Bdellium *n* (*Gummiharz von* 1). – **3.** *Bibl.* Be'dellion *n*.

bdello- [delo] *med. zo. Wortelement mit der Bedeutung* Blutegel.

bdel·lom·e·ter [deˈlɒmitər; -mə-] *s med.* Bdello'meter *n* (*Art Schröpfkopf*). — **bdel·lot·o·my** [deˈlɒtəmi] *s med.* **1.** Blutegelschnitt *m* (*nach welchem der Egel weitersaugt*). – **2.** Anwendung *f* des Bdello'meters.

be [biː] *1. sg pres* **am** [æm], *2. sg pres* **are** [ɑːr], *obs.* **art** [ɑːrt], *3. sg pres* **is** [iz], *pl pres* **are** [ɑːr], *1. u. 3. sg pret* **was** [wɒz], *2. sg pret* **were** [wəːr], *pl pret* **were** [wəːr], *pp* **been** [biːn; bin], *pres p* **be·ing** [ˈbiːiŋ] **I** *auxiliary verb* **1.** sein (*mit dem pp zur Bildung der zusammengesetzten Zeiten von intransitiven Verben zur Bezeichnung eines dauernden Zustandes* [*sonst selten*], *bes. bei Verben der Bewegung*: to come, fall, go, pass *etc u. des Werdens od. der Veränderung*: to become, turn, degenerate *etc*): he has gone er ist gegangen; he is gone er ist weg; I have come ich bin gekommen; I am come ich bin da. – **2.** werden (*mit dem pp zur Bildung des pass*): the register was signed das Protokoll wurde unterzeichnet; I was told man hat mir *od.* mir wurde gesagt; I am forbidden to drink es ist mir verboten zu trinken; we were appealed to man wandte sich an uns; you will ~ sent for man wird Sie holen lassen. – **3.** (*mit* to *u. inf*) sollen, müssen, wollen, dürfen, können (*im Deutschen stets der aktive inf, im Englischen aber, je nachdem der Gedanke aktiv od. passiv ist, der aktive od. passive inf*): he is to die er muß *od.* soll sterben; it is to ~ hoped es ist zu hoffen, man kann *od.* darf *od.* muß hoffen; it is not to ~ seen es ist nicht zu sehen; if I were to die wenn ich sterben sollte. – **4.** im Begriffe sein (*mit dem pres p eines anderen Verbums wird die sogenannte periphrastische Konjugation gebildet*): a) *zur Bezeichnung einer andauernden, noch nicht vollendeten Handlung, in der man eben begriffen od. mit der man eben beschäftigt ist*, b) *im pret wird bei der Gleichzeitigkeit zweier Handlungen die noch fortdauernde durch das umschriebene pret ausgedrückt*, c) *in passivem Sinne*: he is reading er liest (eben *od.* gerade), er ist beim Lesen; he was working when the teacher entered er arbeitete (gerade), als der Lehrer hereinkam; while our house was building solange unser Haus im Bau war; our house is being built unser Haus wird gerade gebaut *od.* ist im Bau. – **II** *v/i* **5.** (*in einem Zustande od. in einer Beschaffenheit*) sein, sich befinden, der Fall sein: ~ it so, so ~ it, let it ~ so gut so, so sei es; if so ~ wenn das so ist *od.* wäre; ~ it that wenn es der Fall ist, daß; vorausgesetzt, daß; it is I ich bin es; it is he er ist es; it is they sie sind es; to ~ well sich wohl befinden, gesund sein; to ~ right (wrong) recht (unrecht) haben. – **6.** sein, vor'handen sein, exi'stieren: Troy is no more Troja besteht nicht mehr; there is, there are es gibt; there are people who es gibt Leute, die; to ~ or not to ~: that is the question Sein oder Nichtsein, das ist die Frage. – **7.** stattfinden, vor sich gehen, sein: there is a party next door nebenan findet eine Gesellschaft statt. – **8.** (*eine bestimmte Zeit*) her sein: it is ten years since he died es ist zehn Jahre her, daß er starb; er starb vor zehn Jahren. – **9.** (aus)gegangen sein (*mit Formen der Vergangenheit u. Angabe des Zieles der Bewegung*): he had been to town er war in die Stadt gegangen; he had been bathing er war baden (gegangen); I won't ~ long ich werde nicht lange wegbleiben. – **10.** (*mit dem Possessiv*) gehören: this

book is my sister's dieses Buch gehört meiner Schwester. – **11.** kosten, zu stehen kommen: **how much are the gloves?** was kosten diese Handschuhe? **this wine is twelve shillings a bottle.** – **12.** bedeuten: **what is that to me?** was kümmert mich das? – **13.** *zur Bekräftigung der bejahenden od. verneinenden Antwort*: **are these your horses? yes, they are** gehören diese Pferde Ihnen? Ja. – **14.** gelten (to *dat*): **the message is to all mankind** die Botschaft richtet sich an die ganze Menschheit. –
Besondere Redewendungen:
be that as it may wie dem auch sei; **as well as can** ~ so gut wie möglich; **how are you?** wie geht es Ihnen? **I am very hot** mir ist sehr heiß; **it is they that have seen him** 'sie haben ihn gesehen; **to** ~ **an hour in going to ...** eine Stunde brauchen, um nach ... zu gehen; **Mr. Brown has been** Herr Braun hat seine Aufwartung gemacht; **who has been?** (*Frage an Hauspersonal*) wer ist hiergewesen? **how is it that?** wie kommt es, daß? **the government that is (was)** die gegenwärtige (vergangene) Regierung; **my wife that is to** ~ meine zukünftige Frau; **he is dead, is he not** (*od.* **isn't he**)? er ist tot, nicht wahr? **he is not dead, is he?** er ist doch nicht (etwa) tot? **to** ~ **about** im Begriff sein *od.* stehen (to do zu tun); **to** ~ **after** hinter (*dat*) her sein; **have you been after that position?** haben Sie sich um diese Stelle bemüht? **to** ~ **for** a) sein für, b) anstehen, geziemen (*dat*), sich schicken für; **I am for a glass of water** *colloq.* ich bin für ein Glas Wasser, ich ziehe ein Glas Wasser vor; **to** ~ **from** entfernt sein von; **to** ~ **from the purpose** nicht zweckdienlich sein; → **above** 7; **as** *b. Redw.* –
Verbindungen mit Adverbien:
be| in *v/i* **1.** zu Hause sein. – **2.** angekommen sein (*Zeitung, Post*): **the post is in.** – **3.** *pol.* an der Macht *od.* Spitze sein: **the Tories are in now** die Konservativen sind jetzt am Ruder. – **4.** *sport* (*bes. Kricket*) d(a)ran sein. – **5.** ~ **for** Aussicht haben auf (*acc*), zu erwarten haben: **to** ~ **for it** *colloq.* schön in der Patsche sitzen; **to** ~ **for a scolding** eine Strafpredigt zu erwarten *od.* gewärtigen haben. – **6.** ~ **on** eingeweiht sein in (*acc*), wissen von. – **7.** ~ **with** eins sein mit: **to** ~ **with s.o.** es mit j-m halten, mit j-m in gutem Einvernehmen stehen. — ~ **off** *v/i* **1.** weg-, fortgehen, abfahren, sich entfernen. – **2.** ausfallen, abgesagt sein: **the concert is off** das Konzert fällt aus. – **3.** *sport* gestartet sein. – **4. to be well (badly) off** gut (schlecht) daran *od.* situiert sein. — ~ **on** *v/i* auf dem Pro'gramm sein *od.* stehen: **what is on today?** was gibt es heute? was ist heute los? — ~ **out** *v/i* **1.** aus sein, nicht zu Hause sein. – **2.** sich irren, auf falschem Wege sein: **you are quite out** *Br. colloq.* Sie sind gewaltig im Irrtum. – **3.** *colloq.* ohne Beschäftigung sein: **he was out for three weeks** er war drei Wochen arbeitslos. – **4.** im Ausstand sein, streiken: **500 tailors were out.** – **5.** ~ **with** *colloq.* uneins sein mit: **to** ~ **with s.o.** mit j-m auseinander *od.* verkracht sein. — ~ **o·ver** *v/i* vor'über *od.* vor'bei sein. — ~ **up** *v/i* **1.** zu Ende sein, um sein (*Zeit*). – **2.** aufgegangen sein (*Gestirn*). – **3.** ~ **to** (*etwas*) vorhaben, im Schilde führen.

beach [biːtʃ] **I** *s* **1.** Strandkies *m*, Geröll *n*. – **2.** flacher (Meeres)Strand, flaches Ufer: **on the** ~ am Strand; **to be on the** ~ *sl.* gestrandet *od.* heruntergekommen sein; **to run on the** ~ (*Schiff*) auf den Strand laufen (lassen). – **II** *v/t* **3.** *mar.* (*Schiff*) a) auf den Strand laufen lassen, auf den Strand setzen *od.* ziehen, b) stranden lassen. – **III** *v/i* **4.** *mar.* (*absichtlich*) auf den Strand laufen, stranden. — ~ **ap·ple** *s bot.* (*eine*) austral. Mittagsblume (*Mesembryanthemum aequilaterale*). — ~ **bird** *s zo.* Strandvogel *m*. — ~ **clam** *s zo.* Strandmuschel *f* (*Mya arenaria*). — '~ˌ**comb·er** *s* **1.** Strandläufer *m* (*bes. heruntergekommener Weißer, der auf einer Insel im Pazifik den ,Strand abkämmt'*). – **2.** *Am.* breite, sich über'schlagende Welle, die auf den Strand zuläuft. — ~ **drift·ing** *s geol.* Küstenversetzung *f*.

beached [biːtʃt] *adj* **1.** mit flachem Strand. – **2.** *mar.* auf den Strand gezogen, an Strand gesetzt.

beach| flea *s zo.* (*ein*) Sandhüpfer *m* (*Talitrus saltator od. Orchestia platensis*). — ~ **grass** *s bot.* Strandhafer *m* (*Ammophila arenaria*). — '~ˌ**head** *s* **1.** *mil.* Lande-, Brückenkopf *m* (*einer auf feindlichem Strand gelandeten Truppe*). – **2.** *fig.* Anfangsstellung *f*, -stützpunkt *m* (*der ausgebaut werden soll*). — '~-**la-'mar** [-lə'mɑːr] → bêche-de-mer 2. — '~**man** [-mən] *s irr* Strandarbeiter *m*. — '~ˌ**mas·ter** *s* **1.** *mar.* 'Strandkommanˌdant *m*, 'Landungsoffiˌzier *m*. – **2.** *zo.* männlicher Seehund. — ~ **wag·on** *s Am.* Kombiwagen *m*. — ~ **wear** *s* Strandkleidung *f*.

beach·y ['biːtʃi] *adj* kieselig.

bea·con ['biːkən] **I** *s* **1.** Leucht-, Si'gnalfeuer *n*. – **2.** *fig.* Fa'nal *n*. – **3.** Leuchtturm *m*, -feuer *n*, (Feuer-)Bake *f*, landfestes Seezeichen. – **4.** *aer.* Funkfeuer *n*, -bake *f*. – **5.** leicht sichtbarer Hügel. – **6.** *fig.* Leitstern *m*, Leuchte *f*. – **7.** Verkehrsampel *f*. – **II** *v/t* **8.** *auch* ~ out, ~ off *mar.* mit Baken versehen. – **9.** *bes. fig.* erleuchten, erhellen. – **10.** *fig.* (*j-m*) leuchten, als Leitstern dienen. – **III** *v/i* **11.** wie ein Leuchtfeuer scheinen. – '**bea·con·age** *s* **1.** Bakengeld *n*. – **2.** Bakenwesen *n*.

bea·con| buoy *s mar.* Leuchtboje *f*, Bakentonne *f*. — ~ **course** *s electr.* Peilstrahl *m*.

bea·con·ing ['biːkəniŋ] *s mar.* Bebakung *f*.

bead [biːd] **I** *s* **1.** (Glas-, Stick)Perle *f*, Lochkügelchen *n*: ~**s on mother-of-pearl** Perlen auf Perlmutter, Halbperlen; **string of** ~**s** a) Perlenschnur, -kette, -halsband, b) *relig.* Rosenkranz; **to thread** ~**s** Perlen aufziehen. – **2.** *relig.* a) Rosenkranzperle *f*, b) *pl* Rosenkranz *m*: **to say** (*od.* **tell** *od.* **count**) **one's** ~**s** den Rosenkranz beten. – **3.** (Schaum)Bläschen *n*, *collect.* Schaum *m*, Perle *f* (*Flüssigkeit*), Tropfen *m*. – **4.** Kügelchen *n*, Körnchen *n*, Knöpfchen *n*. – **5.** *arch.* a) perlartige Verzierung, Perle *f*, Knöpfchen *n*, b) *pl* Schnur *f*, Schnüre *pl*, Perl-, Eier-, Rundstab *m*, c) Vorsprung *m*, her'vorstehender Grat, erhabene Ader, Astra'gal *m*: ~ **and butt** verstäbte Holzverbindung. – **6.** *tech.* Sicke *f*, Wulst *m*, Randversteifung *f*, *bes.* a) (e'lastischer) Wulst (*Gummireifen*), b) Schweißraupe *f*, (-naht *f*, c) Bördelrand *m*, d) Schleiffehler *m* (*an Lanzetten*), e) *min.* (Borax)Perle *f* (*vor dem Lötrohr*): ~ **of rim** Felgenrand. – **7.** *meist* ~ **sight** *mil.* (Perl)-Korn *n* (*am Gewehr*): **to draw a** ~ (**up**)**on** zielen auf (*acc*). – **8.** *bot.* rundliches Einzelglied (*gewisser Schnitt- od. Stückelalgen, Diatomeen*). – **9.** *pl obs.* Gebet *n*, Bitte *f*. – **II** *v/t* **10.** mit Perlen *od.* Rundstab *od.* perlartiger Verzierung *etc* versehen *od.* schmücken. – **11.** (*wie Perlen*) auf Fäden ziehen, aufziehen (*auch fig.*). – **12.** *tech.* a) ('um)bördeln, -falzen, -krempeln, b) sicken, c) (aus)fräsen. – **III** *v/i* **13.** perlen, Perlen bilden.

bead·ed ['biːdid] *adj* **1.** mit Perlen versehen. – **2.** zu Perlen geformt. – **3.** perlschnurförmig. — '~-'**edge** *adj tech.* **1.** mit e'lastischem Wulst (*Gummireifen*). – **2.** mit Wulst (*Felge*). — ~ **screen** *s tech.* mit feinen Glassplittern bedeckte Projekti'onsleinwand (*beim Film*). — ~ **tire,** ~ **tyre** *s tech.* Wulstreifen *m*.

'**beadˌhouse** *s* **1.** *obs.* Gebetshaus *n*. – **2.** *hist.* Armenhaus *n*, Hospi'tal *n* (*dessen Insassen für die Stifter beten mußten*).

bead·ing ['biːdiŋ] *s* **1.** ˌPerlsticke'rei *f*. – **2.** Perlenbildung *f*. – **3.** *bes. arch.* a) Perl-, Rundstab(verzierung *f*) *m*, b) (Rund)Leistenwerk *n*. – **4.** *tech.* a) Wulst *m*, b) Bördelrand *m*. — ~ **ma·chine** *s tech.* 'Sickenmaˌschine *f*. — ~ **plane** *s tech.* Rundhobel *m*. — ~ **press** *s tech.* Bördel-, Kümpelpresse *f*.

bea·dle ['biːdl] *s* **1.** *bes. Br.* Kirchen-, Pfar'reidiener *m*. – **2.** *obs.* Herold *m*. – **3.** *obs.* Gerichtsdiener *m*, Büttel *m*. — '**bea·dle·dom,** '**bea·dleˌhood** *s* büttelhaftes Wesen, Pedante'rie *f*. — '**bea·dleˌship** *s* Amt *n od.* Re'vier *n* eines Kirchen- *od.* Pfar'reidieners.

bead| mo(u)ld·ing *s arch.* Eier-, Perl-, Rundstab *m*. — '~ˌ**plane** → **beading plane.** — '~ˌ**roll** *s* **1.** *relig. hist.* Liste *f* der Per'sonen, die ins Fürbittgebet miteingeschlossen werden sollen. – **2.** *fig.* (Namens- *etc*)Verzeichnis *n*, (Ahnen)Liste *f*, lange Reihe. – **3.** *relig.* Rosenkranz *m*. – **4.** *arch.* Perl-, Eierstab *m*. – **5.** (*Buchbinderei*) Punk'tierlinie *f* (*zum Vergolden*).

beads|·man ['biːdzmən] *s irr* **1.** *relig. hist.* Fürbitter *m* (*der für die Seelen anderer, bes. für Wohltäter betet*). – **2.** Armenhäusler *m*, Hospita'lit *m*. — '~ˌ**wom·an** *s irr* **1.** Fürbitterin *f*. – **2.** Armenhäuslerin *f*.

bead| tree *s bot.* Pater'nosterbaum *m* (*Melia azedarach*). — ~ **weld** *s tech.* Schweißraupe *f*. — '~ˌ**work** *s* **1.** ˌPerlensticke'rei *f*, -häke'lei *f*, Perlarbeit *f*. – **2.** → **beading** 3.

bead·y ['biːdi] *adj* **1.** perlartig, klein, rund u. glänzend (*Augen*). – **2.** mit Perlen versehen, mit (Schweiß- *etc*) Perlen bedeckt. – **3.** perlend.

bea·gle ['biːgl] *s* **1.** Stöber *m*, kleiner Spürhund (*zur Niederjagd*). – **2.** *fig.* Spi'on *m*, Spürhund *m*, Büttel *m*.

beak[1] [biːk] *s* **1.** *zo.* a) Schnabel *m* (*Vögel*), b) schnabelartiges Mundwerkzeug (*einiger Tiere*), c) (Stech)-Rüssel *m* (*Insekten*), d) Schalenwirbel *m* (*der Muschel*). – **2.** *bot. zo.* Fortsatz *m*, vorstehender Teil. – **3.** *bot.* langer Staubbeutel. – **4.** *fig.* Schnabel *m*, schnabelförmiges Ende. – **5.** *tech.* a) Tülle *f*, Ausguß(röhre *f*) *m* (*Gefäß*), b) Schnauze *f*, Nase *f*, Röhre *f* (*bes. Gasbrenner mit runder Öffnung*), c) Amboßhorn *n*, d) kurze Traufröhre. – **6.** *mar. hist.* Schiffs-, Rammschnabel *m*, Sporn *m*.

beak[2] [biːk] *s Br. sl.* **1.** (Friedens)-Richter *m*. – **2.** ,Pauker' *m* (*Lehrer, bes. am* **Eton College**).

beaked [biːkt] *adj* **1.** einen Schnabel besitzend, geschnäbelt, schnabelförmig, Schnabel... – **2.** *zo.* mit schnabelförmigem Maul, Rüssel *od.* Fortsatz. — ~ **whale** *s zo.* Schnabelwal *m* (*bes. Hyperoodon ampullatum*).

beak·er ['biːkər] *s* **1.** Becher *m*, Humpen *m*. – **2.** *chem.* Becherglas *n*.

'**beakˌhead** *s* **1.** *mar.* a) Vordeck *n*, b) *hist.* Schiffsschnabel *m*, Gali'on(s-fiˌgur *f*) *n*. – **2.** *arch.* schnabelartige Verzierung.

beak·ing| i·ron ['biːkiŋ] → **bickern.** — ~ **joint** *s tech.* Schnabelfuge *f* (*in Fußbodendielen etc*).

beak,i·ron → bickern.

'be-,all *s* (*das*) Allesseiende, (*das*) Ganze: the ~ and (the) end-all das ein u. (das) alles, der Hauptzweck.

beam [biːm] **I** *s* **1.** *arch.* a) Balken *m*, Baum *m*, b) Trag(e)balken *m*, Schwelle *f*, c) *pl* Gebälk *n*, Balkenlage *f*, 'Unterzug *m*: to put in a new ~ einen neuen Balken ein- *od.* unterziehen. – **2.** *tech.* a) (*bes. Brückenbau*) Tramen *m*, Brückenbalken *m*, b) Hebebalken *m*, Wippe *f* (*Zugbrücke*), c) (*Weberei*) (Weber)Baum *m*, d) *agr.* Pflugbaum *m*, e) Waagebalken *m*, f) Spindel *f* (*Drehbank*), g) Deichsel *f* (*Wagen*), h) Holm *m*, Querstange *f*, i) Triebstange *f*, Balan'cier *m*, Schwinghebel *m* (*älterer Dampfmaschinen*): ~ of a well Eimerstange, Rute; ~ of a windlass Haspelbaum; ~ and scales Balkenwaage. – **3.** *mar.* a) Decksbalken *m*, b) Ladebaum *m*, c) strong ~, cross ~ (Luken)-Scherstock *m*, d) Ankerrute *f*, -schaft *m*, e) größte Schiffsbreite (*am Innenholz auf den Spanten*): abaft the ~ achterlicher als quer(ab); before the ~ im Vorschiff; in the ~ breit, in der Breite (*bei Längenmaßen*); to bear on the ~s quer abhalten. – **4.** *zo.* Stange *f* (*Hirschgeweih*). – **5.** *poet.* Baum *m*. – **6.** (Licht)Strahl *m* (*auch fig.*): ~ of rays *phys.* Strahlenbündel. – **7.** *electr.* Strahl *m*, Bündel *n*. – **8.** *electr.* a) Peilstrahl *m*, b) (Funk)Leit-, Richtstrahl *m*: to come in on the ~ auf dem Peil- *od.* Leitstrahl ein- *od.* anfliegen (*aer.*) *od.* einkommen (*mar.*); to fly (*od.* ride) the ~ (*Flugzeug*) genau auf dem gefunkten Kurs *od.* Leitstrahl steuern; off the ~ *sl.* ‚auf dem Holzweg', ‚danebengegangen' (*abwegig*); on the ~ *sl.* ‚auf Draht', ‚haut hin' (*richtig*). – **II** *v/t* **9.** mit Balken *od.* einer Balkenlage versehen. – **10.** *tech.* a) (*Weberei*) (*Kette*) aufbäumen, auf den Baum winden, b) (*Gerberei*) (*Häute*) auf dem Baum strecken, auf den Schabebock ziehen. – **11.** (aus)strahlen: to ~ forth ausstrahlen. – **12.** *phys.* (*Licht, Wellen etc*) ab-, ausstrahlen, aussenden. – **13.** *electr.* mit Richtstrahler senden. – **III** *v/i* **14.** strahlen, glänzen (*auch fig.*): she was ~ing with joy sie strahlte vor Freude; to ~ upon herabstrahlen auf (*acc*); to ~ upon s.o. j-n (*vor Freude*) anstrahlen.

beam|a·e·ri·al, ~ **an·ten·na** *s electr.* 'Richt(,strahl)an,tenne *f*, Richtstrahler *m*. — ~ **ant·lers** *s pl zo.* drittes u. viertes Ende des Hirschgeweihes. — '~,**bird** *s zo.* **1.** Grauer Fliegenschnäpper (*Muscicapa grisola od. M. striata*). – **2.** Gartengrasmücke *f* (*Sylvia hortensis*). — ~ **board** *s* große hölzerne Waagschale. — ~ **cal·i·per** *s tech.* Stangentastzirkel *m*. — ~ **cen·ter**, *bes. Br.* ~ **cen·tre** *s tech.* Stützpunkt *m* des Balan'ciers. — ~ **compass** *s tech.* Stangenzirkel *m*.

beamed [biːmd] *adj* **1.** (*meist in Zusammensetzungen*) mit (einem) Balken versehen. – **2.** *zo.* mit einem Geweih *od.* Gehörn. – **3.** (*Radio*) mittels Richtstrahler gesendet. – **4.** strahlend.

'beam|-'ends *s pl* **1.** Waagebalkenenden *pl*. – **2.** *mar.* Balkenköpfe *pl*: the vessel is (laid *od.* thrown) on her ~ das Schiff liegt auf der Seite *od.* zum Kentern; to be (thrown) on one's ~ *fig.* pleite sein (*mit seinen Mitteln am Ende sein*). — ~ **en·gine** *s tech.* Balan'cier,dampfma,schine *f*. — ~ **feath·er** *s zo.* Kielfeder *f* (*Falke*). — '~,**fill·ing** *s* (*Maurerei*) Ausstaken *n* (*Wand*), Ausmauern *n* (*Fachwerk*). — ~ **flux** *s phys.* Strahlenfluß *m*.

beam·ing ['biːmiŋ] **I** *adj* **1.** strahlend, glänzend. – **2.** *fig.* (*vor Freude*) strahlend, freudig erregt. – *SYN. cf.* bright. – **II** *s* **3.** (Aus)Strahlen *n*. – **4.** *fig.* Aufleuchten *n*, Aufdämmern *n*. – **5.** *tech.* a) (*Weberei*) Aufbäumen *n* (*Kette*), b) (*Gerberei*) (Aus)Streichen *n* (*Häute*). – **6.** *arch.* Balkenwerk *n*. – **7.** *phys.* Bündelung *f* (*Strahlen etc*).

beam·ish ['biːmiʃ] *adj obs.* strahlend.

beam·less ['biːmlis] *adj* strahlenlos, matt.

'beam|,le·ver *s tech.* Balken-, Kolbenhebel *m*. — ~ **pow·er valve** *s electr.* Bremsfeldröhre *f*, 'Strahlte,trode *f*. — ~ **range** *s phys.* Strahlweite *f*. — '~-,**rid·er guid·ance** *s aer.* Leitstrahlsteuerung *f*. — ~ **scale** *s tech.* Hebelwaage *f*. — ~ **trawl** *s mar.* Baumschleppnetz *n*, Baumkurre *f*. — ~ **tree** → whitebeam. — ~ **volt·age** *s electr.* Spannung *f* zwischen An'ode u. Ka'thode (*bei verschiedenen Laufzeitröhren*). — ~ **width** *s* **1.** (*Radar*) Strahlbreite *f*. – **2.** (*Fernsehen*) 'Bündel,durchschnitt *m*, Strahlquerschnitt *m*.

beam·y ['biːmi] *adj* **1.** mas'siv (*wie ein Balken*), wuchtig, schwer. – **2.** *zo.* mit vollem Geweih (*Hirsch*). – **3.** *mar.* breit (*Schiff, dessen Breite mehr als ein Zehntel der Länge beträgt*). – **4.** strahlend, glänzend (*auch fig.*).

bean [biːn] *s* **1.** *bot.* Bohne *f* (*bes. Gattg Phaseolus*): every ~ has its black jeder hat seine Fehler; not to know ~s *Am. colloq.* nicht die Bohne (*von etwas*) wissen, nicht die leiseste Ahnung haben; to be full of ~s *sl.* lebensprühend sein; to spill the ~s *Am. sl.* ‚(alles aus)quatschen', aus der Schule plaudern; I don't care a ~ (*od.* ~s) for that *Am. colloq.* ‚das kann mir gestohlen bleiben'. – **2.** bohnenartige Pflanze. – **3.** bohnenförmiger Samen: → coffee ~. – **4.** *sl.* ‚Birne' *f* (*Kopf*). – **5.** *sl.* Münze *f*, Geldstück *n*: not to have a ~ ‚keinen roten Heller haben'; ~s ‚Moneten'. – **6.** *Br. sl.* Bursche *m*, Kerl *m*: old ~ ‚altes Haus', Alter. – **7.** *pl Br. sl.* ‚Senge' *f* (*Prügel*).

'bean|,bag *s* mit Bohnen gefülltes Säckchen (*zum Werfen bei einem Kinderspiel*). — ~ **ball** *s* (*Baseball*) *sl.* Wurf *m* nach dem Kopf des Schlagmanns. — ~ **bee·tle** *s zo.* Mexik. Ma'rienkäfer *m* (*Epilachna corrupta*). — ~ **ca·per** *s bot.* Jochblatt *n* (*Gattg Zygophyllum, bes. Z. fabago*). — ~ **crake** *Br. für* corn crake. — ~ **curd** *s* 'Bohnengal,lerte *f* (*als Nahrungsmittel in Ostasien*). — ~ **dol·phin** → dolphin fly.

bean·er·y ['biːnəri] *s Am. sl.* ‚Stampe' *f* (*billiges Restaurant*).

'bean|,feast *s Br.* **1.** Bohnenfest *n*, -essen *n* (*Festessen, das den Arbeitern vom Fabrikherrn gegeben wird*). – **2.** *sl.* Gelage *n*, Al'lotria *pl*. — ~ **goose** *s irr zo.* Saatgans *f* (*Anser fabalis*). — ~ **har·vest·er** *s agr.* 'Bohnenmähma,schine *f*.

bean·ie ['biːni] *s* Kappe *f*, Mütze *f* (*kleiner, randloser Hut*).

bean·o ['biːnou] *pl* **-os** *sl. für* bean-[feast.]

bean| pod *s bot.* Bohnenhülse *f*. — ~ **pole** *s* **1.** Bohnenstange *f*. – **2.** *colloq.* ‚Bohnenstange' *f* (*hagerer Mensch*). — '~,**shoot·er** *s Am.* (Kinder)Blasrohr *n* (= *Br.* peashooter). — '~,**stalk** *s bot.* Bohnenstengel *m*. — ~ **tree** *s bot.* Bohnenbaum *m*, *bes.* a) 'Moreton-,Bai-Ka,stanie *f* (*Castanospernum australe*), b) Trom'petenbaum *m* (*Catalpa bignonioides*), c) Ko'rallenbaum *m* (*Erythrina glauca*). — ~ **tre·foil** *s bot.* **1.** Goldregen *m*, Bohnenbaum *m* (*Cytisus laburnum*). – **2.** Stinkstrauch *m* (*Anagyris foetida*). – **3.** Falsches *od.* Amer. Ebenholz (*Brya ebenus*). – **4.** Bitter-, Fieberklee *m* (*Menyanthes trifoliata*). — ~ **tres·sel** *s bot.* Kölle *f*, Pfefferkraut *n* (*Gattg Satureja*). — ~ **wee·vil** *s zo.* **1.** Dicke'bohnenkäfer *m* (*Bruchus rufimanus*). – **2.** Speisebohnenkäfer *m* (*Acanthoscelis obtectus*).

bean·y ['biːni] *adj sl.* **1.** wohlgenährt, leistungsfähig, munter (*Pferd etc*). – **2.** *Am.* verrückt, ‚bekloppt'.

bear[1] [bɛr] *pret* **bore** [bɔːr] *obs.* **bare** [bɛr], *pp* **borne** [bɔːrn], *bei* 4 **born** [bɔːrn] **I** *v/t* **1.** (*Lasten etc*) tragen. – **2.** *fig.* (*Kosten etc*) tragen: to ~ a loss einen Verlust tragen. – **3.** (*Blumen, Zinsen etc*) tragen: to ~ fruit Früchte tragen. – **4.** (*pp* borne *od.* born; *letzteres nur in der passiven Bedeutung: geboren* [*werden*], *sofern nicht* by ... von ... *folgt*) gebären: to ~ a child a) ein Kind gebären, b) ein Kind (unter dem Herzen) tragen; she has borne many children sie hat viele Kinder geboren; children are born every day Kinder werden jeden Tag geboren; the children borne (*nicht*: born) to him by this woman die ihm von dieser Frau geborenen Kinder. – **5.** (*Namen, Titel etc*) tragen, führen: fit to ~ arms waffenfähig; to ~ arms against Krieg führen gegen. – **6.** (*Amt etc*) innehaben, ausüben. – **7.** (*Gefühl*) nähren, hegen: to ~ s.o. a grudge, to ~ a grudge against s.o. einen Groll gegen j-n hegen. – **8.** aufweisen, enthalten: to ~ a likeness to s.o. j-m ähneln; to ~ a proportion to in einem Verhältnis stehen zu. – **9.** haben, in sich schließen, besagen: to ~ a sense einen Sinn *od.* eine Bedeutung haben; to ~ reference to Bezug haben *od.* sich beziehen auf (*acc*). – **10.** (*eine Rolle*) spielen (in bei). – **11.** (er)tragen, (er)dulden, (er)leiden. – **12.** aushalten, vertragen, (*einer Sache*) standhalten: to ~ inspection sich sehen lassen können; → comparison 1. – **13.** ausstehen, leiden: I cannot ~ him ich kann ihn nicht ausstehen. – **14.** zulassen, gestatten, dulden. – **15.** über'bringen: → message 1. – **16.** leisten, zollen, darbringen: to ~ obedience Gehorsam leisten (to *dat*); to ~ one's praises sein Lob zollen; to ~ s.o. a hand j-m Hilfe leisten, j-m zur Hand gehen; to ~ s.o. company j-m Gesellschaft leisten. – **17.** (*Zeugnis*) ablegen: to ~ witness (*od.* evidence) zeugen (to für). – **18.** (*Puffspiel*) (*Stein*) vom Brett nehmen. – **19.** *obs.* a) *fig.* (*Sieg*) da'vontragen, b) *mus.* mit-, weitersingen: to ~ the burden den Kehrreim mitsingen. – **20.** *reflex* sich betragen, sich benehmen: to ~ oneself. –

Besondere Redewendungen:

to ~ all before one alles überwältigen *od.* mit sich fortreißen; to ~ a date ein Datum tragen, datiert sein (*Schriftstück*); to ~ in hand *obs.* in der Hand *od.* Gewalt haben, beherrschen; to ~ in mind a) gedenken (*gen*), denken *od.* sich erinnern an (*acc*), sich merken, b) erwägen, berücksichtigen; to ~ low sail *fig.* bescheiden leben *od.* auftreten; to ~ sail a) *mar.* unter vollem Segel fahren, b) *fig.* erfolgreich sein, blühen, gedeihen. –

II *v/i* **21.** tragen, tragfähig sein (*Balken, Eis etc*). – **22.** (on, upon) schwer lasten *od.* liegen (auf *dat*), drücken, einen Druck ausüben (auf *acc*). – **23.** drücken, sich lehnen (against gegen). – **24.** (on, upon) a) einwirken, einen Einfluß haben (auf *acc*), b) sich beziehen, Bezug haben (auf *acc*), im Zu'sammenhang stehen (mit): to bring to ~ (up)on a) einwirken lassen auf (*acc*), b) richten *od.* anwenden auf (*acc*). – **25.** *obs.* (against) losgehen (auf *acc*), angreifen (*acc*). – **26.** eine Richtung annehmen, sich halten, orien'tiert sein: to ~ to the left sich links halten. – **27.** *mar.* gerichtet sein, nach einer Richtung zu (*im Verhältnis zum Kompaß*) liegen: the beacon ~s 240 degrees die Bake liegt bei *od.* auf 240°. – **28.** *mar.* a) abfahren, absegeln, abdampfen (to nach), b) abfallen: **to ~ away before the wind** bis platt vor dem Winde abfallen *od.* ablaufen. – **29.** sich erstrecken, liegen, streichen: **the coast ~s to the north** die Küste zieht sich nach Norden. – **30.** dulden, leiden: **I cannot ~ with it** ich kann es nicht (v)ertragen *od.* dulden. – **31.** Früchte tragen, fruchtbar sein. – **32.** tragen, trächtig sein (*Tier*). – **33.** *mil.* tragen (*Geschütz*): **to ~ on** treffen, bestreichen. – *SYN.* a) **abide, endure, stand, suffer, tolerate,** b) *cf.* **carry.** –

Verbindungen mit Adverbien:

bear| back I *v/t* (*Schiffe*) zu'rückbringen, -treiben. – **II** *v/i* zu'rückweichen. — **~ down I** *v/t* **1.** niederdrücken, besiegen, über'winden, -'wältigen. – **2.** niederschlagen, unter'drücken. – **3.** zum Schweigen bringen. – **II** *v/i* **4.** sich senken, niedersinken. – **5.** *mil.* tief tragen (*Geschoß*). – **6.** *mar.* (zu)fahren, (zu-, los)segeln, zusteuern, zuhalten (upon auf *acc*). – **7.** *med.* nach unten pressen (*in Geburtswehen*). — **~ in I** *v/t* **1.** (*Bergbau*) schrämen. – **2.** *meist pass* (*j-m etwas*) klarmachen, aufdrängen: **it was borne in upon him** es drängte sich ihm auf, es wurde ihm klar (**that** daß). – **II** *v/i* **3.** *mar.* zusegeln (**with** auf *acc*): **to ~ with the land** auf Land zuhalten. — **~ off I** *v/t* **1.** wegtragen, -schaffen, fortführen, (*Preis etc*) da'vontragen. – **2.** abhalten, entfernt halten. – **3.** pa'rieren, schützen gegen. – **4.** *mar.* abhalten, abstoßen: **to ~ the anchor** den Anker vom Bug abhalten; **to ~ a boat** ein Boot abstoßen *od.* (*von etwas*) abhalten. – **II** *v/i* **5.** *mar.* (*vom Lande*) abhalten: **to ~ from land** (*od.* **the shore**). — **~ out I** *v/t* **1.** verteidigen, eintreten für, unter'stützen, verfechten. – **2.** bestätigen, erhärten: **to ~ an assertion** eine Behauptung bestätigen. – **3.** *obs.* aushalten, erträglich machen. – **II** *v/i* **4.** *arch.* her'vorragen, -'vorspringen. – **5.** (*Malerei*) her'auskommen, wirken (*Farben*). – **6.** *mar.* hin'ausfahren: **to ~ to sea** in See stechen, auslaufen. — **~ up I** *v/t* **1.** tragen, halten, (unter)'stützen. – **2.** *fig.* aufrechterhalten, aufrichten, ermutigen. – **3.** in die Höhe heben. – **4.** flott erhalten: **to ~ a horse** einem Pferd den Aufsatzbügel anlegen (*daß es den Kopf hochträgt*); **to ~ the helm** *mar.* vor dem Winde abhalten (*beim Segeln*). – **II** *v/i* **5.** sich em'porheben, in die Höhe kommen. – **6.** ausdauern, -harren, standhaft sein: **to ~ well (ill) against one's troubles** die Sorgen gut (schlecht) ertragen; **to ~ with** geduldig ausharren bei, Schritt halten mit. – **7.** '**Widerstand leisten (against** gegen). – **8.** *mar. od. fig.* (*einem Ziele*) zustreben, -segeln, -fahren: **~!** *mar.* mit Ruder abfallen! **to ~ for** (*od.* **to, toward[s]**), a) (*einem Ziel*) zustreben (*auch fig.*), b) *mar.* segeln nach, zusegeln auf (*acc*).

bear² [bɛr] **I** *s* **1.** *zo.* a) Bär *m* (*Gattg Ursus*), b) Ko'ala *m*, Beutelbär *m* (*Phascolarctus cinereus*), c) → **woolly ~.** – **2.** *fig.* Bär *m*, Tolpatsch *m*, ungeschickter Mensch. – **3.** *econ. colloq.* Baissi'er *m* (*Börsenspekulant*). – **4.** *mar.* Scheuermatte *f*, -kiste *f*. – **5.** *astr.* a) **the Greater** (*od.* **Great**) **B~** der Große Bär, b) **the Lesser** (*od.* **Little**) **B~** der Kleine Bär. – **6.** (*Hüttenwesen*) Eisenklumpen *m*, Bodensau *f*, Härtling *m*. – **II** *v/i* **7.** *econ. colloq.* auf Baisse speku'lieren. – **III** *v/t* **8.** *econ. colloq.* fixen, drücken: **to ~ stocks** (*od.* **the market**) die Kurse drücken. – **IV** *adj* **9.** *econ.* flau (*Markt*), fallend (*Preise*).

bear³ [bir] *s Scot. od. dial.* Gerste *f*.

bear·a·ble ['bɛ(ə)rəbl] *adj* tragbar, erträglich, zu ertragen(d). — '**bear·a·ble·ness** *s* Erträglichkeit *f*.

bear| an·i·mal·cule *s zo.* Bärtierchen *n* (*Klasse Tardigrada*). — '**~,bait·er** *s hist.* Bärenhetzer *m*. — '**~,bait·ing** *s hist.* Bärenhetze *f*. — '**~,ber·ry** *s bot.* **1.** Bärentraube *f* (*Arctostaphylos uva-ursi*). – **2.** → **barberry.** — '**~,bind,** '**~,bine** *s bot.* (Hecken-, Acker)Winde *f* (*Convolvulus arvensis sepium*). — **~ cat** *s* **1.** *zo.* → **binturong.** – **2.** *Am. sl.* ‚Ka'none' *f* (*hervorragender Könner*): **he is a ~ of a chess player** (*od.* **a ~ at chess**) er ist eine Schachkanone. — **~ cat·er·pil·lar** → **woolly bear.**

beard [bird] **I** *s* **1.** Bart *m* (*auch von Tieren*): **to wear a ~** einen Bart tragen; **to shave one's ~** sich den Bart rasieren; **to s.o.'s ~** j-m ins Gesicht (*etwas sagen*); → **grow** 11. – **2.** *bot.* Grannen *pl*, Haarbüschel *pl*, Fasern *pl*. – **3.** *zo.* a) Bartfäden *pl*, Barteln *pl* (*am Maul gewisser Fische*), b) Barten *pl* (*Wal*), c) Bart *m* (*der Auster etc*). – **4.** *tech.* a) 'Widerhaken *m* (*an Pfeilen, Angeln, Häkelnadeln etc*), b) *print.* Grat *m*, Fleisch *n* (*einer Type*), c) (*Schlosserei*) Bart *m*, Angriff *m* (*am Riegel eines Schlosses*), d) Gußnaht *f*. – **II** *v/t* **5.** mit einem Bart *etc* versehen. – **6.** beim Bart fassen, am Bart zupfen. – **7.** *fig.* Trotz bieten (*dat*): **to ~ the lion** (*od.* **s.o.**) **in his den** sich in die Höhle des Löwen wagen. – **8.** reizen. – **9.** *tech.* a) abhobeln, behauen, b) (*Tuch*) scheren, bärteln, c) (*Hecke*) beschneiden, d) (*Kopf- u. Halswolle*) vom Vlies absondern, e) *auch* **~ off** (*Metall*) beschroten, abschroten, putzen.

beard·ed ['birdid] *adj* **1.** bärtig, einen Bart tragend. – **2.** *bot. zo.* mit Grannen *od.* Haarbüscheln (versehen). – **3.** mit (einem) 'Widerhaken (*Angelhaken, Pfeil etc*). – **4.** *poet.* geschweift (*Komet*). — **~ loach** *s zo.* Schmerle *f*, Bartgrundel *f* (*Nemachilus barbatulus*). — **~ tit(·mouse)** *s zo.* Bartmeise *f* (*Panurus biarmicus*). — **~ vul·ture** *s zo.* Bart-, Lämmergeier *m* (*Gypaëtus barbatus*). — **~ wheat** *s agr.* Grannenweizen *m*.

beard grass *s bot.* Mannsbart *m*, Bartgras *n* (*Gattg Andropogon*).

beard·ing ['birdiŋ] *s* **1.** Bart *m*, bartartiger Auswuchs. – **2.** Behauen *n* (*eines Balkens nach bestimmtem Winkel*).

beard·less ['birdlis] *adj* **1.** ohne Bart, bartlos. – **2.** *fig.* jugendlich, unreif. – **3.** *bot. zo.* ohne Grannen. — '**beard·less·ness** *s* **1.** Bartlosigkeit *f*. – **2.** *fig.* Jugendlichkeit *f*, Unreife *f*.

beard| li·chen, ~ moss *s bot.* Bartflechte *f* (*Usnea barbata*). — '**~,tongue** *s bot.* Bartfaden *m* (*Gattg Pentstemon*).

bear·er ['bɛ(ə)rər] *s* **1.** Träger(in). – **2.** Leichenträger *m*. – **3.** Über'bringer(in): **~ of this letter.** – **4.** *econ.* Inhaber(in), Präsen'tant(in), Vorzeiger(in) (*eines Wechsels, Schecks etc*): **check** (*Br.* **cheque**) **to ~** Inhaberscheck; **payable to ~** zahlbar an Überbringer *od.* Inhaber (*Scheck*). – **5.** *tech.* a) ('Unter)Zug *m*, Stütze *f*, Träger *m*, b) Auflageknagge *f*, c) *print.* Schmitz-, Druckleiste *f*. – **6.** *bot.* fruchttragender Baum: **a good ~** ein Baum, der gut trägt. – **7.** *her.* Schildhalter *m*. — **~ bar** *s tech.* Rostträger *m* (*im Ofen*). — **~ bond** *s econ.* 'Inhaberobligati,on *f*, auf den Inhaber lautende Schuldverschreibung. — **~ check,** *bes. Br.* **~ cheque** *s econ.* Über'bringer-, Inhaberscheck *m*. — **~ clause** *s econ.* Über'bringerklausel *f*. — **~ com·pa·ny** *s mil.* Sani'tätskompa,nie *f*. — **~ loan** *s econ.* Inhaberanleihe *f*. — **~ se·cu·ri·ty** *s econ.* 'Inhaberpa,pier *n*, auf den Inhaber ausgestelltes 'Wertpa,pier. — **~ share** *s econ.* Inhaberaktie *f*. — **~ strut** *s tech.* Lagerstütze *f*, -strebe *f*.

bear| gar·den *s* **1.** Bärenzwinger *m*. – **2.** *fig.* lärmende Versammlung, Ort *m*, wo es wild zugeht. — **~ grass** *s bot.* (*eine*) Palmlilie (*Gattg Yucca*). — **~ hug** *s colloq.* ungestüme Um'armung.

bear·ing ['bɛ(ə)riŋ] **I** *adj* **1.** tragend: **~ 4 per cent** *econ.* vierprozentig. – **2.** *chem. min.* ...haltig. – **3.** *econ.* auf Baisse speku'lierend. – **II** *s* **4.** Tragen *n*, Stützen *n*. – **5.** Tragen *n* (*Pflanze, Tier*): **past ~** a) *bot.* keine Früchte mehr tragend, b) *zo.* nicht mehr gebärend. – **6.** *fig.* Ertragen *n*, Erdulden *n*: **beyond ~** unerträglich. – **7.** Betragen *n*, Verhalten *n*. – **8.** (Körper)Haltung *f*. – **9.** (on) *fig.* a) Einfluß *m* (auf *acc*), b) Zu'sammenhang *m* (mit), c) Verhältnis *n* (zu), Beziehung *f*, Bezug *m* (auf *acc*): **to have no ~ on s.th.** keinen Einfluß auf *od.* keine Beziehung zu etwas haben. – **10.** *aer. mar.* Lage *f*, Stellung *f*, Positi'on *f*, Richtung *f*, Peilung *f*. – **11.** *tech.* Funkpeilung *f*: **to take one's ~s** *aer. mar.* eine Peilung vornehmen, *auch fig.* sich orientieren; **to take a ~ of s.th.** *aer. mar.* etwas anpeilen; **to lose one's ~(s)** die Orientierung verlieren, sich verirren, *fig.* in Verlegenheit geraten; **to bring s.o. to his ~s** *fig.* j-m den Kopf zurechtsetzen; **true ~(s)** *mar.* rechtweisende Peilung, *fig.* wahrer Sachverhalt; **magnetic ~** mißweisende Peilung. – **12.** *fig.* Orien'tierung *f*, (Aus)Richtung *f*, Ten'denz *f*. – **13.** Vi'sierlinie *f*, Richtung *f*: **~ of the compass** Kompaßstrich. – **14.** *mar.* (Tief)Ladelinie *f*, -marke *f*. – **15.** *astr. geogr.* Abweichung *f* (from von). – **16.** (*Bergbau*) Streichen *n* (*Gang od. Flöz*), Richtung *f*. – **17.** *arch.* Tragweite *f*, Tracht *f*, freitragende Länge (*eines Balkens od. Bogens*). – **18.** *tech.* a) (Achsen-, Wellen-, Zapfen)Lager *n*, Auflager *n*, Lagerung *f*, b) Lager(schale *f*) *n*, c) Führungsschiene *f*: **to line a ~** ein Lager ausfüttern. – **19.** *meist pl her.* Wappenbild *n*, Schildträger *m*. – *SYN.* **carriage, demeano(u)r, deportment, manner, mien.**

bear·ing| an·gle *s aer. mar.* Peilwinkel *m*. — **~ a·re·a** *s tech.* Auflage-, Lager-, Lauf-, Paß-, Führungsfläche *f*. — **~ ball** *s tech.* Lagerkugel *f*. — **~ bar** *s* **1.** *arch.* Tragebaum *m*. – **2.** *tech.* Rostträger *m* (*Ofen*). — **~ block, ~ brack·et** *s tech.* Zapfenlager *n*, Lagerbock *m*. — **~ brass** *s tech.* Lagerschale *f*, -büchse *f*. — **~ bud** *s bot.* Tragknospe *f* (*Knospe mit Blütenanlagen*). — **~ bush(·ing)** → **bearing brass.** — **~ cas·ing** *s tech.* Lagergehäuse *n*. — **~ com·pass** *s mar.* Peilkompaß *m*. — **~ cup** → **bearing brass.** — **~ di·rec·tion** *s math. phys.* Orien'tierungs-, Peil(ungs)richtung *f*. — **~ field** *s phys.* Peilfeld *n*. — **~ fric·tion** *s tech.* Lagerreibung *f*. — **~ fric·tion loss** *s tech.* (Lager)Reibungsverluste *pl*. — **~ hang·er** → **bearing block.** — **~ line** *s aer. mar.* Peillinie *f*. — **~ load** *s tech.* Lagerbelastung *f*, Auflagekraft *f*. — **~ loss** → **bearing friction loss.** — **~ met·al** *s tech.* 'Lager-, 'Babbitt-, 'Weißme,tall *n*. — **~ note** *s mus.* Ausgangston *m*. — **~ ped·es·tal** → **bearing block.** — **~ pin** *s tech.* Lagerzapfen *m*. — **~ plate** *s tech.* **1.** *aer. mar.* Peilscheibe *f*. – **2.** Grundplatte *f*. — **~ pow·er** *s tech.* Tragfähigkeit *f*. — **~ pres·sure, ~ re·ac·tion** *s tech.* Auflager-, Stauchdruck *m*, Gegenkraft *f* (*dem Auflagedruck entgegenwirkend*). — **~ rein** *s*

Ausbindezügel *m.* — **~ shaft** *s tech.* einlagerige Welle. — **~ shell** → bearing brass. — **~ sock·et** *s tech.* (Lager)Pfanne *f.* — **~ spin·dle** → bearing pin. — **~ spring** *s tech.* Tragfeder *f.* — **~ sur·face** → bearing area. — **~ yoke** *s tech.* Lagergabel *f.*

bear·ish ['bɛ(ə)riʃ] *adj* **1.** bärenartig, -haft. – **2.** *fig.* plump, tolpatschig. – **3.** brummig, unfreundlich. – **4.** *econ.* a) 'baissetendenziˌös, b) 'Baissespekulatiˌonen betreffend, Baisse... — **'bear·ish·ness** *s* **1.** Bärenartigkeit *f.* – **2.** *fig.* Plumpheit *f,* Tolpatschigkeit *f.* – **3.** Brummigkeit *f,* Unfreundlichkeit *f.* – **4.** *econ.* 'Baissetenˌdenz *f.*

bear| lead·er *s* **1.** *fig.* Reisebegleiter *m* (eines jungen Mannes). – **2.** Bärenführer *m.* — **~ moss** *s bot.* Haarmoos *n* (*Polytrichum juniperinum*).

bé·ar·naise sauce [ˌbeiˌɑr'nɛz] *s* Soße *f* Béar'naise.

'bear's|-ˌbed [bɛrz] *s bot.* Moospolster *n* (*bes. von Polytrichum commune*). — **'~-'bil·ber·ry** → bearberry 1. — **'~-ˌbreech** → acanthus 1. — **'~-ˌear** *s bot.* Au'rikel *f* (*Primula auricula*). — **'~-ˌfoot** *s irr bot.* Stinkende Nieswurz (*Helleborus foetidus*). — **'~-'gar·lic** *s bot.* Bärenlauch *m* (*Allium ursinum*). — **'~-ˌgrape** → bearberry 1. — **~ grease** *s* Bärenfett *n.* — **'~-ˌhead** *s bot.* (*ein*) Stachelpilz *m* (*Hydnum caput-medusae*).

'bearˌskin *s* **1.** Bärenfell *n,* -haut *f.* – **2.** Kal'muck *m* (*dicker, langhaariger Wollstoff*). – **3.** *mil.* Bärenfellmütze *f.*

'bear's-ˌwort *s bot.* Gemeines Heilkraut, Bärwurz *f* (*Heracleum sphondylium*).

bear| trap *s Am.* Bärenfalle *f* (*bes. fig.*). — **~ whelp** *s* Bärenjunges *n.* — **'~ˌwood** → cascara buckthorn.

beast [biːst] *s* **1.** (*vierfüßiges*) Tier: ~ **of burden** Lasttier; ~ **of chase** Jagdwild; ~**s of the forest** Waldtiere. – **2.** Tier *n* (*im Gegensatz zum Menschen*). – **3.** *agr.* Vieh *n, bes.* Mastvieh *n.* – **4.** Last-, Zug-, Reittier *n, bes.* Pferd *n.* – **5.** *fig.* roher, bru'taler Mensch, Rohling *m,* Bestie *f,* Vieh *n*: **a ~ of a fellow** eine Bestie in Menschengestalt. – **6.** *fig.* Tier *n,* tierische Na'tur, (*das*) Tier(ische) (*im Menschen*). – **7.** *colloq.* (*etwas*) Scheußliches *od.* Schreckliches: **a ~ of a day** ein scheußlicher Tag (*in bezug auf das Wetter*). – **8. the B~** *relig.* der Antichrist. – **9.** *obs.* Lebewesen *n,* Krea'tur *f.* – *SYN.* animal, brute. — **~ fable** *s* Tierfabel *f.*

beast·ie ['biːsti] *s bes. Scot.* Tierchen *n.*

'beastˌlike *adj* tierisch, wie ein Tier.

beast·li·ness ['biːstlinis] *s* **1.** Bestiali'tät *f,* Brutali'tät *f,* Roheit *f,* Gemeinheit *f.* – **2.** *colloq.* Scheußlichkeit *f.* – **3.** Tierähnlichkeit *f.* — **'beast·ly I** *adj* **1.** *fig.* viehisch, tierisch, besti'alisch, bru'tal, roh, gemein. – **2.** *colloq.* ab'scheulich, scheußlich: ~ **weather** ‚Hundewetter'; **it's a ~ shame** es ist eine ‚Affenschande'. – **3.** tierähnlich, Tier... – **II** *adv* **4.** tierisch, viehisch, gemein, roh. – **5.** *colloq.* ‚verflucht', ‚verdammt' (*äußerst, sehr, schrecklich*): **it was ~ hot** es war verdammt heiß.

beast roy·al *s obs.* **1.** König *m* der Tiere (*Löwe*). – **2.** *astr.* Löwe *m.*

beat[1] [biːt] **I** *s* **1.** Schlag *m,* Hieb *m.* – **2.** Pochen *n,* Klopfen *n,* Schlag(en*n*) *m* (*Herz*). – **3.** Ticken *n* (*Uhr*): **to be in (out of) ~** (un)regelmäßig ticken. – **4.** Trommeln *n,* Trommelschlag *m.* – **5.** *mus.* a) Takt(schlag) *m,* b) Schlag(bewegung *f*) *m,* c) Schlag(zeit *f*) *m,* Zählzeit *f,* Taktteil *m,* d) *hist.* Mor'dent *m,* Vor- *od.* Nachschlag *m,* e) (*Jazz*) rhythmischer Schwerpunkt. – **6.** *metr.* Hebung *f,* Ton *m.* – **7.** *electr. phys.* Schwebung *f.* – **8.** *mar.* Schlag *m* (*beim Lavieren*). – **9.** *Am. colloq.* a) *etwas was alles übertrifft*: **I never heard the ~ of that** das übersteigt ja alles, was ich bisher gehört habe, b) (*Zeitungswesen*) Al'lein-, Erstmeldung *f.* – **10.** Runde *f,* Bezirk *m,* (Amts)Bereich *m*: **a watchman's ~** Runde *od.* Revier eines Wächters; **to be on one's ~** seine Runde machen. – **11.** *fig.* Gesichtskreis *m,* (geistiger) Hori'zont, Fach *n,* Bereich *m*: **it is outside my ~** das ist nicht mein Fach. – **12.** → **dead ~** 1. – **13.** na'türliche Maserung (*Holz*). –

II *adj* **14.** *colloq.* ‚(wie) erschlagen' (*verblüfft, am Ende seiner Weisheit*). – **15.** *auch* **~ out** *sl.* ‚ka'putt', zerschlagen, erschöpft: → **dead-~**. –

III *v/t pret* **beat** *pp* **'beat·en,** *obs. od. dial.* **beat 16.** schlagen, (ver)prügeln: → **black and blue; to ~ s.th. into s.o.** j-m etwas einbleuen. – **17.** schlagen: **to ~ the wings** mit den Flügeln schlagen, flattern. – **18.** (*Takt, Trommel*) schlagen: **to ~ the charge** *mil.* das Signal zum Angriff geben; → **retreat** 1; **time** 31. – **19.** peitschen, um'tosen, schlagen gegen (*Wind, Wellen, Regen etc*): **~en by storms** von Stürmen gepeitscht. – **20.** (*Weg*) stampfen, treten, (sich) bahnen (*auch fig.*): **to ~ one's way** *Am. colloq.* per Anhalter reisen (*trampen*), sich (als blinder Passagier) durchschlagen; **to ~ it** *Am. sl.* ‚abhauen', ‚verduften' (*ausreißen*). – **21.** *bes. hunt.* (*Revier*) durch'stöbern, -'streifen, abgehen, abklopfen: **to ~ the bounds** *Br.* den jährlichen Umgang um die Gemarkung machen. – **22.** schlagen, besiegen, über'wältigen: **to ~ s.o. at swimming** j-n im Schwimmen schlagen; → **hollow**[1] 16; **to ~ by half a length** *sport* um eine halbe (Pferde)-Länge schlagen; **I'll not be ~en** *fig.* ich lasse mich nicht unterkriegen; **if they don't ~ us to it** *Am. colloq.* wenn sie uns nicht zuvorkommen; **to ~ the air** (*od.* **wind**) *fig.* offene Türen einrennen, gegen Windmühlen kämpfen. – **23.** *sport* (*Rekord*) schlagen, drükken. – **24.** *mar.* (*Schiff*) über'holen, totsegeln. – **25.** *fig.* über'treffen, -'bieten: **that ~s all** das übertrifft alles; **that ~s the band** *od.* **can you ~ it?** *sl.* ‚das schlägt dem Faß den Boden aus!' das ist ja unerhört! → **Dutch** 5. – **26.** *fig.* verblüffen, verwirren: **that ~s me** das ist mir zu hoch, da kann ich nicht mehr mit. – **27.** *Am. sl.* ‚reinlegen', ‚beschupsen', ‚beschummeln' (*betrügen*) (**out of** um). – **28.** *colloq.* erschöpfen, ermüden: **the journey quite ~ him** die Reise hat ihn ganz ‚fertiggemacht' (*völlig erschöpft*). – **29.** (*Geist*) anstrengen: **to ~ one's brains about s.th.** sich den Kopf über etwas zerbrechen. – **30.** (*Kleider, Teppiche etc*) (aus)klopfen. – **31.** zerschlagen, zertrümmern, (zer)stoßen, (zer)stampfen. – **32.** *bes. tech.* durch Schlagen *od.* Klopfen bearbeiten: a) (*Metall*) hämmern, schmieden, b) (*Baumwolle*) schlagen, klopfen, c) (*Getreide*) dreschen, d) (*Steine*) klopfen, e) (*Teig, Eier etc*) schlagen, rühren: **to ~ flat** flachschlagen, -klopfen. – **33.** *print.* abklopfen: **to ~ a proof** einen Bürstenabzug machen, einen Korrekturbogen abziehen. – *SYN.* a) **baste**[1], **belabo(u)r, buffet**[1], **pound**[1], **pommel, thrash, thresh,** b) *cf.* **conquer.** –

IV *v/i* **34.** (an)klopfen, (an)pochen: **to ~ at the door** an die Tür klopfen. – **35.** (heftig) schlagen, pochen, klopfen (*Herz etc*). – **36.** fallen, strahlen (**on, upon** auf *acc*) (*Sonne*). – **37.** schlagen, tosen, stürmen, wüten (**against, upon** gegen): **the rain ~s against the house** der Regen peitscht gegen das Haus. – **38.** den Takt schlagen (**to** zu). – **39.** schlagen, (er)tönen, geschlagen werden (*Trommel etc*). – **40.** *mil.* die Trommel rühren. – **41.** *mar.* la'vieren, kreuzen: **to ~ against the wind, to ~ to windward** (luvwärts) aufkreuzen, anluven; **to ~ to leeward** leewärts kreuzen, abfallen. – **42.** sich vorwärtsarbeiten, sich mühsam bewegen (**through** durch). – **43.** *hunt.* Treibjagd halten, treiben: → **bush**[1] 1. – **44.** *sport Am. sl.* gewinnen: **which team ~?** welche Mannschaft gewann? – **45.** *mus. phys.* Schwebungen ergeben *od.* machen. –

Verbindungen mit Adverbien:

beat| down I *v/t* **1.** *fig.* niederschlagen, bedrücken. – **2.** *econ.* a) um einen niedrigeren Preis handeln mit (*j-m*), (*j-m etwas*) abhandeln, b) (*Preis*) her'unterhandeln. – **3.** (*Pfähle etc*) einrammen. – **II** *v/i* **4.** her'abfallen, -strahlen, -brennen (**on** auf *acc*) (*Sonne etc*). — **~ in** *v/t* (*Nagel etc*) (hin)'einschlagen, -treiben. — **~ off I** *v/t* zu'rück-, abschlagen. – **II** *v/i mar.* sich (*von der Küste etc*) freikreuzen. — **~ out** *v/t* **1.** aushauen, -hämmern. – **2.** *tech.* (*Eisen*) ausschmieden. – **3.** (*Sense*) dengeln. – **4.** *fig.* her'ausarbeiten, ‚ausknobeln'. – **5.** *colloq.* aus dem Felde schlagen, (*j-m*) zu'vorkommen. – **6.** hin'ausprügeln, -treiben, -werfen. – **7.** *mus.* (voll *od.* immer weiter) ausschlagen. — **~ up I** *v/t* **1.** aufrütteln, -schütteln (*auch fig.*). – **2.** (*Eier etc*) (zu Schnee *od.* Schaum) schlagen, quirlen. – **3.** *mil.* a) (*Rekruten*) werben, b) über'fallen, über'raschend angreifen: **to ~ s.o.'s quarters** *fig.* j-n mit einem Besuch überraschen, j-n ‚überfallen'. – **4.** absuchen, -streifen (**for** nach). – **5.** (*etwas*) auftreiben, -stöbern, eifrig sammeln. – **6.** *sl.* ‚verdreschen' (*durchprügeln*). – **II** *v/i* **7.** *mar.* aufkreuzen: **~ against the wind** gegen den Wind segeln.

beat[2] [biːt; beit] *s Br.* Flachs- *od.* Hanfbündel *n.*

beat board *s sport* Sprungbrett *n.*

beat·en ['biːtn] **I** *pp von* **beat**[1]. – **II** *adj* **1.** geschlagen. – **2.** *tech.* durch Schlagen bearbeitet, gehämmert *etc.* – **3.** (zu Schnee *od.* Schaum) geschlagen (*Eier etc*). – **4.** niedergelegt (*Getreide vom Wind etc*). – **5.** (*von Wind, Wellen etc*) um'tost, gepeitscht: → **weather-~**. – **6.** vielbegangen, ausgetreten, gebahnt: **the ~ track** *fig.* der ausgetretene Pfad, der übliche Weg; **out of the ~ track** *fig.* ungewöhnlich. – **7.** *fig.* abgedroschen, trivi'al. – **8.** besiegt, geschlagen. – **9.** erschöpft, erledigt. — **~ bis·cuit** *s Am.* (*Art*) Blätterteiggebäck *n.* — **~ gold** *s tech.* Blattgold *n,* Goldfolie *f.* — **~ silver** *s tech.* Blattsilber *n,* Silberfolie *f.* — **~ zone** *s mil.* bestrichener Raum.

beat·er ['biːtər] *s* **1.** Schläger(in). – **2.** *hunt.* Treiber *m.* – **3.** *tech. Gerät zum Schlagen, Klopfen etc*: a) Stampfe *f,* 'Schlag-, 'Flackmaˌschine *f,* b) Rammeisen *n,* c) Stößel *m,* d) Schlegel *m,* Klöpfel *m,* e) Klopfer *m.* — **~ pick** *s tech.* Stopf-, Spitzhacke *f.* — **'~-'up** → **beater** 2.

beat| fre·quen·cy *s* **1.** *electr. phys.* Über'lagerungs-, 'Schwebungsfreˌquenz *f.* – **2.** (*Fernsehen*) Pfeifen *n,* Pfiff *m.* — **'~-'fre·quen·cy os·cil·la·tor** *s electr.* Schwebungssummer *m,* Über'lagerungs-, 'Hilfsoszilˌlator *m.*

be·a·tif·ic [ˌbiːə'tifik], **ˌbe·a'tif·i·cal** [-kəl] *adj* **1.** (glück)selig. – **2.** beseligend, seligmachend. – **3.** glückstrahlend. — **ˌbe·a'tif·i·cal·ly** *adv* (*auch zu* beatific). — **ˌbe·a'tif·iˌcate** [-ˌkeit] → **beatify.** — **be·at·i·fi·ca·tion** [biˌætifi'keiʃən; -təfə-] *s* **1.** (Glück)Seligkeit *f.* – **2.** *relig.* Seligsprechung *f.*

be·a·tif·ic vi·sion *s relig.* beseligende Gottesschau (*unmittelbare Schau Gottes im Himmel*).

be·at·i·fy [biˈæti͵fai; -tə-] *v/t* **1.** beseligen, glücklich *od.* selig machen. – **2.** *relig.* seligsprechen.

beat·ing [ˈbiːtiŋ] *s* **1.** Schlagen *n.* – **2.** Prügel *pl*, Züchtigung *f*: **to give s.o. a sound ~** j-m eine tüchtige Tracht Prügel verabreichen, j-n tüchtig durchprügeln. – **3.** Besiegt-, Geschlagenwerden *n*, Niederlage *f.* – **4.** rhythmisches Schlagen *od.* Klopfen, Pulˈsieren *n*: **~ of the heart** Herzschlag; **~ of the pulse** Pulsschlag. – **5.** *mus.* a) (Ton)Schwebung *f*, b) Taktschlag(en *n*) *m*, c) Trommelschlagen *n*, -rühren *n*: **~ of the drum.** – **6.** *mar.* Laˈvieren *n.* – **7.** *tech.* Boken *n*, Klopfen *n*, Schlagen *n* (*Flachs od. Hanf*). — **~ brush** *s print.* (Ab)Klopfbürste *f.* — **~ ma·chine** *s tech.* **1.** ˈSchlag-, ˈFlackma͵schine *f*, Batˈteur *m* (*zum Baumwollschlagen u. -reinigen*). – **2.** ˈSchwingma͵schine *f* (*für Flachs u. Hanf*). — **~ mill** *s tech.* ˈStampfka͵lander *m.* — **~ par·ry** *s* (*Fechtkunst*) Schlagdeckung *f.*

be·at·i·tude [biˈæti͵tjuːd; -tə͵t-; *Am. auch* -͵tuːd] *s* **1.** (Glück)Seligkeit *f.* – **2.** *relig.* a) **the ~s** *pl* die Seligpreisungen *pl* (*Christi in der Bergpredigt*); b) **B~** (Eure) Seligkeit (*in der röm.-kath. Kirche als ehrende Anrede des Papstes u. in orient. Kirchen als Titel der Äbte u. Patriarchen untereinander verwendet*), c) Seligsprechung *f.*

beat·nik [ˈbiːtnik] *s* junger Antikonformist und Boheˈmien, Beatnik *m.*

beat| note *s electr. phys.* Schwebungs-, Interfeˈrenzton *m.* — **~ re·ceiv·er** *s electr.* ˈSuperhet(ero͵dyne-Emp͵fänger) *m*, Überˈlagerungsemp͵fänger *m.* — **~ re·cep·tion** *s electr.* Schwebungs-, Überˈlagerungsempfang *m.* — **~ tone** → **beat note.** — **ˈ~-ˈup** *adj sl.* **1.** erledigt, erschöpft. – **2.** kaˈputt, ‚hin'.

beau [bou] **I** *s pl* **beaus, beaux** [bouz] **1.** Beau *m*, Stutzer *m*, Geck *m.* – **2.** Courmacher *m*, Liebhaber *m.* – **II** *v/t* **3.** (*einer Dame*) den Hof machen. — **B~ Brum·mell** [ˈbrʌməl] *s* Stutzer *m*, Geck *m.*

Beau·fort's scale [ˈboufərts] *s* Beaufortskala *f* (*Windskala*).

beau·ish [ˈbouiʃ] *adj* stutzhaft.

beau·mont root [ˈboumɒnt] → **Culver's root.**

beaut [bjuːt] *s sl. od. ironisch* ˈPrachtexem͵plar *n*: **that's a ~ of a black eye!** das ist eine wahre Pracht von einem blauen Auge!

beau·te·ous [ˈbjuːtiəs] *adj meist poet.* (*äußerlich*) schön. — **ˈbeau·te·ous·ness** *s* (*äußerliche*) Schönheit.

beau·ti·cian [bjuˈtiʃən] *s bes. Am.* Kosˈmetiker(in), Schönheitspfleger(in). — **beau·tied** [ˈbjuːtid] *adj* verschönt, schön gemacht. — **beau·ti·fi·ca·tion** [͵bjuːtifiˈkeiʃən; -təfə-] *s* **1.** Verschönerung *f.* – **2.** Verzierung *f*, Ausschmückung *f.*

beau·ti·ful [ˈbjuːtəfəl; -ful; -ti-] **I** *adj* **1.** schön. – **2.** bewundernswert, eindrucksvoll. – *SYN.* **bonny, comely, fair¹, handsome, lovely, pretty.** – **II** *s* **3. the ~** das Schöne. — **ˈbeau·ti·ful·ly** *adv colloq.* schön, ausgezeichnet, prächtig: **the thing went off ~** die Sache ging *od.* klappte wunderschön; **~ warm** schön warm. — **ˈbeau·ti·ful·ness** *s* Schönheit *f.*

beau·ti·fy [ˈbjuːti͵fai; -tə-] **I** *v/t* **1.** schön(er) machen, verschöne(r)n. – **2.** ausschmücken, verzieren. – **II** *v/i* **3.** schön(er) werden, sich verschöne(r)n. – *SYN. cf.* **adorn.**

beau·ty [ˈbjuːti] **I** *s* **1.** Schönheit *f*: **a thing of ~** etwas Schönes; **~ is but skin-deep** man kann nicht nach dem Äußeren urteilen. – **2.** *colloq.* (*das*) Schön(st)e: **that is the ~ of it all** das ist das Schönste an der ganzen Sache. – **3.** Anmut *f.* – **4.** schöner Gegenstand, ‚Gedicht' *n*, Schönheit *f*: **a ~ of a vase** ‚ein Gedicht von einer Vase'. – **5.** Schönheit *f*, Schöne(r), schöne Perˈson (*meist von Frauen*). – **6.** schönes Tier. – **7.** *colloq.* ˈPrachtexem͵plar *n.* – **II** *v/t* **8.** *obs.* verschöne(r)n. — **~ aid** *s* Schönheits(pflege)mittel *n*, kosˈmetisches Mittel. — **~ par·lo(u)r, ~ salon, ~ shop** *s* ˈSchönheits-, Kosˈmetiksa͵lon *m.* — **~ sleep** *s colloq.* Schönheitsschlaf *m* (*Schlaf vor Mitternacht*). — **~ spot** *s* **1.** Schönheitspflästerchen *n.* – **2.** Schönheits-, Leberfleck *m.* – **3.** *colloq.* Schönheitsfehler *m.* – **4.** schöner Fleck, schöne Gegend. — **~ wash** *s* flüssiges Kosˈmetikum.

beaux *pl von* **beau I.**

beaux-arts [boˈzaːr] (*Fr.*) *s pl* (*die*) schönen Künste *pl.*

bea·ver¹ [ˈbiːvər] **I** *s* **1.** *zo.* Biber *m* (*Castor fiber*). – **2.** Biberpelz *m.* – **3.** a) Biber-, Kastorhut *m*, b) Filz-, Seidenhut *m*, Zyˈlinder *m.* – **4.** Biberfell-, Tuchhandschuh *m.* – **5.** Biber *m*, *n* (*dicker filziger Stoff*). – **6.** *sl.* ‚Biber' *m* (*Bart, bärtiger Mann*). – **II** *adj* **7.** aus Biberfell *od.* -pelz *od.* -tuch, Biber(fell)...

bea·ver² [ˈbiːvər] *s mil. hist.* **1.** Kinnschutz *m* (*am Helm*). – **2.** Viˈsier *n*, Helmsturz *m.*

ˈbea·ver͵board *s Am.* Hartfaserplatte *f.*

bea·vered [ˈbiːvərd] *adj* mit einem Viˈsier versehen (*Helm*) *od.* bedeckt (*Gesicht*).

bea·ver hat → **beaver¹ 3.**

bea·ver·kin [ˈbiːvərkin] *s* kleiner Kastorhut.

bea·ver| poi·son → **water hemlock 1.** — **~ rat** *s zo.* **1.** Austral. Schwimmratte *f* (*Hydromys chrysogaster*). – **2.** Bisam-, Zibetratte *f* (*Fiber zibethicus*). — **ˈ~͵root** → **yellow water lily.**

bea·ver·teen [͵biːvərˈtiːn; ˈbiːvər͵tiːn] *s* (rauher *od.* geschorener) Baumwoll-Molton (*Stoff*).

bea·ver| tree, ˈ~͵wood *s bot. Am.* Virˈginische Maˈgnolie, Biberbaum *m* (*Magnolia virginiana*).

bea·ver·y [ˈbiːvəri] *s* Biberbau *m.*

be·bee·ric ac·id [biˈbi(ə)rik] *s chem.* Bebeeˈrinsäure *f.*

be·bee·rine [biˈbi(ə)riːn; -rin] *s chem.* Bebeeˈrin *n*, Buchˈsin *n.*

be·bee·ru [biˈbi(ə)ruː] *s bot.* eine *guayanische Lauracee* (*Nectandra rodioei*).

be·bled [biˈbled] *adj obs.* blutbefleckt.

be·bop [ˈbiːbɒp] *s mus.* Bebop *m* (*Jazzstil*).

be·call [biˈkɔːl] *v/t obs.* beschimpfen.

be·calm [biˈkaːm] **I** *v/t* **1.** beruhigen, besänftigen, stillen. – **2.** *mar.* bekalmen (*den Wind aus den Segeln nehmen*): **to be ~ed** in Windstille verfallen, blind liegen, in Stille treiben. – **II** *v/i* **3.** *mar.* abstillen, bedaren, ruhig werden (*Wind u. See*).

be·came [biˈkeim] *pret von* **become.**

bé·cas·sine [bekaˈsin] (*Fr.*) *s zo.* Gemeine Sumpfschnepfe, Bekasˈsine *f* (*Capella gallinago*).

be·cause [biˈkɔːz; -ˈkɒz] **I** *conjunction* **1.** weil, da (*obs.* **~ that**). – **2.** *obs.* daˈmit. – **II** *prep* **~ of 3.** wegen (*gen*), inˈfolge von (*od. gen*), auf Grund von (*od. gen*): **~ of the rain** wegen *od.* infolge des Regens; **~ of overwork** infolge von Überarbeitung. – **4.** *obs.* um ... (*gen*) willen.

bec·ca·fi·co [͵bekəˈfiːkou] *pl* **-cos** *s zo.* (*eine*) Feigendrossel (*Gattg Sylvia*).

bé·cha·mel [*Br.* ˈbeʃəmel; *Am.* ͵beiʃaːˈmel], *auch* **~ sauce** *s* Béchaˈmelsoße *f* (*feine Süßrahmsoße*).

be·chance [*Br.* biˈtʃaːns; *Am.* -ˈtʃæ(ː)ns] **I** *v/i* sich zutragen, sich ereignen. – **II** *v/t* (*j-m*) zustoßen, begegnen, widerˈfahren.

be·charm [biˈtʃaːrm] *v/t* be-, verzaubern.

bêche|-de-mer [beʃdəˈmeːr] (*Fr.*) *s* **1.** *zo.* Eßbare Holoˈthurie, Trepang *m* (*Holothuria edulis*). – **2.** Bêche-de-mer *n*, Beach-la-mar *n* (*dem Pidgin-Englisch ähnliche Verkehrssprache in West-Ozeanien*). — **~-le-mar** [͵beiʃləˈmaːr] → **bêche-de-mer 2.**

Bech·u·a·na [͵betʃuˈaːnə] *pl* **-a·na** [-ˈaːnə] *od.* **-a·nas** [-ˈaːnəz] *s* Betschuˈane *m* (*Neger*).

beck¹ [bek] **I** *s* **1.** Wink *m*, Zeichen *n* (*mit der Hand od. dem Kopf gegeben*): **to be at s.o.'s ~ and call** auf j-s (leisesten) Wink *od.* Abruf zur Verfügung stehen. – **2.** *bes. Scot.* Verbeugung *f*, Knicks *m.* – **II** *v/i* **3.** *bes. Scot.* eine Verbeugung machen. – **4.** *obs.* winken, ein Zeichen geben. – **III** *v/t* **5.** *selten* durch einen Wink ausdrücken. – **6.** *obs.* (*j-m*) winken, ein Zeichen geben.

beck² [bek] *s Br.* (Wild)Bach *m.*

beck³ [bek] *s tech.* flacher Bottich *od.* Kessel, Kufe *f.*

beck·et [ˈbekit] *mar.* **I** *s* **1.** a) (Knebel-)Stropp *m*, b) Haken *m*, Krampe *f*, c) kleiner Tauhaken *od.* -ring (*als Handgriff*). – **2.** *sl. obs.* Tasche *f* (*in Kleidern*). – **II** *v/t* **3.** a) mit einem Stropp *etc* festbinden, b) mit Tauringen *od.* Klampen *etc* versehen. — **~ bend** *s mar.* Schotenstek *m* (*Knotenform*).

beck·on [ˈbekən] **I** *v/t* **1.** (*j-m*) (zu)winken, zunicken, (*j-m mit der Hand od. dem Kopf*) ein Zeichen geben. – **2.** (*j-n*) herˈbeiwinken. – **II** *v/i* **3.** winken. – **4.** *fig.* locken, rufen. – **III** *s* **5.** Wink *m*, Zeichen *n* (*mit der Hand od. dem Kopf*).

be·cloud [biˈklaud] *v/t* **1.** umˈwölken, verdunkeln (*auch fig.*). – **2.** trüben, unklar machen.

be·come [biˈkʌm] *pret* **beˈcame** [-ˈkeim] *pp* **beˈcome I** *v/i* **1.** werden (of aus): **what has ~ of him** was ist aus ihm geworden? **to ~ better** besser werden; **to ~ an actor** Schauspieler werden; **to ~ warped** sich werfen (*Holz*). – **2.** sich zutragen, sich ereignen, geschehen. – **3.** sich geziemen, sich schicken, sich gehören, angemessen sein (*Benehmen etc*). – **4.** *obs.* gelangen, gehen, sich begeben. – **II** *v/t* **5.** anstehen (*dat*), sich (ge)ziemen für: **it does not ~ you** es geziemt sich nicht für Sie. – **6.** (*j-m*) stehen, passen zu, (*j-n*) kleiden (*Kleidungsstück*). – **7.** *selten* sich (*einer Sache*) gemäß betragen, (*einer Sache*) würdig sein: **he ~s the dignity of his function** er benimmt sich der Würde seines Amtes gemäß.

be·com·ing [biˈkʌmiŋ] **I** *adj* **1.** werdend, entstehend. – **2.** passend, kleidend, kleidsam: **a most ~ coat** ein äußerst kleidsamer Mantel; **this dress is very ~ to you** dieses Kleid steht Ihnen sehr gut. – **3.** schicklich, geziemend, anständig, passend: **as is ~** wie es sich gebührt; **with ~ respect** mit geziemender Hochachtung. – **II** *s* **4.** (*das*) Passende *od.* Schickliche *od.* Anständige: **to have a fine sense of the ~** einen feinen Sinn für das Schickliche haben. – **5.** *philos.* a) Entstehen *n*, Werden *n*, b) ˈÜbergang *m*, Entwicklung *f.* — **beˈcom·ing·ness** *s* **1.** Kleidsamkeit *f.* – **2.** Schicklichkeit *f*, Anstand *m.* – **3.** Angemessenheit *f.*

Becque·rel rays [bekˈrel] *s pl phys.* Becqueˈrelstrahlen *pl*, naˈtürliche ˈradioak͵tive Strahlen *pl.*

be·cui·ba [biˈkwiːbə] *s bot.* Bicuˈhybabaum *m* (*Virola bicuhyba*).

bed [bed] **I** *s* **1.** Bett *n*, Lager(statt *f*) *n*, (*auch* letzte) Ruhestätte. – **2.** Bett *n* (*bestehend aus Bettstelle, -tüchern,*

-decke, Matratze, Kissen). – **3.** Bett *n*: a) Bettstelle *f*, b) (Feder- *etc*) Bett *n*. – **4.** Lager *n*, Bett *n* (*Tier*): ~ **of oysters** Bett junger Austern; ~ **of snakes** Nest (*junger*) Schlangen; **to go out of its** ~ *hunt.* austreten (*Wild*). – **5.** Schlafstätte *f*, Lo'gis *n*, Über'nachtung *f*: ~ **and breakfast** (*in Gasthöfen*) Zimmer mit Frühstück. – **6.** (Ehe)Bett *n*: **separation from** ~ **and board** Trennung von Tisch u. Bett; **a child of his first** ~ ein Kind aus seiner ersten Ehe. – **7.** (Garten)Beet *n*. – **8.** Bett *n* (*eines Flusses etc*). – **9.** *bot.* Vertiefung *f*, Höhlung *f*. – **10.** *geol.* (*u. Bergbau*) Lage(r *n*) *f*, Lagerung *f*, Geleg *n*, Bett *n*, Schicht *f*, Bank *f*, Flöz *n*: ~ **of iron ores** Lager von Eisenerzen; ~ **of ore** Erztrum, Bank; ~ **of sand** Sandschicht; → **coal** 1. – **11.** (*Steinbruch*) a) Bruchlager *n*, Lagerseite *f*, b) Schicht *f*, Ader *f*, Bett *n*. – **12.** *tech.* Lage *f*, Lager *n*, (*flache*) 'Unterlage, Bett(ung *f*) *n*, Schicht *f*: ~ **of cylinders** Walzenbett; ~ **of thatch** Strohdachlage. – **13.** (*Wegebau*) Sandbett *n*, Bettung *f* (*Pflaster*): ~ **of flags** Bettung der Fliesen; ~ **of pavement** Sandlage unter dem Steinpflaster; ~ **of stone** Steinbettung. – **14.** *arch.* a) Lagerung *f*, Bettung *f* (*Baustein*), b) 'Unterfläche *f* (*Ziegel, Schiefer etc*), c) Unter'mauerung *f*, 'Unterlage *f*, Schicht *f* (*aus gemauerten Steinen*): ~ **of a lock** (*od.* **sluice**) Schleusenbecken. – **15.** *tech.* a) (*Eisenbahnbau*) 'Unterbau *m*, Kies-, Schotterbett *n*, b) *print.* Zurichtung *f* (*Druckform*), c) (*Schriftguß*) Sattel *m*, d) (*Buchbinderei*) Grund *m* (*aus Tragantgummi für die Marmorierung des Schnittes*), e) untere Backe, Ma'trize *f* (*einer Stanz-, Punch- od. Lochmaschine*), f) innere, schräge Fläche (*des Hobels, an der das Hobeleisen liegt*), g) Wangen *pl*, Backen *pl* (*der Drehbank*), h) Gestell *n*. – **16.** *mar.* Schiffsschlitten *m* (*auf der Werft*). – **17.** *mil.* a) Bettungs-, Bodenplatte *f* (*eines Geschützes*), b) Mörserblock *m*. –

Besondere Redewendungen:

~ **and bedding** Bett und Zubehör (*Bettzeug etc*); ~ **of boards** Holzpritsche; ~ **of hono(u)r** *fig.* Feld der Ehre, Schlachtfeld; ~ **of state** Paradebett; ~ **of thorns** *fig.* Schmerzenslager; **as one makes one's** ~ **so one must lie** wie man sich bettet, so liegt man; **to lie** (*od.* **sleep**) **in** (*od.* **on**) **the** ~ **one has made** die Folgen seiner Handlungen tragen; **to bring** (*od.* **put**) **to** ~ entbinden; **to be brought to** ~ entbunden werden (**of** von), niederkommen (**of** mit); **to keep one's** ~ das Bett hüten; **to make the** ~ das Bett machen; **to put to** ~ (*j-n*) zu Bett bringen; **to take to one's** ~ sich (krank) ins Bett legen, bettlägerig werden; **to turn down the** ~ das Bett aufdecken. –

II *v/t pret u. pp* **'bed·ded 18.** ins Bett legen, betten (*auch fig.*). – **19.** ein Bett *od.* 'Nachtquar,tier geben (*dat*). – **20.** *auch* ~ **down**, ~ **out**, ~ **up** (*Pferd etc*) mit Streu versorgen. – **21.** in ein Beet *od.* in Beete pflanzen. – **22.** (ein)betten, ein-, auflagern, schichten. – **23.** ordnen, in Ordnung *od.* Reihe(n) ('hin)legen. – **24.** *tech.* a) einschleifen, b) einmörteln, festlegen, betten: **to** ~ **an engine** eine Maschine betten. – **25.** *tech.* (*beim Pflastern*) Steine verschmieren. – **26.** *obs.* beiwohnen (*dat*), beschlafen. –

III *v/i* **27.** zu *od.* ins Bett gehen. – **28.** sein Lager *od.* Nest machen, nisten (*Tier*). – **29.** zu'sammen schlafen, im (selben) Bett liegen (**with** mit). – **30.** ein Bett nehmen, über'nachten, lo'gieren. – **31.** einen dichten Knäuel *od.* eine Schicht bilden. – **32.** lagern, liegen (**against** gegen). –

Verbindungen mit Adverbien:

bed| down → **bed** 20. — ~ **in** *v/t* (*Gießerei*) (*das Gußmodell in Formsand od. den Kern in die Gußform*) einbetten. — ~ **out** *v/t* **1.** (*Pflanzen*) auspflanzen, ins Freie setzen. – **2.** → **bed** 20. — ~ **up** *v/t* **1.** *agr.* (*Erde*) häufeln. – **2.** → **bed** 20.

be·dab·ble [bi'dæbl] *v/t* benetzen, bespritzen. [wahr'haftig!]

be·dad [bi'dæd] *interj Irish* bei Gott!

be·dash [bi'dæʃ] *v/t* bespritzen.

be·daub [bi'dɔːb] *v/t* **1.** beschmieren, beschmutzen. – **2.** → **bedizen.**

be·daz·zle [bi'dæzl] *v/t* blenden. — **be'daz·zle·ment** *s* Blendung *f*, Geblendetsein *n*.

'bed,bug *s zo.* (Gemeine Bett)Wanze (*Cimex lectularius*). — ~ **hunt·er** *s zo.* Wanzenjäger *m* (*Reduvius personatus*).

'bed|,chair *s* **1.** Bettstuhl *m* (*Vorrichtung für Kranke zum Sitzen im Bett*). – **2.** Krankensessel *m*, -stuhl *m*. — **'~,cham·ber** *s* Schlafzimmer *n*: → **Gentleman of the King's B~** königlicher Kammerjunker; → **Lord of the B~**; **Lady of the B~**. — **'~,clothes** *s pl* Bettwäsche *f*. — **'~,cov·er** *s* Bettdecke *f*.

bed·ded ['bedid] *adj* **1.** mit einem Bett *od.* Lager, mit einer (Unter)'Bettung *etc* (versehen): **double-~** mit zwei Betten. – **2.** (ein)gebettet, auf *od.* in ein Bett *od.* Lager *etc* gelegt. – **3.** *bes. geol.* gelagert, geschichtet. – **4.** ein Bett *od.* Lager bildend. – **5.** (*Gartenbau*) a) in Beeten wachsend, b) ins Freie verpflanzt. – **6.** im Bett eines Flusses wachsend *od.* befindlich.

bed·der ['bedər] *s* **1.** *Br.* a) Aufwartefrau *f* (*der Collegestudenten in Cambridge*), b) *sl.* Schlafzimmer *n* (*in Colleges*). – **2.** *tech.* a) Arbeiter, der etwas einbettet, b) → **bed stone.** – **3.** (*Gartenbau*) Freilandsetzling *m* (*bes. Zierpflanze*).

bed·ding ['bediŋ] **I** *s* **1.** Zu'bettlegen *n*, -gehen *n*. – **2.** Betten *n*, Bettung *f*. – **3.** Bettzeug *n*, Bett *n* u. Zubehör *n*, *m*. – **4.** *obs.* Bett *n*, Schlafstelle *f*, -gelegenheit *f*. – **5.** (Lager)Streu *f* (*für Tiere*). – **6.** *tech.* a) Betten *n*, Verfüllen *n* (*Gleise*), b) Bettung *f*, Lager *n*, c) Auflagefläche *f*: ~ **of pipes** Rohrverlegung; ~ **of the boiler** Kessellager, -träger; ~ **of timber** Balkenbettung, -lager. – **7.** *arch.* Funda'ment *n*, Unter'mauerung *f*, 'Unterlage *f*. – **8.** *geol. tech.* Schichtung *f*, Schichtenbildung *f*, -lagerung *f*. – **II** *adj* **9.** (*Gartenbau*) Beet..., Freiland... (*bes. Zierpflanzen*).

bede *cf.* **bead** 9.

be·deck [bi'dek] *v/t* **1.** bedecken. – **2.** zieren, schmücken.

bed·e·g(u)ar ['bedi,gɑːr] *s bot.* Schlaf-, Rosenapfel *m*, Rosenschwamm *m*.

bede·house *cf.* **beadhouse.**

be·dev·il [bi'devl] *pret u. pp* **-iled**, *bes. Br.* **-illed** *v/t* **1.** *bes. fig.* a) be-, verhexen, b) (*j-n*) beherrschen (*böser Geist*): ~(l)ed (*vom Teufel*) besessen, be-, verhext. – **2.** *fig.* a) in Unordnung *od.* Verwirrung bringen, durchein'anderbringen, ‚vermasseln', b) verderben, verpfuschen. – **3.** quälen, foltern, plagen. – **4.** miß'handeln. — **be'dev·il·ment** *s* **1.** Besessenheit *f*. – **2.** Be-, Verhexung *f*. – **3.** heillose Verwirrung, Durchein'ander *n*.

be·dew [bi'djuː; *Am. auch* -'duː] *v/t* betauen, benetzen, besprengen.

'bed|,fast *adj* bettlägerig. — **'~,fel·low** *s* **1.** Bettgenosse *m*, 'Schlafkame,rad *m*. – **2.** *fig.* Kame'rad *m*, Genosse *m*: **misfortune makes strange** ~**s** im Unglück schließt man seltsame Freundschaften.

Bed·ford cord ['bedfərd] *s* längsgeripptter Kordstoff.

Bed·ford·shire ['bedfərd,ʃir; -ʃər] *s Br. humor.* Bett *n* (*in der Redensart*): **to go to** ~ ins Bett gehen.

'bed,gown *s* **1.** Nachtgewand *n*, -hemd *n*. – **2.** *dial.* (*Art*) lose Arbeitsjacke (*für Arbeiterinnen*).

be·dight [bi'dait] *pret u. pp* **be'dight** *v/t obs. od. poet.* **1.** ausstatten, ausrüsten. – **2.** schmücken, aufputzen.

be·dim [bi'dim] *pret u. pp* **be'dimmed** *v/t* verdunkeln, trüben.

be·diz·en [bi'dizn; -'dai-] *v/t* (*geschmacklos*) auf-, her'ausputzen, über'laden, ‚aufdonnern'.

bed| jack·et *s* Bettjacke *f*, -jäckchen *n*. — ~ **joint** *s* **1.** (*Maurerei*) Lagenfuge *f*. – **2.** *geol.* Schichtenfuge *f*.

bed·lam ['bedləm] *s* **1.** B~ *Londoner Irrenanstalt, frühere Priorei St. Mary of Bethlehem.* – **2.** Irrenanstalt *f*, Irren-, Tollhaus *n* (*auch fig.*). – **3.** *allg.* Irre(r), Tollhäusler(in). – **4.** *hist.* Bedlam-Bettler(in) (*als teilweise geheilt entlassen u. zum Betteln berechtigt*). — **'bed·lam,ism** *s* Verrücktheit *f*. — **'bed·lam,ite I** *s* → **bedlam** 3. – **II** *adj* toll, wahnsinnig.

bed| lift *s* Stellkissen *n*, Hebevorrichtung *f* (*in Betten, um Kranken das Aufsitzen zu ermöglichen*). — ~ **lin·en** *s* Bettwäsche *f*.

Bed·ling·ton ['bedliŋtən], *auch* ~ **ter·ri·er** *s* Bedlington-Terrier *m*.

'bed,mak·er *Br. für* **bedder** 2a.

bed| mo(u)ld, ~ **mo(u)ld·ing** *s arch.* Gesims *n*: ~ **of a cornice** Karniesgesims, Unterglied (*am Säulengebälk*).

Bed·ou·in ['beduin] **I** *s* **1.** Bedu'ine *m* (*nomadischer Wüstenaraber*). – **2.** *allg.* No'made *m*. – **II** *adj* **3.** bedu'inisch, Beduinen... – **4.** no'madisch, Nomaden... — **'Bed·ou·in,ism** *s* No'madentum *n*.

'bed|,pan *s* **1.** Wärmflasche *f*. – **2.** *med.* Stechbecken *n*, Bett-, Leibschüssel *f*: ~ **commando** *mil. Am. sl.* Sanitäter. — ~ **piece** *s tech.* **1.** Druckplatte *f* (*beim Banknotendruck*). – **2.** → **bedplate.** — **'~,plate** *s tech.* **1.** Auflager-, Boden-, Grund-, 'Unterlagsplatte *f*, -stück *n* (*Maschine*). – **2.** Ma'schinengestell *n*, Funda'mentrahmen *m*. – **3.** (*Eisenbahn*) 'Unterlags-, Stoß-, Stuhlplatte *f* (*Schienen*). – **4.** (*Papiermühle*) Platte *f*, Grundwerk *n*. — **'~,post** *s* Bettpfosten *m*: → **between** 2.

be·drab·ble [bi'dræbl], **be·drag·gle** [bi'drægl] *v/t* (*meist pass*) (*Kleider*) beschmutzen, durch'nässen.

'bed|,rail *s* Seitenteil *m*, *n* des Bettes. — **'~,rid·den**, *selten* **'~,rid** *adj* **1.** bettlägerig. – **2.** *fig.* abgedroschen. — **'~,rock I** *s* **1.** *geol.* Muttergestein *n*, fester *od.* gewachsener Fels, Grundgebirge *n*, -gestein *n*, -schicht *f*. – **2.** *fig.* Grundlage *f*, Funda'ment *n*: **to get down to** ~ der Sache auf den Grund gehen. – **II** *adj* **3.** *colloq.* (felsen)fest, unerschütterlich, grundlegend. — **'~,roll** *s* (*zum Tragen*) zu'sammengerolltes Bettzeug. — **'~,room** *s* Schlafzimmer *n*.

be·drop [bi'drɒp] *pret u. pp* **-'dropped** *v/t* betröpfeln, beträufeln, bespritzen.

bed sheet *s* Bettlaken *n*.

'bed,side *s* Seite *f* des Bettes: **at the** ~ am Bette; **to watch at s.o.'s** ~ an j-s (Kranken)Bett wachen. — ~ **man·ner** *s* Verhalten *n* (*eines Arztes etc*) gegen'über bettlägerigen Kranken: **a good** ~ ein taktvolles Verhalten bei Krankenbesuchen.

'bed-'sit·ter → **bed-sitting-room.**

'bed|-'sit·ting-,room *s Br.* Wohnschlafzimmer *n*. — **'~,sore** *s med.* De'kubitus *m*, Wunde *f* in'folge 'Durchliegens (*bei Kranken*). — **'~,spread** *s* (Zier)Bettdecke *f*, Tagesdecke *f*. — **'~,spring** *s* Bettrost *m*,

'Stahlma,tratze *f.* — '~,**stead** *s* Bettstatt *f*, -stelle *f*, -gestell *n.* — ~ **stone** *s tech.* **1.** Steinsockel *m.* – **2.** Boden-, Grundstein *m*, unterer Mühlstein. — '~,**straw** *s* **1.** *bot.* a) Labkraut *n* (*Gattg Galium*), b) Wandelklee *m*, Tele'graphenpflanze *f* (*Desmodium gyrans*). – **2.** *obs.* Bettstroh *n.* — ~ **ta·ble** *s* Krankentisch *m.* — '~,**tick** *s* (Kopfkissen-, Oberbett)Inlett *n*, Ma'tratzen,überzug *m.* — '~,**time** *s* Schlafenszeit *f*: ~ **story** den Kindern vor dem Einschlafen erzählte Geschichte; **it's past** ~ es ist höchste Zeit zum Schlafengehen.

bed·ward(s) ['bedwərd(z)] *adv* dem Bett zu, zu *od.* ins Bett.

bee[1] [biː] *s* **1.** *zo.* a) (Honig)Biene *f* (*Apis mellifica*), b) *allg.* Biene *f*, Blumenwespe *f*, Imme *f*, Hummel *f.* – **2.** *fig.* Biene *f* (*fleißiger Mensch*). – **3.** *bes. Am.* Versammlung *f* (*zur gemeinsamen, meist nachbarlichen Hilfeleistung od. auch zu Unterhaltungszwecken*): → **husking** 2; **sewing** ~ Nähkränzchen (*zur Herstellung von Kleidern für einen wohltätigen Zweck*); **spelling** ~ Wettstreit zur Übung in der Orthographie. –

Besondere Redewendungen:

to have a ~ **in one's bonnet** *sl.* ‚einen Vogel haben' (*verrückt sein*); **swarm of** ~**s** Bienenschwarm; **brisk as a** ~ munter wie eine Biene; **as busy as a** ~ fleißig *od.* emsig wie eine Biene.

bee[2] [biː] *s mar.* Backe *f*, Klampe *f*: ~**s of the bowsprit** Backen des Bugspriets, Bugsprietsviolinen.

bee| ant *s zo.* Bienenameise *f* (*Mutilla europaea*). — ~ **balm** *s bot.* **1.** 'Gartenme,lisse *f* (*Melissa officinalis*). – **2.** Vir'ginische Me'lisse (*Monarda didyma*).

bee·bee ['biːbiː] *s Br. Ind.* Dame *f.*

bee| bee·tle *s zo.* Bienenwolf *m*, -käfer *m* (*Trichodes apiarius*). — ~ **bird** *s zo.* Grauer Fliegenschnäpper (*Muscicapa grisola*). — ~ **block** *s mar.* Laufklampe *f* (*am Bugspriet*). — '~,**bread** *s* Bienenbrot *n* (*Blütenstaub als Nahrung für die jungen Bienen*).

beech [biːtʃ] *s* **1.** *bot.* (Rot)Buche *f* (*Gattg Fagus*). – **2.** Buchenholz *n.* — '~,**drops** *s bot.* Buchenwürger *m* (*Epiphegus virginianus u. Conopholis americana*).

beech·en ['biːtʃən] *adj* **1.** buchen, aus Buchenholz. – **2.** Buchen...

beech| fern *s bot.* Buchenfarn *m* (*Phegopteris polypodioides*). — ~ **mar·ten** *s zo.* Stein-, Hausmarder *m* (*Mustela foina*). — ~ **mast** *s* Buchmast *f*, -eckern *pl.* — '~,**nut** *s* Buchecker *f*, Buchel *f.*

bee eat·er *s zo.* Bienenfresser *m*, -specht *m*, -wolf *m* (*Fam. Meropidae*).

beef [biːf] **I** *s pl* **beeves** [-vz], *Am. auch* **beefs 1.** Rind(vieh) *n.* – **2.** Ochsen-, Rindfleisch *n.* – **3.** *colloq.* (Muskel)Kraft *f.* – **4.** *colloq.* Fleisch *n* (*am Menschen*). – **5.** *Am. sl.* ‚Mecke'rei' *f*, Nörge'lei *f.* – **II** *v/i* **6.** *Am. sl.* ‚meckern', sich beklagen, nörgeln. – **7.** ~ **up** *sl.* Fett ansetzen, dick werden. — '~,**cake** *s sl.* Bild *n* eines Muskelprotzen. — ~ **cat·tle** *s* Mast-, Schlachtvieh *n.* — '~,**eat·er** *s* **1.** Rindfleischesser *m.* – **2.** wohlgenährter Mensch (*auch verächtlich*). – **3.** *Br.* königlicher 'Leibgar,dist. – **4.** → **oxpecker.**

beef·in ['biːfin] → **biffin.**

beef·i·ness ['biːfinis] *s* **1.** Fleischigkeit *f*, Beleibtheit *f.* – **2.** *fig.* Muskelkraft *f.*

'**bee|,flow·er** → **bee orchis.** — ~ **fly** *s zo.* Wollschweber *m* (*Fam. Bombyliidae; Fliege*).

'**beef,steak** *s* Beefsteak *n*, Rindfleisch-, Lendenschnitte *f.* — ~ **fun·gus** *s bot.* Gemeiner Leberpilz (*Fistulina hepatica*). — ~ **plant** *s bot.* **1.** → **beefsteak saxifrage.** – **2.** Be'gonie *f* (*Gattg Begonia*). – **3.** (*eine*) Pe'rilla, Schwarznessel *f* (*Perilla frutescens crispa*). – **4.** *Kanad.* Läusekraut *n* (*Pedicularis canadensis*). — ~ **sax·i·frage** *s bot.* Wuchernder Steinbrech, Judenbart *m* (*Saxifraga sarmentosa*).

'**beef|-'su·et tree** → **buffalo berry** 2. — ~ **tea** *s* (Rind)Fleisch-, Kraftbrühe *f.* — '~-'**wit·ted** *adj* (geistig) schwerfällig, schwer von Begriff. — '~,**wood** *s bot.* **1.** (*ein*) Keulenbaum *m* (*Gattg Casuarina*). – **2.** *eine austral. Proteacee* (*bes. Gattg Banksia*).

beef·y ['biːfi] *adj* **1.** fleischig, musku'lös, stark. – **2.** schwerfällig, stur. – **3.** rindfleischartig.

bee| glue *s* Bienenharz *n*, Klebwachs *n.* — ~ **gum** *s Am.* **1.** (hohler) Euka'lyptusbaum, in dem ein Bienenschwarm haust. – **2.** *dial.* Bienenkorb *m.* — ~ **hawk** *s zo.* Wespenbussard *m* (*Pernis apivorus*). — '~,**hive** *s* **1.** Bienenstock *m*, -korb *m*, -beute *f.* – **2.** *mil.* Hohl(raum)ladung *f.* — '~,**house** *s* Bienenhaus *n.*

beek [biːk] *Scot. od. dial.* **I** *v/t* **1.** wärmen, sonnen. – **2.** austrocknen lassen. – **II** *v/i* **3.** sich sonnen. – **4.** Wärme ausstrahlen. – **III** *s* **5.** Sonnenbad *n.*

'**bee|,keep·er** *s* Bienenzüchter *m*, Imker *m.* — '~,**keep·ing** *s* Bienenzucht *f.* — ~ **kill·er** *s zo.* Bienentöter *m* (*Fam. Asilidae; Fliege*). — ~ **lark·spur** *s bot.* Hoher Rittersporn (*Delphinium elatum*). — '~'**line** *s fig.* kürzester Weg: **to make a** ~ **for s.th.** schnurgerade auf etwas losgehen. — ~ **louse** *s irr zo.* Bienenlaus *f* (*Braula coeca*).

Be·el·ze·bub [bi'elzibʌb] **I** *npr* **1.** *Bibl.* Be'elzebub *m.* – **II** *s* **2.** Teufel *m* (*auch fig.*). – **3.** *zo.* Schwarzer Brüllaffe, Ca'raya *m* (*Mycetes niger*).

bee| mar·tin *s zo.* Königsvogel *m* (*Tyrannus tyrannus*). — '~,**mas·ter** *s* Bienenzüchter *m*, Imker *m.* — ~ **moth** *s zo.* Große Bienen-, Wachsmotte, Bienenzünsler *m* (*Galleria mellonella*).

been[1] [biːn; bin] *pp von* **be.**

been[2] [biːn] *s mus.* **1.** Vina *f* (*lautenähnliches Instrument in Indien*). – **2.** Klari'nette *f* (*der indischen Schlangenbeschwörer*).

bee| net·tle *s bot.* **1.** Bunter Hohlzahn, Hanfnessel *f* (*Galeopsis speciosa*). – **2.** Bienensaug *m* (*Lamium album*). — ~ **or·chis** *s bot.* Bienenragwurz *f* (*Ophrys apifera*).

beep [biːp] *s mil.* kleiner Jeep.

bee| plant *s bot.* (*eine*) Bienennährpflanze (*bes. Gattgen Cleome u. Scrophularia*). — ~ **queen** *s zo.* Bienenkönigin *f*, Weisel *m.*

beer[1] [bir] **I** *s* **1.** Bier *n*: **life is not all** ~ **and skittles** *Br. colloq.* das Leben ist kein reines Vergnügen; → **small** ~. – **2.** (*alkoholisches od. nichtalkoholisches*) bierähnliches Getränk (*aus Pflanzen*): → **ginger** ~, **root** ~. – **II** *v/i* **3.** *colloq.* ‚sich (mit Bier) vollaufen lassen' (*sich betrinken*).

beer[2] [bir] *s* (*Weberei*) Kettfadenbündel *n*, -fadengruppe *f.*

beer| chill·er *s Br.* Bierwärmer *m* (*Zinngefäß*). — ~ **en·gine** *s* Bierpumpe *f*, 'Bierdruckappa,rat *m.* — ~ **gar·den** *s* Biergarten *m*, 'Gartenlo,kal *n.* — '~,**house** *s Br.* Bierhaus *n*, -stube *f*, -schenke *f.*

beer·i·ness ['bi(ə)rinis] *s* **1.** bierähnliche Beschaffenheit. – **2.** Bierdusel *m.*

beer mon·ey *s Br.* Bier-, Trinkgeld *n.*

beer·oc·ra·cy [bi(ə)'rɒkrəsi] *s Br. humor.* Bierokra'tie' *f* (*reiche Brauereiaktionäre*).

'**beer|,pull** *s* (Griff *m* der) Bierpumpe *f.* — ~ **pump** *s* Bierpumpe *f.* — ~ **stone** *s* (*Brauerei*) Bierstein *m* (*Ablagerung in Gärkübeln u. Bierleitungen*).

beer·y ['bi(ə)ri] *adj* **1.** bierartig, Bier... – **2.** bierselig.

bee| scap, ~ **skep** *s* Bienenkorb *m*, -stock *m* (*aus Stroh*).

'**bee's-,nest (plant)** *s bot.* Möhre *f*, Mohrrübe *f* (*Daucus carota*).

beest·ings ['biːstiŋz] *s pl* (*oft als sg konstruiert*) Biest *m*, Biestmilch *f* (*erste Milch einer Kuh nach dem Kalben*).

'**bees|,wax I** *s* Bienenwachs *n.* – **II** *v/t* mit Bienenwachs einreiben. — '~,**wing** *s* **1.** feines Häutchen (*auf altem Wein*). – **2.** hauchdünnes Kleieteilchen.

beet[1] [biːt] *s* **1.** *bot.* Bete *f* (*Gattg Beta*), *bes.* Runkel-, Zuckerrübe *f*, Mangold *m*, Rote Bete (*B. vulgaris*). – **2.** *auch* ~ **greens** 'Mangoldgemüse *n*, -sa,lat *m.*

beet[2], *auch* **beete** [biːt] *v/t Scot. od. dial.* **1.** ausbessern, verbessern. – **2.** (*ein Feuer*) anzünden, unter'halten.

bee·tle[1] ['biːtl] *s zo.* **1.** Käfer *m* (*Ordnung Coleoptera*). – **2.** (*volkstümlich*) Käfer *m*, käferähnliches In'sekt (*z.B. Schabe*): **as blind as a** ~ stockblind.

bee·tle[2] ['biːtl] **I** *s* **1.** Holzhammer *m*, Schlegel *m*, Bleuel *m.* – **2.** *tech.* a) Erdstampfe *f*, (Stiel)Ramme *f*, b) 'Stoß-, 'Stampfka,lander *m* (*für Textilien*). – **II** *v/t* **3.** mit einem Schlegel *od.* Klopfholz *etc* bearbeiten, (ein)stampfen. – **4.** *tech.* (*Textilien*) ka'landern.

bee·tle[3] ['biːtl] **I** *adj* vorstehend, 'überhängend. – **II** *v/i* vorstehen, her'vorragen, 'überhängen.

beet leaf hop·per *s zo.* Rübenheuschrecke *f* (*Entettix tenellus*).

'**bee·tle|-,browed** *adj* **1.** mit buschigen, vorstehenden Brauen. – **2.** finster blickend. — ~ **brows** *s pl* buschige, vorstehende Brauen *pl.* — '~-,**crush·er** *s sl.* **1.** ‚Qua'dratlatschen' *m* (*großer Fuß od. Schuh*). – **2.** Per'son *f* mit großen Füßen. – **3.** *mil.* ‚Landser' *m*, ‚Stoppelhopser' *m* (*Infanterist*). — '~,**head** *s* **1.** *tech.* Fallbock *m*, (Ramm)Bär *m*, Rammklotz *m* (*einer Ramm-Maschine*). – **2.** *zo. Am.* Regenpfeifer *m* (*Squatarola squatarola*). – **3.** *fig.* Dummkopf *m.*

bee·tler ['biːtlər] *s tech.* Ka'landerer *m* (*Arbeiter an einem Stoßkalander*).

'**bee·tle|,stock** *s* Schlegel-, Bleuelstiel *m.* — '~,**stone** *s geol.* Kopro'lith *m* (*Exkrement eines Ichthyosaurus*).

bee·tling ma·chine ['biːtliŋ] → **beetle**[2] 2b.

bee tree *s* **1.** Bienenbaum *m* (*hohler Baum, in dem Bienen nisten*). – **2.** *bot.* Schwarzlinde *f* (*Tilia americana*).

'**beet|,root** *s bot.* **1.** *Br.* Wurzel *f* der (Roten) Bete. – **2.** *Am. für* **beet**[1] 1. — ~ **sug·ar** *s* **1.** Rübenzucker *m.* – **2.** *chem.* → **sucrose.**

beeves [biːvz] *pl von* **beef.**

bee| wine *s selten* Blütennektar *m.* — ~ **wolf** *s irr zo.* Larve *f* des Bienenkäfers *Trichodes apiarius.*

beez·er ['biːzər] *s sl.* ‚Gurke' *f* (*Nase*).

be·fall [bi'fɔːl] *pret* **be'fell** [-'fel], *pp* **be'fall·en** [-lən] **I** *v/i* **1.** sich ereignen, sich zutragen. – **2.** *obs.* werden (of aus): **to** ~ **of s.th.** – **II** *v/t* **3.** (*j-m*) zustoßen, wider'fahren, begegnen.

be·fit [bi'fit] *pret u. pp* **-'fit·ted** *v/t* **1.** sich ziemen *od.* schicken für: **it ill** ~**s you** es steht Ihnen schlecht an. – **2.** *obs.* versehen, ausrüsten, ausstatten. — **be'fit·ting** *adj* passend, angemessen, schicklich.

be·fog [bi'fɒg; *Am. auch* -'fɔːg] *pret u. pp* **-'fogged** *v/t* **1.** in Nebel hüllen. – **2.** *fig.* um'nebeln, in Dunkel hüllen, verwirren.

be·fool [bi'fuːl] *v/t* **1.** zum Narren haben *od.* halten, täuschen. – **2.** als Narren behandeln, betören. – **3.** (*j-n*) einen Narren schimpfen.

be·fore [bi'fɔːr; bə-] **I** *adv* **1.** (*räumlich*) vorn, vor'an: to go ~ vorangehen. – **2.** (*zeitlich*) vorher, zu'vor, vormals, ehemals, früher, bereits, schon: an hour ~ eine Stunde vorher *od.* früher; long ~ lange vorher *od.* zuvor; he had been in business ~ früher war er einmal Geschäftsmann. – **II** *prep* **3.** (*räumlich*) vor: ~ the mast als einfacher Matrose. – **4.** vor (*in Gegenwart von*): ~ God! bei Gott! ~ witnesses vor Zeugen. – **5.** (*zeitlich*) vor: the day ~ yesterday vorgestern; the week ~ last vorletzte Woche; ~ long in Kürze, bald; ~ now schon früher; ~ one's time vor der Zeit, zu früh, verfrüht. – **6.** vor (*j-m liegend etc*): he has the world ~ him ihm steht die Welt offen. – **7.** vor (*unter dem Antrieb von*): → carry 15; wind[1] 14. – **III** *conjunction* **8.** bevor, ehe: not ~ nicht früher *od.* eher als bis, erst als, erst wenn. – **9.** lieber *od.* eher ..., als daß: I would die ~ I would confess it eher *od.* lieber will ich sterben, als es bekennen. — **be'fore,hand I** *adv* zu'vor, (im) voraus: to know s.th. ~ etwas im voraus wissen. – **II** *adj* vorbereitet (*obs. außer in*): to be ~ with s.th. a) einer Sache zuvorkommen *od.* vorbeugen, b) etwas vorwegnehmen. — **be'fore,time** *adv obs.* vor'zeiten, ehedem, dazumal.

be·for·tune [bi'fɔːrtʃən] *poet. für* befall.

be·foul [bi'faul] *v/t* beflecken, besudeln, beschmutzen (*auch fig.*): to ~ one's own nest *fig.* sein eigenes Nest beschmutzen. — **be'foul·ment** *s* Beschmutzung *f.*

be·friend [bi'frend] *v/t* **1.** (*j-s*) Freund sein. – **2.** (*j-n*) unter'stützen, begünstigen, (*j-m*) helfen.

be·fud·dle [bi'fʌdl] *v/t* **1.** betrunken machen. – **2.** verwirren. — **be'fud·dle·ment** *s* **1.** (Be)Trunkenheit *f*, Dusel *m.* – **2.** Verwirrung *f.*

beg [beg] *pret u. pp* **begged I** *v/t* **1.** (*etwas*) erbitten (of s.o. von j-m), bitten um: to ~ leave um Erlaubnis bitten; to ~ s.o. off j-n losbitten *od.* befreien (from von); → pardon 4. – **2.** erbetteln, betteln *od.* bitten um: to ~ a piece of bread. – **3.** (*j-n*) bitten (to do s.th. etwas zu tun). – **4.** (*ohne Beweis*) als gegeben annehmen: to ~ the question a) den Fragepunkt als bewiesen annehmen, b) *fig.* dem wahren Sachverhalt ausweichen. – **II** *v/i* **5.** betteln: to go ~ging betteln gehen (*auch fig.*); this post is going ~ging *fig.* niemand will den Posten übernehmen. – **6.** bitten, flehen (for um). – **7.** sich erlauben *od.* sich die Freiheit nehmen (to do s.th. etwas zu tun): I ~ to differ ich erlaube mir, anderer Meinung zu sein. – **8.** bitten, Männchen machen (*Hund*). – **9.** ~ off sich entschuldigen (lassen). – *SYN.* adjure, beseech, entreat, implore, importune, supplicate.

be·gad [bi'gæd] *interj colloq.* bei Gott!

be·gan [bi'gæn] *pret von* begin.

be·gat [bi'gæt] *obs. pret von* beget.

be·gem [bi'dʒem] *pret u. pp* **be'gemmed** *v/t* mit Edelsteinen schmücken *od.* besetzen, (ver)zieren.

be·get [bi'get] *pret* **be·got** [bi'gɒt], *obs.* **be'gat** [-'gæt], *pp* **be'got·ten** [-tn], *obs.* **be'got** *v/t* **1.** (er)zeugen. – **2.** *fig.* erzeugen, her'vorbringen, in die Welt setzen. — **be'get·tal** → begetting. — **be'get·ter** *s* **1.** Erzeuger *m*, Vater *m.* – **2.** *fig.* Urheber *m*, Veranlasser *m.* — **be'get·ting** *s* **1.** (Er)Zeugung *f.* – **2.** *fig.* Her'vorbringung *f.* – **3.** Urheber-, Erzeugerschaft *f.* – **4.** Nachkommenschaft *f.*

beg·gar ['begər] **I** *s* **1.** Bettler(in). – **2.** *fig.* Arme(r), Bedürftige(r): ~s must not be choosers arme Leute dürfen nicht wählerisch sein, einem geschenkten Gaul sieht man nicht ins Maul. – **3.** *humor. od. verächtlich* Kerl *m*, Bursche *m*: lucky ~ Glückspilz; a naughty little ~ ein kleiner Taugenichts. – **4.** *obs.* Bittsteller(in). – **II** *v/t* **5.** an den Bettelstab bringen, arm machen. – **6.** *fig.* entblößen, berauben. – **7.** *fig.* spotten (*dat*), über'treffen: it ~s description es spottet jeder Beschreibung. — **'beg·gar·dom, 'beg·gar,hood** *s* **1.** Bettelarmut *f*, Bedürftigkeit *f.* – **2.** Bettelleben *n.* – **3.** Bettlertum *n*, -schaft *f.*

'beg·gar-,lice → beggar's-lice.

beg·gar·li·ness ['begərlinis] *s* **1.** Bettelarmut *f*, Armseligkeit *f.* – **2.** *fig.* Erbärmlichkeit *f.* — **'beg·gar·ly** *adj* **1.** bettlerhaft. – **2.** *fig.* armselig, lumpig, erbärmlich. – *SYN. cf.* contemptible.

'beg·gar-my-'neigh·bo(u)r *s* Bettelmann *m*, Tod u. Leben *n* (*Kartenspiel*).

'beg·gar's|-,lice *s pl bot.* **1.** Kletten *pl* (*haftende Früchte gewisser Pflanzen*). – **2.** (*auch als sg konstruiert*) *Bezeichnung von Pflanzen mit haftenden Früchten, bes.* a) Labkraut *n* (*Gattg Galium*), b) Igelsame *m* (*Gattg Lappula*), c) Büschelkraut *n* (*Gattg Desmodium*). — **'~-,nee·dle** *s bot.* Venuskamm *m* (*Scandix pecten Veneris*). — **'~-,ticks, 'beg·gar-,ticks** → beggar's-lice.

'beg·gar,weed *s bot.* **1.** Vogelknöterich *m* (*Polygonum aviculare*). – **2.** Kleeseide *f* (*Cuscuta trifolii*). – **3.** *auch* Florida ~ Floridaklee *m* (*Desmodium tortuosum*).

beg·gar·y ['begəri] *s* **1.** Bettelarmut *f.* – **2.** Bettlerschaft *f*, Bettlertum *n.* – **3.** Bettlerherberge *f.* – **4.** *fig.* Erbärmlichkeit *f*, erbärmlicher Zustand.

beg·ging ['begiŋ] **I** *adj* **1.** bettelnd. – **II** *s* **2.** Bette'lei *f.* – **3.** Bitten *n.* – **4.** ~ the question → petitio principii.

Beg·hard ['begərd; bi'gɑːrd] → Beguin.

be·gin [bi'gin; bə-] *pret* **be'gan** [-'gæn] *pp* **be'gun** [-'gʌn] **I** *v/t* **1.** beginnen, anfangen: to ~ the world ins Leben treten. – **2.** (be)gründen: to ~ a dynasty. – **II** *v/i* **3.** beginnen, anfangen: to ~ with a) anfangen mit *od.* bei, b) (*adverbiell*) anfangs, (gleich) am Anfang, zunächst, c) dies sei zuvor bemerkt, ich muß vorausschicken; not to ~ to do *colloq.* (*im negativen Satz*) nicht (im Traume) daran denken zu tun; he does not even ~ to try er will es nicht einmal versuchen; well begun is half done gut begonnen ist halb gewonnen. – **4.** entstehen, werden. – *SYN.* commence, inaugurate, initiate, start[1]. — **be'gin·ner** *s* **1.** Anfänger(in). – **2.** Urheber(in). – **3.** Neuling *m.* — **be'gin·ning** *s* **1.** Anfang *m*, Beginn *m*: at (*od.* in) the ~ am *od.* im *od.* zu Anfang; from ~ to end von Anfang bis (zu) Ende; the ~ of the end der Anfang vom Ende. – **2.** Ursprung *m.* – **3.** *pl* a) (*erste*) Anfangsgründe *pl*, Ele'mente *pl*, Grundlagen *pl*, b) Anfänge *pl*, Anfangsstadium *n.*

be·gird [bi'gəːrd] *pret u. pp* **be'girt** [-'gəːrt] *od.* **be'gird·ed** [-did] *v/t* **1.** um'gürten. – **2.** um'geben, -'ringen, einschließen.

beg·ler·beg ['beglər,beg] *s* Beglerbeg *m* (*hoher türk. Beamter*). — **'beg·ler-,beg·lic** [-lik] *s* Amt *n od.* Verwaltungsbezirk *m* eines Beglerbegs.

be·gnaw [bi'nɔː] *v/t* be-, zernagen, anfressen.

be·gog·gled [bi'gɒgld] *adj* **1.** mit einer Schutzbrille versehen. – **2.** eine Schutzbrille tragend.

beg·ohm ['beg,oum] *s electr.* 1000 Megohm *pl* (*Widerstandseinheit*).

be·gone [bi'gɒn] *v/i* (*jetzt nur im Imperativ*) fort! (scher dich) weg!

be·go·ni·a [bi'gounjə; -niə] *s bot.* Be'gonie *f*, Schiefblatt *n* (*Gattg Begonia*). — **be,go·ni'a·ceous** [-'eiʃəs] *adj* be'gonienartig.

be·gor·ra [bi'gɒrə] *interj Irish colloq.* bei Gott!

be·got [bi'gɒt] *pret u. pp von* beget.

be·got·ten [bi'gɒtn] **I** *pp von* beget. – **II** *adj* gezeugt: the first ~ der Erstgeborene; → only 5.

be·grace [bi'greis] *v/t* mit (dem Titel) ‚Euer Gnaden' anreden.

be·grime [bi'graim] *v/t* beschmutzen, besudeln, beschmieren.

be·grudge [bi'grʌdʒ] *v/t* (*j-n*) beneiden, (*j-m etwas*) neiden, ungern geben: to ~ s.o. s.th. j-m etwas neiden *od.* mißgönnen, j-n um etwas beneiden.

be·guile [bi'gail] *v/t* **1.** betrügen, täuschen, hinter'gehen: to ~ s o. (out) of s.th. j-n um etwas betrügen. – **2.** verleiten, verführen (into doing zu tun). – **3.** (*Zeit*) vertreiben, verkürzen. – **4.** *fig.* betören, bezaubern, berücken. – *SYN. cf.* a) deceive, b) while. — **be'guile·ment** *s* Hinter'gehung *f*, Betrug *m*, Täuschung *f.*

Beg·uin ['begin] *s relig.* Be'garde *m*, Be'gine *m* (*Mitglied einer mittelalterlichen religiösen Laienvereinigung ohne bindende Gelübde*). — **'beg·uin·age** *s relig.* Be'ginenhof *m*, -haus *n.*

Be·guine[1] ['begiːn; ,bei'giːn] → Beguin.

be·guine[2] [,bei'giːn; bi-] *s mus.* Be'guine *f*: a) *boleroartiger südamer. Eingeborenentanz*, b) (*daraus*) *moderner rumbaähnlicher Gesellschaftstanz.*

be·gum ['biːgəm] *s* Begum *f*, Begam *f* (*Titel für indische Fürstinnen*).

be·gun [bi'gʌn] *pp von* begin.

be·half [*Br.* bi'hɑːf; *Am.* -'hæ(ː)f] *obs. pl* **be'halves** [-vz] *s* Behuf *m*, Nutzen *m*, Vorteil *m*: in s.o.'s ~ a) um j-s willen, in j-s Interesse, zugunsten j-s *od.* von j-m, b) in j-s Namen, für j-n; on ~ of s.o. für j-n, in j-s Namen; on ~ of s.th. mit Rücksicht auf etwas, im Interesse von etwas.

be·have [bi'heiv] **I** *v/i* **1.** sich (gut) benehmen *od.* betragen: please ~! bitte, benimm dich! he can't ~ er kann sich nicht (anständig) benehmen; to ~ badly (*od.* ill) sich schlecht betragen. – **2.** sich verhalten, rea'gieren (*von Dingen*). – **3.** arbeiten, funktio'nieren (*Maschine etc*): the steering ~s well. – **4.** *math.* verlaufen, sich verhalten. – **II** *v/reflex* **5.** sich benehmen: ~ yourself benimm dich. – *SYN.* acquit, comport, conduct, demean, deport. — **be'haved** *adj* gesittet, geartet: ill-~.

be·hav·ior, *bes. Br.* **be·hav·iour** [bi'heivjər] *s* **1.** Benehmen *n*, Betragen *n*, Verhalten *n*: to be in office on (one's) good ~ ein Amt auf Bewährung innehaben; investigation of ~ (*Tierpsychologie*) Verhaltensforschung; development of ~ *psych.* Verhaltensentwicklung. – **2.** *chem. phys.* Verhalten *n*, Reakti'on *f*, Reaktivi'tät *f.* – **3.** *math.* Verlauf *m*, Verhalten *n.* — **be'hav·io(u)r,ism** *s psych. sociol.* Behavio'rismus *m.* — **be'hav·io(u)r·ist I** *s* **1.** Behavio'rist *m*, Anhänger *m* des Behavio'rismus. – **2.** Ver'haltensforscher *m*, -psycho,loge *m.* – **II** *adj* **3.** behavio'ristisch. — **be,hav·io(u)r'is·tic** → behavio(u)rist II.

be·hav·io(u)r pat·tern *s psych. sociol.* Verhaltensmuster *n.*

be·head [bi'hed] *v/t* **1.** enthaupten, köpfen. – **2.** *fig.* des Oberhauptes *od.* der Spitze berauben. — **be'head·al, be'head·ing** *s* Enthauptung *f.*

be·held [bi'held] *pret u. pp von* behold.

be·he·moth [bi'hiːməθ] *s* **1.** *Bibl.* Behemoth *m* (*riesiges Ungeheuer, viel-*

leicht Nilpferd). – **2.** *fig.* Riesentier *n.* – **3.** *Am. sl.* Herkules *m*, Ko'loß *m* (*Riesenmensch*).

be·hen ['bi:hən] *s bot.* **1.** Weißer Behen, A'rabische Flockenblume (*Centaurea behen*). – **2.** → bladder campion. – **3.** → sea lavender. – **4.** Behennußbaum *m*, 'Ölmo,ringie *f* (*Moringa pterygosperma*).

be·hen·ic ac·id [bi'henik; -'hi:-] *adj chem.* Bensäure *f* ($C_{22}H_{44}O_2$).

be·hen oil *s chem.* Behenöl *n.*

be·hen·ol·ic ac·id [,bi:hə'nɒlik] *s chem.* Behensäure *f* ($C_{22}H_{40}O_2$).

be·hest [bi'hest] *s poet.* **1.** Geheiß *n*, Befehl *m.* – **2.** Verheißung *f* (*obs. außer in*): land of ~ Land der Verheißung.

be·hind [bi'haind] **I** *prep* **1.** hinter: ~ the scenes hinter den Kulissen (*auch fig.*); → time 9 *u. b. Redw.* – **2.** hinter (*dat*), hinter ... (*dat*) zu'rück: to be ~ s.o. j-m nachstehen, hinter j-m zurück sein (in in *dat*). – **II** *adv* **3.** hinten, da'hinter, hinter'her, -'drein, hinten'nach: to walk ~ hinten gehen, hinterhergehen. – **4.** nach hinten, zu'rück: to look ~ zurückblicken. – **III** *pred adj* **5.** zu'rück, im Rückstand: to be ~ with one's schedule mit seinem (Arbeits)Programm im Rückstand sein; to remain ~ zurückbleiben. – **6.** *fig.* im 'Hintergrund, da'hinter, verborgen: there is more ~ da steckt (noch) mehr dahinter. – **IV** *s* **7.** Rückseite *f*, 'Hinterteil *n* (*Kleidungsstück*). – **8.** *vulg.* ‚Hintern' *m.* — **be'hind,hand** *adv u. pred adj* **1.** im Rückstand (befindlich), zu'rück (with mit). – **2.** her'untergekommen, in schlechten Verhältnissen. – **3.** verspätet. – **4.** *fig.* rückständig.

be·hold [bi'hould] **I** *v/t pret u. pp* **be'held** [-'held], *obs. pp* **be'hold·en** [-ən] sehen, erblicken, ansehen, anschauen. – **II** *interj* sieh da! schau! – *SYN.* descry, discern, observe, see[1], survey, view. — **be'hold·en** *adj* verpflichtet, verbunden, dankbar. — **be'hold·er** *s* Beschauer(in), Betrachter(in), Zuschauer(in).

be·hoof [bi'hu:f] *s* Behuf *m*, Nutzen *m*, Vorteil *m.*

be·hoove [bi'hu:v], *bes. Br.* **be'hove** [-'houv] *v/t impers* erforderlich sein für, (*j-m*) gebühren, sich schicken für: it ~s you es gehört sich für dich, es (ge)ziemt dir. — **be'hoove·ful**, *bes. Br.* **be'hove·ful** [-ful; -fəl] *adj obs.* **1.** nötig. – **2.** nützlich.

beige [beiʒ] **I** *adj* **1.** beige (*sandfarben*). – **II** *s* **2.** Beige *f* (*Wollstoff*). – **3.** Beige *n* (*Farbton*).

be·ing ['bi:iŋ] *s* **1.** (Da)Sein *n*, Exi'stenz *f*: in ~ lebend, existierend, wirklich (vorhanden); to call into ~ ins Leben rufen; to come into ~ entstehen. – **2.** Wesen *n*, Na'tur *f.* – **3.** Wesen *n*, Krea'tur *f*: → living 1.

be·jan(t) ['bi:dʒən(t)] *s Br.* **1.** junger Stu'dent, Fuchs *m* (*an den Universitäten Aberdeen u. St. Andrews*). – **2.** Neuling *m*, Grünschnabel *m.*

bej·el ['bedʒəl] *s med.* Frambö'sie *f* (*trop. Infektionskrankheit*).

be·jew·el [bi'dʒu:əl] *v/t* mit Edelsteinen *od.* Ju'welen schmücken.

bek·ko ['bekou] *s* Gegenstände *pl* aus Schildpatt (*in Japan*).

bel[1] [bel] *s electr.* Bel *n* (*logarithmische Verhältniseinheit bei Spannungen u. Leistungen*).

bel[2] [bel] *s bot.* Ben'galische Quitte [(*Aegle marmelos*).]

be·la·bor, *bes. Br.* **be·la·bour** [bi'leibər] *v/t* **1.** (mit Schlägen) bearbeiten, 'durchprügeln. – **2.** *fig.* (*mit Reden*) plagen, dauernd necken *od.* ärgern.

be·late [bi'leit] *v/t* (*über die Zeit*) aufhalten. — **be'lat·ed** *adj* **1.** verspätet. – **2.** *obs.* von der Nacht über'rascht.

be·laud [bi'lɔ:d] *v/t* preisen, rühmen, mit Lob über'schütten: to ~ to the skies *fig.* (*j-n*) in den Himmel heben.

be·lay [bi'lei] **I** *v/t* **1.** *mar.* belegen: to ~ a rope ein Ende belegen (*Tau festmachen*); ~ there! aufhören! Schluß machen! – **2.** (*Bergsteigen*) (*j-n*) sichern. – **II** *s* **3.** (*Bergsteigen*) Sichern *n*, Sicherung *f*, Sicherungsblock *m* (*Felszacken etc*).

be·lay·ing| cleat [bi'leiiŋ] *s mar.* Beleg-, Kreuzklampe *f.* — **~ pin** *s mar.* Belegnagel *m.*

bel can·to [bɛl 'kanto] (*Ital.*) *s mus.* Bel'kanto *m* (*Kunstgesang in ital. Stil*).

belch [beltʃ] **I** *v/i* **1.** aufstoßen, rülpsen. – **2.** *fig.* (*mit Getöse*) her'vorbrechen. – **II** *v/t* **3.** ausspeien (*Vulkan, Schlot, Kanone*). – **III** *s* **4.** Aufstoßen *n*, Rülpsen *n.* – **5.** *fig.* Auswurf *m*, Ausbruch *m* (*Vulkan etc*).

bel·cher ['beltʃər] *s* (buntes) Halstuch (*bes. blau mit weißen Tupfen*).

bel·dam(e) ['beldəm] *s* **1.** alte Frau, Mütterchen *n.* – **2.** Hexe *f*, Xan'thippe *f*, alte Vettel. – **3.** *obs.* Großmutter *f.*

be·lea·guer [bi'li:gər] *v/t* **1.** belagern, einschließen, um'zingeln. – **2.** bloc'kieren. – **3.** *fig.* um'geben. – **4.** heimsuchen.

'B-e'lec·trode valve *s electr.* Dreielek'trodenröhre *f*, Tri'ode *f.*

bel·em·nite ['beləm,nait] *s geol.* Belem'nit *m*, Donnerkeil *m.*

bel·fried ['belfrid] *adj* mit einem Glockenturm (versehen).

bel·fry ['belfri] *s* **1.** Glockenturm *m.* – **2.** Glockenstuhl *m*, -gehäuse *n*: he has bats in his ~ *sl.* ‚er hat einen Vogel' (*ist verrückt*). – **3.** *mar.* Glockengalgen *m* (*für die Schiffsglocke*). – **4.** *antiq. mil.* (*beweglicher*) Belagerungsturm.

bel·ga ['belgə] *s* Belga *m* (*belg. Währungseinheit*).

Bel·gae ['beldʒi:] (*Lat.*) *s pl hist.* Belgen *pl* (*Bewohner Belgiens u. Nordfrankreichs zur Zeit Cäsars*).

Bel·gi·an ['beldʒən; -dʒiən] **I** *s* **1.** Belgier(in). – **2.** *agr.* Belgier *m* (*schweres Zugpferd*). – **II** *adj* **3.** belgisch. — **~ hare** *s zo.* Belgischer Riese (*großes, rötliches, zahmes Kaninchen*).

Bel·gic ['beldʒik] *adj* **1.** belgisch. – **2.** niederländisch, holländisch. – **3.** *hist.* die Belgen betreffend.

Bel·gra·vi·a [bel'greiviə; -vjə] **I** *npr vornehmer Stadtteil Londons.* – **II** *s* die aristo'kratische *od.* vornehme Welt. — **Bel'gra·vi·an I** *adj* **1.** zu Bel'gravia gehörig. – **2.** vornehm, aristo'kratisch, von verwöhntem Geschmack. – **II** *s* **3.** Bewohner(in) von Bel'gravia.

Be·li·al ['bi:liəl; -ljəl] **I** *npr Bibl.* Belial *m*, Teufel *m.* – **II** *s* böser Geist: man of ~ ganz verworfener Mensch.

be·lie [bi'lai] *v/t* **1.** verleumden. – **2.** Lügen erzählen über (*acc*), falsch darstellen. – **3.** Lügen strafen, als falsch erweisen. – **4.** wider'sprechen (*dat*). – **5.** (*Hoffnung etc*) enttäuschen. – **6.** (*einer Sache*) nicht entsprechen.

be·lief [bi'li:f; bə-] *s* **1.** *relig.* Glaube *m*, Religi'on *f.* – **2.** Glaube *m*: past ~ unglaublich. – **3.** Vertrauen *n* (in auf *eine Sache od.* zu *j-m*). – **4.** Meinung *f*, Über'zeugung *f*: to the best of my ~ nach bestem Wissen u. Gewissen; to share s.o.'s ~ j-s Meinung teilen. – **5.** B~ *relig.* das Apo'stolische Glaubensbekenntnis. – *SYN.* a) credence, credit, faith, b) *cf.* opinion.

be·liev·a·ble [bi'li:vəbl; bə-] *adj* glaublich, glaubhaft.

be·lieve [bi'li:v; bə-] **I** *v/i* **1.** glauben (in an *acc*). – **2.** (in) vertrauen (auf *acc*), Vertrauen haben (zu), Hoffnung setzen (auf *acc*). – **3.** eine hohe Meinung haben, viel halten (in von): I do not ~ in sports ich halte nicht viel vom Sport. – **4.** (of) denken (über *acc*), eine Meinung haben (von): to ~ meanly of s.o. schlecht von j-m denken. – **II** *v/t* **5.** glauben, meinen, denken: do not ~ it glaube es nicht; I ~ him to be a fool ich halte ihn für einen Narren; he made me ~ it er machte es mich glauben. – **6.** Glauben schenken (*dat*), glauben (*dat*): ~ me glaube mir. — **be'liev·er** *s* **1.** Glaubende(r): to be a great ~ in fest glauben an (*acc*), viel halten von. – **2.** Gläubige(r): a true ~ ein Rechtgläubiger. — **be'liev·ing I** *adj* glaubend, gläubig. – **II** *s* Glauben *n*, Glaube(n) *m*: → seeing 1.

be·light [bi'lait] *v/t obs. od. dial.* be-, erleuchten.

be·like [bi'laik] *adv obs.* wahr'scheinlich, viel'leicht.

B e·lim·i·na·tor *s electr.* 'Umformer *m*, Netzgerät *n* (*zur Einsparung von Anodenbatterien*).

Be·lish·a bea·con [bə'li:ʃə] *s Br.* (gelbes) Blinklicht (*an Fußgängerüberwegen*).

be·lit·tle [bi'litl] *v/t* verkleinern, her'absetzen, schmälern. – *SYN. cf.* decry.

bell[1] [bel] **I** *s* **1.** Glocke *f*, Klingel *f*, Schelle *f*: to bear the ~ den ersten Platz einnehmen; to carry away the ~ den Preis davontragen; as clear as a ~ glockenhell, -rein; as sound as a ~ a) ohne Sprung, ganz (*Geschirr*), b) kerngesund, gesund wie ein Fisch im Wasser; that rings a *od.* the ~ *colloq.* das kommt mir vertraut vor, das erinnert mich an etwas; to ring the ~ *colloq.* ins Schwarze treffen, den Nagel auf den Kopf treffen; to curse s.o. with ~, book, and candle j-n mit Verwünschungen überhäufen. – **2.** Glocke(nzeichen *n*) *f*, Klang *m* einer Glocke *od.* Schelle: → answer 19. – **3.** Taucherglocke *f.* – **4.** Mund *m* (*Trichter*). – **5.** Schalltrichter *m*, -becher *m*, Stürze *f* (*eines Blasinstruments*). – **6.** *bot.* glockenförmige Blumenkrone, Kelch *m.* – **7.** *zo.* Schirm *m* (*der Qualle*). – **8.** *arch.* Glocke *f*, Kelch *m*, Korb *m* (*am korinthischen Kapitell*). – **9.** *pl mus.* Glockenspiel *n.* – **10.** *tech.* a) (*Hüttenwesen*) Gichtglocke *f*, b) (*Tiefbau*) Fangglocke *f*, c) konischer Teil (*Ziehdüse*), d) Muffe *f* (*an Röhren*), e) (*Bergbau*) Kessel *m*, f) 'Schweißman,schette *f*, g) Läutewerk *n.* – **11.** *pl mar.* a) Schiffsglocke *f*, b) Glasen *pl* (*Schläge der Schiffsglocke*): eight ~s acht Glasen. – **II** *v/t* **12.** mit einer Glocke *od.* Schelle versehen: to ~ the cat *fig.* der Katze die Schelle anhängen (*etwas Gefährliches unternehmen*). – **13.** (*dat*) eine glockenförmige Gestalt geben, (*etwas*) aufbauschen. – **III** *v/i* **14.** Glockenform annehmen (*bes. Blume*). – **15.** Glocken her'vorbringen.

bell[2] [bel] **I** *v/i* **1.** rö(h)ren (*Hirsch*). – **2.** schreien, brüllen. – **II** *s* **3.** Rö(h)ren *n* (*Hirsch*).

bel·la·don·na [,belə'dɒnə] *s* **1.** *bot.* Tollkirsche *f* (*Atropa belladonna*). – **2.** *med.* Bella'donna *f*, Atro'pin *n.* – **~ lil·y** *s bot.* Bella'donnalilie *f* (*Amaryllis belladonna*).

bell| and hop·per *s tech.* Gasverschluß *m* (*am Hochofen*). — **~ an·i·mal**, **~ an·i·mal·cule** *s zo.* Glockentierchen *n*, Vorti'celle *f* (*Fam. Vorticellidae*).

bel·lar·mine ['belə:rmin] *s hist.* (*Art*) Steinkrug *m* (*mit engem Hals u. weitem Bauch*).

'bell|,bind·er *s bot.* Zaunwinde *f* (*Convolvulus sepium*). — **'~,bird** *s zo.* **1.** Glockenvogel *m* (*Chasmorhyncus niveus*). – **2.** (*ein*) Honigsauger *m*

(*Myzantha melanophrys*). – 3. Austral. Würger *m* (*Oreoica cristata*). — '~-ˌ**bot·tomed** *adj* unten weit ausladend: ~ trousers. — '~ˌ**boy** *s Am.* Ho'teldiener *m*, -page *m*. — ~ **buoy** *s mar.* Glockenboje *f*, -tonne *f*. — ~ **but·ton** *s electr.* Klingelknopf *m*. — ~ **buzz·er** *s electr.* Wecker *m*. — ~ **cage** *s arch.* Glockenstuhl *m*. — ~ **can·o·py** *s* Glockenschutzdach *n*. — ~ **cap·tain** *s Am.* Por'tier *m* (*der im Hotel die Aufsicht über die Dienerschaft hat*). — ~ **cast·ing** *s* Glockenguß *m*. — ~ **chuck** *s tech.* glockenförmiges Futter (*Drehbank*). — ~ **clap·per** *s tech.* Glockenklöppel *m*. — ~ **cord** *s* Glocken-, Klingelzug *m*, Klingelschnur *f*. — ~ **cot** *s arch.* Giebeltürmchen *n* (*für ein od. zwei Glocken*). — ~ **crank** *s tech.* Wendedocke *f* (*Kunstkreuz*). — '~ˌ**-crank drive** *s tech.* Winkelantrieb *m*. — '~-ˌ**crank le·ver** *s tech.* Winkelhebel *m*. — ~ **crush·er** *s tech.* Glockenmühle *f*.

belle [bel] *s* Schöne *f*, Schönheit *f*: ~ of the ball Ballkönigin; ~ of the village Dorfschöne.

Bel·leek [bə'liːk], *auch* ~ **ware** *s* Porzel'langeschirr *n* aus Belleek.

Bel·ler·o·phon [bə'lerəfən] **I** *npr* (*Mythologie*) Bel'lerophon *m* (*griech. Heros*). – **II** *s geol. Gattg versteinerter Muscheln*: ~ limestone südeurop. Kalkstein (*mit versteinerten Muscheln*).

belles-let·tres ['bel'letr] *s pl* Belle'tristik *f*, schöne Litera'tur.

bel·let·(t)rist [bel'letrist] *s* Belle'trist *m*, Schöngeist *m*, Lite'rat *m*. — ˌ**bel·le'tris·tic** *adj* belle'tristisch.

'**bell**|-ˌ**faced** *adj* mit gerundeter Schlagfläche (*Hammer*). — '~ˌ**flow·er** *s bot.* Glockenblume *f* (*Gattg Campanula*). — ~ **found·er** *s* Glockengießer *m*. — ~ **found·ing** *s* Glockenguß *m*. — ~ **found·ry** *s* Glockengieße'rei *f*. — ~ **glass** *s* Glasglocke *f*. — '~ˌ**hang·er** *s* Glockenaufhänger *m* (*der berufsmäßig Glocken aufhängt u. repariert*). — ~ **heath·er** *s bot.* Glockenheide *f* (*Erica tetralix*). — '~ˌ**hop** *s Am. sl.* Ho'telpage *m*. — ~ **hop·per** *s* (*Hüttenwesen*) Gichtverschluß *m*.

bel·li·cose ['belikous; -lə-] *adj* kriegs-, kampflustig, kriegerisch. – *SYN. cf.* belligerent. — ˌ**bel·li'cos·i·ty** [-'kɒsiti; -əti] *s* Kriegs-, Kampf(es)lust *f*.

bel·lied ['belid] *adj* **1.** bauchig. – **2.** (*in Zusammensetzungen*) ...bauchig, ...bäuchig, mit einem ... Bauch: → big-~.

bel·lig·er·ence [bə'lidʒərəns; bi-] *s* **1.** Kriegführen *n*. – **2.** Kriegführung *f*. **3.** Streitsucht *f*, Angriffslust *f*. — **bel·lig·er·en·cy** [bə'lidʒərənsi; bi-] *s* Kriegszustand *m*. — **bel'lig·er·ent I** *adj* **1.** kriegs-, angriffslustig, streitsüchtig, her'ausfordernd: a ~ tone. – **2.** im Kriege befindlich, kriegführend: the ~ powers. – **3.** den Kriegführenden zustehend: ~ rights. – *SYN.* bellicose, contentious, litigious, pugnacious, quarrelsome. – **II** *s* **4.** kriegführendes Land, kriegführende Par'tei.

bell| **jar** *s tech.* Glasglocke *f* (*zum Auffangen von Gasen*), Vakuumglocke *f*. — ~ **mag·pie** → bellbird 3. — '~**·man** [-mən] *s irr hist.* öffentlicher Ausrufer, Gemeindediener *m* mit Glocke. — ~ **mare** *s* Stute *f* mit Glocke (*als Leittier, bes. von Maultieren*). — ~ **met·al** *s tech.* 'Glockenmeˌtall *n*, -speise *f*, -gut *n*. — ~ **moth** *s zo.* (*ein*) Wickler *m* (*Fam. Tortricidae*). — '~ˌ**mouth** *s* **1.** *mil.* Feuerwaffe *f* mit trichterförmiger Mündung. – **2.** *mus.* Schalltrichter *m*. — '~ˌ**mouthed** *adj* **1.** *mil.* mit trichterförmiger Mündung (versehen). – **2.** glockenförmig sich öffnend. — '~ˌ**mouth·ing** *s tech.* Abrundung *f*, Schweifung *f* (*Walzkaliber*).

Bel·lo·na [bə'lounə; be-] **I** *npr* Bel'lona *f* (*Kriegsgöttin*). – **II** *s fig.* gebieterische Frau. — **Bel'lo·ni·an** *adj* kriegerisch, gebieterisch.

bel·lon·i·on [bə'louniən] *s mus.* Bel'lonion *n* (*Orchestrion mit 24 Trompeten u. 2 Trommeln*).

bel·low ['belou] **I** *v/i u. v/t* brüllen, laut schreien. – **II** *s* Gebrüll *n*.

bel·lows ['belouz; *Am. auch* -əz] **I** *s pl* (*selten als sg konstruiert*) **1.** *tech.* a) Gebläse *n*, b) *auch* pair of ~ Blasebalg *m*: → work 35. – **2.** Lunge *f*. – **3.** Balg *m* (*Kamera*). – **II** *v/t* **4.** (*Feuer*) anblasen, anfachen. — ~ **blow·er** *s* Blasebalgzieher *m*, Balg(en)treter *m*. — ~ **fish** *s zo.* **1.** Meerschnepfe *f* (*Centriscus scolopax*). – **2.** *Am. dial.* Gemeiner Seeteufel (*Lophius piscatorius*). — '~ˌ**like** *adj* blasebalgartig.

bell| **pep·per** → green pepper. — ~ **pol·yp** → bell animal. — '~ˌ**pull** *s* Glocken-, Klingelzug *m*. — ~ **push** *s electr.* Schaltknopf *m*, Klingeltaste *f*, -knopf *m*, Ruftaste *f*. — ~ **ring·er** *s* **1.** Glöckner *m*. – **2.** Glockenspieler *m*, Glocke'nist *m*. — ~ **rope** *s* **1.** Glockenstrang *m*. – **2.** Klingelzug *m*.

'**bell-**ˌ**shaped** *adj* glockenförmig. — ~ **curve** *s math.* Glockenkurve *f*. — ~ **in·su·la·tor** *s electr.* 'Glockenisoˌlator *m*.

bell| **tent** *s* glockenförmiges (Gruppen)Zelt. — ~ **trans·form·er** *s electr.* 'Klingeltransforˌmator *m*. — ~ **trap** *s* (*Tiefbau*) Stinkglocke *f*, Glockenverschluß *m*. — ~ **valve** *s tech.* 'Glockenvenˌtil *n*. — '~ˌ**weth·er** *s* Leithammel *m* (*auch fig., meist verächtlich*). — ~ **wire** *s electr.* Klingeldraht *m*, -litze *f*. — '~ˌ**work** *s* (*Bergbau*) glockenförmiger Abbau. — '~ˌ**wort** *s bot.* **1.** Glockenblume *f* (*Fam. Campanulaceae*). – **2.** *Am.* Uvu'larie *f* (*Gattg Uvularia*).

bel·ly ['beli] **I** *s* **1.** Bauch *m*. – **2.** Magen *m*: a hungry ~ has no ears Worte stillen den Hunger nicht; his eyes are bigger than his ~ seine Augen sind größer als sein Magen. – **3.** *fig.* a) Hunger *m*, Appe'tit *m*, b) Völle'rei *f*, Schlemme'rei *f*. – **4.** Bauch *m*, (*das*) Innere: the ~ of a ship. – **5.** Bauch *m*, Ausbauchung *f* (*Flasche, Linse, Segel etc*). – **6.** *mus.* a) Decke *f* (*des Geigenkörpers*), b) Reso'nanzboden *m* (*des Klaviers etc*). – **7.** *fig.* 'Unter-, Vorderseite *f*. – **8.** *med.* Bauch *m* (*eines Muskels*). – **9.** *obs.* (Mutter)Leib *m*, Schoß *m*. – **II** *v/i* **10.** sich (aus)bauchen, (an)schwellen. – **III** *v/t* **11.** (an)schwellen lassen, ausbauchen. — '~ˌ**ache I** *s vulg.* Bauchweh *n*, -schmerzen *pl*. – **II** *v/i sl.* sich beklagen, quengeln, jammern. — '~ˌ**band** *s* **1.** Bauchriemen *m* (*bes. Sattelgurt bei Pferden*). – **2.** *mar.* Bauchband *n* (*Segel*). – **3.** *med.* Bauchbinde *f*, -gurt *m*. — '~-ˌ**bound** *adj* hartleibig, verstopft. — ~ **brace** *s tech.* Kesselstütze *f* (*Eisenband einer Lokomotive*). — ~ **but·ton** *s colloq.* Bauchnabel *m*. — ~ **flop** *s* (*Schwimmen*) *sl.* ‚Bauchklatscher' *m*.

bel·ly·ful ['beliful] *s vulg.* Genüge *f*: to have had a ~ of fighting ‚die Nase voll haben' (*genug haben*) vom Krieg.

'**bel·ly**|-ˌ**god** *s vulg.* Schlemmer *m*, ‚Freßsack' *m*. — ~ **guy** *s mar.* Bauch-, Borg-, Mittelstag *n* (*eines Bockes zum Masteinsetzen*). — '~ˌ**land** *aer.* **I** *v/i* eine Bauchlandung machen. – **II** *v/t* ohne Fahrgestell landen. — '~ˌ**land·ing** *s aer.* Bauchlandung *f*. — '~ˌ**pinched** *adj* vom Hunger gequält, verhungert, ausgehungert. — ~ **rail** *s* Me'tallschiene *f* (*im Klavierrahmen*). — ~ **roll** *s agr.* Walze *f*, Welle *f*. — ~ **stay** → belly guy. — ~ **tank** *s aer.* Rumpfabwurfbehälter *m*. — ~ **tim·ber** *s Br. dial. od. humor.* ‚Futter' *n* (*Nahrung*).

bel·o·man·cy ['beloˌmænsi] *s* Wahrsagen *n* aus Pfeilen, Beloman'tie *f*.

be·long [bi'lɒŋ; bə-; *Am. auch* -'lɔːŋ] *v/i* **1.** gehören (to *dat*): this ~s to me das gehört mir. – **2.** gehören (to zu): this lid ~s to another pot dieser Dekkel gehört zu einem anderen Topf. – **3.** an-, zugehören (to *dat*): to ~ to a party. – **4.** am richtigen Platz sein: he does not ~ er ist fehl am Platze; this book ~s in another shelf dieses Buch gehört in ein anderes Regal. – **5.** (to, for) sich gehören (für), gebühren, ziemen (*dat*). – **6.** angehen, betreffen (to *acc*). – **7.** *Am.* a) gehören (to zu), verbunden sein (with mit), b) das Wohnrecht haben (in in *dat*).

be·long·ing [bi'lɒŋiŋ; bə-; *Am. auch* -'lɔːŋ-] *s* **1.** Zugehörigkeit *f*. – **2.** *selten* (*das*) Zu-, Angehörige. – **3.** *pl* a) Habseligkeiten *pl*, Habe *f*, b) Zubehör *n*, c) *colloq.* Angehörige *pl*.

bel·o·nite ['beləˌnait] *s min.* Belo'nit *m*.

bel·o·noid ['beləˌnɔid] *adj med.* nadel-, griffelförmig.

be·lord [bi'lɔːrd] *v/t* **1.** (*j-n*) mit ‚my Lord' anreden. – **2.** den Herrn spielen über (*acc*).

be·lov·ed [bi'lʌvid; -'lʌvd] **I** *adj* (sehr) geliebt (of, by von): ~ disciple *Bibl.* Lieblingsjünger (*Johannes*); ~ physician St. Lukas; he is ~ by his parents er wird von seinen Eltern geliebt, er ist seinen Eltern teuer. – **II** *s* Geliebte(r), Liebling *m*.

be·low [bi'lou; bə-] **I** *adv* **1.** unten: as stated ~ wie unten bemerkt; he lives a few houses ~ er wohnt ein paar Häuser weiter unten; he is ~ er ist unten (*im Haus*). – **2.** hin'unter, hin'ab, nach unten. – **3.** *poet.* hie'nieden, auf Erden. – **4.** in der Hölle, in der 'Unterwelt. – **5.** (dar)'unter, niedriger, tiefer: he was demoted to the rank ~ er wurde in den nächstniederen Rang versetzt. – **II** *prep* **6.** unter (*dat od. acc*), 'unterhalb (*gen*): ~ average unter dem Durchschnitt; ~ cost unter dem Kostenpreis; ~ freezing unter dem Gefrierpunkt; ~ ground (*Bergbau*) unter Tage; it is ~ me es ist unter meiner Würde; → breath 1; par 1 *u.* 4. — **be'low**ˌ**stairs** *adv* **1.** unten, par'terre. – **2.** *fig.* in der Gesindestube, bei den Dienstboten.

belt [belt] **I** *s* **1.** Gürtel *m*: to hit below the ~ a) (*Boxen*) (*j-m*) einen Tiefschlag versetzen, b) *fig.* (*j-m*) unfair begegnen. – **2.** Gehänge *n*, Koppel *f*, Binde *f*. – **3.** *mar.* Panzergürtel *m* (*Kriegsschiff*). – **4.** Gürtel *m*, breiter Streifen, Gebiet *n*, Zone *f*: London's green ~ der Grüngürtel um London; ~ of ore (*Bergbau*) Erzschnur; ~ of sharpness *phot.* (Tiefen)Schärfenbereich; a ~ of trees eine umschließende Baumreihe. – **5.** *Am. sl.* Gebiet *n*, Viertel *n* (*in dem ein Bevölkerungstypus vorwiegt*): → black ~ 1. – **6.** *geogr.* Meerenge *f*, Belt *m*: the Great (Little) B~ der Große (Kleine) Belt. – **7.** *tech.* a) (Treib)Riemen *m*, b) Gürtel *m*, Gurt *m*, Absetzstreifen *m*, c) Förderband *n*. – **8.** *arch.* Gurt(gesims *n*) *m*. – **9.** *pl astr.* Streifen *pl* (*des Jupiter*). – **10.** *mil.* (Ma'schinengewehr)Gurt *m*. – **II** *v/t* **11.** um'gürten, mit Riemen befestigen. – **12.** (wie mit einem Gürtel) zu'sammen- *od.* festhalten. – **13.** mit Streifen versehen. – **14.** (mit einem Riemen) schlagen, 'durchprügeln. – **15.** *mil.* (*Munition*) gurten.

Bel·tane ['beltein] *s* Maifest *n* (*altes keltisches Fest, am 1. Mai in Schottland u. Irland gefeiert*).

belt| **brake** *s tech.* Riemen-, Bandbremse *f*. — ~ **com·po·si·tion** → belt grease. — ~ **con·vey·er** *s tech.*

Gurt-, Bandförderer *m*, Förderband *n*. — ~ **con·vey·er road** *s* (*Bergbau*) Förderbandstrecke *f*. — ~ **cou·pling** *s tech.* Riemenkupplung *f*. — ~ **course** *s arch.* **1.** Eckbindesteine *pl*. – **2.** Gurt *m*. — ~ **drive** *s tech.* Riemenantrieb *m*. — '~-ˌ**driv·en** *adj tech.* durch Riemen angetrieben, mit Riemenantrieb (versehen). — ~ **driv·ing gear** *s* Bandantrieb *m*.

belt·ed ['beltid] *adj* **1.** gegürtet, mit einem Gürtel versehen. – **2.** mit gürtelartigen Streifen, gestreift. — ~ **king·fish·er** *s zo. Am.* Königsfischer *m*, Eisvogel *m* (*Megaceryle alcyon*).

belt| fas·ten·er *s tech.* Riemenschloß *n*. — '~-ˌ**fas·ten·ing claw** *s* Riemenkralle *f*. — ~ **fork** *s* Riemengabel *f*, Riemenein- u. -ausrücker *m*. — ~ **gear·ing** *s* Riemenvorgelege *n*, Transmissi'on *f*. — ~ **grease** *s* Riemenfett *n*. — ~ **guard** *s* Riemenschutz *m*. — ~ **guide** *s* Riemenführung *f*, -gabel *f*, -leiter *m*. — ~ **head** *s* Bandantrieb *m*.

belt·ing ['beltiŋ] *s* **1.** Gürtelstoff *m*. – **2.** *tech.* Riemenleder *n*. – **3.** (gesamte) Treibriemenanlage (*einer Fabrik*).

belt| joint *s tech.* Riemenverbindung *f*. — ~ **line** *s Am.* Verkehrsgürtel *m* (*um eine Stadt*). — ~ **lu·bri·cant** *s tech.* Riemenschmiere *f*. — ~ **mag·net·ic sep·a·ra·tor** *s* 'Bandmaˌgnetscheider *m*. — ~ **pull** *s* Riemenzug *m*. — ~ **pul·ley** *s* Riemen-, Gurtscheibe *f*. — ~ **road** *s* paral'lellaufende Straße. — '~-ˌ**sand·ing ma·chine** *s* 'Bandschleifmaˌschine *f*. — ~ **saw** *s* Bandsäge *f*. — ~ **sep·a·ra·tor** *s* 'Bandsepaˌrator *m*, -scheider *m*. — ~ **shift·er**, ~ **ship·per** *s* Riemenein- *od.* -ausrücker *m*, Ein- *od.* Ausrückhebel *m*. — ~ **slip** *s* Riemenrutsch *m*. — ~ **speed·er** *s* Riemenantrieb *m* mit kegelförmigen Riemenscheiben. — ~ **stretch·er**, ~ **tight·en·er** *s* Riemenspanner *m*, -spannrolle *f*. — ~ **train·er** *s* **1.** Bandausrichtevorrichtung *f* (*für Gurtförderer*). – **2.** Riemenführung *f*. — ~ **trans·mis·sion** *s* 'Riementransmissiˌon *f*. — ~ **wear** *s* Riemenverschleiß *m*. — ~ **wrap** *s* Schlag(winkel) *m* (*Riemen*).

be·lu·ga [bə'lu:gə] *s zo.* **1.** Weißwal *m* (*Delphinapterus leucas*). – **2.** Weißstör *m* (*Acipenser transmontanus*).

be·lute [bi'lju:t; -'lu:t] *v/t* **1.** beschmutzen, besudeln. – **2.** verkleben.

bel·ve·dere [ˌbelvi'dir; -və-] *s* **1.** Belve'dere *n* (*Gebäude mit schönem Ausblick*). – **2.** Pavillon *m*, Gartenhaus *n*. – **3.** *Am.* Zi'garre *f* (*von bestimmter Form*). – **4.** *bot.* Besenmelde *f* (*Kochia scoparia*).

be·ma ['bi:mə] *pl* '**be·ma·ta** [-tə] *s* **1.** *antiq.* Podium *n*, Rednerbühne *f*. – **2.** Bema *m* (*Kanzel- od. Altarraum in morgenländischen Kirchen*).

be·maul [bi'mɔ:l] *v/t* grob 'umgehen mit, schwer mitnehmen.

be·mazed [bi'meizd] *adj* verwirrt, verblüfft.

be·mean [bi'mi:n] *v/t* erniedrigen.

be·mire [bi'mair] *v/t* **1.** beschmutzen (*auch fig.*). – **2.** im Schlamm *od.* Schmutz festhalten (*meist pass*): to be ~d im Schlamm stecken.

be·mist [bi'mist] *v/t* **1.** in Nebel hüllen. – **2.** *fig.* verwirren.

be·moan [bi'moun] **I** *v/t* **1.** beklagen, beweinen, betrauern. – **2.** (*j-m*) sein Mitleid ausdrücken. – **II** *v/i* **3.** klagen, trauern. – *SYN. cf.* **deplore.**

be·mock [bi'mɒk] *v/t* verhöhnen, verspotten.

be·moil [bi'mɔil] *v/t* beschmutzen, besudeln.

bé·mol [be'mɔl] (*Fr.*) *mus.* **I** *s* **1.** Be *n* (*Erniedrigungszeichen*): double ~ Doppel-Be. – **2.** b *n* (*Note*): double ~ heses. – **II** *adj* **3.** (um einen Halbton) erniedrigt: si ~ b; si double ~ heses.

be·mud [bi'mʌd] *pret u. pp* -'**mud·ded** *v/t* **1.** beschmutzen. – **2.** *fig.* verwirren.

be·mud·dle [bi'mʌdl] *v/t* verwirren. — **be'mud·dle·ment** *s* Verwirrung *f*.

be·muse [bi'mju:z] *v/t* **1.** verwirren, benebeln. – **2.** betäuben. — **be'mused** *adj* **1.** verwirrt, benebelt, betäubt. – **2.** gedankenverloren, vertieft.

ben[1] [ben] *Scot. od. dial.* **I** *adv* **1.** innen, drinnen, im Innen- *od.* Wohnraum. – **2.** her'ein, hin'ein: come ~ komm herein (*ins Wohnzimmer*). – **II** *prep* **3.** im Innen- *od.* Wohnraum von (*od. gen*). – **4.** in den Wohnraum von (*od. gen*). – **III** *adj* **5.** inner(er, e, es). – **6.** Wohnzimmer... – **IV** *s* **7.** Innen-, Wohnraum *m*.

ben[2] [ben] *s Scot.* Berggipfel *m*: B~ Nevis, B~ Lomond *Namen von schott. Bergen.*

ben[3] [ben] *s bot.* **1.** → behen 4. – **2.** Behennuß *f*.

Ben·a·dryl, b~ ['benədril] (*TM*) *s chem. med. ein Heufiebermittel.*

be·name [bi'neim] *obs. pp* **be'nempt** [-'nempt] *v/t* nennen, benennen.

bench [bentʃ] **I** *s* **1.** Bank *f*: to be on the ~ *sport Am.* nicht teilnehmen (*am Spiel, Wettkampf*); to play to empty ~es (*Theater*) vor leeren Bänken spielen. – **2.** *jur.* a) Richtersitz *m*, -bank *f*, b) Gericht *n*, Gerichtshof *m*, c) *fig.* Richteramt *n*, d) *collect.* Richter *pl*: King's ~, Queen's ~ Oberhofgericht (*höchstes* common law-*Gericht erster Instanz in England*); elected to the ~ zum Richter ernannt; the ~ and the bar die Richter u. die Advokaten; to be on the ~ Richter *od.* Bischof sein; to be raised to the ~ zum Richter bestimmt werden. – **3.** Platz *m*, Sitz *m* (*im Parlament etc*). – **4.** Werk-, Arbeitsbank *f*, -tisch *m* (*eines Handwerkers*): **cobbler's** ~ Schusterbank. – **5.** Bank *f*, Plattform *f* (*auf der Tiere, bes. Hunde, ausgestellt werden*). – **6.** Hundeausstellung *f*. – **7.** Erdwall *m*, Damm *m*. – **8.** *arch. obs.* Kappe *f*, Giebel *m* (*Mauer*). – **9.** *tech.* a) (*Damm-, Straßenbau*) Berme *f*, Böschungsabsatz *m*, b) (*Bergbau*) horizon'tale Schicht, Bank *f*, c) Bank *f*, Serie *f* (*gleicher, meist reihenförmig angeordneter Vorrichtungen od. Geräte*). – **10.** *geogr. Am.* ter'rassenförmiges Flußufer. – **11.** *mar.* Ruderbank *f*. – **II** *v/t* **12.** mit Bänken versehen. – **13.** (*bes. Hunde*) ausstellen. – **14.** auf eine Bank setzen. – **15.** *fig.* in ein Amt einsetzen. – **16.** zu Stufen formen. – **17.** *sport Am.* aus dem Spiel entfernen, vom Spielfeld verweisen: the player was ~ed for too many fouls. – **III** *v/i* **18.** zu Gericht sitzen, den Richtersitz einnehmen. — ~ **ax(e)** *s tech.* Bankaxt *f*, -beil *n*. — ~ **clamp** *s* Bandzwinge *f*, Kluppe *f*, Schraubstock *m* (*Werkbank*). — ~ **coal** *s* oberste Schicht eines Flözes, Bank-, Flözkohle *f*. — ~ **dog** *s* ausgestellter *od.* für eine Ausstellung vorgesehener Hund. — '~-ˌ**drill·ing ma·chine** *s tech.* 'Tischbohrmaˌschine *f*.

bench·er ['bentʃər] *s* **1.** *Br.* älteres Mitglied (*einer Advokateninnung*): ~ of an Inn of Court. – **2.** *pol. Br. in Zusammensetzungen Bezeichnung der brit. Parlamentsmitglieder nach ihrem Platz im Haus*: → back~; front~. – **3.** Ruderer *m*. – **4.** j-d der an einer Werkbank arbeitet.

bench| ham·mer *s tech.* Tischlerhammer *m*. — ~ **hook** *s* (*Tischlerei*) Bankeisen *n*, -haken *m*.

bench·ing ['bentʃiŋ] *s tech.* Stufen-, Strossenbau *m*. — ~ **drill** *s tech.* **1.** stufenweises Abbohren. – **2.** Bohrer *m* für Stufenabbau. — ~ **work·ing** *s* (*Bergbau*) strossenweiser Abbau.

bench| lathe *s tech.* Me'chaniker-, Tischdrehbank *f*. — ~ **mark** *s tech.* **1.** (*Vermessung*) Abrißpunkt *m*, Nivel'lier(ungs)zeichen *n* (*an der Meßlatte etc*). – **2.** *allg.* trigono'metrischer Punkt. — ~ **plane** *s* (*Tischlerei*) Bankhobel *m*. — ~ **shears** *s pl tech.* Stockschere *f*. — ~ **show** *s* Hunde- *od.* Katzenausstellung *f*, -schau *f*. — ~ **stop** *s tech.* Bankeisen *n*. — ~ **stop·ing** *s* (*Bergbau*) Kammerbau *m* mit strossenartigem Verhieb. — ~ **ta·ble** *s* **1.** *arch.* bankförmiger Sockel. – **2.** Steinbank *f*. — '~ˌ**type drill·ing ma·chine** *s tech.* 'Tischbohrmaˌschine *f*. — ~ **warm·er** *s sport Am. sl.* Ersatzmann *m* (*der nicht zum Einsatz kommt*). — ~ **war·rant** *s jur.* (*vom Verhandlungsrichter erlassener*) Haft-, Verhaft(ungs)befehl. — '~ˌ**work** *s* Werkbankarbeit *f*.

bend[1] [bend] **I** *s* **1.** Biegung *f*, Krümmung *f*, Windung *f*, Kurve *f*: he is round the ~ *Br. sl.* ‚der spinnt' (*er ist nicht ganz normal*). – **2.** Krümmen *n*. – **3.** (Gelenk)Beuge *f*. – **4.** Spannung *f*. – **5.** *tech.* Kurve *f*, Schleife *f*, Schlinge *f*. – **6.** *Br. sl.* ‚Saufen' *n*, ‚Saufe'rei' *f*: to go on a ~ eine Bierreise machen. – **7.** *tech.* Krümmer *m*, gebogene Röhre: close-return ~ eng gekrümmtes Knierohr; ~ of pipe Rohrbogen. – **8.** (*Bergbau*) harter Lehm. – **9.** *pl mar.* a) Berg-, Krummhölzer *pl*, b) Bugsprietkeile *pl*. – **10.** *pl colloq.* Luftdruck-, Cais'sonkrankheit *f*. –
II *v/t pret u. pp* **bent** [bent], *obs.* **bend·ed** ['bendid] **11.** ('um-, 'durch-, auf)biegen, krümmen: to ~ at (right) angles *tech.* abkanten, kröpfen; to ~ on edge *tech.* hochkantbiegen; to ~ out of line *tech.* verkanten; as the twig is bent the tree inclines jung gewohnt, alt getan. – **12.** beugen, neigen: to ~ one's head den Kopf neigen; to ~ one's knee das Knie beugen. – **13.** (*Bogen, Feder etc*) spannen. – **14.** *mar.* (*Tau*) befestigen, festmachen, anstechen, anstecken: to ~ the cable chain die Ankerkette einschäkeln. – **15.** *fig.* beugen, (be)zwingen, unter'werfen: to ~ s.o. to one's will sich j-n gefügig machen. – **16.** (*Blicke, Gedanken etc*) richten, lenken, konzen'trieren (on, to, upon auf *acc*): to ~ one's energies on s.th. seine ganze Kraft auf etwas verwenden; to be bent on s.th. auf etwas versessen *od.* erpicht sein, zu etwas entschlossen sein. – **17.** ablenken. –
III *v/i* **18.** sich krümmen, sich ('um-, 'durch-, auf)biegen: to ~ over sich beugen *od.* neigen über (*acc*); to ~ over backwards *fig.* sich übergroße Mühe geben; to ~ up sich hoch- *od.* aufbiegen; ~ up steadily! (*Bergbau*) langsam auf! – **19.** sich neigen, sich (ver)beugen, sich bücken (to, before vor *dat*). – **20.** *fig.* sich beugen, sich fügen, nachgeben, sich unter'werfen (to *dat*). – *SYN. cf.* **curve.**

bend[2] [bend] *s* **1.** *her.* Schrägbalken *m*. – **2.** *mar.* Knoten *m*: → fisherman 1. – **3.** (*Lederindustrie*) Crou'pon-, Kernstückhälfte *f*.

Ben Da·vis [ben 'deivis] *s Am.* (*ein*) roter Winterapfel (*der sich gut hält*).

Ben Day proc·ess ['ben 'dei] *s print. Druckverfahren, durch welches man Schattierungen, Farben u. Rahmeneinfassungen auf dem Negativ anbringen kann.*

bend core *s tech.* Krümmerkern *m*.

bend·ed ['bendid] *obs. pret u. pp von* bend[1].

bend·er ['bendər] *s* **1.** *tech.* a) 'Biegemaˌschine *f*, -appaˌrat *m*, b) Biegezange *f*. – **2.** (*Baseball*) a) vom Pitcher absichtlich mit Drall geschlagener Ball, Drallball *m*, b) Drall *m* (*die Ablenkung aus der geraden Flugrichtung*). – **3.** *Br. sl.* Sixpence-Münze *f.* – **4.** *sl.* ‚Saufe'rei' *f*, ‚Bierreise' *f.*

bend·ing ['bendiŋ] *s* **1.** Biegung *f*, Krümmung *f*, Knickung *f*, Winkel *m.* – **2.** Beugung *f*, Neigung *f.* – **3.** *geol.* Faltung *f.* – **4.** *arch.* Bogenrundung *f.* — **~ fa·tigue strength** *s phys.* Biegeschwingungsfestigkeit *f.* — **~ line** *s phys.* Biegungslinie *f.* — **~ load** *s phys.* Biegebelastung *f*, -beanspruchung *f.* — **~ ma·chine** *s tech.* 'Biegemaˌschine *f.* — **~ mo·ment** *s phys.* 'Biegungsmoˌment *n.* — **~ os·cil·la·tion** *s phys.* Biegeschwingung *f.* — **~ pli·ers** *s pl tech.* Biegezange *f.* — **~ press** *s tech.* Biegepresse *f.* — **~ pres·sure** *s phys.* Biegedruck *m*, -beanspruchung *f*, -verformung *f*, -spannung *f.* — **~ prop·er·ty** *s phys.* Biegefähigkeit *f.* — **~ ra·di·us** *s phys.* Biegungsradius *m.* — **~ re·sist·ance** *s phys.* Biegungs-, Biegesteifigkeit *f.* — **~ roll** *s tech.* Biegewalze *f.* — **~ strain** → bending pressure. — **~ strength** → bending resistance. — **~ stress** → bending pressure. — **~ test** *s tech.* Biegeprobe *f.* — **~ vi·bra·tion** *s phys.* Biegeschwingung *f.*

bend leath·er *s* Sohlen-, Kernleder *n.*

bend·let ['bendlit] *s her.* kleiner Schrägbalken.

bend sin·is·ter *s her.* Schräglinksbalken *m* (*angeblich Zeichen der unehelichen Geburt*).

bend·some ['bendsəm] *adj* biegsam.

bend test *s tech.* Biegeversuch *m*, -probe *f.* — **~ num·ber** *s* Biegezahl *f.*

bend·wise ['bendˌwaiz] *adv her.* diago'nal.

bend·y ['bendi] *adj her.* in (*eine meist gerade Zahl von*) Schrägbalken geteilt.

ben·dy tree ['bendi] *s bot.* Pappelblättriger Eibisch (*Thespesia populnea*).

be·neaped [bi'ni:pt] *adj mar.* (*bei Nipptide*) auf dem Grund festsitzend.

be·neath [bi'ni:θ] **I** *adv* **1.** unten: on the earth ~ hienieden. – **2.** dar'unter, unten drunter, weiter unten. – **II** *prep* **3.** unter, 'unterhalb (*gen*): ~ the same roof unter demselben Dach; ~ him (*od.* his dignity) *fig.* unter seiner Würde; he is ~ notice er ist nicht der Beachtung wert.

ben·e·dic·i·te [ˌbeni'daisiti; -'dis-] (*Lat.*) **I** *s* **1.** B~ *relig.* Bene'dicite *n* (*Danklied; Teil der röm.-kath. Liturgie*). – **2.** Segnung *f*, Segensspruch *m*, Bitte *f* um Gottes Segen (*bes. vor Tisch*). – **II** *interj* **3.** Gott segne Euch!

ben·e·dick ['benidik; -nə-], *auch* **'ben·eˌdict** [-ˌdikt] *s* frischgebackener Ehemann (*bes. einer, der lange Junggeselle war*).

Ben·e·dic·tine [ˌbeni'diktain; -ti:n; -tin; -nə-] **I** *s* **1.** *relig.* Benedik'tiner(in). – **2.** [-ti:n] Benedik'tiner *m* (*Kräuterlikör*). – **II** *adj* **3.** *relig.* benedik'tinisch, Benediktiner...

ben·e·dic·tion [ˌbeni'dikʃən; -nə-] *s relig.* **1.** Benedikti'on *f*, Segnung *f*, Weihe *f.* – **2.** Segen(swunsch) *m* (*auch fig.*). – **3.** Danksagungsgottesdienst *m*, 'Dankzeremoˌnie *f*, Dankgebet *n.* — **ˌben·e'dic·tion·al I** *s relig.* Segensformelbuch *n.* – **II** *adj* Segens..., Danksagungs... — **ˌben·e'dic·to·ry** [-təri] → benedictional II.

Ben·e·dic·tus [ˌbeni'diktəs] *s relig.* **1.** Hymne *f* (*des Morgengottesdienstes*). – **2.** Bene'dictus *n* (*Teil der kath. Messe*).

ben·e·fac·tion [ˌbeni'fækʃən; -nə-] *s* **1.** Wohltat *f.* – **2.** Spende *f*, wohltätige Gabe. — **'ben·eˌfac·tor** [-tər] *s* Wohltäter *m*, Stifter *m.* — **'ben·eˌfac·tress** *s* Wohltäterin *f*, Stifterin *f.*

be·nef·ic [bi'nefik; bə-] *adj* **1.** wohltätig, gütig. – **2.** *astr.* günstig.

ben·e·fice ['benifis; -nə-] **I** *s* **1.** *relig.* a) Pfründe *f*, b) Pfar'rei *f.* – **2.** *hist.* Lehen *n.* – **II** *v/t* **3.** (*j-m*) eine Pfar'rei *od.* Pfründe geben. — **'ben·e·ficed** *adj* im Besitz einer Pfründe *od.* eines Lehens.

be·nef·i·cence [bi'nefisəns; bə-; -fə-] *s* **1.** Wohltätigkeit *f.* – **2.** Wohltat *f.* – **3.** Schenkung *f*, Stiftung *f.* — **be'nef·i·cent** *adj* wohltätig, gütig.

bé·né·fi·ci·aire [benefi'sjɛ:r] (*Fr.*) *s Br.* Benefizi'ant *m* (*Künstler, Kricketspieler etc, dem der Erlös einer Veranstaltung zugute kommt*).

ben·e·fi·cial [ˌbeni'fiʃəl; -nə-] *adj* **1.** nützlich, zuträglich, vorteilhaft. – **2.** *jur.* nutznießend: ~ owner wahrer *od.* (verfügungs)berechtigter Eigentümer. – *SYN.* advantageous, profitable. — **ˌben·e'fi·cial·ness** *s* Nützlichkeit *f*, Zuträglichkeit *f.*

ben·e·fi·ci·ar·y [ˌbeni'fiʃəri; -nə-; *Am. auch* -iˌeri] **I** *adj* **1.** mit einer Pfründe zu'sammenhängend, Pfründen... – **2.** *hist.* mit einem Lehen zu'sammenhängend, Leh(e)ns..., Vasallen... – **II** *s* **3.** Benefizi'ar *m*, Pfründner *m*, Inhaber *m* einer Pfründe. – **4.** *jur.* Benefizi'at *m*: a) Berechtigter *m*, Nutznießer *m*, Nießbraucher *m*, b) *auch* ~ heir *Scot.* Empfänger(in) einer Erbschaft, c) Versicherungsnehmer(in), d) Kre'ditnehmer(in), -empfänger(in), e) Unter'stützungsempfänger(in), f) Empfänger(in) einer Schenkung *od.* Stiftung: ~ in a provident fund Bezugsberechtigter einer Versorgungsunterstützung.

ben·e·fi·ci·ate [ˌbeni'fiʃiˌeit; -nə-] *v/t* (*Hüttenwesen*) (*Erz etc*) redu'zieren. — **ˌben·eˌfi·ci'a·tion** *s tech.* Redukti'on *f.*

ben·e·fit ['benifit; -nə-] **I** *s* **1.** Vorteil *m*, Nutzen *m*, Gewinn *m*: to derive ~ from Nutzen ziehen aus; → doubt 9. – **2.** *econ.* a) Versicherungsleistung *f*, b) Unter'stützung *f*, Beihilfe *f*, Zuschuß *m.* – **3.** *jur.* Vorrecht *n*, Privi'leg(ium) *n*: ~ of clergy *obs.* Vorrecht des Klerus (*sich nur vor geistlichen Gerichten verantworten zu müssen*); ~ of peerage Vorrecht des Adels (*nur vor Adelsgerichten zu erscheinen*). – **4.** Bene'fiz(vorstellung *f*, -spiel *n*) *n*, Wohltätigkeitsveranstaltung *f.* – **5.** *obs.* Wohltat *f*, Gefallen *m.* – **6.** *Br. colloq.* Mühe *f*, Menge *f* Arbeit: it was no end of a ~ es war eine Heidenarbeit. – **7.** *selten* na'türliche Gabe. – **8.** *obs.* a) Pfründe *f*, b) (*Lotterie*) Gewinn *m*, Treffer *m.* – **II** *v/t* **9.** nützen, Nutzen bringen, zuträglich sein (*dat*). – **10.** begünstigen. – **III** *v/i* **11.** (by, from) Vorteil haben (von, durch), Nutzen ziehen (aus). — **~ clause** *s* Begünstigungsklausel *f* (*in einer Lebensversicherung*). — **~ club** *Br.* für benefit society. — **~ fund** *s econ.* Versicherungsfonds *m.* — **~ match** *s sport* Bene'fizspiel *n.* — **~ so·ci·e·ty** *s* **1.** Wohltätigkeits-, Unter'stützungsverein *m.* – **2.** *econ.* Versicherungsverein *m* auf Gegenseitigkeit. — **~ un·ion** → benefit society 2.

Ben·e·lux ['benilʌks; -nə-] **I** *s* Benelux *f*: a) *Zollunion zwischen Belgien, Holland u. Luxemburg, seit 1. 1. 1948*, b) Benelux-Länder *pl.* – **II** *adj* die Benelux-Länder betreffend, Benelux...

be·nempt [bi'nempt] *obs. pp von* bename.

be·net[1] [bi'net] *pret u. pp* **-'net·ted** *v/t* um'stricken, bestricken (*auch fig.*).

ben·et[2] ['benit] *s relig.* Teufelsbeschwörer *m*, Exor'zist *m*, Exorzi'stat *m* (*niederer röm.-kath. Weihegrad*).

be·nev·o·lence [bi'nevələns; bə-] *s* **1.** Wohl-, Mildtätigkeit *f*, Nächstenliebe *f*, Güte *f.* – **2.** *selten* Wohlwollen *n.* – **3.** Wohltat *f*, gute Tat. – **4.** *hist.* Zwangsanleihe *f* (*der engl. Könige*).

be·nev·o·lent [bi'nevələnt; bə-] *adj* **1.** wohl-, mildtätig, gütig, menschenfreundlich. – **2.** wohlwollend. — **~ fund** *s* Unter'stützungsfonds *m*, -kasse *f.* — **~ in·sti·tu·tion** *s* Wohltätigkeitsanstalt *f*, Hilfs-, Unter'stützungsverein *m.*

Ben·gal [beŋ'gɔ:l; ben-] *s* leichter halbseidener Stoff. — **~ cat·e·chu** *s* Katechu *n* (*Extrakt aus Acacia catechu u. A. catechu sundra*).

Ben·gal·ee *cf.* Bengali.

Ben·ga·lese [ˌbeŋgə'li:z; ˌben-] **I** *s sg u. pl* Ben'gale *m*, Ben'galin *f*, Ben'galen *pl.* – **II** *adj* ben'galisch.

Ben·gal grass *s bot. Am.* Borstenhirse *f* (*Setaria italica*).

Ben·ga·li [beŋ'gɔ:li; ben-] **I** *s* **1.** Ben'gale *m*, Ben'galin *f.* – **2.** *ling.* Ben'gali *n*, das Ben'galische. – **II** *adj* **3.** ben'galisch.

ben·ga·line ['beŋgəˌli:n; ˌbeŋgə'li:n] *s* Benga'line *f*, Bengalseide *f.*

Ben·gal| light *s* ben'galisches Feuer. — **~ quince** → bel[2]. — **~ root** → cassumunar. — **~ rose** *s bot.* Ben'galische Rose, Monatsrose *f* (*Rosa chinensis od. R. semperflorens*). — **~ stripes** *s* gestreifter Gingham (*Baumwollgewebe*). — **~ ti·ger** → tiger 1a.

be·night [bi'nait] *v/t* in Nacht hüllen, verdunkeln. — **be'night·ed** *adj* **1.** von der Nacht *od.* Dunkelheit über'rascht. – **2.** *fig.* unwissend, unaufgeklärt. — **be'night·ed·ness** *s* Unwissenheit *f.*

be·nign [bi'nain] *adj* **1.** gütig, huldvoll. – **2.** *fig.* günstig, wohltuend. – **3.** mild, zuträglich. – **4.** *med.* gutartig, gelind, leicht (*Krankheit*). – **5.** *obs.* leicht verträglich (*Medizin*). – *SYN. cf.* kind. — **be'nig·nan·cy** [-'nignənsi] *s* **1.** Güte *f*, Milde *f.* – **2.** *med.* Gutartigkeit *f.* — **be'nig·nant** *adj* **1.** gütig, freundlich (*Untergebenen gegenüber*). – **2.** günstig, wohltuend. – **3.** → benign 4. – *SYN. cf.* kind. — **be'nig·ni·ty** [-'nigniti; -nə-] *s* **1.** Wohlwollen *n*, Gunst *f*, Güte *f*, Freundlichkeit *f.* – **2.** Wohltat *f*, Gefälligkeit *f.* – **3.** *med.* Gutartigkeit *f* (*einer Krankheit*).

ben·i·son ['benizn; -nə-] *s poet.* Segen *m.*

Ben·ja·min[1] ['bendʒəmin; -mən] **I** *npr* **1.** Benjamin *m.* – **II** *s* **2.** Benjamin *m*, jüngstes (bevorzugtes) Kind: ~'s mess größter Teil, Löwenanteil (*Erbschaft etc*).

ben·ja·min[2] ['bendʒəmin; -mən] → benzoin.

ben·ja·min bush *s bot. Am.* Ben'zoestrauch *m* (*Lindera benzoin*).

ben·ja·min·ite ['bendʒəmiˌnait; -mə-] *s min.* Benjami'nit *m.*

ben·ja·min tree *s bot.* **1.** Ben'zoebaum *m* (*Styrax benzoin; Malesien*). – **2.** → benjamin bush.

Ben·ja·mite ['bendʒəˌmait] *Bibl.* **I** *s* Benja'miter(in). – **II** *adj* vom Stamme Benjamin.

ben·jy ['bendʒi] *s Br. sl.* ‚Kreissäge' *f*, Strohhut *m* mit breiter Krempe.

ben·ne ['beni] *s bot.* Sesam *m* (*Sesamum indicum*).

ben·net ['benit] *s bot.* **1.** Bene'diktenkraut *n* (*Geum urbanum*). – **2.** Gänseblümchen *n* (*Bellis perennis*). – **3.** 'Bockspeterˌsilie *f* (*Pimpinella saxifraga*).

bent[1] [bent] **I** *pret u. pp von* bend[1]. – **II** *adj* **1.** gebeugt, gebogen, gekrümmt, krumm: ~ up bar *tech.* Schrägeisen, abgebogenes Betoneisen; ~ at right angles *tech.* gekröpft; ~ brow *obs.* gerunzelte Stirn. – **2.** a) entschlossen (on doing *od.* to do zu tun), b) erpicht (on auf *acc*), c) (on) gerichtet (auf *acc*), auf dem Wege (nach): homeward ~

auf dem Heimweg. – **III** *s* 3. *fig.* Neigung *f*, Hang *m*, Zug *m*: to the top of one's ~ nach Herzenslust, bis zum äußersten. – 4. *tech.* Bock *m*, Gestell *n*, Tragwerk *n*. – 5. *selten* Biegung *f*, Krümmung *f*. – 6. *obs.* gekrümmter Teil, Haken *m*. – *SYN. cf.* gift.

bent[2] [bent] *s* 1. *bot.* a) (*ein*) Straußgras *n* (*Gattg Agrostis*), b) Heidekraut *n*, Besenheide *f* (*Calluna vulgaris*), c) Teichbinse *f* (*Scirpus lacustris*), d) Sandsegge *f* (*Carex arenaria*). – 2. *poet.* Heide *f*, grasige Ebene.

ben·tang ['bentæŋ] *s bot.* Woll-, Kapokbaum *m* (*Ceiba pentandra*).

bent beam *s tech.* Krümmer *m*, gekrümmter *od.* gewölbter Träger.

ben-teak ['ben,ti:k] *s teakholzähnliches Nutzholz* (*von Lagerstroemia lanceolata*).

bent grass → bent[2] 1a.

Ben·tham·ism ['benθə,mizəm; -təm-] *s philos.* Bentha'mismus *m*, Utilita'rismus *m* Jeremy Benthams (*mit dem Prinzip des größten Glücks der größten Zahl als sittlichem Maßstab*). — **'Ben·tham,ite** [-,mait] *s* Anhänger(in) (der Lehre) Benthams.

ben·thon·ic [ben'θɒnik] *adj biol.* Benthal..., Benthos... — **'ben·thos** [-θɒs] *s biol.* 1. Benthal *n* (*die Region des Meeresbodens*). – 2. Benthos *n* (*die Fauna u. Flora des Meeresbodens*).

Ben·tinck boom ['bentiŋk] *s mar.* Baum *m* der Baumfock.

bent·ing ['bentiŋ] *s* 1. Suche *f* (*der Tauben*) nach Gras. – 2. *bot.* Fruchtstand *m* des Wegerichs. — ~ **time** *s* 1. Zeit *f* vor der Erbsenreife (*wenn die Tauben sich mit Grassamen begnügen müssen*). – 2. *fig.* magere Zeit.

bent| le·ver *s tech.* Winkel-, Kniehebel *m*. — **'~-,le·ver bal·ance** *s tech.* Zeigerwaage *f*. — ~ **link** *s tech.* gekröpftes Glied.

ben·ton·ite ['bentə,nait] *s geol. Am.* Bento'nit *n*, weicher Lehm (*Kieselerde, Tonerde u. Wasser enthaltend*).

ben tro·va·to [bɛn tro'vato] (*Ital.*) *adj* gut erfunden (*selbst wenn es nicht wahr sein sollte*).

bent| screw·driv·er *s tech.* gekröpfter Schraubenzieher. — ~ **ther·mom·e·ter** *s tech.* 'Winkelthermo,meter *n*. — ~ **tim·ber** *s mar.* Bugholz *n*. — ~ **tube** *s tech.* Schenkel-, Bogen-, Knierohr *n*. — **'~,wood** *s* gebogenes *od.* geschweiftes Holz: ~ chair Wiener Stuhl.

bent·y ['benti] *adj* 1. mit Straußgras bedeckt. – 2. straußgrasartig.

be·numb [bi'nʌm] *v/t* 1. gefühllos machen, betäuben, erstarren lassen. – 2. *fig.* lähmen, betäuben. — **be'numbed** *adj* 1. benommen, betäubt, gelähmt (*auch fig.*). – 2. erstarrt, gefühl-, kraftlos. — **be'numbed·ness** *s* 1. Gefühllosigkeit *f*, Taubheit *f* (*eines Gliedes etc*). – 2. Benommenheit *f*, Betäubung *f* (*auch fig.*).

ben·weed ['ben,wi:d] *s bot.* Jakobskreuzkraut *n* (*Senecio jacobaea*).

benz·al·de·hyde [ben'zældi,haid; -də-] *s chem.* ,Benzalde'hyd *m* (C_6H_5CHO).

Ben·ze·drine ['benzi,dri:n; -drin; -zə-] (*TM*) *s chem. med.* Benze'drin *n* (*Amphetamin*).

ben·zene ['benzi:n; ben'zi:n] *s chem.* Ben'zol *n* (C_6H_6). — ~ **nu·cle·us**, ~ **ring** *s chem.* Ben'zolkern *m*, -ring *m*. — **'~-sul'fon·ic ac·id** *s chem.* Ben,zolsul'fonsäure *f*.

ben·zi·dine ['benzi,di:n; -din; -zə-] *s chem.* Benzi'din *n*. — **'~-sul'fon·ic ac·id** *s chem.* Benzi'dindisul,fonsäure *f*.

ben·zil ['benzil] *s chem.* Ben'zil *n*.

ben·zine ['benzi:n; ben'zi:n] *s chem.* Ben'zin *n*. — ~ **ves·sel** *s tech.* 1. Ben'zingefäß *n*, -behälter *m*. – 2. (*Bergbau*) 'Unterteil *m* (*der Grubenlampe*).

benzo- [benzou; -zo] *chem. Wortelement mit der Bedeutung* Benzoe(säure).

ben·zo·ate ['benzou,eit] *s chem.* Benzo'at *n*, ben'zoesaures Salz. — **'ben·zo,at·ed** *adj* benzoy'liert, mit Ben'zoesäure verbunden.

ben·zo·caine ['benzo,kein] *s med.* Benzoca'in *n*, Anästhe'sin *n* (*Lokalanästheticum*).

ben·zo·ic [ben'zouik] *adj chem.* Benzoe...: ~ acid Benzoesäure.

ben·zo·in ['benzouin; ben'zouin] *s* 1. *chem.* Benzo'in *n* ($C_{14}H_{12}O_2$). – 2. *tech.* Ben'zoegummi *m*, -harz *n*, Benzoe *f*. – 3. (*ein*) Fieberstrauch *m* (*Gattg Benzoin*), *bes.* → spicebush 1.

ben·zol(e) ['benzɒl; -zoul] → benzene.

ben·zo·line ['benzəli:n; -lin] → benzine.

ben·zo·lism ['benzo,lizəm] *s med.* Ben'zolvergiftung *f*.

ben·zo·lize ['benzo,laiz] *v/t chem.* mit Ben'zol behandeln *od.* sättigen.

ben·zo·phe·none [,benzofi'noun] *s chem.* Benzophe'non *n*.

ben·zo·qui·none [,benzokwi'noun] *s chem.* Benzochi'non *n* ($C_6H_4O_2$).

ben·zo·yl ['benzoil; -,i:l] *s chem.* Benzo'yl *n* (C_6H_5CO).

ben·zo·yl·lac·tic ac·id [,benzoi'læktik] *s chem.* Benzo'ylmilchsäure *f*.

ben·zo·yl·ate ['benzoi,leit; ben'zou-] *v/t chem.* benzoy'lieren.

benz·py·rene [,benz'pairi:n] *s chem.* Benzpy'ren *n* ($C_{20}H_{12}$).

ben·zyl ['benzil; -zi:l] *s chem.* Ben'zyl *n* ($C_6H_5CH_2$). — ~ **al·co·hol** *s chem.* Ben'zyl,alkohol *m*. — ~ **chlo·ride** *s chem.* Ben'zylchlo,rid *n*. — ~ **cy·a·nide** *s chem.* Ben'zylcya,nid *n*.

ben·zyl·i·dene·ac·e·to·phe·none [ben'zili,di:n,æsitofi'noun] *s chem.* Ben'zalacetophe,non *n*.

ben·zyne ['benzain] *s chem.* A'rin *n*, De'hydroben,zol *n*.

be·paint [bi'peint] *v/t* be-, über'malen.

be·po ['bi:pou] *s brit. Atomreaktor.*

be·prose [bi'prouz] *v/t* 1. in Prosa verwandeln. – 2. in Prosa abhandeln.

be·queath [bi'kwi:ð; -i:θ] *v/t* 1. *jur.* hinter'lassen, testamen'tarisch vermachen: to ~ s.th. to s.o. j-m etwas hinterlassen. – 2. über'liefern, -'geben. – 3. *obs.* a) anbieten, b) über'reichen. — **be'queath·al** [-ðəl] *s* Vermächtnis *n*, Le'gat *n*.

be·quest [bi'kwest] *s* 1. *jur.* Vermächtnis *n*, Le'gat *n*. – 2. Hinter'lassenschaft *f*, Erbe *n*.

be·rate [bi'reit] *v/t bes. Am.* heftig ausschelten, auszanken. – *SYN. cf.* scold.

be·ray [bi'rei] *v/t obs.* beschmutzen.

berbe [bə:rb] *s zo.* Ginsterkatze *f* (*Genetta genetta*).

Ber·ber ['bə:rbər] **I** *s* 1. Berber(in). – 2. *ling.* Berbersprache(n *pl*) *f*. – **II** *adj* 3. Berber..., die Berber *od.* Berbersprache(n) betreffend.

ber·ber·i·da·ceous [,bə:rbəri'deiʃəs] *adj bot.* zu den Berbe'ritzen gehörig.

ber·ber·ine ['bə:rbə,ri:n; -rin] *s chem.* Berbe'rin *n*, Sauerdornbitter *m*.

ber·ber·ry ['bə:rbəri] → barberry.

ber·ceuse [bɛr'sø:z] (*Fr.*) *s mus.* Ber'ceuse *f*, Wiegenlied *n*.

bere [bir] *s bot. Br.* (*bes.* sechs- *od.* vierzeilige) Gerste.

Be·re·a(n)| grit, ~ **sand·stone** [bə'ri:ə(n)] *s geol.* öl- *u.* salzhaltige Sandsteinart (*in der Nähe der Stadt Berea, Ohio, USA*).

be·reave [bi'ri:v; bə-] *pret u. pp* **be'reaved** *od.* **be'reft** [-'reft] *v/t* 1. berauben: to ~ s.o. of s.th. j-n einer Sache berauben; a ~d husband ein Mann, der seine Frau verloren hat. – 2. (*j-n*) hilflos u. verwaist zu'rücklassen. — **be'reave·ment** *s* 1. Beraubung *f*, schmerzlicher Verlust (*durch Tod*). – 2. Trauerfall *m* (*in der Familie*). – 3. Verlassenheit *f*.

Ber·e·ni·ce's hair [,beri'naisi:z] *s astr.* Haar *n* der Bere'nike (*nördl. Sternbild*).

ber·e·site ['beri,sait] *s min.* Rotbleierz *n* ($PbCrO_4$).

be·ret ['berei; bə'rei; 'berit] *s* 1. Ba'rett *n*, Bi'rett *n*. – 2. Baskenmütze *f*.

berg [bə:rg] *s* 1. *mar. Kurzform für* iceberg. – 2. Berg *m*, Hügel *m* (*bes. in Südafrika*).

Ber·ga·ma ['bə:rgə,mɑ:] *s* Bergamateppich *m* (*grober, bunter gewebter Teppich aus Bergama, Kleinasien*).

Ber·ga·mask ['bə:rgə,mæ(:)sk; -,mɑ:sk] *s* 1. Berga'maske *m*, Berga'maskin *f* (*Einwohner der ital. Landschaft Bergamasca od. Stadt Bergamo*). – 2. Berga'masca *f* (*volkstümlicher Tanz aus Bergamasca*).

ber·ga·mot ['bə:rgə,mɒt] *s* 1. *bot.* Berga'mottenbaum *m* (*Citrus aurantium, C. bergamia*). – 2. *auch* essence of ~, ~ oil *chem.* Berga'mottöl *n* ($C_{12}H_{20}O_2$). – 3. Berga'motte *f* (*Birnensorte*). – 4. *bot.* a) Zi'tronenminze *f* (*Mentha citrata*), b) Pfefferminze *f* (*M. piperita*), c) (*eine*) Mo'narde (*Monarda didyma u. M. fistulosa*). – 5. B~ → Bergama.

berg|·mehl ['bə:rg,meil] *s geol.* Bergmehl *n*, Kieselgur *f*, Diato'meenerde *f*. — **'~,schrund** [-,ʃrʌnd] *s geol.* Randspalte *f* (*Gletscher*).

Berg·so·ni·an [bə:rg'souniən] *philos.* **I** *adj* Berg'sonisch, Bergson betreffend. – **II** *s* Anhänger(in) der Lehre Bergsons (*franz. Philosoph*). — **'Berg·son,ism** [-sə,nizəm] *s* Bergsons Lehre *f* (von der schöpferischen Entwicklung).

berg·wind ['bə:rg,wind] *s* heißer Nordwind (*in Südafrika*).

ber·gylt ['bə:rgilt] *s zo.* 1. Bergilt *m* (*Sebastes norvegicus*). – 2. Tautog *m* (*Tautogo onitis*). – 3. Gefleckter Lippfisch (*Crenilabrus bergylta*).

be·rhyme [bi'raim] *v/t* 1. besingen, bedichten, in Versen feiern. – 2. (sa'tirische) Verse machen auf (*acc*). – 3. (*etwas*) in Verse setzen.

be·rib·boned [bi'ribənd] *adj* mit (Ordens)Bändern geschmückt.

ber·i·ber·i ['beri'beri] *s med.* 'Beri'beri *f*, Reisesserkrankheit *f* (*Mangelkrankheit bei Fehlen des Vitamins B*).

ber·i·gor·a [,beri'gɒrə] *s zo.* Habichtsfalke *m* (*Hieracidea berigora*).

be·rime *cf.* berhyme.

Berke·le·ian [bɑ:rk'li:ən; *Am.* bə:rk-] *philos.* **I** *adj* die Lehre Berkeleys betreffend. – **II** *s* Anhänger(in) (des subjek'tiven Idea'lismus) Berkeleys. — **Berke'le·ian,ism** *s philos.* Lehre *f* Berkeleys.

berke·li·um ['bə:rkliəm] *s chem.* Ber'kelium *n* (Bk; *künstliches Element*).

ber·lin [bə:r'lin; 'bə:rlin] *s* 1. a) Ber'line *f* (*viersitziger Reisewagen im 17. u. 18. Jh.*), b) Limou'sine *f* mit Glasscheiben zwischen Wagenführer u. Fahrgästen. – 2. *Kurzform für* B~ gloves, B~ wool. — **B~ black** *s tech.* schwarzer Eisenlack. — **B~ blue** *s* Ber'liner Blau *n*.

ber·line [bə:r'lin] → berlin 1.

Ber·lin| gloves *s pl* Strickhandschuhe *pl*. — ~ **i·ron** *s tech.* leicht schmelzbares Eisen (*zur Herstellung von Figuren etc*). — ~ **por·ce·lain** *s* Ber'liner Porzel'lan *n*. — ~ **shop**, ~ **ware·house** *s* Wollwaren-, Handarbeitsgeschäft *n*. — ~ **wool** *s* feine St(r)ick-, Zephyrwolle. — ~ **work** *s* ,Wollsticke'rei *f*.

berm(e) [bə:rm] *s* 1. *mil.* Berme *f*, Böschungsstütze *f*, Wall *m*. – 2. (*Straßenbau*) *Am.* Berme *f*, Ban'kett *n* (*seitliches Gefälle*). – 3. *Am. dial.* dem Treidelweg gegen'überliegendes Ka'nalufer.

Ber·mu·da| grass [bər'mju:də] *s bot.* Hundszahngras *n* (*Cynodon dactylon*). — ~ **on·ion** *s* Ber'mudazwiebel *f*

(*Speisezwiebelsorte*). — ~ **shorts** *s pl* knielange Hosen *pl.*

Ber·mu·di·an [bər'mju:diən] **I** *s* Bewohner(in) der Ber'muda-Inseln. – **II** *adj* zu den Ber'muda-Inseln gehörig. — ~ **rigged** *adj mar.* hochgetakelt.

Ber·nard·ine ['bəːrnərdin; -ˌdi:n] *relig.* **I** *adj* **1.** St. Bernhard von Clair'vaux betreffend. – **2.** Bernhardiner..., Zisterzienser... – **II** *s* **3.** Bernhar'diner(in), Zisterzi'enser(in).

Ber·nese [ˌbəːr'ni:z] **I** *adj* aus Bern, Berner: ~ Alps Berner Alpen. – **II** *s sg u. pl* Berner(in), Berner(innen) *pl.*

ber·ni·cle (goose) ['bəːrnikl] → **barnacle**[1] 3.

ber·ret·ta [bə'retə; bi-] → **biretta.**

ber·ried ['berid] *adj* **1.** beerenförmig. – **2.** *bot.* beerentragend. – **3.** *zo.* a) eiertragend (*Hummer*), b) rogentragend (*Fisch*).

ber·ry ['beri] **I** *s* **1.** *bot.* a) Beere *f*, b) Korn *n*, Kern *m* (*beim Getreide*). – **2.** *jede kleine Frucht, bes.* Hagebutte *f.* – **3.** Kaffeebohne *f.* – **4.** *zo.* Ei *n* (*vom Hummer od. im Rogen eines Fisches*): in ~ eiertragend (*Hummerweibchen*). – **II** *v/i* **5.** *bot.* a) Beeren tragen, b) Beeren ansetzen. – **6.** Beeren sammeln *od.* suchen. — ~ **al·der** *s bot.* Faulbaum *m* (*Rhamnus frangula*).

ber·sa·glie·re [bersa'ʎɛre; ˌbɛrsa:li'ɛ(ə)ri] *pl* **-ri** [-ri] (*Ital.*) *s mil.* Bersagli'ere *m* (*Angehöriger einer Schützeneinheit der ital. Armee*).

ber·serk ['bəːrsəːrk] **I** *adj* **1.** wütend, rasend. – **2.** Berserker...: ~ rage Berserkerwut. – **II** *adv* **3.** in blinder Wut. – **III** *s* → **berserker.**

ber·serk·er ['bəːrsəːrkər] *s* **1.** *hist.* Ber'serker *m* (*wilder skandinav. Krieger*). – **2.** *fig.* Ber'serker *m*, Wüterich *m.*

berth [bəːrθ] **I** *s* **1.** *mar.* Seeraum *m* (*Raum, der für ein an der Küste vorbeifahrendes Schiff erforderlich ist*): she keeps a good ~ das Schiff hält guten Abstand; the captain gives the island a good ~ der Kapitän hält gut frei von der Insel; to give a wide ~ to a) weit abhalten von (*Land, Insel etc*), b) *fig.* einen Bogen machen um, (*j-m*) aus dem Weg gehen. – **2.** *mar.* Liege-, Ankerplatz *m*, Ankergrund *m* (*Raum, der für ein vor Anker od. am Kai liegendes Schiff erforderlich ist*). – **3.** (Schlaf)Koje *f* (*im Schiff*). – **4.** Bett *n* (*im Schlafwagen*). – **5.** *Br. colloq.* Stellung *f*, Posten *m*: he has a good ~. – **II** *v/t* **6.** *mar.* (*Schiff*) am Kai festmachen. – **7.** *Br.* (*j-m*) einen Platz anweisen, (*j-n*) 'unterbringen (*auch fig.*). – **III** *v/i* **8.** *mar.* festmachen, anlegen: to ~ in the dock docken.

ber·tha ['bəːrθə] *s* Bert(h)e *f* (*lose herabfallende, breite [Spitzen]Einfassung am Ausschnitt eines Kleides*).

berth·age ['bəːrθidʒ] *s mar.* **1.** Kaigebühr *f* (*Liegegebühr für das Schiff*). – **2.** Anker-, Liegeplatz *m.*

berth| car·go *s mar.* **1.** Ladung, die am Kai (*nicht im Leichter*) gelöscht *od.* vom Kai geladen wird. – **2.** Auffülladung *f* (*zu ermäßigter Frachtrate*). — ~ **charge** → **berthage** 1. — ~ **deck** *s* Banjer-, Zwischendeck *n.*

berth·er ['bəːrθər] *s* (*Eisenbahn*) *Am.* Ran'gierer *m.*

ber·thi·er·ite ['bəːrθiəˌrait] *s min.* 'Eisenantiˌmonerz *n* ($FeSb_2S_4$).

berth·ing ['bəːrθiŋ] *s mar.* Schergangbeplankung *f.* — ~ **dues** *s pl* → **berthage** 1.

Berth·on boat ['bəːrθɒn; -ən] *s mar. Br.* Faltboot *n.*

Ber·til·lon sys·tem ['bəːrtiˌlɒn] *s* Bertil'lonsches Sys'tem (*zur Identifizierung von Menschen*).

ber·trand·ite ['bəːrtrənˌdait] *s min.* Bertran'dit *m* ($H_2Be_4Si_2O_9$).

ber·yl ['beril; -rəl] *s* **1.** *min.* Be'ryll *m* ($Be_3Al_2(SiO_3)_6$). – **2.** Be'ryllfarbe *f*, helles Meergrün. — ~ **green** *s* Sma'ragdgrün *n.*

ber·yl·(l)ine ['berilin; -ˌlain; -rə-] *adj* be'ryllfarben.

be·ryl·li·um [be'riliəm; bə-] *s chem.* Be'ryllium *n* (Be).

ber·yl·loid ['beriˌlɔid] *s min.* Beryllo'id *n.*

ber·ze·li·an·ite [bər'zi:liəˌnait] *s min.* Se'lenkupfer *n* (Cu_2Se).

ber·ze·li·ite [bər'zi:liˌait] *s min.* Berzeli'it *m.*

Bes [bes] *s* Bes *m* (*altägyptische Gottheit*).

be·screen [bi'skri:n] *v/t* be-, verdecken, verbergen.

be·seech [bi'si:tʃ] *pret u. pp* **be·sought** [bi'sɔːt] *u.* **be'seeched** *v/t* dringend bitten (um), ersuchen, anflehen. – *SYN. cf.* **beg.** — **be'seech·ing** *adj* flehend, bittend. — **be'seech·ing·ly** *adv* flehentlich, flehend, eindringlich.

be·seem [bi'si:m] **I** *v/t* sich ziemen *od.* schicken für. – **II** *v/i* sich ziemen, sich schicken, angemessen sein, schicklich sein. — **be'seem·ing·ly** *adv* auf schickliche Art, geziemend. — **be'seem·ing·ness** *s* Schicklichkeit *f.*

be·set [bi'set] *pret u. pp* **be'set** *v/t* **1.** um'geben, einschließen, belagern. – **2.** (von allen Seiten) bedrängen, verfolgen: to ~ with difficulties mit Schwierigkeiten überhäufen. – **3.** (*Straße etc*) besetzen, bloc'kieren, versperren. – **4.** besetzen, schmücken: to ~ with pearls. — **be'set·ment** *s* **1.** Gewohnheitssünde *f.* – **2.** Bedrängnis *f.* — **be'set·ting** *adj* **1.** hartnäckig (*schlechte Gewohnheit*): ~ sin Gewohnheitssünde. – **2.** beständig drohend, verfolgend (*Gefahr*).

be·shade [bi'ʃeid] *v/t* beschatten.

be·shame [bi'ʃeim] *v/t* beschämen.

be·shine [bi'ʃain] *v/t* **1.** bescheinen. – **2.** erleuchten.

be·show [bi'ʃou] → **candlefish** 2.

be·shrew [bi'ʃru:] *v/t* verfluchen (*obs. außer in*): ~ me! der Teufel soll mich holen! ~ it! zum Kuckuck damit!

bes·i·clom·e·ter [ˌbesi'klɒmitər; -sə-; -mə-] *s tech.* Schar'nierabstandmesser *m*, Stirnmesser *m* (*beim Anmessen von Brillen*).

be·side [bi'said] **I** *prep* **1.** neben, dicht bei: sit ~ me setzen Sie sich neben mich. – **2.** außerhalb (*gen*), nicht gemäß (*dat*), nicht gehörend zu: → **point** 21. – **3.** außer: to be ~ oneself with joy außer sich sein vor Freude. – **II** *adv* **4.** *selten* außerdem, da'zu.

be·sides [bi'saidz] **I** *adv* **1.** außerdem, über'dies, noch da'zu. – **2.** sonst. – **II** *prep* **3.** außer. – **4.** über ... hin'aus.

be·siege [bi'si:dʒ] *v/t* **1.** belagern (*auch fig.*). – **2.** *fig.* bestürmen, bedrängen. — **be'siege·ment** *s* **1.** Belagerung *f.* – **2.** Bedrängung *f.*

be·slav·er [bi'slævər] *v/t* **1.** mit Speichel bedecken, bespeien, begeifern. – **2.** *fig.* (*j-m*) über'trieben schmeicheln.

be·slob·ber [bi'slɒbər] *v/t* **1.** → **beslaver.** – **2.** (*verächtlich*) abküssen.

be·slub·ber [bi'slʌbər] → **besmear.**

be·smear [bi'smir] *v/t* beschmieren, beschmutzen.

be·smirch [bi'sməːrtʃ] *v/t bes. fig.* beschmutzen, trüben.

be·smut [bi'smʌt] *pret u. pp* **-'smut·ted** *v/t* berußen, beschmutzen (*auch fig.*).

be·snow [bi'snou] *v/t* be-, über'schneien, einschneien, ([wie] mit Schnee) bedecken, ein-, zudecken (*auch fig.*).

be·som ['bi:zəm] **I** *s* **1.** (Reisig)Besen *m.* – **2.** *bot.* a) Besenginster *m* (*Sarothamnus scoparius*), b) Besenheide *f*, Heidekraut *n* (*Calluna vulgaris*). – **3.** *Scot. od. dial.* ‚Besen' *m*, ‚Weibsbild' *n*, ‚Schlampe' *f* (*liederliches Weib*). – **II** *v/t* **4.** kehren, fegen.

be·sot [bi'sɒt] *v/t* **1.** betören. – **2.** verdummen, dumm machen. – **3.** betrunken machen. — **be'sot·ted** [-tid] *adj* **1.** töricht, betört. – **2.** vernarrt (on in *acc*). – **3.** betrunken, berauscht. — **be'sot·ted·ness** *s* Torheit *f*, Dummheit *f*, Betörung *f.*

be·sought [bi'sɔːt] *pret u. pp von* beseech.

be·spake [bi'speik] *obs. pret von* bespeak.

be·span·gle [bi'spæŋgl] *v/t* mit Flitter schmücken.

be·spat [bi'spæt] *obs. pret u. pp von* bespit.

be·spat·ter [bi'spætər] *v/t* **1.** (mit Kot) bespritzen, beschmutzen. – **2.** *fig.* (mit Vorwürfen *od.* Schmeiche'leien *etc*) über'schütten, verleumden.

be·speak [bi'spi:k] *pret* **be·spoke** [bi'spouk] *obs.* **be·spake** [bi'speik] *pp* **be·spo·ken** *v/t* **1.** im voraus bitten um, (vor'aus)bestellen: to ~ the reader's patience; to ~ a seat in the theatre *selten* einen Theaterplatz bestellen. – **2.** zeigen, zeugen von: this ~s a kindly heart. – **3.** *poet.* anreden, sich wenden an (*acc*). – **4.** vor'aussagen, prophe'zeien.

be·spec·ta·cled [bi'spektəkld] *adj* bebrillt, brillentragend.

be·spit [bi'spit] *pret u. pp* **be'spit**, *obs. pret* **be·spat** [bi'spæt] *obs. pp* **be'spit·ten** [-ən] *v/t* bespeien, anspeien.

be·spoke [bi'spouk] **I** *pret u. pp von* bespeak. – **II** *adj Br.* nach Maß gemacht, (auf Bestellung) besonders angefertigt, Maß...: ~ bootmaker Maßschuhmacher; ~ tailor Maßschneider. — **be·spo·ken** [bi'spoukən] *pp von* bespeak.

be·spot [bi'spɒt] *pret u. pp* **-'spot·ted** *v/t* (be)flecken, sprenkeln, besudeln (*auch fig.*).

be·spread [bi'spred] *pret u. pp* **be'spread** *v/t* bestreuen, bedecken.

be·sprent [bi'sprent] *adj poet.* bespritzt, besprengt.

be·sprin·kle [bi'spriŋkl] *v/t* besprengen, bespritzen, bestreuen.

Bes·sel func·tions ['besəl] *s pl math.* Besselsche Funkti'onen *pl*, Zy'linderfunktiˌonen *pl.*

Bes·se·mer, b~ ['besimər; -sə-] *Kurzform für* → **converter** *u.* ~ **steel.** — ~ **con·vert·er** *s tech.* 'Bessemerˌbirne *f*, -konˌverter *m.* — ~ **i·ron** *s tech.* Bessemereisen *n.*

Bes·se·mer·ize, b~ ['besiməˌraiz; -sə-] *v/t tech.* bessemern, im Kon'verter (ver)blasen.

Bes·se·mer| prac·tice *s tech.* Kon'verter-, Bessemerbetrieb *m.* — ~ **proc·ess** *s tech.* 'Bessemerproˌzeß *m*, -verfahren *n*, Bessemern *n.* — ~ **steel** *s tech.* Bessemerstahl *m.*

best [best] **I** (*sup von* good) *adj* **1.** best(er, e, es): to be ~ at hervorragen in (*dat*); to put the ~ construction on s.th. etwas im günstigsten Sinne auslegen; → **foot** 1; **leg** *b. Redw.* – **2.** gütigst(er, e, es), liebst(er, e, es) (*Person*): → **girl** 3. – **3.** geeignetst(er, e, es), passendst(er, e, es). – **4.** größt(er, e, es), meist(er, e, es): the ~ part of the week der größte Teil der Woche. – **II** (*sup von* well) *adv* **5.** am besten, am meisten, am vorteilhaftesten, am passendsten: the ~ hated man of the year *colloq.* der meistgehaßte Mann des Jahres; ~ used meistgebraucht; you had ~ go Sie würden gut daran tun zu gehen. – **III** *v/t* **6.** über'treffen. – **7.** *colloq.* über'vorteilen, übers Ohr hauen. – **IV** *s* **8.** (*der, die, das*) Beste. – **9.** *colloq.* ‚bestes Stück' (*bester Anzug, bestes Kleid*). –

Besondere Redewendungen:

to work with the ~ es im Arbeiten mit jedem aufnehmen können; to do one's (level) ~ sein möglichstes tun; to be at one's ~ in bester Verfassung *od.* Form sein; to have the ~ of it am besten dabei wegkommen; to make the ~ of a) sich zufriedengeben mit, b) sich abfinden mit (*etwas Unabänderlichem*), c) (*einer Sache*) die beste Seite abgewinnen; to do s.th. for the ~ etwas in bester Absicht tun; to the ~ of one's power nach besten Kräften; → at[1] 6; belief 4.

be·stead [bi'sted] **I** *v/t pret u. pp* **be'stead·ed** *u.* **be'ste(a)d** 1. (*j-m*) helfen, beistehen, nutzen. – **II** *adj* 2. um'geben. – 3. bedrängt: ill ~, sore ~, hard ~ schwer bedrängt.

be·sted *cf.* bestead.

bes·tial ['bestiəl; -tjəl; -tʃəl] *adj* 1. tierisch, tierhaft, -artig. – 2. *fig.* besti'alisch, entmenscht, tierisch, viehisch. – 3. sinnlich, sinnlich-vertiert. — ˌ**bes·ti'al·i·ty** [-'æliti; -lə-] *s* 1. Bestiali'tät *f*, tierisches Wesen. – 2. Perversi'tät *f*, Bestiali'tät *f*, Sodo'mie *f*. — '**bes·tialˌize I** *v/t* (*j-n*) zum Tier machen, entmenschlichen. – **II** *v/i* verrohen, vertieren.

bes·ti·ar·i·an [ˌbesti'ɛ(ə)riən] *s* Verfechter *m* des Tierschutzes, Tierfreund *m* (*bes. Gegner der Vivisektion*).

bes·ti·ar·y [*Br.* 'bestiəri; *Am.* -ˌeri] *s* Besti'arium *n* (*mittelalterliches symbolisch-mystisches Tierbuch*).

be·stick [bi'stik] *pret u. pp* **be·stuck** [bi'stʌk] *v/t* bestecken, bedecken.

be·still [bi'stil] *v/t* beruhigen, stillen.

be·stir [bi'stəːr] *pret u. pp* **-'stirred** *v/t* in Bewegung setzen, regen, antreiben: to ~ oneself sich rühren; ~ yourself! tummeln Sie sich!

best man *s irr* Brautführer *m*.

be·storm [bi'stəːrm] **I** *v/t* um'stürmen, um'tosen. – **II** *v/i* rasen, toben.

be·stow [bi'stou] *v/t* 1. (*etwas*) schenken, geben, spenden, widmen, verleihen (upon s.o. j-m). – 2. *obs.* 'unterbringen (*auch beherbergen*), aufspeichern, aufbewahren. – 3. *obs.* zur Ehe geben. – *SYN. cf.* give. — **be'stow·al** *s* 1. Gabe *f*, Schenkung *f*, Verleihung *f*. – 2. 'Unterbringung *f*.

be·strad·dle [bi'strædl] → bestride.

be·straught [bi'strɔːt] *adj obs.* geistesabwesend, zerstreut.

be·strew [bi'struː] *pret* **be'strewed** *pp* **be'strewed** *u.* **be'strewn** *v/t* 1. bestreuen. – 2. um'herstreuen. – 3. verstreut liegen auf (*dat*) *od.* über (*dat od. acc*).

be·strid [bi'strid], **be'strid·den** *pp von* bestride.

be·stride [bi'straid] *pret* **be·strode** [bi'stroud] *pp* **be·strid·den** [bi'stridn], *selten* **be·strid** [bi'strid] *od.* **be'strode** *v/t* 1. rittlings sitzen auf (*dat*). – 2. mit gespreizten Beinen stehen auf *od.* über (*dat*). – 3. *fig.* sich wölben *od.* spannen über (*dat*) (*Regenbogen etc*). – 4. sich mit gespreizten Beinen stellen auf *od.* über (*acc*). – 5. über'schreiten, (hin'weg)schreiten über (*acc*). – 6. sich schützend stellen über (*acc*), beschirmen.

be·strode *pret u. selten pp von* bestride.

best| sell·er *s* 1. Bestseller *m*, Verkaufsschlager *m* (*Buch, Schallplatte etc*), (*der*) Bucherfolg. – 2. Verfasser(in) eines Bestsellers. — **'~-ˌsell·ing** *adj* meistverkauft, am besten gehend.

be·stuck [bi'stʌk] *pret u. pp von* bestick.

be·stud [bi'stʌd] *pret u. pp* **-'stud·ded** *v/t* (*mit Knöpfen etc*) besetzen, beschlagen, verzieren.

best work *s tech.* Scheideerz *n*.

bet [bet] **I** *s* 1. Wette *f*: to make a ~ on s.th. auf etwas wetten. – 2. Gegenstand *m* der Wette: this horse is a safe ~ dieses Pferd ist ein sicherer Tip. – 3. Wetteinsatz *m*, gewetteter Betrag *od.* Gegenstand. – **II** *v/t u. v/i pret u. pp* **bet** *od.* **'bet·ted** 4. wetten, (ein)setzen: I ~ you ten pounds ich wette mit Ihnen um zehn Pfund; → boot[1] 1; you ~! *sl.* und ob! aber sicher! to ~ one's bottom dollar *Am. sl.* den letzten Heller wetten.

be·ta ['biːtə; *Am. auch* 'beitə] *s* Beta *n*: a) *2. Buchstabe des griech. Alphabets*, b) *math. phys. Symbol für 2. Größe.*

be·ta·cism ['biːtəˌsizəm; *Am. auch* 'bei-] *s ling.* Beta'zismus *m* (*Verwandlung anderer Buchstaben in b beim Sprechen*).

be·ta·eu·caine [ˌbiːtə'juːkein; *Am. auch* ˌbei-] *s chem.* 'Beta-Eucaˌin *n*.

be·ta func·tion *s math.* 'Betafunktiˌon *f*.

be·ta·in(e) ['biːtəˌiːn; -in; bi'tei-] *s chem.* Beta'in *n* [$C_5H_{11}O_2N(H_2O)$].

be·take [bi'teik] *pret* **be·took** [bi'tuk] *pp* **be·tak·en** [bi'teikən] *v/reflex* (to) sich begeben (nach), seine Zuflucht nehmen (zu), seine Rettung suchen (in *dat*): to ~ oneself to flight die Flucht ergreifen.

be·ta·naph·thol [ˌbiːtə'næfθɒl; -θoul; -'næp-; ˌbei-] *s chem.* 'Beta-Naphˌthol *n*.

be·ta| par·ti·cle *s phys.* Beta-Teilchen *n*. — **~ rays** *s pl phys.* Betastrahlen *pl*. — **~ test** *s psych. Am.* Intelli'genzprüfung *f* ohne Verwendung von Schrift od. Sprache (*in der amer. Armee im 1. Weltkrieg*).

be·ta·tron ['biːtəˌtrɒn; *Am. auch* 'bei-] Betatron *n* (*Elektronenschleuder*).

be·ta wave *s* (*Elektro-Enzephalographie*) Beta-Welle *f*.

be·teem [bi'tiːm] *v/t selten* gebären.

be·tel ['biːtəl] *s* 1. *bot.* Betelpfeffer *m* (*Piper betle*). – 2. Betel *m* (*Kaumittel aus Arekanuß, Kalk u. Betelblättern*).

Be·tel·geuse, Be·tel·geux ['betəlˌdʒuːz; 'biː-] *s astr.* Betei'geuze *m* (*Stern α im Orion*).

be·tel| nut *s bot.* 'Betel-Aˌrekanuß *f*. — **~ palm** *s bot.* A'reka-, Katechupalme *f* (*Areca catechu*). — **~ pep·per** → betel 1.

bête noire ['beit 'nwaːr] *s fig.* (*das*) rote Tuch, Schreckgespenst *n*, Dorn *m* im Auge.

Beth·el ['beθəl] **I** *npr Bibl.* 1. Bethel *n*. – **II** *s* b~ 2. geweihte Stelle. – 3. *Br.* (*bei Dissentern gebräuchlicher Name für*) Kirche *f*. – 4. *Am.* Kirche *f* für Ma'trosen.

Be·thes·da [bə'θezdə; be-] **I** *npr Bibl.* Bethesda *n*. – **II** *s* → Bethel 3.

be·think [bi'θiŋk] *pret u. pp* **be·thought** [bi'θɔːt] **I** *v/t* 1. *obs.* sich ins Gedächtnis zu'rückrufen, bedenken, über'legen. – 2. *reflex* ~ oneself a) sich bedenken, über'legen, sich besinnen, b) sich erinnern (of an *acc*, how, that daß), c) sich vornehmen, beschließen (to do zu tun). – **II** *v/i obs.* 3. nachdenken, über'legen.

Beth·le·hem ['beθliˌhem; -liəm] → bedlam 1 *u.* 2.

be·thought [bi'θɔːt] *pret u. pp von* bethink.

beth·root ['beθˌruːt] *s* 1. → trillium 2. – 2. → birthroot.

be·tide [bi'taid] *v/t u. v/i* (*nur in 3. sg pres subj*) sich ereignen, geschehen: woe ~ you! wehe dir!

be·times [bi'taimz] *adv* 1. bei'zeiten, rechtzeitig. – 2. früh(zeitig). – 3. bald. – 4. *Am. dial.* manchmal, gelegentlich.

be·to·ken [bi'toukən] *v/t* 1. bezeichnen, andeuten. – 2. anzeigen, verkünden.

bé·ton [be'tõ] (*Fr.*), **be·ton** ['betən] *s tech.* Be'ton *m*.

be·tongue [bi'tʌŋ] *v/t* beschimpfen, schimpfen auf (*acc*), verhöhnen.

bet·o·ny ['betəni] *s bot.* Rote Be'tonie, Zehrkraut *n* (*Betonica officinalis*).

be·took [bi'tuk] *pret von* betake.

be·tray [bi'trei] *v/t* 1. verraten, Verrat begehen an (*dat*): to ~ s.o. to j-n verraten (*dat*) *od.* an (*acc*). – 2. verraten, im Stich lassen, (*j-m*) die Treue brechen. – 3. täuschen, hinter'gehen. – 4. *fig.* verraten, aufweisen, zeigen: to ~ one's ignorance seine Dummheit zur Schau stellen. – 5. verleiten, verführen (into, to zu). – *SYN. cf.* reveal. — **be'tray·al**, *selten* **be'tray·ment** *s* Verrat *m*, Treubruch *m*.

be·troth [bi'trouð; *Am. auch* -'trɔːθ] *v/t* 1. verloben (to mit). – 2. geloben (to *dat*). – 3. *obs.* (*j-m*) die Ehe versprechen. — **be'troth·al** *s* Verlobung *f*. — **be'trothed I** *adj* verlobt. – **II** *s* Verlobte(r).

bet·ter[1] ['betər] **I** (*comp von* good) *adj* 1. besser: to be ~ sich besser fühlen; he is ~ off es geht ihm (*finanziell*) besser; I am none the ~ for it das hilft mir auch nicht, ich bin dadurch nicht besser daran; it is no ~ than it should be man konnte nichts Besseres *od.* nicht mehr erwarten; to be ~ than one's word mehr tun als man versprach; my ~ half *humor.* meine bessere Hälfte (*meine Frau*). – 2. größer: upon ~ acquaintance bei näherer Bekanntschaft. – **II** *s* 3. (*das*) Bessere, (*das*) Vor'züglichere: for ~ for worse a) auf Glück u. Unglück (*Trauformel*), b) auf gut Glück. – 4. Vorteil *m*, Oberhand *f*: to get the ~ of s.o. j-n besiegen *od.* ausstechen; to get the ~ of it etwas überwinden, sich von etwas (*bes. Krankheit*) erholen. – 5. *meist pl* (*die*) Vorgesetzten *pl*, (*im Rang*) Höherstehende *pl*, (*finanziell*) Bessergestellte *pl*: his ~s die ihm (*geistig etc*) Überlegenen. – **III** (*comp von* well) *adv* 6. besser: to think ~ of it sich eines Besseren besinnen; so much the ~ desto besser; you had ~ (*od. Am. colloq. meist* you ~) do this at once am besten tun Sie das sofort; you had ~ (*od. Am. colloq. meist* you ~) not es wäre besser, wenn Sie nicht; I like it ~ ich ziehe es vor; → all 4; know 6. – 7. mehr: the king is ~ loved than ever he was. – **IV** *v/t* 8. verbessern, besser machen. – 9. über'treffen, vergrößern. – 10. *reflex* sich (*finanziell*) verbessern, vorwärtskommen: he left to ~ himself er ging weg, um sich zu verbessern. – **V** *v/i* 11. besser werden, sich (ver)bessern. – *SYN. cf.* improve.

bet·ter[2] ['betər] *s* Wetter(in).

bet·ter·er ['betərər] *s* Verbesserer *m*.

bet·ter·ing ['betəriŋ] *s* Verbesserung *f*.

bet·ter·ment ['betərmənt] *s* 1. *Am. meist pl* a) Verbesserung *f*, Veredelung *f*, b) *econ.* (*über reine Reparaturen hinausgehende*) Verbesserungen *pl*, Meliorati'on *f* (*an Grundstücken*), Wertverbesserung *f*. – 2. Besserung *f*, Besserwerden *n* (*bes. Gesundheitszustand*). — **~ tax** *s econ.* Wertzuwachssteuer *f*.

bet·ter·most ['betərˌmoust; -məst] *colloq.* **I** *adj* best(er, e, es). – **II** *adv* am besten.

bet·ter na·ture *s* besseres Selbst.

bet·ter·ness ['betərnis] *s* 1. Über'legenheit *f*, größerer *od.* höherer Wert. – 2. (Ver)Besserung *f*. – 3. *tech.* Mehrbetrag *m* des Feingehalts (*einer Gold- od. Silbermischung über dem Normalfeingehalt*).

bet·ting ['betiŋ] *s* Wetten *n*. — **~ book** *s sport* Wettbuch *n*. — **~ man** *s irr sport* (berufsmäßiger) Wetter. — **~ of·fice** *s sport* 'Wettbüˌro *n*. — **~ slip** *s sport* Wettzettel *m*. — **~ tax** *s econ.* Wettsteuer *f*.

bet·tong ['betɒŋ] *s zo.* (*eine*) Känguruhratte (*Gattg Bettongia*).

bet·tor *cf.* better[2].

Bet·ty ['beti] **I** *npr* 1. Betty *f* (*Kosename für Elizabeth*): → eye 5. – **II** *s* b~ 2. *sl.* a) Brecheisen *n*, b) Dietrich *m*.

– 3. *sl.* (*verächtlich*) ‚Topfgucker' *m*, im Haushalt mithelfender Mann. – 4. *Am.* Floren'tiner Flasche *f* (*birnenförmig, mit Stroh umflochten*). — **~ lamp** *s Am.* Me'tallampe *f* (*in der Form der antiken Öllampen*) mit einem Haken zum Aufhängen.

bet·u·la·ceous [ˌbetju'leiʃəs; *Am.* -tʃu-] *adj bot.* zu den Birken gehörig, birkenartig.

bet·u·lin·a·mar·ic [*Br.* ˌbetjuˌlinə'mærik; *Am.* -tʃu-] *adj chem. zur Säure* $C_{36}H_{52}O_{16}$ *gehörig.*

bet·u·lin·ic [*Br.* ˌbetju'linik; *Am.* -tʃu-] *adj chem. zur Säure* $C_{36}H_{54}O_6$ *gehörig.* — **'bet·u·linˌol** [-ˌnɒl; -ˌnoul] *s chem.* Betu'lin *n*, Birkenkampfer *m*.

be·tween [bi'twiːn; bə-] **I** *prep* **1.** zwischen: → devil 1; stool 1. – **2.** unter: ~ ourselves unter uns (gesagt); ~ you and me (and the bedpost *od.* gatepost *od.* lamppost) *colloq.* unter uns *od.* im Vertrauen (gesagt); they bought it ~ them sie kauften es gemeinschaftlich; we have only one shilling ~ us wir haben zusammen nur einen Schilling. – **II** *adv* **3.** da'zwischen: few and far ~ vereinzelt, dünn gesät; the space ~ der Zwischenraum; in ~ dazwischen. — **be'tweenˌbrain** *s med.* Zwischenhirn *n*, Dien'zephalon *n*. — **be·tween deck** → 'tween-deck. — **be·tween decks** → 'tween decks.

be·tween·i·ty [bi'twiːniti; -nə-] *s humor.* (*das*) Da'zwischenliegende, Zwischenzustand *m*.

be'tween|ˌmaid *Br. für* tweeny.

be'tweenˌwhiles *adv* in Zwischenräumen, dann u. wann, von Zeit zu Zeit.

be·twixt [bi'twikst; bə-] **I** *adv* da'zwischen: ~ and between in der Mitte, zwischen beiden, halb u. halb, weder das eine noch das andere. – **II** *prep obs.* zwischen, unter.

beu·dant·ite ['bjuːdənˌtait] *s min.* Beudan'tit *m*.

Beu·lah ['bjuːlə] **I** *npr Bibl.* Israel *n*: the land of ~ das Land der Wonne. – **II** *s* → Bethel 3.

bev·a·tron ['bevəˌtrɒn] *s phys. tech.* Bevatron *n* (*Großgerät zur Beschleunigung von Protonen u. elektrisch geladenen Partikeln*).

bev·el ['bevəl] **I** *s tech.* **1.** Schräge *f*, (Ab)Schrägung *f*, Neigung *f*, schräge Richtung (*z. B. zweier Flächen*), Schiefe *f*: on a ~ schräg; ~ edge schräg geschliffene Kante, Facette. – **2.** schräger Ausschnitt, Fase *f*. – **3.** Winkelpasser *m*, Schmiege *f*, Schrägmaß *n*, Stellwinkel *m*. – **4.** Kegel *m*, Konus *m*. – **5.** Böschung *f*. – **II** *v/t pret u. pp* **'bev·eled**, *bes. Br.* **'bev·elled** **6.** abkanten, abflachen, abschrägen, schräg abschneiden, gehren, facet'tieren, ausschärfen. – **III** *v/i* **7.** schräg verlaufen. – **IV** *adj* **8.** schräg, schiefkantig, -winkelig, abgekantet. – **9.** konisch, kegelig. — **~ butt joint** *s tech.* V-Stoß *m* (*beim Stumpfschweißen von Platten*). — **~ cant** *s tech.* abgeschrägte Kante. — **~ cut** *s* (*Maschinenwesen, Tischlerei*) Schräg-, Gehrungsschnitt *m*.

bev·eled, *bes. Br.* **bev·elled** ['bevəld] *adj* **1.** kegelig, konisch, verjüngt, Kegel... – **2.** abgeschrägt, schiefwinklig, schräg. — **~ cut·ter** *s tech.* Kegelfräser *m*. — **~ gear** → bevel gear. — **~ rule** *s tech.* Line'al *n* mit abgeschrägter Kante. — **~ track sec·tion** *s* (*Eisenbahn*) Tra'pezjoch *n*.

bev·el| gear *s tech.* **1.** Kegel(zahn)-, Stirnrad *n*. – **2.** *pl* a) Kegelrad-, Winkelgetriebe *n*, konisches Getriebe, b) schiefe Verzahnung, Schrägverzahnung *f*. — **~ gear·ing** → bevel gear 2.

bev·el·ing, *bes. Br.* **bev·el·ling** ['bevəliŋ] *s* Abschrägen *n*, Abfasen *n*, Abkanten *n*, Abflächen *n*: ~ shears Schrägschnittschere. — **~ plane** *s tech.* Schräghobel *m*.

bev·elled ['bevəld], **bev·el·ling** ['bevəliŋ] *bes. Br. für* beveled, beveling.

bev·el| pin·ion *s tech.* kleines konisches Getrieberad, kegelförmiges Ritzel. — **~ pro·trac·tor** *s* Gehrungsschmiege *f*, Stellmaß *n*. — **~ rule** *s* Schrägmaß *n*, -winkel *m*. — **~ sec·tion** *s math.* Schrägschnitt *m*. — **~ square** → bevel 3. — **~ wheel** *s tech.* konisches Rad, Kegelrad *n*.

bev·er·age ['bevəridʒ] *s* Getränk *n*, Trank *m*, Erfrischung *f*: intoxicating ~s berauschende Getränke. — **~ tax** *s econ.* Getränkesteuer *f*.

Bev·er·idge Plan ['bevəridʒ] *s econ. Br.* Beveridge-Plan *m* (*Denkschrift über die engl. Sozialversicherung; 1942*).

Bev·in boy ['bevin] *s Br. hist. junger Mann militärpflichtigen Alters, der durch Los zur Arbeit im Bergwerk (an Stelle des Militärdienstes) bestimmt wurde.*

be·vue [bi'vjuː] *s* Versehen *n*, Fehler *m*, Irrtum *m*.

bev·y ['bevi] *s* **1.** Flug *m*, Schar *f* (*Vögel*). – **2.** Schar *f*, Gesellschaft *f* (*auch fig., bes. Frauen u. Mädchen*).

be·wail [bi'weil] **I** *v/t* beklagen, beweinen. – *SYN. cf.* deplore. – **II** *v/i* wehklagen.

be·ware [bi'wɛr] **I** *v/i* sich in acht nehmen, sich hüten (of vor *dat*): ~ of trespassing! Betreten verboten! – **II** *v/t* sich in acht nehmen *od.* sich hüten vor (*dat*).

be·weep [bi'wiːp] *v/t irr* **1.** beweinen. – **2.** mit Tränen benetzen, Tränen vergießen über (*acc*).

be·wet[1] [bi'wet] *pret u. pp* **-'wet·ted** *v/t* benetzen.

bew·et[2] ['bjuːit] *s hunt.* Riemen *m* (*zur Befestigung der Schellen*) an den Füßen von Jagdfalken.

Bew·ick('s) wren ['bjuːiks] *s zo. Am.* (*ein*) Zaunkönig *m* (*Thryomanes bewicki; im Süden der USA*).

be·wigged [bi'wigd] *adj* eine Pe'rücke tragend, pe'rückentragend.

be·wil·der [bi'wildər] *v/t* **1.** irreführen. – **2.** bestürzen, verblüffen, verwirren, irremachen. – *SYN. cf.* puzzle. — **be'wil·dered** *adj* verwirrt, kon'fus, bestürzt, verblüfft. — **be'wil·der·ing** *adj* **1.** irreführend. – **2.** verblüffend, verwirrend, irremachend. — **be'wil·der·ment** *s* **1.** Wirrwarr *m*, Durchein'ander *n*. – **2.** Bestürzung *f*, Verwirrung : in ~ bestürzt.

be·witch [bi'witʃ] *v/t* behexen, bezaubern, bestricken, in seinen Bann ziehen: she has ~ed him er ist völlig in ihrem Bann. – *SYN. cf.* attract. — **be'witch·er·y** [-əri] *s* Bezauberung *f*, Reiz *m*. — **be'witch·ing** *adj* bezaubernd, anziehend, berückend. — **be'witch·ment** *s* Bezauberung *f*, Bestrickung *f*.

be·wray [bi'rei] *v/t obs.* verraten, aufdecken, entdecken. — **be'wray·ment** *s obs.* Verrat *m*, Enthüllung *f*.

bey [bei] *s* Bei *m* (*Titel eines höheren türk. Beamten*). — **'bey·lic** [-lik] *s* Rang *m od.* Würde *f od.* Amtsbezirk *m* eines Beis.

be·yond [bi'jɒnd] **I** *adv* **1.** dar'über hin'aus, jenseits. – **2.** weiter weg. – **II** *prep* **3.** jenseits: ~ the seas in Übersee, in überseeischen Ländern. – **4.** außer. – **5.** über ... (*acc*) hin'aus: ~ belief unglaublich; ~ all blame über jeden Tadel erhaben; ~ all bounds über alle Maßen; it is ~ my power es übersteigt meine Kraft; it is ~ me *colloq.* das geht über meinen Horizont, da komme ich nicht mehr mit; → dispute 7; endurance 3; recovery 8. – **III** *s* **6.** Jenseits *n*: the Great B~ das Leben nach dem Tode; he lives at the back of ~ er wohnt ganz abgelegen *od.* am Ende der Welt.

Be·zal·e·el [bi'zæliˌel; 'bezəˌliːl] *npr Bibl.* Be'zaleel *m*. — **Be'zal·eˌel·i·an** *adj fig.* kunstfertig.

bez·ant ['bezənt; bi'zænt] *s* **1.** Goldopfergabe *f* (*der engl. Herrscher beim Empfang des Sakraments*). – **2.** *hist.* Byzan'tiner *m* (*Goldmünze*). – **3.** *her.* runde Scheibe (*einen Goldpfennig darstellend*).

bez ant·ler [bez; beiz] → bay[7].

bez·el ['bezl] **I** *s* **1.** *tech.* zugeschärfte Kante, Schneide *f* (*eines Meißels*). – **2.** Schrägfläche *f* (*eines geschliffenen Edelsteins*), *bes.* Rautenfläche *f* (*Brillant*). – **3.** Ringkasten *m* (*zur Einfassung eines Edelsteins*). – **4.** Rille *f* (*in die das Uhrglas eingesetzt wird*). – **II** *v/t* **5.** abschrägen, abkanten.

be·zet·ta [bi'zetə] *s* Be'zetten *pl*, Färbeläppchen *pl* (*mit Farbstoff getränkte Leinenläppchen zum Schminken etc*).

bez·il ['bezil; -zl] → bezel.

be·zique [be'ziːk; bə-] *s* Bé'zigue *n*: a) *Kartenspiel*, b) *Bézigue von Pikdame u. Karobube in diesem Spiel.*

be·zoar ['biːzɔːr] *s* **1.** *zo.* Bezo'ar *m*, Magen-, Ziegenstein *m* (*im Magen von Wiederkäuern*). – **2.** *obs.* Gegengift *n*. — **bez·o·ar·dic** [ˌbezo'ɑːrdik] *adj* Bezoar..., als Gegengift dienend.

be·zoar| goat *s zo.* Bezo'arziege *f* (*Capra aegagrus*). — **~ nut** *s bot.* Pur'giernuß *f* (*Jatropha curcas*). — **~ stone** → bezoar 1.

be·zo·ni·an [bi'zouniən] *s obs.* **1.** Hungerleider *m*, elender Bettler. – **2.** Schurke *m*, Schuft *m*.

bez point → bay[7].

B-flat ['biː'flæt] *s mus.* B *n*. — **~ ma·jor** *s mus.* B-Dur *n*. — **~ mi·nor** *s mus.* b-Moll *n*.

'B-ˌgirl *s* Bar-, Ani'mierdame *f*.

Bha·ga·vad-Gi·ta ['bʌgəvəd'giːtɑː] *s* Bhagawad'gita *f* (*indisches religionsphilosophisches Gedicht*).

bhang [bæŋ] *s Br. Ind.* **1.** *bot.* Hanfpflanze *f* (*Cannabis sativa*). – **2.** Bhang *n*, Haschisch *n*.

bhees·tie, *auch* **bhees·ty**, **bhis·ti** ['biːsti] *s Br. Ind.* Wasserträger *m*.

bi- [bai] *Vorsilbe mit der Bedeutung* zwei(fach, -mal), doppel(t).

bi·a·cu·mi·nate [ˌbaiə'kjuːminit; -ˌneit] *adj bot.* zweifach zugespitzt.

bi·an·gu·lar [bai'æŋgjulər; -gjə-], **bi'an·gu·late** [-lit; -ˌleit], *auch* **bi'an·gu·lous** [-ləs] *adj math. selten* **1.** biangu'lar, zweiwinklig. – **2.** (*sphärische Geometrie*) zweieckig.

bi·an·nu·al [bai'ænjuəl] **I** *adj* halbjährlich, zweimal im Jahre vorkommend *od.* erscheinend. – **II** *s* Halbjahreszeitschrift *f*.

bi·an·nu·late [bai'ænjulit; -ˌleit] *adj zo.* zweiringig, mit zwei farbigen Bändern.

bi·arch·y ['baiɑːrki] *s* Biar'chie *f*, Re'gierung *f* zweier Per'sonen.

bi·as ['baiəs] **I** *s* **1.** schiefe Seite, schiefe Fläche *od.* Richtung, Schräge *f*. – **2.** schräger Schnitt: on the ~ diagonal. – **3.** *fig.* Neigung *f*, Hang *m*. – **4.** Vorliebe *f*, Zuneigung *f*. – **5.** *fig.* Ten'denz *f*, Vorurteil *n*: free from ~ unvoreingenommen, vorurteilsfrei. – **6.** (*Bowling*) a) 'Überhang *m* (*der Wurfkugel*), b) Neigung *f* (*der Wurfkugel*), schräg zu laufen (*da einseitig beschwert*), c) *Kurve, die diese Kugel beschreibt.* – *SYN. cf.* predilection. – **7.** *electr.* a) Voltstärke *f*, Gittervorspannung *f*, Diffe'renz-, Speise-, Batte'riespannung *f* (*im Stromfeld einer Elektronenröhre*), b) 'Gitter(ableit)ˌwiderstand *m*. – **8.** (*Schneiderei*) Schrägstreifen *m*. – **II** *adj u. adv* **9.** schräg, quer geschnitten, schief, diago'nal: ~ **band** schräg geschnittenes Band. – **III** *v/t pret u. pp* '**bi·as(s)ed** **10.** auf eine Seite lenken. – **11.** *fig.* 'hinlenken, richten (**towards** auf *acc*, nach). – **12.** *fig.* beeinflussen. – *SYN. cf.* **incline.**

bi·as(s)ed ['baiəst] *adj* voreingenommen, tendenzi'ös. — ~ **ques·tion** *s* Sugge'stivfrage *f.*

bi·as·(s)ing| grid volt·age ['baiəsiŋ] *s electr.* Gittervorspannung *f.* — ~ **re·sis·tor** *s* 'Gitter(ableit- *od.* vor)-, Ka'thoden,widerstand *m.*

'**bi·as,wise** *adv* schräg, schief.

bi·a·tom·ic [,baiə'tɒmik] *adj chem. phys.* 'zweia,tomig.

bi·au·ric·u·lar [,baiɔː'rikjulər; -kjə-] *adj med.* **1.** zwei Ohrmuscheln besitzend. – **2.** beide Ohren betreffend. – **3.** zwei Vorhöfe besitzend (*Herz*).

bi·au·ric·u·late [,baiɔː'rikjulit; -kjə-; -,leit] *adj bot.* zweiöhrig, doppelt geöhrt (*z.B. Blattgrund*).

bi·ax·i·al [bai'æksiəl] *adj* zweiachsig. — **bi,ax·i'al·i·ty** [-'æliti; -lə-] *s* Zweiachsigkeit *f.*

bib [bib] **I** *s* **1.** Lätzchen *n.* – **2.** Schürzenlatz *m*: **best** ~ **and tucker** *colloq.* ‚Sonntagsschale' (*Sonntagskleidung*). – **3.** *zo.* (*ein*) Schellfisch *m* (*Gadus luscus*). – **4.** *tech.* gebogenes (Ausfluß)-Rohr. – **II** *v/t u. v/i pret u. pp* **bibbed** **5.** (unmäßig) trinken.

bi·ba·cious [bi'beiʃəs; bai-] *adj* dem Trunk ergeben. — **bi'bac·i·ty** [-'bæsiti; -sə-] *s* Trunksucht *f.*

bi·bas·ic [bai'beisik] *adj chem.* zweibasisch, zweibasig.

bi·ba·tion [bi'beiʃən; bai-] *s* Trinken *n*, Trinke'rei *f.*

bibb [bib] *s mar.* Mastbacke *f.*

bib·ber ['bibər] *s* (Gewohnheits)-Trinker *m*, Säufer *m.*

bib·ble-bab·ble ['bibl'bæbl] *s colloq.* ‚Gebabbel' *n*, Gewäsch *n*, dummes Gerede.

bib·cock ['bib,kɒk] *s tech.* gekrümmter Ablaßhahn.

bi·be·lot [bib'lo; 'biblou] (*Fr.*) *s* Bibe'lot *m*, Nippsache *f.*

bi·bi ['biːbiː] *s Br. Ind.* Dame *f.*

bi·bi·ru *cf.* **bebeeru.**

bi-bi·va·lent [,baibai'veilənt; bai'bivəl-] *adj chem. phys.* in zwei 'biva,lente *od.* zweiwertige I'onen zerfallend (*Elektrolyt*).

Bi·ble ['baibl] *s* **1.** Bibel *f*, Heilige Schrift. – **2.** die heilige(n) Schrift(en) (*jeder Religion*). – **3.** **b**~ *fig.* Bibel *f* (*als autoritativ angesehenes Buch*). — ~ **Chris·tian** *s relig.* Bibelchrist(in) (*Mitglied einer engl. Methodistensekte, die um 1907 in der United Methodist Church aufging*). — ~ **clerk** *s* (*in Oxford*) *Student, der in der College-Kirche einen Abschnitt aus der Bibel vorliest.* — ~ **oath** *s* Eid *m* auf die Bibel. — ~ **pa·per** *s* 'Bibeldruckpa,pier *n.* — ~ **read·er** *s* Bibelvorleser *m* (*der mit der Bibel von Haus zu Haus ging*).

Bib·lic, b~ ['biblik] *obs. für* **Biblical.**

Bib·li·cal, b~ ['biblikəl] *adj* **1.** biblisch, Bibel... – **2.** *relig.* schriftgemäß. — ~ **crit·i·cism** *s* 'Bibelkri,tik *f.* — ~ **Lat·in** *s ling.* 'Bibella,tein *n* (*Latein des Mittelalters, das die lat. Bibelübersetzungen zur Grundlage hatte*).

Bib·li·cism ['bibli,sizəm] *s* **1.** Bibli'zismus *m*, Fundamenta'lismus *m*, Buchstabenglaube *m.* – **2.** Bibelkunde *f.* — '**Bib·li·cist** *s* **1.** Bibli'zist *m*, Fundamenta'list *m.* – **2.** Bib'list *m*, Bibelkundiger *m.*

Biblico-, b~ [bibliko] *Wortelement mit der Bedeutung* biblisch, Bibel...

biblio- [biblio] *Wortelement mit der Bedeutung* a) Buch, b) Bibel.

bib·li·o·clasm ['biblio,klæzəm] *s* **1.** Bibelzerstörung *f.* – **2.** Bücherzerstörung *f.* — '**bib·li·o,clast** [-,klæst] *s* Bücherzerstörer *m*, Biblio'klast *m.*

bib·li·o·film ['biblio,film; -liə-] *s tech.* Mikrofilm *m*, Mikroko'pie *f* (*einer od. mehrerer Buchseiten*), *auch* Mi'krat *n* (*bei sehr starker Verkleinerung*).

bib·li·og·nost ['bibliɒg,nɒst] *s* Biblio'gnost *m*, Bücherkundiger *m.* — **,bib·li·og'nos·tic** *adj* biblio'gnostisch, bücherkundig.

bib·li·og·o·ny [,bibli'ɒgəni] *s* 'Herstellung *f* von Büchern.

bib·li·o·graph ['biblio,græ(ː)f; -liə-; *Br. auch* -,grɑːf] → **bibliographer.** — **,bib·li'og·ra·pher** [-'ɒgrəfər] *s* Biblio'graph *m*, Verfasser *m* einer Bibliogra'phie. — **,bib·li·o'graph·ic** [-o'græfik], **,bib·li·o'graph·i·cal** *adj* biblio'graphisch. — **,bib·li'og·ra·phy** *s* Bibliogra'phie *f*: a) Bücher-, Litera'turverzeichnis *n*, b) Bücherkunde *f.*

bib·li·o·klept ['biblio,klept; -liə-] *s* Bücherdieb *m*, -marder *m.* — **,bib·li·o,klep·to'ma·ni,ac** [-to'meini,æk; -tə-] *s* 'Bücherklepto,mane *m*, Bücherdieb *m* (*aus Manie*).

bib·li·ol·a·ter [,bibli'ɒlətər], *auch* **,bib·li'ol·a·trist** [-trist] *s* **1.** Bücherverehrer *m.* – **2.** Bibelverehrer *m.* — **,bib·li'ol·a·trous** *adj* **1.** bücherverehrend. – **2.** die Bibel verehrend. — **,bib·li'ol·a·try** [-tri] *s* Bibliola'trie *f*, Bücher- *od.* Bibelverehrung *f.*

bib·li·o·log·i·cal [,biblio'lɒdʒikəl; -liə-] *adj* biblio'logisch, bücherkundig. — **,bib·li'ol·o·gist** [-'ɒlədʒist] *s* Biblio'loge *m*, Bücherkenner *m.* — **,bib·li'ol·o·gy** *s* Bibliolo'gie *f*, Bücherkunde *f.*

bib·li·o·man·cy ['biblio,mænsi] *s* Biblioman'tie *f*, Wahrsagen *n* aus Büchern (*bes. aus der Bibel*).

bib·li·o·mane ['biblio,mein] → **bibliomaniac** I. — **,bib·li·o'ma·ni·a** [-niə] *s* Biblioma'nie *f*, (krankhafte) Bücherleidenschaft. — **,bib·li·o'ma·ni,ac** [-,æk] **I** *s* Biblio'mane *m*, Büchernarr *m.* – **II** *adj* biblio'manisch, büchernärrisch, -wütig. — **,bib·li·o·ma'ni·a·cal** [-mə'naiəkəl] → **bibliomaniac** II. — **,bib·li·o'ma·ni·an** → **bibliomaniac.** — **,bib·li·o'ma·ni·an,ism, ,bib·li'om·an,ism** [-'ɒmə,nizəm] → **bibliomania.** — **,bib·li'om·a·nist** → **bibliomaniac** I.

bib·li·o·peg·ic [,biblio'pedʒik; -liə-] *adj* die Buchbindekunst betreffend. — **,bib·li'op·e·gist** [-'ɒpədʒist] *s* Kunstbuchbinder *m.* — **,bib·li'op·e·gy** *s* Buchbindekunst *f.*

bib·li·o·phile ['bibliə,fail; -fil], *auch* '**bib·li·o·phil** [-fil] *s* Biblio'phile *m*, Bücherfreund *m*, -liebhaber *m.* — **,bib·li·o'phil·ic** [-'filik] *adj* biblio'phil. — **,bib·li'oph·i,lism** [-'ɒfi,lizəm; -fə-] *s* Bibliophi'lie *f*, ,Bücherliebhabe'rei *f.* — **,bib·li'oph·i·list** → **bibliophile.**

bib·li·o·pho·bi·a [,bibliə'foubiə] *s* Bibliopho'bie *f*, Abneigung *f* gegen Bücher.

bib·li·o·po·lar [,bibliə'poulər] → **bibliopolical.** — '**bib·li·o,pole** *s* Buchhändler *m* (*bes. mit wertvollen Büchern*). — '**bib·li·o,pole·ry** [-ri] → **bibliopoly.** — **,bib·li·o'pol·ic** [-'pɒlik], **,bib·li·o'pol·i·cal** *adj* Buchhandels..., den Buchhandel betreffend. — **,bib·li'op·o,lism** [-'ɒpə,lizəm] *s* Buchhandel *m* (*bes. in wertvollen Büchern*). — **,bib·li'op·o·list** → **bibliopole.** — **,bib·li'op·o·ly** *s* Buchhandel *m.*

bib·li·o·taph ['bibliə,tæ(ː)f; -,tɑːf] *s* Büchervergräber *m*, Biblio'taph *m.*

bib·li·o·thec ['bibliə,θek] *s selten* Bibliothe'kar *m.* — **,bib·li·o'the·ca** [-'θiːkə] *s* Biblio'thek *f.* — **,bib·li·o'the·cal** [-'θiːkəl] *adj* bibliothe'karisch, Bücherei..., Bibliotheks... — **,bib·li'oth·e·car·y** [*Br.* -'ɒθikəri; *Am.* -,keri] *s* Bibliothe'kar *m.*

bib·li·ot·ics [,bibli'ɒtiks] *s pl* (*meist als sg konstruiert*) Wissenschaft *f* von der 'Handschriftenana,lyse (*u. Prüfung der Echtheit von Manuskripten*). — '**bib·li·o·tist** [-ətist] *s* Handschriftenprüfer *m.*

Bib·lism ['biblizəm; 'bai-] *s* **1.** Bibelglaube *m* (*als einziger Glaubensgrund*). – **2.** → **Biblicism.** — '**Bib·list** *s* **1.** Bibelgläubige(r). – **2.** → **Biblicist.**

bib·lus ['bibləs] → **papyrus** 1.

bi·bo·rate of so·da [bai'bɔːreit; -rit] *s chem.* Borax *m.*

bib·u·lous ['bibjuləs; -jə-] *adj* **1.** auf-, einsaugend, saugfähig, absor'bierend. – **2.** schwammig. – **3.** trunksüchtig, dem Trunk ergeben. — '**bib·u·lous·ness** *s* **1.** Absorpti'ons-, Saugfähigkeit *f.* – **2.** Schwammigkeit *f.* – **3.** Trunksucht *f.*

bi·cal·ca·rate [bai'kælkə,reit] *adj zo.* zweisporig (*bes. Vögel*).

bi·cam·er·al [bai'kæmərəl] *adj pol.* Zweikammer... — **bi'cam·er·al,ism** *s* Bikame'rismus *m*, Zwei'kammersy,stem *n.* — **bi'cam·er·ist** *s* Anhänger *m* des Zwei'kammersy,stems.

bi·cap·i·tate [bai'kæpi,teit; -pə-; -tit] *adj* zweiköpfig.

bi·cap·su·lar [bai'kæpsjulər; *Am. auch* -səl-] *adj bot.* zweikapselig.

bi·car·bon·ate [bai'kɑːrbənit; -,neit] *s chem.* 'Bicarbo,nat *n*: ~ **of soda** Natriumbicarbonat ($NaHCO_3$). — **,bi·car'bon·ic** [-'bɒnik] *adj chem.* doppeltkohlensauer.

bi·car·bu·ret(t)·ed [bai'kɑːrbju,retid; -bjə-] *adj chem.* zwei A'tome Kohlenstoff enthaltend.

bi·car·i·nate [bai'kæri,neit; -nit] *adj bot.* zweikielig (*bes. Gräser*).

bi·car·pel·lar·y [*Br.* bai'kɑːrpələri; *Am.* -,leri] *adj bot.* aus zwei Fruchtblättern gebildet.

bi·cau·dal [bai'kɔːdl], **bi'cau·date** [-deit; -dit] *adj zo.* doppelt geschwänzt.

bice [bais] *s* Hellblau *n*, hellblaue Farbe: **green** ~ Lasurgrün.

bi·cel·lu·lar [bai'seljulər; -jə-] *adj biol.* zweizellig.

bi·cen·te·nar·y [*Br.* ,baisen'tiːnəri; -'ten-; *Am. auch* -'sentə,neri] **I** *adj* zweihundertjährig. – **II** *s* zweihundertjähriges Jubi'läum, Zweihundert'jahrfeier *f.* — **,bi·cen'ten·ni·al** [-'tenjəl; -iəl] **I** *adj* **1.** zweihundertjährig, 200 Jahre dauernd. – **2.** alle 200 Jahre eintretend. – **II** *s* → **bicentenary** II.

bi·ce·phal·ic [,baisi'fælik; -sə-], **bi'ceph·a·lous** [-'sefələs] *adj* bice'phalisch, zweiköpfig.

bi·ceps ['baiseps] *s* **1.** *med.* Biceps *m*, zweiköpfiger Muskel (*bes. des Armes*). – **2.** *fig.* Muskelkraft *f*, Muskeln *pl.*

bich·ir ['bitʃər] *s zo.* Flösselhecht *m* (*Polypterus bichir*).

bi·chlo·rid [bai'klɔːrid], **bi'chlo·ride** [-raid] *s chem.* 'Bichlo,rid *n*, 'Dichlo,rid *n.*

bi·chord ['baikɔːrd] *mus.* **I** *adj* zweisaitig, -chörig. – **II** *s* doppelchörig bezogenes Instru'ment.

bi·chro·mate [bai'kroumit; -meit] **I** *s chem.* 'Bichro,mat *n*, 'Dichro,mat *n*: ~ **of potash** Kaliumbichromat ($K_2Cr_2O_7$). – **II** *v/t* [-meit] *phot.* mit 'Bichro,mat behandeln. — **,bi·chro'mat·ic** [-kro'mætik] *adj* zweifarbig, bichrom. — **bi'chro·mic** *adj* zu den 'Bichro,maten gehörig.

bich·y ['bitʃi] *s bot.* Kolanuß-Baum *m* (*Cola acuminata*).

bi·cil·i·ate [bai'siliit; -,eit] *adj biol.* zweiwimperig.

bi·cip·i·tal [bai'sipitl; -pə-] *adj med.* **1.** zweiköpfig (*Muskel*). – **2.** den Biceps betreffend, Biceps...

bi·cir·cu·lar [bai'səːrkjulər; -kjə-] *adj* bizirku'lar, aus 2 Kreisen bestehend.
bick·er ['bikər] **I** *v/i* 1. zanken, streiten, hadern, keifen. – 2. *poet.* rauschen, plätschern (*Wasser*), prasseln (*Regen*). – 3. *poet.* flackern (*Flamme*). – **II** *s* 4. Streit *m*, Zank *m*. — **'bick·er·er** *s* Zänker(in), Streitsüchtige(r).
bick·ern ['bikərn] *s tech.* Schlosser-, Stoßamboß *m*.
Bick·ford fuse ['bikfərd] *s tech.* Sicherheits-, Zünd-, Zeitschnur *f*.
Bi·col *cf.* Bikol.
bi·col·lat·er·al [ˌbaikə'lætərəl] *adj bot.* bikollate'ral (*Gefäßbündel*).
bi·col·li·gate [bai'kɒligit; -ˌgeit] *adj zo.* mit Schwimmhäuten zwischen den drei vorderen Zehen.
bi·col·o(u)r(ed) ['baiˌkʌlər(d)] *adj* zweifarbig, Zweifarben...
bi·col·o(u)r·ous [bai'kʌlərəs] *adj* 1. zweifarbig. – 2. *biol.* von verschiedener Augenfarbe (*Gatten*).
bi·con·cave [bai'kɒnkeiv; ˌbaikɒn'keiv] *adj phys.* bikon'kav.
bi·con·ic [bai'kɒnik], **bi'con·i·cal** *adj math.* doppelkegelförmig, -kegelig.
bi·con·ju·gate [bai'kɒndʒugit; -ˌgeit] *adj bot.* bikonju'giert, zweigepaart.
bi·con·vex [bai'kɒnveks; ˌbaikɒn'veks] *adj phys.* bikon'vex.
bi·corn ['baikɔːrn] *adj* 1. *zo.* zweihörnig. – 2. halbmondförmig. — **'bi·corne** *s zo.* Bi'korne *m*, Zweihörner *m* (*Tier*). — **bi'cor·nu·ate** [-njuit; -ˌeit], **bi'cor·nu·ous** → bicorn 1.
bi·cor·po·ral [bai'kɔːrpərəl], *auch* **ˌbi·cor'po·re·al** [-'pɔːriəl] *adj* zweileibig (*in Tierkreiszeichen*).
bi·cre·nate [bai'kriːneit] *adj bot.* doppeltgezahnt (*Blatt*).
bi·cron ['baikrɒn; 'bik-] *s phys.* 10^{-9} m.
bi·cru·ral [bai'kru(ə)rəl] *adj* zweischenkelig, -beinig.
bi·cus·pid [bai'kʌspid] **I** *adj* doppelspitzig. – **II** *s med.* Bikuspi'dat *m*, kleiner Backenzahn. — **bi'cus·pi·ˌdate** [-piˌdeit] → **biscuspid I**.
bi·cy·cle ['baisikl] **I** *s* Fahrrad *n*. – **II** *v/i* radfahren, radeln. — **'bi·cy·cler** *Am. für* **bicyclist**.
bi·cy·clic [bai'saiklik; -'sik-], **bi'cy·cli·cal** *adj* 1. bi'zyklisch, aus 2 Kreisen bestehend. – 2. zwei Kreise bildend.
bi·cy·clist ['baisiklist] *s* Radfahrer(in).
bid [bid] **I** *s* 1. (An)Gebot *n* (*bes. bei Versteigerungen*): to **make one's ~ for s.th.** a) auf etwas bieten, b) *fig.* sich etwas zu sichern suchen, sich um etwas bemühen. – 2. (*Kartenspiel*) a) Meldung *f*, Angebot *n*, Reizen *n*, b) Recht *n*, als nächster zu reizen. – 3. Bewerbung *f* (for um). – 4. *Am. colloq.* Einladung *f* (to zu). – 5. *econ. Am.* (Lieferungs)Angebot *n*, Kostenvoranschlag *m*. – **II** *v/t pret* **bid**, *pp* **bid** *od.* **bid·den** ['bidn] 6. *econ.* (an)bieten (*bei Versteigerungen*): to **~ s.th.** in eine Sache (*bei einer Auktion*) durch Überbietung zurückerwerben; to **~ up** den Preis (*einer Sache*) in die Höhe treiben. – 7. (*Kartenspiel*) bieten, reizen. – 8. *pret* **bade** [bæd], *obs.* **bad** [bæd], *pp* **bid** *od.* **'bid·den** (*Gruß*) entbieten, sagen, (*j-m etwas*) wünschen: to **~ good morning** einen guten Morgen wünschen. – 9. (*j-m etwas*) gebieten, befehlen, (*j-n*) heißen (to do zu tun): to **~ s.o. (to) go** j-n gehen heißen. – 10. *dial.* einladen (to zu). – *SYN. cf.* **command.** – **III** *v/i pret* **bid** *od.* **bade**, *obs.* **bad**, *pp* **bid** *od.* **'bid·den** 11. *econ.* ein (Preis)Angebot machen. – 12. (*Kartenspiel*) bieten, reizen. – 13. werben (for um).
Besondere Redewendungen:
to **~ for safety** vorsichtig zu Werke gehen; to **~ the banns** das Aufgebot verkünden lassen; → fair 18.
bi·dar·ka [bai'dɑːrkə], *auch* **bi'dar·kee** [-ki] *s* Boot *n* aus Seehundsfell (*der Eskimos in Alaska*).
bid·da·ble ['bidəbl] *adj* 1. gehorsam, folgsam, fügsam. – 2. (*Kartenspiel*) gut genug, um ein Spiel anzumelden: to **hold a ~ hand.** — **'bid·dance** *s* 1. Einladung *f*. – 2. Anordnung *f*, Befehl *m*.
bid·den ['bidn] *pp von* **bid**.
bid·der ['bidər] *s* 1. Bieter *m*, Bewerber *m* (*bei Versteigerungen*). – 2. Einladende(r). – 3. j-d der befiehlt *od.* anordnet.
bid·der·y ware ['bidəri] *s* Bidar-Arbeit *f* (*indische Metallarbeit mit Silber- od. Gold-Damaszierung auf schwarzem Grund*).
bid·ding ['bidiŋ] *s* 1. Gebot *n* (*bei Versteigerungen*). – 2. Aufforderung *f*. – 3. Anordnung *f*, Befehl *m*. – 4. (*Kartenspiel*) Bieten *n*, Reizen *n*. — **~ prayer** *s relig.* 1. *Gebet vor der Predigt für besondere Anlässe od. Personen in anglikanischen Kirchen.* – 2. *obs.* Fürbittgebet *n*. — **~ price** *s econ.* Erstangebot *n*.
bid·dy[1] ['bidi] *s obs. od. dial.* Hühnchen *n*, Küken *n*.
Bid·dy[2] ['bidi] **I** *npr* (*Koseform von*) Bri'gitte *f*. – **II** *s* **b~** *Am. colloq.* Dienstmädchen *n od.* Putzfrau *f* (aus Irland).
bide [baid] **I** *v/t* 1. erwarten, abwarten: to **~ one's time** den rechten Augenblick abwarten. – 2. (*einer Sache*) begegnen, trotzen, wider'stehen. – 3. *obs. od. dial.* ertragen, ausstehen. – **II** *v/i* 4. *poet.* bleiben, be-, verharren: to **~ by s.th.** bei etwas beharren, zu etwas stehen, etwas als gültig anerkennen. – 5. *obs. od. dial.* harren, warten.
bi·dent ['baidənt] *s* 1. *tech.* zweizinkiges Instru'ment, gegabeltes Werkzeug. – 2. *agr.* zweijähriges Schaf. — **bi'den·tal** [-'dentl] *s antiq.* Biden'tal *n* (*dem Jupiter Fulgur geweihter Platz*). — **bi'den·tate** [-teit] *adj* zweizahnig, -zinkig.
bi·det [bi'dɛ; bi'det] *s* 1. Bi'det *n*, kleines Sitzbad. – 2. kleines Pferd.
bi·dig·i·tate [bai'didʒiˌteit] *adj zo.* zweifingerig, mit zwei fingerartigen Fortsätzen.
bi·di·men·sion·al [ˌbaidi'menʃənl] *adj* 'zweidimensioˌnal.
bid·u·ous ['bidjuəs; -dʒuəs] *adj* zweitägig, zwei Tage dauernd, Zweitage...
bi·en·ni·al [bai'eniəl] **I** *adj* 1. alle zwei Jahre eintretend. – 2. *bot.* zweijährig. – **II** *s* 3. etwas was alle 2 Jahre eintritt *od.* vorkommt (*z.B. Prüfung*). – 4. *bot.* zweijährige Pflanze. — **bi'en·ni·um** [-əm] *s* Zeitraum *m* von zwei Jahren.
bier [bir] *s* (Toten)Bahre *f*. — **'~ˌbalk** *s hist.* (*gestatteter*) Leichenweg (*über ein Feld*).
biest·ings *cf.* **beestings**.
bie·tle ['biːtl] *s Am.* Wildlederwams *n* (*der Apachenfrauen*).
bi·fa·cial [bai'feiʃəl] *adj* 1. mit zwei gleichen Seiten (*Münze etc*). – 2. mit zwei Gesichtern (*Janus*). – 3. *bot.* bifaci'al (*mit Ober- u. Unterseite, z.B. normales Blatt*).
bi·far·i·ous [bai'fɛ(ə)riəs] *adj* 1. *bot.* zweizeilig, -reihig. – 2. *obs.* doppelsinnig, zweideutig.
bi·fer ['baifər] *s bot.* in einem Jahre zweimal tragende Pflanze. — **'bif·er·ous** ['bifərəs] *adj bot.* bi'ferisch, zweimal im Jahr Frucht tragend.
biff [bif] *sl.* **I** *v/t* ‚hauen', schlagen, knuffen. – **II** *s* Schlag *m*, Hieb *m*.
bif·fin ['bifin] *s Br.* 1. roter Kochapfel, Dörrapfel *m*. – 2. Apfelfladen *m*.
bi·fid ['baifid], **bif·i·date** ['bifiˌdeit], **'bif·iˌdat·ed** *adj* in zwei Teile gespalten, zweispaltig.
bi·fi·lar [bai'failər] *electr. tech.* **I** *adj* bifi'lar, zweifädig. – **II** *s auch* **~ micrometer** Bifi'larmikroˌmeter *n*. — **~ sus·pen·sion** *s* bifi'lare Aufhängung, Zweifadenaufhängung *f*. — **~ wind·ing** *s* bifi'lare Wicklung.
bi·fis·tu·lar [bai'fistjulər; -tʃu-] *adj* mit zwei Röhren *od.* Ka'nälen.
bi·flag·el·late [bai'flædʒəˌleit; -lit] *adj* mit zwei geißelähnlichen Fortsätzen.
bi·flex ['baifleks] *adj* nach zwei Richtungen gekrümmt, zweimal gebogen.
bi·flo·rate [bai'flɔːreit], *auch* **bi'flo·rous** *adj bot.* zweiblütig.
bi·fo·cal [bai'foukəl] **I** *adj* 1. Bifokal..., Zweistärken..., mit zwei Brennpunkten (*Linse*). – **II** *s* 2. Bifo'kal-, Zwei'stärkenglas *n*, Linse *f* mit zwei Brennpunkten. – 3. *pl* Zwei'stärkenbrille *f*.
bi·fold ['baiˌfould] *adj* zweifach, doppelt.
bi·fo·li·ate [bai'fouliˌeit; -it] *adj bot.* bi'folisch, zweiblättrig.
bi·fo·li·o·late [bai'foulioˌleit; -lit; -fo'lai-] *adj bot.* mit zwei Blättchen (*zusammengesetztes Blatt*), *bes.* einpaarig gefiedert.
bi·fol·lic·u·lar [ˌbaifə'likjulər; -jə-] *adj bot.* aus zwei Balgkapseln bestehend.
bi·fo·rate [bai'fɔːreit; -rit] *adj bot. zo.* zweilöcherig.
bif·o·rin ['bifərin], **'bif·oˌrine** [-ˌrain; -rin] *s bot. kleines, ovales Säckchen im fleischigen Teil der Blätter gewisser Pflanzen.*
bi·forked ['baiˌfɔːrkt] *adj* gegabelt, zweiästig, zweizinkig.
bi·form(ed) ['baiˌfɔːrm(d)] *adj* bi'form, doppelgestaltig (*Satyr*). — **bi'for·mi·ty** *s* Doppelgestalt *f*.
bi·front ['baiˌfrʌnt] *adj* mit zwei Gesichtern *od.* Vorderseiten.
'bi-ˌfu·el pro·pul·sion ['bai-] *s aer.* Zweikraftstoffantrieb *m*.
bi·fur·cate ['baifərˌkeit; bai'fəːrkeit] **I** *v/t* gabeln, gabelförmig teilen. – **II** *v/i* sich gabeln. – **III** *adj* [*auch* -kit] gegabelt, gabelförmig, zweiästig. — **'bi·furˌcat·ed** → bifurcate III. — **ˌbi·fur'ca·tion** *s* 1. Bifurkati'on *f*, Gabelung *f*, Gabelteilung *f*. – 2. Gabelungspunkt *m*.
big[1] [big] *comp* **'big·ger** *sup* **'big·gest** **I** *adj* 1. groß, dick, stark: as **~ as a house** riesengroß; **~ business** *colloq.* a) Großunternehmen, b) die Finanzwelt. – 2. groß, breit, weit: **this coat is too ~ for me** dieser Mantel ist mir zu weit; **to get too ~ for one's boots** *sl.* größenwahnsinnig werden. – 3. groß, hoch. – 4. groß, erwachsen. – 5. (with) voll, schwer, strotzend (von), beladen (mit), reich (an *dat*): eyes **~ with tears** Augen voll Tränen; **~ with pleasure** *poet.* freudetrunken. – 6. trächtig (*Tier*), (hoch)schwanger: **~ with child** (hoch)schwanger. – 7. hochmütig, stolz, aufgeblasen, eingebildet: **~ talk** hochtrabende Reden, Aufschneiderei. – 8. *obs. od. colloq.* stark, kräftig, heftig: **~ wind.** – 9. voll, laut (*Stimme*). – 10. *sl.* groß, hoch(stehend), wichtig, tüchtig: **~bug**, *Am. auch* **~ dog, ~ gun, ~ noise, ~ shot, ~ wheel** großes *od.* hohes Tier (*wichtige Person*); **~ money** *Am.* ein Haufen *od.* eine Masse Geld. – 11. *sl.* großmütig, -zügig, ‚nobel'. – *SYN. cf.* **large.** – **II** *adv* 12. *sl.* teuer: to pay **~ for a privilege.** – 13. *sl.* großzügig, -artig, -tuerisch, -spurig: → go 46; talk 9.
big[2] *cf.* **bigg**.
bi·gam·ic [bai'gæmik] *adj* bi'gamisch. — **big·a·mist** ['bigəmist] *s* Biga'mist(in). — **'big·a·mous** *adj* bi'gamisch: a) in Biga'mie lebend, b) die Biga'mie betreffend. — **'big·a·my** *s* Biga'mie *f*, Doppelehe *f*.
big·ar·reau ['bigəˌrou; ˌbigə'rou], *Br. auch* **ˌbig·a'roo(n)** [-'ruː(n)] *s bot.* weiße Herzkirsche.
Big| Bear *s astr.* Großer Bär. — **'b~-ˌbel·lied** *adj* dickbäuchig, mit

dickem Bauch. — ~ **Ben** *s* Big Ben *m* (*Glocke im Uhrenturm des brit. Parlaments*). — ~ **Ber·tha** *s mil. colloq.* Dicke Bertha (*deutscher 42-cm-Mörser im 1. Weltkrieg*). — **'b~-ˌboned** *adj* starkknochig, vierschrötig. — **b~ broth·er** *s* großer Bruder (*j-d der einen unselbständigen Freund bemuttert*). — ~ **Dip·per** → Big Bear.
bi·gem·i·nal [bai'dʒeminl; -mə-], **bi'gem·iˌnate** [-ˌneit], **bi'gem·iˌnat·ed** [-id] *adj* **1.** *min.* doppelt gepaart, doppelt zweizählig. – **2.** *bot.* → biconjugate.
big| end *s tech.* Kurbelwellenende *n.* — **'~-ˌend bear·ing** *s tech.* Pleuellager *n.*
bi·ge·ner ['baidʒiːnər] *s biol.* Gattungsbastard *m.* — **ˌbi·ge'ner·ic** [-dʒi'nerik; -dʒə-] *adj biol.* bige'nerisch.
bi·gen·tial [bai'dʒenʃəl] *adj* zwei Stämme *od.* Rassen um'fassend.
bi·ger·mi·nal [bai'dʒəːrminl] *s biol.* doppelkeimig.
'bigˌeye *s zo.* Großauge *n* (*Priacanthus macrophtalmus; Fisch*).
Big Five *s colloq.* (*die*) Großen Fünf *pl*: a) *pol. die USA, Großbritannien, Frankreich, Italien u. Japan* (*im 1. Weltkrieg*), b) *pol. die USA, Großbritannien, Rußland, China u. Frankreich* (*in der UNO*), c) *econ.* (*bis 1968*) *die führenden 5 Londoner Depositenbanken Barclays, Lloyds, Midland, National Provincial u. Westminster Bank.*
bigg [big] *s agr. bot.* Vierzeilige Wintergerste (*Hordeum vulgare*).
big game *s* **1.** *hunt.* Großwild *n*: ~ **hunting** Großwildjagd. – **2.** *fig.* hochgestecktes Ziel, wertvoller Preis.
big·gen ['bigən] *Br. dial.* **I** *v/t* größer *od.* dicker machen, vergrößern. – **II** *v/i* größer *od.* dicker werden.
big·ger ['bigər] *comp von* big[1].
big·gest ['bigist] *sup von* big[1].
big·gin[1] ['bigin] *s* **1.** Kindermütze *f.* – **2.** Nachtmütze *f.* – **3.** *Br.* Kopfbedeckung *f* eines Gerichtsbeamten.
big·gin[2] ['bigin] *s* Kaffeetopf *m* mit Filter.
big·gish ['bigiʃ] *adj* ziemlich groß.
big| head *s colloq.* ,,Dicketue'rei' *f*, ,Angabe' *f*, Über'heblichkeit *f*, Einbildung *f*, Dünkel *m.* — **'~ˌhead** *s* **1.** *vet.* Entzündung *f* der Kopfgewebe (*bei Schafen*). – **2.** *zo.* (*ein*) Drachenkopf *m* (*Scorpaenichthys marmoratus; Fisch*). — **'~ˌheart·ed** *adj* großherzig, -zügig, groß-, edelmütig. — **'~ˌhorn** *s zo. Am.* Dickhornschaf *n* (*Ovis montana*). — ~ **house** *s Am. sl.* ,Kasten' *m*, ,Kittchen' *n* (*Zuchthaus*).
bight [bait] **I** *s* **1.** Bucht *f.* – **2.** Bug *m* (*am Pferdeschenkel*), innerer Winkel (*Ellenbogen etc*). – **3.** *geol.* Krümmung *f* (*Fluß, Gebirge*). – **4.** *mar.* Bucht *f* (*Tau*), Los *n.* – **II** *v/t* **5.** *mar.* durch Buchten befestigen.
big| lau·rel *s bot.* **1.** Großblütige Ma'gnolie (*Magnolia grandiflora*). – **2.** Große Alpenrose (*Rhododendron maximum*). — **'~ˌmouth** *s zo.* Großmaul *n* (*Choenobryttus gulosus*). — **'~ˌmouthed** *adj* großmäulig, prahlerisch. — **~-name I** *s* ['-'neim] ,großes Tier' (*sehr berühmte Person*). – **II** *adj* ['-ˌneim] sehr beliebt *od.* berühmt.
big·ness ['bignis] *s* **1.** Größe *f*, Dicke *f*, 'Umfang *m.* – **2.** Stolz *m*, Aufgeblasenheit *f.*
big·no·ni·a [big'nouniə] *s bot.* Bi'gnonie *f*, Trom'petenbaum *m* (*Gattg Bignonia*). — **bigˌno·ni'a·ceous** [-'eiʃəs] *adj bot.* zu den Bi'gnonien gehörig.
big·ot ['bigət] *s* **1.** blinder Anhänger, Fa'natiker *m.* – **2.** Bi'gotte(r), Frömmler(in), Betbruder *m*, -schwester *f.* – **3.** *mil. Kodewort für eine streng geheime Sache.* — **'big·ot·ed** *adj* bi'gott, fa'natisch-fromm, blind ergeben, voreingenommen. — **'big·ot·ry** [-ri] *s* **1.** blinder Eifer, Fana'tismus *m.* – **2.** Bigotte'rie *f*, Frömme'lei *f.*
big| stick *s* (*bes.* po'litische *od.* mili'tärische) Macht *od.* Gewalt. — ~ **time** *s Am. sl.* ,große Zeit' (*eines Unternehmens, Künstlers etc*). — **'~-ˌtime** *adj Am. sl.* groß, erstklassig. — ~ **top** *s* **1.** Zirkuskuppel *f.* – **2.** großes Zirkuszelt. – **3.** Zirkus *m.* — ~ **tree** → sequoia 2a.
big·wig ['bigˌwig] *s humor.* gewichtige 'Amtsperˌson, ,großes Tier'. — **'bigˌwigged** *adj* wichtigtuerisch. — **ˌbig'wig·ged·ness** [-idnis], **ˌbig'wig·ger·y** [-əri], **ˌbig'wig·gism** *s* ˌWichtigtue'rei *f.*
bi·hour·ly [bai'aurli] *adj* zweistündlich, alle zwei Stunden.
bi·jou ['biːʒuː; biː'ʒuː] *pl* **bi·joux** [-ʒuːz] **I** *s* Bi'jou *m, n*, Kleinod *n*, Ju'wel *n.* – **II** *adj* klein u. ele'gant, zierlich. — **bi·jou·te·rie** [biː'ʒuːtəri] *s* Bijoute'rie *f*, Schmuck(sachen *pl*) *m*, Geschmeide *n.*
bi·ju·gate ['baidʒuˌgeit; bai'dʒuːgeit], **'bi·ju·gous** [-gəs] *adj bot.* zweipaarig gefiedert (*Blatt*).
bike[1] [baik] *colloq. für* bicycle.
bike[2] [baik] *s Scot. od. dial.* **1.** (Wald)-Bienen-, Wespennest *n.* – **2.** Schwarm *m*, Haufen *m.*
bikh [bik] *s* **1.** *bot.* (*ein*) Eisenhut *m* (*Aconitum ferox; Himalaja*). – **2.** Atee *n*, Ati'vischa *n* (*starkes Gift aus* 1).
Bi·ki·ni [bi'kiːniː] *s* Bi'kini *m* (*knapper zweiteiliger Badeanzug*).
Bi·kol [bi'koul] *s* Vicol *m* (*Angehöriger eines malaiischen Volksstamms im südl. Teil von Luzon, Philippinen*).
bi·labe ['baileib] *s med.* Instru'ment *n* zur Steinentfernung aus der Blase.
bi·la·bi·al [bai'leibiəl] **I** *adj* **1.** *ling.* bilabi'al, mit beiden Lippen gebildet (*Laut*). – **2.** → bilabiate. – **II** *s* **3.** Bilabi'allaut *m* (*wie p, b, m*). — **bi'la·biˌate** [-ˌeit; -it] *adj bot.* zweilippig.
bi·la·lo [bi'lɑːlou] *s mar.* zweimastiges Passa'gierboot (*Manila*).
bi·lam·i·nar [bai'læminər], **bi'lam·iˌnate** [-ˌneit; -nit], **bi'lam·iˌnat·ed** [-tid] *adj* mit zwei Plättchen.
bil·an·der ['biləndər; 'bai-] *s mar.* Bilander *m* (*holl. zweimastiges Schiff*).
bi·lat·er·al [bai'lætərəl] *adj* **1.** bilate'ral, zweiseitig: a) *jur.* zweiseitig verbindlich, gegenseitig (*Vertrag etc*), b) *biol.* beide Seiten (*Organ etc*) betreffend, c) *bot.* bisym'metrisch. – **2.** so'wohl auf väterliche wie mütterliche Vorfahren zu'rückgehend. – **3.** *tech.* doppelseitig: ~ **drive** doppelseitiger Antrieb. — **bi'lat·er·alˌism, biˌlat·er'al·i·ty** [-'æliti; -əti], **bi'lat·er·al·ness** *s* **1.** Zwei-, Doppelseitigkeit *f.* – **2.** → bilateral symmetry.
bi·lat·er·al sym·me·try *s math.* bilate'rale *od.* zweiseitige Symme'trie.
bil·ber·ry ['bilbəri; -ˌberi] *s bot.* Heidel-, Blaubeere *f* (*Vaccinium myrtillus*).
bil·bo ['bilbou] *pl* **-boes** [-bouz] *s* **1.** *hist.* Schwert *n* (*aus Bilbao*). – **2.** *pl* Fußfesseln *pl* (*die an einem langen Stab verschiebbar sind*).
bilch [biltʃ] → dormouse.
bil·cock ['bilˌkɒk] *s zo.* Wasserralle *f* (*Rallus aquaticus*).
bile [bail] *s* **1.** *med.* Galle(nflüssigkeit) *f.* – **2.** *fig.* schlechte Laune, Verdrießlichkeit *f*, Galle *f.* — ~ **ac·id** *s chem. med.* Gallensäure *f.* — ~ **cal·cu·lus** *s med.* Gallenstein *m.*
bi·lec·tion [bai'lekʃən] → bolection.
bile| cyst *s med.* Gallenblase *f.* — ~ **duct** *s* 'Gallengang *m*, -weg *m*, -kaˌnal *m.* — ~ **pig·ment** *s* Gallenfarbstoff *m.* — ~ **salt** *s* Gallensalz *n.* — **'~ˌstone** *s* Gallenstein *m.*
bilge [bildʒ] **I** *s* **1.** Bauch *m* (*Faß*). – **2.** *mar.* a) Kielraum *m* (*unterster Teil des Schiffsrumpfes über dem Kiel*), Bilge *f*, Kimm *f*, b) Flach *n* (*Boden in der Mitte des Schiffes*). – **3.** → ~ **water.** – **4.** *sl.* ,Quatsch' *m*, Unsinn *m*, (*etwas*) Wertloses *od.* Abgeschmacktes *od.* 'Uninteresˌsantes. – **II** *v/i* **5.** *mar.* im Flach leck werden. – **6.** sich ausbauchen, her'vorragen. – **III** *v/t* **7.** *mar.* a) im Flach leck machen, b) lenzpumpen. – **8.** ausbauchen. — ~ **board** *s mar.* Schlagwasserplatte *f*, Kimmschwert *n.* — ~ **keel** *s* Kimm-, Schlingerkiel *m.* — ~ **keel·son** *s* Kimmkielschwein *n.* — ~ **line** *s* Bilge-, Lenzleitung *f.* — ~ **piece** → bilge keel. — ~ **pipe** *s* Bilgenrohr *n.* — ~ **pump** *s* Bilgen-, Sod-, Lenzpumpe *f.* — ~ **sound·ing tube** *s* Bilgenpeilrohr *n.* — ~ **strake** *s* Kimmgang *m.* — ~ **string·er** *s* Kimmstringer *m* (*im Doppelboden*). — ~ **strum** *s* Bilgensaugkorb *m.* — ~ **suc·tion** *s* 'Bilgenˌsaugleitungssyˌstem *n.* — ~ **wa·ter** *s* Bilgen-, Sod-, Schlagwasser *n.* — ~ **ways** *s pl* Schlittenbalken *pl.*
bilg·y ['bildʒi] *adj* abgestanden riechend (*wie Schlagwasser*).
bil·har·zi·a [bil'hɑːrziə] *s med. zo.* Bil'harzia *f*, Pärchenegel *m* (*Gattg seuchenerregender Saugwürmer*). — **ˌbil·har'zi·a·sis** [-'zaiəsis] *s med.* Bilharzi'ose *f.*
bil·i·ar·y [*Br.* 'biljəri; *Am.* 'biliˌeri] *adj* bili'ar, Gallen...
bil·i·fi·ca·tion [ˌbilifi'keiʃən; -ləfə-; ˌbail-] *s med.* 'Gallenbildung *f*, -sekretiˌon *f.*
bi·lim·bi [bi'limbi] *s bot.* Bi'limbibaum *m* (*Averrhoa bilimbi*).
bi·lin·e·ar [bai'liniər] *adj* **1.** doppellinig. – **2.** *math.* biline'ar.
bi·lin·gual [bai'liŋgwəl] **I** *adj* zweisprachig, bi'linguisch: a) *in zwei Sprachen verfaßt* (*Text*), b) *zwei Sprachen sprechend.* – **II** *s* Zweisprachige(r), zwei Sprachen Sprechende(r). — **bi'lin·gualˌism** *s* Zweisprachigkeit *f.* — **bi'lin·guist** → bilingual II.
bil·ious ['biljəs] *adj* **1.** *med.* bili'ös: a) gallig, gallenartig, b) Gallen...: ~ **attack** Gallenfieberanfall. – **2.** *fig.* schlecht gelaunt, verärgert, verstimmt. — **'bil·ious·ness** *s* **1.** gallige Beschaffenheit. – **2.** Gallenbeschwerden *pl*, -krankheit *f.* – **3.** *fig.* mürrisches Wesen, schlechte Laune.
bi·lit·er·al [bai'litərəl] **I** *adj* **1.** aus zwei Buchstaben bestehend. – **2.** zwei verschiedene Schriften verwendend (*Kryptogramm*). – **II** *s* **3.** aus zwei Buchstaben bestehende Silbe.
bil·i·ver·din [ˌbili'vəːrdin; 'bai-] *s chem.* Biliver'din *n* ($C_{16}H_{20}N_2O_5$; *grünes Pigment der Galle*).
bilk [bilk] **I** *v/t* betrügen, prellen, beschwindeln. – **II** *s* Schwindler(in), Betrüger(in). — **'bilk·er** → bilk II.
bill[1] [bil] **I** *s* **1.** *zo.* a) Schnabel *m*, b) schnabelähnliche Schnauze. – **2.** Schnabel *m*, Schneide *f*, Spitze *f* (*am Anker, Zirkel, Knieholz etc*). – **3.** *agr.* gekrümmtes Gartenmesser, Hippe *f.* – **4.** *geogr.* spitz zulaufende Halbinsel: **Portland B~.** – **5.** *hist.* a) Helle'barde *f*, Pike *f*, b) Hellebar'dier *m.* – **II** *v/i* **6.** (sich) schnäbeln, (sich lieb)kosen: to ~ **and coo** schnäbeln u. girren (*Tauben od. Verliebte*). – **III** *v/t* **7.** mit einer Hippe bearbeiten.
bill[2] [bil] **I** *s* **1.** *pol.* Vorlage *f*, Gesetzesantrag *m*, Gesetzentwurf *m*: **government** ~ Regierungsvorlage; **to bring in a** ~ ein Gesetz *od.* einen Gesetzentwurf einbringen; **the** ~ **was carried** (*od.* **passed**) der Entwurf wurde angenommen; **to pass a** ~ ein Gesetz

verabschieden. – **2.** *jur.* Klageschrift *f*, Anklageakte *f*, Rechtsschrift *f*: ~ in Chancery Klage beim Kanzleigericht; ~ of costs Anwalts-, Expensenrechnung; → attainder 1; ~ of rights *engl. Staatsgrundgesetz*; ~ of sale a) Sicherungsübereignung; Ermächtigung, den beweglichen Besitz eines Schuldners zu verkaufen, b) Kaufvertrag; to bring in a true ~ eine Anklage für begründet erklären; to find a true ~ eine Anklage annehmen. – **3.** *econ.* a) Schuldverschreibung *f*, b) *auch* ~ of exchange Tratte *f*, Wechsel *m*: long (dated) ~ langer *od.* langfristiger Wechsel; ~ at sight Sichtwechsel; ~ of credit Kreditbrief; drawer of a ~ Aussteller *od.* Trassant eines Wechsels. – **4.** (spezifi'zierte) Rechnung. – **5.** Karte *f*, Liste *f*, Aufstellung *f*: ~ of fare Speisekarte; → fill 14. – **6.** Pla'kat *n*, Anschlag(zettel) *m*: → stick[2] 14. – **7.** (*Theater, Konzert*) Pro'gramm *n*. – **8.** Bescheinigung *f*: ~ of delivery Lieferschein; ~ of emption Kaufkontrakt; ~ of entry Zolldeklaration; ~ of health Gesundheitsattest, -zeugnis, -paß; ~ of lading Konnossement, (See)Frachtbrief; ~ of specie Sortenzettel; → quantity 14. – **9.** *Am.* Banknote *f*, (Geld)Schein *m*. – **II** *v/t* **10.** in eine Liste eintragen, in ein Pro'gramm aufnehmen. – **11.** auf eine *od.* die Rechnung setzen. – **12.** (*j-m*) eine Rechnung schicken. – **13.** durch Anschlag bekanntmachen. – **14.** mit Anschlägen versehen. – **15.** *Am.* ankündigen.

bill[3] [bil] *s* Schnarren *n* (der Rohrdommel).

bil·la·bong ['bilə,bɒŋ] *s Austral.* **1.** Seitenarm *m* (*eines Flusses*). – **2.** stehendes Wasser.

'bill|,board *s* **1.** *mar.* Ankerfütterung *f*, Schweinsrücken *m*. – **2.** *bes. Am.* Anschlagbrett *n*. — **~ book** *s econ.* Wechselbuch *n*. — **~ bro·ker** *s econ.* Wechselmakler *m*. — **'~,bug** *s zo.* (*ein*) Kornwurm *m*, (*ein*) Wiebel *m* (*Gattg Sphenophorus*). — **~ case** *s Br. sl.* Wechseltasche *f* (*einer Bank*). — **~ dis·count·er** → bill broker.

bil·let[1] ['bilit] **I** *s* **1.** *mil.* a) Quar'tierzettel *m*, b) Quar'tier *n* (*in Privathäusern*), 'Truppen-, 'Orts,unterkunft *f*: every bullet has its ~ jede Kugel hat ihre Bestimmung. – **2.** *mar.* (*den Besatzungsmitgliedern eines Kriegsschiffes angewiesener*) Platz zum Aufhängen der Hängematte. – **3.** *fig.* Stellung *f*, Posten *m*. – **4.** *obs.* Bil'let *n*, Briefchen *n*, Zettel *m*. – **II** *v/t* **5.** 'unterbringen, 'einquar,tieren (with, on bei).

bil·let[2] ['bilit] *s* **1.** Holzscheit *n*, -klotz *m*. – **2.** *her.* Schindel *f*. – **3.** *arch.* Spannkeil *m*, Schachbrettmuster *n*, Zettel *m* (*Simsverzierung*). – **4.** (*Sattlerei*) a) Zunge *f* eines Riemens, Schnallenende *n*, b) Schlaufe *f* (*zum Einstecken eines Riemenendes*). – **5.** *tech.* Deul *m*.

bil·let[3] ['bilit] *s zo. Br.* junger Kohlfisch (*Gadus carbonarius*).

bil·let-doux ['bilei'du:; -li-] *pl* **bil·lets-doux** ['bilei-; -li-] *s humor.* Liebesbrief *m*.

bil·le·tee [bili'ti:] *s mil.* (*der*) 'Einquar,tierte.

'bil·let,head *s mar.* **1.** Poller *m* (*eines Walfangbootes*). – **2.** Krull *f* (*Schnitzerei an der Galionsfigur*).

bil·let·ing ['bilitiŋ] *s hunt.* Fuchslosung *f*, -kot *m*.

'bil·let,wood *s bot.* Gabun-Ebenholz *n* (*Diospyros dendo*).

'bill|,fish *s zo.* **1.** Knochenhecht *m* (*Lepidosteus osseus*). – **2.** Ma'krelenhecht *m* (*Scombresox saurus*). – **3.** (*ein*) Schwertfisch *m* (*Tetrapturus albidus*). – **4.** (*ein*) Hornhecht *m* (*Tylosurus longirostris*). — **'~,fold** *s Am.* Flachbörse *f*, Geldschein-, Brieftasche *f*. — **'~,head** *s* **1.** gedrucktes ('Rechnungs)Formu,lar. – **2.** gedruckter Firmenkopf (einer Rechnung). — **'~,hold·er** *s econ.* Wechselinhaber *m*. — **'~,hook** → bill[1] 3.

bil·liard ['biljərd] (*Billard*) **I** *s Am. colloq.* Karambo'lage *f*. – **II** *adj* Billard... — **~ ball** *s* Billardkugel *f*. — **~ cue** *s* Queue *n*, Billardstock *m*.

bil·liard·ist ['biljərdist] *s* Billardspieler(in).

bil·liard mark·er *s* Mar'kör *m* (*Punktezähler beim Billardspiel*).

bil·liards ['biljərdz] *s* (*oft als pl konstruiert*) Billard(spiel) *n*.

bil·liard ta·ble *s* Billardtisch *m*.

bill·ing ['biliŋ] *s Stelle, an welcher der Name eines Schauspielers etc auf Plakaten od. Anzeigen rangiert*: to get top ~ an oberster *od.* erster Stelle genannt werden.

Bil·lings·gate ['biliŋzgit; -,geit] **I** *npr Fischmarkt in London*. – **II** *s* b~ niedrigste Ausdrucksweise, gemeine (Schimpf)Rede. – *SYN. cf.* abuse.

bil·lion ['biljən] *s* **1.** Milli'arde *f* (*tausend Millionen*). – **2.** *Br. obs.* Billi'on *f* (*eine Million Millionen*). — **,bil·lion'aire** [-'nɛr] *s* Milliar'där *m*.

bill·man ['bilmən] *s irr* → bill[1] 5b.

bil·lon ['bilən] *s* **1.** Bil'lon *m*, *n* (*geringwertige Gold- od. Silberlegierung als Scheidemünzmetall*). – **2.** Scheidemünze *f* aus Bil'lon.

bil·low ['bilou] **I** *s* Welle *f*, Woge *f* (*auch fig.*). – **II** *v/i* wogen, schwellen, sich türmen. — **'bil·low·i·ness** *s* Welligkeit *f*, (*das*) Wogende. — **'bil·low·y** *adj* wellig, wogend.

'bill|,post·er *s* **1.** Pla'katkleber *m*, Zettelankleber *m*. – **2.** (Re'klame)Pla,kat *n*. — **'~,stick·er** *s* Pla'katkleber *m*, Zettelankleber *m*.

bil·ly ['bili] *s* **1.** (Poli'zei)Knüppel *m*, Knüttel *m*. – **2.** *bes. Austral.* Feldkessel *m*, Essenbehälter *m*. – **3.** → billy goat. – **4.** *tech. Bezeichnung verschiedener Maschinen u. Geräte, bes.* 'Vorspinnma,schine *f*. — **'~,boy** *s mar. colloq.* (*Art*) Fluß- u. Küstenbarke *f* (*an der Ostküste Englands*). — **'~,can** → billy 2. — **'~,cock (hat)** *s Br. colloq.* ‚Me'lone' *f* (*steifer, niederer, runder Filzhut*). — **~ gate** *s tech.* Spindelwagen *m* (*der Vorspinnmaschine*). — **~ goat** *s colloq.* Ziegenbock *m*.

bil·ly-(h)o ['bili,(h)ou] *s sl.* (*nur in der Redensart*): like ~ ‚wie verrückt', ‚mordsmäßig' (*ganz gehörig*): it rains like ~ es gießt wie mit Kübeln; they fought like ~ sie kämpften wie die Wilden.

Bil·ly Webb ['bili 'web] *s bot. ein mittelamer. Schmetterlingsblüter* (*Sweetia panamensis*).

bi·lo·bate [bai'loubeit], **bi'lo·bat·ed** [-id], **'bi,lobed** [-,loubd], **bi'lob·u·lar** [-'lɒbjulər; -jə-] *adj* zweilappig.

bi·lo·ca·tion [,bailo'keiʃən] *s* Bilokati'on *f*: a) gleichzeitige Anwesenheit an zwei verschiedenen Orten, b) Fähigkeit *f*, an zwei Orten gleichzeitig anwesend zu sein.

bi·lo·cel·late [,bailo'seleit; -lit] *adj bot.* in zwei Nebenzellen geteilt.

bi·loc·u·lar [bai'lɒkjulər; -jə-], **bi'loc·u,late** [-,leit; -lit] *adj bot.* zweifächerig, -kammerig.

bi·loph·o·dont [bai'lɒfə,dɒnt] *adj zo.* mit zwei Kronen auf den Backenzähnen.

bil·sted ['bilsted] *Am. für* sweet gum.

bil·tong ['bil,tɒŋ], **'bil,tongue** [-,tʌŋ] *s S.Afr.* Biltongue *n*, buka'niertes Fleisch.

Bim [bim] *s* (*Spitzname für einen*) Bewohner von Barbados.

bi·mac·u·late [bai'mækjulit; -,leit; -kjə-], *auch* **bi'mac·u,lat·ed** [-tid] *adj bot. zo.* zwei-, doppelfleckig.

Bim·a·na ['bimənə; bai'meinə] *s pl zo.* Zweihänder *pl* (*Menschen, im Gegensatz zu den vierhändigen Affen*). — **'bim·a·nal** → bimane II. — **bi·mane** ['baimein] *zo.* **I** *s* Zweihänder *m*. – **II** *adj* bi'manisch, zweihändig. — **bim·a·nous** ['bimənəs] → bimane II. — **bi·man·u·al** [bai'mænjuəl] *adj* bimanu'ell, zweihändig, mit zwei Händen (zu tun).

bim·ba·shi ['bim,bɑ:ʃi] *s* **1.** Bim'baschi *m* (*Offizier der türk. Armee*). – **2.** *Br. hist.* brit. Offi'zier *m* in ä'gyptischen Diensten.

bim·bo ['bimbou] *s Am. sl.* ‚Null' *f*, ‚Niete' *f* (*unbedeutender Mensch*).

bi·men·sal [bai'mensl] *adj* zweimonatlich.

bi·mes·ter [bai'mestər] *s* Bi'mester *n*, Zeitraum *m* von zwei Monaten. — **bi'mes·tri·al** [-triəl] *adj* **1.** zwei Monate dauernd. – **2.** zweimonatlich, alle zwei Monate 'wiederkehrend.

bi·me·tal·lic [,baimə'tælik] *adj* 'bime'tallisch: a) *aus zwei Metallen zusammengesetzt*, b) *die Doppelwährung betreffend*. — **bi'met·al,lism** [-'metə,lizəm] *s* Bimetal'lismus *m*, Doppelwährung *f*. — **bi'met·al·list I** *s* Anhänger *m* der Doppelwährung. – **II** *adj* → bimetallic b. — **bi,met·al'lis·tic** → bimetallic b.

bi·mil·len·ni·um [,baimi'leniəm; -mə-] *s* **1.** zweitausend Jahre, zwei Jahrtausende. – **2.** Zweitausend'jahrfeier *f*.

bi·mod·al [bai'moudl] *adj math.* zweigipfelig (*Häufigkeitskurven*).

bi·mo·lec·u·lar [,baimo'lekjulər; -mə-; -jə-] *adj chem.* 'bimoleku,lar.

bi·month·ly [bai'mʌnθli] **I** *adj u. adv* **1.** zweimonatlich, alle zwei Monate ('wiederkehrend *od.* erscheinend). – **2.** halbmonatlich, zweimal im Monat (erscheinend). – **II** *s* **3.** zweimonatlich erscheinende Veröffentlichung. – **4.** Halbmonatsschrift *f*.

bi·mo·tored [bai'moutərd] *adj aer.* 'zweimo,torig.

bi·mus·cu·lar [bai'mʌskjulər; -kjə-] *adj zo.* zwei Heftmuskeln besitzend (*Muschel*).

bin [bin] **I** *s* **1.** Behälter *m*, Kasten *m*, Kiste *f*. – **2.** Verschlag *m*. – **II** *v/t pret u. pp* **binned** **3.** (in einem Kasten *od.* Verschlag) aufbewahren.

bi·nal ['bainl] *adj* **1.** zweifach, doppelt. – **2.** *ling.* zweigipflig.

bi·na·ry ['bainəri] **I** *adj* **1.** *chem. math.* bi'när, zweizählig, aus zwei Einheiten bestehend. – **II** *s* **2.** Zweiheit *f*, Paar *n*. – **3.** *astr.* Doppelstern *m* (*zwei Sterne, die sich um ein Zentrum bewegen*). — **~ a·rith·me·tic** *s math.* Dy'adik *f*, dy'adisches 'Zahlensy,stem. — **~ col·o(u)r** *s phys.* bi'näre Farbe. — **~ com·pound** *s chem.* bi'näre Verbindung, Zweifachverbindung *f*. — **~ fis·sion** *s biol.* Zweiteilung *f*. — **~ form** *s* **1.** *math.* Funkti'on *f* mit zwei Veränderlichen. – **2.** *mus.* zweiteilige Form. — **~ meas·ure** *s mus.* gerader Takt. — **~ scale** *s math. tech.* Du'alsy,stem *n*, Dy'adisches Sy'stem, *bes.* (*bei elektronischen Rechenmaschinen*) Bi'närsy,stem *n*. — **~ star, ~ sys·tem** → binary 3. — **~ the·o·ry** *s chem.* Bi'närtheo,rie *f*.

bi·nate ['baineit] *adj bot.* zweiteilig (*Blätter*).

bin·au·ral [bi'nɔ:rəl] *adj* **1.** beide Ohren betreffend. – **2.** für beide Ohren (*Stethoskop, Kopfhörer*). – **3.** [*meist* bai'nɔ:rəl] (*Radio*) Zwei-Lautsprecher-..., stereo'phonisch.

bind [baind] **I** *s* **1.** Band *n*, Bindemittel *n*. – **2.** *tech.* Bindebacken *m* (*Schiff*). – **3.** *mus.* a) Haltebogen *m*, b) Bindebogen *m*, c) Klammer *f*,

d) Querbalken *m.* – **4.** *min.* eisenhaltige Tonerde, Schieferton *m.* – **5.** *Br. sl.* Quäle'rei *f*, Placke'rei *f.* – **II** *v/t pret u. pp* **bound** [baund], *obs. pp* '**bound·en 6.** (ein)binden, verbinden, um'wickeln, einhüllen. – **7.** (*etwas*) binden, knoten, knüpfen (**about, round, upon** um). – **8.** einfassen, befestigen. – **9.** zu'sammenfügen, festmachen, hart machen: **to ~ a bargain** einen Handel abschließen. – **10.** *med.* verstopfen. – **11.** dingen, mieten. – **12.** *fig.* binden, verpflichten, zwingen (*meist pass*): **to ~ oneself** eine Verbindlichkeit eingehen; **he is bound to tell him** er ist verpflichtet, es ihm zu sagen; **to ~ s.o. (as an) apprentice** j-n in die Lehre geben (**to** bei); → **bound**[1] 2. – **13.** (*Buch*) (ein)binden. – **III** *v/i* **14.** binden, fest *od.* hart werden, zu'sammenhalten. – **15.** binden(d sein), verpflichten, als Zwang empfunden werden. – **16.** Garben binden. –

Verbindungen mit Adverbien:

bind| in *v/t* einschließen, hemmen. — **~ off** *v/t tech.* kette(l)n. — **~ out** *v/t* in die Lehre geben (**to** bei). — **~ o·ver** *v/t* **1.** durch Bürgschaft verpflichten: **to be bound over** (*vom Gericht*) eine Bewährungsfrist erhalten. – **2.** → **bind out.** — **~ to·geth·er** *v/t* zu'sammenbinden (*auch fig.*). — **~ up** *v/t* **1.** (*in einem Band, Bund, Bündel*) vereinigen, zu'sammenbinden: **to ~ one's hair** sein Haar hochbinden *od.* aufstecken. – **2.** (*Wunde*) verbinden. – **3.** *meist pass* **to be bound up** ganz aufgehen (**in** in *dat*): **she is quite bound up in her children** sie lebt nur für ihre Kinder.

bind·er ['baindər] *s* **1.** Binder(in): **~ of sheaves** Garbenbinder(in). – **2.** → **bookbinder.** – **3.** Binde *f*, Band *n*, Bindfaden *m*, Schnur *f*, Seil *n.* – **4.** (*Zeitungsversand*) Kreuzband *n.* – **5.** Einband *m*, (Akten- *etc*)Deckel *m*, Hefter *m*, 'Umschlag *m.* – **6.** *med.* a) Leibbinde *f* (*für Wöchnerinnen*), b) Nabelbinde *f* (*für Säuglinge*). – **7.** *tech.* a) Drahtheftklammer *f*, b) Bindemittel *n* (*Zement, Teer etc*), c) Bindemäher *m*, *bes.* Garbenbinder *m* (*an einer Mähmaschine*). – **8.** *arch.* Binder *m*: a) Bindestein *m*, b) Bindebalken *m.* – **9.** kräftige Weidenrute (*in einem geflochtenen Zaun*). – **10.** *jur. Am.* bindende vorläufige Abmachung, Vorvertrag *m.* – **11.** *econ. Am.* Deckungszusage *f* (*vor Aushändigung der Police*). – **12.** *mus.* Liga'tur *f.* — **~ ring** *s tech.* Dichtungsring *m.*

bind·er's press *s* (*Buchbinderei*) Heftlade *f.*

bind·er·y ['baindəri] *s* Buchbinde'rei *f.*

bind·ing ['baindiŋ] **I** *adj* **1.** bindend, verbindlich (**on** für): **not ~ offer** unverbindliches *od.* freibleibendes Angebot. – **2.** *med.* verstopfend. – **II** *s* **3.** Binden *n.* – **4.** Bindemittel *n.* – **5.** (Buch)Einband *m*: **~ in calf** Franzband. – **6.** Einfaßband *n*, Einfassung *f*, Borte *f*, Besatz *m*: **~ of a wheel** Beschlag eines Rades. – **7.** *sport* (Schi)Bindung *f.* — **~ course** *s arch.* Binderschicht *f.* — **~ en·er·gy** *s chem. phys.* 'Bindungsener,gie *f.* — **~ joist** *s* Haupt-, Binderbalken *m.* — **~ ma·te·ri·al** *s* Bindemittel *n.*

bind·ing·ness ['baindiŋnis] *s* bindende Kraft, Verbindlichkeit *f.*

bind·ing| nut *s tech.* Kontermutter *f.* — **~ post** *s electr.* Klemmschraube *f*, Verbindungs-, Batte'rieklemme *f.* — **~ raft·er** *s tech.* Bindersparren *m.* — **~ re·cess** *s electr.* Ban'dagenute *f.* — **~ screw** *s electr.* Druck-, Klemm-, Verbindungsschraube *f*, Klemme *f.* — **~ twine** *s Am.* Garbenseil *n*, -kordel *f.* — **~ wash·er** → **binding nut.**

bin·dle ['bindl] *s Am. sl.* Bündel *n*, Päckchen *n* (*bes. Rauschgift*). — **~ stiff** *s Am. sl.* ‚Tippelbruder' *m* (*Landstreicher, der seine Decken zusammengerollt in einem Bündel trägt*).

bind| rail *s arch.* Bindebalken *m*, -riegel *m.* — '**~,web** *s med.* Neu'roglia *f*, Nervenkitt *m*, Bindegewebe *n.* — '**~,weed** *s bot.* (*eine*) Winde (*Gattg Convolvulus*). — '**~,with** *s bot.* Teufelszwirn *m*, Gemeine Waldrebe (*Clematis vitalba*).

bine [bain] *s bot.* **1.** Ranke *f* (*bes. des Hopfens*). – **2.** → **bindweed.** – **3.** Je,längerje'lieber *m*, *n* (*Lonicera periclymenum*).

bi·ner·vate [bai'nəːrveit] *adj bot. zo.* zweirippig (*Blatt, Flügel*).

Bi·net-Si·mon test [bi'nɛ si'mɔ̃], **Bi·net test** *s psych.* Bi'net-Si'mon-Test *m* (*Intelligenzprüfung für Schulkinder*).

bing[1] [biŋ] *s* **1.** *dial.* Bündel *n*, Päckchen *n.* – **2.** Haufen *m.*

bing[2] [biŋ] *interj* bim! ping!

bing[3] [biŋ] *v/i obs.* gehen.

binge [bindʒ] **I** *s sl.* ‚Saufe'rei' *f*, ‚Bierreise' *f.* – **II** *v/t tech. od. dial.* einweichen.

bin·go[1] ['biŋgou] *s sl.* ‚Fusel' *m* (*Schnaps*).

bin·go[2] ['biŋgou] *s Am.* (*Art*) Lottospiel *n.*

bin·na·cle ['binəkl] *s mar.* Kompaß(nacht)haus *n* (*Gehäuse für den Schiffskompaß*). — **~ list** *s mar. hist. Am.* Krankenliste *f* (*auf Kriegsschiffen am Kompaßhaus ausgehängt*).

bin·o·cle ['binəkl] *s* Bin'okel *n*, Fernrohr *n* für beide Augen, Opernglas *n.*

bin·oc·u·lar [bi'nɒkjulər; bai-; -kjə-] **I** *adj phys.* binoku'lar, beid-, zweiäugig: **~ telescope** Doppelfernrohr; **~ vision** Sehen mit beiden Augen. – **II** *s auch* **~ glass** *meist pl* Binoku'lar *n*, Bin'okel *n*, Feldstecher *m*, Opern-, Fernglas *n.* — **bin,oc·u'lar·i·ty** [-'læriti; -rə-] *s* Binokulari'tät *f.*

bin·oc·u·lar| tel·e·scop·ic mag·ni·fi·er *s tech.* Binoku'lar *n*, Präpa'rierlupe *f.* — **~ tube** *s tech.* binoku'larer Tubus, Doppeltubus *m.*

bin·oc·u·late [bi'nɒkjulit; -,leit; bai-; -kjə-] *adj* zweiäugig.

bi·nod·al [bai'noudl] *adj* mit zwei Knoten *od.* Gelenken.

bi·node ['bai,noud] *s electr.* Bi'node *f*, Verbundröhre *f.*

bi·no·mi·al [bai'noumiəl] **I** *adj* **1.** *math.* bi'nomisch, zweigliedrig. – **2.** *biol.* zweinamig. – **II** *s* **3.** *math.* Bi'nom *n*, zweigliedrige Größe. – **4.** *biol.* Doppelname *m.* — **~ char·ac·ter** *s math.* Zweigliedrigkeit *f.* — **~ co·ef·fi·cient** *s math.* Binomi'alkoeffizi,ent *m.* — **~ dis·tri·bu·tion** *s* (*Statistik*) binomi'ale Verteilung. — **~ for·mu·la** *s math.* Binomi'alformel *f.*

bi·no·mi·al·ism [bai'noumiə,lizəm] *s biol.* **1.** (Me'thode *f* der) Doppelbenennung. – **2.** Gebrauch *m* von Doppelbenennungen.

bi·no·mi·al| no·men·cla·ture *s biol.* Doppelbenennung *f.* — **~ se·ries** *s math.* Binomi'alreihe *f*, bi'nomische Reihe. — **~ the·o·rem** *s* Binomi'alsatz *m*, bi'nomischer (Lehr)Satz.

bi·nom·i·nal [bai'nɒminl; -mə-] *adj biol.* binomi'nal, zweinamig: **~ system** System der Doppelbenennung (*nach Gattung u. Art*). — **bi'nom·i,nat·ed** [-,neitid], *auch* **bi'nom·i·nous** *adj* doppelbenannt.

bi·nor·mal [bai'nəːrməl] *s math.* 'Binor,male *f.*

bi·not·o·nous [bai'nɒtənəs] *adj mus.* zweitönig, -stimmig.

bin·ox·a·late [bi'nɒksə,leit; bai-] *s chem.* 'doppelo,xalsaure Verbindung.

bin·ox·ide [bi'nɒksaid; -sid; bai-] *s chem.* 'Dio,xyd *n.*

bin·tu·rong ['bintju,rɒŋ; -tʃə-] *s zo.* Binturong *m* (*Arctictis binturong; Schleichkatze*).

bi·nu·cle·ar [bai'njuːkliər; *Am. auch* -'nuː-], *auch* **bi'nu·cle,ate** [-,eit], **bi'nu·cle,at·ed** [-id] *adj biol. phys.* zweikernig.

bi·nu·cle·o·late [bai'njuːklio,leit; *Am. auch* -'nuː-] *adj biol.* mit zwei Kernkörperchen (*im Zellkern*).

bio- [baio] *Wortelement mit der Bedeutung* Leben.

bi·o·as·say ['baioə,sei] *s med.* Drogenerprobung *f* am lebenden Tier.

bi·o·bib·li·o·graph·i·cal [,baio,bibliə'græfikəl] *adj* 'biobiblio,graphisch. — **,bi·o,bib·li'og·ra·phy** [-'ɒgrəfi] *s* 'Biobibliogra,phie *f* (*Bibliographie mit Einschluß von biographischem Material*).

bi·o·blast ['baio,blæst] → **biophore.**

bi·o·cat·a·lyst [,baio'kætəlist] *s chem.* bio'chemischer Kataly'sator.

bi·oc·el·late [bai'ɒsə,leit; ,baio'selit] *adj* mit zwei augenartigen Flecken.

bi·o·cen·tric [,baio'sentrik] *adj* bio'zentrisch (*das Leben als Hauptvorgang od. Hauptsache betrachtend*).

bi·o·chem·ic [,baio'kemik], **,bi·o'chem·i·cal** *adj* bio'chemisch. — **,bi·o'chem·ist** *s* Bio'chemiker *m.* — **,bi·o'chem·is·try**, *auch* '**bi·o,chem·y** *s* Bioche'mie *f.*

bi·o·dy·nam·ic [,baiodai'næmik; -di-], **,bi·o·dy'nam·i·cal** *adj* biody'namisch. — **,bi·o·dy'nam·ics** *s pl* (*als sg konstruiert*) Biody'namik *f*, Lehre *f* von den Lebenskräften.

bi·o·ec·o·log·ic [,baio,ekə'lɒdʒik], **,bi·o,ec·o'log·i·cal** [-kəl] *adj* bioöko'logisch. — **,bi·o·e'col·o·gist** [-i'kɒlədʒist] *s* Bioöko'loge *m.* — **,bi·o·e'col·o·gy** *s biol.* Bioökolo'gie *f* (*Wissenschaft von den Beziehungen zwischen Pflanzen u. Tieren*).

bi·o·gen ['baiodʒen; -ədʒən] *s biol.* Bio'gen *n.*

bi·o·gen·e·sis [,baio'dʒenisis; -nə-] *s biol.* **1.** Bioge'nese *f*, Entwicklungsgeschichte *f.* – **2.** Theo'rie *f* der Bioge'nese, bioge'netisches Grundgesetz, ,Rekapitulati'onstheo,rie *f.* — **,bi·o'gen·e·sist** *s* Anhänger *m* der ,Rekapitulati'onstheo,rie. — **,bi·o·ge'net·ic** [-dʒi'netik; -dʒə-], *auch* **,bi·o·ge'net·i·cal** *adj* bioge'netisch: **biogenetic law** → **biogenesis** 2. — **bi'og·e·nous** [-'ɒdʒinəs; -ən-] *adj* bio'gen. — **bi'og·e·ny** → **biogenesis.**

bi·o·ge·og·ra·phy [,baiodʒi'ɒgrəfi] *s* ,Biogeogra'phie *f* (*Lehre von der Verbreitung des Belebten*).

bi·o·graph ['baio,græ(ː)f; -ə,g-; *Br. auch* -,grɑːf] *s tech.* (*frühe Art*) 'Filmprojekti,onsappa,rat *m.*

bi·og·ra·phee [bai,ɒgrə'fiː] *s* j-d der in einer Biogra'phie behandelt wird.

bi·og·ra·pher [bai'ɒgrəfər] *s* Bio'graph *m.* — **bi·o·graph·ic** [,baio'græfik; -ə'g-], **,bi·o'graph·i·cal** *adj* bio'graphisch. — **,bi·o'graph·i·cal·ly** *adv* (*auch zu* **biographic**). — **bi'og·ra·phist** *s* Bio'graph *m.* — **bi'og·ra,phize** *v/t* eine Biogra'phie schreiben über (*acc*). — **bi'og·ra·phy** *s* Biogra'phie *f*, Lebensbeschreibung *f.*

bi·o·log·ic [,baiə'lɒdʒik] *adj* bio'logisch: **~ half-life** *phys.* biologische Halbwertzeit. — **,bi·o'log·i·cal I** *adj* bio'logisch: **~ control** biologische Schädlingsbekämpfung (*durch Parasiten*); **~ factor** *sociol.* biologischer Faktor; **~ shield** *phys. tech.* biologischer Schild; **~ species** ökologische Art; **~ warfare** biologische Kriegführung, Bakterienkrieg. – **II** *s med.* bio'logisches Präpa'rat (*z.B. Serum*). — **,bi·o'log·i·cal·ly** *adv* (*auch zu* **biologic**). — **bi'ol·o,gism** [-'ɒlə,dʒizəm] *s philos.* Biolo'gismus *m* (*Richtung der Naturphilosophie*). —

bi'ol·o·gist *s* Bio'loge *m.* — **bi'ol·o·ˌgize I** *v/i* bio'logische Forschungen treiben. – **II** *v/t* bio'logisch behandeln. — **bi'ol·o·gy** *s* Biolo'gie *f.*

bi·o·lu·mi·nes·cence [ˌbaioˌluːmiˈnesns; -mə-] *s biol.* ˌBiolumines'zenz *f* (*Ausstrahlung von Licht aus lebenden Organismen*). — **ˌbi·oˌlu·mi'nes·cent** *adj* ˌbiolumines'zent.

bi·ol·y·sis [baiˈɒlisis; -lə-] *s biol.* **1.** Auflösung *f* eines Lebewesens. – **2.** Zersetzung *f od.* bio'logische Selbstreinigung von Abwässern durch 'Mikroorgaˌnismen. — **bi·o·lyt·ic** [ˌbaiəˈlitik] *adj* lebenzerstörend, tötend.

bi·o·mag·net·ic [ˌbaiomægˈnetik] *adj* bioma'gnetisch. — **ˌbi·o'mag·net·ˌism** [-nəˌtizəm] *s* ˌBiomagne'tismus *m,* tierischer Magne'tismus.

bi·om·e·ter [baiˈɒmitər; -mə-] *s biol.* Bio'meter *n* (*Apparat zur Messung von Kohlendioxyd in kleinen Organismen*). — **bi·o·met·ric** [ˌbaioˈmetrik], **ˌbi·o'met·ri·cal** *adj* bio'metrisch. — **ˌbi·o'met·ri·cal·ly** *adv* (*auch zu* biometric). — **ˌbi·o'met·rics** *s pl* (*als sg konstruiert*) → biometry b. — **bi'om·e·try** [-tri] *s* Biome'trie *f*: a) *Sterblichkeitsberechnung,* b) *Lehre von der statistischen Auswertung biologischer Beobachtungen.*

bi·o·nom·ic [ˌbaioˈnɒmik], *auch* **ˌbi·o'nom·i·cal** [-kəl] *adj* öko'logisch. — **ˌbi·o'nom·i·cal·ly** *adv* (*auch zu* bionomic). — **ˌbi·o'nom·ics** *s pl* (*als sg konstruiert*) *biol.* Ökolo'gie *f* (*Wissenschaft von den Beziehungen der Lebewesen zu ihrer Umgebung*). — **bi'on·o·mist** [-ˈɒnəmist] *s* Öko'loge *m.*

bi·oph·a·gous [baiˈɒfəgəs] *adj bot. zo.* fleischfressend (*bes. Pflanze*).

bi·o·phor(e) [ˈbaioˌfɔːr] *s biol.* Bio'phor *m* (*kleinste Lebenseinheit*).

bi·o·phys·i·cal [ˌbaioˈfizikəl] *adj* biophysi'kalisch. — **ˌbi·o'phys·ics** *s pl* (*als sg konstruiert*) Biophy'sik *f.*

bi·o·phys·i·og·ra·phy [ˌbaioˌfiziˈɒgrəfi] *s biol.* beschreibende Biolo'gie.

bi·o·plasm [ˈbaioˌplæzəm] *s biol.* Bio'plasma *n* (*lebendes Protoplasma*). — **ˌbi·o'plas·mic** [-mik] *adj* Bio'plasma betreffend. — **'bi·oˌplast** [-ˌplæst] → bioplasm. — **'bi·oˌplas·tic** [-tik] → bioplasmic.

bi·op·sic [baiˈɒpsik] *adj med.* (eine) Bio'psie betreffend. — **'bi·op·sy** *s* Bio'psie *f,* 'Probeexzisiˌon *f* (*Untersuchung eines zum Zweck der Diagnose aus einem lebenden Körper entfernten Gewebestücks*).

bi·or·di·nal [baiˈɔːrdinl; -də-] *math.* **I** *adj* zweiten Grades. – **II** *s* Gleichung *f* zweiten Grades.

bi·o·scope [ˈbaiəˌskoup] *s* **1.** *tech.* Bio'skop *n* (*Vorläufer des modernen Filmprojektionsapparates*). – **2.** *Br. obs.* 'Filmtheˌater *n.*

bi·o·scop·ic [ˌbaiəˈskɒpik] *adj med.* bio'skopisch. — **bi'os·co·py** [-ˈɒskəpi] *s med.* Biosko'pie *f* (*Feststellung bestehenden Lebens*).

bi·o·soph·i·cal [ˌbaiəˈsɒfikəl] *adj* bio'sophisch. — **bi'os·o·phy** [-ˈɒsəfi] *s ein System geistiger Selbsterziehung.*

bi·o·sphere [ˈbaioˌsfir; -əˌs-] *s biol.* Bio'sphäre *f* (*Zone des Erdballs, die Lebewesen beherbergt*).

bi·o·stat·ic [ˌbaioˈstætik], *auch* **ˌbi·o'stat·i·cal** [-kəl] *adj* bio'statisch. — **ˌbi·o'stat·ics** *s pl* (*als sg konstruiert*) *biol.* Bio'statik *f,* Stoffwechsellehre *f.*

bi·o·syn·the·sis [ˌbaioˈsinθisis] *s chem.* Biosyn'these *f* (*Aufbau organischer Stoffe aus anorganischen*).

bi·o·ta [baiˈoutə] *s* Flora *f* u. Fauna *f* (*eines Gebiets od. einer Periode*).

bi·o·tax·y [ˈbaioˌtæksi] → taxonomy.

bi·ot·ic [baiˈɒtik], **bi'ot·i·cal** [-kəl] *adj* bi'otisch, Lebens... — **bi'ot·i·cal·ly** *adv* (*auch zu* biotic).

bi·ot·ic po·ten·tial *s biol.* bi'otisches Potenti'al.

bi·ot·ics [baiˈɒtiks] *s pl* (*als sg konstruiert*) *biol.* Wissenschaft *f* von den Lebenstätigkeiten u. -äußerungen.

bi·o·tin [ˈbaiətin] *s chem.* Bio'tin *n,* Vita'min H *n.*

bi·o·tite [ˈbaiəˌtait] *s min.* Bio'tit *m* (*Art Glimmer*).

bi·ot·o·my [baiˈɒtəmi] *s med.* Bioto'mie *f,* Vivisekti'on *f.*

bi·o·type [ˈbaioˌtaip] *s biol.* Bio'typus *m,* Erbstamm *m.*

bi·pack [ˈbaiˌpæk] *s phot.* Bipack-, Zweischichtfilm *m,* Zweipack *m.*

bi·pal·mate [baiˈpælmeit] *adj bot.* doppelt handförmig gelappt.

bi·pa·ri·e·tal [ˌbaipəˈraiitl] *adj med.* beide Scheitelbeine betreffend.

bip·a·rous [ˈbipərəs] *adj* **1.** *zo.* zwillingsbürtig. – **2.** *bot.* gabelig, gegabelt.

bi·par·ti·ble [baiˈpɑːrtəbl] → bipartile.

bi·par·ti·ent [baiˈpɑːrtiənt] *adj* hal'bierend.

bi·par·tile [*Br.* baiˈpɑːrtail; *Am.* -təl] *adj* in zwei Teile zerlegbar, hal'bierbar.

bi·par·ti·san [*Br.* baiˈpɑːrtiˈzæn; *Am.* -təzən] *adj* **1.** zwei Par'teien vertretend. – **2.** aus Mitgliedern zweier Par'teien bestehend, Zweiparteien... — **bi'par·ti·sanˌship** *s* Zugehörigkeit *f* zu zwei Par'teien.

bi·par·tite [baiˈpɑːrtait] *adj* **1.** zweiteilig, Zweier..., Zwei... – **2.** *jur. pol.* zweiseitig (*Dokumente*), aus zwei (*korrespondierenden*) Teilen bestehend, für zwei Par'teien ausgefertigt: a ~ contract. – **3.** *bot.* in zwei Teile geteilt (*fast bis zum Ausgangspunkt*): a ~ leaf. – **4.** *econ.* in doppelter Ausfertigung. — **ˌbi·par'ti·tion** [-ˈtiʃən] *s* Zweiteilung *f.*

bi·ped [ˈbaiped] *zo.* **I** *s* zweifüßiges Wesen, Zweifüßer *m,* Bi'pede *m.* – **II** *adj* zweifüßig, bi'ped.

bi·pen·nate [baiˈpeneit], **bi'pen·nat·ed** [-id] *adj* **1.** *bot.* doppeltgefiedert. – **2.** *zo.* zweiflügelig.

bi·pet·al·ous [baiˈpetələs] *adj bot.* mit zwei Blumenblättern.

bi·phen·yl [baiˈfenil; -ˈfiː-; -nəl] *s chem.* Diphe'nyl *n.*

bi·pin·nate [baiˈpineit] → bipennate.

bi·plane [ˈbaiˌplein] *s aer.* Doppel-, Zweidecker *m.*

bi·pod [ˈbaipɒd] *s* Zweifuß *m,* -bein *n,* zweibeiniges Gestell.

bi·po·lar [baiˈpoulər] *adj* **1.** zweipolig, bipo'lar. – **2.** *electr.* zweipolig, mit zwei Polen: ~ dynamo. – **3.** *geogr.* an zwei Polen vorkommend. – **4.** *math. med.* bipo'lar.

bi·quad·rate [baiˈkwɒdreit] *s math.* biqua'dratische Gleichung, Biquadrat *n* (*4. Potenz*). — **ˌbi·quad'rat·ic** [-ˈdrætik] *adj* biqua'dratisch: ~ equation *math.* biqua'dratische Gleichung, Gleichung vierten Grades.

bi·ra·di·al [baiˈreidiəl] *adj bot.* zweiachsig sym'metrisch.

birch [bəːrtʃ] **I** *s* **1.** *bot.* a) Birke *f* (*Gattg Betula*), b) Birkenholz *n,* c) Birkenreis *n,* -rute *f.* – **2.** *Am.* Kanu *n* aus Birkenrinde. – **II** *adj* **3.** birken. – **III** *v/t* **4.** (mit einer Birkenrute) züchtigen, schlagen, peitschen. — **'~ˌbark I** *s* **1.** Birkenrinde *f.* – **2.** *auch* ~ canoe *Am.* Kanu *n* aus Birkenrinde. – **II** *adj* **3.** aus Birkenrinde. — ~ **beech** *s bot.* (*eine*) Südbuche (*Nothofagus betuloides; Südamerika*). — ~ **beer** *s* (*ein leicht alkoholisches*) Getränk aus 'Birkenexˌtrakten (*od. seine nichtalkoholische Nachahmung*). — ~ **bor·er** *s zo.* Birkenbohrer *m, bes.* Bronzener Birkenbohrer (*Agrilus anxius*). — **'~-ˌbroom** *s* Birken-, Reis(er)besen *m.* — ~ **cam·phor** *s chem.* Birkenkampfer *m.*

birch·en [ˈbəːrtʃən] *adj bot.* birken, Birken...

birch·ing [ˈbəːrtʃiŋ] *s* **1.** *Am.* Schlagen *n* von Birkenholz. – **2.** (Tracht *f*) Prügel *pl,* (Ruten)Schläge *pl.*

birch| oil *s* Birkenöl *n.* — **'~-ˌrod** *s* Birkenrute *f.* — ~ **skel·e·ton·iz·er** *s zo.* Birkenkäfer *m* (*Bucculatrix canadensisella*). — ~ **tree** *s* Birke(nbaum *m*) *f.* — ~ **wine** *s* Birkenwein *m.* — **'~ˌwood** *s* **1.** Birkenholz *n.* – **2.** Birkengehölz *n,* -wald *m.*

bird [bəːrd] **I** *s* **1.** Vogel *m.* – **2.** *sport* a) Jagdvogel *m, bes.* Rebhuhn *n,* Vogelwild *n,* b) Tontaube *f.* – **3.** *colloq.* ˌKerl' *m*: queer ~ komischer Kauz; old ~ alter Knabe. – **4.** *sl.* ˌlockerer Vogel' (*Straßenmädchen*). – **5.** *sl.* verächtliches Zischen: to give s.o. the ~ a) j-n auspfeifen *od.* auszischen, b) j-n abweisen, j-m eine Abfuhr erteilen. – **6.** *aer.* Fernlenkkörper *m.* – **7.** *sport* Federball *m.* – **II** *v/i* **8.** Vögel fangen *od.* schießen. – **9.** Vögel in freier Na'tur beobachten. –
Besondere Redewendungen:
the early ~ catches the worm Morgenstund hat Gold im Mund; a ~ in the hand is worth two in the bush ein Sperling in der Hand ist besser als eine Taube auf dem Dach; a little ~ told me mein kleiner Finger sagt mir das; → feather 1; fly[1] 15; kill 1.

'bird|ˌbath *s* Vogelbad *n.* — ~ **cac·tus** *s bot. eine fleischige Euphorbiacee* (*Gattg Pedilanthus*). — **'~-ˌcage** *s* Vogelbauer *n,* -käfig *m.* — **'~ˌcall** *s* **1.** Vogelruf *m.* – **2.** Lockpfeife *f.* — **'~ˌcatch·er** *s* Vogelfänger *m,* -steller *m.* — ~ **cher·ry** *s bot.* **1.** Vogelkirsche *f* (*Prunus avium*). – **2.** Traubenkirsche *f* (*Prunus padus*). — ~ **dog** *s* Hühnerhund *m.* — **'~ˌdung** *s* Vogelmist *m,* Gu'ano *m.*

bird·er [ˈbəːrdər] *s* Vogelbeobachter *m.*

'bird|-ˌeyed *adj* scharf blickend, mit flinken Augen. — ~ **fan·ci·er** *s* Vogelliebhaber *m,* -züchter *m,* -händler *m.* ~ **flow·er** *s bot.* Vogelblume *f* (*Blume, die durch Vögel bestäubt wird*). — ~ **fly** *s zo.* Vogellausfliege *f* (*Ornithonyia avicularia*). — ~ **food** *s* Vogelfutter *n.* — **'~-ˌfoot** *s irr* → bird's-foot. — ~ **grass** *s bot.* **1.** Vogelknöterich *m* (*Polygonum aviculare*). – **2.** Gemeines Rispengras (*Poa trivialis*). — **'~ˌhouse** *s* Vogelhaus *n.*

bird·ie [ˈbəːrdi] *s* **1.** Vögelchen *n* (*auch als Kosewort*). – **2.** (*Golf*) *bes. Am.* Zahl der Schläge, die um eins unter der erwarteten Ziffer bleibt.

bird·ing [ˈbəːrdiŋ] *s* Vogeljagd *f,* -beobachtung *f.*

bird| life *s* Vogelleben *n,* -welt *f.* — **'~ˌlike** *adj* vogelartig. — **'~ˌlime I** *s* Vogelleim *m.* – **II** *v/t* mit Vogelleim bestreichen. — ~ **louse** *s irr zo.* (*ein*) Pelzfresser *m* (*Ordng Mallophaga*). — **'~·man** [-mən] *s irr* **1.** Vogelfänger *m.* – **2.** Vogelkenner *m.* – **3.** 'Vogelpräpaˌrator *m.* – **4.** *aer. colloq.* Flieger *m.* — **'~-ˌnest** → bird's-nest. — ~ **of free·dom** *s Am.* weißköpfiger Seeadler (*im Wappen u. auf Münzen der USA*). — ~ **of Jove** *s* Adler *m.* — ~ **of par·a·dise** *s zo.* Para'diesvogel *m* (*bes. Gattg Paradisea*). — **'~-of-'par·a·dise flow·er** → bird's-tongue flower. — ~ **of pas·sage** *s zo.* Zugvogel *m* (*auch fig.*). — ~ **of peace** *s* Friedenstaube *f.* — ~ **of prey** *s* Raubvogel *m.* — ~ **pep·per** *s bot.* Ca'yenne-Pfeffer *m* (*Capsicum fastigiatum*). — **'~-ˌscar·er** *s* Vogelscheuche *f.* — **'~ˌseed** *s* Vogelfutter *n.*

'bird's-ˌeye I *s* **1.** *bot.* a) 'Herbst-Aˌdonisröschen *n,* Pfauenauge *n* (*Ado-*

nis autumnalis), b) Ga'mander-Ehrenpreis *m* (*Veronica chamaedrys*), c) Mehlprimel *f* (*Primula farinosa*), d) red ~ Ruprechtskraut *n* (*Geranium Robertianum*). – 2. (*besondere Art*) Feinschnittabak *m*. – 3. (*Art*) Gerstenkorn(tuch) *n*. – **II** *adj* 4. aus der 'Vogelperspek,tive (gesehen), zu'sammenfassend, kurzgefaßt: ~ **view** (Blick aus der) Vogelschau, allgemeiner Überblick; ~ **perspective** Vogelperspektive. – 5. gepunktet. — ~ **ma·ple** *s* Vogelaugen-Ahorn *m* (*Holz von Acer saccharum*).

'bird's-,foot *s irr bot.* Serra'della *f*, Vogelfuß *m* (*Gattg Ornithopus*). — ~ **fern** *s* (*ein*) Keuladerfarn *m* (*Cheilanthes radiata*). — ~ **tre·foil** *s bot.* Schotenklee *m*, (Gemeiner) Hornklee (*Lotus corniculatus*). — ~ **vi·o·let** *s* (*ein*) Veilchen *n* (*Viola pedata*).

bird shot *s* Vogeldunst *m* (*feiner Schrot*).

'bird's|-,mouth *s arch.* Einkerbung *f*. — **'~-,nest I** *s* 1. Vogelnest *n*. – 2. *bot.* a) Nestwurz *f* (*Neottia nidus-avis*), b) Fichtenspargel *m* (*Monotropa-Arten*), c) Mohrrübe *f* (*Daucus carota*), d) Nestfarn *m* (*Asplenium nidus*). – **II** *v/i* 3. Vogelnester suchen *od.* ausnehmen.

bird spi·der *s zo.* Vogelspinne *f* (*Mygale avicularia*).

'bird's-,tongue *s bot.* 1. Vogelknöterich *m* (*Polygonum aviculare*). – 2. Acker-Gauchheil *n* (*Anagallis arvensis*). — ~ **flow·er** *s bot.* Para'diesvogelblume *f* (*Strelitzia reginae*).

bird| tick *s zo.* (*eine*) Vogellaus (*Fam. Hippoboscidae*). — ~ **watch·er** → birder. — **'~-,wit·ted** *adj* flatterhaft. — **'~-,wom·an** *s irr aer. colloq.* Fliegerin *f*.

bi·rec·tan·gu·lar [,bairek'tæŋgjulər; -gjə-] *adj math.* mit zwei rechten Winkeln.

bi·re·frin·gence [,bairi'frindʒəns] *s* (*Optik*) Doppelbrechung *f*. — **,bi·re'frin·gent** *adj* doppel(licht)brechend.

bi·reme ['bairiːm] *s antiq.* Ga'leere *f* (*mit zwei Ruderbänken*).

bi·ret·ta [bi'retə; bə-] *s* Bi'rett *n*, Ba'rett *n* (*Kopfbedeckung röm.-kath. Geistlicher*).

birl [bəːrl] *Scot. od. Am.* **I** *v/t* (*Baumstamm im Wasser, Münze etc*) in schwirrende Drehung versetzen. – **II** *v/i* sich schwirrend drehen.

birr [bəːr] **I** *s* 1. Gewalt *f* (des Windes). – 2. Kraft *f*, Wucht *f* (*Sprung etc*). – 3. Schnurren *n*, Summen *n*, Geräusch *n*. – 4. scharfe Aussprache (*bes. des R*). – **II** *v/i* 5. schnurren, summen.

Bir·rel·(l)ism ['birə,lizəm] *s* scharfe, aber wohlwollende Bemerkung (*nach A. Birrell*).

birth [bəːrθ] *s* 1. Geburt *f*: **by** ~ von Geburt; **a musician by** ~ ein geborener Musiker; **on** (*od.* **at**) **his** ~ bei seiner Geburt; **since the day of his** ~ seit seiner Geburt; ~ **certificate** Geburtsschein. – 2. Gebären *n*, Entbindung *f*, Niederkunft *f*, (*Tier*) Wurf *m*, Tracht *f*. – 3. Abstammung *f*, Ab-, 'Herkunft *f*. – 4. *obs.* a) Leibesfrucht *f*, Kind *n*, b) Junges *n* (*von Tieren*). – 5. *fig.* Frucht *f*, Erzeugnis *n*, Pro'dukt *n*. – 6. Ursprung *m*, Entstehung *f*: **to give** ~ **to** entstehen lassen, hervorbringen, gebären. — ~ **control** *s* Geburtenregelung *f*, -beschränkung *f*. — **'~,day I** *s* Geburtstag *m*. – **II** *adj* Geburtstags...: ~ **book** Geburtstagskalender; ~ **honours** am Geburtstag des engl. Königs verliehene Adelstitel; ~ **present** Geburtstagsgeschenk; **to be in one's** ~ **suit** *colloq.* im Adamskostüm sein.

birth·less ['bəːrθlis] *adj* 1. fruchtlos. – 2. von niedriger Geburt.

'birth|,mark *s* 1. Muttermal *n*. – 2. *med.* Nävus *m*. — **'~,night** *s* Geburtsnacht *f*, -fest *n*. — **'~,place** *s* Geburtsort *m*. — ~ **rate** *s* Natali'tät *f*, Geburtenziffer *f* (*im Verhältnis zur Einwohnerzahl*): **falling** ~, **decline of the** ~ Geburtenrückgang. — **'~,right** *s* (Erst)Geburtsrecht *n*. – *SYN. cf.* **heritage**. — **'~,root** *s bot.* (*eine*) Einbeere (*bes. Trillium erectum*). — **'~,stone** *s* Geburtsstein *m* (*angeblich glückbringender Halbedelstein*). — **'~,wort** *s bot.* 1. (*eine*) 'Osterlu,zei (*Gattg Aristolochia*). – 2. (*ein*) Lerchensporn *m* (*Gattg Corydalis*). – 3. → birthroot.

bis [bis] (*Lat.*) *adv* 1. zweimal. – 2. *bes. mus.* noch einmal.

bis·cuit ['biskit] *s* 1. Keks *m*, *n*, (Schiffs)Zwieback *m*. – 2. *Am.* weiches Brötchen. – 3. → ~ **ware**. – 4. hellbraune Farbe. — **'~,root** → camass. — ~ **throw** *s mar.* kurze Entfernung. — ~ **ware** *s tech.* Bis'kuit *n* (*zweimal gebranntes Porzellan*). — ~ **worm** *s zo.* Kornwurm *m*.

bise [biːz] *s* Bise *f*, Nord('ost)wind *m*.

bi·sect [,bai'sekt] **I** *v/t* 1. in zwei Teile (zer)schneiden *od.* teilen. – 2. *math.* hal'bieren: **~ing line** Halbierungslinie, Mittellinie, Halbierende. – **II** *v/i* 3. sich teilen *od.* gabeln *od.* spalten. — **bi'sec·tion** *s* 1. *math.* Hal'bierung *f*, Zweiteilung *f*. – 2. *med.* 'Durchtrennung *f*, Schnitt *m*, Sekti'on *f*.

bi·sec·tor [bai'sektər] *s math.* Mittel-, Hal'bierungslinie *f*, Hal'bierende *f*.

bi·sec·trix [bai'sektriks] *pl* **-tri·ces** [,baisek'traisiːz] *s math. min.* 'Winkelhal,bierende *f*, Bi'sektrix *f*, Mittellinie *f*.

bi·seg·ment [bai'segmənt] *s math.* Hälfte *f* einer Strecke.

bi·ser·rate [bai'sereit; -rit] *adj* 1. *bot.* doppelt gesägt (*mit abwechselnd größeren u. kleineren Sägezähnen*). – 2. *zo.* auf beiden Seiten gezahnt.

bi·sex·u·al [bai'sekʃuəl; *Br. auch* -sjuəl] *adj* zwei-, gemischtgeschlechtig, zwitterhaft, bisexu'ell.

bish·op ['biʃəp] **I** *s* 1. Bischof *m*. – 2. (*Schach*) Läufer *m*. – 3. Bischof *m* (*Getränk aus Portwein, Orangen, Zucker*). – **II** *v/t* 4. zum Bischof ernennen. – 5. (*Pferd*) durch Operati'on am Gebiß jünger erscheinen lassen. – **III** *v/i* 6. Bischof sein. — ~ **pine** *s bot.* Stachelkiefer *f* (*Pinus muricata*). — ~ **ray** *s zo.* Bischofsrochen *m* (*Aetobatis narinari*).

bish·op·ric ['biʃəprik] *s* Bistum *n*, Diö'zese *f*.

'bish·op's|-,cap → **miterwort** 1. — **'~-'hat** *s bot.* Bischofshut *m*, Alpensockenblume *f* (*Epimedium alpinum*). — **'~-,leaves** *s pl bot.* Wasserbraunwurz *f* (*Scrophularia aquatica*). — **'~-'mi·ter**, *bes. Br.* **'~-'mi·tre** *s zo.* 1. (*ein*) Halbflügler *m* (*Ordng Hemiptera*). – 2. → mitershell. — ~ **pine** → bishop pine. — **'~-,weed** *s bot.* 1. Knorpelmöhre *f* (*Ammi visnaga*). – 2. → goutweed. — **'~-,wort** *s bot.* 1. Jungfer *f* im Grünen, Schwarzkümmel *m* (*Nigella damascena*). – 2. Läusekraut *n* (*Pedicularis canadensis*).

bisk *cf.* bisque[1] *u.* [2].

Bis·marck brown ['bizmaːrk] *s chem.* Bismarckbraun *n*, Vesu'vin *n* ($C_{18}H_{18}N_8$).

bis·muth ['bizməθ] *s chem. min.* Wismut *m*, *n*. — **'bis·muth,ate** [-,θeit] *s* wismutsaures Salz. — **bis·mu·thic** [biz'mjuːθik; -'mʌθ-] *adj* Wismut... — **bis·muth·ide** ['bizmə,θaid] *s* 'Wismutle,gierung *f*. — **bis·muth·if·er·ous** [,bizmə'θifərəs] *adj* wismuthaltig. — **bis·muth·ine** ['bizmə,θiːn; -in] *s* Wismutglanz *m*. — **bis·muth·in·ite** [biz'mʌθi,nait] *s* Bismuti'nit *n* (Bi_2S_3). — **bis·muth·ite** ['bizmə,θait] *s* Bismu'tit *m*.

bis·muth ni·trate *s chem.* 'Wismutni,trat *n* ($Bi(NO_3)_3 \cdot 5H_2O$).

bis·muth·ous ['bizməθəs] *adj chem. min.* Wismut...

bis·muth sub·ni·trate *s chem.* basisches 'Wismutni,trat ($BiONO_3 \cdot H_2O$).

bi·son ['baisn] *s zo.* 1. Bison *m*, Amer. Büffel *m* (*Bison bison*). – 2. Europ. Wisent *m* (*Bison bonasus*).

bisque[1] [bisk] *s* (*Tennis etc*) der schwächeren Par'tei eingeräumter Vorteil: **to give** ~ vorgeben (*auch fig.*).

bisque[2] [bisk] *s* 1. Suppe *f* von Krebsen *od.* Fischen *od.* Geflügel. – 2. To'matenkremsuppe *f*. – *SYN. cf.* **soup**[1].

bisque[3] [bisk] → biscuit 3 *u.* 4.

bis·sex·tile [bi'sekstil] **I** *s* Schaltjahr *n*. – **II** *adj* Schalt...: ~ **day** Schalttag.

bis·ter, *bes. Br.* **bis·tre** ['bistər] **I** *s* Bister *m*, *n*, Nußbraun *n*. – **II** *adj* bisterfarben, nußbraun.

bis·tort ['bistɔːrt] *s bot.* Natterwurz *m*-Wiesenknöterich *m* (*Polygonum bistorta*; *in Nordamerika P. bistortoides*).

bis·tou·ry ['bistəri; -uri] *s med.* Bi'stouri *n*, Klappmesser *n*.

bis·tre *bes. Br. für* **bister**.

bi·sul·cate [bai'sʌlkeit] *adj zo.* zweihufig, mit gespaltenem Huf.

bi·sul·fate [bai'sʌlfeit] *s chem.* Bisul'fat *n*, saures Sul'fat (HSO_4-). — ~ **of pot·ash** *s chem.* 'Kalium,bisulfat *n* ($KHSO_4$). — ~ **of so·da** *s chem.* 'Natrium,bisul,fat *n* ($NaHSO_4$).

bi·sul·fide [bai'sʌlfaid; -fid] → **disulfide**.

bi·sul·fite [bai'sʌlfait] *s chem.* Bisul'fit *n*, doppeltschwefligsaures Salz (HSO_3Me).

bi·sym·met·ric [,baisi'metrik], **,bi·sym'met·ri·cal** *adj bes. bot.* 'zweiseitig-sym'metrisch.

bit[1] [bit] **I** *s* 1. Gebiß *n* (*am Pferdezaum*): **to take the** ~ **between** (*od.* **in**) **one's teeth** auf die Stange beißen, störrisch sein (*auch fig.*); **to draw** ~ a) die Zügel anziehen, (das Pferd) anhalten, b) *fig.* die Geschwindigkeit verlangsamen. – 2. *fig.* Zaum *m*, Zügel *m u. pl*, Kan'dare *f*: **to bite on the** ~ a) seinen Ärger verbeißen, b) sich etwas verkneifen. – 3. *tech. schneidender, packender Teil eines Werkzeuges*: a) Bohreisen *n*, Bohrer(spitze *f*) *m*, Stich *m*, Meißel *m*, Schneide *f*, Beitel *m*, b) Hobeleisen *n*, c) Backe *f*, Maul *n* der Zange *od.* des Schraubstocks *etc*, d) (Schlüssel-)Bart *m*. – 4. *mus.* verschiebbares Rohrstück (*an Blechinstrumenten*). – **II** *v/t pret u. pp* **'bit·ted** 5. (*Pferd*) aufzäumen, zügeln (*auch fig.*).

bit[2] [bit] *s* 1. Bissen *m*, Happen *m*, Stück *n*. – 2. **a** ~ ein Stückchen, ein bißchen, ein wenig. – 3. *colloq.* ‚Kleinigkeit' *f*, Augenblick *m*, Weilchen *n*: **wait a** ~. – 4. *Am. hist.* kleine (*ursprünglich span.*) Münze. – 5. **two** (**four**) **~s** *Am. colloq.* 25 (50) Cent. – 6. *Br. colloq.* kleine Münze: **threepenny** ~. –

Besondere Redewendungen:

he is a ~ **of a coward** er hat etwas von einem Feigling (an sich); **~s of children** *colloq.* arme Würmer (*bedauernswerte Geschöpfe*); **not a** ~ keine Spur, ganz u. gar nicht, nicht im geringsten; **a good** ~ ein tüchtiges Stück; ~ **by** ~ (*od.* **~s**) Stück für Stück, nach u. nach, allmählich; **to do one's** ~ seine Pflicht (u. Schuldigkeit) tun, seinen Teil dazu beitragen; **to give s.o. a** ~ **of one's mind** j-m Bescheid *od.* (gehörig) die *od.* seine Meinung sagen; → **every** 3.

bit[3] [bit] *pret u. obs. od. colloq. pp von* **bite** I *u.* II.

bi·tan·gent [baiˈtændʒənt] *s math.* ˈDoppeltanˌgente *f.*

bi·tar·trate [baiˈtɑːrtreit] *s chem.* Bitarˈtrat *n*, doppel(t)weinsaures Salz ($C_4H_5O_6Me$). — ~ **of pot·ash** *s chem.* Weinstein *m*, ˈKaliumˌbitarˌtrat *n* ($C_4H_5O_6K$).

bitch [bitʃ] **I** *s* **1.** Hündin *f*, Petze *f.* – **2.** Weibchen *n* (*hundeartiger Tiere*). – **3.** *vulg.* ‚Weib(sbild)' *n*, Hure *f.* – **II** *v/t* **4.** *sl.* ‚versauen' (*verderben*). – **III** *v/i* **5.** *sl.* ‚meckern' (*schimpfen*). — ˈ~-ˌ**fox** *s* Füchsin *f*, Fähe *f.* — ˈ~-ˌ**star** *s astr.* Hundsstern *m*, Sirius *m.* — ˈ~-ˌ**wolf** *s irr* Wölfin *f.*

bite [bait] **I** *v/t pret* **bit** [bit] *pp* **bit·ten** [ˈbitn], *obs. od. colloq.* **bit 1.** beißen: → **lip** 1; **to ~ one's nails** an den Nägeln kauen; **to ~ the dust** (*od.* **ground**) *fig.* ins Gras beißen; **what's biting you?** *Am. sl.* was ist mit dir los? **to ~ off more than one can chew** *colloq.* sich zuviel zumuten; **to ~ off one's nose** *fig.* sich ins eigene Fleisch schneiden; **to ~ through** (*od.* **asunder** *od.* **in two**) durch-, entzweibeißen. – **2.** beißen, stechen (*Insekt*). – **3.** *tech.* fassen, eingreifen, -schneiden, -dringen (*Schrauben, Räder, Werkzeug, Maschinen, Anker etc; auch fig.*): **to ~ oneself into s.th.** tief eindringen in etwas. – **4.** *chem.* beizen, ätzen, zerfressen, angreifen. – **5.** *fig.* (*nur pass*) angreifen, in Mitleidenschaft ziehen: → **frost-bitten.** – **6.** *colloq.* (*jetzt nur pass*) täuschen, betrügen: **to be bitten** hereingefallen sein; **the biter bit** der betrogene Betrüger; **the biter will be bitten** wer andern eine Grube gräbt, fällt selbst hinein. – **II** *v/i* **7.** beißen. – **8.** (an)beißen (*auch fig.*), schnappen (**at** nach) (*Fisch*). – **9.** *fig.* beißen, schneiden, brennen, stechen (*Kälte, Wind, Gewürz, Schmerz*). – **10.** *fig.* beißend *od.* verletzend *od.* sarˈkastisch sein. – **III** *s* **11.** Beißen *n*, Biß *m*: **to put the ~ on s.o.** *Am. sl.* j-n unter Druck setzen. – **12.** Biß *m*, Stich *m* (*Insekt*). – **13.** Biß(wunde *f*) *m.* – **14.** *tech.* Span *m.* – **15.** Bissen *m*, Happen *m*: **not a ~ to eat; let's have a ~** wir wollen eine Kleinigkeit essen. – **16.** Essen *n*, Nahrung *f*, Futter *n.* – **17.** (An)Beißen *n* (*der Fische*). – **18.** *tech.* Fassen *n*, Einschneiden *n*, -dringen *n.* – **19.** *chem.* Beizen *n*, Ätzen *n.* – **20.** *obs. sl.* Betrug *m.* – **21.** *fig.* Bissigkeit *f*, Schärfe *f*, Sarˈkasmus *m.*

ˈ**bit**|-ˌ**file** *s tech.* Grundfeile *f.* — ˈ~-ˌ**hold·er** *s tech.* Bohrhalter *m.*

bit·ing [ˈbaitiŋ] *adj* **1.** beißend, scharf, schneidend. – **2.** bissig, scharf, sarˈkastisch. – **3.** *tech.* kaustisch. – *SYN. cf.* **incisive.** — ˈ**bit·ing·ness** *s* Bissigkeit *f*, Schärfe *f* (*auch fig.*).

bit| **key** *s tech.* Schlüssel *m* zu einem Veˈxierschloß. — ~ **pin·cers** *s pl* (*Art*) Zange *f.* — ˈ~-ˌ**ring** *s* Zügelring *m.* — ˈ~ˌ**stock** *s* Brustleier *f*, -bohrer *m.* — ˈ~ˌ**strap** *s* Gebißriemen *m.*

bitt [bit] **I** *s meist pl mar.* Poller *m* (*an Deck eines Schiffes*). – **II** *v/t* (*Taue*) um die Betinghölzer winden.

bit·ten [ˈbitən] **I** *pp von* **bite.** – **II** *adj* gebissen: **to be ~ with s.th.** *sl.* von etwas angesteckt sein.

bit·ter¹ [ˈbitər] **I** *adj* **1.** bitter (*Geschmack*): **~ as gall** gallebitter; → **pill** 2. – **2.** *fig.* bitter (*Schicksal, Wahrheit, Tränen, Worte etc*), schmerzlich, hart. – **3.** *fig.* bitterböse, verbittert (*Person*), streng, rauh, unfreundlich (*auch Wetter*) (**to, against** zu, gegen). – **II** *adv* **4.** bitter (*nur in Verbindungen wie*): **~ cold** bitterkalt. – **III** *s* **5.** (*das*) Bittere, Bitterkeit *f*: **the ~s of life** die Widerwärtigkeiten des Lebens. – **6.** *meist pl* bitteres (alkoˈholisches) Getränk, bittere Mediˈzin, (Magen)Bitter *m.* – **7.** *med.* Bittermittel *n*, Aˈmara *pl.* – **8.** → ~ **beer.** – **IV** *v/t u. v/i* **9.** bitter machen *od.* werden.

bit·ter² [ˈbitər] *s mar.* Betingschlag *m.*

bit·ter| **al·mond** *s* bittere Mandel. — ˈ~-ˈ**al·mond oil** *s* Bittermandelöl *n.* — ~ **ap·ple** → **bitter gourd.** — ~ **ash** *s bot.* Bitterbaum *m*, Quassia *f* (*Picrasma excelsa*). — ~ **beer** *s* Bitterbier *n.* — ˈ~ˌ**blain** *s bot.* (*eine*) Vanˈdellia (*Vandellia diffusa*). — ˈ~ˌ**bloom** *s bot.* Amer. Bitterwurz *f* (*Sabbatia angularis*). — ~ **cress** *s bot.* Schaumkraut *n* (*Gattg Cardamine*), *bes.* Bitterkresse *f* (*C. amara*). — ~ **dam·son** *s bot.* Bitterer Simaˈrubabaum (*Simarouba amara*). — ~ **earth** *s chem.* Bittererde *f*, Maˈgnesiumoxˌyd *n* (MgO). — ~ **end** *s* **1.** *fig.* (*das*) bittere Ende: **to the ~** bis zum bitteren Ende. – **2.** *mar.* (*das hinter dem Betingschlag noch vorhandene*) Ende des Ankertaus. — ˈ~-ˈ**end·er** *s colloq.* j-d der bis zum bitteren Ende aushält. — ~ **gourd** *s bot.* Koloˈquinte *f*, Bitter-, Purˈgiergurke *f* (*Citrullus colocynthis*). — ~ **grass** *s bot.* Amer. Einhornwurzel *f* (*Aletris farinosa*). — ~ **herb** *s bot.* **1.** (*ein*) Tausendˈgüldenkraut *n* (*Centaurium umbellatum*). – **2.** *Am.* Glatte Schildblume (*Chelone glabra*).

bit·ter·ing [ˈbitəriŋ] → **bittern**².

bit·ter·ish [ˈbitəriʃ] *adj* bitterlich.

bit·ter·ling [ˈbitərliŋ] *s zo.* Europ. Bitterling *m* (*Rhodeus amarus; Fisch*). — ~ **test** *s med. ein Schwangerschaftstest.*

bit·tern¹ [ˈbitərn] *s zo.* **1.** Gemeine Rohrdommel (*Botaurus stellaris; Europa*). – **2.** Amer. Rohrdommel *f* (*Botaurus lentiginosus; Nordamerika*).

bit·tern² [ˈbitərn] *s* **1.** Mutterlauge *f*, -sole *f.* – **2.** Bitterstoff *m* (*für Bier*).

bit·ter·ness [ˈbitərnis] *s* **1.** Bitterkeit *f*, bitterer Geschmack. – **2.** *fig.* Bitterkeit *f* (*Schicksal etc*), Schmerzlichkeit *f*, Härte *f.* – **3.** *fig.* Verbitterung *f* (*Person*), Härte *f*, Grausamkeit *f*, Strenge *f*, Schroffheit *f* (**against** gegen).

ˈ**bit·ter**|ˌ**nut** *s bot.* (*eine*) amer. Hickorynuß (*Carya amara*). — ~ **or·ange** → **orange**¹ 1. — ~ **prin·ci·ple** *s chem.* Bitterstoff *m.* — ˈ~ˌ**root** *s bot.* **1.** Goldenzian *m* (*Gentiana lutea*). – **2.** Amer. Leˈwisie *f* (*Lewisia rediviva*). – **3.** → **dogbane.** — ~ **salt** *s chem.* Bittersalz *n*, Maˈgnesiumsulˌfat *n* ($MgSO_4 \cdot 7H_2O$).

bit·ters·gall [ˈbitərzˌgɔːl] *s bot.* Holzapfel *m* (*Malus silvestris*).

bit·ter| **spar** *s min.* Bitterspat *m*, Magneˈsit *m* ($MgCO_3$). — ˈ~ˌ**sweet I** *adj* **1.** bittersüß. – **II** *s bot.* **2.** Bittersüßer Nachtschatten (*Solanum dulcamara*). – **3.** Kletternder Baumwürger (*Celastrus scandens*) — ~ **vetch** *s bot.* **1.** (*eine*) Platterbse (*Gattg Lathyrus*). – **2.** (*eine*) Wicke (*Gattg Vicia*). — ~ **wa·ter** *s chem.* Bitterwasser *n.* — ˈ~ˌ**weed** *s bot. eine amer. Pflanze mit Bitterstoffgehalt* (*z.B. Leptilon canadense, Helenium tenuifolium*). — ˈ~ˌ**wood** *s* Bitter-, Quassiaholz *n* (*von Quassia amara u. anderen Simarubaceen*). — ˈ~ˌ**wort** → **bitterroot** 1.

bi·tu·men [ˈbitjumin; -tʃu-; biˈtjuː-; bai-; -mən; *Am. auch* -ˈtuː-] *s* **1.** *min.* Biˈtumen *n*, Erd-, Berg-, Judenpech *n*, Asˈphalt *m.* – **2.** *geol.* Bergteer *m.* — ~ **lig·nite** *s* ölreiche Braunkohle. — ~ **pave·ment** *s* Biˈtumendecke *f.* — ~ **pitch** *s* Braunkohlenteerpech *n.* — ~ **road** *s* Aˈsphaltstraße *f.* — ~ **slate** *s* Brandschiefer *m.* — ~ **tar** *s* Braunkohlenteer *m.*

bi·tu·mi·nif·er·ous [biˌtjuːmiˈnifərəs; bai-; -mə-; *Am. auch* -ˌtuː-] *adj min.* erdpechhaltig. — **biˌtu·mi·ni·za·tion** *s* **1.** Imprä'gnierung *f* mit Erdpech. – **2.** Asphalˈtierung *f.* — **biˈtu·miˌnize** *v/t* **1.** mit Erdpech impräˈgnieren *od.* tränken. – **2.** mit Erdpech bedecken: **~d road** asphaltierte Straße. — **biˈtu·miˌnoid** *adj min.* erdpechähnlich.

bi·tu·mi·nous [biˈtjuːminəs; -mə-; *Am. auch* -ˈtuː-] *adj min. tech.* bitumiˈnös, erdpechartig, aˈsphalt-, pechhaltig. — ~ **coal** *s* Stein-, Fettkohle *f.*

bi·va·lence [baiˈveiləns; ˈbivələns], **biˈva·len·cy** [-si] *s* **1.** *chem.* Zweiwertigkeit *f.* – **2.** *zo.* Besitz *m* doppelter Chromoˈsomenzahl.

bi·va·lent [baiˈveilənt] **I** *s* **1.** *zo.* Geminus *m*, Chromoˈsomen-Paar *n* (*bei der Reduktionsteilung*). – **II** *adj* **2.** *chem.* zweiwertig. – **3.** *zo.* ˈdoppelchromoˌsomig.

bi·valve [ˈbaiˌvælv] **I** *s* **1.** *zo.* zweischalige Muschel. – **2.** *bot.* zweiklappige Frucht. – **II** *adj* **3.** mit zwei Klappen *od.* Flügeln, *bes.* zweischalig (*Muschel*), zweiklappig (*Frucht*).

bi·ven·tral [baiˈventrəl] *adj med.* zweibauchig (*Muskel*).

biv·ou·ac(k) [ˈbivuˌæk] **I** *s* **1.** *mil.* Biwak *n*, Feldlager *n.* – **2.** Nachtlager *n od.* Überˈnachten *n* im Freien. – **II** *v/i* **3.** *mil.* biwaˈkieren. – **4.** im Freien überˈnachten.

bi·week·ly [baiˈwiːkli] **I** *adj u. adv* **1.** zweiwöchentlich, alle zwei Wochen *od.* vierzehn Tage (ˈwiederkehrend *od.* erscheinend), halbmonatlich, Halbmonats... – **2.** zweimal in der Woche (erscheinend). – **II** *s* **3.** Halbmonatsschrift *f.* – **4.** zweimal in der Woche erscheinende Veröffentlichung.

bi·year·ly [baiˈji(ə)rli] *adj u. adv* **1.** alle zwei Jahre, zweijährlich (ˈwiederkehrend). – **2.** zweimal im Jahr *od.* halbjährlich (eintretend).

biz [biz] *sl. für* **business.**

bi·zarre [biˈzɑːr] **I** *adj* biˈzarr, seltsam, wunderlich, launenhaft, exˈzentrisch. – *SYN. cf.* **fantastic.** – **II** *s bot.* buntgestreifte Nelken- *od.* Tulpenart. — **biˈzarre·ness**, (*Fr.*) **bi·zar·re·rie** [bizarˈri] *s* Bizarreˈrie *f.*

bi·zon·al [baiˈzounl] *adj* bizoˈnal, zweizonig. — **bi·zone** [ˈbaiˌzoun] *s* Bizone *f*, Doppelzone *f.*

blab [blæb] **I** *v/t pret u. pp* **blabbed 1.** (aus)schwatzen, (aus)plaudern, verraten. – **II** *v/i* **2.** plappern, schwatzen, klatschen. – **III** *s* **3.** Geschwätz *n*, Plappeˈrei *f.* – **4.** Schwätzer(in), Plapperer *m*, Klatschbase *f*, -weib *n.*

blab·ber [ˈblæbər] **I** *s* **1.** Schwätzer(in), Klatschbase *f*, -weib *n.* – **2.** Geschwätz *n*, Gewäsch *n.* – **II** *v/i* **3.** plappern, klatschen. – **III** *v/t* **4.** *oft* **~ out** ausplappern. — ˈ~-ˌ**lipped** *adj* mit vorgestülpten Lippen.

black [blæk] **I** *adj* **1.** schwarz: **~ as coal** (*od.* **the devil** *od.* **ink** *od.* **night**) schwarz wie die Nacht, kohlrabenschwarz. – **2.** schwärzlich, dunkel(farben), bläulich, blau: **to get away with a ~ eye** mit einem blauen Auge davonkommen; **~ in the face** dunkelblau *od.* dunkelrot im Gesicht (*vor Aufregung od. Anstrengung*). – **3.** schwarz, von schwarzer *od.* dunkler Hautfarbe: **~ man** *Am.* Schwarzer, Neger. – **4.** *obs.* mit schwarzem *od.* brüˈnettem Haar. – **5.** schwarz, schmutzig: **~ hands.** – **6.** *fig.* finster, düster: **a ~ outlook; to look ~** düster blicken. – **7.** unheilvoll drohend: **~ words.** – **8.** böse, grimmig: **a ~ heart** ein schwarzes Herz. – **9.** schändlich, schmachvoll: **a ~ mark.** – **10.** verrucht, abˈscheulich, gottlos. – **11.** *Am. hist.* negerfreundlich: **a ~ Republican** *Spottname der Republikaner vor u. nach dem Bürgerkrieg.* – **12.** ungesetzlich: **~ rent.** – **13.** in schwarzer Kleidung: **the B~ Prince** der Schwarze Prinz (*Eduard, Prinz von Wales*). – **II** *s* **14.** Schwarz *n*, schwarze Farbe. – **15.** (*etwas*) Schwarzes. – **16.** Schwarze(r), Mensch *m* dunkelhäutiger Rasse. – **17.** Schwärze *f*, *Am.* (Schuh)-Wichse *f*: **shoe-~.** – **18.** Schwarz *n* (*im Karten- od. Brettspiel*). – **19.** Schwarz *n*, schwarze Kleidung, Trauerkleidung *f*: **to be in ~** Trauer(kleidung) tragen. – **20.** *meist pl* schwarze Ruß- *od.* Staubteilchen *pl* (*in der Luft*). – **21.** *meist pl print.* Spieß *m*. – **22. in the ~** *econ.* zahlungsfähig, ohne Schulden, ren'tabel. – **III** *v/t* **23.** schwarz machen, schwärzen. – **24.** mit schwarzer Schuhcreme wichsen. – **IV** *v/i* **25.** schwarz werden. – *Verbindungen mit Adverbien:*

black| out I *v/t* **1.** (völlig) abdunkeln, verdunkeln: **to ~ windows; blacking-out materials.** – **2.** *fig.* (*durch die Zensur*) unter'drücken, streichen. – **3.** *electr.* (*Funkstation*) ausschalten, über'decken. – **II** *v/i* **4.** *aer.* (*vorübergehend*) die Sehkraft *od. auch* die Besinnung verlieren. – **5.** eine kurze Bewußtseins- *od.* Gedächtnisstörung haben. — **~ up** *v/i* sich als Neger schminken.

black al·der, '~-ˌal·der tree *s bot.* **1.** Nordamer. Stechpalme *f* (*Ilex verticillata*). – **2.** Faulbaum *m* (*Rhamnus frangula*).

black·a·moor ['blækəˌmur] *s* Schwarze(r), Neger(in), Mohr *m*.

'black|-and-'blue *adj* dunkelblau: **to beat s.o. ~** j-n grün u. blau schlagen. — **'~-and-'tan I** *adj* **1.** schwarz mit hellbraunen Flecken. – **2.** *Am.* Weiße u. Schwarze zu'sammen betreffend, von Weißen u. Schwarzen besucht: **~ bar.** – **II** *s* **3.** *Am.* Mu'latte *m*, Mu'lattin *f*. – **4.** Mischung *f* von Porter u. Ale. – **5.** *zo.* glatthaariger Terrier, engl. Pinscher *m*. — **B~ and Tan** *s mil.* **1.** *Kontingent, das 1920 von der brit. Regierung gegen Irland geschickt wurde.* – **2.** *Mitglied dieses Kontingents.* — **~ and white** *s* **1.** (*etwas*) Gedrucktes *od.* Geschriebenes: **in ~** schwarz auf weiß, gedruckt, schriftlich. – **2.** Schwarz'weißbild *n*, -zeichnung *f*. — **~ art** *s* Schwarze Kunst *od.* Ma'gie. — **~ ash** *s* **1.** *bot. Am.* Schwarze Esche (*Fraxinus nigra*). – **2.** *chem.* Rohsoda *n*. — **'~-ˌash fur·nace** *s tech.* Rohsodaofen *m*. — **'~ˌback** *s zo.* Mantelmöwe *f* (*Larus marinus*). — **'~ˌball I** *s* **1.** schwarze Wahlkugel, *fig.* Gegenstimme *f*. – **2.** Schuhschwärze *f*, -wichse *f*. – **3.** *bot.* Brand *m* (*im Weizen*). – **II** *v/t* **4.** stimmen gegen, ausschließen. – **5.** mit Schuhwichse schwärzen. — **'~ˌband** *s min.* Kohleneisenstein *m*. — **~ bass** *s zo.* Amer. Schwarzbarsch *m* (*Gattg Micropterus*). — **'~ˌbat** *s min.* Brandschiefer *m*. — **~ bean** *s bot.* Schwarze Bohne (*Dolichos lablab*). — **~ bear** *s zo.* Schwarzbär *m*, Baribal *m* (*Ursus americanus*). — **~ bear·ber·ry** *s bot.* Alpenbärentraube *f* (*Arctostaphylos alpina*). — **~ bee·tle** *s zo.* Küchenschabe *f* (*Blatta orientalis*). — **'~-ˌbel·lied plov·er** *s zo.* Kiebitzregenpfeifer *m* (*Squatarola squatarola*). — **'~ˌbel·ly** *s zo.* (*ein*) Hering *m* (*Clupea vernalis od. Pomolobus aestivalis; USA*). — **~ belt** *s Am.* **1.** Negerviertel *n*, Zone *f* mit vorwiegend schwarzer Bevölkerung. – **2.** Zone *f* mit schwarzerdigem, fruchtbarem Boden (*in Alabama u. Mississippi, USA*). — **'~ˌber·ry** *s bot.* Brombeere *f* (*Gattg Rubus*): **as plentiful as blackberries** *fig.* (zahlreich) wie der Sand am Meer. — **'~ˌber·ry·ing** *s* Brombeerenpflücken *n*: **to go ~** in die Brombeeren gehen. — **'~ˌber·ry lil·y** *s bot.* Leo'pardenblume *f* (*Belamcanda chinensis*). — **~ bind·weed** *s bot.* **1.** Schmerwurz *f* (*Tamus communis*). – **2.** Windenknöterich *m* (*Polygonum convolvulus; auch Bilderdykia convolvulus in USA*). — **'~ˌbird I** *s* **1.** *zo.* a) Amsel *f*, Schwarzdrossel *f* (*Turdus merula*), b) *Am.* (*ein*) Stärling *m* (*Fam. Icteridae*). – **2.** *hist. sl.* gefangener Neger (*an Bord eines Sklavenschiffs*). – **II** *v/t* **3.** Neger rauben u. verhandeln. — **'~ˌbird·ing** *s hist. sl.* Sklavenhandel *m*. — **~ blende** *s min.* U'ran-Pechblende *f* (U_3O_8). — **'~-'blood·ed** *adj* melan'cholisch. — **'~ˌboard** *s* (Schul-, Wand)Tafel *f*. — **~ bod·y** *s phys.* schwarzer Körper: **~ constant** Schwarzekörperkonstante, Boltzmannsche Konstante; **~ radiation** schwarze Strahlung, Hohlraumstrahlung. — **~ book** *s* **1.** schwarze Liste. – **2.** *econ.* Re'gister *n* der unsicheren Kunden: **to be in s.o.'s ~s** *colloq.* bei j-m schlecht angeschrieben sein. — **~ bot·tom** *s ein von den Negern stammender amer. Tanz.* — **'~ˌboy** *s Austral.* **1.** eingeborener Diener. – **2.** *bot.* → **grass tree.** — **'~ˌbreast** *s zo. Am.* **1.** Rotrückiger Alpen-Strandläufer (*Tringa alpina americana*). – **2.** → **black-bellied plover.** — **'~-ˌbrowed** *adj* **1.** mit schwarzen Brauen, brü'nett. – **2.** *fig.* finster, drohend. — **'~-ˌbrown** *adj* schwarzbraun. — **~ buck** *s zo.* 'Hirschˌziegenantiˌlope *f* (*Antilope cervicapra*). — **~ bur** *s bot.* (*eine*) amer. Nelkenwurz (*Geum strictum*).

'blackˌcap *s* **1.** schwarze Kappe (*der Richter*): **to put on the ~** die schwarze Kappe aufsetzen (*bei Todesurteilen*). – **2.** *zo.* a) Schwarzköpfige Grasmücke, Plattmönch *m* (*Sylvia atricapilla*), b) Kohlmeise *f* (*Parus major*), c) Schwarzköpfige Lachmöwe (*Larus ridibundus*), d) *Am.* Schwarzköpfige Meise (*Parus atricapillus*). – **3.** *bot.* a) Breitblättrige Rohrkolbe (*Typha latifolia*), b) Schwarze Himbeere (*Rubus occidentalis*). — **~ pud·ding** *s* Pudding *m* mit Ro'sinenkappe.

black| cat *s zo.* Kanad. Marder *m*, Pekan *m*, Fischermarder *m* (*Martes pennanti*). — **~ cat·tle** *s ursprünglich schwarze Rinderrasse aus Schottland u. Wales.* — **~ cher·ry** *s bot.* Vogelkirsche *f* (*Prunus avium*). — **~ cin·der** *s tech.* Rohschlacke *f*, Hochofenschlacke *f*. — **~ clus·ter** *s agr.* bur'gundische Weintraube. — **~ coal** *s* Stein-, Schwarzkohle *f*. — **'~ˌcoat** *s colloq.* ‚Schwarzrock' *m*, Geistlicher *m*. — **'~-ˌcoat,** *Br.* **'~-ˌcoat·ed** *adj colloq.* nicht körperlich arbeitend, im Bü'ro angestellt: **~ proletariat** ‚Stehkragenproletariat'; **~ worker** Büroangestellte(r). — **'~ˌcock** *s zo.* Birkhahn *m*. — **B~ Code** *s Am. hist. die Neger (bes. die Negersklaven vor der Befreiung) betreffende Gesetzessammlung.* — **~ cof·fee** *s* schwarzer Kaffee. — **B~ Coun·try** *s* (*das kohlen- u. eisenreiche*) Indu'striegebiet von Stafford u. Warwickshire (*in England*). — **~ cur·rant** *s bot.* Schwarze Jo'hannisbeere, Ahl-, Gichtbeere *f* (*Ribes nigrum*). — **~ cy·press** *s bot.* Amer. Zy'presse *f* (*Taxodium distichum*). — **'~ˌdamp** *s* (*Bergbau*) (Nach)Schwaden *m*, Stickwetter *pl*, matte Wetter *pl*. — **~ death** *s* (der) Schwarze Tod, Pest *f*. — **~ di·a·mond** *s* **1.** schwarzer Dia'mant. – **2.** *colloq.* Steinkohle *f*. — **~ dog** *s colloq.* depri'mierte Stimmung, Katzenjammer *m*. — **~ draught** *s med.* Abführmittel *n*. — **~ drop** *s med.* Opiumtropfen *pl*. — **'~-ˌdye** *s* Schwärze *f*. — **~ ea·gle** *s zo.* Steinadler *m* (*Aquila chrysaëtus*). — **~ earth** *s* Dammerde *f*.

black·en ['blækən] **I** *v/t* **1.** schwarz machen, schwärzen, wichsen. – **2.** *fig.* anschwärzen, verleumden, besudeln, beflecken. – **II** *v/i* **3.** schwarz *od.* dunkel werden. — **'black·en·ing** → **blacking.**

black·et·eer [ˌblæki'tir; -kə-] *s econ. Am. sl.* Schwarzhändler *m*.

black eye *s* ‚blaues Auge' (*meist von Schlägen*) (*auch fig.*).

'black-ˌeyed *adj* dunkel-, schwarzäugig. — **~ Su·san** *s* **1.** *Heldin engl. Volkslieder.* – **2.** *bot. Am. Name für Blumen mit dunkler Mitte* (*z.B. Rudbeckia hirta, Thunbergia alata, Hibiscus trionum*).

'black|ˌface I *s* **1.** Per'son *f od.* Tier *n* (*bes. Schaf*) mit schwarzem Gesicht. – **2.** Negerschauspieler *m od.* als Neger geschminkter Schauspieler (*mit beabsichtigt komischer Wirkung*). – **3.** (*komische*) The'aterverˌanstaltung mit Negerschauspielern. – **4.** *print.* (halb)fette Schrift. – **II** *adj* **5.** mit schwarzem Gesicht. — **'~-ˌfaced** *adj* **1.** mit dunklem *od.* braunschwarzem Gesicht. – **2.** *fig.* dunkel, düster. — **'~ˌfel·low** *s* Schwarzer *m*, *bes.* Au'stralneger *m*. — **'~ˌfish** *s zo.* **1.** (*ein*) Grindwal *m* (*Gattg Globicephala*). – **2.** *Name dunkler Fische* (*Centropristes striatus, Dallia pectoralis etc*). — **~ flag** *s* schwarze (Pi'raten)Flagge. — **B~ Flags** *s pl* Seeräuber *pl* (der chines. Meere). — **~ flea** *s zo.* Rübenfloh *m* (*Haltica nemorum*). — **~ flux** *s tech.* schwarzer Fluß (*Schmelz- od. Flußmittel aus Kohle u. Pottasche*). — **~ fly** *s zo.* (*eine*) Kriebelmücke (*Gattg Simulium*). — **'B~ˌfoot** *s irr* 'Schwarzfuß(indiˌaner) *m*. — **~ fox** → **black cat.** — **B~ Fri·ar** *s relig.* Domini'kaner *m*. — **~ frost** *s* strenge, aber trockene Kälte (*ohne Schnee u. Reif*). — **~ game** *s* Schwarzes Rebhuhn (*Tetrao tetrix*). — **~ gnat** *s* (*Angeln*) Schwarze Mücke. — **~ gown** *s* Ta'lar *m*. — **~ grass** *s bot.* (*eine*) Binse (*Juncus gerardi*). — **~ grouse** *s zo.* Birkhuhn *n* (*Lyrurus tetrix*).

black·guard ['blægərd; -ɑːrd] **I** *s* **1.** schwarze Garde, Lumpenpack *n*, (schmutziges) Gesindel. – **2.** roher Mensch, gemeiner Kerl, Lump *m*. – **3.** *obs.* niederes ('Küchen)Persoˌnal. – **II** *adj* **4.** gemein, niedrig, lumpig, elend, wertlos, roh. – **III** *v/t* **5.** (*j-n*) Lump schimpfen, als Lump behandeln. — **'black·guardˌism** *s* pöbelhafte Rede- *od.* Handlungsweise, Schurke'rei *f*. — **'black·guard·ly** *adj u. adv* roh, gemein, schuftig.

black| gum *s bot.* (*ein*) Tu'pelobaum *m* (*Nyssa sylvatica od. N. biflora*). — **B~ Hand** *s* **1.** *hist. span. Anarchistengruppe.* – **2.** *geheime Verbrecherbande italienischer Herkunft* (*in USA*). — **~ haw** *s bot. Am.* (*ein*) Schwarzdorn *m* (*Viburnum prunifolium u. V. lentago*). — **'~ˌhead** *s* **1.** *zo.* → **scaup duck.** – **2.** *med.* Verstopfung *f* der Talgdrüsen, Mitesser *m*. – **3.** *vet. eine Geflügelkrankheit.* — **'~ˌheart** *s bot.* **1.** schwarze Herzkirsche. – **2.** Schwarzherzigkeit *f* (*Krankheit bes. der Kartoffel*). – **3.** Floh-Knöterich *m* (*Polygonum persicaria*). – **4.** Heidelbeere *f* (*Vaccinium myrtillus*). — **'~ˌheart·ed** *adj* boshaft. — **~ hole** *s mil.* schwarzes Loch, strenger Ar'rest. — **~ hore·hound** *s bot.* Schwarzer Andorn (*Ballota nigra*).

black·ing ['blækiŋ] *s* **1.** schwarze (Schuh)Wichse: **shining ~** Glanzwichse. – **2.** (Ofen)Schwärze *f*. — **~ brush** *s* Wichsbürste *f*.

black i·ron *s tech.* streckbares Eisen: **~ plate** Schwarzblech; **~ work** Grobeisen, Schmiedearbeit.

black·ish ['blækiʃ] *adj* schwärzlich: **~-blue** bläulich-schwarz.

'black|ˌjack I *s* **1.** *min.* Zinkblende *f*. – **2.** *bot. Am.* Schwarzeiche *f* (*Quercus* *marilandica*). – 3. → black flag. – 4. *Am.* 'Zuckercou,leur *f*, Kara'mel *m* (*zum Färben von Getränken etc*). – 5. *Am.* (*Art*) Totschläger *m*, Keule *f*. – 6. *hist.* schwarzer lederner Trinkkrug. – 7. *Am.* Vingt-et-'un *n* (*Kartenspiel*). – **II** *v/t* 8. *Am.* 'durchbleuen. – 9. *Am.* unter der Knute haben, zwingen. — ~ **ja·pan** *s* schwarzer Lack, A'sphaltlack *m*. — ~ **knot** *s* 1. fester Knoten. – 2. *bot.* Krebsknoten *m* (*Krankheit bes. der Pflaumenbäume*). — ~ **lead** *s min.* Wasser-, Reißblei *n*, Gra'phit *m*: ~ powder, powdered ~ Ofenschwärze.

'black,leg I *s* 1. *meist pl vet.* Klauenseuche *f*. – 2. *vet.* schwarzes Fleckfieber, Rauschbrand *m*. – 3. *colloq.* (Falsch)Spieler *m*, Gauner *m*, Schwindler *m*. – 4. *Br.* Streikbrecher *m*, Arbeiter, der gegen die Gewerkschaftssatzungen verstößt. – **II** *v/i* 5. *Br.* einen Streik brechen, gegen die Gewerkschaftssatzungen verstoßen. — **'black,leg·ger·y, 'black·leg,ism** *s Br.* gewerkschaftsfeindliches Verhalten, Streikbrechertum *n*.

black| let·ter *s print.* Frak'tur *f*, gotische Schrift. — **'~-,let·ter** *adj* in Frak'tur geschrieben *od.* gedruckt: ~ day *fig.* schwarzer Tag, Unglückstag. — ~ **lev·el** *s* (*Fernsehen*) Austast-, Schwarzpegel *m*. — ~ **light** *s phys.* unsichtbare Strahlung (*ultraviolett etc*). — ~ **liq·uor** *s chem.* rohes, essigsaures Eisen. — ~ **list** *s* schwarze Liste (*Verzeichnis von Zahlungsunfähigen, politisch Verdächtigten etc*). — **'~-,list** *v/t* auf die schwarze Liste setzen. — ~ **lo·cust** *s bot.* 'Schein-a,kazie *f* (*Robinia pseudacacia*).

black·ly ['blækli] *adv* schwarz *od.* dunkel (aussehend), düster, böse.

black| mag·ic *s* Schwarze Kunst, Hexe'rei *f*. — ~ **maid·en·hair** *s bot.* Schwarzer Milzfarn (*Asplenium adiantum nigrum*). — **'~,mail I** *s* 1. *hist.* Räubersold *m*. – 2. *jur.* Erpressung *f* durch Drohung. – 3. Erpressungsgeld *n*: to levy ~. – **II** *v/t* 4. (*j-n*) erpressen, Geld erpressen von (*j-m*). — **B~ Ma·ri·a** *s sl.* 1. schwarzer Gefangenenwagen, ‚grüne Minna'. – 2. *mil.* große Gra'nate. — ~ **mark** *s* schlechtes Zeugnis, Tadel *m*: to get a ~ in üblen Ruf geraten. — ~ **mar·ket** *s* schwarzer Markt, Schwarzmarkt *m*, -handel *m*. — ~ **mar·ket·eer** *s* Schwarzhändler(in), Schieber *m*. — ~ **mar·tin** *s zo.* Mauersegler *m* (*Apus apus*). — ~ **mea·sles** *s pl med.* hämor'rhagische Masern *pl*. — ~ **met·tle** *s min.* schwarzer Schiefer. — **B~ Mon·day** *s* 1. Unglückstag *m*. – 2. erster Schultag (nach den Ferien). — **B~ Monk** *s* Benedik'tiner(mönch) *m*. — ~ **moss** → long moss.

black·ness ['blæknis] *s* 1. Schwärze *f*, Dunkelheit *f*, schwarze Farbe. – 2. *fig.* Verderbtheit *f*, Niedertracht *f*, Ab'scheulichkeit *f*.

black| night·shade *s bot.* Schwarzer Nachtschatten (*Solanum nigrum*). — ~ **oak** *s eine amer. Eiche mit dunkler Rinde, bes.* Färbereiche *f* (*Quercus velutina*). — **'~,out** *s* 1. *mil.* (vollkommene) Verdunk(e)lung. – 2. (*Theater*) Auslöschen *n* aller Rampenlichter. – 3. *aer.* 'Fliegeramau,rose *f*, Sehstörung *f* (mit kurzem Bewußtseinsschwund). – 4. kurze Gedächtnisstörung: ~ of consciousness Bewußtseinslücke. – 5. *fig.* Sperre *f*, Bloc'kierung *f*: intellectual ~ geistige Blockade; news ~ Nachrichtensperre. — ~ **pep·per** *s* Schwarzer Pfeffer (*Piper nigrum*; *Gewürz u. Pflanze*). — ~ **pig·ment** *s tech.* feines Lampenschwarz (*zur Druckerschwärze*). — ~ **point** *s eine Krankheit von Getreidekörnern.* — ~ **pole** *s* Stamm, der bei der Lichtung stehengeblieben ist, Laßholz *n*. — **'~,poll (war·bler)** *s zo. ein nordamer. Singvogel* (*Dendroica striata*). — ~ **pop·lar** *s bot.* Schwarzpappel *f* (*Populus nigra*). — ~ **pud·ding** *s* Blutwurst *f*. — ~ **quar·ter** → blackleg 1 *u.* 2. — ~ **rat** *s zo.* Hausratte (*Rattus rattus*). — **'~-,rimmed** *adj* 'schwarzum,randet. — **B~ Rod** *s* 1. (*von der Krone ernannter*) oberster Dienstbeamter des engl. Oberhauses. – 2. erster Zere'monienmeister bei Ka'piteln des Hosenbandordens (*voller Titel*: Gentleman Usher of the ~). — **'~,root** → Culver's root. — ~ **rot,** ~ **rust** *s bot.* Schwarz(trocken)fäule *f* (*Pflanzenkrankheit*). — ~ **sal·ly** *s bot.* (*ein*) Euka'lyptusbaum *m* (*Eucalyptus stellulata*). — ~ **salt** *s tech.* rohe *od.* schwarze Pottasche, Pottaschenfluß *m*, Ochras *m*. — **'~,seed** *s bot.* Hopfenklee *m* (*Medicago lupulina*). — ~ **sheep** *s* 1. *bes. fig.* ‚schwarzes Schaf': the ~ of the family. – 2. Streikbrecher *m*. — ~ **sheet** *s tech.* Schwarzblech *n*. — **'B~-,shirt** *s* 1. Schwarzhemd *n* (*ital. Faschist*). – 2. Mitglied *n* einer fa'schistischen (*od. ähnlichen nationalistischen*) Organisati'on. — **'~,short** *s tech.* schwarzbrüchiges Eisen. — ~ **sil·ver** *s min.* Sprödglanz-, Sprödglaserz *n*, Stepha'nit *m* (Ag_5SbS_4). — ~ **skim·mer** *s zo.* Schwarzer Scherenschnabel (*Rhynchops nigra*). — **'~,smith** *s* 1. (Grob-, Huf)Schmied *m*: ~('s) shop Schmiede. – 2. *zo.* Schwarzhalsiger Glockenvogel (*Chasmarhynchus nudicollis*). — ~ **snake, '~,snake** *s* 1. *zo.* (*eine*) schwarze Schlange, *bes.* (*eine*) Steig-, Kletternatter (*Coluber constrictor*). – 2. *Am.* lange geflochtene Lederpeitsche. — **'~-,spaul** *s vet.* Klauenseuche *f*. — ~ **spot** *s* Schwarzfleckigkeit *f*, Sternrußtau *m* (*Rosenkrankheit*). — ~ **spruce** *s bot.* Nordamer. Schwarzfichte *f* (*Picea mariana*). — ~ **squall** *s mar.* Gewitter-, Sturmbö *f* (*mit schwarzem Gewölk*). — ~ **squir·rel** *s zo.* (*ein*) graues Eichhörnchen (*Neosciurus carolinensis*). — **'~,stone** *s min.* Bergtorf *m*. — **'~,strap** *s* 1. *colloq.* Portwein *m*. – 2. *Am. sl.* dunkler Li'kör (*Rum etc mit Sirup*). – 3. *tech.* schwarzes Öl (*beim Raffinieren mit Bleioxyd*). — ~ **sug·ar** *s Scot.* La'kritze(nsaft *m*) *f*. — ~ **sul·phur** *s chem.* grauer (Roß)Schwefel. — **'~,tail** *s zo.* 1. *Am.* a) Langohriger Hirsch (*Odocoileus macrotis*), b) → black-tailed deer. – 2. Kaulbarsch *m* (*Acerina cernua*). — **'~-,tailed deer** *s zo.* Ko'lumbischer Hirsch (*Odocoileus columbianus*). — ~ **tea** *s* schwarzer Tee. — **'~,thorn** *s bot.* 1. Schwarz-, Schlehdorn *m* (*Prunus spinosa*). – 2. (*ein*) Weißdorn *m* (*Gattg Crataegus*). — ~ **ti·ger** *s zo.* Silberlöwe *m*, Kuguar *m*, Puma *m* (*Felis concolor*). — ~ **tin** *s tech.* 1. Schwarzzinn *n*. – 2. Schwarzblechdose *f od.* -büchse *f*. — **'~,top** *s* (*Straßenbau*) Schwarzdecke *f*. — ~ **top** → purple willow. — ~ **tur·nip** *s bot.* Löwentrapp *m* (*Leontice leontopetalum*). — ~ **var·nish** *s* A'sphaltlack *m*, Teerfirnis *m*. — ~ **vel·vet** *s Mischung aus Champagner u. Stout.* — ~ **vom·it** *s med.* 1. Gelbfiebersputum *n*. – 2. gelbes Fieber. — ~ **wad** *s min.* erdiges Wad, brauner Eisenrahm. — **'B~,wall hitch** *s mar.* einfacher Hakenschlag, einfacher Holländer. — ~ **wal·nut** *s* 1. *bot.* Schwarzer Walnußbaum (*Juglans nigra*). – 2. (Schwarze) Walnuß (*Nuß von* 1). – 3. *Holz von* 1. — **'~,ware** *s tech.* Ba'saltware *f*, schwarzes 'ungla,siertes Steingut. — **'~,wash I** *s* 1. *med.* Bad *n od.* Waschung *f* aus 'Quecksilberchlo,rür u. Kalkwasser. – 2. *fig.* Anschwärzen *n*. – 3. *tech.* a) schwärzende Waschung, b) Schlichte *f* (*beim Gießen*). – **II** *v/t* 4. *tech.* schwärzen. – 5. *fig.* anschwärzen. — **'~,wa·ter fe·ver** *s med.* Schwarzwasserfieber *n* (*gefährliche Form von Malaria*). — **'~,weed** → ragweed. — ~ **whale** *s zo.* 1. → sperm whale. – 2. Nordkaper *m* (*Eubalaena glacialis*; *Wal*). — **'~-,white con·trol** *s electr.* Helldunkelsteuerung *f*. — ~ **wid·ow** *s zo.* Schwarze Witwe (*Latrodectus mactans*; *giftige Spinne*). — **'~,wood** *s* 1. Schwarzholz *n*. – 2. *bot.* a) Schierlingstanne *f* (*Tsuga canadensis*), b) Schwarze Man'grove (*Avicennia nitida*). — **'~,work** *s tech.* Grobschmiedearbeit *f*, Schmiedeeisen *n*. — **'~,wort** *s bot.* Schwarzwurz *f* (*Symphytum officinale*).

black·y ['blæki] *s* 1. *sl.* Schwarze(r), Neger(in). – 2. *sl.* Schwarzrock *m*. – 3. *colloq.* schwarzes Tier (*Krähe etc*).

blad·der ['blædər] *s* 1. *med. zo.* Blase *f* (*im menschlichen od. tierischen Körper*), *bes.* Harnblase *f*. – 2. Blase *f*, blasenförmiger Gegenstand: football ~ Fußballblase. – 3. *med.* Bläschen *n* (*auf der Haut*). – 4. *bot.* Hohlraum *m* (*im Innern von Pflanzen*). – 5. *fig.* a) Hohlkopf *m*, b) Windbeutel *m*, aufgeblasener Mensch. — ~ **brand** *s bot.* Weizen-Steinbrand *m*, Weizen-Stinkbrand *m* (*Tilletia tritici*). — ~ **cam·pi·on,** ~ **catch·fly** *s bot.* Gemeines Leimkraut (*Silene inflata*). — ~ **cher·ry** *s bot.* Judenkirsche *f* (*Physalis alkekengi*). — ~ **com·pan·ion** → bladder campion.

blad·der·et ['blædə,ret] *s* Bläschen *n*.

blad·der| fern *s bot.* Blasenfarn *m* (*Cystopteris fragilis*). — ~ **green** *s* Re'seda-, Saft-, Blasengrün *n*. — ~ **herb** → bladder cherry. — ~ **kelp** *s bot.* 1. Blasentang *m* (*Fucus vesiculosus*). – 2. Kaliforn. Seetang *m* (*Nereocystis lütkeana*). — ~ **ket·mi·a** *s bot.* Stunden-Eibisch *m*, Wetterröslein *n* (*Hibiscus trionum*). — **'~,nose** *s zo.* Blasenrobbe *f* (*Cystophora cristata*). — **'~,nut** *s bot.* Pimpernuß *f* (*Gattg Staphylea*). — ~ **pipe** *s mus.* Blasen-, Platerspiel *n* (*Sackpfeife mit Tierblase*). — **'~,pod** *s bot.* Blasenschötchen *n* (*Pflanze mit aufgeblasenen Schoten*), *bes.* a) *eine amer. Crucifere* (*Gattgen Physaria u. Lesquerella*), b) Indischer Tabak (*Lobelia inflata*), c) Schlauch-Blasenschötchen *n* (*Alyssoides utriculatum*). — **'~,seed** *s bot.* Blasendolde *f* (*Gattg Physospermum*). — ~ **sen·na** *s bot.* Knallschote *f*, Blasenstrauch *m* (*Colutea arborescens*). — ~ **snout** → bladderwort. — ~ **tan·gle** → bladder kelp 1. — ~ **tree** → bladdernut. — **'~,weed** → bladderwort. — ~ **worm** *s zo.* Finne *f*, Blasenwurm *m*. — **'~,wort** *s bot.* Wasserschlauch *m*, -helm *m* (*bes. Gattg Utricularia*). — ~ **wrack** → bladder kelp 1.

blad·der·y ['blædəri] *adj* 1. blasig, voller Blasen. – 2. blasenartig.

blade [bleid] **I** *s* 1. *bot.* Blatt *n*, Spreite *f* (*eines Blattes*), Halm *m*: in the ~ auf dem Halm. – 2. *tech.* Blatt *n* (*der Säge, Axt, Schaufel, des Ruders*). – 3. *tech.* a) Flügel *m* (*des Propellers*), b) Schaufel *f* (*des Schiffsrades od. der Turbine*). – 4. *tech.* Klinge *f* (*des Degens, Messers etc*): hollowed ~, concave ~ Hohlklinge; thrusting ~ Stoßdegen. – 5. *phot.* Blendenflügel *m*. – 6. *electr.* Messer *n*. – 7. *agr.* Pflugschar *f*. – 8. *arch.* Hauptdachbalken *m*. – 9. *math.* Schiene *f*. – 10. *poet.* Schwert *n*, Degen *m*, Klinge *f*. – 11. *fig.* Fechter *m*, Streiter *m*. – 12. aufgeweckter Bursche, Haudegen *m*, Raufbold *m*: cunning ~ schlauer Kerl; daring ~ Draufgänger; jolly (old) ~ lustiger Gesell. – 13. *ling.*

Rücken *m* (*der Zunge*). – **14.** *pl zo.* obere (Horn)Platten *pl* (*der Schildkröte*). – **15.** *med. zo.* Blatt *n*, breiter, flacher Knochen *od.* Teil eines Knochens: → **shoulder** ~. –
II *v/t* **16.** *dial.* Blätter abreißen von (*Kohlkopf, Strauch*). – **17.** mit einer Klinge *od.* einem Blatt versehen. – **18.** *tech.* Schutt *etc* mit einer Pla'nierraupe (weg)räumen. –
III *v/i* **19.** *auch* ~ **out** *bot.* Blätter treiben, sprießen. – **20.** *tech.* mit einer Pla'nierraupe (weg)räumen.

blade| an·gle *s tech.* **1.** Schaufelwinkel *m*, Anstellwinkel *m* der Schaufel. – **2.** Steigungswinkel *m.* — '~,**bone** *s med. zo.* Schulterblatt *n.*

blad·ed ['bleidid] *adj* **1.** *bot.* behalmt, beblättert: ~ **corn** Getreide auf dem Halm. – **2.** (*in Zusammensetzungen*) ...klingig: **two-**~ zwei-, doppelklingig. – **3.** *min.* aus langen, dünnen Blättchen bestehend.

blade| file *s tech.* Spaltfeile *f.* — ~**pitch** *s tech.* Schaufelteilung *f.*

blad·er ['bleidər] *s* **1.** *tech.* Arbeiter, der Klingen, Schaufeln *etc* anbringt. – **2.** Messerschmied *m.* – **3.** *obs.* Schwertfeger *m.*

blade| rim, ~ **ring** *s tech.* Schaufelkranz *m.* — '~,**smith** *s* Messerschmied *m.* — ~**switch** *s electr.* Messerschalter *m.* — ~ **wheel** *s tech.* Schaufel-, Laufrad *n.*

blad·ing ['bleidiŋ] *s tech.* Beschaufelung *f* (*bes. der Turbine*).

blae·ber·ry ['bleibəri; -beri] *Scot. od. dial. für* **bilberry.**

blah [blɑː] *s Am. sl.* Unsinn *m*, Quatsch *m*, Aufschneide'rei *f.*

blain [blein] *med.* **I** *s* **1.** (Blut)Geschwür *n.* – **2.** (Eiter)Beule *f.* – **3.** Wasserblase *f.* – **II** *v/i* **4.** Blasen bilden. – **III** *v/t* **5.** mit Blasen bedecken.

blam·a·ble ['bleiməbl] *adj* tadelnswert, schuldig. — '**blam·a·ble·ness** *s* Schuld *f.*

blame [bleim] **I** *v/t* **1.** tadeln, schelten, rügen (**for** wegen). – **2.** (**for**) verantwortlich machen (für), (*dat*) die Schuld geben (an *dat*): **to** ~ **s.o. for s.th.**; **he is to** ~ **for it** er ist daran schuld. – **3.** *sl. euphem.* verfluchen: **I'm** ~**d if** ich laß mich hängen, wenn; ~ **it!** verflucht noch mal! – *SYN. cf.* **criticize.** – **II** *s* **4.** Tadel *m*, Vorwurf *m*, Rüge *f.* – **5.** Schuld *f*, Verantwortung *f*: **to lay the** ~ **on s.o** j-m die Schuld *od.* Verantwortung zuschieben. – **6.** Fehler *m*, Vergehen *n.* — **blame·a·ble** *cf.* **blamable.** — '**blame·ful** [-ful; -fəl] *adj* **1.** tadelnswert. – **2.** tadelnd. — '**blame·less** *adj* untadelig, tadellos, schuldlos (**of** an *dat*). — '**blame·less·ness** *s* Schuldlosigkeit *f.*

'**blame,wor·thy** *adj* tadelnswert, schuldig. – *SYN.* **culpable, guilty.**

blanc fixe [,blɑ̃ 'fiks] *s chem.* 'Bariumsul,fat *n* ($BaSO_4$).

blanch [*Br.* blɑːntʃ; *Am.* blæ(ː)ntʃ] **I** *v/t* **1.** bleichen, weiß machen. – **2.** *agr.* (*Pflanzen durch Ausschluß von Licht*) bleichen: **to** ~ **celery.** – **3.** schälen, abziehen (*durch Brühen in heißem Wasser*): **to** ~ **almonds.** – **4.** *tech.* weiß sieden. – **5.** *tech.* verzinnen. – **6.** *oft* ~ **over** *fig.* beschönigen. – **7.** *fig.* erbleichen lassen: **cheeks** ~**ed with fear.** – **II** *v/i* **8.** erblassen, bleich *od.* weiß werden. – *SYN. cf.* **whiten.**

Blan·chard lathe ['blæntʃərd] *s tech.* Drehbank *f* für unregelmäßig geformte Gegenstände.

blanch·er [*Br.* 'blɑːntʃər; *Am.* 'blæ(ː)n-] *s* **1.** Bleicher(in). – **2.** *tech.* Weißsieder *m.* – **3.** Gerber *m* des Schmalleders. – **4.** *chem.* Bleichmittel *n.*

blanc·mange [blə'mɑːnʒ; -'mɒnʒ] *s* (*Kochkunst*) Blancman'ger *n*, Mandelsüßspeise *f*, (*Art*) Flammeri *m.*

blan·co[1] ['blɑːŋkou] *s zo.* Coche'nillelaus *f* (*Coccus cacti*).

blan·co[2] ['blæŋkou] *mil. Br.* **I** *s* (*gewöhnlich weißes*) *Färbemittel für Gurte, Gamaschen u. Stoffteile der Ausrüstung.* – **II** *v/t* (*Ausrüstung*) (weiß) färben.

bland [blænd] *adj* **1.** mild, gütig, höflich, (ein)schmeichelnd, sanft. – **2.** *med.* mild, nicht reizend. – *SYN. cf.* a) **soft,** b) **suave.**

blan·dish ['blændiʃ] *v/t* **1.** schmeicheln (*dat*), lieb'kosen. – **2.** angenehm *od.* anziehend machen. — '**blan·dish·er** *s* Schmeichler *m.* — '**blan·dish·ment** *s* Schmeiche'lei *f*, Lieb'kosung *f.*

bland·ness ['blændnis] *s* Milde *f*, Freundlichkeit *f*, Sanftheit *f.*

blank [blæŋk] **I** *adj* **1.** weiß, blank. – **2.** blaß, (schreckens)bleich. – **3.** *fig.* bestürzt, verwirrt, fassungslos, mutlos, beschämt. – **4.** leer, unbeschrieben, unbedruckt: ~ **bar, plea in** ~ *jur. Rechtseinwand, wonach der Kläger den Ort des Vergehens genau angeben muß;* ~ **cover** unbeschriebener Briefumschlag; ~ **day** a) dienstfreier Tag, b) erfolg-, ereignisloser Tag; ~ **dice** Würfel ohne Augen; ~ **leaf** leere Seite, Leerblatt; ~ **space** (*od.* **'portion**) **of the type wheel** *tech.* Blank im Typenrand (*des Hughes-Apparates*). – **5.** *econ. jur.* unausgefüllt, unausgefertigt, Blanko... – **6.** *arch.* 'undurch,brochen, eben (*Mauer*), blind (*Fenster, Tür*). – **7.** *fig.* leer, öde, trüb, ausdrucks-, inter'esse-, inhaltslos: ~ **face** ausdrucksloses Gesicht; **to look** ~ verblüfft aussehen. – **8.** *mil.* blind geladen: → **cartridge** 1; ~ **fire,** ~ **practice** blindes Schießen (*auch fig.*). – **9.** völlig, äußerst, bar, rein: ~ **astonishment** sprachloses Erstaunen; ~ **despair** helle Verzweiflung; ~ **idiot** *sl.* Vollidiot; → **point-**~. – **10.** *metr.* reimlos: → ~ **verse.** – *SYN. cf.* **empty.** –
II *s* **11.** (*das*) Weiße, leerer Raum, Lücke *f*: **to leave** (*od.* **make**) **a** ~ (*beim Schreiben od. Drucken*) einen freien Raum lassen. – **12.** a) unbeschriebenes Blatt (*auch fig.*), b) *Am.* unausgefülltes Formu'lar *od.* Formblatt, Blan'kett *n.* – **13.** *math.* Ru'brik *f.* – **14.** *med.* Blindwert *m.* – **15.** Gedankenstrich *m* (*an Stelle eines Namens od. verpönten Wortes*). – **16.** (*Lotterie*) Niete *f*: **to draw a** ~ a) eine Niete ziehen, b) *fig.* einen Fehlschlag erleiden. – **17.** *sport Am.* Null *f* (*bes. Baseball*). – **18.** leerer Wurf (*beim Würfeln*). – **19.** bildlose Karte, leerer Dominostein (*ohne Punkte*). – **20.** *arch.* blindes Fenster, blinde Tür. – **21.** *fig.* hoffnungsloser Zustand, Öde *f*, Nichts *n.* – **22.** weißer Mittelpunkt (*einer Scheibe*), Ziel *n.* – **23.** *hist.* (*alte franz.*) Silbermünze. – **24.** *tech.* a) Formling *m*, Preßling *m*, Schrötling *m*, ungeprägte Münzplatte, rohes Formstück, Rohling *m*, b) Ronde *f*, ausgestanztes Stück. – **25.** *Am.* (Wald)Lichtung *f.* –
III *v/t* **26.** *oft* ~ **out** verhüllen, auslöschen. – **27.** ~ **out** *print.* gesperrt drucken. – **28.** *sl.* verfluchen (*euphem. für* **damn,** *oft durch einen Gedankenstrich ersetzt, aber* **blank** *gelesen*): ~ **him!** *od.* – **him!** zum Henker mit ihm! ~**ed!** verflucht! – **29.** *tech.* stanzen. – **30.** *sport Am.* (*Gegner*) auf Null halten (*bes. Baseball*).

blank| ac·cept·ance, ~ **bill** *s econ.* Blankowechsel *m.* — '~,**book** *s Am.* No'tizbuch *n.* — ~ **check,** *bes. Br.* ~ **cheque** *s* **1.** *econ.* Blankoscheck *m*, offener Scheck, 'Scheckformu,lar *n.* – **2.** *colloq.* (unbeschränkte) Vollmacht, freie Hand: **to give s.o. a** ~. — ~ **cred·it** *s econ.* 'Blanko-, Akzepta'tionskre,dit *m*, offener Kre'dit. — ~ **en·dorse·ment** *s econ.* 'Blankoindossa,ment *n*, -giro *n*, offenes Giro.

blan·ket ['blæŋkit] **I** *s* **1.** (wollene) Decke, Bettdecke *f*, (Pferde-, Esels)-Decke *f*: **to get between the** ~**s** *colloq.* ,in die Federn kriechen'; **to toss in a** ~ prellen (*auf einer Decke hochschleudern u. wieder auffangen*); **on the wrong side of the** ~ *colloq.* außer-, unehelich. – **2.** *fig.* Decke *f*, Hülle *f*: ~ **of snow (clouds)** Schnee- (Wolken)-decke; → **wet** ~. – **3.** Fla'nellwindel *f.* – **4.** *tech.* Filzunterlage *f*, Druckfilz *m*, -tuch *m.* –
II *v/t* **5.** zudecken. – **6.** prellen. – **7.** *mar.* (*einem Segelschiff*) den Wind fangen (*Am. auch fig.*). – **8.** (*Feuer, Gefühle*) ersticken. – **9.** *fig.* (*Gerücht etc*) vertuschen, totschweigen. – **10.** (*Radio*) stören, über'lagern. – **11.** *electr.* abschirmen. – **12.** *Am.* unter 'eine Katego'rie bringen, ganz erfassen. – **13.** *mil.* (*durch künstlichen Nebel*) abschirmen. –
III *adj* **14.** gemeinsam, gene'rell, um'fassend, Gesamt...: ~ **finish** (*Rennen*) (fast) gleichzeitiges Durchs-Ziel-Gehen; ~ **order** Blankoauftrag; ~ **price** Einheitspreis.

'**blan·ket|-,bog** *s geogr.* geländebedeckendes Hochmoor (*der regenreichsten Gebiete*). — ~ **de·pos·it** *s geol. min.* flaches Erzlager. — '~,**flow·er** *s bot.* Ko'kardenblume *f* (*Gattg Gaillardia*). — ~ **In·di·an** *s Am.* Indi'aner, der den alten Bräuchen treu bleibt.

blan·ket·ing ['blæŋkitiŋ] *s* **1.** a) Stoff *m* zur Anfertigung von (Woll)Decken, b) Decken(vorrat *m*) *pl.* – **2.** Prellen *n.* – **3.** *min.* a) Goldgewinnung *f* auf Decken *od.* in Waschtrögen, b) (*so gewonnenes*) Gold. – **4.** *electr.* Über'lagerung *f* von Emp'fangssi,gnalen.

blan·ket| in·sur·ance *s econ.* Kollek'tivversicherung *f.* — ~ **leaf** *s irr bot.* Königskerze *f*, Wollkraut *n* (*Verbascum thapsus*). — ~ **mort·gage** *s econ.* Ge'samthypo,thek *f.* — ~ **plaid skirt** *s* Schottenrock *m.* — ~ **plant** → **blanket leaf.** — ~ **roll** *s Am.* Tor'nisterrolle *f*, Nachtpack *m.* — ~ **sheet** *s* Zeitung *f* in Großfolio. — ~ **stitch** *s* Knopflochstich *m* (*zum Einfassen von dickem Stoff*).

blan·ket·y ['blæŋkiti] *adj* **1.** deckenähnlich. – **2.** *sl. euphem.* verflixt (*umschreibendes Wort zur Vermeidung eines Fluches od. verpönten Wortes*).

blank flange *s tech.* Deckel-, Blindflansch *m.*

blank·ing| pulse ['blæŋkiŋ] *s* (*Fernsehen*) 'Rücklauf-Unter,drückungsim,puls *m.* — ~ **tool** *s tech.* Stanzwerkzeug *n*, Schnitt(werkzeug *n*) *m.*

blank| line *s print.* blinde Zeile. — ~ **ma·te·ri·al** *s print.* 'Blindmateri,al *n*, Ausschluß *m*, 'Durchschuß *m.* — ~ **verse** *s metr.* **1.** Blankvers *m* (*reimloser fünffüßiger Jambus*). – **2.** *allg.* reimloser Vers.

blan·quette [blɑ̃'kɛt] (*Fr.*) *s* **1.** 'Kalb- *od.* 'Hammelfrikas,see *n* mit weißer Soße. – **2.** (*Art*) rohe(s) Soda.

blare [blɛr] **I** *v/i* **1.** *dial.* heulen, plärren, brüllen. – **2.** schmettern (*Trompete*), laut hupen. – **II** *v/t* **3.** laut verkünden, prokla'mieren. – **III** *s* **4.** Geschmetter *n*, Lärm *m*, Getöse *n.* – **5.** *fig.* grelles Leuchten (*von Farben, Licht etc*).

blar·ney ['blɑːrni] **I** *s* sehr schmeichelhafte, verbindliche Sprache; leere Redensarten *pl.*, Flunke'rei *f.* – **II** *v/i* schmeicheln, fades Zeug reden. – **III** *v/t* durch Schmeiche'lei täuschen. — '**blar·ney·er** *s* Schmeichler *m*, Schwätzer *m.*

bla·sé ['blɑːzei; blɑː'zei] *adj* gleichgültig, distan'ziert, über'sättigt, abgestumpft.

blas·pheme [blæs'fi:m] **I** *v/t* **1.** (*Gott od. etwas Heiliges*) lästern. – **2.** *allg.* lästern, schmähen, beschimpfen. – **II** *v/i* **3.** lästern, fluchen, eine (Gottes)-Lästerung ausstoßen (against gegen, über *acc*). — **blas'phem·er** *s* (Gottes)Lästerer *m.* — **blas·phe·mous** ['blæsfəməs; -fim-] *adj* blas'phemisch, (gottes)lästerlich. — **'blas·phe·mous·ness** *s* Lästerung *f*, Lästerlichkeit *f*.

blas·phe·my ['blæsfəmi; -fimi] *s* **1.** Blasphe'mie *f*, (Gottes)Lästerung *f*. – **2.** Lästerrede *f*, Fluchen *n*. – *SYN.* cursing, profanity, swearing.

blast [*Br.* blɑ:st; *Am.* blæ(:)st] **I** *s* **1.** Blasen *n*, (starker) Windstoß, Sturm *m*. – **2.** Blasen *n*, Schmettern *n*, Schall *m* (*eines Blasinstrumentes*), Si'gnal *n*, (Pfeif)Ton *m* (*einer Dampfpfeife*): a ~ of the trumpet ein Trompetenstoß; to sound a ~ einen Tusch blasen. – **3.** plötzliches Erkranken (*von Mensch, Tier od. Pflanze*), Seuche *f*, Pesthauch *m*. – **4.** *fig.* Fluch *m*, verderblicher Einfluß. – **5.** *bot.* Brand *m*, Mehltau *m*, Verdorren *n*. – **6.** *poet.* Atem *m*, Hauch *m*: winter's chilly ~. – **7.** *tech.* Zugluft *f*, Gebläse *n*, Gebläseluft *f*: hydrostatic ~ Wassergebläse; at (full) ~ auf (Hoch)Touren (*vom Hochofen od. auch fig.*); out of ~ außer Betrieb. – **8.** Schuß *m*, Explosi'on *f*, Detonati'on *f*, Luftdruck *m* (*einer Explosion*). – **9.** (*Bergbau*) schlagende Wetter *pl*. – **10.** Sprengladung *f*: ~ firing Pulversprengung. – **11.** *sl.* (Tele'phon)-Anruf *m*: give me a ~ ruf mich mal an. –
II *v/t* **12.** verdorren, versengen, verbrennen, vernichten. – **13.** (*mit Pulver*) sprengen, schießen. – **14.** *fig.* verderben, vereiteln, vernichten: ~ed plans vereitelte Pläne. – **15.** verfluchen: ~(ed)! *sl.* verdammt! ~ him! *sl.* der Teufel hole ihn! – **16.** *obs.* (*Trompete etc*) blasen. –
III *v/i* **17.** welken, verdorren. – **18.** fluchen, lästern. – **19.** *obs.* blasen (*auf einem Instrument*). – **20.** ~ off *sl.* ‚abhauen', ‚verduften'.

blast- [blæst] → blasto-.

blas·te·ma [blæs'ti:mə] *pl* **-'te·ma·ta** [-ətə] *s biol.* Keimstoff *m*, 'Keimmateri,al *n*, Bla'stem *n*. — **blas'te·mal,** **,blas·te'mat·ic** [-ti'mætik], **blas'tem·ic** [-'temik; -'ti:-] *adj* blaste'matisch.

blast en·gine *s tech.* Ge'bläsema,schine *f*, Zy'lindergebläse *n*.

blast·er [*Br.* 'blɑ:stər; *Am.* 'blæ(:)s-] *s* **1.** *tech.* Bläser *m*, Blasmittel *n*. – **2.** Sprenger *m*. – **3.** Sprengstoff *m*.

blast| fur·nace *s tech.* Gebläse-, Schacht-, Hochofen *m*. — **'~-,fur·nace** *adj tech.* Hochofen..., Gicht...: ~ cinder Hochofenschlacke; ~ cone Gichtglocke; ~ elevator Gichtaufzug; ~ plant Hochofenanlage. — **'~,hole** *s tech.* Bohr-, Spreng-, Schußloch *n*.

blast·ing [*Br.* 'blɑ:stiŋ; *Am.* 'blæ(:)st-] *s tech.* **1.** Sprengung *f*, Sprengen *n*, Schießen *n*. – **2.** Sprengtechnik *f*. – **3.** *electr.* De'fekt *m* durch Über'lastung, 'Durchbrennen *n*, Hochgehen *n* (*von Transformatoren, Drosseln etc*). – **4.** Vernichtung *f*. — **~ cap** *s tech.* 'Spreng(pa,tronen)zünder *m*, Sprengkapsel *f*. — **~ car·tridge** *s* 'Bohr-, 'Sprengpa,trone *f*. — **~charge** *s mil.* Bohr-, Sprengladung *f*. — **~ de·tach·ment** *s mil.* Sprengtrupp *m*. — **~ fuse** *s tech.* Zündschnur *f*. — **~ gel·a·tin(e)** *s tech.* 'Sprenggela,tine *f*. — **~ nee·dle** *s tech.* **1.** (*Bergbau*) Schieß-, Räumnadel *f*. – **2.** Bohreisen *n*, -nadel *f*. — **~ oil** *s tech.* Sprengöl *n*, ,Nitroglyze'rin *n*. — **~ pow·der** *s* Sprengpulver *n*.

blast lamp *s tech.* Stichlampe *f*, Gebläse *n*, Lötlampe *f*.

blast·ment [*Br.* 'blɑ:stmənt; *Am.* 'blæ(:)st-] *s* schädliche Wirkung.

blasto- [blæsto] *biol. Wortelement mit der Bedeutung* Keim.

blas·to·car·pous [,blæsto'kɑ:rpəs; -tə-] *adj biol.* innerhalb der Fruchthülle keimend. — **'blas·to,coele** [-,si:l] *s* Blasto'cöl *n*, Furchungshöhle *f*. — **'blas·to,cyst** [-,sist] *s* Keimbläschen *n*. — **'blas·to,derm** [-,də:rm] *s* Keimhaut *f*. — **,blas·to'der·mal, ,blas·to·der'mat·ic** [-'mætik], **,blas·to'der·mic** *adj* die Keimhaut betreffend, Keimhaut... — **'blas·to,disc, 'blas·to,disk** [-,disk] *s* Keimplatte *f*. — **,blas·to'gen·e·sis** [-'dʒenisis; -nə-] *s* Blastoge'nese *f*, Entstehung *f* durch Knospung. — **blas·tog·e·ny** [blæs'tɒdʒəni] *s* **1.** → blastogenesis. – **2.** Entwicklung *f* der Körperform (*nach Haeckel*).

blas·to·gra·nit·ic [,blæstogrə'nitik] *adj geol.* 'blastogra,nitisch, körnig *od.* feinkörnig, gleichmäßig im Gefüge.

blas·to·mere ['blæsto,mir] *s biol.* Blasto'mere *f*, Furchungszelle *f*. — **,blas·to'po·ral** [-'pɔ:rəl] *adj biol.* Urmund..., Prostoma... — **'blas·to,pore** *s* Blasto'porus *m*, Urmund *m*, Pro'stoma *n*. — **,blas·to'por·ic** [-'pɒrik; *Am. auch* -'pɔ:rik] → blastoporal. — **'blas·to,sphere** [-,sfir] → blastula.

blast| pipe *s tech.* **1.** Düse(nrohr *n*) *f*. – **2.** (*Bergbau*) Windleitung *f*. – **3.** Blasrohr *n*, (Dampf)Abblasrohr *n*. — **~ pres·sure** *s tech.* Gebläse-, Explosi'ons-, Wind-, Detonati'onsdruck *m*. — **~ tube** *s aer.* Strahlrohr *n* (*einer Rakete*).

blas·tu·la ['blæstjulə; -tʃu-] *pl* **-lae** [-,li:] *s biol.* Blastula *f*, Keim-, Furchungsblase *f*.

blast wave *s* Druckwelle *f*.

blast·y [*Br.* 'blɑ:sti; *Am.* 'blæ(:)sti] *adj* **1.** stürmisch, böig. – **2.** *obs.* (*durch giftigen Hauch*) zerstörend.

blat [blæt] *Am. sl.* **I** *v/i pret u. pp* **'blat·ted** **1.** blöken (*Schaf, Kalb*), meckern (*Ziege*) (*colloq. auch fig.*). – **II** *v/t* **2.** *oft* ~ out ‚'auspo,saunen' (*ausplaudern*). – **III** *s colloq.* **3.** Blöken *n*, Meckern *n*. – **4.** (dummes) Geschwätz. – **5.** heiseres Reden.

bla·tan·cy ['bleitənsi] *s* lärmendes Wesen, Angebe'rei *f*.

bla·tant ['bleitənt] *adj* **1.** blökend, brüllend. – **2.** marktschreierisch, lärmend, laut: ~ nonsense himmelschreiender Unsinn. – *SYN. cf.* vociferous. — **B~ Beast** *s poet.* **1.** (personifi'zierte) Verleumdung, Lästermaul *n*, -zunge *f*. – **2.** *fig.* Mob *m*, (tobender) Pöbel.

blath·er ['blæðər] **I** *v/i* **1.** unsinniges Zeug reden, plappern. – **II** *s* **2.** Geschwätz *n*, Plappe'rei *f*. – **3.** Schwätzer *m*. — **'blath·er,skite** [-,skait] *s Am. colloq.* **1.** ‚Großmaul' *n*, ‚Quatschkopf' *m*, Schwätzer *m*. – **2.** ‚Quatsch' *m*.

blat·ta ['blætə] *s obs.* **1.** Purpur *m*. – **2.** purpurfarbene Seide.

blat·ter ['blætər] **I** *v/i u. v/t dial.* **1.** prasseln, klatschen (*Regen etc*). – **2.** schwatzen, schnattern. – **II** *s Scot.* **3.** Prasseln *n*, Klatschen *n*. – **4.** Geschnatter *n*, Wortschwall *m*. — **'blat·ter·er** *s* Schwätzer *m*.

blat·ti·form ['blæti,fɔ:rm; -tə-] *adj zo.* schabenförmig. — **'blat·toid** [-əid] *adj zo.* schabenähnlich.

blau·bok ['blau,bɒk] *pl* **-boks,** *collect.* **-bok** *s zo.* Blaubock *m* (*Hippotragus leucophaeus*).

blaze[1] [bleiz] **I** *s* **1.** (lodernde) Flamme, helles *od.* loderndes Feuer, Lohe *f*: to be in a ~ in Flammen stehen. – **2.** *pl* Hölle *f*: to go to ~s *sl.* zur Hölle *od.* zum Teufel gehen; like ~s *colloq.* wie verrückt, rasend, ungestüm; what the ~s is the matter? *colloq.* was zum Teufel ist denn los? – **3.** Lichtschein *m*, Leuchten *n*, Strahlen *n*, Glanz *m* (*auch fig.*): in the ~ of day am hellen Tag; ~ of fame Ruhmesglanz; ~ of colo(u)rs Farbenpracht. – **4.** *fig.* plötzlicher Ausbruch, Auflodern *n* (*Gefühl*). – **5.** Blesse *f* (*weißer Stirnfleck bei Pferden od. Rindern*). – **6.** Anschalmung *f*, Mar'kierung *f* (*an Waldbäumen durch Entfernung eines Stückes der Rinde*). – **7.** *obs.* Fackel *f*, Feuerbrand *m*. – *SYN.* flame, flare, glare[1], glow. – **II** *v/i* **8.** (auf)flammen, flackern, lodern: he was in a blazing temper *fig.* er war in heller Wut. – **9.** leuchten, glühen, glänzen: his face was blazing with joy sein Gesicht glühte vor Freude. – **III** *v/t* **10.** in Brand stecken. – **11.** *tech.* (*Metall*) abbrennen. – **12.** (*Bäume*) anschalmen, (*Weg durch Anschalmen*) mar'kieren, kennzeichnen: to ~ a path einen Weg (durch Anschalmen) bezeichnen; to ~ a trail *fig.* einen Weg bahnen. – **13.** ausstrahlen, her'vorleuchten lassen. –
Verbindungen mit Adverbien:
blaze| a·way *v/i* **1.** (wild) (drauf)-'losschießen (at auf *acc*). – **2.** *colloq.* (at) loslegen (mit), her'angehen (an *acc*). — **~ forth** *v/i* **1.** aufflammen. – **2.** *fig.* losfahren, -gehen (at auf *acc*). — **~ off** *v/t tech.* (*Metall*) abbrennen. — **~ out I** *v/t* **1.** *obs.* (*Kräfte etc*) zerrütten, unter'graben. – **II** *v/i* **2.** verflackern, verfliegen (*auch fig.*). – **3.** aufflammen, -flackern. — **~ up I** *v/t* **1.** in Brand stecken. – **II** *v/i* **2.** auflodern, -flammen. – **3.** *fig.* (in Zorn) entbrennen.

blaze[2] [bleiz] *v/t* **1.** *auch* ~ abroad, ~ forth verkünden, 'auspo,saunen. – **2.** her'vorheben.

blaz·er ['bleizər] *s* **1.** (*etwas*) Glühendes *od.* Strahlendes. – **2.** *colloq.* strahlender, glühendheißer Tag. – **3.** Behälter *m* zum Wärmen von Speisen di'rekt über der Glut. – **4.** Blazer *m*, sportliche Jacke.

blaz·ing ['bleiziŋ] *adj* **1.** flammend, (hell) glühend. – **2.** auffallend, schreiend, offensichtlich: ~ colo(u)rs; a ~ lie. – **3.** *colloq.* verteufelt, verflucht. — **~ fin·ish** *s sport* unerhörter Endspurt. — **~ scent** *s hunt.* warme Fährte. — **~ star** *s* **1.** *selten* Gegenstand *m* allgemeiner Bewunderung (*Person od. Sache*). – **2.** *bot. Am.* (*eine*) Prachtscharte (*Gattg Liatris*).

bla·zon ['bleizn] **I** *s* **1.** Wappen *n*, Wappenschild *m, n*. – **2.** *fig.* Darstellung *f*, Schilderung *f*. – **3.** lautes Lob, 'Auspo,saunen *n*. – **II** *v/t* **4.** (*Wappen*) he'raldisch erklären. – **5.** (*Wappen*) ausmalen, blaso'nieren. – **6.** *fig.* schmücken, zieren. – **7.** *meist* ~ abroad, ~ forth, ~ out her'vorheben, her'ausstreichen, rühmen, 'auspo,saunen. — **'bla·zon·er** *s* **1.** Wappenkundiger *m*, -maler *m*. – **2.** Wappenherold *m*. – **3.** *fig.* Lobredner *m*, Verkünder *m*. — **'bla·zon·ment** *s* **1.** ,Wappenmale'rei *f*, Farbenschmuck *m*. – **2.** *fig.* 'Auspo,saunen *n*, Schaustellung *f*. — **'bla·zon·ry** [-ri] *s* **1.** Wappenzeichen *n*, -gemälde *n*. – **2.** *fig.* künstlerische Her'vorhebung, Farbenschmuck *m*, Pomp *m*.

blaz·y ['bleizi] *adj* lodernd, leuchtend.

bleach [bli:tʃ] **I** *v/t* **1.** bleichen, entfärben. – **2.** *fig.* bleichen, weiß machen, erbleichen lassen: hair ~ed with age vom Alter gebleichtes Haar. – **3.** *fig.* reinigen, läutern. – **4.** *phot.* bleichen. – **II** *v/i* **5.** (er)bleichen, weiß werden. – *SYN. cf.* whiten. – **III** *s* **6.** Bleiche *f*, Bleichen *n*. – **7.** Bleichmittel *n*. – **8.** Bleichheit *f*, Blässe *f*. — **bleached** *adj* gebleicht.

bleach·er ['bli:tʃər] *s* **1.** Bleicher(in). – **2.** Gefäß *n od.* Ma'schine *f* zum

Bleichen. – 3. *tech.* Klärkübel *m*, Absatzfaß *n*. – 4. *meist pl sport Am.* 'unüber,dachter (billiger) Zuschauersitz: to sit in the ~s. — **'bleach·er,ite** [-ˌrait] *s sport Am.* Zuschauer, der auf einem 'unüber,dachten (billigen) Platz sitzt. — **'bleach·er·y** [-əri] *s* Bleiche *f*, Bleichanstalt *f*, -platz *m*.

bleach·ing ['bliːtʃiŋ] *s* Bleiche *f*, Bleichen *n*: chemical ~ Schnellbleiche; sour ~ Naß-, Sauerbleiche. — **~ clay, ~ earth** *s* Bleicherde *f*. — **~ pow·der** *s chem.* Bleichpulver *n*, Chlorkalk *m*.

bleak[1] [bliːk] *s zo.* Uke'lei *m* (*Alburnus lucidus*; *Fisch*).

bleak[2] [bliːk] *adj* 1. kahl, öde, ohne Vegetati'on. – 2. ungeschützt, windig (gelegen). – 3. rauh, kalt, scharf (*Wind, Wetter*). – 4. *fig.* kalt, freudlos, traurig, trübe. – 5. *obs. od. dial.* bleich, blaß. — **'bleak·ness** *s* 1. Kahlheit *f*, Öde *f*. – 2. Rauheit *f*, Schärfe *f*. — **'bleak·y** *adj* etwas kahl *od.* öde.

blear [blir] **I** *adj* 1. trübe, verschwommen. – 2. triefend, trübe (*Augen*). – 3. *fig.* dunkel, nebelhaft, unklar. – **II** *v/t* 4. (*Blick*) trüben, (*Augen*) triefen(d) machen. – 5. *fig.* hinters Licht führen, täuschen. — **bleared** *adj* getrübt, verschwommen, verweint (*Augen*).

'blear|,eye *s med.* Triefauge *n*. — **'~-,eyed** *adj* 1. triefäugig, schwachsichtig. – 2. *fig.* kurzsichtig, einfältig.

blear·i·ness ['bli(ə)rinis] *s* Trübheit *f*, Verschwommenheit *f*. — **'blear·y** *adj* (leicht) trübe, verschwommen, dunkel.

bleat [bliːt] **I** *v/i* 1. blöken (*Schaf, Kalb*), meckern (*Ziege*). – 2. in weinerlichem *od.* nörglerischem Ton reden. – **II** *v/t* 3. *oft* ~ out (her'unter)plärren. – **III** *s* 4. Blöken *n*, Gemecker *n* (*auch fig.*). — **'bleat·er** *s* 1. Meckerer *m* (*auch fig.*). – 2. *zo.* Schnepfe *f* (*Capella gallinago*).

bleb [bleb] **I** *s* 1. kleine Blase, Bläschen *n*, Luftblase *f*. – 2. *med.* (Haut-)Bläschen *n*, Pustel *f*. – **II** *v/t* 3. mit Bläschen bedecken. — **'bleb·by** *adj* Blasen...

bled [bled] *pret u. pp von* bleed. — **~ in·got** *s* (*Hüttenkunde*) ausgelaufener Block, Gußblock *m* mit flüssigem Kern.

bleed [bliːd] **I** *v/i pret u. pp* **bled** [bled] 1. bluten (*auch Pflanze*): to ~ to death verbluten. – 2. sein Blut vergießen, sterben: to ~ for one's country. – 3. *fig.* (for) bluten (*Herz*), in Sorge sein, Angst haben (um), (tiefes) Mitleid empfinden (mit): a nation ~s for its dead heroes. – 4. *colloq.* ,bluten', ,blechen' (*zahlen*): he ~s well er läßt das Geld springen, er läßt sich rupfen; to ~ for s.th. für etwas schwer bluten (*zahlen*) müssen. – 5. auslaufen, verlaufen, sich auswaschen (*Farbe*). – 6. *tech.* zerlaufen (*Asphalt, Teer*). – 7. *tech.* leck sein, lecken. – 8. *print.* angeschnitten *od.* bis eng an den Druck beschnitten sein (*Buch, Bild*). – **II** *v/t* 9. *med.* zur Ader lassen. – 10. a) (*Saft etc*) auslaufen lassen, b) Flüssigkeit *od.* Gas ausströmen lassen aus: to ~ a brake eine Bremse entlüften; to ~ a buoy das Leckwasser aus einer Boje abfließen lassen; to ~ a tree einem Baum Saft abzapfen. – 11. *colloq.* ,bluten lassen', ,schröpfen': → white 3. – 12. (*Färberei*) den Farbstoff wegziehen (*dat*). – 13. (*Bild etc*) anschneiden, den Rand abschneiden von. – **III** *s* 14. *bes. fig.* Bluten *n*. – 15. angeschnittene Seite, angeschnittenes Bild.

bleed·er ['bliːdər] *s* 1. *med.* Aderlasser *m*. – 2. *med.* Bluter *m*, Hämo'phile *m* (*an der Bluterkrankheit Leidender*). – 3. *sl.* Para'sit *m*, Schma'rotzer *m*. – 4. *tech.* 'Ablaß-, 'Auslaß-, 'Abblasven,til *n*. – 5. *electr.* 'Schutz,widerstand *m*: ~ resistor (*Fernsehen*) Nebenschlußwiderstand.

'bleed-,hearts *s bot.* Feuernelke *f*, Brennende Liebe (*Lychnis chalcedonica*).

bleed·ing ['bliːdiŋ] *s* 1. Blutung *f*, Blutfluß *m*, Aderlaß *m* (*auch fig.*). – 2. *tech.* Auslaufen *n*, -schwitzen *n* (*von Teer aus Asphaltstraßen*). – 3. *tech.* Entlüften *n* (*Bremsen*). — **~ dis·ease** *s bot.* Blutungskrankheit *f* (*der Palmen*). — **~ heart** *s bot.* Flammendes Herz (*Dicentra spectabilis*). — **'~-'heart pi·geon** *s zo.* Dolchstichtaube *f* (*Phlogoenas luzonica*). — **~ tooth** *s irr zo.* Blutzahn *m* (*Nerita peloronta*; *Schnecke*).

bleek·bok ['bliːkˌbɒk] *s zo.* Bleichbock *m* (*Colotragus scoparius*).

blem·ish ['blemiʃ] **I** *v/t* 1. entstellen, verunstalten. – 2. *fig.* beflecken, verleumden, brandmarken, schänden, (*dat*) schaden. – **II** *s* 3. Fehler *m*, Gebrechen *n*, Mangel *m*, Verunstaltung *f*. – 4. *fig.* Flecken *m*, Makel *m*, Schandfleck *m*. – *SYN.* defect, flaw[1].

blench[1] [blentʃ] **I** *v/i* stutzen, zu'rückschrecken, -fahren, (*ängstlich*) (aus)weichen. – *SYN. cf.* recoil. – **II** *v/t* (ver)meiden.

blench[2] [blentʃ] **I** *v/i* erbleichen, erblassen. – **II** *v/t selten* bleichen, weiß machen.

blend [blend] **I** *v/t pret u. pp* **'blend·ed** *od.* **blent** [blent] 1. (ver)mengen, (ver)mischen, verschmelzen. – 2. (*verschiedene Kaffee- od. Teesorten etc*) mischen, eine Mischung zu'sammenstellen aus, (*Wein*) verschneiden. – 3. *fig. obs.* verwirren, verderben, trüben. – **II** *v/i* 4. (with) sich vermischen, sich (har'monisch) verbinden (mit), gut passen (zu). – 5. verschmelzen, inein'ander 'übergehen. – 6. *biol.* sich mischen (*Vererbungsmerkmale*). – *SYN. cf.* mix. – **III** *s* 7. Mischung *f*, (har'monische) Zu'sammenstellung (*Getränke, Farben etc*). Verschnitt *m* (*Spirituosen*). – 8. *biol.* Vermischung *f*. – 9. → blend-word. — **'~,corn** *s dial.* Mischkorn *n* (*Weizen u. Roggen*).

blende [blend] *s min.* (Zink)Blende *f* (ZnS): ~ mine Zinkblendegrube.

blend·er ['blendər] *s* 1. (Ver)Mischer *m*. – 2. (*Art*) Malerpinsel *m*. – 3. 'Mischma,schine *f*. — **'blend·ure** [-dʒər] *s selten* Mischung *f*.

'blend|,wa·ter *s vet. eine Leberkrankheit des Rindviehs.* — **'~-,word** *s ling.* (scherzhaftes) Mischwort (*z. B.* ,tortrible' *aus* terrible *u.* horrible, ,smog' *aus* smoke *u.* fog).

Blen·heim| or·ange ['blenim; -əm] *s Br. eine Apfelsorte.* — **~ span·iel** *s* Blenheim(-Spaniel) *m* (*gefleckter Wachtelhund*).

blenn- [blen] → blenno-.

blen·ni·id ['bleniid] → blenny.

blen·ni·i·form [ble'naiiˌfɔːrm; -əˌf-] *adj zo.* schleimfischartig.

blen·ni·oid ['bleniˌɔid] **I** *adj* → blenniiform. – **II** *s* → blenny.

blenno- [bleno] *biol. med. Wortelement mit der Bedeutung* Schleim.

blen·noid ['blenɔid] *adj med.* schleimähnlich. — **ˌblen·nor'rh(o)e·a** [-ə'riːə] *s med.* Blennor'rhoe *f*, (Schleim)Fluß *m*. — **ˌblen·nor'rh(o)e·al** *adj* blennor'rhoisch, schleimflußartig. — **'blen·ny** *s zo.* (*ein*) Schleimfisch *m* (*bes. Gattg Blennius*).

blent [blent] *pret u. pp von* blend.

bleph·a·ral ['blefərəl] *adj med.* die Augenlider betreffend.

bles·bok ['blesˌbɒk], **'bles,buk** [-ˌbʌk] *s zo.* Bläßbock *m* (*Damaliscus albifrons*).

bless [bles] *pret u. pp* **blessed** *od. poet.* **blest** [blest] *v/t* 1. segnen, heiligen, weihen, seligsprechen. – 2. glücklich machen, beglücken, beseligen: to be ~ed with gesegnet sein mit; to be ~ed with great parts große Talente besitzen. – 3. (selig) preisen, loben, rühmen, verherrlichen: to ~ oneself, to ~ one's stars *colloq.* sich glücklich schätzen, sich beglückwünschen (with, in zu). – 4. *obs.* behüten, beschützen (from vor *dat*), bekreuzigen: to ~ oneself sich bekreuzigen; to ~ oneself from sich hüten vor (*dat*), nichts zu tun haben wollen mit. – 5. *euphem.* verfluchen, verwünschen: ~ him! hol ihn der Teufel! –

Besondere Redewendungen:

(God) ~ you! Gott sei mit dir! Gott befohlen! leb wohl! well, I'm ~ed *sl.* na, so was (Merkwürdiges)! (God) ~ me (*od.* him *od.* her)! gerechter Gott! ~ my eyes! ~ my heart! ~ my soul! *colloq.* du meine Güte! not at all, ~ you! (*ironisch*) o nein, mein Verehrtester! ~ that boy, what is he doing there? *colloq.* was zum Kuckuck stellt der Junge dort an? → penny 2.

bless·ed ['blesid] *adj* 1. gesegnet, (glück)selig, glücklich: ~ event *humor.* freudiges Ereignis (*Geburt eines Kindes*); of ~ memory seligen Angedenkens; the whole ~ day den lieben langen Tag. – 2. segenspendend, heilkräftig (*Pflanze*). – 3. gepriesen. – 4. selig, heilig: → Virgin 2; to declare ~ seligsprechen; the ~ die Seligen; God's ~ providence die göttliche Vorsehung. – 5. *euphem.* verwünscht, verflucht: not a ~ day of rain nicht ein einziger verdammter Regentag; I'm ~ if I know *colloq.* das weiß ich wahrhaftig nicht. — **~ herb** → bennet 1.

bless·ed·ness ['blesidnis] *s* 1. Glückseligkeit *f*, Heil *n*, Segen *m*. – 2. Seligkeit *f*, Heiligkeit *f*: single ~ *humor.* Junggesellendasein, Unverheiratetsein.

bless·ed this·tle *s bot.* 'Kardobene,diktenkraut *n*, Bene'dikten,distel *f* (*Cnicus benedictus*).

bless·ing ['blesiŋ] *s* 1. Segen(sspruch) *m*, Segnung *f*, Wohltat *f*, Gnade *f*: to ask a ~ das Tischgebet sprechen; ~s upon you! Gott segne dich! what a ~ that I was there welch ein Segen, daß ich da war! a ~ in disguise ein Glück im Unglück. – 2. Lobpreis *m*, Anbetung *f*. – 3. *Bibl.* Geschenk *n*. – 4. *pl Bibl. obs.* (*die*) Seligpreisungen *pl*. – 5. *obs.* Zauber(spruch) *m*. – 6. *euphem.* Verwünschung *f*, Fluch *m*.

blest [blest] *poet. pret u. pp von* bless.

blet [blet] **I** *v/i pret u. pp* **'blet·ted** muddig *od.* molsch *od.* teigig werden (*Obst*). – **II** *s* 'Überreife *f*, Edelfäule *f*.

bleth·er ['bleðər] → blather. — **'bleth·er,skite** [-ˌskait] → blatherskite.

blew [bluː] *pret von* blow[1] *od.* blow[3].

blew·its ['bluːits] *s bot.* Lilastieliger Ritterling (*Tricholoma personatum*; *Pilz*).

[(kleines) Zinngefäß.]

blick·ey, blick·ie ['bliki] *s Am. dial.*

blight [blait] **I** *s* 1. *bot.* Trockenfäule *f*, Brand *m* der Obstbäume (*Vertrocknung durch Bakterien od. Pilze*). – 2. *fig.* Gift-, Pesthauch *m*, schädlicher *od.* zerstörender Einfluß. – 3. *fig.* Zerstörung *f*, Vereitelung *f*. – 4. Höhenrauch *m* (*Art Nebel*). – 5. *zo.* (*eine*) Blasenlaus, *bes.* Blutlaus *f* (*Eriosoma lanigerum*). – 6. *pl. med. Am.* Hautausschlag *m* (*Art Nesselsucht*). – 7. *med.* schmerzhafte Entzündung der Augenlider (*in Australien auftretend*). – **II** *v/t* 8. (durch Brand *etc*) vernichten, verderben (*auch fig.*): ~ed area heruntergekommenes (Wohn)Viertel. – 9. *fig.* am Gedeihen hindern, im Keim ersticken, zu'nichte machen, vereiteln. – **III** *v/i* 10. vom Brand befallen sein, zerstört werden. — **'~,bird**

s zo. (*ein*) Brillenvogel *m* (*Gattg Zosterops*).
blight·er ['blaitər] *s sl.* ‚Ekel' *n* (*Person*), Quälgeist *m*.
blight·y ['blaiti] *mil. Br. sl.* **I** *s* **1.** die Heimat, England *n*: back to ~. – **2.** heimgekehrter Sol'dat. – **3.** Heimaturlaub *m*. – **4.** ‚Heimatschuß' *m* (*Verwundung, die eine Heimkehr nach England nötig macht*): to get one's ~. – **II** *adj* **5.** einen Heimaturlaub nötig *od.* möglich machend: ~ wound ‚Heimatschuß'.
bli·mey ['blaimi] *interj Br. vulg.* verflucht! zum Kuckuck! (*Verstümmelung von* [God] blind me).
blimp[1] [blimp] *s tech.* **1.** *colloq.* unstarres Kleinluftschiff. – **2.** *Am.* a) (schalldichte) Kamerahülle, Schallschutzhaube *f* (*für eine Kamera*), b) schalldichte Zelle, schalltote Ka'bine.
Blimp[2] [blimp] *s Br.* Blimp *m* (*Personifikation des reaktionären Engländers nach der Karikaturgestalt von David Low*). — **'Blimp·er·y** [-əri], **'Blimp·ish·ness** [-iʃnis] *s* reaktio'näre Einstellung (*od. Beispiel dieser Haltung*).
blind [blaind] **I** *adj* **1.** blind, Blinden...: ~ of one eye auf 'einem Auge blind; to strike ~ blenden; to be struck ~ mit Blindheit geschlagen sein *od.* werden; ~ from birth blind geboren; institution for the ~ Blindenanstalt. – **2.** *fig.* (*geistig*) blind (to gegen; with vor *dat*), verständnis-, urteilslos: ~ to one's own defects den eigenen Fehlern gegenüber blind; ~ with fury blind vor Wut; ~ side ungeschützte *od. fig.* schwache Seite; to turn a ~ eye to s.th. *fig.* bei etwas ein Auge zudrücken, etwas absichtlich übersehen. – **3.** *fig.* blind, unbesonnen, wahllos: ~ bargain unüberlegter Handel; ~ chance blinder Zufall. – **4.** zwecklos, ziellos, leer, ohne Ausgang; ~ candle nicht angezündete Kerze; ~ excuse faule Ausrede; ~ pretence falscher Vorwand. – **5.** ver-, bedeckt, verborgen, unsichtbar, geheim: ~ ditch mit Steinen gefüllter Graben; ~ staircase Geheimtreppe; ~ vein (*Bergbau*) blinde Erzader. – **6.** 'undurch,sichtig, schwer erkennbar *od.* verständlich, unleserlich: ~ copy *print.* unleserliches Manuskript; ~ letter unbestellbarer Brief. – **7.** gefühl- *od.* besinnungslos machend: ~ drunkenness sinnlose Betrunkenheit; ~ rage blinde Wut; ~ stupor völliges Eingeschlafensein (*eines Gliedes*). – **8.** *arch.* blind, nicht durch'brochen: ~ arch Bogenblende, flache Nische; ~ door blinde (*zugemauerte*) Tür. – **9.** *bot.* blütenlos, nicht blühend. – **10.** *phot.* nur gegen blaues, vio'lettes und 'ultravio,lettes Licht empfindlich: ~ film. – **11.** matt, nicht po'liert. – **12.** *Br. sl.* ‚blau' (*betrunken*). –
II *v/t* **13.** blenden, blind machen, (*j-m*) die Augen verbinden. – **14.** *fig.* mit Blindheit schlagen, verblenden, blind machen (to gegen): to ~ oneself to facts sich den Tatsachen verschließen. – **15.** *fig.* verdunkeln, in den Schatten stellen, über'strahlen. – **16.** verbergen, verdunkeln, verkleiden, vertuschen: to ~ a trail eine Spur verwischen; to ~ facts Tatsachen verhehlen. – **17.** *mil.* verblenden, mit einer Blende versehen, bombenfest machen. – **18.** (*Straßenbau*) mit Kies *od.* Erde ausfüllen *od.* bedecken. – **19.** *tech.* matt machen: to ~ enamel Email matt schleifen. –
III *v/i* **20.** *obs.* blind werden, sich trüben. – **21.** *Br. sl.* ‚blind drauf'lossausen'. – **22.** *Br. sl.* fluchen. –
IV *s* **23.** (Fenster)Vorhang *m*, Fensterladen *m*, Rou'leau *n*, Mar'kise *f*: roller ~ Rolladen, Rolljalousie; short ~ Scheibengardine; Venetian ~ (Stab)Jalousie. – **24.** (Augen)Binde *f* (*bei Spielen etc*). – **25.** *pl* Scheuklappen *pl*. – **26.** *fig.* Vorwand *m*, Bemäntelung *f*. – **27.** *sl.* Strohmann *m*. – **28.** *mil.* a) Blendung *f*, Blende *f* (*Sicherung vor Sprenggeschossen*), b) *sl.* ‚dicke Luft' (*gespannte Lage*). – **29.** 'Hinterhalt *m*. – **30.** (Poker)Einsatz *m* (*vor dem Kartengeben*). – **31.** *sl.* mangelhaft adres'sierter Brief. – **32.** the ~ die Blinden *pl*. – **33.** → ~ tooling. –
V *adv* **34.** blindlings, sinnlos: to go it ~ *sl.* blind(lings) drauflosgehen; ~ drunk sinnlos betrunken.
blind·age ['blaindidʒ] *s* **1.** *mil.* Blende *f*. – **2.** Klappblende *f* (*für Pferde*).
blind| al·ley *s* Sackgasse *f* (*auch fig.*). — **'~-'al·ley** *adj* zu nichts führend: ~ occupation Stellung ohne Aufstiegsmöglichkeit. — **~ bag·gage** *s Am. sl.* **1.** *auch* ~ car (*Eisenbahn*) Gepäckwagen *n* ohne 'Durchgangstüren. – **2.** blinder Passa'gier. — **'~,ball** *s bot.* (*ein*) Stäubling *m* (*Fam. Lycoperdaceae*). — **~ bee·tle** *s zo.* blindlings her'umfliegender Käfer. — **~ block·ing** → blind tooling. — **~ book·ing** *s* (*Filmwesen*) Blindbuchung *f*. — **~ coal** *s* Taubkohle *f*, Anthra'zit *m*, magere Steinkohle. — **~ date** *s Am. colloq.* **1.** Verabredung *f* mit einer *od.* einem Unbekannten. – **2.** unbekannter Partner *od.* unbekannte Partnerin bei einem Rendez'vous.
blind·ed ['blaindid] *adj* **1.** geblendet, blind, verblendet (*auch fig.*). – **2.** mit zugezogenen Vorhängen, mit her'untergelassenen Jalou'sien, mit geschlossenen Fensterläden. – **3.** *mil.* mit Blenden versehen.
blind·er ['blaindər] *s bes. Am.* Scheuklappe *f* (*auch fig.*).
'blind|,fish *s zo.* (*ein*) Höhlenfisch *m* (*bes. Fam. Amblyopsidae*). — **~ flight** *s aer.* Blindflug *m*. — **~ fly·ing** *s aer.* Blindfliegen *n*, -flug *m*, Instru'mentenfliegen *n*. — **'~,fold I** *adj u. adv* **1.** mit verbundenen Augen. – **2.** blind(lings) (*auch fig.*). – **II** *v/t* **3.** (*j-m*) die Augen verbinden *od.* bedecken. – **4.** *fig.* (ver)blenden. – **III** *s* **5.** Augenbinde *f*. — **'~,fold·ed** *adj* → blindfold I. — **~ gen·tian** *s bot. Am.* Schließblütiger Enzian (*Gentiana andrewsii*). — **~ gut** *s med.* Blinddarm *m*, Coecum *n*. — **~ hook·y** *s* Häufeln *n* (*Kartenspiel*).
blind·ing ['blaindiŋ] *s* **1.** Blenden *n* (*auch fig.*). – **2.** (*Straßenbau*) Blendung *f*, Sanddecke *f*.
blind| lift *s* Fensterladen-, Jalou'siezug *m*. — **~ man** *s irr* **1.** Blinder *m*. – **2.** → blind reader.
'blind·man's|-'ball [-mænz] → blindball. — **~ buff** *s* Blindekuh(spiel *n*) *f*. — **~ hol·i·day** *s humor.* Zwielicht *n*, Abenddämmerung *f*.
blind·ness ['blaindnis] *s* **1.** Blindheit *f* (*auch fig.*). – **2.** *fig.* Verblendung *f*.
blind| net·tle *s bot.* Weiße Taubnessel (*Lamium album*). — **~ pig** → blind tiger. — **~ pit** *s bot.* einseitiger Tüpfel (*ohne Gegenstück in der Nachbarzelle*). — **~ pull** → blind lift. — **~ ra·di·o** *s Am.* (*verächtlich*) Hörrundfunk *m*. — **~ read·er** *s Postbeamter, der sich mit mangelhaft od. unleserlich adressierten Briefen befaßt*. — **~ sac** *s biol.* Blindsack *m*: ~ of cochlea Schneckenblindsack. — **~ shell** *s mil.* **1.** Gra'nate *f* ohne Sprengladung. – **2.** nicht kre'pierte Gra'nate, Blindgänger *m*. — **~ snake** *s zo.* (*eine*) Wurmschlange (*Fam. Typhlopoïdae*). — **~ spot** *s* **1.** *med.* blinder Fleck (*auf der Netzhaut*). – **2.** *fig.* schwacher *od.* wunder Punkt. – **3.** *tech.* tote Zone, Totlage *f*, -punkt *m*. – **4.** (*Radio*) Ort *m* mit schlechtem 'Rundfunkempfang. — **~ stag·gers** *s pl* **1.** *vet.* → stagger 12. – **2.** *humor.* Torkeln *n* (eines Betrunkenen). — **'~-'stamp** *v/t* (*bes. Buchbinderei*) blindprägen, mit Blindpressung versehen. — **~ stitch** *s* blinder (*unsichtbarer*) Stich. — **'~,stitch** *v/t* mit blinden Stichen nähen. — **'~,sto·ry** *s arch.* Stockwerk *n* ohne Fenster, *bes.* Tri'forium *n*, angeblendete Ar'kade. — **~ tap·ping** *s tech.* Sackgewinde *n*. — **~ ti·ger** *s Am. sl.* illegaler Alkoholausschank. — **~ tool·ing** *s* (*Buchbinderei*) Blindpressung *f*, Blind(rahmen)prägung *f*. — **'~,worm** *s zo.* Blindschleiche *f* (*Anguis fragilis*).
blink [bliŋk] **I** *v/i* **1.** blinken, blinzeln, zwinkern, die Augen halb zukneifen. – **2.** flüchtig blicken: to ~ at s.o. an j-m (absichtlich) vorbeisehen, j-n scheel ansehen. – **3.** mattes *od.* unstetes Licht verbreiten, schimmern. – **4.** säuerlich werden (*Milch, Bier*). – *SYN. cf.* wink. – **II** *v/t* **5.** (*j-n*) anblinzeln, (*j-m*) zublinzeln. – **6.** (absichtlich) über'sehen *od.* -'hören *od.* -'gehen, (*dat*) ausweichen: to ~ a question. – **7.** blinzeln machen, blenden: the lights ~ my eyes. – **8.** (*j-m*) die Augen verbinden. – **9.** durch 'Lichtsi,gnale mitteilen. – **10.** sauer werden lassen. – **III** *s* **11.** flüchtiger Blick, Blinzeln *n*. – **12.** Schimmer *m*, Blinken *n*. – **13.** *bes. Scot.* Augenblick *m*. – **14.** Blink *m* (*Widerschein von Eisfeldern od. -bergen am Horizont*). – **15.** Eisfläche *f*, -berg *m*. – **16.** on the ~ *Am. sl.* in untauglichem Zustand, nicht in Ordnung, unpäßlich. – **IV** *adj* **17.** blinzelnd. – **18.** säuerlich (*Milch, Bier*).
blink·ard ['bliŋkərd] *s* **1.** Blinzelnde(r), Kurzsichtige(r). – **2.** *fig.* Dummkopf *m*.
blink·er ['bliŋkər] **I** *s* **1.** Blinzler(in). – **2.** Scheuklappe *f*. – **3.** *pl* Schutzbrille *f*. – **4.** *sl.* ‚Gucker' *m* (*Auge*). – **5.** Blinklicht *n* (*an gefährlichen Straßenkreuzungen*). – **6.** 'Lichtsi,gnal *n*: ~ apparatus Lichtsprech-, Blinkgerät; ~ beacon Blinkfeuer. – **II** *v/t* **7.** mit Scheuklappen versehen. – **8.** täuschen, hinters Licht führen.
'blink-,eyed *adj* blinzelnd, mit blinzelnden Augen.
blink·ing ['bliŋkiŋ] **I** *adj* **1.** blinzelnd. – **2.** *Br. sl.* ‚verflixt', ‚verflucht' (*euphem. für* bloody). – **II** *s* **3.** Blinzeln *n*. — **~ chick·weed, blinks** [bliŋks] *s bot.* Quellenkraut *n* (*Montia fontana*).
blink·y ['bliŋki] *adj* **1.** zum Blinzeln neigend. – **2.** *dial.* angesäuert (*Milch*).
blip [blip] *s* (*Radar*) Leuchtfleck *m*, Echozeichen *n*.
bliss [blis] *s* Freude *f*, Entzücken *n*, Seligkeit *f*, Wonne *f*: the realm of ~ das Reich der Seligen. — **'bliss·ful** [-fəl; -ful] *adj* (glück)selig, freude-, wonnevoll. — **'bliss·ful·ness** *s* Seligkeit *f*, Wonne *f*.
blis·som ['blisəm] **I** *adj* geil (*Schaf*). – **II** *v/i* geil sein. – **III** *v/t* bespringen.
blis·ter ['blistər] **I** *s* **1.** *med.* (Wund)Blase *f*, Brandblase *f*, Bläschen *n* (*auf der Haut*). – **2.** *med.* Blase *f*, Pustel *f*: to raise ~s Blasen *od.* Pusteln bekommen *od.* erzeugen. – **3.** *tech.* a) Gußblase *f*, Galle *f*, Lucke *f*, b) Glasblase *f*. – **4.** *med.* Zug-, Blasenpflaster *n*. – **5.** *bot.* Kräuselkrankheit *f*. – **6.** *aer. colloq.* Bordwaffen- *od.* Beobachterstand *m* (*Kuppel*). – **7.** *mar.* Tor'pedowulst *m*. – **II** *v/t* **8.** *med.* mit Blasen bedecken. – **9.** miß'handeln. – **10.** *fig.* (scharf) kriti'sieren, (heftig) angreifen. – **11.** *fig.* brennen machen (*wie von Blasen*). – **III** *v/i* **12.** Blasen ziehen, sich mit Blasen bedecken. — **~ bee·tle** *s zo.* **1.** Span. Fliege *f* (*Lytta vesicatoria*). – **2.** (*ein*) Ölkäfer *m*

(*Fam. Meloïdae*). — ~ **blight** *s bot.* **1.** Blasenkrankheit *f* (*des Teestrauchs*). – **2.** → blister rust. — ~ **cone** *s* (*Vulkanismus*) Staukuppe *f*. — ~ **cop·per** *s tech.* Blasen-, Rohkupfer *n*. — ~ **dome** → blister cone.

blis·tered ['blistərd] *adj* **1.** *med.* mit Blasen bedeckt, blasig. – **2.** *tech.* blasig, luckig. — ~ **cast·ing** *s tech.* po'röser Guß.

blis·ter| flow·er → blister plant. — ~ **fly** → blister beetle. — ~ **gas** *s mil.* ätzender Kampfstoff.

blis·ter·ing ['blistəriŋ] **I** *adj* Blasen erzeugend, blasenziehend: ~ heat brennende Hitze. – **II** *s* Blasenziehen *n*, -bildung *f*.

blis·ter| plant *s bot.* Scharfer Hahnenfuß (*Ranunculus acris*). — ~ **plas·ter** *s med.* Zug-, Blasenpflaster *n*. — ~ **rust** *s bot.* Blasenrost *m* (*der Kiefern*). — ~ **steel** *s tech.* Blasenstahl *m*.

blite [blait] *s bot.* **1.** Beermelde *f*, 'Erdbeerspi,nat *m* (*Blitum capitatum*). – **2.** Guter Heinrich (*Chenopodium bonus-henricus*).

blithe [blaið] *adj u. adv* **1.** fröhlich, lustig, munter, vergnügt. – **2.** *obs.* gütig, freundlich. – *SYN. cf.* merry. — '**blithe·ful** [-fəl; -ful] *adj* fröhlich.

blith·er·ing ['bliðəriŋ] *adj Br. colloq.* verflucht: ~ idiot Voll(blut)idiot.

blitz [blits] **I** *s* **1.** heftiger (Luft)Angriff: the B~ die deutschen Luftangriffe auf London (*1940/41*). – **2.** → ~krieg I. – **II.** *v/t* **3.** bombar'dieren: ~ed city. – **4.** → ~krieg II. — '~,**krieg** [-,kri:g] **I** *s* **1.** Blitzkrieg *m*. – **2.** *fig.* über'raschender Angriff, Über'rumpelung *f*. – **II** *v/t* **3.** einen Blitzkrieg führen gegen, über'rumpeln.

bliz·zard ['blizərd] *s* Blizzard *m* (*heftiger Schneesturm*).

bloat[1] [blout] **I** *v/t* **1.** *meist* ~ up anschwellen lassen, aufblasen, aufblähen (*auch fig.*). – **II** *v/i* **2.** auf-, anschwellen. – **III** *s* **3.** *sl.* aufgeblasene Per'son. – **4.** *sl.* Säufer *m*. – **5.** *vet. Am.* Aufblähen *n*, Bläh-, Trommelsucht *f* (*bei Pferden etc*).

bloat[2] [blout] *v/t* (*bes. Heringe*) räuchern.

bloat·ed[1] ['bloutid] *adj* **1.** aufgeblasen, (an)geschwollen, gebläht, aufgedunsen, über'trieben (*auch fig.*). – **2.** *med.* aufgetrieben, pa'stös, gedunsen.

bloat·ed[2] ['bloutid] *adj* geräuchert (*Hering*).

bloat·er ['bloutər] *s* Räucherhering *m*, Bückling *m*.

blob [blɒb] **I** *s* **1.** Tropfen *m*, Kügelchen *n*. – **2.** *bes. dial.* Pustel *f*. – **3.** (*Kricket*) null Punkte *pl* (*eines Spielers*). – **II** *v/i pret u. pp* **blobbed** **4.** klecksen. – **5.** *dial.* brodeln, sprudeln, glucksen, plätschern. — '**blob·by** *adj* **1.** bekleckst, voll Klümpchen. – **2.** tropfenförmig.

bloc [blɒk] *s pol.* Block *m* (*Zusammenschluß von Parteien od. Ländern*).

block [blɒk] **I** *s* **1.** Block *m*, Klotz *m* (*aus Stein, Holz, Metall etc*): → building 3; as deaf as a ~ stocktaub. – **2.** Hackklotz *m*, Richtblock *m*. – **3.** (Schreib-, No'tiz- *etc*)Block *m*. – **4.** (*Buchbinderei*) Prägestempel *m*. – **5.** Pe'rückenstock *m*. – **6.** *sl.* ‚Gehirnkasten' *m* (*Kopf*). – **7.** Hutform *f*, -stock *m*. – **8.** *print.* Druckform *f*. – **9.** (*Schuhmacherei*) a) Lochholz *n*, b) Leisten *m*, c) Block *m* (*zum Ausweiten*). – **10.** (*Tischlerei*) Fugenkeil *m*. – **11.** *print.* a) Kli'schee *n*, b) Ju'stierblock *m* (*für Stereotypie-Platten*), c) Farbstein *m* (*für Klischees*). – **12.** Po'lierblock *m* (*für Marmor*). – **13.** Pfeifenboden *m* (*bei der Orgel*). – **14.** *tech.* Block *m*, Flasche *f*, Kloben *m*, Rolle *f*, Rollenkloben *m*: ~ and pulley, ~ and fall, ~ and tackle Flaschenzug, Zugwerk. – **15.** *tech.* Sta'tiv *n*, Gestell *n*. – **16.** Hindernis *n*, Stockung *f*, Absperrung *f*. – **17.** *tech.* Sperre *f*, Anschlag *m*. – **18.** *med.* Bloc'kierung *f*, Sperrung *f*, ('Leitungs-) Unter,brechung *f*. – **19.** (*Eisenbahn*) Blockstrecke *f*. – **20.** *mar.* Block *m* (*im Ladegeschirr*). – **21.** *econ.* Anhäufung *f* (*im Geschäft*). – **22.** (*Kricket*) Aufhalten *n* des Balles (*ohne ihn wegzuschlagen*). – **23.** *geol.* (Gesteins)-Scholle *f*. – **24.** *arch.* (hohler) Baustein: ~ of capping Deckel-, Sattelstein; ~ of freestone Werkstück, Quaderstein. – **25.** *mil.* a) *hist.* Richtklotz *m*, Vi'sierfuß *m*, b) geballte Ladung. – **26.** *bes. Br.* Reihenhäuser *pl*, Häuserblock *m*. – **27.** *Am.* 'Häuserkom,plex *m*, Häuserviertel *n*, 'Straßenqua,drat *n*: he lives three ~s from here er wohnt drei Straßen weiter. – **28.** *econ. colloq.* Masse *f*, Haufen *m*, ('Aktien)Pa,ket *n*: in ~ in Bausch u. Bogen. – **29.** (Ausstellungs)-Sockel *m* (*für Maschinen etc*): on the ~ zum Verkauf *od.* zur Versteigerung ausstehend. – **30.** *hunt.* Stange *f* (*des Jagdfalken*). – **31.** *fig.* Klotz *m*, Tölpel *m*, Dummkopf *m*. – **32.** *fig.* roher Mensch. – **33.** *sport* Sperren *n*. – **34.** *cf.* bloc. –
II *v/t* **35.** (auf einem Block) formen: to ~ a hat. – **36.** (*Buchbinderei*) (mit Prägestempeln) pressen. – **37.** *tech.* (auf)klotzen. – **38.** hemmen, hindern (*auch fig.*). – **39.** *oft* ~ up absperren, (ver)sperren, verstopfen, bloc'kieren, einschließen. – **40.** *fig.* (im Lauf) aufhalten: to ~ a bill *pol. Br.* die Annahme eines Gesetzentwurfes (*durch Hinausziehen der Diskussion*) verhindern. – **41.** *tech.* sperren. – **42.** *econ.* (*Konten*) sperren, (*Geld*) einfrieren, bloc'kieren. – **43.** *chem.* bloc'kieren, (*Säuren*) neutrali'sieren, (*Katalysator*) inakti'vieren. – **44.** *electr.* (*Röhre*) sperren, (*Fernmeldeleitung*) bloc'kieren. – **45.** (*Kricket*) (*Ball*) mit dem Schläger aufhalten (*ohne zu schlagen*). – **46.** *mil.* abriegeln. – *SYN. cf.* hinder[1]. –
Verbindungen mit Adverbien:
block| down *v/t* (*Metall*) in Blöcke hämmern. — ~ **in** *v/t* entwerfen, skiz'zieren, roh ausführen. — ~ **out** *v/t* **1.** in Blöcke formen, aushauen, entwerfen. – **2.** *arch.* (*Holz*) zurichten. — ~ **up** *v/t* (*durch Flaschenzüge*) heben, (*durch Blöcke*) (ab)stützen, befestigen, sichern.

block·ade [blɒ'keid] **I** *s* **1.** Bloc'kade *f*, Einschließung *f*, (Hafen)Sperre *f*: to break (*od.* run) a ~ eine Blockade brechen. – **2.** Bloc'kadetruppe *f*. – **3.** Barri'kade *f*. – **II** *v/t* **4.** bloc'kieren, absperren, versperren, einschließen. — **block'ad·er** *s* **1.** Bloc'kierender *m*. – **2.** Bloc'kadeschiff *n*.

block'ade-,run·ner *s* Bloc'kadebrecher *m*. — **block'ade-,run·ning** *s* Bloc'kadebrechen *n*.

block·age ['blɒkidʒ] *s* Sperre *f*, Blok'kierung *f*, Stockung *f*.

'**block|-and-'cross bond** *s arch.* Block- u. Kreuzverband *m*. — ~ **bond** *s arch.* Blockverband *m*. — ~ **book** *s* Blockbuch *n* (*von Holzplatten gedruckt*). — ~ **book·ing** *s* (*Filmwesen*) Blockbuchen *n*. — ~ **brake** *s* Klotz-, Backenbremse *f*. — '~,**bust·er** *s colloq.* große (*2 bis 11 Tonnen schwere*) Fliegerbombe. — ~ **cap·tain** *s* (*Art*) Luftschutzwart *m*. — ~ **chain** *s tech.* **1.** Kette *f* ohne Ende. – **2.** Flaschenzugkette *f*. — ~ **cir·cuit** *s electr.* Sperrkreis *m*.

blocked [blɒkt] *adj* **1.** verriegelt, gesperrt, bloc'kiert. – **2.** *electr.* verblockt, abgeblockt. — ~ **ac·count** *s econ.* Sperrkonto *n*, gesperrtes Guthaben.

block·er ['blɒkər] *s* **1.** j-d der Blöcke formt *od.* mit Blöcken arbeitet. – **2.** *tech.* Vorschmiedegesenk *n*.

block| fur·nace *s* (*Hüttenwesen*) Stück-, Wolfsofen *m*. — '~,**head** *s* **1.** *fig.* Holz-, Dummkopf *m*. – **2.** Holzkopf *m* (*Hutstock*). — '~,**head·ed** *adj* dumm, einfältig. — ~ **hole** *s* **1.** (*Kricket*) *Marke vor den Wickets, die die Blockierungsstellung anzeigt.* – **2.** (*in einen Felsblock gedrilltes*) Sprengloch. — '~,**hole** *v/t* (*Felsblock*) zersprengen (*indem man in einem Sprengloch Dynamit entzündet*). — '~,**house** *s* Blockhaus *n* (*auch mil.*).

block·ing ['blɒkiŋ] *s* **1.** *tech.* Verblocken *n*, Blockung *f*, Bloc'kierung *f*. – **2.** *electr.* Sperrung *f* (*einer Röhre durch hohe negative Gittervorspannung*). – **3.** Sperrung *f*: ~ of account *econ.* Kontensperrung. — ~ **course** *s arch.* Sockelschicht *f*, Schicht *f* ungegliederter Hausteine. — ~ **po·si·tion** *s mil.* Riegelstellung *f*. — ~ **press** *s* (*Buchbinderei*) *Br.* Prägepresse *f*.

block·ish ['blɒkiʃ] *adj* **1.** klotzig, klobig. – **2.** *fig.* dumm, plump, tölpelhaft.

block| la·va *s geol.* Blocklava *f*. — ~ **let·ter** *s print.* **1.** Holztype *f*. – **2.** *pl* Blockschrift *f*. — '~,**like** *adj* **1.** blockartig. – **2.** *fig.* strohdumm. — ~ **line** *s* Flaschenzugseil *n*, -zugkette *f*. — '~,**mak·er** *s* Kli'schee,hersteller *m*. — '~,**mak·ing** *s* Kli'schieren *n*. — ~ **moun·tain** *s geol.* Blockberg *m* (*Berg mit aus Blöcken bestehender Gesteinsform*). — '~,**pate** → blockhead. — ~ **pave·ment** *s tech. Am.* Pflasterdecke *f*, (Stein)Pflaster *n*. — ~ **plan** *s* Entwurf *m od.* Plan *m* (in 'Umrissen). — ~ **plane** *s tech.* Stirnhobel *m*. — ~ **print** *s* **1.** Holz-, Li'nolschnitt *m*. – **2.** Kat'tun-, Tafel-, Handdruck *m*. — ~ **print·ing** *s* **1.** Holz-, Li'nolschneidekunst *f*, Handdrucke'rei *f*. – **2.** Drucken *n od.* Schreiben *n* in Blockschrift. — '~,**ship** *s mar.* **1.** (*altes Kriegsschiff, benützt als*) Provi'ant- *od.* Hafenschutzschiff *n*. – **2.** zum Versenken (*zwecks Blockade*) bestimmtes Schiff. — ~ **sig·nal** *s* (*Eisenbahn*) 'Blocksi,gnal *n*. — ~ **sys·tem** *s* **1.** (*Eisenbahn*) 'Blocksy,stem *n*. – **2.** *electr.* Blockschaltung *f*. — ~ **teeth** *s pl med.* mehrere künstliche Zähne an einer Platte, 'Zahnpro,these *f*. — ~ **tin** *s tech.* Blockzinn *n*. — ~ **type** *s print.* Blockschrift *f*. — ~ **vote** *s* Sammelstimme *f* (*wobei ein Abstimmender eine ganze Gruppe vertritt*).

block·y ['blɒki] *adj* **1.** *phot.* flau. – **2.** blockähnlich, klotzig.

blo(e)·dite ['bloudait] *s min.* Blö'dit *m*, Astraka'nit *m* ($Na_2SO_4 \cdot MgSO_4 \cdot 4H_2O$).

bloke [blouk] *s colloq.* Kerl *m*, Bursche *m* (*oft verächtlich*).

blond [blɒnd] **I** *s* **1.** Blonder *m*, blonder Typ. – **2.** Blond *n* (*Farbe*). – **3.** *cf.* blonde 2. – **II** *adj* **4.** hell(farbig). – **5.** blond (*Haar*), hell (*Haut, Augen*). – **6.** blond(haarig): a ~ race. — **blonde** [blɒnd] **I** *s* **1.** Blon'dine *f*, Blonde *f*. – **2.** Blonde *f* (*Spitze aus Rohseide*). – **II** *adj cf.* blond II. — '**blond(e)·ness** *s* Blondheit *f*.

blood [blʌd] **I** *s* **1.** Blut *n*: circulation of the ~ Blutkreislauf; ~ and thunder! *interj* Hölle und Teufel! ~-and-thunder literature Schauer-, Schundliteratur. – **2.** *fig.* Blut *n*, Tempera'ment *n*, Stimmung *f*: to make s.o.'s ~ boil j-s Blut zum Sieden bringen; his ~ was up sein Blut war in Wallung; in cold ~ kalten Blutes, kaltblütig, berechnend; to breed bad (*od.* ill) ~ böses Blut machen; one cannot get ~ out of a stone man kann von herzlosen Menschen kein Mitgefühl erwarten; → curdle 2. – **3.** (edles) Blut, Geblüt *n*, Abstammung *f*: prince of the ~ royal Prinz von königlichem Geblüt; a gentleman of ~ ein Herr aus adligem Haus; → blue ~. – 4. Per'son *f* edler 'Herkunft. – 5. Blutsverwandtschaft *f*, Fa'milie *f*, Geschlecht *n*: **allied by** ~ blutsverwandt; **near in** ~ nahe verwandt; ~ **will out** Blut bricht sich Bahn *od.* setzt sich durch; ~ **is thicker than water** Blut ist dicker als Wasser; → run in. – 6. Menschenschlag *m*, Rasse *f*. – 7. Geblüt *n*, Vollblut *n*, Rasse *f* (*bei Tieren, bes. Pferden*). – 8. *fig.* (*bes.* roter) Saft: ~ **of grapes** Traubensaft, Blut *od.* Saft der Rebe. – 9. Blutvergießen *n*, Mord *m*, Blutschuld *f*: **his** ~ **be on us** *Bibl.* sein Blut komme über uns. – 10. *fig.* Leben *n*, Lebenskraft *f*: **in** ~ kraftvoll, gesund (*Tier*); **out of** ~ kraftlos, schwach (*Tier*). – 11. *fast obs.* Lebemann *m*, Wüstling *m*. – 12. *fig.* Fleisch *n* u. Blut *n* (*menschliche Natur*). – **II** *v/t* 13. *hunt.* (*Hund*) an Blut gewöhnen. – 14. *obs.* blutig machen.

blood| bank *s med.* Blutbank *f*. — ~ **bap·tism** *s relig.* Bluttaufe *f*. — '~ˌ**bird** *s zo.* (*ein*) austral. Honigschmecker *m* (*Myzomela sanguineolenta*). — ~ **bond** *s* Blutsbande *pl*, verwandtschaftliche Beziehung. — ~ **broth·er** *s* 1. leiblicher Bruder. – 2. Blutsbruder *m*, -freund *m* (*bei primitiven Völkern*). — ~ **broth·er·hood** *s* Blutsbrüderschaft *f*. — ~ **cell** *s med.* (rotes) Blutkörperchen, Blutzelle *f*. — ~ **cir·cu·la·tion** *s med. zo.* Blutkreislauf *m*. — ~ **clam** *s zo.* (*eine*) Archenmuschel (*Gattg Arca*). — ~ **clot** *s med.* Blutklumpen *m*, -gerinnsel *n*, -pfropf *m*, Thrombus *m*. — ~ **co·ag·u·la·tion** *s med.* Blutgerinnung *f*. — ~ **count** *s med.* Blutkörperchenzählung *f*, Blutbild *n*. — ~ **cri·sis** *s med.* Blutkrise *f*. — ~ **cup** *s bot.* (*ein*) Becherling *m*, (*ein*) Becherpilz *m* (*Gattg Peziza, bes. P. coccinea*). — '~ˌ**cur·dler** *s* 'Schauergeschichte *f*, -roˌman *m*. — '~ˌ**cur·dling** *adj* haarsträubend, grauenhaft. — ~ **disk** *s zo.* (kernloses) Blutkörperchen. — ~ **dock** *s bot.* Blutroter Storchschnabel (*Geranium sanguineum*). — ~ **do·nor** *s med.* Blutspender *m*.

blood·ed ['blʌdid] *adj* 1. reinrassig, Vollblut... (*Tier*): ~ **horse**. – 2. (*in Zusammensetzungen*) ...blütig: **pure-~** reinblütig; **warm-~** warmblütig.

blood| feud *s* Blut-, Todfehde *f*. — '~ˌ**flow·er** *s bot.* 1. → blood lily. – 2. *Am.* O'rangenfarbige Seidenpflanze (*Asclepias curassavica*). — ~ **ge·ra·ni·um** → blood dock. — ~ **gill** *s zo.* Blutkieme *f*. — ~ **gland** *s med. zo.* Blut-, Hor'mondrüse *f*, Drüse *f* mit innerer Sekreti'on. — ~ **group** *s med.* Blutgruppe *f*. — ~ **group·ing** *s* Blutgruppenbestimmung *f*. — '~ˌ**guilt**, '~ˌ**guilt·i·ness** *s* Blutschuld *f*. — '~ˌ**guilt·y** *adj* mit Blutschuld behaftet. — ~ **heat** *s med.* Blutwärme *f*, 'Körpertemperaˌtur *f*. — ~ **horse** *s* Vollblutpferd *n*. — '~ˌ**hound I** *s* 1. Schweiß-, Bluthund *m*. – 2. *fig.* Spürhund *m*, Verfolger *m*, Häscher *m*. – **II** *v/t* 3. unerbittlich verfolgen. — ~ **is·lands** *s pl med. zo.* Blutinseln *pl*, Blutbildungsflecke *pl* (*des Embryos*). — ~ **leech** *s zo.* Deutscher Blutegel (*Hirudo medicinalis*).

blood·less ['blʌdlis] *adj* 1. blutlos, -leer. – 2. farblos, bleich. – 3. *fig.* geist-, leblos, tot. – 4. *fig.* herzlos, kalt. – 5. unblutig, ohne Blutvergießen (*Kampf, Sieg*).

'**blood|ˌlet·ter** *s med.* Aderlasser *m*. — '~ˌ**let·ting** *s med.* Aderlaß *m*, Blutentnahme *f*. — ~ **lil·y** *s bot.* Blutblume *f* (*Gattg Haemanthus*). — '~ˌ**line** *s biol.* Blutlinie *f* (*Abstammungsverlauf eines Tieres*), 'Erbzuˌsammenhang *m*. — '~-'**lye salt** *s chem.* 1. rotes Blutlaugensalz, 'Ferricyaˌnid *n* ($K_3Fe(CN)_6$). – 2. gelbes Blutlaugensalz, 'Ferrocyaˌnid *n* ($K_4Fe(CN)_6$). — ~ **mare** *s* Vollblutstute *f*. — ~ **meal** *s* Blutmehl *n*. — '~·**moˌbile** [-məˌbiːl] *s med.* fahrbare Blutspenderstelle. — ~ **mon·ey** *s* Blutgeld *n*: a) *Bußgeld, das bei Mord od. fahrlässiger Tötung an die nächsten Verwandten des Getöteten zu zahlen ist*, b) *Kopfgeld für die Auslieferung od. Tötung eines Verfolgten*, c) *Belohnung für einen Mord*. — ~ **pheas·ant** *s zo.* (*ein*) 'Blutfaˌsan *m* (*Gattg Ithaginis*). — ~ **pink** *s bot.* Blutnelke *f* (*Dianthus cruentus*). — ~ **plant** → blood lily. — ~ **plaque** *s med. zo.* Blutplättchen *n* (*im Säugetierblut*). — ~ **plas·ma** *s med. zo.* Blutflüssigkeit *f*, -plasma *n*, -serum *n*. — ~ **plate**, ~ **plate·let** → blood plaque. — ~ **poi·son·ing** *s med.* Blutvergiftung *f*. — ~ **pres·sure** *s med.* Blutdruck *m*. — ~ **pud·ding** *s* Blutwurst *f*. — '~-'**red** *adj* blutrot, von Blut gerötet. — ~ **re·la·tion** *s* Blutsverwandte(r). — ~ **re·la·tion·ship** *s* Blutsverwandtschaft *f*. — '~-'**ripe** *adj* vollkommen reif (*von Früchten mit rotem Saft*). — '~ˌ**root** *s bot.* 1. *Am.* Kanad. Blutkraut *n* (*Sanguinaria canadensis*). – 2. *Br.* Blutwurz *f* (*Potentilla erecta*). – 3. → blood dock. — ~ **sac·ri·fice** *s* Blutopfer *n*. — ~ **sau·sage** *s* Blutwurst *f*. — ~ **se·rum** *s med.* Blutserum *n*, -wasser *n*. — '~ˌ**shed**, '~ˌ**shed·ding** *s* Blutvergießen *n*, Mord *m*. — '~ˌ**shot** *adj* 'blutunterˌlaufen. — ~ **spav·in** *s vet.* Blutspat *m* (*Pferd*). — '~ˌ**spill·ing** → bloodshed. — '~ˌ**stain I** *s* Blutfleck *m*, -spur *f*. – **II** *v/t* mit Blut beflecken. — '~ˌ**stained** *adj* blutbefleckt. — '~ˌ**stanch** → horseweed 1. — '~ˌ**stock** *s* Vollblutpferde *pl*. — '~ˌ**stone** *s min.* 1. Blutstein *m*, Roteisenstein *m*, Häma'tit *m* (Fe_2O_3). – 2. Helio'trop *m* (*eine Quarz-Abart*). — ~ **stream** *s med.* Blutstrom *m*. — '~ˌ**suck·er** *s* 1. Blutsauger *m* (*auch fig.*). – 2. *zo.* (*ein*) Blutsauger *m*, (*eine*) Schönechse (*Gattg Calotes; Eidechse*). – 3. *fig.* Aussauger *m*, Erpresser *m*. — '~ˌ**suck·ing** *adj* 1. blutsaugend. – 2. *fig.* erpresserisch. — ~ **sug·ar** *s med. zo.* Blutzucker *m*, Glu'kose *f*. — ~ **test** *s med.* Blutprobe *f*. — '~ˌ**thirst**, '~ˌ**thirst·i·ness** *s* Blutdurst *m*, -gier *f*. — '~ˌ**thirst·ing**, '~ˌ**thirst·y** *adj* blutdürstig. — ~ **tree** *s bot.* 1. West'indischer Gummilackbaum (*Croton gossypiifolium, C. draco*). – 2. (*ein*) austral. Kino-Gummibaum *m* (*Eucalyptus corymbosa*). — ~ **type** → blood group. — ~ **typ·ing** → blood grouping. — '~-'**vas·cu·lar** *adj med.* mit Blutgefäßen, blutgefäßhaltig, Blutgefäß...: ~ **gland** Blut-, Hormondrüse; ~ **system** Blutgefäßsystem. — ~ **ves·sel** *s med. zo.* Blutgefäß *n*, -ader *f*, -bahn *f*. — '~ˌ**weed** *s bot.* 1. → blood lily. – 2. → bloodflower 2. — '~ˌ**wood** *s bot.* 1. Blutholz *n* (*z.B. Campecheholz*). – 2. (*eine*) asiat. Lager'strömie (*Lagerstroemia speciosa*). – 3. → blood tree 2. – 4. (*ein*) jamai'kanischer Teebaum (*Haemocharis haematoxylon*). — '~ˌ**worm** *s zo.* rote Mückenlarve, Larve *f* der Federmücke (*Gattg Chironomus*). — '~ˌ**wort** *s bot.* 1. Blutampfer *m* (*Rumex sanguineus*). – 2. Attich *m*, 'Zwerghoˌlunder *m* (*Sambucus ebulus*). – 3. (*eine*) 'Blutnarˌzisse (*Gattg Haemodorum*). – 4. (*ein*) Tausend'güldenkraut *n* (*Centaurium umbellatum*). – 5. Pimpi'nelle *f* (*Sanguisorba minor*). – 6. Schafgarbe *f* (*Achillea millefolium*). – 7. Ruprechtskraut *n* (*Geranium robertianum*). – 8. *Am.* (*ein*) Habichtskraut *n* (*Hieracium venosum*). – 9. *Am. für* bloodroot 1.

blood·y ['blʌdi] **I** *adj* 1. blutig, blutrot, blutbefleckt. – 2. blutähnlich, Blut...: → flux 6 b. – 3. blutdürstig, -rünstig, mörderisch, grausam, Todes...: **a** ~ **battle** eine blutige Schlacht. – 4. *Br. vulg.* verdammt, verflucht, saumäßig (*oft nur Verstärkungswort*): **there wasn't a** ~ **soul there** keine Menschenseele war da; ~ **fool** verdammter Idiot; ~ **lie** Mordslüge. – **II** *adv* 5. *Br. vulg.* (*sehr anstößig*) mordsmäßig, schauderhaft, verdammt: **don't be so** ~ **silly** sei nicht so verdammt blöd. – **III** *v/t* 6. blutig machen, mit Blut beflecken. — ~ **bark** *s bot. eine austral. Leguminose* (*Lonchocarpus blackii*). — '~ˌ**bones** *s* Schreckgespenst *n*, Popanz *m*. — ~ **butch·ers** *s bot.* Kuckucks-Knabenkraut *n* (*Orchis mascula*). — ~ **clam** → blood clam. — ~ **crane's-bill** → blood dock. — ~ **cur·rant** *s bot.* Blutrote *od.* Blut-Johannisbeere (*Ribes sanguineum*). — ~ **dock** → bloodwort 1. — ~ **dog·wood** → bloody twig. — ~ **(man's) fin·gers** → foxglove. — '~-'**mind·ed** *adj* blutdürstig, -rünstig, grausam. — ˌ~-'**mind·ed·ness** *s* Blutdurst *m*, Grausamkeit *f*. — ~ **mur·rain** *s vet. allg.* Viehseuche *f*. — ~ **nos·es** *s bot.* 1. *eine nordamer. Scrophulariacee* (*Castilleja coccinea*). – 2. (*eine*) Wachslilie, (*ein*) Drilling *m* (*Trillium erectum*). — ~ **rod** → bloody twig. — ~ **shirt** *s Am. fig.* Pa'role *f od.* Sym'bol *n* zur Erregung von Feindseligkeit (*ursprünglich u. bes. auf den Gegensatz zwischen Norden u. Süden bezogen*): **to wave the** ~ hetzen, Feindschaft *od.* Rachsucht erregen. — ~ **sun·fish** *s zo.* Roter Sonnen- *od.* Klumpfisch (*Orthagoriscus mola*). — ~ **twig** *s bot.* Blutrote Kor'nelkirsche (*Cornus sanguinea*). — ~ **veined dock** → bloodwort 1. — ~ **war·ri·or** *s bot.* Dunkler Goldlack (*Cheiranthus cheiri*).

bloo·ey ['bluːi] *adj u. adv Am. sl.* schief, krumm, verkehrt: **everything went** ~ alles ging schief *od.* daneben.

bloom[1] [bluːm] **I** *s* 1. Flaum *m*, Hauch *m* (*auf Früchten u. Blättern*), Schmelz *m* (*auch fig.*). – 2. *poet.* Blume *f*, Blüte *f*, Flor *m*: **in full** ~ in voller Blüte; **vernal** ~ Frühlingsblumen. – 3. *fig.* (Zeit *f* der) Blüte *f*, Schönheit *f*, Jugend *f*, rosige Frische: **the** ~ **of youth** die Jugendblüte; **the** ~ **of her cheeks** die rosige Frische ihrer Wangen. – 4. (*Brauerei*) Gärungsschaum *m*. – 5. (*Gerberei*) Blüte *f* (*auf gut gegerbtem Leder*). – 6. staubiger 'Überzug (*neu geprägter Münzen*). – 7. (*Malerei*) Wolkigkeit *f* (*des Firnisses*). – 8. Fluores'zenz *f* (*Petroleum*). – 9. (*Fernsehen*) Über'strahlung *f*. – 10. milchiges Aussehen (*von Glas*). – 11. *min.* Blüte *f*. – **II** *v/i* 12. blühen, in Blüte stehen (*auch fig.*). – 13. (er)blühen, (*in Jugendfrische, Schönheit etc*) (er)strahlen, mit einem zarten Hauch über'zogen sein. – 14. ~ **out** a) aufblühen, sich strahlend entfalten, b) *min.* auswittern, (sich) beschlagen. – **III** *v/t* 15. (*Färberei*) über'decken, -'färben (**with** mit). – 16. (*in Schönheit, Jugend*) (er)strahlen lassen.

bloom[2] [bluːm] *s* (*Hüttenkunde*) 1. vorgewalzter Block, Vor-, Schmiede-, Walzblock *m*. – 2. Puddelluppe *f*, Rohrbarren *m*.

bloom·age ['bluːmidʒ] *s collect.* Blüten(fülle *f*) *pl*.

bloom·er[1] ['bluːmər] *s* 1. blühende Pflanze. – 2. (*Gerberei*) Arbeiter, der die Blüte (*vom Leder*) entfernt.

bloom·er[2] ['bluːmər] *s sl.* 1. grober Fehler, Schnitzer *m*, (Stil)Blüte *f*, Fehlschlag *m*. – 2. ‚Niete' *f*, Versager *m*.

bloom·er[3] [ˈbluːmər] *s* (*Hüttenkunde*) Arbeiter, der Luppen auswalzt.

bloom·er pit *s* (*Gerberei*) letzte Lohgrube.

bloom·ers [ˈbluːmərz] *s pl* (Damen)-Pumphosen *pl*.

bloom·er·y [ˈbluːməri] *s* (*Hüttenkunde*) **1.** Luppenfrischhütte *f*. – **2.** Luppenfrischarbeit *f*. — **~ hearth** *s* (*Hüttenkunde*) Rennherd *m*.

ˈbloom,fell → **bird's-foot trefoil.**

bloom·ing[1] [ˈbluːmiŋ] **I** *adj* **1.** aufblühend, (er)blühend, strahlend, in voller Blüte. – **2.** *sl. euphem.* verflucht, verflixt: a ~ **idiot** ein Vollidiot. – **II** *s* **3.** Blühen *n*, Blüte(zeit) *f* (*auch fig.*). – **4.** (*Färberei*) Abklären *n*.

bloom·ing[2] [ˈbluːmiŋ] *s* (*Hüttenkunde*) Auswalzen *n* von Luppen, Luppenwalzen *n*.

bloom·ing| mill *s* (*Hüttenkunde*) Vorwalz-, Blockwalzwerk *n*. — **ˈ~-of--the-ˈlakes** *s bot.* Wasserblüte *f* (*Algendecke der Wasseroberfläche*). — **~ sal·ly** *s bot.* Schmalblättriges Weidenröschen (*Epilobium angustifolium*). — **~ spurge** *s bot. Am.* Blüten-Wolfsmilch *f* (*Euphorbia corollata*).

bloom| i·ron *s* (*Hüttenkunde*) Wolfs-, Luppeneisen *n*. — **~ oil** → **rosin oil.** — **~ poi·son** → **poison bush** 2. — **~ side** *s* (*Gerberei*) haarige Seite (*Fell*). — **~ steel** *s* (*Hüttenkunde*) Luppenstahl *m*.

bloom·y [ˈbluːmi] *adj* **1.** *poet.* blumig, blühend, in Blüte (*auch fig.*). – **2.** mit Hauch *od.* Flaum bedeckt, flaumig.

bloop·er[1] [ˈbluːpər] *s electr. colloq.* selbststrahlender Empfänger.

bloop·er[2] [ˈbluːpər] *s* (*Baseball*) *colloq.* schwacher Flugball in das äußere Spielfeld (*der trotzdem nicht von den Feldspielern gefangen werden kann*).

blos·som [ˈblɒsəm] **I** *s* **1.** (*bes. fruchtbildende*) Blüte, Blütenstand *m*: **in full** ~ in voller Blüte. – **2.** *fig.* a) Blüte(zeit) *f*, b) ‚Perle' *f*, herˈvorragende Sache *od.* Perˈson: a ~ **of music** ein Meisterwerk der Musik. – **3.** Pfirsichfarbe *f* (*Pferd*). – **4.** (*Bergbau*) (*das*) Ausgehende (*einer Kohlenader*). – **II** *v/i* **5.** blühen, Blüten treiben (*auch fig.*). – **6.** *fig.* gedeihen. – **III** *v/t* **7.** als Blüte herˈvorbringen. — **~ blight** *s bot.* Blütenfäule *f* (*der Obstbäume*).

blos·somed [ˈblɒsəmd] *adj* **1.** Blüten tragend, blühend. – **2.** (*in Zusammensetzungen*) ...blütig, ...blühend: **many-~** vielblütig; **yellow-~** gelb blühend.

ˈblos·som|-,end rot *s bot.* Blütenendfäule *f* (*z.B. der Tomate am Griffelgrund*). — **ˈ~-,head·ed par·a·keet** *s zo.* (*ein*) Edelsittich *m* (*Psittacula cyanocephala*). — **~ with·y** *s bot.* Staudenphlox *m* (*Phlox paniculata*).

blos·som·y [ˈblɒsəmi] *adj* **1.** voller Blüten, blütenreich. – **2.** blütenartig.

blot[1] [blɒt] **I** *s* **1.** (Tinten)Klecks *m*, Fleck *m*. – **2.** *fig.* (Schand)Fleck *m*, Makel *m*: a ~ **on the escutcheon** ein Fleck auf der Familienehre. – **3.** Verleumdung *f*: **to cast a ~ upon s.o.** j-n verunglimpfen. – **4.** Streichung *f*, Raˈsur *f* (*bei Geschriebenem*). – **II** *v/t pret u. pp* **ˈblot·ted 5.** (*mit Tinte*) beflecken, beklecksen, besudeln. – **6.** *fig.* beflecken, verunglimpfen. – **7.** *oft* ~ **out** (*Schrift*) aus-, ˈdurchstreichen. – **8.** *oft* ~ **out** *fig.* verwischen, auslöschen, aus der Welt schaffen, tilgen. – **9.** verdunkeln, in den Schatten stellen. – **10.** (*mit Löschpapier*) (ab)löschen, (auf)trocknen. – **11.** *print.* unsauber abziehen. – **III** *v/i* **12.** (herˈum)klecksen, schmieren, schlecht schreiben. – **13.** Streichungen machen. – **14.** ˈdurchschlagen, fließen, löschen (*Papier*). – **15.** verlaufen, zerfließen (*Tinte*). – *SYN. cf.* **erase.**

blot[2] [blɒt] *s* **1.** (*Puffspiel*) einzelnstehender, nicht gedeckter Stein: **to leave a ~** einen Stein bloßstellen; **to hit a ~** einen ungedeckten Stein nehmen. – **2.** *fig.* Blöße *f*, schwache Stelle, wunder Punkt.

blotch [blɒtʃ] **I** *s* **1.** Fleck *m*, Klecks *m*, Schmiereˈrei *f*. – **2.** *fig.* Makel *m*, (Schand)Fleck *m*. – **3.** *med.* Pustel *f*, Ausschlag *m*. – **4.** *bot. allg.* Fleckenkrankheit *f* (*an Pflanzen, meist durch Pilze hervorgerufen*). – **II** *v/t u. v/i* **5.** (be)klecksen, Flecken machen (auf *dat od. acc*) (*auch fig.*). – **6.** (sich) mit Pusteln *od.* Flecken bedecken. — **blotched** *adj* fleckig, bekleckst, mit Pusteln bedeckt. — **ˈblotch·y** *adj* fleckig, klecksig, undeutlich (*Schrift*).

blot·ter [ˈblɒtər] *s* **1.** (Tinten)Löscher *m*. – **2.** *Am.* Eintragungsbuch *n*, *bes.* Anklage-, Berichtliste *f* (*Polizeiwache*).

blot·tesque [blɒˈtesk] *adj* (*Malerei*) mit schweren (Pinsel)Strichen ausgeführt, klecksig.

blot·ting| book [ˈblɒtiŋ] *s* **1.** ˈLöschpa,pierblock *m*. – **2.** → **blotter** 2. — **~ case** *s* Mappe *f* für ˈLöschpa,pier. — **~ pad** *s* ˈSchreib,unter,lage *f od.* Block *m* aus ˈLöschpa,pier. — **~ pa·per** *s* ˈLöschpa,pier *n*.

blot·to [ˈblɒtou] *adj sl.* ‚besoffen', ‚sternhagelvoll'.

blot·ty [ˈblɒti] *adj* fleckig, voller Kleckse.

blouse [blauz] **I** *s* **1.** Bluse *f*. – **2.** *mil. Am.* Uniformjacke *f*. – **II** *v/t u. v/i* **3.** blusenartig *od.* blusig machen *od.* sein (*Kleidungsstück*). — **bloused** *adj* **1.** eine Bluse tragend. – **2.** blusig, blusenartig. — **ˈblous·ing** *s* Blusenstoff *m*.

blow[1] [blou] **I** *s* **1.** Blasen *n*, Wehen *n*. – **2.** *mar.* steife Brise, starker Wind. – **3.** Blasen *n*, Stoß *m* (*in ein Instrument*): a ~ **on a whistle** ein Pfiff; **to have a ~ at** blasen *od.* spielen auf (*dat*). – **4.** Schnauben *n*, Keuchen *n*. – **5.** Wasserausblasen *n* (*des Wals*). – **6.** *Am. sl.* Prahleˈrei *f*. – **7.** *Am. sl.* ‚aufgeblasene Perˈson', Prahlhans *m*. – **8.** Eierlegen *n*, Schmeiß *m* (*der Fliegen*). – **9.** *chem.* → **water gas** 1. – **10.** *tech.* Damm-, Deichbruch *m*. – **11.** (*Hüttenwesen*) Chargengang *m*, Schmelze *f*. – **12.** *tech.* Ausströmen *n* (*Gas*). – **13.** *colloq.* Atempause *f*, kurzes Verschnaufen. –

II *v/i pret* **blew** [bluː] *pp* **blown** [bloun] **14.** blasen, wehen, (auf)gewirbelt werden: **it is ~ing hard** es weht ein starker Wind; **to ~ through** *tech.* (*verstopftes Rohr etc*) durchblasen; **to ~ hot and cold** *fig.* wetterwendisch sein, den Mantel nach dem Wind hängen; **the dust is ~ing** der Staub weht *od.* wird aufgewirbelt; → **gun** 1. – **15.** blasen, spielen (on auf *einem Blasinstrument*). – **16.** ertönen, (er)schallen (*Blasinstrument*). – **17.** keuchen, schnaufen, schwer atmen: ~ **short** kurzatmig sein. – **18.** zischen (*Schlange*). – **19.** spritzen, blasen (*Wal, Delphin*). – **20.** Eier legen (*Schmeißfliege*). – **21.** *Am. colloq.* sich aufblasen *od.* ‚aufpusten', ‚Wind machen' (*prahlen*). – **22.** *sl.* ‚verduften', ‚abhauen', ‚türmen' (*sich davonmachen*). – **23.** schwellen, quellen (*Zement*). – **24.** (*aus einer Quelle*) (aus)strömen, fließen (*Öl, Gas etc*). – **25.** *electr.* ˈdurchbrennen (*Sicherung*). –

III *v/t* **26.** blasen, wehen, (auf)wirbeln, treiben (*Wind*). – **27.** (an)blasen, anfachen, entfachen, schüren: **to ~ the fire; to ~ dust in s.o.'s eyes** j-m blauen Dunst vormachen; **to ~ the bellows** den Blasebalg treten *od.* ziehen. – **28.** blasen, (*Blasinstrument*) ertönen lassen: **to ~ the horn** das Horn blasen; → **trumpet** 1; **to ~ kisses** Kußhände zuwerfen. – **29.** (*Pferd*) außer Atem bringen, keuchen machen. – **30.** *sl.* ‚verpfeifen' (*verraten*): → **gaff**[3]; **to ~ the lid off** *sl.* (*Skandal etc*) enthüllen. – **31.** aufblasen, -blähen: **to ~ bubbles** Seifenblasen machen; **to ~ glass** Glas blasen. – **32.** *auch* ~ **up** *obs. fig.* aufgeblasen *od.* eingebildet machen. – **33.** *meist* ~ **up** (in die Luft) sprengen. – **34.** aus-, ˈdurchblasen: **to ~ one's nose** sich die Nase putzen, sich schneuzen; **to ~ an egg** ein Ei ausblasen; **to ~ an oil well** *tech.* eine Ölquelle durch Sprengung löschen. – **35.** *sl.* (*Geld*) ‚verpulvern' (*verschwenderisch ausgeben*): **to ~ oneself to s.th.** *Am. colloq.* sich verschwenderischerweise etwas leisten. – **36.** Eier legen in (*acc*), beschmeißen (*Schmeißfliege*). – **37.** *colloq.* verfluchen, verwünschen: ~ **it!** *interj* hol's der Teufel! **I'll be ~ed** verflucht! ~ **me!** verflucht! alle Wetter! – **38.** (*Tabak vor der Fermentation*) anfeuchten. –

Verbindungen mit Adverbien:

blow| a·way *v/t* **1.** wegblasen. – **2.** wegjagen. — **~ down** *v/t* **1.** aus-, ˈumblasen, herˈunterwehen. – **2.** → **blow off** 3. — **~ in I** *v/t* **1.** (*Scheiben*) eindrücken (*Wind*). – **2.** *tech.* (*Hochofen*) anblasen, in Betrieb nehmen. – **II** *v/i* **3.** *colloq.* auftauchen, herˈeinschneien: **to ~ for a cup of tea.** — **~ off I** *v/t* **1.** wegblasen, -wehen, herˈunterwehen. – **2.** verjagen, verschwinden lassen. – **3.** *tech.* (*Dampf od. Gas*) abblasen, ablassen, ausströmen lassen: **to ~ one's steam** *fig.* seinem Herzen Luft machen, seine Wut *od.* Aufregung abreagieren. – **4.** *tech.* abschäumen. – **5.** *mar.* (*Kessel*) ˈdurchpressen. – **II** *v/i* **6.** abtreiben (*Schiff*). – **7.** *Am. colloq.* sich aufblasen, prahlen. — **~ out I** *v/t* **1.** (*Licht, Feuer*) ausblasen, (aus)löschen. – **2.** *tech.* (*Hochofen*) außer Betrieb setzen, ausblasen. – **3.** *electr.* (*Lichtbogen od. Funken*) löschen. – **4.** herˈaussprengen, -treiben: **to ~ one's brains** sich eine Kugel durch den Kopf jagen; **to ~ the stopper** (*durch Gasdruck*) den Pfropfen (*aus der Flasche*) heraustreiben. – **II** *v/i* **5.** ausgeblasen *od.* ausgelöscht werden. – **6.** herˈausgesprengt *od.* herˈausgetrieben werden. – **7.** *electr.* → **blow**[1] 25. – **8.** verpuffen, wirkungslos exploˈdieren (*Sprengladung*). — **~ o·ver I** *v/t* ˈumblasen, ˈumwehen. – **II** *v/i* vorˈüberziehen, -gehen, nachlassen (*Gewitter, Gefahr*). — **~ up I** *v/t* **1.** → **blow**[1] 33. – **2.** (*Mine*) zur Exploˈsiˈon bringen, springen lassen. – **3.** *sl.* (*Hoffnung, Plan*) vernichten, vereiteln. – **4.** aufblasen, -blähen. – **5.** → **blow**[1] 32. – **6.** *sl.* ‚anranzen', ‚anpfeifen', ‚anschnauzen' (*ausschimpfen*). – **7.** (*Feuer*) anblasen, anfachen, entfachen, schüren (*auch fig.*). – **8.** (*Regen*) herˈbeiwehen. – **9.** (*Staub*) aufwirbeln, -wehen. – **10.** (*Photo od. Fernsehbild*) vergrößern. – **II** *v/i* **11.** (*durch Explosion*) in die Luft fliegen, auffliegen. – **12.** *sl.* auffliegen, verpuffen, vernichtet *od.* vereitelt werden, scheitern (*Hoffnung, Plan*). – **13.** sich blähen, aufgeblasen werden (*auch fig.*). – **14.** auffahren, in Zorn geraten. – **15.** sich erheben, stärker werden (*Wind*).

blow[2] [blou] *s* **1.** Schlag *m*, Streich *m*, Stoß *m*, Wurf *m*: **at a (single) ~** mit ˈeinem Schlag *od.* Streich; **without (striking) a ~** ohne einen Schlag *od.* Streich (zu tun); **to be at ~s** sich schlagen *od.* balgen; **to come to ~s** handgemein werden; **to ward off a ~** einen Hieb *od.* Streich parieren *od.* abwehren. – **2.** *fig.* (Schicksals)Schlag *m*, plötzliches Unglück: **the ~s of fortune; a ~ to his pride** ein Schlag für seinen Stolz. – 3. *mus.* Schlag *m* (*auf ein Instrument*): ~ on the cymbals Beckenschlag.

blow³ [blou] **I** *v/i pret* **blew** [blu:] *pp* **blown** [bloun] aufblühen, (er)blühen, sich entfalten, zur Blüte kommen (*auch fig.*). – **II** *v/t poet.* zur Blüte bringen, (*Blüten*) her'vorbringen. – **III** *s* Blüte(zeit) *f*, Blühen *n*, Flor *m* (*auch fig.*): in full ~ in voller Blüte.

'blow|,back *s* **1.** *mil. tech.* Rückstoß *m*, -schlag *m*. – **2.** (freiwillige) Rückgabe von gestohlenem Gut. — **'~,ball** *s bot.* Pusteblume *f* (*Samenkopf des Löwenzahns od. ähnlicher Pflanzen*). — **'~,cock** *s tech.* Ablaßhahn *m*. — **'~,down** *s* **1.** 'Umblasen *n*, -wehen *n*. – **2.** (*Forstwirtschaft*) *Am.* Windbruch *m*, -fall *m*. – **3.** *tech.* a) Ablassen *n* von Dampf, b) Vorrichtung *f* zum Dampfablassen.

blow·en ['blouən] *s sl.* Straßendirne *f*.

blow·er¹ ['blouər] **I** *s* **1.** Bläser *m*: ~ of a horn Hornist. – **2.** *tech.* Gebläse *n*, Windrad *n*: rotary ~ rotierendes Gebläse. – **3.** *tech.* 'Strahlappa,rat *m*. – **4.** (*Spinnerei*) erste 'Schlagma,schine: ~ and spreader Wattenmaschine, zweite Schlagmaschine. – **5.** *meist* organ ~ Balgtreter *m*. – **6.** *tech.* Vorverdichter *m*. – **7.** (*Bergbau*) Wetterbläser *m* (*heftiges Ausströmen schlagender Wetter*). – **8.** Sprenger *m*, Sprengarbeiter *m*. – **9.** *mar. sl.* Wal *m*. – **10.** *sl.* ‚aufgeblasene Per'son' (*Prahlhans*). – **11.** *sl.* Tele'phon *n*. – **II** *adj* **12.** *tech.* Gebläse..., Vorverdichtungs...: ~ cooling Gebläsekühlung; ~ efficiency Förderleistung des Gebläses; ~ engine Vorverdichter-, Gebläsemotor.

blow·er² ['blouər] *s bot.* blühende Pflanze: early ~; late ~.

'blow|,fish *s zo. Fisch, der sich mit Luft aufblasen kann, bes.* → puffer 5. — **'~,fly** *s zo.* (*eine*) Schmeißfliege, *bes.* Blauer Brummer (*Calliphora erythrocephala*). — **'~,gun** *s* Blasrohr *n* (*der Wilden*). — **'~,hard** *s Am. sl.* Prahlhans *m*. — **'~,hole** *s* **1.** Luft-, Zugloch *n*. – **2.** Nasenloch *n* (*Wal*). – **3.** Loch *n* im Eis (*zum Atmen für Wale etc*). – **4.** *tech.* (Luft)Blase *f* (*im Guß*), Lunker *m*. – **5.** *mus.* Blas-, Mundloch *n* (*an Instrumenten*).

blow·i·ness ['blouinis] *s* Windigkeit *f*.

blow·ing ['blouiŋ] **I** *adj* **1.** wehend, windig: ~ land Flugsandboden; ~ sand Flugsand. – **2.** blasend, keuchend. – **3.** blühend. – **II** *s* **4.** Blasen *n*, Wehen *n*: in the ~ of a match im Nu. – **5.** *tech.* Glasblasen *n*. – **6.** *tech.* (Brenn)Fehler *m* (*im Porzellan*). – **7.** Blühen *n*. — **~ ad·der** *s zo.* (*eine*) Hakennatter (*Gattg Heterodon*). — **~ charge** *s tech.* (leichte Probe)-Sprengladung *f* (*Granate*). — **~ cone** *s geol.* kleiner Kraterkegel. — **~ current** *s electr.* Abschmelzstromstärke *f*. — **~ cyl·in·der** *s tech.* Ge'bläsezy,linder *m*. — **~ fan** *s agr.* Fegemühle *f*. — **~ fur·nace** *s* **1.** (*Glasfabrikation*) Blasofen *m*. – **2.** (*Hüttenkunde*) Gebläse-, Hochofen *m*. — **~ hole** → blowhole 5. — **~ i·ron** → blowtube 2. — **~ ma·chine** *s tech.* Ge'bläsema,schine *f*. — **~ pipe** → blowtube 2. — **~ snake** → blowing adder. — **~ tube** → blowtube. — **~ vi·per** → blowing adder.

'blow|,i·ron → blowtube 2. — **'~ job** *s aer. sl.* Düsenflugzeug *n*. — **'~,lamp** *s tech.* Lötlampe *f*. — **'~,line** *s* (leichte) Angelschnur.

blown¹ [bloun] **I** *pp von* blow¹. – **II** *adj* **1.** *oft* ~ up aufgeblasen, -gebläht (*auch fig.*). – **2.** außer Atem, erschöpft. – **3.** gebläht, geschwollen, aufgedunsen (*durch zuviel Grünfutter*). – **4.** madig, mit Fliegeneiern bedeckt (*Fleisch*): fly~ meat. – **5.** *tech.* blasig, porig, po'rös (*Guß*). – **6.** *obs.* schal, abgestanden (*Getränk*), verdorben, angegangen (*Speisen*).

blown² [bloun] **I** *pp von* blow³. – **II** *adj* **1.** aufgeblüht, blühend (*auch fig.*). – **2.** über'blüht, abgeblüht.

'blow,off *s* **1.** *tech.* Ablassen *n* (*Dampf, Wasser etc*). – **2.** *tech.* 'Ablaß,vorrichtung *f*: ~ cock Ablaßhahn; ~ pipe Ablaß-, Ausblaserohr. – **3.** *Am. sl.* Prahlhans *m*, Aufschneider *m*. – **4.** *Am. sl.* Gegenstand *m* der Prahle'rei. – **5.** *Am. sl.* ‚'Knallef,fekt' *m*, Sensati'on *f*, Höhepunkt *m*.

'blow,out *s* **1.** Ausblasen *n*. – **2.** a) Zerplatzen *n*, Zersprengen *n* (*eines Behälters durch den Inhalt*), b) Sprengloch *n*, c) Reifenpanne *f*. – **3.** *colloq.* (Gefühls)Ausbruch *m*. – **4.** *Am.* (Boden)Vertiefung *f*. – **5.** *geol.* Windkolk *m*. – **6.** *electr.* a) 'Durchbrennen *n* der Sicherung, b) Funkenlöschung *f*. – **7.** *sl.* ‚Futte'rei' *f* (*Gelage*). — **~ coil** *s electr.* (Funken)Löschspule *f*, Blasspule *f*. — **~ grass** *s bot.* (*ein*) amer. Dünengras *n* (*bes. Redfieldia flexuosa u. Muhlenbergia pungens*).

'blow,pipe *tech.* **I** *s* **1.** Lötrohr *n*, Schweißbrenner *m*. – **2.** → blowtube. – **II** *v/i* **3.** mit dem Lötrohr arbeiten. — **~ a·nal·y·sis**, **~ as·say**, **~ proof** *s tech.* 'Lötrohrana,lyse *f*, Lötrohrprobe *f*.

blow| post *s Br.* (pneu'matische) Rohrpost. — **~ snake** → blowing adder. — **'~,torch** *s* **1.** *tech.* Lötlampe *f*. – **2.** *aer. sl.* a) Düsentriebwerk *n*, b) → blow job. — **'~,tube** *s* **1.** → blowgun. – **2.** (*Glasfabrikation*) Glasbläserpfeife *f*. — **'~,up** *s* **1.** Explosi'on *f*. – **2.** *fig.* (Gefühls)Ausbruch *m*, Zank *m*, Lärm *m*. – **3.** *Am.* Krach *m*, Zu'sammenbruch *m*, Pleite *f*, Bank'rott *m*. – **4.** (*Zuckerraffinerie*) Klärraum *m*: ~ pan Klärpfanne. – **5.** Vergrößerung *f* (*eines Photos od. Fernsehbildes*). — **~ valve** *s tech.* 'Schnarr-, 'Schnüffel-, 'Durchblaseven,til *n*.

blow·y ['bloui] *adj* windig, luftig.

blowzed [blauzd], **'blowz·y** *adj* **1.** rot-, pausbäckig, gebräunt. – **2.** schlampig, wirr, zerzaust, nachlässig.

blub·ber ['blʌbər] **I** *s* **1.** Tran *m*, Speck *m* (*von Seesäugetieren*), *bes.* Walspeck *m*. – **2.** Speck *m*, Fett *n* (*an Menschen u. Tieren*). – **3.** *dial.* Schaum *m*, (Wasser-, Schaum)Blase *f*. – **4.** Flennen *n*, Geplärr *n*, weinerliches Sprechen. – **II** *v/i* **5.** flennen, plärren, weinen, schluchzen. – **6.** *obs.* wallen, brodeln. – **III** *v/t* **7.** (*das Gesicht*) durch Weinen entstellen. – **8.** (*mit Tränen od. Tau*) benetzen. – **9.** *oft* ~ out schluchzend äußern. – **IV** *adj* **10.** geschwollen, wulstig: ~ lips. — **'blub·bered** *adj* verweint, dick, geschwollen (*Gesicht etc*). — **'blub·ber·er** *s* **1.** Flenner(in), Plärrer(in). – **2.** Abspecker *m* (*von Walen etc*). — **'blub·ber·ous** → blubber IV.

blub·ber spade *s* Speckmesser *n* (*der Walfänger*).

blub·ber·y ['blʌbəri] *adj* **1.** dick, geschwollen. – **2.** schwabb(e)lig. – **3.** fett.

blu·cher ['blu:tʃər; 'blu:kər] *s* starker Halbstiefel zum Schnüren.

bludg·eon ['blʌdʒən] **I** *s* **1.** Knüppel *m*, kurzer Knüttel (*dessen eines Ende dicker od. mit Blei beschwert ist*). – **II** *v/t* **2.** mit einem Knüppel schlagen, niederknüppeln. – **3.** mit einem Knüttel bewaffnen. – **4.** (*j-n*) zwingen (into zu). – **5.** (*etwas*) erzwingen. – **6.** *Austral.* erpressen. — **,bludg·eon'eer** [-'nir], **'bludg·eon·er** *s* **1.** mit einem Knüppel Bewaffneter *od.* Schlagender. – **2.** *Br.* Dieb *od.* Räuber, der Gewalt anwendet. – **3.** *Austral.* Erpresser *m*.

blue [blu:] **I** *adj* **1.** blau. – **2.** bläulich, fahl, blei-, leichenfarben, matt (*Licht*): → black and ~; to burn ~ bläulich *od.* matt brennen (*Licht*). – **3.** (grau)-blau, dunstig, verschwommen: ~ distance blaue Ferne; the air was ~ with oaths es wurde höllisch geflucht. – **4.** *colloq.* schwermütig, traurig, bedrückt, niedergeschlagen: to look ~ traurig *od.* trübe dreinschauen; it made me feel quite ~ es machte mich ganz melancholisch. – **5.** *colloq.* trübe, unerfreulich: ~ lookout trübe Aussichten. – **6.** *pol.* blau (*als Parteifarbe*), konserva'tiv (*auch fig.*). – **7.** blau (gekleidet) (*als Berufskennzeichen von Dienern, Arbeitern, Polizisten etc*). – **8.** *Am.* (*moralisch*) unerbittlich, streng, puri'tanisch: ~ laws streng puritanische (*bes.* Sonntagsheiligungs)-Gesetze. – **9.** *colloq.* Blaustrumpf... (*Frau*). – **10.** *Br. colloq.* unanständig, ob'szön, schlüpfrig: ~ jokes. – **11.** *colloq.* groß, äußerst, schrecklich (*oft nur Verstärkungswort*): ~ despair helle Verzweiflung; → murder 1; what the ~ blazes! was zum Teufel! –
II *s* **12.** Blau *n*, blaue Farbe: cerulean ~ Cöruleum, Cölin; chemical ~ Chemischblau, Indigoschwefelsäure; constant ~ Indigokarmin; fluorescent resorcinal ~ Resorcinblau; Prussian (*od.* sa(u)nders) ~ Preußischblau. – **13.** blauer Farbstoff, Waschblau *n*. – **14.** *oft pl* blauer Stoff: to put on one's ~(s) sich die blaue Sport- *od.* Dienstkleidung *od.* Uniform anziehen. – **15.** *meist* B~ Blauer *m* (*in blaue Dienst-, Sporttracht od. Uniform Gekleideter*): the B~ *Am. hist.* die Soldaten der Nordstaaten im Bürgerkrieg; Oxford B~s zweites Garde-Kavallerieregiment; the Dark B~s die Dunkelblauen (*Studenten von Oxford, die bei Wettspielen ihre Universität vertreten*); the Light B~s die Hellblauen (*Studenten von Cambridge*). – **16.** (*in Oxford u. Cambridge*) Recht *n*, die blaue Sportkleidung zu tragen: to win one's ~ zum Vertreter seiner Universität bei Wettspielen gewählt werden. – **17.** *pol. Br.* Konserva'tiver *m*. – **18.** *poet.* Blau *n*, Himmel *m*, (weite) Ferne, Dunst *m*: → bolt 3. – **19.** *colloq.* Blaustrumpf *m*. – **20.** *pl colloq.* Schwermut *f*, Trübsinn *m*, Melancho'lie *f*: to have the ~s, to be in the ~s Trübsal blasen, melancholisch *od.* bedrückt sein; a fit of the ~s ein Anfall von Schwermut. – **21.** *pl* → blues. – **22.** *Am.* Winterpelz *m* (*Rotwild*). – **23.** vom Hals des Schafes gewonnene lange Wolle. – **24.** *zo.* (*ein*) blauer Schmetterling (*bes. Gattg Lycaena*): large ~ Großer Bläuling (*Lycaena arion*). – **25.** (*Bogenschießen*) zweiter Ring (*vom Zentrum*). –
III *v/t* **26.** blau färben *od.* streichen, (*Wäsche*) bläuen. – **27.** *tech.* (*Stahl*) blau anlaufen lassen. – **28.** *colloq. obs.* (*etwas*) ‚mitgehen lassen' (*stehlen*). – **29.** *sl.* verschwenden, vergeuden, verspielen. –
IV *v/i* **30.** blau werden. – **31.** *obs.* erröten.

blue| al·pine dai·sy *s bot.* Alpenaster *f* (*Aster alpinus*). — **~ as·bes·tos** *s min.* 'Blauas,best *m*. — **~ ash** *s bot.* Blau-Esche *f* (*Fraxinus quadrangulata*). — **~ ash·es** *s pl tech.* Kupferblau *n*, blaue Asche. — **~ ba·by** *s med.* blaues Baby (*Kind mit ausgeprägter Blausucht bei angeborenen Herzfehlern*). — **'~,back** *s zo. verschiedene blaurückige Fische u. Vögel*: ~ salmon (*ein*) Alaska-Lachs (*Oncorhynchus nerka*). — **~ ball** → blue scabious. — **~ bear** *s zo.* Eisbär *m* (*Ursus maritimus*). — **'B~,beard** *s* (Ritter) Blaubart *m* (*Mann, der seine Ehefrauen ermordet*). — **~ beech** *s bot.* Amer. Hainbuche *f* (*Carpinus caroliniana*).

— 'ˌ~ˌ**bell I** *s bot.* **1.** (*eine*) Glockenblume (*Gattg Campanula*), *bes.* Rundblättrige Glockenblume (*C. rotundifolia*). – **2.** Nickende 'Sternhyaˌzinthe (*Scilla nonscripta*). – **3.** 'Traubenhyaˌzinthe *f* (*Muscari botryoides*). – **4.** Gemeine Ake'lei (*Aquilegia vulgaris*). – **5.** (*eine*) Wahlenbergie (*bes. Wahlenbergia gracilis*). – **II** *adj* **6.** dunkelblau. — 'ˌ~ˌ**ber·ried cor·nel** *s bot.* (*eine*) blaufrüchtige Kor'nelkirsche (*Gattg Cornus*). — 'ˌ~ˌ**ber·ry I** *s bot.* **1.** Blau-, Heidelbeere *f* (*Vaccinium myrtillus*). – **2.** *eine nordamer. Berberidacee* (*Caulophyllum thalictroides*). – **II** *v/i* **3.** Blau- *od.* Heidelbeeren sammeln. — 'ˌ~ˌ**bill** *Am. für* scaup duck. — **~ bil·ly** *s zo.* (*ein*) Sturmvogel *m* (*Heteroprion desolatus*). — **~ bind·weed** → bittersweet II. — 'ˌ~ˌ**bird** *s* **1.** *zo. eine dem Rotkehlchen verwandte Drossel, bes.* (*ein*) amer. Hüttensänger *m* (*Gattg Sialia*). – **2.** *auch* B~ *Am. acht- bis zehnjähriges Mitglied der* Camp Fire Girls. — '~-'**black** *adj* blauschwarz. — **~ black** *s* **1.** Blauschwarz *n.* – **2.** Reißkohle *f.* — '~-ˌ**blind** *adj* vio'lettblind, trita'nop (*unfähig, Blau zu erkennen*). — **~ blind·ness** *s* Vio'lettblindheit *f*, Tritano'pie *f.* — **~ blood** *s* **1.** blaues Blut, alter Adel. – **2.** Aristo'krat(in), Adlige(r). — '~-'**blood·ed** *adj* aristo'kratisch, von altem Adel. — **~ blos·som** → blue myrtle 1. — **B~ Blouse** *s hist. in Rußland Name der Mitglieder von Amateur-Schauspieltruppen mit kommunistischen Erziehungszwecken.* — 'ˌ~ˌ**bon·net**, **~ bon·net** *s* **1.** blaue, flache (Schotten)Mütze. – **2.** *fig.* Schotte *m.* – **3.** *zo.* Blaumeise *f* (*Parus caeruleus*). – **4.** *bot.* Kornblume *f* (*Centaurea cyanus*). – **5.** → blue scabious. — **~ book**, *Am.* 'ˌ~ˌ**book** *s* Blaubuch *n*: a) *Br. vom Parlament od. Staatsrat veröffentlichter Bericht in blauem Einband,* b) *Am. Verzeichnis der amer. höheren Gesellschaft,* c) *Am. Verzeichnis der Regierungsbeamten der USA,* d) *Am. Verzeichnis von Angehörigen der freien Berufe u. der Geschäftswelt,* e) *Am.* Reiseführer *m* für Autofahrer, f) *ped. Am.* Prüfungsheft *n* (*an verschiedenen Universitäten*). — 'ˌ~ˌ**bot·tle** *s* **1.** *zo.* (*eine*) Schmeißfliege (*Gattgen Calliphora u. Lucilia*). – **2.** (*Angeln*) Blaue Hausfliege. – **3.** *bot.* a) → bluebonnet 4, b) (*eine*) 'Traubenhyaˌzinthe (*Gattg Muscari*). – **4.** *Br. sl. in blaue Uniform gekleidete Person, bes.* ‚Blauer' *m*, Poli'zist *m.* — **~ brant** → blue goose. — **~ bream** → bluegill. — 'ˌ~ˌ**breast** → bluethroat. — **~ brush** → blue myrtle 1. — 'ˌ~ˌ**buck** → blaubok. — **~ bug** *s zo.* Geflügelzecke *f* (*Argas persicus*). — **~ bull** *s zo.* Nylgau *m*, Ostindische Anti'lope (*Boselaphus tragocamelus*). — 'ˌ~ˌ**bush** *s bot.* Blaue Mexik. Säckelblume (*Ceanothus coeruleus*). — **~ but·ter** *s colloq.* graue (Quecksilber)Salbe. — 'ˌ~ˌ**but·ton** *s bot.* **1.** Immergrün *n* (*Vinca minor*). – **2.** → bluebonnet 4. – **3.** → blue scabious. — 'ˌ~ˌ**cap** *s* **1.** *zo.* (*ein*) Lachs *m* im ersten Jahr. – **2.** (*Bergbau*) Aure'ole *f* (*um die Flamme der Sicherheitslampe*). – **3.** → bluebonnet 2. — **~ car·di·nal flow·er** *s bot.* Nordamer. Lo'belie *f* (*Lobelia syphilitica*). — **~ cat** *s zo. ein im Mississippigebiet auftretender Speisefisch* (*Ictalurus furcatus*). — **~ ca·tal·pa** *s bot.* Pau'lownie *f*, Kaiserbaum *m*, Kiri *m* (*Paulownia tomentosa*). — **~ cat's clo·ver**, **~ cat's-tail** → blueweed. — **~ chip** *s Am.* **1.** (*Poker*) blaue Spielmarke (*von hohem Wert*). – **2.** *econ.* sicheres ('Wert)Paˌpier. — 'ˌ~ˌ**coat** *s* **1.** *Am. colloq.* ‚Blaurock' *m*, Poli'zist *m.* – **2.** *Am. hist.* Sol'dat *m* der Nordstaaten im Bürgerkrieg. – **3.** Zögling *m* von Christ's Hospital, London (*od. einer anderen engl. Waisenschule*). — 'ˌ~ˌ**coat school** *s Name bestimmter engl. Waisenschulen, deren Zöglinge blau gekleidet sind.* — **~ cod** *s zo.* (*ein*) Dorschfisch *m* (*Ophiodon elongatus*). — **~ col·lar work·er** *s* (Fa'brik)Arbeiter *m.* — **~ comb** (**dis·ease**) *s eine Geflügelkrankheit.* — **~ cor·al** *s zo.* (*eine*) ostindische Ko'ralle (*Heliopora coerulea*). — **~ corn·flow·er** → bluebonnet 4. — **~ crab** *s zo. ein Krebs* (*Gattg Callinectes, bes. C. sapidus*). — **~ crane** *s zo.* (*ein*) blauer Reiher (*Ardea herodias*). — **~ creep·er** *s bot. eine austral. Kletterpflanze* (*Comesperma volubile*). — 'ˌ~ˌ**cup** → bluebonnet 4. — '~-ˌ**curls**, **~ curls** *s bot. ein Lippenblüter* (*Gattg Trichostema, bes. T. dichotomum u. T. lanceolatum*). — **~ cy·press** *s bot.* Blaue 'Monterey-Zyˌpresse (*Cupressus macrocarpa var. guadalupensis*). — **~ dai·sy** *s bot.* **1.** *Br.* Strandaster *f* (*Aster tripolium*). – **2.** Zi'chorie *f* (*Cichorium intybus*). – **3.** (*eine*) südafrik. Aster (*Felicia amelloides*). — **~ dan·de·li·on** → blue daisy 2. — **~ dev·il** *s* **1.** böser Dämon. – **2.** *pl* Säuferwahnsinn *m.* – **3.** *pl* Trübsinn *m*, Melancho'lie *f.* – **4.** *bot.* (*eine*) Aster (*Aster lowrieanus*). – **5.** *pl* → blueweed. — **~ dicks** *s* (*eine*) wilde Hya'zinthe (*Dichelostemma capitatum*). — **~ dis·ease** *s* **1.** → cyanosis. – **2.** → tick fever. — **~ dog** *s zo.* Hunds-, Glatthai *m* (*Galeus canis*). — **~ dog·wood** *s bot.* (*ein*) nordamer. Hartriegel *m* (*Cornus alternifolia*). — **~ dun** *s* (*Angeln*) Blaue Eintagsfliege. — **~ ed·does** *s bot.* Goldnarbe *f* (*Xanthosoma sagittifolium*). — **~ el·der·ber·ry** *s bot.* Blauer Ho'lunder (*Sambucus coerulea*). — **~ en·sign** *s Br.* Flagge *f* der brit. Re'serveflotte. — '~-ˌ**eye** *s* **1.** *zo.* (*ein*) austral. Honigfresser *m* (*Entomyzon cyanotis*). – **2.** *bot.* → germander speedwell. — **~ eye·bright** *s bot.* Sumpf-Vergißmeinnicht *n* (*Myosotis palustris*). — '~-ˌ**eyed ba·bies** → bluet 2. — '~-ˌ**eyed grass** *s bot.* Blaue Binsenlilie (*Gattg Sisyrinchium*). — '~-ˌ**eyed Mar·y** *s bot.* Frühlings-Gedenkmein *n*, -Vergißmeinnicht *n* (*Omphalodes verna*). — **~ false in·di·go** → blue indigo. — 'ˌ~ˌ**fish** *s zo.* **1.** (*eine*) 'Goldmaˌkrele (*Gattg Coryphaena*). – **2.** Blaufisch *m* (*Pomatomus saltator*). – **3.** *ein kaliforn. Fisch* (*Eriscyon parvipinnis u. Girella nigricans*). – **4.** → saury. — **~ flag** *s bot.* Blaue Schwertlilie (*Iris versicolor*). — **~ fox** *s* (*Pelzhandel*) Blaufuchs *m* (*Polarfuchs mit dunklem Winterkleid*). — **~ gall** *s bot.* A'leppo-Galle *f* (*an Quercus infectoria durch die Gallwespe Diplolepis gallae-tinctoriae*). — 'ˌ~ˌ**gill** *s zo.* (*ein*) Sonnen-, Klumpfisch *m* (*Helioperca incisor*). — **~ glede** *s zo.* Kornweih *m* (*Circus cyaneus*). — **~ glow** *s electr.* Glimmlicht *n.* — **~ goose** *s irr zo.* Blaugans *f* (*Anser caerulescens*). — **~ grape** *s bot.* (*eine*) Weinrebe (*Vitis argentifolia; östl. USA*). — 'ˌ~ˌ**grass** *s bot.* **1.** *Am.* (*ein*) Rispen-, Viehgras *n* (*Gattg Poa, bes. P. pratensis u. P. compressa*). – **2.** the B~ *Am.* das Viehgrasgebiet (*in Kentucky; gutes Pferdezuchtgebiet*). — '**B~ˌgrass State** *s Am.* (*Spitzname für*) Ken'tucky *n.* — **~ gum** *s* **1.** *bot.* Blauer Gummibaum (*Eucalyptus globulus*). – **2.** *oft pl med.* blaue Färbung des Zahnfleisches (*Zeichen von Bleivergiftung*). — **~ hawk** *s zo.* **1.** Kornweih *m* (*Circus cyaneus*). – **2.** Wanderfalke *m* (*Falco peregrinus*). — 'ˌ~ˌ**hearts** *s bot. eine amer. Scrophulariacee* (*Buchnera americana*). — **~ heat** *s* Blauglut *f* (*des Eisens*). — **~ heel·er** *s* austral. Schäferhund *m.* — **B~ Hen State** *s Am. selten* (*Spitzname für*) Delaware *n.* — '~'**hot** *adj* blauglühend. — **~ huck·le·ber·ry** *s bot.* Blaue Buckelbeere (*Gaylussacia frondosa*). — **~ in·di·go** *s bot.* Falscher Indigo (*Baptisia australis*). — **~ i·ron earth** *s min.* Eisenblau *n*, erdiger Vivia'nit. — **~ i·ron ore** *s min.* Blaueisenstein *m.*

blue·ish *cf.* bluish.

'**blue**|ˌ**jack** *s* **1.** *chem.* a) blaues Vitri'ol, b) 'Kupfersulˌfat *n* ($CuSO_4 \cdot 5H_2O$). – **2.** *bot. Am.* (*eine*) Eiche (*Quercus cinerea*). — 'ˌ~ˌ**jack·et** *s fig.* Blaujacke *f*, Ma'trose *m.* — **~ jaun·dice** → cyanosis. — **~ jay** *s* **1.** *zo.* Blauhäher *m* (*Cyanocitta cristata*). – **2.** *tech.* Rammblock *m.* — **~ Joe** → bluegill. — **~ john** *s min.* blauer Flußspat (CaF_2). — 'ˌ~ˌ**joint** *s bot. Am.* **1.** Kanad. Landschilf *n* (*Calamagrostis canadensis*). – **2.** Blaue Quecke (*Agropyrum glaucum*). — **~ kite** → blue glede. — **~ lead** *s min.* **1.** Bleiglanz *m* (PbS). – **2.** goldhaltiger Kiesniederschlag (*in den alten Flußbetten Kaliforniens*). — 'ˌ~ˌ**leg** → bluestocking 1. — **~ light** *s mar.* Blaufeuer *n*, Blüse *f.* — **~ li·lac** → blue myrtle 1. — **~ lil·y** → blue flag. — **~ line** *s* **1.** → blue gum 2. – **2.** (*Tennis*) Aufschlaglinie *f.* – **3.** (*Eishockey*) Spielfelddrittellinie *f.* — **~ louse** *s irr zo. eine Vieh befallende Laus* (*Unterordng Anoplura*), *bes.* Langköpfige Rinderlaus, Haarling *m* (*Linognathus vituli*). — **B~ Man·tle** *s Name eines der 4 Wappenherolde von England.* — **~ mass** *s med.* Quecksilberpille *f.* — **~ met·al** *s min.* blauer ‚Konzentra'ti'onsstein (*60% Kupfer enthaltend; bei der Kupferverhüttung*). — **~ mold**, *bes. Br.* **~ mould** *s bot.* Pinselschimmel *m* (*Gattg Penicillium*). — **B~ Mon·day**, **~ Mon·day** *s* **1.** Montag *m* vor Fasten. – **2.** *colloq.* blauer Montag. — **~ moon** *s fig.* selten *od.* nie eintretendes Ereignis: → once 1. — **~ mould** *bes. Br. für* blue mold. — **~ myr·tle** *s bot.* **1.** Blaue Säckelblume (*Ceanothus thyrsiflorus*). – **2.** → bluebutton 1.

blue·ness ['bluːnis] *s* **1.** Bläue *f*, blaue Farbe. – **2.** konserva'tive Einstellung.

'**blue**|ˌ**nose** *s* **1.** Per'son *f* mit blauer Nase. – **2.** *Am.* hochnäsige *od.* sittenstrenge Per'son. – **3.** B~ Einwohner(in) von Neu'schottland. – **4.** neu'schottländisches Schiff. — **~ note** *s* (*Jazz*) erniedrigte *od.* zu tief into'nierte Tonstufe. — **~ oil** *s chem.* Blauöl *n* (*Destillat aus Ozokerit od. Ölschiefer*). — **~ oint·ment** *s med.* Quecksilbersalbe *f.* — **~ pea** *s bot.* Schmetterlingswicke *f* (*Clitoria ternatea*). — '~-'**pen·cil** *v/t* **1.** (*Manuskript etc*) (mit Blaustift) korri'gieren *od.* zu'sammenstreichen. – **2.** *fig.* zen'sieren, unter'sagen. — **~ perch** *s zo.* **1.** *Am.* (*ein*) Lippfisch *m* (*Tautogolabrus adspersus*). – **2.** *ein kaliforn. Fisch* (*Taeniotoca lateralis*). — **~ pe·ter** *s* **1.** *mar.* 'Abfahrts-Siˌgnalflagge *f* (*Flagge P des internationalen Signalbuches; blau mit weißem Mittelviereck*). – **2.** (*Whist*) Aufforderung *f* zum Trumpfen (*durch Ausspielen einer höheren Karte als nötig*). – **3.** *zo.* (*ein*) amer. Sultanshühnchen *n* (*Ionornis martinica*). — **~ pi·geon** *s* **1.** *mar. sl.* Senkblei *n.* – **2.** *zo.* (*ein*) austral. Würger *m* (*Coracina novae-hollandiae*). — **~ pike** *s Am. dial.* (*ein*) Hechtbarsch *m* (*Stizostedion vitreum*). — **~ pill** *s med.* Quecksilberpille *f.* — **~ point** *s zo. Am. Auster von einer Bank in der Nähe von Blue Point, Long Island, USA.* — 'ˌ~ˌ**print I** *s* **1.** *phot.* Blaudruck *m*, Licht-, Blaupause *f.* – **2.** *fig.* Plan *m*, Entwurf *m.* – **II** *v/t* **3.** eine Blaupause machen von (*etwas*). – **4.** einen (genauen) Plan ausarbeiten für. – **III** *adj* **5.** mit dem Blaupausverfahren ko'piert. — '~ˌ**print·er** *s* Blaudrucker *m* (*Arbeiter u. Maschine*). — '~ˌ**print pa·per** *s* **1.** *phot.* 'Blaupausˌpaˌpier *n.* – **2.** *med.* 'Bißkonˌtrollpaˌpier *n.* — ~ **rac·er** *s zo.* (*eine*) Schwarznatter (*Coluber constrictor flaviventris*).

blue rib·bon *s* **1.** blaues Band: a) *des Hosenbandordens*, b) *als Abzeichen von Mäßigkeitsvereinen*, c) *bes. sport Auszeichnung für besondere Leistungen.* – **2.** Träger *m* des Hosenbandordens. – **3.** *fig.* erster Preis, höchste Auszeichnung. — '**blue-'rib·bon** *adj Am.* auserlesen, erstklassig. — ˌ**blue-'rib·bon·er** *s* **1.** Tempe'renzler *m*, Mitglied *n* eines Mäßigkeitsvereins. – **2.** Träger *m* des blauen Bandes. — ˌ**blue-'rib·bonˌism** *s* Tempe'renzlertum *n*, Grundsätze *pl* der Mäßigkeitsvereine.

'**blue-'rib·bon| ju·ry**, ~ **pan·el** *s jur.* ausgewählte Geschworene *pl* (*für Sonderfälle*).

blue| rock *s* **1.** *zo.* Felsentaube *f* (*Columba livia*). – **2.** *geol.* a) (*irische Art*) Sandschiefer *m*, b) Ba'saltgestein *n* über goldhaltigen Kiesschichten (*Australien*), c) Ganggestein *n* der Dia'manten (*Südafrika*). — ~ **ru·in** *s sl. selten* ‚Fusel' *m*, schlechter (Wa'cholder)Schnaps.

blues [bluːz] *s mus.* Blues *m* (*schwermütiges Negerlied u. daraus entstandener Tanz od. Schlager*).

blue| sap → blue stain. — ~ **sca·bi·ous** *s bot.* Wiesenabbiß *m* (*Succisa pratensis*). — ~ **shark** *s zo.* Blau-, Menschenhai *m* (*Carcharias glaucus*). — '~ˌ**sides** *s zo.* halbausgewachsener Grönländischer Seehund (*Phoca groenlandica*). — '~-'**sky law** *s Am. colloq.* Gesetz *n* zur Verhütung unlauterer Manipulati'onen im 'Wertpaˌpierhandel. — ~ **spar** *s min.* Blauspat *m*, Lazu'lith *m.* — ~ **stain** *s bot.* Blaufäule *f* (*des Holzes, durch Schlauchpilze*). — '~ˌ**stem** *s bot. Am.* **1.** (*ein*) Bartgras *n* (*Andropogon furcatus*). – **2.** → bluejoint 2.

'**blueˌstock·ing I** *s* **1.** *colloq.* Blaustrumpf *m* (*schriftstellernde od. gelehrte od. pedantische Dame*). – **2.** *zo.* (*ein*) Säbelschnäbler *m* (*Gattg Recurvirostra*). – **II** *adj* **3.** *colloq.* blaustrumpfig. — '**blueˌstock·inged** *adj* blaustrumpfig. — '**blueˌstock·ingˌism** *s* blaustrumpfiges Wesen.

'**blue|ˌstone** *s* **1.** *chem.* 'Kupfervitriˌol *n.* – **2.** *min.* blauer Tonsandstein (*im Hudsongebiet*). — ~ **streak** *s* (*bläulicher*) Blitzstrahl: to run like a ~ *Am. colloq.* wie ein geölter Blitz laufen; to talk a ~ *Am. colloq.* wie ein Buch reden.

blu·et ['bluːit] *s bot.* **1.** → bluebonnet 4. – **2.** *oft pl Am.* (*ein*) Engelsauge *n*, (*eine*) Hou'stonie (*Houstonia caerulea*). – **3.** (*eine*) Heidelbeere (*Vaccinium angustifolium*).

'**blue|ˌtailed liz·ard**, '~-ˌ**tailed skink** *s zo.* Streifenskink *m* (*Eumeces fasciatus od. E. quinquelineatus*; *amer. Eidechse*). — ~ **this·tle** → blueweed. — '~ˌ**throat** *s zo.* Blaukehlchen *n* (*Luscinia svecica*). — ~ **tit·mouse** *s irr zo.* Blaumeise *f* (*Parus caeruleus*). — '~ˌ**top** *s bot.* **1.** Pferdedistel *f* (*Solanum carolinense*). – **2.** Schwarze Flockenblume (*Centaurea nigra*). — ~ **tus·sock** *s agr. bot.* (*ein*) Rispengras *n* (*Poa colensoi*). — ~ **ver·vain** *s bot.* (*eine*) nordamer. Ver'bene (*Verbena hastata*). — ~ **vit·ri·ol** *s chem.* 'Kupfersulˌfat *n* ($CuSO_4 \cdot 5H_2O$). — ~ **wa·ter** *s* (*die*) hohe See, (*das*) offene Meer. — ~ **wa·ter gas** *s tech.* Koksgas *n.* — ~ **wav·ey** → blue goose. — '~ˌ**weed** *s bot.* Gemeiner Natternkopf (*Echium vulgare*). — '~ˌ**wing** *s zo.* **1.** (*eine*) amer. Knäkente (*Querquedula discors*). – **2.** (*eine*) Löffelente (*Spatula clypeata u. S. rhynchotis*). — '~-ˌ**winged goose** → blue goose. — '~-ˌ**winged shov·el·er** → bluewing 2. — '~-ˌ**winged teal** → bluewing 1. — '~ˌ**wood** *s bot. eine Rhamnacee* (*Condalia obovata*; *Texas*). — ~ **wood as·ter** *s bot.* (*eine*) nordamer. Aster (*Aster cordifolius*).

blue·y ['bluːi] **I** *adj* bläulich. – **II** *s Austral.* Bündel *n* eines Buschmannes (*meist in eine blaue Decke eingeschlagen*): → hump 7.

bluff[1] [blʌf] **I** *v/t* **1.** bluffen, (ver)blüffen, (*dat*) durch Prahle'rei impo'nieren. – **2.** (durch Keckheit) abschrecken, einschüchtern, irremachen: you don't ~ me Sie können mich nicht ins Bockshorn jagen. – **3.** (*Poker*) bluffen (*die Mitspielenden durch Gebärden od. hohes Setzen auf schlechte Karten täuschen*). – **4.** *obs.* hinters Licht führen, täuschen. – **II** *v/i* **5.** (*Poker*) bluffen, hoch auf schlechte Karten setzen. – **6.** bluffen, dreist auftreten, prahlen, sich aufspielen, großtun. – **III** *s* **7.** (*Poker*) Bluff *m*, Täuschung *f*, Irreführung *f* (*auch fig.*): to play a game of ~ dreist *od.* prahlerisch auftreten. – **8.** dreistes, prahlerisches Auftreten, Großtue'rei *f.* – **9.** Bluffer *m*, Blender *m*, Prahlhans *m.* – **10.** Scheuklappe *f* (*für Pferde*). – **11.** *Am. hist. für* poker[2].

bluff[2] [blʌf] **I** *adj* **1.** *mar.* breit, voll (*Bug*). – **2.** schroff, steil (*Felsen, Ufer*). – **3.** breit, offen, gutmütig (*Gesicht*). – **4.** von rauher *od.* barscher *od.* plumper Gutmütigkeit *od.* Offenheit, freimütig, derb, ungeziert: B~ King Hal (*od.* Harry) *Spitzname für Heinrich VIII. von England.* – **5.** *obs. od. dial.* trotzig, grob. – *SYN.* blunt, brusque, crusty, curt, gruff. – **II** *s* **6.** Steil-, Felsufer *n*, Klippe *f*, Gipfelblatt *n.*

'**bluff-'bowed** *adj mar.* mit vollem breitem Bug.

bluff·er ['blʌfər] *s* Bluffer *m.*

'**bluff-'head·ed** → bluff-bowed.

bluff·ness ['blʌfnis] *s* **1.** Steilheit *f*, Abschüssigkeit *f.* – **2.** rauhe Gutmütigkeit.

bluff·y[1] ['blʌfi] *adj* zum Bluffen neigend.

bluff·y[2] ['blʌfi] *adj* **1.** voll steiler, schroffer Felsen. – **2.** etwas derb, zu rauher Gutmütigkeit neigend.

blu·ing ['bluːiŋ] *s* **1.** Bläuen *n*, Anlaufenlassen *n* (*Stahl*). – **2.** (Wasch)Blau *n.* — **blu·ish** ['bluːiʃ] *adj* bläulich.

blun·der ['blʌndər] **I** *s* **1.** (grober) Fehler, (grobes) Versehen, 'Mißgriff *m*, Schnitzer *m*: to make a ~ *fig.* einen Bock schießen. – **2.** *obs.* Verwirrung *f*, Durchein'ander *n.* – *SYN. cf.* error. – **II** *v/i* **3.** einen (groben) Fehler *od.* Schnitzer machen, einen Bock schießen, sich schwer irren, pfuschen, stümpern, unbesonnen handeln. – **4.** stolpern, tapsen: to ~ through the dark durchs Dunkel stolpern *od.* tappen; to ~ upon (*od.* into) s.th. zufällig auf etwas stoßen. – **III** *v/t* **5.** verpfuschen, verderben, verhunzen, einen Fehler machen in (*dat*) *od.* bei. – **6.** *meist* ~ out (unbedacht) her'ausplatzen mit. – **7.** *obs. od. dial.* verwechseln, durchein'anderbringen. –

Verbindungen mit Adverbien:

blunder| a·bout *v/i* um'hertappen, her'umpfuschen. — ~ **a·way I** *v/t* vergeuden, verscherzen. – **II** *v/i* drauf'lospfuschen. — ~ **on** *v/i* in die Irre gehen, blindlings *od.* stolpernd drauf'lostappen. — ~ **out** → blunder 6.

blun·der·buss ['blʌndərˌbʌs] *s* **1.** *mil. hist.* Donner-, Hakenbüchse *f.* – **2.** *colloq.* alter, unbrauchbarer Schießprügel. – **3.** *colloq. für* blunderer.

blun·der·er ['blʌndərər] *s* **1.** Stümper *m*, Pfuscher *m.* – **2.** Tölpel *m.*

'**blun·der|ˌhead** *s* Tölpel *m.* — '~-'**head·ed** *adj* tölpelhaft.

blun·der·ing·ly ['blʌndəriŋli] *adv* aus Versehen.

blunge [blʌndʒ] *v/t* (*Ton etc*) mit Wasser (ver)mischen *od.* (ver)mengen. — '**blung·er** *s* **1.** (Ton)Menger *m.* – **2.** Mengschaufel *f* (*der Töpfer*). — '**blung·ing** *s* Vermengen *n* (*von Ton*) mit Wasser.

blunt [blʌnt] **I** *adj* **1.** stumpf. – **2.** *fig.* abgestumpft, unempfindlich (to gegen). – **3.** *fig.* ungeschliffen, plump (*Manieren etc*). – **4.** dumm, schwerfällig. – **5.** barsch, grob, derb, zu offen. – **6.** schlicht, ungezwungen, ungeziert. – *SYN. cf.* a) bluff[2], b) dull. – **II** *v/t* **7.** stumpf machen, abstumpfen (*auch fig.*). – **8.** *tech.* abkanten, abstumpfen, brechen. – **9.** (*Gefühle*) unter'drücken, mildern, schwächen. – **10.** *tech.* (*Glas*) blind machen. – **III** *v/i* **11.** stumpf werden, sich abstumpfen. – **IV** *s* **12.** stumpfe Seite (*Klinge od. Werkzeug*). – **13.** *meist pl* Nähnadel *f* in kurzer Ausführung. – **14.** *sl. obs.*, Mo'neten' *pl* (*Geld*). — '**blunt·ish** *adj* etwas stumpf *od.* derb. — '**blunt·ness** *s* **1.** Stumpfheit *f.* – **2.** *fig.* Derbheit *f*, Grobheit *f*, zu offenes Wesen. – **3.** *fig.* (*geistige*) Schwerfälligkeit.

blur [bləːr] **I** *v/t pret u. pp* **blurred** **1.** (*Schrift etc*) verwischen, verschmieren, undeutlich *od.* verschwommen machen: to ~ out auslöschen, tilgen. – **2.** beflecken, beklecksen (*auch fig.*). – **3.** trüben, verdunkeln, verwischen. – **4.** *fig.* besudeln, entstellen. – **II** *v/i* **5.** klecksen, Flecke machen. – **6.** undeutlich *od.* verschwommen werden. – **III** *s* **7.** Fleck(en) *m*, Klecks *m*, verwischte Stelle. – **8.** *fig.* Makel *m*, Schandfleck *m.* – **9.** undeutlicher *od.* verwischter *od.* nebelhafter Eindruck: a ~ in one's memory eine nebelhafte Erinnerung; a ~ of light in the fog ein Lichtklecks im Nebel; the ~ of distant music das verworrene Geräusche ferner Musik.

blurb [bləːrb] *colloq.* **I** *s* **1.** ‚Bauchbinde' *f*, Waschzettel *m* (*eines Buches*). – **2.** *allg.* (über'triebene) Anpreisung. – **II** *v/t* **3.** einen Waschzettel schreiben *od.* Re'klame machen für (*ein Buch etc*), anpreisen.

blur cir·cle *s* (*Optik*) (Licht)Hof *m*, Trübungskreis *m*, -zone *f.*

blurred [bləːrd] *adj* unscharf, verschwommen, verwischt. — '**blur·ry** [-ri] *adj* **1.** verschwommen, unklar. – **2.** voller Flecke, fleckig.

blurt [bləːrt] **I** *v/t* **1.** *oft* ~ out (voreilig *od.* unbesonnen) her'ausplatzen mit, ausschwatzen. – **II** *v/i dial.* **2.** schnarchen. – **3.** Worte *od.* Laute (*unbeherrscht*) her'vorstoßen. – **4.** in Weinen ausbrechen. – **III** *s* **5.** unüberlegtes *od.* unbeherrschtes Gerede.

blush [blʌʃ] **I** *v/i* **1.** erröten, (schamrot werden, in Verwirrung geraten (at, for über *acc*): to ~ all over über und über erröten. – **2.** *meist poet.* sich röten, in rötlichem Glanze *od.* roter Blüte erstrahlen. – **3.** *tech.* wolkig *od.* trübe werden (*Lack*). – **II** *v/t* **4.** *meist poet.* rot machen, röten. – **5.** (*Gefühle*) durch Erröten zum Ausdruck bringen. – **III** *s* **6.** Erröten *n*, (Scham)Röte *f*: → spare 1; to put s.o. to (the) ~ j-n zum Erröten bringen. – **7.** Röte *f*, rötlicher Schein, rosiger Hauch. – **8.** *obs. od. dial.* Ähnlichkeit *f* (of mit). – **9.** Blick *m* (*nur noch in*): at (*od.* on) the first ~ auf den ersten Blick. — '**blush·ful** [-ful; -fəl] *adj* **1.** zum Erröten neigend. – **2.** errötend. – **3.** rötlich, rosig. — '**blush·ing I** *s* **1.** Erröten *n*, (Scham)Röte *f.* – **II** *adj*

2. errötend. – 3. erröten *od.* schamrot machend. – 4. rötlich, rosig. — **'blush·less** *adj* schamlos, ohne Erröten.

blush| rose *s* (*eine*) blaßrote Rose. — **'~,wort** *s bot.* (*ein*) Aeschy'nanthus *m* (*Gattg Aeschinanthus*).

blush·y ['blʌʃi] *adj* rötlich, sanft gerötet, errötend.

blus·ter ['blʌstər] **I** *v/i* **1.** brausen, toben, stürmen (*Wind, Wetter*). – **2.** *fig.* poltern, lärmen, prahlen: a ~ing fellow ein Großmaul *od.* Prahlhans. – **II** *v/t* **3.** verwehen, durchein'anderwehen. – **4.** (*j-n*) (durch Drohungen) zwingen (into zu) *od.* abbringen (out of von). – **III** *s* **5.** Brausen *n*, Toben *n*, Sausen *n*. – **6.** Sturm *m* (*auch fig.*), Windstoß *m*. – **7.** Lärm *m*, Getöse *n*, Tu'mult *m*. – **8.** Poltern *n*, Prahlen *n*, ,Großtue'rei *f*. – **9.** Geschmetter *n* (*bes. Trompeten*). — **'blus·ter·ing, 'blus·ter·ous, 'blus·ter·y** *adj* **1.** polternd, lärmend, stürmisch. – **2.** großmäulig.

bo[1] [bou] *interj* huh! (*um andere zu erschrecken*): he can't say ~ to a goose er ist ein Hasenfuß.

bo[2] [bou] *s Am. sl.* Bursche *m*, Menschenskind *n*, alter Freund (*als Anrede*).

bo[3] [bou], *pl* **boes** *s Am. sl.* ,Stromer' *m*, Landstreicher *m*, Vaga'bund *m*.

bo·a ['bouə] *s* **1.** *zo.* Boa *f*, Riesenschlange *f* (*Gattg Constrictor od. Boa*), *bes.* Königs-, Abgottschlange *f* (*Boa constrictor*). – **2.** *zo. jede große Schlange, die ihre Beute zerquetscht.* – **3.** Boa *f* (*Halspelz in Schlangenform*).

Bo·a·ner·ges [,bouə'nəːrdʒiːz] *s pl* **1.** *Bibl.* Donnerskinder *pl* (*Johannes u. Jakobus*). – **2.** (*als sg konstruiert*) *pl* ~ *od.* **-ges·ses** [-dʒisiz] *fig.* lauter, heftiger Prediger *od.* Redner, Eiferer *m*.

boar [bɔːr] **I** *s zo.* Eber *m*, Keiler *m*: → wild ~; young wild ~ *hunt.* Frischling. – **II** *adj Am. dial.* männlich (*Tier*).

board[1] [bɔːrd] **I** *s* **1.** Brett *n*, Diele *f*, Latte *f*: **falling** ~ Falltür, Klappe; **thick** ~ Bordstück, Bohle, Planke; **thin** ~ Sattel-, Kistenbrett; ~ **without runners** *sport* Tobogganbodenbrett. – **2.** Tisch *m*, Tafel *f*: ~ **of the table** Tischplatte. – **3.** *fig.* Kost *f*, Beköstigung *f*, Pensi'on *f*, 'Unterhalt *m*: ~ **and lodging** Kost u. Logis *od.* Wohnung, volle Pension; → bed 6; **to put out to** ~ in Kost geben. – **4.** Kostgeld *n*. – **5.** (Beratungs-, Gerichts)Tisch *m*. – **6.** *fig.* a) Ausschuß *m*, Komi'tee *n*, Kommissi'on *f*, b) Amt *n*, (Kollegi'al)Behörde *f*, c) Mini'sterium *n*: **Examination B**~ Prüfungskommission; **B**~ **of Admiralty** Admiralität; **B**~ **of Arbitration and Conciliation** Einigungsamt für Arbeitgeber u. -nehmer; **B**~ **of Brokers** *econ.* Maklersyndikat; **B**~ **of Health, Sanitary B**~ Gesundheitsbehörde, -amt; **B**~ **of Directors** *econ.* Direktion, Direktorium, Aufsichtsrat; **B**~ **of Governors** a) (Schul- *etc*)Behörde, b) Verwaltungs-, Aufsichtsrat; **B**~ **of Inland Revenue** *Br.*, **B**~ **of Assessment** *Am.* Finanzkammer, Steuerbehörde; **B**~ **of Trade** *Br.* Handelsministerium, *Am.* Handelskammer; **B**~ **of Trustees** Treuhänderausschuß. – **7.** (Anschlag)Brett *n*, Tafel *f*: **to put up on the** ~ *Br.* ans Schwarze Brett schlagen; **to be on the** ~**s** (*Cambridge*) in einem College eingeschrieben sein. – **8.** *ped.* (Wand)Tafel *f*. – **9.** (Schach-, Plätt)Brett *n*: → sweep 6. – **10.** (*Papierfabrikation*) Büttenbrett *n*. – **11.** (*Buchbinderei*) a) Preßbrett *n*, b) Buchdeckel *m*: **bound in** ~**s** kartoniert, steif broschiert. – **12.** *pl* (*Theater*) Bretter *pl*, Bühne *f*: → tread 19; walk *b. Redw.* – **13.** Kar'ton *m*, Pappe *f*, Pappdeckel *m*: ~ **made of leather parings** Lederpappe. – **14.** *tech.* Preßspan *m*. – **15.** *pl sport* Skier *pl*, Bretter *pl*. – **16.** *econ. Am.* Börse *f*: **on the** ~ börsenfähig. – **II** *v/t* **17.** dielen, täfeln, mit Brettern belegen, verschalen. – **18.** beköstigen, in Kost nehmen *od.* geben, (*Tier*) in Pflege nehmen *od.* geben: **they** ~ **their dog with us** sie geben ihren Hund bei uns in Pflege. – **19.** *tech.* (*Leder*) krispeln. – **III** *v/i* **20.** sich in Kost *od.* Pensi'on befinden, wohnen, lo'gieren (in, at in *dat*, **with** bei). –

Verbindungen mit Adverbien:

board| a·round *v/i Am.* abwechselnd bei Fa'milien (einer Gemeinde) speisen (*wie es Landpfarrer od. Lehrer taten*). — ~ **out I** *v/t* außerhalb in Pflege geben: **to** ~ **children**. – **II** *v/i* auswärts essen. — ~ **round** → board around. — ~ **up** *v/t* mit Brettern verschlagen *od.* vernageln.

board[2] [bɔːrd] **I** *s* **1.** Seite *f*, Rand *m* (*nur noch in Zusammensetzungen*): **sea**~ Küste. – **2.** *mar.* Bord *m*, Bordwand *f*, Schiffsseite *f*: **on** ~ an Bord (*eines Schiffes, Am. auch eines Zuges, Flugzeugs etc*); **on** ~ (**a**) **ship** an Bord (eines Schiffes); **on** ~ **the Neptune** an Bord der Neptun; **to go on** ~ an Bord gehen; **to receive on** ~ an Bord nehmen, *fig.* aufnehmen; **to ship on** ~ an Bord verladen; ~ **to** ~, ~ **and** ~, ~ **on** ~ Bord an Bord; **to go by the** ~ über Bord gehen, *fig.* zugrunde *od.* verlorengehen; **prices quoted on** ~, **free on** ~ *econ.* frei an Bord (*des Schiffes, Flugzeugs, Am. auch des Zuges*); **in** ~ binnenbords. – **3.** *mar.* Gang *m*, Schlag *m* (*beim Kreuzen*): **good** ~ Schlagbug, Streckbug; **long** (**short**) ~**s** lange (kurze) Gänge *od.* Schläge; **to make** ~**s**, **to beat** (*od.* **ply**) **windward by** ~**s** lavieren, kreuzen. – **II** *v/t* **4.** *mar.* (*Großhals etc*) zu Bord holen, her'untersetzen. – **5.** besteigen, entern, an Bord (*eines Schiffes*) gehen: **to** ~ **a train** (**plane**) *Am.* in einen Zug (ein Flugzeug) einsteigen; **to** ~ **a ship** a) an Bord eines Schiffes gehen, b) an ein Schiff anlegen, c) ein Schiff entern. – **6.** *fig.* anreden, sich wenden *od.* her'anmachen an (*acc*). – **III** *v/i* **7.** *mar.* la'vieren. — **'board·a·ble** *adj* **1.** zugänglich. – **2.** *mar.* enterbar.

board·ed ['bɔːrdid] *adj* getäfelt, Bretter...: ~ **ceiling** getäfelte Decke; ~ **floor** Dielung, Bretterfußboden.

board e·lec·tions *s pl econ.* Aufsichtsratswahl *f*.

board·er ['bɔːrdər] *s* **1.** Kostgänger(in) (*bes. Schüler[in] eines Internats*), Pensio'när(in). – **2.** *mar.* Enterer *m*: ~**s** Enterabteilung, -mannschaft.

board| fence *s Am.* Latten-, Bretterzaun *m*. — ~ **foot** *s irr* $1/_{12}$ Ku'bikfuß *m* (= *2,36 cdm*; *Raummaß im Holzhandel*).

board·ing ['bɔːrdiŋ] *s* **1.** Verschalen *n*, Dielen *n*, Täfeln *n*. – **2.** Bretterverschlag *m*, -verkleidung *f*, Verschalung *f*, Dielenbelag *m*, Täfelung *f*. – **3.** *pl* Schalbretter *pl*, -latten *pl*. – **4.** Kost *f*, Verpflegung *f*. – **5.** *tech.* Krispeln *n* (*von Leder*). – **6.** *mar.* Entern *n*. — **'~,house** *s* Pensi'on *f*, Gasthaus *n*. — ~ **joist** *s tech.* Dielenbalken *m*, -lager *n*. — ~ **ma·chine** *s tech.* 'Krispelma,schine *f* (*für Leder*). — ~ **of·fi·cer** *s mar.* Hafen-, Zollbeamter *m* (*der die einlaufenden Schiffe untersucht*). — **,~-'out sys·tem** *s Br.* (*in der engl. Armen-Gesetzgebung*) *ein Verfahren, nach dem Armen- od. Waisenkinder vom Vormund in bezahlte Privatpflege gegeben werden.* — ~ **school** *s* Inter'nat *n*, Pensio'nat *n*.

board| lot *s econ. Am.* handlungsfähige Nomi'nalgröße (*bei Börsentransaktionen, z. B. an der Börse von New York: 100 Stück*). — **'~·man** [-mən] *s irr econ. Am.* Börsenvertreter *m*, -makler *m* (*einer Firma*). — ~ **meas·ure** *s econ.* Ku'bikmaß *n* (*Raummaß im Holzhandel*). — ~ **meet·ing** *s econ.* Vorstandssitzung *f*. — ~ **plate** *s mar.* Schaufelrad *n* (*Raddampfer*). — ~ **room** *s* **1.** Sitzungssaal *m* (*Behörde*). – **2.** *econ.* Zimmer *n* in einem 'Maklerbü,ro, in dem die 'Börsenno,tierungen angeschlagen sind. — ~ **rule** *s tech.* **1.** 'Tafelline,al *n*. – **2.** Line'al *n* zum Schneiden von Pappe *etc.* — ~ **saw** *s tech.* Fur'nier-, Brettersäge *f*. — ~ **scale** → board measure. — ~ **school** *s Br. hist.* öffentliche Elemen'tarschule. — ~ **wag·es** *s pl* Kostgeld *n* (*Dienstboten*): **to put on** ~ (*j-m*) Kostgeld zahlen. — **'~'walk** *s* **1.** *Am.* Plankenweg *m*, Lattenrost *m*, (hölzerne) 'Strandprome,nade. – **2.** *mil.* Notstraße *f* aus Baumstämmen u. Gestrüpp, Bohlen-, Knüppeldamm *m*, Fa'schinenweg *m*, *auch* Holzrost *m* (*im Schützengraben*).

'boar|,fish *s zo. verschiedene Fische mit eberrüsselähnlichem Maul, bes.* Eberfisch *m* (*Capros aper*). — **'~,hound** *s hunt.* Saurüde *m*.

boar·ish ['bɔːriʃ] *adj* **1.** Schweine... – **2.** *fig.* schweinisch. – **3.** grausam. – **4.** geil.

'boar's-,foot [bɔːrz] *s irr bot.* Grüne Nieswurz (*Helleborus viridis*).

boar| stag *s Br. dial.* verschnittener Eber. — ~ **this·tle** *s bot.* (*eine*) Kratzdistel (*Cirsium lanceolatum*). — ~ **tree** *s bot.* Gift-Sumach *m* (*Rhus toxicodendron*). — **'~,wood** *s bot. eine amer. Guttifere* (*Symphonia globulifera*).

boast[1] [boust] **I** *s* **1.** Prahle'rei *f*, ,Großtue'rei *f*, Rühmen *n*: **to make a** ~ **of s.th.** sich einer Sache rühmen; **he makes it his** ~ **to** er rühmt sich, zu; **great** ~ **small roast** viel Geschrei und wenig Wolle. – **2.** Stolz *m*: **he was the** ~ **of his age** er war der Stolz seiner Zeit. – **3.** *bes. Scot.* Drohung *f*. – **II** *v/i* **4.** (of, about) sich rühmen (*gen*), prahlen, großtun (mit), stolz sein (auf *acc*): **it is not much to** ~ **of** es ist kaum der Rede wert; damit ist es nicht weit her; **he** ~**s of being here** er ist stolz darauf, hier zu sein. – **5.** (in) frohlocken (über *acc*), (*j-n*) lobpreisen. – **III** *v/t* **6.** rühmen, preisen, her'ausstreichen. – **7.** (*oft ironisch*) sich rühmen (*gen*), aufzuweisen haben, verfügen über (*acc*): **she could** ~ **only one hat** sie besaß nur einen Hut. – **8.** *obs.* bedrohen (*acc*), drohen (*dat*). – *SYN.* brag, crow, vaunt.

boast[2] [boust] *v/t* **1.** (*Steine*) roh behauen. – **2.** (*Bildhauerei*) aus dem Groben arbeiten.

boast[3] [boust] (*Tennis, Rackets etc*) **I** *s* Schlag, der zu'erst die Seitenwände berührt. – **II** *v/t u. v/i* (den Ball) beim Zu'rückgeben gegen eine Wand schlagen.

boast·er[1] ['boustər] *s* Prahler *m*, Prahlhans *m*.

boast·er[2] ['boustər] *s tech.* Breitmeißel *m*.

boast·ful ['boustfəl; -ful] *adj* prahlerisch, ruhmredig, über'heblich.

boat [bout] **I** *s* **1.** Boot *n*, Kahn *m*, Nachen *m*, Barke *f*, Fähre *f*: **flat-bottomed** ~ Landungsboot; **to be in the same** ~ *fig.* im selben Boot sein, dasselbe Schicksal teilen; → burn[1] 15; oar *b. Redw.* – **2.** (*größeres*) Schiff, Dampfer *m*. – **3.** (bootförmiges) Gefäß, Schiff *n*, Behälter *m*, Schüssel *f* (*für Soße etc*). – **II** *v/t* **4.** in einem Boot befördern *od.* 'unterbringen: →

oar *b. Redw.* – 5. in einem Boot durch'fahren. – 6. mit Booten versehen. – III *v/i* 7. (in einem) Boot fahren, rudern, segeln: to go ~ing rudern *od.* segeln gehen.

boat·a·ble ['boutəbl] *adj* 1. (für Boote) befahrbar, schiffbar. – 2. zur Beförderung in einem Boot geeignet.

boat·age ['boutidʒ] *s* 1. Fahrt *f od.* Trans'port *m* mit einem Boot. – 2. Fahrgeld *n*, Frachtgebühr *f* (*für Beförderung auf Booten*). – 3. *mar.* 'Durchschnitts,tragfähigkeit *f* aller Boote (*eines Schiffes*).

'boat|,bill *s zo.* Kahnschnabel *m*, Savaku *m* (*Cochlearius cochlearia; Reihervogel*). — **~ bridge** *s* Schiff-, Pontonbrücke *f.* — **~ bug** *s zo.* 1. (*ein*) Rückenschwimmer *m* (*Fam. Notonectidae*). – 2. (*eine*) Ruderwanze, (*eine*) 'Wasserzi,kade (*Fam. Corixidae*). — **~ drill** *s* 'Bootsma,növer *n.*

boa·tel [bou'tel] Hotel *n* für Bootsfahrer.

boat·er ['boutər] *s* 1. Bootfahrer *m*, Ruderer *m.* – 2. *Br.* (*Art*) steifer Strohhut, ‚Kreissäge' *f.*

boat| fly → boat bug. — **~ form** *s chem.* Wannen-, Bootform *f* (*sterische Anordnung des Cyclohexanrings*). — **~ hook** *s mar.* Bootshaken *m*, Schifferstange *f.*

boat·ing ['boutiŋ] *s* 1. Bootfahren *n*, Ruder-, Segelsport *m.* – 2. Boot-, Kahn-, Wasserfahrt *f.* – 3. Beförderung *f od.* Versendung *f* auf Booten. – 4. *collect.* Boote *pl.* – 5. Floßbrücke *f.*

boat| in·sect → boat bug. — **'~,keep·er** *s* Bootswächter *m.* — **~ land·ing** *s Am.* Anlegestelle *f.* — **'~,load** *s mar.* 1. Bootsladung *f.* – 2. Fassungsvermögen *n* eines Bootes. — **'~·man** [-mən] *s irr* 1. Bootsführer *m*, -vermieter *m.* – 2. → boat bug. — **~ pan** *s chem. tech.* Bootpfanne *f* (*zur Sodalaugenverdampfung*). — **~ race, ~ rac·ing** *s* Bootrennen *n*, 'Ruder-, 'Segelre,gatta *f.* — **~ rope** *s mar.* Fangleine *f*, Scha'luppentau *n.* — **'~,set·ter** *s mar.* Steuermann *m* eines Bootes. — **~ shell** *s zo.* 1. (*eine*) Kahnschnecke (*Gattg Cymbium*). – 2. (*eine*) Pan'toffelschnecke (*Gattg Crepidula*). — **~ song** *s* Schifferlied *n*, Barka'role *f.*

boat·swain ['bousn; 'bout,swein] *s* 1. *mar.* Bootsmann *m*: ~ 1st class Oberbootsmann; ~ 2nd class Bootsmann; ~ 3rd class Unterbootsmann. – 2. *zo.* a) (*eine*) Raubmöwe (*Fam. Stercorariidae*), b) *auch* ~ bird (*ein*) Tropikvogel *m* (*Fam. Phaëtontidae*).

boat·swain's| call *s mar.* 1. 'Bootsmanns,pfeifensi,gnal *n.* – 2. Bootsmannspfeife *f.* — **~ chair** *s mar.* Bootsmannsstuhl *m* (*Sitzbrett zum Arbeiten an der Außenbordwand*). — **~ mate** *s mar.* Bootsmannsmaat *m.* — **~ pipe** → boatswain's call. — **~ whis·tle** → boatswain's call 2.

'boat,tail I *s* 1. *mil.* verjüngter 'Hinterteil (*von Geschossen*). – 2. *pl zo. Am.* (*ein*) Bootschwanz(vogel) *m* (*Gattg Quiscalus*). – 3. *zo. Am. für* boat-tailed grackle. – II *v/t* 4. *mil.* (*Geschosse*) stromlinienförmig machen.

'boat-,tailed *adj* mit kahnförmig gerundetem Schwanz (*Vögel, Geschosse, Raketen*). — **~ grack·le** *s zo.* (*ein*) amer. Stärling *m* (*Cassidix mexicanus major*).

boat| tim·bers *s pl mar.* Bootsrippen *pl*, -spanten *pl.* — **~ tow·ing** *s mar.* Schiffstreideln *n.* — **~ train** *s* Zug *m* mit Schiffsanschluß, Schiffszug *m.* — **~ weight** *s mar.* Traggewicht *n* eines Bootes. — **'~,wright** *s mar.* Bootsbauer *m.*

bob [bɒb] **I** *s* 1. baumelnder rundlicher Körper: ~ of hair Haarknoten, -büschel, Hängelocke; ~ of leaves (fruit) *dial.* Blätter- (Frucht)büschel; ~ of flowers *dial.* Blumenstrauß. – 2. Linse *f*, Gewicht *n* (*Pendel*). – 3. Senkblei *n* (*Lotleine*). – 4. Laufgewicht *n* (*Schnellwaage*). – 5. kurz gestutzter Pferdeschwanz. – 6. kurzer Haarschnitt, (Haar)Schopf *m.* – 7. (*Angeln*) a) *obs.* Köder *m*, b) Aalquaste *f* aus Würmern *od.* Lumpen (*zum Aalfang*), c) Schwimmer *m* (*Kork an der Angelschnur*). – 8. Quaste *f* (*aus Bändern, Garn, Federn etc*). – 9. *obs.* Ohrgehänge *n.* – 10. → ~ wheel. – 11. *auch* pump ~ *tech.* (Verbindungs)Rahmen *m* zwischen Pleuel- u. Pumpstange. – 12. (*pl* bob) *Br. sl.* Schilling *m*: five bob; a ~ a nob einen Schilling pro Kopf. – 13. *auch pl Am. für* bobsled. – 14. kurze, ruckartige Bewegung, Ruck *m*, Stoß *m*: a ~ of the head ein Hochwerfen des Kopfes. – 15. a) *Scot. ein Tanz*, b) Knicks *m.* – 16. (*Art*) har'monisches Wechselgeläute (~ minor auf 6, ~ triple auf 7, ~ major auf 8, ~ royal auf 10, ~ maximus auf 12 Glocken). – 17. (*bes. kurzer*) Kehrreim, Re'frain *m*, Schlußvers *m* (*einer Strophe*). – 18. dry (wet) ~ *Br.* Schüler, der Landsport (Wassersport) treibt. –
II *v/t pret u. pp* **bobbed** 19. stoß- *od.* ruckweise (hin u. her *od.* auf u. ab) bewegen: to ~ one's head into the room den Kopf kurz ins Zimmer stecken. – 20. (*etwas*) mit einer kurzen *od.* schnellen Bewegung machen: to ~ a curts(e)y einen Knicks machen. – 21. (*Haare, Pferdeschwanz etc*) kurz schneiden, stutzen. – 22. leicht anstoßen *od.* schlagen: to ~ one's head against s.th. – 23. (*Langholz*) auf einem Doppelschlitten transpor'tieren. – 24. *tech.* mit einer Schwabbelscheibe po'lieren. –
III *v/i* 25. sich auf u. ab *od.* hin u. her bewegen, hüpfen, springen, tanzen, schnellen. – 26. haschen, schnappen, angeln (at, for nach). – 27. mit einer Aalquaste angeln. – 28. ~ in zu einem kurzen Besuch kommen. – 29. ~ up (plötzlich) auftauchen (*auch fig.*): to ~ up like a cork sich nicht unterkriegen lassen, es immer wieder versuchen. –
IV *adv* 30. plötzlich, mit einem Bums *od.* Ruck. –
V *adj selten für* bobbed.

bo·bac ['boubæk] *s zo.* Steppen-Murmeltier *n* (*Arctomys bobac*).

Bob·a·dil ['bɒbədil] *s* feiger Prahlhans.

bobbed [bɒbd] *adj* kurz geschnitten, gestutzt: ~ hair Bubikopf.

bob·ber ['bɒbər] *s* 1. (*etwas*) Baumelndes. – 2. (*Angeln*) a) Korkstück *n*, Schwimmer *m*, b) künstliche Fliege.

bob·ber·y ['bɒbəri] *s Br. Ind.* Lärm *m*, Gezänk *n*: to raise (*od. sl.* kick up) a ~ Krach schlagen.

bob·bin ['bɒbin] **I** *s* 1. *tech.* Spule *f*, Haspel *f, m*, Garnröllchen *n*: cylindrical ~ Schlagrolle; small ~ Einfaßspule, Spulröhrchen; ~ of a lace-maker's loom Zettelspule. – 2. Klöppel(holz *n*) *m.* – 3. (*Drechslerei*) Bohrmutter *f.* – 4. schmales (Baumwoll- *od.* Leinen)Band, dünne Schnur: flat ~ Plattschnur; round ~ Rundschnur. – 5. Strähne *f* (*Flachs*). – 6. *electr.* Indukti'onsrolle *f*, Spule *f*, Wicklung *f.* – 7. *pl bot.* a) Gefleckter Aronstab (*Arum maculatum*), b) → water lily 1, c) → yellow water lily. – **II** *v/t* 8. aufspulen. — **~ and fly frame** *s* (*Spinnerei*) 1. 'Spulma,schine *f.* – 2. (*Art*) 'Grob,spinnma,schine *f.* — **B~ and Joan** → bobbin 7a. — **~ board** *s electr.* Spulenbrett *n.* — **~ boy** *s tech.* Spulenträger *m.* — **~ cyl·in·der** *s tech.* Spulenwalze *f.*

bob·bi·net [,bɒbi'net; -bə-] *s* Bobinet *m*, (Baumwoll)Tüll *m*: sprigged (plain) ~ gemusterter (glatter) Bobinet.

bob·bin frame *s tech.* Spulengestell *n.*

bob·bing ['bɒbiŋ] *s phys.* (plötzliche) Schwankung.

bob·bin| hold·er *s tech.* Spulenträger *m.* — **~ lace** *s* Klöppelspitze *f.* — **~ ma·chine** *s* 'Klöppelma,schine *f.* — **~ mill** *s* 'Spulen-, 'Garnrollenfa,brik *f.* — **~ net** *cf.* bobbinet. — **~ soak·er** *s tech.* Garnanfeuchter *m*, 'Spulendurch,nässer *m.* — **~ tools** *s pl* Spitzenklöppel *pl.* — **~ wind·er** *s* 'Spulappa,rat *m.*

bob·bish ['bɒbiʃ] *adj sl.* 1. ‚quietschvergnügt', gutgelaunt. – 2. wohl('auf).

bob·ble ['bɒbl] *colloq.* **I** *v/i* 1. hin u. her *od.* auf u. ab hüpfen. – 2. *Am.* pfuschen, einen Fehler begehen. – **II** *v/t Am.* 3. ungeschickt handhaben. – **III** *s* 4. hüpfende Bewegung (*Wellen etc*). – 5. *Am.* ungeschickte Bewegung, Fehler *m*, Irrtum *m.*

bob·bling of the ax·is ['bɒbliŋ] *s tech.* Schlottern *n* der Achse.

bob·by ['bɒbi] *s* 1. *Br. colloq.* ‚Bobby' *m*, ‚Schupo' *m*, Poli'zist *m*, Schutzmann *m.* – 2. *Austral.* zwei Monate altes Kalb. — **~ pin** *s* Haarklemme *f* (*aus Metall*). — **'~-,sock·er** → bobby-soxer. — **~ socks, ~ sox** [sɒks] *s pl Am. colloq.* Söckchen *pl* (*bes. der jungen Mädchen*). — **'~-,sox·er** [-,sɒksər] *s Am. colloq.* Backfisch *m*, junges Mädchen.

'bob|,cat *s zo.* Rotluchs *m* (*Lynx rufus*). — **'~-,cher·ry** *s* Kirschenschnappen *n* (*Kinderspiel*).

bo·bi·er·rite ['boubiə,rait] *s chem.* Ma'gnesiumphos,phat *n.*

bob·o·link ['bɒbo,liŋk; -bə-] *s zo.* Amer. Paperling *m*, Reisstärling *m* (*Dolichonyx oryzivorus*).

'bob|,sled, '~,sleigh *s* 1. Doppelschlitten *m* (*zum Langholztransport*). – 2. *sport* Bob(sleigh) *m*, Rennschlitten *m* mit Steuerung. — **'~,stay** *s mar.* Wasserstag *n.* — **'~,tail I** *s* 1. Stutzschwanz *m.* – 2. Pferd *n od.* Hund *m etc* mit Stutzschwanz. – 3. *fig.* Lump *m*, Gauner *m* (*nur noch in*): rag, tag, and ~ Krethi u. Plethi. – **II** *adj* 4. mit gestutztem Schwanz (*Tier*). – 5. unvollständig, gekürzt. – **III** *v/t* 6. (*einem Tier*) den Schwanz stutzen. – 7. kürzen, beschneiden. — **~ veal** *s Am.* Fleisch *n* eines neu- *od.* ungeborenen Kalbes. — **'~-,weight** *s tech.* Gegen-, Ausgleichsgewicht *n.* — **~ wheel** *s tech.* Schwabbelscheibe *f.* — **'~'white** *s zo.* Vir'ginische Wachtel (*Gattg Colinus, bes. C. virginianus*). — **~ wig** *s* kurze 'Lockenpe,rücke.

bo·cac·cio [bo'kɑːtʃou] *s zo.* (*ein*) Klippenbarsch *m* (*Sebastodes paucispinis*). [stück *n.*]

bo·cal ['boukəl] *s mus.* Kesselmund-|

bo·car·do [bo'kɑːrdou] *s philos.* (*Art*) Schlußformel *f* (*in der Syllogistik*).

boc·a·sin(e) ['bɒkəsin] *s* feine Leinwand.

boc·ca ['bɒkə] *s tech.* Arbeitsloch *n* (*am Glasofen*).

boc·ca·rel·la [,bɒkə'relə] *s tech.* kleine Öffnung (*zu beiden Seiten des Arbeitsloches am Glasofen*).

boce [bous] *s zo.* (*ein*) Blöker *m*, (*ein*) Meerbrassen *m* (*Box vulgaris*).

Boche, b~ [bɒʃ] *sl.* (*verächtlich*) **I** *s* Boche *m* (*Deutscher*). – **II** *adj* deutsch.

bock¹ [bɒk] *s* (*Art*) Schafleder *n.*

bock² [bɒk], *auch* **~ beer** *s* Bockbier *n.*

bock·ing ['bɒkiŋ] *s* grober Wollstoff.

bode [boud] **I** *v/t* 1. ahnen, vor'aussehen. – 2. prophe'zeien, vor'hersagen, (*etwas*) ahnen lassen. – **II** *v/i* 3. eine Vorbedeutung sein: to ~ ill Unheil verkünden; to ~ well Gutes versprechen. – **III** *s* 4. *obs.* Omen *n*, Vorbedeutung *f*, Vorahnung *f.* – 5. *Scot. od. dial.* (An)Gebot *n.* — **'bode·ful** [-ful; -fəl] *adj* unheilvoll, Böses verkündend, schicksalsschwanger.

bo·de·ga [bo'diːgə] *s* Bo'dega *f*, Weinausschank *m*, -stube *f*, -keller *m*.

bode·ment ['boudmənt] *s* Omen *n*, Prophe'zeiung *f*.

bodge [bɒdʒ] *v/t dial.* verpfuschen, zu'sammenstückeln. — **'bodg·er** *s dial.* Pfuscher *m*, Flicker *m*.

bo·dhi tree ['boudi] *s bot.* Heiliger Feigenbaum (*Ficus religiosa*).

bod·ice ['bɒdis] *s* **1.** Leibchen *n*, Mieder *n*. – **2.** Taille *f* (*am Kleid*), breiter Gürtel. – **3.** *obs.* Kor'sett *n*. — **'bod·iced** *adj* ein Mieder *etc* tragend.

bod·ied ['bɒdid] *adj* (*in Zusammensetzungen*) ...gestaltet, von Gestalt *od.* Körper: **small-~** klein von Gestalt.

bod·i·er ['bɒdiər] *s tech. Br.* Arbeiter, der Rahmen *od.* Gestelle macht (*bes. für Klaviere u. Hüte*).

bo·di·e·ron [ˌboudi'i(ə)rən] *s zo. Am.* (*eine*) Panzerwange (*Hexagrammos decagrammus; nordamer. Westküste*).

bod·i·kin ['bɒdikin] *obs.* **I** *s* Körperchen *n*, Teilchen *n*, A'tom *n*. – **II** *interj vulg.* verflucht! zum Henker!

bod·i·less ['bɒdilis] *adj* **1.** körperlos, ohne Rumpf *od.* Rahmen. – **2.** unkörperlich, wesenlos.

bod·i·ly ['bɒdili] **I** *adj* **1.** körperlich, leiblich, physisch, Körper...: **~ fear** Furcht vor Körperverletzungen; **~ injury** Körperverletzung; **~ oath** *jur.* leiblicher Eid. – **2.** *obs.* wirklich, tatsächlich. – *SYN.* **corporal, corporeal, physical, somatic.** – **II** *adv* **3.** leib'haftig, per'sönlich. – **4.** ganz u. gar, völlig, geschlossen, als Ganzes.

bod·ing ['boudiŋ] **I** *adj* **1.** vorbedeutend, prophe'zeiend. – **2.** ahnungsvoll. – **II** *s* **3.** Vorbedeutung *f*. – **4.** Vor'hersage *f*. – **5.** Vorahnung *f*.

bod·kin ['bɒdkin] *s* **1.** *tech.* Ahle *f*, Pfriem *m*, Stecher *m*. – **2.** *print.* Ahle *f*, Punk'turspitze *f*. – **3.** 'Durchzieh-, Schnürnadel *f*. – **4.** lange Zier- *od.* Haarnadel. – **5.** *colloq.* zwischen zwei andere eingezwängte Per'son: **to sit** (*od.* **ride**) **~** als Dritter zwischen zwei Personen eingepfercht sitzen (*wo eigentlich nur Platz für zwei ist*). – **6.** *obs.* Dolch *m*. – **7.** → **bodikin.** — **~ beard** *s* spitzer Knebelbart.

Bod·le·ian Li·brar·y [bɒd'liːən; 'bɒdliən] *s* Bodley'anische Biblio'thek (*in Oxford*).

Bo·do·ni [bə'douni] *s print.* **1.** *auch* **~ book** Bo'doni *f* (*Antiquaschrift*). – **2.** Bo'donidruck *m* (*Buch aus der Werkstatt Bodonis*).

bod·y ['bɒdi] **I** *s* **1.** Körper *m*, Leib *m*: **the son of his ~** sein leiblicher Sohn; → **heir** 1; **in the ~** lebend, am Leben; **deeds done in the ~** *jur.* körperliche Mißhandlungen. – **2.** *oft* **dead ~** Leiche *f*, Leichnam *m*. – **3.** Rumpf *m*, Tragkörper *m*, Stamm *m*, Haupt(bestand)teil *m*: **~ of a ship (airplane)** Schiffs- (Flugzeug)rumpf; **~ of a river** Hauptstrom (*ohne Nebenflüsse*); **~ of a projectile** *mil.* (Geschoß)-Hülle. – **4.** a) Bauch *m* (*Flasche, Kolben*), b) *mus.* (Schall)Körper *m*, Korpus *n*, Reso'nanzkasten *m* (*bei Instrumenten*). – **5.** Zentrum *n*, Mittel-, Hauptstück *n*, Schiff *n* (*Kirche*), Schaft *m* (*Säule*), Taille *f* (*Kleid*). – **6.** Rahmen *m*, Gestell *n*, Gehäuse *n*, (Wagen-, Kutsch)Kasten *m*, Karosse'rie *f*. – **7.** *mil.* La'fette *f* (*Kanone*). – **8.** *mil.* Truppenkörper *m*: **~ of horse** Kavallerieeinheit; **~ of men** Truppe. – **9.** (gegliedertes) Ganzes, Gesamtheit *f*, Sammlung *f*, Sub'stanz *f*, Sy'stem *n*: **in a ~** insgesamt, zusammen, vereint, geschlossen; **~ corporate** a) juristische Person, Korporation, b) Gemeinde, Genossenschaft; **~ of clergy** Klerus; **~ of divinity** theologisches System; **~ of history** Geschichtswerk; **~ of laws** Kodex, Gesetz(es)sammlung; **~ politic** a) juristische Person, b) organisierte Gesellschaft, c) Staat(skörper). – **10.** große Masse, Gros *n*, Mehrheit *f*: **the ~ of the people.** – **11.** Körper(schaft *f*) *m*, Gesellschaft *f*, Gemeinde *f*, Par'tei *f*, Perso'nal *n*, Zunft *f*, Korporati'on *f*, Gremium *n*. – **12.** *fig.* Kern *m*, Hauptteil *m*, (*das*) Wesentliche, (*das*) Innere: **~ of a letter (speech)** Hauptteil eines Briefes (einer Rede) (*ohne Anrede, Schlußformel etc*). – **13.** *phys.* ('dreidimensioˌnaler) Körper, Masse *f* (*im Sinn von Menge*): **heavenly ~** *astr.* Himmelskörper; **regular ~** *math.* regelmäßiger Körper; **solid (liquid, gaseous) ~** fester (flüssiger, gasförmiger) Körper. – **14.** *chem.* Sub'stanz *f*, Stoff *m*: **compound ~** Verbindung, zusammengesetzter Stoff; **elementary ~, simple ~** Grundstoff, Element. – **15.** *med.* Körper *m*, Stamm *m*: **~ of the corpus callosum** Balkenstamm; **~ of the mandible** Unterkieferkörper; **~ of the nail** Nagelplatte; **~ of the pancreas** Pankreasmittelteil; **~ of the uterus** Gebärmutterkörper. – **16.** *geogr.* Masse *f*: **~ of water** Wasserfläche, stehendes Gewässer; **~ of cold water (air)** kalte Wasser- (Luft)masse (*z.B. Strömungen*). – **17.** *fig.* Körper *m*, Gehalt *m* (*Wein*), Stärke *f* (*Papier etc*), Deckfähigkeit *f* (*Farbe*), Dichtigkeit *f*, Güte *f* (*Gewebe etc*): **having ~** fest, dicht (*Gewebe*), körperreich (*Wein*), deckend (*Farbe*); **wine of good ~** Wein mit viel Körper, (gehalt)voller Wein; **this colo(u)r has ~** diese Farbe deckt gut. – **18.** Per'son *f*, Mensch *m*, Indi'viduum *n* (*nur noch dial. od. in Zusammensetzungen*): **no~** niemand; **any~** irgend jemand; **a curious (old) ~** ein wunderlicher Kauz; **not a (single) ~** keine Menschenseele. – **19.** (*Töpferei*) Tonmasse *f*. – **20.** *electr.* Iso'lier-, Halteteil *m* (*Steckdose, Stecker, Kupplung*). – **21.** (*Festungsbau*) a) Hauptfestung *f* (*ohne Außenwerke*), b) Um'wallung *f*. – **22.** *print.* Schriftkegel *m*. – **23.** *mus.* Tonfülle *f*, -stärke *f*. – **24.** *tech.* Stiefel *m* (*Pumpe*). – **25.** *relig.* Leib *m*. –
II *v/t* **26.** verkörpern, versinnbildlichen. – **27.** Gestalt geben (*dat*), formen, gestalten. – **28.** (*Gewebe*) verdichten, dicht machen, (*einem Wein*) Körper geben, (*Farbe*) deckend machen. – **29.** (*Hockey*) (*Ball*) mit dem Körper aufhalten. – **30.** *obs.* zu einer Truppe *od.* Einheit zu'sammenfassen. –

Verbindungen mit Adverbien:

bod·y| forth *v/t* **1.** → **body** 26. – **2.** greifbar *od.* faßlich darstellen. – **3.** bedeuten. — **~ in** *v/t* (*Möbel, Holz*) mit einer neuen Lage 'Schellackpoliˌtur versehen. — **~ out** *v/t* (mit Sub'stanz) ausfüllen, ausgestalten. — **~ up** *v/t* (*Möbel, Holz*) mit einer letzten Schicht 'Schellackpoliˌtur versehen.

bod·y| ax·is *s tech.* Rumpfachse *f*. — **~ bag** *s* Schlafsack *m*. — **~ blow** *s* (*Boxen*) Körperschlag *m*. — **~ box** *s tech.* (hintere) Nabenbüchse (*am Wagen*). — **~ build** *s biol.* Körperbau *m*. — **~ cav·i·ty** *s zo.* Leibeshöhle *f*. — **~ cell** *s bot. zo.* Körper-, Somazelle *f*. — **'~-ˌcen·t(e)red** *adj bes. min.* 'raumzenˌtriert. — **~ cham·ber** *s zo.* äußere u. größte Kammer *od.* Windung (*einer einschaligen Muschel od. eines Schneckenhauses*). — **'~-ˌcheck·ing** *s sport* (erlaubtes) Sperren *od.* Rempeln (mit dem Körper). — **~ cloth** *s* Pferdedecke *f*, Scha'bracke *f*. — **~ clothes** *s pl* Kleidungsstücke *pl*, *bes.* Leibwäsche *f*. — **~ clout** *s tech.* 'Unterschenkelblech *n* (*am Wagen*). — **~ coat** *s* **1.** anliegender Rock. – **2.** *tech.* Grun'dierung *f*, Haftgrund *m* (*bei Automobilen*). — **~ col·o(u)r** *s* Deckfarbe *f*. — **~ di·ag·o·nal** *s math.* 'Raumdiagoˌnale *f*. — **~ flu·id** *s med.* Körperflüssigkeit *f*. — **'~ˌguard** *s* Leibgarde *f*, -wache *f*. — **~ hoop** *s mar.* Eisenband, das einen gebauten Mast zu'sammenhält. — **~ legs** *s pl zo.* Rumpfbeine *pl*. — **~ lin·en** *s* leinene *od.* baumwollene Leib- *od.* 'Unterwäsche. — **~ loop** *s tech.* Hängeeisen *n* (*am Wagen*). — **~ louse** *s irr zo.* Kleiderlaus *f* (*Pediculus vestimenti*). — **'~ˌmak·er** *s tech.* Karosse'riebauer *m*. — **~ plan** *s mar.* Spant(en)riß *m* (*Schiff*). — **~ plasm** *s bot. zo.* Körper-, Somatoplasma *n*. — **~ post** *s mar.* vorderer Achter- *od.* Schraubensteven. — **~ seg·ment** *s biol.* Körperabschnitt *m*, 'Körper-, 'Rumpfsegˌment *n*, So'mit *m*. — **~ snatch·er** *s jur.* Leichenräuber *m*. — **~ snatch·ing, ~ steal·ing** *s jur.* Leichenraub *m*. — **~ type** *s print.* Brot-, Werk-, Grundschrift *f* (*Hauptschrift, in der ein Buch gesetzt ist*). — **~ wall** *s zo.* Körperwand *f*. — **~ whorl** → **body chamber.** — **'~ˌwork** *s tech.* Karosse'rie *f* (*Wagen*).

boe *cf.* **bo**[3].

Boe·o·tia [bi'ouʃiə; -ʃə] *s fig.* Land *n* ohne geistige Kul'tur. — **Boe'o·tian** **I** *adj* **1.** bö'otisch. – **2.** ungebildet, dumm, stumpfsinnig. – **II** *s* **3.** Bö'otier(in). – **4.** *fig.* ungebildeter *od.* dummer *od.* stumpfsinniger Mensch. — **Boe'ot·ic** [-'ɒtik] → **Boeotian I.**

Boer [bur; bouər] **I** *s* Bur(e) *m*, Boer *m* (*Einwohner holl. od. hugenottischer Abkunft in Südafrika*). – **II** *adj* burisch, Buren...: **~ War** Burenkrieg.

bof·fin ['bɒfin] *s colloq.* Wissenschaftler, der (*im Auftrag der Regierung*) an einem Ge'heimproˌjekt arbeitet.

Bo·fors gun ['boufɔːrz] *s mil.* 4-cm-Bofors-Zwillingsflak *f*.

bog [bɒg; *Am. auch* bɔːg] **I** *s* **1.** Sumpf *m*, Mo'rast *m*, Torf *m*, (Torf)Moor *n*, Bruch *n*. – **2.** *vulg.* ‚Lokus' *m* (*Abort*). – **3.** *geol.* Luch *f*, *n*. – **4.** *tech.* Senkgrube *f*. – **II** *v/t u. v/i pret u. pp* **bogged** **5.** im Schlamm *od.* Sumpf versenken *od.* versinken: **to be ~ged** im Schlamm *od.* Sumpf versinken; **to ~ down** a) im Schlamm versinken, b) *fig.* sich festfahren, steckenbleiben.

bo·ga ['bougə] *s zo. ein barschartiger Fisch* (*Inermia vittata*).

bog| a·rum *s bot.* Schlangenkraut *n*, -wurz *f* (*Calla palustris*). — **~ as·pho·del** *s bot.* (*eine*) Sumpf-, Ährenlilie, Beinbrech *m* (*Narthecium ossifragum u. N. americanum*). — **~ bean** *s bot.* Fieber-, Sumpfklee *m* (*Menyanthes trifoliata*). — **'~ˌber·ry** *s bot.* **1.** Moosbeere *f* (*Vaccinium oxycoccus*). – **2.** *Am.* (*eine*) Himbeere (*Rubus pubescens*). — **~ bil·ber·ry** *s bot.* Sumpfheidel-, Trunkelbeere *f* (*Vaccinium uliginosum*). — **~ birch** *s bot.* Amer. Gelber Wegdorn (*Rhamnus caroliniana*). — **~ blit·ter** *s zo.* Große Rohrdommel (*Botaurus stellaris*). — **~ blue·ber·ry** → **bog bilberry.** — **~ bull** → **bog blitter.** — **~ bul·rush** *s bot.* (*eine*) Simse, (*eine*) Sumpfbinse (*Scirpus mucronatus*). — **~ bump·er** → **bog blitter.** — **~ but·ter** *s min.* Sumpfbutter *f* (*bituminöse Ausscheidung in Torfmooren*). — **~ cot·ton** *s bot.* (*ein*) Wollgras *n* (*Gattg Eriophorum*). — **~ deal** *s* Sumpfkiefernholz *n*. — **~ earth** *s min.* Moorerde *f*.

bo·gey ['bougi] *s* **1.** (*Golf*) festgesetzte (*für gute Spieler übliche*) Anzahl von Schlägen. – **2.** *cf.* **bogy.**

bog·gard ['bɒgərd], **'bog·gart** [-ərt] *Br. dial. für* **bogle.**

bog·gish ['bɒgiʃ] *adj* sumpfig.

bog·gle ['bɒgl] **I** *v/i* **1.** erschrecken, zu'sammenfahren, scheuen (*Pferd*) (at vor *dat*). – **2.** stutzen, stutzig werden, zögern, schwanken, unschlüssig sein. – **3.** heucheln, sich verstellen. – **4.** launisch *od.* wetterwendisch sein. – **5.** pfuschen, stümpern. – **II** *v/t* **6.** *dial.* (*durch Schwierigkeiten*) in Verlegenheit bringen. – **III** *s* **7.** Erschrecken *n*, Stutzen *n*, Scheuen *n*. – **8.** Pfusche'rei *f*, Flickwerk *n*. – **9.** *Br. dial. für* bogle. — **~-de-botch, ~-dy-botch** ['bɒgldiˌbɒtʃ] *s colloq.* (große) Pfusche'rei *od.* Stümpe'rei, völlig verfahrene Sache, heilloses Durchein'ander.

bog·gler ['bɒglər] *s* **1.** *fig.* Angsthase *m.* – **2.** Pfuscher *m.*

bog·gy ['bɒgi] *adj* sumpfig, mo'rastig.

Bog·head (coal) ['bɒgˌhed] *s min.* Bogheadkohle *f* (*bituminöse Kohle*).

'bogˌhole *s dial.* Mist-, Kehrichthaufen *m*, Jauchegrube *f.*

bo·gie ['bougi] *s* **1.** *tech. Br.* a) Blockwagen *m* (*mit beweglichem Radgestell*), b) (*Eisenbahn*) Dreh-, Fahr-, 'Unter-, Rädergestell *n.* – **2.** (*Bergbau*) Förderkarren *m* (*zum Befahren von Kurven*). – **3.** Panzer-Laufrad *n.* – **4.** *aer. sl.* noch nicht identifi'ziertes (Feind-)Flugzeug. – **5.** *cf.* **bogy.** — **~ crane** *s tech.* Rollkran *m*, Dreh(gestell)kran *m.* — **~ en·gine** *s tech.* (*ein Typ*) Ge'lenklokomoˌtive *f.* — **~ frame** *s tech.* Drehgestellrahmen *m.* — **~ wheel** *s tech.* Laufrad *n.*

bog| i·ron (ore) *s min.* Raseneisenerz *n*, Sumpf-, Wiesenerz *n.* — **'~ˌland, ~ land** *s* **1.** Marsch-, Sumpf-, Moorland *n.* – **2.** *humor.* Irland *n.* — **'~ˌland·er** *s* **1.** Marsch-, Sumpf-, Moorbewohner *m.* – **2.** *humor.* Ire *m*, Irländer *m.*

bo·gle ['bougl; 'bɒgl] *s* **1.** Schreckgespenst *n.* – **2.** *dial.* Vogelscheuche *f.*

bog| man·ga·nese *s min.* Wad *n*, Man'ganschaum *m* (*Manganhydroxyd*). — **~ mine** *s min.* Erzlagerstätte *f* im Moor. — **'~-ˌmine ore** *s min.* Sumpferz *n.* — **~ moss** *s bot.* Torfmoos *n* (*Gattg Sphagnum*). — **~ myr·tle, ~ nut** *s bot.* **1.** Gagel(strauch) *m* (*Myrica gale*). – **2.** *Am.* Fieberklee *m* (*Menyantes trifoliata*). — **~ oak** *s* Sumpfeichenholz *n.* — **~ or·chis** *s bot.* Sumpfweichkraut *n*, Weichorchis *f*, -wurz *f* (*Malaxis paludosa*). — **~ pim·per·nel** *s bot.* Sumpf-Gauchheil *n* (*Anagallis tenella*). — **~ pine** *s* Sumpffichtenholz *n.* — **~ rush** *s* **1.** *bot.* a) (*ein*) Kopfriet *n* (*Gattg Schoenus*; *Sauergras*), b) Binse *f* (*Gattg Juncus*). – **2.** *zo. dial.* Rohrsänger *m* (*Gattg Acrocephalis*). — **~ spav·in** *s vet. zo.* Spat *m* (*beim Pferd*). — **~ star** *s bot.* Sumpfherzblatt *n*, Stu'dentenröschen *n* (*Parnassia palustris*). — **'~ˌsuck·er** *s zo.* (*eine*) Waldschnepfe (*Rubicola minor*). — **~ tim·ber** *s* Sumpfholz *n* (*von in Torfmooren gefundenen uralten Baumstämmen*). — **~ tre·foil** → bog myrtle 2. — **'~ˌtrot** *v/i* über Sümpfe gehen, Moorgegenden durch'streifen *od.* bewohnen. — **'~ˌtrot·ter** *s* **1.** Moorbewohner *m*, -wanderer *m.* – **2.** (*verächtlich*) Ire *m*, Irländer *m.*

bogue [boug] *v/i mar.* vom Winde abfallen: to ~ in *Am. dial.* mit Hand anlegen.

bo·gus ['bougəs] **I** *adj* **1.** nachgemacht, falsch, gefälscht, unecht. – **2.** erdichtet, schwindelhaft: ~ **bill** *econ.* Kellerwechsel, fingierter Wechsel; ~ **company** Schwindelgesellschaft. – **II** *s* **3.** *obs.* ˌFalschmünze'reigerät *n.* – **4.** *Am.* Getränk *n* aus Rum u. Sirup. – **5.** (*Journalismus*) *Am. sl.* 'Füllarˌtikel *m* (*der in späteren Ausgaben ersetzt werden soll*).

bog| vi·o·let *s bot.* Gewöhnliches *od.* Blaues Fettkraut (*Pinguicula vulgaris*). — **~ whor·tle·ber·ry** → bog bilberry. — **'~ˌwood** → bog timber. — **'~ˌwort** → bogberry 1.

bo·gy ['bougi] *s* **1.** B~ Teufel *m*, Satan *m.* – **2.** Kobold *m*, Popanz *m*, (Schreck)Gespenst *n.* — **'~ˌman** [-'mən] *s irr* Butzemann *m*, (*der*) schwarze Mann (*Kindersprache*).

bo·hea [bou'hiː] *s* schwarzer Tee (*von geringer Sorte*).

Bo·he·mi·a [bou'hiːmiə] *s* Bo'heme *f* (*Lebensweise od. Welt von* [*bes. exzentrischen*] *Künstlern u. Literaten*).

Bo·he·mi·an [bou'hiːmiən] **I** *s* **1.** Böhme *m*, Böhmin *f.* – **2.** *ling.* das Altböhmische. – **3.** Zi'geuner(in). – **4.** *fig.* Bohemi'en *m*, verbummeltes Ge'nie. – **II** *adj* **5.** böhmisch. – **6.** *fig.* ungezwungen, 'unkonventioˌnell, leichtlebig. – **7.** vagabun'dierend, bo'hemehaft. — **~ chat·ter·er** *s zo.* (*ein*) Seidenschwanz *m* (*Bombycilla garrula*; *Vogel*).

Bo·he·mi·an·ism [bou'hiːmiəˌnizəm] *s* Bo'heme(wesen *n*) *f*, ungezwungene Lebensweise (*von Künstlern*), leichtlebige Ungebundenheit.

bo·hor ['bouhɔːr] *s zo.* (*ein*) ostafrik. Echter Riedbock (*Redunca bohor*).

Bohr| at·om [bɔːr] *s phys.* Bohrsches A'tommoˌdell. — **~ the·or·y** *s phys.* Bohrsche (A'tom)Theoˌrie.

bo·hunk ['bouˌhʌŋk] *s Am. sl.* (*verächtlich*) roher, ungeschlachter Arbeiter (*bes. aus Süd- od. Osteuropa eingewandert, ursprünglich aus Böhmen od. Ungarn*).

bo·id ['bouid] *s zo.* Boa(schlange) *f* (*Fam. Boidae*).

boil[1] [bɔil] *s* **1.** *med.* Blutgeschwür *n*, Fu'runkel *m*: **blind** ~ unvollkommen eiterndes Geschwür. – **2.** *fig.* Beule *f*, Blase *f* (*im Ölfarbenanstrich etc*).

boil[2] [bɔil] **I** *s* **1.** Kochen *n*, Sieden *n*: **on the ~** am *od.* im Kochen, *fig.* in Wallung; **to bring to the ~** zum Kochen bringen; **to go off the ~** zu kochen aufhören. – **2.** a) Wallen *n*, Wogen *n*, Brausen *n* (*der See*), b) *Am.* Wirbel *m* (*in einem Fluß*). – **3.** *fig.* heftige Erregung, Wut *f*, Wallung *f.* – **4.** (*etwas*) Kochendes *od.* Gekochtes *od.* zu Kochendes. – **II** *v/i* **5.** kochen, sieden: **the kettle is ~ing** der Kessel kocht; **to be in ~ing water** *fig.* in Bedrängnis sein; **to keep the pot ~ing** *fig.* sein Leben fristen, die Sache in Gang halten. – **6.** wallen, heftig wogen, brausen (*Meer etc*): **~ing waves.** – **7.** *fig.* kochen, schäumen (**with** vor *dat*): **to ~ with rage** vor Wut kochen. – **III** *v/t* **8.** kochen (lassen), zum Kochen bringen, ab-, aus-, einkochen: **to ~ dry** (*od.* **to grain**) (*Zuckerfabrikation*) das Klärsel kochen. –

Verbindungen mit Adverbien:

boil| a·way *v/t u. v/i* verdampfen, einkochen (lassen). — **~ down** *v/t* **1.** verdampfen, einkochen (lassen). – **2.** *fig.* konden'sieren, kurz zu'sammenfassen: **to ~ a story** eine Erzählung kürzen. – **3.** ~ **to** (letzten Endes) hin'auslaufen auf (*acc*). — **~ off** *v/t* aus-, abkochen, abbrühen: **to ~ the gum** *tech.* (*Seide*) degummieren, entschälen. — **~ out** → boil off. — **~ o·ver** *v/i* 'überkochen, -laufen, -schäumen (*auch fig.*). — **~ up** *v/t u. v/i* aufkochen (lassen).

'boilˌdown *s* Konden'sierung *f*, Kürzung *f*, kurze Zu'sammenfassung.

boiled| bar [bɔild] *s* (*Hüttenkunde*) Rohschieneneisen *n.* — **~ din·ner** *s Am.* (*Art*) Leipziger Allerlei *n*, Gemüseeintopf *m.* — **'~-ˌoff silk** *s tech.* entschälte, linde Seide. — **~ oil** *s tech.* Leinölfirnis *m.* — **~ shirt** *s colloq.* (weißes) Frackhemd.

boil·er ['bɔilər] *s* **1.** Sieder *m*: **soap ~.** – **2.** (Heiz-, Koch-, Siede)Kessel *m*, Kochtopf *m*, Pfanne *f.* – **3.** *tech.* Boiler *m*, Dampfkessel *m*, Heißwasserspeicher *m.* – **4.** (*Zuckerfabrikation*) Siedepfanne *f*, Läuterkessel *m.* – **5.** (*Münzwesen*) Aus-, Schrötlingsglüher *m.* – **6.** Flüssigkeit, die sich kochen *od.* verdampfen läßt: **a quick ~** eine schnellkochende Flüssigkeit. – **7.** zum Kochen bes. gut geeignetes Fleisch *od.* Gemüse *etc*: **this chicken was a good ~** dieses Hühnchen ließ sich gut kochen. — **~ a·larm** *s tech.* auto'matische Pfeifvorrichtung an Dampfkesseln (*Anzeige zu niedrigen Wasserstandes*). — **~ bar·rel** *s tech.* Langkessel *m.* — **~ bear·er** *s* **1.** *tech.* Kesselträger *m.* – **2.** *pl mar.* Kesselkielschweine *pl.* — **~ car** *s tech.* Kesselwagen *m.* — **~ com·pound** *s chem. tech.* Kesselsteinschutzmittel *n.* — **~ deck** *s mar.* Kesseldeck *n.* — **~ feed** *s tech.* Kesselspeisung *f.* — **~ feed·er** *s tech.* 'Kesselˌspeiseappaˌrat *m.* — **~ feed·ing** *s tech.* Kesselspeisung *f*, -feuerung *f.* — **~ float** *s tech.* Wasserstandsmesser *m* mit 'Schwimmerreguˌlator (*am Dampfkessel*). — **~ fur·nace** *s tech.* **1.** Feuerungsraum *m* des Dampfkessels. – **2.** Kesselfeuerung *f.* — **~ ham·mer** *s tech.* Fegehammer *m.* — **~ i·ron** → boiler plate. — **~ me·ter** *s tech.* Wasserstandsmesser *m* für Dampfkessel. — **~ out·put** *s tech.* Kesselleistung *f.* — **~ plate** *s tech.* **1.** (Dampf)Kesselblech *n*: **~ bridge** Eisenblechbrücke. – **2.** (*Zeitungswesen*) *Am.* Platte *f* eines Materndienstes. — **~ scale** *s tech.* Kessel-, Pfannenstein *m.* — **~ shell** *s tech.* Kesselwandung *f*, -mantel *m.* — **~ stay** *s tech.* Kesselanker *m.* — **~ suit** *s* Overall *m.* — **~ tube** *s tech.* Siederöhre *f*, Kesselrohr *n.* — **'~ˌworks** *s pl tech.* 'Kesselfaˌbrik *f*, -schmiede *f.*

boil·er·y ['bɔiləri] *s tech.* Siede'rei *f*, Siedehütte *f* (*eines Salzwerks*).

boil·ing ['bɔiliŋ] **I** *adj* **1.** siedend, kochend, siede...: ~ **hot** siedeheiß; ~ **spring** heiße Quelle, Geysir. – **2.** *fig.* kochend, heiß, aufwallend (*Gefühl*). – **II** *s* **3.** Sieden *n*, (Auf-)Kochen *n*, Wallen *n* (*auch fig.*). – **4.** Abkochung *f*, Sud *m*, (*das*) Gekochte. – **5.** (*Hüttenkunde*) Fett-, Schlackenpuddeln *n.* – **6.** auf 'einmal gekochte Menge: **the whole ~** *sl.* die ganze Sippschaft *od.* Blase, der ganze Schub. – **7.** *pl tech.* Schlacke *f.* — **~ cop·per** *s* (*Brauerei*) Braupfanne *f*, -kessel *m* (*aus Kupfer*). — **~ heat** *s* Siedehitze *f.* — **'~-ˌhouse** → boilery. — **~ point** *s* Siedepunkt *m* (*auch fig.*). — **~ (wa·ter) re·act·or** *s tech.* 'Siedewasser-, Ver'dampferreˌaktor *m.*

'boilˌo·ver *s* **1.** 'Überkochen *n.* – **2.** *Austral. sl.* Ereignis *n* mit 'unvorˌhergesehenem Ausgang.

boil·y ['bɔili] *adj* **1.** blasig, voll Blasen. – **2.** Furunkel...

bois de rose [ˌbwɑ də 'rouz] *s* **1.** Rosenholz *n* (*aus den amer. Tropen, bes. von Aniba panurensis*). – **2.** Rosenholzfarbe *f.*

bois·ter·ous ['bɔistərəs] *adj* **1.** rauh, stürmisch, ungestüm. – **2.** lärmend, tobend, geräuschvoll, laut. – **3.** *obs.* a) heftig, wild, unbändig, b) gewaltsam, grausam. – *SYN. cf.* **vociferous.** — **'bois·ter·ous·ness** *s* Ungestüm *n.*

bo·ko ['boukou] *s Br. sl.* ‚Zinken' *m* (*Nase*).

bo·la ['boulə] *s* Bola *f*, Wurfschlinge *f* (*der Indianer*).

bo·lar ['boulər] *adj min.* bolusartig.

bo·las ['bouləs] → bola.

bold [bould] **I** *adj* **1.** kühn, mutig, beherzt, herzhaft, unerschrocken. – **2.** keck, dreist, frech, unverschämt, anmaßend: **to be so ~ as to, to make ~ to** sich erdreisten *od.* erfrechen zu, sich die Freiheit nehmen *od.* sich erlauben *od.* es wagen zu; **to make ~ (with)** sich Freiheiten herausnehmen (gegen); **as ~ as brass** *colloq.* frech wie Oskar *od.* ein Rohrspatz, unverschämt; **to speak ~ly** frei *od.* ohne Rückhalt sprechen. – **3.** kühn, gewagt: **a ~ plan.** – **4.** sich abhebend, her'vortretend, ins Auge fallend, deutlich, ausgeprägt: **in ~ outline** in deutlichen Umrissen; **in ~ relief** (im Relief) scharf hervortretend, sich deutlich abhebend. – **5.** steil, abschüssig. – **6.** *mar.* tief, schiffbar (*Wasser an einer Steilküste*). – **7.** *econ.* grob(körnig), dick. – *SYN.* **audacious, brave, courageous, dauntless, intrepid, valiant.** – **II** *s* **8.** *print.* (halb)fette Schrift. — **'~ˌface I** *s* **1.** freche Per'son, Unverschämte(r). – **2.** *print.* → **bold** 8. – **II** *adj* **3.** *print.* (halb)fett (gedruckt). — **'~-ˌfaced** *adj* **1.** mit kühnem Gesicht. – **2.** frech, unverschämt. – **3.** *print.* (halb)fett (gedruckt).

bold·ness ['bouldnis] *s* **1.** Kühnheit *f*, Mut *m*, Unerschrockenheit *f*. – **2.** Keckheit *f*, Dreistigkeit *f*. – **3.** Ins-'Auge-Fallen *n*, deutliches Her'vortreten. – **4.** Steilheit *f* (*Küste*).

bol·do ['bɒldou] *s bot.* Chi'lenischer Boldostrauch (*Peumus boldus*).

bole[1] [boul] *s* **1.** Baumstamm *m*. – **2.** Rolle *f*, Walze *f*, Pfeiler *m*. – **3.** *mar.* kleines Boot (*für hohen Seegang*).

bole[2] [boul] *s min.* Bolus *m*, Siegelerde *f*.

bole[3] [boul] *s bes. Scot.* **1.** Mauernische *f*, Wandschrank *m*. – **2.** Lichtloch *n*, Fensteröffnung *f*.

bo·lec·tion [bo'lekʃən] *s* (*Tischlerei*) Leistenwerk *n* (*bes. an Tür- od. Fensterrahmen*).

bo·le·ro [bo'lɛ(ə)rou] *s* Bo'lero *m*: a) *feuriger span. Tanz*, b) *kurzes, ärmelloses Jäckchen.*

bo·lete [bo'liːt] → **boletus.**

bo·let·ic ac·id [bo'letik] *s chem.* Bo'letsäure *f*.

bo·le·tus [bo'liːtəs] *s bot.* Bo'letus *m*, Röhrenpilz *m* (*Gattg Boletus*).

'bole|ˌweed *s bot.* Schwarze Flockenblume (*Centaurea nigra*). — **'~ˌwort** *s bot.* (*ein*) Ammei *n*, (*ein*) Ammi *n*, (*eine*) Knorpelmöhre (*Gattg Ammi*).

bo·lide ['boulaid; -lid] *s astr.* Bo'lid *m*, Feuerkugel *f* (*Meteor*).

bo·li·via·no [boˌliː'vjɑːnou] *pl* **-nos** *s* Bolivi'ano *m* (*bolivianische Münzeinheit*).

boll [boul] **I** *s bot.* **1.** runde *od.* rundliche Samenkapsel. – **2.** Zwiebel *f*. – **II** *v/t* **3.** *agr.* die Samenkapseln abstreifen von (*Baumwolle*).

bol·lard ['bɒlərd] *s mar.* **1.** aufrecht stehender Pfahl. – **2.** *auch* **~ head** Poller *m*, Belegpoller *m* (*am Kai*).

boll·er ['boulər] *s* Ma'schine, die Samenkapseln (*von der Baumwolle*) abstreift.

boll·ing ['bouliŋ] *s* gekappter Baum.

boll| rot *s bot.* Kapselfäule *f* der Baumwollpflanze (*durch Bakterien*). — **~ wee·vil** *s zo.* Baumwollkapselkäfer *m* (*Anthonomus grandis*). — **'~ˌworm** *s zo. Larve eines Eulenfalters* (*Heliothis armigera*), *welche die Samenhülsen der Baumwolle zerstört.*

bo·lo ['boulou] *pl* **-los** *s Am.* großes, einschneidiges Messer (*auf den Philippinen gebraucht*).

Bo·lo·gna| flask, ~ phi·al [bə'lounjə] *s phys.* Bolo'gneser Fläschchen *n*, Springkolben *m*. — **~ sau·sage** *s* Bolo'gneser Wurst *f*. — **~ stone** *s min.* Bolo'gneser Spat *m*, 'Strahlbaˌryt *m*. — **~ wire** *s tech.* Pater'nosterdraht *m*.

bo·lo·graph ['bouləˌgræ(ː)f; *Br. auch* -ˌgrɑːf] *s phys.* regi'strierendes Bolo'meter.

bo·lom·e·ter [bo'lɒmitər; -mə-] *s phys.* Bolo'meter *n* (*Apparat zur Messung sehr schwacher Wärmestrahlen u. kleiner Leistungen im Gebiet sehr hoher Frequenzen*).

bo·lo·ney [bə'louni] *s* **1.** *sl.* ‚Quatsch' *m* (*Unsinn*). – **2.** *Am. colloq. für* **Bologna sausage.**

bo·lo·root ['bolouˌruːt] → **bloodroot.**

Bol·she·vik, b~ ['bɒlʃəvik] **I** *s* Bolsche'wik *m*. – **II** *adj* bolsche'wistisch. — **'Bol·she·vikˌism, b~** → **Bolshevism.** — **'Bol·sheˌvism, b~** *s* Bolsche'wismus *m*. — **'Bol·she·vist, b~ I** *s* Bolsche'wist *m*. – **II** *adj* bolsche'wistisch. — **ˌBol·she'vis·tic, b~** → **Bolshevist** II. — **ˌBol·she'vis·ti·cal·ly, b~** *adv* (*auch zu* **Bolshevist** II, **Bolshevistic**). — **ˌBol·she·vi'za·tion, b~** *s* Bolschewi'sierung *f*. — **'Bol·sheˌvize, b~** *v/t* bolschewi'sieren.

bol·ster ['boulstər] **I** *s* **1.** Kopfpolster *n*, Keilkissen *n*. – **2.** Polster *n*, Kissen *n*, 'Unterlage *f*. – **3.** *med. obs.* Kom'presse *f*, Wattebausch *m*. – **4.** (*Schlosserei*) Lochscheibe *f*, -ring *m*. – **5.** **~ of the spindle** (*Spinnerei*) Halslager *n* der Spindel einer 'Drosselmaˌschine. – **6.** (*Wagenbau*) Achsschemel *m*. – **7.** *tech.* a) Scheibe *f* zwischen Angel u. Klinge (*Messer od. Meißel*), b) Endplatte *f* (*am Heft eines Taschenmessers*), c) Ma'trize *f*, d) Schalbrett *n*, -latte *f*, -holz *n*. – **8.** *arch.* a) **~ of cent(e)ring** Schalbrett *n od.* -latte *f* eines Lehrgerüstes, b) Rolle *f* (*am ionischen Kapitell*), c) Sattel-, Trummholz *n*, Schirrbalken *m*. – **9.** *mus.* Wirbelleiste *f* (*am Klavier*). – **10.** *mil.* Holzblock *m* (*auf dem das Hinterteil der Kanone beim Transport ruht*). – **11.** *mar.* Polster *n*, Kissen *n*, Kalb *n*. – **II** *v/t* **12.** (*j-m*) Kissen 'unterlegen. – **13.** (aus)polstern. – **14.** *med. obs.* (*j-m*) Kom'pressen auflegen. – **15.** *fig.* → **~ up.** – **16.** *sl.* (*Schülersprache*) mit Kissen werfen *od.* schlagen. –

Verbindungen mit Adverbien:

bol·ster| out *v/t* aus-, aufpolstern (*auch fig.*). — **~ up** *v/t* (*mehr als gerechtfertigt*) unter'stützen, (künstlich) aufrechterhalten, verteidigen, nähren, schüren: **a bolstered-up case** ein schlechter, aber geschickt geführter Prozeßfall; **to ~ old customs** alte Sitten künstlich aufrechterhalten.

bol·ster·er ['boulstərər] *s* **1.** Polsterer *m*. – **2.** *fig.* Helfershelfer *m*.

bol·ster| plate *s* (*Wagenbau*) Achsschemelkappe *f*. — **'~ˌwork** *s arch.* kissenartig ausgebogene Steinschichten *pl od.* Gebäudeteile *pl*.

bolt[1] [boult] **I** *s* **1.** Bolzen *m*, Pfeil *m* (*auch fig.*): **a fool's ~ is soon shot** Narrenwitz ist bald zu Ende. – **2.** *mil.* längliches Geschoß, Bolzengeschoß *n* (*für gezogene Geschütze*). – **3.** Blitz(strahl) *m*, Donnerkeil *m*: **a ~ from the blue** *fig.* ein Blitz aus heiterem Himmel. – **4.** (Wasser- *etc*)Strahl *m*. – **5.** *tech.* (Tür-, Schloß)Riegel *m*, Schließhaken *m*, Schieber *m*, Verschluß *m*: **to shoot the ~** den Riegel vorschieben. – **6.** *tech.* (Schrauben)-Bolzen *m*, Schraube *f*, Stift *m*, Runge *f*, Laschenbolzen *m*. – **7.** *tech.* Dorn *m* (*z.B eines Scharniers*): **~ of an arbor** Mitnehmer; **~ and shutter** (*Uhrmacherei*) Bolzen mit Sperrklinke. – **8.** *mil. tech.* (Nadel)Bolzen *m*, Sperrklaue *f*, Schloß *n* (*Gewehr od. Geschütz*). – **9.** (*Eisenbahn*) Sperrklaue *f* (*Drehscheibe*). – **10.** (*Sattlerei*) Wirbel *m*, Kloben *m*. – **11.** (*Spinnerei*) Kamm *m* (*Bobinetmaschine*). – **12.** (*Holzbearbeitung*) a) noch nicht bearbeiteter Holzblock, b) zu Brettern zersägter, aber an einem Ende noch zu'sammenhängender Stamm. – **13.** (*Buchbinderei*) noch unaufgeschnittener Druckbogen. – **14.** *econ.* Ballen *m* (*von Br. 38,4 m, Am. 36,6 m Stoff*), Rolle *f* (*von Am. 14,6 m Tapetenstreifen*). – **15.** *econ.* Bündel *n* (*Stroh etc*). – **16.** *bot.* a) Troll-, Butterblume *f* (*Trollius europaeus*), b) (*ein*) Hahnenfuß *m* (*Gattg Ranunculus*), *bes.* Knolliger Hahnenfuß (*R. bulbosus*). – **17.** plötzlicher Satz *od.* Sprung: **he made a ~ for the door** er machte einen Satz nach der Tür. – **18.** 'Durchgehen *n*, Ausreißen *n*, Da'vonlaufen *n* (*auch fig.*): **he made a ~ for it** er machte sich aus dem Staube. – **19.** Hin'unterschlingen *n* (*Speise*), Hin'unterstürzen *n* (*Getränk*). – **20.** *pol. Am.* Weigerung *f*, die Poli'tik *od.* einen Kandi'daten der eigenen Par'tei zu unter'stützen. – **21.** *obs.* (Bein)Fessel *f*. –

II *adv* **22.** wie ein Pfeil, plötzlich: **~ upright** pfeil-, kerzengerade. –

III *v/i* **23.** da'hinschießen, sausen, fortstürzen. – **24.** (plötzlich) springen, (sich) stürzen (**from, out of** aus; **into** in *acc*; **on** auf *acc*). – **25.** 'durchbrennen, da'vonlaufen, ausreißen, sich da'vonmachen, sich aus dem Staub machen: **he ~ed like a shot** er rannte davon wie ein Blitz. – **26.** leicht scheuen, 'durchgehen (*Pferd*). – **27.** (erschreckt *od.* hastig) bei'seite springen, aufspringen, hochfahren. – **28.** seine Nahrung verschlingen, Getränke hin'unterstürzen. – **29.** *pol. Am.* den Beschlüssen der eigenen Par'tei zu'widerhandeln *od.* die Zustimmung verweigern. – **30.** *agr.* vorzeitig] in Samen schießen. – **31.** (*Bogenschießen*) zu früh abgeschossen werden (*Pfeil*). –

IV *v/t* **32.** abschießen, fortschleudern. – **33.** austreiben, vertreiben. – **34.** (*Worte*) her'vor-, her'ausstoßen, her'ausplatzen mit. – **35.** *hunt.* (*Hasen etc*) aufjagen, -stöbern, ausgraben. – **36.** *oft* **~ down** (*Speise*) hin'unterschlingen, verschlingen, (*Getränk*) hin'unterstürzen. – **37.** (*Tür etc*) verriegeln, zuriegeln. – **38.** *tech.* mit Bolzen befestigen, verbolzen, anpflocken, verpflocken. – **39.** (*Holz*) in Blöcke formen. – **40.** (*Stoff*) in Ballen *od.* (*Tapeten*) in Rollen wickeln. – **41.** *obs. fig.* fesseln, fest-, zu'rückhalten. – **42.** *pol. Am.* (*die eigene Partei od. ihre Kandidaten*) nicht unter'stützen, im Stich lassen. –

Verbindungen mit Adverbien:

bolt| forth I *v/i* her'vorspringen, -schnellen (**from** aus). – **II** *v/t* abschießen, abschleudern. — **~ in I** *v/i* her'ein-, hin'einplatzen, -stürzen. – **II** *v/t* einriegeln. — **~ out I** *v/i* her'ausstürzen. – **II** *v/t* ausriegeln, ausschließen (*auch fig.*). — **~ up I** *v/i* hochfahren, aufspringen. – **II** *v/t* verriegeln, zu-, abriegeln.

bolt[2] [boult] **I** *v/t* **1.** (*Mehl*) sieben, beuteln: **to ~ out the bran** durch Beuteln die Kleie scheiden. – **2.** reinigen, läutern. – **3.** *meist* **~ out** *fig.* genau prüfen, unter'suchen, sichten, erforschen, ergründen. – **II** *s* **4.** Sieb *n*. – **5.** *tech.* Beutelwerk *n*.

bolt·age ['boultidʒ] → **bolting**[2].

bol·tant ['boultənt] *adj her.* vorwärts springend (*Hase, Kaninchen*).

bolt| au·ger *s tech.* Bolzenbohrer *m*. — **~ bear·ing** *s tech.* Bolzenlager *n*. — **~ chis·el** *s* (*Schlosserei*) Kreuzmeißel *m*, Aufhauer *m*. — **~ clasp** *s tech.* Riegelhaken *m*. — **'~ˌcut·ter** *s tech.* **1.** Bolzen-, Riegelmacher *m*. – **2.** 'Schraubenˌschneidemaˌschine *f*. – **3.** Bolzenschere *f*. — **~ draw·er** *s* Bolzenausheber *m*, -zieher *m*. — **~ driv·er** *s* Bolzentreiber *m*, -zieher *m*.

bol·tel ['boultəl] *s arch.* starker Rundstab, Pfühl *m*, Wulst *m*.
bolt·er[1] ['boultər] *s* **1.** Ausreißer *m*, 'Durchgänger *m* (*bes. Pferd*). – **2.** *pol. Am.* j-d der (den Beschlüssen) seiner Par'tei zu'widerhandelt.
bolt·er[2] ['boultər] *s* (*Müllerei*) Beutelwerk *n*, Siebzeug *n*, (Mehl)Beutel *m*: **rotary** ~ rotierende Mahlmaschine.
'bolt·er|-'down *pl* **'bolt·ers-'down** *s tech.* Arbeiter, der Stahlbarren zu Platten walzt. — **'~-'up** *pl* **'bolt·ers-'up** *s tech.* Arbeiter, der Teile mittels Bolzen zu'sammenfügt.
'bolt|,han·dle *s tech.* **1.** Handgriff *m* des Schubriegels (*an Türen, Fenstern etc*). – **2.** *mil.* Kammerstengel *m*, -griff *m* (*Gewehr*). — **'~,head** *s* **1.** *tech.* Bolzenkopf *m*. – **2.** *chem. hist.* (Destil'lier)Kolben *m*, Blase *f*. — **'~,head·er** *s tech.* **1.** Kopfmacher *m* (*Maschine od. Werkzeug zum Ankōpfen von Bolzen*). – **2.** Arbeiter *m* am Kopfmacher. — **'~,hole** *s* **1.** *tech.* Bolzenloch *n*. – **2.** (*Bergbau*) Wetterloch *n*: **to cut ~s** einen Gang verschrämen. – **3.** *Br.* Schlupfwinkel *m* (*auch fig.*).
bol·ti ['boulti] *s zo.* Bulti *m* (*Tilapia nilotica; Fisch*).
bolt·ing[1] ['boultiŋ] **I** *s* **1.** Zuriegeln *n*. – **2.** *tech.* Verbolzen *n*. – **3.** Ausreißen *n*. – **4.** *pol. Am.* Abfallen *n*, Untreuwerden *n*. – **5.** hastiges Essen, Verschlingen *n*. – **6.** *med.* Bolzung *f*. – **II** *adj* **7.** *her.* vorwärtsspringend.
bolt·ing[2] ['boultiŋ] *s* **1.** Sieben *n*, Beuteln *n* (*Mehl*). – **2.** *auch pl* (*beim Sieben abgesonderter*) Abfall, Kleie *f*.
bolt·ing| bag *s tech.* (Mehl)Beutel *m*. — **~ chest** *s tech.* Beutelkasten *m*. — **~ cloth** *s tech.* Beutel-, Siebtuch *n*. — **~ cord** *s vet.* (*Art*) Schlundsonde *f*. — **~ hole** *s Br.* Schlupfloch *n*, -winkel *m* (*auch fig.*) — **~ house** *s tech.* Beutel-, Siebmühle *f*. — **~ hutch** *s* Behälter *m* (*bes. für gesiebtes Mehl*). — **~ tub** *s tech.* Beutelgefäß *n*.
bolt| key *s tech.* (Schub)Riegel *m*, Vorstecker *m*. — **'~-,line** *s mil.* Riegelstellung *f*. — **~ lock** *s tech.* Riegelschloß *n*, Kolben *m*. — **~ mech·a·nism** *s mil.* Gewehrschloß *n*. — **~ nab** *s tech.* Schließblech *n*, -haken *m*.
Bol·ton counts ['boultən] *s* sehr feines Baumwollgarn.
bol·ton·ite ['boultə,nait] *s min.* Bolto'nit *m* (*ein Magnesiumsilikat*).
bolt| plate *s tech.* Streichblech *n*. — **~ po·si·tion** *s mil.* Riegelstellung *f*. — **'~,rope** *s* **1.** *mar.* Liek *n*, Saum *m* (*Segel*): ~ **line** Liekleine. – **2.** *aer.* Liek *n* (*Ballon*). — **~ screw** *s tech.* Bolzenschraube *f*, -gewinde *n*: ~ **cutting machine** Bolzenschrauben-Schneidemaschine. — **~ shaft** *s tech.* Schaft *m* eines Riegels *od.* Bolzens. — **~ spring** *s tech.* Bolzen-, Riegelfeder *f*. — **~ sta·ple** *s tech.* Schließhaken *m* (*am Schloß*): **cased** ~ Schließklappe. — **~ stay** *s tech.* Straff-Feder *f*. — **'~,strake** *s mar.* Gang, durch den die Deckbalken gehen. — **~ thread·er** *s tech.* 'Schrauben,schneidema,schine *f*. — **'~,toe** *s tech.* Griff *m* des Riegels. — **~ yarn** *s mar.* starkes Segelgarn (*zum Annähen der Lieken*).
bo·lus ['bouləs] *pl* **-lus·es** *s* **1.** *med.* Arz'neikugel *f*, große Pille. – **2.** runder Klumpen, Kloß *m*. – **3.** *min.* Bolus *m*, Pfeifenton *m*. — **~ al·ba** *s min.* Kao'lin *n*.
bo·ma ['boumə] *s* Gehege *n*, Verschanzung *f*, *auch* Poli'zeistati,on *f* (*in Zentralafrika*).
bo·mah nut ['boumə] *s bot. zum Gerben benutzter Same des afrik. Strauches Pycnocoma macrophylla.*
bomb [bɒm] **I** *s* **1.** *mil.* (Spreng-, Zünd)-Bombe *f*: **the** ~ die Atombombe. – **2.** *mil.* a) 'Hand-, 'Wurfgra,nate *f*, b) Sprenggeschoß *n*. – **3.** *tech.* a) Gasbombe *f*, Stahlflasche *f* (*für Gas*), b) Zerstäuberflasche *f* (*für Schädlingsbekämpfung etc*). – **4.** *geol.* (Lava)Bombe *f*, vul'kanischer Schlakkenauswurf. – **5.** → ~ **ketch**. – **6.** *mar.* Har'pune *f* mit Sprenggeschoß. – **II** *v/t* **7.** bombar'dieren. – **8.** ~ **up** (*Bomber*) mit Bomben beladen. – **III** *v/i* **9.** Bomben werfen.
bom·ba·ca·ceous [,bɒmbə'keiʃəs] *adj bot.* wollbaumartig.
bom·bard I *s* ['bɒmbɑːrd] **1.** *mil. hist.* Bom'barde *f* (*altes Steingeschütz*). – **2.** *mus.* a) *hist.* Bom'bard(e *f*) *m*, (Baß)Pommer *m* (*auch Orgelregister*), b) Kontrabaßtuba *f*, Baß-Saxhorn *n*. – **3.** → **bomb ketch**. – **II** *v/t* [bɒm'bɑːrd] **4.** bombar'dieren, Bomben werfen auf (*acc*), beschießen. – **5.** *fig.* bombar'dieren, bestürmen (**with** mit). – **6.** *phys.* (*mit Neutronen etc*) bombar'dieren, beschießen. – *SYN. cf.* **attack**. — **bom'bard·er** *s mil.* **1.** *obs.* Bombar'dierer *m*, Beschießer *m*. – **2.** → **bomb ketch**.
bom·bard·ier [,bɒmbər'dir] *s mil.* **1.** *Br.* Artille'rie,unteroffi,zier *m*. – **2.** *aer.* Bombenschütze *m*. – **3.** *obs.* Kano'nier *m*. — **~ bee·tle** *s zo.* Bombar'dierkäfer *m* (*Gattg Brachinus*).
bom·bard·ment [bɒm'bɑːrdmənt] *s* Bombarde'ment *n*, Bombar'dierung *f*, Beschießung *f*, Belegung *f* mit Bomben.
bom·bar·don ['bɒmbərdn; bɒm'bɑːrdn] *s mus.* Bombar'don *n*, (*Art*) Baßtuba *f* (*auch Orgelregister*).
bom·ba·sine *cf.* bombazine.
bom·bast ['bɒmbæst] **I** *s* **1.** *fig.* Bom'bast *m*, (leerer) Wortschwall, 'überschwengliche Rede, schwülstiger Stil. – **2.** *obs.* rohe Baumwolle. – **3.** *obs.* Watte *f*, Wat'tierung *f*. – *SYN.* **fustian, rant, rhapsody**. – **II** *adj* **4.** bom'bastisch, schwülstig. – **5.** *obs.* wat'tiert, ausgepolstert, ausgestopft. – **III** *v/t* [bɒm'bæst] *obs.* **6.** schwülstig machen. – **7.** wat'tieren. — **bom'bas·tic**, *selten* **bom'bas·ti·cal** *adj* bom'bastisch, hochtrabend, schwülstig. — **bom'bas·ti·cal·ly** *adv* (*auch zu* **bombastic**).
bom·bax ['bɒmbæks] *s bot.* Wollbaum *m* (*Gattg Bombax*).
Bom·bay duck ['bɒmbei] *s* **1.** *zo.* (*ein*) indischer Seeweis (*Harpodon nehereus*). – **2.** *Delikatesse aus kleinen getrockneten ostindischen Seefischen.*
bom·ba·zet(te) [,bɒmbə'zet] *s* (*Art*) leichter Wollstoff.
bom·ba·zine [,bɒmbə'ziːn; 'bɒmbə,ziːn] *s* Bombasin *m* (*leichter, wollseidener Stoff*).
bomb| bay *s aer.* 'Bombenschacht *m*, -maga,zin *n* (*Flugzeug*). — **~ cal·o·rim·e·ter** *s phys.* 'Bomben-, 'Kolbenkalori,meter *n*. — **~ car·pet** *s mil.* Bombenteppich *m*. — **~ chest** *s mil.* Holzkastenmine *f*. — **~ dis·pos·al** *s* Blindgängerbeseitigung *f*, Bombenräumung *f*. — **~ dis·pos·al squad** *s mil.* 'Sprengkom,mando *n* (*für Blindgängerbeseitigung*). — **~ door** *s aer.* Bombenklappe *f*.
bombe [bɔ̃ːb] (*Fr.*) *s* (Eis)Bombe *f*.
bomb·er ['bɒmər] *s* Bomber *m*, Bombenflugzeug *n*.
bom·bi·late ['bɒmbi,leit] *v/i* summen, surren, dröhnen. — **,bom·bi'la·tion** *s* Summen *n*, Surren *n*, Dröhnen *n*. — **'bom·bi,nate** [-,neit] → **bombilate**. — **,bom·bi'na·tion** → **bombilation**.
bomb| ketch *s mar. hist.* Bombar'dierfahrzeug *n*, -schiff *n*. — **~ lance** *s mar.* Har'pune *f* mit Sprenggeschoß (*zum Walfang*). — **~ load** *s aer.* Bombenlast *f*, -ladung *f*.
bom·bo·la ['bɒmbolə], *Br.* **'bom·bo·lo** [-lou] *s chem.* Re'torte *f* (*zum Sublimieren des Kampfers*).
bom·bous ['bɒmbəs] *adj* kon'vex, nach außen gewölbt.
'bomb|,proof *mil.* **I** *adj* bombensicher, -fest (*auch fig.*). – **II** *s* Kase'matte *f*, Bunker *m*. — **~ rack** *s aer.* Bombenaufhängevorrichtung *f*. — **~ re·lease tel·e·scope** *s aer.* (Bomben)Abwurffernrohr *n*. — **'~,shell** *s* Bombe *f* (*auch fig.*): **the news came like a** ~ die Nachricht schlug ein wie eine Bombe. — **'~,sight** *s aer.* Bombenzielgerät *n*. — **~ throw·er** *s* **1.** *mil.* Gra'natwerfer *m*. – **2.** j-d der Bomben wirft. – **3.** *fig.* Anar'chist *m*. — **~ tube** *s chem.* Bombenrohr *n*. — **~ ves·sel** → **bomb ketch**.
bom·by·cid ['bɒmbisid; -bə-] *zo.* **I** *adj* zu den Spinnern (*Nachtschmetterlingen*) gehörend. – **II** *s* Spinner *m* (*Gattg Bombyx; Schmetterling od. dessen Larve*). — **bom·byc·i·form** [bɒm'bisi,fɔːrm; -sə-] *adj zo.* den Spinnern ähnlich. — **'bom·by·cine** [-sin] *obs.* **I** *adj* seiden, baumwollen. – **II** *s* Seidengarn *n*, -zeug *n*.
bon[1] [bɒn] *s bot.* **1.** Sau-, Puffbohne *f* (*Vicia faba*). – **2.** Chinagras *n* (*Boehmeria nivea*).
Bon[2] [bɒn] *s* La'ternenfest *n* der Ja'paner.
bo·na ['bounə] (*Lat.*) *s pl jur.* bewegliche u. unbewegliche Güter *pl*: ~ **bill** Wechsel über empfangene Ware; ~ **capital** aus verkäuflichen Waren bestehendes Kapital; ~ **peritura** leicht verderbliche Ware.
bon·ac·cord [,bɒnə'kɔːrd] *s Scot.* gutes Einvernehmen.
bon·ace tree ['bɒnis] *s bot.* Hanfseidelbast *m* (*Daphnopsis tinifolia*).
bo·na·ci [,bounɑː'siː] *s zo.* (*ein*) Zackenbarsch *m* (*Unterfam. Epinephelidae*).
bo·na| fi·de ['bounə 'faidi] *adj u. adv* **1.** ehrlich, redlich, aufrichtig. – **2.** in gutem Glauben, auf Treu und Glauben: ~ **possessor** *jur.* gutgläubiger Besitzer (*der im rechtmäßigen Besitz zu sein glaubt*); ~ **purchaser** Käufer auf Treu u. Glauben (*der den Verkäufer für den rechtmäßigen Eigentümer hält*). – **3.** *econ.* so'lid: **a** ~ **offer** ein solides Angebot; ~ **holder** gutgläubiger Erwerber. – *SYN. cf.* **authentic**. — **~ fi·des** ['bounə 'faidiːz] (*Lat.*) *s* **1.** guter Glaube. – **2.** Ehrlichkeit *f*, Aufrichtigkeit *f*, Arglosigkeit *f*.
bo·nan·za [bo'nænzə] *s Am.* **1.** *geol. min.* reiche Erzader, ergiebige Mine (*bes. Edelmetalle*). – **2.** *colloq.* Goldgrube *f*, Glücksquelle *f*: **a big** ~ eine günstige (Kauf- *etc*)Gelegenheit; **to strike a** ~ einen glücklichen Griff tun.
Bo·na·parte's| gull ['bounə,pɑːrts] *s zo.* Bona'parte-Möwe *f* (*Larus philadelphia*). — **~ sand·pip·er** *s zo.* Bona'parte-Sandpieper *m* (*Pisobia fuscicollis*).
bo·na·sus [bo'neisəs], **bo'nas·sus** [-'næsəs] *s zo.* **1.** Wisent *m* (*Bison bonasus*). – **2.** Bison *m*, Amer. Büffel *m* (*Bison bison*).
bon·bon ['bɒn,bɒn] *s* Bon'bon *m, n*.
bonce [bɒns] *s Br.* **1.** Murmel *f*. – **2.** Murmelspiel *n*.
bon chré·tien [,bɔ̃ ,krei'tjɛ̃] *s Name für verschiedene Birnenarten.*
bond[1] [bɒnd] **I** *s* **1.** *pl obs. od. poet.* a) Fesseln *pl*, Ketten *pl*, Bande *pl*, b) Gefangenschaft *f*, Gewahrsam *m*: **in ~s** in Fesseln, gebunden (*auch fig.*); **the ~s of necessity** der Zwang der Notwendigkeit. – **2.** *pl fig.* bindende Kraft, Bande *pl*: **the ~s of love** die Bande der Liebe. – **3.** Seil *n*, Band *n*, *bes.* Wiede *f* (*eines Reisigbündels*). – **4.** Bündnis *n*, Bund *m*, Verbindung *f*. – **5.** *obs.* (*moralische od. politische*) Verpflichtung, Pflicht *f*. – **6.** Bürg-

schaft *f*, Bürge *m*. – 7. *econ*. Zollverschluß *m*: in ~ unter Zollverschluß, unverzollt; to place under ~ in Zollverschluß legen; to release from ~ aus dem Zollverschluß nehmen. – 8. *econ*. festverzinsliches 'Wertpa,pier, (*öffentliche*) Schuldverschreibung, Obligati'on *f*, Rückschein *m*: ~s and other interests (*Bilanz*) Beteiligungen u. Wertpapiere. – 9. *meist* mortgage ~ *econ*. (Hypo'theken)Pfandbrief *m*, Hypo'thekeninstru,ment *n*. – 10. *econ*. Schuld-, Gut-, Gewährsschein *m*. – 11. *econ*. Handschrift *f*. – 12. *chem*. a) Bindung *f*, b) Wertigkeit *f*, Va'lenz *f*: the carbon atom has four ~s das Kohlenstoffatom ist vierwertig. – 13. *electr*. Strombrücke *f*, Über'brückung *f* (*an Schienenstößen der elektr. Straßen- od. Eisenbahn*). – 14. *arch*. (Holz-, Mauer-, Stein)Verband *m*: English ~ Blockverband. – **II** *v/t* 15. *econ*. verpfänden. – 16. *econ*. unter Zollverschluß legen. – 17. *arch*. (*Steine etc*) in Verband legen: to ~ in a stone einen Stein einbinden. – 18. *electr*. (*Schienen*) durch eine Strombrücke verbinden. – **III** *v/i* 19. *arch*. (*im Verband*) zu'sammenhalten (*Steine etc*). – 20. *tech*. abbinden.

bond[2] [bɒnd] **I** *s obs*. **1.** Leibeigener *m*, Sklave *m*. – **II** *adj* **2.** in Knechtschaft, leibeigen. – **3.** *fig*. gebunden. – **4.** *obs*. knechtisch, sklavisch.

bond[3] [bɒnd] (*S.Afr.*) *s* Bund *m*, Konföderati'on *f*.

bond·age ['bɒndidʒ] **I** *s* **1.** Knechtschaft *f*, Leibeigenschaft *f*, Sklave'rei *f*, (*auch fig.*): to be in the ~ of vice dem Laster verfallen *od*. ergeben sein. – **2.** Gefangenschaft *f*, Gewahrsam *m*. – **3.** Zwang *m*. – **4.** *obs*. Verpflichtung *f*, Verbindlichkeit *f*. – *SYN. cf.* servitude. – **II** *v/t* **5.** *obs*. knechten, versklaven.

bond| an·gle *s chem*. Bindungswinkel *m*. — ~ **course** *s* (*Maurerei*) Binderschicht *f*. — ~ **debt** *s econ*. Obligati'onsschuld *f*. — ~ **dis·tance** → bond length.

bond·ed ['bɒndid] *adj econ*. **1.** (durch Verpflichtung) gebunden. – **2.** (mit Schulden) belastet, verpfändet. – **3.** durch Schuldverschreibung gesichert: ~ debt in Schuldverschreibung bestehende *od*. fundierte Schuld, Anleiheschuld. – **4.** unter Zollverschluß (befindlich): ~ store, ~ warehouse Zollspeicher, Entrepot, Lagerhaus für unverzollte Waren; ~ goods unverzollte Niederlagsgüter; ~ to destination Verzollung am Bestimmungsort.

bond en·er·gy *s chem*. 'Bindungsener,gie *f*.

bond·er ['bɒndər] *s arch*. Binder *m*, Bindestein *m*, -ziegel *m*.

'bond|,land *s* Pachtland *n* mit Frondienst. — ~ **length** *s chem*. Bindungslänge *f*. — '~**·man** [-mən] *s irr hist*. **1.** Leibeigener *m*, Sklave *m*. – **2.** Fronpflichtiger *m*, unfreier Bauer. — ~ **pa·per** *s* 'Post-, 'Banknoten-, 'Wertpa,pier *n*. — ~ **sales·man** *s irr econ. Am*. A'gent *m* für 'Wertpa,piere. — ~ **serv·ant** → bondman 1.

bonds·man ['bɒndzmən] *s irr* **1.** *jur*. Bürge *m*. – **2.** → bondman.

'bond|,stone → bonder. — ~ **stress** *s phys*. Haftspannung *f*. — ~ **tim·ber** *s arch*. (*zur Verstärkung*) quer in eine Mauer eingelassenes Balkenstück.

bon·duc (tree) ['bɒndʌk] *s bot*. Schusserbaum *m* (*Gattg Guilandina*).

bone[1] [boun] **I** *s* **1.** Knochen *m*, Bein *n*: to have a ~ in one's leg (throat *etc*) a) einen Geh- (Sprach- *etc*)fehler haben, b) zu faul zum Gehen (Sprechen *etc*) sein; to make no ~s about (*od*. of) nicht viel Federlesens machen mit; to feel s.th. in one's ~s etwas in den Knochen *od*. instinktiv spüren; the ship carries (*od*. has) a ~ in her teeth (*od*. mouth) *mar*. das Schiff liegt hart gegen die See an *od*. wirft eine breite Bugwelle; → contention 1. – **2.** *pl* Gebein(e *pl*) *n*. – **3.** Ske'lett *n*, Gerippe *n* (*auch eines Schiffes etc*). – **4.** *pl fig*. Körper *m*. – **5.** (Fisch)Gräte *f*. – **6.** (Fleisch)Knochen *m*: soup ~ Suppenknochen; to have a ~ to pick with s.o. mit j-m ein Hühnchen zu rupfen haben. – **7.** Elfenbein *n*. – **8.** Fischbein *n*. – **9.** *pl* Würfel *pl*: to rattle the ~s würfeln. – **10.** Dominostein *m*. – **11.** *pl* Kasta'gnetten *pl*, (Hand-, Tanz)Klappern *pl*. – **12.** (Fischbein)Stäbchen *n* (*für Korsetts*). – **13.** Spitzenklöppel *m*. – **14.** *Am. sl*. Dollar *m*. – **15.** *Am. sl*. grober Fehler, Schnitzer *m*. – **16.** (*Bergbau*) Schiefer- *od*. Tonschicht *f* (*in Kohlenflözen*). – **II** *v/t* **17.** die Knochen *od*. Gräten her'ausnehmen aus, ausbeinen, ausgräten, entgräten. – **18.** (Fischbein)Stäbchen einarbeiten in (*ein Korsett*). – **19.** *agr*. mit Knochenmehl düngen. – **20.** *sl*. ‚klauen', ‚sti'bitzen' (*stehlen*). – **21.** *oft* ~ up *Am. sl*. ‚(ein)pauken', ‚büffeln', ‚ochsen'. – **III** *adj* **22.** beinern, knöchern, aus Bein *od*. Knochen.

bone[2] [boun] *v/t tech*. nivel'lieren, vi'sieren, nach dem Augenmaß richten.

bone| ash *s* Knochenasche *f*, -erde *f*. — ~ **bed** *s geol*. (*diluviales*) Knochenlager. — ~ **black**, '~,**black** *s* **1.** *chem*. Ak'tiv-, Tier-, Knochenkohle *f* (*als Adsorptionsmittel*). – **2.** (*Malerei*) Beinschwarz *n* (*Farbe*). — '~,**break·er** *s zo*. **1.** Riesensturmvogel *m* (*Macronectes giganteus*). – **2.** Fischadler *m* (*Pandion haliaëtus*). — ~ **brec·ci·a** *s geol*. 'Knochen,brekzie *f*, -,konglome,rat *n* (*durch Kalk verkittete diluviale Knochenablagerung*). — ~ **car·ti·lage** *s zo*. Knochenknorpel *m*. — ~ **char·(coal)** → bone black. — ~ **chi·na** *s* (*Art*) feines Steingut, dünnes Porzel'lan. — ~ **crush·er** *s* **1.** *colloq*. Jagdgewehr *n* mit starkem Rückschlag. – **2.** *tech*. Knochenmühle *f*.

boned [bound] *adj* **1.** (*in Zusammensetzungen*) ...knochig: strong-~ starkknochig. – **2.** ausgebeint, -gegrätet, entgrätet. – **3.** *agr*. mit Knochenmehl gedüngt. – **4.** mit (Bein)Stäbchen versehen (*Korsett etc*).

'bone|,dog *s zo*. Gemeiner Dornhai (*Squalus acanthias*). — '~-'**dry** *adj* **1.** knochentrocken. – **2.** *Am. sl*. streng 'antialko,holisch. — ~ **dust** → bone meal. — ~ **earth** → bone ash. — '~-,**eat·er** → bonito. — '~,**fish** *s zo*. **1.** Franz. Meeräsche *f* (*Albula vulpes*). – **2.** → bonedog. — ~ **for·ceps** *s med*. Knochenzange *f*, -schere *f*. — ~ **glass** *s tech*. Milch-, Beinglas *n*. — ~ **glue** *s* Knochenleim *m*. — '~,**head** *s Am. sl*. ‚Holzkopf' *m* (*Dummkopf*). — ~ **house** *s* **1.** Beinhaus *n*. – **2.** Sarg *m*. – **3.** *fig*. menschlicher Körper. — '~-'**i·dle** *adj colloq*. ‚stinkfaul'. — ~ **lace** *s* Klöppelspitze *f*. — '~-'**la·zy** → bone-idle.

bone·less ['bounlis] *adj* **1.** ohne Knochen *od*. Gräten. – **2.** weichtierartig. – **3.** *fig*. haltlos, ohne Rückgrat.

bone·let ['bounlit] *s* Knöchelchen *n*.

bone| ma·nure *s* Knochenmehl *n*, -dünger *m*. — ~ **meal** *s* Knochenmehl *n*. — ~ **nip·pers** → bone forceps. — ~ **oil** *s chem*. Knochen-, Tieröl *n*, Dippels Öl *n*. — ~ **ore** *s min*. Bohnerz *n*. — ~ **phos·phate** *s chem*. neu'traler phosphorsaurer Kalk ($Ca_3(PO_4)_2$). — ~ **pitch** *s chem*. Knochenpech *n*. — ~ **plombe** [plʌm] *s med*. Knochenplombe *f* (*der Zähne*). — ~ **por·ce·lain** → bone china. — ~ **pot** *s* **1.** *tech*. Eisentopf *m* (*zur Bereitung von Beinschwarz*). – **2.** (*bes. prähistorische*) (Grab)Urne. — ~ **pow·der** → bone meal.

bon·er ['bounər] *s bes. Am. sl*. grober Fehler, Schnitzer *m*.

'bone|,set *s bot*. (*ein*) Wasserdost *m* (*Gattg Eupatorium*), *bes*. Durch'wachsener Wasserdost (*E. perfoliatum*). — '~,**set·ter** *s* Knocheneinrichter *m*, Heilgehilfe *m*. — '~,**shak·er** *s sl*. **1.** (*altmodisches*) Fahrrad ohne Gummireifen. – **2.** *humor*. Fahrrad *n*. — ~ **shark** *s zo*. Riesenhai *m* (*Selache maxima*). — ~ **sock·et** *s med. zo*. Knochenhöhle *f*. — ~ **spav·in** *s vet*. Hufspat *m* (*des Pferdes*). — ~ **spir·it** *s chem*. Knochengeist *m*. — ~ **tar** *s chem*. Knochenteer *m*. — ~ **tis·sue** *s med. zo*. 'Knochengewebe *n*, -sub,stanz *f*. — ~ **turn·er** *s tech*. Knochen-, Beindrechsler *m*. — ~ **tur·quoise** *s min*. 'Bein-, 'Zahntür,kis *m*. — '~,**work** → bone lace. — ~ **yard** *s Am*. **1.** Knochenlager(stätte *f*) *n*, Schindanger *m*. – **2.** *vulg*. Friedhof *m*. – **3.** (*Dominospiel*) Re'servesteine *pl*.

bon·fire ['bɒn,fair] **I** *s* **1.** Freudenfeuer *n*. – **2.** Feuer *n* im Garten (*bes. zum Unkrautverbrennen*): to make a ~ of s.th. etwas vernichten. – **3.** *obs*. Scheiterhaufen *m*. – **II** *v/i* **4.** ein Freudenfeuer anzünden.

bong [bɒŋ] *interj* bum! bam! (*Glocke*).

bon·go ['bɒŋgou] *pl* **-gos** *s zo*. Bongo *m*, Afrik. 'Waldanti,lope *f* (*Boocercus eurycerus, B. angasi u. B. isaaci*).

bon·ho(m)·mie [,bɒnə'miː; 'bɒnə,miː] *s* Gutmütigkeit *f*, gefälliges Wesen.

bo·nia·ta [bo'njɑːtə] *s bot*. Yam-, Mehlwurzel *f* (*von Dioscorea batatas*).

Bon·i·face ['bɒni,feis; -nə-] *s colloq*. (durch'triebener, lustiger) Gastwirt (*nach Farquhar's Lustspiel „The Beaux' Stratagem"*).

bon·i·fi·ca·tion [,bɒnifi'keiʃən; -nə-] *s econ*. 'Bonusdivi,denden,ausschüttung *f*.

bon·ing ['bouniŋ] **I** *s* Nivel'lieren *n*, Vi'sieren *n*, Richten *n* (*nach dem Augenmaß*). – **II** *adj* Nivellier...: ~ rod, ~ stick Abseh-, Nivellierstab, Fluchtstab, Nivellierkreuz.

bon·ism ['bɒnizəm] *s philos*. Lehre, nach der die Welt gut ist, aber besser sein könnte.

bon·i·tar·i·an [,bɒni'tɛ(ə)riən; -nə-], **'bon·i·tar·y** [*Br*. -təri; *Am*. -,teri] *adj jur*. den Besitz (*mit allen Nutznießungen, doch ohne rechtlichen Titel*) habend.

bo·ni·to [bo'niːtou; bə-] *s zo. ein makrelenartiger Fisch, bes*. Blaufisch *m* (*Sarda sarda*).

bon mot [bɔ̃ 'mou] *pl* **bons mots** [bɔ̃ 'mouz] *s* Bon'mot *n* (*witzige, schlagfertige od. treffende Bemerkung*).

bonne [bɔn] (*Fr.*) *s* Hausangestellte *f*, *bes*. Kindermädchen *n*. — ~ **a·mie** [bɔn a'mi] (*Fr.*) *s* **1.** gute Freundin. – **2.** Geliebte *f*. — ~ **bouche** ['buʃ] *pl* **bonnes bouches** [bɔn 'buʃ] (*Fr.*) *s* Leckerbissen *m*.

bon·net ['bɒnit] **I** *s* **1.** (*bes*. Schotten)Mütze *f*, Kappe *f*, Ba'rett *n*. – **2.** (Damen)Hut *m*, Haube *f* (*meist randlos und mit Bändern unter dem Kinn befestigt*). – **3.** Kopfschmuck *m* (*Indianer*). – **4.** *tech*. Dach *n* (*der Plattform eines Waggons*). – **5.** *tech*. Kappe *f*, Haube *f* (*eines offenen Kamins*). – **6.** *tech*. Funkenfänger *m* (*eines Lokomotivschornsteins*). – **7.** *tech*. Deckel *m* (*z.B. im Ventilgehäuse einer Pumpe*). – **8.** (*Bergbau*) a) Schutzplatte *f* (*im Schacht*), b) Deckel *m* der Sicherheitslampe. – **9.** *Br*. Motorhaube *f* (*Auto*). – **10.** *aer*. Schutzkappe *f* (*des Ballonventils*). – **11.** *mar*. Bon'nett *n*, Haube *f* eines Segels. – **12.** (*Festungsbau*) Bon'nett *n*, Brustwehrkappe *f*. – **13.** *zo*. zweiter Magen, Haube *f* (*der Wiederkäuer*). –

14. *pl bot. Am.* a) (*eine*) 'Zwerg-ka,stanie (*Castanea pumila*), b) Gelbe Teichrose(*Nuphar luteum*).–15.Scheinkäufer *m*, -bieter *m* (*der andere auf Auktionen zum Höherbieten reizt*). – 16. Lockvogel *m*, Helfershelfer *m* (*eines Falschspielers*). – **II** *v/t* 17. (*dat*) eine Mütze *od.* Haube aufsetzen. – 18. (*j-m*) den Hut über die Augen ziehen.

bon·net| fluke *s zo.* Glattbutt *m* (*Rhombus laevis*). — **~ grass** *s bot.* (*ein*) Straußgras *n* (*Agrostis stolonifera maior*). — **~ laird** *s Scot.* kleinerer Gutsbesitzer. — **~ lim·pet** *s zo.* Mützenschnecke *f* (*Gattg Pileopsis*). — **~ ma·caque** *s zo.* Hutaffe *m* (*Pithecus sinicus*). — **'~·man** [-mən] *s irr* schott. Hochländer *m*. — **~ mon·key** → bonnet macaque. — **~ pep·per** *s bot.* Gui'neapfeffer *m* (*Capsicum tetragonum*). — **~ piece** *s Scot. hist. schott. Goldmünze.* — **~ rouge** [bɔnɛ'ruːʒ] *pl* **bon·nets rouges** [bɔnɛ'ruːʒ] (*Fr.*) *s* 1. rote Freiheitsmütze (*der franz. Republikaner, 1793*). – 2. *fig.* Revolutio'när *m*, Anar'chist *m*, Radi'kaler *m*. — **~ shark** ['bɒnit] *s zo.* (*ein*) Hammerhai *m* (*Reniceps tiburo*). — **~ shell** → bonnet limpet.

bon·ny ['bɒni] *adj bes. Scot.* 1. hübsch, schön, nett (*auch ironisch*). – 2. *obs.* fröhlich, heiter, munter. – 3. *dial. od. colloq.* gesund, ro'bust, drall. – *SYN. cf.* beautiful. — **'~,clab·ber** *s Irish od. Am.* Dick-, Sauermilch *f*.

bon·te·bok ['bɒnti,bɒk] *s zo.* Buntbock *m* (*Damaliscus pygargus*).

bon·te quag·ga ['bɒnti] *s zo.* Tigerpferd *n*, Burchell-Zebra *n* (*Equus quagga burchelli; Südafrika*).

bon ton [bɔ̃ 'tɔ̃] (*Fr.*) *s* 1. guter Ton, Anstand *m*. – 2. *obs.* vornehme Welt, gute Gesellschaft.

bo·nus ['bounəs] *econ.* **I** *s pl* **-nus·es** 1. Bonus *m*, Prämie *f*, Tanti'eme *f*: ~ **for special risk** Risikoprämie; ~ **transaction** Prämiengeschäft; hazard ~ Gefahrenzulage. – 2. Gratifikati'on *f*. – 3. Gehaltszulage *f*. – 4. 'Extra-, 'Superdivi,dende *f*. – 5. Gewinnbeteiligung *f*, -anteil *m*. – 6. (Teuerungs)Zuschlag *m*. – 7. *euphem.* Bestechungsgeschenk *n*. – **II** *v/t* 8. Prämien *od.* Zuschüsse gewähren (*dat*), subventio'nieren.

bon·y ['bouni] *adj* 1. beinern, knöchern, Knochen...: ~ **condyle** Knochengelenkshöcker; ~ **furrow** Knochenrinne; ~ **process** Knochenvorsprung, -fortsatz. – 2. (stark-, grob)knochig, grätig: **this fish is very** ~ dieser Fisch ist voll Gräten. – 3. knochendürr, -hart. — **~ coal** *s geol. Am.* (*Art*) Schieferkohle *f*. — **'~,fish** → bonefish 1.

bonze [bɒnz] *s* Bonze *m* (*buddhistischer Mönch od. Priester*).

bon·zer ['bɒnzər] *adj Austral. sl.* ‚pfundig', erstklassig, prima.

bonz·er·y ['bɒnzəri] *s* bud'dhistisches Kloster.

boo [buː] **I** *interj* 1. muh! (*das Brüllen der Kuh nachahmend*). – 2. huh! (*um j-n zu erschrecken*). – 3. huh! pfui! (*Ausruf der Verachtung od. des Hohns*). – **II** *s* 4. ‚Muh'- *od.* ‚Huh'-Schreien *n*. – 5. Pfui(ruf *m*) *n*. – **III** *v/i* 6. muh! *od.* huh! schreien: to ~ **at s.o.** j-n mit ‚Huh'-Schreien erschrecken. – 7. pfui rufen, brüllen. – **IV** *v/t* 8. durch Pfuirufe schmähen *od.* ablehnen *od.* verhöhnen, niederbrüllen.

boob [buːb] *s sl.* ‚Dussel' *m*, ‚Blödling' *m*, Tolpatsch *m*. — **'boob·er·y** [-əri] *s Am. sl.* 1. ‚Dämlichkeit' *f*, ‚Blödheit' *f*, Tölpelhaftigkeit *f*. – 2. dämliche Gesellschaft *od.* Bande.

boo·book ['buː,buːk] *s zo. eine kleine austral. Eule* (*Ninox boobook*).

boo·by ['buːbi] **I** *s* 1. Tölpel *m*, Einfaltspinsel *m*, Dummkopf *m*. – 2. Letzte(r), Schlechteste(r) (*in Wettkämpfen od. beim Kartenspiel*). – 3. *Am.* geschlossener kutschenartiger (Miet)Schlitten. – 4. *zo.* (*ein*) Tölpel *m* (*Gattg Sula; Seevogel*). – **II** *adj* 5. tölpelhaft, dumm, einfältig. – **III** *v/i selten* 6. sich dumm *od.* tolpatschig *od.* einfältig benehmen. — **~ hatch** *s* 1. *mar.* Deckel *m* einer Luke, Schiebeluke *f*. – 2. *Am. sl.* a) ‚Klapsmühle' *f* (*Irrenhaus*), b) ‚Kittchen' *n* (*Gefängnis*).

boo·by·ish ['buːbiiʃ] → booby 5.

boo·by| prize *s* Trostpreis *m*. — **~ trap** *s* 1. *mil.* Sprengfalle *f*, Schreckladung *f* (*scheinbar harmlose Gegenstände, verbunden mit versteckten Sprengladungen, in dem nachrückenden Feind überlassenen Stellungen*). – 2. *fig.* Streich *m*, übler Scherz (*bes. über einer Tür angebrachtes Gefäß mit Wasser, das sich beim Öffnen der Tür über den Eintretenden ergießt*). – 3. *allg.* Falle *f*.

boo·dle[1] ['buːdl] *sl.* **I** *s* 1. **the whole** ~ der ganze Schwindel, die ganze Bande. – 2. Bestechungsgeld *n*, ergaunertes Geld (*bes. aus politischen Machenschaften*), Falschgeld *n*. – 3. Schwindel *m*, Bestechung *f*. – 4. ‚Zaster' *m* (*Geld*). – **II** *v/t u. v/i* 5. bestechen, Bestechungsgelder nehmen.

boo·dle[2] ['buːdl] *s sl.* ‚Trottel' *m*, Dummkopf *m*, Einfaltspinsel *m*.

boo·dler ['buːdlər] *s sl.* j-d der Bestechungsgelder anbietet *od.* nimmt.

boo·dy ['buːdi] *v/i selten* schmollen.

boog·ie-woog·ie ['bugi'wugi] *s* Boogie-Woogie *m*: a) *mus. Spielart des Blues mit ostinatem Baß*, b) *Modetanz*.

boo·hoo[1] [,buː'huː] **I** *s* lautes Schreien *od.* Weinen: a ~ **of laughter** ein brüllendes Gelächter. – **II** *v/i* laut ‚hu! hu!' schreien, brüllen, plärren.

boo·hoo[2] ['buː,huː] *s zo.* (*ein*) Schwertfisch *m* (*Istiophorus americanus*).

book [buk] **I** *s* 1. Buch *n*: ~ **of reference** Nachschlagewerk; **the** ~ **of life** *fig.* das Buch des Lebens; ~ **in boards** Pappband; **by the** ~ genau, vorschriftsmäßig, korrekt; **to be at one's** ~**s** über seinen Büchern sitzen; **without** ~ aus dem Gedächtnis, ohne Autorität; **one for the** ~(**s**) etwas Denkwürdiges, eine großartige Leistung. – 2. Buch *n* (*als Teil eines literarischen Werkes od. der Bibel*): **the** ~**s of the Old Testament**. – 3. **the B**~, *auch* **the** ~ **of** ~**s, divine** ~, ~ **of God, the good** ~, **the inspired** ~ die Bibel: → swear 2. – 4. *hist. obs.* Urkunde *f*, Schriftstück *n*, Doku'ment *n* (*bes. über die Übertragung von Grundbesitz*). – 5. Liste *f*, (Mitglieder)Verzeichnis *n*: → **betting** ~; **visitors'** ~ Fremden-, Gästebuch; **to be on the** ~**s** auf der (Mitglieder- *etc*)Liste stehen, eingeschrieben sein. – 6. *pl* amtliche Liste der Angehörigen eines College: → **name** *b. Redw.* – 7. *pol.* Buch *n* (*Bezeichnung bestimmter Sammlungen von Staatsakten, Noten etc, nach der Farbe des Einbandes genannt*): → **blue** ~; **White B**~ Weißbuch (*in Deutschland, 1884*). – 8. *econ.* Geschäfts-, Kassen-, Handelsbuch *n*: ~ **of accounts** Konto-, Rechnungsbuch; ~ **of charges** Ausgabe(n)-, Unkostenbuch; ~ **of commissions** (Waren)Bestellbuch; ~ **of complaints** Beschwerdebuch; ~ **of invoices** Fakturenbuch; ~ **of merchandise** Warenkontobuch; ~ **of rates** Zolltarif; ~ **of receipts and expenditures** (*od.* **disbursements**) Einnahme- u. Ausgabebuch; ~ **of sales** Warenverkaufsbuch; **to close** (*od.* **balance**) **the** ~**s** die Bücher abschließen; **to shut the** ~**s** ein Geschäftsunternehmen aufgeben; **to carry in** ~**s** in Büchern führen, verbuchen; **to keep the** ~**s** die Bücher führen; **to get** (*od.* **run**) **into s.o.'s** ~**s** bei j-m Schulden machen *od.* in Schulden geraten; **to be deep in s.o.'s** ~**s** bei j-m tief in Schulden stecken; **to call** (*od.* **bring**) **s.o. to** ~ *fig.* j-n zur Rechenschaft ziehen *od.* zur Rede stellen; **to get one's** ~**s** seine Papiere bekommen (*entlassen werden*). – 9. No'tiz-, Merkbuch *n*, (Schul)-Heft *n*: **exercise** ~, **copy** ~ Schreibheft; **to be in s.o.'s good** (**bad**) ~**s** *fig.* bei j-m in gutem (schlechtem) Andenken stehen *od.* gut (schlecht) angeschrieben sein; **to make** ~ (*Rennen*) die angenommenen Wetten ins Notizbuch eintragen. – 10. (Opern)Textbuch *n*, Li'bretto *n*. – 11. Heft *n*, Block *m*, Bündel *n* (*von amtlichen Papieren od. flachen Gegenständen*): **stamp** ~ Briefmarkenheftchen. – 12. (*Whist u. Bridge*) Buch *n* (*die ersten 6 Stiche einer Partei*). – **II** *v/t* 13. *econ.* (ver)buchen, eintragen: **to** ~ **in conformity** gleichlautend buchen; **to** ~ **out** auswärts in Arbeit geben. – 14. aufschreiben, no'tieren: **to** ~ **s.o. for reckless driving** j-n wegen rücksichtslosen Fahrens aufschreiben (*Polizei*). – 15. einschreiben, vormerken, (als Gast) verpflichten: **to** ~ **s.o. for a passage** *mar.* j-n für eine Überfahrt (in die Passagierliste) eintragen. – 16. (*Platz*) (vor)bestellen, (*Telephongespräch*) anmelden, (*Eintritts-, Fahrkarte*) lösen: **to** ~ **a seat** (*od.* **ticket**) **to London** eine Fahr- (Schiffs-, Flug)karte nach London lösen; **to** ~ **a seat at the theater** (*Br.* **theatre**) einen Theaterplatz bestellen; **to** ~ **in advance** im voraus bestellen; **to** ~ **a long-distance call** ein Ferngespräch anmelden. – 17. (*Gepäck*) aufgeben (to nach). – 18. buch- *od.* heftweise zu'sammenlegen. – 19. mit Büchern versehen. – 20. *hist. obs.* (*Grundbesitz*) urkundlich über'tragen. –
III *v/i* 21. eine (Fahr-, Schiffs-, Flug)-Karte lösen: **to** ~ **to London**; **to** ~ **through** durchlösen (to bis, nach). – 22. sich (*für eine Fahrt, Seereise od. einen Flug*) vormerken lassen, eine Buchung aufgeben.

book·a·ble ['bukəbl] *adj* im Vorverkauf erhältlich.

book| ac·count *s econ.* Handlungs-, Buchkonto *n*, ,Kontokor'rentkonto *n*. — **~ a·gent** *s Am.* Subskri'bentensammler *m*.

book·a·te·ri·a [,bukə'ti(ə)riə] *s* Buchhandlung *f* mit Selbstbedienung.

'book|,bind·er *s* Buchbinder *m*: ~**'s punch** Laubrolle; ~**'s roll** Röllchen, Räderstempel. — **'~,bind·er·y** *s bes. Am.* ,Buchbinde'rei *f*, Buchbinderwerkstatt *f*. — **'~,bind·ing** *s* 1. Buch-, Einbinden *n*. – 2. Buchbinderhandwerk *n*, ,Buchbinde'rei *f*. — **'~,burn·er** *s* Bücherverbrenner *m* (*intoleranter Vertreter einer Anschauung*). — **'~,burn·ing** *s* Bücherverbrennung *f* (*bes. aus politischen Gründen*). — **~ can·vass·er** → book agent. — **'~,case** *s* 1. 'Bücherschrank *m*, -re,gal *n*, -gestell *n*. – 2. (*Buchbinderei*) Buchdeckel *m*. — **~ claim** *s econ.* Buchforderung *f*, buchmäßige Forderung. — **~ clamp** *s* (*Buchbinderei*) Bücherpreßlade *f*. — **~ cloth** *s* Buchbinderleinwand *f*. — **~ club** *s* 1. Lesezirkel *m*, -klub *m*. – 2. Büchergilde *f*, Buchgemeinschaft *f*, -klub *m*. — **~ cov·er** *s* 'Buchdeckel *m*, -,umschlag *m*. — **~ cred·it** *s econ.* Buchguthaben *n*. — **~ cred·i·tor** *s econ.* Buchgläubiger *m*. — **~ debt** *s* Buchschuld *f*, buchmäßige Schuld. — **~ debt·or** *s* Buchschuldner *m*.

booked [bukt] *adj* 1. gebucht, eingetragen: **as** ~ **overleaf** *econ.* wie umstehend. – **2.** vorgemerkt, vorgesehen, bestimmt (for für). – **3.** gezwungen, verpflichtet. – **4.** *sl.* erwischt, ertappt.

book| end *s* Bücherstütze *f.* — **~ fell** *s hist.* 'Leder-, Perga'mentbogen *m od.* -manuˌskript *n.* — **~ gill** *s zo.* Blattkieme *f.* — **'~ˌhold·er** *s* **1.** Lesepult *n,* Bücherhalter *m.* – **2.** (*Theater*) *obs.* Souf'fleur *m.*

book·ie ['buki] *sl. für* bookmaker 2.

book·ing ['bukiŋ] *s* **1.** Buchen *n,* Bestellen *n,* Bestellung *f*: **onward (return)** ~ *aer.* Reservierung für den Weiterflug (Rückflug). – **2.** (Karten)Ausgabe *f.* – **3.** *econ.* Buchung *f,* No'tierung *f.* – **4.** Eintragung *f* (*in Bücher, Listen etc*). — **~ clerk** *s* Schalterbeamter *m,* Fahrkartenverkäufer *m.* — **~ of·fice** *s* **1.** (Fahrkarten)Schalter *m.* – **2.** *Am.* Gepäckschalter *m,* -annahme *f.* – **3.** (The'ater-*etc*)Kasse *f,* Vorverkaufsstelle *f.* — **~ or·der** *s econ.* Bestellzettel *m.*

book·ish ['bukiʃ] *adj* **1.** buchmäßig, Buch..., Bücher...: ~ **knowledge** Bücherweisheit: ~ **person** Büchernarr, Leseratte. – **2.** belesen, in Büchern bewandert, geschraubt: ~ **style** literarischer *od.* geschraubter Stil. — **'book·ish·ness** *s* trockene Gelehrsamkeit.

book| jack·et *s* 'Schutzˌumschlag *m,* Buchhülle *f* (*aus Papier*). — **'~ˌkeep·er** *s* Buchhalter *m,* -führer *m,* Rechnungsführer *m.* – *SYN.* **accountant.** — **'~ˌkeep·ing** *s* Buchhaltung *f,* -führung *f*: ~ **by single (double) entry** einfache (doppelte) Buchführung. — **~ knowl·edge** *s* Buchwissen *n,* -gelehrsamkeit *f,* Schulweisheit *f,* Belesenheit *f.* — **'~-ˌlearn·ed** *adj* **1.** belesen, buchgelehrt. – **2.** *fig.* pe'dantisch. — **~ learn·ing** → book knowledge.

book·let ['buklit] *s* Büchlein *n,* Bro'schüre *f.*

'book|ˌlore → book knowledge. — **~ louse** *s irr zo. bes.* Bücherlaus *f* (*Lipiscelis divinatorius*). — **'~ˌlov·er** *s* Bücherliebhaber *m,* -freund *m.* — **'~ˌmak·er** *s* **1.** Bücherschreiber *m, bes.* Kompi'lator *m.* – **2.** (*Wetten*) Buchmacher *m.* — **'~ˌmak·ing** *s* **1.** Bücherschreiben *n,* -machen *n* (*oft verächtlich*), Zu'sammenstellen *n od.* Kompilati'on *f* eines Buches. – **2.** Buchmache'rei *f* (*geschäftsmäßige Vermittlung von Rennwetten*). — **'~·man** [-mən] *s irr* **1.** Büchermensch *m,* Gelehrter *m.* – **2.** Buchhändler *m.* – **3.** B~ *print. eine Drucktype.* — **'~ˌmark(·er)** *s* Lesezeichen *n.* — **'~ˌmate** *s* Studiengenosse *m,* 'Schulkameˌrad *m.* — **~·mo·bile** ['bukməˌbiːl] *s Am.* motori'sierte (ˌLeih)Büche'rei, ˌWanderbüche'rei *f.* — **~ mus·lin** *s* (*Buchbinderei*) Or'gandy *m,* Organ'din *n,* Mull *m.* — **~ name** *s* wissenschaftliche (*nur in Büchern vorkommende*) Bezeichnung (*bes. von Tieren u. Pflanzen*). — **~ no·tice** *s* Buchanzeige *f,* 'Büchernoˌtiz *f* (*kurze Anzeige eines neuen Buches*).

Book of Com·mon Prayer *s* Gebetbuch *n* der angli'kanischen Kirche.

'book|ˌplate *s* Ex'libris *n,* Bucheignerzeichen *n.* — **~ post** *s Br.* Drucksachen(post *f*) *pl*: (by) ~ unter Kreuzband. — **'~ˌrack** *s* **1.** 'Büchergestell *n,* -reˌgal *n.* – **2.** 'Buchˌunterlage *f,* Lesepult *n.* — **'~ˌrest** *s* Lesepult *n.* — **~ re·view** *s* Buchbesprechung *f.* — **~ re·view·er** *s* 'Bücherrezenˌsent *m,* Buchkritiker *m.* — **~ scor·pi·on** *s zo.* 'Bücher-, 'Afterskorpiˌon *m* (*Chelifer cancroides*). — **'~ˌsell·er** *s* Buchhändler *m.* — **'~ˌsell·ing** *s* Buchhandel *m.* — **'~-ˌsew·er** *s tech.* **1.** Buchhefter *m* (*Arbeiter an der Heftmaschine*). – **2.** ('Faden)ˌHeftmaˌschine *f.* — **'~ˌstack** *s* 'Büchergestell *n,* -reˌgal *n.* — **'~ˌstall** *s* Bücher(verkaufs)stand *m,* Zeitungsstand *m.* — **'~ˌstand** *s* **1.** → book-rack. – **2.** → bookstall. — **'~ˌstore** *s Am.* Buchladen *m,* -handlung *f.* — **'~-ˌtaught** → book-learned. — **~ to·ken** *s Br.* Büchergutschein *m.* — **~ trade** *s* Buchhandel *m.* — **~ tray** *s* Bücherbrett *n.* — **~ tripe** *s zo.* Blättermagen *m,* Psalter *m* (*dritter Magen der Wiederkäuer*). — **~ val·ue** *s econ.* Buchwert *m.* — **'~-ˌwise** → book-learned. — **'~ˌwork** *s* **1.** *print.* Werk-, Buchdruck *m.* – **2.** Bücherstudium *n.* — **'~ˌworm** *s zo.* Bücherwurm *m* (*bes. Ptinus brunneus u. Sitodrepa panicea*) (*auch fig.*).

book·y ['buki] → bookish.

boom¹ [buːm] **I** *s* **1.** Gebrumme *n,* Summen *n.* – **2.** dumpfes, hohles Dröhnen *od.* Brüllen (*Geschütz etc*). – **3.** Brausen *n* (*Wellen etc*). – **4.** Schrei *m* (*Rohrdommel*). – **II** *v/i* **5.** brummen, summen (*größere Insekten*). – **6.** dumpf *od.* hohl dröhnen (*Donner etc*), brüllen (*Geschütze*). – **7.** brausen (*Wellen*). – **8.** schreien (*Rohrdommel*). – **III** *v/t* **9.** *meist* ~ **out** brummend *od.* dröhnend äußern *od.* von sich geben: to ~ **out the hour** dumpf die Stunde schlagen (*Uhr*).

boom² [buːm] **I** *s* **1.** *mar.* Baum *m,* Ausleger *m* (*als Sperrgerät vor einem Hafen od. Fluß*). – **2.** *mar.* Baum *m,* Spier *f*: **fore** ~ Schonerbaum; **fore-yard** ~, **studding-sail** ~ Fockspier; **jib** ~ Klüverbaum; **lower** ~, **swinging** ~ Backspier; **main** ~ Großbaum. – **3.** *pl mar.* Barring *f.* – **4.** *mar. mil.* Sperre *f,* Sperrkette *f* (*Fluß- od. Hafenmündung*). – **5.** *agr.* Heubaum *m.* – **6.** (*Holztransport*) *Am.* Schwimmbaum *m* (*zum Auffangen des Floßholzes*). – **7.** *tech.* Ausleger *m* (*eines Krans*), Kranschnabel *m.* – **8.** (*Film, Fernsehen*) Mikro'phongalgen *m.* – **II** *v/t* **9.** *Am.* a) (*Fluß zwecks Auffangens des Floßholzes*) mit Schwimmbäumen versehen, b) (*Floßholz*) mit Schwimmbäumen auffangen. – **III** *v/i* **10.** *mar.* mit vollen Segeln fahren (*Schiff*). – **11.** *Am.* (zum Flößen) genügend Wasser führen (*Fluß*). – **12.** *Am.* fluß'abwärts treiben (*Floßholz*). – **13.** ~ **in** *mil. tech. Br.* eine Schiffsbrücke abschlagen (*durch Entfernen von Pontons*). – **14.** ~ **out** *mil. tech. Br.* eine Schiffsbrücke aufschlagen (*durch Einfügen von Pontons*).

boom³ [buːm] **I** *s* **1.** *econ.* 'Hochkonjunkˌtur *f,* Hausse *f,* Boom *m.* – **2.** (geschäftlicher) Aufschwung. – **3.** plötzliches Entstehen u. ra'pide Entwicklung (*bes. einer Stadt od. eines Gebietes*). – **4.** *Am.* a) Re'klamerummel *m,* 'Wahlpropaˌganda *f,* Stimmungsmache *f* (*bes. für einen Wahlkandidaten*), b) anwachsende Stimmung für einen Kandi'daten. – **5.** Glanzzeit *f,* Blüte(zeit) *f.* – **II** *v/i* **6.** sich schnell entwickeln, einen ra'piden Aufschwung nehmen: **the wheat trade is** ~**ing** der Weizenhandel blüht. – **7.** *econ.* in die Höhe schnellen, ra'pide (an)steigen (*Kurse, Preise*). – **8.** *Am.* schnell im Ansehen steigen (*Wahlkandidat*). – **III** *v/t* **9.** zu einer schnellen (Aufwärts)Entwicklung zwingen, (*Preise*) (künstlich) in die Höhe treiben: to ~ **the market** *econ.* die Kurse steigern. – **10.** Re'klame machen für, ('Wahl)Propaˌganda treiben für.

boom·age ['buːmidʒ] *s mar.* Hafen-,[Baumgeld *n.*]

'boom|-and-'bust *s Am. colloq.* Zeit *f* außergewöhnlichen Aufstiegs, gefolgt von einer ernsten Krise. — **'~ˌboat** *s mar.* Deckboot *n.* — **~ brace** *s mar.* Spierbrasse *f.*

boom·er ['buːmər] *s* **1.** *Am. colloq.* Haussi'er *m,* Speku'lant *m* (*bes. einer, der am raschen Aufbau eines neuen Gebietes teilnimmt*). – **2.** *Am. sl.* wandernder Arbeiter. – **3.** *zo. Austral.* männliches Riesenkänguruh (*Macropus rufus*). – **4.** *zo.* Kanad. Biber *m* (*Castor canadensis*).

boom·er·ang ['buːməˌræŋ] **I** *s* **1.** Bumerang *m* (*Wurfwaffe der austral. Eingeborenen*). – **2.** *fig.* Bumerang *m* (*Falle, die man anderen stellt u. in die man selbst fällt*). – **II** *v/i* **3.** zum eigenen Schaden gereichen.

boom| i·ron *s mar.* Spierbrille *f.* — **~ jig·ger** *s* Leesegelspierentalje *f.*

boom·let ['buːmlit] *s* kleine *od.* vor'übergehende Konjunk'tur.

boom| main·sail *s mar.* Großsegel *n* (*von Schonern*). — **~ sail** *s mar.* Baumsegel *n.* — **'~ˌslang** *s zo.* (*eine*) südafrik. Baumschlange (*Dispholidus typus*).

boom·ster ['buːmstər] → boomer 1.

boom tack·le *s mar.* Baumtalje *f.*

boon¹ [buːn] **I** *s* **1.** Gabe *f,* Gnade *f,* Wohltat *f.* – **2.** *auch* ~ **work** *hist.* unentgeltliche Dienstleistung (*des Pächters für den Gutsherrn*). – **II** *v/i* **3.** *hist.* (dem Gutsherrn) unentgeltliche Dienste leisten. – **III** *v/t* **4.** *obs.* (*Straßen*) ausbessern.

boon² [buːn] *adj* **1.** *poet.* gütig, freundlich. – **2.** munter, fröhlich.

boon³ [buːn] *s* (*Spinnerei*) Schäbe *f* (*holziger Kern des Flachses od. Hanfes*).

boon| com·pan·ion *s* lustiger (Zech)Bruder. — **'~ˌdog·gle** *Am.* **I** *s* **1.** einfacher, handgemachter Gebrauchsgegenstand (*bes. aus Leder od. Weidenzweigen*). – **2.** Schlips *m od.* Hutband *n* (*der* **Boy Scouts**; *aus geflochtenen, verschiedenfarbigen Lederriemen*). – **3.** *colloq.* zwecklose Arbeit. – **II** *v/i* **4.** *colloq.* Zeit verplempern. — **'~ˌfel·low** → boon companion.

boon·ga·ry ['buːŋgəri] *s zo.* (*ein*) Baumkänguruh *n* (*Dendrolagus lumholtzi*).

boor [bur] *s* **1.** Flegel *m,* Grobian *m,* Lümmel *m,* ungebildete Per'son. – **2.** (*bes.* holl., deutscher *od.* russ.) Bauer, Landmann *m.* – **3.** B~ *cf.* Boer I. — **'boor·ish** *adj* **1.** bäurisch. – **2.** *fig.* lümmel-, flegelhaft, grob, ungebildet. – *SYN.* **churlish, clownish, loutish.** — **'boor·ish·ness** *s* Flegelhaftes *od.* ungebildetes Wesen *od.* Benehmen.

boor's mus·tard [burz] *s bot.* **1.** Acker-Täschelkraut *n* (*Thlaspi arvense*). – **2.** *Br.* Schuttkresse *f* (*Lepidium ruderale*).

boose, boos·er *cf.* booze, boozer.

boost [buːst] **I** *v/t* **1.** (*einen Kletternden*) von unten hochschieben, (*j-m od. einer Sache*) (von hinten) nachhelfen (*auch fig.*). – **2.** *econ. colloq.* (*Preise*) in die Höhe treiben. – **3.** *colloq.* vor'anhelfen (*dat*), fördern, unter'stützen: to ~ **business** *econ.* die Wirtschaft ankurbeln. – **4.** *colloq.* Propa'ganda *od.* Re'klame machen für. – **5.** *tech.* a) (*Flüssigkeiten etc*) unter erhöhten Druck setzen, b) (*Druck*) erhöhen, c) durch erhöhten Druck regu'lieren. – **6.** *electr.* a) (*Spannung eines Systems od. Stromkreises*) regu'lieren, b) (*Batterie*) kurzzeitig stark laden, verstärken. – **II** *v/i* **7.** *colloq.* Feuer u. Flamme sein. – *SYN. cf.* lift¹. – **III** *s* **8.** *colloq.* Nachhilfe *f,* Unter'stützung *f,* Förderung *f*: ~ **in pay** *Am.* Gehaltserhöhung. – **9.** *colloq.* Re'klame *f,* Propa'ganda *f.* – **10.** *econ. colloq.* ˌPreistreibe'rei *f.*

boost·ed cir·cuit ['buːstid] *s electr.* Zusatzstromkreis *m.*

boost·er ['buːstər] *s* **1.** *colloq.* Förderer *m* (*einer Sache*), Fürsprecher *m,* Re-

'klamemacher *m.* – **2.** *colloq.* Preistreiber *m.* – **3.** *tech.* (Förder)Vorrichtung *f* zum Erhöhen des Drucks (*von Flüssigkeiten etc*), Verstärker *m.* – **4.** *electr.* a) 'Zusatzdy,namo *m*, b) Servomotor *m.* – **5.** *mil. tech.* Über'tragungsladung *f*, Anfeuerung *f.* – **6.** *tech.* Kom'pressor *m.* – **7.** (*Eisenbahn*) 'Zusatzma,schine *f* (*zum An- u. Aufwärtsfahren*). – **8.** Hilfsantrieb *m* (*einer Rakete*). — ~ **bat·ter·y** *s electr.* 'Zuschalt-, 'Zusatzbatte,rie *f.* — ~ **charge** *s mil. tech.* Über'tragungs-, Zündladung *f*, Anfeuerung *f.* — ~ **pump** *s* (*bes. Bergbau*) Förderpumpe *f.* — ~ **rock·et** *s aer.* 'Startra,kete *f.* — ~ **shot** *s med.* zweite (verstärkte) Spritze, Wieder'holungsimpfung *f.*

boost| lift *s tech.* zusätzlicher Auftrieb. — ~ **pres·sure** *s tech.* Förderdruck *m.*

boot[1] [bu:t] **I** *s* **1.** (Schaft)Stiefel *m*, hoher *od.* schwerer Schuh: thigh ~s Kanonen-, Wasserstiefel; the ~ is on the other leg a) der Fall liegt ganz anders, b) die Verantwortung liegt bei der anderen Seite; he had his heart in his ~s ihm fiel (vor Angst) das Herz in die Hose; to die with one's ~s on mitten aus der Arbeit hinweggerafft werden, in den Sielen sterben; you can bet your ~s on that *sl.* darauf können Sie Gift nehmen *od.* sich hundertprozentig verlassen; → Wellington ~; die[1] 1. – **2.** *hist.* span. Stiefel *m* (*Folterinstrument*). – **3.** *hist.* Beinharnisch *m.* – **4.** Hufstiefel *m*, -schuh *m* (*für Pferde*). – **5.** *zo.* 'durchgehende Hornscheide (*am Vogelbein*). – **6.** *zo.* Beinfedern *pl* (*Geflügel*). – **7.** *Br.* Kutschkasten *m* (*für Gepäck*), Kofferraum *m* (*Automobil*). – **8.** *obs.* Dienersitz *m* (*außen am Wagen*). – **9.** Schoßleder *n* (*Kutscher*). – **10.** *tech.* Rohrschuh *m*, Flansch *m*, Schutzkappe *f.* – **11.** *tech.* ('Autoreifen)Unter,legung *f.* – **12.** *tech.* Flaschenstiefel *m* (*an Korkmaschinen*). – **13.** *obs.* Trinkschlauch *m.* – **14.** Fußtritt *m.* – **15.** *sl.* Laufpaß *m*, (unhöfliche *od.* plötzliche) Entlassung: to get the ~ ,fliegen' (*entlassen werden*); to give s.o.the ~ j-n hinausschmeißen. – **16.** Re'krut *m* der amer. Ma'rine. – **II** *v/t* **17.** (*j-m*) (die) Stiefel anziehen. – **18.** *hist.* in span. Stiefel (ein)zwängen. – **19.** *sl.* (mit dem Stiefel) treten, (*Fußball*) kicken. – **20.** *sl.* hin'ausschmeißen (*unhöflich od. plötzlich entlassen*). – **III** *v/i* **21.** sich die Stiefel anziehen. – **22.** zu Fuß gehen, ,stiefeln'.

boot[2] [bu:t] **I** *s* **1.** *obs.* Vorteil *m*, Gewinn *m*, Nutzen *m*: to no ~ umsonst, vergebens. – **2.** *obs. od. dial.* Zugabe *f* (*nur noch in*): to ~ obendrein, noch dazu. – **3.** *obs.* Hilfe *f*, Entsatz *m.* – **4.** *hist.* Entschädigung *f.* – **II** *v/t obs.* **5.** (*j-m*) helfen, nützen, Vorteil bringen. – **6.** bereichern, beschenken. – **III** *v/i* **7.** nützen, von Vorteil *od.* Nutzen sein: it ~s not *poet.* es ist nutzlos.

boot[3] [bu:t] *s obs.* Beute *f*, Raub *m.*

'boot|,black *s bes. Am.* Schuh-, Stiefelputzer *m* (= *Br.* shoe-black). — ~ **clos·er** *s* (*Schuhmacherei*) Aufzwicker *m* (*Person od. Maschine*). — ~ **crimp** *s* (*Schuhmacherei*) Zurichterahmen *m*, 'Biegema,schine *f*, -werkzeug *n*, Stiefelholz *n.*

boot·ed ['bu:tid] *adj* **1.** gestiefelt, mit Stiefeln bekleidet: ~ and spurred gestiefelt u. gespornt. – **2.** *zo.* von einer 'durchgehenden Hornscheide bedeckt (*Fuß bestimmter Vögel*).

boot·ee [,bu:'ti:] *s* **1.** Damen-Halbstiefel *m.* – **2.** wollener Kinderschuh.

Bo·ö·tes [bo'outi:z] *s astr.* Bärenhüter *m* (*nördl. Sternbild*).

booth [bu:ð; *Am. auch* bu:θ] *s* **1.** (Bretter)Hütte *f*, (Markt)Bude *f*, Stand *m.* – **2.** (Fernsprech-, Wahl)Zelle *f.* – **3.** (*Film, Radio*) schalldichte Zelle. – **4.** (*Film*) feuersicherer Vorführraum.

boot hook *s* Stiefelhaken *m* (*zum Stiefelanziehen*).

boot·i·kin ['bu:tikin] *s* **1.** Stiefelchen *n.* – **2.** *hist.* Gichtstiefel *m*, -handschuh *m* (*aus weichem, ölgetränktem Leder*).

'boot|,jack *s* **1.** Stiefelknecht *m.* – **2.** *tech.* Greifzange *f* (*am Kran etc*). — '~,**lace** *s bes. Br.* Schnürsenkel *m*, Schuhriemen *m*: (velvet) ~ tie Samtmasche, Ripsband (*typisch für die Kleidung aus der Zeit Edwards VII.*).

'boot,leg I *s* **1.** Stiefelschaft *m.* – **2.** *Am. colloq.* 'ille,gal 'hergestellte, schwarz verkaufte *od.* geschmuggelte Spiritu'osen *pl.* – **II** *v/t pret u. pp* **'boot,legged 3.** *Am. colloq.* (*bes. Spirituosen*) 'ille,gal 'herstellen, schwarz verkaufen, schmuggeln. – **III** *v/i* **4.** *Am. colloq.* Spiritu'osen 'ille,gal 'herstellen, Schmuggel *od.* Schwarzhandel treiben (*bes. mit Spirituosen*). – **IV** *adj* **5.** *Am. colloq.* 'ille,gal 'hergestellt, schwarz verkauft, geschmuggelt, Schmuggel..., Schmuggler... — **'boot,legged** → bootleg 5. — **'boot,leg·ger** *s Am. colloq.* (Alkohol)Schmuggler *m.* — **'boot,leg·ging** *s Am. colloq.* (Alkohol)Schmuggel *m.*

boot·less ['bu:tlis] *adj* **1.** nutzlos, ohne Erfolg *od.* Gewinn. – **2.** ohne Stiefel. — **'boot·less·ly** *adv* vergeblich.

'boot,lick *sl.* **I** *v/t u. v/i* ,kriechen' (vor *j-m*), (niedrig) schmeicheln (*dat*). – **II** *s* ,Kriecher' *m*, (niedriger) Schmeichler, Speichellecker *m.*

boots [bu:ts] *s pl* (*als sg konstruiert*) **1.** *bes. Br.* (Ho'tel)Hausknecht *m.* – **2.** *Br. sl.* a) *mil.* jüngster Offi'zier (*Regiment*), b) jüngstes Mitglied (*Klub*). – **3.** *sl.* Bursche *m*, Kerl *m*, Per'son *f* (*nur in Zusammensetzungen*): lazy-~ Faulpelz, -tier; like old ~ wie der Teufel, wie sonstwas. – **4.** *bot.* a) (*ein*) nordamer. Schneeball *m* (*Viburnum prunifolium*), b) Sumpfdotterblume *f* (*Caltha palustris*).

'boot|,strap *s* Stiefelriemen *m*, -strippe *f*: ~ circuit *electr.* Kathodenverstärker, Anodenbasisschaltung. — ~ **stretch·er** *s* Stiefelspanner *m*, Leisten *m.* — ~ **top** *s* Stiefelstulpe *f.*

'boot-,top·ping *s mar.* **1.** halbe Kielholung. – **2.** Teil *m* des Schiffsrumpfs über der Wasserlinie. — ~ **paint** *s* **1.** Wassergangsfarbe *f.* – **2.** Anstrich *m* des Schiffsrumpfteils über der Wasserlinie. – **3.** Rostschutzfarbe *f* (*für Schiffswände*).

boot tree *s* (*Schuhmacherei*) **1.** (Stiefel)Block *m* (*zum Ausweiten*). – **2.** Stiefelspanner *m.*

boot·y ['bu:ti] *s* **1.** (Kriegs)Beute *f*, Raub *m.* – **2.** Plünderung *f*: to play ~ a) sich mit einem Spieler zur Ausplünderung eines Dritten verbinden u. absichtlich verlieren, b) *fig.* sich verstellen, um einen Vorteil zu erzielen. – **3.** *fig.* (Aus)Beute *f*, reicher Gewinn. – *SYN. cf.* spoil.

booze [bu:z] *colloq.* **I** *v/i* **1.** ,saufen', (gewohnheits- *od.* 'übermäßig) trinken. – **II** *s* **2.** ,Schnaps' *m.* – **3.** ,'Sauflo,kal' *n*, Kneipe *f.* – **4.** ,Saufe'rei' *f*, Zechgelage *n*: to have a ~ ,einen heben' (*trinken*). — **boozed** *adj colloq.* ,blau' (*betrunken*).

booze fight·er *s sl.* Säufer *m.*

booz·er ['bu:zər] *s* **1.** *colloq.* Säufer *m*, Trinker *m.* – **2.** *Br. sl.* Kneipe *f.* — **'booz·i·ness** *s colloq.* ,Besäufnis' *f* (*Betrunkenheit*). — **'booz·y** → boozed.

bop [bɒp] → bebop.

bo·peep [bou'pi:p] *s* Guck-guck-Spiel *n*: to play ~ Guck-guck spielen (*auch fig.*).

bop·ping ['bɒpiŋ] *s tech.* plötzliche Schwankung.

bo·py·rid ['boupirid] *s zo.* Gar'nelenassel *f* (*Gattg Bopyrus*).

bo·ra[1] ['bɔ:rə] *s* Bora *f* (*kalter, heftiger Nordostwind an der Adria*).

bo·ra[2] ['bɔ:rə] *s Br. Ind.* moham. Händler *m od.* Hau'sierer *m.*

bo·rac·ic [bo'ræsik; bə-] *adj chem.* Borax betreffend, boraxhaltig: ~ acid Borsäure (H_3BO_3). — **bo·ra·cif·er·ous** [,bɔ:rə'sifərəs] *adj chem.* boraxhaltig. — **'bo·ra,cite** [-,sait] *s min.* Bora'cit *m*, Würfelspat *m* ($Mg_6Cl_2B_{14}O_{26}$). — **'bo·ra·cous** [-kəs] *adj chem.* Borax..., Bor...

bor·age ['bɒridʒ; *Am. auch* 'bə:r-; 'bɔ:r-] *s bot.* Gebräuchlicher Boretsch, Gurkenkraut *n* (*Borago officinalis*). — **bo·rag·i·na·ceous** [bə,rædʒi'neiʃəs; -dʒə-; bo-] *adj bot.* zu den Boragina'ceen gehörend.

bo·ras·sus [bo'ræsəs; bə-] *s bot.* Bo'rassus-, Weinpalme *f* (*Gattg Borassus*).

bo·rate ['bɔ:reit; -rit] *s chem.* borsaures Salz (Me_3BO_3): ~ of lead Bleiborat ($Pb_2(BO_3)_2$); ~ of magnesia Magnesiumborat ($Mg_2(BO_3)_2$).

bo·rax ['bɔ:ræks] *s chem.* Borax *m*, borsaures Natron ($Na_2B_4O_7 \cdot 10H_2O$): boiled ~, calcined ~ gebrannter Borax; crude ~, native ~, raw ~ roher Borax, Tinkal; fused ~ Boraxglas.

bor·a·zon ['bɔ:ræzɒn] *s* Borazon *n* (*künstliche Substanz, härter als Diamant*).

bor·bo·ryg·mus [,bɔ:rbə'rigməs] *s med.* Borbo'rygmus *m*, Darmkollern *n.*

bord [bɔ:rd] *s* (*Bergbau*) Querschlag *m.*

bor·dage[1] ['bɔ:rdidʒ] *s* **1.** *mar.* Seitenplanken *pl* (*Schiff*). – **2.** Randteil *m*, -stück *n.*

bor·dage[2] ['bɔ:rdidʒ] *s Br. hist.* Besitz *m* eines Stückchens Land gegen Verpflichtung zu Frondiensten.

'bord-and-'pil·lar sys·tem *s tech.* Pfeilerbauweise *f* (*Kraftwerk*).

bor·dar ['bɔ:rdər] *s Br. hist.* Kos'säte *m*, Kätner *m.*

Bor·deaux [bɔ:r'dou] *s* Bor'deaux(wein) *m.* — ~ **mix·ture** *s agr. chem.* Borde'laiser Brühe *f*, Kupferkalkbrühe *f* (*zur Schädlingsbekämpfung*).

bor·del ['bɔ:rdl] *s obs.* **1.** Bor'dell *n.* – **2.** Prostituti'on *f.*

bor·der ['bɔ:rdər] **I** *s* **1.** (*äußerste*) Grenze, Rand *m.* – **2.** Leiste *f*, Einfassung *f*, Saum *m*, Um'randung *f*, Besatz *m*, Bor'düre *f*, Borte *f* (*Rock, Tuch etc*). – **3.** Landesgrenze *f*, Markscheide *f.* – **4.** Grenzgebiet *n*: the B~ die engl.-schott. Grenzdistrikte. – **5.** *Am.* Grenzgebiet *n* zwischen den USA u. Mexiko. – **6.** *agr.* Rain *m.* – **7.** *biol.* Lippe *f*, Leiste *f.* – **8.** *tech.* a) Zarge *f*, Kranz *m*, b) Zierleiste *f*, c) Randstein *m.* – **9.** (*Gartenbau*) Ra'batte *f*, schmales Randbeet, Beeteinfassung *f.* – **10.** *pl* (*Theater*) hängende 'Seitenku,lissen *pl*, Sof'fitten *pl.* – **11.** *arch.* Einfassung *f*, Randverzierung *f.* – **12.** *print.* Rand-, Schluß-, Zierleiste *f.* – **13.** *obs.* Haarflechte *f* über der Stirn. – *SYN.* brim, brink, edge, margin, rim[1], verge[1]. – **II** *v/t* **14.** einfassen, bor'dieren. – **15.** besetzen, säumen. – **16.** begrenzen, grenzen an (*acc*). – **17.** *math. tech.* um'randen, rändern, (um)'bördeln. – **18.** *obs.* (*dat*) Grenzen setzen, beschränken. – **III** *v/i* **19.** (an)grenzen, (an)stoßen (on, upon an *acc*) (*auch fig.*): it ~s on insolence es grenzt an Unverschämtheit.

bor·dered| de·ter·mi·nant ['bɔ:rdərd] *s math.* abgeleitete Determi'nante. — ~ **pit** *s bot.* Hoftüpfel *m.*

bor·der·er ['bɔ:rdərər] *s* **1.** Grenzbewohner *m*, -nachbar *m* (*bes. an der engl.-schott. Grenze*): ~ on the sea

Küstenbewohner. – 2. j-d der Einfassungen *etc* 'herstellt *od.* anbringt.

bor·der·ing ['bɔːrdəriŋ] *s* **1.** Einfassung *f*, Besatz *m*. – **2.** Materi'al *n* (*Stoff etc*) zum Einfassen *od.* Besetzen. – **3.** *tech.* Bördeln *n*, Rändelung *f*.

'bor·der|,land *s* Grenzland *n*, -gebiet *n* (*auch fig.*). — **~ lights** *s pl* (*Theater*) Sof'fittenlichter *pl*. — **'~,line** *adj* auf *od.* an einer Grenze, *bes. psych.* auf der Grenze zwischen dem Nor'malen u. dem Krankhaften: ~ case Grenzfall. — **~ line** *s* Grenzlinie *f*. — **B~ prick·er** → Border rider. — **~ print** *s* (*Textilwesen*) Bor'dürendruck *m*, -muster *n*. — **B~ rid·er** *s hist.* Freibeuter *m* (*an der engl.-schott. Grenze*). — **B~ States** *s pl* **1.** *Am. nördl. Gruppe der früheren Sklavenstaaten* (*bes. Delaware, Maryland, Kentucky, Missouri*), *die zur Zeit des Bürgerkriegs nicht aus der Union austraten*. – **2.** *in Europa Bezeichnung der zum früheren russ. Reich gehörenden u. später die Grenze der Sowjetunion berührenden Staaten* (*Finnland, Polen, Estland, Lettland u. Litauen*). — **~ stone** *s* **1.** Bord-, Randstein *m*. – **2.** Grenzstein *m*.

bord gate → bord.

bor·dure ['bɔːrdʒər] *s her.* 'Schild-, 'Wappenum,randung *f od.* -einfassung *f*.

bore[1] [bɔːr] **I** *s* **1.** *tech.* Bohrung *f*, Bohrloch *n*. – **2.** (*Bergbau*) Bohr-, Schieß-, Sprengloch *n*. – **3.** Höhlung *f* (*bes. einer Röhre*), innerer Zy'linder-,durchmesser: ~ of a key *tech.* Schlüsselröhre. – **4.** *mil. tech.* Bohrung *f*, Seele *f*, Ka'liber *n*. – **5.** *tech.* Nageleisen *n*, -form *f*. – **6.** *geol.* Ausflußöffnung *f* (*eines Geysirs*). – **7.** *Scot.* Spalt *m*, Loch *n*: blue ~ Wolkenlücke (*die den blauen Himmel zeigt*). – **8.** *tech.* Bohrwerkzeug *n*, Bohrer *m*. – **II** *v/t* **9.** (an-, aus)bohren, durchbohren: to ~ the earth (*Bergbau*) das Gebirge anbohren; to ~ through s.th. etwas durchbohren. – **10.** *tech.* a) erbohren, b) (*Bergbau*) teufen. – **11.** durch'dringen, -'brechen, sich 'durchbohren durch (*eine Menschenmenge*): to ~ one's way (into, through) sich (mühsam) einen Weg bahnen (in *dat od. acc*, durch). – **12.** *sport sl.* a) (*Rennen*) (*Gegner*) vom Kurs abdrängen, b) (*Boxen*) (*Gegner*) gegen die Seile drängen. – **13.** *obs.* täuschen, über'tölpeln. – **III** *v/i* **14.** bohren, Bohrungen machen (for nach). – **15.** sich bohren lassen. – **16.** (mühsam) 'durch- *od.* vordringen, sich einen Weg bahnen (to bis, zu, nach), sich (hin)'einbohren (into in *acc*).

bore[2] [bɔːr] **I** *s* **1.** (*etwas*) Langweiliges, langweilige *od.* verdrießliche *od.* lästige Sache: what a ~! ist das lästig *od.* langweilig! – **2.** lästiger *od.* langweiliger Mensch: as big a ~ as the Thames tunnel (*Wortspiel*) eine zum Sterben langweilige Person. – **3.** *obs.* krankhafte Langeweile. – **II** *v/t* **4.** langweilen, belästigen, (*j-m*) lästig sein.

bore[3] [bɔːr] *s* Bore *f* (*Flutwelle, die sich besonders bei Springflut stromaufwärts bewegt*).

bore[4] [bɔːr] *pret u. obs. pp von* bear[1].

bo·re·al ['bɔːriəl] *adj* **1.** den Nordwind betreffend: the ~ blast *poet.* der stürmische Nordwind. – **2.** *bes. biol.* nördlich, bore'al.

Bo·re·as ['bɔːri,æs; -əs] **I** *npr* Boreas *m* (*Gott des Nordwindes*). – **II** *s poet.* Nordwind *m*.

bore| bit *s tech.* Bohreisen *n*, -klinge *f*, -spitze *f*, Beißel *m*, Einsatz-, Vorbohrer *m*. — **~ catch** *s tech.* Bohrerzange *f*.

bore·cole ['bɔːr,koul] → kale 1.

bore·dom ['bɔːrdəm] *s* **1.** Langeweile *f*, Gelangweiltsein *n*. – **2.** Langweiligkeit *f*, Lästigkeit *f*.

bor·ee ['bɒ,riː] *s bot.* (*eine*) austral. A'kazie (*bes. Acacia pendula, A. glaucescens*).

bo·reen [bo'riːn; bə-] *s Irish* (*mit Bäumen od. Hecken eingefaßter*) Seiten- *od.* Reitweg.

'bore,hole *s* (*Bergbau*) Bohrloch *n*.

bor·e·le ['bɒrələ] *s zo.* Schwarzes Nashorn, Spitzmaulnashorn *n* (*Diceros bicornis; Afrika*).

bor·er ['bɔːrər] *s* **1.** *tech.* Bohrer *m*, 'Bohrappa,rat *m*, -eisen *n*. – **2.** Bohrarbeiter *m*. – **3.** *zo.* a) *verschiedene Insekten, Larven etc, die Holz durchbohren*, b) Bohrer *m* (*Name für verschiedene Insekten*), c) → hagfish.

bore rod *s tech.* Bohrstange *f*, -spindel *f*: system of ~s Bohrgestänge.

bore·some ['bɔːrsəm] *adj* langweilig, lästig.

bo·ric ['bɔːrik] *adj chem.* Bor...: ~ acid Borsäure (H_3BO_3).

bo·ride ['bɔːraid; -id] *s chem.* Bo'rid *n* (*Verbindung eines Metalls mit Bor*).

bor·ing ['bɔːriŋ] **I** *s* **1.** Bohren *n*, Bohrung *f*. – **2.** Bohrloch *n*. – **3.** *pl* Bohrspäne *pl*, -mehl *n*. – **II** *adj* **4.** bohrend. – **5.** langweilig. — **~ bar** → bore rod. — **~ bit** → bore bit. — **~ block** *s tech.* Bohrgestell *n*. — **~ clam** *s zo.* (*eine*) Bohrmuschel (*Fam. Pholadidae*). — **~ head** *s tech.* Bohrkopf *m*, -scheibe *f*. — **~ ma·chine** *s* 'Bohrma,schine *f*, -bank *f*. — **~ rod** *s* Bohrstange *f*, -spindel *f*, -gestänge *n*, -stock *m*. — **~ tools** *s pl* Bohrwerkzeug *n*, -gezähe *n*.

bor·ish ['bɔːriʃ] *adj* langweilig.

born [bɔːrn] **I** *pp von* bear[1]. – **II** *adj* **1.** geboren: ~ of geboren von, Kind des *od.* der; ~ again wiedergeboren; never in all my ~ days noch nie in meinem Leben; → purple 3; silver spoon. – **2.** geboren, bestimmt (to zu): ~ a poet zum Dichter geboren; to be ~ to empire zur Herrschaft bestimmt sein.

borne [bɔːrn] *pp von* bear[1].

bor·né [bɔːr'ne] (*Fr.*) *adj* bor'niert, engstirnig, kleinlich, beschränkt.

Bor·ne·o cam·phor ['bɔːrni,ou], **'borne,ol** [-,ɒl; -,oul] *s chem.* Borne'ol *n*, Borneo- *od.* Su'matrakampfer *m* ($C_{10}H_{18}O$).

born·ite ['bɔːrnait] *s chem.* Bor'nit *n*, Buntkupfererz *n* (Cu_5FeS_4).

boro- [bɔːro] *chem. Wortelement mit der Bedeutung* Bor.

bo·ro·cal·cite [,bɔːro'kælsait] *s min.* Borocal'cit *m* ($CaB_4O_7{\cdot}6H_2O$).

bo·ron ['bɔːrɒn] *s chem.* Bor *n*, Boron *n* (B). — **~ car·bide** *s chem.* 'Borkar,bid *n* (B_6C).

bo·ron·ic [bo'rɒnik] *adj* Bor..., bor...

bo·ro·sil·i·cate [,bɔːro'sili,keit; -kit; -lə-] *s chem.* Borosili'cat *n*.

bo·ro·si·lic·ic ac·id [,bɔːrosi'lisik] *s chem.* Borkieselsäure *f*.

bor·ough [*Br.* 'bʌrə; *Am.* 'bɔːrou; -rə] *s* **1.** *hist.* a) befestigter Ort, Burg-(flecken *m*) *f*, b) *Bezeichnung jeder größeren Stadt mit Selbstverwaltung*. – **2.** *Br.* a) Stadt *f od.* städtischer Wahlbezirk mit eigener Vertretung im Parla'ment, b) Stadtgemeinde *f*: close ~, pocket ~ *hist.* Wahlkreis, dessen Wähler unter dem Einfluß eines Großgrundbesitzers standen; municipal ~ Wahlort (*bes. Stadt, die nicht die Rechte einer* city *besitzt*); parliamentary ~ wahlberechtigter Ort (*seit 1832*); the four royal ~s in Scotland die 4 königlichen Burgflecken in Schottland (*Edinburgh, Stirling, Linlithgow, Lanark*); → rotten ~s. – **3.** the B~ (*Bezeichnung für*) Southwark *n* (*auf dem rechten Themseufer gelegener kleinerer Teil der Londoner City*). – **4.** *Am.* a) (*in einigen Staaten*) Stadt- *od.* Dorfgemeinde *f*, b) *einer der 5 Gründungsbezirke von Groß-New York*. — **~ court** *s Br.* Gericht *n* für unbedeutende De'likte (*in einigen engl. Städten*). — **'~-'Eng·lish** *s jur. Br.* Vererbung *f* auf den jüngsten Sohn *od.* Bruder. — **'~,mas·ter** *s Br.* **1.** Bürgermeister *m* (*einer Stadt außerhalb der Brit. Inseln*). – **2.** *hist.* Besitzer *m* eines Wahlkreises (*der die Stimmen einer Mehrheit der Wähler im voraus kaufte*). — **'~,mon·ger** *s Br. hist.* (Ver)Käufer *m* des Parla'mentssitzes eines Wahlbezirks. — **'~,mon·ger·ing, '~,mon·ger·y** *s Br. hist.* Handel *m* mit den Wahlstimmen eines Wahlbezirks. — **~ rate** *s Br.* städtische Steuer. — **~ reeve** *s Br.* (*vor dem Erlaß der* Municipal Corporations Act, *1835*) Bürgermeister *m* (*gewisser nicht inkorporierter Städte*). — **~ ses·sions** *s pl* (*meist vierteljährlich*) vom Friedensrichter gehaltene Gerichtssitzungen *pl*.

bor·re·li·a [bə'riːliə; -ljə] *s med.* Spi'rille *f*, Spiro'chäte *f*.

bor·row[1] ['bɒrou; *Am. auch* 'bɔːrou] **I** *v/t* **1.** borgen, (ent)leihen (from, of von). – **2.** *fig.* entlehnen -nehmen, nachahmen: to ~ trouble sich unnötige Sorgen machen. – **3.** *fig.* erborgen, zum Schein annehmen. – **4.** *obs.* a) bürgen für, b) Sicherheit geben (*dat*), c) schützen, verteidigen. – **5.** *euphem.* ‚mitgehen lassen', stehlen. – **II** *s* **6.** *obs.* a) Borgen *n*, Borg *m*, b) Bürge *m*, c) 'Unterpfand *n*, Bürgschaft *f*. – **7.** → ~ pit.

bor·row[2] ['bɒrou; *Am. auch* 'bɔːr-] *v/i mar. selten* auf Land zuhalten.

bor·rowed| days ['bɒroud; *Am. auch* 'bɔːr-] *s pl* **1.** die ersten elf Maitage (*in Cheshire*). – **2.** die drei letzten Märztage (*in Schottland*). — **~ word** *s ling.* 'Lehn,übernahme *f*, entlehntes Wort.

bor·row·er ['bɒrouər; *Am. auch* 'bɔːr-] *s* **1.** Entleiher(in), Borger(in). – **2.** *econ.* Geld-, Kre'ditnehmer(in). – **3.** *fig.* Entlehner(in) (from von).

bor·row·ing ['bɒrouiŋ; *Am. auch* 'bɔːr-] **I** *s* **1.** (Aus)Borgen *n*, Entleihen *n*. – **2.** *econ.* Kre'ditaufnahme *f*, Entnahme *f*: ~ of money Aufnahme von Geld. – **3.** *pl econ.* aufgenommene Schulden *pl*. – **4.** → borrowed word. – **II** *adj* **5.** *econ.* Kredit...: ~ power Kreditfähigkeit, -würdigkeit. — **~ days** → borrowed days.

bor·row pit *s tech.* Materi'algrube *f*.

bor·sel·la [bɔːr'selə] *s tech.* Glasschere *f*.

Bor·stal ['bɔːrstl] *s* **1.** *auch* ~ Institution *Br.* Besserungsanstalt *f* für jugendliche Verbrecher. – **2.** ~ Association Verein *m* zur Überwachung u. Betreuung jugendlicher Verbrecher.

bort [bɔːrt] *s* **1.** Dia'mantabfall *m*, -splitter *pl*. – **2.** *min.* unreiner, farbiger, *bes.* schwarzer Dia'mant.

bor·zoi ['bɔːrzɔi] *s* Bar'soi *m* (*russ. Windhund*).

bos *cf.* boss[5].

bo·sa *cf.* boza(h).

bosch·bok ['bɒʃ,bɒk] → bushbuck.

bosch·vark ['bɒʃ,vaːrk] *s zo.* Fluß-, Busch-, Gui'neaschwein *n* (*Koiropotamus choeropotamus*).

bosh[1] [bɒʃ] *s* (*Hüttenkunde*) **1.** Kohlensack *m*, Rast *f*, Kappe *f* (*am Hochofen*). – **2.** Kühltrog *m*, -vorrichtung *f*.

bosh[2] ['bɒʃ] *sl.* **I** *s* **1.** ‚Quatsch' *m*, Blödsinn *m*, Unsinn *m*. – **2.** Schwindel *m*. – **II** *v/t Br. sl.* **3.** ‚verkorksen' (*verderben, verpfuschen*). – **4.** für Unsinn *od.* Schwindel erklären. – **5.** ‚verkohlen' (*zum Narren halten*).

bosk [bɒsk] *s poet.* Gehölz *n*, Hain *m*.

bos·kage ['bɒskidʒ] *s* **1.** Gebüsch *n*, Buschwerk *n*, Dickicht *n*. – **2.** 'Unterholz *n*. – **3.** (*Malerei*) *obs.* Waldland-

schaft *f*, Laubwerk *n*. – 4. *obs.* getrocknetes Laub (*als Viehfutter*).
bos·ket ['bɒskit] → bosk.
bosk·i·ness ['bɒskinis] *s* buschige Beschaffenheit, Waldigkeit *f*. — '**bosk·y** *adj* 1. waldig, buschig. – 2. *Br. sl. od. dial.* ,beschwipst', ,benebelt'.
bos·om ['buzəm; *Am. auch* 'bu:zəm] **I** *s* 1. Busen *m*, Brust *f*. – 2. *fig.* Busen *m*, Herz *n* (*als Sitz der Gefühle, Geheimnisse etc*): the wife of my ~ die Frau meines Herzens; come to my ~ komm an mein Herz. – 3. *fig.* Schoß *m*: in the ~ of one's family im Schoß der Familie; in Abraham's ~ in Abrahams Schoß, in völliger Sicherheit. – 4. Tiefe *f*, (*das*) Innere: the ~ of the earth das Erdinnere; the ~ of the ocean die Tiefen des Ozeans. – 5. Schwellung *f* (*Segel*). – 6. *obs.* (Meer)Busen *m*, Bucht *f*. – 7. Brustteil *m* (*Kleidungsstück*), (Hemd)Brust *f*, Vorhemd *n*. – 8. *obs.* Neigung *f*, Wille *m*, Drang *m*. – **II** *v/t* 9. ans Herz drücken. – 10. an den Busen stecken. – 11. *fig.* ins Herz schließen, im Herzen tragen. – 12. *fig.* (*Geheimnis, Gefühl*) sorgfältig *od.* liebevoll (auf)bewahren *od.* verbergen. – **III** *adj* 13. am Busen *od.* im Herzen getragen. – 14. Busen...: ~ friend.
bos·po·rus ['bɒspərəs] *s geogr.* Bosporus *m*, Meerenge *f*.
bos·quet ['bɒskit] → bosk.
boss[1] [bɒs; *Am. auch* bɔ:s] **I** *s* 1. (An)Schwellung *f*, Beule *f*. – 2. runde erhabene Verzierung, Buckel *m*, Knauf *m*, Knopf *m*. – 3. *arch.* Bossen *m*, Bosse(l) *f*. – 4. Buckel *m* (*am Pferdezaum*). – 5. dickes Ende (*Zunge etc*). – 6. Knorren *m* (*am Holz*). – 7. *tech.* (Rad)Nabe *f*. – 8. (*Bergbau*) Pochschuh *m*. – 9. (*Buchbinderei*) Vergoldekissen *n*. – 10. (*Porzellanmalerei etc*) Lederballen *m* (*zum Auftragen der Grundierung*). – 11. *tech.* Hals *m*, Verstärkung *f* (*Welle*). – 12. *tech.* Gesenk *n*, Gesenkplatte *f*. – 13. *tech.* Lochplatte *f*. – 14. *tech.* Anschlag *m*. – 15. *tech.* Nocken *m*. – 16. hölzerner Mörteltrog (*der Maurer*). – 17. (*Schlosserei*) Gesenk *n*. – 18. (*Schmiede*) Herdblech *n*, Wandplatte *f*. – 19. *geol.* Lakko'lith *m*, säulenförmiger Gesteinsblock. – **II** *v/t* 20. mit Buckeln *od.* Knöpfen beschlagen, besetzen. – 21. *arch.* mit Bossen verzieren. – 22. *tech.* bossen, bos'sieren, treiben. – 23. (*Porzellanmalerei*) mit dem Lederballen bearbeiten.
boss[2] [bɒs; *Am. auch* bɔ:s] *colloq.* **I** *s Am.* (*Br. nur humor.*) 1. Chef *m*, Boß *m*, Vorgesetzter *m*, Vorarbeiter *m*. – 2. *fig.* ,Macher' *m*, (*bes. übereifriger*) Aufpasser, Tonangebender *m*. – 3. *pol.* Führer *m* (*einer politischen Clique*), Bonze *m*. – **II** *adj Am.* 4. ausgezeichnet, erstklassig, Meister...: a ~ player. – 5. Haupt... – **III** *v/t Am.* (*Br. nur humor.*) 6. Herr sein über (*acc*), lenken, leiten: to ~ the show der Chef vom Ganzen sein, ,den Laden schmeißen'; to ~ about (*od.* around) herumkommandieren. – **IV** *v/i* 7. den Chef *od.* Herrn spielen, (der) Chef *od.* Herr sein, herrschen, ein strenges Regi'ment führen.
boss[3] [bɒs; *Am. auch* bɔ:s] *s Am.* Rind *n* (*bes. als Ruf*).
boss[4] [bɒs] *adj Scot.* hohl, leer.
boss[5] [bɒs; *Am. auch* bɔ:s] *Br. sl.* **I** *s* 1. Fehlschuß *m*. – **II** *v/t* 2. verfehlen, verpfuschen. – 3. (*Schülersprache*) (*Examen*) ,verhauen', ,vermasseln'. – **III** *v/i* 4. pfuschen, fehlschießen. – 5. (*Schülersprache*) 'durchfallen.
boss·age ['bɒsidʒ; *Am. auch* 'bɔ:s-] *s arch.* 1. Steinvorragung *f* (*zur späteren Bearbeitung durch den Bildhauer*). – 2. Bos'sage *f*, Rustika *f*.
bossed [bɒst; *Am. auch* bɔ:st] *adj* 1. mit Buckeln *od.* Bossen verziert. – 2. geschwellt, ausgebeult.
bos·se·lat·ed ['bɒsəˌleitid; *Am. auch* 'bɔ:s-] *adj* höckerig, gebuckelt.
bos·set ['bɒsit; *Am. auch* 'bɔ:sit] *s* verkümmerter Sproß (*am Hirschgeweih*).
'**boss-'eyed** *adj Br. sl.* 1. auf einem Auge blind. – 2. schielend. – 3. *fig.* schief, einseitig.
boss·i·ness ['bɒsinis; *Am. auch* 'bɔ:s-] *s colloq.* 1. Herrschsucht *f*, ˌRechthabe'rei *f*. – 2. Neigung *f*, das große Wort zu führen, Großspurigkeit *f*.
boss·ism ['bɒsizəm; *Am. auch* 'bɔ:s-] *s pol. Am.* po'litisches Cliquenwesen.
boss plate *s mar. tech.* (Peil)Rohrkappe *f*, -platte *f*.
'**boss-ˌshot** → boss[5] 1.
boss·y[1] ['bɒsi; *Am. auch* 'bɔ:si] *adj* 1. mit 'überentˌwickelten Schultermuskeln (*bes. Hund*). – 2. rund her'vorragend. – 3. mit Buckeln *od.* Bossen verziert.
boss·y[2] ['bɒsi; *Am. auch* 'bɔ:si] *adj colloq.* 1. großspurig, herrschsüchtig. – 2. rechthaberisch.
bos·sy[3] ['bɒsi; *Am. auch* 'bɔ:si] *s Am.* (*Kosename für*) Kuh *f od.* Kalb *n*.
bos·ton ['bɒstən; *Am. auch* 'bɔ:s-] *s* 1. Boston *n* (*Kartenspiel für 4 Personen*). – 2. Boston *m* (*langsamer Walzer*).
Bos·ton| bag *s* (*Art*) Bücher-, Aktentasche *f*. — **~ baked beans** *s pl Am.* mit Speck u. Me'lasse gebratene Bohnen(kerne) *pl*. — **~ brown bread** *s Am.* dunkles, mit Me'lasse durch'setztes Brot. — **~ bull** → Boston terrier. — **~ fern** *s bot.* (*ein*) Nephro'lepis-, Schwertfarn *m* (*Nephrolepis exaltata bostoniensis*). — **~ i·vy** → Japanese ivy. — **~ rock·er** *s Am.* (*Art*) Schaukelstuhl *m*. — **~ ter·ri·er** *s ein kleiner, glatthaariger Hund* (*Kreuzung zwischen Bulldogge u. Bullterrier*).
bo·sun ['bousn] → boatswain.
bot [bɒt] *s zo.* Larve *f* der Pferdebremse *od.* Dasselfliege.
bo·tan·ic [bə'tænik; bo-] → botanical I. — **bo'tan·i·cal** [-kəl] **I** *adj* bo'tanisch, Pflanzen... – **II** *s med.* Pflanzenheilmittel *n*. — **bot·a·nist** ['bɒtənist] *s* Bo'taniker *m*, Pflanzenkenner *m*. — '**bot·aˌnize I** *v/i* botani'sieren. – **II** *v/t* bo'tanisch erforschen.
bot·a·ny ['bɒtəni] *s* 1. Bo'tanik *f*, Pflanzenkunde *f*. – 2. (Buch *n* über) Bo'tanik *f*. — **B~ Bay** *s sl.* 'StrafkoloˌnIe *f*, -anstalt *f*: to go to ~ depor'tiert werden.
bo·tar·go [bo'tɑ:rgou; bə-] *pl* **-goes, -gos** *s* Bo'targa *m* (*Art Wurst aus Blut u. dem Rogen der Meeräsche*).
botch[1] [bɒtʃ] *s obs. od. dial.* Beule *f*, Geschwür *n*.
botch[2] [bɒtʃ] **I** *s* 1. Flicken *m*, Flickwerk *n* (*auch fig.*). – 2. Pfuscharbeit *f*: to make a ~ of s.th. etwas verpfuschen. – **II** *v/t* 3. zu'sammenflicken. – 4. verpfuschen. – **III** *v/i* 5. pfuschen, stümpern. — **botched** *adj* ge-, verpfuscht.
botch·er[1] ['bɒtʃər] *s* 1. Flicker *m*, Flickschneider *m*, -schuster *m* (*auch fig.*). – 2. Pfuscher *m*, Stümper *m*.
botch·er[2] ['bɒtʃər] *s* junger Lachs.
botch·y ['bɒtʃi] *adj* 1. geflickt, voller Flicken. – 2. verpfuscht, zu'sammengeschustert.
bot·fly ['bɒtˌflai] *s zo.* Pferdebremse *f*, Bies-, Dasselfliege *f* (*Gastrophilus equi*).
both [bouθ] **I** *adj* beide, beides: ~ my brothers meine beiden Brüder; ~ daughters beide Töchter; they have ~ gone sie sind beide gegangen; look at it ~ ways betrachte es von beiden Seiten; I met them ~ ich traf sie beide. – **II** *adv od. conjunction* ~ ... and so'wohl ... als (auch), nicht nur ..., sondern auch: I am ~ tired and hungry ich bin sowohl müde als hungrig, ich bin ebenso müde wie hungrig; ~ morning and evening morgens sowohl als abends; ~ by sea and by land nicht nur zu Wasser, sondern auch zu Lande.
both·er ['bɒðər] **I** *s* 1. Verwirrung *f*, Verlegenheit *f*. – 2. Belästigung *f*, Schere'rei *f*, Störung *f*, Plage *f*, Schi'kane *f*, Ärger *m*, Verdruß *m*, Sorge *f*, Kummer *m*. – 3. Lärm *m*, Aufregung *f*, viel Aufhebens *od.* Wesens: it caused a great deal of ~. – **II** *v/t* 4. verwirren, in Verlegenheit bringen. – 5. belästigen, quälen, stören, beunruhigen, ärgern, plagen: don't ~ me! laß mich in Ruhe! to be ~ed about s.th. über etwas beunruhigt sein; I can't be ~ed with it now ich kann mich jetzt nicht damit abgeben; to ~ one's head about s.th. sich über etwas den Kopf zerbrechen. – *SYN. cf.* annoy. – **III** *v/i* 6. (about) sich befassen, sich abgeben (mit), sich sorgen (um): I shan't ~ about it ich werde mich nicht damit abgeben *od.* mir keine Sorgen darüber machen. – 7. sich bemühen: don't ~! bemühen Sie sich nicht! – **IV** *interj colloq.* 8. zu ärgerlich! verdammt! wie dumm!: ~ it! zum Kuckuck damit! — ˌ**both·er'a·tion** *colloq.* **I** *s* Belästigung *f*, Belästigen *n*. – **II** *interj* zum Henker!
'**both·er-'head·ed** *adj* zerfahren, wirr, dumm.
both·er·ment ['bɒðərmənt] → botheration I.
both·er·some ['bɒðərsəm] *adj* lästig, unangenehm.
both·y ['bɒθi] *s Scot.* 1. (Jagd- *etc*) Hütte *f*. – 2. (*bes.* 'Arbeiter)Baˌracke *f*.
bot·o·né(e) ['bɒtoˌnei], *auch* **bot·o·ny** ['bɒtəni] *adj her.* mit kleeblattförmigen Verzierungen (*an den Enden des Längs- u. Querbalkens*).
bo tree [bou] *s* 1. *bot.* Heiliger Feigenbaum (*Ficus religiosa*). – 2. B~ T~ *relig.* (*der*) heilige Baum (*zu Buddh Gaya in Indien, unter dem Buddha erleuchtet wurde*).
bot·ri·form ['bɒtriˌfɔ:rm] → botryoid.
botryo- [bɒtrio] *Wortelement mit der Bedeutung* Traube.
bot·ry·oid ['bɒtriˌɔid], ˌ**bot·ry'oi·dal** [-dəl] *adj biol.* traubenförmig, -ähnlich, traubig.
bot·ry·o·lite ['bɒtrioˌlait] *s min.* Botryo'lith *m*, Traubenstein *m*.
bot·ry·ose ['bɒtriˌous] *adj bot.* traubig, bo'trytisch (*von Blütenständen*).
bo·try·tis [bo'traitis] *s bot.* Grau-, Traubenschimmel *m* (*Gattg Botrytis*).
bott *cf.* bot.
bot·te·kin ['botikin] *s selten* Stiefelchen *n*.
Bött·ger ware ['betgər] *s* 'Böttgerporzelˌlan *n*.
bott ham·mer [bɒt] *s tech.* Flachsklöppel *m*.
bot·tine [bə'ti:n] *s* 1. Halb-, Damenstiefel *m*. – 2. *med.* eiserner Stiefel (*zum Geraderichten des Fußes*).
bot·tle[1] ['bɒtl] **I** *s* 1. Flasche *f*: to bring up on the ~ (*Säugling*) mit der Flasche aufziehen; over a ~ bei einer Flasche (*Wein etc*); to crack a ~ (together) einer Flasche den Hals brechen, eine Flasche zusammen trinken; he is fond of the ~ er liebt die Flasche (*trinkt gern*); addicted to the ~ dem Trunk ergeben. – **II** *v/t* 2. in Flaschen abfüllen, auf Flaschen ziehen, abziehen. – 3. *bes. Br.* (*Früchte etc*) in Flaschen *od.* Gläser einmachen. – 4. *Br. sl.* ,schnappen' (*erwischen*). – *Verbindungen mit Adverbien*:
bot·tle| in → bottle up. — **~ off** *v/t* in Flaschen abfüllen. — **~ up** *v/t* 1. auf Flaschen ziehen. – 2. *fig.* verbergen, zu'rückhalten, unter'drücken: to ~ one's feelings. – 3. *fig.* für einen späteren Zeitpunkt aufsparen, auf-

heben: he bottled it up er schrieb es sich hinter die Ohren, er bewahrte es sich für eine passende Gelegenheit auf. – 4. einschließen: to ~ the enemy's fleet.

bot·tle² [ˈbɒtl] *s obs. od. dial.* Bündel *n*, Bund *n*: → hay¹ 1.

ˈbot·tle|ˌbird *s zo.* (*ein*) Webervogel *m* (*Unterfam. Ploceïnae*). — ˈ~-ˌ**bomb** → Molotov cocktail. — ~ **boot** *s* lederne Flaschenhülse. — ~ **brush** *s* 1. Flaschenbürste *f*. – 2. *bot.* a) Acker-Schachtelhalm *m*, Zinnkraut *n* (*Equisetum arvense*), b) Tannenwedel *m* (*Hippuris vulgaris*), c) (*ein austral.*) Lampenputzerbaum *m* (*Gattg Callistemon*), d) (*eine*) Banksie (*Banksia marginata*), e) (*ein*) Eisenholzbaum *m* (*Metrosideros floribunda*). — ~ **cap** *s* Flaschenkapsel *f*, -(paˈtent)verschluß *m*. — ˈ~-ˌ**chart** *s mar.* Karte *f* der Meeresströmungen (*nach ausgeworfenen u. wiedergefundenen Flaschen entworfen*). — ˈ~-ˌ**clip** → bottle cap. — ~ **coast·er** *s* Flaschenständer *m*.

bot·tled [ˈbɒtld] *adj* 1. flaschenförmig, dickbauchig, vorstehend. – 2. in Flaschen abgezogen *od.* aufbewahrt *od.* konserˈviert. – 3. *fig.* verhalten.

ˈbot·tle|-ˌfed child *s* Flaschenkind *n*. — ˈ~ˌ**flow·er** → bluebonnet 4. — ˈ~-ˌ**gas** *s* Flaschen-, Buˈtangas *n*. — ~ **glass** *s* Flaschenglas *n*. — ~ **gourd** *s bot.* Flaschenkürbis *m* (*Lagenaria vulgaris*). — ~ **grass** *s bot.* Wiesen-Fuchsschwanzgras *n* (*Alopecurus pratensis*). — ~ **green** *s* Flaschen-, Dunkelgrün *n*. — ˈ~-ˈ**green** *adj* flaschen-, dunkelgrün. — ˈ~ˌ**head** *s zo.* 1. (*ein*) Schnabelwal *m* (*Fam. Ziphidae*), *bes.* Dögling *m*, Entenwal *m* (*Hyperoodon ampullatum*). – 2. → blackfish 1. – 3. → black-bellied plover. — ~ **heath** *s bot.* Glockenheide *f* (*Erica tetralix*, *E. cinerea*). — ˈ~ˌ**hold·er** *s* 1. Flaschenhalter *m*. – 2. *colloq.* Helfershelfer *m*, ˈHintermann *m*. — ~ **imp** *s* 1. Flaschenteufelchen *n*, -geist *m*. – 2. → Cartesian devil. — ~ **jack** *s* (*flaschenförmiger*) Bratenwender. — ˈ~ˌ**neck** *s* 1. Flaschenhals *m*. – 2. Engpaß *m* (*der Straße*; *auch fig.*): a ~ in the supply of coal ein Engpaß in der Kohlenversorgung. — ˈ~ˌ**nest** → bottle tit. — ˈ~ˌ**nose** *s zo.* 1. *verschiedene Wale*: a) Großer Tümmler, Flaschennase *f* (*Tursiops truncatus*), b) → bottlehead 1, c) → blackfish 1. – 2. *Am.* (*ein*) nordamer. Karpfenfisch *m* (*Catostomus catostomus*). — ~ **nose** *s* Schnapsnase *f*. — ~ **o·pen·er** *s* Flaschenöffner *m* (*für Patentverschlüsse*). — ~ **ore** *s bot.* Blasentang *m* (*Fucus vesiculosus*). — ˈ~-ˌ**par·ty** *s* 1. *Party, zu der jeder Gast eine Flasche Wein etc mitbringt.* – 2. *fig. Zusammenkunft, bei der die Ausschankgenehmigung umgangen wird.* — ˈ~-ˌ**post** *s* Flaschenpost *f*. — ~ **screw** *s* Kork(en)zieher *m*. — ~ **slid·er** → bottle coaster. — ~ **tit** *s zo.* Schwanzmeise *f* (*Aegithalos caudatus*). — ~ **tree** *s bot.* Austral. Flaschenbaum *m* (*Sterculia rupestris*). — ~ **wash·er** *s* 1. ˈFlaschenreiniger *m*, -spülmaˌschine *f*. – 2. *tech.* Flaschengummi(scheibe *f*) *m*. – 3. *humor.* Fakˈtotum *n*.

bot·tling [ˈbɒtliŋ] *s tech.* Flaschenfüllung *f*, Abziehen *n* auf Flaschen.

bot·tom [ˈbɒtəm] **I** *s* 1. unterster *od.* tiefster Teil, Boden *m* (*Gefäß, Faß, Glas etc*), Fuß *m* (*Berg, Druckseite etc*), Sohle *f* (*Brunnen, Schacht, Graben etc*): from the ~ of my heart *fig.* aus Herzensgrund; ~s up! *sl.* auf einen Zug austrinken! ‚ex!' – 2. ˈUnterseite *f*: the ~ of a flatiron. – 3. Boden *m*, Grund *m* (*Gewässer*): the ~ of the sea der Meeresboden, -grund; to go to the ~ versinken; to send to the ~ auf den Grund schicken, versenken; to touch ~ auf Grund geraten, *fig.* den Tiefpunkt erreichen (*Preis*). – 4. Grundlage *f*, Fundaˈment *n*, Basis *f*: to stand on one's own ~ *fig.* auf eigenen Füßen stehen; to be at the ~ of der (wahre) Grund sein für, die Ursache sein für *od.* von. – 5. Wesen *n* (*einer Sache*): to get to the ~ of s.th. einer Sache auf den Grund gehen *od.* kommen, zum Kern einer Sache vordringen; at ~ im Grunde. – 6. *meist pl geol.* Schwemmland *n* (*Fluß*), Tiefland *n*: the ~s and the high grounds. – 7. *sport* Ausdauer *f*: a horse of good ~. – 8. *mar.* unterster Teil des Schiffsbodens. – 9. *fig.* Schiff *n*: in British ~s; to be embarked on the same ~ gleiches Schicksal leiden müssen. – 10. (Stuhl)Sitz *m*. – 11. *Br.* innerster *od.* entferntester Punkt: ~ of a bay Rücken einer Bucht; at the ~ of a table am Fuß *od.* untersten Ende einer Tafel. – 12. *vulg.* ‚Hintern' *m* (*Gesäß*). – 13. *tech.* Bodensatz *m*. –

II *adj* 14. niedrigst(er, e, es), Tiefst...: ~ prices. – 15. letzt(er, e, es): to stake one's ~ dollar alles riskieren, absolut sicher sein. – 16. wichtigst(er, e, es), Grund..., Haupt...: the ~ cause die Grundursache. –

III *v/t* 17. mit einem Boden *od.* (Stuhl)Sitz versehen. – 18. ergründen, ermessen. – 19. als ˈUnterlage dienen (*dat*). – 20. *tech.* gründlich reinigen. – 21. *tech.* grunˈdieren. – 22. *fig.* (*etwas*) gründen (upon, on auf *acc*). –

IV *v/i* 23. *tech.* den Boden erreichen. – 24. sich zum Rasen entwickeln (*Gras*). – 25. *bot.* eine Zwiebel *od.* Knolle entwickeln. – 26. *fig.* (be)ruhen *od.* fußen (upon, on auf *dat*).

bot·tom| boards *s pl mar.* Rennlatten *pl* (*im Boot*). — ~ **cast** *v/t tech.* steigend gießen. — ˈ~-ˌ**cast** *adj tech.* steigend gegossen. — ~ **clack** *s tech.* ˈSaugvenˌtil *n*, -klappe *f*, ˈEinlaßvenˌtil *n*. — ~ **dead cen·ter** (*Br.* **cen·tre**) *s tech.* unterer Totpunkt. — ~ **face** *s tech.* Stirnfläche *f* (*einer Mutter*). — ~ **fer·men·ta·tion** *s* ˈUntergärung *f* (*beim Bierbrauen*). — ~ **flange** *s tech.* Fußflansch *m*. — ~ **gear** *s tech.* erste Geschwindigkeit, erster Gang. — ~ **grass** *s bot. Am.* (*ein*) Hirsengras *n* (*Panicum texanum*).

bot·tom·ing [ˈbɒtəmiŋ] *s* 1. Einsetzen *n* von Böden. – 2. Packlage *f*, Grundbau *m*. – 3. Schüttung *f* (*Straße*). — ~ **tap** *s tech.* dritter Gewindebohrer, Grund(lochgewinde)bohrer *m*.

bot·tom land *s geogr.* Schwemmland *n*, Tiefland *n*.

bot·tom·less [ˈbɒtəmlis] *adj* 1. bodenlos. – 2. *fig.* unergründlich: the ~ pit die Hölle.

bot·tom| lift *s tech.* Saugsatz *m* (*eines Pumpschachtes*). — ˈ~·**most** [-ˌmoust; -məst] *adj* tiefst(er, e, es), unterst(er, e, es). — ~ **plate** *s* 1. *tech.* Bodenblech *n*, Sohl-, Bodenplatte *f*. – 2. *mil.* a) Kastenboden *m* (*Gewehr*), b) Bodenplatte *f* (*Granatwerfer*). — ~ **price** *s econ.* niedrigster Preis, äußerster Kurs. — ~ **roll·er** *s tech.* ˈUnterwalze *f*.

bot·tom·ry [ˈbɒtəmri] *s mar.* Bodmeˈrei(geld *n*) *f*: ~ **bond** *econ.* Schiffswechsel, Bodmereibrief; borrower on ~ Bodmereischuldner.

bot·tom| swage *s tech.* ˈUnterteil *m* des Gesenks. — ~ **up**, ~ **up·wards** *adv* 1. verkehrt liegend. – 2. *mar.* kielˈoben. — ~ **view** *s* Ansicht *f* von unten. — ~ **yeast** *s* (*Brauerei*) ˈUnterhefe *f*.

bot·u·li·form [ˈbɒtjuliˌfɔːrm; -tʃə-; bəˈtjuː-] *adj* wurstförmig.

bot·u·lin [ˈbɒtʃulin; -tju-; -tʃə-] *s med.* Botuˈlin *n*, Botuˈlismustoˌxin *n*.

bot·u·lism [ˈbɒtʃuˌlizəm; -tju-; -tʃə-] *s med.* Botuˈlismus *m*, Wurst-, Fleischvergiftung *f*, Allanˈtiasis *f*.

bou·cher·ize [ˈbuːʃəˌraiz] *v/t tech.* boucheriˈsieren, (*Holz*) mit ˈKupfersulˌfat impräˈgnieren.

bou·clé [buˈkle] (*Fr.*) *s* Bouclé *n* (*Garn zur Herstellung von Teppichen*).

bou·doir [ˈbuːdwɑːr] *s* Bouˈdoir *n*, Damenzimmer *n*.

bouf·fant [buˈfɑ̃] (*Fr.*) **I** *adj* gepufft, gebauscht, Puff... (*Ärmel etc*). – **II** *s* Halbrock *m*, Petticoat *m*.

bou·gain·vil·l(a)e·a [ˌbuːgənˈviliə] *s bot.* ˌBougainˈvillea *f* (*Gattg Bougainvillea*).

bough [bau] **I** *s* 1. Ast *m*, Zweig *m*. – 2. *obs.* Galgen *m*. – *SYN. cf.* shoot. – **II** *v/t* 3. abästen. – 4. *Am. dial.* mit Zweigen schmücken.

bought [bɔːt] *pret u. pp von* buy.

bought·en [ˈbɔːtn] *adj dial.* (fertig) gekauft.

bou·gie [ˌbuːˈʒiː; ˈbuːˌʒiː] *s* 1. Wachslicht *n*. – 2. *med.* Bouˈgie *f*, Dehnsonde *f*, Dilaˈtator *m*.

bouil·la·baisse [ˌbuːljəˈbeis] *s* Bouillaˈbaisse *f* (*delikat gewürztes Fischgericht aus mehreren Fischsorten*).

bouil·lon [ˌbuːˈjɔ̃; ˈbuljɒn] *s* Bouilˈlon *f*, Fleischbrühe *f*. – *SYN. cf.* soup¹.

bouk [buːk] *s* 1. *Scot. od. dial.* Rumpf *m*, Körper *m*. – 2. *obs.* Bauch *m*.

bou·lan·ger·ite [buːˈlændʒəˌrait] *s min.* Boulangeˈrit *m* ($Pb_5Sb_4S_{11}$).

boul·der [ˈbouldər] **I** *s* 1. vom Wasser abgeschliffener Stein, Flußstein *m*, Kopfstein *m*, Katzenkopf *m*: perched ~ Wackelstein. – 2. *geol.* erˈratischer Block, Findling *m*. – 3. *min.* Klumpen *m* (*Erzklumpen im Gegensatz zur Erzader*). – **II** *v/t* 4. in Geröll verwandeln. – 5. *tech.* durch Kieselstaub glätten. — ~ **clay** *s geol.* Geschiebelehm *m*, -mergel *m*, Blocklehm *m*. — ˈ~-ˌ**drift** *s geol.* erˈratisches Geschiebe (*von Gletschern oder Flüssen abgelagert*). — ~ **field** *s geol.* Felsen-, Blockmeer *n*, Blockfeld *n*. — ˈ~-**forˌma·tion** → boulder-drift.

boul·der·ing [ˈbouldəriŋ] *s* 1. Kopfsteinpflaster *n*. – 2. Pflastern *n* mit Kopfsteinen. — ~ **stone** *s* Quarzsand *m* (*zum Glätten von Schmirgelrädern*).

Boul·der pe·ri·od *s geol.* Eiszeit *f*.

boul·der train *s geol.* Blockstrom *m*.

bou·le¹ [ˈbuːliː] *s* Bouˈle *f* (*gesetzgebende Körperschaft im alten und modernen Griechenland*).

boule² [buːl] *s tech.* 1. Möbeleinlage *f*, Einlegeholz *n*. – 2. Boule-Arbeit *f*, Einlegeholzarbeit *f*, Inˈtarsia *pl*.

boule³ [buːl] *s* Boule *f* (*franz. Kugelspiel*).

bou·le·vard [ˈbuːlvɑːr; ˈbuːləˌvɑːrd] *s* Bouleˈvard *m*, Ring-, Prachtstraße *f*. — ~ **stop** *s Am.* Straßenkreuzung *f* mit ˈHaltesiˌgnalen.

bou·le·ver·se·ment [bulvɛrsəˈmɑ̃] (*Fr.*) *s* ˈUmwälzung *f*, ˈUmsturz *m*.

boul·ter [ˈboultər] *s* (*lange*) Angelschnur (*mit mehreren Angelhaken*).

boun [baun; buːn] *v/t u. v/i obs.* (sich) fertig *od.* bereit machen, (sich) begeben (to nach, zu).

bounce [bauns] **I** *s* 1. (plötzlicher, heftiger) Schlag *od.* Stoß. – 2. Aufschlagen *n*, -prallen *n*, -springen *n* (*Ball etc*). – 3. (Luft)Sprung *m* (*aus Freude etc*). – 4. *obs.* Knall *m*, Krach *m*, Lärm *m*. – 5. Prahleˈrei *f*, Überˈtreibung *f*. – 6. freche Lüge, Unverschämtheit *f*. – 7. *fig.* Schwung *m*, Auftrieb *m*. – 8. *Am. sl.* ‚Rausschmiß' *m*, plötzliche Entlassung. –

9. *colloq.* Prahlhans *m*, Aufschneider *m*. – **II** *v/t* **10.** heftig stoßen *od.* schlagen gegen, (*Tür*) zuschlagen. – **11.** (*Ball*) aufspringen *od.* -prallen *od.* hüpfen lassen. – **12.** *selten* (*j-m*) etwas vorprahlen. – **13.** *colloq.* ,anschnauzen' (*ausschelten*). – **14.** *Am. sl.* ,rausschmeißen', an die Luft setzen. – **III** *v/i* **15.** auf-, anprallen (on, at auf, an *dat od. acc*), heftig schlagen (against gegen). – **16.** springen, einen Satz machen, hüpfen: to ~ over a fence. – **17.** prahlen, aufschneiden, großsprechen. – **18.** *fig.* stürzen, stürmen, platzen: to ~ into (out of) the room ins (aus dem) Zimmer stürzen. – **19.** *electr. tech.* prallen. – **20.** *sl.* (wegen ungenügender Deckung) retour'niert werden (*Scheck*). – **IV** *adv u. interj* **21.** Knall u. Fall, plötzlich. – **22.** bums! bautz! peng!

bounce·a·ble ['baunsəbl] *adj* **1.** zum Springen- *od.* Hüpfenlassen geeignet. – **2.** *Br. sl.* angeberisch.

bounc·er ['baunsər] *s* **1.** hüpfende *od.* stoßende Sache *od.* Per'son. – **2.** *sl.* a) Angeber *m*, b) ,Lügenmaul' *n* (*Schwindler*). – **3.** *colloq.* a) Riesending *n*, 'Prachtexem,plar *n*, b) ,Mordskerl' *m*, ,-weib' *n*. – **4.** *Am. sl.* ,Rausschmeißer' *m* (*in Nachtklubs etc*). – **5.** *sl.* freche Lüge. – **6.** ungedeckter Scheck.

bounc·ing ['baunsiŋ] *adj* **1.** kräftig, gesund aussehend, stramm, drall. – **2.** prahlerisch, aufschneiderisch. – **3.** gewaltig, mächtig. — ~ **Bet**, *auch* ~ **Bess** → soapwort.

bound[1] [baund] **I** *pret u. pp von* **bind**[1]. – **II** *adj* **1.** gebunden, gefesselt. – **2.** *fig.* verpflichtet (in zu): I'll be ~ ich bürge dafür, ganz gewiß, auf mein Wort. – **3.** *econ.* haftpflichtig. – **4.** (vor'her)bestimmt, verurteilt (to do zu tun): the plan was ~ to fail der Plan war zum Fehlschlagen verurteilt; it is ~ to happen one day es muß eines Tages passieren. – **5.** *oft* ~ and determined *Am. colloq.* entschlossen: he is ~ to come. – **6.** *med.* a) hartleibig, b) *obs.* trocken (*Husten*). – **7.** *chem.* gebunden. – **8.** ~ up (in) *fig.* in Anspruch genommen, gefesselt (von), untrennbar verknüpft (mit).

bound[2] [baund] *adj* bestimmt, unter'wegs (for nach) (*bes. Schiff*): ~ for London.

bound[3] [baund] **I** *s* **1.** Grenze *f*, Schranke *f*: least upper ~ of a sequence *math.* obere Grenze einer Folge; greatest lower ~ of a set untere Grenze einer Menge; the ratio grows beyond all ~s *math.* das Verhältnis wächst über alle Grenzen. – **2.** *pl* Bereich *m*: within the ~s of possibility im Bereich des Möglichen. – **3.** *pl* eingegrenztes Land. – **4.** *obs.* Grenz-, Markstein *m*. – **II** *v/t* **5.** begrenzen, ein-, abgrenzen, *bes. math.* um'randen. – **6.** beschränken, in Schranken halten. – **7.** einengen, -zwängen. – **8.** (*einer Sache*) als Grenze dienen, die Grenze bilden von. – **9.** *Am.* die Grenzen nennen von: to ~ France die Grenzen Frankreichs nennen. – **III** *v/i* **10.** (an)grenzen (on, with an *acc*), die Grenze bilden.

bound[4] [baund] **I** *s* **1.** Sprung *m*, Satz *m*, Schwung *m*: → leap 9. – **2.** An-, Auf-, Rückprall *m*: to take the ball at the ~ (*Kricket*) den Ball beim Aufspringen schlagen; to take before the ~ *fig.* zuvorkommen (*dat*). – **II** *v/t* **3.** hüpfen *od.* springen lassen. – **III** *v/i* **4.** hüpfen, springen, Sprünge machen. – **5.** an-, auf-, abprallen. – *SYN.* lope, ricochet, skip.

bound·a·ry ['baundəri; -dri] *s* **1.** Grenze *f*, Grenzlinie *f*, Rand *m*. – **2.** (*Krikket*) Schlag *m* bis zur Spielfeldgrenze. – **3.** *math. phys.* a) Abgrenzung *f*, Begrenzung *f*, b) Berandung *f*, c) 'Umfang *m*: ~ of the cast shadow, shadow ~ Schlagschattengrenze. – **4.** (*Bergbau*) Markscheide *f*. – **5.** *tech.* Um'grenzung *f*, Um'randung *f*, Scheide *f*. – **6.** *mil.* Nahtstelle *f* (*zwischen Einheiten*). — ~ **con·di·tion** *s math.* Rand-, Grenzbedingung *f*. — ~ **cus·tom** *s econ.* Grenzzoll *m*. — ~ **dis·pute** *s* 'Grenzkon,flikt *m*. — ~ **in·te·gral** *s math.* 'Rand-, 'Linieninte,gral *n* (*um einen Bereich*). — ~ **lay·er** *s phys.* (Strömungs)Grenzschicht(e) *f*. — ~ **light·ing** *s aer.* Randfeuer *pl*, Grenz-, Randbefeuerung *f* (*Flugplatz*). — ~ **lights** *s pl* → boundary lighting. — ~ **line** *s math.* Grenz-, Begrenzungslinie *f*. — ~ **mark·er** *s aer.* Randkennzeichen *n* (*Landebereich*). — ~ **point** *s math.* Randpunkt *m*. — ~ **po·si·tion** *s tech.* Nahtstelle *f*. — ~ **rid·er** *s Austral.* Heckenreiter *m* (*der die Einfriedungen zwecks Ausbesserung umreitet*). — ~ **sur·face** *s math.* Grenz-, Begrenzungsfläche *f* (*Körper etc*). — ~ **val·ue** *s math.* Randwert *m*: ~ problem Rand(wert)aufgabe, -problem.

bound charge *s electr.* gebundene Ladung.

bound·ed ['baundid] *adj math.* beschränkt, begrenzt, um'randet: ~ by surfaces von Flächen begrenzt; ~ piece of a surface umrandeter Teil einer Fläche; ~ from above (below) nach oben (unten) beschränkt. — '**bound·ed·ness** *s math.* Beschränktheit *f*: ~ of a number sequence Beschränktheit einer Zahlenfolge.

bound·en ['baundən] **I** *adj* **1.** *obs. fig.* gebunden. – **2.** verpflichtet: I am ~ to you ich bin Ihnen verpflichtet *od.* verbunden. – **3.** bindend, verpflichtend: my ~ duty meine Pflicht u. Schuldigkeit. – **II** *obs. pp von* bind.

bound·er ['baundər] *s* **1.** j-d der eine Grenze festsetzt. – **2.** (*Bergbau*) Markscheider *m*. – **3.** *obs. od. dial.* Grenze *f*. – **4.** *sl. obs.* a) Gig *n*, Dogcart *m* (*zweirädriger Einspänner*), b) vierrädrige Droschke. – **5.** *sl.* ,Ra'bauke' *m* (*Prolet, Flegel*).

bound form *s ling.* gebundene Form.

bound·ing ['baundiŋ] *adj* **1.** hüpfend, springend. – **2.** 'überschwenglich, sprudelnd (*Laune etc*).

bound·less ['baundlis] *adj* grenzenlos, unbegrenzt.

boun·te·ous ['bauntiəs] *adj* **1.** gütig, mild, wohltätig. – **2.** freigebig, großzügig. – **3.** reichlich, ('über)genug.

boun·ti·ful ['bauntiful; -fəl] *adj* **1.** freigebig, mildtätig: he is ~ of advice er ist freigebig mit seinen Ratschlägen; she is ~ to all sie ist freigebig gegen alle. – **2.** reichlich, ('über)genug. – *SYN. cf.* liberal.

boun·ty ['baunti] *s* **1.** Mild-, Wohltätigkeit *f*, Freigebigkeit *f*. – **2.** Gabe *f*, Geschenk *n*: King's ~, Queen's ~ *staatliche Unterstützung für die Mütter von Drillingen.* – **3.** Belohnung *f*, Trinkgeld *n*. – **4.** *mil.* Werbe-, Handgeld *n*. – **5.** *econ.* Prämie *f*, Subventi'on *f* (*zur Förderung einer Industrie etc*): ~ on export(ation) Ausfuhrprämie. – **6.** (*als Belohnung ausgesetzte*) Prämie (*z.B. für Ausrottung von Wild*). — ~ **cer·tif·i·cate** *s econ.* Ex'port-, Ausfuhrprämienschein *m*. — '~-,**fed** *adj econ.* durch Staatszuschüsse unter'stützt. — ~ **jump·er** *s mil. Am. hist.* Sol'dat, der nach Empfang des Handgelds deser'tierte (*während des Bürgerkrieges*).

bou·quet [bu:'kei; *Br. auch* 'bukei; *Am. auch* bou'kei] *s* **1.** Bu'kett *n*, (Blumen)Strauß *m*. – **2.** A'roma *n*, *bes.* Blume *f* (*Wein*). – **3.** *Am.* Kompli'ment *n*. – **4.** Büschelfeuerwerk *n*. – **5.** *hunt.* a) aus dem Mittelpunkt des Treiberkessels auffliegende Fa'sanen *pl*, b) Mittelpunkt *m* des Treiberkessels. – *SYN. cf.* fragrance.

bou·que·tin ['bu:k,tin] *s zo.* Alpensteinbock *m* (*Capra ibex*).

Bour·bon ['burbən] *s* **1.** *pol.* Po'litiker, der hartnäckig ein veraltetes Sy'stem verficht. – **2.** *bot.* Bour'bon-Rose *f* (*Rosa borbonica*). – **3.** b~ ['bə:rbən] *Am.* Maisbranntwein *m*.

Bour·bon·ism ['burbə,nizəm] *s pol.* hartnäckiges Festhalten an veralteten Grundsätzen, *bes. Am.* über'triebener Konserva'tismus. — '**Bour·bon·ist** → Bourbon 1. — '**bour·bon,ize** *v/t* (*ein Land*) nach veralteten Grundsätzen re'gieren (wollen).

Bour·bon lil·y *s bot.* Ma'donnen-Lilie *f*, Weiße Lilie (*Lilium candidum*).

bour·don[1] ['burdn] *s mus.* Bour'don *m*, Bor'dun *m*: a) Brummbaß *m*, -ton *m*, b) *gedacktes Orgelregister*, c) Brumm-, Schnarrpfeife *f*, Brummer *m* (*des Dudelsacks*), d) Brumm-, Schnarrsaite *f*.

bour·don[2] ['burdn] *s obs.* Pilgerstab *m*, Stab *m* (*als Amtssymbol*).

Bour·don ga(u)ge [bur'dɔ̃] *s tech.* 'Röhrenmano,meter *n*.

bourg [burg] *s* **1.** (Burg)Flecken *m*. – **2.** Stadt *f* (*auf dem Kontinent, zur Unterscheidung von einer engl. Stadt*).

bour·geois[1] ['burʒwɑ:; bur'ʒwɑ:] **I** *s* Bour'geois *m*, (Spieß)Bürger *m*. – **II** *adj* bour'geois, (spieß)bürgerlich.

bour·geois[2] [bə:r'dʒɔis] *s print.* Borgis *f* (*Schriftgrad*).

bourn(e)[1] [bɔ:rn] *s* (Gieß)Bach *m*.

bourn(e)[2] [burn; bɔ:rn] **I** *s* **1.** *poet.* Ziel *n*. – **2.** Bereich *m*, Gebiet *n*. – **3.** *obs.* Grenze *f*. – **II** *v/t selten* **4.** begrenzen, um'schließen.

bour·non·ite ['burnə,nait] *s min.* Bourno'nit *m* ($PbCuSbS_3$).

bour·rée [bu're; 'burei] (*Fr.*) *s* Bour'rée *f* (*altfranz. energischer Tanz*).

bourse [burs] *s econ.* **1.** Börse *f*. – **2.** B~ Pa'riser Börse *f*.

bouse[1] [baus; bauz] *v/t mar.* anholen, auftaljen: to ~ taut steif auftaljen; to ~ well taut dicht anholen.

bouse[2] [bu:z; bauz] **I** *v/i* **1.** zechen, ein Trinkgelage halten. – **II** *s* **2.** Trinkgelage *n*. – **3.** *colloq.* Trank *m*, Trunk *m*. — '**bous·er** *s* Trinker *m*, Trunkenbold *m*.

bou·stro·phe·don [,bu:stro'fi:dən; ,bau-] **I** *s* Bustrophe'don *n*, Furchenschrift *f* (*abwechselnd links- u. rechtsläufig*). – **II** *adj* bustrophe'don. — **bou,stroph·e'don·ic** [-,strɒfi'dɒnik] → boustrophedon II.

bous·y ['bu:zi; 'bauzi] *adj* betrunken, bezecht.

bout [baut] *s* **1.** (Arbeits)Gang *m*, Schicht *f*. – **2.** (*beim Pflügen etc*) Weg *m* von einer Seite (*des Feldes*) zur anderen und zu'rück. – **3.** Gang *m* (*beim Fechten*), Runde *f* (*beim Boxen etc*). – **4.** (Tanz)Tour *f*. – **5.** Versuch *m*, kurze Beschäftigung: to have a ~ at s.th. sich kurz *od.* versuchsweise mit etwas beschäftigen. – **6.** Mal *n*: this ~ diesmal. – **7.** Reihe(nfolge) *f*: this is my ~ now jetzt bin ich dran *od.* an der Reihe. – **8.** Streit *m*, (Wett)Kampf *m*, (Trink)Runde *f*, Gelage *n*: a drinking ~. – **9.** *dial.* (Krankheits)Anfall *m*: a ~ of headache ein Anfall von Kopfschmerzen. – **10.** *mus.* Einbuchtung *f*, Bügel *m*, Backe *f* (*bei Violininstrumenten*). – **11.** *tech.* Gang *m* (*beim Scheren der Kette*).

bou·ton·nière [,butə'njɛr] *s* Ansteckblume *f*, -sträußchen *n*.

bouts-ri·més [buri'me] (*Fr.*) *s pl* **1.** gegebene Endreime *pl* (*zu denen Verse gemacht werden sollen*). – **2.** Verse *pl* aus gegebenen Endreimen.

bovi- [bouvi; bɒvi] *Wortelement mit der Bedeutung* Rind.

bo·vid ['bouvid] → bovine 1 *u.* 3.

bo·vine ['bouvain] **I** *adj* **1.** *zo.* zu den Rindern gehörend, rinderähnlich, Rinder... – **2.** *fig.* (*auch geistig*) träge, schwerfällig, langweilig, stur, dumm. – **II** *s* **3.** rinderartiges Tier (*Fam. Bovidae*).

bo·void ['bouvɔid] → bovine 1 *u.* 3.

bo·vo·vac·cine [ˌbouvo'væksi:n; -sin] *s vet.* Bovovak'zine *f.*

bow[1] [bau] **I** *s* **1.** Verbeugung *f*, Verneigung *f*, Diener *m*: to make one's ~ seinen Einführungs- (*früher* Abschieds)Besuch machen. – **II** *v/t* **2.** beugen, biegen, neigen: to ~ one's head den Kopf neigen; to ~ one's knee das Knie beugen. – **3.** durch eine Verbeugung ausdrücken: to ~ one's thanks sich dankend *od.* zum Dank verneigen; to ~ s.o. in (out) j-n unter Verbeugungen herein-(hinaus)geleiten *od.* -komplimentieren. – **III** *v/i* **4.** sich (ver)beugen, sich (ver)neigen (to vor *dat*), grüßen: to ~ back to s.o. j-s Gruß (durch Verneigen) erwidern; a ~ing acquaintance eine flüchtige Bekanntschaft; on ~ing terms with flüchtig bekannt mit; to ~ and scrape Kratzfüße machen. – **5.** *fig.* sich beugen *od.* unter'werfen (*dat*): to ~ to the inevitable sich in das Unvermeidliche fügen. – **6.** *dial.* sich biegen.

bow[2] [bou] **I** *s* **1.** (Schieß)Bogen *m*: to draw (*od.* bend) the ~ den Bogen spannen; to have more than one string to one's ~ *fig.* mehrere Eisen im Feuer haben; to draw the long ~ *fig.* aufschneiden, übertreiben. – **2.** *mus.* a) (Streich)Bogen *m*, b) (Bogen)Strich *m.* – **3.** *math.* Bogen *m*, Kurve *f.* – **4.** *tech.* a) Grad-, Reißbogen *m*, b) 'Bogen-, 'Kurvenlineˌal *n.* – **5.** *tech.* Pa'lesterbogen *m* (*der Drechselbank*). – **6.** *tech.* Bügel *m* (*des Mannlochdeckels*). – **7.** (*Hutmacherei*) Fachbogen *m.* – **8.** Bügel *m*, Ring *m* (*der Taschenuhr*). – **9.** (bogenförmiger) Griff (*des Schlüssels, der Schere etc*). – **10.** (*Sattlerei*) Sattelbug *m*, -bogen *m.* – **11.** (*Schmiede*) Feilbogen *m*, -wippe *f.* – **12.** (*Schriftgießerei*) Drahtfeder *f.* – **13.** *mil.* a) Handbügel *m* (*am Säbel*), b) Pa'rierstange *f.* – **14.** *pl tech.* Bogenzirkel *m.* – **15.** *bes. Am.* Bügel *m* (*der Brille*). – **16.** *arch. bogenförmig hervortretender Teil eines Gebäudes, bes.* Erker *m.* – **17.** Knoten *m*, Schleife *f.* – **18.** *obs. od. dial.* (Ochsen)Joch *n.* – **19.** *obs.* Augenbraue *f.* – **II** *v/t* **20.** (*Instrument, Musikstück etc*) (mit dem Bogen) streichen *od.* spielen *od.* geigen. – **21.** *arch.* bogenförmig bauen. – **22.** (*Hutmacherei*) fachen. – **III** *v/i* **23.** *mus.* den Bogen führen, streichen, geigen. – **24.** *arch.* bogenförmig verlaufen *od.* gebaut sein. – **IV** *adj* **25.** bogenförmig. – **26.** mit einem Bogen *od.* Bügel *etc* versehen. – **27.** zur Schleife gebunden.

bow[3] [bau] *mar.* **I** *s* **1.** *auch pl* Bug *m* (*Schiff*): on the ~ am Bug; on the starboard (port) ~ an Steuerbord (Backbord) voraus; on the weather (lee) ~ zu Luv (in Lee) voraus. – **2.** Bugmann *m od.* -riemen *m* (*im Boot*). – **II** *v/t* **3.** (*Wasser*) mit dem Bug durch'schneiden.

'bow|ˌback ['bou-] *s zo.* Seehering *m*, Weißfisch *m* (*Coregonus clupeaformis; Nordamerika*). — **~ bear·er** [bou] *s Br. hist.* Forstaufseher *m.* — **B~ bells** [bou] *s pl* Glocken *pl* der Kirche St. Mary le Bow (*in der City von London*): within the sound of ~ in der Londoner City. — **~ col·lec·tor** [bou] *s tech.* Bügelstromabnehmer *m* (*an Obussen etc*). — **~ com·pass** [bou] *s math. tech.* Bogen-, Teil-, Null(en)zirkel *m.*

Bow·ditch fig·ures ['bauditʃ] *s pl math. phys.* Lissa'joussche Fi'guren *pl.*

Bow·ditch's law ['bauditʃiz] *s med.* Alles-oder-Nichts-Gesetz *n.*

bowd·ler·ism ['baudləˌrizəm] *s* Reinigungssucht *f*, Sucht *f*, Bücher von anstößig erscheinenden Stellen zu reinigen. — **ˌbowd·ler·i'za·tion** *s* Reinigung *f* von anstößig erscheinenden Stellen. — **'bowd·lerˌize** *v/t* (*Bücher*) von anstößig erscheinenden Stellen reinigen, zustutzen.

bow| drill [bou] *s tech.* Bogenbohrer *m.* — **~ dye** [bou] *s* (*Art*) Scharlachrot *n.* — **'~-ˌdye** ['bou-] *v/t* scharlachrot färben.

bowed[1] [baud] *adj* gebeugt, gebückt.

bowed[2] [boud] *adj* **1.** bogenförmig. – **2.** mit einem Bogen *od.* Bügel *etc od.* einer Schleife versehen.

bow·el ['bauəl] **I** *s* **1.** *meist pl med.* Darm *m.* – **2.** *pl* Eingeweide *pl*, Gedärm *n*: → open 20 *u.* 28. – **3.** *pl* (*das*) Innere, Mitte *f*: the ~s of the earth das Erdinnere. – **4.** *pl obs. fig.* Herz *n*, (Mit)Gefühl *n.* – **II** *v/t pret u. pp* **'bow·eled**, *bes. Br.* **'bow·elled 5.** die Eingeweide her'ausnehmen aus, ausweiden. — **~ e·vac·u·a·tion** *s* Darmentleerung *f.* — **'~-ˌhive grass** *s bot.* Brachen-Sinau *m* (*Alchemilla arvensis*).

bow·en·ite ['bouəˌnait] *s min.* (*Art*) Serpen'tin *m* ($H_4Mg_3Si_2O_9$).

bow·er[1] ['bauər] **I** *s* **1.** (Garten)-Laube *f*, schattiges Plätzchen. – **2.** *zo.* Nest *n* (*des Laubenvogels*). – **3.** Landhaus *n*, -sitz *m.* – **4.** *poet.* Wohnung *f.* – **5.** *dial. od. poet.* (Schlaf)Stube *f*, Gemach *n.* – **6.** *obs.* Frauengemach *n*, Bou'doir *n.* – **II** *v/t* **7.** mit Lauben *od.* einer Laube um'geben, einschließen. – **III** *v/i* **8.** eine Laube bilden.

bow·er[2] ['bauər] *s mar.* Buganker *m*: best (small) ~ großer (kleiner) Buganker.

bow·er[3] ['bouər] *s* **1.** *mus.* Streicher *m*, Geiger *m.* – **2.** (*Hutmacherei*) Facher *m*, Wollschläger *m.*

bow·er[4] ['bauər] *s* (*Euchre-Spiel*) Bube *m*: right ~ Trumpfbube; left ~ *der andere Bube derselben Farbe.*

bow·er| an·chor ['bauər] → bower[2]. — **'~ˌbird** *s zo.* Laubenvogel *m* (*Fam. Ptilonorhynchidae*). — **~ plant** *s bot.* (*eine*) Pan'dorea (*Pandorea jasminoides; austral. Liane*).

bow·er·y[1] ['bauəri] *adj* **1.** laubenähnlich, -artig. – **2.** voller Lauben.

bow·er·y[2] ['bauəri] *s Am. hist.* **1.** Farm *f*, Pflanzung *f* (*eines holl. Siedlers im Staat New York*). – **2.** the B~ die Bowery (*Straße u. Gegend in New York City mit billigen Vergnügungslokalen*).

bow| file [bou] *s tech.* Raum-, Riffel-, Bogenfeile *f.* — **'~ˌfin** ['bou-] *s zo.* Schlammfisch *m* (*Amia calva*). — **'~ˌgrace** ['bau-] *s mar.* Eisschutz *m* (*am Schiffsbug*). — **~ hair** [bou] *s mus.* (Haar)Bezug *m* des (Streich)Bogens. — **~ hand** [bou] *s* **1.** den Bogen haltende (linke) Hand (*des Bogenschützen*): wide on the ~ weit vom Ziel (*auch fig.*). – **2.** *mus.* bogenhaltende *od.* -führende (rechte) Hand (*des Streichers*). — **'~ˌhead** ['bou-] → right whale. — **'~-ˌheav·y** ['bau-] *adj tech.* buglastig.

bow·ie| knife ['boui; 'bu:i] *s irr Am.* Bowiemesser *n* (*langes Jagdmesser*). — **B~ State** ['boui; 'bu:i] *s Am.* (*Spitzname für*) Arkansas *n.*

bow·ing ['bouiŋ] *s* **1.** *mus.* Bogenführung *f*, Strich(art *f*) *m.* – **2.** (*Hutmacherei*) a) Fache *f*, b) Wollschlagen *n.* — **~ stone** ['bauiŋ] → cromlech.

bow in·stru·ment [bou] *s mus.* 'Bogen-, 'Streichinstruˌment *n.*

'bowˌknot ['bou-] *s* verlorener Knoten, Schleife *f.*

bowl[1] [boul] *s* **1.** Napf *m*, Schüssel *f*, Kessel *m.* – **2.** (Trink)Schale *f*, Humpen *m* (*auch fig.*). – **3.** *mar.* Back *f*, hölzerner Eßnapf. – **4.** *mar.* Kompaßkessel *m.* – **5.** *mar.* Blatt *n* (*Ruder*). – **6.** Becken *n*, Bas'sin *n.* – **7.** *ausgehöhlter od. schalenförmiger Teil, bes.* a) (Pfeifen)Kopf *m*, b) Schale *f* (*Waage*), c) Höhlung *f* (*Löffel etc*). – **8.** *Am.* Stadion *n* (*bes. in Namen*): Rose B~.

bowl[2] [boul] **I** *s* **1.** (*hölzerne*) Kugel, Ball *m* (*zu verschiedenen Ball- u. Kugelspielen*): a) Kegelkugel *f*, b) *obs.* Billardkugel *f*, c) *Scot.* Murmel *f.* – **2.** Wurf *m*, Schieben *n* (der Kugel *od.* des Balles). – **3.** *sport* Bowls *pl* (*Rasenkugelspiel*). – **4.** *obs.* Kugel *f.* – **5.** *mar.* Schwimmer *m* (*an Heringsnetzen*). – **6.** *tech.* a) Walze *f* (*der Tuchpresse*), b) ˌAntifrikti'onsrad *n* (*der Strickmaschine*). – **II** *v/t* **7.** rollen lassen, (*Kugel, Ball*) rollen, schieben, werfen: well ~ed! gut getroffen! – **8.** (*Kricket*) a) werfen auf (*den Dreistab*), b) (*Schlagmann*) durch Treffen des Dreistabs ‚ausmachen'. – **9.** (*auf Rädern*) rollen, fahren. – **III** *v/i* **10.** Bowls spielen. – **11.** die Kugel rollen lassen (*beim Kegeln etc*). – **12.** → ~ along. – **13.** (*Kricket*) den Ball mit gestrecktem Arm werfen. –

Verbindungen mit Adverbien:

bowl| a·long *v/i* (da'hin)rollen, fahren, sich fortbewegen (*Wagen*). — **~ down** *v/t* **1.** (*Kegel*) 'umwerfen, 'umkegeln. – **2.** *sl.* (*j-n*) ‚über den Haufen schießen', ‚zu'sammenhauen', ‚erledigen'. — **~ out** *v/t* **1.** (*Kricket*) → bowl[2] 8b. – **2.** *sl.* besiegen, verdrängen. — **~ o·ver** → bowl down.

bow·leg·ged ['bou'legid; *Br. auch* -'legd] *adj* krumm-, säbel-, O-beinig. — **'bowˌlegs** *s pl* krumme Beine *pl*, Säbelbeine *pl*, O-Beine *pl.*

bowl·er ['boulər] *s* **1.** Bowls-Spieler *m*, Kegelschieber *m.* – **2.** (*Kricket*) Ballmann *m* (*Spieler, der den Dreistab anzugreifen hat*). – **3.** *tech.* Arbeiter, der die Löffelhöhlungen macht. – **4.** *Br. colloq.* ‚Me'lone' *f* (*niedriger, steifer Filzhut*). — **~ hat** → bowler 4.

bow light [bau] *s mar.* Buglampe *f* (*eines Ankerliegers*).

bow·line ['boulin; -ˌlain] *s mar.* **1.** Bu'lin(e) *f*: main ~ Großbulin; on a ~ dicht beim Wind gebraßt. – **2.** → bowline knot. — **~ bri·dle** *s* Bu'linspriet *n*, -hahnepot *f.* — **~ crin·gle** *s* Bu'linlegel *m.* — **~ knot** *s* einfacher Pfahlsteek *od.* Paalsteek, Leibstich *m*: ~ on the bite doppelter Paalsteek. — **~ tack·le** *s* Bu'lintalje *f.* — **~ tog·gle** *s* Bu'linknebel *m.*

bowl·ing ['bouliŋ] *s* **1.** Bowlingspiel *n* (*Kugelspiel mit einseitig beschwerten Kugeln, die in Kurven laufen*). – **2.** *Am.* Kegelschieben *n.* – **3.** (*Kricket*) Werfen *n* des Balles (*mit gestrecktem Arm*). — **~ al·ley** *s Am.* Kegelbahn *f.* — **~ crease** *s* (*Kricket*) Strich, den der Ballmann beim Werfen nicht über'queren darf. — **~ green**, *auch* **~ ground** *s* Rasenplatz *m* zum Bowls-Spiel.

bowls [boulz] *s pl* (*als sg konstruiert*) **1.** Bowls-Spiel *n.* – **2.** Kegelschieben *n.* – **3.** *Scot.* Murmelspiel *n.*

bow·man[1] ['boumən] *s irr* Bogenschütze *m.*

bow·man[2] ['baumən] *s irr* → bow[3] 2.

Bow·man's| cap·sule ['boumənz] *s med.* Bowmansche Kapsel. — **~ glands** *s pl* Bowmansche Drüsen *pl.* — **~ mem·brane** *s* Bowmansche *od.* Reichertsche Mem'bran.

bow·man's root ['boumənz] *s bot.* **1.** (*eine*) Gil'lenie (*Gillenia trifoliata u. G. stipulata*). – **2.** Blüten-Wolfsmilch *f* (*Euphorbia corollata*). – **3.** → Culver's root.

bow| net [bou] *s mar.* (Senk)Reuse *f* (*Krebsfang*). — **~ oar** [bau] → bow[3] 2. — **~ pen** [bou] *s tech.* Zirkelfeder *f.*

— ~ **pen·cil** [bou] → bow compass. — ˈ~ˌ**pin** [ˈbou-] *s* (*Hutmacherei*) Schlagholz *n*. — ˈ~ˌ**port** [ˈbau-] *s mar*. Bugpforte *f*. — ~ **saw** [bou] *s tech*. Schweif-, Bügelsäge *f*.

bowse *cf*. bouse².

ˈ**bowˌshot** [ˈbou-] *s* **1.** Bogen-, Pfeilschuß *m*. – **2.** Bogenschußweite *f*.

ˈ**bow·sprit** [ˈbou-; ˈbau-] *s mar*. Bugspriet *n*. — ~ **bed** *s* Bugsprietfischung *f*, -gat *n*. — ~ **bees** *s pl* ˈBugsprietbakken *pl*, -klampen *pl*, -vioˌlinen *pl*. — ~ **bitt** *s* Bugsprietstuhl *m*, -lager *n*. — ~ **cap** *s* Bugspriet-Eselshaupt *n*. — ~ **shrouds** *s pl* Bugsprietwanten *pl*, Backstage *pl*.

bow stiff·en·er [bau] *s aer*. Bugversteifungsträger *m* (*eines Luftschiffes*).

B~ Street [bou] *npr Straße in London mit dem Polizeigericht*. — ~ **of·fi·cer**, ~ **run·ner** *s hist*. Poliˈzist *m*.

bow·string [ˈbouˌstriŋ] **I** *s* **1.** Bogensehne *f*. – **2.** (*Türkei*) Schnur *f* zum Erdrosseln. – **II** *v/t irr* **3.** erdrosseln. — ~ **beam** *s arch. tech*. Bogensehnenträger *m*. — ~ **bridge** *s arch. tech*. Bogensehnenbrücke *f*. — ~ **gird·er** → bowstring beam. — ~ **hemp** *s bot*. (*ein*) Bogenhanf *m* (*Gattg Sansevieria*. — ~ **truss** → bowstring beam.

bow| tie [bou] *s* Frackschleife *f*, Schmetterlingsbinder *m*, Fliege *f*. — ~ **wave** [bau] *s mar*. Bugwelle *f*. — ~ **win·dow** [bou] *s arch*. gerundeter Erker. — ˈ~ˌ**wood** [ˈbou-] → Osage orange.

bow·wow [ˈbauˌwau] **I** *interj* **1.** wauˈwau! – **II** *s* **2.** Wauwau *n* (*Hundegebell*). – **3.** (*Kindersprache*) Wauwau *m* (*Hund*): to go to the ~s *sl*. vor die Hunde gehen, auf den Hund kommen. – **III** *v/i* **4.** bellen. — ~ **style** *s* lehrhafte, besserwisserische Art des Sprechens *od*. Schreibens. — ~ **the·o·ry** *s* ˌonomatopoˈetische ˈSprachtheoˌrie (*die behauptet, daß die menschliche Sprache durch Nachahmung von Naturlauten entstanden sei*).

bow·yer [ˈboujər] *s* **1.** Bogenmacher *m*, -händler *m*. – **2.** *poet*. Bogenschütze *m*.

box¹ [bɒks] **I** *s* **1.** Kasten *m*, Kiste *f*. – **2.** Büchse *f*, Schachtel *f*, Dose *f*: ~ of matches Schachtel Streichhölzer. – **3.** Behälter *m*, Kasˈsette *f*, Futteˈral *n*, Hülse *f*, Gehäuse *n*, Kapsel *f*, Muffe *f*. – **4.** *Br*. (großer) Reisekoffer. – **5.** *fig*. Kasse *f*, Fonds *m*. – **6.** Postfach *n*. – **7.** → ballot ~. – **8.** (in eine Schachtel verpacktes) Geschenk: Christmas ~. – **9.** Würfelbecher *m*. – **10.** Hütte *f*, (Land)Häuschen *n*. – **11.** *tech*. a) *Am*. Wagenkasten *m*, b) (*Eisenbahn*) Siˈgnalständer *m*, -häuschen *n*. – **12.** *mil*. Schilderhäuschen *n*. – **13.** *math*. Ruˈbrik *f*. – **14.** Kutschbock *m*. – **15.** Abˈteilung *f* (*in einem Restaurant etc*). – **16.** Loge *f* (*im Theater etc*). – **17.** *jur*. Sitz *m*, Stand *m* (*im Gerichtssaal*): → witness ~. – **18.** *agr*. Box *f*, Stand *m* (*in einem Stall*): loose ~ *Box, in der sich das Tier frei bewegen kann*. – **19.** *mar*. Raum *m* des Bootes, wo der Bootsführer sitzt. – **20.** *colloq*. ‚Klemme' *f* (*kritische Situation*): in a (tight) ~ in der Klemme; in the same ~ in der gleichen (üblen) Lage; → wrong 2. – **21.** Aushöhlung *f* (*eines Baumes zum Saftsammeln*). – **22.** *tech*. Glasbrett *n*, Tabuˈlett *n* (*am Webstuhl*). – **23.** *tech*. Weberschiffchenkasten *m*. – **24.** *print*. a) Fach *n* (*im Schriftkasten*), b) Kasten *m*, Linieneinrahmung *f* (*bes. in Zeitungen etc*). – **25.** (*Gießerei*) Form-, Gießkasten *m*, Gießlade *f*. – **26.** *tech*. Bohrspindel *f* (*eines Vollbohrers*). – **27.** (*Bergbau*) a) Kübel *m*, Erztrog *m* (*an der Drahtseilbahn*), b) Sprengkapsel *f*, Minenzündbüchse *f*, c) Hahnenkasten *m*, Pippengehäuse *n*. – **28.** *tech*. Stiefel *m*, Röhre *f* (*der Pumpe*). – **29.** (*Schlosserei*) a) Schließblech *n* (*am Türrahmen*), b) Schloßkasten *m*. – **30.** *tech*. (Rad-, Achsen-)Büchse *f*. – **31.** *mar*. Kompaßkasten *m*, -gehäuse *n*. – **32.** (*Baseball*) Standplatz *m* (*eines Spielers, bes. des Schlägers*). –

II *v/t* **33.** *oft* ~ in, ~ up in Büchsen *od*. Schachteln *od*. Kasten packen *od*. legen, einpacken, -schließen, -pferchen: to ~ oneself up *fig*. sich (*in ein Zimmer etc*) einschließen, sich zurückziehen: to ~ the watch *Br. sl*. den Wachhabenden mitsamt seinem Schilderhäuschen umkippen. – **34.** (*einer Sache*) Kasten- *od*. Schachtelform geben: to ~ a cushion ein Kissen ausstopfen. – **35.** (*Farben, Lacke etc*) mischen (*indem man sie abwechselnd von einer Büchse in die andere gießt*). – **36.** *Austral*. (*Herden*) mischen. – **37.** *meist* ~ out, ~ up *arch*. (*mit Holz*) verschalen. – **38.** (*Gärtnerei*) in Kästen *od*. Kübel pflanzen. – **39.** (*Bäume*) anzapfen. – **40.** *tech*. (*Rad*) mit einer Achsbüchse versehen. – **41.** to ~ the compass a) *mar*. die Kompaßpunkte der Reihe nach aufzählen, b) *fig*. sich im Kreise bewegen; wieder dort ankommen, von wo man ausgegangen ist. – **42.** → ~haul. – **43.** *jur. Br*. (*Klage*) einreichen, (*Protest*) einlegen. – **44.** *auch* ~ in (*Pferd beim Rennen*) einkeilen. – **45.** ~ off (*Raum*) in Abˈteilungen *od*. Logen *etc* aufteilen, abteilen. –

III *v/i* **46.** sich in Büchsen *od*. Schachteln *etc* verpacken lassen: it doesn't ~ es läßt sich nicht (gut) in Kisten packen.

box² [bɒks] **I** *s* **1.** Schlag *m* (mit der Hand): ~ on the ear Ohrfeige, Backpfeife. – **II** *v/t* **2.** (mit der Hand) schlagen: to ~ s.o.'s ears j-n ohrfeigen. – **3.** (*j-n*) boxen, boxen mit *od*. gegen. – **III** *v/i* **4.** (sich) boxen.

box³ [bɒks] *s bot*. **1.** Buchs(baum) *m*, Bux *m* (*Gattg Buxus*), *bes*. Gemeiner Buchsbaum (*B. sempervirens*). – **2.** → boxthorn 2.

Box and Cox [bɒks ənd kɒks] *s zwei Personen, die nie zusammen sind od. zur selben Zeit zu Hause sind* (*nach einem gleichnamigen Lustspiel*): ~ arrangement Abmachung, nach der sich zwei Personen abwechseln.

box| and tap *s tech*. ˈHolzschraubenˌschneidemaˌschine *f*. — ~ **bar·ber·ry** *s bot*. (*eine*) Berbeˈritze (*Berberis thunbergii minor*). — ~ **bar·row** *s* (großer) Schubkarren. — ~ **beam** *s tech*. **1.** Doppel-T-Träger *m*. – **2.** Kastenbalken *m*, Hohlträger *m*. — ~ **bed** *s* **1.** Bettschrank *m*. – **2.** (*Art*) Klappbett *n*. — ˈ~ˌ**ber·ry** *s bot*. *Am*. Gaulˈtherie *f*, Rebhuhnbeere *f*, Teebeerenstrauch *m* (*Gaultheria procumbens*). — ~ **bor·der** *s* Buchsbaumhecke *f*, Einfassung *f* aus Buchsbaum. — ~ **bridge** *s electr*. (ˈWiderstands)Stöpselkasten *m* (*für Wheatstonebrücke verwendbar*). — ~ **calf** *s* Boxkalf *n* (*Leder*). — ~ **cam·er·a** *s phot*. Box(kamera) *f*. — ˈ~ˌ**car** *s Am*. geschlossener Güterwagen, ˈFrachtwagˌgon *m*. — ~ **chro·nom·e·ter** *s mar*. (ˈSchiffs)Chronoˌmeter *m* (*kardanisch aufgehängt*). — ~ **clip** *s* (*Tischlerei*) Zwinge *f*. — ~ **cloth** *s* (*Art*) grobes, wollenes Tuch. — ~ **coat** *s* **1.** (Kutscher)Mantel *m*. – **2.** Hänger *m* (*Mantel*). — ~ **com·pound** *s electr. tech*. (Muffen)Vergußmasse *f*. — ~ **cou·pling** *s tech*. Muffenverbindung *f*. — ~ **crab** *s zo*. Schamkrabbe *f* (*Gattg Calappa*). — ~ **drain** *s* bedeckter (*vierkantiger u. ausgemauerter*) ˈAbzugskaˌnal.

boxed for ex·port [bɒkst] *adj econ*. in Seeverpackung.

box| edge → box border. — ~ **el·der** *s bot*. Eschen-Ahorn *m* (*Acer negundo*).

box·er¹ [ˈbɒksər] *s* Boxer *m*, Faustkämpfer *m*.

box·er² [ˈbɒksər] *s Austral*. niedriger, steifer Filzhut, ‚Meˈlone' *f*.

box·er³ [ˈbɒksər] *s* Boxer *m* (*Hunderasse*).

box·er⁴ [ˈbɒksər] *s* (Ein)Packer *m*.

Box·er⁵ [ˈbɒksər] *s* Boxer *m* (*Anhänger eines chines. Geheimbundes*).

ˈ**box|ˌfish** → trunkfish. — ~ **frame** *s* Gehäuse *n* für die ˈRolladenˌgegengeˌwichte. — ~ **ga(u)ge** *s mar*. Pegel *m*. — ~ **gird·er** → box beam. — ˈ~ˌ**haul** *v/t mar*. (*Schiff*) backhalsen, mit backen Segeln halsen. — ˈ~ˌ**head** *s* **1.** *print*. a) ˈÜberschrift *f* eines umˈrandeten Arˈtikels, b) umrandete Überschrift, c) Taˈbellenkopf *m*. – **2.** *electr*. Dosenˈendverschluß *m*. — ~ **head·ing** → boxhead 1. — ~ **hol·ly** *s bot*. (*ein*) Mäusedorn *m* (*Ruscus aculeatus*). — ~ **hook** *s tech*. Kanthaken *m*.

box·ing¹ [ˈbɒksiŋ] *s* Boxen *n*, Boxsport *m*.

box·ing² [ˈbɒksiŋ] *s* **1.** *oft* ~-in, ~-up Verpacken *n*, Einpacken *n*, Einschließen *n* (in Kästen *etc*): ~ of the sleepers (*Eisenbahn*) Stopfen der Schwellen. – **2.** *collect*. Kisten *pl*, Kästen *pl*, Schachteln *pl*, Verˈpackungsmateriˌal *n*. – **3.** *arch*. (Ver)ˈSchalung(smateriˌal *n*) *f*. – **4.** *mar*. Laschung *f*, Lasching *f*. – **5.** (*Schuhmacherei*) Kappenversteifung *f*. – **6.** *arch*. Rahmenseiten *pl* (*in denen beim Schiebefenster die Gegengewichte hängen*).

box·ing| bout → boxing match. — **B~ Day** *s* (*in England*) der 2. Weihnachtsfeiertag (*an dem die Hausangestellten, Briefträger etc kleine Geschenke erhalten*). — ~ **gloves** *s pl* Boxhandschuhe *pl*. — ~ **match** *s* Boxkampf *m*. — **B~ Night** *s* (*in England*) der Abend des 26. Deˈzember. — ˈ~-ˈ**off** *s* **1.** Aufteilung *f* in Logen *od*. Abˈteilungen *etc*. – **2.** *mar*. Backlegen *n* der Vorsegel. — ~ **shut·ter** *s* zuˈsammenˌklappbarer Fensterladen.

box| i·ron *s* Bolzen(bügel)eisen *n*. — ~ **keel·son** *s mar*. Kasten-Kielschwein *n*. — ˈ~ˌ**keep·er** *s* (*Theater*) Logenschließer(in). — ~ **key** → box wrench. — ~ **kite** *s* Kastendrachen *m* (*oft bei meteorologischen Versuchen gebraucht*). — ~ **let·ter** *s* Brief *m* für Postschließfach. — ~ **lev·el** *s tech*. ˈDosenliˌbelle *f*. — ~ **met·al** *s tech*. (ˈAchs)ˌBüchsenmeˌtall *n*. — ~ **num·ber** *s* Chiffre(nummer) *f* (*in Zeitungsannoncen*). — ~ **of·fice** *s* **1.** (Theˈater*etc*)Kasse *f*. – **2.** *Am. fig*. Kassenerfolg *m* (*Theaterstück etc*). — ~ **plait**, ~ **pleat** *s* Kellerfalte *f* (*an Kleidern*). — ~ **res·pi·ra·tor** *s mil*. (*Art*) Gasmaske *f*. — ~ **room** *s* Rumpelkammer *f*. — ~ **score** *s* (*Baseball*) tabelˈlarischer Ergebnisbericht eines komˈpletten Spiels. — ~ **seat** *s* **1.** Kutschersitz *m*. – **2.** (*Theater*) Logensitz *m*. – **3.** *tech*. Führersitz *m*. — ~ **sleigh** *s* Kastenschlitten *m*. — ~ **span·ner** → box wrench. — ~ **spring** *s* ˈSprungˌfedermaˌtratze *f*. — ~ **stall** *s* Box *f*, (Pferde- *etc*)Stand *m* (*im Stall*). — ~ **sta·ple** *s* (*Schlosserei*) Schließklappe *f* (*am Schloß*). — ~ **switch** *s electr*. Dosen-, Drehschalter *m*. — ~ **tail** *s aer*. kantiger Rumpf (*Flugzeug*). — ~ **ten·on** *s arch*. Winkelzapfen *m*. — ˈ~ˌ**thorn** *s bot*. **1.** Teufelszwirn *m*, Bocksdorn *m* (*Gattg Lycium, bes. L. halimifolium*). – **2.** (*eine*) austral. Taschenblume (*Bursaria spinosa*). — ~ **tor·toise** *s zo*. (*eine*) Dosenschildkröte (*Gattg Terrapene*). — ˈ~-ˌ**trail car·riage** *s mil*. ˈKastenlaˌfette *f*. — ~ **trap** *s* **1.** (*Bergbau*) Zündkästchen *n*. – **2.** Kastenfalle *f*. — ~ **tur·tle** → box tortoise. — ~ **wag·(g)on** *s* **1.** (*Eisenbahn*) *Br*. ˈFrachtwagˌgon *m*, Güterwagen *m*. –

2. *Am.* Blockwagen *m*, Lore *f*. — ˈ~ˌwal·lah *s Br. Ind.* (eingeborener) Hauˈsierer. — ˈ~ˌwood *s bot.* 1. → box³. – 2. Großblütige Korˈnelkirsche (*Cornus florida*). – 3. *eine Flacourtiacee* (*Casearia praecox*). – 4. (*ein*) Tromˈpetenbaum *m* (*Tabebuia pallida, Westindien, u. Tecoma pentaphylla*). – 5. (*ein*) Baumwürger *m*, Spindelbaum *m* (*Schaefferia frutescens*). — ~ **wrench** *s tech.* 1. (Auf)-Steck-, Steckschrauben-, Ringschlüssel *m*. – 2. (*Eisenbahn*) Schienenschraubenschlüssel *m*.

box·y [ˈbɒksi] *adj* kisten-, kastenartig, -förmig.

boy [bɔi] **I** *s* 1. Knabe *m*, Junge *m*, Bursche *m* (*auch als vertrauliche Anrede*): to be past a ~ aus den Kinderschuhen heraus sein; well, old ~! na, alter Knabe? – 2. Diener *m*, Boy *m*, (*bes.* eingeborener *od.* farbiger) Angestellter: post ~ (eingeborener) Postbote. – 3. Laufbursche *m* (*Geschäft etc*). – 4. *bes. Am. colloq.* Faulenzer *m*, Herˈumlungerer *m*, kleiner poˈlitischer Nutznießer. – **II** *adj* 5. knabenhaft, Knaben..., kindlich: a ~ **nature** ein jungenhaftes Wesen. – 6. jung, jugendlich: ~ **husband** sehr junger Ehemann. – 7. männlichen Geschlechtes: a ~ **relative** ein Verwandter; ~ **friend** *colloq.* Freund. – **III** *v/t* 8. wie einen Jungen behandeln, mit ‚Junge' *od.* ‚Bursche' *etc* anreden. – 9. (*Theater*) als Junge (*eine weibliche Rolle*) spielen. – 10. mit Dienern versehen. – **IV** *v/i* 11. sich wie ein Junge benehmen.

boy·au [bwaˈjo] *pl* **-aux** [-o] *od.* **-aus** (*Fr.*) *s mil.* gewundener Laufgraben *od.* Stollen.

boy bish·op *s hist.* Kinderbischof *m* (*Chorknabe, der von den übrigen Knaben des Chors bei ihren Weihnachtsspielen zum Bischof gewählt wurde*).

boy·cott [ˈbɔikɒt] **I** *v/t* (*j-n od. etwas*) boykotˈtieren, jeglichen Verkehr mit (*j-m*) abbrechen *od.* verhindern. – **II** *s* Boyˈkott *m*. — ˈ**boy·cott·age** *s* Boykotˈtierung *f*.

boy·hood [ˈbɔihud] *s* 1. Knabenalter *n*, Kindheit *f*. – 2. Jungenhaftigkeit *f*, knabenhaftes *od.* kindisches Wesen.

boy·ish [ˈbɔiiʃ] *adj* 1. knaben-, jungenhaft, Knaben... – 2. *fig.* kindisch, läppisch. — ˈ**boy·ish·ness** *s* Jungenhaftigkeit *f*, knabenhaftes Wesen.

boy·ism [ˈbɔiizəm] *s* 1. knabenhaftes *od.* kindisches Wesen. – 2. Kindeˈrei *f*. – 3. knabenhafter *od.* kindischer Chaˈrakterzug.

ˈ**boys-and-ˈgirls** [ˈbɔiz-] *s sg u. pl bot.* Kappen-Doppelsporn *m* (*Dicentra cucullaria*).

boy scout *s* Pfadfinder *m*.

Boy Scouts *s pl* Pfadfinder(bewegung *f*) *pl*.

boy·sen·ber·ry [ˈbɔiznˌberi] *s bot.* (*eine*) Brombeere (*Kreuzung verschiedener Arten von Rubus*).

ˈ**boy's-ˌlove** *s bot.* Eberraute *f* (*Artemisia abrotanum*).

bo·za(h) [ˈbouzə] *s* Bosa *m* (*türk. Hirsegetränk*).

bo·zo [ˈbouzou] *s Am. sl.* Kerl *m*, Bursche *m*.

B pic·ture *s* zweitrangiger Film.

B pow·er sup·ply *s electr.* Enerˈgieversorgung *f* des Anˈodenkreises (*z.B. von Empfängern*), Anodenspannungsquelle *f*.

bra [brɑː] *colloq. für* **brassière**.

brab·ble [ˈbræbl] **I** *s* 1. Zänkeˈrei *f*, (lärmender) Streit. – 2. (lautes) Geschwätz, Geplapper *n*. – **II** *v/i* 3. *obs. od. dial.* laut streiten, zanken.

brac·cate [ˈbrækeit] *adj zo.* an den Füßen gefiedert (*Vogel*).

brace [breis] **I** *s* 1. *tech.* Band *n*, Bügel *m*, Riemen *m*, Halter *m*, Haken *m*, Stütze *f*. – 2. *arch. tech.* a) Winkel-, Trag-, Balkenband *n*, b) Büge *f*, Bug *m*, c) Strebe *f*, Verstrebung *f*, Steife *f*, d) Anker *m*, Klammer *f*, e) Stützbalken *m*, Versteifung *f*. – 3. Spannschnur *f* (*Trommel*). – 4. *tech.* Bohrleier *f*, -kurbel *f*. – 5. *pl Br.* Hosenträger *pl*. – 6. *math.* geschwungene *od.* geschweifte Klammer. – 7. *biol.* Klammerzelle *f*. – 8. *mar.* a) Brasse *f* (*Tau an beiden Rahen-Enden*), b) Ruderöse *f*: → **main** ~. – 9. *Am. colloq.* Anstrengung *f*: to take a ~ sich zusammenreißen. – 10. (*pl* **brace**) Paar *n* (*zwei Tiere, bes. Hunde u. Wild, od. Dinge gleicher Art; von Personen nur verächtlich od. vertraulich*): a ~ of **pistols** ein Paar Pistolen; ten ~ of **ducks** zehn Paar Enten. – 11. *mus. print.* a) (Notenlinien-, Syˈstem)Klammer *f*, Akkoˈlade *f*, b) (*durch Klammer verbundenes*) Syˈstem (*Notenzeilengruppe*). – 12. *med.* Stützband *n*. – 13. *med.* Zahnklammer *f*. – 14. *obs.* Armschiene *f* (*Rüstung*). – 15. *obs.* Klafter *m* (*Länge des ausgestreckten Armes*). – 16. *Scot.* Kaˈminsims *m, n*, -einfassung *f*. – **II** *v/t* 17. *tech.* a) absteifen, -spreizen, -fangen, b) (*Verbandstücke*) gurten, klammern, verstreben, versteifen. – 18. *mus.* (*Bogen, Trommel*) spannen. – 19. *mar.* brassen: to ~ to **full** abbrassen. – 20. *Am. oft* ~ **up** *fig.* (*Geist, Mut, Nerven etc*) (an)spannen, stärken, kräftigen, (*sich*) zuˈsammennehmen, -reißen: to ~ **oneself** (**up**) sich aufraffen (to zu). – 21. zuˈsammenziehen, -heften, -binden. – 22. umˈklammern, umˈgeben, umˈgürten. – 23. *mus. print.* (*Notenzeilen*) mit Klammern verbinden, zuˈsammenklammern. – **III** *v/i* 24. *oft* ~ **up** sich aufraffen, sich zuˈsammenreißen: to ~ (**up**) **for** s.th. seine Kraft *od.* seinen Mut für etwas zusammennehmen. –

Verbindungen mit Adverbien:

brace| a·back *v/t u. v/i mar.* back-, gegenbrassen, gegen den Mast brassen, backholen. — ~ **a·bout**, ~ **a·round** *v/t u. v/i* herˈum-, rundbrassen. — ~ **by**, ~ **for·ward** *v/t u. v/i* anbrassen. — ~ **in** *v/t u. v/i* auf-, zuˈrückbrassen, (die Luvbrassen) anholen. — ~ **round** → **brace about**. — ~ **to** → **brace in**. — ~ **up** *v/t u. v/i* 1. anbrassen. – 2. → **brace** 20 *u.* 24.

braced [breist] *adj* versteift. — ~ **beam con·struc·tion** *s tech.* Diagoˈnalversteifung *f*. — ~ **frame** *s arch. tech.* Stützrahmen *m*.

brace| drill *s tech.* 1. Bohrkurbel *f* (*am Metallbohrer*). – 2. Leierbohrer *m*. — ~ **head** *s tech.* 1. Setzkreuz *n*. – 2. Bohrkrückel *m*, -heft *n*, Krückelstock *m*. — ~ **key** → **brace head** 2.

brace·let [ˈbreislit] *s* 1. Armband *n*, -reif *m*. – 2. *hist.* Armschiene *f* (*Rüstung*). – 3. *pl humor.* Handschellen *pl*.

brace| mo(u)ld·ing *s arch.* Klammergesims *n*. — ~ **pend·ant** *s mar.* Brassenschenkel *m*, -ständer *m*. — ~ **piece** *s Scot.* Kaˈminsims *m, n*, -einfassung *f*.

brac·er [ˈbreisər] *s* 1. *mar.* Tragseil *n*. – 2. *hist.* Armschiene *f* (*Rüstung*). – 3. *sport* Armschutz *m* (*beim Bogenschießen, Fechten etc*). – 4. Band *n*, Binde *f*, Gurt *m*, Tragriemen *m*. – 5. *obs.* (nerven)stärkende Arzˈnei. – 6. *Am. colloq.* Schnaps *m*.

bra·ce·ro [brɑːˈserou] *s Am. mit behördlicher Erlaubnis in den USA arbeitender mexik. Tagelöhner*.

brach [brætʃ] *s obs.* Bracke *f*.

bra·chi·al [ˈbreikiəl; ˈbræk-] *adj* 1. *med. zo.* brachiˈal, Arm... – 2. *zo.* armartig. — **bra·chi·al·gi·a** [ˌbreikiˈældʒiə; ˌbræk-] *s med.* Brachialˈgie *f*, Brachiˈalneuralˌgie *f*, Armschmerz *m*.

bra·chi·ate [ˈbreikiit; -ˌeit; ˈbræk-] **I** *adj* 1. *bot.* mit paarweise gegenˈüberstehenden Ästen *od.* Zweigen (*Baum*). – 2. verzweigt. – 3. *zo.* armtragend. – **II** *v/i* [-ˌeit] 4. *zo.* sich durch Armschwung von einem Halt zum anderen bewegen (*z.B. langarmige Menschenaffen*).

bra·chif·er·ous [bræˈkifərəs] *adj zo.* armtragend.

brachio- [breikio; bræk-] *med. zo. Wortelement mit der Bedeutung* Arm.

bra·chi·o·ce·phal·ic [ˌbreikiosiˈfælik; ˌbræk-; -sə-] *adj med. zo.* auf Oberarm u. Kopf bezüglich. — **bra·chi·o·pod** [ˈbreikiəˌpɒd; ˈbræk-] *pl* ˌ**bra·chiˈop·o·da** [-ˈɒpədə] *s zo.* Armfüßer *m*. — ˌ**bra·chiˈop·o·dous** *adj* zu den Armfüßern gehörend. — **bra·chi·ot·o·my** [ˌbreikiˈɒtəmi; ˌbræk-] *s med.* ˌBrachiotoˈmie *f*, ˈArmamputatiˌon *f*.

bra·chis·to·chrone [brəˈkistəˌkroun] *s math.* Brachistoˈchrone *f* (*Kurve des kürzesten Falles*).

bra·chi·um [ˈbreikiəm; ˈbræk-] *pl* **-chi·a** [-ə] *s med. zo.* 1. Brachium *n*, Oberarm *m*. – 2. armförmiger Fortsatz (*z.B. vorspringender Nervenstrang am Gehirn*).

brachy- [bræki] *Wortelement mit der Bedeutung* kurz.

brach·y·ax·is [ˈbrækiˌæksis] *s min.* ˈBrachyˌachse *f*, -diagoˌnale *f*. — **brach·y·cat·a·lec·tic** [ˈbrækiˌkætəˈlektik] *adj metr.* brachykataˈlektisch (*um einen Versfuß zu kurz*).

brach·y·ce·phal·ic [ˌbrækisiˈfælik; -sə-] *adj* brachyceˈphal, kurzköpfig. — ˌ**brach·yˈceph·aˌlism** [-ˈsefəˌlizəm] *s* ˌBrachycephaˈlie *f*, Kurzköpfigkeit *f*. — ˌ**brach·yˈceph·a·lous** → **brachycephalic**. — ˌ**brach·yˈceph·a·ly** → **brachycephalism**.

bra·chyc·er·ous [brəˈkisərəs] *adj zo.* mit kurzen Fühlern, fliegenartig.

brach·y·di·ag·o·nal [ˌbrækidaiˈægənl] *s min.* kurze Nebenachse der ˈGrundpyraˌmide (*im rhombischen Kristallsystem*). — ~ **ax·is** → **brachyaxis**.

brach·y·dome [ˈbrækiˌdoum] *s min.* Brachyˈdoma *n*, mit der kürzeren Diagoˈnale paralˈlele Kriˈstallfläche. — **bra·chyg·ra·phy** [brəˈkigrəfi] *s obs.* Stenograˈphie *f*, Kurzschrift *f*. — **bra·chyl·o·gy** [brəˈkilədʒi] *s ling.* Brachyloˈgie *f*, gedrängte Ausdrucksweise. — **bra·chyp·o·dine** [brəˈkipəˌdain; -din] *adj zo.* kurzfüßig. — **bra·chyp·o·dous** [brəˈkipədəs] *adj* 1. *zo.* mit kurzem Fuß, kurzfüßig. – 2. *bot.* mit kurzem Stiel. — **bra·chyp·ter·ous** [brəˈkiptərəs] *adj zo.* kurzflügelig. — **brach·y·scle·re·id** [ˌbrækiˈskli(ə)riid] *s bot.* Steinzelle *f* (*dickwandige, isodiametrische Zelle*). — **brach·ysm** [ˈbrækizəm; ˈbreik-] *s bot.* Verkürzung *f*. — **brach·y·stom·a·tous** [ˌbrækiˈstɒmətəs; -ˈstou-], **bra·chys·to·mous** [brəˈkistəməs] *adj zo.* mit kurzem Rüssel (*von Insekten*). — **brach·y·ty·pous** [ˈbrækiˌtaipəs; brəˈkitəpəs] *adj min.* von kurzer Form.

brach·y·u·ral [ˌbrækiˈju(ə)rəl] *adj zo.* kurzschwänzig, zu den Krabben *od.* Kurzschwänzen gehörig. — ˌ**brach·yˈu·ran** *zo.* **I** *s* Krabbe *f* (*Unterordng Brachyura*). – **II** *adj* → **brachyural**. — ˌ**brach·yˈu·rous** → **brachyural**.

brac·ing [ˈbreisiŋ] **I** *adj* 1. stärkend, kräftigend. – 2. erfrischend. – **II** *s* 3. *arch. tech.* a) Verankerung *f*, b) Abspreizen *n*, Absteifen *n*, Versteifung *f*: **diagonal** ~ Kreuzverspannung, -spreizung. – 4. *mar.* Brassen *n*.

brack·en [ˈbrækən] *s bot. bes. Br.* 1. Adlerfarn *m* (*Pteridium aquilinum*). – 2. Adlerfarnbestand *m*. — ~ **clock** *s zo.* Gartenlaub-, Junikäfer *m* (*Phyllopertha horticola*).

brack·ened ['brækənd] *adj* mit Adlerfarn bewachsen.

brack·et ['brækit] **I** *s* **1.** *tech.* Träger *m*, 'Unterlage *f*, Halter *m*, Bock *m*: → **bearing** ~. – **2.** *arch. tech.* a) Kon'sole *f*, Krag-, Tragstein *m*, b) Sparren-, Dielenkopf *m*, c) Stützbalken *m*, Fußstempel *m* (*im Dachstuhl*), d) Schwingbaum *m*, Wippe *f* (*einer Brücke*). – **3.** *tech.* Knagge *f*. – **4.** *tech.* Gabel *f*, Gestell *n*, Eingabelung *f*. – **5.** *biol.* Klammer *f*. – **6.** *electr.* Iso'latorstütze *f*, -ausleger *m*, Winkelstütze *f*. – **7.** (Wand)Arm *m* (*eines Leuchters*). – **8.** (*Artillerie*) (*Einschießen*) Gabel *f*, (Ein)Gabelung *f*: **long** ~ große *od.* weite Gabel; **short** ~ kleine *od.* enge Gabel. – **9.** *mar.* a) La'fetten-, Ra'pertwand *f*, b) Klampe *f*, c) (*Schiffbau*) Knieblech *n*, (dreieckige) Stützplatte (*des Doppelbodens*): ~ **of the head** Galionsknie. – **10.** *math. print.* Klammer *f*: **in** ~**s** in Parenthese, in Klammern; **round** (*od.* **curved**) ~**s** runde Klammern, Parenthese; **plus (minus)** ~ *math.* positive (negative) Klammer. – **11.** *math.* Verbindungsstrich *m* (*über 2 Zahlen*). – **12.** a) Ru'brik *f* (*durch Klammer od. Akkolade verbundener Teil einer Liste etc*), b) *fig.* Gruppe *f*, Schicht *f*, (*bes.* Steuer)Klasse *f*: **a middle** ~ **income** ein Einkommen der mittleren Steuerklasse. – **13.** (*Eislauf*) Gegendreier *m*. – **II** *v/t* **14.** einklammern, in Klammern setzen *od.* schreiben. – **15.** (*Teil einer Liste etc*) mit Klammern versehen, (*Namen etc*) in die'selbe Ru'brik *od.* Klasse bringen *od.* einordnen: **they were** ~**ed (together)** sie wurden in eine Gruppe zusammengefaßt *od.* auf eine Stufe gestellt *od.* für gleich gut erklärt (*Schüler etc*). – **16.** *tech.* eingabeln. – **17.** *fig.* (*j-n*) gleichstellen (**with** mit). – **18.** (*Artillerie*) (*Ziel*) eingabeln. – **III** *v/i* **19.** (*Artillerie*) gabelschießen, eine Gabel bilden.

brack·et| car·riage *s mil.* 'Wandlaˌfette *f*. — ~ **clock** *s* (*Art*) kleine Standuhr. — ~ **crab** *s tech.* (Auf)Ziehwelle *f*, Winde *f*. — ~ **plate** *s* (*Schiffbau*) Stützplatte *f*.

brack·ish ['brækiʃ] *adj* **1.** brackig, leicht salzig: ~ **water** Brackwasser. – **2.** schlecht, unrein, ungenießbar.

bract [brækt] *s bot.* **1.** Hochblatt *n* (*verkleinertes Blatt in Blütenständen*). – **2.** Trag-, Deckblatt *n* (*Blatt verschiedener Gestalt mit Seitenzweig od. Blüte in der Achsel*). — '**brac·te·al** [-tiəl] *adj bot.* Hochblatt..., hochblattartig. — '**brac·te·ate** [-it; -ˌeit] **I** *adj* **1.** *bot.* mit Hochblättern. – **2.** aus dünnem Me'tall geprägt (*Münze*). – **II** *s* **3.** *hist.* Brakte'at *m* (*dünne, nur auf einer Seite geprägte Münze*). — **brac'te·iˌform** [-'tiːiˌfɔːrm] *adj bot.* hochblattartig. — '**brac·te·oˌlate** [-oˌleit] *adj bot.* mit Vorblättern (versehen). — '**brac·teˌole** [-ˌoul] *s* Vorblatt *n*. — '**brac·teˌose** [-ˌous] *adj* mit Hochblättern. — '**bract·less** *adj* hochblatt-, tragblattlos. — '**bract·let** [-lit] *s bot.* Vorblatt *n*.

brad [bræd] *tech.* **I** *s* **1.** Nagel *m* ohne Kopf, (Draht)Stift *m*. – **2.** Boden-, Lattennagel *m*. – **II** *v/t pret u. pp* '**brad·ded** **3.** mit Drahtstiften *od.* Bodennägeln befestigen. — '~ˌ**awl** *s tech.* flache Ahle, Bindeahle *f*, Nagel-, Vorstechort *m*, Spitzbohrer *m*.

Brad·bur·y ['brædbəri] *s Br. hist. sl.* Banknote *f*, *bes.* Pfundnote *f*.

Brad·ley text ['brædli] *s print. eine Schriftart.*

Brad·shaw ['brædʃɔː] *s Br.* (Eisenbahn)Kursbuch *n* (*von 1839–1961*).

brady- [brædi] *Wortelement mit der Bedeutung* langsam.

brad·y·car·di·a [ˌbrædi'kɑːrdiə] *s med.* Bradykar'die *f*, Herzverlangsamung *f*. — ˌ**brad·y'crot·ic** [-'krɒtik] *adj med.* mit langsamem Pulsschlag. — '**brad·yˌpod** [-ˌpɒd] *s zo.* Faultier *n* (*Fam. Bradypodidae*).

brae [brei] *s Scot. od. dial.* **1.** Abhang *m*, Böschung *f*. – **2.** Hügel *m*. — '~**man** [-mən] *s irr Scot.* Hügel(land)bewohner *m* (*bes. im Süden der Grampian Hills*).

brag [bræg] **I** *s* **1.** Prahle'rei *f*, Aufschneide'rei *f*: **to make a** ~ **of s.th.** sich einer Sache rühmen, mit etwas prahlen, viel Wesens machen um *od.* von etwas. – **2.** Stolz *m*, Gegenstand *m* des Stolzes *od.* Prahlens: **his parents'** ~ der Stolz seiner Eltern. – **3.** Prahler *m*. – **4.** *hist. pokerähnliches Kartenspiel.* – **II** *v/i pret u. pp* **bragged** **5.** aufschneiden. – **6.** (**about, of**) prahlen (mit), sich rühmen (*gen*), stolz sein (auf *acc*). – **7.** bluffen. – **III** *v/t* **8.** bluffen. – **9.** prahlen mit. – *SYN. cf.* **boast**[1]. – **IV** *adj Am.* **10.** prächtig, erstklassig.

brag·ga·do·ci·o [ˌbrægə'douʃiˌou] *pl* **-os** *s* **1.** Prahlhans *m*, Aufschneider *m*. – **2.** Prahle'rei *f*, Aufschneide'rei *f*.

brag·gart ['brægərt] **I** *s* Prahler *m*, Aufschneider *m*. – **II** *adj* prahlerisch, aufschneiderisch.

brag·ger ['brægər] *s* **1.** Prahlhans *m*, Aufschneider *m*. – **2.** *arch.* Stützbalken *m*.

brah·ma ['brɑːmə] → **brahmapootra**.

Brah·ma·ic [brɑː'meiik] → **Brahmanic**.

Brah·man ['brɑːmən] *s* **1.** Brah'mane *m* (*Angehöriger der Priesterkaste der Inder*). – **2.** *zo. Am.* Zebu *n*, Buckelochs *m* (*Bos indicus*). — ~ **bead** *s* (Same *m* der) Ölnuß *f* (*Elaeocarpus ganitrus; für Rosenkränze u. Ketten benutzt*).

Brah·ma·nee, Brah·ma·ni ['brɑːməˌniː] *s* Brah'manin *f*. — **Brah'man·ic** [-'mænik], **Brah'man·i·cal** *adj* brah'manisch. — '**Brah·manˌism** *s* Brahma'nismus *m*, Lehre *f* der Brah'manen. — '**Brah·man·ist** *s* ˌBrahma'nist *m*.

Brah·man·y| bull ['brɑːməni] *s zo.* männliches Zebu (*Bos indicus; bei den Hindus als heilig geltend*). — ~ **duck** *s zo.* Rostgans *f* (*Casarca ferruginea*). — ~ **kite** *s zo.* Brah'minenweih *m* (*Haliastur indus; bei den Hindus als heilig geltend*).

brah·ma·poo·tra [ˌbrɑːmə'puːtrə] *s zo.* Brahma'putra-Huhn *n* (*Gallus brahmaputra*).

Brah·min ['brɑːmin] *s* **1.** → **Brahman**. – **2.** gebildete, kulti'vierte Per'son. – **3.** (*ironisch*) (eingebildeter) Intellektu'eller. – **4.** *Am.* kulti'viertes, konserva'tives Mitglied einer alteingesessenen Fa'milie in Boston *od.* New England. — '**Brah·miˌnee** [-ˌniː] → **Brahmanee**. — **Brah'min·ic, Brah'min·i·cal** → **Brahmanic**. — '**Brah·minˌism** → **Brahmanism**. — '**Brah·min·ist** → **Brahmanist**.

Brah·mo·ism ['brɑːmoˌizəm] *s* Re'formlehren *pl* des Brahma-Sa'madsch.

Brah·mo Sa·maj ['brɑːmou sə'mɑːdʒ] *s* Brahma-Sa'madsch *m* (*theistische Reformpartei des Brahmanismus*).

braid [breid] **I** *v/t* **1.** flechten: **to** ~ **St. Catharine's tresses** *fig.* als Jungfrau leben. – **2.** mit Litze *od.* Borte besetzen *od.* schmücken. – **3.** (um)'klöppeln. – **4.** *tech.* (*Leitungsdraht etc*) um'spinnen. – **II** *s* **5.** (Haar)Flechte *f*. – **6.** Borte *f*, Litze *f*, Paspel *m*, Tresse *f* (*bes. mil.*), Zierband *n*, Flechtschnur *f*. – **7.** Um'klöppelung *f*.

braid·ed| cord ['breidid] *s tech.* geflochtene *od.* geschlagene Leine. — ~ **wire** *s electr. tech.* Litze *f*.

braid·er ['breidər] *s* **1.** Litzenaufnäher *m*. – **2.** 'Litzenmaˌschine *f*.

braid·ing ['breidiŋ] *s* **1.** Flechten *n*. – **2.** Besetzen *n* (mit Litze *od.* Borte). – **3.** *collect.* a) Flechten *pl*, Flechtwerk *n*, Litzen *pl*, Borten *pl*, Besatz *m*.

Braid·ism ['breidizəm] *s* Brai'dismus *m*, Hypno'tismus *m*.

brail[1] [breil] **I** *s* **1.** *mar.* Geitau *n* (*beim Gaffelsegel*). – **2.** Riemen *m* (*zum Festbinden der Fittiche eines Falken*). – **II** *v/t* **3.** (*die Fittiche des Falken*) binden. – **4.** ~ **up** *mar.* aufgeien.

brail[2] [breil] *s Am.* Gebinde *n* von Flößhölzern.

Braille, b~ [breil] *s* Braille-, Blinden[schrift *f*.]

brain [brein] **I** *s* **1.** *med. zo.* Gehirn *n*, Großhirn *n*, En'zephalon *n*. – **2.** *oft pl fig.* Gehirn *n*, Hirn *n*, Verstand *m*, Intelli'genz *f*, Intel'lekt *m*, Kopf *m*: **to cudgel** (*od.* **rack**) **one's** ~**s** sich das Hirn zermartern, sich den Kopf zerbrechen; **to have s.th. on the** ~ nur Gedanken für etwas haben; **to knock out s.o.'s** ~**s** j-m den Schädel einschlagen; **to pick** (*od.* **suck**) **s.o.'s** ~ geistigen Diebstahl an j-m begehen; → **blow out 4**; **turn 69**. – **II** *v/t* **3.** (*j-m*) den Schädel einschlagen. – **4.** *fig.* mit Verstand *od.* Gehirn versehen. – **5.** *obs.* verstehen, begreifen. — ~ **case**, *auch* ~ **box** *s med.* Hirnschale *f*, -schädel *m*. — ~ **cell** *s med.* Nervenzelle *f* im Gehirn, Gehirngewebezelle *f*. — ~ **child** *s irr colloq.* 'Geistesproˌdukt *n*. — ~ **cor·al** *s zo.* 'Hirn-ˌSternkoˌralle *f* (*Gattg Maeandrina*). — ~ **crack** *s fig.* Schrulle *f*, Grille *f*, ‚Fimmel' *m*.

brained [breind] *adj* (*in Zusammensetzungen*) ...köpfig, mit einem ... Gehirn: **feeble**~ schwachköpfig.

'**brainˌfag** *s* geistige Erlahmung *od.* Über'müdung. — ~ **fe·ver** *s med.* Gehirnentzündung *f*.

brain·less ['breinlis] *adj* **1.** *zo.* gehirnlos. – **2.** *fig.* a) geistlos, dumm, b) unbesonnen, unvernünftig, gedankenlos. — '**brain·less·ness** *s* Unvernunft *f*.

brain| man·tle *s med.* Pallium *n*, Gehirnmantel *m*, Großhirnoberfläche *f*. — '~ˌ**pan** *s med.* Gehirnschale *f*, Schädeldecke *f*. — ~ **sand** *s med.* Gehirnsand *m*, A'cervulus *m* (cerebri). — '~ˌ**sick** *adj* geisteskrank, verrückt. — '~ˌ**sick·ness** *s* Geisteskrankheit *f*, -gestörtheit *f*. — ~ **stem** *s med.* Hirnstamm *m*. — ~ **storm** *s* **1.** Anfall *m* von Geistesstörung. – **2.** verrückter Einfall, hirnverbrannte I'dee. – **3.** *Am. colloq.* glänzender Gedanke, Geistesblitz *m*. — '~ˌ**storm** *v/t* (*Problem etc*) gedanklich lösen *od.* klären.

brains trust [breinz] *s Br.* **1.** Brain Trust *m* (*Fachleute, die im brit. Rundfunk Hörerfragen beantworten*). – **2.** → **brain trust**.

brain| trust *s Am.* (*oft ironisch*) ‚Gehirntrust' *m*, Brain Trust *m* (*politische u. wirtschaftliche Beratergruppe*): a) *Präsident F. D. Roosevelts*, b) *allg.* Beratungsausschuß *m*. — ~ **trust·er** *s Am.* Mitglied *n* eines Gehirntrusts *od.* einer Fachberatergruppe. — ~ **twist·er** *s Am.* Rätsel *n*, etwas was Kopfzerbrechen bereitet. — '~ˌ**wash** *v/t pol.* Gehirnwäsche vornehmen bei (*j-m*). — '~ˌ**wash·ing** *s* Gehirnwäsche *f* (*erzwungene politische u. weltanschauliche Umerziehung*). — ~ **wave** *s* **1.** (*Elektro-Enzephalographie*) Hirnwelle *f* (*elektr. Aktionsstrom im Gehirn*). – **2.** *colloq.* Geistesblitz *m*, guter Einfall, ‚tolle I'dee'. — '~ˌ**work** *s* Geistes-, Kopfarbeit *f*. — '~ˌ**work·er** *s* geistig Arbeitender *m*, Geistes-, Kopfarbeiter *m*.

brain·y ['breini] *adj* geistreich, klug, aufgeweckt.

braird [brerd] *bes. Scot.* **I** *s* Sprossen *pl* (*des jungen Getreides, Grases etc*). – **II** *v/i* (auf)sprießen, keimen.

braise [breiz] *v/t* (*Fleisch, Gemüse*) schmoren, dünsten, dämpfen.

brake[1] [breik] **I** *s* **1.** *tech.* Bremse *f*: to put on the ~s auf die Bremse treten (*Auto*), bremsen, die Bremsen ziehen. – **2.** *tech.* Brems-, Hemmvorrichtung *f*, -anlage *f*, Abschwächer *m*. – **3.** *tech.* Hemm-, Radschuh *m*. – **4.** *fig.* Einhalt *m*, Zügel *pl*: to put a ~ on s.th. eine Sache bremsen, einer Sache Einhalt gebieten. – **5.** *tech.* Flachs-, Hanfbreche *f*, Bracke *f*. – **6.** (*Bäckerei*) 'Knetmaˌschine *f*. – **7.** *tech.* Frucht-, Obst-, Gemüsepresse *f*. – **8.** *tech.* a) Hebelarm *m*, b) Pumpenschwengel *m*, c) *mar.* Geckstock *m* (*der Schiffspumpe*). – **9.** *mil. tech.* Hebebaum *m* (*für Geschütze*). – **10.** *obs.* Winde *f* (*einer großen Armbrust*). – **11.** (*Korbmacherei*) *scherenähnliches Instrument zum Abschälen der Weidenrinde.* – **12.** Notstall *m* (*der Hufschmiede*). – **13.** (Vieh)Pferch *m*. – **14.** *agr.* (*Art*) schwere Egge. – **15.** *tech.* Formpresse *f*. – **16.** *obs.* Gebiß *n*, Trense *f* (*für Pferde*). – **17.** *obs.* (*Art*) Folterwerkzeug *n*. – **II** *v/t* **18.** (ab)bremsen, hemmen. – **19.** mit Bremsen *od.* einer Bremse versehen. – **20.** (*Flachs etc*) brechen. – **21.** *agr. dial.* (*Boden*) aufbrechen. – **III** *v/i* **22.** (*Bergbau*) die 'Fördermaˌschine bedienen.

brake[2] [breik] *s* **1.** Dickicht *n*, Buschwerk *n*, Dorngestrüpp *n*. – **2.** *bot.* Adlerfarn *m* (*Pteridium aquilinum*).

brake[3] [breik] *obs. pret von* break[1].

brake·age ['breikidʒ] *s* **1.** Bremsen *n*. – **2.** *tech.* Bremskraft *f*. – **3.** *collect.* Bremsen *pl*.

brake| band *s tech.* Bremsband *n*. — ~ **bar** *s* Bremszugstange *f*. — ~ **block** → brake shoe. — ~ **com·part·ment** → brake van. — ~ **cyl·in·der** *s* 'Bremszyˌlinder *m*. — ~ **drum** *s* Bremstrommel *f*, -scheibe *f*. — ~ **gear** → brake[1] 2. — ~ **horse·pow·er** *s* Brems-PS *n*, Bremsleistung *f* in PS, Nutzarbeit *f*. — ~ **lin·ing** *s* Bremsbelag *m*, -futter *n*. — ~ **link·age** *s* Bremsgestänge *n*. — '~ˌ**load** *s* **1.** Bremslast *f*, -gewicht *n*. – **2.** Belastung *f od.* Beanspruchung *f* der Bremse(n). — '~·**man** [-mən], *bes. Br.* '**brakes·man** *s irr* **1.** Bremser *m* (*Eisenbahn, Rennschlitten*). – **2.** *tech.* 'Fördermaschiˌnist *m*.

brak·er ['breikər] *s* **1.** *tech. Br.* Bremser *m*. – **2.** *electr.* 'Stromunterˌbrecher *m*.

brake| shoe *s tech.* Bremsbacke *f*, Hemmschuh *m*, -klotz *m*. — ~ **sieve** *s* (*Bergbau*) Setzsieb *n*.

'**brakes·man** *bes. Br. für* brakeman.

brake| valve *s tech.* 'Bremsvenˌtil *n*. — ~ **van** *s* (*Eisenbahn*) *Br.* Bremswagen *m*, -abteil *n*. — ~ **wheel** *s tech.* Bremsrad *n*, Rad *n* mit Hemmvorrichtung.

brak·ing ['breikiŋ] *s tech.* Bremsung *f*. — ~ **pow·er** *s tech.* Bremsleistung *f*.

Bram·ah| lock ['brɑːmə; *Am. auch* 'bræmə] *s tech.* Bramahschloß *n*. — ~ **press** *s* hy'draulische Presse. — ~ **pump** *s* Mönchskolbenpumpe *f*.

bram·ble ['bræmbl] *s* **1.** *bot.* Brombeer-, Himbeerstrauch *m* (*Gattg Rubus*): common ~ Gemeiner Brombeerstrauch (*R. fruticosus*). – **2.** Dornenstrauch *m*, -gestrüpp *n*. — **bram·bled** ['bræmbld] *adj* mit Brombeer- *od.* Dorngestrüpp über'wachsen.

bram·ble| finch → brambling. — ~ **rose** *s bot.* Hundsrose *f* (*Rosa canina*). — ~ **worm** → brandling 2.

bram·bling ['bræmbliŋ] *s zo.* Bergfink *m* (*Fringilla montifringilla*).

bram·bly ['bræmbli] *adj* **1.** → bramble**d**. – **2.** voll Brombeeren. – **3.** brombeerenähnlich, dornig.

bran [bræn] **I** *s* Kleie *f*. – **II** *v/t pret u. pp* **branned** (*Färberei etc*) in Kleienwasser einweichen *od.* kochen.

bran·card ['bræŋkərd] *s* von Pferden getragene Sänfte.

branch [*Br.* brɑːntʃ; *Am.* bræ(ː)ntʃ] **I** *s* **1.** Ast *m*, Zweig *m*: → root[1] 1. – **2.** Zweig *m*, Linie *f* (*Geschlecht*). – **3.** *selten* Abkömmling *m*. – **4.** *fig.* 'Unter-, 'Zweigabˌteilung *f*, Gebiet *n*, *bes.* a) Fach *n*, Branche *f* (*Wissenschaft od. Arbeitsgebiet*), b) *auch* ~ of service *mil.* Truppengattung *f*, -art *f*, -zweig *m*, c) *zo.* 'Hauptabˌteilung *f* (*Tierreich*). – **5.** *econ.* Be'triebsabˌteilung *f*, Außen-, Zweig-, Nebenstelle *f*, Fili'ale *f*, Niederlassung *f*, Zweiggeschäft *n*: ~ of industry Gewerbe, Erwerbszweig; ~ of trade Wirtschaftszweig; main ~ Hauptfiliale; network of ~es Filialnetz; special ~ a) Fachabteilung, b) Spezialität. – **6.** (*Eisenbahn*) Zweigbahn *f*, Nebenlinie *f*. – **7.** *geogr.* a) Arm *m* (*Gewässer*), b) Ausläufer *m* (*Gebirge*), c) *Am. dial.* kleiner Fluß, Bach *m*. – **8.** *tech.* Flügel *m*, Stutzen *m*, Glied *n*. – **9.** (*Festungsbau*) a) Flügel(linie *f*) *m* (*eines Horn- od. Kronwerkes*), b) Ast *m* (*eines Laufgrabens*), Sappenschlag *m*. – **10.** *math.* (*ins Unendliche sich erstreckender*) Zweig *od.* Ast (*einer Kurve*). – **11.** *electr.* Abzweigleitung *f*. – **12.** *tech.* Zweigrohr *n* (*Rohrleitung*): Tee ~ T-Stück (*rechtwinklige Abzweigung*); Y ~ spitzwinklige Abzweigung. – **13.** *tech.* Bein *n*, Schenkel *m* (*Zirkel*). – **14.** Arm *m*, Schenkel *m* (*Hufeisen*). – **15.** Stichblatt *n* (*Degen etc*). – **16.** *arch.* (*beim gotischen Gewölbe*) Zweigrippe *f*: ~ of ogives Diagonalrippe. – **17.** Arm *m* (*Leuchter*). – **18.** Sprosse *f*, Stange *f*, Zacken *m*, Zinken *m* (*Hirschgeweih*). – **19.** *biol.* Ramus *m*. – **20.** *mar. Am.* 'Lotsenpaˌtent *n*, -bestallung *f* (*für bestimmte Gewässer od. Strecken*). – *SYN. cf.* shoot. –

II *adj* **21.** sich verzweigend. – **22.** Zweig..., Tochter... –

III *v/i* **23.** Zweige *od.* Äste treiben. – **24.** *oft* ~ off, ~ out in Zweige *od.* Äste auslaufen, sich verzweigen *od.* verästeln, abzweigen: here a bypath ~es hier zweigt ein Nebenweg ab. – **25.** *obs.* ausgehen, -laufen, 'hergeleitet sein, ('her)stammen (from von). – **26.** 'übergehen, auslaufen (into in *acc*). –

IV *v/t* **27.** in Zweige *od.* Nebenlinien *od.* 'Unterabˌteilungen teilen (*auch fig.*). – **28.** *obs.* mit Zweigen *od.* Armen versehen. – **29.** mit Blumen- *od.* Laub- *od.* Rankenmustern besticken. –

Verbindungen mit Adverbien:

branch| a·way, ~ **off** *v/i* abzweigen, in Zweige auslaufen, sich verästeln *od.* verzweigen. — ~ **out** *v/i* **1.** → branch 24. – **2.** sich ausbreiten (*auch fig.*), (vom Thema) abschweifen, sich verlieren (into in *acc*), sich ergehen (into in *dat*): he branched out into a detailed report er erging sich in einem ausführlichen Bericht.

branch·age [*Br.* 'brɑːntʃidʒ; *Am.* 'bræ(ː)ntʃ-] *s* Geäst *n*, Astwerk *n*.

branch| bank *s econ.* 'Bankfiliˌale *f*, Zweigbank *f*. — ~ **bar** *s electr.* Abzweig(sammel)schiene *f*. — ~ **cock** *s tech.* Verteilungs-, Abzweigs-, Mehrwegehahn *m*.

branched [*Br.* brɑːntʃt; *Am.* bræ(ː)ntʃt] *adj* **1.** (*in Zusammensetzungen*) mit ... Zweigen *od.* Ästen, ...ästig, ...armig (*auch fig.*): bare-~ kahlästig; many-~ a) vielästig, b) mit vielen Filialen (*Geschäft*) *od.* Nebenlinien (*Eisenbahn*) *etc.* – **2.** in Zweige *od.* Äste *od.* 'Unterabˌteilungen *etc* geteilt, verästelt, verzweigt. – **3.** *bes. her.* Zweige *od.* Äste tragend *od.* habend.

branch·er [*Br.* 'brɑːntʃər; *Am.* 'bræ(ː)ntʃ-] *s* Ästling *m* (*junger Falke*).

branch·er·y [*Br.* 'brɑːntʃəri; *Am.* 'bræ(ː)ntʃ-] → branchage.

branch gap *s bot.* Zweigspur-Lücke *f* (*Parenchymgewebe zwischen den Leitbündelsträngen bei Abzweigung einer Seitenachse*).

branchi- [bræŋki] → branchio-.

bran·chi·a ['bræŋkiə] *pl* **-chi·ae** [-ˌiː] *s zo.* Kieme *f*.

bran·chi·al ['bræŋkiəl] *adj zo.* zu den Kiemen gehörig, Kiemen... — ~ **cleft** *s* Kiemenöffnung *f*.

bran·chi·ate ['bræŋkiit; -ˌeit], **bran'chif·er·ous** [-'kifərəs] *adj zo.* kiementragend, -atmend. — '**bran·chiˌform** [-ˌfɔːrm] *adj* kiemenähnlich, -förmig.

branch·ing [*Br.* 'brɑːntʃiŋ; *Am.* 'bræ(ː)ntʃiŋ] **I** *adj* **1.** Zweige tragend *od.* habend, sich verzweigend *od.* verästelnd (*auch fig.*). – **2.** geweihtragend (*Hirsch*). – **II** *s* **3.** Verzweigung *f*, Abzweigung *f*, Verästelung *f*, ˌRamifikati'on *f*: terminal ~ *med.* Endausbreitung.

branchio- [bræŋkio] *Wortelement mit der Bedeutung* Kieme.

bran·chi·o·car·di·ac [ˌbræŋkio'kɑːrdiˌæk] *adj zo.* Kiemen- u. Herz..., zu Kiemen u. Herz gehörig. — ˌ**bran·chi'og·e·nous** [-'ɒdʒənəs] *adj* ˌbranchio'gen, Kiemen...

bran·chi·o·pod ['bræŋkiəˌpɒd] *zo.* **I** *s pl* ˌ**bran·chi'op·o·da** [-'ɒpədə] Blatt-, Kiemenfüßer *m* (*Ordng Branchiopoda*). – **II** *adj* kiemenfüßig.

bran·chi·os·te·gal [ˌbræŋki'ɒstigəl] *zo.* **I** *adj* **1.** kiemenbedeckend. – **2.** die Kiemendeckelhaut betreffend. – **II** *s* **3.** Kiemenhautstützen *pl*. — ˌ**bran·chi'os·teˌgite** [-ˌdʒait] *s zo.* Kiemendeckelhaut *f*. — ˌ**bran·chi'os·te·gous** [-gəs] *adj zo.* **1.** → branchiostegal I. – **2.** mit Kiemendeckeln.

bran·chi·reme ['bræŋkiˌriːm] *s zo.* Kiemenfuß *m* (*der Branchiopoden*).

bran·chi·u·rous [ˌbræŋki'u(ə)rəs] *adj* zu den Kiemenschwänzen gehörig.

branch·let [*Br.* 'brɑːntʃlit; *Am.* 'bræ(ː)ntʃ-] *s* Zweiglein *n*, Ästchen *n*.

branch line *s* **1.** (*Eisenbahn*) Neben-, Seiten-, Zweiglinie *f*, -bahn *f*. – **2.** Seitenlinie *f* (*Geschlecht*). – **3.** *electr.* Anschlußleitung *f*.

branch·ling [*Br.* 'brɑːntʃliŋ; *Am.* 'bræ(ː)ntʃ-] → branchlet.

branch| point *s* **1.** *math.* Verzweigungspunkt *m*. – **2.** *electr. phys.* Abzweigpunkt *m*. — ~ **road** *s Am.* **1.** Nebenstraße *f*. – **2.** (*Eisenbahn*) Zweiglinie *f*. — ~ **school** *s mil.* Truppenschule *f*. — ~ **trace** *s bot.* Zweigspurstrang *m* (*Leitbündelanteil eines Zweiges in seiner Abstammungsachse*).

branch·y [*Br.* 'brɑːntʃi; *Am.* 'bræ(ː)ntʃi] *adj* **1.** zweige-, ästetragend, mit vielen Zweigen *od.* Ästen. – **2.** verästelt, verzweigt.

brand [brænd] **I** *s* **1.** *econ.* Sorte *f*, Marke *f*, Klasse *f* (*Ware*). – **2.** *econ.* Fa'brik-, Handelsmarke *f*, Warenzeichen *n*. – **3.** Brandmal *n*, eingebranntes Zeichen (*auf Fässern, Vieh etc zur Bezeichnung der Eigentümerschaft, Qualität etc*). – **4.** → branding iron 1. – **5.** *fig.* Makel *m*, Schandfleck *m*: the ~ of Cain Kainszeichen, Blutschuld. – **6.** *bot.* Brand *m* (*Pilzerkrankung von Pflanzen*). – **7.** (Feuer)Brand *m* (*angebranntes, brennendes od. schon ausgelöschtes Stück Holz*). – **8.** *pl* (*Hüttenkunde*) Brände *pl* (*rohe, nicht ausgekohlte Holzkohlen*). – **9.** *obs.* a) Fackel *f*, b) (sengender Sonnen-, Blitz)Strahl, c) Schwert *n*, Klinge *f*. – **II** *v/t* **10.** (*Zeichen, Mal*) einbrennen (into, on *dat od.* in *acc*): it was ~ed on his mind *fig.* es wurde seinem Gedächtnis unauslöschlich eingeprägt. – **11.** mit einem Brandmal *od.* Warenzeichen versehen. – **12.** *fig.* brandmarken, beschimpfen, schänden, entehren.

brand·ed ['brændid] *adj* **1.** *econ.* mit einem eingebrannten Zeichen *od.* Warenzeichen *od.* einer Fa'brikmarke versehen. – **2.** *obs. od. dial.* (rostfarbig) gescheckt. — **~ drum** *s zo.* (*ein*) Adlerfisch *m* (*Sciaena ocellata*).

Bran·den·burg, b~ ['brændən,bəːrg] *s* Brande'bourg *m* (*Schnurverzierung an Uniformen od. Damenkleidern*).

brand·er ['brændər] **I** *s* **1.** Brandmarker *m.* – **2.** → **branding iron** 1. – **3.** → **brandreth** 2. – **II** *v/t u. v/i* **4.** *Scot. od. dial.* auf einem Bratrost braten. – **5.** *arch.* (*Deckbalken*) kreuzweise mit Leisten beschlagen.

brand goose *s irr* → **brant**^{1}.

bran·died ['brændid] *adj* **1.** mit Weinbrand versetzt *od.* behandelt. – **2.** in Weinbrand konser'viert (*Obst*).

brand·ing i·ron ['brændiŋ] *s* **1.** Brand-, Brenneisen *n* (*zum Einbrennen von Brandmalen*). – **2.** *tech.* Thermo'kauter *m.*

bran·dish ['brændiʃ] **I** *v/t* **1.** (*Waffe etc*) schwenken, schwingen. – **II** *v/i* **2.** *obs.* blitzen, funkeln. – **3.** geschwungen werden (*Waffe*). – *SYN. cf.* **swing**^{1}. – **III** *s* **4.** Schwung *m*, Hieb *m* (*mit Schwert, Degen etc*).

brand·ling ['brændliŋ] *s zo.* **1.** *Br. dial.* Lachs *m* im ersten Jahr. – **2.** (*ein*) Regenwurm *m* (*Allolobophora foetida*).

brand-new ['bræn(d)'njuː; *Am. auch* -'nuː] *adj* (funkel)nagelneu, fa'brikneu.

bran drench *s* (*Gerberei*) (*Art*) Kleiebad *n.*

bran·dreth ['brændriθ] *s* **1.** Einfassung *f* (*eines Brunnens*). – **2.** Gestell *n*, Stütze *f* (*eines Heuhaufens etc*). – **3.** *dial.* a) Bratrost *m*, b) Dreifuß *m.*

bran dust·er *s tech.* 'Kleien,reinigungsma,schine *f.*

bran·dy ['brændi] **I** *s* **1.** Branntwein *m*, Weinbrand *m*, Kognak *m*, Brandy *m.* – **II** *v/t* **2.** mit Branntwein versetzen *od.* mischen *od.* behandeln. – **3.** mit Branntwein erfrischen *od.* stärken. — **'~-and-'so·da** *s* Branntwein *m* mit Soda(wasser). — **'~,ball** *s Br.* Weinbrandkugel *f* (*Süßigkeit*). — **~ blos·som** *s sl.* Schnapsnase *f.* — **'~-,bot·tle** *s* Branntwein-, Kognakflasche *f.* — **~ mint** *s bot.* Pfefferminze *f* (*Mentha piperita*). — **,~-'paw·nee** [-'pɔːni] *s Br. Ind.* Kognak *m* mit Wasser. — **~ smash** *s Mischgetränk aus Brandy, Zucker, Wasser, Pfefferminz u. Eis.* — **~ snap** *s* (*Art*) dünner Pfefferkuchen. — **~ sour** *s Am.* Branntwein *m* mit Zi'tronen- *od.* Li'monensaft, Magenbitter u. Wasser. — **'~,wine** → brandy 1.

bran·gle ['bræŋgl] **I** *s obs. od. dial.* Zank *m.* – **II** *v/i obs.* zanken.

bra·ni·al ['breiniəl] *adj med.* cere'bral, Gehirn...

brank [bræŋk] **I** *v/i Scot. od. dial.* **1.** den Kopf aufwerfen *od.* hochtragen. – **2.** sich spreizen, stol'zieren. – **II** *s* **3.** *pl dial.* (*Art*) Zaum *m* mit hölzernen Seitenteilen. – **4.** *pl med.* Ziegenpeter *m*, Mumps *m.* – **5.** *meist pl hist. ein zaumartiges Strafinstrument für zänkische Weiber.*

brank·ur·sine [,bræŋk'əːrsin] *s bot.* Stachelbärenklau *f* (*Acanthus mollis*).

bran·le ['brɑːnl] *s hist.* Branle *m* (*alter franz. Tanz*).

bran-new ['bræn'njuː; *Am. auch* -'nuː] → **brandnew.**

bran·ny ['bræni] *adj* **1.** kleiehaltig, kleiig. – **2.** kleienartig, -förmig.

brant^1 [brænt] *pl* **brants** *od. collect.* **brant** *s zo.* (*eine*) Wildgans (*Gattg Branta*).

brant^2 [brænt] *adj u. adv obs. od. dial.* steil, jäh.

brant| fox *s zo.* Brandfuchs *m* (*Farbspielart von Canis vulpes*). — **~ goose** *s irr* → **brant**^{1}.

brash [bræʃ] **I** *s* **1.** (Abfall-, Trümmer-) Haufen *m* (*bes. Holzabfall od. Heckenschnitzel*). – **2.** *mar.* Eistrümmer *pl*, halb loses Packeis. – **3.** *geol.* Trümmergestein *n*, Schotter *m.* – **4.** *Br. dial.* saures Aufstoßen, Sodbrennen *n.* – **5.** *Br. dial.* Regenguß *m.* – **II** *adj* **6.** *Am.* bröckelig, spröde, morsch. – **7.** *colloq.* heftig, ungestüm. – **8.** *colloq.* draufgängerisch, 'unüber,legt, hastig. – **9.** *colloq.* frech.

brash·y ['bræʃi] *adj* **1.** bröckelig. – **2.** *Scot.* regnerisch.

bra·slip ['brɑːslip] *s* Büstenhalter *m* mit angearbeitetem 'Unterkleid.

brasque [*Br.* brɑːsk; *Am.* bræ(ː)sk] *tech.* **I** *s* Kohlengestübbe *n.* – **II** *v/t* (*Ofen, Tiegel etc*) mit Kohlengestübbe auskleiden *od.* ausfüttern.

brass [*Br.* brɑːs; *Am.* bræ(ː)s] **I** *s* **1.** Messing *n.* – **2.** *hist.* 'Kupferle,gierung *f*, Bronze *f*, Erz *n*: the age of ~ *fig.* das eherne Zeitalter; ~ for ordnance *mil.* Geschützbronze, Stückgut. – **3.** Messinggegenstand *m od.* -verzierung *f.* – **4.** *pl* Messinggeschirr *n*, -gerät *n*, -ware *f.* – **5.** *Br.* Grab-, Gedächtnisplatte *f*, Gedenktafel *f* (*aus Bronze od. Messing*). – **6.** *mus.* a) 'Blechinstru,ment *n*, b) *auch pl* Blech *n* (*Instrumente*), Blech(bläser *pl*) *n* (*Gruppe im Orchester*). – **7.** *tech.* Me'tallfutter *n*, Lagerschale *f* (*einer Radbüchse*). – **8.** *auch* **top** ~ *Am. sl. collect.* ‚hohe Tiere' *pl* (*bes. hohe Offiziere*). – **9.** *Br. sl.* ‚Pinke(pinke)' *f* (*Geld*). – **10.** *colloq.* Frechheit *f*, Unverschämtheit *f*, ‚Stirn' *f*: to have the ~ to die Frechheit haben zu; → **bold** 2. – **II** *adj* **11.** messingen, Messing...: ~ **plate** Messingschild, -platte. – **12.** Erz-..., ehern, bronzen. – **III** *v/t* **13.** mit Messing über'ziehen. – **14.** bron'zieren.

brass·age [*Br.* 'brɑːsidʒ; *Am.* 'bræ(ː)s-] *s hist.* Münz(präge)steuer *f.*

bras·sard ['bræsɑːrd], *auch* **'bras·sart** [-sərt] *s* **1.** *hist.* Armrüstung *f*, (*bes.* obere) Armschiene. – **2.** Armbinde *f* (*als Abzeichen*).

brass| band *s mus.* 'Blaska,pelle *f*, -or,chester *n.* — **~ bee·tle** *s zo.* Rosen-, Goldkäfer *m* (*Cetonia aurata*). — **~',bound** *adj* **1.** messingbeschlagen. – **2.** *sl. fig.* eisern, unbeugsam, fest.

brasse [bræs] *s zo.* Seebarsch *m* (*Labrax lupus*).

bras·se·rie [bras'ri] (*Fr.*) *s* 'Bierstube *f*, -lo,kal *n*, Restau'rant *n.*

brass| far·thing *s colloq.* roter Heller, ‚Pfifferling' *m*: I don't care a ~ ‚das kümmert mich einen Dreck'. — **~ hat** *s mil. sl.* ‚hohes Tier', hoher Offi'zier, 'Stabsoffi,zier *m.*

bras·si·ca ['bræsikə] *s bot.* Kohl *m* (*Gattg Brassica*). — **,bras·si'ca·ceous** [-'keiʃəs] *adj bot.* zu den Kreuzblütern gehörig.

brass·ie [*Br.* 'brɑːsi; *Am.* 'bræ(ː)si] *s sport* Golfholzschläger *m* Nr. 2.

bras·sière [*Br.* 'bræsi,ɛə; *Am.* brə'zir] *s* Büstenhalter *m.*

brass·i·ness [*Br.* 'brɑːsinis; *Am.* 'bræ(ː)s-] *s* **1.** messingartige *od.* -farbige Beschaffenheit. – **2.** *fig.* unverschämte *od.* herzlose Art, rücksichtslose Ausdrucksweise, Kälte *f.*

brass| knuck·les *s pl Am.* Schlagring *m.* — **~ rags** *s pl mar. Br.* Scheuerzeug *n*, -lappen *pl* (*der Matrosen*): to part ~ with s.o. *sl.* sich mit j-m verkrachen (*j-m die Freundschaft kündigen*). — **~ rule** *s print.* Messing-, Spaltenlinie *f.* — **~ tacks** *s pl sl.* Hauptsache *f*: to get down to ~ zur Sache *od.* auf den Kern der Sache kommen. — **'~,ware** → **brass** 4. — **~ wind** → **brass** 6.

brass·y [*Br.* 'brɑːsi; *Am.* 'bræ(ː)si] **I** *adj* **1.** messingen, messingbeschlagen. – **2.** messingartig, -farbig. – **3.** ehern, erzen (*auch fig.*). – **4.** *fig.* unverschämt, frech, rücksichtslos. – **5.** blechern (*Klang*). – **II** *s cf.* **brassie.**

bras·syl·ic ac·id [brə'silik] *s chem.* Bras'sylsäure *f* ($C_{13}H_{24}O_4$).

brat^1 [bræt] *s obs. od. dial.* Mantel *m* (*aus grobem Stoff*), grobe Schürze, Kinderlätzchen *n.*

brat^2 [bræt] *s* **1.** Balg *m*, Gör *n* (*verächtlich für Kind*). – **2.** Sprößling *m*, Kind *n.*

brat·tice ['brætis] **I** *s* **1.** *hist.* (*Festungsbau*) hölzerne Brustwehr (*auf den Zinnen einer Festung*). – **2.** (*Bergbau*) Schachtscheider *m*: air ~ Wetterscheider. – **3.** Bretter(scheide)wand *f.* **II** *v/t oft* ~ **up** **4.** durch eine Bretterwand trennen *od.* abteilen. – **5.** (*Bergbau*) (*Schacht*) verschlagen.

brat·tish ['brætiʃ] *adj* kindisch, ungezogen.

brat·tle ['brætl; 'brɑtl] *Scot. od. dial.* **I** *v/i* **1.** rasseln, prasseln. – **2.** rauschen. – **3.** geräuschvoll (um'her)rennen, da'hinrasseln. – **II** *s* **4.** Rasseln *n*, Prasseln *n.*

brau·na ['braunə] *s bot.* Brasil. Ba'rauna- *od.* Ga'raunabaum *m* (*Melanoxylon brauna*).

braun·ite ['braunait] *s min.* Brau'nit *m*, 'Hartman,gan(erz) *n.*

Braun's| a·nas·to·mo·sis [braunz] *s med.* Braunsche Anasto'mose. — **~ de·cap·i·tat·ing hook** *s med.* Braunscher (Schlüssel)Haken. — **~ liq·uid** *s chem.* Di'jodmethy,len *n* (CH_2J_2).

Braun tube *s phys.* Braunsche Röhre.

bra·va·do [brə'vɑːdou] **I** *s pl* **-does** *od.* **-dos** **1.** gespielte Tapferkeit, prahlerisches *od.* her'ausforderndes Benehmen, prahlerische Drohung, Bra'vade *f.* – **2.** *obs.* Prahler *m*, Maulheld *m.* – **II** *v/i* **3.** sich (als Held) aufspielen, sich her'ausfordernd benehmen.

brave [breiv] **I** *adj* **1.** tapfer, mutig, unerschrocken, kühn. – **2.** *obs.* fein, prächtig, stattlich, ansehnlich. – **3.** *obs.* glänzend, prunkhaft. – *SYN.* **bold, courageous, dauntless, intrepid, valiant.** – **II** *s* **4.** *poet.* Tapferer *m*, Mutiger *m.* – **5.** *Am.* (indi'anischer) Krieger. – **6.** *obs.* Her'ausforderung *f*, Prahle'rei *f.* – **III** *v/t* **7.** mutig begegnen, trotzen (*dat*): to ~ **a danger** einer Gefahr die Stirn bieten; to ~ it out sich herausfordernd *od.* trotzig benehmen. – **8.** hohnsprechen (*dat*), her'ausfordern. – **9.** *auch* ~ out *obs.* prahlen mit. – **IV** *v/i auch* ~ it **10.** tapfer handeln. – **11.** *obs.* prahlen.

brave·ly ['breivli] *adv* **1.** tapfer, brav, kühn, mutig. – **2.** *colloq.* wohl, gut, tüchtig.

brav·er ['breivər] *s* **1.** Tapferer *m*, Held *m.* – **2.** *obs.* Prahlhans *m.*

brav·er·y ['breivəri] *s* **1.** Tapferkeit *f*, Mut *m*, Unerschrockenheit *f.* – **2.** Stattlichkeit *f*, Glanz *m*, Pracht *f.* – **3.** Gepränge *n*, Prunk(stück *n*) *m*, Putz *m*, Staat *m.* – **4.** *obs.* Stutzer *m.* – **5.** *obs. für* **bravado** 1.

bra·vo^1 ['brɑːvou; 'brɑː'vou] **I** *interj* bravo! gut! – **II** *s pl* **-vos** Bravo(ruf *m*) *n*, Beifall(sruf) *m.*

bra·vo^2 ['brɑːvou; 'brei-] *pl* **-voes** *od.* **-vos** *s* Bravo *m*, Ban'dit *m*, (gedungener Meuchel)Mörder.

bra·vu·ra [brə'vju(ə)rə; -'vu(ə)rə] **I** *s* **1.** Bra'vour *f*, Meisterschaft *f.* – **2.** *mus. od. fig.* Bra'vourstück *n.* – **II** *adj* **3.** bravou'rös, Bravour...

brawl [brɔːl] **I** *s* **1.** Gezänk *n*, Kra'keel *m*, Lärm *m*, Geschrei *n.* – **2.** Tosen *n*, Rauschen *n* (*Fluß etc*). – **II** *v/i* **3.** kra'keelen, zanken, keifen, lärmen. – **4.** laut jammern, heulen, schreien, zetern. – **5.** tosen, rauschen (*Fluß etc*). – **III** *v/t* **6.** zanken *od.* streiten um (*etwas*). – **7.** heulend *od.* jammernd äußern. – **8.** *obs.* auszanken, schmähen.

brawl·ing ['brɔːliŋ] **I** *s* **1.** Gezänk *n*, Lärm *m*, Geschrei *n.* – **2.** *jur. Br.* Ruhestörung *f* (*in Kirchen od. an* *sonstigen geweihten Orten*). – **II** *adj* **3.** zänkisch, streitsüchtig. – **4.** laut, lärmend. – **5.** tosend, brausend (*Fluß*).

brawn [brɔːn] **I** *s* **1.** stark entwickelte Muskeln *pl*, musku'löser Teil (*eines Armes, Beines etc*). – **2.** *fig.* Muskelkraft *f*, Stärke *f*. – **3.** Eberfleisch *n*. – **4.** *dial.* Eber *m*, Schwein *n*. – **5.** Schweinskopfsülze *f*. – **6.** Hornhaut *f*. – **II** *v/t* **7.** (*Schwein*) mästen. – **8.** schwielig *od.* hart machen. – **III** *v/i* **9.** stark *od.* hart werden.

brawn·er ['brɔːnər] *s* geschlachteter Eber.

brawn·i·ness ['brɔːninis] *s* **1.** Muskelkraft *f*, Stämmigkeit *f*. – **2.** Härte *f*, Schwieligkeit *f*. — **'brawn·y** *adj* **1.** musku'lös, sehnig, fleischig. – **2.** stark, stämmig. – **3.** schwielig, hart.

brax·y ['bræksi] *Scot.* **I** *s* **1.** (apo'plektischer) Milzbrand (*Schaf*). – **2.** Fleisch *n* von (milz)kranken Schafen. – **II** *adj* **3.** von (milz)kranken Schafen 'herrührend (*Fleisch*).

bray[1] [brei] **I** *s* **1.** (*bes.* Esels)Schrei *m*. – **2.** widriger *od.* 'durchdringender *od.* gellender Ton, Kreischen *n*, Knirschen *n*, Schmettern *n*. – **II** *v/i* **3.** schreien, brüllen (*bes. Esel*). – **4.** widrig tönen, gellen, kreischen, knirschen, schmettern. – **III** *v/t* **5.** *oft* ~ **out** schrill *od.* kreischend erklingen lassen, hin'ausschreien, -kreischen.

bray[2] [brei] *v/t* **1.** (zer)stoßen, (zer)reiben, zermalmen, (zer)stampfen (*im Mörser*). – **2.** *print.* (*Farbe*) verreiben.

bray·er ['breiər] *s* **1.** Rühr-, Reib-, Mörserkeule *f*, Stößel *m*. – **2.** *print.* a) (Farb)Läufer *m*, b) Reibwalze *f*.

bra·ye·ra [brə'jɛ(ə)rə] *s* (Band)Wurmmittel *n* (*aus der abessinischen Kosoblüte Hagenia abyssinica*).

braze[1] [breiz] *v/t* **1.** mit Bronze über'ziehen *od.* verzieren, bron'zieren. – **2.** *poet.* bronzeartig färben (*von der untergehenden Sonne*).

braze[2] [breiz] **I** *v/t* **1.** *tech.* (hart)löten. – **2.** *fig.* (ver)härten, stählen. – **II** *s* **3.** *tech.* Hartlötstelle *f*.

bra·zen ['breizn] **I** *adj* **1.** ehern, bronzen, messingen: ~ **age** *fig.* ehernes Zeitalter. – **2.** *fig.* ehern (klingend), me'tallisch, schmetternd (*Ton*). – **3.** bronzefarben. – **4.** *fig.* unverschämt, schamlos, frech: **to put on a** ~ **face** sich mit Frechheit wappnen. – **II** *v/t* **5.** unverschämt *od.* frech machen. – **6.** *meist* ~ **out,** ~ **through** unverschämt behaupten *od.* verfechten *od.* 'durchsetzen. — **'~,face** *s* unverschämte *od.* schamlose Per'son. — **'~,faced** *adj* unverschämt, schamlos, frech.

bra·zen·ness ['breiznnis] *s* **1.** eherne *od.* bronzene Beschaffenheit. – **2.** *fig.* Unverschämtheit *f*.

braz·er ['breizər] *s tech.* Hartlöter *m*.

bra·zier[1] ['breiziər; -ʒər] *s* **1.** Messingarbeiter *m*, Kupferschmied *m*. – **2.** *tech.* Klempner *m*. – **3.** *tech.* Gelb-, Rotgießer *m*.

bra·zier[2] ['breiziər; -ʒər] *s* **1.** (*große*) flache Kohlenpfanne, (*korbförmiger*) Rost. – **2.** *mil.* Bunkerofen *m*.

bra·zier·y ['breiʒəri; -ziəri] *s* **1.** *tech.* ,Rot-, ,Gelbgieße'rei *f*. – **2.** Messingware(n *pl*) *f*.

bra·zil[1] [brə'zil] *s* **1.** → ~**wood.** – **2.** *obs.* roter Farbstoff aus Bra'silholz.

braz·il[2] ['bræzil] *s Br. dial.* **1.** Schwefelkies *m* (FeS_2). – **2.** Schwefelkies führende Kohle.

bra·zil·e·in [brə'ziliin] *s chem.* ,Brasile'in *n* ($C_{16}H_{12}O_5$).

braz·i·lette [,bræzi'let; -zə-] *s* Brasi'lettoholz *n* (*von Haematoxylon brasiletto*).

Bra·zil·ian [brə'ziljən] **I** *s* Brasili'aner(in). – **II** *adj* brasili'anisch. — ~ **peb·ble** *s* (Brillenglas *n* aus) brasil. 'Bergkri,stall *m*. — ~ **tea** *s* **1.** Mate(tee) *m*, Para'guaytee *m*. – **2.** *Tee aus getrockneten Blättern von* a) *Lantana pseudothea,* b) *Stachytarpheta indica,* c) *Stachytarpheta jamaicensis.*

braz·i·lin ['bræzilin; -zə-] *s chem.* Brasi'lin *n* ($C_{16}H_{14}O_5$; *roter Farbstoff*).

Bra·zil nut [brə'zil] *s bot.* Paranuß *f* (*Frucht des Juvia-Nußbaumes Bertholletia excelsa*). — **bra'zil,wood** *s das Rotholz verschiedener Caesalpinia-Arten, bes.* a) Indisches Rotholz (*von C. sappan*), b) Bra'silien-, Pernam'bucoholz *n* (*von C. echinata*), c) Ba'hama-, Brasi'lettholz *n* (*von C. brasiliensis*), d) Martins-, St. Marthaholz *n* (*von C. crista*).

breach [briːtʃ] **I** *s* **1.** *fig.* Bruch *m*, Über'tretung *f*, Verletzung *f*, Verstoß *m*. – **2.** Bruch *m*, Riß *m*, Sprung *m*. – **3.** *fig.* Bruch *m*, Zwiespalt *m*, Zwist *m*, Uneinigkeit *f*: ~ **of friendship** Verletzung *od.* Bruch der Freundschaft. – **4.** *mil.* Bresche *f*, Wallbruch *m*, Sturmlücke *f*, Einbruchstelle *f*: **practicable** ~ gangbare Bresche. – **5.** Sprung *m* (eines Wals aus dem Wasser). – **6.** *mar.* Brechen *n* (*der Wellen, z. B. über einem Schiff*), Brandung *f*. – **7.** *tech.* 'Durchbruch *m*. – **8.** *obs.* (on, upon) Angriff *m* (auf *acc*), Einfall *m* (in *acc*), 'Herfallen *n* (über *acc*). – **II** *v/t* **9.** *mil.* eine Bresche legen *od.* schlagen in (*acc*), durch'brechen (*auch fig.*). – **III** *v/i* **10.** aus dem Wasser springen (*Wal*). –

Besondere Redewendungen:

~ **of arrestment** *jur.* Bruch der Beschlagnahme, ungesetzliche Veräußerung gepfändeten Eigentums; ~ **of close** *jur.* unbefugtes Betreten fremden eingefriedigten Grundes; ~ **of commandment** Übertretung eines Befehls; ~ **of confidence** Vertrauensbruch; ~ **of contract,** ~ **of covenant** *jur.* Vertragsbruch; ~ **of discipline** Disziplinarvergehen; ~ **of etiquette** Verstoß gegen den guten Ton; ~ **of the law** Übertretung des Gesetzes; ~ **of an oath** Eidbruch; ~ **of (the) peace** *jur.* (Land)Friedensbruch, öffentliche Ruhestörung; ~ **of the rules** Verstoß gegen die Regeln; ~ **of trust** *jur.* Vertrauensbruch, -mißbrauch; → **duty** 1; **privilege** 1; **promise** 1.

breach·y ['briːtʃi] *adj* wild, unbändig (*Vieh, das die Umzäunung der Weide durchbricht*).

bread [bred] **I** *s* **1.** Brot *n*. – **2.** *fig.* (tägliches) Brot, 'Lebens,unterhalt *m*: ~ **riot** Hungerrevolte; **to earn** (*od.* **make**) **one's** ~ sein Brot verdienen; **out of** ~, **without** ~ brotlos. – **3.** *mar. obs.* Schiffszwieback *m*. – **4.** *Am. dial.* Maisbrot *n*. – **5.** *relig.* Hostie *f*. – **II** *v/t* **6.** (*Kochkunst*) pa'nieren. – **7.** mit dem täglichen Brot versehen. –

Besondere Redewendungen:

~ **and butter** a) Butterbrot, b) *colloq.* Lebensunterhalt; ~ **buttered on both sides** ungewöhnliches Glück; **to quarrel with one's** ~ **and butter** sich selbst im Lichte stehen, seinen eigenen Interessen schaden; **to take the** ~ **out of s.o.'s mouth** j-n brotlos machen; ~ **and cheese** bescheidenes Mahl; ~ **and milk** in heißer Milch aufgeweichtes Brot; **to eat the** ~ **of idleness** ein faules Leben führen; **to know which side one's** ~ **is buttered** wissen, wo Barthel den Most holt; seinen Vorteil wahrzunehmen wissen. –

'bread|-and-'but·ter I *adj* **1.** *colloq.* kindisch, unreif, knaben-, mädchenhaft: ~ **miss** Backfisch, Schulmädchen. – **2.** materia'listisch, pro'saisch (gesinnt), den Broterwerb *od.* 'Lebens,unterhalt suchend *od.* bezweckend: **a** ~ **education** eine nur auf den Broterwerb hinzielende Erziehung; ~-**-minded** nur aufs Geldverdienen bedacht, prosaisch *od.* materialistisch gesinnt. – **3.** *colloq.* nüchtern, wirklichkeitsnah, praktisch. – **4.** all'täglich, gewöhnlich. – **5.** *Dank für Gastfreundschaft ausdrückend*: ~ **letter.** – **II** *s* **6.** *bot.* a) → **toadflax,** b) → **greenbrier.** — **'~-and-'cheese** → **sorrel**[2]. — **'~,bas·ket** *s* **1.** Brotkorb *m*. – **2.** *fig.* Kornkammer *f*. – **3.** *sl.* Magen *m*. — ~ **bee·tle** *s zo.* Brotkäfer *m* (*Sitodrepa panicea*). — **'~,ber·ry** *s* **1.** Brotsuppe *f*. – **2.** (Brot-, Semmel)Brei *m*. — **'~,board** *s* **1.** *Am.* Brett *n* zum Kneten von (Brot)Teig. – **2.** *Br.* Brotschneidebrett *n*. — **'~,board con·struc·tion** *s electr.* Brettschaltung *f*, provi'sorischer Versuchsaufbau. — ~ **crumb** *s* **1.** Brotkrume *f*. – **2.** Krume *f* (*Weichteil des Brots*). — **'~,fruit** *s bot.* **1.** Brotfrucht *f* (*Frucht des Brotbaumes*). – **2.** Brot(frucht)baum *m* (*Artocarpus incisa*). – **3.** Okwabaum *m* (*Treculia africana*). — ~ **grain** *s* (Brot)Getreide *n*. — ~ **line** *s* Schlange *f* von Bedürftigen (*an die Nahrungsmittel verteilt werden*). — ~ **mo(u)ld** *s bot.* Brotschimmel *m* (*bes. Rhizopus nigricans*). — **'~,nut** *s bot.* Brotnußbaum *m* (*Brosimum alicastrum*). — ~ **pud·ding** *s* Brotpudding *m* (*Süßspeise aus Brotstücken u. Milch*). — **'~,root** *s bot.* Drüsenklee *m* (*Psoralea esculenta*). — ~ **sauce** *s* Brottunke *f* (*aus Brotkrumen, Milch, Zwiebeln u. Gewürzen, meist zu Geflügel*). — **'~,stuff** *s* **1.** Brotmehl *n*. – **2.** *pl* Brotgetreide *n*.

breadth [bredθ; bretθ] *s* **1.** Breite *f*, Weite *f*: **to a hair's** ~ aufs genau(e)ste, aufs Haar. – **2.** *fig.* Ausdehnung *f*, Fülle *f*, Größe *f*. – **3.** *fig.* Weit-, Hochherzigkeit *f*. – **4.** *tech.* Bahn *f*, Blatt *n*, Breite *f* (*Stoffe*). – **5.** *philos.* 'Umfang *m*, Bedeutung *f* (*eines Begriffs*). — **'breadth,ways, 'breadth,wise** *adv* der Breite nach, in der Breite.

bread| tree *s bot.* **1.** *eine afrik. Simaroubacee* (*Irvingia barteri*). – **2.** → **breadfruit** 2. — **'~,win·ner** *s* **1.** Ernährer *m*, (Geld)Verdiener *m* (*einer Familie*). – **2.** Erwerb *m*, Beruf *m*, Verdienstquelle *f*. — **'~,win·ning** *s* Broterwerb *m*, Verdienst *m*.

break[1] [breik] **I** *s* **1.** Ab-, Ent'zwei-, 'Durchbrechen *n*, (Zer)Brechen *n*, Bruch(stelle *f*) *m*, 'Durchbruch *m*, Riß *m*, Bresche *f*. – **2.** Öffnung *f*, Lücke *f* (*auch fig.*), Zwischenraum *m*, (kurze Ruhe)Pause, Unter'brechung *f*: ~ **on the horizon** lichte Stelle am (bewölkten) Horizont (*auch fig.*). – **3.** Lichtung *f*, 'Durchhau *m* (*im Wald*). – **4.** plötzlicher 'Übergang, Wechsel *m*: ~ **of the voice** Umschlagen der Stimme. – **5.** 'Ausbrechen *n* (*eines Gefangenen*), Fluchtversuch *m*: **to make a** ~ **for liberty.** – **6.** Anbruch *m*: ~ **of day** Tagesanbruch. – **7.** Unter'brechung *f* (*Handlung, Zustand*): **to hope for a** ~ **in the weather.** – **8.** Richtungswechsel *m*: **a** ~ **in one's course.** – **9.** *arch.* blinde Nische, Vertiefung *f*. – **10.** *electr.* ('Strom)Unter,brecher *m*, Stromwechsler *m*, Kommu'tator *m*. – **11.** *electr.* Unter'brechung *f*: ~ **in a circuit** Stromabbrechung. – **12.** *print.* a) Ausgang *m*, Absatz *m*, b) Gedankenstrich *m*. – **13.** Wagen *m* zum Einfahren junger Pferde. – **14.** (*Wagenbau*) Speichenmesser *m*, Radzirkel *m*. – **15.** (Flachs-, Hanf)Breche *f*, Brake *f*. – **16.** *Am. sl.* günstige Gelegenheit, Chance *f*: **lucky (bad)** ~ glücklicher (unglücklicher) Zufall. – **17.** *Am.* (*Börse*) Preis-, Kurssturz *m*. – **18.** *ling.* Zä'sur *f*, Einschnitt *m*, Pause *f*. – **19.** *mus.* a) (*bes. unausgeglichener*) Re'gisterwechsel, -,übergang (*der Stimme etc*), b) Re'gistergrenze *f*, Bruchstelle *f*, c) Versagen *n* (*im Ton*), d) Versager *m* (*Ton*), e) Repe'tieren *n* (*von Orgelregistern*), f) (*Jazz*) Break *n* (*kur-*

zes Zwischensolo). – **20.** (*Billard*) a) Serie *f*, b) erster Stoß, Anstoß *m*, c) Abweichen *n* des Balles aus seiner Richtung (*auch Kricket*). – **21.** *Am.* entscheidender Punkt *od.* Augenblick. – **22.** *Am. sl.* ungeschickte *od.* taktlose Bemerkung, Faux'pas *m*: **he made a bad ~**. –

II *v/t pret* **broke** [brouk] *obs.* **brake** [breik], *pp* **bro·ken** ['broukən] *obs.* **broke** **23.** ab-, auf-, 'durchbrechen, (er-, zer)brechen: **to ~ one's arm** (sich) den Arm brechen; **to ~ s.o.'s head** j-m den Schädel einschlagen; **to ~ a glass** ein Glas zerbrechen. – **24.** zerreißen, -schlagen, -trümmern: **to ~ the back** (*od.* **neck**) **of** a) (*etwas*) verderben, b) das Schwerste (*einer Sache*) hinter sich bringen, c) (*j-m*) das Rückgrat *od.* den Hals brechen (*auch fig.*), (*j-n*) zugrunde richten; **to ~ s.o.'s heart** j-s Herz brechen. – **25.** abstoßen, bestoßen: **to ~ the corners** *arch.* Kanten bestoßen. – **26.** erbrechen, aufbrechen: **to ~ a seal** ein Siegel (auf-, er)brechen. – **27.** *phys.* (*Licht*) brechen. – **28.** (*Zusammenhang*) aufheben, abbrechen, unter'brechen, trennen, sprengen: → **camp** 1; **to ~ company** a) auseinandergehen, b) (aus einer Gesellschaft) still aufbrechen, sich wegstehlen; **to ~ (one's) fast** das Fasten unterbrechen, frühstücken; **to ~ ranks** *mil.* wegtreten; **to ~ the ice** *fig.* das Eis brechen; **to ~ the silence** das Schweigen brechen; **to ~ a set** einen Satz *od.* eine Partie (*z.B. Gläser durch Zerbrechen od. Verkaufen eines einzelnen Teiles*) unvollständig machen; **to ~ a siege** eine Belagerung aufheben. – **29.** aufgeben, ablegen: **to ~ a custom** mit einer Gewohnheit brechen, sich etwas abgewöhnen; → **habit** 1. – **30.** (*Speise, Ware*) anbrechen: **to ~ the bulk** *econ. mar.* a) die Last brechen, (*Schiff*) zu löschen anfangen, b) *sl.* die Ladung bestehlen; **to ~ a bottle with s.o.** eine Flasche mit j-m trinken. – **31.** *fig.* (*Macht, Willen, Leidenschaft, Schlag*) brechen, vermindern, entkräften, (ab)schwächen: **to ~ s.o.'s resistance** j-s Widerstand brechen; **to ~ s.o.'s spirit** j-s Mut brechen, j-n mutlos machen. – **32.** *oft* **~ in** (*Tier*) zähmen, bändigen, abrichten, dres'sieren, (*Pferd*) zureiten, einfahren, *auch* (*j-n*) gewöhnen (**to an** *acc*): **to ~ a horse to harness (to rein)** ein Pferd einfahren (zureiten). – **33.** *fig.* (*Gesetz, Regel, Vertrag, Versprechen etc*) brechen, über'treten, verletzen: **to ~ bounds** die erlaubten Grenzen überschreiten, über die Stränge schlagen; **to ~ the rules** die Regeln verletzen; **to ~ the law** das Gesetz brechen; **to ~ faith with s.o.** j-m die Treue brechen; **to ~ a contract** einen Vertrag brechen. – **34.** *fig.* brechen, vernichten, zerstören, schädigen, zu'grunde richten, vereiteln, hinter'treiben, rückgängig machen. – **35.** *jur.* verwerfen, 'umstoßen: **to ~ a will** ein Testament (*durch gerichtliches Verfahren*) aufheben. – **36.** *econ.* bank'rott machen, rui'nieren: **to ~ a bank** eine Bank sprengen. – **37.** *mil.* (*Offizier*) verabschieden, entlassen, kas'sieren, degra'dieren. – **38.** (*Bahn*) brechen, (*Pfad*) bahnen: **to ~ a path** einen Weg bahnen. – **39.** *med.* a) (*Geschwür*) öffnen, b) verletzen, lä'dieren: **to ~ the skin.** – **40.** eröffnen, mitteilen, aussprechen, äußern, sagen: **to ~ a matter to s.o.** bei j-m etwas in Vorschlag *od.* aufs Tapet bringen; **to ~ news gently to s.o.** j-m eine Nachricht schonend beibringen. – **41.** **~ wind** a) einen (Darm-)Wind abgehen lassen, b) aufstoßen, rülpsen. – **42.** unter'brechen, abbrechen, (*beim Reiten*) aus (*der Gangart*) fallen. – **43.** foltern, martern, auf der *od.* die Folter strecken: → **wheel** 7. – **44.** **~ (the) ground** a) *agr.* ein Brachfeld 'umbrechen, -graben, -pflügen, b) *mil.* Laufgräben ziehen, c) Grund ausheben (*zum Bauen*), d) *fig.* anfangen, e) zu reden beginnen. – **45.** *tech.* a) niederschlagen, b) sprengen, spalten, c) (*Stoß etc*) abfangen, dämpfen: **to ~ the force of a fall.** – **46.** *electr.* a) (*Kontakt*) unter'brechen, b) ab-, ausschalten. – **47.** *math. phys.* (*Strahlen*) brechen. – **48.** *sport* (*Rekord*) brechen. – **49.** ausbrechen aus: **to ~ jail** aus dem Gefängnis ausbrechen. – **50.** *mus.* a) (*Akkord*) brechen, b) (*Notenwerte*) zerlegen, aufteilen, unter'teilen. –

III *v/i* **51.** brechen: **to ~ into a house** in ein Haus einbrechen. – **52.** (zer)brechen, zerspringen, -reißen, platzen, ent'zweigehen, ausein'anderfallen: **the chair will ~ under his weight.** – **53.** sich zersetzen: **cream ~s in the churn; oil ~s when heated.** – **54.** unter'brochen werden, den Zu'sammenhang verlieren. – **55.** plötzlich auftauchen (*von Fischen, die einen Satz aus dem Wasser machen, od. von einem auftauchenden U-Boot*). – **56.** brechen, (sich) teilen (*Wolken*). – **57.** *electr.* aussetzen, aufhören (*Strom*). – **58.** zersprengt werden, in Unordnung geraten, weichen (*Truppen*), sich auflösen (*Heer*), ausein'andergehen. – **59.** *med.* aufgehen, -platzen, -springen, -reißen (*Wunde, Geschwür*). – **60.** *fig.* brechen (*Herz, Kraft, Mut*). – **61.** geschwächt werden, abnehmen, gebrochen werden, vergehen, verfallen (*Geist od. Gesundheit*), alt *od.* schwach werden. – **62.** 'umschlagen, mu'tieren (*Stimme*). – **63.** *ling.* gebrochen werden (*Laut*). – **64.** *sport* a) in eine andere Gangart 'übergehen, die Gangart wechseln (*Pferd*), b) (*bes. Baseball u. Kricket*) die Flugrichtung ändern (*Ball*). – **65.** **~ sheer** *mar.* aus einer Lage brechen, vom Anker abgieren. – **66.** sich brechen, branden (*Wellen*). – **67.** aufgehen, brechen (*Eis*). – **68.** 'umschlagen (*Wetter*): **the drought will ~ soon.** – **69.** los-, aus-, her'einbrechen (**over** über *acc*): **the storm broke over us** der Sturm brach über uns los. – **70.** *fig.* (*mit Worten*) ausbrechen: **to ~ into laughter** in Gelächter ausbrechen. – **71.** *econ.* plötzlich im Preis *od.* Kurs fallen (*Ware, Wertpapier*). – **72.** *econ.* rui'niert werden, bank'rott machen *od.* gehen, fal'lieren. – **73.** (*Boxen*) ausein'andergehen, sich trennen: **~! break!** (*Aufforderung des Ringrichters an die Kämpfenden, aus dem Clinch zu gehen*). – **74.** *mus.* a) das Re'gister wechseln, b) (*im Ton*) versagen. –

Verbindungen mit Adverbien:

break| a·drift *v/i mar.* wegtreiben, sich losreißen (*auch fig.*). — **~ a·sun·der** *v/t u. v/i* ausein'ander-, entzweibrechen. — **~ a·way I** *v/t* **1.** ab-, 'durchbrechen, wegreißen. – **II** *v/i* **2.** los-, abbrechen. – **3.** sich losmachen *od.* -reißen. – **4.** sich da'vonmachen, weglaufen, -stürzen. — **~ down I** *v/t* **1.** ein-, niederreißen, (*Haus*) abbrechen, -reißen. – **2.** (*Bergbau*) hauen. – **3.** *fig.* brechen, besiegen, beugen, zu'grunde richten. – **4.** zerlegen, aufgliedern, analy'sieren. – **5.** *chem.* aufspalten. – *SYN. cf.* **analyze.** – **II** *v/i* **6.** zu'sammenbrechen. – **7.** versagen (*Maschine, Stimme, Schüler beim Examen*), steckenbleiben, eine Panne haben (*Auto*). – **8.** zerbrechen, in die Brüche gehen (*auch fig.*). – **9.** stürzen (*Pferd*). — **~ e·ven** *v/i colloq.* ungeschoren da'vonkommen. — **~ forth** *v/i* **1.** her'vorbrechen. – **2.** sich plötzlich erheben (*Geschrei*). — **~ in I** *v/i* **1.** einbrechen, -dringen: **to ~ upon s.o.** hereinplatzen bei j-m. – **2.** **~ on** (*etwas*) unter'brechen (*Besucher*). – **II** *v/t* **3.** (*Tür*) aufbrechen, erbrechen, gewaltsam öffnen. – **4.** → **break**[1] 32. – **5.** (*Schuhe*) eintreten. — **~ loose I** *v/t* **1.** los-, abbrechen. – **II** *v/i* **2.** losgehen, abbrechen, sich befreien, sich losreißen. – **3.** (*aus der Haft*) ausbrechen, -reißen. – **4.** *mar.* abtreiben. — **~ off I** *v/t* **1.** (*Stück*) abbrechen. – **2.** (*Rede, Freundschaft etc*) abbrechen, (*Schweigen etc*) (unter)'brechen, Schluß machen mit: **to ~ an engagement** eine Verlobung (auf)lösen; **to ~ a match** eine Heirat hintertreiben: **to ~ negotiations** Verhandlungen abbrechen. – **II** *v/i* **3.** abbrechen. — **~ o·pen I** *v/t* (*Tür, Brief etc*) aufbrechen, erbrechen, öffnen, (*Tor*) sprengen. – **II** *v/i* aufgehen, sich öffnen. — **~ out I** *v/t* **1.** (her)'aus-, losbrechen. – **II** *v/i* **2.** ausbrechen (*Feuer, Krankheit, Krieg, Gefangener etc*). – **3.** her'vorbrechen, sich zeigen, plötzlich auftreten. – **4.** einen Ausschlag bekommen. – **5.** *fig.* über die Stränge schlagen. — **~ short** *v/i* kurz abbrechen. — **~ through I** *v/t* durch'brechen, (*Schwierigkeit etc*) über'winden, (*Gesetz*) über'treten. – **II** *v/i* 'durchbrechen, her'vorkommen. — **~ up I** *v/t* **1.** abbrechen, (*Sitzung etc*) aufheben, beendigen, schließen, (*Haushalt etc*) auflösen. – **2.** erschöpfen, (*Gesundheit*) zerrütten. – **3.** (*Weg*) aufreißen, -wühlen, ausfahren. – **4.** (*Wild*) aufbrechen, ausweiden, zerlegen. – **5.** (*Erde*) aufbrechen, (*Land*) zum ersten Male 'umgraben *od.* pflügen. – **II** *v/i* **6.** aufbrechen, zerbrechen (*Eis*). – **7.** aufbrechen, ausein'ander gehen, sich auflösen, sich trennen. – **8.** aufhören, aufgehoben werden (*Sitzung*), schließen (*Schule*). – **9.** sich zerteilen *od.* auflösen (*Nebel*), sich aufklären (*Wetter*), nachlassen (*Frost*). – **10.** ausgefahren werden (*Weg*). – **11.** (*gesundheitlich*) zu'sammenbrechen, verfallen: **he is breaking up** es geht zu Ende mit ihm.

break[2] [breik] *s* Break *m, n* (*Art Kremser mit zwei Längssitzen*).

break·a·ble ['breikəbl] *adj* zerbrechlich. — **'break·age** *s* **1.** Brechen *n*, Zerbrechen *n*, Bruch *m*, durch Bruch entstandener Schaden. – **2.** *econ.* Re'faktie *f*, Gewichts- *od.* Preisabzug *m od.* Vergütung *f* wegen Bruchschadens.

'break'bone fe·ver *s med.* Denguefieber *n* (*trop. Infektionskrankheit*).

break·down ['breik,daun] *s* **1.** Zu'sammenbruch *m*, Versagen *n* (*Maschine, Gesundheit*): **nervous ~** Nervenzusammenbruch. – **2.** Panne *f* (*Fahrzeugschaden*), (Betriebs)Störung *f*. – **3.** Scheitern *n*: **~ of negotiations.** – **4.** Zerlegung *f*, Aufgliederung *f*, -schlüsselung *f*, Verteilung *f*, Ana'lyse *f*. – **5.** *chem.* Zersetzung *f*, Aufspaltung *f*, Ana'lyse *f*. – **6.** *Am.* geräuschvoller Volkstanz, Kehraus *m*. — **~ gang** *s* 'Unfallko,lonne *f*, Hilfsmannschaft *f*. — **~ lor·ry** *s* Abschleppwagen *m*.

break·er ['breikər] *s* **1.** Brecher *m*, Zerstörer *m*, Zertrümmerer *m* (*Person od. Maschine*): **coal-~.** – **2.** Abrichter *m*, Bändiger *m*, Dres'seur *m*: → **horse-~.** – **3.** Sturzwelle *f*, Brecher *m*: **~s** Brandung. – **4.** Über'treter *m* (*von Gesetzen od. Vorschriften*): → **law-~.** – **5.** *electr.* Unter'brecher *m*. – **6.** *tech.* *Name für verschiedene Werkzeuge u. Geräte*: a) (*Kürschnerei*) Schabmesser *n*, b) Halbzeugholländer *m*, Lumpenzerreißer *m*. — **~ bolt** *s tech.* Zerreißbolzen *m*. — **~ card** *s tech.* Vor-, Grob-, Rauhkarde *f*, Reißkrempel *f*. — **~ plate** *s* **1.** (*Hammerwerk*) Prallfläche *f*. – **2.** *electr.* Unter'brecherplatte *f*. — **~ point** *s tech.* Unter-

ˈbrecherkonˌtakt *m.* — ~ **strip** *s* Verstärkung *f* des Autoreifens.

break·fast [ˈbrekfəst] **I** *s* Frühstück *n.* – **II** *v/i* frühstücken: to ~ on s.th. etwas zum Frühstück einnehmen *od.* essen. – **III** *v/t* (*j-m*) das Frühstück serˈvieren *od.* bereiten. — ~ **food** *s* Frühstücksnahrung *f*, -kost *f* (*aus Getreidenährmitteln, z.B. Maisflocken*).

break·ing [ˈbreikiŋ] *s ling.* Brechung *f* (*Diphthongierung unter bestimmten phonetischen Voraussetzungen*). — ~ **a·part** *s biol.* Zerfall *m.* — ~ **cur·rent** *s electr.* ˈÖffnungs(induktiˌons)strom *m.* — ~ **de·lay** *s* **1.** *aer.* Abfallverzögerung *f* (*Fallschirm*). – **2.** *electr.* Abfallverzögerung *f* (*Relais*). — ~ **dil·a·ta·tion** *s phys.* Bruchdehnung *f.*

ˈ**break·ing-ˈdown** *s tech.* Einschmelzung *f.* — ~ **mill** *s tech.* Blockbrecher *m*, Vorwalzwerk *n.* — ~ **volt·age** *s electr.* ˈDurchschlagˌspannung *f.*

break·ing| fac·tor *s phys. tech.* Bruchfaktor *m.* — ˈ~-ˈ**in** *s* **1.** Einbruch *m.* – **2.** Traiˈnieren *n*, Abrichten *n* (*Tier*), Zureiten *n* (*Pferd*). – **3.** Eingewöhnung *f*, Anlernen *n.* — ~ **load** *s phys.* Bruchlast *f.* — ~ **of the voice** *s med.* Muˈtieren *n*, Stimmbruch *m*, -wechsel *m.* — ~ **point** *s* **1.** *phys. tech.* Bruch-, Festigkeitsgrenze *f.* – **2.** Bruchstelle *f.* – **3.** Ende *n* der Kräfte: they tortured him to the ~. — ~ **strain** → breaking stress. — ~ **strength** *s* **1.** *phys. tech.* Bruchfestigkeit *f.* – **2.** *biol.* Knickfestigkeit *f.* — ~ **stress,** ~ **ten·sion** *s tech.* **1.** Bruchbeanspruchung *f.* – **2.** Knickspannung *f.* — ~ **test** *s tech.* Bruchprobe *f.*

break| key *s electr.* Unterˈbrechertaste *f.* — ˈ~ˌ**neck** *adj* halsbrecherisch, gefährlich (*auch fig.*): ~ speed halsbrecherisches Tempo. — ˈ~ˌ**proof** *adj tech.* bruchsicher. — ~ **spark** *s electr.* Unterˈbrechungsfunke *m.* — ˈ~ˌ**stone** → saxifrage. — ˈ~ˌ**through** *s bes. mil.* ˈDurchbruch *m*: a ~ in prices ein Preisdurchbruch. — ˈ~ˌ**up**, *Br.* ˈ~-ˌ**up** *s* **1.** (Ab-, Auf)Brechen *n*, Zerbrechen *n*, Zerkleinern *n.* – **2.** Entlassung *f*, Auflösung *f* (*Truppen etc*). – **3.** Aufbrechen *n*, Aufbruch *m* (*Gesellschaft*). – **4.** Schluß *m* (*Schule etc*). – **5.** *fig.* ˈUntergang *m*, Ruˈin *m*, Ver-, Zerfall *m.* — ˈ~ˌ**wa·ter** *s* Wellenbrecher *m.*

bream[1] [briːm] *s zo.* **1.** Brachsen *m*, Brassen *m* (*Abramis brama*): white ~ Blicke, Güster (*Blicca björkna*). – **2.** (*ein amer.*) Stachelflosser *m* (*Gattg Lepomis*).

bream[2] [briːm] *v/t mar.* (*Schiffsboden etc*) durch Ausbrennen u. Auskratzen reinigen: to ~ a ship ein Schiff (rein)brennen (*zum Kalfatern*).

breast [brest] **I** *s* **1.** Brust *f* (*Mensch u. Tier*), (weibliche) Brust: an infant at the ~; to give the ~ to a baby einem Kinde die Brust geben. – **2.** *fig.* (*als Sitz der Gefühle*) Brust *f*, Herz *n*, Busen *m*, Gewissen *n*: to make a clean ~ of s.th. sich etwas vom Herzen reden, etwas offen eingestehen. – **3.** Brustwarze *f*, Zitze *f.* – **4.** Vorderseite *f*, Rundung *f*, Wölbung *f*: the ~ of a hill. – **5.** *agr.* Streichbrett *n* (*eines Pfluges*). – **6.** *arch.* a) Brüstung *f* (*Mauer zwischen Fensterbrett u. Fußboden*), b) Brandmauer *f*, c) unterer Teil (*eines Geländers*). – **7.** *tech.* Ofenbrust *f*: ~ of a furnace. – **8.** Brust(stück *n*) *f*: the ~ of a jacket. – **II** *v/t* **9.** gerade *od.* mutig losgehen auf (*acc*), (*Berg*) angehen, ersteigen: to ~ a hill. – **10.** sich stemmen gegen (*etwas*), trotzen (*dat*), die Stirn bieten (*dat*), ankämpfen gegen (*etwas*): to ~ the waves gegen die Brandung ankämpfen (*auch fig.*); to ~ oneself to s.th., to ~ s.th. out sich einer Sache mutig entgegenstellen. – **III** *v/i* **11.** vordringen. — ~ **back·stay** *s mar.* ˈSeitenparˌdune *f.* — ˈ~ˌ**beam** *s* **1.** (*Weberei*) Brust-, Stiftbaum *m*, Spanne *f* (*beim Webstuhl*). – **2.** *mar. Name gewisser Balken*: ~ of the forecastle achterster Balken der Back; ~ of the poop vorderster Balken des Hüttendecks. — ˈ~ˈ**bone** *s med.* Brustbein *n*, Sternum *n.* — ~ **col·lar** *s* Brust-, Zugblatt *n* (*des Pferdegeschirrs*). — ~ **cut** *s* (*Kochkunst*) Bruststück *n.* — ˈ~-ˈ**deep** *adj* brusthoch, bis an die Brust reichend. — ~ **drill** *s tech.* ˈHandbohrmaˌschine *f.*

breast·ed [ˈbrestid] *adj* (*in Zusammensetzungen*) ...brüstig: broad-~ breitbrüstig; narrow-~ engbrüstig.

breast| fast *s mar.* Schiffstau *n*, Dwarstau *n* (*zur Befestigung des Schiffes am Lande*). — ˈ~-ˌ**fed** *adj* mit Muttermilch genährt: ~ child Brustkind. — ~ **feed·ing** *s* Ernährung *f* mit Muttermilch, Stillen *n*, Brustnahrung *f.* — ~ **glass** *s med.* Milchpumpe *f.* — ~ **har·ness** *s* Sielengeschirr *n* (*bei Zugtieren*). — ˈ~ˌ**height** *s* **1.** Brusthöhe *f.* – **2.** *mil. tech.* Brüstung *f*, Brustlehne *f.* — ˈ~-ˈ**high** *adj* brusthoch, bis an die Brust reichend: ~ scent *hunt.* starke Witterung. — ˈ~ˌ**hook** *s mar.* Bugband *n* (*eines Schiffes*).

breast·ing [ˈbrestiŋ] *s* **1.** *mil.* → breastwork 2. – **2.** *tech.* Kropf *m*, Sattel *m*, gebogene Laufrinne (*eines Kropfrades*).

breast| line *s tech.* Spanntau *n.* — ~ **milk** *s* Muttermilch *f.* — ~ **mo(u)ld·ing** *s arch.* **1.** Brüstungsgesims *n* (*einer Fensterbank*). – **2.** Getäfel *n* ˈunterhalb des Fensters. — ~ **nip·ple** *s* Brustwarze *f.* — ˈ~ˌ**piece** *s* Bruststück *n* (*eines Kleidungsstücks*). — ˈ~ˌ**pin** *s* Brust-, Busen-, Kraˈwattennadel *f.* — ˈ~ˌ**plate** *s* **1.** Brustharnisch *m.* – **2.** *zo.* a) Bauchplatte *f*, -schild *m* (*der Schildkröte*), b) Brustplatte *f* (*bei Spinnen*). – **3.** Vorderzeug *n*, Brustgurt *m* (*am Pferdegeschirr*). – **4.** *tech.* Brustplatte *f* (*der Handbohrmaschine*). – **5.** *Am.* Brustschmuck *m* (*Metallscheibe, bes. bei Indianern*). — ˈ~ˌ**plough,** *Am.* ˈ~ˌ**plow** *s agr.* Abstech-, Rasenpflug *m.* — ~ **pock·et** *s* Brusttasche *f.* — ~ **pump** *s med.* Milchpumpe *f.* — ˈ~ˌ**rail** *s mar.* Reling *f.* — ˈ~ˌ**rope** *s mar.* Querleine *f* (*zum Festmachen des Schiffes am Kai*). — ~ **strap** *s* Kummetriemen *m* (*am Pferdegeschirr*). — ~ **stroke** *s* (*Schwimmen*) Bruststil *m.* — ~·**sum·mer** [ˈbrestˌsʌmər; ˈbresəmər] → bressummer. — ~ **wall** *s arch.* **1.** Futter-, Stützmauer *f* (*am Fuße eines Abhanges*). – **2.** brusthohe Mauer. – **3.** Brustwehr *f*, Geländer *n.* — ~ **wheel** *s tech.* Kopfrad *n* einer Mühle, mittelschlächtiges Wasserrad. — ˈ~ˌ**wise** → abreast I. — ˈ~ˌ**wood** *s bot.* Wasserschoß *m* (*an Spalierbäumen*). — ˈ~ˌ**work** *s* **1.** *arch.* Brustwehr *f.* – **2.** *mil.* Brustwehr *f*, Feldschanze *f.* – **3.** *mar.* Reling *f*, Schanzkleid *n.*

breath [breθ] *s* **1.** Atem *m*: to draw ~ Atem holen; to gasp for ~ nach Luft schnappen; to hold one's ~ den Atem anhalten; to take ~ Atem schöpfen, verschnaufen (*auch fig.*); to take s.o.'s ~ away j-m den Atem verschlagen (*in Erstaunen versetzen*); to waste one's ~ *fig.* in den Wind reden; out of ~ außer Atem; short of ~ kurzatmig; under (*od.* below) one's ~ im Flüsterton, flüsternd; with his last ~ mit seinem letzten Atemzug. – **2.** Atemzug *m*, Augenblick *m*: in the same ~ im gleichen Augenblick *od.* Atemzug. – **3.** *fig.* Hauch *m*, Spur *f*, leise Andeutung: a ~ of scandal. – **4.** Hauch *m*, Lüftchen *n*, leichte Brise: a ~ of wind. – **5.** Duft *m*, Geruch *m*: a ~ of roses. – **6.** Hauch *m* (*Niederschlag des Atems*): it was so cold that we could see our ~. – **7.** *ling.* stimmloser Hauch (*bei gewissen Lauten*).

breathe [briːð] **I** *v/i* **1.** (ein- u. aus)atmen, *fig.* leben. – **2.** Atem holen *od.* schöpfen: to ~ again (erleichtert) aufatmen. – **3.** (sich) verschnaufen, sich erholen: give me a chance to ~. – **4.** hauchen: to ~ upon s.th. etwas anhauchen. – **5.** duften, riechen (of nach): to ~ of roses. – **II** *v/t* **6.** (*etwas*) (ein- u. aus)atmen: to ~ in the fresh air; to ~ vengeance Rache schnauben; → last[1] *b. Redw.* – **7.** *med.* öffnen: to ~ a vein zur Ader lassen. – **8.** *fig.* atmen, ausströmen: to ~ simplicity. – **9.** flüstern, hauchen, leise äußern: to ~ a wish. – **10.** verlauten lassen, verraten: don't ~ a word of this to anyone. – **11.** verschnaufen *od.* ausruhen lassen: to ~ a horse. – **12.** *ling.* stimmlos aussprechen.

breathed [briːðd; breθt] *adj ling.* stimmlos.

breath·er [ˈbriːðər] *s* **1.** Atem-, Ruhepause *f.* – **2.** *colloq.* Atemübung *f.* – **3.** Atmender *m.* – **4.** *tech.* Entlüfter *m* (*am Verbrennungsmotor*).

breath·ing [ˈbriːðiŋ] **I** *s* **1.** Atmen *n*, Atmung *f*, Atemübung *f*: deep ~ Atemgymnastik. – **2.** Seufzer *m*, geheimer Wunsch. – **3.** schwache Luftbewegung. – **4.** *ling.* Hauchlaut *m*, Aspiratiˈon *f.* – **5.** Atemzug *m*, Dauer *f* eines Atemzuges. – **II** *adj* **6.** lebenswahr, leibhaftig (*Bild etc*). — ~ **ap·pa·ra·tus** *s tech.* Atemgerät *n*, ˈSauerstoffappaˌrat *m.* — ~ **hole** *s* Luftloch *n.* — ~ **mark** *s mus.* Atemzeichen *n* (*für Sänger*). — ~ **place** *s* **1.** (Atem)Pause *f*, Zäˈsur *f.* – **2.** → breathing hole. — ~ **space,** *Am. auch* ~ **spell,** ~ **time** *s* Zeit *f* zum Atemschöpfen, (Atem)Pause *f.*

breath·less [ˈbreθlis] *adj* **1.** außer Atem, atemlos (*auch fig.*): with ~ attention mit atemloser Spannung. – **2.** leblos, tot. – **3.** atemberaubend: a ~ ride. – **4.** windstill: a ~ day. — ˈ**breath·less·ness** *s* Atemlosigkeit *f*, Atemnot *f.*

breath| sup·port *s mus.* Atemstütze *f.* — ˈ~ˌ**tak·ing** *adj* atemberaubend.

breath·y [ˈbreθi] *adj* mit Atemgeräusch (*Stimme*), hauchig, gehaucht.

brec·ci·a [ˈbretʃiə; ˈbreʃ-] *s geol.* Breccie *f*, Brekzie *f*, Brocken-, Trümmergestein *n.* — ˈ**brec·ciˌat·ed** [-ˌeitid] *adj* breccienartig, Breccien...: ~ marble Brecciamarmor. — ˌ**brec·ciˈa·tion** *s* breccienartige Beschaffenheit.

bred [bred] *pret u. pp von* breed.

breech [briːtʃ] **I** *s* **1.** ˈHinterteil *n*, Hinterer *m*, Gesäß *n.* – **2.** hinterer *od.* rückwärtiger Teil, Boden *m*: ~ of trousers Hosenboden; ~ of a rifle Verschlußstück eines Hinterladers. – **3.** *tech.* a) Verschluß *m*, b) unterster Teil eines Flaschenzugs. – **4.** *pl* → breeches. – **II** *v/t* **5.** behosen, mit Hosen bekleiden. – **6.** (*Hinterlader*) mit einem Verschlußstück versehen. — ~ **ac·tion** *s* ˈHinterladevorrichtung *f.* — ˈ~ˌ**block** *s* **1.** *mil.* Verschlußstück *n* (*an Hinterladern*), (Geschütz)-Verschlußblock *m*, -keil *m.* – **2.** *tech.* Verschluß *m.* — ˈ~ˌ**cloth,** *Am. auch* ˈ~ˌ**clout** *s* Lendenschurz *m.* — ~ **de·liv·er·y** *s med.* Steißgeburt *f.*

breeched [briːtʃt; britʃt] *adj* **1.** behost. – **2.** *mar.* mit einem Broktau versehen (*Geschütz*).

breech·es [ˈbritʃiz] *s pl* Breeches *pl*, Knie-, Reithose(n *pl*) *f*: → wear[1] 1. — ~ **buoy** *s mar.* Hosenboje *f.*

breech·ing [ˈbritʃiŋ; ˈbriː-] *s* **1.** *tech.* Schornsteinfuchs *m.* – **2.** ˈHinterzeug *n*, ˈUmgang *m* (*am Pferdegeschirr*). –

3. *mar.* Brok *f*, Sicherungstau *n* (*eines Schiffsgeschützes*).
'breech|'load·er *s* 'Hinterlader *m*. — **'~-'load·ing I** *s* 'Hinterladung *f*. — **II** *adj* von hinten zu laden, Hinterladungs... — **~ pres·en·ta·tion** *s med.* Steißlage *f*. — **~ sight** *s mil.* hinteres Vi'sier (*Gewehr*). — **~ wedge** *s mil.* (Verschluß)Keil *m* (*Geschütz*).
breed [bri:d] **I** *v/t pret u. pp* **bred** [bred] **1.** erzeugen, her'vorbringen, gebären. – **2.** (*Tiere*) züchten: to ~ cattle; a French-bred horse ein Pferd aus franz. Gestüt. – **3.** (*Pflanzen*) züchten, ziehen: to ~ roses. – **4.** *fig.* her'vorrufen, her'beiführen, entstehen lassen: → blood 2; dirt ~s diseases Schmutz ruft Krankheiten hervor; stagnant water ~s mosquitos stehendes Gewässer fördert die Vermehrung der Stechmücken. – **5.** aufziehen, erziehen, ausbilden: to ~ s.o. a scholar j-n für die Laufbahn eines Gelehrten erziehen; → well-bred. – *SYN.* beget, generate, propagate, reproduce. – **II** *v/i* **6.** Nachkommenschaft her'vorbringen *od.* zeugen, sich fortpflanzen, sich vermehren: maggots ~ readily in cheese Maden entstehen *od.* vermehren sich leicht im Käse; → in-and-in; true 17. – **7.** brüten. – **8.** *fig.* ausgebrütet *od.* ausgeheckt werden: crime ~s in slums. – **III** *s* **9.** Rasse *f*, Art *f*, Zucht *f*, Brut *f*: ~ of horses Zucht Pferde, Gestüt. – **10.** 'Herkunft *f*, Stamm *m*, Schlag *m*: a fine ~ of men ein schöner Menschenschlag.
breed·er ['bri:dər], **~ pile**, **~ re·ac·tor** *s phys.* 'Brut-, 'Brütre͵aktor *m*, Brutmeiler *m*, regenera'tiver Re'aktor.
breed·ing ['bri:diŋ] *s* **1.** Zeugen *n*, Fortpflanzung *f*, Gebären *n*. – **2.** Erziehung *f*. – **3.** Bildung *f*, Lebensart *f*, gutes Benehmen: bad ~ schlechte Manieren; a person of good ~ ein gebildeter *od.* wohlerzogener Mensch. – **4.** Züchten *n*, Ziehen *n*, (Auf)Zucht *f*, Züchtung *f* (*Tiere u. Pflanzen*): ~ in and in, *auch* in~ Inzucht. – **5.** (*Atomphysik*) (Aus)Brüten *n*, Brutvorgang *m*. — **~ be·hav·io(u)r** *s biol.* Fortpflanzungsweise *f*. — **~ mare** *s* Zuchtstute *f*. — **~ place** *s* Brutstätte *f*. — **~ sea·son** *s biol.* 'Fortpflanzungsperi͵ode *f*.
breed·y ['bri:di] *adj* fruchtbar.
breeze[1] [bri:z] **I** *s* **1.** Brise *f*, leichter Wind: there is not a ~ stirring es regt sich kein Lüftchen; → spring 8. – **2.** *colloq.* Lärm *m*, Zank *m*, Streit *m*: to kick up a ~ Krach machen. – **3.** Gerücht *n*. – **II** *v/i* **4.** *sl.* ‚sausen wie der Wind', ‚(da'hin)fegen': he ~d in er kam hereingefegt.
breeze[2] [bri:z] *s zo. dial.* (*eine*) Viehfliege, *bes.* → gadfly 1.
breeze[3] [bri:z] *s tech.* **1.** Lösche *f*, Kohlenklein *n* (*Staub, Asche etc*). – **2.** ausgeglühte Kohlen *pl*, Schlacke *f*.
breeze| fly → breeze[2]. — **~ ov·en** *s* Kleinkoksofen *m*. — **'~͵way** *s arch. Am. dial.* über'dachter, seitlich offener Laufgang (*zwischen zwei Gebäuden*).
breez·i·ness ['bri:zinis] *s* **1.** Unruhe *f* der Luft, Windigkeit *f*. – **2.** *colloq.* Frische *f*, Flottheit *f*, Forschheit *f*.
breez·y ['bri:zi] *adj* **1.** luftig, windig. – **2.** *colloq.* frisch, flott, lebhaft, forsch.
breg·ma ['bregmə] *pl* **-ma·ta** [-tə] *s med.* Scheitel(höhe *f*) *m*, Bregma *n* (*am Schädel*).
Bre·hon ['bri:hən; 'bre-] *s hist.* irischer Richter: ~ law *jur.* altirisches (Gewohnheits)Recht (*vor 1650*).
brems·strah·lung ['bremsʃtra:luŋ] *s phys.* Bremsstrahlung *f*.
Bren (gun) [bren] *s mil.* (*Art*) leichtes Ma'schinengewehr.
bres·sum·mer ['bresəmər] *s tech.* Saum-, Ober-, Trägerschwelle *f*.
breth·ren ['breðrin] *pl von* brother 2.
Bret·on ['bretən] **I** *adj* **1.** bre'tonisch. – **II** *s* **2.** Bre'tone *m*, Bre'tonin *f*. – **3.** Bre'tonisch *n*, das Bretonische.
Bret·wal·da [bret'wɔ:ldə] *s Br. hist.* Herrscher *m* über alle Briten (*Ehrentitel für engl. Könige in angelsächsischer Zeit*).
breve [bri:v] *s* **1.** *print.* Kürzezeichen *n* (*über Vokalen od. Silben*). – **2.** *mus.* Brevis *f*. – **3.** Doku'ment *n*.
bre·vet ['brevit; -ət; *Am. auch* brə'vet] *mil.* **I** *s* Bre'vet *n* (*Offizierspatent, das nur einen höheren Rang, aber keine höhere Besoldung etc mit sich bringt*): ~-major Hauptmann im Rang eines Majors. – **II** *adj* Brevet...: ~ rank. – **III** *v/t pret u. pp* **'bre·vet·ed** *od.* **'bre·vet·ted** durch Bre'vet befördern *od.* ernennen.
brevi- [brevi] *Wortelement mit der Bedeutung* kurz.
bre·vi·ar·y [*Br.* 'bri:viəri; 'brev-; *Am.* -͵eri] *s relig.* Bre'vier *n*.
bre·vi·ate ['bri:viit; -͵eit] *s* Auszug *m*, Abriß *m*.
bre·vier [brə'vir] *s print.* Pe'titschrift *f*, Jungfernschrift *f*.
brev·i·fo·li·ate [͵brevi'fouliit; -͵eit] *adj bot.* kurzblättrig. — **͵brev·i'lin·gual** [-'liŋgwəl] *adj zo.* kurzzüngig. — **͵brev·i'ros·trate** [-'rɒstreit] *adj zo.* kurzschnäblig, -schnäuzig.
brev·i·ty ['breviti; -və-] *s* **1.** (*zeitliche*) Kürze: ~ of life. – **2.** Kürze *f*, Bündigkeit *f* (*Ausdrucksweise*): ~ of speech.
brew [bru:] **I** *v/t* **1.** (*Bier*) brauen. – **2.** (*Getränk*) (zu'sammen)brauen, (zu)bereiten: to ~ tea Tee kochen. – **3.** *fig.* anzetteln, ausbrüten: to ~ mischief Unheil brüten. – **II** *v/i* **4.** brauen, Brauer sein. – **5.** sich zu'sammenbrauen, im Anzuge sein: a storm is ~ing ein Ungewitter zieht auf; there is s.th. ~ing etwas bereitet sich vor *od.* ist im Anzuge. – **III** *s* **6.** Gebräu *n* (*auch fig.*), Bräu *n*.
brew·age ['bru:idʒ] *s* Gebräu *n*, bereitetes Getränk.
brew·er ['bru:ər] *s* **1.** (Bier)Brauer *m*. – **2.** *fig.* Anstifter *m*.
brew·er's grains *s pl* Braue'reitreber *pl*.
brew·er·y ['bru:əri] *s* **1.** Braue'rei *f*, Brauhaus *n*. – **2.** *obs.* Braue'reigewerbe *n*.
'brew͵house *s* Brauhaus *n*, Braue'rei *f*.
brew·ing ['bru:iŋ] *s* **1.** (Bier)Brauen *n*. – **2.** Gebräu *n*, Sud *m* (*auf einmal gebraute Menge*). – **3.** Aufsteigen *n*, Her'anziehen *n* (*Gewitter, Unglück*). – **4.** *mar.* Wettergalle *f*, Ochsenauge *n* (*in schwarzen Gewitterwolken*).
brew·is ['bru:is] *s dial.* **1.** Brühe *f* (mit Einlage). – **2.** in Milch *od.* Brühe aufgeweichtes Brot.
bri·ar *cf.* brier.
Bri·ar·e·an [brai'ɛ(ə)riən] *adj* vielhändig. — **Bri'ar·e·us** [-əs] *s* (*griech. Mythologie*) Bri'areus *m* (*Monstrum mit hundert Händen*).
brib·a·ble ['braibəbl] *adj* bestechlich, käuflich.
bribe [braib] **I** *v/t* bestechen. – **II** *v/i* Bestechung üben. – **III** *s* Bestechung *f*, Bestechungsgeld *n*, -summe *f*, -geschenk *n*. — **'brib·er** *s* Bestecher *m*. — **'brib·er·y** *s* **1.** Bestechung *f*. – **2.** Bestechlichkeit *f*. – **3.** Annahme *f* von Bestechungsgeldern.
bric-a-brac ['brikə͵bræk] *s* **1.** Antiqui'täten *pl*. – **2.** Nippsachen *pl*.
brick [brik] **I** *s* **1.** Ziegel(stein) *m*, Back-, Mauerstein *m*: to bake (*od.* burn) ~s Ziegel brennen. – **2.** (Bau)Klotz *m* (*Spielzeug*): a box of ~s ein (Kinder)Baukasten. – **3.** *sl.* ‚Pfundskerl' *m* (*feiner od. anständiger Kerl*): he is a regular ~ er ist wirklich ein prima Kerl. – **4.** *Br. colloq.* Taktlosigkeit *f*: to drop a ~ ins Fettnäpfchen treten. – **II** *adj* **5.** aus Ziegeln gemacht, gemauert, Ziegel...: a ~ house ein massives Haus. – **6.** ziegelförmig. – **7.** ziegelfarbig, -rot. – **III** *v/t* **8.** mit Ziegeln belegen *od.* pflastern *od.* einfassen *od.* verblenden: to ~ up a door eine Tür zumauern. – **9.** ziegelartig über'malen. — **'~͵bat** *s* **1.** Ziegelbrocken *m* (*als Wurfgeschoß*). – **2.** (steinernes) Wurfgeschoß. – **3.** *fig.* Anwurf *m*, abfällige Bemerkung *od.* Kri'tik. — **'~-͵built** *adj* aus Ziegeln gebaut, gemauert, mas'siv. — **~ dust** *s tech.* Ziegelmehl *n*. — **~ fac·ing** *s* Verblendung *f* (*einer Mauer*) mit Ziegeln. — **'~͵field** *s* Ziege'lei *f*. — **'~͵kiln** *s* Ziegelofen *m*, -hütte *f*, Ziege'lei *f*. — **'~͵lay·er** *s* Maurer *m*. — **'~͵lay·ing** *s* Mauern *n*, Maure'rei *f*.
brick·le ['brikl] *adj obs. od. dial.* spröde, zerbrechlich.
'brick|͵mak·er *s* Ziegelbrenner *m*. — **'~͵ma·son** → bricklayer. — **~ nog·ging** *s* Ziegelausmauerung *f*, -ausfütterung *f* (*Fachwand*). — **~ red** *s* Ziegelrot *n* (*Farbton*). — **'~-'red** *adj* ziegelrot. — **~ tea** *s* **1.** (*tatarischer*) Ziegeltee. – **2.** ziegelförmig verpackter Tee (*in der Mongolei als Handelsmünze verwendet*). — **~ trim·mer** *s arch.* Brandbogen *m* (*am Schornsteingebälk*). — **'~͵work** *s* **1.** Maurerarbeit *f*. – **2.** Backsteinbau *m*, Ziegelrohbau *m*. – **3.** Mauerwerk *n*. – **4.** *pl* Ziege'lei *f*.
brick·y ['briki] *adj* **1.** ziegelreich. – **2.** ziegelähnlich. – **3.** ziegelfarbig.
'brick͵yard *s* Ziege'lei *f*.
bri·cole [bri'koul; 'brikəl] *s* **1.** (*Billard*) 'indi͵rekter Stoß (*Buserer*). – **2.** (*Raketspiel*) 'indi͵rekter Schlag. – **3.** *fig.* 'indi͵rekter Angriff *od.* Schlag.
brid·al ['braidl] **I** *adj* bräutlich, hochzeitlich, Braut..., Hochzeits... – **II** *s poet.* Hochzeit *f*. — **~ suite** *s* Zimmer(flucht *f*) *n* für Hochzeitsreisende. — **~ wreath** *s* **1.** Brautkranz *m*. – **2.** *bot.* Pflaumenblättrige Spierstaude (*Spiraea prunifolia*).
bride[1] [braid] *s* Braut *f* (*am u. kurz vor dem Hochzeitstag*), neuvermählte Frau: to give away the ~ Brautvater sein.
bride[2] [braid] *s* **1.** zartes Gewebe *od.* Verbindungsfaden *m* zwischen dem Spitzenmuster. – **2.** Haubenband *n*.
'bride͵groom *s* Bräutigam *m* (*am u. kurz vor dem Hochzeitstag*), Jungverheirateter *m*. — **'brides͵maid** *s* Brautjungfer *f*. — **'brides·man** [-mən] *s irr* Brautführer *m*.
bride·well ['braidwəl; -wel] *s* Gefängnis *n*, Besserungsanstalt *f* (*nach dem St. Bride's Well Gefängnis in London*).
bridge [bridʒ] **I** *s* **1.** Brücke *f*, (Brükken)Steg *m*: ~ of gold, golden ~ goldene Brücke (*leichter Abzug für geschlagenen Gegner*). – **2.** brückenähnliches Verbindungsstück: ~ of the nose Nasenbein; ~ of spectacles Nasensteg einer Brille; dental ~ Zahnbrücke. – **3.** (*Billard*) Bock *m*, Stütze *f* (*für das Queue*). – **4.** *Am.* Laufsteg *m* aus Baumstämmen. – **5.** Bridge *n* (*Kartenspiel*): → contract ~. – **6.** *electr.* (Meß)Brücke *f* (*zur Messung des Widerstands*). – **7.** *mar.* Kom'mandobrücke *f* (*Schiff*). – **8.** *tech.* a) Feuerbrücke *f* (*im Ofen*), b) Oberpfanne *f*. – **9.** *mus.* a) Steg *m* (*eines Streichinstruments*), b) Saitenhalter *m* (*bei Zupfinstrumenten u. Klavier*), c) 'Übergang *m*, -leitung *f*. – **II** *v/t* **10.** eine Brücke errichten *od.* schlagen über (*acc*): to ~ a river. – **11.** über'brücken (*auch fig.*): to ~ over a difficulty. — **~ at·om** *s chem.* 'Brückena͵tom *n*. — **~ bal·ance point** *s mil. tech.* 'Null͵durchgang *m* (*der Geschwindigkeit eines Geschosses etc*). — **'~͵board** *s arch.* Treppenwange *f*, Zarge *f*. — **~ bond** *s chem.* Brückenbindung *f*. —

~ **cir·cuit** *s electr.* Brückenschaltung *f.* — ~ **con·nec·tor** *s electr.* Batte'rie-, Über'brückungsklemme *f,* (Verbindungs)Brücke *f.* — ~ **crane** *s tech.* Brückenkran *m.* — '~,**head** *s mil.* Brückenkopf *m.* — '~·**man** [-mən] *s irr* **1.** Brückenwärter *m.* – **2.** Brückenbauer *m.* — '~,**mas·ter** → **bridgeman 1.** — ~ **mon·ey** *s* Brückengeld *n.* — ~ **of boats** *s* Pon'tonbrücke *f.* — **B~ of Sighs** *s* Seufzerbrücke *f* (*in Venedig*). — ~ **on piles** *s tech.* Hoch-, Pfahlbrücke *f.* — ~ **on rafts** *s tech.* Floßbrücke *f.* — ~ **pe·wee** *s zo. Am.* (*ein*) Fliegenjäger *m* (*Gattg Sayornis*), *bes.* Schwarzer Fliegenjäger (*S. nigricans*). — ~ **pier,** ~ **pil·lar** *s tech.* Brückenpfeiler *m.* — ~ **rail** *s* **1.** (*Eisenbahn*) Brückschiene *f.* – **2.** Hohlschiene *f,* Bru'nelschiene *f.* — ~ **rail·ing** *s* Brückengeländer *n.* — ~ **rec·ti·fi·er** *s electr.* Graetz-, Brückengleichrichter *m.* — ~ **toll** *s* Brückengeld *n,* -zoll *m.* — ~ **train** *s mil.* 'Brückenko,lonne *f.* — '~,**work** *s* **1.** Brückenbau *m.* – **2.** *med.* 'Zahnpro,these *f,* Brücke *f.*

bridg·ing ['bridʒiŋ] *s* **1.** Über'brücken *n.* – **2.** *tech.* Zange *f,* Koppelbalken *m.* – **3.** *pl tech.* Schwartenbretter *pl,* Schallatten *pl,* -bretter *pl.* — ~ **joist** *s tech.* Polsterholz *n,* Stichbalkenträger *m.* — ~ **piece** *s tech.* Sperrleiste *f* (*Leiter*), Querstrebe *f.* — ~ **set** *s electr.* paral'lelschaltbarer Tele'phonapa,rat.

bri·dle ['braidl] **I** *s* **1.** Zaum *m,* Zaumzeug *n,* Zäumung *f*: **simple** ~ **without bit** Zaum ohne Gebiß. – **2.** Zügel *m*: **driving** ~ Fahrleine; **to give a horse the** ~ einem Pferd die Zügel schießen lassen. – **3.** *fig.* Zaum *m,* Zügel *m*: **to put a** ~ **on one's tongue** seine Zunge im Zaum halten *od.* zügeln. – **4.** *tech.* Arm *m,* Flansch *m,* Verbindungsstange *f.* – **5.** *mar.* (Ketten)Hahnepot *n,* Kabel *n* der Vertäuungsbojen. – **6.** *med.* Sehnenband *n.* – **7.** *med.* Bändchen *n* (*aus lebendem Gewebe zum Zusammenhalten von Wundteilen, bei Geschwüren etc*). – **II** *v/t* **8.** (auf)zäumen, (*einem Pferd*) den Zaum anlegen. – **9.** (*Pferd*) zügeln, im Zaum halten (*auch fig.*). – **10.** *fig.* bändigen, (be)zähmen, einschränken. – *SYN. cf.* **restrain.** – **III** *v/i* **11.** den Kopf zu'rück- *od.* aufwerfen (*Pferd, auch Person*). – **12.** sich in die Brust werfen, die Nase hoch tragen (*Person*). – **13.** sich beleidigt fühlen, Anstand nehmen. — ~ **arm** → **bridle hand.** — ~ **bit** *s* Stange(ngebiß *n*) *f,* Kan'dare *f.* — ~ **ca·ble** *s mar.* (*Art*) Vertäuungstau *n.* — ~ **chain** *s* (*Bergbau*) Sicherheitskette *f* (*am Seilkorb*). — ~ **hand** *s* Zügelhand *f,* linke Hand (*des Reiters*). — ~ **path** *s* Reitweg *m.* — ~ **port** *s mar.* Bugpforte *f.* — ~ **post** *s Am.* Pfosten *m* zum Anbinden von Pferden.

bri·dler ['braidlər] *s* **1.** Aufzäumer *m* (*eines Pferdes*). – **2.** *fig.* Bändiger *m.*

bri·dle| rein *s* Zügel *m.* — ~ **rod** *s tech.* Lenk-, Leitstange *f.*

bri·doon [bri'du:n] *s* Trense *f* (*leichter Pferdezaum*).

Brie cheese [bri:] *s* Briekäse *m.*

brief [bri:f] **I** *adj* **1.** kurz, von kurzer Dauer: **be** ~! fasse dich kurz! – **2.** kurz(gefaßt), bündig, gedrängt, knapp: **in** ~ kurz (gesagt), mit kurzen Worten. – **3.** kurz angebunden: **to be** ~ **with s.o.** j-n kurz abfertigen. – *SYN.* **short.** – **II** *s* **4.** kurze (schriftliche *od.* mündliche) Zu'sammenfassung, Memo'randum *n.* – *SYN. cf.* **abridgement.** – **5.** (päpstliches) Breve. – **6.** *jur.* Schriftsatz *m,* Zu'sammenfassung *f* des Standpunkts einer Par'tei als Informati'on für den Rechtsvertreter vor Gericht: **to hold a** ~ **for s.o.** j-n als Anwalt (*vor Gericht*) vertreten (*auch fig.*). – **7.** *mil.* → **briefing 2.** – **III** *v/t* **8.** einen Auszug machen aus, kurz zu'sammenfassen. – **9.** (*j-m*) Anweisungen geben, (*Flugzeugbesatzung vor dem Einsatz*) unter'weisen, einweisen. – **10.** *jur. Br.* (*Anwalt*) mit seiner Vertretung betrauen, (*einem Anwalt*) eine kurze Darstellung des Sachverhalts geben. — ~ **bag,** ~ **case** *s* Aktentasche *f,* -mappe *f.*

brief·ing ['bri:fiŋ] *s* **1.** Anweisung *f,* Instrukti'on *f.* – **2.** *mil.* Einsatzbesprechung *f,* Flugberatung *f.*

brief·less ['bri:flis] *adj* **1.** ohne Instrukti'on. – **2.** *Br.* ohne Kli'enten (*Anwalt*).

brief·ness ['bri:fnis] *s* **1.** Kürze *f.* – **2.** *fig.* Kürze *f* (*im Ausdruck*), Bündigkeit *f.*

brief of ti·tle *s* Über'tragungs-,urkunde *f.*

briefs [bri:fs] *s pl* **1.** kurze 'Herren-,unterhose. – **2.** kurzer Damenschlüpfer, Slip *m.*

bri·er ['braiər] *s* **1.** *bot.* Dorn-, Brombeer-, Hagebuttenstrauch *m.* – **2.** *collect.* Dorngebüsch *n,* -gestrüpp *n.* – **3.** Dornzweig *m.* – **4.** *bot.* Stamm *m* der Wilden Rose (*zum Veredeln*). – **5.** Bruy'ère *f* (*Wurzel der Baumheide Erica arborea, aus der Tabakspfeifen hergestellt werden*). – **6.** Bruy'èrepfeife *f.* — '**bri·ered** *adj* voller Dornensträucher.

bri·er| patch *s Am.* mit Dornengestrüpp über'wuchertes Gebiet. — ~ **pipe** *s* Bruy'ère(pfeife) *f.* — '~,**root** → **brier 5.** — '~,**wood** *s* Bruy'ère-holz *n.*

bri·er·y ['braiəri] *adj* voller Dornen(sträucher), dornig, stachelig, rauh.

brig[1] [brig] *s mar.* Brigg *f,* zweimastiges Segelschiff.

brig[2] [brig] *s Am.* **1.** *mar.* Schiffsgefängnis *n.* – **2.** *humor.* ‚Bau' *m,* ‚Knast' *m* (*Arrestlokal*).

bri·gade [bri'geid] **I** *s* **1.** *mil.* Bri'gade *f.* – **2.** (*zu einem bestimmten Zweck gebildete*) Organisati'on (*unter einheitlicher Führung*), Korps *n.* – **II** *v/t* **3.** *mil.* eine Bri'gade for'mieren aus. – **4.** in einer Gruppe vereinigen.

brig·a·dier [,brigə'dir] *s mil.* **1.** a) *Br.* 'Stabsoffi,zier, der (*unabhängig von seinem Dienstgrad*) mit dem Kom'mando einer Bri'gade betraut ist, b) Bri'gadegene,ral *m.* – **2.** *hist. Unteroffiziersgrad in der napoleonischen Armee.* — ~ **gen·er·al** *s mil.* Bri'gadegene,ral *m* (*der amer., früher auch der brit. Armee im Range zwischen Oberst u. Generalmajor*).

brig·and ['brigənd] *s* Bri'gant *m,* Ban'dit *m,* (Straßen)Räuber *m.* — **brig·and·age** ['brigəndidʒ] *s* **1.** Bri'gantentum *n,* Räuberwesen *n,* Räube'rei *f,* Straßenraub *m.* – **2.** organi'sierter Raub, Plünderung *f.*

brig·an·dine[1] ['brigən,di:n; -,dain] *s* Panzerhemd *n,* Schuppenpanzer *m.*

brig·an·dine[2] ['brigən,di:n; -,dain] → **brigantine.**

brig·and·ish ['brigəndiʃ] *adj* bri'gantenartig, -haft, räuberisch.

brig·an·tine ['brigən,ti:n; -,tain] *s mar.* Brigan'tine *f,* Brigg *f.*

Briggs's log·a·rithms ['brigziz] *s pl math.* (Briggssche) Dezi'malloga,rithmen *pl.*

bright [brait] *adj* **1.** hell, licht, glänzend, grell, leuchtend, strahlend, heiter: **a** ~ **day** ein strahlender Tag; ~ **eyes** glänzende *od.* strahlende Augen; **a** ~ **face** ein strahlendes Gesicht; ~ **red** leuchtend rot. – **2.** klar, 'durchsichtig. – **3.** *fig.* (*oft ironisch*) hell, aufgeweckt, gescheit, intelli'gent: **a** ~ **boy** ein aufgeweckter Junge. – **4.** berühmt, glorreich, ruhmvoll: **the** ~**est period in history.** – **5.** günstig, vielversprechend: **chances seem** ~**er today** die Aussichten scheinen heute günstiger zu sein. – *SYN.* **beaming, brilliant, luminous, lustrous, radiant.** — ~ **ad·ap·ta·tion** *s* (*Optik*) Hellanpassung *f.* — ~ **bolt** *s tech.* blanke Schraube, blanker Bolzen.

bright·en ['braitn] **I** *v/t* **1.** hell(er) machen, aufhellen, erhellen, aufheitern (*auch fig.*): **to** ~ **s.o.'s life** j-s Leben heiterer gestalten. – **2.** po'lieren, glätten. – **II** *v/i* **3.** *meist* ~ **up** hell(er) werden, sich aufhellen (*Wetter etc*): **his face** ~**ed** sein Gesicht leuchtete auf. – **4.** wieder Mut fassen, lebhafter werden (*im Gespräch*). — '**bright·en·ing** *s* Aufhellung *f.*

'**bright|-,eyed** *adj* helläugig. — ~ **lev·el** *s* (*Fernsehen*) Hellspannung(swert *m*) *f.*

bright·ness ['braitnis] *s* **1.** Glanz *m,* Heiterkeit *f,* Helle *f,* Klarheit *f,* Pracht *f.* – **2.** Aufgewecktheit *f,* Lebhaftigkeit *f* (*Geist*), Schärfe *f* (*Verstand*). – **3.** *phys. tech.* Leuchtstärke *f.* — ~ **con·trol** *s* (*Fernsehen*) Helligkeitsregelung *f,* -steuerung *f.* — ~ **vi·sion** *s biol.* Helligkeitssehen *n.*

bright or·ange *s tech.* Gelbglut *f.*

Bright's dis·ease [braits] *s med.* Brightsche Krankheit, Nierenschrumpfung *f,* Ne'phritis *f* chronica.

bright| steel *s tech.* Blankstahl *m.* — '~,**work** *s* blanke Teile *pl* (*an Schiffen, Automobilen etc*).

brill [bril] *s zo.* Glattbutt *m,* Europ. Flachfisch *m* (*Rhombus laevis*).

bril·liance ['briljəns] *s* **1.** Leuchten *n,* Glanz *m,* Helligkeit *f* (*Farbe*). – **2.** Scharfsinn *m,* her'vorragende geistige Fähigkeit. – **3.** *electr.* Helligkeit(sgrad *m*) *f* (*bei Kathodenstrahlröhren*). — '**bril·lian·cy** *s electr. phys. tech.* **1.** Glanz *m,* Helligkeit *f.* – **2.** Lichtstärke *f.* — '**bril·liant I** *adj* **1.** leuchtend, glänzend, hell, glitzernd. – **2.** *fig.* glänzend, her'vorragend, ausgezeichnet: **a** ~ **speaker.** – **3.** 'hochbegabt, -intelli,gent, geistreich: **a** ~ **scholar.** – *SYN. cf.* **bright.** – **II** *s* **4.** Bril'lant *m* (*Edelstein von besonderem Schliff*). – **5.** *print.* Bril'lant *f* (*Schriftgrad*).

bril·lian·tine ['briljən,ti:n; ,briljən'ti:n] *s* **1.** Brillan'tine *f,* 'Haarpo,made *f.* – **2.** *Am.* al'paka,artiges, glänzendes Gewebe.

brim [brim] **I** *s* **1.** Rand *m* (*bes. Gefäß*): **full to the** ~ bis zum Rande voll. – **2.** Krempe *f* (*Hut*). – **3.** Rand *m* (*bes. Wasser*), Ufer *n.* – **4.** *tech.* Zarge *f,* Kranz *m.* – *SYN. cf.* **border.** – **II** *v/i pret u. pp* **brimmed 5.** voll sein: **to** ~ **over** übervoll sein, überlaufen, -fließen. – **III** *v/t* **6.** bis zum Rande füllen.

brim·ful ['brim'ful] *adj* voll bis zum Rande, 'übervoll. — '**brim·less** [-lis] *adj* ohne Rand *od.* Krempe. — **brimmed** [brimd] *adj* **1.** mit Rand, mit Krempe. – **2.** bis zum Rande voll. '**brim·mer** *s* volles Glas, voller Becher. — '**brim·ming** *adj* **1.** voll bis zum Rande. – **2.** *fig.* 'übervoll.

brim·stone [*Br.* 'brimstən; *Am.* -,stoun] *s* **1.** Schwefel *m.* – **2.** *colloq.* ‚Drachen' *m,* zänkisches Weib. – **3.** *zo.* → ~ **butterfly.** — ~ **but·ter·fly** *s zo.* (*ein*) Zi'tronenfalter *m* (*Gonepteryx rhamni*).

brim·ston·y [*Br.* 'brimstəni; *Am.* -,stouni] *adj* schwef(e)lig.

brin·ded ['brindid] *obs. für* **brindled.**

brin·dle ['brindl] **I** *s* **1.** gestreifte *od.* gesprenkelte *od.* scheckige Farbe. – **2.** gestreiftes *od.* scheckiges Tier. – **II** *adj* → **brindled.** — '**brin·dled** *adj* gestreift *od.* scheckig (auf grauem 'Untergrund).

brine [brain] **I** *s* **1.** Sole *f,* Lauge *f.* – **2.** Salzwasser *n,* -lösung *f.* – **3.** *meist* *poet.* Meer *n.* – 4. *poet.* Tränen *pl.* – **II** *v/t* **5.** mit Salzwasser behandeln, (ein)salzen, einpökeln, laugen. – **6.** *poet.* mit Tränen über'fluten. — **~ bath** *s* Solbad *n.* — **~ con·duit** *s* Solenleitung *f.* — **~ ga(u)ge** *s* Sol-, Salzwaage *f.*

Bri·nell hard·ness [bri'nel] *s tech.* Bri'nellhärte *f.*

bri·nel·ling [bri'neliŋ] *s tech.* 'Reibkorrosi,on *f.*

Bri·nell| ma·chine [bri'nel] *s tech.* Bri'nellappa,rat *m*, Härteprüfgerät *n* (*für Metalle*). — **~ num·ber** *s tech.* Bri'nellzahl *f* (*Härtegrad*).

brine| pan *s* Salzpfanne *f.* — **~ pit** *s* Salzgrube *f*, Solquelle *f.* — **~ pump** *s* Salzwasserpumpe *f* (*bei Dampfkesseln*).

brin·er ['brainər] *s* Salzsieder *m.*

brine| shrimp, ~ worm *s zo.* Salzkrebs *m* (*Gattg Artemia*).

bring [briŋ] *pret u. pp* **brought** [brɔːt] *v/t* **1.** bringen, 'mit-, 'herbringen, her'beischaffen, 'herführen, über'bringen: to ~ an answer eine Antwort überbringen; to ~ low (*gesundheitlich, finanziell etc*) herunterbringen, niederwerfen; that ~s us nearer to our goal das bringt uns unserem Ziele näher; this wind generally ~s rain dieser Wind bringt gewöhnlich Regen; to ~ into fashion in Mode bringen; to ~ into accord in Übereinstimmung bringen; to ~ to account a) in Rechnung stellen, b) *fig.* zur Rechenschaft ziehen; to ~ to a close zum Abschluß bringen; to ~ influence to bear Einfluß wirken lassen *od.* zur Geltung bringen; to ~ to pass zustande bringen, in die Tat umsetzen, ausführen, geschehen lassen; to ~ s.th. upon oneself etwas heraufbeschwören, etwas auf sich laden; to ~ together a) zusammenbringen, b) *fig.* versöhnen; → book 8; play 13; standstill 1; stop 31. – **2.** (*j-n*) dazu bringen *od.* bewegen, ver'anlassen, über'reden (to do zu tun). – **3.** her'vorbringen, (*Zinsen, Früchte, Ehre, Preis etc*) einbringen. – **4.** *jur.* (*Prozeß*) anstrengen: to ~ an action against s.o. j-n verklagen. – **5.** *jur.* (*Beweise, Beweismaterial*) vorbringen, erbringen. – *Verbindungen mit Adverbien*:

bring| a·bout *v/t* bewerkstelligen, zu'wege *od.* zu'stande bringen, veranlassen. — **~ a·gain** *v/t* 'wiederbringen. — **~ a·round** → bring round. — **~ a·way** *v/t* weg- *od.* fortbringen, -führen, -schaffen. — **~ down** *v/t* **1.** her'unter-, hin'unterbringen. – **2.** (*Wild*) erlegen. – **3.** schwächen, entkräften. – **4.** (*Preis*) her'absetzen, ermäßigen, zum Sinken bringen. – **5.** (*Strafe etc*) her'aufbeschwören: your deeds will ~ God's judg(e)ment upon you deine Taten werden Gottes Strafe auf dich laden. – **6.** to ~ the house *colloq.* a) stürmischen Beifall auslösen, b) Lachstürme entfesseln. — **~ forth** *v/t* **1.** her'vorbringen, gebären, (*Junge*) werfen. – **2.** verursachen. – **3.** ans Tageslicht bringen. — **~ for·ward** *v/t* **1.** vorwärts bringen, fördern, begünstigen. – **2.** (*Entschuldigung, Antrag, Beweismittel*) vor-, beibringen. – **3.** *econ.* (*Buchungsposten*) über'tragen. — **~ home** *v/t* **1.** nach Hause bringen: → bacon. – **2.** (*etwas*) beweisen, eindringlich erklären, klarmachen (to *j-m*): to bring s.th. home to s.o. j-n von etwas überzeugen. — **~ in** *v/t* **1.** her'ein-, hin'einbringen. – **2.** (*Geld, Preis, Gesetzentwurf*) einbringen. – **3.** *jur.* (*j-n schuldig od. nicht schuldig*) sprechen: the jury brought him in guilty die Geschworenen sprachen ihn schuldig. – **4.** *mar.* (*Schiff als Prise*) aufbringen. – **5.** (*Gründe*) anführen, beibringen. – **6.** *Am.* (*Ölquelle*) erschließen. — **~ off** *v/t* **1.** fort-, wegbringen, -schaffen. – **2.** (*etwas*) zu'stande bringen, fertigbringen, mit Erfolg 'durchführen: to bring s.th. off. — **~ on** *v/t* **1.** her'an-, her'beibringen. – **2.** her'beiführen, verursachen: the cold weather brought on your cold. – **3.** vorwärtsbringen, fördern, in Gang bringen. – **4.** *Am. sl.* zeigen, zur Schau stellen. — **~ out** *v/t* **1.** her'ausbringen, her'ausschaffen. – **2.** vorbringen, aussprechen. – **3.** enthüllen, zu'tage treten lassen, her'ausbringen, (*etwas*) her'vorheben, (*Farben*) her'vortreten lassen: this light brings out the colo(u)r well – **4.** (*junge Dame*) in die Gesellschaft einführen. – **5.** (*Buch*) her'ausbringen, veröffentlichen, (*Oper etc*) (ur)aufführen. — **~ o·ver** *v/t* **1.** (*j-n*) 'umstimmen, zu seiner Meinung bekehren. – **2.** her'über-, hin'überbringen. — **~ round** *v/t* **1.** (*Ohnmächtigen*) wieder zu sich bringen, (*Kranken*) wieder'herstellen, wieder auf die Beine bringen. – **2.** 'umstimmen, über'reden, ‚her'umkriegen'. — **~ through** *v/t* (*Kranken*) 'durchbringen. — **~ to** *v/t* **1.** (*Ohnmächtigen*) wieder zu sich bringen. – **2.** *mar.* beidrehen, (*Schiff*) zum Beidrehen veranlassen. — **~ up** *v/t* **1.** (*Kind*) aufziehen, erziehen. – **2.** zur Sprache bringen. – **3.** *mil.* (*Truppen*) her'anführen, einsetzen. – **4.** *mar.* aufbringen (*als Prise*). – **5.** to ~ the rear als Letzter (*in einem Zuge*) mar'schieren, den Nachtrab bilden. – **6.** (*zur Prüfung od. Untersuchung*) vor die Behörde bringen. – **7.** *print.* unter'legen.

bring·er ['briŋər] *s* (Über)'Bringer *m.*

'bring·ing-'up ['briŋiŋ-] *s* **1.** Erziehung *f* (*während der Kindheit*). – **2.** *biol.* Aufzucht *f.*

brin·i·ness ['braininis] *s* Salzigkeit *f.* — **'brin·ing** *s* Behandlung *f* mit Salzwasser.

brin·jal, brin·jaul ['brindʒɔːl; -dʒɑːl] *s bot. Br. Ind.* Auber'gine *f*, Eierfrucht *f* (*Solanum melongena*).

brink [briŋk] *s* **1.** Rand *m* (*auch fig.*), Kante *f*: on the ~ of the grave; on the ~ of war. – **2.** Ufer *n*, Bord *m*, (*steiler*) Strand. – *SYN. cf.* border.

brink·man·ship ['briŋkmən,ʃip] *s pol.* Poli'tik *f* am Rande des Abgrunds.

brin·y ['braini] **I** *adj* salzig, solehaltig. – **II** *s* the ~ *Br. colloq.* die See.

bri·oche ['briːouʃ; -ɒʃ] *s* Bri'oche *f*, feines Hefegebäck, süßes Brötchen.

bri·o·lette [,briːə'let] *s* Brio'lette *f* (*Diamant mit Dreieckschliff*).

bri·quet, *auch* **bri·quette** [bri'ket] *s* Bri'kett *n*, Preßkohle *f.*

bri·sance [bri'zɑ̃ːs] (*Fr.*) *s mil.* Bri'sanz *f*, Sprengkraft *f* (*einer Granate*).

brisk [brisk] **I** *adj* **1.** lebhaft, rasch, flott, flink, e'nergisch: a ~ walk ein flotter Spaziergang. – **2.** frisch, scharf, kräftig, erfrischend (*Luft*): a ~ wind. – **3.** lebhaft, frisch, sprühend, heiter (*Temperament*). – **4.** prickelnd, perlend, schäumend (*Wein*). – **5.** *fig.* lustig (*Feuer*). – **6.** *med.* kräftig, schnell wirkend (*Purgiermittel*). – **7.** *econ.* lebhaft: ~ state of trade flotter Geschäftsgang. – *SYN. cf.* agile. – **II** *v/t* **8.** *meist* ~ up anfeuern, anregen, beleben, auffrischen, erfrischen, aufheitern. – **III** *v/i* **9.** *meist* ~ up her'beistürzen, los-, zustürzen (to auf *acc*): to ~ about flink hin u. her laufen. — **'brisk·en** → brisk II *u.* III.

bris·ket ['briskit] *s* (*Kochkunst*) Brust(stück *n*) *f.*

brisk·ness ['brisknis] *s* **1.** Lebhaftigkeit *f*, Munterkeit *f*, Flottheit *f*: ~ of trade flotter Geschäftsgang. – **2.** angenehme Schärfe, Frische *f.* – **3.** Prickeln *n*, Perlen *n* (*Getränk*).

bris·ling ['brisliŋ] *s* Brisling *m*, Sprotte *f.*

bris·tle[1] ['brisl] **I** *s* **1.** Borste *f* (*auch bot.*). – **II** *v/i* **2.** sich sträuben, borstig sein. – **3.** kratzbürstig sein, eine zornige *od.* drohende Haltung annehmen. – **4.** zahlreich vor'handen sein, dicht stehen, starren, strotzen: to ~ with s.th. von etwas starren. – **III** *v/t* **5.** *auch* ~ up (*Borsten, Haare etc*) sträuben (*auch fig.*). – **6.** (wie) mit Borsten versehen *od.* um'geben, starren machen (with von). – **7.** aufbringen, ärgern.

bris·tle[2] ['brisl] *obs. od. dial.* **I** *v/t* austrocknen, dörren. – **II** *v/i* vor Hitze zu'sammenschrumpfen.

bris·tled ['brisld] *adj* **1.** borstig, stach(e)lig, rauh. – **2.** sich sträubend. – **3.** mit (Schweins)Borsten versehen: short-~ (long-~) mit kurzen (langen) Borsten.

bris·tle| fern *s bot.* Hautfarn *m* (*Gattg Trichomanes, bes. T. boschianum u. T. radicans*). — **~ grass** *s bot.* Borstenhirse *f* (*Gattg Setaria*). — **~ moss** *s bot.* Goldhaarmoos *n* (*Gattg Orthotrichum*). — **'~,tail** *s zo.* (*ein*) Felsspringer *m* (*Ordnungen Thysanura u. Entotrophi*).

bris·tli·ness ['brislinis] *s* **1.** Borstigkeit *f*, Stach(e)ligkeit *f.* – **2.** *fig.* Kratzbürstigkeit *f.* — **'bris·tly** [-li] *adj* **1.** stach(e)lig, borstig, rauh (*auch fig.*). – **2.** *fig.* kratzbürstig.

Bris·tol| board ['bristl] *s* 'Bristolkar,ton *m*, feiner, glatter Kar'ton. — **~ pa·per** *s* 'Bristol-, Isa'bey-, 'Zeichenpa,pier *n.* — **~ stone** *s min.* Bristolstein *m* (SiO_2; *diamantenähnlicher Bergkristall*).

brit [brit] *s zo.* **1.** junger Hering, junge Sprotte. – **2.** Walaas *n* (*kleine Meerestiere, dem Wal als Nahrung dienend*).

Bri·tan·ni·a| met·al [bri'tænjə] *s tech.* Bri'tanniame,tall *n* (*Zink-Kupfer-Antimon-Legierung*). — **~ ware** *s* Eßbestecke *pl* aus Bri'tanniame,tall.

Bri·tan·nic [bri'tænik] *adj* bri'tannisch (*meist nur in*): His (*od.* Her) ~ Majesty.

Brit·i·cism ['briti,sizəm; -tə-] *s ling.* Briti'zismus *m*, brit. Spracheigentümlichkeit *f.*

Brit·ish ['britiʃ] **I** *adj* **1.** britisch. – **II** *s* **2.** the ~ die Briten *pl.* – **3.** *ling.* Britisch *n*, das Britische. — **'Brit·ish·er** *s Am.* Brite *m*, Engländer(in).

Brit·ish ther·mal u·nit *s phys.* britische Wärmeeinheit (*Wärmemenge, die aufgewandt werden muß, um 1 pound Wasser um 1 Grad Fahrenheit zu erwärmen*: = *0,252 Kcal*).

Brit·on ['britən] *s* **1.** Brite *m*, Britin *f.* – **2.** *hist.* Bri'tannier(in).

brit·tle ['britl] **I** *adj* **1.** spröde, zerbrechlich. – **2.** *fig.* leicht zerstörbar, vergänglich. – **3.** brüchig. – *SYN. cf.* fragile. – **II** *s* **4.** *Am.* ('Nuß)Kro,kant *m.* — **~ i·ron** *s* sprödes Eisen. — **~ lac·quer** *s tech.* Reißlack *m.*

brit·tle·ness ['britlnis] *s* **1.** Spröde *f*, Sprödigkeit *f*, Zerbrechlichkeit *f.* – **2.** *fig.* Unbeständigkeit *f*, Schwäche *f.* – **3.** Brüchigkeit *f* (*Knochen, Metalle*).

broach [broutʃ] **I** *s* **1.** spitze Holz- *od.* Eisenstange, Ahle *f*, Pfriem *m.* – **2.** Bratspieß *m.* – **3.** (*achteckige*) Turmspitze. – **4.** *hunt.* Sprosse *f*, Spieß *m.* – **5.** Loch *n*, Bohrung *f.* – **6.** *tech.* a) Reib-, Räumahle *f*, Räumnadel *f*, -stahl *m*, b) Ziehdorn *m.* – **II** *v/t* **7.** (*Faß*) anschlagen, anzapfen, (*Vorräte etc.*) anbrechen. – **8.** *fig.* (*Thema*) anschneiden, aufs Ta'pet bringen, als erster zur Sprache bringen: to ~ a subject. – **9.** *tech.* (*Steine*) behauen. – *SYN. cf.* express. **III** *v/i mar.* **10.** auftauchen, an der Oberfläche erscheinen (*Wal, Torpedo*).

— '**broach·er** *s* Verbreiter *m*, Urheber *m*.

broad [brɔːd] **I** *adj* **1.** breit: it is as ~ as it is long *fig.* es ist so breit wie lang, es ist eins wie das andere. – **2.** weit, ausgedehnt: a ~ expanse of ocean. – **3.** hell: ~ daylight. – **4.** weitreichend, -läufig, -gehend: ~ sympathies; in the ~est sense im weitesten Sinne. – **5.** breit, mit ausgeprägtem Dia'lekt (*Aussprache*), stark (*Akzent*): ~ Scotch. – **6.** weitherzig, großzügig, tole'rant, libe'ral: → ~-minded; to have ~ views on s.th. – **7.** laut, derb, frei, offen, dreist, plump, roh, gemein: ~ laughter; a ~ joke. – **8.** klar, einfach, deutlich, offenbar (*Wink, Zeichen etc*): ~ hint Wink mit dem Zaunpfahl. – **9.** allgemein (*Überblick*), wesentlich (*Punkte*), grob, groß (*Umriß*): in ~ outline in großen Zügen, in groben Umrissen. – **10.** (*Radio*) unscharf (abgestimmt). – **11.** *mus.* breit, langsam u. kräftig. – *SYN.* deep, wide. – **II** *s* **12.** breiter Teil (*eines Dinges*): the ~ of the back. – **13.** *Br.* breite, seenartige Flußmündung (*im Südosten Englands*): the Norfolk ~s. – **14.** *Am. vulg.* ‚Weib' *n*, Frauenzimmer *n*. – **15.** (ganze) Breite. – **16.** *pl sl.* (Spiel)Karten *pl*. – **III** *adv* **17.** völlig: ~ awake hellwach. — ~ **ar·row** *s* breitköpfiger Pfeil (*auch als amtlicher Stempel auf dem der brit. Regierung gehörenden Gut u. auf Sträflingskleidung*). — '~ˌ**ax(e)** *s* Breitbeil *n*, Zimmeraxt *f*. — '~-ˌ**backed** *adj* mit breitem Rücken. — '~ˌ**band am·pli·fi·er** *s electr.* Breitbandverstärker *m*. — '~ˌ**band cir·cuit** *s electr.* Breitbandkreis *m*. — ~ **beam** *s electr.* Breitstrahler *m*. — ~ **bean** *s bot.* Sau-, Puffbohne *f* (*Vicia faba*). — '~ˌ**bill** *s zo.* **1.** → scaup duck. – **2.** → shoveler 2. – **3.** Schwertfisch *m* (*Xiphias gladius*). — '~ˌ**brim** *s* **1.** breitrandiger (Quäker)Hut. – **2.** *humor.* Quäker *m*. — '~ˌ**brimmed** *adj* breitrandig, -krempig.

broad·cast [*Br.* 'brɔːdˌkɑːst; *Am.* -ˌkæ(ː)st] **I** *v/t irr* **1.** breitwürfig säen. – **2.** *fig.* (*Gerücht*) ausstreuen, (*Nachricht*) verbreiten. – **3.** *pret* ~ed, *pp Am.* ~ed, *Br.* ~ *electr.* durch den Rundfunk verbreiten, senden, über'tragen, funken. – **II** *v/i* **4.** *pret* ~ed, *pp Am.* ~ed, *Br.* ~ im Rundfunk sprechen *od.* singen *od.* spielen *etc*, senden (*Rundfunkstation*). – **5.** Gerüchte verbreiten, her'umerzählen. – **III** *s* **6.** *agr.* Breitsaat *f*. – **7.** Rundfunk(sendung *f*) *m*. – **8.** 'Rundfunkproˌgramm *n*. – **IV** *adj* **9.** durch *od.* im Rundfunk verbreitet *od.* gesendet *od.* über'tragen, Rundfunk... – **10.** weit verbreitet. — ~ **ad·ver·tis·ing** *s econ.* Werbefunk *m*.

broad·cast·er [*Br.* 'brɔːdˌkɑːstər; *Am.* -ˌkæ(ː)s-] *s* **1.** Vortragende(r) am Rundfunk. – **2.** Rundfunksprecher(in), Sendeleiter *m*. – **3.** 'Rundfunkstaˌtion *f*, -sender *m*. – **4.** *agr.* 'Samenˌstreumaˌschine *f*.

broad·cast·ing [*Br.* 'brɔːdˌkɑːstiŋ; *Am.* -ˌkæ(ː)s-] *s electr.* 'Rundfunk(überˌtragung *f*) *m*. — ~ **re·ceiv·er** *s electr.* Rundfunkempfänger *m*. — ~ **room** *s* (*Radio*) Senderaum *m*. — ~ **sta·tion** *s electr.* 'Rundfunkstatiˌon *f*, Sender *m*. — ~ **trans·mit·ter** *s electr.* Rundfunksender *m*. — ~ **wave** *s electr.* Rundfunkwelle *f*.

Broad| Church *s* libe'rale Richtung in der angli'kanischen Kirche. — ~ **Church·man** *s irr* Anhänger *m* der libe'ralen Richtung der angli'kanischen Kirche. — '**b**~ˌ**cloth** *s* feiner (schwarzer) Wollstoff.

broad·en ['brɔːdn] **I** *v/t* breiter machen, verbreitern, erweitern. – **II** *v/i* breiter werden, sich ausweiten. — '**broad·en·ing** *s* Verbreiterung *f*.

broad| ga(u)ge *s* (*Eisenbahn*) Breitspur *f*. — '~-ˌ**ga(u)ge** *adj* breitspurig. — ~ **glass** *s* Fenster-, Tafelglas *n*. — '~-'**heart·ed** *adj* weitherzig, großzügig. — ~ **jump** *s sport Am.* Weitsprung *m*. — ~ **jump·er** *s sport Am.* Weitspringer(in). — '~ˌ**leaf** *s irr* **1.** *bot. auch* ~ tree Breitblättriger Hutbaum (*Terminalia latifolia*). – **2.** breitblättriger Tabak. — '~-ˌ**leafed**, '~-ˌ**leaved** *adj* **1.** *bot.* breitblättrig. – **2.** *obs.* breitrandig. — '~ˌ**loom car·pet** *s* nahtloser, auf breitem Webstuhl gewebter Teppich. [scharf eingestellt.]

broad·ly tuned ['brɔːdli] *s* (*Radio*) un-

'**broad|-'mind·ed** *adj* großzügig, libe'ral (gesinnt), weitherzig. — ˌ~'**mind·ed·ness** *s* Weitherzigkeit *f*, Großzügigkeit *f*.

broad·ness ['brɔːdnis] *s* **1.** Weite *f*, Breite *f*. – **2.** Derbheit *f* (*Sprache*), Anstößigkeit *f*.

'**broad|ˌpiece** *s hist.* brit. Zwanzig-Schilling-Münze *f* (*aus Gold; 17. Jh.*). — '~-ˌ**ribbed** *adj* breitrippig, -streifig. — '~-ˌ**rimmed** *adj* breitrandig. — ~ **seal** *s* Staatssiegel *n*. — '~ˌ**share** *agr.* **I** *adj* breitscharig (*Pflug*). – **II** *v/t* mit dem Breitscharpflug pflügen. — '~ˌ**sheet** *s* **1.** *print.* (*auf einer Seite mit durchgehenden Zeilen*) bedrucktes Blatt. – **2.** Pla'kat *n*, Flugschrift *f*. — '~-'**shoul·dered** *adj* breitschultrig.

broad·side ['brɔːdˌsaid] **I** *s* **1.** *mar.* die über der Wasserlinie sichtbare volle Seite eines Schiffes. – **2.** *mar.* Breitseite *f*: a) *sämtliche auf einer Seite abfeuerbaren Geschütze*, b) *Abfeuern einer Breitseite*. – **3.** *colloq.* Angriff *m*, Kri'tik *f*, Anwurf *m*, 'Schimpfkanoˌnade *f*. – **4.** → broadsheet 1. – **5.** breite *od.* volle Seite (*eines Hauses, Tieres etc*). – **II** *adv* **6.** *mar.* breitseitig. – **7.** in 'einer Salve. – **8.** *fig.* alle zu'sammen. – **III** *v/i* **9.** eine Breitseite abfeuern. — ~ **on** *adj mar.* mit der Breitseite nach *od.* in einer (*bestimmten*) Richtung, breitseitig. — ~ **sea** *s mar.* Dwarssee *f*.

broad| silk *s tech.* auf breitem Webstuhl gewebte Seide (*zum Unterschied von Bändern*). — ~ **stone** *s* Quader(stein) *m*, Steinplatte *f*, Pflasterstein *m*. — '~ˌ**sword** *s* breites Schwert, Pallasch *m*. — '~ˌ**tail** *s* **1.** *zo.* Breitschwanzschaf *n*. – **2.** Breitschwanzfell *n*. — '~-ˌ**tailed** *adj* breit-, dickschwänzig. — ~ **tun·ing** *s electr.* Breitbandabstimmung *f*. — '**B**~ˌ**way I** *npr* Broadway *m* (*Hauptstraße in New York*). – **II** *s* **b**~ Hauptstraße *f*, breite Straße.

broad·y ['brɔːdi] *s sl.* **1.** Tuch *n*. – **2.** ‚fette Beute' (*alles Stehlenswerte*).

bro·cade [bro'keid] **I** *s* Bro'kat *m*: a) *mit Metallfäden durchwebte Seide*, b) *Bronzepulver*. – **II** *v/t* mit Bro'katmuster schmücken. — **bro'cad·ed** *adj* **1.** bro'katen. – **2.** mit Bro'kat geschmückt. – **3.** in Bro'kat gekleidet. – **4.** *fig.* geschmückt, ele'gant ausgestattet.

broc·ard *s* **1.** ['brɒkərd; 'brou-] *jur.* (Rechts)Grundsatz *m od.* Ma'xime *f* elemen'tarer Art. – **2.** [brə'kaːr] sar'kastischer *od.* scharfer Angriff, bissige Kri'tik.

broc·a·tel(le) [ˌbrɒkə'tel] *s* **1.** Broka'telle *n*, 'Baumwollbroˌkat *m*. – **2.** Broka'tello *m*, Bro'katmarmor *m*.

broc·co·li ['brɒkəli] *s agr. bot.* Brokkoli *pl*, Spargelkohl *m*. — ~ **brown** *s* rötlich-gelbe Farbe.

broch [brɒx] *s* Broch *m*, ('prähiˌstorischer) runder Steinturm (*in Schottland*).

bro·ché [bro'ʃei] *s* kleingemusterter Dekorati'onsstoff (*mit besonderen Schußeffekten*).

bro·chure [brə'ʃjur] *s* Bro'schüre *f*, Flugschrift *f*.

brock [brɒk] *s bes. dial.* **1.** Dachs *m* (*Meles meles*). – **2.** ‚Dreckspatz' *m*, schmutziger Kerl.

brock·et ['brɒkit] *s* **1.** *hunt.* Spießer *m*, zweijähriger Hirsch. – **2.** (*ein*) Ma'zama *m* (*Gattg Mazama; südamer. Spießhirsch*).

broc·o·li *cf.* **broccoli.**

bro·gan ['brougən] *Am. für* **brogue**[1].

brogue[1] [broug] *s* **1.** derber, fester Schuh. – **2.** starker Schuh mit Lochmuster, Golfschuh *m*.

brogue[2] [broug] *s ling.* **1.** irische Aussprache des Englischen. – **2.** *allg.* (stark) dia'lektisch gefärbte Aussprache.

broi·der ['brɔidər] *obs. für* **embroider.** — '**broi·der·y** *selten für* **embroidery.**

broil[1] [brɔil] **I** *v/t* **1.** (über dem Feuer *od.* auf dem Rost) kochen, braten, grillen. – **2.** großer Hitze aussetzen, erhitzen. – **II** *v/i* **3.** erhitzt werden, schmoren, braten (*auch fig.*). – **4.** *obs.* innerlich kochen. – **III** *s* **5.** Gebratenes *n*. – **6.** 'übermäßige Hitze.

broil[2] [brɔil] **I** *v/t selten* in einen Streit hin'einziehen *od.* verwickeln. – **II** *v/i* kämpfen, streiten. – **III** *s* **5.** Lärm *m*, Tu'mult *m*, Streit *m*, Zank *m*.

broil·er[1] ['brɔilər] *s* **1.** j-d der brät. – **2.** (Brat)Pfanne *f*, Bratrost *m*. – **3.** *Am.* Bratofen *m* mit Grillvorrichtung. – **4.** *Am.* Eisenbahnwagen *m* mit Grillküche. – **5.** Brathühnchen *n*. – **6.** *colloq.* glühend heißer Tag.

broil·er[2] ['brɔilər] *s* Unruhestifter *m*, Aufwiegler *m*.

broil·ing ['brɔiliŋ] *adj* glühend heiß: a ~ day ein glühend heißer Tag; the soup was served ~ hot die Suppe wurde kochend heiß aufgetragen.

bro·kage ['broukidʒ] → **brokerage.**

broke[1] [brouk] *pret u. obs. pp von* break II *u.* III.

broke[2] [brouk] *v/i selten* makeln, vermitteln, kuppeln.

broke[3] [brouk] *adj sl.* **1.** ‚abgebrannt', ‚pleite', ‚blank' (*ohne Geld*): → stone-~. – **2.** entlassen.

bro·ken ['broukən] **I** *pp von* break. – **II** *adj* **1.** zerbrochen, ka'putt. – **2.** gebrochen: a ~ leg ein gebrochenes Bein; a ~ vow ein gebrochenes Gelübde. – **3.** unter'brochen: ~ sleep unterbrochener *od.* gestörter Schlaf. – **4.** (*seelisch od. körperlich*) gebrochen, geschwächt: ~ spirit; ~ health. – **5.** gebrochen: ~ English gebrochenes Englisch. – **6.** angebrochen: ~ beer Bierreste; a ~ week eine angebrochene Woche. – **7.** rui'niert, bank'rott: the ~ fortunes of his family die zerrütteten Vermögensverhältnisse seiner Familie. – **8.** gezähmt, zur Botmäßigkeit gezwungen: a ~ horse ein zugerittenes *od.* gezähmtes Pferd. – **9.** zerrüttet: a ~ home eine zerrüttete Familie. – **10.** *mil. Am.* degra'diert, kas'siert. – **11.** verletzt, aufgeplatzt, zerrissen. – **12.** unbeständig (*Wetter*). – **13.** unter'brochen, unvollständig, fragmen'tarisch. – **14.** trüb, mit gräulichem Ton (*Farbe*). – **15.** *ling.* gebrochen (*diphthongiert*). – **16.** (*Weberei*) mit 'Zickzackefˌfekt (*Stoffmuster*). — '~-ˌ**backed** *adj* **1.** mit gebrochenem Rücken. – **2.** *mar.* kielbrüchig. — ~ **bar graph** *s math.* 'Bänderdiaˌgramm *n* (*mit gebrochenem Linienzug*). — '~-'**bel·lied** *adj med.* an einem Bruch leidend. — ~ **coal** *s tech.* Bruchkohle *f* (*Anthrazit*). — ~ **coun·try** *s* zerklüftetes Land *od.* Gebiet. — '~-'**down** *adj* **1.** zersetzt. – **2.** verfallen. – **3.** erschöpft. – **4.** her'untergekommen, bank'rott. – **5.** *phys.* zu'sammengebrochen (*auch fig.*). — '~-'**heart·ed** *adj* mit gebrochenem Herzen, niedergeschlagen, verzweifelt. — '~-ˌ**kneed** *adj* **1.** mit zerschundenen *od.* verletzten Knien (*Pferd etc*). –

2. *fig.* lahm. — ~ **line** *s* 1. *math.* gebrochene Linie. – 2. unter'brochene *od.* punk'tierte *od.* gestrichelte Linie. — ~ **mon·ey** *s* Kleingeld *n.*
bro·ken·ness ['broukənnis] *s bes. fig.* Gebrochenheit *f.*
bro·ken| num·ber *s math.* Bruch *m.* — ~ **rock** *s tech.* Schotter *m.* — '~-'**spir·it·ed** *adj* entmutigt, seelisch gebrochen. — ~ **stone** *s* Steinschlag *m*, Schotter *m*, Splitt *m.* — ~ **tea** *s* Broken-Tea *m.* — ~ **time** *s* 1. *econ.* Verdienstausfall *m.* – 2. unvollständige Zeitspanne (*z.B. nicht ganz eine Stunde*), verkürzte (Arbeits)Zeit. — ~ **week** *s* durch Feiertag(e) unter'brochene Woche. — ~ **wind** *s vet.* Dämpfigkeit *f*, Dampf *m* (*von Pferden*). '~-'**wind·ed** *adj* dämpfig, kurzatmig (*Pferd*). — '~-ˌ**winged** *adj* flügellahm.
bro·ker ['broukər] *s* 1. *Br.* Altwarenhändler *m*, Trödler *m.* – 2. Makler *m*, A'gent *m*, Vermittler *m*, Zwischenhändler *m.* – 3. → **stock**~. – 4. Mittelsmann *m*, Kommissio'när *m.* – 5. *obs.* Kuppler(in). — '**bro·ker·age** *s* 1. Maklergewerbe *n.* – 2. Maklergebühr *f*, Cour'tage *f*, Provisi'on *f*, Sensa'rie *f.*
bro·ker's| busi·ness *s econ.* 'Börsenkommissiˌonsgeschäft *n.* — ~ **charges** *s pl* Maklergebühr *f.* — ~ **note** *s* Schlußnote *f*, -zettel *m*, -schein *m.*
brokes [brouks] *s pl* (*kurze*) Wolle (*von bestimmten Teilen des Felles*).
brol·ly ['brɒli] *Br. sl. für* **umbrella** 1.
brom- [broum] → **bromo-**.
bro·mal ['broumæl] *s chem.* Bro'mal *n* (CBr_3CHO). — '**bro·mate** [-meit] *chem.* I *s* Bro'mat *n*, bromsaures Salz. – II *v/t* mit bromsaurem Salz versetzen.
brome (grass) [broum] *s bot.* Trespe *f* (*Gattg Bromus*).
bro·me·li·a·ceous [broˌmiːli'eiʃəs] *adj bot.* zu den Ananasgewächsen (*Bromeliaceae*) gehörig.
bro·mic ['broumik] *adj chem.* bromhaltig. — ~ **ac·id** *s chem.* Bromsäure *f* (BrO_3H).
bro·mide ['broumaid; -mid], *auch* '**bro·mid** [-mid] *s* 1. *chem.* Bro'mid *n.* – 2. *sl.* langweiliger Mensch. – 3. *sl.* Binsenweisheit *f*, -wahrheit *f*, Gemeinplatz *m.* — **bro·mide pa·per** *s phot.* 'Bromsilber-, Gela'tinepaˌpier *n.*
bro·mid·ic [brou'midik] *adj* 1. langweilig. – 2. abgedroschen, platt.
bro·mi·dro·sis [ˌbroumi'drousis] *s med.* Bromi'drosis *f*, Osmi'drose *f*, stinkender Schweiß.
bro·min ['broumin] → **bromine**. — **bro·mi·nate** ['broumiˌneit; -mə-] *v/t chem.* bro'mieren, mit Brom behandeln *od.* verbinden. — **bro·mine** ['broumiːn; -min] *s* Brom *n* (Br). — '**bro·minˌism** [-miˌnizəm], '**bro·mism** *s med.* Bromvergiftung *f.* — '**bro·mize** *v/t* mit Brom behandeln.
bromo- [broumo] *Wortelement mit der Bedeutung* Brom.
bro·mo·form ['broumoˌfɔːrm] *s chem.* Bromo'form *n* ($CHBr_3$). — **bro·mo·i·o·dized** [ˌbroumo'aiəˌdaizd] *adj* mit Brom u. Jod behandelt. — **bro·mo·ma·ni·a** [ˌbroumo'meiniə] *s med.* Bromoma'nie *f*, Bromsucht *f.* — **bro·my·rite** ['broumiˌrait; -mə-] *s min.* rohes Bromsilber.
bronc [brɒŋk] *Am. sl. für* **bronco**.
bronch- [brɒŋk] → **broncho-**.
bron·chi·a ['brɒŋkiə] *s pl med.* Bronchien *pl*, Luftröhrenäste *pl* (*Lunge*).
bron·chi·al ['brɒŋkiəl] *adj* bronchi'al, die Bronchien betreffend. — ~ **tube** *s med.* Luftröhre *f*, Bronchie *f.*
bron·chi·ec·ta·sis [ˌbrɒŋki'ektəsis] *s med.* Bronchiek'tase *f.* — '**bron·chiˌole** [-ˌoul] *s* Bronchi'ole *f*, Bronchulus *m.* — ˌ**bron·chi·o'li·tis** [-o'laitis] *s* Bronchio'litis *f.* — **bron·chit·ic** [brɒn'kitik; brɒn-] *adj* bron'chitisch. — **bron'chi·tis** [-'kaitis] *s* Bron'chitis *f*, 'Luftröhrenkaˌtarrh *m.*
broncho- [brɒŋko] *Wortelement mit der Bedeutung* Luftröhre.
bron·cho *cf.* **bronco**.
bron·cho·cele ['brɒŋkosiːl] *s med.* Broncho'zöle *f*, Luftgeschwulst *f* (*am Halse*). — ˌ**bron·cho'gen·ic** [-'dʒenik] *adj* broncho'gen. — '**bron·cho·lith** [-liθ] *s* Broncho'lith *m*, Bronchi'al-, Bronchusstein *m.* — **bron'choph·o·ny** [-'kɒfəni] *s* Bronchopho'nie *f* (*bronchialer Beiklang des Atemgeräusches*). — ˌ**bron·cho·pneu'mo·ni·a** [-njuː'mounjə; *Am. auch* -nuː-] *s* 'Bronchopneumoˌnie *f.* — ˌ**bron·chor'rhoe·a** [-kə'riːə] *s* Bronchi'al-kaˌtarrh *m* mit 'übermäßigem Auswurf. — **bron'chot·o·my** [-'kɒtəmi] *s* Bronchoto'mie *f*, Luftröhrenschnitt *m.* — '**bron·chus** [-kəs] *pl* **-chi** [-ai] *s med.* Bronchus *m*, Luftröhrenast *m.*
bron·co ['brɒŋkou] *s* kleines, halbwildes Pferd (*des nordamer. Westens*). — '~ˌ**bust·er** *s Am. colloq.* Zureiter *m*, Zähmer *m* von wilden Pferden, Cowboy *m.*
bront- [brɒnt], **bronto-** [-to] *Wortelement mit der Bedeutung* Donner, Gewitter.
bron·tol·o·gy [brɒn'tɒlədʒi] *s phys.* Brontolo'gie *f*, Gewitterkunde *f.* — ˌ**bron·to'pho·bi·a** [-to'foubiə; -tə-] *s med.* Brontopho'bie *f*, Gewitterscheu *f.*
bron·to·sau·rus [ˌbrɒntə'sɔːrəs] *s zo.* Bronto'saurus *m* (*vorgeschichtlicher Dinosaurier*).
Bronx [brɒŋks] I *npr Stadtteil von New York City.* – II *s* Bronx *m* (*Cocktail aus Gin, Wermut u. Orangensaft*). — ~ **cheer** *s Am. sl.* Zischen *n*, Pfeifen *n* (*als Ausdruck der Verachtung*).
bronze [brɒnz] I *s* 1. Bronze *f*, Erz *n*, Ka'nonen-, Stückgut *n*, 'Glockenmeˌtall *n.* – 2. 'Bronzeleˌgierung *f*: → **aluminium** II. – 3. Bronze *f* (*Statue, Medaille etc aus Bronze*). – 4. Bronzefarbe *f.* – II *v/t* 5. bron'zieren, wie Bronze färben. – 6. härten. – III *v/i* 7. sich bräunen, sich wie Bronze färben: ~**d cheeks** gebräunte Wangen. – IV *adj* 8. a) bronzen, bronzefarben, b) Bronze... — ~ **age, B~ Age** *s* Bronzezeitalter *n.* — ~ **back·er** *s zo. Am.* Schwarzbarsch *m* (*Micropterus dolomieu*). — ~ **cast·ing** *s tech.* Bronzeguß *m.*
bronzed [brɒnzd] *adj* bron'ziert, gebräunt. — ~ **grack·le** *s zo.* Schwarzvogel *m* (*Quiscalus quiscula aeneus*).
Bronze Star Med·al *s mil. Am.* bronzene 'Tapferkeitsmeˌdaille.
bronz·i·fy ['brɒnziˌfai; -zə-] *v/t selten* in Erz gießen *od.* verwandeln.
bronz·ing ['brɒnziŋ] *s* 1. Bron'zieren *n.* – 2. Me'tall-, Bronzeglanz *m.* — '**bronz·y** *adj* bronzeartig, -farben.
brooch [broutʃ; *Am. auch* bruːtʃ] I *s* Brosche *f*, Busennadel *f*, Spange *f.* – II *v/t* mit einer Brosche schmücken.
brood [bruːd] I *s* 1. Brut *f*, Hecke *f*, Flug *m* (*Jungtiere*): a ~ of **chicken** eine Brut Hühner. – 2. Nachkommenschaft *f*, Art *f*, Sippe *f.* – 3. Eier *pl* u. Nachkommenschaft *f* von Bienen. – II *v/t* 4. (*Eier*) ausbrüten. – 5. *fig.* (*Unheil*) (aus)brüten. – III *v/i* 6. brüten (*Henne*). – 7. *fig.* (on, upon) brüten (über *dat*), angestrengt nachdenken (über *acc*). – 8. *fig.* schweben. – IV *adj* 9. zur Zucht bestimmt, Zucht... – 10. brütend. – 11. Brut... – 12. von (In'sekten)Schwärmen heimgesucht (*Baum*). — ~ **bud** *s biol.* Brutknospe *f.* — ~ **cell** *s biol.* Brutzelle *f.* — ~ **chamber** *s* 1. *zo.* Bruttasche *f.* – 2. (*Bienenzucht*) Brutscheibe *f.*
brood·er ['bruːdər] *s* 1. 'Brutappaˌrat *m*, -maˌschine *f.* – 2. *fig.* Brüter *m.*
brood| mare *s* Zuchtstute *f.* — ~ **pouch** *s biol.* Bruttasche *f.*
brood·y ['bruːdi] I *adj* brütig, brütend (*auch fig.*). – II *s* brütender Vogel.
brook[1] [bruk] *s* Bach *m.*
brook[2] [bruk] *v/t* ertragen, erdulden, aushalten (*meist in negativen Sätzen*): **this matter** ~**s no delay** diese Sache duldet keinen Aufschub.
brook bet·o·ny *s bot.* (*eine*) Braunwurz (*Scrophularia alata*).
brook·ite ['brukait] *s min.* Broo'kit *m*, Ti'taniumˌdioˌxyd *n* (TiO_2).
brook·let ['bruklit] *s* Bächlein *n.*
'**brook|ˌlime** *s bot.* Bachbunge *f* (*Veronica beccabunga*). — ~ **mint** *s bot.* Wasserminze *f* (*Mentha aquatica*). — ~ **run·ner** *s zo.* Wasserralle *f* (*Rallus aquaticus*). — ~ **trout** *s zo.* 1. 'Bachfoˌrelle *f* (*Salmo trutta forma fario*). – 2. Bachsaibling *m* (*Salmo fontinalis*). — '~ˌ**weed** *s bot.* (*eine*) (Salz)Bunge (*Samolus valerandi u. S. floribundus*).
brook·y ['bruki] *adj* voller Bäche.
brool [bruːl], *auch* '**brool·ing** [-iŋ] *s* Gemurmel *n*, Gesumme *n.*
broom [bruːm; brum] I *s* 1. Besen *m*: **a new ~ sweeps clean** neue Besen kehren gut. – 2. *bot.* a) Besenginster *m* (*Cytisus scoparius*), b) Geißklee *m* (*Gattg Cytisus*), c) (*ein*) Ginster *m* (*Gattg Genista*). – II *v/t* 3. kehren, fegen. — '~ˌ**bush** *s bot.* Abgeschnittenes Par'thenium (*Parthenium hysterophorus*). — '~ˌ**corn** *s bot.* 1. Besenhirse *f*, Durr(h)a *f*, Sorghum *n* (*Sorghum vulgare*). – 2. Kaffern-, Zuckerhirse *f* (*Sorghum saccharatum*). — ~ **cy·press** *s bot.* Besen-Kochie *f* (*Kochia scoparia*). — ~ **grass** *s bot.* (*ein*) Bartgras *n* (*Andropogon scoparius, A. virginicus u. A. argyraeus*). — ~ **han·dle** *s* Besenstiel *m.* — ~ **heath** *s bot.* Sumpfheide *f* (*Erica tetralix*). — ~ **pine** → **Georgia pine**. — '~ˌ**rape** *s bot.* (*ein*) Sommerwurzgewächs *n* (*Fam. Orobanchaceae*). — '~ˌ**staff**, '~ˌ**stick** *s* Besenstiel *m.* — '~ˌ**weed** *s bot. Am.* (*eine*) Jute (*Corchorus siliquosus*).
broom·y ['bruːmi] *adj* voller Ginster.
brose [brouz] *s Scot.* Hafergrützegericht *n.*
broth [brɒθ; brɔːθ] *s* 1. Suppe *f*, (Fleisch)Brühe *f*, Bouil'lon *f*: **clear** ~ klare Brühe; **he is a ~ of a boy** *Irish colloq.* er ist ein Prachtkerl; → **chicken** ~; **cook** 1. – 2. Brühe *f* (*Wasser, in dem Fleisch, Reis etc gekocht worden ist*). – *SYN. cf.* **soup**[1].
broth·el ['brɒθl; *Am. auch* 'brɔːθl] *s* Bor'dell *n.*
broth·er ['brʌðər] I *s* 1. Bruder *m*: ~**s and sisters** Geschwister. – 2. *relig. pl* **brethren** Bruder *m*, Nächster *m*, Glaubensgenosse *m*, Mitglied *n* einer religi'ösen Gemeinschaft. – 3. Amtsbruder *m*, Kol'lege *m*, Gefährte *m*, Kame'rad *m*: ~ **in affliction** Leidensgefährte; ~**-in-arms** Kampfgenosse. – II *adj* 4. Bruder... – III *v/t* 5. als Bruder behandeln, zum Bruder machen, sich mit (*j-m*) verbrüdern, ‚Bruder' nennen.
broth·er·hood ['brʌðərˌhud] *s* 1. Bruderschaft *f.* – 2. Brüderlichkeit *f*, Kameradschaft(lichkeit) *f.*
'**broth·er|-in-ˌlaw** *s* Schwager *m.* — **B~ Jon·a·than** *s Am. hist. humor.* Bruder Jonathan (*die Amerikaner*).
broth·er·li·ness ['brʌðərlinis] *s* Brüderlichkeit *f.* — '**broth·er·ly** *adj* brüderlich, Bruder...: ~ **love** Bruderliebe.
broth·y ['brɒθi; 'brɔːθi] *adj* suppig.
brougham ['bruːəm; bruːm] *s* 1. Brougham *m* (*geschlossener, vierrädriger Wagen*). – 2. Limou'sine *f* mit offenem Führersitz. – 3. *hist.* E'lektromoˌbil *n.*
brought [brɔːt] *pret u. pp von* **bring**.

brow[1] [brau] **I** *s* **1.** (Augen)Braue *f.* – **2.** Stirn *f*, Miene *f*, Gesicht *n*, Aus-, Ansehen *n*, Schein *m*: to knit (*od.* wrinkle) one's ~ die Stirn runzeln; → sweat 30. – **3.** Vorsprung *m*, Rand *m* (*Abhang*). – **4.** *Br. dial.* steiler Abhang. – **II** *v/t* **5.** um'grenzen, (ein)säumen, anstoßen an (*acc*).

brow[2] [brau] *s mar.* Laufplanke *f.*

brow| ant·ler *s zo.* Augsprosse *f* (*beim Hirschgeweih*). — **'~,beat** *v/t irr* **1.** finster *od.* drohend anblicken. – **2.** (*durch Blicke od. Worte*) einschüchtern. – **3.** tyranni'sieren.

brown [braun] **I** *adj* **1.** braun, gebräunt: dark ~ dunkelbraun; light ~ hellbraun; to do up ~ *Am. sl.* a) grün u. blau schlagen, b) (*etwas*) sehr gründlich *od.* vollkommen tun, c) ‚hereinlegen', ‚anschmieren' (*betrügen*); to do ~ *Br. sl.* ‚hereinlegen', ‚anschmieren' (*betrügen*); → done 8; study[1] 7. – **2.** brü'nett, bräunlich (*Gesichtsfarbe etc*): the sun has made him ~ as a berry die Sonne hat ihn wie eine Kastanie gebräunt. – **II** *s* **3.** Braun *n*, braune Farbe: → chestnut ~. – **4.** *hunt.* Schar *f* Vögel: to fire into the ~ a) *hunt.* in die Schar schießen (ohne auf einen einzelnen Vogel zu zielen), b) *fig.* blindlings in die Menge feuern. – **III** *v/t* **5.** (an)bräunen. – **6.** *tech.* brü'nieren, braun beizen. – **7.** *Br. sl.* (*j-n*) ‚fertigmachen', ‚anschnauzen': ~ed off ‚restlos bedient' (*einer Sache überdrüssig*); to be ~ed off ‚die Nase voll haben'. – **IV** *v/i* **8.** braun werden, sich bräunen.

brown| al·gae *s pl bot.* Braunalgen *pl* (*Klasse Phaeophyceae*). — **'~,back** *s zo.* Rotbrüstige Kanad. Schnepfe (*Limnodromus griseus*). — **~ bear** *s zo.* Braunbär *m* (*Ursus arctos*). — **~ Bess** [bes] *s mil. hist.* Kuhfuß *m* (*altes Steinschloßgewehr*). — **~ Bet·ty** ['beti] *s Am.* Auflauf *m* aus geschichteten Äpfeln u. Brotkrumen. — **~ bread** *s* Schwarz-, Schrot-, Grahambrot *n.* — **~ coal** *s* Braunkohle *f.* — **~ creep·er** *s zo. Am.* Amer. Waldbaumläufer *m* (*Certhia familiaris americana*). — **~ hack·le** *s* (*Angeln*) Braunhechel *f.* — **~ hem·a·tite** *s min.* Brauneisenstein *m.*

Brown·i·an mo·tion ['brauniən] *s* Brownsche Bewegung (*Vibrationsbewegung mikroskopischer Teile in Flüssigkeiten*).

brown·ie ['brauni] *s* **1.** Heinzelmännchen *n.* – **2.** *Am.* kleiner Schoko'ladenkuchen mit Nüssen. – **3.** B~ (*TM*) Brownie *f* (*Kamera*). – **4.** Box(kamera) *f*, billiger 'Photoappa,rat. – **5.** *auch* ~ scout junge Pfadfinderin (*im Alter von 8 bis 11 Jahren*).

Brown·ing[1] ['brauniŋ] *s* Browning *m* (*Repetierpistole*).

brown·ing[2] ['brauniŋ] *s* **1.** Bräunen *n*, Bräunung *f.* – **2.** *tech.* Brü'nierung *f.*

Brown·ing (au·to·mat·ic) ri·fle *s mil.* Browning-Selbstladegewehr *n.*

brown i·ron-ore *s* Brauneisenerz *n.*

brown·ish ['brauniʃ] *adj* bräunlich.

Brown·ist ['braunist] *s* Brownist(in) (*Anhänger[in] der von Robert Browne 1581 gestifteten Sekte*).

brown·ness ['braunnis] *s* Bräune *f*, braune Farbe.

'brown|,out *s* **1.** *Austral.* teilweise Verdunkelung. – **2.** *Am. Reduzierung der Lichtstärke von Straßenbeleuchtung, Leuchtreklame etc.* — **~ owl** *s zo.* Waldkauz *m* (*Strix aluco*). — **~ pa·per** *s* 'Packpa,pier *n.* — **~ rat** *s zo.* **1.** Hausratte *f* (*Rattus rattus*). – **2.** Wanderratte *f* (*Rattus norvegicus*). — **~ rot** *s bot.* Grindfäule *f* (*durch Pilze der Gattg Sclerotinia, bes. S. fructigena*). — **~ shirt** *s hist.* Braunhemd *n*: a) *Mitglied von Hitlers SA*, b) Natio'nalsozia,list *m.* — **~ spar** *s min.* Braunspat *m.* — **'~,stone** *s* **1.** Braunstein *m.* – **2.** *Am.* brauner Sandstein. — **B~ Swiss** *s* (Schweizer) Braunvieh *n* (*Rinderart*). — **'~,tail**, *auch* **'~,tail moth** *s zo.* Goldafter *m* (*Euproctis chrysorrhea*). — **~ thrash·er**, *auch* **~ thrush** *s zo. Am.* Spottdrossel *f* (*Toxostoma rufus*). — **~ ware** *s* Tonwaren *pl.* — **'~,wort** *s bot.* (*eine*) Braunwurz (*Gattg Scrophularia*).

browse [brauz] **I** *s* **1.** junge Schößlinge *pl* (*als Rinderfutter*). – **2.** Grasen *n*: sheep at ~ Schafe beim Grasen. – **II** *v/t* **3.** (*Zweige, Knospen etc*) abnagen, abfressen, (*Weide etc*) abgrasen, abweiden. – **III** *v/i* **4.** grasen, weiden. – **5.** *fig.* schmökern, (*in Büchern*) her'umstöbern, hier u. da etwas lesen.

bru·cel·lo·sis [,bruːse'lousis; -sə'l-] *s med.* Bruzel'lose *f*, stoßweise auftretendes Fieber.

bruc·ine ['bruːsiːn; -sin], *auch* **'bruc·in** [-sin] *s chem.* Bru'cin *n* (*starkes Pflanzengift*; $C_{23}H_{25}N_2O_4$).

bru·in ['bruːin] *s* Braun *m*, Bär *m.*

bruise [bruːz] **I** *v/t* **1.** quetschen (*so daß eine blaue Stelle entsteht*), (*j-m*) Prellungen zufügen. – **2.** zermalmen, (zer)quetschen: to ~ malt Malz schroten; ~d malt Malzschrot. – **3.** verletzen (*auch fig.*): to ~ s.o.'s feelings j-s Gefühle verletzen. – **II** *v/i* **4.** eine Quetschung *od.* Druckstelle *od.* einen blauen Fleck bekommen. – **5.** *fig.* sich verletzen lassen, verletzt sein: his feelings ~ easily er ist gleich gekränkt. – **6.** *meist* ~ along *hunt. Br. sl.* rücksichtslos reiten. – **III** *s* **7.** *med.* Quetschung *f*, Prellung *f*, Beule *f*, blaue Stelle, Kontusi'on *f.* — **'bruis·er** *s* **1.** *colloq.* (Berufs)Boxer *m.* – **2.** *Am. sl.* Raufbold *m.*

bruit [bruːt] **I** *v/t* **1.** (*Gerüchte*) aussprengen, verbreiten: to ~ abroad. – **2.** berühmt machen, feiern. – **II** *s* **3.** *obs.* Lärm *m.*

Bru·maire [bry'mɛːr] (*Fr.*) *s* Bru'maire *m* (*2. Monat, 22. Okt.–20. Nov., des Kalenders der franz. Revolution*).

bru·mal ['bruːməl] *adj* winterlich.

brum·by ['brʌmbi] *s Austral.* ungezähmtes Pferd.

brume [bruːm] *s poet.* Nebel *m.*

Brum·ma·gem ['brʌmədʒəm] **I** *npr* **1.** *dial. od. sl.* Birmingham (*Stadt in England*). – **II** *s* **2.** b~ *sl.* (*bes. in Birmingham hergestellte*) billige, kitschige Ware, Kitsch *m.* – **III** *adj* b~ *sl.* **3.** billig, kitschig, wertlos. – **4.** unecht, Talmi...

bru·mous ['bruːməs] *adj* neblig, feucht-dunstig.

brunch [brʌntʃ] *s colloq.* spätes, erweitertes Frühstück (*Wortbildung aus* breakfast *u.* lunch). — **~ coat** *s* Damenhausmantel *m.*

bru·net [bruː'net] **I** *adj* brü'nett, dunkelbraun (*Augen, Haar, Person*). – **II** *s* brü'netter Typ (*Mann*).

bru·nette [bruː'net] **I** *adj cf.* brunet I. – **II** *s* Brü'nette *f* (*Frau*).

brunt [brʌnt] *s* **1.** Anprall *m*, Gewalt *f* (*Angriff*). – **2.** Hauptwucht *f*, (*das*) Schwerste (*eines Angriffs, auch fig.*): to bear the ~ of s.o.'s criticism. – **3.** *obs.* heftiger Angriff.

brush[1] [brʌʃ] **I** *s* **1.** Bürste *f.* – **2.** Pinsel *m*: → shaving 1. – **3.** (*Malerei*) Bürsten-, Pinselstrich *m.* – **4.** (*Malerei*) Stil *m.* – **5.** the ~ die Malkunst. – **6.** Bürsten *n* (*Tätigkeit*): to give one's clothes a ~ seine Kleider ausbürsten. – **7.** buschiger Schweif (*Tier*), Rute *f*, Lunte *f*: the ~ of a fox. – **8.** *electr.* a) (Kon'takt)Bürste *f*, Stromabnehmer *m*, b) → ~ discharge. – **9.** *electr.* Strahlenbündel *n.* – **10.** *phys.* Lichtbündel *n.* – **11.** Schar'mützel *n*, kurzer Zu'sammenstoß: a sharp ~ with the enemy. – *SYN. cf.* encounter. – **II** *v/t* **12.** bürsten. – **13.** kehren, fegen, wischen. – **14.** (*j-n*) streifen, leicht berühren. – **15.** ~ up *fig.* auffrischen: to ~ up one's memory. – **16.** ~ off *Am. sl.* entlassen, ‚rausschmeißen'. – **III** *v/i* **17.** da'hinrasen: to ~ past vorbeifegen, -sausen; to ~ against s.o. j-n (im Vorbeigehen) streifen.

brush[2] [brʌʃ] **I** *s* **1.** Gebüsch *n*, 'Unterholz *n*, Strauchwerk *n*, Gestrüpp *n*, Dickicht *n.* – **2.** *Am. dial.* Reisig(bündel) *n*, Astwerk *n.* – **3.** *Am. für* backwoods I. – **4.** *Austral.* Busch *m*, dicht bestandener Wald. – **II** *v/t* **5.** (*Hecken*) beschneiden. – **6.** mit Strauchwerk bepflanzen. – **7.** (*Erbsen etc*) mit Reisig stützen.

'brush|-'cov·ered *adj* mit Gestrüpp bedeckt, mit Niederwald bewachsen. — **~ dis·charge** *s electr.* Büschel-, (Spitzen)Glimmentladung *f.* — **~ grass** *s bot.* Bürstengras *n* (*Andropogon gryllus; für Wurzelbürsten*).

brush·ing ['brʌʃiŋ] **I** *adj* **1.** Fege..., Bürsten..., zum Bürsten gebraucht. – **2.** mit buschigem Schweif versehen. – **3.** rasch (*Galopp*). – **II** *s* **4.** *meist pl* abgebürstete *od.* aufgefegte Teilchen *pl*, Kehricht *m.*

brush·less ['brʌʃlis] *adj* **1.** ohne Bürste. – **2.** ohne Rute *od.* Schwanz (*Fuchs*).

'brush|,off *s Am. sl.* **1.** Entlassung *f*, ‚Hin'auswurf' *m.* – **2.** Abfuhr *f*, Weigerung *f*, Absage *f.* — **~ ore** *s* Bürstenerz *n.* — **~ pen·cil** *s* Malerpinsel *m.* — **'~,tailed** *adj* mit buschigem Schwanz. — **~ tur·key** *s zo.* Busch-, Tale'gallahuhn *n* (*Alectura lathami*). — **~ wheel** *s tech.* Bürstenscheibe *f.* — **'~,wood** *s* **1.** Niederwald *m*, Dickicht *n*, Gestrüpp *n*, 'Unterholz *n.* – **2.** Reisig(holz) *n.* — **'~,work** *s* (*Malerei*) Pinselführung *f*, Stil *m.*

brush·y ['brʌʃi] *adj* gestrüppartig.

brusk, brusk·ness *cf.* brusque, brusqueness.

brusque [brʌsk; brusk] **I** *adj* brüsk, barsch, schroff, kurz (angebunden). – *SYN. cf.* bluff[2]. – **II** *v/t* brüs'kieren, barsch *od.* schroff behandeln, anfahren. – **III** *v/i* ~ it ein schroffes Wesen annehmen. — **'brusque·ness** *s* Schroffheit *f*, schroffes Wesen. — **brus·que·rie** [bryskə'ri] (*Fr.*) → brusqueness.

Brus·sels ['brʌslz] *s* Brüsseler Spitzen *pl.* — **~ car·pet** *s* Brüsseler Teppich *m.* — **~ lace** → Brussels. — **~ sprouts** *s pl* Rosenkohl *m.*

brut [bryt] (*Fr.*) *adj* trocken (*Wein, bes. Champagner*).

bru·tal ['bruːtl] *adj* **1.** tierisch, viehisch. – **2.** bru'tal, rücksichtslos, grob, roh, unmenschlich. – **3.** unvernünftig, ohne Verstand. — **bru'tal·i·ty** [-'tæliti; -əti] *s* Brutali'tät *f.* — **,bru·tal·i'za·tion** *s* **1.** Verwilderung *f*, Verrohung *f.* – **2.** Roheit *f.* — **'bru·tal,ize I** *v/t* **1.** zum Tier machen *od.* werden lassen. – **2.** bru'tal behandeln. – **II** *v/i* **3.** tierisch werden, vertieren.

brute [bruːt] **I** *s* **1.** (*unvernünftiges*) Tier (*im Gegensatz zum Menschen*). – **2.** *fig.* Untier *n*, bru'taler Mensch, Rohling *m.* – **3.** (*die*) tierischen In'stinkte *pl* (*im Menschen*). – *SYN.* animal, beast. – **II** *adj* **4.** tierisch, unvernünftig, roh, gefühllos: by ~ force mit roher Gewalt. – **5.** seelenlos. – **6.** sinnlich. – **7.** ungeschlacht, grob, ungebildet. — **bru·ti·fi·ca·tion** [,bruːtifi'keiʃən; -təfə-] *s* Vertierung *f*, Verrohung *f*, Verwilderung *f.*

brut·ish ['bruːtiʃ] *adj* **1.** bru'tal. – **2.** grob, sinnlich. – **3.** vertiert. – **4.** 'unzivili,siert, ungeschliffen.

Bru·tus wig ['bruːtəs] *s hist.* Pe'rücke *f* mit hochstehendem, gelocktem Haar.

bry- [brai], **bryo-** [braio] *Wortelemente mit der Bedeutung* Moos.

bry·o·log·i·cal [ˌbraiəˈlɒdʒikəl] *adj bot.* bryoˈlogisch, die Mooskunde betreffend. — **bryˈol·o·gist** [-ˈɒlədʒist] *s* Bryoˈloge *m*, Moosforscher *m*. — **bryˈol·o·gy** *s bot.* Bryoloˈgie *f*, Mooskunde *f*.

bry·o·ni·a [braiˈouniə] *s med.* Zaunrübenwurzel *f* als Abführmittel (*von Bryonia alba*). — **bry·o·nin** [ˈbraiənin] *s chem.* Bryoˈnin *n* (*Glykosid aus Bryonia alba*). — **bry·o·ny** [ˈbraiəni] *s bot.* Zaunrübe *f* (*Gattg Bryonia*).

bry·o·phyte [ˈbraiəˌfait] *s bot.* Bryoˈphyt *m*, Moospflanze *f* (*Laub- u. Lebermoose*).

bry·o·zo·an [ˌbraiəˈzouən] *zo.* **I** *s* Moostierchen *n*. – **II** *adj* zu den Moostierchen gehörig.

Bryth·on [ˈbriθən] *s* cymbrischer Angehöriger der brit. Kelten, cymbrisch sprechender Kelte. — **Bry·thon·ic** [briˈθɒnik] **I** *s ling.* Bryˈthonisch *n*, das Brythonische. – **II** *adj* bryˈthonisch.

B sta·tion *s electr.* ˈRadiostatiˌon *f* an Bord eines Schiffes.

bu·a·ze [buˈɑːze] *s bot.* Abesˈsinischer Beilstrauch (*Securidaca longipedunculata*; *Polygalacee*).

bub [bʌb] *s Am.* Knirps *m*, Kleiner *m* (*familiäre Anrede*).

bu·ba·lis [ˈbjuːbəlis], *auch* **bu·bal(e)** [ˈbjuːbəl] *s zo.* (*eine*) ˈKuhantiˌlope (*Alcelaphus buselaphus*).

bub·ble [ˈbʌbl] **I** *s* **1.** (Luft-, Gas-) Blase *f* (*in einer Flüssigkeit od. festen Masse*). – **2.** (Seifen)Blase *f*. – **3.** *fig.* Seifenblase *f*, wertlose Sache, leerer Schein, Sache *f* von kurzer Dauer. – **4.** *sl.* Schwindel *m*, Schwindelgeschäft *n*, ˈunsoˌlides (*auch betrügerisches*) Unterˈnehmen: **to prick the ~** den Schwindel auffliegen lassen. – **5.** Sprudeln *n*, Brodeln *n*, Gurgeln *n*, (Ton-) Schwall *m*. – **6.** *obs.* leicht zu beschwindelnder Dummkopf. – **II** *v/i* **7.** sprudeln, (auf)wallen, brodeln, gurgeln: **to ~ up** sieden; **to ~ over with merriment** übersprudeln vor Heiterkeit. – **III** *v/t* **8.** Blasen bilden in (*dat*). – **9.** aufrühren, aufwallen lassen. – **10.** *obs.* betrügen. – **IV** *adj* **11.** leer, betrügerisch. — **~ and squeak** *s Br.* mit Gemüse zuˈsammen aufgebratenes Rindfleisch. — **~ bath** *s* Schaumbad *n*. — **~ bomb** → **robot bomb**. — **~ can·o·py** *s aer.* stromlinienförmiger Baldachin. — **~ car** *s* Kleinstwagen *m*, Kaˈbinenroller *m*. — **~ for·ma·tion** *s tech.* Blasenbildung *f*. — **~ gum** *s* Balˈlon-, Knallkaugummi *m*. — **~ lev·el** *s tech.* Liˈbelle *f*, Wasserwaage *f*.

bub·bler [ˈbʌblər] *s Am.* **1.** Trinkwasserbrunnen *m*. – **2.** *zo.* Grunzfisch *m* (*Aplodinotus grunniens*).

bub·ble| sex·tant *s tech.* Liˈbellensexˌtant *m*. — **~ shell** *s zo.* **1.** (*eine*) Blasenschnecke (*Gattg Bulla*). – **2.** (*eine*) Süßwasserblasenschnecke (*Gattg Physa*).

bub·bly [ˈbʌbli] *adj* voller Blasen, sprudelnd. — **ˈ~-ˌjock** *s bes. Scot. colloq.* Truthahn *m*.

bu·bo [ˈbjuːbou] *pl* **-oes** *s med.* Bubo *m*, Lymphdrüsenschwellung *f* (*Leiste od. Achselhöhle*), Beule *f*.

bu·bon·ic [bjuːˈbɒnik] *adj med.* Bubonen... — **~ plague** *s* Beulenpest *f*.

bu·bon·o·cele [bjuːˈbɒnoˌsiːl] *s med.* unvollkommener Leistenbruch.

buc·cal [ˈbʌkəl] *adj med.* bukˈkal, Backe *od.* Mund betreffend. — **~ cav·i·ty** *s* Mundhöhle *f*. — **~ gland** *s* Wangendrüse *f*. — **~ mass** *s zo.* Bucˈcalmasse *f* (*bei Schnecken*).

buc·can [ˈbʌkən; bəˈkæn] **I** *s* **1.** (*hölzerner*) Bratrost. – **2.** Vorrichtung *f* zum Räuchern von Fleisch. – **3.** bukaˈniertes Fleisch, Rauchfleisch *n*. – **II** *v/t* **4.** (*Fleisch*) bukaˈnieren (*auf hölzernem Rost braten od. räuchern*).

buc·ca·neer [ˌbʌkəˈnir] **I** *s* Piˈrat *m*, Seeräuber *m*, Freibeuter *m*. – **II** *v/i* ˌSeeräubeˈrei betreiben.

buc·ci·nal [ˈbʌksinl] *adj* tromˈpetenförmig, -artig (*Gestalt od. Klang*).

buc·ci·na·tor [ˈbʌksiˌneitər] *s med.* Tromˈpeter-, Backenmuskel *m*.

buc·co[1] [ˈbʌkou] *s zo.* Bartkuckuck *m*, Faulvogel *m* (*Gattg Bucco*).

buc·co[2] [ˈbʌkou] → **buchu**.

bucco- [bʌko] *Wortelement mit der Bedeutung* Wange, Backe.

bu·cen·taur [bjuˈsentɔːr] *s* Buzenˈtaur *m*: a) *Fabeltier* (*halb Ochse, halb Mensch*), b) *venezianische Staatsgondel*.

Bu·ceph·a·lus [bjuˈsefələs] *s* Buˈkephalos *m* (*Streitroß Alexanders des Großen*).

Buch·an·ite [ˈbʌxəˌnait; ˈbʌkə-] *s relig. Mitglied einer von Elspeth Buchan gegründeten schott. Sekte.*

Buch·man·ism [ˈbukməˌnizəm] *s relig.* Oxford-Gruppen-Bewegung *f*, Moˈralische Aufrüstung (*religiöse Erneuerungsbewegung*).

bu·chu [ˈbuːku; ˈbuːkuː] *s med.* (getrocknete) Buccoblätter *pl*.

buck[1] [bʌk] **I** *s* **1.** *zo.* Bock *m* (*Männchen verschiedener Tiere*), Rehbock *m*. – **2.** Draufgänger *m*. – **3.** Stutzer *m*, Geck *m*, eitler Mensch. – **4.** *Am. colloq.* a) Indiˈaner *m*, b) Neger *m*. – **5.** Bocken *n* (*Pferd*). – **6.** *Am.* (Säge-) Bock *m*. – **7.** *sport* Pferd *n* (*Turnen*). – **8.** (*Pokerspiel*) *Gegenstand, der einen Spieler daran erinnern soll, daß er am Geben ist*: **to pass the ~** *Am. sl.* sich von der Verantwortung drücken, die Verantwortung zuschieben (to *j-m*). – **9.** Bocksprung *m*. – **II** *v/i* **10.** bocken (*Pferd, Esel etc*). – **11.** *Am. colloq.* a) bocken, bockig sein, sich auflehnen, b) bocken, stoßen, sich ruckweise fortbewegen (*Auto*), c) mit gesenktem Kopf losrennen (*wie ein Bock*), mit Eifer *od.* Wut angreifen. – **12.** *electr.* in der entgegengesetzten Richtung wirken. – **13.** **~ up** *colloq.* a) ‚sich aufrappeln', sich zuˈsammenreißen, b) ‚sich auftakeln' (*aufputzen*). – **III** *v/t* **14.** (*Reiter*) durch Bocken abzuwerfen trachten (*Pferd etc*). – **15.** *dial. od. Am. colloq.* mit dem Kopf stoßen. – **16.** *Am. colloq.* sich stemmen *od.* hartnäckig wehren gegen (*etwas*). – **17.** **~ up** *colloq.* (*j-n*) ‚aufmöbeln', ermuntern. – **18.** (*amer. Fußball*) gegen (*die gegnerischen Reihen*) mit dem Ball anstürmen. – **19.** *electr.* (*Hilfsdynamo etc*) einschalten, um Spannung zu vermindern. – **20.** *Am. sl.* (*Geld*) verwetten. – **IV** *adj* **21.** männlich.

buck[2] [bʌk] *obs. od. dial.* **I** *v/t* **1.** (*Wäsche*) beuchen. – **II** *s* **2.** Beuche *f*, Lauge *f*. – **3.** Wäsche *f*.

buck[3] [bʌk] *v/t tech.* (*Erze*) pochen, scheiden.

buck[4] [bʌk] *v/t Am.* **1.** (*Holz*) zersägen. – **2.** (*Wasser, Holz*) tragen, bringen.

buck[5] [bʌk] *s Br.* Aalreuse *f*.

buck[6] [bʌk] *s Am. sl.* Dollar *m*.

buck[7] [bʌk] *s Br. Ind.* **1.** Geschwätz *n*. – **2.** Prahleˈrei *f*.

buck and wing *s Am.* (*besondere Art von*) Steptanz *m*.

buck·a·roo [ˈbʌkəˌruː; ˌbʌkəˈruː] *s Am. dial. od. Canad.* Cowboy *m*.

buck| bean *s bot.* Bitter-, Fieberklee *m* (*Menyanthes trifoliata*). — **ˈ~ˌboard** *s Am.* leichter, vierrädriger Wagen.

buck·een[1] [bʌˈkiːn] *s Irish* junger Mann niederen Adels, der die Gewohnheiten reicher Leute nachahmt.

buck·een[2] [bʌˈkiːn] *s* Indiˈanerin *f* (*in Guayana*).

buck·er[1] [ˈbʌkər] *s* bockendes Pferd.

buck·er[2] [ˈbʌkər] *s* (*Bergbau*) **1.** Scheidefäustel *m*. – **2.** Erzpocher *m*.

buck·et [ˈbʌkit] **I** *s* **1.** Eimer *m*, Kübel *m*: to kick the ~ *sl.* ins Gras beißen. – **2.** *tech.* a) Schaufel *f* eines Schaufelrades, b) Förderkübel *m*, Eimer *m* (*eines Baggers*), c) Zelle *f* (*Mühlenrad*), d) Flügelrad *n*. – **3.** *tech.* (Pumpen)-Kolben *m*. – **4.** (Leder)Behälter *m*, Kapsel *f* (*für Peitsche, Karabiner etc*). – **5.** Eimer(voll) *m*. – **6.** *mar.* Pütz(e) *f* (*Eimer mit Ösenhenkel*). – **II** *v/t* **7.** (*mit einem Eimer*) (aus)schöpfen: **to ~ money** *sl.* ‚Geld scheffeln' (*viel verdienen*). – **8.** (*Pferd*) rücksichtslos *od.* zuˈschanden reiten. – **9.** *sl.* beschwindeln, betrügen. – **III** *v/i* **10.** *Br. colloq.* (daˈhin)rasen, schnell reiten *od.* rudern. — **~ bag** *s* eimerförmige Damenhandtasche. — **~ con·vey·or** *s tech.* Becherkettenförderer *m*, Becherwerk *n*. — **~ dredg·er** *s tech.* Löffel-, Eimerbagger *m*.

buck·et·er [ˈbʌkitər] *s econ. Am.* ˈunreˌeller Börsenmakler.

buck·et·ful [ˈbʌkitfəl; -ful] *s* Eimer(voll) *m*.

buck·et| seat *s* niedriger Einzelsitz mit runder Rückenlehne, Klapp-, Notsitz *m* (*im Auto od. Flugzeug*). — **~ shop** *s* Winkelbankgeschäft *n*, Winkelbörse *f*, ˈunreˌelle Maklerfirma. — **~ wheel** *s tech.* Schöpfrad *n* (*mit Eimern*).

ˈbuck|ˌeye *s Am.* **1.** *bot.* (*eine*) ˈRoßkaˌstanie (*Gattg Aesculus*). – **2.** B~ *colloq.* Bewohner(in) Oˈhios. – **3.** großes Kanu. – **4.** *zo.* Nordamer. Pfauenauge *n* (*Junonia coenia*; *Schmetterling*). — **ˈ~ˌeyed** *adj* mit fleckigen *od.* schlechten Augen (*Pferd*). — **~ fe·ver** *s hunt. Am. colloq.* Jagdfieber *n* (*Aufregung des Neulings beim Erscheinen von Wild*). — **~ finch** → **chaffinch**. — **ˈ~ˌhorn** *s* Hirschhorn *n*. — **ˈ~ˌhorn sight** *s mil. hist.* großes Viˈsier mit tiefer Kimme (*am Gewehr*). — **ˈ~ˌhound** *s* Jagdhund *m* (*für Hochwild*).

Buck·ing·ham Pal·ace [ˈbʌkiŋəm] *s* Buckingham Paˈlast *m* (*königliche Residenz in London*).

buck·ish [ˈbʌkiʃ] *adj* stutzerhaft. — **ˈbuck·ish·ness** *s* Stutzerhaftigkeit *f*.

buck·le [ˈbʌkl] **I** *s* **1.** Schnalle *f*, Spange *f*. – **2.** Ausbuchtung *f*, Beule *f* (*an Gegenständen*). – **II** *v/t* **3.** (zu)schnallen, mit einer Schnalle befestigen: **to ~ on** anschnallen; **to ~ up** um-, zuschnallen. – **4.** (*durch Hitze, Druck etc*) einbuchten, biegen, krümmen. – **5.** *reflex* sich mit Feuereifer vorbereiten (to auf *eine Aufgabe*). – **III** *v/i* **6.** (to) sich mit Eifer (an *die Arbeit*) machen, sich stürzen (auf *od.* in *acc*): **to ~ down to hard work** sich (ernstlich) an die Arbeit machen. – **7.** (*unter Einwirkung von Hitze od. Gewalt*) zuˈsammensacken, sich (ver)biegen *od.* verziehen. – **8.** *dial.* sich unterˈwerfen.

buck·led [ˈbʌkld] *adj* **1.** mit einer Schnalle versehen. – **2.** mit einer Schnalle befestigt, zugeschnallt. – **3.** verbogen, verzogen.

buck·le| plate *s* Buckelplatte *f*. — **ˈ~-ˈproof** *adj tech.* knicksteif.

buck·ler [ˈbʌklər] **I** *s* **1.** kleiner runder Schild. – **2.** *zo.* Schild *m*. – **3.** Schutzvorrichtung *f*. – **4.** *fig.* Schutz *m*, Schirm *m*. – **5.** *mar.* Klüsendeckel *m*. – **II** *v/t* **6.** (be)schirmen, schützen. — **ˈbuck·lered** *adj* mit einem Schild bewaffnet.

buck·ler| fern *s bot.* (*ein*) Schildfarn *m* (*Gattg Aspidium*). — **~ mus·tard** *s bot.* (*eine*) Brillenschote (*Gattg Biscutella*). — **~ thorn** → **Christ's thorn a.**

buck·ling[1] [ˈbʌkliŋ] *s* **1.** *tech.* Knikkung *f*, Stauchung *f*: **~ load** Knicklast; **~ resistance**, **~ strength** Knickfestigkeit. – **2.** *tech.* Krümmen *n*, Verziehen *n*. – **3.** *aer.* Faltenbildung *f* (*der Tragflächen eines Flugzeugs*).

buck·ling² [ˈbʌkliŋ] *s* Bückling *m* (*geräucherter Hering*).

buck·o [ˈbʌkou] **I** *s pl* **-oes 1.** *Am. für* bully 1. – **2.** *mar. Br. sl.* Angeber *m.* – **II** *adj* **3.** *mar. Br. sl.* angeberisch.

buck·ra [ˈbʌkrə] **I** *s* **1.** weißer Mann (*Negerausdruck*). – **II** *adj* **2.** weiß. – **3.** gut, stark.

buck·ram [ˈbʌkrəm] **I** *s* **1.** Steifleinen *n,* Buckram *n.* – **2.** *fig.* Steifheit *f,* Förmlichkeit *f.* – **II** *v/t* **3.** mit Steifleinen füttern, versteifen. – **4.** (*einer Sache*) den Anschein größerer Wichtigkeit verleihen. – **III** *adj* **5.** steif, aus Steifleinen. – **6.** *fig.* steif, forˈmell.

ˈ**buckˌsaw** *s Am.* Bocksäge *f.*

buck·shee [ˈbʌkʃiː; ˌbʌkˈʃiː] *adj mil. Br. sl.* gratis, umˈsonst.

ˈ**buck|ˌshot** *s hunt.* grober Schrot, Rehposten *m.* — ˈ**~ˌskin** *s* **1.** Haut *f od.* Fell *n* eines Rehbocks. – **2.** Wildleder *n.* – **3.** Buckskin *m* (*geköperter Wollstoff*). – **4.** *meist* B~ *Am. hist.* (*Spitzname für einen*) ˈHinterwäldler (*bes. aus Virginia od. dem Süden*). – **5.** *Am.* Falbe *m,* graugelbes Pferd. – **6.** Lederhose *f.* — **~ slip** *s* innerbetriebliche Mitteilung, ˈAktennoˌtiz *f.* — ˈ**~ˌstick** *s Br. Ind. sl.* ‚Angeber' *m,* Prahler *m.* — ˈ**~ˌtail** *s künstliche Angelfliege.* — ˈ**~ˌthorn** *s bot.* **1.** Weg-, Kreuzdorn *m* (*Gattg Rhamnus*). – **2.** Buˈmelie *f* (*Bumelia lycioides*). — ˈ**~ˌtooth** *s irr* vorstehender Zahn. — ˈ**~ˌwheat** *s bot.* (*ein*) Buchweizen *m* (*Gattg Fagopyrum, bes. F. esculentum*).

bu·col·ic [bjuːˈkɒlik] **I** *adj* **1.** buˈkolisch, hirtenmäßig. – **2.** ländlich, bäuerlich, iˈdyllisch. – *SYN. cf.* rural. – **II** *s* **3.** *humor.* Landmann *m,* Bauer *m,* Hirte *m.* – **4.** Iˈdylle *f,* Hirtengedicht *n.* — **buˈcol·i·cal** → bucolic I. — **buˈcol·i·cal·ly** *adv* (*auch zu* bucolic I).

bud¹ [bʌd] **I** *s* **1.** *bot.* Knospe *f,* Auge *n.* – **2.** Keim *m.* – **3.** *fig.* Keim *m,* Ursprung *m*: to nip in the ~ im Keime ersticken. – **4.** *zo.* Knospe *f,* Keim *m* (*bei niederen Tieren*). – **5.** in der Entwicklung befindliches Orˈgan, knospenartige Anschwellung. – **6.** unentwickeltes Wesen (*Person od. Ding*). – **7.** *Am. sl. für* debutante. – **II** *v/i* **8.** knospen, keimen, sprossen. – **9.** *auch* ~ out, ~ up sich entwickeln, zu wachsen beginnen, herˈanreifen. – **10.** in einem frühen Entwicklungsstadium sein. – **III** *v/t* **11.** zum Knospen bringen. – **12.** okuˈlieren, äugeln, veredeln.

bud² [bʌd] *s Am. colloq.* Bruder *m.*

bud·ded [ˈbʌdid] *adj* Knospen tragend.

Bud·dhism [ˈbudizəm] *s* Budˈdhismus *m.* — ˈ**Bud·dhist** *s* Budˈdhist *m.* — **Budˈdhis·tic** *adj* budˈdhistisch.

bud·ding [ˈbʌdiŋ] **I** *s* **1.** *bes. bot.* Sprossung *f.* – **II** *adj* **2.** *bot.* sprossend. – **3.** *fig.* angehend: a ~ politician.

bud·dle [ˈbʌdl] (*Bergbau*) **I** *s* Kehrherd *m,* Schlämmgraben *m*: rinsing ~ Schlämmtrog, Erzbütte; round ~ Rundherd. – **II** *v/t* (*Erze*) schlämmen, waschen.

bud·dle·ia [bʌdˈliːə; ˈbʌdliə] *s bot.* Fliederspeer *m,* Schmetterlingsstrauch *m* (*Gattg Buddleia*).

bud·dy [ˈbʌdi] *s Am. colloq.* **1.** ‚Kumpel' *m,* Kameˈrad *m,* Genosse *m.* – **2.** mein Lieber, Freundchen *n,* Söhnchen *n* (*in familiärer Anrede*).

budge¹ [bʌdʒ] *meist in verneinenden Konstruktionen* **I** *v/i* sich regen *od.* rühren, sich (von der Stelle) bewegen: to refuse to ~; don't ~ wehe, wenn du dich vom Fleck rührst! – **II** *v/t* (vom Fleck) bewegen: I cannot ~ this chest.

budge² [bʌdʒ] **I** *s* **1.** (gegerbtes) Lammfell. – **II** *adj* **2.** mit Lammpelz besetzt. – **3.** *obs.* steif, peˈdantisch, streng.

budg·er·i·gar [ˌbʌdʒəriˈgɑːr], *auch* ˌ**budg·er·eeˈgah** [-ˈgɑː] *s zo.* Wellensittich *m.*

budg·et [ˈbʌdʒit] **I** *s* **1.** *pol.* Budˈget *n,* Haushaltsplan *m,* (Staats)Haushalt *m,* Eˈtat *m*: to make a ~ einen Haushaltsplan machen *od.* aufstellen; to open the ~ das Budget vorlegen; ~ cut Einschränkung des Staatshaushaltes. – **2.** *obs. od. dial.* Lederbeutel *m,* Ranzen *m,* Sack *m,* Tasche *f.* – **3.** *fig.* Vorrat *m,* Menge *f*: a ~ of news ein Sackvoll Neuigkeiten. – **II** *v/t* **4.** im Haushaltsplan ˈunterbringen. – **III** *v/i* **5.** planen, ein Budget machen: to ~ for s.th. etwas im Haushaltsplan vorsehen. — ˈ**budg·et·ar·y** [*Br.* -təri; *Am.* -ˌteri] *adj* Budget...: ~ deficit Haushaltsdefizit.

budg·ie [ˈbʌdʒi] *Kurzform für* budgerigar.

bud| scale *s bot.* Knospenschuppe *f.* — **~ sheath** *s bot.* Knospenscheide *f.* — **~ sport,** **~ var·i·a·tion** *s bot.* ˈKnospenmutatiˌon *f.*

buff¹ [bʌf] **I** *s* **1.** starkes Ochsen- (*ursprünglich* Büffel)Leder. – **2.** Lederkoller *n.* – **3.** Braungelb *n,* Lederfarbe *f.* – **4.** *colloq.* bloße Haut: in ~ nackt; to strip to the ~ sich bis auf die Haut ausziehen. – **5.** *pl mil. Br. Beiname des* East Kent Regiment (*nach der Farbe seiner Aufschläge*). – **II** *adj* **6.** aus starkem Leder. – **7.** lederfarben. – **III** *v/t* **8.** mit Leder poˈlieren. – **9.** wie Leder färben.

buff² [bʌf] *s obs.* Puff *m,* Schlag *m* (*nur noch in*): → blindman's ~.

buf·fa·lo [ˈbʌfəˌlou] **I** *s pl* **-loes, -los** **1.** *zo.* (*ein*) Büffel *m, bes.* a) Indischer Arni-Büffel, Kerabau *m* (*Bubalus bubalis*), b) Kaffernbüffel *m* (*Synceros caffer*), c) Nordamer. Bison *m* (*Bison bison*). – **2.** Büffelfell *n* (*als Reisedecke*). – **3.** *mil.* amˈphibischer Panzerwagen. – **II** *v/t* **4.** *Am. sl.* a) (*j-n*) irreführen, täuschen, b) (*j-n*) ins Bockshorn jagen, einschüchtern. — **~ ber·ry** *s bot.* **1.** Büffelbeere *f.* – **2.** Büffelbeerenstrauch *m* (*Shepherdia argentea u. S. canadensis*). — **~ bird** *s zo.* **1.** Büffelvogel *m,* Elsterstar *m* (*Gattg Sturnopastor*). – **2.** Madenhacker *m* (*Gattg Buphagus*). — **~ bug** → carpet beetle. — **~ chips** *s pl* getrockneter Büffelmist. — **~ clo·ver** *s bot.* Büffelklee *m* (*Trifolium pennsylvanicum, T. reflexum u. T. stoloniferum*). — **~ fish** *s zo.* Büffelfisch *m* (*Unterfam. Catostomidae*). — **~ gnat** *s zo.* (*eine*) Kribbel-, Kriebelmücke (*Gattg Simulium*). — **~ grass** *s bot.* Büffelgras *n* (*Buchloë dactyloides*). — **~ jack** *s zo.* (*eine*) ˈStachelmaˌkrele (*Caranx crysos*). — **~ moth** *s zo.* Larve *f* des Teppichkäfers *Anthrenus scrophulariae.* — **~ nut** *s bot.* Ölnuß(strauch *m*) *f* (*Pyrularia pubera*). — **~ robe** → buffalo 2.

buff·er¹ [ˈbʌfər] *s* **1.** Poˈlierer *m.* – **2.** Poˈliermaˌschine *f.*

buff·er² [ˈbʌfər] *s sl. od. dial.* närrischer Kauz, dummer Kerl.

buff·er³ [ˈbʌfər] **I** *s* **1.** *tech.* a) Stoßdämpfer *m,* b) Bremslösung *f,* c) Puffer *m,* d) Prellbock *m,* e) Rücklaufbremse *f* (*Geschütz*). – **2.** *electr.* a) Puffer *m,* Entkoppler *m,* b) Trennkreis *m,* -stufe *f.* – **3.** *chem.* Puffer *m.* – **II** *v/t* **4.** (*Stoß*) (ab)dämpfen. – **III** *v/i* **5.** als Puffer wirken.

buff·er| am·pli·fi·er *s electr.* (Leitungs)Verstärker *m,* Trennverstärker *m.* — **~ bar** *s tech.* **1.** (*Eisenbahn*) Kopfschwelle *f,* Pufferholz *n.* – **2.** Stoßfänger *m,* -stange *f.* — **~ beam** → buffer bar. — **~ block** *s* Prellblock *m.* — **~ salt** *s biol.* Puffersalz *n.* — **~ state** *s* Pufferstaat *m.* — **~ val·ue** *s biol.* Pufferwert *m.*

buf·fet¹ [ˈbʌfit] **I** *s* **1.** Puff *m,* Stoß *m,* Schlag *m.* – **2.** heftige Erschütterung. – **3.** *fig.* (Schicksals)Schlag *m.* – **II** *v/t* **4.** schlagen, stoßen, puffen: to ~ s.o. about j-n herumstoßen. – **5.** bekämpfen, ankämpfen gegen (*acc*). – **6.** (*Glocke*) dämpfen. – **III** *v/i* **7.** boxen. – **8.** (sich ˈdurch)kämpfen.

buf·fet² [*Br.* ˈbʌfit; *Am.* buˈfei] **I** *s* **1.** Büˈfett *n,* Anrichte *f,* Kreˈdenz(tisch *m*) *f,* Geschirrschrank *m.* – **2.** [*Br.* ˈbufei] Büˈfett *n,* Schenktisch *m.* – **3.** [*Br.* ˈbufei] Restauˈrant *n od.* Speisesaal *m* mit Büˈfett. – **4.** *bes. dial.* Schemel *m.* – **5.** *bes. dial.* Kniekissen *n.* – **II** *adj* **6.** vom Büˈfett serˈviert (*Mahlzeit mit Selbstbedienung der Gäste*). — **~ car** *s* Büˈfettwagen *m.*

buf·fet·ing [ˈbʌfitiŋ] *s* Schlag *m,* Stoß *m.*

buff·ing [ˈbʌfiŋ] *s tech.* **1.** Poˈlieren *n,* Nachschliff *m* (*Messer etc*). – **2.** (*Gerberei*) Abschaben *n* der Häute. – **3.** *pl* vom Fell geschabter Abfall. — **~ block** → buffer block. — **~ wheel** *s tech.* Poˈlierrad *n,* Schwabbelscheibe *f.*

buff jer·kin *s mil. obs.* Lederkoller *n.*

ˈ**buff·fleˌhead** [ˈbʌfl-] *s* **1.** *dial.* Dummkopf *m.* – **2.** *zo. Am.* Büffelkopfente *f* (*Bucephala od. Charitonetta albeola*).

buf·fo [ˈbuffo] (*Ital.*) *mus.* **I** *s pl* **-fi** [-fi] Buffo *m,* Sänger *m* komischer Rollen. – **II** *adj* Buffo..., komisch.

buf·foon [bʌˈfuːn; bə-] **I** *s* **1.** Possenreißer *m,* Spaßmacher *m,* Komiker *m,* Hanswurst *m.* – **2.** derber Witzbold. – *SYN.* fool, jester, zany. – **II** *adj* **3.** possenhaft, närrisch, komisch. – **III** *v/i* **4.** den Narren spielen, sich närrisch benehmen. — **bufˈfoon·er·y** [-əri] *s* ˌPossenreißeˈrei *f,* Possen *pl.*

buff| stick *s* Lederfeile *f.* — ˈ**~-ˌtipped moth** *s zo.* Mondfleck *m* (*Phalera bucephala; Zahnspinnerschmetterling*). — **~ wheel** *s* Poˈlierscheibe *f.*

buff·y¹ [ˈbʌfi] *adj* lederfarben.

buff·y² [ˈbʌfi] *adj Br. sl.* ‚blau', betrunken.

buff·y coat *s med.* Leukoˈzytenfilm *m* (im zentrifuˈgierten Blut).

bug¹ [bʌg] **I** *s* **1.** *zo. bes. Br.* (Bett-)Wanze *f.* – **2.** *zo.* Wanze *f,* Halbflügler *m* (*Ordng Hemiptera*). – **3.** *dial. od. Am. colloq. allg.* Inˈsekt *n, bes.* Käfer *m.* – **4.** *Am. colloq.* Baˈzillus *m.* – **5.** *Am.* ~s in (*bes.* technische) Störung, ‚Panne' *f*: ~s in television. – **6.** *Am. sl.* Grille *f,* fixe Iˈdee. – **7.** *Am. sl.* Faˈnatiker *m.* – **8.** *sl.* ‚Wanze' *f,* ˈMinispiˌon *m,* Abhörvorrichtung *f.* – **II** *v/i pret u. pp* **bugged** **9.** *Am. colloq.* Käfer sammeln. – **10.** ~ out *Am. sl.* ‚Leine ziehen', ‚abhauen'. – **III** *v/t pret u. pp* **bugged** **11.** *Am. dial.* von Ungeziefer befreien.

bug² [bʌg] *s obs.* **1.** Kobold *m.* – **2.** Schreckbild *n.*

bug³ [bʌg] *pret u. pp* **bugged** *v/i Am. colloq.* herˈvor-, herˈaustreten, -quellen (*Augen*).

bug·a·boo [ˈbʌgəˌbuː] *s* böser Kobold, Schreckgespenst *n* (*auch fig.*).

bug| a·gar·ic *s bot.* Fliegenpilz *m* (*Amanita muscaria*). — ˈ**~ˌbane** *s bot.* Wanzenkraut *n* (*Cimicifuga racemosa*). — ˈ**~ˌbear** *s* Schreckgespenst *n,* Popanz *m.* — ˈ**~ˌbite** *s* Wanzen-, Inˈsektenstich *m.* — **~ de·stroy·er** *s* **1.** Inˈsektenpulver *n.* – **2.** Kammerjäger *m.*

bug·ger [ˈbʌgər] *s* **1.** *jur. od. vulg.* Pädeˈrast *m,* Sodoˈmit *m.* – **2.** *vulg.* Schuft *m.* – **3.** *dial. od. Am. sl.* Kerl *m.* — ˈ**bug·ger·y** [-əri] *s* Unzucht *f,* Päderaˈstie *f,* Sodoˈmie *f.*

bug·gy¹ [ˈbʌgi] *adj* **1.** verwanzt, von Inˈsekten *od.* Käfern befallen *od.* zerfressen. – **2.** *Am. sl.* verrückt.

bug·gy² [ˈbʌgi] *s* **1.** Buggy *m,* leichter Wagen (*vierrädrig in den USA, zweirädrig in England u. Indien*). – **2.** → baby ~.

ˈ**bug|ˌhouse** *Am. vulg.* **I** *s* ‚Klapsmühle' *f* (*Irrenanstalt*). – **II** *adj* verrückt. — **~ hunt·er** *s sl.* **1.** Käfer-, Inˈsektensammler *m.* – **2.** *Br.* Tapeˈzierer *m,* Polsterer *m.*

bu·gle[1] ['bjuːgl] **I** *s* **1.** (Wald-, Jagd-)Horn *n.* – **2.** *mil.* Si'gnalhorn *n*: to sound the ~ ein Hornsignal blasen. – **II** *v/t u. v/i* **3.** auf dem Horn blasen.
bu·gle[2] ['bjuːgl] *s* (schwarze, röhrenförmige) Glasperle, Schmelzperle *f.*
bu·gle[3] ['bjuːgl] *s bot.* Günsel *m* (*Gattg Ajuga*).
bu·gled ['bjuːgld] *adj* mit Schmelzperlen besetzt.
bu·gle horn → bugle[1] I.
bu·gler ['bjuːglər] *s* Hor'nist *m.*
bu·glet ['bjuːglit] *s* kleines (Si'gnal)-Horn.
'bu·gleˌweed *s bot.* Wolfstrapp *m* (*Gattg Lycopus, bes. L. virginicus*).
bu·gloss ['bjuːglɒs; *Am. auch* -glɔːs] *s bot.* **1.** Ochsenzunge *f* (*Gattg Anchusa*). – **2.** (*ein*) Scharfkraut *n* (*Asperugo procumbens*). – **3.** (*ein*) Bitterkraut *n* (*Picris echioides*). – **4.** (*ein*) Wolfsauge *n* (*Lycopsis arvensis*). — **~ cow·slip** → lungwort 1.
'bugˌseed *s bot.* Wanzensame *m* (*Corispermum hyssopifolium*).
buhl [buːl], **'buhlˌwork** → boule[2].
buhr [bəːr], **'buhrˌstone** → burstone.
build [bild] **I** *v/t pret u. pp* **built** **1.** bauen, erbauen, errichten: to ~ a house ein Haus bauen; to ~ a railroad eine Bahnlinie bauen; to ~ a fire ein Feuer anrichten. – **2.** *auch* ~ up aufbauen, schaffen, gründen: to ~ up an empire ein Reich gründen *od.* aufbauen; to ~ up an existence (sich) eine Existenz aufbauen; to ~ up a reputation sich einen Namen machen. – **3.** *fig.* (*im Geiste*) bauen, aufbauen, konstru'ieren: to ~ castles in the air Luftschlösser bauen; to ~ one's hopes on promises seine Hoffnungen auf Versprechungen gründen; to ~ up a case *bes. jur.* (Beweis)Material *od.* Argumente zusammenstellen. – **4.** (*Gelände*) ausbauen: to ~ up an area. – **5.** (*Karten, Dominosteine etc*) zu'sammensetzen. – **6.** ~ up *electr. phys.* einschwingen, aufschaukeln. – **II** *v/i* **7.** bauen, Baumeister sein. – **8.** *fig.* bauen, sich verlassen *od.* stützen, vertrauen (on, upon auf *acc*). – **III** *s* **9.** Bauart *f*, Form *f*, Gestalt *f.* – **10.** Körperbau *m*, Fi'gur *f*: to be of fine ~ von stattlichem Körperbau sein. – **11.** Schnitt *m* (*Kleid*). — **'build·er** *s* **1.** Erbauer *m.* – **2.** Baumeister *m.* – **3.** 'Bauunterˌnehmer *m*: ~'s manager Bauleiter.
build·ing ['bildiŋ] *s* **1.** Bauen *n*, Erbauen *n*, Errichten *n.* – **2.** Gebäude *n*, Bau(werk *n*) *m.* — **~ and loan as·so·ci·a·tion** *s Am.* Bausparkasse *f*, Bausparverein *m.* — **~ berth** *s tech.* Helling *f.* — **~ block** *s* **1.** *mar.* 'Unterlage *f* für Schiffe (*im Bau*). – **2.** (Ze'ment- *etc*)Block *n* für Bauzwecke. – **3.** Bauklotz *m* (*für Kinder*). — **~ con·trac·tor** *s* 'Bauunterˌnehmer *m.* — **~ cra·dle** *s tech.* Helling *f.* — **~ lease** *s jur. Br.* langfristige Grundstückspacht (*mit der Verpflichtung des Pächters zur Errichtung von Gebäuden, die später dem Grundeigentümer zufallen*). — **~ line** *s tech.* Bauflucht *f*, Bau-, Fluchtlinie *f.* — **~ plot**, *Am. auch* **~ lot** *s* 'Bauparˌzelle *f*, -grundstück *n.* — **~ share** *s econ.* Bauaktie *f.* — **~ so·ci·e·ty** *s Br.* Baugenossenschaft *f*, Bausparkasse *f.* — **'~-'up proc·ess** *s electr. phys.* Aufschaukelvorgang *m.* — **'~-'up time** *s electr. phys.* Aufschaukel-, Einschwingzeit *f.*
'build-ˌup, 'buildˌup *s* Re'klame *f*, Propa'ganda(rummel *m*) *f*: he has been given a great ~ in the press er wurde in der Presse groß herausgestellt.
built [bilt] **I** *pret u. pp von* build. – **II** *adj* gebaut, konstru'iert, geformt: well ~ gut gebaut; he is ~ that way *colloq.* so ist er eben. — **'~-ˌin** *adj* eingebaut, Einbau... — **'~ˌup a·re·a** *s* bebautes Gelände *od.* Gebiet.
buk·shee, buk·shi ['bʌkʃiː] *s mil. Br. Ind.* Zahlmeister *m.*
bulb [bʌlb] **I** *s* **1.** *bot.* Knolle *f*, Zwiebel *f* (*einer Pflanze*). – **2.** Zwiebelgewächs *n.* – **3.** zwiebelförmiger Gegenstand, ('Glas- *etc*)Balˌlon *m.* – **4.** *med.* a) zwiebelförmiger ana'tomischer Teil (*Zahnwurzel etc*), b) Schwellung *f* eines Or'gans (*Aorta, Harnröhre etc*). – **5.** *electr.* Glühbirne *f.* – **6.** *tech.* a) Gefäß *n*, b) Kugel *f* (*Thermometer*), c) Kü'vette *f.* – **7.** *phot.* Bal'lonauslöser *m.* – **II** *v/i* **8.** *auch* ~ out rundlich her'vorragen, anschwellen. – **9.** *bot.* Knollen *od.* Zwiebeln bilden.
bul·ba·ceous [bʌl'beiʃəs] → bulbous.
bulb an·gle *s tech.* Wulstwinkel *m*, Winkelwulsteisen *n.*
bulb·ar ['bʌlbər] *adj* **1.** *bot.* eine Pflanzenzwiebel betreffend. – **2.** *med.* bul'bär.
bulbed [bʌlbd] *adj* **1.** knollenförmig, wulstartig. – **2.** *bot.* knollig, zwiebelig gestaltet. — **bulb'if·er·ous** [-'bifərəs] *adj bot.* knollen-, zwiebeltragend. — **'bulb·iˌform** [-biˌfɔːrm] *adj* zwiebel-, knollenförmig.
bul·bil ['bʌlbil], **'bulb·let** [-lit] *s bot.* kleine Nebenzwiebel.
bulb·ous ['bʌlbəs] *adj bot.* knollig, zwiebelartig. — **~ root** *s bot.* Knollenwurzel *f.*
bul·bul ['bulbul] *s* **1.** Bul'bul *m* (*häufig in der pers. Dichtung erwähnte Nachtigall; wahrscheinlich Luscinia golzii*). – **2.** *zo.* Bülbül *m*, Haarvogel *m* (*Fam. Pycnonotidae*). – **3.** *poet.* Dichter-Sänger *m.*
bul·bule ['bʌlbjuːl] *s bot. selten* kleine Zwiebel.
bulge [bʌldʒ] **I** *s* **1.** (Aus)Bauchung *f*, Ausbuchtung *f*, Erhöhung *f*, rund her'vortretender Teil, Buckel *m.* – **2.** Rundung *f*, Bauch *m* (*Faß etc*). – **3.** *mar.* Schiffsboden *m*, Bilge *f*, Kimm *f.* – **4.** *mar.* Tor'pedowulst *m.* – **5.** *meist Am. sl.* Vorteil *m*: to have the ~ on s.o. j-m gegenüber im Vorteil sein. – **6.** Anschwellen *n*, (An)-Steigen *n*: the post-war ~ in student numbers das Anwachsen der Studentenzahlen seit Kriegsende. – **7.** *electr. phys.* Schwingungsbauch *m.* – **8.** *tech.* Aufbauchung *f*, Wulst *m.* – *SYN. cf.* **projection.** – **II** *v/i* **9.** *auch* ~ out sich (aus)bauchen, bauchig her'vortreten, -ragen. – **III** *v/t* **10.** ausbauchen, -beulen. – **11.** *mar. obs.* leck machen. — **~ wa·ter** → bilge water.
bulg·i·ness ['bʌldʒinis] *s* Bauchigkeit *f.* — **'bulg·y** [-dʒi] *adj* bauchig (her'vortretend), geschwollen.
bu·lim·i·a [bjuː'limiə] *s med.* Buli'mie *f*, Heißhunger *m.* — **bu'lim·iˌac** [-iˌæk], **bu'lim·ic** [-ik] *adj med.* heißhungrig. — **bu·li·my** ['bjuːləmi] → bulimia.
bulk[1] [bʌlk] **I** *s* **1.** 'Umfang *m*, Vo'lumen *n*, Größe *f*, Masse *f*, Menge *f*: a ship of great ~ ein großes, massiges Schiff; to increase in ~ an Umfang zunehmen. – **2.** große Gestalt (*auch fig.*). – **3.** größerer Teil, Großteil *m*, Hauptteil *m*, -masse *f*: the ~ of a debt der Hauptteil einer Schuld. – **4.** lose Ladung, unverpackte Schiffsladung: → break[1] 30; in ~ lose, unverpackt (*bes. Fische*), in großen Mengen. – **5.** *tech.* a) Masse *f*, Vo'lumen *n*, b) Raumbedarf *m.* – **6.** Haufen *m.* – **7.** *obs.* Rumpf *m*, Körper *m.* – *SYN.* **mass**[1], **volume.** – **II** *v/i* **8.** 'umfangreich *od.* massig *od.* wichtig sein. – **9.** *meist* ~ up an Größe *od.* 'Umfang zunehmen, (an-, auf)schwellen. – **III** *v/t* **10.** anschwellen lassen, vollstopfen. – **11.** (*Am. bes. Tabak*) aufstapeln. – **12.** die Masse *od.* das Gewicht feststellen von (*einer Ware*).
bulk[2] [bʌlk] *s arch.* Vorbau *m*, Verkaufsstand *m.*
'bulk-ˌcar·go *s* Schüttgut *n* (*lose Ladung*).
bulked [bʌlkt] *adj* **1.** 'umfangreich. – **2.** in losen Mengen verfrachtet.
bulk·er ['bʌlkər] *s* **1.** *mar.* j-d der Stückgüter ausmißt u. Fracht berechnet. – **2.** *Am.* j-d der Tabak zur Fermentati'on aufstapelt.
bulk| goods *s pl econ.* Massengüter *pl*, Schüttgut *n.* — **'~ˌhead** *s* **1.** *mar.* Schott *n* (*Trennwand im Schiff*): **armo(u)r** ~ Panzerschott; **longitudinal** ~ Längsschott; **shifting** ~ fliegendes *od.* versetzbares Schott; **watertight** ~ wasserdichtes Schott. – **2.** (Fang)-Damm *m*, Schutzwand *f* (*gegen Wasser, Druck, Feuer etc*). – **3.** vorspringender Gebäudeteil mit schrägem Dach. – **4.** kleine Bude (*Eingang zu Keller, Schacht etc*). – **5.** *tech.* a) Spant *n*, b) Spundwand *f.* — **'~ˌhead·ed** *adj mar.* mit Schotten versehen.
bulk·i·ness ['bʌlkinis] *s* **1.** Größe *f*, 'Umfang *m.* – **2.** Beleibtheit *f.*
bulk pro·duc·tion *s tech.* 'Massenfertigung *f*, -erzeugung *f*, -produktiˌon *f.*
bulk·y ['bʌlki] *adj* **1.** groß, dick, 'umfangreich. – **2.** sperrig: ~ goods sperrige Waren, Sperrgut.
bull[1] [bul] **I** *s* **1.** *zo.* Bulle *m*, (Zucht)-Stier *m*: to take the ~ by the horns den Stier bei *od.* an den Hörnern packen. – **2.** (Ele'fanten-, Elch-, Wal- *etc*)Bulle *m*, Männchen *n* (*großer Säugetiere*). – **3.** Bulle *m*, Tolpatsch *m*, großer, ungeschlachter Mensch: like a ~ in a china-shop wie ein Elefant im Porzellanladen. – **4.** *econ.* Haussi'er *m*, 'Haussespekuˌlant *m* (*der auf das Steigen der Preise spekuliert*). – **5.** *Am. sl.* ‚Po'lyp' *m*, Poli'zist *m*, Krimi'nalbeˌamter *m.* – **6.** *astr.* Stier *m* (*Sternbild*). – **II** *v/t* **7.** (*an der Börse*) die Preise für (*etwas*) in die Höhe treiben. – **8.** decken (*Stier*). – **III** *v/i* **9.** den Stier annehmen (*Kuh*). – **10.** auf Hausse speku'lieren. – **11.** im Preise steigen. – **IV** *adj* **12.** männlich (*Tier*). – **13.** bullenartig, groß. – **14.** *econ.* steigend (*Preise*): a ~ market.
bull[2] [bul] *s* (päpstliche) Bulle.
bull[3] [bul] *s sl.* ‚Quatsch' *m*, Unsinn *m.*
bul·la ['bulə; 'bʌlə] *s med.* Bulla *f*, (*große*) Haut- *od.* Wasserblase.
bul·lace ['bulis] *s bot.* **1.** Pflaumenschlehe *f* (*Prunus insititia*). – **2.** (*ein*) Ba'latabaum *m* (*Mimusops globosa*).
bul·late ['buleit; -lit; 'bʌl-] *adj bot. med.* blasig, blasenartig, voller Blasen.
bull| bait, '~ˌbait·ing *s* Stierhetze *f.* — **'~ˌboat** *s mar. hist.* flaches Boot der nordamer. Indi'aner. — **~ bri·er** *s bot.* (*eine*) Stechwinde, (*eine*) falsche Chinawurzel (*Smilax pseudo-China u. S. hispida*). — **~ calf** *s irr. zo.* Stier-, Bullenkalb *n.* — **'~ˌcomb·er** *s zo.* (*ein*) Pillendreher *m*, (*ein*) Mistkäfer *m* (*bes. Typhaeus vulgaris*). — **'~ˌdog I** *s* **1.** Bulldogge *f*, Bullenbeißer *m.* – **2.** *Br. obs.* Büttel *m.* – **3.** *Br.* Begleiter *m* des Proctors (*an engl. Universitäten*). – **4.** *mar. sl.* großes Deckgeschütz. – **5.** Re'volver *m od.* Pi'stole *f* mit kurzem Lauf. – **6.** *tech.* Bulldogg-, Saigerschlacke *f.* – **II** *adj* **7.** mutig, zäh, hartnäckig. – **III** *v/t* **8.** *Am.* (*Stier*) bei den Hörnern packen u. werfen. — **'~ˌdoze** *v/t* **1.** *colloq.* einschüchtern, terrori'sieren. – **2.** (*durch Planierraupe*) pla'nieren, räumen. – **3.** sich (*seinen Weg*) mit Gewalt bahnen. — **'~ˌdoz·er** *s* **1.** *colloq.* j-d der andere terrori'siert. – **2.** *tech.* Großräumpflug *m*, Pla'nierraupe *f*, Bulldozer *m.*
bul·len nail ['bulən] *s* Polsternagel *m.*

bul·let [ˈbulit] *s* **1.** kleine Kugel. – **2.** Gewehr-, Piˈstolenkugel *f.* – **3.** Senkblei *n* (*an der Angelschnur*). — **~ draw·er** *s med.* Kugelzange *f* (*zum Entfernen von Kugeln aus Wunden*). — **ˈ~ˌhead** *s* **1.** Rundkopf *m.* – **2.** *Am. colloq.* Dickkopf *m.* — **ˈ~-ˈhead·ed** *adj* **1.** rundschädelig. – **2.** *Am.* hart-, dick-, starrköpfig.

bul·le·tin [ˈbulətin; -li-] **I** *s* **1.** Bulleˈtin *n*, kurzer (*ärztlicher, politischer, militärischer*) Bericht, offiziˈelle Bekanntmachung. – **2.** Zeitschrift *f*, Nachrichtenblatt *n* (*kleiner Organisationen*). – **II** *v/t* **3.** (durch Bulleˈtin) bekanntmachen. — **~ board** *s Am.* Anschlagbrett *n*, Schwarzes Brett.

ˈbul·let|-ˌnose curve *s phys.* Kohlenspitzenkurve *f.* — **ˈ~-ˈproof** *adj* kugelsicher, -fest, schußsicher. — **~ shell** *s* Spreng-, Exploˈsivkugel *f* (*für Gewehre*). — **ˈ~ˌwood** *s* Holz *n* des Baˈlatabaums *Mimusops balata.*

ˈbull|ˌfight *s* Stierkampf *m.* — **ˈ~ˌfight·er** *s* Stierkämpfer *m.*

ˈbullˌfinch[1] *s zo.* (*ein*) Dompfaff *m*, (*ein*) Gimpel *m* (*Gattg Pyrrhula*), *bes.* Gemeiner Gimpel (*P. pyrrhula*).

ˈbullˌfinch[2] **I** *s* hohe Hecke, Grenzhecke *f* (*zur Abwehr von Reitern u. als Hindernis beim Rennen*). – **II** *v/i sport* zu Pferde Grenzhecken durchˈbrechen.

ˈbull|ˌfoot *s irr* → **coltsfoot.** — **ˈ~ˌfrog** *s zo.* Ochsenfrosch *m* (*Rana catesbeiana*). — **ˈ~ˌhead** *s* **1.** *fig.* Dumm-, Dickkopf *m.* – **2.** *zo.* a) (*eine*) Groppe, (*ein*) Kaulkopf *m* (*Gattg Cottus*), b) (*ein*) Katzenwels *m* (*Gattg Ameiurus*). – **3.** *dial.* Kaulquappe *f* (*Froschlarve*). — **ˈ~ˈhead·ed** *adj* **1.** stierköpfig. – **2.** *fig.* hartnäckig, dickköpfig, dumm.

ˈbullˌhorn *s mar.* Lautsprecher *m.*

bul·li·form cell [ˈbuliˌfɔːrm] *s bot.* Gelenkzelle *f* (*große Zelle in den Faltungsrinnen von Grasblättern*).

bul·lion [ˈbuljən] *s* **1.** ungemünztes Gold *od.* Silber. – **2.** Gold-, Silberbarren *m* (*auch gemünztes Gold od. Silber, wenn nur der Metallwert berücksichtigt wird*). – **3.** echtes Gold *od.* Silber. – **4.** Gold-, Silbertroddel *f*, -schnur *f*, -raupe *f*, -franse *f*, -spitze *f.* – **5.** Gold-, Silberfaden *m*, -draht *m.* — **ˈbul·lionˌism** *s* Metalˈlismus *m*, Theoˈrie *f* der reinen Meˈtallwährung. — **ˈbul·lion·ist** *s* Anhänger *m* der reinen Meˈtallwährung.

bull·ish [ˈbuliʃ] *adj* **1.** bullenartig. – **2.** dick-, starrköpfig. – **3.** von steigender Tenˈdenz (*Börse*). — **~ tone** *s econ.* ˈHaussestimmung *f*, -tenˌdenz *f.*

bull| moose *s zo.* Amer. Elchbulle *m* (*Alces americana*). — **ˈ~-ˌnecked** *adj* stiernackig, dickhalsig. — **ˈ~ˌnose** *s vet. eine Infektionskrankheit am Schweinerüssel.* — **ˈ~ˌnut** *s bot. Am.* (*ein*) Hickorynußbaum *m* (*Carya alba*).

bull·ock [ˈbulək] **I** *s* **1.** Ochse *m.* – **2.** *dial.* Rind *n.* – **3.** *obs.* junger Stier. – **II** *v/t* **4.** *obs. od. dial.* terroriˈsieren, einschüchtern. – **III** *v/i* **5.** *Austral.* ‚ochsen', schuften.

bull of the bog → **bittern**[1] 1.

bul·lous [ˈbuləs] *adj med.* blasig, bulˈlös, vesikuˈlär.

bull| pen *s* **1.** Stierpferch *m.* – **2.** *Am. sl.* Baˈracke *f* für Holzfäller. – **3.** *Am. sl.* ‚Kittchen' *n*, (Unterˈsuchungs-)Gefängnis *n.* – **4.** (*Baseball*) Übungsplatz *m* für Reˈservewerfer. — **ˈ~ˌpout** *s zo.* (*ein*) Katzenfisch *m*, *bes.* Katzenwels *m* (*Ameiurus nebulosus*). — **ˈ~ˌpunch·er** *s Austral.* Ochsentreiber *m.* — **~ pup** *s* junge Bulldogge. — **~ ring** *s* ˈStierkampfaˌrena *f.* — **ˈ~-ˌroar·er** *s* Rassel *f* (*langes dünnes Stück Holz an einer im Kreise geschwungenen Schnur*). — **~ rope** *s mar.* Beiholer *m* (*durch eine Kausche gezogenes Tau*). — **ˈ~-ˌrun** *s* Stierhetze *f.* — **~ ses·sion** *s Am. sl.* angeregte ˈMännerunterˌhaltung *od.* -gesellschaft.

ˈbull's-ˌeye [ˈbulz-] *s* **1.** *arch. mar.* Bullauge *n*, rundes Fensterchen. – **2.** Ochsenauge *n*, Butzenscheibe *f.* – **3.** kugelförmiger Bonˈbon. – **4.** Zentrum *n*, (*das*) Schwarze (*Zielscheibe*). – **5.** Schuß *m* ins Schwarze (*auch fig.*). – **6.** Konˈvex-, Beleuchtungslinse *f.* – **7.** (ˈBlend-)LaˌTerne *f* (mit Konˈvexlinse). – **8.** *mar.* Kausche *f* (*Holzring zum Durchscheren von Tauen*). – **9.** *mar.* Ochsenauge *n*, Wetter-, Windgalle *f.*

bull| snake *s zo.* (*eine*) amer. Wühlnatter (*Gattg Pithuopis*). — **~ ter·ri·er** *s* Bullterrier *m.* — **~ this·tle** *s bot.* Gemeine Kratzdistel (*Cirsium lanceolatum*). — **~ tongue** *s* Zungenpflug *m.* — **ˈ~-ˌtongue** *v/t u. v/i* mit einem Zungenpflug pflügen. — **~ trout** *s zo.* (*eine*) ˈLachsfoˌrelle. — **ˈ~ˌweed** *s bot.* (*eine*) Flockenblume (*Gattg Centaurea, bes. C. nigra*). — **ˈ~ˌwhack·er** *s Am.* Viehtreiber *m.* — **ˈ~-ˌwhip** *s* (*sehr lange*) Rindlederpeitsche. — **ˈ~ˌwort** *s bot.* **1.** → **bishop's-weed** 1. – **2.** (*eine*) Braunwurz (*Scrophularia alata*).

bul·ly[1] [ˈbuli] *s* Rinderpökelfleisch *n*, Rindfleisch *n* in Büchsen.

bul·ly[2] [ˈbuli] **I** *s* **1.** (Kameˈraden-)Schinder *m*, Tyˈrann *m.* – **2.** *dial.* Kameˈrad *m.* – **3.** Zuhälter *m.* – **4.** *obs.* gedungener Räuber *od.* Mörder. – **II** *v/t* **5.** tyranniˈsieren, drangsaˈlieren, einschüchtern, unterˈdrücken. – *SYN.* **browbeat, cow, intimidate.** – **III** *v/i* **6.** Schwächere einschüchtern, andere tyranniˈsieren, sich aufspielen. – **IV** *adj* **7.** *Am. Canad. Austral. colloq.* ‚prima', tüchtig: a ~ boy. – **V** *interj* **8.** *Am. colloq.* bravo! prächtig!: ~ for you! gut gemacht!

bul·ly[3] [ˈbuli] (*Hockey*) **I** *s* Abschlag *m.* – **II** *v/t* (*Ball*) abschlagen. – **III** *v/i auch* ~ off abschlagen.

bul·ly| beef → **bully**[1]. — **ˈ~ˌrag** *pret u. pp* -ˌ**ragged** *v/t colloq.* **1.** (*in derber Weise*) aufziehen, necken. – **2.** tyranniˈsieren, einschüchtern. — **~ tree** → **balata** 1.

bul·rush [ˈbulrʌʃ] *s bot.* **1.** Binse *f* (*Gattg Scirpus*). – **2.** *Br.* (*ein*) Rohrkolben *m* (*Gattg Typha*). – **3.** *Am.* Flatterbinse *f* (*Juncus effusus*).

bulse [bʌls] *s obs.* Säckchen *n* für Juˈwelen *od.* Goldstaub.

bul·wark [ˈbulwərk] **I** *s* **1.** Bollwerk *n*, Wall *m.* – **2.** Eindämmung *f*, Mole *f.* – **3.** *fig.* Bollwerk *n*, Schutz *m.* – **4.** *mar.* Schanzkleid *n*, Schiffswand *f.* – **II** *v/t* **5.** (wie) mit Bollwerken befestigen.

bum [bʌm] **I** *s* **1.** *vulg.* ‚Hintern' *m*, Steiß *m.* – **2.** *obs. od. dial.* Summen *n*, Dröhnen *n.* – **3.** *Am. sl.* ‚Faulpelz' *m*, ‚-tier' *n*, ‚Schnorrer' *m* (*Nichtstuer*), Trunkenbold *m.* – **4.** *Am. sl.* Landstreicher *m*, Stromer *m*: **on the** ~ auf der Walze (*Wanderschaft*). – **5.** *Br.* (*verächtlich*) Büttel *m*, Scherge *m.* – **6.** ‚Saufeˈrei' *f*, Saufgelage *n.* – **II** *v/i pret u. pp* **bummed** **7.** *Am. sl.* herˈumlungern, faulenzen. – **8.** *Am. sl.* schmaˈrotzen, ‚schnorren'. – **III** *v/t* **9.** *Am.* ‚schnorren', durch Schmaˈrotzen erlangen. – **10.** *obs. od. dial.* summen, brummen. – **IV** *adj* **11.** *Am. sl.* ‚mies', schlecht. —ˌ**~ˈbail·iff** *s Br.* (*abfällig*) Büttel *m*, Scherge *m*, Gerichtsdiener *m.*

bum·ble [ˈbʌmbl] *s Br. colloq.* kleiner (wichtigtuerischer) Beamter.

bum·ble·bee [ˈbʌmblˌbiː] *s zo.* (Echte) Hummel (*Gattg Bombus*).

Bum·ble·dom [ˈbʌmbldəm] *s* ˌWichtigtueˈrei *f* der kleinen Beamten, Beamtendünkel *m.*

ˈbum·ble|ˌfoot *s* **1.** *dial.* Klumpfuß *m.* – **2.** *vet. eine Hühnerkrankheit* (*geschwollene Fußballen*). — **ˈ~ˌkite** *s dial.* Brombeere *f.* — **ˈ~ˌpup·py** *s* **1.** Spiel, das ohne Beachtung von Regeln gespielt wird (*bes. Whist u. Tennis*). – **2.** Schlagen *n* des an einem Pfosten angebundenen Tennisballs (*Spiel*).

bum·bo [ˈbʌmbou] *s* kalter (Rum-, Gin)Punsch.

ˈbumˌboat *s mar.* Bumboot *n* (*zum Transport von Nahrungsmitteln zu Schiffen im Hafen*).

bumf [bʌmf] *s Br. sl.* **1.** ‚Wisch' *m*, *collect.* ‚Paˈpierkram' *m* (*verächtlich für Akten, Formblätter etc*). – **2.** ‚ˈKlopaˌpier' *n*, Toiˈlettenpaˌpier *n.*

bum·kin [ˈbʌmkin] → **bumpkin**[2].

bum·ma·lo [ˈbʌməˌlou] *s zo.* (*ein*) südasiat. Wels *m* (*Harpodon nehereus*).

bum·ma·ree [ˌbʌməˈriː] *s Br. sl.* Zwischenhändler *m* (*bes. am Londoner Fischmarkt Billingsgate*).

bum·mer [ˈbʌmər] *s Am. sl.* Landstreicher *m*, ‚Faulpelz' *m.*

bump[1] [bʌmp] **I** *v/t* **1.** stoßen, puffen. – **2.** rennen mit (*etwas*) (**against** gegen), zuˈsammenstoßen mit, (*etwas*) rammen: to ~ a car; to ~ one's head **against the door** sich den Kopf an der Tür stoßen, mit dem Kopf gegen die Tür rennen. – **3.** (*Rudern*) (*Boot*) überˈholen u. anstoßen. – **4.** ~ **off** *sl.* ‚kaltmachen', ˈumbringen. – **II** *v/i* **5.** (**against, into**) schlagen, stoßen, (gegen, an *acc*), zuˈsammenstoßen (mit). – **6.** rumpeln, holpern (*Fahrzeug*). – **III** *s* **7.** heftiger Ruck, Stoß *m*, Puff *m*, Bums *m*: **he fell with a** ~. – **8.** *colloq.* a) (*Phrenologie*) Höcker *m* am Schädel (*als Sitz verschiedener Fähigkeiten angenommen*), b) Fähigkeit *f*, Sinn *m*, Orˈgan *n* (**of** für): ~ **of locality** Ortssinn. – **9.** Beule *f.* – **10.** *aer.* (Steig)Bö *f.* – **11.** ~ **on a log** *Am. colloq.* ‚Holzklotz' *m*, lebloser Gegenstand: → **log** 1.

bump[2] [bʌmp] **I** *s* Schrei *m* (*Rohrdommel*). – **II** *v/i* schreien (*Rohrdommel*).

bump ball *s* (*Kricket*) *Ball, dessen Aufschlag auf den Boden so nahe beim Schläger stattfindet, daß man annimmt, er habe den Boden nicht berührt.*

bump·er [ˈbʌmpər] **I** *s* **1.** Humpen *m*, volles Glas, voller Becher: **to drink a** ~ **to s.o.'s health** ein volles Glas auf j-s Gesundheit leeren. – **2.** *colloq.* (*etwas*) ungewöhnlich Großes: **a regular** ~ ein großer Bursche (*z.B. ein gefangener Fisch*). – **3.** Stoßstange *f* (*am Auto*). – **4.** B~ *eine Zweistufenrakete für Höhenversuche.* – **II** *v/t* **5.** (*Glas*) bis zum Rande füllen. – **6.** (*j-m*) mit vollem Glase zutrinken. – **III** *v/i* **7.** zutrinken. – **IV** *adj* **8.** *colloq.* ungewöhnlich gut *od.* groß: **a** ~ **crop** eine Rekordernte.

bump·i·ness [ˈbʌmpinis] *s* **1.** Holprigkeit *f* (*Straße etc*). – **2.** *aer.* ‚Bockigkeit' *f*, Böigkeit *f.*

bump·ing| bag [ˈbʌmpiŋ] *s aer.* Landungspuffer *m.* — **~ post** *s tech.* Prellbock *m.*

bump·kin[1] [ˈbʌmpkin] *s* Bauerntölpel *m.*

bump·kin[2] [ˈbʌmpkin] *s mar.* Butenluv *m.*

bump·tious [ˈbʌmpʃəs] *adj colloq.* aufgeblasen, anmaßend, stolz. — **ˈbump·tious·ness** *s colloq.* Dünkel *m*, anmaßendes Wesen.

bump·y [ˈbʌmpi] *adj* **1.** holperig, uneben. – **2.** *aer.* ‚bockig', böig.

bun[1] [bʌn] *s* **1.** (Kuchen-, Koˈrinthen-)Brötchen *n*: → **take** *b. Redw.* – **2.** (Haar)Knoten *m.*

bun[2] [bʌn] *s dial.* Kaˈninchen *n.*

bu·na [ˈbjuːnə; ˈbuː-] *s* Buna *m* (*künstlicher Kautschuk*).

bunch [bʌntʃ] **I** *s* **1.** Bündel *n*, Bund *n*, *m*, Traube *f*: ~ **of flowers** Blumenstrauß; **a** ~ **of grapes** eine Weintraube; a ~ of keys ein Schlüsselbund. – 2. Anzahl *f* (*gleichartiger Dinge*): a ~ of orders ein Pack Aufträge; a ~ of partridges eine Kette Rebhühner. – 3. *colloq.* (freundschaftliche) Gruppe. – **II** *v/t* 4. in Bündel formen, bündeln, zu'sammenfassen, binden. – 5. *Am.* (*Vieh, Pferde*) zu'sammentreiben. – **III** *v/i* 6. ~ out *selten* her'vorstehen, her'vortreten. – 7. *oft* ~ up sich zu'sammenschließen. — '~,**ber·ry** *s bot.* 1. Kanad. Hornstrauch *m* (*Chamaeperidymenum canadense*). – 2. Steinbeere *f* (*Frucht des Steinbeerstrauchs Rubus saxatilis*). — '~,**flow·er** *s bot.* (*eine*) Lilie (*Melanthium virginicum*). — ~ **grass** *s bot. ein nordamer., in Büscheln wachsendes Gras, bes.* a) (*ein*) Haargras *n* (*Gattg Elymus*), b) (*ein*) Bartgras *n* (*Gattg Andropogon*), c) (*eine*) Grannenhirse (*Gattg Oryzopsis*), d) Pfriemengras *n* (*Gattg Stipa*).

bunch·i·ness ['bʌntʃinis] *s* bündel- *od.* büschelförmige Beschaffenheit.

bunch·ing ['bʌntʃiŋ] *s electr.* Bündelung *f*, Häufung *f*, Wolke *f*, Im'pulsbildung *f* (*von Elektronen in Vakuumröhren, bes. Laufzeitröhren*).

bunch·y ['bʌntʃi] *adj* 1. büschelig, buschig, traubenförmig. – 2. knorrig, höckrig. – 3. (*Bergbau*) *colloq.* mit vereinzelten Erznestern.

bun·co ['bʌŋkou] *Am. sl.* **I** *s* 1. betrügerisches Ha'sardspiel (*bes. Kartenspiel*). – 2. Schwindel *m*, Betrug *m*. – **II** *v/t* 3. beschwindeln, betrügen.

bun·combe ['bʌŋkəm] *s colloq.* leeres Geschwätz, Humbug *m*.

bun·co steer·er *s Am. sl.* Schwindler *m*.

bund [bʌnd] *s* (mit einem Damm versehene) Prome'nade *od.* Geschäftsstraße am Meer (*in China, Japan*). — '**bun·der** *s* Landungsplatz *m*, -steg *m*, -brücke *f* (*im Orient*).

bun·dle ['bʌndl] **I** *s* 1. Bund *n*, *m*, Bündel *n*, Pa'ket *n*: by ~s bündelweise; → ray¹ 6. – 2. *fig.* Menge *f*, Haufen *m*. – 3. Rolle *f* (*Papier, Schriften, Spitzen etc*). – 4. *agr.* Schwad(en) *m*. – 5. *bot.* Pflanzen-, Reisigbündel *n*. – 6. *math.* (Zweipara-'meter)Schar *f*. – 7. *med.* Fas'ciculus *m*, Tractus *m*, Bündel *n*, Faserstrang *m*. – 8. *tech.* doppeltes Ries, Hanfbund *n*, Loppe *f*. – *SYN.* pack, package, parcel. – **II** *v/t* 9. in (ein) Bündel binden, bündeln, zu'sammenpacken. – 10. *meist* ~ off (*j-n od. etwas*) ohne viel Federlesens wegschaffen *od.* fortjagen. – 11. ~ up (*j-n*) warm anziehen. – **III** *v/i* 12. sich beeilen, hasten: ~ off sich eilig davonmachen. – 13. *hist.* angekleidet im gleichen Bett liegen (*alte Sitte bei Verlobten in Wales u. Neuengland*). – 14. ~ up sich warm einpacken *od.* anziehen.

bun·dle| pil·lar *s arch.* Bündelpfeiler *m*. — ~ **sheath** *s bot.* Gefäß-, Leitbündelscheide *f*.

bung [bʌŋ] **I** *s* 1. Spund(zapfen) *m*, Stöpsel *m*. – 2. Spundloch *n* (*Faß*). – 3. Mündungspfropfen *m* (*Geschütz*). – 4. (*Töpferei*) Kapselstoß *m*. – **II** *v/t* 5. (*Faß*) zuspunden, verspunden, zupfropfen. – 6. (*Faß*) verfüllen, auf Lagerfässer ziehen. – 7. (*Öffnung*) verstopfen. – 8. *sl.* ‚verhauen', (zer)schlagen: to ~ up s.o.'s eyes j-m das Gesicht zerschlagen. – 9. *sl.* (*Steine*) werfen. – **III** *adj* 10. *Austral.* bank'rott: to go ~ ‚kaputtgehen' (*sterben, bankrott gehen*). – **IV** *adv* 11. *mar. od. sl.* richtig in der Mitte, mitten hin'ein.

bun·ga·low ['bʌŋgə,lou] *s* Bungalow *m*, ebenerdiges Wohnhaus.

bunged up [bʌŋd] *adj* 1. verstopft. – 2. geschwollen (*Auge*).

bung·full ['bʌŋ'ful] *adj* ganz *od.* gestopft voll.

'**bung,hole** *s* Spund-, Zapfloch *n*.

bun·gle ['bʌŋgl] **I** *v/i* 1. stümpern, pfuschen, ‚patzen'. – 2. ungeschickt sein. – **II** *v/t* 3. (*etwas*) verpfuschen, ‚verpatzen'. – **III** *s* 4. Stümpe'rei *f*, Pfusche'rei *f*: to make a ~ of s.th. etwas verpfuschen. – 5. grober Fehler, Schnitzer *m*. — '**bun·gler** [-glər] *s* Stümper *m*, Pfuscher *m*. — '**bun·gle·some** [-səm] *adj Am.* ungeschickt. — '**bun·gling** [-gliŋ] *adj* ungeschickt, stümperhaft.

bung start·er *s* Spundaustreiber *m* (*flacher Schlegel*).

bun·ion ['bʌnjən] *s med.* entzündeter Fußballen.

bunk¹ [bʌŋk] **I** *s* 1. Wandbett *n*. – 2. *bes. mar.* (Schlaf)Koje *f*, (*auch allg.*) Schlafstelle *f*, Bett *n*: ~ inspection *mil.* Stubenappell. – **II** *v/i* 3. *Am. colloq.* in einem (*meist primitiven*) Bett *od.* einer Koje *od.* Ka'bine *etc* schlafen.

bunk² [bʌŋk] *Kurzform für* buncombe.

bunk³ [bʌŋk] *Br. sl.* **I** *v/i* ‚ausreißen'. – **II** *s* ‚Verduften' *n*, ‚Abhauen' *n*: to do a ~ ‚verduften'.

bunk·er ['bʌŋkər] **I** *s* 1. *mar.* (*bes.* Kohlen)Bunker *m*. – 2. *mil.* Bunker *m*, bombensicherer 'Unterstand. – 3. (*Golf*) Bunker *m* (*Hindernis, meist Sandgrube*). – 4. *mar. Br.* Kohlelader *m* (*Kohlenarbeiter*). – **II** *v/i* 5. *mar.* bunkern, (*Kohle, Treibstoff*) laden. – **III** *v/t* 6. (*Golf*) (*Ball*) in einen Bunker schlagen. – 7. *colloq.* in Schwierigkeiten bringen. — ~ **ca·pac·i·ty** *s tech.* Bunkerrauminhalt *m*. — ~ **coal** *s mar.* Bunkerkohle *f*.

bunk·er·y ['bʌŋkəri] *adj* (*Golf*) voll von Bunkern.

'**bunk,house** *s Am.* 'Arbeiterba,racke *f*.

bun·kum *cf.* buncombe.

bun·ny ['bʌni] *s* (*Kindersprache*) 1. Ka'ninchen *n*, Häschen *n*. – 2. Eichhörnchen *n*.

Bun·sen| burn·er ['bʌnsn] *s chem. tech.* Bunsenbrenner *m*. — ~ **cell** *s electr.* 'Bunsenele,ment *n*. — ~ **pho·tom·e·ter** *s phys.* 'Fettfleckphoto,meter *n*.

bunt¹ [bʌnt] **I** *s* 1. *mar.* Buk *m*, Bug *m*, Bauch *m* (*eines Segels*). – 2. *mar.* Mittelteil *m* einer Raa. – 3. Bauch *m* (*eines Fischnetzes*). – **II** *v/i obs.* 4. sich ausbauchen, schwellen (*Segel*).

bunt² [bʌnt] **I** *v/t u. v/i* 1. mit den Hörnern *od.* dem Kopfe stoßen (*Ziege, Kalb*). – 2. (*Baseball*) (*Ball*) leicht schlagen. – **II** *s* 3. Stoß *m* mit dem Kopf *od.* den Hörnern. – 4. (*Baseball*) kurzer Schlag.

bunt³ [bʌnt] *s bot.* Weizen-, Stein-, Stink-, Schmierbrand *m* (*Tilletia tritici*; *Pilz*).

bunt·ed ['bʌntid] *adj bot.* brandig.

Bun·ter ['buntər] *s geol.* Buntsandstein *m*.

bun·ting¹ ['bʌntiŋ] *s mar.* 1. Flaggentuch *n*. – 2. *collect.* Flaggen *pl*: the vessel showed all her ~ das Schiff hatte alle Flaggen gehißt.

bun·ting² ['bʌntiŋ] *s zo.* (*eine*) Ammer (*Gattg Emberiza*).

bun·ting crow *s zo.* Nebelkrähe *f* (*Corvus cornix*).

bunt·line ['bʌntlin; -lain] *s mar.* Bauch- *od.* Bukgording *f*. — ~ **cloth** *s mar.* Bauchgordingskleid *n*.

buoy [bɔi; *Am. auch* 'bu:i] **I** *s* 1. *mar.* Boje *f*, Ankerboje *f*, Bake *f*, Seezeichen *n*: → bell ~; whistling ~. – 2. Rettungsboje *f*: → life ~. – **II** *v/t* 3. *meist* ~ up aufbojen, (auf dem Wasser) flott erhalten. – 4. *meist* ~ off ausbojen, (*Fahrwasser*) durch Bojen bezeichnen. – 5. *fig.* Auftrieb geben (*dat*), (*Herz, Geist*) aufrechterhalten: to be ~ed up by hope. – **III** *v/i* 6. *selten* schwimmen, sich flott erhalten. — **buoy·age** ['bɔiidʒ; *Am. auch* 'bu:iidʒ] *s mar.* 1. *collect.* (ausgelegte) Bojen *pl*. – 2. Mar'kierung *f* durch Bojen, Betonnung *f*.

buoy·an·cy ['bɔiənsi; *Am. auch* 'bu:jənsi] *s* 1. *phys.* Schwimmkraft *f*, Tragvermögen *n* (*schwimmender Körper*), statischer Auftrieb. – 2. *fig.* Spannkraft *f*, Heiterkeit *f*, Lebensfreude *f*, Lebhaftigkeit *f*.

buoy·ant ['bɔiənt; *Am. auch* 'bu:jənt] *adj* 1. schwimmend, hebend, tragend (*Wasser etc*). – 2. *fig.* lebensfroh, heiter. — ~ **gas** *s tech.* Traggas *n*. — ~ **lift** *s phys.* statischer Auftrieb.

buph·thal·mi·a [bju:f'θælmiə] *s med.* Buphthal'mie *f*, Protrusi'on *f* der Kornua. — **buph'thal·mos** [-mɒs] *s med.* Buph'thalmus *m*, Glotzauge *n*.

bu·plev·er [bju'plevər] *s bot.* Hasenohr *n* (*Gattg Bupleurum*).

bu·pres·tid [bju'prestid] *s zo.* Prachtkäfer *m* (*Gruppe Buprestidae*).

bur [bə:r] **I** *s* 1. *bot.* Klette *f* (*Blütenköpfchen der Klette Arctium lappa*). – 2. *bot.* rauhe *od.* stachelige Samenschale (*z.B. Igel der Kastanie*). – 3. *bot.* weibliche Hopfenblüte (*vor der Befruchtung*). – 4. *bot.* stachlige (*runde*) Bildungen *pl*, Schwellungen *pl* auf Pflanzen. – 5. *zo.* Knotenbildung *f* bei Tieren (*z.B. Rose am Hirschgeweih*). – 6. *tech. cf.* burr¹ I. – 7. *fig.* Klette *f* (*Person*), etwas was wie eine Klette anhaftet. – **II** *v/t* 8. (*Wolle etc*) von Kletten u. Fremdkörpern reinigen.

bu·ran [bu:'rɑ:n] *s* Bu'ran *m* (*Schneesturm in der russischen Steppe*).

bur·bark ['bə:r,ba:rk] *s bot.* Rinde *f* einer Trium'fette (*Gattg Triumfetta, bes. T. semitriloba; trop. Tiliacee*).

Bur·ber·ry [*Br.* 'bə:rbəri; *Am.* -,beri] (*TM*) *s* wasserdichter Stoff *od.* Mantel.

bur·ble ['bə:rbl] **I** *v/i* 1. Blasen werfen, brodeln, gurgeln. – 2. murmeln, brummeln (*Mensch*). – **II** *s* 3. *aer. tech.* Wirbel *m*. — ~ **point** *s aer.* Grenzschichtablösungs-, 'Übergangspunkt *m* (*von laminarer in turbulente Strömung*).

bur·bot ['bə:rbət] *s zo.* 1. (Aal)Rutte *f*, (Aal)Quappe *f* (*Lota lota*). – 2. Amer. Quappe *f* (*Lota maculosa*).

burd [bə:rd] *s poet.* Dame *f*, junge Frau.

bur·den¹ ['bə:rdn] **I** *s* 1. Last *f*, Ladung *f*: to bear a ~ eine (schwere) Last tragen. – 2. (*seelische od. finanzielle*) Last, Bürde *f*, Verantwortung *f*: to be a ~ to s.o. j-m zur Last fallen; to throw off a ~ eine Last abschütteln; to put the ~ of proof on s.o. j-m die Beweislast aufbürden. – 3. *tech.* a) (Trag)Last *f*, Charge *f*, b) Druck *m*, Beschwerung *f*. – 4. (*Hochofen*) Beschickung *f*, Gicht *f*, Möller *m*. – 5. *mar.* Tragfähigkeit *f* (*eines Schiffes*): a ship of 1000 tons ~. – 6. *mar.* Gewicht *n* der Schiffsladung. – **II** *v/t* 7. belasten: to ~ s.o. with s.th. j-m etwas aufbürden. – 8. *tech.* möllern.

bur·den² ['bə:rdn] *s* 1. *mus.* a) Baß *m*, begleitender 'Unterton, tiefe Begleitung, b) → bourdon¹ c. – 2. Re'frain *m*, Kehrreim *m*. – 3. 'Haupti,dee *f*, Schwerpunkt *m*, Kern *m* (*Rede, Problem*): the ~ of an argument der Hauptpunkt einer Kontroverse.

bur·dened ['bə:rdnd] *adj* 1. belastet, bedrückt: ~ with debts *econ.* schuldenbelastet. – 2. *obs.* als Last auferlegt.

bur·den·ing ['bə:rdniŋ] *s* (*Hochofen*) Beschickung *f*, Möllerung *f*.

bur·den·some ['bə:rdnsəm] *adj* 1. lästig, beschwerlich, drückend. – 2. schwer. – *SYN. cf.* onerous. — '**bur·den·some·ness** *s* Beschwerlichkeit *f*, drückende Last.

bur·dock ['bə:rdɒk] *s bot.* Klette *f* (*Gattg Arctium*), *bes.* Große *od.* Gebräuchliche Klette (*A. lappa*).

bu·reau ['bju(ə)rou; *Br. auch* bju(ə)'rou] *pl* **-reaus, -reaux** [-rouz] *s* 1. *Br.* Schreibtisch *m*, -pult *n*. –

2. *Am.* Kom'mode *f* (*meist mit Spiegel*). – 3. Bü'ro *n.* – 4. *Am.* Ab'teilung *f* (*eines Staatsamtes*), 'Unterab,teilung *f* (*einer Behörde*). – 5. Auskunfts- *od.* Vermittlungsstelle *f*: **travel** ~ Reisebüro. — **bu'reauc·ra·cy** [-'rɒkrəsi] *s* 1. Bürokra'tie *f.* – 2. büro'kratisches Re'gierungssy,stem. – 3. *collect.* Beamtenschaft *f.* — **'bu·reau,crat** [-,kræt] *s* Büro'krat *m.* — **,bu·reau'crat·ic** *adj* büro'kratisch. — **bu'reauc·ra·tist** [-'rɒkrətist] *s* 1. Büro'krat *m*, Aktenmensch *m.* – 2. Verfechter *m* des Bürokra'tismus. — **bu'reauc·ra,tize** *v/t* bürokrati'sieren.

bur·el ['bəːrəl] → **burhel.**

bu·ret [bju(ə)'ret] → **burette** 1. — **bu'rette** *s* 1. *chem.* Bü'rette *f*, Meßröhre *f.* – 2. verzierte Kanne (*bes. für Sakramentswein*).

'bur,fish *s zo.* Igelfisch *m* (*Gattg Diodon*).

burg [bəːrg] *s* 1. *Br. hist.* befestigte Stadt. – 2. *Am. colloq.* Stadt *f.*

-burg(h) [*Br.* bʌrə *u.* brə; *Am.* bəːrg] *Endsilbe in Ortsnamen mit der Bedeutung* (befestigte) Stadt.

bur·gee [*Br.* bəː'dʒiː; *Am.* 'bəːrdʒiː] *s* 1. *mar.* Doppelstander *m* (*schwalbenschwänzige od. dreieckige Flagge*). – 2. *tech. Br. eine kleine Kohlensorte.*

bur·geon ['bəːrdʒən] **I** *s* 1. *bot.* Knospe *f*, Auge *n.* – 2. *zo.* Keim *m.* – **II** *v/i* 3. knospen, ausschlagen, (her'vor)sprießen (*auch fig.*). – **III** *v/t* 4. *auch* ~ **out**, ~ **forth** her'vorsprießen lassen, her'vorbringen. — **'bur·geoned** *adj* mit Knospen.

bur·gess ['bəːrdʒis] *s hist.* 1. *Br.* (wahlberechtigter) Bürger. – 2. *Br.* Vertreter *m* eines Wahlbezirkes im Parla'ment, Abgeordneter *m.* – 3. *Am.* Abgeordneter *m* des Volkes. — **'bur·gess,ship** *s* 1. Wahl-, Bürgerrecht *n.* – 2. Abgeordnetenamt *n.*

'burg·grave *cf.* burgrave.

burgh [*Br.* 'bʌrə; *Am.* 'bəːrg] *s* 1. *Scot.* korpo'rierte Stadt. – 2. *Scot. od. poet. für* borough 1 *u.* 2.

burgh·er ['bəːrgər] *s* Bürger *m* (*meist auf Bürger von Städten außerhalb Englands u. der USA beschränkt*).

bur·glar ['bəːrglər] *s* (nächtlicher) Einbrecher: **cat** ~ Fassadenkletterer. — ~ **a·larm** *s* A'larmglocke *f* (*als Sicherung gegen Einbruch*).

bur·glar·i·ous [bər'glɛ(ə)riəs] *adj* Einbrecher..., Einbruchs... — **bur·glar·ize** ['bəːrglə,raiz] *Am. colloq.* **I** *v/t* 1. bei einem Einbruch stehlen. – 2. einbrechen in (*ein Haus etc*). – **II** *v/i* 3. einbrechen.

'bur·glar'proof *adj* einbruchssicher.

bur·gla·ry ['bəːrgləri] *s* (nächtlicher) Einbruch(sdiebstahl). — **'bur·gle** [-gl] *v/t u. v/i humor.* einbrechen (in *acc*): **to** ~ **a house** in ein Haus einbrechen.

bur·go·mas·ter [*Br.* 'bəːrgə,mɑːstər; *Am.* -,mæ(ː)stər] *s* 1. Bürgermeister *m* (*in Deutschland u. Holland*). – 2. *zo.* → **glaucous gull.**

bur·go·net ['bəːrgə,nət] *s hist.* Sturmhaube *f*, Helm *m.*

bur·goo [bəːr'guː; 'bəːrguː] *s* 1. *Br. sl.* Haferbrei *m*, -grütze *f.* – 2. *Am. dial.* stark gewürzter Gemüseeintopf mit Fleischeinlage.

bur grass *s bot.* Kleb-, Stachelgras *n* (*Gattg Cenchrus*).

bur·grave ['bəːrgreiv] *s hist.* (*deutscher*) Burggraf. — **bur'gra·vi·ate** [-iit; -i,eit] *s* Burggrafschaft *f.*

Bur·gun·di·an [bər'gʌndiən] **I** *adj* bur'gundisch. – **II** *s* Bur'gunder(in). — **Bur·gun·dy** ['bəːrgəndi] *s* 1. Bur'gunder *m* (*Wein*). – 2. Bur'gunderrot *n.*

bur·hel ['bəːrhəl] *s zo.* (*ein*) wildes Schaf (*Pseudois nahura; Tibet, Himalaja*).

bur·i·a·ble ['beriəbl] *adj* zu begraben(d).

bur·i·al ['beriəl] *s* 1. Begräbnis *n*, Beerdigung *f*, Beisetzung *f*, (Erd)Bestattung *f.* – 2. Leichen-, Begräbnisfeier *f.* — ~ **case** *s* (*oft* Me'tall)Sarg *m.* — ~ **ground** *s* 1. Begräbnisplatz *m*, Fried-, Kirchhof *m.* – 2. *tech.* Friedhof *m*, Vergrabungsstelle *f* (*für radioaktiven Abfall*). — ~ **hill,** ~ **mound** *s* Grabhügel *m.* — ~ **place** *s* Grab(stätte *f*) *n.* — ~ **serv·ice** *s* Trauerfeier *f*, Totenmesse *f.* — ~ **stone** *s* Grabstein *m.*

bu·rin ['bju(ə)rin] *s* 1. Grabstichel *m* (*Graveur od. Kupferstecher*). – 2. *tech.* (*Art*) Meißel *m* (*Steinhauer*). – 3. Stil *m*, Ma'nier *f* (*Kupferstecher*). — **'bu·rin·ist** *s* Kupferstecher *m*, Gra'veur *m.*

burke [bəːrk] *v/t* 1. (durch Ersticken) ermorden, erwürgen. – 2. *fig.* (in aller Stille) bei'seite schaffen, unter'drücken, vertuschen.

burl [bəːrl] **I** *s* 1. Knoten *m* (*in Tuch od. Garn*). – 2. *bot.* halbkugelförmiger Auswuchs an Bäumen. – **II** *v/t* 3. Knoten entfernen aus (*Tuch od. Garn*), (*Tuch*) belesen, noppen.

bur·lap ['bəːrlæp] *s* grobe Leinwand, Rupfen *m*, Packleinwand *f*, Sackleinen *n.*

burled [bəːrld] *adj* knotig. — **'burl·er** *s tech.* Nopper *m.*

bur·lesque [bər'lesk] **I** *adj* 1. bur'lesk, possenhaft, lächerlich. – **II** *s* 2. Bur'leske *f*, Posse *f*, Sa'tire *f.* – 3. *Am.* Tingeltangel *n*, Varie'té *n.* – *SYN. cf.* **caricature.** – **III** *v/t* 4. bur'lesk behandeln *od.* einkleiden, trave'stieren.

bur·li·ness ['bəːrlinis] *s* Dicke *f*, Beleibtheit *f.*

burl·ing ['bəːrliŋ] *s tech.* Noppen *n*, Belesen *n*, Säubern *n.* — ~ **i·ron** *s tech.* Noppeisen *n.* — ~ **ma·chine** *s* 'Knoten-, 'Zeugsichtema,schine *f.*

bur·ly ['bəːrli] *adj* 1. dick, stark, stämmig, beleibt. – 2. *obs.* plump, grob.

Bur·man ['bəːrmən] *s* Bir'mane *m*, Bir'manin *f.*

bur mar·i·gold *s bot.* Zweizahn *m* (*Gattg Bidens*).

Bur·mese [,bəːr'miːz] **I** *adj* 1. bir'manisch. – **II** *s* 2. *sg u. pl* Bir'mane *m*, Bir'manin *f*, Bir'manen *pl.* – 3. *ling.* Bir'manisch *n*, das Birmanische.

burn[1] [bəːrn] **I** *s* 1. verbrannte Stelle, Brandstelle *f.* – 2. *med.* Brandwunde *f*, -mal *n*: **first-degree** ~ Verbrennung ersten Grades. – 3. Brand *m* (*Ziegel etc*). – 4. → **sun**~ 1. –

II *v/i pret u. pp* **burned** *u.* **burnt** 5. (ver)brennen, in Flammen stehen: **the house is** ~**ing** das Haus brennt. – 6. brennen, Feuer *od.* Glut enthalten: **the stove** ~**s well** der Ofen brennt gut; **to** ~ **low** herunter-, niederbrennen (*Feuer*). – 7. *fig.* (*vor Ungeduld etc*) brennen: **to** ~ **with excitement** vor Aufregung brennen. – 8. verbrennen, anbrennen, versengen, durch (Sonnen- *etc*)Hitze beschädigt *od.* verändert werden. – 9. brennen (*Gesicht etc*), Hitze fühlen, ein hitzeähnliches Gefühl verspüren: **his face** ~**ed in the wind; my ears are** ~**ing** *colloq.* mir klingen die Ohren (*j-d redet gerade über mich*). – 10. brennen (*Lampe etc*): **the light** ~**ed all night** das Licht brannte die ganze Nacht. – 11. wie Feuer glühen, leuchten, funkeln: **to** ~ **dull (bright)** trübe (hell) brennen. – 12. *colloq.* (*bei Rätsel- od. Suchspielen*) brennen, der Lösung *od.* dem gesuchten Gegenstand nahe kommen. – 13. *chem.* verbrennen, oxy'dieren. – 14. a) verbrannt werden, den Feuertod erleiden, b) *Am. sl.* auf dem elektr. Stuhl 'hingerichtet werden. –

III *v/t* 15. (ver)brennen, durch Feuer *od.* Hitze zerstören (*auch fig.*): **to** ~ **one's boats** (*od.* **bridges**) (**behind one**) die Brücken hinter sich abbrechen; → **midnight** 4. – 16. verbrennen, versengen, durch Feuer *od.* Hitze beschädigen: **to** ~ **one's fingers** sich die Finger verbrennen (*auch fig.*); **to** ~ **a hole** ein Loch brennen. – 17. *bes. med.* (*Wunden*) ausbrennen, beizen, ätzen, kauteri'sieren. – 18. *chem.* einem Ver'brennungspro,zeß unter'ziehen, oxy'dieren. – 19. *tech.* (*Ziegel, Kalk, Porzellan*) brennen, (*Kohle*) verkoken: **to** ~ **charcoal** Kohle brennen. – 20. verbrennen, ein brennendes Gefühl erzeugen in *od.* auf (*dat*): **to** ~ **one's mouth with pepper** sich den Mund mit Pfeffer verbrennen. –

Verbindungen mit Adverbien:

burn| a·way *v/i u. v/t* ab-, wegbrennen. — ~ **down I** *v/t* (*etwas*) ab-, niederbrennen. – **II** *v/i* ab-, niederbrennen (*Gebäude*). — ~ **in** *v/t* (*Farben etc*) einbrennen. — ~ **out I** *v/i* aus-, niederbrennen. – **II** *v/t* ausbrennen, -räuchern. — ~ **through I** *v/t* ein Loch brennen durch, 'durchbrennen. – **II** *v/i* 'durchgebrannt sein (*Kohlen*). — ~ **up I** *v/t* 1. gänzlich verbrennen. – 2. *Am. sl.* ‚fuchsteufelswild' *od.* wütend machen. – **II** *v/i* 3. stark brennen, ganz ab- *od.* ausbrennen, verbrennen.

burn[2] [bəːrn] *s Scot. od. dial.* Bach *m.*

burn·a·ble ['bəːrnəbl] **I** *adj* (ver)brennbar. – **II** *s pl* Brennstoffe *pl.*

burn·beat ['bəːrn,biːt; -,beit], *auch* **burn·bait** ['bəːrn,beit] *v/t agr. Br.* (*Moorboden, Rasen*) abbrennen.

burned [bəːrnd] *adj* 1. ge-, verbrannt. – 2. *Am. vulg.* geschlechtskrank, ve'nerisch angesteckt.

burn·er ['bəːrnər] *s* 1. Brenner *m* (*Person*): ~ **of bricks** Ziegelbrenner. – 2. Brenner *m* (*an Lampen etc*): **flat** ~ Flachbrenner; **union jet** ~ Zweilochbrenner. – 3. *tech.* Ofen *m.*

bur·net ['bəːrnit] *s bot.* 1. Wiesenknopf *m* (*Gattg Sanguisorba*). – 2. → **pimpernel.** — ~ **moth** *s zo.* (*ein*) Widderchen *n* (*Fam. Zygaenidae*), *bes.* Blutströpfchen *n* (*Zygaena filipendula; Dämmerungsfalter*). — ~ **rose** *s bot.* Biber'nellrose *f* (*Rosa spinosissima*). — ~ **sax·i·frage** *s med.* Biber'nellwurz *f.*

burn·ing ['bəːrniŋ] **I** *adj* 1. brennend, heiß, glühend (*auch fig.*): **a** ~ **question** eine brennende Frage; ~ **shame** brennender Schandfleck. – 2. *fig.* brennend, glühend (**with** vor *dat*), leidenschaftlich: ~ **with excitement.** – **II** *s* 3. Brand *m*, Brennen *n*, Hitze *f*, Glut *f.* – 4. *tech.* Hitzebehandlung *f* (*z.B. beim Härten*). – 5. *tech.* Rösten *n*, (Zu)Brennen *n*, Verbrennung *f.* — ~ **bush** *s* 1. *Bibl.* brennender Dornbusch. – 2. *bot. verschiedene Zierkräuter, bes.* a) *Am.* (*ein*) Spindelstrauch *m* (*Evonymus atropurpureus*), b) Diptam *m* (*Dictamnus albus*). — ~ **glass** *s* Brennglas *n.* — ~ **oil** *s* Brennöl *n.*

bur·nish ['bəːrniʃ] **I** *v/t* 1. po'lieren, schleifen, glätten. – 2. (*Metall*) brü'nieren, bräunen. – 3. (*Drechslerei*) drücken. – 4. *hunt.* (*Hirschgeweih*) fegen: **to** ~ **the head** das Geweih fegen. – **II** *v/i* 5. glänzend *od.* glatt werden. – **III** *s* 6. Glanz *m*, Poli'tur *f.* — **'bur·nish·er** *s* 1. Po'lierer *m*, Brü'nierer *m.* – 2. *tech.* Glättzahn *m*, Po'lier-, Gerbeisen *n*, Po'lierstahl *m*, -feile *f*, -kolben *m*, Mattpunze *f.* — **'bur·nish·ing** *tech.* **I** *s* Po'lieren *n*, Brü'nierung *f.* – **II** *adj* Polier..., Glätt...

bur·noose, bur·nous(e) [bər'nuːs; 'bəːrnuːs] *s* 1. Burnus *m* (*arab. Mantel mit Kapuze*). – 2. burnusähnlicher Damenmantel.

'burn,out *s* (*Raketentechnik*) Brennschluß *m.*

burn·sides ['bəːrnˌsaidz] *s pl Am. colloq.* Backenbart *m*, Kote'letten *pl.*

burnt [bəːrnt] **I** *pret u. pp von* **burn**[1]. – **II** *adj* **1.** verbrannt, gebrannt: **~ child dreads the fire** gebranntes Kind scheut das Feuer. – **2.** ausgebrannt. – **3.** *tech.* a) gebrannt, b) faulbrüchig, 'übergar. — **~ al·monds** *s pl* gebrannte Mandeln *pl.* — **~ lime** *s tech.* Ätzkalk *m*, gebrannter Kalk. — **~ of·fer·ing** *s Bibl.* Brandopfer *n.* — **~ um·ber** *s* **1.** gebrannter Umber. – **2.** Rotbraun *n.* — **~-'um·ber** *adj* rotbraun. — **'~-'up** *adj* **1.** verbrannt. – **2.** *fig.* wütend, verärgert.

'burnˌwood *s bot.* (*ein*) Lederholz *n* (*Cyrilla racemiflora*).

bur oak *s bot.* Großfrüchtige Eiche (*Quercus macrocarpa*).

burp [bəːrp] *Am.* **I** *s* Rülpsen *n*, Rülpser *m*: **~ gun** *mil. sl.* Maschinenpistole. – **II** *v/i* rülpsen, aufstoßen. – **III** *v/t* (*Baby*) aufstoßen lassen.

burr[1] [bəːr] **I** *s* **1.** *tech.* rauhe Kante, Naht *f*, Grat *m* (*durch Bohren, Walzen, Drehen etc*), Walzgrat *m.* – **2.** *tech.* kleine Beilagscheibe, Dichtungsring *m* für Nieten. – **3.** *tech.* ausgestanztes Me'tallstück. – **4.** *med.* Bohrer *m* (*für Zahnbehandlung*). – **5.** *ein Schneide- od. Bohrwerkzeug.* – **6.** *cf.* **bur** I. – **II** *v/t tech.* **7.** eine rauhe Kante machen an (*dat*). – **8.** abgraten, ausbohren, krempeln. – **9.** *cf.* **bur** II.

burr[2] [bəːr] **I** *s* **1.** *ling.* guttu'rale Aussprache des Buchstaben r. – **2.** schnarrende Aussprache. – **3.** Schnarrton *m.* – **II** *v/i* **4.** rauh *od.* guttu'ral sprechen. – **5.** undeutlich sprechen, schlecht artiku'lieren. – **6.** schnarren, surren. – **III** *v/t* **7.** rauh *od.* guttu'ral aussprechen: **he ~s his r's.**

burr[3] [bəːr] *s* **1.** Mühlstein *m.* – **2.** Wetzstein *m.* – **3.** verbackener Ziegel.

burr drill *s tech.* Drillbohrer *m.*

bur reed *s bot.* Igelkolben *m* (*Gattg Sparganium*).

burr·fish *cf.* **burfish.**

bur·ro ['bəːrou; 'burou] *pl* **-ros** *s Am. dial.* kleiner (Pack)Esel.

bur·row [*Br.* 'bʌrou; *Am.* 'bəːrou] **I** *s* **1.** Erdloch *n*, Bau *m*, Fraßgang *m*, Höhle *f* (*Füchse, Kaninchen etc*). – **2.** *fig.* Schutzraum *m*, Zufluchtsort *m.* – **II** *v/i* **3.** eine Höhle *od.* einen Gang graben, (Erd)Löcher graben, wühlen. – **4.** in Erdlöchern *od.* Höhlen *etc* Zuflucht suchen *od.* wohnen. – **5.** sich verkriechen *od.* verbergen (*auch fig.*). – **6.** sich verstecken. – **III** *v/t* **7.** (*Höhle, Gang etc*) graben. – **8.** (*etwas*) verstecken. — **~ duck** *s zo.* Brandente *f*, -gans *f* (*Tadorna tadorna*).

bur·row·er [*Br.* 'bʌrouər; *Am.* 'bəːr-] *s* **1.** Gräber *m*, j-d der gräbt. – **2.** *zo.* Grabe-, Wühltier *n.*

bur·row·ing owl [*Br.* 'bʌrouiŋ; *Am.* 'bəːr-] *s zo.* (*eine*) Höhleneule (*Speotyto cunicularia hypugaea*).

burr| pump *s mar.* Lang-, Bilgepumpe *f.* — **~·stone** *cf.* **burstone.**

bur·ry[1] ['bəːri] *adj* **1.** voller Kletten. – **2.** klettenartig. – **3.** stachelig.

bur·ry[2] ['bəːri] *adj* guttu'ral, schnarrend.

bur·sa ['bəːrsə] *pl* **-sae** [-iː] *od.* **-sas** *s* **1.** *zo.* Bursa *f*, Tasche *f*, Sack *m*, Beutel *m.* – **2.** *med.* Bursa *f*, Schleimbeutel *m.*

bur·sar ['bəːrsər] *s* **1.** Schatzmeister *m.* – **2.** Quästor *m* (*an Universitäten*). – **3.** Stipendi'at *m* (*an schott. Universitäten*). — **bur'sar·i·al** [-'sɛ(ə)riəl] *adj* den Quästor betreffend, Quästur... — **'bur·sarˌship** *s* Schatzmeister-, Quä'storenamt *n.*

bur·sa·ry ['bəːrsəri] *s Br.* **1.** Schatzamt *n*, Quä'stur *f*, Kasse *f.* – **2.** Sti'pendium *n* (*an Universitäten*).

burse [bəːrs] *s* **1.** Säckel *m*, Tasche *f*, Beutel *m.* – **2.** Geldbörse *f.* – **3.** *relig.* Burse *f* (*Hostienbehälter*). – **4.** Sti'pendium *n*, Freiplatz *m* (*bes. an schott. Universitäten*).

bur·si·form ['bəːrsiˌfəːrm; -sə-] *adj med. zo.* taschen-, sackförmig.

bur·si·tis [bər'saitis] *s med.* Bur'sitis *f*, Schleimbeutelentzündung *f.*

burst [bəːrst] **I** *v/i pret u. pp* **burst**, *sl. od. dial.* **'burst·ed 1.** bersten, platzen, zerspringen, aufplatzen (*Knospen*), aufspringen (*Tür*), aufgehen (*Geschwür*): **to ~ asunder** (*od.* **open**) aufplatzen. – **2.** *fig.* her'ausplatzen: **to ~ out laughing** in Gelächter ausbrechen; **to ~ into tears** in Tränen ausbrechen. – **3.** zum Bersten voll sein: **barns ~ing with grain** Scheunen, die zum Bersten mit Korn voll sind. – **4.** *fig.* (*vor Aufregung, Neugierde etc*) bersten, platzen: **to ~ with curiosity (envy)** vor Neugierde (Neid) platzen; **s.o.'s heart ~s with grief** j-s Herz bricht vor Gram. – **5.** plötzlich her'ein- *od.* hin'aus- *od.* wegstürzen: **to ~ into the room; to ~ away** forteilen, wegstürzen. – **6.** plötzlich sichtbar werden: **to ~ into view; to ~ forth** hervorbrechen, -sprudeln. – **7.** platzen, explo'dieren, kre'pieren (*Schrapnell, Granate*). – **II** *v/t* **8.** (auf)sprengen, zum Platzen bringen (*auch fig.*): **to ~ a bubble** eine Seifenblase zum Platzen bringen; **to ~ open** aufbrechen; **to ~ a blood vessel** (*durch Überanstrengung etc*) eine Ader zum Platzen bringen; **to ~ a hole into s.th.** ein Loch in etwas sprengen. – **III** *s* **9.** Bersten *n*, Platzen *n*, Explosi'on *f*, Auffliegen *n*, Ausbruch *m*: **~ of applause** Beifallssturm; **~ of laughter** Lachsalve. – **10.** Bruch *m*, Riß *m.* – **11.** *mil.* a) plötzlicher, kurzer Feuerschlag, b) (*durch eine einzige Abzugsbewegung ausgelöste*) Schußserie, Feuerstoß *m* (*Maschinengewehr*), c) (*die bei Explosion eines Flakgeschosses sichtbar werdende*) Rauchwolke, d) Sprengpunkt *m* (*eines Explosivgeschosses*). – **12.** plötzliches Sichtbarwerden: **a ~ of sunlight.** – **13.** *sport* schneller, ungehinderter Ritt. – **14.** Ionisati'onsstoß *m*, Hoffmannscher Stoß.

burst·er ['bəːrstər] *s* **1.** Sprenger *m.* – **2.** Steinbrecher *m* (*Arbeiter*). – **3.** *mil.* Sprengladung *f* (*einer Gasgranate*). – **4.** → **buster** 5.

burst·ing| charge ['bəːrstiŋ] *s mil. tech.* Sprengladung *f.* — **~ pow·der** *s* Sprengpulver *n.* — **~ stress** *s tech.* Berst-, Bruchfestigkeit *f.*

bur·stone ['bəːrˌstoun] *s* **1.** *geol.* kieselartiges (*für Mühlsteine verwendetes*) Gestein. – **2.** Mühl-, Burrstein *m.*

'burst-ˌup *s* ,Pleite' *f*, Bank'rott *m*, Zu'sammenbruch *m.*

'burstˌwort *s bot.* Kahles Bruchkraut (*Herniaria glabra*).

bur·then ['bəːrðən], **'bur·then·some** [-səm] *obs. für* **burden**[1], **burdensome.**

bur·ton ['bəːrtn] *s mar.* Takel *n*, Talje *f.*

'burˌweed *s bot. eine Pflanze mit klettenartigen Früchten (der Gattungen Amsinckia, Arctium, Galium, Triumfetta, Xanthium).*

bur·y ['beri] **I** *v/t* **1.** ver-, begraben, eingraben: **to ~ one's hands in one's pockets** die Hände tief in den Taschen vergraben; → **hatchet** 2. – **2.** begraben, beerdigen, bestatten. – **3.** *fig.* begraben, vergessen: **to ~ a quarrel** einen Streit begraben. – **4.** *fig.* versenken: **to ~ oneself in work** sich (ganz) in die Arbeit vertiefen. – **5.** be-, verdecken, verbergen. – **II** *v/i* **6.** sich eingraben (*bes. Tiere*). – *SYN. cf.* **hide.**

bur·y·ing| bee·tle ['beriiŋ] *s zo.* (*ein*) Totengräber(käfer) *m* (*Gattg Necrophorus*). — **~ ground, ~ place** *s* Kirch-, Friedhof *m*, Grabstätte *f.*

bus [bʌs] **I** *s pl* **'bus·es, 'bus·ses 1.** Omnibus *m*, (Auto)Bus *m*: → **miss**[2] 1. – **2.** (Pferde)Bus *m.* – **3.** *sl.* ,Kiste' *f*: a) Auto *n*, b) Flugzeug *n.* – **II** *v/i* **4.** *auch* **~ it** mit dem Omnibus fahren. — **~ bar** *s electr.* Hauptleitungsträger *m*, Strom-, Sammelschiene *f.* — **~ boy** *s Am.* Kellnerlehrling *m*, Pikkolo *m.*

bus·by ['bʌzbi] *s* Hu'sarenˌkalpak *m*, Pelzmütze *f.*

bush[1] [buʃ] **I** *s* **1.** Busch *m*, Strauch *m*: **to beat about** (*od.* **around**) **the ~** *fig.* wie die Katze um den heißen Brei herumgehen, um die Sache herumreden. – **2.** Gebüsch *n*, Gestrüpp *n*, Dickicht *n.* – **3.** Busch *m*, ungerodetes Gelände, Urwald *m* (*bes. in Australien*): **to take to the ~** Buschklepper werden. – **4.** buschiger (Haar)Wuchs, (Haar)Schopf *m.* – **5.** Büschel *n*, Reis(ig) *n*, Zweig *m* (*als Wirtshauszeichen*). – **6.** Wirtshaus-, *fig.* Aushängeschild *n*: **it needs no ~** *fig.* das braucht keine Reklame. – **7.** *obs.* Wirtshaus *n.* – **II** *v/t* **8.** mit Büschen *od.* Gestrüpp bedecken *od.* bepflanzen. – **9.** durch Büsche schützen, mit Büschen um'geben. – **10.** (*Weg etc*) durch Büsche *od.* Zweige bezeichnen. – **11.** (*Erbsen etc*) durch Zweige stützen. – **III** *v/i* **12.** buschig werden *od.* wachsen. – **13.** sich buschartig ausbreiten. – **14.** *auch* **~ it** *Austral.* im Busch leben.

bush[2] [buʃ] *tech.* **I** *s* **1.** a) (Lauf)Buchse *f*, Büchse *f*, Lagerfutter *n*, Führung *f*, Lager(schale *f*) *n*, b) Pfannen-, Zapfenlager *n* (*einer liegenden Welle*), Pfanne *f.* – **2.** Spundring *m* (*am Faß*). – **II** *v/t* **3.** mit Lagerfutter *etc* versehen, ausbuchsen, füttern.

bush| bean *s bot.* Buschbohne *f* (*Phaseolus vulgaris*). — **'~ˌbuck** *s zo.* Buschbock *m* (*Tragelaphus sylvaticus*). — **~ cran·ber·ry** *s bot.* (*ein*) amer. Schneeball *m* (*Viburnum trilobum*).

bushed [buʃt] *adj* **1.** *Austral. colloq.* verirrt, auf Irrwegen. – **2.** *fig. Am.* verwirrt, in Verlegenheit. – **3.** *auch* **~ out** *Am. colloq.* erschöpft, über'müdet.

bush·el[1] ['buʃl] *s* **1.** Bushel *m*, Scheffel *m* (*Br.* 36,37 *l*, *Am.* 35,24 *l*): → **light**[1] 6. – **2.** große Menge, Haufen *m.*

bush·el[2] ['buʃl] *v/t Am.* (*Kleidung*) ausbessern, flicken, ändern. — **'bush·el·er** *s Am.* Flickschneider *m.*

bush·el·ful ['buʃlful] *s* Scheffelvoll *m.*

'bush|ˌfight·er *s* Gue'rillakämpfer *m* (*im Busch*). — **'~ˌham·mer** *tech.* **I** *s* Boß-, Schar'rier-, Schell-, Spitzhammer *m*, Pos'sekel *m.* – **II** *v/t* pos'sekeln, schellen. — **~ har·row** *s* Buschegge *f.* — **~ hon·ey·suck·le** *s bot.* (*eine*) amer. Wei'gelie (*Gattg Diervilla, bes. D. lonicera*).

Bu·shi·do ['buːʃiˌdou] (*Japanese*) *s* Bu's(c)hido *n*, *m* (*Ethik des jap. Ritters*).

bush·ing ['buʃiŋ] *s* **1.** *tech.* a) → **bush**[2] 1, b) Muffe *f*, Spannhülse *f.* – **2.** *electr.* Isolati'onsfutter *n*, 'Durchführungshülse *f.*

bush| league *s sport Am. sl.* kleinerer Baseball-Verband. — **'B~·man** [-mən] *s irr* **1.** Buschmann *m* (*Südafrikas*). – **2.** Sprache *f* der Buschmänner. – **3.** **b~** *bes. Austral.* 'Hinterwäldler *m.* — **'~ˌmas·ter** *s zo.* Buschmeister *m* (*Lachesis muta; amer. Giftschlange*). — **~ met·al** *s tech.* Hartguß *m*, Stückgut *n.* — **~ pig** → **boschvark.** — **~ pi·lot** *s aer. Pilot einer Luftfahrtgesellschaft, der über unbesiedeltes Gebiet fliegt.* — **'~ˌrang·er** *s bes. Austral.* Buschklepper *m*, Strauchdieb *m*, Wegelagerer *m.* — **'~ˌrope** → **liana.** — **~ tit** *s zo.* Schwanzmeise *f* (*Gattg Psaltriparus*). — **'~ˌveld** *s* mit Buschwerk bestandene Ebene (*bes. in Südafrika*).

— **'~ˌwhack I** *v/t* **1.** wie (ein) Gue'rillakämpfer angreifen. – **II** *v/i* **2.** im Wald *od.* Gebüsch hausen *od.* um'herstreichen. – **3.** sich (*in einem Boot*) am Ufergebüsch strom'aufwärts ziehen. – **4.** einen Gue'rillakampf führen. — **'~ˌwhack·er** *s* **1.** *Austral.* a) Buschhacker *m*, Holzfäller *m*, b) 'Hinterwäldler *m*, Tölpel *m*. – **2.** *Am.* Gue'rillakämpfer *m* (*bes. im amer. Bürgerkrieg*). — **'~ˌwood** *s bot.* Buschwald *m*.

bush·y ['buʃi] *adj* buschig.

busi·ness ['biznis] *s* **1.** Geschäft *n*, (*bes.* kaufmännischer) Beruf, (Handels)Tätigkeit *f*, Gewerbe *n*: **to be in ~** geschäftlich tätig sein, ein Geschäft haben; **to go into ~** Kaufmann werden; **to be away on ~** auf (einer) Geschäftsreise sein; **line of ~** Geschäftszweig, -branche; **man of ~** Sachwalter; **to transact ~ with** geschäftliche Verbindungen haben mit; **to set up in ~** sich geschäftlich niederlassen; → talk 19. – **2.** Geschäftsleben *n*, Handel *m*: → **retire** 2. – **3.** *econ.* Geschäft *n*, Geschäftsgang *m*, Markttätigkeit *f*: **to increase ~** den Geschäftsgang heben; **~ is slack** das Geschäft ist flau; **no ~ done** ohne Umsatz; **hours of ~** Geschäftsstunden. – **4.** *econ.* Geschäft *n*, (Ge'schäfts)Unterˌnehmen *n*, Firma *f*: **to sell out one's ~** sein Geschäft ausverkaufen. – **5.** (Laden)Geschäft *n*, Ge'schäftsloˌkal *n*. – **6.** Arbeit *f*, Arbeitsstätte *f*: **on the way to ~** auf dem Weg zur Arbeit. – **7.** Arbeit *f*, Tätigkeit *f*, Beschäftigung *f*: **~ before pleasure** erst die Arbeit, dann das Vergnügen; **to attend to one's ~, to go about one's ~** seiner Arbeit nachgehen; **to stick to one's ~** bei seiner Tätigkeit bleiben; **to settle down to ~** sich (ernstlich) an die Arbeit machen. – **8.** Aufgabe *f*, Pflicht *f*: **that's your ~** (**to do**) das (zu tun) ist deine Aufgabe. – **9.** Angelegenheit *f*, Geschäft *n*, Sache *f*: **to come to ~** zur Sache kommen; **that's my ~** das ist meine Sache; **to make it one's ~ to do, to make a ~ of doing** es sich angelegen sein lassen zu tun; **mind your own ~** kümmern Sie sich um Ihre eigenen Angelegenheiten; **this is none of your ~** das geht Sie nichts an; **the whole ~** die ganze Geschichte; → **send** 5; **to do s.o.'s ~** *colloq.* j-m den Garaus machen. – **10.** *colloq.* Ernst *m*, ernste Sache: → **mean**[1] 1. – **11.** Anliegen *n*: **what is your ~?** – **12.** Anlaß *m*, Grund *m*, Berechtigung *f*: **you have no ~ to do that** Sie haben kein Recht, das zu tun; **what ~ had he to say that?** wie kam er dazu, das zu sagen? – **13.** *colloq.* Geschäft *n*, (*schwierige od. unangenehme*) Sache, Kram *m*: **it was a terrible ~** es war ein schreckliches Geschäft *od.* eine furchtbare Angelegenheit; **I am sick of the whole ~** ich habe den ganzen Kram satt. – **14.** (*Theater*) Mimik *f* u. Gestikulati'on *f* (*des Schauspielers*). – *SYN.* a) **commerce, industry, trade, traffic,** b) *cf.* **work.**

busi·ness| af·fair *s* geschäftliche Angelegenheit. — **~ card** *s* Geschäfts-, Empfehlungskarte *f*. — **~ col·lege** *s Am.* 'Handelsschule *f*, -akadeˌmie *f*. — **~ end** *s* **1.** *econ.* geschäftlicher Teil (*einer Tätigkeit*). – **2.** *colloq.* wesentlicher Teil (*einer Sache*), Hauptsache *f*: **the ~ of a revolver** der Lauf eines Revolvers. — **~ ex·pens·es** *s pl* Geschäftsspesen *pl*. — **~ hours** *s pl* Geschäftsstunden *pl*, -zeit *f*. — **'~ˌlike** *adj* **1.** geschäftsmäßig, geschäftlich, sachlich, nüchtern: **a ~ letter.** – **2.** (geschäfts)tüchtig, praktisch. — **'~ˌman** *s irr* Geschäfts-, Kaufmann *m*. — **~ out·look** *s econ.* Geschäftslage *f*, Konjunk'tur *f*. — **~ re·ply card** *s* Werbeantwortkarte *f*. — **~ suit** *s Am.* guter dunkler Straßenanzug. — **'~ˌwom·an** *s irr* Geschäftsfrau *f*: **she is a good ~** *fig.* sie ist geschäftstüchtig.

busk[1] [bʌsk] *s* Kor'settstäbchen *n*, Blankscheit *n*, Miederstange *f*.

busk[2] [bʌsk; busk] *v/t Scot. od. dial.* fertigmachen, vorbereiten.

busk[3] [bʌsk] *v/i* **1.** *mar.* um'herkreuzen. – **2.** unruhig um'herlaufen (*Geflügel etc*). – **3.** (*Jazz*) über einem Baß improvi'sieren.

busk·er ['bʌskər] *s sl.* 'Bettelmusiˌkant *m*, um'herziehender Schauspieler, Straßensänger *m*.

bus·kin ['bʌskin] *s* **1.** Halb-, Schnürstiefel *m*. – **2.** Ko'thurn *m* (*Stelze od. dicksohliger Schaftstiefel des antiken Schauspielers*). – **3.** *fig.* Tra'gödie *f*, Trauerspiel *n*. — **'bus·kined** [-kind] *adj* **1.** mit Schnürstiefeln bekleidet. – **2.** tragisch, die Tra'gödie betreffend. – **3.** pa'thetisch, hochtrabend.

'bus·man [-mən] *s irr* Omnibus-, Autobusfahrer *m*, -führer *m*: **~'s holiday** Urlaub, der mit der üblichen Berufsarbeit verbracht wird.

buss[1] [bʌs] *dial.* **I** *s* Kuß *m*. – **II** *v/t u. v/i* küssen.

buss[2] [bʌs] *s mar.* Büse *f*, Heringsfischerboot *n*.

buss[3] *cf.* **bus.**

bus·su ['busuː] *s bot.* Bussu-, Mützenpalme *f* (*Manicaria saccifera*).

bust[1] [bʌst] *s* Büste *f*: a) Brustbild *n* (*aus Stein, Bronze etc*), b) Busen *m*, weibliche Brust.

bust[2] [bʌst] *sl.* **I** *v/i* **1.** ,ka'puttgehen', (zer)platzen, bersten. – **2.** *oft* **~ up** ,platzen', ,auffliegen', bank'rott gehen. – **II** *v/t* **3.** ,ka'puttmachen': a) (zer)sprengen, bersten lassen, b) *mil.* (*Panzer*) ,knacken', c) bank'rott machen, rui'nieren. – **4.** *mil.* (*Unteroffizier etc*) degra'dieren. – **5.** *Am.* (*Pferd*) zähmen, zureiten. – **6.** *Am.* ,hauen', schlagen: **to ~ s.o. on the nose.** – **III** *s* **7.** 'Saufparˌtie *f*. – **8.** ,Pleite' *f*, Fehlschlag *m*, Bank'rott *m*. – **9.** *dial.* Platzen *n*.

bus·tard ['bʌstərd] *s zo.* Trappe *f*, *m* (*Fam. Otididae*).

bust·er ['bʌstər] *s* **1.** *sl.* ,Mordsding' *n*, ,-kerl' *m*, 'Prachtexemˌplar *n* (*etwas Großes od. Außergewöhnliches*). – **2.** (Zer)Sprenger *m*: **safe ~** Geldschrankknacker. – **3.** *sl.* a) *Am.* ,Ra'daubruder' *m*, Krachmacher *m*, b) ,'Saufparˌtie' *f*, ,-gelage' *n*. – **4.** *Am. colloq.* kleiner Junge. – **5.** *Austral. colloq.* kalter, heftiger Südwind.

bus·tle[1] ['bʌsl] **I** *v/i* **1.** ('über)eifrig sein, geschäftig tun, eilig um'herlaufen, her'umhanˌtieren, hasten. – **II** *v/t* **2.** antreiben, hetzen. – **III** *s* **3.** hastige Geschäftigkeit, 'Übereifer *m*. – **4.** Tu'mult *m*, Lärm *m*, Gewühl *n*. – *SYN. cf.* **stir**[1].

bus·tle[2] ['bʌsl] *s* Bausch *m*, Tour'nüre *f* (*Polster im Kleid*).

bus·tler ['bʌslər] *s* (geschäftiger) Wichtigtuer, unruhiger Mensch. — **'bus·tling** *adj* ('über)eifrig, geschäftig.

bus·y ['bizi] **I** *adj* **1.** beschäftigt, tätig: **to be ~ doing s.th.** mit etwas beschäftigt sein. – **2.** geschäftig, emsig, rührig, fleißig, eifrig, arbeitsam: **~ hands** rührige Hände. – **3.** belebt (*Straße etc*). – **4.** arbeitsreich, voll Arbeit: **a ~ life.** – **5.** über'trieben diensteifrig, auf-, zudringlich, lästig. – **6.** *Am.* besetzt (*Telephonleitung*). – *SYN.* **assiduous, diligent, industrious, sedulous.** – **II** *v/t* **7.** beschäftigen: **to ~ oneself with s.th.** sich mit etwas beschäftigen. – **III** *s* **8.** *bes. Am. sl.* Detek'tiv *m*. — **'~ˌbod·y I** *s* ,Geschäftlhuber' *m*, 'Übereifriger *m*, wichtigtuerischer, aufdringlicher Mensch. – **II** *v/i* sich in alles einmischen, 'übereifrig sein. — **'~ˌbod·y·ish** *adj* vielgeschäftig, zudringlich, 'übereifrig. — **'~ˌbod·y·ness** *s* lästiger Eifer, über'triebene Geschäftigkeit.

bus·y·ness ['bizinis] *s* Geschäftigkeit *f*, Beschäftigtsein *n*.

but [bʌt; bət] **I** *adv* **1.** nur, bloß, lediglich: **he is ~ a student** er ist nur ein Student; **there is ~ one way out** es gibt nur 'einen Ausweg. – **2.** erst, gerade: **~ last week** erst letzte Woche. – **3. all ~** fast, beinahe, nahezu, ,um ein Haar': **he was all ~ drowned** er wäre fast ertrunken. –

II *prep* **4.** außer, mit Ausnahme von: **all ~ him** alle außer ihm; **the last ~ one** der vorletzte; **nothing ~ nonsense** nichts als Unsinn; **~ that** außer daß; es sei denn, daß. – **5. ~ for** ohne: **~ for my parents** wenn meine Eltern nicht (gewesen) wären. –

III *conjunction* **6.** (*nach Negativen od. Interrogativen*) außer, als: **what can I do ~ refuse** was bleibt mir anderes übrig als abzulehnen; **he cannot ~ laugh** er kann nicht umhin zu lachen. – **7.** ohne daß: **he never comes ~ he causes trouble** er kommt nie, ohne Unannehmlichkeiten zu verursachen. – **8.** *auch* **~ that, ~ what** (*nach Negativen*) daß nicht: **you are not so stupid ~** (*od.* **~ that, ~ what**) **you can learn that** du bist nicht so dumm, daß du das nicht lernen kannst. – **9. ~ that** daß: **you cannot deny ~ that you did it** du kannst nicht ableugnen, daß du es getan hast; **I do not doubt ~ that it is true** ich bezweifle nicht, daß es wahr ist. – **10. ~ that** wenn nicht: **he would do it ~ that** er würde es tun, wenn nicht. – **11.** aber, je'doch: **you want to do it ~ you cannot** du willst es tun, aber du kannst es nicht; **~ then** aber schließlich, aber andererseits. – **12.** dennoch, ˌnichtsdesto'weniger. – **13.** sondern: → **only** 3. –

IV *als negatives Relativpronomen nach Negativen* **14.** der *od.* die *od.* das nicht: **there is no one ~ knows about it** es gibt niemanden, der es nicht weiß; **few of them ~ rejoiced** da waren wenige, die sich nicht freuten. –

V *s* **15.** Aber *n*, Einwand *m*, 'Widerspruch *m*: **none of your ~s!** komme mir nicht mit einem Aber! –

VI *v/t* **16.** Einwendungen machen: **~ me no buts** hier gibt es kein Aber.

bu·ta·di·ene [ˌbjuːtə'daiiːn; -dai'iːn] *s chem.* Butadi'en *n* (C_4H_6).

bu·tane ['bjuːtein; bjuː'tein] *s chem.* Bu'tan *n* (C_4H_{10}).

bu·tan·ol ['bjuːtəˌnoul; -ˌnɒl] *s chem.* Buta'nol *n*, Bu'tylalkohol *m* ($CH_3 \cdot (CH_2)_2 \cdot CH_2OH$).

bu·ta·none ['bjuːtəˌnoun] *s chem.* Buta'non *n* (CH_3-CO-CH_2-CH_3).

butch·er ['butʃər] **I** *s* **1.** Metzger *m*, Fleischer *m*, Schlächter *m*. – **2.** *fig.* grausamer Mörder, Würger *m*, Schlächter *m*. – **3.** *fig.* Stümper *m*, Pfuscher *m*. – **4.** *Am.* Verkäufer *m* (*von Süßigkeiten etc in Eisenbahnzügen*). – **II** *v/t* **5.** (*Vieh etc*) schlachten. – **6.** 'hinschlachten, -morden, niedermetzeln, abschlachten. – **7.** verpfuschen: **to ~ a job.** — **'~ˌbird** *s zo.* (*ein*) Würger *m* (*Gattg Lanius*).

butch·er·ing ['butʃəriŋ] **I** *adj* **1.** Schlacht...: **~ knife** Schlachtmesser. – **II** *s* **2.** Schlachten *n*. – **3.** Schlächtergewerbe *n*, Metzge'rei *f*, Schlächte'rei *f* (*auch fig.*). – **4.** *fig.* Gemetzel *n*.

butch·er·li·ness ['butʃərlinis] *s* Blutdurst *m*, Grausamkeit *f*. — **'butch·er·ly** *adj* grausam, blutdürstig, mörderisch.

'butch·er's|-'broom ['butʃərz-] *s bot.* Stechender Mäusedorn (*Ruscus aculeatus*). — **~ cleav·er** *s* Schlächterbeil *n*. — **~ dog** *s* Metzger-, Schlächterhund *m*. — **~ saw** *s tech.* Fleischer-, Knochensäge *f*. — **~ sleeves** *s pl*

'Überziehärmel *pl* (der Schlächter). — **~ work** *s fig.* Metze'lei *f.*

butch·er·y ['butʃəri] *s* **1.** Schlachten *n*, Schlächterhandwerk *n.* – **2.** Schlächte'rei *f*, Schlachtbank *f*, -haus *n.* – **3.** *fig.* Metze'lei *f*, Blutbad *n.*

bu·te·a| gum ['bju:tiə], **~ ki·no** *s tech.* Bu'tea-, Pa'lasakino *n* (*Gerbstoff aus dem Dhakbaum Butea frondosa*).

bu·tene ['bju:ti:n] *s chem.* Bu'ten *n* (C_4H_8).

bu·te·o·nine ['bju:tiouˌnain; -nin] *adj zo.* bussardartig, Bussard...

bu·tine *cf.* butyne.

but·ler ['bʌtlər] *s* **1.** Kellermeister *m*, Mundschenk *m.* – **2.** Butler *m*, erster Diener (*in vornehmem Privathaushalt*).

but·ler·age ['bʌtləridʒ] *s* Wirkungskreis *m* eines Kellermeisters *od.* Butlers.

but·ler's pan·try ['bʌtlərz] *s* Geschirr-, Anrichtekammer *f* (*zwischen Küche u. Speisezimmer*).

but·ler·y ['bʌtləri] *s* Vorratskammer *f*, *bes.* Weinkeller *m.*

but·ment ['bʌtmənt] → abutment 2. — **~ cheek** *s tech.* 'Holzumˌrandung *f* (*eines Zapfenloches*).

butt[1] [bʌt] **I** *s* **1.** (dickes) Ende (*Gegenstand*). – **2.** (Gewehr- *etc*)Kolben *m.* – **3.** Griff *m* (*Stiel*). – **4.** (Zi'garren-, Ziga'retten)Stummel *m.* – **5.** *bot.* Grund *m*, unteres Ende (*Stiel od. Stamm*). – **6.** (Hand)Ballen *m.* – **7.** (*Gerberei*) Pfund-, Schwerleder *n.* – **8.** *tech.* a) Angel-, Schar'nierband *n*, b) Stoß *m* (*Treff-, Berührungsstelle von Bauteilenden*), c) → ~ joint. – **9.** Keule *f* (*Schlachttiere*). – **10.** *mil.* Geschoß-, Kugelfang *m.* – **11.** *meist pl* Schießstand *m*, 'Waffenjuˌstierstand *m.* – **12.** *fig.* Zielscheibe *f*, Gegenstand *m* (*Spott etc*). – **13.** Stoß *m* (*bes. mit den Hörnern*). – **14.** *obs.* Ziel *n*, Grenze *f*, Ende *n.* – **II** *v/t* **15.** *tech.* (*Bauteilenden*) anein'anderfügen, zu'sammenstoßen lassen. – **16.** (*bes.* mit dem Kopf) stoßen. – **17.** *obs.* abgrenzen, begrenzen. – **III** *v/i* **18.** (zu)stoßen: to ~ into a) zusammenstoßen mit, b) *sl.* sich einmischen in (*acc*). – **19.** rennen (against gegen). – **20.** (zu'sammen-, anein'ander)stoßen, (an)grenzen, sich anfügen (on, against an *acc*). – *Verbindungen mit Adverbien:*

butt| in *v/i colloq.* sich einmischen, sich aufdrängen. — **~ out** *v/i* her'vor-, her'ausstehen, vorspringen.

butt[2] [bʌt] *s* **1.** (Wein-, Bier)Faß *n.* – **2.** Butt *n* (*engl. Flüssigkeitsmaß*).

butt[3] [bʌt] *s zo.* Butt *m*, Scholle *f*, Flach-, Plattfisch *m* (*Fam. Pleuronectidae*).

butt block *s* (*Schiffbau*) Plankenstoß *m.*

butte [bju:t] *s geol. Am.* Restberg *m*, Spitzkuppe *f* (*alleinstehender, steiler Berg*).

butt end *s* **1.** dickes Endstück. – **2.** *tech.* Plankenende *n.* – **3.** *fig.* Ende *n*, Schluß *m*, Hauptsache *f.*

but·ter ['bʌtər] **I** *s* **1.** Butter *f*: cooking ~ Kochbutter; dairy ~ Bauernbutter; factory ~ Molkereibutter; melted ~ zerlassene Butter, Buttersoße; clarified (*od.* run) ~ Butterschmalz; a pat of ~ ein Stückchen Butter; he looks as if ~ would not melt in his mouth er sieht aus, als könnte er nicht bis drei zählen. – **2.** Butter *f*, butterähnliche Masse: cocoa ~ Kakaobutter. – **3.** *colloq.* Schmeiche'lei *f*, ˌSchöntue'rei *f.* – **II** *v/t* **4.** mit Butter bestreichen: ~ed toast Toast mit Butter. – **5.** mit Butter kochen *od.* anrichten. – **6.** *auch* ~ up *colloq.* (*j-m*) ‚Honig um den Mund schmieren' (*schmeicheln*). — **'~-and-'egg man** *s irr* **1.** Butter- u. Eier(groß)händler *m.* – **2.** *Am. sl.* angeberischer Verschwender. — **'~-and-'eggs** *s bot. eine Pflanze mit Blüten in zwei verschiedenen gelben Farbtönen, bes.* a) Wildes Löwenmaul (*Linaria vulgaris*), b) 'Goldnarˌzisse *f* (*Narcissus incomparabilis*). — **'~-and-'tallow tree** *s bot.* Butterbaum *m*, Westafrik. Talgbaum *m* (*Pentadesma butyracea*). — **'~ˌball** *s* **1.** Butterkugel *f.* – **2.** → bufflehead 2. — **~ bean** *s bot.* **1.** (*eine*) schwarze Bohne (*Phaseolus limensis; südl. USA*). – **2.** (*eine*) gelbe Garten-, Schminkbohne (*Phaseolus vulgaris*). — **'~ˌbird** → bobolink. — **~ boat** *s* (*Art*) Sauci'ere *f* (*für zerlassene Butter*). — **'~ˌbox** *s* Butterdose *f*, -topf *m.* — **'~ˌbur** *s bot.* (*eine*) Pestwurz (*Petasites officinalis*). — **~ churn** *s* Butterfaß *n.* — **~ colo(u)r** *s* Butterfarbe *f*, -schminke *f* (*Farbstoff zum Färben der Butter*). — **'~ˌcup, ~ dai·sy** *s bot.* Butterblume *f*, Hahnenfuß *m* (*Gattg Ranunculus*), *bes.* a) Scharfer Hahnenfuß, Kleines Goldknöpfchen (*R. acris*), b) Knolliger Hahnenfuß (*R. bulbosus*). — **~ dish** *s* Butterdose *f*, -schale *f.* — **~ dock** *s bot.* **1.** a) Grundwurz *f* (*Rumex obtusifolius*), b) → curled dock. – **2.** → butterbur. — **'~ˌfat** *s* Butterfett *n.* — **'~ˌfin·gered** *adj colloq.* ungeschickt (*im Gebrauch der Hände*), tolpatschig. — **'~ˌfin·gers** *s pl* (*als sg konstruiert*) *colloq.* Tolpatsch *m*, ungeschickte Per'son. — **'~ˌfish** *s zo.* **1.** → gunnel[1]. – **2.** → dollarfish 1. — **'~ˌflow·er** → buttercup.

but·ter·fly ['bʌtərˌflai] **I** *s* **1.** *zo.* Schmetterling *m*, Tagfalter *m*: → wheel 7. – **2.** *fig.* Schmetterling *m*, flatterhafter, oberflächlicher Mensch, eitle Per'son. – **3.** *fig.* leichte, zerbrechliche Sache. – **II** *adj* **4.** Schmetterlings..., schmetterlingsähnlich. – **5.** *fig.* flatterhaft, oberflächlich. – **III** *v/i* **6.** flattern. — **~ bush** *s bot.* Schmetterlingsstrauch *m* (*Gattg Buddleia*). — **~ fish** *s zo. Fisch, der sich durch Buntheit u./od. flügelähnliche Flossen auszeichnet, bes.* a) Borstenzähner *m*, Ko'rallenfisch *m* (*Fam. Chaetodontidae, bes. Chaetodon copistratus*), b) (*ein*) Schleimfisch *m* (*Blennius ocellaris*), c) → flying gurnard. — **~ nut** *s tech.* Flügelmutter *f.* — **~ or·chid** *s bot.* (*ein*) Breitkölbchen *n*, (*eine*) Kuckucksblume (*Platanthera bifolia u. P. chlorantha*). — **~ plant** *s bot.* (*eine*) 'Schmetterlingsorchiˌdee (*Oncidium papilio, Südamerika; Phalaenopsis amabilis, Asien*). — **~ ray** *s zo.* (*ein*) Stechroche *m* (*Gattg Pleroplatea*). — **~ screw** *s tech.* Flügelschraube *f.* — **~ ta·ble** *s* Klapptisch *m* (*mit 2 hochklappbaren Seiten*). — **~ valve** *s tech.* 'Drosselklappe *f*, -venˌtil *n.* — **~ weed** *s bot.* **1.** (*eine*) amer. Seidenpflanze (*Asclepias tuberosa*). – **2.** (*eine*) Prachtkerze (*Gaura coccinea*).

but·ter·ine ['bʌtəˌri:n; -rin] *s* Kunstbutter *f*, Marga'rine *f.*

'but·ter|ˌman *s irr* Butterhändler *m.* — **'~ˌmilk** *s* Buttermilch *f.* — **'~ˌnut** *s* **1.** *bot.* Grauer Walnußbaum (*Juglans cinerea*). – **2.** Graunuß *f* (*Frucht von* 1). – **3.** Saou'arinuß *f* (*Frucht des Butternußbaumes Caryocar nuciferum*). – **4.** *Am. hist. sl. Spitzname für die Soldaten der Südstaaten im Bürgerkriege, wegen ihrer zimtfarbenen Uniform.* — **~ pat** *s* **1.** kleine geformte Butterscheibe. – **2.** Butterform *f* (*meist mit Ziermustern*). — **~ pear** *s* **1.** *bot.* → avocado. – **2.** Butterbirne *f.* — **~ print** *s* hölzerne Butterform, Butterstempel *m.* — **'~'scotch** *s* (*Art*) Buttertoffee *n.* — **~ tree** *s bot.* **1.** Shea-, Schibutterbaum *m* (*Butyrospermum parkii*). – **2.** Indischer Butterbaum (Phulwara) (*Illipe butyracea*). – **3.** Afrik. Butterbaum *m* (*Combretum butyrosum*). — **'~ˌweed** *s bot.* **1.** → horseweed. – **2.** (*ein*) Kreuzkraut *n* (*Senecio glabellus*). – **3.** Nordamer. 'Wildsaˌlat *m* (*Lactuca canadensis*). – **4.** → Indian mallow. — **'~ˌwork·er** *s tech.* 'Butterˌknetmaˌschine *f.* — **'~ˌwort** *s bot.* Fettkraut *n* (*Gattg Pinguicula*).

but·ter·y ['bʌtəri] **I** *adj* **1.** butterartig, Butter... – **2.** *fig.* weich. – **3.** mit Butter bestrichen. – **4.** *colloq.* schmeichlerisch. – **II** *s* **5.** Speise-, Vorratskammer *f* (*bes. für Getränke*). – **6.** *Br.* Kan'tine *f* (*in Colleges*). — **~ bar** *s Br.* Schenkbrett *n* (*auf der Kantinenhalbtür zum Niederstellen von Trinkgefäßen*). — **~ book** *s Br.* Rechnungsbuch *n* der Stu'denten (*welche aus der Kantine des College Lebensmittel beziehen*). — **~ hatch** *s* Ser'vierluke *f*, 'Durchreiche *f.*

butt hinge *s tech.* Angel-, Schar'nier-, Fisch-, Einsetzband *n.*

but·ting ['bʌtiŋ] *s* Grenze *f* (*auch fig.*).

butt| joint *s tech.* **1.** Stoß-, Hirnfuge *f.* – **2.** Stumpfstoß *m*, gerader *od.* stumpfer Stoß, Stoß-, Endverbindung *f.* – **3.** Stoß *m* mit Lasche, Über'laschung *f*, Laschennietung *f*, -verbindung *f.* — **'~-ˌjoint** *tech.* **I** *v/t* stumpf anein'anderfügen *od.* verbinden. – **II** *v/i* stumpf zu'sammenstoßen.

but·tock ['bʌtək] **I** *s* **1.** 'Hinterbacke *f.* – **2.** *pl* Hintern *m*, 'Hinterteil *n*, Gesäß *n*, Steiß *m.* – **3.** *oft pl mar.* Heck *n* (*Schiff*). – **4.** (*Bergbau*) zum Abbau fertige Kohlenfläche. – **5.** (*Ringen*) Hüftschwung *m.* – **II** *v/t u. v/i* **6.** (*Ringen*) durch Hüftschwung angreifen. — **~ line** *s mar.* Sentenriß *m.* — **~ steak** *s* (*Kochkunst*) Rumpsteak *n.*

but·ton ['bʌtn] **I** *s* **1.** (Kleider)Knopf *m*: waistcoat ~ Westenknopf; ~ tab Knopfleiste; not worth a ~ keinen Pfifferling wert; not to care a ~ about s.th. *colloq.* sich nichts aus etwas machen, sich den Teufel um etwas scheren; to be a ~ short, to have lost a ~ *colloq.* nicht ganz richtig im Kopf sein, ‚spinnen'; to undo a ~ einen Knopf aufmachen; to take by the ~ (*j-n*) fest-, aufhalten, sich (*j-n*) ‚vorknöpfen'. – **2.** (Klingel-, Licht-, Schalt)Knopf *m*: → press[1] 2. – **3.** *bot. knotenartige Bildung bei Pflanzen:* a) Auge *n*, Knospe *f*, b) Fruchtknoten *m*, c) kleine *od.* verkümmerte Frucht, d) junger Pilz. – **4.** *zo.* Endglied *n* (*der Klapper einer Klapperschlange*). – **5.** *sport* a) (*Fechten*) Knopf *m* (*Rapier*), b) (*Boxen*) *sl.* Kinnspitze *f.* – **6.** *tech.* 'Rundkopfmarˌkierung *f* (*für Fahrbahnen, Übergänge etc*). – **7.** Lederring *m* (*am Kandarenzügel des Pferdegeschirrs*). – **8.** *tech.* Korn *n* (*kugelartige Bildung bei der Erzprobe*). – **9.** (Vor)Reiber *m*, Wirbel *m* (*an Fenster od. Tür*). – **10.** *sl.* Lockvogel *m*, Scheinkäufer *m* (*bei Schwindelauktionen*). – **11.** *pl* (*als sg konstruiert*) *colloq.* Hotelpage *m*, Liftboy *m.* – **12.** *electr.* Druckknopfschalter *m.* – **13.** *mus.* a) (Re'gister)Knopf *m* (*Orgel etc*), b) (Spiel)Knopf *m* (*Ziehharmonika etc*), c) Saitenhalterstift *m* (*Violine etc*). – **II** *v/t* **14.** mit Knöpfen versehen. – **15.** *meist* ~ up zuknöpfen. – **16.** (*Fechten*) (*Gegner*) mit dem Knopf des Ra'piers berühren. – **III** *v/i* **17.** sich knöpfen lassen: this frock ~s at the back dieses Kleid wird hinten geknöpft. — **'~ˌball** *s* **1.** → sycamore 1. – **2.** → buttonb hensch **~ blank** *s tech.* Me'tall-, Knocush. —eibe *f* (*aus der Knöpfe geformt werden*). — **~ boot** *s* Knopfstiefel *m.* — **~ boy** *s* Ho'telpage *m*, Liftboy *m.* — **'~ˌbur** *s bot.* Spitzklette *f* (*Gattg Xanthium*). — **'~ˌbush** *s bot.* Knopfblumenstrauch *m* (*Cephalanthus occidentalis*). — **~ ear**

s nach vorne 'überfallendes Ohr (*bei Hunden*).
but·toned ['bʌtnd] *adj* **1.** mit Knöpfen versehen. – **2.** (zu)geknöpft. – **3.** ~ up *colloq.* a) ‚zugeknöpft', zu'rückhaltend, b) *mil.* kampfbereit (*Panzerwagen etc*). — '**but·ton·er** *s* **1.** Knöpfer *m*, Knöpfhaken *m*. – **2.** Knopfannäher *m*.
but·ton| flow·er *s bot.* Nagelbeere *f* (*Gattg Gomphia*). — '~ˌ**hold** *v/t* (*j-n*) festhalten (*zwecks Unterredung*), sich (*j-n*) ‚vorknöpfen'. — '~ˌ**hole I** *s* **1.** Knopfloch *n*. – **2.** *Br. colloq.* Knopflochsträußchen *n*. – **3.** *med.* Knopflochschnitt *m*. – **II** *v/t* **4.** (*j-n durch Reden*) aufhalten, sich (*j-n*) ‚vorknöpfen'. – **5.** mit Knopflöchern versehen. – **6.** mit Knopflochstichen nähen. — '~ˌ**hole stitch** *s* Knopflochstich *m*. — '~ˌ**hook** *s* Stiefelknöpfer *m*. — '~ˌ**mo(u)ld** *s* Knopfform *f*. — ~ **quail** *s zo.* (*ein*) Laufhühnchen *n* (*Gattg Turnix*). — ~ **snake·root** *s bot. Am.* **1.** Sumpf-Mannstreu *n* (*Eryngium aquaticum*). – **2.** Prachtscharte *f* (*Gattg Liatris*). — ~ **stick** *s mil.* Knopfputzgabel *f*. — '~-ˌ**through** *s* 'durchgeknöpftes Kleid. — ~ **tree** *s bot.* **1.** (*ein*) westindischer Erlenbaum (*Gattg Conocarpus*). – **2.** → buttonwood 1. — '~ˌ**weed** *s bot.* **1.** (*ein*) Krapp-, Rötegewächs *n* (*Gattg Spermacoce*; *Diodia teres*; *Oldenlandia uniflora*). – **2.** Flokkenblume *f* (*Gattg Centaurea*). – **3.** → Indian mallow. — '~ˌ**wood** *s bot.* **1.** Pla'tane *f* (*Gattg Platanus*). – **2.** Amer. Weißer Man'grove-Strauch (*Laguncularia racemosa*). – **3.** → button tree 1. – **4.** → buttonbush.
but·ton·y ['bʌtni] *adj* **1.** knopfähnlich. – **2.** mit Knöpfen besetzt.
butt plate *s tech.* **1.** Stoßplatte *f*. – **2.** Kolbenblech *n*, -kappe *f* (*Gewehr*).
but·tress ['bʌtris] **I** *s* **1.** *arch.* Strebepfeiler *m*, 'Widerlager *n*. – **2.** *fig.* Stütze *f*. – **3.** vorspringender Teil (*Haus, Berg*). – **4.** *zo.* Tracht *f* (*Pferdehuf*). – **5.** (*Festungsbau*) Gegenverschanzung *f*. – **II** *v/t auch* ~ up **6.** (durch Strebepfeiler) stützen. – **7.** *fig.* (unter)'stützen, stärken, unter'mauern.
butt| seam *s mar.* Stoß *m*, Butt *m*, Dwarsnaht *f*, Lasch *n* (*Stelle, an der 2 Hölzer mit der Stirnfläche zusammenstoßen*). — ~ **shaft** *s mil. hist.* Bolzen *m*, Pfeil *m* (*ohne Widerhaken*). — '~ˌ**stock** *s mil.* Kolbenfuß *m* (*des Gewehrkolbens*). — ~ **strap** *s tech.* Stoßblech *n*, -platte *f*, Lasche *f*, Laschung *f*. — '~ˌ**strap** *v/t* (*2 Metallstücke*) auf Stoß verbinden, *bes.* verschweißen. — ~ **weld** *s* Stoß-, Stumpf(schweiß)naht *f*. — '~-ˌ**weld** *v/t* stoß-, stumpfschweißen. — ~ **weld·ing** *s* Stumpfschweißen *n*, Stoßschweißung *f*.
but·ty ['bʌti] *s dial.* **1.** Gefährte *m*, Kame'rad *m*. – **2.** (*Bergbau*) Vorarbeiter *m*, Ak'kordmeister *m*, ‚Briga'dier' *m*. — ~ **gang** *s dial.* 'Arbeiterabˌteilung *f* (*unter Leitung eines Vorarbeiters*), ‚Bri'gade' *f*.
bu·tyl ['bjuːtil] *s chem.* **1.** Bu'tyl *n* (C_4H_9). – **2.** B~ (*TM*) Bu'tyl *n* (*synthetischer Kautschuk*). — ~ **al·co·hol** *s chem.* Bu'tylalkohol *m* (C_4H_9OH).
bu·tyl·a·mine [ˌbjuːtilə'miːn; -'æmin] *s chem.* Butyla'min *n* ($C_4H_9NH_2$).
bu·tyl·ene ['bjuːtiˌliːn; -tə-] *s chem.* Buty'len *n* (C_4H_8).
ˌ**bu·tyl'hy·dride** *s chem.* Bu'tylwasserstoff *m*, Bu'tan *n* (C_4H_{10}).
bu·tyl·ic [bju'tilik] *adj chem.* Butyl...
Bu·tyl rub·ber (*TM*) *s chem.* Bu'tylkautschuk *m* (*Art Kunstkautschuk*).
bu·tyne ['bjuːtain] *s chem.* Bu'tin *n* (*isomerer Acetylenkohlenwasserstoff*).
butyr- [bjuːtər] → butyro-.
bu·tyr·a·ceous [ˌbjuːtə'reiʃəs] *adj chem.* **1.** butterartig. – **2.** butterhaltig.
bu·tyr·al·de·hyde [ˌbjuːtər'ældiˌhaid] *s chem.* Bu'tyraldeˌhyd *n* (C_3H_7CHO).
bu·tyr·ate ['bjuːtəˌreit] *s chem.* Buty'rat *n* (*Salz od. Ester der Buttersäure*): ethyl ~ Äthylbutyrat ($C_2H_5 \cdot C_4H_7O_2$); glycerin ~ → butyrin.
bu·tyr·ic [bju'tirik] *adj chem.* Butter... — ~ **ac·id** *s* Buttersäure *f* ($CH_3 \cdot CH_2 \cdot CH_2 \cdot CO_2H$). — ~ **fer·men·ta·tion** *s* Buttersäuregärung *f*.
bu·tyr·in ['bjuːtərin] *s chem.* Buty'rin *n* (*jedes der drei Glycerin-Butylate*).
butyro- [bjuːtəro] *Wortelement mit der Bedeutung* Butter.
bu·tyr·om·e·ter [ˌbjuːtə'rɒmitər; -mə-] *s* Butyro'meter *n* (*Instrument zur Feststellung des Fettgehaltes der Milch*).
bu·tyr·ous ['bjuːtərəs] → butyraceous.
bu·tyr·yl ['bjuːtəril] *s chem.* 'Buttersäure-Radiˌkal *n* (C_4H_7O).
bux·om ['bʌksəm] *adj* **1.** drall, gesundheitstrotzend. – **2.** *obs.* a) heiter, froh, flink, b) folgsam, gefügig, c) geschmeidig, weich. — '**bux·om·ness** *s* **1.** kräftiger Wuchs, dralle Fi'gur, gesund-frisches Aussehen. – **2.** *obs.* a) Heiterkeit *f*, b) Gefügigkeit *f*, c) Geschmeidigkeit *f*.
buy [bai] **I** *s* **1.** (Ein)Kauf *m*. – **2.** *colloq.* gekaufter Gegenstand, Kauf *m*: that was a good ~ das war ein guter Kauf. – **II** *v/t pret u. pp* **bought** [bɔːt] **3.** (ein)kaufen, beziehen, einhandeln: to ~ (at) first hand aus erster Hand beziehen; to ~ and sell *colloq.* (*j-n*) ‚in die Tasche stecken', (*j-m*) haushoch überlegen sein; → scale³ 9. – **4.** erkaufen (*z.B. durch ein gebrachtes Opfer*): to ~ pleasure with pain. – **5.** (*j-n*) kaufen, bestechen. – **6.** *fig.* aufwiegen: all that money can ~ alles, was für Geld zu haben ist. – **7.** *relig.* loskaufen, auslösen, erlösen. – **III** *v/i* **8.** (ein)kaufen, Einkäufe machen. –
Verbindungen mit Adverbien:
buy| in I *v/t* **1.** einkaufen, sich eindecken mit. – **2.** (*Aktien*) kaufen. – **3.** (*auf Auktionen*) zu'rückkaufen. – **II** *v/i* **4.** eine Offi'ziersstelle (*in einem Regiment*) kaufen. – **5.** Aktien kaufen. — ~ **off** *v/t* **1.** (*j-n*) abfinden. – **2.** *fig.* bestechen, kaufen. – **3.** ablösen, zu'rückkaufen. — ~ **out** *v/t* **1.** (*j-n*) auskaufen (*durch Aufkauf seiner Geschäftsanteile etc*). – **2.** (*Verbindlichkeiten*) durch Geldzahlung lösen: to ~ an execution eine Pfändung durch Geldzahlung verhindern. — ~ **o·ver** *v/t* (*j-n*) durch Bestechung für sich gewinnen. — ~ **up** *v/t* aufkaufen.
buy·a·ble ['baiəbl] *adj* käuflich.
buy·er ['baiər] *s* **1.** Käufer(in), Abnehmer(in): ~ of a bill *econ.* Wechselnehmer; ~'s option *econ.* Kaufoption, Kauf von Börsenpapieren auf Zeit; ~s' market vom Käufer beherrschter Markt; ~s' strike Käuferstreik. – **2.** *econ.* Einkäufer *m*.
buy·ing ['baiiŋ] **I** *s* Kaufen *n*, (Ab-, An)Kauf *m*. – **II** *adj* Kauf...: ~ order Kaufauftrag.
buzz¹ [bʌz] **I** *v/i* **1.** summen, brummen. – **2.** murmeln, raunen. – **3.** flüstern, tuscheln. – **4.** schwirren, surren: to ~ around umherschwirren (*auch fig.*); to ~ off *sl.* a) ‚abschwirren', sich davonmachen, b) (*Telephon*) ab-, anhängen. – **5.** *fig.* dröhnen, klingen, summen: the village ~ed like a beehive das Dorf summte wie ein Bienenkorb. – **II** *v/t* **6.** murmeln, raunen, flüstern: to ~ s.th. about *obs.* etwas herumflüstern. – **7.** surren lassen. – **8.** *Am.* mit einer Kreissäge schneiden. – **9.** *mil.* (*Nachricht*) durch den Summer über'mitteln. – **10.** *colloq.* ‚schmeißen', schleudern. – **11.** *colloq.* (*j-n*) ‚anklingeln', (tele'phonisch) anrufen. – **12.** *aer.* a) in geringer Höhe über'fliegen, b) (*j-n*) (durch Tiefﬂiegen u. Drosseln des Motors) grüßen, c) (*Flugzeug*) im Flug behindern (*durch Heranfliegen*). – **III** *s* **13.** Summen *n*, Brummen *n*, Surren *n*, Schwirren *n*. – **14.** Geflüster *n*, Gemurmel *n*, Stimmengewirr *n*. – **15.** Gerede *n*, Gerücht *n*. – **16.** *colloq.* (Tele'phon)Anruf *m*.
buzz² [bʌz] *s* **1.** *ein haariger, als Fischköder verwendeter Käfer.* – **2.** *eine künstliche Angelfliege.*
buzz³ [bʌz] *v/t Br.* (*Flasche*) bis auf den letzten Tropfen leeren.
buz·zard ['bʌzərd] **I** *s* **1.** *zo.* a) Bussard *m* (*bes. Gattg Buteo*), b) Amer. Truthahngeier *m* (*Cathartes aura*), c) Fischadler *m* (*Pandion haliaëtus*), d) Rohrweih *m* (*Circus aeruginosus*), e) Wespenbussard *m* (*Pernis apivorus*). – **2.** *dial.* Brumme(r *m*) *f*, Brummkäfer *m*. – **3.** *oft* blind ~ *dial.* dummer *od.* feiger *od.* gieriger Mensch. – **II** *adj* **4.** bussardähnlich, Bussard... – **5.** *fig.* sinnlos, dumm. — ~ **clock** → dorbeetle. — '~ˌ**like** *adj* bussardähnlich.
buzz bomb → flying bomb.
buzz·er ['bʌzər] *s* **1.** Summer *m*, Brummer *m*, *bes.* summendes In'sekt. – **2.** Summer *m*, Summpfeife *f*. – **3.** *electr.* a) Summer *m*, b) Unter'brecher *m*. – **4.** a) *mil.* 'Feldteleˌgraph *m*, b) *sl.* Tele'graph *m*. – **5.** *tech.* Zentrifu'galˌtrockenmaˌschine *f*, Zentri'fuge *f*. – **6.** *sl. obs.* Taschendieb *m*. – **7.** Woll-, Klettenauszupfer(in).
buzz·ing ['bʌziŋ] **I** *adj* summend. – **II** *s* Gesumm *n*, Geflüster *n*.
buzz| saw *s tech. Am.* Kreissäge *f*. — ~ **wig** *s* buschige Pe'rücke. — '~ˌ**wig** *s* **1.** Träger *m* einer großen, buschigen Pe'rücke. – **2.** wichtige Per'sönlichkeit.
buzz·y ['bʌzi] *adj* **1.** summend. – **2.** *sl.* verrückt.
by¹ [bai; bi; bə] **I** *prep* **1.** (*örtlich*) (nahe *od.* dicht) bei *od.* an (*dat*), neben (*dat*): a house ~ the river ein Haus beim *od.* am Fluß; side ~ side Seite an Seite. – **2.** vor'bei *od.* vor'über an (*dat*): he went ~ the church er ging an der Kirche vorüber. – **3.** über (*acc*): to go ~ London über London fahren. – **4.** auf (*dat*), entlang (*acc*) (*Weg etc*): to come ~ another road eine andere Straße entlang kommen. – **5.** per, mit, mittels, durch (*ein Verkehrsmittel*): ~ air mit dem Flugzeug; ~ post durch die Post, per Post; ~ rail mit der (Eisen)Bahn; ~ water zu Wasser. – **6.** (*zeitlich*) bis zu, bis um, bis spätestens: get ready ~ four o'clock mache dich bis (spätestens) vier Uhr fertig; ~ now mittlerweile, schon, inzwischen. – **7.** während, bei (*Tageszeit*): ~ day and night bei Tag u. Nacht; ~ candlelight bei Kerzenlicht. – **8.** nach, ...weise: ~ the hour stundenweise. – **9.** nach, gemäß: it is ten ~ my watch nach meiner Uhr ist es zehn. – **10.** von: ~ blood von Geblüt, der Abstammung nach; ~ nature von Natur. – **11.** von, durch (*Urheberschaft*): a play ~ Shaw ein Stück von Shaw; it was done ~ him es wurde durch ihn *od.* von ihm erledigt. – **12.** mittels, mit Hilfe von, mit, bei: written ~ pencil mit Bleistift geschrieben; ~ force mit Gewalt. – **13.** um (*bei Größenverhältnissen*): too short ~ three yards um drei Ellen zu kurz. – **14.** *math.* mal: three (multiplied) ~ four drei mal vier. – **15.** *math.* durch: to divide ~ two durch zwei teilen. – **16.** an (*dat*), bei: to pull up ~ the roots an den Wurzeln herausziehen; to seize s.o. ~ the hand j-n bei der Hand fassen. –
Besondere Redewendungen:
~ far bei weitem; day ~ day Tag für Tag; ~ oneself allein; to do s.th. ~ oneself etwas selbst *od.* aus eigener Kraft tun; to swear ~ s.th. bei etwas schwören; ten feet (long) ~ three feet (broad) zehn Fuß lang u. drei Fuß breit; ~ the way, *auch* ~ the by(e)

übrigens, nebenbei (bemerkt); ~ **degrees** nach u. nach, allmählich; ~ **heart** auswendig; **to call s.o.** ~ **his name** j-n beim Namen nennen. – **II** *adv* **17.** nahe, da('bei): **close** ~, **hard** ~ dicht dabei: ~ **and large** im großen u. ganzen; ~ **and** ~ bald, demnächst, nach u. nach. – **18.** vor'bei, vor'über: **to pass** ~ vorübergehen; **to pass s.th.** ~ an etwas vorübergehen; **times gone** ~ vergangene Zeiten. – **19.** bei'seite: **to put** ~ beiseite legen.

by[2] *cf.* bye II.

by- [bai] *Vorsilbe mit den Bedeutungen* a) in der Nähe, (nahe) dabei *od.* vorbei, b) *bes. Scot.* jenseits, über ... hinaus, c) Neben..., Seiten..., d) geheim, heimlich.

'by|-and-'by *s* Zukunft *f*, kommende Zeit. — **'~-ˌblow** *s* **1.** Seitenhieb *m.* – **2.** uneheliches Kind. — **'~-ˌchan·nel** *s* 'Seitenkaˌnal *m.* — **'~-ˌcor·ner** *s* Schlupfwinkel *m.*

bye [bai] **I** *s* **1.** *obs.* Nebensache *f.* – **2.** *sport* a) (*Kricket*) durch einen vor'beigelassenen Ball ausgelöster Lauf, b) kampfloses Aufsteigen in die nächste Runde (*mangels eines Gegners*), c) (*Golf*) (*bei Beendigung eines Wettspieles*) nicht gespielte Löcher *pl.* – **II** *adj* **3.** seitlich, abseits, abgelegen, Seiten... – **4.** 'untergeordnet, Neben...

bye- *cf.* by-.

bye-bye ['baiˌbai] **I** *s* Heia(-Heia) *f* (*Kindersprache für Bett od. Schlaf*). – **II** *interj colloq.* 'Wiedersehen!

bye·law *cf.* bylaw.

'by|-eˌlec·tion *s* Ersatz-, Nachwahl *f.* — **'~-ˌend** *s* Nebenzweck *m.* — **'~ˌgone I** *adj* vergangen, der Vergangenheit angehörig. – **II** *s* (*das*) Vergangene: **let ~s be ~s** laß(t) das Vergangene ruhen. — **'~ˌlaw** *s* **1.** 'Ortsstaˌtut *n*, städtische (örtliche) Verordnung *od.* Bestimmung. – **2.** *pl Am.* Sta'tuten *pl*, Satzungen *pl* (*Gesellschaft od. organisierte Gruppe*). – **3.** Ausführungs-, Ergänzungsbestimmung *f*, 'Durchführungsverordnung *f.* — **'~-ˌline** *s* **1.** (*Eisenbahn*) Seiten-, Nebenlinie *f*, Zweigbahn *f.* – **2.** Nebenbeschäftigung *f.* – **3.** Verfasserzeile *f* (*unter der Überschrift eines Zeitungsartikels*). — **'~ˌname** *s* **1.** Beiname *m.* – **2.** Spitzname *m.*

'byˌpass I *s* **1.** 'Umleitung *f*, Entlastungs-, Um'gehungsstraße *f.* – **2.** *tech.* a) Nebenleitung *f*, b) Nebenabfluß(rohr *n*) *m.* – **3.** 'Seiten-, 'Nebenkaˌnal *m.* – **4.** *electr.* Nebenschluß *m*, Shunt *m.* – **II** *v/t* **5.** um'gehen, vermeiden. – **6.** ab-, 'umleiten. – **7.** *electr.* a) shunten, vor'beileiten, b) über'brücken. – **8.** *mil.* (*Feind*) um'gehen (*zwecks Umzingelung*). — ~ **burn·er** *s tech.* Gasbrenner *m* mit Dauerflamme. — ~ **con·dens·er** *s electr.* 'Ableit-, 'Nebenschlußkondenˌsator *m.*

'by|ˌpast *adj selten* vergangen. — **'~ˌpath** *s* **1.** Seiten-, Nebenweg *m.* – **2.** Pri'vatweg *m.* — **'~ˌplay** *s* **1.** Nebenspiel *n*, stummes Spiel (*auf der Bühne*). – **2.** Gebärdenspiel *n.* — **'~-ˌplot** *s* Nebenhandlung *f* (*im Drama*). — **'~-ˌprod·uct** *s* **1.** 'Nebenproˌdukt *n*, -erzeugnis *n.* – **2.** Nebenerscheinung *f*: **epidemics are a** ~ **of war.**

byre [bair] *s Br.* Kuhstall *m.*

byr·nie ['bəːrni] *s hist.* Panzer *m*, Harnisch *m*, Brünne *f*, Kettenhemd *n.*

'byˌroad *s* **1.** Seiten-, Nebenstraße *f*, -weg *m.* – **2.** Abkürzungsweg *m.*

By·ron·ic [bai'rɒnik] *adj* **1.** Byronsch(er, e, es). – **2.** zynisch, byronisch.

bys·sa·ceous [bi'seiʃəs] *adj zo.* feinfaserig.

bys·sal gland ['bisl] *s zo.* Byssusdrüse *f* (*der Muscheln*).

bys·sine ['bisin] **I** *adj* **1.** aus Byssus. – **2.** byssusähnlich, seidig, fein- u. weichfaserig. – **II** *s* → **byssus** 1.

bys·so·lite ['bisəˌlait] *s min.* Bysso'lith *m.*

bys·sus ['bisəs] *pl* **'bys·sus·es** *od.* **'bys·si** [-ai] *s* **1.** *antiq.* Byssus *m* (*kostbares Gewebe aus Flachs, Baumwolle od. Seide*). – **2.** *zo.* Byssus *m*, Muschelseide *f* (*von Muscheltieren ausgeschiedene Haftfäden*).

'by|ˌstand·er *s* 'Umstehende(r), Zuschauer(in). — **'~ˌstreet** *s* Seiten-, Nebenstraße *f.*

by·town·ite ['baitauˌnait] *s min.* Bytow'nit *m.*

'by|-ˌturn·ing *s* 'Um-, Abweg *m.* — **'~ˌwalk** *s* Seitenpfad *m*, -weg *m.* — **'~ˌway** *s* Seiten-, Nebenweg *m* (*auch fig.*). — **'~ˌword** *s* **1.** Sprichwort *n.* – **2.** Inbegriff *m*, Personifikati'on *f* (*sprichwörtlich gewordene Person od. Sache, bes. im negativen Sinne*). – **3.** *fig.* Gespött *n*, Gegenstand *m* des Tadels *od.* der Verachtung. – **4.** Beiname *m*, Spitzname *m.* – **5.** stehende Redensart, Schlagwort *n.*

By·zan·tine [bi'zæntain; -tin; -ˌtiːn; 'bizəntiːn; -ˌtain] **I** *adj* byzan'tinisch. – **II** *s* Byzan'tiner(in). — ~ **Em·pire** *s hist.* Byzan'tinisches *od.* Oström. Reich.

C

C, c [siː] **I** *s pl* **C's, Cs, c's, cs** [siːz] **1.** C *n*, c *n* (*3. Buchstabe des engl. Alphabets*): **a capital** (*od.* **large**) **C** ein großes C; **a little** (*od.* **small**) **c** ein kleines C. – **2.** *mus.* C *n*, c *n* (*Tonbezeichnung*): **C flat** Ces, ces; **C sharp** Cis, cis; **C double flat** Ceses, ceses; **C double sharp** Cisis, cisis. – **3.** *mus.* C *n* (*Taktzeichen des Viervierteltakts*). – **4.** C (*3. angenommene Person bei Beweisführungen*). – **5.** c (*3. angenommener Fall bei Aufzählungen*). – **6.** c *math.* c (*3. bekannte Größe*). – **7. C** *ped. bes. Am.* Drei *f*, Befriedigend *n*. – **8.** C (*röm. Zahlzeichen*) C (= *100*): C̄ C̄ (= *100 000*). – **9. C** *Am. sl.* Hundert'dollarschein *m*. – **10. C** C *n*, C-förmiger Gegenstand. – **II** *adj* **11.** dritt(er, e, es): **Company C** die 3. Kompanie. – **12. C** C-..., C-förmig.

Caa·ba *cf.* **Kaaba.**

cab¹ [kæb] **I** *s* **1.** a) Taxi *n*, Droschke *f*, Mietwagen *m*, b) Fi'aker *m*. – **2.** a) Führerstand *m* (*Lokomotive*), b) Fahrerhaus *n* (*Lastkraftwagen*). – **II** *v/i pret u. pp* **cabbed 3.** *colloq.* mit dem Taxi fahren: **to ~ it home** mit einem Taxi nach Hause fahren.

cab² [kæb] *s* Kab *n* (*hebräisches Trokkenhohlmaß, etwa 2 l*).

cab³ [kæb] *Br. sl.* (*Schülersprache*) **I** *s* ,Klatsche' *f* (*verbotene Übersetzung*). – **II** *v/i pret u. pp* **cabbed** eine ,Klatsche' benutzen.

ca·bal [kə'bæl] **I** *s* **1.** Ka'bale *f*, Ränkespiel *n*, In'trige *f*, Machenschaften *pl*. – **2.** Clique *f*, Klüngel *m*, Geheimbund *m*. – *SYN. cf.* **plot.** – **II** *v/i pret u. pp* **ca'balled 3.** sich zu einem Geheimbund zu'sammenschließen, sich verschwören. – **4.** intri'gieren, In'trigen spinnen, Ränke schmieden.

cab·a·la ['kæbələ] *s* Kabbala *f*: a) *jüd. Geheimlehre*, b) *allg.* Geheimlehre *f*, Mysti'zismus *m*. — **'cab·aˌlism** *s* Kabba'listik *f*, Geheimwissenschaft *f*. — **'cab·a·list** *s* **1.** Kabba'list *m* (*Kenner der jüd. Geheimlehre*). – **2.** *allg.* Geheimwissenschaftler *m*, Mystiker *m*. — **ˌcab·a'lis·tic, ˌcab·a'lis·ti·cal** *adj* kabba'listisch, mystisch, eso'terisch.

ca·bal·le·ro [kaba'ʎero] (*Span.*) *s* **1.** Cabal'lero *m*: a) Herr *m* (*auch als Anrede*), b) Ritter *m*. – **2.** *Am.* (*im Südwesten der USA*) a) Reiter *m*, b) Kava'lier *m*, Verehrer *m* (*einer Dame*).

cab·al·line ['kæbəˌlain; -lin] *adj* Pferde..., Roß... — **~ foun·tain, ~ spring** *s poet.* Hippo'krene *f*, Musenquell *m*, Quelle *f* der Inspira'ti'on.

ca·ba·ña [ka'baɲa] (*Span.*), **ca·ba·na** [kə'bɑːnə] *s* **1.** *Am.* Häuschen *n*, Hütte *f*. – **2.** *Am.* Badehütte *f* am Wasser. – **3.** *eine Zigarrenmarke.*

ca·bane [ka'ban] (*Fr.*) *s aer.* **1.** Spannturm *m*. – **2.** Baldachin *m*.

cab·a·ret [*Br.* 'kæbəˌrei, *auch* -ˌret; *Am.* 'kæbəˌret] *s* **1.** [*Am.* ˌkæbə'rei] Kaba'rett *n*, Kleinkunstbühne *f*. – **2.** Ta'verne *f*, 'TrinkloˌKal *n*. – **3.** Ser'viertisch *m*, 'stummer Diener.

cab·bage¹ ['kæbidʒ] **I** *s bot.* **1.** Kohl *m*, Kohlpflanze *f*. – **2.** Kohlkopf *m*. – **3.** *auch* **palm ~** Palmkohl *m* (*eßbare Knospe einiger Palmarten*). – **II** *v/i* **4.** kohlkopfartig wachsen.

cab·bage² ['kæbidʒ] **I** *s* **1.** gestohlene Stoffreste *pl* (*die der Schneider beim Anfertigen eines Anzuges beiseite schafft*). – **II** *v/i* **2.** stehlen, sti'bitzen. – **3.** → **cab³ II.**

cab·bage| bark *s bot. med.* Ja'maika-Wurmrinde *f* (*von Andira inermis; Wurmmittel*). — **~ bee·tle** *s zo.* (*ein*) kohlfressender Käfer, *bes.* (*ein*) Kohlerdfloh *m* (*Phyllotreta vittata*). — **~ bug** → **calico back 1.** — **~ but·ter·fly** *s zo.* Großer Kohlweißling (*Piëris brassicae*). — **~ cat·er·pil·lar** → **cabbage worm.** — **~ flea** → **cabbage beetle.** — **~ fly** *s zo.* (*eine*) Kohlfliege (*Pegomyia brassicae*). — **'~ˌhead** *s* **1.** Kohlkopf *m*. – **2.** *colloq.* Hohl-, Dumm-, Schafskopf *m*. — **~ let·tuce** *s bot.* 'KopfsaˌLat *m* (*Lactuca sativa capitata*). — **~ mag·got** *s zo.* Larve *f* der Kohlfliege *Pegomyia brassicae*. — **~ moth** *s zo.* Kohleule *f*, Herzwurm *m* (*Mamestra brassicae*). — **~ net** *s* Kohlnetz *n* (*zum Kochen des Kohles*). — **~ palm** *s bot.* Kohlpalme *f* (*bes. Enterpe od. Roystonea oleracea*). — **~ pal·met·to** *s bot.* (*eine*) Kohlpalme (*Sabal palmetto*). — **~ rose** *s bot.* Hundertblättrige Rose, Zenti'folie *f* (*Rosa centifolia*). — **~ stalk** *s* Kohlstrunk *m*. — **~ tree** *s bot.* **1.** Kohlpalme *f* (*verschiedene Palmarten mit eßbaren Knospen*), *bes.* a) Austral. Livi'stone *f* (*Livistona australis*), b) → **cabbage palm.** – **2.** → **angelin.** – **3.** (*eine*) Keulenlilie (*Cordyline terminalis*). – **4.** Flammen-, Feuerbaum *m* (*Nuytsia floribunda*). — **'~-ˌtree hat** *s colloq.* breitrandiger Palmbasthut (*in Australien*). — **~ white** → **cabbage butterfly.** — **'~ˌwood** *s* **1.** Holz *n* einer Kohlpalme *od.* des Kohlbaumes *Andira inermis*. – **2.** *bot.* a) → **silk-cotton tree,** b) Rainweide *f* (*Ligustrum vulgare*). — **~ worm** *s zo.* Larve *f* des Großen Kohlweißlings *Piëris brassicae od.* der Kohleule *Mamestra brassicae*.

cab·ba·la, cab·ba·lism, cab·ba·list, cab·ba·lis·tic *cf.* **cabala** *etc.*

cab·ber ['kæbər] *s colloq.* Droschkengaul *m*.

cab·ble ['kæbl] *v/t tech.* (*gefrischte Eisenstangen*) aufbrechen. — **'cab·bling** *s tech.* Aufbrechen *n* (*gefrischter Eisenstangen*).

cab·by ['kæbi] *colloq. für* **cabdriver.**

'cabˌdriv·er *s* **1.** Taxifahrer *m*. – **2.** Droschkenkutscher *m*.

ca·ber ['keibər] *s Scot.* roh behauener Kiefernstamm (*der bei dem schott. Spiel* **tossing the ~** *wie ein Speer geworfen wird*).

cab·e·zon ['kæbiˌzɒn; -bə-] *s zo.* **1.** (*eine*) kaliforn. Groppe (*Scorpaenichthys marmoratus*). – **2.** (*ein*) kaliforn. Froschfisch *m* (*Porichthys notatus*). – **3.** (*ein*) westindischer Umberfisch (*Larimus breviceps*).

cab·in ['kæbin] **I** *s* **1.** einfaches Häuschen, Hütte *f*. – **2.** ('Schiffs-, 'Flugzeug- *etc*)KaˌBine *f*. – **3.** *mar.* a) Kammer *f*, Ka'jüte *f*, b) → **~ class.** – **4.** *aer.* a) Führer-, Pi'lotensitz *m* (*Flugzeug*), b) Gondel *f* (*Luftschiff*). – **5.** (*Eisenbahn*) *Br.* Stellwerk(haus) *n*. – **II** *v/t* **6.** auf engem Raum 'unterbringen, einpferchen. – **7.** ka'binenartig bauen: **to ~ off** in Kabinen einteilen. – **III** *v/i* **8.** beengt hausen, in einer Hütte *od.* Ka'bine wohnen. — **~ boy** *s mar.* Kammersteward *m*. — **~ class** *s mar.* Ka'jütsklasse *f*, zweite Klasse (*auf Schiffen*). — **'~-'class** *mar.* **I** *adj* Kajütsklassen..., der zweiten Klasse: **~ passenger** Kajüts(klassen)fahrgast. – **II** *adv* zweiter Klasse: **to travel ~.** — **~ cruis·er** *s mar.* Ka'binenkreuzer *m*. — **~ de·part·ment** *s mar.* 'WirtschaftsabˌTeilung *f* (*Handelsschiff*).

cab·i·net ['kæbinit; -bə-] **I** *s* **1.** *oft* **C~** *pol.* Kabi'nett *n*, Mi'nisterrat *m*: **to have a seat in the ~** einen Sitz im Kabinett (inne)haben. – **2.** Beratungs-, Sitzungszimmer *n*. – **3.** Kabi'nettschrank *m*, Vi'trine *f*, Sammlungsschrank *m*. – **4.** kleine Truhe, Scha'tulle *f* (*bes. für Wertgegenstände*). – **5.** Pri'vat-, Stu'dierzimmer *n*. – **6.** *obs.* a) kleines Zimmer, b) kleine Hütte. – **II** *adj* **7.** Kabinett(s)...: **~ meeting** Kabinettssitzung. – **8.** vertraulich, geheim. – **9.** wertvoll, kunstvoll gearbeitet: **a ~ edition** eine bibliophile Ausgabe (*Buch*). – **III** *v/t* **10.** in einem Kabi'nettschrank *od.* einer Vi'trine 'unterbringen. — **~ bee·tle** *s zo.* Kabi'nettkäfer *m* (*Gattg Anthrenus*). — **~ cri·sis** *s pol.* Kabi'netts-, Re'gierungskrise *f*. — **~ coun·cil** *s* Kabi'nettssitzung *f*. — **'~ˌmak·er** *s* Kunst-, Möbeltischler *m*. — **'~ˌmak·ing** *s* ˌKunsttischle'rei *f*. — **C~ Min·is·ter** *s pol.* Kabi'nettsmiˌNister *m*. — **~ pho·to·graph** *s* Photogra'phie *f* im Kabi'nettforˌMat. — **~ pi·an·o** *s mus.* Pia'nino *n*. — **~ pud·ding** *s* Kabi'nettpudding *m* (*Mehlspeise aus Biskuitteig u. Rosinen*). — **~ ques·tion** *s pol.* Kabi'netts-, Vertrauensfrage *f*. — **~ size** *s phot.* Kabi'nettforˌMat *n* (*100 × 140 mm*). — **~ var·nish** *s* 'MöbelpoliˌTur *f*, -lack *m*. — **'~ˌwork** *s* Kunsttischlerarbeit *f*, ˌKunst-, ˌMöbeltischle'rei *f*.

ca·ble ['keibl] **I** *s* **1.** Kabel *n*, Tau *n*, (Draht)Seil *n*. – **2.** *mar.* Ankertau *n*, -kette *f*: **to slip the ~** a) das Ankertau schießen lassen, b) *sl.* ,abkratzen', sterben. – **3.** *electr.* (Leitungs)Kabel *n*. – **4.** *arch.* Schiffstauverzierung *f*. –

5. → ~'s length. – 6. → cablegram. – 7. → ~ transfer. – **II** *v/t* **8.** mit einem Kabel versehen. – **9.** mit einem Kabel befestigen. – **10.** (*Fäden, Drähte etc*) ka'blieren, zu einem Kabel zu'sammendrehen. – **11.** (*j-m eine Nachricht*) kabeln, drahten, telegra'phieren. – **12.** *arch.* (*Säulenschaft*) seilförmig winden. – **III** *v/i* **13.** kabeln, drahten, telegra'phieren. — **'ca·bled** *adj* **1.** mit Kabeln befestigt *od.* versehen. – **2.** *arch.* a) mit Schiffstauverzierungen versehen, b) schiffstauartig gewunden.

ca·ble·gram ['keibl͵græm] *s* 'Kabelde͵pesche *f*, -nachricht *f*.

ca·ble| joint *s* **1.** *tech.* a) Seilschloß *n*, b) Seilverbindung *f*. – **2.** *electr.* Kabelverbindung *f*. — **'~-͵laid** *adj tech.* kabelartig gedreht: ~ rope Kabeltrosse. — **~ mo(u)ld·ing** *s arch.* Schiffstauverzierung *f*. — **~ rail·way** *s* **1.** Drahtseilbahn *f*. – **2.** *Am.* Straßenbahn *f* (*deren Wagen durch unter der Straße liegende Drahtseile gezogen wurden*). — **~ room** *s mar.* Kabelgatt *n*. — **~ sheath** *s tech.* Kabelmantel *m*.

cable's length ['keiblz] *s mar.* Kabellänge *f* (*Längenmaß: Br. 608 Fuß = 185,3 m, Am. 720 Fuß = 219,5 m*).

ca·blet ['keiblit] *s tech.* kleines Kabel (*mit einem Umfang von unter 10 Zoll*).

ca·ble| tier *s mar.* Kabelgatt *n*. — **~ trans·fer** *s Am.* tele'graphische 'Geldüber͵weisung. — **'~͵way** *s* Drahtseilbahn *f*.

ca·bling ['keibliŋ] *s arch.* Schiffstauverzierung(en *pl*) *f*.

'cab·man [-mən] *s irr* → cabdriver.

ca·bob [kə'bɒb] *s* **1.** *meist pl* Kabab *m* (*arab. Fleischgericht mit Ingwer u. Knoblauch*). – **2.** (*Indien*) Rostbraten *m*.

ca·bo·chon ['kæbə͵ʃɒn] *s* **1.** Cabo'chon *m* (*mugelig geschliffener Edelstein*). – **2.** Cabo'chon-, Mugelschliff *m*.

ca·boo·dle [kə'buːdl] *s sl.* a) Kram *m*, Plunder *m*, b) Bande *f*, Sippschaft *f*: the whole ~ a) (*von Sachen*) der ganze Plunder, b) (*von Leuten*) die ganze Bande, das ganze Pack.

ca·boose [kə'buːs] *s* **1.** *mar.* Kom'büse *f*, Schiffsküche *f*. – **2.** *Am.* Perso'nal-, Dienst-, Bremswagen *m* (*meist an Güterzüge angehängt*).

cab·o·tage ['kæbətidʒ] *s* **1.** Küstenschiffahrt *f*. – **2.** Recht *n* zur Unter'haltung einer Fluglinie im reinen Inlandsverkehr.

cab rank *s Br.* Reihe *f* wartender Taxis (an einem Droschkenstand).

ca·bril·la [kə'brilə] *s* (*ein*) Säge-, Zackenbarsch *m* (*Gattg Serranus; Epinephelus guttatus u. andere*).

cab·ri·ole ['kæbri͵oul] **I** *s* geschwungenes, verziertes (Stuhl-, Tisch- *etc*) Bein (*bes. bei Chippendale-Möbeln*). – **II** *adj* mit geschwungenen, verzierten Beinen.

cab·ri·o·let [͵kæbrio'lei; -riə-] *s* Kabrio'lett *n*: a) *leichter, zweirädriger, Einspänner mit Klappdach*, b) *Kraftwagen mit zurückklappbarem Verdeck.*

'cab͵stand *s* Taxi-, Droschkenstand *m*.

cac- [kæk] → caco-.

ca' can·ny [kɑː 'kæni; kɔː] **I** *v/i* **1.** *Scot.* langsam u. vorsichtig vorgehen. – **2.** die Arbeitsleistung bremsen. – **II** *s sl.* **3.** Ca'canny *n*, Bremsen *n* der Arbeitsleistung (*als Form der Sabotage*).

ca·ca·o [kə'keiou; -'kɑː-] *s* **1.** *bot.* Ka'kaobaum *m* (*Theobroma cacao*). – **2.** Ka'kaobohnen *pl*. — **~ bean** *s* Ka'kaobohne *f*. — **~ but·ter** *s* Ka'kaobutter *f*.

cach·a·lot ['kæʃə͵lɒt; -͵lou] *s zo.* Pottwal *m* (*Physeter catodon*).

cache [kæʃ] **I** *s* **1.** Versteck *n*, geheimes (Waffen- *od.* Provi'ant)Lager. – **2.** versteckte Vorräte *pl*. – **II** *v/t* **3.** ca'chieren, verbergen, verstecken.

ca·chec·tic [kə'kektik], **ca'chec·ti·cal** [-kəl] *adj med.* ka'chektisch, kränklich, bleichsüchtig.

ca·chet ['kæʃei; kæ'ʃei] *s* **1.** Siegel *n*, Petschaft *f*. – **2.** *fig.* Stempel *m*, charakte'ristisches Merkmal, Gepräge *n*. – **3.** *med.* Ka'chet *n*, Ob'latenkapsel *f* (*für Pulver, Pillen etc*). – **4.** (Post)-Stempel *m* (*auf Briefmarken*).

ca·chex·i·a [kə'keksiə], **ca'chex·y** [-si] *s med.* Kache'xie *f*, schlechter Körperzustand, Her'untergekommensein *n*.

cach·in·nate ['kæki͵neit; -kə-] *v/i* laut *od.* wiehernd lachen. — **͵cach·in'na·tion** *s* lautes *od.* wieherndes Gelächter.

ca·chou [kə'ʃuː; kæ-] *s* **1.** → catechu. – **2.** Ca'chou *n* (*Pille gegen Atemgeruch*).

ca·chu·cha [kɑː'tʃuːtʃɑː] *s* Ca'chucha *f* (*andalusischer Kastagnettentanz*).

ca·cique [kə'siːk; kæ-] *s* **1.** Ka'zike *m* (*Häuptlingstitel der südamer. Indianer*). – **2.** *pol. Am.* po'litischer Führer, Bonze *m*. – **3.** *zo.* (*ein*) Stirnvogel *m* (*Gattg Cacicus; Amerika*). — **ca'ciqu·ism** *s pol. Am.* Bonzenwirtschaft *f*.

cack·le ['kækl] **I** *v/i* **1.** gackern (*Huhn*), schnattern (*Gans*). – **2.** gackern(d lachen), kichern. – **3.** schnattern, schwatzen. – **II** *v/t* **4.** (*Worte etc*) (her'vor)schnattern, her'ausschwatzen. – **III** *s* **5.** Gegacker *n*, Geschnatter *n* (*auch fig.*): cut the ~! *sl.* Schluß mit dem Gequatsche! – **6.** gackerndes Lachen, Gekicher *n*. — **'cack·ler** *s* **1.** gackerndes Huhn. – **2.** Kicherer *m*. – **3.** Schwätzer *m*, Klatschbase *f*. — **'cack·ling** *s* → cackle III.

caco- [kæko] *bes. med. Wortelement mit der Bedeutung* schlecht, übel, schädlich, bösartig.

cac·o·d(a)e·mon [͵kækə'diːmən] *s* Kako'dämon *m* (*böser Geist, Teufel*). — **͵cac·o·d(a)e'mo·ni·a** [-di'mouniə] *s psych.* Kakodämo'nie *f*, Besessenheit *f*. — **͵cac·o·d(a)e'mon·ic** [-di'mɒnik] *adj* kakodä'monisch.

cac·o·dox·i·an [͵kækə'dɒksiən] *adj* ketzerisch, irrgläubig. — **'cac·o͵dox·y** *s* Ketze'rei *f*.

cac·o·dyl ['kækədil; -͵diːl] *s chem.* Kako'dyl *n*, Tetrame'thyldiar͵sin *n*. — **͵cac·o'dyl·ic** *adj* Kakodyl...

cac·o·ëp·y ['kæko͵epi; kæ'kouəpi] *s* schlechte *od.* fehlerhafte Aussprache.

cac·o·ë·thes [͵kæko'iːθiːz] *s* schlechte Angewohnheit, Ma'nie *f*, unstillbares Verlangen, Gier *f*. — **~ scri·ben·di** [skrai'ben͵dai] *s* Schreibwut *f*.

cac·o·gen·ics [͵kækə'dʒeniks] *s pl* (*als sg konstruiert*) *sociol.* Erforschung *f* der Rassenschädigungen.

cac·o·graph·ic [͵kækə'græfik], **͵cac·o'graph·i·cal** [-kəl] *adj* schlecht *od.* fehlerhaft geschrieben. — **ca·cog·ra·phy** [kə'kɒgrəfi; kæ-] *s* Kakogra'phie *f*: a) schlechte Handschrift, b) fehlerhafte Schreibweise.

ca·col·o·gy [kə'kɒlədʒi; kæ-] *s* Kakolo'gie *f*: a) fehlerhafte Ausdrucksweise, b) schlechte Aussprache.

cac·o·mis·tle ['kækə͵misl], **'cac·o͵mix·le** [-͵misl; -͵miksl] *s zo.* (*ein*) Schlankbär *m* (*Bassariscus astutus*).

ca·coon [kə'kuːn] *s bot.* Riesenhülse *f* (*Entada scandens*).

cac·o·phon·ic [͵kækə'fɒnik], **͵cac·o'phon·i·cal** → cacophonous. — **ca·coph·o·nous** [kə'kɒfənəs] *adj* 'mißtönend, übelklingend, kako'phon. — **ca'coph·o·ny** *s* Kakopho'nie *f*: a) 'Mißklang *m*, b) häßlich klingende Rede *od.* Mu'sik.

cac·ta·ceous [kæk'teiʃəs] *adj bot.* **1.** kaktusartig. – **2.** zu den Kak'teen gehörend.

cac·tus ['kæktəs] *pl* **-ti** [-tai], **-tus·es** *s bot.* Kaktus *m* (*Fam. Cactaceae*).

ca·cu·mi·nal [kə'kjuːminl; kæ-] (*Phonetik*) **I** *adj* Kakuminal... – **II** *s* Kakumi'nal-, Vordergaumenlaut *m*.

cad [kæd] *s* **1.** *colloq.* ungehobelter *od.* 'unma͵nierlicher Mensch, ordi'närer Kerl. – **2.** übler Cha'rakter. – **3.** *Br. Universitäts-sl. obs.* Bürger *m* (*im Gegensatz zu Student; Oxford*). – **4.** *Br. obs.* Omnibusschaffner *m*.

ca·das·ter *cf.* cadastre.

ca·das·tral [kə'dæstrəl] *adj* Kataster..., Grund-, Flurbuch... — **~ map** *s* Ka'tasterplan *m*, geo'graphische Karte mit Ka'tastereinteilung. — **~ sur·vey** *s* Ka'tasteraufnahme *f*.

ca·das·tre [kə'dæstər] *s* Ka'taster *m*, Flur-, Grundbuch *n*.

ca·dav·er [kə'dævər; -'dei-] *s med.* Leichnam *m* (*bes. eines Menschen*). — **ca'dav·er·ic** *adj* leichenhaft, Leichen...: ~ rigidity Leichenstarre.

ca·dav·er·ine [kə'dævə͵riːn; -rin] *s chem.* Cadave'rin *n*.

ca·dav·er·ous [kə'dævərəs] *adj* leichenhaft, -artig, -blaß, Leichen... — **ca'dav·er·ous·ness** *s* Leichenhaftigkeit *f*.

cad·dice *cf.* caddis[1] *u.* [2].

cad·die ['kædi] **I** *s* **1.** Laufbursche *m*, Bote *m*, Handlanger *m*, Gehilfe *m*. – **2.** a) (*Golf*) Caddie *m*, Golfjunge *m*, b) (*Tennis*) Balljunge *m*. – **3.** *Scot.* junger Bursche. – **II** *v/i* **4.** den Handlanger machen. – **5.** a) (*Golf*) die Schläger tragen, b) (*Tennis*) die Bälle auflesen.

cad·dis[1] ['kædis] *s obs.* **1.** Polster-, Wundwatte *f*. – **2.** Wollband *n*, -garn *n*.

cad·dis[2] ['kædis] *s zo.* Larve *f* der Köcherfliege (*auch als Fischköder*).

cad·dis| bait → caddis[2]. — **~ fly** *s zo.* (*eine*) Köcherfliege (*Ordng Trichoptera*).

cad·dish ['kædiʃ] *adj* **1.** ungeschliffen, ungehobelt, unfein. – **2.** gemein, 'niederträchtig. — **'cad·dish·ness** *s* **1.** Ungeschliffenheit *f*, schlechtes Benehmen. – **2.** Gemeinheit *f*, Niedertracht *f*.

cad·dis worm → caddis[2].

cad·dy[1] *cf.* caddie.

cad·dy[2] ['kædi] *s* Teedose *f*, -büchse *f*.

cade[1] [keid] *s bot.* 'Zedernwa͵cholder *m* (*Juniperus oxycedrus*): ~ oil, oil of ~ *med. vet.* Wacholderteer, Kaddigöl, Kranewittöl.

cade[2] [keid] **I** *adj* **1.** von Menschen aufgezogen (*von der Mutter verlassenes Jungtier*). – **2.** *dial.* verwöhnt, verpäppelt (*Kind*). – **II** *v/t dial.* **3.** verwöhnen, verpäppeln. – **III** *s* **4.** von Menschen aufgezogenes Jungtier.

-cade [keid] *Wortelement mit der Bedeutung* Zug, Kolonne.

ca·delle [kə'del] *s zo.* (*ein*) Schwarzkäfer *m* (*Tenebriodes mauritanicus*).

ca·dence ['keidəns] **I** *s* **1.** (Vers-, Sprech)Rhythmus *m*. – **2.** Takt(schlag) *m*, Pulsschlag *m*, Rhythmus *m*. – **3.** *mus.* a) Ka'denz *f*, Schluß(fall) *m*, b) Schlußphrase *f*, c) Schlußverzierung *f*: half ~, imperfect ~ Halbschluß; broken ~, interrupted ~, suspended ~ gestörter Schluß, Trugschluß; perfect ~ Ganzschluß. – **4.** a) Sinken(lassen) *n*, b) Tonfall *m*, Modulati'on *f* (*der Stimme*), c) (besonderer) Ak'zent (*einer Sprache*). – **5.** *mil.* Zeitmaß *n*, Gleichschritt *m* (*Marsch*). – **6.** Ebenmaß *n* (*der Bewegungen*). – **II** *v/t* **7.** kaden'zieren, rhythmi'sieren. — **'ca·denced** *adj* kaden'ziert, rhythmisch fallend. — **'ca·den·cy** *s* **1.** → cadence I. – **2.** *her.* Abstammung *f* von einer jüngeren Linie. — **'ca·dent** *adj* **1.** rhythmisch. – **2.** *obs.* (her'ab)fallend.

ca·den·za [kə'denzə] *s mus.* Ka'denz *f*: a) (*eingeschaltete*) 'Solopas͵sage, b) (Kon'zert)Ka͵denz *f*.

ca·det [kəˈdet] *s* 1. *mil.* Kaˈdett *m*, Offiˈzier(s)anwärter *m*, -bewerber *m*. – 2. jüngerer *od.* jüngster Sohn (*einer adligen Familie*). – 3. C~ *hist.* Kaˈdett *m* (*Angehöriger der Partei der Konstitutionellen Demokraten in Rußland*). – 4. *Am. sl.* a) Zuhälter *m*, b) (*Art*) Mädchenhändler *m* (*der Mädchen verführt u. dann einem Bordell zuführt*).
ca·det·cy [kəˈdetsi], **ca·det·ship** [kəˈdetʃip] *s mil.* Kaˈdettenstellung *f*.
ca·det ship *s mar.* Schulschiff *n*.
ca·dette [kəˈdet] *s New Zeal.* Anwärterin *f* auf eine Staatsbeamtenstelle.
cadge [kædʒ] *v/i* 1. *colloq.* ‚schnorren', ‚nassauern', betteln (for um), schmaˈrotzen. – 2. *dial.* hökern, hauˈsieren. — **ˈcadg·er** *s* 1. Hauˈsierer(in), Trödler(in). – 2. *colloq.* Schmaˈrotzer *m*, Nassauer *m*.
ca·di [ˈkɑːdi; ˈkeidi] *s* Kadi *m*, Bezirksrichter *m* (*im Orient*).
Cad·me·an [kædˈmiːən] *adj* (*griech. Mythologie*) kadˈmeisch. — ~ **vic·to·ry** *s* kadˈmeischer Sieg (*für beide Teile gleich verlustreich*).
cad·mif·er·ous [kædˈmifərəs] *adj chem.* kadmiumhaltig.
cad·mi·um [ˈkædmiəm] *s chem.* Kadmium *n* (Cd). — ~ **or·ange** *s* ˈKadmiumoˌrange *n*. — ˈ~ˌ**plate** *v/t tech.* kadˈmieren. — ~ **yel·low** *s* Kadmium-, Schwefelgelb *n*.
ca·dre [ˈkɑːdr; ˈkɑːdər; *Am. mil.* ˈkædri] *s* 1. *mil.* Kader *m*, Stammtruppe *f*, -einheit *f*. – 2. ˈRahmen-, ˈStammorganisatiˌon *f*. – 3. *fig.* Rahmen *m*, Gerippe *n*.
ca·du·ce·an [kəˈdjuːsiən; *Am. auch* -ˈduː-] *adj* den Caduˈceus betreffend. — **caˈdu·ce·us** [-siəs] *pl* **-ce·i** [-siˌai] *s* 1. Caduˈceus *m*, Merˈkur-, Heroldstab *m*. – 2. *mil. Am.* Merˈkurstab *m* (*als Abzeichen eines Militärarztes*).
ca·du·ci·ty [kəˈdjuːsiti; -səti; *Am. auch* -ˈduː-] *s* 1. ˈHinfälligkeit *f* (*auch jur.*). – 2. Vergänglichkeit *f*. – 3. Altersschwäche *f*. – 4. *bot. zo.* Verwelken *n*, Absterben *n*, Abfallen *n* (*von Organen nach erfüllter Funktion*).
ca·du·cous [kəˈdjuːkəs; *Am. auch* -ˈduː-] *adj* 1. schwindend, ˈhinfällig, kaˈduk, vergänglich. – 2. *bot. zo.* eingehend, verwelkend, absterbend, abfallend (*Organ*). – 3. *bot.* frühzeitig abfallend (*Laub etc*).
caec- [siːk] → caeco-.
cae·ca [ˈsiːkə] *pl von* caecum.
cae·cal [ˈsiːkəl] *adj med.* cöˈcal.
cae·cil·i·an [siˈsiliən; siːˈs-] *s zo.* (*eine*) Blindwühle, (*ein*) Schleichenmolch *m* (*Ordnung Gymnophiona*).
caeco- [siːko] *med. Wortelement mit der Bedeutung* Cöcum, Blinddarm.
cae·cum [ˈsiːkəm] *pl* **-ca** [-kə] *s med. zo.* Cöcum *n*, Blinddarm *m*.
caeno- *cf.* ceno-¹ *u.* ².
cae·o·ma [siˈoumə; siː-] *s bot.* Sporenträger *m* ohne Außenhaut.
Cae·sar [ˈsiːzər] *s* 1. Cäsar *m* (*Titel der röm. Kaiser von Augustus bis Hadrian*). – 2. Autoˈkrat *m*, Dikˈtator *m*. – 3. Kaiser *m*. – 4. *fig.* weltliche Gewalt.
Cae·sar·e·an, Cae·sar·i·an [siˈzɛ(ə)riən] I *adj* 1. cäˈsarisch, kaiserlich. – II *s* 2. Cäsariˈaner *m*, Anhänger *m* Cäsars. – 3. Kaiserlicher *m*. – 4. *med.* Kaiserschnitt *m*. — ~ **op·er·a·tion**, ~ **sec·tion** → Caesarean 4.
Cae·sar·ism [ˈsiːzəˌrizəm] *s* 1. Cäsaˈrismus *m*, Diktaˈtur *f*. – 2. Cäˈsarentum *n*, Herrschertum *n*. – 3. Herrschsucht *f*, diktaˈtorisches Wesen.
Cae·sar·o·pa·pism [ˌsiːzəroˈpeipizəm] *s* ˌCäsar(e)opaˈpismus *m* (*staatskirchliches Verhältnis, bei dem der weltliche Herrscher zugleich geistliches Oberhaupt ist*).
cae·si·ous [ˈsiːziəs] *adj* bläulich-, graugrün.
cae·si·um [ˈsiːziəm] *s chem.* Cäsium *n* (Cs).
caes·pi·tose *cf.* cespitose.
cae·su·ra [siˈzju(ə)rə; -ˈʒu(ə)rə] *s metr. mus.* Zäˈsur *f*, Einschnitt *m*, Atempause *f* (*auch fig.*). — **caeˈsu·ral, caeˈsu·ric** *adj* Zäsur...
ca·fé [*Br.* ˈkæfei; *Am.* kəˈfei; kæ-] *s* 1. Caˈfé *n*, Kaffeehaus *n*: ~ **society** *die Gesellschaftskreise, die modische Cafés u. Nachtbars besuchen*. – 2. Restauˈrant *n*. – 3. [kaˈfe] (*Fr.*) Kaffee *m*.
caf·e·te·ri·a [ˌkæfəˈti(ə)riə; -fi-] *s bes. Am.* ˈSelbstbedienungsrestauˌrant *n*.
caf·fe·ic [kəˈfiːik] *adj chem.* kaffee-, koffeˈinsauer: ~ **acid** Kaffee-, Koffeinsäure ($C_6H_3(OH)_2CH:CHCO_2H$).
caf·fe·in [ˈkæfiin; *Am. auch* -fiːn], **caf·fe·ine** [ˈkæfiˌiːn; *Am. auch* -fiːn] *s chem.* Koffeˈin *n*, Kaffeˈin *n* ($C_8H_{10}N_4O_2$). — ˌ**caf·feˈin·ic** [-ˈinik] *adj* 1. koffeˈinhaltig. – 2. Koffein... — ˈ**caf·fe·inˌism** *s med.* Koffeˈinvergiftung *f*.
Caf·fre *cf.* Kaffir.
caf·tan [ˈkæftən; kɑfˈtɑːn] *s* Kaftan *m* (*Mantelüberrock*). — ˈ**caf·taned** *adj* mit einem Kaftan bekleidet.
cage [keidʒ] I *s* 1. Käfig *m*, Vogelbauer *n*, *m*. – 2. *fig.* a) Gefängnis *n*, Kerker *m*, b) Gefangenschaft *f*, c) Kriegsgefangenen(teil)lager *n*. – 3. Fahrkorb *m*, Kaˈbine *f*, Plattform *f* (*Aufzug*). – 4. (*Bergbau*) Förderkorb *m*, -gestell *n*. – 5. *tech.* a) Kugelkäfig *m* (*eines Kugellagers*), b) Venˈtilkorb *m*, c) Stahlgerüst *n*, d) Seiltrommel *f* (*der Haspel*), e) Einlaufgitter *n*, Korbseiher *m* (*von Sinkkästen etc*). – 6. *electr.* Käfig(schutz) *m* (*zum Abschirmen eines elektr. Feldes*). – 7. *arch.* a) Stahlgerüst *n*, -gerippe *n* (*eines Hochhauses*), b) ~ **of a staircase** Treppenhaus *n*, c) (*vom Kirchenschiff durch ein Gitter abgeschlossene*) Kaˈpelle. – 8. (*Baseball*) a) bewegliche Abschirmung des Ziels, b) abgegrenztes Trainingsfeld. – 9. (*Hockey*) Tor *n*. – II *v/t* 10. in einen Käfig sperren, einsperren. – 11. *sport* (*Ball*) ins Tor treiben. – 12. *mil. tech.* (*Kurskreisel*) fesseln. — ~ **an·ten·na** *s* (*Radio*) ˈReusenanˌtenne *f*. — ~ **bird** *s* Käfig-, Stubenvogel *m*.
caged [keidʒd] *adj* (in einen Käfig) eingesperrt, hinter Gittern. — ~ **valve** *s tech.* hängendes Venˈtil.
cage·ling [ˈkeidʒliŋ] → cage bird.
cage·y [ˈkeidʒi] *adj colloq.* vorsichtig, reserˈviert, sich keine Blöße gebend, berechnend, „gewieft".
cag·mag [ˈkægˌmæg] *s Br. dial.* 1. alte zähe Gans. – 2. verdorbenes Fleisch. – 3. Schund *m*.
Ca·hill [ˈkeihil; ˈkɑː-] *s eine künstliche Angelfliege*.
ca·hoot [kəˈhuːt] *s Am. sl.* Partnerschaft *f*: in ~(s) verbündet; to go (in) ~(s) with gemeinsame Sache machen mit, unter einer Decke stecken mit.
cai·man *cf.* cayman.
Cain [kein] *s fig.* Kain *m*, (Bruder-)Mörder *m*: to raise ~ *sl.* Krach schlagen.
caino- [kaino; kei-] → ceno-¹.
cai·no·zo·ic [ˌkainoˈzouik; ˌkei-] → cenozoic.
ca·ïque [kɑːˈiːk] *s mar.* 1. Kaïk *m*, Kajik *m* (*türk. Boot*). – 2. (*in der Levante übliches*) Segelboot.
cairn [kɛ(ə)rn] *s* 1. Steinhaufen *m*, -hügel *m*: a) *Grenzmal*, b) Hügelgrab *n*. – 2. Cairn Terrier *m*.
cairn·gorm [ˈkɛ(ə)rnˈgɔːrm], *auch* **C~ stone** *s min.* Cairngorm *m* (*gelb bis weinrot gefärbter Bergkristall*).
cairn ter·ri·er → cairn 2.
cais·son [ˈkeisən] *s* 1. *tech.* a) Caisˈson *m*, Senkkasten *m* (*im Tiefbau*), b) Schleusenponton *m*. – 2. *mar.* Kaˈmel *n* (*Schwimmkörper zum Heben gesunkener Schiffe*). – 3. *mil.* a) Munitiˈonskasten *m*, b) Munitiˈonswagen *m* (*Artillerie*), c) kistenförmige Mine. — ~ **dis·ease** *s med.* Caisˈson-, Druckluftkrankheit *f*.
cai·tiff [ˈkeitif] I *s* Lump *m*, gemeiner Kerl, Schurke *m*. – II *adj* gemein, schurkisch, niederträchtig.
caj·e·put [ˈkædʒəpət] *s bot.* 1. *cf.* cajuput. – 2. (*ein*) Lorbeer *m* (*Umbellularia californica*).
ca·jole [kəˈdʒoul] *v/t* (*j-m*) schmeicheln, ‚um den Bart gehen', gut zureden, (*j-n*) beschwatzen: to ~ s.o. into doing s.th. j-n zu etwas herumkriegen *od.* überreden; to ~ s.o. out of s.th. j-m durch Schmeicheln etwas ausreden; to ~ s.th. out of s.o. j-m etwas abbetteln. — **caˈjole·ment** *s* 1. Schmeicheˈlei *f*, ˌLiebedieneˈrei *f*. – 2. Beschwatzen *n*, gutes Zureden. — **caˈjol·er** *s* Schmeichler *m*, Überˈredungskünstler *m*. — **caˈjol·er·y** *s* Überˈredungskunst *f*, Schmeicheˈlei *f*, gutes Zureden.
Ca·jun [ˈkeidʒən] *s* Aˈkadier *m* franz. Abstammung (*in Louisiana*).
caj·u·put [ˈkædʒəpət] *s bot.* Kajeˈputbaum *m* (*Melaleuca laucadendron; Indien*). — ~ **oil** *s* Kajeˈputöl *n*.
cake [keik] I *s* 1. Kuchen *m*, süßes Gebäck: you can't eat your ~ and have it du kannst nur eines von beiden tun, du mußt dich für eines von beiden entscheiden; a piece of ~ *aer. sl.* eine Leichtigkeit, eine ‚Spielerei'; ~s and ale Lebensfreude, vergnügliches Leben; → take *b. Redw.* – 2. Fladen *m*, ungesäuertes Brot, *bes. Scot.* Haferkuchen *m*. – 3. Pfannkuchen *m*, (ˈFleisch-, ˈFisch)Frika(n)ˌdelle *f*, (Karˈtoffel-, Gemüse)Bratling *m*. – 4. kuchen- *od.* laibförmige Masse: a ~ of soap ein Stück Seife; a ~ of wax eine Scheibe Wachs. – 5. Kruste *f*: ~s of dirt. – 6. (*Textilwesen*) Spinnkuchen *m*. – II *v/t* 7. zu Kuchen formen. – III *v/i* 8. sich zuˈsammenballen, zuˈsammenbacken: mud ~ed on his shoes Straßenschmutz backte an seinen Schuhen. — ˈ~ˌ**walk** I *s* 1. Cakewalk *m*: a) *grotesker Wett-Tanz mit einem Kuchen als Preis* (*amer. Negerbrauch*), b) *daraus entstandener Gesellschafts- od. Bühnentanz*, c) *Musik dazu*. – II *v/i* 2. einen Cakewalk tanzen. – 3. wie beim Cakewalk gehen.
cak·y [ˈkeiki] *adj* kuchenartig, -förmig.
cal·a·bar [ˌkæləˈbɑːr; ˈkæləˌbɑːr] → calaber.
Cal·a·bar bean *s bot.* Kalabarbohne *f*, -same *m*, Eseresame *m* (*Same von Physostigma venenosum*).
cal·a·bash [ˈkæləˌbæʃ] *s* 1. *bot.* Flaschenkürbis *m* (*Lagenaria vulgaris*). – 2. Kaleˈbasse *f*: a) *bot. Frucht des Kalebassenbaums*, b) *aus der getrockneten Schale des Flaschenkürbis oder der Frucht des Kalebassenbaums hergestelltes Gefäß*. – 3. → ~ tree. — ~ **tree** *s bot.* Kaleˈbassenbaum *m* (*Crescentia cujete*).
cal·a·ber [ˈkæləbər] *s* 1. Feh *n*, Grauwerk *n* (*Fell eines sibirischen Eichhörnchens*). – 2. *hist.* braunes Eichhörnchenfell (*aus Kalabrien*).
cal·a·boose [ˈkæləˌbuːs; ˌkæləˈbuːs] *s Am. sl.* ‚Kittchen' *n*, ‚Loch' *n*, Gefängnis *n*, Kerker *m*.
ca·la·di·um [kəˈleidiəm] *s bot.* Caˈladie *f*, Buntwurz *f* (*Gattg Caladium*).
cal·a·man·co [ˌkæləˈmæŋkou] *s econ.* Kalmank *m* (*mit Atlas geköperter Wollstoff*).
cal·a·man·der (wood) [ˈkæləˌmændər] *s* Kalaˈmander-, Koroˈmandelholz *n* (*eines Götterpflaumenbaumes d. Gattg Diospyros, bes. D. hirsuta; Ceylon*).

cal·a·mar·y [*Br.* 'kæləməri; *Am.* -ˌmeri] → squid 1.

cal·a·mine ['kæləˌmain] *s min.* Gal'mei *m*: a) edler Galmei, Zinkspat *m*, Smithso'nit *m*, b) 'Kieselgalˌmei *m*, Kala'min *n*, Hemimor'phit *m*.

cal·a·mint ['kæləmint], *auch* ~ **balm** *s bot.* Kölle *f*, Bergminze *f* (*Gattg Satureja*).

cal·a·mite ['kæləˌmait] *s geol.* Kala'mit *m* (*Gattg Calamites, fossiler Schachtelhalm*).

ca·lam·i·tous [kə'læmitəs; -mə-] *adj* unglücklich, Unglücks..., schrecklich, unselig, verhängnisvoll. — **ca'lam·i·tous·ness** *s* Schrecklichkeit *f*, Unseligkeit *f*. — **ca'lam·i·ty** *s* **1.** Unglück *n*, Unheil *n*. – **2.** Elend *n*, Jammer *m*, Not *f*, Trübsal *f*. – *SYN. cf.* disaster.

cal·a·mus ['kæləməs] *pl* **-mi** [-ˌmai] *s* **1.** *bot.* Gemeiner Kalmus (*Acorus calamus*). – **2.** *antiq.* Schreibfeder *f* aus Schilfrohr. – **3.** Peddigrohr *n*, span. Rohr. – **4.** *zo.* Federkiel *m*.

ca·lash [kə'læʃ] *s* **1.** Ka'lesche *f* (*leichter Kutschwagen*). – **2.** *auch* ~ top Klappverdeck *n* einer Ka'lesche. – **3.** (*Art*) (Frauen)Haube *f* (*18. Jh.*).

cal·a·thus ['kæləθəs] *s antiq.* Kalathos *m* (*auf dem Kopf getragener Korb*).

cal·a·ve·rite [kælə'vɛ(ə)rait] *s min.* Tel'lurgold *n* ($AuTe_2$).

calc- [kælk] *Wortelement mit der Bedeutung* Kalk.

cal·ca·ne·us [kæl'keiniəs] *s med. zo.* Fersenbein *n*.

cal·car ['kælkɑːr] *pl* **cal·ca·ri·a** [kæl'kɛ(ə)riə] *s biol.* Sporn *m*, spornartiger Fortsatz. — **'cal·caˌrate** [-ˌreit], **'cal·caˌrat·ed** *adj* gespornt.

cal·car·e·ous [kæl'kɛ(ə)riəs] *adj chem.* **1.** kalkartig. – **2.** kalkig, kalkhaltig.

cal·ca·rif·er·ous [ˌkælkə'rifərəs] *adj biol.* gespornt, mit einem Sporn behaftet.

cal·car·i·ous *cf.* calcareous.

cal·ce·i·form ['kælsiiˌfɔːrm; -siə-; kæl'siːi-] → calceolate. — **cal·ce·o·la·ri·a** [ˌkælsiə'lɛ(ə)riə] *s bot.* Pan'toffelblume *f* (*Gattg Calceolaria*). — **cal·ce·o·late** ['kælsiəˌleit] *adj bot.* pan'toffelförmig.

cal·ces ['kælsiːz] *pl von* calx.

calci- [kælsi] *Wortelement mit der Bedeutung* a) Kalk, b) Kalzium.

cal·cic ['kælsik] *adj* Kalk..., Kalzium...

cal·ci·cole ['kælsiˌkoul; -sə-] *s bot.* calci'phile *od.* kalkliebende Pflanze.

cal·cif·er·ol [kæl'sifəˌroul; -ˌrɒl] *s* Calcife'rol *n*, Vita'min D_2 *n*. — **cal·cif·er·ous** [kæl'sifərəs] *adj chem.* **1.** kalkhaltig. – **2.** kohlensauren Kalk enthaltend.

cal·cif·ic [kæl'sifik] *adj* kalkbildend. — **ˌcal·ci·fi'ca·tion** *s* **1.** *med.* Verkalkung *f*. – **2.** Kalkbildung *f*, Verwandlung *f* in Kalk. – **3.** *geol.* Kalkablagerung *f*.

cal·ci·fuge ['kælsiˌfjuːdʒ] *s bot.* calci'fuge Pflanze (*auf Kalkboden nicht gedeihend*).

cal·ci·fy ['kælsiˌfai; -sə-] *v/t u. v/i* verkalken.

cal·ci·mine ['kælsiˌmain; -min; -sə-] **I** *s* Kalkanstrich *m*, Leimfarbe *f*. – **II** *v/t* kalken, mit Leimfarbe (an)streichen.

cal·ci·na·tion [ˌkælsi'neiʃən; -sə-] *s tech.* Verkalkung *f*, Kalzi'nierung *f*, Glühen *n*. — **cal·cin·a·to·ry** [*Br.* kæl'sinətəri; 'kælsin-; *Am.* -ˌtɔːri] *tech.* **I** *adj* Verkalkungs... – **II** *s* Verkalkungstiegel *m*.

cal·cine ['kælsain] *tech.* **I** *v/t* kalzi'nieren, verkalken, glühen, rösten. – **II** *v/i* kalzi'niert werden. — **'cal·cined** *adj* gebrannt, (aus)geglüht, kalzi'niert. — **cal'cin·er** *s* Röst-, Kalzi'nierofen *m*.

cal·ci·phile ['kælsiˌfail; -sə-] → calcicole. — **ˌcal·ci'phil·ic** [-'filik], **cal·ciph·i·lous** [kæl'sifiləs; -fə-] *adj bot.* calci'phil, kalkliebend, auf Kalkboden gedeihend (*Pflanze*).

cal·ci·phobe ['kælsiˌfoub; -sə-] → calcifuge. — **cal·ciph·o·bous** [kæl'sifəbəs], *auch* **ˌcal·ci'pho·bic** [-'foubik] *adj bot.* auf Kalkboden nicht gedeihend (*Pflanze*).

cal·cite ['kælsait] *s min.* Cal'cit *m*, Kalkspat *m*.

cal·ci·um ['kælsiəm] *s chem.* Kalzium *n* (Ca). — ~ **car·bide** *s* ('Kalzium)Karˌbid *n* (CaC_2). — ~ **car·bon·ate** *s* 'Kalziumkarboˌnat *n* ($CaCO_3$), Schlämmkreide *f*. — ~ **chlo·ride** *s* Chlorkalzium *n*, 'Kalziumchloˌrid *n* ($CaCl_2$). — ~ **cy·an·am·id(e)** *s* 'Kalziumzyanaˌmid *n*, Kalkstickstoff *m* ($CaCN_2$). — ~ **hy·drox·ide** *s* gelöschter Kalk, 'Kalziumˌhydroˌxyd *n* ($Ca(OH)_2$). — ~ **light** → limelight 1. — ~ **phos·phate** *s* 'Kalziumphosˌphat *n* ($Ca_3(PO_4)_2$).

'calc|-ˌsin·ter ['kælk-] *s min.* Kalksinter *m*, Traver'tin *m*. — **'~-ˌspar, '~ˌspar** *s min.* Kalkspat *m*. — **'~-ˌtu·fa,** *auch* **'~-ˌtuff** *s min.* Kalktuff *m*, po'röser Tuffstein.

cal·cu·la·bil·i·ty [ˌkælkjulə'biliti; -kjə-; -əti] *s* **1.** Berechenbarkeit *f*. – **2.** Verläßlichkeit *f*. — **'cal·cu·la·ble** *adj* **1.** berechenbar. – **2.** verläßlich.

cal·cu·late ['kælkjuˌleit; -kjə-] **I** *v/t* **1.** kalku'lieren, ausrechnen, er-, berechnen: to ~ a distance. – **2.** *meist pass* berechnen, planen, (er)denken, bestimmen: his speech was ~d to discourage seine Rede sollte entmutigen. – **3.** *Am. colloq.* a) rechnen, vermuten, denken, glauben (that daß), b) beabsichtigen, vorhaben. – **4.** *econ.* (*Preis*) kalku'lieren. – *SYN.* compute, estimate, reckon. – **II** *v/i* **5.** rechnen, eine Berechnung anstellen, schätzen. – **6.** (be)rechnen, über'legen. – **7.** (on, upon) rechnen (mit, auf *acc*), zählen *od.* sich verlassen (auf *acc*). — **'cal·cuˌlat·ed** *adj* **1.** berechnet (for auf *acc*), gewollt, beabsichtigt: a ~ effect eine berechnete Wirkung. – **2.** geeignet, gedacht, bestimmt (for für; to do zu tun): it was ~ to impress es war darauf berechnet, Eindruck zu machen. — **'cal·cuˌlat·ing** *adj* **1.** berechnend, (kühl) über'legend, abwägend. – **2.** Rechen...: ~ machine Rechenmaschine. — **ˌcal·cu'la·tion** *s* **1.** Kalkulati'on *f*, Ausrechnung *f*, Er-, Berechnung *f*: to be out in one's ~ sich verrechnet haben. – **2.** Schätzung *f*, 'Überschlag *m*, Kostenanschlag *m*, Voranschlag *m*. – **3.** Berechnung *f*, Über'legung *f*, Planung *f*. — **'cal·cuˌla·tive** [-ˌleitiv; *Br. auch* -lə-] *adj* berechnend. — **'cal·cuˌla·tor** [-tər] *s* **1.** Rechner *m*. – **2.** Rechentafel *f*. — **3.** 'Rechenmaˌschine *f*.

cal·cu·lous ['kælkjuləs; -kjə-] *adj med.* **1.** steinkrank. – **2.** Stein...: ~ concretion in the kidneys Nierensteinbildung.

cal·cu·lus[1] ['kælkjuləs; -kjə-] *pl* **-li** [-ˌlai], **-lus·es** *s med.* Stein *m*: dental ~ Zahnstein; renal ~ Nierenstein.

cal·cu·lus[2] ['kælkjuləs; -kjə-] *pl* **-li** [-ˌlai], **-lus·es** *s math.* **1.** Kal'kül *n*, Rechnung *f*. – **2.** Kal'kül *n*, höhere A'nalysis, *bes.* Infinitesi'malkalˌkül *n*.

cal·da·ri·um [kæl'dɛ(ə)riəm] *pl* **-ri·a** [-riə] (*Lat.*) *s antiq.* Cal'darium *n*, altröm. Warmbadezimmer *n*.

Cal·de·cott a·ward ['kɔːldəkət] *s Br.* Caldecott-Preis *m* (*jährlich für das beste illustrierte Jugendbuch vergeben*).

cal·de·ra [kal'dera] (*Span.*) *s geol.* Kessel *m*, erweiterter Krater (*eines erloschenen Vulkans*).

cal·dron *cf.* cauldron.

Cal·e·do·ni·an [ˌkæli'douniən; -lə-] *poet.* **I** *adj* kale'donisch (*schottisch*). – **II** *s* Kale'donier *m* (*Schotte*).

cal·e·fa·cient [ˌkæli'feiʃənt; -lə-] *med.* **I** *adj* wärmend, erhitzend. – **II** *s* erwärmendes Mittel. — **ˌcal·e'fac·tion** [-'fækʃən] *s* Erwärmung *f*, Erhitzung *f*. — **ˌcal·e'fac·tive** [-'fæktiv] → calefacient I. — **ˌcal·e'fac·to·ry** [-'fæktəri] **I** *adj* → calefacient I. – **II** *s* Wärmestube *f* (*eines Klosters*).

ca·lem·bour [kalɑ̃'buːr; 'kæləmˌbur] (*Fr.*) *s* Wortspiel *n*, Kalauer *m*.

cal·en·dar ['kæləndər] **I** *s* **1.** Ka'lender *m*. – **2.** *fig.* Ka'lender *m*, Zeitrechnung *f*: Julian ~ Julianischer Kalender. – **3.** Liste *f*, Verzeichnis *n*, Re'gister *n*. – **4.** *meist* university ~ *Br.* (*Art*) Hochschulordnung *f*. – **5.** *pol. Am.* 'Sitzungskaˌlender *m* (*Parlament*). – **6.** *obs.* Vorbild *n*, Muster *n*. – **II** *v/t* **7.** in einen Ka'lender eintragen, regi'strieren. — ~ **day** *s* Ka'lendertag *m*. — ~ **month** *s* Ka'lendermonat *m*. — ~ **year** *s* Ka'lenderjahr *n*.

cal·en·der[1] ['kæləndər] *tech.* **I** *s* Ka'lander *m*, Sati'nier-, 'Glättmaˌschine *f* (*für Kautschuk, Tuch, Papier etc*). – **II** *v/t* ka'landern, sati'nieren, glätten.

cal·en·der[2] ['kæləndər] *s* Ka'lender *m*, Derwisch *m*.

cal·en·der·er ['kæləndərər] *s* Ka'landerer *m*.

cal·ends ['kæləndz; -lindz] *s pl* Ka'lenden *pl* (*1. Tag des Monats nach dem röm. Kalender*): → Greek ~.

ca·len·du·la [kə'lendʒulə; -dʒələ] *s* **1.** *bot.* Ringelblume *f* (*Gattg Calendula*). – **2.** *med.* Ringelblumenblüten *pl*, Stu'dentenblumen *pl*.

cal·en·ture ['kæləntʃər] *s med.* **1.** heftiges Fieber, Tropenfieber *n*. – **2.** Sonnenstich *m*.

ca·le·sa [ka'lesa] (*Span.*) *s* Ka'lesche *f* (*auf den Philippinen*).

ca·les·cence [kə'lesns] *s* zunehmende Hitze. — **ca'les·cent** *adj* heiß werdend, sich erhitzend.

calf[1] [*Br.* kɑːf; *Am.* kæ(ː)f] *pl* **calves** [-vz] *s* **1.** Kalb *n* (*bes. der Kuh, auch verschiedener anderer Säugetiere, wie Elefant, Seehund, Wal, Hirsch etc*): cow with (*od.* in) ~ trächtige Kuh; sucking ~ Milchkalb. – **2.** Kalbleder *n*. – **3.** *auch* ~ binding (*Buchbinderei*) Franz-, Lederband *m*: ~bound in Kalbleder gebunden. – **4.** *colloq.* ‚Kalb', *n*, täppischer *od.* alberner junger Mensch. – **5.** treibende Eisscholle. – **6.** kleine Nebeninsel.

calf[2] [*Br.* kɑːf; *Am.* kæ(ː)f] *pl* **calves** [-vz] *s* Wade *f* (*Bein, Strumpf etc*).

'calf|ˌkill *s bot.* **1.** Breitblättrige Kalmie (*Kalmia latifolia*). – **2.** Schmalblättrige Kalmie (*Kalmia angustifolia*). – **3.** (*eine*) Traubenheide (*Leucothoë catesbaei*). — ~ **love** *s colloq.* jugendliche Schwärme'rei (*zwischen Junge und Mädchen*).

'calf's-ˌfoot jel·ly [*Br.* kɑːvz; *Am.* kæ(ː)vz] *s* Kalbsfußsülze *f*, Gela'tine *f*.

'calfˌskin I *s* Kalbsfell *n*. – **II** *adj* aus Kalbsfell.

Cal·i·ban ['kæliˌbæn; -lə-] *s* Kaliban *m*, verrohter Mensch.

cal·i·ber, *bes. Br.* **cal·i·bre** ['kælibər; -lə-] *s* **1.** *mil.* Ka'liber *n*, Seelenweite *f*, (innerer) 'Rohrˌdurchmesser (*Geschütz, Gewehr, Geschoß etc*). – **2.** 'Durchmesser *m* (*runder od. zylindrischer Körper*). – **3.** *tech.* Ka'liber(lehre *f*) *n* (*Meßwerkzeug*). – **4.** *fig.* Ka'liber *n*, For'mat *n*, Wert *m* (*eines Menschen*). – **5.** *obs.* Ansehen *n*, Rang *m*. — ~ **com·pass·es** *s pl* **1.** *tech.* Greifzirkel *m*. – **2.** (*Gerberei*) Schlichtzange *f*.

cal·i·bered, *bes. Br.* **cal·i·bred** ['kælibərd; -lə-] *adj* ...kalibrig.

cal·i·bo·gus [ˌkæli'bougəs; -lə-] *s Am.* Getränk *n* aus Rum, Sprossenbier u. Zuckersirup.

cal·i·brate ['kæliˌbreit; -lə-] *v/t tech.* kali'brieren: a) auf genaues Maß bringen, b) eichen, das genaue Maß ermitteln von, c) mit einer Gradeinteilung versehen. — **'cal·i,brat·ed** *adj* gradu'iert. — **,cal·i'bra·tion** *s tech.* Kali'brierung *f*, Eichung *f*.

cal·i·bre, cal·i·bred *bes. Br. für* **caliber, calibered.**

cal·i·ces ['kæli,si:z] *pl von* **calix.**

ca·li·che [ka'litʃe] *(Span.) s chem.* **1.** roher 'Chile- *od.* 'Natronsal,peter ($NaNO_3$). – **2.** Kruste *f* aus 'Kalziumkarbo,nat ($CaCO_3$).

cal·i·cle ['kælikl; -lə-] → **calyculus.**

cal·i·co ['kæli,kou; -lə-] **I** *s pl* **-cos, -coes 1.** Kaliko *m*, Kat'tun *m*. – **2.** *Br.* weißer *od.* ungebleichter Baumwollstoff. – **3.** *Am.* billiger bedruckter Kat'tunstoff. – **II** *adj* **4.** Kattun..., aus Kat'tun. – **5.** *Am. colloq.* bunt, scheckig. — **'~,back** *s zo.* **1.** *(eine)* Kohlwanze *(Murgantia histrionica)*. – **2.** → **calico bass.** — **~ bass** [bæs] *s zo.* Kalikofisch *m (Pomoxys sparoides)*. — **~ bush, ~ flow·er, ~ tree** *Am. für* **calfkill.**

ca·lif, cal·if·ate *cf.* **caliph, caliphate.**

Cal·i·for·ni·a con·dor [,kæli'fɔ:rnjə; -lə-; -niə] *s zo.* Kaliforn. Kondor *m (Gymnogyps californianus)*.

Cal·i·for·ni·an [,kæli'fɔ:rnjən; -lə-; -niən] **I** *adj* kali'fornisch. – **II** *s* Kali'fornier(in).

Cal·i·for·ni·a pop·py *s bot.* Esch'scholtzie *f (Gattg Eschscholtzia, bes. E. californica)*. — **~ rose bay** *s bot. (ein)* Rhodo'dendron *n (Rhododendron macrophyllum)*.

cal·i·for·ni·um [,kæli'fɔ:rniəm; -lə-] *s chem.* Cali'fornium *n* (Cf).

ca·lig·i·nos·i·ty [kə,lidʒi'nɒsiti; -dʒə-; -əti] *s obs.* Schwachsichtigkeit *f*. — **ca'lig·i·nous** *adj obs.* trüb, dunkel.

cal·i·pash ['kæli,pæʃ; -lə-] *s (eßbare)* Gal'lerte an der oberen Platte der Schildkröte. — **cal·i·pee** ['kæli,pi:; -lə-] *s (eßbare)* Gal'lerte am Bauchschild der Schildkröte.

cal·i·per, *bes. Br.* **cal·li·per** ['kælipər; -lə-] *tech.* **I** *s meist pl* Greifzirkel *m*, (Feinmeßschraub)Lehre *f*, Mikro'meterschraube *f*, Taster *m*: **inside ~s** Innen-, Lochtaster; **outside ~s** Außentaster. – **II** *v/t* mit einem Greifzirkel messen. — **~ rule** *s tech.* Schublehre *f*, (Werkstatt)Schieblehre *f*. — **~ slide** *s tech.* Schublehre *f*.

ca·liph ['keilif; 'kælif] *s* Ka'lif *m*. — **cal·iph·ate** ['kæli,feit; -fit] *s* Kali'fat *n*.

cal·i·sa·ya bark [,kæli'seijə; -lə-] *s med.* Cali'sayarinde *f*, (Königs)Chinarinde *f*.

cal·is·then·ic [,kælis'θenik; -əs-], **,cal·is'then·i·cal** [-kəl] *adj* die Gym'nastik betreffend, gym'nastisch. — **,cal·is'then·ics** *s pl* **1.** *(meist als sg konstruiert)* (Lehre *f* von der) Gym'nastik *f*. – **2.** *(als pl konstruiert)* Gym'nastik *f*, Freiübungen *pl*.

ca·lix ['keiliks; 'kæl-] *pl* **cal·i·ces** ['kæli,si:z] *s* **1.** *med.* Kelch *m*, kelchförmiges Or'gan. – **2.** *relig.* Kelch *m (beim Abendmahl)*.

calk[1] [kɔ:k] *v/t* **1.** *mar. (Nähte zwischen den Schiffsplanken)* kal'fatern, abdichten. – **2.** *tech.* verstemmen. – **3.** *(Ritze)* verstopfen, abdichten.

calk[2] [kɔ:k] **I** *s* **1.** Stollen *m (am Hufeisen)*. – **2.** *Am.* Eissporn *m*, (Absatz)-Griffeisen *n*, Gleitschutzbeschlag *m (an der Schuh- od. Stiefelsohle)*. – **II** *v/t* **3.** mit Stollen versehen. – **4.** mit einem Stollen verletzen.

calk[3] [kælk] *v/t* ab-, 'durchpausen, -zeichnen.

calk·er [kɔ:kər] *s tech.* Kal'faterer *m (Person od. Werkzeug)*.

cal·kin ['kɔ:kin; 'kæl-] *Br. für* **calk**[2] **I.**

calk·ing ['kɔ:kiŋ] *s tech.* Kal'faterung *f*. — **~ chis·el, ~ i·ron** *s tech.* Dicht-, Kal'fatereisen *n*. — **~ mal·let** *s tech.* Dicht-, Kal'faterhammer *m*.

call [kɔ:l] **I** *s* **1.** Ruf *m*, Schrei *m* (for nach). – **2.** (Lock)Ruf *m (Tier)*. – **3.** *hunt.* Lockvogelpfeife *f*. – **4.** *fig.* Lockung *f*, Anziehung(skraft) *f*, Ruf *m*. – **5.** Si'gnal *n*, Zeichen *n*, Kom'mando *n*: **~ to quarters** *mil. Am.* Zapfenstreich *m (durch Hornsignal)*. – **6.** *fig.* Berufung *f*, Missi'on *f*. – **7.** Ruf *m*, Berufung *f (eines Professors an eine Universität)*. – **8.** Aufruf *m*, Aufforderung *f*, Befehl *m*, Gebot *n*: **to make a ~ on** eine Aufforderung richten an *(acc)*; **~ to arms** *mil.* Einberufung. – **9.** *(Theater)* a) Aufforderung *f*, zur Probe zu erscheinen, b) Her'ausrufen *n (eines Schauspielers etc vor den Vorhang)*. – **10.** (kurzer) Besuch: **to make a ~ on s.o.** (*od.* **at s.o.'s house**) bei j-m einen Besuch machen; **to make a ~ at the hospital** einen Besuch im Krankenhaus machen. – **11.** *mar.* Anlaufen *n (Hafen)*: **to make a ~ at a port** einen Hafen anlaufen. – **12.** *im negativen Satz*: a) Veranlassung *f*, Grund *m*, Notwendigkeit *f*, b) Recht *n*, Befugnis *f*: **he had no ~ to do that** er hatte keinen Grund *od.* kein Recht, das zu tun. – **13.** In'anspruchnahme *f*: **to make a ~ on s.o.'s time** j-s Zeit in Anspruch nehmen. – **14.** Namensverlesung *f*: **roll ~** *mil.* Appell. – **15.** (Tele'phon)Anruf *m*, (Telephon)-Gespräch *n*. – **16.** *(Kartenspiel)* a) Ansage *f*, b) *(Poker)* Aufforderung *f*, die Karten zu zeigen. – **17.** *econ.* Zahlungsaufforderung *f*: **~ for margin** Nachzahlungsaufforderung an Aktionäre *(bes. bei fallender Preistendenz)*. – **18.** *econ.* a) Einforderung *f (Geld)*, b) Einlösungsaufforderung *f (auf Schuldverschreibungen)*, c) Nachfrage *f* (for nach), d) Abruf *m*: → **money 1.** – **19.** *(Börse)* a) Prämiengeschäft *n* auf Nehmen, b) 'Kauf-, Be'zugsop-ti,on *f*. –

Besondere Redewendungen:

at ~ auf tägliche Kündigung; **to have the ~** den Vorrang *od.* das Vorrecht haben, am meisten begehrt *od.* gefragt sein; **within ~** in Rufweite, zu erreichen; **house of ~** Gasthaus; **place of ~** Geschäftshaus; **postman's ~** Eintreffen der Post; **~ for help** Hilferuf. –

II *v/t* **20.** *(j-n)* (her'bei)rufen: **to ~ to arms** zu den Waffen rufen, einberufen. – **21.** *(etwas)* ausrufen. – **22.** befehlen, anordnen: → **halt**[1] **1.** – **23.** *(Versammlung etc)* einberufen, zu'sammenrufen: → **meeting 2.** – **24.** wecken: **~ me at 7 o'clock.** – **25.** *(Tiere)* (an)locken *(indem man ihren Ruf nachahmt)*. – **26.** *(j-n)* anrufen, 'antelepho,nieren. – **27.** *(Namen etc)* verlesen: → **roll 2.** – **28.** *(vor Gericht)* aufrufen: **to ~ a case.** – **29.** *econ. (Schuldverschreibung etc)* einfordern, kündigen. – **30.** berufen, ernennen (to zu). – **31.** *(bei einem bestimmten Namen)* rufen, nennen: **to ~ s.o. Peter** j-n Peter nennen; **to be ~ed** heißen, genannt werden (after nach); **to ~ s.th. one's own** etwas sein eigen nennen; **to ~ a thing by its name** eine Sache beim richtigen Namen nennen; → **spade**[1] **1.** – **32.** (be)nennen, bezeichnen (als): **what do you ~ this?** wie heißt *od.* nennt man das? – **33.** nennen, finden, halten für: **I ~ that mean** ich finde das gemein. – **34.** schätzen auf *(acc)*: **he ~ed it ten miles** er schätzte es auf zehn Meilen. – **35.** *(j-n etwas)* schimpfen, heißen, schelten: **to ~ s.o. a fool** j-n einen Narren schimpfen; → **name 13.** – **36.** *(Kartenspiel) (Farbe)* ansagen: **to ~ diamonds.** – **37.** *(Poker) (Hand)* sehen wollen: **to ~ s.o.'s hand** j-n auffordern, seine Karten vorzuzeigen. – **38.** *(Billard) Am. (j-n)* auffordern, seinen Stoß im voraus zu dekla'rieren. – **39.** *(Baseball)* a) *(Spiel)* beginnen, b) *(Entscheidung)* treffen *(Schiedsrichter)*, c) *Am. (Spiel)* vorzeitig abbrechen. – **40.** *bes. Scot. (Nagel)* eintreiben, -schlagen. –

III *v/i* **41.** rufen: **to ~ to s.o.** j-m zurufen. – **42.** rufen, schreien *(auch fig.)*, dringend verlangen (for nach): **the situation ~s for presence of mind** die Lage verlangt Geistesgegenwart. – **43.** vorsprechen, einen (kurzen) Besuch machen (on s.o. bei j-m): **has he ~ed yet?** ist er schon dagewesen? **to ~ for** a) (an)fordern, bestellen, b) abholen; **to be ~ed for** post-, bahnlagernd; **to ~ about s.th.** wegen einer Sache vorsprechen. – **44.** *mar.* anlegen (at in *dat*): **to ~ at a port** einen Hafen anlaufen. – **45.** rufen, locken *(Tier)*. – **46.** sich wenden (upon, on an *acc*): **to ~ (up)on s.o. for s.th.** sich an j-n um etwas *(od.* wegen einer Sache) wenden, j-n um etwas ersuchen; **to be ~ed upon to do s.th.** aufgefordert werden, etwas zu tun. – **47.** anrufen, telepho'nieren: **to ~ back** einen Telephonanruf beantworten, zurückrufen. – **48.** *(Poker)* die Karten des Spielpartners sehen wollen. – *SYN. cf.* **summon.** –

Besondere Redewendungen:

to ~ in doubt in Zweifel ziehen; **to ~ in question** a) *jur.* vorladen, b) in Zweifel ziehen, anzweifeln, bezweifeln; **to ~ into play** in Tätigkeit setzen; **to ~ to the colo(u)rs** zu den Fahnen rufen, einberufen, einziehen; → **account 11; attention 1; bar**[1] **15** *u.* **19; being 2; book 8; existence 1; mind 8; order 8.** –

Verbindungen mit Adverbien:

call| a·side *v/t* bei'seite rufen, auf die Seite nehmen. — **~ a·way** *v/t* **1.** wegrufen. – **2.** *fig. (Gedanken etc)* ablenken. — **~ back** *v/t* **1.** zu'rückrufen. – **2.** wider'rufen, zu'rücknehmen. — **~ down** *v/t* **1.** *(Segen etc)* her'abflehen, -rufen. – **2.** *(Zorn etc)* auf sich ziehen. – **3.** *(j-n)* her'unterrufen. – **4.** *colloq.* ,her'unterputzen', ausschimpfen. — **~ forth** *v/t* **1.** her'vorrufen, auslösen. – **2.** aufrufen. – **3.** *fig. (Willen, Kraft etc)* aufbieten. — **~ in I** *v/t* **1.** *(Geld)* einziehen, außer 'Umlauf setzen. – **2.** her'ein-, her'beirufen. – **3.** *(Sachverständigen, Arzt etc)* (hin)'zuziehen, zu Rate ziehen. – **4.** zu'sammenberufen. – **5.** *(Zeugnis)* einholen. – **6.** *(Schuld)* einziehen. – **7.** *(Geld)* kündigen. – **II** *v/i* **8.** kurz vorsprechen (on s.o. bei j-m; at a home in einem Haus). — **~ off** *v/t* **1.** *(von einem Posten)* abberufen. – **2.** *(Gedanken etc)* ablenken. – **3.** *(Namen, Zahlen etc)* aufrufen, laut verlesen. – **4.** *colloq.* ,abblasen', absagen, rückgängig machen. — **~ out** *v/t* **1.** ausrufen, laut rufen. – **2.** *bes. mil.* aufrufen, -bieten. – **3.** *fig. (Gefühl)* her'vorrufen, auslösen. – **4.** *(zum Duell)* (her'aus)fordern. – **5.** *Am. colloq. (zum Tanz)* auffordern. — **~ o·ver** *v/t (Namen, Liste etc)* verlesen. — **~ up** *v/t* **1.** *(j-n)* her'aufrufen. – **2.** *fig.* her'aufbeschwören, im Geiste her'vorrufen. – **3.** *mil.* einberufen. – **4.** *(Sprecher etc)* aufrufen, zum Sprechen auffordern. – **5.** anrufen, 'antelepho,nieren. – **6.** *(fällige Forderungen etc)* aufrufen.

cal·la ['kælə] *s bot.* **1.** Calla *f*, Schlangen-, Drachenwurz(el) *f (Calla palustris)*. – **2.** *auch* **~ lily** Zimmercalla *f (Zantedeschia aethiopica)*.

call·a·ble ['kɔ:ləbl] *adj econ.* **1.** aufruffähig. – **2.** kündbar. – **3.** einziehbar.

call| bell *s* Tisch-, Rufglocke *f*. — **~ bird** *s* Lockvogel *m*. — **~ board** *s* Anschlagbrett *n*. — **~ box** *s* **1.** *Br.* Fernsprechzelle *f*. – **2.** *Am.* Postschließfach *n*. — **'~,boy** *s* **1.** Ho'telpage *m.* – **2.** Schiffsjunge *m.* – **3.** (*Theater*) Bursche *m* (*der die Schauspieler zu ihren Auftritten ruft*). – **4.** *Am.* Wecker *m* (*Bursche, der die Pflicht hat, andere zu wecken*). — **~ but·ton** *s* Klingelknopf *m.* — **~ day** *s jur. Br.* Zulassungstag *m* (*an dem Studenten als Anwälte zugelassen werden*). — **~ duck** *s hunt.* Lockente *f.*

called [kɔːld] *adj* genannt, geheißen: he is ~ John er heißt Johann; commonly ~ gemeinhin genannt; → so-~.

call·er[1] ['kɔːlər] *s* **1.** Rufer(in), Rufende(r). – **2.** Besucher(in).

cal·ler[2] ['kælər; 'kɑː-] *adj Scot. od. dial.* frisch, kühl, erfrischend.

call girl *s* Callgirl *n* (*telephonisch erreichbare Prostituierte*).

cal·li ['kælai] *pl von* callus I.

calli- [kæli; kəli; kəlai] *Wortelement mit der Bedeutung* schön, Schönheit.

cal·lig·ra·pher [kə'ligrəfər] *s* Kalli'graph *m*, Schönschreiber *m*, Schreibkünstler *m.* — **cal·li·graph·ic** [ˌkæli'græfik] *adj* kalli'graphisch. — **cal'lig·ra·phist** → calligrapher. — **cal'lig·ra·phy** *s* **1.** Kalligra'phie *f*, Schönschreibkunst *f.* – **2.** (*schöne*) Handschrift.

call·ing ['kɔːliŋ] **I** *s* **1.** Rufen *n*, Ruf *m.* – **2.** Beruf *m*, Geschäft *n*, Beschäftigung *f*, Gewerbe *n.* – **3.** Zu'sammen(be)rufen *n*, Einladung *f.* – **4.** *relig.* Berufung *f.* – **5.** Aufruf *m*, Aufforderung *f.* – **6.** *mil.* Einberufung *f*: the ~ of the reserves. – *SYN cf.* work. – **II** *adj* **7.** rufend. – **8.** (An)Ruf... – **9.** Besuchs... — **~ card** *s Am.* Vi'sitenkarte *f.* — **~ crab** → fiddler crab. — **~ hare** *s zo.* Pfeifhase *m*, Pika *m* (*Gattg Ochotona*).

Cal·li·o·pe [kə'laiəˌpiː; -pi] **I** *npr* (*griech. Mythologie*) **1.** Kal'liope *f* (*Muse der Erzählkunst*). – **II** *s* c~ **2.** *mus.* Dampf(pfeifen)orgel *f.* – **3.** *auch* c~ hummingbird *zo.* (*ein*) Kolibri *m* (*Stellula calliope*; *westl. USA*).

cal·li·o·phone [kə'laiəˌfoun] *s mus.* (*Art*) Dampf(pfeifen)orgel *f.*

cal·li·op·sis [ˌkæli'ɒpsis] *s bot.* (*eine*) Wanzenblume, (*ein*) Mädchenauge *n* (*Gattg Coreopsis, bes. C. tinctoria*).

cal·li·pash *cf.* calipash.

cal·li·per *bes. Br. für* caliper.

cal·li·pyg·i·an [ˌkælə'pidʒiən] *adj* ‚mit schönem Hintern' (*Venus*).

cal·li·sec·tion [ˌkæli'sekʃən] *s med. vet.* schmerzlose Vivisekti'on.

cal·lis·then·ics *cf.* calisthenics.

cal·li·thump ['kæliˌθʌmp] *Am. colloq.* **I** *s* 'Lärm-, Ra'dau-, 'Katzenmuˌsik *f*, -ständchen *n.* – **II** *v/i* 'Katzenmuˌsik machen. — ˌ**cal·li'thump·i·an** *s* **1.** → callithump I. – **2.** Lärm-, Ra'daumacher *m.*

call| loan *s econ.* täglich kündbares Darlehen. — **~ mar·ket** *s econ.* Markt *m* für tägliches Geld. — **~ mon·ey** *s econ.* tägliches Geld, Tagesgeld *n.* — **~ night** → call supper. — **~ num·ber** *s* (*Bibliothekswesen*) *Am.* Standortnummer *f* (*Buch*).

cal·los·i·ty [kə'lɒsiti; kæ-; -əti] *s* **1.** Schwiele *f*, harte (Haut)Stelle, Hornhautbildung *f.* – **2.** *bot. med.* → callus I. – **3.** *fig.* Gefühllosigkeit *f*, Gefühlsroheit *f.* – **4.** *fig.* Abgestumpftheit *f*, Gleichgültigkeit *f.*

cal·lous ['kæləs] **I** *adj* **1.** *med.* schwielig, verhärtet, kal'lös. – **2.** *fig.* abgestumpft, gefühllos, gleichgültig. – **II** *v/t* **3.** verhärten, hart machen. – **4.** *fig.* abstumpfen, gefühllos machen. – **III** *v/i* **5.** hart *od.* schwielig werden, verhärten. – **6.** *fig.* gefühllos werden, abstumpfen. — **'cal·lous·ness** *s* **1.** Schwieligkeit *f*, Härte *f* (*Haut*). – **2.** *fig.* Gefühllosigkeit *f*, Gleichgültigkeit *f.*

cal·low ['kælou] **I** *adj* **1.** federlos, ungefiedert, nackt, bloß (*Vogel*). – **2.** dünn, leicht (*Bart, Gefieder etc*). – **3.** *fig.* jung, unreif, unerfahren: a ~ youth. – **4.** *Br. dial.* brach, kahl, öde (*Land*). – **5.** *Irish* tiefliegend, sumpfig (*bes. Wiesen*). – *SYN. cf.* rude. – **II** *s* **6.** *Irish* Niederung *f.*

call| rate *s econ.* Zinsfuß *m* für tägliches Geld. — **~ slip** *s Am.* Bücherbestellzettel *m* (*in Leihbibliotheken*). — **~ sup·per** *s Br. Festessen anläßlich der Zulassung eines Anwaltes.* — '**~-ˌup** *s mil.* Einberufung *f*, Einziehung *f.*

cal·lus ['kæləs] **I** *s pl* **-lus·es, -li** [-lai] **1.** *med.* a) Kallus *m*, Knochennarbe *f*, b) Schwiele *f*, Hornhaut *f.* – **2.** *bot.* Kallus *m*: a) *Gewebewulst, Zellwucherung an Wundflächen*, b) *Belag älterer Siebplatten.* – **II** *v/i* **3.** einen Kallus bilden.

calm [kɑːm] **I** *s* **1.** Stille *f*, Ruhe *f.* – **2.** *mar.* Windstille *f*: → dead[1] 27. – **II** *adj* **3.** still, ruhig. – **4.** windstill. – **5.** *fig.* ruhig, gelassen. – *SYN.* peaceful, placid, serene, tranquil. – **III** *v/t* **6.** beruhigen, besänftigen: to ~ s.o.'s mind j-s Gemüt beruhigen. – **IV** *v/i oft* ~ down **7.** sich beruhigen, ruhig werden. – **8.** sich legen (*Gefühl*).

cal·mant ['kælmənt; 'kɑːm-] → calmative I. — **cal·ma·tive** ['kælmətiv; 'kɑːm-] **I** *s med.* Beruhigungsmittel *n* (*auch fig.*). – **II** *adj* beruhigend, besänftigend, lindernd, mildernd.

calm·ing ['kɑːmiŋ] *adj* beruhigend, beschwichtigend. — **'calm·ness** *s* **1.** Ruhe *f*, Stille *f.* – **2.** Gemütsruhe *f.* — **'calm·y** *adj poet.* (wind)still.

cal·o·mel ['kæləˌmel] *s chem. med.* Kalomel *n*, 'Quecksilberchloˌrür *n*, 'Quecksilber(I)-Chloˌrid *n* (Hg_2Cl_2).

cal·o·res·cence [ˌkælo'resns] *s phys.* Kalores'zenz *f* (*Übergang von Wärmestrahlen in Lichtstrahlen*).

Cal·or gas ['kælər] (*TM*) *s* Flaschen-, Pro'pangas *n.*

calori- [kæləri] *Wortelement mit der Bedeutung* Wärme.

ca·lor·ic [kə'lɒrik; *Am. auch* -'lɔːr-] **I** *s* **1.** (*kalorische*) Wärme. – **2.** *obs.* Wärmestoff *m.* – **II** *adj* **3.** *phys.* ka'lorisch, Wärme...: ~ engine Heißluftmaschine. — **cal·o·ric·i·ty** [ˌkælə'risiti; -əti] *s zo.* 'Wärmeproduktiˌon *f u.* -erhaltung *f* (*des Körpers*).

cal·o·rie ['kæləri] *s* Kalo'rie *f*, Wärmeeinheit *f.*

ca·lor·i·fa·cient [kəˌlɒri'feiʃənt; *Am. auch* -ˌlɔːr-] *adj* Wärme erzeugend. — **cal·o·rif·ic** [ˌkælə'rifik] *adj* **1.** Wärme erzeugend. – **2.** Erwärmungs..., Wärme... — **caˌlor·i·fi'ca·tion** *s* Wärmeerzeugung *f* (*bes. in tierischen Körpern*).

cal·o·rif·ic ca·pac·i·ty *s phys.* spe'zifische Wärme.

cal·o·rif·ics [ˌkælə'rifiks] *s pl* (*als sg konstruiert*) **1.** Wärmelehre *f.* – **2.** Heiz(ungs)technik *f.*

cal·o·rif·ic val·ue *s phys.* Heizwert *m.*

ca·lor·i·fi·er [kə'lɒriˌfaiər; *Am. auch* -'lɔːr-] *s* Heizkörper *m.* — **ca'lor·iˌfy** [-ˌfai] *v/t* erwärmen.

cal·o·rim·e·ter [ˌkælə'rimitər; -mə-] *s phys.* Kalori'meter *m*, Wärmemesser *m.* — ˌ**cal·o·ri'met·ric** [-'metrik], ˌ**cal·o·ri'met·ri·cal** *adj phys.* kalori'metrisch. — ˌ**cal·o'rim·e·try** [-tri] *s* Kalorime'trie *f*, Wärmemessung *f.*

ca·lor·i·mo·tor [kə'lɒriˌmoutər; *Am. auch* -'lɔːr-] *s phys.* Kalori'motor *m*, Defla'grator *m* (*galvanischer Wärmeerzeuger*).

cal·o·ry *cf.* calorie.

ca·lotte [kə'lɒt] *s* **1.** Ka'lotte *f*, Scheitelkäppchen *n* (*bestimmter Geistlicher*). – **2.** Eiskuppe *f* (*eines Berges*). – **3.** *math.* Ka'lotte *f*, Kugelabschnitt *m*, -kappe *f.* – **4.** *arch.* Kuppel *f.* – **5.** *med.* Schädeldecke *f.* – **6.** *zo.* Haube *f* (*Vögel*). – **7.** *tech.* Haube *f*, Kappe *f.*

cal·o·type ['kæləˌtaip] *s phot.* Kaloty'pie *f* (*früheres Verfahren*).

cal·o·yer ['kæləjər; kə'lɔiər] *s relig.* Ka'lugger *m* (*griech.-orient. Mönch*).

calp [kælp] *s geol.* dunkelgrauer irischer Kalkstein.

cal·pac(k) ['kælpæk] *s* Kalpak *m* (*türk. Lammfell- od. Filzmütze*).

calque[1] [kælk] *s ling.* 'Lehnüberˌsetzung *f.*

calque[2] *cf.* calk[3].

cal·trop, *auch* **cal·trap** ['kæltrəp] *s* **1.** *mil. hist.* Fußangel *f*, -eisen *n.* – **2.** *bot.* a) → star thistle, b) Stachelnuß *f*, Burzeldorn *m* (*Gattgen Tribulus u. Kallstroemia*), c) Wassernuß *f* (*Trapa natans*).

cal·u·met ['kæljuˌmet; -jə-] *s* Kalu'met *n*, (indi'anische) Friedenspfeife.

ca·lum·ni·ate [kə'lʌmniˌeit] **I** *v/t* verleumden, fälschlich beschuldigen. – **II** *v/i* üble Nachreden verbreiten. – *SYN. cf.* malign. — **caˌlum·ni'a·tion** *s* Verleumdung *f.* — **ca'lum·niˌa·tor** [-tər] *s* Verleumder *m*, Ehrabschneider *m.* — **ca'lum·ni·aˌto·ry** [-əˌtɔːri] *adj* verleumderisch, falsch. — **ca'lum·ni·ous** *adj* verleumderisch, lästernd, lästerlich. — **cal·um·ny** ['kæləmni] *s* Verleumdung *f*, falsche Anschuldigung.

cal·u·tron ['kælətrɒn] *s phys.* Calu'tron *n* (*Zyklotron*).

cal·va·ri·a [kæl'vɛ(ə)riə] *s med.* Schädeldach *n.* — **cal'va·ri·al** *adj med.* Schädeldach...

Cal·va·ry ['kælvəri] *s* **1.** *Bibl.* Golgatha *n*, Schädelstätte *f.* – **2.** c~ *relig.* a) Kal'varienberg *m*, Kreuzigungsgruppe *f*, b) 'Kreuzweg(statiˌonen *pl*) *m.* – **3.** *fig.* Leidensweg *m*, schwere (seelische) Prüfung. — **~ cross** *s her.* auf drei Stufen stehendes Passi'onskreuz.

calve [kɑːv; *Am. auch* kæ(ː)v] **I** *v/i* **1.** kalben, Junge werfen. – **2.** *geol.* kalben (*Eisberg, Gletscher etc*). – **II** *v/t* **3.** (*Kalb*) zur Welt bringen. – **4.** (*Stücke*) abstoßen. — **'calv·er** *s* kalbende Kuh.

calves [*Br.* kɑːvz; *Am.* kæ(ː)vz] *pl von* calf[1] *u.* [2].

Cal·vin·i·an [kæl'viniən] *adj relig.* kal'vinisch. — **'Cal·vinˌism** *s* Kalvi'nismus *m*, Lehre *f* Kal'vins. — **'Cal·vin·ist** *s* Kalvi'nist(in), Anhänger(in) Kal'vins. — ˌ**Cal·vin'is·tic**, ˌ**Cal·vin'is·ti·cal** *adj* kalvi'nistisch. — **'Cal·vinˌize I** *v/t* zum Kalvi'nismus bekehren. – **II** *v/i* den Kalvi'nismus predigen.

cal·vi·ti·es [kæl'viʃiˌiːz] *s med.* Kahlheit *f*, Kahlköpfigkeit *f*, Glatze *f.*

calx [kælks] *pl* **'cal·ces** [-siːz] *s chem.* **1.** O'xyd *n.* – **2.** *obs.* Me'tallkalk *m.*

cal·y·can·thus [ˌkæli'kænθəs] *s bot.* Echter Gewürzstrauch, Erdbeerstrauch *m* (*Gattg Calicanthus*).

cal·y·cate ['kæliˌkeit] *adj bot.* mit einem Kelch versehen, Kelch...

cal·y·ces ['kæliˌsiːz] *pl von* calyx.

calyci- [kælisi; kəlisi] *Wortelement mit der Bedeutung* Kelch.

cal·y·cif·er·ous [ˌkæli'sifərəs] *adj bot.* kelchtragend.

ca·lyc·i·flo·ral [kəˌlisi'flɔːrəl], **caˌlyc·i'flo·rate** [-reit], **caˌlyc·i'flo·rous** [-rəs] *adj bot.* kelchblütig.

ca·lyc·i·form [kə'lisiˌfɔːrm] *adj* kelchförmig.

ca·lyc·i·nal [kə'lisinl; -sə-], **cal·y·cine** ['kælisin; -ˌsain; -lə-] *adj bot. zo.* caly'cinisch, kelchähnlich, -artig.

cal·y·cle ['kælikl] *s* **1.** *bot.* Außen-, Hüllkelch *m.* – **2.** *zo.* → calyculus 1.

cal·y·coph·o·ran [ˌkæli'kɒfərən] *zo.* **I** *s* Kalyko'phore *f* (*Unterordng Calycophora*; *Qualle*). – **II** *adj* die Kalyko'phoren betreffend.

ca·lyc·u·lar [kə'likjulər; -jə-] *adj bot.* **1.** kelchartig. – **2.** Kelch..., zum Kelch

gehörend. — **ca'lyc·u,late** [-,leit; -lit], **ca'lyc·u,lat·ed** *adj* **1.** *bot.* mit Außenkelch versehen. – **2.** *zo.* mit kelch- *od.* becherförmigen Po'lypen.
ca·lyc·u·lus [kə'likjuləs; -jə-] *s* **1.** *zo.* kelch- *od.* becherförmiges Or'gan. – **2.** *bot.* Außenkelch *m.*
Ca·lyp·so [kə'lipsou] **I** *npr* **1.** Ka'lypso *f* (*Nymphe in der Odyssee*). – **II** *s* c~ **2.** *bot.* (*eine*) Orchi'dee (*Gattg Cytherea*). – **3.** *mus.* a) Ka'lypso *m* (*Negerballade auf Trinidad; daraus amer. Jazzform*), b) Kalypsosänger(in) *od.* -spieler(in).
ca·lyp·to·blas·tic [kə,lipto'blæstik] *adj zo.* mit in einer Peri'dermhülle eingeschlossenen Geschlechtsknospen.
ca·lyp·tra [kə'liptrə] *s bot.* Ka'lyptra *f*: a) Arche'gonium *n* (*der Laubmoose*), b) Wurzelhaube *f* (*höherer Pflanzen*), c) *haubenförmige Bedeckung einer Blüte od. Frucht.*
calyptri- [kəliptri] *bot. Wortelement mit der Bedeutung* Haube, Kapsel.
ca·lyp·tro·gen [kə'liptrədʒən] *s bot.* histo'gene Schicht, die sich zur Wurzelhaube entwickelt.
ca·lyx ['keiliks; 'kæl-] *pl* **'ca·lyx·es** [-ksiːz], **cal·y·ces** ['kæli,siːz] *s* **1.** *bot.* Kelch *m.* – **2.** *zo.* Kelch *m*, kelchförmiges Or'gan. – **3.** *med.* Nierenkelch *m.*
cam [kæm] *s tech.* **1.** Nocken *m*, Nocke *f.* – **2.** Daumen *m*, Nase *f.* – **3.** Kurvenscheibe *f.* – **4.** Knagge *f.*
ca·ma·ïeu [kama'jø] (*Fr.*) *s* Cama'ïeu *m*: a) einfarbiges Gemälde, b) Ka'mee *f.*
cam·a·ra ['kæmərə] *s bot.* (*ein*) Tonkabohnenbaum *m* (*Gattg Dipteryx*).
ca·ma·ra·de·rie [,kaːmə'raːdəri; ,kæm-] *s* Kame'radschaft *f.*
cam·a·ril·la [,kæmə'rilə] *s* **1.** Kama'rilla *f* (*geheimes Audienz- u. Beratungszimmer*). – **2.** 'Hofka,bale *f*, -klüngel *m*, -clique *f.*
cam·ass ['kæmæs; -əs] *s bot.* Ca'massie *f* (*Gattg Camassia, bes. C. esculenta*). — **~ rat** *s zo.* Amer. Ka'masratte *f* (*Thomomys bulbivorus*).
ca·ma·ta [kə'maːtə; -'mei-] *s tech.* Wal'lone *f*, levan'tinische Knopper (*Gerbstoff*).
cam·ber ['kæmbər] **I** *v/t* **1.** (*Planken*) biegen, krümmen, wölben. – **II** *v/i* **2.** sich biegen, sich krümmen. – **III** *s* **3.** leichte kon'vexe Krümmung (*z. B. des Schiffsdecks*). – **4.** leichte Wölbung (*von Bauhölzern*). – **5.** *aer.* Wölbung *f* (*Tragflächenprofil*). — **~ beam** *s arch.* Krumm-, Kehlbalken *m.*
cam·bered ['kæmbərd] *adj* gekrümmt, leicht gebogen, gewölbt. — **~ ax·le** *s tech.* gestürzte Achse.
cam·ber·ing ['kæmbəriŋ] **I** *s* Biegung *f*, Wölbung *f.* – **II** *adj* gekrümmt, geschweift.
cam·ber slip *s arch.* Krummspan *m.*
Cam·ber·well beau·ty ['kæmbərwəl; -,wel] → **mourning cloak** 2.
cam·bi·al ['kæmbiəl] *adj bot.* kambi'al, das Kambium betreffend.
cam·bi·form ['kæmbi,fɔːrm] *adj bot.* kambiumartig, den Kambiumzellen ähnlich.
cam·bist ['kæmbist] *s* **1.** *econ.* a) Wechsler *m*, Wechselmakler *m*, b) Sachverständiger *m* in Sortengeschäften. – **2.** 'Umrechnungsta,bellen *pl* (*für Maße, Gewichte, Währungen etc*). — **'cam·bist·ry** [-ri] *s* Wechselkunde *f.*
cam·bi·um ['kæmbiəm] *s bot.* Kambium *n* (*ein Zellenbildungsgewebe*).
cam·brel ['kæmbrəl] *s obs. od. dial.* Hängeholz *n*, Fleisch(er)haken *m.*
Cam·bri·an ['kæmbriən] **I** *s* **1.** Wa'liser(in). – **2.** *geol.* kambrische Formati'on, Kambrium *n.* – **II** *adj* **3.** wa'lisisch. – **4.** *geol.* kambrisch.
cam·bric ['keimbrik] *s* Kambrik *m*, Kammertuch *n*, Ba'tist *m.* — **~ grass** → **ramie** 1. — **~ tea** *s* **1.** schwacher Tee mit Milch u. Zucker. – **2.** *Am.* Getränk *n* aus heißem Wasser mit Milch u. Zucker.
Cam·bridge blue ['keimbridʒ] *s* Hellblau *n.*
came¹ [keim] *pret von* come.
came² [keim] *s* Fensterblei *n*, Bleizug *m* (*der Glaser*).
cam·el ['kæməl] *s* **1.** *zo.* Ka'mel *n* (*Gattg Camelus*). – **2.** *mar. tech.* a) Ka'mel *n*, Hebeleichter *m*, b) Holzfloß *n* zum Abhalten der Schiffe von der Kaimauer. — **'~,back** *s tech.* Runderneuerungs-, (Auf)Sommerungsgummi *m*, *n* (*zur Neuprofilierung von Autoreifen etc*). — **~ bird** *s zo.* Strauß *m* (*Struthio camelus*).
cam·el·cade ['kæməl,keid] *s* Ka'melreitertrupp *m.*
cam·el| crick·et → **mantis.** — **~ driv·er** *s* Ka'meltreiber *m.*
cam·el·eer [,kæmə'lir] → **camel driver.**
cam·el| grass *s bot.* (*ein*) Bartgras *n*, (*ein*) Ka'melheu *n* (*Untergattg Cymbopogon*). — **~ hair** → **camel's hair.**
cam·e·line ['kæmə,lain] *adj zo.* ka'melartig.
cam·el in·sect → **mantis.**
cam·el·ish ['kæməliʃ] *adj* **1.** ka'melähnlich. – **2.** *fig.* eigensinnig, starrköpfig.
ca·mel·li·a [kə'miːljə; -'mel-; -liə] *s bot.* Ka'melie *f* (*Camellia od. Thea japonica*).
cam·el lo·cust → **mantis.**
cam·el·oid ['kæmə,lɔid] *zo.* **I** *adj* → **cameline.** – **II** *s* → **camel** 1.
Ca·mel·o·pard [kə'melə,paːrd] *s* **1.** *astr.* Kamelo'pard *m*, Gi'raffe *f* (*nördl. Sternbild*). – **2.** c~ *zo. obs. für* **giraffe** 1.
cam·el·ry ['kæməlri] *s mil.* Ka'meltruppe *f.*
cam·el's| hair ['kæməlz] *s* **1.** Ka'melhaar *n.* – **2.** Ka'melhaar(stoff *m*) *n.* — **'~-,hair** *adj* **1.** aus Ka'melhaar, Kamelhaar... – **2.** aus Eichhörnchenhaaren (*Malerpinsel*). — **~ wool** *s* Ka'melwolle *f.*
Cam·em·bert ['kæməm,bɛr], **~ cheese** *s* Camembert(-Käse) *m.*
cam·e·o ['kæmi,ou] *s* **1.** Ka'mee *f.* – **2.** Ka,meenschnitze'rei *f.* — **~ glass** *s* Ka'meenglas *n.* — **~ shell** *s zo.* (*eine*) Sturmhaubenschnecke (*bes. Cassis cameo, C. rufa*).
cam·er·a ['kæmərə] *pl* (*für 1 u. 2*) **-er·as**, (*für 3–6*) **-er·ae** [-,riː] *s* **1.** Kamera *f*, 'Photoappa,rat *m.* – **2.** Fernsehkamera *f.* – **3.** → **camera obscura.** – **4.** *jur.* Richterzimmer *n*: in ~ a) unter Ausschluß der Öffentlichkeit, b) *fig.* geheim. – **5.** *arch.* Gewölbe *n.* – **6.** *pol.* Kammer *f* (*bes. in Italien*). – **7.** Apo'stolische Kammer (*päpstliche Vermögensverwaltung*). — **'cam·er·al** *adj* Kammer...: ~ **sciences** → **cameralistics.**
cam·er·al·ist ['kæmərəlist] *s* Kamera'list *m*, Staatswirtschaftskundiger *m.* — **,cam·er·al'is·tic** *adj* kamera'listisch. — **,cam·er·al'is·tics** *s pl* (*als sg konstruiert*) Kamera'listik *f*, Staatswirtschaftskunde *f.*
cam·er·a| lu·ci·da ['ljuːsidə; *Am. auch* 'luː-] *s* (*Optik*) Zeichenprisma *n.* — **'~,man** *s irr* **1.** (*Film*) Kameramann *m.* – **2.** 'Bildberichter *m*, -re,porter *m* (*einer Zeitung*). — **~ ob·scu·ra** [ɒb'skju(ə)rə] *s* Camera *f* ob'scura, Lochkamera *f.*
cam·er·at·ed ['kæmə,reitid] *adj* **1.** *zo.* in Kammern eingeteilt (*Zelle*). – **2.** *arch.* gewölbt. — **,cam·er'a·tion** *s* **1.** *zo.* Aufteilung *f* (*einer Zelle*) in Kammern. – **2.** Wölbung *f.*
cam·er·lin·go [,kæmər'liŋgou], *auch* **,cam·er'len·go** [-'leŋgou] *s* Kämmerer *m*, oberster Fi'nanzverwalter des Heiligen Stuhles.
Cam·er·o·ni·an [,kæmə'rouniən] **I** *s* **1.** *relig.* Cameroni'aner *m*, Cargil'lite *m* (*strenger schott. Presbyterianer*). – **2.** *pl* erstes schott. 'Schützenbatail,lon. – **II** *adj* **3.** *relig.* cameroni'anisch.
cam gear *s tech.* Nockensteuerung *f.*
cam·i-knick·ers [,kæmi'nikərz] *s pl Br.* (Damen)Hemdhose *f.*
cam·i·on ['kæmiən] *s* **1.** Blockkarren *m.* – **2.** Lastwagen *m*, -auto *n* (*für den Kanonentransport*).
cam·i·sa·do [,kæmi'seidou] *s mil. obs.* Nachtangriff *m.*
ca·mise [kə'miːs] *s weites Hemd der Araber.*
cam·i·sole ['kæmi,soul; -mə-] *s* **1.** ('Damen),Untertaille *f*, kurzes Jäckchen. – **2.** *obs.* Kami'sol *n*, Wams *n.* – **3.** *obs.* (*Art*) Zwangsjacke *f.*
cam·let ['kæmlit] *s* Kame'lott *m* (*feines Woll-, Seiden-, Kammgarngewebe*).
cam·mock ['kæmək] → **restharrow.**
cam·o·mile ['kæmə,mail] *s* **1.** *bot.* Ka'mille *f* (*Gattg Matricaria, bes. M. chamomilla*). – **2.** *bot.* 'Hundska,mille *f* (*Gattg Anthemis*), *bes.* 'Gartenka,mille *f* (*A. nobilis*). – **3.** *med.* Ka'mille(ntee *m*) *f.*
Ca·mor·ra [kə'mɒrə; *Am. auch* -'mɔːrə] *s* **1.** Ca'morra *f* (*neapolitanischer Geheimbund*). – **2.** *fig.* terro'ristischer Geheimbund. — **Ca'mor·rism** *s* Wesen *n* der Ca'morra, Gesetzlosigkeit *f.* — **Ca'mor·rist** *s* Kamor'rist *m*, Mitglied *n* der Ca'morra.
ca·mo·te [ka'mote] (*Span.*) *s bot. Am.* Knollenwinde *f* (*Ipomoea batatas*).
cam·ou·flage ['kæmə,flaːʒ; -mu-] **I** *s* **1.** *mil.* Tarnung *f.* – **2.** *fig.* Tarnung *f*, Täuschung *f*, Irreführung *f.* – **II** *v/t* **3.** *mil.* tarnen. – **4.** *fig.* tarnen, verschleiern, vertuschen.
ca·mou·flet [kamu'flɛ] (*Fr.*) *s mil.* Quetschladung *f.*
ca·mou·fleur [kamu'flœːr] (*Fr.*) *s mil.* Tarner *m* (*militärischer Objekte*).
camp [kæmp] **I** *s* **1.** (Zelt-, Ferien)-Lager *n*, Lager(platz *m*) *n*, Camp *n*: **to pitch one's ~** das Lager aufschlagen; **to break** (*od.* **strike**) **~** das Lager abbrechen. – **2.** *collect.* Lager *n*, Bewohner *pl* des Lagers. – **3.** *mil.* Lager *n*, Truppenruhe- u. Übungsplatz *m.* – **4.** Lagerleben *n* (*bes. der Soldaten*). – **5.** *fig.* Lager *n*, Par'tei *f*, Anhänger *pl* (*einer Richtung*). – **6.** *fig.* Bollwerk *n*, Hort *m* (*einer Idee etc*). – **7.** *Am.* eilig errichtete Siedlung *od.* Ortschaft (*bes. der Gold- u. Silbergräber*), 'Goldgräberkolo,nie *f.* – **II** *v/i* **8.** lagern, kam'pieren, sein Lager beziehen: **to ~ on s.o.'s trail** *Am. colloq.* unablässig hinter j-m her sein. – **9.** *oft* **~ out** in einem (Zelt)Lager wohnen, zelten. – **III** *v/t* **10.** (in einem Lager) 'unterbringen, 'einquar,tieren.
cam·pa·gna [kæm'paːnjə; kaːm-] *s obs.* Ebene *f.*
cam·paign [kæm'pein] **I** *s* **1.** *mil.* Feldzug *m.* – **2.** *fig.* Schlacht *f*, Kam'pagne *f*, (Werbe)Feldzug *m*: **electoral ~** Wahlkampagne. – **3.** (Hoch)Betriebszeit *f.* – **4.** (*Hüttenwesen*) Hütten-, Ofenreise *f.* – **5.** ('Zucker)Rübenkam,pagne *f.* – **II** *v/i* **6.** kämpfen, zu Felde ziehen, einen Feldzug mitmachen. – **7.** *fig.* werben, 'Wahlpropa,ganda machen. — **~ but·ton** *s pol. Am.* Par'teiabzeichen *n* für den Wahlkampf.
cam·paign·er [kæm'peinər] *s* Kombat'tant *m*, (Mit)Kämpfer *m*: **old ~** alter Soldat, Veteran.
cam·paign med·al *s mil.* Er'innerungs-, 'Kriegsme,daille *f.*
cam·pa·na [kæm'peinə] *s* **1.** (Kirchen)-Glocke *f.* – **2.** *arch.* 'Glockenkapi,tell *n.*

cam·pa·ne·ro [ˌkæmpəˈneirou] → **bellbird** 1.

cam·pa·ni·le [ˌkæmpəˈniːli] *pl* **-ni·les**, **-ni·li** [-liː] *s* Campaˈnile *m*, (frei stehender) Glockenturm.

cam·pa·nol·o·gist [ˌkæmpəˈnɒlədʒist], *auch* ˌ**cam·paˈnol·o·ger** [-dʒər] *s* **1.** Glockengußkundiger *m*. – **2.** Glokkenläuter *m*. — ˌ**cam·paˈnol·o·gy** *s* Glockenkunde *f*, Campanoloˈgie *f*: a) *Kunst des Glockengießens*, b) *Kunst des Glockenläutens*.

cam·pan·u·la [kæmˈpænjulə; -jə-] → **bellflower**. — **camˌpan·uˈla·ceous** [-ˈleiʃəs] *adj bot.* zu den Glockenblumen gehörend.

cam·pan·u·lar·i·an [kæmˌpænjuˈlɛ(ə)riən; -jə-] *zo.* **I** *s* Glockentierchen *n* (*Gruppe Campanulariae*). – **II** *adj* zu den Glockentierchen gehörend.

cam·pan·u·late [kæmˈpænjulit; -ˌleit; -jə-], **camˈpan·u·lous** [-ləs] *adj bot. zo.* glockenförmig, glockig.

camp bed *s* Feldbett *n*.

Camp·bell·ite [ˈkæmbəˌlait] *s relig. Am.* Mitglied *n* der Sekte ‚Jünger Christi' (Disciples of Christ).

camp| chair *s* Feld-, Klappstuhl *m*. — ˈ~ˌ**craft** *s* Kunst *f* des Zeltens. — ~ **dis·ease** *s med.* Fleckfieber *n*, Lagerseuche *f*.

cam·pea·chy wood [kæmˈpiːtʃi], **cam·pe·che wood** [kɑːmˈpetʃe] *s* Camˈpeche-, Blauholz *n*.

camp·er [ˈkæmpər] *s* Lager-, Zeltbewohner *m*.

cam·pes·tral [kæmˈpestrəl], **camˈpes·tri·an** [-triən] *adj* Feld..., auf dem Felde wachsend.

ˈ**campˌfire** *s* **1.** Lagerfeuer *n*. – **2.** *fig.* Zuˈsammenkunft *f*, Treffen *n*. — ~ **girl** *s Am.* Pfadfinderin *f*.

camp fol·low·er *s* Ziˈvilperˌson, die der Truppe nachzieht (*Händler, Prostituierte etc*).

cam·phene, cam·phine [ˈkæmfiːn; kæmˈfiːn] *s chem.* Camˈphen *n* ($C_{10}H_{16}$).

cam·phire [ˈkæmfair] → **henna** 1.

cam·phol [ˈkæmfɒl; *Am. auch* -foul] *s chem.* Borneˈol *n* ($C_{10}H_{18}O$).

cam·phor [ˈkæmfər] *s chem.* Kampfer *m* ($C_{10}H_{16}O$). — ˌ**cam·phoˈra·ceous** [-ˈreiʃəs] *adj* **1.** kampferartig. – **2.** kampferhaltig. — ˈ**cam·phorˌate** [-ˌreit] **I** *v/t* kampfern, mit Kampfer behandeln *od.* schwängern. – **II** *s chem.* kampfersaures Salz.

cam·phor| ball *s* Mottenkugel *f*. — ~ **chest** *s Am.* Mottenkiste *f*.

cam·phor·ic [kæmˈfɒrik; *Am. auch* -ˈfɔːr-] *adj chem.* **1.** kampferhaltig. – **2.** Kampfer... — ~ **ac·id** *s chem.* Kampfersäure *f*.

cam·phor| ice *s chem.* Kampfereis *n*. — ~ **lau·rel** → **camphor tree**. — ~ **oil** *s chem.* Kampferöl *n*. — ~ **tree** *s bot.* Kampferbaum *m*, Kampferlorbeer *m* (*Cinnamomum camphora*). — ˈ~ˌ**wood** *s* Kampferholz *n*.

cam·phor·y [ˈkæmfəri] *adj* kampferartig.

cam·pim·e·ter [kæmˈpimitər; -mə-] *s med.* Periˈmeter *n*, Gesichtsfeldmesser *m*.

camp·ing [ˈkæmpiŋ] *s* Lagern *n*, Kamˈpieren *n*, Zelten *n*, Camping *n*. — ~ **ground** *s* Lager-, Zeltplatz *m*. — ~ **out** *s* Wohnen *n* im Zelt.

cam·pi·on [ˈkæmpiən] *s bot.* Feuer-, Lichtnelke *f* (*Gattungen Lychnis u. Silene*).

camp meet·ing *s Am.* Gottesdienst *m* im Freien *od.* im Zelt.

cam·po [ˈkæmpou; ˈkɑːm-] *pl* **-pos** *s* Saˈvanne *f* (*Südamerikas*).

cam·po·ree [ˌkæmpəˈriː] *s Am.* kleineres Pfadfindertreffen.

ˈ**camp|ˌshed** *v/t Br.* (*Ufermauer*) durch Bohlen verstärken. — ˈ~ˌ**shed·ding**, ˈ~ˌ**sheet·ing**, ˈ~ˌ**shot** *s Br.* Bohlenverstärkung *f*, -stützung *f* (*einer Ufermauer*). — ˈ~ˌ**stool** → **camp chair**.

cam·pus [ˈkæmpəs] *s Am.* **1.** a) Campus *m* (*Gesamtanlage eines amer. College*), b) Schulhof *m*, -anlage *f*. – **2.** *fig.* akaˈdemische Welt.

campyl(o)- [kæmpil(o)] *bot. Wortelement mit der Bedeutung* gebogen, gekrümmt.

ˈ**cam|ˌshaft** *s tech.* Nocken-, Steuerwelle *f*. — ~ **wheel** *s ech.* Nockenrad *n*, Exˈzentrik *f*. — ˈ~ˌ**wood** *s* Kamholz *n*, Camwood *n*, afrik. Rotholz *n* (*Holz von Baphia nitida*).

can¹ [kæn; kən] *inf u. pp fehlen*, *2. sg pres obs.* **canst** [kænst] *3. sg pres* **can** *neg* **can·not**, *pret* **could** [kud; kəd] *2. sg pret obs.* **couldst** [kudst] **I** *auxiliary verb* (*mit folgendem inf ohne* to) *mit der Bedeutung*: **1.** können, fähig sein zu, vermögen: ~ **you do it?** kannst du es tun? **I just cannot see him** ich kann ihn einfach nicht sehen; **he could not but laugh, he could not help laughing** er konnte nicht umhin zu lachen; **she looks as cute as** ~ **be** *Am. colloq.* sie sieht ganz allerliebst aus; **we could do it now** wir könnten es jetzt tun; **he could have come** er hätte kommen können; **I shall do all I** ~ ich werde alles tun, was ich (tun) kann *od.* was in meinen Kräften steht. – **2.** *colloq.* dürfen, können: ~ **I speak to you?** kann ich Sie sprechen? – **II** *v/i* **3.** *obs.* Bescheid wissen, etwas verstehen (of von). – **III** *v/t* **4.** *obs.* kennen, wissen, verstehen.

can² [kæn] **I** *s* **1.** *Am.* (Konˈserven-)Dose *f*, (-)Büchse *f*. – **2.** *Br.* (Blech)Kanne *f*: **to carry the** ~ *sl.* a) getadelt werden, b) den Sündenbock spielen. – **3.** *Am.* Müll-, Abfalleimer *m*, -tonne *f*. – **4.** Kaˈnister *m*. – **5.** Trinkgefäß *n*, Krug *m*. – **6.** *mar. mil. Am. sl.* a) Wasserbombe *f*, b) Zerstörer *m*. – **II** *v/t pret u. pp* **canned 7.** *Am.* in Büchsen konserˈvieren, eindosen. – **8.** in eine Kanne *od.* einen Krug füllen. – **9.** *Am. sl.* a) ‚rausschmeißen', hinˈauswerfen, entlassen, b) aufhören mit, sein lassen: ~ **it!** hör auf damit! – **10.** *colloq.* (auf Band *od.* Schallplatte) aufnehmen.

Ca·naan [ˈkeinən] **I** *npr Bibl.* Kanaan *n*. – **II** *s fig.* Land *n* der Verheißung. — ˈ**Ca·naanˌite** [-ˌnait] *Bibl.* **I** *s* **1.** Kanaaˈniter(in). – **2.** *ling.* Kanaaˈnäisch *n*, das Kanaaˈnäische. – **II** *adj* **3.** kanaaˈnitisch, kanaaˈnäisch. — ˌ**Ca·naanˈit·ic** [-ˈnitik], ˈ**Ca·naanˌit·ish** [-ˌnaitiʃ] → **Canaanite** II.

Can·a·da| bal·sam [ˈkænədə] *s chem.* Kanadabalsam *m* (*amer. Koniferenharz*). — ~ **goose** *s irr zo.* Kanadagans *f* (*Branta canadensis*). — ~ **jay** *s zo.* Kanad. Unglückshäher *m* (*Perisoreus canadensis*). — ~ **lil·y** *s bot.* Kanad. Lilie *f* (*Lilium canadense*). — ~ **rice** → **Indian rice**. — ~ **this·tle** *s bot.* Ackerdistel *f* (*Cirsium arvense*).

Ca·na·di·an [kəˈneidiən] **I** *adj* kaˈnadisch. – **II** *s* Kaˈnadier(in).

ca·naille [kəˈneil; kaˈnɑːj] *s* Pöbel *m*, Kaˈnaille *f*, Gesindel *n*, Pack *n*.

ca·nal [kəˈnæl] **I** *s* **1.** Kaˈnal *m*, künstliche Wasserrinne (*für Schiffahrt, Bewässerung etc*). – **2.** Förde *f*, Meeresarm *m*. – **3.** *med. zo.* Kaˈnal *m*, Gang *m*, Röhre *f*: → **alimentary** 3; Eustachian ~ Eustachische Röhre (*im Ohr*); spinal ~, vertebral ~ Kanal der Wirbelsäule. – **4.** *astr.* ˈMarskaˌnal *m*. – **5.** *obs. allg.* Wasserstraße *f*. – **II** *v/t pret u. pp* **caˈnaled**, *bes. Br.* **caˈnalled 6.** kanaliˈsieren, mit Kaˈnälen versehen. — **caˈnalˌboat** *s mar.* Kaˈnalboot *n*. — **ca·nal dues** *s pl mar.* Kaˈnalgebühren *pl*.

can·a·lic·u·lar [ˌkænəˈlikjulər; -jə-] *adj med. zo.* **1.** kaˈnalförmig, -artig. – **2.** mit Kaˈnälchen versehen (*bes. Knochen*).

can·a·lic·u·late [ˌkænəˈlikjuˌleit; -lit; -jə-], ˌ**can·aˈlic·uˌlat·ed** [-id] *adj bot.* mit Rinnen versehen. — ˌ**can·aˌlic·uˈla·tion** *s* rinnenförmige Furchung, Kaˈnälchenbildung *f*. — ˌ**can·aˈlic·u·lus** [-ləs] *pl* **-li** [-ˌlai] *s med. zo.* Kaˈnälchen *n*.

ca·nal·i·za·tion [ˌkænəlaiˈzeiʃən; -li-; -lə-; *Am. auch* kəˌnælə-] *s* **1.** Kanalisatiˈon *f*, Kanaliˈsierung *f*. – **2.** *med.* Kaˈnälchenbildung *f*. — **ca·nal·ize** [ˈkænəˌlaiz; *Am. auch* kəˈnæl-] **I** *v/t* **1.** kanaliˈsieren, mit Kaˈnälen versehen. – **2.** *mar.* a) in einen Kaˈnal verwandeln, b) (*Fluß*) kanaliˈsieren, durch Kanalbauten schiffbar machen. – **3.** *bes. fig.* (*etwas*) in bestimmte Bahnen leiten. – **4.** *fig.* (*Gefühle etc*) auslassen, ein Venˈtil schaffen für. – **II** *v/i* **5.** sich in einen Kaˈnal ergießen, in einen Kanal münden. – **6.** einen Kaˈnal bilden.

ca·nal| lock *s* Kaˈnalschleuse *f*. — ~ **rays** *s pl chem. phys.* Kaˈnalstrahlen *pl*. — **C~ Zone** *s* Kaˈnalzone *f* (*am Suez- u. am Panamakanal*).

ca·na·pé [ˈkænəpi; -ˌpei] *s* Apˈpeˈtitbrot *n*, belegtes Brot, belegter Toast.

ca·nard [kəˈnɑːrd; ˈkæ-] *s* **1.** Zeitungsente *f*, Falschmeldung *f*, irreführende Nachricht. – **2.** *auch* ~**-type aircraft** *aer.* ‚Ente' *f*, Enten-, Vorderschwanzflugzeug *n*.

Can·a·rese *cf.* Kanarese.

ca·nar·y [kəˈnɛ(ə)ri] **I** *s* **1.** *zo.* Kaˈnarienvogel *m* (*Serinus canarius*). – **2.** → ~ **yellow**. – **3.** Kaˈnarienwein *m*, -sekt *m*. – **4.** *hist.* Canaˈrie *f* (*lebhafter Tanz*). – **II** *adj* **5.** kaˈnarisch, die Kanarischen Inseln betreffend. – **6.** Kanarien(vogel)... – **7.** → ~**-yellow**. — ~ **bird** → **canary** 1. — ~ **grass** *s bot.* Kaˈnariengras *n* (*Phalaris canariensis*). — ~ **moss** → **canary weed**. — ~ **seed** *s bot.* Kaˈnariensamen *m*. — ~ **stone** *s min.* gelber Karneˈol. — ~ **weed** *s bot.* **1.** Färber-, Orˈseilleflechte *f* (*Roccella tinctoria*). – **2.** Breite Schlüsselflechte (*Parmelia perlata*). — ~ **wood** *s* Kaˈnarienholz *n* (*von Persea gratissima u. P. canariensis*). — ~ **yel·low** *s* Kaˈnariengelb *n*. — **caˈnar·y-ˈyel·low** *adj* kaˈnariengelb.

ca·nas·ta [kəˈnæstə] *s* Kaˈnasta *n* (*Kartenspiel, Abart des Rommé*).

ca·nas·ter [kəˈnæstər] *s* Kaˈnaster *m*, Knaster *m* (*grober Tabak*).

can buoy *s mar.* stumpfe Tonne (*zur Fahrwassermarkierung*).

can·can [ˈkænkæn] *s* Canˈcan *m*, Chaˈhut *m* (*Art Quadrille*).

can·cel [ˈkænsəl] **I** *v/t pret u. pp* **-celed**, *bes. Br.* **-celled 1.** (ˈdurch-, aus)streichen, ˈausraˌdieren. – **2.** widerˈrufen, aufheben, annulˈlieren, rückgängig machen: **until** ~(l)ed bis auf Widerruf. – **3.** (*Verabredung etc*) absagen. – **4.** (*Briefmarke*) entwerten. – **5.** *math.* streichen, heben. – **6.** *mus.* (*Vorzeichen*) auflösen, -heben. – **7.** *fig.* auslöschen, ungültig *od.* wertlos machen, tilgen. – **8.** ausgleichen, kompenˈsieren. – **9.** *print.* ˈauskorriˌgieren, streichen. – *SYN. cf.* **erase**. – **II** *s* **10.** Streichung *f*. – **11.** Rückgängigmachung *f*, Annulˈlierung *f*, Aufhebung *f*. – **12.** *mus.* Auflösungs-, Wiederˈherstellungszeichen *n*. – **13.** *print.* a) Streichung *f*, b) Korrekˈtur *f*. — ˈ**can·cel·er**, *bes. Br.* ˈ**can·cel·ler** *s* **1.** Entwertungsstempel *m*. – **2.** *pl* Lochzange *f*.

can·cel·late [ˈkænsəˌleit], ˈ**cancelˌlat·ed** [-id] *adj* **1.** gegittert, gitterförmig. – **2.** *med.* schwammig, spongiˈös.

can·cel·la·tion [ˌkænsəˈleiʃən] *s* **1.** Streichung *f*. – **2.** *econ.* Annulˈlierung *f*, Storˈnierung *f*, Rückgängig-

machung *f*, Abbestellung *f*. – **3.** Entwertung *f* (*Wertzeichen*). – **4.** Aufhebung *f*.
can·cel·ler ['kænsələr] *bes. Br. für* canceler.
can·cel·lous ['kænsələs] → cancellate.
can·cer ['kænsər] *s* **1.** *med.* Krebs *m*, Karzi'nom *n*. – **2.** *fig.* Krebsschaden *m*, Grundübel *n*. – **3.** C~ *astr.* Krebs *m*. — '**can·cer,ate** [-,reit] *v/i med.* krebsartig werden, einen Krebs bilden. — ,**can·cer'a·tion** *s med.* Krebsbildung *f*. — '**can·cer·ous** *adj med.* krebsartig, karzinoma'tös, krebsig, kanze'rös. — '**can·cer·ous·ness** *s* Krebsartigkeit *f*.
'**can·cer|,root** *s bot. Am.* (*eine*) Sommerwurz (*bes. Conopholis americana u. Epiphegus virginiana*). — '~,**weed** *s bot.* **1.** Weißer Hasenlattich (*Prenanthes alba*). – **2.** Leierblättrige(r) Sal'bei (*Salvia lyrata*). — '~,**wort** *s bot.* **1.** Spießblätteriges Leinkraut (*Linaria elatine*). – **2.** Rundblätteriges Leinkraut (*Linaria spuria*).
can·cri·form ['kæŋkri,fɔːrm] *adj* **1.** *med. zo.* krebsförmig, -artig. – **2.** → cancerous.
can·cri·nite ['kæŋkri,nait] *s min.* Kankri'nit *m*.
can·cri·zans ['kæŋkrizænz] *mus.* **I** *s* Krebs(gang *m*, -bewegung *f*, -kanon *m*) *m*. – **II** *adj* krebsgängig.
can·croid ['kæŋkrɔid] **I** *adj* **1.** *zo.* krebsartig. – **2.** *med.* → cancerous. – **II** *s* **3.** *med.* Kankro'id *n* (*flache Krebsgeschwulst der Haut*).
can·de·la·bra [,kændə'lɑːbrə; -'lei-; -di-] *s* **1.** *pl* **-bras** Kande'laber *m*. – **2.** *pl von* candelabrum. — ,**can·de'la·brum** [-brəm] *pl* **-bra** [-brə], **-brums** *s* Kande'laber *m*, Armleuchter *m*.
can·dent ['kændənt] *adj obs.* weißglühend.
can·des·cence [kæn'desns] *s* Weißglühen *n*, Weißglut *f*. — **can'des·cent** *adj* weißglühend.
can·did ['kændid] *adj* **1.** offen, ehrlich, aufrichtig: a ~ account ein ehrlicher Bericht. – **2.** 'unpar,teiisch, unvoreingenommen, objek'tiv: a ~ opinion. – **3.** weiß. – **4.** *obs.* klar, rein. – *SYN. cf.* frank². — '**can·did·ness** *s* Offenheit *f*.
can·di·da·cy ['kændidəsi] *s* Kandida'tur *f*, Bewerbung *f*, Anwartschaft *f*.
can·di·date ['kændi,deit; -dit] *s* (for) Kandi'dat *m* (für), Bewerber *m* (um), Anwärter *m* (auf *acc*): to run (*Br.* stand) as a ~ for kandidieren für, sich bewerben um. — '**can·di·date,ship** → candidacy. — '**can·di·da·ture** [-dətʃər] *Br. für* candidacy.
can·did| cam·er·a *s phot.* **1.** Kleinstbildkamera *f*. – **2.** → miniature camera. — ~ **pho·to·graph** *s* Schnappschuß *m*.
can·died ['kændid] *adj* **1.** kan'diert, über'zuckert: ~ peel Zitronat. – **2.** kristalli'siert (*Sirup etc*). – **3.** *fig.* honigsüß, schmeichlerisch.
can·dle ['kændl] **I** *s* **1.** (Wachs)-Kerze *f*, Licht *n*: to burn the ~ at both ends *fig.* mehrere Dinge gleichzeitig tun, sich übernehmen; to hold a ~ to sich messen können mit, einen Vergleich aushalten mit; the thing (*od.* game) is not worth the ~ die Sache ist nicht der Mühe wert. – **2.** *electr. phys.* (Nor'mal)Kerze *f*. – **II** *v/t* **3.** (*Briefe, Eier etc*) durch'leuchten. — '~-,**bal·ance** *s phys.* Kerzenwaage *f*. — '~,**ber·ry** *s bot.* **1.** a) (*eine*) Wachsmyrte (*Gattg Myrica, bes. M. cerifera*), b) Wachsmyrtenbeere *f*. – **2.** → candlenut. — ~ **end** *s* **1.** Kerzenstummel *m*, -stumpf *m*. – **2.** *pl fig.* wertloses Zeug, Krimskrams *m*. — ~ **ex·tin·guish·er** *s* Kerzen(aus)löscher *m*, Kerzenhütchen *n*. — '~,**fish** *s zo. Am.* **1.** Kerzenfisch *m* (*Thaleichthys pacificus*). – **2.** (*ein*) Drachenkopf(fisch) *m* (*Anoplopoma fimbria*). — '~-,**foot** *s irr* → foot-candle. — '~,**hold·er** *s* Kerzenhalter *m*, -ständer *m*. — '~,**light** *s* **1.** Kerzenlicht *n*, -beleuchtung *f*. – **2.** künstliches Licht. – **3.** Abenddämmerung *f*.
Can·dle·mas ['kændlməs] *s relig.* (Ma'riä) Lichtmeß *f*. — ~ **Day** *s* Lichtmeßtag *m* (*2. Februar*).
'**can·dle|,nut** *s bot.* **1.** Lichtnuß-, Lackbaum *m*, Ban'kul *m*, Ka'miri *m* (*Aleurites moluccana*). – **2.** Ban'kul-, Kerzennuß *f* (*Frucht von* 1). — '~,**pin** *s sport* **1.** schlanker, kerzenähnlicher Kegel. – **2.** *pl* Kegelspiel *n* (*Art* tenpins *mit Verwendung derartiger Kegel*). — ~ **pow·er** *s phys.* **1.** Nor'malkerze *f*, Kerzenstärke *f*. – **2.** Lichtstärke *f*. — ~ **snuff·ers** *s pl* Lichtputzschere *f*. — '~,**stick** *s* Kerzenständer *m*, -halter *m*. — ~ **tree** *s bot.* **1.** → waxberry 1 b. – **2.** (*ein*) Kerzenbaum *m*, (*eine*) Parmenti'ere (*Parmentiera cerifera*). – **3.** Trom'petenbaum *m*, Vir'ginia-Zi,garrenbaum *m* (*Catalpa bignonioides*). — '~,**wick** *s* Kerzendocht *m*. — '~,**wood** *s* **1.** Kien *m*, Kienholz *n* (*harzhaltiges Holz, bes. Kiefernholz, als Kienspan verwendet*). – **2.** *bot.* (*ein*) Kerzenstrauch *m* (*Gattg Fouquier[i]a, bes. F. splendens; Mexiko*). – **3.** *bot.* (*ein*) Balsambaum *m* (*Amyris balsamifera*).
can·dock ['kændɒk], **can dock** *s bot.* **1.** Gelbe Teichrose, Mummel *f* (*Nuphar luteum*). – **2.** Weiße Seerose (*Gattg Nymphaea*). – **3.** (*ein*) Schachtelhalm *m* (*Gattg Equisetum*).
can·dor, *bes. Br.* **can·dour** ['kændər] *s* **1.** Offenheit *f*, Aufrichtigkeit *f*. – **2.** 'Unpar,teilichkeit *f*, Unvoreingenommenheit *f*, Vorurteilslosigkeit *f*. – **3.** *obs.* Freundlichkeit *f*. – **4.** *obs.* a) (*das*) Weiße, b) Reinheit *f*.
can·dy ['kændi] **I** *s* **1.** Kandis(zucker) *m*. – **2.** *Am.* a) Süßwaren *pl*, Süßigkeiten *pl*, Zuckerwerk *n*, Kon'fekt *n*, b) *auch* hard ~ Bon'bon *m*, *n*. – **II** *v/t* **3.** kan'dieren, über'zuckern, gla'cieren, mit Zucker über'ziehen *od.* einmachen. – **4.** (*Zucker etc*) kristalli'sieren lassen. – **5.** mit ('Eis)Kri,stallen über'ziehen (*Frost etc*). – **6.** *fig.* versüßen, beschönigen. – **III** *v/i* **7.** kristalli'sieren, sich mit einer Zuckerkruste über'ziehen. – **8.** kristalli'sieren (*Zukker*). — ~ **bar** *s Am.* (*meist mit Schokolade überzogene*) *Stange aus Zucker, Nüssen u. anderen Zutaten.* — ~ **cane** *s Am.* rot u. weiß gestreifter kleiner Spa'zierstock aus Zuckermasse. — ~ **pull** *s Am. gesellige Zusammenkunft junger Leute, bei der Bonbons gekocht werden.* — '~,**tuft** *s bot.* (*eine*) Schleifenblume (*Gattg Iberis*).
cane [kein] **I** *s* **1.** Spa'zierstock *m*. – **2.** (Rohr)Stock *m*. – **3.** *bot.* a) (Bambus-, Zucker-, Schilf)Rohr *n*, b) Schaft *m* (*mancher Palmen*), c) Stamm *m* (*Himbeerstrauch etc*), d) Mohrenhirse *f* (*Gattg Sorghum*), e) Rohrpflanze *f*, f) *ein bambusähnliches Gras* (*bes. Gattg Arundinaria*). – **4.** *collect.* span. Rohr *n*, Peddigrohr *n* (*meist gespalten; für Korbflechtarbeiten*). – **5.** dünne Stange (*Siegellack etc*). – **II** *v/t* **6.** mit einem Stock züchtigen. – **7.** *fig.* (*etwas*) einhämmern (into s.o. j-m). – **8.** aus Rohr flechten. – **9.** (*Stuhl etc*) mit Rohrgeflecht versehen. — ~ **ap·ple** *s bot.* Erdbeerbaum *m* (*Arbutus unedo*). — ~ **bot·tom** *s* **1.** Stuhlsitz *m* aus Rohrgeflecht. – **2.** *Am.* mit Schilf bewachsenes Flußufer. — '~,**brake** *s Am.* Rohrdickicht *n*, Röhricht *n*. — ~ **chair** *s* Korb-, Rohrstuhl *m*, -sessel *m*. — ~ **grass** *s bot.* **1.** Riesenrohr *n* (*Arundinaria macrosperma; südl. USA*). – **2.** Nordamer. Laichkraut *n* (*Potamogeton americanus*). – **3.** (*ein*) austral. Schwadengras *n* (*Glyceria ramigera*). — ~ **kill·er** *s bot.* (*ein*) Klappertopf *m* (*Melasma melampyroides, auf Zuckerrohrwurzeln schmarotzend*).
ca·nel·la [kə'nelə], ~ **al·ba**, ~ **bark** *s* Ca'nellarinde *f*, Ka'neel *m*, weißer Zimt (*Rinde von Canella alba*).
cane mill *s tech.* Zuckerrohrmühle *f*.
ca·neph·o·ra [kə'nefərə] *pl* **-rae** [-,riː], **ca'neph·o·rus** [-rəs] *pl* **-ri** [-,rai] *s* **1.** *antiq.* Kane'phore *f* (*griech. Jungfrau, die auf dem Kopf einen Korb mit Opfergaben trägt*). – **2.** *arch.* Karya'tide *f*.
can·er ['keinər] *s* Rohr-, Korbflechter *m*.
ca·nes·cent [kə'nesnt] *adj* weißlich, weißgrau.
cane| sug·ar *s* Rohrzucker *m*. — ~ **trash** *s* Ba'gasse *f* (*Zuckerrohrrückstände nach dem Pressen*). — '~,**work** *s* Rohrgeflecht *n* (*an Möbeln*).
Can·field ['kænfiːld] *s eine Patience* (*Kartenspiel*).
can frame *s* (*Spinnerei*) 'Flaschen-, 'Kannenma,schine *f*.
cangue [kæŋ] *hist.* **I** *s* (schwerer) Holzkragen (*chines. Strafinstrument*). – **II** *v/t* zum Tragen des Holzkragens verurteilen.
can hook *s* **1.** *mar.* Loshaken *m* (*für Fässer*). – **2.** Faßwinde-, Schenkelhaken *m*.
ca·nic·o·la fe·ver [kə'nikələ] *s vet.* Hundetyphus *m*.
Ca·nic·u·la [kə'nikjulə; -jə-] *s astr.* Hundsstern *m*, Sirius *m*.
ca·nic·u·lar [kə'nikjulər; -jə-] *adj* **1.** *astr.* den Hundsstern betreffend. – **2.** die Hundstage betreffend. – **3.** *humor.* Hunde..., Hunds... — ~ **cy·cle** *s astr.* 'Hundssternperi,ode *f*. — ~ **days** *s pl* Hundstage *pl*. — ~ **heat** *s* Hundstagshitze *f*.
ca·nine ['keinain; *Am. auch* kə'nain] **I** *adj* **1.** den Hund betreffend, Hunde... – **2.** *fig.* Hunds..., hündisch. – **3.** *med. zo.* den Eckzahn betreffend. – **II** *s* **4.** *zo.* Hund *m*, hundeartiges Raubtier (*Fam. Canidae*). – **5.** Augen-, Eckzahn *m*. — ~ **ap·pe·tite** *s* Heiß-, Wolfshunger *m*. — ~ **fos·sa** *s med.* Oberkiefergrube *f*. — ~ **laugh** *s med.* sar'donisches Lachen, Lachmuskelkrampf *m*. — ~ **mad·ness** *s med.* Toll-, Hundswut *f*. — ~ **tooth** *s irr* → canine 5. — ~ **ty·phus** → canicola fever.
can·ing ['keiniŋ] *s* Tracht *f* Prügel, Prügelstrafe *f*: to give s.o. a ~ j-m eine Tracht Prügel verabreichen.
ca·nin·i·form [kə'nini,fɔːrm] *adj med.* eckzahnförmig.
ca·nin·i·ty [kə'niniti; -əti] *s* **1.** 'Hundena,tur *f*. – **2.** *collect.* Hunde *pl*.
Ca·nis| Ma·jor ['keinis] *s astr.* Großer Hund (*südl. Sternbild*). — ~ **Mi·nor** *s astr.* Kleiner Hund (*nördl. Sternbild*).
can·is·ter ['kænistər] *s* **1.** Ka'nister *m*, Blechbüchse *f*, -dose *f*. – **2.** *mil.* a) Atemeinsatz *m* (*der Gasmaske*), b) → ~ shot. — ~ **shot** *s mil.* Kar'tätsche(nschuß *m*) *f*.
ca·ni·ti·es [kə'niʃi,iːz] *s med.* Ergrauen *n* der Haare, Poli'osis *f*.
can·ker ['kæŋkər] **I** *s* **1.** *med.* a) Krebsgeschwür *n*, b) Soor *m*, Schwämmchen *n*, c) Lippengeschwür *n*. – **2.** *vet.* Strahlfäule *f*, -krebs *m* (*Pferdefuß*). – **3.** *bot.* Baumkrebs *m*. – **4.** *zo.* a) → ~worm 1, b) *allg.* schädliche Raupe. – **5.** *obs. od. dial. für* dog rose. – **6.** Rost *m*, Fraß *m*. – **7.** *fig.* Krebsschaden *m*, fressendes Übel, nagender Wurm. – **II** *v/t* **8.** *fig.* a) anstecken, verderben, vergiften, b) zerfressen, zernagen. – **9.** mit Krebs infi'zieren. – **III** *v/i* **10.** *fig.* a) angesteckt *od.* vergiftet werden, (langsam) verderben, b) angenagt *od.* angefressen werden. – **11.** (ver)-

rosten. – 12. mit Krebs infi'ziert werden. — '~,**ber·ry** *s bot.* **1.** Hagebutte *f.* – **2.** Ba'hama-Nachtschatten *m* (*Solanum bahamense*). – **3.** *Frucht von* 2.

can·kered ['kæŋkərd] *adj* **1.** *med.* vom Krebs befallen. – **2.** *bot.* a) vom Baumkrebs *od.* Rost befallen, b) von Raupen zerfressen. – **3.** zerfressen, verrostet. – **4.** *fig.* a) giftig, bösartig, neidisch, 'mißgünstig, b) verdrießlich, mürrisch, c) verdorben, verderbt.

can·ker·ous ['kæŋkərəs] *adj* **1.** *med.* a) krebsig, fressend, b) von Krebs befallen. – **2.** *fig.* fressend, nagend, verderblich.

can·ker| rash *s med.* Scharlach *m.* — '~,**root** *s bot.* **1.** → goldthread. – **2.** (*ein*) 'Widerstoß *m* (*Gattg Limonium*). – **3.** Wilder Rosmarin, La'vendelheide *f* (*Andromeda polifolia*). – **4.** Mottenkraut *n,* Porst *m* (*Ledum palustre*). – **5.** Sauerampfer *m* (*Rumex acetosa*). – **6.** → cancerwort. — ~ **rose** *s bot.* **1.** → corn poppy. – **2.** Hagebutte *f.* — ~ **sore** *s med.* Mundgeschwür *n.* — '~,**worm** *s* **1.** *zo.* (*eine*) schädliche Raupe (*bes. Fam. Geometridae*). – **2.** *fig.* fressendes Übel, nagender Kummer.

can·ker·y ['kæŋkəri] *adj* **1.** → cankered. – **2.** → cankerous.

can·na ['kænə] *s bot.* Canna *f,* Blumenrohr *n* (*Gattg Canna*).

can·na·bin ['kænəbin] *s chem.* Kanna'bin *n* (*narkotisch wirkender Stoff aus indischem Hanf*).

can·na·bis ['kænəbis] *s* **1.** *bot.* Hanf *m* (*Cannabis sativa*). – **2.** *med.* Haschisch *n* (*Rauschgift aus getrockneten Hanfblüten*). — ~ **in·di·ca** ['indikə] *s* indischer Hanf, Haschisch *m.*

can·na·bism ['kænə,bizəm] *s med.* Kanna'bismus *m,* Haschischvergiftung *f.*

canned [kænd] *adj* **1.** eingedost, (in Blechdosen) konser'viert, Dosen..., Büchsen...: ~ **food** Dosenkonserven; ~ **meat** Büchsenfleisch. – **2.** *Am. sl.* me'chanisch reprodu'ziert: ~ **drama** Film; ~ **music** ,Konservenmusik' (*bes. Schallplatte*). – **3.** *sl.* stereo'typ, serienweise 'hergestellt. – **4.** *Am. sl.* ,beduselt', betrunken.

can·nel ['kænl], ~ **coal** *s* Kännelkohle *f* (*bitumenhaltige Pechkohle*).

can·ne·lure ['kænə,ljur] *s* **1.** *arch.* Kanne'lierung *f,* Auskehlung *f.* – **2.** *mil.* Führungsrille *f* (*einer Patrone*).

can·ner ['kænər] *s* **1.** Kon'servenfabri,kant *m.* – **2.** Arbeiter(in) in einer Kon'servenfa,brik. — '**can·ner·y** *s* Kon'servenfa,brik *f.*

can·ni·bal ['kænibəl; -nə-] **I** *s* **1.** Kanni'bale *m,* Menschenfresser *m.* – **2.** Tier, das seinesgleichen verzehrt. – **II** *adj* **3.** kanni'balisch, menschenfressend, -fresserisch. – **4.** *fig.* blutdürstig, grausam, unmenschlich. — ,**can·ni'bal·ic** [-'bælik] *adj* kanni'balisch. — '**can·ni·bal,ism** *s* **1.** Kanniba'lismus *m*: a) Menschenfresse'rei *f,* b) *zo.* Auffressen *n* von Artgenossen. – **2.** *fig.* Grausamkeit *f,* Blutdurst *m,* Unmenschlichkeit *f.* — ,**can·ni·bal'is·tic** *adj* kanni'balisch, unmenschlich. — '**can·ni·bal,ize** *mil. sl.* **I** *v/t* **1.** (*Maschine, Kraftwagen*) ,ausschlachten'. – **2.** (*das Personal einer Einheit*) auf andere Einheiten aufteilen. – **II** *v/i* **3.** Ma'schinen demon'tieren.

can·ni·kin ['kænikin; -nə-] *s* kleine Kanne, Kännchen *n,* Becher *m.*

can·ni·ness ['kæninis] *s Scot. od. dial.* **1.** 'Umsicht *f,* Vorsicht *f.* – **2.** Klugheit *f,* Schlauheit *f.* – **3.** Geschicktheit *f,* Erfahrenheit *f.* – **4.** Mäßigkeit *f,* Sparsamkeit *f.* – **5.** Ruhe *f,* ruhiges Wesen, Sanftmut *f.*

can·ning ['kæniŋ] *s* **1.** Kon'servenfabrikati,on *f.* – **2.** *tech.* Canning *n,* Verkapselung *f,* Um'hüllung *f* (*der Uranstäbe vor Einschieben in den Reaktor*).

can·non ['kænən] **I** *s* **1.** *mil.* a) Ka'none *f,* Geschütz *n,* b) *collect.* Ka'nonen *pl,* Geschütze *pl,* Artille'rie *f.* – **2.** *tech.* a) Henkel *m,* Krone *f* (*einer Glocke*), b) sich frei um eine Welle drehender Zy'linder. – **3.** Gebiß *n* (*des Pferdegeschirrs*). – **4.** *zo.* Ka'nonenbein *n* (*Mittelfußknochen der Huftiere*). – **5.** (*Billard*) *Br.* Karambo'lage *f.* – **II** *v/i* **6.** *mil.* (*mit Artillerie*) feuern. – **7.** (*Billard*) *Br.* karambo'lieren. – **8.** (**against, into, with**) rennen, stoßen (gegen, an *acc*), zu'sammenstoßen (mit). – **III** *v/t* **9.** *mil.* kano'nieren, (mit Artille'rie) beschießen. – **10.** (*Billard*) karambo'lieren.

can·non·ade [,kænə'neid] **I** *s* **1.** *mil.* Kano'nade *f,* Beschießung *f,* Artille'riefeuer *n.* – **2.** *fig.* Dröhnen *n,* Donnern *n.* – **II** *v/t* **3.** *mil.* mit Artille'rie beschießen, bombar'dieren. – **III** *v/i* **4.** *mil.* feuern (*Artillerie*).

can·non| ball *s* Ka'nonenkugel *f,* Artille'riegeschoß *n.* — ~ **bone** *s zo.* **1.** → cannon 4. – **2.** Sprungbein *n.* — ~ **crack·er** *s Am.* Ka'nonenschlag *m* (*Feuerwerk*).

can·non·eer [,kænə'nir] *s mil.* Kano'nier *m.* — ,**can·non'eer·ing** *s mil.* Kano'nade *f.*

can·non| fod·der *s* Ka'nonenfutter *n.* — '~'**proof** *adj mil.* bombenfest, geschoßsicher.

can·non·ry ['kænənri] *s collect.* **1.** Geschütze *pl,* Artille'rie *f.* – **2.** Geschützfeuer *n.*

can·non shot *s mil.* **1.** Ka'nonenschuß *m.* – **2.** Ge'schützmuniti,on *f.* – **3.** Schußweite *f* (*Geschütz*).

can·nu·la ['kænjulə; -jə-] *pl* **-lae** [-,liː] *s med.* Ka'nüle *f,* Röhre *f,* Hohlnadel *f.* — '**can·nu·lar,** '**can·nu,late** [-,leit; -lit] *adj* ka'nülen-, schlauchartig, röhrenförmig.

can·ny ['kæni] *adj Scot. od. dial.* **1.** 'umsichtig, vorsichtig, besonnen. – **2.** klug, schlau. – **3.** geschickt, erfahren. – **4.** mäßig, sparsam. – **5.** ruhig, sanft. – **6.** *Scot.* gemütlich, behaglich. – **7.** *dial.* hübsch, nett.

ca·noe [kə'nuː] **I** *s* **1.** Kanu *n.* – **2.** Paddelboot *n.* – **II** *v/i* **3.** in einem Kanu fahren, Kanu fahren, paddeln. – **III** *v/t* **4.** in einem Kanu befördern. — ~ **birch** → paper birch. — ~ **cedar** *s bot.* Amer. Riesenlebensbaum *m* (*Thuja plicata*).

ca·noe·ing [kə'nuːiŋ] *s* Kanufahren *n,* Paddeln *n.* — **ca'noe·ist** *s* Kanufahrer *m,* Ka'nute *m,* Paddler *m.*

ca'noe,wood → tulip tree.

can·on[1] ['kænən] *s* **1.** Kanon *m,* Regel *f,* Richtschnur *f,* Vorschrift *f.* – **2.** Maßstab *m,* Kri'terium *n,* Wertmesser *m.* – **3.** Grundsatz *m,* Prin'zip *n.* – **4.** *relig.* Kanon *m*: a) ka'nonische Bücher *pl* (*der Bibel*), b) C~ Meßkanon *m* (*unveränderlicher Teil der Messe*), c) Heiligenverzeichnis *n.* – **5.** *relig.* a) (*Verzeichnis der*) Ordensregeln *pl,* b) → ~ law. – **6.** au'thentische Schriften *pl* (*eines Autors*): the Chaucer ~. – **7.** *jur.* Kanon *m*: a) *bestimmte jährliche Geldabgabe,* b) Erbzins *m.* – **8.** *mus.* Kanon *m.* – **9.** *print.* Kanon(schrift) *f* (*Schriftgrad*). – *SYN. cf.* law[1].

can·on[2] ['kænən] *s relig.* **1.** Ka'noniker *m,* Chor-, Dom-, Stiftsherr *m,* Ka'nonikus *m.* – **2.** *hist.* Mitglied *n* einer klösterlichen Gemeinschaft von Klerikern.

ca·ñon *cf.* canyon.

can·on bit → cannon 3.

can·on·ess ['kænənis] *s relig.* Kano'nissin *f,* Stiftsdame *f.*

ca·non·ic [kə'nɒnik] **I** *adj* **1.** → canonical I. – **2.** *mus.* a) Kanon..., b) ka'nonisch, kanonartig. – **II** *s* → canon[2] 1.

ca·non·i·cal [kə'nɒnikəl] **I** *adj* **1.** ka'nonisch. – **2.** vorschriftsmäßig. – **3.** *Bibl.* ka'nonisch (*Schrift*). – **4.** anerkannt, gültig, autori'siert. – **II** *s* **5.** *pl relig.* Meßgewänder *pl,* kirchliche Amtstracht. — ~ **books** *s pl Bibl.* ka'nonische Bücher *pl.* — ~ **hours** *s pl* **1.** *relig.* ka'nonische Stunden *pl* (*offizielle Gebetsstunden*). – **2.** *Br. Zeit von 8 bis 15 Uhr, während der in engl. Pfarrkirchen getraut wird.*

ca·non·i·cal·ness [kə'nɒnikəlnis] → canonicity.

ca·non·i·cate [kə'nɒni,keit; -kit] *s* Kanoni'kat *n.*

can·on·ic·i·ty [,kænə'nisiti; -əti] *s* Kanonizi'tät *f.*

can·on·ist ['kænənist] *s* Kano'nist *m* (*Kenner od. Lehrer des kanonischen Rechts*). — ,**can·on'is·tic,** ,**can·on'is·ti·cal** *adj* **1.** kano'nistisch. – **2.** kirchenrechtlich.

can·on·i·za·tion [,kænənai'zeiʃən; -ni'z-; -nə'z-] *s relig.* Kanonisati'on *f,* Heiligsprechung *f.* — '**can·on,ize** *v/t* **1.** *relig.* heiligsprechen, kanoni'sieren. – **2.** *relig.* a) kirchlich gutheißen, sanktio'nieren, b) unter die ka'nonischen Bücher aufnehmen. – **3.** *obs.* verherrlichen, vergöttern.

can·on| law *s* ka'nonisches Recht, Kirchenrecht *n.* — ~ **law·yer** *s* Kirchenrechtler *m.*

can·on·ry ['kænənri] *s* **1.** Kanoni'kat *n,* Domherrnpfründe *f.* – **2.** *collect.* (Gemeinschaft *f* der) Ka'noniker *pl.* — '**can·on,ship** *s* Kanoni'kat *n.*

ca·noo·dle [kə'nuːdl] *v/t u. v/i sl.* ,knudeln', ,knutschen', (lieb)kosen.

can o·pen·er *s Am.* Büchsen-, Dosenöffner *m.*

Ca·no·pic [kə'noupik] *adj* (*Archäologie*) (die Stadt) Kanopos betreffend. — **c~ jar** *s* (*Archäologie*) Ka'nope *f* (*ägyptischer Krug zur Bestattung der Eingeweide*). — **c~ vase** *s* **1.** → canopic jar. – **2.** (*etruskische*) Ka'nope, menschengestaltige Aschenurne.

can·o·pied ['kænəpid] *adj* mit einem Baldachin versehen.

Ca·no·pus [kə'noupəs] *s astr.* Ka'nopus *m* (*Stern 1. Größe im Sternbild des Schiffes*).

can·o·py ['kænəpi] **I** *s* **1.** Baldachin *m* (Bett-, Thron-, Trag)Himmel *m.* – **2.** 'überhängendes Schutzdach. – **3.** *arch.* Baldachin *m* (*Überdachung des Altars od. einer Figur*). – **4.** *aer.* a) Fallschirmkörper *m,* b) Schiebe-, Ka'binendach *n,* Verkleidung *f* (*Führersitz*), c) Baldachin *m.* – **5.** *electr.* 'Lampenfassung *f,* -arma,tur *f.* – **6.** *fig.* Himmel *m,* Firma'ment *n.* – **II** *v/t* **7.** (mit einem Baldachin) über'dachen. – **8.** *fig.* bedecken, verhüllen. — ~ **bed** *s* Himmelbett *n.* — ~ **switch** *s electr.* Totmann-Knopf *m,* Schalter *m* einer 'Lampenfassung *od.* -arma,tur.

ca·no·rous [kə'nɔːrəs] *adj* me'lodisch, wohltönend. — **ca'no·rous·ness** *s* Wohlklang *m.*

canst [kænst] *obs. od. poet.* (*2. sg pres von* can[1]) kannst.

cant[1] [kænt] **I** *s* **1.** Gewinsel *n,* Gejammer *n* (*verstellte Sprache, bes. der Bettler*). – **2.** Ar'got *n,* Cant *m,* Rotwelsch *n,* Jar'gon *m,* Bettler-, Gauner-, Pöbelsprache *f.* – **3.** Kunst-, Fach-, Zunftsprache *f* (*Redeweise einer besonderen Klasse, Gruppe, Sekte etc*). – **4.** *fig.* Kauderwelsch *n.* – **5.** Frömme'lei *f,* Heuche'lei *f,* scheinheiliges Gerede. – **6.** nichtssagendes Schlagwort, Lieblingsphrase *f,* stehende Redensart: the same old ~ die alte Leier. – **7.** Frömmler *m,* Scheinheiliger *m,* Heuchler *m.* – *SYN. cf.* dialect. – **II** *v/i* **8.** in weinerlichem Tone *od.* mit kläglicher Stimme reden. – **9.** heucheln, scheinheilig reden. – **10.** die Sprache einer bestimmten Klasse *etc* sprechen, in Kunstwörtern reden, kauderwelschen. – **11.** (*im weiteren Sinne*) betteln. – **III** *v/t* **12.** in einer Zunftsprache *od.* einem Jar'gon ausdrücken, Kunstausdrücke gebrauchen für.

cant[2] [kænt] **I** *s* **1.** vorspringende Ecke (*eines Gebäudes etc*). – **2.** Schrägung *f*, geneigte Fläche (*eines Polygons, eines Dammes etc*). – **3.** Neigung *f*. – **4.** plötzlicher Ruck, Stoß *m*, Schlag *m*. – **5.** plötzliche Wendung (*eines Balles etc*). – **6.** *mil.* schiefer Radstand (*eines Geschützes*). – **II** *v/t* **7.** auf die Seite legen, schräg legen, kanten, kippen. – **8.** *tech.* abschrägen, schräg abkanten, 'umkanten. – **9.** (*mit einem Ruck*) (fort)werfen. – **III** *v/i* **10.** *auch* ~ over sich neigen, sich auf die Seite legen, schräg liegen. – **IV** *adj* **11.** schräg, geneigt. – **12.** schiefkantig *od.* -seitig, mit abgeschrägten Kanten *od.* Seiten.

cant[3] [kænt] *bes. Irish* **I** *s* Versteigerung *f*, Aukti'on *f*: **sale by public** ~ öffentliche Versteigerung. – **II** *v/t* versteigern.

cant[4] [kænt] *adj dial.* **1.** kühn, beherzt, schneidig. – **2.** munter.

can't [*Br.* kɑːnt; *Am.* kæ(ː)nt] *colloq. für* cannot.

Can·tab ['kæntæb] *Kurzform für* Cantabrigian.

can·ta·bi·le [kɑːn'tɑːbiːle; kæn'tɑːbili] *mus.* **I** *adj* kan'tabel, gesangartig, -voll, sanglich, -bar, (wie) singend. – **II** *s* Kan'tabile *n*: a) *kantabler Stil*, b) *kantable Tonfolge od. Musik.*

Can·ta·brig·i·an [ˌkæntə'bridʒiən] **I** *s* **1.** Stu'dent(in) an der Universi'tät von Cambridge (*England*). – **2.** Einwohner(in) von Cambridge. – **II** *adj* **3.** Cantabrigi'ensis, von *od.* aus Cambridge, zu Cambridge gehörig.

can·ta·le·ver ['kæntəˌliːvər; *Am. auch* -ˌlev-], **'can·taˌli·ver** [-ˌliː-] → cantilever.

can·ta·loup(e) [*Br.* 'kæntəˌluːp; *Am.* -ˌloup] *s bot.* Kanta'lupe *f*, 'Beutel-, 'Warzenmeˌlone *f* (*Cucumis melo cantalupensis*).

can·tan·ker·ous [kæn'tæŋkərəs] *adj fig.* giftig, mürrisch, streitsüchtig. — **can'tan·ker·ous·ness** *s fig.* giftiges Wesen, Streitsucht *f*.

can·ta·ta [kæn'tɑːtə; kən-] *s mus.* Kan'tate *f*.

Can·ta·te [kæn'teitiː] *s relig.* Psalm 98.

can·ta·tri·ce [kanta'tritʃe] *pl* **-tri·ci** [-'tritʃi] (*Ital.*), **can·ta·trice** [kɑ̃ta'tris] *pl* **-trices** [-'tris] (*Fr.*) *s* (Berufs)Sängerin *f*.

cant| block *s mar.* *Block zum Kanten des Wals.* — '**~ˌboard** *s tech.* Kantenbrett *n*. — **~ bod·y** *s mar. der Teil des Schiffes, der die Kantspanten enthält.* — **~ chis·el** *s tech.* Kantbeitel *m*. — **~ dog** *s tech. Am.* Kanthaken *m*.

cant·ed ['kæntid] *adj* **1.** auf die Seite geneigt, 'umgekippt, gekantet. – **2.** kantig, eckig. – **3.** *tech.* abgeschrägt.

can·teen [kæn'tiːn] *s* **1.** Kan'tine *f*. – **2.** *mil.* a) Feldküche *f*, b) Me'nagekorb *m*, -koffer *m* (*der Offiziere*), c) *Am.* Feldflasche *f*, d) Kan'tine *f*, e) Kochgeschirr *n*: ~ **cup** *Am.* Feldbecher. – **3.** Erfrischungsstand *m*, Bü'fett *n* (*bei Veranstaltungen*). – **4.** Geschirr- u. Besteckkasten *m*.

cant·er[1] ['kæntər] *s* **1.** Frömmler(in) (*bes. Spottname für die Puritaner*). – **2.** Phrasendrescher(in).

cant·er[2] ['kæntər] **I** *s* **1.** Kanter *m*, leichter Ga'lopp: → win[1] 2. – **2.** *fig.* Über'fliegen *n*, Hin'wegeilen *n*. – **II** *v/t* **3.** (*ein Pferd*) kantern lassen. – **III** *v/i* **4.** kantern, im leichten Ga'lopp reiten.

can·ter·bur·y ['kæntərˌberi; *Br. auch* -bəri] *s* 'Noten- *od.* 'Zeitschriftenständer *m*, -reˌgal *n*. — **C~ bell** *s bot.* (*eine*) Glockenblume (*Gattg Campanula, bes. C. medium, C. trachelium u. C. glomerata*). — **C~ lamb** *s Br.* Hammelfleisch *n* (*aus Neuseeland*).

can·thar·ic ac·id [kæn'θærik] *s chem.* Canthari'dinsäure *f*.

can·thar·i·des [kæn'θæriˌdiːz] *s pl* **1.** *pl von* cantharis. – **2.** *med.* Kantha'riden *pl* (*getrocknete u. als Heilmittel verwendbare Spanische Fliegen*).

can·thar·i·din [kæn'θæriˌdin] *s chem.* Canthari'din *n* ($C_{10}H_{12}O_4$).

can·thar·i·dism [kæn'θæriˌdizəm] *s med.* Canthari'dinvergiftung *f*.

can·tha·ris ['kænθəris] *pl* **-thar·i·des** [-'θæriˌdiːz] *s zo.* Spanische Fliege, Pflasterkäfer *m* (*Lytta vesicatoria*).

can·tha·rus ['kænθərəs] *s antiq.* Kantharos *m* (*altgriech. Becher*).

cant hook *s tech.* Kanthaken *m*.

can·thus ['kænθəs] *pl* **-thi** [-θai] *s med.* Augen-, Lidwinkel *m*: **lateral** ~, **temporal** ~ äußerer Augenwinkel; **greater** ~, **medical** ~, **nasal** ~ innerer Augenwinkel.

can·ti·cle ['kæntikl] *s relig.* (*psalmartiger*) Lobgesang (*bes. Bibl.*): **C~s**, *auch* **C~ of C~s** *Bibl.* Hohelied Salomos, Lied der Lieder.

can·ti·le·ver ['kæntiˌliːvər; -tə-; *Am. auch* -ˌlev-] **I** *s* **1.** *arch.* Sparrenkopf *m*, Kon'sole *f*. – **2.** *tech.* freitragender Arm, vorspringender Träger, Ausleger *m*, Kranträger *m*. – **3.** *aer.* unverspreizte *od.* freitragende Tragfläche (*Flugzeug*). – **II** *adj* **4.** freitragend. — **~ arm**, **~ beam** *s tech.* Ausleger(balken) *m*, freitragend 'überstehender Balken. — **~ bridge** *s tech.* Auslegerbrücke *f*. — **~ crane** *s tech.* Ausleger(bock)kran *m*. — **~ land·ing gear** *s aer.* Einbeinfahrwerk *n*. — **~ mon·o·plane** *s aer.* freitragender Eindecker. — **~ roof** *s arch.* Krag-, Auslegerdach *n*. — **~ spring** *s tech.* Auslegerfeder *f*. — **~ wing** → cantilever 3.

can·ti·na [kæn'tiːnə] *s Am. dial.* Wirtshaus *n*.

cant·ing ['kæntiŋ] *adj* **1.** scheinheilig, frömmlerisch. – **2.** (wie ein Bettler) winselnd. – **3.** kauderwelschend.

cant·ing burn·er *s tech.* Eckenbrenner *m*.

can·tle ['kæntl] *s* **1.** 'Hinterpausche *f*, -zwiesel *m* (*des Reitsattels*). – **2.** Ausschnitt *m*, Teil *m*, *n*, Stück *n*.

can·to ['kæntou] *pl* **-tos** *s* **1.** Gesang *m* (*Teil einer größeren Dichtung*). – **2.** *mus.* a) Ober-, So'pranstimme *f* (*in vokaler Mehrstimmigkeit*), b) Melo'diestimme *f* (*auch instrumental*), c) Singart *f*, -kunst *f*, Gesangsstil *m*, -kunst *f*, d) *obs.* Gesang *m*, Lied *n*.

can·ton ['kæntɒn; -tən; kæn'tɒn] **I** *s* **1.** Kan'ton *m*, Bezirk *m*, Kreis *m* (*bes. Verwaltungsbezirk der Schweiz u. Frankreichs*). – **2.** *her.* Feld *n*. – **3.** Ab'teilung *f*, Feld *n*. – **II** *v/t* **4.** *oft* ~ **out** in Ab'teilungen *od.* Felder teilen. – **5.** in Kan'tone *od.* (po'litische) Bezirke einteilen. – **6.** [*Br. auch* -'tuːn] *mil.* Quar'tiere zuweisen (*dat*), 'einquarˌtieren. — **'can·ton·al** [-tənl] *adj* kanto'nal, Bezirks... — **'can·ton·alˌism** *s* Kanto'nalsyˌstem *n*.

Can·ton crepe *s* Kan'tonseide *f*, -krepp *m*.

Can·ton·ese [ˌkæntə'niːz] **I** *adj* kanto'nesisch, aus Kanton. – **II** *s sg u. pl* Bewohner(in) Kantons.

can·ton·ment [kæn'tɒnmənt; *Br. auch* -'tuːn-] *s mil.* **1.** Kantonne'ment *n*, 'Unterkunft *f*, Quar'tier *n*. – **2.** Ausbildungs-, Übungslager *n*. – **3.** 'Winterquarˌtier *n*.

can·tor ['kæntɔːr] *s* **1.** *mus.* Kantor *m*. – **2.** (*beim jüd. Gottesdienst*) Vorsänger *m*, Vorbeter *m*.

can·tred ['kæntred], **'can·tref** [-trev] *s hist.* Di'strikt *m* (*von 100 Dörfern*), Hundertschaft *f* (*in Wales*).

can·trip ['kæntrip] *s bes. Scot.* **1.** Zauber(spruch) *m*. – **2.** Zaube'rei *f*. – **3.** (Schelmen)Streich *m*.

cant| spar *s mar.* dünne Spiere. — **~ tim·ber** *s mar.* Kantspant *n*.

can·tus ['kæntəs] *s sg u. pl mus.* **1.** Gesang *m*, Ge'sangsmeloˌdie *f*, Lied *n*. – **2.** *auch* ~ **planus** einstimmiger geistlicher, *bes.* Gregori'anischer Gesang. – **3.** (*Mittelalter*) poly'phone Vo'kalmusik. – **4.** → canto 2. — **~ fir·mus** ['fəːrməs] *pl* **~ fir·mi** ['fəːrmai] (*Lat.*) *s mus.* Cantus *m* firmus: a) *feststehende (Gregorianische) Melodie*, b) *gegebene od. polyphon bearbeitete (bes. Choral)Melodie.*

Ca·nuck [kə'nʌk] *s Am. od. Canad. sl.* Ka'nadier(in) (franz. Abstammung).

can·u·la, **can·u·lar**, **can·u·late** *cf.* cannula, cannular, cannulate.

can·vas ['kænvəs] **I** *s* **1.** *mar.* a) Segeltuch *n*, b) *collect.* Segel *pl*: **under full** ~ mit allen Segeln. – **2.** Pack-, Zeltleinwand *f*. – **3.** Zelt *n*, *collect.* Zelte *pl*: **under** ~ in Zelten. – **4.** Kanevas *m*, Gitterleinen *n* (*für Stickerei*). – **5.** (*Malerei*) a) Leinwand *f*, b) (Öl)Gemälde *n* auf Leinwand. – **II** *v/t pret u. pp* **'can·vassed 6.** mit Segeltuch über'ziehen. — **'~ˌback** *s zo.* 'KanevaˌsEnte *f* (*Nyroca valisineria*).

can·vass ['kænvəs] **I** *v/t* **1.** eingehend unter'suchen, prüfen. – **2.** erörtern, sorgfältig erwägen. – **3.** (*j-n*) ausfragen, son'dieren. – **4.** *pol.* a) werben um (*Stimmen*), b) (*Wahldistrikt*) bearbeiten, c) die Stimmung erforschen in (*einem Wahlkreis*). – **5.** (*Gebiet*) bereisen, bearbeiten, ‚abklappern' (*um Aufträge etc zu sammeln*). – **II** *v/i* **6.** *pol. Br.* einen Wahlfeldzug veranstalten, Stimmen werben. – **7.** werben (**for** um). – **8.** debat'tieren, disku'tieren. – **III** *s* **9.** sorgfältige Prüfung *od.* Erwägung *od.* Erörterung. – **10.** Wahl- *od.* Propa'gandafeldzug *m*. – **11.** *econ.* Werbefeldzug *m*, Auftragswerbung *f*.

can·vass·er ['kænvəsər] *s* **1.** Stimmenwerber *m*, ('Wahl)Propaganˌdist *m*. – **2.** *pol. Am.* Wahlstimmenprüfer *m*. – **3.** Handelsvertreter *m*, (Handlungs)Reisender *m*: **insurance** ~ Versicherungsagent. — **'can·vass·ing** *s* **1.** (Kunden)Werbung *f*, Re'klame *f*, Propa'ganda *f*. – **2.** *pol.* Stimmenwerbung *f*, 'Wahlpropaˌganda *f*. – **3.** *Am.* Wahlstimmenprüfung *f*.

can·yon ['kænjən] *s* Cañon *m*.

can·zo·ne [kan'tsone] *pl* **-ni** [-niː] (*Ital.*) *s* Kan'zone *f*: a) (*Dichtung u. mus.*) *lyrische Liedform der Troubadours u. ital. Renaissance*, b) *bes. mus. weltliches Lied (16. Jh.).*

can·zo·net [ˌkænzə'net] *s mus.* Kanzo'nette *f*: a) *kleine Kanzone*, b) *leichtes, gefälliges (Opern)Lied.*

caou·tchouc ['kautʃuk; -tʃuːk; 'kuː-] *s* Kautschuk *m*, Gummi *m*, *n*.

caout·chou·cin ['kautʃusin; 'kuː-], **'caout·chou·cine** [-sin; -ˌsiːn] *s chem.* Kautschuköl *n*.

cap [kæp] **I** *s* **1.** Mütze *f*, Kappe *f*, Haube *f*: ~ **and bells** Schellen-, Narrenkappe; ~ **in hand** demütig, unterwürfig; **the** ~ **fits him** *fig.* er fühlt sich getroffen; **to set one's** ~ **at s.o.** *colloq.* j-n zu angeln suchen, hinter j-m her sein (*Frau*). – **2.** (viereckige) Universi'tätsmütze, Ba'rett *n*: ~ **and gown** Universitätstracht, Mütze u. Talar. – **3.** (Sport-, Stu'denten-, Klub-, Dienst)Mütze *f* (*als Rang- od. Berufsabzeichen*): **to get one's** ~ *sport* in die offizielle Mannschaft eingereiht werden; → maintenance 5. – **4.** Kappe *f*, Haube *f*, Deckel *m*, Kapsel *f*. – **5.** Gipfel *m*, höchster Punkt. – **6.** *bot.* Hut *m* (*eines Pilzes*). – **7.** *zo.* Kapsel *f*, Hirnteil *m* (*des Vogelschädels*). – **8.** *arch.* oberster

Teil: a) Haubendach *n*, b) Schornsteinkappe *f*, c) Kapiˈtell *n*, Säulenkopf *m*, Knauf *m*, d) Aufsatz *m*. – **9.** (*Bergbau*) Zündhütchen *n*, -kapsel *f*. – **10.** Zündplättchen *n* (*für Spielzeugpistolen*). – **11.** *mil.* Spreng-, Zündkapsel *f*. – **12.** *tech.* a) (*Uhrmacherei*) Hütchen *n*, Deckel *m* (*Uhr*), b) (Schrauben-, Pfropfen)Verschluß *m*, c) Schuhkappe *f*, -spitze *f*, d) Auflage *f* (*bei Autoreifen*): full ~ Runderneuerung (*Reifen*); top ~ Laufflächenauflage. – **13.** spitze Paˈpiertüte. – **14.** *mar.* Eselshaupt *n* (*Verbindungsteil zwischen Mast u. Stange*). – **15.** *geol.* Deckschicht *f* (*eines Erz- od. Öllagers*). – **16.** → ~sheaf. – **17.** *ein Papierformat*: → fools~ 1. – **II** *v/t pret u. pp* **capped 18.** (mit *od.* wie mit einer Kappe) bedecken. – **19.** mit einem Deckel *od.* einer Haube *od.* einem Verschluß versehen: to ~ a bottle eine Flasche mit einer Kapsel versehen. – **20.** *fig.* ergänzen, abschließen. – **21.** oben liegen auf (*dat*), krönen. – **22.** *Br.* (*j-m*) einen akaˈdemischen Grad verleihen. – **23.** *sport* (*j-m*) die Mütze verleihen, (*j-n*) auszeichnen: to be ~ped als repräsentativer Spieler gewählt werden. – **24.** (durch Abnehmen der Mütze) grüßen. – **25.** *fig.* ausstechen, überˈtreffen, überˈbieten, schlagen: to ~ the climax (*od.* everything) allem die Krone aufsetzen, alles übertreffen; → verse[1] 1. – **26.** (wie eine Kappe) aufsetzen, sich auf den Kopf setzen. – **27.** (*Reifen*) runderneuern. – **III** *v/i* **28.** die Mütze (*zum Gruß*) abnehmen.

ca·pa·bil·i·ty [ˌkeipəˈbiliti; -əti] *s* **1.** Fähigkeit *f* (of s.th. zu etwas), Vermögen *n*. – **2.** Tauglichkeit *f*, Brauchbarkeit *f*. – **3.** Befähigung *f*, Taˈlent *n*, Begabung *f*.

ca·pa·ble [ˈkeipəbl] *adj* **1.** (leistungs)fähig, tüchtig: a ~ teacher ein fähiger Lehrer. – **2.** fähig (of zu *od. gen*), imˈstande (of doing zu tun): to be ~ of murder eines Mordes fähig sein. – **3.** geeignet, tauglich (for zu). – **4.** (of) zulassend (*acc*), fähig (zu): this text is not ~ of translation dieser Text läßt sich nicht übersetzen. – **5.** *jur.* berechtigt, befähigt (*zu erben, zu testieren etc*): → contract 23. – *SYN. cf.* able. — **ˈca·pa·ble·ness** → capability.

ca·pa·cious [kəˈpeiʃəs] *adj* geräumig, weit. — **caˈpa·cious·ness** *s* Geräumigkeit *f*, Weite *f*.

ca·pac·i·tance [kəˈpæsitəns; -sə-] *s electr.* Kapaziˈtanz *f*, Kapaziˈtät *f*, kapaziˈtive Reakˈtanz, kapazitiver (ˈBlind)ˌWiderstand, Kondenˈsanz *f*.

ca·pac·i·tate [kəˈpæsiˌteit; -sə-] *v/t* befähigen, ermächtigen, berechtigen, qualifiˈzieren. — **caˌpac·iˈta·tion** *s* Fähigmachen *n*.

ca·pac·i·tive [kəˈpæsitiv; -sə-] *adj electr.* kapaziˈtiv. — ~ **cou·pling** *s* kapaziˈtive Kopplung. — ~ **feed·back** *s* kapaziˈtive Rückkopplung. — ~ **load** *s* kapaziˈtive Belastung. — ~ **re·act·ance** *s* kapaziˈtiver ˈBlindˌwiderstand.

ca·pac·i·tor [kəˈpæsitər; -sə-] *s electr.* Kondenˈsator *m*.

ca·pac·i·ty [kəˈpæsiti; -əti] **I** *s* **1.** Raum *m*, Geräumigkeit *f*: full to ~ ganz voll. – **2.** Fassungsvermögen *n*, Kapaziˈtät *f*. – **3.** Inhalt *m*, Voˈlumen *n*: → measure 1. – **4.** *phys.* Aufnahmefähigkeit *f*, Absorptiˈonsvermögen *n*. – **5.** *electr.* a) Kapaziˈtät *f*, b) Leistungsfähigkeit *f*, Belastbarkeit *f*. – **6.** (Leistungs)Fähigkeit *f*, Vermögen *n*, Kraft *f* (of, for zu): ~ to contract *jur.* Geschäftsfähigkeit; ~ to pay *econ.* Zahlungsfähigkeit. – **7.** *mar.* (*u. Eisenbahn*) Ladefähigkeit *f*. – **8.** *fig.* (geistiges) Fassungsvermögen, (Aufnahme)Fähigkeit *f*. – **9.** Eigenschaft *f*, Stellung *f*, Beruf *m*, Chaˈrakter *m*: in his ~ as in seiner Eigenschaft als. – **10.** *jur.* Kompeˈtenz *f*, Zuständigkeit *f*. – **II** *adj* **11.** äußerst, maxiˈmal, Höchst... – **12.** ausverkauft, voll (*Theater*): a ~ house. — ~ **load** *s electr.* kapaziˈtive Belastung. — ~ **re·act·ance** *s electr.* kapaziˈtiver ˈScheinˌwiderstand *od.* Blindleitwert.

cap-a-pie, cap-à-pie [ˌkæpəˈpiː] *adv* von Kopf bis Fuß, vom Scheitel bis zur Sohle.

ca·par·i·son [kəˈpærisn; -rə-] **I** *s* **1.** Schaˈbracke *f*, prächtig verzierte Pferdedecke. – **2.** (Auf)Putz *m*, Ausstattung *f*. – **II** *v/t* **3.** (*Pferd*) mit einer Schaˈbracke belegen. – **4.** auf-, herˈausputzen.

cap| bolt *s tech.* Kopfschraube *f*. — ~ **cell** *s biol.* Kappenzelle *f*.

cape[1] [keip] *s* Cape *n*, Peleˈrine *f*, (ärmelloser) ˈUmhang.

cape[2] [keip] *s* Kap *n*, Vorgebirge *n*, Landzunge *f*: C~ of Good Hope Kap der Guten Hoffnung.

Cape| boy *s* südafrik. Negermischling *m*. — ~ **buf·fa·lo** *s zo.* Kaffernbüffel *m* (*Bubalus od. Synceros caffer*). — **C~ chis·el** *s tech.* Flachmeißel *m*. — ~ **doc·tor** *s* starker Südˈostwind (*in Südafrika*). — ~ **Dutch** *s ling.* Kapholländisch *n*, Afriˈkaans *n*. — ~ **goose·ber·ry** *s bot.* (*eine*) trop. Blasen-, Judenkirsche (*Gattg Physalis*), *bes.* Erdkirsche *f* (*P. peruviana*). — ~ **jas·mine** *s bot.* Chines. Gelbschote *f*, Gelbblühender Jasˈmin (*Gardenia jasminoides*).

ca·pel [ˈkeipl] *s* (*Bergbau*) Hornstein *m*, rauhe Gangmasse.

cap·e·lin [ˈkæpəlin] *s zo.* Kapelan *m*, Dickmaul *n* (*Mallotus villosus*; *Fisch*).

Ca·pel·la [kəˈpelə] *s astr.* Caˈpella *f* (*Stern 1. Größe im Fuhrmann*).

Cape May war·bler *s zo. Am.* Baumwaldsänger *m* (*Dendroica tigrina*).

ca·per[1] [ˈkeipər] **I** *s* **1.** Kapriˈole *f*, Bock-, Freuden-, Luftsprung *m*: to cut ~s Sprünge machen. – **2.** Streich *m*, Schabernack *m*. – **II** *v/i* **3.** hüpfen, Luft- *od.* Freudensprünge machen.

ca·per[2] [ˈkeipər] *s bot.* **1.** Kapernstrauch *m* (*Gattg Capparis, bes. C. spinosa*). – **2.** Kaper *f* (*Gewürz*).

ˈca·perˌbush → caper[2] 1.

cap·er·cail·lie [ˌkæpərˈkeilji], **ˌcap·erˈcail·zie** [-lji; -lzi] *s zo.* Großer Auerhahn (*Tetrao urogallus*).

ca·per·er [ˈkeipərər] → caddis fly.

ca·per| spurge *s bot.* Kreuzblätterige Wolfsmilch (*Euphorbia lathyris*). — ~ **tree** *s bot.* **1.** → caper[2] 1. – **2.** Westindischer Kapernstrauch (*Capparis cynophallophora*).

ˈcapeˌskin *s* Kapsaffian *m* (*feingegerbtes Schafleder*).

Cape smoke *s S. Afr. colloq. ein südafrik. Branntwein.*

Ca·pe·tian [kəˈpiːʃən] **I** *adj* kapetingisch: ~ dynasty Dynastie der Kapetinger. – **II** *s* Kapetinger *m*.

ˈcape|ˌweed *s bot.* **1.** Färber-, Orˈseilleflechte *f* (*Roccella tinctoria*). – **2.** Cryptoˈstemma *f*, Südafrik. Ringelblume *f* (*Cryptostemma calendulacea*). — **C~ wine** *s* Kapwein *m*.

cap·ful [ˈkæpful; -fəl] *s* (*eine*) Mützevoll: a ~ (of wind) *mar. fig.* Wind von kurzer Dauer, eine ‚Mütze Wind'.

cap gun *s* Spielzeuggewehr *n* mit Zündblättchen.

ca·pi·as [ˈkeipiəs; ˈkæp-] *s jur.* Haftbefehl *m*: writ of ~ Verhaftungs-, Vollstreckungsbefehl; ~ ad respondendum Vorladung (*des Beklagten*) zur Verantwortung vor Gericht.

cap·i·ba·ra *cf.* capybara.

cap·il·la·ceous [ˌkæpiˈleiʃəs; -pə-] *adj* **1.** haarförmig, -fein. – **2.** Kapillar...

cap·il·laire [ˌkæpiˈlɛr; -pə-] *s* **1.** *bot.* Venus-, Frauenhaar *n* (*Adiantum capillus-veneris*). – **2.** Haar-, Kapilˈlarsirup *m*. – **3.** einfacher mit Oˈrangenblüten aromatiˈsierter Sirup.

cap·il·lar·ec·ta·si·a [ˌkæpiˌlærekˈteiʒiə; -ziə; -pə-] *s med.* Kapilˈlarerweiterung *f*.

cap·il·lar·i·ty [ˌkæpiˈlæriti; -pə-; -əti] *s phys.* Kapillariˈtät *f*, Kapilˈlarattraktiˌon *f*, -wirkung *f*.

cap·il·lar·y [*Br.* kəˈpiləri; *Am.* ˈkæpəˌleri] **I** *adj* **1.** haarförmig, -dünn, -fein, kapilˈlar. – **2.** haarähnlich, -artig. – **3.** Kapillar..., Haargefäß...: ~ action Kapillareffekt; ~ attraction Kapillarität, Kapillaranziehung; ~ repulsion Kapillarabstoßung. – **II** *s* **4.** Haar-, Kapilˈlargefäß *n*, Kapilˈlare *f*.

cap·il·li·fo·li·ous [*Br.* kəˌpiliˈfouliəs; *Am.* ˌkæpəli-] *adj bot.* mit haarfeinen Blättern. — **ca·pil·li·form** [kəˈpiliˌfɔːrm; -lə-] *adj* haarförmig.

cap·il·li·ti·um [ˌkæpiˈliʃiəm; -pə-] *pl* **-ti·a** [-ʃiə] *s bot.* Haargeflecht *n* (*der Schleimpilz-Sporangien*).

ca·pi·ta [ˈkæpitə; -pə-] *pl von* caput.

cap·i·tal[1] [ˈkæpitl; -pə-] **I** *s* **1.** Hauptstadt *f*. – **2.** großer Buchstabe, Maˈjuskel *f*, Verˈsal *m*. – **3.** *econ.* Kapiˈtal *n*, Vermögen *n*: acting ~, floating ~, working ~ Betriebs-, Umsatzkapital; invested ~ Anlagekapital. – **4.** *econ.* Reinvermögen *n*. – **5.** C~ *sociol.* Kapiˈtal *n*, Unterˈnehmertum *n*: C~ and Labo(u)r Unternehmer(tum) u. Arbeiter(schaft). – **6.** Vorteil *m*, Nutzen *m*: to make ~ out of s.th. aus etwas Kapital schlagen *od.* Nutzen ziehen. – **II** *adj* **7.** *jur.* a) kapiˈtal, todeswürdig (*Verbrechen etc*), b) Todes...: ~ punishment Todesstrafe. – **8.** größt(er, e, es), höchst(er, e, es), äußerst(er, e, es): ~ importance. – **9.** Haupt..., wichtigst(er, e, es): ~ city Hauptstadt. – **10.** verhängnisvoll: a ~ error. – **11.** großartig, vorˈzüglich, erstklassig, ausgezeichnet: a ~ joke ein Mordsspaß; a ~ speech eine ausgezeichnete Rede. – **12.** *econ.* Kapital..., Stamm...: ~ fund Stamm-, Grundkapital. – **13.** groß (geschrieben) (*Buchstabe*): ~ letter Großbuchstabe.

cap·i·tal[2] [ˈkæpitl; -pə-] *s arch.* Kapiˈtell *n*, (Säulen)Knauf *m*: Corinthian ~ korinthisches Kapitell; foliated ~ Blätterkapitell.

cap·i·tal| ac·count *s econ.* **1.** Kapiˈtalkonto *n*. – **2.** Kapiˈtalaufstellung *f* (*eines Unternehmens*). — ~ **bal·ance** *s* Biˈlanzsaldo *m*. — ~ **de·pre·ci·a·tion** *s* Kapiˈtalabschreibung *f*. — ~ **ex·pend·i·ture** *s* Kapiˈtalaufwand *m*, -verbrauch *m*. — ~ **goods** *s pl* Produktiˈonsgüter *pl*. — ~ **in·vest·ment** *s* **1.** Kapiˈtalanlage *f*. – **2.** langfristig angelegtes Kapiˈtal.

cap·i·tal·ism [ˈkæpitəˌlizəm; -pə-] *s* Kapitaˈlismus *m*. — **ˈcap·i·tal·ist** *s* Kapitaˈlist *m*. — **ˌcap·i·talˈis·tic** *adj* kapitaˈlistisch. — **ˌcap·i·talˈis·ti·cal·ly** *adv*.

cap·i·tal·i·za·tion [ˌkæpitəlaiˈzeiʃən; -pə-; -lə-] *s* **1.** *econ.* Kapitalisatiˈon *f*, Errechnung *f* des Kapiˈtalbetrages aus den Zinsen. – **2.** *econ.* Kapiˈtalausstattung *f*, Kapitaliˈsierung *f* (*einer Gesellschaft*). – **3.** Großschreibung *f*.

cap·i·tal·ize [ˈkæpitəˌlaiz; -pə-] **I** *v/t* **1.** *econ.* a) kapitaliˈsieren, den Kapiˈtalbetrag (*einer Sache*) errechnen, b) in Kapital converˈtieren, zum Vermögen schlagen, c) mit Kapital ausstatten. – **2.** mit großen (Anfangs)Buchstaben schreiben *od.* drucken. – **II** *v/i* **3.** Kapiˈtal anhäufen. – **4.** einen Kapiˈtalwert haben (at von). – **5.** Nutzen ziehen (on aus).

cap·i·tal lev·y *s econ.* Vermögensabgabe *f*.

cap·i·tal·ly [ˈkæpitli; -pə-] *adv* **1.** *jur.* peinlich, bei *od.* mit Todesstrafe. –

2. *fig.* schwer, ernstlich. – 3. großartig, vortrefflich.
cap·i·tal| mar·ket *s econ.* Kapi'tal-, Geldmarkt *m.* — **~ of·fence** *s jur.* Kapi'talverbrechen *n.* — **~ re·turns tax** *s econ.* Kapiˌtaler'tragssteuer *f.* — **~ sen·tence** *s* Todesurteil *n.* — **~ ship** *s mar.* Großkampfschiff *n.* — **~ stock** *s econ.* 1. 'Aktien-, 'Stammkapiˌtal *n.* – 2. *collect.* Aktien *pl* einer Aktiengesellschaft. — **~ sur·plus** *s econ.* Kapi'talˌüberschuß *m.* — **~ val·ue** *s econ.* Kapi'talwert *m.*
cap·i·tate ['kæpiˌteit; -pə-], **'cap·iˌtat·ed** [-id] *adj bot.* kopfförmig, köpfchentragend.
cap·i·ta·tion [ˌkæpi'teiʃən; -pə-] *s* 1. Kopfzählung *f.* – 2. Kopfsteuer *f.* — **~ tax** → capitation 2.
cap·i·tel·late [*Br.* kə'piteˌleit; *Am.* ˌkæpə'teleit] *adj bot.* kleinköpfig, in einem kleinen Köpfchen endend.
cap·i·tel·lum [ˌkæpi'teləm; -pə-] *s med.* Oberarmkopf *m.*
Cap·i·tol ['kæpitl; -pə-] *s* 1. *antiq.* Kapi'tol *n* (*in Rom*). – 2. *Am.* Kapi'tol *n* (*Kongreßhaus in Washington; auch einzelstaatliches Regierungsgebäude*). — **'Cap·i·toˌline** [-təˌlain] I *s* kapito'linischer Hügel (*in Rom*). – II *adj* kapito'linisch.
ca·pit·u·lar [*Br.* kə'pitjulər; *Am.* -tʃə-] I *adj* 1. *relig.* kapitu'lar, zu einem Ka'pitel gehörig. – 2. *bot. zo.* köpfchenförmig. – 3. *med.* zum Gelenkkopf gehörig. – II *s* 4. *relig.* Kapitu'lar *m*, Dom-, Stiftsherr *m.*
ca·pit·u·lar·y [*Br.* kə'pitjuləri; *Am.* -tʃəˌleri] I *adj* → capitular 1. – II *s* → capitular 4.
ca·pit·u·late [*Br.* kə'pitjuˌleit; *Am.* -tʃə-] *v/i* kapitu'lieren: a) *mil.* sich ergeben, b) *fig.* die Waffen strecken. – *SYN. cf.* yield.
ca·pit·u·la·tion [*Br.* kəˌpitju'leiʃən; *Am.* -tʃə-] *s* 1. *mil.* a) Kapitulati'on *f*, 'Übergabe *f*, b) Kapitulati'onsurkunde *f.* – 2. Aufzählung *f* der Ka'pitel *od.* Hauptpunkte (*eines Dokuments*). – 3. *hist.* Kapitulati'on *f* (*Vertrag zwischen europ. u. orient. Staaten zur Sicherung der Vorrechte der Exterritorialität*).
ca·pit·u·lum [*Br.* kə'pitjuləm; *Am.* -tʃə-] *s* 1. *bot.* (Blüten)Köpfchen *n.* – 2. *med. zo.* Ka'pitulum *n*, Köpfchen *n.* – 3. *relig.* Bibelstelle *f.*
cap jew·el *s tech.* Deckstein *m* (*Uhr*).
cap·lin ['kæplin], **'cap·ling** [-liŋ] → capelin.
Cap'n ['kæpn] *Kurzform für* Captain.
cap nut *s tech.* 'Überwurf-, Kapselmutter *f.*
ca·pon [*Br.* 'keipən; *Am.* -pɒn] I *s* 1. Ka'paun *m.* – 2. *obs.* Eu'nuch *m.* – II *v/t* → caponize.
cap·o·nier [ˌkæpə'nir] *s mil. hist.* Kapon'nière *f* (*einer Festung*).
ca·pon·ize ['keipəˌnaiz] *v/t* (*Hahn*) ka'paunen, ka'strieren.
'ca·pon's|-ˌfeath·er [*Br.* 'keipənz; *Am.* -pɒnz] *s bot.* Gemeine Ake'lei (*Aquilegia vulgaris*). — **'~-ˌtail** *s bot.* 1. Pyre'näischer Baldrian (*Valeriana pyrenaica*). – 2. → capon's-feather.
cap·o·ral ['kæpəˌrɑːl; ˌkæpə'ræl] *s* (*Art*) grober Tabak.
ca·pot [kə'pɒt] (*Pikettspiel*) I *s* Spiel *n od.* Par'tie *f* (*Gewinnen sämtlicher Stiche*). – II *v/t pret u. pp* **ca'pot·ted** (*j-n*) durch eine Par'tie schlagen.
ca·pote [kə'pout] *s* 1. Ka'potte *f*: a) Regencape *n* mit Ka'puze, b) Häubchen *n.* – 2. Verdeck *n* (*Wagen*).
cap pa·per *s* 'Tüten-, 'Packpaˌpier *n.*
cap·pa·ri·da·ceous [ˌkæpəri'deiʃəs] *adj bot.* zur Fa'milie der Kapernstrauchgewächse gehörig.
capped [kæpt] *adj* 1. mit einer Kappe *od.* Mütze bedeckt: ~ and gowned in vollem Ornat. – 2. *vet.* a) geschwollen (*Kniebug des Pferdes*), b) mit geschwollenem Kniebug (*Pferd*). — **~ hock** *s vet.* Geschwulst *f* am Sprunggelenk des Pferdes.
cap·per ['kæpər] *s* 1. Kappen-, Mützenmacher *m.* – 2. j-d der (*einen anderen*) aussticht *od.* über'trifft. – 3. *Am. sl.* a) *fig.* Scheinbieter *m* (*bei Versteigerungen*), b) ‚Schlepper' *m*, Lockvogel *m* (*in Spielhöllen*).
cap·ping plane ['kæpiŋ] *s tech.* Pro'filhobel *m.*
cap pis·tol *s* 'Spielzeugpiˌstole *f.*
cap·puc·ci·no [kapu'tʃiːnou] *s* Cappuc'cino *m* (*Espresso mit Milch*).
cap·rate ['kæpreit] *s chem.* Ca'prat *n* (*Salz od. Ester der Caprinsäure*).
ca·prel·line [kə'prelain] *adj zo.* die Gespenstflohkrebse betreffend.
cap·re·o·late ['kæpriəˌleit; -lit; kə'priː-] *adj* 1. *bot.* mit Ranken, ast-, gabel-, stammrankig, rankenähnlich. – 2. *med.* rankenähnlich.
cap·ric ['kæprik] *adj chem.* Caprin... — **~ ac·id** *s chem.* Ca'prinsäure *f* ($C_{10}H_{20}O_2$).
ca·pric·cio [ka'prittʃo] *pl* **-cios**, (*Ital.*) **-ci** [-tʃi] *s* 1. *mus.* Ca'priccio *n.* – 2. Posse *f*, Streich *m*, Schabernack *m.* – 3. → caprice 1. — **ca·pric·cio·so** [kaprit'tʃoso] (*Ital.*) *adj u. adv mus.* capricci'oso, kaprizi'ös, launisch, phanta'sievoll.
ca·price [kə'priːs] *s* 1. Laune *f*, launischer Einfall, Ka'price *f.* – 2. Launenhaftigkeit *f.* – 3. *mus.* → capriccio 1. – *SYN.* crotchet, freak, vagary, whim. — **ca·pri·cious** [kə'priʃəs] *adj* launenhaft, launisch, kaprizi'ös. – *SYN. cf.* inconstant. — **ca'pri·cious·ness** *s* Launenhaftigkeit *f.*
Cap·ri·corn ['kæpriˌkɔːrn] *s astr.* Steinbock *m*: a) *südl. Sternbild*, b) *zehntes Tierkreiszeichen*: → tropic 1. — **c~ bee·tle** *s zo.* (*ein*) Holzbock *m*, (*ein*) Bockkäfer *m* (*Fam. Cerambycidae*).
Cap·ri·cor·nus [ˌkæpri'kɔːrnəs] *gen* **-ni** [-nai] → Capricorn.
cap·ri·fi·ca·tion [ˌkæprifi'keiʃən; -rəfə-] *s bot.* Kaprifikati'on *f* (*künstliche Veredlung der Eßfeige*).
cap·ri·fig ['kæpriˌfig; -rə-] *s bot.* Ziegen-Feigenbaum *m* (*Ficus carica sylvestris*).
cap·ri·fo·li·a·ceous [ˌkæpriˌfouli'eiʃəs; -rə-] *adj bot.* zu den Geißblattgewächsen gehörig.
cap·rin ['kæprin] *s chem.* Ca'prin *n* (*Bestandteil der Butter*).
cap·rine ['kæprain; -rin] *adj zo.* ziegenähnlich, Ziegen...
cap·ri·ole ['kæpriˌoul] I *s* 1. Kapri'ole *f*, Bock-, Luftsprung *m.* – 2. (*Pferdedressur*) Kapri'ole *f.* – II *v/i* 3. Kapri'olen machen.
cap rock → cap[1] 15.
ca·pro·ic ac·id [kə'prouik] *s chem.* Ca'pron-, He'xansäure *f.*
cap·rone ['kæproun] *s chem.* Ca'pron *n* ($C_{11}H_{12}O$; *Di-n-amyl-keton*).
ca·pron·ic ac·id [kə'prɒnik] → caproic acid.
ca·pryl·ic ac·id [kə'prilik] *s chem.* Ka'pryl-, Oc'tansäure *f* ($C_8H_{16}O_2$).
cap| screw *s tech.* 1. Kopfschraube *f*, Schraube *f* mit Kopf. – 2. Schraubbolzen *m* mit Rechteckkopf. – 3. 'Überwurfmutter *f.* – 4. Hutmutter *f.* — **~ scut·tle** *s mar.* lose Luke, Springluke *f.*
'capˌsheaf *s irr agr.* oberste Garbe eines Schobers, Feimhaube *f.*
cap·si·cum ['kæpsikəm] *s* 1. *bot.* Span. Pfeffer *m* (*Gattg Capsicum*). – 2. *med.* Kapsikum *n.*
cap·size [kæp'saiz] *mar.* I *v/i* kentern, 'umschlagen. – II *v/t* (*ein Schiff*) zum Kentern bringen, 'umschlagen lassen.
cap·stan ['kæpstən] *s* 1. *tech.* a) stehende Winde, b) (Erd-, Seilrang-, Schacht)Winde *f*, c) *electr.* Tonwelle *f*, Bandantriebsachse *f* (*eines Tonbandgeräts*). – 2. *mar.* (Gang)Spill *n*, Ankerwinde *f*: doubleheaded ~ doppeltes *od.* großes Gangspill; gear ~ kleines Gangspill; to heave at the ~ einwinden. — **~ bar** *s mar.* (Gang)-Spill-, Handspake *f.* — **~ bar·rel** *s mar.* Spilltrommel *f.* — **~ drive** *s tech.* Göpelantrieb *m.* — **~ en·gine** *s mar.* 'Ankerˌspill-, 'Ankerˌlichtmaˌschine *f.* — **~ han·dle** *s tech.* Drehkreuz *n.* — **~ head** *s mar.* Re'volver-, Spillkopf *m.* — **~ lathe** *s tech.* Re'volverdrehbank *f.*
'capˌstone *s arch.* (Ab)Deck-, Schlußstein *m* (*auch fig.*), Mauerkappe *f.*
cap·su·lar ['kæpsjulər; *Am. auch* -sələr] *adj* kapselförmig, Kapsel... — **'cap·suˌlate** [-ˌleit], **'cap·suˌlat·ed** [-id] *adj* eingekapselt, verkapselt.
cap·sule ['kæpsjuːl; *Am. auch* -səl] I *s* 1. *med. zo.* Kapsel *f*, Hülle *f*, Schale *f*: articular ~ Gelenkkapsel. – 2. *bot.* a) Spring-, Kapselfrucht *f*, b) Sporenkapsel *f.* – 3. (Me'tall)Kapsel *f* (*als Flaschenverschluß*). – 4. Kapsel *f*, kleines Gehäuse. – 5. *fig.* kurze Abhandlung *od.* 'Übersicht, 'Überblick *m.* – 6. *chem.* Abdampfschale *f*, -tiegel *m*, Ka'pelle *f*, Ku'pelle *f.* – II *v/t* 7. einkapseln, verkapseln. – 8. kurz um'reißen. – III *adj* 9. kompri'miert, gedrängt. — **ˌcap·su'lif·er·ous** [-'lifərəs] *adj bot. zo.* kapseltragend. — **'cap·su·liˌform** [-liˌfɔːrm; -lə-] *adj* kapselförmig.
cap·su·li·tis [ˌkæpsju'laitis; *Am. auch* -sə'l-] *s med.* 1. Gelenkkapselentzündung *f.* – 2. Bulbuskapselentzündung *f* (*am Auge*).
cap·tain ['kæptin; -tən] I *s* 1. (An)-Führer *m*, Oberhaupt *n*, Leiter *m*, führende Per'sönlichkeit: ~ of industry führender Industrieller, Industriekapitän. – 2. *mil.* a) Hauptmann *m*, b) *hist.* Rittmeister *m* (*der Kavallerie*). – 3. *mar.* a) Kapi'tän *m*, Komman'dant *m*, b) (*Kriegsmarine*) Kapi'tän *m* zur See, c) 'Unteroffiˌzier *m* mit besonderen Aufgaben: ~ of the gun Geschützführer. – 4. *sport* ('Mannschafts)Kapiˌtän *m.* – 5. (*Bergbau*) Obersteiger *m.* – 6. Klassenführer(in), -sprecher(in) (*in engl. Schulen*). – 7. *Am.* Poli'zeihauptmann *m.* – 8. *zo.* (*ein*) Knurrhahn(fisch) *m* (*Gattg Trigla*). – II *v/t* 9. anführen, leiten: to ~ a team.
cap·tain·cy ['kæptinsi; -tən-] → captainship.
cap·tain's bis·cuit ['kæptinz; -tənz] *s eine Kekssorte.*
cap·tain·ship ['kæptinˌʃip; -tən-] *s* 1. *mil.* Stelle *f od.* Rang *m* eines Hauptmanns *od.* Kapi'täns *etc.* – 2. Führerschaft *f*, Führung *f.* – 3. mili'tärisches Geschick, Kriegserfahrung *f.*
cap·ta·tion [kæp'teiʃən] *s* Streben *n* nach Beifall *od.* Gunst.
cap·tion ['kæpʃən] I *s* 1. *bes. Am.* 'Überschrift *f*, Titel *m*, Kopf *m* (*Kapitel, Artikel, Rubrik*). – 2. *bes. Am.* 'Bildˌunterschrift *f*, Le'gende *f.* – 3. *bes. Am.* Zwischentitel *m* (*Film*). – 4. *jur.* a) Prä'ambel *f*, Eingangsformel *f* (*Urkunde*), b) Spalte *f*, Ru'brik *f.* – 5. *selten* Wegnahme *f.* – II *v/t* 6. *bes. Am.* mit einer 'Überschrift *od.* Le'gende *etc* versehen.
cap·tious ['kæpʃəs] *adj* 1. verfänglich: a ~ question. – 2. spitzfindig, pe'dantisch, tadelsüchtig, krittelig: a ~ critic. – *SYN. cf.* critical. — **'cap·tious·ness** *s* 1. Verfänglichkeit *f.* – 2. Spitzfindigkeit *f*, Tadelsucht *f*, 'Widerspruchsgeist *m.*
cap·ti·vate ['kæptiˌveit; -tə-] *v/t fig.* gefangennehmen, fesseln, (für sich)

einnehmen, gewinnen, bezaubern: to be ~d with s.th. von etwas eingenommen sein. – *SYN. cf.* attract. — **'cap·tiˌvat·ing** *adj* fesselnd, bezaubernd, einnehmend. — **ˌcap·ti'va·tion** *s* Bestrickung *f*, Bezauberung *f*.

cap·tive ['kæptiv] **I** *adj* **1.** (kriegs)gefangen, in Gefangenschaft (gehalten), festgehalten: ~ **audience** obligatorische Zuhörer(schaft). – **2.** *fig.* eingenommen, gefesselt, bestrickt. – **3.** Gefangenen... – **4.** *Am.* dem Eigenbedarf einer Indu'striegesellschaft *od.* öffentlichen Stelle dienend, nicht für den Markt bestimmt: ~ coal mine. – **II** *s* **5.** (Kriegs)Gefangener *m.* – **6.** *phys.* Einfang *m*, Ein-, Wegfangen *n.* – **7.** *fig.* Gefangener *m*, Sklave *m*, Opfer *n* (*der Liebe etc*). — ~ **bal·loon** *s aer.* 'Fesselbalˌlon *m.*

cap·tiv·i·ty [kæp'tiviti; -əti] *s* **1.** Gefangenschaft *f.* – **2.** *fig.* Knechtschaft *f*, Sklave'rei *f.*

cap·tor ['kæptər] *s* **1.** j-d der Gefangene macht, Fänger *m.* – **2.** Erbeuter *m.* – **3.** *mar.* Kaper *m*, Aufbringer *m* (*eines Schiffes*).

cap·ture ['kæptʃər] **I** *v/t* **1.** fangen, gefangennehmen. – **2.** *mil.* a) erobern, b) erbeuten: ~d property Beute. – **3.** *mar.* kapern, aufbringen. – **4.** (*Macht*) ergreifen. – **5.** (*durch Fleiß od. Geschick*) erlangen, gewinnen: to ~ a prize. – **6.** gewinnen, fesseln: to ~ s.o.'s fancy j-n für sich gewinnen. – *SYN. cf.* catch. – **7.** *phys.* (*Neutronen*) einfangen. – **II** *s* **8.** Gefangennahme *f.* – **9.** *mil.* a) Einnahme *f*, Eroberung *f*, b) Erbeutung *f.* – **10.** *mar.* Kapern *n*, Aufbringen *n.* – **11.** Beute *f*, Prise *f.* – **12.** Verhaftung *f.* — **'cap·tur·a·ble** *adj* **1.** zu fangen(d), fangbar. – **2.** *mil.* einnehmbar.

ca·puche [kə'puːʃ] *s* Ka'puze *f.*

cap·u·chin ['kæpjutʃin; -juʃin] *s* **1.** C~ *relig.* Kapu'ziner(mönch) *m.* – **2.** Ka'puze *f.* – **3.** ('Damen)ˌUmhang *m* mit Ka'puze. – **4.** *zo.* a) *auch* ~ monkey Kapu'zineraffe *m* (*Gattg Cebus, bes. C. capucinus*), b) (*eine*) Lockentaube (*Haustaubenrasse*).

ca·put ['keipət; 'kæ-] *pl* **cap·i·ta** ['kæpitə; -pə-] (*Lat.*) *s* **1.** *med.* Kopf *m*, kopfartige Bildung. – **2.** *hist.* (*vor 1856*) oberste Verwaltungsbehörde (*der Universität Cambridge, England*). — ~ **mor·tu·um** ['mɔːrtjuəm] (*Lat.*) *s* wertloser ('Über)Rest.

cap·y·ba·ra [ˌkæpi'bɑːrə] *s zo.* Capy'bara *n*, Südamer. Wasserschwein *n* (*Hydrochoerus capybara*).

car [kɑːr] *s* **1.** Auto(mo'bil) *n*, (Kraft)Wagen *m*: ~ **air ferry service** Auto-Luftfährendienst. – **2.** *bes. Am.* Eisenbahnwagen *m*, Wag'gon *m* (*Br. nur von bestimmten Wagen*): Pullman ~ a) *Am.* Schlafwagen, b) *Br.* Salonwagen. – **3.** Wagen *m*, Karren *m*, Fahrzeug *n.* – **4.** *Br.* (zweirädriger) Trans'portwagen. – **5.** *aer.* Gondel *f* (*Luftschiff etc*). – **6.** *Am.* 'Fahrstuhl *m*, -kaˌbine *f.* – **7.** *poet.* (Kriegs-, Sieges-, Tri'umph)Wagen *m.* – **8.** (durch'löcherter) Schwimmkasten (*für Fische etc*). – **9.** C~ *astr.* Großer Wagen.

ca·ra·ba·o [ˌkɑːrɑː'bɑːou] *pl* **-ba·os** → buffalo 1 a.

car·a·bid ['kærəbid] *s zo.* Laufkäfer *m* (*Fam. Carabidae*).

car·a·bin ['kærəbin], **'car·aˌbine** [-ˌbain] → carbine.

car·a·bi·neer, car·a·bi·nier [ˌkærəbi'nir; -bə-] *s mil.* Karabini'er *m* (*mit Karabiner bewaffneter Soldat*): the C~s *Br.* das 6. Garde-Dragonerregiment.

car·a·boid ['kærəˌbɔid] *zo.* **I** *adj* laufkäferartig. – **II** *s* → carabid. — **'car·a·bus** [-bəs] *s zo.* Laufkäfer *m* (*Gattg Carabus*).

car·a·cal ['kærəˌkæl] *s zo.* Kara'kal *m*, Wüstenluchs *m* (*Lynx caracal*).

ca·ra·ca·ra [ˌkɑːrə'kɑːrə] *s zo. ein amer. Geierfalke, bes.* a) Ka'rancho *m* (*Polyborus tharus*), b) Kara'kara *m* (*Polyborus cheriway auduboni*), c) Schwarzer Karakara (*Ibycter ater*).

car·a·col ['kærəˌkɒl] **I** *s* → caracole I. – **II** *v/i pret u. pp* **-colled** → caracole II. — **'car·aˌcole** [-ˌkoul] **I** *s* **1.** (*Reitkunst*) Kara'kole *f*, halbe Wendung nach links *od.* rechts. – **2.** *arch.* Wendel-, Schneckentreppe *f.* – **II** *v/i* **3.** (*Reitkunst*) karako'lieren, halbe Wendungen machen.

car·a·cul *cf.* karakul.

ca·rafe [*Br.* kə'rɑːf; *Am.* kə'ræ(ː)f] *s* Ka'raffe *f*, Glasflasche *f* mit Stöpsel.

car·a·geen *cf.* carrageen.

car·a·mel ['kærəməl; -ˌmel] **I** *s* **1.** Kara'mel *m*, gebrannter Zucker, 'Zuckercouˌleur *f.* – **2.** Kara'melle *f*, Milch-, Sahnebonbon *m, n.* – **II** *v/t u. v/i* → caramelize 1 *u.* 3. — **'car·a·melˌize I** *v/t* **1.** in Kara'mel verwandeln. – **2.** *sl.* (*Handel*) ‚festmachen'. – **II** *v/i* **3.** sich in Kara'mel verwandeln.

ca·ran·goid [kə'ræŋgɔid] *zo.* **I** *adj* zur Fa'milie der 'Stachelmaˌkrelen gehörig. – **II** *s* 'Stachelmaˌkrele *f* (*Fam. Carangidae*).

ca·ranx ['kæræŋks; 'kei-] *s zo.* Stöcker *m*, 'Bastard-, 'Stachelmaˌkrele *f* (*Gattg Caranx*).

car·a·pace ['kærəˌpeis] *s zo.* Schale *f*, Rückenschild *m* (*Schildkröte etc*).

car·at ['kærət] *s* Ka'rat *n*: a) *Juwelen- u. Perlengewicht* (= *200 mg*), b) *Maßeinheit der Feinheit von Goldlegierungen.*

car·a·van ['kærəˌvæn; ˌkærə'væn] *s* **1.** Kara'wane *f* (*auch fig.*). – **2.** großer Trans'port- *od.* Reisewagen. – **3.** gedeckter Lieferwagen. – **4.** *Br.* Wohnwagen(anhänger) *m.* — **ˌcar·a'van·sa·ry** [-səri], *auch* **ˌcar·a'van·seˌrai** [-ˌrai] *s* **1.** Karawanse'rei *f*, Kara'wanenherberge *f.* – **2.** großes Gasthaus, große Herberge.

car·a·vel, *auch* **car·a·velle** ['kærəˌvel] *s mar.* Kara'velle *f.*

car·a·way ['kærəˌwei] *s* **1.** *bot.* Gemeiner Kümmel (*Carum carvi*). – **2.** Kümmel *m* (*Gewürz*). — ~ **seeds** *s pl* Kümmelsamen *pl*, -körner *pl.*

car·bam·ate [kɑːr'bæmeit; 'kɑːrbəˌmeit] *s chem.* **1.** Carbami'nat *n.* – **2.** Ure'than *n* (*Ester der Carbaminsäure*). — **car·bam·ic ac·id** [kɑːr'bæmik] *s chem.* Carba'minsäure *f* (NH_2COOH). — **car·bam·ide** [kɑːr'bæmaid; 'kɑːrbəˌmaid] *s chem.* Carba'mid *n*, Harnstoff *m* ($NH_2CO·NH_2$).

'carˌbarn *s Am.* 'Straßenbahnreˌmise *f.*

car·ba·zole ['kɑːrbəˌzoul] *s chem.* Carba'zol *n* ($C_{12}H_9N$).

car·bide ['kɑːrbaid; *Am. auch* -bid] *s chem.* Kar'bid *n* (*bes.* CaC_2).

car·bine ['kɑːrbain] *s mil.* Kara'biner *m.* — **ˌcar·bi'neer, ˌcar·bi'nier** [-bi'nir; -bə-] → carabineer.

car·bi·nol ['kɑːrbiˌnɒl; -ˌnoul; -bə-] *s chem.* Me'thylalkohol *m*, Karbi'nol *n* (CH_3OH).

carbo- [kɑːrbo] *Wortelement mit der Bedeutung* Kohlenstoff.

car bod·y *s tech.* Karosse'rie *f.*

car·bo·hy·drate [ˌkɑːrbo'haidreit] *s chem.* 'Kohlenhyˌdrat *n.* — ~ **me·tab·o·lism** *s biol.* 'Kohlenhyˌdratˌstoffwechsel *m*, -ˌumsatz *m.*

car·bo·lat·ed ['kɑːrbəˌleitid] *adj chem.* mit Kar'bolsäure getränkt.

car·bol·ic ac·id [kɑːr'bɒlik] *s chem.* Kar'bol(säure *f*) *n*, Phe'nol *n* (C_6H_5-OH).

car·bo·lize ['kɑːrbəˌlaiz] *v/t chem.* mit Kar'bolsäure behandeln *od.* tränken.

car·bon ['kɑːrbən] *s* **1.** *chem.* Kohlenstoff *m.* – **2.** *electr.* 'Kohle(elekˌtrode) *f.* – **3.** 'Kohlepaˌpier *n.* – **4.** 'Durchschlag *m*, Ko'pie *f* (*Brief etc*).

car·bo·na·ceous [ˌkɑːrbə'neiʃəs] *adj* **1.** *chem.* kohlenstoffhaltig, -artig, Kohlen... – **2.** *geol.* kohlenhaltig, Kohlen... – **3.** kohleartig.

car·bo·na·do[1] [ˌkɑːrbə'neidou] *obs.* **I** *s pl* **-does, -dos 1.** Karbo'nade *f* (*Fleisch od. Fisch*). – **II** *v/t* **2.** auf dem Rost braten. – **3.** *fig.* zerhacken.

car·bo·na·do[2] [ˌkɑːrbə'neidou] *pl* **-does** *s* Karbo'nado *m*, Karbo'nat *m* (*schwarzer Diamant*).

Car·bo·na·ri [ˌkɑːrbəː'nɑːri] *s pl pol. hist.* Karbo'nari *pl* (*revolutionärer ital. u. franz. Geheimbund im 19. Jh.*).

car·bon·a·ta·tion [ˌkɑːrbənə'teiʃən] → carbonation.

car·bon·ate ['kɑːrbəˌneit; -nit] *chem.* **I** *s* **1.** Karbo'nat *n*, kohlensaures Salz: ~ of lime Kalziumkarbonat, Kreide, Kalkstein, Marmor; ~ of soda Natriumkarbonat, kohlensaures Natron, Soda. – **II** *v/t* [-ˌneit] **2.** mit Kohlensäure *od.* Kohlen'dioˌxyd behandeln *od.* sättigen *od.* verbinden: ~d water kohlensäurehaltiges Wasser, Sodawasser. – **3.** karboni'sieren: a) *zu Kohle abbauen od. zersetzen*, b) *in Karbonat umwandeln.* — **ˌcar·bon'a·tion** *s chem.* **1.** Karboni'sieren *n*, Karbonisati'on *f.* – **2.** Verbindung *f od.* Behandlung *f* mit Kohlensäure *od.* Kohlen'dioˌxyd. – **3.** (*Zuckerfabrikation*) Saturati'on *f*, Entkalken *n* des Rübensaftes.

car·bon| bi·sul·fide → carbon disulfide. — ~ **black** *s* Kohlenschwarz *n*, (Lampen)Ruß *m.* — ~ **brush** *s electr.* Kohlebürste *f*, Schleifkohle *f.* — ~ **but·ton** *s electr.* Mikro'phonkapsel *f* (*eines Kohlemikrophons*). — ~ **cop·y** → carbon 4. — ~ **cy·cle** *s phys.* Kohlenstoffzyklus *m* (*ein atomarer Kreisprozeß, bei dem unter Freisetzung von Atomenergie Wasserstoff in Helium umgewandelt wird*). — ~ **di·ox·ide** *s chem.* Kohlen'dioˌxyd *n* (CO_2), Kohlensäure *f.* — '~**-diˌox·ide snow** *s tech.* Kohlen'dioˌxyd-, Kohlensäureschnee *m*, Trockeneis *n.* — ~ **di·sul·fide,** *auch* ~ **di·sul·phide** *s chem.* Schwefelkohlenstoff *m* (CS_2). — ~ **fil·a·ment** *s electr.* Kohlefaden *m.*

car·bon·ic [kɑːr'bɒnik] *adj chem.* **1.** kohlenstoffhaltig. – **2.** Kohlen... – **3.** C~ → carboniferous 3. — ~ **ac·id** *s chem.* Kohlensäure *f* (H_2CO_3).

car'bon·ic|-'ac·id gas → carbon dioxide. — ~ **ox·ide** *s chem.* Kohlen'monoˌxyd *n* (CO).

car·bon·if·er·ous [ˌkɑːrbə'nifərəs] **I** *adj* **1.** a) kohlenstoffhaltig, b) kohlehaltig, kohlig. – **2.** *geol.* kohleführend, -haltig. – **3.** C~ *geol.* a) das Kar'bon betreffend, Karbon..., b) Karbon u. Perm betreffend. – **II** *s* **4.** C~ *geol.* a) Kar'bon *n*, b) Karbon *n* und Perm *n.* — **C~ lime·stone** *s geol.* **1.** Kalkstein *m* des 'Unterkarˌbons. – **2.** Kalkstein *m* des 'Oberkarˌbons.

car·bon·i·za·tion [ˌkɑːrbənai'zeiʃən; -nə-] *s* **1.** Verkohlung *f.* – **2.** *chem. tech.* Durch'tränkung *f od.* Verbindung *f* mit Kohlenstoff, Karbonisati'on *f.* – **3.** *tech.* Abgarung *f*, Verkokung *f*, Verschwelung *f*, 'Trockendestillatiˌon *f*, Entgasung *f*: ~ plant Kokerei. – **4.** (*Wollverarbeitung*) Karbonisati'on *f.* – **5.** *geol.* Inkohlung *f.* — **car·bon·ize** ['kɑːrbəˌnaiz] **I** *v/t* **1.** auskohlen, verkohlen. – **2.** *chem. tech.* mit Kohlenstoff verbinden, karboni'sieren. – **3.** *tech.* garen, verkoken. – **4.** (*Wollverarbeitung*) karboni'sieren. – **5.** *geol.* inkohlen. – **II** *v/i* **6.** verkohlen: to ~ at low temperature schwelen.

car·bon| lamp *s tech.* Kohle(n)fadenlampe *f.* — ~ **mi·cro·phone** *s electr.* 'Kohlemikroˌphon *n.* — ~ **mon·ox·ide** *s chem.* Kohlen'monoˌxyd *n* (CO). — ~ **pa·per** *s* **1.** 'Kohlepaˌpier *n.* – **2.** *phot.* 'Kohle-, Pig'mentpaˌpier *n.*

— ~ **pile** *s phys.* gra'phitmode,rierter Re'aktor. — ~ **print** *s print.* Kohle-, Pig'mentdruck *m.* — ~ **proc·ess** *s phot.* Pig'mentdruckverfahren *n* (*mit Kohlepapier*). — ~ **tet·ra·chlo·ride** *s chem.* Kohlenstoff,tetrachlo'rid *n*, Tetra'chlorkohlenstoff *m.* — ~ **trans·mit·ter** → carbon microphone.

car·bon·yl ['kɑːrbəˌnil] *s chem.* Karbo'nyl *n*: a) *die Atomgruppe CO in Aldehyden u. Ketonen*, b) *Verbindung eines Metalles mit Kohlenoxyd.* — ˌ**car·bon'yl·ic** *adj* Karbonyl..., Karbo'nyl enthaltend.

car·bo·run·dum [ˌkɑːrbə'rʌndəm] *s tech.* Karbo'rundum *n*, Si'liziumkar,bid *n* (*Schleifmittel*).

car·box·yl [kɑːr'bɒksil], ~ **group** *s chem.* Karbo'xyl *n* (*Radikal* CO_2H). — ˌ**car·box'yl·ic** *adj* Karboxyl..., karbo'xylhaltig, kar'bonsauer, Karbon...: ~ acid Karbonsäure.

car·boy ['kɑːrbɔi] *s* Korbflasche *f*, ('Glas)Bal,lon *m* (*bes. für Säuren*).

car| brake *s tech.* Wagenbremse *f.* — ~ **break·er** *s* Inhaber *m* eines Autofriedhofes. — ~ **bump·er** *s tech.* Stoßstange *f.*

car·bun·cle ['kɑːrbʌŋkl] *s* **1.** *med.* Kar'bunkel *m.* – **2.** *pl med.* rote Flecken *pl*, Hautausschlag *m.* – **3.** mugelig rund geschliffener Gra'nat. – **4.** *obs.* Kar'funkel(stein) *m* (*bes. Rubin, Granat*). – **5.** a) Tief-, Dunkelrot *n*, b) Braunrot *n.* — '**car·bun·cled** *adj* **1.** *med.* mit Kar'bunkeln behaftet. – **2.** *med.* mit roten Flecken (*Gesicht, Nase etc*). – **3.** mit Kar'funkeln besetzt. — **car'bun·cu·lar** [-kjulər; -kjə-] *adj med.* karbunku'lös, kar'bunkelartig.

car·bu·ret [*Br.* 'kɑːrbju(ə)ˌret; *Am.* -bjə-; -bə-; *auch* -ˌreit] *chem.* **I** *s* **1.** Kar'bid *n.* – **II** *v/t pret u. pp* -ˌ**ret·ed**, *bes. Br.* -ˌ**ret·ted 2.** mit Kohlenstoff (chemisch) verbinden. – **3.** karbu'rieren. — '**car·buˌret·ant** *s chem. tech.* Karbu'rierungsmittel *n.* — '**car·buˌret·ed**, *bes. Br.* '**car·buˌret·ted** *adj* karbu'riert. — **car·bu·re·tion** [ˌkɑːrbju'reʃən; *Am. auch* -bə'reiʃən] *s* **1.** *chem.* Karbu'rierung *f.* – **2.** *tech.* a) Vergasung *f*, b) Vergaseranordnung *f.*

car·bu·ret·or, *bes. Br.* **car·bu·ret·tor** [*Br.* 'kɑːrbju(ə)ˌretər; *Am.* -bjə-; -bə-; *auch* -bəˌreitər] *s* **1.** *tech.* Vergaser *m* (*bes. eines Explosionsmotors*). – **2.** *chem.* Karbu'rator *m.* — ~ **float** *s tech.* Vergaserschwimmer *m.* — ~ **nee·dle** *s tech.* Schwimmernadel *f* (*des Vergasers*). — ~ **jet** *s tech.* Vergaserdüse *f.*

car·bu·ret·ted, car·bu·ret·tor *bes. Br. für* **carbureted, carburetor.**

car·bu·ri·za·tion [*Br.* ˌkɑːrbju(ə)rai'zeiʃən; *Am.* -bjə-; -bə-; *auch* -ri'z-] *s tech.* **1.** *chem.* Karbu'rierung *f.* – **2.** Einsatzhärtung *f.* – **3.** Zemen'tierung *f.* — '**car·buˌrize** *v/t tech.* **1.** *chem.* a) mit Kohlenstoff verbinden *od.* anreichern, b) karbu'rieren. – **2.** einsatzhärten: ~d steel einsatzgehärteter Stahl. – **3.** zemen'tieren.

car·bu·rom·e·ter [*Br.* ˌkɑːrbju(ə)'rɒmitər; *Am.* -bjə-; *auch* -bə-] *s chem.* 'Meßappa,rat *m* zur Bestimmung von Kohlenstoff u. Wasserstoff in Brennstoffen.

car·byl·a·mine [ˌkɑːrbilə'miːn; -'læmin] *s chem.* Karbyla'min *n.*

car·ca·jou ['kɑːrkəˌdʒuː; -ˌʒuː] *s zo.* **1.** Amer. Vielfraß *m* (*Gulo luscus*). – **2.** Amer. Dachs *m* (*Taxidea americana*). – **3.** Puma *m*, Kuguar *m*, Silberlöwe *m* (*Felis concolor*). – **4.** Kanad. Luchs *m* (*Lynx canadensis*).

car·ca·net ['kɑːrkəˌnet] *s obs.* Halsgeschmeide *n*, -schmuck *m.*

car·case *cf.* carcass.

car·cass ['kɑːrkəs] *s* **1.** Ka'daver *m*, Aas *n*, (Tier-, *verächtlich* Menschen-) Leiche *f.* – **2.** (*verächtlich od. humor. für Personen*) ,Aas' *n*, ,Knochen' *m*, ,Leichnam' *m.* – **3.** Rumpf *m* (*eines ausgeweideten Tieres*). – **4.** *fig.* Ru'ine *f*, Trümmer *pl*, 'Überrest *m.* – **5.** Gerippe *n*, Ske'lett *n*: the ~ of a ship. – **6.** Rohbau *m*, Gerüst *n.* – **7.** *tech.* Kar'kasse *f*, Einlage *f*, Leinwandkörper *m* (*eines Gummireifens*). – **8.** *mil. hist.* Kar'kasse *f*, 'Brandgra,nate *f.* — ~ **meat** *s* Frischfleisch *n.* — ~ **roof·ing** *s arch.* Gespärr(e) *n*, Sparrenwerk *n.*

car·char·i·id [kɑːr'kɛ(ə)riˌid] *s zo.* Menschenhai *m* (*Gattg Carcharias*).

car·cin·o·gen [kɑːr'sinədʒən] *s med.* Karzino'gen *n*, karzino'gener Stoff (*krebserzeugender Stoff*). — ˌ**car·ci·no'gen·ic** [-'dʒenik] *adj* karzino'gen, krebserzeugend.

car·ci·noid ['kɑːrsiˌnɔid] *adj med.* karzino'id, krebsähnlich (*aber gutartig*).

car·ci·no·log·i·cal [ˌkɑːrsinə'lɒdʒikəl] *adj* **1.** *med.* die Krebsforschung betreffend. – **2.** *zo.* karzino'logisch. — ˌ**car·ci'nol·o·gy** [-'nɒlədʒi] *s* **1.** *med.* Krebsforschung *f.* – **2.** *zo.* Karzinolo'gie *f* (*Krebskunde*).

car·ci·no·ma [ˌkɑːrsi'noumə; -sə-] *pl* **-ma·ta** [-mətə] *od.* **-mas** *s med.* Karzi'nom *n*, Krebsgeschwür *n.* — ˌ**car·ci·no·ma'to·sis** [-'tousis] *s med.* Karzinoma'tose *f*, Karzi'nose *f.* — ˌ**car·ci'nom·a·tous** [-'nɒmətəs] *adj med.* karzinoma'tös, krebsig.

car·ci·noph·a·gous [ˌkɑːrsi'nɒfəgəs; -sə-] *adj zo.* Krebse fressend.

car·ci·no·sis [ˌkɑːrsi'nousis; -sə-] *s med.* Karzi'nose *f* (*Krebskrankheit*).

card[1] [kɑːrd] **I** *s* **1.** (Spiel)Karte *f*: a safe (*od.* sure) ~ *fig.* eine sichere Karte, ein sicheres Mittel; to put (*od.* lay) one's ~s on the table *fig.* seine Karten auf den Tisch legen; to have a ~ up one's sleeve *fig.* etwas in petto haben, (noch) einen Trumpf in der Hand haben; on the ~s möglich, wahrscheinlich; → pack[1] 15; show *b. Redw.* – **2.** *pl* (*oft als sg konstruiert*) Kartenspiel(en) *n*: to play (at) ~s Karten spielen; a game at (*od.* of) ~s ein Kartenspiel. – **3.** (Post)Karte *f*: to send s.o. a ~ j-m eine Karte schicken. – **4.** (Geschäfts-, Vi'siten-, Speise-, Wein-, Hochzeits-, Einladungs- *etc*)Karte *f.* – **5.** Mitgliedskarte *f*: ~-carrying member eingeschriebenes Mitglied; to get one's ~s entlassen werden. – **6.** (Eintritts)Karte *f.* – **7.** Pro'gramm *n* (*bei Sportveranstaltungen etc*): the correct ~ die richtige Liste; the ~ *colloq.* das Richtige, die richtige Zahl *etc.* – **8.** Mitteilung *f*, Ankündigung *f*, Anzeige *f.* – **9.** Windrose *f* (*eines Kompasses*): by the ~ mit großer Genauigkeit, präzise. – **10.** *colloq.* Kerl *m*: he is a safe ~ auf ihn kann man sich verlassen; a knowing ~ ein schlauer Kerl. – **11.** *sl.* Kauz *m*, Origi'nal *n* (*Person*): a queer ~ ,eine komische Nummer *od.* Marke'. – **II** *v/t* **12.** eine Karte anbringen an (*dat*), mit einer Karte versehen. – **13.** auf einer Karte befestigen. – **14.** auf Karten verzeichnen *od.* regi'strieren.

card[2] [kɑːrd] *tech.* **I** *s* **1.** Kar'dätsche *f*, Wollkratze *f*, Krempel *f*, Karde *f.* – **2.** 'Krempelma,schine *f.* – **II** *v/t* **3.** (*Wolle*) kar'dätschen, karden, krempeln.

car·dam·i·ne [kɑːr'dæminiː] *s bot.* Schaumkraut *n* (*Gattg Cardamine*).

car·da·mom ['kɑːrdəməm], *auch* '**car·da·mon** [-mən], '**car·da·mum** [-məm] *s bot.* **1.** Karda'mome *f* (*Gewürzsame von Elettaria cardamomum u. Amomum cardamon*). – **2.** Karda'mompflanze *f.*

Car·dan| joint ['kɑːrdæn] *s tech.* Kar'dan-, Kreuzgelenk *n.* — ~ **shaft** *s tech.* Kar'dan-, Gelenkwelle *f.*

'**card|ˌboard** *s* Kar'tonpa,pier *n*, Pappe *f*, Papp(en)deckel *m*: ~ box Pappschachtel. — ~ **cat·a·log(ue)** *s* 'Zettelkata,log *m*, Karto'thek *f*, Kar'tei *f.* — ~ **cloth**, ~ **cloth·ing** *s tech.* Kratzenleder *n*, -tuch *n*, -beschlag *m.*

card·ed yarn ['kɑːrdid] *s tech.* Halbkamm-, Streichgarn *n.*

card end *s tech.* Band *n* (*die aus der Feinkrempel kommende Wolle*).

card·er ['kɑːrdər] *s tech.* Krempler *m*, Rauher *m*, Wollkämmer *m.*

card file → card catalogue.

cardi- [kɑːrdi] → cardio-.

car·di·a ['kɑːrdiə] *s med.* **1.** Kardia *f*, Magenmund *m*, -eingang *m.* – **2.** Magengrund *m.*

car·di·ac ['kɑːrdiˌæk] *med.* **I** *adj* **1.** a) das Herz betreffend, Herz..., b) nahe dem Herzen gelegen. – **2.** die Kardia *od.* den Magengrund betreffend. – **II** *s* **3.** Herzmittel *n.* – **4.** die Magentätigkeit anregendes Mittel. – **5.** *colloq.* Herzkranke(r). — **car'di·a·cal** [-'daiəkəl] → cardiac I.

car·di·ac| asth·ma *s med.* Herzasthma *n.* — ~ **glu·co·side** *s chem. med.* 'Herzgluko,sid *n.* — ~ **in·farc·tion** *s med.* 'Herzin,farkt *m.* — ~ **mur·mur** *s med.* Herzgeräusch *n.* — ~ **or·i·fice** *s med.* Magenmund *m.* — ~ **out·put** *s med.* 'Herzmi,nutenvo,lumen *n.* — ~ **plex·us** *s med.* Herznervengeflecht *n.* — ~ **valve** *s med.* Herzklappe *f.* — ~ **vein** *s med.* Herzvene *f.*

car·di·al·gi·a [ˌkɑːrdi'ældʒiə] *s med.* **1.** Sodbrennen *n.* – **2.** Magenschmerzen *pl.* – **3.** Herzschmerzen *pl.*

car·di·form ['kɑːrdiˌfɔːrm] *adj zo.* kardenförmig (*Fischzähne*).

car·di·gan ['kɑːrdigən] *s* wollene Strickjacke *od.* -weste, Wolljacke *f*, -weste *f.*

car·di·nal ['kɑːrdinl; -də-] **I** *adj* **1.** grundsätzlich, hauptsächlich, Grund..., Haupt..., Kardinal...: of ~ importance von grundsätzlicher Bedeutung; ~ principles Grundprinzipien. – **2.** *relig.* einen Kardi'nal betreffend, Kardinals... – **3.** scharlachrot, hochrot. – **4.** *zo.* a) Angel..., b) (*Muscheln*) Schloßrand... – *SYN. cf.* essential. – **II** *s* **5.** *relig.* Kardi'nal *m.* – **6.** *zo.* Kardi'nal(vogel) *m* (*Gattg Richmondena od. Cardinalis*). – **7.** Scharlach-, Purpurrot *n.* – **8.** (*Art*) kurzer Frauenmantel mit Ka'puze. – **9.** *pl* → ~ points. – **10.** Kardi'nal-, Grundzahl *f.*

car·di·nal·ate ['kɑːrdinəˌleit; -də-] *s relig.* **1.** Kardi'nalswürde *f*, Kardina'lat *n.* – **2.** *collect.* Kardi'nalskol,legium *n.*

car·di·nal| bird → cardinal 6. — ~ **flow·er** *s bot.* Kardi'nalsblume *f* (*Lobelia cardinalis*). — ~ **gros·beak** → cardinal 6. — ~ **num·ber**, ~ **nu·mer·al** *s* Kardi'nal-, Grundzahl *f.* — ~ **points** *s pl* **1.** *geogr.* (*die*) vier (Haupt)Himmelsrichtungen. – **2.** *astr.* Osten *m*, Westen *m*, Ze'nit *m* u. Na'dir *m.* – **3.** *biol.* Kardi'nalpunkte *pl*, -grade *pl* (*Grenzwerte von Lebensfunktionen, bes. bezüglich Temperatur*).

car·di·nal·ship ['kɑːrdinlˌʃip; -də-] → cardinalate 1.

car·di·nal| signs *s pl astr.* Hauptzeichen *pl* im Tierkreis (*Widder, Waage, Krebs, Steinbock*). — ~ **vir·tues** *s pl* Kardi'naltugenden *pl.* — ~ **winds** *s pl* Kardi'nal-, Hauptwinde *pl.*

card| in·dex → card catalog(ue). — '**~-'in·dex** *v/t* **1.** eine Kar'tei anlegen von. – **2.** in eine Kar'tei eintragen.

card·ing ['kɑːrdiŋ] *s tech.* Krempeln *n*, Streichen *n*, Karden *n*, Kratzen *n*, Kar'dätschen *n*, Rauhen *n* (*Wolle etc*).

— ~ **ma·chine** *s tech.* 'Flocken-, 'Krempel-, 'Rauhma,schine *f.*
cardio- [kɑːrdio] *Wortelement mit der Bedeutung* Herz.
car·di·o·gram ['kɑːrdiə,græm] *s med.* Kardio'gramm *n* (*Aufzeichnung der Herzbewegungen*). — **'car·di·o,graph** [-,græ(ː)f; *Br. auch* -,grɑːf] *s med.* Kardio'graph *m* (*Apparat zur Aufzeichnung der Herztätigkeit*). — **,car·di·o'graph·ic** [-'græfik] *adj* kardio'graphisch. — **,car·di'og·ra·phy** [-'ɒgrəfi] *s* Kardiogra'phie *f.*
car·di·oid ['kɑːrdi,ɔid] **I** *s math.* Kardio'ide *f*, Herzlinie *f*, -kurve *f.* – **II** *adj* herzförmig.
car·di·ol·o·gist [,kɑːrdi'ɒlədʒist] *s med.* Kardio'loge *m*, 'Herzspezia,list *m.* — **,car·di'ol·o·gy** *s med.* Kardiolo'gie *f*, Herzheilkunde *f.*
car·di·om·e·try [,kɑːrdi'ɒmitri; -mə-] *s med.* Herzmessung *f.*
car·di·op·a·thy [,kɑːrdi'ɒpəθi] *s med.* Herzkrankheit *f*, -leiden *n.*
car·di·o·spasm ['kɑːrdio,spæzəm; -diə-] *s med.* Kardio'spasmus *m*, Magenkrampf *m.*
car·di·ot·o·my [,kɑːrdi'ɒtəmi] *s med.* **1.** Kardiaeröffnung *f* (*Magen*). – **2.** Herzschnitt *m.*
car·di·tis [kɑːr'daitis] *s med.* Kar'ditis *f*, Herzentzündung *f.*
car·do ['kɑːrdou] *pl* **'car·di,nes** [-di,niːz] *s zo.* **1.** Angel *f*, Schalenschloß *n* (*der Muscheln*). – **2.** Angelglied *n* (*erster Teil der Maxillen der Insekten*).
car·dol ['kɑːrdoul] *s chem.* Kar'dol *n.*
car·doon [kɑːr'duːn] *s bot.* Kar'done *f*, Gemüsekarde *f*, Span. Arti'schocke *f*, Cardy *m* (*Cynara cardunculus*).
card| par·ty *s Am.* Kartengesellschaft *f.* — ~ **rack** *s* Fächergestell *n* (für Post- *od.* Vi'sitenkarten), Kartenständer *m.*
car driv·er *s* Kraft-, Autofahrer *m.*
card| room *s* (Karten)Spielzimmer *n.* — **'~,sharp(·er)** *s* Falschspieler *m.* — **'~,sharp·ing** *s* (*gewerbsmäßiges*) Falschspielen.— ~ **this·tle** → teasel 1.
car·du·a·ceous [,kɑːrdju'eiʃəs; -dʒu-] *adj bot.* zur Fa'milie Cardua'ceae (*Compositen*) gehörig.
card vote *s pol.* Abstimmung *f* durch Wahlmänner (*für Wählergruppen festgesetzter Größe; in Gewerkschaften*).
care [kɛr] **I** *s* **1.** Kummer *m*, Sorge *f*, Unruhe *f*, Besorgnis *f*: **aged by** ~ durch Sorgen gealtert; **to be free from** ~ keine Sorgen haben; **to cast away** ~ die Sorgen von sich werfen; **to have many** ~**s** viele Sorgen haben. – **2.** Sorgfalt *f*, Acht(samkeit) *f*, Aufmerksamkeit *f*, Vorsicht *f*: **to devote great** ~ **to s.th.** einer Sache große Beachtung *od.* Aufmerksamkeit schenken; **to have a** ~ *Br.* vorsichtig sein, sich in acht nehmen; **to take** ~ vorsichtig sein, aufpassen; **to take** ~ **to do** trachten *od.* sich bemühen zu tun; **to take** ~ **not to do** sich hüten zu tun; **to take no** ~ **of s.th.** einer Sache keine Beachtung schenken; **to take much** ~ sich große Mühe geben, sich sehr bemühen. – **3.** Schutz *m*, Pflege *f*, Betreuung *f*, Obhut *f*, Wartung *f*: **to take** ~ **of children** Kinder betreuen, auf Kinder aufpassen; **to be under the** ~ **of a doctor** unter der Aufsicht eines Arztes stehen; ~ **of** (*abgekürzt* c/o) (*auf Briefen*) per Adresse, bei; **to take** ~ **of s.th.** *colloq.* etwas besorgen *od.* erledigen; **to take** ~ **of s.o.** *Am. sl.* j-n erledigen *od.* kaltmachen. – **4.** Inter'esse *n*, Anteilnahme *f* (of, for an *dat*): ~ **for the common good.** – **5.** um'sorgte Per'son *od.* Sache. – *SYN.* **anxiety, concern, solicitude, worry.** – **II** *v/i* **6.** sich sorgen, sich ängstigen. – **7.** (for) Inter'esse haben (für), Zuneigung empfinden (zu), gern haben (*acc*): **to** ~ **for s.o.** j-m zugetan sein. – **8.** (*in verneinenden Wendungen*) eine Vorliebe haben (for für): **I don't** ~ **for this wine** ich mache mir nichts aus diesem Wein. – **9.** (*in Verneinungen u. Fragen*) sich etwas machen aus: **what do I** ~? was kümmert das mich? **I don't** ~ **a pin** (*od.* **fig** *od.* **straw**) **for what people say** ich mache mir nicht das geringste daraus *od.* ‚es ist mir Wurst', was die Leute sagen; **I don't** ~ es ist mir egal *od.* gleich(gültig), es macht mir nichts aus; **I don't** ~ **if I do** es ist mir ganz gleich, es macht mir nichts aus, ich bin einverstanden; **I couldn't** ~ **less** das kümmert mich nicht im geringsten, das läßt mich kalt. – **10.** (*in Verneinungen u. Fragen*) Lust *od.* Inter'esse haben, es gern haben *od.* sehen: **I don't** ~ **to do it now** ich habe keine Lust, es jetzt zu tun; **would you** ~ **to do it?** hättest du Lust, es zu tun? – **11.** (*in Verneinungen u. konditionalen Wendungen*) etwas da'gegen haben: **I don't** ~ **if you stay here** ich habe nichts dagegen *od.* es macht mir nichts aus, wenn du hier bleibst; **would you** ~ **if ...?** hättest du etwas dagegen, wenn ...? – **12.** (for) sorgen (für), sich kümmern (um): ~**d-for** gepflegt.
ca·reen [kəˈriːn] **I** *v/t* **1.** *mar.* (*Schiff*) kielholen (*zwecks Bodenüberholung auf die Seite legen*). – **2.** *mar.* (*ein Schiff in dieser Lage*) reinigen, ausbessern. – **3.** *Am.* (*Wagen etc*) kanten, kippen. – **II** *v/i* **4.** *mar.* krängen, sich auf die Seite legen. – **5.** *mar.* kielholen, Schiffe reinigen. – **6.** *mar.* gereinigt werden (*Schiff*). – **7.** *fig.* (hin u. her) schwanken, torkeln. – **III** *s mar.* **8.** Kielholen *n.* – **9.** geneigte Lage: **on the** ~ auf der Seite (liegend). — **ca'reen·age** *s mar.* **1.** Kielholung *f* (*Schiff*). – **2.** Kosten *pl* der Kielholung. – **3.** Kielholplatz *m.*
ca·reer [kə'rir] **I** *s* **1.** Karri'ere *f*, Laufbahn *f*, Lebensweg *m*, Werdegang *m.* – **2.** (*erfolgreiche*) Karri'ere: **to make a** ~ **for oneself** Karriere machen. – **3.** (Lebens)Beruf *m*: **to follow diplomacy as a** ~ Berufsdiplomat sein. – **4.** schneller Lauf, gestreckter Ga'lopp, Karri'ere *f*: **in full** ~ in vollem Galopp. – **5.** *obs.* a) kurzer Ga'lopp, b) Rennbahn *f.* – **II** *v/i* **6.** galop'pieren, im Ga'lopp laufen, rennen: **to** ~ **about the place in the Gegend umherjagen.** – **III** *v/t* **7.** (*Pferd*) in gestreckten Ga'lopp setzen. – **8.** (*Strecke etc*) in schnellstem Lauf zu'rücklegen. — ~ **girl** *s* junge Frau, die in ihrem Beruf aufgeht.
ca·reer·ist [kə'ri(ə)rist] *s* Karri'eremacher *m.*
ca·reer| man *irr*, ~ **of·fi·cer** *s Am.* Berufsbeamter *m* (*im Auswärtigen Amt der USA*).
'care,free *adj* sorgenfrei, sorglos.
care·ful ['kɛrfəl; -ful] *adj* **1.** vorsichtig, achtsam: **be** ~! gib acht! nimm dich in acht! **be** ~ **not to do it!** tu das ja nicht! – **2.** sorgfältig, gründlich: **to be** ~ **about s.th.** sorgfältig mit etwas zu Werke gehen; **a** ~ **examination** eine gründliche (Über)Prüfung. – **3.** (of, for, about) sorgsam bedacht (auf *acc*), achtsam (auf *acc*), besorgt (um). – **4.** sparsam. – *SYN.* **meticulous, punctilious, punctual, scrupulous.** — **'care·ful·ness** *s* **1.** Vorsicht *f*, Behutsamkeit *f.* – **2.** Sorgfalt *f*, Gründlichkeit *f.* – **3.** Sparsamkeit *f.*
'care-'lad·en *adj* von Sorgen bedrückt, sorgenvoll.
care·less ['kɛrlis] *adj* **1.** nachlässig, unordentlich, liederlich. – **2.** 'unüber,legt, unbedacht: **a** ~ **remark.** – **3.** (of, about) unachtsam (auf *acc*), unbekümmert (um), gleichgültig (gegen). – **4.** unvorsichtig, fahrlässig. – **5.** sorgenfrei, sorglos. – *SYN.* **heedless, inadvertent, thoughtless.** — **'care·less·ness** *s* **1.** Nachlässigkeit *f*, Liederlichkeit *f.* – **2.** 'Unüber,legtheit *f.* – **3.** Sorglosigkeit *f*, Unachtsamkeit *f.* – **4.** Fahrlässigkeit *f.*
ca·ress [kə'res] **I** *s* **1.** Liebkosung *f.* – **II** *v/t pret u. pp* **ca'ressed** *od. poet.* **ca'rest** **2.** liebkosen, schmeicheln, herzen, streicheln, tätscheln. – **3.** gütig *od.* freundlich behandeln. – **4.** *fig.* schmeicheln (*dat*): **music** ~**es the ear** Musik schmeichelt dem Ohr. – *SYN.* **cuddle, fondle, pet.** — **ca'ress·ing, ca'res·sive** *adj* liebkosend, zärtlich, schmeichelnd.
car·et ['kærət] *s* Einschaltungszeichen *n* (*für fehlendes Wort im Text*).
'care|,tak·er **I** *s* **1.** Wärter(in), Pfleger(in). – **2.** (Haus)Verwalter(in). – **II** *adj* **3.** sachwaltend, vorläufig, Interims..., interi'mistisch, die Verwaltung zeitweise weiterführend: ~ **government** geschäftsführende Regierung, Übergangskabinett. — **'~,tak·ing** *adj* sorgsam. — **'~,worn** *adj* gramerfüllt, gramgebeugt, abgehärmt.
ca·rex ['kɛ(ə)reks] *pl* **car·i·ces** ['kæri,siːz] *s bot.* Segge *f*, Riedgras *n* (*Gattg Carex*).
'car,fare *s Am.* **1.** Fahrpreis *m*, -geld *n.* – **2.** *colloq.* ‚Pappenstiel' *m* (*kleine Geldmenge*).
car·fax ['kɑːrfæks] *s Br.* (Straßen)-Kreuzung *f* (*von 4 od. mehr Straßen*).
car frame *s tech.* Fahr-, Lauf-, Wagengestell *n.*
car·go ['kɑːrgou] **I** *s pl* **-goes** *od.* **-gos** **1.** Ladung *f* (*bes. Schiff od. Flugzeug*): **to discharge a** ~ eine Ladung löschen; **to take in** ~ einladen. – **2.** Fracht(gut *n*) *f.* – **II** *v/t* **3.** *colloq.* beladen. — ~ **block** *s mar.* Ladeblock *m.* — ~ **boat** *s mar.* Frachtschiff *n.* — ~ **book** *s mar.* Ladebuch *n.* — **'~-,car·ry·ing glid·er** *s aer.* Lastensegler *m.* — ~ **hold** *s mar.* Laderaum *m.* — ~ **par·a·chute** *s aer.* Lastenfallschirm *m.* — ~ **port** *s mar.* Luke *f*, Ladepforte *f.* — ~ **sub·ma·rine** *s* 'Unterseefrachter *m.*
car·hop ['kɑːr,hɒp] *s Am.* Bedienung *f* in einem 'Autorestau,rant.
Car·ib ['kærib] *s* Kar(a)'ibe *m* (*Indianer*). — **'Car·ib·an** *adj ling.* kar(a)'ibisch. — **Car·ib·be·an** [,kæri'biːən; -rə-; kə'ribiən] **I** *adj* **1.** kar(a)'ibisch: ~ **Islands** Kar(a)ibische Inseln, Kleine Antillen. – **II** *s* **2.** → **Carib.** – **3.** *geogr.* Kar(a)'ibisches Meer.
ca·ri·be [ka'ribe; 'kæri,biː] (*Span.*) *s zo.* Pi'ranha *m*, Ka'ribenfisch *m* (*Gattg Serrasalmo; Südamerika*).
car·i·bou, *auch* **car·i·boo** ['kæri,buː; -rə-] *s sg u. pl collect. zo.* Kari'bu *n* (*bes. Rangifer caribou; nordamer. Ren*).
car·i·ca·tur·a·ble [,kærikə'tʃu(ə)rəbl; *Br. auch* -'tju(ə)-] *adj* kari'kierbar. — **car·i·ca·tur·al** [,kærikə'tʃu(ə)rəl; *Br. auch* -'tju(ə)-] *adj* karika'turartig, Karikatur..., kari'kierend.
car·i·ca·ture ['kærikə,tʃur; *Br. auch* -'tjuə; *Am. auch* -tʃər] **I** *s* **1.** Karika'tur *f*, Spottbild *n.* – **2.** Zerrbild *n*, Kari'kierung *f.* – **3.** Zerrbild *n* (*lächerlich wirkende Darstellung*). – *SYN.* **burlesque, parody, travesty.** – **II** *v/t* **4.** kari'kieren. – **5.** lächerlich darstellen *od.* machen. — ~ **plant** *s bot.* Fleckenblatt *n* (*Graptophyllum pictum*).
car·i·ca·tur·ist [,kærikə'tʃu(ə)rist; *Br. auch* -'tju(ə)-; *Am. auch* 'kærikətʃə-] *s* Karikatu'rist *m*, Karika'turenzeichner *m.*
car·i·coid ['kæri,kɔid] *adj bot.* seggenähnlich.

car·i·cous ['kærikəs] *adj med.* feigenartig: ~ tumo(u)r Feigengeschwulst.

car·i·es ['kɛ(ə)ri:z; -ri,i:z] *s med.* **1.** Karies *f*, Knochenfraß *m*. – **2.** Zahnfäule *f*, -karies *f*.

car·il·lon ['kæri,lɒn; -rə-; kə'riljən] *mus.* **I** *s* Caril'lon *n*: a) (Turm)Glockenspiel *n*, b) Stahlspiel *n*, c) *eine Orgelmixtur*, d) 'Glockenspielmu,sik *f*. – **II** *v/i pret u. pp* **-lonned** Caril'lon spielen. — **,car·il·lon'neur** [-'nə:r] *s* Glockenspieler *m*, Glocke'nist *m*.

ca·ri·na [kə'rainə] *pl* **-nae** [-ni:] *s* **1.** *biol.* kielförmiger Körperteil. – **2.** *bot.* Kiel *m*, Schiffchen *n* (*der Schmetterlingsblüten*). – **3.** *zo.* Kiel *m*, Kamm *m* (*des Brustbeines der Vögel*). – **4.** C~ *astr.* Kiel *m*, Ca'rina *f* (*südl. Sternbild*). — **ca'ri·nal** *adj zo.* kiel- *od.* kammähnlich, Kiel..., Kamm...

car·i·nate ['kæri,neit; -rə-], **'car·i·,nat·ed** [-id] *adj bot. zo.* gekielt. — **,car·i'na·tion** *s* **1.** kielförmige Bildung. – **2.** Kielförmigkeit *f*. — **ca·rin·i·form** [kə'rini,fɔ:rm] *adj* kielförmig.

Ca·rin·thi·an [kə'rinθiən] *adj* kärntnerisch, Kärntner(...).

car·i·ole ['kæri,oul] *s* **1.** Karri'ole *f* (*kleiner leichter zweirädriger Pferdewagen*). – **2.** (*Art*) kanad. Schlitten *m*.

car·i·os·i·ty [,kæri'ɒsiti; -əti] → **caries.** — **car·i·ous** ['kɛ(ə)riəs] *adj med.* kari'ös, angefressen: ~ **tooth** fauler Zahn. — **'car·i·ous·ness** → **caries.**

car jack *s tech.* Wagenheber *m*, Wagenwinde *f*.

cark [kɑ:rk] *obs.* **I** *s* Kummer *m*, Sorge *f*. – **II** *v/t* mit Sorge erfüllen. – **III** *v/i* besorgt sein.

carl, *auch* **carle** [kɑ:rl] *s* **1.** *Scot.* (kräftiger) Bursche, Kerl *m*. – **2.** *obs. od. dial.* Lümmel *m*.

car·li·na [kɑ:r'lainə], **car·line** ['kɑ:rlain] *s bot.* Eberwurz *f* (*Gattg Carlina*).

car line *s Am.* Straßenbahnlinie *f*.

car·line this·tle → **carlina.**

car·ling ['kɑ:rliŋ] *s* **1.** *mar.* Schlinge *f*, Rippe *f* (*Unterdecksversteifung für Poller etc*). – **2.** Dachträger *m*, -rahmen *m* (*Eisenbahnwagen*).

Car·lism ['kɑ:rlizəm] *s pol. hist.* Kar'listentum *n* (*Bekenntnis zur Sache des Prätendenten Don Carlos von Spanien od. Karls X. von Frankreich*). — **'Car·list** *s* Kar'list *m*.

'car,load *s* **1.** Wagenladung *f*. – **2.** *Am.* Wag'gonladung *f*. – **3.** *econ. Am.* Minimumladung *f* (*die für ermäßigten Frachttarif notwendig ist*). – **4.** *Am. fig.* große Menge: **we had a ~ of fun** *colloq.* wir hatten einen Mordsspaß. — **~ lot** *s econ. Am.* genormte Frachtlademenge (*bei der ermäßigter Frachttarif gestattet ist*). — **~ rate** *s econ. Am.* ermäßigter 'Frachtta,rif (*für große Transporte*).

Car·lo·vin·gi·an [,kɑ:rlo'vindʒiən; -lə-] → **Carolingian.**

car·ma·gnole [,kɑ:rmə'njoul] *s* Carma'gnole *f*: a) *franz. Revolutionslied*, b) *eine Jacke*.

'car·man [-mən] *s irr* **1.** Kärrner *m*. – **2.** (Kraft)Fahrer *m*, Chauf'feur *m*. – **3.** *Am.* (Straßenbahn-, Omnibus- *etc*)-Fahrer *m od.* (-)Schaffner *m*.

Car·mel·ite ['kɑ:rmə,lait] *relig.* **I** *s* Karme'liter(in). – **II** *adj* Karmeliter...

car·min·a·tive ['kɑ:rmi,neitiv; -mə-; -nə-; kɑ:r'minətiv] *med.* **I** *s* Karmina'tivum *n*, Mittel *n* gegen Blähungen. – **II** *adj* windtreibend.

car·mine ['kɑ:rmain; -min] **I** *s* **1.** Kar'minrot *n*. – **2.** Kar'min *n* (*aus Cochenille gewonnener Farbstoff*). – **II** *adj* **3.** kar'minrot.

car·min·ic ac·id [kɑ:r'minik] *s chem.* Kar'minsäure *f* ($C_{22}H_{20}O_{13}$).

car·nage ['kɑ:rnidʒ] *s* Blutbad *n*, Gemetzel *n*.

car·nal ['kɑ:rnl] *adj* **1.** fleischlich, sinnlich, körperlich. – **2.** geschlechtlich, sexu'ell, sinnlich: **to have ~ knowledge of s.o., to have ~ intercourse with s.o.** mit j-m geschlechtlichen Umgang haben. – **3.** irdisch, diesseitig. – *SYN.* **animal, fleshly, sensual.** — **~ de·light** *s* Fleisches-, Sinnenlust *f*. — **~ de·sire** *s* sinnliche Begierde.

car·nal·i·ty [kɑ:r'næliti; -əti] *s* **1.** Fleischeslust *f*, Sinnlichkeit *f*, Wollust *f*, sinnliche Begierde. – **2.** geschlechtlicher 'Umgang. – **3.** weltlicher Sinn, Diesseitigkeit *f*. — **'car·nal,ize** *v/t* fleischlich *od.* sinnlich machen.

car·nall·ite ['kɑ:rnə,lait] *s min.* Karnal'lit *m*.

'car·nal|-'mind·ed *adj* **1.** sinnlich. – **2.** diesseitig, weltlich. — **,~-'mind·ed·ness** *s* **1.** Sinnlichkeit *f*, Fleischeslust *f*. – **2.** Diesseitigkeit *f*, Weltlichkeit *f*.

car·nas·si·al [kɑ:r'næsiəl] *zo.* **I** *adj* zum Fleischfressen geeignet, Fleischfresser..., Reiß... (*Zahn*). – **II** *s* Reißzahn *m*.

car·na·tion [kɑ:r'neiʃən] *s* **1.** *bot.* Gartennelke *f* (*Dianthus caryophyllus*). – **2.** Blaßrot *n*, Rosa *n*. – **3.** (*Malerei*) Fleischfarbe *f*, -ton *m*, Inkar'nat *n*. – **4.** *bot.* (*eine*) Caesal'pinie (*Caesalpinia pulcherrima*). — **~ grass** *s bot.* (*eine*) Hirse-Segge (*bes. Carex panicea*).

car·na·u·ba [,kɑ:rnə'u:bə; -'naubə] *s* **1.** *bot.* Kar'naubapalme *f* (*Copernicia cerifera*). – **2.** Kar'naubawachs *n*.

car·nel·ian [kɑ:r'ni:ljən] *s min.* Karne'ol *m* (SiO_2+H_2O).

car·ne·ous ['kɑ:rniəs] *adj* **1.** fleischig, Fleisch... – **2.** fleischfarben.

car·ney *cf.* **carny.**

car·ni·fex ['kɑ:rni,feks] *s obs.* Henker *m*, Scharfrichter *m*.

car·ni·fi·ca·tion [,kɑ:rnifi'keiʃən; -nəfə-] *s* **1.** *med.* Karnifikati'on *f*, indu'rierende Pneumo'nie. – **2.** *relig.* Transsub,stantiati'on *f* des Brotes. — **'car·ni,fy** [-,fai] **I** *v/t* in Fleisch verwandeln. – **II** *v/i med.* fleischig werden, sich verfleischen.

car·ni·val ['kɑ:rnivəl; -nə-] *s* **1.** Karneval *m*, Fasching *m*. – **2.** Vergnügungspark *m* (*mit Karussell etc*). – **3.** ausgelassene Lustbarkeit. – **4.** Schwelgen *n* (**of** in *dat*). — **~ li·cence,** *Am.* **~ li·cense** *s* Narrenfreiheit *f*.

car·niv·o·ra [kɑ:r'nivərə] *s pl zo.* Fleischfresser *pl*, eigentliche Raubtiere *pl* (*Ordnung der Säugetiere*). — **car'niv·o·ral** *adj* zu den Fleischfressern gehörig, raubtierartig. — **'car·ni,vore** [-,vɔ:r] *s* **1.** *zo.* fleischfressendes Tier, *bes.* Raubtier *n*. – **2.** *bot.* fleischfressende Pflanze. — **car'niv·o·rous** *adj* **1.** *bot. zo.* fleischfressend. – **2.** *zo.* zu den Raubtieren gehörig.

car·nose ['kɑ:rnous] *adj bes. bot.* fleischig. — **car'nos·i·ty** [-'nɒsiti; -əti] *s* **1.** Fleischigkeit *f*. – **2.** *med.* Fleischgeschwulst *f*, -wucherung *f*.

car·no·tite ['kɑ:rnə,tait] *s min.* Karno'tit *m* (*uranhaltiges Mineral*).

car·nous ['kɑ:rnəs] → **carnose.**

car·ny ['kɑ:rni] *v/t Br. colloq.* beschwatzen, schmeicheln (*dat*).

car·ob ['kærəb] *s bot.* **1.** Jo'hannisbrotbaum *m* (*Ceratonia siliqua*). – **2.** *auch* ~ **bean** Jo'hannisbrot *n*, Ka'rube *f* (*Frucht von* 1).

ca·roche [kə'routʃ; -'rouʃ] *s hist.* Ka'rosse *f*, Staatskutsche *f*.

car·ol ['kærəl] **I** *s* **1.** Freuden-, Lobgesang *m*, Jubellied *n*. – **2.** (Weihnachts)Lied *n*: ~ **singers** Weihnachtssänger (*Kinder, die am Weihnachtsabend singend von Haus zu Haus ziehen*). – **3.** *obs.* Rundtanz *m* (*mit Gesang*). – **II** *v/i* **4.** fröhlich singen, jubi'lieren. – **5.** Weihnachtslieder singen. – **III** *v/t* **6.** besingen, lobpreisen, (*dat*) lobsingen.

Car·o·li·na| all·spice [,kærə'lainə] *s bot.* Echter Gewürzstrauch, Erdbeerstrauch *m* (*Calycanthus floridus*). — **~ pink** *s bot.* **1.** 'Maryland-Spi,gelie *f* (*Spigelia marilandica*). – **2.** Pennsyl'vanisches Leimkraut (*Silene pennsylvanica*).

Car·o·lin·gi·an [,kærə'lindʒiən] *hist.* **I** *adj* karolingisch (*zur fränkischen Dynastie der Karolinger gehörig*). – **II** *s* Karolinger *m*.

Car·o·lin·i·an [,kærə'liniən] **I** *adj* **1.** *hist.* karo'linisch (*bes. Karl den Großen od. Karl I. od. II. von England betreffend*). – **2.** caro'linisch (*Nord- od. Süd-Carolina betreffend*). – **II** *s* **3.** Bewohner(in) von ('Nord- *od.* 'Süd)-Caro,lina. — **~ rail** → **sora.**

car·om ['kærəm] *bes. Am.* **I** *s* **1.** (*Billard*) Karam'bol(e) *f*, Karambo'lage *f*. – **2.** Auftreffen *n u.* Zu'rückprallen *n* (*einer Kugel bei anderen Spielen*). – **II** *v/i* **3.** eine Karambo'lage erzielen. – **4.** auftreffen u. zu'rückprallen (*Ball, Kugel*). – **5.** *fig.* abprallen.

car·o·tene ['kærə,ti:n] *s chem.* Caro'tin *n* ($C_{40}H_{56}$; *Farbstoff der Mohrrübe*).

ca·rot·id [kə'rɒtid] *med.* **I** *s* Ka'rotis *f*, Halsschlag-, Kopfschlagader *f*. – **II** *adj* die Ka'rotis betreffend.

car·o·tin ['kærətin] → **carotene.**

ca·rous·al [kə'rauzəl] *s* **1.** Trinkgelage *n*, Zeche'rei *f*. – **2.** → **carrousel** 2.

ca·rouse [kə'rauz] **I** *s* **1.** Zech-, Trinkgelage *n*. – **2.** *obs.* a) Leeren *n* eines Trinkbechers, b) kräftiger Schluck, c) Trinkspruch *m*, Toast *m*. – **II** *v/i* **3.** zechen, trinken. – **4.** einen Toast ausbringen (**to** auf *acc*). – **III** *v/t* **5.** trinken auf (*acc*), einen Toast ausbringen auf (*acc*). – **6.** (aus)trinken.

car·ou·sel *cf.* **carrousel.**

carp[1] [kɑ:rp] *v/i* (**at**) nörgeln (an *dat*), kritteln (über *acc*, an *dat*), bekritteln (*acc*).

carp[2] [kɑ:rp] *s zo.* Karpfen *m* (*bes. Cyprinus carpio*).

-carp [kɑ:rp] *Wortelement mit der Bedeutung* Frucht.

carp- [kɑ:rp] → **carpo-.**

car·pal ['kɑ:rpəl] *med.* **I** *s* **1.** Handwurzel *f*, Kar'palgegend *f*. – **2.** Handwurzelknochen *m*. – **II** *adj* **3.** Handwurzel..., Karpal...: ~ **bone** Handwurzelknochen. — **car'pa·le** [-'peili] *pl* **-li·a** [-liə] → **carpal** 2.

car park *s* Parkplatz *m*.

car·pel ['kɑ:rpəl] *s bot.* Kar'pell *n*, Fruchtblatt *n*. — **'car·pel·lar·y** [*Br.* -ləri; *Am.* -,leri] *adj bot.* das Kar'pell betreffend, Fruchtblatt... — **'car·pel·,late** [-,leit] *adj bot.* Fruchtblätter tragend.

car·pen·ter ['kɑ:rpəntər] **I** *s* **1.** Zimmermann *m*, Zimmerer *m*, (Bau)Tischler *m*. – **2.** *mar.* Schiffszimmermann *m*. – **II** *v/i u. v/t* **3.** zimmern. — **~ ant** *s zo.* (*eine*) Holzameise, (*eine*) Roßameise (*Gattg Camponotus*). — **~ bee** *s zo.* (*eine*) Holzbiene (*bes. Gattg Xylocopa*).

car·pen·ter·ing ['kɑ:rpəntəriŋ] *s* Zimme'rei *f*, Zimmermannsarbeit *f*.

car·pen·ter| moth *s zo.* Holzbohrer *m* (*Fam. Cossidae; Schmetterling*). — **~ scene** *s* (*Theater*) **1.** Szene *f* auf der Vorbühne. – **2.** Zwischenvorhang *m*.

car·pen·ter's| herb *s bot.* Gemeine Br(a)u'nelle (*Prunella vulgaris*). — **~ lev·el** *s tech.* Blei-, Setzwaage *f*. — **~ scene** → **carpenter scene.**

car·pen·try ['kɑ:rpəntri] *s* **1.** Zimmerhandwerk *n*, Zimme'rei *f*. – **2.** Zimmerarbeit *f*.

carp·er ['kɑːrpər] *s* Nörgler(in), Krittler(in), Kriti'kaster *m*.

car·pet ['kɑːrpit] **I** *s* **1.** Teppich *m*, (Treppen- *etc*)Läufer *m*: to beat a ~ einen Teppich klopfen; a ~ of moss ein Moosteppich; to be on the ~ a) zur Debatte stehen, auf dem Tapet sein, b) *colloq*. ‚heruntergeputzt' *od*. getadelt *od*. zurechtgewiesen werden. – **2.** (schwere) Decke. – **II** *v/t* **3.** mit Teppichen *od*. einem Teppich *od*. Läufer belegen. – **4.** *Br. colloq*. ‚her'untermachen', ‚-putzen', zu'rechtweisen. – **III** *adj* **5.** aufgemacht, zu'rechtgestutzt, weichlich, Salon...: ~ knight Salonheld. — '~ₗ**bag I** *s* Reisetasche *f*, -sack *m*. – **II** *adj Am. colloq*. Schwindel..., schwindelhaft, Abenteuer...: ~ government Regierung politischer Abenteurer. – **III** *v/i Am. colloq*. Schwindelgeschäfte machen. – **IV** *v/t Am. colloq*. beschwindeln. — '~ₗ**bag·ger** *s Am. colloq*. **1.** (po'litischer) Abenteurer (*bes. aus dem Norden, der nach dem Bürgerkrieg 1861-65 aus den Wirren in den Südstaaten Kapital zu schlagen versuchte*). – **2.** 'Schwindelbanₗkier *m* (*bes. in den Weststaaten*). – **3.** *allg*. Abenteurer *m*, Schwindler *m*. — '~ₗ**beat·er** *s* Teppichklopfer *m*. — ~ **bed** *s* (*Gartenbau*) Teppichbeet *n*. — ~ **bee·tle** *s zo*. Teppichkäfer *m* (*Anthrenus scrophulariae*). — ~ **bomb·ing** *s mil*. Bombenteppichwurf *m*. — ~ **bug** → carpet beetle. — ~ **clean·er** *s* **1.** → carpet beater. – **2.** → carpet sweeper. — ~ **dance** *s* zwangloses Tänzchen.

car·pet·ing ['kɑːrpitiŋ] *s* **1.** 'Teppichstoff *m*, -materiₗal *n*: felt ~ Teppichfilz. – **2.** *collect*. Teppiche *pl*.

'**car·pet|ₗmak·er** *s* 'Teppichfabriₗkant *m*. — ~ **moth** *s zo*. **1.** Ta'petenmotte *f* (*Trichophaga tapetiëlla*). – **2.** Kleidermotte *f*. – **3.** Larve *f* des Teppichkäfers. – **4.** (*ein*) Blattspanner *m* (*Gattg Larentia*). — ~ **rod** *s* Läuferstange *f* (*für Treppenläufer*). — ~ **snake** *s zo*. Rautenschlange *f* (*Python spilotes*). — ~ **sweep·er** *s* 'Teppichkehrmaₗschine *f*. — ~ **tack** *s* Teppichstift *m*. — '~ₗ**weed** *s bot*. Weichkraut *n* (*Mollugo verticillata*).

car·phol·o·gy [kɑːr'fɒlədʒi] *s med*. Karpholo'gie *f*, ‚Flockenlesen' *n* (*der Schwerkranken im Delirium*).

car·pi ['kɑːrpai] *pl von* carpus.

-carpic [kɑːrpik] *Wortelement mit der Bedeutung* ...früchtig.

car·pin·cho [kɑːr'pintʃou] → capybara.

carp·ing ['kɑːrpiŋ] **I** *s* Nörge'lei *f*, Kritte'lei *f*. – **II** *adj* nörgelig, krittelig, tadelsüchtig. – *SYN. cf*. critical.

carpo- [kɑːrpo; -pə] *Wortelement mit der Bedeutung* a) *med*. Handwurzel, b) *bot. zo*. Frucht.

car·po·go·ni·um [ₗkɑːrpə'gouniəm] *s bot*. Karpo'gon *n* (*Eizellenbehälter der Rotalgen, Schlauchpilze, Flechten*).

car·po·lite ['kɑːrpəₗlait] *s bot. min*. Karpo'lith *m*, Fruchtversteinerung *f*.

car·po·log·i·cal [ₗkɑːrpə'lɒdʒikəl] *adj* karpo'logisch, die Fruchtlehre betreffend. — **car'pol·o·gist** [-'pɒlədʒist] *s* Karpo'loge *m*, Fruchtkundiger *m*. — **car'pol·o·gy** *s* Karpolo'gie *f*, Fruchtlehre *f*, -kunde *f*.

car pool *s bes. Am. gemeinsame Autobenutzung zu Ersparniszwecken*.

car·po·pe·dal [ₗkɑːrpə'piːdl] *adj med*. karpope'dal, Hand- u. Fußwurzeln betreffend.

car·poph·a·gous [kɑːr'pɒfəgəs] *adj zo*. fruchtessend, von Früchten lebend.

car·po·phore ['kɑːrpəₗfɔːr] *s bot*. Karpo'phor *m*, Fruchtträger *m*.

car·po·phyl ['kɑːrpəfil] → carpel.

'**carₗport** *s Am*. 'Wagenₗunterstand *m*, Autoschuppen *m* (*meist an einem Gebäude angebautes Flugdach*).

car·po·spore ['kɑːrpəₗspɔːr] *s bot*. **1.** Karpospore *f* (*der Rotalgen*). – **2.** ruhende Zy'gote (*aus Befruchtung hervorgegangen*).

-carpous [kɑːrpəs] → -carpic.

car·pus ['kɑːrpəs] *pl* **-pi** [-pai] (*Lat*.) *s med*. Handgelenk *n*, -wurzel *f*.

car·ra·g(h)een ['kærəₗgiːn] *s bot*. Karra'geen-, Perltang *m*, Irischer Knorpeltang (*Chondrus crispus*).

Car·ra·ra mar·ble [kə'rɑːrə] *s* kar'rarischer Marmor.

car·rel ['kærəl] *s Br. hist. od. Am*. kleine Lesenische (*in Bibliotheken*).

car·riage ['kæridʒ] *s* **1.** Wagen *m*, Kutsche *f*, Equi'page *f*: ~ and pair Zweispänner. – **2.** *Br*. Eisenbahnwagen *m*: → through 16. – **3.** Tragen *n*, Beförderung *f*, Fahren *n*, Trans'port *m* (*Waren*): the cost of ~ die Beförderungskosten. – **4.** *econ*. Trans'port-, Beförderungskosten *pl*, Fracht(gebühr) *f*: bill of ~ (Bahn)-Frachtbrief; to charge for ~ Frachtkosten berechnen. – **5.** *mil*. La'fette *f*, Protzwagen *m* (*für Geschütze*): gun motor ~ Selbstfahrlafette. – **6.** *aer*. Fahrgestell *n*, -werk *n*. – **7.** *tech*. a) Fahrgestell *n*, Wagen *m*, b) ('Druckmaₗschinen)ₗWagen *m*, c) Wagen *m* (*einer Schreibmaschine*), d) Laufwerk *n*, e) Auflage *f*, Auflager *n*, Sup'port *m*. – **8.** (Körper)Haltung *f*, Gang *m*: to have the ~ of a soldier eine soldatische Haltung haben. – **9.** Leitung *f*, ('Durch-, Aus)Führung *f*, Verwaltung *f*. – **10.** *pol*. 'Durchbringen *n* (*einer Gesetzesvorlage*). – **11.** *obs*. Benehmen *n*, Auftreten *n*: a man of proud ~ ein Mann von stolzem Auftreten. – **12.** *obs*. Last *f*, Bürde *f*. – *SYN. cf*. bearing.

car·riage·a·ble ['kæridʒəbl] *adj* **1.** trans'portfähig, transpor'tierbar. – **2.** befahrbar (*Weg*).

car·riage| bod·y *s* Wagenkasten *m*, Karosse'rie *f*. — ~ **build·er** *s* Wagenbauer *m*. — ~ **dog** → coach dog. — ~ **door** *s* Wagenschlag *m*, -tür *f*. — ~ **drive** *s* Fahrweg *m* (*in einem Park*). — '~-'**for·ward** *adv Br*. unter Frachtod. Portonachnahme. — '~-'**free** *adj u. adv* frachtfrei, franko. — ~ **horse** *s* Kutschpferd *n*. — '~-'**paid** → carriage-free. — ~ **rail** *s tech*. Gleitschiene *f*. — ~ **step** *s* Wagentritt *m*. — ~ **top** *s* Wagendach *n*. — '~ₗ**way** *s* Fahrweg *m*, -damm *m*, -bahn *f*: dual ~ doppelte Fahrbahn.

car·rick| bend ['kærik] *s mar*. Kreuzknoten *m* (*zum Verbinden von Kabeln u. Schläuchen*). — ~ **bitt** *s mar*. Spillbeting *m*.

car·ri·er ['kæriər] *s* **1.** Träger *m*, Über'bringer *m*, Bote *m*. – **2.** Fuhrmann *m*, Spedi'teur *m*: → common ~. – **3.** *mar*. Verfrachter *m*. – **4.** *med*. Über'träger *m* (*von Bazillen*). – **5.** a) *chem*. (Über)-'Träger *m*, Kataly'sator *m*, b) (*Atomphysik*) 'Träger(subₗstanz *f*) *m*. – **6.** *tech*. a) Schlitten *m*, Trans'port *m*, b) Mitnehmer *m*, Drehherz *n* (*auf Drehbänken*), c) 'Fördermaₗschine *f*, d) *phot*. Halterahmen *m*, e) Leitung *f*, f) Rohrpostbüchse *f*, g) (*Eisenbahn*) Si'gnaldraht-Führungsrolle *f*. – **7.** Gepäckträger *m*, -halter *m* (*am Fahrrad*). – **8.** Trans'portgefäß *n*, -kiste *f*. – **9.** *electr*. a) Träger(strom) *m*, b) Träger(welle *f*) *m*. – **10.** *mus*. (Ton-, Melo'die)Träger *m*. – **11.** → aircraft ~. – **12.** *Kurzform für* ~ pigeon. — ~ **cur·rent** → carrier 9 a. — ~ **fre·quen·cy** *s electr*. 'Trägerfreₗquenz *f*. — ~ **pi·geon** *s* **1.** Brieftaube *f*. – **2.** Carrier *m*, engl. Bag'dette *f* (*eine Warzentaube*). — ~ **ring** *s mil*. Verschlußträger *m* (*eines Geschützes*). — ~ **te·leg·ra·phy** *s electr*. 'Träger(freₗquenz)telegraₗphie *f*. — ~ **te·leph·o·ny** *s electr*. 'Träger(freₗquenz)-telephoₗnie *f*. — ~ **trans·mis·sion** *s electr*. **1.** 'Träger(freₗquenz)überₗtragung *f*. – **2.** (*Radio*) Drahtfunk *m*. — ~ **wave** → carrier 9 b.

car·ri·ole *cf*. cariole.

car·ri·on ['kæriən] **I** *s* **1.** Aas *n*. – **2.** verdorbenes Fleisch. – **3.** *fig*. Unflat *m*, Schmutz *m*. – **II** *adj* **4.** aasfressend. – **5.** aasig. — ~ **bee·tle** *s zo*. Aaskäfer *m*, Totengräber *m* (*Gattgen Necrophorus u. Silpha*). — ~ **crow** *s zo*. **1.** Aas-, Rabenkrähe *f* (*Corvus corone*). – **2.** Schwarzer Geier (*Coragyps atratus*). — ~ **flow·er** *s bot*. **1.** (*eine*) Aasblume (*Gattg Stapelia*). – **2.** Sarsapa'rill-Stechwinde *f* (*Smilax herbacea*).

car·rom *cf*. carom.

car·ro·ma·ta [karro'mata] (*Span*.) *s* zweirädriger Kastenwagen (*auf den Philippinen*).

car·ron·ade [ₗkærə'neid] *s mil. hist*. Karro'nade *f* (*Art glatte Haubitze*).

car·ron oil ['kærən] *s med*. Brandöl *n* (*aus gleichen Teilen Leinsamenöl u. Kalkwasser*).

car·rot ['kærət] *s* **1.** *bot*. Gemeine Ka'rotte, Möhre *f*, Mohrrübe *f*, Gelbe Rübe (*Daucus carota*). – **2.** *pl colloq*. a) rotes Haar, b) Rotkopf *m* (*rothaariger Mensch*).

car·rot·in ['kærətin] → carotene.

car·rot·i·ness ['kærətinis] *s* Rothaarigkeit *f*.

car·rot tree *s bot. ein Ammiaceenstrauch* (*Melanoselinum edule*; *Madeira*).

car·rot·y ['kærəti] *adj* **1.** möhrenfarbig, gelbrot. – **2.** rothaarig. — '~-ₗ**haired** *adj* rothaarig.

car·rou·sel [ₗkæru'zel; -rə-] *s* **1.** *bes. Am*. Karus'sell *n*. – **2.** *hist*. Reiterspiel *n*.

car·ry ['kæri] **I** *s* **1.** Trag-, Schußweite *f*. – **2.** (*Golf*) Flugstrecke *f* (*Ball*). – **3.** *Am. od. Canad. die Strecke zwischen zwei schiffbaren Gewässern, auf der die Boote getragen werden müssen*. – **4.** *mil. bei gewissen Kommandos einzunehmende Haltung* (*mit einer Fahne od. Waffe*). –

II *v/t* **5.** tragen, halten: to ~ s.th. in one's hand etwas in der Hand tragen; pillars ~ing an arch bogentragende Pfeiler; to ~ one's head high den Kopf hoch tragen; to ~ oneself well a) sich gut halten, b) sich gut betragen. – **6.** *fig*. (unter)'stützen, tragen, möglich *od*. gültig machen: one decision carries another eine Entscheidung macht die andere möglich. – **7.** (*wohin*) bringen, tragen, führen, schaffen, befördern: to ~ mail Post befördern (*Zug*); → coal 4. – **8.** (*Briefe, Nachrichten etc*) (über)-'bringen. – **9.** (an sich) haben, in sich schließen: to ~ weight *fig*. Bedeutung *od*. Gewicht haben (*Person, Worte etc*); to ~ conviction überzeugend sein. – **10.** *fig*. mit sich bringen, nach sich ziehen: it will ~ consequences es wird Folgen haben. – **11.** mitführen, mit sich tragen: to ~ a watch eine Armbanduhr bei sich tragen; to ~ with one *fig*. im Sinne haben, im Geiste mit sich herumtragen. – **12.** weiterführen, fortsetzen: to ~ the chimney through the roof den Schornstein durch das Dach führen; to ~ a wall down to the river eine Mauer bis zum Flusse führen. – **13.** *fig*. treiben: to ~ s.th. too far (*od*. to excess) etwas übertreiben *od*. zu weit treiben; to ~ it with a high hand gebieterisch auftreten. – **14.** *fig*. führen, bringen: → effect 7. – **15.** fortreißen, -tragen: to ~ the audience with one die Zuhörer mitreißen; to ~ all (*od*. everything *od*. the world) before one einen vollkommenen Sieg erringen, auf der ganzen Linie siegen. – **16.** *pol*. (*An-*

trag) 'durchbringen, -setzen, zur Annahme bringen, annehmen: **to be carried** durchgehen (*Antrag*); **to ~ unanimously** einstimmig annehmen. – **17.** siegreich *od.* erfolgreich her'vorgehen aus, (*etwas*) siegreich bestehen: **to ~ the day, to ~ it** den Sieg davontragen; **to ~ an election** siegreich aus einer Wahl hervorgehen. – **18.** *fig.* erlangen, erringen, erhalten, gewinnen: **to ~ a prize.** – **19.** 'durchsetzen, erreichen: → **point** 23. – **20.** *mil.* (ein)nehmen, erobern: **to ~ a fortress.** – **21.** aufnehmen *od.* vertragen können (*oft fig.*): **to ~ a lot of liquor** *colloq.* eine Menge Alkohol vertragen können. – **22.** unter'halten, ernähren, tragen: **the country cannot ~ such a population.** – **23.** (*Früchte etc*) tragen, her'vorbringen. – **24.** enthalten, führen: **ores which ~ silver** silberhaltige Erze. – **25.** (mit Gewalt) bringen, führen. – **26.** *Am. dial.* begleiten, bringen, führen: **to ~ to church.** – **27.** *Am.* (*Bericht etc*) bringen (*Zeitung*): **this paper carries no weather forecast** diese Zeitung bringt keinen Wetterbericht. – **28.** *econ.* a) (*Waren*) führen (*Geschäft*), b) in den Büchern führen, c) (*Zinsen*) tragen. – **29.** *econ. math.* (*Zahl, Summe*) 'übertragen, vortragen. – **30.** *math.* (*Division*) 'durch-, weiterführen: **to ~ a division to 7 places** eine Division bis zu 7 Stellen durchführen. – **31.** (*Golf*) (*Strecke od. Hindernis*) mit einem Schlag über'winden. – **32.** *hunt.* (*Spur*) festhalten, verfolgen. – **33.** *mil.* (*Waffe*) präsen'tieren. – **34.** *mus.* (*Ton, Melodie*) tragen. – **35.** *mar.* (*Segel*) führen (*Schiff*). – *SYN.* **bear, convey, transport.** –
III *v/i* **36.** tragen: → **fetch** 10. – **37.** den Kopf tragen (*Pferd*): **the horse carries well** das Pferd hält den Kopf gut. – **38.** tragen, reichen (*Stimme, Schußwaffen etc*): **his voice carries far** seine Stimme trägt weit. – **39.** sich tragen lassen, tragbar sein: **it carries well** es läßt sich gut tragen. – **40.** *hunt.* a) die Spur festhalten (*Hund*), b) (*Falkenjagd*) mit der Beute da'vonfliegen (*Falke*). – **41.** *mus.* tragen (*Ton, Stimme*). –
Verbindungen mit Adverbien:

car·ry| a·bout *v/t* (mit sich) her'umtragen (*auch fig.*): **to ~ in one's mind.** — **~ a·long** *v/t* **1.** mitnehmen, forttragen. – **2.** weiter-, fortführen. — **~ a·way** *v/t* **1.** weg-, forttragen, -führen, -schaffen. – **2.** *fig.* verführen, verleiten. – **3.** *fig.* 'hinreißen, mit sich fortreißen. – **4.** *fig.* den Sieg da'vontragen in (*dat*) *od.* über (*acc*): → **bell** 1. — **~ back** *v/t* **1.** zu'rücktragen, -bringen. – **2.** *fig.* (*Gedanken*) zu'rücklenken (to auf *acc*). – **3.** *fig.* zu'rückversetzen (to in *acc*): **this carries me back to my youth.** — **~ be·fore** *v/t* vor'antragen. — **~ down** *v/t* hin'untertragen, -bringen. — **~ forth** *v/t* **1.** hin'austragen. – **2.** zur Schau tragen. — **~ for·ward** *v/t* **1.** fortsetzen, (erfolgreich) fortführen. – **2.** (*Buchhaltung*) vortragen, 'übertragen: **to ~ the balance** den Saldo vortragen; → **amount** 3. — **~ in** *v/t* hin'eintragen, -schaffen. — **~ off** *v/t* **1.** forttragen, -schaffen. – **2.** abführen (**to prison** ins Gefängnis). – **3.** entführen. – **4.** hin'weg-, fortraffen (*Krankheit*). – **5.** (*Preis, Sieg etc*) da'vontragen, gewinnen, erringen. – **6.** (*den Dingen etc*) kühn *od.* keck begegnen, keck ins Auge sehen: **to carry it off well** mit Erfolg *od.* keck auftreten. — **~ on I** *v/t* **1.** fortführen, -setzen, weiterführen. – **2.** fördern, vorwärtsbringen. – **3.** (*Geschäft, Prozeß etc*) betreiben, führen. – **4.** (*Plan etc*) beharrlich verfolgen. – **II** *v/i* **5.** weitermachen. – **6.** *colloq.* ‚angeben', ein ‚The'ater' machen, sich auffällig benehmen. – **7.** *colloq.* sich ‚da'nebenbenehmen'. – **8.** *colloq.* ein Verhältnis haben (**with** mit). – **9.** *mar.* alle Segel führen. — **~ out** *v/t* **1.** hin'austragen, -schaffen, -bringen. – **2.** zu Grabe tragen. – **3.** (*Maßnahmen etc*) aus-, 'durchführen. – **4.** verwirklichen, voll'enden, zum (erfolgreichen) Abschluß bringen. – **5.** (*Vertrag*) erfüllen. – **6. to ~ one's bat** (*Kricket*) am Ende der Spielzeit noch nicht ‚aus' sein (*Schläger*). — **~ o·ver** *v/t* **1.** hin'übertragen, -schaffen, -führen. – **2.** (*zur anderen Partei etc*) 'überführen, zum 'Überlaufen bewegen. – **3.** aufschieben, verschieben. – **4.** (*Waren etc*) zu'rück(be)halten. – **5.** *econ.* → **carry forward** 2. – **6.** (*Börsenwesen*) *Br.* prolon'gieren. – **7.** *mus.* (*Ton*) hin'über-, 'durchziehen. — **~ through** *v/t* **1.** 'durch-, ausführen. – **2.** erfolgreich abschließen. – **3.** (*j-m*) 'durchhelfen, (*j-n*) 'durchbringen. — **~ up** *v/t* **1.** hin'aufbringen, -führen, -tragen. – **2.** (*Mauer etc*) aufführen, bauen. – **3.** ins richtige Verhältnis bringen (to zu). – **4.** *econ.* → **carry forward** 2. – **5.** (*Tatsachen etc*) zu'rückverfolgen.

'car·ry|,all *s Am.* **1.** *hist.* leichter, gedeckter Einspänner. – **2.** Per'sonenkraftwagen *m* mit Längssitzen. – **3.** große (Hand)Tasche, Reise-, Einkaufstasche *f.* — **~ for·ward** *s econ. Br.* (Saldo)Vortrag *m*, 'Übertrag *m.*

car·ry·ing ['kæriiŋ] **I** *s* **1.** Tragen *n.* – **2.** Trans'port *m*, Beförderung *f.* – **II** *adj* **3.** tragend, haltend, Trag(e)... – **4.** Speditions..., Transport...: **~ cost** Transportkosten. — **~ a·gent** *s* Spedi'teur *m.* — **~ busi·ness** *s* Spediti'onsgeschäft *n.* — **~ ca·pac·i·ty** *s tech.* **1.** *electr.* Belastbarkeit *f.* – **2.** Lade-, Tragfähigkeit *f.* — **'~-'on** *pl* **'~s-'on** *s colloq.* Vorgang *m*, Af'färe *f*, Gehabe *n*: **scandalous carryings-on** ‚tolle Sachen', ‚tolle Zicken', skandalöse Geschichten. — **~ place** → **carry** 3. — **~ roll·er** *s tech.* Führungsrolle *f.* — **~ rope** *s tech.* Tragseil *n.* — **~ trade** *s* **1.** Trans'port-, Frachtgeschäft *n.* – **2.** Trans'port-, Spediti'onsgewerbe *n.*

'car·ry-,o·ver *s* **1.** Rest *m* (*einer Ernte, eines Vorrats etc, der zur nächsten Partie dazugeschlagen wird*). – **2.** (*Buchhaltung*) 'Übertrag *m*, Vortrag *m.*

car| shed *s* **1.** Wagenschuppen *m*, Ga'rage *f.* – **2.** *Am.* Schutzdach *n od.* Schuppen *m* für Eisenbahnzüge *od.* -wagen. — **'~,shop** *s Am.* Repara'turhalle *f* für Eisenbahnwagen. — **'~,sick** *adj* auto- *od.* eisenbahnkrank. — **~ sick·ness** *s* Auto-, Eisenbahnkrankheit *f.* — **~ spring** *s tech.* Wagenfeder *f.*

cart [kɑːrt] **I** *s* **1.** (*meist zweirädriger*) (Fracht)Karren, Karre *f*, Lastkarren *m*: **market ~** Marktkarren; **to be in the ~** *Br. sl.* ‚in der Klemme sein', ‚in der Patsche sitzen'; **to put the ~ before the horse** das Pferd beim Schwanz aufzäumen (*etwas verkehrt anfangen*). – **2.** zweirädriger Wagen (*für Personen*). – **3.** Lieferwagen *m*, -karren *m.* – **4.** Handwagen *m*, Wägelchen *n.* – **II** *v/t* **5.** karren, in einem Karren befördern *od.* fahren. – **6.** *fig.* schleppen: **to ~ about** umherschleppen. — **cart·age** ['kɑːrtidʒ] *s* **1.** Trans'port *m* mit einem Karren. – **2.** Fuhrlohn *m*, Rollgeld *n*, Trans'portkosten *pl.*

carte [kɑːrt] *s* (*Fechtkunst*) Quart *f.*

carte blanche ['kɑːrt 'blɑ̃ʃ; 'blɑːnʃ] *pl* **cartes blanches** ['kɑːrts] *s* **1.** *econ.* Blan'kett *n.* – **2.** *fig.* unbeschränkte Vollmacht.

carte de vi·site [kart də vi'zit] (*Fr.*) *s* **1.** Vi'sitenkarte *f.* – **2.** *phot.* Por'trätaufnahme *f* in Vi'sitfor,mat ($3^3/_4$ × $2^1/_4$ *Zoll*).

car·tel [kɑːr'tel; 'kɑːrtel] *s* **1.** *econ.* Kar'tell *n.* – **2.** *oft* **C~** *pol.* Kar'tell *n* (*festes Bündnis mehrerer Parteien*). – **3.** *mil.* Auslieferungsvertrag *m* (*über Kriegsgefangene*), Konventi'on *f* (*zwischen feindlichen Nationen*). – **4.** schriftliche Her'ausforderung zum Zweikampf. – *SYN. cf.* **monopoly.** — **'car·tel·ism** *s* Kar'tellwesen *n.*

car·tel·i·za·tion [,kɑːrtəlai'zeiʃən; -li-; -lə-] *s econ.* Kartel'lierung *f.* — **'car·tel,ize** *v/t u. v/i* kartel'lieren.

cart·er ['kɑːrtər] *s* Kärrner *m*, Fuhrmann *m.*

Car·te·sian [kɑːr'tiːʒən; *Br. auch* -ziən] **I** *adj* **1.** kar'tesisch, kartesi'anisch. – **II** *s* **2.** Kartesi'aner *m.* – **3.** *math.* → **~ curve.** — **~ co·or·di·nates** *s pl math.* kar'tesische Koordi'naten *pl.* — **~ curve** *s math.* kar'tesische Kurve. — **~ dev·il, ~ div·er** *s phys.* kar'tesischer Taucher, kartesisches Teufelchen.

Car·te·sian·ism [kɑːr'tiːʒə,nizəm; *Br. auch* -ziə,n-] *s philos.* Kartesia'nismus *m*, Lehre *f* des Des'cartes.

Car·tha·gin·i·an [,kɑːrθə'dʒiniən] **I** *adj* kar'thagisch. – **II** *s* Kar'thager(in).

car·tha·min ['kɑːrθəmin], *auch* **'car·thame** [-θeim], **car'tham·ic ac·id** [-'θæmik] *s chem.* Kartha'min *n*, Sa'flor-Rot *n* ($C_{25}H_{24}O_{12}$).

cart horse *s* Zugpferd *n.*

Car·thu·sian [*Br.* kɑːr'θjuːziən; -'θuː-; *Am.* -ʒən] **I** *s* **1.** Kar'täuser(mönch) *m.* – **2.** Schüler *m* der Charterhouse-Schule (*in England*). – **II** *adj* **3.** Kartäuser... – **4.** die Charterhouse-Schule betreffend.

car·ti·lage ['kɑːrtilidʒ; -tə-] *s med. zo.* Knorpel *m.* — **~ bone** *s* Knorpelknochen *m.* — **~ cells** *s pl* Knorpelzellen *pl.*

car·ti·la·gin·i·fi·ca·tion [,kɑːrtilə,dʒinifi'keiʃən; -tə-; -nəfə-] *s med. zo.* Verknorpelung *f*, 'Übergang *m* in Knorpel. — **,car·ti·la'gin·i,form** [-lə'dʒini,fɔːrm], **,car·ti'lag·i,noid** [-'lædʒi,nɔid] *adj* knorpelähnlich.

car·ti·lag·i·nous [,kɑːrti'lædʒinəs; -tə-; -dʒə-] *adj* **1.** *med. zo.* knorpelig, Knorpel... – **2.** knorpelähnlich, -förmig. – **3.** *zo.* mit einem hauptsächlich aus Knorpel bestehenden Ske'lett (*Fisch*). — **~ fish** *s zo.* Knorpelfisch *m* (*Unterklasse Chondrichthyes*). — **~ joint** *s med.* Knorpelfuge *f.*

cart| lad·der *s tech.* Wagenleiter *f.* — **'~,load** *s* Karren-, Wagenladung *f*, Fuder *n*, Fuhre *f*: **by ~s** fuder-, fuhren-, wagenweise; **to come down on s.o. like a ~ of bricks** *colloq.* j-n völlig niederschmettern.

car·to·gram ['kɑːrto,græm; -tə-] *s* Karto'gramm *n*, sta'tistische Karte.

car·tog·ra·pher [kɑːr'tɒgrəfər] *s* Karto'graph *m*, Kartenzeichner *m.* — **,car·to'graph·ic** [-tə'græfik], **,car·to'graph·i·cal** *adj* karto'graphisch: **~ distance** Kartenentfernung, Entfernung auf der Karte. — **car'tog·ra·phy** *s* Kartogra'phie *f*, Kartenkunde *f.*

car·tol·o·gy [kɑːr'tɒlədʒi] *s* Kartenkunde *f.*

car·ton ['kɑːrtən] *s* **1.** ('Papp)Kar,ton *m*, (Papp)Schachtel *f.* – **2.** weiße Scheibe, ‚Zwölf' *f* (*im Zentrum der Schießscheibe*).

car·toon [kɑːr'tuːn] **I** *s* **1.** Karika'tur *f*, Witzzeichnung *f.* – **2.** Zeichentrickfilm *m.* – **3.** *Am.* Karika'turenreihe *f* in Fortsetzungen (*in Zeitschriften etc*). – **4.** (*Malerei*) Kar'ton *m*, Vorlage *f*, Entwurf *m* (*in natürlicher Größe, für Mosaike, Fresken etc*). – **II** *v/t* **5.** kari'kieren, als Karika'tur darstellen. – **6.** (*Malerei*) als Kar'ton entwerfen, eine Vorlage anfertigen für (*ein Mosaik, Fresko etc*). – **III** *v/i* 7. Karika'turen zeichnen. — **car'toon·ist** *s* Karikatu'rist *m*, Karika'turenzeichner *m*: advertising ~ Werbezeichner (*bes. witziger Reklame*).

car·touch(e) [kɑːr'tuːʃ] *s* **1.** Kar'tusche *f*: a) *arch. medaillonförmiges Ornamentmotiv mit Volutenrahmen*, b) *längliche Umrahmung einer ägyptischen Hieroglyphe, die einen Königsnamen darstellt*. – **2.** Sprengkapsel *f* (*eines Feuerwerkskörpers*). – **3.** *mil.* Pa'pierkar,tuschhülse *f*, Kar'tuschbüchse *f*.

car·tridge ['kɑːrtridʒ] *s* **1.** *mil.* Pa'trone *f*: blank ~ Salut-, Manöverkartusche; → ball ~; drill ~. – **2.** (*bei Artilleriemunition*) Kar'tusche *f*. – **3.** *phot.* 'Filmpa,trone *f*, -hülse *f*. – **4.** *phys.* Spaltstoffhülse *f*, -stab *m*. – **5.** Tonabnehmer *m* (*des Plattenspielers*). — **~ bag** *s mil.* Kar'tuschbeutel *m*. — **~ belt** *s mil.* **1.** Pa'tronen-, Ladegurt *m*. – **2.** Pa'tronen,tragegurt *m*. — **~ box** *s mil.* **1.** Pa'tronentasche *f*. – **2.** Pa'tronen-, Muniti'onskasten *m*. — **~ case** *s* **1.** → cartridge box. – **2.** Pa'tronenhülse *f*. — **~ case jack·et** *s mil.* Hülsenmantel *m*. — **~ clip** *s mil.* Ladestreifen *m*. — **~ fuse** *s electr.* Stöpsel-, Pa'tronensicherung *f*, 'Sicherungspa,trone *f*. — **~ ga(u)ge** *s mil.* Pa'tronenlehre *f*. — **~ pa·per** *s tech.* **1.** 'Kardus-, 'Linienpa,pier *n*. – **2.** Kar'tonpa,pier *n*. – **3.** Kar'tuschpappe *f*.

cart road *s* Fahrweg *m* für Karren, Feld-, Waldweg *m*.

cart's tail, cart tail *s* hinterer Teil eines Karrens *od.* Handwagens.

car·tu·lar·y *cf.* chartulary.

'cart|,way → cart road. — **~ wheel** *s* **1.** Wagenrad *n*. – **2.** *sport* (*seitliches geschlagenes*) Rad: to do (*od.* turn) ~s radschlagen. – **3.** *humor.* a) amer. Silberdollar *m*, b) brit. Kronenstück *n*. — '~,**wheel** *v/i aer.* auf einem Flügelende landen. — '~,**wright** *s* Stellmacher *m*, Wagenbauer *m*, Wagner *m*.

car·un·cle ['kærʌŋkl; kə'rʌŋ-] *s* **1.** *med.* Ka'runkel *m*, Fleischgeschwulst *f*. – **2.** *zo.* Fleischauswuchs *m*, Fleischlappen *m* (*auf dem Kopf gewisser Vögel*). – **3.** *bot.* Auswuchs *m* (*an der Samenhülle*). — **ca'run·cu·lar** [-kjulər; -kjə-] *adj* **1.** *med.* karunku'lös, knötchenartig. – **2.** → carunculate. — **ca'run·cu·late** [-lit; -,leit], **ca'run·cu,lat·ed** *adj* **1.** *bot.* mit einem Auswuchs (*an der Samenhülle*). – **2.** *zo.* mit einem Fleischauswuchs *od.* -lappen. — **ca'run·cu·lous** → caruncular.

car·va·crol ['kɑːrvə,kroul; -,krɒl] *s chem. med.* Karva'krol *n* (*Antiseptikum u. zahnschmerzstillendes Mittel*).

carve [kɑːrv] **I** *v/t* **1.** schnitzen, meißeln: to ~ a block of wood into a statue einen Holzblock zu einer Statue schnitzen. – **2.** ausschnitzen, -meißeln: to ~ out of stone aus Stein meißeln *od.* hauen. – **3.** einschneiden, -meißeln: to ~ a design in stone ein Muster in Stein meißeln. – **4.** (mit Schnitze'reien) verzieren: to ~ a stone with figures. – **5.** (*Fleisch etc*) zerlegen, vorschneiden, tran'chieren. – **6.** *oft* ~ out *fig.* a) sich (*einen Weg*) bahnen, (*Karriere*) machen, b) gestalten, formen: to ~ out a fortune ein Vermögen machen. – **7.** *meist* ~ up (*Fläche etc*) unter'teilen, aufteilen. – **II** *v/i* **8.** schnitzen, meißeln. – **9.** (*bei Tisch*) vorschneiden, tran'chieren. – **III** *s* **10.** Einschnitt *m*, Kerbe *f*. – **11.** Schalm *m*, eingeschnittenes Zeichen (*an Bäumen*).

car·vel ['kɑːrvəl] → caravel. — '~,**built** *adj mar.* kar'weel-, glattgebaut (*mit nicht übereinandergreifenden Planken*): ~ boat Karweelboot. — **~ work** *s mar.* Kar'weel-, Kar'vielwerk *n*, -beplankung *f*, -bau *m*.

carv·en ['kɑːrvən] *adj poet.* geschnitzt, gemeißelt: a ~ image.

carv·er ['kɑːrvər] *s* **1.** (Holz)Schnitzer *m*, Bildhauer *m*. – **2.** Tran'chierer *m*, Vorschneider *m* (*bei Tisch*). – **3.** Tran'chiermesser *n*: (a pair of) ~s Tranchierbesteck.

'carve-,up *s Br. sl.* Schwindel *m*: it's a ~ es ist ein Schwindel.

carv·ing ['kɑːrviŋ] *s* **1.** Schnitzen *n*, Meißeln *n*. – **2.** Schnitz-, Bildhauerkunst *f*. – **3.** Schnitze'rei *f*, Schnitzwerk *n*, geschnitztes Bildwerk. – **4.** Tran'chieren *n*, Vorschneiden *n*. — **~ chis·el** *s tech.* Schnitzmeißel *m*, Bos'siereisen *n*. — **~ fork** *s* Tran'chiergabel *f*. — **~ knife** *s irr* Tran'chiermesser *n*.

cary- [kæri] → karyo-.

car·y·at·id [,kæri'ætid] *pl* **-i·des** [-,diːz], *auch* **-ids** *s arch.* Karya'tide *f* (*weibliche Figur als Säule*). — **,car·y'at·i·dal, ,car·y,at·i'de·an** [-'diːən], **,car·y·a'tid·ic** [-ə'tidik] *adj arch.* karya'tidenähnlich, Karyatiden...

caryo- *cf.* karyo-.

car·y·o·phyl·la·ceous [,kæriofi'leiʃəs] *adj bot.* **1.** zur Fa'milie der Nelkengewächse gehörend. – **2.** nelkenähnlich, -artig.

car·y·op·sis [,kæri'ɒpsis] *pl* **-op·ses** [-siːz], **-op·si·des** [-si,diːz] *s bot.* Kary'opse *f*, Schalfrucht *f* (*der Gräser*).

ca·sa·ba [kə'sɑːbə], *auch* **~ mel·on** *s bot.* 'Winterme,lone *f* (*Cucumis melo var. inodorus*).

cas·ca·bel ['kæskəbel] *s mil.* Traube *f* (*eines Vorderladergeschützes*).

cas·cade [kæs'keid] **I** *s* **1.** Kas'kade *f*, (*bes. mehrstufiger*) Wasserfall. – **2.** (*bes.* 'Spitzen)Ja,bot *n*. – **3.** Kas'kade *f* (*Feuerwerksstück*). – **4.** *chem. tech.* Kas'kade *f* (*Anordnung über- od. hintereinandergeschalteter gleichartiger Gefäße od. Geräte*). – **5.** *electr.* → ~ connection. – **II** *v/i* **6.** a) eine Kas'kade bilden, kas'kadenartig her'abstürzen, b) *fig.* regnen, haufenweise her'einkommen (*Briefe etc*). – **III** *v/t* **7.** kas'kadenförmig *od.* stufenweise anordnen: to ~ electric circuits *electr.* Stromkreise in Reihe schalten. — **~ am·pli·fi·ca·tion** *s electr.* Kas'kadenverstärkung *f*. — **~ bomb·ing** *s mil.* Kas'kaden-, Mar'kierungsbombenwurf *m*. — **~ con·nec·tion** *s electr.* Kas'kade(nschaltung) *f*.

cas·ca·ra [*Br.* kæs'kɑːrə; *Am.* -'kɛrə] *s* **1.** Rindenboot *n* (*in Lateinamerika*). – **2.** → ~ buckthorn. – **3.** *Schale bestimmter Früchte, bes. der Kokosnuß.* – **4.** → ~ sagrada. — **~ buck·thorn** *s bot.* Sa'gradafaulbaum *m* (*Rhamnus od. Frangula purshiana*). — **~ sa·gra·da** [*Br.* sə'grɑːdə; *Am.* -'grei-] *s med.* Cascara-Rinde *f*, Amer. Faulbaumrinde *f*, Cascara *f* sa'grada.

cas·ca·ril·la [,kæskə'rilə] *s* **1.** *med.* Casca'rill(a)rinde *f* (*Tonikum u. Magenmittel*). – **2.** *bot.* Casca'rillenstrauch *m* (*Croton eluteria*; *Bahamas*). — **~ bark** → cascarilla 1.

case[1] [keis] **I** *s* **1.** Fall *m*: a ~ in point ein typischer Fall, ein einschlägiges Beispiel; a ~ of injustice ein Fall von Ungerechtigkeit; he is a hard ~ er ist ein schwieriger Fall (*ein schwer zu behandelnder Mensch*). – **2.** Fall *m*, 'Umstand *m*, Lage *f*, Zustand *m*: in any ~ auf jeden Fall, jedenfalls, sowieso; in no ~ auf keinen Fall, keinesfalls; in ~ (that) im Falle daß, falls; in ~ of im Falle von (*od.* gen); → need 4; in that ~ in 'dem Falle, wenn es sich 'so verhalten sollte; the ~ is this die Sache ist 'die, der Fall liegt 'so; as the ~ may be je nachdem, je nach den Umständen. – **3.** Fall *m*, Tatsache *f*: that is not the ~ (with him) das ist (bei ihm) nicht der Fall, das trifft (auf ihn) nicht zu; as is the ~ with me wie es bei mir der Fall ist; the same is the ~ with her dasselbe ist der Fall bei ihr, genau so steht es mit ihr. – **4.** Sache *f*, Angelegenheit *f*, Frage *f* (*die zu überlegen ist*): ~ of conscience Gewissensfrage; that alters the ~ das ändert die Sache, das gibt der Sache ein anderes Gesicht; to put a ~ to s.o. j-m eine Sache vortragen; to come down to ~s *Br. colloq.* zur Sache kommen; → state 23 *u.* 24. – **5.** *jur.* (Streit)Sache *f*, (Rechts)Fall *m*: the ~ of Brown der Fall Brown; → leading ~; the ~ at issue der vorliegende Fall. – **6.** *bes. jur. collect.* (Gesamtheit *f* der) Tatsachen *pl* u. Beweise *pl*: to have a strong ~ guten Beweis haben; he has a good ~ er hat das Recht auf seiner Seite *od.* für sich, viele (*bewiesene*) Tatsachen sprechen für ihn; a good ~ can be made out for him es läßt sich viel für ihn *od.* zu seiner Entlastung sagen. – **7.** *collect.* Argu'mente *pl*, (triftige) Gründe *pl*: to make out one's ~ triftige Gründe vorlegen, seine Gründe als stichhaltig beweisen. – **8.** *ling.* Kasus *m*, Fall *m*. – **9.** *med.* (Krankheits)Fall *m*, Pati'ent(in): there are two ~s of typhoid here es befinden sich hier zwei Fälle von Typhus *od.* zwei an Typhus erkrankte Personen. – **10.** *colloq.* komischer Kauz. – **11.** *sl.* (heftiges) Verliebtsein: they had quite a ~ on each other *Am.* ‚sie waren schrecklich ineinander verknallt'. – *SYN. cf.* instance. –
II *v/t* **12.** *Am. sl.* ansehen, beobachten.

case[2] [keis] **I** *s* **1.** Behälter *m*, Behältnis *n*. – **2.** Kiste *f*, Kasten *m* (*mit Inhalt*): a ~ of wine eine Kiste Wein. – **3.** Scheide *f*, Hülle *f* (*Messer, Schwert*). – **4.** Tasche *f*: → brief~; suit~. – **5.** E'tui *n*: cigarette ~. – **6.** Besteckkasten *m* (*eines Chirurgen etc*): ~ of instruments Besteck. – **7.** Paar *n*, Satz *m*: a ~ of pistols ein Paar Pistolen. – **8.** ('Kissen),Überzug *m*, Bezug *m*. – **9.** Futte'ral *n*, Kapsel *f*, Hülle *f*, Gehäuse *n*, Fach *n*: seed~ *bot.* Samenkapsel; → writing ~; watch~. – **10.** *arch.* a) (Tür-, Fenster)Futter *n*, Einfassung *f*, Verkleidung *f*, b) *Am. selten* Gerippe *n* (*eines Baues*). – **11.** (*Buchbinderei*) Einbanddecke *f*. – **12.** *print.* Setzkasten *m*: → lower ~; upper ~. – **13.** *tech.* a) (*Hüttenwesen*) Randzone *f*, b) (*Keramik*) (Brenn)-Kapsel f, c) Mantel *m*, Um'kleidung *f* (*Kessel*). – **14.** (*Bergbau*) (Schacht-, Stollen)Rahmen *m*. – **15.** *mil.* → ~ shot. – **16.** *zo.* Walrathöhle *f* (*beim Pottwal*). – **17.** *mus.* (Kla'vier- *etc*)Kasten *m*, Gehäuse *n*. – **II** *v/t* **18.** in ein Gehäuse *od.* Futte'ral stecken, mit einem Gehäuse *od.* einer Hülle um'geben. – **19.** (in) einhüllen (in *acc*), um'geben (mit). – **20.** *hunt.* (*Tier*) abziehen, abbalgen: to ~ a fox. – **21.** (*Buchbinderei*) (*Buchblock*) (in die Einbanddecke) einhängen. – **22.** *tech.* verkleiden, verschalen, um'manteln. – **23.** *print.* (*Lettern*) in den Setzkasten einordnen.

ca·se·ase ['keisi,eis] *s biol. chem.* Case'ase *f* (*Kasein spaltendes Ferment*).

ca·se·ate[1] ['keisi,eit] *s biol. chem.* Case'at *n* (*Salz des Kaseins*).

ca·se·ate[2] ['keisi,eit] *v/i med.* verkäsen, käsig werden, käsig degene'rieren.

ca·se·a·tion [,keisi'eiʃən] *s* **1.** *chem.* Käsebildung *f*. – **2.** *med.* → caseous degeneration.

case| bay *s arch.* Balkenfach *n*. — **~ bind·ing** *s* (*Buchbinderei*) **1.** Einhängen *n* (*des Buchblocks*) in die Einbanddecke. – **2.** Einbanddecke *f.* — **'~ˌbook** *s* **1.** *jur.* Präju'dizienbuch *n* (*Nachschlagwerk über Präzedenzfälle*). – **2.** *med.* Pati'entenbuch *n* (*Arzt*). — **'~-ˌbound** *adj* in fester Decke gebunden (*Buch*). — **~ cast·ings** *s pl tech.* Hartguß *m.* — **~ end·ing** *s ling.* Kasusendung *f.*

ca·se·fy ['keisiˌfai; -sə-] *v/t u. v/i* verkäsen.

'case|ˌhard·en *v/t* **1.** (*Hüttenwesen*) einsatzhärten. – **2.** *fig.* abhärten, unempfindlich *od.* gefühllos machen. — **'~ˌhard·ened** *adj* **1.** (*Hüttenwesen*) im Einsatz gehärtet, schalenhart. – **2.** *fig.* abgehärtet, unempfindlich. — **'~ˌhard·en·ing** *s* **1.** (*Hüttenwesen*) Einsatzhärten *n*, -härtung *f*, Einsetzen *n.* – **2.** *Verhärtung der Oberfläche von Nahrungsmitteln durch zu schnelle Dehydrierung.* — **~ his·to·ry** *s* **1.** *bes. jur. sociol.* Vorgeschichte *f* (*eines bestimmten Falles*). – **2.** *med.* Anam'nese *f*, Krankengeschichte *f* (*eines Patienten od. Krankheitsfalles*). – **3.** Perso'nalakte *f.*

ca·se·in ['keisiin; -siːn] *s biol. chem.* Kase'in *n*, *bes.* 'Parakaseˌin *n.*

case| knife *s irr* **1.** Dolch *m*, Hirschfänger *m.* – **2.** Tischmesser *n.* — **~ law** *s jur.* Fallrecht *n* (*der auf Präzedenzfällen beruhende Teil des angloamer. Rechts, zum Unterschied vom* statute law *od. Gesetzesrecht*). — **'~ˌmak·er** *s* (*Buchbinderei*) **1.** Buchdeckenmacher *m.* – **2.** 'Buchdeckenmaˌschine *f.*

case·mate ['keismeit] *s mar. mil.* Kase'matte *f.* — **'case·mat·ed** *adj mar. mil.* **1.** mit Kase'matten versehen. – **2.** als Kase'matte ausgebaut.

case·ment ['keismənt] *s* **1.** *arch.* a) Fensterflügel *m*, b) *auch* ~ window Flügelfenster *n*, c) Hohlkehle *f.* – **2.** *poet.* Fenster *n.* – **3.** → casing. — **'case·ment·ed** *adj* mit Fensterflügeln (versehen).

ca·se·ose ['keisiˌous] *s biol. chem.* Kase'ose *f.*

ca·se·ous ['keisiəs] *adj* käsig, käseartig. — **~ de·gen·er·a·tion** *s med.* Verkäsung *f*, käsige Degenerati'on.

ca·sern(e) [kə'zəːrn] *s mil.* Ka'serne *f.*

case| shot *s mil.* Schrap'nell *n*, Kar'tätsche *f*, Kar'tätschengraˌnate *f.* — **~ spring** *s tech.* Gehäusefeder *f* (*Uhr*). — **~ stud·y** *s sociol.* Einzelfallstudie *f.* — **~ sys·tem** *s jur.* ('Rechts)ˌUnterricht *m* (*beim Jurastudium*) an Hand von Präze'denzfällen u. praktischen Beispielen. — **'~ˌweed** → shepherd's-purse. — **'~ˌwork**[1] *s* **1.** (*Buchbinderei*) 'Herstellen *n* der Buchdecken. – **2.** *print.* Handsatz *m.* – **3.** (Orgel-)Gehäuse *n*, (-)Stuhl *m.* — **'~ˌwork**[2] *s psych. sociol.* sozi'ale Einzelarbeit (*Studium von Vorgeschichte u. Milieu einzelner Personen od. Familien*). — **'~ˌworm** *s zo.* Larve *f* einer Köcherfliege (*Ordng Trichoptera*).

cash[1] [kæʃ] **I** *s* **1.** (Bar)Geld *n.* – **2.** *econ.* Barzahlung *f*, Kasse *f*: to sell for ~ gegen bar *od.* Barzahlung verkaufen; for prompt (*od.* ready) ~ gegen sofortige Kasse; ~ and carry *Am.* nur gegen Barzahlung u. bei eigenem Transport; ~ down gegen Barzahlung, (gegen) bar; ~ in bank Bankguthaben; ~ in hand Bar-, Kassenbestand; in ~ per Kassa, bar; to be in ~ bei Kasse sein; to be out of ~ nicht bei Kasse sein; short of ~ knapp bei Kasse; to turn into ~ zu Geld machen, einlösen; → balance 7; delivery 1. – *SYN.* coin, currency, money, specie. – **II** *v/t* **3.** einlösen, einwechseln, ('ein)kasˌsieren, zu Geld machen; to ~ a check (*Br.* cheque) einen Scheck einlösen. – **4.** (in bar) auszahlen, bezahlen. –

Verbindungen mit Adverbien:

cash| in I *v/t* **1.** einlösen, zu Geld machen: to ~ one's checks (*od.* chips) a) *Am. colloq.* (*Poker etc*) seine Spielmarken einlösen, b) *sl.* ‚abtreten', ‚Schluß machen' (*sterben*). – **II** *v/i* **2.** *Am. colloq.* kas'sieren, seine Spielmarken einlösen. – **3.** *sl.* ‚abtreten' (*sterben*). – **4.** *Am. colloq.* (on) profi'tieren (von), einen Nutzen ziehen (aus): to ~ on an idea eine Idee ausnützen, aus einer Idee Kapital schlagen. — **~ up** *v/t u. v/i* **1.** ('ein)kasˌsieren. – **2.** bezahlen.

cash[2] [kæʃ] *s sg u. pl* Käsch *n* (*Gewicht u. Münze in Ostindien, China u. Japan*).

cash| ac·count *s econ.* Kassenkonto *n.* — **~ ad·vance** *s* Barvorschuß *m.* — **~ and car·ry** *s* Cash and carry (*Barzahlung u. Abtransport der Ware durch den Käufer selbst*). — **~ as·sets** *s pl* Barguthaben *n*, Barbestände *pl.* — **~ au·dit** *s* 'Kassenrevisiˌon *f*, -prüfung *f*, -aufnahme *f.*

ca·shaw *cf.* cushaw.

cash| bal·ance *s econ.* Kassenbestand *m*, -saldo *m*, Barguthaben *n.* — **'~ˌbook** *s* Kassabuch *n.* — **'~ˌbox** *s* 'Geldkasˌsette *f*, -schaˌtulle *f.* — **~ busi·ness** *s* Bar(zahlungs)-, Kassageschäft *n.* — **~ crop** *s* leicht verkäufliches 'Landbauproˌdukt. — **~ dis·count** *s* Kassaskonto *m, n.*

ca·shew [kə'ʃuː; 'kæ-] *s bot.* **1.** Ka'schu-, Herzfrucht-, Nieren-, Aca'joubaum *m* (*Anacardium occidentale*). – **2.** → ~ nut. — **~ ap·ple** *s bot.* birnenförmiger Fruchtstiel der Aca'jounuß. — **~ nut** *s bot.* Aca'jounuß *f*, Marknuß *f*, (*westindische*) Ele'fantenlaus.

cash·ier [kæ'ʃir] **I** *s* **1.** Kas'sierer(in), Kassenverwalter(in). – **II** *v/t* **2.** *mil.* kas'sieren, (mit Schimpf) entlassen. – **3.** ablehnen, verwerfen.

cash·ier's| check, *Br.* **~ cheque** *s econ.* Bankanweisung *f*, Bank-, Kassenscheck *m.* — **~ of·fice** *s econ.* Kasse *f*, Zahlstelle *f.*

cash·mere ['kæʃmir] *s* **1.** Kaschmirwolle *f.* – **2.** Kaschmir *m* (*Gewebe*). – **3.** → C~ shawl. — **C~ shawl** *s* Kaschmirschal *m.*

cash note *s econ.* Kassenanweisung *f*, Auszahlungsanweisung *f.*

ca·shoo [kə'ʃuː] → catechu.

cash| pay·ment *s* Barzahlung *f.* — **~ price** *s* Bar(zahlungs)-, Kassapreis *m.* — **~ pur·chase** *s* Barkauf *m.* — **~ reg·is·ter** *s* Regi'strier-, Kon'trollkasse *f.* — **~ sale** *s* Bar-, Kassaverkauf *m*, -geschäft *n*, Verkauf *m* gegen Barzahlung.

cas·i·mere, cas·i·mire *cf.* cassimere.

cas·ing ['keisiŋ] *s* **1.** Bekleidung *f*, Um'mantelung *f*, (Schutz)Hülle *f*, (Ver)Schalung *f*, Gehäuse *n.* – **2.** *tech.* Ver'schalungs-, Be'kleidungsmateriˌal *n.* – **3.** (Fenster-, Tür)Futter *n.* – **4.** Mantel *m* (*eines Reifens*). – **5.** *tech.* a) Futterrohr *n* (*eines Bohrloches etc*), b) Über'fangen *n* (*Überziehen von Glas mit einer andersfarbigen Schicht*). – **6.** (*Bergbau*) Schachtscheider *m.* – **7.** Wurst-, Fleischerdarm *m.* — **~ head** *s tech.* Bohrkopf *m.*

ca·si·no [kə'siːnou] *pl* **-nos, -ni** [-niː] *s* **1.** Ka'sino *n*, Land-, Sommerhaus *n* (*in Italien*). – **2.** ('Spiel-, Unter'haltungs)Kaˌsino *n*, Gesellschaftshaus *n.* – **3.** *cf.* cassino.

cask [*Br.* kɑːsk; *Am.* kæ(ː)sk] **I** *s* Faß *n*, Tonne *f*, Gebinde *n* (*auch mit Inhalt*): a ~ of wine ein Faß Wein. – **II** *v/t* in ein Faß *od.* in Fässer füllen, abfüllen, auf Fässer ziehen. — **~ buoy** *s mar.* Tonnenboje *f.* — **~ clasp** *s tech.* Faßspange *f.*

cas·ket [*Br.* 'kɑːskit; *Am.* 'kæ(ː)s-] **I** *s* **1.** Scha'tulle *f*, Kästchen *n.* – **2.** *bes. Am.* Sarg *m.* – **3.** *fig.* Schatzkästchen *n.* – **II** *v/t* **4.** in ein Kästchen legen, in einem Kästchen aufbewahren.

cask·ing [*Br.* 'kɑːskiŋ; *Am.* 'kæ(ː)s-] *s collect.* Fässer *pl.*

Cas·lon ['kæzlən] *s print. von William Caslon entworfene Drucktype.*

Cas·pi·an ['kæspiən] **I** *adj* kaspisch. – **II** *s* Kaspier(in).

casque [kæsk] *s* **1.** *poet.* Helm *m.* – **2.** *zo.* Schnabelaufsatz *m* (*der Nashornvögel*). — **casqued** *adj poet.* behelmt.

cas·sa·ba *cf.* casaba.

Cas·san·dra [kə'sændrə] *s fig.* Kas'sandra *f* (*Unglücksprophetin*).

cas·sa·reep ['kæsəˌriːp] *s* Kas'savesoße *f* (*aus den Wurzeln des Maniok- od. Kassavestrauches*).

cas·sa·tion [kæ'seiʃən] *s* **1.** *jur.* Kassati'on *f*, Kas'sierung *f*, Aufhebung *f*: Court of C~ Kassationshof. – **2.** *mus. hist.* Kassati'on *f* (*mehrsätzige Art Serenade*).

cas·sa·va [kə'sɑːvə] *s* **1.** *bot.* (*ein*) Mani'okstrauch *m*, (*eine*) Mani'oka, (*eine*) Mani'hot (*Gattg Manihot*), *bes.* a) *auch* bitter ~ Mani'ok-, Mani'oka-, Kas'savestrauch *m* (*M. utilissima*), b) sweet ~ Süßer Mani'okstrauch (*M. palmata aipi od. dulcis*). – **2.** brasil. Arrowroot *n*, Mani'ok-, Kas'savestärke *f* (*aus den Wurzelknollen von Manihot utilissima*).

Cas·se·grain·i·an tel·e·scope [ˌkæsi'greiniən; -sə-] *s* (*Optik*) Casse'grainscher Re'flektor (*Spiegelteleskop*).

cas·se·role ['kæsəˌroul] *s* **1.** Kasse'rolle *f*, Tiegel *m.* – **2.** Auflaufform *f.* – **3.** a) Auflauf *m*, b) in der Kasse'rolle ser'viertes Gericht. – **4.** *chem.* runder (Porzel'lan)Tiegel (*mit Griff*).

cas·sette [ka'sɛt] (*Fr.*) *s* **1.** Kas'sette *f*, Kästchen *n.* – **2.** *phot.* Kas'sette *f.* – **3.** *tech.* Kapsel *f*, Kas'sette *f* (*zum Brennen von Steingut etc*).

cas·sia [*Br.* 'kæsiə; *Am.* -ʃə] *s* **1.** *bot.* Kassie *f* (*Gattg Cassia*). – **2.** Kassiaschote *f*, -hülse *f* (*Frucht von Cassia fistula*). – **3.** *med.* Sennes-, Pur'giermus *n*, Kassiamark *n.* – **4.** *bot.* Kassia-Zimtbaum *m* (*Cinnamomum cassia*). – **5.** → ~ bark. — **~ bark** *s* Kassiarinde *f* (*von Cinnamomum cassia*), Ka'neel *m*, chines. Zimt *m.* — **~ bud** *s* Kassiablüte *f* (*von Cinnamomum cassia*). — **~ oil** *s* Kassiaöl *n.* — **~ pod** → cassia 2. — **~ pulp** → cassia 3. — **'~-ˌstick tree** *s bot.* Röhren-, Fi'settkassie *f*, Manna *n, f* (*Cassia fistula*). — **~ tree** → cassia 4.

cas·sid·e·ous [kə'sidiəs] *adj bot.* helmartig, -förmig.

cas·si·do·ny [*Br.* 'kæsidəni; *Am.* -ˌdouni] *s bot.* **1.** 'Schopflaˌvendel *m* (*Lavandula stoechas*). – **2.** Goldhaar-, Leinaster *f* (*Linosyris vulgaris*).

cas·si·mere ['kæsiˌmir; -sə-] *s* Kasimir *m* (*feines weiches Wollgewebe aus Kamm- od. Streichgarn*).

cas·si·na [kə'sainə; -'siː-], **cas'si·ne** [-niː] *s Am.* **1.** *bot.* Yaupon-Baum *m*, Nordamer. Stechpalme *f* (*Ilex vomitoria; Nordamerika*). – **2.** Appa'lachentee *m*, Yaupon *m*, Black Drink *m.*

Cas·sin·i·an [kə'siniən] *astr. math.* **I** *adj* Cas'sinisch. – **II** *s* → ~ oval. — **~ o·val,** *auch* **~ el·lipse** *s astr.* Cas'sinische Linie.

cas·si·no [kə'siːnou] *s* Ka'sino *n* [(*Kartenspiel*).]

cas·si·o·ber·ry ['kæsioˌberi] *s bot.* **1.** → cassina 1. – **2.** Stechpalmen-Frucht *f* (*von Ilex vomitoria u. I. laevigata*). – **3.** *Frucht einer nordamer. Schneeballart Viburnum obovatum.*

Cas·si·o·pe·ia [ˌkæsio'piːə; -ə'p-], *auch* **Cas·si·o·pe** [kə'saiəˌpiː] *s astr.* Cassio'peia *f* (*nördl. Sternbild*). — **ˌCas·si·o'pe·ia's Chair** *s astr.* Stuhl *m* der Cassio'peia (*Gruppe im Sternbild der Cassiopeia*).

cas·si·o·pe·ium [ˌkæsio'piːəm; -ə'p-] *s chem.* Cassio'peium *n*, Lu'tetium *n.*

cas·sis [ˌkɑːˈsiːs] *s* **1.** *bot.* Schwarze Joˈhannisbeere (*Ribes nigrum*). – **2.** Casˈsis *m* (*Likör aus schwarzen Johannisbeeren*).
cas·sit·er·ite [kəˈsitəˌrait] *s min.* Kassiteˈrit *m*, Zinnerz *n*, -stein *m*.
cas·sock [ˈkæsək] *s relig.* Souˈtane *f* (*Obergewand des Priesters*).
cas·so·war·y [ˈkæsəˌwɛ(ə)ri] *s zo.* Kasuˈar *m* (*Gattg Casuarius*).
cas·su·mu·nar [ˌkæsuˈmjuːnər] *s bot.* Kassumunar-Ingwer *m* (*Rhizom von Zingiber cassumunar; trop. Asien*).
cast [*Br.* kɑːst; *Am.* kæ(ː)st] **I** *s* **1.** Werfen *n*, Wurf *m*. – **2.** Wurf *m* (mit Würfeln): ~ of fortune Zufall. – **3.** Wurfweite *f*. – **4.** a) Auswerfen *n* (*Angel, Netz*), b) Angelhaken *m*, Köder *m*. – **5.** a) Gewölle *n* (*von Raubvögeln*), b) (*von Würmern aufgeworfenes*) spiˈralförmiges Erdhäufchen, c) abgestoßene Haut (*eines Insekts*). – **6.** (*bes. seitwärts gerichteter*) Blick, (Augen)Fehler *m*: → eye 1. – **7.** Nachschwarm *m* (*von Bienen*). – **8.** (*Theater*) (Rollen)Besetzung *f*, Rollenverteilung *f*. – **9.** Faltenwurf *m* (*auf Gemälden*). – **10.** Anlage *f* (*eines Werkes*), Form *f*, Art *f*, Anschein *m*. – **11.** Schatˈtierung *f*, Anflug *m*, Färbung *f*. – **12.** (Gesichts)Ausdruck *m*. – **13.** *tech.* Guß *m*, Gußform *f*, -stück *n*. – **14.** *tech.* Abdruck *m*, Moˈdell *n*, Form *f*. – **15.** *med.* Gipsverband *m*. – **16.** (*angeborene*) Art: ~ of mind Geistesart. – **17.** Typ *m*, Gattung *f*, Schlag *m*. – **18.** a) Berechnung *f*, b) Aufrechnung *f*, Additiˈon *f*. – **19.** *selten* Mitfahrgelegenheit *f* (*in einem Wagen etc*). –
II *v/t pret u. pp* **cast 20.** *meist poet.* (*heute vielfach durch throw ersetzt*) werfen: to ~ dust in(to) s.o.'s eyes j-m Sand in die Augen streuen; to ~ s.th. in s.o.'s teeth j-m etwas vorwerfen; → die[2] 1; lot 1. – **21.** *zo.* a) (*Haut, Gehörn*) abwerfen, (*Zähne*) verlieren, b) werfen, gebären. – **22.** (*Hufeisen*) verlieren. – **23.** *fig.* niederwerfen, besiegen, überˈtreffen: to be ~ down *fig.* niedergeschlagen sein. – **24.** (*Stimmzettel, -kugel*) abgeben: to ~ one's vote seine Stimme abgeben. – **25.** (*Blicke*) werfen, (*Auge*) richten (at, on, upon, *obs.* to auf *acc*). – **26.** (*Licht, Schatten etc*) werfen, fallen lassen (on auf *acc*, over über *acc*). – **27.** (*Angel, Anker, Lot, Netz etc*) auswerfen. – **28.** *jur.* (*j-n*) einen Proˈzeß verlieren lassen. – **29.** (*als unbrauchbar*) verwerfen, ˈausranˌgieren. – **30.** (*Soldaten*) entlassen. – **31.** *auch* ~ the gorge *dial.* (*Speisereste*) ausbrechen (*bes. Vögel*). – **32.** *meist* ~ up zuˈsammenzählen, auf-, ausrechnen, berechnen: to ~ accounts *econ.* ausrechnen, Saldo ziehen; → horoscope 1. – **33.** *tech.* (*Metall, Glas etc*) gießen, formen, bilden. – **34.** *fig.* formen, bilden: → mold[1] 1. – **35.** (*Theaterstück*) besetzen, (*Rollen*) verteilen (to an *acc*), zuweisen: the play is perfectly ~ das Stück ist ausgezeichnet besetzt. –
III *v/i* **36.** sich werfen, krumm werden (*Holz*), sich (ver)ziehen (*Stoffe*). – **37.** die Angel auswerfen. – **38.** *tech.* a) sich gießen *od.* formen lassen (*auch fig.*), b) sich formen, eine Form annehmen. – **39.** *mar.* abfallen, laˈvieren, wenden. – **40.** sich erbrechen. – **41.** *auch* ~ about *hunt.* nach der verlorenen Fährte suchen (*Hund*). – **42.** *auch* ~ about *fig.* suchen (for nach). – *SYN. cf.* a) discard, b) throw. –
Verbindungen mit Adverbien:
cast| a·bout I *v/t* **1.** umˈherwerfen. – **II** *v/i* **2.** (*mit* to *u. inf od. mit Nebensatz*) überˈlegen, planen, berechnen. – **3.** a) *hunt.* nach der verlorenen Fährte suchen, b) *fig.* suchen (for nach): to ~ for an excuse. – **4.** *mar.* umˈherlaˌvieren. — ~ **a·side** *v/t* beiˈseite werfen *od.* legen *od.* schieben, wegwerfen, verwerfen. — ~ **a·way** *v/t* **1.** wegwerfen, verwerfen. – **2.** verschwenden. – **3.** *fig.* ins Verderben stürzen: to be ~ *mar.* scheitern, verschlagen werden (*auch fig.*). — ~ **back I** *v/t* **1.** zuˈrückwerfen. – **II** *v/i* **2.** ˈumkehren, zuˈrückgehen *od.* -greifen (to auf *acc*). – **3.** einem Vorfahren ähneln. — ~ **behind** *v/t* zuˈrückwerfen: to be ~ (*z.B. bei Wettrennen*) zurückbleiben, ins Hintertreffen geraten. — ~ **down** *v/t* **1.** niederwerfen. – **2.** *fig.* demütigen, entmutigen: to be ~ (*od.* downcast) niedergeschlagen *od.* betrübt sein (about über *acc*). – **3.** (*Augen*) niederschlagen: to ~ one's eyes. – **4.** (*Stimmung*) dämpfen. — ~ **forth** *v/t* **1.** hinˈauswerfen. – **2.** (*Flammen etc*) auswerfen, ausströmen lassen. — ~ **in** *v/t* hinˈeinwerfen: → lot 1. — ~ **off I** *v/t* **1.** ab-, wegwerfen, von sich werfen, sich (*einer Sache*) entledigen, (*Sohn etc*) verstoßen, fortjagen. – **2.** (*beim Stricken Maschen*) abnehmen, abstricken. – **3.** *print.* den ˈDruckˌumfang berechnen für (*ein Manuskript*). – **II** *v/i* **4.** *mar.* (*vom Land*) abstoßen. — ~ **on** *v/t* (*beim Stricken Maschen*) auflegen, -nehmen, anschlagen. — ~ **out** *v/t* hinˈauswerfen, ausstoßen, austreiben, vertreiben, verstoßen. — ~ **up** *v/t* **1.** aus-, aufwerfen, in die Höhe werfen. – **2.** (*Augen*) aufschlagen. – **3.** ausrechnen, zuˈsammenzählen, er-, berechnen. – **4.** erbrechen, auswerfen. – **5.** ˈumdrehen, -stülpen, auf-, zuˈrückschlagen.
cast·a·bil·i·ty [*Br.* ˌkɑːstəˈbiliti; *Am.* ˌkæ(ː)st-; -əti] *s tech.* Gießbarkeit *f*.
Cas·ta·li·a [kæsˈteiliə] *s* **1.** Kaˈstalia (*den Musen geweihte Quelle*). – **2.** *fig.* Quelle *f* schöpferischer Eingebung *od.* Begeisterung. — **Casˈta·li·an** *adj* kaˈstalisch.
Cas·ta·ly [ˈkæstəli] → Castalia.
cas·ta·ne·an [kæsˈteiniən] *adj* Kastanien... — **casˈta·ne·ous** *adj* kaˈstanienfarben, rotbraun.
cas·ta·net [ˌkæstəˈnet] *s* Kastaˈgnette *f*.
ˈcast·aˌway I *s* **1.** Verworfene(r), Verdammte(r), Verstoßene(r). – **2.** *mar.* Schiffbrüchige(r) (*auch fig.*). – **II** *adj* **3.** weggeworfen, unnütz, wertlos (*auch fig.*). – **4.** *mar.* schiffbrüchig, verschlagen, gestrandet.
caste [*Br.* kɑːst; *Am.* kæ(ː)st] *s* **1.** (*indische*) Kaste (*auch fig.*). – **2.** ˈKastensyˌstem *n*. – **3.** Platz *m od.* Stellung *f* innerhalb einer Kaste: to lose ~ seine gesellschaftliche Stellung verlieren.
cas·tel·lan [ˈkæstələn] *s* Kastelˈlan *m*, Burg-, Schloßvogt *m*. — ˈ**cas·tel·lanˌship** *s* Amt *n* eines Kastelˈlans. — **cas·tel·la·ny** [ˈkæstəˌleini] *s* **1.** Amtsgebäude *n* eines Kastelˈlans. – **2.** *pl* Ländeˈreien *pl*, die zum Schloß gehören.
cas·tel·lat·ed [ˈkæstəˌleitid] *adj* **1.** burgartig (gebaut), mit Türmen und Zinnen versehen. – **2.** burgengekrönt. – **3.** burgenreich. — ~ **nut** *s tech.* Kronenmutter *f*.
cast·er[1] [*Br.* ˈkɑːstər; *Am.* ˈkæ(ː)s-] *s* **1.** Werfer(in), Würfelspieler(in). – **2.** *tech.* a) Gießer *m*, b) Walzrad *n*, c) (schwenkbare) Laufrolle (*an Möbelfüßen*), d) Lenkrad *n*.
cast·er[2] *cf.* castor[2].
cast·er[3] [*Br.* ˈkɑːstər; *Am.* ˈkæ(ː)s-] *s Am.* (ˈPlatt)Meˌnage *f*, Gewürzständer *m*.
cast·er of hor·o·scopes *s* Horoˈskopsteller(in).
ˈcastˌhouse *s tech.* Gießeˈrei *f*, Gießhaus *n*.
cas·ti·gate [ˈkæstiˌgeit; -tə-] *v/t* **1.** züchtigen. – **2.** *fig.* tadeln, kritiˈsieren. – **3.** *fig.* (*Text*) verbessern, emenˈdieren. – *SYN.* punish. — ˌ**cas·tiˈga·tion** *s* **1.** Züchtigung *f*. – **2.** schwerer Tadel, scharfe Kriˈtik. – **3.** Textverbesserung *f*, Emenˈdierung *f*. — ˈ**cas·tiˌga·tor** [-tər] *s* **1.** Züchtiger *m*. – **2.** Tadler *m*. – **3.** Emenˈdator *m*. — ˈ**cas·ti·ga·to·ry** [*Br.* -ˌgeitəri; *Am.* -gəˌtɔːri] *adj* tadlerisch, Züchtigungs...
Cas·tile [kæsˈtiːl] **I** *s auch* c~ soap Oˈlivenölˌseife *f*. – **II** *adj* kaˈstilisch. — **Casˈtil·ian** [-ˈtiljən; -liən] **I** *s* **1.** Kaˈstilier(in). – **2.** *ling.* Kaˈstilisch *n*, das Kastilische, Spanisch *n*, das Spanische. – **II** *adj* **3.** kaˈstilisch.
cast·ing [*Br.* ˈkɑːstiŋ; *Am.* ˈkæ(ː)s-] **I** *s tech.* **1.** Guß *m*, Gießen *n*; ~ of the pig Gießen des Roheisens; ~ on a core Kern-, Hohlguß. – **2.** gegossener Arˈtikel, gegossenes Meˈtallstück, Gußstück *n*. – **3.** (*durch Umschmelzen von Roheisen erzeugtes*) Gußeisen. – **4.** (*Maurerei*) (roher) Bewurf, Kalkverputz *m*: rough ~. – **5.** Werfen *n*, Krümmen *n*, Verziehen *n* (*Holz*). – **II** *adj* **6.** werfend, Wurf...: ~ net Wurfnetz. – **7.** entscheidend, den Ausschlag gebend (*Stimme*). — ~ **bot·tle** *s* Spritzfläschchen *n* (*für Parfüm*). — ~ **box** *s tech.* Gieß-, Formkasten *m*, Gießlade *f*. — ~ **burr** *s tech.* Gußnaht *f*. — ~ **cone** *s tech.* Gießbuckel *m*, Gußkegel *m*. — ~ **core** *s tech.* Gußkern *m*. — ~ **gate** *s tech.* Gußtrichter *m*. — ~ **gut·ter** *s tech.* Gußgerinne *f*, -rinne *f*, Einguß *m*. — ~ **la·dle** *s tech.* Gießkelle *f*, -löffel *m*. — ~ **mo(u)ld** *s tech.* Gießform *f*. — ~ **pit** *s tech.* Gießgrube *f*. — ~ **plate** *s tech.* Gespannplatte *f*, Gießtafel *f*, -tisch *m* (*für Spiegelglas*).
cast·ings [*Br.* ˈkɑːstiŋz; *Am.* ˈkæ(ː)s-] *s pl* Stahlformguß *m*, Gußwaren *pl*.
cast·ing| shop *s tech.* Gießeˈrei *f*. — ~ **shov·el** *s tech.* Wurfschaufel *f*. — ~ **vote** *s* den Ausschlag gebende *od.* entscheidende Stimme.
cast| i·ron *s tech.* Guß-, Roheisen *n*. — ˈ~-ˈ**i·ron** *adj* **1.** gußeisern: ~ castings Grauguß(stücke). – **2.** *fig.* hart u. fest, ˈunumˌstößlich.
cas·tle [*Br.* ˈkɑːsl; *Am.* ˈkæ(ː)sl] **I** *s* **1.** Kaˈstell *n*, Burg *f*, Schloß *n*: ~ in the air, ~ in Spain *fig.* Luftschloß. – **2.** (*Schach*) Turm *m*, Roch(e) *m*. – **3.** The C~ die ehemalige brit. Verwaltung in Irland. – **II** *v/t* **4.** mit *od.* wie mit einer Burg umˈschließen. – **5.** (*Schach*) (*König u. Turm*) in der Roˈchade bewegen. – **III** *v/i* **6.** roˈchieren. — ˈ~-ˌ**build·er** *s* j-d der Luftschlösser baut, Proˈjekteˌmacher *m*, Phanˈtast *m*.
cas·tled [*Br.* ˈkɑːsld; *Am.* ˈkæ(ː)s-] *adj* **1.** mit einem Schloß *od.* einer Burg versehen. – **2.** schloßartig gebaut.
cas·tle nut *s tech.* Kronenmutter *f*.
ˈcastˌoff I *s* **1.** Verstoßene(r). – **2.** (*etwas*) Abgelegtes *od.* Weggeworfenes. – **II** *adj* **3.** verstoßen. – **4.** abgelegt, weggeworfen, ˈausranˌgiert: ~ clothes.
Cas·tor[1] [*Br.* ˈkɑːstər; *Am.* ˈkæ(ː)s-] *s* **1.** *astr.* Kastor *m* (*der nördl. Stern im Sternbild der Zwillinge*). – **2.** *mar.* (*einflammiges*) Sankt Elmsfeuer.
cas·tor[2] [*Br.* ˈkɑːstər; *Am.* ˈkæ(ː)s-] *s* Laufrolle *f* (*unter Möbeln*).
cas·tor[3] [*Br.* ˈkɑːstər; *Am.* ˈkæ(ː)s-] *s* **1.** *zo.* Biber *m* (*Castor fiber*). – **2.** *med.* Bibergeil *n*. – **3.** → beaver[1] 3.
cas·tor[4] [*Br.* ˈkɑːstər; *Am.* ˈkæ(ː)s-] *s vet.* Spat *m* (*horniger Auswuchs am Sprunggelenk des Pferdes*).
cas·tor[5] [*Br.* ˈkɑːstər; *Am.* ˈkæ(ː)s-] *s* **1.** Streubüchse *f* (*für Pfeffer etc*). – **2.** *pl* Meˈnage *f*, Gewürzständer *m*.
cas·tor bean *s* **1.** *bot.* Rizinuspflanze *f*, Wunderbaum *m*, Palma *f* Christi (*Ricinus communis*). – **2.** *pl med.* Castornuß *f*, Rizinussamen *m*.
cas·to·re·um [kæsˈtɔːriəm] *s med.* Bibergeil *n* (*Castoreum*).
cas·tor gland *s biol.* Bibergeildrüse *f*.

cas·to·rin [*Br.* 'kɑːstərin; *Am.* 'kæ(ː)s-] *s chem.* Kasto'rin *n*, Bibergeilkampfer *m*.
cas·tor| oil *s med.* Rizinus-, Kastoröl *n*. — **~ sug·ar** *s Br.* Streu-, Puderzucker *m*.
cas·trate ['kæstreit; *Br. auch* kæs'treit] **I** *v/t* **1.** *med. vet.* ka'strieren, entmannen, verschneiden. – **2.** *med.* die Eierstöcke nehmen (*dat*). – **3.** *bot.* der Staubbeutel berauben. – **4.** *fig.* (*ein Buch*) (von anstößigen Stellen) reinigen. – **5.** *fig.* (*Text*) verstümmeln. – **II** *s* **6.** Ka'strat *m*, Verschnittener *m*. – **III** *adj* **7.** *bot.* der Staubbeutel beraubt. – **8.** *obs.* ka'striert. — **cas'tra·tion** *s* **1.** Ka'strierung *f*, Verschneidung *f*. – **2.** *fig.* Ausmerzung *f* (*anstößiger Stellen in einem Buch*). – **3.** *fig.* Verstümmelung *f* (*eines Werkes*).
cast steel *s tech.* Gußstahl *m*.
cas·u·al ['kæʒuəl; *Br. auch* -ʒju-] **I** *adj* **1.** zufällig, unerwartet. – **2.** gelegentlich. – **3.** unbestimmt, ungewiß, beiläufig. – **4.** unregelmäßig, nachlässig, gleichgültig, zwanglos. – **5.** sportlich, sa'lopp (*Kleidungsstück*). – *SYN.* **accidental, random.** – **II** *s* **6.** a) sportliches Kleidungsstück, Straßenanzug *m*, -kleid *n*, b) *pl* Slipper *pl* (*Schuhe mit flachen Absätzen*). – **7.** Gelegenheitsarbeiter *m*, gelegentlicher Besucher *od.* Kunde. – **8.** *pl mil.* Offi'ziere *pl od.* Sol'daten *pl* ohne feste Komman'dierung (*zu einem bestimmten Truppenkörper*), 'Durchgangsperso,nal *n*. — **'cas·u·al,ism** *s philos.* Kasua'lismus *m*, Zufallsglaube *m*.
cas·u·al la·bo(u)r·er *s* Gelegenheitsarbeiter *m*.
cas·u·al·ness ['kæʒuəlnis; *Br. auch* -ʒju-] *s* Nachlässigkeit *f*.
cas·u·al·ty ['kæʒuəlti; *Br. auch* -ʒju-] *s* **1.** Unfall *m*, Unglück *n*. – **2.** Verunglückte(r), Verwundete(r): **~ insurance** Unfall-, Haftpflichtversicherung. – **3.** *pl* Verluste *pl* (*durch Tod, Verwundung, Fahnenflucht etc*), Opfer *pl* (*einer Katastrophe, eines Gefechts etc*). — **~ list** *s* Verlustliste *f*.
cas·u·al ward *s* A'syl *n* für Obdachlose.
cas·u·a·ri·na [,kæʒuə'rainə; -ʒju-] *s bot.* Casua'rina *f*, Keulen-, Streitkolbenbaum *m* (*Gattg Casuarina*).
cas·u·ist ['kæʒuist; *Br. auch* -zju-] *s* **1.** Kasu'ist *m*. – **2.** spitzfindiger Sachkenner. — **,cas·u'is·tic, ,cas·u'is·ti·cal** *adj* **1.** kasu'istisch. – **2.** spitzfindig. — **'cas·u·ist·ry** [-tri] *s* **1.** Kasu'istik *f* (*Anwendung eines allg. Grundsatzes auf den Einzelfall*). – **2.** Spitzfindigkeit *f*.
cat[1] [kæt] *s* **1.** *zo.* Katze *f* (*Fam. Felidae*), *bes.* Hauskatze *f* (*Felis domestica*): **he-~, tom-~, male ~** Kater; **she-~, female ~** Katze; **domestic ~** Hauskatze. – **2.** *fig.* Katze *f*, falsches Frauenzimmer: **old ~** boshafte Hexe. – **3.** → **~-o'-nine-tails.** – **4.** *mil. hist.* bewegliches Schutzdach. – **5.** *mar.* Katt *f*. – **6.** *mar.* → **~head** 1. – **7.** doppelter Dreifuß. – **8.** → **hepcat.** – *Besondere Redewendungen*:
a ~ may look at a king sieht doch die Katze den Kaiser an; **to let the ~ out of the bag** die Katze aus dem Sack lassen (*ein Geheimnis ausplaudern*); **to wait for the ~ to jump** die Entwicklung der Ereignisse abwarten; **to see which way the ~ jumps** *fig.* sehen, wie der Hase läuft; **there is not room to swing a ~** *sl.* es ist kaum Platz zum Umdrehen; **to live like ~ and dog** wie Hund u. Katze leben; **when the ~'s away the mice will play** wenn die Katze nicht zu Hause ist, tanzen die Mäuse (auf dem Tisch); **the ~'s pyjamas** (*od.* **whiskers**) *sl.* haarscharf das richtige, (genau) 'die Sache; → **Kilkenny ~s; rain** 8; **room** 1.
cat[2] [kæt] **I** *v/t pret u. pp* **'cat·ted 1.** (aus)peitschen. – **2.** *mar.* katten: **to ~ the anchor** den Anker katten. – **II** *v/i* **3.** *Br. sl.* ‚kotzen', (sich er)brechen.
cat- [kæt], **cata-** [kætə] *Vorsilben mit der Bedeutung* nieder, weg, falsch, miß..., neben, durchaus.
cat·a·bol·ic [,kætə'bɒlik] *adj biol.* den Katabo'lismus betreffend, Zersetzungs... — **ca·tab·o·lism** [kə'tæbə,lizəm] *s biol. med.* Katabo'lismus *m*, Abbau *m*, Zersetzungsvorgang *m*, Stoffwechsel *m*. — **ca·tab·o·lite** [kə'tæbə,lait] *s biol.* Katabo'lit *m*, Pro'dukt *n* eines Zersetzungsvorganges, 'Stoffwechsel,endpro,dukt *n*.
cat·a·caus·tic [,kætə'kɔːstik] *math. phys.* **I** *adj* kata'kaustisch. – **II** *s* Kata'kaustik *f*.
cat·a·chre·sis [,kætə'kriːsis] *s ling.* Kata'chrese *f* (*mißbräuchliche Anwendung eines Ausdrucks*). — **,cat·a'chres·tic** [-'krestik], *auch* **,cat·a'chres·ti·cal** *adj* kata'chrestisch, 'mißbräuchlich.
cat·a·clasm ['kætə,klæzəm] *s* Bruch *m*, Zerstörung *f*.
cat·a·cli·nal [,kætə'klainl] *adj geol.* abfallend (*in der Richtung, in der die geologischen Schichten laufen*).
cat·a·clysm ['kætə,klizəm] *s* **1.** *geol.* Kata'klysmus *m*, Über'schwemmung *f*, verheerende 'Umwälzung. – **2.** *relig.* Sintflut *f*. – **3.** *fig.* (völliger) 'Umsturz. – *SYN. cf.* **disaster.** — **,cat·a'clys·mal, ,cat·a'clys·mic** *adj* 'umwälzend, 'umstürzend.
cat·a·comb ['kætə,koum] *s* **1.** Kata'kombe *f*. – **2.** Kellernische *f*.
cat·a·cous·tics [,kætə'kuːstiks] *s pl* (*meist als sg konstruiert*) *phys.* Kata'kustik *f*.
cat·a·di·crot·ic [,kætədai'krɒtik] *adj med.* katadi'krot, 'unterdi,krot.
cat·a·di·op·tric [,kætədai'ɒptrik] *adj phys.* katadi'optrisch. — **,cat·a·di'op·trics** *s pl* (*meist als sg konstruiert*) *phys.* Katadi'optrik *f*.
ca·tad·ro·mous [kə'tædrəməs] *adj zo.* flußabwärts wandernd (*Laichzüge der Fische*).
cat·a·falque ['kætə,fælk] *s* **1.** Kata'falk *m*, Trauer-, Leichengerüst *n*. – **2.** offener Leichenwagen.
cat·ag·mat·ic [,kætæg'mætik] *med.* **I** *adj* Knochenbrüche heilend. – **II** *s* Knochenbrüche heilendes Mittel.
Cat·a·lan ['kætələn; -,læn] **I** *s* **1.** Kata'lane *m*, Kata'lanin *f*. – **2.** *ling.* Kata'lanisch *n*, das Katalanische. – **II** *adj* **3.** kata'lanisch.
cat·a·lase ['kætə,leis] *s chem.* Kata'lase *f*.
cat·a·lec·tic [,kætə'lektik] *adj metr.* kata'lektisch, unvollständig (*Vers*).
cat·a·lep·sis [,kætə'lepsis], **'cat·a,lep·sy** [-si] *s med. psych.* Katalep'sie *f*, Starrheit *f*.
cat·a·logue, *auch* **cat·a·log** ['kætə,lɒg; *Am. auch* -,lɔːg] **I** *s* **1.** Kata'log *m*. – **2.** Verzeichnis *n*, (Preis- *etc*)Liste *f*. – **3.** *auch* **university ~** *Am.* (*Art*) Hochschulordnung *f* (= *Br.* **calendar**). – **II** *v/t* **4.** in einen Kata'log aufnehmen, ein Verzeichnis anfertigen von. — **'cat·a,log(u)·er**, *selten* **'cat·a,log(u)·ist** *s* Kata'logbearbeiter(in), -beamte(r). — **'cat·a·log(u),ize** *v/t* katalogi'sieren.
ca·tal·pa [kə'tælpə] *s bot.* Trom'petenbaum *m* (*Gattg Catalpa*).
ca·tal·y·sis [kə'tælisis; -lə-] *s chem.* Kata'lyse *f*, Reakti'onsbeschleunigung *f*, Kon'taktwirkung *f*. — **cat·a·lyst** ['kætəlist] *s* Kataly'sator *m*, Kon'taktstoff *m*. — **,cat·a'lyt·ic** [-'litik] *adj* kata'lytisch. — **'cat·a,lyze** [-,laiz] *v/t* kata'lytisch beeinflussen, kataly'sieren. — **'cat·a,lyz·er** *s* Kataly'sator *m*, Beschleuniger *m*.
cat·a·ma·ran [,kætəmə'ræn] *s* **1.** *mar.* Floß *n*. – **2.** *mar.* Auslegerboot *n*. – **3.** *colloq.* ‚Kratzbürste' *f*, zänkische Per'son (*bes. Frau*), Xan'thippe *f*.
cat·a·me·ni·a [,kætə'miːniə] *s med.* Kata'menien *pl*, Menstruati'on *f*, Regel *f*, Peri'ode *f*. — **,cat·a'me·ni·al** *adj* Menstruations...
cat·a·mite ['kætə,mait] *s* Buhl-, Lustknabe *m*.
cat·am·ne·sis [,kætəm'niːsis] *s med.* Katam'nese *f* (*kritischer Bericht über eine Krankheit nach deren Beendigung*).
cat·a·mount ['kætə,maunt] *s zo. Am.* **1.** → **cougar.** – **2.** → **lynx** 1. – **3.** → **catamountain** 1.
cat·a·moun·tain [,kætə'mauntin] *s* **1.** *zo.* a) → **wildcat** 1 b, b) → **leopard** 1. – **2.** *fig.* streitsüchtige Per'son.
'cat|-and-'dog *adj* voll Zank u. Streit, wie Katz u. Hund: **a ~ life.** — **'~-and-'mouse** *adj sl.* wie Katze u. Maus: **Cat-and-Mouse Act** Gesetz, das den Behörden erlaubt, einen Angeklagten auf kurze Frist freizulassen.
cat·a·pasm ['kætə,pæzəm] *s med.* Streupulver *n* (*auf Wunden*).
cat·a·pet·al·ous [,kætə'petələs] *adj bot.* mit an der Staubfadensäule angewachsenen Blättern (*Blumenkrone*).
cat·a·pho·re·sis [,kætəfə'riːsis] *s chem. med.* Kata-, Elektropho'rese *f*.
cat·a·pho·ri·a [,kætə'fɔːriə] *s med.* Katapho'rie *f*, Schielneigung *f*.
cat·a·phor·ic [,kætə'fɒrik] *adj electr.* Bewegung her'vorbringend (*Strom*).
cat·a·phract ['kætə,frækt] *s* **1.** gepanzerter Sol'dat. – **2.** *zo.* Panzer *m* (*gewisser Fische etc*).
cat·a·phyll ['kætəfil], **,cat·a'phyl·la·ry** [-əri] *s bot.* Keim-, Niederblatt *n*.
cat·a·pla·si·a [,kætə'pleiʒiə; -ziə] *s biol.* Katapla'sie *f* (*Rückkehr zu primitiverer Form*), Rückbildung *f*.
cat·a·plasm ['kætə,plæzəm], **,cat·a'plas·ma** [-mə] *s med.* Kata'plasma *n*, 'Brei,umschlag *m*.
cat·a·plex·y ['kætə,pleksi] *s* Kataple'xie *f*, plötzliche Lähmung, hyp'notischer Zustand (*bes. bei Tieren*), Schrecklähmung *f*.
cat·a·pult ['kætə,pʌlt] **I** *s* **1.** Kata'pult *m, n*: a) 'Wurfma,schine *f*, b) *Knabenspielzeug*, c) *aer.* Schleuderstarthilfe *f*: **to launch an aircraft by ~.** – **II** *v/t* **2.** mit einem Kata'pult beschießen. – **3.** *aer.* (*Flugzeug*) mit einem Kata'pult starten, katapul'tieren. – **III** *v/i* **4.** mit einem Kata'pult schießen. — **~ rail** *s tech.* Gleitschiene *f*.
cat·a·ract ['kætə,rækt] **I** *s* **1.** Kata'rakt *m*, (*großer*) Wasserfall. – **2.** *fig.* Wolkenbruch *m*. – **3.** *med.* Kata'rakte *f*, grauer Star: **to couch a ~** einen Star stechen. – **4.** *tech.* 'Hubregu,lator *m* (*für Dampfmaschinen*). – **II** *v/i* **5.** (*wie ein Wasserfall*) her'abstürzen. — **,cat·a'rac·tal** *adj* kata'raktartig. — **'cat·a,ract·ed** *adj* wasserfallreich. — **,cat·a'rac·tine** [-tin] *adj* **1.** kata'raktartig, Wasserfall... – **2.** *med.* starartig, Star... — **,cat·a'rac·tous** *adj med.* starkrank.
ca·tarrh [kə'tɑːr] *s med.* Ka'tarrh *m*, Schleimhautentzündung *f*, Schnupfen *m*. — **ca'tarrh·al** *adj* katar'rhalisch, Schnupfen...
cat·ar·rhine ['kætə,rain; -rin] *zo.* **I** *s* Schmalnasenaffe *m* (*Überfam. Catarrhina*). – **II** *adj* zu den Schmalnasenaffen gehörig.
cat·a·stal·tic [,kætə'stæltik] *med.* **I** *adj* stopfend, zu'sammenziehend. – **II** *s* stopfendes Mittel.
ca·tas·ta·sis [kə'tæstəsis] *pl* **-ses** [-,siːz] *s* Kata'stase *f*, Höhepunkt *m* (*eines Dramas*).
ca·tas·tro·phal [kə'tæstrəfəl] → **catastrophic.**
ca·tas·tro·phe [kə'tæstrəfi] *s* **1.** Kata'strophe *f* (*im Drama*). – **2.** Kata'strophe *f*, Verhängnis *n*, trauriger

Ausgang, Unglück *n*, Schicksalsschlag *m*. – **3.** *geol.* Kata'strophe *f*, (*plötzliche, vollkommene*) 'Umwälzung. – *SYN. cf.* disaster. — **cat·a·stroph·ic** [ˌkætəˈstrɒfik], **ˌcat·aˈstroph·i·cal** *adj* katastro'phal. — **caˈtas·troˌphism** *s geol.* Kata'strophentheoˌrie *f*. — **caˈtas·tro·phist** *s* Anhänger *m od.* Verfechter *m* der Kata'strophentheoˌrie.

cat·a·to·ni·a [ˌkætəˈtouniə] *s med.* Katato'nie *f*, Spannungsirresein *n*.

cat·a·wam·pous [ˌkætəˈwɒmpəs] *adj u. adv Am. humor. colloq.* schief, scheel, verkehrt. — **ˌcat·aˈwam·pus** [-pəs] *Am. colloq.* **I** *adj cf.* catawampous. – **II** *s* Kobold *m*, Popanz *m* (*humor. auf Personen bezogen*).

Ca·taw·ba [kəˈtɔːbə], **~ grape** *s Am.* Catawbarebe *f* (*amer. Traubenart*).

ˈcat|ˌbird *s zo.* (*eine*) amer. Spottdrossel (*Dumetella carolinensis*). — **~ block** *s mar.* Kattblock *m*. — **ˈ~ˌboat** *s mar.* Catboat *n*, Katboot *n* (*kleines Segelboot mit Mast am Bug*). — **ˈ~ˌcall I** *s* Auspfeifen *n* (*als Zeichen des Mißfallens*), schrilles Pfeifen. – **II** *v/i* pfeifen. – **III** *v/t* (*j-n*) auspfeifen.

catch [kætʃ] **I** *s* **1.** Fangen *n*, Fang *m*, (Aus)Beute *f*: a good ~ a) (*Fischerei*) ein guter Fang *od.* Zug, b) *colloq.* eine gute Partie (*Heirat*). – **2.** *fig.* Fang *m*, Erwerbung *f*, Gewinn *m*, Vorteil *m*: no ~ *econ. colloq.* kein (gutes) Geschäft. – **3.** Halt *m*, Griff *m*. – **4.** Anhalten *n*, Stocken *n* (*Atem*). – **5.** Brokken *m*, Bruchstück *n*, kurze Unter'brechung, Absatz *m*, Pause *f*: by ~es stückweise, in Pausen. – **6.** *fig.* Falle *f*, Kniff *m*, Schlinge *f*, Haken *m*: there must be a ~ somewhere *colloq.* die Sache muß irgendwo einen Haken haben. – **7.** *tech.* a) Haken *m*, Schnäpper *m*, Klinke *f*, b) Knagge *f*, Mitnehmer *m*, Nase *f*, Arre'tiervorrichtung *f*, c) (*Uhrmacherei*) Sperre *f*, Verzahnung *f*, d) (*Bergbau*) Fangbaum *m*, -schürze *f*: ~ of a door Türklinke; ~ of a lock Schließhaken. – **8.** *agr.* Abzugs-, Bewässerungsgraben *m*. – **9.** *agr. Am.* Keimen *n od.* Angehen *n* einer Saat. – **10.** *mus.* Kanon *m*, Rundgesang *m*. – **11.** *arch.* Halter *m*, Stützeisen *n*. – **12.** (*Baseball, Kricket*) a) Fang *m* (*eines Balles*), b) Fänger *m*: he is a good ~ er ist ein guter Fänger. –

II *adj* **13.** ins Auge fallend, leicht erinnerlich: → ~ phrase. –

III *v/t pret u. pp* **caught** [kɔːt] **14.** (auf)fangen, (er)haschen, ‚kriegen': to ~ a ball einen Ball (auf)fangen; to ~ the Speaker's eye die Aufmerksamkeit des Vorsitzenden auf sich lenken, sich (mit Erfolg) zum Worte melden; to ~ one's breath a) wieder Atem schöpfen, b) den Atem (plötzlich) anhalten; to ~ it *sl.* ‚sein Fett kriegen' (*Prügel, Schelte, Strafe bekommen*); ~ me! *Br. colloq.* da kannst du lange warten! das sollte mir einfallen! ~ him! (*ironisch*) der wird sich gewiß nicht erwischen lassen! der läßt sich nicht erwischen! → eye 2; fancy 7; glimpse 1; hip[1] 1; sight 2; Tartar[1] 3. – **15.** rechtzeitig erreichen: to ~ a train. – **16.** einholen. – **17.** einfangen, abfassen, ertappen, erwischen, über'raschen: to ~ s.o. at s.th. j-n bei einer Sache ertappen; → nap[1] 2. – **18.** erhalten, erlangen, erwerben. – **19.** erfassen, ergreifen, packen: → hold[1] 2; to be caught with the general enthusiasm *fig.* von der allgemeinen Begeisterung erfaßt werden. – **20.** *fig.* fesseln, gefangennehmen, gewinnen, Einfluß erlangen auf (*acc*): to ~ the ear ans Ohr schlagen; to ~ the eye ins Auge fallen, zu Gesicht kommen. – **21.** *fig.* erfassen, begreifen, verstehen: he could not ~ the expression er konnte den Ausdruck nicht begreifen; she did not ~ his name sie hat seinen Namen nicht genau verstanden; caught from life dem Leben abgelauscht, lebenswahr. – **22.** sich (*eine Krankheit etc*) holen *od.* zuziehen, befallen *od.* angesteckt werden von: → cold 23; fire 1. – **23.** stoßen an (*ein Hindernis*), streifen, sich mit (*dem Kleid etc*) verwickeln, hängenbleiben mit (*etwas*) (in in *od.* on *dat*): my fingers were caught in the door ich klemmte mir die Finger in der Tür; to ~ one's foot in s.th. mit dem Fuß in etwas hängenbleiben. – **24.** *sl.* (*Schlag etc*) versetzen (*dat*): to ~ s.o. a blow. – *SYN.* a) bag, capture, ensnare, entrap, snare, trap, b) *cf.* incur. –

IV *v/i* **25.** fassen, greifen: to ~ at greifen *od.* schnappen nach, ergreifen; → drown 1. – **26.** *tech.* eingreifen, inein'andergreifen (*Räder*), einklinken, -schnappen, -springen (*Schlösser etc*): the bolt will not ~ der Riegel hält nicht. – **27.** festsitzen, sich verfangen, sich verwickeln, hängenbleiben: my coat caught on a nail; the lock ~es somewhere das Schloß hängt *od.* klemmt irgendwo. – **28.** sich ausbreiten (*Feuer*). – **29.** ansteckend *od.* über'tragbar sein, anstecken (*Krankheit*): this disease is not ~ing. – **30.** *Br. ellipt.* a) Feuer fangen, b) in Erstarrung geraten, gefrieren: the pond was caught over der Teich war zugefroren. – **31.** *Am. colloq.* keimen, sprossen, ausschlagen. – **32.** (*Baseball*) als Fänger fun'gieren *od.* spielen. – **33.** *tech.* einrasten. –

Verbindungen mit Adverbien:

catch| on *v/i colloq.* **1.** *bes. Am.* erfassen, begreifen, verstehen, ka'pieren. – **2.** beliebt werden, in Mode kommen, einschlagen, Anklang finden, popu'lär werden. — **~ out** *v/t* **1.** *Br.* ertappen. – **2.** (*Kricket*) abtun, (*den Schläger*) durch Fangen des Balles erledigen. — **~ up** *v/t* **1.** aufhalten, unter'brechen. – **2.** einholen: to ~ with s.o. mit j-m Schritt halten, j-n einholen. – **3.** (*etwas*) aufnehmen, -raffen, (*Gedanken*) aufgreifen.

catch·a·ble [ˈkætʃəbl] *adj* fangbar.

ˈcatch|ˌall *s Am.* Tasche *f od.* Behälter *m* für alles mögliche (*auch fig.*). — **ˈ~-as-ˈcatch-ˈcan** *s sport* Catch (as catch can) *n* (*Ringkampf, bei dem alle Griffe erlaubt sind*). — **~ ba·sin** *s tech.* Auffangbehälter *m* (*an einer Röhrenleitung*). — **~ bolt** *s tech.* Riegel *m* mit einer Feder. — **~ drain** *s agr.* Abzugsgraben *m*.

catch·er [ˈkætʃər] *s* **1.** Fänger *m*. – **2.** (*Baseball*) Spieler, der an der Fangstelle steht. – **3.** *tech.* a) Rechen *m*, b) Greifkorb *m*.

ˈcatchˌfly *s bot.* **1.** (*ein*) Leimkraut *n* (*Gattg Silene*), *bes.* Gartenleimkraut *n* (*S. armeria*). – **2.** Pechnelke *f* (*Viscaria vulgaris*). – **3.** (*eine*) Lichtnelke (*Gattg Lychnis*).

catch·ing [ˈkætʃiŋ] *adj* **1.** *med.* ansteckend, über'tragbar. – **2.** *fig.* anziehend, reizend, einnehmend, fesselnd (to für). – **3.** gefällig, einschmeichelnd (*Melodie*). – **4.** verfänglich, arglistig.

catch·ment [ˈkætʃmənt] *s* **1.** (Auf)-Fangen *n*. – **2.** *geol.* Sammlung *f* der atmo'sphärischen Niederschläge (*auf natürlichen Flächen*). – **3.** *geol.* Auffangbehälter *m*, Reser'voir *n*. — **~ a·re·a**, **~ ba·sin** *s geol.* Sammelbecken *n*, Speisefläche *f*, Einzugs-, Sammel-, Abflußgebiet *n* (*Fluß*). — **~ sur·face** *s geol.* Auffangfläche *f* (*Fluß*).

ˈcatch|ˌpen·ny I *adj* wertlos, Schund..., für den Kundenfang berechnet. – **II** *s* Schund(ware *f*) *m*, 'Schleuderarˌtikel *m*, -ware *f*. — **~ phrase** *s* Schlagwort *n*. — **~ pit** *s tech.* Klärgrube *f*, -becken *n*. — **ˈ~ˌpole**, **ˈ~ˌpoll** *s* Büttel *m*, Gerichtsdiener *m*. — **~ spring** *s tech.* Einschnappfeder *f*. — **ˈ~·up** → ketchup. — **ˈ~ˌweed** *s bot.* (*ein*) Labkraut *n* (*Gattg Galium*). — **ˈ~ˌweight** *s sport* durch keinerlei Regeln beschränktes Gewicht eines Wettkampfteilnehmers. — **ˈ~ˌword** *s* **1.** Stichwort *n*. – **2.** Schlag-, Losungswort *n*. – **3.** *print.* a) *hist.* Kustos *m*, b) Ko'lumnentitel *m*. — **ˈ~ˌwork** *s agr.* Bewässerungsanlage *f*.

catch·y [ˈkætʃi] *adj colloq.* **1.** einschmeichelnd (*Melodie*), leicht zu behalten(d). – **2.** *fig.* fesselnd, anziehend. – **3.** verfänglich (*Frage etc*). – **4.** *fig.* abgerissen. – **5.** unbeständig. – **6.** schwierig.

ˈcat-ˌcrack·er *s tech. colloq.* kata'lytische Krackanlage.

cate [keit] *s meist pl* **1.** *obs.* Lebensmittel *pl*. – **2.** Leckerbissen *pl*.

cat·e·che·sis [ˌkætiˈkiːsis; -tə-] *s relig.* Kate'chese *f* (*Belehrung durch Frage u. Antwort*). — **ˌcat·eˈchet·ic** [-ˈketik], **ˌcat·eˈchet·i·cal** *adj* kate'chetisch.

cat·e·chin [ˈkætitʃin; -kin; -tə-] *s chem.* Kate'chin *n* ($C_{15}H_{14}O_6$; *zum Gerben u. Färben benutzt*).

cat·e·chism [ˈkætiˌkizəm; -tə-] *s* **1.** C~ *relig.* Kate'chismus *m*. – **2.** *fig.* Reihe *f od.* Folge *f* von Fragen. — **ˌcat·eˈchis·mal** [-məl] → catechistic. — **ˈcat·e·chist** *s relig.* Kate'chet *m*, Religi'onslehrer *m*. — **ˌcat·eˈchis·tic**, **ˌcat·eˈchis·ti·cal** *adj relig.* kate'chetisch, Katechismus... — **ˌcat·e·chiˈza·tion** [-kaiˈzeiʃən; -kiˈz-] *s relig.* Katechisati'on *f*, Religi'onsˌunterricht *m*. — **ˈcat·eˌchize** *v/t* **1.** *relig.* katechi'sieren, durch Frage u. Antwort unter'richten. – **2.** befragen, exami'nieren, ausforschen.

cat·e·chol [ˈkætiˌkɒl; -ˌkoul; -tiˌtʃ-] *s chem.* 'Brenzkateˌchin *n* (*in der Photographie verwendet*; $C_6H_6O_2$).

cat·e·chu [ˈkætiˌtʃuː; -kjuː; -tə-] *s chem.* Katechu *n*, Katschu *n* (*Präparat aus Acacia catechu u. A. catechu sundra*).

cat·e·chu·men [ˌkætiˈkjuːmən; -tə-] *s* **1.** *relig.* Katechu'mene *m*, Konfir'mand(in). – **2.** *fig.* Neuling *m*, Anfänger(in). — **ˌcat·e·chuˈmen·i·cal** [-ˈmenikəl; -nə-] *adj* katechu'menisch, Konfirmations...

cat·e·gor·i·cal [ˌkætiˈgɒrikəl; -tə-; -rə-; *Am. auch* -ˈgɔːr-] *adj* **1.** *philos.* kate'gorisch: ~ imperative. – **2.** *fig.* kate'gorisch, bestimmt, unbedingt. – **3.** zu einer *od.* in eine Katego'rie gehörig. — **ˈcat·e·goˌrize** [-gəˌraiz] *v/t* nach Katego'rien ordnen. — **cat·e·go·ry** [*Br.* ˈkætigəri; *Am.* -əˌgɔːri] *s* **1.** *philos.* Katego'rie *f*, Begriffsklasse *f*. – **2.** *fig.* Art *f*, Klasse *f*, Ordnung *f*, Schlag *m*.

cat·e·lec·tro·ton·ic [ˌkætiˌlektroˈtɒnik] *adj electr.* katelektro'tonisch. — **ˌcat·eˌlecˈtrot·o·nus** [-ˈtrɒtənəs] *s electr. med.* vermehrte Reizbarkeit (*eines Nervs*) in der Nähe des negativen Pols.

ca·te·na [kəˈtiːnə] (*Lat.*) *s* **1.** Reihe(n-folge) *f*, Kette *f*. – **2.** *relig.* Ka'tene *f*, (*Reihe von Beweisstellen aus Kirchenschriftstellern zur Erklärung der Heiligen Schrift*). — **cat·e·nar·i·an** [ˌkætiˈnɛ(ə)riən; -tə-] *adj math.* zu einer Kettenlinie gehörig. — **ˈcat·e·nar·y** [*Br.* -nəri; *Am.* -ˌneri] **I** *adj* Ketten...: ~ bridge Hängebrücke. – **II** *s math.* Kettenlinie *f*: ~ of uniform strength Longitudinale, Kettenlinie gleichen Widerstandes. — **ˈcat·eˌnate** [-ˌneit] *v/t* verketten, anein'anderreihen. — **ˌcat·eˈna·tion** *s* Verkettung *f*, kettenartige Anein'anderreihung. — **ˈcat·eˌnoid** *s math.* Kateno'id *n*, Rotati'onsfläche *f* der Kettenlinie, Kettenfläche *f*.

ca·ter[1] [ˈkeitər] *s* **1.** *pl* Wechselläuten *n* mit 9 Glocken. – **2.** *obs.* Vier *f* (*im Karten- od. Würfelspiel*).

ca·ter² ['keitər] *v/i* **1.** Lebensmittel liefern *od.* anschaffen. – **2.** sorgen (for für). – **3.** *fig.* befriedigen, etwas bieten: to ~ for (*od.* to) popular taste. – **4.** *fig.* schmeicheln (to, for *dat*).

cat·er·an ['kætərən] *s* **1.** *mil. obs.* (*schott. od. irischer*) Irregu'lärer. – **2.** Ban'dit *m*, Räuber *m*.

'cat·er-,cor·ner(ed) ['keitər; *Am. auch* 'kæt-] *adj* diago'nal.

'ca·ter-,cous·in ['keitər] *s* **1.** Vetter *m*, entfernter Verwandter. – **2.** Busenfreund(in): to be ~s with s.o. mit j-m sehr vertraut sein.

ca·ter·er ['keitərər] *s* ('Lebensmittel)-Liefe,rant *m*, Einkäufer *m*, Provi'antmeister *m*, *bes. j-d der (beruflich) für Essen, Trinken u. Bedienung (bei gesellschaftlichen Veranstaltungen) sorgt.*

cat·er·pil·lar ['kætər,pilər] *s* **1.** *zo.* Raupe *f*. – **2.** (*TM*) *tech.* Gleiskette *f*, Raupe *f* (*an einem Traktor, Tank*). – **3.** (*TM*) *tech.* Gleisketten-, Raupenfahrzeug *n*, Raupenschlepper *m*. – **4.** *fig.* habgieriger Mensch, Erpresser *m*. — **~ band** (*TM*) *s tech.* Gleiskette *f*. — **~ car** (*TM*) *s tech.* Raupenwagen *m*. — **~ drive** (*TM*) *s tech.* Raupen-, Gleiskettenantrieb *m*. — **~ trac·tor** (*TM*) *s tech.* Raupenschlepper *m*.

cat·er·waul ['kætər,wɔːl] **I** *s* **1.** Mi'auen *n*, Schreien *n*, Katzengeschrei *n* (*in der Paarungszeit*). – **2.** *fig.* Lärm *m*, Gezeter *n*, Gezänk *n*. – **II** *v/i* **3.** mi'auen, schreien (*Katzen in der Paarungszeit*). – **4.** *fig.* schreien, jaulen, kreischen. – **5.** zanken, keifen, zetern. – **6.** (*verächtlich*) a) geil *od.* lüstern sein, b) auf Liebesabenteuer ausgehen.

'cat|-,eyed *adj* **1.** katzenäugig. – **2.** im Dunkeln sehend. — **'~,face** *s tech. Am.* fehlerhafte Stelle (*an der Oberfläche von verarbeitetem Holz*). — **'~,fac·ing** *s durch Insektenstiche hervorgerufene Mißbildung bei Pfirsichen.* — **'~,fall** *s mar.* Kattläufer *m*. — **'~,fish** *s zo.* **1.** Kat-, Katzenfisch *m*, Wels *m* (*Gattg Amiurus*). – **2.** Petermännchen *n* (*Trachinus draco*). – **3.** Gemeiner Seewolf (*Anarhichas lupus*). — **'~,foot·ed** *adj* **1.** *zo.* katzenfüßig, mit zu'rückziehbaren Krallen. – **2.** auf leisen Sohlen, schleichend. — **'~,gut** *s* **1.** Darmsaite *f*, Katgut *n*. – **2.** a) Geige *f*, b) *collect.* 'Streichinstru,mente *pl*. – **3.** (*Art*) Steifleinen *n*. – **4.** *bot.* Vir'ginischer Giftbaum (*Tephrosia virginiana*).

cath- [kæθ] → cata-.

Cath·a·rist ['kæθərist] *pl* **'Cath·a,ri** [-,rai] *s relig.* Katharer *m*, 'Neu-Mani,chäer *m*.

cat·harp·in ['kæt,hɑːrpin], **'cat,harp·ing** [-piŋ] *s mar.* Püttingstau *n*.

ca·thar·sis [kə'θɑːrsis] *s* **1.** (*Ästhetik*) Katharsis *f* (*läuternde Wirkung eines Kunstwerks*). – **2.** *med.* (innere) Reinigung, Abführen *n*, Pur'gierung *f*. – **3.** *psych.* seelische Entspannung, 'Abrea,gieren *n* (*Beseitigung eines Komplexes durch Erkennen u. Aussprechen*).

ca·thar·tic [kə'θɑːrtik] **I** *s med.* **1.** Reinigungs-, Abführmittel *n*. – **II** *adj* **2.** reinigend, (er)lösend. – **3.** *psych.* ka'thartisch (*auch fig.*). — **ca'thar·ti·cal** → cathartic II. — **ca'thar·ti·cal·ly** *adv* (*auch zu* cathartic II).

'cat,head **I** *s* **1.** *mar.* (Katt)Davit *n*, Kran-, Ankerbalken *m*. – **2.** *tech.* Haspel *f*. – **II** *v/t* **3.** *mar.* (*Anker*) am Kranbalken verholen.

ca·the·dra [ke'θiːdrə] *s* **1.** *relig.* a) Cathedra *f*, Bischofsstuhl *m*, b) Bistum *n*, c) Bischofswürde *f*. – **2.** Ka'theder *m, n*, Lehrstuhl *m*.

ca·the·dral [kə'θiːdrəl] *relig.* **I** *s* **1.** Kathe'drale *f*, Dom *m*. – **II** *adj* **2.** Dom... – **3.** Kathedral..., offizi'ell kirchlich, ex cathedra: ~ utterance.

cath·e·drat·ic [,kæθi'drætik] *adj* **1.** das Bistum betreffend, Bistums... – **2.** → cathedral 3.

Cath·er·ine wheel ['kæθrin; -ərin] *s* **1.** Katha'rinenrad *n*: a) *arch. ein Radfenster*, b) *her. Rad mit Spitzen od. Haken am Kranz.* – **2.** Feuerrad *n* (*Feuerwerkskörper*). – **3.** *sport* Rad *n*: to turn a ~ ein Rad schlagen.

cath·e·ter ['kæθitər; -θə-] *s med.* Ka'theter *m*. — **,cath·e·ter·i'za·tion** *s* Kathete'rismus *m*, Katheteri'sieren *n*. — **'cath·e·ter,ize** *v/t* katheteri'sieren, einen Ka'theter einführen in (*acc*).

cath·e·tom·e·ter [,kæθi'tɒmitər; -mə-] *s tech.* Katheto'meter *n* (*Meßgerät für kleine Höhenunterschiede*).

cath·e·tus ['kæθitəs] *s math.* **1.** Ka'thete *f*. – **2.** Senkrechte *f*.

ca·thex·is [kə'θeksis] *s psych. Konzentration eines Wunsches auf ein Objekt od. die dabei angewandte Energie.*

cath·o·dal ['kæθodl; -θə-] *adj electr.* Kathoden...: ~ contraction Kathodenzuckung.

cath·ode ['kæθoud] *s electr.* **1.** Ka'thode *f* (*negativer Pol bei Röhren, Gleichrichtern etc*). – **2.** (negative) Elek'trode. — **~ cur·rent** *s electr.* **1.** Ka'thoden-, Emissi'onsstrom *m* (*bei Elektronenröhren etc*). – **2.** Entladungsstrom *m* (*bei Gasentladungsgefäßen*). — **~ drop** *s electr.* Ka'thoden(spannungs)(ab)fall *m*. — **~ fol·low·er** *s electr.* An'odenbasis-, Ka'thodenverstärker *m*. — **~ ray** *s electr. phys.* Ka'thodenstrahl *m*. — **'~-,ray tube** *s* Ka'thodenstrahlröhre *f*, Braunsche Röhre.

ca·thod·ic [kə'θɒdik], **ca'thod·i·cal** [-kəl] *adj* **1.** *phys.* ka'thodisch. – **2.** *bot.* ka'thodisch (*unterer Rand des spiraligen Blattansatzes*).

'cat,hole *s mar. hist.* (Anker-, Heck)-Klüse *f*.

cath·o·lic ['kæθəlik; -θlik] **I** *adj* **1.** allgemein(gültig), ('all)um,fassend, univer'sal. – **2.** vorurteilslos. – **3.** großzügig, tole'rant. – **4.** C~ *relig.* ka'tholisch (*bes. röm.-kath.*), apo'stolisch. – **II** *s* **5.** C~ Katho'lik(in). — **ca·thol·i·cal·ly** [kə'θɒlikəli] *adv.*

Cath·o·lic Ap·os·tol·ic Church *s* Ka'tholisch-apo'stolische Kirche.

ca·thol·i·cate [kə'θɒli,keit] *s relig.* Sprengel *m* eines Katholi'kos.

Cath·o·lic Church *s relig.* ka'tholische Kirche.

Ca·thol·i·cism [kə'θɒli,sizəm; -lə-] *s relig.* Katholi'zismus *m*. — **cath·o·lic·i·ty** [,kæθə'lisiti; -əti] *s* **1.** Allgemeinheit *f*, Allgemeingültigkeit *f*, Universali'tät *f*. – **2.** Vorurteilslosigkeit *f*. – **3.** Großzügigkeit *f*, Tole'ranz *f*. – **4.** ka'tholischer Glaube. – **5.** C~ Katholizi'tät *f* (*Gesamtheit der katholischen Kirche*). — **ca·thol·i·cize** [kə'θɒli,saiz; -lə-] **I** *v/t* ka'tholisch machen. – **II** *v/i* ka'tholisch werden.

ca·thol·i·con [kə'θɒlikən; -lə-] *s* Ka'tholikon *n*: a) *med.* Univer'sal(heil)mittel *n*, Allheilmittel *n*, b) C~ um'fassendes Wörterbuch.

ca·thol·i·cos [kə'θɒlikəs] *s relig.* Katholi'kos *m* (*Patriarch der Armenischen Kirche*).

cath·o·lyte ['kæθə,lait] *s chem. phys.* Katho'lyt *m*.

cat| hook *s mar. hist.* Katthaken *m*. — **~ ice** *s* dünne Eisschicht (*unter der das Wasser zurückgetreten ist*).

Cat·i·li·nar·i·an [,kætili'nɛ(ə)riən] *adj* katili'narisch.

cat·i·on ['kæt,aiən] *s chem. phys.* Kation *n* (*positiv geladenes Ion*).

cat·kin ['kætkin] *s bot.* (Blüten)-Kätzchen *n* (*Weiden etc*), (Hopfen)-Dolde *f*.

'cat|,lap *s Br. sl.* **1.** schwacher Tee. – **2.** ‚Gesöff' *n* (*schlechtes Getränk*). — **'~,like** *adj* katzenartig, schleichend.

cat·ling ['kætliŋ] *s* **1.** Kätzchen *n*. – **2.** *med.* (feines, zweischneidiges) Amputati'onsmesser. – **3.** dünnste Saite (*bes. einer Laute*).

cat·lin·ite ['kætli,nait] *s min.* (*ein*) roter Ton, Pfeifenstein *m* (*der Indianer*).

'cat|,mint *Br. für* catnip. — **~ nap** *s* Nickerchen *n*, kurzes Schläfchen. — **~·nip, ~·nep** ['kætnip] *s bot. Am.* Echte Katzenminze (*Nepeta cataria*).

cat·o·dont ['kæto,dɒnt] *adj zo.* **1.** nur im 'Unterkiefer Zähne habend. – **2.** Pottwal... (*den Pottwal betreffend*).

cat·o·gene ['kæto,dʒiːn; -tə-], **,cat·o'gen·ic** [-'dʒenik] *adj geol.* kato'gen (*durch Einwirkung von oben gebildet*).

Ca·to·ism ['keito,izəm] *s* ka'tonische Sittenstrenge. — **Ca'to·ni·an** [-'touniən] **I** *adj* ka'tonisch, sittenstreng, tugendhaft. – **II** *s* Anhänger *m* Catos.

cat-o'-moun·tain [,kæto'mauntin] → catamountain.

,cat-o'-'nine-,tails *s sg u. pl* neunschwänzige Katze, Klopfpeitsche *f*.

ca·top·tric [kə'tɒptrik] *phys.* **I** *adj* kat'optrisch, Spiegel..., Reflexions... – **II** *s* → catoptrics. — **ca'top·tri·cal** → catoptric I. — **ca'top·trics** *s pl* (*als sg konstruiert*) *phys.* Kat'optrik *f* (*Lehre von der Reflexion der Lichtstrahlen*).

ca·top·tro·man·cy [kə'tɒptro,mænsi; -trə-] *s* Katoptroman'tie *f*, ,Wahrsage'rei *f* aus Spiegeln *od.* Glas.

cat| pur·chase → cat tackle. — **~ rig** *s mar.* Takelung *f* eines Schwertbootes. — **'~,rigged** *adj mar.* getakelt wie ein Schwertboot.

'cat's|-,claw *s bot.* **1.** a) *eine trop.-amer. Bignoniacee* (*Batocydia unguis*), b) *eine trop.-amer. Mimose* (*Pithecolobium unguis-cati*). – **2.** *Br.* a) Hornklee *m* (*Lotus corniculatus*), b) Gewöhnlicher Wundklee (*Anthyllis vulneraria*). — **~ cra·dle** *s* Abnehme-, Schnur-, Fadenspiel *n* (*Art Geduldspiel*). — **'~-,ear** *s bot.* Ferkelkraut *n* (*Hypochoeris radicata*). — **'~-,eye** *s* **1.** *min.* Katzenauge *n* (*Halbedelstein*). – **2.** *bot.* (*ein*) Ehrenpreis *m* (*Veronica chamaedrys u. V. persica*). — **'~-,foot** *s irr bot.* **1.** Katzenpfötchen *n* (*Gattg Antennaria*). – **2.** → ground ivy.

cat| shark *s zo.* Katzenhai *m* (*bes. Gattg Scylliorhinus*). — **'~,skin** *s* Katzenfell *n*. — **~ sleep** → cat nap.

'cat's|-,milk → sun spurge. — **'~-,paw** *s* **1.** Katzenpfote *f*. – **2.** *fig.* Handlanger *m*, Werkzeug *n* (*für eine Sache, die man selbst nicht gern tut*), Gefoppter *m*: to make s.o. a ~ j-n die Kastanien aus dem Feuer holen lassen. – **3.** *mar.* a) leichte Brise, b) Kattenpot *f* (*Knotenart*). – **4.** *bot.* → cat's-foot. — **~ purr** *s* **1.** Schnurren *n* einer Katze. – **2.** *med.* ‚Katzenschnurren' *n* (*bei Mitralstenose*). — **'~-,tail** *s bot.* **1.** (*ein*) Schachtelhalm (*Gattg Equisetum, bes. E. arvense*). – **2.** *Br.* Wiesen-Lieschgras *n*, Timothygras *n* (*Phleum pratense*). – **3.** Natterkopf *m* (*Echium vulgare*). – **4.** (*ein*) Wollgras *n* (*Eriophorum callithrix*). – **5.** → cattail 1.

cat stop·per *s mar.* Kattstopper *m*.

cat·sup ['kætsəp] → ketchup.

cat| tack·le *s mar. hist.* Kattakel *n*, Kattgien *f*. — **'~,tail** *s bot.* **1.** Rohr-, Liesch-, Teichkolben *m* (*Gattg Typha, bes. T. latifolia*). – **2.** *mar. hist.* Binnenende *n* des Kranbalkens.

cat·ta·lo ['kætə,lou] *pl* **-los** *od.* **-loes** *s Kreuzung zwischen amer. Büffel u. Hausrind.*

cat thyme *s bot.* 'Katzenga,mander *m*, -kraut *n* (*Teucrium marum*).

cat·ti·man·doo [,kæti'mænduː] *s* (*ein*) Gummi *n* (*von Euphorbia trigona*).

cat·ti·ness ['kætinis] *s* **1.** Bosheit *f*, Gehässigkeit *f*. – **2.** Falschheit *f*,

Heimtücke *f*. — '**cat·tish** *adj* **1.** katzenhaft. – **2.** *fig.* falsch, boshaft, gehässig.

cat·tle ['kætl] *s collect.* (*meist als pl konstruiert*) **1.** (Rind)Vieh *n*: many head of ~ viel Vieh. – **2.** *obs.* Haustiere *pl* (*einschließlich Pferde*). – **3.** (*verächtlich*) Viehzeug *n*, Ungeziefer *n*. — ~ **car** *s* (*Eisenbahn*) *Am.* Viehwagen *m*. — ~ **feed·er** *s agr.* 'Futterma,schine *f*. — ~ **guard** *s Am.* Viehzaun *m* (*an Bahnübergängen*). — ~ **lead·er** *s* Nasenring *m*. — ~ **lift·er** *s* Viehdieb *m*. — '~·**man** [-mən] *s irr* **1.** *bes. Am.* Viehzüchter *m*. — **2.** Viehknecht *m*. — ~ **pen** *s* Viehgehege *n*, Pferch *m*. — ~ **plague** *s vet.* Rinderpest *f*. — ~ **range** *s* Weideland *n*, Viehtrift *f* (*menschenarmes Weidegebiet, bes. im Westen der USA*). — ~ **rus·tler** *s Am.* Viehdieb *m*.

cat·ty[1] ['kæti] *adj* **1.** katzenhaft, -artig. – **2.** boshaft, gehässig. – **3.** falsch, 'hinterlistig, heimtückisch.

cat·ty[2] ['kæti] *s* Katt *m*, Katti *m* (*ostasiat. Gewicht, etwa ein Pfund*).

'**cat·ty-,cor·nered** → cater-cornered.

'**cat|,walk** *s tech.* Laufplanke *f*, Steg *m* (*zwischen Maschinenteilen, bes. im Luftschiff*). — ~ **whisk·er** *s electr.* De'tektornadel *f*, 'Spitzende,tektor *m*, Kon'taktdrähtchen *n* (*bei Kristalldetektoren*). — '~,**wort** → catnip.

Cau·ca·sian [kɔː'keiʒən; *Br. auch* -ziən] **I** *adj* kau'kasisch. – **II** *s* Kau'kasier(in).

Cau·cas·ic [kɔː'kæsik] → Caucasian I.

cau·cus ['kɔːkəs] *pol.* **I** *s* **1.** *Am.* Vorversammlung *f* von Wählern (*zur Vorbereitung einer Wahl u. Ernennung von Kandidaten*). – **2.** Versammlung *f* von Par'teiführern (*wobei Beschlüsse meist für die Teilnehmer verbindlich sind*). – **3.** *Br.* örtlicher Par'teiausschuß. – **II** *v/t* **4.** durch eine Wahl- *od.* Par'teiversammlung bewirken *od.* kontrol'lieren. – **III** *v/i* **5.** eine Wahl- *od.* Par'teiversammlung abhalten.

cau·da ['kɔːdə] *s zo.* Schwanz *m*, schwanzähnlicher Fortsatz. — '**cau·dad** [-dæd] *adv* cau'dad, schwanzwärts.

cau·dal ['kɔːdl] *adj zo.* **1.** cau'dal, schwanz- *od.* steißwärts (gelegen). – **2.** schwanzähnlich. – **3.** Schwanz..., Steiß...: ~ fin Schwanzflosse (*der Fische*), Schwanzfächer (*der Krebse*). — '**cau·date** [-deit], *auch* '**cau·dat·ed** *adj zo.* geschwänzt, mit einem schwanzähnlichen Fortsatz.

cau·dex ['kɔːdeks] *pl* '**cau·di,ces** [-di,siːz] *u.* '**cau·dex·es** [-deksiz] *s bot.* Caudex *m*, Stock *m*, Rhi'zom *n*. — '**cau·di·cle** [-ikl] *s* Cau'dicula *f*, Stielchen *n* (*der Blütenstaubmasse bei Orchideen*).

cau·dil·lo [kau'ðiʎo; kɔː'diːljou] *pl* **-los** (*Span.*) *s* mili'tärischer Führer (*bes. von Aufständischen*).

cau·dle ['kɔːdl] *s* Warmbier *n* (*aus Wein od. Bier mit Eiern, Brot, Zucker u. Gewürzen, bes. für Wöchnerinnen*).

caudo- [kɔːdo] *Wortelement mit der Bedeutung* Schwanz, Schwanzwirbel.

caught [kɔːt] *pret u. pp von* catch.

caul [kɔːl] *s* **1.** Haarnetz *n* (*bes. einer Haube*). – **2.** *med.* a) großes Netz, O'mentum *n* majus, b) Glückshaube *f* (*der Neugeborenen; oft als Amulett gegen das Ertrinken getragen*).

caul- [kɔːl] → caulo-.

caul·dron ['kɔːldrən] *s* großer Kessel (*auch fig.*): witches' ~ Hexenkessel.

cau·les·cent [kɔː'lesnt] *adj bot.* stengeltreibend. — '**cau·li·cle** [-ikl] *s* Stengelchen *n*. — ,**cau·li'flo·rous** [-'flɔːrəs] *adj* stammblütig, cauli'flor.

cau·li·flow·er [*Br.* 'kɔli,flauə; *Am.* 'kɔːlə-] **I** *s bot.* Blumenkohl *m* (*Brassica oleracea var. botrytis*). – **II** *adj* blumenkohlförmig, Blumenkohl... (*bes. von Geschwüren od. deformierten Organen*). — ~ **ear** *s durch Schläge entstelltes Ohr, bes. bei Boxern.*

cau·li·form ['kɔːli,fɔːrm] *adj bot.* stengelförmig. — '**cau·line** [-lin; -lain] *adj* Stengel..., stengelständig. — '**cau·lis** [-lis] *pl* **-les** [-liːz] *s* Stengel *m*, Stamm *m* (*Pflanze*).

caulk [kɔːk] **I** *v/t* **1.** *mar.* kal'fatern, mit Werg dichten. – **2.** *tech.* (*Ritzen*) abdichten, verstemmen. – **II** *s mar. sl.* **3.** Schläfchen *n*. – **4.** Schlückchen *n*. — '**caulk·er** *s* **1.** *mar. tech.* Kal'faterer *m*, Stemmer *m*. – **2.** *sl.* Schlückchen *n*. – **3.** *sl.* (*etwas*) Unglaubliches *od.* Über'raschendes.

caulo- [kɔːlo] *Wortelement mit der Bedeutung* Stengel, Stamm.

cau·lo·car·pic [,kɔːlo'kɑːrpik], ,**cau·lo'car·pous** [-pəs] *adj bot.* stammfrüchtig.

cau·lome ['kɔːloum] *s bot.* Caulom *n*, (blättertreibende) Achse.

caus·a·ble ['kɔːzəbl] *adj* bewirkbar.

caus·al ['kɔːzəl] **I** *adj* **1.** ursächlich, kau'sal. – **2.** verursachend, begründend. – **II** *s* **3.** *ling.* Kau'salpar,tikel *f*.

cau·sal·gi·a [kɔː'zældʒiə] *s med.* Kausal'gie *f* (*neuralgischer Schmerz*).

cau·sal·i·ty [kɔː'zæliti; -əti] *s* **1.** Ursächlichkeit *f*, Kausali'tät *f*: law of ~ Kausalgesetz. – **2.** Kau'salzu,sammenhang *m*, Kau'salnexus *m*.

caus·al law *s* Kau'salgesetz *n*.

cau·sa·tion [kɔː'zeiʃən] *s* **1.** Verursachung *f*. – **2.** Ursache *f*. – **3.** Ursächlichkeit *f*. – **4.** *philos.* Kau'salprin,zip *n* (*gesetzmäßiger Zusammenhang von Ursache u. Wirkung*). — **cau'sa·tion,ism** → causation 4.

caus·a·tive ['kɔːzətiv] **I** *adj* **1.** kau'sal, begründend, verursachend (of *acc*). – **2.** *ling.* kausativ. – **II** *s* **3.** *ling.* Kausa'tivum *n*. — '**caus·a·tive·ness**, ,**caus·a'tiv·i·ty** *s* begründende Eigenschaft.

cause [kɔːz] **I** *s* **1.** Ursache *f*, Grund *m*: final ~ *philos.* Endzweck. – **2.** Anlaß *m*, Veranlassung *f* (for zu): to give s.o. ~ for j-m Anlaß geben zu. – **3.** (gute) Sache: to fight for one's ~ für seine Sache kämpfen; to make common ~ with gemeinsame Sache machen mit; to gain one's ~ obsiegen. – **4.** *jur.* a) Sache *f*, Rechtsstreit *m*, -handel *m*, Pro'zeß *m*, b) Gegenstand *m*, Grund *m* (*Rechtsstreit*): ~ of action Klagegrund, -form. – **5.** Sache *f*, Angelegenheit *f*: living ~s aktuelle Fragen *od.* Angelegenheiten. – *SYN.* antecedent, determinant, occasion, reason. – **II** *v/t* **6.** veranlassen, lassen: to ~ s.o. to do s.th. j-n etwas tun lassen, j-n veranlassen, etwas zu tun; to ~ s.th. to be done etwas veranlassen; veranlassen, daß etwas geschieht. – **7.** verursachen: to ~ a disturbance eine Störung verursachen. – **8.** bereiten, zufügen: to ~ s.o. trouble j-m Mühe *od.* Schwierigkeiten bereiten; to ~ s.o. a loss j-m einen Verlust zufügen.

cause·less ['kɔːzlis] *adj* **1.** unbegründet, grundlos, ohne Grund *od.* Ursache. – **2.** von selbst entstanden. — '**cause·less·ness** *s* Grundlosigkeit *f*.

cause list *s jur.* Ter'min-, Pro'zeßliste *f*.

caus·er ['kɔːzər] *s* **1.** Urheber *m*. – **2.** Ursache *f*, Grund *m*.

cau·se·rie [,kouzə'riː] *s* Plaude'rei *f*, 'infor,melle Ansprache.

cau·seuse [ko'zøːz] (*Fr.*) *s* Cau'seuse *f* (*kleines Sofa*).

cause·way ['kɔːz,wei], *Br. auch* '**cau·sey** [-zei] **I** *s* **1.** erhöhter Fußweg, Damm *m*: the Giant's C~ *geogr.* der Riesendamm (*natürliche Basaltbildung in Irland*). – **2.** *obs.* Chaus'see *f*. – **II** *v/t* **3.** mit einem Dammweg versehen. – **4.** pflastern.

caus·tic ['kɔːstik] **I** *adj* **1.** *chem.* kaustisch, ätzend, beizend, brennend. – **2.** *fig.* kaustisch, beißend, sar'kastisch, scharf (*Witz, Worte etc*). – **3.** *phys.* kaustisch. – **II** *s* **4.** Beiz-, Ätzmittel *n*. – **5.** *phys.* a) → ~ curve, b) → ~ surface. — '**caus·ti·cal** → caustic I.

caus·tic| al·ka·li *s chem.* kaustisches Al'kali (*Ätzkali, Ätznatron, Ätzkalk*). — ~ **curve** *s phys.* Brennlinie *f*, kaustische Kurve.

caus·ti·cism ['kɔːsti,sizəm] *s* Sar'kasmus *m*, sar'kastische Bemerkung. — **caus'tic·i·ty** *s* **1.** Ätz-, Beizkraft *f*. – **2.** Sar'kasmus *m*, Schärfe *f*. — '**caus·ti,cize** *v/t chem.* kaustifi'zieren.

caus·tic| lime *s chem.* Ätzkalk *m*, gebrannter Kalk. — ~ **pot·ash** *s* Ätzkali *n* (KOH). — ~ **so·da** *s* Ätznatron *n*, 'Natrium,hydro,xyd *n* (NaOH). — ~ **sur·face** *s phys.* Brennfläche *f*.

caus·ti·fy ['kɔːsti,fai; -tə-] → causticize.

cau·ter ['kɔːtər] *s med.* Brenneisen *n*, (Thermo)Kauter *m*.

cau·ter·ant ['kɔːtərənt] *chem.* **I** *s* Ätzmittel *n*. – **II** *adj* ätzend, Ätz...

cau·ter·i·za·tion [,kɔːtərai'zeiʃən; -ri-; -rə-] *s med. tech.* **1.** Kauterisati'on *f*, Brennen *n*. – **2.** Ätzen *n*, Ätzung *f*. — '**cau·ter,ize** *v/t* **1.** *med. tech.* kauteri'sieren, (aus)brennen, (ver)ätzen. – **2.** *fig.* (*Gefühl, Gewissen*) abtöten, abstumpfen. — **cau·ter·y** ['kɔːtəri] *s* **1.** Kauteri'sieren *n*, (Aus)Brennen *n*, Ätzen *n*. – **2.** *med.* a) *auch* actual ~ Kauter *m*, Brenneisen *n*, b) *auch* chemical ~ Ätzmittel *n*, -stift *m*.

cau·tion ['kɔːʃən] **I** *s* **1.** Vorsicht *f*, Behutsamkeit *f*. – **2.** (Ver)Warnung *f*. – **3.** *mil.* 'Ankündigungskom,mando *n*. – **4.** *colloq.* a) (*etwas*) Phan'tastisches *od.* E'normes, b) komisches Indi'viduum, Origi'nal *n*, c) unheimlicher Bursche: he is a ~ dem möcht' ich nicht allein im Wald begegnen. – **5.** *obs.* Vorsichtsmaßregel *f*. – **II** *v/t* **6.** warnen (against vor *dat*): to ~ oneself sich in acht nehmen. – *SYN. cf.* warn. — '**cau·tion·ar·y** [*Br.* -nəri; *Am.* -,neri] *adj* warnend, Warn..., Warnungs...: ~ signal.

cau·tion mon·ey *s* (hinter'legte) Kauti'on.

cau·tious ['kɔːʃəs] *adj* **1.** vorsichtig, behutsam, auf der Hut. – **2.** achtsam (of auf *acc*). – *SYN.* circumspect, chary, wary. — '**cau·tious·ness** *s* Vorsicht *f*, Behutsamkeit *f*.

cav·al·cade [,kævəl'keid] *s* Kaval'kade *f*, Reiterzug *m*, -trupp *m*.

cav·a·le·ro [,kævə'leirou] *s* Kava'lier *m*, ritterlicher Mann.

cav·a·lier [,kævə'lir] **I** *s* **1.** Reiter *m*, *bes.* Kavalle'rist *m*. – **2.** Ritter *m*, Edelmann *m*. – **3.** Kava'lier *m*, ritterlicher Mensch. – **4.** Kava'lier *m*, Verehrer *m* (*einer Dame*). – **5.** C~ *hist.* Kava'lier *m*, Roya'list *m* (*Anhänger Karls I. von England*). – **II** *adj* **6.** hochmütig, arro'gant, stolz, anmaßend. – **7.** frei, sorglos, ungezwungen. – **8.** C~ *hist.* Kavalier..., roya'listisch (*zu den Anhängern Karls I. von England gehörend*): the C~ Poets die Kavalierdichter. – **III** *v/i* **9.** den Kava'lier *od.* Ritter spielen. – **10.** sich aufspielen, arro'gant sein.

ca·val·la [kə'vælə] *pl* **-la** *od.* **-las**, *auch* **ca'val·ly** [-li] *s zo.* **1.** (*eine*) 'Bastardma,krele (*Fam. Carangidae*). – **2.** → cero 1.

cav·al·ry ['kævəlri] *s* **1.** *mil.* Kavalle'rie *f*, Reite'rei *f*: two hundred ~ 200 Mann Kavallerie. – **2.** *collect.* a) Reiter *pl*, b) Pferde *pl*. – **3.** *obs.* Reitkunst *f* (*bes. eines Ritters*). — '~·**man** [-mən] *s irr mil.* Kavalle'rist *m*.

ca·va·ti·na [,kævə'tiːnə] *s mus.* Kava'tine *f* (*kleine liedartige Arie*).

cave[1] [keiv] **I** *s* **1.** Höhle *f*. – **2.** *pol. Br.* a) Absonderung *f*, Sezessi'on *f* (*eines*

Teils einer Partei wegen einer besonderen Frage), b) Sezessi'onsgruppe *f*, Sezessio'nisten *pl*. – **3.** *tech.* 'Zugkaˌnal *m*, Aschenfall *m* (*eines Hochofens*). – **II** *v/t* **4.** aushöhlen. – **5.** *meist* ~ in eindrücken, zum Einsturz bringen. – **III** *v/i* **6.** *meist* ~ in einbrechen, -stürzen, -sinken. – **7.** *meist* ~ in *colloq.* a) (*vor Erschöpfung*) ‚zu'sammenklappen', b) nachgeben, klein beigeben. – **8.** eine Höhle bewohnen. – **9.** *pol. Br.* sich (*in einer bestimmten Frage von der Partei*) absondern.

ca·ve² ['keivi] (*Lat.*) *interj* Vorsicht! Achtung! (*unter Schülern Warnung beim Erscheinen eines Lehrers*).

ca·ve·at ['keiviˌæt] **I** *s* **1.** *jur.* Einspruch *m*, Verwahrung *f*: to file (*od.* enter) a ~ Einspruch erheben, Verwahrung einlegen (against gegen). – **2.** *jur. Am. hist.* Pa'tentanmeldung *f*. – **3.** *obs.* Vorbehalt *m*. – **4.** Warnung *f*. – **II** *v/i* **5.** *jur.* Einspruch erheben, Verwahrung einlegen. – **6.** (*Fechtkunst*) ka'vieren. — **'ca·veˌa·tor** [-ˌeitər] *s jur.* **1.** Einspruch Erhebender *m*, Verwahrung Einlegender *m*. – **2.** *Am.* Pa'tentanmelder *m*.

cave| bear *s zo.* Höhlenbär *m* (*Ursus spelaeus; fossil*). — **~ dwell·er** *s* Höhlenbewohner(in). — **~ fish** *s zo.* Höhlenfisch *m* (*bes. Amblyopsis spelaeus*). — **'~-ˌin** *s* Einsturz *m*, Senkung *f* (*Boden*). — **~ man** *s irr* **1.** Höhlenbewohner *m*, -mensch *m* (*bes. der Altsteinzeit*). – **2.** *humor.* Gewaltmensch *m*, Bär *m*, Ungetüm *n*, ‚Hunne' *m*.

cav·en·dish ['kævəndiʃ] *s* Cavendish *m* (*eingeweichter, gesüßter, in Täfelchen gepreßter Tabak*).

cav·ern ['kævərn] **I** *s* **1.** (große) Höhle. – **II** *v/t* **2.** in eine Höhle einschließen. – **3.** aushöhlen. — **'cav·erned** *adj* **1.** voller Höhlen. – **2.** ausgehöhlt, hohl. – **3.** in einer Höhle lebend. – **4.** *fig.* abgeschlossen, eingesperrt.

cav·ern·ous ['kævərnəs] *adj* **1.** voller Höhlen. – **2.** voller Höhlungen, po'rös. – **3.** tiefliegend (*Augen*). – **4.** hohl, eingefallen (*Wangen etc*). – **5.** höhlenartig. – **6.** *med.* kaver'nös. — **~ bod·y** *s med.* Schwellkörper *m*. — **~ breath·ing** *s med.* am'phorisches Atmen.

cave spi·der *s zo.* (*eine*) Höhlen-, Kellerspinne (*Segestria cellaris*).

cav·es·son ['kævisən] *s* Kappzaum *m*.

ca·vet·to [kə'vetou] *s arch.* Viertelkehle *f* (*Hohlkehle am Karnies etc*).

cav·i·ar(e) ['kæviˌɑːr; ˌkævi'ɑːr] *s* **1.** Kaviar *m*. – **2.** *fig.* erlesener Genuß: ~ to the general Kaviar fürs Volk.

cav·i·corn ['kæviˌkɔːrn; -və-] *adj zo.* mit hohlen Hörnern.

cav·il ['kævil] **I** *v/i pret u. pp* **'cav·iled**, *bes. Br.* **'cav·illed** nörgeln, kritteln: to ~ at (*od.* about) s.th. an etwas herumnörgeln, etwas bekritteln. – **II** *v/t* nörgeln über (*acc*), bekritteln. – **III** *s* Nörge'lei *f*, Kritte'lei *f*, Spitzfindigkeit *f*. — **'cav·il·(l)er** *s* Nörgler(in). — **'cav·il·(l)ing** *adj* nörglerisch, krittelig, spitzfindig. – *SYN. cf.* critical.

cav·i·tar·y [*Br.* 'kævitəri; *Am.* -əˌteri] *adj med. zo.* **1.** eine Leibeshöhle habend. – **2.** Zölom..., Leibeshöhlen... – **3.** höhlen-, ka'vernenbildend.

cav·i·ta·tion [ˌkævi'teiʃən; -və-] *s* **1.** *phys.* Kavitati'on *f*, Hohlraumbildung *f*. – **2.** *med.* a) Ka'vernen-, Höhlenbildung *f* (*bes. in der Lunge bei Tuberkulose*), b) Ka'verne *f*.

cav·i·ty ['kæviti; -əti] *s* **1.** (Aus)-Höhlung *f*, Hohlraum *m*. – **2.** *med.* Höhle *f*, Raum *m*, Grube *f*: → oral 2; pelvic. – **3.** *med.* a) Ka'verne *f*, b) Loch *n* (im Zahn) (*bei Karies*). – **4.** *mar. selten* Wasserverdrängung *f*.

ca·vort [kə'vɔːrt] *v/i Am. colloq.* Kapri'olen machen, ‚um'herkarriˌolen', -springen (*bes. Pferd od. Reiter*).

ca·vy ['keivi] *s zo.* (*ein*) Meerschweinchen *n* (*Fam. Caviidae*), *bes.* Gemeines Meerschweinchen (*Cavia porcellus*).

caw [kɔː] **I** *s* Krächzen *n* (*Raben, Krähen; auch fig.*). – **II** *v/i* krächzen.

caw·quaw ['kɔːkwɔː] *s zo.* Kanad. Stachelschwein *n* (*Erethizon dorsatum*).

Cax·ton ['kækstən] *s* **1.** Caxton *m* (*von William Caxton gedrucktes Buch*). – **2.** c~ *print.* Caxton *f* (*eine altgotische Schrift*). — **Cax'to·ni·an** [-'touniən] *adj* Caxton..., Caxtonsch(er, -e, -es), William Caxton betreffend.

cay [kei; kiː] *s* Inselchen *n*, Riff *n*, Sandbank *f*.

cay·enne pep·per [kei'en; kai-], *auch* **cay·enne, Cay·enne** *s* Cay'ennepfeffer *m*.

cay·man ['keimən] *pl* **-mans** *s zo.* Kaiman *m* (*Gattg Caiman*).

Ca·yu·ga [kei'juːgə; kai-] *pl* **-ga** *od.* **-gas** *s* Cay'uga *m* (*Indianer des kleinsten Irokesenstammes*).

Cay·use [kai'juːs] *s* **1.** Cay'use *m* (*Indianer eines jetzt in Oregon lebenden Stammes*). – **2.** c~ *Am. dial.* (*Westen*) Indi'anerpony *n*.

C bat·ter·y *s electr.* 'Gitter(ˌvorspannungs)batteˌrie *f*.

C clef *s mus.* C-Schlüssel *m*.

ce *cf.* cee.

cease [siːs] **I** *v/i* **1.** aufhören, zu Ende gehen, enden, erlöschen: the noise ~d. – **2.** *obs.* abstehen, ablassen (from von): he ~d from strife. – **3.** *obs.* (aus)sterben. – **II** *v/t* **4.** aufhören (to do *od.* doing zu tun): they ~d to work sie hörten auf zu arbeiten; he ~d talking er hörte zu sprechen *od.* mit Sprechen auf. – **5.** *mil.* (*Feuer*) einstellen. – *SYN. cf.* stop. – **III** *s* **6.** *obs.* Aufhören *n* (*nur in*): without ~ unaufhörlich. — **'~'fire** *s mil.* Feuereinstellung *f*, Waffenruhe *f*, Einstellung *f* der Feindseligkeiten.

cease·less ['siːslis] *adj* unaufhörlich. — **'cease·less·ness** *s* Endlosigkeit *f*, 'Unaufˌhörlichkeit *f*.

ce·cal *cf.* caecal.

ce·cils ['seslz; 'siːs-; 'sis-] *s pl* Fri-ka'dellen *pl*, Fleischklöße *pl*.

ce·ci·ty ['siːsiti; -əti] *s obs.* Blindheit *f*.

ce·co·graph ['siːkoˌgræ(ː)f; *Br. auch* -ˌgrɑːf] *s* 'Blindenschreibmaˌschine *f*.

Ce·cro·pi·a moth [si'kroupiə] *s zo.* Amer. Riesenseidenspinner *m* (*Samia cecropia*).

ce·cum *cf.* caecum.

ce·dar ['siːdər] **I** *s bot.* **1.** Zeder *f* (*Gattg Cedrus*): ~ of Lebanon Echte Zeder, Libanonzeder (*C. libani*); ~ of Atlas Atlas-, Silberzeder (*C. atlantica*). – **2.** Wa'cholder *m* (*Gattg Juniperus*): red ~ Virginische *od.* Rote *od.* Falsche Zeder (*J. virginiana*). – **3.** Lebensbaum *m* (*Gattg Thuja, bes. T. plicata*). – **4.** 'Scheinzyˌpresse *f* (*Gattg Chamaecyparis*), *bes.* 'Zederzyˌpresse *f* (*C. thyoides*). – **5.** Jap. Zeder *f* (*Cryptomeria japonica*). – **6.** (*ein*) trop. Laubbaum *m*, *bes.* (*ein*) Zedrachgewächs *n* (*Fam. Meliaceae*), *z.B.* Maha'gonibaum *m* (*Swietenia mahagoni*) *u.* (*ein*) Tunabaum *m* (*Toona ciliata*). – **7.** Zedernholz *n*. – **II** *adj* **8.** aus Zedernholz, Zedern... — **~ ap·ple**, *auch* **~ ball** *s bot.* Gitterrostzapfen *m* (*Gallertzapfen an Wacholderarten*). — **'~ˌbird** → cedar waxwing. — **~ chest** *s Am.* mottensichere Truhe aus Zedernholz. — **~ elm** *s bot.* Dickblättrige Ulme (*Ulmus crassifolia*).

ce·darn ['siːdərn] *adj poet.* Zedern...

ce·dar| nut *s bot.* Zirbel-, Arvenuß *f* (*Same der Zirbelkiefer Pinus cembra*). — **~ pine** *s bot.* (*eine*) amer. Kiefer (*bes. Pinus virginiana*). — **~ wax·wing** *s zo.* Amer. Seidenschwanz *m* (*Bombycilla cedrorum; Vogel*). — **'~ˌwood** *s* Zedernholz *n*.

cede [siːd] **I** *v/t* **1.** (to) abtreten, abgeben (*dat od.* an *acc*), über'lassen (*dat*): to ~ a fortress to the enemy dem Feind eine Festung überlassen; to ~ a right ein Recht abtreten. – **2.** zugeben. – **II** *v/i* **3.** *obs.* weichen, nachgeben.

ce·dil·la [si'dilə] *s ling.* Ce'dille *f*.

ce·drat ['siːdræt], **'ce·drate** [-dreit] → citron 1.

ce·drene ['siːdriːn] *s chem.* Cedernholzöl *n* ($C_{15}H_{24}$). — **ce·drin** ['siːdrin] *s chem.* Ce'drin *n* (*kristalliner Bestandteil des Cedrons*). — **ce·drol** ['siːdrɒl; -droul] *s chem.* Ce'drol *n*, Cedernkampfer *m* ($C_{15}H_{26}O$).

ce·dron ['siːdrən] *s bot.* **1.** Cedron-Samen *m* (*Mittel gegen Schlangenbiß; Samen von 2*). – **2.** Cedron-Baum *m* (*Simaba cedron*).

ced·u·la [*Br.* 'sedjulə; *Am.* 'sedʒələ] *s* (*Philippinen*) **1.** Steuerquittung *f*. – **2.** Steuer *f*.

cee [siː] **I** *s* **1.** C *n*, c *n* (*Buchstabe*). – **2.** C *n*, C-förmiger Gegenstand. – **II** *adj* **3.** C-..., C-förmig: ~ spring *tech.* C-Feder.

ce·i·ba ['seiibɑː; 'saibə] *s* **1.** *bot.* Kapok-, Baumwollbaum *m* (*Ceiba pentandra*). – **2.** Ceibawolle *f*, Kapok *m*.

ceil [siːl] *v/t* **1.** (*Zimmerdecke*) täfeln *od.* verputzen. – **2.** (*Raum*) mit einer Decke versehen. – **3.** *mar.* (*Schiff od. Schiffsteil*) (be)wegern.

ceil·ing ['siːliŋ] *s* **1.** Decke *f*, Pla'fond *m* (*eines Raumes*). – **2.** *mar.* Wegerung *f*, Innenbeplankung *f*. – **3.** Täfeln *n od.* Verputzen *n* (*einer Zimmerdecke*). – **4.** Maximum *n*, Höchstmaß *n*. – **5.** *econ.* (*gesetzlich festgesetzte*) Höchstgrenze (*von Preisen, Löhnen etc*). – **6.** *aer.* Gipfelhöhe *f*: absolute ~ Gipfelhöhe unter besonderen Betriebsbedingungen; service ~ Dienstgipfelhöhe, Grenzflughöhe, Gipfelhöhe unter normalen Betriebsbedingungen. – **7.** *aer. phys.* Wolken-, Bewölkungshöhe *f*: unlimited ~ unbegrenzte Wolkenhöhe *od.* Sicht (*bei fast od. ganz wolkenlosem Himmel*). — **~ plank** *s mar.* Wegerungsplanke *f*.

ceil·om·e·ter [siː'lɒmitər; -mə-] *s* (*Meteorologie*) Bewölkungshöhen-, Wolkenhöhenmesser *m*, -meßgerät *n*.

cel·a·don ['seləˌdɒn] *s* Blaßgrün *n*.

cel·an·dine ['selənˌdain] *s bot.* **1.** *auch* greater ~ Schöllkraut *n* (*Chelidonium majus*). – **2.** *auch* lesser ~ Scharbockskraut *n*, Feigwurz(el) *f* (*Ficaria verna*).

cel·a·nese [*Br.* ˌselə'niːz; *Am.* 'seləˌniːz] *s* Cela'nese *f*, engl. Ace'tatseide *f*.

cel·a·ture ['selətʃər; 'siːl-] *s* Gra'vierung *f*.

-cele [siːl] *med.* **1.** *Nachsilbe mit der Bedeutung* a) Geschwür, b) Bruch. – **2.** *cf.* -coele.

cel·e·brant ['selibrənt; -lə-] *s relig.* Zele'brant *m*.

cel·e·brate ['seliˌbreit; -lə-] **I** *v/t* **1.** (*Fest etc*) feiern, festlich begehen. – **2.** (*j-n*) feiern, verherrlichen, preisen. – **3.** *relig.* (*Messe etc*) zele'brieren, feiern, lesen. – **4.** öffentlich verkünden. – **II** *v/i* **5.** feiern. – **6.** *relig.* zele'brieren. – *SYN. cf.* keep. — **'cel·eˌbrat·ed** *adj* **1.** gefeiert, berühmt (for für, wegen). – **2.** berüchtigt. – *SYN. cf.* famous. — **ˌcel·e'bra·tion** *s* **1.** Feier *f*. – **2.** Feiern *n*, Begehen *n* (*Fest*). – **3.** Verherrlichung *f*. – **4.** *relig.* a) Zele'brieren *n*, b) Lesen *n* (*Messe*). — **'cel·eˌbra·tor** [-tər] *s* Feiernder *m*. — **ce·leb·ri·ty** [si'lebriti; sə-; -əti] *s* **1.** Berühmtheit *f*,

Zelebri'tät *f*, promi'nente Per'son. – 2. Ruhm *m*, Berühmtheit *f*.

ce·ler·i·ac [si'leri,æk; 'selər-] *s bot.* Knollensellerie *m*, *f* (*Apium graveolens var. rapaceum*).

ce·ler·i·ty [si'leriti; sə-; -əti] *s* Schnelligkeit *f*, Geschwindigkeit *f*. – *SYN.* alacrity, legerity.

cel·er·y ['seləri] *s bot.* Sellerie *m*, *f* (*Apium graveolens*).

ce·les·ta [si'lestə; sə-] *s mus.* Ce'lesta *f*, 'Stahl(platten)kla,vier *n* (*auch Orgelregister*).

ce·leste [si'lest; sə-] *s* 1. Himmelblau *n*. – 2. *mus.* a) Vox *f* ce'lestis, Engelsstimme *f* (*tremolierendes Orgelregister*), b) (*Art*) leises (Kla'vier)Pe,dal.

ce·les·tial [*Br.* si'lestjəl; sə-; *Am.* -tʃəl] **I** *adj* 1. himmlisch, Himmels..., göttlich: ~ **bliss** himmlische Glückseligkeit. – 2. *astr.* Himmels...: ~ **light** Himmels-, Astrallicht; → pole² 1. – 3. C~ *humor.* chi'nesisch (*das ‚Reich des Himmels' betreffend*). – **II** *s* 4. Himmelsbewohner(in), Selige(r). – 5. C~ *colloq.* Chi'nese *m*, Chi'nesin *f*. – 6. *auch* ~ **blue** Himmelblau *n*. — ~ **bod·y** *s* Himmelskörper *m*. — **C~ Cit·y** *s relig.* Himmlisches Je'rusalem. — **C~ Em·pire** *s* Reich *n* des Himmels (*frühere Bezeichnung für China*). — ~ **e·qua·tor** *s astr.* 'Himmelsä,quator *m*. — ~ **globe** *s astr.* Himmelsglobus *m*. — ~ **lat·i·tude** *s astr.* Himmelsbreite *f*. — ~ **lon·gi·tude** *s astr.* Himmelslänge *f*. — ~ **sphere** *s* Himmelskugel *f*.

Cel·es·tine ['selis,tain; -əs-; si'les-; sə-; -tin] *s relig.* Zöle'stiner(in), Zöle'stinermönch *m*, -nonne *f*.

cel·es·tite ['seləs,tait], *auch* **'cel·es·tine** [-tin; -,tain] *s min.* Zöle'stin *m*, 'Strontiumsul,fat *n* ($SrSO_4$).

ce·li·ac ['si:li,æk] *adj med.* abdomi'nal, Bauch... — ~ **ar·ter·y** *s med.* 'Bauchar,terie *f*. — ~ **dis·ease** *s med.* Coelia'kie *f*, Herter-Heubner Krankheit *f*.

cel·i·ba·cy ['selibəsi; -lə-] *s* Zöli'bat *n*, *m*, Ehelosigkeit *f* (*bes. auf Grund eines Gelübdes*). — **,cel·i·ba'tar·i·an** [-'tɛ(ə)riən] **I** *s* 1. Unverheiratete(r). – 2. Anhänger(in) des Zöli'bats. – **II** *adj* 3. unverheiratet. – 4. das Zöli'bat befürwortend. — **'cel·i·bate** [-bit; -,beit] **I** *s* Unverheiratete(r). – **II** *adj* unverheiratet.

cell [sel] *s* 1. (Kloster-, Gefängnis- *etc*)-Zelle *f*: **condemned** ~ Todeszelle. – 2. *arch.* a) Feld *n* (*zwischen Gewölberippen*), b) → cella. – 3. *allg.* Fach *n*, Kammer *f*, Zelle *f*. – 4. *biol.* Zelle *f*: → **blood** ~. – 5. *biol.* Kammer *f*, Höhlung *f*, Zwischenraum *m* (*im Gewebe*). – 6. *zo.* a) Zelle *f* (*einer Honigwabe*), b) Feld *n* (*zwischen den Adern von Insektenflügeln*). – 7. *bot.* a) Theke *f* (*der Anthere*), b) Fach *n* (*eines Fruchtknotens*). – 8. *electr.* Zelle *f*, Ele'ment *n* (*einer Batterie*). – 9. *chem. phys.* elektro'lytische Zelle. – 10. *aer.* a) *Flügel u. Verspannungsglieder auf einer Seite des Rumpfes* (*bei Doppeldeckern*), b) Gaszelle *f* (*eines Luftschiffes od. Ballons*). – 11. *pol.* Zelle *f* (*einer Organisation*). – 12. *relig.* Kellion *n* (*zu einem Kloster gehörige u. in dessen Nähe gelegene einzelne Mönchszelle*). – 13. *poet.* Hütte *f*, Klause *f*. – 14. *poet.* Grab *n*.

cel·la ['selə] *pl* **-lae** [-li:] *s arch.* Cella *f* (*Kultraum antiker Tempel*).

cel·lar ['selər] **I** *s* 1. Keller *m*. – 2. Weinkeller *m*, -vorrat *m*: **he keeps a good** ~ er hat gute Weine. – 3. *meist* **salt~** Salzfäßchen *n*. – 4. *sport* letzter Platz (*in einem Wettbewerb*): **to be in the** ~. – **II** *v/t auch* ~ **in** 5. einkellern, im Keller 'unterbringen *od.* aufbewahren. – 6. *fig.* (auf)bewahren. — **'cel·lar·age** *s* 1. *collect.* Keller(räume) *pl*, Kellergeschoß *n*. – 2. Kellergeld *n*, -miete *f*. – 3. Einkellerung *f*. — **'cel·lar·er** *s* Kellermeister *m*. — **cel·lar·et** [,selə'ret] *s* 'Flaschenständer *m*, -ab,teil *n* (*eines Büfetts*).

cel·lar| flap *s* Kellerklappe *f*, Falltür *f* (*zum Keller*). — **'~·man** [-mən] *s irr* 1. Kellermeister *m*. – 2. Weinhändler *m*.

cell| bod·y *s zo.* Zellkörper *m*. — ~ **di·vi·sion** *s biol.* Zellteilung *f*.

celled [seld] *adj* Zellen habend, (*meist in Zusammensetzungen*) ...zellig: **many-~** vielzellig.

cell flu·id *s biol.* Zellsaft *m*, -flüssigkeit *f*.

cel·li·form ['seli,fɔ:rm; -lə-] *adj* zellenförmig, -artig.

cel·list, 'cel·list ['tʃelist] *s mus.* Cel'list(in).

cell mem·brane *s biol.* Plasmahaut *f*.

cel·lo, 'cel·lo ['tʃelou] *pl* **-los, -li** [-li:] *s mus.* (Violon)'Cello *n*.

cel·loid ['selɔid] → celliform.

cel·loi·din [se'lɔidin; sə-] *s chem.* Celloi'din *n*.

cel·lone ['seloun] *s tech.* 1. Zel'lon *n*. – 2. *meist* ~ **varnish** Zel'lonlack *m*.

cel·lo·phane ['selə,fein] *s tech.* Zello'phan *n*, Glashaut *f*.

cell| plasm *s biol.* Zell-, Zytoplasma *n*. — ~ **sap** → cell fluid.

cel·lu·lar ['seljulər; -jə-] *adj* zellu'lar, zellig, Zell(en)...: ~ **inclusion** Zelleinschluß. — **,cel·lu'lar·i·ty** [-'læriti; -əti] *s* zellu'lare Beschaffenheit.

cel·lu·lar| plant *s bot.* 'Zellkrypto,game *f*. — ~ **shirt** *s* Netzhemd *n*. — ~ **tis·sue** *s biol.* Zellgewebe *n*.

cel·lule ['selju:l] *s* kleine Zelle.

cel·lu·li·tis [,selju'laitis; -jə-] *s med.* Zellgewebsentzündung *f*.

cel·lu·loid ['selju,lɔid; -jə-] *s tech.* Zellu'loid *n*, Zellhorn *n*.

cel·lu·lose ['selju,lous; -jə-] **I** *s* 1. Zellu'lose *f*, Zellstoff *m* ($C_6H_{10}O_5$). – **II** *adj* 2. Zellulose... – 3. → cellulous. — ~ **ac·e·tate** *s chem.* Zellu'loseace,tat *n*. — ~ **ni·trate** *s chem.* 'Nitrozellu,lose *f*.

cel·lu·lo·sic [,selju'lousik; -jə-] **I** *adj* Zellulose..., zellu'losehaltig, aus Zellu'lose. – **II** *s* Zellu'losekunststoff *m*.

cel·lu·los·i·ty [,selju'lɒsiti; -jə-; -əti] *s* zellu'lare Beschaffenheit.

cel·lu·lous ['seljuləs; -jə-] *adj* zellu'lar, zellig, aus Zellen bestehend.

cell wall *s biol.* Zellwand *f*.

ce·lom *cf.* coelom.

ce·lo·si·a [si'louʃiə; -siə] *s bot.* Hahnenkamm *m* (*Gattg Celosia*).

ce·lot·o·my [si'lɒtəmi] *s med.* Bruchschnitt *m*.

Cel·si·us ['selsiəs], *auch* ~ **ther·mom·e·ter** *s phys.* 'Celsiusthermo,meter *n*: **20° Celsius** 20° Celsius.

celt¹ [selt] *s* Kelt *m*, Faustkeil *m* (*vorgeschichtlicher Meißel*).

Celt² [selt; *Br. auch* kelt] *s* Kelte *m*, Keltin *f*.

Celt·i·be·ri·an [,selti'bi(ə)riən] **I** *adj* kelti'berisch. – **II** *s* Kelti'berer(in).

Celt·ic ['seltik; *Br. auch* 'kel-] **I** *adj* keltisch: **the** ~ **fringe** die keltischen Randvölker der brit. Inseln. – **II** *s ling.* Keltisch *n*, das Keltische. — ~ **cross** *s* Keltisches Kreuz (*mit Scheibe od. Ring am Kreuzpunkt der Balken*).

Celt·i·cism ['selti,sizəm; -tə-; *Br. auch* 'kel-] *s* Kelti'zismus *m*: a) *keltischer Brauch*, b) *ling. keltische Spracheigentümlichkeit*. — **'Celt·i,cize I** *v/t* keltisch machen. – **II** *v/i* keltische Art annehmen. — **'Celt·ist** → Celtologist.

Celto- [selto; *Br. auch* kelto] *Wortelement mit der Bedeutung* keltisch.

Celt·ol·o·gist [sel'tɒlədʒist; *Br. auch* kel-], **'Celt·o,logue** [-tə,lɒg; *Am. auch* -,lɔ:g] *s* Kelto'loge *m* (*Kenner od. Student der keltischen Sprache, Literatur etc*).

Cel·to·ma·ni·ac [,selto'meini,æk; *Br. auch* ,kel-] *s* Kelto'mane *m*.

Cel·to·phil ['seltofil; -tə-; *Br. auch* 'kel-] *s* Kelto'phile *m*.

,Cel·to-'Ro·man *adj* 'keltoro,manisch.

cel·tuce ['seltis; -təs] *s ein Gemüse, das den Geschmack von Kopfsalat u. Sellerie in sich vereinigt*.

cem·ba·list ['sembəlist; 'tʃem-] *s mus.* Cemba'list(in), (*im Orchester*) Pia'nist(in).

cem·ba·lo ['sembə,lou; 'tʃem-] *s mus.* 1. (*altes*) Cymbal, Hackbrett *n*. – 2. Cembalo *n*, Harpsi'chord *n*, Kielflügel *m*.

ce·ment [si'ment; sə-] **I** *s* 1. Ze'ment *m*, Kitt *m*, (Kalk)Mörtel *m*. – 2. Klebstoff *m*, -mittel *n*. – 3. Bindemittel *n*. – 4. *fig.* Bindung *f*, Band *n*. – 5. *med.* 'Zahnze,ment *m*. – 6. (*Hüttenwesen*) Ze'ment-, Zemen'tierpulver *n*. – **II** *v/t* 7. *tech.* a) zemen'tieren, mit Ze'ment belegen, b) (ver)kitten, einkitten, c) harteinsetzen. – 8. *fig.* (be)festigen, festmachen, schmieden: **to** ~ **a friendship**. – **III** *v/i* 9. binden, halten, fassen (*Zement, Kitt*): **it ~s well**.

ce·men·ta·tion [,si:mən'teiʃən; ,semən-] *s* 1. Zemen'tierung *f*. – 2. Zemen'tieren *n*, Kitten *n*. – 3. (*Hüttenwesen*) Einsatzhärtung *f*. – 4. *fig.* feste Zu'sammenfügung. — ~ **fur·nace** *s* (*Hüttenwesen*) Temper-, Härte-, Zemen'tierofen *m*. — ~ **proc·ess** *s* Einsatzhärtung *f*, Zemen'tierung *f*.

ce·ment clink·er *s tech.* 1. Ze'mentschlacke *f*. – 2. Ze'mentklinker *m*.

ce·ment·er [si'mentər] *s* 1. Zemen'tierer *m*. – 2. Bindemittel *n*. – 3. *fig.* Bindung *f*, bindende Kraft.

ce·ment| fill·ing *s med.* Ze'mentfüllung *f* (*Zahn*). — ~ **gland** *s zo.* Ze'mentdrüse *f* (*Rankenfußkrebs*).

ce·ment·ite [si'mentait] *s chem.* Zemen'tit *n* (Fe_3C; *ein Eisenkarbid*).

ce·men·ti·tious [,si:mən'tiʃəs; ,sem-] *adj* ze'mentartig.

ce·ment| mill *s tech.* Ze'mentmühle *f*. — ~ **mor·tar** *s tech.* Ze'mentmörtel *m*. — ~ **stone** *s min.* Ze'mentmergel *m*.

cem·e·te·ri·al [,semi'ti(ə)riəl; -mə-] *adj* Friedhofs..., Kirchhofs...

cem·e·ter·y [*Br.* 'semitri; *Am.* -ə,teri] *s* Friedhof *m*, Kirchhof *m*: **in the** ~ auf dem Friedhof. [*deutung* neu, jung.]

-cene [si:n] *Nachsilbe mit der Be-*

ce·nes·the·si·a, ce·nes·the·sis *cf.* coenesthesia, coenesthesis.

ceno-¹ [si:no] *Wortelement mit der Bedeutung* neu, jung.

ceno-² [si:no] *Wortelement mit der Bedeutung* gemein, allgemein.

cen·o·bite ['si:no,bait; 'sen-; -nə-] *s relig.* Zöno'bit *m*, Klostermönch *m*. — **,cen·o'bit·ic** [-'bitik], **,cen·o'bit·i·cal** *adj* klösterlich, Kloster... — **'cen·o,bit·ism** [-,baitizəm] *s* 'Klosterleben *n*, -wesen *n*, -sy,stem *n*. — **'cen·o·by** [-bi] *s* Zö'nobium *n*, Kloster(gemeinschaft *f*) *n*.

ce·no·gen·e·sis [,si:no'dʒenisis; ,sen-; -nə'dʒ-; -nəsis] *s biol.* Ceno'genesis *f*, Neuentwicklung *f*. — **,ce·no·ge'net·ic** [-dʒə'netik], **ce·nog·o·nous** [si'nɒgənəs] *adj zo.* cenoge'netisch (*den Entwicklungsgang abändernd*).

Ce·no·ma·ni·an [,si:no'meiniən; ,seno-] *geol.* **I** *s* Ceno'man *n* (*unterste Stufe der obersten Kreideformation*). – **II** *adj* ceno'manisch.

cen·o·taph [*Br.* 'senə,tɑ:f; *Am.* -,tæ(:)f] *s* Zeno'taph(ion, -ium) *n*, (leeres) Ehrengrabmal: **the C~** *das brit. Ehrenmal in London für die Gefallenen des 1. Weltkrieges*.

ce·no·zo·ic [,si:nə'zouik; ,sen-] *geol.* **I** *s* Käno'zoikum *n* (*Periode zwischen Tertiär u. Jetztzeit*). – **II** *adj* das Käno'zoikum betreffend.

cense [sens] *v/t* be(weih)räuchern. — **'cen·ser** [-sər] *s* Weihrauchfaß *n*.

cen·sor ['sensər] **I** *s* **1.** Zensor *m*, Kunst-, Schrifttumsprüfer *m*. – **2.** Briefzensor *m*. – **3.** (*Art*) Aufsichtsbeamter *m* (*an brit. Universitäten*). – **4.** *antiq.* Zensor *m*, Sittenrichter *m* (*in Rom*). – **5.** *psych.* Zen'sur *f* (*die das Vordringen von Komplexen ins Bewußtsein verhindert*). – **II** *v/t* **6.** zen'sieren, kritisch prüfen.

cen·so·ri·ous [sen'sɔːriəs] *adj* **1.** kritisch, streng. – **2.** tadelsüchtig, krittelig. – *SYN. cf.* critical. — **cen'so·ri·ous·ness** *s* Tadelsucht *f*, Kritte'lei *f*.

cen·sor·ship ['sensərˌʃip] *s* **1.** Zen'sur *f*: ~ of the press Pressezensur. – **2.** Zensoramt *n*, Amt *n* eines Zensors.

cen·sur·a·ble ['senʃərəbl] *adj* tadelnswert, tadelhaft, sträflich.

cen·sure ['senʃər] **I** *s* **1.** Tadel *m*, Verweis *m*, Rüge *f*: to pass a vote of ~ ein Mißtrauensvotum abgeben. – **2.** Kri'tik *f* (of an *dat*), 'Mißbilligung *f*. – **3.** *obs.* Urteil *n*, Meinung *f*. – **II** *v/t u. v/i* **4.** tadeln, miß'billigen, verurteilen, kriti'sieren. – *SYN. cf.* criticize. — **'cen·sur·er** *s* Tadler *m*.

cen·sus ['sensəs] *s* **1.** Zensus *m*, (Volks)Zählung *f*: to take a ~ eine Zählung vornehmen; ~-paper Zensusformular; ~ tract *Am.* bestimmtes zu statistischen Zwecken herausgegriffenes Gebiet. – **2.** *jur. hist.* (*Art*) Kopfsteuer *f*. – **3.** *antiq.* Zensus *m*, Volks- u. Vermögensabschätzung *f*.

cent [sent] *s* **1.** Hundert *n* (*nur noch in Wendungen wie*): at five per ~ zu 5 Prozent. – **2.** *Am.* Cent *m* (*100. Teil eines Dollars*). – **3.** *colloq.* Pfennig *m*, Heller *m*: not worth a ~ keinen Heller wert. – **4.** *Canad.* Zentner *m*.

cent- [sent] → centi-.

cen·tal ['sentl] *s selten* Zentner *m* (= *45,36 kg*).

cen·tare ['sentɛr] → centiare.

cen·taur ['sentɔːr] *s* **1.** Zen'taur *m*, Ken'taur *m*, Pferdemensch *m*. – **2.** *fig.* Zwitterwesen *n*. – **3.** ausgezeichneter Reiter. – **4.** *astr.* → Centaurus. — **cen'tau·ri·al, cen'tau·ri·an, cen'tau·ric** *adj* **1.** Zentauren..., Kentauren... – **2.** zen'taurenartig, ken'taurenartig.

Cen·tau·rus [sen'tɔːrəs] *s astr.* Zen'taur *m* (*Sternbild*).

cen·tau·ry ['sentɔːri] *s bot.* **1.** (*eine*) Flockenblume (*Gattg Centaurea*). – **2.** Tausend'güldenkraut *n* (*Gattg Centaurium*), *bes.* Gemeines Tausendgüldenkraut (*C. umbellatum*). – **3.** Bitterling *m* (*Chlora perfoliata*).

cen·ta·vo [sen'tɑːvou] *s* Cen'tavo *m* (*kleine Münze; in Südamerika u. den Philippinen der 100. Teil eines Peso*).

cen·te·nar·i·an [ˌsenti'nɛ(ə)riən; -tə-] **I** *adj* hundertjährig, 100 Jahre alt. – **II** *s* Hundertjährige(r). — **cen·te·nar·y** [*Br.* sen'tiːnəri; *Am.* 'sentəˌneri] **I** *adj* **1.** hundertjährig, von 100 Jahren. – **2.** hundert betragend, aus 100 bestehend. – **II** *s* **3.** Jahr'hundert *n*, Zeitraum *m* von 100 Jahren. – **4.** Hundert'jahrfeier *f*, hundertjähriges Jubi'läum.

cen·ten·ni·al [sen'teniəl; -njəl] **I** *adj* hundertjährig. – **II** *s* hundertjähriges Jubi'läum. — **C~ State** *s Am.* (*Spitzname für*) Colo'rado *n*.

cen·ter, *bes. Br.* **cen·tre** ['sentər] **I** *s* **1.** Zentrum *n*, Mittelpunkt *m* (*auch fig.*). – **2.** *pol.* a) Mitte *f* (*Parteien zwischen der Linken u. Rechten*), b) 'Zentrums-, 'Mittelparˌtei *f*. – **3.** *sport* a) Mittelstürmer *m*, b) Mittelspieler *m*. – **4.** (*Basketball etc*) a) Mittelpunkt *m* (*Spielfeld*), b) Spieler, der zu'erst den Ball zu erlangen sucht. – **5.** *mil.* a) Zentrum *n*, Mitte *f* (*Schlachtordnung*), b) Schuß *m* ins Schwarze. – **6.** *fig.* Herd *m*, Ausgangspunkt *m*: → storm ~. – **7.** *math.* Mittelpunkt *m*, Zentrum *n*. – **8.** *med.* (Nerven)Zentrum *n*. – **9.** *tech.* a) Spitze *f*, Korn *n*, Kern *m*, b) Bogenlehre *f*, -gerüst *n*. – **II** *v/t* **10.** in den Mittelpunkt stellen. – **11.** den Mittelpunkt bilden von. – **12.** konzen'trieren, vereinigen (on auf *acc*). – **13.** *tech.* a) zen'trieren, zentrisch *od.* auf die Mitte einstellen, einmitten, b) ankörnen. – **14.** *math.* den Mittelpunkt finden *od.* konstru'ieren von. – **15.** *sport* (*Ball*) flanken, nach der Mitte spielen. – **III** *v/i* **16.** im Mittelpunkt sein. – **17.** sich konzen'trieren (on auf *acc*, round um). – **18.** zu'sammenlaufen (*Linien etc*). – **19.** *fig.* beruhen, sich gründen (on auf *dat*). – **20.** *sport* flanken, den Ball nach der Mitte spielen.

cen·ter| arch, *bes. Br.* **cen·tre| arch** *s* Mittelbogen *m* (*Brücke*). — **~ bit** *s* (*Tischlerei*) Zentrumsbohrer *m*. — **'~ˌboard** *s mar.* **1.** Mittel-, Kielschwert *n*. – **2.** Schwertboot *n*. — **'~ˌboard ves·sel** → centerboard 2. — **~ drill** *s tech.* Zen'trierbohrer *m*. — **~ for·ward** *s* (*Fußball*) Mittelstürmer *m*. — **~ ga(u)ge** *s tech.* Mittelpunktlehre *f*. — **~ half** *s* (*Fußball*) Mittelläufer *m*.

cen·ter·ing, *bes. Br.* **cen·tre·ing, cen·tring** ['sentəriŋ] *s tech.* **1.** Zen'trierung *f*, Einmitten *n*, Mittung *f*. – **2.** Lehrbrett *n*, Lehre *f*, Lehr-, Bogen-, Wölbgerüst *n*. — **~ ga(u)ge** → center ga(u)ge. — **~ lathe** *s tech.* Spitzendrehbank *f*. — **~ ma·chine** *s tech.* Zen'triermaˌschine *f*.

cen·ter| line, *bes. Br.* **cen·tre| line** *s* **1.** Mitte *f*, Mittellinie *f*. – **2.** *mar.* Mittschiffslinie *f*. — **'~·most** [-moust] *adj* **1.** im Zentrum, in der Mitte. – **2.** der Mitte *od.* dem Zentrum am nächsten (gelegen). — **~ of at·trac·tion** *s phys.* Anziehungsmittelpunkt *m* (*auch fig.*). — **~ of cur·va·ture** *s math.* Krümmungsmittelpunkt *m*. — **~ of grav·i·ty** *s phys.* **1.** Schwerpunkt *m*, Schwerkraft- *od.* Schwerezentrum *n*. – **2.** Gleichgewichtspunkt *m*. — **~ of gy·ra·tion** *s phys.* Drehpunkt *m*. — **~ of ho·mol·o·gy** *s math.* Perspektivi'tätszentrum *n*. — **~ of in·er·tia** → center of mass. — **~ of in·ver·sion** *s math.* Inversi'onszentrum *n*. — **~ of mass** *s phys.* Massen-, Trägheitszentrum *n*. — **~ of mo·tion** → center of gyration. — **~ of pres·sure** *s phys. tech.* Druck-, 'Widerstandsmittelpunkt *m*. — **~ of sym·me·try** *s math.* Symme'triezentrum *n*. — **~ of vi·sion** *s math. phys.* Blickpunkt *m*. — **'~ˌpiece** *s* **1.** Mittelteil *m*, -stück *n*. – **2.** (mittlerer) Tafelaufsatz. — **~ punch** *s tech.* (An)Körner *m*, Locheisen *n*, Mittelpunktsucher *m*. — **~ rail** *s* (*Eisenbahn*) Mittelschiene *f*. — **'~-ˌsec·ond** *s* Zen'tralseˌkunde(nzeiger *m*) *f* (*Uhr*).

cen·tes·i·mal [sen'tesiməl; -sə-] *adj* **1.** hundertst(er, e, es). – **2.** zentesi'mal, hundertteilig.

cen·tes·i·mo [sen'tesiˌmou; -sə-] *pl* **-mi** [-ˌmiː] *od.* **-mos** *s* Cen'tesimo *m*: a) *kleinste Münze in Italien; 100. Teil einer Lira*, b) *kleinste Münze in Panama u. Uruguay; 100. Teil eines Peso*.

centi- [senti] *Wortelement mit der Bedeutung* a) hundert, b) hundertstel.

cen·ti·are ['sentiˌɛr] *s* Qua'dratmeter *n*.

cen·ti·grade ['sentiˌgreid; -tə-] *adj* hundertteilig, -gradig: → thermometer.

cen·ti·gram, cen·ti·gramme ['sentiˌgræm; -tə-] *s* Zentigramm *n*, hundertster Teil eines Gramms.

cen·ti·li·ter, *bes. Br.* **cen·ti·li·tre** ['sentiˌliːtər; -tə-] *s* Zentiliter *n*.

cen·til·lion [sen'tiljən] *s math.* 'Zentilliˌon *f* (*Am.* 1000^{100}, *Br.* $1\,000\,000^{100}$).

cen·time ['sɑːntiːm; sɑ̃'tim] *s* Cen'time *m* (*hundertster Teil eines belg., franz. od. Schweizer Franken*).

cen·ti·me·ter, *bes. Br.* **cen·ti·me·tre** ['sentiˌmiːtər; -tə-] *s* Zentimeter *n*. — **'~-'gram-'sec·ond** *s phys.* Zenti'meter-ˌGramm-Seˌkunde *f*.

cen·ti·mo ['sentiˌmou; -tə-] *pl* **-mos** *s* Centimo *m* (*100. Teil eines Bolivars, Colons, Guarani od. einer Pesete*).

cen·ti·pede ['sentipiːd; -tə-] *s zo.* Hundertfüßer *m* (*Klasse Chilopoda*).

cen·ti·stere ['sentiˌstir; -tə-] *s* Ku'bikzentimeter *n*.

cent·ner ['sentnər] *s* **1.** Zentner *m* (*50 kg; in verschiedenen europ. Ländern*): metric ~, double ~ Doppelzentner. – **2.** *selten* Doppelzentner *m* (= *100 kg*).

cen·to ['sentou] *pl* **-tos** *s* **1.** Kompilati'on *f* (*aus entlehnten Bruchstücken zusammengesetzte Musik od. Dichtung*). – **2.** *obs.* Flickwerk *n*.

centr- [sentr] → centro-.

cen·tral[1] ['sentrəl] **I** *adj* **1.** zen'tral (gelegen), zentrisch. – **2.** Mittel(punkts)... – **3.** Haupt..., Zentral... – **4.** *med.* die Nervenzentren betreffend. – **5.** (*Phonetik*) in der Mitte des Mundes gebildet (*Laut*). – **II** *s* **6.** Zen'trale *f*, Zen'tralstelle *f*. – **7.** *Am.* a) (Tele'phon)Zenˌtrale *f*, b) Fernsprechvermittler(in) (*in einer Zentrale*).

cen·tral[2] [sen'tral] (*Span.*) *s* zen'trale 'Zuckerfaˌbrik (*für ein größeres Zuckerrohranbaugebiet*).

Cen·tral A·mer·i·can *adj* zen'tralameriˌkanisch.

cen·tral| bank *s econ.* Zen'tralbank *f*. — **~ ca·nal** *s med.* 'Rückenmarks-, Zen'tralkaˌnal *m*. — **~ cyl·in·der** *s bot.* Zen'tralzyˌlinder *m* (*Stamm- u. Wurzelteil innerhalb der Rinde*). — **C~ Eu·ro·pe·an time** *s* mitteleurop. Zeit *f* (*Abkürzung* M.E.Z.). — **~ heat·ing** *s* Zen'tralheizung *f*.

cen·tral·ism ['sentrəˌlizəm] *s* (Poli'tik *f* *od.* Sy'stem *n* der) Zentrali'sierung *f*, Zentra'lismus *m*. — **'cen·tral·ist** *s* Zentra'list *m*. — **'cen·tralˌite** [-ˌlait] *s tech.* *Zusatz zu festem Raketentreibstoff*. — **cen'tral·i·ty** [-'træliti; -əti] *s* Zentrali'tät *f*, zen'trale Lage. — **ˌcen·tral·i'za·tion** *s* Zentralisati'on *f*, Zentrali'sierung *f* (*bes. Verwaltung*). — **'cen·tralˌize I** *v/t* zentrali'sieren, (in einem Punkt) vereinigen. – **II** *v/i* sich zentrali'sieren, an einem Punkt zu'sammenkommen.

cen·tral| lu·bri·ca·tion *s tech.* Zen'tralschmierung *f*. — **~ nerv·ous sys·tem** *s med.* Zen'tralˌnervensyˌstem *n*. — **~ point** *s* **1.** *math.* Mittelpunkt *m*. – **2.** *electr.* a) Null- *od.* Sternpunkt *m* (*bei Dreiphasenstrom*), b) Null- *od.* Mittelpunkt *m* (*bei Zweiphasenstrom*). — **C~ Pow·ers** *s pl pol. hist.* Mittelmächte *pl* (*Deutschland, Österreich-Ungarn, zeitweise auch Bulgarien u. die Türkei*). — **~ sta·tion** *s* **1.** *mar.* ('Bord)Zenˌtrale *f*, Kom'mandostand *m*. – **2.** Haupt-, Zen'tralbahnhof *m*. – **3.** *electr.* Zen'tral-, 'Hauptstatiˌon *f*.

cen·tranth ['sentrænθ] *s bot.* Spornblume *f* (*Gattg Centranthus*).

cen·tre *bes. Br. für* center. — **~ arch** *etc bes. Br. für* center arch *etc.*

cen·tre·ing ['sentəriŋ] *bes. Br. für* centering.

centri- [sentri] → centro-.

cen·tric ['sentrik], **'cen·tri·cal** [-kəl] *adj* **1.** zen'tral, zentrisch, mittig, im Mittelpunkt befindlich. – **2.** *med.* ein Nervenzentrum betreffend. — **cen'tric·i·ty** [-'trisiti; -əti] *s* zen'trale Lage.

cen·trif·u·gal [sen'trifjugəl] **I** *adj* **1.** *phys.* zentrifu'gal, vom Zentrum fortstrebend. – **2.** *med.* zentrifu'gal (*Nerven*). – **II** *s tech.* **3.** Trommel *f* der Zentri'fuge. – 4. → centrifuge I. — ~ **blow·er** *s tech.* Schleudergebläse *n.* — ~ **brake** *s tech.* Zentrifu'galbremse *f.* — ~ **cast·ing** *s tech.* Schleuder-, Zentrifu'galguß *m.* — ~ **clutch** *s tech.* Fliehkraftkupplung *f.* — ~ **drill** *s tech.* Schwungbohrer *m.* — ~ **force** *s phys.* Flieh-, Zentrifu'galkraft *f.* — ~ **gov·er·nor** *s tech.* Fliehkraft-, Zentrifu'galregler *m.* — ~ **in·flo·res·cence** *s bot. Blütenstand, in dem sich die mittlere Blüte zuerst entfaltet.*

cen·trif·u·gal·ize [sen'trifjugə,laiz] → centrifuge II.

cen·trif·u·gal pump *s tech.* Kreisel-, Schleuder-, Zentrifu'galpumpe *f.* — ~ **weight** *s phys.* Schwung-, Fliehgewicht *n.*

cen·trif·u·gate [sen'trifju,geit; -jə-] → centrifuge II.

cen·tri·fuge ['sentri,fju:dʒ; -trə-] *tech.* **I** *s* Zentri'fuge *f*, Trennschleuder *f.* – **II** *v/t* schleudern, zentrifu'gieren. — **cen'trif·u·gence** [-judʒəns; -jə-] *s* **1.** Flieh-, Zentrifu'galkraft *f.* – **2.** Bestreben *n*, sich vom Zentrum zu entfernen.

cen·tring ['sentriŋ] *bes. Br. für* centering.

cen·trip·e·tal [sen'tripitl; -pə-] *adj* zentripe'tal, zum Mittelpunkt strebend: ~ force Zentripetalkraft; ~ inflorescence *bot. Blütenstand, dessen Randblüten sich zuerst entfalten.* — **cen'trip·e·tence** *s* **1.** Zentripe'talkraft *f.* – **2.** Streben *n* nach dem Mittelpunkt.

cen·trist ['sentrist] *s pol.* Anhänger *m* einer Par'tei der Mitte.

centro- [sentro] *Wortelement mit der Bedeutung* Mitte, mittler(er, e, es), zentral.

cen·tro·bar·ic [,sentro'bærik; -trə-] *adj* bary'zentrisch, auf den Schwerpunkt bezüglich: ~ method *phys.* Guldinsche Regel.

cen·trode ['sentroud] *s (Kinematik)* Zen'trode *f*, Walzbahn *f.*

cen·troid ['sentrɔid] *s phys.* Schwerpunkt *m.*

cen·tro·some ['sentrə,soum] *s biol.* Zentro'som *n*, Zen'tralkörperchen *n.*

cen·tro·sphere ['sentrə,sfir] *s* **1.** *geol.* Erdmitte *f.* – **2.** *biol.* ki'netisches Zentrum.

cen·trum ['sentrəm] *pl* **cen·tra** [-trə] *s* **1.** *geol.* Zentrum *n*, Herd *m (Erdbeben).* – **2.** *zo.* Wirbelkörper *m.* – **3.** → centrosome. – **4.** → center.

cen·tum lan·guag·es ['sentəm] *s pl ling.* Kentumsprachen *pl (Untergruppe der indogermanischen Sprachen).*

cen·tum·vir [sen'tʌmvər] *pl* **-virs, -vi·ri** [-,rai] *s antiq.* Zentumvir *m (Mitglied eines röm. Zivilgerichtshofs).*

cen·tu·ple ['sentjupl; *Am. auch* -tu-] **I** *adj* hundertfach, hundertfältig. – **II** *v/t* verhundertfachen. – **III** *s* Hundertfaches *n.* — **cen·tu·pli·cate** [sen'tju:plikit; -,keit; -plə-] **I** *adj* **1.** hundertfach. – **II** *v/t* [-,keit] **2.** verhundertfachen. – **3.** in hundertfacher Ausfertigung anfertigen. – **III** *s* **4.** Hundertfaches *n.* – **5.** hundertfache Ausfertigung: in ~.

cen·tu·ri·al [sen'tju(ə)riəl; *Am. auch* -'tu:r-] *adj* **1.** hundertjährig, 100 Jahre alt. – **2.** in (Jahr)'Hunderte eingeteilt. – **3.** eine röm. Zen'turie betreffend.

cen·tu·ri·on [sen'tju(ə)riən; *Am. auch* -'tu:r-] *s mil.* Zen'turio *m (Hauptmann einer röm. Zenturie).*

cen·tu·ry ['sentʃəri; *Br. auch* -tʃuri] *s* **1.** Jahrhundert *n*: centuries-old jahrhundertealt. – **2.** Satz *m od.* Gruppe *f* von hundert: a) *sport* 100 Punkte *pl*, b) *(Rennsport)* 100 Meilen *pl*, c) *(Kricket)* 100 Läufe *pl.* – **3.** *print. eine Typenart.* – **4.** *antiq.* Zen'turie *f*, Hundertschaft *f*: a) *im röm. Heer*, b) *in der röm. Verwaltung.* — ~ **plant** *s bot. (eine)* A'gave *(Agave americana).*

ceorl [tʃeɔ:rl] *s hist.* Freier *m (der untersten Stufe bei den Angelsachsen).*

ceph·al·ad ['sefə,læd] *adv zo.* nach dem Kopf zu, kopfwärts.

ce·phal·ic [se'fælik; si-; sə-] *adj* **1.** *med. zo.* Schädel..., Kopf..., den Schädel betreffend. – **2.** *zo.* a) am Kopf gelegen, b) kopfwärts. – **3.** kopfähnlich.

-cephalic [sefælik; si-; sə-] *Wortelement mit der Bedeutung* Kopf, Schädel.

ce·phal·ic in·dex *s* Schädelindex *m.*

ceph·a·li·za·tion [,sefəlai'zeiʃən; *Am. auch* -fələ-] *s med. zo.* Cephalisati'on *f (Konzentration von Organen im Kopf).*

cephalo- [sefəlo] *Wortelement mit der Bedeutung* Kopf, Schädel.

ceph·a·lom·e·ter [,sefə'lɒmitər; -mə-] *s* Kranio'meter *n (Schädelmeßinstrument).* — **,ceph·a'lom·e·try** [-tri] *s* Kraniome'trie *f (Schädelmessung).*

ceph·a·lo·pod ['sefələ,pɒd] *s zo.* Kopffüßer *m (Klasse Cephalopoda).*

ceph·a·lo·tho·rax [,sefəlo'θɔ:ræks] *s zo.* Kopfbruststück *n (gewisser Insekten u. Krustentiere).*

ceph·a·lous ['sefələs] *adj zo.* einen Kopf besitzend.

-cephalous [sefələs] *Wortelement mit der Bedeutung* ...köpfig.

Ce·pheus ['si:fju:s; -fiəs] *s astr.* Kepheus *m (nördl. Sternbild).*

cer- [sir; ser] → cero-.

ce·ra·cious [sə'reiʃəs] *adj* wachsartig.

ce·ram·ic [sə'ræmik; si-] **I** *adj* ke'ramisch. – **II** *s* → ceramics. — **ce'ram·ics** *s pl* **1.** *(als sg konstruiert)* Ke'ramik *f*, Töpferkunst *f.* – **2.** *(als pl konstruiert)* Töpferware(n *pl*) *f*, Ke'ramikgegenstände *pl.* — **cer·a·mist** ['serəmist] *s* Ke'ramiker *m.*

cer·a·mog·ra·phy [,serə'mɒgrəfi] *s* Keramogra'phie *f*: a) *Beschreibung von keramischen Werken*, b) *Malerei auf Tongefäßen.*

ce·rar·gy·rite [sə'rɑ:rdʒə,rait] *s min.* Silberspat *m*, Hornerz *n.*

cer·a·sin ['serəsin] *s chem.* Kera'sin *n (ein Zerebrosid).*

ce·ras·tes [sə'ræsti:z] *s zo.* Hornviper *f (Cerastes cornutus).*

ce·ras·ti·um [sə'ræstiəm] *s bot.* Hornkraut *n (Gattg Cerastium).*

ce·rate ['si(ə)reit] *s med.* Wachssalbe *f*, -pflaster *n.*

cerato- [serəto] *Wortelement mit der Bedeutung* Horn.

ce·rat·o·dus [sə'rætədəs; ,serə'toudəs] *s zo.* **1.** *(ein)* austral. Lungenfisch *m (Gattg Neoceratodus).* – **2.** *(ein)* fos'siler Lungenfisch *(Gattg Ceratodus).*

cer·a·toid ['serə,tɔid] *adj* hornig, hornähnlich.

Cer·be·re·an [sər'bi(ə)riən] *adj* Zerberus..., zerberusgleich.

Cer·ber·us ['sə:rbərəs] *s* **1.** *fig.* Zerberus *m*, grimmiger Wächter *od.* Por'tier: → sop. – **2.** *astr.* Zerberus *m (Sternbild im Herkules).*

cer·ca·ri·a [sər'kɛ(ə)riə] *s pl zo.* Schwanzlarve *f (der Saugwürmer).* — **cer'car·i·al, cer'car·i·an** *adj* Schwanzlarven...

cere [sir] **I** *s* **1.** *zo.* Wachshaut *f (am Schnabel von Raubvögeln u. Papageien).* – **II** *v/t* **2.** in Wachstuch einhüllen. – **3.** *fig.* versiegeln.

ce·re·al ['si(ə)riəl] **I** *adj* **1.** Getreide... – **II** *s* **2.** Zere'alie *f*, Getreidepflanze *f*, Kornfrucht *f.* – **3.** Zere'alien *pl (Frühstückskost aus Getreide)*, Getreideflocken(gericht *n*) *pl.*

cer·e·bel·lar [,seri'belər] *adj med.* zerebel'lar, Kleinhirn... — **,cer·e'bel·lum** [-ləm] *pl* **-la** [-lə] *s med.* Zere'bellum *n*, Kleinhirn *n.*

cer·e·bral ['seribrəl; -rə-] **I** *adj* **1.** *med.* Gehirn... – **2.** *ling.* Kakuminal... – **3.** gedankenreich, intellektu'ell, geistig anspruchsvoll. – **II** *s* **4.** *ling.* Kakumi'nallaut *m.*

cer·e·brate ['seri,breit; -rə-] **I** *v/i* über'legen, scharf (nach)denken. – **II** *v/t* durch'denken. — **,cer·e'bra·tion** *s* **1.** 'Denkpro,zeß *m*, Gehirntätigkeit *f.* – **2.** Denken *n*, Gedanke *m.*

cer·e·bric ['seribrik; -rə-; sə'rebrik] *adj* zum Hirn gehörig.

cerebro- [seribro; -rə-] *Wortelement mit der Bedeutung* Gehirn.

cer·e·bro·spi·nal men·in·gi·tis [,seribro'spainəl; -rə-] *s med.* Genickstarre *f.*

cer·e·brum ['seribrəm; -rə-] *pl* **-brums** *od.* **-bra** [-brə] *s med.* Cerebrum *n*, Großhirn *n.*

'cere,cloth *s* Wachstuch *n*, -leinwand *f*, *bes. als* Leichentuch *n.*

cere·ment ['sirmənt] *s meist pl* **1.** → cerecloth. – **2.** Leichengewand *n*, Totenhemd *n.*

cer·e·mo·ni·al [,seri'mouniəl; -njəl; -rə-] **I** *adj* **1.** zeremoni'ell, feierlich. – **2.** ritu'ell. – **3.** förmlich, zeremoni'ös. – *SYN.* ceremonious, conventional, formal. – **II** *s* **4.** Zeremoni'ell *n.* – **5.** traditio'nelle Höflichkeitsform. – **6.** Zere'monienbuch *n.* — **,cer·e'mo·ni·al,ism** *s* Vorliebe *f* für Zere'monien. — **,cer·e'mo·ni·al·ist** *s* Liebhaber *m* von Zere'monien.

cer·e·mo·ni·ous [,seri'mouniəs; -njəs; -rə-] *adj* **1.** feierlich. – **2.** zeremoni'ös, förmlich, ritu'ell. – **3.** steif. – *SYN. cf.* ceremonial. — **,cer·e'mo·ni·ous·ness** *s* **1.** Feierlichkeit *f.* – **2.** Förmlichkeit *f*, 'Umständlichkeit *f.*

cer·e·mo·ny [*Br.* 'seriməni; *Am.* 'serə,mouni] *s* **1.** Zere'monie *f*, Feierlichkeit *f*, feierlicher Brauch. – **2.** Förmlichkeit *f*, Festhalten *n* an über'lieferten Formen. – **3.** Höflichkeitsgeste *f.*

ce·re·ous ['si(ə)riəs] *adj* wächsern, wachsartig.

ce·re·us ['si(ə)riəs] *s bot.* Säulenkaktus *m*, Fackeldistel *f (Gattg Cereus).*

ce·ri·a ['si(ə)riə] *s chem.* 'Zeriumo,xyd *n* (CeO_2).

ce·ric ['si(ə)rik; 'ser-] *adj chem.* Ceri...

ce·rif·er·ous [sə'rifərəs] *adj* Wachs erzeugend.

cer·iph *cf.* serif.

ce·rise [sə'ri:z; -'ri:s] **I** *adj* kirschrot, ce'rise. – **II** *s* Kirschrot *n.*

ce·rite ['si(ə)rait] *s chem.* Ce'rit *m.*

ce·ri·um ['si(ə)riəm] *s chem.* Cer(ium) *n* (Ce). — ~ **met·als** *s pl* Ce'rite *pl.*

cer·nu·ous ['sə:rnjuəs; *Am. auch* -nu-] *adj bot.* nickend.

ce·ro ['si(ə)rou] *s zo.* **1.** *(eine)* Ma'krele *(Sierra cavalla).* – **2.** *auch* spotted ~ → pintado 3.

cero- [si(ə)ro; sero] *Wortelement mit der Bedeutung* Wachs.

ce·ro·graph ['si(ə)ro,græ(:)f; -rə-; 'ser-; *Br. auch* -,grɑ:f] *s* Zerogra'phie *f*, 'Wachsgra,vierung *f.* — **,ce·ro'graph·ic, ,ce·ro'graph·i·cal** *adj* zero'graphisch. — **ce'rog·ra·phist** [-'rɒgrəfist] *s* Zero'graph *m*, 'Wachsgra,vierer *m.* — **ce'rog·ra·phy** *s* Zerogra'phie *f*, 'Wachsgra,vierung *f.*

ce·ro·man·cy ['si(ə)ro,mænsi; -rə-; 'ser-] *s* Zeroman'tie *f*, Wahrsagen *n* aus Wachstropfen im Wasser.

ce·ro·plast ['si(ə)ro,plæst; -rə-; 'ser-] **I** *adj* → ceroplastic. – **II** *s* 'Wachsmo,dell *n*, Zero'plastik *f.* — **,ce·ro'plas·tic** *adj* zero'plastisch. — **,ce·ro'plas·tics** *s pl (als sg konstruiert)* Zero'plastik *f*, ,Wachsbildne'rei *f.*

ce·ro·tate ['si(ə)ro,teit; -rə-; 'ser-] *s chem.* Cero'tat *n.*

ce·ro·tene ['si(ə)ro,ti:n; 'ser-; -rə-] *s chem.* Cero'ten *n* ($C_{27}H_{54}$).

ce·rot·ic [si'rɒtik] *adj chem.* Cerotin...: ~ acid Cerotinsäure ($C_{26}H_{52}O_2$).
ce·ro·tin ['si(ə)rətin; 'ser-] *s chem.* Cero'tin *n*, Ce'ryl͵alkohol *m* ($C_{26}H_{54}O$).
ce·ro·type ['si(ə)rə͵taip; 'ser-] *s print.* Wachsdruckverfahren *n*.
ce·rous[1] ['si(ə)rəs] *adj chem.* Cero...
ce·rous[2] ['si(ə)rəs] *adj zo.* wachshautartig.
cer·ris ['seris] *s bot.* Zerreiche *f* (*Quercus cerris*).
cert [sə:rt] *s Br. sl.* ‚todsichere Sache'.
cer·tain ['sə:rtn] *adj* **1.** (*meist von Sachen*) sicher, gewiß, bestimmt, unbestreitbar: it is ~ that es ist sicher, daß; it is ~ to happen es wird gewiß geschehen; for ~ mit Sicherheit. – **2.** (*meist von Personen*) über'zeugt, sicher, gewiß: to be ~ of s.th. einer Sache sicher *od.* gewiß sein; to make ~ of s.th. sich einer Sache vergewissern. – **3.** verläßlich, zuverlässig, sicher: a ~ remedy ein sicheres Mittel; the news is quite ~ die Nachricht ist durchaus zuverlässig. – **4.** bestimmt: a ~ day ein (ganz) bestimmter Tag. – **5.** gewiß: a ~ Mr. Brown ein gewisser Herr Brown; in a ~ sense in gewissem Sinne; to a ~ extent bis zu einem gewissen Grade, gewissermaßen; for ~ reasons aus gewissen Gründen. – *SYN. cf.* sure. — **'cer·tain·ly** *adv* **1.** sicher, gewiß, zweifellos, bestimmt. – **2.** (*in Antworten*) sicherlich, aber sicher, bestimmt, na'türlich.
cer·tain·ty ['sə:rtnti] *s* **1.** Sicherheit *f*, Bestimmtheit *f*, Gewißheit *f*: to know for (*od.* of, to) a ~ mit Sicherheit wissen. – **2.** Über'zeugung *f*. – *SYN.* assurance, certitude, conviction.
cer·tes ['sə:rtiz; -ti:z] *adv obs.* sicherlich, für'wahr, gewißlich.
cer·ti·fi·a·ble ['sə:rti͵faiəbl; -tə-] *adj* **1.** sicher feststellbar. – **2.** *Br.* von gestörtem Geisteszustand (*der eine Entmündigung rechtfertigt*). – **3.** *med.* melde-, anmeldungspflichtig (*Krankheit*).
cer·tif·i·cate I *s* [sər'tifikit; -fə-] **1.** Bescheinigung *f*, At'test *n*, Schein *m*, Zertifi'kat *n*, Urkunde *f*: ~ of deposit *econ.* Depotschein, -quittung (*Bank*); → incorporation 3; ~ of indebtedness *econ.* a) Schuldschein, b) *Am.* Schatzanweisung (*kurzfristige festverzinsliche Anweisung des Schatzamtes der USA*); ~ of origin *econ.* Ursprungszeugnis (*eines Schiffes od. einer Ware*); ~ of stock *econ. Am.* Aktienzertifikat (*Bescheinigung über den Kapitalanteil eines Aktionärs*). – **2.** *ped.* Zeugnis *n*: General C~ of Education *Br.* (*in England u. Wales*) a) *Zwischenprüfung nach dem 4. od. 5. Jahr der höheren Schule*, b) *auch* General C~ of Education (advanced level) (*etwa*) Abitur(zeugnis), Reifeprüfung *od.* -zeugnis; higher school ~ *Br.* (*vor 1950*) Abgangszeugnis der höheren Schule, (*etwa*) Abitur; school ~ Schulzeugnis, *bes.* Abgangszeugnis. – **3.** Gutachten *n*. – **4.** *econ.* a) Geleitzettel *m* (*Zollbehörde*), b) *Am. Papiergeld mit dem Vermerk, daß Gold od. Silber als Gegenwert hinterlegt wurde*. – **5.** *mar.* Befähigungsschein *m* (*Handelskapitän*). – **II** *v/t* [-͵keit] **6.** (*etwas*) bescheinigen, eine Bescheinigung *od.* ein Zeugnis ausstellen über (*acc*). – **7.** (*j-m*) eine Bescheinigung *od.* ein Zeugnis geben: ~d engineer Diplomingenieur.
cer·ti·fi·ca·tion [͵sə:rtifi'keiʃən; -təfə-] *s* **1.** Ausstellen *n* einer Bescheinigung. – **2.** Bescheinigung *f*, Schein *m*. – **3.** (amtliche) Beglaubigung. – **4.** beglaubigte Erklärung. – **5.** *econ.* Garan'tieerklärung *f* (*auf einem Scheck durch eine Bank*). — **cer·tif·i·ca·to·ry** [*Br.* sər'tifi͵keitəri; *Am.* -fəkə͵tɔ:ri] *adj* bescheinigend, beglaubigend, Beglaubigungs...
cer·ti·fied ['sə:rti͵faid; -tə-] *adj* **1.** bescheinigt, beglaubigt: → copy 1. – **2.** garan'tiert. – **3.** *med. Br.* für unzurechnungsfähig erklärt. — ~ **check** *s econ. Am.* (*von einer Bank als gedeckt*) bestätigter Scheck. — ~ **milk** *s* amtlich geprüfte Milch. — ~ **pub·lic ac·count·ant** *s econ. Am.* amtlich zugelassener Wirtschaftsprüfer.
cer·ti·fi·er ['sə:rti͵faiər; -tə-] *s* Aussteller *m* einer Bescheinigung.
cer·ti·fy ['sə:rti͵fai; -tə-] **I** *v/t* **1.** bescheinigen, versichern, atte'stieren: this is to ~ that es wird hiermit bescheinigt, daß. – **2.** beglaubigen, beurkunden. – **3.** *econ. Am.* (*Scheck*) als gedeckt bestätigen (*Bank*). – **4.** (*j-n*) vergewissern (of *gen*). – **5.** *med. Br.* (*j-n*) amtlich für geistesgestört erklären. – **II** *v/i* **6.** einstehen, zeugen (for, to für): to ~ to s.th. etwas bezeugen. – *SYN. cf.* approve.
cer·ti·o·ra·ri [͵sə:rʃiə:'rɛ(ə)rai; -ʃiə-] *s jur.* Aktenanforderung *f* (*Aufforderung eines höheren an ein niederes Gericht, Prozeßakten vorzulegen*).
cer·ti·tude ['sə:rti͵tju:d; -tə-; *Am. auch* -͵tu:d] *s* (innere) Gewißheit, Über'zeugung *f*. – *SYN. cf.* certainty.
ce·ru·le·an [si'ru:liən; sə-] *poet.* **I** *adj* himmel-, tiefblau. – **II** *s* Himmel-, Tiefblau *n*. — ~ **war·bler** *s zo. Am.* Blauer Baumwaldsänger (*Dendroica cerulea*).
ce·ru·men [si'ru:men; sə-; -mən] *s med.* Ce'rumen *n*, Ohrenschmalz *n*. — **ce'ru·mi·nous** [-minəs; -mə-] *adj med.* **1.** zerumi'nös, ohrenschmalzartig. – **2.** Ohrenschmalz...: ~ gland.
ce·ruse ['si(ə)ru:s; si'ru:s] *s* **1.** *chem.* Bleiweiß *n*. – **2.** (*Art*) weiße Schminke. – **3.** → cerussite. — **'ce·rus͵site** [-rə͵sait] *s min.* Cerus'sit *m*, Weißbleierz *n* ($PbCO_3$).
cervic- [sə:rvik] → cervico-.
cer·vi·cal ['sə:rvikəl] *med.* **I** *adj* zervi'kal: a) *den Hals od. Nacken betreffend*, b) *den Gebärmutterhals betreffend*. – **II** *s* Halswirbel *m*.
cer·vi·ci·tis [͵sə:rvi'saitis; -və-] *s med.* Cervi'citis *f*, 'Zervixka͵tarrh *m*.
cervico- [sə:rviko; -və-] *Wortelement mit der Bedeutung* a) Genick, Hals, b) Gebärmutterhals.
cer·vine ['sə:rvain; -vin] **I** *adj* **1.** *zo.* hirschartig, Hirsch... – **2.** schwarzbraun. – **II** *s* **3.** *zo.* Hirschtier *n*.
cer·vix ['sə:rviks] *pl* **-vi·ces** [sər'vaisi:z] *od.* **-vix·es** [-viksiz] *s med.* **1.** Hals *m*, *bes.* Genick *n*. – **2.** Hals *m* (*eines Organs*), *bes.* Gebärmutterhals *m*.
ce·ryl ['si(ə)ril] *s chem.* Ce'ryl-Radi͵kal *n*: ~ alcohol Cerylalkohol.
Ce·sar·e·an *cf.* Caesarean.
ce·sar·e·vitch [si'za:rəvitʃ] *s hist.* Za'rewitsch *m* (*russ. Kronprinz*).
Ce·sar·e·witch [si'za:rəwitʃ] *s Pferderennen in Newmarket, England.*
ce·si·um *cf.* caesium.
ces·pi·tose ['sespi͵tous; -pə-] *adj* **1.** *bot.* rasig, in dichten Büscheln wachsend. – **2.** *zo.* mit wirren Haaren bedeckt.
cess[1] [ses] *s* **1.** *Irish od. dial.* Steuer *f*. – **2.** *Br. Ind.* Auflage *f*, Gebühr *f*.
cess[2] [ses] *v/i obs.* **1.** aufhören. – **2.** eine gesetzliche Pflicht unter'lassen.
cess[3] [ses] *s Irish* Glück *n* (*bes. in*): bad ~ to you! die Pest über dich!
ces·sa·tion [se'seiʃən] *s* Aufhören *n*, Einstellen *n*, Stillstand *m*, Ruhe *f*.
cess·er ['sesər] *s jur.* Aufhören *n*, Einstellung *f*.
ces·sion ['seʃən] *s* Zessi'on *f*, Abtretung *f*. — **'ces·sion·ar·y** [*Br.* -nəri; *Am.* -͵neri] *s* Zessio'nar *m*, Rechtsnachfolger *m*.
'cess͵pit, 'cess͵pool *s* **1.** Abtritt-, Jauchen-, Senk-, Sickergrube *f*. – **2.** *fig.* Pfuhl *m*: a cesspool of iniquity ein Sündenpfuhl.
ces·tode ['sestoud] *pl* **-to·da** [-'toudə] *s zo.* Bandwurm *m* (*Ordng Cestodes*).
ces·toid ['sestɔid] **I** *s zo.* Bandwurm *m*. – **II** *adj* bandwurmartig.
ces·tus[1] ['sestəs] *s* **1.** Gürtel *m*. – **2.** Venusgürtel *m*. – **3.** Brautgürtel *m*.
ces·tus[2] ['sestəs] *s antiq.* Cestus *m* (*Kampfriemen der Faustkämpfer*).
ce·su·ra, ce·su·ral *cf.* caesura, caesural.
ce·ta·cean [si'teiʃən] *zo.* **I** *s* Wal *m* (*Ordng Cetacea*). – **II** *adj* Wal..., zu den Walen gehörig. — **ce'ta·ceous** [-ʃəs] *adj zo.* walartig, Wal...
ce·tane ['si:tein] *s chem.* Ce'tan *m* ($C_{16}H_{34}$; *Bestandteil des Petroleums*). — ~ **num·ber** *s chem.* Ce'tanzahl *f*, -wert *m* (*Vergleichszahl für Zündwilligkeit von [Diesel]Schweröl*).
ce·te·ris pa·ri·bus ['setəris 'pæribəs] (*Lat.*) bei sonstiger Gleichheit.
ce·tin ['si:tin] *s chem.* Ze'tin *n*, Walratfett *n* ($C_{32}H_{64}O_2$).
Ce·tus ['si:təs] *s astr.* Cetus *m*, Walfisch *m* (*Sternbild über dem Äquator*).
ce·vi·tam·ic ac·id [͵si:vai'tæmik; -vi-] *s chem.* Vita'min C *n*.
Cey·lon moss [si'lɒn] *s bot.* Ceylon-Moos *n* (*Gracilaria lichenoides*).
chab·a·zite ['kæbə͵zait] *s min.* Chaba'sit *m* (*ein Zeolith*).
Cha·blis ['ʃæbli; -li:] *s* Cha'blis *m* (*trockener, weißer Burgunderwein*).
cha·bouk, cha·buk ['tʃa:buk] *s* persische Peitsche.
cha·cha(-cha) ['tʃa:'tʃa:('tʃa:)] *s* Cha-cha-cha *f* (*Tanz latein-amer. Ursprungs*).
cha·cha·la·ca [͵tʃa:tʃa:'la:ka:] *s zo.* Mexik. Guan *m* (*Ortalis vetula macalli; Hokkohuhn*).
chac·ma ['tʃækmə] *s zo.* Bärenpavian *m*, Tschakma *m* (*Papio porcarius; Südafrika*).
cha·conne [ʃa'kɔn] (*Fr.*) *s mus.* Cha'conne *f*: a) *alter span. Tanz*, b) *Variationsform über Basso ostinato*.
chae·ta ['ki:tə] *s zo.* Borste *f* (*in der Haut der Borstenwürmer*).
chaeto- [ki:to] *Wortelement mit der Bedeutung* Haar..., Borsten...
chae·tog·nath ['ki:tɒg͵næθ] *s zo.* Pfeilwurm *m*, Borstenkiefer(wurm) *m* (*Klasse Chaetognatha*).
chae·toph·o·rous [ki'tɒfərəs] *adj zo.* borstentragend.
chae·to·pod ['ki:to͵pɒd; -tə-] *zo.* **I** *s* Borstenwurm *m* (*Klasse Chaetopoda*). – **II** *adj* borstenfüßig, zu den Borstenwürmern gehörig.
chafe [tʃeif] **I** *v/t* **1.** warmreiben, frot'tieren. – **2.** (auf-, 'durch)reiben, scheuern, wund reiben: to ~ a cable ein Kabel durchreiben; clothing that ~s one's skin Kleidung, die auf der Haut scheuert. – **3.** *fig.* ärgerlich machen, ärgern, reizen. – **II** *v/i* **4.** (sich 'durch)reiben, scheuern, schaben. – **5.** sich reiben (*an etwas*). – **6.** *mar.* schamfielen. – **7.** toben, wüten. – **8.** sich abhärmen, leiden. – **III** *s* **9.** wund- *od.* 'durchgescheuerte Stelle. – **10.** *obs.* Ärger *m*, Zorn *m*.
chaf·er ['tʃeifər] *s zo. bes. Br.* Käfer *m*, *bes.* Mai- *od.* Junikäfer *m*.
chaff[1] [*Br.* tʃa:f; *Am.* tʃæ(:)f] *s* **1.** Spreu *f*, Kaff *n* (*auch fig.*): to separate the ~ from the wheat die Spreu vom Weizen scheiden. – **2.** Häcksel *m*, *n*. – **3.** wertloses Zeug, unbedeutende Angelegenheit. – **4.** *mil.* Düppel-, Stani'olstreifen *m*, Radarstörfolie *f*.
chaff[2] [*Br.* tʃa:f; *Am.* tʃæ(:)f] *colloq.* **I** *v/t u. v/i* necken, aufziehen. – **II** *s* Necke'rei *f*, Schäke'rei *f*.
'chaff͵cut·ter *s agr.* **1.** Häckselschneider *m*. – **2.** Häckselbank *f*.
chaf·fer ['tʃæfər] **I** *s* **1.** Handeln *n*, Feilschen *n*. – **II** *v/i* **2.** handeln,

feilschen, schachern. – 3. schwatzen, da'herreden.

chaf·fer·er ['tʃæfərər] s Händler m, Schacherer m.

chaf·finch ['tʃæfintʃ] s zo. Buchfink m (*Fringilla coelebs*).

'chaff,weed s bot. Ackerkleinling m (*Centunculus minimus*).

chaff·y [*Br.* 'tʃɑːfi; *Am.* 'tʃæ(ː)fi] adj 1. spreuartig, voller Spreu. – 2. fig. wertlos, gehaltlos, hohl.

chaf·ing ['tʃeifiŋ] s 1. ('Durch-, Wund-)Reiben n, Scheuern n. – 2. mar. Schamfielen n. – 3. med. wunde Haut, Wolf m. – 4. Wut f, Ärger m. — **~ dish** s 1. Wärmepfanne f. – 2. Tischkochgerät n. — **~ gear** s mar. Um'kleidungsmateri,al n (*für Taue etc*). — **~ pan** → chafing dish.

Cha·gas dis·ease ['tʃɑːgɑːs] s med. Chagaskrankheit f, amer. Schlafkrankheit f, ,Trypanoso'miasis f.

cha·grin [ʃə'grin; *Br. auch* 'ʃæg-; -riːn] I s 1. Kummer m, Ärger m (*durch Demütigung*), Verdruß m. – 2. Enttäuschung f. – II v/t 3. (ver)ärgern, demütigen, (j-m) Kummer bereiten. — **cha'grined** adj ärgerlich, gekränkt.

chain [tʃein] I s 1. Kette f: anchor ~ Ankerkette; ~ of office Amtskette. – 2. fig. Kette f, Fessel f, Bande pl. – 3. fig. Kette f, Reihe f, Verkettung f: a link in the ~ of evidence ein Glied in der Beweiskette. – 4. Gebirgskette f. – 5. 'Kettenunter,nehmen n, Fili'albetriebe pl (*Anzahl gleichartiger Unternehmen*). – 6. chem. Kette f (*von Atomen des gleichen Elementes*). – 7. tech. a) Meßkette f (*z.B. des Geometers*), b) *Maßeinheit (66 Fuß = 20,12 m; Länge einer Meßkette)*. – 8. arch. eiserner Binder. – 9. tech. a) Kette f (*Weberei*), Aufzug m, Zettel m, b) Flaschenzug m. – 10. electr. a) gal'vanische Kette, b) Stromkreis m, c) Spannungsreihe f. – 11. pl Schneekette f (*Fahrzeug*). – II v/t 12. (an)ketten, mit einer Kette befestigen: to ~ (up) a dog einen Hund anketten od. an die Kette legen. – 13. ketten, in Ketten legen, fesseln: the prisoner was ~ed der Gefangene war gefesselt. – 14. mit der Meßkette messen. – 15. math. verketten. – 16. arch. verankern. – 17. mit der Sicherheitskette zuketten.

chain| ar·gu·ment s philos. Kettenschluß m. — **~ ar·mo(u)r** s Kettenpanzer m. — **~ belt** s tech. endlose Kette. — **~ bridge** s Ketten-, Hängebrücke f. — **~ ca·ble** s mar. Kabel-, Ankerkette f. — **~ cou·pling** s tech. Kettenkupplung f, -verbindung f. — **~ dredg·er** s tech. Eimerkettenbagger m. — **~ drive** s tech. Laufkette f, Kettenantrieb m.

chained [tʃeind] adj 1. angekettet, gefesselt. – 2. mit Ketten versehen. – 3. gesichert (*Tür*). – 4. kettenförmig, kettenartig: ~ lightning.

chain·ette [tʃei'net] s math. Kettenlinie f.

chain| gang s Trupp m anein'andergeketteter Sträflinge. — **~ gear** s tech. Kettengetriebe n. — **~ grate** s tech. Wander-, Kettenrost m. — **~ i·som·er·ism** s chem. 'Kettenisome,rie f. — **~ length** s mar. Kettenlänge f.

chain·less ['tʃeinlis] adj kettenlos: ~ drive tech. kettenloser Antrieb.

chain| light·ning s 1. ketten- od. zickzackförmiger Blitz. – 2. Am. sl. ,Feuerwasser' n (*minderwertiger, sehr starker Whisky*). — **~ lock·er** s mar. Kettenkasten m. — **~ mail** → chain armo(u)r. — **'~·man** [-mən] s irr 1. Träger m der Meßkette, Markscheidergehilfe m. – 2. Kettenzieher m. — **~ plate** s 1. mar. Pütting f, Rüsteisen n, Augplatte f. – 2. arch. (*Art*) kettenartig angeordnete Mauerverankerungen pl. — **~ pump** s Kettenpumpe f, Pater'nosterwerk n, Eimerkette f. — **'~-re,act·ing pile** s phys. 'Kernre,aktor m. — **~ re·ac·tion** s phys. 'Kettenreakti,on f. — **~ re·ac·tor** s phys. 'Kernre,aktor m. — **~ shot** s mil. hist. Kettenschuß m. — **~ stitch** s (*Nähen*) Kettenstich m. — **~ store** s Fili'albetrieb m, Zweiggeschäft n. — **~ sur·vey·ing** s Vermessen n mit Kette. — **~ swiv·el** s mar. Kettenwirbel m, -warbel m. — **~ test** s tech. Kettenprobe f. — **~·wale** ['tʃeinweil; -nəl] s mar. Rüste f. — **'~,work** s Kettensticharbeit f.

chair [tʃɛr] I s 1. Stuhl m, Sessel m: to take a ~ (auf einem Stuhl od. Sessel) Platz nehmen. – 2. fig. Amts- od. Ehrensitz m: to be in the ~, to take the ~ den Vorsitz führen od. übernehmen. – 3. Vorsitzender m (*bei einer Versammlung*): to address the ~ sich (*in einer Ansprache*) an den Vorsitzenden wenden. – 4. Lehrstuhl m: professorial ~ Professur; Natural History ~ Lehrstuhl für Naturwissenschaften. – 5. Am. (*der*) e'lektrische Stuhl. – 6. tech. a) (*Eisenbahn*) Schienenstuhl m, b) Glasmacherstuhl m, c) (*Bergbau*) Schachtfördergefäß n. – 7. Sänfte f. – 8. Richterstuhl m. – II v/t 9. bestuhlen, mit Stühlen od. Sesseln versehen. – 10. auf einen Amts- od. Ehrensitz od. Lehrstuhl etc setzen od. berufen, einsetzen. – 11. Br. auf einem Stuhl (im Tri'umph od. als Ehrung) um'hertragen. – 12. den Vorsitz führen von. – III interj 13. Br. Ruhe!

chair| back s Stuhl-, Sessellehne f. — **~ bot·tom** s Stuhlsitz m. — **~ car** s (*Eisenbahn*) Am. 1. Sa'lonwagen m. — 2. Wagen m mit verstellbaren Sitzen. — **~ days** s pl fig. Tage pl des Alters, Ruhetage pl. — **~ form** s chem. Sesselform f (*Struktur des Cyclohetans*). — **~ frame** s Stuhlgestell n.

chair·man ['tʃɛrmən] s irr 1. Vorsitzende(r), Präsi'dent(in). – 2. j-d der einen Roll- od. Krankenfahrstuhl schiebt. — **'chair·man,ship** s Präsi'dentschaft f, Vorsitz m.

chair| rail s Schutzverkleidung f (*an der Wand gegen Beschädigung durch Stühle*). — **'~,wom·an** s irr Vorsitzende f.

chaise [ʃeiz] s Chaise f, Halbkutsche f, Ka'lesche f. — **~ cart** s zweirädriger Kutschwagen. — **~ longue** ['lɔ̃g; lɔːŋg] pl **~ longues** [-z] s Chaise'longue f, Liegesofa n.

cha·la·za [kə'leizə] pl **-zae** [-iː] s Cha'laza f: a) bot. Nabelfleck m, Knospengrund m, Keimfleck m (*Basis der Samenanlage*), b) zo. Hahnentritt m, Hagelschnur f.

chal·can·thite [kæl'kænθait] s chem. 'Blauvitri,ol n ($CuSO_4 \cdot 5H_2O$).

chal·ced·o·ny [kæl'sedəni; 'kælsi,douni; -dəni] s min. Chalce'don m, Sar'donyx m.

chal·chu·ite ['tʃæltʃu,ait] s Am. (*Art*) Tür'kis m.

chal·cid ['kælsid] zo. I adj zu den Erzwespen gehörig. – II s → ~ fly. — **~ fly** s zo. Erzwespe f (*Überfam. Chalcidoidea*).

Chal·cid·i·an [kæl'sidiən] I adj chal'kidisch, Chalkis betreffend. – II s Einwohner(in) von Chalkis.

chalco- [kælko] *Wortelement mit der Bedeutung* Kupfer.

chal·co·cite ['kælko,sait; -kə-] s min. Chalko'zit m, Kupferglanz m, Graukupfererz n (Cu_2S).

chal·cog·ra·pher [kæl'kɒgrəfər] s Kupferstecher m. — **,chal·co'graph·ic** [-ko'græfik; -kə-], **,chal·co'graph·i·cal** adj Kupferstech(er)... — **chal'cog·ra·phist** [-'kɒgrəfist] → chalcographer. — **chal'cog·ra·phy** s Kupferstech(er)kunst f.

chal·co·py·rite [,kælko'pairait; -'pir-; -kə-] s min. Chalkopy'rit m, Kupferkies m ($CuFeS_2$).

Chal·da·ism ['kældei,izəm] s chal'däische Spracheigentümlichkeit.

Chal·de·an [kæl'diːən] I s 1. Chal'däer m. – 2. Astro'loge m, Wahrsager m. – 3. ling. Ara'mäisch n, das Ara'mäische. – II adj 4. chal'däisch. – 5. Astrologen...

chal·dron ['tʃɔːldrən] s fast obs. *ein engl. Hohl- od. Kohlenmaß = 1,16 cbm.*

cha·let ['ʃælei; ʃæ'lei] s Cha'let n: a) Sennhütte f, Schweizerhäuschen n, b) Landhaus n.

chal·ice ['tʃælis] s 1. poet. (Trink-)Becher m. – 2. relig. (Abendmahls-)Kelch m. – 3. bot. selten Kelch m. — **'chal·iced** adj in einem Kelch enthalten.

chalk [tʃɔːk] I s 1. min. Kreide f, Kalk m. – 2. Zeichenkreide f: colo(u)red ~ Pastell-, Bunt-, Farbstift; → French ~; Spanish ~; to give ~ for cheese Schlechtes für Gutes geben; as different as ~ and cheese verschieden wie Tag u. Nacht. – 3. Br. (angekreidete) Schuld, Kreide f (*z.B. im Gasthaus*): his ~ is up obs. sl. er hat keinen Kredit mehr. – 4. Br. Kreidestrich m, Gewinnpunkt m (*bei Spielen, z.B. Serie beim Billardspiel*): that is one ~ to me! colloq. das ist ein Punkt für mich! not by a long ~ colloq. bei weitem nicht. – II v/t 5. mit Kreide behandeln od. mischen: to ~ a tennis court die Kreidestriche auf einem Tennisplatz ziehen. – 6. mit Kreide schreiben od. zeichnen, ankreiden: to ~ s.th. up colloq. etwas rot im Kalender anstreichen. – 7. mit Kalk anstreichen: to ~ a wall eine Wand weißen. – 8. bleichen. – 9. ankreiden, auf die Rechnung schreiben. – 10. verbuchen, no'tieren: to ~ up s.th. against s.o. j-m etwas als Schuld verbuchen od. ankreiden; to ~ it up eine Rechnung auflaufen lassen. – 11. tech. abschnüren: to ~ a line mit einer (Schlag)Schnur eine Linie machen. – 12. entwerfen, skiz'zieren: to ~ out a plan. – III adj 13. Kreide... — **~ bed** s geol. Kreideschicht f. — **'~,cut·ter** s Kreidegräber m.

chalked [tʃɔːkt] adj mit Kreide od. Kalk bezeichnet od. bestrichen od. geweißt. — **'chalk·er** s Kreidemischer m, Anstreicher m. — **'chalk·i·ness** s kreidige Beschaffenheit.

chalk| line s tech. Schlag-, Mauer-, Zimmerschnur f: → walk b. Redw. — **'~,stone** s med. Gichtknoten m, Tophus m. — **~ talk** s Am. *Vortrag, bei dem der Redner Illustrationen an die Tafel zeichnet.*

chalk·y ['tʃɔːki] adj 1. kreidig, kreideartig. – 2. kreidehaltig. – 3. kreideweiß, Kreide...

chal·lenge ['tʃælindʒ; -əndʒ] I s 1. Her'ausforderung f (*zum Kampf, auch im Sport*): to accept a ~ eine Herausforderung annehmen, sich stellen. – 2. Aufforderung f, sich od. etwas zu erklären. – 3. mil. Anruf m durch einen Wachtposten (*Frage nach Feldruf u. Losung*). – 4. jur. Ablehnung f eines od. sämtlicher Geschworenen. – 5. pol. Anfechtung f der Gültigkeit einer Stimme od. der Berechtigung eines Wählers. – 6. hunt. Anschlagen n der Hunde. – 7. med. Immuni'tätstest m. – II v/t 8. her'aus- od. auffordern (to zu): to ~ s.o. to do better j-n auffordern, es besser zu machen. – 9. (*zum Kampf etc*) her'ausfordern. – 10. jur. (*Geschworene*) ablehnen. – 11. pol. Am. Einwendungen machen gegen (*einen Wähler*). – 12. verlangen, Anspruch erheben auf (*acc*): a matter which ~s attention. – 13. (*etwas*) anzweifeln, sich aussprechen gegen: **to ~ the wisdom of an action** die Ratsamkeit einer Handlung stark anzweifeln. – 14. *mil.* anrufen, den Feldruf *od.* die Losung verlangen von. – **III** *v/i* 15. eine Her'aus- *od.* Aufforderung ergehen lassen. – 16. anschlagen (*Jagdhund*). — **'chal·lenge·a·ble** *adj* her'auszufordern(d), anfechtbar. — **'chal·leng·er** *s* Auf-, Her'ausforderer *m*.

chal·lenge tro·phy *s sport* Wanderpreis *m*.

chal·lis ['ʃæli; *Br. auch* 'tʃælis], *auch* **chal·lie, chal·ly** ['ʃæli] *s* Chaly *m* (*feiner, musselinartiger Kleiderstoff*).

chal·one ['kæloun] *s med.* innere, die physische Tätigkeit vermindernde Sekreti'on.

cha·lu·meau [ˌʃælju'mou] *s mus.* 1. tiefste Lage der Klari'nette *etc.* – 2. Hirtenflöte *f*, Schal'mei *f*.

cha·lyb·e·ate [kə'libiit; -ˌeit] **I** *adj min.* stahl-, eisenhaltig. – **II** *s med.* Stahlwasser *n*, 'Eisenpräpaˌrat *n*. — **~ spring** *s* Stahlquelle *f*.

chal·y·bite ['kæliˌbait] *s geol.* Eisenspat *m*, Spateisenstein *m* ($FeCO_3$).

cham [kæm] *s obs.* Khan *m*.

cha·made [ʃə'mɑːd] *s mil. hist.* Cha'made *f* (*Ergebungszeichen*).

cham·ber ['tʃeimbər] **I** *s* 1. *Am. fast obs.* (*bes.* Schlaf)Zimmer *n*, Stube *f*, Kammer *f*, Gemach *n*: **bridal ~** Brautgemach. – 2. *pl Br.* a) (*zu vermietende*) Zimmer *pl*, Junggesellenwohnungen *pl*, b) Geschäftsräume *pl*: **to let ~s** Zimmer vermieten; **to live in ~s** privat wohnen. – 3. (Empfangs)Zimmer *n*, Raum *m* (*in einem Palast od. einer Residenz*): **audience-~**. – 4. Sitzungssaal *m* (*einer gesetzgebenden Körperschaft*). – 5. Kammer *f*, gesetzgebende Körperschaft. – 6. Richterzimmer *n*. – 7. *pl Br.* Räume *pl* der Rechtsanwälte (*bes. in den* **Inns of Court**). – 8. *Br.* Schatzamt *n*. – 9. *tech.* a) abgeschlossener Raum, Kammer *f* (*z.B. bei Feuerwaffen zur Aufnahme der Patronen, Geschosse etc*), Kessel *m*, Schacht *m*, b) *Am.* Kammer *f* einer Schleuse. – 10. Ladungsraum *m* (*eines Gewehres od. Geschützes*). – 11. *med. zo.* Kammer *f*: **~ of the eye** Augenkammer. – **II** *v/t* 12. *obs.* in einem Raum *etc* 'unterbringen, einschließen. – 13. (*Gewehr etc*) mit einer Kammer versehen. – 14. (*Patrone*) in den Lauf einführen. – 15. ein Zimmer bereitstellen für. – **III** *adj* 16. Kammer...

cham·ber| bar·ris·ter *s* Rechtsanwalt *m* (*der nur Privatpraxis hat u. nicht vor Gericht plädiert*). — **~ con·cert** *s mus.* 'Kammerkonˌzert *n*. — **~ coun·sel** *s* 1. Rechtsberater *m* (*der nur Privatpraxis ausübt*). – 2. Rat *m od.* Gutachten *n* eines Rechtsberaters. – 3. geheimer Rat.

cham·bered ['tʃeimbərd] *adj* mit Kammern *od.* Ab'teilungen versehen.

cham·ber·er ['tʃeimbərər] *s* 1. *obs.* a) Stubenmädchen *n*, b) Diener *m*, c) Ga'lan *m*, Hofmacher *m*. – 2. *tech.* Verfertiger *m* von Gewehrkammern.

cham·ber kiln *s tech.* Kammerofen *m*.

cham·ber·lain ['tʃeimbərlin] *s* 1. Kämmerer *m*, Kammerherr *m*: **Lord Great C~ of England** Großkämmerer (*Vorsteher des Hofstaates*); → **Lord C~ (of the Household)**. – 2. hoher Hofbeamter *od.* Stadtkämmerer *m*. – 3. Haushofmeister *m* (*in adeligem Haushalt*). – 4. Schatzmeister *m* (*u. Verwalter von öffentlichen Geldern*). — **'cham·ber·lainˌship** *s* Amt *n od.* Würde *f* eines Kämmerers *od.* Kammerherrn.

'cham·ber|ˌmaid *s* Stubenmädchen *n*. — **~ mu·sic** *s* 'Kammermuˌsik *f*. — **~ of com·merce** *s* Handelskammer *f*. — **~ or·gan** *s* Zimmerorgel *f*. — **~ pot** *s* Nachtgeschirr *n*. — **~ prac·tice** *s* (*private*) Rechtsanwaltspraxis (*die nur in der Kanzlei ausgeübt wird*). — **~ stool** *s* Nachtstuhl *m*.

cham·bray ['ʃæmbrei] *s Am.* mehrfarbig gemusterter Baumwollstoff.

cha·me·le·on [kə'miːliən; -ljən] *s* 1. *zo.* Cha'mäleon *n* (*Fam. Chamaeleontidae, bes. Gattg Chamaeleo*). – 2. *fig.* Cha'mäleon *n*, wankelmütiger *od.* unbeständiger Mensch. – 3. **C~** *astr.* Cha'mäleon *n* (*südl. Sternbild*). — **~ fly** *s zo.* Cha'mäleonfliege *f* (*Stratiomys chamaeleon*).

cha·me·le·on·ic [kəˌmiːli'ɒnik] *adj* 1. cha'mäleonartig. – 2. *fig.* veränderlich, unbeständig.

cha'me·le·onˌlike *adj* cha'mäleonartig, verschiedene Farben annehmend.

cham·fer ['tʃæmfər] **I** *s* 1. *arch.* Auskehlung *f*, Hohlrinne *f*, Kanne'lierung *f* (*einer Säule*). – 2. *tech.* abgestoßene Kante, Schrägkante *f* (*Tisch*). – 3. *tech.* Abschrägung *f*, Fase *f*. – **II** *v/t* 4. *arch.* auskehlen, kanne'lieren. – 5. *tech.* a) abkanten, schräg abstoßen, b) abschrägen, c) (*Uhrmacherei*) kegelförmig ausbohren, d) riffeln, abfasern, verjüngen.

cham·fron ['tʃæmfrən] *s hist.* Stirnschild *m* (*eines Streitrosses*).

cha·mi·sal [ˌtʃɑːmi'sɑːl] *s bot. Am.* Wüstenstrauch-Dickicht *n*. — **cha·mi·so** [tʃə'miːsou] *s bot. Am.* 1. (*eine*) Scheinheide (*Adenostoma fasciculatum*). – 2. (*eine*) Melde (*Atriplex canescens*).

cham·my ['ʃæmi] → **chamois** 2.

cham·ois ['ʃæmwɑː; -mi] **I** *s* 1. *zo.* Gemse *f* (*Rupicapra rupicapra*). – 2. Sämischleder *n*. – **II** *adj* 3. Gems... – 4. Sämisch... – 5. cha'mois, gelbbraun. – **III** *v/t* 6. wie Sämischleder behandeln, sämisch gerben. — **~ leath·er** *s* Sämischleder *n*.

cham·o·mile *cf.* camomile.

champ[1] [tʃæmp] **I** *v/t* 1. (heftig *od.* geräuschvoll) kauen. – 2. kauen auf (*dat*), beißen auf (*acc*) (*z.B. Pferde auf das Zaumgebiß*). – 3. *Scot.* (*Kartoffeln etc*) zerquetschen, zerreiben. – **II** *v/i* 4. kauen: **to ~ at the bit** a) am Gebiß kauen (*Pferd*), b) *fig.* ungeduldig sein. – **III** *s* 5. Kauen *n*.

champ[2] [tʃæmp] *sl. für* **champion** I.

cham·pac ['tʃæmpæk; 'tʃʌmpʌk] *s bot.* Tschampakbaum *m* (*Michelia champaca*).

cham·pagne [ʃæm'pein] **I** *s* 1. Cham'pagner *m*, Sekt *m*, Schaumwein *m*. – 2. Cham'pagnerfarbe *f*. – **II** *adj* 3. Champagner..., cham'pagnerfarben.

cham·paign [ʃæm'pein] **I** *s* 1. Ebene *f*, freies Feld, flaches Land. – 2. *obs.* Schlachtfeld *n*. – 3. ebene Fläche. – **II** *adj* 4. eben, flach, glatt, offen.

cham·pak *cf.* champac.

cham·per·tous ['tʃæmpərtəs] *adj* einen Pro'zeßkauf betreffend. — **'cham·per·ty** *s jur. Übernahme einer Streitsache durch Anwälte od. Außenstehende gegen Erfolgshonorar (z.B. Anteil am Streitobjekt).*

cham·pi·gnon [ʃæm'pinjən; *Br. auch* tʃæm-] *s bot.* Wiesenchampignon *m*, Egerling *m* (*Agaricus od. Psalliota campestris*).

cham·pi·on ['tʃæmpiən] **I** *s* 1. Kämpfer *m*, Streiter *m*, Kämpe *m*. – 2. Verfechter *m*, Fürsprecher *m*: **to be the ~ of s.o.'s cause** der Verfechter von j-s Sache sein. – 3. Sieger *m* (*bei einem Wettbewerb etc*). – 4. *sport* Champion *m*, Meister *m*, Bester *m* (*in einer Sportart*). – **II** *v/t* 5. beschützen, (*Sache, Idee etc*) verfechten: **to ~ the oppressed** sich der Sache der Unterdrückten annehmen. – *SYN. cf.* **support**. – **III** *adj* 6. Meister..., best(er, -e, -es), vor'züglichst(er, -e, -es): **~ boxer of a country** bester Boxer eines Landes. — **'cham·pi·onˌship** *s* 1. Meisterschaft *f*, Champio'nat *n* (*z.B. in einer Sportart*). – 2. Verfechten *n*, Verteidigen *n*, Eintreten *n* (*für eine Sache*).

chance [*Br.* tʃɑːns; *Am.* tʃæ(ː)ns] **I** *s* 1. Zufall *m*: **by ~** durch Zufall; **a lucky ~** ein glücklicher Zufall; → **game**[1] 3. – 2. Schicksal *n*: **~ governs all** alles ist durch das Schicksal bestimmt. – 3. Möglichkeit *f*, Wahr'scheinlichkeit *f* (*des Eintritts eines Ereignisses*): **the ~s are that he will be in time** es besteht die Möglichkeit *od.* Wahrscheinlichkeit, daß er rechtzeitig kommt; → **stand** *b. Redw.* – 4. Chance *f*, (günstige) Gelegenheit, (sich bietende) Möglichkeit: **now is your ~** jetzt bietet sich für dich eine Gelegenheit, jetzt hast du eine Chance. – 5. (*Baseball u. Kricket*) Gelegenheit, einen Spieler ausscheiden zu lassen. – 6. Risiko *n*: **to take a ~** ein Risiko eingehen, etwas wagen, es darauf ankommen lassen. – 7. *obs.* 'Mißgeschick *n*. – 8. *Am. dial.* Menge *f*, Anzahl *f* (*meist mit* **of**). – *SYN.* **accident, fortune, hazard, luck**. – **II** *v/i* 9. geschehen, unerwartet eintreten, sich ereignen: **to ~ to be there** zufällig anwesend sein. – 10. zufällig stoßen (**on, upon** auf *acc*). – *SYN. cf.* **happen**. – **III** *v/t* 11. versuchen, wagen, ris'kieren, es ankommen lassen auf (*acc*): **to ~ not finding s.o. at home** es riskieren, j-n nicht zu Hause anzutreffen; **to ~ it** *colloq.* es darauf ankommen lassen. – **IV** *adj* 12. zufällig, Gelegenheits...: **a ~ acquaintance** eine zufällige Bekanntschaft. — **~ child** *s* uneheliches Kind. — **~ com·er** *s* unerwartet Kommende(r).

chance·ful [*Br.* 'tʃɑːnsful; -fəl; *Am.* 'tʃæ(ː)ns-] *adj* 1. ereignisreich. – 2. *obs.* vom Zufall abhängig.

chan·cel [*Br.* 'tʃɑːnsəl; *Am.* 'tʃæ(ː)n-] *s relig.* 1. Al'tarraum *m*, hoher Chor. – 2. der für die Geistlichkeit vorbehaltene Raum (*in einer Kirche*).

chan·cel·ler·y [*Br.* 'tʃɑːnsələri; -sləri; *Am.* 'tʃæ(ː)n-] *s* 1. Amt *n* eines Kanzlers. – 2. Kanz'lei *f*. – 3. 'Botschafts-, Ge'sandtschafts-, Konsu'latskanzˌlei *f*.

chan·cel·lor [*Br.* 'tʃɑːnsələr; *Am.* 'tʃæ(ː)n-] *s* 1. Kanzler *m*: a) Vorsteher *m* einer 'Hofkanzˌlei, b) (*Art*) Sekre'tär *m*, Kanz'leivorstand *m* (*an Botschaften, Gesandtschaften, Konsulaten*). – 2. *pol.* Kanzler *m* (*Regierungschef in Deutschland u. Österreich*). – 3. *Br. Titel hoher Staatswürdenträger*: → **Lord C~**. – 4. *Am.* Rektor *m* (*an einigen Universitäten*). – 5. *Br. Ehrentitel des höchsten Gönners od. Protektors an verschiedenen Universitäten.* – 6. *Am.* Vorsitzender *m od.* Richter *m* (*gewisser Gerichtshöfe*). — **C~ of the Ex·cheq·uer** *s Br.* Schatzkanzler *m*, Fi'nanzmiˌnister *m*.

chan·cel·lor·ship [*Br.* 'tʃɑːnsələrˌʃip; *Am.* 'tʃæ(ː)n-] *s* Kanzleramt *n*, -würde *f*.

chan·cel ta·ble *s* Al'tar *m*, Abendmahlstisch *m*.

'chance-ˌmed·ley *s jur.* Körperverletzung *f od.* Totschlag *m* (*in Notwehr od. Affekt*) als Folge zufällig entstandenen Streits.

chan·cer·y [*Br.* 'tʃɑːnsəri; *Am.* 'tʃæ(ː)n-] *s* 1. Kanz'lei *f*, Ab'teilung *f* eines Kanzlers. – 2. Kanz'leigericht *n*. – 3. *Br.* Kanz'lei *f*, Amt *n*, Gerichtshof *m* (*des Lordkanzlers bis 1873, heute als* **C~ Division** *eine Abteilung des obersten Gerichtshofes*). – 4. *Am.* Billigkeitsgericht *n*. – 5. Urkunden-u. Re'gistergericht *n*. – 6. Billigkeitsrecht *n* (*Anwendung des Billigkeitsprinzips in der Rechtsprechung*). – 7. Vormundschaft *f*: → **ward** 6. –

8. gerichtliche Verwaltung: in ~ a) bankrott, b) unter gerichtlicher (Zwangs)Verwaltung. – **9.** (*Ringen u. Boxen*) *sl.* Schwitzkasten *m* (*Halten des Kopfes des Gegners unter dem Arm*). – **10.** *fig.* ‚Klemme' *f*, hilflose Lage: to be in ~ in der Klemme sitzen *od.* sein. — ~ **court** *s* Kanz'leigericht *n.*

chan·cre ['ʃæŋkər] *s med.* Schanker *m.* — '**chan·croid** [-krɔid] *s* schankerartiges Geschwür, weicher Schanker. — '**chan·crous** *adj* **1.** schankerartig. – **2.** mit Schanker behaftet.

chanc·y [*Br.* 'tʃɑːnsi; *Am.* 'tʃæ(ː)nsi] *adj colloq.* unsicher, ris'kant, gewagt.

chan·de·lier [ˌʃændə'lir] *s* **1.** Kerzenhalter *m*, (Arm)Leuchter *m.* – **2.** mehrarmige Deckenlampe, Kronleuchter *m.*

chan·delle [ʃæn'del] *s* (*Kunstflug*) Chan'delle *f*, ‚Kerze' *f* (*hochgezogene Kehrtkurve*).

chan·dler [*Br.* 'tʃɑːndlər; *Am.* 'tʃæ(ː)n-] *s* **1.** Kerzenzieher *m.* – **2.** Krämer *m*, Händler *m*: → ship ~. — '**chan·dler·y** *s* **1.** Vorratskammer *f* für Kerzen. – **2.** Kramladen *m.* – **3.** Krämerware(n *pl*) *f.*

chan·frin ['tʃænfrin] *s* Vorderteil *m* des Pferdekopfes (*zwischen Augen u. Nase*).

change [tʃeindʒ] **I** *v/t* **1.** (ver)ändern, 'umändern, verwandeln: to ~ colo(u)r die Farbe wechseln (*erbleichen, erröten*); to ~ one's lodgings umziehen; to ~ the subject das Thema wechseln, von etwas anderem reden; to ~ one's note (*od.* tune) *colloq.* einen anderen Ton anschlagen; to ~ one's skin (*od.* spots) sich *od.* sein Wesen *od.* Verhalten ändern. – **2.** wechseln, (ver)tauschen: to ~ one's shoes andere Schuhe anziehen, die Schuhe wechseln; to ~ front sich auf die andere Seite schlagen; → mind 3; to ~ step *mil.* den Schritt wechseln (*auch fig.*); to ~ trains umsteigen; can you ~ this note? können Sie diesen Geldschein wechseln? to ~ dollars into francs Dollar in Franken umwechseln. – **3.** *tech.* schalten: → gear 2. – **4.** tauschen: to ~ places with s.o. mit j-m die Plätze wechseln. – **5.** (*Bettzeug etc*) wechseln, (*Baby*) wickeln, trockenlegen: to ~ a bed ein Bett frisch beziehen. – **6.** *mil.* (*Gewehr*) auf die andere Schulter nehmen: to ~ arms. – **7.** (*Besitzer*) wechseln: → hand *b. Redw.* – **8.** *electr.* a) kommu'tieren, transfor'mieren, b) 'umschalten. – **9.** *tech.* auswechseln. –
II *v/i* **10.** sich (ver)ändern: to ~ for the better sich zu seinem Vorteil verändern. – **11.** sich verwandeln (to *od.* into in *acc*). – **12.** (*in einen anderen Zug etc*) 'umsteigen: you must ~ twice Sie müssen zweimal umsteigen. – **13.** *colloq.* sich 'umkleiden, sich 'umziehen: to ~ for dinner sich zum Abendessen umkleiden. – **14.** wechseln, in eine neue Phase treten (*Mond*). – *SYN.* alter, modify, vary. –
III *s* **15.** Änderung *f*, Veränderung *f*, Wechsel *m*, Verwandlung *f*: to find a great ~ in s.o. j-n sehr verändert finden; ~ in the coast line *geogr.* Küstenversetzung; ~ in weather Witterungsumschlag. – **16.** Tausch *m*, Austausch *m.* – **17.** (*etwas*) Neues, Abwechslung *f*: for a ~ zur Abwechslung. – **18.** Wechsel *m*, 'Übergang *m* (*in ein anderes Stadium*): ~ of the moon Mondwechsel. – **19.** Wechsel *m* (*Kleidung etc*): ~ of clothes Umziehen. – **20.** Kleidung *f* zum Wechseln, frische Wäsche. – **21.** Wechselgeld *n.* – **22.** Kleingeld *n.* – **23.** her'ausgegebenes Geld: to get (give) ~ Geld herausbekommen (herausgeben). – **24.** C~ *Br. colloq. für* Exchange. – **25.** *mus.* a) (Tonart-, Takt-, Tempo)Wechsel *m*, b) Veränderung *f*, Abwandlung *f*, Vari'ierung *f*, c) (*enharmonische*) Verwechslung, d) (Stimm)Wechsel *m*, e) *meist pl* Wechsel(folge *f*) *m* (*beim Wechselläuten*): to ring the ~s a) wechselläuten, b) *fig.* ein u. dieselbe Sache in verschiedener Weise behandeln, c) *sl.* beim Geldwechseln ‚übers Ohr hauen' (*betrügen*). – *SYN.* mutation, permutation, vicissitude.

change·a·bil·i·ty [ˌtʃeindʒə'biliti; -əti] *s* Veränderlichkeit *f*, Unbeständigkeit *f*, Wankelmut *m.* — '**change·a·ble** *adj* **1.** veränderlich, wankelmütig, unbeständig, wandelbar. – **2.** chan'gierend (*Stoff*), schillernd. — '**change·a·ble·ness** → changeability.

change·ful ['tʃeindʒful; -fəl] *adj* veränderlich, wechselvoll. — '**change·ful·ness** *s* Veränderlichkeit *f.*

change gear *s tech.* Wechselgetriebe *n.*

change·less ['tʃeindʒlis] *adj* unveränderlich, beständig, ohne Wechsel.

change·ling ['tʃeindʒliŋ] **I** *s* **1.** Wechselbalg *m*, 'untergeschobenes Kind. – **2.** *obs.* wankelmütiger Mensch. – **II** *adj* **3.** 'untergeschoben (*Kind*).

change| of life *s med.* Klimak'terium *n*, Wechseljahre *pl.* — ~ **of ven·ue** *s* **1.** *jur.* Änderung *f* des Gerichtsstandes (*Überweisung an ein anderes Gericht*). – **2.** *bes. sport* Platzwechsel *m.* — '~ˌ**o·ver** *s* **1.** *tech.* 'Umschaltung *f* (*Strom*), Schaltung *f* (*Getriebe*): ~ switch Umschalter, Polwender. – **2.** völliger Wechsel, 'Umstellung *f.*

chang·er ['tʃeindʒər] *s* **1.** (Ver)Änderer *m.* – **2.** *selten* wankelmütiger Mensch.

change| ring·er *s* Wechselläuter *m.* — ~ **ring·ing** *s* Wechselläuten *n.* — ~ **rose** *s bot.* Veränderlicher Eibisch (*Hibiscus mutabilis*). — '~-'**speed gear** *s tech.* Wechsel-, Schaltgetriebe *n.* — ~ **wheel** *s tech.* Wechselrad *n.*

chang·ing ['tʃeindʒiŋ] **I** *adj* **1.** veränderlich: ~ note, ~ tone *mus.* a) Wechselnote, b) Nachschlag (*des Trillers*). – **2.** die Farbe wechselnd. – **3.** unbeständig (*Wetter*), wankelmütig (*Person*). – **II** *s* **4.** Wechsel *m*, Veränderung *f*: ~ of the guard Wachablösung; ~ of gears Schalten der Gänge; ~ of rails Einziehen von neuen Schienen.

chan·nel ['tʃænl] **I** *s* **1.** Flußbett *n*, Stromrinne *f.* – **2.** Fahrrinne *f* (*in einem Fluß etc*), Ka'nal *m.* – **3.** breite Wasserstraße (*zwischen dem Festland u. einer Insel*): the English C~, *bes. Br.* the C~ der (Ärmel)Kanal. – **4.** Rinne *f*, Gosse *f.* – **5.** *mar.* a) schiffbarer Wasserweg (*der 2 Gewässer verbindet*), b) Seegatt *n*, c) Rüst *f.* – **6.** Zufahrtsweg *m*, (Hafen)Einfahrt *f.* – **7.** *fig.* Ka'nal *m*, Bahn *f* (*in die etwas geleitet wird*), Weg *m*: to direct a matter into (*od.* through) other ~s eine Angelegenheit in andere Bahnen lenken; ~s of supply Versorgungswege; ~s of trade Handelswege; → official 1. – **8.** *electr.* a) Fre'quenzband *n*, Ka'nal *m*, b) Strang *m.* – **9.** 'Durchlaßröhre *f* (*für Flüssigkeiten*). – **10.** *arch.* Auskehlung *f*, Kanne'lierung *f*, Flächenrinne *f*, Kehlleiste *f*, Hohlkehle *f.* – **11.** *tech.* Nut *f*, Furche *f*, Riefe *f*, Rille *f*, Falz *m.* – **12.** *tech.* U-Eisen *n.* – **13.** *biol.* Fraßgang *m.* – **II** *v/t pret u. pp* '**chan·neled**, *bes. Br.* '**chan·nelled** **14.** rinnenförmig aushöhlen, furchen. – **15.** durch einen Ka'nal befördern. – **16.** *arch.* auskehlen, kanne'lieren. – **17.** *tech.* nuten, furchen. – **18.** in eine (*gewisse*) Richtung lenken: to ~ one's interests. – **19.** (*Weg*) bahnen: a river ~s its course through rocks. – **20.** einen Ka'nal bilden in (*dat*). – **21.** (*Straßen*) mit Rinnen *od.* Gossen versehen. – **22.** *geol.* zertalen. — ~ **bass** → red drum(fish). — '~ˌ**bill** *s zo.* Riesen-, Fratzenkuckuck *m* (*Scythrops novaehollandiae*). — ~ **board** *s* **1.** *mar.* Rüste *f.* – **2.** *mus.* Wellenbrett *n* (*der Orgel*). — ~ **bolt** *s mar.* Rüstbolzen *m.* — ~ **cat·fish** *s zo.* (*ein*) amer. Wels *m* (*Gattg Ictalurus*).

chan·neled, *bes. Br.* **chan·nelled** ['tʃænld] *adj* **1.** gerieft, gerillt. – **2.** *biol.* ausgegossen, ausgeschnitten. – **3.** *tech.* kanne'liert, ausgekehlt, gefurcht.

chan·nel·er, *bes. Br.* **chan·nel·ler** ['tʃænlər] *s* **1.** ('Stein- *etc*)ˌFurchmaˌschine *f.* – **2.** Arbeiter, der Rillen *od.* Furchen *od.* Kehlleisten *etc* anbringt, Kanne'lierer *m.*

chan·nel goose *s irr zo.* Weißer Tölpel, Baßtölpel *m* (*Sula bassana*).

chan·nel·ing, *bes. Br.* **chan·nel·ling** ['tʃænliŋ] *s* **1.** Sy'stem *n* von Ka'nälen *od.* Rinnen. – **2.** Anlegung *f* von (Straßen- *etc*)Rinnen. – **3.** *arch.* Kanne'lierung *f.* – **4.** *biol.* Ausguß *m.*

chan·nel i·ron *s tech.* U-Eisen *n*, Rinneisen *n.*

chan·nel·ize ['tʃænˌlaiz] *v/t* in *od.* durch einen Ka'nal leiten.

'**chan·nel-ˌleafed** *adj bot.* mit rinnenförmigen Blättern.

chan·nelled, chan·nel·ler, chan·nel·ling *bes. Br. für* channeled *etc.*

chan·nel wale *s mar.* **1.** Bergholz *n* (*zwischen oberen u. unteren Stückpforten*). – **2.** Planke, durch welche die Püttingsbolzen getrieben werden.

chan·son [ʃɑ̃'sɔ̃; *Am. auch* 'ʃænsən] (*Fr.*) *s* Chan'son *n*, Lied *n.* — ~ **de geste** [də 'ʒɛst] (*Fr.*) *s* Chan'son de geste *n* (*altfranz. Epos*).

chant [*Br.* tʃɑːnt; *Am.* tʃæ(ː)nt] **I** *s* **1.** Gesang *m*, Weise *f*, Melo'die *f.* – **2.** *relig.* a) (*rezitierender*) Kirchengesang, *bes.* Psalmo'die *f*, b) 'Kirchenmeloˌdie *f*, li'turgischer Gesang, *bes.* Psalm *m.* – **3.** mono'toner Gesang *od.* Tonfall. – **II** *v/t* **4.** singen. – **5.** besingen, preisen. – **6.** *relig.* (li'turgisch) singen. – **7.** ('her-, her'unter)leiern, mit mono'toner Stimme erzählen. – **8.** *sl.* betrügerisch anpreisen: to ~ a horse (*j-m*) ein Pferd ‚andrehen' *od.* aufschwatzen. – **III** *v/i* **9.** singen. – **10.** *relig.* li'turgisch singen, psalmo'dieren (*auch fig.*). — '**chant·ed** *adj* gesungen, musi'kalisch (ausgeführt). — '**chant·er** *s* **1.** (Kirchen)Sänger(in). – **2.** *relig.* Kantor *m*, Vorsänger *m.* – **3.** *mus.* Melo'diepfeife *f* (*des Dudelsacks*). – **4.** *sl.* betrügerischer Pferdehändler.

chan·te·relle[1] [ˌtʃæntə'rel; ˌʃæn-] *s bot.* Pfifferling *m* (*Cantharellus cibarius*).

chan·te·relle[2] [ʃɑ̃t'rɛl] (*Fr.*) *s mus.* E-Saite *f*, Sangsaite *f* (*Geige etc*).

chant·ey ['ʃænti; 'tʃæn-] *s* Seemanns-, Ma'trosenlied *n*, Shanty *n.*

chan·ti·cleer [ˌtʃænti'klir] *s poet.* Kikeri'ki *m*, Hahn *m.*

chan·try [*Br.* 'tʃɑːntri; *Am.* 'tʃæ(ː)n-] *s relig.* **1.** Stiftung *f* von Seelenmessen. – **2.** Vo'tivkaˌpelle *f od.* -alˌtar *m.*

chant·y *cf.* chantey.

cha·os ['keiɒs] *s* **1.** Chaos *n*, Urzustand *m* (*vor der Schöpfung*). – **2.** *fig.* Chaos *n*, Wirrwarr *m*, Durchein'ander *n.* – *SYN. cf.* anarchy. — **cha'ot·ic** [-'ɒtik], *auch* **cha'ot·i·cal** *adj* cha'otisch, wirr. — **cha'ot·i·cal·ly** *adv* (*auch zu* chaotic).

chap[1] [tʃæp] *s* **1.** *colloq.* Bursche *m*, Junge *m*, Kerl *m*: a nice ~ ein netter Kerl; old ~ alter Knabe; an odd ~ ein komischer Kauz. – **2.** *obs. od. dial.* Käufer *m*, Kunde *m.*

chap[2] [tʃæp] *s* **1.** Kinnbacke(n *m*) *f*, Kiefer *m od. pl*, Maul *n* (*Tier*). – **2.** *tech.* Maul *n* eines Schraubstocks.

chap[3] [tʃæp] **I** *v/t pret u. pp* **chapped** **1.** (*Holz, Erde etc*) spalten. – **2.** Risse verursachen in *od.* auf (*dat*), (*Haut*) aufspringen lassen, rissig machen. – **II** *v/i* **3.** aufspringen, rissig werden (*Haut*). – **III** *s* **4.** Spalt *m*, Riß *m* (*auch in der Haut*), Sprung *m*.

cha·pa·ra·jos [ˌtʃapaˈraxos], ˌ**cha-pa're·jos** [-ˈrɛxos] (*Span.*) *s pl Am.* lederne ˈÜberziehˌhose(n *pl*) *f* (*der Cowboys*).

chap·ar·ral [ˌtʃæpəˈræl] *s bot. Am.* Chaparˈral *n* (*immergrünes Gebüsch*). — ~ **cock** *s zo. Am.* Erd-, Rennkuckuck *m* (*Geococcyx mexicanus*). — ~ **hen** *s zo. Am.* Erd-, Rennkuckuckshenne *f* (*Geococcyx mexicanus*). — ~ **pea** *s bot. Am.* Kaliforn. Dornbusch *m* (*Pickeringia montana*).

ˈ**chapˌbook** *s* **1.** *hist.* Volksbuch *n*, Balˈladen-, Geschichtenbüchlein *n* (*meist von Hausierern vertrieben*). – **2.** kleines (Unterˈhaltungs)Buch.

chape [tʃeip] *s* **1.** *mil.* Ortband *n* (*einer Degenscheide*). – **2.** Schuh *m* (*einer Säbelscheide*). – **3.** Schnallenhaken *m*. – **4.** *Br.* (*freie*) ˈDurchziehschlaufe (*an Gürteln etc*).

chap·el [ˈtʃæpəl] *s* **1.** Kaˈpelle *f*: a) *Teil einer Kirche*, b) *eine der Pfarrkirche unterstehende Neben- od. Filialkirche*, c) *Privatkapelle eines Schlosses, Klosters od. einer Anstalt*: ~ **of ease** Hilfs-, Tochter-, Filialkirche. – **2.** Gottesdienst *m* (*in einer Kapelle*). – **3.** Gotteshaus *n*: a) *eines College od. einer Universität*, b) *Br. der außerhalb der anglikanischen Kirche stehenden Dissenters*. – **4.** *mus.* a) Orˈchester *n od.* Sängerchor *m* einer Kaˈpelle, b) (ˈHof-, ˈHaus)Kaˌpelle *f*: ~**master** Kapellmeister. – **5.** *print.* a) Druckeˈrei *f*, Offiˈzin *f*, b) Versammlung *f* des ˈSetzer- u. ˈDruckerpersoˌnals.

chap·e·let [ˈtʃæpəlit] *s* Steigbügelriemen *m*.

chap·el·ry [ˈtʃæpəlri] *s relig.* **1.** Sprengel *m*. – **2.** Kaˈpelle *f* mit Nebengebäuden.

chap·er·on [ˈʃæpəˌroun] **I** *s* **1.** Anstandsdame *f*. – **2.** Chapeˈron *m*, Begleiter(in) (*zum Schutz junger Leute*). – **II** *v/t* **3.** (*als Anstandsdame*) begleiten, beschützen. — ˈ**chap·erˌon·age** *s* Begleiten *n*, Beschützen *n*, Betreuen *n* (*einer jungen Dame*).

chap·fall·en [ˈtʃæpˌfɔːlən] *adj* **1.** mit (*vor Müdigkeit od. Enttäuschung etc*) herˈabfallender Kinnlade. – **2.** *fig.* entmutigt, niedergeschlagen.

chap·i·ter [ˈtʃæpitər] *s arch.* Kapiˈtell *n*.

chap·lain [ˈtʃæplin] *s* **1.** Kaˈplan *m*, Geistlicher *m* (*an einer Kapelle*). – **2.** Hof-, Haus-, Anstaltsgeistlicher *m*. – **3.** Miliˈtär- *od.* Maˈrinegeistlicher *m*: **army** ~; **navy** ~. – **4.** Geistlicher *od.* Laie, der einen Gemeinschaftsgottesdienst leitet. — ˈ**chap·lain·cy** *s* Kaˈplansamt *n*, -würde *f*, -pfründe *f*. — ˈ**chap·lainˌship** → **chaplaincy**.

chap·let [ˈtʃæplit] *s* **1.** Kranz *m* (*zum Bekränzen des Kopfes*). – **2.** Perlenschnur *f*, -kette *f*. – **3.** *relig.* (*Art verkürzter*) Rosenkranz. – **4.** Rosenkranzgebete *pl*. – **5.** *arch.* Perlenstab *m*, -verzierung *f*. — ˈ**chap·let·ed** *adj* bekränzt.

chap·man [ˈtʃæpmən] *s irr Br.* Hauˈsierer *m*, Händler *m*.

chapped [tʃæpt] *adj* **1.** aufgesprungen, rissig (*bes. Haut*). – **2.** *tech.* narbenbrüchig, gerissen. — ˈ**chap·py** *adj* gespalten, offen, rissig.

chaps [ʃæps; tʃæps] *Am. colloq. für* **chaparajos**.

chap·ter [ˈtʃæptər] **I** *s* **1.** Kaˈpitel *n*, Abschnitt *m* (*Buch etc*): ~ **and verse** a) Kapitel u. Vers (*Angabe einer Bibelstelle*), b) genaue Beweise; **to the end of the** ~ bis ans Ende. – **2.** *Br. Titel der einzelnen Parlamentsbeschlüsse einer Session*. – **3.** *relig.* Zweig *m* einer religiˈösen Gesellschaft *od.* Bruderschaft. – **4.** *relig.* a) ˈDomkaˌpitel *n*, b) ˈOrdenskaˌpitel *n*, c) Vollversammlung *f* der Kaˈnoniker einer Proˈvinz. – **5.** Geneˈralverˌsammlung *f*. – **6.** *Am.* Ortsgruppe *f* (*eines wissenschaftlichen etc Verbandes, einer Studentenvereinigung*). – **7.** *relig.* der als Teil der Liturˈgie verlesene Text der Heiligen Schrift. – **8.** vorläufige vertragliche Festsetzung. – **9.** *pl* röm. Zahlen *pl* (*bes. auf dem Zifferblatt*). – **II** *v/t* **10.** in Kaˈpitel einteilen. – **11.** (*Zifferblatt*) mit röm. Zahlen versehen. — ˈ**chap·ter·al** *adj relig.* Kapitel...

chap·ter house *s* **1.** *relig.* ˈDomkaˌpitel *n*, Stift(shaus) *n*. – **2.** *Am.* Klubhaus *n* (*einer Studentenvereinigung*).

cha·que·ta [tʃaˈketa] (*Span.*) *s* Lederjacke *f* (*der Cowboys*).

char[1] [tʃɑːr] **I** *v/t pret u. pp* **charred** **1.** verkohlen, verkoken, zu Kohle brennen. – **2.** versengen, anbrennen. – **3.** brennen, dörren, austrocknen. – **II** *v/i* **4.** verkohlen, zu Kohle werden. – **III** *s* **5.** verkohlte Sache. – **6.** Holz-, Knochen-, Tierkohle *f*.

char[2] [tʃɑːr] *s zo.* Saibling *m* (*Gattg Salmo od. Salvelinus*), *bes.* ˈRotfoˌrelle *f* (*Salmo alpinus*).

char[3] [tʃɑːr] **I** *s* **1.** *Br. colloq. für* **charlady, charwoman**. – **2.** Gelegenheitsarbeit *f*, *bes.* Hausarbeit *f*. – **II** *v/i* **3.** Gelegenheitsarbeiten (im Haushalt) verrichten. – **4.** als Bedienerin *od.* Reinmachefrau beschäftigt sein. – **III** *v/t* **5.** (*Gelegenheitsarbeit*) ausführen.

char[4] [tʃɑːr] *s Br. sl.* Tee *m*.

char·a [ˈʃærə] *Br. sl. für* **charabanc**.

char·a·banc, char-à-banc [ˈʃærəˌbæŋ] *pl* **-bancs** [-z] *s* **1.** Charaˈban *m*, Kremser *m*. – **2.** *Br.* ˈAusflugsˌautobus *m*.

char·a·cine [ˈkærəsin; -ˌsain] *s zo.* Salmler *m* (*Fam. Characidae; Fisch*).

char·ac·ter [ˈkæriktər; -rək-] **I** *s* **1.** Chaˈrakter *m* (*eines Menschen*): **a bad** ~ ein schlechter Charakter. – **2.** (charakteˈristisches) Kennzeichen, (Wesens)Merkmal *n*: **generic** ~ Gattungsmerkmal; → **specific** ~. – **3.** Ruf *m*, Leumund *m*: **to give s.o. a good** ~ j-m einen guten Leumund geben. – **4.** (Leumunds-, Führungs)Zeugnis *n* (*von Angestellten etc*). – **5.** *fig.* Chaˈrakter *m*, Rang *m*, Stand *m*, Würde *f*: **in his** ~ **of ambassador** in seiner Eigenschaft als Botschafter; **to assume s.o.'s** ~ j-s Namen *od.* Titel annehmen. – **6.** handelnde Perˈson (*eines Theaterstückes od. einer Dichtung*). – **7.** Rolle *f* (*in einem Theaterstück*). – **8.** Perˈsönlichkeit *f*: **a public** ~ eine in der Öffentlichkeit bekannte Persönlichkeit. – **9.** *colloq.* sonderbarer Mensch, Kauz *m*: **he is quite a** ~ er ist ein wahres Original. – **10.** vererbte Eigenschaft, Anlage *f*. – **11.** sichtbares Kennzeichen. – **12.** Schrift(zeichen *n*) *f*, Buchstabe *m*: **in Greek** ~**s** in griech. Schrift; **in large** ~**s** mit großen Buchstaben; **to know s.o.'s** ~**s** j-s Handschrift kennen. – **13.** Ziffer *f*, Zahl(zeichen *n*) *f*. – **14.** Charakteriˈsierung *f*, Beschreibung *f* (*Person*). – **15.** Chiffre *f*, Geheimzeichen *n*. – *SYN. cf.* a) **disposition**, b) **quality**, c) **type**. – **II** *v/t selten* **16.** beschreiben, schildern, charakteriˈsieren. – **17.** (*Schriftzeichen*) eingraben, (ein)schreiben. – **III** *adj* **18.** Charakter...: ~ **actor** Charakterdarsteller; ~ **part** Charakterrolle.

char·ac·tered [ˈkæriktərd; -rək-] *adj* **1.** mit einem Zeichen *od.* einer Inschrift versehen. – **2.** mit Chaˈrakter. – **3.** charakteriˈsiert.

char·ac·ter·is·tic [ˌkæriktəˈristik; -rək-] **I** *adj* **1.** charakteˈristisch, bezeichnend, eigentümlich, typisch: **to be** ~ **of s.th.** für etwas charakteristisch *od.* typisch sein; ~ **note** *mus.* Leitton; ~ **piece** *mus.* Charakterstück; ~ **species** *bot.* Charakterart. – **II** *s* **2.** charakteˈristisches Merkmal, Eigentümlichkeit *f*, Kennzeichen *n*. – **3.** *math.* Index *m* eines Logaˈrithmus, Kennziffer *f*. – *SYN.* **distinctive, individual, peculiar**. — ˌ**char·ac·terˈis·ti·cal** → **characteristic I**. — ˌ**char·ac·terˈis·ti·cal·ly** *adv* (*auch zu* **characteristic I**).

char·ac·ter·i·za·tion [ˌkæriktəraiˈzeiʃən; -riˈz-; -rək-] *s* Charakteriˈsierung *f*, Kenntlichmachung *f*, Kennzeichnung *f*.

char·ac·ter·ize [ˈkæriktəˌraiz; -rək-] *v/t* **1.** charakteriˈsieren, beschreiben, schildern. – **2.** kennzeichnen, ein charakteˈristisches Merkmal sein von, charakteristisch sein für. – **3.** *fig.* ein charakteˈristisches Merkmal aufdrücken (*dat*).

char·ac·ter·less [ˈkæriktərlis; -rək-] *adj* chaˈrakterlos, ohne besonderes Merkmal.

char·ac·ter·y [ˈkæriktəri; -rək-; -tri] *s* **1.** Ausdruck *m* von Gedanken durch Schrift- *od.* Bildzeichen. – **2.** Schrift-, Bildzeichen *pl*, Zeichenschrift *f*.

cha·rade [*Br.* ʃəˈrɑːd; *Am.* ʃəˈreid] *s* Schaˈrade *f*, Silbenrätsel *n*: **to act** ~**s** Scharaden dramatisch darstellen.

char·coal [ˈtʃɑːrkoul] **I** *s* **1.** Holz-, Knochenkohle *f*. – **2.** Reiß-, Zeichenkohle *f*, Kohlestift *m*. – **3.** Kohlezeichnung *f*. – **II** *v/t* **4.** mit Kohle (be)zeichnen *od.* schreiben *od.* schwärzen. – **5.** durch Kohlendunst ersticken. — ~ **black** *s* Kohlenschwarz *n*. — ~ **burn·er** *s* **1.** Köhler *m*, Kohlenbrenner *m*. – **2.** Holzkohleofen *m*. — ~ **draw·ing** *s* **1.** Kohlezeichnung *f*. – **2.** Kohlezeichnen *n* (*als Kunst*). — ~ **i·ron** *s tech.* mittels Holzkohle gefrischtes Eisen. — ~ **pa·per** *s* (ungerolltes) Paˈpier für Kohlezeichnungen. — ~ **plate** *s tech.* Holzkohlenblech *n*. — ~ **point** *s electr.* Kohlenspitze *f* (*Bogenlampe*).

chard [tʃɑːrd] *s* **1.** Blattstiele *pl* der Artiˈschocke. – **2.** a) *bot.* Mangold *m* (*Beta vulgaris var. cicla*), b) Mangold(gemüse *n*) *m*.

chare [tʃɛr] → **char**[3] 2–5.

charge [tʃɑːrdʒ] **I** *v/t* **1.** belasten, beladen. – **2.** (an)füllen, versehen: **to** ~ **a stove with fuel** einen Ofen mit Brennstoff anfüllen *od.* beschicken. – **3.** (*Gewehr, Mine, Batterie etc*) (auf)laden. – **4.** (*Luft, Wasser etc*) anfüllen: **to** ~ **water with calcium carbonate** Wasser mit kohlensaurem Kalk ansetzen. – **5.** (*Gedächtnis, Gewissen, Herz*) belasten: **to** ~ **one's memory with s.th.** sein Gedächtnis mit etwas belasten. – **6.** (*j-m*) aufbürden, zur Last legen (**with** *acc*). – **7.** (**with**) beauftragen (mit), (*j-m*) (an)befehlen, einschärfen, zur Pflicht machen (*acc*): **to** ~ **s.o. with a task** j-n mit einer Aufgabe betrauen; **to** ~ **s.o. to be careful** j-m einschärfen, vorsichtig zu sein. – **8.** belehren, ermahnen (*z.B. ein Richter die Geschworenen*). – **9.** (*j-m*) vorwerfen (**with** *acc*): **to** ~ **s.o. with negligence** j-n der Nachlässigkeit bezichtigen. – **10.** (*j-n*) beschuldigen, anklagen (**with** *gen*): **to** ~ **s.o. with theft** j-n des Diebstahls beschuldigen. – **11.** (*j-m*) eine Zahlungsverpflichtung auferlegen, (*j-n*) belasten. – **12.** (*j-n*) belasten (**with** mit), (*etwas*) in Rechnung stellen, anschreiben, debiˈtieren: **to** ~ **s.o. with an amount** j-n mit einer Summe belasten; **to** ~ **an amount to s.o.'s account** j-s Konto mit einem Betrage belasten. – **13.** anrechnen, berechnen, als Preis fordern: **how much do you** ~ **for mending those shoes?** wieviel berechnen *od.* verlangen Sie für die

Reparatur dieser Schuhe? – 14. *mil.* stürmen, attac'kieren, im Sturm(schritt) angreifen. – 15. *mil.* (*Waffe*) zum Angriff fällen: ~ **bayonets!** fällt das Bajonett! – 16. *her.* (*Wappenschild*) über'tragen. – *SYN. cf.* **command.** –
II *v/i* **17.** angreifen, einen Angriff machen, stürmen. – **18.** einen Betrag anrechnen, debi'tieren. – **19.** Zahlung verlangen. – **20.** sich kuschen (*Hund*). –
III *s* **21.** Last *f*, Belastung *f* (*auch fig.*). – **22.** Fracht(ladung) *f.* – **23.** *tech.* Charge *f*, Gicht *f*, Beschickung(sgut *n*) *f* (*Brennstoff, Erz, Pulver etc*). – **24.** Ladung *f* (*Schußwaffe, Batterie etc*): **exercise** ~ Übungsladung; **full** ~ Gefechtsladung. – **25.** Ladung *f* (*Menge eines Explosivstoffes*). – **26.** Verantwortung *f*, Aufsicht *f*, verantwortliche Stellung: **the sergeant in** ~ **of the guard** der die Wache befehligende Feldwebel; **to give s.o. in** ~ j-n in polizeilichen Gewahrsam geben. – **27.** Obhut *f*: **to leave s.th. in s.o.'s** ~ etwas j-s Obhut anvertrauen; **to have** ~ **of s.th.** etwas in Obhut haben *od.* betreuen. – **28.** Pflegebefohlene(r), Pflegling *m*, Schützling *m*, Mündel *m, n.* – **29.** anvertrautes *od.* depo'niertes Gut. – **30.** *relig.* die der geistlichen Betreuung eines Seelsorgers anvertraute Per'son *od.* Gemeinde: **a lost** ~ ein verlorenes Schaf. – **31.** Befehl *m*, Ermahnung *f*, feierliche Anrede (*z.B. Hirtenbrief*). – **32.** Rechtsbelehrung *f* (*des Richters an die Geschworenen*). – **33.** (Un)Kosten *pl*, Spesen *pl*: **what is the** ~? wie hoch sind die Kosten? **free of** ~ kostenlos; **there is no** ~ es kostet nichts. – **34.** in Rechnung gestellter Betrag, Gebühr *f*: Taxe *f*: **a** ~ **of 50 cents for admission** ein Eintrittspreis von 50 Cent. – **35.** finanzi'elle Last, Belastung *f*, fällige Schuld: **to become a** ~ **upon the parish** der Gemeinde zur Last fallen. – **36.** Belastung *f* (*Konto*). – **37.** *mil.* Sturm(angriff) *m*, At'tacke *f.* – **38.** *mil.* 'Hornsi,gnal *n* zum Sturmangriff. – **39.** *electr.* Ladung *f* (*einer Batterie*), angesammelte elektr. Ener'gie. – **40.** *jur.* Anklage(punkt *m*) *f*, Beschuldigung *f.* – **41.** *her.* Wappenbild *n.* – *SYN.* **cost, expense, price.**

char·gé [*Br.* 'ʃɑːʒei; *Am.* ʃɑːr'ʒei] *Kurzform für* **chargé d'affaires.**

charge·a·bil·i·ty [ˌtʃɑːrdʒə'biliti; -əti] *s* Anrechenbarkeit *f.*

charge·a·ble ['tʃɑːrdʒəbl] *adj* **1.** anrechenbar, anzurechnen(d). – **2.** anklagefähig, anzuklagen(d), zu beschuldigen(d). – **3.** zur Last fallend: **to become** ~ **to the parish** der Gemeinde zur Last fallen. – **4.** besteuerbar. – **5.** *obs.* lästig, beschwerlich. — ~ **of·fence,** *Am.* ~ **of·fense** *s* gerichtlich zu belangendes Vergehen.

charge| ac·count *s econ. Am.* laufendes Konto. — ~ **car·ri·er** *s* Ladungsträger *m.*

char·gé d'af·faires [*Br.* 'ʃɑːʒei dæ'fɛə; *Am.* ʃɑːr'ʒei dæ'fɛr] *pl* **char·gés d'affaires** [*Br.* -ʒei; *Am.* -ʒeiz] *s* Char'gé d'af'faires *m*, (diplo'matischer) Geschäftsträger.

charge| e·lim·i·na·tor *s tech.* Ableiter *m.* — '~ˌ**house** *s tech.* Gebäude *n*, in dem Geschosse mit Sprengstoff gefüllt werden.

charg·er¹ ['tʃɑːrdʒər] *s* **1.** Angreifender *m.* – **2.** Kavalle'rie-, Chargenpferd *n*, Dienstpferd *n* (*eines Offiziers*). – **3.** *electr.* Akkumula'torenˌladeˌvorrichtung *f.* – **4.** (*Hochofen*) Gichtmann *m.*

charg·er² ['tʃɑːrdʒər] *s Am. obs. u. Br.* Ta'blett *n*, Platte *f.*

charg·er strip *s mil.* Ladestreifen *m.*

charge sheet *s* Poli'zeireˌgister *n* (*der in Gewahrsam befindlichen Personen u. der ihnen zur Last gelegten Vergehen*).

charg·ing ['tʃɑːrdʒiŋ] *s* **1.** Beladung *f.* – **2.** *tech.* Beschickung *f*, Begichtung *f*, Möllerung *f* (*Hochofen etc*). – **3.** *electr.* (Auf)Ladung *f.* – **4.** *econ.* Belastung *f*, Auf-, Anrechnung *f.* – **5.** *biol.* Auflastung *f.* — ~ **bar·row** *s tech.* Begichtungswagen *m.* — ~ **con·nec·tion** *s electr.* Ladeschaltung *f*, -anschluß *m.* — ~ **floor** *s tech.* Begichtungs-, Gichtbühne *f.* — ~ **ga(u)ge** *s tech.* Gichtmaß *n*, -messer *m.* — ~ **hole** *s tech.* Einschüttöffnung *f.* — ~ **plat·form** → **charging floor.** — ~ **plug** *s electr.* Ladestöpsel *m.* — ~ **rate** *s electr.* Stromaufnahme *f* (*bei der Ladung*). — ~ **rec·ti·fi·er** *s electr.* Ladegleichrichter *m.*

char·i·ly ['tʃɛ(ə)rili; -rə-] *adv* **1.** vorsichtig, behutsam. – **2.** sparsam. —

char·i·ness ['tʃɛ(ə)rinis] *s* **1.** Vorsicht *f*, Behutsamkeit *f.* – **2.** Sparsamkeit *f.* – **3.** *obs.* strengste Integri'tät.

char·i·ot ['tʃæriət] **I** *s* **1.** *antiq.* zweirädriger Streit- *od.* Tri'umphwagen. – **2.** leichter vierrädriger Wagen. – **3.** *humor.* Kutsche *f*, Ka'lesche *f*, Auto *n.* – **II** *v/t* **4.** (*j-n od. etwas*) in einer Kutsche *etc* befördern *od.* fahren. – **III** *v/i* **5.** *bes. poet.* (wie) in einem Streitwagen *od.* einer Kutsche fahren. — ˌ**char·i·ot'eer** [-'tir] *s* **1.** *bes. poet.* Wagen-, Rosselenker *m.* – **2.** C~ *astr.* Fuhrmann *m* (*Sternbild*).

char·i·ta·ble ['tʃæritəbl; -rə-] *adj* **1.** barm'herzig, wohltätig, mild(tätig). – **2.** gütig, nachsichtig: **to take a** ~ **view of s.th.** eine Sache mit Nachsicht beurteilen. – *SYN.* **benevolent, humane, humanitarian, philanthropic.** — '**char·i·ta·ble·ness** *s* **1.** Wohltätigkeit *f*, Mildtätigkeit *f*, Milde *f.* – **2.** Güte *f*, Nachsicht *f.*

char·i·ty ['tʃæriti; -rə-] *s* **1.** (christliche) Nächstenliebe: **brother of** ~ barmherziger Bruder. – **2.** Barm'herzigkeit *f*, Mildtätigkeit *f*: **public (private)** ~ öffentliche (private) Mildtätigkeit; ~ **to the poor** Mildtätigkeit gegen die Armen; ~ **begins at home** die Nächstenliebe beginnt zu Haus. – **3.** Liebe *f*, Güte *f*, Milde *f*, Nachsicht *f*: **to practice** ~ **toward(s) s.o.** j-m gegenüber Milde *od.* Nachsicht üben. – **4.** Almosen *n*, milde Gabe: **to dispense** ~ Almosen geben; **to live on** ~ von Almosen leben. – **5.** gutes Werk: **it would be a** ~ **to help him** es würde ein gutes Werk sein, ihm zu helfen. – **6.** wohltätige Stiftung, 'Wohlfahrtsinstiˌtut *n.* – *SYN. cf.* **mercy.** — ~ **school** *s* Armen-, Freischule *f.*

cha·ri·va·ri [ˌʃɑːri'vɑːri; *Am. auch* ʃəˌrivə'riː; 'ʃivəˌriː] **I** *s* Chari'vari *m, n*, 'Katzenmuˌsik *f* (*Am. bes. als Ständchen für Neuvermählte*). – **II** *v/t Am.* (*bes. ein neuvermähltes Paar*) mit 'Katzenmuˌsik ‚beehren'.

chark [tʃɑːrk] **I** *s obs. od. dial.* Holzkohle *f.* – **II** *v/t* verkohlen, verkoken.

char·k(h)a ['tʃɑːrkə; 'tʃʌrkə] *s Br. Ind.* (Zimmer)Spinnrad *n* (*für Baumwolle*).

char·la·dy ['tʃɑːrˌleidi] *Br. für* **charwoman.**

char·la·tan ['ʃɑːrlətən] *s* Scharlatan *m*, Quacksalber *m*, Kurpfuscher *m.* — ˌ**char·la'tan·ic** [-'tænik], ˌ**char·la'tan·i·cal** *adj* quacksalberisch, pfuscherhaft. — ˌ**char·la'tan·i·cal·ly** *adv* (*auch zu* **charlatanic**).

char·la·tan·ism ['ʃɑːrlətəˌnizəm], '**char·la·tan·ry** [-ri] *s* Scharlatane'rie *f*, ˌKurpfusche'rei *f*, ˌQuacksalbe'rei *f.*

Charles's Wain ['tʃɑːrlziz], *auch* **Charles' Wain** *s astr.* der Große Bär *od.* Wagen.

Charles·ton ['tʃɑːrlztn] *s* Charleston *m* (*amer. Modetanz um 1925*).

Char·ley horse ['tʃɑːrli] *s Am. colloq.* Muskelkater *m.*

char·lock ['tʃɑːrlək] *s bot.* Ackersenf *m*, Hederich *m* (*Sinapis arvensis*).

char·lotte ['ʃɑːrlət] *s* Char'lotte *f* (*Obstdessert mit zerkleinertem Röstbrot*). — ~ **russe** [ruːs] *s* Char'lotte *f* russe (*Obstdessert im Biskuitrand mit Schlagsahne- od. Eierkremfüllung*).

charm¹ [tʃɑːrm] **I** *s* **1.** Charme *m*, Zauber *m*, (Lieb)Reiz *m*, Anmut *f*: **feminine** ~**s** weibliche Reize. – **2.** Zauber *m*: **to be under a** ~ unter einem Zauber *od.* einem Banne stehen. – **3.** Talisman *m*, Amu'lett *n.* – **4.** Zaube'rei *f.* – **5.** 'Hersagen *n* von Zauberformeln. – **6.** Zauberformel *f*, -mittel *n.* – *SYN. cf.* **fetish.** – **II** *v/t* **7.** bezaubern, reizen, anziehen, entzücken, erfreuen: **to be** ~**ed to meet s.o.** entzückt sein, j-n zu treffen; **to be** ~**ed by s.o.'s manners** durch j-s Wesen bezaubert sein. – **8.** be-, verzaubern, behexen, besprechen: **to be** ~**ed against s.th.** gegen etwas gefeit *od.* durch Zauber geschützt sein; **to** ~ **away** wegzaubern. – **9.** (wie) durch Zauber beschützen, Zauberkraft verleihen (*dat*). – *SYN. cf.* **attract.** – **III** *v/i* **10.** bezaubernd *od.* entzückend *od.* anziehend wirken. – **11.** zaubern, Zaubermittel anwenden. – **12.** als Zaubermittel wirken.

charm² [tʃɑːrm] *s obs. od. dial.* Durchein'andersingen *n* (*von Kindern, Vögeln etc*), Gezwitscher *n.*

charmed [tʃɑːrmd] *adj* **1.** gefeit: **to bear a** ~ **life** durch einen Zauber unverwundbar sein. – **2.** bezaubert, entzückt.

charm·er ['tʃɑːrmər] *s* **1.** Zauberer *m*, Zauberin *f.* – **2.** bezaubernder *od.* reizender Mensch, Char'meur *m.*

char·meuse ['ʃɑːrməːz; ʃar'møːz] *s* Char'meuse *f* (*Stoff aus Kunstseide*).

charm·ing ['tʃɑːrmiŋ] *adj* **1.** char'mant, bezaubernd, entzückend, reizend. – **2.** Zaubermittel anwendend. — '**charm·ing·ness** *s* bezauberndes Wesen, Liebenswürdigkeit *f.*

char·nel ['tʃɑːrnl] **I** *s* **1.** *obs.* Begräbnisplatz *m.* – **2.** → ~ **house.** – **II** *adj* **3.** Leichen..., Toten... — ~ **house** *s* Leichen-, Beinhaus *n.*

Cha·ron ['kɛ(ə)rən] **I** *npr* Charon *m* (*der sagenhafte Fährmann der griech. Unterwelt*). – **II** *s humor.* Fährmann *m.*

char·poy ['tʃɑːr'pɔi] *s Br. Ind.* leichtes indisches Bettgestell.

char·qui ['tʃɑːrki] *s* in Streifen geschnittenes, getrocknetes Rindfleisch.

charred [tʃɑːrd] *adj* verkohlt, angebrannt.

char·ry ['tʃɑːri] *adj* kohlenartig, kohlig.

chart [tʃɑːrt] **I** *s* **1.** Ta'belle *f*: **genealogical** ~ genealogische Tabelle. – **2.** graphische Darstellung: → **weather** ~. – **3.** *math. tech.* Plan *m*, Dia'gramm *n*, Tafel *f*, Schaubild *n.* – **4.** (geo'graphische) Karte, *bes.* See-, Himmelskarte *f*: **admiralty** ~ Admiralitätskarte; → **astronomical** 1. – **II** *v/t* **5.** auf einer Karte einzeichnen *od.* verzeichnen. – **6.** (*Route*) an Hand der Karte skiz'zieren. – **7.** entwerfen, planen: **to** ~ **a course of action** einen Aktionsplan entwerfen.

char·ta ['kɑːrtə] (*Lat.*) *s hist.* Urkunde *f*: → **Magna C**~.

char·ta·ceous [kɑːr'teiʃəs] *adj* pa'pieren, pa'pierartig.

char·ter ['tʃɑːrtər] **I** *s* **1.** Urkunde *f*, Charte *f*, Freibrief *m.* – **2.** Privi'legium *n* von Freiheiten u. Rechten (*das von einem gekrönten Haupt gewährt wird*). – **3.** *urkundliche Genehmigung seitens einer Gesellschaft, Gemeinschaft od. eines Ordens zur Gründung einer Filiale, Tochtergesellschaft etc.* – **4.** Gnadenbrief *m.* – **5.** Gründungsurkunde *f* u. Satzungen *pl* (*Gesellschaft*). – **6.** *bes. pol.* Verfassung(surkunde) *f*, Charta *f*. – 7. → ~ party. – 8. Charterung *f*, Mieten *n*, Befrachten *n* (*Schiff*). – II *v/t* 9. durch Urkunde festsetzen, privile'gieren: to ~ a bank. – 10. *mar.* (*Schiff*) chartern, (*durch Charterpartie*) be-, verfrachten: to ~ by the lump im ganzen verfrachten. – 11. (*Boot, Wagen etc*) mieten. – III *adj* 12. gemäß einer Urkunde, urkundlich. – *SYN. cf.* hire. — '**char·ter·a·ble** *adj* charterbar, befrachtbar. — '**char·ter·age** *s mar.* Be-, Verfrachtung *f*, Charter *f*.

Char·ter| boy *s Br.* Zögling *m* des Charterhouse. — ~ **broth·er** *s* Hospita'lit *m* des Charterhouse.

char·tered ['tʃɑːrtərd] *adj* 1. auf eine königliche Urkunde gegründet. – 2. privile'giert, berechtigt, diplo'miert. – 3. gechartert, befrachtet, gemietet. — ~ **ac·count·ant** *s Br.* konzessio'nierter Buchprüfer, Wirtschaftsprüfer *m*, (vereidigter) Rechnungsprüfer.

Char·ter·house (School) ['tʃɑːrtərˌhaus] *s ein Stift mit berühmter Schule (bei Godalming, England).*

char·ter·ing bro·ker ['tʃɑːrtəriŋ] *s mar.* Schiffsmakler, der Verfrachtungen vermittelt.

'**char·ter|ˌmas·ter** *s Br. hist.* Grubenmeister *m*, Hauptgedingenehmer *m*. — ~ **mem·ber** *s* Stammitglied *n* (*Organisation*). — ~ **par·ty** *s* 'Charteparˌtie *f* (*Vertrag zwischen Reeder u. Befrachter*). — **C~ school** *s Br. hist. von der Charter Society gegründete protestantische Schule für arme kath. Kinder in Irland.*

Chart·ism ['tʃɑːrtizəm] *s Br. hist.* Char'tismus *m* (*politische Bewegung 1830–1848*). — '**Chart·ist** *s Br. hist.* Char'tist *m*.

char·treuse [ʃɑːr'trəːz] *s* 1. (*TM*) Char'treuse *f* (*von Kartäusermönchen hergestellter Kräuterlikör*). – 2. hellgrüne Farbe. – 3. C~ Kar'täuserkloster *n*.

'**chartˌroom** *s mar.* Kartenzimmer *n*, -haus *n*, Navigati'onsraum *m*.

char·tu·lar·y [*Br.* 'kɑːrtjuləri; *Am.* -tʃuˌleri] *s* 'Urkundenreˌgister *n*.

char·wom·an ['tʃɑːrˌwumən] *s irr* 1. Putz-, Reinemachefrau *f*, Bedienerin *f*. – 2. Aufwartefrau *f*, Aufwartung *f*, Gelegenheitsarbeiterin *f* (*im Haushalt*).

char·y ['tʃɛ(ə)ri] *s* 1. vorsichtig, behutsam (in, of in *dat*, bei). – 2. wählerisch. – 3. sparsam (of mit). – *SYN. cf.* cautious.

chase¹ [tʃeis] I *v/t* 1. jagen, Jagd machen auf (*acc*), nachjagen (*dat*), verfolgen. – 2. *hunt.* hetzen, jagen. – 3. vor sich 'hertreiben. – 4. verjagen, vertreiben, in die Flucht jagen. – *SYN. cf.* follow. – II *v/i* 5. jagen: to ~ after s.o. j-m nachjagen. – 6. *colloq.* jagen, hasten, eilen. – III *s* 7. Verfolgung *f*: → wild-goose ~. – 8. (Hetz-)Jagd *f*: to go in ~ of the fox hinter dem Fuchs herjagen; to give ~ to s.o. (s.th.) j-n (etwas) verfolgen, j-m (einer Sache) nachjagen. – 9. gejagtes Wild *od.* Schiff *etc* (*auch fig.*). – 10. *Br.* 'Jagd(reˌvier *n*) *f*, -gelände *n*. – 11. *jur. Br.* Jagdrecht *n*.

chase² [tʃeis] I *s* 1. *print.* Formrahmen *m*, Rahme *f*. – 2. Kupferstecherrahmen *m*. – 3. Rinne *f*, Einschnitt *m*, Furche *f* (*z.B. in einer Mauer zur Aufnahme der Leitungsröhren*). – 4. *mil.* a) *der vor dem Schildzapfen der Lafette befindliche Teil eines Geschützes*, b) *langes* (*gezogenes*) *Feld eines Geschützrohres*. – II *v/t* 5. treiben, zise'lieren, ausmeißeln. – 6. *tech.* punzen, strehlen, schneiden, auskreuzen. – 7. *tech.* (*Gewinde*) nachschneiden. – 8. Furchen *od.* Rinnen ziehen in (*dat*).

chase gun *s mar.* Jagd-, Buggeschütz *n*.

chas·er¹ ['tʃeisər] *s* 1. Jäger *m*, Verfolger *m*. – 2. *mar.* a) jagdmachendes Schiff, b) Geleitboot *n*, -schiff *n*. – 3. *aer.* Jagdflugzeug *n*, Jäger *m*. – 4. *mar.* Jagdgeschütz *n*. – 5. *Am. colloq.* ‚Schluck *m* zum Nachspülen' (*Schnaps auf Kaffee etc*).

chas·er² ['tʃeisər] *s tech.* 1. Zise'leur *m*, Nachschneider *m*. – 2. Schneidbacken *m*, Kluppe *f*. – 3. Gewindestahl *m*, -strähler *m*. – 4. Treibmeißel *m*, -punzen *m*.

chas·ing ['tʃeisiŋ] *s tech.* 1. Treiben *n*, Zise'lieren *n*, Zise'lierung *f*. – 2. Nachschneiden *n*: ~ tool Nachschneider. — ~ **lathe** *s tech.* Drück(dreh)bank *f*.

chasm ['kæzəm] *s* 1. (Erd-, Fels-)Spalte *f*, Kluft *f*, Abgrund *m* (*auch fig.*). – 2. Schlucht *f*, Klamm *f*. – 3. Riß *m*, Spalte *f* (*z.B. in einer Mauer*). – 4. Unter'brechung *f* (*eines Vorganges*), Lücke *f*. – 5. *tech.* Schacht *m*, Spalt *m*.

chas·mal ['kæzməl] *adj* abgründig, abgrundartig, -tief. — **chasmed** ['kæzəmd] *adj* gespalten, rissig. — **chasm·y** ['kæzmi; -zəmi] *adj* spaltig, zerklüftet.

chasse [ʃas] (*Fr.*) *s Likör nach Kaffee etc.*

chas·sé [*Br.* 'ʃæsei; *Am.* ʃæ'sei] I *s* Schas'sieren *n*, gleitender Tanzschritt. – II *v/i* schas'sieren.

chas·se·las ['ʃæsəˌlæs] *s bot.* Gutedel *m* (*weiße Traubenart von Chasselas, Frankreich*).

chasse·pot ['ʃæspou] *s* Chasse'potgewehr *n* (*Hinterlader*).

chas·seur [ʃæ'səːr] *s* 1. *mil.* Jäger *m* (*in der franz. Armee*). – 2. li'vrierter La'kai. – 3. Jäger *m*.

chas·sis ['ʃæsi; *Am. auch* -sis] *s* 1. Chas'sis *n*, Rahmen *m*, Fahrgestell *n* (*Automobil*). – 2. *mil.* La'fettenrahmen *m* (*Geschütz*). – 3. *aer.* Fahr-, 'Untergestell *n* (*Flugzeug*). – 4. *electr.* Chas'sis *n*, Grundplatte *f* (*Rundfunkapparat*).

chaste [tʃeist] *adj* 1. keusch, züchtig, unbefleckt. – 2. rein, tugendhaft, anständig, bescheiden. – 3. stilrein, rein (*Bauwerk etc*), einfach. – *SYN.* decent, modest, pure.

chas·ten ['tʃeisn] *v/t* 1. züchtigen, strafen, bessern. – 2. reinigen, läutern, verfeinern (*Stil etc*). – 3. mäßigen, dämpfen, demütigen. – *SYN cf.* punish.

chaste·ness ['tʃeistnis] *s* Keuschheit *f*, Reinheit *f*.

chas·tise [tʃæs'taiz] *v/t* 1. züchtigen, (be)strafen. – 2. *obs.* reinigen, stilrein machen. – *SYN. cf.* punish. — '**chas·tise·ment** [-tizmənt] *s* 1. Züchtigung *f*, Strafe *f*. – 2. *obs.* Reinigung *f*.

chas·ti·ty ['tʃæstiti; -təti] *s* 1. Keuschheit *f*: to make a vow of ~ ein Gelübde der Keuschheit ablegen. – 2. Reinheit *f*, Unbeflecktheit *f*.

chas·u·ble ['tʃæzjubl] *s relig.* Kasel *f* (*liturgisches Obergewand*).

chat¹ [tʃæt] I *v/i pret u. pp* '**chat·ted** plaudern, plauschen, schwatzen. – II *s* Geplauder *n*, gemütliches Gespräch, Unter'haltung *f*: to have a ~ with s.o. mit j-m plaudern *od.* ein zwangloses Gespräch führen; to look in for a ~ auf einen Plausch vorbeikommen.

chat² [tʃæt] *s zo.* 1. (*ein*) Steinschmätzer *m* (*Gattg Saxicola*). – 2. (*ein*) Tr(o)upi'al *m* (*Gattg Icteria*).

châ·teau [*Br.* 'ʃɑːtou; *Am.* ʃæ'tou] I *s pl* **-teaux** [-touz] 1. Cha'teau *n*, (franz.) Schloß *n*. – 2. Schloß *n* in franz. Stil. – 3. Landsitz *m*, (Land-)Gut *n*. – II *adj* 4. Chateau-... (*Wein*): C~ Lafite Chateau-Lafit(t)e. — **C~ wine** *s* Cha'teauwein *m* (*bes. in der Umgebung von Bordeaux gewachsener Wein*).

chat·e·lain ['ʃætəˌlein] *s* Kastel'lan *m*. — **chat·e·laine** ['ʃætəˌlein] *s* 1. Kastel'lanin *f*. – 2. Schloßherrin *f*. – 3. Chate'laine *f* (*Uhrkette etc*).

cha·toy·an·cy [ʃə'tɔiənsi] *s* Schillern *n*. — **cha'toy·ant** I *adj obs.* schillernd, in Farben spielend, chan'gierend. – II *s min.* Schillerstein *m*, Katzenauge *n*.

chat·ta ['tʃætə; 'tʃɑːtɑː] *s Br. Ind.* Sonnenschirm *m*.

chat·tel ['tʃætl] *s* 1. Sklave *m*, Leibeigener *m*. – 2. *jur.* a) Mo'bilien *pl*, bewegliches Eigentum, Hab u. Gut *n*, b) jegliches Eigentum (*mit Ausnahme von Grundstücken u. Gebäuden*). — ~ **mort·gage** *s jur. Am.* (*Art*) 'Sicherungsüberˌeignung *f*.

chat·ter ['tʃætər] I *v/i* 1. schnattern (*Affen*), krächzen (*Elstern etc*). – 2. schnattern, schwatzen, plappern. – 3. klappern: his teeth ~ed with cold er klapperte vor Kälte mit den Zähnen. – 4. *tech.* stark vi'brieren, rattern. – II *v/t* 5. (da'her)plappern. – III *s* 6. Geplapper *n*, Geplauder *n*, Geschwätz *n*. – 7. Geschnatter *n* (*Affen*), Gezwitscher *n* (*Vögel etc*). — '~ˌ**box** *s* 1. Plaudertasche *f*, Plappermaul *n*. – 2. *mil. sl.* 'Flakmaˌschinengewehr *n*.

chat·ter·er ['tʃætərər] *s* 1. Plauderer *m*, Schwätzer(in). – 2. *zo.* Seidenschwanz *m* (*Gattg Bombycilla*). – 3. *zo.* Frucht-, Schmuckvogel *m* (*Fam. Cotingidae*).

chat·ter mark *s* 1. *tech.* Rattermarke *f* (*Fehler in der Schnittfläche*). – 2. *geol. kurzer krummer Oberflächenriß eines vergletscherten Felsens, quer zu den Gletscherschrammen.*

chat·ti·ness ['tʃætinis] *s* Gesprächigkeit *f*, Redseligkeit *f*.

chat·ty¹ ['tʃæti] *adj* 1. geschwätzig, redselig, gesprächig. – 2. plaudernd: a ~ letter ein flüssig *od.* im Plauderton geschriebener Brief.

chat·ty² ['tʃɑti] *s Br. Ind.* irdener Wassertopf.

chaud-froid [ʃo'frwa] (*Fr.*) *s* Chaudfroid *n* (*Gericht aus Fisch-, Wild- od. Geflügelstücken in kalter Soße u. übersulzt*).

chauf·fer ['tʃɔːfər; 'ʃɔːf-] *s* 1. kleiner Tragofen. – 2. Wärmepfanne *f*.

chauf·feur [ʃou'fəːr; 'ʃoufər] *s* Chauf'feur *m*, Fahrer *m*. — **chauf'feuse** [-'føz] *s* Fahrerin *f*.

chaul·moo·gra [tʃɔːl'muːgrə] *s bot.* Chaul'moograbaum *m* (*Hydnocarpus kurzii*). — ~ **oil** *s* Chaul'moograöl *n* (*Aussatzsalbe*).

Chau·mon·tel [ʃomɔ̃'tɛl] (*Fr.*) *s große, weißfleischige Birnensorte.*

Chau·tau·qua, *auch* **c~** [ʃə'tɔːkwə] *s Am.* Vortrags- u. Kon'zertreihe *f* (*in verschiedenen amer. Städten um 1900, meist im Sommer in einem großen Zelt*).

chau·vin·ism ['ʃouviˌnizəm] *s* Chauvi'nismus *m*, über'triebener Patrio'tismus. — '**chau·vin·ist** *s* Chauvi'nist *m*. — ˌ**chau·vin'is·tic** *adj* chauvi'nistisch.

chaw [tʃɔː] *vulg.* I *v/t* 1. kauen. – 2. ~up *bes. Am.* (*j-n*) ‚kleinkriegen', gehörig abfertigen. – II *v/i* 3. kauen. – III *s* 4. Kauen *n*. – 5. → chew 7. — '~ˌ**ba·con** *s* Bauerntölpel *m*.

chaw·dron ['tʃɔːdrən] *s obs.* Kal'daunen *pl*, (Tier)Eingeweide *pl*.

chawl [tʃɔːl] *s Br. Ind.* 'Mietskaˌserne *f*.

chay [tʃei; tʃai] *s bot.* Chaywurzel *f* (*von Oldenlandia umbellata*).

cha·zan, chaz·zan [xɑː'zɑːn; 'xɑːzən] *s jüd.* Kantor *m*, Vorsänger *m*.

cheap [tʃiːp] I *adj* 1. billig, preiswert: to get off ~ *sl.* mit einem blauen Auge davonkommen; as ~ as dirt *sl.*, dirt ~ *sl.* spottbillig; it is ~ at that price für diesen Preis ist es billig. – 2. *fig.* billig, mühelos *od.* ohne Anstrengung erhältlich: ~ glory billiger Ruhm. – 3. wertlos, von geringem Wert, kitschig: ~ finery kitschiger

Schmuck. – 4. *fig.* schäbig, minderwertig: ~ **conduct** schäbiges Benehmen. – 5. verlegen, betreten, ‚belämmert': **to feel ~ about a mistake** wegen eines begangenen Fehlers ‚verdattert' sein. – 6. niedrig im Kurs, gegen billigen Zinsfuß erhältlich: **money is ~ today** Geld ist heute billig (*als Darlehen*) zu haben. – 7. entwertet, wertlos. – 8. *Br.* verbilligt, ermäßigt: **a ~ fare** ein ermäßigter Fahrpreis. – *SYN. cf.* **contemptible.** – **II** *adv* 9. billig: **to buy s.th. ~** etwas billig kaufen. – **III** *s* 10. Marktplatz *m* (*nur noch in Ortsnamen wie*): **Cheapside.**

cheap·en ['tʃi:pən] **I** *v/t* 1. verbilligen, im Preise her'absetzen. – 2. schlechtmachen, geringschätzig sprechen über (*acc*). – **II** *v/i* 3. billiger werden, sich verbilligen. — '**cheap·ness** *s* Billigkeit *f*, Wohlfeilheit *f*.

cheap skate *s Am. sl.* ‚Knicker' *m*, ‚Geizkragen' *m*, Geizhals *m*.

cheat[1] [tʃi:t] **I** *s* 1. Betrüger(in), Schwindler(in), ‚Mogler(in)' (*bes. beim Kartenspiel etc*). – 2. Betrug *m*, Schwindel *m*, ‚Moge'lei' *f*. – 3. *jur.* Betrug *m* (*bes. durch Vorspiegelung falscher Tatsachen*). – 4. Täuschung *f*, Vorspiegelung *f* falscher Eigenschaften *od.* Tatsachen. – 5. Betrug *m*, Schwindel *m* (*Sache, die etwas anderes zu sein vorgibt, als sie ist*). – *SYN. cf.* **imposture.** – **II** *v/t* 6. betrügen, beschwindeln, ‚bemogeln': **to ~ s.o. out of a shilling** j-n um einen Schilling betrügen *od.* bemogeln. – 7. täuschen, irre-, anführen, hinters Licht führen, (*j-m*) etwas vormachen: **to ~ s.o. into believing that** j-m weismachen, daß. – 8. durch List verhindern, sich entziehen (*dat*): **to ~ justice** sich der (gerechten) Strafe entziehen; **to ~ the worms** *sl.* dem Tod ein Schnippchen schlagen. – **III** *v/i* 9. betrügen, schwindeln, ‚mogeln': **to ~ at cards** beim Kartenspielen mogeln. – *SYN.* **cozen, defraud, overreach, swindle.**

cheat[2] [tʃi:t] *s bot.* 1. → **chess**[3]. – 2. Taumellolch *m* (*Lolium temulentum*).

cheat·a·ble ['tʃi:təbl] *adj* leicht zu hinter'gehen(d) *od.* zu täuschen(d). — '**cheat·er** *s* Betrüger(in), Schwindler(in), ‚Mogler(in)'. — '**cheat·er·y** [-əri] *s* Betrüge'rei *f*, Schwinde'lei *f*.

che·bec(k) [ʃi'bek] *s mar.* Sche'becke *f* (*Dreimaster mit Segeln u. Rudern*).

check [tʃek] **I** *s* 1. Hemmnis *n*, Hindernis *n* (*Person od. Sache*): **to put a ~ upon s.o.** j-m einen Dämpfer aufsetzen, j-n zurückhalten; **to be in ~** gehemmt sein. – 2. Einhalt *m*, Unter'brechung *f*. – 3. Kon'trolle *f*, Über'prüfung *f*, Nachprüfung *f*: **to keep a ~ upon s.th.** etwas unter Kontrolle halten. – 4. Kontrol'leur *m*, Über'prüfer *m*. – 5. Kon'trollzeichen *n* (*Haken, Strich an Listen, Rechnungen etc*). – 6. Prüfung *f*, Über'prüfung *f*, Probe *f* (*z. B. zwecks Feststellung der Richtigkeit eines Verfahrens*). – 7. *Am.* Scheck *m*, Zahlungsanweisung *f* (*an eine Bank*) (= *Br.* **cheque**): **to give s.o. a blank ~** *fig.* j-m freie Hand lassen. – 8. *bes. Am.* Kassenschein *m*, -zettel *m*, Rechnungszettel *m* (*für verzehrte Speisen od. gekaufte Waren*). – 9. Kon'trollabschnitt *m*, -marke *f*, -schein *m*. – 10. Garde'robenmarke *f*, Aufbewahrungsschein *m*: **hat ~** Garderobenzettel für den abgegebenen Hut. – 11. Bon *m*, Gutschein *m* (*z. B. für eine Mahlzeit*). – 12. → **baggage ~**. – 13. Schachbrett-, Würfel-, Karomuster *n*. – 14. Karo *n*, Viereck *n*. – 15. ka'rierter Stoff. – 16. Spielmarke *f* (*z. B. beim Pokerspiel*). – 17. kleiner Riß *od.* Spalt (*in Holz, Stahl etc*). – 18. *tech.* Fuge *f*, Nut *f*, Falz *m*. – 19. (*Schachspiel*) Schach(stellung *f*) *n*: **to be in ~** in Schach stehen; **to give ~** Schach bieten; **to hold** (*od.* **keep**) **in ~** *fig.* in Schach halten. – 20. (*Eishockey*) Behinderung *f* des gegnerischen Spieles *od.* eines Spielers der Gegenseite. – 21. Anhalten *n* (*Atem*). – **II** *adj* 22. Kontroll..., zur Kon'trolle dienend. – 23. ka'riert: **a ~ jacket.** – **III** *interj* 24. Schach! (*Warnruf an den Schachgegner*). – **IV** *v/t* 25. hemmen, aufhalten, hindern, zum Stehen bringen, eindämmen. – 26. zu'rückhalten, Einhalt tun (*dat*): **to ~ oneself** (plötzlich) innehalten, sich eines anderen besinnen. – 27. kontrol'lieren, kollatio'nieren, über'prüfen, nachprüfen. – 28. *auch* ~ **off** ab-, anstreichen, abhaken, ankreuzen. – 29. (zur Aufbewahrung) abgeben: **to ~ one's umbrella at the door** seinen Regenschirm an der Tür abgeben. – 30. (zur Aufbewahrung) annehmen: **small parcels ~ed here.** – 31. *Am.* (als Reisegepäck) aufgeben: **to ~ a trunk** einen Koffer aufgeben. – 32. *Am.* zur Beförderung als Reisegepäck über'nehmen *od.* annehmen: **~ this trunk to Chicago** befördern Sie diesen Koffer (als Reisegepäck) nach Chicago. – 33. ka'rieren, mit einem Karomuster versehen. – 34. *agr. Am.* in Reihen pflanzen *od.* setzen. – 35. Schach bieten (*dat*). – 36. *Am.* (*Geld*) mittels Scheck abheben: **to ~ out.** – 37. (*Eishockey*) (*gegnerischen Spieler*) behindern. – 38. *tech.* Fugen *od.* Falze anbringen an (*dat*). – *SYN. cf.* **restrain.** – **V** *v/i* 39. sich als richtig erweisen, genau entsprechen, stimmen: **the reprint ~s with the original** der Nachdruck stimmt mit dem Original überein. – 40. *oft* ~ **up** *bes. Am.* (zwecks Feststellung der Richtigkeit) nachprüfen, nachsehen: **to ~ (up) on a matter** einer Sache nachgehen. – 41. eine Pause machen. – 42. *Am.* einen Scheck ausstellen. – 43. sich spalten, platzen, springen (*Holz*), rissig werden (*Farbe*). – 44. Schach bieten. – 45. (*von Jagdhunden*) plötzlich anhalten, stutzen (*um nach der verlorenen Fährte zu wittern*). – 46. (*von Jagdfalken*) die Verfolgung des Opfers unter'brechen (*um sich einem geringeren Wild zuzuwenden*). –

Verbindungen mit Adverbien:

check| in *v/i* 1. *Am.* sich anmelden (*in einem Hotel*). – 2. *Br.* (*bei Arbeitsanfang*) (die Karte) stempeln. – 3. *Am. colloq.* ‚ins Gras beißen' (*sterben*). — ~ **off** → **check** 28. — ~ **out** *v/i* 1. *Am.* das Ho'tel (nach Begleichung der Rechnung) verlassen, sich abmelden. – 2. *Br.* (*bei Arbeitsbeendigung*) (die Karte) stempeln. — ~ **up** *v/i* 'nachprüfen, -kontrol,lieren, -zählen.

check·a·ble ['tʃekəbl] *adj* kontrol'lierbar, nachprüfbar.

check| ac·count *s econ.* Gegenrechnung *f*, Kon'troll,konto *n*. — '~,**book**, *Br.* '**cheque-,book** *s* Scheckbuch *n*, -heft *n*. — ~ **brace** *s* Schwungriemen *m* (*einer Kutsche*). — ~ **ca·ble** *s tech.* 1. Abfang-, Begrenzungsseil *n*. – 2. Lenkkabel *n*. — ~ **col·lar** *s* 1. (*Art*) Kummet *n* (*zum Einfahren von Pferden*). – 2. Dres'surhalsband *n* (*zum Abrichten von Hunden*). — ~ **crack** *s tech.* Schrumpfriß *m*.

checked [tʃekt] *adj* 1. ka'riert. – 2. *ling.* in geschlossener Silbe (stehend). – 3. *tech.* gesperrt.

check·er[1], *bes. Br.* **cheq·uer** ['tʃekər] **I** *s* 1. Stein *m* (*des Damespiels*). – 2. Karomuster *n*. – 3. Qua'drat *n* (*eines Karomusters*). – 4. *auch* ~ **tree** *bot.* a) Elsbeere *f* (*Sorbus torminalis*), b) Spierling *m* (*S. domestica*). – 5. *obs.* Schachbrett *n*. – **II** *v/t* 6. ka'rieren, schachbrettartig auslegen *od.* verzieren. – 7. vari'ieren, wechselvoll gestalten.

check·er[2] ['tʃekər] *s* Über'prüfer *m*, Kontrol'leur *m*.

'**check·er|,ber·ry** *s bot.* 1. Rebhuhnbeere *f*, Teebeeren-, Wintergrünstrauch *m* (*Gaultheria procumbens*). – 2. Teebeere *f*. — '~,**bloom** *s bot.* Westamer. Wilde Malve, Doppelmalve *f* (*Sidalcea malvaeflora*). — '~,**board**, *bes. Br.* '**cheq·uer-,board I** *s* Schachbrett *n*. – **II** *adj* schachbrettartig: ~ **pattern** Schachbrettmuster.

check·ered, *bes. Br.* **cheq·uered** ['tʃekərd] *adj* 1. wechselvoll: **a ~ career.** – 2. ka'riert, gewürfelt, schachbrettartig: ~ **sheet** Riffelblech. – 3. vielfarbig, bunt. – 4. *tech.* mit Fachwerk versehen, fachwerkartig.

check·ers, *bes. Br.* **cheq·uers** ['tʃekərz] *s pl* (*als sg konstruiert*) Damespiel *n*.

check·er| tree → **checker** 4. — '~,**wise**, *bes. Br.* '**cheq·uer-,wise** *adv* schachbrettartig, ka'riert. — '~,**work**, *bes. Br.* '**cheq·uer-,work** *s* 1. schachbrettartig ausgelegte Arbeit, Fachwerk *n*. – 2. *arch.* Würfel-, Schachbrettverzierung *f*.

check·ing ac·count ['tʃekiŋ] *s econ. Am.* Scheckkonto *n*.

check key *s Br.* Haus(tür)schlüssel *m*.

check·less ['tʃeklis] *adj* ungehemmt, unaufhaltsam.

check| line → **checkrein.** — ~ **list** *s* 1. alpha'betische *od.* syste'matische Liste, Kon'troll-, Vergleichsliste *f*. – 2. *Am.* Wählerliste *f*. — ~ **lock** *s* kleines Schutz-, Sicherheitsschloß. — '~,**mate I** *s* 1. (Schach)Matt *n*, Mattstellung *f* (*des Königs beim Schachspiel*). – 2. *fig.* Niederlage *f*. – **II** *v/t* 3. schachmatt setzen (*auch fig.*). – **III** *interj* 4. schachmatt! — ~ **nut** *s tech.* Gegenmutter *f*. — '~,**off** *s Am.* Lohnabzüge *pl* (*bes. für Gewerkschaftsbeiträge*). — ~ **point** *s* 1. *mil.* Bezugs-, Orien'tierungspunkt *m* (*ballistisch, Navigation*), Hilfsziel *n* (*Luftphotographie*). – 2. *electr. tech.* Kon'troll-, Eichpunkt *m*, Eichmarke *f*. — ~ **rail** *s tech.* Gegen-, Zwangsschiene *f*. — '~,**rein** *s* 1. Ausbindezügel *m*. – 2. kurzer Zügel (*der das Gebiß eines Fahrpferdes mit dem Leitzügel des anderen verbindet*). — ~ **ring** *s* 1. *tech.* Ansatz-, Anschlag-, Stoßring *m* (*am Hinterteil einer Nabe*). – 2. Trensenring *m* (*Pferdegeschirr*). — '~,**row** *agr. Am.* **I** *s* 1. Ab'teilung *f od.* Reihe *f* einer (*schachbrettartig angelegten*) Anpflanzung. – **II** *v/t* 2. schachbrettartig (*in Reihen*) anpflanzen. — '~,**strap** *s Am.* 1. Kinnriemen *m* (*Pferdegeschirr*). – 2. Riemen *m* (*womit etwas angehalten wird*). – 3. → **checkstring.** — '~,**string** *s* Zugschnur *f* (*für Haltezeichen in öffentlichen Verkehrsmitteln*). — ~ **tak·er** *s* Kontrol'leur *m* (*der Eintrittskarten im Theater etc*). — '~,**up** *s* 1. Über'prüfung *f*, Kon'trolle *f*. – 2. *med. Am.* eingehende ärztliche Unter'suchung. — ~ **valve** *s tech.* 1. 'Absperr-, 'Klappenven,til *n*. – 2. Drosselklappe *f*, 'Rückschlagven,til *n*.

Ched·dar (cheese) ['tʃedər] *s* Cheddarkäse *m*.

chedd·ite ['tʃedait; 'ʃed-] *s* Ched'dit *m* (*Sprengstoff*).

cheek [tʃi:k] **I** *s* 1. Backe *f*, Wange *f*: **to stroke s.o.'s ~** j-m die Wange streicheln; ~ **by jowl** Seite an Seite, in vertraulicher Gemeinschaft. – 2. *colloq.* Frechheit *f*, Unverschämtheit *f*: **to have the ~ to do s.th.** die Frechheit *od.* Stirn besitzen, etwas zu tun. – 3. *mar.* a) Scheibenklampe *f*, b) Backe *f* (*Rundung des Bugs*). –

4. *tech.* Backe *f*, Wange *f* (*Seitenteil eines Werkzeugs etc*): ~s of a vice Backen eines Schraubstocks. – 5. *tech.* Fleisch *n*, Me'tallstärke *f* (*um Öffnungen*), Seigerblech *n*. – 6. Knebel *m* (*am Trensengebiß eines Pferdes*). – 7. *pl* Backenteile *pl* (*des Pferdegeschirrs*). – *SYN. cf.* temerity. – **II** *v/t* 8. *Br. colloq.* (*j-m*) Frechheiten sagen, sich frech benehmen gegen (*j-n*). — **~ block** *s mar.* Scheibenklampe *f*. — **'~,bone** *s* Backenknochen *m*.

cheeked [tʃiːkt] *adj* (*in Zusammensetzungen*) ...wangig: rosy-~ rotbäckig.

cheek·i·ness ['tʃiːkinis] *s colloq.* Frechheit *f*, Unverschämtheit *f*.

'cheek|,piece *s* 1. Backenriemen *m* (*Pferdegeschirr*). – 2. *mil.* Backenstück *n*, Wangenschutz *m* (*Helm*). — **~ pouch** *s zo.* Backentasche *f*. — **~ sluice** *s tech.* Drempel-, Schlagschleuse *f*, Schleuse *f* mit Stemmtoren. — **~ tooth** *s irr* Backenzahn *m*.

cheek·y ['tʃiːki] *adj colloq.* 1. frech, unverschämt: don't be ~! sei *od.* werde nicht frech! – 2. ‚keß', fesch: a ~ little hat ein kesser *od.* frecher kleiner Hut; a ~ face ein spitzbübisches Gesicht.

cheep [tʃiːp] **I** *v/i* 1. piep(s)en. – **II** *v/t* 2. mit piep(s)ender Stimme sprechen *od.* äußern. – **III** *s* Gepiepe *n*, Piep(s)en *n*. — **'cheep·er** *s* 1. Pieper *m*. – 2. *zo.* a) junger Vogel, Rebhuhn- *od.* Waldhuhnküken *n*, b) *Br.* Wiesenpieper *m* (*Anthus pratensis*).

cheer [tʃir] **I** *s* 1. Beifall(sruf) *m*, (ermunternder) Zuruf, Ovati'on *f*, Hur'ra(ruf *m*) *n*, Hoch(ruf *m*) *n*: to be received with ~s mit Begeisterung empfangen werden; a round of ~s ein dreifaches Hoch. – 2. Ermunterung *f*, Aufheiterung *f*, Erheiterung *f*, freudebringendes Ereignis. – 3. Ermutigung *f*, Trost *m*: words of ~. – 4. Heiterkeit *f*, Frohsinn *m*, Lustigkeit *f*. – 5. (*für eine Festlichkeit bestimmte*) Speisen *pl*, Getränke *pl*. – 6. Stimmung *f*: → good ~. – 7. *obs.* Gesicht(sausdruck *m*) *n*. – **II** *v/t* 8. Beifall spenden (*dat*), zujubeln (*dat*), mit Hoch- *od.* Bravo- *od.* Hurrarufen begrüßen *od.* empfangen: he was ~ed by the crowd die Menge jubelte ihm zu. – 9. ermutigen, anspornen, anfeuern: to ~ a football team a) eine Fußballmannschaft hochleben lassen, b) eine Fußballmannschaft anfeuern. – 10. ermuntern, aufmuntern, aufheitern: a drink that ~s ein anregendes Getränk; to ~ s.o. up j-n aufheitern. – **III** *v/i* 11. Beifall spenden, hurra *etc* rufen. – 12. *meist* ~ up sich aufheitern, Mut fassen: ~ up! sei guten Mutes! — **cheered**, *auch* **~ up** *adj* ermutigt, froh.

cheer·ful ['tʃirful; -fəl] *adj* 1. heiter, gutgelaunt (*Person*). – 2. freudebringend, erfreulich, freundlich: ~ surroundings freundliche Umgebung. – 3. fröhlich: a ~ song. – 4. freudigen Herzens *od.* Sinnes, gern: ~ giving freudig *od.* gern gegebenes Geschenk. – *SYN. cf.* glad. — **'cheer·ful·ness** *s* Fröhlichkeit *f*, Heiterkeit *f*, Frohsinn *m*. — **'cheer·i·ness** → cheerfulness.

cheer·i·o ['tʃi(ə)ri'ou] *interj bes. Br. colloq.* 1. hal'lo! – 2. (Auf) 'Wiedersehn! – 3. Prosit!

'cheer,lead·er *s sport Am.* Anführer *m* der Claque bei Sportveranstaltungen (*bes. in einer Schule, im College etc*).

cheer·less ['tʃirlis] *adj* freudlos, traurig. — **'cheer·ly** *adv obs.* fröhlich, heiter. — **'cheer·y** *adj* froh, heiter, lebhaft.

cheese[1] [tʃiːz] *s* 1. Käse *m*: big ~ *sl.* ‚hohes Tier'. – 2. *meist pl Br. colloq.* Knicks *m*, Verbeugung *f*: to make ~s die Glocke machen (*Mädchenspiel*). – 3. käseartig geformte Masse.

cheese[2] [tʃiːz] *s sl.* (*das*) Richtige, (*das*) Wahre *od.* Schickliche, letzte Mode: that's the ~! so ist es richtig! it is not ~ es schickt sich nicht.

cheese[3] [tʃiːz] *v/t sl.* aufhören: ~ it! hör auf! ‚hau ab!' verschwinde! to be ~d off es satt haben.

'cheese,burg·er *s Am.* Frika'dellensandwich *n* mit über'backenem Käse.

'cheese|,cake *s* 1. Käsekuchen *m*. – 2. *bot.* a) Roß-, Käsepappel *f*, Blaue Malve (*Malva silvestris*), b) Samen *m od.* Frucht *f* der Roß-, Käsepappel. – 3. *sl.* a) Pin-up-girl *n* (*Bild eines leichtbekleideten Mädchens*), b) ‚gute *od.* tolle Fi'gur' (*einer Frau*). — **~ cement** *s* Käsekitt *m* (*für Tonwaren*). — **'~,cloth** *s* Seihtuch *n* (*zum Auspressen der Molken*), Mull *m*, 'durchsichtiges Gewebe. — **~ col·o(u)r** *s* Käsefarbe *f* (*aus Orlean*). — **'~,flow·er** → cheesecake 2a. — **~ fly** *s zo.* Käsefliege *f* (*Piophila casei*). — **'~-,head screw** *s tech.* Rundkopfschraube *f*. — **~ hoop** *s* Holznapf *m* (*zum Pressen der Käsemolken*). — **~ knife** *s irr* 1. (*Käsefabrikation*) Käsespachtel *f*. – 2. Käsemesser *n*. – 3. *humor.* Schwert *n*. — **~ mag·got** *s zo.* Käsemade *f* (*Larve der Käsefliege*). — **~ mite** *s zo.* Käsemilbe *f* (*Tyrophagus casei od. Tyroglyphus siro*). — **'~,mon·ger** *s* Käsehändler *m*. — **~ mo(u)ld** *s* Käseform *f*. — **'~,par·er** *s* Knauser *m*, ‚Knicker' *m*. — **'~,par·ing** **I** *s* 1. Käserinde *f*. – 2. wertlose Sache. – 3. Knause'rei *f*, Knicke'rei *f*. – **II** *adj* 4. knauserig, knickerig. — **~ ren·net** *s bot.* Echtes Labkraut (*Galium verum*).

chees·er·y ['tʃiːzəri] *s colloq.* Käse'rei *f*, 'Käsefa,brik *f*.

cheese| scoop *s* Käsestecher *m*. — **~ skip·pers** *s pl* Käsemaden *pl*. — **~ straw** *s* Käsegebäck *n*, -stangen *pl*, -stäbchen *pl*. — **~ toast·er** *s* 1. Käseröster *m* (*Gabel od. elektrische Vorrichtung*). – 2. *humor.* Schwert *n*. — **~ vat** *s* Käseform *f*. — **'~,wood** *s bot.* (*ein*) austral. Gelbholzbaum *m* (*Pittosporum undulatum u. P. bicolor*).

chees·y ['tʃiːzi] *adj* 1. käsig, käseartig. – 2. *Am. sl.* minderwertig. – 3. *Br. colloq.* schick, modisch, ele'gant.

chee·tah ['tʃiːtə] *s zo.* Gepard *m*, 'Jagdleo,pard *m*, Tschita *m* (*Acinonyx jubatus, A. rex u. A. venatica*).

chef [ʃef], **~ de cui·sine** [ʃɛf də kɥi'zin] (*Fr.*) *s* Chefkoch *m*, Küchenchef *m*. — **~-d'œu·vre** [ʃɛ'dœːvr] *pl* **chefs-d'œuvre** (*Fr.*) *s* Meisterstück *n*.

chei·li·tis [kai'laitis] *s med.* Chei'litis *f*, Lippenentzündung *f*.

cheiro- *cf.* chiro-.

Che·ka ['tʃeika; -kɑː] *s hist.* Tscheka *f* (*sowjetrussische Geheimpolizei*).

che·la[1] ['kiːlə] *s zo.* Schere *f*, Klaue *f* (*Krebs, Hummer etc*).

che·la[2] ['tʃeilə; -lɑː] *s Br. Ind.* Schüler *m*, Jünger *m* (*eines Priesters etc*).

che·late ['kiːleit] *adj* 1. *zo.* mit Scheren (versehen). – 2. *chem.* Chelat... — **che·la·tion** [ki'leiʃən] *s chem.* Che'lierung *f*, Che'latbildung *f*.

che·lic·er·a [ki'lisərə] *pl* **-er·ae** [-,riː] *s zo.* Kieferfühler *m*, Scherenkiefer *m*, Klaue *f*, Freßzange *f* (*Spinne u. Skorpion*). — **che·lif·er·ous** [ki'lifərəs] *adj zo.* Klauen *od.* Zangen besitzend. — **che·li·form** ['kiːli,fɔːrm; 'kel-] *adj* scheren-, zangenförmig.

che·lo·ni·an [ki'louniən] *zo.* **I** *adj* schildkrötenartig. – **II** *s* Schildkröte *f* (*Ordng Chelonia*).

chel·o·nin ['kelonin; ki'lounin] *s med.* *harzartiges Präparat aus Chelone glabra; Mittel gegen Erkältung.*

chem·ic ['kemik] *obs.* **I** *adj* 1. alchi'mistisch. – 2. chemisch. – **II** *s* 3. Alchi'mist *m*.

chem·i·cal ['kemikəl] **I** *adj* chemisch: ~ agent *mil.* chem. Kampfstoff; ~ projector *mil.* Gaswerfer; ~ works chem. Fabrik. – **II** *s* Chemi'kalie *f*, chem. Präpa'rat *n*. — **~ en·gi·neer·ing** *s* Indu'strieche,mie *f*. — **~ war·fare** *s* Kriegführung *f* mit chem. Kampfstoffen, chem. Kriegführung *f*: ~ officer *mil.* ABC-Abwehroffizier.

che·min de fer [ʃmɛ̃ də 'fɛːr] (*Fr.*) *s* *Abart des Bakkaratspieles.*

che·mise [ʃə'miːz] *s* Che'mise *f*: a) Frauenhemd *n*, b) *hist.* Futtermauer *f* (*eines Festungswerkes*). — **chem·i·sette** [,ʃemi'zet] *s* Chemi'sett *n*, Chemi'sette *f*, Vorhemd *n*, Spitzeneinsatz *m* (*im Kleid*).

chem·ism ['kemizəm] *s* Che'mismus *m*: a) chem. Kraft *f od.* Wirkung *f*, b) chem. Eigentümlichkeit *f od.* Zu'sammensetzung *f*.

chem·ist ['kemist] *s* 1. Chemiker *m*, Pharma'zeut *m*. – 2. *Br.* Apo'theker *m*, Dro'gist *m*: dispensing ~ geprüfter Apotheker. – *SYN. cf.* druggist. — **'chem·is·try** [-tri] *s* 1. Che'mie *f*. – 2. chem. Eigenschaften *pl*: the ~ of carbon.

chem·ist's shop *s Br.* Apo'theke *f*, Droge'rie *f*.

chem·i·type ['kemi,taip] *s print.* Chemity'pie *f*.

chemo- [kemo] *Wortelement mit der Bedeutung* chemisch.

chem·o·cep·tor ['kemo,septər] → chemoreceptor.

che·mol·y·sis [ki'mɒlisis; kə-; -lə-] *s selten* chem. Ana'lyse *f*. — **chem·o·lyze** ['kemo,laiz] *v/t* chem. zersetzen.

chem·o·re·cep·tion ['kemori,sepʃən] *s med.* ,Chemorezepti'on *f* (*Aufnahme von Geruchs- od. Geschmacksreizen*). — **'chem·o·re,cep·tor** [-,septər] *s med.* ,Chemore'zeptor *m* (*Sinnesorgan, das Geruchs- od. Geschmacksreize aufnimmt*).

che·mo·sis [ki'mousis] *s med.* Che'mosis *f*, Bindehautschwellung *f*.

chem·o·syn·the·sis [,kemo'sinθisis; -θə-] *s bot.* 'Chemosyn,these *f*.

chem·o·ther·a·peu·tics [,kemo,θerə'pjuːtiks] *s pl* (*als sg konstruiert*) → chemotherapy. — **chem·o·ther·a·pist** [,kemo'θerəpist] *s* Spezia'list *m* für 'Chemothera,pie. — **,chem·o'ther·a·py** *s* 'Chemothera,pie *f*.

che·mot·ro·pism [ki'mɒtrə,pizəm; kə-] *s biol. med.* Chemotro'pismus *m*, Chemo'taxis *f* (*durch chemische Reize bewirkte Krümmungsbewegung*).

chem·ur·gy ['kemərdʒi] *s* industri'elle Che'mie.

che·nille [ʃə'niːl] *s* 1. Che'nille *f*. – 2. Stoff *m* mit eingewebter Che'nille. — **~ car·pet**, *auch* **~ rug** *s* Teppich *m* mit eingewebtem Che'nillemuster.

che·no·pod ['kiːno,pɒd; 'ken-; -nə-] *s bot.* Gänsefuß *m* (*Gattg Chenopodium*).

cheque *Br. für* check 7. — **cheq·uer, cheq·uered, cheq·uers** *bes. Br. für* checker[1], checkered, checkers.

Cheq·uers ['tʃekərz] *npr Landsitz des brit. Premierministers.*

cher·i·moy·a [,tʃeri'mɔiə] *s bot.* (*ein*) Flaschenbaum *m* (*Annona cherimolia*).

cher·ish ['tʃeriʃ] *v/t* 1. schätzen, wertschätzen, in Ehren halten. – 2. zugetan sein (*dat*), zärtlich lieben. – 3. (*Pflanzen*) aufziehen, pflegen. – 4. (*Gefühle, Gesinnungen*) unter'halten, hegen: to ~ hope Hoffnung hegen; to ~ no resentment keinen Groll hegen. – 5. *fig.* festhalten *od.* sich klammern an (*acc*): to ~ an idea an einer Idee festhalten. – *SYN. cf.* appreciate.

cher·no·zem ['tʃernə,zem] *s* russische schwarze Erde.

Cher·o·kee rose [ˈtʃerəˌkiː; ˌtʃerəˈkiː] *s bot. Am.* Glattstämmige Weiße Rose (*Rosa laevigata*).

che·root [ʃəˈruːt] *s* Stumpen *m* (*abgestumpfte Zigarre*).

cher·ry [ˈtʃeri] **I** *s* **1.** *bot.* a) Kirschbaum *m* (*Gattgen Prunus od. Padus*), b) Kirsche *f.* – **2.** Kirschbaum(holz *n*) *m.* – **3.** kirschenähnliche Pflanze *od.* Beere. – **4.** Kirsch-, Hellrot *n.* – **5.** Kaffeekirsche *f* (*fleischige Frucht der Kaffeestaude*). – **6.** *tech.* spitzrundes Fräswerkzeug, Gesenk-, Kugelfräser *m*, Kugelsenker *m.* – **7.** *tech.* Sinter-, Grobkohle *f.* – **II** *adj* **8.** kirschfarben, -rot. — **~ ap·ple** *s bot.* Beerenapfel *m*, Siˈbirischer Apfel (*Malus od. Pyrus baccata*). — **~ bay** → cherry laurel. — **~ birch** *s bot. Am.* Zuckerbirke *f* (*Betula lenta*). — **~ bird** *s zo.* Seidenschwanz *m* (*Bombycilla cedrorum*). — **ˈ~ˌblos·som** *s* **1.** Kirschblüte *f.* – **2.** Kirschblütenfarbe *f.* — **~ bounce** *s* **1.** verdünnter Cherry Brandy. – **2.** Branntwein *m* mit Zucker. — **~ bran·dy** *s* Cherry Brandy *m*, ˈKirschliˌkör *m.* — **ˈ~-ˌbreech·es** *s pl Br.* elftes Huˈsarenregiˌment. — **~ coal** *s* weiche, nicht backende Kohle. — **~ cof·fee** *s* (*getrocknete*) Kaffeekirschen *pl.* — **~ crab** → cherry apple. — **~ lau·rel** *s bot.* Kirschlorbeer *m* (*Prunus laurocerasus*). — **~ pie** *s* **1.** Kirschtorte *f.* – **2.** *bot.* a) Zottiges Weidenröschen (*Epilobium hirsutum*), b) (*ein*) ˌHelioˈtrop *m* (*Heliotropium peruvianum*). — **~ pit** *Am. für* **cherry stone.** — **~ red** *s tech.* volle Rotglut. — **ˈ~-ˈred** *adj* **1.** kirschrot. – **2.** rotglühend: **~ heat** volle Rotgluthitze. — **ˈ~-ˈripe** *interj* reife Kirschen! (*Ausruf der Kirschenverkäufer, auch Anfang verschiedener Lieder*). — **~ rum** *s* Kirschrum *m.* — **~ stone** *s* **1.** Kirschkern *m*, -stein *m.* – **2.** Spiel *n* mit Kirschkernen (*die in eine kleine Grube geworfen werden*). – **3.** *fig.* wertlose Sache. — **~ tree** *s* Kirschbaum *m.* — **ˈ~-ˌwood** *s* **1.** Kirschbaumholz *n.* – **2.** *bot.* → guelder-rose.

cher·so·nese [ˈkəːrsoˌniːz; -ˌniːs; -sə-] [*s* Halbinsel *f.*]

chert [tʃəːrt] *s min.* Feuer-, Hornstein *m*, Kieselschiefer *m* (SiO_2). — **ˈchert·y** *adj min.* hornsteinhaltig.

cher·ub [ˈtʃerəb] *pl* **-ubs, -u·bim** [-əbim; -jub-] *s* **1.** *Bibl.* Cherub *m.* – **2.** Cherub *m*, Engel *m.* – **3.** geflügelter Engelskopf. – **4.** *fig.* Engel *m* (*Kind*). – **5.** Mensch *m* mit unschuldigem, rosigem Gesicht. — **che·ru·bic** [tʃəˈruːbik] **I** *adj* **1.** cheruˈbinisch, engelhaft. – **2.** kindlich, unschuldig. – **3.** rosig. – **II** *s* **4.** Dominiˈkanermönch *m.* — **cher·u·bim** [ˈtʃerəbim; -rjub-; -rub-] *s* **1.** *pl von* **cherub.** – **2.** *Br.* Cherub *m.* — **ˈcher·u·bin** [-bin] → **cherubim** 2.

cher·vil [ˈtʃəːrvil] *s bot.* (*ein*) Kerbel *m* (*Gattg Anthriscus*), *bes.* Gartenkerbel *m* (*A. cerefolium*).

cher·vo·nets, *auch* **cher·vo·netz** [tʃerˈvɔːnits; -nets] *pl* **cherˈvon·tsi** [-ˈvɔːntsi] *s* Tscherˈwonez *m* (*ehemalige Goldeinheit der Sowjetunion*).

chess[1] [tʃes] *s* Schach *n*, Schachspiel *n*: **to play ~** Schach spielen; **a game of ~** eine Partie Schach, eine Schachpartie.

chess[2] [tʃes] *s* Bohle *f*, Planke *f* (*einer Pontonbrücke*).

chess[3] [tʃes] *s bot. Am.* Roggentrespe *f* (*Bromus secalinus*).

chess| ap·ple *s bot.* **1.** Elsbeerbaum *m* (*Sorbus torminalis*). – **2.** Elsbeere *f* (*Frucht von* 1). — **ˈ~ˌboard** *s* Schachbrett *n.* — **ˈ~·man** [-mən] *s irr* ˈSchachfiˌgur *f.* — **~·play·er** *s* Schachspieler(in). — **ˈ~-ˌprob·lem** *s* Schachaufgabe *f.* — **~ rook** *s her.* Schachturm *m.* — **~ tour·na·ment** *s* ˈSchachturˌnier *n.* — **ˈ~ˌtree** *s mar.* Halsklampe *f.*

ches·sy·lite [ˈtʃesiˌlait], *auch* **Ches·sy cop·per** [ˈtʃesi; ˌʃeˈsiː] *s min.* ˈKupferlaˌsur *f*, Azuˈrit *m.*

chest [tʃest] **I** *s* **1.** Kiste *f*, Kasten *m*, Truhe *f*: **tool ~** Werkzeugkasten. – **2.** kastenartiger Behälter: **~ of a sledge** Schlittenkasten. – **3.** Brust(kasten *m*) *f*: **~ note, ~ tone** *mus.* Brustton; **~ voice** *mus.* Bruststimme; **to have a cold in one's ~** einen Katarrh haben; **to get s.th. off one's ~** *sl.* sich etwas von der Seele schaffen. – **4.** Kasse *f*, Fonds *m* (*einer Körperschaft*): **university ~** Universitätskasse. – **5.** (Transˈport)Kiste *f.* – **6.** *tech.* Kasten *m*: → **steam ~.** – **7.** Komˈmode *f.* – **II** *v/t* **8.** in einem Kasten *etc* verwahren *od.* verpacken. – **9.** *dial.* einsargen. – **10.** mit der Brust gegen (*etwas*) anlaufen.

chest·ed [ˈtʃestid] *adj* (*in Zusammensetzungen*) ...brüstig: **narrow-~** engbrüstig.

ches·ter·field [ˈtʃestərˌfiːld] *s* **1.** einreihiger Mantel. – **2.** Polstersofa *n.*

chest| foun·der, ~ foun·der·ing *s vet.* Dämpfigkeit *f*, Engbrüstigkeit *f* (*Pferdekrankheit*).

chest·ing [ˈtʃestiŋ] *s* (*Fußball*) Stoppen *n* des Balles mit der Brust.

chest·nut [ˈtʃesnʌt; -nət; ˈtʃest-] **I** *s* **1.** *bot.* (ˈEdel)Kaˌstanie *f* (*Gattg Castanea, bes. C. sativa*): **to pull the ~s out of the fire** *fig.* die Kastanien aus dem Feuer holen. – **2.** *bot.* ˈRoßkaˌstanie *f* (*Aesculus hippocastanum*). – **3.** Kaˈstanienholz *n.* – **4.** Kaˈstanienbraun *n.* – **5.** *colloq.* ‚alte Kaˈmelle', alter Witz. – **6.** *vet.* Kaˈstanie *f*, Hornwarze *f* (*am Pferdevorfuß*). – **7.** Brauner *m*, dunkler Fuchs (*Pferd*). – **II** *adj* **8.** kaˈstanienbraun, -farben. — **~ brown** *adj* kaˈstanienbraun. — **~ oak** *s bot.* **1.** Stein-, Winter-, Traubeneiche *f* (*Quercus petraea*). – **2.** *Am.* Gerbereiche *f* (*Quercus prinus*). – **3.** (*eine*) amer. Eiche (*Quercus muehlenbergii*).

chest| of draw·ers *s* Komˈmode *f.* — **ˈ~-on-ˈchest** *s* ˈDoppelkomˌmode *f.* — **~ pro·tec·tor** *s sport Am.* Brustschützer *m.*

chest·y [ˈtʃesti] *adj Am. sl.* stolz, ‚aufgeblasen', eingebildet.

che·tah *cf.* **cheetah.**

chet·nik [ˈtʃetnik; tʃetˈniːk] *s* Tschetnik *m* (*serbischer antikommunistischer Widerstands- u. Guerillakämpfer*).

che·val [ʃəˈval] *pl* **-vaux** [-ˈvo] (*Fr.*) *s* **1.** Pferd *n.* – **2.** Stütze *f*, Gerüst *n.* — **cheˈval-de-ˈfrise** [ʃəˈvældəˈfriːz] *pl* **che·vaux-de-frise** [ʃəˈvou-] *s mil.* span. Reiter *m* (*Art transˌportierbarer Drahtverhau*). — **che·val glass** [ʃəˈvæl] *s* Drehspiegel *m.*

chev·a·lier [ˌʃevəˈlir] *s* **1.** Ritter *m* (*Orden*): **~ of the Legion of Hono(u)r** Ritter der Ehrenlegion. – **2.** Chevaliˈer *m* (*Angehöriger des niederen Adels in Frankreich*). – **3.** Kavaˈlier *m*, ritterlicher Mensch.

che·vet [ʃəˈvɛ] (*Fr.*) *s arch.* Apsis *f* (*einer Kirche*).

che·ville [ʃəˈviːj; -ˈviːl] (*Fr.*) *s* **1.** *mus.* Wirbel *m* (*Geige etc*). – **2.** Flickwort *n.*

Chev·i·ot [ˈtʃeviət; ˈtʃiː-] *s* **1.** *zo.* Bergschaf *n* (*ursprünglich aus den Cheviot Hills zwischen England u. Schottland*). – **2.** [*Am.* ˈʃeviət] Cheviot(stoff) *m.*

chev·rette [ʃevˈret] *s* **1.** *mil. hist.* (*ein*) Hebezeug *n* (*für Kanonen*). – **2.** feines Ziegenleder (*für Handschuhe*).

chev·ron [ˈʃevrən] *s* **1.** *her.* Sparren *m* (*im Wappen*). – **2.** *mil.* Uniˈformwinkel *m.* – **3.** *arch.* Zickzackleiste *f.*

chev·ro·tain [ˈʃevroˌtein; -tin; -rə-] *s zo.* Kant(s)chil *m*, Zwergböckchen *n*, -moschustier *n* (*Gattg Tragulus*).

chev·y [ˈtʃevi] **I** *s* **1.** *Br. Ruf bei der Hetzjagd.* – **2.** (Hetz)Jagd *f.* – **3.** Barlaufspiel *n.* – **II** *v/t* **4.** *dial.* jagen, hetzen, herˈumjagen. – **5.** schikaˈnieren. – *SYN. cf.* **bait.** – **III** *v/i* **6.** *dial.* schnell laufen, rennen.

chew [tʃuː] **I** *v/t* **1.** kauen, zerkauen: → **cud** 1; **to ~ the rag** a) *sl.* ‚tratschen', schwatzen, b) *mil. sl.* sich beschweren, auf eine alte Beschwerde (immer wieder) zurückkommen, (über alles) ‚meckern'. – **2.** *fig.* sinnen auf (*acc*), brüten: **to ~ revenge** auf Rache sinnen. – **II** *v/i* **3.** kauen. – **4.** *colloq.* Tabak kauen. – **5.** nachsinnen, grübeln (on über *acc*). – **III** *s* **6.** Kauen *n.* – **7.** Gekautes *n*, Priem *m.*

chew·ing [ˈtʃuːiŋ] → chew 6. — **~ feet** *s pl zo.* Kaufüße *pl.* — **~ gum** *s* Kaugummi *m.* — **~ lobe** *s zo.* Kaulade *f.*

che·wink [tʃiˈwiŋk] *s zo.* Amer. Erdfink *m*, Grundrötel *m* (*Pipilo erythrophthalmus*).

chi [kai] *s* Chi *n* (*22. Buchstabe des griech. Alphabets*).

Chi·an·ti [kiˈænti] *s* Chiˈanti(wein) *m.*

chi·a·ro·o·scu·ro [kiˌɑːrəoˈskju(ə)rou], **chiˌa·roˈscu·ro** [-rəˈsk-] *pl* **-ros** *s* **1.** (*Malerei*) Chiaroˈscuro *n*, Helldunkel *n.* – **2.** Verteilung *f* von Licht u. Schatten (*beim Malen*). – **3.** *hist.* (*Art*) Holzschnittdruck *m.*

chi·as·ma [kaiˈæzmə] *pl* **-ma·ta** [-tə] *s med.* Chiˈasma *n*, Kreuzung *f* (*von Nerven*). — **chiˈas·maˌtyp·y** [-məˌtaipi] *s med.* Chiˈasmatyˌpie *f*, Fakˈtorenaustausch *m.* — **chiˈas·mus** [-məs] *pl* **-mi** [-mai] *s* (*Rhetorik*) Chiˈasmus *m* (*Kreuzstellung von Satzgliedern*).

chi·as·to·lite [kaiˈæstoˌlait; -tə-] *s min.* Chiastoˈlith *m*, Andaluˈsit *m.*

chiaus [tʃaus; tʃauʃ] *s türk.* Bote *m*, Diener *m*, Dolmetscher *m.*

chib·ol [ˈtʃibəl] *s dial.* junge Zwiebel (*einschließlich der Blätter*).

chi·bouk, chi·bouque [tʃiˈbuːk; -ˈbuk] *s* Tschiˈbuk *m* (*türk. Tabakpfeife*).

chic [ʃiːk; ʃik] *colloq.* **I** *s* Schick *m*, Eleˈganz *f*, Geschmack *m.* – **II** *adj* schick, eleˈgant, geschmackvoll.

Chi·ca·go pi·an·o [ʃiˈkɔːgou; -ˈkɑː-] → pom-pom.

chi·ca·lo·te [tʃikaˈlote] (*Span.*) *s bot.* (*ein*) Stachelmohn *m* (*Gattg Argemone*).

chi·cane [ʃiˈkein] **I** *s* **1.** Schiˈkane *f.* – **2.** (*Bridgespiel*) Blatt *n* ohne Trümpfe. – **3.** Rechtsverdrehung *f.* – *SYN. cf.* **deception.** – **II** *v/t u. v/i* **4.** schikaˈnieren, Rechtskniffe anwenden. – **5.** streiten. — **chiˈcan·er·y** [-əri] *s* Schiˈkane *f*, Rechtsverdrehung *f*, Rechtskniff *m.* – *SYN. cf.* **deception.**

chick[1] [tʃik] *s* **1.** Küken *n*, junger Vogel. – **2.** Kind *n.* – **3.** *Am. sl.* ‚Küken' *n*, junges Mädchen.

chick[2] [tʃik] *s Br. Ind.* ˈBambusˌstabjalouˌsie *f.*

chick·a·dee [ˈtʃikəˌdiː] *s zo. Am.* (*eine*) amer. Meise (*Fam. Paridae, bes. Parus atricapillus*).

chick·a·ree [ˈtʃikəˌriː] *s zo. Am.* Rotes Nordamer. Eichhörnchen (*Sciurus hudsonicus*).

chick·a·saw plum [ˈtʃikəˌsɔː] *s bot. Am.* Iroˈkesen-Pflaume *f* (*Prunus angustifolia*).

chick·en[1] [ˈtʃikin; -ən] *s* **1.** Küken *n*, Hühnchen *n*: **roast ~** Brathühnchen; **to count one's ~s before they are hatched** das Fell des Bären verkaufen, ehe man ihn hat. – **2.** Huhn *n.* – **3.** Hühnerfleisch *n.* – **4.** *zo. Kurzform für* a) **prairie ~,** b) **Mother Carey's ~.** – **5.** *colloq.* ‚Küken' *n* (*junger Mensch*), *bes.* junges Mädchen: **she is no ~** sie ist nicht mehr jung.

chick·en[2] [ˈtʃikin; -ən] *s Br. Ind.* Stickeˈrei *f.*

ˈchick·en|ˌbreast·ed *adj* hühnerbrüstig, mit einer Hühnerbrust. — **~ broth** *s* Hühnerbrühe *f.* — **~ coop**

s Hühnerkäfig *m*, -korb *m*. — **~ feed** *s Am.* **1.** Hühnerfutter *n*. – **2.** *sl.* (*verächtlich*) Kleingeld *n*, ‚Pfennige' *pl*, geringer Lohn. — **~ fix·ings** *s pl Am. dial.* **1.** Brathühnchen *n*. – **2.** *fig.* deli'kates Essen, feine Sache. — **~ grape** *s bot.* Herzblättrige Weinrebe (*Vitis cordifolia*). — **~ hawk** *s zo.* (*ein*) amer. Habicht *m* (*bes. Accipiter velox u. A. cooperi*). — **~ haz·ard** *s Am.* Ha'sardspiel *n* mit geringen Einsätzen. — **'~'heart·ed** *adj* furchtsam, feige. — **'~-'liv·ered** *adj Am. sl.* furchtsam, feige. — **~ mite** *s zo.* Vogel-, Hühnermilbe *f* (*Dermanyssus gallinae*). — **~ pox** *s med.* Windpocken *pl*, Vari'zellen *pl*.

'chick·en's-ˌmeat *dial. für* chickweed.

chick·en| snake *s zo. Am.* **1.** (*eine*) Hühner- *od.* Rattenschlange (*Elaphe quadrivittata*; *südl. USA*). – **2.** Milchschlange *f* (*Lampropeltis triangulum*). — **~ stake** *s Br.* kleiner Einsatz (*bei Glücksspielen*). — **~ tor·toise, ~ turtle** *s zo.* (*eine*) Leder-, Mosa'ikschildkröte (*Dermochelys reticularia*). — **'~ˌweed** → chickweed. — **~ wire** *s Am.* feinmaschiges Drahtgeflecht. — **'~ˌwort** → chickweed.

chick·ling[1] ['tʃikliŋ] *s* Hühnchen *n*, Küchlein *n*.

chick·ling[2] ['tʃikliŋ], *auch* **~ pea** *od.* **~ vetch** *s bot.* Saat-Platterbse *f* (*Lathyrus sativus*).

'chick|-ˌpea *s bot.* Kichererbse *f* (*Cicer arietinum*). — **'~ˌweed** *s bot.* **1.** (*ein*) Sandkraut *n* (*Gattg Arenaria*). – **2.** (*eine*) Miere (*Gattg Minuartia*). – **3.** (*eine*) Sternmiere (*Gattg Stellaria*). – **4.** (*ein*) Hornkraut *n* (*Gattg Cerastium*).

chic·le ['tʃikl; -kli], *auch* **~ gum** *s* Chiclegummi *m* (*Bestandteil des Kaugummis*).

chic·o·ry ['tʃikəri] *s bot.* **1.** Weiße Zi'chorie, Wegwarte *f* (*Cichorium intybus*). – **2.** Zi'chorie *f* (*als Kaffeezusatzmittel*). – **3.** Zi'choriewurzel *f*.

chide [tʃaid] *pret* **chid** [tʃid], *auch* **chid·ed** ['tʃaidid] *pp* **chid, chid·ed** *od.* **chid·den** ['tʃidn] **I** *v/t* (aus)schelten, tadeln. – **II** *v/i* zanken, tadeln, schelten. – *SYN. cf.* reprove.

chief [tʃiːf] **I** *s* **1.** Haupt *n*, Oberhaupt *n*, (An)Führer *m*, Chef *m*, Vorgesetzter *m*, Prinzi'pal *m*, Leiter *m*: **~ of a department, department ~** Abteilungsleiter. – **2.** Häuptling *m* (*Stamm*): **Red Indian ~** Indianerhäuptling. – **3.** *mil. Am.* Inspizi'ent *m*: **~ of Engineers** Inspizient der Pioniertruppen; **~ of Ordnance** Inspizient der Feldzeugtruppen. – **4.** *her.* Schildhaupt *n* (*Wappenbild*). – **5.** *obs.* Hauptteil *m, n*, wichtigster Teil (*Sache*). – **II** *adj* **6.** erst(er, e, es), oberst(er, e, es), höchst(er, e, es), Ober..., Höchst..., Haupt...: **~ agency** Generalvertretung; → **clerk** 2; **~ engineer** a) Chefingenieur, b) *mar.* erster Maschinist, c) *mil.* leitender Ingenieur *od.* Pionieroffizier; **~ meal** Hauptmahlzeit; **~ problem** Hauptproblem. – **7.** hauptsächlichst(er, e, es), vor'züglichst(er, e, es). – *SYN.* foremost, leading, main, principal. – **III** *adv obs.* **8.** hauptsächlich. — **~ con·sta·ble** *s Br.* Poli'zeidiˌrektor *m* (*einer Stadt od. Grafschaft*).

chief·er·y ['tʃiːfəri] *s hist.* **1.** Amt *n od.* Gebiet *n* eines Oberhauptes (*in Irland*). – **2.** an das Oberhaupt abzuführende Steuer.

chief·ess ['tʃiːfis] *s* Führerin *f*, Leiterin *f*, Chefin *f*, weibliches Oberhaupt.

chief jus·tice *s* **1.** *jur.* Oberrichter *m*, Vorsitzender *m od.* Präsi'dent *m* eines mehrgliedrigen Gerichtshofes. – **2.** *Am. Vorsitzender des* **Supreme Court** *u. anderer hoher Gerichte*: **C~ J~ of the United States.** – **3.** **Lord C~ J~** *Br.* Lord Oberrichter *m*.

chief·less ['tʃiːflis] *adj* führerlos, ohne Oberhaupt.

chief·ly ['tʃiːfli] *adv* hauptsächlich.

chief| of staff *s mil.* **1.** (Gene'ral)Stabschef *m*, Chef *m* des (General)Stabes. – **2.** **Chief of Staff** *Am.* Inspek'teur *m* u. Gene'ralstabschef *m* (*einer Teilstreitkraft*). — **~pet·ty of·fi·cer** *s* **1.** (*amer. Kriegsmarine*) Stabsbootsmann *m*. – **2.** (*brit. Kriegsmarine*) Oberbootsmann *m*.

chief·tain ['tʃiːftən; -tin] *s* Häuptling *m* (*Stamm*), Anführer *m* (*Bande*). — **'chief·tain·cy, 'chief·tainˌship** *s* Amt *n od.* Würde *f* eines Häuptlings.

chiff-chaff ['tʃifˌtʃæf] *s zo.* Weidenlaubsänger *m*, Zilpzalp *m* (*Phylloscopus collybita*).

chif·fon [*Br.* 'ʃifɔn; *Am.* ʃi'fɒn] *s* **1.** Chif'fon *m* (*leichtes rein- od. kunstseidenes Gewebe*). – **2.** *pl colloq.* weiblicher Putz. — **chif·fo·nier** [ˌʃifə'nir] *s* Chiffoni'ere *f* (*Schrank mit Schubfächern, oft mit Spiegel*).

chig·ger ['tʃigər] *s zo.* **1.** *parasitische Larve einiger Herbst- od. Erntemilben* (*Fam. Trombidiidae*). – **2.** → **chigoe.**

chi·gnon ['ʃiːnjɒn; -jɔ̃] *s* Chi'gnon *m* (*Haarwulst bei der Damenfrisur*).

chig·oe ['tʃigou] *pl* **-oes** *s zo.* Sandfloh *m* (*Tunga penetrans*).

chil·blain ['tʃilˌblein] *s* Frostbeule *f*.

child [tʃaild] *pl* **chil·dren** ['tʃildrən] *s* **1.** Kind *n*, Säugling *m*: **with ~** schwanger; **from a ~** von Kindheit an. – **2.** *fig.* Kind *n*, unreife, kindische Per'son: **to be innocent as a ~** unschuldig wie ein Kind sein; **to be a new-born ~ compared to s.o. else** im Vergleich zu einem anderen wie ein neugeborenes Kind sein. – **3.** *jur.* legi'times Kind. – **4.** Kind *n*, Nachkomme *m*: **the children of Israel** die Kinder Israels; **the children of light** a) *Bibl.* die Kinder des Lichtes, b) die Quäker. – **5.** *obs. od. poet.* Jüngling *m* vornehmer Abkunft (*in der modernen Literatur meist* **childe** *geschrieben*). — **'~ˌbear·ing** *s* Gebären *n*, Niederkunft *f*.

'childˌbed *s* Kind-, Wochenbett *n*, Niederkunft *f*: **to be in ~** in den Wochen sein. — **~ fe·ver** *s med.* Kindbettfieber *n*.

'child|ˌbirth *s* Geburt *f*, Niederkunft *f*, Entbindung *f*: **~ allowance** Wochenhilfe. — **~ care** *s* Kinderpflege *f*, Jugendpflege *f*, Kinderfürsorge *f*.

childe *cf.* child 5.

child·ed ['tʃaildid] *adj* mit Kind(ern): **many-~** mit vielen Kindern.

Chil·der·mas ['tʃildərˌmæs; -məs] *s relig. obs.* Fest *n* der Unschuldigen Kinder (*28. Dezember*).

child| guid·ance *s* 'heilpädaˌgogische Führung (des Kindes): **~ clinic** heilpädagogische Beratungsstelle für Kinderfragen. — **'~-ˌhealth vis·i·tor** *s* Gesundheitspfleger(in).

child·hood ['tʃaildˌhud] *s* Kindheit *f*.

child·ing ['tʃaildiŋ] *adj obs.* schwanger.

child·ish ['tʃaildiʃ] *adj* **1.** kindlich. – **2.** kindisch, infan'til. – *SYN.* childlike. — **'child·ish·ness** *s* **1.** Kindlichkeit *f*, kindliche Unschuld. – **2.** kindisches Wesen, Kinde'rei *f*.

child la·bo(u)r *s* Kinderarbeit *f*.

child·less ['tʃaildlis] *adj* kinderlos.

'childˌlike *adj* kindlich, mit kindlichem Gemüt. – *SYN.* childish.

chil·dren ['tʃildrən] *pl von* child.

child's play *s fig.* Kinderspiel *n*, kinderleichte Sache.

child| wel·fare *s* Jugendwohlfahrt *f*: **~ legislation** Jugendfürsorgegesetzgebung; **~ worker** Jugendpfleger. — **'~ˌwife** *s irr* (*kaum erwachsene*) junge Ehefrau.

chil·e *cf.* chili. — **~ con car·ne** ['tʃili kɒn 'kɑːrni] *s ein mexik. Gericht* (*Fleisch mit Paprika u. Bohnen*).

Chil·e salt·pe·ter ['tʃili] *s chem.* 'Chilesalˌpeter *m*, sal'petersaures Natron, 'Natriumniˌtrat *n* ($NaNO_3$).

chil·i ['tʃili] *pl* **chil·ies** *s bot.* (*ein*) Paprika *m*, (*ein*) Span. Pfeffer *m* (*Gattg Capsicum, bes. C. frutescens*).

chil·i·ad ['kiliˌæd] *s* **1.** Tausend *n*. – **2.** Jahr'tausend *n*. — **chil·i·a·gon** ['kiliəgɒn] *s math.* Tausendeck *n*. — **chil·i·a·he·dron** [ˌkiliə'hiːdrən] *pl* **-dra** [-ə] *s math. selten* Tausendflächer *m*. — **chil·i·arch** ['kiliˌɑːrk] *s antiq.* Chili'arch *m*, Oberst *m*. — **chil·i·asm** ['kiliˌæzəm] *s relig.* Chili'asmus *m*, Lehre *f* vom tausendjährigen Reich Christi.

chil·i sauce *s* würzige (Paprika)Soße.

chill [tʃil] **I** *s* **1.** Schauer *m*, Kältegefühl *n*, Frösteln *n*. – **2.** (*durchdringende*) Kälte. – **3.** Kälte *f* (*Luft, Wasser etc, auch fig.*): **to take the ~ off s.th.** etwas erwärmen *od.* überschlagen lassen. – **4.** Erkältung *f*: **to catch a ~** sich erkälten. – **5.** *pl, oft* **~s and fevers** *Am.* Fieber-, Schüttelfrost *m*. – **6.** *fig.* Gefühl *n* der Entmutigung *od.* Enttäuschung. – **7.** *tech.* Ko'kille *f*, Abschreckform *f*, eiserne Gußform. – **8.** *tech.* Abschreckstück *n*. – **II** *adj* **9.** kalt, eisig, frostig. – **10.** vor Kälte erschauernd, fröstelnd. – **11.** entmutigend, niederdrückend. – **12.** *fig.* kühl, frostig: **a ~ reception** ein kühler Empfang. – **III** *v/i* **13.** abkühlen. – **14.** sich erkälten. – **15.** *tech.* abgeschreckt *od.* hart werden. – **IV** *v/t* **16.** kalt machen, abkühlen lassen. – **17.** kühlen. – **18.** entmutigen, dämpfen: **to ~ s.o.'s hope** j-s Hoffnung zerstören. – **19.** *tech.* a) abschrecken, (scharf) abkühlen, härten, b) in Ko'kille (ver)gießen. — **'~-ˌcast** *adj tech.* in Ko'killen *od.* hart gegossen, abgeschreckt. — **~ cast·ing** *s* Ko'killenguß *m*, Hart-, Schalenguß *m*.

chilled [tʃild] *adj* **1.** (ab)gekühlt. – **2.** *tech.* abgeschreckt, hart gegossen. – **3.** gefroren (*Fleisch*).

chil·li *pl* **-lies** *cf.* chili.

chill·i·ness ['tʃilinis] *s* Kälte *f*, Schauer *m*, Schauder *m* (*auch fig.*).

chill·ing ['tʃiliŋ] **I** *s* **1.** Abkühlung *f*. – **2.** *tech.* Abschreckung *f*, Abschrecken *n*. – **3.** *tech.* Glashärte *f*. – **II** *adj* **4.** kalt: **a ~ wind** ein (*durchdringend*) kalter *od.* schneidender Wind.

chill| mo(u)ld → chill 7. — **'~ˌroom** *s* Gefrier-, Kühlraum *m*.

chill·y[1] ['tʃili] *adj* kalt, frostig, kühl (*auch fig.*), fröstelnd: **to feel ~** frösteln; **a ~ manner** ein kühles *od.* abweisendes Wesen.

chil·ly[2] *cf.* chili.

chi·log·nath ['kailɒgˌnæθ] *pl* **chi'log·na·tha** [-nəθə] *s zo.* Tausendfüßer *m*, Schnurassel *f* (*Ordng Chilognatha*). — **chi'log·na·than** → chilognath.

chi·lo·plas·ty ['kailoˌplæsti] *s med.* plastische Chirur'gie der Lippen.

chi·lo·pod ['kailoˌpɒd; -lə-] *s zo.* Bandassel *f*, Hundertfüßer *m* (*Ordng Chilopoda*).

Chil·tern Hun·dreds ['tʃiltərn] *s Br.* (*nominelles*) Kronamt (*dessen Verwaltung der Form halber zurücktretenden Parlamentariern übertragen wird*): **to apply for the ~** seinen Sitz im Parlament aufgeben.

chi·mae·ra [ki'mi(ə)rə; kai-] *s* **1.** *zo.* a) Chi'märe *f*, Spöke *f*, Seehase *m* (*Fam. Chimaeridae*), b) Seedrachen *m* (*Überordng Holocephali*). – **2.** *cf.* chimera.

chim·ar ['tʃimər] → chimere.

chimb *cf.* chime[2].

chime[1] [tʃaim] **I** *s* **1.** (Turm)Glockenspiel *n*. – **2.** *mus.* Glocken-, Stab-, Stahlspiel *n* (*des Orchesters*). – **3.** Satz *m* Glocken u. Hämmer (*wie bei Spieluhren etc*). – **4.** Einklang *m*, Harmo'nie *f*. – **5.** har'monisches Glockengeläute. – **6.** Mu'sik *f*, Melo'die *f*. – **II** *v/i* **7.** (Glocken) läuten, tönen, zu'sammenklingen. – **8.** ertönen, erklingen. – **9.** *fig.* harmo'nieren, über'einstimmen. – **10.** ~ **in** sich (ins Gespräch) einmischen, (ins Gespräch) einfallen: **to ~ in with** übereinstimmen mit. – **11.** melodi'ös *od.* in singendem Ton *od.* rhythmisch sprechen. – **12.** *mus.* einfallen. – **III** *v/t* **13.** (*Glocken*) läuten, erklingen lassen, anschlagen, antönen. – **14.** (*Melodie*) ertönen lassen (*Glockenspiel*). – **15.** (*die Stunde*) schlagen: **Big Ben ~s the hours.** – **16.** rhythmisch *od.* me'chanisch *od.* in singendem Ton 'hersagen, leiern.

chime² [tʃaim] (*Böttcherei*) **I** *s* Zarge *f*, Gargel *m*, Kimme *f*: **to chop off the ~** abkimmen. – **II** *v/t* (*die Faßdauben*) mit einer Kimme versehen.

chim·er¹ ['tʃaimər] *s* Glockenspieler *m*.

chim·er² ['tʃimər; 'ʃimər] → **chimere.**

chi·me·ra [ki'mi(ə)rə; kai-] *s* **1.** (*griech. Mythologie*) Chi'mära *f* (*Ungeheuer mit Ziegenleib, Löwenkopf u. Schlangenschweif*). – **2.** gro'teskes Ungeheuer (*bes. in der Kunst*). – **3.** Schreckgespenst *n*, -bild *n*. – **4.** Schi'märe *f*, Hirngespinst *n*. – **5.** *bot.* Chi'märe *f* (*Pflanze aus Geweben von zwei genotypisch verschiedenen Arten*).

chi·mere [tʃi'mir; ʃi'mir] *s relig.* Sa'marie *f*, Si'marre *f* (*Obergewand*).

chi·mer·ic [ki'merik; kai-], **chi'mer·i·cal** *adj* **1.** schi'märisch, trügerisch, unwahrscheinlich, eingebildet, visio'när. – **2.** schi'märenhaft, phan'tastisch. – *SYN. cf.* **imaginary.**

chim·ney ['tʃimni] *s* **1.** Schornstein *m*, Schlot *m*, Ka'min *m*, Rauchfang *m*, Rauchabzug *m*: **to smoke like a ~** *fig.* rauchen wie ein Schlot. – **2.** ('Lampen)Zy,linder *m*. – **3.** *geol.* a) Vul'kanschlot *m*, b) Ka'min *m*, kaminartige Gesteinskluft. – **4.** *kamin- od. schlotförmiger Gegenstand, z.B.* Rohrpfeife *f* (*Orgel*). – **5.** Feuerstelle *f*, Herd *m*, Esse *f*: **open ~** offener *od.* engl. Kamin. — **~ bar** *s tech.* Zungenstab *m*, Ka'minstütze *f*. — **~ base** *s tech.* Schornsteinsockel *m*. — **~ bell·flow·er** *s bot.* Turm-Glockenblume *f* (*Campanula pyramidalis*). — **~ board** *s* Ka'mingitter *n*, -vorsetzer *m*. — **~ breast** *s* waag(e)recht vorstehender Teil eines eingebauten Ka'mins. — **~ cap** *s* Schornsteinkappe *f*. — **~ cor·ner** *s* Ka'minecke *f*, Sitzecke *f* am Ka'min. — **~ flue** *s* 'Rauch-, 'Zugka,nal *m*, -rohr *n*, Schornsteinzug *m*. — **~ flute** *s mus.* Rohrflöte *f*. — **'~,head** → **chimney top.** — **~ hook** *s* **1.** Ka'minhaken *m* (*für Schaufel, Zange, Schürhaken*). – **2.** Kesselhaken *m* am Ka'min. — **~ jack** *s* bewegliche Schornsteinkappe. — **~ mon·ey** *s hist.* Ka'minsteuer *f*. — **~ piece** *s* **1.** Schmuck *m* (*Bild etc*) über dem Ka'min. – **2.** Ka'minsims *m*, *n*. — **~ plant** → **chimney bellflower.**

chim·ney pot *s* Ka'min-, Schornsteinkappe *f*, -aufsatz *m*. — **~ hat** *s Br. sl.* ,Angströhre' *f* (*Zylinderhut*).

chim·ney| rock *s geol. Am.* Steinsäule *f* (*durch Witterung entstanden*). — **~ stack,** *Br. auch* **~ stalk** *s* Schornsteinkasten *m* (*mehrerer Schornsteinröhren*). — **~ swal·low** *s zo.* **1.** Rauchschwalbe *f* (*Hirundo rustica*). – **2.** *Am. für* **chimney swift.** — **~ sweep** *s* **1.** Schornsteinfeger *m*, Rauchfangkehrer *m*. – **2.** Schornsteinbürste *f*. – **3.** *eine künstliche Angelfliege.* – **4.** *bot.* Spitzwegerich *m* (*Plantago lanceolata*). — **~ sweep·er** *s* **1.** → **chimney sweep 1** *u.* **2.** – **2.** → **chimney swallow.** — **~ swift** *s zo.* (*ein*) Stachelschwanzsegler *m* (*Chaetura pelagica*). — **~ tax** → **chimney money.** — **~ top** *s tech.* Schornsteinkranz *m*, Rauchfangspitze *f*, Essenkopf *m*.

chim·pan·zee [,tʃimpæn'ziː; -pən-; tʃim'pænzi] *s zo.* Schim'panse *m* (*Pan troglodytes*).

chin [tʃin] **I** *s* **1.** Kinn *n*: **up to the ~** bis zum Kinn, *fig.* bis über die Ohren; **to take it on the ~** *Am. sl.* den Kopf hoch *od.* die Ohren steif halten. – **II** *v/t pret u. pp* **chinned 2.** (*Geige*) ans Kinn legen, mit dem Kinn halten. – **3. ~ oneself** *reflex Am.* Klimmzüge *od.* einen Klimmzug machen. – **III** *v/i* **4.** *Am. sl.* ,quasseln', schwatzen.

chi·na ['tʃainə] **I** *s* **1.** Porzel'lan *n*. – **2.** (Porzel'lan)Geschirr *n*. – **II** *adj* **3.** aus Porzel'lan, Porzellan... — **~ ale** *s* mit Chinawurzel gewürztes Bier. — **C~ as·ter** *s bot.* China-, Garten-, Sommeraster *f* (*Callistephus sinensis*). — **~ bark** *s bot. chem.* **1.** → **cinchona 2.** – **2.** *Rinde des brasil. Strauchs Cascarilla hexandra.* — **'~,ber·ry** *s bot.* **1.** Zedrachbaum *m* (*Melia azedarach*). – **2.** *Am.* Seifenbaum *m* (*Sapindus saponaria*). — **~ blue** *s chem.* Kobalt-, Porzel'lanblau *n*. — **C~ broth** *s* Chinawurzelsuppe *f*. — **C~ clay** *s min.* Kao'lin *n*, Porzel'lanerde *f*. — **~ clos·et** *s* Porzel'lanschrank *m*. — **C~ crepe** *s* Crêpe *m* de Chine (*Seidenkrepp*). — **C~ ink** *s* chines. Tusche *f*.

Chi·na·man ['tʃainəmən] *s irr* **1.** *meist verächtlich*) Chi'nese *m*: **not a ~'s chance** *Am. sl.* nicht die geringste Aussicht. – **2. c~** Porzel'lanhändler *m*. – **3.** *mar.* Chinafahrer *m*. — **'Chi·na·man's-'hat** *s zo.* Zipfelschnecke *f* (*Gattg Calyptraea, bes. C. sinensis*).

Chi·na| or·ange *s bot.* O'range *f*, Apfel'sine *f* (*Citrus aurantium var. dulcis*). — **~ pink** *s bot.* Chines. Nelke *f*, Chi'nesennelke *f* (*Dianthus chinensis*). — **'c~,root** *s bot.* Chinawurzel *f* (*Smilax china*). — **~ rose** *s bot.* **1.** Chines. Roseneibisch *m* (*Hibiscus rosa-sinensis*). – **2.** Monatsrose *f* (*Rosa chinensis*). — **~ sil·ver** *s* chines. Silber *n*, China-, Neusilber *n*. — **~ stone** *s min.* **1.** chines. Gla'surkalk *m*. – **2.** Kao'lin *n*. — **'~,town** *s* Chi'nesenviertel *n*. — **~ tree** → **chinaberry 1.** — **'c~,ware** *s* Porzel'lan(waren *pl*) *n*.

chin·ca·pin *cf.* **chinquapin.**

chinch [tʃintʃ] *s zo. Am.* **1.** → **bedbug.** – **2.** → **~ bug.** — **~ bug** *s zo. Am.* Getreidewanze *f* (*Blissus leucopterus*).

chin·chil·la [tʃin'tʃilə] *s* **1.** *zo.* Kleine Chin'chilla, Wollmaus *f* (*Chinchilla laniger*). – **2.** Chin'chillapelz *m*.

chin-chin ['tʃin,tʃin] (*Pidgin-English*) *s* (Guten) ,Tag'! (Auf) ,'Wiedersehen'!

chin·cho·ism ['kiŋko,izəm] *s med.* Chi'ninrausch *m*, -vergiftung *f*.

'chin-'deep *adj* tief eingesunken *od.* versunken (*auch fig.*).

chin·dit ['tʃindit] *s mil. Mitglied einer alliierten Kommandotruppe in Burma 1943.*

chine¹ [tʃain] *s Br. dial.* tiefe u. enge Schlucht.

chine² [tʃain] **I** *s* **1.** Rückgrat *n*, Kreuz *n*. – **2.** Rücken-, Kamm-, Lendenstück *n* (*Schlachttier*). – **3.** scharfe Kante, Bergkamm *m*, -rücken *m*, Grat *m*. – **4.** *mar.* Kimme *f*. – **II** *v/t* **5.** den Rücken zerteilen von (*einem Schlachttier*). – **6.** (*Lachs, Hummer etc*) der Länge nach teilen. – **7.** (*j-m*) das Genick brechen. – **III** *v/i* **8.** *selten* jäh abfallen. — **~ boat** *s mar.* Knickspantboot *n*.

chined [tʃaind] *adj* mit einem Rückgrat.

Chi·nee [,tʃai'niː] *s colloq.* Chi'nese *m*.

Chi·nese [,tʃai'niːz] **I** *adj* **1.** chi'nesisch. – **II** *s* **2.** *sg u. pl* Chi'nese *m*, Chi'nesin *f*, Chi'nesen *pl*. – **3.** *ling.* Chi'nesisch *n*, das Chinesische. — **~ land·ing** *s aer. sl.* **1.** Rückenwindlandung *f*. – **2.** *Landung mit einem beschädigten Flügel.* — **~ lan·tern** *s* Pa'pierla,terne *f*, Lampi'on *m*, *n*. — **~ puz·zle** *s* **1.** Mosa'ikspiel *n*. – **2.** *fig.* kompli'zierte Angelegenheit. — **~ red** *s* Zin'noberrot *n*. — **~ rose** → **China rose.** — **~ white** *s* Zinkweiß *n*. — **~ wind·lass** *s tech.* Differenti'alwinde *f*. — **~ wood oil** *s* (*chines.*) Tungöl *n*.

Chink¹ [tʃiŋk] *s sl.* (*verächtlich*) Chi'nese *m*.

chink² [tʃiŋk] **I** *s* **1.** Riß *m*, Ritze *f*, Spalt *m*, Spalte *f*: **glottal ~** *med.* Stimmritze. – **2.** *tech.* schmale Öffnung, Sprung *m*, Haarriß *m*. – **II** *v/t* **3.** die Ritzen *etc* ausfüllen *od.* schließen von *od.* in (*dat*).

chink³ [tʃiŋk] **I** *v/t* **1.** klingen lassen, klimpern mit (*Geld etc*). – **II** *v/i* **2.** klimpern, klingen. – **III** *s* **3.** klingender Ton, Geklimper *n*, (me'tallisches) Klingen. – **4.** *sl.* ,Pinkepinke' *f*, (Bar)Geld *n*.

chin·ka·pin *cf.* **chinquapin.**

chink·y ['tʃiŋki] *adj* rissig, voller Spalten.

chinned [tʃind] *adj* (*in Zusammensetzungen*) mit einem ... Kinn: **double-~** mit einem Doppelkinn.

Chino- [tʃaino] *Wortelement mit der Bedeutung* chinesisch.

Chi·nook [tʃi'nuːk; -'nuk] *s* **1.** Chi'nook(indi,aner) *m*. – **2.** *Mischsprache aus Englisch, Französisch u. Chinook.* – **3. c~** *Am.* Chi'nook *m*, warmer, föhnartiger Wind. — **c~ salm·on** *s zo.* Chi'nook-Lachs *m* (*Oncorhynchus tschawytscha*).

chin·qua·pin ['tʃinkəpin] *s bot.* **1.** *Am.* 'Zwergka,stanie *f* (*Castanea pumila*). – **2.** *Am.* 'Goldblatt-Ka,stanie *f* (*Castanopsis chrysophylla*). — **~ oak** *s bot. Am.* **1.** Gelbe Eiche, Ka'stanien-Eiche *f* (*Quercus muehlenbergii*). – **2.** 'Zwergka,stanien-,Eiche *f* (*Quercus prinoides*).

chinse [tʃins] *v/t u. v/i mar.* (Ritzen) oberflächlich *od.* behelfsmäßig verstopfen, kal'fatern.

chin strap *s* Kinnriemen *m* (*Pferdegeschirr*), Sturmriemen *m* (*Helm*).

chintz [tʃints] *s* **1.** Chintz *m*, 'Möbelkat,tun *m*. – **2.** bemalter *od.* bedruckter indischer Kalikostoff.

chip¹ [tʃip] **I** *s* **1.** Splitter *m*, Schnitzel *n*, Span *m*, (Holz- *od.* Me'tall)Splitter *m*, Abfall *m*: **~s of leather** Lederabfälle; **a ~ of wood** ein Holzsplitter, -span; **to have a ~ on one's shoulder** *colloq.* aggressiv *od.* ein Kampfhahn sein; **dry as a ~** fade, *fig.* trocken, abgestanden, uninteressant. – **2.** *fig.* Sproß *m*, Kind *n*, Nachkomme *m*: **he is a ~ of the old block** er ist aus dem gleichen Holz geschnitzt wie sein Vater (*seltener* wie seine Mutter). – **3.** wertlose *od.* unbedeutende Sache. – **4.** → **buffalo chips.** – **5.** Spalten *n*, Axthieb *m*. – **6.** (*Kochkunst*) kleiner, dünner Streifen, Scheibchen *n*: → **potato ~s.** – **7.** Spielmarke *f* (*z.B. beim Pokerspiel*): **to have plenty of ~s** *Am. sl.* ,Zaster haben', reich sein; **to pass in one's ~s** *Am. sl.* ,abkratzen', sterben. – **8.** (*Golf*) kurzer Schlag aus dem Handgelenk. – **9.** (geschliffener Bril'lant- *etc*)Splitter. – **10.** Holz- *od.* Strohfasern *pl* (*für Korbflechter etc*). – **11.** *pl mar. sl.* (*Spitzname für den*) Schiffszimmermann. – **II** *v/t pret u pp* **chipped 12.** mit der Axt *od.* dem Meißel *etc* behauen *od.* bearbeiten. – **13.** abspänen, abschleifen, (ab)schroten, meißeln. – **14.** abraspeln, abschnitzeln. – **15.** abbrechen. – **16.** (*Kanten, Ecken von Geschirr etc*) an-, abschlagen. – **17.** (*Golf*) (*Ball*) mit kurzem scharfem Schlag anschlagen. – **18.** *colloq.* ‚piesacken', hänseln, necken. – **19.** *Am.* (ein)setzen (*bei Spielen*). – **20.** (*Terpentingewinnung*) *Am.* (*Baumrinde*) abraspeln. – **21.** *obs.* (*Brotrinde*) abschälen. – **III** *v/i* **22.** in kleinen Stücken abbrechen, abbröckeln. – *Verbindungen mit Adverbien:*

chip| in *v/i* **1.** *Am.* (ein)setzen (*beim Spiel*). – **2.** *Am.* einspringen (*mit Geld od. Hilfe*). – **3.** *sl.* unter'brechen, sich einmischen, ‚da'zwischenfahren'. — **~ off I** *v/t* abbrechen, abstemmen. – **II** *v/i* abbröckeln, abblättern.

chip² [tʃip] **I** *v/i* piepen, einen kurzen Schrei ausstoßen. – **II** *s* kurzer Schrei, Piepen *n.*

chip³ [tʃip] **I** *s* (*Ringen*) Kunstgriff *m.* – **II** *v/t* (*j-m*) ein Bein stellen.

chip| ax(e) *s* Schlicht-, Breitbeil *n.* — **~ bird** *s zo.* (*ein*) amer. Sperling *m* (*Spizella passerina*). — **~ board** *s* **1.** Kunstholz(platten *pl*) *n.* – **2.** *aus Papierabfällen hergestellte Pappe für Schachteln.* — **~ bon·net** *s* Stroh-, Basthut *m.* — **'~-ˌhat palm** *s bot.* (*eine*) Thrinax-, Fächerpalme (*Thrinax microcarpa*). — **~ log** *s mar.* Logscheit *n.* — **'~ˌmunk** *s zo. Am.* (*ein*) Backenhörnchen *n* (*Gattungen Tamias u. Eutamias*).

chipped [tʃipt] *adj* **1.** angeschlagen (*Geschirr etc*). – **2.** abgebröckelt.

Chip·pen·dale ['tʃipənˌdeil] *s* Chippendalestil *m* (*Möbelstil nach dem engl. Kunsttischler Th. Chippendale*).

chip·per¹ ['tʃipər] *adj Am. colloq.* lebhaft, fröhlich, munter.

chip·per² ['tʃipər] *v/i dial. od. Am.* **1.** zirpen, piepen. – **2.** schwatzen.

chip·per³ ['tʃipər] *s* **1.** Schnitzender *m*, Behauer *m*, Meißler *m.* – **2.** *tech.* a) Abklopfhammer *m*, Putzbeitel *m*, b) 'Holzhackmaˌschine *f.*

chip·ping ['tʃipiŋ] *s* **1.** Abspringen *n*, Abbröckeln *n* (*Stück*). – **2.** Abraspeln *n.* – **3.** *tech.* Ab-, Grobmeißeln *n.* – **4.** Span *m*, Schnitzel *n*, abgesprungenes *od.* abgeschlagenes Stück, angestoßene Ecke. – **5.** *pl tech.* a) Bohrspäne *pl*, b) Splitt *m*, Kleinschlag *m.* — **~ ax(e)** → chip ax(e). — **~ bird** → chip bird. — **~ chis·el** *s tech.* gerader Meißel, Flach-, Hart-, Schrotmeißel *m.* — **~ spar·row** → chip bird. — **~ squir·rel** → chipmunk.

chip·py ['tʃipi] **I** *s* **1.** *Am. sl.* ‚Flittchen' *n*, Freudenmädchen *n*, Prostitu'ierte *f.* – **2.** → chip bird. – **II** *adj* **3.** aus Spänen bestehend. – **4.** rissig, voller Sprünge. – **5.** *fig.* trocken, 'uninteresˌsant, fade. – **6.** *sl.* mit ausgetrockneter Kehle (*nach einem Rausch*). – **7.** *colloq.* gereizt, verärgert.

chip shot → chip¹ 8.

chirk [tʃəːrk] *Am. colloq.* **I** *adj* fröhlich, heiter. – **II** *v/t* **~ up** aufheitern. – **III** *v/i* **~ up** fröhlich *od.* heiter werden.

chirm [tʃəːrm] **I** *s Br. obs. od. dial. od. Am.* Gesumme *n* (*Insekten etc*). – **II** *v/i obs. od. dial.* summen.

chiro- [kairo] *Wortelement mit der Bedeutung* Hand.

chi·rog·ra·pher [kai'rɒgrəfər] *s* **1.** *jur. Br. hist.* Schreiber *m*, Amtsschreiber *m* bei Gericht. – **2.** Schreibkundiger *m.* — **ˌchi·ro'graph·ic** [-ro'græfik; -rə-] **ˌchi·ro'graph·i·cal** *adj* (hand)schriftlich. — **chi'rog·ra·phy** *s* **1.** Schreibkunst *f.* – **2.** Handschrift *f.*

chi·rol·o·gy [kai'rɒlədʒi] *s med.* Chirolo'gie *f*, Lehre *f* von der Hand.

chi·ro·man·cer ['kairoˌmænsər; -rə-] *s* Chiro'mant *m*, Handliniendeuter *m.* — **'chi·roˌman·cy** *s* Chiroman'tie *f*, Handlesekunst *f.*

chi·ron·o·my [kai'rɒnəmi] *s* **1.** Gebärdensprache *f*, Gestikulati'on *f.* – **2.** Kunst *f* der rednerischen Handbewegungen.

chi·rop·o·dist [kai'rɒpədist; ki-] *s* Spezia'list(in) für (Hand- u.) Fußpflege, Pedi'küre *f*, Fußpfleger(in). — **chi'rop·o·dy** *s* (Hand- u.) Fußpflege *f*, (Mani'küre *f* u.) Pedi'küre *f.*

chi·ro·prac·tic [ˌkairo'præktik; -rə-] *s med.* Chiro'praktik *f* (*manuelle Einrichtung verschobener Wirbelkörper zur Behebung allg. Krankheiten*). — **'chi·roˌprac·tor** *s* Chiro'praktiker *m.*

chi·rop·ter [kai'rɒptər] *s zo.* Chi'ropteron *n*, Flattertier *n*, Fledermaus *f*, Handflatterer *m* (*Ordng Chiroptera*). — **chi'rop·ter·an I** *adj* zu den Flattertieren gehörig. – **II** *s* → chiropter.

Chi·ro·the·ri·um sand·stone [ˌkairo'θi(ə)riəm] *s geol.* Fährtensandstein *m.*

chirp [tʃəːrp] **I** *v/i u. v/t* zirpen, zwitschern, piepen. – **II** *s* Gezirp *n*, Zwitschern *n.* — **'chirp·ing I** *s* **1.** Zirpen *n*, Piepen *n.* – **II** *adj* **2.** zirpend, piepend. – **3.** lustig, ausgelassen. — **'chirp·y** *adj colloq.* ‚quietschvergnügt', heiter, lustig, fröhlich.

chirr [tʃəːr] **I** *v/i* zirpen (*wie eine Heuschrecke etc*). – **II** *s* Zirpen *n.*

chir·rup ['tʃirəp] **I** *v/i* **1.** zwitschern, zirpen. – **2.** mit der Zunge schnalzen (*z. B. um einen Vogel anzulocken od. ein Pferd anzutreiben*). – **3.** *sl.* Beifall klatschen. – **II** *s* **4.** Gezwitscher *n*, Zwitschern *n*, Zirpen *n.* — **'chir·rup·y** → chirpy.

chis·el ['tʃizl] **I** *s* **1.** Meißel *m.* – **2.** *tech.* Beitel *m*, Stemmeisen *n*, Stechbeitel *m*, Abschroter *m*, Grabstichel *m*: **bevel(l)ed ~** Schrägmeißel; **blacksmith's ~** Schrotmeißel. – **II** *v/t pret u. pp* **'chis·eled**, *bes. Br.* **'chis·elled** **3.** mit dem Meißel bearbeiten, (aus)meißeln, schroten, zise'lieren: **to ~ off** bestoßen, abstemmen; **to ~ through** durchmeißeln. – **4.** *sl.* a) ‚bemogeln', ‚reinlegen', beschwindeln, betrügen, b) erschwindeln, ergaunern. – **III** *v/i* **5.** meißeln, schroten. – **6.** *sl.* ‚mogeln', schwindeln. — **~ bit** *s tech.* Gesteins-, Mauerbohrer *m.*

chis·eled, *bes. Br.* **chis·elled** ['tʃizəld] *adj* **1.** ausgemeißelt, geformt. – **2.** scharf geschnitten (*Gesicht, Lippen*): **a finely ~ mouth** ein scharf geschnittener Mund. – **3.** *fig.* scharf ausgeprägt (*Stil, Gedanke*).

chis·el·er, *bes. Br.* **chis·el·ler** ['tʃizlər] *s* **1.** Ausmeißler *m*, Steinmetz *m*, Bildhauer *m.* – **2.** *sl.* ‚Mogler(in)', Schwindler(in), Gauner(in).

chis·elled, chis·el·ler *bes. Br. für* chiseled, chiseler.

chis·el| tooth *s irr zo.* Nagezahn *m.* — **'~ˌtooth saw** *s* (Holz)Kreissäge *f.*

chit¹ [tʃit] *s* **1.** Kind *n.* – **2.** junges Mädchen, junges Geschöpf: **a ~ of a girl** ein junges Ding.

chit² [tʃit] *s* **1.** (Essen-, Getränke- *etc*)Marke *f*, Bon *m*, Gutschein *m.* – **2.** *bes. Br.* kurze No'tiz, Memo'randum *n.*

chit-chat ['tʃitˌtʃæt] *s* **1.** Geplauder *n*, leichte Konversati'on. – **2.** Tratsch *m.*

chi·tin ['kaitin] *s chem. zo.* Chi'tin *n.* — **ˌchi·tin·i'za·tion** *s* Verwandlung *f* in Chi'tin. — **ˌchi·ti'nog·e·nous** [-'nɒdʒənəs] *adj* Chi'tin erzeugend. — **'chi·tin·ous** *adj* **1.** Chitin..., aus Chi'tin. – **2.** chi'tinartig.

chi·ton ['kaitən] *s* **1.** *antiq.* Chi'ton *m* (*weißes Untergewand*). – **2.** *zo.* Käferschnecke *f* (*Ordng Placophora*).

chit·ta(c)k [tʃi'tɑːk] *s indische Gewichtseinheit.*

chit·ter·ling ['tʃitərliŋ] *s* **1.** *meist pl* Inne'reien *pl*, Gekröse *n* (*bes. vom Schwein*). – **2.** *obs.* Rüsche *f* (am Damenkleid).

chit·ty¹ ['tʃiti] *adj* **1.** klein, mager. – **2.** kindlich, Kinder...

chit·ty² ['tʃiti] *s Br. Ind.* **1.** Brief *m*, Zettelchen *n.* – **2.** Zeugnis *n*, Paß *m.*

chiv·al·resque [ˌʃivəl'resk], *auch* **'chiv·al·ric** [-rik] *adj* chevale'resk, ritterlich, ga'lant. — **'chiv·al·rous** *adj* **1.** → chivalresque. – **2.** tapfer, loy'al, großzügig. – *SYN. cf.* civil. — **'chiv·al·ry** [-ri] *s* **1.** Ritterlichkeit *f*, ritterliches *od.* ga'lantes Benehmen. – **2.** ritterliche Tugend. – **3.** Rittertum *n*, -wesen *n.* – **4.** Gruppe *f* von Rittern. – **5.** *obs.* Ritterstand *m*, -würde *f.*

chive¹ [tʃaiv] *s bot.* Schnittlauch *m* (*Allium schoenoprasum*).

chive² [tʃiv] *sl.* **I** *s* Messer *n.* – **II** *v/t* (mit dem Messer) erstechen.

chive gar·lic → chive¹.

chiv·y, chiv·vy ['tʃivi] → chevy.

chlam·y·date ['klæmiˌdeit] *adj zo.* mit einem Mantel versehen (*Weichtier*). — **chla·myd·e·ous** [klə'midiəs] *s bot.* mit (Blüten)Hüllen versehen.

chla·mys ['klæmis; 'klei-] *pl* **chlam·y·des** ['klæmiˌdiːz] *od.* **chla·mys·es** ['klæmisiz; 'klei-] *s* Chla'mys *f* (*altgriech. Obergewand*).

chlo·an·thite [klo'ænθait] *s min.* Chloan'thit *m*, Weißnickelkies *m* ($NiAs_2$).

chlor-¹ [klɔːr] *Wortelement mit der Bedeutung* grün.

chlor-² [klɔːr] *Wortelement mit der Bedeutung* Chlor.

chlo·ral ['klɔːrəl] *s chem.* **1.** Chlo'ral *n* (CCl_3CHO). – **2.** → **~ hydrate.** — **~ hy·drate** *s chem.* Chlo'ralhyˌdrat *n* ($CCl_3CH(OH)_2$).

chlo·ral·ic [klə'rælik] *adj* Chloral... — **chlo·ral·ism** ['klɔːrəˌlizəm] *s med.* Chlo'ralvergiftung *f.*

chlo·ra·mine [ˌklɔːrə'miːn] *s chem.* **1.** (*anorganisch*) Chlora'min *n* (NH_2Cl). – **2.** (*pharmazeutisch*) Chlora'min T *n*, Chlora'zon *n*, Mia'nin *n* ($C_6H_4CH_3SO_2NNaCl$).

chlo·ram·phen·i·col [ˌklɔːræm'feniˌkɒl; -ˌkoul] *s chem. med.* ˌChloromyce'tin *n.*

chlo·ra·n(a)e·mi·a [ˌklɔːrə'niːmiə] *s med.* 'Chloranäˌmie *f*, Chlo'rose *f*, Bleichsucht *f.*

chlo·rate ['klɔːreit; -rit] *s chem.* Chlo'rat *n*, chlorsaures Salz.

chlor·dan ['klɔːrdæn], *auch* **'chlor·dane** [-dein] *s als Insektenvertilgungsmittel gebrauchte Inden-Chlor-Verbindung* ($C_{10}H_6Cl_8$).

chlo·ren·chy·ma [klə'reŋkimə] *s bot.* Chloren'chym *n*, Chloro'phyll-Gewebe *n.*

chlo·ric ['klɔːrik] *adj chem.* chlorhaltig, Chlor..., chlorsauer. — **~ ac·id** *s chem.* Chlorsäure *f* ($HClO_3$).

chlo·rid ['klɔːrid] → chloride.

chlo·ride ['klɔːraid; -id] *s chem.* Chlo'rid *n*, Chlorverbindung *f.* — **~ of lime** *s chem.* Chlorcalcium *n* ($CaCl_2$).

chlo·rin ['klɔːrin] → chlorine.

chlo·rin·ate ['klɔːriˌneit] *v/t* **1.** *chem.* chlo'rieren, mit Chlor verbinden *od.* behandeln: **~d lime** Chlorkalk. – **2.** (*Wasser etc*) mit Chlor desinfi'zieren, chloren.

chlo·rine ['klɔːriːn; -rin] *s chem.* Chlor *n* (Cl). [(*Gemenge*).]

chlo·rite¹ ['klɔːrait] *s min.* Chlo'rit *m*

chlo·rite² ['klɔːrait] *s chem.* chlorigsaures Salz.

chloro-¹ [klɔːro] → chlor-¹.

chloro-² [klɔːro] → chlor-².

chlo·ro·a·ce·tic ac·id [ˌklɔːroə'siːtik; -'setik] *s chem.* 'Monoˌchlorˌessigsäure *f.*

chlo·ro·form ['klɔːrəˌfɔːrm; *Br. auch* 'klɔr-] **I** *s chem. med.* **1.** Chloro'form *n* ($CHCl_3$). – **II** *v/t* **2.** chlorofor'mieren, betäuben. – **3.** (*Tuch etc*) mit Chloro'form tränken.

chlo·ro·hy·drin [ˌklɔːro'haidrin] *s chem.* Chlorhy'drin *n.*

chlo·ro·my·ce·tin [ˌklɔːromai'siːtin] → chloramphenicol.

chlo·ro·phyl(l) ['klɔːrəfil; *Br. auch* 'klɔr-] *s bot.* Chloro'phyll *n*, Blatt-

grün *n.* — ˌ**chlo·ro'phyl·lose** [-lous], ˌ**chlo·ro'phyl·lous** *adj* Blattgrün enthaltend *od.* betreffend.
chlo·ro·pic·rin [ˌklɔːro'pikrin; -'pai-] *s chem.* 'Chlorpiˌkrin *n* (CCl_3NO_2).
chlo·ro·plast ['klɔːrəˌplæst] *s* Chloro'plast *n*, Chloro'phyllkorn *n*, Chromato'phor *m*, Farbstoffträger *m.*
chlo·ro·prene ['klɔːrəˌpriːn] *s chem.* Chloro'pren *n.*
chlo·rop·si·a [klə'rɒpsiə] *s med.* Chlorop'sie *f*, Grünsehen *n.*
chlo·ro·sis [klə'rousis] *s* **1.** *med.* Chlo'rose *f*, Bleichsucht *f*, Blutarmut *f.* – **2.** *bot.* Chlo'rose *f*, Bleichsucht *f* (*bei Pflanzen*). — **chlo'rot·ic** [-'rɒtik] *adj bot. med.* chlo'rotisch, bleichsüchtig.
chlo·rous ['klɔːrəs] *adj* chlorhaltig, chlorig. — **~ ac·id** *s* chlorige Säure ($HClO_2$).
chock [tʃɒk] **I** *s* **1.** (Brems-, Hemm)-Keil *m.* – **2.** *mar.* a) Schiffs- *od.* Bootsklampe *f* (*auf der ein Boot auf Deck ruht*), b) Führung *f* der Taue u. Drähte aus Holz *od.* Me'tall, c) Aufklotzung *f.* – **II** *v/t* **3.** festkeilen, mittels Hemmkeils befestigen. – **4.** *mar.* (*Boot etc*) abkeilen, abstützen. – **III** *adv* **5.** möglichst nahe, dicht, eng anliegend: to place s.th. ~ against the wall etwas dicht an die Wand stellen. — **'~-a--'block** *adv* **1.** *mar.* Block an Block. – **2.** *fig.* vollgepfropft. — **'~-'full** *adj* zum Bersten *od.* zum 'Überlaufen voll.
choc·o·late ['tʃɒkəlit; -klit; *Am. auch* 'tʃɔːk-] **I** *s* **1.** Schoko'lade *f*: a bar of ~, *Am.* a ~ bar eine Tafel Schokolade; a cup of ~ eine Tasse Schokolade. – **2.** Schoko'lade(n)braun *n.* – **II** *adj* **3.** schoko'laden, mit Schoko'ladegeschmack, Schokolade(n)... – **4.** schoko'lade(n)farben. — **~ cream** *s* 'Kremschokoˌlade *f*, Pra'line *f*, Prali'né *n.* — **~ flow·er** *s bot.* Wilde Ge'ranie, Gefleckter Storchschnabel (*Geranium maculatum*). — **~ tree** *s bot.* Ka'kaobaum *m* (*Theobroma cacao*).
choc·taw ['tʃɒktɔː] *s sport ein Richtungswechsel (beim Eiskunstlauf).*
cho·gie ['tʃougi] *s mil. Am. sl.* Berg *m.*
choice [tʃɔis] **I** *s* **1.** Wahl *f*, Auswahl *f*: to have the ~ die Wahl haben; to take one's ~ seine Wahl treffen, nach Belieben auswählen; of one's own free ~ aus eigener freier Wahl; for (*od.* by) ~ am liebsten; → Hobson's ~. – **2.** Fähigkeit *f od.* Macht *f* zu wählen: to give s.o. his ~ j-m die Wahl lassen. – **3.** gewählte *od.* auserwählte Per'son *od.* Sache: you are his ~ seine Wahl ist auf Sie gefallen. – **4.** (große *od.* reichhaltige) Auswahl: a wide ~ of candidates viele Bewerber. – **5.** (*das*) Beste, (*die*) E'lite: the ~ of everything das Beste, was es gibt; the ~ of our troops unsere Kerntruppen. – **6.** Wahl *f*, andere Möglichkeit, Alterna'tive *f*: to have no (other) ~ keine andere Wahl *od.* Möglichkeit haben. – **7.** Vorrat *m*, Sorti'ment *n.* – *SYN.* alternative, election, option, preference, selection. – **II** *adj* **8.** auserlesen, ausgesucht, ausgezeichnet, auserkoren: ~ goods ausgesuchte *od.* ausgesucht gute Waren. – **9.** sorgfältig (aus)gewählt, wohlerwogen: a speech delivered in ~ words eine in gewählten Worten gehaltene Rede. – *SYN.* dainty, delicate, elegant, exquisite, rare. — **'choice·less** *adj* keine Wahl habend. — **'choice·ness** *s* **1.** Auserlesenheit *f*, Gewähltheit *f*, Feinheit *f*, hoher Wert: ~ of language gewählte Sprache. – **2.** Sorgfalt *f* im Wählen. — **'choic·y** *adj Am. colloq.* wählerisch, heikel.
choir [kwair] **I** *s* **1.** *mus.* a) (Sänger-, *bes.* Kirchen)Chor *m*, Chorvereinigung *f*, Singgruppe *f*, Gesangverein *m*, b) Teilchor *m*, Stimmgruppe *f* (*eines Chors*), c) Instru'mentengattung *f* (*Orchester*), d) Gruppe *f*, Chor *m* (*gleicher Instrumente od. Orgelregister*), e) → ~ organ. – **2.** Tanzchor *m*, -gruppe *f.* – **3.** Engelschor *m.* – **4.** *arch.* Chor *m*: a) Chor-, Al'tarraum *m*, b) 'Choremˌpore *f.* – **II** *v/i u. v/t* **5.** im Chor singen (lassen). – **III** *adj* **6.** *relig.* zu den zum Chordienst verpflichteten Ordensmitgliedern gehörend (*im Gegensatz zu Laienbrüdern u. -schwestern*). — **'~ˌboy** *s* Chor-, Sängerknabe *m.* — **~ loft** *s* 'Chorgaleˌrie *f*, -empore *f* (*Kirche*). — **'~ˌmas·ter** *s* 'Chordiriˌgent *m*, -leiter *m.* — **~ organ** *s* Chororgel *f*, Ober-, Brustwerk *n.*
choke [tʃouk] **I** *s* **1.** Würgen *n*, Stocken *n* des Atems. – **2.** *tech.* Drosselklappe *f*, Luftabsperrvorrichtung *f*, Starterklappe *f.* – **3.** *electr.* Drosselspule *f.* – **4.** *tech.* Würgebohrung *f*, sich verjüngendes Ende (*Kapsel, Rakete etc*). – **5.** (*Ringen*) Würgegriff *m.* – **II** *v/t* **6.** (er)würgen, ersticken, erdrosseln, (*j-m*) den Atem benehmen: I could ~ that man! ich könnte diesen Menschen erwürgen! – **7.** *meist* ~ up (*mit Sand etc*) verstopfen, versperren, verschmutzen, verschmieren: to be ~d up with mud verschlammt sein. – **8.** hemmen, nicht aufkommen lassen, an der Entwicklung hindern: to ~ off discussion. – **9.** (*Feuer etc*) ersticken, dämpfen. – **10.** *fig.* (*Worte, Lachen, Gefühle etc*) ersticken, zu'rückdrängen, unter'drücken. – **11.** (*Pflanzen*) ersticken, erdrücken. – **12.** über'füllen. – **13.** *tech.* (*Motor*) (ab)drosseln, (*Strom*) verdrosseln, stauen, verstopfen. – **III** *v/i* **14.** ersticken (*auch fig.*): to ~ with laughter vor Lachen ersticken. – **15.** sich verstopfen. –
Verbindungen mit Adverbien:
choke| back, ~ down *v/t* (*Äußerung, Gefühl etc*) unter'drücken, ersticken. — **~ off** *v/t* **1.** stoppen. – **2.** loswerden. — **~ up** *v/t* **1.** verstopfen. – **2.** ganz voll füllen.
'choke|ˌber·ry *s bot. Am.* Apfelbeere *f* (*Frucht von Aronia arbutifolia*). — **'~ˌbore** *tech.* **I** *s* **1.** an der Mündung etwas engere Bohrung (*eines Schrotgewehrs zwecks Verhinderung zu großer Streuung*). – **2.** Schrotgewehr *n* mit sich verjüngender Bohrung. – **II** *v/t* **3.** (*Gewehr an der Mündung*) enger bohren. — **'~ˌcher·ry** *s bot.* **1.** *Am.* a) Würg-Kirsche *f* (*Prunus virginiana, P. virginiana var. demissa*), b) Trauben-Kirsche *f* (*P. serotina*). – **2.** *Br.* Vogel-, Süßkirsche *f* (*Prunus avium*). — **~ coil** *s* **1.** *electr.* Drosselspule *f.* – **2.** *tech.* Abflachungsdrossel *f.* — **'~ˌdamp** *s* (*Bergbau*) Ferch *m*, (Nach)-Schwaden *m*, Stickwetter *n*, böses *od.* schlagendes Wetter. — **'~-'full** → chock-full. — **~ pear** *Am. für* chokecherry.
chok·er ['tʃoukər] *s* **1.** Würger *m*, Hemmender *m.* – **2.** *colloq.* a) ‚Vatermörder' *m* (*enger od. hoher Kragen*), b) enge Kette, enges Halsband, c) *unter dem offenen Hemd getragener Herrenschal.*
choke throt·tle *s tech.* Starterklappe *f.*
'chokeˌweed *s bot.* Rüben-, Sommerwurz *f* (*Orobanche rapumgenistae*).
chok·ey *cf.* choky[1].
chok·ing ['tʃoukiŋ] **I** *adj* **1.** würgend, erstickend, das Gefühl des Erstickens erzeugend. – **2.** *fig.* erstickt, voll innerer Bewegung: to speak with a ~ voice mit erstickter Stimme sprechen. – **II** *s* **3.** *tech.* (Ver)Drosselung *f.*
chok·ra ['tʃoukrə] *s Br. Ind.* Junge *m*, (Haus)Bursche *m.*
chok·y[1] ['tʃouki] *adj* **1.** erstickend, den Atem beschwerend, würgend. – **2.** herb, ungenießbar (*Früchte*).
chok·y[2] ['tʃouki] *s Br. Ind.* **1.** 'Post-, 'Zollstatiˌon *f.* – **2.** Poli'zeiwache *f.* – **3.** *sl.* ‚Loch' *n*, Gefängnis *n.*
chol- [kɒl] *Wortelement mit der Bedeutung* Galle.
chol·an·gi·tis [ˌkɒlən'dʒaitis] *s med.* Cholan'gitis *f*, Gallengangsentzündung *f.*
chol·e·cys·tal·gi·a [ˌkɒlisis'tældʒə] *s med.* Gallenblasenkolik *f.* — ˌ**chol·e**ˌ**cys·tec'tas·i·a** [-tek'teiziə; -ʒə] *s* ˌCholezystekta'sie *f*, Gallenblasenerweiterung *f.* — ˌ**chol·e·cys'tec·to·my** [-'tektəmi] *s* ˌCholezystekto'mie *f*, Gallenblasenentfernung *f.* — ˌ**chol·e·cys'ti·tis** [-'taitis] *s* ˌCholezy'stitis *f*, Gallenblasenentzündung *f.*
chol·er ['kɒlər] *s* **1.** *obs.* Galle *f.* – **2.** *fig.* Zorn *m*: to raise s.o.'s ~ j-s Zorn erregen.
chol·er·a ['kɒlərə] *s med.* **1.** Cholera *f*, 'Brechˌdurchfall *m.* – **2.** asi'atische Cholera. – **3.** choleraartige Erkrankung. – **4.** *vet. Am.* Schweinepest *f.*
chol·er·ic ['kɒlərik] *adj* **1.** cho'lerisch, reizbar, jähzornig. – **2.** *obs.* gallsüchtig. – *SYN. cf.* irascible.
chol·er·ine ['kɒləˌrain; -rin] *s med.* **1.** Vorstufe *f* der Cholera. – **2.** Cholerine *f*, leichte Cholera.
chol·es·ta·sis [ˌkɒlis'teisis] *s med.* Gallenstauung *f.*
chol·e·ste·a·to·ma [ˌkɒliˌstiːə'toumə] *s med.* ˌCholestea'tom *n*, Perlgeschwulst *f.*
cho·les·ter·in [kə'lestərin] *obs. für* cholesterol.
cho·les·ter·ol [kə'lestəˌrɒl; -ˌroul] *s chem.* ˌCholeste'rin *n*, Gallenfett *n.*
cho·li·amb ['kouliˌæmb] *s* Choli'ambus *m* (*fehlerhafte jambische Zeile*).
cho·lic ac·id ['kɒlik; *Am. auch* 'kou-] *s chem.* Cholsäure *f* ($C_{24}H_{40}O_5$).
cho·line [*Br.* 'kəlain; *Am.* 'kɒliːn; -lin; 'kou-] *s chem.* Cho'lin *n*, ˌBilineu'rin *n* ($C_5H_{15}NO_2$).
chol·la ['tʃouljɑː] *s bot.* (*eine*) O'puntie, (*ein*) Feigenkaktus *m* (*Gattg Opuntia, bes. O. cholla*).
cholo- [kɒlo] → chol-.
chondr- [kɒndr] *Wortelement mit der Bedeutung* Knorpel.
chon·dri·fi·ca·tion [ˌkɒndrifi'keiʃən; -fə-] *s biol.* Verknorpelung *f*, Knorpelbildung *f.*
chon·drin ['kɒndrin] *s chem.* Chon'drin *n*, Knorpelleim *m.*
chon·dri·o·some ['kɒndriəˌsoum] *s bot.* ˌChondrio'som *n.*
chon·drite ['kɒndrait] *s min.* Chon'drit *m* (*ein Meteorit*).
chon·dri·tis [kɒn'draitis] *s med.* Chon'dritis *f*, Knorpelentzündung *f.*
chondro- [kɒndro] → chondr-.
chon·dro·dite ['kɒndrəˌdait] *s min.* Chondro'dit *m.*
chon·drol·o·gy [kɒn'drɒlədʒi] *s med.* Knorpellehre *f.*
chon·dro·ma [kɒn'droumə] *pl* **-mas** *od.* **-ma·ta** [-tə] *s med.* Chon'drom *n*, Knorpelgeschwulst *f.* — **chon·drot·o·my** [kɒn'drɒtəmi] *s med.* 'Knorpelˌdurchtrennung *f.*
chon·drule ['kɒndruːl] *s min.* (*rundliches, kornartiges*) mete'orisches Gesteinsstück.
choose [tʃuːz] *pret u. obs. pp* **chose** [tʃouz] *pp* **cho·sen** ['tʃouzn] **I** *v/t* **1.** (aus)wählen, aussuchen: to ~ s.o. as (*od.* for *od.* to be) one's leader j-n zum Führer wählen. – **2.** belieben, vorziehen, beschließen (to do zu tun): he chose to run er zog es vor, davonzulaufen; to do as one ~s tun wie es einem beliebt. – **3.** wünschen, mögen, wollen: not to ~ to do s.th. etwas nicht tun mögen; to stay as long as one ~s so lange bleiben, wie man will. – **II** *v/i* **4.** die Wahl haben, wählen (können): there is not much to ~ between them es ist kaum ein Unterschied zwischen ihnen. – **5.** cannot ~

but nicht um'hin können: he cannot ~ but come er kann nicht umhin, zu kommen; es bleibt ihm nichts anderes übrig, als zu kommen. – *SYN.* cull, elect, pick[1], prefer, select. — **'choos·er** *s* (Aus)Wähler(in), (Aus)Wählende(r): → beggar 2. — **'choos·ing** *s* Auswahl *f*: it is all of your ~ Sie haben sich alles selbst zuzuschreiben.

choos·y ['tʃuːzi] *adj colloq.* wählerisch, heikel.

chop[1] [tʃɒp] **I** *s* **1.** Hacken *n*, Zerhacken *n*. – **2.** Hieb *m*, Schlag *m*, Axthieb *m*. – **3.** *sport* kurzer, nach unten gerichteter Boxhieb. – **4.** a) (Teil)Stück *n*, b) Kote'lett *n*, Schnitzel *n*. – **5.** kurzer, unregelmäßiger Wellenschlag. – **6.** *obs.* Spalte *f*, Riß *m*. – **II** *v/t pret u. pp* **chopped 7.** (zer)hacken, hauen, spalten, in Stücke hacken: to ~ wood Holz hacken. – **8.** (*Tennis, Kricket*) (*Ball*) schneiden. – **III** *v/i* **9.** hacken, mehrere kurze Schläge ausführen. – **10.** sich einmischen (in[to] in *acc*): to ~ into a conversation. – **11.** schnappen (at nach), eine plötzliche, schnelle *od.* heftige Bewegung machen: to ~ at the shadow and lose the substance nach dem Schatten haschen u. die Hauptsache verfehlen. –

Verbindungen mit Adverbien:

chop| a·way *v/t* abhauen, abhacken. — ~ **back** *v/i* plötzlich die Richtung ändern, einen Haken schlagen. — ~ **down** *v/t* niederhauen. — ~ **in** *v/i* da'zwischenfahren. — ~ **off** *v/t* **1.** abhauen, abhacken. – **2.** *tech.* (*Metall*) abschroten, schruppen. — ~ **through** *v/t* 'durchhauen. — ~ **up I** *v/t* (*Holz*) zerhacken, kleinhacken, spalten. – **II** *v/i* sich spalten.

chop[2] [tʃɒp] **I** *v/i pret u. pp* **chopped 1.** *oft* ~ about, ~ round sich drehen u. wenden, plötzlich 'umschlagen (*Wind etc*): to ~ and change *fig.* hin u. her schwanken, unentschlossen sein. – **II** *v/t* **2.** ~ logic dispu'tieren (with mit). – **3.** *Br. dial.* (aus)tauschen. – **III** *s* **4.** *meist pl* Wechsel *m*, Änderung *f* (*heute fast nur in*): ~s and changes Wechselfälle.

chop[3] [tʃɒp] *s* **1.** *meist pl* (Kinn)Backen *pl.* – **2.** *pl humor.* Mund *m*: to lick one's ~s sich die Lippen lecken. – **3.** *pl* Mündung *f* (*Kanone, Kanal etc*).

chop[4] [tʃɒp] *s* (*in Indien u. China*) **1.** (Amts)Stempel *m*. – **2.** amtlich gestempeltes Doku'ment, Erlaubnis-, Pas'sierschein *m*: grand ~ Zollschein, Einfuhrbewilligung. – **3.** (*bes. in China*) Handelsmarke *f*. – **4.** Sorte *f*, Quali'tät *f*: first ~ erste Sorte.

'chop|ˌboat *s mar.* chines. (*amtlich zugelassenes*) Leichterfahrzeug. — **'~-'chop** (*Pidgin-English*) **I** *adv* schnell. – **II** *interj* hopphopp! mach schnell! — ~ **dol·lar** *s* mit einem (Geheim)Zeichen versehenes Dollarstück (*in China u. Indien als Zeichen der Echtheit*). — **'~ˌfall·en** → chapfallen. — ~ **ham·mer** *s tech.* Schrothammer *m*.

'chopˌhouse[1] *s* billiges Restau'rant.

'chopˌhouse[2] *s* (*China*) Zollhaus *n*.

chop·per ['tʃɒpər] *s* **1.** (Holz- *etc*)Hacker *m*. – **2.** Hackmesser *n*, Hackbeil *n*, Häckselmesser *n*. – **3.** *electr.* Zerhacker *m*, Unter'brecher *m*.

chop·ping[1] ['tʃɒpiŋ] *adj Br.* groß u. kräftig, stramm: a ~ baby.

chop·ping[2] ['tʃɒpiŋ] **I** *adj* **1.** abgebrochen, kurz, stoßweise erfolgend (*Wellen etc*). – **2.** plötzlich 'umschlagend (*Wind etc*). – **II** *s* **3.** Zerhacken *n*. – **4.** *mar.* stoßweiser Wellengang, Kabbelung *f*. – **5.** Wechsel *m*: ~ and changing ewiges Hin u. Her.

chop·ping| block *s* Hackblock *m*, -klotz *m*. — ~ **board** *s* Hackbrett *n*. — ~ **knife** *s irr* **1.** Hack-, Wiegemesser *n*. – **2.** *tech.* Schabemesser *n*.

chop·py ['tʃɒpi] *adj* **1.** bewegt, mit kurzem, stoßweise erfolgendem Wellengang, kabbelig (*Meer*). – **2.** böig (*Wind*).

chop| serv·ice *s* (*Tennis*) geschnittener Aufschlag. — **'~ˌstick** *s* Eßstäbchen *n* (*der Chinesen*). — ~ **stroke** *s* (*Tennis, Kricket*) Hiebschlag *m*, geschnittener Schlag. — ~ **su·ey** ['suːi] *s ein Mischgericht aus Fleisch, Gemüse, Bohnenkeimen, Pilzen, Zwiebeln etc, in chines. Restaurants, mit gewürzter Soße u. Reis serviert.*

cho·rag·ic [ko'rædʒik; -'rei-] *adj* cho'regisch, den Chorführer betreffend. — **cho·ra·gus** [ko'reigəs] *s* **1.** *antiq.* Cho'reg *m*: a) Chorführer *m*, b) Ausstatter *m* (*eines Chors*). – **2.** *mus.* a) → choirmaster, b) 'Chorreˌgent *m*, -diˌrektor *m* (*Kirche*).

cho·ral I *adj* ['kɔːrəl] Chor..., chorartig. – **II** *s* [ko'rɑːl; -'ræl] Cho'ral *m*. — **cho·rale** [ko'rɑːl; -'ræl] *s* Cho'ral *m*. — **'cho·ral·ist** *s* **1.** Chorsänger(in). – **2.** a) Cho'ralsänger(in), b) Cho'ralkompoˌnist *m*.

cho·ral| serv·ice *s* Gottesdienst *m* mit Chorgesang, Chorgottesdienst *m*. — ~ **speak·ing** *s* 'Chorrezitatiˌon *f* (*von Dichtung etc*).

chord[1] [kɔːrd] **I** *s* **1.** *mus.* Saite *f*. – **2.** *fig.* a) Saite *f*, Ton *m*, b) Gemütsbewegung *f*. – **3.** *math.* Sehne *f*: ~ of contact Berührungssehne. – **4.** *tech.* a) Kämpferlinie *f*, b) Spannweite *f*. – **5.** *med.* Sehne *f*. – **6.** *aer.* (Pro'fil)Sehne *f*, Holmgurt *m*. – **II** *v/t* **7.** mit Saiten beziehen, besaiten.

chord[2] [kɔːrd] *mus.* **I** *s* Ak'kord *m*, (Zu'sammen)Klang *m*. – **II** *v/i* har'monisch zu'sammenklingen.

chord·al ['kɔːrdl] *adj* **1.** Sehnen...: ~ process *biol.* Chordalfortsatz; ~ surface *math.* Tangential-, Sehnenebene. – **2.** *mus.* a) Saiten..., b) Akkord..., ak'kordisch.

chor·date ['kɔːrdeit] *zo.* **I** *adj* **1.** zu den Chordatieren gehörig. – **2.** mit Rükkenstrang versehen. – **II** *s* **3.** Chordatier *n* (*Gruppe Chordata*).

chor·di·tis [kɔːr'daitis] *s med.* **1.** Chor'ditis *f*, Stimmbandentzündung *f*. – **2.** Samenstrangentzündung *f*.

chore [tʃɔːr] **I** *s dial. od. Am.* **1.** leichte Hausarbeit. – **2.** *pl* täglich zu erledigende (Haus)Arbeiten *pl*. – **3.** schwierige *od.* unangenehme Aufgabe. – *SYN. cf.* task. – **II** *v/i* **4.** *Am.* Hausarbeit verrichten.

cho·re·a [kə'riːə] *s med.* Cho'rea *f*, Veitstanz *m*. — **cho're·ic** *adj* chore'atisch.

cho·re·og·ra·pher [ˌkɒri'ɒgrəfər] *s* Choreo'graph *m*, Tanzgestalter *m*. — **ˌcho·re·o'graph·ic** [-riə'græfik] *adj* choreo'graphisch. — **ˌcho·re'og·ra·phy** *s* Choreogra'phie *f*: a) Tanzschrift *f*, b) Tanzgestaltung *f*.

cho·re·o·ma·ni·a [ˌkɒriə'meiniə] *s med.* Choreoma'nie *f*, Tanz-, Hüpfkrampf *m*.

cho·ri·amb ['kɒriˌæmb] *s metr.* Chori'ambus *m*. — **ˌcho·ri'am·bic** *adj* chori'ambisch.

cho·ric ['kɒrik] *adj* Chor..., chorisch.

cho·ri·oid ['kɔːriˌɔid] *med.* **I** *s* Aderhaut *f* des Auges, Augapfelgefäßhaut *f*. – **II** *adj* die Aderhaut des Auges betreffend.

cho·ri·on ['kɔːriˌɒn] *pl* **-ri·a** [-ə] *s biol. med.* Chorion *n*, Ei-, Frucht-haut *f*, Geburtshäutchen *n*, Zottenhaut *f*.

cho·ri·pet·al·ous [ˌkɒri'petələs] *adj bot.* choripe'tal, mit getrennten Blütenhüllblättern.

cho·rist ['kɒrist] *s* Cho'rist(in), Chorsänger(in) (*Theater*). — **'chor·is·ter** *s* **1.** (*bes.* Kirchen)Chorsänger *m*. – **2.** *Am.* Kirchenchorleiter *m*.

cho·rog·ra·pher [ko'rɒgrəfər; kə-] *s* Choro'graph *m*, Landbeschreiber *m*. — **cho·ro·graph·ic** [ˌkɔːro'græfik; -rə-] *adj* choro'graphisch. — **cho'rog·ra·phy** *s* **1.** Chorogra'phie *f*, Land(schafts)beschreibung *f*, Länderkunde *f*. – **2.** karto'graphische Darstellung eines Landstrichs.

cho·roid ['kɒrɔid] → chorioid.

cho·rol·o·gy [ko'rɒlədʒi; kə-] *s biol.* Chorolo'gie *f*, Studium *n* der örtlichen Verbreitung von Lebewesen.

chor·tle ['tʃɔːrtl] **I** *v/t u. v/i* froh'locken, frohlockend äußern. – **II** *s* froh'lockendes Lachen.

cho·rus ['kɔːrəs] **I** *s* **1.** *antiq.* Chor *m* (*des griech. Dramas*). – **2.** (*Theater*) a) (Sänger)Chor *m*, b) Tanzgruppe *f* (*bes. einer Revue*). – **3.** Chor(sänger *pl*) *m*. – **4.** Chor *m*: a) 'Chorparˌtie *f*, b) 'Chorwerk *n*, -kompositiˌon *f*, -stück *n*, -satz *m*, c) ('Chor)Reˌfrain *m*, Kehrreim *m* (*auch fig.*). – **5.** *hist.* Chorus *m* (*Prolog etc Sprechender, bes. im Elisabethanischen Drama*). – **6.** Chor *m*, gemeinsames Singen, *fig. auch* Zu'sammenklang *m*. – **7.** Mix'turenchor *m* (*einer Orgel*). – **8.** (*Jazz*) Chorus *m*, Variati'onsthema *n od.* -periˌode *f*. – **II** *v/i u. v/t* **9.** im Chor singen *od.* sprechen *etc.* — ~ **girl** *s* **1.** Cho'ristin *f*. – **2.** (Re'vue)Tänzerin *f*.

chose[1] [tʃouz] *pret u. obs. pp von* choose.

chose[2] [ʃouz] *s jur.* Sache *f*, 'Rechtsobˌjekt *n*.

chose| in ac·tion [ʃouz] *s jur.* obliga'torischer Anspruch (*auf Eigentum, das nur auf gesetzlichem Wege zu erlangen ist*). — ~ **in pos·ses·sion** *s* im unbestrittenen Besitz befindliches 'Rechtsobˌjekt. — ~ **ju·gée** [ʃoːz ʒy'ʒe] (*Fr.*) *s* abgemachte Sache.

cho·sen ['tʃouzn] **I** *pp von* choose. – **II** *adj* ausgesucht, auserwählt. — ~ **peo·ple** *s Bibl.* (*das*) auserwählte Volk (*die Juden*).

cho·ta haz·ri ['tʃoutə 'hɑːzri] *s Br. Ind.* erstes (leichtes) Frühstück.

chou [ʃu] *pl* **choux** [ʃu] (*Fr.*) *s* Ro'sette *f*, Band *n*, Verzierung *f* (*an Damenkleidern*).

chough [tʃʌf] *s zo.* (*ein*) Rabenvogel *m* (*Gattg Pyrrhocorax*): alpine ~ Alpendohle (*P. graculus*); Cornish ~ Alpenkrähe, Steindohle (*P. pyrrhocorax*).

choul·try ['tʃaultri] *s Br. Ind.* **1.** Rasthalle *f*, Herberge *f*. – **2.** Säulen-, Tempelhalle *f*.

chouse [tʃaus] **I** *s obs.* **1.** Schwindel *m*. – **2.** Gimpel *m*. – **II** *v/t* **3.** *colloq.* beschwindeln, betrügen: to ~ s.o. (out) of s.th. j-n um etwas betrügen. – **4.** *Am. dial.* (*bes. Vieh*) (auf)scheuchen, jagen, stören.

chow [tʃau] *s* **1.** *zo.* Chow-Chow *m* (*chines. Hunderasse*). – **2.** *Am. sl.* ‚Futter' *n*, Essen *n*, Mahlzeit *f*.

chow·chow ['tʃauˌtʃau] **I** *s* **1.** (*China u. Indien*) Konfi'türe *f* aus gemischten Früchten. – **2.** zerkleinerte Mixed Pickles *pl* in Senfsoße. – **3.** (*China u. Indien*) gemischtes Allerlei, Mahlzeit *f*. – **4.** → chow 1. – **II** *adj* (*China u. Indien*) **5.** gemischt.

chow·der ['tʃaudər] *s Am. ein Mischgericht aus Fischen, Muscheln od. Gemüsen mit Kartoffeln, Zwiebeln u. Gewürzen.* – *SYN. cf.* soup[1].

chow mein [ˌtʃau 'mein] *s ein chines. Eintopfgericht aus Hühnerfleisch, Pilzen, Sellerie, Zwiebeln, Krabben u. Nudeln.*

chre·ma·tis·tic [ˌkriːmə'tistik] **I** *adj* **1.** Geld erwerbend. – **2.** sich mit Gelderwerb (*theoretisch*) befassend. – **II** *s* **3.** → chrematistics. — **ˌchre·ma'tis·tics** *s pl* (*als sg konstruiert*) *econ.* Chrema'tistik *f* (*Lehre von der Gütererwerbung u. -erhaltung*).

chres·tom·a·thy [kres'tɒməθi] *s* Chrestoma'thie *f*, lite'rarische Mustersammlung *od.* Auswahl, Lesebuch *n.*
chrism ['krizəm] *s relig.* **1.** Chrisam *n*, geweihtes Salböl. – **2.** Salbung *f.* – **3.** Firmung *f* (*bes. in der griech.-orthodoxen Kirche*). – **4.** → chrisom 2 *u.* 3. — **'chris·mal** [-məl] *adj* Salböl... — **chris·ma·to·ry** [*Br.* 'krizmətəri; *Am.* -ˌtɔːri] *s* Chrisma'torium *u.* Chrisambehälter *m.*
chris·om ['krizəm] *s* **1.** → chrism 1 *u.* 2. – **2.** *hist.* Taufkleid *n.* – **3.** *obs.* Täufling *m*, kleines Kind.
Christ [kraist] *s Bibl.* (Jesus) Christus *m.*
christ·cross ['krisˌkrɒs; -ˌkrɔːs] *s* Zeichen *n* des Kreuzes (*auch als Unterschrift*).
chris·ten ['krisn] *v/t* **1.** taufen, in die christliche Kirche aufnehmen. – **2.** (auf den Namen ...) taufen. – **3.** (*Schiff etc*) taufen, benennen. – **4.** *colloq.* ‚einweihen', zum ersten Male benützen.
Chris·ten·dom ['krisndəm] *s* **1.** Christenheit *f.* – **2.** die christliche Welt. – **3.** *obs.* Christentum *n.*
chris·tened ['krisnd] *adj* **1.** getauft. – **2.** (auf den Namen ...) getauft: he was ~ John er wurde John getauft. — **'chris·ten·ing I** *s* (Kind)Taufe *f.* – **II** *adj* Tauf...
Christ·hood ['kraisthud] *s* Sendung *f od.* Amt *n* des Mes'sias.
Chris·tian ['kristʃən; *Br. auch* -tjən] **I** *adj* **1.** christlich, von christlichem Geiste beseelt: a ~ spirit. – **2.** *colloq.* anständig, mensch(enfreund)lich, hu'man. – **II** *s* **3.** Christ(in). – **4.** Christ(enmensch) *m*, guter Mensch. – **5.** *bes. dial.* Mensch *m* (*im Gegensatz zum Tier*). — ~ **Broth·ers** *s pl* Brüder *pl* der christlichen Schulen, Schulbrüder *pl* (*röm.-kath. Laienorden, 1684 zum Zweck der Armenerziehung gegründet*). — ~ **E·ra** *s* christliche Zeitrechnung.
Chris·ti·an·i·a [kris'tjɑːniə; -niˌɑː; -ti'æniə], *auch* ~ **turn** *s* (*Skisport*) Kristi'ania *m*, Querschwung *m.*
Chris·tian·ism ['kristʃəˌnizəm; -tjə-] *s* Christentum *n*, christlicher Glaube, Lehre *f* der Christen.
Chris·ti·an·i·ty [ˌkristi'æniti; -tʃi-; -əti] *s* **1.** Christenheit *f.* – **2.** Christentum *n*, christlicher Glaube. – **3.** christliche Handlungsweise *od.* Eigenschaft.
Chris·tian·i·za·tion [ˌkristʃənai'zeiʃən; -ni'z-] *s* Christiani'sierung *f*, Bekehrung *f* zum Christentum. — **'Chris·tianˌize I** *v/t* christiani'sieren, zum Christentum bekehren. – **II** *v/i* sich zum Christentum bekennen.
'Chris·tianˌlike, Chris·tian·ly ['kristʃənli; *Br. auch* -tjən-] *adj* christlich, wie ein Christ.
Chris·tian| name *s* Tauf-, Vorname *m.* — ~ **Sci·ence** *s* Christliche Wissenschaft (*religiöse Gemeinschaft*). — ~ **Sci·en·tist** *s* Szien'tist(in), Anhänger(in) der Christlichen Wissenschaft.
Christ·ie's ['kristiz] *s Versteigerungsunternehmen in London.*
Christ·less ['kraistlis] *adj* unchristlich.
'ChristˌIike *adj* Christus ähnlich.
Christ·mas ['krisməs] *s* Christ-, Weihnachtsfest *n*, Weihnachten *f*, *n u. pl*: to wish s.o. a merry (*od.* happy) ~ j-m fröhliche Weihnachten wünschen. — ~ **bells** *s pl* **1.** Weihnachtsgeläute *n*, -glocken *pl.* – **2.** *bot. Austral. Blüten der Lilie Blandfordia nobilis.* – **3.** *sg bot. Am. die Blüte von Turbina corymbosa.* — **'~-ˌbox** *s Br.* Weihnachtsgeschenk *n.* — ~ **card** *s* Weihnachtskarte *f.* — ~ **car·ol** *s* Weihnachtslied *n.* — ~ **Eve** *s* Heiliger Abend, Heilig'abend *m*, Weihnachtsabend *m.* — ~ **flow·er** *s bot.* **1.** Christrose *f* (*Helleborus niger*). – **2.** Winterling *m* (*Eranthis hiemalis*). – **3.** (*ein*) Germer *m* (*Veratrum viride*). – **4.** Weihnachtsstern *m*, Poin'settie *f* (*Euphorbia pulcherrima*). — ~ **pudding** *s Br.* Weihnachts-, Plumpudding *m.*
Christ·mass·y ['krisməsi] *adj colloq.* weihnachtlich.
'Christ·mas|ˌtide *s* Weihnachtszeit *f* (*25. Dezember bis 6. Januar*). — ~ **tree** *s* **1.** Christ-, Weihnachtsbaum *m.* – **2.** *tech. sl.* Steigrohrkopf *m* (*Ölgewinnung*).
Christ·mas·y *cf.* Christmassy.
'Christ's-ˌthorn *s bot.* Christ(us)dorn *m* (*Name mehrerer Dornengewächse*), *bes.* a) Echter Christusdorn (*Paliurus spina-Christi*), b) Filzblättrige Ju'jube (*Zizyphus jujuba*).
Chris·ty, c~ ['kristi] *s* (*Skisport*) *sl.* ‚Christl' *m* (*Kristiania*).
-chroic [krouik] *Endsilbe mit der Bedeutung* ...farben.
chrom- [kroum] *Wortelement mit den Bedeutungen* a) Farbe, b) Chrom.
chro·ma ['kroumə] *s* **1.** Farbenreinheit *f.* – **2.** 'Farbenintensiˌtät *f.* – *SYN. cf.* color.
chromat- [kroumət] *Wortelement mit den Bedeutungen* a) Farbe, b) Chromatin, c) Farbstoff.
chro·mate ['kroumeit] *s chem.* Chro'mat *n*, chromsaures Salz.
chro·mat·ic [kro'mætik] *adj* **1.** *phys.* chro'matisch, Farben... – **2.** *mus.* a) chro'matisch, b) alte'riert, c) (stark) modu'lierend. — ~ **ab·er·ra·tion** *s tech.* chro'matische Aberrati'on, Farbenabweichung *f* (*bei optischen Linsen*).
chro·mat·ics [kro'mætiks] *s pl* (*als sg konstruiert*) **1.** Farbenlehre *f.* – **2.** *mus.* Chro'matik *f.*
chro·mat·ic| scale *s mus.* chro'matische Tonleiter. — ~ **sign** *s mus.* Versetzungs-, Vorzeichen *n.*
chro·ma·tid ['kroumətid] *s med.* 'Halbchromoˌsom *n.*
chro·ma·tin ['kroumətin] *s biol. med.* Chroma'tin *n.*
chro·ma·tism ['krouməˌtizəm] *s* **1.** Chroma'tismus *m*, Färbung *f.* – **2.** *bot.* 'unnaˌtürliche Färbung einzelner Pflanzenteile. – **3.** *phys.* Farbenzerstreuung *f.*
chromato- [kroumәto] → chromat-.
chro·ma·tog·ra·phy [ˌkroumə'tɒgrəfi] *s chem.* Chromatogra'phie *f.* — **ˌchro·ma'tol·o·gy** [-'tɒlədʒi] *s* Farbenlehre *f.* — **ˌchro·ma'tol·y·sis** [-'tɒlisis; -lə-] *s med.* Chromato'lyse *f.* — **'chro·ma·toˌphore** [-təˌfɔːr] *s* **1.** *zo.* Farb(en)zelle *f.* – **2.** *bot.* Chromato'phor *n*, Farbstoffträger *m* in Pflanzenzellen. — **'chro·maˌtrope** [-ˌtroup] *s tech.* Chroma'trop *n.*
chrome [kroum] *s* **1.** → chromium. – **2.** (*Färberei*) 'Kaliumˌdichroˌmat *n* (*gelber Farbstoff*). – **3.** → ~ yellow. — ~ **al·um** *s chem.* **1.** Chromaˌlaun *m.* – **2.** Gerbsalz *n.* — ~ **green** *s* Chromgrün *n.* — ~ **i·ron ore** *s tech.* Chromeisenerz *n.* — ~ **red** *s* Chromrot *n.* — ~ **steel** *s* Chromstahl *m.* — ~ **yellow** *s* Chromgelb *n.*
chro·mic ['kroumik] *adj chem.* chromsäurehaltig: ~ acid Chromsäure.
chro·mite ['kroumait] *s min.* Chromeisenerz *n* ($F_2Cr_2O_4$).
chro·mi·um ['kroumiəm] *s chem.* Chrom *n* (Cr). — **'~-ˌplate** *v/t tech.* verchromen. — **'~-ˌplat·ing** *s* Verchromung *f.* — ~ **steel** → chrome steel.
chromo- [kroumo; -mə] → chrom-.
chromo ['kroumou] *Kurzform für* chromolithograph I.
chro·mo·gen ['kroumədʒən] *s chem.* Farbenerzeuger *m*, Chromo'gen *n.* — **ˌchro·mo'gen·e·sis** [-'dʒenisis; -nə-] *s biol.* Pig'ment-, Farbstoffbildung *f.* — **ˌchro·mo'gen·ic** *adj* chromo'gen: a) farbgebend, b) eine bestimmte Färbung her'vorrufend (*bes. Bakterien*).
chro·mo·lith·o·graph [ˌkroumo'liθəˌgræ(ː)f; *Br. auch* -ˌgrɑːf] **I** *s* ˌChromolithogra'phie *f*, litho'graphischer Buntsteindruck, Mehrfarbensteindruck *m* (*Bild*). – **II** *v/t* litho'graphisch in Farben drucken. — **ˌchro·mo·li'thog·ra·phy** [-li'θɒgrəfi] *s* ˌChromolithogra'phie *f*, Mehrfarbensteindruck *m* (*Herstellungsverfahren*).
chro·mo·mere ['krouməˌmir] *s biol.* Chromo'mer *n.* — **'chro·moˌphore** [-ˌfɔːr] *s chem.* Chromo'phor *m*: a) A'tomgruppe, die im Mole'kül die 'Farbstoffnaˌtur bedingt, b) A'tomanordnung *f* bei farbigen or'ganischen Zu'sammensetzungen.
chro·mo·pho·to·graph [ˌkroumo'foutəˌgræ(ː)f; *Br. auch* -ˌgrɑːf] *s* 'Farbphotograˌphie *f*, -aufnahme *f.* — **ˌchro·mo·pho'tog·ra·phy** [-fə'tɒgrəfi] *s* 'Farbphotograˌphie *f*, 'Herstellung *f* farbiger Photogra'phien.
chro·mo·plasm ['kroumoˌplæzəm; -mə-] *s biol.* Chromo'plasma *n*, 'Kernchromaˌtin *n.* — **'chro·moˌplast** [-ˌplæst] *s biol.* gefärbter Plasmaanteil, Pig'mentzelle *f.*
chro·mo·some ['krouməˌsoum] *s biol.* Chromo'som *n*, 'Kernsegˌment *n*, -stäbchen *n.* — ~ **num·ber** *s biol.* Chromo'somenzahl *f.*
chro·mo·sphere ['krouməˌsfir] *s astr.* Chromo'sphäre *f*: a) *die die Sonne umgebende glühende Gasschicht*, b) *die einen Stern umgebende Gashülle.*
chro·mo·type ['krouməˌtaip] *s* **1.** Farbdruck *m.* – **2.** Chromoty'pie *f*, 'Farbphotograˌphie *f* (*Bild u. Verfahren*).
chro·mous ['krouməs] *adj* **1.** Chrom betreffend, Chrom... – **2.** chromhaltig.
chro·myl ['kroumil; -miːl] *adj chem.* Chromyl... (*das Radikal* CrO_2 *enthaltend*).
chron- [krɒn] *Wortelement mit der Bedeutung* Zeit.
chro·nax·ie, chro·nax·y ['krounæksi] *s erforderliche Mindestzeit für die elektrische Erregbarkeit eines organischen Gebildes.*
chron·ic ['krɒnik] *adj* **1.** stetig, (be)ständig, (an)dauernd: a ~ smoker. – **2.** eingewurzelt. – **3.** *med.* chronisch, langwierig. – *SYN. cf.* inveterate. — **'chron·i·cal** → chronic 2 *u.* 3.
chron·ic car·ri·er *s biol.* Dauerausscheider *m.*
chron·i·cle ['krɒnikl] **I** *s* **1.** Chronik *f*, Zeitgeschichte *f.* – **2.** C~s *pl Bibl.* Chronik *f*, Bücher *pl* der Chronika. – **II** *v/t* **3.** (in zeitlicher Folge) aufzeichnen, berichten. — **'chron·i·cler** [-klər] *s* Chro'nist *m*, Geschichtsschreiber *m.*
chrono- [krɒno; -nə] → chron-.
chron·o·gram ['krɒnəˌgræm] *s* Chrono'gramm *n*, Zahlenbuchstabeninschrift *f.* — **'chron·oˌgraph** [-ˌgræ(ː)f; *Br. auch* -ˌgrɑːf] *s* **1.** Chrono'graph *m*, regi'strierender Zeitmesser, Zeitschreiber *m.* – **2.** *tech.* Geschwindigkeitsmesser *m.*
chro·nol·o·ger [krə'nɒlədʒər] *s* Chrono'loge *m*, Zeitforscher *m.* — **chron·o·log·i·cal** [ˌkrɒnə'lɒdʒikəl] *adj* chrono'logisch, nach der Zeitfolge geordnet: ~ order zeitliche Aufeinanderfolge. — **chro'nol·o·gist** → chronologer. — **chro'nol·oˌgize** *v/t* nach der Zeitfolge ordnen. — **chro'nol·o·gy** *s* **1.** Chronolo'gie *f*, Zeitbestimmung *f*, -rechnung *f.* – **2.** Zeittafel *f.* – **3.** chrono'logische Aufstellung.
chro·nom·e·ter [krə'nɒmitər; -mə-] *s* Chrono'meter *n*, Zeitmesser *m*, Präzisi'onsuhr *f.* — **chron·o·met·ric** [ˌkrɒnə'metrik], **ˌchron·o'met·ri·cal** *adj* chrono'metrisch. — **ˌchron·o-**

'**met·ri·cal·ly** *adv* (*auch zu* chronometric). — **chro'nom·e·try** [-tri] *s* **1.** Zeitmessung *f*. – **2.** Zeiteinteilung *f* nach bestimmten Peri'oden.
chron·o·scope ['krɒnə,skoup] *s* Chrono'skop *n*, regi'strierender Zeitmesser.
-chroous [kroəs] *Endsilbe mit der Bedeutung* ...farbig.
chrys·a·lid ['krisəlid] *zo.* **I** *adj* puppenartig. – **II** *s* → chrysalis. — **chrys·a·lis** ['krisəlis] *pl* '**chrys·a·lis·es** *od.* **chry·sal·i·des** [kri'sæli,di:z] *s zo.* Schmetterlingspuppe *f*.
chrys·an·the·mum [kri'sænθəməm] *s bot.* Chrys'anthemum *n*, Marge'rite *f*, Winteraster *f* (*Gattg Chrysanthemum*).
chrys·a·ro·bin [,krisə'roubin] *s chem. med.* Chrysaro'binum *n* ($C_{15}H_{12}O_3$).
chrys·el·e·phan·tine [,kriseli'fæntin; -tain; -lə-] *adj* chryselephan'tin, mit Gold u. Elfenbein verziert.
chrys·o·ber·yl ['krisə,beril; -rəl] *s min.* Chrysobe'ryll *m* ($BeAl_2O_4$).
chrys·o·col·la [,krisə'kɒlə] *s* **1.** *antiq.* Lötmittel *n* für Gold. – **2.** *min.* Chryso'koll *m*, Kupfergrün *n*.
chrys·o·lite ['krisə,lait] *s min.* Chryso'lith *m*, Oli'vin *m* $[(Mg,Fe)_2SiO_4]$.
chrys·o·prase ['krisə,preiz] *s min.* **1.** Chryso'pras *m* (*Chalcedon mit Nickelgehalt*). – **2.** Chryso'prasgrün *n*.
chtho·ni·an ['θouniən] *adj* **1.** chthonisch, 'unter,irdisch, die 'Unterwelt betreffend. – **2.** aus der Erde entspringend.
chub [tʃʌb] *s zo.* **1.** Döbel *m*, Aitel *m* (*Leuciscus cephalus; Süßwasserfisch*). – **2.** *Am.* (*ein*) Karpfenfisch *m* (*Leucosomus corporalis, Semotilus atromaculatus, Notemigonus crysoleucas etc*).
chub·bi·ness ['tʃʌbinis] *s* Pausbäckigkeit *f*, rundliches Aussehen. — '**chub·by** *adj* pausbäckig, rundlich, mollig.
chuck[1] [tʃʌk] **I** *s* **1.** kurzer, ruckartiger Wurf. – **2.** (*liebkosendes*) Streicheln unter dem Kinn. – **3.** *Br. sl.* Entlassung *f*: to give s.o. the ~. – **II** *v/t* **4.** (*ruckartig*) werfen, schleudern: to ~ s.th. *sl.* etwas ‚hinschmeißen' (*aufgeben*). – **5.** tätscheln, (*unter dem Kinn*) streicheln, kraulen: to ~ **s.o. under the chin.** –
Verbindungen mit Adverbien:
chuck| a·way *v/t sl.* **1.** ‚wegschmeißen'. – **2.** ‚verplempern' (*verschwenden*). — ~ **out** *v/t sl.* ‚rausschmeißen', hin'auswerfen. — ~ **up** *v/t sl.* (*eine Stellung etc*) ‚an den Nagel hängen' (*aufgeben*).
chuck[2] [tʃʌk] **I** *s* **1.** Glucken *n* (*Henne*). – **2.** ‚Schnuck' *m* (*Kosewort*). – **II** *v/i u. v/t* **3.** glucken. – **III** *interj* **4.** tucktuck! put, put! (*Lockruf für Hühner*).
chuck[3] [tʃʌk] *s* (Rinder)Kamm *m*, Fehlrippe *f*.
chuck[4] [tʃʌk] *tech.* **I** *s* **1.** Spann-, Klemmfutter *n* (*eines Werkzeuges*). – **2.** Klemme *f*, Aufspannvorrichtung *f*. – **3.** 'Bohr(ma,schinen),futter *n*. – **II** *v/t* **4.** in das Futter einspannen *od.* einklemmen.
chuck[5] [tʃʌk] *s Am. sl.* Essen *n*, Mahlzeit *f* (*bes. bei den Cowboys*).
chuck[6] [tʃʌk] *Am. für* woodchuck.
chuck-a-luck ['tʃʌkə,lʌk] *s Am. ein Würfelspiel.*
'**chuck·er-,out** ['tʃʌkər-] *s sl.* ‚Rausschmeißer' *m* (*in Lokalen etc*).
chuck| far·thing *s* (*Art*) Murmelspiel *n* (*bei dem Münzen in eine Grube geworfen werden*). — '~-'**full** *dial. für* chock-full. — '~,**hole** *s* **1.** *Am.* tiefes Loch (*im Wagengeleise*). – **2.** → chuck-farthing.
chuck·ing ['tʃʌkiŋ] **I** *s tech.* Einspannung *f*. – **II** *adj* spann..., Spann...: ~ **fixture** Spannfutter.
chuck| jaw *s tech.* Futter-, Einspannbacke *f*. — ~ **lathe** *s* Futterdrehbank *f*.
chuck·le[1] ['tʃʌkl] **I** *v/i* **1.** (stillvergnügt) in sich hin'einlachen: to ~ **up one's sleeve** sich ins Fäustchen lachen. – **2.** (wie eine Henne) glucken. – **II** *s* **3.** stillvergnügtes, leises Lachen. – **4.** Glucken *n*, Locken *n* (*Vogel*).
chuck·le[2] ['tʃʌkl] **I** *adj* dumm, plump. – **II** *s* Dummkopf *m*, Tolpatsch *m*.
'**chuck·le|,head** *s dial. od. Am. colloq.* Dummkopf *m*. — '~'**head·ed** *adj dial. od. Am. colloq.* dumm, blöde. — '~'**head·ed·ness** *s dial. od. Am. colloq.* Dummheit *f*, Blödheit *f*.
chuck·ler ['tʃʌklər] *s* j-d der stillvergnügt in sich hin'einlacht.
'**chuck|-,luck** → chuck-a-luck. — ~ **wag·on** *s Am. sl.* Provi'antwagen *m*. — '~,**wal·la** [-,wɒlə] *s zo.* (*ein*) Leguan *m*, (*eine*) amer. Eidechse (*Sauromalus ater*). — '~-**will's-'wid·ow** *s zo.* (*ein*) Ziegenmelker *m* (*Antrostomus carolinensis*).
chud·dah ['tʃʌdə] → chuddar.
chud·dar, *auch* **chud·der** ['tʃʌdər] *s Br. Ind.* (*Art*) indischer Schal, 'Umhängetuch *n* (*für Frauen*).
chu·fa ['tʃu:fə] *s bot. Am.* Erdmandel *f* (*Cyperus esculentus*).
chuff[1] [tʃʌf] *s* **1.** Bauer *m*. – **2.** *fig.* Bauer(ntölpel) *m*, Flegel *m*.
chuff[2] [tʃʌf] *s* (*beim Brennen*) gesprungener Ziegelstein.
chuff[3] [tʃʌf] *Am. colloq.* **I** *s* Puffen *n*, Paffen *n* (*Geräusch einer anfahrenden Lokomotive*). – **II** *v/i* puffen, paffen. — '**chuff·ing** → chugging.
chug [tʃʌg], **chug-chug** ['tʃʌg'tʃʌg] *Am. colloq.* **I** *s* **1.** Puffen *n*, Paffen *n*, Pusten *n* (*Motor*). – **II** *v/i pret u. pp* **chugged 2.** puffen, pusten. – **3.** sich ruckweise *od.* puffend fortbewegen: to **chug along** daherknattern. — '**chug·ging** *s tech.* unregelmäßige Verbrennung (*beim Motor, bei Raketen*).
chuk·ker ['tʃʌkər] *s sport* Spielachtel *n* beim Polospiel.
chum[1] [tʃʌm] *colloq.* **I** *s* **1.** Stubengenosse *m*. – **2.** ‚Kumpel' *m*, Kame'rad *m*, Gefährte *m*. – **II** *v/i pret u. pp* **chummed 3.** ein Zimmer teilen, gemeinsam wohnen (with mit). – **4.** ‚dick' befreundet sein: to ~ **up with s.o.** enge Freundschaft mit j-m schließen. – **III** *v/t* **5.** (*j-n*) zu'sammen 'unterbringen (with mit).
chum[2] [tʃʌm] *Am.* **I** *s* Fisch- *od.* Fleischreste *pl* (*die als Fischköder verwendet werden*). – **II** *v/i* Fisch- *od.* Fleischreste als Köder verwenden.
chum[3] [tʃʌm] → **dog salmon** 1.
chum·mage ['tʃʌmidʒ] *s* **1.** *colloq.* Zu'sammenwohnen *n* (*in einem Raum*). – **2.** *Br. sl.* Stubengeld *n* (*eines Neuankömmlings in Gefängnissen*).
chum·my[1] ['tʃʌmi] *adj colloq.* **1.** gesellig. – **2.** ‚dick' befreundet.
chum·my[2] ['tʃʌmi] *s Br. sl.* Schornsteinfegerjunge *m*.
chump [tʃʌmp] *s* **1.** Holzklotz *m*. – **2.** dickes Ende (*eines Dinges, z.B. der Hammelkeule*). – **3.** *colloq.* Tolpatsch *m*, Dummkopf *m*. – **4.** *Br. sl.* ‚Birne' *f*, Kopf *m*: **to be off one's** ~ ‚einen Vogel haben', verrückt sein.
chunk [tʃʌŋk] *s colloq. od. dial.* **1.** Klotz *m*, Klumpen *m*, ‚Runken' *m*: a ~ **of bread** ein (dickes) Stück Brot; a ~ **of wood** ein Holzklotz. – **2.** *Am.* a) ‚Brocken' *m*, ‚Bulle' *m* (*untersetzter u. kräftiger Mensch*), b) (*bes.* kleines) stämmiges Tier (*bes. Pferd*). – **3.** ‚Batzen' *m*, große Porti'on *od.* Menge. — '**chunk·y** *adj Am. colloq.* **1.** unter'setzt, stämmig, vierschrötig (*Mensch u. Tier*). – **2.** in Klumpen, klumpig.
church [tʃə:rtʃ] **I** *s* **1.** Kirche *f*, Gotteshaus *n*, Andachtsstätte *f* (*bes. für den christlichen Gottesdienst*): **to go to** ~ in die Kirche gehen. – **2.** Kirche *f*, Gottesdienst *m* (*in der Kirche*): **to attend** ~ dem Gottesdienst beiwohnen. – **3.** Kirche *f*, *bes.* Christenheit *f*. – **4.** Kirchengemeinde *f*. – **5.** Geistlichkeit *f*. – **II** *v/t* **6.** (*zur Taufe etc*) in die Kirche bringen. – **7.** einen Dankgottesdienst halten für (*eine Wöchnerin*). – **8.** der 'Kirchendiszi,plin unter'werfen. – **III** *adj* **9.** Kirchen... — '~,**go·er** *s* Kirchgänger(in).
church·ing ['tʃə:rtʃiŋ] *s* **1.** Aussegnung *f* (*bes. einer Wöchnerin*). – **2.** Unter'werfung *f* unter den Einfluß der Kirche.
church| in·vis·i·ble *s* unsichtbare Kirche, Gemeinschaft *f* der (*irdischen u. überirdischen*) Gläubigen. — '~-,**land** *s* 'Kirchenlände,reien *pl*. — ~ **law** *s* Kirchenrecht *n*, ka'nonisches Recht.
church·less ['tʃə:rtʃlis] *adj* **1.** ohne Kirche. – **2.** keiner Kirche angehörend. – **3.** ohne kirchlichen Segen.
'**church|,like** *adj* **1.** kirchenähnlich. – **2.** dem geistlichen Stande geziemend. — '~**man** [-mən] *s irr* **1.** Geistlicher *m*, Priester *m*. – **2.** Theo'loge *m*. – **3.** eifriger Kirchgänger. – **4.** Mitglied *n* einer (*bestimmten*) Kirche. — ~ **mil·i·tant** *s* (*die*) streitende Kirche (*auf Erden*). — **C~ of Eng·land** *s* englische Staatskirche, angli'kanische Kirche. — **C~ of (Je·sus Christ of) Lat·ter-day Saints** *s* Mor'monenkirche *f*. — **C~ of Rome** *s* römisch-ka'tholische Kirche. — ~ **owl** → barn owl. — ~ **pa·pist** *s hist.* (*der engl. Staatskirche angehöriger*) heimlicher Katho'lik. — ~ **pa·rade** *s* **1.** *mil.* Kirchgang *m* (*einer militärischen Formation*). – **2.** *Am. dial.* Korso *m* der guten Gesellschaft nach dem Kirchgang. — ~ **pen·nant** *s mar. Wimpel, der während des Gottesdienstes gesetzt wird.* — ~ **reg·is·ter** *s* 'Kirchenbuch *n*, -re,gister *n*. — ~ **ring** *s* Trau-, Ehering *m*. — '~,**scot,** '~,**shot** *s hist.* Kirchenabgabe *f*. — **C~ Slav·ic** *s ling.* Kirchenslavisch *n*. — ~ **text** *s* **1.** altenglische Kirchenschrift. – **2.** *print.* Angelsächsisch *f* (*Schrifttyp*). — ~ **tri·um·phant** *s* (*die*) trium'phierende Kirche, himmlische Gemeinde. — ~ **u·ni·ver·sal** *s* **1.** christliche Gesamtkirche. – **2.** ka'tholische Kirche *od.* Christenheit. — ~ **vis·i·ble** *s* (*die*) sichtbare christliche Kirche auf Erden, Christenheit *f*.
church·ward ['tʃə:rtʃwərd] *adv* nach der Kirche hin.
church|·ward·en ['tʃə:rtʃ'wɔ:rdn] *s* **1.** *Br.* Kirchenvorsteher *m*, Kirchenältester *m*, ju'ristischer Berater einer Pfarrgemeinde. – **2.** *Am.* Verwalter *m* der weltlichen Angelegenheiten einer Kirche *od.* Gemeinde. – **3.** *colloq.* Tabakspfeife *f* aus Ton. — '~,**wom·an** *s irr* **1.** eifrige Kirchgängerin. – **2.** weibliches Mitglied einer Kirche (*bes. der anglikanischen Kirche*).
church·y ['tʃə:rtʃi] *adj colloq.* kirchlich (gesinnt).
'**church,yard** *s* Kirchhof *m*, Friedhof *m*.
churl [tʃə:rl] *s* **1.** Flegel *m*, Grobian *m*, Rauhbein *m*. – **2.** Bauer *m*, Landmann *m*. – **3.** Geizhals *m*, Knauser *m*. – **4.** *Br. hist.* freier Mann (*niedersten Ranges*). — '**churl·ish** *adj* **1.** *fig.* grob, roh, rauhbeinig, ungehobelt. – **2.** geizig, knauserig. – **3.** *fig.* schwierig *od.* schwer zu bearbeiten(d). – *SYN. cf.* boorish. — '**churl·ish·ness** *s* ungehobeltes Wesen.
churn [tʃə:rn] **I** *s* **1.** 'Butterfaß *n*, -ma,schine *f*. – **2.** butterfaßähnliches Gefäß. – **3.** *Br.* Milchkanne *f*. – **4.** Strudel *m*, Wirbel *m* (*in einer Flüssigkeit*). – **II** *v/t* **5.** buttern: **to** ~ **cream.** – **6.** (*Flüssigkeiten*) heftig schütteln, schäumen machen, aufwühlen, peitschen: **to** ~ **one's way**

sich (*wie durch schäumende Wellen*) seinen Weg bahnen. – **III** *v/i* **7.** buttern, eine 'Butterma,schine betätigen. – **8.** schäumen. – **9.** sich heftig bewegen. — ~ **drill** *s tech.* **1.** Seilbohrer *m.* – **2.** Schlag-, Meißel-, Stoßbohrer *m.*

churn·er ['tʃəːrnər] *s* 'Butterma,schine *f.* — '**churn·ing** *s* **1.** Buttern *n.* – **2.** bei einem Buttern 'hergestellte Buttermenge.

'**churn**|,**milk** *s bes. dial.* Buttermilch *f.* — '~,**staff** *s irr* Butterstößel *m.* — ~ **sup·per** *s dial.* Abendessen *n* beim Erntefest.

churr [tʃəːr] **I** *v/i* surren, schwirren (*Vögel, Käfer etc*). – **II** *s* Surren *n*, Schwirren *n.*

Chur·ri·gue·resque [tʃuːˌriːgə'resk] *adj arch.* den span. Ba'rockstil betreffend.

chut [tʃʌt] *interj* ach! (*Ausdruck der Ungeduld*).

chute [ʃuːt] **I** *s* **1.** Wasserfall *m*, Kata'rakt *m.* – **2.** Stromschnelle *f*, starkes Gefälle (*Wasserlauf*). – **3.** *Am.* Wasserrutschbahn *f* (*Art Schleuse für Baumstämme, Fische etc an einer Talsperre*). – **4.** *tech.* a) Schacht *m*, Rinne *f*, b) Rutsch-, Gleitbahn *f*, Rutsche *f*, Schurre *f*, c) Müllschütte *f*, -schlukker *m.* – **5.** *fig.* Sturz *m*, Fall *m*, Niedergang *m.* – **6.** *colloq. Kurzform für* parachute. – **II** *v/t* **7.** auf einer (Wasser)Rutschbahn transpor'tieren. – **III** *v/i* **8.** eine Rutschbahn benützen: to ~ the chutes *colloq.* eine Rutschbahn hinunterrutschen (*bes. zum Vergnügen*). — ~ **mag·a·zine** *s mil.* ('Bomben),Schüttmaga,zin *n.* — '~-**the**-'**chute(s)** *s colloq.* Rutschbahn *f* (*für Kinder*).

chut·ist ['ʃuːtist] *colloq. Kurzform für* parachutist.

chut·nee, chut·ney ['tʃʌtni] *s* Chutney *n* (*scharfes indisches Gewürz*).

chy·la·ceous [kai'leiʃəs] *adj* milchsaftartig, Chylus...

chyle [kail] *s med.* Chylus *m*, Milch-, Speisesaft *m*, Darmlymphe *f.*

chy·lif·er·ous [kai'lifərəs] *adj med.* Milchsaft führend.

chy·li·fi·ca·tion [ˌkailifi'keiʃən; ˌkil-] *s med.* Milchsaftbildung *f.* — **chy·lous** ['kailəs] *adj med.* milchsaftartig.

chy·mase ['kaimeis] *s med.* Chy'mase *f*, Chymo'sin *n*, 'Labfer,ment *n.*

chyme [kaim] *s med.* Chymus *m*, Speise-, Magenbrei *m.* — **chy·mi·fi·ca·tion** [ˌkaimifi'keiʃən] *s* Speisebreibildung *f.*

chym·is·try ['kimistri] *obs. für* chemistry.

chymo- [kaimo] *Wortelement mit der Bedeutung* Chymus, Speisebrei.

ci·bo·ri·um [si'bɔːriəm] *s* **1.** *antiq.* römische Trinkschale. – **2.** *relig.* a) Zi'borium *n* (*Gefäß für die geweihte Hostie*), b) Mon'stranz *f*, c) Al'tarbaldachin *m.*

ci·ca·da [si'keidə; -'kɑː-] *pl* **-dae** [-iː], **-das** *s zo.* Zi'kade *f*, Baumgrille *f*, Zirpe *f* (*Unterordng Cicadina*).

ci·ca·la [si'kɑːlə] → cicada.

cic·a·trice ['sikətris] *s* Narbe *f*, Wundmal *n.* — '**cic·a·triced** *adj med.* vernarbt. — ˌ**cic·a'tri·cial** [-'triʃəl] *adj* Narben... — '**cic·a,tri·cle** [-kl] *s* **1.** *bot.* a) Samennabel *m*, b) Blattnarbe *f* (*am Stengel nach dem Laubfall*). – **2.** *zo.* Cica'tricula *f*, Keimmund-, Einarbe *f*, Hahnentritt *m.* — **ci'cat·ri,cose** [si'kætriˌkous; 'sikətri-] *adj bot.* voller Blattnarben. — ˌ**cic·a'tri·sive** [-'traisiv] → cicatrizant 1. — '**cic·a·trix** [-triks] *pl* ˌ**cic·a'tri·ces** [-'traisiːz] *s* **1.** Narbe *f.* – **2.** → cicatricle. — '**cic·a,tri·zant** [-ˌtraizənt] *med.* **I** *adj* **1.** die Vernarbung *od.* Verheilung fördernd. – **2.** vernarbend. – **II** *s* **3.** Vernarbungsmittel *n.* — ˌ**cic·a·tri'za·tion** *s med.* Vernarbung *f*, Narbenbildung *f.* — '**cic·a,trize** *v/t u. v/i* vernarben (lassen).

cic·e·ly ['sisili; -sə-] *s bot.* (*ein*) Myrrhenkerbel *m*, (*eine*) Süßdolde (*Gattg Myrrhis*).

ci·ce·ro·ne [ˌtʃitʃə'rouni; ˌsisə-] *pl* **-ni** [-iː] *s* Cice'rone *m*, Fremdenführer *m.*

Cic·e·ro·ni·an [sisə'rouniən] *adj* cice'ronisch, redegewandt.

cich·lid ['siklid] *s zo.* (*ein*) Buntbarsch *m* (*Gruppe Cichlidae*).

ci·cho·ri·a·ceous [siˌkɒri'eiʃəs] *adj* zi'chorienartig.

ci·cis·be·o [si'sisbiˌou] *pl* **-be·i** [-biˌiː], **-os** *s* Cicis'beo *m* (*Verehrer verheirateter Frauen*).

ci·cu·ta [si'kjuːtə] *s bot.* Schierling *m* (*Gattg Cicuta*). — **ci'cu·tism** *s med.* Schierlingsvergiftung *f.*

-cidal [saidl] *Wortelement mit der Bedeutung* tötend.

-cide [said] *Nachsilbe mit der Bedeutung* Töter, Mörder.

ci·der ['saidər] *s* **1.** Zider *m*, Apfelwein *m*: → **hard** ~; **sweet** ~. – **2.** *obs.* Obst-, Birnenwein *m.* — '~-'**and** *s colloq.* Apfelwein *m* ‚mit' (Zutaten). — ~ **bran·dy** *s* Ziderbranntwein *m.* — ~ **cup** *s* eisgekühlter Apfelwein mit Früchten u. Kräutern. — ~ **jack** *s Br. colloq.* 'Ziderli,kör *m.* — ~ **mill** *s* Apfelquetschmühle *f.* — ~ **press** *s* Apfelpresse *f.* — ~ **tree** *s bot.* Austral. Gummibaum *m* (*Eucalyptus gunnii*).

cierge [sjɛrʒ] (*Fr.*) *s* lange Wachskerze.

ci·gar [si'gɑːr] *s* Zi'garre *f.* — ~ **box** *s* Zi'garrenkiste *f*, -schachtel *f.* — ~ **case** *s* Zi'garrene,tui *n.* — ~ **cut·ter** *s* Zi'garrenabschneider *m.*

cig·a·rette, *selten* **cig·a·ret** [ˌsigə'ret; 'sigəˌret] *s* Ziga'rette *f.* — ~ **case** *s* Ziga'rettene,tui *n.* — ~ **hold·er** *s* (Ziga'retten)Spitze *f.*

ci·gar| **hold·er** *s* Zi'garrenspitze *f* (*Halter der Zigarre*). — ~ **store** *s Am.* Zi'garrenladen *m*, -geschäft *n.* — '~-ˌ**store In·di·an** *s Am.* hölzernes Indi'anerstandbild (*früher Wahrzeichen eines Zigarrenladens*). — ~ **tip** *s* Zi'garrenspitze *f* (*Ende der Zigarre*). — ~ **tube** → cigar holder.

cil·i·a ['siliə] *pl von* cilium.

cil·i·ar·y ['siliəri] *adj med.* zili'är, Ziliar..., Wimper... — ~ **bod·y** *s med.* Zili'ar-, Strahlenkörper *m* (*des Augapfels*). — ~ **co·ro·na** *s zo.* Wimpernkranz *m.* — ~ **cur·rent** *s zo.* Flimmerstrom *m.* — ~ **lig·a·ment** *s med.* Sternband *n.* — ~ **move·ment** *s zo.* Wimperbewegung *f*, Flimmer-, Wimperschlag *m.* — ~ **mus·cle** *s med.* Linsen-, Zili'armuskel *m* (*des Augapfels*). — ~ **proc·ess** *s med.* Zili'arfortsatz *m*, Strahl *m.*

cil·i·ate ['siliit; -ˌeit] **I** *adj bot. zo.* bewimpert, wimperig. – **II** *s zo.* 'Wimpertierchen *n*, -infu,sorie *f* (*Ordng Ciliata*).

cil·i·at·ed ['siliˌeitid] → ciliate I. — ~ **a·re·a** *s zo.* Wimperfeld *n.* — ~ **band** *s zo.* Wimperschnur *f.* — ~ **ca·nal** *s zo.* flimmernder Ka'nal, 'Wimperka,nal *m.* — ~ **cell** *s bot. zo.* Flimmerzelle *f.* — ~ **cham·ber** *s zo.* Geißelkammer *f.* — ~ **fun·nel** *s bot. zo.* Wimpertrichter *m.* — ~ **ring** *s zo.* Wimperkranz *m*, -ring *m.* — ~ **young cor·al** *s zo.* Flimmer-, Planulalarve *f.*

cil·ice ['silis] *s* härenes Hemd.

cil·i·o·late ['siliəlit; -ˌleit] *adj bot. zo.* mit Wimperchen besetzt.

cil·i·um ['siliəm] *pl* '**cil·i·a** [-ə] *s* **1.** *med.* (Augen)Wimper *f.* – **2.** *bot. zo.* Wimper *f*, Cilium *n*, Geißel *f*, Flimmerhaar *n*, -fortsatz *m.*

ci·mex ['saimeks] *pl* **cim·i·ces** ['simiˌsiːz; -mə-] *s zo.* Platt-, Hauswanze *f* (*Gattg Cimex*).

Cim·me·ri·an [si'mi(ə)riən] *adj* **1.** *antiq.* kim'merisch. – **2.** *fig.* dunkel. — ~ **dark·ness** *s* kim'merische Finsternis, tiefe Dunkelheit.

cinch[1] [sintʃ] *Am.* **I** *s* **1.** Sattel-, Packgurt *m.* – **2.** *sl.* a) fester Halt, b) ‚todsichere' Sache, c) Leichtigkeit *f*, Spiele'rei *f*, ‚Kinderspiel' *n.* – **II** *v/t* **3.** gürten. – **4.** *sl.* fest in die Hand *od.* Gewalt bekommen, sicherstellen.

cinch[2] [sintʃ] *s Am. ein Kartenspiel für vier Personen.*

cin·cho·na [sin'kounə] *s* **1.** *bot.* Chinarinden-, Fieberrindenbaum *m* (*Gattg Cinchona*). – **2.** *chem.* China-, Fieberrinde *f.* — **cin'cho·ni·a** [-niə] → cinchonine. — '**cin·cho,nine** [-kəˌniːn; -nin] *s chem.* Cincho'nin *n* ($C_{19}H_{22}N_2O$). — '**cin·cho,nism** *s med.* Chi'ninvergiftung *f.* — '**cin·cho,nize** *v/t med.* mit Chinarinde behandeln.

cinc·ture ['siŋktʃər] **I** *s* **1.** Gürtel *m*, Gurt *m.* – **2.** gürtelartige Begrenzung, Um'zäunung *f.* – **3.** Um'gürten *n*, Um'zäunen *n.* – **4.** eingefriedeter Raum. – **5.** *arch.* (Säulen)Kranz *m.* – **II** *v/t* **6.** um'gürten, einfrieden, gürtelartig um'geben, um'zäunen, einschließen. — '**cinc·tured** *adj* **1.** mit einem Gürtel (versehen), um'gürtet. – **2.** eingeschlossen.

cin·der ['sindər] **I** *s* **1.** Zinder *m* (*ausgeglühte Kohle, verkohltes Holz etc*): burnt to a ~ verkohlt, verbrannt (*Speise etc*). – **2.** *pl* Asche *f.* – **3.** Sinter *m* (*Kohlen- od. Koksabfälle*). – **4.** *tech.* Schlacke *f*, Schwall *m.* – **5.** the ~ *sl. für* ~ track. – **II** *v/t* **6.** in Asche verwandeln, verbrennen. — ~ **bed** *s* **1.** (*Hüttenwesen*) Schlackenbett *n.* – **2.** Aschenschicht *f.* – **3.** *geol. eine der obersten Schichten des weißen Juras, hauptsächlich Austernschalen.* — ~ **block** *s tech.* **1.** Abschlußblock *m* (*eines Hochofens mit Schlackenöffnung*). – **2.** Schlackenstein *m*, Hohlziegel *m* aus 'Portlandze,ment u. Asche. — ~ **box** *s tech.* Schlackenkasten *m*, -behälter *m.* — ~ **con·crete** *s* 'Aschenbe,ton *m*, 'Portlandze,ment *m* mit Schlacke, 'Löschbe,ton *m.* — ~ **cone** *s geol. Am.* vul'kanischer Aschenkegel.

Cin·der·el·la [ˌsində'relə] *s* Aschenbrödel *n*, -puttel *n* (*auch fig.*).

cin·der| **fall** *s tech.* Aschenfall *m*, Schlackentrift *f*, -fall *m*, -gang *m.* — ~ **frame** *s tech.* Funkensieb *n*, -rost *m.* — ~ **hair** *s tech.* Schlackenwolle *f.* — ~ **mud** *s geol.* Schlammstrom *m* (*vulkanischer Aschen*). — ~ **notch** *s tech.* Schlackenöffnung *f*, -loch *n.* — ~ **path** *s* **1.** Weg *m* mit Schlackenschüttung. – **2.** → cinder track. — ~ **pig** *s tech.* Schlackenroheisen *n.* — ~ **pit** *s tech.* Aschenraum *m* eines Ka'mins, Aschengrube *f.* — ~ **sift·er** *s* Aschensieb *n.* — ~ **tap** → cinder notch. — ~ **track** *s sport* Aschenbahn *f.*

cin·der·y ['sindəri] *adj* **1.** schlackig, voller Schlacke. – **2.** schlackenartig.

cine- [sini; -nə] *Wortelement mit der Bedeutung* Kino, Film.

cin·e·cam·er·a [ˌsini'kæmərə; -nə-] *s* Filmkamera *f.*

cin·e·ma ['sinimə; -nə-] *s* **1.** *bes. Br.* Kino *n*, 'Film-, 'Lichtspielthe,ater *n.* – **2.** the ~ der Film, die Filmkunst. — ˌ**cin·e'mat·ic** [-'mætik] *adj* Film... — '**cin·e·ma,tize** [-məˌtaiz] **I** *v/t* (ver)filmen. – **II** *v/i* filmen. — ˌ**cin·e'mat·o,graph** [-'mætəˌgræ(ː)f; *Br. auch* -ˌgrɑːf] **I** *s* **1.** *bes. Br.* 'Filmˌvorführappa,rat *m.* – **2.** Filmkamera *f.* – **II** *v/t* **3.** einen Film drehen von, (ver)filmen. – **III** *v/i* **4.** filmen. — ˌ**cin·e·ma'tog·ra·pher** [-mə'tɒgrəfər] *s* Kameramann *m.* — ˌ**cin·e,mat·o'graph·ic** [-'græfik] *adj* kinemato'graphisch, Film... —

ˌcin·e·maˈtog·ra·phy *s* Kinematoˈgraphie *f*, Lichtspielwesen *n*.

cin·e·ol(e) [ˈsiniˌoul] *s chem.* Cineˈol *n*, Eukalypˈtol *n* ($C_{10}H_{18}O$).

cin·er·a·ceous [ˌsinəˈreiʃəs] *adj* **1.** aschenartig. – **2.** aschgrau, -farben.

Cin·e·ra·ma [*Br.* ˌsiniˈrɑːmə; -nə-; *Am.* -ˈræ(ː)mə; -nə-] (*TM*) *s* Cineˈrama *n* (*Filmprojektion von 3 nebeneinanderliegenden Bildern auf eine breite, konkave Leinwand*).

cin·e·ra·ri·a [ˌsinəˈrɛ(ə)riə] *s bot.* (*eine*) Zineˈrarie (*Senecio cruentus*).

cin·e·ra·ri·um [ˌsinəˈrɛ(ə)riəm] *pl* **-i·a** [-ə] *s* **1.** Urnenfriedhof *m*. – **2.** Urnennische *f*.

cin·er·ar·y [*Br.* ˈsinərəri; *Am.* -ˌreri] *adj* Aschen... — **~ urn** *s* Totenurne *f*.

cin·er·a·tor [ˈsinəˌreitər] *s* Leichenverbrennungsofen *m* (*Krematorium*).

ci·ne·re·ous [siˈni(ə)riəs; sə-], **cin·er·i·tious** [ˌsinəˈriʃəs] *adj* **1.** aschenförmig, -ähnlich, aschig. – **2.** aschgrau, -farben. – **3.** eingeäschert, in Asche.

Cin·ga·lese *cf.* **Singhalese.**

cin·gu·late [ˈsiŋgjulit; -ˌleit; -gjə-], **ˈcin·guˌlat·ed** [-ˌleitid] *adj zo.* gegürtelt, mit gürtelartiger Zeichnung, mit Ringen. — **ˈcin·gu·lum** [-ləm] *pl* **-la** [-ə] *s* **1.** *hist.* Gürtel *m* (*am Priestergewand etc*). – **2.** *zo.* Gürtel *m*, gürtelartige Zeichnung *od.* Strukˈtur.

cin·na·bar [ˈsinəˌbɑːr] *s* **1.** *min.* Zinˈnober *m* (HgS). – **2.** zinˈnoberroter Farbstoff. – **3.** Zinˈnoberrot *n*. — **ˌcin·naˈbar·ic** [-ˈbærik] *adj* Zinˈnober enthaltend, Zinnober...

cin·na·bar| of an·ti·mo·ny *s min.* ˈSpießglanzzinˌnober *m*. — **~ ore** *s min.* Zinˈnobererz *n*.

cin·nam·ic [siˈnæmik; ˈsinəmik] *adj chem.* Zimt... — **~ ac·id** *s chem.* Zimtsäure *f* ($C_6H_5CH=CHCO_2H$).

cin·na·mon [ˈsinəmən] **I** *s bot.* **1.** Zimtbaum *m* (*Gattg Cinnamomum*). – **2.** Zimt *m*, Kaˈneel *m*. – **3.** Zimtfarbe *f*. – **II** *adj* **4.** zimtfarbig. — **~ bark** *s* Zimtrinde *f*. — **~ bear** *s zo.* Baribal *m*, Amer. Schwarzbär *m* (*Euarctos americanus*). — **~ stick** *s* Stangenzimt *m*. — **~ stone** *s min.* Kaˈneelstein *m*, Grossuˈlar *m*.

cin·na·myl [ˈsinəmil] *s chem.* Cinnaˈmyl-Radiˌkal *n*.

cin·quain [siŋˈkein] *s metr. selten* fünfzeilige Strophe.

cinque [siŋk] *s* **1.** Fünf *f* (*auf Würfeln od. Spielkarten*). – **2.** *pl* Wechselläuten *n* mit 11 Glocken.

cin·que·cen·tist [ˌtʃiŋkwiˈtʃentist] *s* Cinquecenˈtist *m*, (ital.) Schriftsteller *m od.* Künstler *m* des Cinqueˈcentos.

cin·que·cen·to [ˌtʃiŋkwiˈtʃentou] *s* Cinqueˈcento *n* (*das 16. Jh. in der ital. Kunst u. Literatur*).

cinque|·foil [ˈsiŋkˌfɔil] *s* **1.** *bot.* (*ein*) Fingerkraut *n* (*Gattg Potentilla*). – **2.** *arch. her.* ˈFünfblattroˌsette *f* (*bes. in Fenstern u. Wappen*). — **C~ Ports** *s pl* Cinque Ports *pl* (*ursprünglich die 5 Seestädte Hastings, Sandwich, Dover, Romney u. Hythe, die besondere Rechte genossen*).

ci·on, *bes. Br.* **sci·on** [ˈsaiən] *s* **1.** *bot.* (Edel)Reis *n* (*beim Veredeln*). – **2.** Sproß *m*, Nachkomme *m*.

ci·o·ni·tis [ˌsaiəˈnaitis] *s med.* Gaumenzäpfchenentzündung *f*.

ci·pher [ˈsaifər] **I** *s* **1.** *math.* Null *f* (*Ziffer*). – **2.** (aˈrabische) Ziffer, Zahl *f*, Nummer *f*. – **3.** aˈrabische Zahlenreihe. – **4.** Nichts *n*, wertlose Sache. – **5.** *fig.* Null *f*, unbedeutende Perˈson: he is a mere ~ er ist eine Null. – **6.** Chiffre *f*, Geheimschrift *f*. – **7.** chifˈfriertes *od.* in Geheimschrift abgefaßtes Schriftstück. – **8.** Schlüssel *m* zu einer Geheimschrift. – **9.** Monoˈgramm *n*. – **II** *v/i* **10.** rechnen. – **11.** chifˈfrieren, schlüsseln. – **III** *v/t* **12.** berechnen, ausrechnen. – **13.** chifˈfrieren, in Geheimschrift schreiben, verschlüsseln. – **14.** ~ out a) ausrechnen, b) entziffern, dechifˈfrieren, c) *Am. colloq.* (*Plan*) ‚ausknobeln‘, austüfteln, schmieden.

ci·pher code *s* Codechiffre *f*, Teleˈgrammschlüssel *m*.

cip·o·lin [ˈsipəlin] *s min.* Cipolˈlin *m* (*geäderter Zwiebelmarmor*).

cir·ca [ˈsəːrkə] **I** *adv* zirka, ungefähr, etwa. – **II** *prep* um ... herˈum: ~ 1850 um das Jahr 1850.

Cir·cas·sian [səːrˈkæʃiən; -siən] **I** *s* **1.** Zirˈkassier(in), Tscherˈkesse *m*, Tscherˈkessin *f*. – **2.** *ling.* zirˈkassische *od.* tscherˈkessische Sprache. – **3.** c~ Zirkas *m* (*Wollstoff*). – **II** *adj* **4.** zirˈkassisch, tscherˈkessisch.

Cir·ce [ˈsəːrsi] **I** *npr* Circe *f*, Kirke *f* (*Zauberin, die den Odysseus zu betören versuchte*). – **II** *s fig.* Circe *f*, verführerische Frau. — **Cir·ce·an** [səːrˈsiːən] *adj* verführerisch, betörend.

cir·cen·sian [səːrˈsenʃən] *adj antiq.* zirˈzensisch, Zirkus...

cir·ci·nate [ˈsəːrsiˌneit; -səˌn-] *adj* **1.** rund, ringförmig. – **2.** *bot.* aufgerollt (*Blatt etc*).

cir·cle [ˈsəːrkl] **I** *s* **1.** *math.* a) Kreis *m*, Zirkel *m*, b) Kreisfläche *f*, -inhalt *m*, c) Kreislinie *f*, d) ˈKreisˌumfang *m*: arc of a ~ Kreisbogen; great ~ on a sphere größter Kreis auf einer Kugel; ~ of right ascension Rektaszensionskreis; → square 18. – **2.** Kranz *m*, Ring *m*, kreisförmige Anordnung: ~ of cilia *bot. zo.* Wimperkranz. – **3.** ˈZirkusmaˌnege *f*, Aˈrena *f*. – **4.** (*Theater*) Rang *m*: → dress ~; upper ~ zweiter Rang, Galerie. – **5.** Wirkungsgebiet *n*, -kreis *m*, Einflußsphäre *f*. – **6.** *fig.* Kreislauf *m*: ~ of the seasons; in a ~ ohne Unterbrechung. – **7.** *philos.* Zirkelschluß *m*: to argue in a (vicious) ~ im Kreise argumentieren. – **8.** Serie *f*, Zyklus *m*, Ring *m*. – **9.** Zirkel *m*, (Gesellschafts-)Kreis *m* (*von Personen mit gemeinsamen Interessen*). – **10.** (Verwaltungs)Kreis *m*. – **11.** ˈUmkreis *m*. – **12.** *mar.* Längen- *od.* Breitenkreis *m*. – **13.** *astr.* a) Bahn *f* (*eines Himmelskörpers*), b) ˈUmdrehungsperiˌode *f* (*eines Himmelskörpers*), c) Kreis *m* (*Instrument zur Bestimmung der Sternörter*), d) Hof *m* (*bes. des Mondes*). – **14.** Krone *f*, Diaˈdem *n*. – **15.** *Br. colloq. für* ~ line. – **II** *v/t* **16.** einkreisen, einschließen, umˈzingeln, -ˈgeben: the enemy ~d the hill der Feind umzingelte den Hügel. – **17.** umˈkreisen: to ~ s.th. cautiously um etwas vorsichtig herumgehen. – **18.** kreisförmig machen. – **19.** umˈwinden, bekränzen. – **III** *v/i* **20.** sich im Kreise bewegen, kreisen: to ~ round and round sich immerfort im Kreise bewegen. – **21.** die Runde machen (*Pokal*), herˈumgereicht werden. – **22.** *mil.* eine Schwenkung ausführen. — **~ can·on** → circular canon.

cir·cled [ˈsəːrkld] *adj* **1.** umˈringt, eingeschlossen, umˈgeben. – **2.** mit einem Kreis *od.* mit Kreisen versehen. – **3.** (kreis)rund.

cir·cle| di·a·gram *s math.* ˈKreisdiaˌgramm *n*. — **~ line** *s Br.* Ringlinie *f* (*der Londoner Untergrundbahn*). — **~ of al·ti·tude** *s math.* Höhenkreis *m*. — **~ of am·pli·tude** *s math.* Weitenkreis *m*. — **~ of cur·va·ture** *s math.* Krümmungskreis *m* (*Kurve*). — **~ of dec·li·na·tion** *s astr.* Deklinatiˈons-, Abweichungskreis *m*. — **~ of fifth** *s mus.* Quintenzirkel *m*. — **~ of lat·i·tude** *s geogr.* Breitenkreis *m*. — **~ of lon·gi·tude** *s geogr.* Längenkreis *m*. — **~ of per·pet·u·al ap·pa·ri·tion** *s astr.* Kreis *m* der beständigen Sichtbarkeit (*eines Gestirns*). — **~ of years** *s* Ablauf *m* der Jahre seit dem Jahre 1. — **~ skirt** *s* Tellerrock *m*.

cir·clet [ˈsəːrklit] *s* **1.** kleiner Kreis. – **2.** Ring *m*. – **3.** Diaˈdem *n*.

cir·cling [ˈsəːrkliŋ] *adj* **1.** rund, kreisförmig. – **2.** umˈschließend. – **3.** einen Kreis beschreibend, sich kreisförmig bewegend, daˈhinrollend. — **~ dis·ease** *s vet.* Drehkrankheit *f*.

cir·cuit [ˈsəːrkit] **I** *s* **1.** Kreisbewegung *f*, -lauf *m*, Umˈdrehung *f*, ˈUm-, Kreislauf *m*. – **2.** Fläche *f*, ˈUmfang *m*, ˈUmkreis *m*. – **3.** Runde *f*, Rundreise *f*, regelmäßiger Besuch: to go on ~ *jur. Br.* die Assisen abhalten, in verschiedenen Bezirken Gericht halten; to make the ~ of s.th. um etwas herumgehen. – **4.** *jur. Br.* a) die an den Asˈsisen beteiligten Richter u. Anwälte *pl*, b) Gerichtsbezirk *m*. – **5.** *aer.* Rundflug *m*: to do a ~ eine Platzrunde fliegen. – **6.** Theˈaterkonˌzern *m*, -ring *m*. – **7.** ˈUmweg *m*, *fig.* ˈUmschweif *m*: to make a ~. – **8.** *electr.* a) Schaltung *f*, ˈSchaltsyˌstem *n* (*der Aggregate eines Gerätes*), b) Schaltschema *n* (*eines Gerätes*), c) Stromkreis *m*, (Anschluß)Leitung *f*: in ~ angeschlossen; to put in ~ anschließen; → closed ~; open 5; short ~. – **9.** *phys.* maˈgnetischer Kreis. – **10.** (*Wasserleitungsbau*) Schlängelung *f*. – *SYN. cf.* circumference. – **II** *v/t* **11.** umˈkreisen, die Runde machen um. – **12.** umˈgehen, umˈfahren. – **III** *v/i* **13.** zirkuˈlieren, ˈumlaufen, kreisen, sich im Kreise bewegen. — **~ bind·ing** *s* (*Buchbinderei*) Hülleneinband *m* (*zum Schutze der Blätter*). — **~ break·er** *s electr.* ˈStromunterˌbrecher *m*, ˈÜberstrom- *od.* ˈÜberspannungs(aus)schalter *m*, Leistungsschalter *m*. — **~ clos·er** *s electr.* (Ein)Schalter *m*. — **~ court** *s jur.* **1.** *Br.* Gerichtshof, der periˈodisch in bestimmten Bezirken tagt. – **2.** *Am.* ordentliches Gericht (*in einigen Staaten der USA*). — **~ court of ap·peal** *s jur. Am.* Bundesgericht *n* als Beˈrufungsinˌstanz (*zwischen dem* **District Court** *und dem* **Supreme Court**). — **~ di·a·gram** *s electr.* Schaltschema *n*, -bild *n*.

cir·cu·i·tous [sərˈkjuːitəs] *adj* **1.** einen ˈUmweg machend. – **2.** weitschweifig, ˈumständlich. — **cirˈcu·i·tous·ness** *s* Weitschweifigkeit *f*, ˈUmständlichkeit *f*.

cir·cuit| rid·er *s Am. hist.* berittener Reiseprediger. — **~ sys·tem** *s electr.* Schalt(ungs)gruppe *f*.

cir·cu·i·ty [sərˈkjuːiti; -əti] *s* **1.** ˈUmweg *m*. – **2.** ˈUmschweif *m*, ˈindiˌrektes Vorgehen, ˈUmständlichkeit *f*. – **3.** Kreisbewegung *f*.

cir·cu·la·ble [ˈsəːrkjuləbl; -kjə-] *adj* zirkuˈlierbar.

cir·cu·lar [ˈsəːrkjulər; -kjə-] **I** *adj* **1.** (kreis)rund, kreisförmig, zirkuˈlär. – **2.** einen Kreis beschreibend: ~ motion Kreisbewegung. – **3.** Kreis... – **4.** periˈodisch, regelmäßig, im Kreislauf ˈwiederkehrend. – **5.** ˈumständlich, weitschweifig, auf ˈUmwegen. – **6.** für den ˈUmlauf bestimmt, Umlauf..., Rund..., Zirkular...: ~ order Runderlaß. – **II** *s* **7.** Zirkuˈlar *n*, Rundschreiben *n*, ˈUmlauf(schreiben *n*) *m*: to issue a ~ ein Rundschreiben erlassen. — **~ arc** *s math.* Kreisbogen *m*. — **~ a·re·a** *s math.* Kreisfläche *f*. — **~ can·on** *s mus.* Ring-, Zirkel-, Kreiskanon *m*. — **~ check,** *Br.* **~ cheque** *s econ.* Zirkuˈlar-, Reisescheck *m*. — **~ cone** *s math.* Kreiskegel *m*. — **~ con·stant** *s math.* ˈKreiskonˌstante *f*, die Zahl Pi. — **~ func·tion** *s math.* trigono-

ˈmetrische Funktiˈon, ˈKreis-, ˈWinkelfunktiˌon *f*. — **~ grad·u·a·tion** *s math. tech.* Kreisteilung *f*. — **~ in·stru·ment** *s tech.* ˈWinkelˌmeßinstruˌment *n (mit geteiltem Kreis)*. — **~ in·te·gral** *s math.* ˈKreisinteˌgral *n*. — **~ in·ver·sion** *s math.* ˈKreisinversiˌon *f*.

cir·cu·lar·i·ty [ˌsəːrkjuˈlæriti; -kjə-; -əti] *s* **1.** Kreisförmigkeit *f*, Kreisform *f*. – **2.** ˈUmständlichkeit *f*, Weitschweifigkeit *f*.

cir·cu·lar·ize [ˈsəːrkjuləˌraiz; -kjə-] *v/t* **1.** rund machen. – **2.** Rundschreiben, *bes.* Werbeschriften versenden an (*acc*). – **3.** als Rundschreiben verfassen. – **4.** durch Rundschreiben werben für.

cir·cu·lar| let·ter → circular 7. — **~ let·ter of cred·it** *s* Zirkuˈlar-, ˈReisekreˌditbrief *m*. — **~ line** *s math.* Kreislinie *f*. — **~ meas·ure** *s math.* (Kreis)Bogenmaß *n*. — **~ mil** *s tech. Maßeinheit für Drahtquerschnitte; die Fläche eines Kreises mit dem Durchmesser 1 mil* (= *0.001 engl. Zoll*). — **~ note** *s* **1.** Zirkuˈlarnote *f*, diploˈmatisches Rundschreiben. – **2.** *econ.* ˈReisekreˌditbrief *m*. — **~ num·ber** *s math.* Zirkuˈlarzahl *f*. — **~ pitch** *s tech.* **1.** ˈUmfangsteilung *f* (*Zahnrad*). – **2.** (Turˈbinen)Schaufelabstand *m*. — **~ point** *s math.* Kreispunkt *m* (*Fläche*). — **~ race** *s sport* Rundstreckenrennen *n*. — **~ reef** *s geol.* Aˈtoll *n*. — **~ sail·ing** *s mar.* **1.** Segeln *n* im Kreise. – **2.** Segeln *n* im größtmöglichen Kreise, Großkreissegelung *f*. — **~ saw** *s tech.* Kreissäge *f*. — **~ stair(·case)** *s Am.* Wendeltreppe *f*. — **~ tick·et** *s* Rundreisefahrschein *m*. — **~ tour** *s* Rundreise *f*, -fahrt *f*. — **~ track** *s mil.* Kranz *m* (*Maschinengewehr*), Drehkranz *m* (*Lafette*). — **~ tri·an·gle** *s math.* sphärisches Dreieck, Kugeldreieck *n*, Kreisbogendreieck *n*.

cir·cu·late [ˈsəːrkjuˌleit; -kjə-] **I** *v/i* **1.** zirkuˈlieren, ˈumlaufen, kreisen. – **2.** im ˈUmlauf sein, kurˈsieren (*Geld*). – **3.** herˈumreisen, -gehen. – **4.** *math.* eine Periˈode bilden. – **II** *v/t* **5.** in ˈUmlauf setzen, zirkuˈlieren lassen: to ~ **bills** *econ.* Wechsel girieren.

cir·cu·lat·ing [ˈsəːrkjuˌleitiŋ; -kjə-] *adj* zirkuˈlierend, ˈumlaufend, kurˈsierend. — **~ cap·i·tal** *s econ.* ˈUmlaufskapiˌtal *n*, -vermögen *n*, flüssiges Kapiˈtal. — **~ dec·i·mal** *s math.* periˈodischer Deziˈmalbruch. — **~ frac·tion** *s math.* periˈodischer Bruch. — **~ func·tion** *s math.* periˈodische Funktiˈon. — **~ li·brar·y** *s* ˈLeihbiblioˌthek *f*. — **~ me·di·um** *s econ.* **1.** Tauschmittel *n*. – **2.** ˈUmlaufs-, Zahlungsmittel *n*, Geld *n*. — **~ pump** *s tech.* ˈUmlaufs-, Zirkulatiˈonspumpe *f*.

cir·cu·la·tion [ˌsəːrkjuˈleiʃən; -kjə-] *s* **1.** Kreislauf *m*, Zirkulatiˈon *f*: ~ **of air** Ventilation. – **2.** *econ.* ˈUmlauf *m*, Verkehr *m*: **to be in** ~ in Umlauf sein, zirkulieren (*Geld etc*); **out of** ~ außer Kurs (gesetzt); **to withdraw from** ~ aus dem Verkehr ziehen. – **3.** *econ.* a) Verbreitung *f*, Absatz *m* (*Artikel*), b) (verkaufte) Auflage (*Veröffentlichung*), c) im ˈUmlauf befindliche Zahlungsmittel *pl*. – **4.** Strom *m*, Strömung *f*, ˈDurchzug *m*, -fluß *m*. – **5.** *med. zo.* ˈBlutkreislauf *m*, -zirkulatiˌon *f*. – **6.** *arch.* Verbindungsräume *pl* (*Treppen, Gänge, Vorplätze etc in einem Gebäude*). — **~ con·stant** *s phys.* Zirkulatiˈonskonˌstante *f*, ˈUmlaufgröße *f*. — **~ heat·ing** *s tech.* ˈUmlaufheizung *f*. — **~ pump** *s tech.* Zirkulatiˈons-, ˈUmlauf-, ˈUmwälzpumpe *f*.

cir·cu·la·tive [ˈsəːrkjuˌleitiv; -kjə-] → circulatory.

cir·cu·la·tor [ˈsəːrkjuˌleitər] *s* **1.** Verbreiter(in): ~ **of scandal** Klatschbase, Lästermaul. – **2.** *tech.* Zirkulatiˈonsvorrichtung *f*. – **3.** *math.* → circulating function.

cir·cu·la·to·ry [*Br.* ˈsəːrkjulətəri; *Am.* -kjələˌtəːri] *adj* **1.** zirkuˈlierend, ˈumlaufend, kreisend. – **2.** Umlaufs..., Zirkulations... – **3.** umˈherwandernd, -ziehend. — **~ mo·tion** *s* kreisende Bewegung. — **~ sys·tem** *s zo.* ˈBlutgefäß-Syˌstem *n*.

circum- [səːrkəm] *Wortelement mit der Bedeutung* um, herum.

cir·cum·am·bi·ence [ˌsəːrkəmˈæmbiəns] *s* Umˈgeben *n*, Einschließen *n* (*auch fig.*). — **ˌcir·cumˈam·bi·en·cy** *s* **1.** → circumambience. – **2.** Umˈgebung *f*. — **ˌcir·cumˈam·bi·ent** *adj* umˈgebend, umˈschließend, ringsum einschließend (*auch fig.*).

cir·cum·am·bu·late [ˌsəːrkəmˈæmbjuˌleit; -bjə-] **I** *v/t* **1.** herˈumgehen um, umˈgehen. – **II** *v/i* **2.** herˈum-, umˈhergehen. – **3.** *fig.* ˈUmschweife machen, um die Sache herˈumreden. — **ˌcir·cumˌam·buˈla·tion** *s* **1.** Herˈumgehen *n*. – **2.** ˈUmweg *m*. – **3.** *fig.* ˈUmschweif *m*. — **ˌcir·cumˈam·bu·la·to·ry** [*Br.* -lətəri; *Am.* -ləˌtəːri] *adj* **1.** herˈumgehend, -schweifend. – **2.** *fig.* ˈumwegig, -schweifig.

cir·cum·bend·i·bus [ˌsəːrkəmˈbendibəs] *s humor. fig.* ˈUmschweif *m*, ˈumständliche Ausdrucksweise.

cir·cum·cen·ter, *bes. Br.* **cir·cum·cen·tre** [ˌsəːrkəmˈsentər] *s math.* ˈUmkreismittelpunkt *m*.

cir·cum·cise [ˈsəːrkəmˌsaiz] *v/t* **1.** *med. relig.* (*j-n*) beschneiden. – **2.** *fig.* reinigen, läutern. — ˈ**cir·cumˌcis·er** *s* Beschneider *m*. — **ˌcir·cumˈci·sion** [-ˈsiʒən] *s* **1.** *med. relig.* Beschneidung *f*. – **2.** *fig.* Reinigung *f*, Läuterung *f*. – **3.** C~ *relig.* Fest *n* der Beschneidung Christi (*am 1. Januar*). – **4. the** ~ *Bibl.* die Beschnittenen *pl* (*Juden*).

cir·cum·cone [ˈsəːrkəmˌkoun] *s math.* umˈschriebener Kegel.

cir·cum·den·u·da·tion [ˌsəːrkəmˌdenjuˈdeiʃən; -jə-] *s geol.* Abtragung *f* rund um einen härteren Zenˈtralkörper.

cir·cum·fer·ence [sərˈkʌmfərəns] *s* **1.** *math.* ˈUmkreis *m*, (ˈKreis)ˌUmfang *m*, Peripheˈrie *f*, Kreislinie *f*. – **2.** *obs.* Oberfläche *f* eines runden Körpers (*Kugel, Scheibe etc*). – *SYN.* **circuit, compass, perimeter, periphery.** — **cirˌcum·ferˈen·tial** [-fəˈrenʃəl] *adj* Umfangs...

cir·cum·fer·en·tor [sərˈkʌmfəˌrentər] *s tech.* Busˈsole *f* mit Winkelmesser (*für Geometer*), Gradbogen *m*.

cir·cum·flex [ˈsəːrkəmˌfleks] **I** *s* **1.** *ling.* Zirkumˈflex *m*. – **II** *adj* **2.** *ling.* a) mit einem Zirkumˈflex versehen (*Laut*), b) den Zirkumflex betreffend. – **3.** *med.* gebogen, gekrümmt (*bes. Blutgefäß*). – **III** *v/t* **4.** (rund) biegen. – **5.** *ling.* zirkumflekˈtieren, mit einem Zirkumˈflex versehen. — **~ ac·cent** *s ling.* Zirkumˈflex(zeichen *n*) *m*.

cir·cum·flex·ion [ˌsəːrkəmˈflekʃən] *s* Biegung *f*, Krümmung *f*.

cir·cum·flu·ent [sərˈkʌmfluənt] *adj* umˈfließend, umˈflutend.

cir·cum·flu·ous [sərˈkʌmfluəs] *adj* **1.** → circumfluent. – **2.** von Wasser umˈgeben.

cir·cum·fuse [ˌsəːrkəmˈfjuːz] *v/t* **1.** umˈfließen, (mit Flüssigkeit) umˈgeben. – **2.** *fig.* umˈgeben, einschließen. — **ˌcir·cumˈfu·sion** [-ʒən] *s* **1.** Umˈfließen *n*. – **2.** *fig.* Umˈgeben *n*, Einschließen *n*.

cir·cum·gy·rate [ˌsəːrkəmˈdʒaireit] *v/i* **1.** sich drehen, roˈtieren. – **2.** herˈumreisen. — **ˌcir·cum·gyˈra·tion** *s* **1.** ˈUmdrehung *f*. – **2.** Herˈumreisen *n*.

cir·cum·ja·cent [ˌsəːrkəmˈdʒeisənt] *adj* ˈumliegend, umˈgebend: **the** ~ **parishes** die umliegenden Pfarrgemeinden.

cir·cum·lit·to·ral [ˌsəːrkəmˈlitərəl] *adj* am Strand *od.* an der Küste (gelegen).

cir·cum·lo·cu·tion [ˌsəːrkəmloˈkjuːʃən] *s* **1.** Umˈschreibung *f*. – **2.** ˈUmschweif *m* (*beim Reden*). – **3.** Weitschweifigkeit *f*, ˈumständliche Ausdrucksweise. — **C~ Of·fice** *s* ˈumständliche *od.* langsam arbeitende Behörde.

cir·cum·loc·u·to·ry [*Br.* ˌsəːrkəmˈlɒkjutəri; *Am.* -ˈlɑkjəˌtəːri] *adj* **1.** umˈschreibend. – **2.** weitschweifig, ˈumwegig.

cir·cum·me·rid·i·an [ˌsəːrkəmmiˈridiən; -mə-] *adj astr.* in der Nähe des Meridiˈans (befindlich).

cir·cum·mure [ˌsəːrkəmˈmjuːr] *v/t* umˈmauern.

cir·cum·nav·i·gate [ˌsəːrkəmˈnæviˌgeit; -və-] *v/t* umˈschiffen, umˈsegeln. — **ˌcir·cumˌnav·iˈga·tion** *s* Umˈschiffung *f*, Umˈsegelung *f*.

cir·cum·nu·tate [ˌsəːrkəmˈnjuːteit; *Am. auch* -ˈnuː-] *v/i bot.* sich (beim Wachstum) ˈübergeneigt im Kreise drehen (*Pflanze*).

cir·cum·o·ral [ˌsəːrkəmˈɔːrəl] *adj* den Mund umˈgebend.

cir·cum·po·lar [ˌsəːrkəmˈpoulər] *adj* zirkumpoˈlar, um den Pol befindlich.

cir·cum·po·si·tion [ˌsəːrkəmpəˈziʃən] *s* **1.** Herˈumstellen *n*. – **2.** kreisförmige Aufstellung.

cir·cum·ro·tate [ˌsəːrkəmˈrouteit] *v/i* roˈtieren, sich drehen (*wie ein Rad*). — **ˌcir·cum·roˈta·tion** *s* ˈUmdrehung *f*, roˈtierende Bewegung.

cir·cum·scis·sile [ˌsəːrkəmˈsisil] *adj bot.* mit Ringriß aufspringend (*Samenkapsel*).

cir·cum·scribe [ˌsəːrkəmˈskraib; *Br. auch* ˈsəːkəmˌskraib] *v/t* **1.** eine Linie ziehen um, umˈgrenzen, umˈgeben. – **2.** begrenzen, einschränken. – **3.** a) umˈschreiben, b) defiˈnieren. – **4.** *math.* (*geometrische Figur*) umˈschreiben (*mit möglichst vielen Berührungspunkten*). – *SYN. cf.* **limit.** — **ˌcir·cumˈscrip·tion** [-ˈskripʃən] *s* **1.** Beschränkung *f*, Begrenzung *f*. – **2.** Umˈschreibung *f*. – **3.** Peripheˈrie *f*, ˈUmriß *m*, Umˈgrenzung *f*. – **4.** umˈrissene *od.* umˈgrenzte Fläche. – **5.** ˈUmschrift *f*, kreisförmige Beschriftung. – **6.** *obs.* Definitiˈon *f*.

cir·cum·so·lar [ˌsəːrkəmˈsoulər] *adj* **1.** die Sonne umˈgebend. – **2.** sich um die Sonne drehend.

cir·cum·spect [ˈsəːrkəmˌspekt] *adj* **1.** ˈumsichtig, wohlerwogen, ˈwohlüberˌlegt: a ~ plan. – **2.** vorsichtig, behutsam: ~ **behavio(u)r.** – *SYN. cf.* **cautious.** — **ˌcir·cumˈspec·tion** *s* **1.** ˈUmsicht *f*. – **2.** Vorsicht *f*, Behutsamkeit *f*. — **ˌcir·cumˈspec·tive** *adj* **1.** ˈumsichtig, ˈwohlüberˌlegt. – **2.** vorsichtig. — ˈ**cir·cumˌspect·ness** → circumspection.

cir·cum·stance [ˈsəːrkəmˌstæns; -stəns] **I** *s* **1.** (*begleitender*) ˈUmstand: **an unfortunate** ~ ein unglücklicher Umstand. – **2.** *meist pl* (Sach)Lage *f*, Sachverhalt *m*, ˈUmstände *pl*, Verhältnisse *pl*: **under no** ~s unter keinen Umständen, auf keinen Fall; **in** (*od.* **under**) **the** ~s unter den gegenwärtigen Umständen; → **extenuate** 2. – **3.** *pl* Verhältnisse *pl*, Lebenslage *f*: **to live in reduced** ~s in beschränkten Verhältnissen leben. – **4.** Ereignis *n*, Tatsache *f*: **his arrival was a favo(u)rable** ~ seine Ankunft war ein günstiges Ereignis. – **5.** ˈNebenˌumstand *m*, (unwichtige) Einzelheit, Begleiterscheinung *f*: **to be no** ~ **to s.th.** *Am. colloq.* keinen Vergleich mit etwas aushalten, nicht zu vergleichen sein mit etwas. – **6.** Ausführlichkeit *f*, Weitschweifigkeit *f*, ˈUmständlichkeit *f*. – **7.** ausführ-

liche *od.* weitschweifige Darstellung. – **8.** Zeremoni'ell *n*, Formali'tät(en *pl*) *f*, 'Umstände *pl*: **without any ~** ohne alle Umstände. – *SYN. cf.* **occurrence.** – **II** *v/t meist pass* **9.** in besondere Verhältnisse versetzen: **to be well ~d** in guten Verhältnissen leben.
cir·cum·stan·tial [ˌsəːrkəm'stænʃəl] *adj* **1.** durch die 'Umstände bedingt. – **2.** unwesentlich, nebensächlich, von 'untergeordneter Bedeutung, zufällig. – **3.** eingehend, ausführlich, genau, detail'liert. – **4.** 'umständlich, weitschweifig. – **5.** die wirtschaftlichen Verhältnisse betreffend: **~ prosperity** wirtschaftlicher Wohlstand. – *SYN.* **detailed, minute**², **particular.** — **~ evi·dence** *s jur.* In'dizien(beweis *m*) *pl.*
cir·cum·stan·ti·al·i·ty [ˌsəːrkəmˌstænʃi'æliti; -əti] *s* **1.** Genauigkeit *f*, Ausführlichkeit *f*. – **2.** 'Umständlichkeit *f*, Weitschweifigkeit *f*. – **3.** Einzelheit *f*, De'tail *n*. — **ˌcir·cum'stan·tiˌate** [-ˌeit] *v/t* **1.** mit allen Einzelheiten beschreiben *od.* darstellen. – **2.** *jur.* auf Grund von Be'gleitˌumständen beweisen. — **ˌcir·cumˌstan·ti'a·tion** *s* **1.** Ausschmückung *f od.* Ausstattung *f* (*einer Darstellung etc*) mit Einzelheiten. – **2.** *jur.* Beweisführung *f* auf Grund von Be'gleitˌumständen.
cir·cum·val·late [ˌsəːrkəm'væleit] **I** *adj* mit einem Wall um'geben, um'wallt (*auch med.*). – **II** *v/t* um'wallen, mit einem Wall *od.* einer Schanze um'geben. — **ˌcir·cum·val'la·tion** *s* Um'wallung *f*, Um'schanzung *f*.
cir·cum·vent [ˌsəːrkəm'vent] *v/t* **1.** um'zingeln, um'geben, (durch List) in eine Falle locken. – **2.** über'listen, hinter'gehen, täuschen. – **3.** vereiteln, verhindern. – **4.** ausweichen (*dat*), um'gehen. – *SYN. cf.* **frustrate.** — **ˌcir·cum'ven·tion** *s* **1.** Um'zingelung *f*. – **2.** Über'listung *f*. – **3.** Vereitelung *f*, Verhinderung *f*. – **4.** Um'gehung *f*. — **ˌcir·cum'ven·tive** *adj* **1.** ausweichend, um'gehend. – **2.** betrügerisch, über'listend.
cir·cum·vo·lute [sər'kʌmvəˌljuːt; -ˌluːt] *v/t* **1.** 'umdrehen, 'umwälzen. – **2.** her'umwickeln. – **3.** um'wickeln. — **cir·cum·vo·lu·tion** [ˌsəːrkəmvə'ljuːʃən; -'luː-] *s* **1.** ('Um)Drehung *f*. – **2.** 'Umwälzung *f* (*auch fig.*). – **3.** Windung *f*, Krümmung *f*, Biegung *f*. – **4.** *fig.* 'Umschweif *m*, -weg *m*: **to resort to ~s** krumme Wege gehen. — **cir·cum·volve** [ˌsəːrkəm'vɒlv] *selten* **I** *v/i* ro'tieren. – **II** *v/t* ('um)drehen.
cir·cus ['səːrkəs] *s* **1.** Zirkus(truppe *f*) *m*. – **2.** Zirkusvorstellung *f*. – **3.** 'Zirkusaˌrena *f*. – **4.** kreisförmige Anordnung von Bauten. – **5.** *Br.* runder, von Häusern um'schlossener Platz (*von dem strahlenförmig Straßen ausgehen*). – **6.** *antiq.* Zirkus *m*, Am'phitheˌater *n*. – **7.** *mil. Br. sl.* a) im Kreis fliegende Flugzeugstaffel, b) ‚fliegende' motori'sierte Truppeneinheit (*die auf dem Kriegsschauplatz in rascher Folge an verschiedenen Stellen zum Einsatz kommt*). – **8.** *Am. sl.* Spaß *m*, Gaudi *n*: **they were having a ~** sie amüsierten sich königlich. – **9.** *colloq.* Trubel *m*, lärmende Veranstaltung. – **10.** *colloq.* Ausstellung *f*. — **~ rid·er** *s* Kunst-, Zirkusreiter *m*.
cirl bun·ting [səːrl] *s zo.* Zaunammer *f* (*Emberiza cirlus*).
cirque [səːrk] *s* **1.** *geol.* Kar *n*, na'türliches Am'phitheˌater, 'Felsentheˌater *n* (*in den Bergen etc*). – **2.** kreisförmige Aufstellung. – **3.** → **circus** 1-3 *u.* 6. — **~ cut·ting, ~ e·ro·sion** *s geol.* Zerkarung *f*. — **~ lake** *s geol.* Karsee *m*.
cir·rate ['sireit] *adj zo.* mit Cirren versehen.
cirrhi-, cirrho- *cf.* **cirri-, cirro-.**
cir·rho·sis [si'rousis] *s med.* Zir'rhosis *f*, Schrumpfung *f* (*bes. der Leber*).
cirri- [siri] *Wortelement mit der Bedeutung* Zirrus, Feder, Haar, Büschel.
cir·ri ['sirai] *pl von* **cirrus.**
cir·ri·ped ['siriped] *zo.* **I** *s* **1.** Rankenfüßer *m* (*Ordng Cirripedia*). – **II** *adj* **2.** mit Rankenfüßen. – **3.** zur Ordnung der Rankenfüßer gehörend.
cirro- [siro] → **cirri-.**
cir·ro-cu·mu·lus [ˌsiro'kjuːmjuləs; -mjə-] *s* Zirrokumulus *m*, Schäfchen-, Lämmerwolke *f*.
cir·rose [si'rous; 'sirous] *adj* **1.** *bot.* mit Ranken. – **2.** *zo.* mit Haaren *od.* Fühlern. – **3.** federartig, (haar)büschelartig.
cir·ro-stra·tus [ˌsiro'streitəs] *s* Zirrostratus *m*, Schleierwolke *f*, federige Schichtwolke.
cir·rous ['sirəs] → **cirrose.**
cir·rus ['sirəs] *pl* **-ri** [-ai] *s* **1.** *bot.* Ranke *f*. – **2.** *zo.* a) Wimper *f*, b) Rankenfuß *m* (*der Rankenfußkrebse*). – **3.** Zirrus *m*, Federwolke *f*. — **~ pouch, ~ sheath** *s zo.* Zirrusbeutel *m* (*der Plattwürmer*).
cirs- [səːrs], **cirso-** [səːrso] *Wortelement mit der Bedeutung* Krampfader.
cir·soid ['səːrsɔid] *adj med.* **1.** rankenförmig. – **2.** krampfaderig.
cis- [sis] *Vorsilbe mit der Bedeutung* a) diesseits, b) nach (*einem Zeitpunkt*).
cis·al·pine [sis'ælpain; -pin] *adj* zisal'pin(isch), diesseits der Alpen.
cis·at·lan·tic [ˌsisət'læntik] *adj* diesseits des At'lantischen Ozeans.
cis·co ['siskou] *pl* **-coes, -cos** *s zo.* (*eine*) Ma'räne, (*ein*) Weißfisch *m*, (*ein*) Felchen *m* (*Gattg Leucichthys*).
cis form [sis] *s* (*Stereochemie*) cis-Form *f*.
cis·lei·than [sis'laiθən] *adj* diesseits der Leitha (*von Österreich aus gesehen*).
cis·mon·tane [sis'mɒntein] *adj* diesseits der Berge (*bes. an der Nordseite*).
cis·pa·dane ['sispəˌdein; sis'peidein] *adj* zispa'danisch, diesseits des (Flusses) Po (*von Rom aus gesehen*).
cis·soid ['sisɔid] *math.* **I** *s* Zisso'ide *f*, Efeulinie *f*. – **II** *adj* zisso'id: **~ angle** zissoider Winkel.
cis·sy *cf.* **sissy.**
cist [sist] *s antiq.* **1.** Ziste *f*, Kiste *f*, Truhe *f* (*bes. für Heiligtümer*). – **2.** keltisches Steingrab.
cis·ta·ceous [sis'teiʃəs] *adj bot.* **1.** zu den Zistrosengewächsen gehörig. – **2.** zistrosenartig.
Cis·ter·cian [sis'təːrʃən] **I** *s* Zisterzi'enser(mönch) *m*. – **II** *adj* zisterzi'ensisch. — **~ Rule** *s* für den Zisterzi'enserorden abgewandelte Form der Benedik'tinerregel.
cis·tern ['sistərn] *s* **1.** Zi'sterne *f*, Wasserbehälter *m*. – **2.** *Am.* ('unterirdischer) Regenwasserspeicher. – **3.** *med.* Lymphraum *m*. – **4.** *tech.* a) Weichbottich *m* (*Brauerei etc*), b) Gießhafen *m* (*Glasfabrik*), c) Gefäß *n* (*Barometer*), d) Thermo'meterkugel *f*. – **5.** Jauchegrube *f*. — **cis'ter·na** [-'təːrnə] → **cistern** 3.
cis·tern ba·rom·e·ter *s phys.* Ge'fäßbaroˌmeter *n*.
cis·tus ['sistəs] *pl* **-ti** [-ai] *s bot.* Zistrose *f* (*Gattg Cistus*).
cit·a·ble *cf.* **citeable.**
cit·a·del ['sitədl; -ˌdel] *s mil.* **1.** Zita'delle *f*. – **2.** *mar.* Zita'delle *f*, gepanzerte Mittelaufbauten *pl*.
ci·ta·tion [sai'teiʃən] *s* **1.** Zi'tieren *n*, Anführung *f*. – **2.** Zi'tat *n* (*zitierte Stelle*). – **3.** Vorladung *f* (*vor Gericht etc*). – **4.** Aufzählung *f*. – **5.** (lobende) Erwähnung. – **6.** *jur.* Berufung *f* auf erfolgte gerichtliche Entscheidungen *od.* anerkannte 'Fachliteraˌtur. – **7.** *mil.* ehrenvolle Erwähnung (*z.B. im Tagesbefehl*). – *SYN. cf.* **encomium.**
ci·ta·to·ry [*Br.* 'saitətəri; *Am.* -ˌtɔːri] *adj* **1.** zi'tierend. – **2.** Vorladungs... — **~ let·ter** *s* schriftliche Vorladung.
cite [sait] *v/t* **1.** zi'tieren. – **2.** (als Beispiel) anführen, erwähnen. – **3.** vorladen, zi'tieren (*vor Gericht etc*). – **4.** *poet.* auffordern, aufrufen. – **5.** *mil.* lobend (*in einem Bericht*) erwähnen. – *SYN. cf.* a) **adduce,** b) **summon.** — **'cite·a·ble** *adj* anführbar, zi'tierbar.
cith·a·ra ['siθərə] *s antiq. mus.* Kithara *f* (*dreieckige Leier*).
cith·er ['siθər], **'cith·ern** [-ərn] *s mus.* **1.** → **cithara.** – **2.** → **zither.** – **3.** → **cittern.**
cit·ied ['sitid] *adj* **1.** von einer Stadt *od.* von Städten bedeckt. – **2.** stadtähnlich. — **cit·i·fy** ['sitiˌfai] *v/t Am. colloq.* (*meist verächtlich*) städtisch machen, verstädtern.
cit·i·zen ['sitizn; -tə-] *s* **1.** Staatsbürger *m*, Staatsangehöriger *m* (*auch wenn naturalisiert*): **~ of the world** Weltbürger, Kosmopolit. – **2.** Stadtbewohner *m*, Städter *m*. – **3.** *jur.* Bürger *m* im Genuß der Bürgerrechte. – **4.** Einwohner *m*. – **5.** Zivi'list *m* (*im Gegensatz zu Soldat, Polizist etc*). – *SYN.* **national, subject.** — **'cit·i·zen·ess** *s* Staatsbürgerin *f*. — **'cit·i·zen·ry** [-ri] *s* Bürgerschaft *f*. — **'cit·i·zenˌship** *s* **1.** Staatsbürgerschaft *f*. – **2.** Bürgerrecht *n*.
cit·ole [si'toul; 'sitoul] → **cittern.**
citra- [sitrə] → **cis-.**
cit·ral ['sitrəl] *s chem.* Zi'tral *n*, Lemo'nal *n*, Gerani'al *n*, Ge'raniumaldeˌhyd *n* ($C_{10}H_{16}O$).
cit·rate ['sitreit; -rit; 'sait-] *s chem.* Zi'trat *n*, Salz *n* der Zi'tronensäure.
cit·re·ous ['sitriəs] *adj* zi'tronengelb, grüngelb.
cit·ric ac·id ['sitrik] *s chem.* Zi'tronensäure *f* ($C_3H_4(OH)(CO_2H)_3 \cdot H_2O$).
cit·ri·cul·ture ['sitriˌkʌltʃər] *s* Anbau *m* von Zitrusfrüchten.
cit·rin ['sitrin] *s chem.* Ci'trin *n*, Vita'min P *n*.
cit·rine ['sitrin] **I** *adj* **1.** zi'tronenartig. – **2.** zi'tronengelb. – **II** *s* **3.** *min.* Zi'trin *m*. – **4.** Zi'tronengelb *n*.
cit·ron ['sitrən] *s* **1.** *bot.* a) Gemeiner Zi'tronenbaum (*Citrus medica*), b) *obs.* Zi'trone *f*. – **2.** Zitro'nat *n*.
cit·ron·el·la [ˌsitrə'nelə] *s* **1.** *bot.* Zi'tronengras *n* (*Cymbopogon nardus u. Verwandte*). – **2.** *auch* **~ oil** Zitro'nell-Öl *n*.
cit·ron·el·lal [ˌsitrə'neləl] *s chem.* Zitronel'lal *n* ($C_{10}H_{18}O$).
cit·ron| mel·on *s bot.* (*eine*) 'Wasserme‚lone (*Citrullus vulgaris*). — **'~ˌwood** *s* **1.** Zi'tronenbaumholz *n* (*von Citrus medica*). – **2.** Sandarakholz *n* (*von Tetraclinis articulata*).
cit·rous *cf.* **citrus** II.
cit·rus ['sitrəs] *bot.* **I** *s* Citrus(gewächs *n*) *f* (*Gattg Citrus*). – **II** *adj* zur Gattung Citrus gehörig, Citrus...
cit·tern ['sitərn] *s mus. hist.* 'Lauten‚giˌtarre *f*.
cit·y ['siti] *s* **1.** (Groß)Stadt *f*. – **2.** *Br.* inkorpo'rierte Stadt (*meist mit Kathedrale*). – **3. the C~** die (Londoner) City: a) *Altstadt von London*, b) *Geschäftsviertel in der City*, c) *fig. Londoner Geschäftswelt*. – **4.** *Am.* inkorpo'rierte Stadtgemeinde (*unter einem Bürgermeister u. Gemeinderat*). – **5.** *Canad.* Stadtgemeinde *f* erster Ordnung (*mit großer Einwohnerzahl*). – **6.** (Einwohnerschaft *f* einer) Stadt. – **7.** *antiq.* Stadtstaat *m*. — **~ ar·ab** *s Br. sl.* Straßen-, Gassenjunge *m*. — **~ ar·ti·cle** *s econ.* Börsenbericht *m* (*in einer Zeitung*). — **'~-ˌborn** *adj* in einer (Groß)Stadt geboren. — **'~-ˌbred** *adj* in der Stadt aufgewachsen, mit städtischer Erziehung. — **~ coun·cil** *s* Stadtrat *m*. — **~ court** *s jur. Am.* Stadtgericht *n*. — **~ ed·i·tor** *s* **1.** *Am.* Lo'kalredakˌteur *m*. – **2.** *Br.*

Redak'teur *m* des Fi'nanz- u. Handelsteils. — ~ **fa·ther** *s* Stadtrat *m*, Mitglied *n* des Gemeinderates u. angesehener Bürger: ~s Stadtväter. — '~ˌ**folk** *s colloq.* Stadtbewohner(schaft *f*) *pl*, Städter *pl*. — ~ **free·dom** *s jur.* Stadt-, Bürgerrecht *n*, Gerechtsame *f* einer Stadt. — ~ **hall** *s bes. Am.* Magi'stratsgebäude *n*, Rathaus *n*. — ~ **man** *s irr Br.* **1.** Fi'nanz- *od.* Geschäftsmann *m* der City. – **2.** Bankangestellter *m*. — ~ **man·ag·er** *s Am.* (*vom Stadtrat ernannter*) 'Stadtdiˌrektor. — **C~ of God** *s* Reich *n* Gottes, Himmel(reich *n*) *m*. — **C~ of Sev·en Hills** *s* Stadt *f* der sieben Hügel (*Rom*). — ~ **plan·ning** *s* Stadtplanung *f*. — ~ **re·cord·er** *s* Magi'stratsdiˌrektor *m*, Stadtsyndikus *m*. — '~-'**state** *s* auto'nomer Stadtstaat.

civ·et ['sivit] *s* **1.** Zibet *m* (*moschusartige Substanz, aus einer Drüse der Zibetkatze*). – **2.** → ~ **cat**. – **3.** Fell *n* der Zibetkatze. — ~ **cat** *s zo.* Zibetkatze *f* (*Gattgen Viverra u. Civettictis*).

civ·ic ['sivik] *adj* **1.** bürgerlich, Bürgerrechte betreffend, Bürger... – **2.** städtisch, Stadt... — ~ **cen·ter**, *bes. Br.* ~ **cen·tre** *s* Behördenviertel *n*. — ~ **du·ties** *s pl* Bürgerpflichten *pl*. — ~ **prob·lems** *s pl* städtische Pro'bleme *pl*.

civ·ics ['siviks] *s pl* (*als sg konstruiert*) *bes. ped.* (Staats)Bürgerkunde *f*.

civ·ies, *Br.* **civ·vies** ['siviz] *s pl sl.* ‚Zi'vilklamotten' *pl*.

civ·il ['sivl; -vil] *adj* **1.** den Staat *od.* die Staatseinrichtungen betreffend, Zivil...: ~ **affairs** Verwaltungsangelegenheiten. – **2.** bürgerlich, (Staats)Bürger...: ~ **duty** bürgerliche Pflicht, Bürgerpflicht; ~ **life** bürgerliches Leben; ~ **society** bürgerliche Gesellschaft. – **3.** zi'vil (*im Gegensatz zu militärisch, kirchlich etc*). – **4.** zivili'siert. – **5.** höflich, zu'vorkommend, gesittet. – **6.** Staats... – **7.** staatlich anerkannt *od.* eingeführt (*Zeitrechnung*): ~ **year**. – **8.** *jur.* a) zi'vil-, pri'vatrechtlich, b) gemäß röm. Recht, c) gesetzlich: ~ **death** bürgerlicher Tod (*z.B. durch Verbannung; im Gegensatz zum natürlichen Tod*). – *SYN.* **chivalrous, courteous, courtly, gallant, polite.** — ~ **case** *s jur.* Zi'vilrechtsfall *m*. — ~ **de·fence**, *Am.* ~ **de·fense** *s* zi'vile Verteidigung. — ~ **dis·o·be·di·ence** *s* bürgerlicher Ungehorsam (*Verweigerung der Bürgerpflichten als politisches Druckmittel*). — ~ **en·gi·neer** *s* ('Tief)ˌBauingeniˌeur *m*. — ~ **en·gi·neer·ing** *s* (*planender*) Ingeni'eurbau, Tiefbau *m*. — ~ **gov·ern·ment** *s* Zi'vilverwaltung *f*.

ci·vil·ian [si'viljən] **I** *s* **1.** Zivi'list *m*. – **2.** *jur.* Kenner *m* des röm. Rechts *od.* des Pri'vatrechts. – **II** *adj* **3.** zi'vil, bürgerlich, Zivil...: ~ **life**. — **ciˌvil·ian·i'za·tion** [-nai'zeiʃən] *s* **1.** Freilassung *f* (*von Kriegsgefangenen*). – **2.** 'Umwandlung *f* (*einer Garnison etc*) zur zi'vilen Verwendung.

ci·vil·i·ty [si'viliti; -əti] *s* **1.** Höflichkeit *f*, Artigkeit *f*, Gefälligkeit *f*: **he showed me every** ~ er erwies mir jede mögliche Höflichkeit; **in** ~ anständiger-, höflicherweise. – **2.** *obs.* Zivilisati'on *f*, Kul'tur *f*, Bildung *f*.

civ·i·liz·a·ble ['siviˌlaizəbl] *adj* kul'tur-, bildungsfähig, zivili'sierbar. — ˌ**civ·i·li'za·tion** *s* **1.** Zivilisati'on *f*, Kul'tur *f*: **ancient Greek** ~ alte griech. Kultur. – **2.** zivili'sierte Welt, Kul'turwelt *f*. — '**civ·iˌlize** *v/t* zivili'sieren, der Zivilisati'on zugänglich machen. — '**civ·iˌlized** *adj* **1.** zivili'siert, gebildet, kulti'viert. – **2.** höflich, wohlerzogen. – **3.** Kul'turvölker betreffend.

civ·il| jus·tice *s jur.* Zi'vilgerichtsbarkeit *f*. — ~ **law** *s jur.* **1.** röm. Pri'vatrecht *n*. – **2.** Zi'vil-, Pri'vatrecht *n* (*im Gegensatz zum Strafrecht*). — ~ **lib·er·ty** *s* bürgerliche Freiheit. — ~ **list** *s Br.* Zi'villiste *f* (*die vom Parlament zur Bestreitung des königlichen Haushaltes bewilligten Beträge*). — **C~ Lord** *s Br.* zi'viles Mitglied der Admirali'tät. — ~ **mar·riage** *s* Zi'viltrauung *f*, -ehe *f*, standesamtliche Trauung. — ~ **rights** *s pl* bürgerliche Ehrenrechte *pl*, (verfassungsmäßig festgelegte) Bürgerrechte *pl*. — ~ **serv·ant** *s bes. Br.* Verwaltungs-, Staatsbeamter *m*, Beamter *m* im öffentlichen Dienst. — ~ **serv·ice** *s* **1.** Zi'vilverˌwaltung *f*, Verwaltungs-, Zivil-, Staatsdienst *m*. – **2.** *Am.* Beamtenrang *m*: **to be on** ~ im Staatsdienst als Beamter angestellt sein. — ~ **war** *s* **1.** Bürgerkrieg *m*. – **2.** C~ W~ a) amer. Sezessi'onskrieg *m* (*1861–65*), b) Krieg *m* zwischen den engl. Roya'listen u. dem Parla'ment (*1642–52*).

civ·ism ['sivizəm] *s* Bürgersinn *m*, Bürgertugend *f*.

civ·vies ['siviz] *Br. für* **civies.**

civ·vy street ['sivi] *s mil. sl.* Zi'villeben *n*: **what did you do in** ~?

clab·ber ['klæbər] **I** *s* Sauer-, Dickmilch *f*. – **II** *v/i* gerinnen (*Milch*).

clach·an ['klɑxən] *s Scot. od. Irish* kleines Dorf, Weiler *m*.

clack [klæk] **I** *v/i* **1.** klappern, rasseln. – **2.** klatschen, knallen (*Peitsche*). – **3.** plappern, schwatzen. – **4.** schnattern (*Gans*), gackern, glucken (*Henne*). – **II** *v/t* **5.** plappern, schwatzen. – **6.** klappern lassen. – **7.** knallen mit (*einer Peitsche etc*). – **III** *s* **8.** Klappern *n*, Geklapper *n*, Rasseln *n*, Gerassel *n*. – **9.** Klapper *f*, klapperähnliche Vorrichtung. – **10.** Geplapper *n*. – **11.** *sl.* ‚Klappe' *f* (*Mund*): **hold your** ~! – **12.** *tech.* Ven'tilklappe *f*. — ~ **box** *s tech.* Ven'tilkammer *f*, -gehäuse *n*, -büchse *f* (*einer Pumpe etc*). — ~ **valve** *s* 'Rückschlag-, 'Klappenvenˌtil *n* (*bei Pumpen etc*).

clad [klæd] **I** *pret u. pp von* **clothe.** – **II** *adj* **1.** gekleidet. – **2.** *tech.* ('nichtgalˌvanisch) plat'tiert.

clad- [klæd] *Wortelement mit der Bedeutung* Sproß, Zweig.

clad·ding ma·te·ri·al ['klædiŋ] *s phys.* Um'hüllungsmateriˌal *n* (*für Spaltstoffelemente*).

clado- [klædo] → **clad-.**

clad·o·phyll ['klædofil; -də-] *s bot.* blattartiger, flacher Zweig.

claim [kleim] **I** *v/t* **1.** (*als Recht*) fordern, beanspruchen, verlangen, Anspruch erheben auf (*acc*): **to** ~ **compensation** Ersatz fordern. – **2.** (*Recht*) geltend machen, beanspruchen. – **3.** behaupten. – **4.** (*etwas als sein Eigentum*) abholen. – **5.** beanspruchen, als angemessen fordern. – **6.** erfordern, erheischen: **the matter** ~s **our attention.** – *SYN. cf.* **demand.** – **II** *s* **7.** Anspruch *m*, Forderung *f*: **to have a** ~ **on** (*od.* **against**) **s.o.** gegen j-n eine Forderung *od.* einen Anspruch haben; **to make a** ~ eine Forderung erheben *od.* geltend machen; **to waive a** ~ auf einen Anspruch verzichten. – **8.** Rechtsanspruch *m*, Anrecht *n* (**to, [up]on** auf *acc*, **gegen**): **to lay** ~ (*od.* **put in a** ~) **to s.th.** Anspruch *od.* eine Forderung erheben auf etwas; **to put in a** ~ **for damages** eine Klage auf Schadenersatz einreichen. – **9.** beanspruchtes Recht *od.* Gut. – **10.** *Am.* Stück *n* Staatsland (*das von Ansiedlern abgesteckt u. beansprucht wird*). – **11.** (*Bergbau*) Mutung *f*, Grubenanteil *m*, Schurf *m*, Schürfeinheit *f*. – **12.** Zahlungsforderung *f* (*gemäß einer Versicherungspolice*). — '**claim·a·ble** *adj* zu beanspruchen(d). — '**claim·ant**, '**claim·er** *s* **1.** Beanspruchender *m*, Anspruchherhebender *m*. – **2.** Präten'dent *m*. – **3.** Anwärter *m* (**to** auf *acc*).

claim·ing race ['kleimiŋ] *s Am. Pferderennen, bei dem die Pferde zu einem vorher festzusetzenden Preise gehandelt werden können.*

claim jump·er *s bes. Am.* j-d der 'widerrechtlich einen fremden Grubenanteil in Besitz nimmt.

clair·au·di·ence [klɛ(ə)r'ɔːdiəns] *s* Hellhören *n*.

clair·voy·ance [klɛr'vɔiəns] *s* **1.** Hellsehen *n*. – **2.** besonders scharfes Beobachtungsvermögen, Scharfsinn *m*. – *SYN. cf.* **discernment.** — **clair'voy·ant I** *adj* hellsehend, hellseherisch. – **II** *s* Hellseher(in).

clam¹ [klæm] **I** *s* **1.** *zo.* (*eine*) zweischalige, eßbare Muschel: **hard** ~, **round** ~ Venusmuschel (*Venus mercenaria*); → **long** ~. – **2.** *meist pl* Muscheln *pl*, Muschelfleisch *n*: ~ **chowder** *Am.* dicke Suppe mit Muscheln u. Gemüse. – **3.** *Am. colloq.* schweigsamer, unmitteilsamer Mensch. – **II** *v/i pret u. pp* **clammed** *Am.* **4.** Muscheln suchen. – **5.** *bes.* ~ **up** *sl.* verstummen, weitere Auskunft verweigern.

clam² [klæm] *s* feuchte Kälte, feuchtkalte Klebrigkeit.

clam³ [klæm] → **clamp.**

cla·mant ['kleimənt] *adj* **1.** lärmend, laut. – **2.** *Scot.* dringend. – **3.** *fig.* schreiend (*Unrecht etc*).

clam·a·to·ri·al [ˌklæmə'tɔːriəl] *adj zo.* zur Ordnung der Schreivögel (*Clamatores*) gehörig.

clam·bake ['klæmˌbeik] *s Am.* **1.** Picknick *n* am Strand (*bei dem Muscheln auf heißen Steinen gebacken werden*). – **2.** *humor.* lustige Gesellschaft. – **3.** *sl.* miß'lungene Probe (*bes. eines Rundfunkprogramms*).

clam·ber ['klæmbər] **I** *v/i* **1.** klettern, klimmen, sich mit Händen u. Füßen mühsam vorwärtsarbeiten. – **2.** klettern, sich em'porranken (*Pflanzen*). – **II** *v/t* **3.** erklettern, erklimmen. – **III** *s* **4.** Klettern *n*, Erklimmen *n*. — '**clam·ber·er** *s* **1.** Kletterer *m*. – **2.** *bot.* Kletterpflanze *f*.

clam·mer ['klæmər] *s Am.* Muschelsammler(in).

clam·mi·ness ['klæminis] *s* feuchtkalte Klebrigkeit.

clam·my ['klæmi] *adj* **1.** feuchtkalt u. klebrig, (*unangenehm*) feucht u. kühl, klamm. – **2.** zäh-, dickflüssig, klebrig.

clam·or, *bes. Br.* **clam·our** ['klæmər] **I** *s* **1.** Lärm *m*, lautes Geschrei. – **2.** laute Klage, Geschrei *n* (*Unwillen, Verlangen etc*). – **3.** Tu'mult *m*, Lärm *m*, Getöse *n*: **to raise a** ~ ein Geschrei erheben. – **II** *v/i* **4.** (laut u. lärmend) schreien. – **5.** schreien, verlangen (**for** nach), Klage erheben, sich auflehnen (**against** gegen). – **III** *v/t* **6.** schreien, lärmend äußern. – **7.** (durch Lärm) betäuben *od.* stören. – **8.** anschreien, (*j-m*) entgegenschreien: **to** ~ **s.o. down** j-n niederschreien *od.* -brüllen. — '**clam·or·ous** *adj* **1.** lärmend, schreiend. – **2.** von Geschrei *od.* Lärm erfüllt. – **3.** heftig fordernd, sich laut beklagend. – *SYN. cf.* **vociferous.** — '**clam·or·ous·ness** *s* **1.** schreiendes *od.* lärmendes Wesen. – **2.** heftige Unzufriedenheit.

clam·our *bes. Br. für* **clamor.**

clamp¹ [klæmp] **I** *s* **1.** *tech.* a) Klampe *f*, Klammer *f*, Krampe *f*, Zwinge *f*, Kluppe *f*, Wange *f*, b) Klemmschraube *f*, -schelle *f*, Einspannkopf *m*, c) *electr.* Erdungsschelle *f*, d) Hirnleiste *f*, e) Haspe *f*, Haken *m*, Angel *f*, f) Halterung *f*, Feststellvorrichtung *f*, g) 'Schraubstockˌklemmstück *n*, h) Einschiebeleiste *f*. – **2.** (*Formerei*) Formkastenpresse *f*. – **3.** *pl mil.* Beschläge *pl* (*der Lafetten*). – **4.** *sport* Strammer *m* (*einer Skibindung*). –

5. *mar.* Scheibengatt *n*, Mastscheibe *f*. – **II** *v/t* **6.** *tech.* a) fest-, einklemmen, -spannen, festzurren, arre'tieren, b) versteifen, verstärken, c) strammen. – **7.** ~ **down** *mar.* (*Deck*) durch Einsprengen u. Abwischen reinigen. – **III** *v/i* **8.** ~ **down** *colloq.* strenger *od.* schärfer vorgehen, einschreiten (on gegen).

clamp² [klæmp] **I** *s* **1.** Haufen *m*, Stapel *m*, Meiler *m*. – **2.** *dial.* (Kar'toffel- *etc*)Miete *f*. – **II** *v/t dial.* **3.** (*zu einem Stapel etc*) aufschichten.

clamp³ [klæmp] **I** *v/i* schwerfällig auftreten, trampeln. – **II** *s* schwerer Tritt.

clamp| bolt *s tech.* Klemmbolzen *m*. — ~ **bush·ing** *s* Klemmbuchse *f*. — ~ **cou·pling** *s* Klemm-, Schalenkupplung *f*. — ~ **dog** *s* Spannkloben *m*.

clamp·er ['klæmpər] *s* **1.** → clamp¹ 1. – **2.** Eissporn *m* (*Gleitschutz für Schuhe*).

clamp·ing ['klæmpiŋ] *tech.* **I** *s* Einspannen *n*, -spannung *f*. – **II** *adj* Spann..., Klemm... — ~ **bolt** *s* Druck-, Klemmbolzen *m*. — ~ **col·lar** *s tech.* Klemmring *m*, Schelle *f*. — ~ **le·ver** *s* Klemm-, Spannhebel *m*, Reitstockfeststellhebel *m*. — ~ **ring** → clamping collar. — ~ **screw** *s* Klemmschraube *f*. — ~ **sleeve** *s* Spannhülse *f*, Klemmuffe *f*. — ~ **tool** *s* (Auf-, Ein-)Spannwerkzeug *n*.

clamp| jaw *s tech.* Klemmbacke *f*. — ~ **jig** *s tech.* Einspannvorrichtung *f*.

'clam,shell *s* **1.** *zo.* Muschelschale *f*. – **2.** *auch* ~ **bucket** *tech.* Greifbaggereimer *m*.

clan [klæn] *s* **1.** *Scot.* Clan *m*, Stamm *m* (*vom gleichen Vorfahren abstammende Gruppe von Familien des schott. Hochlandes*): **gathering of the** ~**s** Sippentag, Zusammenkunft der Mitglieder eines Clans. – **2.** Sippe *f*, Geschlecht *n* (*Gruppe von Menschen gleicher Abstammung*). – **3.** Gruppe *f* innerhalb eines Stammes mit gemeinsamen Vorfahren in der weiblichen Linie. – **4.** Clique *f*, Ring *m*, Bund *m*, Par'tei *f*. – **5.** Fa'milie *f* mit engem Zu'sammenhalt.

clan·des·tine [klæn'destin] *adj* heimlich, verborgen, verstohlen: ~ **meetings**. – *SYN. cf.* **secret**. — **clan'des·tine·ness** *s* Verstohlenheit *f*, Heimlichkeit *f*.

clang [klæŋ] **I** *v/i* schallen, klingen, klirren (*wie ein Schlag auf Metall*). – **II** *v/t* laut schallen *od.* erklingen lassen. – **III** *s* Klang *m*, lauter, me'tallischer Ton, Trom'petenton *m*, Geklirr *n*: ~ **colo(u)r**, ~ **tint** *mus.* Klangfarbe; ~ **of arms** Waffengeklirr.

clang·er ['klæŋər] *s sl.* unpassende Bemerkung, Faux'pas *m*: to drop a ~ ins Fettnäpfchen treten.

clang·or, *bes. Br.* **clang·our** ['klæŋgər; 'klæŋər] *s* **1.** Schmettern *n*, Gellen *n*, schriller Klang. – **2.** Klirren *n*. — **'clang·or·ous** *adj* **1.** schmetternd, gellend, schrill. – **2.** klirrend.

clang·our *bes. Br. für* **clangor**.

clank [klæŋk] **I** *s* **1.** Klirren *n*, Geklirr *n*, Gerassel *n*: ~ **of arms** Waffengeklirr; ~ **of chains** Kettengerassel. – **2.** *pl Am. sl.* Datterich *m*, Tatterich *m*: **he's got the** ~**s** er hat den Datterich. – **II** *v/i* **3.** klirren, rasseln. – **III** *v/t* **4.** klirren mit, rasseln mit.

clan·nish ['klæniʃ] *adj* **1.** zu einem Clan gehörig, Sippen...: ~ **pride** Sippenstolz. – **2.** clanartig. – **3.** stammverbunden, zu'sammenhaltend. – **4.** mit den Ansichten u. Vorurteilen einer bestimmten Klasse behaftet. — **'clan·nish·ness** *s* **1.** Anhänglichkeit *f* an einen Clan. – **2.** *fig.* (über'triebenes *od.* engherziges) Stammesgefühl. – **3.** Zu'sammenhalten *n*.

clan·ship ['klænʃip] *s* **1.** Vereinigung *f* in einem Clan. – **2.** Stammesbewußtsein *n*, -verbundenheit *f*. – **3.** Anhänglichkeit *f* an einen Clan.

clans·man ['klænzmən] *s irr* Stammesmitglied *n*, Mitglied *n* eines Clans. — **'clans,wom·an** *s irr* weibliches Stammesmitglied.

clap¹ [klæp] **I** *s* **1.** Klatschen *n*, Klappe(r)n *n*. – **2.** leichter Schlag, Klaps *m*. – **3.** Krachen *n*, Schlag *m*: a ~ **of thunder** ein Donnerschlag. – **4.** (Beifalls)Klatschen *n*, Ap'plaus *m*. – **II** *v/t pret u. pp* **clapped** *od.* **clapt** **5.** schlagen *od.* klappen *od.* klatschen mit, (*hörbar*) zu'sammenschlagen. – **6.** Beifall klatschen, applau'dieren (*dat*). – **7.** schlagen mit (*den Flügeln*). – **8.** klopfen, schlagen, tippen: to ~ **s.o. on the shoulder** j-m auf die Schulter klopfen. – **9.** hastig *od.* e'nergisch 'hinstellen, -setzen, -werfen: to ~ **on one's hat** sich den Hut aufstülpen. – **10.** zuklappen, zuschlagen. – **11.** (*Verpflichtungen etc*) auferlegen: to ~ **import duties on s.th.** etwas mit Einfuhrzoll belegen. – **12.** schnell setzen *od.* legen: to ~ **handcuffs on s.o.** j-m Handschellen anlegen; to ~ **hold of s.th.** etwas plötzlich ergreifen. – **III** *v/i* **13.** (zu'sammen)klappen, klatschen, schlagen. – **14.** (Beifall) klatschen, applau'dieren. –

Verbindungen mit Adverbien:

clap| to *v/t* (*Tür etc*) zuschlagen. — ~ **up** *v/t* **1.** ins Gefängnis werfen. – **2.** *obs.* hastig *od.* nachlässig zu'stande bringen *od.* erledigen, zu'sammenpfuschen.

clap² [klæp] *s med. vulg.* Tripper *m*, Gonor'rhoe *f*.

clap|·board ['klæbərd; 'klæp,bɔːrd] **I** *s* **1.** *Am.* Schindel *f*. – **2.** Faßdaube *f*. – **II** *adj* **3.** *Am.* Schindel...: ~ **roof**. – **III** *v/t Am.* **4.** mit Schindeln decken. – **5.** (mit Schindeln *od.* Brettern) verschalen. — **'~,match** → **hooded seal**. — **'~,net** *s* Schlagnetz *n*.

clap·per ['klæpər] *s* **1.** Beifallspender *m*. – **2.** Klöppel *m* (*Glocke*). – **3.** *tech.* a) Anschlag *m*, Klapper *f* (*Mühle*), b) Schwengel *m*, c) Schar'nierven,til *n*. – **4.** Klapper *f*. – **5.** *colloq.* Zunge *f*. — **'~,claw** *v/t obs. od. dial.* **1.** zerkratzen, zerzausen. – **2.** ausschelten. — ~ **rail** *s zo.* (*ein*) Rallenvogel *m* (*Gattg Rallus*), *bes.* Langschnabelige Amer. Ralle (*R. longirostris crepitans*). — ~ **valve** *s tech.* 'Klappenven,til *n*.

clap| sill *s tech.* Schlagschwelle *f*, Schleusendrempel *m*, -schwelle *f*. — **'~,trap** **I** *s* **1.** (The'ater)Kniff *m* (*um Beifall einzuheimsen*), Ef,fekthasche'rei *f*. – **2.** ,Phrasendresche'rei *f*. – **3.** Anpreisung *f*, Re'klame *f*. – **II** *adj* **4.** auf Beifall berechnet, ef'fekthaschend. – **5.** trügerisch.

claque [klæk] *s* Claque *f*, Gruppe *f* (*gedungener*) Beifallsklatscher. — **cla·queur** [kla'kœːr] (*Fr.*) *s* Cla'queur *m*, (*gedungener*) Beifallsklatscher.

clar·a·bel·la [,klærə'belə] *s mus.* Clara'bella *f* (*weiches Flötenregister der Orgel*).

clar·ence ['klærəns] *s* vierrädrige, geschlossene Kutsche (*für 4 Personen*).

clar·en·don ['klærəndən] *s print.* halbfette Egypti'enne.

clar·et ['klærət; -it] **I** *s* **1.** roter Bor'deaux(wein). – **2.** *allg.* Rotwein *m*. – **3.** → ~ **red**. – **4.** *sport sl.* Blut *n*. – **II** *adj* **5.** weinrot. — ~ **cup** *s* gekühlte Rotweinbowle. — ~ **red** *s* Bor'deaux-, Weinrot *n*.

clar·i·fi·ca·tion [,klærifi'keiʃən; -rəfə-] *s* **1.** (Er)Klärung *f*, Aufhellung *f*. – **2.** *tech.* (Abwasser)Klärung *f*, (Ab-)Läuterung *f*, Abklärung *f*. — ~ **plant** *s tech.* Kläranlage *f*.

clar·i·fi·er ['klæri,faiər; -rə-] *s* **1.** j-d der (*etwas*) erklärt *od.* erhellt. – **2.** *tech.* a) Klärgefäß *n*, -pfanne *f*, b) Klärmittel *n*, Kläre *f*. — **'clar·i,fy** **I** *v/t* **1.** *fig.* (*Lage etc*) (er)klären, erhellen. – **2.** (*Flüssigkeiten etc*) (ab)klären, läutern, reinigen, scheiden, (*Zucker*) abschleifen, abschlämmen. – **II** *v/i* **3.** *fig.* sich (auf)klären, klar werden. – **4.** sich (ab)klären (*Flüssigkeit etc*).

clar·i·net [,klæri'net; -rə-] *s mus.* Klari'nette *f*: a) *Holzblasinstrument*, b) *Zungenstimme der Orgel*. — **,clar·i·'net·(t)ist** *s* Klarinet'tist *m*, Klari'nettenbläser *m*.

clar·i·on ['klæriən] **I** *s* **1.** *mus.* a) *hist.* Cla'rin(o) *n*, Clai'ron *n* (*hohe, hellklingende Trompete*), b) Clai'ron *n* (*helle Zungenstimme der Orgel, meist 4 Fuß*). – **2.** *poet.* heller Trom'petenton. – **II** *v/i* **3.** *mus.* Cla'rino blasen. – **4.** hell trom'peten. – **III** *v/t* **5.** 'auspo,saunen, mit Trom'peten(ton) verkünden.

clar·i·o·net [,klæriə'net] → **clarinet**.

clar·i·ty ['klæriti; -əti] *s* **1.** Klarheit *f*, Reinheit *f*. – **2.** *obs.* Glanz *m*, Pracht *f*.

Clark cell [klɑːrk] *s electr. phys.* 'Clarkele,ment *n* (*ein Normalelement*).

clark·i·a ['klɑːrkiə] *s bot.* Clarkie *f* (*Gattg Clarkia; Nordamerika*).

cla·ro ['klɑːrou] **I** *adj* hell u. mild (*Zigarre*). – **II** *s* helle, milde Zi'garre.

clar·y ['klɛ(ə)ri] *s bot.* **1.** Muska'tellersal,bei *m* (*Salvia sclarea*). – **2.** 'Scharlachsal,bei *m* (*Salvia horminum*).

clash [klæʃ] **I** *v/i* **1.** klirren, rasseln, prasseln, klatschen. – **2.** (klirrend) anein'anderstoßen. – **3.** prallen, stoßen: to ~ **into s.th.** in etwas hineinrennen, gegen etwas rennen. – **4.** *fig.* (zeitlich) zu'sammenfallen, kolli'dieren (*Abmachungen etc*). – **5.** *fig.* anein'andergeraten, im 'Widerspruch stehen, nicht zu'sammenpassen (**with** mit): **these colo(u)rs** ~ diese Farben harmonieren nicht. – **II** *v/t* **6.** klirren *od.* rasseln mit. – **7.** klirrend anein'anderstoßen *od.* zu'sammenschlagen. – **III** *s* **8.** (*metallischer*) Krach. – **9.** Geklirr *n*, Gerassel *n*, Geschmetter *n*. – **10.** Zu'sammenstoß *m*, Kollisi'on *f*. – **11.** feindliches Zu'sammentreffen. – **12.** (zeitliches) Zu'sammen-, Aufein'andertreffen *n* (*von Vereinbarungen etc*). – **13.** Kon'flikt *m*, 'Widerspruch *m*, -streit *m*, Reibung *f* (*von Interessen etc*). — ~ **gear** *s tech.* (Zahnrad-)Wechselgetriebe *n*.

clasp [*Br.* klɑːsp; *Am.* klæ(ː)sp] **I** *v/t* **1.** ein-, zuhaken, -schnallen, mit Schnallen *od.* Haken befestigen *od.* schließen, festschnallen. – **2.** mit Schnallen *od.* Haken *etc* versehen. – **3.** ergreifen, um'klammern, fest um'fassen: to ~ **s.o.'s hand** j-s Hand umklammern. – **4.** drücken, festhalten: to ~ **s.o. to one's breast** j-n an die Brust drücken; to ~ **one's hands** die Hände falten. – **II** *v/i* **5.** anhaften, sich festhalten *od.* -klammern. – **III** *s* **6.** Klammer *f*, Haken *m*, Schnalle *f*, Spange *f*: ~ **and eye** Haken u. Öse. – **7.** *mil.* Ordensspange *f* (*als zusätzliche Auszeichnung*). – **8.** Schloß *n* (*am Buch etc*). – **9.** Um'klammerung *f*, Um'armung *f*, Händedruck *m*: **by** ~ **of hands** durch Händedruck, durch Handschlag. – **10.** *fig.* Band *n*, Bindeglied *n*.

clasp·er [*Br.* 'klɑːspər; *Am.* 'klæ(ː)sp-] *s* **1.** (Haken-, Schnallen)Verschluß *m*. – **2.** *pl zo.* a) Haltezange *f*, b) 'Haftor,gan *n* (*der Begattungsglieder bei Haien, Rochen u. Seedrachen*). – **3.** *bot.* Ranke *f*. — **'clasp·ered** *adj bot.* mit Ranken versehen.

clasp| hook *s* **1.** *tech.* Klemmzange *f*. – **2.** *mar.* Keilband *n*. — ~ **knife** *s irr* Klapp-, Taschen-, Federmesser *n*. — ~ **lock** *s* Schnappschloß *n*. — ~ **nail** *s tech.* Schindelnagel *m*. — ~ **nut** *s tech.* Sicherheitsschrauben-, Hakenmutter *f*. — ~ **pin** *s* Sicherheitsnadel *f*.

class [*Br.* klɑːs; *Am.* klæ(ː)s] **I** *s* **1.** Klasse *f*, Art *f*, Sorte *f*. – **2.** Rangstufe *f*, Wertklasse *f*: no ~ *sl.* minderwertig. – **3.** (Güte)Klasse *f*, Quali'tät *f*, Grad *m*: high-~ goods erstklassige Ware; to be in the same ~ with s.th. mit etwas gleichwertig sein. – **4.** Klasse *f* (*in Verkehrsmitteln*): first-~ ticket Fahrkarte erster Klasse. – **5.** Stand *m*, gesellschaftlicher Rang, sozi'ale Stellung. – **6.** (Gesellschafts)Klasse *f*, Schicht *f*, Kaste *f*: the upper ~ die obere Gesellschaftsschicht; the lower ~es die unteren Bevölkerungsschichten; the ~es die oberen Zehntausend. – **7.** (Schul)Klasse *f*: to be at the top of one's ~ der Klassenerste sein. – **8.** ('Unterrichts)Stunde *f*, Lekti'on *f*, Vorlesung *f*: to attend ~es am Unterricht teilnehmen. – **9.** Kurs(us) *m*. – **10.** *Am.* a) Stu'denten *pl* eines Jahrgangs, Stu'dentenjahrgang *m*, b) Gruppe *f* von Studenten (*die zum gleichen Termin ihren akademischen Grad erhalten sollen*). – **11.** *Br.* a) → honors degree, b) Katego'rie *f*, Gruppe *f*, Klasse *f* (*Einteilung der Kandidaten nach dem Resultat der Honours-Prüfung*): to take a ~ einen Honours-Grad erlangen; a list of the candidates, arranged in three ~es, according to their respective degrees of proficiency eine Liste der Kandidaten, nach ihrem jeweiligen Leistungsstand in 3 Gruppen eingeteilt. – **12.** *mil.* Re'krutenjahrgang *m*. – **13.** *bes. Am. sl.* ‚Klasse' *f*, Erstklassigkeit *f*, ausgezeichnete Quali'tät. – **14.** *biol.* Klasse *f*. – **15.** *math.* Aggre'gat *n*, mehrgliedrige Zahlengröße. – **16.** *relig.* a) 'Unterabˌteilung *f* (*einer Methodistengemeinde*), b) → classis. – **II** *v/t* **17.** in Klassen einteilen. – **18.** in eine Klasse *od.* in Gruppen einteilen, einreihen *od.* einordnen, klas'sieren, einstufen: to be ~ed a) angesehen werden (as als), b) *Br.* eine Universitätsprüfung (*für* honours) bestehen. – **III** *v/i* **19.** einer bestimmten Klasse *od.* Gruppe angehören: those who ~ as believers diejenigen, die zu den Gläubigen zählen. — **'class·a·ble** *adj* klassifi'zierbar, einzureihen(d).

'class|ˌbook *s* **1.** *Am.* Klassenbuch *n* (*in Schulen u. Universitäten*). – **2.** *Am.* (*Art*) Erinnerungsalbum *n* (*einer abgehenden Schulklasse*). – **3.** *Br.* Schul-, Lehrbuch *n*. — ~ **con·flict** *s* Klassenkampf *m*. — **'~-'con·scious** *adj* klassenbewußt. — ~ **con·scious·ness** *s* Klassenbewußtsein *n*. — ~ **day** *s* *Am. Feierlichkeit an Universitäten anläßlich der bevorstehenden Verleihung akademischer Grade an einen Jahrgang.* — **'~ˌfel·low** *s* 'Klassenkameˌrad *m*, Mitschüler *m*. — ~ **ha·tred** *s* Klassenhaß *m*.

clas·sic ['klæsik] **I** *adj* **1.** erstklassig, ausgezeichnet. – **2.** mustergültig, voll'endet, klassisch: a ~ example ein klassisches Beispiel. – **3.** klassisch: a) das klassische Altertum betreffend, b) die klassische Litera'tur *etc* betreffend, c) (durch einen her'vorragenden Schriftsteller *od.* ein geschichtliches Ereignis) berühmt: ~ districts of London. – **4.** a) klassisch, anerkannten Me'thoden u. Richtlinien entsprechend, b) *bes. Am. colloq.* klassisch, zeitlos (*Kleidung*). – **II** *s* **5.** Klassiker *m* (*Literatur od. Kunst*). – **6.** klassisches Werk. – **7.** *pl* klassische Philolo'gie. – **8.** *selten* klassischer Philo'loge. – **9.** Anhänger *m od.* Bewunderer *m* der Klassiker. – **10.** (*das*) Klassische (*Stil, Kunst etc*). – **11.** *bes. Am. colloq.* klassisches Ko'stüm.

clas·si·cal ['klæsikəl] *adj* **1.** → classic 2, 3a, b, 4. – **2.** klassisch, dem an'tiken Stil in der Kunst u. Litera'tur entsprechend. – **3.** klassisch *od.* huma'nistisch gebildet. – **4.** die klassische Kunst *od.* Litera'tur betreffend: ~ education klassische *od.* humanistische (Aus)Bildung. – **5.** *relig.* Klassikal... (*Synoden gewisser reformierter Kirchen betreffend*). — ~ **ar·chi·tec·ture** *s* **1.** klassischer Baustil. – **2.** an'tiker Baustil. – **3.** klassi'zistischer Baustil (*bes. in angelsächsischen Ländern, Frankreich u. Mitteleuropa als Erneuerung des antiken Stils*). — ~ **e·co·nom·ics** *s pl* (*als sg konstruiert*) (*von Adam Smith u. Ricardo entwickelte*) Klassische Schule.

clas·si·cal·ism ['klæsikəˌlizəm] → classicism. — **'clas·si·cal·ist** → classicist. — **ˌclas·si'cal·i·ty** [-'kæliti; -əti] *s* Klassizi'tät *f*, (*das*) Klassische. — **'clas·siˌcism** [-ˌsizəm] *s* **1.** Klassi'zismus *m* (*Grundsätze des klassischen Stils in Literatur u. Kunst*). – **2.** klassische Bildung. – **3.** klassischer Ausdruck, klassische Redewendung *od.* Bezeichnung. — **'clas·si·cist** *s* Kenner *m od.* Anhänger *m* des Klassischen u. der Klassiker, Klassi'zist *m*. — **'clas·siˌcize I** *v/t* klassisch machen. – **II** *v/i* dem klassischen Stile entsprechen.

clas·si·fi·a·ble ['klæsiˌfaiəbl] *adj* klassifi'zierbar. — **ˌclas·si·fi'ca·tion** *s* **1.** Klassifikati'on *f*, (Klassen)Einteilung *f*, Anordnung *f*, Aufstellung *f*. – **2.** *bot. zo.* Klassifikati'on *f*, Sy'stem *n*, Gruppeneinteilung *f* der Tiere u. Pflanzen. – **3.** Einstufung *f*, 'Eingruppierung *f*: ~ firing *mil. Br.* Schulschießen. – **4.** Sor'tierung *f*, Siebung *f*. — **clas·si·fi·ca·to·ry** ['klæsifiˌkeitəri; *Am. auch* klə'sifəkəˌtɔːri] *adj* in Klassen einteilend, klassenbildend. — **'clas·siˌfied** [-ˌfaid] *adj* **1.** klassifi'ziert, in *od.* nach Klassen *od.* Gruppen eingeteilt: ~ ad(vertisement) kleine Anzeige, unter einer bestimmten Rubrik erscheinende (Zeitungs)Anzeige. – **2.** im Inter'esse der öffentlichen Sicherheit geheimzuhalten(d): ~ matter *mil.* Verschlußsache. — **'clas·siˌfi·er** *s* **1.** j-d der klassifi'ziert *od.* einordnet. – **2.** *ling.* Klassifi'kator *m*, klassifi'zierendes Wort. – **3.** *tech.* 'Erzsorˌtiermaˌschine *f*. — **'clas·siˌfy** [-ˌfai] *v/t* **1.** klassifi'zieren, ('ein)grupˌpieren, (in *od.* nach Klassen *od.* Gruppen) einteilen, einordnen, einstufen. – **2.** *math.* (aus)gliedern. – **3.** *tech.* scheiden, sor'tieren, klas'sieren. – **4.** *mil.* mit Geheimhaltungsstufe versehen. – *SYN. cf.* assort.

class| in·clu·sion *s philos.* gegenseitiges Verhältnis zweier logischer Begriffsgruppen bei Gemeinsamkeit der Begriffe. — ~ **in·ter·val** *s* (*Statistik*) Klassenbreite *f*, -größe *f*.

clas·sis ['klæsis] *s relig.* 'Kreissyˌnode *f* (*in gewissen reformierten Kirchen*).

class| lim·it *s math.* Klassenende *n*, Grenzpunkt *m*. — **'~-ˌlist** *s Br.* Benotungsliste *f* (*an Universitäten die Liste der Prüflinge, die nach den Ergebnissen der Honours-Prüfung in 3 Gruppen eingeteilt werden*). — **'~·man** [-mən] *s irr Br.* (*Oxford*) *Student, der eine Honours-Prüfung bestanden hat u. in die Benotungsliste eingetragen wird.* — **'~ˌmate** → classfellow. — ~ **mean·ing** *s ling.* Bedeutung *f* einer grammati'kalischen Katego'rie. — ~ **num·ber** *s* (*Bibliothek*) Signa'tur *f*, Kennnummer *f*, Klassifikati'onsvermerk *m*, Klassenbezeichnung *f* (*eines Buches*). — **'~ˌroom** *s* Klassenzimmer *n*. — ~ **strug·gle** *s* Klassenkampf *m*.

class·y [*Br.* 'klɑːsi; *Am.* 'klæ(ː)si] *adj sl.* ‚Klasse', ‚Klasse...', ‚pfundig', erstklassig.

clas·tic ['klæstik] **I** *adj* **1.** zerlegbar (*bes. anatomisches Modell*). – **2.** *geol.* klastisch. – **II** *s* **3.** *pl geol.* sekun'däre Gesteine *pl*. — ~ **de·for·ma·tion** *s geol.* Zertrümmerung *f*. — ~ **rocks** *s pl* sekun'däre Sedi'mentgesteine *pl*.

clath·rate ['klæθreit] *adj bot. zo.* gegittert.

clat·ter ['klætər] **I** *v/i* **1.** klappern, rasseln, klirren. – **2.** poltern, klappern: to ~ about umhertrampeln; to ~ down the street die Straße entlangklappern. – **3.** *fig.* plappern, schwatzen, schnattern. – **II** *v/t* **4.** klappern mit, klirren lassen. – **III** *s* **5.** Geklapper *n*, Geklirr *n*, Krach *m*, Ra'dau *m*: with much ~ mit viel Krach. – **6.** Getrappel *n*, Getrampel *n*. – **7.** Unruhe *f*, Lärm *m*. – **8.** Geplapper *n*.

clau·di·ca·tion [ˌklɔːdi'keiʃən] *s obs.* Hinken *n*.

clause [klɔːz] *s* **1.** *ling.* Satz *m*, Satzteil *m* (*Subjekt u. Prädikat enthaltend*): principal ~ Hauptsatz; subordinate ~ Nebensatz. – **2.** *jur.* Klausel *f*, Vorbehalt *m*, Abschnitt *m* (*Dokument*).

claus·tral ['klɔːstrəl] *adj* klösterlich, Kloster...

claus·tro·pho·bi·a [ˌklɔːstrə'foubiə] *s med.* Klaustropho'bie *f*, krankhafte Furcht vor geschlossenen Räumen.

claus·trum ['klɔːstrəm] *s med.* Vormauer *f* (*in der Hirnsubstanz*).

cla·va ['kleivə] *pl* **-vae** [-iː] *s zo.* Fühlerkeule *f*.

cla·vate ['kleiveit], **'cla·vat·ed** [-id] *adj bot. zo.* keulenförmig. — **cla'va·tion** *s* Keulenform *f*, -förmigkeit *f*.

clave [kleiv] *obs. pret von* cleave[1].

clav·e·cin ['klævisin] *s mus.* **1.** Klavi'zimbel *n*, Cembalo *n*. – **2.** Tasta'tur *f* (*Glockenspiel*).

clav·i·a·ture ['klæviətʃər] *s mus.* **1.** Klavia'tur *f*. – **2.** Kla'vierfingersatz *m*.

cla·vi·cem·ba·lo [ˌklɑːvi'tʃembɑːlou] → cembalo.

clav·i·chord ['klæviˌkɔːrd; -və-] *s mus.* Klavi'chord *n* (*frühes Kleinklavier*).

clav·i·cle ['klævikl; -və-] *s* **1.** *med.* Schlüsselbein *n*. – **2.** *bot.* kleine Ranke.

clav·i·corn ['klæviˌkɔːrn; -və-], **ˌclav·i'cor·nate** [-'kɔːrneit] *adj zo.* mit keulenförmigen Fühlern (*Käfer*).

cla·vic·u·lar [klə'vikjulər; -jə-] *adj zo.* Schlüsselbein... — **cla'vic·u·late** [-lit; -ˌleit] *adj* **1.** *med.* mit einem Schlüsselbein. – **2.** *bot.* mit Ranken.

clav·i·cym·bal [ˌklævi'simbəl] → cembalo.

cla·vi·er ['klæviər] *s mus.* **1.** Klavia'tur *f*. – **2.** [klə'vir] 'Tasten-, Kla'vierinstruˌment *n* (*Klavier, Orgel etc*). – **3.** (*stumme*) 'Übungsklaviaˌtur.

clav·i·form ['klæviˌfɔːrm; -və-] *adj bot.* keulenförmig.

cla·vus ['kleivəs] *pl* **-vi** [-ai] *s med.* Hühnerauge *n*.

claw [klɔː] **I** *s* **1.** *zo.* a) Klaue *f*, Kralle *f*, Fang *m*, b) Schere *f* (*Krebs etc*). – **2.** *fig.* (*verächtlich*) a) Hand *f*, ‚Klaue' *f*, ‚Pfote' *f*, b) *pl* Finger *pl*: to get one's ~s into s.o. j-n hinterlistig angreifen; to pare s.o.'s ~s *fig.* j-m die Krallen beschneiden (*j-n unschädlich machen*). – **3.** Kratzwunde *f*. – **4.** *bot.* Nagel *m* (*an den Blütenblättern bes. der Nelken*). – **5.** klauenähnlicher Gegenstand, *bes. tech.* a) Haken *m*, Klaue *f*, Kralle *f*, b) gespaltene Finne (*Hammer*). – **II** *v/t* **6.** die Krallen schlagen in (*acc*). – **7.** (*mit den Krallen od. Nägeln*) (zer)kratzen, zerkrällen, zerreißen, (zer)schrammen. – **8.** (mit den Krallen) kratzen *od.* graben. – **9.** packen, fassen. – **10.** (leicht) kratzen, krau(l)en. – **11.** ~ off sich entledigen (*gen*), loswerden. – **III** *v/i* **12.** kratzen. – **13.** (mit den Krallen) reißen, zerren. – **14.** packen, greifen (at nach). – **15.** *oft* ~ off *mar.* windwärts vom Ufer abhalten: to ~ off (*od.* from) the shore vom (*leewärts gelegenen*) Uferabhalten.

claw| bar *s tech.* lange Nagel(klaue), Brecheisen *n* mit Finne. — ~ **clutch,**

~ **cou·pling** *s tech.* Klauenkupplung *f.* — ~ **crane** *s tech.* Pratzenkran *m.*

clawed [klɔːd] *adj* klauig, mit Klauen *n.*

claw| foot *s irr* **1.** Klauenfuß *m*, gespaltener Fuß (*an Möbeln etc*). – **2.** *med.* Hohlfuß *m.* — ~ **ham·mer** *s* **1.** *tech.* Splitt-, Klauenhammer *m.* – **2.** *fig.* Frack *m.* — 'ˌ~-ˌ**ham·mer coat** *s* Frack *m.* — ~ **hand** *s med.* Klauenhand *f.* — ~ **hatch·et** *s tech.* Klauenaxt *f*, -beil *n.* — ~ **sick·ness** *s vet.* Klauenseuche *f*, Fußfäule *f.* — ~ **wrench** *s tech.* Nagelzieher *m*, -heber *m.*

clay [klei] **I** *s* **1.** Ton(erde *f*) *m*, Lehm *m*, Mergel *m*: baked ~ gebrannte Erde; fire ~, refractory ~ feuerfester Ton, Schamotte(ton). – **2.** (feuchte) Erde, Schlamm *m.* – **3.** *fig.* irdische Hülle, sterblicher Teil, Staub *m*, Erde *f*: → wet 14. – **4.** *tech.* Decken *n*, Ter'rieren *n* (*Zucker*). – **5.** → ~ pipe. – **II** *v/t* **6.** mit Ton *od.* Lehm behandeln, verschmieren. – **7.** *tech.* (*Zucker*) decken, ter'rieren. – **8.** (*Sandboden*) mit Ton mischen. – **III** *adj* **9.** tonig, Ton..., Lehm... — ~ **band** *s geol.* Toneisenstein *m*, Eisenerzlehm *m*, tonhaltiger Spateisenstein. — 'ˌ~ˌ**bank** *s* **1.** *geol.* Tonschicht *f.* – **2.** *Am.* rötlichgelbes Braun. — 'ˌ~ˌ**brained** *adj* (stroh)dumm. — ~ **brick** *s tech.* **1.** Lehmstein *m*, ungebrannter Ziegel. – **2.** Luftziegel *m.* — 'ˌ~-ˌ**col·o(u)red** *adj* lehm-, erdfarbig.

clay·ey ['kleii] *adj* **1.** ton-, lehmhaltig. – **2.** aus Ton *od.* Lehm. – **3.** tonig, lehmig.

clay·ing bar ['kleiiŋ] *s tech.* Letten-, Trockenbohrer *m.*

clay i·ron *s* (*Bergbau*) Verlettungseisen *n.*

clay·ish ['kleiiʃ] *adj* **1.** ton-, lehmartig. – **2.** (etwas) lehmhaltig.

clay| marl *s geol.* Tonmergel *m.* — ~ **mill** *s tech.* Ton-, Kleimühle *f*, 'Ton(reinigungs)maˌschine *f.*

clay·more ['kleiˌmɔːr] *s hist.* **1.** Flamberg *m*, Zweihänder *m* (*Schwert der Hochlandschotten*). – **2.** Säbel *m* mit Korbgriff (*der Hochlandschotten*).

clay| pan, 'ˌ~ˌ**pan** *s Austral.* mit Lehm ausgekleidete Mulde (*im Boden, zum Sammeln von Regenwasser*). — ~ **pigeon** *s* Tontaube *f* (*zum Sportschießen*). — ~ **pipe** *s* Tonpfeife *f* (*zum Rauchen*). — ~ **pit** *s* Ton-, Lehmgrube *f.* — ~ **plug** *s tech.* Lehm-, Stichpfropf *m*, -stopfen *m.* — ~ **press** *s* (*Keramik*) Filterpresse *f* (*zum Auspressen des Wassers aus dem Ton*). — ~ **slate** *s* Tonschiefer *m.* — ~ **soil** *s* Lehm-, Tonboden *m.* — ~ **stone** *s min.* erdiger Feldspat. — ~ **sug·ar** *s* gedeckter Zucker. — 'ˌ~ˌ**weed** → coltsfoot.

clean [kliːn] **I** *adj* **1.** rein, sauber: → breast 2; heel[1] *b. Redw.* – **2.** sauber, frisch gewaschen. – **3.** reinlich, stubenrein (*Haustier*). – **4.** rein, unvermischt: ~ gold. – **5.** sauber, einwandfrei (*Speisen*). – **6.** rein, fehlerfrei, makellos (*Edelstein etc, auch fig.*). – **7.** (*moralisch*) rein, lauter, schuldlos: a ~ conscience ein reines Gewissen. – **8.** anständig, sauber (*Unterhaltung*). – **9.** rein, unbeschrieben, leer (*Papier*). – **10.** sauber, ohne Korrek'turen (*Schrift*): → ~ copy 1; ~ printer's proof (fast) fehlerloser Korrekturbogen. – **11.** glatt, sauber, gut ausgeführt, gewandt: a ~ leap ein glatter Sprung (*über ein Hindernis*). – **12.** glatt, frei von Unebenheiten (*Schnitt, Bruch*): ~ cut glatter Schnitt; ~ wood astfreies Holz. – **13.** *mar.* (*von Schiffen*) a) mit gereinigtem Kiel u. Rumpf, b) leer, ohne Ladung, c) scharf, spitz zulaufend, mit gefälligen Linien: ~ forward vorne spitz; ~ in the run mit scharfem Hinterschiff. – **14.** *Bibl.* rein, frei von ritu'ellen Verunreinigungen. – **15.** 'wohlproportioˌniert, von klarer Linienführung: ~ features klare Gesichtszüge. – **16.** rein, gründlich, restlos: → sweep 23. – **II** *adv* **17.** rein, reinlich, sauber, sorgfältig: to sweep ~ a) rein ausfegen, b) *fig.* völlig hinwegfegen, vollständig aufräumen mit (*etwas*); to come ~ *sl.* mit der vollen Wahrheit ‚herausrücken', alles eingestehen. – **18.** rein, glatt, gänzlich, völlig, ganz u. gar, abso'lut: to go ~ off one's head *colloq.* völlig den Kopf verlieren; to forget ~ about s.th. *colloq.* etwas total vergessen; the bullet went ~ through the door die Kugel durchschlug glatt die Tür; ~ gone *colloq.* völlig verrückt. – **19.** geschickt, gewandt. – **III** *v/t* **20.** reinigen, säubern, putzen: → slate[1] 3; to ~ house *Am. sl.* gründlich aufräumen, reinen Tisch machen. – **21.** po'lieren, blank machen: to ~ shoes Schuhe putzen. – **22.** waschen. – **23.** (*Baumwolle*) entkörnen, egre'nieren. – **24.** (*Weizen*) klären. – **IV** *v/i* **25.** putzen, reinemachen. – **26.** geputzt *od.* reinegemacht werden. – *SYN. cf.* cleanse. –

Verbindungen mit Adverbien:

clean| down *v/t* gründlich reinigen *od.* putzen. — ~ **off** *v/t* abputzen, abwischen. — ~ **out** *v/t* **1.** reinigen. – **2.** (aus)leeren. – **3.** (*Gebäude etc*) räumen. – **4.** (*j-n*) erschöpfen. – **5.** *sl.* (*j-n*) ‚ausnehmen', schröpfen, ausbeuten. – **6.** *Am. sl.* ‚rausschmeißen', hin'auswerfen. — ~ **up I** *v/t* **1.** gründlich reinigen *od.* säubern. – **2.** in Ordnung bringen, aufräumen. – **3.** bereinigen. – **4.** *sl.* einnehmen, -heimsen, (*als Gewinn*) bei'seite schaffen. – **5.** *Am. sl.* ‚fertigmachen', völlig schlagen. – **II** *v/i* **6.** *Am. sl.* einen großen Gewinn erzielen, ein gutes Geschäft machen.

clean·a·ble ['kliːnəbl] *adj* gut zu reinigen(d), waschbar.

clean| ac·cept·ance *s econ.* bedingungsloses Ak'zept, vorbehaltlose Annahme. — ~ **bill** *s econ.* reine Tratte, einwandfreier Wechsel. — ~ **bill of lad·ing** *s econ.* echtes Konnosse'ment (*ohne Einschränkungen*). — 'ˌ~-ˌ**bred** *adj* reinrassig. — 'ˌ~-ˌ**cut** *adj* **1.** klar um'rissen, scharf geschnitten *od.* gezeichnet. – **2.** wohlgeformt. – **3.** klar, bestimmt, deutlich. – **4.** ordentlich, anständig, sauber (*Person*).

clean·er ['kliːnər] *s* **1.** a) Reiniger *m* (*Person od. Vorrichtung*), 'Reinigungsmaˌschine *f*, b) *pl* Reinigung(sanstalt) *f*: to send to the ~s a) zur Reinigung schicken, b) *Am. sl.* (*j-m*) den letzten Heller abgewinnen (*beim Spiel*). – **2.** Reinigungsmittel *n.* – **3.** *tech.* Putzmesser *n*, Beizer *m*, Ausräumer *m.*

'clean|-'fin·gered *adj* **1.** mit reinen Fingern. – **2.** *fig.* ehrlich. – **3.** geschickt. — '~'**hand·ed** *adj* **1.** mit reinen Händen. – **2.** *fig.* schuldlos.

clean·ing ['kliːniŋ] *s* **1.** Reinemachen *n*, Reinigung *f*, Putzen *n.* – **2.** *pl* Kehricht *m.* – **3.** *obs. od. dial.* Nachgeburt *f* (*von Kühen etc*). – **4.** Lichten *n*, Ausmerzen *n* (*junger, unschöner Waldbäume*). — ~ **card** *s tech.* Putzwolle *f*, -kratze *f.* — ~ **rod** *s mil.* Wisch-, Putzstock *m*, Reinigungsstange *f.*

'clean-'limbed *adj* 'wohlproportioˌniert, von ebenmäßigem Bau.

clean·li·ness ['klenlinis] *s* Reinlichkeit *f*, Sauberkeit *f*, Gepflegtheit *f.*

clean-lived ['kliːn'laivd] *adj* mit einwandfreiem Lebenswandel, cha'rakterlich sauber.

clean·ly I *adj* ['klenli] **1.** reinlich, sauber, gepflegt. – **2.** sauberkeitsliebend. – **3.** *obs.* reinigend. – **II** *adv* ['kliːnli] **4.** säuberlich, reinlich, in sauberer Weise. — **clean·ness** ['kliːnnis] *s* Sauberkeit *f*, Reinheit *f.*

'cleanˌout *s tech.* Reinigungsöffnung *f.*

cleanse [klenz] *v/t meist fig.* **1.** reinigen, säubern, reinwaschen (from von). – **2.** hin'weg-, abwaschen. – **3.** läutern, reinigen. – **4.** heilen. – **5.** befreien, frei-, lossprechen (from von). – **6.** *tech.* a) (*Brauerei*) klären, b) (*Metall*) aufbereiten. – *SYN. cf.* clean. — '**cleans·er** *s* **1.** Reiniger *m.* – **2.** Reinigungsmittel *n.* – **3.** *tech.* Krätzer *m*, Räumlöffel *m.*

'clean-'shav·en *adj* glattrasiert.

cleans·ing ['klenziŋ] *s* **1.** Reinigung *f*: ~ cream Reinigungs-, Abschminkcreme. – **2.** *fig.* Freispruch *m*, Lossprechung *f*, Befreiung *f.* – **3.** *pl* Kehricht *m*, Abfall *m.* – **4.** a) (*Brauerei*) Klärung *f*, b) (Zucker)Decke *f.* – **5.** → cleaning 3.

'cleanˌup *s* **1.** Reinigung *f*, Reinemachen *n.* – **2.** *colloq.* Beseitigung *f*, Ausrottung *f.* – **3.** *Am.* a) (*monatliches*) Einsammeln (*der in einer Gold- od. Silbermine gewonnenen Edelmetalle*), b) (*die dabei eingesammelte*) Me'tallmenge. – **4.** *Am. sl.* ‚Reibach' *m*, Pro'fit *m*, Gewinn *m.* – **5.** *Am.* Reiniger *m*, Wäscher *m.* – **6.** *electr.* Verschwinden *n* der Gasrückstände (*in einer Glühlampe nach Erhitzung des Fadens*).

clear [klir] **I** *adj* **1.** klar, hell: a ~ spot in a cloudy sky ein heller Fleck am bewölkten Himmel, *fig.* ein Lichtblick; as ~ as (noon)day *fig.* sonnenklar. – **2.** klar, 'durchsichtig, rein: → crystal 1. – **3.** klar, heiter (*Himmel, Wetter*). – **4.** rein, flecken-, makellos, glatt. – **5.** *fig.* klar, hell, scharf(sichtig), durch'dringend (*Auge, Geist*): a ~ head ein klarer *od.* heller Kopf. – **6.** klar, rein, hell (*Ton, Stimme*). – **7.** klar, 'übersichtlich, geordnet. – **8.** frei (of von), unbehindert (*Weg etc*): to be ~ of s.th. etwas überwunden *od.* hinter sich gelassen haben. – **9.** klar, deutlich, (leicht)verständlich: to make s.th. ~ to s.o. j-m etwas klarmachen. – **10.** klar, gut leserlich (*Schrift*). – **11.** klar, im klaren: to be ~ about s.th. sich über etwas im klaren sein. – **12.** klar, sicher, außer Zweifel (that daß). – **13.** (of) frei (von *Schulden etc*), unbelastet (mit). – **14.** rein, frei, unbelastet (*Gewissen*): ~ from guilt schuldlos. – **15.** unbefangen. – **16.** unanfechtbar, unbestreitbar (*Anrecht etc*). – **17.** *econ.* netto, ohne Abzug, Rein... (*Gewinn etc*). – **18.** vollständig, ganz, abso'lut: the ~ contrary das gerade *od.* genaue Gegenteil. – **19.** *mar.* a) unbefrachtet, ohne Ladung, b) klar, bereit: all ~ alles klar. – **20.** glatt, voll, ganz (*Zeitspanne*): a ~ ten minutes volle zehn Minuten. – **21.** *tech.* licht: the window is three feet ~ from side to side die lichte Breite des Fensters ist drei Fuß. – **22.** glatt, astrein (*Holz*). – *SYN.* a) limpid, pellucid, translucent, transparent, b) lucid, perspicuous, c) *cf.* evident. – **II** *adv* **23.** hell, klar: the fire burns ~ das Feuer brennt hell. – **24.** *colloq.* klar, deutlich: to speak ~ deutlich sprechen. – **25.** *colloq.* völlig, ganz. – **26.** frei, los: to keep ~ of s.th. sich frei- *od.* fernhalten von etwas; to get ~ of s.th. etwas loswerden. – **III** *s* **27.** freier Raum. – **28.** Lichte *f*, lichte Weite. – **IV** *v/t* **29.** *oft* ~ away, ~ off wegräumen, -schaffen, entfernen: to ~ the snow from the street den Schnee von der Straße räumen. – **30.** freimachen, räumen: → table 2. – **31.** befreien (of von): to ~ an equation of fractions *math.* eine Gleichung von Brüchen befreien. – **32.** leeren, entladen: to ~ a ship of her cargo ein Schiff entladen. – **33.** (*Schulden*) abtragen, bezahlen. – **34.** ins reine *od.* in Ordnung bringen, bereinigen: to ~ an account *econ.* eine Rechnung begleichen. – **35.** von Schulden befreien: to ~ an estate ein Grundstück *od.* Gut von seinen Lasten befreien. – **36.** klären, klar *od.* hell machen. – **37.** erklären, erläutern, erhellen. – **38.** (*j-n*) aufklären. – **39.** reinigen, säubern (*auch fig.*): to ~ the air die Luft reinigen (*auch fig.*); to ~ one's throat sich räuspern. – **40.** frei-, lossprechen, entlasten, rechtfertigen: to ~ oneself (s.o.) of a crime sich (j-n) vom Verdacht eines Verbrechens reinigen; to ~ one's conscience sein Gewissen entlasten. – **41.** *mar.* a) (*Taue*) klaren, freimachen, b) (*Waren*) dekla'rieren, verzollen, c) (*Schiff bei der Hafenbehörde*) 'auskla,rieren, d) (*Ladung*) löschen, e) freikommen von (*der Küste*), f) klarmachen: to ~ for action (*das Deck*) klarmachen zum Gefecht. – **42.** *Am.* (*anhängige Gerichtsfälle*) erledigen: to ~ the docket. – **43.** (*Hindernis*) (leicht) über'winden, (glatt) nehmen: to ~ a hedge über eine Hecke setzen. – **44.** vor'beikommen an (*dat*), pas'sieren. – **45.** (*Wald*) lichten. – **46.** *Am.* (*Land*) roden. – **47.** *econ.* a) (*Scheck etc*) durch ein 'Clearinginsti,tut verrechnen lassen, b) (*Scheck*) einlösen, c) als Reingewinn erzielen. – **V** *v/i* **48.** sich klären, klar *od.* hell werden. – **49.** sich aufklären, -hellen, -heitern (*Wetter etc*). – **50.** *oft* ~ away sich verziehen, verschwinden (*Nebel etc*). – **51.** Schecks *od.* Wechsel im Clearingverkehr verrechnen lassen. – **52.** *econ. mar.* a) die 'Zollformali,täten erledigen, b) 'auskla,rieren, den Hafen nach Erledigung der 'Zollformali,täten verlassen. – **53.** *mar.* die Taue klaren *od.* freimachen. – *Verbindungen mit Adverbien:*

clear| in *v/i mar.* 'einkla,rieren. — ~ **off I** *v/t* **1.** (weg)räumen, beseitigen, aus dem Weg schaffen: to ~ one's stock *econ.* sein Lager räumen. – **II** *v/i* **2.** verschwinden, sich entfernen, sich verziehen (*Wolken etc, colloq. auch Personen*). – **3.** sich aufklären *od.* -hellen. — ~ **out I** *v/t* **1.** hin'aus-, weg-, fortschaffen. – **2.** (aus)räumen, leeren, freimachen. – **3.** *sl.* ‚ausnehmen', schröpfen. – **II** *v/i* **4.** *mar.* 'auskla,rieren. – **5.** *colloq.* ‚abhauen', verschwinden, sich da'vonmachen. — ~ **up I** *v/t* **1.** aufräumen, ordnen, in Ordnung bringen. – **2.** (auf)klären, erklären, erhellen. – **3.** (*Schulden, Rechnung etc*) bereinigen, begleichen, abtragen. – **II** *v/i* **4.** sich aufklären, -hellen, -heitern. – **5.** sich klären.

clear·a·ble ['kli(ə)rəbl] *adj* **1.** (auf)klärbar. – **2.** aus-, aufräumbar.

clear·ance ['kli(ə)rəns] *s* **1.** Freimachen *n*, (Auf-, Weg)Räumen *n*: to make a ~ of s.th. aufräumen mit etwas. – **2.** Auslichtung *f*, Abholzung *f* (*Bäume*). – **3.** Lichtung *f*, freier Platz. – **4.** Zwischenraum *m*. – **5.** *tech.* a) Freiheit *f*, Spiel(raum *m*) *n*, Luft *f*, b) → ~ space. – **6.** lichte Höhe (*Brücke*), lichter Raum, Bodenfreiheit *f* (*Fahrzeug*). – **7.** Verrechnung *f* (*von Schecks etc*) im Clearingverkehr. – **8.** *mar.* a) 'Auskla,rierung *f*, Verzollung *f*, b) Zollschein *m*. – **9.** *aer.* Freigabe *f*, Abfertigung *f* (*durch die Flugsicherung*). – **10.** *selten* Reingewinn *m*. – **11.** → ~ sale. — ~ **an·gle** *s tech.* Ansatz-, Anstellwinkel *m*. — ~ **fit** *s tech.* Spielfassung *f*. — ~ **lim·it** *s tech.* Lehre *f*, -maß *n*, 'Durchfahrtspro,fil *n*. — ~ **light** *s aer.* seitliches Begrenzungslicht (*an Flugzeugen*). — ~ **sale** *s* Räumungs(aus)-, Ausverkauf *m*. — ~ **space** *s tech.* Kompressi'ons-, Verdichtungsraum *m* (*Motor*).

'clear|-,chan·nel sta·tion *s tech. Sender, der auf seinem eigenen Frequenzkanal mit maximaler Stärke senden kann.* — ~**·cole** ['klir,koul] (*Malerei*) **I** *s* (*Art*) Leimgrund *m*, Grun'dierung *f* (*für Anstrich, Blattgold etc*). – **II** *v/t* leimen, grun'dieren. — **'~-'cut** *adj* **1.** scharf geschnitten. – **2.** klar um'rissen. – **3.** klar, deutlich, bestimmt. – *SYN. cf.* incisive. — **'~-,cut·ting** *s* (*Forstwirtschaft*) Kahlschlag *m*.

clear·er ['kli(ə)rər] *s* **1.** j-d der *od.* etwas was klärt *od.* reinigt, Reiniger *m*, Klärer *m*. – **2.** (*Bergbau*) Hauer *m*. – **3.** *tech.* a) (*Spinnerei*) Wende-, Fixwalze *f* (*der Schrubbelmaschine*), b) (*Kochsalzgewinnung*) 'Klärbas,sin *n*.

'clear|-,eyed *adj* **1.** helläugig. – **2.** scharfsichtig, klarsehend (*auch fig.*). — **'~'head·ed** *adj* mit klarem Kopf, verständig, klug.

clear·ing ['kli(ə)riŋ] *s* **1.** (Auf-, Aus)Räumen *n*. – **2.** Reinigung *f*, Säuberung *f*. – **3.** Erhellung *f*, Aufklärung *f*. – **4.** Lichtung *f*, Schlag *m*, Rodung *f*, Abholzung *f* (*im Wald*). – **5.** *tech.* a) Läuterung *f*, Klärung *f*, b) Zahnlücke *f*, Kammsasse *f* (*beim Zahnrad*). – **6.** *econ.* a) Clearing *n*, Verrechnungsverkehr *m*, b) *pl* Verrechnungssumme *f*, -masse *f* (*im Clearingverkehr*). — ~ **check**, *bes. Br.* ~ **cheque** *s econ.* Verrechnungsscheck *m*. — ~ **com·pa·ny** *s mil.* Sani'tätskompa,nie *f*. — **C~ Hos·pi·tal** *s mil. Br.* 'Feldlaza,rett *n* (*in das alle Verwundeten eingeliefert u. in dem sie, je nach Schwere der Verwundung, klassifiziert u. weitergeleitet werden*). — **'~,house** *s econ.* 'Clearinginsti,tut *n*, Abrechnungshaus *n*, Verrechnungskasse *f*, 'Girozen,trale *f*. — ~ **nut** *s bot.* Frucht *f* des Indischen Bergkrähen-Baumes (*Strychnos potatorum*). — ~ **oath** *s jur.* Reinigungseid *m*. — ~ **pan** *s tech.* Klärpfanne *f* (*für Zucker*). — ~ **ring** *s Metallring zum Säubern einer Angelrute.* — ~ **screw** *s mil. tech.* Ka'nal-, Reinigungsschraube *f* (*bei Schußwaffen*). — ~ **sta·tion** *s mil. Am.* Truppen-, Hauptverbandsplatz *m*. — ~ **stone** *s tech.* feiner Wetzstein (*der Lederzurichter*). — ~ **sys·tem** *s econ.* Clearingverkehr *m*.

clear·ly ['klirli] *adv* klar, deutlich. — **'clear·ness** *s* **1.** Klarheit *f*, Helle *f*. – **2.** Deutlichkeit *f*. – **3.** Unbehindertheit *f*, Freiheit *f*. – **4.** Reinheit *f*.

clear| ob·scure *s* (*Malerei*) Helldunkel *n*. — **'~-'sight·ed** *adj* klarsichtig. — **,~-'sight·ed·ness** *s* Klarsichtigkeit *f*, klarer Blick. — **'~,starch I** *v/t* (*Wäsche*) stärken. – **II** *v/i* Wäsche stärken. — **'~,sto·ry** *cf.* clerestory. — **'~,way** *s Br.* Halteverbotsstraße *f*. — **'~,weed** *s bot. Am.* (*eine*) Pi'lea, (*eine*) Kano'nierpflanze (*Pilea pumila*). — **'~,wing** *s zo.* (*ein*) Schmetterling *m* mit 'durchsichtigen, schuppenlosen Flügeln, *bes.* a) Glasflügler *m* (*Fam. Aegeriidae*), b) (*ein*) Schwärmer *m* (*Fam. Sphingidae*).

cleat [kliːt] **I** *s* **1.** Keil *m* (*zum Festklemmen*). – **2.** *mar.* Klampe *f*, zur Verstärkung eines Balkens dienende Leiste: rolling ~ Rackklampe einer Raa; stop ~, thumb ~ Stoßklampe. – **3.** *tech.* Kreuzholz *n*, Querleiste *f*, Abstützeisen *n*. – **4.** *electr.* Iso'lierschelle *f*, -stück *n* (*zur Befestigung von Drähten*). – **5.** breitköpfiger Schuhnagel, Sohlenschützer *m*. – **6.** (*Bergbau*) Bruch *m* (*Fläche, an der Kohle sich beim Hauen spaltet*). – **II** *v/t* **7.** mit Klampen befestigen *od.* verstärken. – **8.** mit Klampen *od.* Leisten versehen.

cleav·a·bil·i·ty [,kliːvə'biliti; -əti] *s* Spaltbarkeit *f*. — **'cleav·a·ble** *adj* **1.** spaltbar. – **2.** trennbar, teilbar.

cleav·age ['kliːvidʒ] *s* **1.** Aufspaltung *f*, (Zer)Spaltung *f*, Aufteilung *f*, (Zer)Teilung *f*. – **2.** Spalten *n*. – **3.** Spalt *m*. – **4.** *biol.* (Zell)Teilung *f*. – **5.** *zo.* (Ei)Furchung *f*. – **6.** *chem.* Spaltung *f* (*Molekül*). – **7.** *min.* a) Spaltbarkeit *f* (*Kristalle*), b) → ~ face. – **8.** *geol.* (Druck-, Quetsch)Schieferung *f*. — ~ **cav·i·ty** *s biol.* Furchungshöhle *f*. — ~ **face** *s min.* Spaltebene, -fläche *f*.

cleave[1] [kliːv] *pret* **cleft** [kleft], **cleaved, clove** [klouv], *obs.* **clave** [kleiv], *pp* **cleft, cleaved, clo·ven** ['klouvn] **I** *v/t* **1.** (zer)spalten, (zer)teilen, zerschneiden, zerreißen. – **2.** ab-, lostrennen. – **3.** eindringen in (*acc*), durch'dringen. – **4.** öffnen, bahnen: to ~ a path through a wilderness. – **II** *v/i* **5.** sich spalten, bersten, aufspringen. – **6.** sich einen Weg bahnen. – *SYN. cf.* tear[2].

cleave[2] [kliːv] *v/i* **1.** (an)kleben, anhaften, hängenbleiben. – **2.** *fig.* (to) treu bleiben (*dat*), halten (zu). – *SYN. cf.* stick[2].

cleav·er ['kliːvər] *s* **1.** Spalter *m*. – **2.** *tech.* a) (Baum)Axt *f*, Baumhacke *f*, b) Hackmesser *n*, c) Klieb-, Klöbeisen *n* (*der Böttcher*), d) Spaltkeil *m*, Schneid(e)meißel *m* (*des Schmiedes*).

cleav·ers ['kliːvərz] *s sg u. pl bot.* (*ein*) Labkraut *n* (*Gattg Galium*).

clef [klef] *s mus.* (Noten)Schlüssel *m*.

cleft[1] [kleft] *pret u. pp von* cleave[1].

cleft[2] [kleft] **I** *s* **1.** Spalt *m*, Spalte *f*, Schlitz *m*, Ritze *f*, Sprung *m*: ~ of a rock Felsspalte. – **2.** *zo.* a) Spalt *m* (*im Pferdehuf*), b) Zehe *f* (*Spalthufer*). – **3.** *vet.* Hornspalte *f* (*am Pferdehuf*). – **II** *adj* **4.** gespalten, geteilt. – **5.** *bot.* eingespalten (*Blatt*). — **'~-'foot·ed** *adj zo.* mit Spalthuf: ~ animal Spalthufer. — **'~-,graft** *v/t bot.* in den Spalt pfropfen. — ~ **pal·ate** *s* Gaumenspalte *f*, Wolfsrachen *m*. — ~ **stick** *s* ‚Klemme' *f*, ‚Patsche' *f*, schwierige Lage: to be in a ~.

cleis·to·gam·ic [,klaisto'gæmik], **cleis'tog·a·mous** [-'tɒgəməs] *adj bot.* kleisto'gam. — **cleis'tog·a·my** *s bot.* Kleistoga'mie *f*, Selbstbestäubung *f* bei geschlossener Blüte.

clem [klem] *v/t u. v/i dial.* hungern *od.* dursten (lassen).

clem·a·tis ['klemətis] *s bot.* Waldrebe *f*, Klematis *f* (*Gattg Clematis*).

clem·en·cy ['klemənsi] *s* **1.** Milde *f*, Gnade *f*, Nachsicht *f*. – **2.** nachsichtige Behandlung. – **3.** Milde *f* (*Wetter od. Klima*). – *SYN. cf.* mercy.

clem·ent ['klemənt] *adj* **1.** mild, gütig, nachsichtig, gnädig. – **2.** mild (*Wetter*).

clench [klentʃ] **I** *v/t* **1.** fest zu'sammenpressen: to ~ one's fist die Faust ballen; → tooth 1. – **2.** fest packen *od.* anfassen. – **3.** → clinch 1-3. – **4.** *fig.* (*Nerven, Geist etc*) anspannen: with ~ed attention mit gespannter Aufmerksamkeit. – **II** *v/i* **5.** sich fest zu'sammenpressen. – **6.** → clinch 5. – **III** *s* **7.** Festhalten *n*, fester Griff, Zu'sammenpressen *n*. – **8.** *mar.* → clinch 13. — **'clench·er** → clincher.

cle·o·me [kli'oumi] *s bot.* Cle'ome *f*, Pillenbaum *m* (*Gattg Cleome*).

Cle·o·pat·ra's Nee·dle [,kliːo'pætrəz; *Am. auch* -'pei-] *s* Nadel *f* der Kle'opatra (*Bezeichnung zweier Obelisken, von denen jetzt einer am Themseufer in London, der andere im Central Park in New York steht*).

clep·sy·dra ['klepsidrə] *s* Wasseruhr *f*.

clep·to·ma·ni·a *cf.* kleptomania.

clere·sto·ry ['klir,stɔːri] *s* **1.** *arch.* Licht-, Obergaden *m*, lichtes Stockwerk, Fenstergeschoß *n* (*am Hauptschiff einer Kirche*). – **2.** *tech.* Dachaufsatz *m* (*Eisenbahnwagen*).

cler·gy ['klɜːrdʒi] *s* **1.** *relig.* Geistlichkeit *f*, Klerus *m.* – **2.** *obs.* Gelehrsamkeit *f.* — '**~·man** [-mən] *s irr* **1.** Geistlicher *m.* – **2.** ordi'nierter Priester (*der christlichen Kirche*). — '**~,wom·an** *s irr* **1.** *obs.* Ordensschwester *f*, Nonne *f.* – **2.** *humor.* Frau *f od.* Tochter *f* eines Geistlichen.

cler·ic ['klerik] **I** *s* **1.** Geistlicher *m*, Kleriker *m.* – **2.** ordi'nierter Priester. – **3.** → clerical 4. – **II** *adj* → clerical I. — '**cler·i·cal I** *adj* **1.** kleri'kal, geistlich, die Geistlichkeit *od.* einen Geistlichen betreffend. – **2.** Schreib..., Büro..., Kanzlei...: ~ work Büroarbeit; → error 1. – **II** *s* **3.** → cleric 1. – **4.** *pol.* Kleri'kaler *m*, Angehöriger *m* einer klerikalen Par'tei. – **5.** *pl colloq.* Priestertracht *f.* — '**cler·i·cal,ism** *s pol.* Klerika'lismus *m*, kleri'kale Grundsätze *pl od.* Poli'tik *f.* — '**cler·i·cal·ist** *s pol.* Kleri'kaler *m.*

cler·i·hew ['kleri,hjuː] *s vierzeiliger humoristischer Vers.*

cler·i·sy ['klerisi; -rə-] *s* **1.** Gelehrtentum *n*, gelehrte Welt. – **2.** → clergy 1.

clerk [*Br.* klɑːk; *Am.* klɜːrk] **I** *s* **1.** Schriftführer *m*, Sekre'tär *m*, Schreiber *m*, Kanz'list *m* (*in öffentlichen Ämtern*): town ~, *Am.* city ~ Stadtsyndikus. – **2.** kaufmännischer Angestellter, Bü'roangestellter *m*: bookkeeping ~ Buchhalter; chief ~ Bürovorsteher, erster Buchhalter, *Am.* erster Verkäufer; signing ~ Prokurist. – **3.** *Br.* ju'ristischer Angestellter: articled ~ Rechtspraktikant. – **4.** *Br.* Vorsteher *m*, Leiter *m*: ~ of (the) works Bauleiter; the ~ of the weather *fig.* der Wettergott, Petrus. – **5.** *Am.* Verkäufer(in), Handlungsgehilfe *m.* – **6.** Gerichtsschreiber *m*, -beamter *m.* – **7.** Kirchenbeamter *m*, bei kirchlichen Funkti'onen mitwirkender Laie. – **8.** *hist.* Schreibkundiger *m.* – **9.** *obs.* Gelehrter *m.* – **II** *v/i* **10.** als Schreiber *od. Am.* als Verkäufer(in) tätig sein. — '**clerk·ly I** *adj* **1.** Schreiber..., Sekretärs..., Angestellten... – **2.** schönschreibend, kalli'graphisch: a ~ hand eine schöne Handschrift. – **3.** *obs.* gelehrt. – **II** *adv* **4.** wie ein Schreiber *etc.* — '**clerk·ship** *s* Stellung *f* eines Buchhalters *od. Am.* Verkäufers.

cleve·ite ['kliːvait; 'kleivə,ait] *s chem.* Cleve'it *m* (U_3O_8; *kristallisiertes, heliumhaltiges, radioaktives Uranmineral*).

clev·er ['klevər] *adj* **1.** gewandt, geschickt: a ~ trick. – **2.** klug, gescheit, intelli'gent. – **3.** talen'tiert, begabt. – **4.** geistreich: a ~ remark. – **5.** *Am. colloq.* gutmütig, liebenswürdig. – **6.** *Am. od. dial.* wohlgebaut, hübsch. – *SYN.* a) adroit, cunning, ingenious, b) *cf.* intelligent. — '**clev·er·ish** *adj* ziemlich geschickt *od.* klug. — '**clev·er·ness** *s* **1.** Gewandtheit *f*, Geschick(lichkeit *f*) *n.* – **2.** Klugheit *f*, Intelli'genz *f.* – **3.** Ta'lent *n*, Gabe *f.*

clev·is ['klevis] *s tech.* **1.** U-förmige *od.* gabelförmige Zugstange, Bügel *m*, (*an der Wagendeichsel od. am Pflug*). – **2.** Haken *m* (*zur Befestigung einer Kette, einer Stange, eines Seiles etc*).

clew [kluː] **I** *s* **1.** (Wolle-, Garn- *etc*)Knäuel *m, n.* – **2.** *cf.* clue 1 *u.* 2. – **3.** (*Mythologie*) Leitfaden *m* (*um den Weg aus einem Irrgarten etc zu finden*). – **4.** *mar.* a) Hahnepot *f* (*einer Hängematte*), b) Schothorn *n*, c) Klaue *f*, d) Bügel *m.* – **II** *v/t* **5.** (*Wolle etc*) (auf)wickeln, knäueln. – **6.** (*auf Grund einer Spur*) verfolgen. –

Verbindungen mit Adverbien:

clew| down *v/t mar.* (*Segel*) streichen, niederholen. — **~ out** *v/t fig.* zeigen, weisen. — **~ up** *v/t mar.* (*Segel*) aufgeien.

clew| gar·net *s mar.* Geitau *n* (*des Haupt- od. Focksegels*). — **~ i·ron** *s* ringförmiges Eisen (*am Schothorn großer Segel*). — **~ jig·ger** *s* kleines Takel (*zum Aufholen der Top- od. Marssegelecken*). — **~ line** *s* Geitau *n* (*der kleinen Segel*). — **~ rope** *s* Schothornliek *n.*

cli·ché [*Br.* 'kliːʃei; *Am.* kliː'ʃei] *s* **1.** *print.* a) Kli'schee *n*, Druckstock *m*, -platte *f*, b) Kli'scheedruck *m.* – **2.** *phot.* Negativ *n.* – **3.** *fig.* Kli'schee *n*, Gemeinplatz *m*, abgedroschene Phrase.

click [klik] **I** *s* **1.** Klicken *n*, Knipsen *n*, Knacken *n*, Ticken *n.* – **2.** Einschnappen *n* (*Türklinke etc*). – **3.** Schnappvorrichtung *f.* – **4.** *tech.* a) Sperrklinke *f*, -vorrichtung *f*, b) *electr.* Schaltklinke *f.* – **5.** Schnalzlaut *m* (*mit der Zunge*). – **6.** (*Ringen*) Beinausheber *m*, Fußwurf *m.* – **II** *v/i* **7.** klicken, knacken, ticken. – **8.** (*mit der Zunge*) schnalzen. – **9.** klappern. – **10.** (zu-, ein)schnappen, einfallen (*Klinke, Schloß*). – **11.** *sl.* ‚klappen': a) gerade in den Kram passen, wie gerufen kommen, b) Glück *od.* Erfolg haben (with mit, bei). – **12.** (*Ringen*) den Fuß des Gegners vom Boden stoßen. – **III** *v/t* **13.** klicken *od.* knacken lassen. – **14.** (*Gläser*) zu'sammenstoßen. – **15.** schnalzen mit (*der Zunge*). – **16.** *oft* ~ to (*Tür*) zuklinken. – **17.** (*Schuhmacherei*) (*Oberteile*) anschneiden. – **18.** (*Ringen*) (*dem Gegner*) den Fuß vom Boden stoßen. — **~ bee·tle** *s zo.* (*ein*) Schnellkäfer *m* (*Fam. Elateridae*). — '**~-,clack I** *s* Klippklapp *n*, Klappern *n.* – **II** *v/i* klippklapp machen, klappern.

click·er ['klikər] *s* **1.** j-d der schnalzt *od.* knackt. – **2.** *Br. sl.* Anreißer *m*, Kundenfänger *m.* – **3.** *Br.* Ausstanzer *m* (*von Schuhoberteilen*). – **4.** *print.* Met'teur *m.* – **5.** *sport* Ringer, der sich des Beinaushebers bedient.

click| hook *s Br.* Fischhaken *m.* — **~ wheel** *s tech.* Sperrad *n.*

cli·en·cy ['klaiənsi] *s jur.* Kli'entschaft *f.* — '**cli·ent** *s* **1.** *jur.* Kli'ent *m*, Man'dant *m* (*eines Anwalts*). – **2.** Kunde *m*, Auftraggeber *m.* – **3.** *antiq.* Kli'ent *m.* – **4.** Schützling *m*, Abhängiger *m*, Va'sall *m.* — '**cli·ent·age** *s* **1.** → clientele. – **2.** Kli'entschaft *f.* — **cli·en·tele** [*Br.* ,kliːɑ̃'teil; *Am.* ,klaiən'tel] *s* **1.** Klien'tel *f*, Kli'entenschaft *f*, Kli'enten *pl* (*eines Anwalts*). – **2.** Pa'tienten(kreis *m*) *pl* (*Arzt*). – **3.** Kunden *pl*, Kundschaft *f*, Kundenkreis *m* (*Firma*). – **4.** Gefolgschaft *f.*

cliff [klif] *s* **1.** Klippe *f*, Felsen *m.* – **2.** steiler Abhang, (Fels)Wand *f.* – **3.** *geol.* Kliff *n*, (*über den Wasserspiegel aufragendes*) Gesteinsriff. — **~ dwell·er** *s* **1.** Cliff-dweller *m*, Felsenbewohner *m* (*Vorfahre der heutigen nordamer. Puebloindianer*). – **2.** *Am. sl.* Bewohner(in) einer 'Mietska,serne.

cliffed [klift] *adj* felsig.

cliff hang·er *s Am. sl.* **1.** spannender 'Fortsetzungsro,man. – **2.** *Endzeile, die einen im ungewissen läßt.*

cliffs·man ['klifsmən] *s irr* gewandter Bergsteiger *od.* Kletterer.

cliff swal·low *s zo.* (*eine*) amer. Felsenschwalbe (*Petrochelidon albifrons*).

cliff·y ['klifi] *adj* felsig, steil, schroff, zerklüftet.

cli·mac·ter·ic [klai'mæktərik; ,klaimæk'terik] **I** *adj* **1.** klimak'terisch. – **2.** entscheidend, kritisch. – **3.** → climactic. – **II** *s* **4.** klimak'terische *od.* kritische Zeit (*auch fig.*): grand ~ 63. Lebensjahr. – **5.** Klimak'terium *n*, Wechseljahre *pl*, kritisches Alter. — **,cli·mac'ter·i·cal** → climacteric 1 *u.* 2.

cli·mac·tic [klai'mæktik] *adj* **1.** sich steigernd, sich zuspitzend. – **2.** eine Steigerung bildend. — **cli'mac·ti·cal·ly** *adv.*

cli·mate ['klaimit] *s* **1.** Klima *n.* – **2.** Himmelsstrich *m*, Gegend *f* (*im Hinblick auf die klimatischen Verhältnisse*). – **3.** *fig.* Klima *n*, Atmo'sphäre *f*, Stimmung *f*: intellectual ~. — **cli'mat·ic** [-'mætik] *adj* kli'matisch. — **cli'mat·i·cal·ly** *adv.* — **,cli·ma·to'log·ic** [-mətə'lɒdʒik], **,cli·ma·to'log·i·cal** *adj* klimato'logisch. — **,cli·ma'tol·o·gist** [-mə'tɒlədʒist] *s* Klimato'loge *m.* — **,cli·ma'tol·o·gy** *s* Klimatolo'gie *f*, Klimakunde *f.* — **,cli·ma'tom·e·ter** [-mə'tɒmitər; -mətər] *s* Klimato'meter *n* (*Instrument zur Messung der Temperaturschwankungen*). — '**cli·ma·ture** [-tʃər] *obs. für* climate 1 *u.* 2.

cli·max ['klaimæks] **I** *s* **1.** (*Rhetorik*) Klimax *f*, Steigerung *f.* – **2.** Gipfel *m*, Höhepunkt *m* (*Drama od. Entwicklung*): to arrive at a ~ einen Höhepunkt erreichen. – **3.** *bot.* Höhepunkt *m* der Vegetati'onszeit. – *SYN. cf.* summit. – **II** *v/t* **4.** steigern, auf einen Höhepunkt bringen. – **III** *v/i* **5.** sich steigern. – **6.** einen Höhepunkt erreichen.

climb [klaim] **I** *s* **1.** Aufstieg *m*, Besteigung *f.* – **2.** 'Kletterpar,tie *f.* – **II** *v/i* **3.** klettern, klimmen. – **4.** (auf-, em'por)steigen, sich emporarbeiten. – **5.** (an)steigen (*Straße, Weg*). – **6.** klettern, sich hin'aufranken *od.* -winden (*Pflanze*). – **III** *v/t* **7.** ersteigen, besteigen, erklettern, erklimmen: to ~ a tree auf einen Baum klettern. – *SYN. cf.* ascend. –

Verbindungen mit Adverbien:

climb| down *v/i* **1.** hin'unter-, her'untersteigen, -klettern. – **2.** *colloq.* nachgeben, klein beigeben. — **~ up** *v/i* hin'aufsteigen, -klettern.

climb·a·ble ['klaiməbl] *adj* ersteigbar.

'**climb-and-'dive in·di·ca·tor** → climb indicator.

'**climb-,down** *s colloq.* Nach-, Aufgeben *n*, Rückzug *m*, -zieher *m.*

climb·er ['klaimər] *s* **1.** Kletterer *m.* – **2.** (Berg)Steiger *m*: a good ~ a) ein guter Bergsteiger *od.* Kletterer, b) ein bergfreudiger Wagen. – **3.** *bot.* Schling-, Kletterpflanze *f.* – **4.** *zo.* Klettervogel *m.* – **5.** Steigeisen *n.* – **6.** *colloq.* gesellschaftlicher Streber.

climb in·di·ca·tor *s aer.* Stato'skop *n.*

climb·ing| bit·ter·sweet ['klaimiŋ] → bittersweet II. — **~ fern** *s bot. Am.* (*ein*) amer. Kletterfarn *m* (*Lygodium palmatum*). — **~ fish** *s zo.* Gemeiner Kletterfisch (*Anabas scandens od. testudineus*). — **~ i·ron** *s* Steigeisen *n.* — **~ perch** → climbing fish.

clime [klaim] *s poet.* **1.** Gegend *f*, Landstrich *m* (*oft im Hinblick auf das Klima*): to seek milder ~s Gegenden mit milderem Klima aufsuchen. – **2.** *fig.* Gebiet *n*, Sphäre *f.* – **3.** *fig.* Atmo'sphäre *f*, Luft *f.*

clin- [klain] → clino-.

cli·nan·dri·um [kli'nændriəm] *s bot.* Andro'klinium *n* (*Staubbeutelbehälter mancher Orchideen*).

cli·nan·thi·um [kli'nænθiəm] *s bot.* gemeinsamer Fruchtboden der Korbblütler.

clinch [klintʃ] **I** *v/t* **1.** entscheiden, endgültig regeln. – **2.** *tech.* a) sicher befestigen, b) (ver)nieten, c) stauchen. – **3.** *mar.* (*Tau*) mit Ankerstich befestigen. – **4.** (*Boxen*) clinchen, um'klammern. – **II** *v/i* **5.** *tech.* einen Nagel *od.* Bolzen vernieten. – **6.** sich festklammern. – **7.** (*Boxen*) clinchen, in den Clinch gehen. – **III** *s* **8.** Entscheidung *f*, endgültige Regelung. – **9.** *tech.* a) Vernietung *f*, Niet *m*, b) vernieteter Nagel, c) vernietetes Ende eines Nagels, d) Haspen *m*, Haspe *f*. – **10.** fester Halt (*auch fig.*). – **11.** Griff *m*. – **12.** (*Boxen*) Clinch *m*. – **13.** *mar.* Klinsch *m*, Ankerstich *m*. – **14.** *selten* Wortspiel *n*.

clinch·er [ˈklintʃər] *s* **1.** Haltender *m*, Klammernder *m*. – **2.** *tech.* a) Klammer *f*, Klampe *f*, b) Niet(nagel) *m*, c) *Werkzeug zum Vernieten von Nagelspitzen*. – **3.** *colloq.* entscheidendes Arguˈment, treffende Antwort: that's a ~ das macht dem Streit ein Ende, damit ist der Fall erledigt. ˈ**~-ˌbuilt** → clinker-built. — **~ rim** *s tech.* Wulstfelge *f*. — **~ tire,** *bes. Br.* **~ tyre** *s tech.* Wulstreifen *m*. — **~ work** *s mar.* Klinkerbeplattung *f*, überˈlappende Beplankung.

clinch·ing [ˈklintʃiŋ] *s* (*Boxen*) Clinch *m*, Nahkampf *m*. — **~ i·ron** → clincher 2c.

clinch nail *s tech.* Niet(nagel) *m*.

cline [klain] *s biol.* Ableitung *f*, Progressiˈon *f*(*Fortschrittslinie eines Verwandtschafts-Merkmals, auch Verwandtschaftskreis mit einer solchen*).

cling [kliŋ] **I** *v/i pret u. pp* **clung** [klʌŋ] **1.** fest haften, festsitzen, kleben: to ~ to s.th. an etwas hängen(bleiben), einer Sache anhaften; to ~ together zusammenkleben, aneinanderhaften. – **2.** sich (an)klammern, sich heften, festhalten (to an *acc*): to ~ to an opinion an einer Meinung festhalten; to ~ to s.o. like ivy *fig.* sich wie eine Klette an j-n hängen. – **3.** *fig.* hängen (to an *dat*), anhänglich sein. – **II** *v/t* **4.** fest-, anklammern (to an *acc*). – *SYN. cf.* **stick**[2]. – **III** *s* **5.** *selten* Festhalten *n*, Anhängen *n*, -haften *n*. – **6.** *Am.* Pfirsich *m* mit haftendem Stein.

ˈ**cling|ˌfish** *s zo.* (*ein*) Fisch *m* mit Saugnäpfen (*bes. Fam. Gobiesocidae*). — ˈ**~ˌstone I** *s* **1.** am Fleisch haftender Stein (*bestimmter Pfirsicharten*). – **2.** → cling 6. – **II** *adj* **3.** mit am Fleisch haftendem Stein (*Pfirsich*).

cling·y [ˈkliŋi] *adj* **1.** haftend. – **2.** zäh, klebrig.

clin·ic [ˈklinik] **I** *s* **1.** *allg.* Klinik *f*, Krankenhaus *n*. – **2.** Klinik *f*, Universiˈtätskrankenhaus *n* (*zur praktischen Schulung angehender Ärzte*). – **3.** Klinikum *n*, klinischer ˈUnterricht. – **4.** Poliklinik *f*, Ambuˈlanz *f*, Ambulaˈtorium *n*. – **5.** fachmännische Beratungsstelle (*in Verbindung mit einer Lehranstalt etc*): reading ~. – **6.** *relig. hist.* auf dem Sterbebett Getaufte(r). – **II** *adj* → clinical.

clin·i·cal [ˈklinikəl] *adj* **1.** klinisch: a) *eine Klinik betreffend*, b) *den klinischen Unterricht betreffend*, c) *die klinische Behandlung von Kranken betreffend*. – **2.** *relig.* am Kranken- *od.* Sterbebett gespendet (*Sakrament*): ~ baptism Taufe am Sterbebett. — **~ ther·mom·e·ter** *s* ˈFieberthermoˌmeter *n*.

clin·i·car [ˈkliniˌkɑːr] *s* fahrbare Klinik.

cli·ni·cian [kliˈniʃən] *s* Kliniker *m*.

clink[1] [kliŋk] **I** *v/i* **1.** klingen, klimpern, klirren. – **2.** zuˈsammenklingen, sich reimen. – **II** *v/t* **3.** klingen *od.* klirren lassen: to ~ glasses (mit den Gläsern) anstoßen. – **4.** (*Worte*) reimen. – **5.** (*Reime*) machen. – **III** *s* **6.** Klingen *n*, Klimpern *n*, Klirren *n*. – **7.** Wortgeklingel *n*, Reim *m*. – **8.** schriller Schrei (*einiger Vögel, bes. des Steinschmätzers*).

clink[2] [kliŋk] *s colloq.* ‚Kittchen' *n* (*Gefängnis*): in the ~.

clink·er[1] [ˈkliŋkər] **I** *s* **1.** Klinker(stein) *m*, Hartziegel *m*. – **2.** verglaster Backstein. – **3.** verglaste, zuˈsammengebrannte Backsteinmasse. – **4.** Schlacke *f*. – **5.** bei der Härtung von Stahl sich bildende Kruste. – **II** *v/i* **6.** (*beim Verbrennen*) Schlacke bilden (*Kohle*), schlackenartig zuˈsammenschmelzen.

clink·er[2] [ˈkliŋkər] *s* **1.** j-d der *od.* etwas was klirrt. – **2.** *sl.* a) *pl* Fesseln *pl*, Ketten *pl*, b) schallender Schlag. – **3.** *Br. colloq.* ˈPrachtexemˌplar *n*, -stück *n*, -kerl *m* (*Sache od. Person*).

clink·er| brick → clinker[1] 1. — ˈ**~-ˌbuilt** *adj mar. tech.* im Klinker gebaut, in Klinkerbauart, mit ziegelartig übereinˈandergreifenden Außenplanken (*Schiff*) *od.* -platten (*Boiler*). — **~ work** *s mar. tech.* Klinker(bau) *m*.

clink·ing [ˈkliŋkiŋ] *adj u. adv colloq.* ‚prima', fabelhaft, eˈnorm: a ~ good thing eine großartige Sache.

ˈ**clinkˌstone** *s min.* Klingstein *m*.

clino- [klaino] *Wortelement mit der Bedeutung* geneigt, Neigungs...

cli·no·di·ag·o·nal [ˌklainodaiˈægənl] *min.* **I** *s* Klinodiagoˈnale *f* (*schiefe Achse in monoklinischen Kristallen*). – **II** *adj* klinodiagoˈnal.

cli·no·graph [ˈklainoˌgræ(ː)f; -nə-; *Br. auch* -ˌgrɑːf] *s tech.* Klinoˈgraph *m*, Neigungsschreiber *m*.

cli·noid proc·ess [ˈklainɔid] *s med.* Sattelfortsatz *m*.

cli·nom·e·ter [klaiˈnɒmitər; -mə-] *s* **1.** Klinoˈmeter *n*, Gefälle-, Neigungsmesser *m*. – **2.** *math.* Winkelmesser *m*. – **3.** *mil.* Liˈbellen-, ˈWinkelquaˌdrant *m* (*bei der Artillerie*). — **~ pen·du·lum** *s* **1.** *tech.* Neigungspendel *n*. – **2.** *mar.* Krängungspendel *n*.

cli·no·met·ric [ˌklainoˈmetrik], ˌ**cli·noˈmet·ri·cal** [-kəl] *adj geol. tech.* klinoˈmetrisch.

clin·quant [ˈkliŋkənt] **I** *adj* goldflimmernd, mit Flittergold bedeckt. – **II** *s* Flitter(gold *n*) *m* (*auch fig.*).

clin·ton·ite [ˈklintəˌnait] *s min.* ClintoˈnIt *m* (*Ma-Mg-Sprödglimmer*).

Cli·o [ˈklaiou] *npr* (*griech. Mythologie*) Klio *f* (*Muse der Geschichte*).

clip[1] [klip] **I** *v/t pret u. pp* **clipped** **1.** (be)schneiden, stutzen (*auch fig.*): to ~ a hedge eine Hecke beschneiden; to ~ s.o.'s wings *fig.* j-m die Flügel stutzen. – **2.** abschneiden. – **3.** (*Zeitungsartikel*) ausschneiden. – **4.** (*Schaf*) scheren. – **5.** (*Wolle*) beim Scheren abwerfen (*Schaf*). – **6.** (*Münze*) beschneiden. – **7.** (*Silben*) verschlucken, (*Worte*) verstümmeln. – **8.** *colloq.* einen kurzen, heftigen Schlag versetzen (*dat*). – **II** *v/i* **9.** schneiden. – **10.** Ausschnitte machen, Arˈtikel ausschneiden. – **11.** *colloq.* ‚sausen', sich schnell bewegen. – **12.** *obs.* rasch fliegen. – **III** *s* **13.** Schneiden *n*, Stutzen *n*, Scheren *n*. – **14.** Haarschnitt *m*. – **15.** Schur *f*. – **16.** Wollertrag *m* (*einer Schur*). – **17.** abgeschnittene Teile *pl*, Schnitzel *n*, *m od. pl*. – **18.** *pl* (Schaf-)Schere *f*. – **19.** heftiger Schlag. – **20.** *bes. Am.* schnelle Gangart: to go at a good ~ ein scharfes Tempo gehen. – **21.** Klappern *n* (*einer Schere*).

clip[2] [klip] **I** *v/t pret u. pp* **clipped** *od.* **clipt** **1.** festhalten, mit festem Griff packen. – **2.** befestigen, anklammern. – **3.** (*amer. Fußball*) (*Gegner*) regelwidrig zu Fall bringen (*indem man sich von hinten gegen die Beine des Gegners fallen läßt*). – **4.** *obs. od. dial.* einschließen, umˈschließen, umˈfassen, umˈarmen. – **II** *s* **5.** (Heft-, Büˈro-*etc*)Klammer *f*, Klipp *m*. – **6.** Flansch *m*, Stoß *m*, Vorschuh *m* (*eines Hufeisens*). – **7.** *tech.* a) Klammer *f*, Lasche *f*, Reifen *m*, b) Kluppe *f*, c) Schelle *f*, Bügel *m*. – **8.** *electr.* Halterung *f*, Clip *m*. – **9.** *mil.* a) Paˈtronenrahmen *m*, b) die in einem Ladestreifen befindlichen Paˈtronen *pl*, c) Ladestreifen *m*.

ˈ**clipˌfed** *adj mil.* mit Ladestreifenzuführung versehen (*Gewehr*).

clip·per [ˈklipər] *s* **1.** j-d der schneidet *od.* schert. – **2.** *meist pl* Schere *f*, ˈHaarschneidemaˌschine *f*. – **3.** Renner *m*, schnelles Pferd. – **4.** *mar.* Klipper *m* (*schnittig gebauter Schnellsegler*). – **5.** *sl.* ‚tolle' Perˈson *od.* Sache, ˈPrachtexemˌplar *n*. — ˈ**~-ˌbuilt** *adj mar.* klipperartig gebaut. — **~ cir·cuit** *s* (*Fernsehen*) Clipper *m*, Ampliˈtudensepaˌrator *m*.

clip·ping [ˈklipiŋ] **I** *s* **1.** Scheren *n*, Stutzen *n*, (Be)Schneiden *n*. – **2.** (Zeitungs)Ausschnitt *m*. – **3.** *meist pl* Schnitzel *pl*, Abfälle *pl* (*vom Scheren, Ausschneiden etc*). – **4.** *ling.* Abkürzung *f* (*von Wörtern durch nachlässige Aussprache*). – **II** *adj* **5.** abschneidend, scherend, stutzend. – **6.** schnell (*laufend, segelnd, fahrend etc*): a ~ pace ein scharfes Tempo. – **7.** *sl.* ‚pfundig', großartig, erstklassig. — **~ bu·reau** *s Am.* ˈZeitungsausschnittbüˌro *n*. — **~ time** *s* Schurzeit *n* (*für Schafe*).

clip·pie [ˈklipi] *s sl.* (Bus- *od.* Straßenbahn)Schaffnerin *f*.

clipt [klipt] *pret u. pp von* **clip**[2] I.

clique [kliːk; klik] **I** *s* **1.** Clique *f*, Klüngel *m*. – **II** *v/i colloq.* **2.** eine Clique bilden, sich zuˈsammenrotten. – **3.** in einer Clique verkehren. — ˈ**cli·quey,** ˈ**cli·quish** → cliquy. — ˈ**cli·quism** *s* Cliquenwesen *n*. — ˈ**cli·quy** *adj* cliquenbildend, cliquenhaft.

cli·tel·lum [klaiˈteləm; kli-] *s zo.* Kliˈtellum *n*, Sattel *m* (*bei Würmern*).

cli·to·ris [ˈklaitəris; ˈklit-] *s med.* Klitoris *f*, Kitzler *m*.

cliv·ers [ˈklivərz] → **cleavers.**

clo·a·ca [klouˈeikə] *pl* **-cae** [-siː] *s* **1.** Kloˈake *f*, ˈAbzugskaˌnal *m*. – **2.** Abtritt *m*. – **3.** *fig.* moˈralischer Sumpf, Pfuhl *m*. – **4.** *zo.* Kloˈake *f* (*Endabschnitt des Darmkanals*). – **5.** *med.* Kloˈake *f*. — **cloˈa·cal** *adj* Kloaken...

cloak [klouk] **I** *s* **1.** (loser) Mantel, Cape *n*, ˈUmhang *m*. – **2.** *fig.* Deckmantel *m*, Bemäntelung *f*, Vorwand *m*: under the ~ of unter dem Deckmantel *od.* Vorwand (*gen*). – **3.** *zo.* Mantel *m* (*der Weichtiere*). – **4.** *fig.* Decke *f*. – **II** *v/t* **5.** (wie) mit einem Mantel bedecken *od.* einhüllen. – **6.** *fig.* bemänteln, verbergen. – *SYN. cf.* **disguise.**

ˈ**cloak-and|-ˈdag·ger** *adj* Verschwörungs u. Inˈtrige betreffend. — ˈ**~-ˈsword** *adj* Kampf u. Liebe betreffend.

cloaked [kloukt] *adj* **1.** mit einem Mantel bekleidet. – **2.** *fig.* bemäntelt, verborgen.

cloak| fern *s bot.* Pelzfarn *m* (*Gattg Notholaena*). — ˈ**~ˌroom** *s* **1.** Garderobe(nraum *m*) *f*, Kleiderablage *f*. – **2.** *Br. euphem.* Toiˈlette *f*.

clob·ber [ˈklɒbər] *v/t sl.* **1.** a) nieder-, zuˈsammenschlagen, b) verwunden. – **2.** überˈwältigend schlagen *od.* besiegen.

cloche [klɒʃ; klouʃ; klɔːʃ] *s* **1.** Glasglocke *f* (*für junge Pflanzen*). – **2.** glockenförmiger Damenhut.

clock[1] [klɒk] **I** *s* **1.** (Wand-, Turm-, Stand)Uhr *f* (*nicht Taschen- od. Armbanduhr*): five o'~ fünf Uhr; one hour by the ~ eine Stunde nach der Uhr; like one o'~ *fig.* wie verrückt (*schnell, heftig*). – **2.** *colloq.* Konˈtrolluhr *f* (*bei Maschinen etc*). – **3.** *colloq.* Pusteblume *f* (*Fruchtstand des Löwenzahns*). – **II** *v/t* **4.** *bes. sport colloq.* a) abstoppen, die Zeit messen von (*Läufer etc*), b) (*Zeit*) erreichen. – **5.** (*Arbeitszeit an der Stechuhr*) regiˈstrieren. – **III** *v/i* **6.** ~ in (out) den Arbeitsantritt (Arbeitsschluß) regiˈstrieren *od.* stechen *od.* stempeln.

clock² [klɒk] **I** *s* eingewebte *od.* eingestickte Verzierung (*an der Seite eines Strumpfes*). – **II** *v/t* (*Strumpf*) an der Seite mit einem Muster verzieren.

clock| card *s* Stechkarte *f.* — '~,**face** *s* Zifferblatt *n.* — '~,**mak·er** *s* Uhrmacher *m.* — ~ **watch** *s* Taschenuhr *f* mit Schlagwerk. — ~ **watch·er** *s Am. colloq.* Angestellter, der immer nach der Uhr schaut. — '~,**wise** *adj* rechtsläufig, im Uhrzeigersinn: → anti-~, counter-~. — '~,**work I** *s* **1.** Uhr-, Räder-, Gehwerk *n* (*auch fig. u. bei Spielzeugen etc*): ~ **railway** Spielzeugeisenbahn zum Aufziehen; like ~ wie geölt. – **II** *adj* **2.** auto'matisch, regelmäßig. – **3.** pünktlich, ex'akt, genau.

clod [klɒd] *s* **1.** Klumpen *m.* – **2.** Scholle *f*, Erde *f.* – **3.** *fig.* Körper *m* (*im Gegensatz zur Seele*). – **4.** *sl.* ‚Trampel' *m, f, n*, Tolpatsch *m*, Tölpel *m.* – **5.** Teil *m, n* der Rindsschulter. – **6.** Bündel *n* von Würmern (*als Angelköder*). — '**clod·ded** *adj* klumpig. — '**clod·dish** *adj* **1.** klumpig. – **2.** plump, ungeschlacht. — '**clod·dish·ness** *s* plumpes, bäurisches Wesen.

clod·dy ['klɒdi] *adj* **1.** klumpig. – **2.** plump, unter'setzt.

'**clod|,hop·per** *s* **1.** Bauerntölpel *m*, -trampel *m, f, n.* – **2.** *pl* schwere, klobige Schuhe *pl.* — '~,**hop·ping I** *adj* grob, klobig, ungeschlacht. – **II** *s* Bauernarbeit *f.* — '~,**pate,** '~,**pole,** '~,**poll** *s* Dummkopf *m.*

cloff [klɒf] *s hist.* Gutgewicht *n* (2 lbs je 3 Zentner).

clog [klɒg; *Am. auch* klɔːg] **I** *s* **1.** schwerer Klotz, Fesselholz *n* (*am Hals od. an den Beinen, auch fig.*). – **2.** fester Arbeitsschuh mit Holzsohle, Holzschuh *m*, Pan'tine *f.* – **3.** *tech.* Knebel *m*, Verstopfung *f* (*Maschine*). – **4.** *fig.* Hemmnis *n*, Hindernis *n*, Hemmschuh *m.* – **5.** → ~ **dance.** – **II** *v/t pret u. pp* **clogged 6.** (be)hindern, hemmen. – **7.** verstopfen. – **8.** (*Schuhe*) mit Holzsohlen versehen. – **III** *v/i* **9.** sich verstopfen. – **10.** klumpen, klumpig werden, sich zu'sammenballen. – **11.** einen Holzschuhtanz tanzen. – *SYN. cf.* **hamper.** — ~ **dance** *s* Holzschuhtanz *m.*

cloi·son·né [*Br.* ,klwɑzou'ne; *Am.* ,klɔizə'nei] **I** *s auch* ~ **enamel** Cloison'né *n*, Goldzellenschmelz *m* (*Art der Emailmalerei*). – **II** *adj* Cloisonné...

clois·ter ['klɔistər] **I** *s* **1.** Kloster *n.* – **2.** Klosterleben *n.* – **3.** *arch.* a) Kreuzgang *m*, b) gedeckter Gang, Ar'kade *f.* – **4.** *obs.* eingefriedeter Platz. – *SYN.* **abbey, convent¹, monastery, nunnery, priory.** – **II** *v/t* **5.** in ein Kloster bringen. – **6.** *fig.* von der Welt abschließen, einsperren. – **7.** mit einem Kreuzgang versehen. – **8.** in ein Kloster verwandeln. — '**clois·tered** *adj* **1.** klosterartig. – **2.** mit einem Kreuzgang (versehen). – **3.** einsam, zu'rückgezogen.

clois·tral ['klɔistrəl] *adj* **1.** klosterartig. – **2.** klösterlich, Kloster...

cloke *cf.* **cloak.**

clomb [kloum] *obs. od. dial. pret u. pp von* **climb.**

clon [klɒn; kloun], **clone** [kloun] *s bot.* Klon *m* (*nur vegetativ hervorgebrachte Nachkommenschaft einer Pflanze*).

clon·ic ['klɒnik] *adj* klonisch. — **clo·nic·i·ty** [klo'nisiti; -əti] *s* klonischer Zustand. — **clo·nus** ['klounəs] *s med.* Klonus *m*, klonischer Zuckkrampf.

cloop [kluːp] **I** *s* Knall *m* (*Pfropfen*). – **II** *v/i* (wie ein Pfropfen) knallen.

cloot [kluːt] *s bes. Scot.* **1.** Zehe *f* (*eines gespaltenen Hufes*), Huf *m.* – **2.** C~s *pl* (*als sg konstruiert*) → clootie 2. — '**cloot·ie** [-ti] *s Scot. od. dial.* **1.** kleiner Huf. – **2.** C~ (Ritter *m* mit dem) Pferdefuß *m*, Teufel *m.*

close [klous] **I** *adj* **1.** ver-, geschlossen, (*nur pred*) zu. – **2.** eingeschlossen, um'geben. – **3.** abgeschlossen, abgeschieden, verborgen: to keep oneself ~ sich abseits halten. – **4.** dumpf, drückend, schwül (*Luft, Atmosphäre*). – **5.** *fig.* verschlossen, verschwiegen, zu'rückhaltend: to be ~ about s.th. sich über etwas ausschweigen. – **6.** karg, geizig, knauserig. – **7.** streng (bewacht), gesperrt: ~ **blockade** strenge Blockade; → **confinement** 5. – **8.** eng, knapp, begrenzt. – **9.** nicht zugänglich, nicht öffentlich, exklu'siv. – **10.** dicht, fest (*Gewebe*). – **11.** eng, (dicht) gedrängt (*Schrift*). – **12.** knapp, kurz, bündig (*Stil*). – **13.** eng, innig, vertraut, in'tim: ~ **friends.** – **14.** nah (*Verwandter etc*). – **15.** eng anliegend, knapp sitzend (*Kleidungsstück*). – **16.** (wort)getreu, genau (*Übersetzung, Wiedergabe etc*). – **17.** kurz: to cut hair ~ Haar kurz schneiden. – **18.** knapp: a ~ **escape.** – **19.** nah, dicht. – **20.** gespannt, angestrengt, eifrig: ~ **attention** gespannte Aufmerksamkeit; to make a ~ **study of s.th.** etwas eingehend studieren. – **21.** gründlich, eingehend, scharf, (peinlich) genau, gewissenhaft: ~ **investigation** eingehende Untersuchung; ~ **observer** scharfer Beobachter. – **22.** unentschieden, fast gleichwertig: a ~ **contest** ein Kampf gleichwertiger Gegner; **it is** ~ **betting** die Chancen sind ziemlich gleich. – **23.** streng logisch, lückenlos: ~ **reasoning** lückenlose Beweisführung. – **24.** *ling.* geschlossen (*Laut*). – **25.** *econ.* knapp (*Kapital*). – **26.** *hunt.* Schon...: → **season** 2. – **27.** *mus.* eng, unfrei, dumpfig (*Ton*). –

II *adv* **28.** eng, nahe, dicht: ~ **on 200 men** fast *od.* annähernd 200 Mann; to come ~ nahe herankommen; → **by** 17; **wind¹** 14. – *SYN.* a) **near, nigh,** b) **compact, dense, thick,** c) *cf.* **stingy¹.** –

III *s* [klouz] **29.** (Ab)Schluß *m*, Ende *n*: → **bring** 1. – **30.** Verbindung *f*, Vereinigung *f.* – **31.** Handgemenge *n*, Kampf *m.* – **32.** *mus.* Ka'denz *f*, Schluß(fall) *m.* – **33.** [klous] eingefriedigtes Stück Land, Gehege *n.* – **34.** Einfried(ig)ung *f*, Hof *m* (*bes. um Kirchen u. ähnliche Gebäude*). –

IV *v/t* [klouz] **35.** (ab-, ein-, zu)schließen, verschließen: to ~ **hermetically** luftdicht verschließen; to ~ **the door upon s.o.** die Tür hinter j-m zumachen; to ~ **a gap** eine Lücke schließen; → **rank¹** 8. – **36.** (*mit Mauern etc*) einschließen, um'geben. – **37.** beenden, abschließen, zu Ende führen: to ~ **an account** ein Konto abschließen; to ~ **a bargain** ein Geschäft abschließen; to ~ **a debate** eine Debatte beenden. – **38.** *mar.* näher her'angehen an (*acc*): to ~ **the wind** an den Wind gehen. – **39.** *meist* ~ **out** *Am.* billig absetzen, losschlagen. – *SYN.* **complete, conclude, end¹, finish, terminate.** –

V *v/i* **40.** sich schließen: **the door** ~s **well** die Tür schließt gut. – **41.** näher kommen, her'anrücken: to ~ **around s.o. on all sides** von allen Seiten auf j-n eindringen. – **42.** eng zu'sammenrücken: to ~ **with the land** *mar.* sich dem Land nähern. – **43.** handgemein werden, anein'andergeraten: **they** ~d **with each other** sie wurden handgemein. – **44.** sich einigen (on, upon, with über *acc*): to ~ (**up**)**on measures** sich über Maßregeln einigen. – **45.** enden, zu Ende gehen: **the performance** ~s **at 10 o'clock** die Vorstellung endet um 10 Uhr. –

Verbindungen mit Adverbien:

close| down *v/t u. v/i* schließen, zumachen. — ~ **in** *v/i* her'einbrechen, her'ankommen: ~ **upon** hereinbrechen über (*acc*), eindringen auf (*acc*), einschließen. — ~ **out** → **close** 39. — ~ **up I** *v/t* **1.** (*Teile*) zu'sammenrücken, (*Reihen*) schließen. – **II** *v/i* **2.** sich schließen. – **3.** sich füllen. – **4.** *mil.* die Reihen schließen.

'**close|-'bod·ied** [klous] *adj* **1.** eng anliegend (*Kleider*). – **2.** fein gekörnt. — ~ **bor·ough** *s Br. hist.* Wahlbezirk *m* mit eng begrenzter Zahl von Wahlberechtigten. — ~ **call** *s colloq.* knappes Entkommen. — ~ **col·umn** *s mil.* (auf)geschlossene 'Marschko,lonne (*Fahrzeuge*). — ~ **com·bat** *s mil.* Nahkampf *m.* — ~ **com·mun·ion** *s relig. Am.* Abendmahlfeier *f* (*der Baptisten*), zu der nur besonders Berechtigte zugelassen werden. — ~ **cor·po·ra·tion** *s* geschlossene Korporati'on: a) *econ.* Pri'vatgesellschaft *f* (*Aktiengesellschaft mit begrenzter Zahl von Aktionären*), b) *Br. hist. Stadtverwaltung, welche die in ihr freigewordenen Stellen durch interne Wahlen wieder füllte.* — ~ **cou·pling** *s electr.* feste Kopplung. — '~-'**cropped** *adj* kurzgeschoren.

closed| ac·count [klouzd] *s* **1.** abgeschlossenes Konto (*ohne Saldo*). – **2.** *fig.* endgültig abgeschlossene *od.* beendete Angelegenheit *od.* Tätigkeit. — ~ **chain** *s chem.* Ring *m* (*in sich geschlossene Anordnung von Atomen*). — ~ **cir·cuit** *s electr.* **1.** geschlossener Stromkreis, Ruhestromkreis *m.* – **2.** *Fernsehsystem über Kabel für begrenzte Teilnehmerzahl.*

'**closed-'cir·cuit| bat·ter·y** *s electr.* 'Ruhe,strombatte,rie *f.* — ~ **con·tact** *s electr.* 'Arbeitskon,takt *m* (*im Relais*). — ~ **cur·rent** *s electr.* Ruhestrom *m.* — ~ **tel·e·vi·sion** *s auf eine bestimmte Teilnehmerzahl beschränktes Fernsehen, bes.* a) Betriebsfernsehen *n*, b) *nur für Kinovorführung bestimmte Fernsehübertragung.*

'**closed-'coil** *adj electr.* mit geschlossener Wicklung. — ~ **ar·ma·ture** *s electr.* Kurzschlußanker *m.*

closed| cor·po·ra·tion → **close corporation** a. — ~ **gen·tian** *s bot.* (ein) nordamer. Enzian *m* (*Dasystephana andrewsii*). — ~ **ses·sion** *s pol.* Sitzung *f* unter Ausschluß der Öffentlichkeit. — ~ **set** *s math.* geschlossene Menge. — ~ **shop** *s econ.* Unter'nehmen *n*, in dem nur Gewerkschaftsmitglieder arbeiten dürfen. — ~ **syl·la·ble** *s ling.* geschlossene Silbe.

'**close|'fist·ed** [klous] *adj* geizig, knauserig. — ,~'**fist·ed·ness** *s* Geiz *m*, Knause'rei *f.* — ~ **fit** *s* **1.** enge Paßform. – **2.** *tech.* Edelpassung *f.* — '~-'**grained** *adj* von dichtem Gefüge, feinkörnig (*Holz, Stein etc*). — ~ **har·mo·ny** *s mus.* enger Satz. — '~-'**hauled** *adj mar.* hart *od.* scharf am *od.* beim Wind. — '~-,**in se·cu·ri·ty** *s mil.* Nahsicherung *f.* — ~ **in·ter·val** *s mil.* Tuchfühlung *f.* — '~-'**lipped** *adj fig.* verschlossen, schweigsam.

close·ly ['klousli] *adv* **1.** genau, eingehend. – **2.** scharf, streng. – **3.** fest, dicht, eng. – **4.** aus der Nähe.

'**close'mouthed** *adj* vorsichtig (*im Sprechen*), verschwiegen.

close·ness ['klousnis] *s* **1.** Nähe *f*: ~ **of relationship** Nähe der Verwandtschaft; ~ **to life** Lebensnähe. – **2.** Enge *f*, Knappheit *f.* – **3.** Festigkeit *f*, Dichtheit *f* (*Gewebe etc*). – **4.** Genauigkeit *f*, Treue *f* (*Übersetzung etc*). – **5.** Verschwiegenheit *f*, Verschlossenheit *f.* – **6.** Schwüle *f*, Stickigkeit *f* (*Luft*). – **7.** Schärfe *f*, Strenge *f*

(*Bewachung, Haft, Beobachtung*). – 8. Geiz *m*, Knickerigkeit *f*.

close| or·der *s mil.* geschlossene Ordnung. — **'~-'or·der drill** *s mil.* geschlossenes Exer'zieren. — **'~-ˌout sale** *s* Ausverkauf *m* wegen Geschäftsaufgabe. — **~ po·si·tion** *s mus.* enge Lage. — **~ quar·ters** *s pl* **1.** Nahkampf *m*, Handgemenge *n*: to come to ~ handgemein werden. – **2.** Beengtheit *f*, beengte Lage. – **3.** Nähe *f*, enger Kon'takt: at ~ in nächster Nähe.

clos·er ['klouzər] *s* **1.** Schließer(in). – **2.** j-d der (*ein Programm etc*) abschließt. – **3.** (*Maurerei*) Schlußstein *m*, Kopfziegel *m*. – **4.** (*Schuhmacherei*) Stepper *m*.

'close|-'range *adj* aus nächster Nähe, Nah... — **~ schol·ar·ship** *s Br.* nur an bestimmte Kandi'daten erteiltes Sti'pendium. — **~ shave** *s colloq.* knappes Entkommen, Rettung *f* mit knapper Not.

clos·et ['klɒzit] **I** *s* **1.** Kammer *f*, Wandschrank *m*, eingebauter Schrank (*für Kleider, Lebensmittel etc*). – **2.** Kabi'nett *n*, kleines Zimmer, Pri'vatraum *m*, Geheimzimmer *n*. – **3.** ('Wasser)Kloˌsett *n*. – **II** *adj* **4.** pri'vat, vertraulich, geheim. – **5.** theo'retisch, wirklichkeitsfern. – **III** *v/t* **6.** in einen Raum (*zwecks Beratung, Konferenz etc*) einschließen: to be ~ed together with s.o. geheime Besprechungen führen mit j-m. – **7.** ein-, abschließen, verbergen, sicher verwahren. — **~ dra·ma** *s* Lesedrama *n*.

'close|-'tongued *adj* verschwiegen, vorsichtig (*im Sprechen*). — **~ touch** *s mil.* Tuchfühlung *f*.

clos·et play → closet drama.

'close-ˌup [klous] *s* **1.** *phot.* Nah-, Großaufnahme *f* (*auch im Film*). – **2.** eingehende Unter'suchung.

clos·ing| date ['klouziŋ] *s* letzter Ter'min. — **~ ma·chine** *s tech.* **1.** 'Nähmaˌschine *f* (*für starkes Material od. Leder*). – **2.** Ma'schine *f* zum Zu'sammendrehen *od.* Schlagen der Litzenseile. — **~ scene** *s* Schlußszene *f* (*Theaterstück*). — **~ time** *s* Poli'zeistunde *f*, Geschäftsschluß *m*, Feierabend *m*.

clos·trid·i·um [klɒs'tridiəm] *pl* **-trid·i·a** [-ə] *s zo.* Clo'stridium *n* (*anaërobes Bakterium*).

clo·sure ['klouʒər] **I** *s* **1.** (Zu-, Ein)Schließen *n*, Verschließen *n*. – **2.** Abgeschlossenheit *f*, geschlossener Zustand. – **3.** Verschluß(vorrichtung *f*) *m*. – **4.** Schluß *m*, Ende *n*, Beendigung *f* (*Debatte etc*). – **5.** *pol. Br. Verfahren, um den Schluß einer Parlamentsdebatte mit anschließender Abstimmung herbeizuführen*: to apply the ~ den Antrag auf Schluß der Debatte stellen. – **6.** *obs.* geschlossener Raum. – **II** *v/t* **7.** *pol. Br.* (*Debatte*) zum Abschluß bringen (*durch bestimmte parlamentarische Prozedur*). – **III** *v/i* **8.** *pol. Br.* eine De'batte zum Abschluß bringen.

clot [klɒt] **I** *s* **1.** Klumpen *m*, Klümpchen *n* (*bes. von Blut od. geronnener Flüssigkeit*): ~ of blood, blood ~ Blutgerinnsel. – **2.** Narr *m*, Dummkopf *m*. – **II** *v/i pret u. pp* **'clot·ted** **3.** gerinnen. – **4.** klumpen, Klumpen bilden. – **III** *v/t* **5.** gerinnen lassen. – **6.** klumpig machen, zu Klumpen formen. – **7.** mit Klumpen bedecken. – **8.** *obs. od. dial.* von Klümpchen befreien, zerkleinern.

cloth [klɒθ; klɔːθ] **I** *s pl* **cloths** [-ðz; -θs] **1.** Tuch *n*, Gewebe *n*, Stoff *m*: American ~ (*Art*) Wachstuch; cotton ~ Baumwolltuch; fancy ~ gemustertes Zeug. – **2.** Tuch *n*, Lappen *m*. – **3.** (Tisch)Tuch *n*, Decke *f*: to lay the ~ den Tisch decken. – **4.** Tracht *f*, Kleidung *f* (*eines bestimmten Berufes, bes. der Geistlichkeit*). – **5.** the ~ der geistliche Stand, die Geistlichkeit. – **6.** *mar.* a) Segeltuch *n*, b) (Gesamtheit *f* der) Segel *pl*. – **7.** *pl* (*Theater*) Sof'fitten *pl*. – **8.** Leinwand *f*, Leinen *n* (*als Bucheinband*): bound in ~ in Leinen (gebunden). – **9.** *obs.* Kleidung *f*. – **II** *adj* **10.** aus Tuch, *bes.* Leinen...: ~ binding Leinenband; ~ cap Tuchmütze. — **~ beam** *s tech.* Zeugbaum *m*. — **~ board** *s* (*Buchbinderei*) Leinwanddeckel *m*. — **'~ˌbound** *adj* in Leinen (gebunden).

clothe [klouð] *pret u. pp* **clothed** [klouðd] *od.* **clad** [klæd] **I** *v/t* **1.** (an)kleiden, bekleiden. – **2.** einkleiden, mit Kleidern versehen. – **3.** mit Stoff beziehen. – **4.** *fig.* um'hüllen, einhüllen. – **5.** (*in Worte*) (ein)kleiden, fassen. – **II** *v/i* **6.** *selten* sich kleiden.

clothes [klouðz] *s pl* **1.** Kleider *pl*, Kleidung *f*: a suit of ~ ein Anzug; to change one's ~ sich umziehen; to put on one's ~ sich ankleiden; → plain 1. – **2.** (Leib)Wäsche *f*. – **3.** *auch* bed ~ Bettwäsche *f*. – *SYN.* apparel, attire, clothing, dress, raiment. — **'~ˌbrush** *s* Kleiderbürste *f*. — **'~ˌhorse** *s* Trockengestell *n* für Wäsche. — **'~ˌline** *s* Wäscheleine *f*. — **~ moth** *s zo.* **1.** Kleidermotte *f* (*Tineola biseliëlla*). – **2.** Pelzmotte *f* (*Tinea pellionella*). — **~ peg** *bes. Br.*, **'~ˌpin** *bes. Am. s* Wäscheklammer *f*. — **~ post**, *Am. auch* **~ pole** *s* Wäschestange *f*, -pfahl *m*. — **'~ˌpress** *s* **1.** Kleiderschrank *m*. – **2.** Wäscheschrank *m*. — **~ prop** *Br. für* clothes post. — **~ screen** → clotheshorse. — **~ tree** *s* Kleiderständer *m*.

cloth hall *s hist.* Tuchbörse *f*.

cloth·ier ['klouðiər; -jər] *s* **1.** 'Tuch-, 'Kleiderfabriˌkant *m*. – **2.** Tuch-, Kleiderhändler *m*.

cloth·ing ['klouðiŋ] *s* **1.** (Be)Kleidung *f*. – **2.** Um'hüllung *f*, Hülle *f*, Decke *f*. – **3.** *mar.* Segel *pl*, Take'lage *f* (*des Bugspriets etc*). — **~ store** *s Am.* (Herren)Bekleidungsgeschäft *n*. — **~ wool** *s* Kratz-, Streichwolle *f*.

cloth| pa·per *s* 'Glanzpaˌpier *n* (*zum Appretieren von Wollzeugen*). — **~ plate** *s tech.* Gabelfuß *m* (*Nähmaschine*). — **~ prov·er** *s tech.* Fadenzähler *m*, Weberglas *n*. — **~ shear·er** *s* Tuchscherer *m*. — **~ wheel** *s tech.* (*mit Tuch überzogenes*) Po'lier-, Schmirgelrad. — **'~ˌwork·er** *s* Tuchmacher *m*, -wirker *m*, Zurichter *m*. — **~ yard** *s* Tuchelle *f*.

clot·ted ['klɒtid] *adj* **1.** geronnen. – **2.** klumpig, voller Klumpen. — **'clot·ting** [-tiŋ] *s* **1.** *med.* (Blut)Gerinnung *f*, Koagulati'on *f*. – **2.** Klumpenbildung *f*. — **'clot·ty** *adj* klumpig, voller Klumpen.

clo·ture ['kloutʃər] *Am. für* closure 4, 5, 7, 8.

clou [klu] (*Fr.*) *s* Clou *m*, Höhepunkt *m*, Hauptsache *f*.

cloud [klaud] **I** *s* **1.** Wolke *f*: ~s are gathering Wolken ballen sich zusammen; to be in the ~s *fig.* in höheren Regionen schweben: a) in Gedanken vertieft sein, b) schwärmerisch veranlagt sein; ~ of dust Staubwolke; → silver lining 2. – **2.** Wolke *f*, Schwarm *m*, Haufe(n) *m*: a ~ of insects. – **3.** Wolke *f*, dunkler Fleck, Fehler *m* (*in Edelsteinen, Holz, Flüssigkeiten etc*). – **4.** (dunkler) Fleck (*z.B. auf der Stirn eines Pferdes*). – **5.** *fig.* Schatten *m*, Düsterheit *f*, Trübung *f*: to cast a ~ on s.th. einen Schatten auf etwas werfen, etwas trüben; under a ~ a) unter dem Schatten eines Verdachtes, b) in Ungnade. – **II** *v/t* **6.** mit Wolken bedecken, um'wölken. – **7.** *fig.* verdunkeln, trüben, einen Schatten werfen auf (*acc*): a ~ed future eine trübe Zukunft. – **8.** (*Ruf etc*) beflecken. – **9.** ädern, flecken. – **10.** schat'tieren. – **11.** *tech.* a) (*Seide*) moi'rieren, wässern, b) buntweben, flammen. – **12.** *tech.* (*Stahl*) flammen. – **III** *v/i* **13.** sich bewölken. – **14.** sich verdunkeln *od.* trüben, sich um'wölken (*auch fig.*). — **'~ˌberry** *s bot.* Kranich-, Molte-, Torf-, Schellbeere *f* (*Rubus chamaemorus*). — **'~-ˌbuilt** *adj poet.* **1.** aus Wolken erbaut, Wolken... – **2.** *fig.* phan'tastisch, nebelhaft. — **'~ˌburst** *s* Wolkenbruch *m*. — **'~-ˌcapped** *adj* von Wolken bedeckt, mit einer Wolkenhaube (versehen). — **~ cham·ber** *s phys.* Nebel-, Wilsonkammer *f*. — **'C~-ˌCuck·oo-'Land** *s* Wolken'kuckucksheim *n* (*Traumland*). — **~ drift** *s* **1.** Wolkenzug *m*. – **2.** *Verstäuben von Insektenvertilgungsmitteln vom Flugzeug aus.*

cloud·ed ['klaudid] *adj* **1.** bewölkt, um'wölkt, von Wolken um'geben. – **2.** trübe, wolkig. – **3.** → cloudy 4. – **4.** *fig.* um'wölkt, getrübt (*Verstand etc*). — **cloud·i·ness** ['klaudinis] *s* **1.** Bewölkung *f*, Trübheit *f*. – **2.** *tech.* Trübung *f*, Schleier *m*. — **'cloud·ing** *s* **1.** Wolkigkeit *f*, wolkiges Muster, Moi'rémuster *n* (*auf Seidenstoff etc*). – **2.** Mehrfarbigkeit *f* (*Garn*). – **3.** Um'wölkung *f* (*auch fig.*): ~ of consciousness *psych.* Bewußtseinstrübung.

'cloudˌland *s* **1.** 'Wolkenregiˌon *f*. – **2.** Traumland *n*, Wolken'kuckucksheim *n*. — **'cloud·less** *adj* **1.** wolkenlos, klar. – **2.** ungetrübt, rein. — **'cloud·let** [-lit] *s* Wölkchen *n*.

cloud| rack *s* Wolkenzug *m*. — **~ ring** *s* **1.** Wolkenring *m*. – **2.** *geogr.* Wolkenzone *f* (*der Kalmen u. veränderlichen Winde zu beiden Seiten des Äquators*).

cloud·y ['klaudi] *adj* **1.** aus Wolken bestehend. – **2.** wolkig, bewölkt, (von Wolken) bedeckt. – **3.** wolkenartig, Wolken... – **4.** wolkig (*Edelstein etc*). – **5.** moi'riert, gewässert (*Stoff*). – **6.** wolkig, trübe (*Flüssigkeit*). – **7.** *fig.* traurig, düster, um'wölkt (*Stirn*). – **8.** *fig.* zweifelhaft, dunkel, anrüchig.

clough [klʌf] *s dial.* Bergschlucht *f*.

clout [klaut] **I** *s* **1.** *colloq.* Schlag *m*, Hieb *m* (*mit der Hand*). – **2.** (*Baseball u. Kricket*) *sl.* kräftiger Schlag. – **3.** (*Bogenschießen*) a) Zentrum *n* (*Zielscheibe*), b) Treffer *m*. – **4.** *tech.* Schiene *f*. – **5.** *obs. od. dial.* Lappen *m*. – **II** *v/t* **6.** *colloq.* schlagen, (*j-m*) einen Hieb versetzen. – **7.** (*Baseball u. Kricket*) *sl.* (*Ball*) schlagen. – **8.** *tech.* schienen. – **9.** *obs. od. dial.* flicken. — **~ nail** *s tech.* Blatt-, Schuhnagel *m*, kurzer Nagel (*mit flachem Kopf*).

clove[1] [klouv] **I** *s* **1.** (Gewürz)Nelke *f*. – **2.** *bot.* Gewürznelkenbaum *m* (*Eugenia caryophyllata*). – **II** *v/t* **3.** mit Nelken würzen.

clove[2] [klouv] *s bot.* **1.** Brut-, Nebenzwiebel *f* (*des Knoblauchs, Schnittlauchs etc*). – **2.** Teilfrucht *f*.

clove[3] [klouv] *pret von* cleave[1].

clove[4] [klouv] *s Am. dial.* (Felsen)Spalte *f*, Schlucht *f*.

clove| cas·si·a, **~ cin·na·mon** *s bot.* Rinde *f* des Brasil. Zimtkassienbaumes (*Dicypellium caryophyllatum*). — **~ gil·ly·flow·er** → clove pink 1. — **~ hitch** *s mar.* **1.** (*Art*) Schifferknoten *m*. – **2.** Webeleinstich *m*. — **'~-ˌhitch** *v/t* (*Tauende*) mit Webeleinstich feststecken.

clo·ven ['klouvn] *adj* geteilt, gespalten. — **~ foot** *s irr* → cloven hoof. — **'~-'foot·ed** → cloven-hoofed 2. — **~ hoof** *s* Pferdefuß *m* (*des Teufels*): the ~ *fig.* der (Ritter mit dem) Pferdefuß, der Teufel; → hoof 2. — **'~-'hoofed** *adj* **1.** *zo.* paarzehig. – **2.** mit einem Pferdefuß, teuflisch.

clove pink *s* **1.** *bot.* (*eine*) Gartennelke (*Dianthus caryophyllus*). – **2.** Nelkenrot *n*.

clo·ver ['klouvər] *s bot.* Klee *m* (*Gattg Trifolium*), *bes.* Kopf-, Wiesenklee *m* (*T. pratense*): to be (*od.* to live) in ~ üppig leben, in der Wolle sitzen. — **~ dod·der** → ailweed. — **~ fern** *s bot.* (Glücks)Klee-Farn *m* (*Gattg Marsilea*). — **~ hay worm** *s zo.* Larve *f* einer Lichtmotte *od.* eines Zünslers (*Hypsopygia costalis*). — **'~,leaf** *s irr* **1.** Kleeblatt *n.* – **2.** *tech.* Kleeblatt *n* (*Autobahnkreuzung*). — **'~-,leaf** *adj* kleeblattförmig: ~ intersection → cloverleaf 2. — **'~,seed** *s agr.* Kleesaat *f*, -same(n) *m.* — **'~-,sick** *adj agr.* kleemüde (*Boden*). — **~ wee·vil** *s zo.* Kleesamenstecher *m* (*Apion apricans*).

clove tree → clove[1] 2.

clown [klaun] **I** *s* **1.** Clown *m*, Hanswurst *m*, Possenreißer *m* (*auch fig.*). – **2.** Bauernlümmel *m*, Grobian *m.* – **3.** *obs.* Bauer *m.* – **II** *v/i* **4.** *oft* ~ it den Clown machen, sich wie ein Hanswurst benehmen. — **'clown·er·y** [-əri] *s* **1.** Clowne'rie *f*, Possenreißen *n*, närrisches Benehmen. – **2.** Posse *f*, Scherz *m.*

'clown,heal *s bot.* Sumpfziest *m* (*Stachys palustris*).

clown·ish ['klauniʃ] *adj* bäurisch, ungeschickt, rauh. – *SYN. cf.* boorish.

clown's| all·heal → clownheal. — **~ lung·wort** *s bot.* **1.** Königskerze *f* (*Verbascum thapsus*). – **2.** Schuppenwurz *f* (*Lathraea squamaria*). — **~ mus·tard** *s bot.* Bittere Schleifenblume (*Iberis amara*). — **~ spike·nard** *s bot.* Dürrwurz *f* (*Inula conyza*). — **~ trea·cle** → garlic.

cloy [klɔi] **I** *v/t* **1.** über'sättigen, über'laden. – **2.** anwidern, anekeln. – **II** *v/i* **3.** Über'sättigung verursachen. – *SYN. cf.* satiate.

club [klʌb] **I** *s* **1.** Keule *f*, Knüttel *m*, Prügel *m.* – **2.** *sport* a) Schlagholz *n*, b) (Golf)Schläger *m*, c) → Indian ~. – **3.** Klumpen *m*, Knoten *m.* – **4.** *hist.* Haarknoten *m* (*der Herren im 18. Jh.*). – **5.** *bot.* keulenförmiges Or'gan (*z.B. Fruchtkörper der Keulenpilze*). – **6.** *zo.* keulenförmiger Fühler. – **7.** Klub *m*, Verein *m*, Gesellschaft *f*: sports ~ Sportverein. – **8.** → ~house. – **9.** (*Spielkarten*) a) Treff *n*, Kreuz *n*, Eichel *f*, b) Karte *f* der Treff- *od.* Kreuzfarbe, c) Treffansage *f.* – **10.** *mar.* (*Art*) Bootsspiere *f.* – **II** *v/t pret u. pp* **clubbed 11.** mit einer Keule schlagen. – **12.** *mil.* (*Gewehr*) 'umdrehen (*u. wie eine Keule benützen*). – **13.** zu einer Masse vereinigen. – **14.** vereinigen, zu'sammenschließen: to ~ efforts sich gemeinsam bemühen. – **15.** sich teilen in (*acc*), gemeinsam aufkommen für (*Kosten*). – **III** *v/i* **16.** einen Klub *od.* Verein bilden, sich zu einem Verein zu'sammenschließen. – **17.** (*für einen gemeinsamen Zweck*) Beiträge leisten. – **18.** sich zu'sammenballen. – **19.** *oft* ~ down *mar.* vor schleppendem Anker mit dem Strome treiben (*Schiff*). – **IV** *adj* **20.** Klub..., Vereins...

club·(b)a·ble ['klʌbəbl] *adj colloq.* **1.** klubfähig. – **2.** gesellig.

clubbed [klʌbd] *adj* **1.** keulenförmig. – **2.** wie eine Keule gebraucht (*Gewehr*). – **3.** *bot.* mit wulstigen Auswüchsen. — **'club·by** *adj colloq.* gesellig.

club| car *s* (*Eisenbahn*) *Am.* Sa'lonwagen *m.* — **~ chair** *s* Klubsessel *m.* — **~ com·pass** *s* Kolbenzirkel *m.* — **'~'foot** *s irr med.* Klumpfuß *m.* — **'~'foot·ed** *adj* klumpfüßig. — **~ grass** → club rush 2. — **'~'hand** *s med.* Klumphand *f.* — **'~,haul** *v/t mar.* mit Hilfe eines Ankers (*bei stürmischem Wetter*) stagen. — **'~,house** *s* Klub-, Vereinshaus *n.* — **'~,land** *s* Klubviertel *n* (*bes. in London die Gegend um St. James's Palace*). — **~ law** *s* **1.** Faustrecht *n*, 'Lynchju,stiz *f.* – **2.** (*Lu, Kartenspiel*) Spielzwang *m*, wenn Treff Trumpf ist. — **'~·man** [-mən] *s irr* **1.** Klubmitglied *n.* – **2.** Klubmensch *m*, Vereinsmeier *m.* – **3.** Keulenträger *m.* — **'~·mo,bile** [-mə,bi:l] *s* Erfrischungswagen *m*, -fahrzeug *n* (*für Arbeiter, Truppen etc*). — **~ moss** *s bot.* Bärlapp *m* (*Gattg Lycopodium*). — **'~,room** *s* Klub-, Vereinszimmer *n.* — **'~,root** *s bot.* Kohlhernie *f*, -kropf *m* (*Kohlkrankheit*). — **~ rush** *s bot.* **1.** Simse *f* (*Gattg Scirpus; Binse*). – **2.** Breitblättriger Rohrkolben (*Typha latifolia*). — **~ sand·wich** *s Am.* Sandwich *n* (*meist aus drei Lagen Toast, kaltem Geflügel, grünem Salat u. Mayonnaise bestehend*). — **~ skate** *s* (*Art*) Schlittschuh *m.* — **~ so·fa** *s* Klubsofa *n.* — **~ steak** *s* Lendenstück *n.* — **~ swing·ing** *s* (*Gymnastik*) Keulenschwingen *n.* — **~ tooth** *s irr* (*Uhr*) Kolbenzahn *m* (*Rad*). — **~ top·sail** *s mar.* großes Gaffel-, Top(p)segel. — **'~,wom·an** *s irr* eifriges Mitglied eines (Frauen)-Vereins.

cluck [klʌk] **I** *v/i* **1.** gluck(s)en. – **2.** schnalzen, einen gluck(s)enden *od.* schnalzenden Ton von sich geben. – **II** *v/t* **3.** gluckend locken (*Henne*). – **4.** klappern *od.* schnalzen lassen. – **III** *s* **5.** Glucken *n* (*Henne*). – **6.** schnalzender *od.* gluck(s)ender Ton (*Ruderschlag, Ticken der Uhr etc*). — **'clucking hen** → contamination meter.

cluck·y ['klʌki] *adj* gluckend, brütend (*Henne*).

clue [klu:] **I** *s* **1.** *fig.* Anhaltspunkt *m*, Spur *f.* – **2.** *fig.* Schlüssel *m*, Lösungshilfe *f* (*Rätsel*): I haven't a ~ *colloq.* ich habe keinen Schimmer. – **3.** Faden *m* (*Handlung, Erzählung etc*). – **4.** *cf.* clew 1, 3, 4. – **II** *v/t* **5.** aufrollen, -wickeln. – **III** *v/i* **6.** sich aufrollen.

clum·ber (span·iel) ['klʌmbər] *s zo.* kurzbeiniger, kräftiger Spaniel.

clump [klʌmp] **I** *s* **1.** Büschel *n.* – **2.** Gruppe *f* (*bes. Bäume od. Häuser*). – **3.** (Holz)Klotz *m*, Klumpen *m*, Kloß *m.* – **4.** Haufen *m*, Masse *f.* – **5.** *biol.* Zu'sammenballung *f* (*inaktiver Bakterien*). – **6.** Trampeln *n*, schwerer Tritt. – **7.** Doppelsohle *f* (*eines schweren Schuhes*). – **II** *v/i* **8.** trampeln, schwerfällig gehen. – **9.** *biol.* sich zu'sammenballen (*Bakterien*). – **III** *v/t* **10.** zu'sammenballen, aufhäufen. – **11.** in Gruppen pflanzen. – **12.** mit Doppelsohlen versehen. — **~ foot** *s irr* → clubfoot. — **~ sole** → clump 7.

clum·si·ness ['klʌmzinis] *s* **1.** Ungeschick(lichkeit *f*) *n*, Unbeholfenheit *f*, Schwerfälligkeit *f.* – **2.** Taktlosigkeit *f.* – **3.** Plumpheit *f*, Unförmigkeit *f.* — **'clum·sy** *adj* **1.** ungeschickt, unbeholfen, schwerfällig: a ~ excuse eine plumpe Entschuldigung; ~ style schwerfälliger Stil; a ~ workman ein ungeschickter Arbeiter. – **2.** taktlos. – **3.** plump, unförmig. – *SYN. cf.* awkward.

clunch [klʌntʃ] *s* **1.** verhärtete Tonlage (*in Kohlenflözen*). – **2.** (*Art*) weicher Kalkstein.

clung [klʌŋ] *pret u. pp von* cling.

Clu·ni·ac ['klu:ni,æk] *relig.* **I** *s* Klunia'zenser *m* (*Mönch der Benediktinerabtei Cluny, Frankreich*). – **II** *adj* klunia'zensisch. — **,Clu·ni·a'cen·sian** [-ə'senʃən], **'Clu·nist** → Cluniac I.

Clu·ny lace ['klu:ni] *s* Clu'nyspitze *f* (*handgeklöppelte verzierte Spitze*).

clu·pe·id ['klu:piid] *zo.* **I** *s* Hering(s-fisch) *m* (*Fam. Clupeidae*). – **II** *adj* zu den Heringsfischen gehörig. — **clu·pe·i·form** ['klu:pii,fɔ:rm; -ə,f-; klu:'pi:-] *adj* heringsähnlich. — **'clu·pe,oid I** *adj* heringsartig. – **II** *s* heringsartiger Fisch.

clus·ter ['klʌstər] **I** *s* **1.** Büschel *n*, Traube *f* (*Blüten, Früchte, Blätter*): a ~ of grapes eine Weintraube. – **2.** Haufen *m*, Menge *f*, Schwarm *m*, Anhäufung *f*, Gruppe *f* (*Menschen, Tiere, Bäume etc*): a ~ of bees ein Bienenschwarm; a ~ of trees eine Baumgruppe. – **3.** *astr.* Sternhaufen *m.* – **4.** *mil. Am.* Spange *f* (*am Ordensband zum Zeichen mehrmaliger Verleihung einer Auszeichnung*): → oakleaf ~. – **5.** *math.* Häufungsstelle *f.* – **II** *v/i* **6.** eine Gruppe bilden, sich (ver)sammeln: to ~ around in Gruppen herumstehen. – **7.** trauben- *od.* büschelartig wachsen. – **8.** sich (zu'sammen)ballen (*Schnee*). – **III** *v/t* **9.** in Büscheln sammeln, häufen. – **10.** mit Büscheln versehen *od.* bedecken. — **'clus·tered** *adj* **1.** büschel- *od.* traubenförmig. – **2.** mit Büscheln *od.* Gruppen bedeckt.

clus·ter| fig *s bot.* (*eine*) indische Feige (*Ficus glomerata*). — **~ gear** *s tech.* Stufenzahnrad *n*, -getriebe *n.* — **~ pine** *s bot.* Strandkiefer *f* (*Pinus pinaster*).

clutch[1] [klʌtʃ] **I** *v/t* **1.** (er)fassen, (er)greifen, packen. – **2.** um'klammern, krampfhaft festhalten: to ~ to one's bosom an den Busen pressen. – **3.** *tech.* kuppeln. – *SYN. cf.* take. – **II** *v/i* **4.** gierig greifen *od.* fassen (at nach): to ~ at s.th. krampfhaft nach etwas greifen. – **III** *s* **5.** gierige Hand, Fang *m*, ‚Klaue' *f*, Gewalt *f*: to fall into s.o.'s ~es j-m in die Klauen geraten. – **6.** krampfhafter Griff, Um'klammerung *f.* – **7.** *tech.* a) Greifer *m*, Klaue *f*, Haken *m*, b) Kupplungshebel *m*, c) Ausrück-, Schaltkupplung *f*: to let in (*od.* engage) the ~ einkuppeln; the ~ is slipping die Kupplung rutscht *od.* schleift. – **8.** *mar.* Pinkband *n*, Schlinge *f.* – **9.** *sl.* ‚Klemme' *f*, Notlage *f.*

clutch[2] [klʌtʃ] **I** *s* **1.** Brut *f* (*junger Hühner*). – **2.** Nest *n* (*mit Eiern*). – **II** *v/t* **3.** ausbrüten.

clutch| bear·ing *s tech.* Kupplungslager *n.* — **~ case** *s* Kupplungsgehäuse *n.* — **~ cou·pling** *s* **1.** schaltbare Klauenkupplung. – **2.** Kupplungsgelenk *n.* — **~ disk** *s* Kupplungsscheibe *f.* — **~ fac·ing, ~ lin·ing** *s* Kupplungsbelag *m.* — **~ ped·al** *s* 'Kupplungspe,dal *n.* — **~ plate** *s* Kupplungsscheibe *f.* — **~ re·lease bear·ing** *s* Kupplungsausrücklager *n.* — **~ shaft** *s* Kupplungswelle *f.*

clut·ter ['klʌtər] *Br. dial. od. Am.* **I** *v/t* **1.** unordentlich vollstopfen. – **2.** durchein'anderwerfen, um'herstreuen. – **II** *v/i* **3.** durchein'anderlaufen, planlos um'herlaufen. – **4.** Lärm machen. – **5.** schnell u. undeutlich sprechen, schnattern. – **III** *s* **6.** Wirrwarr *m*, Durchein'ander *n.* – **7.** Verwirrung *f*, Unordnung *f*: the room is in a ~. – **8.** verwirrender Lärm, Tu'mult *m*, Getöse *n.*

Clydes·dale ['klaidz,deil] *s eine Rasse schwerer schott. Zugpferde.* — **~ ter·ri·er** *s* Seidenpinscher *m.*

clyp·e·al ['klipiəl] *adj zo.* den Kopfschild betreffend. — **'clyp·e,ate** [-,eit], **'clyp·e,at·ed** *adj* **1.** *biol.* schildförmig, -artig. – **2.** *zo.* mit Schild. — **'clyp·e·i,form** [-i,fɔ:rm; -ə,f-] *adj biol.* schildförmig. — **'clyp·e,ole** [-,oul] *s bot.* Schildchen *n.* — **'clyp·e·us** [-əs] *pl* **-e·i** [-,ai] *s* **1.** *antiq.* Schild *m.* – **2.** *zo.* Kopfschild *m*, Prä'labrum *n* (*der Insekten*).

clys·ter ['klistər] *med.* **I** *s* Kli'stier *n*, Einlauf *m.* – **II** *v/t* (*j-m*) einen Einlauf geben.

cne·mi·al ['ni:miəl] *adj med.* das Schienbein betreffend, Schienbein...

cni·do·blast ['naido,blæst] *s zo.* Nesselzelle *f.* — **'cni·do·cil** [-sil] *s* Knidozil *n*, Reizhaar *n* (*der Nesselzeller*).

co- [kou] *Wortelement mit der Bedeutung* a) mit, b) gleich, in gleichem Maße, c) gemeinsam, zusammen, d) *math.* komplementär.

co·a·cer·vate [kouˈæsərˌveit; ˌkouəˈsəːr-] **I** *v/t selten* anhäufen. – **II** *adj* (an)gehäuft.

coach [koutʃ] **I** *s* **1.** (*große, geschlossene, vierrädrige*) Kutsche. – **2.** *Am.* geschlossenes Auto, Limouˈsine *f* (*meist mit zwei Türen*). – **3.** Karosseˈrie *f* (*bes. einer Limousine*). – **4.** → motor ~. – **5.** (*Eisenbahn*) *Am.* gewöhnlicher Perˈsonenwagen. – **6.** a) Einpauker *m*, Nachhilfe-, Hauslehrer *m*, Repeˈtitor *m*, b) *mus.* Korrepeˈtitor *m*. – **7.** *sport* a) Trainer *m*, b) (*Baseball*) Beobachter, der den Spielern während ihrer Läufe Anweisungen erteilt. – **II** *v/t* **8.** einpauken, traiˈnieren. – **III** *v/i* **9.** a) ˈNachhilfeˌunterricht geben, b) *mus.* korrepeˈtieren. – **10.** (*Baseball*) den Spielern (*bei den Läufen*) Anweisungen erteilen. — **ˌ~-and-ˈfour** *s* vierspännige Kutsche, Vierspänner *m*. — **~ box** *s* Kutschbock *m*, Kutschersitz *m*. — **~ dog** *s* Dalmaˈtiner *m* (*Hunderasse*).

coach·ee [kouˈtʃiː] *s* Kutscher *m*.

coach·er [ˈkoutʃər] *s* **1.** Einpauker *m*. – **2.** *sport* Trainer *m*. – **3.** Kutschpferd *n*.

ˈcoach|ˌfel·low *s* **1.** Pferd *n* eines Gespanns. – **2.** Gefährte *m*. — **~ horse** *s* Kutschpferd *n*. — **~ house** *s* Wagenschuppen *m*.

coach·ing [ˈkoutʃiŋ] *s* ˈNachhilfeˌunterricht *m*, Einpauken *n*.

ˈcoach|·man [-mən] *s irr* **1.** Kutscher *m*. – **2.** *zo.* ein tropischer Fisch (*Dules auriga*). – **3.** (*Angeln*) Kutscher *m*. — **ˈ~ˌsmith** *s* **1.** Wagenschmied *m*. – **2.** Wagˈgonschlosser *m*. — **ˈ~ˌwhip** *s* **1.** Kutscherpeitsche *f*. – **2.** *mar.* langer Wimpel. – **3.** *zo.* Peitschenschlange *f* (*Gattg Masticophis*). – **4.** *bot.* Kerzenstrauch *m* (*Fouqieria splendens*). — **ˈ~ˌwork** *s* Karosseˈrie(arbeit) *f* (*bes. am Auto*).

co·act [kouˈækt] *v/t u. v/i* zuˈsammenarbeiten, -wirken. — **coˈac·tion** *s* **1.** Zuˈsammenarbeit *f*, -wirken *n*. – **2.** Zwang *m*. — **coˈac·tive** *adj* **1.** zuˈsammenarbeitend, -wirkend. – **2.** zwingend.

co·ad·ju·tant [kouˈædʒutənt; -dʒə-] *adj* sich gegenseitig beistehend.

co·ad·ju·tor [kouˈædʒutər; -dʒə-] *s* **1.** Gehilfe *m*, Assiˈstent *m*, Mitarbeiter *m*. – **2.** *relig.* Koadˈjutor *m* (*eines Bischofs*). — **coˈad·ju·tress** [-tris], **coˈad·ju·trix** [-triks] *pl* **-tri·ces** [-ˈtraisiːz] *s* Mitarbeiterin *f*, Gehilfin *f*, Assiˈstentin *f*.

co·ad·ju·van·cy [kouˈædʒuvənsi; -dʒə-] *s* Beistand *m*, Mithilfe *f*.

co·ad·u·nate [kouˈædʒunit; -ˌneit; -dʒə-] *adj bot. zo.* (leicht) verwachsen, zuˈsammengewachsen.

co·ad·ven·ture [ˌkouədˈventʃər] **I** *s* gemeinsames Abenteuer *od.* Wagnis. – **II** *v/i* es gemeinsam wagen (**with** mit).

co·ag·u·la·bil·i·ty [kouˌægjuləˈbiliti; -əti; -gjə-] *s* Gerinnbarkeit *f*. — **coˈag·u·la·ble** *adj* gerinnbar. — **coˈag·u·lant** *s* Gerinnungsmittel *n*.

co·ag·u·late [kouˈægjuˌleit; -gjə-] **I** *v/i* gerinnen, koaguˈlieren. – **II** *v/t* zum Gerinnen bringen, gerinnen lassen. — **coˌag·uˈla·tion** *s* **1.** Gerinnen *n*, Koagulatiˈon *f*. – **2.** Ausflockung *f*, Flockenbildung *f*. — **coˈag·uˌla·tive** *adj* Gerinnen verursachend. — **coˈag·uˌla·tor** [-tər] → **coagulant**. — **coˈag·u·lin** [-lin] → **precipitin**. — **coˈag·u·lum** [-ləm] *pl* **-la** [-lə] *s* **1.** geronnene Masse, Gerinnsel *n*. – **2.** Blutgerinnsel *n*, -klumpen *m*.

co·ai·ta [ˌkouaiˈtɑː] *s zo.* (*ein*) Klammeraffe *m* (*bes. Ateles paniscus*).

coak [kouk] **I** *s tech.* a) Zapfen *m*, Dübel *m*, b) Buchse *f* (*einer Blockscheibe*). – **II** *v/t* verzapfen, dübeln.

coal [koul] **I** *s* **1.** *min.* Kohle *f*: **hard ~, anthracite ~** Anthrazitkohle; **bed of ~** Kohlenflöz. – **2.** Holzkohle *f*. – **3.** glühendes *od.* ausgeglühtes Stück Holz. – **4.** *pl Br.* Kohle *f*, Kohlen *pl*, Kohlenvorrat *m*: **to lay in ~s** sich mit Kohlen eindecken; **to carry** (*od.* **send**) **~s to Newcastle** *fig.* Eulen nach Athen tragen; **to haul** (*od.* **drag**) **s.o. over the ~s** *fig.* j-n zur Rechenschaft ziehen; **to heap ~s of fire on s.o.'s head** *fig.* glühende Kohlen auf j-s Haupt sammeln. – **5.** *chem.* Schlacke *f*, Rückstand *m*. – **6.** *pl Am.* glimmende Kohlen *pl*, heiße Asche. – **II** *v/t* **7.** zu Kohle brennen. – **8.** bekohlen, mit Kohle versorgen. – **III** *v/i* **9.** *mar.* Kohle (*als Brennstoff*) einnehmen, bunkern. — **C~ and Steel Com·mu·ni·ty** *s* Gemeinschaft *f* für Kohle u. Stahl, Monˈtanuniˌon *f*. — **~ bank** *s* (*Bergbau*) *Am.* an der Oberfläche liegendes Kohlenflöz. — **~ bed** *s geol.* Kohlenlager *n*, -flöz *n*. — **ˈ~ˌbin** *s* **1.** Verschlag *m* (*im Keller*) für Kohlen. – **2.** *tech.* Kohlenbunker *m*, -banse *f*. — **ˈ~-ˌblack** *adj* kohlschwarz. — **~ black·ing** *s* schwarzer Eisenlack. — **~ blende, ~ brass** *s geol.* Schwefelkiesminen *pl* (*der Steinkohlenformation*). — **~ bunk·er** *s mar.* ˈKohlendeˌpot *n*, -bunker *m*. — **~ car** *s* (*Eisenbahn*) *Am.* Kohlenwagen *m*. — **~ dust** *s* Kohlenstaub *m*, Gestübbe *n*.

coal·er [ˈkoulər] *s* Beförderungsmittel *n* für Kohle, ˈKohlenschlepper *m*, -wagˌgon *m*, -zug *m*.

co·a·lesce [ˌkouəˈles] *v/i* verschmelzen, zuˈsammenwachsen, sich vereinigen *od.* verbinden. – *SYN. cf.* **mix**. — **ˌco·aˈles·cence** *s* Verschmelzung *f*, Vereinigung *f*. — **ˌco·aˈles·cent** *adj* verschmelzend, zuˈsammenwachsend.

ˈcoal|-ˌfac·tor *s Br.* Kohlenhändler *m*. — **~ field** *s* ˈKohlenreˌvier *n*. — **ˈ~ˌfish** *s zo.* **1.** Köhler *m* (*Gadus virens*). – **2.** Kerzenfisch *m* (*Anoplopoma fimbra*). — **~ flap** *s Br.* (*in den Gehsteig eingelassene*) Deckplatte des Kohlenschachts *od.* -kellers. — **~ gas** *s* **1.** Kohlengas *n*. – **2.** Leuchtgas *n*. — **~ goose** *s irr Br. für* **cormorant 1**. — **~ heav·er** *s* Kohlenträger *m*, -arbeiter *m*. — **~ hew·er** *s* Bergmann *m*. — **~ hod** *Am. od. Br. dial. für* **coal scuttle**. — **ˈ~ˌhole** *s* **1.** *Br.* Kohlenraum *m*, -keller *m*. – **2.** *Am.* (*in den Gehsteig eingelassener*) Kohlenschacht (*zum Einschütten der Kohle in den Keller*). – **3.** *mar.* Kohlengatt *n*.

coal·ing sta·tion [ˈkouliŋ] *s mar.* ˈBunker-, ˈKohlenstatiˌon *f*.

co·a·li·tion [ˌkouəˈliʃən] *s* Koalitiˈon *f*, Bündnis *n*, Zuˈsammenschluß *m*, Vereinigung *f*: **~ government** Koalitionsregierung. — **ˌco·aˈli·tion·ist** *s* Koalitioˈnist *m*, Verfechter *m* des Koalitiˈonsgedankens.

coal| mas·ter *s* Besitzer *m od.* Pächter *m* eines Steinkohlenbergwerks. — **~ meas·ures** *s pl geol.* Kohlengebirge *n*. — **~ mine** *s* Kohlenbergwerk *n*, Kohlengrube *f*, -zeche *f*. — **~ min·er** *s* Grubenarbeiter *m*, Bergmann *m*, -arbeiter *m*. — **~ min·ing** *s* Kohlenbergbau *m*. — **ˈ~ˌmouse** *s irr zo.* Tannenmeise *f* (*Parus ater*). — **~ oil** *s Am.* Peˈtroleum *n*. — **~ own·er** → **coal master**. — **~ pass·er** *s mar.* Kohlenzuträger *m*. — **~ pipe** *s geol.* **1.** zyˈlindrischer Steinkern (*eines Baumes der Steinkohlenflora*). – **2.** dünne Kohlenader. — **ˈ~ˌpit** *s* **1.** Kohlengrube *f*. – **2.** *Am.* Holzkohlenmeiler *m*. — **~ plant** *s geol.* Pflanzenabdruck *m* in Steinkohlen. — **ˈ~-ˌplate** → **coal flap**. — **ˈ~ˌrake** *s* Schürhaken *m*. — **ˈ~ˌsack** *s astr.* dunkle Stelle in der Milchstraße. — **~ screen** *s* Kohlensieb *n*. — **~ scut·tle** *s* Kohleneimer *m*, -behälter *m*, -kiste *f*. — **~ seam** *s geol.* Kohlenflöz *n*. — **~ tar** *s* Steinkohlenteer *m*. — **~ tit·(mouse)** → **coalmouse**. — **~ wharf** *s mar.* Bunkerkai *m*, Ladeplatz *m* für Kohle. — **ˈ~-ˌwhip·per** *s mar.* Kohlenwippe *f*.

coal·y [ˈkouli] *adj* **1.** kohlenartig, -ähnlich. – **2.** kohlenhaltig.

coam·ing [ˈkoumiŋ] *s* **1.** *meist pl mar.* Süll *n*, Lukenkimming *f*. – **2.** *meist pl* Leiste, die das Eindringen von Wasser verhindert.

co·ap·ta·tion [ˌkouæpˈteiʃən] *s* **1.** Zuˈsammenpassen *n* (*von Teilen*). – **2.** *med.* Koaptatiˈon *f*, Einrichtung *f* (*gebrochener Knochenteile*).

co·arc·tate [kouˈɑːrkteit] *adj biol.* zuˈsammengedrängt, eng verbunden. — **ˌco·arcˈta·tion** *s* **1.** *med.* Verengung *f* durch Druck. – **2.** *obs.* Beschränkung *f*.

coarse [kɔːrs] *adj* **1.** rauh, grob: **~ linen** Grobleinwand. – **2.** grobkörnig: **~ sand** grober Sand. – **3.** *fig.* grob, roh, derb, plump, ungeschliffen: **~ language** rohe *od.* derbe Sprache *od.* Ausdrucksweise; **~ manners** rauhe Manieren; **a ~ person** ein grober *od.* ungehobelter Mensch. – **4.** gemein, unanständig. – **5.** *tech.* steil-, grobgängig (*Gewinde*). – *SYN.* **gross, obscene, ribald, vulgar**. — **ˈ~-ˈgrained** *adj* **1.** grobkörnig. – **2.** *fig.* rauh, ungehobelt.

coars·en [ˈkɔːrsn] **I** *v/t* **1.** grob machen, vergröbern. – **2.** *fig.* roh *od.* derb machen. – **II** *v/i* **3.** rauh *od.* grob werden. – **4.** *fig.* verrohen. — **ˈcoarse·ness** *s* **1.** Rauheit *f*, Grobheit *f*. – **2.** *fig.* a) Roheit *f*, Ruppigkeit *f*, Ungeschliffenheit *f*, b) Gemeinheit *f*, Unanständigkeit *f*.

coast [koust] **I** *s* **1.** Küste *f*, Gestade *n*, Meeresufer *n*: **the ~ is clear** *fig.* die Luft ist rein, die Bahn ist frei; → **hug 4**. – **2.** Küstenlandstrich *m*. – **3. the C~** *Am.* die (Paˈzifik)Küste. – **4.** *Am.* a) Rodelbahn *f*, b) (Rodel)Abfahrt *f*. – **II** *v/i* **5.** *mar.* a) die Küste entlangfahren, b) Küstenschiffahrt treiben. – **6.** *Am. od. Canad.* rodeln. – **7.** (*mit einem Fahrzeug*) bergˈab rollen. – **8.** *tech.* leerlaufen (*Maschine, Motor*). – **9.** sich ohne Anstrengung (*unter Ausnutzung eines Schwungs od. Anlaufs*) fortbewegen. – **10.** *hunt.* bei der Verfolgung die Beute umˈgehen (*Hund od. Falke*). – **III** *v/t* **11.** an der Küste entlangfahren von. – **12.** *obs.* an der Seite bleiben von. — **ˈcoast·al** *adj* Küsten...

coast| ar·til·ler·y *s mil. Am.* ˈKüstenartilleˌrie *f*. — **C~ Ar·til·ler·y Corps** *s mil.* ˈKüstenartilleˌrie(korps *n*) *f*.

coast·er [ˈkoustər] *s* **1.** *mar.* a) Küstenfahrer *m* (*Person od. Schiff*), b) Küstenfahrzeug, das nur Inlandshäfen anläuft. – **2.** Küstenbewohner *m*. – **3.** *Am.* Rodelschlitten *m*. – **4.** Berg-und-Talbahn *f* (*Vergnügungspark*). – **5.** Taˈblett *n* (*oft auf Rädern, zum Herumreichen von Schüsseln, Karaffen etc bei Tisch*). – **6.** ˈUntersatz *m* (*für Gläser etc*). – **7.** *Am.* (*Art*) Schlitten *m* als Kniestütze (*beim Bodenscheuern etc*). — **~ brake** *s* Rücktrittbremse *f* (*am Fahrrad*).

coast guard *s* **1.** *Br.* Küsten-, Strandwache *f*, Küstenzollwache *f*. – **2.** *mil.* zur Küstenverteidigung *od.* -bewachung eingesetzte miliˈtärische Einheit. – **3. C~ G~** *Am.* amer. Küstenrettungs-, Küstenwach-, Eisbergwarndienst *m*. – **4.** Angehöriger *m* der Küsten(zoll)wache *od.* des Küstenwachdienstes *etc*.

coast·ing [ˈkoustiŋ] *s* **1.** Küstenschiffahrt *f*. – **2.** *Am.* Rodeln *n*. – **3.** Bergˈabfahren *n* (*ohne Arbeits-*

leistung, im Freilauf od. bei abgestelltem Motor). — **~ trade** *s* Küstenhandel *m*.

coast| line *s* Küstenlinie *f*, -strich *m*. — **~ pi·lot** *s* Küstenlotse *m*. — **'~ˌwait·er** *s Br.* Beamter *m* der Zollaufsicht über den Küstenhandel.

coast·ward ['koustwərd] **I** *adv* zur Küste hin. – **II** *adj* gegen die Küste gerichtet. — **'coast·wards** → coastward I.

'coastˌways → coastwise I. — **'coastˌwise I** *adv* **1.** an der Küste entlang, längs der Küste. – **II** *adj* der Küste folgend, Küsten...: **~ sailing, ~ shipping, ~ trade** Küstenfahrt.

coat [kout] **I** *s* **1.** Rock *m*, Jacke *f*, Jac'kett *n (des Herrenanzugs)*: **to cut one's ~ according to one's cloth** sich nach der Decke strecken. – **2.** Mantel *m*: **to turn one's ~** *fig.* den Mantel nach dem Wind drehen *od.* hängen. – **3.** Damenjacke *f*: **~ and skirt** Jacke u. Rock, (Schneider)Kostüm. – **4.** *meist pl Br. dial.* a) 'Unterrock *m*, b) Frauenrock *m*. – **5.** *natürliche Bekleidung eines Tieres*: a) Pelz *m*, Fell *n*, b) Haut *f*, c) Gefieder *n*. – **6.** Haut *f*, Schale *f*, Hülle *f*. – **7.** 'Überzug *m*, Anstrich *m*, Bewurf *m (Farbe, Putz etc)*: **to apply a second ~ of paint** einen zweiten Anstrich auftragen. – **8.** Schicht *f*, Lage *f*. – **9.** *mar.* Kragen *m*. – **10.** *obs.* a) Standes-, Amtskleidung *f*, b) Berufsstand *m*. – **11.** *Bibl.* Tunika *f*. – **12.** *her. Kurzform für* **~ of arms.** – **II** *v/t* **13.** mit einem Mantel *od.* einer Jacke bekleiden. – **14.** mit einem 'Überzug *(von Farbe etc)* versehen, (an)streichen, über'streichen, -'ziehen: **to ~ with lime** mit Kalk weißen *od.* tünchen; **to ~ with silver** mit Silber plattieren. – **15.** bedecken, um'geben. — **~ ar·mor,** *bes. Br.* **~ ar·mour** *s* **1.** Fa'milienwappen *n*. – **2.** *obs. für* **coat of arms.** — **~ dress** *s* Mantelkleid *n*.

coat·ed ['koutid] *adj* **1.** mit einem Mantel bekleidet. – **2.** *(in Zusammensetzungen)* ...röckig: **rough-~ dog** rauhhaariger Hund. – **3.** über'zogen, bedeckt. – **4.** *med.* belegt *(Zunge)*. – **5.** *tech.* a) gestrichen *(Papier)*, b) imprä'gniert *(Gewebe)*.

coat·ee [kou'tiː] *s* enganliegender, kurzer *(bes.* Waffen-, Uni'form)Rock.

coat hang·er *s* Kleiderbügel *m*.

co·a·ti [kou'ɑːti] *s zo.* Co'ati *n*, Rüssel-, Nasenbär *m (Gattg Nasua)*: **brown ~** Brauner Nasenbär, Weißrüssel-, Tieflandnasenbär *(N. narica)*; **red ~** Roter Nasenbär *(N. rufa)*.

coat·ing ['koutiŋ] *s* **1.** Mantelstoff *m*, -tuch *n*. – **2.** ('Farb)ˌÜberzug *m*, Schicht *f*, Anstrich *m*. – **3.** (Gips-)Bewurf *m*, Verputz *m*. – **4.** *tech.* a) Futter *n*, Ausfütterung *f*, b) Beschlag *m*, c) Gußhaut *f*.

coat| of arms *s* Wappen(schild *m od. n*) *n*. — **~ of mail** *s* Harnisch *m*, Panzer(hemd *n*) *m*. — **'~ˌstyle** *adj* Rock..., in Rockform, 'durchknöpfbar *(Hemd)*. — **'~ˌtail** *s* Rockschoß *m*.

co-au·thor [kou'ɔːθər] *s* Mitautor *m*.

coax [kouks] **I** *v/t* **1.** *(durch Schmeicheln)* über'reden, beschwatzen, bewegen, *(j-m)* gut *od.* schmeichelnd zureden: **to ~ s.o. to do** *(od.* **into doing) s.th.** j-n zu etwas überreden. – **2.** durch Schmeicheln erlangen *od.* erreichen: **to ~ s.th. out of s.o.** j-m etwas abschwatzen. – **3.** mit Geduld u. Liebe antreiben. – **4.** *obs.* a) schmeicheln *(dat)*, liebkosen, b) zum Narren halten. – **II** *v/i* **5.** schmeicheln, Über'redungskunst anwenden. – *SYN.* cajole, wheedle.

co·ax·al [kou'æksəl] → **coaxial.**

coax·er ['kouksər] *s* Schmeichler(in), Über'redungskünstler(in).

co·ax·i·al [kou'æksiəl] *adj math. tech.* koaxi'al, kon'zentrisch *(eine gemeinsame Achse habend)*.

coax·ing ['kouksiŋ] *adj* schmeichelnd, über'redend.

cob[1] [kɒb] *s* **1.** *zo.* männlicher Schwan. – **2.** kleines, gedrungenes Pferd. – **3.** *Am.* Pferd *n* mit außergewöhnlich hohem Tritt. – **4.** Klumpen *m*. – **5.** Maiskolben *m*. – **6.** *Br.* 'Baumateriˌal *n* für Wellerbau *(Lehm, Kiesel u. Stroh)*. – **7.** *dial.* a) (Obst)Kern *m*, (-)Stein *m*, b) kleines, rundes Brot, c) Haarknoten *m*, d) kleiner, runder Haufen, e) → **~nut.** – **8.** *obs. od. dial.* bedeutender Mann, Führer *m*, Leiter *m*.

cob[2] [kɒb] *s zo. (eine)* Seemöwe, *bes.* Mantelmöwe *f (Larus marinus)*.

cob[3] [kɒb] **I** *v/t pret u. pp* **cobbed** **1.** schlagen. – **2.** *(j-m)* ‚den Hintern versohlen'. – **3.** *Br. (Samen)* ausdreschen. – **4.** *tech.* *(Erz)* in kleine Stücke zerschlagen. – **II** *s dial.* **5.** Hieb *m*.

co·balt ['koubɔːlt; ko'bɔːlt] *s* **1.** *chem. min.* Kobalt *m* (Co): **~-60** Kobalt ^{60}Co *(künstlich erzeugtes radioaktives Isotop)*; **~ bomb** Kobaltbombe. – **2.** → **~ blue.** — **~ bloom** *s min.* Kobaltblüte *f*. — **~ blue** *s* **1.** Kobaltblau *n*. – **2.** Schmalt *m*, Schmelzblau *n*. — **~ glance** → cobaltite.

co·bal·tic [ko'bɔːltik] *adj* **1.** kobalthaltig. – **2.** Kobalt(III)... — **co·balt·if·er·ous** [ˌkoubɔːl'tifərəs] *adj* kobalthaltig. — **'co·baltˌine** [-ˌtiːn; -tin], **co·bal·tite** [ko'bɔːltait; 'koubɔːlˌtait] *s min.* Kobaltglanz *m* (CoAsS). — **co'bal·tous** *adj* **1.** kobaltartig. – **2.** kobalthaltig. – **3.** Kobalt(II)...

cobb[1] *cf.* cob[2].

cobb[2] *cf.* cob[3] II.

cob·bing ['kɒbiŋ] *s tech. schwer schmelzbares Material, das aus Hochöfen entfernt wird.*

cob·ble[1] ['kɒbl] **I** *s* **1.** → **~stone.** – **2.** *pl* Kopfsteinpflaster *n*. – **3.** *pl* → cob coal. – **4.** Klumpen *m* Abfalleisen *od.* -stahl. – **II** *v/t* **5.** mit Kopfsteinen pflastern.

cob·ble[2] ['kɒbl] **I** *v/t* **1.** roh (zu'sammen)flicken. – **2.** zu'sammenpfuschen, -schustern. – **II** *v/i* **3.** Schuhe flicken, als Flickschuster arbeiten.

cob·bler ['kɒblər] *s* **1.** (Flick)Schuster *m*. – **2.** *fig.* Schuster *m*, ungeschickter Arbeiter, Pfuscher *m*, Stümper *m*. – **3.** *Am.* Cobbler *m (Bargetränk aus Wein, Früchten, Zucker etc)*. – **4.** *Am.* 'Fruchtpaˌstete *f*.

'cob·blerˌfish *s zo. (eine)* 'Stachelmaˌkrele *(Alectis ciliaris)*.

'cob·bleˌstone *s* runder Pflasterstein, Kopfstein *m*, Feldstein *m*.

cob·by ['kɒbi] *adj* gedrungen gebaut *(bes. Hund od. Pferd)*.

cob coal *s* Nuß-, Stückkohle *f*.

Cob·den·ism ['kɒbdəˌnizəm] *s econ.* Manchestertum *n*, Freihandelslehre *f*.

co·bel·lig·er·ent [ˌkoubə'lidʒərənt] **I** *s* mitkriegführender Staat *(ohne Bestehen eines Bündnisvertrages)*. – **II** *adj* mitkriegführend.

co·ble ['koubl; 'kɒbl] *s* **1.** flaches Fischerboot *(bes. an der engl. Nordostküste)*. – **2.** *Scot.* flaches Ruderboot.

'cob|ˌloaf *s irr* rundes Brot, runder Laib Brot. — **'~ˌnut** *s* **1.** *bot.* Haselnuß *f (Corylus avellana grandis)*. – **2.** *ein Kinderspiel mit an Schnüren befestigten Nüssen.*

co·bra ['koubrə] *s zo.* **1.** Kobra *f*, *(eine)* Schildotter, *(eine)* Hutschlange *(Gattg Naja)*. – **2.** Mamba *f (Gattg Dendraspis)*. – **3.** → **~ de capello.** — **~ de ca·pel·lo** [diː kə'pelou] *s zo.* Indische Brillenschlange, Kobra *f (Naja tripudians)*.

co·bri·form ['koubriˌfɔːrm] *adj zo.* kobraartig.

cob swan *s* männlicher Schwan.

co·burg ['kouˌbəːrg] *s ein dünner Kleiderstoff aus Kammgarn mit Baumwolle od. Seide.*

'cobˌweb I *s* **1.** Spinn(en)gewebe *n*, Spinnwebe *f*. – **2.** Spinnenfaden *m*. – **3.** feines, zartes Gewebe. – **4.** Hirngespinst *n*. – **5.** *fig.* Netz *n*, Schlinge *f*, In'trige *f*: **the ~s of the law** die Tücken des Gesetzes. – **6.** *fig.* leichte, dünne, wertlose Sache. – **II** *v/t* **7.** mit Spinnweben bedecken *od.* über'ziehen. — **'cobˌwebbed** *adj* voller Spinnweben. — **'cobˌweb·ber·y** [-əri] *s* Spinnweben *pl*. — **'cobˌweb·by** *adj* **1.** spinnwebartig. – **2.** → **cobwebbed.**

co·ca ['koukə] *s* **1.** *bot. (eine)* Koka *(Gattg Erythroxylon, bes. E. coca u. novogranatense)*. – **2.** getrocknete Kokablätter *pl (aus denen Kokain gewonnen wird)*.

co·cain(e) [ko'kein; 'koukein] *s chem.* Koka'in *n* ($C_{17}H_{21}NO_4$).

co·cain·ism [ko'keinizəm] *s med.* Kokai'nismus *m*, Koka'invergiftung *f*. — **coˌcain·i'za·tion** *s med.* **1.** Kokaini'sierung *f*. – **2.** Lo'kalanästheˌsie *f* durch Koka'in. — **co'cain·ize** *v/t med.* kokaini'sieren, mit Koka'inlösung betäuben.

coc·ca·gee [ˌkɒkə'giː] *s* **1.** *(ein)* Mostapfel *m*. – **2.** (Süß)Most *m (von 1)*.

-coccal [kɒkəl], **-coccic** [kɒksik] *Wortelemente mit der Bedeutung* kokkenartig, ...kokkisch.

coc·cid ['kɒksid] *zo.* **I** *s* Schildlaus *f (Fam. Coccidae)*. – **II** *adj* zu den Schildläusen gehörig. — **coc'cid·i·al** *adj* **1.** Coc'cidien betreffend. – **2.** *med.* durch Coccidien verursacht: **~ disease** Kokzidiose, Coccidiose. — **cocˌcid·i'oi·dal gran·u·lo·ma** *s med.* tuberku'loseähnliches Granu'lom der Lymphknoten *(bei Menschen u. Tieren)*. — **cocˌcid·i'o·sis** [-'ousis] *s med. vet.* Kokzidi'ose *f*, Coccidi'ose *f*, Coc'cidieninfektiˌon *f*.

coc·coid ['kɒkɔid] *adj bot. med.* kokkenähnlich.

coc·co·lite ['kɒkoˌlait] *s* **1.** *min.* Kokko'lith *m (körniger Augit)*. – **2.** → coccolith. — **'coc·co·lith** [-liθ] *s geol.* Kokko'lith *m*. — **'coc·coˌsphere** [-ˌsfir] *s geol.* Kokko'sphäre *f (kugelförmige Anhäufung von Kokkolithen)*.

coc·cous ['kɒkəs] *adj bot.* aus Kokken bestehend. — **ˌcoc·cu'lif·er·ous** [-ju'lifərəs; -jə-] *adj bot.* Kokken *od.* Beeren erzeugend. — **coc·cu·lus in·di·cus** ['kɒkjuləs 'indikəs] *s bot. med.* Kokkels-, Fischkörner *pl (von Anamirta cocculus)*.

coc·cus ['kɒkəs] *pl* **-ci** ['kɒksai] *s* **1.** *med.* (Mikro)Kokkus *m*, Kokke *f*, 'Kugelbakˌterie *f*. – **2.** *bot.* a) Kokke *f (runde Teilfrucht)*, b) Sporenmutterzelle *f*. – **3.** → **cochineal.**

-coccus [kɒkəs] *med. Wortelement mit der Bedeutung* Kokkus.

coccyg- [kɒksig; -sidʒ] *Wortelement mit der Bedeutung* Steißbein.

coc·cyg·e·al [kɒk'sidʒiəl] *adj med. zo.* kokzyge'al, Steißbein...: **~ bone** Steißbein. — **ˌcoc·cy'gec·to·my** [-'dʒektəmi] *s med.* 'Steißbeinresektiˌon *f*.

coccygeo- [kɒksidʒio], **coccygo-** [-go] *Wortelement mit der Bedeutung* Steißbein.

coc·cyx ['kɒksiks] *pl* **-cy·ges** [-'saidʒiːz] *s* **1.** *med.* Steißbein *n*. – **2.** *zo.* Schwanzfortsatz *m*.

Co·chin, c~ ['koutʃin; 'kɒtʃin], *auch* **'Co·chin-'Chi·na, 'c~-'c~** *s zo.* Kot'schin'chinahuhn *n (Hühnerrasse)*.

coch·i·neal [ˌkɒtʃi'niːl; -tʃə-] *s* Kosche'nille(farbe *f*, -rot *n*) *f*. — **~ fig,** *auch* **~ cac·tus** *s bot.* Kosche'nillekaktus *m (Nopalea coccinellifera)*. — **~ in·sect** *s zo.* Kosche'nilleschildlaus *f*, Rote Schildlaus *(Coccus cacti)*. — **~ plant** → cochineal fig.

coch·le·a ['kɒkliə] *pl* **-le·ae** [-liˌiː] *s med.* Cochlea *f*, Schnecke *f* (*Teil des Ohrlabyrinths*). — **'coch·le·ar** *adj* **1.** *med* Cochlear..., Schnecken... – **2.** *bot.* löffelförmig.

coch·le·ar·i·fo·li·ate [ˌkɒkliˌɛ(ə)ri'fouliit; -ˌeit] *adj bot.* mit löffelförmigen Blättern. — **ˌcoch·le'ar·iˌform** [-ˌfɔːrm] *adj* löffelförmig.

coch·le·ate ['kɒkliˌeit], **'coch·leˌat·ed, coch'le·iˌform** [-'liːiˌfɔːrm; -əˌf-] *adj* schnecken-, spi'ralförmig. — **ˌcoch·le'i·tis** [-li'aitis], **coch'li·tis** [-'laitis] *s med.* Cochle'itis *f*, Coch'litis *f*, Entzündung *f* der Schnecke.

cock[1] [kɒk] **I** *s* **1.** *zo.* Hahn *m*: to live like fighting ~s *fig.* wie die Made im Speck (*üppig*) leben; that ~ won't fight *vulg.* so geht das nicht. – **2.** *zo.* Männchen *n*, Hähnchen *n* (*von Vögeln außer Hühnern*). – **3.** Hahnenschrei *m*. – **4.** *obs.* Zeit *f* des ersten Hahnenschreis. – **5.** Turm-, Wetterhahn *m*. – **6.** (An)Führer *m*: ~ of the school Erster *od.* Anführer unter den Schülern; ~ of the walk Hahn im Korbe. – **7.** (Wasser-, Gas)Hahn *m*; to turn (shut) the ~ den Hahn aufdrehen (zudrehen). – **8.** a) (Gewehr-, Pi'stolen-)Hahn *m*, b) Hahnstellung *f*: at full ~ mit gespanntem Hahn; at half ~ mit Hahn in Ruh; to go off (at) half-~ *colloq.* vorzeitig losgehen (*Gewehr*), *fig.* überstürzt handeln. – **9.** (*Eisschießen*) Ziel *n*. – **10.** a) (vielsagendes *od.* verächtliches) (Augen)Zwinkern, b) Hochtragen *n* (*Kopf, Nase*), c) kekkes Schiefsetzen (*Hut*): to give one's hat a saucy ~ seinen Hut keck aufs Ohr setzen, d) Spitzen *n*, Aufrichten *n* (*Ohren*), e) Aufrichten *n* (*Schweif*). – **11.** aufgebogene Hutkrempe. – **12.** *tech.* Unruhscheibe *f* (*Uhr*). – **13.** Zeiger *m* (*Sonnenuhr*). – **14.** *obs.* Zunge *f* (*Waage*). – **15.** old ~! *Br. sl.* alter Bursche! – **16.** *vulg.* Penis *m*. – **II** *v/t* **17.** (*Gewehrhahn*) spannen. – **18.** (*herausfordernd, vielsagend etc*) aufrichten *od.* schiefstellen, *bes.* a) (*Augen*) zu'sammenkneifen u. verdrehen: to ~ one's eye at s.o. j-n vielsagend *od.* verächtlich ansehen, b) (*Ohren*) spitzen, c) (*Hut*) schief aufsetzen, d) (*Hutkrempe*) aufrichten. – **III** *v/i* **19.** auffällig *od.* keck her'vor-, her'aus-, em'porragen. – **20.** den Hahn (*einer Feuerwaffe*) spannen. – **21.** *obs.* ein'herstolˌzieren, großspurig auftreten. – **IV** *adj* **22.** männlich (*meist von Vögeln*): ~ canary Kanarienhähnchen; ~ lobster männlicher Hummer; ~ sparrow Sperlingsmännchen. – **23.** *sl.* Haupt..., führend.

cock[2] [kɒk] **I** *s* kleiner Heu-, Getreide-, Dünger-, Torfhaufen. – **II** *v/t* (*Heu etc*) in Haufen setzen.

cock[3] [kɒk] *obs. für* cockboat.

cock·a·bon·dy [ˌkɒkə'bʌndi] *s eine künstliche Angelfliege.*

cock·ade [kɒ'keid] *s* Ko'karde *f*. — **cock'ad·ed** *adj* mit einer Ko'karde.

cock-a-doo·dle-doo ['kɒkəˌduːdl'duː] *s* **1.** Kikeri'ki *n* (*Krähen des Hahns*). – **2.** (*humor. od. Kindersprache*) Kikeri'ki *m* (*Hahn*).

cock-a-hoop [ˌkɒkə'huːp] *adj u. adv* **1.** prahlerisch, trium'phierend. – **2.** ausgelassen, heiter.

Cock·aigne [kɒ'kein] *s* **1.** Schla'raffenland *n*. – **2.** Cockneyland *n* (*London*).

cock·a·leek·ie [ˌkɒkə'liːki] *s Scot.* Hühnersuppe *f* mit Lauch. — **ˌcock·a'lo·rum** [-'lɔːrəm] *s* **1.** kleiner Hahn. – **2.** *fig.* Gernegroß *m*, Wichtigtuer *m*.

'cock-and-'bull sto·ry *s* Ammenmärchen *n*, unglaubwürdige Geschichte, Lügengeschichte *f*.

cock·a·teel, cock·a·tiel [ˌkɒkə'tiːl] *s zo. ein kleiner austral. Papagei* (*Leptolophus hollandicus*).

cock·a·too [ˌkɒkə'tuː] *s zo.* Kakadu *m* (*Unterfam. Kakatoëinae, bes. Gattg Kakatoë*).

cock·a·trice ['kɒkətris; *Br. auch* -ˌtrais] *s* **1.** Basi'lisk *m* (*sagenhaftes Schlangentier mit tödlichem Blick*). – **2.** *Bibl.* Giftschlange *f* (*auch fig.*).

Cock·ayne *cf.* Cockaigne.

cock| bead *s arch.* erhabener Rundstab. — **'~ˌbird** *s* Vogelmännchen *n*. — **'~ˌboat** *s mar.* kleines (*meist hinten angehängtes*) Boot, Beiboot *n*. — **'~-ˌbrained** *adj* unbesonnen. — **~ broth** *s* Hühner(fleisch)brühe *f*. — **'~ˌchaf·er** *s zo.* **1.** Gemeiner Maikäfer (*Melolontha vulgaris*). – **2.** Junikäfer *m* (*Rhizotrogus solstitialis*). — **'~ˌcrow, '~ˌcrow·ing** *s* **1.** Hahnenschrei *m*. – **2.** *fig.* Tagesanbruch *m*, Morgendämmerung *f*.

cocked [kɒkt] *adj* **1.** aufwärts gerichtet. – **2.** aufgestülpt. – **3.** gespannt (*Feuerwaffe*): to go off half-~ *fig. Am. colloq.* vorzeitig losgehen, überstürzt handeln. — **~ hat** *s* Dreispitz *m*, -master *m* (*Hut*): to knock into a ~ *sl.* in Stücke *od.* zu Brei schlagen, ‚total fertigmachen' (*vernichten*).

cock·er[1] ['kɒkər] *s* **1.** → cocker spaniel. – **2.** a) Kampfhahnzüchter *m*, b) Veranstalter *m od.* Liebhaber *m* von Hahnenkämpfen.

cock·er[2] ['kɒkər] *v/t* verhätscheln, verweichlichen: ~ up aufpäppeln.

Cock·er[3] ['kɒkər] *npr nur in der Wendung*: according to ~ nach Adam Riese, genau.

cock·er·el ['kɒkərəl] *s* **1.** junger Hahn. – **2.** *fig.* (draufgängerischer) junger Mann.

cock·er span·iel *s* Cocker-Spaniel *m*, (*langhaariger*) Schnepfenhund.

cock·et ['kɒkit] *s Br.* **1.** *hist.* königliches Zollsiegel. – **2.** *obs.* Zollplombe *f*. – **3.** Zollhaus *n*. – **4.** Zoll *m*.

'cock|ˌeye *s* **1.** *sl.* schielendes Auge, Schielauge *n*. – **2.** *tech.* Dille *f* (*eines Mühlsteins*). – **3.** Kara'binerhaken *m* (*am Pferdegeschirr*). — **'~ˌeyed** *adj sl.* **1.** schielend. – **2.** schief (*auch fig.*). – **3.** ‚blöd' (*lächerlich, unsinnig, dumm*). – **4.** ‚angesäuselt' (*leicht beschwipst*). — **'~ˌeye pi·lot** *s zo. ein Riffisch* (*Eupomacentrus leucostictus*; *Florida u. Westindien*). — **~ feath·er** *s* Feder *f* (*am Pfeil*). — **'~ˌfight I** *s* Hahnenkampf *m*. — **'~ˌfight·ing I** *s* → cockfight. – **II** *adj* Hahnenkampf..., dem Hahnenkampf ergeben. — **'~'horse I** *s* **1.** a) Schaukel-, Steckenpferd *n*, b) Knie *n* (*auf dem man ein Kind reiten läßt*). – **2.** *obs.* großes Pferd: on ~, a-~ a) zu Pferde, hoch zu Roß, b) stolz, c) in hoher Stellung. – **II** *adj u. adv* **3.** zu Pferde, reitend. – **4.** *obs.* hochmütig, stolz.

cock·i·ness ['kɒkinis] *s* Eingebildetheit *f*, Keckheit *f*, Anmaßung *f*.

cock·ing ['kɒkiŋ] *s* **1.** Hahnenkampf *m*. – **2.** *hunt.* Schnepfenjagd *f*. — **~ dog** → cocker spaniel.

cock·ish ['kɒkiʃ] *adj colloq.* **1.** hahnartig, wie ein Hahn. – **2.** eingebildet, keck, unverschämt. — **'cock·ish·ness** *s* Eingebildetheit *f*, Unverschämtheit *f*.

cock·le[1] ['kɒkl] **I** *s* **1.** *zo.* Herzmuschel *f* (*Fam. Cardiidae*), *bes.* Eßbare Herzmuschel (*Cardium edule*). – **2.** → cockleshell. – **3.** Runzel *f*, Falte *f*. – **4.** *pl* → ~s of the heart. – **5.** *Am.* (*Art*) Zuckerwerk *n*. – **II** *v/i* **6.** faltig *od.* runzelig werden. – **7.** sich kräuseln, sich wellenförmig biegen *od.* werfen. – **8.** kurze u. unregelmäßige Wellen werfen: cockling sea kabbelige See. – **III** *v/t* **9.** falten, runzeln. – **10.** kräuseln, wellenförmig werfen.

cock·le[2] ['kɒkl] *s* **1.** *bot.* a) → corn ~, b) Taumellolch *m* (*Lolium temulentum*). – **2.** *allg.* Unkraut *n* (*auch fig.*). – **3.** *agr.* Gichtkrankheit *f* des Weizens (*durch Weizenälchen Tylenchus tritici*).

cock·le[3] ['kɒkl] *s* **1.** Kachelofen *m*. – **2.** Hopfendarre *f*. – **3.** *tech.* großer Trockenofen (*für Biskuit-Porzellan*).

'cock·le|ˌboat → cockboat. — **'~ˌbur** *s bot.* **1.** Spitzklette *f* (*Gattg Xanthium*). – **2.** (Butzen)Klette *f* (*Arctium lappa*). — **~ hat** *s* Hut *m* mit muschelartiger Ko'karde (*als Pilgerabzeichen*). — **~ oast** *s* Hopfendarrofen *m*.

cock·ler ['kɒklər] *s* Muschelhändler(in).

'cock·leˌshell *s* **1.** Herzmuschelschale *f*. – **2.** Muschelschale *f*. – **3.** a) kleines u. leichtes Boot, ‚Nußschale' *f*, b) → cockboat.

cock·les of the heart *s pl* (*das*) Innerste *od.* Tiefste des Herzens: to warm the cockles of s.o.'s heart j-n im innersten Herzen erfreuen.

cock·le stove *s* Kachelofen *m*.

'cock|ˌlight *s Br. dial.* (Morgen-, Abend)Dämmerung *f*. — **'~ˌloft** *s* Dachkammer *f*. — **'~ˌmas·ter** *s* Kampfhahnzüchter *m*, -hahnliebhaber *m*. — **~ met·al** *s tech.* 'Graumeˌtall *n*, grauer Tombak (*weiche Metallegierung, für Wasserhähne etc*).

cock·ney ['kɒkni] **I** *s* **1.** *oft* C~ (*meist verächtlich*) Cockney *m* (*Einwohner von London, bes. des* East End). – **2.** *oft* C~ 'Cockneydiaˌlekt *m*, -aussprache *f*. – **3.** *obs.* a) verhätscheltes Kind, b) Städter *m*, verweichlichter Mensch. – **II** *adj* **4.** Cockney...: ~ English. — **'cock·ney·dom** *s* **1.** Gegend *f*, in der die Cockneys wohnen (*der Osten Londons*). – **2.** *collect.* die Cockneys *pl*. — **ˌcock·ney'ese** [-'iːz] *s* 'Cockneydiaˌlekt *m*. — **'cock·neyˌfy** [-ˌfai] **I** *v/t* zum Cockney machen. – **II** *v/i* zum Cockney werden. — **'cock·ney·ish** *adj* cockneyartig, -mäßig, wie ein Cockney. — **'cock·neyˌism** *s* **1.** Cockneyausdruck *m*, Spracheigenheit *f* der Cockneys. – **2.** Cockneyeigenart *f*.

cock| of the rock *s zo.* Felsenhahn *m*, Klippenvogel *m* (*Rupicola rupicola*). — **~ of the wood** → pileated woodpecker. — **'~ˌpit** *s* **1.** *aer.* Führer-, Pi'lotenkaˌbine *f*, Pi'lotensitz *m*, Kanzel *f*. – **2.** *mar.* Kockpit *m*, *n*: a) Ka'binenvorraum *m* (*Jacht*), b) Sitzraum *m* (*Segelboot*). – **3.** *mar.* (*auf alten Kriegsschiffen*) a) Raumdeck *n* für jüngere Offi'ziere, b) Verbandsplatz *m*. – **4.** Hahnenkampfplatz *m*. – **5.** *fig.* Kampfplatz *m*. – **6.** *obs.* Par'terre *n* (*Theater*). — **'~ˌroach** *s zo.* (Küchen)Schabe *f* (*Fam. Blattidae*), Kakerlak *m*.

cocks·comb ['kɒksˌkoum] *s* **1.** *zo.* Hahnenkamm *m*. – **2.** Narrenkappe *f*. – **3.** *bot.* a) Ko'rallenbaum *m* (*Erythrina cristagalli*), b) (*ein*) Hahnenkamm *m* (*Gattg Celosia*), c) → lousewort 1 *u.* 3. – **4.** Stutzer *m*, Geck *m*. — **~ grass** *s bot.* Begranntes Kammgras, Igel-Kammgras *n* (*Cynosurus echinatus*).

'cocks|ˌfoot *s irr* → orchard grass. — **'~ˌhead** *s bot.* Espar'sette *f* (*Onobrychis caput-galli*).

'cock|ˌshot → cockshy. — **'~ˌshut** *s obs. od. dial.* Abenddämmerung *f*. — **'~ˌshy** *s sl.* **1.** Wurf *m* auf ein Ziel. – **2.** Zielscheibe *f* (*auch fig.*). — **~ sorrel** *s bot.* Gemeiner Sauerampfer (*Rumex acetosa*). — **~ spring** *s tech.* Winkelfeder *f*. — **'~ˌspur** *s* **1.** *zo.* Hahnensporn *m*. – **2.** *bot.* a) Hahnensporn-Weißdorn *m* (*Crataegus crusgalli*), b) Stachelige Pi'sonie (*Pisonia aculeata*), c) (*eine*) Flockenblume (*Centaurea melitensis*). — **'~ˌspur grass** *s bot.* (*ein*) Hühnergras *n* (*Gattg Echinochloa*), *bes.* → barn grass. — **'~'sure** *adj* **1.** ganz sicher, todsicher, vollkommen über'zeugt. – **2.** zu sicher, über'trieben selbstsicher (*in seiner Meinung*). – **3.** vollkommen

vertrauenswürdig. – **4.** *obs.* ganz ohne Gefahr. – *SYN. cf.* sure. — ˌ~'**sure·ness** *s* (über'triebene) Selbstsicherheit, Über'zeugtsein *n* (von sich selbst). — ~**·swain** *cf.* coxswain.
cock·sy ['kɒksi] → cocky I.
'**cock|ˌtail** *s* **1.** Cocktail *m.* – **2.** Austern-, Hummern-, Krabbencocktail *m* (*mit Soße im Glas serviert*). – **3.** Fruchtcocktail *m*, gemischte Fruchtschale. – **4.** Pferd *n* mit gestutztem Schweif. – **5.** Halbblut *n* (*Pferd*). – **6.** *Br. colloq.* Parve'nü *m*, Em'porkömmling *m.* – **7.** → rove beetle. — '~-ˌ**tailed** *adj* **1.** mit gestutztem Schweif (*Pferd*). – **2.** mit aufgerichtetem Schwanz *od.* 'Hinterteil. — '~ˌ**throw·ing** *s obs.* Werfen *n* mit Stöcken nach einem angebundenen Hahn. — '~ˌ**up I** *adj* **1.** aufwärts gebogen. – **2.** *print.* weit über den oberen Zeilenrand hin'ausreichend (*Initialen etc*). – **II** *s* **3.** (*etwas*) Hochgebogenes. – **4.** vorn hochgebogener Hut, schiefgesetzter Hut. – **5.** *print.* über den oberen Zeilenrand hin'ausreichender Buchstabe, Initi'ale *f.*
cock·y ['kɒki] **I** *adj colloq.* ‚hochnäsig' (*eingebildet*), frech, keck. – **II** *s* kleiner Hahn.
cock·y-leek·y [ˌkɒki'liːki] → cocka-leekie.
cock·y·ol·(l)y bird [ˌkɒki'ɒli] *s* Piepvögelchen *n* (*Kosename od. Kindersprache*).
co·co ['koukou] **I** *s pl* **-cos 1.** *bot.* a) → ~nut palm, b) Kokosnuß *f.* – **2.** *sl.* ‚Kürbis' *m* (*Kopf*). – **II** *adj* **3.** aus Kokosfasern 'hergestellt, Kokos...
co·coa¹ ['koukou] **I** *s* **1.** → cacao 1. – **2.** a) Ka'kao(pulver *n*) *m*, b) Ka'kao *m* (*Getränk*). – **3.** Ka'kaobraun *n.* – **II** *adj* **4.** Kakao... – **5.** ka'kaofarben, -braun.
co·coa² ['koukou] *falsche Schreibung von* coco.
co·coa| nib *s bot.* Samenlappen *m* der Ka'kaobohne. — ~ **pow·der** *s mil.* braunes pris'matisches Schießpulver.
co·co grass *s bot. Am.* Rundknolliges Cypergras (*Cyperus rotundus*).
co·con·scious [kou'kɒnʃəs] *adj psych.* im Nebenbewußtsein vor'handen, nebenbewußt. — **co'con·scious·ness** *s psych.* Nebenbewußtsein *n*, sekun'däres Bewußtsein.
co·co·nut ['koukəˌnʌt] **I** *s* **1.** Kokosnuß *f*: that accounts for the milk in the ~ *humor.* das erklärt alles. – **2.** → ~ palm. – **3.** *sl.* ‚Kürbis' *m* (*Kopf*). – **II** *adj* **4.** Kokos... — ~ **but·ter** *s* Kokosbutter *f.* — ~ **mat·ting** *s* Kokosmatte *f.* — ~ **milk** *s* Kokosmilch *f.* — ~ **oil** *s* Kokosöl *n.* — ~ **palm,** ~ **tree** *s bot.* Kokospalme *f* (*Cocos nucifera*).
co·coon [kə'kuːn] **I** *s zo.* **1.** Ko'kon *m.* – **2.** Gespinst *n*, Schutzhülle *f* (*bes. für Egel, Spinnen, Fische*). – **3.** *mil.* Schutzhülle *f* (*aus Plastik, für Geräte*). – **II** *v/t* **4.** in einen Ko'kon einspinnen. – **5.** *mil.* (*Gerät*) ‚einmotten'. – **III** *v/i* **6.** sich in einen Ko'kon einspinnen. — **co'coon·er·y** [-əri] *s* (Gebäude *n od.* Raum *m* für) Seidenraupenzucht *f.*
co·co| palm → coconut palm. — ~ **plum** *s bot.* West'indische Goldpflaume, Icaco- *od.* Kokospflaume *f* (*Chrysobalanus icaco*). — '~-ˌ**tree** → coconut palm.
co·cotte [ko'kɒt] *s* **1.** Ko'kotte *f*, Halbweltdame *f*, leichtes Mädchen. – **2.** *Am.* Kasse'rolle *f* mit zwei Henkeln. – **3.** *Am.* Droschkenpferd *n.*
'**co·coˌwood** *s* **1.** *Holz des trop.-asiat. Euphorbiaceen-Baumes Aporosa dioica u. der westindischen Leguminose Inga vera.* – **2.** *äußere Holzschicht der Kokospalme.*
coc·o·zel·le [ˌkɒko'zeli] *s bot.* (*ein*) Gartenkürbis *m* (*Frucht einer Abart von Cucurbita pepo*).
coc·tile ['kɒktil; -tail] *adj* gebacken, gebrannt (*Mauersteine*).
coc·tion ['kɒkʃən] *s selten* Kochen *n.*
cod¹ [kɒd] *pl* **cods,** *collect.* **cod** *s zo.* **1.** Kabeljau *m*, Dorsch *m* (*Gadus callarias*). – **2.** (*ein*) Schellfisch *m*, *bes.* Alaska ~ (*Gadus macrocephalus*).
cod² [kɒd] *s* **1.** bauchiges Ende (*am Fischnetz etc*). – **2.** *dial.* Hülse *f*, Schote *f.* – **3.** *obs.* Beutel *m*, Tasche *f.*
cod³ [kɒd] *pret u. pp* '**cod·ded** *v/t u. v/i dial.* foppen.
cod⁴ [kɒd] *s Scot. od. dial.* Kissen *n*, Polster *n.*
co·da ['koudə] *s* **1.** *mus.* Coda *f*, Schlußsatz *m.* – **2.** *metr.* Coda *f* (*bes. eines Sonetts*).
'**codˌbank** *s mar.* Kabeljaubank *f* (*Laich- u. Fanggebiet des Kabeljaus*).
cod·dle ['kɒdl] **I** *v/t* **1.** langsam kochen lassen, dünsten, dämpfen. – **2.** verhätscheln, verzärteln. – **II** *s* **3.** Weichling *m.*
code [koud] *s* **1.** *jur.* Kodex *m*, Gesetzbuch *n*, Gesetzessammlung *f.* – **2.** Kodex *m*, syste'matische Regel- *od.* Vorschriftensammlung: ~ of hono(u)r Ehrenkodex. – **3.** *mar. mil.* Si'gnalbuch *n.* – **4.** (Tele'graphen)Kode *m*, (De'peschen)Schlüssel *m.* – **5.** a) Chiffre *f*, b) Kode *m* (*Schlüssel einer Geheimschrift*). – **6.** *ling. Am.* Struk'tur *f* eines Sprachabschnitts (*im Gegensatz zum Bedeutungsinhalt*). – **II** *v/t* **7.** kodifi'zieren, in einen Kodex eintragen. – **8.** in Schlüsselschrift 'umsetzen *od.* über'tragen, chif'frieren.
'**codeˌball** *s sport* Codeball(spiel *n*) *m.*
co·debt·or, *Br.* **co-...** [kou'detər] *s* Mitschuldner *m.*
co·dec·li·na·tion, *Br.* **co-...** [ˌkoudekli'neiʃən] *s astr.* 'Poldiˌstanz *f*, Komple'ment *n* der Deklinati'on.
co·de·fend·ant, *Br.* **co-...** [ˌkoudi'fendənt] *s jur.* Mitbeklagter *m*, Mitangeklagter *m.*
co·de·ia [ko'diːjə], **co·de·in** ['koudiin] → codeine.
co·de·ine ['koudiːn; -diˌiːn; -in; -ˌain] *s chem.* Kode'in *n* ($C_{18}H_{21}NO_3H_2O$; *Opiumpräparat*).
code plug *s electr.* Schlüsselstecker *m.*
cod·er ['koudər] *s colloq.* j-d der einen Kode anwendet.
co·det·ta [ko'detta] (*Ital.*) *s mus.* kleine Coda.
co·dex ['koudeks] *pl* **co·di·ces** ['koudiˌsiːz; 'kɒd-; -də-] *s* Kodex *m*, altes Manu'skript. — **C~ Ju·ris Ca·no·ni·ci** ['dʒu(ə)ris kə'nɒniˌsai] *s relig.* Codex *m* Juris Ca'nonici (*Gesetzbuch des kanonischen Rechts*).
'**codˌfish** *Am.* (*bes. Neuengland*) für cod¹. — ~ **ball,** ~ **cake** *s* Frika'delle *f* aus Kabeljau *u.* Kar'toffeln.
'**codˌfish·er** *s* **1.** Kabeljaufänger *m*, -fischer *m.* – **2.** Boot *n* zum Kabeljaufang.
codg·er ['kɒdʒər] *s* **1.** *colloq.* (alter) Kauz: nice old ~ netter alter Kerl. – **2.** *Br. dial.* Geizhals *m*, alter Knauser.
co·di·ces *pl von* codex.
cod·i·cil ['kɒdisil; -dəsəl] *s jur.* **1.** Kodi'zill *n*, Testa'mentsnachtrag *m.* – **2.** Zusatz *m*, Anhang *m* (*Dokument*). — ˌ**cod·i'cil·la·ry** [-ləri] *adj* kodi'zillartig, Kodizill...
cod·i·fi·ca·tion [ˌkɒdifi'keiʃən; ˌkou-; -dəfə-] *s* Kodifi'zierung *f.* — '**cod·i·ˌfi·er** [-ˌfaiər] *s* j-d der kodifi'ziert. — '**cod·i·fy** [-ˌfai] *v/t* **1.** *jur.* kodifi'zieren, (*Gesetze*) sammeln. – **2.** in ein Sy'stem bringen, syste'matisch aufzeichnen *od.* ordnen. – **3.** (*Nachricht etc*) verschlüsseln, in einen Kode über'tragen.
co·di·rec·tion·al [ˌkoudi'rekʃənl; -dai-] *adj* die'selbe Richtung habend.
cod·lin ['kɒdlin] → codling².
cod·ling¹ ['kɒdliŋ] *s zo.* **1.** junger Kabeljau *od.* Dorsch. – **2.** (*ein*) kabeljauartiger Fisch (*bes. Gattungen Urophycis u. Phycis*).
cod·ling² ['kɒdliŋ] *s* **1.** kleiner unreifer Apfel. – **2.** *Br.* Kochapfel *m.*
cod·ling moth *s zo.* Apfelwickler *m*, -made *f* (*Carpocapsa pomonella*).
'**cod·lings-and-'cream** *s bot. Br.* Zottiges Weidenröschen (*Epilobium hirsutum*).
cod·lin moth → codling moth.
'**cod|-ˌliv·er oil** *s* Lebertran *m.* — '~**·man** [-mən] *s irr* Boot *n* für den Kabeljaufang. — '~ˌ**piece** *s hist.* Hosenlatz *m*, -beutel *m* (*der Männerhose im Mittelalter*). — '~ˌ**pitch·ings** *s pl* geringste Sorte Lebertran.
co-driv·er ['kou'draivər] *s* Beifahrer *m.*
co·ed, co-ed ['kou'ed] *s ped. Am.* Stu'dentin *f od.* Schülerin *f* einer Schule (*bes. Universität od. College*) mit ˌKoedukati'on.
co·ed·u·ca·tion, *Br.* **co-...** ['kouˌedʒu'keiʃən; *Br. auch* -ˌedju-] *s ped.* ˌKoedukati'on *f*, gemeinsame Erziehung beider Geschlechter. — '**co·ˌed·u'ca·tion·al,** *Br.* '**co-...** *adj* Koedukations..., mit ˌKoedukati'on. — '**coˌed·u'ca·tion·alˌism,** *Br.* '**co-...** *s* ˌKoedukati'onsmeˌthode *f.*
co·ef·fi·cient [ˌkoui'fiʃənt; -ə'f-] **I** *s* **1.** *math. phys.* Koeffizi'ent *m.* – **2.** mitwirkende Kraft *od.* Größe. – **II** *adj* **3.** mit-, zu'sammenwirkend. — ~ **of cou·pling** *s electr.* Kopplungsgrad *m*, -faktor *m.* — ~ **of ex·pan·sion** *s phys.* 'Ausdehnungskoeffiziˌent *m.* — ~ **of fric·tion** *s phys.* 'Reibungskoeffiziˌent *m.* — ~ **of meas·ure** *s math.* Maßzahl *f.* — ~ **of re·sist·ance** *s phys.* 'Festigkeitskoeffiziˌent *m*, -zahl *f.*
coe·horn ['kouhɔːrn] *s mil. obs.* kleiner tragbarer Mörser (*18. Jh.*).
coel- [siːl] → coelo-.
coe·la·canth ['siːləˌkænθ] *s zo.* (*ein*) Quastenflosser *m* (*Fam. Coelacanthidae*).
-coele [siːl] *Wortelement mit der Bedeutung* Höhle, Höhlung, Kammer.
coe·lel·minth ['siːlelminθ] *s zo.* Leibeshöhlenwurm *m* (*Stamm Annelidae, Klassen Gastrotricha u. Chaetognatha*).
coe·len·ter·ate [si'lentəˌreit; -rit] *zo.* **I** *s* Hohltier *n* (*Stamm Coelenterata*). – **II** *adj* zu den Hohltieren gehörig. — **coe'len·terˌon** [-ˌrɒn] *pl* **-ter·a** [-rə] *s zo.* **1.** Körperhohl-, Ga'stralraum *m* (*der Hohltiere*). – **2.** Urdarm *m*, Darmleibeshöhle *f.*
coe·li·ac *cf.* celiac.
coelo- [siːlo] *Wortelement mit der Bedeutung* hohl.
coe·lo·dont ['siːloˌdɒnt; -lə-] *zo.* **I** *adj* hohlzähnig. – **II** *s* hohlzähniges Tier.
coe·lom ['siːləm], '**coe·lome** [-loum] *s zo.* Cö'lom *n*, sekun'däre Leibeshöhle (*mit mesodermaler Auskleidung*).
coe·lo·sperm ['siːloˌspəːrm; -lə-] *s bot.* schüsselförmig gekrümmter Same (*bei Umbelliferen*).
co·emp·tion [kou'empʃən] *s* **1.** Aufkauf *m* des gesamten Vorrats (*einer Ware*). – **2.** (*röm. Recht*) (*Art*) bürgerliche Eheschließung durch Scheinkauf.
coen- [siːn; sen] → coeno-.
coe·naes·the·si·a *cf.* coenesthesia.
co·en·dou [ko'enduː] *s zo.* Co'endu *n*, Baumstachelschwein *n* (*Gattg Coëndu*).
coe·nes·the·si·a [ˌsiːnes'θiːʒiə; -ʒə; ˌsen-], ˌ**coe·nes'the·sis** [-sis] *s psych.* allgemeines Körpergefühl, Ich-, Exi'stenzgefühl *n.*
coeno- [siːno; seno] *Wortelement mit der Bedeutung* allgemein, gemeinsam.
coe·no·bite *cf.* cenobite.
coe·no·bi·um [si'noubiəm] *pl* **-bi·a** [-ə] *s* **1.** → cenoby. – **2.** *biol.* 'Zellgemeinde *f*, -horde *f*, -koloˌnie *f*, Zö'nobium *n.* – **3.** *bot.* Klause *f* (*einsamige Teilfrucht*).

coe·no·cyte ['siːnoˌsait; 'sen-; -nə-] *s biol. vielkerniger, einzelliger Organismus* (*bes. Alge*).

coe·nu·rus [si'nju(ə)rəs; *Am. auch* -'nur-] *s zo.* Quesenbandwurm *m* (*Taenia coenurus; ruft Drehkrankheit bei Schafen hervor*).

co·en·zyme [kou'enzaim] *s med.* Coen'zym *n*, 'Konferˌment *n*, Cofer'ment *n*.

co·e·qual [kou'iːkwəl] **I** *adj* ebenbürtig, gleichrangig, -gestellt, -altrig, gleich groß *od.* fähig. – **II** *s* Rang-, Standesgenosse *m*, Ebenbürtige(r). — ˌ**co·e'qual·i·ty** [-i'kwɒliti; -əti] *s* Gleich(gestellt)heit *f*, Ebenbürtigkeit *f*.

co·erce [kou'əːrs] *v/t* **1.** einschränken, zu'rückhalten. – **2.** zwingen (into zu). – **3.** erzwingen: to ~ obedience. – *SYN. cf.* force. — **co'er·ci·ble** *adj* **1.** einschränkbar. – **2.** (er)zwingbar. – **3.** *phys.* zu'sammendrückbar, kompri'mierbar.

co·er·cion [kou'əːrʃən] *s* **1.** Einschränkung *f*. – **2.** Zwang *m*: by ~ durch Zwang, zwangsweise, unter Druck. – **3.** *pol.* 'Zwangsreˌgierung *f*, -reˌgime *n* (*bes. in Irland*). — **co'er·cion·ar·y** [*Br.* -nəri; *Am.* -ˌneri] *adj* Zwangs... — **co'er·cion·ist** *s* Anhänger(in) der 'Zwangspoliˌtik *od.* -wirtschaft.

co·er·cive [kou'əːrsiv] **I** *adj* **1.** einschränkend, zwingend, Zwangs...: → measure 21. – **2.** über'zeugend, zwingend: ~ reasons zwingende Gründe. – **3.** *phys.* koerzi'tiv: ~ force Koerzitivkraft. – **II** *s* **4.** Zwangsmittel *n*. — **co'er·cive·ness** *s* zwingender Cha'rakter, zwingende Eigenschaft, (*das*) Zwingende.

co·es·sen·tial [ˌkoui'senʃəl] *adj* gleichen Wesens, wesensgleich. — ˌ**co·esˌsen·ti'al·i·ty** [-ʃi'æliti; -əti] *s* Wesensgleichheit *f*.

co·e·ta·ne·ous [ˌkoui'teiniəs] *adj* **1.** gleichalt(e)rig. – **2.** gleichzeitig. – **3.** von gleicher Dauer. — ˌ**co·e'ter·nal** [-i'təːrnl] *adj* gleich *od.* gemeinsam ewig. — ˌ**co·e'ter·ni·ty** *s* gemeinsame Ewigkeit.

co·e·val [kou'iːvəl] **I** *adj* **1.** gleichzeitig, zeitgenössisch. – **2.** gleichalt(e)rig, gleichen Alters. – **3.** von gleicher Dauer. – **II** *s* **4.** Zeitgenosse *m*. – **5.** Altersgenosse *m*. – *SYN. cf.* contemporary.

co·ex·ec·u·tor, *Br.* **co-...** [ˌkouig'zekjutər; -jə-] *s* 'Mittestaˌmentsvollˌstrecker *m*, gleichzeitig eingesetzter Testa'mentsvollˌstrecker. — ˌ**co·ex'ec·u·trix**, *Br.* **co-...** [-triks] *s* 'Mittestaˌmentsvollˌstreckerin *f*.

co·ex·ist, *Br.* **co-...** [ˌkouig'zist] *v/i* gleichzeitig *od.* nebenein'ander bestehen, koexi'stieren. — ˌ**co·ex'ist·ence** *s* gleichzeitiges Bestehen, Koexi'stenz *f*. — ˌ**co·ex'ist·ent** *adj* gleichzeitig *od.* nebenein'ander bestehend, koexi'stent.

co·ex·tend [ˌkouiks'tend] *v/t u. v/i* (sich) (*räumlich od. zeitlich*) gleich weit ausdehnen (with wie). — ˌ**co·ex'ten·sion** *s* gleiche Ausdehnung. — ˌ**co·ex'ten·sive** [-siv] *adj* von gleicher Ausdehnung.

co·fac·tor [kou'fæktər] *s math.* Ad'junkte *f*, Faktor *m*.

cof·fee ['kɒfi; *Am. auch* 'kɔːfi] *s* **1.** Kaffee *m* (*Getränk*). – **2.** Kaffee(bohnen *pl*) *m*: ground ~ gemahlener Kaffee; roasted ~ gebrannter Kaffee. – **3.** *bot.* Kaffeebaum *m* (*Gattg Coffea*). – **4.** Kaffeebraun *n*. — ~ **bar** *s* Es'pressobar *f*. — ~ **bean** *s* Kaffeebohne *f*. — ~ **ber·ry** *s* Kaffeebeere *f*. — '~ˌ**ber·ry** *s bot.* **1.** Kaliforn. Kreuzdorn *m*, Faulbaum *m* (*Rhamnus californica*). – **2.** Cas'cara-Wegedorn *m* (*Rhamnus purshiana*). — ~ **bor·er** *s zo.* Larve *f* des Kaffeebohrkäfers *Xylotrechus quadripes*. — ~ **break** *s Am.* Kaffeepause *f*. — ~ **cup** *s* Kaffeetasse *f*. — ~ **grounds** *s pl* Kaffeesatz *m*. — '~ˌ**house** *s* Kaffeehaus *n*, Ca'fé *n*. — ~ **mill** *s* Kaffeemühle *f*. — ~ **nut** → Kentucky coffee tree. — '~ˌ**pot** *s* Kaffeekanne *f*. — ~ **roast·er** *s* **1.** Kaffeebrenner *m*. – **2.** 'Kaffeebrennappaˌrat *m*, Kaffeetrommel *f*. — '~ˌ**room** *s* **1.** Kaffeestube *f*, Frühstückszimmer *n* (*eines Hotels od. Gasthofs*). – **2.** Restau'rant *n* (*eines Hotels etc*). — ~ **set** *s* 'Kaffeeserˌvice *n*. — ~ **shop** *Am. für* coffeeroom. — ~ **stall** *s* Kaffeebude *f*, -stand *m*. — ~ **ta·ble** *s* (*Art*) Couchtisch *m*. — ~ **tav·ern** *s* Restau'rant *n*, in dem keine alko'holischen Getränke verkauft werden. — ~ **tree** *s bot.* **1.** Kaffeebaum *m* (*Gattg Coffea*). – **2.** → Kentucky ~. – **3.** → coffeeberry 2. — '~ˌ**weed** *s bot.* **1.** → chicory. – **2.** (*eine*) Cassie, (*ein*) Sennesstrauch *m* (*Cassia marylandica u. C. tora*). – **3.** → curled dock. — '~ˌ**wood** *s dunkelbraunes Hartholz der trop.-amer. Leguminose Caesalpinia granadilla.*

cof·fer ['kɒfər; *Am. auch* 'kɔːfər] **I** *s* **1.** Kasten *m*, Kiste *f*, Truhe *f* (*bes. für Geld, Schmuck etc*). – **2.** *pl* a) Schatz *m*, Schätze *pl*, b) Schatzkammer *f*: the ~s of the State der Staatsschatz. – **3.** *tech.* a) (*Brückenbau*) Fangdamm *m*, b) Kammer *f* (*einer Schleuse*). – **4.** *arch.* Deckenfeld *n*, Kas'sette *f*. – **II** *v/t* **5.** in eine Truhe legen, in einer Truhe aufbewahren. – **6.** *arch.* (*Decke*) kasset'tieren: ~ed ceiling Kassettendecke. — '~ˌ**dam** *s* **1.** (*Brückenbau*) a) Fang-, Kastendamm *m*, b) Cais'son *m*. – **2.** *mar.* Kofferdamm *m*. – **3.** *mar.* Cais'son *m* (*zur Reparatur von Schiffen unter der Wasserlinie*). — '~ˌ**work** *s arch.* 'Deckenkassetˌtierung *f*, kasset'tierte Fläche.

cof·fin ['kɒfin; *Am. auch* 'kɔːfin] **I** *s* **1.** Sarg *m*: to drive a nail into s.o.'s ~ der Nagel zu j-s Sarg sein. – **2.** Pferdehuf *m*. – **3.** (*Keramik*) a) Kapsel *f* (*Porzellanbrennen*), b) Brennkasten *m* (*für Tonpfeifen etc*). – **4.** (*Bergbau*) strossenförmiger Tagbau. – **5.** *print.* Karren *m*. – **6.** *mar. colloq.* Sarg *m* (*seeuntüchtiges Schiff*). – **7.** gedrehte Pa'piertüte. – **8.** → ~ spark. – **II** *v/t* **9.** einsargen. – **10.** *fig.* ein-, wegschließen. — ~ **bone** *s zo.* Hufbein *n* (*Pferd*). — ~ **cor·ner** *s* (*amer. Fußball*) Spielfeldecke *f* zwischen Mal- u. Marklinie. — ~ **joint** *s zo.* Hufgelenk *n* (*Pferd*). — ~ **nail** *s* **1.** Sargnagel *m*. – **2.** *sl.* ‚Sargnagel' *m*, (schlechte) Ziga'rette. — ~ **plate** *s* me'tallene Namensplatte am Sarg. — ~ **spark** *s Br.* glühendes Kohlestück (*das aus dem Feuer herausplatzt u. Tod ankünden soll*).

cof·fle ['kɒfl] *s* Zug *m* anein'andergeketteter Menschen (*bes. Sklaven*) *od.* Tiere.

cog[1] [kɒg] **I** *s* **1.** *tech.* a) Kamm *m*, Zahn *m* (*Rad*), b) Well-, Hebedaumen *m*, c) Zahnrad *n*, d) (*Zimmerei*) Kamm *m*, Holzzapfen *m*, e) (*Bergbau*) (Berg)Versatzpfeiler *m*. – **2.** *fig.* Rädchen *n* (*j-d der in einer Organisation eine kleine, aber unentbehrliche Rolle spielt*). – **II** *pret u. pp* **cogged** *v/t* **3.** *tech.* (*Rad*) mit Zähnen versehen, zahnen. – **4.** *tech.* a) (*Zimmerei*) verkämmen, aufkämmen, b) (*Bergbau*) versetzen.

cog[2] [kɒg] *pret u. pp* **cogged I** *v/t* **1.** (*Würfel*) mit Blei beschweren: to ~ the dice beim Würfeln betrügen. – **2.** täuschen, betrügen, beschwatzen. – **3.** ~ in hin'ein-, her'einschwindeln. – **II** *v/i* **4.** mit falschen Würfeln spielen. – **5.** betrügen.

cog[3] [kɒg] *s mar. hist.* Kogge *f*, Handelssegler *m*.

co·gen·cy ['koudʒənsi] *s* zwingende Kraft, Beweis-, Über'zeugungskraft *f*, Triftigkeit *f*. — '**co·gent** *adj* zwingend, über'zeugend, triftig (*Gründe od. Argumente*). – *SYN. cf.* valid.

cogged [kɒgd] *adj tech.* gezahnt, mit Zähnen (versehen): ~ roller gezahnte Walze.

cog·ging| joint ['kɒgiŋ] *s tech.* verzahnter Stoß, verzahnte Verbindung, Ver-, Über'kämmung *f*. — ~ **mill** *s tech.* Vorstraße *f*, Blockwalzwerk *n*.

cog·i·ta·bil·i·ty [ˌkɒdʒitə'biliti; -dʒə-; -əti] *s* Denkbarkeit *f*. — '**cog·i·ta·ble** *adj* denkbar. — '**cog·iˌtate** [-ˌteit] **I** *v/i* **1.** (nach)denken, (nach)sinnen, über'legen, medi'tieren. – **2.** (on, upon) nachdenken, (nach)sinnen, medi'tieren (über *acc*), über'legen (*acc*). – **II** *v/t* **3.** nachdenken über (*acc*). – **4.** erdenken, ausdenken, ersinnen. – **5.** *philos.* denken. – *SYN. cf.* think. — ˌ**cog·i'ta·tion** *s* **1.** (Nach)-Denken *n*, (Nach)Sinnen *n*. – **2.** Denkfähigkeit *f*. – **3.** Gedanke *m*, Über'legung *f*. – **4.** I'dee *f*. — '**cog·iˌta·tive** *adj* **1.** (nach)denkend, (nach)sinnend, medi'tierend. – **2.** nachdenklich. – **3.** Denk...: ~ faculty Denkfähigkeit. – **4.** mit Denkfähigkeit begabt. — '**cog·iˌta·tor** [-ˌtər] *s* (Nach)Denkender *m*, (Nach)Sinnender *m*.

co·gnac ['kounjæk; 'kɒn-] *s* **1.** Cognac *m* (*franz. Weinbrand aus der Gegend um Cognac*). – **2.** Kognak *m*, (franz.) Weinbrand *m*.

cog·nate ['kɒgneit] **I** *adj* **1.** (bluts)verwandt (*bes. mütterlicherseits*). – **2.** *fig.* (art)verwandt, mit gleichen Eigenschaften, von gleicher Na'tur. – **3.** *ling.* gleichen Ursprungs, verwandt (*Sprachen, Wörter etc*). – **4.** *ling.* sinnverwandt, aus dem'selben Stamm: ~ object Objekt des Inhalts (*Objekt, das denselben Stamm hat wie das Prädikatsverbum od. mit diesem sinnverwandt ist*). – **II** *s* **5.** *jur.* a) Verwandte(r), b) (*röm. Recht*) Blutsverwandte(r). – **6.** (*etwas*) Verwandtes. – **7.** *ling.* a) verwandtes Wort, b) verwandte Sprache. — **cog'na·tion** *s* (Bluts)Verwandtschaft *f*.

cog·ni·tion [kɒg'niʃən] *s* **1.** Erkennen *n*. – **2.** Erkenntnis *f*, Wahrnehmung *f*. – **3.** Erkennungsvermögen *n*. – **4.** a) Wahrnehmung *f*, b) Begriff *m*. – **5.** *obs.* Wissen *n*. – **6.** *jur. bes. Scot.* gerichtliches Erkenntnis. — **cog'ni·tion·al**, '**cog·ni·tive** *adj* Erkennungs...

cog·ni·za·ble ['kɒgnizəbl; 'kɒn-; -nə-] *adj* **1.** a) erkennbar, b) wahrnehmbar. – **2.** *jur.* a) der Gerichtsbarkeit einer Rechtsbehörde unter'worfen, zur Zuständigkeit eines (*bestimmten*) Gerichts gehörig, b) gerichtlich verfolgbar, vor Gericht gehörig, c) zu verhandeln(d).

cog·ni·zance ['kɒgnizəns; 'kɒn-; -nə-] *s* **1.** Erkenntnis *f*, Kenntnis(nahme) *f*: to take ~ of s.th. etwas zur Kenntnis nehmen, von etwas Kenntnis nehmen; to take special ~ of s.th. etwas genau untersuchen; to have ~ Kenntnis haben. – **2.** *jur.* a) gerichtliches Erkenntnis, b) (Ausübung *f* der) Gerichtsbarkeit, Zuständigkeit *f*, c) Erkenntnis-, Entscheidungsrecht *n*, d) Einräumung *f od.* Anerkennung *f* der Klage, e) Eingeständnis *n* eines Tatbestandes: to fall under the ~ of a court zur Zuständigkeit eines Gerichts gehören. – **3.** Erkenntnissphäre *f*, Wissensbereich *m*. – **4.** *bes. her.* Ab-, Kennzeichen *n*. — '**cog·ni·zant** *adj* **1.** wissend, Kenntnis habend: to be ~ of s.th. etwas wissen *od.* kennen. – **2.** *jur.* kompe'tent, zuständig. – **3.** *philos.* erkennend. – *SYN. cf.* aware.

cog·nize ['kɒgnaiz] *v/t* **1.** *bes. philos.* erkennen. – **2.** wissen.

cog·ni·zee [ˌkɒgni'ziː; ˌkɒn-] *s jur. hist.* Kläger *m*, dem das Recht auf ein Grundstück zuerkannt wird. — **'cog·niˌzor** [-ˌzɔːr] *s jur. hist.* Beklagter, der dem Kläger das Recht auf ein Grundstück einräumt.

cog·no·men [kɒg'noumen; -mən] *pl* **-mens, -nom·i·na** [-'nɒminə] *s* **1.** Fa'milien-, Zuname *m*. – **2.** Beiname *m*, *bes.* Spitzname *m*. – **3.** *antiq.* Ko'gnomen *n*, Beiname *m*. — **cog'nom·i·nal** [-'nɒminl; -'nou-] *adj* Zunamens...

cog·nosce [kɒg'nɒs] *v/t jur. Scot.* **1.** unter'suchen. – **2.** entscheiden.

co·gno·scen·te [koɲo'ʃɛnte] *pl* **-ti** [-ti] (*Ital.*) *s* (*bes.* Kunst)Kenner *m*.

cog·nos·ci·bil·i·ty [kɒgˌnɒsi'biliti; -sə-; -əti] *s* Erkennbarkeit *f*, Wahrnehmbarkeit *f*. — **cog'nos·ci·ble** *adj* erkennbar, wahrnehmbar.

cog·no·vit [kɒg'nouvit] *s jur.* Anerkennung *f* einer klägerischen Forderung seitens des Beklagten: ~ **note** Schuldanerkenntnisschein.

co·gon [ko'goun] *s bot.* (*ein*) Silberhaargras *n* (*Imperata exaltata u. I. cylindrica var. koenigii*).

'cog|ˌrail *s tech.* **1.** Zahnschiene *f*. – **2.** *Am. colloq. für* **cog railway.** — ~ **rail·way** *s tech.* Zahnradbahn *f*.

Cogs·well chair ['kɒgzwel; -wəl] *s Polstersessel mit geneigter Lehne u. Klauenfüßen.*

cogue [koug; kɒg] *s Scot.* Holzeimer [*m*, Napf *m*.]

'cogˌway *s* Zahnradbahn *f*.

'cogˌwheel *s tech.* Zahn-, Kammrad *n*. — ~ **drive** *s tech.* Zahnradantrieb *m*. — ~ **rail·way** *s* Zahnradbahn *f*.

'cogˌwood *s grünfarbiges Bauholz von Zizyphus chloroxylon* (*Rhamnacee in Westindien*).

co·hab·it [kou'hæbit] *v/i* **1.** (als Eheleute) zu'sammenleben. – **2.** in wilder Ehe leben. – **3.** *obs.* zu'sammenwohnen. — **co'hab·it·ant** *s* Mitbewohner(in). — **coˌhab·i'ta·tion** *s* **1.** Zu'sammenwohnen *n* (*bes. von Eheleuten*). – **2.** wilde Ehe. — **co'hab·it·er** *s* Mitbewohner(in).

co·heir [kou'ɛr] *s* Miterbe *m*. — **co'heir·ess** [-'ɛ(ə)ris] *s* Miterbin *f*.

co·here [kou'hir] *v/i* **1.** zu'sammenhängen, -kleben. – **2.** zu'sammenhängen, kohä'rieren, in logischem Zu'sammenhang stehen. – **3.** zu'sammenhalten, -gehalten werden. – **4.** *fig.* zu'sammenpassen, über'einstimmen. – **5.** (*Radio*) fritten. – *SYN. cf.* **stick**[2].

co·her·ence [kou'hi(ə)rəns], **co'her·en·cy** *s* **1.** Zu'sammenhalt *m*, -hang *m*, Verbundenheit *f*. – **2.** *phys.* Kohäsi'on *f*, Kohä'renz *f*. – **3.** (*Radio*) Frittung *f*. – **4.** na'türlicher *od.* logischer Zu'sammenhang: ~ **of speech** Klarheit der Rede. – **5.** *fig.* Über'einstimmung *f*. — **co'her·ent** *adj* **1.** zu'sammenhängend, -haftend, verbunden. – **2.** *phys.* kohä'rent. – **3.** logisch zu'sammenhängend, einheitlich, klar, verständlich: to be ~ **in one's speech** eine klare Ausdrucksweise haben. – **4.** über'einstimmend, zu'sammenpassend. — **co'her·er** *s* (*Radio*) Fritter(empfänger) *m*.

co·her·i·tor [kou'heritər; -rə-] → **coheir.**

co·he·sion [kou'hiːʒən] *s* **1.** Zu'sammenhalt *m*, -hang *m*. – **2.** Bindekraft *f*. – **3.** *phys.* Kohäsi'on *f*. — **co'he·sive** [-siv] *adj* **1.** Kohäsions..., Binde...: ~ **force** Bindekraft. – **2.** fest zu'sammenhaltend *od.* -hängend. – **3.** *fig.* bindend. — **co'he·sive·ness** *s* **1.** Kohäsi'ons-, Bindekraft *f*. – **2.** Festigkeit *f*.

Cohn·heim's a·re·as ['kounhaimz] *s pl med.* Cohnheimsche Felder *pl*.

co·ho·bate ['kouhoˌbeit] *v/t chem. selten* rektifi'zieren, nochmals destil'lieren.

co·hort ['kouhɔːrt] *s* **1.** *antiq. mil.* Ko'horte *f* (*400 bis 600 Mann einer röm. Legion*). – **2.** Gruppe *f*, Schar *f* (*Krieger etc*).

co·hosh ['kouhɒʃ; kou'hɒʃ] *s bot. Am.* **1.** → **baneberry** 1. – **2.** **black** ~ Wanzenkraut *n* (*Cimicifuga racemosa*). – **3.** **blue** ~ Wiesenrautenähnliches Caulo'phyllum (*Caulophyllum thalictroides*).

co·hune [ko'huːn], *auch* ~ **palm** *s bot.* Co'hunepalme *f* (*Attalea cohune*).

coif[1] [kɔif] **I** *s* **1.** enganliegende Kappe, Haube *f*. – **2.** Nonnenhaube *f*. – **3.** *mil. hist.* Helmkappe *f*. – **4.** *jur. Br. hist.* a) weiße Kappe der Anwälte, *bes.* der **serjeants-at-law,** b) Stand *m od.* Rang *m* eines Rechtsgelehrten, *bes.* eines **serjeant-at-law: brother of the** ~ Jurist; **to take the** ~ zum **serjeant-at-law** befördert werden. – **II** *v/t* **5.** mit einer Kappe bekleiden. – **6.** *jur. Br. hist.* zum **serjeant-at-law** befördern.

coif[2] [kwaːf; kɔif] *Kurzform für* **coiffure.**

coif·feur [kwa'fœːr] (*Fr.*) *s* Fri'seur *m*.

coif·fure [kwaː'fjur] **I** *s* **1.** Fri'sur *f*, Haartracht *f*. – **2.** Kopfputz *m*. – **II** *v/t* **3.** fri'sieren.

coign(e) [kɔin] *s* **1.** Ecke *f*, Eckstein *m*. – **2.** Keil *m*. — ~ **of vant·age** *s fig.* günstiger (Angriffs)Punkt, vorteilhafte Stellung.

coil[1] [kɔil] **I** *v/t* **1.** *auch* ~ **up** aufrollen, (auf)wickeln: **to** ~ **oneself up** sich zusammenrollen. – **2.** *mar.* (*Tauwerk*) aufschießen, in Ringen überein'anderlegen: **to** ~ **a rope.** – **3.** spi'ralenförmig winden. – **4.** um'schlingen. – **5.** *electr.* wickeln. – **II** *v/i* **6.** *auch* ~ **up** sich winden, sich zu'sammenrollen. – **7.** sich winden *od.* wickeln, sich schlingen (**about, around** um). – **8.** sich in Windungen (fort)bewegen. – **III** *s* **9.** Rolle *f*, Spi'rale *f*. – **10.** (einzelne) Windung (*eines Seils etc*). – **11.** *mar.* Tauwerks-, Seilrolle *f*: ~ **of rope** Taukranz, Rolle Tauwerk. – **12.** *tech.* (Rohr)Schlange *f*. – **13.** Rolle *f* (*Draht, Garn etc*). – **14.** *tech.* Spi'rale *f*, Windung *f*. – **15.** *electr.* Spule *f*, Wicklung *f*. – **16.** Knäuel *m*, *n*, Spule *f*. – **17.** Haarrolle *f*. – **18.** a) Rolle *f* von Briefmarken (*meist 500 Stück, gewöhnlich nur senkrecht od. waagrecht perforiert*), b) *Briefmarke in einer solchen Rolle.*

coil[2] [kɔil] *s obs. od. poet.* **1.** Tu'mult *m*, Wirrwarr *m*. – **2.** **mortal** ~ Lärm *m od.* Mühsal *f* des Irdischen.

coil| an·ten·na *s* (*Radio*) Spi'ralanˌtenne *f*. — ~ **clutch** *s tech.* Federbandkupplung *f*.

coiled| gun [kɔild] *s mil.* (*Art*) Ringrohr *n*. — ~ **ra·di·a·tor** *s tech.* Kühlschlange *f*.

coil| ig·ni·tion *s electr.* Abreißzündung *f*. — **'~-ˌload** *v/t electr.* pupini'sieren. — ~ **space** *s electr.* Wicklungs-, Spulenabstand *m*. — ~ **spring** *s tech.* Spi'ralfeder *f*. — ~ **stamps** *s pl* Briefmarken *pl* in perfo'rierten, zu'sammengerollten Bogen (*zu 500 Stück*). — ~ **trans·mis·sion line** *s electr.* Pu'pinleitung *f*.

coin [kɔin] **I** *s* **1.** Münze *f*: a) Geldstück *n*, b) (gemünztes) Geld, Me'tallgeld *n*: **base** ~, **false** ~ falsches Geld; **current** ~ gangbare Münze; **small** ~ Scheidemünze; **to pay s.o. in his own** ~ *fig.* j-m mit gleicher Münze heimzahlen. – *SYN.* **currency, money, specie.** – **2.** *arch.* a) Ecke *f*, b) Eckstein *m*, c) keilförmiger Stein (*Mauerbogen*). – **3.** *mil.* (Geschütz)-Keil *m*. – **II** *v/t* **4.** a) (*Metall*) münzen, b) (*Münzen*) schlagen, prägen: **to** ~ **money** *colloq.* Geld wie Heu verdienen. – **5.** *fig.* (*Wort*) prägen, erfinden: **to** ~ **a new expression.** – **6.** *fig.* zu Geld machen. – **7.** *arch.* mit Ecksteinen versehen. – **III** *v/i* **8.** münzen, Geld prägen. – **9.** *Br. colloq.* falschmünzen. — **'coin·a·ble** *adj* münzbar, prägbar. — **'coin·age** *s* **1.** Prägen *n*, (Aus)Münzen *n*. – **2.** *collect.* Münzen *pl*, (gemünztes) Geld. – **3.** 'Münzsyˌstem *n*: **decimal** ~ Dezimalmünzsystem. – **4.** Münzrecht *n*. – **5.** *fig.* Erfindung *f*, Prägung *f* (*Wörter etc*): ~ **of the brain** Hirngespinst. – **6.** *fig.* geprägtes Wort, (Neu)Prägung *f*.

coin box *s* Münzfernsprecher *m*.

co·in·cide [ˌkouin'said] *v/i* **1.** (*örtlich od. zeitlich*) zu'sammentreffen, -fallen (**with** mit), gleichzeitig *od.* am gleichen Ort geschehen. – **2.** über'einstimmen, sich decken (**with** mit), genau entsprechen (**with** *dat*): **our plans** ~ unsere Pläne stimmen überein. – *SYN. cf.* **agree.**

co·in·ci·dence [kou'insidəns; -sə-] *s* **1.** Zu'sammentreffen *n* (*in Raum od. Zeit*). – **2.** auffälliges Zu'sammentreffen, Zufall *m*: **it was not a mere** ~ es war kein bloßer Zufall; **by mere** ~ rein zufällig. – **3.** Über'einstimmung *f*, Koinzi'denz *f*, Zu'sammenfallen *n*. — **co'in·ci·dent** *adj* **1.** zu'sammenfallend, -treffend (*örtlich u. zeitlich*). – **2.** (**with**) genau über'einstimmend (mit), sich deckend (mit), genau entsprechend (*dat*): **duty** ~ **with one's own interest** mit dem eigenen Interesse in Einklang stehende Pflicht. – *SYN. cf.* **contemporary.** — **coˌin·ci'den·tal** [-'dentl] *adj* **1.** (genau) über'einstimmend. – **2.** zufällig. – **3.** *tech.* zwei Arbeitsvorgänge gleichzeitig ausführend.

co·in·di·ca·tion [kouˌindi'keiʃən] *s med.* Mitanzeige *f*, gleichzeitiges Sym'ptom.

coin·er ['kɔinər] *s* **1.** Münzer *m*, Münzschläger *m*, Präger *m*. – **2.** *fig.* Präger *m*. – **3.** *Br.* Falschmünzer *m*. — **'coin·ing I** *s* Münzen *n*, Prägen *n*. – **II** *adj* Münz..., Präge...: ~ **die** Münz-, Prägestempel.

co·in·hab·it·ant, *Br.* **co-...** [ˌkouin'hæbitənt; -bə-] *s* Mitbewohner(in).

co·in·her·it·ance, *Br.* **co-...** [ˌkouin'heritəns; -rə-] *s jur.* gemeinsame Erbschaft. — **ˌco·in'her·i·tor,** *Br.* **ˌco-...** [-tər] *s* Miterbe *m*.

co·in·stan·ta·ne·ous [ˌkouinstən'teiniəs] *adj* im gleichen Augenblick geschehend, gleichzeitig.

co·in·sur·ance [ˌkouin'ʃu(ə)rəns] *s econ.* **1.** Mitversicherung *f*. – **2.** Rückversicherung *f*. — **ˌco·in'sure I** *v/t* mit-, rückversichern. – **II** *v/i* eine Mit- *od.* Rückversicherung abschließen.

coir [kɔir] *s* Co'ir *f* (*Kokosfasergarn*).

cois·trel ['kɔistrəl], **'cois·tril** [-tril] *s obs.* **1.** Stallknecht *m*. – **2.** gemeiner *od.* niederer Knecht.

co·i·tal ex·an·the·ma ['kouitəl ˌeksən'θiːmə] *s vet.* Bläschenausschlag *m* (*Geschlechtskrankheit der Pferde u. Rinder*).

co·i·tion [kou'iʃən], **co·i·tus** ['kouitəs] *s* Koitus *m*, Geschlechtsverkehr *m*, Beischlaf *m*.

co·ju·ror [kou'dʒu(ə)rər] *s jur.* Eideshelfer *m*, -zeuge *m*.

coke[1] [kouk] *tech.* **I** *s* Koks *m*. – **II** *v/t* verkoken (lassen). – **III** *v/i* verkoken, zu Koks werden.

coke[2] [kouk] *s sl.* ,Koks' *m*, Koka'in *n*.

Coke[3] [kouk] (*TM*) *s* **1.** Coca-Cola *n*. – **2.** c~ *colloq. allg.* Erfrischungsgetränk *n*, Limo'nade *f*.

coke| breeze *s tech.* Kokslein *n*, -grus *m*, -staub *m*. — ~ **dust** *s* Kokslösche *f*, -staub *m*, -grus *m*. — ~ **i·ron** *s tech.* Kokseisen *n*. — ~ **ov·en** *s tech.*

Koks(brenn)ofen *m*. — ~ **plate** *s tech.* Steinkohlenblech *n*.
co·ker[1] ['koukər] *Br. für* coco.
cok·er[2] ['koukər] *s Am. Bergbewohner von Westvirginia u. Pennsylvania.*
'co·ker,nut *Br. für* coconut.
col [kɒl] *s* **1.** Gebirgspaß *m*, Joch *n*. – **2.** (*Meteorologie*) schmales Tief (*zwischen zwei Antizyklonen*).
col-[1] [kɒl] → com-.
col-[2] [kol] → colo-.
co·la[1] *cf.* kola.
co·la[2] ['koulə] *pl von* colon[1] *u.* colon[2] 2.
col·an·der ['kʌləndər; 'kɒl-] **I** *s* Sieb *n*, Seiher *m*, 'Durchschlag *m*. – **II** *v/t* 'durchseihen, ('durch)sieben.
co·la nut *cf.* kola nut.
co·lat·i·tude, *Br.* **co-...** [kou'læti,tju:d; -tə,t-; *Am. auch* -,tu:d] *s astr.* Komple'ment *n* der Breite eines Gestirns, Diffe'renz *f* zwischen einer gegebenen Breite u. 90°.
col·can·non [kəl'kænən; 'kɒl-; 'kɔ:l-] *s irisches Eintopfgericht aus gestampftem Kohl u. Kartoffeln.*
col·chi·cine ['kɒltʃi,si:n; -sin; 'kɒlki-] *s chem.* Colchi'cin *n* ($C_{22}H_{25}NO_6$; *Gift aus* colchicum 2). — **'col·chi·cum** [-kəm] *s bot.* **1.** Colchicum *n* (*Gattg Colchicum*). – **2.** Herbstzeitlosensamen *pl od.* -knollen *pl*. – **3.** *med.* Colchicum *n* (*Präparat aus* 2, *bes. gegen Gicht*).
col·co·thar ['kɒlkəθər] *s chem.* Colco'thar *m*, Eisenmennige *f*, englisches Rot (Fe_2O_3).
cold [kould] **I** *adj* **1.** kalt (*unter der normalen Körpertemperatur*): to be (*od.* feel) ~ frieren, frösteln; to have ~ feet a) kalte Füße haben, b) *colloq.* Angst haben. – **2.** kalt (*Gegensatz: warm*): the tea is getting ~ der Tee wird kalt; as ~ as ice eiskalt; it makes my blood run ~ es läßt mein Blut erstarren; to throw ~ water on s.o.'s enthusiasm j-s Begeisterung dämpfen *od.* abkühlen. – **3.** frierend, unter Kälte leidend: I feel (*od.* am) ~ mir ist kalt, ich friere, mich friert. – **4.** tot. – **5.** *fig.* kalt, kühl, unfreundlich: a ~ welcome ein kühler Empfang. – **6.** *fig.* kalt, kühl, nüchtern, leidenschaftslos: ~ reason nüchterner *od.* kalter Verstand; the ~ facts die nackten Tatsachen, die nackte *od.* ungeschminkte Wahrheit. – **7.** gefühllos, gleichgültig, teilnahmslos (to gegen): ~ comfort magerer Trost; as ~ as charity *fig.* hart wie Stein. – **8.** gefühlskalt, fri'gid. – **9.** lau, wenig interes'siert. – **10.** entmutigend, bedrückend: ~ news. – **11.** ruhig, gelassen, nicht aus der Fassung zu bringen(d): the news left him ~ die Nachricht ließ ihn kalt. – **12.** *fig.* trocken, langweilig, fad. – **13.** *hunt.* kalt: ~ scent kalte (Geruchs)Fährte. – **14.** kalt, vom gesuchten Gegenstand (weit) entfernt. – **15.** kalt (wirkend) (*Farbe, Raum etc*). – **16.** nicht friedlich, aber ohne tatsächliche Gewaltanwendung; kalt: ~ war. – **17.** *agr.* nur langsam Wärme absor'bierend (*Boden*). – **18.** *Am. sl.* a) bewußtlos, b) (tod)sicher. – **19.** *tech.* zur Bearbeitung von kaltem Me'tall bestimmt. – *SYN.* chilly, freezing, frigid, icy. –
II *s* **20.** Kälte *f*. – **21.** Kälte *f*, kalte Witterung: severe ~ strenge Kälte; to go out in the ~ in der Kälte ausgehen; I cannot stand the ~ ich kann die Kälte nicht vertragen; to be left out in the ~ *fig.* a) kaltgestellt sein, ignoriert werden, b) schutzlos dastehen. – **22.** Kältegefühl *n*. – **23.** *med.* Erkältung *f*, Schnupfen *m*: a bad (*od.* severe) ~ eine starke Erkältung; to catch (*od.* take) ~ sich erkälten; to have a ~ (in the head) einen Schnupfen haben.
cold| blast *s tech.* kalte Gebläseluft. — **'~-'blast i·ron** *s tech.* kalterblasenes *od.* kaltgeblasenes Eisen. — ~ **blood** *s fig.* kaltes Blut, Kaltblütigkeit *f*: a murder in ~ ein kaltblütig verübter Mord. — **'~-'blood·ed** *adj* **1.** *zo.* kaltblütig (*Fische, Amphibien etc*). – **2.** *fig.* a) kaltblütig, gefühllos, b) kaltblütig begangen (*Verbrechen*). – **3.** kälteempfindlich. — ~ **check** *s Am. sl.* gefälschter Scheck. — ~ **chis·el** *s tech.* Kalt-, Hartmeißel *m*. — ~ **coil** *s med.* Kühlschlange *f* (*um entzündeten Körperteil*). — ~ **cream** *s* Cold Cream *n* (*kühlende Fettsalbe*). — ~ **deck** *s Am.* betrügerisch gemischtes Kartenspiel. — **'~-'drawn** *adj tech.* **1.** kaltgezogen (*Metall*). – **2.** kaltgepreßt (*Öl*). — ~ **e·mis·sion** *s phys.* kalte Elek'tronenemissi,on. —**'~,finch** *s zo.* Trauer-Fliegenschnäpper *m* (*Muscicapa hypoleuca*). — ~ **frame** *s* glasgedeckter Blumen- *od.* Pflanzenkasten. — ~ **front** *s* (*Meteorologie*) Kaltluftfront *f*. — **'~-'ham·mer** *v/t tech.* kalthämmern, -schmieden. — **'~-'ham·mered** *adj tech.* federhart. — ~ **har·bo(u)r** *s* Schutzhütte *f*. — **'~'heart·ed** *adj* kalt-, hartherzig. — **'~'heart·ed·ness** *s* Kalt-, Hartherzigkeit *f*.
cold·ish ['kouldiʃ] *adj* ziemlich kalt.
cold lab·o·ra·to·ry *s phys.* kaltes Labora'torium (*für inaktive Stoffe*).
'cold-'liv·ered *adj* gefühlskalt.
cold·ness ['kouldnis] *s* Kälte *f* (*auch fig.*).
cold| pack *s med.* kalte Packung, kalter Verband. — **'~-'pack meth·od** *s tech.* Kaltverfahren *n* (*beim Konservieren*). — ~ **pig** *s sl.* ,kalte Dusche' (*Begießen mit kaltem Wasser, um j-n aufzuwecken*). — **'~-'pig** *v/t sl.* (*j-m*) ,eine kalte Dusche verabfolgen'. — ~ **press** *s tech.* Kaltpresse *f*. — **'~-'press** *v/t tech.* (*Metall, Öl etc*) kaltpressen. — **'~,proof** *adj* im'mun gegen Erkältungen. — **'~-re'sist·ant** *adj* kältebeständig. — **'~-'roll** *v/t tech.* kaltwalzen, glätten. — ~ **rub·ber** *s tech.* 'Tieftempera,turkautschuk *m*, Cold Rubber *m*. — ~ **saw** *s tech.* Me'tallsäge *f* zum kalten Schneiden von Me'tall. — **'~-'short** *adj tech.* kaltbrüchig. — **'~-'shot** *adj tech.* unvollkommen *od.* unscharf gegossen. — ~ **shoul·der** *s colloq. fig.* kalte Schulter: → shoulder 1. — **'~-'shoul·der** *v/t colloq.* (*j-m*) die kalte Schulter zeigen, (*j-n*) kühl behandeln. — **'~-'shut** *adj tech.* kalt geschlossen, ungeschweißt (*Kettenglieder etc*). — ~ **snap** *s* plötzlicher Kälteeinbruch (*von kurzer Dauer*). — ~ **sore** *s med.* Lippen-, Gesichtsherpes *f* (*Bläschenflechte*). — ~ **steel** *s* blanke Waffe (*Messer, Bajonett etc*). — ~ **stor·age** *s* Kühlraum-, Kaltlagerung *f*. — **'~-'stor·age room** *s* Kühlraum *m*. — ~ **store** *s* Kühlhalle *f*, -haus *n*. — ~ **sweat** *s* kalter Schweiß (*bei Furcht, Nervosität etc*). — ~ **tur·key** *s Am. sl.* offene, unverblümte Rede: → talk 17. — ~ **war** *s pol.* kalter Krieg, po'litischer *od.* wirtschaftlicher Propa'gandakrieg. — **'~,wa·ter cure** *s med.* Kaltwasser-, Kneippkur *f*. — ~ **wave** *s* **1.** (*Meteorologie*) Kältewelle *f*. – **2.** Kaltwelle *f*. — ~ **with·out** *s Br. colloq.* alko'holisches Getränk mit kaltem Wasser ohne Zucker. — **'~-'work·ing** *s tech.* Kaltverformung *f*, Kaltrecken *n*: ~ quality Kaltverformbarkeit.
cole [koul] *s bot.* (*ein*) Kohl *m* (*Gattg Brassica*), *bes.* Raps *m* (*B. napus*).
co·lec·to·my [kə'lektəmi] *s med.* 'Dickdarmresekti,on *f*.
cole·man·ite ['koulmə,nait] *s min.* Colema'nit *m* ($Ca_2B_6O_{11}\cdot 5H_2O$).
co·le·o·cele ['koulio,si:l] *s med.* Vagi'nal-, Scheidenbruch *m*.
co·le·op·ter·al [,kɒli'ɒptərəl; ,kou-] *adj* käferartig. — **,co·le'op·ter·an** **I** *adj* käferartig. – **II** *s* → coleopteron. — **,co·le'op·ter·ist** *s* Käferkenner *m*. — **,co·le'op·ter,on** [-,rɒn] *pl* **-ter·a** [-ə] *s* Käfer *m* (*Ordng Coleoptera*). — **,co·le'op·ter·ous** *adj* käferartig, zu den Käfern gehörig, Käfer...
co·le·op·tile [,kouli'ɒptil; ,kɒ-] *s bot.* Koleo'ptile *f*, Keim(blatt)scheide *f* (*der Gräser*). — **,co·le·o'rhi·za** [-o-'raizə] *pl* **-zae** [-i:] *s bot.* Coleo'rrhiza *f*, (Keim)Wurzelscheide *f* (*der Gräser*).
'cole|,seed *s bot.* **1.** Rübsamen *m*. – **2.** Raps *m*, Rübsen *m* (*Brassica napus*). — **'~,slaw** *s Am.* 'Kohlsa,lat *m*.
co·le·us ['kouliəs] *s bot.* Buntlippe *f* (*Gattg Coleus, bes. C. blumei*).
'cole,wort *s bot.* **1.** → cole. – **2.** *ein Kohl ohne festen Kopf.*
co·li·bac·il·lo·sis [,kouli,bæsi'lousis] *s med.* 'Koliba,zilleninfekti,on *f*. — **,co·li·ba'cil·lus** [-bə'siləs] *s med.* 'Koliba,zillus *m*, Ba'zillus *m* Coli.
col·ic ['kɒlik] *med.* **I** *s* **1.** Kolik *f*: biliary ~, bilious ~, hepatic ~ Gallenkolik; renal ~ Nierenkolik. – **II** *adj* **2.** Dickdarm... – **3.** kolikartig, Kolik...
col·ick·y ['kɒliki] *adj* **1.** kolikartig, Kolik... – **2.** Kolik verursachend. – **3.** für Koliken anfällig.
'col·ic|,root *s bot.* **1.** *Name zweier nordamer. Liliaceen* (*Aletris farinosa u. A. aurea*). – **2.** Yamswurzel *f* (*Dioscorea paniculata*). — **'~,weed** *s bot. Am.* **1.** → Dutchman's breeches. – **2.** → squirrel corn. – **3.** Gelber Amer. Lerchensporn (*Corydalis flavula*).
col·i·form ['kɒli,fɔ:rm] *adj med.* wie ein 'Koliba,zillus.
col·in ['kɒlin] *Am. für* bobwhite.
-coline [kolain; -lin] → -colous.
col·i·se·um [,kɒli'si:əm] *s* **1.** Am'phithe,ater *n*, großes The'ater. – **2.** *sport* a) Sporthalle *f*, b) Stadion *n*. – **3.** C~ Kolos'seum *n* (*in Rom*).
co·li·tis [ko'laitis] *s med.* Ko'litis *f*, 'Dickdarmka,tarrh *m*.
col·lab·o·rate [kə'læbə,reit] *v/i* **1.** zu'sammen-, mitarbeiten: to ~ with s.o. in s.th. mit j-m an einer Sache zusammenarbeiten. – **2.** sich (*zu einer Arbeit*) zu'sammentun *od.* vereinigen. – **3.** *pol.* mit dem Feind zu'sammenarbeiten, den Feind in hochverräterischer Weise unter'stützen. — **col,lab·o'ra·tion** *s* **1.** Zu'sammenarbeit *f*: in ~ with gemeinsam mit. – **2.** *pol.* Kollaborati'on *f*. — **col,lab·o'ra·tion·ist** *s pol.* Kollabora'teur *m*, Kollabo'rator *m*. — **col'lab·o,ra·tive** *adj* zu'sammenarbeitend, Gemeinschafts... — **col'lab·o,ra·tor** [-tər] *s* **1.** Mitarbeiter *m*. – **2.** *pol.* Kollabora'teur *m*, Kollabo'rator *m*.
col·lage [kə'lɑ:ʒ; kou-] *s* Col'lage *f* (*Bild aus aufgeklebtem Material wie Zeitungsausschnitten, Streichholzschachteln etc*).
col·la·gen ['kɒlədʒən; -dʒen] *s biol. chem.* Kolla'gen *n*, Knorpelleim *m* (*aus dem Gelatine gewonnen wird*). — **,col·la'gen·ic** [-'dʒenik] *adj* kolla'genbildend.
col·laps·a·ble *cf.* collapsible.
col·lapse [kə'læps] **I** *v/i* **1.** zu'sammenbrechen, einfallen, einstürzen: the house ~d das Haus stürzte ein. – **2.** zu'sammenlegbar sein: this table ~s dieser Tisch läßt sich zusammenklappen. – **3.** *fig.* zu'sammenbrechen, mit einem Fehlschlag enden: the whole plan ~d der gesamte Plan brach zusammen. – **4.** *fig.* (*moralisch od. physisch*) zu'sammenbrechen. – **5.** *med.* a) einen Kräfteverfall *od.* Kol'laps erleiden, b) kolla'bieren (*Lunge*). – **II** *v/t* **6.** (*Photoapparat etc*) zu'sammenklappen (lassen). – **III** *s* **7.** Einsturz *m* (*Haus etc*). – **8.** *fig.*

Zu'sammenbruch *m*, Fehlschlag *m*: ~ **of a bank** Bankkrach; ~ **of prices** plötzlicher tiefer Preissturz. – **9.** *med.* Kol'laps *m*, plötzlicher Kräfteverfall: lung-~ Atelektase; **nervous** ~ Nervenzusammenbruch. — **col'laps·i·ble** *adj* zu'sammenklappbar, Klapp..., Falt...: ~ **boat** Faltboot; ~ **roof** Klapp-, Rollverdeck; ~ **target** *mil.* Fallscheibe, Klappziel, -scheibe.

col·lar ['kɒlər] **I** *s* **1.** Kragen *m* (*eines Kleidungsstücks*): → **stand-up; turn-down; to take s.o. by the** ~ j-n beim Kragen nehmen. – **2.** Halsband *n* (*Tier*): **a dog** ~. – **3.** Kummet *n* (*Pferdegeschirr*): **to work against the** ~ *fig.* schwere Arbeit verrichten. – **4.** Hals-, Ordenskette *f*: ~ **of SS** (*od.* **Esses**) *Br.* (*ehemals*) Insignien des Hauses Lancaster, (*jetzt*) Kette des Lord Justice (Lord Oberrichter) von England. – **5.** Kolli'er *n*: **a** ~ **of pearls.** – **6.** *Am. hist.* eisernes Halsband (*Sklave*): **he wears no man's** ~ *pol. fig.* (*oft humor.*) er ist keinem verbunden, er ist kein Parteigänger. – **7.** *zo.* a) Halsstreifen *m*, -kragen *m*, -ring *m*, b) Mantelwulst *m*. – **8.** *tech.* a) Ring *m*, Man'schette *f*, Bund *m*, Zwinge *f*, Pfanne *f*, Hals *m* (*bei Wellen od. Achsen*), b) Flansch *m*, Kragen *m*, Rand *m*, c) Reifen *m*, Reif *m*, d) Hammerhülse *f*, e) Halsband *n* (*des Schleusentores*), f) (*Zimmerei*) Querstück *n*, -balken *m*, g) Prägering *m*, h) Zapfenlager *n*, Bolzen-, Mutterblech *n*, i) Walzenrand *m*, Walzring *m*, j) Gesenke *n* eines Schlosses. – **9.** (*Angeln*) ringförmige Befestigung mehrerer künstlicher Fliegen (*an einer Angelschnur*). – **10.** *mar.* Stagkragen *m*. – **11.** ('Fleisch-, 'Fisch)Rou,lade *f*. – **12.** *arch.* Ring *m*, Astra'gal *m*. – **13.** (*Bergbau*) Zimmerung *f* (*im oberen Schachtteil*). – **II** *v/t* **14.** mit einem Kragen versehen. – **15.** *sport* (*den Gegner*) stoppen, aufhalten, angehen. – **16.** *sl.* fassen, festnehmen. – **17.** *sl.* sich aneignen, nehmen, erwischen: **I** ~**ed a nice piece of meat** ich habe ein schönes Stück Fleisch ergattert. – **18.** (*Fleisch, Fisch etc*) zu'sammenrollen, in Rollen zu'sammenbinden. — ~ **beam** *s arch.* Quer-, Kehlbalken *m*. — '~,**bone** *s med.* Schlüsselbein *n*. — ~ **but·ton** *s Am.* Kragenknopf *m*. — ~ **cell** *s zo.* Kragen(geißel)zelle *f*.

col·lard ['kɒlərd] *s meist pl bot.* Kohl *m* (*Brassica oleracea*).

col·lar day *s Br. Tag, an dem die Würdenträger am engl. Hof ihre Ordensketten tragen.*

col·lar·et(te) [,kɒlə'ret] *s* kleiner (Spitzen- *etc*)Kragen (*bes. am Damenkleid*).

col·lar| in·sig·ni·a *s pl* Kragenabzeichen *pl*. — ~ **nut** *s tech.* Achs-, Bund-, Ringmutter *f*. — ~ **patch** *s mil.* (Kragen)Spiegel *m*, (-)Platte *f*. — ~ **stud** *s Br.* Kragenknopf *m*. — ~ **thrust bear·ing** *s tech.* Kammlager *n*, Ringdrucklager *n*. — ~ **work** *s* **1.** Fahrt *f* berg'auf. – **2.** *fig.* anstrengende Arbeit.

col·late [kɒ'leit; kə-] *v/t* **1.** kollatio'nieren: a) (*Text, Kopie etc*) *mit dem Original vergleichen*, b) *print.* (*Blätter*) *auf richtige Zahl u. Anordnung überprüfen.* – **2.** *relig.* (*in eine Pfründe*) einsetzen. – *SYN. cf.* **compare.** — **col,lat'ee** [-'tiː] *s relig.* Geistlicher *m*, dem eine Pfründe verliehen wurde.

col·lat·er·al [kə'lætərəl] **I** *adj* **1.** seitlich, kollate'ral, Seiten... – **2.** paral'lel *od.* nebenein'ander laufend. – **3.** *bot.* nebenein'ander wachsend, nebenständig. – **4.** begleitend, Neben...: ~ **circumstances** Begleit-, Nebenumstände. – **5.** zusätzlich, Neben... – **6.** 'untergeordnet, 'indi,rekt: **by** ~ **hand** auf indirektem Wege. – **7.** gleichzeitig auftretend. – **8.** (to) entsprechend (*dat*), gleichlautend (mit). – **9.** in der Seitenlinie (verwandt): ~ **descent** Abstammung von einer Seitenlinie. – **10.** *econ.* durch Nebensicherheit erworben. – **II** *s* **11.** *econ.* (Neben)Sicherheit *f*, Nebenbürgschaft *f*. – **12.** Verwandte(r) einer Nebenlinie. — ~ **bud** *s bot.* kollate'rale Beiknospe. — ~ **cir·cu·la·tion** *s med.* kollate'raler Kreislauf. — ~ **in·sur·ance** *s econ.* Nebenversicherung *f*. — ~ **loan** *s econ.* Lom'barddarlehen *n*, -kre,dit *m*. — ~ **se·cu·ri·ty** *s econ.* Nebenbürgschaft *f*, -sicherheit *f*. — ~ **trust bond** *s econ. Schuldverschreibung, die durch Deponierung von Effekten als Treuhandgut gesichert ist.*

col·la·tion [kɒ'leiʃən] **I** *s* **1.** (Text)-Vergleichung *f*, Kollati'on *f* (*Texte, Bücher etc*). – **2.** Beschreibung *f* der technischen Einzelheiten eines Buches (*Format, Seitenzahl etc*). – **3.** (*Telegraphie*) Verifi'zierung *f* (*einer Depesche durch Wiederholung*). – **4.** *relig.* Verleihung *f* einer Pfründe. – **5.** *relig.* leichte Mahlzeit zur Fastenzeit. – **6.** Imbiß *m*, Kollati'on *f*. – **7.** *relig.* Zu'sammenkunft *f* (*zur Lektüre der Heiligen Schrift od. Predigt*). – **8.** *jur. Scot.* a) Zu'sammenwerfen *n* des Besitzes mehrerer Per'sonen (*zum Zwecke gleicher Teilung*), b) Recht *n* eines Erben, das bewegliche Eigentum mit gleichberechtigten Verwandten zu teilen. — **col'la·tive** *adj* **1.** *relig.* vom Bischof als Pa'tron verliehen (*Pfründe*). – **2.** a) zur Über'tragung *od.* Verleihung berechtigt, b) über'tragend, verleihend. — **col'la·tor** [-tər] *s* **1.** Kollatio'nierender *m*. – **2.** *relig.* Verleiher *m*.

col·league I *s* ['kɒliːg] Kol'lege *m*, Mitarbeiter *m*. – **II** *v/i* [kɒ'liːg] a) sich verbinden, b) konspi'rieren. — '**col·league,ship** *s* **1.** Amtsgenossenschaft *f*. – **2.** Kollegiali'tät *f*.

col·lect¹ [kə'lekt] **I** *v/t* **1.** versammeln. – **2.** (ein)sammeln: **to** ~ **the letters** den Briefkasten leeren; **to** ~ **stamps** Briefmarken sammeln. – **3.** eintreiben, ('ein)kas,sieren: **to** ~ **a bill** den Betrag einer Rechnung (ein)kassieren; **to** ~ **taxes** Steuern erheben. – **4.** abholen. – **5.** *tech.* zu'sammenstellen, -setzen, mon'tieren. – **6.** (*Gedanken etc*) sammeln: **to** ~ **oneself** sich fassen; **to** ~ **one's thoughts** seine Gedanken zusammennehmen. – **7.** (*ein Pferd*) fest in die Hand nehmen. – **8.** *selten* folgern, schließen (from aus). – **II** *v/i* **9.** sich (ver)sammeln. – **10.** sich (an)sammeln, sich (an)häufen: **cigarette ends are** ~**ing in the ash tray** Zigarettenstummel häufen sich im Aschenbecher an. – **11.** (ein)sammeln, Sammler sein. – *SYN. cf.* **gather.** – **III** *adj* **12.** Nachnahme..., bei Lieferung zu bezahlen(d): ~ **call** R-Gespräch. – **IV** *adv* **13.** *Am.* gegen Nachnahme: **a telegram sent** ~ ein Telegramm, das der Empfänger bezahlt.

col·lect² ['kɒlekt] *s relig.* Kol'lekte *f*, Kirchengebet *n*.

col·lect·a·ble *cf.* collectible.

col·lec·ta·ne·a [,kɒlek'teiniə] *s pl* Kollekta'neen *pl*, Lesefrüchte *pl* (*gesammelte Auszüge*).

col·lect·ed [kə'lektid] *adj* **1.** gesammelt. – **2.** *fig.* gefaßt, gesammelt, ruhig. – *SYN. cf.* **cool.** — **col'lect·ed·ness** *s fig.* Gefaßtheit *f*, Fassung *f*, Sammlung *f*. — **col'lect·i·ble** *adj* **1.** sammelbar. – **2.** *econ.* eintreibbar, einlösbar.

col·lect·ing [kə'lektiŋ] **I** *s* **1.** Sammeln *n*. – **2.** *econ.* Einziehung *f*, Eintreibung *f*, In'kasso *n*. – **II** *adj* **3.** Sammel... — ~ **a·gent** *s econ* In'kassoa,gent *m*. — ~ **pipe** *s tech.* Sammelrohr *n*, -röhre *f*. — ~ **rail** *s electr.* Schleifbügel *m*. — ~ **tube,** ~ **tu·bule** *s med.* Sammelrohr *n*.

col·lec·tion [kə'lekʃən] *s* **1.** (Ein)-Sammeln *n*. – **2.** Sammlung *f*: **stamp** ~ Briefmarkensammlung. – **3.** a) Kol'lekte *f*, (Geld)Sammlung *f*, b) Spende *f*, gesammeltes Geld. – **4.** *econ.* Eintreibung *f*, In'kasso *n*: ~ **of legal costs** *jur.* Justizbeitreibung. – **5.** *econ.* ('Muster)Kollekti,on *f*, Auswahl *f*, Sorti'ment *n* (*Waren*). – **6.** Einholung *f*: ~ **of news.** – **7.** Leerung *f* des Briefkastens. – **8.** Ansammlung *f*, Anhäufung *f*: ~ **of pus** *med.* Eiteransammlung. – **9.** *fig.* Fassung *f*, Sammlung *f*, Gefaßtsein *n*. – **10.** *pl ped. Br.* Schlußprüfung *f* am Ende eines Tri'mesters (*Oxford*). – **11.** *Br.* Steuerbezirk *m*.

col·lec·tive [kə'lektiv] **I** *adj* **1.** gesammelt, vereint, zu'sammengefaßt. – **2.** kollek'tiv, eine ganze Gruppe betreffend, gesamt: **the** ~ **interests of a community** die Gesamtinteressen einer Gemeinschaft. – **3.** gemeinsam: ~ **note** Kollektivnote; ~ **ownership** gemeinsamer Besitz; ~ **petition** gemeinsam eingebrachtes Gesuch. – **4.** für eine Gemeinschaft charakte'ristisch, Kollektiv...: ~ **consciousness** *psych.* Kollektivbewußtsein. – **5.** Sammel..., Gemeinschafts... – **6.** kollek'tiv, um'fassend, zu'sammenfassend. – **7.** *bot.* Sammel... – **II** *s* **8.** *ling.* Kollek'tivum *n*, Sammelwort *n*. – **9.** Gemeinschaft *f*, Gruppe *f*. – **10.** *pol.* Kollek'tiv *n*, Produkti'onsgemeinschaft *f* (*in kommunistischen Ländern*). — ~ **a·gree·ment** *s econ.* **1.** Kollek'tivvertrag *m*. – **2.** durch Kollek'tivvertrag festgesetzte Lohnsätze *pl* u. Arbeitsbedingungen *pl*. — ~ **bar·gain·ing** *s econ.* Ta'rifverhandlungen *pl* (*zwischen Arbeitgeber[n] u. Gewerkschaften*). — ~ **be·hav·io(u)r** *s sociol.* Gesamtverhalten *n*. — ~ **farm** *s* Kol'chose *f* (*landwirtschaftliche Kollektivwirtschaft in der UdSSR*). — ~ **fruit** *s bot.* Sammel-, Scheinfrucht *f* (*Ananas etc*). — ~ **mort·gage** *s econ.* Ge'samthypo,thek *f*. — ~ **noun** *s ling.* Kollek'tivum *n*, Sammelname *m*, -wort *n*. — ~ **num·ber** *s* (*Telephon*) Sammelnummer *f*, -anschluß *m*. — ~ **se·cu·ri·ty** *s pol.* kollek'tive Sicherheit, Kollek'tivsicherheit *f*. — ~ **train·ing** *s mil.* geschlossene Ausbildung.

col·lec·tiv·ism [kə'lekti,vizəm] *s econ. pol.* Kollekti'vismus *m*, Kollek'tivsy,stem *n* (*staatliche Lenkung der Wirtschaft*). — **col'lec·tiv·ist** *s* Kollekti'vist(in), Anhänger(in) des Kollekti'vismus. — **col,lec·tiv'is·tic** *adj* kollekti'vistisch.

col·lec·tiv·i·ty [,kɒlek'tiviti; -əti] *s* **1.** Kollektivi'tät *f*, kollek'tiver Cha'rakter. – **2.** Gesamtheit *f*, Masse *f*, (*das*) Ganze. – **3.** Gesamtheit *f* des Volkes, Bürger *pl* eines Staates.

col·lec·tor [kə'lektər] *s* **1.** Sammler *m*: → **stamp** 30. – **2.** Kas'sierer *m*, Eintreiber *m* von Beträgen. – **3.** Einsammler *m*. – **4.** *electr.* Kol'lektor *m*, Stromabnehmer *m*, 'Auffangelek,trode *f*. – **5.** *tech.* Sammelscheibe *f*. – **6.** *Br. Ind.* oberster Verwaltungsbeamter eines Bezirkes. — ~ **ring** *s electr.* Schleif-, Kol'lektorring *m*.

col·lec·tor·ship [kə'lektər,ʃip] *s* **1.** Amt *n* eines Einnehmers (*Geld, Steuern etc*). – **2.** Sammeltätigkeit *f*. – **3.** *Br. Ind. Tätigkeit od. Wohnsitz od. Amt od. Beamtenpersonal des* **collector** 6.

col·leen ['kɒliːn; kɒ'liːn] *s Irish* Mädchen *n*.

col·lege ['kɒlidʒ] *s* **1.** *Br.* College *n* (*Wohngemeinschaft von Dozenten u. Studenten innerhalb einer Universität*):

to enter (*od.* go to) ~ eine Universität beziehen. – **2.** *Br.* höhere, einen Bestandteil einer Universi'tät bildende Lehranstalt: **University C~** (*in London*). – **3.** *Am.* a) College *n*, höhere Lehranstalt (*selbständig od. vereinigt mit einer Universität, mit meist vierjährigem Lehrplan den Übergang bildend zwischen der höheren Schule,* **high school**, *u. dem Universitäts- od. Berufsstudium*), b) Insti'tut *n* (*für Sonderausbildung*): **medical** ~. – **4.** höhere Lehranstalt, Akade'mie *f*: a) *Br. eine der großen* **Public Schools** *wie Eton etc*, b) *Lehranstalt für besondere Studienzweige*: **Naval C~** Marineakademie; → **commercial** ~; **training** ~. – **5.** College(gebäude) *n*. – **6.** Kol'legium *n*: a) *organisierte Vereinigung von Personen mit gemeinsamen Pflichten u. Rechten*, b) Ausschuß *m*: → **electoral** ~; **Sacred C~**. – **7.** *relig.* Kol'legium *n* (*von Geistlichen*). – **8.** a) Gemein-, Gesellschaft *f*, b) Schwarm *m* (*Bienen*). – **9.** (*in Frankreich*) Col'lège *n* (*nichtstaatliche höhere Schule*). – **10.** *Br. sl.* ‚Kittchen' *n*, Gefängnis *n*. – **11.** *obs.* Stiftung *f*, A'syl *n*.

col·lege| ed·u·ca·tion *s* aka'demische Bildung. — ~ **ice** → **sundae**. — ~ **liv·ing** *s Br.* Pfründe *f* für einen (*meist theologischen*) Gelehrten an einem College. — **C~ of Arms** → **Heralds' College**. — ~ **of car·di·nals** *s relig.* Kardi'nalskol,legium *n*. — **C~ of Jus·tice** *s jur. Scot.* 'Rechtskol,legium *n* (*höchster schott. Gerichtshof*). — **C~ of Prop·a·gan·da** *s relig.* Propa'gandakol,leg *n* (*Ausbildungsstätte für Missionare*). — ~ **pud·ding** *s* (*Art*) kleiner Plumpudding.

col·leg·er ['kɒlidʒər] *s* **1.** *Br.* Stipendi'at *m* in Eton. – **2.** *Am.* Stu'dent *m* eines College.

col·lege wid·ow *s Am. colloq.* ‚ewige Stu'dentenbraut', Studentenliebchen *n*.

col·le·gi·al [kə'li:dʒiəl] → **collegiate** I. — **col'le·gi·an** [-dʒiən; -dʒən] *s* **1.** Mitglied *n od.* Stu'dent *m* eines College. – **2.** *Br. sl.* Gefängnisinsasse *m*.

col·le·gi·ate I *adj* [kə'li:dʒiit; -dʒit] **1.** College..., Kollegiums... – **2.** Studenten...: ~ **dictionary** College-, Schulwörterbuch. – **3.** College..., als College organi'siert. – **II** *v/t* [-dʒi,eit] **4.** zu einem College machen, als College organi'sieren. – **5.** *relig.* zu einer Kollegi'atkirche machen. — ~ **church** *s relig.* **1.** *Br.* Kollegi'at-, Stiftskirche *f*. – **2.** *Am.* Vereinigung *f* mehrerer ehemals unabhängiger Kirchen (*unter einem od. mehreren Oberhirten*). – **3.** *Scot.* Kirche *f od.* Gemeinde *f* mit mindestens zwei ranggleichen Pa'storen. — ~ **school** *s Br.* höhere Schule.

col·len·chy·ma [kə'leŋkimə] *s bot.* Kollen'chym *n* (*Festigungsgewebe mit nur teilweiser Zellwandverstärkung*).

col·let ['kɒlit] *tech.* **I** *s* **1.** Me'tallring *m*, -band *n*, Klemmhülse *f*, -ring *m*, Spannhülse *f*, Zwinge *f*. – **2.** Fassung *f* (*Edelstein*). – **3.** kleiner Ring zur Befestigung der Uhrfeder. – **II** *v/t* **4.** mit einem Me'tallring um'geben. – **5.** (*Edelstein*) in einen Ring fassen *od.* setzen: ~**ed in gold** in Gold gefaßt.

col·le·ter [kə'li:tər] *s bot.* Drüsen-, Leimzotte *f* (*auf Deckschuppen von Knospen*).

col·le·te·ri·um [,kɒli'ti(ə)riəm] *pl* **-ri·a** [-ə] *s zo.* Kolle'terium *n* (*einen klebrigen Stoff absondernde Drüse mancher weiblicher Insekten*).

col·lic·u·late [kə'likjulit; -,leit; -jə-] *adj zo.* kleine Erhöhungen habend. — **col'lic·u·lus** [-ləs] *s med. zo.* kleine Erhebung.

col·lide [kə'laid] *v/i* **1.** kolli'dieren, zusammenstoßen. – **2.** stoßen (**with** gegen). – **3.** *fig.* kolli'dieren, sich über'schneiden (*Interessen etc*), im 'Widerspruch stehen (**with** mit).

col·li·dine ['kɒli,di:n; -din], *auch* **'col·li·din** [-din] *s chem.* Colli'din *n* ($C_8H_{11}N$).

col·lie ['kɒli] *s zo.* Collie *m*, schott. [Schäferhund *m*.]

col·lied ['kɒlid] *adj obs. od. dial.* rußig, schwarz.

col·lier ['kɒljər] *s* **1.** Kohlenarbeiter *m*, Bergmann *m*. – **2.** *mar.* a) Kohlendampfer *m*, -schiff *n*, b) Ma'trose *m* auf einem Kohlenschiff. – **3.** *obs.* Kohlenträger *m*, -händler *m*. – **4.** → **dolphin fly**. — **'col·lier·y** *s* Kohlengrube *f*, (Kohlen)Zeche *f*.

col·lie·shang·ie ['kɒli,ʃæŋi] *s Scot.* Streit *m*, Aufruhr *m*, Tu'mult *m*.

col·li·gate ['kɒli,geit] *v/t* **1.** *philos.* logisch verbinden (*durch Finden eines gemeinsamen Begriffs für mehrere Einzeltatsachen*). – **2.** verbinden, vereinigen. — **,col·li'ga·tion** *s* Verbindung *f*.

col·li·mate ['kɒli,meit] *v/t astr. phys.* **1.** (*zwei Linien etc*) zu'sammenfallen lassen, paral'lel machen. – **2.** (*Fernrohr etc*) richten, einstellen.

col·li·ma·tion [,kɒli'meiʃən] *s astr. phys.* **1.** Kollimati'on *f* (*Übereinstimmung od. Parallelität zweier Richtungen an einem Meßgerät*). – **2.** genaues Einstellen (*Meßgerät*). — ~ **er·ror** *s astr. phys.* Kollimati'onsfehler *m*. — ~ **line** *s astr.* Sehlinie *f*, optische Achse (*Fernrohr*).

col·li·ma·tor ['kɒli,meitər] *s astr. phys.* Kolli'mator *m*: a) *Hilfsfernrohr zur Bestimmung der Kollimationsfehler des Hauptfernrohres*, b) *Kollimatorlinse am Spektroskop*.

col·lin ['kɒlin] *s chem.* Col'lin *n* (*reinste Form der Gelatine*).

col·lin·e·ar [kə'liniər] *adj math.* kolline'ar (*auf derselben Geraden liegend*). — **col,lin·e'ar·i·ty** [-'æriti; -əti] *s* Kollineari'tät *f*.

col·lin·e·a·tion [kə,lini'eiʃən] *s* **1.** *math.* Kollineati'on *f*. – **2.** *phys.* Vi'sieren *n*, Einstellen *n* in gerade Richtung.

Col·lins[1] ['kɒlinz] *s Br. colloq.* Dankbrief *m* an den Gastgeber.

col·lins[2] ['kɒlinz] *s alkoholisches Mischgetränk aus Sodawasser, Limonellen-, Zitronen- od. anderem Fruchtsaft u. Zucker mit Rum, Brandy, Wodka od. anderem Alkohol.*

Col·lin's for·ceps *s med.* Collinsche Fremdkörperzange.

col·lin·si·a [kə'linsiə; -ziə] *s bot.* Col'linsie *f* (*Gattg Collinsia*).

col·li·qua·tion [,kɒli'kweiʃən] *s med.* Auflösung *f*, Zersetzung *f*, Einschmelzung *f* (*von Geweben durch Exkrete*). — **col·liq·ua·tive** [kə'likwətiv] *adj* das Gewebe zersetzend: ~ **sweat** verzehrender Schweiß.

col·li·sion [kə'liʒən] *s* **1.** Zu'sammenstoß *m*, Kollisi'on *f*: **to come into** ~ **with s.th.** mit etwas zusammenstoßen; ~ **mat** *mar.* Leck-, Kollisionsmatte, Lecksegel, -tuch. – **2.** *fig.* 'Widerspruch *m*, Zu'sammenstoß *m*, Über'schneidung *f* (*von Interessen etc*), Gegensatz *m*, ('Wider)Streit *m*.

col·lo·cate ['kɒlo,keit] *v/t* zu'sammenstellen, in die Reihe stellen, ordnen. — **,col·lo'ca·tion** *s* **1.** Zu'sammenstellung *f*, (An)Ordnung *f*. – **2.** *fig.* (Rede)Wendung *f*.

col·loc·u·tor [kə'lɒkjutər; -jə-; 'kɒlə,kju:tər] *s* Gesprächspartner(in).

collodio- [kəloudio] *Wortelement mit der Bedeutung* Kollodium.

col·lo·di·on [kə'loudiən] *chem.* **I** *s* Kol'lodium *n*. – **II** *adj* Kollodium... — ~ **cot·ton** *s tech.* Schießbaumwolle *f*, 'Nitrozellu,lose *f*.

col·lo·di·on·ize [kə'loudiə,naiz] *v/t* mit Kol'lodium behandeln.

col·logue [kə'loug] *v/i* **1.** *colloq.* sich heimlich besprechen. – **2.** *dial.* Ränke schmieden.

col·loid ['kɒlɔid] **I** *s* **1.** *chem.* Kollo'id *n*, gallertartiger Stoff. – **2.** *med.* gallertartige Masse (*bei Gallertkrebs etc*). – **II** *adj* **3.** *chem. med.* gallertartig, kolloi'dal. — **col'loi·dal** *adj* **1.** *chem.* kolloi'dal, gallertartig. – **2.** *min.* a'morph, 'unkristal,linisch.

col·lop ['kɒləp] *s Br. dial.* **1.** kleine Scheibe Speck *od.* Fleisch. – **2.** kleine Scheibe *od.* Schnitte, Stückchen *n*. – **3.** Speckfalte *f*, -ring *m*.

col·loque [kə'louk] *v/i* sich unter'halten.

col·lo·qui·al [kə'loukwiəl] *adj* **1.** 'umgangssprachlich, nicht förmlich, Umgangs...: ~ **English** Umgangsenglisch; ~ **expression** Ausdruck der Umgangssprache. – **2.** gesprächsweise, mündlich. — **col'lo·qui·al,ism** *s* **1.** Ausdruck *m* der 'Umgangssprache. – **2.** 'umgangssprachliche Ausdrucksweise. — **col'lo·qui·al·ist** *s* **1.** guter Unter'halter. – **2.** j-d der 'umgangssprachliche Wendungen gebraucht.

col·lo·quist ['kɒləkwist] → **collocutor**.

col·lo·qui·um [kə'loukwiəm] *pl* **-qui·a** [-ə] *s* **1.** Kol'loquium *n*, wissenschaftliches Gespräch (*bes. eines fortgeschrittenen Studienkreises*). – **2.** *jur.* Aussage *f* des Klägers in einem Ver'leumdungspro,zeß.

col·lo·quy ['kɒləkwi] *s* **1.** (förmliche) Unter'haltung, Gespräch *n*, Konfe'renz *f*. – **2.** *relig.* Kol'loquium *n*, refor'mierte 'Kreissy,node.

col·lo·type ['kɒlə,taip] *phot.* **I** *s* **1.** Lichtdruckverfahren *n*, Kolloty'pie *f*. – **2.** Farbenlichtdruck *m*. – **3.** Lichtdruckplatte *f* (*mit Chromgelatineschicht überzogen*). – **II** *v/t* **4.** im Lichtdruckverfahren 'herstellen. — **,col·lo'typ·ic** [-'tipik] *adj* Lichtdruck... — **'col·lo,typ·y** [-,taipi] *s* Lichtdruckverfahren *n*.

col·lude [kə'lju:d; -lu:d] *v/i* **1.** in heimlichem Einverständnis stehen *od.* handeln. – **2.** unter einer Decke stecken. – **3.** (heimlich) mitwirken.

col·lum ['kɒləm] *pl* **-la** [-ə] *s bot. med. zo.* Hals *m*, halsähnlicher Teil.

col·lu·nar·i·um [,kɒlju'nɛ(ə)riəm; -jə-] *s med. Am.* Nasentropfen *pl* (*Medizin*).

col·lu·sion [kə'lu:ʒən] *s jur.* **1.** Kollusi'on *f*, heimliches Einverständnis, vorherige Absprache, Verabredung *f* zu betrügerischen Zwecken: **to act in** ~ in geheimem Einverständnis handeln. – **2.** *geheimes Abkommen, vor Gericht als angebliche Gegner aufzutreten.* — **col'lu·sive** [-siv] *adj* heimlich verabredet, abgekartet.

col·ly[1] ['kɒli] *obs. od. Br. dial.* **I** *v/t* berußen, schwärzen. – **II** *s* Ruß *m*. – **III** *adj* rußig, schmutzig.

col·ly[2] *cf.* collie.

col·ly·rite ['kɒli,rait] *s min.* Kolly'rit *m* (*ein hydratisches Aluminiumsilikat*).

col·lyr·i·um [kə'li(ə)riəm] *pl* **-i·a** [-ə], **-i·ums** *s med.* Augenwasser *n*.

col·ly·wob·bles ['kɒli,wɒblz] *s* (*als sg od. pl konstruiert*) *Br. dial.* **1.** Bauchweh *n*. – **2.** Magenknurren *n*.

colo- [koulo; kɒlo] *Wortelement mit der Bedeutung* Dickdarm.

col·o·bin ['kɒləbin] *s zo.* Stummel-, Seidenaffe *m* (*Gattg Colobus*).

col·o·bo·ma [,kɒlə'boumə] *pl* **-ma·ta** [-tə] *s med.* Kolo'bom *n* (*Spaltbildung*).

col·o·co·la [,kɒlo'koulə], **,col·o'co·lo** [-lou] *s zo.* (*eine*) südamer. Wildkatze (*Felis colocolo*).

col·o·cynth ['kɒləsinθ] *s bot.* Kolo'quinte *f* (*Citrullus colocynthis*).

co·lo·en·ter·i·tis [,koulo,entə'raitis] *s med.* Enteroko'litis *f* (*Dünndarm- u. Dickdarmkatarrh*).

co·logne [kəˈloun], *auch* **C~ wa·ter** *s* Kölnischwasser *n*, Eau de Coˈlogne *n, f.*

Co·lom·bi·an [kəˈlʌmbiən] **I** *adj* koˈlumbisch. – **II** *s* Koˈlumbier(in).

co·lon[1] [ˈkoulən] *pl* **-lons, -la** [-ə] *s med.* Colon *n*, Dickdarm *m.*

co·lon[2] [ˈkoulən] *s ling.* **1.** Doppelpunkt *m.* – **2.** *pl* **-la** [-ə] ˈHauptabˌteilung *f* einer rhythmischen Periˈode.

co·lon[3] [koˈloun] *pl* **-lons, -lo·nes** [-neis] *s* Coˈlon *m* (*Währungseinheit in Costa Rica u. El Salvador*).

co·lo·nate [koˈlouneit; kə-] *s antiq.* Koloˈnat *n* (*eine Form der Grundhörigkeit*).

colo·nel [ˈkəːrnl] **I** *s* **1.** *mil.* Oberst *m* (*in der brit. Wehrmacht auch Titularrang*). – **2.** C~ *Am.* (*in den Südstaaten*) *Ehrentitel für prominente Bürger.* – **3.** (*Angeln*) (*eine*) künstliche Fliege (*zum Lachsfang*). – **II** *v/t pret u. pp* **ˈcolo·neled,** *bes. Br.* **ˈcolo·nelled** **4.** zum Oberst befördern. – **5.** als Oberst tituˈlieren. — **ˈcolo·nel·cy** *s* Stelle *f od.* Rang *m od.* Würde *f* eines Obersten.

colo·nel gen·er·al *s mil.* Geneˌral-[ˈoberst *m.*]

co·lo·ni·al [kəˈlouniəl] **I** *adj* **1.** koloniˈal, aus den Koloˈnien stammend, Kolonial...: ~ **goods,** ~ **produce** Kolonialwaren. – **2.** *Am.* a) die dreizehn brit. Koloˈnien betreffend (*die sich als Vereinigte Staaten selbständig machten*), b) die Zeit vor 1776 *od.* (*im weiteren Sinn*) das 18. Jh. betreffend. – **3.** *biol.* koloˈnienbildend, gesellig. – **4.** C~ *arch. Am.* den Koloniˈalstil (*des 18. Jh.*) betreffend. – **II** *s* **5.** Koloˈnist(in), Bewohner(in) einer Koloˈnie. — **coˈlo·ni·alˌism** *s* **1.** KoloniaˈIismus *m.* – **2.** (*ein*) für eine Koloˈnie typischer Zug (*in Sitte, Ausdrucksweise etc*). – **3.** Koloniˈalsyˌstem *n*, -poliˌtik *f.*

Co·lo·ni·al Of·fice *s pol. Br.* Koloniˈalminiˌsterium *n*, Miniˈsterium *n* für die Koloˈnien.

co·lon·ic [koˈlɒnik; kə-] *adj med.* Dickdarm...

col·o·nist [ˈkɒlənist] *s* **1.** Koloˈnist(in), Bewohner(in) einer Koloˈnie. – **2.** Teilnehmer(in) an einer Koloniˈalexpeditiˌon. — **ˌcol·o·niˈza·tion** *s* **1.** Kolonisatiˈon *f*, Besiedlung *f* (*auch biol.*). – **2.** *Am.* vorˈübergehende Ansiedlung von Wählern in einem Wahlbezirk (*um Stimmen zu gewinnen*). — **ˈcol·oˌnize I** *v/t* **1.** koloniˈsieren, besiedeln. – **2.** ansiedeln: to ~ **labo(u)rers** Arbeiter ansiedeln, eine Arbeiterkolonie gründen. – **II** *v/i* **3.** sich ansiedeln. – **4.** eine Koloˈnie bilden. — **ˈcol·oˌniz·er** *s* (An)Siedler(in), Besiedler(in).

col·on·nade [ˌkɒləˈneid] *s* **1.** *arch.* Kolonˈnade *f*, Säulengang *m.* – **2.** lange Baumreihe. — **ˌcol·onˈnad·ed** *adj* mit Kolonˈnaden versehen.

col·o·ny [ˈkɒləni] *s* **1.** Koloˈnie *f* (*bes. in Überseegebieten*). – **2.** Koloˈnie *f*, Gruppe *f* von Ansiedlern. – **3.** Koloniˈalgebiet *n.* – **4. the Colonies** *hist.* die dreizehn brit. Koloˈnien (*die sich als Vereinigte Staaten von Amerika selbständig machten*). – **5.** (ˈAusländer-, ˈFremden)Koloˌnie *f*: **the German** ~ **in Rome**; **a** ~ **of artists** eine Künstlerkolonie. – **6.** Koloˈnie *f*, Siedlung *f*: **penal** ~ Strafkolonie. – **7.** *med.* Bakˈterienkoloˌnie *f.* – **8.** *biol.* ˈPflanzen- *od.* ˈTierkoloˌnie *f.*

col·o·phene [ˈkɒləˌfiːn] *s chem.* Koloˈphen *n* (*Destillat aus dem Reaktionsprodukt von Terpentinöl mit Schwefelsäure*).

col·o·phon [ˈkɒləˌfɒn; -fən] *s* Koloˈphon *m* (*Schlußinschrift alter Druckwerke*): **from title page to** ~ von Anfang bis Ende.

col·o·pho·ny [ˈkɒləˌfouni; kəˈlɒfəni] *s* Koloˈphonium *n*, Geigenharz *n.*

col·o·quin·ti·da [ˌkɒloˈkwintidə] → **colocynth.**

col·or, *bes. Br.* **col·our** [ˈkʌlər] **I** *s* **1.** (*bes.* chroˈmatische) Farbe. – **2.** Farbe *f*, Farbempfindung *f.* – **3.** Gesichtsfarbe *f*: **to lose** ~ die Farbe verlieren, erbleichen; → **change** 1. – **4.** gesunde Gesichtsfarbe: **to have** ~ gesund aussehen; **to want some** ~ kränklich aussehen; → **off-**~. – **5.** dunkle Hautfarbe: **people of** ~ Farbige; ~ **problem** Negerproblem. – **6.** (Gesichts)Röte *f.* – **7.** Gesinnung *f*, Chaˈraktereigenschaft *f*: **to come out in one's true** ~**s, to show one's** ~**s** sich im wahren Lichte zeigen, sein wahres Gesicht zeigen. – **8.** Farbe *f*, Leˈbendigkeit *f*, Koloˈrit *n*: **a novel with much local** ~ ein Roman mit viel Lokalkolorit; **to give** (*od.* **lend**) ~ **to s.th.** etwas beleben, lebendig gestalten, realistisch darstellen. – **9.** (*Malerei*) Farbe *f*, Farbstoff *m*: **fast** ~ echte *od.* beständige Farbe; **fugitive** ~ unechte Farbe; **to lay on the** ~**s** die Farben auftragen. – **10.** ˈFarbefˌfekt *m*, -wirkung *f* (*Bild etc*). – **11.** *mus.* Tonfärbung *f*, Klangfarbe *f.* – **12.** Schatˈtierung *f*, Färbung *f*, Ton *m*, Chaˈrakter *m*, Stimmung *f.* – **13.** Druckerschwärze *f.* – **14.** Farbe *f*, farbiges Band, Abzeichen *n* (*Schule, Verein etc*): **to get one's** ~**s** sein Mitgliedsabzeichen (*als neues Mitglied*) erhalten. – **15.** *pl mil.* Fahne *f*, Stanˈdarte *f*: **with the** ~**s** im Heer dienend; → **flying** ~**s**; **troop** 13. – **16.** *pl mar.* Flagge *f*, Wimpel *m*: **King's (Queen's)** ~ Flagge des Königs (der Königin), königliche Flagge; **to lower one's** ~**s** die Flagge streichen (*auch fig.*); **to nail one's** ~**s to the mast** hartnäckig aushalten, nicht kapitulieren; **to sail under false** ~**s** unter falscher Flagge segeln. – **17.** *pl mar. Am.* tägliche ˈFlaggenpaˌrade (*8 Uhr morgens u. bei Sonnenuntergang*). – **18.** Anschein *m*, Anstrich *m*: **to cast false** ~**s upon s.th.** ein falsches Licht auf etwas werfen. – **19.** Deckmantel *m*, Vorwand *m*: **under the** ~ **of** unter dem Vorwand von. – **20.** Art *f*, Schlag *m*, Sorte *f*: **cattle of a certain** ~ eine bestimmte Sorte Rinder. – **21.** *jur. Am.* auf den ersten Anschein hin glaubhaftes u. vorläufig unbestrittenes Recht: **to hold possession under** ~ **of title** auf Grund eines behaupteten Rechtstitels das Besitzrecht ausüben. – **22.** *Am.* ausgewaschenes Teilchen eines ˈEdelmeˌtalls (*bes. Gold*). – **23.** *colloq.* Schein *m*, Spur *f*: **he will not see the** ~ **of my money** von mir bekommt er keinen Pfennig. – **24.** *her.* heˈraldische Farbe, Wappenfarbe *f.* – *SYN.* **chroma, hue, shade, tinge, tint.** –
II *v/t* **25.** färben, koloˈrieren, anstreichen. – **26.** *fig.* einen Anstrich geben (*dat*), gefärbt *od.* einseitig darstellen, (schön)färben, entstellen: **a** ~**ed report** ein gefärbter Bericht. – **27.** *fig.* eine bestimmte Note geben (*dat*), beeinflussen. –
III *v/i* **28.** sich (ver)färben, Farbe annehmen. – **29.** erröten.

col·or·a·bil·i·ty, *bes. Br.* **col·our·a·bil·i·ty** [ˌkʌlərəˈbiliti; -əti] *s* Färbbarkeit *f.* — **ˈcol·or·a·ble,** *bes. Br.* **ˈcol·our·a·ble** *adj* **1.** färbbar. – **2.** plauˈsibel, glaubhaft, annehmbar. – **3.** vorgeblich, finˈgiert. – *SYN. cf.* **plausible.** — **ˈcol·or·a·ble·ness,** *bes. Br.* **ˈcol·our·a·ble·ness** *s* **1.** Färbbarkeit *f.* – **2.** Verstellung *f*, trügerischer Schein.

col·o·ra·do [ˌkɒləˈrɑːdou; -ˈrædou] *adj* **1.** *Am.* (*bes. im Südwesten*) rötlich (*meist in Verbindung mit Eigennamen*). – **2.** von mittlerem Farbton u. mittelstark (*Zigarren*).

Col·o·ra·do (po·ta·to) bee·tle *s zo.* Coloˈrado-, Karˈtoffelkäfer *m* (*Leptinotarsa decemlineata*).

col·or·a·tion, *bes. Br.* **col·our·a·tion** [ˌkʌləˈreiʃən] *s* **1.** Färben *n*, Koloˈrieren *n.* – **2.** Farbengebung *f*, -anordnung *f*, Farbverteilung *f.* – **3.** Färbung *f* (*Tiere od. Pflanzen*).

col·o·ra·tu·ra [*Br.* ˌkɒlərəˈtu(ə)rə; *Am.* ˌkʌl-] *s mus.* **1.** Koloraˈtur *f.* – **2.** Muˈsik *f* mit koloraˈturartigen Läufen. – **3.** Koloraˈtursängerin *f.* — ~ **so·pran·o** *s* Koloraˈtursoˌpran *m*: a) hoher Soˈpran, b) Koloraˈtursängerin *f.*

col·or·a·ture [ˈkʌlərətʃur] → **coloratura.**

col·or| bar, *bes. Br.* **col·our| bar** *s bes. Br.* Rassenschranke *f* (*zwischen Weißen u. Farbigen*), ˈRassendiskrimiˌnierung *f.* — **ˈ~-ˌbear·er** *s mil.* Fahnenträger *m.* — **ˈ~-ˌblind** *adj* **1.** *med.* farbenblind. – **2.** *Am. fig.* keinen ˈUnterschied zwischen Weißen u. Farbigen machend. — ~ **blind·ness** *s med.* Farbenblindheit *f.* — ~ **box** *s* Farb(en)-, Malkasten *m.* — ~ **cast** *s* Farbfernsehsendung *f.* — ~ **chart** *s* Farbenskala *f.* — ~ **chest** *s mar.* Flaggenkasten *m.*

col·ored, *bes. Br.* **col·oured** [ˈkʌlərd] **I** *adj* **1.** gefärbt, koloˈriert, farbig, bunt: ~ **cross gas** *mil.* Buntkreuzkampfstoff, Stickgas; ~ **paper** Buntpapier; ~ **pencil** Bunt-, Farbstift; ~ **plate** Farbenkunstdruck. – **2.** farbig, *bes.* Neger...: **a** ~ **man** ein Farbiger, *bes.* ein Neger; ~ **people** Farbige; **a** ~ **school** eine Schule für Farbige. – **3.** beeinflußt, gefärbt, nicht objekˈtiv, beschönigt. – **4.** plauˈsibel. – **5.** trügerisch, täuschend. – **6.** *bot.* bunt, farbig (*anders als grün*). – **7.** (*in Zusammensetzungen*) ...farbig, ...farben. – **II** *s* **8.** (*als pl konstruiert*) *Am.* Neger(innen) *pl.*

col·or fil·ter, *bes. Br.* **col·our fil·ter** *s tech.* Farbfilter *n.*

col·or·ful, *bes. Br.* **col·our·ful** [ˈkʌlərful; -fəl] *adj* **1.** farbenfreudig, -reich. – **2.** *fig.* farbig, lebhaft, interesˈsant: **a** ~ **report.** — **ˈcol·or·ful·ness,** *bes. Br.* **ˈcol·our·ful·ness** *s* **1.** Farbenfreudigkeit *f*, -reichtum *m.* – **2.** *fig.* Farbigkeit *f*, Lebhaftigkeit *f.*

col·or guard, *bes. Br.* **col·our guard** *s mil.* Fahnenwache *f*, -abordnung *f.*

col·or·if·ic [ˌkʌləˈrifik; *Br. auch* ˌkɒl-] *adj* **1.** färbend, farbgebend. – **2.** Farbe betreffend, Farb... – **3.** sehr farbig, farbenfreudig.

col·or·im·e·ter [ˌkʌləˈrimitər; -mə-; *Br. auch* ˌkɒl-] *s phys.* Koloriˈmeter *n*, ˈFarbenmeßappaˌrat *m*, Farbenmesser *m.* — **ˌcol·or·iˈmet·ric** [-ˈmetrik], **ˌcol·or·iˈmet·ri·cal** *adj* koloriˈmetrisch. — **ˌcol·or·iˈmet·ri·cal·ly** *adv* (*auch zu* colorimetric). — **ˌcol·orˈim·e·try** *s* Kolorimeˈtrie *f.*

col·or·ing, *bes. Br.* **col·our·ing** [ˈkʌləriŋ] **I** *s* **1.** Färben *n.* – **2.** Farbanstrich *m*, Farbe *f.* – **3.** Färbemittel *n.* – **4.** Farbton *m.* – **5.** Farb(en)gebung *f*, Färbung *f*, Koloˈrit *n.* – **6.** a) (*farbige*) Verzierung, b) *mus.* Koloraˈtur *f.* – **7.** *fig.* äußerer Anstrich, Schein *m.* – **8.** *fig.* ˌSchönfärbeˈrei *f*, Beschönigung *f.* – **II** *adj* **9.** färbend, Farb...: ~ **matter,** ~ **substance** Farbstoff.

col·or·ist, *bes. Br.* **col·our·ist** [ˈkʌlərist] *s* **1.** Maler *m*, Farbenkünstler *m.* – **2.** Koloˈrist *m* (*in der Farbgebung hervorragender Künstler*). — **ˌcol·orˈis·tic,** *bes. Br.* **ˌcol·ourˈis·tic** *adj* koloˈristisch.

col·or·less, *bes. Br.* **col·our·less** [ˈkʌlərlis] *adj* **1.** farblos, ohne Farbe. – **2.** farblos, bleich. – **3.** düster. – **4.** *fig.* farblos, nichtssagend, ˈuninteres,sant. – **5.** *fig.* neu'tral, 'unpar,teiisch. — **'col·or·less·ness**, *bes. Br.* **'col·our·less·ness** *s* **1.** Farblosigkeit *f* (*auch fig.*). – **2.** Düsterkeit *f.* – **3.** *fig.* Neutrali'tät *f.*

col·or| line, *bes. Br.* **col·our| line** *s Am.* Rassenschranke *f*, po'litische u. sozi'ale Trennung der weißen u. farbigen Rassen. — **'~·man** [-mən] *s irr* **1.** *Br.* Farbenhändler *m.* – **2.** (*Lederindustrie*) Farbenmischer *m.* — **~ pat·tern** *s* Farbenverteilung *f*, Färbungsmuster *n.* — **~ phase** *s zo.* Färbungsphase *f*, Farbzustand *m* (*des Felles od. Gefieders gewisser Tiere durch Anpassung an die Jahreszeit*). — **~ pho·tog·ra·phy** *s phot.* 'Farbphotogra,phie *f.* — **~ point** *s her.* Punkt *m* unmittelbar über dem Schildmittelpunkt. — **~ print** *s print.* Farbendruck *m.* — **~ print·ing** *s print.* Bunt-, Farbendruck *m.* — **~ re·frac·tion** *s phys.* Farbenbrechung *f.* — **~ sa·lute** *s mil.* Flaggengruß *m.* — **~ screen** *s tech.* Farbraster *m.* — **~ ser·geant** *s mil.* (*etwa*) Oberfeldwebel *m.* — **~ serv·ice** *s mil.* Wehrdienst *m.* — **~ sling** *s mil.* Fahnenschuh *m* (*des Fahnenträgers*). — **~ tel·e·vi·sion** *s* Farbfernsehen *n.* — **'~-,top meth·od** *s electr.* 'Farbkreiselme,thode *f.*

col·or·y, *bes. Br.* **col·our·y** ['kʌləri] *adj* **1.** farbenfreudig. – **2.** *econ.* von guter Farbe (*bes. Kaffee*).

co·los·sal [kə'lɒsl] *adj* **1.** kolos'sal, riesig. – **2.** *colloq.* ,kolos'sal' (*riesig, ungeheuer, enorm*): ~ **stupidity.** – *SYN. cf.* enormous.

col·os·se·um [,kɒlə'si:əm] → coliseum.

Co·los·sian [kə'lɒʃən] *s Bibl.* **1.** Ko'losser *m.* – **2.** Mitglied *n* der Christengemeinde von Co'lossae. – **3.** *pl* Ko'losserbrief *m* (*des Apostels Paulus*).

co·los·sus [kə'lɒsəs] *pl* **-si** [-ai], *auch* **-sus·es** *s* **1.** Ko'loß *m*: a) Riese *m*, b) (*etwas*) Riesengroßes. – **2.** Riesenstandbild *n.* – **3.** C~ Ko'loß *m* von Rhodus (*Statue des Apollo, eins der 7 Weltwunder*).

co·los·to·my [kə'lɒstəmi] *s med.* Kolosto'mie *f* (*chirurgischer Einschnitt in den Dickdarm*).

co·los·trum [kə'lɒstrəm] *s med. zo.* Ko'lostrum *n*, Vormilch *f* (*erste Milch nach der Niederkunft*).

co·lot·o·my [kə'lɒtəmi] *s med.* Koloto'mie *f*, Dickdarmeröffnung *f.*

col·our, col·our·a·bil·i·ty, col·our·a·ble, col·our·a·ble·ness, col·our·a·tion, col·our bar, col·our-bear·er, col·our-blind, col·our blind·ness, col·our box, col·our cast, col·our chart, col·our chest, col·oured, col·our fil·ter, col·our·ful, col·our·ful·ness, col·our guard, col·our·ing, col·our·ist, col·our·is·tic, col·our·less, col·our·less·ness, col·our line, col·our·man, col·our pat·tern, col·our phase, col·our pho·tog·ra·phy, col·our point, col·our print, col·our print·ing, col·our re·frac·tion, col·our sa·lute, col·our screen, col·our ser·geant, col·our serv·ice, col·our sling, col·our tel·e·vi·sion, col·our-top meth·od, col·our·y *bes. Br. für* color *etc.*

-colous [kələs] *Wortelement mit der Bedeutung* wohnend, lebend, wachsend, vorkommend.

colp- [kɒlp] → colpo-.

col·pi·tis [kɒl'paitis] *s med.* Vagi'nitis *f*, Scheidenentzündung *f.*

colpo- [kɒlpo] *Wortelement mit der Bedeutung* Scheide, Vagina, vaginal.

col·po·cele ['kɒlpo,si:l] *s med.* Kolpo'zöle *f*, Scheidenbruch *m.* — **,col·po'dyn·i·a** [-'diniə] *s med.* Scheidenschmerz *m*, -krampf *m*, Va,ginody'nie *f.* — **'col·po,plas·ty** [-,plæsti] *s med.* Scheiden-, Vagi'nalplastik *f.*

col·por·tage ['kɒl,pɔ:rtidʒ] *s* Kolpor'tage *f*, Hau'sierhandel *m* mit Büchern *od.* Zeitschriften (*bes. religiösen Inhalts*). — **'col,por·teur** [-tər] *s* Kolpor'teur *m*, Hau'sierer *m* mit Büchern *od.* Zeitschriften (*bes. religiösen Inhalts*).

col·pot·o·my [kɒl'pɒtəmi] *s med.* Scheidenschnitt *m.*

colt[1] [koult] **I** *s* **1.** Füllen *n*, Fohlen *n.* – **2.** männliches Fohlen, Hengstfüllen *n*: **as sound as a ~** gesund wie ein Fisch im Wasser. – **3.** *fig.* junger, unerfahrener Mensch, Grünschnabel *m.* – **4.** *sport colloq.* (*bes. Kricket*) Neuling *m*, junger Spieler der ersten 'Spielsai,son. – **5.** *jur. Br. colloq. junger Anwalt* (**barrister**), *der den* **Sergeant-at-law** *bei dessen Einführung begleitet.* – **6.** *mar.* Tauende *n.* – **II** *v/t* **7.** *mar.* mit dem Tauende verprügeln.

Colt[2] [koult] (*TM*) *s* Colt *m* (*Revolver*).

col·ter, *bes. Br.* **coul·ter** ['koultər] *s agr.* Kolter *n*, Vorschneider *m* (*am Pflug*), (Messer)Sech *n.*

colt·ish ['koultiʃ] *adj* **1.** füllen-, fohlenartig. – **2.** ausgelassen, 'übermütig.

'colts,foot *pl* **-,foots** *s bot.* Huflattich *m* (*Tussilago farfara*).

'colt's|-,tail *s* **1.** kleine zerzauste Wolke. – **2.** *bot.* a) → **horseweed** 1, b) Acker-Schachtelhalm *m* (*Equisetum arvense*). — **~ tooth** *s irr* **1.** Milchzahn *m* (*Pferd, Esel etc*). – **2.** (jugendlicher) 'Übermut: **to cast** (*od.* **shed**) **one's ~** sich die Hörner abstoßen. – **3.** Wolfszahn *m* (*bei Pferden*).

co·lu·bri·form [kə'lju:bri,fɔ:rm] *adj zo.* natterförmig. — **col·u·brine** ['kɒlju,brain; -ljə-; -brin] *adj* **1.** schlangenhaft. – **2.** Nattern... – **3.** *zo.* zu den Nattern gehörig.

co·lu·go [kə'lu:gou] *pl* **-gos** → **flying lemur.**

co·lum·ba [kə'lʌmbə] *s astr.* Noahs|Taube *f.*|

col·um·ba·ceous [,kɒləm'beiʃəs] *adj zo.* taubenartig, zu den Tauben gehörig. — **,col·um'ba·ri·um** [-'bɛ(ə)riəm] *pl* **-ri·a** [-ə] *s* Kolum'barium *n*: a) *unterirdisches Gewölbe mit Nischen für Aschenurnen*, b) Nische *f* (*eines Kolumbariums*), c) *antiq.* Taubenschlag *m.* — **'col·um·bar·y** [*Br.* -bəri; *Am.* -,beri] *s* Taubenschlag *m*, -haus *n.*

Co·lum·bi·a [kə'lʌmbiə] *s* **1.** *poet.* a) die Vereinigten Staaten, b) A'merika *n.* – **2.** *eine Schafrasse.* – **3.** *eine hybride Teerose.*

Co·lum·bi·an[1] [kə'lʌmbiən] *adj* **1.** *poet.* A'merika *od.* die Vereinigten Staaten betreffend, ameri'kanisch. – **2.** Ko'lumbus betreffend.

Co·lum·bi·an[2] [kə'lʌmbiən] *s print.* Tertia *f* (*16 Punkt; Schriftgröße*).

co·lum·bic [kə'lʌmbik] *adj chem.* fünfwertiges Ko'lumbium enthaltend. — **~ ac·id** *s chem.* Co'lumbium-, Ni'obsäure *f* ($HNbO_3$).

col·um·bine[1] ['kɒləm,bain] *adj* **1.** taubenartig, Tauben... – **2.** taubengrau.

col·um·bine[2] ['kɒləm,bain] *s bot.* Ake'lei *f* (*Gattg Aquilegia*).

Col·um·bine[3] ['kɒləm,bain] *s* Kolom'bine *f* (*Geliebte des Harlekin in der ital. Komödie*).

co·lum·bite [kə'lʌmbait] *s min.* Colum'bit *m* ($Fe(CbO_3)_2$). — **co'lum·bi·um** [-biəm] *s chem.* Co'lumbium *n*, Ni'obium *n* (Cb *od.* Nb). — **co'lum·bous** *adj chem.* dreiwertiges Co'lumbium enthaltend.

Co·lum·bus Day [kə'lʌmbəs] *s Am.* Ko'lumbus-Tag *m* (*12. Okt., Gedenktag der Entdeckung Amerikas 1492*).

col·u·mel·la [,kɒlju'melə] *pl* **-lae** [-i:] *s* **1.** Kolu'mella *f*: a) *bot.* (Mittel-)Säulchen *n* (*der Sporangien u. Sporogonen*), b) *zo.* Mittelohrknöchelchen *n* (*Amphibien, Reptilien u. Vögel*), c) *zo. zentrale Spindel der Schneckenschalen.* – **2.** *zo.* Ske'lettkalksäulchen *n* (*Korallen*). — **,col·u'mel·lar** *adj* säulchenartig.

col·umn ['kɒləm] *s* **1.** *arch.* Säule *f*, Pfeiler *m*, Träger *m*, Pfosten *m*, Stütze *f*: **clustered ~** Bündelsäule; **commemoration ~, memorial ~** Gedenksäule; **fluted ~** kannelierte Säule; **triumphal ~** Siegessäule. – **2.** (Rauch-, Wasser- *etc*)Säule *f*: **~ of smoke** Rauchsäule. – **3.** *biol.* Säule *f*: → **spinal ~, vertebral ~.** – **4.** *phys.* (Luft-, Quecksilber- *etc*)Säule *f.* – **5.** *print.* Ko'lumne *f*, (Satz-, Zeitungs)-Spalte *f*: **printed in double ~s** zweispaltig gedruckt. – **6.** a) Unter'haltungsteil *m* (*Zeitung*), b) *Am.* Feuille'tonab,teilung *f.* – **7.** *Am.* kurzer, regelmäßig (*meist täglich*) erscheinender 'Zeitungsar,tikel (*die persönliche Meinung des genannten Verfassers enthaltend*). – **8.** *mil.* ('Truppen)Ko,lonne *f.* – **9.** *mar.* in Kiellinie fahrende Schiffe *pl.* – **10.** *math.* Ko'lonne *f*, senkrechte Reihe (*Ziffern etc*): **to add up ~s** Kolonnen addieren. – **11.** Feld *n*, Ru'brik *f* (*Tabelle*). – **12.** *tech.* a) Ko'lonne *f*, säulenförmiger Destil'lierappa,rat, b) (*Kattundruck*) 'Dampfzy,linder *m.* – **13.** *geol.* a) Pyra'mide *f*, b) Schichtenfolge *f.*

co·lum·nar [kə'lʌmnər] *adj* **1.** säulenartig, -förmig. – **2.** Säulen... – **3.** in Ko'lonnen gedruckt *od.* angeordnet. – **4.** *biol.* säulenartig, zy'lindrisch: **~ epithelial cells** *med.* Zylinderzellen. — **col·um·nat·ed** ['kɒləm,neitid], **'col·umned** [-əmd] *adj* **1.** mit Säulen versehen, von Säulen getragen, Säulen... – **2.** säulenförmig, -artig. — **co·lum·ni·a·tion** [kə,lʌmni'eiʃən] *s arch.* **1.** Verwendung *f* von Säulen (*bei einem Bauwerk*). – **2.** Anordnung *f* der Säulen. – **3.** *collect.* Säulen *pl.* — **co'lum·ni,form** [-,fɔ:rm] *adj* säulenförmig. — **col·um·nist** ['kɒləmnist] *s* **1.** Feuilleto'nist *m.* – **2.** *Am.* Kolum'nist *m*, 'Leitar,tikler *m.*

col·umn strength *s phys.* Knickfestigkeit *f.*

co·lure [ko'ljur; 'kouljur] *s astr.* Ko'lur *m*, Deklinati'onskreis *m.*

col·za ['kɒlzə] → cole. — **~ oil** *s* Rapsöl *n*, Kolzaöl *n.*

com- [kɒm] *Wortelement mit der Bedeutung* a) mit, gemeinsam, zusammen, b) vollständig.

co·ma[1] ['koumə] *s med.* **1.** Koma *n*, anhaltende Bewußtlosigkeit. – **2.** Dämmerzustand *m.*

co·ma[2] ['koumə] *pl* **-mae** [-i:] *s* **1.** *bot.* a) Schopf *m*, b) Haarbüschel *n* (*an Samen*). – **2.** *astr. phys.* Koma *f* (*leuchtende Hülle um den Kern eines Kometen*). – **3.** *phys.* Koma *f* (*Linsenfehler*).

Co·ma-Ber·e·ni·ces ['koumə,beri'naisi:z] *s astr.* Haar *n* der Bere'nike (*ein nördl. Sternbild*).

co·mal ['kouməl] *adj bot.* Schopf..., Haarbüschel...

Co·man·che [ko'mæntʃi] *s* **1.** Ko'mantsche *m*, Ko'mantschin *f* (*nordamer. Indianer*). – **2.** *ling.* Ko'mantschensprache *f.*

Co·man·che·an [ko'mæntʃiən] *geol.* **I** *s* **1.** *eine nordamer. geologische Periode* (*zwischen Jura- u. Kreidezeit*). – **2.** *in dieser Periode abgelagerte Gesteine.* – **II** *adj* **3.** *diese Periode od. dieses Gestein betreffend.*

co·mate[1], *Br.* **co-...** [,kou'meit] *s* Kame'rad *m*, Genosse *m*, Gefährte *m.*

co·mate[2] ['koumeit] *adj bes. bot.* **1.** haarig. – **2.** mit Haar- *od.* Blätterschopf.

com·a·tose ['koumə,tous; 'kɒm-] *adj med.* koma'tös. — **,com·a'tos·i·ty**

[-ˈtɒsiti; -əti] *s* **1.** Koma *n*, komaˈtöser Zustand. – **2.** Dämmerzustand *m*.

co·mat·u·la [kəˈmætjulə] *pl* **-lae** [-ˌliː], **coˈmat·u·lid** [-lid] *s zo. ein freischwimmender Haarstern (Ordng Crinoidea).*

comb¹ [koum] **I** *s* **1.** Kamm *m*: small-toothed ~ enger Kamm. – **2.** → curry-comb. – **3.** *tech.* kammartige Vorrichtung, Kamm *m*, *bes.* a) Wollkamm *m*, b) (*Spinnerei*) Kamm *m*, Blatt *n*, Hechel *f*, c) Gewindeschneider *m* (*an einer Drehbank*), d) *electr.* (Kamm)Stromabnehmer *m* (*Influenzmaschine*). – **4.** *zo.* Kamm *m* (*des Hahnes, des Kammolchs etc*): to cut s.o.'s ~ *fig.* j-n demütigen. – **5.** Wellenkamm *m*. – **6.** Kamm *m*, Rücken *m* (*Hügel*). – **7.** Honigwabe *f*. – **II** *v/t* **8.** (*Haar*) kämmen. – **9.** a) (*Wolle*) auskämmen, krempeln, b) (*Flachs*) hecheln. – **10.** (*Pferd*) striegeln. – **11.** *fig.* ˈdurchkämmen, genau absuchen, durchˈsuchen. – **III** *v/i* **12.** sich brechen, sich schäumend überˈstürzen (*Wellen*). –

Verbindungen mit Adverbien:

comb| off *v/t* **1.** abkämmen. – **2.** *fig.* beseitigen. — **~ out** *v/t* **1.** auskämmen. – **2.** *fig.* sieben, sichten. – **3.** *fig.* beseitigen, aussondern. – **4.** *mil. Br. sl.* (*Rekruten*) einziehen, einberufen.

comb² *cf.* coomb.

com·bat [ˈkɒmbæt; ˈkʌm-; kəmˈbæt] **I** *v/t pret u. pp* **-bat·ed**, *bes. Br.* **-bat·ted** **1.** bekämpfen, kämpfen gegen. – *SYN. cf.* oppose. – **II** *v/i* **2.** kämpfen. – **III** *s* [ˈkɒmbæt; ˈkʌm-] **3.** Kampf *m*. – **4.** *mil.* a) (Entscheidungs)Kampf *m*, b) Gefecht *n*, Kampfeinsatz *m*: ~ command Kampfgruppenstab; ~ exercise Gefechtsübung; ~ patrol Gefechtsspähtrupp, Stoßtrupp. – **5.** Einzel-, Zweikampf *m*. – **IV** *adj* [ˈkɒmbæt; ˈkʌm-] **6.** für den Kampf bestimmt, Kampf...

com·bat·ant [ˈkɒmbətənt; ˈkʌm-] **I** *s* **1.** Kämpfer *m*, Kämpfender *m*. – **2.** *mil.* Angehöriger *m* der Kampftruppen, Frontkämpfer *m*, Kombatˈtant *m*: non~ Nichtkombattant. – **3.** Kampfteilnehmer *m*. – **4.** Duelˈlant *m*. – **II** *adj* **5.** kämpfend. – **6.** *mil.* zur Kampftruppe gehörig. – **7.** kampfbereit.

com·bat| car *s mil. Am.* Kampfwagen *m*, *bes.* Panzer *m*. — **~ ef·fi·cien·cy** *s mil.* Kampfwert *m*. — **~ fa·tigue** *s mil. psych.* (*durch Kampfhandlungen hervorgerufene*) ˈKriegsneuˌrose. — **~ group** *s mil.* Kampfgruppe *f*.

com·ba·tive [ˈkɒmbətiv; ˈkʌm-; *Am. auch* kəmˈbætiv] *adj* **1.** kampfbereit. – **2.** kampf-, rauflustig.

com·bat| or·der *s mil.* Gefechtsbefehl *m*. — **~ team** *s mil. Am.* Kampfgruppe *f*. — **~ u·nit** *s mil. Am.* Kampfeinheit *f*, -verband *m*. — **~ zone** *s mil.* Kampfzone *f*.

comb| bear·er → ctenophore. — **ˈ~-ˌbroach** *s tech.* Zahn *m*, Blatt *n* (*einer Karde*).

combe *cf.* coomb.

comb·er [ˈkoumər] *s* **1.** a) Wollkämmer *m*, Krempler *m*, b) Flachshechler *m*. – **2.** *tech.* a) ˈKrempelmaˌschine *f*, b) ˈHechelmaˌschine *f*. – **3.** Sturzwelle *f*, Brecher *m*.

comb hon·ey *s* Scheiben-, Wabenhonig *m*.

com·bi·na·tion [ˌkɒmbiˈneiʃən; -bə-] *s* **1.** Verbindung *f*, Vereinigung *f*, Verknüpfung *f*, Kombinatiˈon *f*. – **2.** Zuˈsammenstellung *f*. – **3.** Vereinigung *f*, Verbindung *f*, Interˈessengemeinschaft *f* (*Personen*). – **4.** a) Gewerkschaft *f*, b) Karˈtell *n*, Ring *m*. – **5.** Zuˈsammenschluß *m*, Bündnis *n*. – **6.** Abkommen *n*: ~ in restraint of trade Abkommen zur Monopolisierung des Außenhandels. – **7.** Motorrad *n* mit Beiwagen. – **8.** *chem.* Verbindung *f*. – **9.** *math.* Kombinatiˈon *f*. – **10.** *tech.* a) Schlüsselwort *n*, ˈBuchstabenkombinatiˌon *f* (*Vexierschloß*), b) Mechaˈnismus *m* eines Veˈxierschlosses. – **11.** *meist pl* Hemdhose *f*, Kombinatiˈon *f*. – **12.** *ling.* zuˈsammengesetztes Wort. — **ˌcom·biˈna·tion·al** *adj* **1.** Kombinations... – **2.** verbindend.

com·bi·na·tion| ap·pa·ra·tus *s tech.* Kombinatiˈonsgerät *n*. — **~ die** *s tech.* Komˈpoundschnitt *m*. — **~ fuse** *s tech.* kombiˈnierter Zünder, Doppelzünder *m*. — **~ jig** *s tech.* Einspannvorrichtung *f* (*für verschiedene Werkzeuge*). — **~ lock** *s tech.* Kombinatiˈons-, Veˈxierschloß *n*. — **~ ped·al** *s* Kombinatiˈonspeˌdal *n* (*an der Orgel*). — **~ room** *s Br.* Gemeinschaftsraum *m* (*der Fellows eines College der Universität Cambridge*). — **~ switch** *s electr.* Kombi(natiˈons)schalter *m*.

com·bi·na·tive [ˈkɒmbiˌneitiv; *Am. auch* kəmˈbainə-] *adj* **1.** verbindend. – **2.** Verbindungs... – **3.** durch Verbindung entstanden.

com·bin·a·to·ri·al [*Br.* ˌkɒmbinəˈtɔːriəl; *Am.* kəmˌbainəˈtɔːr-] *adj math.* kombinaˈtorisch. — **~ a·nal·y·sis** *s math.* Kombinatiˈons- u. Permutatiˈonslehre *f*.

com·bine [kəmˈbain] **I** *v/t* **1.** verbinden, vereinigen, zuˈsammensetzen, kombiˈnieren: to ~ business with pleasure das Angenehme mit dem Nützlichen verbinden; to ~ forces Kräfte vereinigen. – **2.** in sich vereinigen, (*Eigenschaften etc*) gleichzeitig besitzen. – **3.** *chem.* verbinden. – **II** *v/i* **4.** sich vereinigen, sich verbinden. – **5.** sich zuˈsammenschließen, sich verbünden. – **6.** *chem.* sich verbinden. – **7.** eine Einheit bilden. – *SYN. cf.* join. – **III** *s* [ˈkɒmbain; kəmˈbain] **8.** Verbindung *f*, Vereinigung *f*. – **9.** *colloq.* poˈlitische *od.* wirtschaftliche Interˈessengemeinschaft. – **10.** [ˈkɒmbain] *agr.* Mähdrescher *m*, Komˈbine *f*.

com·bined [kəmˈbaind] *adj* **1.** vereinigt. – **2.** verbündet. – **3.** *chem.* verbunden. – **4.** gemeinsam, gemeinschaftlich: ~ efforts gemeinsame Bemühungen. – **5.** *mil.* verbunden (*mehrere Truppengattungen*), kombiˈniert, ˈinteralliˌiert (*mehrere Alliierte*). — **~ a·e·ri·al** *s electr.* kombiˈnierte (AM-FM-)Anˈtenne, Geˈmeinschaftsanˌtenne *f*. — **~ arms** *s pl mil.* verbundene Waffen *pl*. — **~ ef·fect** *s electr.* Verbundwirkung *f*. — **~ e·vent** *s sport* Kombinatiˈon(slauf *m*) *f*. — **~ op·er·a·tion** *s mil.* Operatiˈon *f* verbundener Waffen. — **~ ski·ing** *s sport* kombiˈniertes Skirennen: a) alˈpine Kombinatiˈon, b) nordische Kombinatiˈon.

comb·ing [ˈkoumiŋ] *s* **1.** (Aus)Kämmen *n*. – **2.** *pl* ausgekämmte Haare *pl*. — **~ works** *s pl tech.* Kämmeˈrei *f*.

com·bin·ing form [kəmˈbainiŋ] *s ling.* in Zuˈsammensetzungen verwendete Wortform (*wie* Anglo- *etc*).

comb| jel·ly → ctenophore. — **ˈ~-ˌout** *s* **1.** Auskämmen *n*, Auskämmung *f*. – **2.** *mil. Br. sl.* Musterung *f* der bisher Unabkömmlichen.

com·bust [kəmˈbʌst] *adj astr.* verfinstert (*durch Sonnennähe*).

com·bus·ti·bil·i·ty [kəmˌbʌstiˈbiliti; -təˈb-; -əti] *s* (Ver)Brennbarkeit *f*, Entzündlichkeit *f*. — **comˈbus·ti·ble** **I** *adj* **1.** (ver)brennbar, entzündlich. – **2.** *fig.* erregbar, jähzornig. – **II** *s* **3.** ˈBrennstoff *m*, -materiˌal *n*. — **comˈbus·ti·ble·ness** *s* (Ver)Brennbarkeit *f*.

com·bus·tion [kəmˈbʌstʃən] *s* **1.** Verbrennung *f*, Entzündung *f*. – **2.** *chem.* Verˈbrennung(sproˌzeß *m*) *f*. – **3.** *biol.* Verbrennung *f*. – **4.** *astr.* Zustand *m* der Verfinsterung von Sternen (*infolge großer Sonnennähe*). – **5.** *fig.* Erregung *f*, Aufruhr *m*, Tuˈmult *m*. — **~ cham·ber** *s tech.* Verbrennungskammer *f*, -raum *m*, Brennkammer *f*. — **~ en·gine** *s tech.* Verˈbrennungs(ˌkraft)maˌschine *f*. — **~ mo·tor** *s tech.* Verbrennungsmotor *m*. — **~ space** *s tech.* Verbrennungsraum *m*. — **~ tube** *s chem.* Verbrennungsrohr *n*.

com·bus·tive [kəmˈbʌstiv] *adj* **1.** entzündend, Zünd... – **2.** Verbrennungs..., Brenn..., Entzündungs... — **comˈbus·tor** [-tər] *s tech.* Verbrennungskammer *f* eines Düsenmotors.

comb·y [ˈkoumi] *adj* **1.** kammartig. – **2.** waben-, zellenartig.

come [kʌm] **I** *v/i pret* **came** [keim] *pp* **come** **1.** kommen, herˈan-, herˈbeikommen: s.o. is coming es kommt j-d; to be long in coming lange ausbleiben *od.* unterwegs sein; the time has ~ die Zeit ist gekommen; nothing has ~ his way a) ihm ist nichts *od.* niemand begegnet, b) er hat nichts Passendes gefunden; no work has ~ his way er hat (noch) keine Arbeit gefunden; ~ this way! kommen Sie hier entlang! Christmas ~s but once a year es ist nicht alle Tage Weihnachten; → first 5. – **2.** drankommen, an die Reihe kommen: who ~s first (next)? wer kommt zuerst (als nächster) an die Reihe? – **3.** kommen, erscheinen, auftreten: to ~ and go a) kommen u. gehen, b) erscheinen u. verschwinden; he ~s and goes er kommt auf einen kurzen Sprung (zu Besuch); to ~ into view sichtbar werden. – **4.** reichen, sich erstrecken: the dress ~s to her knees das Kleid reicht ihr bis zu den Knien. – **5.** (*in eine Lage, einen Zustand*) kommen, gelangen, geraten, (*zu etwas*) kommen: when we ~ to die wenn es zum Sterben kommt, wenn wir sterben müssen; how came it to be yours? wie kamen *od.* gelangten Sie dazu *od.* in den Besitz? how ~? *sl.* wieso? wie kommt das? – **6.** ˈherkommen, abstammen (of, from von). – **7.** kommen, ˈherrühren: this ~s of your carelessness! das kommt von deiner Nachlässigkeit! daran ist deine Nachlässigkeit schuld! – **8.** kommen (müssen), gebracht werden: to ~ before the judge vor den Richter kommen; the message has ~ die Nachricht ist gekommen *od.* wurde gebracht. – **9.** sich belaufen (to auf *acc*): the cost came to double the estimate die Kosten beliefen sich auf das Doppelte des Voranschlags. – **10.** (*eine bestimmte*) Form annehmen: the butter will not ~ die Butter will sich nicht bilden. – **11.** (zum Vorschein) kommen, geschehen, sich entwickeln, sich ereignen, sich zutragen: ~ what may (*od.* will) komme, was da wolle; es mag kommen, was da will; it came as a great shock to me es war für mich ein schwerer Schlag. – **12.** (herˈaus)kommen, treiben (*Saat etc*), keimen, sprießen. – **13.** auf den Markt kommen, erhältlich *od.* zu haben sein: these shirts ~ in three sizes diese Hemden gibt es in drei Größen. – **14.** sich herˈausstellen, sich erweisen: the expenses ~ rather high die Kosten kommen recht hoch. – **15.** (*mit adj*) ankommen (to *acc*): it ~s hard to me es fällt mir schwer. – **16.** (*vor inf*) werden, sich entwickeln, dahin *od.* dazu kommen: he has ~ to be a good musician er ist ein guter Musiker geworden; to ~ to know s.o. j-n kennenlernen; I have

~ **to believe that** ich bin zu der Überzeugung gekommen, daß; **how did you ~ to do that?** wie sind Sie dazu gekommen, das zu tun? **to ~ to see s.o.** j-n besuchen *od.* aufsuchen; **to ~ to see s.th.** etwas einsehen, für etwas Verständnis aufbringen. – **17.** (**on, upon**) kommen, fallen (auf *acc*), landen (auf *dat*): **he came on his head** er fiel auf den Kopf; **he came on his feet** er kam auf die Füße zu stehen. – **18. to ~** (*als adj gebraucht*) (zu)künftig, kommend: **the life to ~** das zukünftige Leben; **for all time to ~** für alle Zukunft; **in the years to ~** in den kommenden Jahren. –

II *v/t* **19.** *colloq.* sich aufspielen als, (*j-n od. etwas*) spielen, her'auskehren: **don't try to ~ the great scholar over me!** versuche nicht, mir gegenüber den großen Gelehrten zu spielen! **to ~ the bully** den Tyrannen spielen; **he tried to ~ the bully over us** er versuchte, uns zu tyrannisieren. –

III *interj* **20.** na! bitte!: ~, ~! a) nanu! nicht so wild! immer langsam! nicht gleich so heftig! b) na komm schon! versuch's doch mal! (*ermutigender Zuruf*); ~ **now!** a) nun bitte! b) sachte, sachte! –

IV *adj obs. od. Br. dial.* **21.** nächst(er, e, es): **Monday ~ fortnight** *Br.* Montag in 14 Tagen. –

Besondere Redewendungen:

at that point he ~s into action an diesem Punkt greift er ein *od.* tritt er in Tätigkeit; **to ~ of age** großjährig *od.* mündig werden; **to ~ to anchor** a) → **anchor** 1, b) *fig.* zur Ruhe kommen; **to ~ into being** (*od.* **existence**) entstehen, ins Dasein treten; **to ~ into danger** in Gefahr geraten; **to ~ a dodge** *colloq.* einen Kniff probieren; **don't ~ that dodge over me** mit dem Trick kannst du mir nicht kommen *od.* kommst du bei mir nicht an; **to ~ to an end** ein Ende haben *od.* nehmen, zu Ende gehen; **this must ~ to an end** das muß aufhören; **to ~ out at the little end of the horn** *Am. colloq.* schlecht wegkommen, den kürzeren ziehen; **to ~ to hand** einlaufen (*Brief, Nachricht etc*); **to ~ to harm** zu Schaden kommen, verunglücken: **he will not ~ to any harm** es wird ihm nichts (Schlimmes) geschehen *od.* passieren; **to ~ to a head** a) zur Entscheidung kommen, kritisch werden, b) *med.* zum Durchbruch kommen; **now developments ~ to a head** jetzt spitzen sich die Dinge zu; **the boil ~s to a head** das Geschwür ist nahe am Aufbrechen; **to ~ it** *sl.* handeln; **to ~ it strong** *sl.* sich energisch zeigen, Energie beweisen; **to ~ it too strong** *sl.* ‚dick auftragen' (*übertreiben*); **to ~ to life** a) sich wiederbeleben, wieder zur Besinnung kommen, b) *fig.* ‚aufwachen', Interesse zeigen; **to ~ to light** ans Licht *od.* zum Vorschein kommen; **to ~ into money** (plötzlich) zu Geld kommen (*meist durch Erbschaft*); **he has ~ into money** a) er ist zu Geld gekommen, b) er hat Geld geerbt; **to ~ to nothing** zu nichts führen, erfolglos sein, sich zerschlagen; **to ~ to oneself** (*od.* **to one's senses**) zu sich *od.* zur Besinnung kommen; ~ **to your senses!** komm doch endlich zur Vernunft! sei doch vernünftig! **to ~ to pass** sich ereignen, geschehen, stattfinden; **to ~ into play** eingreifen, in Aktion treten, sich bemerkbar machen; **to ~ into possession** in den Besitz gelangen; **last week I came into possession** letzte Woche habe ich den Besitz angetreten; **to ~ into property** (unbewegliches) Vermögen erben; **he came into property in London** er erbte ein Haus (*od.* Häuser) in London; **to ~ to rest** zur Ruhe kommen, sich beruhigen; **the machines have ~ to rest** die Maschinen liegen still *od.* laufen (im Augenblick) nicht; **to ~ to the same thing** auf dasselbe *od.* das gleiche hinauskommen, sich gleich bleiben; **to ~ into use** in Gebrauch kommen; **this method came into use many centuries ago** diese Methode wurde vor vielen Jahrhunderten eingeführt; **to ~ into vogue** (*od.* **fashion**) modern werden, allgemein üblich *od.* gebräuchlich werden, Schule machen, sich (überall) durchsetzen; **to ~ to the wind** *mar.* anluven, an den Wind kommen; **as ... as they ~** *colloq.* ‚so ... wie sonst (et)was' (*wie nur möglich*); **he is as stupid as they ~** er ist dumm wie Bohnenstroh (*unglaublich dumm*); **as it ~s** *colloq.* so wie's kommt; **I will have** (*od.* **take**) **it as it ~s** wie es kommt, wird's genommen; **let them all ~!** *sl.* ich bin auf alles vorbereitet! → **agreement** 1; **blow**[2] 1; **cropper** 6; **decision** 4; **force** 5; **grief** 2; **own** *b. Redw.*; **point** 21; **term** 11; **world** *b. Redw.* –

Verbindungen mit Präpositionen:

come| a·cross *v/t* zufällig treffen *od.* finden, stoßen auf (*acc*). — ~ **a·cross with** *v/t sl.* ‚her'ausrücken' (mit). — ~ **aft·er** *v/t* **1.** (*j-m*) folgen, hinter (*j-m*) 'hergehen. – **2.** (*etwas*) holen kommen: **he has ~ his money** er kam, um sein Geld abzuholen. — ~ **at** *v/t* **1.** erreichen, gewinnen: **in this way we ~ a true picture** auf diese Weise kommen wir zu einem klaren Bild *od.* können wir uns ein klares Bild machen. – **2.** angreifen, auf (*j-n*) losgehen: **he came at me with fury** wütend kam er auf mich zu. — ~ **be·tween** *v/t* **1.** zwischen (*Leute od. Dinge*) treten, zwischen (*Dinge*) geraten. – **2.** Feindschaft *od.* eine Entfremdung verursachen zwischen: **he came between them** er kam dazwischen, er stiftete Feindschaft zwischen ihnen. — ~ **by** *v/t* kommen zu (*einer Ehre etc*), erlangen, bekommen: **he came by his death tragically** er kam auf tragische Weise ums Leben. — ~ **down on** *v/t colloq.* (*j-n*) ‚runterputzen' (*ausschimpfen*): **he came down on me like a ton of bricks** er hat mich ganz gehörig runtergeputzt. — ~ **down with** *v/t colloq.* erkranken an (*dat*). — ~ **for** *v/t* (*etwas*) abholen kommen: **they came for their reward** sie kamen, um ihre Belohnung abzuholen. — ~ **from** *v/t* **1.** kommen *od.* stammen aus: **they ~ London** sie kommen *od.* stammen aus London. – **2.** kommen *od.* 'herrühren von: **this comes from his obstinacy** das kommt von seinem Eigensinn, das ist auf seinen Eigensinn zurückzuführen. — ~ **in for** *v/t* **1.** (*als Anteil*) bekommen, erhalten. – **2.** *colloq.* (*Schläge, Scherereien*) bekommen: **she came in for a lot of trouble** sie hatte eine Menge Scherereien. — ~ **in·to** *v/t* **1.** eintreten in (*acc*). – **2.** erben. – **3.** (*rasch od. unerwartet*) zu (*etwas*) kommen. – **4.** (*einem Verein etc*) beitreten. — ~ **in with** *v/t* mit (*etwas*) unter'brechen: **he kept coming in with stupid remarks** er unterbrach andauernd mit dummen Bemerkungen, er machte ständig dumme Zwischenrufe. — ~ **near** *v/t* nahekommen (*dat*): **he came near breaking his neck** er hätte sich beinahe das Genick gebrochen. — ~ **on** *v/t* **1.** (*j-n*) angreifen, auf (*j-n*) losgehen. – **2.** (*durch Zufall*) kommen auf (*acc*), finden. — ~ **out a·gainst** *v/t colloq.* sich offen gegen (*etwas*) erklären: **they ~ the new act** sie agitieren gegen das neue Gesetz. — ~ **out of** *v/t* aus ... her'auskommen, aus (*einem Kampf etc siegreich*) her'vorgehen: **they came out of it with flying colo(u)rs** sie gingen siegreich daraus hervor; ~ **that!** *sl.* mach endlich 'n Punkt! (*laß das! hör damit auf!*) — ~ **out with** *v/t* mit (*einem Geheimnis etc*) her'auskommen, gestehen: **he came out with the whole plan** er machte den ganzen Plan bekannt, er plauderte den ganzen Plan aus. — ~ **o·ver** *v/t* **1.** über'kommen, beschleichen. – **2.** mit (*j-m*) geschehen *od.* los sein: **what has ~ him?** was ist mit ihm los? — ~ **short of** *v/t* hinter (*einem Ziel*) zu'rückbleiben, nicht erreichen. — ~ **to** *v/t* **1.** (*j-m*) zufallen (*bes. durch Erbschaft*): **the house will ~ him** er wird das Haus erben. – **2.** zu (*Bewußtsein etc*) kommen, zur (*Besinnung*) kommen: **she came to her senses again** a) sie kam wieder zu sich *od.* zu(r) Besinnung, b) *fig.* sie wurde wieder vernünftig. – **3.** sich belaufen auf (*acc*): **it comes to a great deal of money** es kostet eine Menge Geld. — ~ **un·der** *v/t* **1.** kommen *od.* gehören *od.* fallen unter (*acc*): **this comes under a separate heading** das gehört in eine besondere Rubrik; **it comes under consideration** es kommt in Betracht. – **2.** geraten unter (*acc*). — ~ **up** *v/t mar.* **1.** aufkommen mit: **to ~ a tackle** mit einer Talje aufkommen. – **2.** nachlassen, zu'rückwinden. — ~ **up a·gainst** *v/t* mit (*j-m od. einer Sache*) in Kon'flikt geraten, stoßen auf (*acc*): **I came up against difficulties** ich stieß auf Schwierigkeiten, einige Schwierigkeiten standen mir im Wege. — ~ **up·on** *v/t* **1.** (*j-n*) befallen, (*j-m*) zustoßen. – **2.** (*j-n*) angreifen, über'fallen. – **3.** (*zufällig*) treffen *od.* finden. – **4.** Ansprüche stellen an (*acc*). – **5.** (*j-m*) zur Last fallen *od.* auf der Tasche liegen. — ~ **up to** *v/t* **1.** (*dat*) nahekommen, *fig.* (*dat*) gleichen *od.* gleichkommen: **to ~ scratch** *colloq.* den Erwartungen entsprechen; **it comes up to scratch** es hält, was es verspricht. – **2.** sich belaufen auf (*acc*). – **3.** reichen bis: **it comes up to his knees** es reicht bis an seine Knie. — ~ **up with** *v/t* **1.** (*j-n*) erreichen, einholen, mit (*j-m*) auf gleiche Höhe kommen. – **2.** (*j-m*) gleichkommen, es (*j-m*) gleichtun. –

Verbindungen mit Adverbien:

come| a·bout *v/i* **1.** geschehen: **how did that ~?** wie ist das passiert? – **2.** *mar.* 'umspringen (*Wind*). — ~ **a·cross** *v/i sl.* ‚Geld her'ausrücken', ‚blechen' (*zahlen*). — ~ **aft** *v/i mar.* nach achtern kommen. — ~ **aft·er** *v/i* (nach)folgen, nachkommen. — ~ **a·gain** *v/i* **1.** 'wieder-, zu'rückkommen. – **2.** ~! *sl.* wie bitte? sagen Sie das doch bitte noch einmal! — ~ **a·long** *v/i* **1.** mitkommen. – **2.** *sl.* sich beeilen: ~! beeile dich! – **3.** *colloq.* vorwärtskommen, Fortschritte machen. — ~ **a·long·side** *v/i mar.* längsseit anlegen. — ~ **a·miss** *v/i* ungelegen kommen: **nothing comes amiss to him** er findet sich mit allem ab, er wird mit allem fertig. — ~ **a·part** *v/i* ausein'anderfallen, in Stücke (zer)fallen. — ~ **a·round** → **come round.** — ~ **a·sun·der** → **come apart.** — ~ **a·way** *v/i* **1.** sich lösen, loskommen: **a button has ~** ein Knopf ist abgegangen. – **2.** weggehen: **we came away feeling satisfied** wir gingen befriedigt weg. — ~ **back** *v/i* **1.** 'wiederkehren, zu'rückkommen. – **2.** wieder einfallen: **suddenly it came back to me.** – **3.** *sl.* ein ‚Comeback' haben. – **4.** *bes. Am. sl.* (*bes.* schlagfertig) antworten. — ~ **by** *v/i* **1.** vor'übergehen. – **2.** *colloq. od. dial.* einen

Besuch abstatten, (*bei j-m*) eintreten. — ~ **clean** *v/i sl.* mit der Wahrheit ‚her'ausrücken' (*alles gestehen*). — ~ **down** *v/i* **1.** her'ab-, her'unterkommen, sich senken, fallen: **he came down at the first obstacle** er stürzte am ersten Hindernis. – **2.** *fig.* her'unterkommen, an Rang, Ansehen *od.* Mitteln verlieren: **he has ~ in the world** er hat bessere Tage gesehen *od.* erlebt. – **3.** (*Theater*) nach vorn kommen. – **4.** über'liefert werden. – **5.** *colloq.* her'untergehen, sinken (*Preis*), billiger werden (*Dinge*), seine Forderungen mäßigen (*Person*): **he came down a peg or two** er wurde ganz klein u. häßlich (*kleinlaut*). – **6.** *Am. colloq.* ‚sich aufschwingen' (*sich bequemen, sich herbeilassen*) (with zu): **his father came down with a handsome gift** sein Vater machte ihm ein nobles Geschenk. — ~ **forth** *v/i* her'vorkommen, -brechen. — ~ **for·ward** *v/i* **1.** an die Öffentlichkeit treten, her'vortreten: **to ~ as a candidate** als Kandidat auftreten. – **2.** sich freiwillig melden, seine Dienste anbieten. — ~ **home** *v/i* **1.** nach Hause kommen: **his old mistakes have ~ to roost** seine alten Fehler rächen sich jetzt. – **2.** wirkungsvoll *od.* ergreifend sein: **such a speech comes home** eine derartige Rede wirkt *od.* schlägt ein. – **3.** *mar.* schlieren (*Anker*). — ~ **in** *v/i* **1.** her'einkommen, eintreten: **that's where I came in** *sl.* a) das hab' ich schon einmal gehört, b) damit hat die ganze Geschichte angefangen. – **2.** eingehen, -laufen, -treffen (*Nachricht, Schiff, Geld*): → **ship** 6. – **3.** durchs Ziel gehen, eintreffen. – **4.** in Mode kommen: **long skirts ~ again** lange Röcke werden wieder modern. – **5.** an die Macht *od.* ans Ruder kommen. – **6.** beginnen, eintreten, an die Reihe kommen. – **7.** sich erweisen: **this will ~ useful** das wird sich als nützlich erweisen, das wird man noch gut gebrauchen können. – **8.** Berücksichtigung finden: **where do I ~?** wo bleibe ich?: a) *was ist meine Rolle dabei?* b) *was springt für mich dabei heraus?* **where does the joke ~?** was ist dabei so witzig *od.* komisch? — ~ **loose** *v/i* locker werden, sich lösen. — ~ **near** *v/i* nahe *od.* näher kommen: **he won't ~** *colloq.* er läßt sich gar nicht mehr sehen. — ~ **off** *v/i* **1.** abgehen, sich lösen, abfallen: **the dirt will not ~** der Schmutz will nicht abgehen. – **2.** stattfinden, vor sich gehen. – **3.** a) abschneiden, aus etwas ... her'vorgehen: **he came off best** er hat am besten abgeschnitten, b) gut verlaufen, glücken. – **4.** abgehen, abgerechnet werden: **s.th. must ~** etwas muß abgezogen werden. – **5.** frei werden, den Dienst beenden: **he comes off at ten o'clock** um 10 Uhr ist sein Dienst zu Ende. – **6.** (vom Spielplan) abgesetzt werden (*Theaterstück*). – **7.** *Am. sl.* aufhören, ‚einen Punkt machen'. — ~ **on** *v/i* **1.** her'an-, her'bei-, vorwärtskommen: **~!** a) na, komm schon! los! vorwärts! nur weiter! b) komm nur her! c) *sl.* na, na! nur sachte! nicht so wild! – **2.** beginnen, eintreten, anbrechen: **winter is coming on** der Winter kommt. – **3.** an die Reihe kommen, (*Theater*) auftreten. – **4.** angesetzt sein, stattfinden: **it comes on next week** es soll nächste Woche stattfinden. – **5.** a) wachsen, gedeihen, b) vorwärtskommen, Fortschritte machen. — ~ **out** *v/i* **1.** her'aus-, her'vorkommen, sich zeigen: **to ~ on strike** in Streik treten, streiken; **to ~ into the open** a) ins Freie treten, b) *fig.* seine Karten aufdecken, (*mit etwas*) vor die Öffentlichkeit treten. – **2.** her'auskommen: a) erscheinen, veröffentlicht werden (*Bücher*), b) ruchbar werden, bekanntwerden, an den Tag kommen (*Wahrheit etc*). – **3.** ausgehen, ausfallen (*Haare*), her'ausgehen (*Farbe*). – **4.** sichtbar werden (*auf der Photographie*). – **5.** ausbrechen (*Ausschlag*). – **6.** debü'tieren: a) zum ersten Male auftreten (*Schauspieler*), b) in die Gesellschaft eingeführt werden, *Br. auch* am Hofe vorgestellt werden (*junge Damen*). – **7.** *colloq.* werden, sich als ... her'ausstellen: **it came out right** es ging gut aus. – **8.** aufgehen (*Patience*). — ~ **o·ver** *v/i* **1.** etwas spüren *od.* fühlen: **to ~ faint** sich schwach fühlen, einen Schwächeanfall bekommen. – **2.** (*vom Kontinent*) her'überkommen, einwandern. – **3.** die Par'tei wechseln, 'übertreten, 'umschwenken. – **4.** 'überlaufen (*Milch*), 'überkochen. — ~ **round** *v/i* **1.** vor'bei-, 'herkommen, vorsprechen. – **2.** 'umspringen (*Wind*), sich drehen, sich wenden. – **3.** fällig werden, 'wiederkehren (*Fest, Zeitabschnitt*). – **4.** von einer (früheren) Ansicht abgehen, einlenken. – **5.** wieder zu sich kommen, sich erholen. — ~ **through** *v/i* **1.** *Am.* Erfolg haben, das Ziel erreichen. – **2.** 'durchkommen (*Ferngespräch*): **his call came through at three o'clock** a) er rief um drei Uhr an, b) um drei Uhr kam sein Gespräch (durch). – **3.** *colloq.* 'durchkommen, bestehen (*im Examen*): **he came through** er hat bestanden. — ~ **to** *v/i* **1.** wieder zu sich kommen, das Bewußtsein wieder erlangen, sich erholen. – **2.** *mar.* ankern, vor Anker gehen. — ~ **to·geth·er** *v/i* zu'sammenkommen, sich treffen. — ~ **true** *v/i* in Erfüllung gehen (*Wunsch*), eintreffen (*Traum*). — ~ **un·done**, ~ **un·tied** *v/i* aufgehen (*Knoten*). — ~ **up** *v/i* **1.** her'aufkommen: → **smile** 4. – **2.** zur Sprache kommen, aufgeworfen werden: **to ~ for discussion** zur Diskussion kommen, auf die Tagesordnung kommen; **the question came up** die Frage wurde aufgerollt. – **3.** aufgehen, keimen (*Getreide etc*). – **4.** aufkommen, Mode werden. – **5.** her'auskommen (*Nummern in der Lotterie*). – **6.** *Br.* die Universi'tät beziehen: **in which year did he ~?** in welchem Jahre bezog er die Universität? – **7.** *Br.* nach London kommen. – **8.** ~ **to** (*j-n*) ansprechen, sich wenden an (*j-n*), kommen zu (*j-m*).

come-at-a·ble [kʌm'ætəbl] *adj colloq.* erreichbar, zugänglich.

'**come,back** *s* **1.** *bes. sport colloq.* ‚Comeback' *n*, Rehabili'tierung *f*, Rück-, 'Wiederkehr *f* (*zur ehemaligen Stellung nach Niederlage od. Abwesenheit*). – **2.** *sl.* (schlagfertige) Antwort, Erwiderung *f*. – **3.** *Am. sl.* Beschwerdegrund *m*.

co·me·di·an [kə'mi:diən] *s* **1.** Komödi'ant(in), Schauspieler(in), *bes.* Komiker(in). – **2.** Lustspieldichter *m*. – **3.** *fig.* Komödi'ant(in). – **4.** Spaßvogel *m*. — **co,me·di'enne** [-'en] *s* Komikerin *f*, Schauspielerin *f* in Lustspielen. — **co,me·di'et·ta** [-'etə] *s* kurzes Lustspiel, Posse *f*.

com·e·dist ['kɒmidist; -mə-] *s* Lustspieldichter *m*.

com·e·do ['kɒmi,dou; -mə-] *pl* **-do·nes** [-'douni:z], **-dos** *s med.* Mitesser *m*.

'**come,down** *s fig.* **1.** Fall *m*, Niedergang *m*, Abstieg *m*. – **2.** Reinfall *m*.

com·e·dy ['kɒmədi] *s* **1.** Ko'mödie *f*, Lustspiel *n*: **light ~** Schwank; **Old C~** attische *od.* ältere griech. Komödie; **~ of character** Charakterkomödie; **~ of manners** Sittenkomödie. – **2.** komischer Vorfall, komische Situati'on. – **3.** Komik *f*, komische Seite. — **C~ of Er·rors** *s* „Ko'mödie *f* der Irrungen" (*Shakespeare*).

,**come-'hith·er** *s* (verführerische) Einladung *od.* Aufforderung.

come·li·ness ['kʌmlinis] *s* Anmut *f*, Schönheit *f*, gutes Aussehen. — '**come·ly** *adj* **1.** anmutig, hübsch, schön. – **2.** *obs.* schicklich, anständig. – *SYN. cf.* **beautiful.**

'**come|-,off** *s colloq.* **1.** Vorwand *m*, Ausflucht *f*. – **2.** *obs.* Ausgang *m*, Ende *n*. — '**~-,on** *s Am. sl.* **1.** Lockmittel *n*, Köder *m* (*bes. für Käufer*). – **2.** leichte Beute (*bes. j-d der sich leicht zu einem Kauf überreden läßt*).

com·er ['kʌmər] *s* **1.** Kommende(r), Ankömmling *m*: **first-~** Zuerstkommende(r); **all ~s** jeder der kommt *od.* (mitmachen) will. – **2.** *Am. sl.* vielversprechende Per'son *od.* Sache: **he is a ~** er ist der ‚kommende Mann'.

co·mes ['koumi:z] *pl* **com·i·tes** ['kɒmi,ti:z] *s* **1.** *antiq.* (*Rom*) Comes *m*: a) *unmittelbarer Gehilfe des Kaisers*, b) *Titel hoher Generäle od. Beamter*. – **2.** *hist.* a) Comes *m* (*Titel eines Grafen*), b) höherer Gefolgsmann *od.* Beamter, c) *pl* Gefolge *n* (*eines Gesandten*). – **3.** *mus.* Comes *m* (*Beantwortung des Themas in der Fuge*). – **4.** *astr.* Begleiter *m* (*bei Doppelsternen*). – **5.** *med.* Be'gleitar,terie *f*, -gefäß *n*.

co·mes·ti·ble [kə'mestibl; -tə-] **I** *adj* eßbar, genießbar. – **II** *s pl* Eßwaren *pl*, Nahrungs-, Lebensmittel *pl*.

com·et ['kɒmit] *s* **1.** *astr.* Ko'met *m*, Schweifstern *m*. – **2.** *zo.* a) Sapphokolibri *m* (*Lesbia sparganura*), b) **C~** Ko'metenschweif *m* (*ein Schleierschwanz; Zierfisch*). — '**com·et·ar·y** [*Br.* -təri; *Am.* -,teri] *adj* **1.** *astr.* Kometen... – **2.** ko'metenartig, -ähnlich.

com·et| **as·ter** *s bot.* große Gartenaster. — ~ **find·er** → **comet seeker.**

co·meth·er [kə'meðər] *s Irish* **1.** Sache *f*, Angelegenheit *f*. – **2.** freundschaftliche Verbindung, Freundschaft *f*: **to put the** (*od.* **one's**) **~ on s.o.** j-n überreden *od.* unter seinen Einfluß bringen, j-n berücken.

co·met·ic [kə'metik], **co'met·i·cal** *adj* Kometen..., ko'metenartig.

com·e·to·graph·i·cal [,kɒməto'græfikəl; -tə-] *adj astr.* kometo'graphisch. — **com·e·tog·ra·phy** [,kɒmi'tɒgrəfi] *s astr.* Kometogra'phie *f*, Ko'metenbeschreibung *f*.

com·et| **seek·er** *s astr.* Ko'metensucher *m* (*Fernrohr*). — ~ **wine** *s* in einem Ko'metenjahr gewachsener Wein. — ~ **year** *s astr.* Ko'metenjahr *n*.

come·up·pance [kʌm'ʌpəns] *s Am. sl.* **1.** wohlverdienter ‚Anschnauzer' (*Rüge*). – **2.** wohlverdiente Strafe.

com·fit ['kʌmfit; 'kɒm-] **I** *s* Kon'fekt *n*, Zuckerwerk *n*, kan'dierte Früchte *pl*. – **II** *v/t obs.* kan'dieren, einzuckern.

com·fort ['kʌmfərt] **I** *v/t* **1.** trösten, (*j-m*) Trost gewähren. – **2.** erquicken, erfreuen. – **3.** ermutigen, (*j-m*) Mut zusprechen. – **4.** *obs.* unter'stützen, (*j-m*) helfen. – *SYN.* **console**[2], **solace.** – **II** *s* **5.** Trost *m*, Tröstung *f*, Erleichterung *f* (to für): **to derive** (*od.* **take**) **~ from s.th.** aus etwas Trost schöpfen; **what a ~** Gott sei Dank! welch ein Trost! – **6.** Tröster *m*. – **7.** Zu'friedenheit *f*, Wohlbefinden *n*, Behagen *n*. – **8.** Kom'fort *m*, Bequemlichkeit *f*: **to live in ~** ein behagliches u. sorgenfreies Leben führen. – **9.** Wohltat *f*, Labsal *n*, Erquickung *f*. – **10.** *Am.* Steppdecke *f*. – **11.** *obs.* Hilfe *f*, Unter'stützung *f*.

com·fort·a·ble ['kʌmfərtəbl] **I** *adj* **1.** komfor'tabel, bequem, behaglich, gemütlich: **to make oneself ~** es sich bequem machen; **are you ~?** haben Sie es bequem? sitzen *od.* stehen *od.* liegen *etc* Sie bequem? – 2. bequem, sorgenfrei: **to live in ~ circumstances** im Wohlstand leben. – 3. tröstlich, wohltuend, ermutigend, beruhigend. – 4. wohl('auf): **to feel ~** sich wohl fühlen. – 5. ausreichend, genügend: **a ~ income.** – 6. *obs.* vergnügt, zu'frieden. – *SYN.* **cosy** (*od.* **cozy**), **easy, reposeful, restful, snug.** – **II** *s* 7. *Am.* Steppdecke *f.*

com·fort·er ['kʌmfərtər] *s* 1. Tröster *m*: → **Job's ~.** – 2. **the C~** *relig.* der Tröster (*der Heilige Geist*). – 3. *bes. Br.* wollenes Halstuch. – 4. *Am.* (gesteppte) Tages(bett)decke. – 5. *bes. Br.* Schnuller *m* (*für Babys*). — **'com·fort·ing** *adj* tröstlich, ermutigend. — **'com·fort·less** *adj* 1. trostlos. – 2. unerfreulich, unerquicklich, unbehaglich. – 3. *selten* untröstlich. – *SYN.* **cheerless, desolate, forlorn, inconsolable.** — **'com·fort·less·ness** *s* 1. Trostlosigkeit *f.* – 2. Unerfreulichkeit *f,* Unbehagen *n.* – 3. *selten* Untröstlichkeit *f.*

com·frey ['kʌmfri] *s bot.* Beinwell *m,* -wurz *f* (*Gattg Symphytum*), *bes.* Schwarz-, Schmerzwurz *f* (*S. officinale*).

com·fy ['kʌmfi] *adj colloq.* behaglich, bequem, gemütlich.

com·ic ['kɒmik] **I** *adj* 1. komisch, Komödien..., Lustspiel...: **~ actor** Komiker; **~ writer** Lustspieldichter. – 2. komisch, heiter(keiterregend), humo'ristisch: **~ book** *Am.* buntes (Monats)Heft mit Bildergeschichten; **~ paper** Witzblatt. – 3. pos'sierlich, drollig. – *SYN. cf.* **laughable.** – **II** *s* 4. Komiker *m.* – 5. *colloq.* a) Witzblatt *n,* b) *pl* → **~ strips.** – 6. (*das*) Komische, Komik *f* (*im Leben, in der Kunst etc*). – 7. 'Filmko,mödie *f,* -lustspiel *n.* — **'com·i·cal** *adj* 1. komisch, ulkig, zum Lachen, heiterkeiterregend. – 2. *colloq.* komisch, eigenartig, sonderbar, merkwürdig. – 3. *obs. für* **comic** 1. – *SYN. cf.* **laughable.** — **,com·i'cal·i·ty** [-'kæliti; -əti], **'com·i·cal·ness** *s* 1. Komik *f,* (*das*) Komische. – 2. *colloq.* Eigenartigkeit *f,* Merkwürdigkeit *f.*

com·ic| op·er·a *s mus.* Ope'rette *f,* komische Oper. — **~ strips** *s pl* Comic strips *pl,* Comics *pl* (*Bilderfolgen witzigen od. abenteuerlichen Inhalts in Zeitungen u. Zeitschriften*).

Com·in·form ['kɒmin,fɔːrm] *s pol.* Komin'form *n,* Kommu'nistisches Informati'onsbü,ro.

com·ing ['kʌmiŋ] **I** *adj* 1. kommend, (zu)künftig: **the ~ man** der kommende Mann. – 2. nächst(er, e, es): **~ week** nächste Woche. – **II** *s* 3. Kommen *n,* Ankunft *f.* – 4. Eintritt *m* (*Ereignis*): **~ of age** Mündigwerden. – 5. **C~** *relig.* Ad'vent *m,* Kommen *n* (*Christi*): **the Second C~ of Christ** die Wiederkunft Christi (*als Weltenrichter*). — **~ in** *pl* **com·ings in** *s* 1. Anfang *m,* Beginn *m.* – 2. *pl* Einkommen *n,* Einnahmen *pl.* – 3. *mar.* Steigen *n* (*Flut*).

Com·in·tern ['kɒmin,təːrn; ,kɒmin'təːrn] *s pol.* Komin'tern *f,* Kommu'nistische Internatio'nale.

co·mi·ta·dji [,koumi'tɑːdʒi] (*Turk.*) *s collect.* Komi'tadschi *pl* (*irreguläre Freischärlertruppe auf dem Balkan*).

co·mi·ti·a [kə'miʃiə] *s pl antiq.* Ko'mitien *pl* (*Volksversammlung im alten Rom*). — **co'mi·tial** [-ʃəl] *adj* Komitial...

com·i·ty ['kɒmiti; -mə-] *s* 1. Freundlichkeit *f,* Höflichkeit *f.* – 2. **~ of nations** (*Völkerrecht*) gutes Einvernehmen der Nati'onen.

com·ma ['kɒmə] *pl* **-mas, -ma·ta** [-mətə] *s* 1. Komma *n,* Beistrich *m.* – 2. *mus.* Komma *n.* – 3. *metr.* a) Halbvers *m* (*des Hexameters*), b) Zä'sur *f.* – 4. *fig.* (kurze) Pause. – 5. *med.* → **~ bacillus.** – 6. *zo.* → **~ butterfly.** — **~ ba·cil·lus** *s med.* 'Kommaba,zillus *m* (*Vibrio cholerae asiaticae; Erreger der asiat. Cholera*). — **~ but·ter·fly** *s zo.* (*ein*) amer. Fleckenfalter *m* (*Polygonia comma*).

com·mand [*Br.* kə'mɑːnd; *Am.* -'mæ(ː)nd] **I** *v/t* 1. befehlen, gebieten (*dat*): **to ~ s.o. to come** j-m befehlen zu kommen, j-n kommen heißen. – 2. gebieten, anordnen, verfügen, fordern, (gebieterisch) verlangen: **to ~ silence** Ruhe gebieten. – 3. beherrschen, gebieten über (*acc*), unter sich haben. – 4. *mil.* befehligen, komman'dieren, führen. – 5. (*Situation od. Gefühl*) beherrschen, in der Gewalt haben. – 6. zur Verfügung haben, verfügen über (*acc*): **to ~ a sum; to ~ s.o.'s services.** – 7. (*Sympathie, Vertrauen etc*) einflößen, gebieten: **to ~ respect** Achtung gebieten; **to ~ sympathy** Mitgefühl hervorrufen. – 8. (*durch geographisch od. strategisch günstige Lage*) beherrschen: **this hill ~s a wide area** dieser Hügel beherrscht ein großes Gebiet. – 9. (*Aussicht*) gewähren, bieten, haben: **this window ~s a fine view.** – 10. *arch.* den einzigen Zugang bilden zu (*einem Raum od. Gebäudeteil etc*). – 11. *econ.* a) (*Preis*) einbringen, erzielen, b) (*Absatz*) finden: **to ~ a high price** hoch im Preise stehen. – 12. *obs.* bestellen. – **II** *v/i* 13. befehlen, gebieten, herrschen. – 14. *mil.* komman'dieren, das Kom'mando führen, den Befehl haben. – 15. reichen, Ausblick haben: **as far as the eye ~s** soweit das Auge reicht. – *SYN.* **bid, charge, direct, enjoin, instruct, order.** – **III** *s* 16. Befehlen *n,* Komman'dieren *n,* Gebieten *n.* – 17. Befehl *m,* Gebot *n*: **at s.o.'s ~** auf j-s Befehl. – 18. *fig.* Herrschaft *f,* Gewalt *f* (**of** über *acc*). – 19. Verfügung *f*: **to be at s.o.'s ~** j-m zur Verfügung stehen; **by ~** laut Verfügung *od.* Befehl. – 20. Beherrschung *f,* Kenntnis *f* (*einer Sprache etc*): **his ~ of English** seine Englischkenntnisse; **~ of language** Sprachbeherrschung, Redegewandtheit. – 21. *mil.* Kommando *n,* (Ober-)Befehl *m*: **to be in ~** das Kommando führen; **in ~ of** befehligend; **second in ~** a) stellvertretender Kommandeur, b) *mar.* 1. Offizier; **to take ~ of an army** das Kommando über eine Armee übernehmen; **the higher ~** *Br.* die höhere Führung. – 22. *mil.* a) (volle) Kom'mandogewalt, Befehlsbefugnis *f,* Führung *f,* b) Kom'mando *n,* Befehl *m,* c) Kom'mando-, Befehlsbereich *m,* d) Kom'mandobehörde *f,* Führungsstab *m,* 'Oberkom,mando *n.* – 23. (*strategische*) Beherrschung (*Gebiet etc*). – 24. Sichtweite *f,* Aussicht *f.* – 25. *Br.* königliche Einladung. – *SYN. cf.* **power.**

com·man·dant [,kɒmən'dænt; -'dɑːnt] *s mil.* Komman'dant *m* (*eines Lagers etc*), Komman'deur *m* (*einer Schule*).

com·mand car *s mil. Am.* (*gepanzertes*) Befehlsfahrzeug, Kübelwagen *m.*

com·man·deer [,kɒmən'dir] *v/t* 1. zum Mili'tärdienst zwingen. – 2. *mil.* requi'rieren, beitreiben. – 3. *colloq.* ‚organi'sieren', ‚kapern' (*mit Gewalt in Besitz nehmen*).

com·mand·er [*Br.* kə'mɑːndər; *Am.* -'mæ(ː)n-] *s* 1. *mil.* Truppen-, Einheitsführer *m*: a) Komman'deur *m* (*vom Bataillon bis einschließlich Korps*), Befehlshaber *m* (*einer Armee*), b) Komman'dant *m* (*eines Panzers od. Flugzeugs*), c) Führer *m* (*eines Zuges*), Chef *m* (*einer Kompanie*), d) **~ in chief** *pl* **~s in chief** Oberbefehlshaber *m.* – 2. *mar. Am.* Fre'gattenkapi,tän *m.* – 3. Anführer *m,* Herrscher *m*: **C~ of the Faithful** Beherrscher der Gläubigen (*ehemals Sultan der Türkei*); **~ of the guard** *mil.* Wachhabender. – 4. Kom'tur *m,* Komman'deur *m* (*Verdienstorden*). – 5. *hist.* Kom'tur *m* (*Ritterorden*): **Grand C~** Großkomtur. – 6. *tech.* schwerer Holzschlägel. — **com'mand·er,ship** *s* Kom'mando *n* (*Amt*). — **com'mand·er·y** *s* 1. Komtu'rei *f,* Kom'mende *f.* – 2. *mil.* Kommandan'tur *f* (*Verwaltungsbezirk*). – 3. *Am.* Loge *f* (*gewisser Geheimbünde*).

com·mand·ing [*Br.* kə'mɑːndiŋ; *Am.* -'mæ(ː)nd-] *adj* 1. herrschend, gebietend, befehlend. – 2. domi'nierend, achtunggebietend, impo'nierend, eindrucksvoll. – 3. herrisch, Herren... – 4. *mar. mil.* komman'dierend, befehlshabend: **~ general** kommandierender General, Kommandeur, (Armee-)Befehlshaber. – 5. (*die Gegend*) beherrschend. – 6. weit (*Blick*). — **~ of·fi·cer** *s mil.* Komman'deur *m,* Einheitsführer *m,* Diszipli'narvorgesetzter *m.*

com·mand·ment [*Br.* kə'mɑːndmənt; *Am.* -'mæ(ː)nd-] *s* 1. Befehl *m,* Gebot *n,* Gesetz *n,* Vorschrift *f.* – 2. *Bibl.* Gebot *n.* – 3. Befehlsgewalt *f,* Macht *f.* – 4. Befehlen *n.*

com·man·do [*Br.* kə'mɑːndou; *Am.* -'mæ(ː)n-] *pl* **-dos, -does** *s mil.* 1. Kom'mando(truppe *f*) *n*: **~ raid** Kommandoüberfall. – 2. Sol'dat *m* einer Kom'mandotruppe. – 3. *S.Afr.* a) Kom'mando *n* (*Truppenaufgebot*), b) Expediti'on *f.*

com·mand| pa·per *s pol. Br.* (*dem Parlament vorgelegter*) königlicher Erlaß. — **~ per·form·ance** *s* Aufführung *f* (*Theaterstück etc*) auf besonderen Befehl *od.* Wunsch (*eines Herrschers*). — **~ post** *s mil.* Befehls-, Gefechtsstand *m.*

com·meas·ur·a·ble [kə'meʒərəbl] → **commensurate** I. — **com'meas·ure** *v/t* über'einstimmen *od.* zu'sammenfallen mit, gleichen (*dat*).

com·mem·o·rate [kə'memə,reit] *v/t* 1. der Erinnerung dienen an (*acc*), erinnern an (*acc*): **a monument to ~ a victory** ein Denkmal zur Erinnerung an einen Sieg. – 2. eine Gedenkfeier abhalten für, (*j-s*) Gedächtnis feiern. – 3. gedenken (*gen*), ins Gedächtnis rufen. – *SYN. cf.* **keep.** — **com,mem·o'ra·tion** *s* 1. (ehrendes) Gedenken, Erinnerung *f,* Gedächtnis *n*: **in ~ of** zur Erinnerung *od.* zum Gedächtnis an (*acc*). – 2. Gedenk-, Gedächtnisfeier *f.* – 3. Stiftergedenkfest *n* (*Universität Oxford*). – 4. *relig.* Gedächtnismesse *f* (*für einen Heiligen*). — **com,mem·o'ra·tion·al** *adj* Gedenk..., Gedächtnis..., Erinnerungs...

com·mem·o·ra·tive [kə'memərətiv; -,reit-] **I** *adj* 1. erinnernd (**of** an *acc*). – 2. Gedenk..., Gedächtnis..., Erinnerungs... – **II** *s* 3. Andenken *n* (**of** an *acc*), Erinnerungsstück *n.* — **com'mem·o·ra·to·ry** [*Br.* -təri; *Am.* -,tɔːri] → **commemorative** I.

com·mence [kə'mens] **I** *v/i* 1. beginnen, anfangen (**to do** zu tun). – 2. *Br.* (*an der Universität Cambridge*) einen aka'demischen Grad erwerben, promo'vieren: **to ~ M.A.** zum M.A. promovieren. – **II** *v/t* 3. beginnen, anfangen (**doing** zu tun): **to ~ legal proceedings** *jur.* einen Prozeß anstrengen. – *SYN. cf.* **begin.** — **com'mence·ment** *s* 1. Anfang *m,* Beginn *m.* – 2. *bes. Am.* (Tag *m* der) Feier der Verleihung aka'demischer Grade.

com·mend [kə'mend] *v/t* 1. empfehlen, loben, lobend erwähnen. – 2. empfehlen, anvertrauen, (*ver-*

trauensvoll) über'geben: to ~ s.th. to s.o.'s care j-m etwas anvertrauen. – *SYN.* applaud, compliment, recommend. — **com'mend·a·ble** *adj* empfehlens-, lobenswert, löblich.

com·men·dam [kə'mendæm] *s relig.* **1.** (interi'mistische) Verwaltung einer erledigten Pfründe: to hold in ~ eine Pfründe in Verwaltung haben. – **2.** Kom'mende(npfründe) *f*, interi'mistisch verwaltete Pfründe.

com·men·da·tion [ˌkɒmen'deiʃən; -mən-] *s* **1.** Empfehlung *f*. – **2.** Lob *n*, Preis *m*. – **3.** *relig.* Sterbegottesdienst *m*, Toten-, Seelenmesse *f*. – **4.** *relig.* Über'tragung *f* einer Kom'mende. – **5.** *pl obs.* Empfehlungen *pl (in Briefen etc).* — **'com·menˌda·tor** [-tər] *s relig.* Verwalter *m* einer Kom'mende. — **com·mend·a·to·ry** [*Br.* kə'mendətəri; *Am.* -ˌtɔːri] *adj* **1.** empfehlend, Empfehlungs... – **2.** lobend, anerkennend. – **3.** *relig.* a) eine Kom'mendenpfründe innehabend, b) als Kom'mende über'tragen.

com·men·sal [kə'mensəl] **I** *s* **1.** Tischgenosse *m*. – **2.** Kommen'sale *m*: a) *bot. Glied einer Pflanzengemeinschaft*, b) *zo. mit einem anderen in Freßgemeinschaft lebendes Tier.* – **II** *adj* **3.** am gleichen Tisch essend. – **4.** *bot.* zu einer Pflanzengemeinschaft gehörend. – **5.** *zo.* in Freßgemeinschaft lebend. — **com'men·salˌism** *s* Kommensa'lismus *m*: a) *bot. Zusammenleben von Pflanzen*, b) *zo. Freßgemeinschaft von Tieren.* — **com·men·sal·i·ty** [ˌkɒmen'sæliti; -əti] *s* Tischgemeinschaft *f*.

com·men·su·ra·bil·i·ty [kəˌmenʃərə'biliti; -lə-] *s* **1.** Kommensurabili'tät *f*, Meßbarkeit *f* mit demselben Maß, Vergleichbarkeit *f*. – **2.** Angemessenheit *f*, richtiges Verhältnis. — **com'men·su·ra·ble** *adj* **1.** (with) kommensu'rabel (mit), vergleichbar (mit), mit dem'selben Maß meßbar (wie). – **2.** angemessen, im richtigen Verhältnis. – *SYN cf.* proportional.

com·men·su·rate I *adj* [kə'menʃərit] **1.** gleich groß, von gleicher Dauer, von gleichem 'Umfang *od.* (Aus)Maß (with wie). – **2.** (with, to) im Einklang stehend (mit), entsprechend *od.* angemessen *(dat).* – **3.** → commensurable. – *SYN. cf.* proportional. – **II** *v/t* [-ˌreit] **4.** gleich groß machen. – **5.** auf ein gemeinsames Maß bringen. – **6.** anpassen. — **comˌmen·su'ra·tion** *s* **1.** Anpassung *f*. – **2.** Gleichmaß *n*. – **3.** richtiges Verhältnis.

com·ment ['kɒment] **I** *s* **1.** Bemerkung *f*, Erklärung *f*, Stellungnahme *f* (on zu). – **2.** (kritische *od.* erklärende) Erläuterung, Anmerkung *f*, Kommen'tar *m*, Deutung *f*. – **3.** Kri'tik *f*, kritische Bemerkungen *pl*. – **4.** Gerede *n*, Klatsch *m*: to give rise to much ~ viel von sich reden machen. – **II** *v/i* **5.** Erläuterungen *od.* Anmerkungen machen *od.* schreiben (on, upon zu). – **6.** (kritische) Bemerkungen machen (on, upon über *acc*). – **7.** reden, klatschen (on, upon über *acc*). – **III** *v/t* **8.** kommen'tieren. — **ˌcom·men'tar·i·al** [-'tɛ(ə)riəl] *adj* kommen'tierend, erläuternd, erklärend.

com·men·tar·y [*Br.* 'kɒməntəri; *Am.* -ˌteri] *s* **1.** Kommen'tar *m* (on zu): a ~ on the Bible ein Bibelkommentar. – **2.** Kommen'tar *m*, erläuternder Bericht: radio ~ Rundfunkkommentar. – **3.** Erläuterung *f*, Erklärung *f*. – **4.** *pl* Kommen'tare *pl*, tagebuchartige Bemerkungen *pl*, Denkschriften *pl*. — **ˌcom·men'ta·tion** *s* Kommen'tierung *f*. — **'com·menˌta·tor** [-ˌteitər] *s* **1.** Kommen'tator *m*, Erläuterer *m*. – **2.** 'Rundfunkkommenˌtator *m*. – **3.** Berichterstatter *m*.

com·merce I *s* ['kɒmərs] **1.** Handel *m*, Handelsverkehr *m (bes. in großem Umfange)*: domestic (*od.* internal) ~ Binnenhandel; foreign ~ Außenhandel; to carry on ~ with Handel treiben mit; → chamber of ~. – **2.** gesellschaftlicher Verkehr, 'Umgang *m*. – **3.** Geschlechtsverkehr *m*. – **4.** (Gedanken)Austausch *m*. – **5.** Kom'merzspiel *n (Kartenspiel).* – *SYN. cf.* business. – **II** *v/i* [kə'məːrs] *obs.* **6.** handeln. – **7.** verkehren. — **~ de·stroy·er** *s mar.* Handelszerstörer *m*.

com·mer·cial [kə'məːrʃəl] **I** *adj* **1.** Handels..., Geschäfts... – **2.** handeltreibend. – **3.** kaufmännisch, kommerzi'ell. – **4.** für den Handel bestimmt, Handels... – **5.** in großen Mengen erzeugt *od.* erzeugbar, handelsüblich, nicht (ganz) rein. – **6.** Werbe..., Reklame... *(Rundfunk-, Fernsehsendung)*: ~ broadcasting Werbefunk; ~ television Werbefernsehen. – **7.** auf finanzi'ellen Gewinn abzielend: a ~ drama. – **II** *s* **8.** Re'klame-, Werbesendung *f (Rundfunk od. Fernsehen).* – **9.** *Br. colloq.* Handlungsreisender *m*. — **~ ad·ven·tur·er** *s* Speku'lant *m*. — **~ ad·ver·tis·ing** *s* Wirtschaftswerbung *f*. — **~ a·gen·cy** *s* **1.** 'Handelsauskunfˌtei *f*. – **2.** 'Handelsagenˌtur *f*, -vertretung *f*. — **~ air·port** *s* Verkehrsflughafen *m*. — **~ al·co·hol** *s* handelsüblicher Alkohol, Sprit *m*. — **~ art** *s* Gebrauchsgraphik *f*. — **~ a·vi·a·tion** *s* Handels-, Verkehrsluftfahrt *f*. — **~ col·lege** *s* 'Handelsakadeˌmie *f*, -hochschule *f*. — **~ cred·it** *s* 'Waren-, 'Handels-, Ge'schäftskreˌdit *m*. — **~ di·rec·to·ry** *s* 'Handelsaˌdreßbuch *n*. — **~ fer·ti·liz·er** *s* Handelsdünger *m*. — **~ ho·tel** *s* Ho'tel *n* für Handlungsreisende. — **~ house** *s* Geschäfts-, Handelshaus *n*, Firma *f*.

com·mer·cial·ism [kə'məːrʃəˌlizəm] *s* **1.** Geschäftsgrundsätze *pl*. – **2.** Handelsgeist *m*. – **3.** Handels-, Geschäftsausdruck *m*. – **4.** Handelsgepflogenheit *f*. — **com'mer·cial·ist** *s* **1.** Handeltreibender *m*. – **2.** kommerzi'ell denkender Mensch. — **comˌmer·cial'is·tic** *adj* kommerzi'ell eingestellt *od.* denkend. — **comˌmer·ci'al·i·ty** [-ʃi'æliti; -əti] *s* kaufmännischer Cha'rakter, Geschäftsmäßigkeit *f*. — **comˌmer·cial·i'za·tion** *s* Kommerziali'sierung *f*, kaufmännische Verwertung *od.* Ausnutzung. — **com'mer·cialˌize** *v/t* **1.** kommerziali'sieren, kaufmännisch verwerten *od.* ausnutzen, ein Geschäft machen aus. – **2.** in den Handel bringen.

com·mer·cial| let·ter *s* Geschäftsbrief *m*. — **~ let·ter of cred·it** *s* ('Bank)Remˌbours *m*, Rem'bourskreˌdit *m*, Akkredi'tiv *n*. — **~ loan** *s* 'Warenkreˌdit *m*. — **~ pa·per** *s* kurzfristiges 'Handelspaˌpier, 'Inhaberpaˌpier *n (bes. Wechsel).* — **~ pro·fes·sion** *s* Kaufmannsstand *m*. — **~ room** *s Br. Hotelzimmer, in dem Handlungsreisende Kunden empfangen können.* — **~ school** *s* Handelsschule *f*. — **~ sci·ence** *s* Handelswissenschaft *f*. — **~ tim·ber** *s* Nutzholz *n*. — **~ trav·el·(l)er** *s* Handlungs-, Handelsreisender *m*. — **~ trea·ty** *s* Wirtschafts-, Handelsvertrag *m*, -abkommen *n*. — **~ ve·hi·cle** *s* Nutzfahrzeug *n*.

com·mie, C~ ['kɒmi] *s Am. colloq.* Kommu'nist(in).

com·mi·na·tion [ˌkɒmi'neiʃən; -mə-] *s* **1.** Drohung *f*, Androhung *f* von Strafen. – **2.** *relig. (anglikanische Kirche)* a) Strafandrohung *f*, Androhung *f* göttlicher Strafe, b) Bußgottesdienst *m (bes. am Aschermittwoch).* — **com·min·a·to·ry** [*Br.* 'kɒminətəri; *Am.* -ˌtɔːri, *auch* kə'min-] *adj* (göttliche) Strafen androhend, racheverkündend, Droh...

com·min·gle [kə'miŋgl] *v/t u. v/i* (sich) vermischen. – *SYN. cf.* mix.

com·mi·nute ['kɒmiˌnjuːt; -mə-; *Am. auch* -ˌnuːt] *v/t* **1.** zerreiben, pulveri'sieren. – **2.** zerkleinern, zersplittern: → fracture 1. — **ˌcom·mi'nu·tion** *s* **1.** Zerreibung *f*, Pulveri'sierung *f*. – **2.** Zerkleinerung *f*. – **3.** Abnutzung *f (auch fig.).* – **4.** *med.* (Knochen)-Splitterung *f*.

com·mis·er·ate [kə'mizəˌreit] **I** *v/t (j-n)* bemitleiden, bedauern. – **II** *v/i* Mitleid fühlen (with mit). — **comˌmis·er'a·tion** *s* Mitleid *n*, Erbarmen *n*. – *SYN. cf.* pity. — **com'mis·erˌa·tive** *adj* mitfühlend, mitleidsvoll.

com·mis·sar ['kɒmiˌsaːr; -mə-] *s* Kommis'sar *m (bes. in der Sowjetunion)*: People's C~ Volkskommissar *(1918-46 Titel der sowjetischen Minister).* — **ˌcom·mis'sar·i·al** [-'sɛ(ə)riəl] *adj* kommis'sarisch, Kommissar... — **'ˌcom·mis'sar·i·at** [-'sɛ(ə)riət; -mə-] *s* **1.** Kommissari'at *n*. – **2.** *mil.* a) Intendan'tur *f*, Wirtschaftsverwaltung *f*, b) Ver'pflegungssyˌstem *n*, -organisatiˌon *f*. – **3.** Lebensmittelversorgung *f*. – **4.** 'Volkskommissariˌat *n*.

com·mis·sar·y [*Br.* 'kɒmisəri; *Am.* -ˌseri] *s* **1.** Kommis'sar *m*, Beauftragter *m*. – **2.** Ver'pflegungsˌstelle *f*, -magaˌzin *n*. – **3.** *mil.* Verpflegungsamt *n*, -ausgabestelle *f*. – **4.** *relig.* bischöflicher Kommis'sar. – **5.** ('Volks)Kommisˌsar *m*. – **6.** Kommis'sär *m*, Commis'saire *m (hoher Polizeibeamter in Frankreich).* – **7.** *jur. Scot.* Richter *m* eines Grafschaftsgerichts. – **8.** *Br.* Universi'tätsrichter *m (Cambridge).* — **~ gen·er·al** *s* Gene'ralkommisˌsar *m*.

com·mis·sar·y·ship [*Br.* 'kɒmisəriˌʃip; *Am.* -ˌseri-] *s* Kommissari'at *n*, Amt *n od.* Stellung *f* eines Kommis'sars.

com·mis·sion [kə'miʃən] **I** *s* **1.** Über'tragung *f*, Anvertrauung *f*. – **2.** Auftrag *m*, Instrukti'on *f*, Anweisung *f*. – **3.** Bevollmächtigung *f*, Beauftragung *f*, Vollmacht *f*: on the ~ bevollmächtigt. – **4.** Vollmacht(schreiben *n*) *f*. – **5.** Verleihungs-, Ernennungsurkunde *f*. – **6.** *mar. mil.* Offi'zierspaˌtent *n*. – **7.** *mar. mil.* Offi'ziersstelle *f*: to hold a ~ eine Offiziersstelle innehaben. – **8.** Kommissi'on *f*, Ausschuß *m*: to be on the ~ Mitglied der Kommission sein; ~ of inquiry Untersuchungsausschuß. – **9.** kommis'sarische Stellung *od.* Verwaltung: in ~ a) bevollmächtigt, beauftragt *(Person)*, b) in kommissarischer Verwaltung *(Amt etc)*; to be in ~ kommissarisch verwaltet werden; to put into ~ kommissarisch verwalten lassen. – **10.** (über'tragenes) Amt: in ~ in amtlicher Stellung. – **11.** über'tragene *od.* anvertraute Aufgabe *od.* Pflicht. – **12.** *econ.* Kommissi'on *f*, (Geschäfts)Auftrag *m*, Order *f*. – **13.** *econ.* Kommissi'on *f*, Geschäftsvollmacht *f*: on ~ in Kommission. – **14.** *econ.* a) Provisi'on *f*, Provisi'ons-, Kommissi'ons-, Vermittlungsgebühr *f*, b) Cour'tage *f*, Maklergebühr *f*: on ~ gegen Provision; ~ agent Kommissionär, Provisionsvertreter. – **15.** Verübung *f*, Begehung *f (Verbrechen etc).* – **16.** (verübte) Tat *od.* Handlung. – **17.** *colloq.* gebrauchsfähiger Zustand: in ~ in gebrauchsfähigem Zustand, funktionierend; the elevator is out of ~ der Lift funktioniert nicht. – **18.** *mar.* Diensttauglichkeit *f*, -fähigkeit *f*, Einsatzbereitschaft *f (Schiff)*: to put (*od.* place) a ship in (*od.* into) ~ ein Schiff (wieder) in Dienst stellen. – **II** *v/t* **19.** bevollmächtigen, autori-

ˈsieren,ˈ bestallen, beauftragen. – **20.** *mar. mil.* (*j-m*) ein Offiˈzierspaˌtent verleihen. – **21.** *mar.* (*Offizier*) mit der Führung eines Schiffs betrauen. – **22.** *mar.* (*Schiff*) in Dienst stellen. – **23.** abordnen, mit einem Auftrag aussenden. – **24.** (*j-m*) ein Amt überˈtragen. – **25.** (*etwas*) bestellen.

com·mis·sion·aire [kəˌmiʃəˈnɛr] *s Br.* Kommissioˈnär *m*, Dienstmann *m*, Bote *m*, (Hoˈtel)Portiˌer *m*, Türsteher *m*.

com·mis·sion day *s jur. Br.* Eröffnungstag *m* der Asˈsisen (*an dem die amtliche Bestellung des Richters verlesen wird*).

com·mis·sioned of·fi·cer [kəˈmiʃənd] *s* (durch Paˈtent bestallter) Offiˈzier.

com·mis·sion·er [kəˈmiʃənər] *s* **1.** Kommisˈsar *m*, Bevollmächtigter *m*, Beauftragter *m*. – **2.** (Reˈgierungs)-Kommisˌsar *m*: **High C~** Hoch-, Oberkommissar (*Vertreter der brit. Dominien in London*). – **3.** *bes. Am.* Leiter *m* des Amtes (**of** für) (*das einem Ministerium unterstellt ist*): **~ of patents** Leiter des Patentamts. – **4.** Mitglied *n* einer (Reˈgierungs)Kommissiˌon, Kommisˈsar *m*: → **county ~**. – **5.** *pl* Reˈgierungskommissiˌon *f*, Ausschuß *m*, Aufsichtsbehörde *f*. – **6.** beauftragter Richter. – **7.** Friedensrichter *m* (*im Süden der USA*). – **8.** *econ.* Bevollmächtigter *m*, Kommissioˈnär *m*. – **9.** *sl.* Buchmacher *m*. — **comˈmis·sion·erˌship** *s* Kommissariˈat *n*, Kommisˈsarsamt *n*, -würde *f*.

com·mis·sion| mer·chant *s econ.* Kommissioˈnär *m*, ˈHandelsaˌgent *m*, Inhaber *m* eines Kommissiˈonsgeschäfts. — **~ of the peace** *s Br.* Friedensrichteramt *n*. — **~ plan** *s pol. Am.* Stadtverwaltung *f* durch einen kleinen gewählten Ausschuß.

com·mis·sur·al [ˌkɒmiˈsju(ə)rəl; -mə-; *Am. auch* kəˈmiʃərəl] *adj* **1.** Kommissuren..., Kommissural... – **2.** verbindend, zuˈsammenfügend. — **ˈcom·misˌsure** [-ur] *s* **1.** Naht *f*, Verbindungsstelle *f*, Saum *m*. – **2.** *med. zo.* Kommisˈsur *f*, Verbindung *f*, *bes.* a) Nervenverbindungsstrang *m*, b) Verbindungsstelle *f*, Fuge *f*, (Knochen)-Naht *f*, c) Band *n*. – **3.** *bot.* Fuge *f* (*eine Verwachsungsnaht*).

com·mit [kəˈmit] *v/t pret u. pp* **comˈmit·ted** **1.** anvertrauen, überˈgeben, -ˈtragen, -ˈantworten, -ˈlassen: **to ~ s.th. to s.o.'s care** etwas j-s Fürsorge anvertrauen; **to ~ one's soul to God** seine Seele Gott befehlen; **to ~ to the grave** der Erde übergeben, beerdigen. – **2.** festhalten (**to** auf, in *dat*): **to ~ to paper** (*od.* **to writing**) zu Papier bringen; **to ~ to memory** dem Gedächtnis einprägen, auswendig lernen. – **3.** in Gewahrsam geben *od.* nehmen: **to ~ s.o. to jail** j-n einsperren. – **4.** (*zwecks Behandlung etc*) überˈgeben: **to ~ a prisoner for trial** einen Verhafteten zwecks Aburteilung dem Gericht überliefern. – **5.** *pol.* (*Gesetzesantrag etc*) an einen Ausschuß überˈweisen. – **6.** begehen, verüben: **to ~ a sin** eine Sünde begehen; → **crime** 1. – **7.** verpflichten, binden, festlegen: **to ~ oneself to a method** sich auf eine Methode festlegen; **to be ~ted** sich festgelegt haben. – **8.** kompromitˈtieren, gefährden: **to ~ oneself** sich eine Blöße geben, sich kompromittieren. – *SYN.* **confide, consign, entrust, relegate.**

com·mit·ment [kəˈmitmənt] *s* **1.** Überˈtragung *f*, Überˈantwortung *f*, Überˈweisung *f*, ˈÜbergabe *f* (**to** an *acc*). – **2.** Einlieferung *f*, Überˈstellung *f* (**to** in *acc*). – **3.** Verhaftung *f*. – **4.** *jur.* schriftlicher Haftbefehl. – **5.** *pol.* Überˈweisung *f* an einen Ausschuß. – **6.** Begehung *f*, Verübung *f* (*Verbrechen etc*). – **7.** (**to**) Verpflichtung *f* (zu), Festlegung *f* (auf *acc*), Bindung *f* (an *acc*): **to undertake a ~** eine Verpflichtung eingehen; **without any ~** ganz unverbindlich. – **8.** *econ. Am.* (*Börse*) Kauf- *od.* Verkaufsverpflichtung *f*, Engageˈment *n*: **foreign exchange ~s** Devisenengagements; **to make a ~** einen Abschluß tätigen. – **9.** *econ.* (finanziˈelle) Verbindlichkeit.

com·mit·ta·ble [kəˈmitəbl] *adj* leicht zu begehen(d) (*Fehler etc*). — **comˈmit·tal** *s* **1.** → **commitment** 1, 2, 3, 5, 6, 7. – **2.** Beerdigung *f*: **~ service** Bestattungsfeierlichkeiten.

com·mit·tee [kəˈmiti] *s* **1.** Komiˈtee *n*, Ausschuß *m*, Kommissiˈon *f*: **joint ~** gemischte Kommission; **select ~** Sonderausschuß; **standing ~** ständiger Ausschuß; **the House goes into C~** (*od.* **resolves itself into C~**) *pol.* das (Abgeordneten)Haus konstituiert sich als Ausschuß; → **on** 6; **~ of the whole (House)** *pol.* das gesamte als Ausschuß zusammengetretene Haus; **C~ of Supply** *Br.* Staatsausgaben-Bewilligungsausschuß; **C~ of Ways and Means** *bes. Br.* Steuerbewilligungsausschuß; **~man, ~woman** Komiteemitglied. – **2.** [*Br.* ˌkɒmiˈtiː] *jur.* Kuˈrator *m* (*eines Entmündigten etc*).

com·mit·ter [kəˈmitər] *s* **1.** Überˈtrager *m*, Überˈgeber *m*. – **2.** Täter *m* (*Verbrechen etc*). – **3.** *econ.* Kommitˈtent *m*, Auftraggeber *m*.

com·mit·tor [*Br.* ˌkɒmiˈtɔː*r*; *Am.* kəˈmit-] *s jur.* Richter, der einen Kuˈrator bestellt.

com·mix [kəˈmiks; kɒ-] *v/t u. v/i* (sich) (ver)mischen. — **comˈmix·tion** [-tʃən] → **commixture** 3. — **comˈmix·ture** [-tʃər] *s* **1.** (Ver)Mischung *f*. – **2.** gemischte Menge. – **3.** *relig.* Vermischung *f* des Abendmahls.

com·mode [kəˈmoud] *s* **1.** (ˈWasch)-Komˌmode *f*. – **2.** hoher Nachtstuhl. – **3.** *hist.* Faltenhaube *f*.

com·mo·di·ous [kəˈmoudiəs] *adj* **1.** geräumig. – **2.** (zweck)dienlich, passend, geeignet. – *SYN.* **ample, capacious, spacious.** — **comˈmo·di·ous·ness** *s* **1.** Geräumigkeit *f*. – **2.** Zweckdienlichkeit *f*.

com·mod·i·ty [kəˈmɒditi; -də-] *s* **1.** nützliche *od.* vorteilhafte Sache. – **2.** *econ.* Ware *f*, (ˈHandels)Arˌtikel *m*, Gebrauchsgegenstand *m*: **commodities** Waren. – **3.** Vermögensteil *m*, -gegenstand *m*: **commodities** Vermögen, Güter. – **4.** *jur. od. obs.* Nützlichkeit *f*, Nutzen *m*. — **~ dol·lar** *s econ. Am.* Warendollar *m* (*vorgeschlagene Währungseinheit, deren Goldgehalt sich der jeweiligen Warenindexziffer anpassen würde*). — **~ mon·ey** *s econ. Am.* auf dem **commodity dollar** fußende Währung. — **~ pa·per** *s econ.* Dokuˈmententratte *f*.

com·mo·dore [ˈkɒməˌdɔːr] *s mar.* **1.** Kommoˈdore *m*: a) *Am. Kapitän zur See mit Admiralsrang*, b) *Br. Kapitän zur See, Geschwaderkommandant* (*kein offizieller Dienstgrad*), c) *rangältester Kapitän mehrerer* (*Kriegs*)*Schiffe*, d) *Ehrentitel für verdiente Kapitäne der Handelsmarine*, e) *Am. Kommandant eines Geleitzuges*. – **2.** ˈLotsenkommanˌdeur *m*. – **3.** Präsiˈdent *m* eines Jachtklubs. – **4.** Leitschiff *n* (*Geleitzug*). – **5.** Kommoˈdoreschiff *n*.

com·mon [ˈkɒmən] **I** *adj* **1.** gemein(sam), gemeinschaftlich: **~ to all** allen gemeinsam; **to be on ~ ground with s.o.** auf den gleichen Grundlagen fußen *od.* stehen wie j-d. – **2.** gemeinsam, gemeinschaftlich, vereint: → **cause** 3. – **3.** allgemein, öffentlich: **by ~ consent** mit allgemeiner Zustimmung; **~ crier** öffentlicher Ausrufer. – **4.** Gemeinde..., Stadt... – **5.** noˈtorisch, Gewohnheits...: **~ criminal.** – **6.** allgemein (bekannt), allˈtäglich, gewöhnlich, norˈmal, selbstverständlich, vertraut: **it is a ~ belief** es wird allgemein geglaubt; **~ decency** der natürliche Anstand; **a ~ event** ein alltägliches Ereignis; **~ sight** vertrauter Anblick; **~ talk** Stadtgespräch. – **7.** üblich, allgemein gebräuchlich, gewöhnlich: **~ salt** gewöhnliches Salz, Kochsalz. – **8.** *bes. biol.* gemein (*die häufigste Art bezeichnend*): **~ or garden** *colloq.* gewöhnlich, überall verbreitet, alltäglich. – **9.** allgemein zugänglich, öffentlich: **~ woman** Prostituierte. – **10.** gewöhnlich, minderwertig, zweitklassig. – **11.** abgedroschen: **a ~ phrase.** – **12.** *colloq.* gewöhnlich, gemein, ordiˈnär, vulˈgär: **~ manners.** – **13.** gewöhnlich, gemein, ohne Rang: **the ~ people** das gewöhnliche Volk. – **14.** *math.* gemeinsam. – **15.** *med.* Stamm...: **~ bile duct** Gallengang. – **16.** *ling.* zwei entgegengesetzte gramˈmatische Eigenschaften besitzend. – **17.** *metr.* lang oder kurz: **a ~ syllable.** – **18.** *relig.* unrein. – *SYN.* a) **familiar, ordinary, popular, vulgar,** b) *cf.* **reciprocal.** –

II *s* **19.** Allˈmende *f*, Gemeindeland *n* (*heute oft Parkanlage in der Ortsmitte*). – **20.** *auch* **right of ~** Mitbenutzungsrecht *n* (**of an** *dat*): **~ of pasture** Weiderecht; **~ of piscary** Fischereigerechtsame. – **21.** Gemeinsamkeit *f*: **(to act) in ~** gemeinsam (vorgehen); **to have in ~ with** gemein haben mit; **to hold in ~** gemeinsam besitzen; **in ~ with** in Übereinstimmung mit, ebenso wie. – **22.** (*das*) Gewöhnliche, Norm *f*: **above** (*od.* **beyond** *od.* **out of**) **the ~** außergewöhnlich, -ordentlich. – **23.** *auch* **C~** *relig.* Gottesdienst, der für jedes Kirchenfest einer bestimmten Art geeignet ist. – **24.** *obs.* a) Öffentlichkeit *f*, b) (*das*) gewöhnliche *od.* gemeine Volk.

com·mon·a·ble [ˈkɒmənəbl] *adj* **1.** in gemeinsamem Besitz (*Land*), Gemeinde... – **2.** Gemeindeweide...: **~ cattle.** — **ˈcom·mon·age** *s* **1.** gemeinsame Nutzung, gemeinsamer Gebrauch (*bes. Weideland*). – **2.** gemeinsames Nutzungsrecht. – **3.** gemeinsamer Besitz. – **4.** → **commonalty.** – **ˌcom·monˈal·i·ty** [-ˈnæliti; -əti] → **commonalty** 1. — **ˈcom·mon·al·ty** [-əlti] *s* **1.** (*das*) gemeine Volk, Allgeˈmeinheit *f*. – **2.** (Mitglieder *pl* einer) Körperschaft *f*.

com·mon| as·sur·ance *s jur.* (Dokuˈment *n* einer) Beˈsitzüberˌtragung *f*. — **~ bar** *s jur.* Rechtseinwand *m* gegen eine Besitzstörungsklage. — **~ bud** *s bot.* Knospe, die Blätter u. Blüten zuˈgleich enthält. — **~ car·ri·er** *s* **1.** öffentliche Verkehrs- *od.* Transˈportgesellschaft. – **2.** a) ˈFuhrunterˌnehmer *m*, b) Spediˈteur *m*, Frachtführer *m*. — **~ chord** *s mus.* (*gewöhnlicher*) Dreiklang. — **~ coun·cil** *s selten* Gemeinderat *m* (*in USA u. London*). — **~ de·nom·i·na·tor** *s math.* gemeinsamer Nenner, Hauptnenner *m*. — **~ di·vi·sor** *s math.* gemeinsamer Teiler.

com·mon·er [ˈkɒmənər] *s* **1.** Bürger(licher) *m*, Nichtadliger *m*. – **2.** *Br.* Stuˈdent (*bes. in Oxford*), der seinen ˈUnterhalt selbst bezahlt. – **3.** berechtigter Mitbenutzer von Gemeindeland. – **4.** **C~** Mitglied *n* des Londoner Stadtrats. – **5.** *Br. selten* ˈUnterhausabgeordneter *m*: **the First C~** der Sprecher des Unterhauses; → **Great C~.**

com·mon·ey [ˈkɒməni] *s* gewöhnliche Murmel.

com·mon| frac·tion *s math.* gemeiner Bruch. — **~ gen·der** *s ling.* doppeltes Geschlecht. — **~ gull** *s zo.* Sturmmöwe *f* (*Larus canus*). — **~ la·bo(u)r** *s* ungelernte Arbeit. — **~ law** *s jur.* **1.** ungeschriebenes (engl.) Gewohnheitsrecht (*Gegensatz röm. Recht od.* Statute Law). – **2.** gemeines Recht, Gesamtrecht *n* (*Gegensatz lokal beschränkte Rechte od. Teile des Gesamtrechts*). – **3.** von den königlichen Gerichtshöfen in England entwickeltes strenges Recht (*Gegensatz* Equity Law). – **4.** *relig.* allgemeines Kirchenrecht. — **'~-'law** *adj jur.* gewohnheitsrechtlich, nach dem Gewohnheitsrecht. — **'~-'law mar·riage** *s jur.* Kon'sensehe *f* ohne kirchliche *od.* Zi'viltrauung (*in manchen Staaten anerkannte Ehe*). — **~ law·yer** *s* im Common Law bewanderter Ju'rist. — **~ log·a·rithm** *s math.* Dezi'malloga,rithmus *m.* Briggsscher Loga'rithmus.

com·mon·ly ['kɒmənli] *adv* **1.** gewöhnlich, im allgemeinen, nor'malerweise. – **2.** auf gewöhnliche Weise. – **3.** in nor'malem Ausmaß. – **4.** gemein, schäbig.

com·mon| mal·low *s bot.* Blaue *od.* Gemeine Malve, Roßpappel *f* (*Malva silvestris*). — **C~ Mar·ket** *s econ. pol.* Gemeinsamer Markt. — **~ meas·ure** *s* **1.** → common divisor. – **2.** *mus.* gerader Takt, *bes.* Vier'vierteltakt *m.* — **~ me·ter**, *bes. Br.* **~ me·tre** *s* übliche Hymnenstrophe (*aus 4 iambischen Versen mit abwechselnd je 4 u. 3 Füßen*). — **~ mul·ti·ple** *s math.* gemeinsames Vielfaches: lowest (*od.* least) ~ kleinstes gemeinsames Vielfaches. — **~ name** *s* Gattungsname *m.*

com·mon·ness ['kɒmənnis] *s* **1.** Gemeinsamkeit *f*, Gemeinschaftlichkeit *f.* – **2.** Gewöhnlichkeit *f*, All'täglichkeit *f.* – **3.** Minderwertigkeit *f.* – **4.** Gemeinheit *f.*

com·mon| night·shade *s bot.* Schwarzer Nachtschatten (*Solanum nigrum*). — **~ noun** *s* Gattungsname *m*, -wort *n*, Appella'tiv *n*, Appella'tivum *n* (*Gegensatz Eigenname*). — **~ num·ber** *s ling.* unbestimmte Zahl (*Singular od. Plural*).

com·mon·place ['kɒmən,pleis] **I** *s* **1.** Gemeinplatz *m*, Binsenwahrheit *f*, Plati'tüde *f.* – **2.** All'täglichkeit *f*, Abgedroschenheit *f.* – **3.** all'tägliche (*uninteressante*) Sache. – **4.** Lesefrucht *f*, Aufzeichnung *f* (*aus einem Buch*), Zi'tat *n*: ~ book Kollektaneen-, Notizbuch. – *SYN.* platitude, truism. – **II** *adj* **5.** all'täglich, gewöhnlich, 'uninteres,sant. – **6.** platt, abgedroschen, all'täglich, ba'nal. – **III** *v/t* **7.** in ein Kollekta'neenbuch eintragen. – **8.** Auszüge machen aus. – **9.** all'täglich *od.* zum Gemeinplatz machen. – **IV** *v/i* **10.** *obs.* Gemeinplätze von sich geben. — **'com·mon,place·ness** *s* All'täglichkeit *f*, Gewöhnlichkeit *f*, Abgedroschenheit *f*, Banali'tät *f.*

com·mon| pleas *s pl jur.* **1.** *Br. hist.* Zi'vilrechtsklagen *pl.* – **2.** C~ P~ (*als sg konstruiert*) *colloq. Kurzform für* Court of Common Pleas. — **~ prayer** *s relig.* **1.** gemeinsames Gebet. – **2.** Litur'gie *f* der angli'kanischen Kirche. – **3.** C~ P~ *Kurzform für* Book of C~ P~. — **~ room** *s* **1.** gemeinsames Zimmer, allen zugänglicher Raum. – **2.** Gemeinschaftsraum *m.* – **3.** *Br.* Gemeinschafts-, Versammlungsraum *m* (*in einem College*): junior (senior) ~ Gemeinschaftsraum für Student(inn)en (für den Lehrkörper *od.* die Fellows). – **4.** *Br. collect.* Mitglieder *pl* eines College.

com·mons ['kɒmənz] *s pl* **1.** (*das*) gemeine Volk, (*die*) Gemeinen *pl.* – **2.** *Br.* (*die*) im 'Unterhaus vertretenen Staatsbürger *pl.* – **3.** the C~ die Gemeinen *pl*, die 'Unterhaus,abgeordneten *pl*: the House of C~ das Unterhaus. – **4.** the C~ das 'Unterhaus (*in Großbritannien, Nordirland, Kanada u. anderen Dominien*). – **5.** *Br.* Gemeinschaftsessen *n* (*bes. in Colleges*): to eat at ~ am gemeinschaftlichen Mahl teilnehmen. – **6.** tägliche Kost, Essen *n*, Rati'on *f*: to be kept on short ~ auf schmale Kost gesetzt sein. – **7.** großer Speiseraum. – **8.** *Br.* gemeinsame Tafel.

com·mon| school *s Am.* öffentliche Volksschule. — **~ sense** *s* gesunder Menschenverstand, Nüchternheit *f*, Wirklichkeitssinn *m*, praktischer Sinn. – *SYN. cf.* sense. — **'~-,sense** *adj* vernünftig (denkend), nüchtern, verständig: ~ philosophy die Philosophie des gesunden Menschenverstandes. — **,~'sen·si·ble** *adj colloq.* vernünftig (denkend), verständig, dem gesunden Menschenverstand entsprechend. — **~ ser·geant** *s* Gerichtsbeamter *m* des Magi'strats der City of London. — **~ stock** *s econ.* 'Stamm,aktien-(kapi,tal *n*) *pl* (*ohne Vorrechte*). — **~ time** → common measure 2. — **'~,weal**, *auch* **~ weal** *s* **1.** Gemeinwohl *n*, (*das*) allgemeine Wohl. – **2.** *obs. für* commonwealth.

'com·mon,wealth *s* **1.** Volk *n*, Nati'on *f* (*Gesamtheit des Volkes eines Staates*). – **2.** Staat *m*, Nati'on *f.* – **3.** Volks-, Freistaat *m*, Repu'blik *f.* – **4.** C~ *Br. hist.* Repu'blik *f*, Commonwealth *n* (*die Regierungsform in England 1649—1660*). – **5.** *Am.* a) *offizielle Bezeichnung für einen der Staaten Massachusetts, Pennsylvania, Virginia u. Kentucky,* b) *hist. Bundesstaat der USA.* – **6.** Commonwealth *n*: the British C~ of Nations die Britische Nationengemeinschaft, das Commonwealth (*seit 1931 offizieller Name des Commonwealth*); the C~ of Australia der Australische Bund. – **7.** (Inter'essen)Gemeinschaft *f*: ~ of learning Gelehrtenwelt. – **8.** *obs.* Gemeinwohl *n.*

com·mo·tion [kə'mouʃən] *s* **1.** heftige Bewegung, Erschütterung *f.* – **2.** *pol.* Aufruhr *m*, Aufstand *m*, Tu'mult *m.* – **3.** Durchein'ander *n*, Verwirrung *f.* – **4.** *med.* (Gehirn)Erschütterung *f.*

com·move [kə'muːv] *v/t* **1.** heftig bewegen. – **2.** aufregen, beunruhigen. – **3.** stören, aus dem Gleichgewicht bringen. – **4.** *obs.* antreiben, anstacheln.

com·mu·nal ['kɒmjunl; kə'mjuː-] *adj* **1.** Gemeinde..., Kommunal... – **2.** Gemeinschafts... – **3.** für das (gemeine) Volk, Volks...: ~ kitchen Volksküche. – **4.** einfach, volksmäßig, Volks...: ~ poetry Volksdichtung. – **5.** die Pa'riser Kom'mune (*1871*) betreffend, Kommune... — **'com·mu·nal,ism** *s* **1.** Kommuna'lismus *m* (*Regierungssystem in Form von fast unabhängigen verbündeten kommunalen Bezirken*). – **2.** 'Güterge,meinschaftssy,stem *n*, Kommu'nismus *m.* — **'com·mu·nal·ist** *s* **1.** Kommuna'list *m*, Vorkämpfer *m* des Kommuna'lismus. – **2.** → Communard 1. — **,com·mu·nal·i'za·tion** *s* Kommunali'sierung *f.* — **com'mu·nal,ize** *v/t* kommunali'sieren, in Gemeindebesitz *od.* -verwaltung 'überführen.

Com·mu·nard ['kɒmju,nɑːrd] *s* **1.** Kommu'nard(e) *m* (*Anhänger der Pariser Kommune, 1871*). – **2.** c~ → communalist 1.

com·mune[1] **I** *v/i* [kə'mjuːn] **1.** sich (vertraulich) unter'halten, sich beraten, sich besprechen, Gedanken austauschen (with mit): to ~ with oneself mit sich zu Rate gehen. – **2.** *relig.* kommuni'zieren, das heilige Abendmahl empfangen. – **II** *s* ['kɒmjuːn] **3.** Gedankenaustausch *m*, (freundschaftliche) Unter'haltung.

com·mune[2] ['kɒmjuːn] *s* **1.** Gemeinde *f*, Kom'mune *f* (*in Frankreich, Italien etc*). – **2.** Gemeinschaft *f* zur Förderung lo'kaler Inter'essen. – **3.** eng verbundene (Dorf)Gemeinschaft (*primitiver Stämme*). – **4.** gemeines Volk. – **5.** the C~ (of Paris) die (Pa'riser) Kom'mune (*1871 u. 1792–94*).

com·mu·ni·ca·bil·i·ty [kə,mjuːnikə'biliti; -əti] *s* **1.** Mitteilbarkeit *f.* – **2.** Über'tragbarkeit *f.* – **3.** Mitteilsamkeit *f.* — **com'mu·ni·ca·ble** *adj* **1.** mitteilbar, erzählbar. – **2.** über'tragbar: ~ disease *med.* übertragbare *od.* ansteckende Krankheit. – **3.** *obs.* mitteilsam. — **com'mu·ni·ca·ble·ness** → communicability. — **com'mu·ni·cant** [-kənt] **I** *s* **1.** *relig.* Kommuni'kant(in). – **2.** *relig.* Mitglied *n* einer Kirche (*das die heilige Kommunion empfangen darf*). – **3.** Mitteilende(r). – **II** *adj* **4.** mitteilend. – **5.** über'tragend.

com·mu·ni·cate [kə'mjuːni,keit; -nə-] **I** *v/t* **1.** mitteilen: to ~ s.th. to s.o. j-m etwas mitteilen. – **2.** über'tragen (to auf *acc*): to ~ a disease. – **3.** *obs.* (*j-m*) die heilige Kommuni'on spenden. – **4.** *obs.* teilnehmen an (*dat*). – **II** *v/i* **5.** sich besprechen, sich unter'halten, Gedanken austauschen. – **6.** sich in Verbindung setzen: he was ~d with man trat mit ihm in Verbindung. – **7.** mitein'ander in Verbindung stehen, zu'sammenhängen: all rooms in this flat ~. – **8.** *relig.* kommuni'zieren, die heilige Kommuni'on empfangen. – **9.** *obs.* teilnehmen. – *SYN.* impart.

com·mu·ni·ca·tion [kə,mjuːni'keiʃən; -nə-] *s* **1.** Mitteilung *f* (to an *acc*). – **2.** Über'tragung *f*, Fortpflanzung *f* (to auf *acc*): ~ of motion Bewegungsübertragung, -fortpflanzung; ~ of power *phys.* Kraftübertragung. – **3.** Gedanken-, Meinungsaustausch *m*, Besprechung *f*, Korrespon'denz *f*, (Brief)Verkehr *m*, Verbindung *f*: to be in ~ with s.o. mit j-m in Verbindung stehen; to break off all ~ jeglichen Verkehr abbrechen. – **4.** Nachricht *f*, Mitteilung *f*, Botschaft *f.* – **5.** Verbindung *f* (*auch tech.*). – **6.** Verbindung *f*, Verbindungsmöglichkeit *f*, -mittel *n*, -weg *m*, Verkehrsweg *m*, 'Durchgang *m*: ~ by rail Eisenbahnverbindung. – **7.** *pl bes. mil.* Fernmelde(verbindungs)wesen *n.* – **8.** *pl mil.* Nachschublinien *pl*, Verbindungswege *pl.* – **9.** Versammlung *f* (*Freimaurerloge*). — **~ band** *s* (*Radio*) Ver'kehrs(fre,quenz)band *n*, Über'tragungsband *n.* — **~ cen·ter**, *bes. Br.* **~ cen·tre** *s mil.* 'Fernmeldestelle *f*, -meldezen,trale *f.* — **~ cord** *s* (*Eisenbahn*) Notleine *f*, -bremse *f.* — **~ en·gi·neer·ing** *s* Fernmeldetechnik *f.* — **~ serv·ice** *s* 'Nachrichtensy,stem *n*, -dienst *m.* — **~ trench** *s mil.* Verbindungs-, Laufgraben *m.* — **~ valve** *s tech.* 'Absperrven,til *n* (*Dampfmaschine*).

com·mu·ni·ca·tive [kə'mjuːni,keitiv; -nə-; -kət-] *adj* **1.** mitteilsam, gesprächig, redselig, offenherzig. – **2.** Mitteilungs... — **com'mu·ni,ca·tive·ness** *s* Mitteilsamkeit *f*, Gesprächigkeit *f.* — **com'mu·ni,ca·tor** [-tər] *s* **1.** Mitteilende(r). – **2.** (*Telegraphie*) (Zeichen)Geber *m.* – **3.** (*Eisenbahn*) *Br.* Notbremse *f.* — **com'mu·ni·ca·to·ry** [*Br.* -,keitəri; *Am.* -kə,tɔːri] *adj* mitteilend.

com·mun·ion [kə'mjuːnjən] *s* **1.** Teilhaben *n*, -nehmen *n*, -nahme *f.* – **2.** gemeinsamer Besitz: ~ of goods

Gütergemeinschaft. – 3. Gemeinschaft *f* (*von Personen*): ~ **of saints** Gemeinschaft der Heiligen. – 4. Verkehr *m*, Verbindung *f*, 'Umgang *m*, (enge) Gemeinschaft: **to have** (*od.* **hold**) ~ **with s.o.** mit j-m Umgang pflegen; **to hold** ~ **with oneself** Einkehr bei sich selbst halten. – 5. *relig.* Glaubens-, Religi'onsgemeinschaft *f*: **to receive into the** ~ **of the Church** in die Gemeinschaft der Kirche aufnehmen. – 6. C~ *relig.* (heilige) Kommuni'on, (heiliges) Abendmahl: C~ **in both kinds** Abendmahl in beiderlei Gestalt. — **C~ cup** *s relig.* Abendmahlskelch *m* (*in einigen protestantischen Kirchen übliche Bezeichnung für* **chalice**).

com·mun·ion·ist [kə'mjuːnjənist] *s relig.* 1. Anhänger(in) einer bestimmten 'Abendmahlsdokˌtrin. – 2. Kommuni'kant(in).

Com·mun·ion| rail *s relig.* Al'targitter *n.* — ~ **serv·ice** *s relig.* Abendmahlsfeier *f*, Kommuni'on *f.* — ~ **ta·ble** *s relig.* Abendmahlstisch *m.*

com·mu·ni·qué [kə'mjuːniˌkei; kəˌmjuːni'kei; -nə-] *s* Kommuni'qué *n*, amtliche Verlautbarung, amtlicher Bericht.

com·mu·nism ['kɒmjuˌnizəm] *s* 1. *econ. pol.* Kommu'nismus *m.* – 2. → **communalism** 1. – 3. *biol.* Kommensa'lismus *m.* — **'com·mu·nist I** *s* 1. Kommu'nist(in) (*Anhänger einer kommunistischen Gesellschaftsordnung*). – 2. *oft* C~ *pol.* Kommu'nist(in). – 3. C~ *hist.* → **Communard** 1. – **II** *adj* 4. kommu'nistisch. – 5. C~ *pol.* kommu'nistisch: C~ **International** Kommunistische *od.* Dritte Internationale; C~ **Manifesto** Kommunistisches Manifest; C~ **party** kommunistische Partei (*bes. die KPdSU*). — **ˌcom·mu'nis·tic**, *auch* **ˌcom·mu'nis·ti·cal** *adj* 1. kommu'nistisch. – 2. *hist.* Kommune..., die Pa'riser Kom'mune betreffend. – 3. *zo.* in Freßgemeinschaft lebend. — **ˌcom·mu'nis·ti·cal·ly** *adv* (*auch zu* **communistic**).

com·mu·ni·tar·i·an [kəˌmjuːni'tɛ(ə)riən; -nə-] *s* 1. Mitglied *n* einer kommu'nistischen Vereinigung *od.* Genossenschaft. – 2. Anhänger *m* der kommu'nistischen Ge'nossenschaftsiˌdee.

com·mu·ni·ty [kə'mjuːniti; -nə-] *s* 1. Gemeinschaft *f*: **the** ~ **of scholars**; ~ **singing** Gemeinschaftssingen. – 2. (organi'sierte po'litische *od.* sozi'ale) Gemeinschaft. – 3. Gemeinde *f.* – 4. **the** ~ die Allge'meinheit, die Öffentlichkeit, das Volk. – 5. Staat *m*, Gemeinwesen *n.* – 6. *relig.* (*nach einer bestimmten Regel lebende*) Gemeinschaft: **a** ~ **of monks** eine Mönchsgemeinschaft. – 7. in Gütergemeinschaft lebende (Per'sonen)Gruppe. – 8. *bot. zo.* Gemein-, Gesellschaft *f.* – 9. Gemeinschaft *f*, Gemeinsamkeit *f*, gemeinsamer Besitz: ~ **of goods** Gütergemeinschaft; ~ **of interests** Interessengemeinschaft. – 10. *jur.* eheliche Gütergemeinschaft (*bes. nach röm. Recht*). – 11. Gleichheit *f*, Über'einstimmung *f*, große Ähnlichkeit. — ~ **cen·ter**, *bes. Br.* ~ **cen·tre** *s Am. od. Canad.* 1. Volks-, Gemeinschaftshaus *n*, -heim *n* (*für gesellschaftliche, volksbildende etc Veranstaltungen*). – 2. *Gesellschaft zur Förderung der Volksbildung etc.* — ~ **chest** *s Am. od. Canad.* öffentlicher Fonds für wohltätige Zwecke, Wohlfahrtsfonds *m.*

com·mu·ni·za·tion [ˌkɒmjunai'zeiʃən; -ni-; -nə-] *s* Über'führung *f* in Gemeinbesitz, Vergemeinschaftung *f.* — **'com·muˌnize** *v/t* 1. in Gemeinbesitz 'überführen, soziali'sieren. – 2. kommu'nistisch machen.

com·mut·a·bil·i·ty [kəˌmjuːtə'biliti; -əti] *s* 1. Vertausch-, Austausch-, 'Umwandelbarkeit *f.* – 2. Ablösbarkeit *f.* — **com'mut·a·ble** *adj* 1. vertauschbar, austauschbar, 'umwandelbar, kommu'tabel. – 2. (*durch Geld*) ablösbar.

com·mu·tate ['kɒmjuˌteit] *v/t electr.* 1. (*Strom*) kommu'tieren, wenden, 'umpolen. – 2. (*Wechselstrom*) in Gleichstrom verwandeln.

com·mu·tat·ing pole ['kɒmjuˌteitiŋ] *s electr.* Wendepol *m.*

com·mu·ta·tion [ˌkɒmju'teiʃən] *s* 1. ('Um-, Aus)Tausch *m*, 'Umwandlung *f*, 'Umänderung *f.* – 2. Ablösung *f* (*durch Geld, einmalige Abfindung etc*). – 3. Ablösung(ssumme) *f.* – 4. *jur.* 'Strafˌumwandlung *f*, -milderung *f.* – 5. *Am.* regelmäßiges Benutzen von Verkehrsmitteln (*von u. zu der Arbeitsstätte*). – 6. *electr.* Kommutati'on *f*, 'Stromwendung *f*, -ˌumkehrung *f*, -wechsel *m.* – 7. *astr. math.* Kommutati'on *f.* — ~ **cur·rent** *s electr.* Kommu'tierungsstrom *m.* — ~ **tick·et** *s Am.* Monats-, Wochen-, Zeitkarte *f.*

com·mu·ta·tive [kə'mjuːtətiv; 'kɒmjuˌteitiv] *adj* 1. auswechselbar, vertauschbar, Ersatz... – 2. Tausch... – 3. gegen-, wechselseitig: ~ **justice** a) wechselseitige Rechtsausübung, b) *econ.* solide Verkehrsgrundsätze. – 4. *math.* kommuta'tiv, vertauschbar. — ~ **con·tract** *s jur.* wechselseitiger Vertrag, bei dem jeder Vertragspartner eine äquiva'lente Leistung gibt u. empfängt. — ~ **law** *s math.* Kommuta'tivgesetz *n.* — ~ **mul·ti·pli·ca·tion** *s math.* Multiplikati'on *f* mit beliebiger Vertauschung der Fak'toren. — ~ **prin·ci·ple** → **commutative law.**

com·mu·ta·tor ['kɒmjuˌteitər] *s* 1. *electr.* a) Kommu'tator *m*, Pol-, Stromwender *m*, b) Kol'lektor *m*, c) Zündverteiler *m* (*bei Verbrennungsmotoren*). – 2. *electr. allg.* 'Umsetzer *m.* — ~ **bar** *s electr.* Kommu'tator-, Kol'lektorsegˌment *n*, -laˌmelle *f*, -stab *m.* — ~ **pitch** *s electr.* Kommu'tatorteilung *f*, Kol'lektor-, Stromwenderschritt *m.*

com·mute [kə'mjuːt] **I** *v/t* 1. aus-, 'umtauschen, vertauschen, auswechseln. – 2. eintauschen (**for** für). – 3. (**to, into**) *jur.* (*Strafen*) her'absetzen (auf *acc*), mildern (zu). – 4. (*Lasten, Verpflichtungen etc*) 'umwandeln (**into** in *acc*), ablösen (**for, into** durch). – 5. *electr.* → **commutate.** – **II** *v/i* 6. Ersatz leisten (**for** für). – 7. (*an Stelle von Teilzahlungen*) eine einmalige Zahlung leisten. – 8. *Am.* mit Zeitkarte ('hin- u. 'her)fahren, ‚pendeln'. — **com'mut·er** *s* 1. *Am.* Zeitkarteninhaber(in), Pendler *m.* – 2. → **commutator.**

co·mose ['koumous] *adj bot.* 1. schopfig. – 2. mit einem Haarschopf (*Samen*).

com·pact¹ [kəm'pækt] **I** *adj* 1. kom'pakt, fest, dicht (zu'sammen)gedrängt: ~ **car** Kompaktwagen. – 2. *geol.* dicht, mas'siv (*Gestein*). – 3. gedrungen (*Gestalt*). – 4. *fig.* knapp, gedrängt, kurz u. bündig (*Stil etc*). – 5. zu'sammengesetzt, bestehend (**of** aus). – *SYN. cf.* **close.** – **II** *v/t* 6. kom'pakt machen, zu'sammendrängen, -pressen, fest mitein'ander verbinden, verdichten. – 7. konsoli'dieren, festigen. – 8. zu'sammensetzen, fest zu'sammenfügen: ~**ed of** zusammengesetzt aus. – 9. *tech.* (*Metallstaub etc*) zu Würfeln pressen. – **III** *s* ['kɒmpækt] 10. Puderdose *f* (*auch mit Rouge*). – 11. *tech.* Preßling *m* (*aus Metallstaub etc*).

com·pact² ['kɒmpækt] *s* Vertrag *m*, Pakt *m*, Über'einkunft *f.*

com·pact·ness [kəm'pæktnis] *s* 1. Kom'paktheit *f*, Dichtigkeit *f*, Festigkeit *f*, Massivi'tät *f.* – 2. *fig.* Knappheit *f*, Kürze *f*, Bündigkeit *f*, Gedrängtheit *f* (*Stil*).

com·pa·ges [kɒm'peidʒiːz] *s sg u. pl* 1. Gerüst *n*, Gebäude *n.* – 2. Struk'tur *f*, Sy'stem *n.*

com·pag·i·nate [kəm'pædʒiˌneit; -dʒə-] *v/t* zu'sammenhalten, -fügen.

com·pan·ion¹ [kəm'pænjən] **I** *s* 1. Begleiter(in) (*auch fig.*). – 2. Kame'rad(in), Genosse *m*, Genossin *f*, ˌGefährte *m*, Gefährtin *f*: ~-**at-arms** Waffengefährte. – 3. Gesellschafter(in). – 4. Gegen-, Seitenstück *n.* – 5. Handbuch *n*, Ratgeber *m*, Leitfaden *m*: **Gardener's C~** Handbuch für Gärtner. – 6. *econ.* 'Kompaˌgnon *m*, Teilhaber *m.* – 7. Ritter *m* (*unterste Stufe*): C~ **of the Bath** Ritter des Bath-Ordens. – 8. *astr.* Begleiter *m* (*schwächerer Stern eines Doppelsterns*). – 9. *obs.* (*verächtlich*) Kum'pan *m*, Kerl *m.* – **II** *v/t* 10. (*j-n*) begleiten. – **III** *v/i* 11. verkehren (**with** mit). – **IV** *adj* 12. dazu passend, da'zugehörig: ~ **piece** Seiten-, Gegenstück.

com·pan·ion² [kəm'pænjən] *s mar.* 1. Ka'jütskappe *f*, -luke *f* (*Überdachung der Kajütstreppe*). – 2. Ka'jütstreppe *f*, Niedergang *m.*

com·pan·ion·a·bil·i·ty [kəmˌpænjənə'biliti; -əti] → **companionableness.** — **com'pan·ion·a·ble** *adj* 'umgänglich, gesellig. — **com'pan·ion·a·ble·ness** *s* 'Umgänglichkeit *f*, Geselligkeit *f.*

com·pan·ion·ate [kəm'pænjənit] *adj* kame'radschaftlich. — ~ **mar·riage** *s* Kame'radschaftsehe *f.*

com·pan·ion| cell *s bot.* Geleitzelle *f* (*der Siebröhren bei den Angiospermen*). — ~ **crop** *s agr.* Zwischenfrucht *f.* — ~ **crop·ping** *s agr.* Zwischenfruchtbau *m.* — ~ **hatch** → **companion²** 1. — ~ **hatch·way** *s mar.* Niedergang(streppe *f*) *m.* — ~ **head** → **companion²** 1. — ~ **lad·der** *s mar.* Niedergangstreppe *f.*

com·pan·ion·ship [kəm'pænjənˌʃip] *s* 1. Begleitung *f*, Gesellschaft *f.* – 2. Gesellschaft *f*, Gemeinschaft *f.* – 3. *print. Br.* Ko'lonne *f*, Arbeitsgruppe *f* (*von Setzern unter einem Metteur*). – 4. Rang *m* eines Ordensritters.

com'pan·ionˌway → **companion²** 2.

com·pa·ny ['kʌmpəni] **I** *s* 1. Gesellschaft *f*, Begleitung *f*: **to be in s.o.'s** ~ in j-s Begleitung sein; **in** ~ (**with**) in Gesellschaft *od.* Begleitung (von), zusammen (mit); **I sin in good** ~ ich bin in guter Gesellschaft (indem ich das tue), das gleiche haben Bessere auch schon getan; **to keep s.o.** ~ j-m Gesellschaft leisten; **to cry for** ~ mitweinen; → **part** 15; **he is good** ~ es ist nett, mit ihm zusammenzusein; **two is** ~, **three is none** (*od.* **three is a crowd**) zu zweit ist es gemütlich, ein Dritter stört. – 2. Gesellschaft *f*: **to see much** ~ viel in Gesellschaft gehen. – 3. Gesellschaft *f*, 'Umgang *m*, Verkehr *m*: **to keep good** ~ guten Umgang pflegen; **to keep** ~ verkehren, Umgang haben (**with** mit). – 4. *colloq.* Besuch *m*, Gast *m od.* Gäste *pl*: **to have** ~ **for tea** Gäste zum Tee haben. – 5. gesellschaftliches Leben, Geselligkeit *f*: **to be fond of** ~ die Geselligkeit lieben. – 6. *econ.* (Handels)Gesellschaft *f*, Genossenschaft *f*: **insurance** ~ Versicherungsgesellschaft; **joint stock** ~ Aktiengesellschaft; **limited** ~ Gesellschaft mit beschränkter Haftung; **publishing** ~ Verlag; **to float a** ~ eine Handelsgesellschaft gründen. – 7. *econ.* (*in Firmennamen*) Teilhaber *m od. pl*: Brown & C~ (*abgekürzt* Co.) Brown u. Kompanie *od.* Kompagnon (*abgekürzt* & Co.). – 8. *colloq.* (*meist verächtlich*) Genossen *pl*, Kum'pane *pl*, Kon'sorten *pl.* – 9. (The'ater)-Truppe *f*: touring ~, *Am.* road ~ Wandertruppe. – 10. *mil.* a) Trupp *m*, b) Kompa'nie *f.* – 11. *mar.* Mannschaft *f*, Besatzung *f.* – 12. Anzahl *f*, Menge *f.* – 13. *hist.* Zunft *f*, Innung *f.* – *SYN.* band, party, troop. – **II** *v/i* 14. (with) sich gesellen (zu), 'umgehen, verkehren (mit). – **III** *v/t* 15. *obs.* begleiten. – **IV** *adj* 16. Gesellschafts..., gesellschaftlich: to be on one's ~ manners seine besten Manieren zur Schau tragen.

com·pa·ny| of·fi·cer *s mil.* Kompa'nie-, Subal'ternoffi,zier *m* (*vom Hauptmann abwärts*). — **~ ser·geant ma·jor** *s mil.* Hauptfeldwebel *m.* — **~ un·ion** *s Am.* 1. Arbeitervereinigung *f* (*innerhalb eines Unternehmens, nicht zur Gewerkschaft gehörig*). – 2. vom Arbeitgeber kontrol'lierte 'Arbeiterorganisati,on.

com·pa·ra·bil·i·ty [,kɒmpərə'biliti; -əti] → comparableness. — **'com·pa·ra·ble** *adj* vergleichbar (to, with mit). — **'com·pa·ra·ble·ness** *s* Vergleichbarkeit *f.*

com·par·a·tist [kəm'pærətist] *s* vergleichender Litera'turwissenschaftler, Kompara'tist *m.*

com·par·a·tive [kəm'pærətiv] **I** *adj* 1. vergleichend: ~ literature (religion, philology, anatomy) vergleichende Literaturwissenschaft (Religions-, Sprachwissenschaft, Anatomie). – 2. Vergleichs... – 3. verhältnismäßig, rela'tiv. – 4. beträchtlich, ziemlich: with ~ speed. – 5. *ling.* a) steigernd, kompara'tiv, b) Komparativ... – **II** *s* 6. *ling.* Komparativ *m.* — **com'par·a·tive·ly** *adv* verhältnismäßig, ziemlich.

com·pa·ra·tor ['kɒmpə,reitər] *s tech.* 1. Kompa'rator *m*, (Längen)Maßvergleicher *m.* – 2. Rundlauflehre *f.*

com·pare [kəm'pɛr] **I** *v/t* 1. vergleichen (with mit): as ~d with im Vergleich zu, gegenüber (*dat*). – 2. vergleichen, gleichsetzen, -stellen (to mit): not to be ~d to (*od.* with) nicht zu vergleichen mit. – 3. Vergleiche anstellen zwischen (*dat*), mitein'ander vergleichen, nebenein'anderstellen: → note 5. – 4. (*Schriften*) kollatio'nieren. – 5. *ling.* steigern. – **II** *v/i* 6. sich vergleichen (lassen), einen Vergleich aushalten (with mit): his work does not ~ with yours seine Arbeit läßt sich nicht mit der Ihrigen vergleichen. – 7. wetteifern (with mit). – *SYN.* collate, contrast. – **III** *s* 8. Vergleich *m*: beyond ~, without ~ unvergleichlich.

com·par·i·son [kəm'pærisn; -rə-] *s* 1. Vergleich *m*, Nebenein'anderstellung *f*: by ~ zum Vergleich, vergleichsweise; in ~ with im Vergleich mit *od.* zu; to draw (*od.* make) a ~ einen Vergleich anstellen *od.* ziehen; to bear ~ with einen Vergleich aushalten mit; points of ~ Vergleichspunkte; without ~, beyond (all) ~ unvergleichlich. – 2. *ling.* Komparati'on *f*, Steigerung *f.* – 3. Gleichnis *n*, (*rhetorischer*) Vergleich.

com·part [kəm'pɑːrt] *v/t bes. arch.* ab-, auf-, einteilen. — **com'part·ment I** *s* 1. Ab'teilung *f*, Sekti'on *f*, Sektor *m.* – 2. (*Eisenbahn*) Abteil *n.* – 3. Fläche *f*, Feld *n*, Abschnitt *m.* – 4. *arch.* (*Kunst*) (abgeteiltes) Fach, Kas'sette *f.* – 5. *mar.* wasserdichte Ab'teilung. – 6. *pol. Br.* Abschnitt *m* der Tagesordnung (*für dessen Diskussion von der Regierung eine bestimmte Zeitspanne angesetzt wird*). – 7. *fig.* abgegrenzte Gruppe *od.* Klasse. – **II** *v/t* 8. ein-, aufteilen. — **com·part·men·tal** [,kɒmpɑːrt'mentl] *adj* 1. Abteilungs..., Sektions... – 2. aufgeteilt. – 3. fach-, felderartig.

com·pass ['kʌmpəs] **I** *s* 1. *phys.* Kompaß *m.* – 2. *meist pl, oft* pair of ~es *math. tech.* (Einsatz)Zirkel *m*: → proportional 2. – 3. 'Umkreis *m*, 'Umfang *m*, Ausdehnung *f* (*auch fig.*): within ~ of innerhalb; within the ~ of a year innerhalb eines Jahres; the ~ of the eye Gesichtskreis; this is beyond my ~ das geht über meinen Horizont. – 4. Grenzen *pl*, Schranken *pl*: to keep within ~ in Schranken halten; narrow ~ enge Grenzen. – 5. Bereich *m*, Bezirk *m*, Sphäre *f*, Gebiet *n*: the ~ of man's imagination. – 6. *mus.* 'Umfang *m* (*Stimme od. Instrument*). – 7. Kreis *m*, Ring *m*, Bogen *m*: the ~ of the horizon. – 8. C~es *pl astr.* Zirkel *m*, Circinus *m* (*südl. Sternbild*). – 9. *obs.* 'Umweg *m.* – *SYN. cf.* circumference. – **II** *v/t* 10. her'umgehen um, um'gehen. – 11. a) um'geben, einschließen, um'fassen, b) belagern. – 12. (*geistig*) begreifen, erfassen. – 13. (*etwas*) voll'enden, voll'bringen, (*Ziel*) erreichen, (*Ergebnis*) erzielen. – 14. planen, beabsichtigen. – 15. (*Plan*) aushecken, entwerfen. – 16. biegen. – *SYN. cf.* reach. — **'com·pass·a·ble** *adj* erreichbar.

com·pass| bear·ing *s mar.* Kompaßpeilung *f.* — **~ board** *s tech.* Harnisch-, Löcher-, Schnürbrett *n* (*der Weber*). — **~ bowl** *s mar.* Kompaßbüchse *f*, -kessel *m.* — **~ box** *s mar.* Kompaßgehäuse *n.* — **~ brick** *s tech.* Krummziegel *m.* — **~ card** *s mar.* Kompaßrose *f.* — **~ er·ror** *s mar.* Kompaßfehler *m*, Fehlweisung *f.*

com·pass·es ['kʌmpəsiz] → compass 2.

'com·pass-,head·ed *adj arch.* mit halbkreisförmigem Rücken: ~ arch Rundbogen.

com·pas·sion [kəm'pæʃən] **I** *s* Mitleid *n*, Mitgefühl *n*, Erbarmen *n* (for mit): to have (*od.* take) ~ (up)on s.o. Mitleid mit j-m empfinden. – *SYN. cf.* pity. – **II** *v/t* → compassionate II. — **com'pas·sion·ate I** *adj* [-nit] 1. mitfühlend, mitleidsvoll, mitleidig: ~ allowance Gehaltszulage als Härteausgleich; ~ leave *mil.* Urlaub aus dringenden familiären Gründen. – 2. *obs.* bemitleidenswert. – *SYN.* responsive, sympathetic, tender. – **II** *v/t* [-,neit] 3. bemitleiden, Mitleid haben mit. — **com'pas·sion·ate·ness** *s* 1. mitfühlendes Wesen. – 2. Mitleid *n*, Mitgefühl *n.*

com·pass| nee·dle *s* Kompaß-, Ma'gnetnadel *f.* — **~ plane** *s tech.* Rund-, Schiffshobel *m.* — **~ plant** *s bot.* Kompaßpflanze *f* (*jede Pflanze, die ihre Blattflächen hochkantig in die Nord-Süd-Richtung stellt*), *bes.* a) (*eine*) Silphie (*Silphium laciniatum*; *Nordamerika*), b) Stachel-, Kompaßlattich *m*, Wilder Lattich (*Lactuca scariola*), c) Prä'rielotosblume *f* (*Hosackia americana*), d) *eine kalifforn. Carduacee* (*Wyethia ovata*). — **~ raft·er** *s arch.* bogenförmiger Dachbalken. — **~ rose** *s mar.* Windrose *f.* — **~ saw** *s tech.* 'Durchbruch-, Schweif-, Lochstichsäge *f.* — **~ tim·ber** *s mar.* Krummholz *n.* — **~ win·dow** *s arch.* Rundbogenfenster *n.*

com·pat·i·bil·i·ty [kəm,pætə'biliti; -əti] *s* 1. Vereinbarkeit *f*, Verträglichkeit *f* (with mit), 'Widerspruchsfreiheit *f.* – 2. (*Fernsehen*) *Verwendbarkeit bestimmter Fernsehgeräte für den Empfang von Farbfernsehsendungen in Schwarz-Weiß ohne Zusatzgerät.* — **com'pat·i·ble** *adj* 1. vereinbar, verträglich (with mit). – 2. angemessen (*dat*). – 3. mitein'ander vereinbar, 'widerspruchsfrei. – *SYN. cf.* consonant. — **com'pat·i·ble·ness** → compatibility.

com·pa·tri·ot [*Br.* kəm'pætriət; *Am.* -'peit-] **I** *s* Landsmann *m*, -männin *f.* – **II** *adj* landsmännisch. — **com,pa·tri'ot·ic** [-'ɒtik] → compatriot II. — **com'pa·tri·ot,ism** *s* Landsmannschaft *f* (*gemeinsame Zugehörigkeit zu einem Land*).

com·peer [kɒm'pir; kəm-] **I** *s* 1. Gleichgestellter *m*, Standesgenosse *m*: to have no ~ nicht seinesgleichen haben. – 2. Genosse *m*, Kame'rad *m.* – **II** *v/t obs.* 3. gleichkommen (*dat*).

com·pel [kəm'pel] *pret u. pp* **-'pelled** *v/t* 1. zwingen, nötigen, treiben: to be ~led to do (*od.* into doing) s.th. etwas tun müssen; gezwungen sein, etwas zu tun. – 2. (*etwas*) erzwingen: to ~ s.th. from s.o. j-m etwas abnötigen. – 3. unter'werfen (to *dat*), bezwingen, über'wältigen. – 4. *poet.* zu'sammentreiben. – *SYN. cf.* force. — **com'pel·la·ble** *adj* 1. zu zwingen(d), zwingbar (to zu). – 2. erzwingbar.

com·pel·la·tion [,kɒmpə'leiʃən] *s obs.* Anrede *f*, Titel *m.*

com·pel·lent [kəm'pelənt] *adj* zwingend. — **com'pel·ling** *adj* 1. zwingend. – 2. 'unwider,stehlich.

com·pend ['kɒmpend] → compendium.

com·pen·di·ous [kəm'pendiəs] *adj* kompendi'ös, kurz(gefaßt), gedrängt. – *SYN. cf.* concise. — **com'pen·di·ous·ness** *s* Kürze *f*, Gedrängtheit *f.* — **com'pen·di·um** [-əm] *pl* **-ums, -a** [-ə] *s* 1. Kom'pendium *n*, Leitfaden *m*, Handbuch *n*, Grundriß *m.* – 2. Auszug *m*, Abriß *m*, Zu'sammenfassung *f* (*des Inhaltes eines größeren Werkes*). – *SYN.* aperçu, digest, précis, sketch, survey, syllabus.

com·pen·sa·ble [kəm'pensəbl] *adj* ausgleichbar, ersetzbar.

com·pen·sate ['kɒmpən,seit] **I** *v/t* 1. kompen'sieren, ausgleichen, aufwiegen. – 2. (*j-n*) entschädigen (for für). – 3. (*j-n*) bezahlen, entlohnen. – 4. (*etwas*) ersetzen, vergüten, für (*etwas*) Ersatz leisten (to s.o. j-m). – 5. (*etwas*) wettmachen, wieder'gutmachen. – 6. *tech.* a) gegenein'ander ausgleichen, kompen'sieren, b) auswuchten. – **II** *v/i* 7. Ersatz bieten *od.* leisten, entschädigen (for für). – *SYN.* balance, countervail, offset.

com·pen·sat·ing ['kɒmpən,seitiŋ] *adj* 1. entschädigend, Ersatz bietend, Kompensations... – 2. ausgleichend, Ausgleichs... — **~ bal·ance** → compensation balance. — **~ con·dens·er** *s electr.* 'Ausgleichskonden,sator *m.* — **~ er·rors** *s pl* sich gegenseitig aufhebende Fehler *pl.* — **~ gear** *s tech.* Ausgleichs-, *bes.* Differenti'algetriebe *n.*

com·pen·sa·tion [,kɒmpən'seiʃən; -pen-] *s* 1. Kompensati'on *f*, Ausgleich *m*, Ausgleichung *f.* – 2. *econ. jur.* a) Vergütung *f*, (Rück)Erstattung *f*, b) gegenseitige Abrechnung, Gegenrechnung *f*, c) Ersatz *m*, Ersetzung *f*, Entgelt *n*, d) (Schaden)Ersatz *m*, Entschädigung *f*: to pay ~ Schadenersatz leisten; as (*od.* by way of) ~ als Ersatz. – 3. *jur.* Kompensati'on *f*: a) Abfindung *f*, Abstandsgeld *n*, b) Aufrechnung *f.* – 4. *Am.* Entgelt *n*, Bezahlung *f*, Lohn *m.* – 5. (*Optik*) a) Kompensati'on *f*, b) → compensator 2b. – 6. *chem.* Kompensati'on *f* (*der optischen Aktivität*). – 7. *electr.* Kompensati'on *f*: ~ method Kompensations(meß)methode, -verfahren; reactance ~ Blindwider-

standskompensation. – **8.** *psych.* Kompensati'on *f*, Ersatzhandlung *f*. — ˌ**com·pen'sa·tion·al** *adj* Kompensations..., Ersatz..., Ausgleichs...
com·pen·sa·tion| bal·ance *s tech.* **1.** Kompensati'onsˌunruhe *f* (*Uhr*). – **2.** Kompensati'onswaage *f*. — ~ **in·sur·ance** *s econ.* wechselseitige Versicherung. — ~ **pen·du·lum** *s tech.* Kompensati'onspendel *m, n* (*Uhr*).
com·pen·sa·tive ['kɒmpənˌseitiv; kəm'pensətiv] **I** *adj* **1.** kompen'sierend, ausgleichend. – **2.** entschädigend, vergütend, Entschädigungs... – **II** *s* **3.** Ausgleich *m*. – **4.** Vergütung *f*, Entschädigung *f*.
com·pen·sa·tor ['kɒmpənˌseitər] *s* **1.** Ausgleich(er) *m*. – **2.** *tech.* Kompen'sator *m*: a) *electr.* 'Ausgleichstransforˌmator *m*, b) (*Optik*) Strahlenrichter *m*. — **com·pen·sa·to·ry** [*Br.* kəm'pensətəri; *Am.* -ˌtɔːri] *adj* Ersatz..., Entschädigungs...: ~ **lengthening** *ling.* Ersatzdehnung.
com·père ['kɒmpɛr] **I** *s Br.* (*Art*) Conférenci'er *m*, Ansager(in). – **II** *v/t* ansagen (bei).
com·pete [kəm'piːt] *v/i* **1.** in Wettbewerb treten, sich mitbewerben (for s.th. um etwas): to ~ for a job sich als Mitbewerber um einen Posten bemühen. – **2.** konkur'rieren, in Konkur'renz treten: we cannot ~ with such prices. – **3.** wetteifern, sich messen (with mit). – **4.** *sport* am Wettkampf teilnehmen, mitkämpfen: to ~ for a cup um einen Pokal kämpfen.
com·pe·tence ['kɒmpitəns; -pə-] *s* **1.** (for) Fähigkeit *f*, Befähigung *f* (zu), Tauglichkeit *f* (für). – **2.** *jur.* Kompe'tenz *f*, Zuständigkeit *f*, (Rechts-)Befugnis *f*. — '**com·pe·ten·cy** *s* genügendes Auskommen: to enjoy a ~ sein Auskommen haben. — '**com·pe·tent** *adj* **1.** (for *od.* to do) ausreichend (für), angemessen (*dat*). – **2.** (leistungs)fähig, tüchtig. – **3.** fach-, sachkundig. – **4.** *bes. jur.* kompe'tent, zuständig, befugt, maßgeblich: ~ **judge** a) zuständiger Richter, b) befugter, sachkundiger Beurteiler. – **5.** *bes. jur.* gehörend, zustehend (to *dat*). – *SYN. cf.* a) **able**, b) **sufficient**.
com·pe·ti·tion [ˌkɒmpi'tiʃən; -pə-] *s* **1.** Wettbewerb *m*, -kampf *m*, -streit *m* (for um): to enter into ~ with s.o. for s.th. mit j-m um etwas in Wettstreit treten. – **2.** *econ.* Konkur'renz *f*. – **3.** Preisausschreiben *n*. – **4.** *biol.* Exi'stenzkampf *m*.
com·pet·i·tive [kəm'petitiv; -tət-] *adj* **1.** konkur'rierend, wetteifernd. – **2.** Konkurrenz... – **3.** auf Wettbewerb beruhend: ~ **examination** Ausleseprüfung. — **com'pet·i·tor** [-tər] *s* **1.** Mitbewerber *m* (for um). – **2.** *bes. econ.* Konkur'rent *m*, Konkur'renz(firma) *f*. – **3.** *bes. sport* (Wettbewerbs)Teilnehmer *m*, Ri'vale *m*: ~ in a race Teilnehmer an einem Wettrennen. — **com'pet·i·to·ry** [*Br.* -təri; *Am.* -ˌtɔːri] → **competitive**. — **com'pet·i·tress** [-tris] *s* **1.** Mitbewerberin *f* (for um), Konkur'rentin *f*. – **2.** *bes. sport* (Wettbewerbs)Teilnehmerin *f*, Ri'valin *f*.
com·pi·la·tion [ˌkɒmpi'leiʃən; -pə-] *s* **1.** Kompilati'on *f*, Zu'sammentragen *n*, -stellen *n*, Sammeln *n*. – **2.** Kompilati'on *f*, Sammlung *f*, Sammelwerk *n* (*Buch*). — **com·pil·a·to·ry** [*Br.* kəm'pailətəri; *Am.* -ˌtɔːri] *adj* kompila'torisch.
com·pile [kəm'pail] *v/t* **1.** (*Verzeichnis etc*) kompi'lieren, zu'sammenstellen, sammeln. – **2.** (*Material*) zu'sammentragen. – **3.** (*Kricket*) (*mehrere Läufe*) machen, zu'sammenbringen. — **com'pil·er** *s* Kompi'lator *m*.
com·pla·cence [kəm'pleisns], *auch* **com'pla·cen·cy** *s* **1.** Zu'friedenheit *f*, Behagen *n*. – **2.** 'Selbstzuˌfriedenheit *f*, -gefälligkeit *f*. – **3.** Labsal *n*, Quelle *f* der Befriedigung, (*etwas*) Erfreuliches *od.* Angenehmes. – **4.** *selten für* **complaisance**. — **com'pla·cent** *adj* **1.** zu'frieden, *bes.* 'selbstzuˌfrieden, -gefällig. – **2.** erfreulich, angenehm. – **3.** gefällig, willfährig.
com·plain [kəm'plein] *v/i* **1.** sich beklagen, sich beschweren, Klage *od.* Beschwerde führen (about über *acc*, to bei): **people** ~**ed that** man beschwerte sich, daß. – **2.** jammern, klagen (of über *acc*): **he** ~**ed of a sore throat** er klagte über Halsschmerzen. – **3.** *econ.* rekla'mieren. — **com'plain·ant** *s jur.* Kläger(in). — **com'plain·er** *s* **1.** Klagende(r). – **2.** Nörgler(in). — **com'plain·ing** *adj* **1.** klagend, jammernd. – **2.** nörgelnd, murrend.
com·plaint [kəm'pleint] *s* **1.** Klage *f*, Beschwerde *f* (about über *acc*): ~ **book** Beschwerdebuch; **to make a** ~ **about s.th.** über etwas Klage führen. – **2.** *econ.* Reklamati'on *f*, Beanstandung *f*. – **3.** *jur.* Klage *f* (against gegen). – **4.** *med.* Beschwerde *f*, (chronisches) Leiden, Übel *n*. – *SYN.* **ailment, disease, distemper**.
com·plai·sance [kəm'pleizəns; 'kɒmpleiˌzæns] *s* Gefälligkeit *f*, Willfährigkeit *f*, Entgegenkommen *n*, Höflichkeit *f*, Zu'vorkommenheit *f*. — **com'plai·sant** *adj* gefällig, nachgiebig, artig, höflich, zu'vor-, entgegenkommend (to gegen). – *SYN. cf.* **amiable**.
com·pla·nate ['kɒmpləˌneit; -nit] *adj* flach, eingeebnet, abgeplattet, abgeflacht. — ˌ**com·pla'na·tion** *s math.* Komplanati'on *f* (*Berechnung des Flächeninhalts gekrümmter Flächen*).
com·plect [kəm'plekt] *v/t* (mitein'ander) verweben *od.* verflechten: ~**ed** verwoben.
com·plect·ed [kəm'plektid] *Am. dial. für* **complexioned**.
com·ple·ment I *s* ['kɒmplimənt; -plə-] **1.** Ergänzung *f*, Vervollständigung *f*, Vervollkommnung *f*. – **2.** Ergänzungsstück *n*. – **3.** Voll'kommenheit *f*, Voll'endung *f*, Fülle *f* (*Glück etc*). – **4.** Vollständigkeit *f*, -zähligkeit *f*. – **5.** volle (An)Zahl *od.* Menge *od.* Besetzung, vollzähliger Stand. – **6.** *mar.* vollzählige Besatzung (*Schiff*). – **7.** *ling.* Ergänzung *f*. – **8.** *math.* Komple'ment *n*, Ergänzung *f*. – **9.** *mus.* Er'gänzung(sinterˌvall *n*) *f*, komplemen'täres *od.* 'umgekehrtes Inter'vall. – **10.** (*Serologie*) Komple'ment *n*, Ale'xin *n*. – **II** *v/t* [-ˌment] **11.** ergänzen, vervollständigen. — ˌ**com·ple'men·tal** → **complementary**.
com·ple·men·ta·ry [ˌkɒmpli'mentəri; -plə-] *adj* **1.** ergänzend, komplemen'tär, Ergänzungs..., Komplementär... – **2.** sich gegenseitig ergänzend. — ~ **an·gle** *s math.* Komplemen'tär-, Ergänzungswinkel *m*. — ~ **arc** *s math.* Komplemen'tär-, Ergänzungsbogen *m*. — ~ **cell** *s bot.* Nebenzelle *f* (der Spaltöffnung). — ~ **col·o(u)rs** *s pl* Komplemen'tärfarben *pl*. — ~ **func·tion** *s math.* Komplemen'tärfunktiˌon *f* (*eines Winkels*).
com·ple·ment fix·a·tion *s* (*Serologie*) Komple'mentbindung *f*.
com·plete [kəm'pliːt] **I** *adj* **1.** kom'plett, vollständig, vollkommen, ganz, to'tal: ~ **combustion** vollkommene Verbrennung; ~ **defeat** vollständige Niederlage; ~ **outfit** komplette Ausstattung; **the** ~ **works of Shakespeare** Shakespeares sämtliche Werke. – **2.** vollzählig. – **3.** be-, voll'endet, fertig, per'fekt. – **4.** *bot.* vollständig (*Blüte*). – **5.** *obs.* vollkommen, meisterhaft, per'fekt: a ~ **gardener**. – *SYN. cf.* **full**. – **II** *v/t* **6.** vervollständigen, ergänzen. – **7.** voll'enden, abschließen, beendigen: **to** ~ **a task**; **to** ~ **one's education**. – **8.** *fig.* voll'enden, vervollkommnen, perfektio'nieren. – **9.** (*Formular*) ausfüllen. – **10.** (*Telephonverbindung*) 'herstellen. – *SYN. cf.* **close**. — **com'plete·ness** *s* Vollständigkeit *f*, Vollkommenheit *f*. — **com'plet·er** *s* Vervollständiger *m*. — **com'plet·ing** *adj* abschließend, Schluß... — **com'ple·tion** [-ʃən] *s* **1.** Vervollkommnung *f*, Voll'endung *f*, Abschluß *m*. – **2.** Erfüllung *f*. — **com'ple·tive, com'ple·to·ry** [-təri] *adj* ergänzend, vervollkommnend, voll'endend: **to be** ~ **of s.th.** etwas ergänzen *od.* vervollständigen.
com·plex I *adj* ['kɒmpleks; *Am. auch* kəm'pleks] **1.** zu'sammengesetzt, aus zwei *od.* mehreren Teilen bestehend: ~ **word** zusammengesetztes Wort; → **sentence** 1. – **2.** kompli'ziert, verwickelt, schwierig. – **3.** *math.* kom'plex. – *SYN.* **complicated, intricate, involved, knotty**. – **II** *s* ['kɒmpleks] **4.** Kom'plex *m*, zu'sammengefaßtes Ganzes, (aus mehreren Teilen bestehende) Gesamtheit. – **5.** Inbegriff *m*. – **6.** Sammlung *f*. – **7.** *psych.* Kom'plex *m*. – **8.** Kom'plex *m*, über'triebene Furcht *od.* Neigung, fixe I'dee: **snake** ~. – **9.** *chem.* Kom'plexverbindung *f*. — ~ **frac·tion** *s math.* kom'plexer Bruch, Doppelbruch *m*.
com·plex·ion [kəm'plekʃən] *s* **1.** Gesichts-, Hautfarbe *f*, Teint *m*. – **2.** *fig.* Aussehen *n*, Cha'rakter *m*, Zug *m*: **to put a fresh** ~ **on s.th.** einer Sache einen neuen Anstrich verleihen. – **3.** allgemeines Aussehen, Farbe *f* (*Himmel etc*). – *SYN. cf.* **disposition**. — **com'plex·ion·al** *adj* die Gesichtsfarbe betreffend. — **com'plex·ioned** *adj* (*meist in Zusammensetzungen*) mit (*hellem etc*) Teint, von (*blasser etc*) Gesichts- *od.* Hautfarbe: **dark-**~, **fair-**~.
com·plex·i·ty [kəm'pleksiti; -sə-] *s* **1.** Zu'sammengesetztheit *f*. – **2.** Verwicklung *f*, Kompli'ziertheit *f*, Schwierigkeit *f*. – **3.** Komplikati'on *f*. – **4.** (*etwas*) Kompli'ziertes. – **5.** *math.* Verschlungenheit *f*, Komplexi'tät *f*.
com·pli·a·ble [kəm'plaiəbl] *adj* fügsam, nachgiebig, willfährig. — **com'pli·a·ble·ness** *s* Nachgiebigkeit *f*. — **com'pli·ance** *s* **1.** Einwilligung *f*, Gewährung *f*, Erfüllung *f*: **in** ~ **with your wishes** Ihren Wünschen gemäß; **to be sure of s.o.'s** ~ j-s Einwilligung sicher sein. – **2.** Willfährigkeit *f*, Unter'werfung *f*, -'würfigkeit *f*. — **com'pli·an·cy** → **compliance** 2. — **com'pli·ant** *adj* nachgiebig, willfährig, entgegenkommend.
com·pli·ca·cy ['kɒmplikəsi; -plə-] *s* Kompli'ziertheit *f*, Verwicklung *f*, Schwierigkeit *f*. — '**com·pli·cate I** *adj* [-kit] **1.** *bot.* längsgefaltet (*Blütenblätter*). – **2.** *zo.* einmal *od.* mehrmals längsseitig gefaltet (*Insektenflügel*). – **3.** kompli'ziert, verwickelt. – **II** *v/t* [-ˌkeit] **4.** verflechten, verwickeln. – **5.** (kompli'ziert) zu'sammensetzen, verbinden. – **6.** kompli'zieren, erschweren. — '**com·pliˌcat·ed** *adj* **1.** kompli'ziert, verwickelt. – **2.** *math.* verschlungen. – **3.** *obs.* zu'sammengesetzt, gefaltet. – *SYN. cf.* **complex**. — '**com·pliˌcat·ed·ness** *s* Kompli'ziertheit *f*. — ˌ**com·pli'ca·tion** *s* **1.** Komplikati'on *f* (*auch med.*), Verwick(e)lung *f*, Verflechtung *f*, Erschwerung *f*. – **2.** *math.* Verschlingung *f*.
com·plice ['kɒmplis] *s obs.* Kom'plice *m*, Mitschuldiger *m*. — **com·plic·i·ty** [kəm'plisiti; -sə-] *s* **1.** Mitschuld *f*, Teilhaberschaft *f* (in an *dat*). – **2.** → **complexity**.
com·pli·er [kəm'plaiər] *s* Willfährige(r), Augendiener(in).

com·pli·ment I *s* ['kɒmplimənt; -plə-] **1.** Kompli'ment *n*, Höflichkeitsbezeigung *f*, Schmeiche'lei *f*: to pay s.o. a ~ j-m ein Kompliment machen; without any ~s ohne Umstände. – **2.** Ehrenbezeigung *f*, Lob *n*, Ausdruck *m* der Bewunderung: he paid you a high ~ er hat dir ein großes Lob gespendet; to pay s.o. the ~ of doing s.th. j-m die Ehre erweisen, etwas zu tun. – **3.** Empfehlung *f*, Gruß *m*: my best ~s meine besten Empfehlungen; the ~s of the season! frohe Feiertage! – **4.** *obs. od. dial.* Geschenk *n*. – **II** *v/t* [-ˌment] **5.** beglückwünschen, (*j-m*) ein Kompli'ment machen, (*j-m*) gratu'lieren (on zu). – **6.** (*j-n*) beschenken, beehren, auszeichnen (with mit). — **ˌcom·pli'men·ta·ry** [-'mentəri] *adj* **1.** höflich, Höflichkeits... – **2.** schmeichelhaft. – **3.** Ehren...: ~ dinner Festessen; ~ ticket Ehren-, Freikarte. – **4.** Frei..., Gratis...: ~ copy Freiexemplar (*Buch*), Werbenummer (*Zeitschrift*).

com·plin ['kɒmplin], **'com·pline** [-in; -ain] *s relig.* Kom'plet *f* (*Schlußgebet der kirchlichen Tageszeit*).

com·plot I *s* ['kɒmplɒt] Kom'plott *n*, Verschwörung *f*. – **II** *v/t* [kəm'plɒt] *pret u. pp* **com'plot·ted** abkarten, anzetteln. – **III** *v/i* sich verschwören, komplot'tieren. — **com'plot·ter** *s* Verschwörer *m*.

com·ply [kəm'plai] *v/i* **1.** (with) sich fügen, nachkommen, will'fahren (*dat*), einwilligen (in *acc*). – **2.** (with) erfüllen (*acc*), sich halten (an *acc*), sich unter'werfen (*dat*): to ~ with the rules sich an die Vorschriften halten, die Vorschriften erfüllen. – **3.** im Einklang stehen. – **4.** *obs.* höflich sein.

com·po ['kɒmpou] **I** *s pl* **-pos 1.** *tech.* Kompositi'on *f*: a) Me'tallkompositiˌon *f*, b) Putz *m* (*aus Harz, Schlemmkreide u. Leim zu Wandverzierungen*), c) Gips *m*, Mörtel *m* (*aus Sand u. Zement*), d) *Masse, aus der Billardbälle gemacht werden*. – **2.** *econ.* Abfindungssumme *f* (*an Gläubiger*). – **3.** *mar.* monatliche Zahlung an die Schiffsmannschaft. – **4.** 'Sammelratiˌon *f* (*für 12 Mann*). – **II** *v/t* **5.** tünchen.

com·po·né [kəm'pounei] → compony.

com·po·nent [kəm'pounənt] **I** *adj* **1.** zu'sammensetzend, einen Teil bildend: ~ force Teilkraft; ~ sentence Teilaussage; → part 1. – **II** *s* **2.** a) (Bestand)Teil *m*, b) *fig.* Baustein *m*. – **3.** *math. phys.* Kompo'nente *f*: ~ of acceleration Beschleunigungskomponente; ~ of a conjunction *math.* Konjunktionsglied. – **4.** (*Archäologie*) 'Fundkomˌplex *m* (*zusammengehörige Artefakte, die an einer vorgeschichtlichen Kulturstätte gefunden wurden*). – *SYN. cf.* element.

com·po·ny [kəm'pouni] *adj her.* mit abwechselnd gefärbten Vierecken.

com·port [kəm'pɔːrt] **I** *v/reflex* sich (auf)führen, sich betragen, sich verhalten: to ~ oneself as if auftreten, als ob. – **II** *v/i* (with) sich vertragen, über'einstimmen (mit), passen (zu). – *SYN. cf.* a) behave, b) agree. – **III** *s obs.* Betragen *n*, Benehmen *n*. — **com'port·ment** *s* **1.** Betragen *n*, Benehmen *n*. – **2.** Verhalten *n*. – **3.** Haltung *f* (*Körper*).

com·pos ['kɒmpɒs] *Kurzform für* ~ mentis.

com·pose [kəm'pouz] **I** *v/t* **1.** (*zu einem Ganzen*) zu'sammensetzen *od.* -stellen: to be ~d of several parts aus mehreren Teilen bestehen. – **2.** bilden, formen: to ~ a sentence einen Satz bilden. – **3.** (*Schriften etc*) verfassen, abfassen, aufsetzen, ausarbeiten. – **4.** in die richtige Form *od.* Ordnung *od.* Reihenfolge bringen. – **5.** *mus.* kompo'nieren. – **6.** (*Gemälde etc*) entwerfen. – **7.** *print.* (ab)setzen. – **8.** beruhigen, besänftigen: to ~ oneself sich beruhigen, sich fassen: ~ yourself! beruhige dich! – **9.** (*Streit etc*) beilegen, schlichten. – **10.** in Ordnung bringen, regeln. – **11.** *reflex* to ~ oneself sich anschicken (to zu). – **II** *v/i* **12.** schriftstellern, schreiben, dichten. – **13.** *mus.* kompo'nieren. – **14.** (*als Künstler etc*) Entwürfe machen. – **15.** *print.* setzen. – **16.** sich (*gut, schlecht*) einfügen (in in *acc*) *od.* ausnehmen, (stimmungsvoll *od.* har'monisch) wirken (*Gemälde*). — **com'posed** *adj* **1.** zu'sammengesetzt. – **2.** kompo'niert. – **3.** ruhig, gelassen, gesetzt. – *SYN. cf.* cool. — **com'pos·ed·ness** [-idnis] *s* Gesetztheit *f*, Ruhe *f*. — **com'pos·er** *s* **1.** Kompo'nist *m*, Tondichter *m*. – **2.** Verfasser *m*, Autor *m*, Schriftsteller *m*. – **3.** Beruhig(end)er *m*. – **4.** Beruhigungsmittel *n*. – **5.** Schlichter *m*, Beileger *m* (*Streitigkeiten*). – **6.** *obs.* Schriftsetzer *m*.

com·pos·ing [kəm'pouziŋ] **I** *s* **1.** Kompo'nieren *n*, Dichten *n*. – **2.** Schriftsetzen *n*. – **II** *adj* **3.** beruhigend, Beruhigungs...: ~ draught Beruhigungsmittel, Schlaftrunk. — **~ room** *s print.* Setze'rei *f*, Setzersaal *m*. — **~ rule** *s print.* Setzlinie *f*. — **~ stick** *s* **1.** *print.* Winkelhaken *m*, Setzwinkel *m*. – **2.** (*Tischlerei*) Winkelband *n*, Eckschiene *f*.

com·pos·ite [*Br.* 'kɒmpəzit; -zait; *Am.* kəm'pɑzit] **I** *adj* **1.** zu'sammengesetzt, gemischt (of aus): ~ candle (*Art*) Stearinkerze. – **2.** *arch.* kompo'sit, gemischt, zu'sammengesetzt (*Säulenanordnung etc*): ~ arch Spitzbogen. – **3.** *bot.* Kompositen..., Korbblüter... – **4.** *math.* zu'sammengesetzt (*Zahl*). – **II** *s* **5.** Zu'sammensetzung *f*, Mischung *f*, Gemisch *n*. – **6.** *bot.* Korbblüter *m*, Kompo'site *f*. – **7.** *ling. selten* Kom'positum *n*, zu'sammengesetztes Wort. – **8.** *math.* zu'sammengesetzte Zahl *od.* Funkti'on. — **~ car·riage** *s Br.* Eisenbahnwagen *m* mit mehreren Klassen. — **~ con·nec·tion** *s tech.* Doppelbetriebsschaltung *f*. — **~ fan struc·ture** *s geol.* ˌAntikli'norium *n*, kon'vexe Wölbung von (mehreren) Gesteins- *od.* Schichtenfalten. — **~ in·dex num·ber** *s math.* Hauptmeßzahl *f*. — **~ line** *s electr.* kombi'nierte 'unter- u. oberirdische Leitung, Simul'tanleitung *f*. — **~ pho·to·graph** *s* Kompo'sitphotograˌphie *f* (*durch Photomontage etc entstanden*).

com·po·si·tion [ˌkɒmpə'ziʃən] *s* **1.** Zu'sammensetzen *n*, Verbinden *n*. – **2.** Abfassung *f*, Verfassung *f*, Entwurf *m* (*Schrift etc*). – **3.** Schrift(stück *n*) *f*, Werk *n*, Dichtung *f*. – **4.** (Schul)Aufsatz *m*. – **5.** ('Wort)Zuˌsammenˌsetzung *f*, 'Satzkonstruktiˌon *f*. – **6.** Kompositi'on *f*, Mu'sikstück *n*. – **7.** Zu'sammensetzung *f*, Verbindung *f*, Struk'tur *f*, Syn'these *f*: chemical ~ chemisches Präparat. – **8.** *print.* a) Setzen *n*, Satz *m*, b) Walzenmasse *f*. – **9.** geistige Beschaffenheit, Na'tur *f*, Anlage *f*, Art *f*. – **10.** Kompositi'on *f*, (künstlerische) Anordnung, Zu'sammenstellung *f*, Ausarbeitung *f*, Gestaltung *f*. – **11.** *arch.* Entwerfen *n* (*Bauplan*). – **12.** (*Orgel*) a) Mischton *m* (*des Mixturregisters*), b) Re'gisterkoppelung *f*. – **13.** *jur.* Kompro'miß *m*, *n*, Vergleich *m* (*mit Gläubigern etc*). – **14.** Über'einkunft *f*, Abkommen *n*. – **15.** Ablösung *f* (*durch Zahlung einer einmaligen Summe*): deed of ~ Vergleichs-, Ablösungsurkunde. – **16.** Abfindungssumme *f*. — **~ cloth** *s* wasserdichter Stoff aus Flachsfasern. — **~ face** → composition plane. — **~ met·al** *s* Le'gierung *f*. — **~ ped·al** *s* Re'gisterkoppelungspeˌdal *n* (*Orgel*). — **~ plane** *s min.* Zu'sammensetzungsfläche *f* (*von Zwillingskristallen*). — **~ pro·ceed·ings** *s pl econ.* (Kon'kurs)Vergleichsverfahren *n*.

com·pos·i·tor [kəm'pɒzitər] *s* (Schrift)Setzer *m*.

com·pos men·tis ['kɒmpɒs 'mentis] (*Lat.*) *adj jur.* bei klarem Verstand.

com·post ['kɒmpoust; *Br. auch* -pɒst] **I** *s* **1.** Mischung *f*, Gemisch *n*. – **2.** Mischdünger *m*, Kom'post *m*. – **II** *v/t* **3.** düngen. – **4.** zu Dünger verarbeiten.

com·po·sure [kəm'pouʒər] *s* **1.** (Gemüts)Ruhe *f*, Fassung *f*, Gelassenheit *f*. – **2.** *obs.* Verbindung *f*. – *SYN. cf.* equanimity.

com·po·ta·tion [ˌkɒmpo'teiʃən; -pə-] *s* Zechgelage *n*. — **'com·poˌta·tor** [-tər] *s* 'ZechkumˌPan *m*.

com·pote ['kɒmpout] **I** *s* **1.** Kom'pott *n*, mit Zucker (ein)gekochtes Obst. – **2.** Kom'pottschale *f*. – **II** *v/t* **3.** Kom'pott machen von. — **ˌcom·po'tier** [-pə'tir] *s* Obst-, Kom'pottschale *f*.

com·pound[1] ['kɒmpaund] *s* **1.** (*in Indien, China etc*) um'zäuntes Grundstück. – **2.** *mil.* Truppen-, Gefangenenlager *n*.

com·pound[2] [kəm'paund] **I** *v/t* **1.** zu'sammensetzen, (ver)mischen. – **2.** (zu einem Ganzen) zu'sammensetzen, -stellen. – **3.** 'herstellen, bilden, konstru'ieren. – **4.** (*Streit*) schlichten, beilegen. – **5.** (*eine Sache*) durch ein Über'einkommen *od.* Kompro'miß ausgleichen, in Güte regeln. – **6.** *econ. jur.* (*Schulden etc*) durch Vergleich tilgen. – **7.** (*laufende Verpflichtungen*) durch einmalige Zahlung ablösen. – **8.** *jur.* gegen Entschädigung beilegen: to ~ a crime ein Verbrechen wegen erhaltener Entschädigung nicht verfolgen. – **9.** (*Zinseszinsen*) zahlen. – **10.** *Am.* erschweren, kompli'zieren. – **11.** *electr.* compoun'dieren. – **II** *v/i* **12.** ein(en) Kompro'miß schließen, sich vergleichen, sich einigen, akkor'dieren (with mit, for über *acc*). – **13.** *jur.* (*nach Abkommen mit dem Kläger für eine Beleidigung etc*) eine Geldsumme zahlen. – **14.** laufende Verpflichtungen ablösen. – **III** *adj* ['kɒmpaund; *Am. auch* kɑm'paund] **15.** zu'sammengesetzt, aus mehreren Teilen bestehend. – **16.** *med.* kompli'ziert. – **17.** *electr. tech.* Verbund... – **IV** *s* **18.** Zu'sammensetzung *f*, Mischung *f*. – **19.** Mischung *f*, Masse *f*: cleaning ~ Reinigungsmasse. – **20.** *chem.* Verbindung *f*, Präpa'rat *n* (*mit konstanter Zusammensetzung*). – **21.** *ling.* Kom'positum *n*, zu'sammengesetztes Wort.

com·pound·a·ble [kɒm'paundəbl; kəm-] *adj* **1.** zu'sammensetzbar. – **2.** ablösbar, abfindbar (for gegen).

com·pound| an·i·mal *s zo.* Tierstock *m* (*aus mehreren Organismen, z.B. Koralle*). — **~ arch** *s geol.* ˌAntikli'norium *n*. — **~ ar·range·ment** *s electr. tech.* Verbundanordnung *f*. — **'~-'com·plex sen·tence** *s ling.* zu'sammengesetzter Satz mit einem Nebensatz *od.* mehreren Nebensätzen. — **~ en·gine** *s tech.* 'Compound-, Ver'bundmaˌschine *f*, 'Hoch- u. 'NiederdruckmaˌSchine *f*, Woolfsche 'DampfmaˌSchine.

com·pound·er [kɒm'paundər; kəm-] *s* **1.** Zu'sammensetzer *m*. – **2.** Mischer *m*. – **3.** j-d der ein Abkommen trifft *od.* Ersatz leistet. – **4.** abgefundener Gläubiger.

com·pound| eye *s zo.* Netz-, Fa'cettenauge *n*. — **~ flow·er** *s bot.* zu'sammengesetzte Blüte. — **~ frac·tion** *s math.*

zu'sammengesetzter Bruch, Doppelbruch *m*. — ~ **frac·ture** *s med.* kompli'zierter *od.* mehrfacher Bruch. — ~ **fruit** *s bot.* Sammelfrucht *f*. — ~ **in·ter·est** *s econ.* Staffel-, Zinseszinsen *pl*. — ~ **le·ver** *s tech.* **1.** Differenti'alhebel *m*. – **2.** Sy'stem *n* mehrerer mitein'ander verbundener Hebel. — ~ **lo·co·mo·tive** *s tech.* 'Compound-, Ver'bundlokomo,tive *f* (*mit Hoch- u. Niederdruckzylindern*). — ~ **ma·chin·er·y** *s electr. tech.* Aggre'gat *n*. — ~ **meas·ure** *s mus.* zu'sammengesetzter Takt. — ~ **noun** *s ling.* Kom'positum *n*, zu'sammengesetztes Hauptwort. — ~ **nu·cle·us** *s* (*Atomphysik*) Zwischen-, Verbund-, Compoundkern *m*. — ~ **num·ber** *s math.* **1.** zu'sammengesetzte Zahl (*keine Primzahl*). – **2.** benannte Zahl. — ~ **oil** *s tech.* gefettetes Öl. — ~ **op·tion** *s econ.* Doppelprämiengeschäft *n*. — ~ **or·gan stop** *s* (*Orgel*) Mix'tur(re,gister *n*) *f*. — ~ **o·va·ry** *s bot.* zu'sammengesetzter Fruchtknoten (*aus mehreren Fruchtblättern*). — ~ **pen·du·lum** *s* Kompensati'onspendel *n*. — ~ **pier** *s arch.* Bündelpfeiler *m*. — ~ **ra·tio** *s math.* zu'sammengesetztes Verhältnis. — ~ **sen·tence** *s ling.* zu'sammengesetzter Satz. — ~ **stop** → **compound organ stop**. — ~ **tense** *s ling.* zu'sammengesetzte Zeitform. — ~ **wind·ing** *s electr.* Verbund-, Compoundwicklung *f*. — '~-,**wound dy·na·mo** *s electr.* Ver'bunddy,namo *m*.

com·pra·dor(e) [,kɒmprəˈdɔːr] *s* (*in China*) eingeborener A'gent *od.* Geschäftsführer (*einer ausländischen Firma*).

com·preg [ˈkɒmpreg] *s* Kunstharzpreßholz *n*.

com·pre·hend [,kɒmpriˈhend] **I** *v/t* **1.** um'fassen, einschließen, enthalten, in sich fassen. – **2.** begreifen, erfassen, verstehen. – **II** *v/i* **3.** begreifen, verstehen. – *SYN. cf.* a) **include**, b) **understand**. — ,**com·pre'hend·i·ble** *adj selten* verständlich. — ,**com·pre,hen·si'bil·i·ty** [-səˈbiliti; -lə-] *s* Verständlichkeit *f*, Faßlichkeit *f*. — ,**com·pre'hen·si·ble** *adj* begreiflich, verständlich, faßlich.

com·pre·hen·sion [,kɒmpriˈhenʃən] *s* **1.** Um'fassen *n*, Inbegriff *m*, 'Umfang *m*. – **2.** → **comprehensiveness**. – **3.** Begriffs-, Erkenntnisvermögen *n*, Fassungsvermögen *n*, -kraft *f*, Verstand *m*, Einsicht *f*: **it is beyond my** ~ das geht über meinen Horizont, das ist zu hoch für mich. – **4.** Begreifen *n*, Verstehen *n*, Erfassen *n*, Verständnis *n*: **to be quick (slow) of** ~ schnell (langsam) auffassen *od.* begreifen. – **5.** *philos.* Inhalt *m* eines Begriffes. — ,**com·pre'hen·sive** [-siv] *adj* **1.** um'fassend, weit: ~ **law** allgemeines Gesetz; ~ **school** *Br.* (*mehrere Schulgattungen umfassende*) Gesamtschule. – **2.** in sich fassend (**of** *acc*). – **3.** kurz, inhaltsreich: ~ **word** vielsagendes Wort. – **4.** erkenntnisfähig, leicht verstehend, Begriffs..., Fassungs...: ~ **faculty** Fassungsvermögen. — ,**com·pre'hen·sive·ness** *s* **1.** 'Umfang *m*, Inhaltsreichtum *m*, Reichhaltigkeit *f*. – **2.** Begriffsvermögen *n*. – **3.** Gedrängtheit *f*, Kürze *f*.

com·press I *v/t* [kəmˈpres] **1.** zu'sammendrücken, -pressen, kompri'mieren, konden'sieren. – *SYN. cf.* **contract**. – **II** *s* [ˈkɒmpres] **2.** *med.* Kom'presse *f*, 'Umschlag *m*. – **3.** Baumwollpresse *f*.

com·pressed [kəmˈprest] *adj* **1.** kompri'miert, zu'sammengepreßt, -gedrückt, verdichtet. – **2.** gedrängt (*Stil etc*). – **3.** *bot.* zu'sammengedrückt. – **4.** *zo.* schmal, abgeplattet. — ~ **air** *s* Preß-, Druckluft *f*.

com'pressed-'air| drill *s tech.* Druckluftbohrer *m*. — ~ **lo·co·mo·tive** *s tech.* 'Druckluftlokomo,tive *f*.

com·pressed| score *s mus.* zu'sammengefaßte Parti'tur. — ~ **steel** *s* Preßstahl *m*.

com·press·i·bil·i·ty [kəm,presəˈbiliti; -əti] *s* Zu'sammendrückbarkeit *f*, Kompressi'onsfähigkeit *f*. — **com'press·i·ble** *adj* zu'sammendrückbar.

com·pres·sion [kəmˈpreʃən] *s* **1.** Zu'sammenpressen *n*, -drücken *n*, Verdichtung *f*, Druck *m*. – **2.** *fig.* Zu'sammendrängung *f*. – **3.** *tech.* a) Stauchung *f*, Druck *m* (*Dampfdruck etc*), b) Kompressi'on *f*, Verdichtung *f* (*bei Explosionsmotoren*), c) Druckspannung *f*, -beanspruchung *f*. — ~ **bib**, ~ **cock** *s tech.* e'lastischer Kompressi'onshahn, Quetschhahn *m*. — ~ **cou·pling** *s tech.* Schalen-, Klemm-, Druckkupplung *f*. — ~ **cup** *s tech.* Preßöler *m*, Schmierbüchse *f* (*für Druckschmierung*). — ~ **fau·cet** → **compression bib**. — ~ **ra·tio** *s tech.* Verdichtungsverhältnis *n*. — ~ **spring** *s tech.* Druckfeder *f*. — ~ **stroke** *s tech.* Kompressi'ons-, Verdichtungshub *m* (*bei Explosionsmotoren*). — ~ **tap** *s tech.* Kompressi'onshahn *m* (*Motor etc*).

com·pres·sive [kəmˈpresiv] *adj* zu'sammendrückend, -pressend, Preß..., Druck...: ~ **force** Druckkraft; ~ **strength** Druckfestigkeit; ~ **stress** Druckspannung, -beanspruchung.

com·pres·sor [kəmˈpresər] *s* **1.** Zu'sammendrücker *m*, Kompri'mierer *m*, Kom'pressor *m*. – **2.** *med.* a) Preß-, Schließmuskel *m*, b) Kompres'sorium *n*, Gefäßklemme *f*, (Ader-)Presse *f*, Tourni'quet *n*, c) Druckverband *m*. – **3.** *tech.* Kom'pressor *m*, Gebläse *n*, Preßlufterzeuger *m*, Verdichter *m*: → **air** ~. – **4.** *mar.* Kettenkneifer *m*, -stopper *m*.

com·pres·sure [kəmˈpreʃər] → **compression**.

com·pris·al [kəmˈpraizəl] *s* **1.** Um'fassung *f*, Einschließung *f*. – **2.** Kom'pendium *n*, Zu'sammenfassung *f*, Inbegriff *m*. — **com'prise** *v/t* einschließen, um'fassen, enthalten, bestehen aus. — **com'priz·al, com'prize** *cf.* **comprisal** *etc.*

com·pro·mise [ˈkɒmprə,maiz] **I** *s* **1.** Kompro'miß *m*, *n*. – **2.** *jur.* (gütlicher *od.* schiedsrichterlicher) Vergleich: **to arrive at** (*od.* **to come to**) **a** ~ einen Vergleich zustande bringen. – **3.** Resul'tat *n* eines Kompro'misses. – **4.** Konzessi'on *f*, Nachgeben *n*, Zugeständnis *n*. – **5.** *colloq.* Mittelding *n*. – **II** *v/t* **6.** durch ein(en) Kompro'miß regeln, erledigen, beilegen, schlichten. – **7.** (*Ruf, Leben etc*) gefährden, aufs Spiel setzen. – **8.** bloßstellen, kompromit'tieren: **to** ~ **oneself by doing (saying) s.th.** sich durch eine Handlung (Äußerung) bloßstellen *od.* kompromittieren. – **9.** *obs.* durch gegenseitiges Über'einkommen binden. – **III** *v/i* **10.** sich vergleichen, über'einkommen (**on** über *acc*), Entgegenkommen zeigen (**on** in *dat*).

comp·tom·e·ter [kɒmpˈtɒmitər; -mət-] *s* Ad'dier-, 'Rechenma,schine *f*.

comp·trol·ler [kənˈtroulər] *s* Kontrol'leur *m*, Rechnungsprüfer *m*, Re'visor *m*: **C**~ **of the Currency** *econ. Am.* Währungskommissar.

com·pul·sion [kəmˈpʌlʃən] *s* **1.** Zwang *m*: **under** ~ unter Zwang *od.* Druck, gezwungen, zwangsweise. – **2.** *psych.* 'unwider,stehlicher Drang, Zwang *m*, Trieb *m*. — **com'pul·sive** [-siv] *adj* zwingend, Zwangs...

com·pul·so·ri·ness [kəmˈpʌlsərinis] *s* zwingender Cha'rakter. — **com'pul·so·ry** *adj* **1.** obliga'torisch. – **2.** zwingend, Zwangs...: ~ **dives** (*Schwimmen*) Pflichtsprünge; ~ **education** allgemeine Schulpflicht; ~ **landing** *aer.* Pflichtlandung; ~ **measures** Zwangsmaßnahmen; ~ **military service** Militärdienstpflicht, allgemeine Wehrpflicht; ~ **subject** Pflichtfach.

com·punc·tion [kəmˈpʌŋkʃən] *s* **1.** Gewissensbisse *pl*. – **2.** Reue *f*. – **3.** Bedenken *pl*: **without** ~. – *SYN. cf.* a) **penitence**, b) **qualm**. — **com'punc·tious** *adj* reuevoll, reuig, zerknirscht.

com·pur·ga·tion [,kɒmpəːrˈgeiʃən] *s jur.* **1.** Reinwaschung *f*, Schuldlossprechung *f*, Rechtfertigung *f*. – **2.** *hist.* Reinigung *f* durch Eideshilfe. — **'com·pur,ga·tor** [-tər] *s jur. hist.* Eideshelfer *m*.

com·put·a·bil·i·ty [kəm,pjuːtəˈbiliti; -lə-] *s math.* Berechenbarkeit *f*. — **com'put·a·ble** *adj* berechenbar, zu berechnen(d).

com·pu·ta·tion [,kɒmpjuˈteiʃən; -jə-] *s* **1.** (Be)Rechnen *n*, Kalku'lieren *n*. – **2.** Berechnung *f*, An-, 'Überschlag *m*, Kalkulati'on *f*, Schätzung *f*: **by my** ~ nach meiner Schätzung. — ,**com·pu'ta·tion·al** *adj* rechnerisch, Rechen...: ~ **error** Rechenfehler.

com·pute [kəmˈpjuːt] **I** *v/t* **1.** berechnen, (aus)rechnen: **computing machine** Rechenmaschine. – **2.** schätzen (**at** auf *acc*): **to be** ~**d to be** geschätzt werden auf. – **II** *v/i* **3.** rechnen (**by** nach). – *SYN. cf.* **calculate**. — **com'put·er** *s* **1.** (Be)Rechner *m*, Kalku'lator *m*. – **2.** *electr.* Com'puter *m*, Rechner *m*, pro'grammge,steuerte 'Rechen,anlage: ~ **center** (*Br.* **centre**) Rechenzentrum. — **com'put·ist** → **computer 1**.

com·rade [ˈkɒmrid; -ræd; ˈkʌm-] *s* **1.** Kame'rad *m*, Genosse *m*, Gefährte *m*: ~**-in-arms** Waffengefährte. – **2.** *pol.* (Par'tei)Genosse *m*. – **3.** Zunftgenosse *m*. — **'com·rade,ship** *s* Kame'radschaft *f*.

com·stock·er·y, C~ [ˈkʌmstɒkəri], *auch* **'Com·stock,ism** *s Am.* über'triebene strenge Zen'sur (gegen Immorali'tät in der Kunst u. Litera'tur).

Com·ti·an [ˈkɒmtiən; ˈkɔ̃t-] *adj* Comtesch(er, e, es) (*A. Comte od.* seine *Lehre betreffend*). — **'Comt·ism** *s* Positi'vismus *m*. — **'Comt·ist I** *s* Anhänger *m* der Lehre Comtes, Positi'vist *m*. – **II** *adj* → **Comtian**.

con[1] [kɒn] *pret u. pp* **conned** *v/t* kennenlernen, prüfen, stu'dieren, auswendig lernen: **to** ~ **over** a) durchlesen, -sehen, b) sich überlegen.

con[2] *cf.* **conn**.

con[3] [kɒn] **I** *adv* (*Kurzform für* **contra**) gegen: **pro and** ~ für u. gegen. – **II** *s* 'Gegenargu,ment *n*: **to study the pros and** ~**s** das Für u. Wider erwägen.

con[4] [kɒn] *sl.* **I** *adj* betrügerisch: ~ **man** Betrüger, Schwindler; ~ **game** aufgelegter Schwindel. – **II** *v/t pret u. pp* **conned** betrügen.

con- [kɒn] → **com-**.

con·a·cre [ˈkɒn,eikər] *s hist.* (*Irland*) ('Unter)Verpachten *n* kleiner (*bereits bebauter*) Felder.

con a·mo·re [kon aˈmore] (*Ital.*) **1.** mit Liebe *od.* 'Hingabe. – **2.** *mus.* con a'more, zart.

co·na·ri·um [kəˈnɛ(ə)riəm] *pl* **-ri·a** [-ə] *s med. zo.* Zirbeldrüse *f*.

co·na·tion [kouˈneiʃən] *s philos. psych.* Wollen *n*, Willenstrieb *m*, Begehren *n*. — **con·a·tive** [ˈkɒnətiv; ˈkou-] *adj philos. psych.* strebend, Begehrens..., triebhaft. — **co·na·tus** [kouˈneitəs] *s sg u. pl* Streben *n*, Trieb *m*, Drang *m*.

con bri·o [kom ˈbrio] (*Ital.*) *mus.* feurig, lebhaft.

con·cat·e·nate [kɒnˈkæti,neit; -tə-] **I** *adj* zu'sammenhängend, verkettet. – **II** *v/t* verketten, zu'sammenknüpfen.

— con͵cat·e'na·tion *s* 1. Verkettung *f*. – 2. *fig.* Kette *f*, Serie *f*.
con·cave I *adj* [kɒn'keiv, 'kɒnkeiv] 1. kon'kav, hohl, ausgehöhlt. – 2. *tech.* hohlgeschliffen, kon'kav, Hohl...: ~ **brick** Hohlziegel; ~ **lens** Zerstreuungslinse; → **mirror** 1. – **II** *s* ['kɒnkeiv] 3. *tech.* kon'kaver Teil. – 4. (Aus)Höhlung *f*, Wölbung *f*, kon'kave Fläche. – **III** *v/t* 5. aushöhlen, kon'kav formen. — **con'cav·i·ty** [-'kæviti; -və-] *s* 1. hohle Beschaffenheit, Konkavi'tät *f*. – 2. Höhlung *f*, Wölbung *f*, Hohlrundung *f*, Vertiefung *f*, Delle *f*. – 3. kon'kave Linie *od.* Fläche. — **con·ca·vo-con·cave** [kɒn'keivoukɒn'keiv] *adj* 'bikon͵kav, auf beiden Seiten hohl. — **con'ca·vo-con'vex** [-kɒn'veks] *adj* kon'kav-kon͵vex, hohlerhaben.
con·ceal [kən'siːl] *v/t* 1. verbergen, verstecken (from vor *dat*). – 2. verborgen halten, verbergen: **to ~ the true state of affairs** die wahre Sachlage geheimhalten. – 3. verschweigen, verhehlen, verheimlichen (from vor *dat*). – 4. *mil.* verschleiern, tarnen. – *SYN. cf.* **hide**. — **con'ceal·a·ble** *adj* zu verbergen(d), verhehlbar. — **con'ceal·er** *s* Verberger(in), Verheimlicher(in), (Ver)Hehler(in). — **con'ceal·ment** *s* 1. Verheimlichung *f*, Verbergung *f*, Verschweigung *f*, Geheimhaltung *f*. – 2. Verborgenheit *f*, Versteck *n*. – 3. *mil.* Deckung *f*, Tarnung *f*.
con·cede [kən'siːd] **I** *v/t* 1. gewähren, bewilligen, zugestehen, einräumen: **to ~ s.o. a favo(u)r** j-m eine Vergünstigung gewähren; **to ~ a privilege** ein Vorrecht einräumen. – 2. anerkennen, zugeben: **to ~ as true** als wahr anerkennen. – 3. nachgeben in (*dat*): **to ~ a point** in einem Punkt nachgeben. – 4. *pol. Am.* (*einem Gegner den Wahlsieg*) über'lassen. – **II** *v/i* 5. nachgeben, Zugeständnisse machen. – 6. *pol. Am.* (*in einem Wahlkampf*) eine Niederlage zugeben: **he ~d when only half the returns were in** er gab sich geschlagen, als erst die Hälfte der Wahlergebnisse bekannt war. – *SYN. cf.* **grant**.
con·ceit [kən'siːt] **I** *s* 1. Eingebildetheit *f*, Einbildung *f*, (Eigen)Dünkel *m*, 'Selbstgefälligkeit *f*, -über͵schätzung *f*, Eitelkeit *f*: **puffed with ~** aufgeblasen; **to take the ~ out of s.o.** j-n demütigen. – 2. günstige Meinung (*nur noch in*): **to be out of ~ with s.th.** einer Sache überdrüssig sein; **to put s.o. out of ~ with s.th.** j-m die Lust an etwas nehmen. – 3. guter Einfall, Witz *m*. – 4. Begriff *m*, Gedanke *m*, Vorstellung *f*, I'dee *f*. – 5. a) seltsamer Gedanke(ngang), weit'hergeholte I'dee, b) über'triebenes sprachliches Bild. – 6. Phanta'sie *f*, Ma'rotte *f*. – 7. *obs.* per'sönliche Meinung. – 8. *obs.* Begriffsvermögen *n*. – 9. *obs.* Kleinigkeit *f*, Spiele'rei *f*. – **II** *v/t* 10. schmeicheln (*dat*). – 11. begreifen, erfassen. – 12. glauben, denken (of von): **well ~ed** gut ausgedacht; **to ~ oneself to be s.th.** sich einbilden, etwas zu sein. — **con'ceit·ed** *adj* 1. eingebildet, selbstgefällig, dünkelhaft, eitel (about, of auf *acc*). – 2. *obs.* geistreich, intelli'gent. – 3. *obs. od. dial.* launenhaft.
con·ceiv·a·bil·i·ty [kən͵siːvə'biliti; -lə-] *s* Begreiflichkeit *f*. — **con'ceiv·a·ble** *adj* begreiflich, faßlich, denkbar, vorstellbar. — **con'ceiv·a·ble·ness** → **conceivability**.
con·ceive [kən'siːv] **I** *v/t* 1. (*Kind*) empfangen. – 2. begreifen, sich vorstellen, sich denken, sich einen Begriff *od.* eine Vorstellung machen von: **to ~ an idea of** sich eine Vorstellung machen von; **that may easily be ~d** das kann man sich leicht vorstellen; **such a thing is not to be ~d** so etwas ist unbegreiflich. – 3. planen, ersinnen, erdenken, ausdenken. – 4. fassen, hegen, empfinden: **to ~ an affection for s.o. (s.th.)** j-n (etwas) liebgewinnen; **to ~ a desire** einen Wunsch hegen. – *SYN. cf.* **think**. – **II** *v/i* 5. (of) sich denken (*acc*), sich eine Vorstellung machen *od.* Meinung bilden (von). – 6. schwanger werden, empfangen (*Mensch*), trächtig werden (*Tier*).
con·cel·e·brate [kɒn'seli͵breit; -lə-] *v/i relig.* die Messe gemeinsam (*mit dem ordinierenden Bischof*) feiern.
con·cent [kən'sent] *s obs.* Harmo'nie *f*, Einklang *m* (*Stimmen etc*).
con·cen·ter, *bes. Br.* **con·cen·tre** [kɒn'sentər] **I** *v/t* 1. konzen'trieren, in einen Mittelpunkt bringen, vereinigen, auf einen Punkt richten. – 2. (*Gedanken etc*) richten (on auf *acc*). – **II** *v/i* 3. (in einem Punkt) zu'sammentreffen, sich vereinigen.
con·cen·trate ['kɒnsən͵treit] **I** *v/t* 1. konzen'trieren, zu'sammenziehen, -drängen, vereinigen, 'hinlenken, richten (upon auf *acc*): **to ~ troops** Truppen zusammenziehen; **~d fire** *mil.* konzentriertes *od.* zusammengefaßtes Feuer, Massenbeschuß; **to ~ one's thoughts upon s.th.** seine Gedanken auf etwas richten, sich auf etwas konzentrieren. – 2. inten'siver machen, verstärken. – 3. *chem.* (*Flüssigkeiten*) verdichten, eindicken, eindampfen, sättigen, konzen'trieren. – 4. *tech.* (*Erze*) aufbereiten: **to ~ metal** spuren, den Stein konzentrieren, anreichern. – **II** *v/i* 5. sich konzen'trieren. – 6. sich (*an einem Punkt*) sammeln. – *SYN.* **compact, consolidate**. – **III** *s* 7. *tech.* 'Aufbereitungspro͵dukt *n*. — **'con·cen͵trat·ed** *adj* konzen'triert, verdichtet: **~ acid**; **~ pencil beam** *phys.* Strahlenbündel.
con·cen·tra·tion [͵kɒnsən'treiʃən] *s* 1. Zu'sammenziehung *f*, Konzen'trierung *f*, Konzentrati'on *f*, Einkreisung *f*, Einengung *f* (*auch fig.*). – 2. 'Hinlenkung *f od.* Richtung *f* auf einen Punkt. – 3. *fig.* (Ge'danken)-Konzentrati͵on *f*, gespannte Aufmerksamkeit. – 4. *chem.* Konzentrati'on *f*, Eindickung *f*, Dichte *f*, Sättigung *f*. – 5. *tech.* Anreicherung *f*. – 6. *biol.* Konzentrati'on *f* der erblichen Veranlagung. – 7. *mil.* Mas'sierung *f*, Ansammlung *f*, Bereitstellung *f*, Aufmarsch *m*. – *SYN. cf.* **attention**. — **~ camp** *s* 1. Konzentrati'onslager *n*. – 2. *mil.* Truppenlager *n*, -sammelplatz *m*. — **~ ring** *s aer. tech.* Seilring *m* (*Ballon, Fallschirm*).
con·cen·tra·tive ['kɒnsən͵treitiv] *adj* konzen'trierend. — **'con·cen͵tra·tive·ness** *s* 1. Konzen'triertheit *f*. – 2. Konzentrati'onsfähigkeit *f*, -gabe *f*. — **'con·cen͵tra·tor** [-tər] *s* Sammler *m*, Verdichter *m*. — **con·cen·tre** *bes. Br. für* **concenter**.
con·cen·tric [kən'sentrik] **I** *adj* kon'zentrisch, gleichachsig, koaxi'al, einen gemeinsamen Mittelpunkt habend (with mit): **~ fire** auf einen Punkt gerichtetes Feuer; **~ steam engine** rotierende Dampfmaschine. – **II** *s meist pl* kon'zentrische Kreise *pl*. — **con'cen·tri·cal** → **concentric I**. — **con·cen·tric·i·ty** [͵kɒnsən'trisiti; -səti] *s* Konzentrizi'tät *f*.
con·cept ['kɒnsept] *s* 1. *philos.* (*allgemeiner logischer*) Begriff. – 2. Gedanke *m*, Meinung *f*. – 3. Absicht *f*, Planung *f*. – *SYN. cf.* **idea**.
con·cep·ta·cle [kən'septəkl] *s bot.* Konzep'takel *n* (*Behälter für die geschlechtlichen Fortpflanzungsorgane der Rotalgen*).
con·cep·tion [kən'sepʃən] *s* 1. Begreifen *n*, Erfassen *n*. – 2. (*das*) Begriffene. – 3. Vorstellung *f*, Auffassung *f*, Begriff *m*: **in my ~** nach meiner Auffassung. – 4. *philos.* (logischer) Begriff. – 5. Begriffsvermögen *n*, Fassungskraft *f*, Verstand *m*. – 6. Geistesschöpfung *f*, Entwurf *m*, Konzepti'on *f*, I'dee *f*. – 7. Schöpfung *f* (*Kunstwerk etc*). – 8. Empfängnis *f*: **Immaculate C~ (of the Virgin Mary)** Unbefleckte Empfängnis (der Jungfrau Maria). – *SYN. cf.* **idea**. — **con'cep·tion·al** *adj* begrifflich, nur in der Vorstellung vor'handen, ab'strakt. — **con'cep·tive** *adj* 1. begreifend, erfassend, empfänglich: **~ power** Begriffsvermögen. – 2. *med.* empfängnisfähig. — **con'cep·tu·al** [*Br.* -tjuəl; *Am.* -tʃuəl] *adj* begrifflich, Begriffs... — **con'cep·tu·al͵ism** *s philos.* Konzeptua'lismus *m* (*Vermittlung zwischen Realismus u. Nominalismus*).
con·cern [kən'səːrn] **I** *v/t* 1. betreffen, an(be)langen, angehen, sich beziehen auf (*acc*): **it does not ~ me** es betrifft mich nicht, es geht mich nichts an; **as far as I am ~ed** soweit es mich betrifft, was mich anbelangt; **To Whom It May C~** an alle, die es angeht (*auf Attesten etc*). – 2. von Wichtigkeit *od.* Belang *od.* Inter'esse sein für, angehen: **this problem ~s us all** dieses Problem geht uns alle an *od.* ist für uns alle wichtig; **your reputation is ~ed** es geht um deinen Ruf; **this ~s me deeply** dies betrifft mich sehr *od.* geht mir sehr nähe. – 3. beunruhigen, in Unruhe *od.* Angst versetzen: **don't let that ~ you** lassen Sie sich das nicht zu Herzen gehen; **to be ~ed about** (*od.* at) **s.o.'s health** sich wegen j-s Gesundheitszustand Sorgen machen; **to be ~ed for s.o.'s safety** um j-s Sicherheit besorgt sein. – 4. interes'sieren, beschäftigen, beteiligen, verwickeln: **to ~ oneself with a matter** sich mit einer Sache beschäftigen; **to be ~ed in a plot** in eine Verschwörung verwickelt sein. – **II** *s* 5. Angelegenheit *f*, Sache *f*: **that is your ~** das ist Ihre Sache; **that is no ~ of mine** das geht mich nichts an. – 6. Geschäft *n*, Firma *f*, ('Handels)Unter͵nehmen *n*: **first ~** Firma, die noch in den Händen der Gründer ist. – 7. Unruhe *f*, Sorge *f*, Besorgnis *f*, Kummer *m* (at, about, for, wegen, betreffs *gen*, um): **his illness causes me considerable ~** seine Krankheit macht mir große Sorge; **he does not show much ~ about it** er zeigt sich nicht sehr besorgt darum. – 8. Wichtigkeit *f*, Bedeutung *f*: **to be of no small ~** nicht ganz unbedeutend sein, sehr wichtig sein. – 9. Beziehung *f* (with zu): **to have no ~ with a matter** mit einer Sache nichts zu tun haben. – 10. (at, about, for, in, with) Teilnahme *f* (an *dat*), Rücksicht *f* (auf *acc*), Anteil *m* (an *dat*), Inter'esse *n* (für): **to feel a ~ for** Teilnahme empfinden für, sich interessieren für; **to give oneself no ~ about s.th.** sich um etwas nicht kümmern. – 11. *colloq.* ‚Ding' *n*, Sache *f*, ‚Geschichte' *f*, ‚Krempel' *m*: **a pretty ~** eine nette Geschichte; **the whole ~** der ganze Krempel; **small ~s** Lappalien. – *SYN. cf.* **care**.
con·cerned [kən'səːrnd] *adj* 1. (in) beteiligt, interes'siert, Anteil habend (an *dat*), verwickelt (in *acc*): → **party** 6. – 2. (about, at, for) bekümmert, besorgt (um), beunruhigt (wegen *gen*), betrübt (über *acc*), in Unruhe *od.* Sorge (um *acc*, wegen

gen). — **con'cern·ing I** *adj* **1.** beunruhigend (to für). – **2.** betreffend: all-~ alles betreffend. – **II** *prep* **3.** (an)betreffend (*acc*), betreffs (*gen*), in bezug *od.* 'Hinsicht auf (*acc*), 'hinsichtlich, bezüglich, wegen (*gen*), über (*acc*): ~ me was mich (an)betrifft *od.* anbelangt.

con·cern·ment [kən'səːrnmənt] *s* **1.** *obs.* Beziehung *f*, Inter'esse *n*: to have (a) ~ in s.th. (ein) Interesse an etwas haben. – **2.** Wichtigkeit *f*, Inter'esse *n*: matter of public ~ öffentliche Angelegenheit. – **3.** Belang *m*, Bedeutung *f*: of great (special) ~ von großer (besonderer) Wichtigkeit. – **4.** Teilnahme *f*, Anteil *m*: to have ~ with s.th. mit etwas zu schaffen haben. – **5.** Besorgtheit *f*, Sorge *f* (for um *acc*, wegen *gen*).

con·cert ['kɒnsərt] **I** *s* **1.** *mus.* Kon'zert *n*: to give a ~ ein Konzert geben. – **2.** *mus.* har'monische Über'einstimmung. – **3.** *mus.* Anzahl *f* von Instru'menten (*derselben Art, aber verschiedener Größe*). – **4.** Einvernehmen *n*, Einverständnis *n*, Über'einstimmung *f*, Harmo'nie *f*: in ~ with in Übereinstimmung mit. – **5.** gleichzeitiges *od.* gemeinsames Handeln, Zu'sammenwirken *n*: to act in ~ with s.o. gemeinsam mit j-m vorgehen. – **II** *adj* **6.** Konzert... – **III** *v/t* [kən'səːrt] **7.** (*Pläne*) gemeinsam besprechen, (zu'sammen) beratschlagen, verabreden, abmachen, anordnen: to agree upon ~ed action beschließen, gemeinsam vorzugehen. – **8.** (*allein*) planen, (sich) ausdenken. – **9.** *mus. selten* (*Tonstück*) mehrstimmig arran'gieren. – **IV** *v/i* **10.** zu'sammenarbeiten. — **con'cert·ed** *adj* **1.** gemeinsam (geplant *od.* ausgeführt), gemeinschaftlich. – **2.** *mus.* für mehrere Instru'mente *od.* Stimmen arran'giert, mehrstimmig.

'con·cert|ˌgo·er *s* Kon'zertbesucher *m*. — **~ grand** *s mus.* Kon'zertflügel *m*.

con·cer·ti·na [ˌkɒnsər'tiːnə] *s* Konzer'tina *f*, (sechseckige) 'Ziehharˌmonika. — **con·cer·ti·no** [ˌkɔntʃer'tiːnoː] (*Ital.*) *s mus.* Concer'tino *n*, kleines Kon'zert mit 'Soloparˌtien.

'con·certˌmas·ter, 'con·certˌmeis·ter [-ˌmaistər] *s* Kon'zertmeister *m*, erster Geiger.

con·cer·to [kən'tʃɛrtou] *pl* **-tos** *s mus.* Con'certo *n* (*Komposition für Solopartien mit Orchesterbegleitung*).

con·cert| of Eu·rope *s pol.* Europ. Kon'zert *n* (*eine 1814 begründete Rechtsgemeinschaft der europ. Staaten*). — **~ pitch** *s mus.* Kammer-, Kon'zertton(höhe *f*) *m*: up to ~ *fig.* auf der Höhe, in Form, in Bereitschaft; at ~ *fig.* mit voller Stärke.

con·ces·sion [kən'seʃən] *s* **1.** Entgegenkommen *n*, Zugeständnis *n*, Einräumung *f*, Konzessi'on *f*: to make a ~ of a right ein Recht einräumen. – **2.** Anerkennung *f*, Zugeständnis *n* (*der Berechtigung eines Standpunkts*). – **3.** Gewähren *n*, Bewilligung *f*, Genehmigung *f*. – **4.** zugestandenes Recht *od.* gewährte Sache. – **5.** Konzessi'on *f*, obrigkeitliche Verleihung eines Privi'legs *od.* Rechts: ~ of a mine Bergwerkskonzession. – **6.** a) behördliche Über'lassung von Grund u. Boden, b) *Am.* Konzessi'on *f*, Gewerbeerlaubnis *f*, -genehmigung *f*, c) über'lassenes Stück Land. – **7.** Über'lassung *f* von Grund u. Boden an eine fremde Macht (*mit gleichzeitigem Recht der Exterritorialität*). — **conˌces·sion·'aire** [-'nɛr] *s econ.* Konzessio'när *m*, Konzessi'onsˌinhaber *m*. — **con'ces·sion·ar·y** [*Br.* -nəri; *Am.* -ˌneri] **I** *adj* **1.** Bewilligungs..., Konzessions... – **2.** konzessio'niert, bewilligt. – **II** *s* → concessionaire. — **con'ces·sion·ist** *s* Befürworter *m* von Zugeständnissen. — **con'ces·sive** [-siv] *adj* **1.** Zugeständnisse machend. – **2.** *ling.* konzes'siv: ~ clause einräumender Satz, Konzessivsatz.

con·cet·tism [kən'tʃetizəm] *s* Verwendung *f* von Con'cetti (*weithergeholter sprachlicher Bilder*). — **con·cet·to** [kon'tʃɛtto] *pl* **-cet·ti** [-i] (*Ital.*) *s* Con'cetto *n*, weit'hergeholtes sprachliches Bild.

conch [kɒŋk] *pl* **~s** *od.* **con·ches** ['kɒntʃiz] *s* **1.** *zo.* Muschel(schale) *f*. – **2.** *zo.* (*eine*) Schneckenmuschel (*z. B. Gattgen Strombus od. Cassis*). – **3.** *antiq.* Tritonshorn *n*. – **4.** *Am. sl. Spottname für einen armen weißen Landbewohner im Süden der USA, bes. in Florida*. – **5.** → concha 1a.

— **con·cha** ['kɒŋkə] *pl* **-chae** [-kiː] *s* **1.** *med. zo.* a) Concha *f*, Ohrmuschel *f*, b) muschelförmiges Or'gan. – **2.** *arch.* Koncha *f*, (Kuppeldach *n* einer) Apsis. — **con'chif·er·ous** [-'kifərəs] *adj* Muscheln her'vorbringend *od.* enthaltend. — **con'chi·o·lin** [-'kaiəlin] *s chem.* Conchyo'lin *n* (*organ. Bestandteil der Muschelschalen*). — **'con·choid** [-kɔid] *s math.* Koncho'ide *f*, Schneckenlinie *f*. — **con'choi·dal** *adj* **1.** *math.* schnecken(linien)-, muschelförmig. – **2.** *min.* muschelig (*Bruch*). — **con·cho·log·i·cal** [ˌkɒŋkə'lɒdʒikəl] *adj* muschelkundig. — **con'chol·o·gist** [-'kɒlədʒist] *s* Konchylio'loge *m*, Muschelkundiger *m*. — **con'chol·o·gy** *s zo.* Konch(yli)olo'gie *f*, Muschelkunde *f*.

con·chy ['kɒntʃi] *Br. sl. für* conscientious objector 1.

con·chyl·i·a [kɒŋ'kiliə] *s pl zo.* Muschel-, Schaltiere *pl*, Kon'chylien *pl*. — **con'chyl·i·ous** *adj zo.* muschelartig, Konchylien...

con·ci·erge [ˌkɒnsi'ɛrʒ] *s* **1.** Porti'er *m*, Pförtner *m*, Hausmeister(in), Türsteher *m*. – **2.** *hist.* Kastel'lan *m*, Verwalter *m*.

con·cil·i·a·ble [kən'siliəbl] *adj* versöhnlich, beilegbar.

con·cil·i·a·bule [kən'siliəˌbjuːl] *s relig.* kleine geheime (Kirchen)Versammlung, Konven'tikel *n* (*ohne Genehmigung der Kirchenbehörde*). — **con'cil·i·ar** [-liər] *adj relig.* **1.** Konzil... – **2.** von einem Kon'zil angeordnet.

con·cil·i·ate [kən'siliˌeit] *v/t* **1.** beruhigen, beschwichtigen, aussöhnen, versöhnen. – **2.** (*Liebe, Achtung etc*) gewinnen. – **3.** ausgleichen, in Einklang bringen. – *SYN. cf.* pacify. — **con'cil·iˌat·ing** *adj* **1.** versöhnlich. – **2.** *fig.* gewinnend, einnehmend. — **conˌcil·i'a·tion** *s* Aussöhnung *f*, Versöhnung *f*, Schlichtung *f*, Ausgleich *m*: ~ board Schlichtungsamt. — **con'cil·iˌa·tive** → conciliatory. — **con'cil·i·ˌa·tor** [-tər] *s* Versöhner *m*, Vermittler *m*. — **con'cil·i·a·to·ri·ness** [*Br.* -ətərinis; *Am.* -ˌtɔːri-] *s* Versöhnlichkeit *f*. — **con'cil·i·a·to·ry** [*Br.* -ətəri; *Am.* -ˌtɔːri] *adj* versöhnlich, vermittelnd, Versöhnungs...: ~ proposal Vorschlag zur Güte, Vermittlungsvorschlag.

con·cin·ni·ty [kən'siniti] *s* har'monische Zu'sammenfügung, Ausgeglichenheit *f*, Feinheit *f* (*Stil*).

con·cise [kən'sais] *adj* kurz, bündig, prä'gnant, prä'zis(e), knapp. – *SYN.* compendious, laconic, pithy, succinct, summary, terse. — **con'cise·ness** *s* Kürze *f*, Prä'gnanz *f*. — **con'ci·sion** [-'siʒən] *s* **1.** Zerschneiden *n*, Abschneiden *n*, Verstümmelung *f*. – **2.** *Bibl.* Beschneidung *f*. – **3.** Kürze *f*, Bündigkeit *f*.

con·clave ['kɒnkleiv; 'kɒŋ-] *s* **1.** *obs.* Beratungszimmer *n*. – **2.** *relig.* Kon'klave *n*: a) *Räume, in denen seit 1274 der Papst gewählt wird*, b) *Versammlung u. Beratung der Kardinäle zur Papstwahl*, c) Kardi'nalskolˌlegium *n*. – **3.** geheime Versammlung. — **'con·clav·ist** *s relig.* Konkla'vist *m* (*zum Konklave zugelassener Begleiter eines Kardinals*).

con·clude [kən'kluːd] **I** *v/t* **1.** beenden, beschließen, (ab)schließen: to be ~d Schluß folgt. – **2.** (*Rede*) schließen, beenden (with mit). – **3.** (*Vertrag, Bündnis, Geschäft etc*) (ab)schließen. – **4.** (*etwas*) folgern, (er)schließen (from aus). – **5.** urteilen, beschließen, entscheiden: he ~d that he would wait er beschloß, lieber zu warten. – **6.** *jur.* binden, verpflichten. – **7.** *obs.* einschließen. – **II** *v/i* **8.** schließen, enden, aufhören (with mit). – **9.** zu einer Entscheidung *od.* einem Urteil kommen, beschließen. – **10.** schließen, folgern. – *SYN. cf.* a) close, b) infer. — **con'clud·ing** *adj* (ab)schließend, End..., Schluß...: ~ scene Schlußszene; ~ words Schlußworte, abschließende Worte.

con·clu·sion [kən'kluːʒən] *s* **1.** (Ab)Schluß *m*, Ausgang *m*. Ende *f*: to bring to a ~ zum Abschluß bringen; in ~ zum Schluß, schließlich, endlich. – **2.** Abschluß *m*: ~ of an agreement Abschluß eines Vertrags, Vertragsschluß; ~ of peace Friedensschluß. – **3.** (logischer) Schluß, (Schluß)Folgerung *f*: to come to the ~ that zu dem Schluß *od.* der Überzeugung kommen, daß; to jump at ~s voreilig(e) Schlüsse ziehen; → arrive 3; draw 55. – **4.** Beschluß *m*, Erledigung *f*, Entscheidung *f*. – **5.** *jur.* a) bindende Verpflichtung, b) (*prozeßhindernde*) Einrede, c) Schluß *m*, Zu'sammenfassung *f* (*am Ende einer Urkunde*), d) Ausspruch *m*, Entscheidung *f*, e) Schlußausführungen *pl*, Abschluß *m* (*Plädoyer*). – **6.** Erfolg *m*, Folge *f*, Ausgang *m*. – **7.** to try ~s *Br.* es versuchen, sich messen (with mit). – **8.** *ling.* A'podosis *f* (*Nachsatz eines Bedingungssatzes*). – **9.** *math.* Rückschluß *m*, Schlußsatz *m*, Folgerung *f*.

con·clu·sive [kən'kluːsiv] *adj* **1.** abschließend, Schluß... – **2.** endgültig. – **3.** entscheidend, über'zeugend, beweiskräftig: ~ evidence schlagender *od.* überzeugender Beweis. – *SYN.* decisive, definitive, determinative. — **con'clu·sive·ness** *s* **1.** (*das*) Entscheidende *od.* Endgültige *od.* Über'zeugende. – **2.** Endgültigkeit *f*.

con·coct [kɒn'kɒkt; kən-] *v/t* **1.** (zu'sammen)brauen. – **2.** *fig.* aushecken, ersinnen, erfinden: to ~ an excuse sich eine Ausrede ausdenken; to ~ a plan einen Plan aushecken. – **3.** *obs.* verdauen. — **con'coct·er** *s* Zu'sammenbrauer *m*, Anstifter *m*. — **con'coc·tion** *s* **1.** (Zu'sammen)Brauen *n*, Bereiten *n*. – **2.** *med.* a) Mischung *f*, Zubereitung *f* (*Trank*), b) De'kokt *n*, Absud *m*, zu'sammengemischter Trank. – **3.** *fig.* Ausbrüten *n*, Ersinnen *n* (*Geschichte*). – **4.** *fig.* Aushecken *n* (*Plan etc*). – **5.** (*das*) Zu'sammengebraute *od.* Ausgeheckte, Erfindung *f*: this story is a ~ from beginning to end diese Geschichte ist von A bis Z erfunden. – **6.** Gebräu *n*. — **con'coc·tive** *adj* Misch... — **con'coc·tor** [-tər] *cf.* concocter.

con·col·or·ous, *bes. Br.* **con·col·our·ous** [kɒn'kʌlərəs; kən-] *adj* von gleichmäßiger *od.* gleicher Farbe.

con·com·i·tance [kɒn'kɒmitəns; kən-; -mə-], **con'com·i·tan·cy** *s* **1.** Zu'sammenbestehen *n*, gleichzeitiges Vor'handensein. – **2.** *relig.* Konkomi'tanz *f* (*gleichzeitiges Vorhandensein des Fleisches u. Blutes Christi im*

Brot u. Wein des Abendmahls). — **con'com·i·tant I** *adj* **1.** begleitend, gleichzeitig, vereint: ~ **circumstances** Begleitumstände. – **2.** *relig.* mitwirkend (*Gnade*). – *SYN. cf.* **contemporary.** – **II** *s* **3.** Be'gleiterscheinung *f*, -ˌumstand *m.* – **4.** gleichzeitig vor'handene Eigenschaft.

con·cord[1] ['kɒnkɔːrd; 'kɒŋ-] *s* **1.** Einmütigkeit *f*, Eintracht *f*, Einklang *m*, Harmo'nie *f*, Über'einstimmung *f.* – **2.** *mus.* a) Ein-, Zu'sammenklang *m*, Harmo'nie *f*, b) Konso'nanz *f.* – **3.** Vertrag *m*, Über'einkommen *n.* – **4.** *ling.* syn'taktische Über'einstimmung.

Con·cord[2] ['kɒŋkərd; -kɔːrd] → ~ **grape.**

con·cord·ance [kɒn'kɔːrdəns; kən-] *s* **1.** Über'einstimmung *f* (in mit). – **2.** Konkor'danz *f* (*alphabetische Zusammenstellung sämtlicher Wörter eines Buches od. der Werke eines Autors*): **C~ to the Bible** Bibelkonkordanz. – **3.** *geol. tech.* Konkor'danz *f.* — **con'cord·ant** *adj* **1.** (**with, to**) über'einstimmend (mit), entsprechend (*dat*). – **2.** har'monisch.

con·cor·dat [kɒn'kɔːrdæt] *s* **1.** Über'einkommen *n*, Vertrag *m.* – **2.** *relig.* Konkor'dat *n*, Vertrag *m* zwischen Kirche u. Staat.

Con·cord grape *s bot. große, dunkelblaue amer. Weintraube.*

con·cor·po·rate *obs.* **I** *v/t u. v/i* [kɒn'kɔːrpəˌreit; kən-] (sich) vereinigen. – **II** *adj* [-rit] vereinigt.

con·course ['kɒnkɔːrs; 'kɒŋ-] *s* **1.** Zu'sammenlaufen *n*, -fluß *m.* – **2.** (Menschen)Auflauf *m*, Ansammlung *f*, Gedränge *n*, Gewühl *n*: **a mighty ~ of people** eine gewaltige Menschenmenge. – **3.** Menge *f*, Haufen *m.* – **4.** *Am.* Fahrweg *m*, Prome'nade(platz *m*) *f* (*in einem Park*). – **5.** *Am.* a) Bahnhofshalle *f*, b) freier Platz, Saal *m* (*für Versammlungen etc*). – **6.** *jur.* Konkur'renz *f*, Klagenhäufung *f.*

con·cres·cence [kɒn'kresns; kən-] *s bot. med. zo.* **1.** Verwachsung *f* von Or'ganen *od.* Zellen. – **2.** Zu'sammenwachsen *n* embryo'naler Teile. — **con'cres·ci·ble** [-sibl] *adj* verwachsungsfähig.

con·crete [kɒn'kriːt; kən-] **I** *v/t* **1.** (*etwas*) zu einer kom'pakten Masse formen. – **2.** konkreti'sieren, zu einem einzigen kon'kreten Begriff vereinigen. – **3.** *fig.* festigen. – **4.** ['kɒnkriːt] *tech.* beto'nieren, mit *od.* aus Be'ton bauen. – **II** *v/i* **5.** sich zu einer festen Masse vereinigen, eine kom'pakte Masse bilden. – **6.** *min.* anschießen (*Kristalle*). – **7.** *tech.* Be'ton *od.* Gußmörtel benützen. – **III** *adj* ['kɒnkriːt; kɒn'kriːt] **8.** kon'kret, fest um'rissen. – **9.** kon'kret, greifbar, dinglich, wirklich, körperlich. – **10.** fest, dicht, massig, kom'pakt, verdickt, geronnen: **to become ~** fest *od.* dick werden, gerinnen. – **11.** *ling. philos.* kon'kret (*Gegensatz abstrakt*): ~ **noun** Konkretum; **in the ~ sense** im konkreten Sinne. – **12.** *math.* benannt. – **13.** *mus.* kon'kret (*von einem Ton zum anderen gleitend*). – **14.** *bot.* zu'sammengewachsen. – **15.** Beton..., beto'niert: ~ **pavement** Betonpflaster. – *SYN. cf.* **special.** – **IV** *s* ['kɒnkriːt] **16.** *philos.* kon'kreter Gedanke *od.* Begriff. – **17.** *ling.* Kon'kretum *n.* – **18.** dichte *od.* verdickte *od.* kom'pakte Masse. – **19.** Guß-, Steinmörtel *m*, Be'ton *m*, Ze'ment *m.* — ~ **block** *s tech.* Be'tonziegel *m*, -block *m*, -stein *m.* — ~ **con·struc·tion** *s tech.* **1.** Be'tonbau *m.* – **2.** Beto'nierung *f.* — ~ **mix·er** *s tech.* Be'tonmischwerk *n*, -ˌmischmaˌschine *f.*

con·crete·ness [kɒn'kriːtnis] *s* **1.** Verwachsensein *n.* – **2.** Geronnen-, Gefrorensein *n*, Verdickung *f*, Gerinnung *f.* – **3.** *fig.* Körperlichkeit *f*, Festigkeit *f.* – **4.** *philos.* kon'krete Beschaffenheit, konkreter Zustand.

con·crete| num·ber *s math.* benannte Zahl. — ~ **paint** *s* Anstrichfarbe *f* für Be'tonflächen. — ~ **steel** *s* 'Stahlbeˌton *m.*

con·cre·tion [kɒn'kriːʃən] *s* **1.** Konkreti'on *f*, Zu'sammenwachsen *n*, Verwachsung *f.* – **2.** Festwerden *n*, Gerinnen *n.* – **3.** feste *od.* kom'pakte Masse. – **4.** Verhärtung *f*, Häufung *f*, Klümpchen *n*, Knoten *m.* – **5.** *geol.* Konkreti'on *f* (*Zusammenhäufung*). – **6.** *med.* Konkre'ment *n*, steinige Absonderung: **bronchial ~** Bronchienstein; **hepatic ~** Leberstein; → **gouty ~.** — **con'cre·tion·al, con'cre·tion·ar·y** [*Br.* -nəri; *Am.* -ˌneri] *adj* Konkreti'on betreffend *od.* her'vorrufend, Konkretions...

con·cret·ize ['kɒnkriˌtaiz] *v/t* konkreti'sieren, (*dat*) endgültige Form geben.

con·cu·bi·nage [kɒn'kjuːbinidʒ; -bə-] *s* Konkubi'nat *n*, wilde Ehe. — **con'cu·bi·nar·y** [*Br.* -binəri; *Am.* -bəˌneri] **I** *s* **1.** im Konkubi'nat Lebende(r). – **II** *adj* **2.** Konkubinats... – **3.** im Konkubi'nat lebend. – **4.** aus wilder Ehe her'vorgegangen. — **con·cu·bine** ['kɒŋkjuˌbain; 'kɒn-] *s* **1.** Konku'bine *f.* – **2.** Nebenfrau *f* (*bei polygamen Völkern*).

con·cu·pis·cence [kɒn'kjuːpisəns; kən-; -pə-] *s* **1.** Sinnen-, Fleischeslust *f*, Sinnlichkeit *f.* – **2.** Gelüst(e) *n*, Begierde *f.* — **con'cu·pis·cent** *adj* lüstern, wollüstig, sinnlich. — **con'cu·pis·ci·ble** [-sibl; -sə-] → concupiscent.

con·cur [kən'kɔːr] *v/i pret u. pp* **con'curred 1.** gleichzeitig geschehen, zu'sammenfallen, -treffen (*Ereignisse*). – **2.** *relig.* aufein'anderfallen, auf zwei aufeinanderfolgende Tage fallen (*Feste*). – **3.** einverstanden sein, über'einstimmen (**with** mit, **in** in *dat*): **to ~ with s.o. in thinking** j-s Meinung beistimmen. – **4.** mitwirken, beitragen (**to** zu). – **5.** *jur.* a) zu'sammentreffen, inein'andergreifen (*Rechte*), b) gemeinsam mit anderen Gläubigern Ansprüche auf eine Kon'kursmasse erheben. – **6.** *obs.* zu'sammenlaufen, sich treffen. – *SYN. cf.* **agree.**

con·cur·rence [*Br.* kən'kʌrəns; *Am.* -'kɔːr-] *s* **1.** Zu'sammentreffen *n* (*Ursachen, Umstände etc*). – **2.** *relig.* Zu'sammentreffen *n* (*Feste*). – **3.** Über'ein-, Zustimmung *f*, Einverständnis *n.* – **4.** Mitwirkung *f*, gemeinsame Tätigkeit. – **5.** *math.* Schnittpunkt *m* (*Linien etc*). – **6.** *jur.* Kon'flikt *m*, Kollisi'on *f* (*Rechte, Ansprüche etc*): ~ **of jurisdiction** Kompetenzstreit. – **7.** *obs.* Konkur'renz *f.* — **con'cur·ren·cy** → concurrence 1–5.

con·cur·rent [*Br.* kən'kʌrənt; *Am.* -'kɔːr-] **I** *adj* **1.** gleichlaufend, nebenein'ander bestehend, gleichzeitig (**with** mit). – **2.** zu'sammenfallend, verbunden. – **3.** zu'sammen-, mitwirkend. – **4.** *jur.* a) gleichberechtigt, kolli'dierend, b) gleich kompe'tent, c) gleichzeitig abgeschlossen (*Pacht, Versicherung etc*). – **5.** über'einstimmend (**with** mit). – **6.** *math.* durch den'selben Punkt gehend: ~ **lines** Linien durch 'einen Punkt. – *SYN. cf.* **contemporary.** – **II** *s* **7.** mitwirkender 'Umstand, Begleit-, Nebenumstand *m.* – **8.** Konkur'rent *m.* — ~ **res·o·lu·tion** *s pol. Am. durch Vereinbarung gleichlautender Beschluß der beiden Kammern einer gesetzgebenden Körperschaft.*

con·cuss [kən'kʌs] *v/t* **1.** *meist fig.* heftig schütteln, erschüttern (**with** durch). – **2.** einschüchtern, durch Drohung zwingen. — **con'cus·sion** [-ʃən] *s* **1.** Erschütterung *f*, Stoß *m.* – **2.** *med.* Erschütterung *f*: ~ **of the brain** Gehirnerschütterung. — **con'cus·sion·al** *adj* Erschütterungs...

con·cus·sion| fuse *s mil.* Erschütterungszünder *m.* — ~ **spring** *s tech.* Stoß-, Federdämpfer *m.*

con·cus·sive [kən'kʌsiv] *adj* erschütternd, eine Erschütterung her'vorrufend.

con·cy·clic [kɒn'saiklik] *adj math.* kon'zyklisch, auf dem 'Umfang des'selben Kreises liegend: ~ **points** konzyklische Punkte.

con·demn [kən'dem] *v/t* **1.** verdammen, verurteilen, abfällig urteilen über (*acc*), miß'billigen, kriti'sieren, tadeln (**as** als; **for, on account of** wegen): **to ~ as untrustworthy** als unglaubwürdig verwerfen. – **2.** *jur.* verurteilen: **to ~ to death** zum Tode verurteilen. – **3.** *jur.* a) (*Schmuggelware etc*) als verfallen erklären, beschlagnahmen, konfis'zieren, b) *Am.* zwangsweise enteignen. – **4.** als falsch bezeichnen, einer Schuld über'führen, verurteilen: **his own words ~ him** er hat sich selbst das Urteil gesprochen; **his very looks ~ him** sein bloßes Aussehen verrät ihn. – **5.** (als unbrauchbar *od.* unbewohnbar) erklären, verwerfen. – **6.** (*Kranke*) für unheilbar erklären, aufgeben. – **7.** *mar.* a) (*ein Schiff*) kondem'nieren, 'ausranˌgieren (*für seeuntüchtig erklären*), b) als Prise erklären, mit Beschlag belegen: **to ~ as a lawful prize** für gute Prise erklären. – *SYN. cf.* **criticize.** — **con'dem·na·ble** [-nəbl] *adj* verdammenswert, zu verdammen(d), verwerflich, strafbar.

con·dem·na·tion [ˌkɒndem'neiʃən] *s* **1.** *bes. jur.* Verurteilung *f*, Schuldigsprechung *f.* – **2.** *fig.* Verdammen *n*, Verurteilen *n*, Verdammung *f*, Mißbilligung *f*, Verwerfung *f*, Tadel *m*: **to incur s.o.'s ~** sich j-s Tadel zuziehen. – **3.** Grund *m* zur Verurteilung: **his conduct was sufficient ~** sein Betragen genügte (als Grund), um ihn zu verurteilen. – **4.** Untauglichkeitserklärung *f.* – **5.** *mar.* a) Kondem'nierung *f*, b) Beschlagnahme *f*: **certificate of ~** Kondemnationsakte. – **6.** *jur.* a) Beschlagnahme *f*, Einziehung *f*, b) *Am.* Zwangsenteignung *f.* — **con·dem·na·to·ry** [*Br.* kən'demnətəri; *Am.* -ˌtɔːri] *adj* **1.** *jur.* verurteilend. – **2.** *fig.* verdammend.

con·den·sa·bil·i·ty [kənˌdensə'biliti; -əti] *s phys.* Verdichtbarkeit *f*, Konden'sierbarkeit *f.* — **con'den·sa·ble** *adj phys.* verdichtbar, konden'sierbar. — **con'den·sate** [-seit] *s chem. phys.* Konden'sat *n*, Kondensati'onsproˌdukt *n.*

con·den·sa·tion [ˌkɒnden'seiʃən] *s* **1.** Konden'sieren *n*, Verdichten *n*, Kondensati'on *f*, Verdichtung *f*, Eindickung *f*, Verflüssigung *f*: ~ **by contact** Oberflächenkondensation. – **2.** Konden'sat *n*, Kondensati'onsproˌdukt *n*, Niederschlag *m*, Schwitzwasser *n.* – **3.** *chem.* Kondensati'on *f.* – **4.** *phys.* a) Kondensati'on *f*, Verdichtung *f* (*Gase etc*), b) Konzentrati'on *f* des Lichtes. – **5.** (*Psychoanalyse*) 'Wiedergabe *f* (zweier *od.* mehrerer Gedanken, Erinnerungen, Gefühle *od.* Im'pulse) durch ein Wort *od.* Wortbild (*in Allegorien, Träumen etc*). – **6.** Zu'sammendrängung *f*, Anhäufung *f*: ~ **point** *math.* Häufungspunkt. – **7.** *fig.* gedrängte Kürze, Abkürzung *f*, Zu'sammenfassung *f*, bündige Darstellung. – **8.** gekürzte Fassung (*eines Romans etc*). — ~ **trail** → contrail.

con·dense [kən'dens] **I** *v/t* **1.** konden'sieren, verdichten, kompri'mieren, zu'sammenpressen. – **2.** *phys.* a) (*Gase etc*) niederschlagen, b) (*Lichtstrahlen*) konzen'trieren. – **3.** *chem.* verdichten, konden'sieren. – **4.** *fig.* zu'sammendrängen, -fassen, gedrängt *od.* kurz darstellen, (ab)kürzen. – **II** *v/i* **5.** sich verdichten, konden'siert werden. – **6.** flüssig werden (*Gase etc*). – *SYN. cf.* contract.

con·densed [kən'denst] *adj* **1.** verdichtet, kompri'miert (*Gase etc*): ~ **table** *math.* reduzierte Verteilungstafel. – **2.** zu'sammengedrängt (*Schrift, Druck etc*). – **3.** abgekürzt, kurz (*Ausdruck*). – **4.** *print.* schmal. — ~ **milk** *s* konden'sierte Milch, Kon'densmilch *f.* — ~ **type** *s print.* schmales Schriftzeichen, schmale Drucktype.

con·dens·er [kən'densər] *s* **1.** *phys. tech.* a) Konden'sator *m*, Verdichter *m*, b) Verflüssiger *m*, Kühler *m*, Kühlrohr *n*, c) Vorlage *f* (*bei Destillationseinrichtungen*). – **2.** *electr.* Konden'sator *m*: **block** ~ Blockkondensator; **tuning** ~ Abstimmkondensator; → **variable** 6. – **3.** (*Optik*) Kon'densor *m* (*zum Vergrößern*), Konden'sator,linse *f.* — ~ **an·ten·na** *s* (*Radio*) geerdete An'tenne, Konden'satoran,tenne *f.* — ~ **ar·ma·ture** *s electr. tech.* Konden'satorbelegung *f*, -belag *m.* — ~ **load** *s electr.* kapazi'tive Belastung. — ~ **mi·cro·phone**, ~ **trans·mit·ter** *s electr.* Konden'satormikro,phon *n.*

con·den·si·ble *cf.* condensable.

con·dens·ing| coil [kən'densiŋ] *s tech.* Kühlschlange *f.* — ~ **lens** *s* (*Optik*) Sammel-, Kondensati'onslinse *f.*

con·de·scend [ˌkɒndi'send] *v/i* **1.** sich her'ablassen, sich (*soweit*) erniedrigen, geruhen, belieben: **to** ~ **to do s.th.** sich herablassen, etwas zu tun; **to** ~ **to s.th.** sich zu etwas herablassen. – **2.** leutselig sein (to gegen). – **3.** ~ **upon** *Scot. od. obs.* (besonders) anführen (*in einem Bericht etc*). – **4.** *obs.* nachgeben, zustimmen. – *SYN. cf.* **stoop**[1]. — ˌ**con·de'scend·ence** *s* **1.** Her'ablassung *f*, Leutseligkeit *f.* – **2.** *jur. Scot.* Spezifi'zierung *f.* — ˌ**con·de'scend·ing** *adj* her'ablassend, leutselig. — ˌ**con·de'scen·sion** *s* Her'ablassung *f*, Leutseligkeit *f.*

con·dign [kən'dain] *adj* **1.** gebührend, angemessen (*bes. Strafe*). – **2.** *obs.* würdig, passend. – **3.** *obs.* gleich würdig, ebenbürtig.

con·di·ment ['kɒndimənt; -də-] *s* Würze *f*, (würzige) Zutat. — ˌ**condi'men·tal** [-'mentl] *adj* würzig.

con·dis·ci·ple [ˌkɒndi'saipl] *s* Mitschüler *m.*

con·di·tion [kən'diʃən] **I** *s* **1.** Bedingung *f*, Abmachung *f*, Festsetzung *f*: (up)on ~ **that** unter der Bedingung, daß; **on** ~ freibleibend; **on** ~ **of his leaving** unter der Bedingung, daß er abreist; **to make s.th. a** ~ etwas zur Bedingung machen; **to obtain favo(u)rable peace** ~**s** günstige Friedensbedingungen erhalten; **implied** ~ stillschweigende Bedingung. – **2.** Vor'aussetzung *f*, (erforderliche) Bedingung, Vorbedingung *f*, Erfordernis *n*: **essential** ~ wesentliche Voraussetzung; **fundamental** ~ Grundbedingung. – **3.** *jur.* a) Bedingung *f*, Klausel *f*, Vertragspunkt *m*, Vorbehalt *m*: → **suspensive** ~. – **4.** einschränkender 'Umstand. – **5.** Zustand *m*, Beschaffenheit *f*: **out of** ~ in schlechtem Zustand; **in a dying** ~ im Sterben. – **6.** Lage *f*: **in every** ~ **of life** in jeder Lebenslage. – **7.** Vermögenslage *f*, Stand *m*, Rang *m*, (gesellschaftliche) Stellung: **persons of** ~ hochgestellte Persönlichkeiten. – **8.** *ling.* Bedingung *f*, (vorgestellter) Bedingungssatz, Protasis *f.* – **9.** (körperlicher *od.* Gesundheits)Zustand *m.* – **10.** *sport* Konditi'on *f*, Form *f.* – **11.** *Am.* a) Nach(trags)prüfung *f*, (*sonstige*) Bedingung (*die Studenten bei Nichterreichen des Studienzieles auferlegt wird*), b) Gegenstand *m* der Nachprüfung: **to work off one's** ~**s** seine Nachprüfungen absolvieren. – **12.** *pl* allgemeine Lage, (Lebens)Bedingungen *pl*, Verhältnisse *pl*: **living** ~**s.** – **13.** *obs.* Na'tur *f*, Veranlagung *f*, Cha'rakter *m.* – **14.** *philos.* Vorbedingung *f*, Vor'aussetzung *f.* – **15.** *obs.* Merkmal *n.* – *SYN. cf.* **state.** – **II** *v/i* **16.** Bedingungen stellen. – **III** *v/t* **17.** (*etwas*) zur Bedingung machen, (aus)bedingen, festsetzen, aus-, abmachen, die Bedingung stellen (**that** daß). – **18.** die Bedingung *od.* Vor'aussetzung sein für, bedingen. – **19.** abhängig machen (**on** von). – **20.** gewissen Bedingungen unter'werfen. – **21.** *ped. Am.* a) (*einem Studenten*) eine Nachprüfung (*od. sonstige Bedingung*) auferlegen, b) eine Nachprüfung (*od. sonstige Bedingung*) erhalten in (*einem Studienfach*): **he** ~**ed French** er mußte im Französischen eine Nachprüfung ablegen. – **22.** (*etwas*) auf seinen Zustand *od.* seine Beschaffenheit prüfen, konditio'nieren. – **23.** in den richtigen *od.* gewünschten Zustand bringen: **to** ~ **the air of a room** die Luft eines Zimmers (mittels Klimaanlage *etc*) verbessern, ein Zimmer lüften. – **24.** *sport* in Form bringen, fit machen, trai'nieren. – **25.** *philos.* unter bestimmten Vor'aussetzungen erkennen *od.* verstehen, unter bestimmte Begriffe bringen.

con·di·tion·al [kən'diʃənl] **I** *adj* **1.** bedingt (**on, upon** durch), abhängig (**on, upon** von), freibleibend, eingeschränkt: ~ **acceptance** bedingte Annahme (*Waren, Schecks etc*); ~ **sale** freibleibender Verkauf. – **2.** ausbedungen, vertragsgemäß. – **3.** *ling.* konditio'nal, Bedingungs...: ~ **clause** (*od.* **sentence**) Bedingungssatz; ~ **mood** Konditionalis. – **4.** *philos.* a) hypo'thetisch, b) eine hypothetische Prä'misse enthaltend: ~ **proposition** hypothetischer Satz. – **II** *s* **5.** Bedingungswort *n*, bedingender Ausdruck. – **6.** *ling.* a) Bedingungs-, Konditio'nalsatz *m*, Bedingung *f*, b) Bedingungsform *f*, Konditio'nalis *m*, c) Be'dingungspar,tikel *f.* – **7.** *philos.* hypo'thetischer Satz. — **con,di·tion'al·i·ty** [-'næliti; -əti] *s* Bedingtheit *f.*

con·di·tion·al prob·a·bil·i·ty *s* (*Statistik*) bedingte Wahr'scheinlichkeit.

con·di·tioned [kən'diʃənd] **I** *adj* **1.** bedingt, eingeschränkt, beschränkt, abhängig: ~ **reflex** *med.* bedingter Reflex. – **2.** beschaffen, geartet: **best-**~ von bester Beschaffenheit; **he was not** ~ **to** er war nicht in der Verfassung, zu. – **3.** in gutem Zustand, von guter Beschaffenheit. – **4.** *philos.* unter bestimmte Begriffe ('unter)gebracht, bedingt, rela'tiv. – **II** *s* **5.** *philos.* a) **the** ~ das Begrenzte (*die Welt*), b) Folgesatz *m* (*einer Bedingung*). — **con'di·tion·er** *s* **1.** *tech.* Konditio'nierappa,rat *m.* – **2.** *agr.* Bodenverbesserer *m.*

con·do·la·to·ry [*Br.* kən'doulətəri; *Am.* -ˌtɔːri] *adj* Beileid bezeigend, Beileids... — **con'dole I** *v/i* sein Beileid bezeigen, kondo'lieren: **to** ~ **with s.o. on s.th.** j-m kondolieren *od.* sein Beileid ausdrücken zu etwas. – **II** *v/t obs.* trauern über (*acc*). — **con'dole·ment** *s* **1.** → **condolence.** – **2.** Trauern *n*, Trauer *f*, Wehklagen *n*, Kummer *m.* — **con'do·lence** *s* Beileid(sbezeigung *f*) *n*, Kondo'lenz *f*: **letter of** ~ Beileidsbrief; **visit of** ~ Kondolenzbesuch. – *SYN. cf.* **pity.**

con·dom ['kɒndəm] *s med.* Kon'dom *m*, Präserva'tiv *n.*

con·do·min·i·um [ˌkɒndə'miniəm] *s* **1.** *jur.* Mitbesitz *m.* – **2.** *pol.* Kondo'minium *n*: a) *gemeinsame Herrschaft mehrerer Staaten über ein Gebiet*, b) *das so beherrschte Gebiet.*

con·do·na·tion [ˌkɒndo'neiʃən] *s* **1.** Verzeihung *f*, Vergebung *f.* – **2.** *jur.* Verzeihung *f* eines ehelichen Fehltritts. — **con·done** [kən'doun] *v/t* **1.** verzeihen, vergeben, entschuldigen, nachsehen. – **2.** die Verzeihung (*eines Vergehens*) her'beiführen. – **3.** *jur.* (*einen ehelichen Fehltritt*) verzeihen. – *SYN. cf.* **excuse.**

con·dor ['kɒndɔːr; -dər] *s* **1.** *zo.* (*ein*) Kondor *m*, Kammgeier *m*, *bes.* a) Andischer Kondor (*Sarcorhamphus gryphus*), b) Kaliforn. Kondor *m* (*S. californianus*). – **2.** Condor *m* (*südamer. Goldmünze*).

con·dot·tie·re [kondot'tjɛre] *pl* **-ri** [-ri] (*Ital.*) *s* **1.** Kondotti'ere *m* (*Söldner- u. Freischarführer im Italien des 14.–16. Jh.*). – **2.** Abenteurer *m.*

con·duce [kən'djuːs; *Am. auch* -'duːs] *v/i* (**to, toward[s]**) dienen, führen, beitragen (zu), förderlich sein (*dat*). – *SYN.* **contribute, redound.** — **con'duc·i·ble** *obs. für* **conducive.** — **con'du·cive** *adj* (**to**) dienlich, förderlich (*dat*), nützlich, ersprießlich (für): **to be** ~ **to** führen *od.* beitragen zu.

con·duct[1] **I** *s* ['kɒndʌkt] **1.** Führung *f*, Leitung *f*, Verwaltung *f*: ~ **of state** Staatsverwaltung; ~ **of war** Kriegführung. – **2.** Führen *n*, Geleit *n*, Begleitung *f*: → **safe-conduct.** – **3.** *fig.* Führung *f*, Betragen *n*, Benehmen *n*, Verhalten *n*: → **line**[1] 9. – **4.** *obs.* Schutzgeleit *n.* – **5.** *fig.* Aus-, 'Durchführung *f* (*Gemälde, Drama etc*). – **II** *v/t* [kən'dʌkt] **6.** führen, geleiten, begleiten: ~**ed tour** a) Führung, b) Gesellschaftsreise (*mit Führer*). – **7.** (*Geschäft etc*) betreiben, führen, leiten, verwalten: **to** ~ **a campaign** einen Feldzug führen; **to** ~ **war** Krieg führen. – **8.** *mus.* (*Orchester*) leiten, diri'gieren. – **9.** *fig.* führen, leiten (**to** zu). – **10.** *reflex* sich betragen, sich benehmen, sich (auf)führen: **he** ~**ed himself well** seine Führung war gut, er benahm sich gut. – **11.** *phys.* (*Wärme, Elektrizität etc*) leiten, als Leiter wirken für. – **III** *v/i* **12.** führen (*Weg etc*) (**to** nach, zu). – **13.** *phys.* leiten, als Leiter wirken. – **14.** *mus.* Diri'gent sein, diri'gieren. – **15.** *Am. obs.* sich betragen. – *SYN.* **control, direct, manage**; *cf.* a) **accompany,** b) **behave.**

con·duct[2] ['kɒndʌkt] *s Br.* Geistlicher *m* am Eton College.

con·duct·ance [kən'dʌktəns] *s electr.* Leitfähigkeit *f*, -vermögen *n*, Wirkleitwert *m.* — **con'duct·ed** *adj* **1.** geleitet, geführt. – **2.** sich ... betragend: **a well-**~ **boy** ein Junge mit gutem Betragen. — **con,duct·i'bil·i·ty** *s phys.* Leitfähigkeit *f*, -vermögen *n.* — **con'duct·i·ble** *adj* leitfähig.

con·duct·ing [kən'dʌktiŋ] *adj phys.* leitfähig. — ~ **arc** *s electr.* leitender (Licht)Bogen. — ~ **wire** *s electr.* Leitungsdraht *m*, Drahtleitung *f.*

con·duc·tion [kən'dʌkʃən] *s* **1.** Leitung *f.* – **2.** *bot.* Saftsteigen *n.* – **3.** *phys.* a) Leitung *f od.* Führung *f* (*Wärme, Elektrizität etc*), b) Leitvermögen *n*, -fähigkeit *f.* – **4.** *med.* Über'tragung *f* von Im'pulsen (*durch das Nervensystem*), 'Überleitung *f.* — **con'duc·tive** *adj phys.* leitend, leitfähig. — **con·duc·tiv·i·ty** [ˌkɒndʌk-

ˈtiviti; -əti] *s* **1.** *phys.* Leitfähigkeit *f*, -vermögen *n*. – **2.** *electr.* (speˈzifisches) Leitvermögen (*eines Kubikzentimeters irgendeines Stoffes*): **characteristic** ~ spezifischer Leitwert.

con·duct mon·ey *s* **1.** Reisegeld *n*, -kosten *pl* (*für Zeugen etc*). – **2.** *mil. Br. hist.* Marschgeld *n*.

con·duc·tor [kənˈdʌktər] *s* **1.** Führer *m*, Leiter *m*, Begleiter *m*. – **2.** Diˈrektor *m*, Leiter *m*, Verwalter *m*. – **3.** *Am.* Schaffner *m*, Kondukˈteur *m*, Zugführer *m*. – **4.** (Omnibus-, Straßenbahn)Schaffner *m*. – **5.** *mus.* Diriˈgent *m* (*Orchester, Chor*). – **6.** *phys.* Leiter *m*. – **7.** *electr.* a) Konˈduktor *m* (*der Elektrisiermaschine*), b) Stromschiene *f*, c) Blitzableiter *m*, d) Leitungsdraht *m*, Zuleitung *f*: ~ **of the cable** Kabelseele; ~ **rail** Leit(ungs)schiene. – **8.** Leiter *m* (*für Flüssigkeiten, Krankheitsstoffe etc*), *bes. Am.* Fallrohr *n* (*für Regenwasser*). – **9.** *med.* ˈFührungs-, ˈLeitinstruˌment *n* (*bei Operationen*). — **conˈduc·torˌship** *s* **1.** Amt *n od.* Tätigkeit *f* eines Leiters *od.* Diriˈgenten *etc.* – **2.** Leitung *f*, Verwaltung *f*. — **conˈduc·tress** [-tris] *s* **1.** Leiterin *f*, Führerin *f*. – **2.** Direkˈtrice *f*. – **3.** *mus.* Diriˈgentin *f*.

con·duit [ˈkɒndit; -duit; -djuit] *s* **1.** Röhre *f*, Rohr-, Wasserleitung *f*, Aquäˈdukt *m*, Kaˈnal *m*. – **2.** Leitung *f*, Weg *m* (*auch fig.*). – **3.** *electr.* a) Rohrkabel *n*, b) Isoˈlierrohr *n* (*für Leitungsdrähte*). – **4.** *geol.* Vulˈkanschlot *m*. – **5.** *obs.* (Spring)Brunnen *m*. — ~ **box** *s electr.* Abzweigdose *f*. — ~ **pipe** *s* Leitungsrohr *n*. — ~ **sys·tem** *s* **1.** *electr.* Isoˈlierrohrsyˌstem *n*, -rohranordnung *f*. – **2.** *tech.* ˈRohrˌleitungssysˌstem *n*.

con·du·pli·cate [kɒnˈdjuːplikit; -plə-; *Am. auch* -ˈduː-] *adj bot.* (*längs*) eingefaltet (*vom Blatt in der Knospe*).

con·dy·lar [ˈkɒndilər] *adj med.* Gelenkknorren... — **ˈcon·dyle** [-dil] *s* Kondylus *m*, Gelenkhöcker *m*, -knorren *m*. — **ˈcon·dyˌloid** [-diˌlɔid; -də-] *adj med.* Gelenkknorren..., Kondylus..., kondylusähnlich: ~ **joint** kondyloideisches Gelenk; ~ **process** Gelenkfortsatz des Unterkiefers, Kopffortsatz. — **ˌcon·dyˈlo·ma** [-ˈloumə] *pl* **-ma·ta** [-tə] *s med.* Kondyˈlom *n*, Feigwarze *f*. — **ˌcon·dyˈlom·a·tous** [-ˈlɒmətəs; -ˈlou-] *adj med.* feigwarzenartig.

cone [koun] **I** *s* **1.** *math.* Kegel *m*, Konus *m*: **blunt** (*od.* **truncated**) ~ stumpfer Kegel, Kegelstumpf; **envelope of a** ~ Kegelmantel; **oblique** ~ schiefer Kegel; **(up)right** (*od.* **right angular**) ~ gerader Kegel. – **2.** *fig.* Kegel *m*, kegelförmige Erscheinung: **luminous** ~ Lichtkegel; **ocular** ~ im Auge hervorgerufener Strahlenkegel; ~ **of resistance** *tech.* Reibungs-, Friktionskegel. – **3.** *bot.* a) (Tannen-, Fichten)Zapfen *m*, b) zapfenartige Bildung. – **4.** kegelförmiger Gegenstand, *z.B.* Waffeltüte *f* (*für Speiseeis*). – **5.** *tech.* a) Konus *m*, b) (*Weberei*) kegelförmige Trommel (*zum Garnaufspulen*), c) Trichter *m*. – **6.** *zo.* → ~ **shell**. – **7.** Bergkegel *m*. – **8.** *med.* Zapfen *m*, Zäpfchen *n* (*in der Netzhaut des Auges*). – **9.** *electr.* Memˈbrane *f*, Konus *m* (*Lautsprecher*). – **10.** *geol.* Butze *f* (*Erzkegel im Taubgestein*). – **II** *v/t* **11.** kegelförmig machen *od.* ausschleifen *od.* ausdrehen. – **12.** (*Seide, Garn etc*) auf eine kegelförmige Spule (auf)wickeln. – **III** *v/i* **13.** *bot.* Zapfen tragen. — ~ **an·chor** *s mar.* kegelförmiger Anker. — ~ **bear·ing** *s tech.* Kegel-, Zapfenlager *n*. — **ˈ~-ˌbear·ing** *adj bot.* zapfentragend. — ~ **bit** *s tech.* konische Bohrspitze, Stollenfeile *f*. — ~ **brake** *s tech.* Konus-, Kegelbremse *f*. — ~ **clutch**, ~ **cou·pling** *s tech.* Kegel-, Konuskupplung *f*.

coned [kound] *adj* **1.** kegelförmig. – **2.** *bot.* zapfentragend.

ˈcone|ˌflow·er *s bot.* Kegelblume *f*, Rudˈbeckie *f* (*Gattg Rudbeckia*). — ~ **fric·tion clutch** *s tech.* Reibungskupplung *f* (*mit Konus*). — ~ **gam·ba** *s mus.* konische Gambe (*Orgelregister*). — **ˈ~ˌhead** *s bot.* Strobiˈlanthes *m*, Zapfenblume *f* (*Gattg Strobilanthes*). — **ˈ~-in-ˈcone** *adj geol.* aus konˈzentrischen Kegeln bestehend, Kegel-in-Kegel-... — ~ **key** *s tech.* Spannhülse *f*. — **ˈ~-ˌlay·er** *s biol.* Zapfenschicht *f* (*in der Netzhaut*). — **ˈ~ˌnose** *s zo.* (*eine*) Kegelnase, (*eine*) Mord-, Raub-, Schreitwanze (*Gattg Conorhinus, bes. C. sanguisugus*). — ~ **of burst**, ~ **of dis·per·sion** *s mil.* Streu(ungs)kegel *m*. — ~ **of rays** *s phys.* kegelförmiges Strahlenbündel.

co·ne·pa·te [ˌkouneiˈpɑːtei], *auch* **ˌco·neˈpa·tl** [-tl] *s zo.* Weißrücken-Skunk *m*, Mexik. Stinktier *n* (*Conepatus mapurito*).

cone| pul·ley *s tech.* Stufenscheibe *f*, konische Scheibe. — **ˈ~-ˌshaped** *adj* **1.** *math. tech.* kegelförmig, konisch. – **2.** *biol.* zapfenförmig. — ~ **shell** *s zo.* Kegelschnecke *f*, Tüte *f* (*Gattg Conus*). — ~ **speak·er** *s* (*Radio*) Konuslautsprecher *m*.

Con·es·to·ga wag·on [ˌkɒnəˈstougə] *s Am. hist.* schwerer, breiträdriger Planwagen.

cone| sug·ar *s* Hutzucker *m*. — ~ **valve** *s tech.* ˈKegelvenˌtil *n*. — ~ **wheel** → cone pulley.

co·ney *cf.* cony.

con·fab [ˈkɒnfæb] *colloq. Kurzform für* **confabulate** *u.* **confabulation**. — **con·fab·u·lar** [kənˈfæbjulər; -bjə-] *adj* im Plauderton gehalten. — **conˈfab·uˌlate** [-ˌleit] *v/i* sich ungezwungen *od.* vertraulich unterˈhalten, plaudern. — **conˌfab·uˈla·tion** *s* **1.** Plaudeˈrei *f*. – **2.** (*Psychiatrie*) Konfabulatiˈon *f*. — **conˈfab·uˌla·tor** [-tər] *s* Plauderer *m*.

con·far·re·a·tion [kɒnˌfæriˈeiʃən] *s antiq.* (höchste Form der) röm. Eheschließung.

con·fect I *v/t* [kənˈfekt] **1.** ˈherstellen, machen. – **2.** zubereiten, mischen. – **3.** *obs.* einmachen, einpökeln. – **II** *s* [ˈkɒnfekt] → **confection** 2.

con·fec·tion [kənˈfekʃən] **I** *s* **1.** Zubereitung *f*, Mischung *f*. – **2.** (mit Zucker) Eingemachtes *n*, Konˈfekt *n*: ~**s** Konfitüren. – **3.** Konfektiˈonsarˌtikel *m* (*Damenkleider etc*). – **4.** *med.* Arzˈneimittel enthaltende Süßigkeit, Latˈwerge *f*. – **II** *v/t* **5.** (*Damenkleider etc*) faˈbrikmäßig ˈherstellen, konfektioˈnieren. – **6.** (*mit Zucker*) einmachen, (*Zuckerwaren*) ˈherstellen. — **conˈfec·tion·ar·y** [*Br.* -nəri; *Am.* -ˌneri] **I** *s* **1.** *bes. Am.* ˌZuckerbäckeˈrei *f*, Konditoˈrei *f*. – **2.** Konˈfekt *n*. – **3.** *obs. für* **confectioner**. – **II** *adj* **4.** Konditorei..., Konfekt... — **conˈfec·tion·er** *s* Zuckerbäcker *m*, Konˈditor *m*. — **conˈfec·tion·er·y** [*Br.* -nəri; *Am.* -ˌneri] *s* **1.** Zuckerwerk *n*, Süßigkeiten *pl*, Süß-, Konditoˈreiwaren *pl*. – **2.** Zuckerbäckergewerbe *n*. – **3.** Konditoˈrei *f*.

con·fed·er·a·cy [kənˈfedərəsi; -drəsi] *s* **1.** Bündnis *n*, Bund *m*. – **2.** Staatenbund *m*, (ˌKon)Föderatiˈon *f*. – **3.** Komˈplott *n*, Verschwörung *f*. – **4.** C~ → **Confederate States of America**.

con·fed·er·ate [kənˈfedərit; -drit] **I** *adj* **1.** verbündet, verbunden, alliˈiert, konfödeˈriert (**with** mit). – **2.** Bundes... – **3.** mitschuldig, mitverschworen. – **4.** C~ *Am. hist.* zu den Konfödeˈrierten Staaten von Aˈmerika gehörig. – **II** *s* **5.** Verbündeter *m*, Alliˈierter *m*, Bundesgenosse *m*. – **6.** Komˈplice *m*, Mitschuldiger *m*, Helfershelfer *m*. – **7.** *Am. hist.* Konfödeˈrierter *m*, Anhänger *m od.* Solˈdat *m* der Konfödeˈrierten Staaten von Aˈmerika im Sezessiˈonskrieg, Südstaatler *m*. – **III** *v/i* [-ˌreit] **8.** sich verbinden, einen Bund *od.* ein Bündnis schließen. – **9.** sich verbünden *od.* vereinigen (**with** mit; **against** gegen). – **IV** *v/t* **10.** verbünden, zu einem Bund vereinigen. – **11.** *reflex* **to** ~ **oneself** ein Komˈplott bilden, sich verschwören. — **C~ States of A·mer·i·ca** *s pl hist.* Konfödeˈrierte Staaten *pl* von Aˈmerika (*Zusammenschluß der 11 Südstaaten 1860/61 im amer. Sezessionskrieg*).

con·fed·er·a·tion [kənˌfedəˈreiʃən] *s* **1.** Bund *m*, Bündnis *n*, Verbindung *f*: **to enter into a** ~ einem Bund beitreten, ein Bündnis eingehen *od.* schließen; → **article** 5. – **2.** (Staaten)Bund *m*, Eidgenossenschaft *f*, poˈlitisches Bündnis: **Germanic C~** Deutscher Bund; **Swiss C~** Schweizer Eidgenossenschaft. — **conˈfed·er·a·tive** [*Br.* -rətiv; *Am.* -ˌreitiv] *adj* einen (Staaten)Bund betreffend, Bundes...

con·fer [kənˈfəːr] *pret u. pp* **-ˈferred** **I** *v/t* **1.** vergleichen (*nur noch im Imperativ*): vergleiche (*abgekürzt* **cf.**). – **2.** (*etwas*) überˈtragen, erteilen, verleihen (**on, upon** *dat*): **to** ~ **a degree (up)on s.o.** j-m einen (akademischen) Grad verleihen; **to** ~ **a favo(u)r upon s.o.** j-m eine Gefälligkeit erweisen; **to** ~ **a living on a clergyman** einem Geistlichen eine Pfründe zuteilen. – *SYN. cf.* **give**. – **II** *v/i* **3.** sich beraten, ratschlagen, sich unterˈhalten, unterˈhandeln, konfeˈrieren (**with** mit). — **con·fer·ee** [ˌkɒnfəˈriː] *s* **1.** *Am.* Konfeˈrenzpartner *m*, -teilnehmer *m*. – **2.** *j-d dem etwas übertragen wird*.

con·fer·ence [ˈkɒnfərəns] *s* **1.** Konfeˈrenz *f*, Beratung *f*, Besprechung *f*, Verhandlung *f*, Zuˈsammenkunft *f*, Sitzung *f*. – **2.** *pol.* Verhandlung *f* zwischen Ausschüssen gesetzgebender Körperschaften. – **3.** *relig.* a) ˈKirchenkonfeˌrenz *f*, gemischte Konfeˈrenz von Klerikern u. Laien, b) C~ (Jahres)Versammlung *f* von Methoˈdisten *od.* Mennoˈniten (*als Verwaltungskörper*), c) Zuˈsammenschluß *m* mehrerer Kirchen einer ˈKirchenproˌvinz. – **4.** *Am.* Verband *m* von Sportsvereinigungen (*Mannschaften*). – **5.** Überˈtragung *f*, Verleihung *f*. — **ˌcon·ferˈen·tial** [-ˈrenʃəl] *adj* Konferenz..., Beratungs...

con·fer·ment [kənˈfəːrmənt] *s* Verleihung *f* (**upon** an *acc*). — **conˈfer·ra·ble** *adj* überˈtragbar. — **con·fer·ree** *cf.* conferee. — **conˈfer·rer** *s* **1.** Verleiher *m*. – **2.** Beratender *m*.

con·fess [kənˈfes] **I** *v/t* **1.** bekennen, (ein)gestehen, anerkennen: **to** ~ **a crime** ein Verbrechen eingestehen; **to** ~ **a debt** eine Schuld anerkennen. – **2.** zugeben, (zu)gestehen, einräumen. – **3.** *reflex* sich (*zu etwas*) bekennen: **to** ~ **oneself to be s.o.'s friend** sich als j-s Freund bekennen; **to** ~ **oneself guilty of s.th.** sich einer Sache schuldig bekennen. – **4.** *bes. relig.* beichten. – **5.** *relig.* (*j-s*) Beichte abnehmen *od.* hören: **to** ~ **s.o.** – **6.** *Bibl. u. poet.* offenˈbaren, kundtun. – **II** *v/i* **7.** (**to**) beichten, sich schuldig bekennen (*gen*, an *dat*), sich bekennen (zu): **to** ~ **to doing s.th.** eingestehen, etwas getan zu haben. – **8.** *relig.* a) beichten, b) Beichte hören. – *SYN. cf.* **acknowledge**. — **conˈfess·ed·ly** [-idli] *adv* zugestandenermaßen, offenbar. — **conˈfess·er** *cf.* **confessor**.

con·fes·sion [kənˈfeʃən] *s* **1.** Bekennen *n*, Bekenntnis *n*. – **2.** Einräumung *f*, Zugeständnis *n*. – **3.** *jur.* Geständnis *n*. – **4.** *jur.* Anerkenntnis *n*, Anerkennung *f* (*Recht etc*): ~ **and avoidance** Anerkennung mit gleichzeitiger Einrede. – **5.** *relig.* Beichte *f*, Sündenbekenntnis *n*: → **auricular** 2; **dying** ~ Beichte auf dem Sterbebett. – **6.** *relig.* Glaubensgemeinschaft *f*. – **7.** *relig.* Konfessi'on *f*, Glaubensbekenntnis *n*. – **8.** *arch. relig.* Grabmal *n od.* Al'tar *m* eines Bekenners *od.* Märtyrers. — **con'fes·sion·al I** *adj* **1.** konfessio'nell, Konfessions..., Bekenntnis... – **2.** bekennend, Beicht... – **II** *s* **3.** *relig.* Beichtstuhl *m*. — **ˌcon'fes·sion·ar·y** [*Br.* -nəri; *Am.* -ˌneri] *adj relig.* die Ohrenbeichte betreffend, Beicht... — **con'fes·sion·ist** *s relig.* **1.** Angehöriger *m* eines bestimmten Bekenntnisses (*bes. Lutheraner*), Bekenntnistreuer *m*. – **2.** Beichtender *m*.

con·fes·sor [kən'fesər] *s* **1.** Bekennender *m*, Beichtender *m*. – **2.** *relig.* Beichtiger *m*, Beichtvater *m*. – **3.** Bekenner *m*, Glaubenszeuge *m*: **Edward the C~** Eduard der Bekenner (*König Eduard III.*). – **4.** *jur.* Anerkenner *m* (*Verpflichtung etc*).

con·fet·ti *s pl* **1.** [kən'feti] Kon'fetti *pl*. – **2.** [kon'fɛtti] (*Ital.*) Kon'fekt *n*, Bon'bons *pl*.

con·fi·dant [ˌkɒnfi'dænt; -fə-] *s* Vertrauter *m*, Mitwisser *m*. — **ˌcon·fi'dante** [-'dænt] *s* Vertraute *f*, Mitwisserin *f*.

con·fide [kən'faid] **I** *v/i* **1.** (in) sich anvertrauen (*dat*), sein Vertrauen setzen (auf *acc*). – **2.** vertrauen (in *dat od.* auf *acc*): **to ~ in s.o.** j-m vertrauen, j-m Vertrauen schenken, sich auf j-n verlassen. – **II** *v/t* **3.** (*j-m etwas*) anvertrauen: a) vertraulich mitteilen, b) zu treuen Händen über'geben: **she ~d her plan to them; to ~ a task to s.o.** – *SYN. cf.* **commit.**

con·fi·dence ['kɒnfidəns; -fə-] *s* **1.** (in) Vertrauen *n* (auf *acc*, zu), Zutrauen *n* (zu): **to have** (*od.* **place**) **~ in s.o.** zu j-m Vertrauen haben, in j-n Vertrauen setzen; **to take s.o. into one's ~** j-n ins Vertrauen ziehen; **to be in s.o.'s ~** j-s Vertrauen genießen, j-s Vertrauensmann sein; **in ~** im Vertrauen, vertraulich. – **2.** Selbstvertrauen *n*, Zuversicht *f*, Kühnheit *f*. – **3.** Dreistigkeit *f*. – **4.** vertrauliche Mitteilung: **to exchange ~s** Geheimnisse mit j-m austauschen. – **5.** *pol.* Vertrauen *n* (in die Re'gierung): **vote of ~** Vertrauensvotum; **vote of no ~** Mißtrauensvotum. – **6.** feste Über'zeugung. – *SYN.* **aplomb, assurance, self-possession.** — **~ course** *s mil.* Mutprobebahn *f*. — **~ game,** *Br.* **~ trick** *s* ˌBauernfänge'rei *f*. — **~ lim·its** *s pl* sta'tistisches Zahlenpaar (*zur Abschätzung u. Feststellung einer Bevölkerungseigenschaft*). — **~ man** *s irr* Bauernfänger *m*, Schwindler *m*. — **~ trick** *Br. für* **confidence game.** — **~ trick·ster** → **confidence man.**

con·fi·dent ['kɒnfidənt; -fə-] **I** *adj* **1.** über'zeugt, gewiß, sicher, (*auf etwas*) bauend: **~ of victory** siegesgewiß; **to be ~ that s.th. will happen** überzeugt sein, daß etwas geschieht. – **2.** zuversichtlich, des Erfolges gewiß. – **3.** selbstsicher, kühn. – **4.** anmaßend, dreist, keck. – **5.** *obs.* vertrauend, zutraulich. – **II** *s* **6.** Vertrauter *m*.

con·fi·den·tial [ˌkɒnfi'denʃəl; -fə-] *adj* **1.** vertraulich, geheim, pri'vat: **private and ~** streng vertraulich. – **2.** Vertrauen genießend, vertraut, Vertrauens...: **~ clerk, ~ secretary** Privatsekretär; **~ person** Vertrauensperson. – **3.** in'tim, vertraulich: **~ communication** *jur.* vertrauliche Mitteilung (*an einen Anwalt, Priester, Ehegatten etc, für die auch vor Gericht Schweigepflicht besteht, wenn dies beansprucht wird*). — **ˌcon·fi'den·tial·ly** *adv* unter dem Siegel der Verschwiegenheit, vertraulich, im Vertrauen, pri'vatim, in'tim. — **ˌcon·fi'den·tial·ness** *s* Vertraulichkeit *f*.

con·fid·ing [kən'faidiŋ] *adj* vertrauend, vertrauensvoll, zutraulich. — **con'fid·ing·ness** *s* Zutraulichkeit *f*.

con·fig·u·ra·tion [kənˌfigju'reiʃən; -jə-] *s* **1.** Bildung *f*, (*äußere*) Gestaltung, Bau *m*: **~ of the skull** Schädelbau. – **2.** *geol.* Struk'tur *f*. – **3.** *astr.* a) Konfigurati'on *f*, A'spekt(e *pl*) *m*, b) Sternbild *n*. – **4.** *chem. phys.* A'tomanordnung *f* in Mole'külen. – **5.** *phys.* Elek'tronenanordnung *f*: **~ interaction** Wechselwirkung zwischen Elektronenanordnungen; **~ of flow** Stromlinienbild. – **6.** *math.* Fi'gur *f*, Zu'sammenstellung *f*, Konfigurati'on *f*. – **7.** *psych.* Gestalt *f*. – *SYN. cf.* **form.** — **conˌfig·u'ra·tion·al** *adj* die Struk'tur *od.* Konfigurati'on betreffend. — **conˌfig·u'ra·tionˌism** *s* Ge'staltpsycholoˌgie *f*. — **con'fig·u·ra·tive** [-rətiv; -ˌreitiv] *adj* entsprechend gebildet.

con·fig·ure [kən'figər; *Am. auch* -gjər] *v/t* **1.** formen, bilden, gestalten (to nach). – **2.** *astr.* grup'pieren.

con·fin·a·ble [kən'fainəbl] *adj* zu begrenzen(d), zu beschränken(d) (to auf *acc*).

con·fine I *s* ['kɒnfain] *meist pl* **1.** Grenze *f*, Grenzgebiet *n*, *fig.* Rand *m*, Schwelle *f*: **on the ~s of death** am Rande des Todes. – **2.** [kən'fain] *obs.* Gebiet *n*. – **3.** *poet.* Gefangenschaft *f*. – **4.** *obs.* Gefängnis *n*. – **II** *v/i* [kən'fain] **5.** *selten* (an)grenzen (on, with an *acc*). – **III** *v/t* **6.** begrenzen, beschränken, einschränken, einengen (to auf *acc*; **within** in): **to ~ oneself to** *reflex* sich beschränken auf. – **7.** einschließen, einsperren, einkerkern. – **8.** (*j-s*) Bewegungsfreiheit einschränken, (*j-n*) am Ausgehen hindern, *fig.* fesseln: **to be ~d to bed** bettlägerig sein. – **9.** *pass* (of) niederkommen (mit), gebären (*acc*): **to be ~d of a boy** von einem Knaben entbunden werden. – *SYN. cf.* **limit.** — **con'fine·a·ble** *cf.* **confinable.** — **con'fined** *adj* **1.** begrenzt, beschränkt: **~ by dikes** eingedämmt. – **2.** in den Wochen liegend. – **3.** *med.* verstopft. — **con'fin·ed·ness** [-idnis] *s* Beschränktheit *f*.

con·fine·ment [kən'fainmənt] *s* **1.** Beschränkung *f*, Einschränkung *f*, Einengung *f*, Beengung *f*. – **2.** Zu'hausebleiben *n*, Unpäßlichkeit *f*, Bettlägerigkeit *f*. – **3.** Beengtheit *f*. – **4.** Niederkunft *f*, Wochenbett *n*. – **5.** Gefangenschaft *f*, Haft *f*: **close ~** strenge Haft; **solitary ~** Einzelhaft; **to place under ~** in Haft nehmen, in Arrest schicken. – **6.** *mil.* Ar'rest(strafe *f*) *m*.

con·firm [kən'fəːrm] *v/t* **1.** befestigen, bestärken, bekräftigen: **the news ~ed my resolution** die Nachricht bestärkte mich in meinem Entschluß. – **2.** (*j-s Stellung, Macht etc*) festigen. – **3.** bestätigen, ratifi'zieren, für gültig erklären: **to ~ by oath** beschwören, eidlich erhärten. – **4.** (*die Richtigkeit, Wahrheit*) bestätigen, erweisen: **this ~ed my suspicions** dies bestätigte meinen Verdacht; **she ~ed his words** sie bestätigte die Richtigkeit seiner Aussage. – **5.** (*j-n in einem Amte etc*) bestätigen. – **6.** *relig.* a) konfir'mieren, b) firme(l)n. – *SYN.* **authenticate, corroborate, substantiate, validate, verify.** — **con'firm·a·ble** *adj econ. jur.* **1.** zu bestätigen(d), erweisbar, ratifi'zierbar (*Urkunden*). – **2.** bestätigungsfähig.

con·fir·ma·tion [ˌkɒnfər'meiʃən] *s* **1.** Bestätigen *n*, Bekräftigen *n*. – **2.** Bestätigung *f*: **in ~ of our conversation** in Bestätigung unseres Gespräches. – **3.** Stärkung *f*, Bekräftigung *f*. – **4.** Beweis *m*, Zeugnis *n*, Beglaubigung *f*: **~ of signature** Unterschriftsbeglaubigung. – **5.** *relig.* a) Konfirmati'on *f*, b) Firm(el)ung *f*. — **con·firm·a·tive** [kən'fəːrmətiv] → **confirmatory** 1. — **con'firm·a·to·ry** [*Br.* -təri; *Am.* -ˌtɔːri] *adj* **1.** bestätigend, beglaubigend, bekräftigend, Bestätigungs... – **2.** *relig.* a) Konfirmations..., b) Firm(el)ungs...

con·firmed [kən'fəːrmd] *adj* **1.** bestätigt, bestärkt. – **2.** fest, bestimmt. – **3.** eingewurzelt, eingefleischt, Erz...: **~ bachelor** eingefleischter Junggeselle; **~ drunkard** Gewohnheitssäufer, Trunkenbold. – **4.** chronisch (*Krankheit*): **she is a ~ invalid** sie ist immerfort krank. – *SYN. cf.* **inveterate.** — **con'firm·ed·ness** [-idnis] *s* Eingewurzeltsein *n*. — **con·fir·mee** [ˌkɒnfər'miː] *s relig.* a) Konfir'mand *m*, Konfir'mierter *m*, b) Firmling *m*. — **con'firm·er** *s* Bestätiger(in). — **con·firm·or** [ˌkɒnfər'mɔːr; kən'fəːrmər] *s jur.* **1.** Bestätiger(in), Zeuge *m*, Zeugin *f*. – **2.** Aussteller(in) einer Bestätigung.

con·fis·ca·ble [kən'fiskəbl] *adj* konfis'zierbar, einziehbar.

con·fis·cate ['kɒnfisˌkeit] **I** *v/t* beschlagnahmen, einziehen, konfis'zieren. – *SYN. cf.* **arrogate.** – **II** *adj* verfallen, beschlagnahmt, konfis'ziert. — **'con·fisˌcat·ed** → **confiscate** II. — **ˌcon·fis'ca·tion** *s* **1.** Konfiskati'on *f*, Einziehung *f*, Beschlagnahme *f*, Verfallserklärung *f*, Konfis'zierung *f*. – **2.** eingezogenes *od.* beschlagnahmtes Gut. — **'con·fisˌca·tor** [-tər] *s* Konfis'zierende(r). — **con·fis·ca·to·ry** [*Br.* kən'fiskətəri; *Am.* -ˌtɔːri] *adj* **1.** die Beschlagnahme verhängend. – **2.** Beschlagnahme... – **3.** *econ.* wie Beschlagnahme wirkend: **~ taxes** ruinierende Steuern.

Con·fit·e·or [kən'fitiˌɔːr] *s relig.* Con'fiteor *n* (*allgemeines Schuldbekenntnis als Teil der röm.-kath. Liturgie*).

con·fi·ture ['kɒnfiˌtʃur; -ˌtjur] *s* Konfi'türe *f*, Zuckerwerk *n*.

con·fla·grant [kən'fleigrənt] *adj* brennend, feurig (*auch fig.*).

con·fla·grate ['kɒnfləˌgreit] **I** *v/t* in Flammen setzen, verbrennen (*auch fig.*). – **II** *v/i* entbrennen, Feuer fangen (*auch fig.*). — **ˌcon·fla'gra·tion** *s* Feuersbrunst *f*, Brand *m*. — **'con·flaˌgra·tive** *adj* in Brand setzend, Brand...

con·flate [kən'fleit] *v/t* (*zwei Lesarten*) verschmelzen, vereinigen (into in *acc*). — **con'fla·tion** *s* Verschmelzung *f* (*zweier Lesarten*).

con·flict I *s* ['kɒnflikt] **1.** feindlicher Zu'sammenstoß, Kampf *m*, Ringen *n*, Kon'flikt *m*. – **2.** Kon'flikt *m*, 'Widerstreit *m*, -spruch *m*: **to come into ~ with s.o.** mit j-m in (Wider)Streit geraten. – **3.** Kontro'verse *f*, Streit *m*: **~ of ideas** Ideenkonflikt; **~ of laws** Widerspruch in den Gesetzen, Gesetzeskonflikt. – **4.** Zu'sammenprall *m* (*Wogen etc*). – *SYN. cf.* **discord.** – **II** *v/i* [kən'flikt] **5.** (with) in Kon'flikt stehen, (sich) wider'sprechen (mit), im Widerspruch stehen, im Gegensatz stehen (zu): **~ing laws** einander widersprechende Gesetze. – **6.** *obs.* streiten, kämpfen. — **con'flic·tion** *s* 'Widerstreit *m*.

con·flu·ence ['kɒnfluəns] *s* **1.** Zu'sammenfluß *m*. – **2.** Zu'sammenströmen *n*, Zustrom *m* (*Menschen*). – **3.** (Menschen)Auflauf *m*, Gewühl *n*, Menge *f*. – **4.** *med. zo.* Zu'sammenwachsen *n*. – **5.** *tech.* Konflu'enz *f*. —

'con·flu·ent I *adj* **1.** zu'sammenfließend, -laufend. – **2.** *med.* a) zu-

'sammenwachsend, b) inein'ander verlaufend. – **II** *s* 3. Neben-, Zufluß *m*. — **con·flux** ['kɒnflʌks] → confluence 1-3.

con·fo·cal [kɒn'foukəl] *adj math.* den'selben Brennpunkt habend, konfo'kal, mit gemeinsamen Brennpunkten.

con·form [kən'fɔːrm] **I** *v/t* **1.** in gleiche Form bringen, anpassen (to *dat od.* an *acc*): to ~ oneself to s.th. sich einer Sache *od.* an etwas anpassen; to ~ s.th. to a model etwas nach einer Vorlage bilden. – **2.** in Einklang *od.* Über'einstimmung bringen. – **II** *v/i* **3.** sich anpassen, sich angleichen (to *dat*). – **4.** über'einstimmen, im Einklang stehen. – **5.** *relig. Br.* sich in den Rahmen der angli'kanischen Staatskirche einfügen, anglikanisch sein. – *SYN. cf.* a) adapt, b) agree. — **con,form·a'bil·i·ty** *s* **1.** Gleichförmigkeit *f*, Angemessenheit *f*. – **2.** Fügsamkeit *f*. – **3.** *geol.* gleiche Schichtung. — **con'form·a·ble** *adj* **1.** (to, with) kon'form, über'einstimmend, gleichförmig (mit), entsprechend, angemessen (*dat*): ~ to law gesetzlich. – **2.** vereinbar (with mit). – **3.** fügsam, unter'würfig. – **4.** *geol.* gleichstreichend, -gelagert. — **con'form·a·ble·ness** → conformability. — **con'form·al** *adj math.* kon'form: ~ projection konforme *od.* winkeltreue Projektion *od.* Abbildung. — **con'form·ance** *s* **1.** Anpassen *n*, Über'einstimmung *f*: in ~ with in Übereinstimmung mit, gemäß (*dat*). – **2.** Anpassung *f* (to an *acc*).

con·for·ma·tion [ˌkɒnfɔːr'meiʃən] *s* **1.** Angleichung *f*, Anpassung *f* (to an *acc*). – **2.** Unter'würfigkeit *f*, Fügsamkeit *f* (to gegen'über). – **3.** Gestalt(ung) *f*, Form *f*, (Körper)Bau *m*, Struk'tur *f*. – **4.** Formgebung *f*. – **5.** Gleichförmigkeit *f*, über'einstimmendes Verhalten. – **6.** *chem.* Conformati'on *f* (*gegenseitige Anordnung der Substituenten an benachbarten C-Atomen*). – *SYN. cf.* form.

con·form·er [kən'fɔːrmər], **con'form·ist** *s* **1.** j-d der sich anpaßt, angleicht *od.* fügt. – **2.** *Br. hist.* Konfor'mist(in) (*Anhänger der engl. Staatskirche*). — **con'form·i·ty** *s* **1.** Gleichförmigkeit *f*, Über'einstimmung *f* (with mit): to be in ~ with s.th. mit einer Sache übereinstimmen; in ~ with in Übereinstimmung *od.* übereinstimmend mit, gemäß (*dat*); ~ with law *math.* Gesetzlichkeit; → book 13. – **2.** Anpassung *f*, Fügsamkeit *f* (to gegen'über). – **3.** über'einstimmender Punkt, gleiche Eigenschaft: conformities in style Ähnlichkeiten des Stils. – **4.** *Br. hist.* Konformi'tät *f*, Zugehörigkeit *f* zur engl. Staatskirche. – **5.** Bill of C~ *jur. Antrag eines Nachlaßverwalters beim* Chancery Court (*auf Erlassung eines Entscheids zwecks Befriedigung der Gläubiger*).

con·found [kɒn'faund; kən-] *v/t* **1.** vermengen, durchein'anderbringen: to ~ means with ends Mittel u. Zwecke verwechseln. – **2.** verwirren, in Unordnung bringen. – **3.** (*j-n*) verwechseln (with mit *einer anderen Person*). – **4.** (*j-n*) verwirren, bestürzt machen. – **5.** vernichten, vereiteln. – **6.** *bes. Bibl.* (*j-n*) beschämen. – **7.** *euphem.* (*als Verwünschung*): ~ him! zum Teufel mit ihm! ~ it! zum Henker! verdammt! ~ his cheek! so eine Frechheit! – **8.** *obs.* a) vergeuden, b) wider'legen, c) verderben. – *SYN. cf.* puzzle. — **con'found·ed I** *adj* **1.** verwirrt, bestürzt, verlegen. – **2.** verdammt, verflixt: a) (*als Verwünschung*) scheußlich, b) (*als Verstärkung*) erstaunlich, verteufelt. – **II** *interj* **3.** verteufelt! verflucht! – **III** *adv* **4.** verflucht, verteufelt, verflixt, scheußlich: ~ cold verdammt kalt. — **con'found·ed·ly** → confounded III.

con·fra·ter·ni·ty [ˌkɒnfrə'təːrniti; -nəti] *s* **1.** *bes. relig.* Bruderschaft *f*, Gemeinschaft *f*, Sekte *f*, Vereinigung *f*. – **2.** Brüderschaft *f*, brüderliche Gemeinschaft. – **3.** (Berufs)Genossenschaft *f*. — **'con·frere** [-frɛr] *s* **1.** Mitbruder *m*. – **2.** Genosse *m*, Kol'lege *m*.

con·front [kən'frʌnt] *v/t* **1.** gegen'übertreten, -stehen, -liegen (*dat*): to be ~ed with (*od.* to ~) difficulties Schwierigkeiten gegenüberstehen. – **2.** feindlich *od.* trotzig entgegentreten, die Stirn bieten (*dat*). – **3.** *bes. jur.* gegen'überstellen, konfron'tieren (with mit): to ~ s.o. with a lie j-n Lügen strafen; to ~ s.o. with s.th. j-m etwas entgegenhalten. – **4.** vergleichen, (vergleichend) nebenein'anderstellen. — **con·fron·ta·tion** [ˌkɒnfrən'teiʃən], **con'front·ment** *s* **1.** Gegen'übertreten *n*. – **2.** Gegen'überstellung *f*, Konfrontati'on *f*. – **3.** Vergleichung *f*.

Con·fu·cian [kən'fjuːʃən] **I** *adj* konfuzi'anisch. – **II** *s* Konfuzi'aner(in), Anhänger(in) des Kon'fuzius. — **Con'fu·cian,ism** *s* Konfuzia'nismus *m*. — **Con'fu·cian·ist** → Confucian.

con·fuse [kən'fjuːz] *v/t* **1.** durchein'anderbringen, -werfen, vermengen (with mit). – **2.** in Unordnung bringen, verwirren. – **3.** aus der Fassung bringen, verlegen machen, beschämen. – **4.** (mitein'ander) verwechseln. – **5.** verworren *od.* undeutlich machen: ~d noises verworrene Geräusche. – **6.** *obs.* vernichten. – *SYN.* addle, befuddle, bemuddle, fuddle, muddle. — **con'fused** *adj* **1.** kon'fus, verwirrt, verworren, wirr. – **2.** verlegen, bestürzt. – **3.** undeutlich, unklar. — **con'fus·ed·ness** [-idnis] *s* **1.** Verworrenheit *f*, Durchein'ander *n*. – **2.** Undeutlichkeit *f*. — **con'fus·ing** *adj* verwirrend, irreführend.

con·fu·sion [kən'fjuːʒən] *s* **1.** Verwirrung *f*, Durchein'ander *n*, Konfusi'on *f*: to cause ~ Verwirrung stiften *od.* anrichten. – **2.** große *od.* heillose Unordnung. – **3.** Aufruhr *m*, Lärm *m*. – **4.** Bestürzung *f*, Verlegenheit *f*, Verwirrung *f*: to put s.o. to ~ j-n bestürzt machen, j-n in Verlegenheit bringen; to be in a state of ~ verwirrt *od.* bestürzt *od.* perplex sein. – **5.** Vermengung *f*, Verwechslung *f*. – **6.** geistige Verwirrung, Bewußtseinsstörung *f*. – **7.** Undeutlichkeit *f*, Verworrenheit *f*. – **8.** (*als Verwünschung*): ~ to our enemies! Tod unseren Feinden! to drink ~ to s.o. auf j-n ein Pereat trinken. – **9.** *jur.* Vereinigung *f* (*zweier Rechte*), Verschmelzung *f* (*Güter*). — **con'fu·sion·al** *adj* mit (Gedanken)Verwirrung (verbunden).

con·fut·a·ble [kən'fjuːtəbl] *adj* wider'legbar. — **con·fu·ta·tion** [ˌkɒnfju'teiʃən] *s* **1.** Wider'legung *f*, Über'führung *f* (*durch Argumente etc*). – **2.** wider'legendes Argu'ment. – **3.** (*in der klassischen Rhetorik*) vierter (*der direkten Widerlegung gewidmeter*) Abschnitt (*einer Rede*). — **con'fut·a·tive** *adj* wider'legend, Widerlegungs...

con·fute [kən'fjuːt] *v/t* **1.** (*etwas*) wider'legen, als falsch *od.* unwahr erweisen: to ~ an argument. – **2.** (*j-n*) wider'legen, eines Irrtums *od.* einer Unwahrheit über'führen: to ~ an opponent. – **3.** zu'nichte machen. – **4.** zum Schweigen bringen. – *SYN. cf.* disprove.

con·ga ['kɒŋgə] *s* Conga *f* (*kubanischer Tanz*).

con·gé [kɔ̃'ʒe; 'kɒnʒei] (*Fr.*) *s* **1.** Abschied *m*, Verabschiedung *f*: to give s.o. his ~. – **2.** Beurlaubung *f*. – **3.** förmlicher, höflicher Abschied, Verbeugung *f*, Knicks *m*. – **4.** Entlassung *f*. – **5.** Erlaubnis *f*: ~ d'élire königliche Erlaubnis zur Bischofswahl. – **6.** *arch.* kon'kaver (Säulen)-Fries: lower (upper) ~ Anlauf (Ablauf) (*eines Säulenschaftes*).

con·geal [kən'dʒiːl] **I** *v/t* **1.** gefrieren *od.* gerinnen *od.* erstarren lassen (*auch fig.*). – **II** *v/i* **2.** gefrieren, gerinnen, erstarren. – **3.** *fig.* feste Gestalt annehmen. – **4.** *fig.* erstarren (*vor Entsetzen*). — **con'geal·a·ble** *adj* gerinnbar, gefrierbar. — **con'geal·ed·ness** [-idnis] *s* Geronnensein *n*. — **con'geal·ment** → congelation.

con·gee I *s* ['kɒndʒi] **1.** → congé 1. – **II** *v/i* [kən'dʒiː] *obs.* **2.** Abschied nehmen. – **3.** sich verbeugen.

con·ge·la·tion [ˌkɒndʒi'leiʃən; -dʒə-] *s* **1.** Gefrieren *n*, Gerinnen *n*, Kristalli'sieren *n*: point of ~ Gefrierpunkt. – **2.** Erstarrung *f*, Festwerden *n*: slow ~ *tech.* Abkühlung, langsames Erstarren. – **3.** gefrorene *od.* geronnene Masse.

con·ge·ner ['kɒndʒinər; -dʒə-] **I** *s* **1.** *bes. bot. zo.* gleichartiges, verwandtes Ding *od.* Wesen, Gattungsverwandte(r), -genosse *m*. – **2.** Art-, Stammverwandte(r). – **II** *adj* **3.** verwandt (to mit). — **ˌcon·ge'ner·ic** [-'nerik], *auch* **ˌcon·ge'ner·i·cal** *adj* gleichartig, verwandt, zur gleichen Gattung gehörend. — **con·gen·er·ous** [kən'dʒenərəs] *adj bes. bot. zo.* gleichartig, über'einstimmend, verwandt (*auch fig.*) (with mit).

con·gen·ial [kən'dʒiːnjəl; -niəl] *adj* **1.** gleichartig, kongeni'al, (geistes-, wahl)verwandt (with mit *od. dat*). – **2.** sym'pathisch (to *dat*): ~ manners sympathisches *od.* gewinnendes Wesen. – **3.** angemessen, zusagend, entsprechend (to *dat*): to be ~ to s.o. j-m passen, j-m zusagen; travel(l)ing is most ~ to his taste Reisen sagt ihm sehr zu. – **4.** passend, geeignet, zuträglich: soil ~ to roses Boden, auf dem Rosen gut gedeihen. – *SYN. cf.* consonant.

con·gen·i·tal [kən'dʒenitl; -nətl] **I** *adj* **1.** *med. zo.* kongeni'tal, angeboren: ~ defect. – **2.** *bot.* kongeni'tal. – **3.** *med.* während der Entwicklung in der Gebärmutter entstanden (*Leiden*). – **4.** *fig.* angeboren, konstitutio'nell, na'türlich (*Instinkt etc*). – *SYN. cf.* innate. – **II** *s* **5.** mit einem angeborenen Leiden behaftetes Wesen.

con·ger ['kɒŋgər], ~ **eel** *s zo.* Meeraal *m* (*Fam. Congridae*), *bes.* Gemeiner Grauer Meeraal (*Conger conger*).

con·ge·ri·es [kɒn'dʒi(ə)riˌiːz; kən-; -riːz] *s sg u. pl* Haufen *m*, Anhäufung *f*, Masse *f*, zu'sammengewürfelte Menge.

con·gest [kən'dʒest] **I** *v/t* **1.** *bot. phys.* inein'ander- *od.* zu'sammendrängen, inein'ander-, hin'überspülen: ~ed oscillation ineinander gedrängte Wellenbewegung. – **2.** *med.* mit Blut über'füllen (*Adern etc*). – **3.** verstopfen, bloc'kieren, über'füllen: traffic mostly becomes ~ed toward(s) evening gegen Abend gibt es meistens Verkehrsstockungen; to ~ the market *econ.* den Markt überschwemmen. – **4.** *obs.* ansammeln, anhäufen. – **II** *v/i* **5.** sich ansammeln, sich verstopfen, sich stauen. – **6.** *med.* mit Blut über'füllt werden, stocken. — **con'gest·ed** *adj* **1.** über'füllt (with von). – **2.** *med.* mit Blut über'füllt. – **3.** über'füllt, -'völkert: ~ area übervölkertes Gebiet.

con·ges·tion [kən'dʒestʃən] *s* **1.** Ansammlung *f*, Anhäufung *f*, Andrang *m*: ~ of population Übervölkerung; ~ of traffic Verkehrsstockung. – **2.** *med.* Kongesti'on *f*, Blutandrang *m*:

~ of the brain Blutandrang zum Gehirn. — **con'ges·tive** *adj* Kongesti'on erzeugend.
con·gi·us ['kɒndʒɪəs] *pl* **-gi·i** [-ˌai] *s* 1. *antiq. röm. Hohlmaß* (= 3,275 l). – 2. *chem.* Gal'lone *f.*
con·glo·bate [kɒn'gloubeit; 'kɒŋgloˌbeit] **I** *adj* (zu'sammen)geballt, kugelig. – **II** *v/i u. v/t* (sich) (zu'sammen)ballen (into zu). — **ˌcon·glo'ba·tion** *s* Kugelbildung *f*, Anhäufung *f*, (Zu'sammen)Ballung *f.* — **con'globe** → conglobate II.
con·glom·er·ate [kən'glɒməˌreit] **I** *v/t* 1. zu'sammenballen, (zu'sammen)knäueln, fest verbinden (to zu). – 2. zu'sammen-, an-, aufhäufen, ansammeln (*auch fig.*). – **II** *v/i* 3. sich zu'sammenballen. – **III** *adj* [-rit] 4. eine rundliche Masse bildend, (zu'sammen)geballt, geknäuelt. – 5. *fig.* zu'sammengewürfelt. – **IV** *s* 6. *geol.* Konglome'rat *n*, Trümmergestein *n.* – 7. *fig.* Anhäufung *f*, Gemisch *n*, zu'sammengewürfelte Masse, Konglome'rat *n.* – 8. *phys. tech.* Gemenge *n*, Gemisch *n.* — **conˌglom·er'at·ic** [-'rætik] *adj geol.* Konglomerat..., Trümmer...: ~ rock Trümmergestein. — **conˌglom·er'a·tion** *s* 1. Anhäufen *n.* – 2. Zu'sammen-, Anhäufung *f*, Zu'sammenwürfelung *f.* – 3. zu'sammengewürfelte Masse, Gemisch *n*, Knäuel *m, n*, Konglome'rat *n.* – 4. *math.* Häufung *f.* – 5. *geol.* Ballung *f.* — **conˌglom·er'it·ic** [-'ritik] → conglomeratic.
con·glu·ti·nate [kən'gluːtiˌneit; -tə-] **I** *v/t* zu'sammenleimen, -kitten. – **II** *v/i* zu'sammenkleben, -haften, sich mitein'ander vereinigen. – **III** *adj* [-nit; -ˌneit] anein'ander-, zu'sammenklebend. — **conˌglu·ti'na·tion** *s* Zu'sammenkleben *n.* — **con'glu·tiˌna·tive** → conglutinate III.
Con·go[1] ['kɒŋgou] *pl* **-gos, -goes** *s* Kongoneger(in).
con·go[2] ['kɒŋgou] → congou.
Con·go| col·o(u)r ['kɒŋgou], **~ dye** *s* Kongofarbstoff *m.* — **c~ eel** *s zo.* 1. → congo snake. – 2. Arm-, Si'renenmolch *m* (*Siren lacertina*). – 3. Schiefmaul *n* (*Crypta canthodes maculatus; schleimfischartiger Fisch*). — **c~ mon·key** *s zo.* (*ein*) Brüllaffe *m* (*Alouatta palliata*). — **~ pa·per** *s* 'Kongopaˌpier *n* (*mit Kongorot gefärbtes Reagenzpapier*). — **~ pea** → pigeon pea. — **~ pink, ~ red** *s* Kongorot *n* (*Azofarbstoff*). — **c~ snake** *s zo.* Aalmolch *m* (*Amphiuma means*).
con·gou ['kɒŋguː] *s* chi'nesischer schwarzer Tee.
con·grat·u·lant [*Br.* kən'grætjulənt; *Am.* -tʃə-] **I** *s* Gratu'lant(in). – **II** *adj* gratu'lierend, Gratulations... — **con'grat·uˌlate** [-ˌleit] *v/t* 1. (*j-m*) gratu'lieren, Glück wünschen, (*j-n*) beglückwünschen (on zu): to ~ oneself on s.th. sich zu etwas gratulieren. – 2. *obs.* a) freudig begrüßen, b) grüßen. – *SYN. cf.* felicitate. — **conˌgrat·u'la·tion** *s* 1. Glückwünschen *n.* – 2. Gratulati'on *f*, Glückwunsch *m*: ~s! ich gratuliere! meinen Glückwunsch! — **con'grat·uˌla·tor** [-tər] *s* Gratu'lant(in). — **con'grat·u·la·to·ry** [*Br.* -ˌleitəri; *Am.* -ləˌtɔːri] *adj* 1. (be)glückwünschend, Glückwunsch..., Gratulations...: ~ speech Glückwunschansprache. – 2. zum Glückwünschen aufgelegt.
con·gre·gate ['kɒŋgriˌgeit] **I** *v/t* 1. (ver)sammeln, zu'sammenscharen. – **II** *v/i* 2. sich (ver)sammeln, sich zu'sammenscharen, zu'sammenkommen. – *SYN. cf.* gather. – **III** *adj* [-git; -ˌgeit] 3. angesammelt, angehäuft. – 4. kollek'tiv.
con·gre·ga·tion [ˌkɒŋgri'geiʃən] *s* 1. Ansammeln *n*, (Ver)Sammeln *n.* – 2. Sammlung *f*, Menge *f.* – 3. Ansammlung *f*, Versammlung *f*, Zu'sammenkunft *f.* – 4. *relig.* Versammlung *f* von Andächtigen, Gemeinde *f*, religi'öse Vereinigung. – 5. *Bibl.* Gemeinschaft *f* der Juden. – 6. *relig.* a) Kardi'nalskongregatiˌon *f*, b) Kongregati'on *f*, Ordensgenossenschaft *f.* – 7. *Br.* a) aka'demische Versammlung (*Universität Oxford*), b) Se'natsversammlung *f* (*Cambridge*). – 8. *Am. hist.* Hundertschaft *f*, (Stadt)Gemeinde *f*, Niederlassung *f.* — **ˌcon·gre'ga·tion·al** *adj relig.* 1. eine Gemeinde *etc* betreffend, Gemeinde..., Versammlungs..., Kongregations... – 2. gottesdienstlich. – 3. C~ indepen'dent, unabhängig, Kongregational...: ~ chapel Kapelle der freien Gemeinden. — **ˌcon·gre'ga·tion·alˌism** *s relig.* 1. Kongregationa'lismus *m*, Sy'stem *n* der Selbstverwaltung der Kirchengemeinde. – 2. C~ Lehre *f* der sich zu einer Gemeinde vereinigenden Indepen'denten. — **ˌCon·gre'ga·tion·al·ist** *s* Kongregationa'list(in), Mitglied *n* einer Gemeinde von Indepen'denten.
con·gre·ga·tive ['kɒŋgriˌgeitiv] *adj* zum Versammeln geneigt.
con·gress I *s* ['kɒŋgres; -is; -əs] 1. Kon'greß *m*, Tagung *f*, Begegnung *f*, Zu'sammenkunft *f.* – 2. *pol. Am.* a) C~ Kon'greß *m*, gesetzgebende Versammlung (*Senat u. Repräsentantenhaus*), b) gesetzliche Dauer eines Kongresses. – 3. gesetzgebende Körperschaft (*bes. einer Republik*). – 4. C~ das 'Unterhaus der span. Cortes. – **II** *v/i* [kən'gres] 5. sich versammeln. — **~ boot** *s Am.* Zugstiefel *m*, Stiefel *m* mit Gummizug.
con·gres·sion·al [kən'greʃənl] *adj* 1. Kongreß... – 2. C~ den amer. Kon'greß betreffend: C~ debates Kongreßdebatten; C~ medal Verdienstmedaille. — **con'gres·sion·al·ist** *s* Anhänger *m* eines Kon'gresses, Mitglied *n* einer Kon'greßparˌtei.
'con·gress|·man [-mən] *s irr pol.* Kon'greßabgeordneter *m* (*bezieht sich nicht auf Senatoren*). — **C~ of In·dus·tri·al Or·gan·i·za·tions** *s pol. Am. bis zur Vereinigung mit der* AFL *im Herbst 1955 einer der beiden führenden Gewerkschaftsverbände in den USA.* — **C~ of Vi·en·na** *s* Wiener Kon'greß *m.* — **'~ˌwom·an** *s irr pol.* Kon'greßabgeordnete *f* (*bezieht sich nicht auf Mitglieder des Senats*).
con·gru·ence ['kɒŋgruəns] *s* 1. Über'einstimmung *f.* – 2. *math.* Kongru'enz *f*, Deckungsgleichheit *f.* — **'con·gru·ent** *adj* 1. (with) über'einstimmend (mit), entsprechend, gemäß (*dat*). – 2. *math.* kongru'ent, deckungsgleich. – 3. *philos.* sich deckend (*Begriffsumfang etc*). — **con·gru·i·ty** [kən'gruiti; -əti; *Br. auch* kɒŋ-] *s* 1. Über'einstimmung *f* (with mit). – 2. Folgerichtigkeit *f*, Bündigkeit *f* (*Beweis etc*). – 3. Geeignetheit *f*, -sein *n*, Angemessenheit *f*, Schicklichkeit *f.* – 4. *relig.* Kongrui'tät *f.* – 5. *math.* Kongru'enz *f*: to be in ~ sich decken, kongruent sein. – 6. Einigungspunkt *m.* — **con·gru·ous** ['kɒŋgruəs] *adj* 1. (to, with) (*in sich*) über'einstimmend (mit), gemäß, folgerichtig, entsprechend (*dat*). – 2. geeignet, passend, schicklich. – 3. *math.* → congruent 2. – *SYN. cf.* consonant. — **'con·gru·ous·ness** → congruity.
con·ic ['kɒnik] **I** *adj* → conical. – **II** *s math.* Kegelschnitt *m.*
con·i·cal ['kɒnikəl] *adj* 1. konisch, kegelförmig. – 2. verjüngt, kegelig, Kegel... — **~ bear·ing** *s tech.* Spitzenlager *n.* — **~ buoy** *s mar.* Kegel-, Spitzboje *f.* — **~ face** *s tech.* kegelförmige Gleit- *od.* Lauffläche. — **~ frus·tum** *s math.* Kegelstumpf *m*, -stutz *m.* — **~ func·tion** *s math.* 'Kegelfunktiˌon *f.*
con·i·cal·ly ['kɒnikəli] *adv* (*auch zu* conic I).
con·i·cal·ness ['kɒnikəlnis] *s* Kegelform *f*, Konizi'tät *f.*
con·i·cal| piv·ot *s* konischer Drehzapfen (*an Uhren*). — **~ point** *s math.* Punkt *m* einer Kegelfläche (*Schnitt*). — **~ re·frac·tion** *s phys. tech.* kegelförmige Strahlenbrechung.
co·nic·e·in [ko'nisiin; 'kouniˌsiːn], **co'nic·eˌine** [-siˌiːn; -ˌsiːn] *s chem.* Conice'in *n* ($C_8H_{15}N$; *Alkaloid aus Schierling*). — **con·i·cine** ['kɒniˌsiːn; -sin] → coniine.
co·nic·i·ty [ko'nisiti; -sə-] *s* Kegelform *f*, Konizi'tät *f.* — **con·i·cle** ['kɒnikəl] *s* kleiner Kegel. — **'con·i·co·cy'lin·dri·cal** ['kɒniko-] *adj* 'konisch-zy'lindrisch. — **con·ic·oid** ['kɒniˌkɔid] **I** *s math.* Fläche *f* zweiter Ordnung. – **II** *adj* kegelförmig, kegelig.
con·ic pro·jec·tion *s* 'Kegelprojektiˌon *f* (*kartographische Darstellung der Erdoberfläche auf einem kugeligen Untergrund, der nachträglich flach ausgerollt wird*).
con·ics ['kɒniks] *s pl* (*als sg konstruiert*) *math.* Lehre *f* von den Kegelschnitten.
con·ic sec·tion *s math.* 1. Kegelschnitt *m.* – 2. *pl* → conics.
co·nid·i·al [ko'nidiəl], **co'nid·i·an** *adj bot.* Ko'nidien betreffend *od.* tragend, konidienartig. — **co'nid·i·oˌphore** [-oˌfɔːr] *s bot.* Ko'nidienträger *m.*
co·nid·i·um [ko'nidiəm] *pl* **-i·a** [-ə] *s bot.* Ko'nidie *f* (*ungeschlechtlich entstehende Spore, bes. bei Pilzen*).
co·ni·fer ['kounifər] *pl* **'co·ni·fers** *od.* **co·nif·er·ae** [ko'nifəˌriː] *s bot.* Koni'fere *f*, Zapfenträger *m*, Nadelbaum *m* (*Klasse Coniferae*). — **co'nif·er·ous** *adj bot.* 1. zapfentragend: ~ wood Nadelholz. – 2. Koniferen..., Nadelholz..., Nadel...
co·ni·form ['kouniˌfɔːrm] *adj* kegelförmig.
co·ni·ine ['kouniˌiːn; -niin; -niːn], *auch* **'co·nin** [-nin] *od.* **'co·nine** [-niːn; -nin] *s chem.* Coni'in *n* ($C_8H_{17}N$; *Alkaloid aus Schierling*). — **co·ni·um** ['kouniəm] *s bot.* Schierling *m* (*Gattg Conium*), *bes.* Gefleckter Schierling (*C. maculatum*).
con·jec·tur·a·ble [kən'dʒektʃərəbl] *adj* erratbar, zu vermuten(d). — **con'jec·tur·al** *adj* 1. auf Vermutung beruhend, mutmaßlich, konjektu'ral. – 2. zu Mutmaßungen geneigt.
con·jec·ture [kən'dʒektʃər] **I** *s* 1. Vermutung *f*, Mutmaßung *f*, Annahme *f*, Konjek'tur *f*: to make a ~ eine Mutmaßung anstellen; to go by ~s sich auf Mutmaßungen einlassen. – 2. (auf Mutmaßungen beruhende) Theo'rie. – 3. *obs.* a) (Traum- *etc*) Deutung *f*, Vor'aussage *f*, b) Vorahnung *f.* – **II** *v/t* 4. vermuten, mutmaßen, erraten, konji'zieren. – **III** *v/i* 5. Mutmaßungen anstellen, raten, mutmaßen (of, about über *acc*). – 6. Konjek'turen machen. – *SYN.* guess, surmise. — **con'jec·tur·er** *s* Mutmaßer(in).
con·join [kən'dʒɔin] *v/t u. v/i* (sich) verbinden, (sich) vereinigen. — **con'joined** *adj* 1. verbunden, verknüpft: ~ manipulation *med.* zweihändige Untersuchung, kombinierter Handgriff. – 2. zu'sammentreffend (*Ereignisse etc*). — **con·joint** [kən'dʒɔint; 'kɒn-] **I** *adj* 1. verbunden, vereinigt, gemeinsam. – 2. Mit...: ~ minister Mitminister. – 3. *mus.* nebenein'ander liegend: ~ degree Nachbarstufe. – **II** *s* 4. *jur.* a) Mitnießer(in), b) Mithaftende(r). — **con'joint·ness** *s* Verbundensein *n.*

con·ju·gal ['kɒndʒugəl] *adj* ehelich, Ehe..., Gatten...: ~ **life** Eheleben; ~ **rights** *jur.* Rechte der Ehegatten aneinander, eheliche Rechte. – *SYN. cf.* matrimonial. — ˌ**con·ju'gal·i·ty** [-'gæliti; -əti] *s* Ehestand *m.*

con·ju·gate ['kɒndʒuˌgeit; -dʒə-] **I** *v/t* **1.** *ling.* konju'gieren. – **2.** *selten* mitein'ander verbinden, verkuppeln, verheiraten. – **II** *v/i* **3.** *biol.* sich paaren. – **III** *adj* [-git; -ˌgeit] **4.** (paarweise) verbunden, gepaart. – **5.** *ling.* wurzelverwandt, paro'nym. – **6.** *math.* (ein'ander) zugeordnet, konju'giert. – **7.** *bot.* paarweise stehend, paarig. – **8.** (*Buchbinderei*) zwei Blatt betreffend, die einen Bogen bilden. – **9.** *chem. med.* konju'giert, assozi'iert: ~ **deviation** konjugierte Abweichung der Augen. – **IV** *s* **10.** *ling.* Paro'nym *n*, wurzel- *od.* stammverwandtes Wort (*z.B. Reiter, Ritter*). – **11.** *chem.* konju'giertes Radi'kal. – **12.** *math.* a) → ~ **axis**, b) → ~ **number**. — ~ **ax·is** *s math.* Nebenachse *f*, konju'gierte Achse. — ~ **com·plex num·bers** *s pl math.* konju'giert kom'plexe Zahlen *pl.* — ~ **con·duc·tors** *s pl electr.* Leiter *pl*, deren Potenti'aländerungen unterein'ander unabhängig sind.

con·ju·gat·ed ['kɒndʒuˌgeitid; -dʒə-] *adj chem.* **1.** durch Koppelung von chemischen Verbindungen *od.* Radi'kalen gebildet. – **2.** konju'gierte Doppelbindungen enthaltend.

con·ju·gate| hy·per·bo·las *s pl math.* konju'gierte Hy'perbeln *pl* mit gemeinsamen Asym'ptoten. — ~ **im·ag·i·nar·y** *s math.* konju'giert imagi'näre Zahl. — ~ **lines** *s pl math.* konju'gierte Linien *pl.* — ~ **num·ber** *s math.* konju'gierte Zahl. — ~ **rays** *s pl phys.* zuein'ander gehörige Einfalls-, Reflexi'onsstrahlen *pl od.* gebrochene Strahlen *pl.*

con·ju·gat·ing tube ['kɒndʒuˌgeitiŋ; -dʒə-] *s bot.* Kopulati'onskaˌnal *m* (*bei fädigen Jochalgen*).

con·ju·ga·tion [ˌkɒndʒu'geiʃən; -dʒə-] *s* **1.** Vereinigung *f*, Verbindung *f.* – **2.** *ling.* a) Konjugati'on *f*, Abwandlung *f* (*Zeitwörter*), b) Konjugationsgruppe *f*: **first** ~ erste Konjugation. – **3.** *bot. zo.* Konjugati'on *f*: a) *der Zellen als geschlechtliche Fortpflanzung mancher Algen u. Pilze*, b) *in vorübergehender Vereinigung von Zellen bestehender Geschlechtsvorgang bei Protozoen.* – **4.** *chem.* Konjugati'on *f* (*der Doppelbindungen od.* π*-Elektronen*). — ˌ**con·ju'ga·tion·al** *adj* **1.** paarweise verbunden. – **2.** Konjugations...

con·ju·ga·tion| ca·nal → conjugating tube. — ~ **cell** *s bot. zo.* Konjugati'onszelle *f* (*bei fädigen Jochalgen*).

con·ju·ga·tive ['kɒndʒuˌgeitiv; -dʒə-] *adj* Konjugations..., Kopulations...: ~ **process** Konjugationsfortsatz.

con·junct [kən'dʒʌŋkt; 'kɒndʒʌŋkt] **I** *adj* **1.** verbunden, verein(ig)t. – **2.** gemeinsam (**with** mit): **a** ~ **attempt** ein gemeinsam unternommener Versuch. – **3.** *jur.* a) beteiligt, mitbetroffen (*Schuldner etc*), b) der Verabredung verdächtig: ~ **person** der Mitwisser-*od.* Mittäterschaft Verdächtiger. – **II** *s* **4.** Genosse *m.* – **5.** Anhängsel *n.* – **6.** → conjuncture 1, 2, 3. – **7.** *ling.* → ~ **consonant**. — ~ **con·so·nant** *s* (*Sanskrit*) Liga'tur *f* (*Konsonantenverbindung ohne Vokale*). — ~ **de·gree** *s mus.* Nachbarstufe *f.*

con·junc·tion [kən'dʒʌŋkʃən] *s* **1.** Verbindung *f*, Vereinigung *f* (*auch fig.*): **movable** ~ **of the bones** bewegliche Gelenkverbindung; **taken in** ~ **with** zusammengenommen *od.* -gefaßt mit. – **2.** Zu'sammentreffen *n.* – **3.** *ling.* Konjunkti'on *f*, Bindewort *n.* – **4.** *astr.* Konjunkti'on *f* (*Zusammentreffen u. Stellung zweier Planeten im gleichen Meridian*). — **con'junc·tion·al** *adj* **1.** *astr.* konjunktio'nal. – **2.** *ling.* Konjunktions...

con·junc·ti·va [ˌkɒndʒʌŋk'taivə] *pl* **-vas,** *auch* **-vae** [-iː] *s med.* Bindehaut *f*, Konjunk'tiva *f* (*Auge*). — ˌ**con·junc'ti·val** *adj med.* Bindehaut...

con·junc·tive [kən'dʒʌŋktiv] **I** *adj* **1.** (eng) verbunden, verknüpft. – **2.** verbindend, Verbindungs...: ~ **tissue** *med.* Bindegewebe. – **3.** *ling.* konjunktivisch, konjunktio'nal: ~ **adverb** verbindendes Umstandswort. – **4.** *math.* konjunk'tiv. – **II** *s* **5.** *ling.* Konjunktiv *m.* — **con'junc·tive·ly** *adv* gemeinsam, vereint. — **con'junc·tive·ness** *s* verbindende Eigenschaft.

con·junc·ti·vi·tis [kənˌdʒʌnkti'vaitis] *s med.* Bindehautentzündung *f*, Konjunkti'vitis *f.*

con·junc·ture [kən'dʒʌŋktʃər] *s* **1.** Konjunk'tur *f*, Zu'sammentreffen *n.* – **2.** Zu'sammentreffen *n* von (*bes. ungünstigen*) 'Umständen, Krise *f.* – **3.** Zustand *m*, Lage *f.* – **4.** *astr.* → conjunction 4. – **5.** *obs.* a) Verbindung *f*, b) Zu'sammenkunft *f.*

con·ju·ra·tion [ˌkɒndʒu(ə)'reiʃən] *s* **1.** feierliche Anrufung (*eines Geistes etc*). – **2.** Beschwörung *f*, Verzauberung *f.* – **3.** Zauberformel *f.* – **4.** Zaube'rei *f*, Zauber *m.* – **5.** Gauke'lei *f*, Kunststück *n*, Zaubertrick *m.* – **6.** *obs.* inständiges Bitten. – **7.** *obs.* Verschwörung *f.*

con·jure I *v/t* **1.** [kən'dʒur] beschwören, inständigst bitten (um). – **2.** ['kʌndʒər; 'kɒn-] (*Geist, Teufel*) beschwören, (an)rufen: ~ **up** heraufbeschwören (*auch fig.*). – **3.** ['kʌndʒər] bezaubern, be-, verhexen, durch Zaubermittel bewirken, (*etwas wohin*) zaubern: **to** ~ **away** wegzaubern, bannen; **to** ~ **into existence** hervorzaubern; **to** ~ **up excuses** Ausreden erfinden; **to** ~ **up spirits** Geister zitieren. – **II** *v/i* ['kʌndʒər; 'kɒn-] **4.** zaubern, hexen. – **5.** Beschwörungen vornehmen, Geister beschwören. – **6.** [kən'dʒur] *obs.* sich verschwören. — ~ **man** ['kʌndʒər; 'kɒn-] *s irr Am. colloq. od. dial.* Hexenmeister *m*, Zauberer *m.*

con·jur·er ['kʌndʒərər; 'kɒn-] *s* **1.** Zauberer *m*, Geisterbeschwörer *m*: **he is no** ~ *fig.* er hat das Pulver nicht erfunden. – **2.** Zauberkünstler *m*, Taschenspieler *m.* – **3.** [kən'dʒu(ə)rər] Beschwöre(nde)r *m*, inständigst Bittender *m.*

con·jure wom·an ['kʌndʒər; 'kɒn-] *s irr Am. colloq. od. dial.* Hexe *f*, Zauberin *f.*

con·jur·ing trick ['kʌndʒəriŋ] *s* Zauberkunststück *n*, Zaubertrick *m.*

con·jur·or [kɒn'dʒu(ə)rər] *s* Mitverschworener *m.*

conk[1] [kɒŋk] *sl.* **I** *s* ‚Riecher' *m*, Nase *f.* – **II** *v/t* (*j-n*) auf die Nase *od.* den Kopf hauen (*schlagen*).

conk[2] [kɒŋk] *s bot.* **1.** Holzfäule *f.* – **2.** kon'solenförmige Pilz-Fruchtkörper *pl* (*an fauligen Stämmen*).

conk[3] [kɒŋk] *v/i sl. meist* ~ **out** ‚streiken', versagen, ‚ka'puttgehen' (*Motor etc*): **the engine** ~**ed out** der Motor setzte aus.

conk·er[1] ['kɒŋkər] *s sl.* Hieb *m* auf die Nase *od.* den Kopf.

conk·er[2] ['kɒŋkər] *s Br.* Schneckenschale *f od.* Ka'stanie *f* für conkers.

conk·ers ['kɒŋkərz] *s pl Br. Knabenspiel, bei dem die Teilnehmer mit einer an einer Schnur befestigten Kastanie, ursprünglich Schneckenschale, versuchen, die des Partners zu zerschlagen.*

conk·y[1] ['kɒŋki] *s sl.* Mensch *m* mit großer *od.* langer Nase.

conk·y[2] ['kɒŋki] *adj* faul, angefault (*pilzbefallene Baumstämme*).

conn [kɒn] *mar.* **I** *v/t* (*Schiff*) leiten, steuern. – **II** *v/i* das Steuern über'wachen.

con·nate ['kɒneit] *adj* **1.** angeboren: ~ **notions** angeborene Ansichten *od.* Begriffe. – **2.** (abstammungs-, art)-verwandt. – **3.** gleichgeartet. – **4.** *biol. bot. zo.* verwachsen: ~**-perfoliate** paarig durchwachsen (*gegenständige Blätter*). — **con·na·tion** [kə'neiʃən] *s biol. bot. zo.* Verwachsung *f.*

con·nat·u·ral [kə'nætʃərəl] *adj* **1.** von gleicher Na'tur (**to wie**), ähnlich, verwandt (**to** *dat*). – **2.** durch Geburt *od.* Abstammung zugehörig, verwandt.

con·nect [kə'nekt] **I** *v/t* **1.** verbinden, verknüpfen (**with** mit). – **2.** eine Verbindung 'herstellen (**with** mit). – **3.** in Zu'sammenhang *od.* in Verbindung bringen, (*im Geist*) verknüpfen: **to** ~ **ideas** Gedanken verknüpfen, Ideen assoziieren; **to become** ~**ed (with)** in Verbindung treten (mit), in verwandtschaftliche Beziehungen treten (zu). – **4.** *tech.* verbinden, koppeln, kuppeln, zu'sammenfügen: **to** ~ **two vaults** zwei Gewölbe miteinander in Verband bringen. – **5.** *electr.* anschließen, verbinden, schalten, Kon'takt 'herstellen zwischen (*dat*). – **6.** (*j-n*) (tele'phonisch) verbinden (**with** mit): **to be** ~**ed** verbunden sein, angeschlossen sein. – *SYN. cf.* join. – **II** *v/i* **7.** in Verbindung *od.* Zu'sammenhang treten *od.* stehen. – **8.** in logischem Zu'sammenhang stehen (**with** mit), sich logisch anschließen (**with** an *acc*). – **9.** *Am.* Anschluß haben (*Eisenbahnzüge*) (**with** an *acc*).

con·nect·ed [kə'nektid] *adj* **1.** verbunden, verknüpft. – **2.** logisch zu'sammenhängend. – **3.** verbunden, verwandt, Beziehungen habend: **to be well-**~ einflußreiche *od.* gute Beziehungen haben; ~ **by marriage** verschwägert. – **4.** verwickelt, betroffen: **to be** ~ **with an affair** in eine Angelegenheit verwickelt sein. – **5.** *tech.* gekoppelt. – **6.** *electr.* verbunden, angeschlossen: ~ **in series** in Serie geschaltet; ~ **in parallel** parallel geschaltet; ~ **load** Gesamtbelastung. — **con'nect·ed·ly** *adv* zu'sammenhängend, logisch: **to think** ~ logisch denken. — **con'nect·ed·ness** *s* **1.** logischer Zu'sammenhang, Folgerichtigkeit *f.* – **2.** *math.* Verbundenheit *f.* — **con'nect·er** *cf.* connector.

con·nect·ing [kə'nektiŋ] *adj* verbindend, Binde..., Verbindungs... — ~ **cord** *s electr.* Verbindungsschnur *f.* — ~ **cross·bar** *s biol.* Verbindungsbalken *m.* — ~ **flange** *s tech.* Anschlußflansch *m.* — ~ **line** *s math.* Verbindungsgerade *f.* — ~ **link** *s* Binde-, Zwischenglied *n.* — ~ **membrane** *s biol.* Verbindungshaut *f.* — ~ **plug** *s electr.* Stecker *m.* — ~ **rod** *s tech.* Pleuel-, Kurbel-, Schubstange *f.* — ~ **shaft** *s tech.* Transmissi'onswelle *f.* — ~ **spring** *s electr.* Kon'taktfeder *f.* — ~ **ter·mi·nal** *s electr.* Anschlußklemme *f.*

con·nec·tion, *bes. Br. auch* **con·nex·ion** [kə'nekʃən] *s* **1.** Verbindung *f*, Verknüpfung *f.* – **2.** *tech.* Verbindungs-, Bindeglied *n*, verbindender Teil: **to serve as a** ~ als Bindeglied dienen; **hot water** ~**s** Heißwasseranlage. – **3.** Zu'sammenhang *m*: **in this** ~ in diesem Zusammenhang; **in** ~ **with this** im Zusammenhang damit. – **4.** per'sönliche Beziehung, Verbindung *f*: **to enter into** ~ **with s.o.** mit j-m in Verbindung treten. – **5.** Verwandtschaft *f*, Bekanntenkreis *m*, Konnexi'onen *pl*, (*einflußreicher*) Bekannter. – **6.** Kundschaft *f*, Klien'tel *f*: **business with first-rate** ~**s** Geschäft mit erstklassigem Kundenkreis; **business** ~**s** geschäftliche Beziehungen,

Geschäftsbeziehungen, -verbindungen. – 7. *electr.* Verbindung *f*, Anschluß *m*, Schaltung *f*. – 8. *tech.* Stutzen *m*, Abzweig *m*, Verkettung *f*. – 9. (*Telephon*) Verbindung *f*, Anschluß *m*. – 10. (*Eisenbahn*) Verbindung *f*, Anschluß *m*: to catch (*Am.* make) one's ~ den Anschluß erreichen. – 11. logischer Zu'sammenhang. – 12. religi'öse *od.* po'litische Gemeinschaft. – 13. *nur* connexion *Br.* Metho'distengemeinschaft *f* (*als Sekte od. Bekenntnis*). – 14. geschlechtliche Beziehung, Geschlechtsverkehr *m*. — **con'nec·tion·al,** *bes. Br. auch* **con'nex·ion·al** *adj* 1. Verbindungs... – 2. *nur* connexional *Br.* der Metho'distengemeinschaft angehörend, die Methodistengemeinschaft betreffend.

con·nec·tive [kə'nektiv] **I** *adj* 1. verknüpfend, verbindend. – **II** *s* 2. *ling.* Bindewort *n*. – 3. *bot. zo.* Nervenlängsstrang *m* im 'Strickleiterˌnervensyˌstem, Binde-, Zellgewebe *n*. – 4. *bot.* Konnek'tiv *n*, Mittelband *n* (*der Staubbeutel*). — ~ **tis·sue** *s bot. med.* Binde-, Zellgewebe *n*.

con·nec·tiv·i·ty [ˌkɒnek'tiviti; -əti] *s* Zu'sammenhang *m*.

con·nec·tor [kə'nektər] *s* 1. Verbinder *m*, verbindender Teil, Anschluß *m*. – 2. *fig.* Bindeglied *n*. – 3. *chem.* Verbindungsschlauch *m*, -klemme *f*. – 4. *electr.* Stecker *m*, Klemmschraube *f*, Kon'taktfeder *f*, Leitungswähler *m*. – 5. Kupplung *f* (*an Eisenbahnwaggons*).

con·nex·ion, con·nex·ion·al *bes. Br. für* connection, connectional.

conn·ing| bridge ['kɒniŋ] *s mar.* Kom'mandobrücke *f*. — ~ **tow·er** *s mar.* Kom'mandoturm *m* (*eines Kriegsschiffs od. Unterseeboots*).

con·nip·tion [kə'nipʃən], *auch* ~ **fit** *s Am. colloq.* hy'sterischer (Wut-, Lach-)Anfall: to go into ~s hysterische Anfälle kriegen.

con·niv·ance [kə'naivəns] *s* 1. wissentliches Gewährenlassen, stillschweigende Einwilligung *od.* Gutheißung. – 2. *jur.* a) Begünstigung *f*, Konni'venz *f* (at, in, with mit, in *dat*), strafbares Einverständnis, b) (*stillschweigende*) Duldung ehebrecherischer Handlungen des Ehepartners.

con·nive [kə'naiv] *v/i* 1. (at) Nachsicht üben (mit), ein Auge zudrücken (bei), stillschweigend dulden, gewähren lassen (*acc*). – 2. *jur.* a) im geheimen Einverständnis stehen (with mit), b) (*bei einer unerlaubten Handlung*) stillschweigend Vorschub leisten: to ~ at s.o.'s escape j-s Flucht stillschweigend dulden (*u. dadurch ermöglichen*). – 3. *Am.* ein Kom'plott schmieden. — **con'niv·ence** *cf.* connivance. — **con'niv·ent** *adj bot. zo.* dicht zu'sammengehend, konver'gierend: ~ valves Darmzotten, -falten.

con·nois·seur [ˌkɒni'səːr; -nə-] *s* (Kunst- *etc*)Kenner *m*: ~ of wines Weinkenner. — **ˌcon·nois'seur·ship** *s* 1. Kennerschaft *f*. – 2. (*die*) (Kunst-)Kenner *pl*.

con·no·ta·tion [ˌkɒno'teiʃən; -nə-] *s* 1. Mitbezeichnung *f*. – 2. Nebenbedeutung *f*, Beiklang *m*. – 3. *ling. philos.* Begriffsinhalt *m*, Bedeutung *f* (*Wort*). — **con·not·a·tive** [kə'noutətiv; 'kɒnoˌteitiv] *adj* 1. mitbezeichnend, mitbedeutend. – 2. logisch um'fassend. – 3. Nebenbedeutungen habend. — **con·note** [kə'nout] *v/t* mitbezeichnen, zu'gleich bedeuten, mit einbegreifen, in sich schließen, den Beiklang haben von. – *SYN. cf.* denote.

con·nu·bi·al [kə'njuːbiəl; *Am. auch* -'nuː-] *adj* 1. ehelich, Ehe... – 2. verheiratet. – *SYN. cf.* matrimonial. — **conˌnu·bi'al·i·ty** [-'æliti; -əti] *s* 1. Ehestand *m*. – 2. *pl* eheliche Zärtlichkeiten *pl*.

co·noid ['kounɔid] **I** *adj* 1. kegelförmig. – 2. *math.* kono'idisch. – **II** *s* 3. *math.* a) Kono'id *n*, b) Kono'ide *f* (*Fläche*). — **co'noi·dal, co'noi·dic, co'noi·di·cal** → conoid I.

conoido- [konəido] *Wortelement mit der Bedeutung* kegelig.

co·nor·mal [kou'nɔːrməl] *adj math.* konor'mal, mit gemeinsamen Nor'malen.

co·no·scen·te [kono'ʃente] *pl* **-ti** [-ti] (*Ital.*) → cognoscente.

co·nour·ish [*Br.* kou'nʌriʃ; *Am.* -'nəːr-] *v/t* zu'sammen ernähren.

con·quer ['kɒŋkər] **I** *v/t* 1. (*Land etc*) erobern, einnehmen: to ~ territories from s.o. j-m Land abgewinnen. – 2. unter'werfen, besiegen, über'winden, -'wältigen, bezwingen. – 3. erringen, erkämpfen: to ~ one's independence seine Unabhängigkeit erringen. – 4. *fig.* bewältigen, bezwingen, Herr werden über (*acc*): to ~ one's feelings seine Gefühle beherrschen. – **II** *v/i* 5. Eroberungen machen, siegen: to stoop to ~ sein Ziel durch Zugeständnisse zu erreichen trachten. – *SYN.* beat, defeat, lick, overcome, overthrow, reduce, rout, subdue, subjugate, surmount, vanquish. — **'con·quer·a·ble** *adj* zu erobern(d), besiegbar, über'windlich. — **'con·quer·ing** *adj* erobernd, siegreich. — **'con·quer·or** [-rər] *s* 1. Eroberer *m*, (Be)Sieger *m*: (William) the C~ *hist.* Wilhelm der Eroberer. – 2. *Kastanie, die die anderen im Conkerspiel besiegt hat.* – 3. *colloq.* Entscheidungsspiel *n*: to play the ~.

con·quest ['kɒŋkwest; 'kɒn-] *s* 1. Unter'werfung *f*, -'jochung *f*, Eroberung *f*. – 2. Erringung *f*. – 3. Über'windung *f*, Besiegung *f*, Sieg *m* (*auch fig.*). – 4. *jur.* a) *Scot.* Gütererwerbung *f* (*außer durch Erbschaft*), b) (*das so erworbene*) Gut. – 5. erobertes Gebiet *od.* Land. – 6. *fig.* ‚Eroberung' *f* (*Person, deren Gunst man erworben hat*): to make a ~ of s.o. j-n erobern *od.* für sich gewinnen. – *SYN. cf.* victory.

con·qui·an ['kɒŋkiən] *s* (*Kartenspiel*) (*Art*) Rommé *n* (*für 2 Personen*).

con·quis·ta·dor [kɒn'kwistəˌdɔːr] *pl* **-dors, -do·res** [-'dɔːres] *s hist.* Konquista'dor *m* (*span. Eroberer Mexikos u. Perus im 16. Jh.*).

con·san·guine [kɒn'sæŋgwin], **ˌcon·san'guin·e·ous** [-iəs] *adj* blutsverwandt. — **ˌcon·san'guin·i·ty** *s* Blutsverwandtschaft *f*, nahe Verwandtschaft.

con·science ['kɒnʃəns] *s* 1. Gewissen *n*: a good (bad, guilty) ~ ein gutes (schlechtes, schuldiges) Gewissen. – 2. Gewissenhaftigkeit *f*. – 3. *obs.* a) Bewußtsein *n*, b) (*das*) Innere, innerstes Denken. –

Besondere Redewendungen:

a matter of ~ eine Gewissenssache, -frage; in (all) ~ a) gewiß, sicherlich, wahrhaftig, b) nach bestem Wissen u. Gewissen; upon my ~ auf mein Wort, gewiß; my ~! mein Gott! for ~ sake um das Gewissen zu beruhigen; to have s.th. on one's ~ etwas auf dem Gewissen haben; to have the ~ to do s.th. die Frechheit *od.* Stirn besitzen, etwas zu tun; pangs of ~ Gewissensbisse.

con·science clause *s jur.* Gewissensklausel *f*.

con·science·less ['kɒnʃənslis] *adj* gewissen-, skrupellos.

con·science| mon·ey *s* Reugeld *n*, freiwillige (*bes.* ano'nyme) Zahlung für hinter'zogene Steuern. — **'~-ˌproof** *adj* abgebrüht, gegen Gewissensregungen abgehärtet. — **'~-ˌstrick·en,** *auch* **'~-ˌsmit·ten** *adj* von Gewissensbissen gepeinigt, reuevoll, reuig.

con·sci·en·tious [ˌkɒnʃi'enʃəs] *adj* gewissenhaft, Gewissens... – *SYN. cf.* upright. — **ˌcon·sci'en·tious·ness** *s* Gewissenhaftigkeit *f*.

con·sci·en·tious ob·jec·tor *s* 1. Kriegsdienstverweigerer *m* (*aus Gewissensgründen*). – 2. *Br.* Impfgegner *m*.

con·scion·a·ble ['kɒnʃənəbl] *adj obs.* 1. gewissenhaft. – 2. gerecht, billig.

con·scious ['kɒnʃəs] *adj* 1. *pred* bei Bewußtsein, im Besitz des Bewußtseins: he is ~ er ist bei Bewußtsein. – 2. bewußt: to be ~ that wissen *od.* Kenntnis haben, daß; to be (*od.* feel) ~ of s.th. von etwas wissen *od.* Kenntnis haben; to be ~ of s.th. sich einer Sache bewußt sein, von einer Sache überzeugt sein. – 3. Bewußtsein habend, denkend: a ~ being. – 4. bewußt (schaffend): ~ artist bewußt arbeitender Künstler. – 5. ins Bewußtsein gerückt, dem Bewußtsein gegenwärtig. – 6. schuldbewußt: to look ~ betreten aussehen. – 7. befangen, gehemmt. – 8. bewußt, mit Vorbedacht, absichtlich: a ~ liar ein bewußter Lügner. – 9. *fig.* mitwissend (to um). – *SYN. cf.* aware. — **'con·scious·ly** *adv* bewußt, wissentlich.

-conscious [kɒnʃəs] *Wortelement mit der Bedeutung* a) empfänglich für (*etwas Gutes*), empfindlich gegen (*etwas Schlechtes*), b) bewußt: class~.

con·scious·ness ['kɒnʃəsnis] *s* 1. (of) Sichbe'wußtsein *n* (*gen*), Wissen *n* (von *od.* um). – 2. Bewußtsein(szustand *m*) *n*: to lose ~ das Bewußtsein verlieren. – 3. (Gesamt)Bewußtsein *n*, Gedanken *pl*, Gefühle *pl*: the moral ~ of a nation das ethische Empfinden eines Volkes.

con·scribe [kən'skraib] *v/t mil.* einziehen, -berufen, zwangsweise ausheben.

con·script I *adj* ['kɒnskript] 1. zwangsweise verpflichtet: ~ labo(u)r. – 2. *mil.* einberufen, eingezogen: ~ soldiers. – 3. *antiq.* in die röm. Sena'torenliste eingetragen. – **II** *v/t* [kən'skript] 4. *mil.* einziehen, -berufen, zwangsweise ausheben. – **III** *s* ['kɒnskript] 5. Wehrdienstpflichtiger *m*, Einberufener *m*, ausgehobener Re'krut *od.* Sol'dat, Konskri'bierter *m*, (*in Österreich*) Jungmann *m*. — ~ **fa·thers** *s pl* 1. *antiq.* (*die*) röm. Sena'toren *pl*. – 2. Sena'toren *pl* von Ve'nedig (*im Mittelalter*). – 3. Mitglieder *pl* einer gesetzgebenden Körperschaft.

con·scrip·tion [kən'skripʃən] *s* 1. Zwangsaushebung *f*, Konskripti'on *f*, Einberufung *f*. – 2. *auch* universal ~ *mil.* allgemeine Wehrpflicht. – 3. *auch* ~ of wealth Kriegssteuer *f*, Vermögensbesteuerung *f*, -abgabe *f*.

con·se·crate ['kɒnsiˌkreit] **I** *v/t* 1. *relig.* konse'krieren, weihen, einsegnen. – 2. widmen: to ~ one's life to an idea. – 3. heiligen: a custom ~d by tradition. – **II** *v/i* 4. *relig.* konse'krieren, die Wandlung voll'ziehen (*in der Messe*). – *SYN. cf.* devote. – **III** *adj* 5. geweiht (to s.th. einer Sache). – 6. geheiligt. — **ˌcon·se'cra·tion** *s* 1. *relig.* a) Weihe *f*, Weihung *f*, b) Einsegnung *f*, c) Konsekrati'on *f*, Wandlung *f*, d) Bischofs-, Priesterweihe *f*. – 2. Widmung *f*, 'Hingabe *f* (to an *acc*). — **'con·seˌcra·tive** *adj* weihend, einsegnend. — **'con·seˌcra·tor** [-tər] *s* Weihender *m*. — **con·se·cra·to·ry** [*Br.* 'kɒnsiˌkreitəri; *Am.* -ˌtɔːri] → consecrative.

con·se·cu·tion [ˌkɒnsi'kjuːʃən] *s* 1. (Aufein'ander)Folge *f*, Serie *f* (*Ereignisse* *etc*). – **2.** *ling.* Wort-, Zeitfolge *f*: ~ **of tenses.** – **3.** logische Folge.

con·sec·u·tive [kən'sekjutiv; -kjə-] **I** *adj* **1.** aufein'anderfolgend: **for three ~ weeks** drei Wochen hintereinander. – **2.** konseku'tiv, abgeleitet, folgernd: ~ **clause** *ling.* Konsekutiv-, Folgesatz. – **3.** sich ergebend (to aus). – **4.** *med.* nachfolgend, Folge...: ~ **symptoms** Folgeerscheinungen. – **5.** *mus.* paral'lel fortschreitend (*Intervalle*): ~ **fifths** Quintenparallelen. – **6.** *math.* un'endlich nahe. – **7.** *chem.* Folge...: ~ **reaction** Folgereaktion. – *SYN.* **successive.** – **II** *s* **8.** *pl, auch* ~ **intervals** *mus.* Paral'lelfortschreitungen *pl*, (Inter'vall)Paral,lelen *pl.* — **con'sec·u·tive·ly** *adv* nach-, hinterein'ander. — **con'sec·u·tive·ness** *s* **1.** Aufein'anderfolgen *n.* – **2.** logische Aufein'anderfolge.

con·sec·u·tive| points, ~ **poles** *s pl* (*Magnetismus*) Folgepunkte *pl*, -pole *pl* (*ausgezeichnete Punkte od. Pole einer magnetischen Dipolfolge*).

con·se·nes·cence [ˌkɒnsi'nesns] *s* **1.** gleichzeitiges Altwerden. – **2.** allgemeiner Verfall.

con·sen·su·al [kən'senʃuəl; -sjuəl] *adj* **1.** *jur.* auf bloßer mündlicher Über'einkunft *od.* gegenseitiger Zustimmung beruhend: ~ **contract** obligatorischer Vertrag. – **2.** unwillkürlich, Reflex...: ~ **motion** Reflexbewegung.

con·sen·sus [kən'sensəs] *pl* **-sus·es** [-iz] *s* **1.** allgemein über'einstimmende Meinung, (allgemeine) Über'einstimmung: ~ **of opinion** übereinstimmende Meinung, allseitige Zustimmung; **the ~ is against revision** die allgemeine Meinung ist gegen eine Revision. – **2.** *med.* Über'einstimmung *f*, Wechselwirkung *f* (*einzelner Organe*). – **3.** *relig.* for'melles Glaubensbekenntnis, Festlegung *f* eines Glaubenssatzes.

con·sent [kən'sent] **I** *v/i* **1.** (to) zustimmen (*dat*), einwilligen (in *acc*). – **2.** sich bereit erklären (to do s.th. etwas zu tun). – **3.** nachgeben. – **4.** *obs.* über'einstimmen. – *SYN. cf.* **assent.** – **II** *s* **5.** (to) Zustimmung *f* (zu), Einwilligung *f* (in *acc*), Genehmigung *f* (für), 'Ehekon,sens *m*: **age of ~** *jur.* Mündigkeitsalter; **with one ~** einstimmig, einmütig; **with the ~ of** mit Genehmigung von; → **common 3; silence 1.** – **6.** *obs.* Einklang *m.* — **con,sen·ta'ne·i·ty** [-tə'ni:iti; -əti] *s* **1.** Über'einstimmung *f.* – **2.** Einstimmigkeit *f*, Einmütigkeit *f.* — **con·sen·ta·ne·ous** [ˌkɒnsen'teiniəs] *adj* **1.** (to, with) zustimmend (*dat od.* zu), über'einstimmend (mit). – **2.** einmütig, einstimmig. – **3.** mit allgemeiner Zustimmung. — **ˌcon·sen'ta·ne·ous·ness** → **consentaneity.** — **con·sent·ful** [kən'sentful; -fəl] *adj* völlig über'ein- *od.* zustimmend.

con·sen·tience [kən'senʃəns] *s* Über'einstimmung *f.* — **con'sen·tient** *adj* **1.** über'einstimmend, einstimmig, einmütig. – **2.** (to) zustimmend (*dat*), einwilligend (in *acc*). — **con·sen·tive** → **consentient.**

con·sent rule *s jur.* beurkundetes (Schuld)Anerkenntnis eines Beklagten (*wegen falscher Angaben*).

con·se·quence ['kɒnsiˌkwens; -sə-; *Br. auch* -kwəns] *s* **1.** Folge *f*, Resul'tat *n*, Ergebnis *n*, Konse'quenz *f*: **bad ~s** schlimme Folgen; **in ~** infolgedessen, deshalb, daher; **in ~ of** infolge von (*od. gen*); **to take the ~s** die Folgen tragen; **with the ~ that** mit dem Ergebnis, daß. – **2.** Folgerung *f*, Schluß(satz) *m.* – *SYN. cf.* **effect.** – **3.** Bedeutung *f*, Wichtigkeit *f*: **a matter of some (no) ~** eine Sache von ziemlicher (ohne) Bedeutung; **it is of no ~** es hat nichts auf sich. – **4.** Einfluß *m*, Ansehen *n*: **a person of great ~** eine bedeutende *od.* einflußreiche Persönlichkeit. – *SYN. cf.* **importance.** – **5.** *astr.* Fortgehen *n* eines Gestirns (*von einem in das folgende Zeichen*).

con·se·quent ['kɒnsiˌkwent; -sə-; *Br. auch* -kwənt] **I** *adj* **1.** (nach)folgend (on, upon auf *acc*): **to be ~ on s.th.** die Folge von etwas sein, einer Sache folgen. – **2.** folgerichtig, konse'quent. – **II** *s* **3.** Folge(erscheinung) *f.* – **4.** *philos.* logische Folge, Folgerung *f*, Schluß *m.* – **5.** *ling.* Nachsatz *m.* – **6.** *math.* 'Hinterglied *n* (*eines Verhältnisses*). — **ˌcon·se'quen·tial** [-'kwenʃəl] *adj* **1.** (on) (logisch) folgend (auf *acc*), sich ergebend (aus): **to be ~ on s.th.** auf etwas folgen, sich aus etwas ergeben. – **2.** folgerichtig, logisch richtig, konse'quent. – **3.** wichtigtuend, über'heblich, hochtrabend. – **4.** mittelbar, 'indiˌrekt. – **5.** *selten* gewichtig. — **ˌcon·seˌquen·ti'al·i·ty** [-ʃi'æliti; -əti], **ˌcon·se'quen·tial·ness** *s* **1.** Folgerichtigkeit *f.* – **2.** ˌWichtigtue'rei *f.* — **'con·seˌquent·ly** *adv* **1.** als Folge, in der Folge. – **2.** daher, folglich, infolge'dessen, deshalb.

con·se·quent| points, ~ **poles** *s pl* (*Magnetismus*) Folgepunkte *pl*, -pole *pl.*

con·serv·a·ble [kən'sə:rvəbl] *adj* konser'vierbar. — **con'serv·an·cy** *s* **1.** Erhaltung *f.* – **2.** 'Forsterhaltung *f*, -konˌtrolle *f.* – **3.** *Br.* Kon'trollbehörde *f* über Forste, Häfen u. Schiffahrt u. zur Erhaltung der Fische'rei: **Thames C~ Board** Strom- u. Hafengericht.

con·ser·va·tion [ˌkɒnsər'veiʃən] *s* **1.** (Aufrecht)Erhaltung *f*, Konser'vierung *f*, Bewahrung *f*: ~ **of areas** *phys.* Flächenerhaltung; ~ **of electricity** *electr.* Erhaltung der elektr. Ladung; ~ **of energy (mass, matter, momentum)** *phys.* Erhaltung der Energie (Masse, Materie, des Moments). – **2.** Na'turschutz *m* (*von Forsten etc*). – **3.** Na'turschutzgebiet *n.* – **4.** Konser'vieren *n* (*verderblicher Waren etc*). — **ˌcon·ser'va·tion·al** *adj* bewahrend. — **ˌcon·ser'va·tion·ist** *s* Anhänger(in) des Na'turschutzgedankens.

con·serv·a·tism [kən'sə:rvəˌtizəm] *s* **1.** Konserva'tismus *m*, konserva'tive Grundsätze *pl.* – **2.** C~ *Br.* Grundsätze *pl* u. Ziele *pl* der konserva'tiven Par'tei. — **con'serv·a·tist** → **conservative 5** *u.* **6.** — **con'serv·a·tive I** *adj* **1.** erhaltend, bewahrend, konser'vierend: ~ **force** erhaltende Kraft. – **2.** konserva'tiv, am Alt'hergebrachten festhaltend. – **3.** mäßig, vorsichtig: **a ~ estimate** eine vorsichtige Schätzung. – **4.** C~ *pol.* konserva'tiv, der konservativen Par'tei angehörend (*od. ihre Politik unterstützend*). – **II** *s* **5.** konserva'tiv denkende Per'son. – **6.** *pol.* Konserva'tiver *m*, Mitglied *n* der Konservativen Par'tei: **C~** (*in England*) Konservativer, Tory. – **7.** Erhaltungs-, Konser'vierungsmittel *n.* — **con'serv·a·tive·ness** → **conservatism 1.**

Con·serv·a·tive Par·ty *s pol.* Konserva'tive Par'tei (*Großbritanniens*).

con·ser·va·toire [kənˌsə:rvə'twa:r] *s mus. bes. Br.* Konserva'torium *n*, Mu'sikakadeˌmie *f*, Hochschule *f* für Musik (*od. andere Künste*).

con·ser·va·tor ['kɒnsərˌveitər; kən'sə:rvətər] *s* **1.** (amtlicher) Konser'vator, Mu'seumsdiˌrektor *m.* – **2.** *Br.* Mitglied *n* der 'Stromkommissiˌon: ~ **of the river Thames** *Titel des* **Lord Mayor** *von London als Vorsitzender des* **conservancy.** – **3.** Erhalter *m*, Beschützer *m*: ~ **of the peace** Erhalter des Friedens (*Titel des engl. Königs u. einiger Würdenträger*). – **4.** *jur. Am.* Vormund *m* (*eines Geisteskranken etc*).

con·serv·a·to·ry [*Br.* kən'sə:rvətri; *Am.* -ˌtɔ:ri] **I** *s* **1.** *bes. Br.* Treib-, Gewächshaus *n*, Wintergarten *m.* – **2.** *Am. für* **conservatoire.** – **3.** *obs.* Aufbewahrungsort *m.* – **II** *adj* **4.** erhaltend, bewahrend, konser'vierend. – **5.** konserva'tiv. – **6.** *jur.* verwahrend. – **7.** *Br.* 'strompoliˌzeilich.

con·serve I *s* [kən'sə:rv; *Am. auch* 'kɑnsə:rv] **1.** *meist pl* Eingemachtes *n*, Kon'serve *f.* – **2.** Kon'fekt *n*, Zuckerwerk *n.* – **3.** *chem. med.* arz'neimittelhaltiges Kon'fekt. – **II** *v/t* [kən'sə:rv] **4.** erhalten, bewahren. – **5.** (*Obst etc*) einmachen, konser'vieren. – **6.** *fig.* (*Brauch etc*) beibehalten, aufrechterhalten.

con·sid·er [kən'sidər] **I** *v/t* **1.** nachdenken über (*acc*), Betrachtungen anstellen über (*acc*). – **2.** betrachten *od.* ansehen als, halten für: **to ~ s.o. (to be) a rascal** j-n als einen Gauner ansehen; **to ~ s.th. (to be) a mistake** etwas für einen Fehler halten. – **3.** sich über'legen, ins Auge fassen, in Erwägung ziehen, erwägen: **I shall ~ it** ich werde es mir überlegen; **to ~ buying a car** den Kauf eines Wagens in Erwägung ziehen. – **4.** berücksichtigen, in Betracht ziehen: **all things ~ed** wenn man alles erwägt. – **5.** Rücksicht nehmen auf (*acc*), denken an (*acc*): **he never ~s others** er nimmt nie auf andere Rücksicht, er denkt nie an andere. – **6.** achten, respek'tieren. – **7.** glauben, meinen, denken, annehmen: **don't ~ that** glaube das nicht. – **8.** *obs.* a) eingehend betrachten, genau unter'suchen, b) (*j-n*) entschädigen *od.* belohnen. – **II** *v/i* **9.** nachdenken, über'legen. – **10.** *obs.* aufmerksam schauen. – *SYN.* **contemplate, revolve, study, weigh.** — **con'sid·er·a·ble I** *adj* **1.** beachtlich, beträchtlich, ansehnlich. – **2.** bedeutend, wichtig. – **II** *s* **3.** *Am. colloq.* eine ganze Menge, nicht wenig, viel: **he has done ~ for his country.** — **con'sid·er·a·ble·ness** *s* Beträchtlichkeit *f*, Bedeutung *f.* — **con'sid·er·ance** *obs. für* **consideration.**

con·sid·er·ate [kən'sidərit] *adj* **1.** aufmerksam, rücksichtsvoll (to, towards gegen). – **2.** taktvoll. – **3.** 'umsichtig, besonnen. – **4.** 'wohldurchˌdacht, über'legt. – **5.** *obs.* a) bedacht (of auf *acc*), b) klug. – *SYN. cf.* **thoughtful.** — **con'sid·er·ate·ness** *s* **1.** Rücksichtnahme *f*, Aufmerksamkeit *f.* – **2.** 'Umsicht *f*, Besonnenheit *f.*

con·sid·er·a·tion [kənˌsidə'reiʃən] *s* **1.** Erwägung *f*, Über'legung *f*: **on** (*od.* **under**) **no ~** unter keinen Umständen; **on further ~** bei weiterer Überlegung; **the matter is under ~** die Angelegenheit wird erwogen; → **take** *b. Redw.* – **2.** Berücksichtigung *f*: **this is a matter for ~** das ist eine Sache, die Berücksichtigung verdient; **in ~ of** in Anbetracht (*gen*). – **3.** Rücksicht(nahme) *f* (for, of auf *acc*): **lack of ~** Rücksichtslosigkeit; **out of ~ for s.o.** aus Rücksicht auf j-n. – **4.** Takt *m*, Zartgefühl *n.* – **5.** (zu berücksichtigender) Beweggrund, Grund *m*: **that is a ~** das ist ein triftiger Grund. – **6.** Belang *m*, Wichtigkeit *f*, Bedeutung *f*: **money is no ~** Geld spielt keine Rolle; **an author of some ~** ein Autor von einiger Bedeutung. – **7.** Entgelt *n*, Entschädigung *f*, Vergütung *f*: **in ~ of** als Entgelt für; **he will do it for a ~** er wird es gegen eine Vergütung tun. – **8.** *jur.* Gegenleistung *f*, Äquiva'lent *n*: **concurrent (executed) ~** gleichzeitige (vorher empfangene) Gegenleistung. – **9.** gerichtliche Entscheidung. – **10.** Re-

ˈspekt *m*, (Hoch)Achtung *f*: with every ~ mit allem Respekt.
con·sid·ered [kənˈsidərd] *adj* **1.** *auch* well-~ durchˈdacht, ˈwohlüberˌlegt. – **2.** geachtet, geschätzt. — **conˈsid·er·ing I** *prep* in Anbetracht (*gen*). – **II** *adv colloq.* den ˈUmständen nach: he is quite well ~ es geht ihm ganz gut, wenn man bedenkt.
con·sign [kənˈsain] **I** *v/t* **1.** (forˈmell) überˈgeben, überˈliefern: to ~ to oblivion. – **2.** (*j-m etwas*) in Verwahrung geben, anvertrauen. – **3.** depoˈnieren, hinterˈlegen: ~ed money Depositengelder. – **4.** vorsehen, beiˈseite legen (for, to für): to ~ a room to s.o.'s use einen Raum für j-s Gebrauch vorsehen. – **5.** *econ.* (*Waren etc*) a) überˈsenden, zusenden, verschicken, konsiˈgnieren, b) adresˈsieren (to an *acc*), c) in Kommissiˈon geben. – **6.** *obs.* mit einem Zeichen *od.* Siegel versehen. – **II** *v/i* **7.** *obs.* a) unterˈschreiben, b) einwilligen. – *SYN. cf.* commit. — **conˈsign·a·ble** *adj* zu überˈweisen(d).
con·sig·na·tar·y [*Br.* kənˈsignətəri; *Am.* -ˌteri] *s* **1.** *jur.* Verwahrer *m*, Deposiˈtar *m.* – **2.** *econ.* Konsignaˈtar *m.*
con·sig·na·tion [ˌkɒnsigˈneiʃən] *s* **1.** *econ.* a) Überˈweisung *f* (*Geld*), Überˈsendung *f* (*Waren*), b) Konsignatiˈon *f*. – **2.** *jur.* a) Hinterˈlegung *f*, b) Hinterˈlegungsvertrag *m.*
con·sign·ee [ˌkɒnsaiˈniː] *s econ.* **1.** Empfänger *m*, Adresˈsat *m.* – **2.** (Ladungs-, Fracht-, Waren)Empfänger *m*, Warenbezieher *m.* – **3.** Auftragnehmer *m*, Konsignaˈtar *m*, Kommissioˈnär *m.*
con·sign·er [kənˈsainər] → consignor.
con·sign·ment [kənˈsainmənt] *s econ.* **1.** Ver-, Überˈsendung *f*, Zusendung *f*, Konsignatiˈon *f*: bill (*od.* letter) of ~ Frachtbrief. – **2.** Lieferung *f*, Sendung *f*, konsiˈgnierte Waren *pl*: ~ on approval Auswahl-, Ansichtsendung; ~ in specie Barsendung. – **3.** Hinterˈlegung *f*: in ~ konsignationsweise, in Kommission. – **4.** Kommissiˈonsware *f*, hinterˈlegte Ware. – **5.** Überˈweisung *f*. – **6.** Zustellung *f*, Speditiˈon *f*. – **7.** Hinterˈlegungsvertrag *m.* — **~ mar·ket·ing, ~ sale** *s econ.* kommissiˈonsweiser Verkauf.
con·sign·or [kənˈsainər; ˌkɒnsaiˈnɔːr] *s* **1.** Überˈweiser *m*, -ˈsender *m*, Absender *m.* – **2.** Hinterˈleger *m*, Depoˈnent *m.* – **3.** *econ.* (Ab)Sender *m* (*Waren*), Verfrachter *m*, Konsiˈgnant *m.*
con·si·li·ence [kənˈsiliəns] *s fig.* Zuˈsammenfallen *n*, Überˈeinstimmen *n.* — **conˈsil·i·ent** *adj fig.* zuˈsammentreffend, überˈeinstimmend.
con·sist [kənˈsist] *v/i* **1.** bestehen, sich zuˈsammensetzen (of aus). – **2.** bestehen (in in *dat*): his task ~s mainly in writing letters seine Arbeit besteht hauptsächlich darin, Briefe zu schreiben. – **3.** sich vertragen, vereinbar sein (with mit). – **4.** *obs.* a) zuˈsammen bestehen (with mit), b) zusammenhalten, sich gegenseitig stützen.
con·sist·ence [kənˈsistəns] → consistency 1 *u.* 2. — **conˈsist·en·cy** *s* **1.** Konsiˈstenz *f*, Beschaffenheit *f*, (Grad *m* der) Festigkeit *od.* Dichtigkeit *f*. – **2.** *fig.* Beständigkeit *f*, Haltbarkeit *f*. – **3.** Konseˈquenz *f*, Folgerichtigkeit *f*. – **4.** (innere) Überˈeinstimmung, Harmoˈnie *f*, Kongruˈenz *f*, Vereinbarkeit *f*. — **conˈsist·ent** *adj* **1.** konseˈquent, folgerichtig, ˈwiderspruchsfrei. – **2.** überˈeinstimmend, verträglich, vereinbar, in Einklang stehend (with mit): to make ~ with in Einklang bringen mit. – **3.** konsiˈstent, fest, dicht, zuˈsammenhaltend, -hängend. – *SYN. cf.* consonant. — **conˈsist·ent·ly** *adv* **1.** im Einklang (with mit). – **2.** durchweg, als Ganzes: a ~ high level ein durchweg hohes Niveau.
con·sis·to·ri·al [ˌkɒnsisˈtɔːriəl] *adj* Konsistorial...
con·sis·to·ry [kənˈsistəri] *s* **1.** ˈKirchenrat *m*, -tribuˌnal *n*, geistliche Behörde, Konsiˈstorium *n.* – **2.** Sitzung *f*, Versammlung *f* (*eines Kirchenrates*). – **3.** Kardiˈnalsversammlung *f*, päpstliche Ratsversammlung. – **4.** *auch* C~ Court bischöfliches Konsiˈstorium der angliˈkanischen Kirche (*Diözesangericht für kirchliche Angelegenheiten*). – **5.** kirchliche Behörde, ˈPresbyterkolˌlegium *n* (*einiger reformierter Kirchen*). – **6.** Versammlungsort *m*, Beratungsraum *m.* – **7.** Ratsversammlung *f*. – **8.** *antiq.* röm. Staatsrat *m.*
con·so·ci·ate [kənˈsouʃiit; -ʃiˌeit] **I** *adj* verbunden. – **II** *s* Genosse *m*, Teilhaber *m.* – **III** *v/i u. v/t* [-ʃiˌeit] (sich) vereinigen, (sich) verbinden. — **conˌso·ciˈa·tion** [-siˈeiʃən] *s* Vereinigung *f*, Bund *m.*
con·sol [ˈkɒnsɒl] *sg von* consols.
con·so·la·tion [ˌkɒnsəˈleiʃən] *s* **1.** Tröstung *f*, Trost *m* (to für): poor (*od.* sorry) ~ schlechter *od.* schwacher Trost; ~ prize Trostpreis. – **2.** Trösten *n.* — **~ game, ~ match, ~ race** *s sport* Trostspiel *n*, -wettkampf *m*, -rennen *n.*
con·sol·a·to·ry [*Br.* kənˈsɒlətəri; *Am.* -ˌtɔːri] *adj* tröstend, tröstlich, trostreich, Trost...
con·sole¹ [ˈkɒnsoul] *s* **1.** *arch.* Konˈsole *f*, Krag-, Tragstein *m.* – **2.** Konˈsole *f*, Wandgestell *n.* – **3.** → ~ table. – **4.** *tech.* Stütze *f*, Strebe *f*, Stützeisen *n*, Vorsprung *m.* – **5.** *mus.* (Orgel)Spieltisch *m.* – **6.** Radioschrank *m*, Muˈsiktruhe *f*.
con·sole² [kənˈsoul] *v/t* (*j-n*) trösten, (*j-m*) Trost zusprechen: to ~ oneself with s.th. sich mit etwas trösten. – *SYN. cf.* comfort. — **conˈsol·er** *s* Tröster(in).
con·sole ta·ble *s* Wandtischchen *n.*
con·sol·i·date [kənˈsɒliˌdeit; -lə-] **I** *v/t* **1.** stärken, festigen (*auch fig.*). – **2.** *mil.* a) (*Truppen*) vereinigen, zuˈsammenziehen, b) (*Stellung*) ausbauen, verstärken. – **3.** *econ.* a) ([*bes. Staats*]-*Schulden*) konsoliˈdieren, funˈdieren, b) (*Emissionen*) vereinigen, (*Aktien*) zuˈsammenlegen, c) (*Gesellschaften*) zuˈsammenschließen. – **4.** *jur.* (*Nießbrauch, Eigentum, Pfründen, Am. auch Schulbezirke*) vereinigen, kombiˈnieren. – **5.** *tech.* verdichten, komˈpakt machen, zuˈsammenpressen. – **II** *v/i* **6.** sich verdichten, fest werden, erstarren. – **7.** sich festigen stark werden (*auch fig.*). – **8.** *econ.* sich vereinigen, sich zuˈsammenschließen. – **III** *adj* → consolidated.
con·sol·i·dat·ed [kənˈsɒliˌdeitid; -lə-] *adj* **1.** fest, dicht, komˈpakt. – **2.** *fig.* gefestigt, verstärkt. – **3.** *econ.* vereinigt, konsoliˈdiert. – **4.** *bot.* komˈpakt, dicht zuˈsammen- *od.* angewachsen, verfestigt. — **~ an·nu·i·ties** → consols. — **~ bal·ance sheet** *s econ.* Geˈmeinschafts-, Konˈzernbiˌlanz *f*. — **~ bond** *s econ.* **1.** konsoliˈdierte ˈWertpaˌpiere *pl.* – **2.** *Am.* durch eine Geˈsamthypoˌthek gesicherte Schuldverschreibung. — **C~ Fund** *s econ. Br.* konsoliˈdierter Staatsfonds (*von Großbritannien*). — **~ in·come state·ment** *s econ.* gemeinsame Gewinn- u. Verlustrechnung (*für die Mitglieder eines Konzerns*). — **~ school** *s Am. Schule, die aus der Vereinigung mehrerer Schulbezirke entstanden ist.*
con·sol·i·da·tion [kənˌsɒliˈdeiʃən; -lə-] *s* **1.** Verdichtung *f*, Komˈpakt-, Festwerden *n.* – **2.** Festigung *f*, Konsoliˈdierung *f*. – **3.** *econ.* Konˈzernbildung *f*, Vereinigung *f*, Fusiˈon *f*. – **4.** vereinigtes Ganzes. – **5.** *jur.* Vereinigung *f*, Kombiˈnierung *f*, Zuˈsammenlegung *f* (*mehrerer Pfründen, Klagen etc*). – **6.** *geol.* Festwerden *n*, Verdichtung *f*. – **7.** *med.* a) Induratiˈon *f*, heilende Verhärtung (*bei Tuberkulose etc*), b) Zuˈsammenheilen *n* (*bei Knochenbrüchen etc*). – **8.** *tech.* naˈtürliche Bodenverdichtung, Eigenverfestigung *f*, Sacken *n* (*des Erdreiches bei Aufschüttungen*). – **9.** *bot.* Zuˈsammen-, Anwachsen *n.* — **~ lo·co·mo·tive** *s tech. Am.* schwere ˈGüterzuglokomoˌtive (*mit 8 angetriebenen Rädern*).
con·sol·i·da·tor [kənˈsɒliˌdeitər; -lə-] *s* **1.** Festmacher *m*, Konsoliˈdator *m.* – **2.** Verdichtungs-, Verfestigungsmittel *n.*
con·sols [kənˈsɒlz; ˈkɒnsɒlz] *s pl econ. Br.* **1.** Konˈsols *pl*, konsoliˈdierte Staatsanleihen *pl*: ~ market Markt für Konsols *od.* Staatsanleihen. – **2.** konsoliˈdierte Aktien *pl.*
con·som·mé [*Br.* kənˈsɔmei; *Am.* ˌkɑnsəˈmei] *s* Konsomˈmee *f* (*klare Kraftbrühe*). – *SYN. cf.* soup¹.
con·so·nance [ˈkɒnsənəns] *s* **1.** Ein-, Zuˈsammen-, Gleichklang *m*, Harmoˈnie *f*: ~ of words Reim, Gleichlaut. – **2.** *mus.* Konsoˈnanz *f*, harˈmonischer Zuˈsammenklang. – **3.** *fig.* Überˈeinstimmung *f*, Harmoˈnie *f*: ~ of opinions Meinungsgleichheit. – **4.** *phys.* Konsoˈnanz *f*, Mitschwingen *n.* — **ˈcon·so·nant I** *adj* **1.** *mus.* konsoˈnant, konsoˈnierend, harˈmonisch zuˈsammenklingend. – **2.** gleichlautend. – **3.** überˈeinstimmend, vereinbar (with mit): ~ terms *philos.* vereinbare Prädikate. – **4.** (to) passend (zu), gemäß, entsprechend (*dat*). – **5.** *ling.* konsoˈnantisch. – **6.** *phys.* mitschwingend. – *SYN.* compatible, congenial, congruous, consistent, sympathetic. – **II** *s* **7.** *ling.* Konsoˈnant *m*, Mitlaut *m*: ~ shifting Lautverschiebung. — **ˌcon·soˈnan·tal** [-ˈnæntl] *adj ling.* konsoˈnantisch, Konsonanten... — **ˈcon·so·nant·ˌism** *s ling.* Konsonanˈtismus *m*, Konsoˈnantensyˌstem *n.* — **ˈcon·so·nant·ly** *adv* überˈeinstimmend.
con·so·nate [ˈkɒnsəˌneit] *v/i* mittönen, mitlauten. — **ˈcon·soˌnat·ing** *adj phys.* mitschwingend, konsoˈnant: ~ cavities mitschwingende Hohlräume. — **ˈcon·so·nous** *adj* zuˈsammenklingend, harˈmonisch, gleichstimmig.
con·sort I *s* [ˈkɒnsɔːrt] **1.** Gemahl(in), Gatte *m*, Gattin *f*: king ~, prince ~ Prinzgemahl. – **2.** Gefährte *m*, Gefährtin *f*. – **3.** *mar.* a) Begleit-, Geleitschiff *n*, b) Rotte *f*. – **4.** *obs.* a) Partner(in), Gesellschafter(in), b) Gesell-, Partnerschaft *f*, c) Überˈeinstimmung *f*, -ˈeinkunft *f*, d) Wohlklang *m.* – **II** *v/i* [kənˈsɔːrt] **5.** (with) verkehren, ˈumgehen (mit), sich gesellen (zu). – **6.** pakˈtieren. – **7.** *fig.* (with) überˈeinstimmen, harmoˈnieren (mit), passen (zu). – **III** *v/t* **8.** vereinigen, zuˈsammenführen, -bringen. – **9.** *obs.* begleiten. — **conˈsort·er** *s* Gefährte *m*, Genosse *m.* — **conˈsor·ti·um** [-ʃiəm] *pl* **-ti·a** [-ʃiə] *s* **1.** *jur.* (eheliche) Gemeinschaft. – **2.** Genossenschaft *f*, Vereinigung *f*, Konˈsortium *n.* – **3.** *econ.* (*internationales*) Fiˈnanzkonˌsortium, Bankengruppe *f*.
con·sound [kənˈsaund; ˈkɒn-] *s bot.* **1.** (*eine*) Bein-, Schwarzwurz, (*ein*) Beinwell *m* (*Gattg Symphytum*). – **2.** Kriechender Günsel (*Ajuga reptans*). – **3.** → daisy 1. – **4.** Acker-, Feld-, Rittersporn *m*, Otˈtilienkraut *n* (*Delphinium consolida*).
con·spe·cies [kɒnˈspiːʃiːz; kən-] *s zo.* ˈUnterart *f*, Varieˈtät *f*. — **ˌcon·spe-**

ˈcif·ic [-spəˈsifik] *adj zo.* zu derˈselben ˈUnterart *od.* Varieˈtät gehörend.
con·spec·tus [kənˈspektəs] *s* **1.** (allgemeine) ˈÜbersicht. – **2.** Zuˈsammenfassung *f*, Abriß *m*, Resüˈmee *n*. – *SYN. cf.* **abridgment.**
con·sperse [kənˈspəːrs] *adj zo.* (*dicht u. unregelmäßig*) gesprenkelt, gefleckt.
con·spi·cu·i·ty [ˌkɒnspiˈkjuːiti; -əti] → **conspicuousness.**
con·spic·u·ous [kənˈspikjuəs] *adj* **1.** deutlich sichtbar, in die Augen fallend. – **2.** auffallend, auffällig. – **3.** *fig.* bemerkenswert, herˈvorragend (for wegen): **to be ~ by one's absence** durch Abwesenheit glänzen; **to render oneself ~** sich hervortun, die Aufmerksamkeit auf sich lenken; **~ service** *mil.* hervorragende Dienste. – *SYN. cf.* **noticeable.** — **conˈspic·u·ous·ness** *s* **1.** Sichtbarkeit *f*, Augenfälligkeit *f*. – **2.** Auffälligkeit *f*. – **3.** Ansehnlichkeit *f*, Berühmtheit *f*.
con·spir·a·cy [kənˈspirəsi] *s* **1.** Verschwörung *f*, Konspiratiˈon *f*, Komˈplott *n*: **~ of silence** verabredetes Stillschweigen. – **2.** *selten* Zuˈsammenwirken *n*. – *SYN. cf.* **plot.** — **conˈspir·a·tor** [-tər] *s* Verschwörer *m*. — **conˌspir·aˈto·ri·al** [-ˈtɔːriəl] *adj* **1.** auf geheimem Einverständnis beruhend. – **2.** Verschwörungs... — **conˈspir·a·tress** *s* Verschwörerin *f*. — **conˈspire** [-ˈspair] **I** *v/i* **1.** sich verschwören, ein Komˈplott schmieden, konspiˈrieren (**against** gegen). – **2.** zuˈsammenwirken, -treffen, sich zuˈsammentun: **all things ~ to make him happy** alles trifft zu seinem Glück zusammen. – **II** *v/t* **3.** planen, aushecken, anzetteln. — **conˈspir·er** [-ˈspai(ə)rər] → **conspirator.**
con·spue [kənˈspjuː] *v/t selten* **1.** verachten, verabscheuen. – **2.** die Abschaffung *od.* Entfernung (*einer Sache od. Person*) verlangen.
con·sta·ble [ˈkʌnstəbl; ˈkɒn-] *s* **1.** *bes. Br.* Poliˈzist *m*, Schutzmann *m*, Konˈstabler *m*: **to outrun the ~** Schulden machen, über seine Verhältnisse leben; → **special ~.** – **2.** *Br.* (höherer) Poliˈzeibeamter: **high ~** (*bis 1869*) Befehlshaber einer Hundertschaft; → **Chief C~.** – **3.** *hist.* Konneˈtabel *m*, hoher Kron- *od.* Reichsbeamter: **C~ of France** Konnetabel von Frankreich (*ehemals militärischer Oberbefehlshaber*). – **4.** *hist.* a) Schloßvogt *m*, ˈFestungskommanˌdant *m*, b) Feldherr *m*.
con·stab·u·lar·y [*Br.* kənˈstæbjuləri; *Am.* -jəˌleri] **I** *s* **1.** Poliˈzei(truppe) *f* (*eines Bezirks*). – **2.** (*Art*) Gendarmeˈrie *f*, miliˈtärisch organiˈsierte Schutztruppe. – **3.** Poliˈzeibezirk *m*, -reˌvier *n*. – **II** *adj* **4.** Polizei...
con·stan·cy [ˈkɒnstənsi] *s* **1.** Beständigkeit *f*, Unveränderlichkeit *f*, Unwandelbarkeit *f*, Konˈstanz *f*. – **2.** Bestand *m*, Dauer *f*. – **3.** *fig.* Beständigkeit *f*, Treue *f*, Unerschütterlichkeit *f*, Standhaftigkeit *f*, Ausdauer *f*. – **4.** *Am.* (*Südstaaten*) ständige Gewohnheit.
con·stant [ˈkɒnstənt] **I** *adj* **1.** beständig, unveränderlich, gleichbleibend. – **2.** fortwährend, unaufhörlich, anhaltend, stet(ig): **~ change** stetiger Wechsel; **~ rain** anhaltender Regen; → **dropping** 1. – **3.** *fig.* a) beständig, standhaft, beharrlich, fest, unerschütterlich, b) unveränderlich, unwandelbar, unverrückbar, c) verläßlich, treu: **to be ~ to one's friends** seinen Freunden die Treue halten. – **4.** *math. phys.* stetig, konˈstant. – **5.** *obs.* zuversichtlich, sicher. – *SYN. cf.* a) **continual,** b) **faithful.** – **II** *s* **6.** (*das*) Unveränderliche, (*das*) Beständige. – **7.** *bot.* Konˈstante *f* (*Art, die immer bei einer Pflanzengesellschaft auftritt*). – **8.** *math. phys.* konˈstante Größe, Konˈstante *f*, Koeffiziˈent *m*, Expoˈnent *m*: **~ of aberration** *astr.* Aberrationskonstante; **~ of capillarity** Kapillaritätskonstante; **~ of friction** Reibungskoeffizient; **~ of gravitation** Gravitations- *od.* Erdbeschleunigungskonstante; **~ of nutation** *astr.* Schwankungskonstante; **~ of precession** *astr.* Präzessionskonstante; **~ of (radioactive) transformation** Zerfalls-, Umwandlungskonstante; **~ of refraction** Refraktions-, Brechungsexponent.
con·stant·an [ˈkɒnstənˌtæn] *s electr.* Konstanˈtan *n* (*Widerstandslegierung aus Kupfer u. Nickel*).
Con·stan·ti·no·pol·i·tan [kɒnˌstæntinoˈpɒlitən] *adj* ˌkonstantinopoliˈtanisch.
ˈcon·stant|-ˈpres·sure-comˈbus·tion en·gine *s phys. tech.* ˈGleichdruckmaˌschine *f* (*Verbrennungskraftmaschine mit gleichbleibendem Druck*). — **~ quan·ti·ty** *s math.* konˈstante Menge *od.* Größe. — **~ speed** *s tech.* konˈstante Geschwindigkeit *od.* Drehzahl. — **~ val·ue** *s math.* fester Wert. — **~ white** *s chem.* Permaˈnentweiß *n*.
con·stel·late [ˈkɒnstəˌleit] **I** *v/t* (*Sterne*) zu einer Gruppe *od.* zu einem gemeinsamen Glanz vereinigen (*auch fig.*). – **II** *v/i* sich vereinigen, sich zuˈsammenfinden, sich grupˈpieren (**around um**). — ˌ**con·stelˈla·tion** *s* **1.** *astr.* a) Konstellatiˈon *f*, Sternbild *n*, b) *obs.* Verteilung *f* der Plaˈneten am Himmel, c) *obs.* Einfluß *m* der Himmelskörper auf den menschlichen Chaˈrakter. – **2.** glänzende Versammlung, Gruppe *f* (*von Berühmtheiten od. Vorzügen*). — **con·stel·la·to·ry** [*Br.* kənˈstelətəri; *Am.* -ˌtɔːri] *adj* sternbildlich, Sternbild...
con·ster·nate [ˈkɒnstərˌneit] *v/t* konsterˈnieren, bestürzt machen, bestürzen, verblüffen, verwirren. — ˌ**con·sterˈna·tion** *s* Bestürzung *f*. – *SYN. cf.* **fear.**
con·sti·pate [ˈkɒnstiˌpeit; -stə-] *v/t* **1.** *med.* konstiˈpieren, verstopfen. – **2.** *obs.* verdichten, zuˈsammenpferchen. — ˌ**con·stiˈpa·tion** *s* **1.** *med.* Verstopfung *f*. – **2.** *obs.* Verdichtung *f*.
con·stit·u·en·cy [kənˈstitjuənsi; -tʃu-] *s* **1.** Wählerschaft *f*. – **2.** Wahlbezirk *m*, -kreis *m*. – **3.** *colloq.* Kundschaft *f*, Kundenkreis *m*. – **4.** *colloq.* Abonˈnenten-, Leserkreis *m*. — **conˈstit·u·ent I** *adj* **1.** einen Teil bildend *od.* ausmachend, zuˈsammensetzend: **~ part** Bestandteil. – **2.** *pol.* wählend, Wähler..., Wahl...: **~ body** Wählerschaft, Wahlkörper. – **3.** *pol.* konstituˈierend, verfassunggebend: **C~ Assembly** konstituierende Nationalversammlung, Konstituante (*bes. in Frankreich 1788–91*). – **II** *s* **4.** (wesentlicher) Bestandteil. – **5.** *jur.* Vollmachtgeber(in). – **6.** *econ.* Auftraggeber *m*, Aussteller *m* einer Anweisung. – **7.** *pol.* Wähler(in), Einwohner(in) eines Wahlbezirkes. – **8.** *ling.* ˈSatzteil *m*, -eleˌment *n*. – **9.** *chem. phys.* Kompoˈnente *f*, Konstituˈent *m*. – *SYN. cf.* **element.**
con·sti·tute [ˈkɒnstiˌtjuːt; -stə-; *Am. auch* -ˌtuːt] *v/t* **1.** (*j-n*) ernennen, einsetzen (*in ein Amt etc*): **to ~ s.o. a judge** j-n als Richter einsetzen; **to ~ an heir** einen Erben einsetzen. – **2.** bevollmächtigen, beauftragen. – **3.** einrichten, errichten, festsetzen, gründen, konstituˈieren: **the ~d authorities** die verfassungsmäßigen (*öffentlichen*) Behörden. – **4.** ausmachen, bilden, darstellen: **this ~s a precedent** dies stellt einen Präzedenzfall dar; **wealth does not ~ happiness** Reichtum macht das Glück nicht aus; **to be so ~d that so** beschaffen sein, daß.
con·sti·tu·tion [ˌkɒnstiˈtjuːʃən; -stə-; *Am. auch* -ˈtuː-] *s* **1.** Zuˈsammensetzung *f*, Bau *m*, Strukˈtur *f*: **~ of the soil** Bodenbeschaffenheit. – **2.** Konstitutiˈon *f*, körperliche Veranlagung, Naˈtur *f*: **a sound ~** eine gesunde Natur; **strong (weak) ~** starke (schwache) Konstitution. – **3.** Naˈtur *f*, Gemütsart *f*, Temperaˈment *n*; **by ~** von Natur (aus). – **4.** Fest-, Einsetzung *f*, Anordnung *f*, Bildung *f*, Errichtung *f*, Gründung *f*. – **5.** eingebürgerte Einrichtung. – **6.** *pol.* Verfassung *f* (*Staat od. Land*), Konstitutiˈon *f*: **written ~.** – **7.** Satzungen *pl* (*Gesellschaft*). – **8.** *chem.* Konstitutiˈon *f*, Strukˈtur *f*, Aˈtomanordnung *f*. — ˌ**con·stiˈtu·tion·al I** *adj* **1.** *med.* konstitutioˈnell, veranlagungsgemäß, die körperliche Konstituˈtion betreffend: **a ~ disease** eine Konstitutionskrankheit. – **2.** grundlegend, -sätzlich, wesentlich. – **3.** *pol.* verfassungs-, gesetzmäßig, konstitutioˈnell: **~ amendment** Verfassungs- *od.* Satzungsänderung; **~ charter** Verfassungsurkunde; **~ government** verfassungsmäßige Regierung; **~ law** *jur.* Verfassungsrecht; **~ liberty** verfassungsmäßig verbürgte Freiheit; → **monarchy** 1. – **4.** verfassungstreu. – **II** *s* **5.** *colloq.* (*der Gesundheit dienender*) Spaˈziergang: **to take a ~** einen Verdauungs- *od.* Gesundheitsspaziergang machen. — ˌ**con·stiˈtu·tion·alˌism** *s pol.* ˌKonstitutionaˈlismus *m*. — ˌ**con·stiˈtu·tion·al·ist** *s pol.* **1.** Konstitutioˈneller *m*, Anhänger *m* der konstitutioˈnellen Reˈgierungsform. – **2.** Verfassungsrechtler *m*. — ˌ**con·stiˌtu·tionˈal·i·ty** [-ˈnæliti; -əti] *s* **1.** *pol.* Verfassungsmäßigkeit *f*. – **2.** *med.* Begründetsein *n* in der körperlichen Konstituˈtiˈon: **~ of a disease.** — ˌ**con·stiˈtu·tion·alˌize** [-nəˌlaiz] **I** *v/t pol.* konstitutioˈnell machen. – **II** *v/i colloq.* einen Verˈdauungsspaˈziergang machen. — ˌ**con·stiˈtu·tion·al·ly** *adv pol.* verfassungsmäßig.
con·sti·tu·tive [ˈkɒnstiˌtjuːtiv; -stə-; *Am. auch* -ˌtuː-] *adj* **1.** → **constituent** I. – **2.** grundlegend, wesentlich. – **3.** gestaltend, aufbauend, richtunggebend. – **4.** *philos.* (*das Wesen einer Sache*) bestimmend. – **5.** begründend, konstituˈierend, einrichtend. — ˈ**con·stiˌtu·tor** [-tər] → **constituent** II.
con·strain [kənˈstrein] *v/t* **1.** (*j-n*) zwingen, nötigen, drängen: **to be** (*od.* **feel**) **~ed to do s.th.** gezwungen sein *od.* sich gezwungen fühlen, etwas zu tun. – **2.** (*etwas*) erzwingen. – **3.** in gezwungener *od.* ˈunnaˌtürlicher Weise tun *od.* herˈvorbringen. – **4.** fesseln, binden, einsperren. – **5.** einschränken, zuˈrückhalten. – **6.** gewaltsam zuˈsammenpressen, einengen. – *SYN. cf.* **force.** — **conˈstrained** *adj* **1.** gezwungen, verlegen, krampfhaft, verkrampft, ˈunnaˌtürlich, steif: **a ~ manner** ein gezwungenes *od.* geziertes Wesen. – **2.** *fig.* unterˈdrückt: **~ voice.** — **conˈstrain·ed·ly** [-idli] *adv* gezwungen, verlegen.
con·straint [kənˈstreint] *s* **1.** Nötigung *f*, Zwang *m*: **under ~** unter Zwang, gezwungen. – **2.** Beschränkung *f*, Einschränkung *f*. – **3.** *fig.* a) Befangenheit *f*, Verlegenheit *f*, b) Gezwungenheit *f*, Geziertheit *f*. – **4.** Zuˈrückhaltung *f*, Gefühlsbeherrschung *f*. – **5.** Haft *f*. – **6.** Zwang *m*, Hemmnis *n*.
con·strict [kənˈstrikt] *v/t* zuˈsammenziehen, -pressen, -schnüren, einengen, verengen. – *SYN. cf.* **contract.** — **conˈstrict·ed** *adj* **1.** ein-, zuˈsammengezogen, -geschnürt. – **2.** *bot.* eingeschnürt. — **conˈstric·tion** *s* **1.** Zu-

'sammenziehung *f*, Einschnürung *f*, Verengung *f*. – **2.** Beengtheit *f*. – **3.** *bot.* Kerbe *f*, Einkerbung *f*. — **con'stric·tive** *adj* zu'sammenziehend, -pressend, verengend, einschnürend. — **con'stric·tor** [-tər] *s* **1.** *med.* Kon'striktor *m*, Schließmuskel *m*. – **2.** *zo.* Riesenschlange *f* (*Fam. Boidae*).

con·stringe [kən'strindʒ] *v/t* zu'sammenziehen, einengen. — **con'strin·gen·cy** *s* Zu'sammenziehen *n*. — **con'strin·gent** *adj* zu'sammenziehend, einengend.

con·stru·a·bil·i·ty [kənˌstruːə'biliti; -əti] *s* Auslegbarkeit *f*. — **con'stru·a·ble** *adj* auszulegen(d), auslegbar.

con·struct I *v/t* [kən'strʌkt] **1.** errichten, bauen, aufführen. – **2.** *tech.* konstru'ieren, entwerfen. – **3.** *math.* konstru'ieren. – **4.** *ling.* (*Wort etc*) konstru'ieren. – **5.** (*Theorie*) ausbauen, -arbeiten, erdenken, formen. – **II** *s* ['kɒnstrʌkt] **6.** konstru'iertes Gebilde. – **7.** *philos.* (*geistige*) Konstrukti'on. — **con·struct·er** *cf.* constructor. — **con'struct·i·ble** *adj math.* konstru'ierbar.

con·struc·tion [kən'strʌkʃən] *s* **1.** Konstrukti'on *f*, (Er)Bauen *n*, Bau *m*, Errichtung *f*, Aufführung *f*: ~ **engineer** *tech.* Bauingenieur; ~ **engineers** *mil.* schwere Pioniertruppen; **under** ~ im Bau; **cost of** ~ Baukosten. – **2.** Bauweise *f*, Konstrukti'on *f*, Struk'tur *f*: **objects of similar** ~ Gegenstände ähnlicher Bauweise *od.* Konstruktion. – **3.** *fig.* Aufbau *m* (*eines Systems*). – **4.** Gebäude *n*, Bauwerk *n*, Baulichkeit *f*, Anlage *f*. – **5.** *fig.* Aufbau *m*, Konstrukti'on *f* (*Theorie*). – **6.** *math.* Konstrukti'on *f*: a) (zeichnerische) Konstrukti'on (*geometrische Figur*), b) Aufstellung *f* (*Gleichung*). – **7.** *ling.* 'Wort- *od.* 'Satzkonstruktiˌon *f*. – **8.** *fig.* Auslegung *f*, Deutung *f*: **to put a favo(u)rable (wrong)** ~ **on s.th.** etwas günstig (falsch) auslegen *od.* deuten. – **9.** *jur.* Interpretati'on *f*, Erklärung *f*. – **10.** *mar.* Konstrukti'on *f*, trigono'metrische Berechnung (*Kurs*). — **con'struc·tion·al** *adj* **1.** *tech.* Konstruktions..., Bau..., konstrukti'onstechnisch. – **2.** *ling.* den Wort- *od.* Satzbau betreffend, Konstruktions... – **3.** Deutungs..., Auslegungs..., von der Auslegung abhängig. – **4.** *geol.* aufbauend. — **con'struc·tion·ist** *s bes. jur.* Ausleger *m* (*Gesetz etc*).

con·struc·tive [kən'strʌktiv] *adj* **1.** aufbauend, schaffend, bildend, schöpferisch, konstruk'tiv: ~ **talent** erfinderisches Talent. – **2.** fördernd, konstruk'tiv: ~ **criticism**. – **3.** baulich, Bau..., Konstruktions...: ~ **definition** *math.* Definition, die eine Konstruktion ermöglicht; ~ **form** Bauweise, -stil; ~ **ornament** baulicher Zierat. – **4.** auf Tatsachen sich aufbauend, aus einer Regel folgernd, schließend. – **5.** *auch jur.* gefolgert, abgeleitet, angenommen: ~ **crime** als begangen angenommenes Verbrechen; ~ **permission** als erteilt angenommene *od.* indirekt erteilte Erlaubnis. — **con'struc·tive·ness** *s* Schöpferkraft *f*, aufbauende *od.* konstruk'tive Eigenschaft. — **con'struc·tor** [-tər] *s* Erbauer *m*, Konstruk'teur *m*.

con·strue [kən'struː] **I** *v/t* **1.** *ling.* a) konstru'ieren, zergliedern, analy'sieren, b) → **construct** 4, c) (mündlich) über'setzen. – **2.** auslegen, deuten: **to** ~ **a thing as** (*od.* **into**) **s.th.** eine Sache als etwas auslegen. – **II** *v/i* **3.** *ling.* a) eine 'Wort- *od.* 'Satzanaˌlyse vornehmen, b) sich konstru'ieren *od.* analy'sieren lassen (*Satz etc*). – **III** *s* ['kɒnstruː] **4.** wörtliche Über'setzung.

con·sub·stan·tial [ˌkɒnsəb'stænʃəl] *adj bes. relig.* gleichen Wesens: ~ **unity** Wesenseinheit. — ˌ**con·sub'stan·tialˌism** *s relig.* Lehre *f* von der Wesensgleichheit. — ˌ**con·sub'stan·tial·ist** *s relig.* Konsubstantia'list *m*. — ˌ**con·subˌstan·ti'al·i·ty** [-ʃi'æliti; -əti] *s relig.* ˌKonsubstantiali'tät *f*, Wesensgleichheit *f* (*der drei göttlichen Personen*). — ˌ**con·sub'stan·tiˌate** [-ʃiˌeit] **I** *v/t* **1.** zu einem einzigen Wesen vereinigen. – **2.** als ein einziges Wesen betrachten. – **II** *v/i* **3.** *relig.* sich zur Lehre der Konsubstantiati'on bekennen. – **4.** sich zu einem einzigen Wesen vereinigen. — ˌ**con·subˌstan·ti'a·tion** *s relig.* Konsubstantiati'on *f* (*Mitgegenwart des Leibes u. Blutes Christi beim Abendmahl*).

con·sue·tude ['kɒnswiˌtjuːd; *Am. auch* -ˌtuːd] *s* Gewohnheit *f*, Brauch *m*. — ˌ**con·sue'tu·di·nar·y** [*Br.* -dinəri; *Am.* -dəˌneri] **I** *adj* gewohnheitsmäßig, Gewohnheits...: ~ **law** *jur.* Gewohnheitsrecht. – **II** *s pl relig.* Ritu'ale *n*, A'gende *f*.

con·sul ['kɒnsəl] *s* **1.** Konsul *m*. – **2.** *antiq.* Konsul *m* (*einer der beiden höchsten Regierungsbeamten der röm. Republik*). – **3.** *hist.* Konsul *m* (*einer der drei höchsten franz. Regierungsbeamten von 1799–1804*).

con·su·lar ['kɒnsjulər; -sjə-; *Am. auch* -sələr] **I** *adj* **1.** Konsulats..., Konsular... – **2.** *antiq.* die (röm.) Konsuln betreffend, konsu'larisch: ~ **power (government)** konsularische Gewalt (Regierung). – **II** *s* **3.** *antiq.* Konsu'lar *m* (*Beamter des röm. Imperiums im Rang eines Konsuls*). — ~ **a·gent** *s* Konsu'laraˌgent *m*. — ~ **doc·u·ment** *s econ.* vom Konsu'lat ausgestellte Urkunde (*z.B. Verladepapier mit Konsularvisum des Bestimmungslandes*). — ~ **in·voice** *s econ.* Konsu'latsfakˌtura *f*. — ~ **serv·ice** *s* Konsu'latsdienst *m*, konsu'larischer Dienst.

con·su·late ['kɒnsjulit; -sjə-; *Am. auch* -səlit] *s* **1.** Konsu'lat *n*: ~ **general** Generalkonsulat. – **2.** Konsu'lat(sgebäude) *n*. – **3.** *oft* C~ *hist.* Konsu'latsreˌgierung *f* (*in Frankreich, 9. Nov. 1799 bis 18. Mai 1804*).

con·sul gen·er·al *s* Gene'ralkonsul *m*.

con·sul·ship ['kɒnsəlˌʃip] *s* Amt *n* eines Konsuls, Konsu'lat *n*.

con·sult[1] [kən'sʌlt] **I** *v/t* **1.** um Rat fragen, zu Rate ziehen, konsul'tieren, befragen: **to** ~ **one's watch** nach der Uhr sehen; → **doctor** 1. – **2.** nachschlagen *od.* -sehen in (*einem Buch*): **to** ~ **an author** in *od.* bei einem Autor nachschlagen; **to** ~ **a dictionary** in einem Wörterbuch nachschlagen. – **3.** beachten, erwägen, berücksichtigen, in Erwägung ziehen, im Auge haben: **they** ~**ed his wishes**. – **4.** *obs.* nachsinnen über (*acc*). – **II** *v/i* **5.** konfe'rieren, (sich) beraten, beratschlagen (**about** über *acc*; **with** mit).

con·sult[2] ['kɒnsʌlt] *s* **1.** *antiq.* Kon'sult(um) *n*, Se'natsbeschluß *m* (*im alten Rom*). – **2.** *obs.* a) Beratung *f*, b) Ratsversammlung *f*.

con·sult·a·ble [kən'sʌltəbl] *adj* befragbar, konsul'tierbar. — **con'sult·ant** *s* **1.** (*fachmännischer*) Gutachter, Berater *m*. – **2.** *med.* Konsili'arius *m*, fachärztlicher Berater. – **3.** Ratsuchende(r).

con·sul·ta·tion [ˌkɒnsəl'teiʃən] *s* **1.** Berat(schlag)ung *f*, Konfe'renz *f*, Rücksprache *f*, Konsultati'on *f*: **on** ~ **with** nach Rücksprache mit. – **2.** Aussprache *f* (on über *acc*, **with** mit). – **3.** *med.* Konsultati'on *f*.

con·sult·a·tive [kən'sʌltətiv], **con'sult·a·to·ry** [*Br.* -təri; *Am.* -ˌtɔːri] *adj* beratend. — **con·sul·tee** [ˌkɒnsəl'tiː] *s* fachlicher Berater, Ratgeber *m*.

con·sult·er [kən'sʌltər] *s* Ratsuchende(r). — **con'sult·ing** *adj* **1.** Rat erteilend, beratend: ~ **barrister** *Br.* beratender Anwalt; ~ **engineer** technischer Berater; ~ **room** Sprechzimmer. – **2.** ratsuchend. — **con'sul·tive** → **consultative**.

con·sum·a·ble [kən'sjuːməbl; -'suːm-] **I** *adj* **1.** verzehrbar, zerstörbar, vergänglich: ~ **by fire** verbrennbar. – **2.** verbrauchbar. – **II** *s* **3.** Ver'brauchsarˌtikel *m*.

con·sume [kən'sjuːm; -'suːm] **I** *v/t* **1.** zerstören, vernichten. – **2.** *fig.* aufreiben, verzehren: ~**d by desire** von Begierde verzehrt. – **3.** aufzehren, verzehren. – **4.** aufbrauchen, verbrauchen, konsu'mieren: **this car** ~**s a lot of oil** dieser Wagen verbraucht viel Öl. – **5.** verschwenden, vergeuden. – **6.** (*Zeit*) benötigen, brauchen. – **7.** (*Aufmerksamkeit etc*) in Anspruch nehmen. – **II** *v/i* **8.** sich abnutzen, abnehmen, sich verzehren (**with** vor *dat*), (da'hin)schwinden, sich vermindern, zu'grunde gehen. — **con'sum·ed·ly** [-idli] *adv* höchst, in höchstem Maße, ungeheuer, kolos'sal.

con·sum·er [kən'sjuːmər; -'suːm-] *s* **1.** Verzehrer *m*. – **2.** Zerstörer(in). – **3.** Verschwender(in). – **4.** *econ.* Konsu'ment *m*, Abnehmer *m*, Verbraucher *m*, Kunde *m*: ~**(s') goods** Konsumgüter; ~ **credit** Konsumentenkredit; ~ **resistance** Kaufunlust. — **con'sum·ing** *adj* **1.** verzehrend, zerstörend. – **2.** *econ.* verbrauchend, Verbraucher...: ~ **country** Verbraucherland.

con·sum·mate ['kɒnsəˌmeit] **I** *v/t* **1.** voll'enden, -'bringen, -'ziehen, zu Ende führen, zum Abschluß bringen. – **2.** (*Ehe*) voll'ziehen. – **II** *v/i* **3.** sich voll'ziehen, voll'endet werden. – **4.** die Ehe voll'ziehen. – **III** *adj* [kən'sʌmit] **5.** voll'endet, vollkommen, vollständig: **with** ~ **art** mit künstlerischer Vollendung; **a** ~ **scoundrel** ein abgefeimter Gauner.

con·sum·ma·tion [ˌkɒnsə'meiʃən] *s* **1.** Voll'endung *f*, Voll'bringung *f*. – **2.** Ziel *n*, Ende *n*. – **3.** Erfüllung *f*. – **4.** *jur.* Voll'ziehung *f* (*Ehe*). — '**con·sumˌma·tive** *adj* voll'endend, voll'bringend, schließlich. — '**con·sumˌma·tor** [-tər] *s* Voll'ender *m*, -'bringer *m*, -'zieher *m*.

con·sump·tion [kən'sʌmpʃən] *s* **1.** Aufzehrung *f*, Verzehrung *f*. – **2.** Zerstörung *f*. – **3.** Verbrauch *m* (**of** an *dat*): **coal (fuel)** ~ Kohle(n)verbrauch (Brennstoffverbrauch). – **4.** *econ.* Kon'sum *m*, Verbrauch *m*. – **5.** Verzehr *m*, Ernährung *f*: **unfit for human** ~ für die menschliche Ernährung ungeeignet. – **6.** *med.* a) Abmagerung *f*, Abzehrung *f*, b) Schwindsucht *f*, Tuberku'lose *f*: **pulmonary** ~ Lungenschwindsucht. — **con'sump·tive I** *adj* **1.** (ver)zehrend. – **2.** zerstörend, verheerend. – **3.** verschwendend, vergeudend: ~ **of time** Zeit vergeudend. – **4.** Verbrauchs..., für den Kon'sum bestimmt. – **5.** *med.* schwindsüchtig, an ('Lungen)Tuberkuˌlose leidend, tuberku'lös: ~ **symptoms** Anzeichen der Tuberkulose. – **II** *s* **6.** *med.* Schwindsüchtige(r), an ('Lungen)Tuberkuˌlose Leidende(r).

con·tact ['kɒntækt] **I** *s* **1.** a) Kon'takt *m*, Berührung *f*, b) *mil.* Feindberührung *f*: **to bring in(to)** ~ **with** in Berührung bringen mit. – **2.** *fig.* Verbindung *f*, Beziehung *f*, Fühlung *f*: **to be in close** ~ **with s.o.** mit j-m in enger Verbindung stehen, enge Fühlung mit j-m haben. – **3.** *electr.* Kon'takt *m*, Anschluß *m*, leitende Berührung: **to make (break)** ~ Kontakt herstellen, einschalten (unterbrechen, ausschalten). – **4.** *electr.* Kon'takt(stück *n*) *m*, Schaltstück *n*.

– 5. *med. colloq.* Kon'taktper,son *f*, ansteckungsverdächtige Per'son. – 6. *sociol.* (*bes. kultureller*) Austausch. – 7. *math.* Berührung *f* (*zweier Linien*): angle of ~ Berührungswinkel. – **II** *v/t* **8.** in Berührung bringen (with mit). – **9.** sich in Verbindung setzen mit: to ~ s.o. by mail. – **10.** in Verbindung stehen mit, Kon'takt haben mit. – **11.** *Am. sl.* (*geschäftliche od. gesellschaftliche*) Beziehungen aufnehmen mit. – **III** *v/i* **12.** *bes. electr.* mitein'ander in Verbindung stehen, ein'ander berühren, Kon'takt haben *od.* machen. – **13.** *mil.* Verbindung aufnehmen *od.* 'herstellen, Fühlung nehmen. – **14.** *aer.* aufsetzen (*Flugzeug*).

con·tact| ac·tion *s* **1.** *chem.* Kon'taktreakti,on *f*. – **2.** *electr. phys.* Kon'taktwirkung *f* (*bei thermo- od. chemoelektr. Elementen*). — **~ a·gent** *s chem. phys.* Kon'taktmittel *n*, -sub,stanz *f*. — **~ bed** *s* Sickerbett *n* (*zur Abwasserreinigung*). — **~ block** *s electr.* Kon'taktklemme *f*. — **~ break·er** *s electr.* ('Strom)Unter,brecher *m*, Ausschalter *m*. — **~ ca·tal·y·sis** *s chem.* Kon'taktkata,lyse *f*, hetero'gene Kata'lyse. — **~ clip** *s electr.* Kon'taktschelle *f*. — **~ con·duc·tor** *s electr.* Kon'taktleiter *m*. — **~ e·lec·tric·i·ty** *s electr.* Kon'takt-, Be'rührungselektrizi,tät *f*. — **~ fil·ter** → contact bed. — **~ flight, ~ fly·ing** *s aer.* Fliegen *n* mit Sicht, Flug *m* mit (ständiger) Boden- *od.* Seesicht. — **~ go·ni·om·e·ter** *s min.* 'Anlegegonio,meter *n*. — **~ lens** *s* Haft-, Kon'taktglas *n*, -schale *f*. — **~ lev·el** *s tech.* Kon'taktli,belle *f* (*Meßinstrument*). — **~ mak·er** *s electr.* Kon'taktgeber *m*, Einschalter *m*, Stromschließer *m*. — **~ met·a·mor·phism** *s geol.* Kon'taktmetamor,phose *f*. — **~ mine** *s mil.* Kon'takt-, Tretmine *f*. — **~ min·er·al** *s min.* Kon'taktgestein *n*.

con·tac·tor ['kɒntæktər] *s electr.* (*automatischer*) Kon'takt-, Im'pulsgeber. — **~ switch** *s electr.* Kon'taktschalter *m*.

con·tact| print *s phot.* Kon'taktabzug *m*. — **~ rail** *s electr.* Kon'taktschiene *f*. — **~ se·ries** *s phys.* (elektr.) Spannungsreihe *f* (*der Metalle*). — **~ sub·stance** → contact agent.

con·tac·tu·al [kən'tæktʃuəl; *Br. auch* -tju-] *adj* Kontakt...

con·tact| vein *s geol.* Erz- *od.* Gesteinsader *f* entlang der Grenze zweier Schichten. — **~ volt·age reg·u·la·tor** *s electr.* Kon'taktregler *m*.

con·ta·gion [kən'teidʒən] *s* **1.** *med.* a) Ansteckung *f* (*durch Berührung*), b) ansteckende Krankheit, c) Seuche *f*, d) Kon'tagium *n*, Ansteckungsstoff *m*. – **2.** *fig.* Verseuchung *f*, Vergiftung *f*, *bes.* Verunsittlichung *f*. – **3.** *fig.* a) Über'tragung *f* (*Idee etc*), b) Über'tragbarkeit *f*, (*das*) Ansteckende, ansteckender Einfluß: the ~ of enthusiasm. – **4.** *poet.* Gift *n*. — **con'ta·gioned** *adj* angesteckt, infi'ziert (*auch fig.*). — **con'ta·gion·ist** *s* Kontagio'nist *m* (*Anhänger der Theorie von der Übertragbarkeit bestimmter Krankheiten durch Berührung*). — **con,ta·gi'os·i·ty** [-dʒi'ɒsiti; -əti] *s med.* Kontagiosi'tät *f*, (*das*) Ansteckende.

con·ta·gious [kən'teidʒəs] *adj* **1.** *med.* kontagi'ös, di'rekt über'tragbar, ansteckend: ~ disease kontagiöse (*direkt ansteckende*) Krankheit. – **2.** infi'ziert, mit Krankheitsstoffen behaftet: ~ matter Krankheitsstoff. – **3.** *fig.* ansteckend, sich leicht verbreitend: laughing is ~ Lachen steckt an. — **con'ta·gious·ness** → contagiosity. — **con'ta·gi·um** [-dʒiəm] *pl* **-gi·a** [-ə] *s med.* Kon'tagium *n*, Ansteckungsstoff *m*.

con·tain [kən'tein] **I** *v/t* **1.** enthalten: to be ~ed in enthalten sein in (*dat*). – **2.** fassen, Raum haben für (*eine bestimmte Menge*): each bottle ~s the same quantity jede Flasche faßt die gleiche Menge. – **3.** um'fassen, einschließen. – **4.** *fig.* (*Gefühle etc*) zügeln, im Zaume halten, zu'rückhalten: he could hardly ~ his laughter er konnte das Lachen kaum verhalten *od.* unterdrücken. – **5.** *reflex* (an) sich halten, sich fassen, sich zügeln, sich beherrschen: he could hardly ~ himself for joy er konnte sich vor Freude kaum fassen. – **6.** *math.* enthalten, teilbar sein durch: twenty ~s five four times 5 ist in 20 viermal enthalten. – **7.** enthalten, messen: one yard ~s three feet ein Yard mißt drei Fuß. – **8.** *mil.* (*feindliche Streitkräfte*) binden, festhalten: ~ing action Unternehmung zur Bindung des Feindes. – **II** *v/i selten* **9.** sich beherrschen. – *SYN.* accommodate, hold. — **con'tain·er** *s* **1.** Behälter *m*, Ka'nister *m*. – **2.** Con'tainer *m*, Behälter *m*. — **con'tain·ment** *s selten* **1.** *fig.* Zu'rückhaltung *f*, Beherrschung *f*, Zügelung *f*. – **2.** Eindämmung *f*, In'Schach-Halten *n*: policy of ~.

con·ta·ki·on *cf.* kontakion.

con·tam·i·nant [kən'tæminənt; -mə-] *s* (*Atomphysik*) Verseuchungsstoff *m*, -mittel *n*.

con·tam·i·nate I *v/t* [kən'tæmi,neit; -mə-] **1.** verunreinigen, beschmutzen, besudeln, kontami'nieren. – **2.** infi'zieren, vergiften, verseuchen. – **3.** (radioak'tiv) verseuchen. – *SYN.* defile[1], pollute, taint. – **II** *adj* [-nit; -,neit] **4.** *obs.* verunreinigt. — **con,tam·i'na·tion** *s* **1.** Verunreinigung *f*, Beschmutzung *f*, Besudelung *f*, Befleckung *f*. – **2.** *mil.* a) Vergiftung *f* (*mit Kampfstoff*), b) Verseuchung *f* (*mit biologischen Kampfmitteln*). – **3.** (radioak'tive) Verseuchung: ~ meter *Geigerzähler, der die Gegenwart von Radioaktivität durch Zeiger u. Lautsprecher anzeigt.* – **4.** Unreinheit *f*, Schmutz *m*. – **5.** *ling.* Kontaminati'on *f* (*Wörter, Texte etc*). – **6.** *sociol.* Verschmelzung *f* (*Kulturen*). — **con'tam·i,na·tive** *adj* verunreinigend, beschmutzend. — **con'tam·i·nous** *adj* ansteckend.

con·tan·go [kən'tæŋgou] *econ.* (*Londoner Börse*) **I** *s pl* **-goes** Re'port *m* (*Kurszuschlag beim Prolongationsgeschäft*). – **II** *v/i pret u. pp* **-goed** Re'portgeschäfte abschließen. — **~ day** *s econ.* (*Londoner Börse*) zweiter Tag vor dem Abrechnungstag (*beim Effekten-Prolongationsgeschäft*).

conte [kõ:t] *pl* **contes** [-s] *s* Conte *f*, Erzählung *f*, Kurzgeschichte *f*.

con·temn [kən'tem] *v/t poet.* verachten, verschmähen, geringschätzen. – *SYN. cf.* despise.

con·tem·pla·ble [kən'templəbl] *adj selten* in Betracht zu ziehen(d), in Frage kommend.

con·tem·plate ['kɒntəm,pleit; kən'tem-] **I** *v/t* **1.** (*nachdenklich od. aufmerksam*) beschauen, betrachten. – **2.** nachdenken *od.* (nach)sinnen über (*acc*). – **3.** erwägen, ins Auge fassen, vorhaben, beabsichtigen. – **4.** vor'aussehen, erwarten, rechnen mit: the stipulations ~ a state of war die Abmachungen sind für den Kriegsfall berechnet. – *SYN. cf.* consider. – **II** *v/i* **5.** nachdenken, (nach)sinnen, Betrachtungen anstellen (on über *acc*).

con·tem·pla·tion [,kɒntəm'pleiʃən; -tem-] *s* **1.** (*nachdenkliche*) Betrachtung, Meditati'on *f*, Nachdenken *n*, -sinnen *n*. – **2.** (*aufmerksame*) Beobachtung, (*sinnendes*) Zuschauen. – **3.** *bes. relig.* a) Kontemplati'on *f*, Beschaulichkeit *f*, (religi'öse) Betrachtung, Meditati'on *f*, b) kontempla'tives Leben. – **4.** Erwägung *f* (*eines Vorhabens*), Beabsichtigung *f*: to have in ~ in Erwägung ziehen, vorhaben, beabsichtigen; to be in ~ erwogen *od.* geplant werden. – **5.** Absicht *f*, Vorhaben *n*. – **6.** Erwartung *f*, (Vor)'Aussicht *f*.

con·tem·pla·tive ['kɒntəm,pleitiv; kən'templə-] **I** *adj* **1.** nachdenklich, gedankenvoll, grüblerisch, sinnend. – **2.** *bes. relig.* kontempla'tiv, beschaulich. – **II** *s* **3.** kontempla'tiver Mensch. — **'con·tem,pla·tive·ness** *s* **1.** Nachdenklichkeit *f*. – **2.** Beschaulichkeit *f*. — **'con·tem,pla·tor** [-tər] *s* **1.** nachdenklicher Mensch, Grübler(in). – **2.** (*nachdenklicher od. aufmerksamer*) Betrachter, Beschauer *m*, Zuschauer *m*.

con·tem·po·ra·ne·i·ty [kən,tempərə'ni:iti; -əti] *s* Gleichzeitigkeit *f*. — **con,tem·po'ra·ne·ous** [-'reiniəs] *adj* **1.** gleichzeitig: to be ~ with zeitlich zusammenfallen mit. – **2.** zeitgenössisch. – **3.** gleichalt(e)rig. – *SYN. cf.* contemporary. — **con,tem·po'ra·ne·ous·ness** *s* Gleichzeitigkeit *f*.

con·tem·po·rar·y [*Br.* kən'tempərəri; *Am.* -,reri] **I** *adj* **1.** zeitgenössisch: to be ~ with zeitlich zusammenfallen mit *od.* gehören zu. – **2.** gleichzeitig. – **3.** gleichalt(e)rig. – *SYN.* coeval, coincident, concomitant, concurrent, contemporaneous, simultaneous, synchronous. – **II** *s* **4.** Zeitgenosse *m*, -genossin *f*. – **5.** Altersgenosse *m*, -genossin *f*. – **6.** zeitgenössische Zeitschrift. — **con'tem·po,rize I** *v/t* zeitlich zu'sammenfallen lassen (with mit). – **II** *v/i* zeitlich zu'sammenfallen (with mit).

con·tempt [kən'tempt] *s* **1.** Verachtung *f*, Geringachtung *f*, -schätzung *f*: to feel ~ for s.o., to have (*od.* hold) s.o. in ~ j-n verachten; to bring into ~ verächtlich machen, der Verachtung preisgeben; beneath ~ nicht einmal der Verachtung wert. – **2.** Schande *f*, Schmach *f*: to fall into ~ in Schande geraten, in Ungnade fallen. – **3.** 'Mißachtung *f*, Nichtbeachtung *f* (*Vorschrift etc*). – **4.** *jur.* ~ of court a) 'Mißachtung *f* des Gerichtes, b) vorsätzliches Nichterscheinen vor Gericht. — **con,tempt·i'bil·i·ty** *s* **1.** Verächtlichkeit *f*, Nichts-, Unwürdigkeit *f*, Verwerflichkeit *f*. – **2.** Gemeinheit *f*, Niedertracht *f*. — **con'tempt·i·ble** *adj* **1.** verächtlich, verachtenswert, nichtswürdig: the Old C~s *brit. Expeditionskorps in Frankreich, 1914.* – **2.** gemein, niederträchtig, niedrig. – **3.** *obs.* verachtend, verächtlich. – *SYN.* beggarly, cheap, despicable, pitiable, scurvy, sorry. — **con'tempt·i·ble·ness** → contemptibility. — **con'temp·tu·ous** [*Br.* -tjuəs; *Am.* -tʃuəs] *adj* verachtend, verächtlich, verachtungsvoll, geringschätzig: to be ~ of s.th. etwas verachten. — **con'temp·tu·ous·ness** *s* Verächtlichkeit *f*, Verachtung *f*, Geringschätzigkeit *f*.

con·tend [kən'tend] **I** *v/i* **1.** streiten, kämpfen, ringen (with mit, for um): to ~ with many difficulties mit vielen Schwierigkeiten (zu) kämpfen (haben). – **2.** (*mit Worten*) streiten, dispu'tieren (about über *acc*). – **3.** wetteifern, sich bewerben (for um). – **II** *v/t* **4.** behaupten, (*Meinung*) verfechten: I ~ that this is not true ich behaupte, daß dies nicht wahr ist. — **con'tend·er** *s* **1.** Kämpfer(in), Streiter(in). – **2.** Dispu'tant(in). — **con'tend·ing** *adj* **1.** streitend, kämpfend. – **2.** wider'streitend: ~ claims widerstreitende

Ansprüche. – 3. sich (*im Streit etc*) gegen'überstehend: ~ **parties.**

con·tent[1] ['kɒntent; kən'tent] *s* 1. *meist pl* Inhalt *m* (*Gefäß etc*): **of the same** ~(s) von gleichem Inhalt. – 2. *pl* (*auch als sg konstruiert*) Inhalt *m* (*Buch etc*): → **table** 8. – 3. *fig.* Inhalt *m*, Gehalt *m*, Wesen *n* (*Schrift etc*). – 4. Fassungsvermögen *n*, Rauminhalt *m*. – 5. 'Umfang *m*, Größe *f*. – 6. *bes. chem.* Gehalt *m*.

con·tent[2] [kən'tent] I *pred adj* 1. zu'frieden. – 2. bereit, willens: **to be** ~ **to do s.th.** bereit *od.* willens sein, etwas zu tun. – 3. *pol.* (*im brit. Oberhaus*) einverstanden: **to declare oneself (not)** ~ (nicht) einverstanden sein, mit Ja (Nein) stimmen. – II *v/t* 4. befriedigen, zu'friedenstellen: **to be easily** ~**ed** leicht zu befriedigen sein. – 5. *reflex* ~ **oneself** zu'frieden sein, sich begnügen (**with** mit). – *SYN. cf.* **satisfy.** – III *s* 6. Zu'friedenheit *f*, Befriedigung *f*: **to one's heart's** ~ nach Herzenslust. – 7. Genügsamkeit *f*. – 8. *pol.* (*im brit. Oberhaus*) a) Zustimmung *f*, Ja-Stimme *f*, b) Einverstandener *m*. — **con'tent·ed** *adj* zu'frieden (**with** mit). — **con'tent·ed·ness** *s* Zu'friedenheit *f*, Genügsamkeit *f*.

con·ten·tion [kən'tenʃən] *s* 1. Streit *m*, Zank *m*, Streitigkeit *f*, Hader *m*: **bone of** ~ *fig.* Zankapfel. – 2. Wettstreit *m*, -eifer *m*. – 3. Wortstreit *m*, -gefecht *n*, Kontro'verse *f*, Meinungsstreit *m*. – 4. Argu'ment *n*, Behauptung *f*. – 5. Streitpunkt *m*. – *SYN. cf.* **discord.** — **con'ten·tious** *adj* 1. streitsüchtig, zänkisch. – 2. streitig, strittig, um'stritten: ~ **point** Streitpunkt. – 3. *jur.* Streit...: ~ **jurisdiction** Gerichtsbarkeit in Streitsachen. – *SYN. cf.* **belligerent.** — **con'ten·tious·ness** *s* Streit-, Zanksucht *f*.

con·tent·ment [kən'tentmənt] *s* 1. Zu'friedenheit *f*. – 2. *obs.* Befriedigung *f*, Zu'friedenstellung *f*.

con·ter·mi·nal [kən'tə:rminl; -mə-] → **conterminous.** — **con'ter·mi·nant** *adj* gleichzeitig endend. — **con'ter·mi·nous** *adj* 1. (an)grenzend, anstoßend: **to be** ~ **with** (*od.* **to**) (an)grenzen an (*acc*); **to be** ~ eine gemeinsame Grenze haben, aneinander grenzen. – 2. zeitlich zu'sammenfallend. – 3. sich deckend (*in Bedeutung, Größe etc*).

con·test I *s* ['kɒntest] 1. Kampf *m*, Streit *m*. – 2. Wettkampf *m*, -streit *m*, -bewerb *m* (**for** um). – 3. Wortkampf *m*, -wechsel *m*, Zwist *m*. – 4. Dis'put *m*, Kontro'verse *f*, Ausein'andersetzung *f*. – II *v/t* [kən'test] 5. kämpfen um, streiten um. – 6. wetteifern um, sich bewerben um, kandi'dieren für: **to** ~ **a seat in Parliament; to** ~ **an election** *pol.* für eine Wahl kandidieren *od.* Kandidat sein. – 7. bestreiten, anfechten, anzweifeln: **to** ~ **an election** *pol.* ein Wahlergebnis anfechten. – III *v/i* 8. wetteifern (**with, against** mit). — **con'test·ant** *s* 1. Wettkämpfer(in). – 2. *jur.* a) Bestreiter(in), streitende Par'tei, b) Anfechter(in) (*Testament etc*). – 3. *pol.* Anfechter(in) (*Wahl*). – 4. *Am.* (Wett-, Mit)Bewerber(in). — **con·tes·ta·tion** [ˌkɒntes'teiʃən] *s* 1. Streit *m*, Kampf *m*. – 2. Kontro'verse *f*, Ausein'andersetzung *f*, Wortstreit *m*, Dis'put *m*: **in** ~ umstritten, strittig. – 3. Streitpunkt *m*. – 4. Zank *m*, Hader *m*. — **con'test·er** *s* 1. Streiter(in). – 2. Wettbewerber(in), -kämpfer(in), Teilnehmer(in) (*an einem Wettkampf*).

con·text ['kɒntekst] *s* 1. Zu'sammenhang *m*, Kon'text *m*: a) zu'sammenhängender Inhalt (*Schrift, Rede etc*), b) Um'gebung *f* (*Schriftstelle*): **in this** ~ in diesem Zusammenhang. – 2. Um'gebung *f*, um'gebende Dinge *pl*.

con·tex·tu·al [kɒn'tekstʃuəl; kən-; *Br. auch* -tjuəl] *adj* 1. dem Zu'sammenhang *od.* Kon'text entsprechend, vom Zusammenhang abhängig. – 2. aus dem Zu'sammenhang *od.* Kon'text ersichtlich. — **con'tex·ture** [-tʃər] *s* 1. Verwebung *f*, -knüpfung *f*, -strikkung *f*. – 2. Gewebe *n*, Netz *n*. – 3. Gefüge *n*, Bau *m*, Struk'tur *f*, Sy'stem *n*.

con·ti·gu·i·ty [ˌkɒnti'gjuiti; -əti] *s* 1. Anein'andergrenzen *n*, -stoßen *n*. – 2. (**to**) Angrenzen *n* (an *acc*), Berührung *f* (mit). – 3. Nähe *f*, Nachbarschaft *f*. – 4. Masse *f*, Strecke *f*. – 5. *psych.* Kontigui'tät *f* (*räumliche u. zeitliche Berührung von Vorstellungen*). — **con·tig·u·ous** [kən'tigjuəs] *adj* 1. sich *od.* ein'ander berührend, anein'anderstoßend, -grenzend. – 2. (**to**) angrenzend, anstoßend (an *acc*), berührend (*acc*). – 3. (**to**) nahe (*dat*), benachbart (*dat*). – 4. *math.* anliegend (*Winkel*). – *SYN. cf.* **adjacent.** — **con'tig·u·ous·ness** → **contiguity** 1-3.

con·ti·nence ['kɒntinəns; -tə-], *auch* '**con·ti·nen·cy** *s* (*bes. geschlechtliche*) Enthaltsamkeit, Mäßigkeit *f*.

con·ti·nent ['kɒntinənt; -tə-] I *s* 1. Kontinent *m*, Erdteil *m*: **the** ~ **of Australia** der austral. Kontinent. – 2. Festland *n*. – 3. **the C**~ a) *Br.* das (europ.) Festland, b) *hist.* der Kontinent (*die nordamer. Kolonien während des Freiheitskampfes gegen das engl. Mutterland*): **to travel on the C**~ das europ. Festland bereisen. – 4. *obs.* Gefäß *n*, Behälter *m*. – II *adj* 5. enthaltsam, mäßig. – 6. keusch. – 7. *obs.* einschränkend. – 8. *selten* (**of s.th.**) (etwas) enthaltend, (für etwas) Raum habend. – 9. *obs.* zu'sammenhängend.

con·ti·nen·tal [ˌkɒnti'nentl; -tə-] I *adj* 1. kontinen'tal, Kontinental...: ~ **climate** *geogr.* Kontinentalklima. – 2. *meist* **C**~ *Br.* kontinen'tal (*das europ. Festland betreffend*): ~ **tour** Europareise. – 3. **C**~ *hist.* (*während des Unabhängigkeitskriegs*) kontinen'tal (*die nordamer. Kolonien betreffend*). – II *s* 4. Festländer(in), Bewohner(in) eines Kontinents. – 5. **C**~ *Br.* Festlandbewohner(in), Bewohner(in) des europ. Festlands. – 6. *hist.* a) **C**~ Sol'dat *m* der nordamer. Kontinen'talarˌmee (*1776–1783*), b) *Banknote während des Unabhängigkeitskriegs*: **not worth a** ~ *Am. sl.* keinen Pfennig wert; **I don't care a** ~ *Am. sl.* es ist mir ganz egal. — ~ **ba·sin** *s geogr.* binnenländische 'Beckenregiˌon. — **C**~ **Celt·ic** *s ling.* Festlandskeltisch *n*, Gallisch *n*. — ~ **code** *s* 'internatioˌnales 'Morsealphaˌbet. — **C**~ **Con·gress** *s hist.* Kontinen'talkonˌgreß *m* (*der Vertreter der 13 brit. Kolonien in Nordamerika; Philadelphia 1774–1789*). — ~ **de·pos·it** *s geol.* Festlandsablagerung *f*. — ~ **di·vide** *s* kontinen'tale Wasserscheide: **the C**~ **D**~ die vom Felsengebirge gebildete Wasserscheide (*des nordamer. Kontinents*). — ~ **drift** *s geol.* Kontinen'talverschiebung *f*. — ~ **drive** *s tech.* (Antrieb *m* durch) Differenti'alwechselgetriebe *n*. — ~ **gla·cier** *s geol.* Kontinen'talgletscher *m*. — ~ **is·land** *s geogr.* kontinen'tale Insel.

con·ti·nen·tal·ism [ˌkɒnti'nentlizəm; -tə'n-] *s* Kontinenta'lismus *m*, charakte'ristischer Zug der Festlandbewohner. — **ˌcon·ti'nen·tal·ist** *s* 1. → **continental** 4. – 2. **C**~ → **continental** 5. — **ˌCon·ti'nen·talˌize** *v/t* kontinen'tal machen, (*dat*) kontinentalen Cha'rakter geben.

con·ti·nen·tal| Morse code → **continental code.** — ~ **pla·teau,** ~ **platform** *s geogr.* Kontinen'taltafel *f* (*der Hypsographischen Kurve*). — ~ **shelf** *s irr geogr.* Schelf *m, n*, Kontinen'talsockel *m*. — ~ **slope** *s geogr.* Kontinen'talböschung *f*. — **C**~ **sys·tem** *s* Kontinen'talsyˌstem *n*, -sperre *f* (*Napoleons I., 1806*). — ~ **tea** *s bot.* Labra'dortee *m* (*Ledum groenlandicum*).

con·ti·nent·ly ['kɒntinəntli; -tə-] *adv* mit Mäßigung, gemäßigt, enthaltsam.

con·tin·gence [kən'tindʒəns] *s* 1. Berührung *f*, Kon'takt *m*: **angle of** ~ *math.* Berührungswinkel. – 2. *selten für* **contingency.** — **con'tin·gen·cy** *s* 1. Kontin'genz *f*, Zufälligkeit *f*, Abhängigkeit *f* vom Zufall, Unsicherheit *f*, Ungewißheit *f*. – 2. Möglichkeit *f*, mögliches *od.* zufälliges Ereignis, Zufall *m*: **the contingencies of war** das Auf u. Ab des Krieges. – 3. *philos.* Kontin'genz *f*. – 4. Neben-, Folgeerscheinung *f*. – 5. wechselseitige Abhängigkeit: ~ **table** Kontingenztafel, Frequenzverteilungssystem (*einer zweikomponentigen statistischen Klassifikation*). – *SYN. cf.* **juncture.** — **con'tin·gent** I *adj* 1. (**on, upon**) abhängig, abhängend (von), bedingt (durch): **to be** ~ **(up)on** abhängen von; ~ **annuity** *econ.* bedingte Rente, Annuität mit unbestimmter Laufzeit. – 2. möglich, eventu'ell, Eventual..., ungewiß. – 3. zufallsbedingt, zufällig. – 4. *philos.* kontin'gent (*nicht notwendig, unwesentlich*). – *SYN. cf.* **accidental.** – II *s* 5. Kontin'gent *n*, Anteil *m*, Beitrag *m*, Beteiligungsquote *f*. – 6. *mil.* 'Truppenkontinˌgent *n*. – 7. Zufall *m*, zufälliges Ereignis. — **con'tin·gent·ness** *s* Kontin'genz *f*, Zufälligkeit *f*.

con·tin·u·a·ble [kən'tinjuəbl] *adj* fortsetzbar. — **con'tin·u·al** *adj* 1. kontinu'ierlich, fort-, immerwährend, 'ununterˌbrochen, stetig, fortdauernd, unaufhörlich, anhaltend, (be)ständig. – 2. sich immer wieder'holend, oft wieder'holt: **a** ~ **knocking** ein immer wiederkehrendes Klopfen. – 3. *math.* kontinu'ierlich, stetig: ~ **proportion** kontinuierliche Proportion. – *SYN.* **constant, continuous, incessant, perennial, perpetual.** — **con'tin·u·al·ly** *adv* 1. fortwährend, andauernd. – 2. immer wieder. — **con'tin·u·al·ness** *s* Stetigkeit *f*, Kontinui'tät *f*, 'ununterˌbrochene Dauer, Fortdauer *f*.

con·tin·u·ance [kən'tinjuəns] *s* 1. Fortsetzung *f*. – 2. (Fort)Dauer *f*, Fortgang *m*, Anhalten *n*. – 3. Stetigkeit *f*, Beständigkeit *f*. – 4. stetige Folge *od.* Wieder'holung. – 5. Verweilen *n*, (Ver)Bleiben *n*. – 6. *jur.* Vertagung *f*, Aufschub *m*. – *SYN. cf.* **continuation.** — **con'tin·u·ant** I *s* 1. (*Phonetik*) Dauerlaut *m*. – 2. *math.* Kontinu'ante *f* (*kontinuierlicher Verlauf, kontinuierliche Linie*). – II *adj* 3. (*Phonetik*) Dauer...: ~ **sound** Dauerlaut. — **con'tin·u·ate** [-it; -ˌeit] *adj obs.* 'ununterˌbrochen.

con·tin·u·a·tion [kənˌtinju'eiʃən] *s* 1. Fortsetzung *f*, Weiterführung *f*. – 2. Fortbestand *m*, -dauer *f*. – 3. Fortsetzung *f* (*Roman etc*). – 4. Verlängerung(sstück *n*) *f*. – 5. Erweiterung *f*. – 6. *Br. für* **contango** I. – 7. *pl sl.* a) Hose *f*, b) Ga'maschen *pl*. – *SYN.* **continuance, continuity.** — ~ **school** *s* Fortbildungsschule *f*.

con·tin·u·a·tive [kən'tinjuətiv; -ˌeitiv] I *adj* 1. fortsetzend, fort-, weiterführend. – 2. Fortsetzungs..., Weiterführungs... – 3. *ling. selten* kontinua'tiv, verlängernd (*Nebensatz*). – II *s* 4. *ling. selten* Kontinua'tivwort *n*. — **con'tin·uˌa·tor** [-tər] *s* Fortsetzer(in), Weiterführer(in).

con·tin·ue [kən'tinju:] I *v/i* 1. fortfahren, weitermachen. – 2. an-, fortdauern, weitergehen, anhalten: the rain ~d der Regen hielt an. – 3. (fort)dauern, (fort)bestehen, von Dauer *od.* Bestand sein. – 4. (ver)bleiben: to ~ in a place an einer Stelle bleiben; to ~ in office im Amte bleiben. – 5. be-, verharren (in in *dat*, bei). – **II** *v/t* 6. fortsetzen, -führen, fortfahren mit: to ~ talking weitersprechen; to ~ a story eine Erzählung fortsetzen; to be ~d Fortsetzung folgt. – 7. verlängern, ausdehnen, weiterführen. – 8. beibehalten, erhalten, (*in einem Zustand etc*) belassen: to ~ judges in their posts Richter auf ihrem Posten belassen. – 9. (*Beziehungen etc*) aufrechterhalten. – 10. *bes. jur.* vertagen, aufschieben. – *SYN.* abide, endure, last², persist.

con·tin·ued [kən'tinjuːd] *adj* 1. fortgesetzt, anhaltend, fortlaufend, stetig, unaufhörlich, kontinu'ierlich. – 2. in Fortsetzungen erscheinend (*Roman etc*). — ~ **bass** *s mus.* Gene'ralbaß *m.* — ~ **bond** *s econ.* prolon'gierte Obligati'on *od.* Schuldverschreibung. — ~ **fe·ver** *s med.* Kon'tinua *f.* — ~ **frac·tion** *s math.* kontinu'ierlicher Bruch, Kettenbruch *m.* — ~ **pro·por·tion** *s math.* stetiges Verhältnis, fortlaufende, stetige Proporti'on. — ~ **quan·ti·ty** *s math.* stetige Größe.

con·ti·nu·i·ty [ˌkɒnti'njuːiti; -tə'n-; -əti; *Am. auch* -'nuː-] *s* 1. Kontinui'tät *f*, Stetigkeit *f*, 'ununterˌbrochenes Fortdauern *od.* -bestehen. – 2. 'ununterˌbrochener Zu'sammenhang. – 3. zu'sammenhängendes Ganzes, kontinu'ierliche Reihe *od.* Folge. – 4. (*Film*) Drehbuch *n*, (*Radio*) Manu'skript *n*: ~ writer a) Drehbuchautor, b) Textschreiber. – 5. (*Radio*) Zwischenansage *f*, verbindender Text. – 6. *math.* → continuum 3. – *SYN. cf.* continuation.

con·tin·u·ous [kən'tinjuəs] *adj* 1. 'ununterˌbrochen, fortdauernd, -laufend, stetig, kontinu'ierlich. – 2. anhaltend, andauernd, fortwährend, unaufhörlich. – 3. zu'sammenhängend, 'ununterˌbrochen: a ~ line. – 4. *arch.* 'durchlaufend (*Balken*). – 5. *ling.* progres'siv. – *SYN. cf.* continual. — ~ **ag·gre·gate** → continuum 3. — ~ **beam** *s arch.* 'Durchlaufbalken *m*, 'durchlaufender Träger. — ~ **brake** *s* (*Eisenbahn*) Sy'stem *n* zen'tral betätigter Zugbremsen. — ~ **con·so·nant** → continuant 1. — ~ **cre·a·tion** *s philos.* fortdauernde Schöpfung. — ~ **crime** *s jur.* Verbrechen, für das mehrere Gerichtsbarkeiten zuständig sind. — ~ **cur·rent** *s electr.* Gleichstrom *m.* — ~ **func·tion** *s math.* kontinu'ierliche Funkti'on. — ~ **in·dus·try** *s econ.* Indu'strie, die sämtliche Arbeitsphasen (*vom Rohprodukt bis zur Fertigware*) 'durchführt. — ~ **kiln** *s tech.* 1. (*Ziegelei*) Serien-, Rollofen *m.* – 2. Ofen *m* mit Dauerbetrieb. — ~ **mill** *s* (*Walzwesen*) kontinu'ierliche Walzenstraße, Serienwalzwerk *n.*

con·tin·u·ous·ness [kən'tinjuəsnis] *s* Kontinui'tät *f*, Kontinu'ierlichkeit *f*, Stetigkeit *f*, 'Ununterˌbrochenheit *f.*

con·tin·u·ous| per·form·ance *s* (*Kino, Varieté etc*) Nonstopvorstellung *f*, 'ununterˌbrochene Vorstellung. — ~ **spec·trum** *s phys.* kontinu'ierliches Spektrum. — ~ **wave** *s phys.* ungedämpfte Welle.

con·tin·u·um [kən'tinjuəm] *s* 1. zu'sammenhängendes Ganzes. – 2. 'ununterˌbrochene Reihe *od.* Folge. – 3. *math.* Kon'tinuum *n*, kontinu'ierliche Größe. – 4. 'ununterˌbrochener Zu'sammenhang.

cont·line ['kɒntlain; -lin] *s mar.* 1. Kar'deelabstand *m* (*zwischen den Schäften etc eines Taus*). – 2. Stauabstand *m.*

con·to ['kɒntou] *pl* **-tos** *s* Conto de 'Reis *n* (*Rechnungsmünze*): a) *in Brasilien*: *1000 Cruzeiros*, b) *in Portugal*: *1000 Escudos.*

con·tor·ni·ate [kən'tɔːrniit; -ˌeit] *s antiq.* Kontorni'at *m* (*Bronzemedaille der spätröm. Kaiserzeit*).

con·tort [kən'tɔːrt] *v/t* 1. zu'sammendrehen, verdrehen, winden, krümmen. – 2. verzerren, verziehen. – *SYN. cf.* deform. — **con'tort·ed** *adj* 1. (zu'sammen)gedreht, gewunden, gekrümmt. – 2. verzerrt, verzogen (*Gesicht etc*). – 3. *bot.* gedreht (*Knospendeckung*). — **con'tor·tion** *s* 1. Zu'sammendrehung *f*, Windung *f.* – 2. Verzerrung *f*, Verdrehung *f*, (Ver)Krümmung *f.* — **con'tor·tion·ist** *s* 1. Kontorsio'nist(in), Schlangenmensch *m*, Kautschukmann *m* (*im Zirkus etc*). – 2. Wortverdreher(in). — **con'tor·tive** *adj* 1. Windungs..., Drehungs... – 2. Verzerrungs...

con·tour ['kɒntur] **I** *s* 1. Kon'tur *f*, 'Umriß *m.* – 2. 'Umrißlinie *f.* – 3. *mil.* Außenlinie *f* (*von Festungswerken*). – 4. *math.* geschlossene Kurve. – 5. → ~ line. – **II** *adj* 6. *agr.* das Pflügen u. Säen längs der Höhenlinien (*zur Verhütung von Bodenerosion*) betreffend: ~ farming. – **III** *v/t* 7. um'reißen, die Kon'turen anzeigen *od.* andeuten von (*auch fig.*). – 8. (*Straßenbau*) (*Straße*) einer Höhenlinie folgen lassen. – *SYN. cf.* outline. — ~ **chair** *s* der Körperform angepaßter Stuhl *od.* Sessel. — ~ **feath·er** *s zo.* Kon'turfeder *f.* — ~ **in·ter·val** *s* (*Kartographie*) (*der durch den Abstand zwischen zwei Höhenlinien angezeigte*) 'Höhenˌunterschied. — ~ **line** *s* (*Kartographie*) Iso'hypse *f* (*Höhenlinie*). — ~ **map** *s geogr.* Höhenlinienkarte *f.*

con·tra ['kɒntrə] **I** *prep u. adv* 1. gegen, wider: pro and ~ (*meist* con) für u. wider. – **II** *s* 2. Gegen *n*, Wider *n*: the pros and ~s (*meist* cons) das Für u. Wider. – 3. *econ.* Kreditseite *f*: (as) per ~ als Gegenleistung *od.* -rechnung.

contra- [kɒntrə] *Wortelement mit der Bedeutung* kontra, gegen, wider, gegenüber.

con·tra·band ['kɒntrəˌbænd] **I** *s* 1. *econ.* unter Ein- *od.* Ausfuhrverbot stehende Ware. – 2. Konterbande *f*: a) Schmuggel-, Bannware *f*, b) *auch* ~ of war Kriegskonterbande *f*: absolute (conditional) ~ absolute (relative) Kriegskonterbande. – 3. Schmugge'lei *f*, Schleichhandel *m.* – 4. *hist.* (*während des amer. Bürgerkrieges*) in den Bereich der Uni'onstruppen gelangter Negersklave. – **II** *adj* 5. *econ.* unter Ein- *od.* Ausfuhrverbot stehend (*Ware*). – 6. Schmuggel..., illegal: ~ trade Schleichhandel. – **III** *v/t u. v/i selten* 7. schmuggeln. — '**con·traˌband·ism** *s* Schmuggel *m*, Schleichhandel *m.* — '**con·traˌband·ist** *s* Schmuggler(in).

con·tra·bass ['kɒntrəˌbeis] *mus.* **I** *s* 1. Kontrabaß *m*: a) *sehr tiefe Tonlage*, b) *Sängerstimme*, c) *Musikstimme*, d) *sehr tiefes Instrument.* – 2. *bes.* (Kontra)Baß *m*, große Baßgeige. – **II** *adj* 3. Kontrabaß..., sehr tief. — '**con·traˌbass·ist** *s mus.* 'Kontrabasˌsist *m*: a) Sänger *m* der Baßstimme, b) Baßgeiger *m.*

con·tra bas·soon *s mus.* 'Kontrafaˌgott *n.*

con·tra·cep·tion [ˌkɒntrə'sepʃən] *s med.* Kontrazepti'on *f*, Schwangerschafts-, Empfängnisverhütung *f.* — ˌ**con·tra'cep·tive** *adj u. s med.* schwangerschafts-, empfängnisverhütend(es Mittel).

con·tra·clock·wise [ˌkɒntrə'klɒkˌwaiz] → counterclockwise.

con·tract I *s* ['kɒntrækt] 1. *jur.* Vertrag *m*, Kon'trakt *m*: to enter into (*od.* make) a ~ einen Vertrag schließen, kontrahieren; by ~ vertraglich; to be under ~ to s.o. j-m vertraglich verpflichtet sein; to discharge (draw up) a ~ einen Vertrag erfüllen (aufsetzen). – 2. *jur.* a) Vertragsurkunde *f*, b) Vertragsrecht *n*, c) 'Eigentumsüberˌtragung *f.* – 3. a) Ehevertrag *m*, b) Verlöbnis *n.* – 4. *econ.* Verdingung *f*, Ak'kord *m*: ~ grade (*Produktenbörse*) Vertragssorte; to give by ~ in Submission vergeben. – 5. (*Kartenspiel*) a) *auch* ~ bridge Kon'trakt-, Pla'fond-Bridge *n*, b) (*Bridgespiel*) höchstes Gebot. – 6. *ling.* Kontrakti'on(sform) *f.* – 7. (*Eisenbahn*) *dial.* Zeitkarte *f.* – **II** *v/t* [kən'trækt] 8. zu'sammenziehen: to ~ a muscle. – 9. (*Stirn etc*) runzeln. – 10. *ling.* kontra'hieren, zu'sammenziehen, verkürzen. – 11. einschränken, schmälern, verengen. – 12. (*Gewohnheit*) annehmen. – 13. sich (*eine Krankheit*) zuziehen: to ~ a disease. – 14. erlangen, kommen zu. – 15. (*Schulden*) machen, geraten in (*acc*). – 16. (*Verpflichtung*) eingehen. – 17. [*Am. auch* 'kɑntrækt] (*Vertrag, Ehe etc*) (ab)schließen, eingehen. – 18. (*Freundschaft*) schließen, (*Bekanntschaft* machen. – 19. *meist pp, jetzt selten* verloben (to mit). – **III** *v/i* 20. sich zu'sammenziehen, (ein)schrumpfen. – 21. sich runzeln. – 22. sich verkleinern, kleiner werden. – 23. *jur.* kontra'hieren, einen Vertrag schließen *od.* eingehen: capable to ~ geschäftsfähig. – 24. sich vertraglich verpflichten (to do s.th. etwas zu tun; for s.th. zu etwas). – 25. eine Ehe schließen *od.* eingehen. – 26. ein Geschäft abschließen, (handels)einig werden. – *SYN.* a) compress, condense, constrict, deflate, shrink, b) *cf.* incur. –

Verbindungen mit Adverbien:

con·tract| in *v/i pol. Br.* sich (*schriftlich*) zur Bezahlung des Par'teibeitrages für die Labour Party verpflichten. — ~ **out** *v/i* 1. sich (*vertraglich*) befreien *od.* freimachen (of von). – 2. *pol. Br.* Befreiung von der Bezahlung des Par'teibeitrages für die Labour Party erlangen.

con·tract·ant [kən'træktənt] *s jur.* Kontra'hent(in), Vertragschließende(r). — **con'tract·ed** *adj* 1. zu'sammengezogen, -geschrumpft. – 2. verkürzt, zu'sammengezogen. – 3. gerunzelt (*Stirn etc*). – 4. *fig.* engherzig, engstirnig, beschränkt, bor'niert. – 5. beschränkt (*Verhältnisse*). — **conˌtract·i'bil·i·ty** *s* Zu'sammenziehbarkeit *f.* — **con'tract·i·ble** *adj* zu'sammenziehbar. — **con'tract·i·ble·ness** → contractibility. — **con'trac·tile** [*Br.* -tail; *Am.* -til] *adj* zu'sammenziehbar, der Zu'sammenziehung fähig, kontrak'til: ~ cell *bot.* Zelle der Faserschicht (*der Anthere*); ~ vacuole *biol.* kontraktile *od.* pulsierende Vakuole (*in einzelligen Organismen*). — **con·trac·til·i·ty** [ˌkɒntræk'tiliti; -əti] *s* Zu'sammenziehbarkeit *f*, -ziehungsvermögen *n*, Kontraktili'tät *f.* — **con·tract·ing** [kən'træktiŋ; 'kɒntræktiŋ] *adj* 1. (sich) zu'sammenziehend. – 2. vertragschließend, Vertrags...: the ~ parties die vertragschließenden Parteien, die Kontrahenten.

con·trac·tion [kən'trækʃən] *s* 1. Kontrakti'on *f*, Zu'sammenziehung *f.* – 2. *ling.* Zu'sammenziehung *f*, Kontrakti'on *f*, Abkürzung *f*, Verkürzung *f* (*Wort*), Kurzwort *n.* – 3. *med.* a) Zuziehung *f* (*Krankheit*), b) dauernde Verkürzung, Kontrak'tur *f*: muscular ~ Muskelkontraktur.

– 4. *econ.* Kontrakti'on *f* (*Einschränkung des Notenumlaufs*). — **con'trac·tion·al** *adj* Kontraktions... — **con'trac·tive** [-tiv] *adj* zu'sammenziehend. — **con'trac·tive·ness** *s* zu'sammenziehende Eigenschaft.

con·tract note *s econ. Br.* Schlußschein *m*, -note *f*, -zettel *m* (*an der Londoner Börse*).

con·trac·tor [kən'træktər; *Am. auch* 'kɑntræktər] *s* **1.** *econ.* a) Kontra'hent(in), Vertragschließende(r), b) Unter'nehmer *m*, c) Über'nehmer(in) (*Auftrag, Bürgschaft etc*), d) Liefe'rant *m*, Lieferer *m*. – **2.** *med.* Schließmuskel *m*, Zu'sammenzieher *m*.

con·trac·tu·al [kən'træktʃuəl; *Br. auch* -tjuəl] *adj* vertraglich, kon'traktlich, vertragsmäßig, Vertrags...

con·trac·ture [kən'træktʃər] *s med.* Kontrak'tur *f*, Zu'sammenziehung *f*, Verengerung *f*. — **con'trac·tured** *adj med.* zu'sammengezogen.

con·tra·dance [*Br.* 'kɒntrəˌdɑːns; *Am.* -ˌdæ(ː)ns] → **contredanse.**

con·tra·dict [ˌkɒntrə'dikt] **I** *v/t* **1.** (*j-m, einer Sache*) wider'sprechen, (*etwas*) bestreiten. – **2.** wider'sprechen (*dat*), im 'Widerspruch stehen zu, unvereinbar sein mit: **his actions ~ his principles.** – **3.** *obs.* 'Widerspruch erheben gegen. – **II** *v/i* **4.** wider'sprechen, 'Widerspruch erheben. – *SYN. cf.* **deny.** — ˌ**con·tra'dict·a·ble** *adj* bestreitbar, anfechtbar. — ˌ**con·tra'dic·tion** *s* **1.** 'Widerspruch *m*, -rede *f*: **spirit of ~** Widerspruchsgeist. – **2.** Bestreitung *f* (*einer Behauptung etc*). – **3.** 'Widerspruch *m*, Unvereinbarkeit *f*: **in ~ to** im Widerspruch zu; → **term** 16. – **4.** *philos.* Kontradikti'on *f*, 'Widerspruch *m*. — ˌ**con·tra'dic·tious** *adj* **1.** zum 'Widerspruch geneigt, 'widerspruch-, streitsüchtig. – **2.** *obs.* a) 'widerspruchsvoll, b) wider'streitend. — ˌ**con·tra'dic·tious·ness** *s* 'Widerspruchsgeist *m*, Streitsucht *f*. — ˌ**con·tra'dic·tive** → **contradictory.**

con·tra·dic·to·ri·ness [ˌkɒntrə'diktərinis] *s* **1.** (to) 'Widerspruch *m* (zu), Unvereinbarkeit *f* (mit). – **2.** (between) 'Widerstreit *m* (zwischen *dat*), Unvereinbarkeit *f* (*gen od.* von). – **3.** *philos.* Kontradikti'on *f*, kontradik'torische Eigenschaft. — ˌ**con·tra'dic·to·ry I** *adj* **1.** (to) wider'sprechend (*dat*), im 'Widerspruch stehend (zu), unvereinbar (mit). – **2.** ein'ander *od.* sich wider'sprechend, unvereinbar, wider'streitend. – **3.** *philos.* kontradik'torisch, wider'sprechend. – **4.** 'widerspruch-, streitsüchtig. – *SYN. cf.* **opposite.** – **II** *s* **5.** *philos.* kontradik'torischer Begriff. – **6.** 'Widerspruch *m*, (*etwas*) Unvereinbares.

con·tra·dis·tinct [ˌkɒntrədis'tiŋkt] *adj* gegensätzlich. — ˌ**con·tra·dis'tinc·tion** *s* (Unter'scheidung *f* durch) Gegensatz *m*: **in ~ to** im Gegensatz zu. — ˌ**con·tra·dis'tinc·tive** *adj* **1.** gegensätzlich. – **2.** unter'scheidend, Unterscheidungs... — ˌ**con·tra·dis'tin·guish** [-'tiŋgwiʃ] *v/t* (*durch Gegensätze*) unter'scheiden (from von).

con·tra·gre·di·ent [ˌkɒntrə'griːdiənt] *adj math.* kontragredi'ent.

con·tra·hent ['kɒntrəhənt] **I** *adj* kontra'hierend, vertragschließend. – **II** *s* Kontra'hent(in), Vertragspartner(in).

con·trail ['kɒnˌtreil] *s aer.* Kon'densstreifen *m*.

con·tra·in·di·cant [ˌkɒntrə'indikənt; -də-] → **contraindication.** — ˌ**con·tra'in·diˌcate** [-ˌkeit] *v/t med.* kontraindi'zieren, als schädlich *od.* untunlich erscheinen lassen: **this symptom ~s drug treatment.** — ˌ**con·traˌin·di'ca·tion** *s med.* 'Kontra-, 'Gegenindikatiˌon *f*, Gegenanzeige *f*.

con·tra·in·jec·tion [ˌkɒntrəin'dʒekʃən] *s aer.* Treibstoffeinspritzung *f* gegen den Luftstrom (*bei Strahltriebwerken*).

con·tral·to [kən'træltou] *pl* **-tos** *mus.* **I** *s* **1.** Kontraalt *m*: a) (tiefer) Alt (*tiefe Frauenstimme*), b) *bes. hist.* hoher (*falsettierender*) Te'nor. – **2.** (Kontra)Altlage *f*. – **3.** ('Kontra)ˌAltparˌtie *f*. – **4.** ('Kontra)Alˌtist(in). – **II** *adj* **5.** (Kontra)Alt...

con·tra·oc·tave [ˌkɒntrə'ɒkteiv] *s mus.* 'Kontraokˌtave *f*: a) *Tonraum unter der Großen Oktave*, b) Orgelregister *16'*.

con·tra·plex ['kɒntrəˌpleks] *adj* (*Nachrichtentechnik*) Gegensprech..., Duplex...: **~ telegraphy** Duplextelegraphie (←*x*→).

con·tra·pose [ˌkɒntrə'pouz] *v/t* **1.** (ein'ander) gegen'über-, entgegenstellen, -setzen. – **2.** *philos.* kontrapo'nieren, 'umsetzen. — ˌ**con·tra·po'si·tion** [-pə'ziʃən] *s* **1.** Entgegen-, Gegen'überstellung *f*. – **2.** *philos.* Kontrapositi'on *f* (*Urteile etc*).

con·tra·prop ['kɒntrəˌprɒp] *s aer.* zwei einachsige gegenläufige Pro'peller *pl*, gegenläufige Doppel(luft)schraube.

con·trap·tion [kən'træpʃən] *s colloq.* (neumodischer) Appa'rat, (Be'helfs)Mechaˌnismus *m*, ‚verrückte Erfindung'.

con·tra·pun·tal [ˌkɒntrə'pʌntl] *adj mus.* kontrapunktisch, poly'phon. — ˌ**con·tra'pun·tist** *s mus.* Kontrapunktiker *m*.

con·trar·i·ant [kən'trɛ(ə)riənt] **I** *adj* **1.** gegnerisch, Gegen... – **2.** entgegengesetzt. – **II** *s* **3.** Gegner(in).

con·tra·ri·e·ty [ˌkɒntrə'raiəti] *s* **1.** Gegensätzlichkeit *f*, Unvereinbarkeit *f*. – **2.** 'Widerspruch *m*, Gegensatz *m* (to zu). – **3.** Widrigkeit *f*, 'Widerwärtigkeit *f*, Ungunst *f*.

con·tra·ri·ly [*Br.* 'kɒntrərili; *Am.* -trer- *auch* kən'trɛr-] *adv* **1.** entgegen (to *dat*). – **2.** andererseits. — '**con·tra·ri·ness** *s* **1.** Gegensätzlichkeit *f*, 'Widerspruch *m*, Unvereinbarkeit *f*. – **2.** Widrigkeit *f*, Ungunst *f* (*Wind etc*). – **3.** [*auch* kən'trɛ(ə)r-] 'Widerspenstigkeit *f*, -borstigkeit *f*, Eigensinn *m*, Halsstarrigkeit *f*.

con·trar·i·ous [kən'trɛ(ə)riəs] *adj* **1.** *selten* widrig, 'widerwärtig. – **2.** *obs.* entgegengesetzt.

con·tra·ri·wise [*Br.* 'kɒntrəriˌwaiz; *Am.* -trer-] *adv* **1.** im Gegenteil. – **2.** 'umgekehrt. – **3.** andererseits. – **4.** kon'trär, entgegengesetzt.

con·tra·ro·ta·tion [ˌkɒntrəro'teiʃən] *s* entgegengesetzte 'Umdrehung.

con·tra·ry [*Br.* 'kɒntrəri; *Am.* -treri] **I** *adj* **1.** kon'trär, entgegengesetzt, wider'sprechend (to s.th. einer Sache). – **2.** ein'ander entgegengesetzt, gegensätzlich, sich wider'streitend *od.* -'sprechend. – **3.** ander(er, e, es) (*von zweien*). – **4.** kon'trär, widrig, ungünstig (*Wind, Wetter*). – **5.** (to) verstoßend (gegen), wider'sprechend (*dat*), im 'Widerspruch (zu): **~ to law** gegen das Gesetz; **his conduct is ~ to rules** sein Benehmen verstößt gegen die Regeln. – **6.** [*auch* kən'trɛ(ə)ri] 'widerspenstig, -borstig, wider'setzlich, eigensinnig, aufsässig. – **7.** *philos.* kon'trär. – *SYN.* a) **balky, froward, perverse, restive, wayward;** b) *cf.* **opposite.** – **II** *adv* **8.** im Gegensatz, im 'Widerspruch (to zu): **~ to** gegen, zuwider; **to act ~ to one's principles** seinen Grundsätzen zuwiderhandeln. – **III** *s* **9.** Gegenteil *n*: **on the ~** im Gegenteil; **to be the ~ to** das Gegenteil sein von; **to the ~** aufs Gegenteil hinausgehend, gegenteilig; → **proof** 10. – **10.** *philos.* Gegenteil *n*. — '**~-'mind·ed** *adj* (mit) entgegengesetzter Meinung. — **~ mo·tion** *s mus.* Gegenbewegung *f*.

con·trast I *s* ['kɒntræst; *Br. auch* -trɑːst] **1.** Kon'trast *m*, Gegensatz *m*: **to form a ~** einen Kontrast bilden (to zu); **by ~ with** im Vergleich mit; **in ~ to** im Gegensatz zu; **to be in ~ to s.th.** zu etwas im Gegensatz stehen; **he is a great ~ to his brother** er ist von seinem Bruder grundverschieden. – **2.** Kontra'stieren *n*. – **II** *v/t* [kən'træst; *Br. auch* -'trɑːst] **3.** (with) entgegensetzen, kontra'stieren, vergleichen (mit), gegen'überstellen (*dat*). – **III** *v/i* **4.** (with) kontra'stieren (mit), sich abheben, abstechen (von, gegen): **~ing colo(u)rs** kontrastierende Farben. – **5.** einen Gegensatz bilden, im Gegensatz stehen (with zu): **his opinion ~s strongly with mine** seine Meinung steht in starkem Gegensatz zu der meinen. – *SYN. cf.* **compare.** — **con'trast·a·ble** *adj* kontra'stierbar.

con·trast bath *s med.* Wechselbad *n*.

con·tra·stim·u·lant [ˌkɒntrə'stimjulənt; -mjə-] *med.* **I** *adj* **1.** reizentgegengesetzt wirkend. – **2.** beruhigend, reizbeseitigend. – **II** *s* **3.** Seda'tivum *n*, Beruhigungsmittel *n*.

con·tras·tive [kən'træstiv; *Br. auch* -'trɑːs-] *adj* kon'trastbildend, gegensätzlich. — **con'trast·y** *adj phot.* kon'trastreich, hart.

con·trate ['kɒntreit] *adj* (*Uhrmacherei*) mit zur Achse senkrechten Zähnen: **~ wheel** (Steigrad am) Kronrad (*einer Uhr*).

con·tra·ten·or ['kɒntrə'tenər] *s mus.* Alt *m*, zweiter Te'nor (*Stimme u. Sänger*).

con·tra·val·la·tion [ˌkɒntrəvə'leiʃən] *s mil.* Gegenverschanzung *f*.

con·tra·var·i·ant [ˌkɒntrə'vɛ(ə)riənt] *math.* **I** *s* Kontravari'ante *f* (*Funktion*). – **II** *adj* kontravari'ant.

con·tra·vene [ˌkɒntrə'viːn] *v/t* **1.** zu'widerhandeln (*dat*), (*Gesetz*) über'treten, verletzen. – **2.** im 'Widerspruch stehen zu. – *SYN. cf.* **deny.** — ˌ**con·tra'ven·er** *s* Über'treter(in), Verletzer(in) (*Gesetze etc*). — ˌ**con·tra'ven·tion** [-'venʃən] *s* **1.** (of) Über'tretung *f* (von *od. gen*), Zu'widerhandlung *f* (gegen): **in ~ of the rules** entgegen den Vorschriften. – **2.** *jur.* Ge'setzesüberˌtretung *f*.

con·tra·yer·va [ˌkɒntrə'jəːrvə] *s bot.* (*eine*) Dor'stenie (*Dorstenia contrayerva; mit als Arznei dienender Wurzel*).

con·tre·danse [kɔ̃trə'dɑ̃ːs] (*Fr.*) *s* Contre'danse *f* (*Tanz u. Musikstück*). — ˌ**con·tre'temps** [-'tɑ̃] *pl* **-temps** [-ˌtɑ̃z] *s* unglücklicher Zufall.

con·trib·ut·a·ble [kən'tribjutəbl] *adj* beitragbar. — **con'trib·ute** [-bjut] **I** *v/t* **1.** (*etwas*) beitragen, beisteuern, zuschießen (to zu, für). – **2.** (*Artikel etc zu einer Zeitschrift*) beitragen. – **II** *v/i* **3.** (to) beitragen, einen Beitrag leisten (zu), mitwirken (an *dat*): **to ~ to a newspaper** für eine Zeitung schreiben. – *SYN. cf.* **conduce.**

con·tri·bu·tion [ˌkɒntri'bjuːʃən; -trə-] *s* **1.** Beitragung *f*, Beisteuerung *f* (to zu). – **2.** (Geld)Spende *f*, Zuwendung *f*. – **3.** Beitrag *m*, Beisteuer *f* (to zu). – **4.** Abgabe *f*, 'Umlage *f*. – **5.** Kriegssteuer *f*. – **6.** Mitwirkung *f* (to an *dat*). – **7.** Beitrag *m* (*für Zeitschriften etc*). – **8.** *econ.* anteilmäßiger Beitrag bei Versicherungsschäden.

con·trib·u·tive [kən'tribjutiv; -bjə-] *adj* beisteuernd, mitwirkend. — **con'trib·u·tor** [-tər] *s* **1.** Beisteuernde(r), Beitragleistende(r), Beitragende(r). – **2.** Mitwirkende(r), Mitarbeiter(in): **~ to a newspaper** Mitarbeiter(in) bei *od.* an einer Zeitung. — **con'trib·u·to·ry** [*Br.* -təri; *Am.* -ˌtɔːri] **I** *adj* **1.** beisteuernd, beitragend (to zu). – **2.** beitrags-, nachzahlungs-, nachschußpflichtig. – **3.** (to) mitwirkend (an *dat*, bei), mitarbeitend (an *dat*): **~ causes** mitwirkende Ursachen. –

4. fördernd, unter'stützend (*acc*), förderlich (*dat*): ~ **negligence** *jur.* mitwirkendes Verschulden, zur Schädigung *od.* Verletzung beitragende Fahrlässigkeit (*seitens des Geschädigten*). – **5.** *obs.* tri'but-, zins-, steuerpflichtig, 'untertan. – *SYN.* **auxiliary, subservient.** – **II** *s* **6.** Beitragende(r), Beitragleistende(r), Beisteuerer *m*, Beisteuerin *f* (to zu). – **7.** fördernder 'Umstand. – **8.** Nachschußpflichtige(r). – **9.** *econ. jur. Br.* soli'darisch haftbarer Aktio'när.

con·trite ['kɒntrait; *Am. auch* kən'trait] *adj* **1.** zerknirscht, reuig, reumütig. – **2.** durch Reue verursacht: ~ **tears** Tränen der Reue. — '**con·trite·ness** *s selten* Zerknirschung *f*. — **con·tri·tion** [kən'triʃən] *s* **1.** Zerknirschung *f*, Reue *f*. – **2.** *relig.* Bußfertigkeit *f*, Reue *f*: (**im**)**perfect** ~ (un)vollkommene Reue. – *SYN. cf.* **penitence.**

con·triv·a·ble [kən'traivəbl] *adj* **1.** erfindbar, erdenkbar. – **2.** 'durchführbar, 'herstellbar. — **con'triv·ance** *s* **1.** Ein-, Vorrichtung *f*: **adjusting** ~ Stellvorrichtung. – **2.** Appa'rat *m*. – **3.** Erfindung *f*, Planung *f*. – **4.** Aushecken *n*. – **5.** Erfindungsgabe *f*, Findigkeit *f*. – **6.** Bewerkstelligung *f*. – **7.** Plan *m*. – **8.** List *f*, Kniff *m*. — **con'triv·an·cy** *s* Erfindungsgabe *f*, Findigkeit *f*.

con·trive [kən'traiv] **I** *v/t* **1.** erfinden, ersinnen, sinnen auf (*acc*), erdenken, ausdenken, entwerfen: **to** ~ **an excuse** sich eine Entschuldigung ausdenken; **to** ~ **ways and means** Mittel u. Wege finden. – **2.** (*etwas Böses*) aushecken. – **3.** zu'stande bringen, bewerkstelligen. – **4.** es fertigbringen, es verstehen, es einrichten: **he** ~**d to make himself popular** er verstand es, sich beliebt zu machen. – **II** *v/i* **5.** Pläne machen *od.* schmieden. – **6.** Ränke schmieden, intri'gieren, Anschläge aushecken. – **7.** haushalten, gut *od.* sparsam wirtschaften. — **con'triv·er** *s* **1.** Erfinder(in), Urheber(in). – **2.** Pläneschmieder(in). – **3.** Veranstalter(in). – **4.** Haushälterin *f*: **she is a good** ~ sie führt ihren Haushalt gut.

con·trol [kən'troul] **I** *v/t pret u. pp* **-'trolled 1.** beherrschen, einschränken, im Zaume halten, die Kon'trolle *od.* die Herrschaft haben über (*acc*): **to** ~ **oneself** sich beherrschen; **to** ~ **one's passions** seine Leidenschaften bezähmen. – **2.** einschränken, in Grenzen halten, in bestimmte Bahnen lenken, (*einer Sache*) steuern. – **3.** kontrol'lieren, über'wachen, beaufsichtigen. – **4.** kontrol'lieren, (nach)prüfen. – **5.** leiten, lenken, führen. – **6.** *electr.* steuern, regeln, regu'lieren: ~**led rocket** gesteuerte Rakete. – *SYN. cf.* **conduct**[1]. – **II** *s* **7.** Macht *f*, Gewalt *f*, Kon'trolle *f*, Herrschaft *f* (**of, over** über *acc*): **to have** ~ **over s.o.** Gewalt über j-n haben; **to have a situation under** ~ Herr einer Lage sein; **to get beyond s.o.'s** ~ j-m über den Kopf wachsen; **to lose** ~ **of oneself** die Selbstbeherrschung verlieren. – **8.** Aufsicht *f*, Kon'trolle *f* (**of, over** über *acc*): **Board of C**~ Aufsichtsrat; **to be in** ~ **of s.th.** etwas unter sich haben. – **9.** Zwang *m*, Einhalt *m*, Einschränkung *f*: **to keep under** ~ im Zaume halten. – **10.** *tech.* a) Kon'trolle *f*, Steuerung *f*, Führung *f*, b) Kon'troll-, Regu'liervorrichtung *f*. – **11.** *electr.* Regu'lierung *f*, Regelung *f*. – **12.** *pl* a) *aer.* Steuerung *f*, Leitwerk *n*, b) *tech.* Bedienungsgestänge *n*. – **13.** → ~ **experiment.** – **14.** *econ.* Bewirtschaftung *f*. – **15.** (*Motorrennsport*) nicht angerechnete Strecke (*einer Ortsdurchfahrt*), Neutralisati'onsstrecke *f*. – **16.** (*Luftrennen*) Kon'troll-, Über'holungsstatiˌon *f*. – **17.** (*Spiritismus*) *Persönlichkeit od. Geist, deren Äußerungen das Medium wiedergibt.* – *SYN. cf.* **power.**

con·trol| and re·port·ing *s mil.* Fliegerleit- u. Flugmeldedienst *m*. — ~ **bat·ter·y** *s electr.* 'Steuerbatteˌrie *f*. — ~ **car** *s aer.* Führergondel *f* (*Luftschiff*). — ~ **chart** *s* **1.** sta'tistische Darstellung der Bevölkerungsdichte. – **2.** *tech.* 'Steuerungsdiaˌgramm *n*. — ~ **clock** *s tech.* Kon'trolluhr *f*. — ~ **col·umn** *s* **1.** *aer.* Steuerknüppel *m*, -säule *f* (*Flugzeug*). – **2.** *tech.* Steuersäule *f*. — ~ **ex·per·i·ment** *s* Gegenversuch *m*. — ~ **gen·er·a·tor** *s tech.* 'Steuergeneˌrator *m*.

con·trol·la·bil·i·ty [kənˌtroulə'biliti; -əti] *s aer.* Steuerbarkeit *f*, Ansprechen *n* auf Steuerausschläge (*eines Flugzeugs*).

con·trol·la·ble [kən'trouləbl] *adj* **1.** kontrol'lier-, über'prüf-, beherrschbar. – **2.** der Aufsicht *od.* Gewalt unter'worfen (**by** von). – **3.** *electr. tech.* steuer-, regel-, regu'lierbar.

con·trol·ler [kən'troulər] *s* **1.** Kontrol'leur *m*, Aufseher *m*, Re'visor *m*, amtlicher Oberaufseher, Prüfer *m*: ~ **general** Generalkontrolleur. – **2.** *fig.* Leiter *m*. – **3.** *electr.* Regler *m*, Fahrschalter *m* (*am Motor*). – **4.** *mar.* Bug-, Deck-, Klüs-, Klüsenstopper *m*. – **5.** *sport* Kon'trollposten *m* (*beim Slalom*). — **con'trol·lerˌship** *s* **1.** Kontrol'leurstelle *f*, Amt *n* eines Kontrol'leurs *od.* Aufsehers. – **2.** Aufsicht *f*, Gewalt *f*. — **con'trol·less** *adj* unbeaufsichtigt. — **con'trol·ment** → control 7 *u.* 8.

con·trol| re·lay *s electr.* 'Steuer-, Kon'trollreˌlais *n*. — ~ **rod** *s* (*Atomphysik*) Regel-, Regul'ierstab *m*. — ~ **room** *s electr. tech.* Kon'troll-, Regel-, Kom'mandoraum *m*, Zen'trale *f*. — ~ **stick** → control column 1. — ~ **sur·face** *s* (bewegliche) Leit-, Steuerfläche, Steuerruder *n* (*Flugzeug*). — ~ **switch** *s electr.* Steuer-, Kon'trollschalter *m*. — ~ **tow·er** *s aer.* ('Flugsicherungs- *od.* F'S-)Konˌtrollturm *m*.

con·tro·ver·sial [ˌkɒntrə'vəːrʃəl] *adj* **1.** streitig, strittig, um'stritten, kontro'vers, Streit...: a ~ **book** ein umstrittenes Buch; a ~ **subject** eine Streitfrage. – **2.** streitend, po'lemisch. – **3.** streitsüchtig. — ˌ**con·tro'ver·sial·ist** *s* Po'lemiker *m*. — ˌ**con·tro'ver·sialˌize** *v/i* streiten, polemi'sieren. — '**con·troˌver·sy** [-ˌvəːrsi] *s* **1.** Kontro'verse *f*, Meinungsstreit *m*, Dis'put *m*, Disputati'on *f*, Diskussi'on *f*, De'batte *f*: **to enter into a** ~ **with s.o.** sich mit j-m in eine Diskussion einlassen; **beyond** ~, **without** ~ fraglos, unzweifelhaft, ohne Frage. – **2.** *jur.* Rechtsstreit *m*, -sache *f*, Pro'zeß *m*. – **3.** Streitfrage *f*, -sache *f*, -punkt *m*. – **4.** Streit *m*, Zank *m*.

con·tro·vert ['kɒntrəˌvəːrt; ˌkɒntrə'vəːrt] **I** *v/t* **1.** bestreiten, bekämpfen, anfechten: **to** ~ **a statement** die Richtigkeit einer Behauptung bestreiten; a ~**ed doctrine** eine umstrittene *od.* angefochtene Doktrin. – **2.** disku'tieren, debat'tieren, streiten über (*acc*). – **3.** (*j-m*) wider'sprechen. – *SYN. cf.* **disprove.** – **II** *v/i* **4.** disku'tieren, debat'tieren, streiten. — '**con·troˌvert·er** *s* Po'lemiker *m*. — ˌ**con·tro'vert·i·ble** *adj* **1.** streitig, strittig. – **2.** bestreitbar, anfechtbar.

con·tu·ma·cious [ˌkɒntju'meiʃəs; *Am. auch* -tu-] *adj* **1.** aufsässig, 'widerspenstig, halsstarrig. – **2.** *jur.* ungehorsam, (*vor Gericht*) nicht erscheinend, einer gerichtlichen Aufforderung nicht Folge leistend. – *SYN.* **insubordinate, rebellious.** — ˌ**con·tu'ma·cious·ness,** '**con·tu·ma·cy** [-məsi] *s* **1.** Aufsässigkeit *f*, 'Widerspenstigkeit *f*, Halsstarrigkeit *f*. – **2.** *jur.* Kontu'maz *f*, Nichterscheinen *n* vor Gericht: **to condemn for** ~ **j-n** in Abwesenheit verurteilen, kontumazieren.

con·tu·me·li·ous [ˌkɒntju'miːliəs; *Am. auch* -tu-] *adj* **1.** schändlich, schmählich, schimpflich, verachtenswert. – **2.** Schimpf..., Schmäh...: ~ **language** Schmährede. – **3.** frech, unverschämt. – **4.** hochmütig, anmaßend. — ˌ**con·tu'me·li·ous·ness,** '**con·tu·me·ly** [-mili; -mə-; *Br. auch* -mli] *s* **1.** Hohn *m*, Verachtung *f*. – **2.** Schmach *f*, Schimpf *m*. – **3.** Beschimpfung *f*, Schmähung *f*.

con·tuse [kən'tjuːz; *Am. auch* -'tuːz] *v/t* **1.** *med.* quetschen: ~**d wound** Quetschwunde. – **2.** zu'sammenschlagen, -stoßen. — **con'tu·sion** [-'tjuːʒən; *Am. auch* -'tuː-] *s* **1.** *med.* Kontusi'on *f*, Quetschung *f*. – **2.** Zu'sammenschlagen *n*, -stoßen *n*. — **con'tu·sive** [-siv] *adj med.* quetschend, Quetschungen verursachend.

co·nun·drum [kə'nʌndrəm] *s* **1.** Scherz-, Ve'xierfrage *f*, (Scherz-)Rätsel *n*: **to set** ~**s** Rätsel aufgeben. – **2.** *fig.* Rätsel *n*, Pro'blem *n*. – *SYN. cf.* **mystery**[1].

con·ur·ba·tion [ˌkɒnəːr'beiʃən] *s* Gruppe *f* zu'sammengewachsener Städte.

co·nus ['kounəs] *pl* **-ni** [-nai] *s* [Konus *m*, Kegel *m*.]

con·va·lesce [ˌkɒnvə'les] *v/i* gesund werden, genesen. — ˌ**con·va'les·cence** *s* Rekonvales'zenz *f*, Genesung *f*, Gesundung *f*. — ˌ**con·va'les·cent I** *adj* **1.** rekonvales'zent, genesend. – **2.** Genesungs...: ~ **home,** ~ **hospital** Genesungsheim. – **II** *s* **3.** Rekonvales'zent(in), Genesende(r).

con·val·lar·i·a·ceous [ˌkɒnvəˌlɛ(ə)ri'eiʃəs] *adj bot.* maiglöckchenähnlich.

con·vec·tion [kən'vekʃən] *s* **1.** *phys.* Konvekti'on *f*, Fortpflanzung *f*, Über'tragung *f*. – **2.** *aer. phys.* Konvekti'on *f*, Strahlung *f* (*vertikale Luftströmung*): ~ **current** *electr.* Konvektionsstrom. – **3.** Über'tragung *f*, Trans'port *m*. — **con'vec·tion·al** *adj phys.* Konvektions... — **con'vec·tive** [-tiv] *adj* konvek'tiv, auf Konvekti'on *od.* Über'tragung beruhend, Konvektions..., Übertragungs... — **con'vec·tor** [-tər] *s phys.* Konvekti'ons(strom)leiter *m*, -medium *n*.

con·ven·a·ble [kən'viːnəbl] *adj* versammelbar, einberufbar.

con·ve·nance [kɔ̃v'nɑ̃ːs; 'kɒnvəˌnɑːns] (*Fr.*) *s* **1.** Schicklichkeit *f*, Tunlichkeit *f*. – **2.** Nützlichkeit *f*, Zweckdienlichkeit *f*. – **3.** *pl* Anstandsformen *pl*, Konventionali'tät *f*.

con·vene [kən'viːn] **I** *v/i* **1.** zu'sammenkommen, -treffen, sich versammeln. – **2.** zu'sammentreffen, -kommen (*Ereignisse*). – **II** *v/t* **3.** zu'sammenrufen, (ein)berufen, versammeln: **to** ~ **a meeting** eine Versammlung einberufen. – **4.** *jur.* amtlich vorladen, zi'tieren (**before** vor *acc*). – *SYN. cf.* **summon.** — **con'ven·er** *s* Einberuf(end)er *m* (*einer Versammlung*).

con·ven·ience [kən'viːnjəns] *s* **1.** Angemessenheit *f*, Füglichkeit *f*, Geeignetheit *f*. – **2.** Annehmlichkeit *f*, Bequemlichkeit *f*: **at one's** ~ nach Belieben, gelegentlich, wenn es gerade paßt; **at your earliest** ~ bei erster Gelegenheit, so bald wie möglich; **to suit one's own** ~ ganz nach eigenem Belieben handeln. – **3.** Vorteil *m*: **it is a great** ~ es ist sehr vorteilhaft; **to make a** ~ **of s.o.** j-n ausnützen. – **4.** Bequemlichkeit *f*, Behaglichkeit *f*, Kom'fort *m*. – **5.** *Br.* 'Wasserkloˌsett *n*. — **con'ven·ien·cy**

→ convenience. — **con'ven·ient** *adj* **1.** bequem, praktisch, (zweck)dienlich, geeignet (for zu): **this table is ~ for writing** dieser Tisch ist sehr bequem zum Schreiben. – **2.** bequem, günstig, passend, gelegen: **it is not ~ for me** es paßt mir schlecht. – **3.** bequem gelegen, leicht zu erreichen (*Ort*): **~ to** in der Nähe von, nahe bei, nahe an (*dat*). – **4.** handlich (*Gegenstand*). – **5.** *obs.* geziemend, angemessen (to, for für).

con·vent[1] [*Br.* 'kɒnvənt; *Am.* -vent] *s* Kloster(gebäude) *n*, *bes.* Nonnenkloster *n*. – *SYN. cf.* **cloister.**

con·vent[2] [kən'vent] *v/i u. v/t obs.* (sich) versammeln.

con·ven·ti·cle [kən'ventikl] *s* **1.** Konven'tikel *n*, (heimliche) Zu'sammenkunft (*bes. der engl. Dissenters zur Zeit ihrer Unterdrückung*). – **2.** Versammlungshaus *n*, *bes.* Andachtsstätte *f* (*der engl. Nonkonformisten od. Dissenters*). – **3.** *obs.* Versammlung *f*. — **con'ven·ti·cler** *s* Besucher(in) von Konven'tikeln, Sek'tierer(in), *bes.* Dis'senter *m*.

con·ven·tion [kən'venʃən] *s* **1.** Zu'sammenkunft *f*, Tagung *f*, Versammlung *f*, Treffen *n*. – **2.** *Am.* a) *pol.* Versammlung *f* (*einer Partei, um Kandidaten aufzustellen*), b) *pol.* verfassunggebende *od.* -ändernde Versammlung, c) Tagung *f* (*einer Berufs- od. Fachgruppe*). – **3.** *jur.* Vertrag *m*, Abkommen *n*, Über'einkunft *f*. – **4.** *pol.* Staatsvertrag *m*, Konventi'on *f*. – **5.** *mil.* Mili'tärkonventiˌon *f*. – **6.** (gesellschaftliche) Konventi'on, Sitte *f*, Gewohnheits- *od.* Anstandsregel *f*, (stillschweigende) Gepflogenheit: **social ~s** gesellschaftliche Konventionen. – **7.** *oft pl* Traditi'on *f*, anerkannter Brauch, feste Regel. – **8.** *Br. hist.* aus eigenem Recht erfolgte Versammlung (*des Parlaments*): **C~ Parliament** Freiparlament (*das ohne den König zusammentrat; 1660 u. 1668*). – **9. the C~** → **National C~ 1.** – **10.** (*Kartenspiel*) Konventi'on *f* (*ungeschriebene Regel*).

con·ven·tion·al [kən'venʃənl] *adj* **1.** konventio'nell, zur Regel geworden, traditio'nell, 'herkömmlich, üblich. – **2.** konventio'nell, konventi'onsgebunden, förmlich. – **3.** *jur.* a) vertraglich vereinbart, vertragsgemäß, Vertrags…, b) gewohnheitsrechtlich. – **4.** eine Versammlung, einen Kon'vent *etc* betreffend. – *SYN. cf.* **ceremonial.** — **con'ven·tion·alˌism** *s* Konventiona'lismus *m*, Festhalten *n* an Konventi'onen. — **con'ven·tion·al·ist** *s* **1.** Konventiona'list *m*, Anhänger *m* des Konventiona'lismus. – **2.** Anhänger *m* einer Konventi'on *od.* eines Vertrages. — **conˌven·tion'al·i·ty** [-'næliti; -əti] *s* **1.** 'Herkömmlichkeit *f*, Üblichkeit *f*, Gebräuchlichsein *n*. – **2.** Konventiona'lismus *m*, Konventionali'tät *f*, Scha'blonenhaftigkeit *f*. – **3.** Festhalten *n* am 'Hergebrachten. — **con'ven·tion·alˌize** *v/t* **1.** konventio'nell machen *od.* darstellen, den Konventi'onen unter'werfen. – **2.** (*Kunst*) konventio'nell darstellen. — **con'ven·tion·ar·y** [*Br.* -nəri; *Am.* -ˌneri] *adj* vertragsgemäß. — **con'ven·tion·er** *s* Versammlungs-, Konventi'onsmitglied *n*.

con·ven·tu·al [kən'ventʃuəl; *Br. auch* -tju-] **I** *adj* **1.** klösterlich, Kloster…, Konvents…: **~ church** Klosterkirche. – **II** *s* **2.** Konventu'ale *m*, Konventu'alin *f* (*Klosterinsasse od. -insassin*). – **3. C~** Konventu'ale *m* (*Mitglied eines milderen Zweigs des Franziskanerordens*).

con·verge [kən'vəːrdʒ] **I** *v/i* **1.** dem'selben Ziel zustreben, zu'sammenlaufen. – **2.** *math. phys.* a) konver'gieren, sich ein'ander nähern, b) sich nähern (to, **toward[s]** *dat*): **to ~ to a limit** sich einem Grenzwert nähern. – **3.** *biol.* ein'ander ähnlich *od.* ana'log sein *od.* werden (*ohne echte Verwandtschaftsähnlichkeit*). – **II** *v/t* **4.** *math.* konver'gieren lassen. — **con'ver·gence** *s* **1.** Zu'sammenlaufen *n* (*Straßen etc*). – **2.** *math.* a) Konver'genz *f*, b) Annäherung *f* (to, toward[s] an *acc*). – **3.** *phys.* a) 'Strahlen-(richtungs)konverˌgenz *f*, b) meteoro'logische Konvergenz. – **4.** *biol.* Konver'genz *f* (*als Folge der Umwelteinflüsse*). — **con'ver·gen·cy** → convergence 2: **~ factor** Konvergenzfaktor. — **con'ver·gent** *bes. math.* **I** *adj* konver'gent, zu'sammenlaufend: **~ evolution** *biol.* konvergente Entwicklung (*nicht durch gleiche Abstammung bedingt*). – **II** *s* Näherungswert *m*, -bruch *m*. — **con'verg·ing** *adj* **1.** konver'gierend, zu'sammenlaufend: **~ lens** (*Optik*) Sammel-, Konvexlinse; **~ point** *math.* Konvergenzpunkt. – **2.** Konver'genz verursachend. – **3.** *fig.* dem'selben Ziel zustrebend.

con·vers·a·ble [kən'vəːrsəbl] *adj* **1.** unter'haltend, gesprächig, mitteilsam, 'umgänglich, gesellig. – **2.** als Gesprächsstoff geeignet. – **3.** zur Unter'haltung *od.* Konversati'on geeignet: **a ~ evening.** — **con'vers·a·ble·ness** *s* Gesprächigkeit *f*, 'Umgänglichkeit *f*, Geselligkeit *f*.

con·ver·sance ['kɒnvərsəns, kən'vəːr-], *auch* **'con·ver·san·cy** [-si] *s* Vertrautheit *f*, Bekanntschaft *f*. — **'con·ver·sant** *adj* **1.** bekannt, vertraut (with mit). – **2.** geübt, bewandert, kundig, erfahren (with in *dat*).

con·ver·sa·tion [ˌkɒnvər'seiʃən] *s* **1.** Konversati'on *f*, Unter'haltung *f*, Gespräch *n*: **by way of ~** gesprächsweise; **to enter into ~ with s.o.** ein Gespräch mit j-m anknüpfen; → **subject 1.** – **2.** gesellschaftlicher 'Umgang, Verkehr *m*. – **3.** *jur.* Geschlechtsverkehr *m*. – **4.** *auch* **~ piece** (*Kunst*) Genrebild *n*. – **5.** diplo'matisches Gespräch. – **6.** *obs.* a) Lebensart *f*, Benehmen *n*, b) Bekannt-, Vertrautheit *f*. — **ˌcon·ver'sa·tion·al** *adj* **1.** gesprächig. – **2.** Unterhaltungs…, Konversations…, Gesprächs…: **~ English** Umgangsenglisch; **~ grammar** Konversationsgrammatik; **~ powers** Unterhaltungsgabe; **~ style** Gesprächsstil. — **ˌcon·ver'sa·tion·al·ist** *s* gewandter Gesprächspartner, guter Gesellschafter. — **ˌcon·ver'sa·tion·al·ly** *adv* gesprächsweise, in der *od.* auf dem Weg der Unter'haltung. — **ˌcon·ver'sa·tion·ist** → **conversationalist.**

con·ver·sa·zi·o·ne [konversa'tsjone] *pl* **-ni** [-ni], *auch* **-nes** (*Ital.*) *s* **1.** 'Abendunterˌhaltung *f*. – **2.** lite'rarischer Gesellschafts- *od.* Unter'haltungsabend, literarische Abendgesellschaft.

con·verse[1] **I** *v/i* [kən'vəːrs] **1.** sich unter'halten, sprechen (with mit; on, about über *acc*). – **2.** *obs.* verkehren. – **3.** ein inneres Gespräch führen (with mit). – *SYN. cf.* **speak.** – **II** *s* ['kɒnvəːrs] **4.** vertraute Unter'haltung, zwangloses Gespräch. – **5.** 'Umgang *m*, Verkehr *m*. – **6.** inneres Gespräch.

con·verse[2] ['kɒnvəːrs; kən'vəːrs] **I** *adj* **1.** gegenteilig, 'umgekehrt. – **2.** wechselseitig, rezi'prok. – **II** *s* **3.** Gegenteil *n*, 'Umkehrung *f* (of von). – **4.** ergänzender Teil, Gegenabdruck *m*, -stück *n*. – **5.** *math. philos.* 'Umkehrung *f*.

con·vers·er [kən'vəːrsər] *s* (gewandter) Unter'halter. — **con'ver·si·ble** *adj* 'umkehrbar.

con·ver·sion [kən'vəːrʃən] *s* **1.** 'Umwandlung *f*, Verwandlung *f* (into in *acc*): **~ into a company** *econ.* Umwandlung in Gesellschaftsform. – **2.** *econ.* a) Konver'tierung *f*, Konversi'on *f*, 'Umwandlung *f*, Einlösung *f* (*Wertpapiere*), b) Zu'sammenlegung *f* (*Aktien*), c) 'Umwandlung *f*, 'Umstellung *f*, d) 'Umrechnung *f*, 'Umwechslung *f* (*in eine andere Währung*). – **3.** *tech.* 'Umschmelzung *f*, 'Umwandlung *f*: **~ of iron into steel** Stählung von Eisen. – **4.** geistige Wandlung. – **5.** cha'rakterliche Wandlung, Besserung *f*. – **6.** *relig.* Bekehrung *f*, Konversi'on *f* (to zu). – **7.** *math.* a) 'Umrechnung *f* (*z.B. Zoll in cm*), b) 'Umwandlung *f*, c) 'Umkehrung *f* (*von Proportionen*), d) Redukti'on *f* (*von Gleichungen*). – **8.** *philos.* 'Umkehrung *f*: **~ of a proposition** Umkehrung eines Urteils *od.* Satzes. – **9.** *jur.* a) Unter'schlagung *f*, b) 'widerrechtliche Aneignung *od.* Verwendung (to für), c) 'Umwandlung *f* (*bewegliches in unbewegliches Vermögen u. umgekehrt*). – **10.** *chem.* 'Umsetzung *f*. – **11.** *electr.* 'Umformung *f* (*z.B. von Wechsel- in Gleichstrom*). – **12.** *mil.* a) Frontwechsel *m*, b) 'Umwandlung *f* (*eines glatten Geschützlaufs in einen gezogenen*), c) Ap'tierung *f* (*von Gewehren*), d) For'mierung *f* (*bereitgestellter Pontons zu einer Brücke*). – **13.** *psych.* 'Umwandlung *f* verdrängter Af'fekte in körperliche Zeichen. — **con'ver·sion·al, con'ver·sion·ar·y** [*Br.* -nəri; *Am.* -ˌneri] *adj* eine Konversi'on *od.* 'Umwandlung betreffend, Konversions…, Umwandlungs…

con·ver·sion ta·ble *s math.* 'Umrechnungstaˌbelle *f*, -tafel *f*.

con·vert [kən'vəːrt] **I** *v/t* **1.** (into) 'umwandeln, verwandeln (in *acc*), 'umformen (zu): **to ~ into power** *phys.* in Energie umsetzen. – **2.** *chem.* 'umwandeln, verwandeln: **to ~ sugar into alcohol.** – **3.** *electr.* 'umformen, transfor'mieren. – **4.** *relig.* bekehren (to zu), zum Glaubenswechsel veranlassen. – **5.** (zu anderen Ansichten) bekehren, zum 'Übertritt (*in eine andere Partei etc*) veranlassen. – **6.** (*j-n*) bekehren, bessern. – **7.** einem neuen Gebrauch *od.* Zweck anpassen, verwandeln: **~ed flat** in Teilwohnungen umgebaute große Wohnung. – **8.** *jur.* a) unter'schlagen, sich (etwas) unbefugt aneignen, ('widerrechtlich) verwenden (to zu), b) in (un)beweglichen Besitz verwandeln: **to ~ into cash** realisieren, mobilisieren, flüssig machen. – **9.** *econ.* a) (*Wertpapiere, Schulden etc*) konver'tieren, einlösen, 'umwandeln, b) (*Geld*) 'um-, einwechseln, c) (*Aktien*) zu'sammenlegen, d) 'umrechnen, 'umstellen. – **10.** *math.* a) (*Gleichung*) auflösen, redu'zieren, b) (*Proportionen*) 'umkehren, vertauschen, c) 'umrechnen. – **11.** *philos.* 'umkehren. – **12.** *tech.* a) (*Hüttenwesen*) frischen, bessemern, b) (*Tiegelgußstahl*) zemen'tieren, kohlen, verwandeln, 'umsetzen. – **13.** *mil.* (*Gewehre*) ap'tieren, 'umändern (into zu). – **14.** *obs.* ('um)drehen, ('um)wenden. – *SYN. cf.* **transform.** – **II** *v/i* **15.** 'umgewandelt *od.* eingelöst werden. – **16.** sich verwandeln, sich 'umwandeln (in zu). – **17.** *relig.* konver'tieren, sich bekehren (to zu). – **18.** sich bessern. – **19.** *obs.* sich 'umwenden. – **III** *s* ['kɒnvəːrt] **20.** Bekehrter *m*: **to become a ~ to an idea** sich zu einer Idee bekehren. – **21.** *relig.* Konver'tit(in), Prose'lyt(in), 'Übergetretene(r). – *SYN.* **proselyte.**

con·vert·ed [kən'vəːrtid] *adj* **1.** 'umgewandelt, verwandelt: **~ cruiser** *mar.* Hilfskreuzer; **~ steel** *tech.* Blasen-,

Zementstahl. – **2.** bekehrt. – **3.** 'umgerechnet. – **4.** 'umgekehrt. — **con'vert·er** *s* **1.** Bekehrer *m*. – **2.** (*Hüttenwesen*) Kon'verter *m*, (Bessemer)Birne *f*, 'Umformer *m*: ~ **process** Thomasverfahren. – **3.** *electr.* 'Umformer *m*. – **4.** *tech.* Bleicher *m*, Appre'teur *m* (*Textilien*). – **5.** (*Fernsehen*) Wandler *m*. – **6.** *mil.* 'Schlüssel-, Chif'friermaˌschine *f*. — **conˌvert·i'bil·i·ty** *s* **1.** 'Umwandelbarkeit *f*, Verwandelbarkeit *f*. – **2.** *econ.* a) 'Umsetzbarkeit *f*, b) Einlösbar-, Konver'tierbar-, 'Umwandelbarkeit *f*. – **3.** *philos.* 'Umkehrbarkeit *f*. – **4.** *math.* 'Umrechenbarkeit *f*. — **con'vert·i·ble I** *adj* **1.** ('um)wandelbar: ~ **husbandry** *agr.* Fruchtwechselwirtschaft. – **2.** *econ.* a) 'umsetzbar, b) einlösbar, konver'tierbar: ~ **bond** Wandelschuldverschreibung. – **3.** gleichbedeutend, auswechselbar: ~ **terms** gleichbedeutende Ausdrücke, Synonyme. – **4.** bekehrbar. – **5.** *philos.* 'umkehrbar. – **6.** *math.* 'umrechenbar. – **7.** (*Auto*) mit aufklappbarem Dach. – **8.** Verwandlungs...: ~ **aircraft** *aer.* Verwandlungsflugzeug. – **II** *s* **9.** 'umwandelbare Sache. – **10.** *tech. colloq.* Kabrio'lett *n*. — **con'vert·i·ble·ness** → **convertibility.**

con·vert·i·plane [kən'vəːrtiˌplein] *s aer.* Verwandlungsflugzeug *n*.

con·vert·ite ['kɒnvərˌtait] *s obs.* Konver'tit *m*.

con·ver·tor *cf.* converter.

con·vex I *adj* ['kɒnveks; kɒn'veks] **1.** kon'vex, erhaben, nach außen gewölbt, Konvex... – **2.** *math.* 'überstumpf, ausspringend: ~ **angle** ausspringender Winkel; ~ **polygon** Vieleck mit ausspringenden Winkeln. – **II** *s* ['kɒnveks] **3.** a) kon'vexer Körper, b) kon'vexe Fläche. — **con'vex·i·ty** *s* Konvexi'tät *f*, kon'vexe Form *od.* Eigenschaft, Wölbung *f*.

con·vex| lens *s phys.* Kon'vex-, Sammellinse *f*. — ~ **mir·ror** *s* Voll-, Kon'vexspiegel *m*.

convexo- [kənvekso] *Wortelement mit der Bedeutung* konvex.

con'vex·o-'con·cave *adj phys.* kon'vex-konˌkav. — **con'vex·o-'con·vex** *adj phys.* 'bikonˌvex, 'doppelkonˌvex. — **con'vex·o-'plane** *adj phys.* 'plankonˌvex.

con·vey [kən'vei] *v/t* **1.** (*von einem Ort zum anderen*) befördern, bringen, transpor'tieren, spe'dieren, versenden: **to** ~ **by land** auf dem Landwege befördern; **to** ~ **by water** verschiffen. – **2.** über'bringen, -'mitteln, -'senden: **please,** ~ **my thanks to your father** bitte, übermitteln Sie Ihrem Vater meinen Dank; **to** ~ **greetings by letter** Grüße schriftlich übermitteln. – **3.** *auch* ~ **away** *jur.* auflassen, über'tragen, abtreten, ze'dieren: **to** ~ **lands to a purchaser.** – **4.** *electr. phys.* fortpflanzen, über'tragen, leiten: **air** ~**s sound** Luft (über)trägt den Schall; **to** ~ **electricity** Elektrizität leiten. – **5.** *fig.* mitteilen, vermitteln, ausdrücken: **to** ~ **a certain meaning** einen gewissen Sinn haben; **this word** ~**s nothing to me** dieses Wort sagt mir nichts; **to** ~ **one's meaning** seine Meinung ausdrücken. – **6.** bringen, geben, spenden: **to** ~ **comfort.** – **7.** zu verstehen geben, ausdrücken, andeuten: **what do you wish to** ~ **by these words?** was wollen Sie mit diesen Worten andeuten *od.* sagen? – **8.** *obs.* a) heimlich wegbringen, b) stehlen. – *SYN. cf.* **carry.** — **con'vey·a·ble** *adj* über'tragbar.

con·vey·ance [kən'veiəns] *s* **1.** Fortbringen *n*, -schaffung *f*, Wegführen *n*, Trans'port *m*, Über'sendung *f*, Beförderung *f*, Spediti'on *f*: ~ **by rail** Eisenbahntransport; **charges of** ~ Transportkosten; **letter of** ~ Frachtbrief; **means of** ~ Transportmittel. – **2.** Über'bringung *f*, -'sendung *f*, Vermittlung *f*. – **3.** *fig.* Ver-, Über'mittlung *f*, Mitteilung *f*. – **4.** Beförderungs-, Trans'portmittel *n*, *bes.* Fahrzeug *n*, Fuhrwerk *n*, Wagen *m*. – **5.** *jur.* a) Über'tragung *f*, Abtretung *f*, Zessi'on *f*, Auflassung *f* (*Recht, Titel, Land etc*), b) *auch* **deed of** ~ Abtretungs-, Auflassungsurkunde *f*. – **6.** *electr.* Leitung *f*: **open air** ~ Freileitung; **submarine** ~ Unterwasserleitung. – **7.** *phys.* Über'tragung *f*, Fortpflanzung *f*: ~ **of sound** Fortpflanzung des Schalls, Schallübertragung. – **8.** *tech.* a) (Zu)Leitung *f*, Zufuhr *f*, Speisung *f*, b) Leitungsmittel *n*, -weg *m*. — **con'vey·anc·er** *s jur.* No'tar *m* für 'Eigentumsüberˌtragungen. — **con'vey·anc·ing** *s jur.* **1.** 'Grundeigentums(überˌtragungs)ˌrecht *n*. – **2.** Ausfertigung *f* von Abtretungs- u. Auflassungsurkunden.

con·vey·er [kən'veiər] *s* **1.** Beförderer *m*, (Über)'Bringer(in), Über'lieferer *m* – **2.** *jur.* Über'tragende(r), Abtreter(in), Ze'dent(in) (*Eigentum, Rechte etc*). – **3.** *tech.* a) (Be)Förderer *m*, Fördergerät *n*, -anlage *f*, Trans'porteinrichtung *f*, Beförderungsmittel *n*, b) *auch* **band** ~, **belt** ~ laufendes Band, Trans'port-, Förder-, Fließband *n*, c) Aufzug *m*, 'Hebemaˌschine *f*, d) Becherwerk *n*, e) (*Bergbau*) Förderschranke *f*, Schnecke *f*. — ~ **belt** *s tech.* Förder-, Trans'portband *n*, laufendes Band. — ~ **buck·et** *s tech.* Förderkübel *m*. — ~ **chain** *s tech.* Becher-, Förderkette *f*. — ~ **chute** *s tech.* Förderrutsche *f*, Schurre *f*.

con'vey·er|-ˌline pro·duc·tion *s tech.* Fließbandfertigung *f*. — ~ **spi·ral** *s tech.* Förder-, Trans'portschnecke *f*.

con·vey·ing [kən'veiiŋ] **I** *adj* Zuführungs..., Förder... – **II** *s* Förderung *f*, Zuführung *f*, Zufuhr *f*. — ~ **ca·pac·i·ty** *s* Förderleistung *f*. — ~ **chan·nel** *s tech.* Obergerinne *n*, Vorarche *f*. — ~ **plant** *s tech.* Förderanlage *f*. — ~ **speed** *s tech.* Fördergeschwindigkeit *f*. — ~ **tank** *s tech.* Fördergefäß *n*.

con·vey·or *cf.* conveyer.

con·vict I *v/t* [kən'vikt] **1.** *jur.* (*eines Verbrechens*) über'führen, für schuldig erklären: **to** ~ **s.o. of murder** j-n des Mordes überführen. – **2.** über'zeugen (*von einem Unrecht etc*): **to** ~ **s.o. of an error** j-m einen Irrtum zum Bewußtsein bringen. – **II** *s* ['kɒnvikt] **3.** über'führter Missetäter *od.* Verbrecher. – **4.** Sträfling *m*: ~ **colony** Sträflingskolonie; ~ **establishment** Strafanstalt; ~ **labo(u)r** Sträflingsarbeit.

con·vic·tion [kən'vikʃən] *s* **1.** *jur.* a) Schuldigerkennung *f*, -sprechung *f*, Über'führung *f* (*Verbrecher*), b) Verurteilung *f*: **summary** ~ Verurteilung im summarischen Verfahren *od.* durch den Einzelrichter. – **2.** Über'zeugen *n*. – **3.** Über'zeugtsein *n*, (innere) Über'zeugung: **to act from** ~ aus Überzeugung handeln; **it is my** ~ **that** ich bin der Überzeugung, daß; **to be open to** ~ sich gern überzeugen lassen; **your argument carries** ~ Ihre Beweisführung ist überzeugend; **to live up to one's** ~**s** seiner Überzeugung gemäß leben *od.* handeln. – **4.** Bewußtsein *n*, (innere) Gewißheit: ~ **of sin** Sündenbewußtsein. – *SYN. cf.* a) **certainty,** b) **opinion.** — **con'vic·tion·al** *adj* Überzeugungs... — **con'vic·tive** *adj* über'zeugend.

con·vince [kən'vins] *v/t* **1.** (*j-n*) über'zeugen (**of** von, **that** daß): **to** ~ **s.o. of s.th.** j-n von etwas überzeugen, j-m etwas zu Bewußtsein bringen; **to be** ~**d of s.o.'s innocence** von j-s Unschuld überzeugt sein; **there is no convincing him** er läßt sich nicht überzeugen. – **2.** *obs.* a) über'führen, b) wider'legen, c) über'winden d) beweisen. — **con'vince·ment** *s* Über'zeugung *f*. — **con'vinc·er** *s* Über'zeuge(nde)r *m*. — **con'vin·ci·ble** *adj* über'zeugbar. — **con'vinc·ing** *adj* **1.** über'zeugend: ~ **proof** schlagender Beweis; **to be** ~ überzeugen, überzeugend wirken. – **2.** Überzeugungs... – *SYN. cf.* **valid.** — **con'vinc·ing·ly** *adv* in über'zeugender Weise. — **con'vinc·ing·ness** *s* Über'zeugungskraft *f*, Eindringlichkeit *f*.

con·viv·i·al [kən'viviəl] *adj* **1.** gastlich, festlich, Fest... – **2.** gesellig, lustig, heiter. — **con'viv·i·al·ist** *s* lustiger Gesellschafter, Zechbruder. — **conˌviv·i'al·i·ty** [-'æliti; -əti] *s* **1.** Fröhlichkeit *f* (*bei der Tafel*). – **2.** Gastlichkeit *f*, Geselligkeit *f*. – **3.** Schmause'rei *f*.

con·vo·ca·tion [ˌkɒnvə'keiʃən] *s* **1.** Ein-, Zu'sammenberufung *f* (*Versammlung*). – **2.** Versammlung *f*. – **3.** *relig.* a) Provinzi'alsynˌode *f* (*der anglikanischen Kirche*), b) Konvokati'on *f* (*der Kirchenprovinzen von Canterbury u. York*). – **4.** *relig.* a) Episko'palsynˌode *f*, Kirchspielversammlung *f* (*der protestantischen Kirche*), b) Kirchspiel *n* (*durch diese Versammlung vertreten*). – **5.** a) gesetzgebende Versammlung (*Universitäten Oxford u. Durham*), b) außerordentliche Se'natssitzung (*Universität Cambridge*), c) Promoti'ons- *od.* Eröffnungsfeier *f* (*an einigen amer. u. kanad. Universitäten*). — **ˌcon·vo'ca·tion·al** *adj* Einberufungs..., Versammlungs... — **'con·voˌca·tor** [-tər] *s* **1.** Einberufer *m* (*Versammlung etc*). – **2.** Versammlungsteilnehmer *m*.

con·voke [kən'vouk] *v/t* ein-, zu'sammenberufen (*bes. amtlich*). – *SYN. cf.* **summon.**

con·vo·lute ['kɒnvəˌluːt] **I** *adj bes. biol.* (zu'sammen-, überein'ander)gerollt, gewickelt, ringelförmig. – **II** *s* (*das*) Zu'sammengerollte: ~ **to a circle** *math.* Rollkurve, Zyklo'ide (*eines Punkts am rollenden Rad*). – **III** *v/t u. v/i* (sich) (zu'sammen)rollen, (sich) zu einer Spi'rale formen. — **'con·voˌlut·ed** *adj* **1.** *bes. biol.* zu'sammengerollt, gewunden, spi'ralig. – **2.** *med.* knäuelförmig, knäuelig, geschlängelt, gewunden. — **ˌcon·vo'lu·tion** *s* **1.** Zu'sammen-, Einrollung *f*, (Zu'sammen)Wick(e)lung *f*. – **2.** *phys. tech.* Windung *f*, 'Umlauf *m*, 'Schrauben(ˌum)gang *m*. – **3.** *biol. med.* (*bes.* Gehirn)Windung *f*, Gyrus *m*. – **4.** *bot.* Einrollung *f*. – **5.** Rolle *f*.

con·volve [kən'vɒlv] *v/t u. v/i* (sich) zu'sammenrollen.

con·vol·vu·la·ceous [kənˌvɒlvjə'leiʃəs] *adj bot.* windenartig, zur Fa'milie der Windengewächse (*Convolvulaceae*) gehörig.

con·vol·vu·lus [kən'vɒlvjuləs; -vjə-] *pl* **-lus·es** *od.* **-li** [-ˌlai] *s bot.* Winde *f* (*Gattg Convolvulus*).

con·voy I *s* ['kɒnvɔi] **1.** Geleit *n*, (Schutz)Begleitung *f*. – **2.** Es'korte *f*, Bedeckung *f*, begleitende Truppe. – **3.** Schutz *m*, Deckung *f*, Beschirmung *f*: **to sail under** ~ im (*beschützten*) Geleitzug fahren. – **4.** unter Bedeckung fahrende Truppe *od.* Gesellschaft. – **5.** *mar.* a) Geleitzug *m*, Kon'voi *m*, b) Schleppzug *m*. – **6.** *mil.* a) ('Kraftwagen)Koˌlonne *f*, b) (bewachter) Trans'port: **a** ~ **of prisoners** ein Gefangenentransport. – **7.** *tech.* a) (Reibe)Bremse *f*, Bremsklotz *m*, Hemmschuh *m*, b) Bremswagen *m*. – **8.** *obs.* Trans'portmittel *n*. – **II** *v/t* [kən'vɔi; 'kɒnvɔi] **9.** schützend geleiten, decken, eskor'tieren: **a merchantship ~ed by a destroyer** ein Handelsschiff unter Schutzgeleit eines Zerstörers. – **10.** *obs.* begleiten. – *SYN. cf.* **accompany.**

con·vul·sant [kən'vʌlsənt] *adj u. s med.* krampferzeugend(es Mittel).

con·vulse [kən'vʌls] *v/t* **1.** erschüttern, krampfhaft bewegen, in Zuckungen versetzen: **to be ~d with laughter** sich krümmen vor Lachen; **to be ~d with pain** sich vor Schmerzen winden. – **2.** (*Muskeln etc*) krampfhaft zu'sammenziehen, (*Gesicht*) krampfhaft verzerren: **~d features** verzerrte Züge. – *SYN. cf.* **shake.** — **con'vul·sion** *s* **1.** *bes. med.* Krampf *m*, Zuckung *f*, Konvulsi'on *f*, Spasmus *m*: **nervous ~s** nervöse Zuckungen; **to go into ~s, to be seized with ~s** Krämpfe bekommen; **infantile ~s** Kinderkrämpfe; **~ of sheep** *vet.* Fallsucht der Schafe. – **2.** *pl fig.* Krämpfe *pl*: **~s of laughter** Lachkrämpfe. – **3.** *pol.* Erschütterung *f*. – **4.** Erdstoß *m*, -beben *n*, (Boden-)Erschütterung *f*. — **con'vul·sion·al** *adj* **1.** an Krämpfen leidend. – **2.** → **convulsionary** II. — **con'vul·sion·ar·y** [*Br.* -nəri; *Am.* -ˌneri] **I** *s* **1.** an Zuckungen *od.* Krämpfen Leidende(r). – **2.** *relig.* Verzückter *m*, religi'öser Schwärmer, *bes. hist.* Janse'nist *m*. – **II** *adj* **3.** krampfhaft, -artig, Krampf... – **4.** Verzückungs...

con·vul·sive [kən'vʌlsiv] *adj* **1.** krampfhaft, -artig, konvul'siv. – **2.** von Krämpfen befallen. – **3.** *fig.* erschütternd. – *SYN. cf.* **fitful.** — **con'vul·sive·ness** *s* Krampfhaftigkeit *f*.

co·ny ['kouni] *s* **1.** *zo.* (*ein*) Ka'ninchen *n*, *bes.* 'Wildkaˌninchen *n* (*Oryctolagus cuniculus*): **~ burrow** Kaninchenbau. – **2.** → **daman.** – **3.** → **pika.** – **4.** *zo.* a) → **burbot,** b) Glotzauge *n* (*Priacanthus cruentatus; Fisch*), c) Klippen-, Riffbarsch *m* (*Cephalopholis fulvus*). – **5.** Ka'ninchenfell *n*, *bes.* 'Sealkaˌnin *n* (*Imitation von Sealskin*). – **6.** *her.* Ka'ninchen *n* (*im Wappen*). – **7.** *obs.* Einfaltspinsel *m*. — '**~ˌcatch·er** *s obs.* Betrüger *m*.

coo [kuː] **I** *v/i* **1.** girren, gurren (*Tauben*). – **2.** *fig.* kosen, girren (*Liebende*): → **bill**[1] 6. – **II** *v/t* **3.** girrend *od.* zärtlich äußern. – **III** *s* **4.** Girren *n*. – **IV** *interj* **5.** *Br. vulg.* oh! o'ho! (*Ausruf des Erstaunens*).

coo·ee, coo·ey ['kuːiː; 'kuːi] **I** *s* Kui *n* (*austral. Signalruf*): **within ~** a) in Rufweite, b) *fig.* im Bereich des Vergleichbaren. – **II** *v/i* ‚kui' rufen. – **III** *interj* kui!

coof [kuːf] *s Scot. od. dial.* Tölpel *m*.

cook [kuk] **I** *s* **1.** Koch *m*, Köchin *f*: **too many ~s spoil the broth** viele Köche verderben den Brei. – **II** *v/t* **2.** (*Speisen*) (ab)kochen, zubereiten, braten, backen. – **3.** der Hitze aussetzen, rösten. – **4.** *auch* **~ up** *fig.* zu'sammenbrauen, -lügen, erfinden, vorschwindeln, erdichten: **~ed accounts** *econ.* frisierte *od.* gefälschte *od.* geschminkte Abrechnungen; **to ~ up a story** eine Geschichte erfinden; **they ~ed it up between them** sie haben es sich zusammen ausgedacht. – **5.** (*durch Einführen in einen Reaktor*) radioak'tiv machen. – **6.** *sl.* verderben, (zer)stören: **to ~ s.o.'s goose** j-m arg mitspielen, j-s Pläne vereiteln, j-m den Garaus machen. – **III** *v/i* **7.** kochen, Speisen zubereiten: **what's ~ing?** *colloq.* was ist los? was tut sich? – **8.** kochen, gekocht *od.* zubereitet werden (*Speisen*). – **9.** sich kochen lassen, zum Kochen geeignet sein: **to ~ well.**

'**cookˌbook** *s Am.* Kochbuch *n*.

cook·er ['kukər] *s* **1.** Kocher *m*, Kochgerät *n*. – **2.** Kochgefäß *n*. – **3.** Kochfrucht *f*, zum Kochen geeignete Frucht: **these apples are good ~s** diese Äpfel lassen sich gut kochen. – **4.** *fig.* Erfinder *m*, Erdichter *m* (*Geschichten etc*).

cook·er·y ['kukəri] *s* **1.** Kochen *n*. – **2.** Kochen *n*, Kochkunst *f*. – **3.** Kochstelle *f*. – **4.** 'Kochproˌdukt *n* (*bes. Leckerbissen, Dessert etc*). — **~ book** *s Br.* Kochbuch *n*.

'**cook|-'gen·er·al** *s Br.* Mädchen *n* für alles. — '**~ˌhouse** *s* **1.** Küche *f*, Kochstelle *f*. – **2.** *mar.* Kom'büse *f*, Schiffsküche *f*. – **3.** *mil. Br.* Feldküche *f*, Küchengebäude *n*.

cook·ie *cf.* **cooky**[1].

cook·ing ['kukiŋ] **I** *s* **1.** Kochen *n*, Kochkunst *f*. – **2.** Küche *f*, Kochweise *f*: **Italian ~.** – **II** *adj* **3.** Koch..., zum Kochen geeignet *od.* bestimmt. — **~ ap·ple** *s* Kochapfel *m*. — **~ plant** *s* Kochanlage *f*. — **~ plate** *s electr.* Kochplatte *f*. — **~ range** *s* Kochofen *m*, -herd *m*. — **~ so·da** *s colloq.* (doppeltkohlensaures) Natron ($NaHCO_3$).

'**cook|ˌmaid** *s* Küchenmädchen *n*. — '**~ˌout** *s bes. Am.* Abkochen *n* (*am Lagerfeuer*). — '**~ˌroom** *s Am.* **1.** Küche *f*. – **2.** *mar.* Kom'büse *f*, Schiffsküche *f*. — '**~ˌshop** *s Br. selten od. Am. hist.* Garküche *f*. — '**~ˌstove** *s Am.* Kochherd *m*. — **~ wrasse** *s zo.* (*ein*) Lippfisch *m* (*Fam. Labridae*), *bes.* Brasse *f* (*Crenilabrus mixtus*).

cook·y[1] ['kuki] *s* **1.** *Am.* (süßer) Keks, Plätzchen *n* (= *Br.* **biscuit**): **~ cutters** Ausstech(back)formen. – **2.** *Scot.* Brötchen *n*, Semmel *f*. – **3.** *Am. sl.* (*oft verächtlich*) Per'son *f*, Bursch(e) *m*.

cook·y[2] ['kuki] *s colloq.* Köchin *f*.

cool [kuːl] **I** *adj* **1.** kühl, frisch: **to get ~** sich abkühlen. – **2.** kühl(end), gegen die Hitze schützend, Kühle ausstrahlend: **a ~ dress** ein leichtes Kleid. – **3.** kühl(end), erfrischend. – **4.** fieberfrei. – **5.** kühl, ruhig, beherrscht, gelassen, kalt(blütig): **to keep ~** einen kühlen Kopf behalten; → **cucumber** 1. – **6.** kühl, gleichgültig, lau. – **7.** kühl, kalt, abweisend: **a ~ reception** ein kühler Empfang. – **8.** unverschämt, unverfroren, frech: **~ cheek** *fig.* Stirn, Frechheit; **a ~ customer** ein geriebener Kunde. – **9.** *fig. colloq.* glatt, rund: **he lost a ~ thousand** er verlor glatte tausend (*Dollar etc*). – **10.** kühl, kalt (*Farbe*). – **11.** *hunt.* schwach (*Witterung*). – *SYN.* **collected, composed, imperturbable, nonchalant, unruffled.** – **II** *s* **12.** Kühle *f*, Frische *f* (*der Luft*): **in the ~ of the evening** in der Abendkühle. – **13.** kühler Ort. – **14.** kühle Tageszeit. – **III** *v/t* **15.** (ab)kühlen, kalt werden lassen: **to ~ a bearing** *tech.* ein (*heißgelaufenes*) Lager abkühlen; **to ~ a liquid** eine Flüssigkeit abkühlen lassen; **to ~ wool** frischgeschorene Wolle zum Trocknen auslegen; **to let s.o. ~ his heels** *fig.* j-n lange warten lassen. – **16.** *fig.* (*Leidenschaften etc*) (ab)kühlen, beruhigen. – **17.** (ab)kühlen, erfrischen. – **IV** *v/i* **18.** kühl werden, sich (ab)kühlen, erkalten: **to let one's soup ~** seine Suppe abkühlen lassen. – **19.** *auch* **~ down** *fig.* sich abkühlen, erkalten, sich legen, nachlassen, sich beruhigen. – **20.** **~ down** *colloq.* besonnener werden, die Ruhe 'wiederfinden.

cool·ant ['kuːlənt] *s tech.* Kühlmittel *n*. — '**cool·er** *s* **1.** Kühler *m*, Kühlvorrichtung *f*: **wine ~** Weinkühler. – **2.** a) Kühlraum *m*, b) Kühlschrank *m*. – **3.** (*Brauerei*) Kühlschiff *n*. – **4.** kühlendes Getränk *od.* Mittel. – **5.** *fig.* Dämpfer *m*, kalte Dusche. – **6.** *sl.* ‚Kittchen' *n* (*Gefängnis*).

'**cool|-ˌham·mer** *v/t tech.* (*Eisen*) kalthämmern, -schmieden. — '**~'head·ed** *adj* **1.** besonnen, kaltblütig. – **2.** leidenschaftslos. — ˌ**~'head·ed·ness** *s* **1.** Besonnenheit *f*. – **2.** Leidenschaftslosigkeit *f*. — '**~ˌhouse** *s* Kühlhaus *n*.

Cool·idge tube ['kuːlidʒ] *s phys.* Coolidge-(Röntgen)Röhre *f*.

coo·lie ['kuːli] *s* Kuli *m*, Tagelöhner *m* (*in China, Ostindien etc*).

cool·ing ['kuːliŋ] **I** *adj* **1.** (ab)kühlend. – **2.** kühlend, erfrischend. – **3.** Kühl... – **II** *s* **4.** (Ab)Kühlung *f*. — **~ a·gent** *s* Kühlmittel *n*. — **~ air** *s tech.* Kühlluft *f*. — **~ cham·ber** *s tech.* Kühlraum *m*. — **~ coil** *s* Kühlschlange *f*. — **~ fin** *s tech.* Kühlrippe *f*. — **~ in·stal·la·tion** *s tech.* Kühlanlage *f*. — **~ liq·uid** *s* Kühlflüssigkeit *f*. — **~ plant** *s tech.* Kühlanlage *f*. — **~ stack** *s tech.* Gra'dierwerk *n*. — **~ sur·face** *s tech.* Kühl(ober)fläche *f*. — **~ worm** *s tech.* Kühlschnecke *f*.

cool·ish ['kuːliʃ] *adj* etwas kühl.

cool jazz *s mus.* Cool Jazz *m* (*feiner, leidenschaftsloser Jazz*).

cool·ly ['kuːli; 'kuːlli] *adv* **1.** kühl. – **2.** kaltblütig. – **3.** gleichgültig, kalt, kühl. – **4.** unverfroren, frech. — '**cool·ness** *s* **1.** Kühle *f*, Kühlheit *f*. – **2.** *fig.* Kühle *f*, Ruhe *f*, Gelassenheit *f*, Kaltblütigkeit *f*. – **3.** Gleichgültigkeit *f*, Lauheit *f*. – **4.** Kälte *f*, kalte Förmlichkeit, Unfreundlichkeit *f*. – **5.** Unverfrorenheit *f*.

cool tank·ard *s* kühler Trunk.

coolth [kuːlθ] *s humor.* Kühle *f*.

coo·lung ['kuːlʌŋ] *s zo. Br. Ind.* Gemeiner Kranich (*Grus grus*).

'**coolˌwort** *s bot.* Herzblätteriges Spitzhütchen, Schaumblüte *f* (*Tiarella cordifolia*).

coo·ly *cf.* **coolie.**

coom [kuːm] *s* **1.** *Scot. od. dial.* Steinkohlenstaub *m*, Ruß *m*. – **2.** (verunreinigtes) 'Abfallproˌdukt, *bes.* a) Schlacke *f*, b) Asche *f*, c) verschmutztes Schmierfett, d) Sägemehl *n*, -späne *pl*.

coomb, *auch* **coom, coombe** [kuːm] *s Br.* enge Talmulde, einseitig offene Talschlucht.

coon [kuːn] *s* **1.** *zo.* Gemeiner Waschbär, Schupp *m* (*Procyon lotor*). – **2.** Waschbärpelz *m*, -fell *n*. – **3.** *Am. sl.* a) (*verächtlich*) Neger(in), b) schlauer Fuchs.

coon·can ['kuːnˌkæn] *s Am.* (*Art*) Rommé *n* (*Kartenspiel*).

coon's age [kuːnz] *s Am. colloq.* ewig lange Zeit.

'**coonˌskin cap** *s Am.* Pelzmütze *f* (*oft Sinnbild des Hinterwäldlers*).

coon·tie ['kuːnti] *s bot. Am.* (*ein*) Zapfen-Palmfarn *m* (*Gattg Zamia; Florida*).

coop [kuːp; kup] **I** *s* **1.** Geflügel-, Hühnerkorb *m*. – **2.** Brutkorb *m*. – **3.** Auslauf *m* (*für Hühner*). – **4.** Fischkorb *m* (*zum Fischfang*). – **5.** *sl.* enger Raum, Verschlag *m*, ‚Bude' *f*. – **6.** *sl.* Gefängnis *n*, ‚Kittchen' *n*: **to fly the ~** ‚abhauen', ‚auskneifen'. – **II** *v/t* **7.** *oft* **~ up, ~ in** einsperren, einschließen: **to be ~ed up** eingepfercht sein.

co·öp, co-op [kou'ɒp] *s colloq.* Kon'sum(verein) *m* (*Kurzform für co-operative*).

coop·er[1] ['kuːpər] **I** *s* **1.** Faßbinder *m*, Küfer *m*, Böttcher *m*: **dry ~** Trockenfaßbinder; **tight ~, wet ~** Böttcher, der Fässer für Flüssigkeiten macht; **white ~** Feinböttcher. – **2.** *Br.* a) Weinprüfer *m*, b) Weinabfüller *m*, -verkäufer *m*. – **3.** *Br.* Mischbier *n* (*aus Stout u. Porter*). – **II** *v/t* **4.** (*Fässer*) machen, binden, ausbessern. – **5.** *oft* **~ out, ~ up** anfertigen, 'herrichten, 'herstellen. – **6.** in Fässer abfüllen. – **7.** *sl.* verderben, verpfuschen, ‚vermasseln'.

coo·per[2] *cf.* **coper**[1].

coop·er·age ['ku:pəridʒ] *s* 1. Böttche'rei *f.* – 2. Böttcher-, Küferlohn *m.*
co·öp·er·ant, *auch* **co-op·er·ant, co·op·er·ant** [kou'ɒpərənt] I *adj* zu'sammen-, mitwirkend. – II *s* (*das*) Mitwirkende, mitwirkende Ursache. — **co'öp·er,ate,** *auch* **co-'op·er,ate, co'op·er,ate** [-,reit] *v/i* 1. zu'sammenarbeiten, -wirken: to ~ **toward(s)** an end zu einem Zweck zusammenarbeiten. – 2. (to) mitwirken (an *dat*), helfen (bei), beitragen (zu): to ~ to **accomplish** s.th. dazu beitragen, etwas zu vollbringen. – 3. *econ.* wirtschaftlich u. geschäftlich zu'sammenarbeiten. — **co,öp·er'a·tion,** *auch* **co-,op·er'a·tion, co,op·er'a·tion** *s* 1. Zu'sammenarbeit *f,* -wirken *n.* – 2. Mitarbeit *f,* Mitwirkung *f,* Teilnahme *f.* – 3. *econ.* a) genossenschaftlicher Zu'sammenschluß, Vereinigung *f* zu einer Genossenschaft, b) auf Gegenseitigkeit begründete Zu'sammenarbeit einer Genossenschaft. — **co,öp·er'a·tion·ist,** *auch* **co-,op·er'a·tion·ist, co,op·er'a·tion·ist** *s* Genossenschaftsmitglied *n.*
co·öp·er·a·tive, *auch* **co-op·er·a·tive, co·op·er·a·tive** [kou'ɒpərətiv; *Am. auch* -,reitiv] I *adj* 1. koopera'tiv, zu'sammenarbeitend, -wirkend. – 2. mitarbeitend, mitwirkend. – 3. gegenseitig förderlich. – 4. *econ.* genossenschaftlich, Genossenschafts...: ~ **apartment house** *Am.* Wohnhaus einer Siedlungsgenossenschaft; ~ **association** Genossenschaft. – II *s* 5. Mitwirkende(r). – 6. → ~ store. — **co'öp·er·a·tive·ness,** *auch* **co-'op·er·a·tive·ness, co'op·er·a·tive·ness** *s* 1. Bereitschaft *f* zur Zu'sammenarbeit. – 2. koopera'tive Eigenschaft.
co·öp·er·a·tive| so·ci·e·ty *s econ.* Genossenschaft *f,* Kon'sumverein *m.* — ~ **store** *s* Kon'sumladen *m,* -lager *n.*
co·öp·er·a·tor, co-op·er·a·tor, co-op·er·a·tor [kou'ɒpə,reitər] *s* 1. Mitarbeiter *m,* Mitwirkende(r). – 2. Mitglied *n* eines Kon'sumvereins.
coop·er·y ['ku:pəri] *s* 1. → **cooperage** 1. – 2. Böttcherware *f.*
co·öpt, *auch* **co-opt** [kou'ɒpt] *v/t* koop'tieren, hin'zuwählen (*in einen Ausschuß etc*). — **,co·öp'ta·tion, ,co-op'ta·tion** *s* Koop'tierung *f,* Zuwahl *f.* — **co'öp·ta·tive, co-'op·ta·tive** [-tətiv] *adj* 1. koop'tierend. – 2. hin'zugewählt.
co·ör·di·nal, *auch* **co-or·di·nal, co·or·di·nal** [kou'ɔ:rdinl; -də-] *adj* 1. *bot. zo.* zur gleichen Ordnung gehörend. – 2. *math.* durch Koordi'naten bestimmt.
co·ör·di·nate, *auch* **co-or·di·nate, co·or·di·nate** [kou'ɔ:rdi,neit; -də-] I *v/t* 1. koordi'nieren, bei-, gleichordnen, gleichstellen, -schalten. – 2. ausrichten, richtig (an)ordnen, in Ordnung bringen. – 3. in Einklang bringen, aufein'ander abstimmen. – II *v/i* 4. sich einordnen, gleichstellen. – 5. sich aufein'ander abstimmen, har'monisch zu'sammenwirken. – III *adj* [-nit; -,neit] 6. koordi'niert, bei-, gleichgeordnet, gleichrangig, zur selben Klasse *od.* Ordnung gehörend: ~ **clause,** ~ **sentence** beigeordneter Satz; ~ **jurisdiction** im gleichen Range stehende Gerichtsbarkeit; ~ **pillars** in gleicher Reihe stehende Pfeiler. – 7. *math.* die Koordi'naten betreffend, Koordinaten...: ~ **geometry** analytische Geometrie; ~ **system** Koordinatensystem. – 8. gleichartig. – 9. (*Schule, Universität etc*) nach Geschlechtern getrennt. – IV *s* 10. Bei-*od.* Nebengeordnetes *n,* Gleichwertiges *n,* -rangiges *n.* – 11. Gleichgestellte(r). – 12. *math.* Koordi'nate *f.* — **co'ör·di·nate·ness,** *auch* **co-'or·di·nate·ness, co'or·di·nate·ness** *s* Beigeordnetheit *f,* Zugehörigkeit *f* zu gleicher Ordnung.
co·ör·di·na·tion, *auch* **co-or·di·na·tion, co·or·di·na·tion** [kou,ɔ:rdi'neiʃən; -də-] *s* 1. Gleich-, Neben-, Beiordnung *f,* Gleichstellung *f,* -schaltung *f,* Koordinati'on *f,* Koordi'nierung *f.* – 2. richtige Anordnung, richtiges Verhältnis. – 3. har'monische Vereinigung. – 4. Zu'sammenfassung *f.* – 5. Zu'sammenspiel *n,* -arbeit *f,* Über'einstimmung *f.* — ~ **for·mu·la** *s chem.* Koordinati'onsformel *f.* — ~ **num·ber** *s chem.* Koordinati'onszahl *f.* — ~ **the·o·ry** *s chem.* Koordinati'onstheo,rie *f.*
co·ör·di·na·tive, *auch* **co-or·di·na·tive, co·or·di·na·tive** [kou'ɔ:rdi,neitiv; -dənə-] *adj* bei-, gleichordnend, zu'sammenfassend. — **co'ör·di,na·tor,** *auch* **co-'or·di,na·tor, co'or·di,na·tor** [-tər] *s* 1. Beiordner *m,* Gleichsteller *m,* koordi'nierende Per'son *od.* Sache. – 2. *Am. Beamter des Budgetbüros, der die Zusammenarbeit der verschiedenen Ministerien überwacht.*
co·os·si·fi·ca·tion [kou,ɒsifi'keiʃən; -səfə-] *s med.* knochige Verwachsung. — **co-'os·si,fy** [-,fai] *v/i* knochig verwachsen.
coot [ku:t] *s* 1. *zo.* Wasserhuhn *n* (*Gattg Fulica*), *bes.* Bläßhuhn *n* (*F. atra*): he is as bald as a ~ er ist vollständig kahl. – 2. *zo.* Schott. Troil-Lumme *f* (*Uria troile*). – 3. *zo.* Nordamer. Trauerente *f* (*Gattg Oidemia*). – 4. *colloq.* Tölpel *m,* Tolpatsch *m.*
coot·er ['ku:tər] *s zo.* 1. (*eine*) Dosenschildkröte (*Gattg Terrapene*). – 2. (*eine*) Schmuckschildkröte (*Gattg Pseudemys, bes. P. concinna; Florida*). – 3. Alli'gator,schildkröte *f* (*Chelydra serpentina*).
coot·ie ['ku:ti] *s mil. sl.* ,Biene' *f,* Laus *f.*
cop[1] [kɒp] *s* 1. (*Spinnerei*) a) (Garn-)Kötzer *m,* (Garn)Winde *f,* b) Wickel *m,* Garnwickel *m,* -spule *f,* -knäuel *m.* – 2. Haufen *m* (*Korn, Erbsen etc*). – 3. (ausgehobener) Erdhaufen. – 4. *obs. od. dial.* Spitze *f,* Gipfel *m.*
cop[2] [kɒp] *sl.* I *v/t pret u. pp* **copped** 1. fangen, erwischen (at bei): to ~ it Prügel bekommen. – 2. stehlen, ,klauen'. – II *s* 3. Erwischen *n:* a fair ~ Erwischen *od.* Ertapptwerden auf frischer Tat.
cop[3] [kɒp] *s sl.* ,Bulle' *m* (*Polizist*).
co·pai·ba [ko'peibə; -'pai-] *s med. tech.* Co'paivabalsam *m.* — **co'pai·vic** [-vik] *adj chem.* Copaiva...: ~ **oil** Copaivaöl.
co·pal ['koupəl; -pæl] *s tech.* Ko'pal(harz *n*) *m.* — **'co·pal·in** [-lin], **'co·pal,ine** [-,li:n; -lin] *s min.* Kopa'lin *n* (*fossiles kopalähnliches Harz*).
co·palm ['kou,pɑ:m] *s* 1. *bot.* (Nord-)amer. Amberbaum *m* (*Liquidambar styraciflua*). – 2. Styrax-, Storaxbalsam *m* (*Harz von* 1).
co·par·ce·nar·y [*Br.* kou'pɑ:rsənəri; *Am.* -,neri] *s jur.* Miteigentum *n* an *od.* gemeinschaftlicher Besitz von unbeweglichem Gut (*durch Erbschaft*). — **co'par·ce·ner** *s* Miterbin *f* (*eines Grundstücks*). — **co'par·ce·ny** *s* gleicher Anteil an einer Erbschaft.
co·part·ner [kou'pɑ:rtnər] *s* Beteiligter *m,* Teilhaber *m,* Mitinhaber *m,* Kompa'gnon *m.* — **co'part·ner,ship, co'part·ner·y** *s econ.* 1. Teilhaber-, Genossenschaft *f,* Mitbeteiligung *f,* Sozie'tät *f.* – 2. 'Mitbeteiligungssy,stem *n:* ~ **of labo(u)r** Gewinnbeteiligung der Arbeitnehmer.
cope[1] [koup] I *v/i* 1. kämpfen, sich messen, wetteifern, es aufnehmen (with mit): to ~ **with difficulties** Schwierigkeiten bekämpfen. – 2. (with) gewachsen sein (*dat*), fertig werden (mit): I **cannot** ~ **with this situation** ich kann diese Lage nicht meistern. – 3. *obs.* zu tun haben (with mit). – II *v/t* 4. *Br.* kämpfen mit, wetteifern mit, es aufnehmen mit. – 5. *obs.* a) treffen, (*j-m*) begegnen, b) vergelten.
cope[2] [koup] I *s* 1. *relig.* Vespermantel *m,* weiter Chormantel. – 2. a) mantelartiger 'Überwurf, b) *fig.* Mantel *m.* – 3. *fig.* Gewölbe *n,* Zelt *n,* Decke *f,* Dach *n,* Firma'ment *n:* the ~ **of heaven** das Himmelszelt. – 4. *arch.* Gewölbbogen *m,* Mauerabdeckung *f,* -kappe *f.* – 5. (*Gießerei*) obere Formhälfte, Oberform *f,* -kasten *m,* Mantel *m.* – II *v/t* 6. mit einem Chorrock bekleiden. – 7. mit einem Mantel bedecken *od.* einhüllen. – 8. *arch.* (be)decken. – 9. *tech.* (*das Ende eines Trägerbalkens etc*) ausklinken. – III *v/i* 10. ein Dach *od.* eine Decke bilden. – 11. sich krümmen, sich wölben. – 12. her'vorragen, her'ausstehen: to ~ **over** sich abwärts wölben (*Sims, Mauerkappe etc*).
cope chis·el *s tech.* Nuteisen *n.*
co·peck *cf.* kopeck.
cope| head *s tech.* Pro'filschneid-, Führungskopf *m* (*für Holzschneidewerkzeuge*). — '~,**mate** *s obs.* 1. Gegner *m.* – 2. Genosse *m,* Kame'rad *m,* Partner *m.*
Co·pen·ha·gen [,koupn'heigən] *s* 1. *pol. fig.* die dänische Re'gierung. – 2. c~ *Am.* 'Eierli,kör *m.* – 3. c~ *Am.* (*Art*) Kußspiel *n.* – 4. c~ → c~ **blue.** — c~ **blue** *s* Graublau *n.*
co·pe·pod ['koupə,pɒd] *zo.* I *s* Ruderfüßer *m,* Ruderfußkrebs *m* (*Ordng Copepoda*). – II *adj* zu den Ruderfüßern gehörend.
cop·er[1] ['koupər] *s mar.* Branntweinschiff *n,* Küper *m* (*in der Nordsee*).
cop·er[2] ['koupər] *s Br.* Pferdehändler *m.*
Co·per·ni·can [ko'pɑ:rnikən] I *adj* koperni'kanisch: ~ **system** *astr.* kopernikanische Planetentheorie. – II *s* Koperni'kaner *m,* Anhänger *m* der Lehre des Ko'pernikus.
copes·mate ['koups,meit] → copemate.
'cope,stone *s* 1. *arch.* Deck-, Kappenstein *m.* – 2. *fig.* Krönung *f,* Schlußstein *m* (*Theorie, Beweis etc*).
co·phas·al [kou'feizəl] *adj electr.* gleichphasig.
co·pho·sis [ko'fousis] *s med.* Schwerhörigkeit *f,* Taubheit *f.*
co·pi·a·pite ['koupiə,pait] *s min.* Gelbeisenerz *n,* -eisenstein *m.*
cop·i·er ['kɒpiər] *s* 1. Abschreiber(in), Ko'pist(in). – 2. Nachahmer(in), Nachbildner(in). – 3. Plagi'ator *m,* Plagia'torin *f.* – 4. Ko'pierappa,rat *m.*
co·pi·lot, *Br.* **co-...** [kou'pailət] *s aer.* 'Mitpi,lot *m,* zweiter Pi'lot, zweiter Flugzeugführer.
cop·ing ['koupiŋ] *s arch.* Mauerkappe *f,* -krönung *f.* — ~ **saw** *s* Laubsäge *f.* — ~ **stone** → copestone.
co·pi·ous ['koupiəs] *adj* 1. reich(lich): a ~ **supply** ein reichlicher Vorrat; a ~ **shower of rain** ein ausgiebiger Regenguß. – 2. um'fassend, vollständig. – 3. gedankenreich. – 4. wortreich, weitläufig, weitschweifig (*Stil*). – *SYN. cf.* **plentiful.** — **'co·pi·ous·ness** *s* 1. Reichlichkeit *f,* Fülle *f,* 'Überfluß *m.* – 2. Gedankenreichtum *m.* – 3. Weitläufigkeit *f,* Weitschweifigkeit *f,* Wortreichtum *m.*
co·pla·nar [kou'pleinər] *adj math.* kopla'nar, in der'selben Ebene liegend.
co·pol·y·mer [kou'pɒlimər; -lə-] *s chem.* Copoly'mer *n* (*durch gleichzeitiges Polymerisieren mehrerer Substanzen gebildete chemische Verbindung*). — **co,pol·y·mer·i'za·tion** *s* Copolymerisati'on *f.* — **co'pol·y-**

mer,ize *v/t chem.* gleichzeitig poly-meri'sieren.

copped [kɒpt] *adj* zugespitzt, spitz, kegelförmig.

cop·per[1] ['kɒpər] **I** *s* **1.** Kupfer *n* (Cu): ~ **in bars** (*od.* **rods**) Stangenkupfer; ~ **in rolls** Rollenkupfer; ~ **in sheets** Kupferblech; **coarse** (*od.* **rough**) ~ Rohkupfer; **yellow** ~ Messing; ~**-colo(u)red** kupferfarbig, -rot. – **2.** Kupfermünze *f*: ~**s** Kupfergeld; **I don't care a** ~ *Am.* es ist mir ganz egal, ich gebe keinen Heller darum. – **3.** Kupferbehälter *m*, -gefäß *n*. – **4.** (Kupfer)Kessel *m*: **brewer's** ~ Braukessel. – **5.** *bes. mar. Br.* großer Kochkessel. – **6.** *pl Am. colloq.* Aktien *pl* der 'Kupferindu,strie, Kupferaktien *pl*. – **7.** Kupferrot *n*. – **8.** *zo.* (*ein*) Bläuling *m* (*Fam. Lycaenidae*; *Schmetterling*). – **9.** (*Farospiel*) Spielmarke *f*. – **10.** *pl Br. colloq.* Mund *m* u. Kehle *f*: **hot** ~**s** Brand (*vom Trinken*); **to cool one's** ~**s** *sl.* seinen Brand löschen. – **II** *v/t* **11.** *tech.* a) verkupfern, mit Kupfer beschlagen, b) mit Kupfer(blech) über'ziehen. – **12.** (*Farospiel*) *Am.* wetten gegen: **to** ~ **a bet** (*durch Auflegen einer Kupfermünze*) eine Wette eingehen. – **III** *adj* **13.** kupfern, aus Kupfer, Kupfer... – **14.** kupferrot.

cop·per[2] ['kɒpər] → **cop**[3].

cop·per ac·e·tate *s chem.* 'Kupferace,tat *n*.

cop·per·as ['kɒpərəs] *s chem.* 'Eisenvitri,ol *n*, 'Ferrosul,fat *n* ($FeSO_4 \cdot 7H_2O$).

cop·per| ba·ril·la *s min.* 'Kupferba,rilla *f*, -sand *m*. — ~ **beech** *s bot.* Blutbuche *f* (*Fagus silvatica*). — '~-**,bel·ly** *s zo.* **1.** → **copperhead** 1a. – **2.** (*eine*) amer. Wassernatter (*Natrix sipedon*). — ~ **bit** *s tech.* Lötkolben(spitze *f*) *m*. — ~ **blue** *s* Kupferblau *n*. — '~**,bot·tom I** *s* **1.** Kupferboden *m* (*in großen Kesseln*). – **2.** *tech.* unreines Bodenkupfer. – **3.** *mar.* Kupferbeschlag *m*, -haut *f* (*Schiffsrumpf*). – **II** *v/t* **4.** mit einem Kupferboden versehen. — '~-'**bot·tomed** *adj* **1.** mit Kupferboden. – **2.** *mar.* mit Kupferbeschlag *od.* -haut. — ~ **but·ter·fly** → **copper**[1] 8. — ~ **cap** *s mil. tech.* Zündhütchen *n*. — ~ **chlo·ride** *s chem.* 'Kupferchlo,rid *n*, Chlorkupfer *n* (Cu_2Cl_2 *od.* $CuCl_2$). — ~ **cit·rate** *s chem.* 'Kupferci,trat *n*.

cop·pered ['kɒpərd] *adj* **1.** ver-, gekupfert. – **2.** mit Kupfer beschlagen. – **3.** *mar.* → **copper-bottomed** 2.

cop·per| en·grav·ing *s* **1.** Kupferstich *m*. – **2.** *tech.* Kupferstechkunst *f*. — '~-**,faced** *adj tech.* (vorn) mit Kupfer über'zogen. — '~-**,fas·tened** *adj tech.* mit Kupfernieten, -schrauben *etc* verbunden *od.* befestigt. — ~ **finch** → **chaffinch**. — ~ **glance** *s min.* Kupferglanz *m*, Chalko'sin *n* (Cu_2S). — '~**,head** *s* **1.** *zo.* a) Mokassinschlange *f*, Kupferkopf *m* (*Agkistrodon mokasen syn. contortrix*), b) *eine austral. Giftschlange* (*Hoplocephalus superbus*). – **2.** *Am. hist. Unionsangehöriger, der während des Bürgerkriegs mit den Südstaaten sympathisierte.* — ~ **hem·i·ox·ide** → **copper oxide**. — ~ **hy·drox·ide** *s chem.* 'Kupferhydro,xyd *n* ($Cu(OH)_2$). — **C**~ **In·di·an** *s* Ahte'na-Indi,aner *m*.

cop·per·ing ['kɒpəriŋ] *s* 'Kupfer,überzug *m*, Verkupferung *f*.

cop·per i·ris *s bot.* Gelbrote Schwertlilie (*Iris fulva*; *Nordamerika*).

cop·per·ize ['kɒpə,raiz] *v/t tech.* verkupfern, mit Kupfer über'ziehen.

'cop·per|,leaf *s irr bot.* Aca'lypha *f*, Kupfer-, Nesselblatt *n* (*Gattg Acalypha, bes. A. virginica*). — ~ **loss** *s electr.* Kupferverlust *m*. — ~ **mon·ox·ide** → **copper oxide**. — '~**,nose** *s* **1.** *sl.* Säufer-, Kar'funkelnase *f*. – **2.** *zo.* Trauerente *f* (*Oidemia nigra*). — ~ **num·ber** *s chem.* Kupferzahl *f*. — ~ **ore** *s min.* Kupfererz *n*: **green** ~ Malachit. — ~ **ox·ide** *s chem.* 'Kupfero,xyd *n* (CuO). — '~**,plate I** *s tech.* **1.** Kupferplatte *f*, -blech *n*. – **2.** Kupferstichplatte *f*. – **3.** Kupferstich *m*. – **II** *adj* **4.** Kupferstich..., Kupferstech... – **5.** (wie) gestochen: ~ **writing**. — '~**,plat·ed** *adj tech.* 'kupferplat,tiert, verkupfert. — '~**,plat·ing** *s tech.* (*galvanische*) Verkupferung, 'Kupfer,überzug *m*. — ~ **py·ri·tes** *s min.* Kupferkies *m*, Chalcopy'rit *m*. — ~ **red** *s* Kupferrot *n*. — ~ **rust** *s* Grünspan *m*. — '~**,skin** *s Am.* Rothaut *f*, Indi'aner *m*. — ~ **smelt·ing** *s tech.* Kupferverhüttung *f*. — '~**,smith** *s* **1.** Kupferschmied *m*. – **2.** *zo.* Goldbartvogel *m* (*Xantholaema haematocephala*; *Ostindien*). — ~ **sul·phate** *s chem.* 'Kupfersul,fat *n*, schwefelsaures Kupfer ($CuSO_4 \cdot 5H_2O$). — ~ **sul·phide** *s chem.* 'Kupfersul,fid *n*, Schwefelkupfer *n* (CuS). — ~ **val·ue** → **copper number**. — ~ **vit·ri·ol** *s chem.* 'Kupfervitri,ol *n* ($CuSO_4 \cdot 5H_2O$). — '~**,wing** (**but·ter·fly**) → **copper**[1] 8. — ~ **wire** *s* Kupferdraht *m*.

cop·per·y ['kɒpəri] *adj* **1.** kupferig: a) kupferhaltig, b) kupferähnlich, -artig. – **2.** kupfern, Kupfer...

cop·pice ['kɒpis] **I** *s* **1.** Niederwald *m*, 'Unterholz *n*, Gestrüpp *n*, Dickicht *n*. – **2.** Schlagholz *n*, als Brennholz ausgehauenes 'Unterholz. – **3.** *bes. Br.* niedriges Wäldchen, Gehölz *n*. – **II** *v/t* **4.** (*Wald*) in ein Dickicht *od.* in Niederwald verwandeln. – **III** *v/i* **5.** Niederwald bilden. – **6.** zu einem Dickicht verwachsen. — ~ **shoot** *s bot.* Wasser-, Nebenreis *n*, Räuber *m*.

cop·ping rail ['kɒpiŋ] *s tech.* Blech-, Spulenbank *f*, Schnecke *f* (*einer Drosselspinnmaschine*).

cop·pra *cf.* **copra**.

copr- [kɒpr] → **copro-**.

cop·ra ['kɒprə] *s* Kopra *f* (*getrocknete Kokosnußkerne, aus denen Kokosöl gewonnen wird*).

cop·rae·mi·a *cf.* **copremia**.

cop·rah *cf.* **copra**.

cop·re·mi·a [kɒp'riːmiə] *s med.* Koprä'mie *f* (*Vergiftung durch langdauernde Verstopfung*).

copro- [kɒpro] *Wortelement mit der Bedeutung* Kot, Mist, Dung.

cop·ro·lite ['kɒprə,lait] *s* Kopro'lith *m*, Kotstein *m*. — **,cop·ro'lit·ic** [-'litik] *adj* kopro'lithisch. — '**cop·ro·lith** [-liθ] *s med.* Darm-, Kotstein *m*.

cop·roph·a·gan [kɒp'rɒfəgən] *s zo.* Kotfresser *m*, *bes.* Mistkäfer *m*. — **cop'roph·a·gous** *adj zo.* kot-, mistfressend. — **cop'roph·i·lous** [-filəs; -fə-] *adj* **1.** *bot.* kopro'phil, auf Mist gedeihend (*Pilze etc*). – **2.** *zo.* in Mist *od.* Kot lebend. – **3.** *fig.* schmutzliebend (*bes. in Literatur u. Kunst*).

cop·ros·ta·sis [kɒp'rɒstəsis], **,cop·ro'sta·si·a** [-rə'steiʒiə; -siə] *s med.* Verstopfung *f*.

copse [kɒps], '~**,wood** → **coppice**. — '**cops·y** *adj* buschig.

Copt [kɒpt] *s* Kopte *m*, Koptin *f* (*christlicher Nachkomme der alten Ägypter*).

'cop·ter ['kɒptər] *colloq. für* **helicopter**.

Cop·tic ['kɒptik] **I** *s ling.* Koptisch *n*. – **II** *adj* koptisch. — ~ **Church** *s relig.* koptische Kirche (*christliche Nationalkirche Ägyptens*).

cop·u·la ['kɒpjulə; -pjə-] *pl* **-las**, *auch* **-lae** [-,liː] *s* **1.** Verbindungsmittel *n*, -glied *n*. – **2.** Kopula *f*: a) *ling.* Bindewort *n*, Satzband *n*, b) *philos. drittes Glied eines Urteils*. – **3.** *med.* a) sero'logisches Bindeglied, b) Ambo'zeptor *m*, Im'munkörper *m*. – **4.** *mus.* a) *hist.* ('Schluß)Me,lisma *n*, b) 'Übergang *m*, c) Orgelkoppel *f*. – **5.** *bes. jur.* Beischlaf *m*. — '**cop·u·lar** *adj ling.* die Kopula *od.* das Bindewort betreffend, Kopula...

cop·u·late I *v/i* ['kɒpju,leit; -pjə-] sich (*geschlechtlich*) paaren, sich begatten. – **II** *adj* [-lit] verbunden. — **,cop·u'la·tion** *s* **1.** Verbindung *f*, Vereinigung *f*, Zu'sammenfügung *f*. – **2.** *ling. philos.* Verbindung *f* (*von Subjekt u. Prädikat*) durch eine Kopula. – **3.** Paarung *f*, Begattung *f*, Kopulati'on *f*, Koitus *m*, Beischlaf *m*. — '**cop·u,la·tive I** *adj* **1.** verbindend, zur Verbindung dienend. – **2.** *ling.* verbindend, kopula'tiv (*Wort*). – **3.** Begattungs..., Paarungs... – **II** *s* **4.** *ling.* Kopula *f*. — '**cop·u·la·to·ry** [*Br.* -lətəri; *Am.* -,tɔːri] *adj biol.* Begattungs..., Paarungs...

cop·y ['kɒpi] **I** *s* **1.** Ko'pie *f*, Abschrift *f*: **certified** (*od.* **exemplified**) ~ beglaubigte Abschrift; **fair** (*od.* **clean**) ~ Reinschrift; **rough** (*od.* **foul**) ~ erster Entwurf, Konzept; **true** ~ (wort)getreue Abschrift. – **2.** 'Durchschlag *m* (*Schreibmaschinentext*). – **3.** Pause *f*, Abzug *m*. – **4.** *jur.* a) Ausfertigung *f* (*einer Urkunde*), b) *Br.* Abschrift *f* des Zinsbuchs eines Lehnsherrn: **by** ~ gemäß Ausfertigung, c) *Br.* Zinslehen *n*, -gut *n*. – **5.** Nachahmung *f*, -bildung *f*, Reprodukti'on *f*, Ko'pie *f* (*Gemälde etc*). – **6.** Muster *n*, Mo'dell *n*, Vorlage *f*. – **7.** *print.* a) (Satz)Vorlage *f*, druckfertiges Manu'skript, b) Kli'scheevorlage *f*, c) 'Umdruck *m*, d) Abklatsch *m*. – **8.** Exem'plar *n* (*Buch, Druck etc*). – **9.** Ausfertigung *f* (*Schriftstück*). – **10.** lite'rarisches Materi'al, Stoff *m*. – **11.** *ein Schreibpapierformat* (*508 × 406 mm*) – *SYN. cf.* **reproduction**. – **II** *v/t* **12.** abschreiben, eine Ko'pie anfertigen von: **to** ~ **out** ins reine schreiben, abschreiben. – **13.** ('durch-, ab)pausen. – **14.** (*Photographie*) ko'pieren, abziehen, einen Abzug machen von. – **15.** nachbilden, reprodu'zieren. – **16.** nachahmen, imi'tieren, ko'pieren: **to** ~ **from life** nach dem Leben *od.* der Natur malen *etc*. – **17.** (*j-n, etwas*) nachahmen, -machen, -äffen. – **III** *v/i* **18.** ko'pieren, abschreiben (**from von**). – **19.** nachahmen, ko'pieren, imi'tieren. – *SYN.* **ape, imitate, mimic, mock**.

'cop·y|,book I *s* **1.** a) (Schön)Schreibheft *n* (*mit Vorlagen*), b) Heft *n*: **to blot one's** ~ *Br. colloq.* seinem guten Ruf Abbruch tun, sich schlecht benehmen. – **2.** *jur. Am.* Kopi'albuch *n*. – **3.** *econ.* Ko'pierbuch *n*. – **II** *adj* **4.** all'täglich, abgedroschen: ~ **maxims** abgedroschene Lebensregeln, Gemeinplätze. — '~**,cat** *colloq.* **I** *s* **1.** Nachäffer *m*, -macher *m*. – **2.** *Br.* Ver'vielfältigungsappa,rat *m*. – **II** *v/t u. v/i* **3.** imi'tieren, nachmachen, -äffen. — ~ **desk** *s* Redakti'onstisch *m*. — ~ **ed·i·tor** → **copyreader**. — '~**,hold** *jur. Br.* **I** *s* Zinslehen *n* (*Bauerngut, das zu einer Grundherrschaft gehörte, jetzt aber mehr od. weniger fester Besitz geworden ist*): ~ **enclosure and tithes commission** Ausschuß zur Ablösung der Renten u. Gefälle (*des früher unfreien Bauernstandes*). – **II** *adj* Zinslehens...: ~ **deed** Zinsbrief. — '~**,hold·er** *s* **1.** *jur. Br.* Zinslehensbesitzer *m*. – **2.** *print.* a) Aufnahmebrett *n*, Manu'skript-, Origi'nalhalter *m*, b) Kor'rektorgehilfe *m*.

cop·y·ing| clerk ['kɒpiiŋ] *s* Abschreiber *m*, Ko'pist *m*. — ~ **ink** *s* Ko'piertinte *f*. — ~ **pa·per** *s* 'Durchschlagpa,pier *n*. — ~ **press** *s tech.* Ko'pierpresse *f.* — ~ **rib·bon** *s tech.* (Ko'pier)-Farbband *n* (*Schreibmaschine etc*).

cop·y·ist ['kɒpiist] *s* **1.** Abschreiber *m*, Ko'pist *m.* – **2.** Nachahmer *m*, Imi'tator *m.* – **3.** Plagi'ator *m.*

'cop·y|ˌman *s irr* → copyreader. — **'~ˌread·er** *s Am.* 'Zeitungsredakˌteur *m* (*der den zu druckenden Stoff bearbeitet*). — **'~ˌright** *jur.* **I** *s* Verlags-, Urheberrecht *n*, Copyright *n* (in für *od.* von): → design 10. – **II** *v/t* das Urheber- *od.* Verlagsrecht erwerben für *od.* von, verlagsrechtlich schützen: to ~ a book. – **III** *adj* verlagsrechtlich *od.* gesetzlich geschützt. — **'~ˌright·a·ble** *adj* verlagsrechtlich *od.* gesetzlich schützbar. — **'~ˌright·er** *s* Erwerber *m* eines Verlagsrechtes. — **'~-ˌwrit·er** *s* (*Werbung*) Texter *m.*

coque [kɒk] *s* Bandknoten *m*, -schleife *f* (*auf Hüten etc*).

coque·li·cot ['koukliˌkou] *s* **1.** *bot.* a) → corn poppy, b) *eine mohnartige nordamer. Malve* (*Callirrhoë papaver*). – **2.** Feuer-, Mohnrot *n.*

co·quet [kou'ket; ko-] **I** *v/i pret u. pp* **-'quet·ted 1.** gefallsüchtig *od.* ko'kett sein, koket'tieren. – **2.** koket'tieren, liebäugeln, flirten (with mit). – **3.** *fig.* tändeln, spielen, es nicht ernst meinen (with mit). – **II** *v/t* **4.** *selten* flirten mit. – *SYN. cf.* trifle. – **III** *adj* **5.** ko'kett. – **IV** *s* **6.** *selten* Koket'tierer *m*, ko'ketter Mann. — **co·quet·ry** ['koukitri] *s* **1.** Gefallsucht *f*, Kokette'rie *f.* – **2.** Kokettiere'rei *f*, Tände'lei *f.*

co·quette [kou'ket; ko-] *s* **1.** Ko'kette *f*, gefallsüchtige Frau. – **2.** *zo.* (*eine*) Pracht-, Schmuckelfe (*Gattg Lophornis; Kolibri*). — **co'quet·tish** *adj* gefallsüchtig, ko'kett. — **co'quet·tish·ness** → coquetry 1.

co·quil·la nut [ko'kiːljə; -'kiːjə; kou-] *s bot.* Co'quillanuß *f* (*Frucht der brasil. Besenpalme Attalea funifera*).

co·quille [ko'kiːl; kou-] *s* **1.** Co'quille *f*: a) Muschelschale *f*, b) in einer Muschelschale angerichtetes feines Ra'gout: ~ of turbot Steinbutt in Muschelschalen; ~s of oysters in Muschelschalen servierte (*meist überbackene*) Austern. – **2.** Stichblatt *n* (*Degen, Dolch etc*). – **3.** (*Art*) Hals- *od.* Hutkrause *f.*

co·quim·bite [ko'kimbait; kou-] *s min.* Coquim'bit *m*, 'Ferrisulˌfat *n.*

co·qui·na [ko'kiːnə; kou-] *s* **1.** *min.* Kalkstein *m* aus den Schalen von Schaltieren. – **2.** *zo.* (*eine*) Dreiecksmuschel (*Gattg Donax, bes. D. variabilis*).

co·qui·to [ko'kiːtou; kou-], *auch* ~ **palm** *s bot.* Ko'quito-, Honigpalme *f*, Chi'lenische Weinpalme (*Iubaea spectabilis*).

cor¹ [kɔːr] (*Fr.*) *s mus.* Horn *n.*

cor² [kɔːr] *s* **1.** *med.* Herz *n.* – **2.** C~ *astr.* hellster Stern (*eines Sternbildes*).

cor³ [kɔːr] *interj Br. vulg.* mein Gott! all'mächtiger Gott!

cor·a·ci·i·form [ˌkɒrə'saiiˌfɔːrm; -əˌf-; *Am. auch* ˌkɔːr-] *adj zo.* zur Ordnung der Rackenvögel gehörig.

cor·a·cle ['kɒrəkl; *Am. auch* 'kɔːr-] *s Br.* Coracle *n* (*in Wales u. Irland: Boot aus mit Häuten überzogenem Weidengeflecht*).

cor·a·coid ['kɒrəˌkɔid; *Am. auch* 'kɔːr-] **I** *adj med. zo.* **1.** rabenschnabelförmig, Rabenschnabel... – **2.** Rabenschnabelbein..., Rabenschnabelfortsatz... – **II** *s* **3.** → ~ bone. – **4.** → ~ process. — ~ **bone** *s zo.* Rabenschnabelbein *n.* — ~ **lig·a·ment** *s med.* Hakenband *n.* — ~ **proc·ess** *s med. zo.* Rabenschnabelfortsatz *m.*

co·rah ['kɔːrə] *adj u. s* ungefärbt(e indische Seide).

cor·al ['kɒrəl; *Am. auch* 'kɔːrəl] **I** *s* **1.** *zo.* Ko'ralle *f*: a) (*ein*) Ko'rallentier *n*, (*einzelner*) Ko'rallenpoˌlyp (*Klasse Anthozoa*), b) Ko'rallenskeˌlett *n*, c) Korallenstock *m*: white ~ Weißkoralle (*Ampihelia oculata*). – **2.** *collect.* Ko'rallenbauten *pl*: an island of ~. – **3.** Ko'rallenstück *n* (*bes. der Roten Edelkoralle, zu Schmuck verarbeitet*). – **4.** Beißring *m* (*für Babys*) *od.* Spielzeug *n* aus Ko'ralle. – **5.** Ko'rallenrot *n.* – **6.** unbefruchteter Hummerrogen (*der beim Kochen rot wird*). – **7.** *bot.* Scharlachrotes Dickblatt (*Rochea coccinea; südafrik. Zierpflanze*). – **II** *adj* **8.** Korallen..., aus Ko'rallen. – **9.** ko'rallenrot. — ~ **bead** *s* **1.** Ko'rallenkügelchen *n*, -perle *f.* – **2.** *pl* Ko'rallenkette *f.* — ~ **bean** *s bot.* **1.** Westindischer Ko'rallenbaum (*Erythrina corallodendron*). – **2.** Schnurbaum *m*, So'phora *f* (*Sophora secundiflora*). – **3.** *Samen von* 1. — **'~-'bells** *s bot.* Amer. Purpurglöckchen *n* (*Heuchera sanguinea; nordamer. Saxifragacee*). — **'~ˌber·ry** *s bot.* Peterstrauch *m* (*Symphoricarpos orbiculatus; nordamer. rote Schneebeere*). — **'~ˌbush** *s bot.* Temple'tonie *f* (*Templetonia retusa; austral. Leguminosen-Strauch*). — ~ **ev·er·green** *s bot.* Kolbenbärlapp *m* (*Lycopodium clavatum*). — ~ **fish** *s zo.* Ko'rallenfisch *m* (*Familien Chaetodontidae, Amphiprionidae, Apogonidae, Pomacentridae etc; an Korallenriffen lebend*). — ~ **in·sect** → coral 1 a. — ~ **is·land** *s* Ko'ralleninsel *f.*

coralli- [kɒrəli; *Am. auch* kɔːr-] *Wortelement mit der Bedeutung* Koralle(n).

Co·ral·li·an [kə'ræliən] *s geol.* Ko'rallenkalk(stein) *m.*

cor·al·lif·er·ous [ˌkɒrə'lifərəs; *Am. auch* ˌkɔːr-] *adj zo.* koralli'gen, ko'rallenbildend.

co·ral·li·form [kə'ræliˌfɔːrm] *adj* ko'rallenförmig, -ähnlich.

cor·al·lig·er·ous [ˌkɒrə'lidʒərəs; *Am. auch* ˌkɔːr-] → coralliferous.

cor·al·lin ['kɒrəlin; *Am. auch* 'kɔːr-] → coralline 6.

cor·al·line ['kɒrəlin; -ˌlain; *Am. auch* 'kɔːr-] **I** *adj* **1.** *geol.* Korallen...: a) *aus Korallen(algen) bestehend*, b) *Korallen(algen) enthaltend*: ~ limestone. – **2.** ko'rallenähnlich, -förmig. – **3.** ko'rallenrot. – **4.** *bot.* zu den Ko'rallenalgen gehörend. – **II** *s* **5.** *bot.* Ko'rallenalge *f* (*Fam. Corallinaceae*). – **6.** [-ˌliːn; -lin] *chem.* Coral'lin *n*, Au'rin *n* (*giftiger roter Farbstoff*). — **C~ zone** *s zo.* Ko'rallenzone *f.*

cor·al·lite ['kɒrəˌlait; *Am. auch* 'kɔːr-] *s* **1.** *zo.* Ko'rallenskeˌlett *n* (*eines einzelnen Korallenpolypen*). – **2.** *geol.* a) versteinerte Ko'ralle, b) Ko'rallenmarmor *m.* — **'cor·alˌloid I** *adj* ko'rallenförmig, -ähnlich, *bes.* ko'rallenartig verzweigt (*Wurzel etc*). – **II** *s* ko'rallenähnlicher Orga'nismus. — ˌ**cor·al'loi·dal** → coralloid I.

cor·al·lum [kə'ræləm] *s zo.* Ko'rallenbau *m.*

cor·al| or·chid → coralroot. — ~ **plant** *s bot.* **1.** (*eine*) Pur'giernuß (*Jatropha multifida*). – **2.** Ko'rallenbaum *m* (*Gattg Erythrina*), *bes.* Westindischer Korallenbaum (*E. corallodendron*). – **3.** (*eine*) Rus'selie (*Russelia equisetiformis*). — ~ **rag** → Corallian. — **'~-'red** *adj* ko'rallenrot. — ~ **red** *s* Ko'rallenrot *n.* — ~ **reef** *s* Ko'rallenriff *n.* — **'~-ˌreef lime·stone** *s geol.* Ko'rallenkalkstein *m.* — **'~ˌroot** *s bot.* Ko'rallenwurz *f* (*Gattg Corallorhiza*). — ~ **shrub** *s bot.* (*eine*) Strohblume (*Helichrysum coralloides*). — ~ **snake** *s zo.* **1.** (*eine*) Ko'rallenotter, -schlange (*Gattg Elaps syn. Micrurus*), *bes.* Prunkotter *f* (*Elaps corallinus u. E. fulvius*). – **2.** (*eine*) südafrik. Ko'rallenschlange (*Aspidelaps lubricus*). – **3.** Ko'rallenrollschlange *f* (*Ilysia scytale; nördl. Südamerika*). — ~ **spot** *s bot.* Rotpustelkrankheit *f* (*an Baumzweigen; durch den Schlauchpilz Nectria cinnabarina verursacht*). — ~ **stitch** *s* (*Stickerei*) Ko'rallenstich *m.* — ~ **tree** *s bot.* **1.** Ko'rallenbaum *m* (*Gattg Erythrina, bes. E. indica u. E. corallodendron*). – **2.** Ho'venie *f*, Jap. Ro'sinenbaum *m* (*Hovenia dulcis*). — **'~ˌwort** *s bot.* **1.** Zahnwurz *f* (*Gattg Dentaria*), *bes.* Ko'rallenwurz *f* (*D. bulbifera*). – **2.** → coralroot.

co·ram ['kɔːræm] (*Lat.*) *prep* vor, in Gegenwart von: ~ populo vor der Öffentlichkeit.

cor·a·mine ['kɔːrəmain] *s chem. med.* Cora'min *n* (*Kreislauf- u. Atmungsstimulans*).

cor an·glais [kɔːr ɑ̃'glɛ] (*Fr.*) *s mus.* Englischhorn *n.*

cor·ban ['kɔːrbæn; kɔːr'bɑːn] *s antiq. relig.* (*bei den Juden*) Gott dargebrachte Opfergabe (*bes. in Erfüllung eines Gelübdes*).

cor·beil ['kɔːrbel] *s arch.* Blumen-, Fruchtkorb *m* (*als Zierat*).

cor·bel ['kɔːrbəl] *arch.* **I** *s* **1.** Kragstück *n*, Kon'sole *f*, Balken-, Sparrenträger *m.* – **2.** Glocke *f* (*eines Kapitells*). – **II** *v/t pret u. pp* **-beled**, *bes. Br.* **-belled 3.** auf Kragstücke setzen, durch Kragstücke *od.* Balkenköpfe stützen. – **4.** aus-, vorkragen. – **5.** mit Kragstücken versehen. – **III** *v/i* **6.** kragstückartig her'vorstehen. — **'cor·bel·ing**, *bes. Br.* **'cor·bel·ling** *s arch.* **1.** Vorkragung *f*, Mauervorsprung *m.* – **2.** Anbringen *n* von Kragsteinen.

cor·bel| steps *s pl arch.* Giebelstufen *pl*, -treppe *f.* — ~ **ta·ble** *s arch.* auf Kragsteinen ruhender Mauervorsprung, Bogenfries *m*: pointed-arched ~ Spitzbogenfries; round-headed ~ Rundbogenfries.

cor·bie ['kɔːrbi] *s Scot.* **1.** Rabe *m.* – **2.** Krähe *f.* — ~ **ga·ble** *s arch.* Treppen-, Staffelgiebel *m.* — **'~ˌstep** *s arch.* Giebelstufe *f.*

cord [kɔːrd] **I** *s* **1.** Leine *f*, Schnur *f*, Seil *n*, Kordel *f*, Strick *m*, Strang *m*, Bindfaden *m*, Zwirn *m*: ~ fuse Leitfeuer (*Zündschnur*). – **2.** *electr.* Leitungsschnur *f*, Litze *f.* – **3.** Strang *m* (*des Henkers*). – **4.** *med.* Band *n*, Schnur *f*, Strang *m*: umbilical ~ Nabelschnur. – **5.** Rippe *f* (*eines gerippten Tuches*). – **6.** gerippter Stoff, Rips *m*, *bes.* → corduroy 1. – **7.** *pl* → corduroy 2. – **8.** → ~ tire. – **9.** *fig.* a) Band *n*, Fessel *f*, b) Lockung *f*: the ~s of vice die Lockungen des Lasters. – **10.** Klafter *f*, *m*, *n* (*altes Raummaß für Holz*). – **11.** *tech.* Meßschnur *f.* – **12.** a) (*Buchbinderei*) Rippe *f*, Schnur *f*, Bund *m* (*am Buchrücken*), b) (*Glasindustrie*) Faden *m*, Streifen *m* (*an der Glasoberfläche*). – **II** *v/t* **13.** (*mit Schnüren*) befestigen, festbinden, verschnüren, zuschnüren. – **14.** mit Schnüren verzieren. – **15.** (*Holz*) zu Klaftern aufschichten. – **16.** a) (*Buchbinderei*) (*Buchrücken*) mit Bünden versehen, b) (*Weberei*) anschnüren. – **17.** (*Garn*) zu Schnüren drehen. – **III** *v/i* **18.** Strähnen bilden. — **'cord·age** *s* **1.** *mar.* Tauwerk *n.* – **2.** Seilerwaren *pl.* – **3.** geklafterte Holzmenge.

cor·date ['kɔːrdeit] *adj bot. zo.* herzförmig (*Muschel, Blatt etc*).

cor·deau [kɔːr'dou] *s mil.* TNT-Detonati'onszündschnur *f.*

cord·ed ['kɔːrdid] *adj* **1.** ge-, verschnürt. – **2.** gerippt, gestreift, streifig gemustert (*Stoff*). – **3.** aus Stricken gemacht: ~ ladder Strickleiter. – **4.** in Klaftern aufgestapelt (*Holz*). – **5.** seilförmig zu'sammengedreht.

Cor·de·lier [ˌkɔːrdiˈliːr; -də-] *s* **1.** *relig.* Franzisˈkanermönch *m.* – **2.** Cordeliˈer *m* (*Mitglied eines radikalen politischen Klubs während der Franz. Revolution*).
cord grass *s bot.* (*ein*) Spartgras *n* (*Gattg Spartina*).
cor·dial [*Br.* ˈkɔːrdiəl; *Am.* -dʒəl] **I** *adj* **1.** *fig.* herzlich, freundlich, warm: ~ **thanks** herzlichen Dank. – **2.** *fig.* aus der Seele kommend, herzlich, aufrichtig: to take a ~ **dislike to s.o.** eine gründliche Abneigung gegen j-n fassen. – **3.** *med.* belebend, (herz- *od.* magen)stärkend. – **4.** *obs.* Herz(ens)... – *SYN. cf.* **gracious.** – **II** *s* **5.** *med.* belebendes *od.* (herz)stärkendes Mittel. – **6.** (süßer, aroˈmatischer) Liˈkör. – **7.** *fig.* (Herz)Stärkung *f,* Labsal *n.* — **cor·dial·i·ty** [*Br.* ˌkɔːdiˈæliti; *Am.* kɔːrˈdʒæləti], ˈ**cor·dial·ness** *s* Herzlichkeit *f,* Wärme *f.*
cor·di·er·ite [ˈkɔːrdiəˌrait] *s min.* Cordieˈrit *m.*
cor·di·form [ˈkɔːrdiˌfɔːrm] *adj* herzförmig.
cor·dil·le·ra [ˌkɔːrdilˈjɛ(ə)rə; kɔːrˈdilərə] *s Am.* Gebirgszug *m,* -kette *f,* Kettengebirge *n,* Kordilˈlere *f.*
cord·ing [ˈkɔːrdiŋ] *s* **1.** (Ver)Schnüren *n.* – **2.** (*Weberei*) Anschnürung *f.* – **3.** → **cordage.** — ~ **quire** *s* (*Papierfabrikation*) Binde-, Eckbuch *n.*
cord·ite [ˈkɔːrdait] *s mil.* Korˈdit *n* (*fadenförmiges rauchschwaches Schießpulver*).
cor·di·tis [kɔːrˈdaitis] *s med.* Samenstrangentzündung *f.*
ˈ**cord|ˌmak·er** *s* Seiler *m.* — ~ **moss** *s bot.* Drehmoos *n* (*Funaria hygrometrica*).
cor·do·ba [ˈkɔːrdobɑː] *s* Cordoba *m* (*Münze u. Münzeinheit in Nicaragua*).
cor·don [ˈkɔːrdn] **I** *s* **1.** Litze *f,* Schnur *f,* Kordel *f* (*an Hut, Mütze etc*). – **2.** Ordensband *n.* – **3.** Korˈdon *m:* a) *mil.* Posten-, Sperrkette *f,* b) *allg.* Absperrkette *f:* ~ **of police.** – **4.** Kette *f,* Spaˈlier *n* (*Personen*). – **5.** *mil.* (*Festungsbau*) Mauerkranz *m:* ~ **of forts** Festungsgürtel. – **6.** *arch.* Kranz(gesims *n*) *m.* – **7.** *agr.* Korˈdon *m,* ˈSchnurspaˌlierbaum *m.* – **8.** *her.* (Knoten)Strick *m.* – **II** *v/t* **9.** absperren, mit Posten umˈstellen. — ~ **bleu** [kɔrdɔ̃ ˈblø] (*Fr.*) *s* **1.** *hist.* Cordon bleu *m:* a) *blaues Band des franz. Heiligen-Geist-Ordens,* b) Ritter *m* des Ordens vom Heiligen Geist. – **2.** *fig.* höchste Auszeichnung. – **3.** hochgestellte Perˈsönlichkeit, hoher Würdenträger. – **4.** *humor.* erstklassiger Koch.
cor·do·van [ˈkɔːrdəvən] **I** *adj* aus Korduan(leder) (ˈhergestellt). – **II** *s* Korduan *n* (*feines Schaf- od. Ziegenleder*).
cord| stitch *s tech.* Ketten-, Schnurstich *m.* — ~ **tire,** *bes. Br.* ~ **tyre** *s* Kordreifen *m* (*für Autos*).
cor·du·roy [ˈkɔːrdəˌrɔi; ˌkɔːrdəˈrɔi] **I** *s* **1.** Kord-, Rippsamt *m.* – **2.** *pl* Kordsamthose *f.* – **3.** *Am.* → ~ **road.** – **II** *adj* **4.** aus Kordsamt (gefertigt), Kordsamt... – **5.** *fig.* streifig gerauht. – **6.** *tech. Am.* durch Bohlen festgemacht (*Weg, Straße*). – **III** *v/t Am.* **7.** (*Weg, Straße*) durch Bohlen u. Faˈschinen festmachen. – **8.** einen Knüppeldamm *od.* -dämme legen über (*einen Sumpf*). — ~ **road** *s Am.* Knüppeldamm *m,* -weg *m,* Bohl(en)weg *m.*
cord·wain [ˈkɔːrdwein] *s obs.* Korduan(leder) *n.* — ˈ**cord·wain·er** *s* **1.** the C~s die Gilde der Schuhmacher (*der Londoner City*). – **2.** *obs.* Schuhmacher *m.*
ˈ**cordˌwood** *s bes. Am.* Klafterholz *n.*
cord·y [ˈkɔːrdi] *adj* **1.** schnur-, strickartig. – **2.** faserig, strähnig.

core[1] [kɔːr] **I** *s* **1.** *bot.* a) Kerngehäuse *n,* b) Kern *m* (*Frucht*), c) Kernholz *n* (*Baum*). – **2.** (*das*) Innerste (*einer Sache*), Seele *f,* Herz *n,* Mark *n,* Kern *m* (*bes. fig.*): to the ~ bis ins Innerste, zutiefst. – **3.** *electr.* a) Kern *m* (*Elektromagnet, Spule etc*), b) Ankerkern *m* (*Dynamo*), c) Kabelkern *m,* Seele *f,* Leiter *m.* – **4.** *tech.* a) (*Furnierarbeit*) Blindholz *n,* b) (*Bergbau*) Bohrkern *m,* c) Seele *f* (*Seil od. Kabel*), d) (*Wasserbau*) (*undurchlässiger*) Damm-, Deichkern, e) (*Formerei*) (Form)Kern *m.* – **5.** *arch.* Kern *m,* Füllung *f* (*Säule, Wand etc*). – **6.** *phys.* a) Aˈtom *n* ohne Vaˈlenzelekˌtronen, ˈRumpfaˌtom *n,* b) Reˈaktorkern *m,* Spaltraum *m.* – **7.** *med.* (Eiter)Pfropf *m* (*Geschwür*). – **8.** *vet.* Egel-, Leberkrankheit *f* (*Schafe*). – **II** *v/t* **9.** (*Äpfel etc*) entkernen. – **10.** aus der Mitte (herˈaus)schneiden. – **11.** *tech.* über einen Kern gießen *od.* formen.
core[2] [kɔːr] *s bes. Scot.* Mannschaft *f* (*bes. beim Curlingspiel*).
Co·re·an *cf.* Korean.
core| bar·rel *s tech.* Kern-, Seelenrohr *n.* — ~ **box** *s* (*Formerei*) Kernbüchse *f,* Formkasten *m.*
cor·ec·to·my [kɒˈrektəmi] *s med.* Iridektoˈmie *f,* Irisausschneidung *f.*
cored [kɔːrd] *adj* **1.** *auch tech.* mit Kern (versehen). – **2.** entkernt: ~ **apples.** – **3.** *tech.* hohl: ~ **hole** Kern-, Zapfenloch; ~ **work** Kern-, Hohlguß. – **4.** *vet.* egel-, leberkrank (*bes. Schafe*). — ~ **car·bon** *s electr.* Dochtkohle *f* (*für Bogenlampen*).
core| drill *s tech.* Kernbohrer *m.* — ~ **drill·ing** *s* Bohrprobe *f.*
cored shot *s tech.* Hohlmantelgeschoß *n* (*für Gewehre*).
core i·ron *s* **1.** *tech.* Eisenrost *m* (*in einem Formkasten*). – **2.** *electr.* Kerneisen *n,* -blech *n,* Dyˈnamoblech *n.*
co·re·la·tion, *bes. Br.* **co-...** [ˌkouriˈleiʃən] → **correlation.**
co·re·li·gion·ist [ˌkouriˈlidʒənist] *s* Glaubensgenosse *m,* -genossin *f.*
core loss *s electr.* (Eisen)Kernverluste *pl.*
cor·e·mor·pho·sis [ˌkɒrimɔːrˈfousis; -ˈmɔːrfəsis] *s med.* Koremorˈphose *f* (*Herstellung einer künstlichen Pupille*). — ˌ**cor·eˈom·e·ter** [-ˈɒmitər; -mə-] *s med.* Puˈpillenmesser *m,* -ˌmeßinstruˌment *n.*
co·re·op·sis [ˌkɒriˈɒpsis] *s bot.* Mädchenauge *n* (*Gattg Coreopsis*).
core ov·en *s tech.* Kerntrockenofen *m.*
cor·e·plas·ty [ˈkɒriˌplæsti] *s med.* Iris-, Puˈpillenplastik *f.*
core print *s* (*Formerei*) **1.** Kernauge *n,* -loch *n,* -marke *f.* – **2.** Gießstöpsel *m.* – **3.** Kernlager *n* (*aus Sand*).
cor·er [ˈkɔːrər] *s* Fruchtentkerner *m.*
core sheet *s electr.* Dyˈnamoblech *n.*
co·re·spond·en·cy, *Br.* **co-...** [ˌkouriˈspɒndənsi] *s jur.* Mitbeklagtsein *n.* – ˌ**co·reˈspond·ent,** *Br.* ˌ**co-...** *s jur.* Mitbeklagte(r) (*bes. im Ehescheidungsverfahren wegen Ehebruchs*).
corf [kɔːrf] *pl* **corves** [kɔːrvz] *s Br.* **1.** (*Bergbau*) Förderkorb *m.* – **2.** Fischkorb *m* (*im Wasser*).
cor·gi [ˈkɔːrgi] → **Welsh corgi.**
co·ri·a·ceous [ˌkɒriˈeiʃəs] *adj* **1.** aus *od.* von Leder, ledern, Leder... – **2.** lederartig, zäh. – **3.** *bot.* lederig: a ~ **leaf.**
co·ri·an·der [ˌkɒriˈændər] *s bot.* Koriˈander *m* (*Coriandrum sativum*). — ~ **seed** *s bot.* Koriˈandersame *m,* Schwindelkorn *n.*
co·rin·don [koˈrindən] → **corundum.**
co·rinne [koˈrin] *s zo.* Gaˈzelle *f* (*Gazella dorcas*).
cor·inth [ˈkɒrinθ; *Am. auch* ˈkɔːr-] *s* **1.** Koˈrinthe *f.* – **2.** (*Art*) roter Färbstoff: **Congo** ~ Kongo(rot).

Co·rin·thi·an [kəˈrinθiən] **I** *adj* **1.** koˈrinthisch. – **2.** *fig.* zierlich, dekoraˈtiv. – **3.** *fig.* ausschweifend, üppig. – **II** *s* **4.** Koˈrinther(in), Bewohner(in) von Koˈrinth. – **5.** *pl* (*als sg konstruiert*) *Bibl.* Koˈrintherbrief *m:* **First** ~**s; Second** ~**s.** – **6.** eleˈganter Mann, Mann *m* von Welt. — ~ **brass,** ~ **bronze** *s* koˈrinthische Bronze. — ~ **col·umn** *s arch.* koˈrinthische Säule.
Cor·i·o·lis force [ˌkɔːriˈoulis] *s phys.* Coriˈoliskraft *f.*
co·ri·um [ˈkɔːriəm] *pl* **co·ri·a** [-riə] *s* **1.** *med.* Corium *n,* Lederhaut *f.* – **2.** *zo.* Lederhaut *f* (*der Flügeldecken von Schnabelkerfen der Überordnung Hemiptera*). – **3.** *hist.* Lederpanzer *m.*
cork [kɔːrk] **I** *s* **1.** Kork(rinde *f*) *m,* Rinde *f* der Korkeiche. – **2.** → ~ **oak.** – **3.** Korken *m,* Kork(stöpsel) *m,* Pfropfen *m:* **rubber** ~ Gummistöpsel; to draw a ~ einen Kork ziehen. – **4.** *Gegenstand aus Kork, bes.* a) Angelkork *m,* Schwimmer *m,* b) Schwimmer *m,* Korkklotz *m* (*Schwimmgürtel etc*). – **5.** *bot.* Kork *m,* Periˈderm *n.* – **II** *v/t* **6.** mit Korken *od.* einem Kork versehen, bekorken. – **7.** *oft* ~ **up** a) (*Flasche*) mit einem Kork verschließen, zukorken, verkorken, zustöpseln, verstöpseln, b) (*Flüssigkeit*) in einer Flasche verschließen, verkorken, c) *fig.* einzwängen, einengen. – **8.** mit verbranntem Kork schwärzen. – **III** *v/i* **9.** nach dem Kork schmecken (*Getränk*). — ˈ**cork·age** *s* **1.** Verkorken *n.* – **2.** Entkorken *n.* – **3.** Korkengeld *n* (*in Gasthäusern*).
cork| black *s* Korkschwarz *n.* — ˈ~ˌ**board** *s* Korkpappe *f* (*wärmeisolierend*). — ~ **cam·bi·um** → **phellogen.** — ~ **car·pet** *s* Korkbelag *m.*
corked [kɔːrkt] *adj* **1.** verkorkt, zugekorkt, verstöpselt (*Flaschen*). – **2.** korkig, nach dem Kork schmekkend (*Wein*): to be ~ nach dem Kork schmecken. – **3.** mit Korkschwarz gefärbt. – **4.** *sl.* ‚blau‘ (*betrunken*). — ˈ**cork·er** *s* **1.** Verkorker(in) (*Flaschen*). – **2.** Flaschenschließgerät *n.* – **3.** *sl.* a) entscheidendes Arguˈment, letztes Wort, b) große Lüge. – **4.** *sl.* a) auffallende *od.* großartige Sache, ‚Schlager‘ *m,* b) ‚Mordskerl‘ *m,* faˈmoser Mensch.
cork| fir *s bot.* Ariˈzona-Tanne *f* (*Abies arizonica*). — ~ **fos·sil** *s min.* ˈKorkasˌbest *m.*
cork·ing [ˈkɔːrkiŋ] *adj sl.* eˈnorm, großartig, fabelhaft, ‚prima‘.
cork·ing ma·chine *s* ˈFlaschen(ver)korkmaˌschine *f.*
cork| jack·et *s* Kork-, Rettungs-, Schwimmweste *f.* — ~ **leg** *s colloq.* Holzbein *n,* ˈBeinproˌthese *f.* — ~ **line** *s* Obersimm *f* (*mit Flotten versehene obere Leine des Fischnetzes*). — ~ **oak** *s bot.* Korkeiche *f* (*Quercus suber*). — ~ **rope** → **cork line.**
cork·screw [ˈkɔːrkˌskruː] **I** *s* **1.** Korkenzieher *m.* – **2.** *bot.* → **screw pine.** – **II** *v/t colloq.* **3.** (ˈdurch)winden, (ˈdurch)schlängeln, spiˈralförmig *od.* in Windungen bewegen: to ~ **one's way through a crowd** sich durch eine Menschenmenge winden. – **4.** (*etwas*) langsam u. vorsichtig ziehen (out of aus): to ~ **the truth out of s.o.** *fig.* die Wahrheit aus j-m herausziehen. – **III** *v/i colloq.* **5.** sich winden, sich schlängeln. – **IV** *adj* **6.** spiˈralig gewunden, korkzieherförmig: ~ **curl** Korkenzieher (*Locke*); → **staircase.** — ~ **grass** *s bot.* (*ein*) austral. Pfriemengras *n* (*Stipa setacea*). — ~ **twill** *s* Corkscrew *m* (*in Schrägrips gewebte Kammgarnware*).
cork| tree *s bot.* **1.** → **cork oak.** – **2.** Korkbaum *m* (*Phellodendron amurense; ostasiat. Rutaceae*). — ˈ~ˌ**wood** *s* **1.** *bot.* Korkholzbaum *m* (*bes.*

Leitneria floridana). – **2.** Korkholz *n* (*Holz von* 1). – **3.** *bot.* → **balsa** 1.

cork·y [ˈkɔːrki] *adj* **1.** korkartig, -ähnlich, Kork... – **2.** runz(e)lig, verschrumpft, dürr. – **3.** → **corked** 2. – **4.** *colloq.* a) ausgelassen, ‚kreuzfiˈdel', b) flatterhaft, unbeständig.

corm [kɔːrm] *s* **1.** *bot.* Kormus *m*, beblätterter Sproß. – **2.** *zo.* → **cormus** 1.

cormo- [kɔːrmo] *Wortelement mit der Bedeutung* Stamm.

cor·mo·phyte [ˈkɔːrməˌfait] *s bot.* Kormus-, Sproßpflanze *f*, Kormoˈphyt *m*.

cor·mo·rant [ˈkɔːrmərənt] **I** *s* **1.** *zo.* Kormoˈran *m*, Scharbe *f* (*Fam. Phalacrocoracidae*): **common ~** Kormoran, Schwarze Scharbe (*Phalocrocorax carbo*). – **2.** *fig.* a) gieriger Fresser, Vielfraß *m*, b) raffgierige Perˈson. – **II** *adj* **3.** *fig.* gefräßig, gierig.

cor·mus [ˈkɔːrməs] *s* **1.** *zo.* Tierstock *m*, Kormus *m*. – **2.** *bot.* → **corm** 1.

corn¹ [kɔːrn] **I** *s* **1.** (Samen-, Getreide-)Korn *n*: **to acknowledge** (*od.* **admit, confess**) **the ~** *Am. colloq.* sich geschlagen geben (*bes. in einer Streitfrage*). – **2.** *collect.* Korn(frucht *f*) *n*, Getreide *n*, *bes.* a) *Br.* Weizen *m*, b) *Scot. u. Irish* Hafer *m*: **~ in the ear** Korn in Ähren. – **3.** *auch* **Indian ~** *Am. u. Austral.* Mais *m*. – **4.** *Am.* Maisgemüse *n*: **~ on the cob** Maiskörner am Kolben (*als Gemüse serviert*). – **5.** *Am. colloq. für* **~ whisky**. – **6.** Korn-, Goldgelb *n*. – **7.** (*Skilauf*) körniger Schnee, Firn *m*. – **8.** *sl.* a) schlechter Witz, ‚Kalauer' *m*, b) Kitsch *m*, baˈnales *od.* sentimenˈtales Stück, ‚Schnulze' *f*, ‚Schmachtfetzen' *m*. – **9.** *dial.* Körnchen *n*, kleines Korn (*auch fig.*). – **II** *v/t* **10.** (*Pulver*) körnen. – **11.** (*Speisen*) einpökeln. – **12.** (*Pferde*) mit Getreide füttern. – **13.** (*Land*) mit Getreide (*Am.* mit Mais) besäen. – **14.** *colloq.* (*j-n*) betrunken *od.* ‚blau' machen. – **III** *v/i* **15.** Korn ansetzen (*Getreide*).

corn² [kɔːrn] *s med.* Hühnerauge *n*: **to tread on s.o.'s ~s** *colloq.* j-m auf die Hühneraugen treten, j-s Gefühle verletzen.

cor·na·ceous [kɔːrˈneiʃəs] *adj bot.* zu den Hartriegelgewächsen gehörend.

cor·nage [ˈkɔːrnidʒ] *s hist.* Horngeld *n*.

corn| bee·tle *s zo.* **1.** Getreideschmalkäfer *m* (*Oryzaephilus surinamensis*). – **2.** (*ein*) Scharlach-, Horn-, Schalen-, Plattkäfer *m* (*Cucuius testaceus*). — **ˈ~ˌbell** *s bot.* (*Getreide befallender*) Napfpilz (*Fam. Nidulariaceae*). — **~ bell·flow·er** → **corn violet**. — **~ belt** *s* Maisgürtel *m* (*Gebiet in USA, bes. Indiana, Illinois, Iowa, Kansas, durch Maisanbau bekannt*). — **ˈ~ˌbind,** *Am.* **~ bind·weed** *s bot.* Ackerwinde *f* (*Convolvulus arvensis*). — **~ bor·er** *s zo.* Raupe *f* des Maiszünslers *Pyrausta nubilalis*. — **ˈ~ˌbot·tle** → **bluebonnet** 4. — **~ bran·dy** *s* Korn(branntwein) *m*, Whisky *m*. — **ˈ~ˌbrash** *s geol.* Rogenstein *m* (*Schicht der Juraformation in England*). — **~ bread** *s Am.* Maisbrot *n*. — **~ bunting** *s zo.* Grauammer *f* (*Emberiza callandra*). — **ˈ~ˌcake** *s Am.* (Pfann-)Kuchen *m* aus Maismehl. — **~ chandler** *s Br.* Korn-, Saathändler *m*. — **ˈ~ˌcob** *s Am.* **1.** Maiskolben *m*. – **2.** → **~ pipe**. — **ˈ~ˌcob pipe** *s Am.* aus dem Strunk eines Maiskolbens gefertigte Tabakspfeife. — **~ cock·le** *s bot.* Kornrade *f* (*Agrostemma githago*). — **~ col·o(u)r** *s* Hellgelb *n*. — **ˈ~ˌcrack·er** *s Am.* **1.** Maisschrotmühle *f*. – **2.** *colloq.* Einwohner(in) von Kenˈtucky. — **~ crake** *s zo.* Wiesenknarre *f*, Wachtelkönig *m* (*Crex crex*). — **ˈ~ˌcrib** *s Am.* Lattenhaus *n*, luftiger Maisspeicher. — **~ crow·foot** *s bot.* Ackerhahnenfuß *m* (*Ranunculus arvensis*). — **~ cut·ter** *s Am.* **1.** ˈMaisˌmähmaˌschine *f*. – **2.** ˈMaisˌhäckselmaˌschine *f*. – **3.** Sichel *f*, Sense *f* (*zum Maismähen*). — **ˈ~ˌcutter** *s* **1.** ˈHühneraugenoperaˌteur *m*. – **2.** Hühneraugenmesser *n*, -hobel *m*. — **ˈ~ˈdodg·er** *s Am. dial.* **1.** hartgebackener Maiskuchen, Maisbrötchen *n*. – **2.** Maiskloß *m*, -knödel *m* (*mit Schinken u. Kohl gekocht*).

cor·ne·a [ˈkɔːrniə] *s med.* Kornea *f*, Hornhaut *f* (*Auge*). — **ˈcor·ne·al** *adj* die Kornea betreffend, Kornea...

ˈcorn-ˌear worm → **bollworm**.

corned [kɔːrnd] *adj* **1.** gepökelt, eingesalzen: **~ beef** Corned Beef, eingesalzenes Rindfleisch. – **2.** gekörnt, genarbt (*Leder*). – **3.** körnig.

cor·nel [ˈkɔːrnəl] *s bot.* Korˈnelkirsche *f*, Hornstrauch *m*, Hartriegel *m* (*Gattg Cornus*).

cor·nel·ian¹ [kɔːrˈniːljən] *adj* die Korˈnelkirsche betreffend, Kornel...: **~ cherry** Kornelkirsche (*Frucht von Cornus mas*).

cor·nel·ian² [kɔːrˈniːljən] *s min.* Karneˈol *m*.

cor·ne·ous [ˈkɔːrniəs] *adj* hornig, Horn...

cor·ner [ˈkɔːrnər] **I** *s* **1.** (Straßen-, Häuser)Ecke *f*: **at the ~** an der Ecke; **on the ~** auf der Ecke; **to turn a ~** a) um eine (Straßen)Ecke gehen *od.* biegen, b) *fig.* über den Berg hinwegkommen; **he has turned the ~** er ist über das Schlimmste hinweg; **to cut off a ~** eine Ecke (*durch einen Abkürzungsweg*) abschneiden. – **2.** Winkel *m*, Ecke *f*: **~ of the mouth** Mundwinkel; **to look at s.o. from the ~ of one's eye** j-n kritisch *od.* von der Seite ansehen. – **3.** (verborgener) Winkel, versteckte Stelle, abgelegene Gegend: **it was done in a ~** es wurde heimlich *od.* ‚hintenherum' getan; → **hole-and-~**. – **4.** *fig.* Verlegenheit *f*, Klemme *f*, Enge *f*: **to drive into a ~** in die Enge treiben; → **tight** 4. – **5.** entlegene Gegend: **all the ~s of the earth**. – **6.** *fig.* Ecke *f*, Ende *n*, Seite *f*: **they came from all ~s** sie kamen von allen Ecken u. Enden. – **7.** (verstärkte *od.* verzierte) (Buch)Ecke. – **8.** Eckenverstärkung *f* (*Buch, Koffer etc*). – **9.** Eckverzierung *f*, Ecke *f* (*Ornament*). – **10.** a) (*Fußball*) Eckball *m*, Ecke *f*, b) (*Baseball, Handball, Hockey*) Ecke *f*, c) (*Motorsport*) Kurve *f*: **to take a ~** eine Kurve nehmen. – **11.** *econ.* Schwänze *f*, Corner *m*: a) Aufkäufergruppe *f*, (Spekulatiˈons)Ring *m*, b) (Aufkauf *m* zwecks) Monoˈpolbildung *f*: **~ in cotton** Baumwollkorner. – *SYN. cf.* **monopoly**. – **II** *v/t* **12.** mit Ecken versehen. – **13.** in eine Ecke stellen *od.* legen. – **14.** in die Ecke *od.* Enge treiben, (*j-n*) stellen: **he found himself ~ed** er sah sich in die Enge getrieben. – **15.** *econ.* a) (*einem Spekulanten*) hohe Preise aufzwingen, b) (*Ware*) aufkaufen, aufschwänzen, cornern: **to ~ the market** den Markt aufkaufen. – **III** *v/i* **16.** *Am.* eine Ecke *od.* einen Winkel bilden. – **17.** *Am.* an einer Ecke gelegen sein. – **18.** *econ.* einen Corner *od.* eine Schwänze bilden: **to ~ in nickel** einen Nickelcorner bilden. – **IV** *adj* **19.** an einer Ecke gelegen, Eck..., Winkel...

cor·ner| block *s tech.* Eckversteifung *f*. — **~ boy** *s* Rowdy *m*. — **~ card** *s* Briefkopf *m* in der oberen linken Ecke (*Briefbogen*). — **~ chis·el** *s tech.* Winkelmeißel *m*, Geißfuß *m*. — **~ cup·board** *s* Eckschrank *m*.

cor·nered [ˈkɔːrnərd] *adj* **1.** eckig, mit Ecken (versehen), winkelig. – **2.** *fig.* in die Enge getrieben, in der Klemme. – **3.** (*in Zusammensetzungen*) ...eckig, ...winkelig: **three-~** dreieckig.

cor·ner| house *s* Eckhaus *n*. — **~ i·ron** *s tech.* **1.** Winkeleisen *n*. – **2.** Eisenklammer *f*. — **~ joint** *s tech.* Winkelstoß *m*. — **~ kick** → **corner** 10a. — **~ man** *s irr* **1.** *Br.* Flügelmann *m* (*einer Negertruppe*). – **2.** Eckensteher *m*, Tagedieb *m*. — **ˈ~ˌpiece** *s* **1.** (*Buchbinderei*) (Eckstempel *m* für) Eckverzierung *f* (*an Buchdeckeln*). – **2.** *mar.* Bodenwrange *f*. — **~ pil·lar** *s arch.* Eckpfeiler *m*. — **~ punch** *s tech.* Winkelpunze *f*. — **~ room** *s* Eckzimmer *n*. — **ˈ~ˌstone** *s* **1.** *arch.* a) Eckstein *m*, b) Grundstein *m*: **to lay the ~** den Grundstein legen. – **2.** *fig.* Grundstein *m*, Eckpfeiler *m*, Basis *f*. — **~ tooth** *s irr zo.* Eck-, Hakenzahn *m* (*Pferd*). — **~ tree** *s Am.* Grenzbaum *m* (*Landvermessung*).

ˈcor·nerˌways, ˈcor·nerˌwise *adv* **1.** eine Ecke bildend. – **2.** mit der Ecke nach vorn. – **3.** diagoˈnal.

cor·net [*Br.* ˈkɔːnit; *Am.* kɔːrˈnet] *s* **1.** *mus.* a) Korˈnett *n*, Venˈtil-, Piˈstonkorˌnett *n*, b) Zinke *f* (*altes Blasinstrument aus Holz*), c) Kornett *n* (*Orgelstimme*), d) Korˈnettbläser *m*, Kornetˈtist *m*. – **2.** [ˈkɔːrnit] Paˈpiertüte *f*. – **3.** *Br.* a) Eistüte *f*, b) Cremegebäck *n*, -rolle *f*, -törtchen *n*, c) Lachs-, Schinkenrolle *f*. – **4.** Schwesternhaube *f* (*der Barmherzigen Schwestern*). – **5.** *hist.* (*Art*) reichverzierte Frauenhaube. – **6.** *mar.* Siˈgnalflagge *f*. – **7.** Hörrohr *n* (*für Schwerhörige*). – **8.** *mil. hist.* a) Fähnlein *n*, Reitertrupp *m*, b) Korˈnett *m*, Fahnenjunker *m*, Fähnrich *m* (*Kavallerie*). — **~-à-pis·tons** [ˈkɔːrnetəˈpistɔnz] → **cornet** 1a. — **ˈcor·net·cy** *s* Fähnrichs-, Korˈnettstelle *f*. — **ˈcor·net·ist, corˈnet·tist** [-ˈnetist] *s* Korˈnettbläser *m*, Kornetˈtist *m*.

corn| ex·change *s econ.* Getreidebörse *f*. — **~ fac·tor** *s* **1.** *Br.* Kornhändler *m*. – **2.** *Am.* Maishändler *m*. — **ˈ~-ˌfed** *adj* **1.** a) *Br.* mit Korn gefüttert, b) *Am.* mit Mais gefüttert. – **2.** *fig.* wohlgenährt, fett, dick, plump. – **3.** *colloq.* (*geistig*) schwerfällig, langweilig. — **ˈ~ˌfield** *s* **1.** *Br.* Korn-, Getreidefeld *n*. – **2.** *Am.* Maisfeld *n*. — **~ flag** *s bot.* **1.** → **gladiolus** a. – **2.** Gelbe Schwertlilie (*Iris pseudacorus*). — **~ flakes** (*TM*) *s pl* Corn Flakes *pl* (*geröstete Maisflocken*). — **~ flour** *s Br.* **1.** → **cornstarch**. – **2.** Reismehl *n*. — **ˈ~ˌflow·er** *s* **1.** → **bluebonnet** 4. – **2.** → **corn cockle**. – **3.** Kornblumenblau *n*. — **~ fly** *s zo.* **1.** (*eine*) Halmfliege (*Gattg Chlorops*). – **2.** (*eine*) Blumenfliege (*Hylomyia cilicrura*; *Maisschädling*). — **~ fod·der** *s agr. Am.* Maisfutter *n*. — **~ grass** *s bot.* Windhalm *m* (*Apera spica-venti*). — **~ grom·well** *s bot.* Acker-Steinsame *m* (*Lithospermum arvense*). — **~ grow·er** *s* **1.** *Br.* Getreidebauer *m*. – **2.** *Am.* Maisbauer *m*. — **~ har·vest·er** *s agr.* Kornschneide-, ˈKornmähmaˌschine *f*. — **ˈ~ˌhusk** *s Am.* Maishülse *f*, Lieschen *pl* (*des Maiskolbens*). — **ˈ~ˌhusk·er** *s agr. Am.* Maisschäler *m*, -enthülser *m*.

cor·nice [ˈkɔːrnis] **I** *s* **1.** *arch.* a) Gesims *n*, Sims *m*, Karˈnies *n* (*Dach od. Säule*), b) Mauerbrüstung *f*. – **2.** Kranz-, Randleiste *f* (*an Möbelstücken etc*). – **3.** Bilderleiste *f* (*Holzleiste zum Bilderaufhängen*). – **4.** Deckleiste *f* (*bei Polstermöbeln, Vorhangstangen etc*). – **5.** *tech.* Kehlung *f*, Kehlstoß *m* (*im Holzsimswerk*). – **6.** (Schnee)Wächte *f*. – **7.** ˈüberhängende Felsmasse. – **II** *v/t* **8.** mit einem Sims *od.* Karˈnies versehen.

cor·ni·cle [ˈkɔːrnikl] *s zo.* Saftröhre *f* (*der Blattläuse*).
cor·nic·u·late [kɔːrˈnikjulit; -ˌleit; -jə-] *adj* **1.** hornförmig. – **2.** *bot.* gehörnt, hornförmig zugespitzt. — **corˈnic·u·lum** [-ləm] *pl* **-la** [-lə] *s med. zo.* Hörnchen *n*, hornartiger Fortsatz.
cor·nif·er·ous [kɔːrˈnifərəs] *adj geol.* hornsteinhaltig. — **corˈnif·ic** *adj* hornbildend. — **ˌcor·ni·fiˈca·tion** *s* Hornbildung *f*, Verhornung *f*. — **ˈcor·niˌform** [-ˌfɔːrm] *adj* hornförmig. — **corˈnig·er·ous** [-ˈnidʒərəs] *adj* gehörnt, hörnertragend: ~ animals Hornvieh.
cor·nin [ˈkɔːrnin] *s chem.* Korˈnin *n* (*Alkaloid aus der Rinde von Cornus florida*).
corn·ing [ˈkɔːrniŋ] *s* **1.** Einsalzen *n*, Einpökeln *n* (*Fleisch*). – **2.** Körnen *n* (*von Schießpulver*).
Cor·nish [ˈkɔːrniʃ] **I** *adj* kornisch, aus Cornwall. – **II** *s* Kornisch *n*: a) kornische Sprache (*Zweig der keltischen Sprachfamilie*), b) *in Cornwall gesprochener engl. Dialekt.* — **~ boil·er** *s tech.* Cornwallkessel *m*, Einflammrohrkessel *m*. — **~ di·a·mond** *s min.* ˈQuarzkriˌstall *m* aus Cornwall. — **~ elm** *s bot.* Cornwall-Ulme *f* (*Ulmus stricta*). — **~ heath** *s bot.* (*eine*) Glockenheide (*Erica vagans*). — **~ hug** *s* **1.** *sport sl.* Ringergriff *m*, bei dem der Gegner an die Brust gedrückt wird. – **2.** *fig.* geheuchelte Freundschaftsbezeigung. — **ˈ~·man** [-mən] *s irr* Einwohner *m* von Cornwall. — **~ pump** *s tech.* kornische Reihenpumpanlage (*mit mehreren Kolben an einer Stange*). — **~ stone** *s tech.* Graˈnitgestein *n* aus Cornwall u. Devonshire (*Bindemittel für Tonwaren*).
corn| law *s* **1.** Korn(zoll)gesetz *n*. – **2.** *pl, auch* C~ L~s *hist.* Korngesetze *pl* (*in England zwischen 1476 u. 1846*). — **~ lil·y** *s bot.* **1.** Klebschwertel *n* (*Gattg Ixia*). – **2.** → bindweed. – **3.** (*eine*) Spaˈraxis, (*ein*) Fransenschwertel *n* (*Gattg Sparaxis*). — **~ liq·uor** *Am. colloq. für* corn whisky. — **ˈ~ˌloft** *s* Getreidespeicher *m*. — **~ mag·got** *s zo. Am.* Larve *f* der Maisfliege *Hylomyia cilicrura.* — **~ mar·i·gold** *s bot.* Gelbe Wucherblume (*Chrysanthemum segetum*). — **~ may·weed** *s bot.* **1.** ˈAckerkaˌmille *f* (*Anthemis arvensis*). – **2.** Geruchlose Kaˈmille (*Matricaria inodora*). — **~ meal** *s* **1.** Getreidemehl *n*. – **2.** *Scot.* Hafermehl *n*. – **3.** *Am.* Maismehl *n*. — **~ mill** *s* **1.** *agr. bes. Br.* Getreidemühle *f*. – **2.** *Am.* ˈFutterquetschmaˌschine *f* (*für Maiskolben*). — **~ mint** *s bot.* Ackerminze *f* (*Mentha arvensis*). — **~ moth** *s zo.* Kornmotte *f* (*Tinea granella*). — **~ mus·tard** *s bot.* Ackersenf *m* (*Sinapis arvensis*).
cor·no·pe·an [kɔːrˈnoupiən] → cornet 1a.
corn| oys·ter *s Am.* (*Art*) Maispfannkuchen *m*. — **~ pars·ley** *s bot.* Wilde Peterˈsilie (*Petroselinum segetum*). — **~ pick·er** *s agr. Am.* Maiskolbenpflücker *m* (*Maschine*). — **ˈ~ˌpipe** *s* Halmflöte *f*. — **~ pit** *s Am.* Getreidebörse *f*. — **~ plas·ter** *s* Hühneraugenpflaster *m*. — **~ pone** *s Am. dial.* Maisbrot *n* (*ohne Milch u. Eier*). — **~ pop·per** *s Am.* Maisröster *m* (*Drahtkorbpfanne*). — **~ pop·py** *s bot.* Klatschmohn *m*, -rose *f* (*Papaver rhoeas*). — **~ rent** *s Br.* in Getreide bezahlter Pachtzins. — **~ rose** *s* **1.** → corn poppy. – **2.** → corn cockle. — **~ sal·ad** *s bot.* (*ein*) ˈFeldsaˌlat *m* (*Gattg Valerianella*). — **~ saw·fly** *s zo.* (*eine*) (Getreide)Halmwespe (*Gattg Cephus, bes. C. pygmaeus*). — **~ shell·er** *s agr. Am.* Maisrebbler *m* (*Maiskolbenentkörnungsmaschine*). — **~ shock** *s agr.* Korngarbe *f*. — **~ shuck** → cornhusk. — **~ silk** *s Am.* Maisfasern *pl* (*Fadenschopf am Kolben*). — **~ sir·up** *s Am.* Stärkesirup *m* (*aus Mais*). — **~ smut** *s bot. Am.* Maisbrand *m* (*Ustilago zeae*). — **~ snake** *s zo.* Gelbgeringelte Natter (*Elaphe guttata; Nordamerika*). — **~ snap·drag·on** *s bot.* Acker-Löwenmaul *n* (*Antirrhinum orontium*). — **~ speed·well** *s bot.* Acker-Ehrenpreis *m* (*Veronica arvensis*). — **ˈ~ˌstalk** *s* **1.** Getreidehalm *m*. – **2.** *Am.* Maisstengel *m*. – **3.** *colloq.* Bohnen-, Hopfenstange *f* (*lange dünne Person, bes. Australier aus Neusüdwales*). — **ˈ~ˌstarch** *s Am.* Maisstärke *f*. — **~ sug·ar** *s* ˈMaisdexˌtrose *f*. — **~ syr·up** *cf.* corn sirup.
cor·nu [ˈkɔːrnjuː] *pl* **-nu·a** [-njuə] *s bes. med.* **1.** Horn *n*. – **2.** Dornfortsatz *m*. — **ˈcor·nu·al** *adj* hornförmig. — **ˈcor·nu am·mo·nis** [əˈmounis], *pl* **ˈcor·nu·a amˈmo·nis** *s med.* Ammonshorn *n* (*Teil des Gehirns*).
cor·nu·bi·an·ite [kɔːrˈnjuːbiəˌnait] *s min.* Hornfels *m*.
cor·nu·co·pi·a [*Br.* ˌkɔːrnjuˈkoupiə; *Am.* -nə-] *pl* **-as** *s* **1.** Füllhorn *n*. – **2.** *fig.* Fülle *f*, Reichtum *m*, ˈÜberfluß *m*. — **ˌcor·nuˈco·pi·an** *adj* ˈüberreichlich.
cor·nus [ˈkɔːrnəs] → cornel.
cor·nute [kɔːrˈnjuːt; *Am. auch* -ˈnuːt] **I** *adj* gehörnt. – **II** *v/t obs.* zum Hahnrei machen. — **corˈnut·ed** → cornute I. — **corˈnu·to** [-tou] *pl* **-tos** *s obs.* Hahnrei *m*.
corn vi·o·let *s bot.* Venus-, Frauenspiegel *m* (*Specularia speculum-veneris*).
corn·wall·ite [ˈkɔːrnwəˌlait] *s min.* Cornwalˈlit *m*.
corn| wee·vil *s zo.* **1.** Kornkäfer *m*, (*als Larve*) Schwarzer Kornwurm (*Calandra granaria*). – **2.** *Am.* (*ein*) Geˈtreiderüsselkäfer *m* (*Gattg Spenophorus*). — **~ whis·k(e)y** *s Am.* Maisschnaps *m*. — **~ worm** → bollworm.
corn·y¹ [ˈkɔːrni] *adj* **1.** a) *Br.* aus Korn *od.* Getreide (ˈhergestellt), Korn..., Getreide..., b) *Am.* aus Mais (ˈhergestellt), Mais... – **2.** a) *Br.* korn-, getreidereich, b) *Am.* maisreich (*Gegend*). – **3.** körnerreich. – **4.** körnig. – **5.** *Am. sl.* a) sentimenˈtal, schmalzig (gespielt) (*bes. Jazzmusik*), b) kitschig, abgedroschen.
corn·y² [ˈkɔːrni] *adj med.* voller Hühneraugen.
cor·o·dy [ˈkɒrədi; *Am. auch* ˈkɔːr-] *s hist.* **1.** ˈUnterhaltsbeitrag *m* (*bes. aus Lebensmitteln*). – **2.** *jur. Br.* Herbergs- u. Verpflegungsrecht *n*.
co·ro·jo [koˈrouhou] *pl* **-jos** → corozo.
co·rol·la [kəˈrɒlə] *s bot.* Blumenkrone *f*. — **cor·ol·la·ceous** [ˌkɒrəˈleiʃəs; *Am. auch* ˌkɔːr-] *adj bot.* **1.** blumenkronenartig. – **2.** eine Blumenkrone tragend.
cor·ol·lar·y [*Br.* kəˈrɒləri; *Am.* ˈkɑrəˌleri; ˈkɔːr-] **I** *s* **1.** *math. philos.* Corolˈlar(ium) *n*, (einfacher) Folgesatz, Zusatz *m*. – **2.** logische *od.* naˈtürliche Folge, Ergebnis *n* (of, to von): as a ~ to this als eine Folge hiervon. – **3.** selbstverständliche Folgerung. – **II** *adj* **4.** sich als Corolˈlarium ergebend. – **5.** naˈtürlich folgend, sich logischerweise ergebend.
cor·ol·late [ˈkɒrəˌleit], **ˈcor·olˌlat·ed**, **ˌcor·olˈlif·er·ous** [-ˈlifərəs] *adj bot.* eine Blumenkrone tragend, kronentragend.
co·ro·na [kəˈrounə] *pl* **-nas** *od.* **-nae** [-niː] *s* **1.** *astr.* a) Hof *m*, Kranz *m*, Aureˈole *f*, b) Koˈrona *f*, ˈLeuchtatmoˌsphäre *f* (*Sonne*). – **2.** *arch.* Kranzleiste *f*, -gesims *n* (*bes. Säule*). – **3.** *med.* a) Kranz *m*, b) (Zahn)-Krone *f*. – **4.** *bot.* a) Nebenkrone *f*, b) Pappus *m*, Federkrone *f* (*gewisser Früchte*). – **5.** *electr.* Koˈrona *f*, Glimm-, Sprühentladung *f*. – **6.** *zo.* Schlund-, Strahlenkranz *m*, -krone *f* (*der Rotiferen*). – **7.** (*Phonetik*) a) Zungenspitze *f*, b) oberer Zahnrand. – **8.** ringförmiger Kronleuchter (*in Kirchen*). – **9.** *eine längliche Zigarre.* – **10.** *antiq.* Coˈrona *f*, Kranz *m* (*als Ehrenzeichen*). — **C~ Aus·tra·lis** [ɔːˈstreilis] *gen* **Co·ro·nae Aus·tra·lis** *s astr.* Südl. Krone *f* (*Sternbild*). — **C~ Bo·re·a·lis** [*Br.* ˌbɔːriˈeilis; *Am.* ˌbɔːriˈælis] *gen* **Co·ro·nae Bo·re·a·lis** *s* Nördl. Krone *f* (*Sternbild*).
co·ro·na| dis·charge → corona 5. — **~ ef·fect** *s electr.* Koˈronaefˌfekt *m*, -erscheinung *f*.
cor·o·nal [ˈkɒrənl; *Am. auch* ˈkɔːr-] **I** *s* **1.** Stirnreif *m*, Diaˈdem *n*. – **2.** (Blumen)Kranz *m*. – **3.** *med.* → ~ suture. – **II** *adj* [*auch* kəˈrounəl] **4.** *bes. med.* Kron(en)..., Kranz..., Scheitel... – **5.** (*Phonetik*) a) koroˈnal, b) alveoˈlar, ˈsupradenˌtal (*Laut*). — **~ ar·ter·y** *s med.* ˈKranzarˌterie *f* (*Herz*). — **~ su·ture** *s med.* Kranznaht *f*.
cor·o·nar·y [*Br.* ˈkɒrənəri; *Am.* -ˌneri; ˈkɔːr-] *adj* **1.** kronen-, kranzartig, Kronen..., Kranz... – **2.** *med.* a) kranzartig angeordnet, b) koroˈnar, die ˈKranzarˌterie betreffend. — **~ ar·ter·y** *s med.* ˈKranzarˌterie *f* (*Herz*). — **~ throm·bo·sis** *s med.* Koroˈnarthromˌbose *f*.
cor·o·nate [ˈkɒrəˌneit; *Am. auch* ˈkɔːr-] *v/t selten* krönen. — **ˈcor·oˌnat·ed** *adj* **1.** gekrönt. – **2.** *bes. bot. zo.* mit einem Kranz versehen. — **ˌcor·oˈna·tion** *s* **1.** Krönung *f*: ~ chair Krönungssessel; ~ oath Krönungseid; C~ Stone Krönungsstein (*in den Krönungssessel der engl. Könige eingelassener Sandsteinblock*). – **2.** *fig.* Krönung *f*, (glänzende) Vollˈendung. – **3.** (*Damespiel*) Aufeinˈandersetzen *n* zweier Steine (*zur Dame*).
cor·o·ner [ˈkɒrənər; *Am. auch* ˈkɔːr-] *s jur.* **1.** Coroner *m*: a) *Br. amtlicher Leichenbeschauer u. Untersuchungsrichter in Fällen gewaltsamen od. plötzlichen Todes*, b) *Am.* (*meist gewählter*) *amtlicher Leichenbeschauer für Städte u. Verwaltungsbezirke, der ungeklärte Todesursachen erforscht.* – **2.** *Br. hist. Beamter für die Verwaltung des Privatvermögens der Krone in einer Grafschaft.*
cor·o·ner's| court *s jur.* Geschworenengericht *n* unter Vorsitz eines Coroners (*zur Erforschung ungeklärter Todesursachen*). — **~ in·quest** *s jur.* gerichtliche Leichenschau u. Verhandlung vor der ˈLeichenschaukommissiˌon. — **~ ju·ry** *s jur.* (*aus Geschworenen bestehende*) ˈLeichenschaukommissiˌon.
cor·o·net [ˈkɒrənit; *Am. auch* ˈkɔːr-] *s* **1.** kleine Krone, Krönchen *n*. – **2.** Adelskrone *f*: duke's ~ Herzogskrone. – **3.** Diaˈdem *n*, Kopfputz *m* (*für Frauen*). – **4.** Horn-, Kronenwulst *f*, Hufkrone *f* (*Pferd*). – **5.** *zo.* (Haar-, Stachel)Kranz *m*. – **6.** *arch.* Ziergiebel *m*. – **7.** *bot.* → corona 4a. – **8.** *poet.* Kranz *m*. — **ˈcor·o·net·ed**, *auch* **ˈcor·o·net·ted** *adj* **1.** eine Krone tragend. – **2.** zum Tragen einer Adelskrone berechtigt, adelig. – **3.** mit einer Adelskrone (versehen) (*Briefpapier etc*). — **ˈcor·o·noid** *adj med.* rabenschnabelförmig, kronenartig: ~ process Kronenfortsatz des Unterkiefers.
co·ro·zo [kəˈrousou] *pl* **-zos**, *auch* **~ palm** *s bot. Am.* **1.** → ivory palm. – **2.** Acroˈcomie *f* (*Gattg Acrocomia, bes. A. aculeata*). – **3.** → cohune. – **4.** (*eine*) Kokospalme (*Gattg Cocos*). — **~ nut** → ivory nut.

cor·po·ra [ˈkɔːrpərə] *pl von* **corpus.**

cor·po·ral[1] [ˈkɔːrpərəl] **I** *adj* **1.** körperlich, leiblich, physisch. – **2.** perˈsönlich: ~ **possession.** – **3.** *zo.* den Rumpf betreffend, Rumpf... – **4.** *obs. für* **corporeal.** – *SYN. cf.* **bodily.** – **II** *s* **5.** *relig.* Corpoˈrale *n.*

cor·po·ral[2] [ˈkɔːrpərəl] *s* **1.** *mar. mil.* ˈUnteroffiˌzier *m,* Maat *m* (*Dienstrang*). – **2.** (*US-Marine-Infanterie*) Obergefreiter *m.*

cor·po·ra·le [ˌkɔːrpəˈreiliː] → **corporal**[1] II.

cor·po·ral·i·ty [ˌkɔːrpəˈræliti; -lə-] *s* **1.** Körperlichkeit *f,* körperliche Beschaffenheit *od.* Exiˈstenz *od.* Subˈstanz. – **2.** *pl* leibliche Dinge *pl, bes.* körperliche Bedürfnisse *pl.*

cor·po·ral| oath *s jur.* körperlicher Eid. — ~ **pun·ish·ment** *s* **1.** *jur.* Körperstrafe *f* (*Todesstrafe, körperliche Züchtigung, Haft etc*). – **2.** körperliche Züchtigung, Prügelstrafe *f.*

cor·po·rate [ˈkɔːrpərit] *adj* **1.** *jur.* a) (*zur Körperschaft*) vereinigt, verbunden, korporaˈtiv, körperschaftlich, b) Körperschafts..., c) zu einer Körperschaft gehörig, mit einer Körperschaft vereint, inkorpoˈriert: **body** ~, ~ **body** Körperschaft, Personengesamtheit, juristische Person; ~ **limit** *Am.* Stadt(gemeinde)grenze; ~ **property** Körperschaftseigentum; ~ **town** Stadt mit eigenem Recht. – **2.** → **corporative** 2. – **3.** gemeinsam, gesamt, kollekˈtiv. — ˈ**cor·po·rate·ly** *adv* **1.** als Körperschaft, korporaˈtiv. – **2.** als Ganzes, gemeinsam.

cor·po·ra·tion [ˌkɔːrpəˈreiʃən] *s* **1.** Korporatiˈon *f,* Körperschaft *f,* juˈristische Perˈson: ~ **aggregate (sole)** Korporation aus mehreren Gliedern (aus einer Person). – **2.** Vereinigung *f,* Gesellschaft *f:* ~ **with limited liability** Gesellschaft mit beschränkter Haftung. – **3.** Gilde *f,* Zunft *f,* Innung *f:* ~ **of traders** Kaufmannsgilde, Handelsinnung. – **4.** Stadtbehörde *f.* – **5.** inkorpoˈrierte Stadt *od.* Gemeinde. – **6.** Stadt- *od.* Gemeindeverfassung *f.* – **7.** Gruppe *f* von Perˈsonen, die eine Vereinigung *od.* Gesellschaft bilden. – **8.** *Am.* Aktiengesellschaft *f.* – **9.** *sl.* Schmerbauch *m.* – **10.** *pol.* Korporatiˈon *f* (*berufsständische Körperschaft des faschistischen Korporativismus*). — ~ **(prof·its) tax** *s econ.* Gesellschafts-, Körperschaftssteuer *f.*

cor·po·ra·tive [ˈkɔːrpərətiv; -ˌreitiv] *adj* **1.** *econ.* a) korporaˈtiv, körperschaftlich, genossenschaftlich, b) gesellschaftlich. – **2.** *pol.* korporaˈtiv, Korporativ... (*Staat, System; z.B. im faschistischen Italien*). — ˈ**cor·poˌra·tor** [-tər] *s* Mitglied *n* einer Korporatiˈon.

cor·po·re·al [kɔːrˈpɔːriəl] *adj* **1.** körperlich, leiblich, physisch. – **2.** materiˈell, körperlich, greifbar: ~ **hereditament** *jur.* vererbbares dingliches Vermögen (*u. damit verbundene Rechte*). – *SYN. cf.* a) **bodily,** b) **material.** — **corˌpo·reˈal·i·ty** [-ˈæliti; -əti] *s* **1.** Körperlichkeit *f,* körperliche Form *od.* Exiˈstenz. – **2.** *humor.* ‚Korpus' *m,* Körper *m.* — **corˌpo·re·al·i·ˈza·tion** *s* Verkörperlichung *f.* — **corˈpo·re·alˌize** *v/t* verkörperlichen, körperlich *od.* greifbar machen. — **corˈpo·re·al·ness** → **corporeality.**

cor·po·re·i·ty [ˌkɔːrpəˈriːəti] *s* Körperlichkeit *f,* körperliche Subˈstanz.

cor·po·sant [ˈkɔːrpəˌzænt] *s* Elmsfeuer *n.*

corps [kɔːr] *pl* **corps** [-z] *s* **1.** *mil.* a) *auch* **army** ~ Arˈmeekorps *n,* b) Korps *n,* Truppe *f:* **C**~ **of Engineers** Ingenieurkorps, Pioniertruppe; **Ordnance C**~ Feldzeugkorps. – **2.** Körperschaft *f,* Corps *n:* → **diplomatic** 1. – **3.** Corps *n,* Korporatiˈon *f,* stuˈdentische Verbindung (*in Deutschland*). – **4.** *obs. für* **corpse**[1]. — ~ **a·re·a** *s mil.* Korpsbereich *m* (*der US-Armee*). — ~ **de bal·let** [kɔːr də baˈlɛ] (*Fr.*) *s* Corps de balˈlet *n,* Balˈlettkorps *n,* -gruppe *f.*

corpse[1] [kɔːrps] *s* **1.** Leichnam *m,* Leiche *f.* – **2.** *Am. sl.* Mensch *m,* Kerl *m:* **who is this** ~?

corpse[2] [kɔːrps] *v/t sl.* **1.** (*Theater*) a) (*Schauspieler*) aus der Rolle bringen, b) (*Auftritt*) ‚verpatzen'. – **2.** töten, ‚abmurksen'.

corpse| can·dle *s* Irrlicht *n* (*auf Friedhöfen*). — ~ **plant** *s bot.* Amer. Fichtenspargel *m* (*Monotropa uniflora*).

ˈ**corps·man** [-mən] *s irr Am.* **1.** *mil.* (*der kämpfenden Truppe zugeteilter*) Saniˈtätssolˌdat. – **2.** *mar.* Saniˈtäter *m,* Lazaˈrettgehilfe *m.*

cor·pu·lence [ˈkɔːrpjuləns; -pjə-], *auch* ˈ**cor·pu·len·cy** *s* Korpuˈlenz *f,* Beleibtheit *f.* — ˈ**cor·pu·lent** *adj* korpuˈlent, beleibt, dick, stark. – *SYN.* **fat, fleshy, obese, portly.**

cor·pus [ˈkɔːrpəs] *pl* ˈ**cor·po·ra** [-pərə] *s* **1.** Körper *m,* Leib *m,* ‚Korpus' *m* (*Mensch od. Tier; meist humor.*). – **2.** *med.* Körper *m:* ~ **cavernosum** Schwellkörper. – **3.** Corpus *n,* Sammlung *f* (*Werke, Gesetze*). – **4.** Stamm *m,* Hauptkörper *m,* -masse *f, bes. econ.* ˈStammkapiˌtal *n* (*Gegensatz zu Zinsen u. Ertrag*). – **5.** Körper(schaft *f*) *m* (*Personen*). — **C**~ **Chris·ti** [ˈkristi] *s relig.* Fronˈleichnam(sfest *n*) *m.*

cor·pus·cle [ˈkɔːrpʌsl; *Am. auch* -pəsl] *s* **1.** *biol.* (Blut)Körperchen *n:* **mucous** ~ Schleimkörperchen. – **2.** *chem. phys.* Korˈpuskel *n,* klein(st)es Teilchen, Elemenˈtarteilchen *n.* – **3.** Körnchen *n,* Stäubchen *n.* — **corˈpus·cu·lar** [-ˈpʌskjulər; -kjə-] *adj chem. phys.* korpuskuˈlar, Korpuskular...: ~ **theory** Korpuskulartheorie (*des Lichtes*). — **corˌpus·cuˈlar·i·ty** [-ˈlæriti; -əti] *s chem. phys.* Korpuskulariˈtät *f,* Bestehen *n* aus kleinsten Teilchen. — **corˈpus·cule** [-kjuːl] → **corpuscle.**

cor·pus| de·lic·ti [diˈliktai] *s jur.* Tatbestand *m* (*Verbrechen*), Corpus *n* deˈlicti, Beweisstück *n.* — ~ **ju·ris** [ˈdʒu(ə)ris] *s jur.* Corpus *n* juris, Gesetzessammlung *f.* — **C**~ **Ju·ris Ca·no·ni·ci** [kəˈnɒniˌsai] *s jur. relig.* Gesetzessammlung *f* des röm.-kath. Kirchenrechtes (*als hauptsächliche kirchliche Rechtsquelle des Mittelalters*). — **C**~ **Ju·ris Ci·vi·lis** [siˈvailis] *s jur.* Justiniˈanische Gesetzessammlung (*des röm. Rechts*).

cor·rade [kəˈreid] *v/t u. v/i* **1.** *geol.* abschleifen, abscheuern. – **2.** *obs.* zuˈsammenscharren.

cor·ral [*Br.* koˈrɑːl; *Am.* kəˈræl] *bes. Am.* **I** *s* **1.** Korˈral *m,* (Vieh)Hof *m,* Hürde *f,* Gehege *n,* Pferch *m.* – **2.** Wagenburg *f* (*der Siedler auf dem Zug nach dem Westen*). – **II** *v/t pret u. pp* **corˈralled 3.** (*Vieh*) in einen Pferch treiben. – **4.** *fig.* einpferchen, einsperren. – **5.** (*Wagen*) zu einer Wagenburg zuˈsammenstellen. – **6.** *colloq.* mit Beschlag belegen, sich (*etwas*) aneignen *od.* sichern. – **7.** (*Feuer etc*) eindämmen.

cor·ra·sion [kəˈreiʒən] *s geol.* Korrasiˈon *f,* Abschleifung *f,* Wind-, Sandschliff *m.*

cor·rect [kəˈrekt] **I** *v/t* **1.** korriˈgieren, verbessern, berichtigen, richtigstellen: **to** ~ **oneself** sich verbessern; **to** ~ **an account** eine Rechnung durch Nachrechnen berichtigen. – **2.** zuˈrechtweisen, tadeln: → **stand** 22. – **3.** strafen, züchtigen. – **4.** a) (*Fehler etc*) abstellen, abschaffen, b) *mil.* (*Ladehemmung bei Feuerwaffen*) beheben. – **5.** *bes. med.* ausgleichen, neutraliˈsieren: **to** ~ **acidity** Übersäuerung ausgleichen. – **6.** (*Chirurgie*) redresˈsieren, (wieder)ˈeinrichten. – **7.** *phot.* entzerren. – **8.** *math. phys.* bereinigen, reguˈlieren, juˈstieren: ~**ing plate** *tech.* Korrektionslinse (*bei Fernrohren*). – *SYN.* a) **amend, emend, rectify, redress, reform**[1], **remedy, revise,** b) *cf.* **punish.** – **II** *adj* **9.** richtig, fehlerfrei: **to be** ~ a) stimmen (*Sache*), b) recht haben (*Person*). – **10.** genau: ~ **time.** – **11.** korˈrekt, vorschriftsmäßig, einwandfrei: **it is the** ~ **thing** es gehört sich, es ist das Gegebene; ~ **behavio(u)r.** – **12.** wahr, der Wahrheit entsprechend. – *SYN.* **accurate, exact, nice, precise, right.**

cor·rec·tion [kəˈrekʃən] *s* **1.** Korrektiˈon *f,* Verbesserung *f,* Berichtigung *f,* Richtigstellung *f:* **I speak under** ~ ich kann mich irren; **subject to** ~ ohne Gewähr. – **2.** Korrekˈtur *f,* Fehlerverbesserung *f:* **mark of** ~ Korrekturzeichen. – **3.** Zuˈrechtweisung *f,* Tadel *m.* – **4.** Strafe *f,* Züchtigung *f.* – **5.** *jur.* Besserung *f:* → **house of** ~. – **6.** *phys. tech.* Korrektiˈon *f,* Berichtigung *f,* Richtigstellung *f,* Beseitigung *f* (*einer Ladehemmung bei Feuerwaffen*): **spherical** ~ sphärische Korrektur; ~ **of a river** Flußregulierung. – **7.** (*Radar*) Beschickung *f.* – **8.** *math. phys.* Korrektiˈonskoeffiziˌent *m,* -größe *f,* Korrekˈturfaktor *m.* – **9.** *chem. med.* Korrekˈtur *f,* Ausgleich *m.* – **10.** (*Chirurgie*) Redresseˈment *n,* Streckung *f.* – **11.** *fig.* Abstellung *f* (*von Mißbräuchen etc*). — **corˈrec·tion·al** *adj* **1.** Korrektions..., Korrektur..., Berichtigungs... – **2.** berichtigend, richtigstellend. – **3.** *jur.* Straf..., Besserungs...: ~ **installation** *mil. Am.* Militär-Strafanstalt.

cor·rect·i·tude [kəˈrektiˌtjuːd; -təˌt-; *Am. auch* -ˌtuːd] *s* Richtigkeit *f,* Korˈrektheit *f* (*bes. Benehmen*). — **corˈrec·tive I** *adj* **1.** korriˈgierend, verbessernd, berichtigend, richtigstellend, Verbesserungs... – **2.** *med.* korrekˈtiv, lindernd. – **3.** *chem.* mildernd, neutraliˈsierend. – **II** *s* **4.** Abhilfe *f,* Besserungsmittel *n.* – **5.** *med.* a) Korrekˈtiv *n,* Besserungsmittel *n* (**of** für), b) (Geˈschmacks)Korriˌgens *n.* — **corˈrect·ness** *s* **1.** Korˈrektheit *f,* Richtigkeit *f.* – **2.** Genauigkeit *f.* — **corˈrec·tor** [-tər] *s* **1.** Berichtiger *m,* Verbesserer *m.* – **2.** Kritiker(in), Zuˈrechtweiser(in). – **3.** *meist* ~ **of the press** *bes. Br.* Korˈrektor *m.* – **4.** Verbesserungs-, Berichtigungsmittel *n.* – **5.** *electr.* Korrekˈtur-, Ausgleichsregler *m,* Nullpunkteinstellung *f.*

cor·re·late [ˈkɒriˌleit; -rə-; *Am. auch* ˈkɔːr-] **I** *v/t* **1.** in Wechselbeziehung *od.* -wirkung bringen (**with** mit), aufeinˈander beziehen. – **2.** in Überˈeinstimmung bringen (**with** mit), aufeinˈander abstimmen. – **II** *v/i* **3.** in Wechselbeziehung *od.* -wirkung stehen (**with** mit), sich aufeinˈander beziehen. – **4.** (**with**) überˈeinstimmen (mit), entsprechen (*dat*). – **III** *adj* **5.** aufeinˈander bezüglich, korreˈlat, korrelaˈtiv. – **6.** (einˈander) entsprechend, überˈeinstimmend: **to be** ~ (**to**) entsprechen (*dat*). – **7.** *geol.* zum selben Horiˈzont gehörend: ~ **strata.** – **IV** *s* **8.** Korreˈlat *n,* Ergänzung *f,* Wechselbegriff *m.* — ˈ**cor·reˌlat·ed** → **correlate** III.

cor·re·la·tion [ˌkɒriˈleiʃən; -rə-; *Am. auch* ˌkɔːr-] *s* **1.** *bes. biol. math. psych.* Korrelatiˈon *f,* wechselseitige Beziehung, Wechselbeziehung *f,* -wirkung *f,* gegenseitige Abhängigkeit, Zuˈsammenhang *m.* – **2.** Über-

'einstimmung *f* (with mit), Entsprechung *f.* – **3.** Schaffung *f od.* Feststellung *f* von Über'einstimmungen *od.* Zu'sammenhängen. — ~ **co·ef·fi·cient** *s* (*Statistik*) Korrelati'onskoeffizi,ent *m.* — ~ **ra·tio** *s* (*Statistik*) Korrelati'onsverhältnis *n.*

cor·rel·a·tive [kə'relətiv] **I** *adj* **1.** korrela'tiv, in Wechselbeziehung stehend, vonein'ander abhängig, sich gegenseitig ergänzend. – **2.** entsprechend. – **II** *s* **3.** Korre'lat *n*, Wechselbegriff *m*, Ergänzung *f.* — **cor'rel·a·tive·ness, cor,rel·a'tiv·i·ty** → correlation.

cor·re·spond [,kɒri'spɒnd; -rə-; *Am. auch* ,kɔːr-] *v/i* **1.** (to, with) entsprechen (*dat*), passen (zu), über'einstimmen (mit): **his actions do not ~ with his words.** – **2.** mitein'ander über'einstimmen, zuein'ander passen. – **3.** korrespon'dieren, in Briefwechsel stehen (with mit). – **4.** *econ.* in Geschäftsbeziehungen stehen (with mit). – **5.** (to) entsprechen (*dat*), das Gegenstück sein (von), ana'log *od.* äquiva'lent sein (zu): **the U.S. Congress ~s to the British Parliament** der Kongreß der USA entspricht dem brit. Parlament. – **6.** *math.* korrespon'dieren, zugeordnet sein. – *SYN. cf.* agree.

cor·re·spond·ence [,kɒri'spɒndəns; -rə-; *Am. auch* ,kɔːr-] *s* **1.** Über'einstimmung *f* (**with** mit; **between** zwischen *dat*). – **2.** Angemessenheit *f*, Gemäßheit *f*, Entsprechung *f*, Analo'gie *f*: **to bear ~ to s.th.** einer Sache angemessen *od.* gemäß sein *od.* entsprechen. – **3.** Korrespon'denz *f*, Brief-, Schriftwechsel *m*, brieflicher Verkehr. – **4.** Briefe *pl*, Korrespon'denz *f.* – **5.** Verbindung *f*, *bes. econ.* Geschäftsverbindung *f*: **to break off ~ with** die Verbindung abbrechen mit. – **6.** (*Zeitungswesen*) Beiträge *pl* (*eines Korrespondenten*). – **7.** *math.* Zuordnung *f.* — ~ **course** *s* 'Fern,unterrichtskursus *m.* — ~ **school** *s* Schule *f* für (*brieflichen*) 'Fern,unterricht, 'Fernlehrinsti,tut *n.*

cor·re·spond·en·cy [,kɒri'spɒndənsi; -rə-; *Am. auch* ,kɔːr-] → correspondence 1. — **,cor·re'spond·ent I** *s* **1.** Korrespon'dent(in): a) Briefpartner(in), b) *econ.* Geschäftsfreund *m*, c) (*Zeitung*) Berichterstatter(in): **foreign ~** Auslandskorrespondent. – **2.** (*das*) Entsprechende, Gegenstück *n.* – **II** *adj* **3.** entsprechend, gemäß (to *dat*), über'einstimmend (with mit). — **,cor·re'spond·ing** *adj* **1.** (to) entsprechend (*dat*), zugehörig (*zu*). – **2.** korrespon'dierend, in Briefwechsel stehend (with mit): ~ **member** korrespondierendes Mitglied (*einer Gesellschaft etc*). – **3.** *math.* (ein'ander) zugeordnet. — **,cor·re'spon·sive** *adj* **1.** → correspondent II. – **2.** (to) rea'gierend (auf *acc*), empfänglich (für).

cor·ri·dor ['kɒri,dɔːr; -rə-; -dər; *Am. auch* 'kɔːr-] *s* **1.** Korridor *m*, Gang *m.* – **2.** Gale'rie *f*, gedeckter Gang, Flur *m.* – **3.** Gang *m* (*eines D-Zugwagens*): ~ **train** D-Zug, Durchgangszug. – **4.** *geogr. pol.* Korridor *m* (*Landstreifen durch fremdes Gebiet*): → **Polish C~.** – **5.** *aer.* Luftkorridor *m.*

cor·rie ['kɒri; *Am. auch* 'kɔːri] *s Scot.* kleiner Talkessel, kreisförmige Mulde.

Cor·rie·dale ['kɒri,deil; *Am. auch* 'kɔːr-] *s zo. eine neuseeländische Schafrasse.*

cor·ri·gen·dum [,kɒri'dʒendəm; *Am. auch* ,kɔːr-] *pl* **-da** [-də] *s* **1.** zu verbessernder Fehler, *bes.* Druckfehler *m.* – **2.** *pl* Druckfehlerverzeichnis *n.*

cor·ri·gi·bil·i·ty [,kɒridʒə'biliti; -əti; -rə-; *Am. auch* ,kɔːr-] *s* **1.** Korri'gierbarkeit *f.* – **2.** Besserungsfähigkeit *f.* – **3.** Lenksamkeit *f.* — **'cor·ri·gi·ble** *adj* **1.** korri'gierbar, zu verbessern(d), gutzumachend. – **2.** besserungsfähig, der Besserung zugänglich. – **3.** fügsam, lenksam.

cor·ri·val [kə'raivəl] *obs.* **I** *s* Ri'vale *m*, Ri'valin *f*, Nebenbuhler(in), Mitbewerber(in), Konkur'rent(in). – **II** *adj* rivali'sierend, sich mitbewerbend.

cor·rob·bo·ree *cf.* corroboree.

cor·rob·o·rant [kə'rɒbərənt] **I** *adj* **1.** bekräftigend. – **2.** stärkend, kräftigend (*auch med.*). – **II** *s* **3.** Bekräftigung *f.* – **4.** Stärkungs-, Kräftigungsmittel *n* (*auch med.*). — **cor'rob·o·,rate I** *v/t* [-,reit] bekräftigen, bestätigen, erhärten: **to ~ s.o.'s statement** j-s Aussage bestätigen. – *SYN. cf.* confirm. – **II** *adj* [-rit; -,reit] *obs.* bestätigt, bekräftigt. — **cor,rob·o'ra·tion** *s* Bekräftigung *f*, Bestätigung *f*, Erhärtung *f*: **in ~ of** zur Bestätigung von. — **cor'rob·o,ra·tive** [-,reitiv; *Br. auch* -rətiv] **I** *adj* **1.** bestärkend, bestätigend, erhärtend. – **2.** *obs.* stärkend, kräftigend. – **II** *s* **3.** *med.* Stärkungs-, Kräftigungsmittel *n.* — **cor'rob·o·ra·to·ry** [*Br.* -rətəri; *Am.* -,tɔːri] → **corroborative** I.

cor·rob·o·ree, *auch* **cor·rob·o·ri** [kə'rɒbəri] *s Austral.* **1.** Korro'bori *n* (*nächtliches Fest der Eingeborenen*). – **2.** *fig.* lärmende Festlichkeit. – **3.** *fig.* Tu'mult *m.*

cor·rode [kə'roud] **I** *v/t* **1.** *chem. tech.* korro'dieren, zerfressen, anfressen, angreifen, ätzen. – **2.** *tech.* (weg)beizen. – **3.** *fig.* zerfressen, zerstören, verderben, schädigen. – **II** *v/i* **4.** *tech.* korro'dieren, zerfressen werden. – **5.** *tech.* rosten: **~d** rostig. – **6.** *tech.* korro'dierend wirken, ätzen, fressen (into an *dat*). – **7.** sich einfressen (into in *acc*). – **8.** zerstört *od.* verdorben werden, verfallen. – **9.** *fig.* sich verzehren. — **cor,rod·i'bil·i·ty** *s* Korro'dierbarkeit *f*, Ätzbarkeit *f.* — **cor'rod·i·ble** *adj* korro'dierbar, ätzbar, angreifbar.

cor·ro·dy *cf.* corody.

cor·ro·sion [kə'rouʒən] *s* **1.** *chem. tech.* Korrosi'on *f*, Anfressung *f*, Zerfressung *f.* – **2.** *tech.* Verrostung *f*, Rostbildung *f.* – **3.** *chem. tech.* Ätzen *n*, Beizen *n.* – **4.** *fig.* Zerfressung *f*, Zerstörung *f*, Korrosi'on *f.* – **5.** Korrosi'onspro,dukt *n*, -erscheinung *f*, Rost *m.* — ~ **pit** *s tech.* Rost-, Korrosi'onsnarbe *f.* — **cor'ro·sion-re'sist·ant** *adj tech.* korrosi'onsbeständig, *bes.* rostsicher, -frei.

cor·ro·sive [kə'rousiv] **I** *adj* **1.** *chem. tech.* korro'dierend, zerfressend, angreifend, ätzend, Ätz... – **2.** *tech.* beizend, Beiz...: ~ **power** Beizkraft. – **3.** *fig.* nagend, bohrend, quälend. – **II** *s* **4.** *chem. tech.* Korrosi'ons-, Angriffs-, Ätzmittel *n.* – **5.** *tech.* Beizmittel *n*, Beize *f.* — **cor'ro·sive·ness** *s* ätzende Schärfe.

cor·ro·sive sub·li·mate *s chem.* 'Ätzsubli,mat *n*, 'Quecksilbersubli,mat *n*, -chlo,rid *n* ($HgCl_2$).

cor·ru·gate ['kɒrə,geit; -ru-; *Am. auch* 'kɔːr-] **I** *v/t* **1.** runzeln, furchen. – **2.** wellen, riefen, rippen. – **II** *v/i* **3.** sich runzeln *od.* furchen, runzelig werden. – **4.** sich wellen. – **III** *adj* [-git; -,geit] **5.** gerunzelt, gefurcht, runzelig. – **6.** gewellt, gerippt. — **'cor·ru,gat·ed** *adj* **1.** gerunzelt, runz(e)lig, gefurcht. – **2.** gewellt, gerippt, geriffelt, Well...: ~ **iron** (Eisen)Wellblech; ~ **lens** (*Optik*) Riffellinse; ~ **paper** Wellpappe. — **,cor·ru'ga·tion** *s* **1.** Runzeln *n*, Furchen *n.* – **2.** Runz(e)ligkeit *f*, Furchung *f.* – **3.** Wellen *n*, Riffeln *n.* – **4.** Welligkeit *f*, Gewelltheit *f*, Riffelung *f.* – **5.** Runzel *f*, Falte *f*, Furche *f.* – **6.** (*einzelne*) Welle, Rippe *f.* – **7.** Falten-, Wellenbildung *f.*

cor·rupt [kə'rʌpt] **I** *adj* **1.** (*moralisch*) verdorben, schlecht, verworfen, her'untergekommen. – **2.** böse, ruch-, gott-, gewissenlos. – **3.** unehrlich, unredlich, unlauter. – **4.** kor'rupt, bestechlich, Bestechungs...: **a ~ judge** ein bestechlicher Richter; ~ **practices** Bestechungsmethoden, Korruption. – **5.** faul, verfault, verdorben, schlecht (*Speisen etc*). – **6.** verderbt (*Text*). – **7.** unrein, verfälscht. – *SYN. cf.* vicious. – **II** *v/t* **8.** verderben, schlecht machen, (*zu Schlechtem*) verleiten, verführen. – **9.** korrum'pieren, bestechen, kaufen. – **10.** faul machen, verfaulen lassen. – **11.** (*Text*) verderben, verfälschen. – **12.** anstecken, infi'zieren (*bes. fig.*). – *SYN. cf.* debase. – **III** *v/i* **13.** (*moralisch*) verderben, verkommen, schlecht werden. – **14.** (ver)faulen, verderben (*Speisen*). — **cor'rupt·ed** → corrupt I. — **cor'rupt·er** [-ər] *s* **1.** Verderber(in), Verführer(in). – **2.** Bestecher(in). — **cor,rupt·i'bil·i·ty** *s* **1.** Verführbarkeit *f*, Neigung *f* zum Schlechten. – **2.** Bestechlichkeit *f*, Käuflichkeit *f.* – **3.** Verderblichkeit *f* (*Speisen*). — **cor'rupt·i·ble I** *adj* **1.** verführbar, zum Schlechten neigend. – **2.** bestechlich, käuflich. – **3.** verderblich (*Speisen*). – **II** *s* **4.** the ~ *Bibl.* das Vergängliche *od.* Sterbliche, *bes.* der menschliche Körper. — **cor'rupt·i·ble·ness** → corruptibility.

cor·rup·tion [kə'rʌpʃən] *s* **1.** Verderben *n*, Verführen *n*, Verführung *f*, Entsittlichung *f.* – **2.** Verderbnis *f*, Verderbtheit *f*, Verdorbenheit *f*, Entartung *f*: ~ **of the blood** *jur. hist.* der aus dem Verlust der bürgerlichen Ehrenrechte entstehende Makel. – **3.** verderblicher *od.* entsittlichender Einfluß. – **4.** Korrupti'on *f*, Kor'ruptheit *f*, Bestechlichkeit *f.* – **5.** Korrupti'on *f*, kor'rupte Me'thoden *pl*, Be'stechung(spoli,tik) *f.* – **6.** Verderbnis *f* (*Sprache etc*). – **7.** Verballhornung *f*, Entstellung *f*, Verfälschung *f* (*Text, Wort etc*). – **8.** Fäulnis *f*, Verwesung *f.* — **cor'rup·tion·ist** *s* Verfechter(in) der Korrupti'on *od.* Be'stechungspoli,tik.

cor·rup·tive [kə'rʌptiv] *adj* **1.** zersetzend, demorali'sierend, entsittlichend (*Einfluß*). – **2.** *fig.* ansteckend. — **cor'rupt·ness** → corruption 2 *u.* 4.

Cor·rupt Prac·tic·es Act *s jur. pol. Am.* Gesetz *n* zur Verhinderung von Wahlvergehen (*bes. Wahlfälschung, -bestechung u. Stimmenkauf*).

cor·sage [kɔːr'sɑːʒ] *s* **1.** Taille *f*, Leibchen *n*, Mieder *n.* – **2.** kleiner Blumenstrauß (*am Mieder getragen*).

cor·sair ['kɔːrsɛr] *s* **1.** *hist.* Kor'sar *m*, Freibeuter *m*, Seeräuber *m.* – **2.** Kor'saren-, Seeräuber-, Kaperschiff *n.* – **3.** *zo.* Kor'sar *m*: a) Roter Felsenfisch (*Sebastomus rosaceus*), b) Amer. Mordwanze *f* (*Rasahus biguttatus*).

corse [kɔːrs] *s poet.* Leichnam *m.*

corse·let ['kɔːrslit] *s* **1.** *Am. meist* **cor·se·let** [,kɔːrsə'let] Korse'lett *n*, Mieder *n.* – **2.** *hist.* Harnisch *m*, Panzer *m* (*bes. für Brust u. Rücken*). – **3.** *zo.* Brustabschnitt *m*, Thorax *m* (*Insekten*). — **cor·set** ['kɔːrsit] **I** *s* **1.** *oft pl* Kor'sett *n*, Schnürleib *m.* – **2.** *hist.* enganliegendes Kleidungsstück. – **II** *v/t* **3.** mit einem Kor'sett einschnüren. — **'cor·set·ed** *adj* (ein)geschnürt. — **'cor·set·ry** [-tri] *s* Miederwaren *pl.*

Cor·si·can ['kɔːrsikən] **I** *adj* **1.** korsisch. – **II** *s* **2.** Korse *m*, Korsin *f*: the ~ der Korse (*Napoleon I.*). – **3.** *ling.* Korsisch *n*, das Korsische.

cors·let ['kɔːrslit] → **corselet.**

cor·tege [kɔːr'teiʒ], *auch* **cor·tège** [kɔr'tɛːʒ] *(Fr.)* *s* **1.** Gefolge *n*, Kor'tege *n* *(eines Fürsten)*. – **2.** Zug *m*, Prozessi'on *f*: funeral ~ Leichenzug.

Cor·tes ['kɔːrtiz; -tez] *s pl* Cortes *pl* *(gesetzgebende Versammlung, Parlament in Spanien u. Portugal)*.

cor·tex ['kɔːrteks] *pl* **-ti·ces** [-tiˌsiːz] *s* **1.** *bot.* Rinde *f*. – **2.** *med. zo.* Rinde *f*: cerebral ~ Großhirnrinde. – **3.** *bot. med.* Kortex *m* *(pflanzliche Rinde in der Pharmazie)*. — **'cor·ti·cal** *adj bes. med.* korti'kal, Rinden...: a) *zur Rinde gehörig*, b) *von der (bes. Hirn)-Rinde ausgehend*: ~ blindness Rindenblindheit. — **'cor·ti·cate** [-tikit; -ˌkeit], **'cor·tiˌcat·ed** [-ˌkeitid] *adj bes. bot.* berindet. — **'cor·tiˌcat·ing** *adj bot.* rindenbildend. — **ˌcor·ti'ca·tion** *s bot.* Rindenbildung *f*. — **'cor·tiˌcose** [-ˌkous], **'cor·ti·cous** → corticate.

cor·tin ['kɔːrtin] *s chem. med.* Kor'tin *n* *(Hormon der Nebennierenrinde)*.

cor·ti·na [kɔːr'tainə] *pl* **-nae** [-niː] *s bot.* Fasersaum *m*, (Rand)Schleier *m* *(spinnwebartige Hülle an Blätterpilzen)*.

cor·ti·sone ['kɔːrtiˌsoun; -ˌzoun; -tə-] *s chem. med.* Corti'son *n* *(Hormon der Nebennierenrinde; Rheumamittel)*.

co·run·dum [ko'rʌndəm; kə-] *s min.* Ko'rund *m* (Al_2O_3).

co·rus·cant [ko'rʌskənt; kə-] *adj* **1.** aufblitzend. – **2.** funkelnd.

cor·us·cate ['kɒrəsˌkeit; *Am. auch* 'kɔːr-] *v/i* **1.** aufblitzen. – **2.** funkeln, glänzen. – **3.** *fig.* glänzen, bril'lieren. – *SYN. cf.* flash. — **ˌcor·us'ca·tion** *s* **1.** (Auf)Blitzen *n*. – **2.** Funkeln *n*, Glänzen *n*. – **3.** *fig.* (Geistes)Blitz *m*.

cor·vée [kɔr've; 'kɔːrvei] *(Fr.)* *s* **1.** *hist.* *(Feudalrecht)* Fronarbeit *f*. – **2.** *fig.* Frondienst *m*. – **3.** *econ.* *(ganz od. teilweise)* unbezahlte Arbeit für öffentliche Stellen *(Straßenbau etc)*.

corves [kɔːrvz] *pl von* corf.

cor·vette [kɔːr'vet], *auch* **cor·vet** ['kɔːrvet] *s mar.* Kor'vette *f*: a) *hist. kleines, vollgetakeltes Kriegs(segel)-schiff*, b) *(brit. u. kanad. Kriegsmarine) bewegliches, bewaffnetes, nur leicht gepanzertes Begleitschiff*.

cor·vine ['kɔːrvain] *adj* **1.** raben-, krähenartig. – **2.** zu den Rabenvögeln gehörend. — **'Cor·vus** [-vəs] *gen* **-vi** [-vai] *s astr.* Rabe *m* *(südl. Sternbild)*.

Cor·y·bant ['kɒriˌbænt; -rə-; *Am. auch* 'kɔːr-] *pl* **-bant·es** [-'bæntiːz], **-bants** *s antiq.* Kory'bant *m* *(Priester der Kybele)*. — **ˌCor·y'ban·tian** [-ʃən], **ˌCor·y'ban·tic**, **ˌCor·y'ban·tine** [-tin; -tain] *adj* kory'bantisch, ausgelassen, wild, toll.

co·ryd·a·lis [kə'ridəlis] *s bot.* Lerchensporn *m* *(Gattg Corydalis)*.

Cor·y·don ['kɒridən; -ˌdɒn; *Am. auch* 'kɔːr-] *s* **1.** *poet.* Korydon *m* *(Schäfer in Idyllen)*. – **2.** schmachtender Liebhaber.

cor·ymb ['kɒrimb; -im; *Am. auch* 'kɔːr-] *s bot.* Co'rymbus *m*, Ebenstrauß *m* *(Blütenstand)*. — **'cor·ymbed** *adj bot.* ebensträußig. — **co·rym·bi·ate** [ko'rimbiit; -ˌeit; kə-], **co'rym·biˌat·ed** [-id] → corymbose. — **ˌcor·ym'bif·er·ous** *adj bot.* mit Ebensträußen. — **co'rym·bose** [-bous], **co'rym·bous** *adj bot.* ebenstraußförmig.

cor·y·phae·us [ˌkɒri'fiːəs; -rə-; *Am. auch* ˌkɔːr-] *pl* **-phae·i** [-ai] *s* **1.** *antiq.* Kory'phäe *m* *(Chorführer im altgriech. Drama)*. – **2.** Chorführer *m*. – **3.** *fig.* Führer *m* *(einer Partei)*, Hauptvertreter *m* *(einer philosophischen Richtung etc)*. — **ˌcor·y'phee** [-'fei] *s* ˌPrimaballe'rina *f*.

co·ry·za [ko'raizə; kə-] *s* **1.** *med.* Schnupfen *m*. – **2.** *vet.* Ge'flügeldiphtheˌrie *f*.

cos [kɒs; *Am. auch* kɔːs] *s bot.* *(ein)* Lattich *m* *(Gattg Lactuca)*.

co·saque [kɒ'zɑːk] *s Br.* 'Knallbonˌbon *m*, *n*.

cose [kouz] **I** *v/i* gemütlich plaudern. – **II** *s* angenehme Unter'haltung, gemütliches Gespräch.

co·se·cant [kou'siːkənt] *s math.* 'Koseˌkante *f*.

co·seis·mal [kou'saizməl; -'sais-] *adj phys.* koseis'mal: ~ line Koseismale.

co·sey *cf.* cosy I.

cosh[1] [kɒʃ] *Br. sl.* **I** *s* Knüppel *m*, Totschläger *m*. – **II** *v/t* mit einem Knüppel schlagen, ‚vermöbeln'.

cosh[2] [kɒʃ] *s math.* hyper'bolischer Kosinus *(Kurzform für cosinus hyperbolicus)*.

cosh·er[1] ['kɒʃər] *v/t* verwöhnen, verhätscheln, verpäppeln.

cosh·er[2] ['kɒʃər] *v/i colloq.* plaudern.

co·sie *cf.* cosy I.

co·sig·na·to·ry, *Br.* **co-...** [*Br.* kou'signətəri; *Am.* -ˌtɔːri] **I** *s* 'Mitunterˌzeichner(in). – **II** *adj* 'mitunterˌzeichnend.

co·sine ['kousain] *s math.* Kosinus *m*.

co·si·ness ['kouzinis] *s* **1.** Behaglichkeit *f*, Gemütlichkeit *f*. – **2.** *Br.* Redseligkeit *f*.

Cos let·tuce → cos.

cosm- [kɒzm] → cosmo-.

cos·met·ic [kɒz'metik] **I** *adj* **1.** kos'metisch, verschönernd, Schönheits...: ~ treatment Schönheitspflege. – **II** *s* **2.** Kos'metikum *n*, kosmetisches Mittel, Schönheitsmittel *n*. – **3.** Kos'metik *f*, Schönheitspflege *f*. — **cos'met·i·cal·ly** *adv*. — **ˌcos·me'ti·cian** [-mə'tiʃən] *s bes. Am.* Kos'metiker(in), Schönheitspfleger(in).

cos·me·tol·o·gist [ˌkɒzmi'tɒlədʒist; -mə-] *s* Kos'metiker(in), Spezia'list(in) für Schönheitspflege. — **ˌcos·me'tol·o·gy** *s* Kos'metik *f*, Schönheitspflege *f*.

cos·mic ['kɒzmik] *adj* kosmisch: a) *das Weltall betreffend, zum Weltall gehörend*, b) *ganzheitlich geordnet, harmonisch*, c) *weltumfassend, unendlich, unermeßlich*: ~ consciousness *philos.* kosmisches Gefühl; ~ philosophy → cosmism. — **'cos·mi·cal** *adj* kosmisch, das Weltall betreffend: ~ constant *(Relativitätstheorie)* kosmische Konstante. — **'cos·mi·cal·ly** *adv* *(auch zu* cosmic*)*.

cos·mi·cal phys·ics *s* kosmische Physik.

cos·mic dust *s astr.* kosmischer Staub. — ~ **rays** *s pl phys.* kosmische Strahlen *pl*.

cos·mism ['kɒzmizəm] *s philos.* Kos'mismus *m* *(Philosophie der kosmischen Evolution)*.

cosmo- [kɒzmo] *Wortelement mit der Bedeutung* Kosmos, kosmisch.

cos·moc·ra·cy [kɒz'mɒkrəsi] *s* Weltherrschaft *f*.

cos·mo·gon·ic [ˌkɒzmo'gɒnik; -mə-], *auch* **ˌcos·mo'gon·i·cal**, **cos'mog·o·nal** [-'mɒgənl] *adj* kosmo'gonisch *(die Kosmogonie betreffend)*. — **cos'mog·o·nist** *s* Kosmogo'nist *m*. — **cos'mog·o·ny** *s* Kosmogo'nie *f*, Theo'rie *f* der Weltentstehung.

cos·mog·ra·pher [kɒz'mɒgrəfər] *s* Kosmo'graph *m*. — **ˌcos·mo'graph·ic** [-mo'græfik; -mə-], **ˌcos·mo'graph·i·cal** *adj* kosmo'graphisch, weltbeschreibend. — **cos'mog·ra·phy** *s* **1.** Kosmogra'phie *f*, Weltbeschreibung *f*. – **2.** Darstellung *f*, Beschreibung *f* des Weltalls *(in seinen Hauptzügen)*.

cos·mo·log·ic [ˌkɒzmo'lɒdʒik; -mə-], **ˌcos·mo'log·i·cal** *adj* kosmo'logisch. — **cos'mol·o·gist** [-'mɒlədʒist] *s* Kosmo'loge *m*. — **cos'mol·o·gy** *s* Kosmolo'gie *f*, Lehre *f* vom Weltall.

cos·mo·naut [ˌkɒzmo'nɔːt] *s* Weltraumfahrer *m*, Kosmo'naut *m*.

cos·mo·plas·tic [ˌkɒzmo'plæstik; -mə-] *adj* kosmo'plastisch, weltbildend, -formend.

cos·mop·o·lis [kɒz'mɒpəlis] *s* Weltstadt *f*. — **ˌcos·mo'pol·i·tan** [-mə'pɒlitən; -lə-] **I** *adj* **1.** kosmopo'litisch, weltbürgerlich: ~ city Weltstadt. – **2.** *biol.* kosmopo'litisch, über den größten Teil der Erde verbreitet. – **II** *s* → cosmopolite. — **ˌcos·mo'pol·i·tanˌism** → cosmopolitism. — **cos'mop·oˌlite** [-'mɒpəˌlait] *s* **1.** Kosmopo'lit(in), Weltbürger(in). – **2.** *biol.* Kosmopo'lit *m*. — **cos'mop·oˌlit·ism** *s* Kosmopoli'tismus *m*, Weltbürgertum *n*.

cos·mo·ra·ma [*Br.* ˌkɒzmə'rɑːmə; *Am.* -'ræ(ː)mə] *s* Kosmo'rama *n* *(perspektivisch naturgetreue Darstellung von Landschaften, Städtebildern etc)*.

cos·mos ['kɒzmɒs; -məs] *s* **1.** Kosmos *m*: a) Uni'versum *n*, Weltall *n*, b) (Welt)Ordnung *f*. – **2.** in sich geschlossenes Sy'stem, Welt *f* für sich. – **3.** *bot.* Schmuckkörbchen *n* *(Gattg Cosmos)*.

cos·mo·scope ['kɒzməˌskoup; -mo-] *s astr.* *(Art)* Plane'tarium *n*. — **'cos·moˌthe·ism** [-ˌθiːizəm] *s* Kosmothe'ismus *m*, Panthe'ismus *m*. — **ˌcos·mo·the'is·tic** *adj* kosmothe'istisch, panthe'istisch. — **'cos·moˌtron** [-ˌtrɒn] *s phys.* Kosmo'tron *n*.

co·spe·cif·ic [ˌkouspə'sifik] *adj biol.* artgleich.

coss *cf.* kos.

Cos·sack ['kɒsæk; -ək] *s* Ko'sak *m*.

cos·set ['kɒsit] **I** *s* **1.** von Hand aufgezogenes Lamm. – **2.** *fig.* Liebling *m* *(Kosename)*. – **II** *v/t* **3.** *auch* ~ up verhätscheln, verpäppeln, verwöhnen.

cost [kɒst; kɔːst] **I** *s* **1.** *(stets sg)* Kosten *pl*, Aufwand *m*, Preis *m*: the high ~ of living die hohen Lebenshaltungskosten; ~ of living allowance *(od.* bonus*)* Teuerungszulage; ~ of living escalator automatische Angleichung des Lohnniveaus an das Preisniveau; ~ of living index Lebenshaltungsindex. – **2.** Kosten *pl*, Schaden *m*, Nachteil *m*: to my ~ auf meine Kosten, zu meinem Schaden; at s.o.'s ~ auf j-s Kosten; at the ~ of his health auf Kosten seiner Gesundheit. – **3.** Verlust(e *pl*) *m*: to count the ~ *fig.* sich die Folgen (vorher) überlegen. – **4.** Opfer *n*, Preis *m*: at all ~s, at any ~ um jeden Preis. – **5.** *(stets sg) econ.* (Geschäfts-, Un)Kosten *pl*: ~ accounting (Selbst)Kostenberechnung, Kalkulation; at ~ zum Selbstkostenpreis; ~ and freight alle Frachtkosten bis zum Ankunftshafen vom Verkäufer bezahlt; ~, insurance, and freight *(kurz* c.i.f.*)* alle Fracht- u. Seeversicherungskosten bis zum Ankunftshafen vom Verkäufer bezahlt; ~ of construction Baukosten; ~ of insurance Versicherungskosten; ~ of manufacture Herstellungs-, Selbstkostenpreis; ~ of production Produktions-, Herstellungskosten; ~ of repairs Instandsetzungs-, Reparaturkosten; ~ of replacement Wiederbeschaffungskosten. – **6.** *pl jur.* (Gerichts)Kosten *pl*, Gebühren *pl*: with ~s a) kostenpflichtig, b) nebst Tragung der Kosten. – *SYN.* charge, expense, price. – **II** *v/t pret u. pp* **cost** *(kein pass)* **7.** *(Preis)* kosten: what does it ~? was kostet es? it ~ me one pound es kostete mich ein Pfund. – **8.** kosten, bringen um: it almost ~ him his life es kostete ihn *od.* ihm fast das Leben. – **9.** *(etwas Unangenehmes)* einbringen, verursachen, kosten: it ~ me a lot of trouble es verursachte mir *od.* kostete mich große Mühe. – **10.** *econ.* den Preis kalku'lieren *od.* berechnen von. – **III** *v/i* **11.** zu stehen kommen: it ~ him dearly es kam ihm teuer zu stehen.

cost- [kɒst] → costo-.

cos·ta [ˈkɒstə] *pl* **-tae** [-tiː] *s* **1.** *med. zo.* Rippe *f*. – **2.** *bot.* Mittelrippe *f* (*Blatt*). – **3.** *zo.* (*bes.* Vorderrand)-Ader *f* (*Insektenflügel*). — **ˈcos·tal** *adj* **1.** *med. zo.* koˈstal, Rippen... (*die Rippen od. Körperseiten betreffend*). – **2.** *bot.* (Blatt)Rippen...: **~-nerved** fieder-, netznervig. – **3.** *zo.* (Flügel)-Ader... — **cosˈtal·gi·a** [-ˈtældʒiə] *s med.* Rippenschmerz *m*, Interkoˈstalneuralˌgie *f*.

co-star [ˈkouˈstɑːr] **I** *s* einer der Hauptdarsteller. – **II** *v/t pret u. pp* **-ˈstarred** (*dat*) die Hauptrollen geben, (*mit andern*) zuˈsammen (als Hauptdarsteller) auftreten lassen. – **III** *v/i* die Hauptrolle(n) haben *od.* spielen, (*mit andern*) zuˈsammen (als Hauptdarsteller) auftreten.

cos·tard [ˈkɒstərd] *s* **1.** *eine engl. Apfelsorte.* – **2.** *sl. od. humor.* ‚Rübe' *f*, ‚Birne' *f* (*Kopf*).

cos·tate [ˈkɒsteit], *auch* **ˈcos·tat·ed** *adj* **1.** *med.* mit Rippen versehen. – **2.** *bot. zo.* gerippt.

cost book *s econ.* **1.** (*Buchhaltung*) Kostenbuch *n*. – **2.** Kuxbuch *n*.

cos·tean, cos·teen [kɒsˈtiːn] *v/i* (*Bergbau*) *Br.* schürfen, Schürfgräben ziehen.

cos·tel·late [kɒsˈtelit; -eit] *adj* fein gerippt.

cos·ter·mon·ger [ˈkɒstərˌmʌŋgər], *auch kurz* **ˈcos·ter** *Br.* **I** *s* Obst-, Gemüse- u. Fischhändler(in), -verkäufer(in) (*mit Karren od. Stand auf der Straße*). – **II** *v/i* Obst, Gemüse u. Fische vom Karren verkaufen.

cost·ing [ˈkɒstiŋ] *s econ. Br.* Kostenberechnung *f*.

cos·tive [ˈkɒstiv] *adj* **1.** *med.* a) verstopft, b) an Verstopfung leidend. – **2.** *fig.* geizig, knauserig. – **3.** *obs.* verschlossen, kühl. — **ˈcos·tive·ness** *s* **1.** *med.* Verstopfung *f*. – **2.** Geiz *m*, Knauserigkeit *f*.

cost·li·ness [ˈkɒstlinis; ˈkɔːst-] *s* **1.** Kostspieligkeit *f*. – **2.** Kostbarkeit *f*, Pracht *f*. — **ˈcost·ly** *adj* **1.** kostspielig, teuer. – **2.** kostbar, wertvoll. – **3.** köstlich, prächtig, prachtvoll. – *SYN.* dear[1], expensive, invaluable, precious, priceless, valuable.

cost·mar·y [ˈkɒstˌmɛ(ə)ri; *Am. auch* ˈkɔːst-] *s bot.* Maˈrien-, Frauen-, Pfefferblatt *n* (*Chrysanthemum balsamita*).

costo- [kɒsto; *Am. auch* kɔːsto] *Wortelement mit der Bedeutung* Rippe(n).

cos·to·cla·vic·u·lar [ˌkɒstokləˈvikjulər; -kjə-; *Am. auch* ˌkɔːs-] *adj med. zo.* kostoklavikuˈlar (*Rippen u. Schlüsselbein betreffend*). — **ˌcos·toˈscap·u·lar** [-ˈskæpjulər; -pjə-] *adj med. zo.* Rippen u. Schulterblatt betreffend.

cost| plus *s econ.* Gestehungskosten *pl* plus Gewinnspanne *f* (*Kalkulationsbasis, bes. bei Regierungsaufträgen*). — **~ price** *s econ.* **1.** Selbstkostenpreis *m*. – **2.** Einkaufs-, Faˈbrikpreis *m*.

cos·tume [ˈkɒstjuːm; *Am. auch* -tuːm] **I** *s* **1.** Koˈstüm *n*, Kleidung *f*, Tracht *f* (*einschließlich Schmuck, Haartracht, Waffen etc*). – **2.** (ˈMasken-, ˈBühnen)-Koˌstüm *n*. – **3.** Koˈstüm(kleid) *n* (*für Damen*). – **4.** (Damen)Kleidung *f*. – **II** *adj* **5.** Kostüm...: **~ ball** Kostümball; **~ jewelry** (*bes. Br.* **jewellery**) Modeschmuck; **~ piece** (*Theater*) Kostümstück (*mit historischen Kostümen*). – **III** *v/t* [kɒsˈtjuːm; *Am. auch* -ˈtuːm] **6.** kostüˈmieren. – **7.** mit Kleidung versehen. — **cosˈtum·er, cosˈtum·i·er** [-iər] *s* **1.** Koˈstümverleiher(in). – **2.** Koˈstüm-, Theˈaterschneider(in).

co·sy [ˈkouzi] **I** *adj* **1.** behaglich, gemütlich, traulich, heimelig, bequem. – **2.** *Br.* redselig, geschwätzig, zutraulich. – *SYN. cf.* comfortable. – **II** *s* **3.** → **tea ~**. – **4.** Cauˈseuse *f*, kleines Ecksofa.

cot[1] [kɒt] *s* **1.** Feldbett *n*. – **2.** *Br.* Kinderbettchen *n*. – **3.** leichte Bettstelle. – **4.** *mar.* Schwingbett *n* (*bes. im Schiffslazarett*).

cot[2] [kɒt] **I** *s* **1.** Häuschen *n*, Hütte *f*, Kate *f*. – **2.** Stall *m*, Häuschen *n*, Schuppen *m*. – **3.** (*schützendes*) Gehäuse. – **4.** ˈÜberzug *m*, Futteˈral *n*. – **II** *v/t* **5.** (*Kleinvieh*) in den Stall bringen.

co·tan·gent [kouˈtændʒənt] *s math.* Kotangens *m*, ˈKotanˌgente *f*. — **ˌco·tanˈgen·tial** [-ˈdʒenʃəl] *adj math.* ˌkotangentiˈal.

co·tar·nine [koˈtɑːrniːn; -nin] *s chem.* Cotarˈnin *n* ($C_{12}H_{15}NO_4$; *Alkaloid aus Narkotin*).

cote[1] [kout] *s* **1.** Stall *m*, Verschlag *m*, Schuppen *m*, Häuschen *n* (*für Kleinvieh*). – **2.** (*schützendes*) Gehäuse. – **3.** *dial.* Häuschen *n*, Hütte *f*.

co e[2] [kout] *v/t obs.* überˈholen, -ˈtreffen.

co·tem·po·ra·ne·ous [kouˌtempəˈreiniəs], **coˈtem·po·rar·y** [*Br.* -rəri; *Am.* -ˌreri] → **contemporaneous, contemporary.**

co·ten·an·cy [kouˈtenənsi] *s jur.* Mitpächterschaft *f*, Mitpacht *f*. — **coˈten·ant** *s jur.* Mitpächter *m*. — **coˈten·ure** [-njər] *s jur.* Mitpacht *f*.

co·te·rie [ˈkoutəri] *s* **1.** erlesener Kreis, exkluˈsiver Zirkel: **poetry written for the ~**. – **2.** Koteˈrie *f*, Klüngel *m*.

co·ter·mi·nous [kouˈtəːrminəs; -mə-] → **conterminous.**

co·thurn [ˈkouθəːrn; kouˈθəːrn] → **cothurnus.** — **coˈthur·nus** [-nəs] *pl* **-ni** [-nai] *s* **1.** *antiq.* Koˈthurn *m*, Stelzenschuh *m* (*der Schauspieler der altgriech. Tragödie*). – **2.** Koˈthurn *m*, erhabener Stil, tragische Kunst *od.* Sprechweise.

co·tid·al [kouˈtaidl] *adj mar.* die gleiche Flutzeit *od.* -höhe habend: **~ lines** Isorrhachien (*Linien gleicher Flutzeiten*).

co·til·lion, *auch* **co·til·lon** [koˈtiljən; kə-] *s* Kotilˈlon *m*: a) *hist. quadrilleartiger Gesellschaftstanz*, b) (*jetzt in den USA*) *ein abwechslungsreicher Tanz.*

co·to [ˈkoutou], *auch* **~ bark** *s chem. med.* Kotorinde *f* (*gegen Durchfall*). — **ˈco·to·in** [-toin] *s chem.* Cotoˈin *n* ($C_{14}H_{12}O_4$; *in Cotorinde vorkommend*).

co·to·ne·as·ter [kəˌtouniˈæstər] *s bot.* Zwerg-, Steinmispel *f*, Steinquitte *f* (*Gattg Cotoneaster*).

cot·quean [ˈkɒtˌkwiːn] *s obs.* **1.** Mannweib *n*. – **2.** Topfgucker *m*.

co·trus·tee, *Br.* **co-...** [ˌkoutrʌsˈtiː] *s* Mittreuhänder *m*, ˈMitkuˌrator *m*.

Cots·wold [ˈkɒtswould] *s* Cotswold-(schaf) *n* (*engl. langwollige Schafrasse*).

cot·ta [ˈkɒtə] *s* **1.** *relig.* Chorhemd *n*. – **2.** *relig.* kurzes Chorhemd ohne Ärmel *od.* mit Halbärmeln. – **3.** (*Art*) grobe Wolldecke.

cot·tage [ˈkɒtidʒ] *s* **1.** Hütte *f*, Kate *f*. – **2.** *Br.* Landarbeiterhütte *f*. – **3.** ˈEinfaˌmilienhaus *n*. – **4.** Cottage *n*, (kleines) Landhaus: **Swiss ~** Schweizerhaus. – **5.** *Am.* Sommersitz *m* (*bes. in einem Ferienort*). — **~ al·lot·ment** *s Br.* (einem Landarbeiter überˈlassenes) kleines Grundstück. — **~ cheese** *s* frischer weißer Käse, Landkäse *m*, Quark(käse) *m*. — **~ chi·na** *s* billiges Bristol-Steingut. — **~ in·dus·try** *s* Heimarbeit *f*. — **~ or·né** [ɔːrˈnei] *s* kleine Villa (*mit Parkanlagen*). — **~ pe·ri·od** *s* ˈHeimarbeitsperiˌode *f* (*der industriellen Entwicklung*). — **~ pi·a·no** *s* Piaˈnino *n*. — **~ pud·ding** *s* Kuchen *m* mit süßer Soße.

cot·tag·er [ˈkɒtidʒər] *s* **1.** (Klein)-Häusler *m*, Kätner *m*, Hüttenbewohner *m*. – **2.** *Br.* Landarbeiter *m*. – **3.** Villenbewohner *m*. – **4.** *Am.* Villenbesitzer *m*.

ˈcot·tage-ˌtype *adj* **1.** im ˈCottage-syˌstem (angelegt). – **2.** mit Faˈmilien-syˌstem: **~ institution** Heim mit Familiensystem.

cot·tar *cf.* cotter[2].

cot·ter[1] [ˈkɒtər] *tech.* **I** *s* a) (Quer-, Schließ)Keil *m*, b) Splint *m*, Vorstecker *m*, Pflock *m*: **to tighten the ~** den Keil anziehen; **~ bolt** a) Keilbolzen, b) Bolzen mit Splint. – **II** *v/t* versplinten.

cot·ter[2] [ˈkɒtər] *s* **1.** *bes. Scot.* a) (Frei)-Häusler *m*, Kleinbauer *m*, b) Pachthäusler *m*. – **2.** Bewohner *m* einer Hütte *od.* eines (Land)Häuschens. – **3.** → **cottier** 4.

cot·ter pin *s tech.* Vorsteckkeil *m*, -stift *m*, Vorstecker *m*, Schließbolzen *m*.

cot·tid [ˈkɒtid] *zo.* **I** *s* Groppe *f*, ˈSeeskorpiˌon *m* (*Fam. Cottidae; Fisch*). – **II** *adj* groppenartig.

cot·ti·er [ˈkɒtiər] *s* **1.** Häusler *m*. – **2.** Kleinbauer *m*. – **3.** *Br.* Pachthäusler *m*. – **4.** Pachthäusler *m* (*in Irland, der ein Stück Land direkt vom Eigentümer im öffentlichen Aufgebot pachtet*): **~ system, ~ tenure** irisches Pachtsystem durch öffentliches Aufgebot.

cot·ti·form [ˈkɒtiˌfɔːrm], **ˈcot·toid** [-ɔid] *adj zo.* groppen-, ˈseeskorpiˌonförmig, -artig.

cot·ton [ˈkɒtn] **I** *s* **1.** Baumwolle *f*: **carded ~** Kammbaumwolle; **raw ~** Rohbaumwolle; → **absorbent** 3. – **2.** *bot.* (*eine*) Baumwollpflanze (*Gattg Gossypium*). – **3.** *collect.* Baumwolle *f* (*Baumwollpflanzen*). – **4.** Baumwollzeug *n*, -stoff *m*, -gewebe *n*. – **5.** *pl* Baumwollwaren *pl*. – **6.** (Baumwoll)-Garn *n*, (Baumwoll)Zwirn *m*: **knitting ~** Stickgarn; **sewing ~** Nähgarn; **reel of ~** Zwirnspule. – **7.** *bot.* Wolle *f* (*baumwollartige Pflanzen-Substanz, bes. des Wollbaums*). – **II** *adj* **8.** baumwollen, aus Baumwolle, Baumwoll... – **III** *v/i* **9.** *colloq.* sich anfreunden *od.* befreunden (to mit): **to ~ (on) to s.th.** sich mit etwas befreunden; **to ~ (on) to s.o.** j-n liebgewinnen, eine Zuneigung zu j-m fassen; **to ~ up to s.o.** sich j-m freundlich nähern. – **10.** *colloq.* gut auskommen, überˈeinstimmen, harmoˈnieren (**with** mit). – **11.** *obs.* blühen, gedeihen, sich gut entwickeln. — **ˌcot·tonˈade** [-ˈneid] *s* Cottoˈnade *f* (*ein Baumwollstoff*).

cot·ton| a·phid *s zo.* Schwarze Blattlaus (*Aphis gossypii*). — **~ bale** *s* Baumwollballen *m*. — **~ belt** *s* Baumwollzone *f*, -gebiet *n* (*im Süden der USA*). — **~ cake** *s* Baumwollkuchen *m* (*Rückstand beim Auspressen der Baumwollsamen*). — **~ cov·er·ing** *s* ˈBaumwollumˌspinnung *f*. — **~ flan·nel** *s* ˈBaumwollflaˌnell *n*. — **~ gin** *s tech.* Entˈkörnungsmaˌschine *f* (*zum Reinigen der Baumwolle*). — **~ grass** *s bot.* Wollgras *n* (*Gattg Eriophorum*). — **~ grow·er** *s* Baumwollpflanzer *m*. — **~ gum** *s bot.* Tuˈpelobaum *m* (*Nyssa aquatica; Florida*).

Cot·to·ni·an [kɒˈtouniən] *adj* cotˈtonisch: **~ library** Cottonische Bibliothek (*des Brit. Museums in London*).

cot·ton·i·za·tion [ˌkɒtnaiˈzeiʃən; -niˈz-; -nəˈz-] *s tech.* Cottoniˈsierung *f*. — **ˈcot·tonˌize** *v/t tech.* (*Flachs, Hanf*) cottoniˈsieren.

cot·ton| lord *s* ˈBaumwollmaˌgnat *m*, reicher ˈBaumwollfabriˌkant *od.* -händler. — **~ mill** *s* ˌBaumwollspinneˈrei *f*. — **~ moth** *s zo.* Baumwolleule *f* (*Aletia argillacea; Schmetterling*). — **~ mouse** *s irr zo. eine baumwollfressende Feldmaus* (*Peromyscus gossypinus*). — **ˈ~ˌmouth** *s zo.* Wassermokassinschlange *f* (*Agkistrodon piscivorus*).

cot·ton·oc·ra·cy [ˌkɒt'nɒkrəsi] *s collect. colloq.* 'Baumwollmaˌgnaten *pl.* — ˌ**Cot·ton'op·o·lis** [-'nɒpəlis] *s colloq.* Baumwollstadt *f* (*Spitzname für Manchester, England*).

cot·ton| pick·er *s* Baumwollpflücker *m.* — **~ pow·der** *s mil.* Schießbaumwollpulver *n.* — **~ press** *s* Baumwollballenpresse *f* (*Gebäude od. Maschine*). — **~ print** *s* bedruckter Kat'tun. — **~ print·er** *s tech.* Kat'tundrucker *m.* — **~ rat** *s zo.* Baumwollratte *f* (*Sigmodon hispidus*). — **~ rock** *s min.* (*Art*) Sandstein *m* (*Missouri*): a) zerfallener Kieselschiefer, b) (*Art*) Ma'gnesiakalkstein *m.* — **~ rose** *s bot.* (*ein*) Eibisch *m* (*Hibiscus mutabilis*). — **~ rush** → cotton grass. — **~ seed,** '**~ˌseed** *s bot.* Baumwollsame *m.*

'**cot·tonˌseed| cake** → cotton cake. — **~ hulls** *s pl* äußere Hüllen *pl* des Baumwollsamens (*Viehfutter*). — **~ meal** *s* Baumwollkuchen(mehl *n*) *m.* — **~ oil** *s* Baumwollsamenöl *n*, Cottonöl *n.*

cot·ton| shrub *s bot.* **1.** → cotton 2. – **2.** *ein austral. Proteaceenstrauch* (*Dryandra nivea*). — **~ stain·er** *s zo.* Baumwollfärber *m*, -feuerwanze *f* (*Dysdercus suturellus*). — **C~ State** *s* Baumwollstaat *m* (*Spitzname für Alabama*). — **~ sweep** *s agr. tech.* kleiner Baumwollpflug. — '**~ˌtail** *s zo.* (*ein*) amer. 'Waldkaˌninchen *n* (*Gattg Sylvilagus*). — **~ this·tle** *s bot.* Esels-, Krebs-, Frauendistel *f* (*Onopordon acanthium*). — **~ tree** *s bot.* **1.** (*ein*) Kapok-, Baumwollbaum *m* (*Gattg Ceiba, bes. C. pentandra u. Gattg Bombax, bes. B. malabaricum*). – **2.** a) (*eine*) nordamer. Pappel (*Populus balsamifera u. P. heterophylla*), b) Schwarzpappel *f* (*P. nigra*). – **3.** Ma'jagua *m* (*Hibiscus tiliaceus; Australien*). — **~ vel·vet** *s* Baumwoll-, Rippensamt *m*, Man'chester *m.* — **~ waste** *s* **1.** Baumwollabfall *m.* – **2.** *tech.* Putzwolle *f.* — '**~ˌweed** *s bot.* **1.** → cudweed 1. – **2.** 'Silberimmorˌtelle *f* (*Anaphalis margaritacea*). – **3.** Di'otis *f*, Ohrblume *f* (*Gattg Diotis*). – **4.** Seidenpflanze *f* (*Asclepias syriaca*). – **5.** (*eine*) Samt-, Schönmalve (*Abutilon thephrasti*). — '**~ˌwood** *s* **1.** *bot.* (*eine*) amer. Pappel, *bes.* Dreieckblättrige Pappel (*Populus deltoides*). – **2.** Pappelholz *n* (*von* 1). — **~ wool** *s* **1.** Rohbaumwolle *f.* – **2.** *med. Br.* Watte *f.* — **~ worm** *s zo.* Baumwollraupe *f* (*Larve von* cotton moth).

cot·ton·y ['kɒtni] *adj* **1.** baumwollartig. – **2.** Baumwoll... – **3.** weich. – **4.** wollig, daunig, flaumig.

Cot·trell| pre·cip·i·ta·tor ['kɒtrel] *s tech.* Cottrell-Entstaubungsanlage *f*, -Gasreiniger *m.* — **~ proc·ess** *s* Cottrellverfahren *n* (*zur elektr. Entstaubung von Gasen*).

co·tun·nite [ko'tʌnait; kə-] *s min.* Chlorblei *n* ($PbCl_2$).

cot·y·la ['kɒtilə; -tə-], '**cot·yˌle** [-ˌliː] *s med.* Gelenkhöhle *f.*

cot·y·le·don [ˌkɒti'liːdən; -tə-] *s* **1.** *bot.* Keimblatt *n.* – **2.** *bot.* Nabelkraut *n* (*Gattg Cotyledon*). – **3.** *zo.* Cotyle'done *f*, Pla'zentazotte *f.* — ˌ**cot·y'le·don·al,** ˌ**cot·y'le·don·ar·y** [*Br.* -nəri; *Am.* -ˌneri], ˌ**cot·y'le·don·ous** *adj bot.* Keimblatt...

cot·y·loid ['kɒtiˌlɔid; -tə-] *adj med. zo.* **1.** schalenförmig, tassenartig. – **2.** Hüftpfannen... — **~ cav·i·ty** *s med. zo.* Hüftpfanne *f*, Ace'tabulum *n.* — **~ lig·a·ment** *s med. zo.* Hüftband *n.*

co·type [kou'taip] *s bot. zo.* Cotypus *m* (*Duplum des Individuums, auf das die Ur-Beschreibung einer Art sich gründet*).

cou·cal ['kuːkəl] *s zo.* (*ein*) Spornkuckuck *m* (*Gattg Centropus*).

couch[1] [kautʃ] **I** *s* **1.** Couch *f*, Liegestatt *f*, -sofa *n*, Liege *f*, Chaise'longue *f*, Ruhebett *n.* – **2.** *poet.* Bett *n.* – **3.** Lager(stätte *f*) *n.* – **4.** *hunt.* Lager *n*, Versteck *n* (*Wild*). – **5.** *tech.* Grund(schicht *f*) *m*, Grun'dierung *f*, 'Unterlage *f*, erster Anstrich (*Farbe, Leim etc*). – **6.** *tech.* a) Malzrahmen *m*, b) zum Malzen aufgehäuftes Getreide. – **II** *v/t* **7.** a) (*Worte etc*) fassen, formu'lieren, b) (*Gedanken etc*) in Worte fassen *od.* kleiden, ausdrücken, formu'lieren, abfassen. – **8.** 'indiˌrekt *od.* in Andeutungen ausdrücken. – **9.** (*Kopf etc*) senken, neigen, bücken. – **10.** (*Lanze*) senken, einlegen: to advance with spears **~ed** mit eingelegter Lanze angreifen. – **11.** 'hinstrecken, 'hin-, niederlegen (*nur noch im pp*): to be **~ed** liegen. – **12.** besticken (with, of mit). – **13.** *tech.* (*Getreide*) (zum Malzen) aufschütten, ausbreiten. – **14.** *tech.* (*Papier*) gautschen. – **15.** *med.* a) (*den Star*) stechen, b) (*j-m*) den Star stechen. – **16.** *obs.* einbetten, verbergen. – **III** *v/i* **17.** ruhen, liegen. – **18.** sich (zur Ruhe) 'hinlegen. – **19.** sich ducken, kauern. – **20.** lauern, im 'Hinterhalt liegen. – **21.** sich verstecken. – **22.** in einem Haufen liegen. – *SYN. cf.* lurk.

couch[2] [kautʃ; kuːtʃ] → couch grass.

couch·ant ['kautʃənt] *adj* **1.** liegend, kauernd. – **2.** *her.* mit erhobenem Kopf liegend.

couch·er ['kautʃər] *s* **1.** Abfasser(in), Schreiber(in). – **2.** *tech.* Gautscher *m.*

couch grass *s bot.* **1.** Gemeine Quecke (*Agropyron repens*). – **2.** (*ein*) Straußgras *n* (*Agrostis stolonifera maior*). – **3.** Acker-Fuchsschwanz *m* (*Alopecurus myosuroides*).

couch·ing ['kautʃiŋ] *s* **1.** ˌPlattsticke'rei *f*: plain (raised, diagonal) **~** einfache (erhabene, Zickzack-)Plattstickerei. – **2.** *med.* Starstechen *n*: **~** needle Starnadel. – **3.** *tech.* Gautschen *n.*

Cou·é·ism [*Br.* 'kuːeiˌizəm; *Am.* kuː'ei-] *s med. psych.* Coué'ismus *m*, Cou'ésches Heilverfahren (*auf Autosuggestion beruhend*).

cou·gar ['kuːgər] *s zo.* Kuguar *m*, Puma *m*, Silberlöwe *m* (*Felis concolor*).

cough [kɒf; kɔːf] **I** *s* **1.** *med.* Husten *m*: churchyard **~** *colloq.* ‚Friedhofsjodler' (*gefährlicher Husten*); to have a **~** Husten haben; to give a (slight) **~** hüsteln, sich räuspern (*um sich bemerkbar zu machen*). – **2.** Husten *n.* – **II** *v/i* **3.** husten. – **III** *v/t* **4.** *meist* **~** out, **~** up aushusten. – **5.** **~** down (*Redner*) niederhusten, durch (absichtliches) Husten zum Schweigen bringen. – **6.** **~** up *sl.* a) her'ausrücken mit (*der Wahrheit etc*), ‚auspacken', b) (*Geld*) ‚blechen'. — **~ drop,** **~ loz·enge** *s* 'Hustenbonˌbon *m, n.* — '**~ˌweed** *s bot.* Nordamer. Kreuzkraut *n* (*Senecio aureus*).

could [kud; kəd] *pret von* can[1].

could·n't ['kudnt] *colloq. für* could not.

couldst [kudst] *obs. od. poet. 2. sg von* could.

cou·lee ['kuːli], *auch* **cou·lée** [ku'le] (*Fr.*) *s* **1.** *Am.* Schlucht *f*, Felsental *n.* – **2.** *Am.* oft austrocknender Bach. – **3.** *geol.* (erstarrter) Lavastrom.

cou·lisse [kuː'liːs] *s* **1.** *tech.* a) Falz *m*, Schnurrinne *f*, b) Ku'lisse *f*, Gleitbahn *f.* – **2.** (*Bühne*) Ku'lisse *f.*

cou·loir [ku'lwaːr] (*Fr.*) *s* **1.** Bergschlucht *f* (*bes. in den Schweizer Alpen*). – **2.** *tech.* 'Baggermaˌschine *f.*

cou·lomb [kuː'lɒm] *s electr.* Cou'lomb *n*, Am'pereˌkunde *f* (*Maßeinheit der Elektrizitätsmenge*). — **~ me·ter, cou·lom·e·ter** [kuː'lɒmitər; -mə-] *s electr.* Cou'lombmeter *n.*

coul·ter *bes. Br. für* colter.

cou·mar·ic ac·id [kuː'mærik] *s chem.* Cu'marsäure *f* ($C_9H_8O_3$).

cou·ma·ril·ic ac·id [ˌkuːmə'rilik] *s chem.* Cuma'rilsäure *f* ($C_9H_6O_3$). — '**cou·ma·rin** [-rin] *s chem.* Cuma'rin *n*, Tonkakampfer *m* ($C_9H_6O_2$). — '**cou·maˌrone** [-ˌroun] *s chem.* Cuma'ron *n* (C_8H_6O): **~** resins Cumaronharze. — '**cou·maˌrou** [-ˌruː] *s bot.* Tonkabaum *m* (*Dipteryx odorata*).

coun·cil ['kaunsl; -sil] *s* **1.** Ratsversammlung *f*, -sitzung *f*: to be in **~** zu Rate sitzen; to call a **~** on s.th. eine Ratssitzung anberaumen über etwas; to meet in **~** eine (Rats)Sitzung abhalten; to summon a **~** die Ratsmitglieder einberufen. – **2.** Rat *m*, beratende Versammlung: family **~** Familienrat; **~** of physicians Ärztekollegium, -konsilium. – **3.** Rat *m* (*als Körperschaft*): C**~** of Europe Europarat; C**~** of Ministers Ministerrat (*in Frankreich*); C**~** of National Defense *Am.* Nationaler Verteidigungsrat; C**~** of State Staatsrat; C**~** of States Ständerat (*der Schweiz*); **~** of war Kriegsrat (*auch fig.*). – **4.** C**~** *Br.* Geheimer Kronrat: the King (Queen, Crown) in C**~** der König (die Königin, die Krone) und der Kronrat. – **5.** Re'gierungsrat *m* (*in mehreren brit. Kolonien*). – **6.** beratende Kammer (*in einigen Staaten der USA*). – **7.** Gewerkschaftsrat *m.* – **8.** *relig.* Kon'zil *n*, Syn'ode *f*, Kirchenversammlung *f*: → ecumenical; C**~** of Trent Tridentinisches Konzil. – **9.** *relig.* Kirchenrat *m*, Presby'terium *n.* – **10.** *Bibl.* Rat *m*, *bes.* Syn'edrium *n*, Hoher Rat (*der Juden*). – **11.** Beratung *f.* — **~ board** *s* **1.** Ratstisch *m.* – **2.** Ratsversammlung *f.* – **3.** *Br. für* privy council. — **~ fire** *s* Ratsfeuer *n* (*der Indianer*). — **~ house** *s Br.* Gemeindewohnhaus *n* (*mit niedrigen Mieten*).

coun·cil·lor(ship) *bes. Br. für* councilor(ship).

'**coun·cil|·man** [-mən] *s irr* (*bes.* Gemeinde-, Stadt)Ratsmitglied *n.* — **~ man·ag·er plan** *s System der Gemeindeverwaltung, bei dem die Verwaltungsvollmachten einem vom Gemeinderat gewählten Direktor übertragen werden.*

coun·ci·lor ['kaunsilər; -səl-] *s* Ratsmitglied *n*, -herr *m*, Rat *m* (*Person*). — '**coun·ci·lorˌship** *s* Ratsherrnwürde *f.*

coun·cil| school *s* Grafschaftsschule *f* (*1902 in England u. Wales vom Grafschaftsrat eingerichtete u. mit Regierungszuschüssen erhaltene öffentliche Schule*). — **~ ta·ble** → council board.

coun·sel ['kaunsəl] **I** *s* **1.** (erteilter) Rat, Ratschlag *m*: to ask **~** of s.o. j-n um Rat fragen; to take **~** of s.o. von j-m Rat annehmen. – **2.** (gemeinsame) Beratung, Beratschlagung *f*: to take **~** together zusammen beratschlagen, sich gemeinsam beraten; to hold **~** with one's own heart mit sich selbst zu Rate gehen. – **3.** Ratschluß *m*, Entschluß *m*, Vorhaben *n*, Vorsatz *m*, Absicht *f*, Plan *m*: to be of **~** with die gleichen Pläne haben wie. – **4.** *obs.* per'sönliche Meinung *od.* Absicht: to keep one's own **~** seine Meinung *od.* Absicht für sich behalten; to keep **~** verschwiegen sein. – **5.** *jur.* Rechtsbeistand *m*, -vertreter *m*, -berater *m*, Anwalt *m*: **~** for the plaintiff Anwalt des Klägers; **~** for the prosecution Anklagevertreter, Staatsanwalt; **~**'s opinion Rechtsgutachten; King's C**~**, Queen's C**~** Kronanwalt (*Ehrentitel für verdiente Barrister*); → defence 5. – **6.** (*als pl konstruiert*) *jur. collect.* Anwälte *pl*, ju-

'ristische Berater *pl*: the defendant has excellent ~. – 7. Berater *m*, Ratgeber *m*. – 8. *relig.* Ratschlag *m* Christi. – 9. *obs.* Klugheit *f*, Weisheit *f*. – *SYN. cf.* a) advice, b) lawyer. – **II** *v/t pret u. pp* **-seled**, *bes. Br.* **-selled** 10. (*j-m*) raten, (*j-m*) einen Rat geben *od.* erteilen: to be ~ed sich raten lassen. – 11. raten, empfehlen: to ~ s.th. to s.o. j-m etwas raten *od.* empfehlen. – *SYN. cf.* advise. – **III** *v/i* 12. Rat geben *od.* erteilen, raten: to ~ to the contrary das Gegenteil raten. – 13. Rat annehmen, sich raten lassen. — '**~-ˌkeep·er** *s* Bewahrer(in) eines Geheimnisses, Vertraute(r). — '**~-ˌkeep·ing** *adj* verschwiegen.

coun·sel·lor ['kaunsələr] *s* 1. Berater *m*, Ratgeber *m*. – 2. Rat(smitglied *n*) *m*. – 3. (*in USA u. Irland*) Rechtsbeistand *m*, Anwalt *m*. – 4. 'Rechtsberater *m*, -konsuˌlent *m* (*Botschaft etc*). – 5. Studienberater *m* (*an amer. Schulen u. Colleges*). – *SYN. cf.* lawyer. — '**coun·sel·lorˌship** *s* Amt *n od.* Würde *f* eines Ratgebers, Ratsmitglieds, Anwalts *etc.*

coun·se·lor(ship) *Am. für* counsellor(ship).

count¹ [kaunt] **I** *s* 1. Zählen *n*, Rechnen *n*, (Be)Rechnung *f*, (Auf-, Aus-, Ab)Zählung *f*: to keep ~ of s.th. etwas genau zählen (können); to lose ~ sich verzählen; by this ~ nach dieser Zählung *od.* Berechnung; to be out of all ~ unzählbar *od.* unberechenbar sein; to take ~ of s.th. etwas zählen. – 2. Endzahl *f*, -summe *f*, Ergebnis *n*, (ermittelte) Zahl. – 3. Abrechnung *f*. – 4. Rechtfertigung *f*, Verantwortung *f*. – 5. *jur.* (An)Klagepunkt *m*: the accused was found guilty on all ~s der Angeklagte wurde in allen Anklagepunkten für schuldig befunden. – 6. (*Boxen*) Auszählen *n*: to take the ~ ausgezählt werden, durch K.o. verlieren. – 7. (*Billard*) gemachter Ball, (erzielter) Punkt. – 8. → ~-out. – 9. *tech.* (Feinheits)Nummer *f* (*Garn*). – 10. *obs.* Berücksichtigung *f*: to be out of (all) ~ a) unschätzbar sein, b) nicht in Betracht kommen; to leave out of ~ unberücksichtigt lassen; to take no ~ of s.th. etwas nicht berücksichtigen. –

II *v/t* 11. (ab-, auf-, aus-, zu'sammen)zählen: to ~ the daily receipts *econ.* Kasse machen; to ~ again nachzählen; to ~ the house die Zahl der Anwesenden (schätzungsweise) feststellen; to ~ heads *colloq.* die Zahl der Anwesenden feststellen; to ~ kin with s.o. *Scot.* mit j-m verwandt sein; without ~ing ohne zu zählen; → chicken¹ 1; nose *b. Redw.* – 12. ausrechnen, berechnen: to ~ the cost a) die Kosten berechnen, b) *fig.* die Folgen bedenken. – 13. zählen bis: to ~ ten bis zehn zählen. – 14. an-, mitrechnen, mitzählen, mit in Rechnung stellen, mit einrechnen: without ~ing ohne mitzurechnen, abgesehen von; ~ing the persons present die Anwesenden mitgerechnet. – 15. (*j-n*) halten für, betrachten als, zählen (among zu), schätzen: to ~ s.o. one's enemy j-n für seinen Feind halten; to be ~ed a gentleman als Gentleman betrachtet werden; to ~ s.o. among one's best friends j-n zu seinen besten Freunden zählen; to ~ oneself lucky sich glücklich schätzen. – 16. *obs.* (*j-m etwas*) anrechnen *od.* zuschreiben. –

III *v/i* 17. (ab-, aus-, zu'sammen)zählen. – 18. zählen: to ~ up to ten bis zehn zählen. – 19. rechnen. – 20. (on, upon) zählen (auf *acc*), sich verlassen (auf *acc*), sicher rechnen (mit): I ~ on your being in time ich verlasse mich darauf, daß Sie pünktlich sind. – 21. zählen, von Wert *od.* Gewicht sein, Wert besitzen, ins Gewicht fallen: this does not ~ das zählt nicht, das ist ohne Bedeutung, das fällt nicht ins Gewicht. – 22. gelten: to ~ for much viel gelten *od.* wert sein, von großem Belang sein. – 23. zählen, sich belaufen auf (*acc*): they ~ed ten sie zählten zehn, sie waren zehn an der Zahl. – 24. *mus.* den Takt zählen. – 25. *selten* rechnen, die Rechnung zu'sammenstellen: to ~ without one's host die Rechnung ohne den Wirt machen. – *SYN. cf.* rely. –

Verbindungen mit Adverbien:

count| down *v/t* (*Geld*) 'hinzählen. — **~ in** *v/t* 1. mitzählen, -rechnen, mit einberechnen. – 2. *pol. Am. sl.* (*j-n*) durch schwindelhafte Stimmzählung zum Wahlsieger erklären. — **~ off** *v/t u. v/i bes. mil.* abzählen. — **~ out** *v/t* 1. auszählen. – 2. außer acht *od.* unberücksichtigt lassen, nicht berücksichtigen, ausnehmen. – 3. *pol. Br.* (*das Unterhaus*) vertagen (*wenn weniger als 40 Mitglieder anwesend sind*). – 4. *pol. Br.* (*Gesetzesantrag*) durch Vertagung zu'nichte machen. – 5. *pol. Am. sl.* (*j-n*) durch schwindelhafte Stimmzählung bei der Wahl 'durchfallen lassen. – 6. (*Boxer*) auszählen: to be counted out ausgezählt werden, durch K.o. verlieren. — **~ o·ver** *v/t* (*Geld etc*) über'zählen, nachzählen. — **~ up** *v/t* zu'sammenzählen.

count² [kaunt] *s* Graf *m* (*nichtbrit. außer in*): → ~ palatine.

count·a·ble ['kauntəbl] *adj* (ab)zählbar, berechenbar. — '**count·a·ble·ness** *s* (Ab)Zählbarkeit *f*, Berechenbarkeit *f*.

'**count-ˌdown** *s* Startzählung *f* (*z.B. beim Abschuß einer Rakete*).

coun·te·nance ['kauntinəns; -tə-] **I** *s* 1. Gesichtsausdruck *m*, Miene *f*: his ~ fell er machte ein bestürztes *od.* langes Gesicht; to change one's ~ seinen Gesichtsausdruck ändern, die Farbe wechseln; to keep one's ~ die ernste Miene *od.* die Fassung bewahren; to put a good ~ on the matter gute Miene zum bösen Spiel machen. – 2. Fassung *f*, Haltung *f*, Gemütsruhe *f*: in ~ gefaßt; out of ~ aus der Fassung, völlig verwirrt; to put s.o. out of ~ j-n aus der Fassung bringen, j-n verwirren; to keep s.o. in ~ a) j-n ermuntern, j-n aufrichten, b) j-n vor Gemütserschütterungen bewahren. – 3. Gesicht *n*, Antlitz *n*. – 4. Gunst(bezeigung) *f*, Ermutigung *f*, Ermunterung *f*, (mo'ralische) Unter'stützung: to give (*od.* lend) ~ to s.o. j-m Unterstützung angedeihen lassen, j-n ermutigen, j-n unterstützen; to be in ~ in Gunst stehen. – 5. Bekräftigung *f*, Glaubwürdigkeit *f*: this lends ~ to the report das verleiht dem Bericht Glaubwürdigkeit. – 6. *obs.* Benehmen *n*. – *SYN. cf.* a) face, b) favor. – **II** *v/t* 7. ermutigen, ermuntern, unter'stützen, begünstigen. – 8. in Schutz nehmen, verteidigen. – 9. begünstigen, (*dat*) Vorschub leisten. – 10. dulden, zulassen. — '**coun·te·nanc·er** *s* Gönner(in), Beschützer(in), Begünstiger(in), Unter'stützer(in).

count·er¹ ['kauntər] *s* 1. Ladentisch *m*: to be behind the ~ hinter dem Ladentisch stehen, Verkäufer sein; to sell across (*od.* over) the ~ im Laden verkaufen. – 2. Zahltisch *m*, Schalter *m*. – 3. *econ.* Schranke *f* (*an der Börse*). – 4. Spielmarke *f*, Je'ton *m*, Zahlpfennig *m*. – 5. Zählperle *f*, -kugel *f* (*Rechenmaschine*). – 6. *verächtlich* a) Geld *n*, Mammon *m*, b) Geldstück *n*. – 7. *hist. od. obs.* (Schuld)Gefängnis *n*.

count·er² ['kauntər] *s* 1. Zähler *m*. – 2. *tech.* Zähler *m*, Zählwerk *n*, -vorrichtung *f*.

coun·ter³ ['kauntər] **I** *adv* 1. in entgegengesetzter Richtung, verkehrt: to go (*od.* run) ~ in der entgegengesetzten Richtung gehen *od.* laufen; to hunt ~ der falschen Spur folgen, die Fährte verlieren. – 2. *fig.* im 'Widerspruch, im Gegensatz (to zu): ~ to (zu)wider, entgegen; to run ~ to s.th. einer Sache zuwiderlaufen; to run ~ to a plan einen Plan durchkreuzen; ~ to all rules entgegen allen *od.* wider alle Regeln; to act ~ to one's convictions wider seine Überzeugung handeln. – **II** *adj* 3. Gegen..., entgegengesetzt. – *SYN. cf.* adverse. **III** *s* 4. Gegenteil *n*. – 5. (*Boxen*) a) Kontern *n*, b) Konter-, Gegenschlag *m*, -hieb *m*. – 6. (*Fechten*) 'Konterpaˌrade *f*: ~-parry Gegenparade. – 7. (*Kunstlaufen*) Gegenwende *f*. – 8. *mar.* Gilling *f*, Gillung *f*. – 9. *tech.* After-, Fersenleder *n* (*Schuh*). – 10. *print.* Bunze *f* (*innere lichte Stelle einer Type, durch [Kontra]Punzenstempel herausgraviert*). – 11. *vet. zo.* Brustgrube *f*, unteres Halsende (*Pferd*). – 12. *hunt.* falsche Fährte. – 13. *Kurzform für*: a) ~lode, b) ~shaft, c) ~tenor. – **IV** *v/t* 14. wider'streben (*dat*), entgegenwirken (*dat*). – 15. zu'widerhandeln (*dat*). – 16. entgegentreten (*dat*), wider'sprechen (*dat*), entgegnen, bekämpfen. – 17. durch'kreuzen. – 18. *mil.* abwehren, bekämpfen. – 19. *bes. sport* (*Schlag, Zug etc*) mit einem Gegenschlag *od.* -zug beantworten. – 20. *tech.* (*Schuh*) mit einem Fersenleder versehen. – **V** *v/i* 21. einen Gegenschlag führen, einen Gegenzug machen. – 22. *sport* a) (*Boxen*) kontern, gegenschlagen, b) mit einem Gegenhieb pa'rieren. – 23. oppo'nieren, wider'sprechen. – 24. entgegengesetzt handeln.

coun·ter⁴ ['kauntər] *obs. für* encounter.

counter- [kauntər] *Wortelement mit der Bedeutung* a) Gegen..., gegen..., b) gegenseitig, c) Vergeltungs...

ˌ**coun·ter'act** *v/t* 1. entgegenwirken (*dat*): ~ing forces Gegenkräfte. – 2. (*Wirkung*) kompen'sieren, neutrali'sieren. – 3. entgegenarbeiten (*dat*), 'Widerstand leisten (*dat*), bekämpfen. – 4. durch'kreuzen, vereiteln, hinter'treiben. — ˌ**coun·ter'ac·tion** *s* 1. Gegenwirkung *f*. – 2. Oppositi'on *f*, gegensätzliche Einstellung *od.* Tätigkeit, 'Widerstand *m*. – 3. Gegenmaßnahme *f*. – 4. Durch'kreuzung *f*, Hinter'treibung *f*. — ˌ**coun·ter'ac·tive I** *adj* entgegenwirkend, wider'strebend, Gegen... – *SYN. cf.* adverse. – **II** *s* j-d der entgegenarbeitet *od.* wider'strebt *od.* hinter'treibt, Gegner *m*. — '**coun·ter-ˌa·gent** *s* Gegenmittel *n*.

coun·ter·at·tack I *s* ['kauntərəˌtæk] Gegenangriff *m* (*auch fig.*). – **II** *v/t* [ˌ-ə'tæk] einen Gegenangriff richten gegen. – **III** *v/i* einen Gegenangriff 'durchführen.

ˌ**coun·ter·at'trac·tion** *s phys.* 1. entgegengesetzte Anziehungskraft, Gegenanziehung *f*. – 2. *fig.* 'Gegenattraktiˌon *f*.

coun·ter·bal·ance I *s* ['kauntərˌbæləns] 1. *fig.* Gegengewicht *n* (to gegen), ausgleichende Kraft. – 2. *tech.* Ausgleich-, Gegengewicht *n*, Massenausgleich *m*. – 3. *econ.* Gegensaldo *m*. – **II** *v/t* [ˌ-'bæləns] 4. ein Gegengewicht bilden zu, ausgleichen, kompen'sieren, aufwiegen, (*dat*) die Waage halten. – 5. *tech.* ausgleichen, auswuchten. – 6. *econ.* (durch Gegenrechnung) ausgleichen, kompen'sieren. – **III** *v/i* 7. ein Gegengewicht bilden.

ˈcoun·terˌblast *s* **1.** Gegen(wind)stoß *m*, Entgegenblasen *n*. – **2.** *fig.* kräftige Entgegnung.

ˈcoun·terˌbond *s econ.* Rück-, Gegenschein *m*, -verschreibung *f*.

coun·ter·bore *tech.* **I** *s* [ˈkauntərˌbɔːr] **1.** Ansenkung *f*, Ausfräsung *f*. – **2.** a) Senker *m*, b) Zapfenfräser *m*, -bohrer *m*, c) Krauskopf *m*. – **II** *v/t* [ˌ-ˈbɔːr] **3.** ansenken, ausfräsen. – **4.** (*Schraubenkopf etc*) versenken.

coun·ter·brace *mar.* **I** *s* [ˈkauntərˌbreis] Konter-, Borgbrasse *f*. – **II** *v/t* [ˌ-ˈbreis] gegenbrassen.

coun·ter·buff I *s* [ˈkauntərˌbʌf] **1.** Gegenschlag *m*, -stoß *m*. – **2.** Schlägeˈrei *f*, Handgemenge *n*. – **II** *v/t* [ˌ-ˈbʌf] **3.** zuˈrückschlagen, -stoßen.

ˌcoun·terˈchange *v/t* **1.** austauschen, vertauschen. – **2.** Abwechslung bringen in (*acc*), abwechlungsreich gestalten. — **ˌcoun·terˈchanged** *adj her.* Tinktiˈon u. Meˈtall symˈmetrisch vertauscht habend.

coun·ter·charge I *s* [ˈkauntərˌtʃɑːrdʒ] **1.** *jur.* ˈWider-, Gegenklage *f*, Gegenbeschuldigung *f*. – **2.** *mil.* Gegenstoß *m*. – **II** *v/t* [ˌ-ˈtʃɑːrdʒ] **3.** *jur.* eine Gegenklage erheben gegen (**with** wegen). – **4.** *mil.* einen Gegenstoß richten gegen.

ˈcoun·terˌcharm *s* **1.** Gegenzauber *m*. – **2.** entgegengesetzter Reiz.

coun·ter·check I *s* [ˈkauntərˌtʃek] **1.** Gegen-, Rückstoß *m*. – **2.** *phys. tech.* Gegenkraft *f* (*gegen eine hemmende Kraft*). – **3.** Gegenwirkung *f*. – **4.** *fig.* Hindernis *n*: **to be a ~ to s.th.** einer Sache im Wege stehen. – **5.** nochmalige Überˈprüfung, Gegenprüfung *f*. – **6.** (*Schach*) Gegenzug *m*. – **II** *v/t* [ˌ-ˈtʃek] **7.** aufhalten, verhindern. – **8.** (*einer hemmenden Kraft*) entgegenwirken. – **9.** nochmals überˈprüfen.

count·er check *s econ. Am.* Blankobank-, Kassenscheck *m* (*nur durch den Aussteller persönlich einlösbar*).

coun·ter·claim I *s* [ˈkauntərˌkleim] *econ. jur.* Gegenanspruch *m*, -forderung *f*, -rechnung *f*. – **II** *v/t* [ˌ-ˈkleim] (*Summe*) als Gegenforderung beanspruchen. – **III** *v/i* Gegenforderungen stellen: **to ~ for s.th.** etwas als Gegenforderung verlangen.

ˌcoun·terˈclock·wise *adj u. adv* entgegen dem *od.* gegen den Uhrzeigersinn: **~ rotation** Linkslauf, -drehung.

ˌcoun·ter·couˈrant *adj her.* in entgegengesetzter Richtung laufend (*Wappentiere*).

ˈcoun·terˌcur·rent *s bes. electr.* Gegenstrom *m*.

ˈcoun·terˌdeed *s jur.* geheime Gegenakte.

ˌcoun·terˌdem·onˈstra·tion *s* ˈGegendemonstratiˌon *f*.

ˈcoun·terˌdis·enˈgage *v/i* (*Fechtkunst*) die Klinge freigeben u. in die Ausgangsstellung zuˈrückgehen, soˈbald der Gegner dies tut.

ˈcoun·terˌdrain *s* Abzugs-, Neben-, Vorgraben *m*, Abfluß *m*.

ˈcoun·ter·efˌfect *s* Gegenwirkung *f*.

ˈcoun·ter·enˌam·el *s tech.* ˈGegeneˌmail *n*.

ˌcoun·terˈes·pi·o·nage *s* ˈGegenspioˌnage *f*, Spioˈnageabwehr *f*.

ˈcoun·terˌev·i·dence *s jur.* Gegenbeweis *m*.

ˈcoun·terˌfall·er *s* (*Spinnerei*) Gegenschläger *m*, -winder *m*.

coun·ter·feit [ˈkauntərfit; *Br. auch* -ˌfiːt] **I** *adj* **1.** nachgemacht, gefälscht, unecht, falsch, ˈuntergeschoben: **~ bill of exchange** gefälschter Wechsel; **~ coin** falsche Münze, Falschgeld. – **2.** vorgetäuscht, er-, geheuchelt, verstellt. – **II** *s* **3.** Fälschung *f*, Nachahmung *f*. – **4.** gefälschte Banknote *od.* Münze, Falschgeld *n*. – **5.** unerlaubter Nachdruck. – **6.** *obs.* a) Nachbildung *f*, (Ab)Bild *n*, b) Betrüger *m*. – *SYN. cf.* **imposture.** – **III** *v/t* **7.** fälschen, nachmachen, -ahmen. – **8.** heucheln, vorgeben, simuˈlieren: **to ~ death** sich tot stellen. – **IV** *v/i* **9.** fälschen, Fälschungen (*bes.* Falschgeld) ˈherstellen. – **10.** heucheln, sich verstellen. – *SYN. cf.* **assume.** — **ˈcoun·terˌfeit·er** *s* **1.** (Banknoten-) Fälscher *m*, Falschmünzer *m*. – **2.** Nachahmer(in), -macher(in). – **3.** Heuchler(in), Betrüger(in). — **ˈcounˌterˌfeit·ing** *s* **1.** Banknotenfälschung *f*, ˌFalschmünzeˈrei *f*. – **2.** Nachahmung *f*, Fälschung *f*. – **3.** Heucheˈlei *f*.

ˈcoun·terˌflow en·gine *s tech.* ˈGegenstrommaˌschine *f*, -strommotor *m*.

ˈcoun·terˌfoil *s* **1.** Konˈtrollabschnitt *m*, -zettel *m*. – **2.** Empfangsquittung *f*. – **3.** Abschnitt *m*, Kuˈpon *m*, Taˈlon *m* (*in Scheckheften etc*). – **4.** Gepäckschein *m* (*Eisenbahn*).

ˈcoun·terˌfort *s arch. tech.* **1.** Strebe-, Verstärkungspfeiler *m*. – **2.** Gegenpfeiler *m* (*Deich*). – **3.** Eisbrecher *m* (*Brückenpfeiler*).

ˈcoun·terˌfugue *s mus.* Gegenfuge *f* (*mit Beantwortung in Umkehrung*).

ˈcoun·terˌgage, ˈcoun·terˌgauge *tech.* **I** *s* (*Zimmerei*) Zapfenlochlehre *f*. – **II** *v/t* nochmals (ab)messen.

ˈcoun·ter·inˌquir·y *s econ.* Rückfrage *f*.

ˈcoun·ter·inˌsur·ance *s* Gegen-, Rückversicherung *f*.

ˌcoun·ter·inˈtel·li·gence *s mil.* Spioˈnageabwehr(dienst *m*) *f*: **C~ Corps** *Am.* Spionageabwehrdienst.

ˌcoun·terˈir·ri·tant *med.* **I** *s* **1.** Hautreiz-, Gegenreizmittel *n*. – **2.** Gegenmittel *n* (*gegen Reizgifte*). – **II** *adj* **3.** einen Gegenreiz herˈvorrufend. — **ˈcoun·ter·ir·riˈta·tion** *s med.* Haut-, Gegenreizung *f*.

ˈcount·erˌjump·er *s colloq.* ‚Ladenschwengel' *m* (*Verkäufer*).

ˈcoun·terˌlath *s arch.* **1.** Gegen-, Windlatte *f*. – **2.** Kalkleiste *f*.

ˈcoun·terˌlode *s* (*Bergbau*) Gegen-, Nebengang *m*, überˈsetzender *od.* anscharender Gang.

ˈcount·er·man [-mən] *s irr* Verkäufer *m*.

coun·ter·mand I *v/t* [*Br.* ˌkauntərˈmɑːnd; *Am.* -ˈmæ(ː)nd] **1.** (*Befehl etc*) widerˈrufen, rückgängig machen, ˈumstoßen. – **2.** absagen, abbestellen, storˈnieren. – **II** *s* [*Br.* ˈ-ˌmɑːnd; *Am.* ˈ-ˌmæ(ː)nd] **3.** Gegenbefehl *m*. – **4.** Abbestellung *f*, Widerˈrufung *f*, Storno *m*, Annulˈlierung *f*.

coun·ter·march I *s* [ˈkauntərˌmɑːrtʃ] **1.** *bes. mil.* Rückmarsch *m*. – **2.** *fig.* völlige ˈUmschwenkung (*im Verhalten od. Denken*). – **II** *v/i u. v/t* [ˌ-ˈmɑːrtʃ] **3.** zuˈrückmarˌschieren (lassen).

coun·ter·mark I *s* [ˈkauntərˌmɑːrk] **1.** Gegenzeichen *n*. – **2.** Konˈtroll-, Stempelzeichen *n*. – **3.** Zunftstempel *m*, Stadtzeichen *n* (*der Londoner Goldschmiedegilde*). – **4.** falsche Kennung (*an Pferdezähnen, um das Alter zu verheimlichen*). – **II** *v/t* [ˌ-ˈmɑːrk] **5.** mit einem Gegen- *od.* Konˈtrollzeichen versehen.

ˈcoun·terˌmeas·ure *s* Gegenmaßnahme *f*, -maßregel *f*.

coun·ter·mine I *s* [ˈkauntərˌmain] **1.** *mil.* Gegenmine *f*. – **2.** *fig.* Gegenanschlag *m*, -mine *f*. – **II** *v/t* [ˌ-ˈmain] **3.** *mil.* kontermiˈnieren, eine Gegenmine vortreiben gegen, durch eine Gegenmine unschädlich machen. – **4.** *fig.* durch einen Gegenanschlag vereiteln, untermiˈnieren. – **III** *v/i* **5.** *mil.* ˈgegenmiˌnieren. – **6.** *mil.* feindliche Minen vernichten. – **7.** *fig.* einen Gegenanschlag (aus)führen.

ˈcoun·terˌmo·tion *s* **1.** Gegenbewegung *f*. – **2.** *pol.* Gegenantrag *m*.

coun·ter·move I *s* [ˈkauntərˌmuːv] Gegenzug *m*. – **II** *v/i* [ˌ-ˈmuːv] einen Gegenzug machen. — **ˈcoun·terˌmove·ment** *s* Gegenbewegung *f*.

coun·ter·mure I *s* [ˈkauntərˌmjur] **1.** *arch.* Gegen-, Stützmauer *f*. – **2.** *tech.* Futtermauer *f*, Ofenfutter *n* (*Schmelzofen*). – **3.** *mil.* Gegenmauer *f* (*zweite Verteidigungsmauer*). – **II** *v/t* [ˌ-ˈmjur] **4.** mit einer Gegen- *od.* Futtermauer versehen.

ˈcoun·terˌnut *s tech.* Kontermutter *f*.

ˈcoun·ter·ofˌfen·sive *s mil.* ˈGegenoffenˌsive *f*.

ˈcoun·terˌo·pen·ing *s med.* ˈGegeninzisiˌon *f*.

ˈcoun·terˌor·der *s* **1.** Gegenbefehl *m*. – **2.** *econ.* Gegenauftrag *m*, -order *f*.

ˈcoun·terˌpane *s* Bett-, Steppdecke *f*.

ˈcoun·ter·paˌrole *s mil.* Gegenlosungswort *n*.

ˈcoun·terˌpart *s* **1.** Gegen-, Seitenstück *n* (**to** zu). – **2.** (*etwas*) genau (*zu einer anderen Sache*) Passendes, ergänzendes Stück, genaue Ergänzung, Ergänzungsstück *n*, Kompleˈment *n*. – **3.** Ebenbild *n* (*Person*). – **4.** *jur.* Koˈpie *f*, Dupliˈkat *n*. – **5.** *mus.* Gegenstimme *f*, -part *m*.

ˌcoun·terˈpas·sant *adj her.* in entgegengesetzter Richtung schreitend (*Wappentiere*).

ˈcoun·terˌplea *s jur.* Gegeneinspruch *m*. — **ˌcoun·terˈplead** *v/t jur.* ˈGegenarguˌmente anführen gegen, sprechen gegen.

coun·ter·plot I *s* [ˈkauntərˌplɒt] Gegenschlag *m*, -list *f*. – **II** *v/t* [ˌ-ˈplɒt] entgegenarbeiten (*dat*), durch einen Gegenanschlag vereiteln. – **III** *v/i* einen Gegenanschlag ersinnen *od.* ausführen.

ˈcoun·terˌpoint *s mus.* Kontrapunkt *m*.

ˈcoun·terˌpoise I *s* **1.** Gegengewicht *n* (**to** gegen, zu). – **2.** Gegengewicht *n*, ausgleichende Kraft (*auch fig.*). – **3.** Gleichgewicht(szustand *m*) *n*. – **4.** (*Reitkunst*) fester Sitz im Sattel. – **5.** *electr.* ˈAusgleichskapaziˌtät *f*, Gegengewicht *n*. – **II** *v/t* **6.** als Gegengewicht wirken zu, ausgleichen. – **7.** *fig.* im Gleichgewicht halten, ausgleichen, aufwiegen, kompenˈsieren. – **8.** ins Gleichgewicht bringen. – **9.** *obs.* gegeneinˈander abwägen. – **III** *v/i* **10.** ausgleichend *od.* als Gegengewicht wirken, ein Gegengewicht bilden.

ˈcoun·terˌpoi·son *s med.* Gegengift *n*.

ˈcoun·terˌpole *s fig.* Gegenpol *m*, genaues Gegenteil, Antiˈthese *f*.

ˈcoun·terˌprep·aˈra·tion *s* **1.** rechtzeitige Gegenmaßnahme. – **2.** *mil.* Gegenvorbereitungsfeuer *n*.

ˈcoun·terˌpres·sure *s* Gegendruck *m*.

ˈcoun·terˌproof *s tech.* **1.** Gegen-, Nachprobe *f*. – **2.** *print.* Konterabdruck *m*.

ˈcoun·terˌprop·aˈgan·da *s* ˈGegenpropaˌganda *f*.

ˈcoun·terˌpunch *s tech.* **1.** Gegenpunzen *m*, -stütze *f* (*beim Hämmern von Metall*). – **2.** (*Schriftgießerei*) Gegenpunze *f*, -punzen *m*, -stanze *f*.

ˈcoun·terˌpunc·ture *s med.* ˈGegenpunktiˌon *f*, -inzisiˌon *f*, -öffnung *f*.

ˌcoun·ter·reˈcoil *s mil. tech.* (Rohr-) Vorlauf *m*, Vorlaufbewegung *f*: **~ buffer** Vorholerkolben, Vorlaufhemmstange; **~ cylinder** Vorholzylinder; **~ mechanism** Vorholer.

ˌcoun·ter·reˈcon·nais·sance *s mil.* Gegenaufklärung *f*.

ˈcoun·terˌref·orˈma·tion *s* ˈGegenreformatiˌon *f*. — **Coun·ter Ref·or·ma·tion** *s hist.* ˈGegenreformatiˌon *f* (*im 16. u. 17. Jh.*).

ˈcoun·ter·reˌmit·tance *s econ.* ˈGegenriˌmesse *f*, -deckung *f*.

ˈ**coun·terˌrev·oˈlu·tion** *s pol.* ˈKonterrevolutiˌon *f.* — ˈ**coun·terˌrev·oˈlu·tion·ar·y I** *adj* ˈkonterrevolutioˌnär. – **II** *s* ˈKonterrevolutioˌnär(in). — ˈ**coun·terˌrev·oˈlu·tion·ist** *s* ˈKonterrevolutioˌnär(in).

ˈ**coun·ter·reˌvolv·ing** *adj tech.* gegenläufig.

ˈ**coun·ter·riˌposte** *s* (*Fechtkunst*) ˈGegenriˌposte *f*, -nachstoß *m.*

ˈ**coun·ter·roˌta·tion** *s tech.* Gegendrehung *f.*

ˌ**coun·terˈsab·oˌtage** *s mil.* Saboˈtageabwehr *f.*

ˈ**coun·terˌscale** *s* Gegengewicht *n.*

ˈ**coun·terˌscarp** *s mil.* ˈKonteresˌkarpe *f*, Gegenböschung *f.*

coun·ter·seal *hist. od. obs.* **I** *s* [ˈkauntərˌsiːl] Gegensiegel *n.* – **II** *v/t* [ˌ-ˈsiːl] gegensiegeln, mit einem Gegensiegel versehen.

ˌ**coun·ter·seˈcure** *v/t econ.* **1.** gegenversichern. – **2.** Rückbürgschaft leisten für. — ˌ**coun·ter·seˈcu·ri·ty** *s econ.* **1.** Gegensicherheit *f*, -bürgschaft *f.* – **2.** Gegen-, Rückbürge *m.*

ˈ**coun·terˌsense** *s* entgegengesetzter Sinn (*Wort etc*), Gegensinn *m.*

ˈ**coun·terˌshaft** *s tech.* Vorgelegewelle *f.* — **~ gear** *s tech.* Vorgelege(getriebe) *n.*

ˈ**coun·terˌsign I** *s* **1.** *mil.* Paˈrole *f*, Losungswort *n.* – **2.** Antwort-, Gegenzeichen *n.* – **3.** Gegenzeichnung *f.* – **II** *v/t* **4.** gegenzeichnen, ˈmitunterˌzeichnen. – **5.** *fig.* bestätigen, sanktioˈnieren.

ˈ**coun·terˌsig·nal** *s* **1.** ˈGegensiˌgnal *n.* – **2.** (*Telegraph od. Telephon*) Anruf *m* der ˈGegenstatiˌon.

ˌ**coun·terˈsig·na·ture** *s* ˈGegenzeichnung *f*, -ˌunterschrift *f.*

ˈ**coun·terˌsink** *tech.* **I** *s* **1.** Spitzsenker *m*, (Ver)Senker *m*, Versenkbohrer *m*, Krauskopf *m*, Ausräumer *m.* – **2.** Ansenkung *f*, Versenkung *f* (*für Schraubenköpfe etc*). – **3.** (Ver)Senkschraube *f.* – **II** *v/t irr* **4.** (*Loch*) ansenken, (aus)fräsen, (aus)räumen, ausreiben. – **5.** (*Schraubenkopf*) versenken, einlassen, einschleifen.

ˈ**coun·terˌslope** *s* **1.** ˈüberhängende Schräge. – **2.** *bes. mil.* Gegenböschung *f*, -hang *m*, innere Böschung *od.* Zehrung (*Schießscharte etc*).

ˈ**coun·terˌstate·ment** *s* Bestreitung *f*, widerˈlegende *od.* -ˈsprechende Aussage *od.* Feststellung.

ˈ**coun·terˌstroke** *s* Gegenschlag *m*, -hieb *m*, -stoß *m.*

ˈ**coun·terˌsunk** *adj tech.* **1.** versenkt. – **2.** Senk..., Senkkopf... – **3.** angesenkt, ausgefräst (*Loch*).

ˌ**coun·terˈtend·en·cy** *s* ˈGegentenˌdenz *f*, -bestrebung *f.*

ˌ**coun·terˈten·or** *s mus.* **1.** a) Altstimme *f*, b) Altsänger(in). – **2.** männliche Altstimme, Falˈsettstimme *f*, sehr hoher Teˈnor.

ˈ**coun·terˌthrust** *s* Gegenstoß *m.*

ˈ**coun·terˌtime** *s* **1.** (*Reitkunst*) schulwidrige Bewegung (*Pferd*), *bes.* Seitensprung *m.* – **2.** (*Fechtkunst*) Tempostoß *m*, Stoß *m* ins Tempo, Kontraˈtempo *n.*

ˈ**coun·terˌtrac·tion** *s med.* ˈGegenextensiˌon *f*, -zug *m* (*bes. zur Behandlung von Brüchen*).

ˈ**coun·terˌtrench** *s mil.* Gegenlaufgraben *m.*

ˈ**coun·terˌturn** *s* **1.** Gegenwendung *f*, -drehung *f.* – **2.** (*Theater*) Kataˈstase *f* (*abermalige Schürzung des Knotens*).

ˈ**coun·terˌtype** *s* **1.** gleichartiger Typ. – **2.** Gegentyp *m*, entgegengesetzter Typ.

ˈ**coun·terˈvail I** *v/t* **1.** mit gleicher Macht *od.* Kraft entgegenwirken *od.* -treten (*dat*). – **2.** aufwiegen, ausgleichen, kompenˈsieren. – **3.** *obs.* gleichkommen (*dat*). – **II** *v/i* **4.** (against) gleich stark sein (wie), stark genug sein (gegen), ausreichen (gegen). – *SYN. cf.* **compensate.** — ˈ**counterˌvail·ing du·ty** *s econ.* Ausgleichs-, Kompensatiˈonszoll *m.*

ˈ**coun·terˌview** *s* **1.** (*Optik*) Gegenansicht *f.* – **2.** *fig.* gegenteilige Ansicht, Gegenmeinung *f.* – **3.** *obs.* Konfrontatiˈon *f.*

ˌ**coun·terˈvote** *v/t* **1.** stimmen gegen. – **2.** überˈstimmen, niederstimmen.

ˌ**coun·terˈweigh I** *v/t* **1.** ein Gegengewicht bilden zu. – **2.** *fig.* kompenˈsieren, aufwiegen. – **II** *v/i* **3.** ein Gegengewicht bilden, ausgleichend wirken. — ˈ**coun·terˌweight** *s* **1.** *tech.* Gegengewicht *n*, Massenausgleich *m*: ~ brake Wurf(hebel)bremse. – **2.** *fig.* Gegengewicht *n* (to gegen). — ˈ**coun·terˌweight·ed** *adj* ausgewogen, ausgeglichen.

ˌ**coun·terˈwheel** *v/t u. v/i* **1.** *mil.* eine Gegenschwenkung machen (lassen). – **2.** *fig.* ˈumschwenken (lassen).

ˈ**coun·terˌword** *s* Allerˈweltswort *n.*

coun·ter·work I *s* [ˈkauntərˌwəːrk] **1.** ˈGegenanstrengung *f*, -handlung *f*, -operatiˌon *f.* – **2.** *mil.* Gegenverschanzung *f*, -befestigung *f.* – **3.** Gegenwerk *n* (*Buch*). – **II** *v/t* [ˌ-ˈwəːrk] **4.** entgegenarbeiten, -wirken (*dat*). – **5.** vereiteln. – **III** *v/i* **6.** Gegenanstrengungen machen. – **7.** zuˈwiderhandeln, oppoˈnieren, daˈgegenarbeiten.

count·ess [ˈkauntis] *s* **1.** Gräfin *f.* – **2.** Komˈteß *f*, Komˈtesse *f* (*unverheiratete Tochter eines nichtbrit. Grafen*). — ˈ**count·hood** *s* Grafenwürde *f.*

count·ing [ˈkauntiŋ] **I** *s* **1.** Zählen *n*, Rechnen *n.* – **2.** (Ab)Zählung *f.* – **II** *adj* **3.** Zähl..., Rechen... — **~ glass** *s tech.* Zählglas *n*, -lupe *f.* — ˈ**~ˌhouse** *s bes. Br.* Konˈtor *n*, Büˈro *n*, ˈBuchhaltung(sabˌteilung) *f.* — **~ ma·chine** *s* ˈRechenmaˌschine *f.* — **~ room** → countinghouse.

count·less [ˈkauntlis] *adj* zahllos, unzählig.

ˈ**count|-ˌout** *s pol. Br.* Vertagung *f* des ˈUnterhauses (*wenn weniger als 40 Mitglieder anwesend sind*). — **~ out** *s* (*Boxen*) Auszählen *n.* — **~ pal·a·tine** *s hist.* Pfalzgraf *m*: a) (*auf dem Kontinent*) *hoher Hofbeamter*, b) (*in England*) *mit königlichen Vorrechten ausgestatteter Earl.*

coun·tri·fied [ˈkʌntriˌfaid] *adj* **1.** ländlich, bäuerlich. – **2.** verbauert, bäurisch, ungeschliffen.

coun·try [ˈkʌntri] **I** *s* **1.** Gegend *f*, Landstrich *m*, -schaft *f*, Gebiet *n*: **virgin ~** Naturlandschaft. – **2.** Land *n*, (*geo- od. ethnographisch bestimmtes*) Gebiet. – **3.** Land *n*, Staat *m*: **landlocked ~** Binnenstaat; **native ~** Heimatland; **from all over the ~** aus dem ganzen Land; **~ of birth** Geburtsland; **~ of destination** Bestimmungsland; **~ of origin** Ursprungsland. – **4.** Heimat(land *n*) *f*, Vaterland *n*: **~ of adoption** Wahlheimat; **to leave the ~** auswandern. – **5.** Bevölkerung *f* (*eines Staates*), Volk *n*, Natiˈon *f*: **to appeal** (*od.* **go**) **to the ~** *pol.* an das Volk appellieren, die Entscheidung des Volkes einholen (on über *acc*), Neuwahlen ausschreiben. – **6.** Öffentlichkeit *f.* – **7.** *jur.* a) die durch die Geschworenen vertretenen Einwohner, b) Jury *f*, Geschworene *pl*: **trial by the ~** Verhandlung vor den Geschworenen. – **8.** ˈLand(diˌstrikt *m*) *n*, Proˈvinz *f* (*Gegensatz Stadt*): **in the ~** auf dem Lande; **to go (down) (in)to the ~** (*bes. von London*) aufs Land gehen. – **9.** Land *n*, Boden *m*, Terˈrain *n*: **flat ~** Flachland, Ebene; **hilly ~** Hügelland. – **10.** *fig.* Gebiet *n*: **that is quite new ~ to me** das ist ein ganz neues Gebiet für mich. – **11.** (*Bergbau*) a) Feld *n*, Reˈvier *n*, Gänge *pl*, b) Nebengestein *n*, Gebirge *n.* – **12.** (*Kricket*) die weit von den Toren entfernten Teile des Spielfelds. – **13.** *mar. Am.* unmittelbare Umˈgebung, ˈUmkreis *m* (*von Offiziersmesseräumen etc*). – **II** *adj* **14.** ländlich, vom Lande, Land..., Provinz... – **15.** bäurisch, ungeschliffen, ungehobelt: **~ manners.** – **16.** *Br. dial.* einheimisch, heimatlich, Landes...

coun·try| air *s* **1.** Landluft *f.* – **2.** bäurisches Aussehen *od.* Benehmen. — **~ al·mond** *s bot.* **1.** Kaˈtappenbaum *m*, Almond *m* (*Terminalia catappa*). – **2.** indische *od.* trop. Mandel (*Same des Katappenbaums*). — **~ bank** *s* Land-, Proˈvinzbank *f.* — **~ box** *s Br.* kleines Landhaus. — ˈ**~-ˌbred** *adj* auf dem Land erzogen *od.* aufgewachsen. — **~ bump·kin** *s* Bauerntölpel *m*, -lümmel *m.* — **~ club** *s* Sport- u. Gesellschaftsklub *m* auf dem Land (*für Städter*). — **~ cous·in** *s* **1.** Vetter *m od.* Base *f* vom Lande. – **2.** ‚Unschuld *f* vom Lande'. — ˈ**~-ˌdance** *s* **1.** (*Art*) Kontertanz *m.* – **2.** (*engl.*) Volks- *od.* Bauerntanz *m.* — **~ doc·tor** *s* Landarzt *m.*

coun·try·fied *cf.* countrified.

coun·try| fig *s bot.* **1.** *ein westafrik. Rubiaceenbaum* (*Sarcocephalus esculentus*). – **2.** →cluster fig. — ˈ**~ˌfolk** *s* **1.** Landsleute *pl.* – **2.** Bauern *pl*, Landvolk *n.* — **~ gen·tle·man** *s irr* **1.** Landedelmann *m.* – **2.** Eigentümer *m* eines Landgutes. – **3.** Mann *m* vom Lande. — **~ home, ~ house** *s* **1.** Landhaus *n*, Villa *f.* – **2.** Landsitz *m* (*Gutsbesitzer*). — **~ jake** *Am. für* country bumpkin. — **~ life** *s irr* Landleben *n.* — ˈ**~-ˌmade** *adj* **1.** auf dem Land ˈhergestellt, Land... – **2.** plump, bäu(e)risch (*Sachen*). — ˈ**~·man** [-mən] *s irr* **1.** Landsmann *m.* – **2.** Einwohner *m*, Bewohner *m* (*Land od. Gebiet*). – **3.** Landmann *m*, -bewohner *m*, Bauer *m.* — **~ par·ty** *s pol.* **1.** ˈBauern-, Aˈgrarierparˌtei *f*, Landbund *m.* – **2.** *eine austral. Agrarierpartei, die für Zusammenarbeit innerhalb des Empire eintritt.* – **3.** C~ P~ *Br. hist. um 1673 gegründete, gegen den Hof gerichtete Partei.* — ˈ**~ˌpeo·ple** → countryfolk. — **~ rock** *s* (*Bergbau*) Nebengestein *n*, Gebirge *n.* — ˈ**~ˌseat** *s* (größerer) Landsitz. — ˈ**~ˌside** *s* **1.** Landstrich *m*, (ländliche) Gegend. – **2.** ˈUmgegend *f.* – **3.** Landschaft *f.* – **4.** (Land)Bevölkerung *f.* — **~ song** *s* Volkslied *n.* — **~ squire** *s* Landjunker *m*, -edelmann *m.* — **~ store** *s Am.* kleiner Laden (*oft mit Postamt*) auf dem Land *od.* Dorf. — ˈ**~-ˈwide** *adj* über das ganze Land ausgedehnt *od.* verbreitet, im ganzen Land. — ˈ**~ˌwom·an** *s irr* **1.** Landsmännin *f.* – **2.** Einwohnerin *f*, Bewohnerin *f* (*Land od. Gebiet*). – **3.** Frau *f* vom Lande, Bäu(e)rin *f*, Bauersfrau *f.*

count·ship [ˈkauntʃip] *s* Grafenwürde *f.*

count wheel *s tech.* Stunden-, Zählrad *n* (*zur Regulierung der Glockenschläge*).

coun·ty[1] [ˈkaunti] *s* **1.** *Br.* Grafschaft *f* (*Verwaltungseinheit in Großbritannien, Irland u. mehreren brit. Dominien*): **the ~ of Kent** die Grafschaft Kent. – **2.** *Am.* Kreis *m*, (Verwaltungs)Bezirk *m* (*in allen Staaten der USA außer in Louisiana*). – **3.** a) *Br.* Grafschaft *f*, b) *Am.* Kreis *m* (*die Bewohner*). – **4.** *hist. od. obs.* Grafschaft *f* (*Besitztum eines Grafen*).

coun·ty[2] [ˈkaunti] *s obs.* Graf *m.*

coun·ty| at large *s* (hiˈstorische) Grafschaft (*mit den heutigen Grafschaften nicht übereinstimmend*). — **~ bor-**

ough *s Br.* Stadtkreis *m*, kreisfreie Stadt, (selbständige) Stadtgrafschaft (*meistens Städte mit über 75 000 Einwohnern*). — **~ col·lege** *s Br.* Fortbildungsschule *f* (*für Schüler beiderlei Geschlechts im Alter von 15 bis 18 Jahren; seit 1944*). — **~ com·mis·sion·er** *s Am.* (gewählter) Verwaltungsbeamter (*in einem Kreis*). — **~ con·stab·u·lar·y** → county police. — **~ cor·po·rate** *s Br.* Grafschaftsstadt *f*, (selbständige) Stadtgrafschaft (*Stadt, die eine eigene Grafschaft bildet*). — **~ coun·cil** *s Br.* Grafschaftsrat *m* (*Verwaltungsbehörde einer Grafschaft*). — **~ court** *s jur.* **1.** *Br.* Grafschafts-, Amtsgericht *n* (*Gericht erster Instanz, bes. zur Eintreibung kleiner Schulden*). – **2.** *Am.* a) Kreisgericht *n* (*für Zivil- u. Strafsachen geringerer Bedeutung, auch Berufungsinstanz gegen Entscheidungen des Friedensrichters od. eines Gemeindegerichts*), b) Kreisverwaltungsbehörde *f* (*in einigen Staaten*). – **3.** *Br. hist.* Grafschaftsversammlung *f*. — **ˌ~-'court** *v/t jur. colloq.* beim Grafschaftsgericht verklagen (*bes. zur Eintreibung von Schulden*). — **~ fam·i·ly** *s Br.* Adelsfamilie *f* (*mit dem Ahnensitz in einer Grafschaft*). — **~ pal·a·tine** *s hist.* Pfalzgrafschaft *f* (*in England die Grafschaften Lancashire, Cheshire u. Durham*). — **~ po·lice** *s* 'Grafschafts-, 'Landpoliˌzei *f*. — **~ seat** *s Am.* Kreis(haupt)stadt *f*. — **~ town** *s* Grafschafts-, Kreishauptstadt *f*.

coup [kuː] *s* **1.** Coup *m*, über'raschende erfolgreiche Handlung, gelungener Streich. – **2.** a) Handstreich *m*, b) Staatsstreich *m*. – **3.** Bra'vourstück *n*. – **4.** (*Billard*) di'rektes Einlochen des Balles. – **5.** einmalige Um'drehung des Rou'lettrades. — **~ de grâce** [ku də 'grɑːs] (*Fr.*) *s* Gnadenstoß *m* (*auch fig.*). — **~ de main** [ku də 'mɛ̃] (*Fr.*) *s bes. mil.* Handstreich *m*. — **~ de mai·tre** [ku də 'mɛːtr] (*Fr.*) *s bes. mil.* meisterhafter (stra'tegischer) Zug, Meisterstück *n*. — **~ de so·leil** [ku də sɔ'lɛːj] (*Fr.*) *s med.* Sonnenstich *m*. — **~ d'es·sai** [ku de'sɛ] (*Fr.*) *s* Experi'ment *n*, Versuch *m*. — **~ d'é·tat** [ku de'ta] (*Fr.*) *s* Staatsstreich *m*. — **~ de thé·â·tre** [ku də te'ɑːtr] (*Fr.*) *s* **1.** über'raschende Wendung (*in einem Theaterstück*). – **2.** Gag *m*, The'atercoup *m* (*auf Effekt berechnete Handlung*). — **~ d'oeil** [ku 'dœːj] (*Fr.*) *s* rascher ('Über)Blick.

cou·pé [*Br.* 'kuːpei; *Am.* kuː'pei] *s* Cou'pé *n*: a) [*Am. auch* kuːp] *zweitürige u. meist zweisitzige Limousine von sportlicher Form*, b) *geschlossene vierrädrige Kutsche mit einer Sitzbank*, c) *Br.* (*Eisenbahn*) Halbabteil *n* (*mit Sitzen auf nur einer Seite*), d) *vorderer Sitzraum einer Postkutsche*.

couped [kuːpt] *adj her.* (gerade) abgeschnitten (*Tierkopf etc*).

cou·ple ['kʌpl] **I** *s* **1.** Paar *n*: a ~ of a) zwei, b) *colloq.* ein paar, etliche; in ~s paarweise, zu zweit. – **2.** (*bes.* Ehe-, Liebes)Paar *n*, Pärchen *n*: dancing ~ Tanzpaar; loving ~ Liebespaar; married ~ Ehepaar. – **3.** Verbindungs-, Bindeglied *n*, Verbindung *f*. – **4.** Koppel *f*, Riemen *m*: to go (*od.* run) in ~s *fig.* aneinandergebunden sein; to hunt in ~s *fig.* stets gemeinsam *od.* in gegenseitigem Einverständnis handeln. – **5.** (*pl collect. oft* couple) Paar *n* (*zusammengekoppelte Tiere, bes. Rüden*). – **6.** *phys. tech.* (Kräfte)Paar *n*: ~ of forces Kräftepaar. – **7.** *electr.* Elek'trodenpaar *n*. – **8.** *arch.* Bundgespärre *n*, Dachbund *m*: main ~, principal ~ Voll-, Hauptgebinde. – **II** *v/t* **9.** (zu einem Paar) (zu'sammen)koppeln, verbinden, vereinigen. – **10.** paaren. – **11.** *colloq.* (*ein Paar*) verheiraten, ehelich verbinden. – **12.** *tech.* (an-, ein)kuppeln, verkuppeln. – **13.** *electr.* zu'sammenschalten, anschließen. – **14.** *electr.* (*Kreise*) (ver)koppeln: to ~ back rückkoppeln. – **15.** *arch.* (*Säulen*) koppeln, paarweise ordnen. – **16.** *mus.* (*Manuale od. Oktaven*) koppeln. – **17.** (*in Gedanken*) verbinden, in Verbindung bringen, zu'sammenbringen (with mit). – **III** *v/i* **18.** sich paaren, sich begatten. – **19.** sich (zu einem Paar) verbinden. – **20.** heiraten. – **21.** *electr.* koppeln. – **22.** *mus.* (sich) koppeln.

'cou·ple-ˌclose *s* **1.** → couple 8. – **2.** *her.* Sparrwerk *n*.

cou·pled ['kʌpld] *adj* **1.** zu einem Paar vereinigt, gepaart. – **2.** *tech.* gekuppelt. – **3.** *electr. phys.* ge-, verkoppelt: ~ by mechanical forces kraftschlüssig. — **~ col·umn** *s arch.* gekoppelte Säule. — **~ en·gine** *s tech.* gekuppelte Ma'schine, 'Zwillingsmaˌschine *f*.

cou·pler ['kʌplər] *s* **1.** j-d der *od.* etwas was (zu einem Paar) verbindet. – **2.** *mus.* Kopplung *f*, Koppel *f* (*der Orgel*). – **3.** *tech.* a) Schieber *m*, b) Kupp(e)lung *f*. – **4.** *electr.* a) Koppler *m*, Koppelglied *n*, Kopplungsspule *f*, b) ('Netz)Kuppel-, ('Netz)-Kupplungstransforˌmator *m*. — **~ jaw** *s tech.* Kuppelklaue *f*. — **~ plug** *s electr.* Gerätestecker *m*. — **~ sock·et** *s electr.* Gerätesteckdose *f*.

cou·ple skat·ing *s* (*Eis- u. Rollschuhlauf*) Paarlaufen *n*, -lauf *m*.

cou·plet ['kʌplit] *s* **1.** Vers-, *bes.* Reimpaar *n*. – **2.** *mus.* Du'ole *f*. – **3.** *selten* Paar *n*.

cou·pling ['kʌpliŋ] *s* **1.** Verbindung *f*, Vereinigung *f*. – **2.** Paarung *f*, Begattung *f*. – **3.** *tech.* Verbindung(s-stück *n*) *f*, Kupplungsstück *n*: hose ~ Schlauchkupplung. – **4.** *tech.* Kupplung *f*: conical ~ Konuskupplung; direct ~ kraftschlüssige Kupplung; disk ~ Scheibenkupplung. – **5.** (*Eisenbahn*) Kupplung *f*: automatic ~ selbsttätige Kupplung. – **6.** *electr.* Kupplung(sstück *n*) *f*, Anschlußstück *n*. – **7.** *electr.* (Ver)Kopplung *f* (*elektr. Kreise*): close (direct) ~ feste (galvanische) Kopplung; ~ factor Kopplungsfaktor, -grad. – **8.** *zo.* Mittelhand *f* (*Pferd*). — **~ box** *s tech.* Kupplungshülse *f*, -muffe *f*, -gehäuse *n*. — **~ chain** *s tech.* Kupplungskette *f*. — **~ chains** *s pl* (*Eisenbahn*) Kettenkupplung *f*. — **~ co·ef·fi·cient** *s electr.* 'Kopplungsˌkoeffiziˌent *m*, -grad *m*. — **~ coil** *s electr.* Kopplungsspule *f*. — **~ disk** *s tech.* Kupplungsscheibe *f*. — **~ gear** *s tech.* Einrückvorrichtung *f*. — **~ grab** *s tech.* Klauenkette *f*. — **~ nut** *s tech.* Spannschloß *n*, -mutter *f*, 'Überwurfmutter *f*. — **~ pin** *s tech.* Kupplungs-, Verschlußbolzen *m*, Mitnehmerstift *m*. — **~ rod** *s tech.* Kupplungs-, Kuppelstange *f*. — **~ sock·et** *s tech.* Muffe *f*. — **~ strap** *s* Kummetstrippe *f* (*am Pferdegeschirr*).

cou·pon ['kuːpɒn] *s* **1.** *econ.* Cou'pon *m*, Ku'pon *m*, Zinsschein *m*: detached ~ getrennter Coupon; sheet of ~s, ~ sheet Zinsschein-, Couponbogen. – **2.** a) Kassenzettel *m*, Gutschein *m*, Bon *m*, b) Berechtigungsschein *m*. – **3.** Ku'pon *m*, Gutschein *m*, Bestellzettel *m* (*zum Ausschneiden aus Zeitungsinseraten etc*). – **4.** *Br.* Abschnitt *m* (*der Lebensmittelkarte etc*): to spend (*od.* surrender) ~s Marken abgeben. – **5.** Kon'trollabschnitt *m*. – **6.** *pol. Br. sl.* Zustimmung *f* des Par'teiführers (*zur Kandidatur eines Wahlbewerbers seiner Partei*). — **~ bond** *s econ.* Inhaberschuldverschreibung *f*.

cour·age [*Br.* 'kʌridʒ; *Am.* 'kəːr-] *s* **1.** Mut *m*, Beherztheit *f*, Kühnheit *f*, Tapferkeit *f*: to have the ~ of one's convictions (stets) seiner Überzeugung gemäß handeln, Zivilcourage haben; to cool (*od.* damp) s.o.'s ~ j-s Mut dämpfen; to lose ~ den Mut verlieren; to pluck up (*od.* take) ~ Mut fassen; to screw up (*od.* summon up) all one's ~, to take one's ~ in both hands seinen ganzen Mut zusammennehmen, sich ermannen. – **2.** *obs.* Veranlagung *f*. – *SYN.* mettle, resolution, spirit, tenacity. — **cou·ra·geous** [kə'reidʒəs] *adj* mutig, beherzt, tapfer. – *SYN.* brave, dauntless, intrepid, valiant. — **cou'ra·geous·ness** *s* Mut *m*, Beherztheit *f*, Tapferkeit *f*.

cou·rant[1] *cf.* courante.

cou·rant[2] [*Br.* ku'rɑːnt; *Am.* ku'ræ(ː)nt] *adj her.* laufend.

cou·rant[3] [ku'rænt; 'kurənt] *s obs.* **1.** Bote *m*. – **2.** Zeitung *f* (*nicht obs. in Zeitungsnamen*).

cou·rante [ku'rɑːnt] *s* Cou'rante *f*, Cor'rente *f* (*Musikstück*). ['chini *pl*.]

cour·gettes [kur'ʒets] *s pl Br.* Zuc-

cour·i·er ['kuriər; *Am. auch* 'kəːr-] *s* **1.** Eilbote *m*, Ku'rier *m*. – **2.** a) *Br. hist.* Reisemarschall *m*, b) Reiseleiter *m*.

cour·lan ['kurlən] *s zo.* Riesenralle *f* (*Gattg Aramus*).

course [kɔːrs] **I** *s* **1.** a) Vorwärtsbewegung *f* (*in bestimmter Richtung*), b) Fahrt *f*, Reise *f*. – **2.** Lauf *m*, Weg *m*, (eingeschlagene) Richtung: to take one's ~ seinen Weg verfolgen *od.* gehen; to keep to one's ~ beharrlich seinen Weg verfolgen. – **3.** *mar.* a) Kurs *m* (*Fahrtrichtung*), b) Steuerkurs *m* (*Winkel des Kiels mit dem Meridian*): direct (magnetic, true) ~ gerader (mißweisender, rechtweisender) Kurs; to stand upon the ~ den Kurs halten; to steer the ~ Kurs steuern. – **4.** *aer.* Kurs *m*. – **5.** *fig.* Kurs *m*, Weg *m*, Me'thode *f*, Verfahren *n*, Art *f*, Weise *f*: ~ of action Handlungsweise; to adopt a new ~ einen neuen Kurs einschlagen; to try another ~ es anders versuchen, eine andere Methode anwenden (with s.o. bei j-m); to take one's own ~ seinen eigenen Weg gehen. – **6.** Verhaltensweise *f*, Benehmen *n*, Betragen *n*, Lebensweise *f*, -wandel *m*: (evil) ~s schlechtes Betragen, üble Gewohnheiten; to follow one's old ~s seinen bisherigen Lebenswandel weiterführen. – **7.** (zu'rückgelegter) Weg, Strecke *f*. – **8.** *sport* Rennstrecke *f*, -bahn *f*, -platz *m*: to clear the ~ die Bahn frei machen. – **9.** *auch* golf ~ *sport* Golfplatz *m*. – **10.** Fahrbahn *f*. – **11.** (Ver)Lauf *m* (*zeitlich*): in the ~ of time im Laufe der Zeit; in the ~ of three months im Laufe von drei Monaten; in the ~ of my life im Laufe meines Lebens. – **12.** Lebenslauf *m*, -bahn *f*, Karri'ere *f*. – **13.** (na'türlicher) Lauf, Verlauf *m*, Ablauf *m*, Fortschritt *m*: of ~ (*colloq. auch einfach* ~) natürlich, selbstverständlich; a matter of ~ eine Selbstverständlichkeit; ~ of nature natürlicher Lauf der Dinge; the ~ of a disease der Verlauf einer Krankheit; the sickness will take its ~ die Krankheit wird ihren Lauf nehmen; in ~ of construction im Bau (begriffen). – **14.** üblicher Gang *od.* Verlauf: ~ of affairs Geschäftsgang; ~ of business *econ.* (regelmäßiger) Geschäftsgang; ~ of law Rechtsgang, -weg; by due ~ of law dem Rechte gemäß. – **15.** richtige Ordnung *od.* Reihenfolge: in due ~ zur rechten Zeit, zu gehöriger *od.*

seiner Zeit. – **16.** regelmäßiger Wechsel, Aufein'anderfolge *f*: **the ~ of day and night** die Tag- und Nachtfolge. – **17.** Turnus *m*, regelmäßiger Wechsel (*der Dienstzeiten etc*). – **18.** Gang *m*, Gericht *n* (*Mahl*): **a four-~ meal** eine Mahlzeit mit vier Gängen; **last ~** Nachtisch, Dessert. – **19.** Zyklus *m*, (syste'matische) Reihe: **a ~ of lectures** eine Vortragsreihe. – **20.** Kurs(us) *m*, Lehrgang *m*: **to attend a ~** einen Lehrgang besuchen; **training ~** Übungskurs. – **21.** Lehrstufe *f*, Kurs *m*. – **22.** *med.* Kur *f*: **to undergo a ~ of (medical) treatment** sich einer Kur unterziehen. – **23.** *econ. obs.* (Geld-, Wechsel)Kurs *m*, No'tierung *f*: **~ of exchange** Wechselkurs; **forced ~** Zwangskurs. – **24.** *econ.* Marktlage *f*, Ten'denz *f*. – **25.** *mar.* unteres großes Segel: **mizzen ~** Besan-, Sturmsegel. – **26.** *arch.* Lage *f*, Schicht *f*, Reihe *f* (*Ziegel etc*): **~ of archstones** Wölbschicht; **~ of binders** Bindeschicht; **~ of stretchers** Läuferschicht. – **27.** (*Stricken*) Maschenreihe *f*. – **28.** *oft pl med.* Menstruati'on *f*, Peri'ode *f*, Regel *f*, Menstru'alblutung *f*. – **29.** Hetze *f* (*mit Hunden*). – **30.** *sport obs.* Rennen *n*. – **31.** *sport hist.* Gang *m* (*bes. Turnier*). – **32.** Verlauf *m*, Richtung *f*: **~ of flow** *phys.* Strömungsverlauf; **~ of the fibers** (*Br.* **fibres**) *biol.* Faserverlauf. – **33.** *geol.* Streichen *n* (*Lagerstätte*). – **34.** (*Bergbau*) Ader *f*, Gang *m*, stehendes Flöz: **~ of ore** Erzgang, -trum, -mittel. – **35.** *tech.* Bahn *f*, Strich *m*, Schnitt *m*, Schlag *m*, Hieb *m*, Zug *m*: **first ~** Grundhieb (*beim Feilenhauen*). –
II *v/t* **36.** durch'eilen, -'messen, -'queren, jagen durch *od.* über (*acc*). – **37.** verfolgen, treiben, jagen. – **38.** (*Wild, bes. Hasen*) hetzen. – **39.** (*Hunde*) hetzen, zur Hatz antreiben. –
III *v/i* **40.** einen Kurs verfolgen *od.* einschlagen. – **41.** rennen, eilen, jagen, stürmen (*auch fig.*): **to ~ through s.th.** *fig.* etwas durcheilen *od.* flüchtig durchgehen. – **42.** an einem Rennen, einer Hetzjagd *etc* teilnehmen.

cours·er[1] ['kɔːrsər] *s poet.* schnelles Pferd, Rennpferd *n*.

cours·er[2] ['kɔːrsər] *s* (*Hetzjagd*) **1.** Jäger *m*. – **2.** Jagdhund *m*.

cours·er[3] ['kɔːrsər] *s zo.* Rennvogel *m*, Wüstenläufer *m* (*Gattg Cursorius*).

cours·ing ['kɔːrsiŋ] *s* **1.** Hetzen *n*, Jagen *n*. – **2.** Hetzjagd *f* (*bes. auf Hasen*) mit Hunden.

court [kɔːrt] **I** *s* **1.** (Innen-, Vor)Hof *m*. – **2.** großes Gebäude mit Hof. – **3.** *bes. Br.* stattliches Wohngebäude, Herrensitz *m*, Pa'lais *n*. – **4.** a) kurze Straße *od.* Sackgasse, b) (*von Häusern eingeschlossener*) kleiner Platz, c) (*bes. in London*) schmale, enge Gasse. – **5.** *sport* Spielplatz *m*. – **6.** *sport* Ab'teilung *f*, Feld *n* (*Spielplatz*). – **7.** Hof *m*, Resi'denz *f* (*Monarch, Fürst etc*): **to be presented at ~** bei Hofe vorgestellt werden; **to have a friend at ~** *fig.* einen einflußreichen Fürsprecher haben. – **8.** a) fürstlicher Hof *od.* Haushalt, b) fürstliche Fa'milie, c) Hofstaat *m*: **to hold ~** Hof halten; **to keep ~** herrschen. – **9.** königliche *od.* fürstliche Re'gierung. – **10.** Hof *m*, Cour *f* (*formelle Versammlung bei Hof*): **to hold a ~** eine Cour abhalten. – **11.** Huldigung *f*, Ehrfurchtsbezeigung *f*. – **12.** *fig.* Hof *m*, Cour *f*, Aufwartung *f*, Gunstbewerbung *f*: **to pay (one's) ~ to s.o.** a) j-m (*bes. einer Dame*) den Hof machen, b) j-m seine Aufwartung machen. – **13.** *jur.* Gerichtshof *m*, -saal *m*: **to have the ~ cleared** den Gerichtssaal räumen lassen. – **14.** *jur.* Gericht(shof *m*) *n* (*die Richter*): **Supreme C~ of the United States** Oberbundesgericht der Vereinigten Staaten; **to appear in ~** vor Gericht erscheinen; **before a full ~** vor versammeltem Gerichtshof; **the ~ will not sit tomorrow** morgen findet keine Gerichtssitzung statt; **to bring into ~** vor (das) Gericht bringen, verklagen; **to come to ~** vor Gericht *od.* zur Verhandlung kommen, verhandelt werden (*Klagen*); **to go into ~** klagen; **out of ~** a) nicht zur Sache gehörig, irrelevant, b) indiskutabel, c) außergerichtlich; **to put oneself out of ~** sich eines Rechts begeben; **at the discretion of the ~** nach Ermessen des Gerichts; → **contempt** 4. – **15.** *jur.* (Gerichts)Sitzung *f*: **in open ~** in öffentlicher Sitzung *od.* Verhandlung, öffentlich vor Gericht; **to open the ~** die Sitzung eröffnen. – **16.** *pol.* (gesetzgebende) Versammlung: **the High C~ of Parliament** *Br.* Parlamentsversammlung. – **17.** Rat *m*, Versammlung *f*: **~ of assistance** Kirchenrat (*Pfarrei*); **~ of directors** Direktorenversammlung. – **18.** Ratssitzung *f*. – **19.** Zweig *m* (*Vereinigung*), Loge *f* (*Freimaurer*). –
II *v/t* **20.** (*j-m*) den Hof machen, (*j-m*) huldigen. – **21.** werben *od.* freien um (*eine Dame*). – **22.** *fig.* buhlen *od.* werben um: **to ~ s.o.'s favo(u)r** um j-s Gunst buhlen. – **23.** *fig.* sich bemühen um, suchen: **to ~ disaster** ein Unheil heraufbeschwören, mit dem Feuer spielen; **to ~ sleep** Schlaf suchen. – **24.** *fig.* verleiten, verlocken (**to do** zu tun). – *SYN. cf.* **invite**. –
III *v/i* **25.** freien: **to go ~ing** a) auf Freiersfüßen gehen, b) auf Liebe ausgehen. – **26.** *obs.* den Höfling spielen. –
IV *adj* **27.** Hof...

court| ball *s* Hofball *m*. — **'~₁bar·on** *s jur. Br.* Guts-, Patrimoni'algericht *n* (*für Streitigkeiten unter Gutsleuten*). — **'~₁bred** *adj* **1.** am Hofe erzogen. – **2.** mit höfischen Ma'nieren, höfisch. — **~ cal·en·dar** *s* Hofalmanach *m*. — **~ card** *s* Fi'guren-, Bilderkarte *f* (*König, Dame od. Bube*). — **C~ Cir·cu·lar** *s* (*täglicher*) Hofbericht, Hofnachrichten *pl*. — **'~₁craft** *s* **1.** höfische Gewandtheit. – **2.** 'Hofin₁trigen *pl*. – **3.** *sport* Geschicklichkeit *f od.* Rou'tine *f* im Tennisspiel. — **~ cup·board** *s* Kre'denztisch *m*. — **~ day** *s* Gerichtstag *m*, Ter'min *m*. — **~ dress** *s* **1.** (vorschriftsmäßige) Hofkleidung. – **2.** richterliche Amtskleidung.

cour·te·ous ['kɔːrtiəs] *adj* höflich, verbindlich, liebenswürdig, freundlich. – *SYN. cf.* **civil**. — **'cour·te·ous·ness** *s* Höflichkeit *f*, Liebenswürdigkeit *f*.

cour·te·san [*Br.* ₁kɔːti'zæn; *Am.* 'kɔːrtəzən; 'kɔːr-] *s* Kurti'sane *f*, Dirne *f*.

cour·te·sy ['kɔːrtisi; -tə-] **I** *s* **1.** Höflichkeit *f*, Verbindlichkeit *f* (**to, toward[s]** gegen): **by ~** aus Höflichkeit; **to be in ~ bound to do s.th.** anstandshalber verpflichtet sein, etwas zu tun; **~ of the port** Recht (*eines aus dem Ausland kommenden Seereisenden*) auf sofortige Zollabfertigung. – **2.** Gefälligkeit *f*: **to live with s.o. by ~** aus Gefälligkeit bei j-m wohnen (dürfen); **title by ~** ehrenhalber verliehener, nicht rechtlicher Titel; **by ~ of** mit freundlicher Genehmigung von. – **3.** (kleine) Aufmerksamkeit, kleines Geschenk. – **4.** *jur.* Nutznießung *f* (*eines Witwers am Grundbesitz seiner verstorbenen Ehefrau*). – **5.** → **curtsy** I. – **II** *v/i* **6.** → **curtsy** II. – **III** *adj* **7.** Höflichkeits... — **~ ti·tle** *s* Höflichkeits- *od.* Ehrentitel *m*.

cour·te·zan *cf.* **courtesan**.

court| fa·vo(u)r *s* Hof-, Fürstengunst *f*. — **~ fool** *s* Hofnarr *m*. — **~ guide** *s* 'Hof-, 'Adelska₁lender *m* (*Verzeichnis der hoffähigen Personen*). — **~ hand** *s* gotische Kanz'leischrift. — **'~₁house** *s Am.* **1.** Verwaltungs- u. Gerichtsgebäude *n* (*Kreis*). – **2.** *Am. dial.* Kreis(haupt)stadt *f*.

cour·ti·er ['kɔːrtiər; -tjər] *s* **1.** Höfling *m*, Hofmann *m*. – **2.** Schmeichler *m*.

court| la·dy *s* Hofdame *f*. — **~ lands** *s pl jur. Br.* Allodi'algüter *pl*. — **'~₁like** *adj* **1.** höfisch. – **2.** höflich.

court·li·ness ['kɔːrtlinis] *s* **1.** Vornehmheit *f*, Gepflegtheit *f*, Würde *f*. – **2.** Höflichkeit *f*. — **'court·ly I** *adj* **1.** vornehm, gepflegt, ele'gant. – **2.** höflich. – **3.** schmeichlerisch, kriecherisch. – **4.** *obs.* Hof... – *SYN. cf.* **civil**. – **II** *adv* **5.** höflich, in höflicher Weise.

'court|-'mar·tial *pl* **'courts-'mar·tial** **I** *s* Kriegsgericht *n*. – **II** *v/t pret u. pp* **-'mar·tialed**, *bes. Br.* **-'mar·tialled** vor ein Kriegsgericht stellen. — **~ mourn·ing** *s* Hoftrauer *f*. — **~ of ad·mi·ral·ty** *s jur.* Admirali'tätsgericht *n*. — **C~ of Ap·peal** *s jur.* Appellati'ons-, Berufungsgericht *n*. — **~ of ar·bi·tra·tion** *s jur.* Schiedsgericht *n*, Schlichtungskammer *f*. — **~ of as·size** *s jur.* As'sisengerichtshof *m* (*periodisch abgehaltenes Geschworenengericht*), Schwurgericht *n*. — **~ of chan·cer·y** *s jur.* Kanz'leigericht *n* (*Abteilung für Equity-Fälle des* **High Court of Justice**). — **C~ of Chiv·al·ry** *s hist.* Rittergericht *n*. — **C~ of Claims** *s jur. Am.* **1.** Beschwerdegerichtshof *m* (*für Ansprüche gegen die Bundesregierung*). – **2.** **c~ of c~** Fi'nanzbehörde *f* (*in einigen Verwaltungsbezirken*). — **C~ of Com·mon Pleas** *s jur.* **1.** *Am.* Kreisgericht *n* (*für Zivilprozesse*). – **2.** *Br. hist.* 'Hauptzi₁vilge₁richtshof *m*. — **~ of eq·ui·ty** *s* Billigkeitsgericht *n* (*für Zivilklagen*). — **C~ of Ex·cheq·uer Cham·ber** *s jur. hist.* Appellati'onsin₁stanz *f* (*in Zivilsachen*). — **~ of hon·o(u)r** *s* **1.** Ehrenhof *m*. – **2.** Ehrengericht *n*. – **3.** *meist* **C~ of H~** (*Pfadfinder*): a) *Br.* Diszipli'narausschuß *m*, b) *Am. öffentliche Veranstaltung für die Verleihung von Auszeichnungen.* — **~ of in·quir·y** *s mil.* Unter'suchungsausschuß *m* (*in Disziplinarangelegenheiten etc*). — **C~ of King's Bench** *s jur. hist. höchster engl. Gerichtshof des gemeinen Rechts.* — **~ of pro·bate** *s* Nachlaßgericht *n*. — **C~ of Queen's Bench** → **Court of King's Bench**. — **C~ of Ses·sion** *s* oberster Zi'vilgerichtshof (*in Schottland*). — **C~ of St. James's** *s* Hof *m* von St. James (*der brit. Königshof*). — **~ plas·ter** *s* Englisch-, Heftpflaster *n*. — **~ prom·is·es** *s pl* leere Versprechungen *pl*. — **'~₁room** *s* Gerichtssaal *m*.

court·ship ['kɔːrtʃip] *s* **1.** Hofmachen *n*. – **2.** Freien *n*, Werbung *f*: **days of ~** Zeit der jungen Liebe. – **3.** Huldigung *f*, Gunstbewerbung *f*. – **4.** *obs.* höfisches Betragen.

court| ten·nis *s sport hist.* Racket *n*, Federballspiel *n* (*altes, dem Tennis ähnliches Ballspiel, aus dem sich später das moderne Tennis entwickelte*). — **'~₁yard** *s* Hof(raum) *m*.

court·zi·lite ['kɔːrtsi₁lait; -sə-] *s* (*Art*) As'phalt *m*.

cous·cous[1] ['kuskus] *s zo.* Flecken-, Tüpfelkuskus *m*, Wangal *m* (*Spilocuscus od. Phalanger maculatus*; *Beuteltier*).

cous·cous[2] ['kus₁kus], *auch* ₁**cous·cou'sou** [-'suː] *s* Kus'kus *n*, Kus'kussu *n* (*nordafrik. Gericht aus Weizen- od. Maisgrütze*).

cous·in ['kʌzn] **I** *s* **1.** a) Vetter *m*, Cou'sin *m*, b) Base *f*, Cou'sine *f*: **first** (*od.* **full**) **~s** leibliche Vettern *od.*

Basen, Geschwisterkinder; second ~s Kinder der Geschwisterkinder, Vettern *od.* Basen zweiten Grades; **first ~ once removed** a) Kind eines leiblichen Vetters *od.* einer leiblichen Base, b) leiblicher Vetter *od.* leibliche Base eines Elternteils. – **2.** Verwandte(r) (*entfernteren Grades als Geschwister*): **to call ~s** sich auf die Verwandtschaft berufen (**with** mit); **forty-second ~** entfernter Verwandter. – **3.** Vetter *m*, Euer Liebden (*Anrede gekrönter Häupter untereinander od. im Verkehr mit Mitgliedern des eigenen Hochadels*). – **4.** Vetter *m*, Stammesverwandte(r): **our American ~s** unsere amerikanischen Vettern. – **5.** Vetter *m* (*als vertrauliche Anrede*). – **II** *v/t* **6.** *colloq.* (*j-n*) vettern, Vetter *od.* Base nennen, sich auf Verwandtschaft berufen mit (*j-m*).

'cous·in-'ger·man *pl* **'cous·ins-'ger·man** *s* leiblicher Vetter *od.* leibliche Base, Geschwisterkind *n.*

cous·in·hood ['kʌzn,hud] *s* **1.** Vetternschaft *f.* – **2.** *collect.* Vettern *pl*, Verwandtschaft *f.*

cous·in Jack·y *s Br.* (*Spitzname für einen*) Bewohner von Cornwall.

cous·in·ly ['kʌznli] *adj u. adv* vetterlich. — **'cous·in·ry** [-ri] *s collect.* **1.** Vetter(n)schaft *f*, Vettern *pl.* – **2.** Verwandtschaft *f.* — **'cous·in·,ship** *s* **1.** Vetter(n)schaft *f.* – **2.** Verwandtschaft *f.* — **'cous·in·y** *adj* **1.** vetterlich. – **2.** Vetter(n)...

cous·si·net ['kusinet] *s arch.* **1.** Kissen *n*, Ruhestein *m.* – **2.** Wulst *m*, Bogenrolle *f* (*am ionischen Kapitell*).

cou·teau [ku'to] *pl* **-teaux** [-'to] (*Fr.*) *s* **1.** (großes) Messer. – **2.** zweischneidiger Dolch.

couth·ie ['ku:θi] *adj Scot.* freundlich, angenehm.

cou·tu·rier [kuty'rje] (*Fr.*) *s* Schneider *m.* — **cou·tu·rière** [kuty'rjɛ:r] (*Fr.*) *s* Schneiderin *f.*

cou·vade [ku:'vɑ:d] *s* Cou'vade *f*, Männerkindbett *n.*

co·va·lence [kou'veiləns], **co'va·len·cy** *s chem.* Kova'lenz *f*: a) *Anzahl der Elektronenpaare, die ein Atom mit anderen gemeinsam haben kann*, b) *die durch gemeinsame Elektronenpaare geschaffene Bindung zwischen Atomen.*

co·var·i·ant [kou'vɛ(ə)riənt] *s math.* **I** *s* 'Kovari,ante *f.* – **II** *adj* 'kovari,ant.

cove¹ [kouv] **I** *s* **1.** kleine Bucht *od.* Bai. – **2.** Schlupfwinkel *m.* – **3.** *Scot. od. dial.* Höhle *f.* – **4.** Engpaß *m*, enger 'Durchlaß. – **5.** *Am.* von Wald eingeschlossener Prä'riestreifen. – **6.** *arch.* a) Wölbung *f*, b) Gewölbebogen *m*: **~ ceiling** → **~d ceiling.** – **II** *v/t arch.* **7.** (über)'wölben. – **III** *v/i arch.* **8.** sich wölben.

cove² [kouv] *s Br. sl.* Bursche *m*, Kerl *m*: **a rum ~** ein merkwürdiger Kauz.

coved [kouvd] *adj arch.* **1.** gewölbt, hohlrund. – **2.** über'wölbt. — **~ ceil·ing** *s arch.* Spiegeldecke *f.*

co·vel·line [ko'velain; -in], **co'vel·lite** [-lait] *s min.* Kupferindigo *m*, Covel'lin *m* (CuS).

cov·e·nant ['kʌvənənt] **I** *s* **1.** Vertrag *m*, Kon'trakt *m*: **breach of ~** Vertragsbruch. – **2.** Vertragsurkunde *f.* – **3.** Vertragsklausel *f.* – **4.** *relig.* feierliches Bündnis, feierlicher Vertrag. – **5. C~** *hist.* Covenant *m* (*Name mehrerer Bündnisse der schottischen Presbyterianer zur Verteidigung ihres Glaubens, bes.*): **The National C~** (*1638*); **The Solemn League and C~** (*1643*; *zwischen dem schottischen u. engl. Parlament abgeschlossen*). – **6.** *Bibl.* Bund *m* (*Gottes mit den Menschen*): **the Old (New) C~** der Alte (Neue) Bund; → **ark** 3. – **7.** *Bibl.* (göttliche) Verheißung: **the land of the ~** das Gelobte Land. – **8.** *jur.* a) (durch Siegel ratifi'zierter) For'malvertrag, b) Vertragsklausel *f.* – **9.** *jur. pol.* Satzung *f*, Sta'tut *n*: **C~ of the League of Nations** Völkerbundspakt (*1919*). – **II** *v/i* **10.** einen Vertrag schließen, eins werden, über'einkommen (**with** mit). – **11.** sich (schriftlich) verpflichten, sich gegenseitig geloben (**to do**; **that**). – *SYN.* **contract, engage, pledge, promise.** – **III** *v/t* **12.** (vertraglich) vereinbaren *od.* festlegen. – **13.** (vertraglich) gewähren. – **14.** feierlich geloben. — **'cov·e·nant·ed** *adj* **1.** vertraglich festgelegt, vertragsmäßig. – **2.** vertraglich gebunden: **~ service** *Br. hist.* vertragsmäßiger Staatsdienst (*in Indien*); **~ servant** Vertragsbeamter. — **,cov·e·nan'tee** [-'ti:] *s jur.* Empfänger *m* des Versprechens, Kontra'hent *m* (*zu dessen Gunsten ein Vertrag geschlossen wird*). — **'cov·e·nant·er** [-ər] *s* **1.** Vertragschließender *m*, Kontra'hent *m.* – **2. C~** [*Scot.* ,kʌvə'næntə] *hist.* Covenanter *m* (*Anhänger des* **National Covenant**). — **'cov·e·nan·tor** [-tər] *s jur.* versprechende Par'tei, Kontra'hent *m* (*der sich verpflichtet, die vertraglich festgelegten Leistungen auszuführen*).

Cov·ent Gar·den ['kɒvənt; 'kʌv-] *s* Covent Garden *m*: a) *der größte Obst-, Gemüse- u. Blumenmarkt Londons*, b) *berühmtes Opernhaus in London.*

cov·en·trize ['kɒvən,traiz; 'kʌv-], *auch* **'cov·en·,trate** [-,treit] *v/t* ‚coven'trieren', zerbomben, durch Bomben völlig zerstören. — **'Cov·en·try** [-tri] *npr* Coventry *n* (*engl. Stadt*): **to send s.o. to ~** *fig.* j-n gesellschaftlich ächten, j-n schneiden, mit j-m den Verkehr abbrechen.

cov·er ['kʌvər] **I** *s* **1.** Decke *f*: **to put a ~ on s.th.** etwas bedecken. – **2.** Deckel *m*, Verschluß *m* (*Gefäß etc.*). – **3.** Decke *f*, Deckel *m*, Einband *m* (*Buch*): **a book with paper ~s** ein broschiertes Buch. – **4.** ('Schutz),Umschlag *m.* – **5.** Hülle *f*, Futte'ral *n*, Kappe *f.* – **6.** 'Überzug *m*, Bezug *m*: **bed ~.** – **7.** 'Brief,umschlag *m*, Ku'vert *n*: **under same ~** mit gleichem Schreiben, beiliegend. – **8.** A'dreß-,umschlag (*der einen an j-d anders gerichteten Brief enthält*): **under ~ of** unter der Adresse von; **a letter under ~** ein an eine Deckadresse geschriebener Brief; **under ~** *fig.* geheim, verborgen, versteckt. – **9.** Faltbrief *m.* – **10.** (*Philatelie*) Ganzsache *f* (*Briefumschlag mit Marken u. Stempel*). – **11.** 'Umschlag *m*, Embal'lage *f*: **under separate ~** als gesondertes Paket. – **12.** Schutz *m* (**from** gegen): **under (the) ~ of** unter dem *od.* im Schutz von. – **13.** *mil.* Deckung *f* (**from** vor *dat*): **to take ~** in Deckung gehen, Deckung suchen *od.* nehmen; **air ~** Luftsicherung, Deckung *od.* Abschirmung durch die Luftwaffe. – **14.** schützendes Gebüsch (*für Tiere*). – **15.** *hunt.* Lager *n*, versteckter Ruheplatz (*Wild*): **to break ~** aus dem Lager hervorbrechen, ins Freie gehen; **to ride to ~** an einer Hetzjagd teilnehmen. – **16.** Ob-, Schutzdach *n*: **to get under ~** sich unterstellen. – **17.** Deckmantel *m*, Vorwand *m.* – **18.** Gedeck *n*, Ku'vert *n*: **to lay three ~s** 3 Gedecke auflegen. – **19.** *econ.* Deckung *f*, Sicherheit *f*: **~ ratio** Dekkungsverhältnis (*Banknoten etc*). – **20.** *arch.* verdeckter Teil (*Dachziegel etc*). – **21.** *tech.* Decke *f*, Mantel *m* (*Bereifung*). – **22.** *tech.* Schutzplatte *f.* –

II *v/t* **23.** bedecken, zudecken (**with** mit): **the grass is ~ed with beetles** das Gras ist voll *od.* wimmelt von Käfern; **to ~ one's head** seinen Kopf *od.* sich bedecken. – **24.** (*Fläche*) bedecken, einnehmen, sich erstrecken über (*acc*). – **25.** (*Papier*) beschreiben, vollschreiben, – **26.** über'ziehen, um'wickeln, um'hüllen, um'spinnen: **~ed buttons** überzogene Knöpfe; **~ed wire** umsponnener Draht; **to ~ with cloth** mit Tuch ausschlagen. – **27.** einhüllen, -wickeln, -schlagen (**in, with** in *acc*). – **28.** zudecken, verschließen: **to ~ a pot.** – **29.** *reflex* sich bedecken: **to ~ oneself with glory** sich mit Ruhm bedecken. – **30.** verdecken, -bergen, -wischen. – **31.** *meist* **~ up** *fig.* verbergen, -hüllen, -hehlen, bemänteln: **to ~ (up) one's mistakes.** – **32.** schützen, sichern (**from** vor *dat*, gegen). – **33.** *mil.* decken, schützen, abschirmen, sichern: **to ~ the retreat.** – **34.** *mil.* in 'einer Linie stehen vor (*dat*) *od.* hinter (*dat*), (*als Hintermann etc*) decken: **to be ~ed** auf Vordermann stehen. – **35.** *mil.* (*Gebiet*) beherrschen, im Schußfeld haben. – **36.** *mil.* (*Gebiet*) bestreichen, (mit Feuer) belegen. – **37.** zielen auf (*acc*), in Schach halten: **to ~ s.o. with a pistol.** – **38.** *econ.* decken, ausgleichen, bestreiten: **to ~ expenses** die Kosten decken *od.* bestreiten; **to ~ a loss** einen Verlust decken; **to ~ debts** Schulden (ab)decken; **to ~ one's liabilities** seinen Verpflichtungen nachkommen; **to be ~ed** Deckung in Händen haben. – **39.** *econ.* versichern. – **40.** *econ.* (*Anleihe*) zeichnen. – **41.** (*Wetten*) die gleiche Summe setzen gegen. – **42.** genügen *od.* ausreichen für. – **43.** um'fassen, -'schließen, einschließen, be'inhalten, behandeln, enthalten: **the book does not ~ that period.** – **44.** (*Zahl etc*) erreichen, voll ausfüllen. – **45.** (*Thema*) erschöpfend behandeln. – **46.** (*Presse, Rundfunk etc*) berichten über (*acc*): **to ~ the elections** über die Wahlen berichten. – **47.** (*Strecke*) zu'rücklegen: **to ~ ground** *fig.* Fortschritte machen. – **48.** (*Gebiet*) bereisen, bearbeiten: **this salesman ~s Utah.** – **49.** (*weibliches Tier*) decken, bespringen, (*Stute*) beschälen. – **50.** (*Eier*) ausbrüten. – **51.** (*Sünden*) vergeben, auslöschen. – **52.** (*Dach*) decken. – **53.** (*Glas*) plat'tieren, über'fangen. – **54.** (*Fußball etc*) decken. – **55.** Schmiere stehen für, (*j-m*) behilflich sein (*bei Diebstahl etc*). –

III *v/i* **56.** *bes. tech.* decken, einen (dichten) 'Überzug bilden: **this paint does not ~.** – **57.** den Hut aufsetzen. – **58.** *sport* decken. –

Verbindungen mit Adverbien:

cov·er| in *v/t* **1.** einhüllen. – **2.** (*Haus*) decken, bedachen. — **~ o·ver** *v/t* über'ziehen, -'decken: **the panes are covered over** die Scheiben sind beschlagen. — **~ up** *v/t* **1.** ganz zudecken *od.* verdecken. – **2.** verbergen, -stecken, -heimlichen, -tuschen.

cov·er ad·dress *s* 'Decka,dresse *f.*

cov·er·age ['kʌvəridʒ] *s* **1.** Er-, Um'fassen *n*, Um'schließen *n.* – **2.** a) erfaßtes Gebiet, erfaßte Menge, b) Streuungsdichte *f*, c) Geltungsbereich *m*, Verbreitung *f.* – **3.** *econ.* 'Umfang *m* (*einer Versicherung*), Versicherungsschutz *m.* – **4.** *econ.* Deckung *f* (*Währung*): **a twenty per cent gold ~** eine zwanzigprozentige Golddeckung. – **5.** (*Presse, Rundfunk etc*) Berichterstattung *f* (**of** über *acc*).

'cov·er|,alls *s* (*als pl konstruiert*) *Am.* Overall *m.* — **~ charge** *s* pro Gedeck berechneter Betrag, Gedeck *n.* — **~ crop** *s agr.* Deck-, 'Über-, Schutzfrucht *f.* — **~ de·sign** *s* Titelbild *n.*

cov·ered ['kʌvərd] *adj* **1.** bedeckt, (zu)gedeckt. – **2.** um'hüllt, um'wickelt. – **3.** versteckt, verborgen. – **4.** gedeckt, geschützt. – **5.** mit bedecktem Kopf, mit Kopfbedeckung. – 6. *econ.* gedeckt: ~ by gold goldgedeckt. — ~ **a·re·a** *s* 1. *mil.* Schußbereich *m*, -feld *n*. – 2. *Br.* über'dachter Vorplatz (*zu einem halben Keller*). — ~ **court** *s* (*Tennis*) über'decktes Spielfeld, Halle *f*. — ~ **smut** *s bot.* Hartbrand *m* (*Pflanzenkrankheit*). — ~ **wag·(g)on** *s* 1. *Am.* Planwagen *m*. – 2. *Br.* geschlossener Güterwagen.

cov·er·er ['kʌvərər] *s* 1. j-d der *od.* etwas was bedeckt, um'hüllt, über'zieht. – 2. *mil.* 'Hintermann *m*.

cov·er| girl *s* Titelbildschönheit *f*. — ~ **glass** *s* 1. (*Diaskop*) Deckglas *n*. – 2. (*Mikroskopie*) Deckgläschen *n*.

cov·er·ing ['kʌvəriŋ] **I** *s* 1. Bedeckung *f*, Decke *f*, Um'hüllung *f*, Um'kleidung *f*. – 2. (Be)Kleidung *f*. – 3. Hülle *f*, Mantel *m*, Futte'ral *n*. – 4. Deckel *m*. – 5. Dach *n*, Über'dachung *f*. – 6. 'Überzug *m*, Bezug *m*. – 7. *aer.* Bespannung *f*. – 8. Gla'sur *f*. – 9. Schutz *m*, Deckung *f*. – 10. *fig.* Deckmantel *m*. – 11. *econ.* Deckungskauf *m*. – 12. Dachdeckung *f*. – **II** *adj* 13. (be)deckend, Deck... – 14. beschützend, Schutz... – 15. *mil.* Deckungs..., Sicherungs... – 16. verbergend. — ~ **car·ti·lage** *s med. zo.* Deckknorpel *m*. — ~ **force** *s mil.* Sicherungs-, Deckungstruppen *pl*. — ~ **let·ter** *s* Begleitbrief *m*. — ~ **note** *s econ. Br.* Vorvertrag *m* (*für eine Feuerversicherung*). — ~ **par·ty** *s mil.* Sicherung *f*, Sicherungs-, Deckungstrupp *m*, Be'gleitkom,mando *n*. — ~ **po·si·tion** *s mil.* Aufnahmestellung *f*. — ~ **pow·er** *s tech.* Deckkraft *f* (*Farbe*).

cov·er·let ['kʌvərlit], *auch* **'cov·er·lid** [-lid] *s* (Bett)Decke *f*, ('Bett),Überwurf *m*.

cov·er| plate *s tech.* 1. Abdeck-, Deck(el)platte *f*. – 2. Schloßdeckel *m*. – 3. Verstärkungsplatte *f* (*bei Flanschen etc*). — ~ **point** *s* (*Kricket u. Lacrosse*) Spieler, der den point deckt. — ~ **re·mov·er** *s tech.* Abschöpflöffel *m*.

co·vers ['kouvəːrs] *Kurzform für* **coversed sine**. — **co·versed sine** ['kouvəːrst] *s math.* Kosinus *m* versus.

'cov·er|,side *s* 'Jagdre,vier *n*, -gebiet *n*. — ~ **slip** → cover glass 2. — ~ **stone** *s* (*Straßenbau*) Deckstein *m*.

cov·ert ['kʌvərt] **I** *adj* 1. geschützt, verborgen, gedeckt. – 2. heimlich, verborgen, versteckt. – 3. *jur.* verheiratet (*Frau*): feme ~ verheiratete Frau. – *SYN. cf.* **secret**. – **II** *s* [*Br. auch* 'kʌvə] 4. Deckung *f*, Schutz *m*, Obdach *n*. – 5. Versteck *n*, Schlupfwinkel *m*. – 6. *hunt.* Lager *n* (*Wild*). – 7. Verkleidung *f*. – 8. ['kʌvərt] *zo.* Deckfeder *f* (*Vögel*). – 9. → cloth. — ~ **cloth** ['kʌvərt; *Br. auch* 'kʌvə] *s* Covercoat *m* (*meist wasserabweisend imprägniert*). — ~ **coat** *s* Covercoat(mantel) *m*, Staubmantel *m*.

cov·ert·ly ['kʌvərtli] *adv* 1. geheim, verborgen. – 2. andeutungsweise. — **'cov·er·ture** [*Br.* -tjuə; *Am.* -tʃər] *s* 1. Decke *f*, Hülle *f*. – 2. Obdach *n*, Deckung *f*, Schutz *m*. – 3. Versteck *n*. – 4. *jur.* Fa'milienstand *m* der Ehefrau, Verheiratetsein *n* (*der Ehefrau*).

cov·et ['kʌvit; -ət] **I** *v/t* 1. (heftig) begehren, verlangen nach. – 2. (*widerrechtlich*) begehren, sich gelüsten lassen nach, trachten nach. – **II** *v/i* 3. verlangen, trachten (after, for nach). – *SYN. cf.* **desire**. — **'cov·et·a·ble** *adj* begehrenswert. — **'cov·et·er** *s* Begehrende(r), Lüsterne(r). — **'cov·et·ing I** *adj* begierig, lüstern. – **II** *s* Begehren *n*, Begierde *f*. — **'cov·et·ous** *adj* 1. heftig verlangend (of nach). – 2. (be)gierig, lüstern (of nach). – 3. habsüchtig. – 4. *obs.* eifrig strebend (of nach). – *SYN.* **acquisitive, avaricious, grasping, greedy**. — **'cov·et·ous·ness** *s* 1. heftiges Verlangen (*bes. nach dem Besitz anderer*). – 2. Gier *f*, Begierde *f*. – 3. Habsucht *f*, Geiz *m*.

cov·ey ['kʌvi] *s* 1. *zo.* Brut *f* (*Vogelmutter mit Jungen*), Hecke *f*. – 2. *hunt.* Volk *n*, Kette *f* (*Rebhühner*). – 3. Flug *m*, Schar *f*, Schwarm *m* (*Vögel*). – 4. *fig.* Schwarm *m*, Schar *f*, Trupp *m*, Gruppe *f* (*Mädchen etc*).

cov·in ['kʌvin] *s* 1. *jur.* betrügerisches Abkommen, arglistige Täuschung, Kollusi'on *f*. – 2. *obs.* Betrug *m*.

cov·ing ['kouviŋ] *arch.* **I** *adj* 1. vorgekragt, 'überhangend. – **II** *s* 2. 'Überhangen *n*. – 3. 'überhangendes Obergeschoß. – 4. schräge Seitenwände *pl* (*Kamin*). – 5. Gewölbebogen(reihe *f*) *m*.

cow[1] [kau] *pl* **cows**, *obs.* **kine** [kain] *s* 1. *zo.* Kuh *f*: **this ~ is a good milker** diese Kuh gibt viel Milch; → **calf**[1] 1. – 2. *zo.* Kuh *f*, Weibchen *n* (*bes. des Elefanten, Wals etc*). – 3. *vulg.* a) dummes Ding, ‚Trampel' *m, f, n*, b) blödes Vieh.

cow[2] [kau] *v/t auch* ~ **down** einschüchtern, entmutigen: to ~ **into obedience** durch Einschüchterung zum Gehorsam bewegen. – *SYN.* **browbeat, intimidate**.

cow[3] [kau] *v/t u. v/i Scot.* scheren, abschneiden.

cow·age *cf.* cowhage.

cow·an ['kouən] *s Scot.* 1. ohne Gewerbegenehmigung arbeitender Maurer. – 2. Eindringling *m* in eine Freimaurerloge.

cow·ard ['kauərd] **I** *s* Feigling *m*, Memme *f*. – **II** *adj* feig(e), verzagt, ängstlich. — **'cow·ard·ice** [-dis] *s* Feigheit *f*. — **'cow·ard·li·ness** *s* 1. Feigheit *f*. – 2. Erbärmlichkeit *f*. — **'cow·ard·ly I** *adj* 1. feig(e), zaghaft. – 2. erbärmlich, gemein (*Lüge*). – **II** *adv* 3. feige, in feiger Weise. – *SYN.* **craven, dastardly, poltroon, pusillanimous, recreant**.

'cow|,bane *s bot.* Wasserschierling *m* (*in Europa Cicuta virosa, in Nordamerika C. maculata u. Oxypolis rigidior*). — **'~,bell** *s* 1. Kuhglocke *f*. – 2. *bot.* → **bladder campion**. — **'~,ber·ry** *s bot.* 1. Preiselbeere *f* (*Vaccinium vitis-idaea minus*). — 2. Sumpfblutauge *n* (*Comarum palustre*). – 3. *Am.* (*eine*) Rebhuhnbeere (*Mitchella repens, eine Rubiacee, od. Gaultheria procumbens, eine Ericacee*). — **'~,bind** *s bot.* Gichtrübe *f* (*Bryonia alba*). — **'~,bird**, *auch* ~ **black·bird** *s zo.* Kuhstar *m* (*Molothrus ater*). — **'~,boy** *s* 1. Cowboy *m* (*berittener Rinderhirt*). – 2. Kuhjunge *m*, -hirt *m*. – 3. *hist.* Cowboy *m* (*königstreuer Freischärler im amer. Unabhängigkeitskrieg*). — ~ **bun·ting** → **cowbird**. — ~ **calf** *s irr* Kuhkalb *n*, Kalbe *f*. — **'~,catch·er** *s* Cowcatcher *m* (*fächerförmiger Bahnräumer an der Lokomotive*). — ~ **cher·vil** *s bot.* Gemeiner Kerbel (*Anthriscus vulgaris*). — ~ **cress** *s bot.* Brachen-, Feldkresse *f* (*Lepidium campestre*).

cow·die ['kaudi] → **kauri**.

cow·er ['kauər] *v/i* 1. kauern, (zu'sammengekauert) hocken: to ~ **over a fire** bei einem Feuer hocken; ~**ing plunge** *sport* Paketsprung. – 2. sich ducken (*aus Angst etc*). – 3. sich verkriechen. – *SYN. cf.* **fawn**[2].

'cow|-,fat *s bot.* 1. Roter Baldrian, Rote Spornblume (*Centranthus ruber*). – 2. → **cowherb**. — **'~,fish** *s zo.* 1. *ein kleiner Wal* (*Ordnung Cetaceae*). – 2. (*ein*) Kofferfisch *m* (*Fam. Ostraciidae*). – 3. (*eine*) Rundschwanz-Seekuh, (*ein*) Laman'tin *m* (*Gattg Manatidae*). — **'~,gate** *s* Viehweide *f*. — **'~,girl** *s* 1. (berittene) Kuhhirtin. – 2. Frau *f* in Cowboytracht. — **'~,grass** *s bot.* 1. Kopf-, Wiesenklee *m* (*Trifolium pratense*). – 2. Vogelknöterich *m* (*Polygonum aviculare*).

cow·hage ['kauidʒ] *s bot.* Mu'cuna *f*, Afrik. Juckbohne *f* (*Mucuna pruriens*). — ~ **cher·ry** *s bot.* 1. Kirschtanne *f*, Mal'pighie *f* (*Malpighia urens*). – 2. Bar'badoskirsche *f* (*Frucht von* 1).

cow| hand *s* Rinderhirt *m*, Cowboy *m*. — **'~'heart·ed** *adj* feig(e). — **'~,heel** *s* Kuhfuß-, Kalbsfußsülze *f*. — **'~,herb** *s bot.* Kuhnelke *f* (*Vaccaria vulgaris*). — **'~,herd** *s* Kuhhirt *m*. — **'~,hide I** *s* 1. Kuhhaut *f*. – 2. Rind-, Kuhleder *n*, zugerichtete Kuhhaut. – 3. (geflochtene) starke Lederpeitsche, Ochsenziemer *m*. – 4. *pl Am.* (schwere) Rindlederschuhe *pl od.* -stiefel *pl*. – **II** *v/t* 5. mit dem Ochsenziemer schlagen, (aus)peitschen. — **'~-,hitch** *s mar. sl.* nicht seemännischer Knoten. — **'~·itch** [-itʃ] → **cowhage**. — ~ **kill·er** *s zo. Am.* (*eine*) Bienenameise: a) Kuhtöter *m* (*Sphaerophthalma occidentalis*), b) *Dasymutilla occidentalis* (*südwestl. USA*).

cowl[1] [kaul] *s* 1. Mönchskutte *f* (*mit Kapuze*). – 2. Ka'puze *f*. – 3. *tech.* (drehbare) Schornsteinkappe, Windhaube *f*. – 4. *tech.* Draht-, Rauchhaube *f* (*Lokomotive*). – 5. *tech.* Funkenrost *m*, Sieb *n*. – 6. *tech.* Vorderteil *m* der Karosse'rie (*das Armaturenbrett u. die Windschutzscheibe umfassend*). – 7. → **cowling**. – 8. *tech.* Verkleidung *f*, Verschalung *f*, Mantel *m*. – **II** *v/t* 9. zu einem Mönch machen, (*j-m*) die Mönchskutte anziehen. – 10. mit einer Ka'puze *etc* bedecken.

cowl[2] [koul; kuːl] *s Br. dial.* Zuber *m*, großes Waschgefäß.

cowled [kauld] *adj* 1. mit einer Mönchskutte *od.* Ka'puze bekleidet. – 2. *bot. zo.* ka'puzen-, kappenförmig.

'cow|,lick *s* (über der Stirn) hochstehende Haarlocke. — ~ **lil·y** *Am. für* **marsh marigold**.

cowl·ing ['kauliŋ] *s aer.* (*stromlinienförmige, abnehmbare*) Motorhaube.

'cowl,staff *s irr Br. dial.* Zuberstange *f* (*mit der zwei Personen einen Zuber tragen können*).

'cow·man [-mən] *s irr* 1. *Am.* Rinderzüchter *m*, -herdenbesitzer *m*. – 2. Kuhknecht *m*, Schweizer *m*.

co-work [kou'wəːrk] *v/i* mit-, zu'sammenarbeiten. — **co-'work·er** *s* Mitarbeiter(in).

cow| pars·ley → **cow chervil**. — ~ **pars·nip** *s bot.* Herkuleskraut *n*, Bärenklau *m, f* (*Gattg Heracleum*). — **'~,pea** *s bot.* Langbohne *f*, Chi'nesische Bohne (*Vigna sinensis, Pflanze od. ihre eßbaren Samen*). — **'~,pen I** *s* Kuhhürde *f*. – **II** *v/t* (*Boden*) (durch Errichtung von Kuhhürden) düngen.

Cow·per·i·an glands [kau'pi(ə)riən; kuː-] → **Cowper's glands**. — **,cow·per'i·tis** [-pə'raitis] *s med.* Entzündung *f* der Cowperschen Drüsen. — **'Cow·per's glands** [-pərz] *s pl med.* Cowpersche Drüsen *pl*.

cow| pi·lot → **pintano**. — ~ **poi·son** *s bot.* Kaliforn. Rittersporn *m* (*Delphinium trolifolium*). — **'~,poke** → **cowpuncher**. — ~ **po·ny** *s Am.* Pony *n*, Pferd *n* (*zum Kühehüten*). — **'~,pox** *s med.* Kuh-, Impfpocken *pl*. — **'~,punch·er** *s Am. colloq.* Cowboy *m*.

cow·rie, cow·ry ['kauri] *s* 1. *zo.* (*eine*) Porzel'lanschnecke (*Gattg Cypraea*), *bes.* Kaurischnecke *f* (*C. moneta*). – 2. Kaurischale *f* (*als Geld*).

cow| shark *s zo.* Kuhhaifisch *m* (*Hexanchus griseus*). — **'~,shed** *s* Kuhstall *m*. — **'~,shot** *s* (*Kricket*) *sl.*

heftiger Schlag in geduckter Stellung. — '~ˌskin → cowhide 1-3. — '~-slip *s bot.* **1.** *Br.* Duftende Schlüsselblume, Himmel(s)schlüssel *m* (*Primula veris*). – **2.** *Am. für* **marsh marigold.** – **3.** → **American** ~.

cow's lung·wort [kauz] *s bot.* Frauen-, Himmelskerze *f* (*Verbascum thapsus*).

cow| tree *s bot.* **1.** Südamer. Kuh- *od.* Milchbaum *m* (*Brosimum galactodendron*). – **2.** *ein trop.-amer. Baum mit ungiftigem Milchsaft* (*z.B. Mimusops elata u. Couma-Arten*). — ~ **vetch** *s bot.* Vogelwicke *f* (*Vicia cracca*). — '~ˌ**weed** → **cow chervil.** — '~ˌ**wheat** *s bot.* Wachtelweizen *m* (*Gattg Melampyrum*), *bes.* Ackerwachtelweizen *m* (*M. arvense*).

cox [kɒks] *colloq. für* ~**swain.**

cox·a ['kɒksə] *pl* **-ae** [-iː] *s* **1.** *med.* a) Hüfte *f*, Hüftbein *n*, -knochen *m*, b) Hüftgelenk *n*. – **2.** *zo.* (*Insekten, bes. Spinnen*) Coxa *f*, Hüftglied *n*, erstes Ge'lenksegˌment (*des Beins*). — '**cox·al** *adj med. zo.* Hüft...: ~ **cavity** Hüfthöhle.

cox·al·gi·a [kɒk'sældʒiə] *s med.* Coxal'gie *f*, Hüftschmerz *m*. — **cox'al·gic** *adj med.* cox'algisch. — '**coxˌal·gy** [-dʒi] → **coxalgia.**

cox·comb ['kɒksˌkoum] *s* **1.** Geck *m*, Stutzer *m*. – **2.** *cf.* **cockscomb.** – **3.** *obs.* a) (Hahnenkamm *m* der) Narrenkappe *f*, b) Kopf *m*. — **cox'comb·i·cal** [-'koumikəl; -'kɒm-] *adj* gecken-, stutzerhaft, albern, eingebildet. — '**coxˌcomb·ry** [-ˌkoumri] *s* Geckenhaftigkeit *f*, Albernheit *f*.

coxed four [kɒkst] *s sport* Vierer *m* mit Steuermann, Vierer ‚mit' *m*.

cox·i·tis [kɒk'saitis] *s med.* Cox'itis *f*, Hüftgelenkentzündung *f*. — ˌ**cox·o'fem·o·ral** [-so'femərəl; -sə-] *adj med.* Hüft- u. Oberschenkel...

cox·swain ['kɒksn; -ˌswein] **I** *s* **1.** Steuermann *m* (*Boot*). – **2.** Boot(s)führer *m*. – **II** *v/t u. v/i* **3.** steuern: ~**ed four** → **coxed four.** — '**cox·swain·less** *adj* ohne Steuermann: ~ **pair** *sport* Zweier ohne Steuermann.

Cox·well chair ['kɒkswel; -wəl] → **Cogswell chair.**

cox·y ['kɒksi] *adj Scot. od. dial.* eingebildet, arro'gant.

coy [kɔi] **I** *adj* **1.** schüchtern, bescheiden, scheu, zu'rückhaltend (of in *dat*): ~ **of speech** wortkarg. – **2.** geziert, spröde, affek'tiert *od.* ko'kett (abweisend) (*Mädchen*). – **3.** abgeschlossen (*Ort*). – **4.** *obs.* a) verachtungsvoll, b) ruhig. – *SYN. cf.* **shy**[1]. – **II** *v/i obs* **5.** schüchtern sein, sich zieren. – **III** *v/t obs.* **6.** a) beruhigen, b) streicheln. — '**coy·ness** *s* **1.** Schüchternheit *f*, Zu'rückhaltung *f*, Scheu *f*. – **2.** Geziertheit *f*, Sprödigkeit *f*.

coy·ote [kai'outi; 'kaiout] *s* **1.** *zo.* Prä'rie-, Steppenwolf *m*, Coy'ote *m* (*Canis latrans*). – **2.** *Am. eine Sagengestalt der Indianer des Westens.* – **3.** *Am. colloq.* Schuft *m*, ‚Hund' *m* (*Schimpfwort*). — **C~ State** *s* (*Spitzname für*) 'Süddaˌkota *n* (*USA*).

co·yo·til·lo [ˌkoujou'tiːljou; ˌkaiou-] *pl* **-los** *s bot. ein Kreuzdorngewächs mit giftigen Früchten* (*Karwinskia humboldtiana; südl. USA, Mexiko*).

coy·pu ['kɔipuː] *pl* **-pus**, *collect.* **-pu** *s* **1.** *zo.* Koipu *m*, Nutria *f*, Biberratte *f* (*Myocastor coypus*). – **2.** Nutriapelz *m*, -fell *n*.

coz [kʌz] *s colloq.* **1.** Vetter *m*. – **2.** Base *f*.

coze *cf.* **cose.**

coz·en ['kʌzn] *v/t u. v/i* **1.** betrügen, täuschen, prellen (of, out of um). – **2.** betören, locken, ködern: to ~ **into doing s.th.** durch Täuschung (ver)locken, etwas zu tun; to ~ **s.th. out of s.o.** j-m etwas abschmeicheln. – *SYN. cf.* **cheat**[1]. — '**coz·en·age** *s* **1.** Betrügen *n*, Täuschen *n*. – **2.** Betrug *m*, Täuschung *f*. — '**coz·en·er** *s* Betrüger *m*, Schwindler *m*.

co·zey, co·zie *cf.* **cosy** 1.

co·zi·ness, co·zy *cf.* **cosiness, cosy.**

C Q *Rufzeichen vor* (*allgemeinen*) *Funkmitteilungen.*

craal *cf.* **kraal.**

crab[1] [kræb] **I** *s* **1.** *zo.* a)'Krabbe *f* (*Unterordnung Brachyura*), b) (*ein*) Mittelkrebs *m* (*Unterordnung Anomura*). – **2.** C~ *astr.* Krebs *m*. – **3.** (*Rudern*) Fehlschlag *m*: to **catch a** ~ a) ‚einen Krebs fangen' (*mit dem Ruder im Wasser steckenbleiben*), b) einen Luftschlag machen. – **4.** *aer.* Schieben *n*, (plötzliche) Versetzung (*durch Seitenwind*). – **5.** *mar.* a) Winde *f*, Gangspill *n*, b) Schlitten *m* (*der Reepschläger*). – **6.** *tech.* a) Hebezeug *n*, b) Bock-, Schachtwinde *f*, c) Laufkatze *f*, d) Befestigungsklammer *f* (*für transportable Maschinen*). – **7.** *pl* niedrigster Wurf (*beim Würfelspiel*): to **turn out** ~**s** *sl.* schiefgehen. – **8.** → ~ **louse.** – **II** *v/i pret u. pp* **crabbed 9.** Krabben fangen. – **10.** *mar.* dwars abtreiben. – **III** *v/t* **11.** (*Flugzeug*) schieben, im Seitenwind gegensteuern. – **12.** (*Textilwesen*) krabben, einbrennen.

crab[2] [kræb] **I** *s* **1.** → ~ **apple.** – **2.** Knotenstock *m*. – **3.** Griesgram *m*, Nörgler *m*, Miesmacher *m*, Drückeberger *m*, Queru'lant *m*. – **II** *adj* **4.** Holzapfel... – **5.** sauer, herb.

crab[3] [kræb] *pret u. pp* **crabbed I** *v/t* **1.** kratzen, krallen (*Falke*). – **2.** *colloq.* bekritteln, her'untermachen, bemängeln, (her'um)nörgeln an (*dat*). – **3.** *colloq.* verderben, verpatzen, verpfuschen. – **II** *v/i* **4.** raufen, ein'ander krallen (*Falken*). – **5.** *colloq.* nörgeln, kritteln. – **6.** *Am. sl.* murren, schmollen, einen Flunsch ziehen.

crab| an·gle *s aer.* Vorhalte-, Luvwinkel *m*. — ~ **ap·ple** *s* **1.** *auch* ~ **tree** *bot.* (*ein*) Holzapfelbaum *m* (*Malus silvestris, Europa; M. ioensis, M. coronaria, Nordamerika*). – **2.** Holzapfel *m* (*Frucht*). – **3.** kleiner, saurer Edelapfel.

crab·bed ['kræbid] *adj* **1.** griesgrämig, mürrisch, kratzbürstig, mo'ros, verdrießlich. – **2.** reizbar, ner'vös. – **3.** dunkel, verworren, unklar, schwer verständlich: ~ **style.** – **4.** schwer zu entziffern(d), kritz(e)lig, unleserlich (*Handschrift*). – *SYN. cf.* **sullen.** — '**crab·bed·ness** *s* **1.** Griesgrämigkeit *f*, Mürrischkeit *f*, Verdrießlichkeit *f*. – **2.** Reizbarkeit *f*, Nervosi'tät *f*. – **3.** Verworrenheit *f*, Unklarheit *f*. – **4.** Unleserlichkeit *f* (*Handschrift*). — '**crab·ber** *s Am. sl.* Nörgler *m*, Brummbär *m*, Miesepeter *m*. — '**crab·bing** *s* (*Textilwesen*) Krabben *n*, Einbrennen *n*: ~ **machine** Krabb-, Einbrennmaschine. — '**crab·by** *adj* **1.** krabbenartig. – **2.** voller Krabben. – **3.** → **crabbed** 1 *u.* 2.

crab| cac·tus *s bot.* Weihnachtskaktus *m* (*Zygocactus truncatus; Südamerika*). — '~ˌ**catch·er** *s* **1.** Krabben-, Krebsfänger *m*. – **2.** *zo.* a) *ein Krabben fressender Reiher* (*Gattg Ardea*), b) → **boatbill.** — ~ **claw** *s tech.* Klaue(nkupplung) *f*, Greifer *m*. — '~ˌ**eat·er** *s zo. ein Krabben fressendes Tier, bes.* → **sergeant fish.** — ~ **grass** *s bot.* **1.** (*ein*) Fingergras *n* (*Gattg Digitaria, bes. D. sanguinalis*). – **2.** Eleu'sine *f*, Fingerhirse *f* (*Eleusine indica*). – **3.** Vogelknöterich *m* (*Polygonum aviculare*). – **4.** (*ein*) Glasschmalz *n* (*Salicornia europea*). — ~ **har·row** *s agr.* schwere Ackeregge. — ~ **louse** *s irr zo.* Filzlaus *f* (*Phthirius pubis*).

crab's eye [kræbz] **1.** *pl zo.* Krebsmagensteine *pl*, Krebsaugen *pl*. – **2.** *bot.* Pater'nosterˌerbse *f* (*Samen von Abrus precatorius*).

crab| spi·der *s zo.* (*eine*) Krabbenspinne (*Fam. Thomisidae*). — '~ˌ**stick** *s* **1.** Holzapfel-, Knotenstock *m*. – **2.** Griesgram *m*, Queru'lant *m*. — ~ **tree** *s bot.* **1.** → **crab apple** 1. – **2.** *eine austral. Euphorbiacee* (*Petalostigma quadriloculare*). — '~ˌ**wood** *s bot. ein giftiger Euphorbiaceen-Baum* (*Gymnanthes lucida; Florida u. Westindien*). — ~ **wood** *s* **1.** *bot.* Crapholzbaum *m* (*Carapa guianensis*). – **2.** Crapholz *n*.

crack [kræk] **I** *s* **1.** Krach *m*, Knall *m*, Knacks *m*, Knacken *n*: a ~ **of a whip** ein Peitschenknall; **the** ~ **of doom** der Donner des Jüngsten Gerichts. – **2.** *colloq.* Klaps *m*, (tüchtiger) Schlag. – **3.** Sprung *m*, Riß *m*, Schrund(e *f*) *m*: **failure** ~ *tech.* Bruchriß. – **4.** Spalte *f*, Spalt *m*, Riß *m*, Ritz *m*. – **5.** geistiger De'fekt, Knacks *m*: **he has a** ~. – **6.** Stimmbruch *m*. – **7.** *colloq.* Gelegenheit *f*, Chance *f*. – **8.** *sl.* Versuch *m*, Experi'ment *n*. – **9.** *sl.* a) Witz *m*, b) Seitenhieb *m*, Stiche'lei *f*. – **10.** *colloq.* a) Crack *m*, ‚Ka'none' *f* (*bes. Sportsmann*), b) ‚Pfundsding' *n*, Prachtstück *n* (*bes. Rennpferd*). – **11.** *colloq.* Augenblick *m*, Nu *m*: in a ~ im Nu. – **12.** *sl.* a) Einbruch *m*, b) Einbrecher *m*. – **13.** *Scot. od. dial.* a) Plaude'rei *f*, Unter'haltung *f*, b) Klatsch *m*, Tratsch *m*. – **14.** *obs. od. dial.* a) Prahle'rei *f*, b) Lüge *f*. – **II** *adj* **15.** *colloq.* erstklassig, Elite..., Meister..., fa'mos, großartig: a ~ **player** ein Meisterspieler; a ~ **team** *sport* eine erstklassige Mannschaft. – **III** *adv* **16.** mit einem Krach *od.* Knall, krachend, knackend. – **IV** *v/i* **17.** krachen, knacken, knallen. – **18.** (zer)springen, (zer)platzen, (zer)bersten, (zer)brechen, rissig werden, (auf)reißen: ~**ed skin** aufgesprungene Haut. – **19.** platzen. – **20.** brechen, 'umschlagen (*Stimme*). – **21.** *sport sl.* ka'puttgehen, in die Brüche gehen. – **22.** *sl.* nachlassen, erlahmen. – **23.** to ~ **hardy** *colloq.* (*bes. Austral.*) sich zu'sammenreißen. – **24.** *dial.* prahlen, aufschneiden. – **25.** *Scot. od. dial.* plaudern, schwatzen. – **V** *v/t* **26.** knallen mit, knacken *od.* krachen lassen: to ~ **a whip** mit einer Peitsche knallen; to ~ **a smile** *sl.* ‚feixen', lächeln; → **joke** 1. – **27.** zerbrechen, (zer)spalten, (zer)sprengen: to ~ **an egg** ein Ei aufschlagen; → **bottle**[1] 1. – **28.** (*Nuß*) (auf)knacken. – **29.** *colloq.* (auf)knacken, einbrechen in (*acc*): to ~ **a safe** einen Geldschrank knacken. – **30.** (*Ruf, Ansehen etc*) rui'nieren, zerstören. – **31.** (*die Stimme*) rauh u. gebrochen machen. – **32.** (*Herz*) brechen, (*j-n*) tief erschüttern. – **33.** verrückt machen, zum Wahnsinn treiben. – **34.** *vulg.* einen Klaps geben (*dat*). – **35.** *tech.* a) (*Erdöl*) kracken, dem Krackverfahren unter'werfen, b) (*Glas*) kraque'lieren. – **36.** *Am.* (*Korn*) schroten. – **37.** *obs.* prahlen mit. –

Verbindungen mit Adverbien:

crack| down *v/i Am. colloq.* e'nergisch 'durchgreifen: **he cracked down on his assistant** ‚er nahm seinen Assistenten unter die Fuchtel'. — ~ **on** *mar.* **I** *v/t* (*mehr Segel od. Schraubenumdrehungen*) zulegen. – **II** *v/i* alles 'hergeben, unter vollem Zeug laufen (*Schiff*). — ~ **up I** *v/i* **1.** (*körperlich od. seelisch*) zu'sammenbrechen. – **2.** *aer.* abstürzen, Bruch machen. – **II** *v/t* **3.** *colloq.* her'ausstreichen, loben, ‚in den Himmel heben'.

crack·a·jack ['krækəˌdʒæk] *sl.* **I** *s* **1.** fa'mose Per'son, Prachtkerl *m*, ‚Ka'none' *f*. – **2.** fa'mose Sache, ‚Pfundsding' *n*, Prachtstück *n*. – **II** *adj* **3.** e'norm, glänzend, erstklassig.

'**crack|ˌbrain** *s* Verrückter *m*, ‚Spinner' *m*. — '~ˌ**brained** *adj* verschroben, verrückt: to be ~ ‚einen Vogel haben'. — '~ˌ**down** *s Am. sl.* (plötzliche) Maßregelung.

cracked ['krækt] *adj* **1.** gesprungen, rissig, geborsten. – **2.** zersprungen, zerbrochen. – **3.** geschrotet (*Getreide*). – **4.** rui'niert, zerstört (*Ruf*). – **5.** *colloq.* verrückt, verdreht, ‚'übergeschnappt'. – **6.** rauh, gebrochen (*Stimme*). — ~ **gas·o·line** *s tech.* gekracktes Ben'zin, 'Krack-, 'Spaltbenˌzin *n*.

crack·er ['krækər] *s* **1.** *bes. Am.* (*knusprige, dünne, ungesüßte Art*) Keks *m, n*, Cracker *m*, Zwieback *m*. – **2.** (*Feuerwerk*) Schwärmer *m*, Frosch *m*. – **3.** *auch* ~ **bonbon** 'Knallbonˌbon *m, n*. – **4.** Brecher *m*, Knacker *m*: **nut**~. – **5.** *tech.* Brechwalze *f*. – **6.** Schnalzer *m*, Schmitze *f* (*an der Peitschenschnur*). – **7.** *Am.* armer Weißer (*in den Südstaaten*; *Spitzname*). – **8.** → **curlpaper**. – **9.** *sl.* a) Zu'sammenbruch *m*, ‚Kladdera'datsch' *m*, b) schneller Schritt. – **10.** *obs. od. dial.* a) Aufschneider *m*, Lügner *m*, b) Lüge *f*. — '~ˌ**ber·ry** *s bot.* 'Zwerg-Korˌnelle *f* (*Cornus canadensis*; *Nordamerika*). — '~ˌ**jack** → crackajack.

crack·ing ['krækiŋ] *s* (*Ölraffinerie*) Kracken *n*, Krackverfahren *n*, 'Spaltdestillatiˌon *f*: **catalytic (thermal)** ~ katalytisches (thermisches) Kracken.

'**crackˌjaw** *adj* zungenbrecherisch, schwer auszusprechen(d) (*Wort*).

crack·le ['krækl] **I** *v/i* **1.** knistern, krachen, prasseln, knattern. – **II** *v/t* **2.** knistern *od.* krachen lassen. – **3.** mit Knistern *od.* leisem Krachen zerbrechen. – **4.** *mus.* (*Akkord*) arpeg'gieren. – **5.** *tech.* (*Glas od. Glasur*) kraque'lieren. – **III** *s* **6.** Krachen *n*, Knistern *n*, Prasseln *n*, Knattern *n*. – **7.** Kraque'lierung *f*. – **8.** Kraque'léeglas *n od.* -porzelˌlan *n*. – **9.** Rissigkeit *f* (*Oberfläche eines Gemäldes*). — ~ **chi·na** *s* kraque'liertes Porzel'lan.

crack·led ['krækld] *adj* **1.** kraque'liert. – **2.** rissig. – **3.** mit knuspriger Kruste (*geröstetes Schweinefleisch*).

crack·le| glass *s* Kraque'léeglas *n*. — '~ˌ**ware** → crackle 8.

crack·ling ['krækliŋ] *s* **1.** Knistern *n*, Prasseln *n*, Krachen *n*, Knattern *n*. – **2.** Knirschen *n* (*Schnee etc*). – **3.** knusprige Kruste (*des gerösteten Schweinefleisches*). – **4.** *meist pl dial.* Schweinegrieben *pl*. – **5.** *auch* ~ **bread** *Am. dial.* Maisbrot *n* (*mit eingebackenen Grieben*). – **6.** (*Art*) Hundekuchen *m* (*aus Talggrieben*). — '**crack·ly** *adj* knusprig, rösch, grobkörnig.

crack·nel ['kræknl] *s* **1.** Knusperkeks *m, n*. – **2.** *pl* Schweinegrieben *pl*.

'**crackˌpot** *sl.* **I** *s* (*harmloser*) Verrückter, ‚Spinner' *m*. – **II** *adj* verrückt, ‚bekloppt'.

cracks·man ['kræksmən] *s irr sl.* Einbrecher *m*, Geldschrankknacker *m*.

'**crack-ˌup** *s* **1.** *aer.* Bruch(landung *f*) *m*. – **2.** Zu'sammenstoß *m*. – **3.** *sl.* (*körperlicher od. seelischer*) Zu'sammenbruch. – **4.** Zu'sammenbruch *m*, Niederlage *f*, Ru'in *m*.

crack wil·low *s bot.* Bruch-, Knackweide *f* (*Salix fragilis*).

crack·y ['kræki] **I** *interj Am.* **1.** by ~ du lieber Gott! meiner Seel! – **II** *adj* **2.** rissig, schrundig. – **3.** *Scot. od. dial.* a) verrückt, b) geschwätzig.

-cracy [krəsi] *Wortelement mit der Bedeutung* Herrschaft.

cra·dle ['kreidl] **I** *s* **1.** Wiege *f* (*auch fig.*): **to rock the** ~ die Wiege schaukeln. – **2.** *fig.* Wiege *f*, Kindheit *f*, Anfang(sstadium *n*) *m*: **from the** ~ von (der) Kindheit an, von Jugend auf; **in the** ~ in den ersten Anfängen. – **3.** *wiegenartiges Gerät, bes. tech.* a) Form-, Tüncher-, Hänge-, Hebegerüst *n* (*Bauarbeiter*), b) Gründungseisen *n*, Wiegemesser *n* (*Graveur*), c) Räderschlitten *m* (*für Arbeiten unter einem Automobil*), d) Wiege *f*, Schwingtrog *m* (*Goldwäscher*), e) (Tele'phon)Gabel *f*. – **4.** *agr.* a) (Sensen)-Korb *m*, Reff *n*, Rechen *m*, b) Gerüst-, Getreidesense *f*. – **5.** *mar.* a) Schlitte *f*, b) Wiege *f*, Ablaufgerüst *n*, (Stapel)-Schlitten *m*, c) Rettungskorb *m*, Hosenboje *f*, d) Bootsklampe *f*, e) Ladebaumstütze *f*. – **6.** (*Geschütz*) Rohrwiege *f*, Rücklaufmantel *m*. – **7.** *aer.* a) *auch* **building** ~ (*Luftschiffbau*) Baugerüst *n*, Helling *f*, b) (*Luftschiffbetrieb*) Lagestuhl *m*. – **8.** *med.* a) (Draht)Schiene *f*, b) Schutzgestell *n* (*zum Abhalten des Bettzeuges von Wunden*). – **9.** *vet.* Cradle *f* (*Gestell für den Hals von Tieren zur Verhinderung des Benagens von Wunden etc*). – **10.** → **cat's** ~. – **II** *v/t* **11.** wiegen, schaukeln. – **12.** in die Wiege legen. – **13.** einschläfern. – **14.** (wie mit einer Wiege) um'fangen, bergen. – **15.** auf-, großziehen, pflegen. – **16.** *agr.* mit der Gerüstsense mähen. – **17.** (*Schiffbau*) durch einen Stapelschlitten stützen *od.* befördern. – **18.** (*goldhaltige Erde*) im Schwingtrog waschen. – **III** *v/i* **19.** (wie) in einer Wiege liegen, eingeschlossen *od.* geborgen sein (in in *dat*). – **20.** mit einer Gerüstsense mähen. — ~ **bar** *s* **1.** *tech.* Gerüststange *f*. – **2.** *agr.* Horn *n*, Reffzahn *m* (*der Gerüstsense*). — ~ **scythe** *s agr.* Reff-, Gerüstsense *f*. — '~ˌ**song** *s* Wiegenlied *n*. — ~ **vault** *s arch.* Tonnengewölbe *n*.

cra·dling ['kreidliŋ] *s* **1.** Wiegen *n*, Schaukeln *n*. – **2.** *fig.* Kindheit *f*. – **3.** *tech.* Verspannen *n* (*der Tragseile einer Hängebrücke*). – **4.** *arch.* Bogen-, Lehrgerüst *n*.

craft [*Br.* krɑːft; *Am.* kræ(ː)ft] *s* **1.** Fertigkeit *f*, Geschicklichkeit *f*, Kunst *f*. – **2.** List *f*, Verschlagenheit *f*: **by** ~ durch List. – **3.** Gewerbe *n*, Beruf *m*, Handwerk *n*: **the C**~ die Freimaurerei; **every man to his** ~! Schuster, bleib bei deinem Leisten; ~ **guild** Handwerkerinnung. – **4.** Innung *f*, Gilde *f*, Zunft *f*: **to be one of the** ~ ein Mann vom Fach sein. – **5.** *mar.* a) Fahrzeug *n*, b) (*als pl konstruiert*) Fahrzeuge *pl*, Schiffe *pl*: **many small** ~ viele kleine Schiffe. – **6.** *aer.* a) Flugzeug *n*, b) (*als pl konstruiert*) Flugzeuge *pl*. – *SYN. cf.* **art**[1]. — '**craft·i·ness** [-tinis] *s* List *f*, Schlauheit *f*, Verschlagenheit *f*.

crafts·man [*Br.* 'krɑːftsmən; *Am.* 'kræ(ː)fts-] *s irr* **1.** (gelernter) Handwerker. – **2.** Künstler *m*. — '**crafts·manˌship** *s* **1.** Kunstfertigkeit *f*, (handwerkliches) Können *od.* Geschick. – **2.** Künstlertum *n*.

craft un·ion *s* Gewerkschaft *f* (*deren Mitglieder dasselbe Handwerk ausüben*).

craft·y [*Br.* 'krɑːfti; *Am.* 'kræ(ː)fti] *adj* **1.** listig, schlau, gerieben, verschlagen. – **2.** *obs.* geschickt, kunstvoll. – *SYN. cf.* **sly**.

crag[1] [kræg] *s* **1.** spitzer Fels(brocken), Klippe *f*. – **2.** *geol.* Crag *m*.

crag[2] [kræg] *s dial.* **1.** Nacken *m*, Hals *m*. – **2.** *zo.* Kropf *m*.

'**crag-ˌfast** *adj Br.* im Fels verstiegen (*Schaf*).

crag·ged ['krægid] *adj* **1.** felsig, schroff, voller Klippen. – **2.** uneben, rauh. — '**crag·ged·ness**, '**crag·gi·ness** *s* **1.** Felsigkeit *f*, Schroffheit *f*. – **2.** Unebenheit *f*, Rauheit *f*. — '**crag·gy** → **cragged**.

crag mar·tin *s zo.* (*eine*) Felsenschwalbe (*Gattg Ptyonoprogne*).

crags·man ['krægzmən] *s irr* geschickter Felsenkletterer, geübter Bergsteiger.

crag swal·low → **crag martin**.

craig| floun·der, ~ **fluke** [kreig] *s zo.* Hundszunge *f*, Aalbutt *m*, Pole *f* (*Pleuronectes cynoglossus*; *Fisch*).

crake [kreik] **I** *s* **1.** *zo.* (*eine*) Ralle, *bes.* → **corn** ~. – **2.** Krächzen *n*, Schnarren *n* (*Wiesenknarre*). – **3.** *dial.* Krähe *f*. – **II** *v/i* **4.** schnarren, krächzen.

cram [kræm] **I** *v/t pret u. pp* **crammed** **1.** vollstopfen, anfüllen, über'füllen: ~**med with people** mit Menschen überfüllt. – **2.** (*mit Speisen*) über'laden, -'füttern. – **3.** (*Geflügel*) stopfen, nudeln, mästen. – **4.** stopfen, pferchen, zwängen: **to** ~ **down** hinunterstopfen, -zwängen; **to** ~ **s.th. into s.o.** etwas in j-n hineinstopfen (*auch fig.*). – **5.** *colloq.* a) (*j-n*) einpauken, b) *meist* ~ **up** (*ein Fach*) (ein)pauken. – **6.** *sl.* (*j-n*) belügen, ‚anflunkern'. – **II** *v/i* **7.** sich vollessen, gierig stopfen. – **8.** *colloq.* (*für eine Prüfung*) ‚pauken', ‚büffeln', ‚ochsen'. – **9.** *sl.* lügen, ‚flunkern'. – **III** *s* **10.** *colloq.* Gedränge *n*, Gewühl *n*. – **11.** *colloq.* a) Einpauke'rei *f*, b) eingepauktes Wissen, c) Einpauker *m*. – **12.** *sl.* Lüge *f*, Flunke'rei *f*.

cram·bo ['kræmbou] *s* **1.** Reimspiel *n*: **dumb** ~ Scharade. – **2.** (*verächtlich*) Reim(wort *n*) *m*.

'**cram-'full** *adj* zum Bersten voll, über'füllt.

cram·mer ['kræmər] *s* **1.** *colloq.* Einpauker *m*. – **2.** *sl.* a) (grobe) Lüge, b) Lügner *m*.

cram·oi·sy, *auch* **cram·oi·sie** ['kræməizi; -məzi] *obs.* **I** *adj* → **crimson** II. – **II** *s* Purpurtuch *n*.

cramp[1] [kræmp] **I** *s* **1.** *med.* (Muskel)-Krampf *m*: ~ **in the calf** Wadenkrampf; **to be seized with** ~ einen Krampf bekommen. – **2.** *meist pl* Krämpfe *pl*, starke 'Unterleibsschmerzen *pl*. – **3.** *fig.* Verkrampfung *f*. – **II** *v/t* **4.** *med.* (ver)krampfen, krampfhaft verziehen (*auch fig.*): ~**ed hand** a) verkrampfte Hand, b) verkrampfte *od.* schwierig zu lesende (Hand)Schrift.

cramp[2] [kræmp] **I** *s* **1.** *tech.* Krampe *f*, Klammer *f*, Schraubzwinge *f*, Zugklammer *f*. – **2.** (*Tischlerei*) a) Schraubknecht *m*, Leimzwinge *f*, b) Zarge *f*, c) Bohrzwinge *f*, d) Balkenband *n*. – **3.** (*Guß*) Schnabel-, Gießzange *f*. – **4.** (*Schuh- u. Lederfabrikation*) Formholz *n*. – **5.** (*Böttcherei*) Reifenbeuge *f*. – **6.** *fig.* Zwang *m*, Einengung *f*. – **II** *v/t* **7.** *tech.* mit Klammern *etc* befestigen, anklammern, ankrampen. – **8.** *tech.* (*Leder*) auf dem Formholz zurichten. – **9.** *fig.* einschränken, -zwängen, -engen, hemmen: **to be** ~**ed for space** (*od.* **room**) wenig Platz haben, eng zusammengepfercht sein; **to** ~ **s.o.'s style** *sl.* j-n an der Entfaltung seiner Fähigkeiten hindern, j-m die Flügel stutzen. – **10.** (*die Vorderräder eines Fahrzeugs*) einschlagen. – **III** *adj* **11.** schwer verständlich, verwickelt, verworren, krampfhaft. – **12.** eng, beengt.

cramp bark *s* **1.** *bot.* → **cranberry tree**. – **2.** *med.* getrocknete Schneeballrinde.

cramp·et(te) ['kræmpit] *s* **1.** *mil.* Schuh *m*, Ortband *n* (*der Säbelscheide*). – **2.** → **crampon** 2.

ˈcramp|ˌfish *s zo.* (*ein*) Zitterrochen *m* (*Gattg Torpedo*). — **~ i·ron** *s* **1.** Haspe *f*, eiserne Klammer, Krampe *f*, Kropfeisen *n*. – **2.** *arch.* Steinanker *m*, -klammer *f*. – **3.** *mar.* Enterhaken *m*.

cram·pon [ˈkræmpən], *auch* **cram-ˈpoon** [-ˈpuːn] *s meist pl* **1.** *tech.* Kanthaken *m*. – **2.** Steigeisen *n*. – **3.** Eissporn *m*.

cran·age [ˈkreinidʒ] *s* **1.** Krangerechtigkeit *f*. – **2.** Krangeld *n*, -gebühr *f*.

cran·ber·ry [*Br.* ˈkrænbəri; *Am.* -ˌberi] *s bot.* Vacˈcinium *n* (*Gattg Vaccinium od. Oxycoccus*), *bes.* a) *auch* small ~, European ~ Moos-, Moorbeere *f* (*V. oxycoccus od. O. palustris*), b) *auch* large ~, American ~ Krannbeere *f*, Großfrüchtige Moosbeere (*V. macrocarpus*), c) Preisel-, Kronsbeere *f* (*V. vitis-idaea*), d) → ~ tree. — **~ tree,** *auch* **~ bush** *s bot.* Gewöhnlicher Schneeball (*Viburnum opulus*).

crane [krein] **I** *s* **1.** *zo.* Kranich *m* (*Fam. Gruidae*). – **2.** → blue ~. – **3.** *Br. dial.* a) Fischreiher *m* (*Ardea cinerea*), b) Kormoˈran *m* (*Phalacrocorax carbo*). – **4.** C~ *astr.* Kranich *m* (*südl. Sternbild*). – **5.** *tech.* Kran *m*: hoisting ~ Hebekran; travel(l)ing ~ Laufkran; → derrick 1 a. – **6.** *tech.* a) Aufzug *m*, b) Winde *f*. – **7.** *tech.* Arm *m od.* Ausleger *m* (*zum Heben od. Halten von Lasten, Gefäßen etc*). – **8.** Wägekran *m*. – **9.** *mar.* a) Kran *m* (*auf dem Kai*), b) Ladekran *m* (*an Bord*). – **II** *v/t* **10.** mit einem Kran heben *od.* hochwinden. – **11.** (*Hals*) (weit) recken, strecken (for nach): to ~ one's neck for s.o. sich nach j-m den Hals ausrecken. – **III** *v/i* **12.** (sich) strecken, sich den Hals (aus)recken. – **13.** *fig.* haltmachen, zögern. – **14.** zuˈrückschrecken (at vor *dat*). — **ˈ~ˌbill** → crane's-bill 1. — **~ driv·er** *s tech.* Kranführer *m*. — **~ fly** *s zo.* (*eine*) Erdschnake, (*eine*) Bachmücke (*Gattg Tipula*). — **~ jib** *s tech.* Kranarm *m*, -ausleger *m*.

ˈcrane's-ˌbill, *auch* **ˈcranesˌbill** [ˈkreinz-] *s* **1.** *bot.* Storch-, Kranichschnabel *m* (*Gattg Geranium*). – **2.** *med.* Storchschnabel *m* (*lange Zange*).

crane truck *s tech.* Kranwagen *m*.

cra·ni·a [ˈkreiniə] *pl von* cranium. — **ˈcra·ni·al** *adj med.* kraniˈal, Schädel...: ~ index (*Anthropologie*) Schädelindex; ~ nerve Hirnnerv. — **ˈcra·ni·ate** [-niit; -ˌeit] *zo.* **I** *adj* einen Schädel habend, zu den Schädeltieren gehörend. – **II** *s* Schädeltier *n*.

cranio- [kreinio] *Wortelement mit der Bedeutung* Schädel.

cra·ni·o·fa·cial [ˌkreinioˈfeiʃəl; -niə-] *adj* Schädel u. Gesicht betreffend: ~ index Schädel- u. Gesichtsindex. — **ˌcra·ni·oˈlog·i·cal** [-ˈlɒdʒikəl] *adj* kranioˈlogisch, schädelkundlich. — **ˌcra·niˈol·o·gy** [-ˈɒlədʒi] *s* Kranioloˈgie *f*, Schädelkunde *f*, -lehre *f*. — **ˌcra·niˈom·e·ter** [-ˈɒmitər; -mə-] *s* Kranioˈmeter *n*, ˈSchädelˌmeßinstruˌment *n*, -messer *m*. — **ˌcra·ni·oˈmet·ric** [-nioˈmetrik; -niə-], **ˌcra·ni·oˈmet·ri·cal** *adj* kranioˈmetrisch. — **ˌcra·niˈom·e·try** [-ˈɒmətri] *s* Kraniomeˈtrie *f*, Schädelmessung *f*. — **ˈcra·ni·oˌplas·ty** [-nioˌplæsti; -niə-] *s med.* Schädel-, Kranioplastik *f*. — **ˌcra·niˈot·o·my** [-ˈɒtəmi] *s med.* **1.** Schädeleröffnung *f*. – **2.** (*Geburtshilfe*) Kraniotoˈmie *f*, Perforatiˈon *f*.

cra·ni·um [ˈkreiniəm] *pl* **-ni·ums** *od.* **-ni·a** [-ə] *s* **1.** Cranium *n*, (*vollständiger*) Schädel. – **2.** Hirnschale *f*, -schädel *m*, Schädelkapsel *f*.

crank¹ [kræŋk] **I** *s* **1.** *tech.* a) Kurbel *f*, b) Kurbelkröpfung *f* (*Welle*), c) Schwengel *m*. – **2.** Stützarm *m* (*Laternen etc*). – **3.** Tretmühle *f* (*Strafinstrument*). – **4.** *colloq.* wunderlicher Kauz, ‚Spinner' *m*, Monoˈmane *m*. – **5.** fixe Iˈdee, Maˈnie *f*. – **6.** Verrücktheit *f*, Verschrobenheit *f*. – **7.** Wortspiel *n*, -verdrehung *f*. – **8.** *obs.* Krümmung *f*. – **II** *v/t* **9.** *tech.* kröpfen. – **10.** *oft* ~ up ankurbeln, andrehen, (*Motor*) anwerfen. – **11.** mit einer Kurbel ausrüsten. – **III** *v/i* **12.** kurbeln, eine Kurbel betätigen. – **13.** sich winden, sich schlängeln, im Zickzack laufen (*Fluß*). – **IV** *adj* **14.** → cranky 1 *u.* 6. – **15.** *mar.* rank, leicht kenterbar.

crank² [kræŋk] *adj u. adv* **1.** *Am. od. Br. dial.* selbstsicher, keck, naseweis. – **2.** *obs.* lebhaft.

crank| arm → crank web. — **~ ax·le** *s tech.* Kurbelachse *f*, -welle *f*. — **ˈ~ˌbird** *s zo.* Kleiner Buntspecht (*Dendrocopus minor*). — **~ brace** *s tech.* Brust-, Faust-, Bohrleier *f*. — **ˈ~ˌcase** *s tech.* Kurbelkasten *m*, -gehäuse *n* (*Motor etc*).

cranked [kræŋkt] *adj tech.* **1.** gekröpft. – **2.** mit einer Kurbel versehen.

crank han·dle *s tech.* Kurbelgriff *m*.

crank·i·ness [ˈkræŋkinis] *s* **1.** Reizbarkeit *f*, schlechte Laune, launisches Wesen. – **2.** Verschrobenheit *f*, Absonderlichkeit *f*, Wunderlichkeit *f*, Grillenhaftigkeit *f*. – **3.** Wack(e)ligkeit *f*, Unsicherheit *f*. – **4.** Gewundenheit *f*. – **5.** *Br. dial.* Kränklichkeit *f*. – **6.** *mar.* Rankheit *f*, Neigung *f* zum Kentern.

cran·kle [ˈkræŋkl] **I** *v/i* sich schlängeln, sich winden. – **II** *v/t obs.* biegen, krümmen. – **III** *s* Biegung *f*, Krümmung *f*, (Ver)Drehung *f*.

ˈcrank|ˌpin, ~ pin *s tech.* Kurbelzapfen *m*, -griff *m*. — **~ pit** *s tech.* Kurbelraum *m*. — **~ plane** *s* **1.** *tech.* ˈKurbelhobel(maˌschine *f*) *m*. – **2.** *phys.* Kurbelebene *f*. — **~ plan·er** → crank plane 1. — **ˈ~ˌshaft** *s tech.* Kurbelwelle *f*. — **ˈ~ˌshaft bear·ing** *s tech.* Kurbelwellenlager *n*. — **~ web** *s tech.* Kurbelarm *m*, -bug *m*. — **~ wheel** *s tech.* Kurbelscheibe *f*, -rad *n*.

crank·y [ˈkræŋki] *adj* **1.** reizbar, schlecht gelaunt, launisch, verärgert. – **2.** verschroben, absonderlich, wunderlich, grillenhaft, exzentrisch, ausgefallen. – **3.** wack(e)lig, unsicher, in Unordnung, in schlechtem Zustand. – **4.** gewunden, voller Windungen. – **5.** *Br. dial.* kränklich, schwächlich. – **6.** *mar.* rank, leicht kenterbar. – *SYN. cf.* irascible.

cran·nied [ˈkrænid] *adj* rissig, schrundig.

cran·nog [ˈkrænəg], **ˈcran·noge** [-nədʒ] *s hist. Scot. u. Irish* Pfahlbau *m*.

cran·ny [ˈkræni] **I** *s* **1.** Ritze *f*, Spalt(e *f*) *m*, Riß *m*. – **2.** Schlupfwinkel *m*, Versteck *n*. – **II** *v/i* **3.** durch Ritzen eindringen. – **4.** *obs.* rissig werden.

crap [kræp] *s* **1.** (*Würfeln*) *Am.* Fehlwurf *m*. – **2.** → craps.

crap·au·dine [ˌkræpoˈdiːn] *s vet.* Hornspalt *m* (*Geschwür am Pferdehuf*).

crape [kreip] **I** *s* **1.** → crêpe 1. – **2.** Trauerflor *m*. – **II** *v/t* **3.** mit einem Trauerflor versehen. – **4.** *obs.* (*Haar*) kräuseln. — **~ cloth** *s* Wollkrepp *m* (*Stoff*). — **~ fern** *s bot. eine neuseeländische Farnpflanze* (*Leptopteris superba*). — **ˈ~ˌfish** *s* gesalzener u. gepreßter Kabeljau. — **ˈ~ˌhang·er** *s Am. sl.* ‚Miesmacher' *m*, ‚Miesepeter' *m* (*Pessimist*). — **~ myr·tle** *s bot.* Indischer Flieder (*Lagerstroemia indica*).

crap·pie [ˈkræpi; ˈkrɒpi] *s zo. ein Süßwasserbarsch* (*Pomoxis annularis*).

craps [kræps] *s* (*als sg konstruiert*) *Am.* (*Art*) Würfelspiel *n* (*mit 2 Würfeln*): to shoot ~ würfeln, Würfel spielen.

ˈcrapˌshoot·er *s Am.* Würfelspieler *m*.

crap·u·lence [ˈkræpjuləns], **ˈcrap·u·len·cy** *s* **1.** Völleˈrei *f*, Unmäßigkeit *f*, *bes.* Saufeˈrei *f*. – **2.** ‚Kater' *m*, Katzenjammer *m*. — **ˈcrap·u·lent, ˈcrap·u·lous** *adj* **1.** unmäßig (*in Essen u. Trinken*). – **2.** ‚verkatert'. — **ˈcrap·u·lous·ness** → crapulence.

crash¹ [kræʃ] **I** *v/t* **1.** zertrümmern, zerschmettern. – **2.** zermalmen, zermahlen. – **3.** (*Weg*) krachend bahnen. – **4.** *aer.* (*Flugzeug*) zum Absturz bringen, eine Bruchlandung machen mit. – **5.** *Am. sl.* (ungeladen) sich eindrängen in (*acc*), hinˈeinplatzen in (*acc*): to ~ a party. – **II** *v/i* **6.** (zer)krachen, zerbrechen, zerschmettert werden. – **7.** krachend einstürzen, zuˈsammenkrachen. – **8.** platzen, poltern, krachen: to ~ in hereinplatzen. – **9.** krachen, krachend fallen *od.* stürzen. – **10.** *aer.* abstürzen, Bruch machen. – **III** *s* **11.** Krach(en *n*) *m*. – **12.** Zuˈsammenstoß *m*, -krachen *n*. – **13.** *bes. econ.* a) Zuˈsammenbruch *m*, ‚Krach' *m*, b) Ruˈin *m*. – **14.** *aer.* Absturz *m*, Bruchlandung *f*. – **IV** *adj* **15.** *Am. sl.* (blitz)schnell (ausgeführt): ~ program.

crash² [kræʃ] *s* **1.** Leinendrell *m*. – **2.** (Teppich)Schoner *m*. – **3.** (*Buchbinderei*) (Heft)Gaze *f*.

crash| boat *s mar. Spezialboot der Flugzeugnotrettung.* — **~ dive** *s mar.* Schnelltauchen *n* (*Unterseeboot*). — **ˈ~-ˈdive** *v/i* sturz-, schnelltauchen (*Unterseeboot*). — **~ hel·met** *s* Sturzhelm *m*, -haube *f*. — **ˈ~-ˈland** *v/i aer.* (bei der Landung) Bruch machen, eine Bruchlandung machen, bruchlanden. — **~ land·ing** *s aer.* Bruchlandung *f*.

cra·sis [ˈkreisis] *pl* **-ses** [-siːz] *s* **1.** *ling.* Krasis *f* (*Zusammenziehung von Vokalen*). – **2.** *med. hist.* Krase *f*.

crass [kræs] *adj* **1.** *fig.* grob, kraß. – **2.** *selten* derb, grob. – *SYN. cf.* stupid. — **ˈcras·siˌtude** [-iˌtjuːd; *Am. auch* -əˌtuːd], **ˈcrass·ness** *s* **1.** *fig.* krasse Dummheit. – **2.** Grob-, Derbheit *f*.

cras·su·la·ceous [ˌkræsjuˈleiʃəs] *adj bot.* zu den Dickblattgewächsen (*Fam. Crassulaceae*) gehörend.

cratch [krætʃ] *s dial.* Futterkrippe *f*, -raufe *f*.

crate [kreit] **I** *s* **1.** Lattenkiste *f*, -verschlag *m*. – **2.** großer Weidenkorb. – **3.** *sl.* ‚Kiste' *f* (*Auto od. Flugzeug*). – **II** *v/t* **4.** in einer Lattenkiste verpacken.

crat·er¹ [ˈkreitər] *s* Packer *m*.

cra·ter² [ˈkreitər] **I** *s* **1.** *geol.* Krater *m* (*Vulkan*): ~ lake Kratersee. – **2.** Krater *m*, (Bomben-, Graˈnat-)Trichter *m*. – **3.** *antiq.* Kraˈter *m* (*Mischkrug*). – **4.** C~ *astr.* Becher *m* (*südl. Sternbild*). – **5.** *electr.* Krater *m* (*der positiven Kohle*). – **II** *v/i* **6.** einen Krater bilden. — **ˈcra·ter·al** *adj geol.* Krater...

cra·ter·i·form [ˈkreitəriˌfɔːrm; krəˈter-] *adj* **1.** *bot.* gewölbt-trichterförmig. – **2.** *geol.* kraterförmig. – **3.** *zo.* becherförmig.

C Ra·tion *s Am.* eiserne Ratiˈon (*der amer. Truppen im 2. Weltkrieg*).

craunch [krɔːntʃ; krɑːntʃ] → crunch.

cra·vat [krəˈvæt] *s* **1.** Kraˈwatte *f*. – **2.** Halstuch *n*.

crave [kreiv] **I** *v/t* **1.** (*etwas*) ersehnen. – **2.** (dringend) erbitten, erflehen, bitten *od.* flehen um. – **3.** (dringend) benötigen, brauchen, verlangen, erfordern: the stomach ~s food. – **4.** (*j-n*) dringend bitten *od.* anflehen (for um). – **II** *v/i* **5.** sich sehnen (for, after nach): to ~ for peace. – **6.** flehen, inständig bitten (for um). – *SYN. cf.* desire.

cra·ven [ˈkreivən] **I** *adj* **1.** feige, ängstlich, zaghaft. – **2.** *obs.* besiegt (*noch in*): to cry ~ sich ergeben. – *SYN. cf.* cowardly. – **II** *s* **3.** Feigling *m*, Memme *f*. – **III** *v/t* **4.** einschüchtern, verzagt machen, (*j-m*) Angst einjagen.

Cra·ven·ette [ˌkreivəˈnet; ˈkreiv-] *s* 1. (*TM*) *eine Tuch- u. Lederimprägnierung.* – 2. c~ Imprä'gnierung *f* (*Tuch u. Leder*).
crav·ing [ˈkreiviŋ] **I** *s* **1.** heftiges Verlangen, Sehnsucht *f* (for nach). – **2.** (krankhafte) Begierde (for nach). – **II** *adj* **3.** begehrend, verlangend, sehnsüchtig.
craw [krɔː] *s zo.* **1.** Kropf *m* (*Vogel od. Insekt*). – **2.** Magen *m* (*Tier*).
craw·fish [ˈkrɔːˌfiʃ] **I** *s* **1.** *zo. bes. Am. u. Irish, volkstümlich für* crayfish. – **2.** *Am. sl.* Ausreißer *m*, ‚Drückeberger' *m*. – **II** *v/i* **3.** *Am. colloq.* ‚sich dünne machen', ‚Leine ziehen', ‚kneifen'.
crawl[1] [krɔːl] **I** *v/i* **1.** kriechen, krabbeln: he was hardly able to ~ er konnte kaum kriechen. – **2.** *fig.* sich da'hinschleppen, schleichen, langsam (vor'bei)gehen: the work ~ed die Arbeit schleppte sich hin. – **3.** *fig.* kriechen, schleichen, unter'würfig sein. – **4.** wimmeln (with von). – **5.** kribbeln: his skin ~ed er bekam eine Gänsehaut, es schüttelte ihn. – **6.** (*Schwimmen*) kraulen, im Kraulstil schwimmen. – **7.** *colloq.* sich verziehen (*Teppich etc*). – **II** *v/t* **8.** her'umkriechen auf (*dat*). – **9.** *sport* (*eine Strecke*) kraulen. – *SYN. cf.* creep. – **III** *s* **10.** Kriechen *n*, Schleichen *n*: to go at a ~ langsam dahinschleichen, sehr gemächlich gehen. – **11.** *sport* Kraul(en) *n*, Kriechstoß(schwimmen *n*) *m*: to swim ~ kraulen, im Kraulstil schwimmen.
crawl[2] [krɔːl] *s* **1.** ˈSchildkröten-, ˈFisch-, ˈKrebsreserˌvoir *n* (*am Ufer von Gewässern*). – **2.** *selten für* kraal.
crawl·er [ˈkrɔːlər] *s* **1.** Kriecher(in), Schleicher(in). – **2.** Kriechtier *n*, Gewürm *n*. – **3.** Laus *f*. – **4.** *Br. colloq.* a) leere Droschke, b) Kriecher *m*, Speichellecker *m*, c) Faulpelz *m*, Faulenzer *m*. – **5.** *tech.* a) Gleiskettenkran *m*, b) Raupenschlepper *m*. – **6.** *sport* Kraulschwimmer(in). – **7.** Krabbelanzug *m* (*für kleine Kinder*). – **8.** *zo.* frisch ausgeschlüpfte Schildlaus. — ˈ**crawl·ing** *adj* **1.** kriechend, krabbelnd. – **2.** schleppend, schwerfällig, langsam. – **3.** kriecherisch, ser'vil, unter'würfig. — ˈ**crawl·y** *colloq. für* creepy.
cray·fish [ˈkreiˌfiʃ] *s zo.* **1.** (*ein*) Panzerkrebs *m* (*Fam. Astacidae*). – **2.** → sea ~.
cray·on [ˈkreiən; -ɒn] **I** *s* **1.** Zeichenkreide *f*. – **2.** Zeichen-, Bunt-, Pa'stellstift *m*: blue ~ Blaustift; in ~ in Pastell. – **3.** Kreidezeichnung *f*. – **4.** Pa'stell(zeichnung *f*) *n*: ~ board Zeichenkarton. – **II** *v/t* **5.** mit Kreide *etc* zeichnen. – **6.** *fig.* entwerfen, skiz'zieren. — ˈ**cray·on·ist** *s* Kreidezeichner(in).
craze [kreiz] **I** *v/t* **1.** verrückt *od.* toll machen, zum Wahnsinn treiben: ~d with pain wahnsinnig vor Schmerzen. – **2.** (*Töpferei*) kraque'lieren. – **3.** *obs.* (*Gesundheit*) schwächen, schädigen. – **4.** *dial.* (zer)brechen. – **5.** *obs.* zertrümmern, zerschmettern. – **II** *v/i* **6.** verrückt *od.* wahnsinnig werden. – **7.** (*Töpferei*) haarrissig werden, eine Kraque'lierung erhalten (*Glasur*). – **8.** *obs.* (zer)brechen. – **III** *s* **9.** Ma'nie *f*, Verrücktheit *f*, ‚Fimmel' *m*, fixe I'dee: it is the ~ now es ist gerade Mode; the latest ~ der letzte (Mode)Schrei. – **10.** Geistesstörung *f*, Wahn *m*. – **11.** (*Töpferei*) Haarriß *m*. – **12.** *obs. od. dial.* Sprung *m*, Riß *m*. – *SYN. cf.* fashion. — **crazed** *adj* **1.** geistesgestört, wahnsinnig. – **2.** (about) verrückt (nach), versessen (auf *acc*). – **3.** haarrissig, kraque'liert (*Glasur*). — ˈ**cra·zi·ness** [-inis] *s* Verrücktheit *f*, Tollheit *f*. — ˈ**craz·ing** *s* (*Töpferei*) Kraque'lierung *f*.
cra·zy [ˈkreizi] *adj* **1.** verrückt, toll, wahnsinnig: ~ with pain verrückt vor Schmerzen. – **2.** *colloq.* (about) begeistert (für), besessen (von). – **3.** versessen, erpicht (about auf *acc*): ~ to do s.th. versessen darauf, etwas zu tun. – **4.** rissig, voller Risse *od.* Sprünge. – **5.** baufällig, wack(e)lig, gebrechlich, schwach. – **6.** Flicken..., zu'sammengesetzt, -gestückelt (*Decke etc*). — ~ **bone** *Am. für* funny bone. — ~ **quilt** *s Am.* Flickendecke *f*. — ˈ~ˌ**weed** → locoweed.
creak [kriːk] **I** *v/i* knarren, kreischen, quietschen, knirschen: the door ~s on its hinges die Tür quietscht in den Angeln. – **II** *v/t* knarren lassen, knarren *od.* knirschen mit. – **III** *s* Knarren *n*, Knirschen *n*, Geknarre *n*, Geknirsche *n*. — ˈ**creak·y** *adj* knarrend, knirschend, quietschend.
cream [kriːm] **I** *s* **1.** Rahm *m*, Sahne *f* (*Milch*): → whipped 2. – **2.** Krem *f*, Creme *f*, (Creme)Speise *f*. – **3.** (*kosmetische*) Creme, Salbe *f*. – **4.** ˈCreme(liˌkör *m*) *f*. – **5.** *meist pl* ˈSahnebonˌbons *pl*. – **6.** Sahne-, Rahmsoße *f*. – **7.** Pü'ree *n od.* Brühe *f* mit Sahne: ~ of celery soup Selleriecremesuppe. – **8.** *fig.* Krem *f*, Creme *f*, Auslese *f*, Blüte *f*, E'lite *f*: the ~ of society. – **9.** Kern *m*, Po'inte *f*: the ~ of the joke. – **10.** Cremefarbe *f*. – **II** *v/i* **11.** Sahne ansetzen *od.* bilden. – **12.** schäumen. – **III** *v/t* **13.** (*Milch etc*) abrahmen, den Rahm abschöpfen von (*auch fig.*). – **14.** (*Milch*) aufrahmen, Sahne ansetzen lassen. – **15.** (*Sahne*) abschöpfen. – **16.** (*Eiweiß etc*) zu Schaum schlagen. – **17.** (*Gericht*) mit Sahne *od.* Cremesoße zubereiten. – **18.** (*dem Kaffee od. Tee*) Sahne zugießen. – **IV** *adj* **19.** Sahne..., Rahm... – **20.** creme(farben). – **21.** *colloq.* Elite..., Auslese..., erlesen. — ˈ~ˌ**cake** *s* (Butter)Kremtorte *f*. — ~ **cheese** *s* Weich-, Schmelzkäse *m*. — ˈ~-ˈ**colo(u)red** *adj* creme(farben). — ˈ~ˌ**cups** *s bot.* Rahmtäßchen *n* (*Platystemon californicus*).
cream·er [ˈkriːmər] *s* **1.** Entrahmer *m*. – **2.** Rahm-, Sahnekrug *m*, -topf *m*. – **3.** Kühlanlage *f*. – **4.** ˈMilchschleuder *f*, -zentriˌfuge *f*. — ˈ**cream·er·y** *s* **1.** Molke'rei *f*, Butte'rei *f*. – **2.** Milchladen *m*, -handlung *f*.
ˈ**cream**|-ˌ**faced** *adj* blaß, bleich. — ~ **ice** *s Br.* Eiscreme *f*, Speiseeis *n*.
cream·i·ness [ˈkriːminis] *s* Sahnigkeit *f*.
ˈ**cream**|-ˌ**laid** *adj* cremefarben u. gerippt (*Papier*). — ~ **nut** *s bot.* Paranuß *f* (*Frucht von Bertholletia excelsa*). — ~ **of tar·tar** *s chem.* Weinstein *m*, Kaliumbitartrat *n* ($KHC_4H_4O_6$). — ˈ~-**of**-ˈ**tar·tar tree** *s bot.* Austral. Adan'sonie *f* (*Adansonia Gregorii*).
cream·om·e·ter [kriːˈmɒmitər; -ət-] *s* Rahm-, Sahnemesser *m* (*Gerät*).
cream| **pot** *s* Rahm-, Sahnetopf *m*. — ~ **sauce** *s* Cremesoße *f*. — ˈ~-ˌ**slice** *s* **1.** Abrahmer *m*, Rahmkelle *f*. – **2.** Cremeschnitte *f*. — ˈ~-ˌ**wove** → cream-laid.
cream·y [ˈkriːmi] *adj* **1.** sahnehaltig, sahnig. – **2.** sahnig, weich. – **3.** creme(farben).
crease[1] [kriːs] **I** *s* **1.** Falte *f*. – **2.** (*Schneiderei*) a) Bügelfalte *f*, Kniff *m*, Bruch *m*, b) ˈUm-, Einschlag *m*. – **3.** Falz *m*, Knick *m*, Eselsohr *n* (*Papier*). – **4.** (*Kricket*) Aufstellungslinie *f*, *bes.* a) → popping ~, b) → bowling ~. – **5.** (*Eishockey*) Torraum *m*. – **6.** Kamm *m* (*Pferderücken*). – **7.** First *m* (*Dach*). – **II** *v/t* **8.** falten, knicken, kniffen, ˈumbiegen. – **9.** knittern. – **10.** *hunt. Am.* (*Tier*) krellen (*durch Streifschuß zeitweilig lähmen*). – **11.** *tech.* sieken. – **III** *v/i* **12.** Falten bekommen, sich falten *od.* knicken lassen. – **13.** knittern.
crease[2] *cf.* creese.
creased [kriːst] → creasy.
creas·er [ˈkriːsər] *s* **1.** (*Buchbinderei*) Rückenstempel *m*. – **2.** (*Gerberei*) Furchenzieher *m*. – **3.** → creasing die. – **4.** → creasing hammer.
ˈ**crease-reˌsist·ant** *adj* knitterfrei, -fest (*Stoff*).
creas·ing| **die** [ˈkriːsiŋ] *s tech.* Siekenform *f*, -eisen *n*. — ~ **ham·mer** *s tech.* Siekenhammer *m*.
creas·y [ˈkriːsi] *adj* **1.** gefaltet, gefalzt, geknickt. – **2.** zerknittert.
cre·ate [kriˈeit] **I** *v/t* **1.** (er)schaffen, ins Leben rufen, her'vorbringen, erzeugen. – **2.** (*Eindruck*) her'vorrufen, machen. – **3.** (*Lage*) schaffen. – **4.** (*Geräusch etc*) erzeugen, her'vorrufen, -bringen, verursachen. – **5.** (*Theater*) (*Rolle*) kre'ieren, (zum erstenmal) richtig gestalten. – **6.** (*j-n*) ernennen: to ~ a peer. – **7.** (*j-n*) erheben zu, machen zu: to ~ s.o. a peer j-n zum Peer machen; he was ~d an earl er wurde in den Grafenstand erhoben. – *SYN. cf.* invent. – **II** *v/i* **8.** schaffen, schöpferisch tätig sein. – **III** *adj* **9.** *obs.* erschaffen.
cre·a·tine [ˈkriːəˌtiːn; -tin], *auch* ˈ**cre·a·tin** [-tin] *s chem.* Krea'tin *n* ($C_4H_9N_3O_2$; *wesentlicher Bestandteil der Muskelfasern*). — **cre·at·i·nine** [kriˈætiˌniːn; -nin], *auch* **cre'at·i·nin** [-nin] *s chem.* Kreati'nin *n* ($C_4H_7N_3O$).
cre·a·tion [kriˈeiʃən] *s* **1.** (Er)Schaffung *f*, Erzeugung *f*, Her'vorbringung *f*: ~ of currency *econ.* Zahlungsmittel-, Geldschöpfung. – **2.** the C~ *relig.* die Schöpfung, die Erschaffung (*der Welt*). – **3.** Schöpfung *f*, Welt *f*, Geschöpfe *pl*: the whole ~ alle Welt, alle Geschöpfe, die ganze Schöpfung. – **4.** Errichtung *f*, Bildung *f*. – **5.** Geschöpf *n*, Krea'tur *f*. – **6.** (Kunst-, Mode)Schöpfung *f*, Erzeugnis *n*. – **7.** (*Theater*) Kre'ierung *f*, Gestaltung *f* (*Rolle*). – **8.** Schaffung *f*, Ernennung *f*: an earl of recent ~ ein neuerdings ernannter Graf; ~ of peers *hist.* (*willkürliche*) Ernennung von Lords (*zur Herstellung einer gefügigen Mehrheit im Oberhaus*). — **cre'a·tion·al** *adj* Schöpfungs... — **cre'a·tionˌism** *s relig.* **1.** Lehre *f* von der Weltschöpfung durch einen all'mächtigen Schöpfer. – **2.** Kreatia'nismus *m* (*Lehre von der Neuerschaffung jeder Einzelseele*). — **cre'a·tion·ist** *s relig.* **1.** Anhänger *m* der Lehre von der Weltschöpfung. – **2.** Kreatia'nist *m*.
cre·a·tive [kriˈeitiv] *adj* **1.** schöpferisch, (er)schaffend, Schöpfungs... – **2.** (of s.th. etwas) her'vorbringend, -rufend, verursachend, erzeugend: to be ~ of suspicion Verdacht hervorrufen *od.* erregen. — **cre'a·tive·ness** *s* schöpferische Kraft. — **cre'a·tor** [-tər] *s* **1.** Schöpfer *m*, Erschaffer *m*, Erzeuger *m*. – **2.** Urheber *m*, Verursacher *m*. – **3.** the C~ der Schöpfer, Gott *m*. — **cre'a·torˌship** *s* Schöpfertum *n*, Urheberschaft *f*.
crea·tur·al [ˈkriːtʃərəl] *adj* krea'türlich.
crea·ture [ˈkriːtʃər] *s* **1.** Geschöpf *n*, Wesen *n*, Krea'tur *f* (*Mensch od. Tier*): every living ~ jedes Lebewesen. – **2.** Krea'tur *f*, Tier *n* (*Gegensatz Mensch*): dumb ~ stumme Kreatur. – **3.** *Am.* Haustier *n*. – **4.** (*oft verächtlich od. mitleidig*) Geschöpf *n*, Ding *n*: you silly ~ du dummes Ding. – **5.** Krea'tur *f*, Günstling *m*. – **6.** Sklave *m*, Handlanger *m*, Werkzeug *n* (*Person*). – **7.** *oft* good ~ → ~ comforts. – **8.** *meist* the ~ [ˈkriːtər; ˈkrei-] *dial. od. humor.* berauschendes Getränk,

bes. Whisky *m.* — ~ **com·forts** *s pl* materi'elle Annehmlichkeiten *pl* des Lebens, *bes.* Speise *f* u. Trank *m.*
crea·ture·ly ['kriːtʃərli] *adj* krea'türlich, menschlich, Geschöpf...
crèche [kreiʃ; kreʃ] *s* **1.** *bes. Br.* Kinderhort *m*, -krippe *f*, Kleinkinderbewahranstalt *f.* – **2.** Findelhaus *n.* – **3.** Krippe *f* (*Darstellung, bes. Figurengruppe des Stalls zu Bethlehem*).
cre·dence ['kriːdəns] *s* **1.** Glaube *m* (of an *acc*): to give ~ to gossip dem Klatsch Glauben schenken. – **2.** *obs.* Beglaubigung *f* (*nur noch in*): letter of ~ Beglaubigungs-, Empfehlungsschreiben. – **3.** Kre'denz(tisch *m*) *f.* – *SYN. cf.* belief.
cre·den·dum [kri'dendəm] *pl* **-da** [-də] *s relig.* 'Glaubensarˌtikel *m.*
cre·dent ['kriːdənt] *adj* **1.** (leicht)gläubig. – **2.** glaubwürdig, -haft.
cre·den·tial [kri'denʃəl] **I** *adj* **1.** beglaubigend, Beglaubigungs... – **II** *s pl* **2.** Beglaubigungsschreiben *n*, Bescheinigung *f.* – **3.** Empfehlungsschreiben *n.* – **4.** 'Ausweis(paˌpiere *pl*) *m*, Zeugnisse *pl.*
cre·den·za [kri'denzə] *s* **1.** → credence 3. – **2.** (*bes.* Bücher)Schrank *m* (*meist ohne Füße*).
cred·i·bil·i·ty [ˌkredi'biliti; -də-; -əti] *s* Glaubwürdigkeit *f.* — '**cred·i·ble** *adj* **1.** glaubwürdig, glaublich. – **2.** vertrauenswürdig (*obs. außer in*): ~ witness. – *SYN. cf.* plausible.
cred·it ['kredit] **I** *s* **1.** Glaube(n) *m*: to give ~ to s.th. einer Sache Glauben schenken; → worthy 2. – **2.** Ansehen *n*, Achtung *f*, guter Ruf: a citizen of ~ ein angesehener Bürger. – **3.** Glaubwürdigkeit *f*, Zuverlässigkeit *f.* – **4.** Einfluß *m.* – **5.** Ehre *f*: to be a ~ to s.o., to reflect ~ on s.o. j-m Ehre machen *od.* einbringen; it will do him ~ es wird ihm zur Ehre gereichen; he has not done you ~ mit ihm haben Sie keine Ehre eingelegt; with ~ ehrenvoll. – **6.** Anerkennung *f*, Lob *n*: to deserve ~ Anerkennung verdienen. – **7.** Verdienst *n*: he has the ~ of helping us es ist sein Verdienst, uns geholfen zu haben; to give s.o. ~ for s.th. a) j-m etwas hoch *od.* als Verdienst anrechnen, b) j-m etwas zutrauen, c) sich j-m für etwas (dankbar) verpflichtet fühlen; I give him ~ for doing it a) ich rechne es ihm hoch an, daß er es getan hat, b) ich traue ihm zu, daß er es tut; to take ~ to oneself for s.th. sich etwas als Verdienst anrechnen. – **8.** *econ.* a) Kre'dit *m*, b) Zeit *f*, Ziel *n*: on ~ auf Kredit *od.* Ziel; at one month's ~ auf einen Monat Ziel; ~ on goods Warenkredit; ~ on real estate Realkredit; to give s.o. ~ for £10 j-m in Höhe von 10 Pfund Kredit geben. – **9.** *econ.* Kre'dit(würdigkeit *f*, -fähigkeit *f*) *m*, Boni'tät *f*: → enjoy 2. – **10.** *econ.* a) Guthaben *n*, 'Kreditposten *m*, b) 'Kredit(seite *f*) *n*, Haben *n*: to enter (*od.* place, put) a sum to s.o.'s ~ j-m einen Betrag gutschreiben; to pay a sum to s.o.'s ~ eine Summe zu j-s Gunsten zahlen; to open a ~ einen Kredit eröffnen. – **11.** *auch* letter of ~ *econ.* Kre'ditbrief *m*, Akkredi'tiv *n.* – **12.** *econ. pol.* (*in England*) (*vom Parlament bewilligter*) Vorgriff auf das Bud'get. – **13.** *ped. Am.* Anrechenbarkeit *f*, Anrechnungspunkt *m* (*eines Kurses auf ein für den Erwerb eines akademischen Grades zu erfüllendes Pensum*): this course carries no ~ dieser Kurs wird nicht angerechnet; he takes a course for four ~s er belegt einen Lehrgang, der 4 (Anrechnungs)Punkte einbringt. – **14.** a) → ~ hour, b) → ~ line 2. – *SYN. cf.* a) belief, b) influence. – **II** *v/t* **15.** a) (*j-m*) glauben, Glauben schenken, b) (*etwas*) glauben. – **16.** (*j-m*) (ver)trauen. – **17.** (*j-m*) zutrauen, zuschreiben, beilegen: to ~ s.o. with s.th. j-m etwas zutrauen; to ~ s.o. with a quality j-m eine Eigenschaft beilegen. – **18.** *econ.* a) (*j-m*) Kre'dit geben, b) (*Betrag*) gutschreiben, kredi'tieren (to s.o. j-m), c) (*j-n*) erkennen (with, for für): to ~ s.o. with a sum j-n für einen Betrag erkennen, j-m einen Betrag gutschreiben. – **19.** *ped. Am.* (*j-m*) anrechnen: to ~ s.o. with three hours in history j-m für einen Geschichtskurs 3 Punkte (aufs Pensum) anrechnen. – *SYN. cf.* ascribe.
cred·it·a·bil·i·ty [ˌkreditə'biliti; -əti] *s* Rühmlich-, Löblich-, Achtbarkeit *f.* — '**cred·it·a·ble** *adj* rühmlich (to für), löblich, achtbar, lobens-, ehrenwert: to be ~ to s.o. j-m Ehre machen. — '**cred·it·a·ble·ness** → creditability.
cred·it| as·so·ci·a·tion *s econ.* Kre'ditanstalt *f.* — ~ **cur·ren·cy** → credit money. — ~ **grant·er** *s econ.* Kre'ditgeber *m.* — ~ **hour** *s ped. Am.* anrechenbare (Vorlesungs)Stunde. — ~ **in·stru·ment** *s econ.* Kre'ditinstruˌment *n* (*Wechsel, Scheck, Schuldverschreibung, Kreditbrief etc.*). — ~ **in·sur·ance** *s econ.* Kre'ditversicherung *f.* — ~ **line** *s* **1.** *econ.* Kre'ditgrenze *f.* – **2.** 'Herkunfts-, Quellenangabe *f.* — ~ **man** *s irr econ. Am.* Kre'ditfestsetzer *m* (*Bankbeamter etc.*). — ~ **mem·o·ran·dum** *s econ.* Gutschriftszettel *m*, Gutschein *m*, Einzahlungsbeleg *m.* — ~ **mon·ey** *s econ.* nicht voll gedeckte Währung. — ~ **note** *s econ.* Kre'ditnote *f*, Gutschriftsanzeige *f.*
cred·i·tor ['kreditər] *s econ.* **1.** Kreditor *m*, Gläubiger *m*: composition (*od.* settlement) with ~s Vergleich mit Gläubigern; general ~ Gesamtgläubiger; preferred ~, *Br.* preferential ~ bevorzugter Gläubiger; ~ of a bankrupt's estate Massegläubiger; ~ in trust *jur.* Konkursmasseverwalter (*als Mitgläubiger*). – **2.** a) 'Kredit *n*, Haben *n* (*rechte Seite eines Kontobuchs*), b) Kreditposten *m.*
cred·it| slip → credit memorandum. — ~ **stand·ing** *s econ.* Boni'tät *f*, (guter) kaufmännischer Ruf. — ~ **un·ion** *s econ.* Kre'ditgenossenschaft *f*, -verein *m.*
Cre·do ['kriːdou] *pl* **-dos** *s* **1.** *relig.* Credo *n.* – **2.** c~ *fig.* Glaubensbekenntnis *n*, Kredo *n.*
cre·du·li·ty [krə'djuːliti; kri-; -lə-; *Am. auch* -duː-] *s* Leichtgläubigkeit *f.*
cred·u·lous [*Br.* 'kredjuləs; *Am.* -dʒələs] *adj* **1.** leichtgläubig, allzu vertrauensvoll (of gegen'über). – **2.** auf Leichtgläubigkeit beruhend. — '**cred·u·lous·ness** → credulity.
Cree [kriː] *pl* **Crees**, *collect.* **Cree** *s* Kri *m*, 'Kri-Indiˌaner(in).
Creed¹ [kriːd] (*TM*) *s electr. Br.* ein *Fernschreibertyp.*
creed² [kriːd] *s* **1.** *relig.* a) Kredo *n*, Glaubensbekenntnis *n*, -erklärung *f*, b) Glaube *m*, Konfessi'on *f*: the (Apostles') C~ das Apostolische Glaubensbekenntnis. – **2.** *fig.* Über'zeugung *f*, Glaube *m*, Kredo *n.* — '**creed·al** *adj* ein Glaubensbekenntnis betreffend: ~ controversies Streitigkeiten über das Glaubensbekenntnis.
Creek¹ [kriːk] *s* Krik *m*, 'Krik-Indiˌaner(in).
creek² [kriːk; *Am. auch* krik] *s* **1.** *Am.* kleiner Fluß, Nebenfluß *m.* – **2.** *bes. Br.* kleine schmale Bucht. – **3.** *Br.* kleiner Hafen. – **4.** *Br.* enge Ebene zwischen Bergen. – **5.** *Austral. u. Am.* zeitweilig trockener Wasserlauf. – **6.** *obs. od. dial.* schmaler, gewundener Pfad. — '**creek·y** *adj* **1.** *Am.* reich an kleinen Flüssen *etc.* – **2.** *Br.* buchtenreich.
creel [kriːl] **I** *s* **1.** Weiden-, Fischkorb *m.* – **2.** (Fisch)Reuse *f*, Fangkorb *m.* – **3.** (*Spinnerei*) Lieferwerk *n*, Spulrahmen(gestell *n*) *m*, (Aufsteck)Gatter *n.* – **II** *v/t* **4.** in einen Weidenkorb legen.
creep [kriːp] **I** *v/i pret u. pp* **crept** [krept] **1.** kriechen. – **2.** kriechen, (da'hin)schleichen, sich langsam fortbewegen. – **3.** schleichen: to ~ up a) heranschleichen, b) *econ.* langsam steigen (*Preise etc*); age ~s upon us unbemerkt kommt das Alter über uns. – **4.** *fig.* kriechen, sich kriecherisch benehmen, unter'würfig schmeicheln: to ~ into s.o.'s favo(u)r sich bei j-m einschmeicheln. – **5.** kribbeln, schaudern: it made my flesh ~ es machte mich schaudern; my flesh (*od.* skin) ~s es überläuft mich kalt, ich bekomme eine Gänsehaut. – **6.** *bot.* kriechen, sich ranken (*Pflanze*). – **7.** *tech.* sich ein wenig verschieben, all'mählich verrutschen, rutschen, wandern. – **8.** *tech.* sich (in der Längsrichtung) dehnen (*Schienen*), sich verziehen. – **9.** *electr.* nacheilen. – **10.** *mar.* draggen, dreggen (*am Meeresboden etc*). – **II** *v/t* **11.** *poet.* kriechen über (*acc*). – *SYN.* crawl¹. – **III** *s* **12.** Kriechen *n.* – **13.** *meist pl colloq.* Gruseln *n*, Gänsehaut *f*, Schauder *m*: it gave me the ~s es machte mich schaudern, es überlief mich eiskalt. – **14.** Kriechöffnung *f*, enger 'Durchlaß. – **15.** all'mähliches Verrutschen. – **16.** *geol.* Rutsch *m*, Gekriech *n*, Bodenkriechen *n.* – **17.** *tech.* (all'mähliche) Ausdehnung, Kriech-, Warmdehnung *f*, Verschieben *n*, Wandern *n.* – **18.** *tech.* Kriechen *n*, Schleifen *n*, Rutschen *n*, Wandern *n.* – **19.** *electr.* Nacheilen *n.*
creep·age ['kriːpidʒ] *s electr.* Kriechen *n* (*des Stromes über die Oberfläche von Isolationsmaterialien*).
creep·er ['kriːpər] *s* **1.** a) Kriechtier *n*, b) kriechendes In'sekt, c) Wurm *m.* – **2.** *fig.* Kriecher(in), Schleicher(in). – **3.** *pl* Spielanzug *m* (*für Kleinkinder*). – **4.** *bot.* Rankengewächs *n*, Kletter-, Kriech-, Schlingpflanze *f*, *bes.* a) → hedge bindweed, b) → trumpet ~. – **5.** *zo. ein auf Bäumen herumkletternder Vogel, bes.* → tree ~. – **6.** *zo. eine kurzbeinige Haushuhnrasse.* – **7.** *mar.* Dragganker *m*, Dragge *f* (*Suchanker*). – **8.** Eissporn *m* (*am Schuh*). – **9.** Steigeisen *n.* – **10.** (*Ski*) Steiggurt *m*, -fell *n*, *bes.* Seehundsfell *n.* – **11.** *tech.* a) Fließband *n*, b) Trans'portschnecke *f*, c) (*Spinnerei*) Speisetuch *n* ohne Ende. – **12.** *pl* → creep 13. – **13.** *pl vulg.* Läuse *pl.*
'**creepˌhole** *s* Schlupfloch *n* (*auch fig.*).
creep·ie-peep·ie ['kriːpi'piːpi] *s electr. tragbarer Radio- u. Fernsehsender mit einem Wirkungsbereich von 1 Meile im Umkreis.*
creep·i·ness ['kriːpinis] *s* **1.** kriechende Langsamkeit. – **2.** Gruseligkeit *f.*
creep·ing ['kriːpiŋ] **I** *adj* **1.** kriechend, schleichend (*auch fig.*). – **2.** *bot.* kriechend. – **3.** kribbelnd, schaudernd: ~ sensation gruseliges Gefühl, Gänsehaut. – **II** *s* **4.** Kriechen *n*, Schleichen *n* (*auch fig.*). – **5.** → creep 13, 17 *u.* 18. – **6.** *mar.* Draggen *n*, Dreggen *n.* — ~ **bar·rage** *s mil.* Feuerwalze *f.* — ~ **crow·foot** *s irr bot.* Großes Goldknöpfchen, Kriechender Hahnenfuß (*Ranunculus repens*). — ~ **cur·rent** *s electr.* Kriechstrom *m.* — ~ **disk** *s zo.* Kriechsohle *f* (*Schnecken etc*). — ~ **e·rup·tion** *s med.* Hautmaulwurf *m*, Gastrophi'losis *f* cutis. — ~ **Jen·nie** *s bot.* **1.** → moneywort. – **2.** Kolbenbärlapp *m* (*Lycopodium clavatum*). – **3.** Wilder Balsamapfel (*Echinocystis*

lobata). — **~ ju·ni·per** *s bot.* Sadebaum *m* (*Juniperus sabina u. J. horizontalis*). — **~ plates** *s pl* (*Eisenbahn*) Hemmlasche *f*, Verbindungsstück *n* (*gegen Wandern der Geleise*). — **~ sail·or** *s bot.* **1.** → beefsteak saxifrage. – **2.** Mauerpfeffer *m* (*Sedum acre*). — **~ sheet** → creeper 11 c. — **~ sick·ness** → ergotism 2. — **~ soft grass** *s bot.* Weiches Honiggras (*Holcus mollis*). — **~ thyme** *s bot.* Feldthymian *m* (*Thymus serpyllum*). — **~ wall** *s arch.* schräge Mauer, Wangen-, Treppenmauer *f*.

'creep,mouse *adj* schüchtern, scheu, furchtsam.

creep·y ['kri:pi] *adj* **1.** kriechend, krabbelnd, krabblig. – **2.** sehr langsam. – **3.** gruselig, unheimlich, schaurig. – **4.** schaudernd.

creese [kri:s] *s* Kris *m* (*malaiischer Dolch*).

cre·mas·ter [kri'mæstər] *s* **1.** *med.* Kre'master *m* (*Hebemuskel des Hodens*). – **2.** *zo.* 'Hinterleibsfortsatz *m* (*Schmetterlingspuppe*). — **crem·as·ter·ic** [,kreməs'terik] *adj med.* Kremaster...

cre·mate [*Br.* kri'meit; *Am.* 'kri:meit] *v/t* **1.** (*Leichen*) verbrennen, einäschern. – **2.** verbrennen. — **cre·ma·tion** [kri'meiʃən] *s* **1.** Einäscherung *f*, Feuerbestattung *f*. – **2.** Verbrennung *f*. — **cre'ma·tion·ist** *s* Anhänger(in) der Feuerbestattung. — **cre·ma·tor** [*Br.* kri'meitər; *Am.* 'kri:-] *s* **1.** Leichenverbrenner *m*. – **2.** Krema'torium *n*. – **3.** Verbrennungsofen *m* (*für Müll etc*).

crem·a·to·ri·um [,kremə'tɔ:riəm; *Am. auch* ,kri:-] *pl* **-ri·ums, -ri·a** [-ə] *bes. Br. für* crematory 1 *u.* 2. — **cre·ma·to·ry** [*Br.* 'kremətəri; *Am.* -,tɔ:ri, *auch* 'kri:-] **I** *s* **1.** Krema'torium *n*, Feuerbestattungsanstalt *f*. – **2.** Feuerbestattungsofen *m*. – **3.** → cremator 3. – **II** *adj* **4.** Verbrennungs... – **5.** Feuerbestattungs...

crème [krɛm] (*Fr.*) *s* **1.** Krem *f*, Creme *f*. – **2.** Cremespeise *f*. – **3.** 'Cremeli,kör *m*: ~ **de cacao** Kakaolikör; ~ **de menthe** Pfefferminzlikör; ~ **de la** ~ *fig.* das Beste vom Besten, die Auslese.

crem·o·carp ['kremo,kɑ:rp; -mə-] *s bot.* Cremo'carpium *n*, Hängefrucht *f* (*eine Spaltfrucht der Umbelliferae*).

Cre·mo·na [kri'mounə] *s mus.* **1.** Cremo'neser Geige *f* (*bes. eine Stradivari, Guarneri od. Amati*). – **2.** c~ → cromorna.

cre·na ['kri:nə] *pl* **-nae** [-ni:] *s med. zo.* Crena *f*, Furche *f*, Spalte *f*.

cre·nate[1] ['kri:neit] *adj* **1.** *bot.* gekerbt. – **2.** *med.* gekerbt, kerbig: ~ **red corpuscles** geschrumpfte rote Blutkörperchen.

cre·nate[2] ['kri:neit] *s chem.* Kre'nat *n* (*Salz od. Ester der Kren- od. Quellsäure*).

cre·nat·ed ['kri:neitid] → crenate[1].

cre·na·tion [kri'neiʃən] *s* **1.** *bes. bot.* kon'vex-stumpfer Zahn (*bes. eines Blattes*). – **2.** Kerbung *f*, Gekerbtheit *f*. – **3.** *med.* Schrumpfung *f* (*roter Blutkörperchen*).

cren·a·ture ['krenətʃər] *s* **1.** → crenation. – **2.** Einkerbung *f*.

cren·el ['krenəl] **I** *s* **1.** *mil.* Zinnenlücke *f*, Schießscharte *f*. – **2.** → crenulation. – **II** *v/t pret u. pp* **-eled**, *bes. Br.* **-elled** → crenelate I.

cren·el·ate ['kreni,leit; -nə-] **I** *v/t* **1.** krene'lieren, mit Zinnen versehen. – **2.** *arch.* mit einem zinnenartigen Orna'ment versehen. – **II** *adj* → crenelated. — **'cren·el,at·ed** *adj* **1.** krene'liert, mit Zinnen versehen. – **2.** *arch.* mit einem zinnenartigen Orna'ment versehen. – **3.** → crenulate. — **,cren·el'a·tion** *s* **1.** Krene'lierung *f*. – **2.** Versehensein *n* mit Zinnen. – **3.** *arch.* mit einem Zinnenmuster versehener Fries *etc*. – **4.** Zinne *f*. – **5.** Auskerbung *f*, Kerbe *f*. – **6.** → crenulation.

cren·el·late *etc bes. Br. für* crenelate *etc.*

cre·nelle [kri'nel] → crenel I.

cre·nic ac·id ['kri:nik] *s chem.* Quell(satz)-, Krensäure *f*.

cren·u·late ['krenju,leit; -jə-; -lit], *auch* **'cren·u,lat·ed** *adj bot.* fein gekerbt. — **,cren·u'la·tion** *s bot.* feine Kerbung.

cre·o·dont ['kri:o,dɒnt; -ə,d-] *s zo.* Creo'dont *m* (*Urraubtier*).

Cre·ole ['kri:oul] **I** *s* **1.** Kre'ole *m*, Kre'olin *f*: a) *in Westindien od. Lateinamerika etc von europ.* (*bes. franz. od. span.*) *Eltern geborener Weißer*, b) (*in USA*) *ein von den franz. od. span. Siedlern in Louisiana etc abstammender Weißer*, c) *im Inland geborener Abkömmling ausländischer weißer Eltern*. – **2.** das in Louisi'ana gesprochene Fran'zösisch. – **3.** c~ Kre'ole *m*, Kre'olin *f* (*Mischling mit kreolischem u. Negerblut, der eine kreolische Sprache spricht*). – **4.** c~, *auch* c~ **negro** Kre'ole *m*, Kre'olin *f* (*in Amerika geborener Neger*). – **5.** *ling.* a) 'Negerfran,zösisch *n*, b) Negerspanisch *n*. – **II** *adj* **6.** kre'olisch, Kreolen... – **7.** c~ ('neger)kre,olisch: ~ **French** Negerfranzösisch. – **8.** c~ im Inland erzeugt *od.* wachsend, je'doch ausländischer 'Herkunft (*Tiere, Pflanzen*). – **9.** c~ nach kre'olischer Art (zubereitet), à la créole (*mit Tomaten, Pfeffer, Zwiebel etc*). — **cre·ole di·a·lect** *s* **1.** kre'olische (Misch)Sprache. – **2.** C~ d~ das von (weißen) Kre'olen gesprochene Fran'zösisch *od.* Englisch.

cre·ol·ized ['kri:ə,laizd] *adj ling.* kre'olisch (gemacht), kreoli'siert: ~ **French** kreolisches Französisch, Negerfranzösisch.

cre·oph·a·gous [kri'ɒfəgəs] *adj* fleischfressend.

cre·o·sol ['kri:ə,sɒl; -,soul] *s chem.* Kreo'sol *n* ($C_8H_{10}O_2$).

cre·o·sote ['kri:ə,sout] *chem. med.* **I** *s* **1.** Kreo'sot *n* (*Destillationsprodukt aus Buchenholzteer; Imprägnierungsmittel, Antiseptikum etc*). – **2.** 'Steinkohlenteerkreo,sot *n*. – **II** *v/t* **3.** mit Kreo'sot imprä'gnieren *od.* behandeln. — **~ bush** *s bot.* Kreo'sotbusch *m* (*Covillea mexicana*). — **cre·o·sot·ic** [,kri:ə'sɒtik] *adj chem.* Kreosot...

crêpe, *Am. meist* **crepe** [kreip] **I** *s* **1.** Krepp *m*. – **2.** → crape 2. – **3.** → ~ paper. – **4.** → ~ rubber. – **II** *v/t* **5.** kreppen, kräuseln. – **6.** mit (Trauer)Krepp bedecken *od.* dra'pieren. — **~ de Chine** [də'ʃi:n] *s* Crêpe de Chine *m*, Chinakrepp *m*. — **~ pa·per** *s* 'Kreppa,pier *n*. — **'~-,pa·per** *adj* Kreppapier... — **~ rub·ber** *s* Kreppgummi *m*. — **~ su·zette** [su:'zet] *pl* **crêpes su·zette** *s in einer Soße aus zerlassener Butter, heißem Orangensaft u. Likör gerollter Pfannkuchen, mit Kognak od. Rum übergossen*.

crep·i·tant ['krepitənt; -pə-] *adj* knarrend, knisternd, knackend, Knack... — **'crep·i,tate** [-,teit] *v/i* **1.** knarren, knistern, knacken, rasseln. – **2.** *zo.* Ätzflüssigkeit ausspritzen (*Käfer*). — **,crep·i'ta·tion** *s* **1.** Knarren *n*, Knistern *n*, Krachen *n*, Rasseln *n*. – **2.** *med.* a) Krepitati'on *f*, (Knister)Rasseln *n* (*Lunge*), b) Knirschen *n* (*Knochen*).

cré·pon ['kreipɒn; kre'pɔ̃] *s* Kre'pon *m* (*ein Borkenkrepp*).

crept [krept] *pret u. pp von* creep.

cre·pus·cle [kri'pʌsl] *s* Zwielicht *n*, (Morgen- *od.* Abend)Dämmerung *f*. — **cre'pus·cu·lar** [-kjulər; -kjə-] *adj* **1.** Dämmerungs... – **2.** dämmerig, dämmernd, Dämmer... – **3.** *zo.* Abend..., im Zwielicht erscheinend *od.* jagend. — **cre'pus·cule** [-kju:l], **cre'pus·cu·lum** [-ləm] → crepuscle.

cre·scen·do [krə'ʃendou; kre-] **I** *s pl* **-dos** *mus.* **1.** Kre'scendo *n* (*auch fig.*). – **II** *adj* **2.** all'mählich anschwellend (*bes. an Tonstärke*). – **3.** *ling.* steigend (*Diphthong*). – **III** *adv* **4.** *mus.* cre'scendo. – **5.** all'mählich anschwellend. – **IV** *v/i* **6.** steigen, stärker werden.

cres·cent ['kresnt] **I** *s* **1.** Halbmond *m*, Mondsichel *f*. – **2.** *pol. hist.* Halbmond *m*: a) *Symbol des Türk. Reichs*, b) *Symbol der Macht der Türkei od. des Islams*. – **3.** halbmondförmiger Gegenstand. – **4.** *bes. Br.* halbmondförmige Häuserreihe. – **5.** *mus.* Schellenbaum *m*. – **6.** Hörnchen *n* (*Gebäck*). – **II** *adj* **7.** (halb)mond-, sichelförmig, Mond... – **8.** zunehmend, wachsend. — **,cres·cent'ade** [-'teid] *s* heiliger Kriegszug der Mohamme'daner. — **cres'cen·tic** [kre'sentik] *adj* halbmond-, sichelförmig.

cres·cive ['kresiv] *adj* wachsend, zunehmend.

cre·sol ['kri:sɒl; -soul] *s chem.* Kre'sol *n*, Me'thylphe,nol *n* ($CH_3C_6H_4OH$).

cress [kres] *s bot.* **1.** Kresse *f* (*Salatcrucifere*). – **2.** *eine der echten Kresse ähnliche Pflanze, bes.* Kapu'zinerkresse *f* (*Tropaeolum maius*).

cres·set ['kresit] *s* **1.** Stocklaterne *f*, Kohlen-, Pechpfanne *f*, Feuerschale *f*. – **2.** *fig.* Fackel *f*.

cress rock·et *s bot.* Dornschote (*Vella pseudocytisus; span. Crucifere*).

cress·y ['kresi] *adj* voller Kressen.

crest [krest] **I** *s* **1.** *zo.* Kamm *m*, Kopfwulst *m* (*Hahn etc*). – **2.** *zo.* Federbüschel *n*, Schopf *m*, Haube *f*, Krone *f* (*der Vögel*). – **3.** *zo.* Kamm *m* (*Pferd etc*). – **4.** *zo.* Mähne *f* (*Pferd etc*). – **5.** Helmschmuck *m*, *bes.* -busch *m*. – **6.** Helm *m*. – **7.** Helmkamm *m*, -spitze *f*. – **8.** *her.* Helmzierde *f*, -schmuck *m*. – **9.** Krone *f*, Gipfel *m*. – **10.** Gipfel *m* (*Berg*). – **11.** a) Kamm *m*, b) Grat *m* (*Bergzug*). – **12.** Kamm *m* (*Welle*): **on the ~ of the wave** *fig.* auf dem Gipfel des Glücks. – **13.** *fig.* Krone *f*, Gipfel *m*, Voll'endung *f*. – **14.** *fig.* Höchst-, Scheitelwert *m*, Gipfel *m*, Spitze *f*. – **15.** a) Stolz *m*, b) Mut *m*, c) Hochgefühl *n*. – **16.** *med.* (Knochen)Leiste *f*, Kamm *m*. – **17.** *arch.* Krone *f*, Firstkamm *m*, Bekrönung *f*. – **II** *v/t* **18.** mit einem Kamm *etc* versehen. – **19.** *fig.* krönen. – **20.** den Gipfel erreichen von: to ~ a hill den Gipfel eines Hügels ersteigen. – **III** *v/i* **21.** sich (zu einem Kamm) erheben, hoch aufwogen (*Welle*). – **22.** stolz auftreten.

crest·ed ['krestid] *adj* mit einem Kamm *etc* versehen, Schopf..., Hauben... — **~ auk·let** *s zo.* Schopfalk *m* (*Aethia cristatella*). — **~ dog's-tail** *s bot.* Gemeines Kammgras (*Cynosurus cristatus*). — **~ fly·catch·er** *s zo.* Fliegenjäger *m* (*Myiarchus crinitus*). — **~ lark** *s zo.* Haubenlerche *f* (*Galerita cristata*).

crest fac·tor *s mar. phys.* Scheitelfaktor *m*.

crest·fall·en ['krest,fɔ:lən] *adj* **1.** niedergeschlagen, mutlos. – **2.** mit seitwärts hängendem Hals (*Pferd*). — **'crest,fall·en·ness** *s* Niedergeschlagenheit *f*, Mutlosigkeit *f*.

crest·ing ['krestiŋ] *s arch.* Mauer-, Dachbekrönung *f*. — **'crest·less** *adj* **1.** ohne Kamm *etc*. – **2.** ohne Wappen, von niedriger Geburt.

crest| tile *s arch.* Kammziegel *m*, verzierter Firstziegel. — **~ volt·me·ter** *s electr.* Im'pulsmesser *m*, Instru'ment *n* zur Messung sehr hoher Wechselspannungen.

cre·syl·ic [kri'silik] *adj chem.* Kresol..., Kreosot...: ~ **acid** Kresol(säure); ~ **resin** Kresolharz.

cre·ta·ceous [kri'teiʃəs] **I** *adj* **1.** kreidig, kreideartig, Kreide... – **2.** kreidehaltig. – **3.** C~ *geol.* Kreide..., kreta'zeisch: ~ **formation** Kreideformation. – **II** *s* **4.** C~ *geol.* 'Kreide(formati,on) *f.*

Cre·tan ['kri:tən] **I** *adj* kretisch, aus Kreta. – **II** *s* Kreter(in), Bewohner(in) von Kreta. — **'cre·tic I** *s metr.* Kretikus *m*, kretischer Versfuß. – **II** *adj* C~ → **Cretan** I.

cre·ti·fy ['kri:ti,fai; -tə-] *v/t u. v/i* **1.** verkreiden. – **2.** verkalken.

cre·tin ['kri:tin; *Br. auch* 'kret-] *s med.* Kre'tin *m* (*auch fig.*), Schwachsinnige(r). — **'cre·tin,ism** *s med.* Kreti'nismus *m.* — **'cre·tin·ous** *adj* kre'tinhaft.

cre·tonne [*Br.* kre'tɒn; *Am.* kri-] *s* Kre'tonne *f*, Doppelshirting *m.*

cre·val·lé [kre'vælei] *s zo.* (*eine*) 'Stachelma,krele (*Fam. Carangidae*), *bes.* (*eine*) gelbe Ma'krele (*Caranx hippos u. Paratractus crysos*).

cre·vasse [krə'væs] **I** *s* **1.** tiefer Spalt *od.* Riß. – **2.** Gletscherspalte *f.* – **3.** *Am.* Bruch *m* im Deich *od.* Schutzdamm. – **II** *v/t* **4.** aufreißen, Sprünge *od.* Risse her'vorrufen in (*dat*).

crev·ice ['krevis] *s* Sprung *m*, Spalt *m*, (Fels)Spalte *f*, Riß *m.* — **'crev·iced** *adj* gesprungen, gespalten, rissig.

crew[1] [kru:] *s* **1.** Gruppe *f*, Ko'lonne *f.* – **2.** (Bedienungs)Mannschaft *f.* – **3.** *mar.* a) Besatzung *f*, Bemannung *f* (*Offiziere u. Matrosen*), b) Mannschaft *f* (*Matrosen*). – **4.** *aer. mil.* Besatzung *f.* – **5.** *sport* Mannschaft *f* (*Boot*). – **6.** Belegschaft *f*, ('Dienst)Perso,nal *n*: ~ **of a train** Zugpersonal. – **7.** Haufe *m*, Schar *f*, Menge *f*, Gesellschaft *f*, Gruppe *f.* – **8.** (*verächtlich*) Haufen *m*, Bande *f*, Rotte *f.* – **9.** *obs.* bewaffneter Haufe.

crew[2] [kru:] *pret von* **crow.**

crew cut *s* kurzer Haarschnitt, Bürstenschnitt *m.*

crew·el ['kru:əl] *s* Crewelgarn *n.* — **'~,work** *s* ,Crewelsticke'rei *f.*

crew| hair·cut → **crew cut.** — **~ list** *s* Mannschaftsliste *f*, -rolle *f.*

crib [krib] **I** *s* **1.** Kinderbett *n* (mit hohen Seiten). – **2.** Hürde *f*, Pferch *m*, Stall *m.* – **3.** Futterplatz *m*, Stand *m* (*in Ställen*). – **4.** (Futter)Krippe *f*, Raufe *f.* – **5.** Hütte *f*, Kate *f.* – **6.** kleiner enger Raum. – **7.** (*Gaunersprache*) Haus *n*, Geschäft *n*, Laden *m*: **to crack a** ~ in ein Haus *od.* Geschäft einbrechen. – **8.** *Am. sl.* a) Spe'lunke *f*, b) ,Puff' *n*, Bor'dell *n.* – **9.** Weidenkorb *m.* – **10.** Lachsfalle *f.* – **11.** (*meist offener*) Kasten, Speicher *m.* – **12.** *tech.* a) Senkkiste *f*, b) Latten-, Holzgerüst *n*, c) Kranz *m* (*zum Schachtausbau*), d) Holzfütterung *f* (*Schacht*), e) Bühne *f*, f) Darre *f*, Dörrsieb *n.* – **13.** *colloq.* kleiner Diebstahl. – **14.** *colloq.* kleines Plagi'at. – **15.** *Br. colloq.* Eselsbrücke *f*, ,Klatsche' *f* (*unerlaubte Übersetzungshilfe etc*). – **16.** (*Cribbage*) für den Geber abgelegte Karten. – **17.** *Am.* Holzfloß *n.* – **II** *v/t pret u. pp* **cribbed 18.** ein-, zu'sammenpferchen. – **19.** *tech.* mit einem Holzgerüst stützen *od.* versehen. – **20.** *tech.* (*Schacht*) auszimmern, verzimmern, verbauen, verschalen. – **21.** *colloq.* (*geistiges Eigentum*) stehlen, abschreiben (from aus, von). – **22.** *colloq.* ,sti'bitzen', ,mausen'. – **23.** (*Stall*) mit Krippen versehen. – **III** *v/i* **24.** *colloq.* plagi'ieren, geistiges Eigentum stehlen, abschreiben. – **25.** *Br. colloq.* (*bei Prüfungen*) mogeln, spicken. – **26.** → ~-**bite.** — **crib·bage** ['kribidʒ] *s* **1.** Cribbage *n* (*Kartenspiel*): ~ **board** Markierbrett beim Cribbage. – **2.** *colloq.* a) Plagi'at *n*, b) Plagi'ieren *n.*

crib·ber ['kribər] *s* **1.** *colloq.* Plagi'ator *m.* – **2.** *Br. colloq.* Mogler(in), Schwindler(in) (*bei Prüfungen*). – **3.** → **crib-biter.** — **'crib·bing** *s* **1.** *tech.* Verschalung *f*, Auszimmerung *f* (*Schacht etc*). – **2.** *tech.* Ver'schalungsmateri,al *n.* – **3.** → **crib biting.**

'crib|-,bite *v/i irr vet.* krippensetzen. — **'~-,bit·er** *s* Krippensetzer *m* (*Pferd*). — **~ bit·ing** *s* Krippensetzen *n* (*eine Art des Koppens*).

crib·rate ['kribreit] *adj bot. zo.* siebartig durch'löchert. — **cri'bra·tion** *s chem.* 'Durchsieben *n*, Sichten *n.* — **'crib·ri,form** [-ri,fɔ:rm] *adj med. zo.* siebförmig, -artig, Sieb...: ~ **plate** Siebplatte.

crib| strap *s* Riemen *m* zur Verhinderung des Koppens (*bei Pferden etc*). — **'~,work** *s tech.* **1.** ('Bau- *od.* 'Stapel)Konstrukti,on *f* mit längs u. quer überein'anderliegenden Träger(balken)lagen. – **2.** (*Bergbau*) Ring- *od.* Kranzausbau *m* (*mit Eisen- od. Holzringen*). – **3.** Senkkiste *f.*

crick[1] [krik] *med.* **I** *s* Muskelkrampf *m*: ~ **in one's back** Hexenschuß; ~ **in one's neck** steifer Hals. – **II** *v/t* verrenken: **to ~ one's neck** sich den Hals verrenken.

crick[2] [krik] *Am. dial. für* **creek**[1].

crick·et[1] ['krikit] *s zo.* Grille *f* (*Fam. Gryllidae*), *bes.* Hausgrille *f*, Heimchen *n* (*Gryllus domesticus*): „**The C~ on the Hearth**" „Das Heimchen am Herde" (*Dickens*); → **merry** 1.

crick·et[2] ['krikit] **I** *s* **1.** *sport* Kricket *n* (*engl. Schlagballspiel*): ~ **bat** Kricketschläger; ~ **field,** ~ **ground** Kricket(spiel)platz; ~ **pitch** Teil des Kricketplatzes zwischen den beiden Torlinien. – **2.** Fairneß *f*, faires Verhalten, (sportlicher) Anstand: **that is not** ~ das ist nicht fair *od.* ehrlich; **to play** ~ ehrlich handeln *od.* spielen. – **II** *v/i* **3.** Kricket spielen.

crick·et[3] ['krikit] *s* Schemel *m.*

'crick·et|-,bat 'wil·low *s bot.* Kahle Silberweide (*Salix alba var. coerulea*). — **~ bird** *s zo.* Feldschwirl *m*, Heuschreckensänger *m* (*Locustella naevia*).

crick·et·er ['krikitər] *s* Kricketspieler *m.* — **'crick·et·ing** *s* Kricketspielen *n.*

cri·coid ['kraikɔid] *med.* **I** *adj* ringförmig: ~ **cartilage** Ringknorpel. – **II** *s* Ringknorpel *m* (*des Kehlkopfs*).

cri·key ['kraiki] *interj sl.* herr'je! Himmel!

cri·er ['kraiər] *s* **1.** Schreier *m.* – **2.** (öffentlicher) Ausrufer: **court** ~ *Gerichtsbeamter, der die Beschlüsse des Gerichts verkündet u. Ordnung hält*; **town** ~ Stadtausrufer. – **3.** Marktschreier *m*, Auktio'nator *m*, Warenausrufer *m.*

crime [kraim] **I** *s* **1.** *jur.* Verbrechen *n*: **to commit** (*od.* **perpetrate**) **a** ~ ein Verbrechen begehen; **capital** ~ Haupt-, Kapitalverbrechen. – **2.** *jur.* strafbare Handlung (*meist schwerer Art*). – **3.** Frevel *m*, Übel-, Untat *f*: „**C~ and Punishment**" „Schuld und Sühne" (*Dostojewskij*). – **4.** verbrecherische Tätigkeit, krimi'nelle Betätigung. – **5.** schwere Sünde, Frevel *m.* – **6.** *colloq.* ,Verbrechen' *n*, ,Jammer' *m*: **it would be a ~ to waste such an opportunity** es wäre ein Verbrechen, sich eine solche Gelegenheit entgehen zu lassen; **it is a ~ to have to listen to that** es ist ein Jammer, so etwas anhören zu müssen. – *SYN. cf.* **offence.** – **II** *v/t* **7.** (*eines Verbrechens*) beschuldigen, anklagen.

Cri·me·an [krai'mi:ən; kri-; -'miən] *adj* Krim..., die Krim betreffend: ~ **War** Krimkrieg (*1853 – 56*).

crim·i·nal ['kriminl; -mə-] **I** *adj* **1.** krimi'nell, verbrecherisch, strafbar. – **2.** eines Verbrechens schuldig, verbrecherisch. – **3.** *jur.* Straf..., Kriminal... – **II** *s* **4.** Verbrecher(in): → **habitual** 2. — **~ ac·tion** *s jur.* öffentliche Anklage, Krimi'nalpro,zeß *m.* — **~ an·thro·pol·o·gy** *s* Krimi'nalanthropolo,gie *f.* — **~ code** *s jur.* Strafgesetzbuch *n.* — **~ con·ver·sa·tion** *s jur.* Ehebruch *m.*

crim·i·nal·ism ['kriminə,lizəm; -mə-] *s* **1.** krimi'nelle Veranlagung. – **2.** Krimi'nalpsychia,trie *f.* — **'crim·i·nal·ist** *s* **1.** Krimina'list *m*, Strafrechtskundiger *m.* – **2.** krimi'nell veranlagter Mensch. — **,crim·i·nal'is·tics** *s pl* (*als sg konstruiert*) Krimina'listik *f.* — **,crim·i'nal·i·ty** [-'næliti; -əti] *s* **1.** Kriminali'tät *f.* – **2.** Strafbarkeit *f*, Schuld *f.* – **3.** verbrecherische Handlung(sweise).

crim·i·nal| law *s jur.* Strafrecht *n.* — **~ pro·ceed·ings** *s pl jur.* 'Strafpro,zeß *m.*

crim·i·nate ['krimi,neit; -mə-] *v/t* **1.** anklagen, (*eines Verbrechens*) beschuldigen, inkrimi'nieren. – **2.** (*etwas*) scharf tadeln, verurteilen. – **3.** in ein Verbrechen verwickeln. – **4.** für schuldig erklären. — **,crim·i'na·tion** *s jur.* **1.** Anklage *f*, Anschuldigung *f*, Beschuldigung *f.* – **2.** scharfer Tadel, Verurteilung *f.* – **3.** Verwicklung *f* in ein Verbrechen. — **'crim·i,na·tive** *adj* beschuldigend, anklagend, inkrimi'nierend. — **'crim·i·na·to·ry** [*Br.* -neitəri; *Am.* -nə,tɔ:ri] *adj* anklagend, beschuldigend (*auch fig.*).

crim·i·ne, crim·i·ni ['krimini; -mə-] *interj vulg.* herr'jemine!

crim·i·no·log·ic [,kriminə'lɒdʒik; -mə-], **,crim·i·no'log·i·cal** *adj* krimino'logisch. — **,crim·i'nol·o·gist** [-'nɒlədʒist] *s* Krimino'loge *m.* — **,crim·i'nol·o·gy** *s* Kriminolo'gie *f*, wissenschaftliche Erforschung des Verbrechens. — **'crim·i·nous clerk** *s jur. relig.* verbrecherischer Geistlicher.

crim·i·ny *cf.* **crimine.**

crim·mer *cf.* **krimmer.**

crimp[1] [krimp] **I** *v/t* **1.** kräuseln, krausen, kreppen, knittern, wellen. – **2.** falten, fälteln. – **3.** (*Leder*) zu'rechtbiegen. – **4.** *tech.* rändern, bördeln, randkehlen, randversteifen, sicken, sieken: **to ~ over** umfalzen. – **5.** (*den Rand der Patronenhülse nach Einbringen der Ladung*) anwürgen. – **6.** (*Fisch*) (auf)schlitzen (*um das Fleisch fester zu machen*). – **7.** *Am. sl.* behindern, stören. – **II** *s* **8.** Kräuseln *n*, Wellen *n.* – **9.** Kräuselung *f*, Welligkeit *f.* – **10.** na'türliche Welligkeit (*Schafwolle*). – **11.** Krause *f*, Falte *f.* – **12.** *meist pl* gekräuseltes Haar. – **13.** *tech.* Falz *m* (*zur Verstärkung od. Befestigung*). – **14.** *Am. sl.* Hindernis *n*, Hemmnis *n*, Behinderung *f.* – **15.** → **crimper.**

crimp[2] [krimp] **I** *v/t* (*Matrosen, Soldaten*) gewaltsam anwerben, (zum Dienst) pressen. – **II** *s* (*verbrecherischer*) Werber, Seelenverkäufer *m.*

crimp·er ['krimpər] *s tech.* **1.** 'Bördel-, 'Rändel-, 'Kräusel-, 'Sickenma,schine *f.* – **2.** Lederpresse *f.* – **3.** Stiefelholz *n.* – **4.** Arbeiter, der kräuselt *etc.*

crimp·ing| board ['krimpiŋ] *s* (*Gerberei*) Krispelholz *n.* — **~ brake** *s tech.* 'Schweifma,schine *f* (*der Schuh-*

macher). — ~ **groove** *s mil.* Kar'tuschrille *f* (*am Geschoß*). — ~ **house** *s mar. mil.* 'Preßspe,lunke *f* (*wo Matrosen etc gewaltsam angeworben werden*). — ~ **i·ron** *s* **1.** *tech.* a) Stellschere *f*, b) Rillenstempel *m.* – **2.** Brennschere *f.*

crim·ple ['krimpl] *v/t u. v/i obs. od. dial.* (sich) kräuseln.

crimp·y ['krimpi] *adj* gekräuselt, wellig.

crim·son ['krimzn] **I** *s* **1.** Karme'sin-, Kar'min-, Hochrot *n.* – **2.** Karme'sin *n*, Kar'min *n*, hochroter Farbstoff. – **II** *adj* **3.** karme'sin-, kar'min-, hochrot. – **4.** *fig.* blutig, blutdürstig. – **III** *v/t* **5.** hochrot färben. – **IV** *v/i* **6.** *fig.* (hoch)rot werden, erröten. — ~ **clo·ver** *s bot.* Inkar'natklee *m* (*Trifolium incarnatum*). — ~ **flag** *s bot.* Spaltgriffel *m* (*Schizostylis coccinea*). — ~ **ram·bler** *s bot.* Crimson Rambler *f* (*Rosa barbierana; hybride Gartenform von R. multiflora u. R. wichuraiana*).

cri·nat·ed ['kraineitid], **'cri·na·to·ry** [*Br.* -nətəri; *Am.* -nə,tɔːri] *adj* behaart, haarig.

cringe [krindʒ] **I** *v/i* **1.** sich ducken, sich (zu'sammen)krümmen (*bes. aus Furcht od. Unterwürfigkeit*). – **2.** *fig.* kriecherisch schmeicheln, kriechen (to vor *dat*): **cringing and fawning** kriecherische Schmeichelei. – **3.** zu'sammenfahren, -zucken. – *SYN. cf.* **fawn**[2]. – **II** *s* **4.** kriecherische Höflichkeit, ,Speichellecke'rei *f.* — **'cring·er** *s* Kriecher *m*, Speichellecker *m.* — **'cring·ing** *adj* kriecherisch, unter'würfig. — **'cring·ing·ness** *s* kriecherische Unter'würfigkeit.

crin·gle ['kriŋgl] *s mar.* Legel *m* (*Ring am Segel*): **bending** ~ Innenanschlaglegel; **upper** ~**s** Nocklegel.

cri·nite[1] ['krainait] *adj* **1.** behaart. – **2.** *bot. zo.* (lang)haarig, behaart. – **3.** mit einem Haarschwanz versehen: ~ **star** Haarstern, Komet.

cri·nite[2] ['krainait; 'krin-] *s* fos'sile Seelilie.

crin·kle ['kriŋkl] **I** *v/i* **1.** sich winden, sich schlängeln, sich krümmen. – **2.** sich kräuseln, Falten *od.* Wellen werfen. – **3.** rascheln, knistern. – **4.** sich biegen (*Getreidehalme etc*). – **II** *v/t* **5.** krümmen, (wellenförmig) biegen, mit Windungen versehen, faltig machen, winden. – **6.** kräuseln. – **7.** rascheln *od.* knistern lassen. – **III** *s* **8.** Falte *f*, Runzel *f.* – **9.** Windung *f*, Krümmung *f*, Biegung *f*, Welle *f.* – **10.** Rascheln *n*, Knistern *n.* — **'~-,cran·kle** [-,kræŋkl] *s* **1.** Wellenlinie *f.* – **2.** Zickzack *m.* — **'~,root** *s bot.* Amer. Zahnwurz *f* (*Dentaria diphylla*).

crin·kly ['kriŋkli] *adj* **1.** gekräuselt, faltig, wellenförmig. – **2.** raschelnd, knisternd.

crin·kum-cran·kum ['kriŋkəm'kræŋkəm] *s colloq.* **1.** Verschrobenheit *f*, ,Lari'fari' *n*, verschrobene I'dee. – **2.** Gewirr *n*, verzwickte Angelegenheit.

cri·noid ['krainɔid; 'krin-] **I** *adj* **1.** lilienartig. – **2.** *zo.* zu den Seelilien gehörig, Seelilien... – **II** *s zo.* **3.** Seelilie *f*, Haarstern *m* (*Ordnung Crinoidea*).

crin·o·lette [,krinə'let] *s* Krino'lette *f.* — **'crin·o·line** [-,liːn; -lin] *s* **1.** Krino'lin *n*, Roßhaarstoff *m.* – **2.** Krino'line *f*, Reifrock *m.* – **3.** Steifleinen *n.* – **4.** *mar.* Tor'pedoabwehrnetz *n.*

cri·num ['krainəm] *s bot.* Hakenlilie *f* (*Gattg Crinum*).

cri·o·sphinx ['kraiə,sfiŋks] *s* Sphinx *f* mit Widderkopf.

cripes [kraips] *interj vulg.* verdammt! verflixt! Donnerwetter!

crip·ple ['kripl] **I** *s* **1.** Krüppel *m.* – **2.** Gerüst *n* (*zum Fensterputzen etc*). – **3.** *Am. dial.* (mit Gebüsch bewachsenes) Sumpfland. – **II** *v/t* **4.** zum Krüppel machen, verkrüppeln. – **5.** lähmen. – **6.** *fig.* schwächen, lähmen, lahmlegen. – **7.** *aer. mar. mil.* (*durch Beschuß etc*) kampf- *od.* akti'onsunfähig machen. – **III** *v/i* **8.** humpeln, hinken. – *SYN. cf.* **weaken.** – **IV** *adj* **9.** verkrüppelt. – **10.** gelähmt. — **'crip·ple·ness** *s* Krüppelhaftigkeit *f*, Gelähmtsein *n.* — **'crip·pler** *s* **1.** j-d der *od.* etwas was verkrüppelt *od.* lähmt. – **2.** *tech.* Krispelholz *n.* — **'crip·pling I** *adj* **1.** verkrüppelnd, lähmend, schwächend. – **II** *s* **2.** Krüppelhaftigkeit *f*, Schwäche *f.* – **3.** Wack(e)ligwerden *n* (*Baugerüst etc*). – **4.** *arch.* Stützbalken *pl.*

cri·sis ['kraisis] *pl* **-ses** [-siːz] *s* **1.** Krise *f*: **economic** ~ Wirtschaftskrise; **political** ~ politische Krise. – **2.** *med.* Krise *f*, Krisis *f.* – **3.** Krise *f*, Wende-, Höhepunkt *m* (*Schauspiel etc*). – *SYN. cf.* **juncture.**

crisp [krisp] **I** *adj* **1.** knusp(e)rig, bröck(e)lig, mürbe (*Gebäck etc*). – **2.** frisch, saftig, fest (*Gemüse etc*). – **3.** kurz, flott, entschieden (*Benehmen*). – **4.** schlagfertig, treffend (*Antwort etc*). – **5.** le'bendig, klar (*Stil etc*). – **6.** scharf, frisch (*Luft*). – **7.** gekräuselt, gewellt: ~ **hair** krauses Haar. – **8.** runz(e)lig. – *SYN. cf.* a) **fragile,** b) **incisive.** – **II** *s* **9.** (*etwas*) Knuspriges. – **10.** *pl Br. geröstete Kartoffelschnitzel in Tüten.* – **11.** Knusp(e)rigkeit *f*: **done to a** ~ a) knusp(e)rig gebacken *od.* gebraten, b) verbrannt (*Toast etc*). – **12.** gekräuselte Haarlocke. – **III** *v/t* **13.** knusp(e)rig backen *od.* braten, braun rösten. – **14.** le'bendig *od.* frisch machen. – **15.** (*Haar etc*) kräuseln. – **IV** *v/i* **16.** knusp(e)rig werden. – **17.** sich kräuseln. – **18.** (leise) krachen, knistern.

cris·pate ['krispeit], **'cris·pat·ed** *adj* gekräuselt, kraus. — **cris'pa·tion** *s* **1.** Kräuseln *n*, Kräuselung *f.* – **2.** *med.* (leichtes) Muskelzucken, (leichter) krampfartiger Schauer.

crisp·er ['krispər] *s* **1.** j-d der *od.* etwas was kräuselt, wellt *etc.* – **2.** *tech.* Kräuseleisen *n.*

Cris·pin ['krispin] **I** *npr* Krispin *m*, Cris'pinus *m* (*Schutzheiliger der Schuhmacher*): **St.** ~**'s Day** Fest Krispins (*am 25. Oktober*). – **II** *s humor.* Schuster *m.*

crisp·ness ['krispnis] *s* **1.** Knusp(e)rigkeit *f.* – **2.** Frische *f*, Festigkeit *f.* – **3.** Schmissigkeit *f.* – **4.** Schlagfertigkeit *f.* – **5.** Le'bendigkeit *f.* – **6.** Schärfe *f.* – **7.** Krausheit *f*, gekräuselter Zustand. — **'crisp·y** *adj* **1.** knusp(e)rig. – **2.** gekräuselt, kraus, lockig. – **3.** frisch, flott, le'bendig, munter.

cris·sal ['krisəl] *adj zo.* Steiß..., After...

criss·cross ['kris,krɒs; -,krɔːs] **I** *adj* **1.** gekreuzt, sich über'schneidend, kreuzweise, kreuz u. quer, Kreuz... – **2.** *Br.* mürrisch. – **3.** *tech.* geriffelt. – **II** *s* **4.** Netz *n* sich schneidender Linien, Gewirr *n.* – **5.** *Br.* (*Am. obs.*) Kreuz(zeichen) *n* (*als Unterschrift*). – **6.** → **ticktacktoe.** – **III** *adv* **7.** (kreuz u.) quer, ein'ander über'schneidend, kreuzweise, in die Quere. – **8.** nicht richtig, im 'Widerspruch zuein'ander, 'umgekehrt, verkehrt, schief: **to go** ~ nicht richtig verlaufen, verkehrt gehen. – **IV** *v/t* **9.** (wieder'holt 'durch)kreuzen, kreuz u. quer 'durchstreichen. – **V** *v/i* **10.** sich kreuzen, sich über'schneiden. – **11.** kreuz u. quer (ver)laufen.

cris·sum ['krisəm] *pl* **-sa** [-sə] *s zo.* **1.** Teil *m* zwischen After u. Schwanz (*der Vögel*). – **2.** 'Unterschwanzfedern *pl.*

cris·ta ['kristə] *pl* **-tae** [-tiː] *s med. zo.* Crista *f*, Kamm *m*, scharfe Kante. — **'cris·tate** [-teit], **'cris·tat·ed** *adj med. zo.* **1.** mit einer Crista *od.* einem Kamm versehen. – **2.** kammförmig.

cris·to·bal·ite [kris'toubə,lait] *s min.* Cristoba'lit *m* (*Modifikation der Kieselsäure* SiO_2).

cri·te·ri·on [krai'ti(ə)riən] *pl* **-ri·a** [-ə], **-ri·ons** *s* **1.** Kri'terium *n*, Prüfstein *m*: **that is no** ~ das ist nicht maßgebend (**for** für). – **2.** Kri'terium *n*, Merkmal *n*, Unter'scheidungs-, Kennzeichen *n.* – *SYN. cf.* **standard**[1].

crit·ic ['kritik] *s* **1.** Kritiker(in). – **2.** (berufsmäßiger) Kritiker, Rezen'sent(in): **art** ~ Kunstkritiker. – **3.** Krittler(in), Kriti'kaster *m*, Tadler *m* (**of** *gen od.* von). – **4.** *obs. für* a) **critique,** b) **criticism.**

crit·i·cal ['kritikəl; -tə-] *adj* **1.** kritisch, tadelsüchtig (**of s.o.** j-m gegen'über): **to be** ~ **of s.th.** an einer Sache etwas auszusetzen haben, etwas kritisieren. – **2.** kritisch, sorgfältig (prüfend *od.* abwägend), genau. – **3.** kritisch (*in der Kunst etc*). – **4.** kunstverständig, fein (*Geschmack etc*). – **5.** kritisch, entscheidend, krisenhaft: **the** ~ **moment** der entscheidende Augenblick. – **6.** kritisch, gefährlich, bedenklich, bedrohlich, ernst, brenzlig: ~ **altitude** *aer.* kritische Höhe, Volldruckhöhe; ~ **speed** *aer.* kritische Geschwindigkeit, Durchsackgeschwindigkeit. – **7.** *math. phys.* kritisch, Grenz...: ~ **angle** a) *phys.* kritischer Winkel, b) *aer.* kritischer Anstellwinkel; ~ **constants** kritische Konstanten; ~ **mass** kritische Masse. – **8.** (für den Erfolg) entscheidend, ausschlaggebend. – *SYN.* a) **captious, carping, cavil(l)ing, censorious, faultfinding, hypercritical,** b) *cf.* **acute.** — **'crit·i·cal·ness** *s* **1.** kritisches Verhalten *od.* Abwägen *od.* Verständnis. – **2.** kritische *od.* entscheidende Bedeutung, (*das*) Kritische. – **3.** Gefährlichkeit *f*, Ernst *m.*

crit·i·cal ve·loc·i·ty ra·tio *s phys.* Machsche Zahl.

crit·ic·as·ter [*Br.* ,kriti'kæstə; *Am.* 'kriti,kæstər] *s* Kriti'kaster *m*, kleinlicher Kritiker, Krittler *m*, Meckerer *m.* — **,crit·ic'as·ter,ism, 'crit·ic,as·try** *s* Kriti'kastertum *n*, ,Rechthabe'rei *f.*

crit·i·cism ['kriti,sizəm; -tə-] *s* **1.** Kri'tik *f.* – **2.** Kri'tik *f*, kritisches Beurteilen: **to make a** ~ Kritik üben; **open to** ~ anfechtbar; **above** ~ über jede Kritik *od.* jeden Tadel erhaben. – **3.** heftiges Kriti'sieren, Tadel *m*, scharfe Kri'tik. – **4.** Kri'tik *f*, kritische Abhandlung *od.* Besprechung, Rezensi'on *f.* – **5.** Kri'tik *f*, kritische Unter'suchung (*der Bibel etc*): → **textual** 1. – **6.** *philos.* Kriti'zismus *m.*

crit·i·ciz·a·ble ['kriti,saizəbl; -tə-] *adj* **1.** anfechtbar, kriti'sierbar. – **2.** tadelnswert, zu tadeln(d). — **'crit·i,cize I** *v/i* **1.** kriti'sieren, kritisch urteilen. – **2.** (abfällig) kriti'sieren, kritteln. – **3.** rezen'sieren. – **II** *v/t* **4.** kriti'sieren, kritisch beurteilen. – **5.** (abfällig) kriti'sieren, bekritteln, tadeln. – **6.** rezen'sieren, kriti'sieren. – *SYN.* **blame, censure, condemn, denounce, reprehend, reprobate.** — **'crit·i,ciz·er** *s* **1.** Kritiker(in). – **2.** Krittler(in), Tadler(in).

cri·tique [kri'tiːk] *s* **1.** Kri'tik *f*, Rezensi'on *f*, kritische Abhandlung *od.* Besprechung. – **2.** Kri'tik *f*, Beurteilungskunst *f* (*Kunst od. Tätigkeit des Kritisierens*). – **3.** kritische (mündliche) Besprechung. – **4.** kritische Unter'suchung, Kri'tik *f*: „C~

of Pure Reason" „Kritik der reinen Vernunft" (*Kant*).

crit·ter ['kritər] *Am. dial. für* **creature.**

croak [krouk] **I** *v/i* **1.** quaken (*Frosch*). – **2.** krächzen (*Rabe*). – **3.** krächzend *od.* heiser sprechen. – **4.** Unglück prophe'zeien, unken, jammern. – **5.** *vulg.* ‚abkratzen', sterben. – **II** *v/t* **6.** krächzen, mit krächzender Stimme verkünden. – **7.** jammernd verkünden. – **8.** *vulg.* ‚kaltmachen', ‚'umlegen', töten. – **III** *s* **9.** Quaken *n*, Gequake *n*. – **10.** Krächzen *n*, Gekrächze *n*. – **11.** Miesmacher *m*, ‚Unke' *f*. — **'croak·er** *s* **1.** Quaker *m*. – **2.** Krächzer *m*. – **3.** → **croak** 11. – **4.** *zo. ein Fisch, der Grunztöne von sich gibt, bes.* a) Quakfisch *m* (*Micropogon undulatus u. Pelates quadrilineatus*), b) → **drumfish** c. — **'croak·y** *adj* quakend, krächzend, heiser.

Cro·at ['krouæt] *s* **1.** Kro'ate *m*, Kro'atin *f*. – **2.** *ling.* Kro'atisch *n*. — **Cro'a·tian** [-'eiʃən; -'eiʃiən] **I** *adj* kro'atisch. – **II** *s* → **Croat.**

cro·ce·in ['krousiin] *s chem.* Croce'in *n* (*Azofarbstoff*): ~ **scarlet** Croceinscharlach. — **'cro·ce·tin** [-sitin; -sə-] *s chem.* Croce'tin *n*.

cro·chet [*Br.* 'krouʃei; *Am.* krou'ʃei] **I** *s* **1.** Häkeln *n*. – **2.** Häkelarbeit *f*, Häke'lei *f*. – **II** *v/t u. v/i pret u. pp* **-cheted** [-ʃeid] **3.** häkeln. — **cro'chet·er** [-'ʃeiər] *s* Häkler(in).

cro·cid·o·lite [kro'sidə,lait] *s min.* Krokydo'lith *m*, Blaueisenstein *m* (*ein Natrium-Eisensilikat*).

cro·cin ['krousin] *s chem.* Cro'cin *n* (*Farbstoff des Safrans*).

crock[1] [krɒk] **I** *s* **1.** Gefäß *n* aus Steingut, irdener Topf *od.* Krug. – **2.** Topfscherbe *f*. – **3.** Me'tallgefäß *n* (*meist mit drei Füßen*). – **II** *v/t* **4.** eine Scherbe legen in (*einen Blumentopf*).

crock[2] [krɒk] *Br. sl.* **I** *s* **1.** ‚Kracke' *f*, Klepper *m*, alter Gaul. – **2.** *sl.* altes Wrack, Krüppel *m*. – **II** *v/i* **3.** *oft* ~ **up** zu'sammenbrechen. – **III** *v/t* **4.** arbeitsunfähig machen, ausmergeln.

crock[3] [krɒk] *obs. od. dial.* **I** *s* **1.** Ruß *m*. – **2.** abgehende Farbe. – **II** *v/t* **3.** (mit Ruß *od.* abgehender Farbe) beschmutzen. – **III** *v/i* **4.** rußen. – **5.** abfärben.

crock·er ['krɒkər] *s zo. Br.* Lachmöwe *f* (*Larus ridibundus*).

crock·er·y ['krɒkəri] *s collect.* irdenes Geschirr, Steingut *n*, Tonware *f*.

crock·et ['krɒkit] *s arch.* Kriechblume *f*, Krabbe *f* (*Laubwerk in der gotischen Baukunst*). — **'crock·et·ed** *adj arch.* mit Kriechblumen verziert.

crock·ing ['krɒkiŋ] *s* abgehende Oberflächennarbe (*von gefärbten Stoffen*).

croc·o·dile ['krɒkə,dail] *s* **1.** *zo.* (*ein*) Kroko'dil *n* (*Gattg Crocodilus*), *bes.* 'Nilkroko,dil *n* (*C. niloticus*). – **2.** *zo. allg.* Kroko'dil *n* (*Ordng Crocodilia*). – **3.** Trauer heuchelnder Mensch, j-d der Kroko'dilstränen vergießt. – **4.** *Br. colloq.* Menschenschlange *f* (*bes. paarweiser Zug von Schulmädchen*). – **5.** Kroko'dilleder *n*. – **6.** *philos.* Kroko'dilschluß *m*. — ~ **bird** *s zo.* Kroko'dilwächter *m* (*Pluvianus aegyptius*). — ~ **tears** *s pl* Kroko'dilstränen *pl*.

croc·o·dil·i·an [,krɒkə'dilien] **I** *s* **1.** *zo.* Kroko'dil *n* (*Ordng Crocodilia*). – **II** *adj* **2.** *zo.* zu den Kroko'dilen gehörig, kroko'dilartig. – **3.** Trauer heuchelnd.

cro·co·i·site [kro'koui,sait], **cro·co·ite** ['krouko,ait] *s min.* Kroko'it *m*, Rotbleierz *n*, roter Bleispat ($PbCrO_4$).

cro·co·nate ['krouko,neit] *s chem.* kro'konsaures Salz.

cro·con·ic ac·id [kro'kɒnik] *s chem.* Kro'konsäure *f* ($C_5O_3(OH)_2$).

cro·cus ['kroukəs] *s* **1.** *pl* **-cus·es** *od.* **-ci** [-sai] *bot.* a) Krokus *m* (*Gattg Crocus*), b) Krokusblüte *f*, c) Krokuszwiebel *f*. – **2.** Safrangelb *n*. – **3.** *tech.* Po'lierpulver *n*, Englischrot *n*.

Croe·sus ['kri:səs] *s* Krösus *m* (*sehr reicher Mann*).

croft [krɒft; krɔ:ft] *s Br.* **1.** kleines Grundstück (*beim Haus*). – **2.** sehr kleines Pachtgrundstück. — **'croft·er** *s Br.* Crofter *m*, Kleinpächter *m*, Kätner *m*.

Cro-Ma·gnon [,krou,mα'njɔ̃; -'mæɡnɒn] **I** *adj* Cro-Magnon... – **II** *s* Cro-Ma'gnon-Mensch *m*.

crom·lech ['krɒmlek] *s* **1.** Kromlech *m*, dru'idischer Steinkreis. – **2.** → **dolmen.**

cro·mor·na [kro'mɔ:rnə] *s mus.* Krummhorn *n* (*Orgelregister*).

Crom·wel·li·an [krɒm'weliən; -ljən] **I** *adj* Cromwell betreffend, aus *od.* zu Cromwells Zeit. – **II** *s* Anhänger(in) Cromwells.

crone [kroun] *s* altes Weib.

Cro·nus ['krounəs], *auch* **Cro·nos** ['krounɒs] *npr* (*griech. Mythologie*) Kronos *m* (*Vater des Zeus*).

cro·ny ['krouni] **I** *s* alte(r) in'time(r) Bekannte(r), alter Kame'rad: **old** ~ Busenfreund(in). – **II** *v/i* eng befreundet *od.* ein Herz u. eine Seele sein.

crood [kru:d] *v/i Scot.* girren.

crook [kruk] **I** *s* **1.** Häkchen *n*, Haken *m*. – **2.** gekrümmter Gegenstand, *bes.* a) Schürhaken *m*, b) Kesselhaken *m*, c) krumme Nadel, d) Türangel *f*. – **3.** (Schirm)Krücke *f*. – **4.** Hirten-, Schäferstab *m*. – **5.** *relig.* Bischofs-, Krummstab *m*. – **6.** *tech.* (hölzernes) Kniestück. – **7.** Krümmung *f*, Biegung *f*, Windung *f*. – **8.** *colloq.* Schwindler *m*, Gauner *m*, Hochstapler *m*. – **9.** Gaunertrick *m*, Schwinde'lei *f*: **on the** ~ *sl.* auf betrügerische Weise, unehrlich, hintenherum. – **10.** *mus.* Setz-, Einsatzstück *n*, Stimm-, Krummbogen *m* (*bei Blasinstrumenten*). – **II** *v/t* **11.** krümmen, biegen. – **12.** (*Knie etc*) beugen: **to** ~ **the elbow** *sl.* ‚einen heben' (*trinken*). – **13.** (*Polo*) (*den Schläger des Gegners*) mit dem (eigenen) Schläger festhalten. – **14.** *sl.* verpatzen, ‚vermasseln'. – **III** *v/i* **15.** sich krümmen, sich biegen. – **16.** krumm sein. — **'~,back** *s* Bucklige(r): **Richard C~** Richard der Bucklige (*Richard III. von England*). — **'~,backed** *adj* bucklig.

crook·ed ['krukid] *adj* **1.** gekrümmt, gebogen, gewunden, krumm: ~ **crowbar** *tech.* Spitzzange; ~ **lever** *tech.* Winkelhebel. – **2.** (vom Alter) gebeugt. – **3.** verwachsen, bucklig. – **4.** unehrlich, unaufrichtig, falsch. – **5.** betrügerisch, schwindelhaft: ~ **ways** krumme Wege. – **6.** *colloq.* unehrlich erworben, ergaunert. – **7.** [krukt] mit einer Krücke *etc* versehen, Krück..., Krumm...: ~ **stick** a) Krückstock, b) *Am. colloq.* Querkopf. – *SYN.* **devious, oblique.** — **'crook·ed·ness** [-id-] *s* **1.** Gekrümmtheit *f*, Gebogenheit *f*, Krümmung *f*, Biegung *f*. – **2.** Gebeugtheit *f*. – **3.** Verkrümmung *f*, Verwachsung *f*, Buckligkeit *f*. – **4.** Unehrlichkeit *f*, Verdorbenheit *f*, Falschheit *f*. – **5.** Schwindelhaftigkeit *f*.

Crookes| glass [kruks] *s tech.* Crookesglas *n* (*ein Filterglas für Brillen*). — ~ **space** *s phys.* Crookesscher Dunkelraum. — ~ **tube** *s phys.* Crookessche Röhre (*eine Gasentladungsröhre*).

'crook,neck *s bot. Am.* Krummhalsiger Gartenkürbis (*Cucurbita pepo var. condensa u. C. moschata*).

croon [kru:n] **I** *v/i* **1.** über'trieben gefühlvoll *od.* schmachtend *od.* sentimen'tal singen. – **2.** leise singen *od.* summen. – **3.** *Scot. od. dial.* a) brüllen, b) dröhnen. – **II** *v/t* **4.** schmachtend singen. – **5.** leise singen *od.* summen. – **III** *s* **6.** *auch* ~ **song** sentimen'taler Schlager, ‚Schnulze' *f*. – **7.** leises Singen *od.* Summen. – **8.** Wehklagen *n*, Winseln *n*, Wimmern *n*. — **'croon·er** *s* **1.** (Schlager)Sänger *m*. – **2.** Summ(end)er *m*.

crop [krɒp] **I** *s* **1.** (Feld)Frucht *f*, *bes.* Getreide *n* auf dem Halm: ~ **rotation** Fruchtwechsel. – **2.** Ernte(ertrag *m*) *f*: **a heavy** ~ eine reiche Ernte; **tobacco** ~ Tabakernte, -ertrag. – **3.** Ertrag *m*, (*in einem bestimmten Zeitraum*) gewachsene *od.* entstandene Menge. – **4.** *fig.* Ausbeute *f* (**of** an *dat*), große Menge, Haufen *m*: **a** ~ **of mistakes.** – **5.** Bebauung *f*, Kulti'vierung *f*: **a field in** ~ ein bebautes Feld. – **6.** Stock *m*, Griff *m* (*Peitsche*). – **7.** kurze Reitpeitsche mit Schlaufe. – **8.** *auch* ~ **hide** (*ganzes*) gegerbtes (Rinder)Fell. – **9.** Stutzen *n*, Abschneiden *n*. – **10.** Erkennungszeichen *n* am Ohr (*von Tieren; durch Stutzen entstanden*). – **11.** kurzer Haarschnitt. – **12.** kurz geschnittenes Haar. – **13.** geschorener Kopf. – **14.** abgeschnittenes Stück, Stutz *m*, (*das*) Gestutzte. – **15.** (*Bergbau*) a) (*das*) Anstehende, (*das*) Ausstreichende, (*das*) Ausgehende, b) Scheideerz *n*. – **16.** *zo.* Kropf *m* (*Vögel od. Insekten*). – **17.** *zo.* Vormagen *m*. – **II** *v/t pret u. pp* **cropped** *od. selten* **cropt** **18.** abschneiden. – **19.** ernten. – **20.** (*Obst etc*) pflücken. – **21.** (ab)mähen. – **22.** *fig.* da'hinraffen. – **23.** (*Wiese*) abfressen, abweiden. – **24.** stutzen, beschneiden. – **25.** (*Haar*) stutzen, schneiden. – **26.** scheren. – **27.** (*j-n*) kahlscheren. – **28.** die Ohren stutzen. – **29.** (*Feld*) bebauen, bepflanzen. – **30.** (*Blatt*) zu sehr beschneiden. – **III** *v/i* **31.** Ernte tragen: **to** ~ **heavily** reichen Ertrag bringen, gut tragen. – **32.** *meist* ~ **up**, ~ **out** *geol.* zu'tage ausgehen, anstehen, ausbeißen. – **33.** *meist* ~ **up**, ~ **out**, ~ **forth** plötzlich auftauchen *od.* zu'tage treten, sich zeigen. – **34.** grasen, weiden.

'crop|-,eared *adj* **1.** mit gestutzten Ohren. – **2.** mit kurzgeschorenem Haar, geschoren. — ~ **grass** *s bot.* **1.** (*ein*) Fingergras *n* (*Digitaria sanguinalis*). – **2.** → **crab grass** 2.

crop·per ['krɒpər] *s* **1.** j-d der *od.* etwas was stutzt *etc*, Abschneider(in), Beschneider(in), Stutzende(r). – **2.** Schnitter(in). – **3.** Bebauer *m* (*von Ackerland*). – **4.** *Am.* (*Art*) Pächter *m* (*der gegen einen bestimmten Anteil am Ernteertrag fremden Boden bebaut*). – **5.** Ertrag liefernde Pflanze, Träger *m*: **a good** ~ eine guten Ertrag liefernde Pflanze. – **6.** *colloq.* schwerer Sturz (*bes. vom Pferd*): **to come a** ~ (der Länge nach) hinschlagen (*schwer stürzen*). – **7.** *colloq.* 'Mißerfolg *m*, Fehlschlag *m*, Zu'sammenbruch *m*: **to come a** ~ reinfallen. – **8.** *tech.* 'Scherma,schine *f*. – **9.** *zo.* Kropftaube *f*, Kröpfer *m*. — **'crop·py** *s* **1.** Per'son *f* mit kurzgeschnittenem Haar, Geschorene(r). – **2.** *Br. hist.* Geschorener *m* (*irischer Aufständischer 1798*). —

cropt *selten pret u. pp von* **crop.**

cro·quet [*Br.* 'kroukei; -ki; *Am.* krou'kei] *sport* **I** *s* **1.** Krocket *n*. – **2.** Kroc'kieren *n*. – **II** *v/t u. v/i* **3.** kroc'kieren.

cro·quette [krou'ket] *s* Kro'kette *f*, Bratklößchen *n*.

cro·qui·gnole ['krouki,noul; -,njoul], *auch* ~ **wave** *s* (*Art*) Dauerwelle *f*.

cro·quis [krə'ki] (*Fr.*) *s* **1.** Skizze *f*. – **2.** *mil.* Kro'ki *n*.

crore [krɔ:r] *s Br. Ind.* Ka'ror *m* (*10 Millionen, bes. Rupien*).

cro·sier ['kroʊʒər] *s* **1.** *relig.* Bischofs-, Krummstab *m.* – **2.** *bot.* gewundener junger Blatttrieb (*bes. Farne*).

cross [krɒs; krɔːs] **I** *s* **1.** Kreuz *n*: to be nailed on (*od.* to) the ~ ans Kreuz geschlagen *od.* gekreuzigt werden. – **2.** the C~ das Kreuz (Christi). – **3.** Kreuz *n* (*Symbol des christlichen Glaubens*): ~ and crescent Kreuz u. Halbmond, Christentum u. Islam. – **4.** Kreuz *n*: a) *die christliche Religion,* b) *die Christenheit.* – **5.** Kruzi'fix *n.* – **6.** Kreuz(zeichen) *n*: to make the sign of the ~ sich bekreuzigen. – **7.** Kreuz(zeichen) *n* (*als Unterschrift*). – **8.** Kreuz *n,* Merkzeichen *n*: to mark with a ~ ankreuzen; to put a ~ against certain items gewisse Posten mit einem Kreuz bezeichnen. – **9.** (Gedenk)Kreuz *n* (*Denkmal etc*). – **10.** Kreuz *n* (*in der Kunst, Heraldik etc*): ~ potent Krückenkreuz. – **11.** Kreuzestod *m* (*Christi*). – **12.** Kreuz *n,* Leiden *n*: to take up one's ~ sein Kreuz auf sich nehmen. – **13.** Kreuz *n* (*Abzeichen der Kreuzfahrer*): to preach the ~ das Kreuz predigen, zum Kreuzzug aufrufen; to take the ~ das Kreuz nehmen, Kreuzfahrer werden. – **14.** (Ordens-, Ehren)-Kreuz *n*: Grand C~ Großkreuz. – **15.** *tech.* Kreuzstück *n,* kreuzförmiges Röhrenstück. – **16.** *tech.* Strich-, Fadenkreuz *n.* – **17.** *mar. tech.* halber Schlag (*Tau*). – **18.** kreuzförmiger Gegenstand *od.* Teil. – **19.** *electr.* Leitungsberührung *f,* Drahtverwicklung *f.* – **20.** Kreuzung *f.* – **21.** Kreuzungsstelle *f,* -punkt *m.* – **22.** 'Widerwärtigkeit *f,* Streitigkeit *f,* Ausein'andersetzung *f.* – **23.** Unannehmlichkeit *f,* Schwierigkeit *f.* – **24.** *biol.* Kreuzung *f,* Kreuzen *n.* – **25.** *biol.* Hy'bride *f,* 'Kreuzung(sproˌdukt *n*) *f* (between zwischen *dat*). – **26.** Mittel-, Zwischending *n.* – **27.** *sl.* Gaune'rei *f,* Schwindel *m*: on the ~ auf unredliche Weise, durch Gaunerei. – **28.** *sl.* Betrug *m, bes.* schwindelhafter Wettkampf. – **29.** C~ *astr.* → a) Southern C~, b) Northern C~. –
II *v/t* **30.** bekreuz(ig)en, das Kreuzzeichen machen auf (*acc*) *od.* über (*dat*): to ~ one's heart das Kreuzzeichen über dem Herzen machen (*zum Zeichen der Aufrichtigkeit*); to ~ oneself a) sich bekreuzigen, b) *fig.* sich beglückwünschen, Gott danken; to ~ s.o.'s hand (*od.* palm) a) j-m Trinkgeld geben, b) j-n bestechen *od.* schmieren. – **31.** ankreuzen. – **32.** *auch* ~ off, ~ out auskreuzen, aus-, 'durchstreichen. – **33.** kreuzen: to ~ one's arms a) die Arme kreuzen *od.* verschränken, b) *fig.* die Hände in den Schloß legen; → sword 1. – **34.** kreuzen, schneiden. – **35.** durch-, über'queren, über'schreiten: to ~ the channel den Kanal überqueren; to ~ a country ein Land durchqueren; to ~ the floor (of the House) *pol. Br.* zur Gegenpartei *od.* anderen Seite übergehen; to ~ s.o.'s path *fig.* j-m in die Quere kommen; to ~ the street die Straße überqueren, über die Straße gehen. – **36.** hin'überführen, -schaffen, -transporˌtieren. – **37.** sich kreuzen mit, vor'beigehen *od.* -fahren an (*dat*): your letter ~ed mine Ihr Brief hat sich mit meinem gekreuzt. – **38.** einen Querstrich ziehen durch, (mit einem Querstrich *etc*) kreuzen: to ~ a check (*Br.* cheque) einen Scheck kreuzen; to ~ a ‚t' im (Buchstaben) ‚t' den Querstrich ziehen. – **39.** *mar.* (*Rahen*) kaien, in Horizon'talstellung bringen. – **40.** (*das Gehirn*) durch'eilen: → mind 8. – **41.** behindern, (*j-m*) entgegentreten, (*j-m*) 'Widerstand leisten, (*j-m*) in die Quere kommen: to be ~ed Widerstand finden; to be ~ed in love Unglück in der Liebe haben. – **42.** vereiteln, durch'kreuzen. – **43.** *obs.* (*j-m*) begegnen. – **44.** *biol.* kreuzen. – **45.** (*Pferd*) besteigen. – **46.** *sport sl.* das Ergebnis (*eines Kampfes*) schon vorher festlegen. – **47.** *tech.* a) (*Papier*) schränken, b) (*Erzadern*) über'setzen, c) (*beim Gravieren*) schraf'fieren. –
III *v/i* **48.** quer liegen. – **49.** sich kreuzen, sich schneiden. – **50.** *oft* ~ over (to) a) hin'übergehen, -fahren (zu), 'übersetzen (nach), b) hin'überreichen (bis). – **51.** sich kreuzen (*Briefe*). – **52.** *biol.* sich kreuzen (lassen). – **53.** ~ over a) *biol.* Gene austauschen, von einem homo'logen Chromo'som zu einem anderen 'übergehen (*Gen*), b) (*Theater*) die Bühne über'queren. –
IV *adj* **54.** sich kreuzend, sich schneidend, kreuzweise angelegt *od.* liegend, quer, Quer...: → ~road. – **55.** schräg, schief. – **56.** wechsel-, gegenseitig. – **57.** (to) entgegengesetzt (*dat*), zu'wider (*dat*), im 'Widerspruch (zu). – **58.** 'widersprüchlich, sich wider'sprechend. – **59.** 'widerwärtig, unangenehm. – **60.** *colloq.* ärgerlich, mürrisch (with gegen): as ~ as two sticks sehr verärgert, sehr übelgelaunt. – **61.** *biol.* durch Kreuzung erzeugt, hy'brid, Kreuzungs... – **62.** *math.* verschränkt. – **63.** *sl.* unehrlich. – *SYN. cf.* irascible. –
V *adv* **64.** quer. – **65.** entgegengesetzt. – **66.** ungünstig, schlecht. – **67.** falsch, verkehrt: to go ~ fehlgehen.

cross- [krɒs; krɔːs] *Wortelement mit der Bedeutung* a) Kreuz..., b) Quer..., c) Gegen..., Wider..., d) Wechsel..., wechselseitig.

cross·a·ble ['krɒsəbl] *adj* über'schreitbar, über-, durch'querbar.

cross| ac·tion *s jur.* Gegen-, 'Widerklage *f.* — **'~ˌarm** *s* **1.** *tech.* Querträger *m.* – **2.** *tech.* Schwunghebel *m* (*Schraubenpresse*). – **3.** Kreuzesarm *m.* — **'~-ˌarmed** *adj* mit gekreuzten *od.* verschränkten Armen. — **~ ax·le** *s tech.* Querhebelachse *f.* — **'~-ˌax·le un·der·car·riage** *s tech.* Fahrgestell *n* mit 'durchlaufender Achse. — **'~ˌbar I** *s* **1.** Querholz *n,* -riegel *m,* -stange *f.* – **2.** *tech.* a) Tra'verse *f,* Querträger *m,* -balken *m,* -strebe *f,* -stück *n,* b) (*Weberei*) Querstock *m,* Spannbalken *m.* – **3.** a) Querlatte *f,* b) Sprosse *f.* – **4.** Riegel *m* (*Fachwand*), Wand-, Bundriegel *m.* – **5.** *tech.* oberes Rahmenrohr (*Fahrrad*). – **6.** Querstreifen *m,* -linie *f.* – **7.** *sport* a) Tor-, Querlatte *f* (*Tor*), b) Latte *f* (*Hochsprung*), c) Griffstange *f* (*Florett etc*). – **II** *v/t* **8.** mit Querstreifen versehen, querstreifen. — **'~-ˌbarred** *adj* vergittert. — **'~ˌbeak** → crossbill. — **'~ˌbeam** *s* **1.** *tech.* a) Querträger *m,* -balken *m,* b) Querholz *n,* c) 'Unterzug *m,* d) Holm *m.* – **2.** *mar.* a) Scherstock *m,* b) Dwarsbalken *m.* — **'~-ˌbear·er** *s* **1.** *relig.* Kreuzträger *m.* – **2.** Dulder(in). – **3.** *tech.* a) Kreuzträger *m,* b) Rostträger *m,* -balken *m.* — **~ bear·ing** *s electr. mar.* Kreuzpeilung *f.* — **'~-ˌbed·ded** *adj geol.* kreuzweise geschichtet, unregelmäßig gelagert. — **'~ˌbelt** *s* **1.** *tech.* geschränkter Riemen, 'Quertransˌportband *n.* – **2.** quer über die Brust laufender Gürtel, *bes. mil.* 'Kreuzbandeˌlier *n.* — **'~-ˌbench I** *s* **1.** Querbank *f.* – **2.** *pol. Br.* Querbank *f* (*im Parlament, auf der die unabhängigen Abgeordneten sitzen*). – **II** *adj* **3.** *pol. Br.* par'teilos, unabhängig. — **'~-ˌbench·er** *s pol. Br.* Par'teilose(r), Unabhängige(r). — **'~ˌbill** *s zo.* (*ein*) Kreuzschnabel *m* (*Gattg Loxia*). — **~ bill** *s* **1.** *jur.* Klagebeantwortung *f.* – **2.** *econ.* Gegenwechsel *m.* — **~ birth** *s med.* schwere Entbindung (*infolge Querlage des Kindes*). — **~ bond** *s tech.* Kreuzverband *m* (*Mauer*). — **'~ˌbones** *s pl* gekreuzte (Ske'lett)Knochen *pl* (*unter einem Totenkopf*). — **'~ˌbow** *s* Armbrust *f.* — **'~ˌbow·man** *s irr* Armbrustschütze *m.* — **~ brace** *s tech.* Kreuz-, Querverstrebung *f.* — **'~ˌbred** *biol.* **I** *adj* durch Kreuzung erzeugt, hy'brid. – **II** *s* Hy'bride *m, f,* Bastard *m.* — **'~ˌbreed I** *v/t irr* **1.** durch Bastar'dierung her'vorbringen. – **II** *v/i* **2.** kreuzen, Hy'briden züchten. – **III** *s* **3.** → crossbred II. – **4.** Mischrasse *f.* — **~ bun** *s* Kreuzsemmel *f* (*mit einem Kreuz gekennzeichnet u. bes. am Karfreitag gegessen*). — **'~-ˌbut·tock** *s* **1.** (*Ringen*) (*Art*) Hüftschwung *m.* – **2.** *fig.* a) unerwarteter Schlag, b) unerwartete Niederlage. — **'~-ˌchan·nel** *adj* einen Ka'nal (*bes. den Ärmelkanal*) über'querend: ~ steamer Kanaldampfer; ~ traffic Verkehr über den Kanal. — **'~-ˌcheck** *v/t u. v/i* (kontrol'lieren u.) 'gegenkontrolˌlieren. — **'~-ˌcoil a·e·ri·al** *s electr.* 'Kreuzrahmenanˌtenne *f.* — **~ coun·ter** *s* (*Boxen*) Konterschlag *m* gegen den Kopf. — **'~-ˌcoun·try I** *adj* **1.** querfeldein, Gelände... – **2.** Überland...: ~ flight. – **3.** *tech.* geländegängig: ~ mobility Geländegängigkeit; ~ truck. – **II** *s* **4.** *auch* ~ race Querfeldeinrennen *n,* Geländelauf *m.* – **5.** 'Überlandflug *m.* — **'~ˌcur·rent** *s* Gegenstrom *m,* -strömung *f* (*auch fig.*). — **'~-ˌcurve** *s math.* Kreuzkurve *f.*

'crossˌcut I *adj* **1.** *tech.* a) querschneidend, zum Querschneiden geeignet, Quer..., b) quergeschnitten. – **2.** quer durch'schnitten. – **II** *s* **3.** abschneidender Weg, Abkürzungsweg *m.* – **4.** quer verlaufender Einschnitt, Querweg *m.* – **5.** (*Bergbau*) Querschlag *m,* -stollen *m.* – **6.** (*Holzbearbeitung*) Hirnschnitt *m.* – **7.** *Kurzform für* ~ chisel, ~ file, ~ saw. – **III** *v/t u. v/i irr* **8.** *tech.* quer 'durchschneiden, quersägen, *bes.* (*Holz*) über Hirn sägen *od.* schneiden. — **~ chis·el** *s tech.* Kreuzmeißel *m.* — **~ end** *s tech.* Hirn-, Stirnfläche *f* (*bes. Holz*). — **~ file** *s tech.* Kreuzhiebfeile *f.* — **~ saw** *s tech.* Schrot-, Quer-, Zugsäge *f.* — **~ wood** *s tech.* Hirn-, Stirnholz *n.*

crosse [krɒs; krɔːs] *s sport* La'crosse-Schläger *m.*

crossed [krɒst; krɔːst] *adj* **1.** gekreuzt: ~ generally (specially) ohne (mit) Angabe einer bestimmten Bank u. an eine beliebige (nur an diese) Bank zahlbar (*Verrechnungsscheck*). – **2.** *tech.* gekreuzt, geschränkt. – **3.** durch'kreuzt, 'durchgestrichen. – **4.** angekreuzt. – **5.** mit einem Kreuzzeichen versehen. – **6.** vereitelt, durch'kreuzt. — **~ check,** *Br.* **~ cheque** *s econ. Br.* Verrechnungsscheck *m,* gekreuzter Scheck. — **'~-ˌcoil de·vice** *s electr.* Kreuzspulgerät *n.* — **~ threads** *s pl* Fadenkreuz *n.*

cross| en·try *s econ.* Gegen-, 'Umbuchung *f.* — **'~-exˌam·i'na·tion** *s jur.* Kreuzverhör *n.* — **'~-ex'am·ine** *jur.* **I** *v/t* ins Kreuzverhör nehmen. – **II** *v/i* ein Kreuzverhör vornehmen. — **'~-ex'am·in·er** *s* ein Kreuzverhör vornehmender Richter *od.* Anwalt. — **'~ˌeye** *s med.* Innenschielen *n.* — **'~ˌeyed** *adj med.* nach innen schielend. — **'~-ˌfer·ti·li'za·tion** *s* **1.** *bot.* Kreuz-, Fremdbefruchtung *f.* – **2.** Kreuzbefruchtung *f* (*wechselseitige Befruchtung zwittriger Tiere*). — **'~-'fer·tiˌlize** *v/i* sich kreuzweise befruchten. — **~ fire** *s* **1.** *mil.* Kreuzfeuer *n* (*auch fig.*). – **2.** (*Telephon etc*) Störgeräusch *n,* Störung *f.* — **'~ˌflow-**

er *s bot.* Gewöhnliche *od.* Gemeine Kreuzblume (*Polygala vulgaris*). — **~ flux** *s electr.* (*magnetischer*) Streufluß. — **~ frog** *s tech.* Herzstück *n* (*Eisenbahnkreuzung*). — **'~-ˌgar·net** *s tech.* T-Band *n.* — **~ grain** *s* **1.** Querfaserung *f.* – **2.** Hirn-, Stirnseite *f* (*Holz*). – **3.** Wimmer *m* (*im Holz*). — **'~-'grained** *adj* **1.** a) quergefasert, b) unregelmäßig gefasert. – **2.** *tech.* quer zur Faser geschnitten: ~ **timber** Hirnholz. – **3.** *fig.* 'widerspenstig, eigensinnig. — **~ hairs** *s pl* Fadenkreuz *n.* — **'~ˌhatch** *v/t u. v/i* mit Kreuzlagen *od.* mit sich kreuzenden Linien schraf'fieren. — **'~ˌhatch·ing** *s* 'Kreuzschrafˌfierung *f.* — **'~ˌhead** *s* **1.** *tech.* Kreuzkopf *m,* Querhaupt *n,* Joch *n*: ~ **of a piston rod** Pleuelstangenkreuzkopf. – **2.** *tech.* Preßholm *m.* – **3.** 'Überschrift *f* (*die die ganze Breite der Spalte einnimmt*). — **~ head·ing** *s* **1.** → **crosshead** 3. – **2.** (*Bergbau*) Wettertür *f.* — **'~-im-'mu·ni·ty** *s med. Immunität gegen eins von zwei Antigenen nach Immunisierung gegen das andere.*

cross·ing ['krɒsiŋ; 'krɔːs-] *s* **1.** Kreuzen *n,* Kreuzung *f.* – **2.** Durch'kreuzung *f,* -'kreuzen *n* (*Scheck*). – **3.** Durch'querung *f.* – **4.** Über'querung *f* (*Straße etc*): ~ **the line** a) Überquerung des Äquators *od.* der Datumsgrenze, b) Äquatortaufe. – **5.** 'Überfahrt *f,* Reise *f* (*zur See*), Über'querung *f* (*bes. Ärmelkanal od. Atlantik*): **rough** ~ stürmische Überfahrt. – **6.** Über'schreitung *f* (*Grenze*). – **7.** Kreuzung *f* (*Straßen etc*). – **8.** 'Fußgängerˌüberweg *m.* – **9.** 'Übergangs-, 'Überfahrtstelle *f* (*über Fluß etc*). – **10.** *arch.* Vierung *f.* – **11.** *tech.* Kreuzungs-, Herzstück *n.* – **12.** *biol.* Kreuzung *f.* – **13.** Vereitelung *f.* – **14.** 'Widerstand *m,* -spruch *m,* Behinderung *f,* Hindernis *n.* — **~ o·ver** *s biol.* Crossing-'over *n,* 'GenˌaustauschScheck *m* zwischen Chromo'somenpaaren, Chiˌasmaty'pie *f.*

'cross|ˌjack *s mar.* Kreuzsegel *n.* — **~ kick** *s* (*Rugby*) Flanke *f.* — **'~-'leg·ged** [-'legd; *Am. auch* -'legid] *adj* mit 'über- *od.* überein'andergeschlagenen *od.* gekreuzten Beinen.

cross·let ['krɒslit; 'krɔːs-] *s bes. her.* Kreuzchen *n.*

cross| li·a·bil·i·ty *s jur.* beiderseitige Haftpflicht (*bei beiderseitigem Verschulden*). — **'~ˌlight** *s* **1.** schräg *od.* seitlich einfallendes Licht. – **2.** Beleuchtung *f* (von verschiedenen Seiten). – **3.** *fig.* erhellendes Mo'ment, erklärende Darstellung. — **'~ˌline I** *s* **1.** Querlinie *f,* -strich *m.* – **2.** *mar.* Dwars-, Querleine *f.* – **3.** *pl* Fadenkreuz *n.* – **II** *adj* **4.** *biol.* einer Kreuzung entstammend, hy'brid, Bastard... — **~ lode** *s geol.* Querader *f,* -gang *m.* — **'~-ˌlots** *adv u. adj Am. colloq.* querfeldein, über Stock u. Stein, schnurgerade: **a ~ path** ein über Stock u. Stein führender Pfad. — **~ mul·ti·pli·ca·tion** *s math.* kreuzweise Multiplikati'on.

cross·ness ['krɒsnis; 'krɔːs-] *s* **1.** Verdrießlichkeit *f,* Ärgerlichkeit *f,* schlechte Laune. – **2.** 'Widerborstigkeit *f,* -wärtigkeit *f.*

cros·sop·te·ryg·i·an [krɒˌsɒptə'ridʒiən] *s zo.* Quastenflosser *m* (*Ordng Crossopterygii*).

'cross|ˌo·ver *s* **1.** Hin'übergehen *n,* -fahren *n.* – **2.** 'Umsteigen *n.* – **3.** a) 'Übergangs-, 'Überfahrtstelle *f,* b) 'Straßenüberˌführung *f.* – **4.** 'Umsteigeplatz *m.* – **5.** *tech.* Kreuzungsweiche *f.* – **6.** *biol.* a) → **crossing over,** b) ausgetauschtes Gen. – **7.** *electr.* Kreuzungspunkt *m* (*Leitungen*). — **'~-ˌo·ver net·work** *s electr.* 'Hochtonlautsprechersyˌstem *n.* — **'~ˌpatch** *s colloq.* mürrischer Mensch, ‚Brummbär' *m.* — **'~ˌpiece** *s* **1.** *tech.* Querstück *n,* -balken *m,* -haupt *n,* -verband *m,* -riegel *m.* – **2.** (*Wasserbau*) a) Querschwelle *f,* b) Riegel *m* (*der Schleusentore*), c) Oberrahmen *m.* – **3.** *mar.* a) Dwarsbalken *m,* Querholz *n,* b) Netzbaum *m,* c) Nagelbank *f.* — **'~ˌpoint** *s* (*Eisenbahn*) *Br.* Schienenkreuzung *f.* — **ˌ~-'pol·liˌnate** *v/t u. v/i bot.* durch Fremdbestäubung befruchten. — **'~-ˌpol·li'na·tion** *s bot.* Fremdbestäubung *f.* — **'~-'pur·pose** *s* **1.** Gegenabsicht *f,* Streben *n* nach entgegengesetztem Ziel: **to be at ~s** sich unabsichtlich entgegenarbeiten, sich (gegenseitig) mißverstehen. – **2.** *pl* (*Art*) Frage-und-Antwort-Spiel *n.* — **~ quar·ters** *s pl arch.* Vierblatt *n.* — **'~-'ques·tion I** *s* **1.** Frage *f* im Kreuzverhör. – **II** *v/t* **2.** → **cross-examine** I. – **3.** genau ausfragen. — **'~ˌrail** *s tech.* Querbalken *m,* -band *n,* -schiene *f.* — **ˌ~-re'fer** *v/t u. v/i* (durch einen Querverweis) verweisen. — **~ ref·er·ence** *s* Kreuz-, Querverweis *m.* — **~ re·la·tion** *s* **1.** Wechselbeziehung *f.* – **2.** *mus.* Querstand *m.* — **'~ˌroad I** *s* **1.** Querstraße *f.* – **2.** Seitenstraße *f.* – **3.** *meist pl* (*meist als sg konstruiert*) a) Straßenkreuzung *f,* b) *Am. fig. Treffpunkt der Bewohner einer ländlichen Gegend*: **at a ~s** an einer Kreuzung. – **4.** *pl* (*meist als sg konstruiert*) *fig.* Scheideweg *m*: **at the ~s.** – **II** *adj* **5.** *Am.* kleinstädtisch, ländlich. — **'~ˌroads I** *s* → **crossroad** 3, 4. – **II** *adj* → **crossroad** II. — **'~ˌruff** (*Whist, Bridge*) **I** *s* Zwickmühle *f.* – **II** *v/i* eine Zwickmühle spielen. — **~ sec·tion** *s* **1.** *math. tech.* 'Querschnitt *m,* -proˌfil *n.* – **2.** durch einen Querschnitt abgeschnittenes Stück. – **3.** Quer-, 'Durchschneiden *n.* – **4.** *fig.* (**of**) Querschnitt *m* (durch), typische Auswahl (aus). – **5.** (*Atomphysik*) Auftreff-, Reakti'onswahrscheinlichkeit *f.* — **'~-'sec·tion pa·per** *s* quadril'liertes *od.* ka'riertes Pa'pier, 'Kurven-, Milli'meterpaˌpier *n.* — **'~-ˌshaped** *adj* kreuzförmig: ~ **incision** *med.* Kreuzschnitt. — **~ slide** *s tech.* **1.** ('Quer)Supˌport *m.* – **2.** (Quer-)Schlitten *m.* — **~ spi·der** *s zo.* Kreuzspinne *f* (*Epeira diadema*). — **~ spring·er** *s arch.* Querrippe *f,* -gurt *m,* Grat-, Kreuzbogen *m.* — **'~-ˌstitch I** *s* Kreuzstich *m.* – **II** *v/t u. v/i* in Kreuzstich sticken. — **~ street** *s* **1.** Querstraße *f.* – **2.** Seitenstraße *f.* — **'~ˌtail** *s tech.* Pleuelstangenkreuz(kopf *m*) *n* (*Dampfmaschine*). — **~ talk** *s* **1.** (*Telephon etc*) 'Über-, Nebensprechen *n,* Diapho'nie *f.* – **2.** *pol. Br.* Austausch *m* von Bemerkungen (*über den Sitzungssaal hinweg*). — **'~ˌtie** *s tech.* **1.** Tra'verse *f,* Querschwelle *f.* – **2.** Eisenbahnschwelle *f.* — **'~-ˌtine** *v/i agr.* quereggen. — **'~-ˌtown** *adv u. adj Am.* quer durch die Stadt (gehend *od.* fahrend). — **'~ˌtree** *s mar.* Dwars-, Quersaling *f.* — **~ vault, '~-ˌvault·ing** *s arch.* Kreuzgewölbe *n.* — **~ vein** *s* **1.** *geol.* Kreuzflöz *n,* Quergang *m.* – **2.** *zo.* Querader *f.* — **~ vine** *s bot.* **1.** Kletternder Trom'petenstrauch (*Bignonia capreolata; südl. USA*). – **2.** → **trumpet creeper.** — **'~-ˌvot·ing** *s pol.* Abstimmung *f* über Kreuz (*wobei einzelne Abgeordnete mit der Gegenpartei stimmen*). — **'~ˌwalk** *s* 'Straßenˌübergang *m* (*für Fußgänger*). — **'~ˌway** → **crossroad** 1, 2. — **'~ˌways** → **crosswise.** — **~ wind** *s aer.* Seitenwind *m.* — **~ wires** → **cross hairs.** — **'~ˌwise** *adv* **1.** quer, kreuzweise. – **2.** kreuzförmig, in Gestalt eines Kreuzes. – **3.** *fig.* schief, unrichtig: **to go ~** schiefgehen. — **'~ˌword puz·zle** *s* Kreuzworträtsel *n.* — **'~ˌwort** *s bot.* **1.** Kreuzlabkraut *n* (*Galium cruciatum*). – **2.** 'Durchwachs *m,* Wasserdost *m* (*Eupatorium perfoliatum; Nordamerika*). – **3.** (*ein*) Felberich *m,* Gilbweiderich *m* (*Gattg Lysimachia*).

crot·a·la·ri·a [ˌkrɒtə'lɛ(ə)riə] *pl* **-ae** [-riˌiː] *s bot.* Klapperschote *f,* -hülse *f* (*Gattg Crotalaria; Leguminose*).

cro·tal·i·form [kro'tæliˌfɔːrm; -lə-] → **crotaline.** — **crot·a·line** ['krɒtəlin; -lain] *adj zo.* klapperschlangenartig, Klapperschlangen...

crotch [krɒtʃ] *s* **1.** gegabelte Stange. – **2.** Gabelung *f* (*Äste etc*). – **3.** Zwikkel *m.* — **crotched** [krɒtʃt] *adj* gegabelt.

crotch·et ['krɒtʃit] *s* **1.** kleiner Haken. – **2.** Haken *m,* hakenförmiger Gegenstand. – **3.** *zo.* Hakenfortsatz *m.* – **4.** *med.* Haken *m* zum Extra'hieren des kranioto'mierten Fötus. – **5.** Grille *f,* Schrulle *f,* verrückter Einfall. – **6.** *mus. bes. Br.* Viertelnote *f.* – *SYN. cf.* **caprice.** — **'crotch·et·i·ness** *s* Grillen-, Schrullenhaftigkeit *f,* Verschrobenheit *f.* — **'crotch·et·y** *adj* grillen-, schrullenhaft, verschroben, verdreht.

cro·ton ['croutən] *s bot.* **1.** Croton *m* (*Gattg Croton, bes. C. eluteria u. C. tiglium*). – **2.** Wunderstrauch *m* (*Gattg Codiaeum*).

cro·ton·ate ['croutəˌneit] *s chem.* Croto'nat *n* (*Salz od. Ester der Crotonsäure*).

Cro·ton bug *s zo.* Deutsche Schabe, Russe *m* (*Phyllodromia germanica*).

cro·ton·ic ac·id [kro'tɒnik; -'tou-] *s chem.* Crotonsäure *f* ($CH_3CH=CH\text{-}COOH$).

cro·ton| oil *s* Crotonöl *n* (*aus Croton tiglium; starkes Abführmittel*). — **~seeds** *s pl* Croton-, Pur'gierkörner *pl.*

crouch [krautʃ] **I** *v/i* **1.** sich bücken. – **2.** hocken, sich (nieder)ducken, sich zu'sammenkauern (**before** vor *dat*): **to be ~ed** kauern. – **3.** *fig.* (unter'würfig) kriechen, sich demütigen (**to** vor *dat*). – **II** *v/t* **4.** ducken, (nieder)beugen. – **III** *s* **5.** Ducken *n,* Kauern *n.* – **6.** kauernde Stellung, Hockstellung *f.* – **7.** *fig.* Kriechen *n.*

croup[1] [kruːp] *s* Kruppe *f,* Kreuz *n,* 'Hinterteil *n* (*bes. von Pferden*).

croup[2] [kruːp] *s med.* **1.** Krupp *m,* 'Kehlkopfdiphtheˌrie *f.* – **2.** falscher Krupp, Pseudokrupp *m.*

crou·pade [kruː'peid] *s* (*Reitkunst*) Krup'pade *f.*

crou·pi·er ['kruːpiər] *s* **1.** Croupi'er *m,* Bankhalter *m* (*an Spielbanken*). – **2.** Kontrapräses *m* (*der bei Diners am unteren Tischende sitzt u. dem Vorsitzenden assistiert*).

croup·i·ness ['kruːpinis] *s med.* Kruppartigkeit *f.* — **'croup·ous** *adj med.* krup'pös, kruppartig. — **'croup·y** *adj med.* **1.** krup'pös, kruppartig, Krupp...: ~ **cough** Krupphusten. – **2.** an (falschem) Krupp leidend.

crouse [kruːs] *adj u. adv dial.* keck, lebhaft.

crou·ton ['kruːtɒn; kruː'tɔ̃] *s* Crou'ton *m* (*geröstetes Weißbrotscheibchen als Suppeneinlage etc*).

crow[1] [krou] *s* **1.** *zo.* (*eine*) Krähe (*Gattg Corvus*), *bes.* a) Rabenkrähe *f* (*C. corone*), b) Saatkrähe *f* (*C. frugilegus*), c) Amer. Krähe *f* (*C. brachyrhynchos*): **as the ~ flies, in a ~ line** (in der) Luftlinie; **to eat ~** *Am. colloq.* eine bittere Pille schlucken müssen; **to have a ~ to pluck** (*od.* **pull, pick**) **with s.o.** mit j-m ein Hühnchen zu rupfen haben; **to pluck a ~** leeres Stroh dreschen; **a white ~** ein weißer Rabe, eine Seltenheit. – **2.** *zo.* (*ein*) Rabenvogel *m od.* rabenähnlicher Vogel, *bes.* Cornish ~ Alpen-, Steinkrähe *f*, Alpendohle *f* (*Pyrrhocorax graculus*). – 3. C~ *astr.* Rabe *m* (*südl. Sternbild*). – 4. → ~bar I. – 5. *tech.* (verstellbarer) Spannkloben. – 6. *Am.* Neger *m.*

crow² [krou] **I** *v/i pret* **crowed** *u.* (*für* 1) **crew** [kruː], *pp* **crowed,** *obs.* **crown** [kroun] 1. krähen (*Hahn*). – 2. krähen, schreien, quietschen. – 3. jauchzen, jubeln, froh'locken, trium'phieren (over über *acc*). – 4. protzen, prahlen. – *SYN. cf.* **boast¹.** – **II** *v/t* 5. krähen, durch Krähen verkünden. – **III** *s* 6. Krähen *n* (*Hahn*). – 7. lautes Schreien (*vor Freude*).

crow³ [krou] *s zo.* Gekröse *n* (*mancher Tiere*).

Crow⁴ [krou] *s sg u. collect. pl* 1. 'Krähenindiˌaner *pl*, Crow *pl* (*Stamm der Siouxindianer*). – 2. 'Krähenindiˌaner(in). – 3. *ling.* Crow *n* (*eine Sioux-Sprache*).

'crow|ˌbait *s* 1. Aas *n.* – 2. ausgelegter (vergifteter) Köder. – 3. *Am. colloq.* ,Klepper' *m*, altes Pferd. — **'~ˌbar** *tech.* **I** *s* 1. Brecheisen *n*, -stange *f.* – 2. Hebebaum *m.* – **II** *v/t* 3. mit einem Brecheisen aufbrechen. – 4. mit einem Hebebaum (fort)bewegen. — **'~ˌber·ry** *s bot.* 1. Schwarze Krähenbeere (*Empetrum nigrum; Pflanze u. Frucht*). – 2. a) → **bearberry** 1, b) → **cranberry** b. — **'~ˌbill** → **crow's-bill.** — **~ black·bird** *s zo.* (*ein*) Stärling *m*, (*ein*) Schwanzvogel *m* (*Gattg Quiscalus*), *bes.* Amer. Purpurschwanzvogel *m* (*Q. purpureus*). — **~ corn** *s bot.* (*eine*) A'letris, (*eine*) Einhornwurz (*Aletris farinosa*).

crowd¹ [kraud] **I** *s* 1. dichte Menge, Masse *f*, Gedränge *n*, Gewimmel *n*: **~s of people** Menschenmassen; **to get into a ~** in ein Gedränge geraten; **to push one's way through a ~** sich durch eine Menschenmenge drängen. – 2. Masse *f*, (gemeines) Volk: **one of the ~** ein Mann aus dem Volke. – 3. *sociol.* Masse *f.* – 4. *Br. sl., Am. colloq.* Gesellschaft *f*, ,Haufen' *m*, Gruppe *f*: **a jolly ~** eine lustige Gesellschaft. – 5. Ansammlung *f*, Gruppe *f*, Haufen *m.* – *SYN.* **crush, horde, mob, press¹, rout¹, throng.** – **II** *v/i* 6. zu'sammendrängen, -strömen, sich drängen: **to ~ around s.o.** sich um j-n drängen. – 7. vorwärtsdrängen, sich vorschieben. – 8. vorwärtseilen. – **III** *v/t* 9. (vorwärts)schieben, stoßen. – 10. zu'sammendrängen, -pressen: **to ~ (all) sails** (*od.* **canvas**) *mar.* prangen, alle Segel beisetzen. – 11. hin'einpressen, -stopfen, -pferchen (**into** in *acc*). – 12. vollstopfen (**with** mit). – 13. *Am. colloq.* (be)drängen, belästigen: **to ~ a debtor for payment** einen Schuldner zur Bezahlung drängen; **to ~ the mourners** *Am. sl.* es ungebührlich eilig haben. –

Verbindungen mit Adverbien:

crowd| in *v/i* hin'einströmen, sich hin'eindrängen: **to ~ upon s.o.** j-n bestürmen. — **~ out I** *v/i* 1. hin'ausströmen, sich hin'ausdrängen. – **II** *v/t* 2. hin'ausdrängen, verdrängen. – 3. wegen Platzmangels aussperren. — **~ up I** *v/i* hin'aufströmen, sich hin'aufdrängen. – **II** *v/t Am.* (*Preise*) in die Höhe treiben.

crowd² [kraud] *s mus. hist.* Crwth *f*, Crewth *f*, Crotta *f* (*altkeltisches lyraähnliches Saiteninstrument*).

crowd·ed ['kraudid] *adj* 1. (**with**) über'füllt, vollgestopft (mit), voll, wimmelnd (von): **~ with people** voller Menschen, vollgestopft mit Menschen; **to be ~ with** wimmeln von; **~ to overflowing** zum Bersten voll. – 2. über'völkert. – 3. zu'sammengepfercht. – 4. *fig.* zu'sammengedrängt, beengt, knapp. — **'crowd·ed·ness** *s* 1. Über'fülltheit *f*, Vollgestopftheit *f.* – 2. Über'völkerung *f.* – 3. Zu'sammengepferchtsein *n.*

crow·die, crow·dy ['kraudi; 'kruː-] *s Scot. od. dial.* dicker Haferschleim.

crow| flight *s* Luftlinie *f*, kürzester Weg. — **'~ˌfoot** *pl* **-feet,** *für* 1 *u.* 2 **-foots** *s* 1. *bot.* Hahnenfuß *m* (*Gattg Ranunculus*). – 2. *bot. eine Pflanze mit handförmigen Blättern, bes.* (*ein*) Storchschnabel *m* (*Gattg Geranium*). – 3. → **caltrop** 1. – 4. *mar.* Hahnepot *f*, Spinnekopf *m.* – 5. → **crow's-foot.** — **'~ˌfoot·ed** *adj* von Krähenfüßen um'geben (*Auge*). — **~ gar·lic** *s bot.* Weinbergs-, Sandlauch *m* (*Allium vineale*). — **'~ˌhop** *s Am.* kurzer Sprung. — **'~ˌkeep·er** *s dial.* Vogelscheuche *f.*

crown [kraun] **I** *s* 1. *antiq.* Tri'umph-, Sieger-, Ehrenkrone *f*, Sieger-, Lorbeerkranz *m.* – 2. Krone *f*, Kranz *m*: **martyr's ~** Märtyrerkrone. – 3. Krone *f*, Palme *f*, ehrenhafte Auszeichnung, Belohnung *f.* – 4. Herrschermacht *f*, -würde *f*: **to succeed to the ~** den Thron besteigen, König werden. – 5. **the C~** die Krone, der Souve'rän, der König, die Königin. – 6. Krone *f* (*als Wappenzeichen etc*). – 7. Krone *f*: a) Crown *f* (*engl. Fünfschillingstück*), b) *Währungseinheit in Schweden, der Tschechoslowakei etc.* – 8. kronenähnlicher Gegenstand. – 9. *bot.* a) (Baum)Krone *f*, b) Haarkrone *f*, Pappus *m*, c) Wurzelhals *m*, d) Nebenkrone *f* (*bei Narzissen etc*). – 10. Scheitel *m*, Wirbel *m* (*Kopf*). – 11. Scheitel *m*, Gipfel *m*, höchster Punkt. – 12. Kopf *m*, Schädel *m*: **to break one's ~** sich den Schädel einschlagen. – 13. Kamm *m*, Schopf *m*, Krone *f*, Krönchen *n* (*Vogel*). – 14. *med.* a) (Zahn)Krone *f*, b) (künstliche) Krone. – 15. *fig.* Voll'endung *f*, Höhe-, Gipfelpunkt *m*, Schlußstein *m*, Krönung *f.* – 16. *mar.* a) Kranz *m*, Kreuz *n* (*Anker*), b) Krone *f*, Kreuzknoten *m.* – 17. Krone *f* (*oberer Teil des Brillanten*). – 18. *Kurzform für* a) **~ glass,** b) **~ lens,** c) **~ saw.** – 19. *arch.* a) Scheitelpunkt *m* (*Bogen*), b) Bekrönung *f* (*Bauwerk*). – 20. *tech.* a) Haube *f* (*Glocke*), b) Gichtmantel *m*, Ofengewölbe *n*, c) Kuppel *f* (*Glasofen*), d) Schleusenhaupt *n*, e) Kronrad *n*, Aufzugskrone *f*, f) Bahn *f* (*Amboß*), g) Kopf *m.* – 21. 'Kronenpaˌpier *n* (*Papierformat, USA: 15×19 Zoll, England: 15×20 Zoll*). –

II *v/t* 22. (be)krönen, bekränzen: **to be ~ed king** zum König gekrönt werden. – 23. ehren, auszeichnen, belohnen, schmücken, krönen. – 24. krönen, den Gipfel *od.* die Krone bilden von. – 25. krönen, erfolgreich *od.* glorreich abschließen: **~ed with success** von Erfolg gekrönt. – 26. *fig.* den Höhepunkt bilden von: **to ~ all** von allem den Höhepunkt bilden, alles (Bisherige) überbieten. – 27. *fig.* voll'enden, die Krone aufsetzen (*dat*). – 28. (*Damespiel*) zur Dame machen. – 29. *med.* eine (künstliche) Krone aufsetzen (*dat*), über'kronen: **to ~ a tooth.** – 30. aufwölben, nach oben biegen, kon'vex machen. – 31. (*Gefäß*) bis an den Rand füllen. – 32. *sl.* (*j-m*) ,eins aufs Dach geben'.

crown| ant·ler *s zo.* oberste Sprosse eines Hirschgeweihs. — **~ bar** *s tech.* Tragbalken *m*, Deckenträger *m.* — **~ bit** *s tech.* Kronenbohrer *m.* — **~ cap** *s* Kapsel *f*, Kronenverschluß *m.* — **~ charge** *s* Scheitelladung *f* (*bei Sprengungen*). — **~ col·o·ny** *s* 'Kronkoloˌnie *f* (*brit. Kolonie, deren Verwaltung ganz od. teilweise dem brit. Kolonialminister verantwortlich ist*).

crowned [kraund] *adj* 1. ge-, bekrönt. – 2. mit einem Kamm, Schopf *etc* versehen: **~ heron** Schopfreiher. – 3. (*in Zusammensetzungen*): **a high-~ hat** ein Hut mit hohem Kopf. – 4. randvoll, 'überschäumend (*Gefäß*).

crown·er¹ ['kraunər] *s* 1. Krönende(r). – 2. Krönung *f*, (krönender) Abschluß, Voll'endung *f.* – 3. Fall *m od.* Sturz *m* auf den Kopf.

crown·er² ['kraunər] *Br. dial. od. obs. für* **coroner.**

crown| es·cape·ment *s tech.* Spindelhemmung *f*, -gang *m* (*Uhr*). — **~ gall** *s bot.* Wurzelhals-, Kronengalle *f.* — **~ gate** *s tech.* Ober-, Flut-, Vordertor *n* (*Schleuse*). — **~ glass** *s* 1. *tech.* Mondglas *n*, geblasenes Tafelglas, Butzenscheibe *f.* – 2. (*Optik*) Crown-, Kronglas *n.* — **~ graft·ing** *s bot.* Kronpfropfen *n.* — **~ head** *s* (*Damespiel*) Damenreihe *f.* — **~ im·pe·ri·al** *s* 1. Kaiserkrone *f.* – 2. *bot.* Kaiserkrone *f* (*Fritillaria imperialis; Lilie*).

crown·ing ['krauniŋ] **I** *adj* krönend, voll'endend, alles über'bietend, höchst, glorreich. – **II** *s* Krönung *f*, Erfüllung *f*, glorreiche Voll'endung.

crown| jew·els *s pl* 'Kronjuˌwelen *pl*, 'Reichskleinˌodien *pl.* — **~ land** *s* 1. Krongut *n*, königliche *od.* kaiserliche Do'mäne. – 2. ˌStaatslände'reien *pl.* — **~ law** *s jur. Br.* Strafrecht *n.* — **~ lens** *s* Kronglaslinse *f.* — **~ of·fice** *s jur. Br.* Krimi'nalamt *n* der King's *od.* Queen's Bench Division. — **~ pa·per** → **crown** 21. — **'~ˌpiece** *s* Kopfstück *n*, oberster Teil. — **~ prince** *s* Kronprinz *m.* — **~ prin·cess** *s* 'Kronprinˌzessin *f.* — **~ rust** *s bot.* Kronenrost *m* (*Puccinia coronata u. P. coronifera u. die durch sie verursachte Krankheit*). — **~ saw** *s* Kron-, Ringsäge *f.* — **~ sheet** *s tech.* Feuerbüchsendecke *f.* — **~ spar·row** *s zo.* (*ein*) amer. Kronsperling *m*, (*ein*) Ammerfink *m* (*Gattg Zonotrichia*). — **~ wheel** *s tech.* 1. Kronrad *n* (*Uhr etc*). – 2. Kammrad *n.* — **'~ˌwork** *s* 1. *mil.* Kronwerk *n.* – 2. *med.* a) Über'kronen *n*, b) (künstliche) Krone.

'crow-ˌquill *s* 1. Raben(kiel)feder *f.* – 2. feine Stahlfeder.

'crow's|-ˌbill [krouz] *s med.* Kugelzange *f.* — **'~-ˌfoot** *s irr* 1. *pl* Krähenfüße *pl*, Fältchen *pl* (*an den Augen*). – 2. *aer. tech.* Gänsefuß *m* (*eine Seilverspannung*). – 3. (*Schneiderei*) Fliege *f.* – 4. Kreuz *n* (*Ständer etc*). – 5. → **crowfoot.** — **'~-ˌnest** *s mar.* Ausguck *m*, Krähennest *n.*

'crow|ˌstone *s arch.* oberster Giebelstein (*Haus*). — **'~ˌtoe** *s* 1. *bot.* a) Schlitzblättrige Zahnwurz (*Dentaria laciniata*), b) Gemeiner Hornklee (*Lotus corniculatus*). – 2. → **caltrop** 1.

croy·don ['krɔidn] *s* 1. (*Art*) Gig *n*, zweirädriger Wagen. – 2. (*Art*) Baumwollstoff *m*, Kaliko *m.*

croze [krouz] (*Böttcherei*) **I** *s* 1. Kröse *f*, Gargel *f.* – 2. Gargelkamm *m*, Kimmhobel *m*, Kröseisen *n.* – **II** *v/t* 3. eingargeln, kimmen, falzen.

cro·zier *cf.* **crosier.**

cru·ces ['kruːsiːz] *pl von* **crux¹.**

cru·cial ['kruːʃəl; *Br. auch* -ʃiəl] *adj* 1. kritisch, entscheidend: **~ point** kritischer *od.* springender Punkt; **~ test** Feuerprobe. – 2. schwierig (*Problem etc*). – 3. kreuzförmig, Kreuz...: **~ incision** *med.* Kreuzschnitt. – *SYN. cf.* **acute.**

cru·cian carp ['kruːʃən] *s zo.* Gemeine Ka'rausche (*Carassius vulgaris*).

cru·ci·ate ['kruːʃiit; -ˌeit] *adj* 1. kreuzförmig. – 2. *bot.* gekreuzt, kreuzgegenständig, dekus'siert. – 3. *zo.* kreuzförmig, sich kreuzend (*Insektenflügel*).

cru·ci·ble ['kru:sibl; -sə-] *s* **1.** *tech.* (Schmelz)Tiegel *m.* – **2.** *tech.* 'Untergestell *n*, Herd *m*, Eisenkasten *m* (*eines Gebläseofens*). – **3.** *fig.* Feuerprobe *f.* — **~ fur·nace** *s tech.* Tiegelofen *m.* — **~ steel** *s tech.* Tiegel(guß)stahl *m.*

cru·ci·fer ['kru:sifər; -sə-] *s* **1.** *relig.* Kreuzträger(in). – **2.** *bot.* Cruci'fere *f*, Kreuzblüter *m* (*Fam. Cruciferae*). — **cru'cif·er·ous** [-'sifərəs] *adj* **1.** kreuztragend. – **2.** *bot.* zu den Kreuzblütern gehörend: **~ plant** Kreuzblüter.

cru·ci·fix ['kru:sifiks; -sə-] *s* **1.** Kruzi'fix *n.* – **2.** Kreuz *n* (*als Sinnbild des Christentums*). — **ˌcru·ci'fix·ion** [-'fikʃən] *s* **1.** Kreuzigung *f.* – **2.** C~ Kreuzigung *f* Christi. – **3.** Kreuzestod *m.* – **4.** *fig.* (seelische) Qual, Marter *f*, Pein *f.* — **'cru·ciˌform** [-ˌfɔ:rm] *adj* kreuzförmig, Kreuz... — **'cru·ciˌfy** [-ˌfai] *v/t* **1.** kreuzigen. – **2.** *fig.* (*Begierden*) abtöten. – **3.** *fig.* martern, quälen.

crud [krʌd] *pret u. pp* **'crud·ded** *obs. od. dial. für* **curd** II *u.* III.

crude [kru:d] **I** *adj* **1.** roh, ungekocht. – **2.** roh, unverarbeitet, unbearbeitet, Roh...: **~ metal** Rohmetall; **~ oil** Rohöl. – **3.** unreif, roh (*Früchte*). – **4.** unfertig, grob, nicht ausgearbeitet. – **5.** *fig.* unverdaut, unausgegoren, unreif. – **6.** grob, ungehobelt, ungeschliffen, unfein, taktlos. – **7.** grob, plump. – **8.** *fig.* nackt, ungeschminkt: **~ facts.** – **9.** grell, geschmacklos. – *SYN. cf.* **rude.** – **II** *s* **10.** 'Rohproˌdukt *n.* – **11.** *tech.* a) Rohöl *n*, b) 'Rohdestilˌlat *n* des Steinkohlenteers (*Benzol etc*). — **'crude·ness** → **crudity.**

cru·di·ty ['kru:diti; -əti] *s* **1.** Roheit *f.* – **2.** Unfertigkeit *f.* – **3.** Unreife *f.* – **4.** Grobheit *f*, Ungeschliffenheit *f*, Taktlosigkeit *f.* – **5.** Plumpheit *f.* – **6.** *fig.* Ungeschminktheit *f.* – **7.** Geschmacklosigkeit *f.* – **8.** (*etwas*) Unfertiges *od.* Unverarbeitetes.

cru·el ['kru:əl] *adj* **1.** grausam (to gegen). – **2.** unmenschlich, hart, unbarmherzig, roh, gefühllos. – **3.** entsetzlich, schrecklich, blutig. – *SYN. cf.* **fierce.** — **'cru·el·ly** *adv* **1.** grausam, unbarmherzig. – **2.** *colloq.* furchtbar, schrecklich, äußerst: **~ hot.** — **'cru·el·ness** → **cruelty.**

cru·el·ty ['kru:əlti] *s* **1.** Grausamkeit *f*, Unmenschlichkeit *f* (to gegen[über]). – **2.** Grausamkeit *f*, grausame Handlung, Quäle'rei *f*: **~ to animals** Tierquälerei. – **3.** Schwere *f*, Härte *f.*

cru·et ['kru:it] *s* **1.** Glas-, *bes.* Essig-, Ölfläschchen *n.* – **2.** *relig.* Meßkännchen *n.* — **~ stand** *s* Me'nage *f*, Essig-und-Öl-Ständer *m.*

cruise [kru:z] **I** *v/i* **1.** *mar.* kreuzen. – **2.** *mar.* kreuzen, eine Kreuzfahrt machen, (ziellos) her'umfahren: to **~ for pleasure** eine Vergnügungsfahrt unternehmen. – **3.** a) eine Kreuz- *od.* Vergnügungsfahrt unter'nehmen (*mit dem Flugzeug etc*), b) mit Reisegeschwindigkeit fliegen (*Flugzeug*). – **4.** her'umfahren, -reisen, -wandern. – **5.** (*Forstwirtschaft*) Waldungen begehen (*um den Ertrag abzuschätzen*). – **II** *v/t* **6.** kreuzen in (*dat*), her'umfahren in (*dat*), befahren, bereisen. – **III** *s* **7.** Kreuzen *n.* – **8.** Kreuz-, Vergnügungsfahrt *f.* – **9.** Her'umfahren *n*, -reisen *n.* — **'cruis·er** *s* **1.** her'umfahrendes Fahrzeug, *bes.* kreuzendes Schiff. – **2.** *mar.* a) Kreuzer *m*: → **armored,** b) Vergnügungsschiff *n*, -dampfer *m*, c) (Motor)Jacht *f*, Segler *m.* – **3.** *Am. für* **squad car.** – **4.** → **timber ~.** – **5.** *Am. colloq.* (*bes.* Vergnügungs)Reisende(r). – **6.** *sl.* ‚Strichmädchen' *n.* – **7.** *Am.* hoher Stiefel. – **8.** *auch* **~ weight** (*Boxen*) *colloq.* Halbschwergewicht *n.*

cruis·ing ['kru:ziŋ] *adj aer.* Reise..., Normal...: **~ altitude** Reise-, Normalflughöhe (*bei Verkehrsflügen*); **~ radius** (*od.* **range**) *aer. mar.* Aktionsradius, Reichweite; **~ speed** a) Dauer-, Reisegeschwindigkeit (*eines Flugzeugs od. Fahrzeugs*), b) *mar.* Marschfahrt.

cruive [kru:v] *s* **1.** *Br.* Lachsfalle *f.* – **2.** *Scot.* Hürde *f.*

crul·ler ['krʌlər] *s Am.* (*Art*) Ber'liner Pfannkuchen *m.*

crumb, *auch obs.* **crum** [krʌm] **I** *s* **1.** Krume *f*, Krümel *m*, Krümchen *n*, Brosame *f*, Brösel *m* (*Brot etc*): to a **~** bis aufs I-Tüpfelchen. – **2.** *fig.* Splitter *m*, Bröckchen *n*, Fünkchen *n*, (*das*) bißchen. – **3.** Krume *f* (*weicher Teil des Brots*). – **4.** *Am. vulg.* a) Laus *f*, ‚Biene' *f*, b) ‚Schweinehund' *m*, gemeiner Kerl. – **II** *v/t u. v/i* **5.** pa'nieren, mit Krumen bestreuen. – **6.** zerkrümeln, zerbröseln. – **7.** *colloq.* von Brosamen säubern.

crum·ble ['krʌmbl] **I** *v/t* **1.** zerkrümeln, -bröckeln, -drücken, -malmen. – **II** *v/i* **2.** zerbröckeln, -fallen: to **~ to pieces** in Stücke zerfallen. – **3.** *fig.* zer-, verfallen, zu'grunde gehen. – **4.** *econ.* abbröckeln (*Kurse*). – *SYN. cf.* **decay.** – **III** *s* **5.** zerfallen(d)er Gegenstand. – **6.** feiner Schutt. – **7.** *obs. od. dial.* Krümel *m.* — **'crum·bly** *adj* krümelig, bröcklig, leicht bröckelnd. — **crumb·y** ['krʌmi] *adj* **1.** voller Krumen. – **2.** weich, krümelig.

crum·mie ['krʌmi; 'krumi] *s dial.* Kuh *f* (mit krummen Hörnern).

crum·my¹ ['krʌmi] *adj* **1.** *sl.* ‚lausig', dreckig. – **2.** *Br. sl.* mollig, drall (*Frau*).

crum·my² *cf.* **crummie.**

crump¹ [krʌmp] **I** *v/t* **1.** knirschend zerbeißen, mit den Zähnen zermalmen. – **2.** schwere Schläge versetzen (*dat*), schwer verhauen. – **II** *v/i* **3.** knirschen. – **III** *s* **4.** Knirschen *n*, Krachen *n.* – **5.** schwerer Schlag *od.* Hieb. – **6.** *mil. Br. sl.* a) heftiges Krachen, b) ‚dicker Brocken'.

crump² [krʌmp; krump] *adj Scot. od. dial.* knusp(e)rig, brüchig.

crum·pet¹ ['krʌmpit] *s bes. Br.* (*auf dem Kuchenblech gebackener*) Sauerteigfladen.

crum·pet² ['krʌmpit] *s sl.* ‚Birne' *f*, Kopf *m.*

crum·ple ['krʌmpl] **I** *v/t* **1.** zerknittern, zerknüllen, krumpeln: **~ up** zusammenknüllen. – **II** *v/i* **2.** sich runzeln, faltig werden, zu'sammenschrumpfen. – **3.** *oft* **~ up** *colloq.* zu'sammenbrechen, -stürzen. – **III** *s* **4.** (Knitter)Falte *f.* – **5.** Runzel *f.* — **'crum·pled** *adj* **1.** gekrümmt, (spi'ralenförmig) gewunden. – **2.** zerknittert, zerknüllt.

crunch [krʌntʃ] **I** *v/t* **1.** knirschend zerkauen *od.* zerbeißen. – **2.** zermalmen. – **II** *v/i* **3.** knirschend kauen. – **4.** knirschen. – **5.** sich mit knirschendem Geräusch bewegen. – **III** *s* **6.** knirschendes Zerbeißen *od.* Zermalmen. – **7.** Knirschen *n.*

cru·no·dal [kru:'noudl] *adj math.* mit Eigenschnittpunkt: **~ curve.** — **'cru·node** *s math.* Eigenschnitt-, Doppelpunkt *m* (*Kurve*).

cru·or ['kru:ɔ:r] *s med.* Kruor *m*, Blutkuchen *m.*

crup·per ['krʌpər; 'kru-] *s* **1.** Schwanzriemen *m* (*Pferdegeschirr*). – **2.** Kruppe *f* (*Pferd*).

cru·ral ['kru(ə)rəl] *adj med. zo.* kru'ral, Schenkel..., Bein...

crus [krʌs] *pl* **cru·ra** ['kru(ə)rə] *s med. zo.* **1.** 'Unterschenkel *m.* – **2.** Bein *n.* – **3.** Schenkel *m*, schenkelartiger Fortsatz.

cru·sade [kru:'seid] **I** *s* **1.** *oft* C~ Kreuzzug *m* (*ins Heilige Land*). – **2.** Kreuzzug *m* (*auch fig.*): temperance **~** Kreuzzug gegen das Trinkerunwesen. – **II** *v/i* **3.** einen Kreuzzug unter'nehmen, an einem Kreuzzug teilnehmen (*auch fig.*). — **cru'sad·er** *s* Kreuzfahrer *m*, -ritter *m.*

cru·sa·do [kru:'seidou] *pl* **-does, -dos** *s* Cru'zado *m*, Cru'sado *m* (*alte portug. Gold- od. Silbermünze*).

cruse [kru:z] *s Bibl.* (irdenes) Gefäß, Krug *m*, Schale *f.*

crush [krʌʃ] **I** *s* **1.** (Zer)Quetschung *f*, Zermalmung *f*, Zerstampfung *f*, Druck *m.* – **2.** dichtes Gewühl, Gedränge *n.* – **3.** *colloq.* über'füllte (gesellschaftliche) Veranstaltung, große Gesellschaft. – **4.** *sl.* Schwarm *m*, Flirt *m*: **to have a ~ on s.o.** in j-n vernarrt sein. – *SYN. cf.* **crowd¹.** – **II** *v/t* **5.** zerquetschen, -malmen, -drücken. – **6.** zerdrücken, -knittern. – **7.** *tech.* a) mahlen, zerstoßen, schroten, b) pressen, quetschen, c) (*Erz*) pochen, brechen. – **8.** (*Leder etc*) pressen, plätten, glätten. – **9.** auspressen, -drücken, -quetschen (**from** aus). – **10.** leeren, trinken. – **11.** *fig.* a) niederschmettern, zerschmettern, vernichten, b) be-, unter'drücken. – **12.** (*Arm etc*) heftig drücken, pressen. – **III** *v/i* **13.** zerquetscht *od.* zerdrückt werden. – **14.** zerbrechen. – **15.** sich vorwärts dränge(l)n. – **16.** sich falten, zerknittern. –

Verbindungen mit Adverbien:

crush| down *v/t* **1.** zerdrücken, -malmen (**into** zu). – **2.** niederwerfen, -schmettern, über'wältigen. — **~ in** *v/t* eindrücken. — **~ out** *v/t* (*Zigarette etc*) ausdrücken, auspressen. — **~ up** *v/t* **1.** zerquetschen, -malmen, -kleinern. – **2.** zerknüllen.

crush·er ['krʌʃər] *s* **1.** Zerdrücker *m*, Zerquetscher *m*, Zermalmer *m.* – **2.** *tech.* a) Zer'kleinerungsmaˌschine *f*, Brecher *m*, Brechwerk *n*, b) Presse *f*, Quetsche *f.* – **3.** *colloq.* sprachlos machende Antwort *od.* Tatsache: **his answer was a ~** seine Antwort war niederschmetternd. – **4.** *sl.* ‚Po'lyp' *m*, Poli'zist *m.* — **~ ga(u)ge** *s tech.* Gasdruckmesser *m* (*für Pulvergase*). — **~ roll** *s tech.* Brechwalze *f.* — **~ worm** *s tech.* Brechschnecke *f.*

crush hat *s* **1.** Klapphut *m.* – **2.** weicher (Filz)Hut.

crush·ing ['krʌʃiŋ] *adj* **1.** zermalmend. – **2.** *tech.* Brech..., Mahl...: **~ cylinder** Brech-, Quetschwalze; **~ drum** Mahltrommel, -stein; **~ mill** Brech(walz)-, Quetschwerk, Koller-, Stampfgang, Erzquetsche. – **3.** *fig.* niederschmetternd, über'wältigend, vernichtend. – **4.** *sl.* prima, ‚toll', vor'züglich, erstklassig.

crush room *s* Fo'yer *n* (*Theater etc*).

crust [krʌst] **I** *s* **1.** Kruste *f*, Schale *f*, Rinde *f*, verhärteter 'Überzug. – **2.** (Brot)Kruste *f*, Rinde *f.* – **3.** Knust *m*, hartes *od.* trockenes Stück Brot. – **4.** Kruste *f*, Teig *m* (*Pastete*). – **5.** *zo.* Schale *f*, Schild *m.* – **6.** *bot.* Schale *f.* – **7.** *geol.* (Erd)Kruste *f*, (Erd)Rinde *f.* – **8.** *med.* Kruste *f*, Grind *m*, Schorf *m.* – **9.** Niederschlag *m* (*in Weinflaschen*). – **10.** *tech.* a) Gußrinde *f*, b) Zunder *m*, Hammerschlag *m*, c) Kesselstein *m.* – **11.** *fig.* Kruste *f*, Schale *f.* – **12.** *sl.* Unverschämtheit *f.* – **II** *v/t* **13.** *auch* **~ over** über'krusten, mit einer Kruste über'ziehen: **~ed over with ice** mit einer Eiskruste bedeckt. – **14.** verkrusten. – **15.** *tech.* inkru'stieren, mit Belag über'ziehen. – **III** *v/i* **16.** verkrusten, eine Kruste bilden *od.* bekommen. – **17.** *Am.* a) auf Harschschnee gehen, b) → **~-hunt** II.

crus·ta·cean [krʌs'teiʃən] *zo.* **I** *adj* zu den Krebstieren gehörig, Krebs... – **II** *s* Krebs-, Krustentier *n* (*Klasse Crustacea*). — **crusˌta·ce'ol·o·gy**

[-ʃi'ɒlədʒi] → carcinology 2. — **crus'ta·ceous** [-ʃəs] *adj* 1. krustenartig, Krusten... – 2. über'krustet. – 3. → crustacean I. — **'crust·al** *adj* Krusten...: ~ readjustment *geol.* ausgleichende Krustenbewegung. — **crus'tal·o·gy** [-'tælədʒi] → carcinology 2.

crust·ed ['krʌstid] *adj* 1. mit einer Kruste über'zogen, be-, verkrustet: ~ snow Harsch(schnee). – 2. abgelagert (*Wein*): old ~ port guter alter Portwein. – 3. *fig.* veraltet, alt, ehrwürdig, eingefleischt.

'crust-,hunt *hunt. Am.* **I** *s* Großwildjagd *n* auf Harschschnee. – **II** *v/i u. v/t* (Großwild) auf Harschschnee jagen.

crust·i·ness ['krʌstinis] *s* 1. Krustigkeit *f*. – 2. *fig.* Rau-, Grobheit *f*, Bärbeißigkeit *f*. — **'crust·y** *adj* 1. krustig. – 2. mit einer Kruste über'zogen. – 3. → crusted 2. – 4. *fig.* a) mit rauher Schale, b) rauh, mürrisch, bärbeißig, barsch. – *SYN. cf.* bluff².

crutch [krʌtʃ] **I** *s* 1. Krücke *f*: a pair of ~es ein Paar Krücken; to go on ~es auf Krücken gehen. – 2. (krückenartige) Stütze. – 3. gabelförmige Stütze (*des Damensattels*). – 4. *tech.* a) Gabel *f*, b) Krücke *f* (*beim Puddeln*). – 5. *mar.* a) Stütze *f*, Stieper *m*, b) Rudergabel *f*, c) Gaffelklaue *f*, d) Piekband *n*, e) Krücke *f*, Baumschere *f*. – 6. Beingabelung *f*. – 7. *fig.* Krücke *f*, Stütze *f*, Hilfe *f*. – **II** *v/t* 8. stützen. – 9. *tech.* 'umrühren. – **III** *v/i* 10. auf Krücken gehen.

crutched¹ [krʌtʃt] *adj* 1. (auf Krücken) gestützt. – 2. eingeklemmt. – 3. Krükken..., Krück...

crutched² [krʌtʃt] *adj* ein Kreuz(zeichen) führend. — **Crutch·ed Fri·ar** ['krʌtʃid; krʌtʃt] *s relig.* (*ein*) Kreuzbruder *m* (*Angehöriger eines kath. Ordens in England, 1244–1656*).

crutch·er ['krʌtʃər] *s tech.* Seifenmischer *m*.

crux¹ [krʌks] *pl* **'crux·es, cru·ces** ['kruːsiːz] *s* 1. entscheidender *od.* springender Punkt. – 2. Krux *f*, quälendes Pro'blem, verzwickter Fall, Schwierigkeit *f*. – 3. *bes. her.* Kreuz *n*.

Crux² [krʌks] *gen* **Cru·cis** ['kruːsis] *s astr.* Kreuz *n* des Südens.

crux an·sa·ta [æn'seitə] (*Lat.*) → ankh.

cru·zei·ro [kruː'ze(ə)rou] *pl* **-ros** *s* Cru'zeiro *m* (*brasil. Währungseinheit*).

cry [krai] **I** *s* 1. Schrei *m*, Ruf *m* (for nach): a ~ for help ein Hilferuf; within ~ in Rufweite. – 2. Schreien *n*, Geschrei *n*: great (*od.* much) ~ and little wool viel Geschrei u. wenig Wolle. – 3. Weinen *n*, Wehklagen *n*: to have a good ~ sich ordentlich ausweinen. – 4. Bitten *n*, Flehen *n*, flehende Bitte. – 5. Ausrufen *n*, Geschrei *n* (*Straßenhändler*): (all) the ~ *Am.* der letzte Schrei, die neueste Mode. – 6. Beifallsruf *m*. – 7. (Schlacht)Ruf *m*, Schlag-, Losungswort *n*. – 8. Gerücht *n*. – 9. allgemeine Meinung: the popular ~ die Stimme des Volkes. – 10. Schrei *m* (*Tier*). – 11. *hunt.* Anschlagen *n*, Gebell *n* (*Meute*): in full ~ mit lautem Gebell. – 12. *hunt.* Meute *f*, Koppel *f*. – 13. *fig.* Meute *f*, Herde *f* (*Menschen*): to follow in the ~ mit der Meute mitlaufen, mit den Wölfen heulen. – 14. *tech.* Geschrei *n* (*Zinn*). – 15. (mitreißende) Ausdruckskraft (*Gedichte etc*). – 16. *obs.* Proklamati'on *f*. – **II** *v/i* 17. schreien. – 18. schreien, (laut) rufen: to ~ on (*od.* upon) s.o. j-n anflehen; to ~ to s.o. a) j-n anrufen *od.* anflehen, b) j-m zurufen; to ~ after s.o. j-m nachrufen; to ~ for help um Hilfe rufen; to ~ for food nach Essen verlangen. – 19. weinen. – 20. heulen, jammern (over wegen, über *acc*; for um): → milk 1; moon 3. – 21. murren, schimpfen, sich beklagen. – 22. *hunt.* anschlagen, Laut geben, bellen. – **III** *v/t* 23. (*etwas*) schreien, rufen: to ~ halves halbpart verlangen; → shame 2; wolf 1. – 24. (laut) verkünden: to ~ quits erklären, daß man (*mit j-m*) quitt sei. – 25. (*Waren etc*) ausrufen, -bieten, -schreien: to ~ stinking fish sein Licht unter den Scheffel stellen. – 26. flehen um, erflehen. – 27. weinen: to ~ oneself to sleep sich in den Schlaf weinen. –

Verbindungen mit Adverbien:

cry| back *v/i* 1. *bes. hunt.* auf der'selben Fährte zu'rückkommen. – 2. *biol.* (ata'vistisch) rückschlagen. — **~ down** *v/t* 1. her'absetzen, her'untersetzen, -machen, verdammen. – 2. unter'sagen, verbieten. – 3. niederschreien. — **~ off I** *v/t* (*Versprechen*) rückgängig machen, nicht einhalten, brechen. – **II** *v/i* zu'rücktreten, sich lossagen. — **~ out I** *v/t* 1. laut verkünden, ausrufen. – **II** *v/i* 2. aufschreien. – 3. *fig.* sich heftig beklagen: to ~ against (*od.* on) s.th. etwas tadeln *od.* verdammen *od.* heftig mißbilligen; to ~ (for) laut rufen, dringend verlangen (nach); (it is) for crying out loud es ist zum Aus-der-Haut-Fahren. — **~ up** *v/t* laut preisen, rühmen, Re'klame machen für.

cry·a·ble ['kraiəbl] *adj* zum Weinen (reizend).

'cry,ba·by I *s* Heulpeter *m*, -suse *f*. – **II** *v/i* flennen.

cry·ing ['kraiiŋ] *adj* 1. weinend, jammernd. – 2. schreiend, rufend. – 3. *fig.* (himmel)schreiend.

cry·mo·ther·a·py [,kraimo'θerəpi] *s med.* 'Kältethera,pie *f*.

cryo- [kraio] *Wortelement mit der Bedeutung* Kälte, Eis.

cry·o·gen ['kraiədʒən] *s* Kältemischung *f*, -mittel *n*. — **,cry·o'gen·ic** [-'dʒenik] *adj* 1. kälteerzeugend. – 2. Kälteerzeugungs... — **cry'og·e·ny** [-'ɒdʒəni] *s* Wissenschaft *f* von der Kälteerzeugung.

cry·o·hy·drate [,kraio'haidreit] *s chem.* 'Kryohy,drat *n* (*Kältemischung, deren Temperatur beim Gefrieren u. Schmelzen konstant bleibt*). — **,cry·o'hy·dric** [-drik] *adj chem.* 'kryohy,dratisch.

cry·o·lite ['kraiə,lait] *s min.* Kryo'lith *m*, Eisstein *m*, flußspatsaure Tonerde (Na_3AlF_6): ~ glass Milch-, Spatglas.

cry·om·e·ter [krai'ɒmitər; -mə-] *s phys.* Gefrierpunktmesser *m*, 'Beckmann-Thermo,meter *n*, Thermometer *n* zur Messung niedriger Tempera'turen.

cry·o·scope ['kraiə,skoup] *s chem. phys.* Kryo'skop *n*. — **cry'os·co·py** [-'ɒskəpi] *s chem. med. phys.* Kryosko'pie *f*: a) *Bestimmung des Gefrierpunkts von (Körper)Flüssigkeiten*, b) *Methode zur Molekulargewichtsbestimmung durch Messung der Gefrierpunktserniedrigung.*

cry·o·stat ['kraiə,stæt; -o-] *s chem. phys.* Kryo'stat *m*, Kälteregler *m* (*Gerät zur Gleichmäßighaltung tiefer Temperaturen*). — **,cry·o'ther·a·py** [-'θerəpi] → crymotherapy.

cry·o·tron ['kraiətrɒn] *s electr. elektronischer Schalter in Kältebad.*

crypt [kript] *s* 1. *arch.* Krypta *f*, Gruft *f*. – 2. *med. zo.* Krypta *f*, Grube *f*, Vertiefung *f*.

crypt- [kript] → crypto-.

crypt·al ['kriptl] *adj* 1. Krypta... – 2. kryptaartig.

crypt·a·nal·y·sis [,kriptə'næləsis] *s* Entzifferung *f* von Geheimschriften. — **crypt'an·a·lyst** [-'ænəlist] *s* Entzifferer *m* von Geheimschriften. — **crypt'an·a,lyze** *v/t u. v/i* entziffern.

cryp·tic ['kriptik], *auch* **'cryp·ti·cal** *adj* 1. geheim, verborgen, versteckt. – 2. mysteri'ös, rätselhaft. – 3. dunkel, ok'kult. – 4. *zo.* verbergend, versteckend, Schutz...: ~ colo(u)ring Schutzfärbung. – *SYN. cf.* obscure. — **'cryp·ti·cal·ly** *adv* (*auch zu* cryptic).

crypto- [kripto] *Wortelement mit der Bedeutung* krypto..., geheim, verborgen, versteckt.

cryp·to·branch ['kripto,bræŋk] *s zo.* Krypto'branch *m* (*Schwanzlurch mit verborgenen Kiemen*). — **,cryp·to'bran·chi,ate** [-kiit; -,eit] *adj zo.* mit verborgenen Kiemen.

cryp·to·clas·tic [,kripto'klæstik] *adj geol.* krypto'klastisch. — **'cryp·to,cli·mate** *s klimatische Verhältnisse im Innern eines Gebäudes.* — **'cryp·to-,com·mu·nist** *s* verkappter Kommu'nist. — **,cryp·to'crys·tal·line** [-'kristəlin; -,lain] *adj min.* 'kryptokristal,lin(isch).

cryp·to·gam ['kripto,gæm; -tə-] *s bot.* Krypto'game *f*, Sporenpflanze *f*, blütenlose Pflanze. — **,cryp·to'ga·mi·an** [-'geimiən], **,cryp·to'gam·ic** [-'gæmik] *adj bot.* krypto'gam(isch). — **cryp'tog·a·mist** [-'tɒgəmist] *s bot.* Krypto'gamenspezia,list(in). — **cryp'tog·a·mous** → cryptogamic. — **cryp'tog·a·my** *s bot.* Kryptoga'mie *f*.

cryp·to·gen·ic [,kripto'dʒenik; -tə-] *adj med.* krypto'gen, kryptoge'netisch (*unbekannten Ursprungs*): a ~ disease. — **'cryp·to,gram** [-,græm] *s* Krypto'gramm *n*. — **,cryp·to'gram·mic** *adj* 1. in Geheimschrift geschrieben. – 2. mit verstecktem Sinn.

cryp·to·graph ['kripto,græ(ː)f; -tə-; *Br. auch* -,grɑːf] *s* 1. → cryptogram. – 2. Geheimschrift *f*. – 3. Schlüssel *m*, Kode *m*. – 4. Krypto'graph *m*, Geheimschriftgerät *n*. — **cryp'tog·ra·pher** [-'tɒgrəfər] *s* Krypto'graph *m*, (Ver-, Ent)Schlüsseler *m*. — **,cryp·to'graph·ic** [-'græfik], *auch* **,cryp·to'graph·i·cal** *adj* krypto'graphisch, Schlüssel... — **cryp'tog·ra·phist** → cryptographer. — **cryp'tog·ra·phy** *s* Kryptogra'phie *f*, Schlüsselwesen *n*. — **,cryp·to'mech·a,nism** *s* 'Schlüsselma,schine *f*.

cryp·to·me·ri·a [,kripto'mi(ə)riə] *s bot.* Krypto'merie *f*, Jap. Zeder *f* (*Cryptomeria japonica*).

cryp·to·nym ['kriptonim; -tə-] *s* Krypto'nym *n*, Geheim-, Deckname *m* (*Person*). — **cryp'ton·y·mous** [-'tɒniməs; -nə-] *adj* krypto'nym.

cryp·to·phyte ['kripto,fait; -tə-] → cryptogam.

cryp·to·zo·ite [,kripto'zouait; -tə-] *s med. zo.* 'extra,erythrozy,tärer Sporozo'id (*noch nicht in ein rotes Blutkörperchen eingedrungener Malariakeim*).

crys·tal ['kristl] **I** *s* 1. Kri'stall *m*: as clear as ~ a) kristallklar, b) *fig.* sonnenklar. – 2. 'Bergkri,stall *m*, kristal'linisches Quarzstück. – 3. *chem. min. phys.* Kri'stall *m*. – 4. Kri'stall *n* (*etwas kristallartig Klares*). – 5. *tech.* a) Kri'stall(glas) *n*, b) *collect.* Kristall *n*, Glaswaren *pl* aus Kristallglas. – 6. Uhrglas *n*. – 7. *electr.* a) Kri'stall *m* (*Detektor*), b) → ~ detector. – 8. *electr.* Steuer-, Schwingquarz *m*. – **II** *adj* 9. kristal'linisch, Kristall..., kri'stallen. – 10. kri'stallen, kri'stallklar, -hell. – 11. *electr.* a) Kristall..., b) (Kristall)Detektor... – 12. kri'stallen (*den 15. Jahrestag bezeichnend*): ~ wedding. — **~ con·trol** *s electr.* Quarzsteuerung *f*. — **'~-con,trolled** *adj electr.* 'quarzgesteuert, -stabili,siert, Quarz...: ~ transmitter

Quarzsender. — ~ **de·tec·tor** *s electr.* **1.** (Kri'stall)De,tektor *m*, (Kri'stall)-Di,ode *f*. – **2.** Kri'stall,gleichrichter *m*. — '~,**gaz·er** *s Hellseher, der in einem Kristall die Zukunft sieht.* — ~ **gaz·ing** *s* Kri'stallsehen *n*.

crystall- [kristəl] → **crystallo-**.

crys·tal·lif·er·ous [,kristə'lifərəs], *auch* ,**crys·tal'lig·er·ous** [-'lidʒərəs] *adj chem.* Kri'stalle enthaltend *od.* führend. — '**crys·tal·lin** [-lin] *s biol. chem.* Kristal'lin *n*.

crys·tal·line ['kristəlin; -,lain] **I** *adj* **1.** kristal'linisch, kri'stallen, kri'stallartig, Kristall... – **2.** *fig.* kri'stallklar. – **3.** *bes. geol.* kristal'lin(isch). – **II** *s* **4.** *auch* ~ **lens** *med.* (Augen)Linse *f*. — '**crys·tal,lite** [-,lait] *s min.* Kristal'lit *m*, Kri'stallembryo *m*. — ,**crys·tal'li·tis** [-'laitis] *s med.* Entzündung *f* der Augenlinse.

crys·tal·liz·a·ble ['kristə,laizəbl] *adj* kristalli'sierbar. —,**crys·tal·li'za·tion** *s* **1.** Kristallisati'on *f*, Kristalli'sierung *f*, Kri'stallbildung *f*. – **2.** kristalli'sierter Körper. — '**crys·tal,lize I** *v/t* **1.** kristalli'sieren. – **2.** *fig.* konkreti'sieren, verfestigen, (*dat*) feste Form geben. – **3.** (*Früchte*) kan'dieren. – **II** *v/i* **4.** kristalli'sieren. – **5.** *fig.* kon'krete *od.* feste Form annehmen, (sich) kristalli'sieren (into zu): his plans ~d into definite shape seine Pläne nahmen feste Formen an. — '**crys·tal,liz·er** *s chem.* **1.** Kristalli'sator *m*. – **2.** Kristalli'sierschale *f*.

crystallo- [kristəlo] *Wortelement mit der Bedeutung* Kristallo..., Kristall...

crys·tal·log·e·ny [,kristə'lɒdʒəni] *s* Kri'stalldilbungslehre *f*. — ,**crys·tal'log·ra·pher** [-'lɒgrəfər] *s* Kristallo'graph *m*. — ,**crys·tal·lo'graph·ic** [-lo'græfik; -lə-], *auch* ,**crys·tal·lo'graph·i·cal** *adj* kristallo'graphisch. — ,**crys·tal'log·ra·phy** *s* Kristallogra'phie *f* (*Lehre von den Kristallen*).

crys·tal·loid ['kristə,lɔid] **I** *adj* kri'stallähnlich. – **II** *s bot. chem.* Kristallo'id *n*. — ,**crys·tal'loi·dal** *adj* kristallo'idartig, Kristalloid...

crys·tal·lom·e·try [,kristə'lɒmitri; -mə-] *s* Kri,stallome'trie *f* (*Kristallmeßkunde*).

crys·tal·lose ['kristə,lous] *s chem. med.* Kristal'lose *f*, Saccha'rin *n* so'lubile (*Natriumsalz des Sacharins*).

Crys·tal Pal·ace *s* Kri'stallpa,last *m* (*zur Weltausstellung in London 1851 errichtet, 1936 zerstört*).

crys·tal| plate *s electr.* Quarzscheibe *f*. — ~ **sand** *s bot.* Kri'stallsand *m*, -mehl *n*. — ~ **set** *s* (*Radio*) (Kri'stall)-De,tektorempfänger *m*. — ~ **vi·o·let** *s chem.* Kri'stallvio,lett *n* (*Triphenylmethanfarbstoff*). — ~ **vi·sion** *s* **1.** durch Kri'stallsehen entstehende Bilder *pl* (*zukünftiger Ereignisse*). – **2.** Gabe *f* des Kri'stallsehens. — '~,**wort** *s bot.* **1.** Sternlebermoos *n* (*Fam. Ricciaceae*). – **2.** Leber-, Märzblümchen *n* (*Hepatica triloba*).

'**C-'sharp** *s mus.* cis *n*.

C spring *s tech.* C-Feder *f*, C-förmige Feder.

cten- [ti:n; ten] → **cteno-**.

cte·nid·i·al [ti'nidiəl] *adj zo.* Ctenidien..., Kammkiemen... — **cte'nid·i·um** [-əm] *pl* **-i·a** [-ə] *s zo.* Cte'nidie *f*, Kammkieme *f* (*der Mollusken*).

cteno- [ti:no; teno] *zo. Wortelement mit der Bedeutung* Kamm...

cten·o·dac·tyl [,ti:no'dæktil; ,ten-] *s zo.* Kammfinger *m*, Gundiratte *f* (*Ctenodactylus massonii*). — '**cte·noid** *adj zo.* **1.** kammartig, mit kammartigem Rand. – **2.** kteno'id, kammschuppig.

cte·noph·o·ran [ti'nɒfərən] *zo.* **I** *adj* Rippenquallen... – **II** *s* Rippenqualle *f*. — **cten·o·phore** ['ti:nə,fɔ:r; 'ten-] *s* **1.** *zo.* Cteno'phore *f*, Rippenqualle *f* (*Stamm Ctenophora*). – **2.** Flimmerplatte *f* (*Bewegungsorgan der Rippenquallen*).

cub [kʌb] **I** *s* **1.** Junges *n* (*bes. des Fuchses*). – **2.** (*scherzhaft od. verächtlich*) Küken *n*, Tolpatsch *m*: unlicked ~ j-d der noch nicht trocken hinter den Ohren ist. – **3.** Flegel *m*, Range *m, f*, Bengel *m*. – **4.** → ~ **reporter.** – **5.** Wölfling *m* (*junges Pfadfindermitglied*). – **6.** *aer.* → **grasshopper** 2. – **II** *v/t pret u. pp* **cubbed** **7.** (*Junge*) werfen. – **III** *v/i* **8.** (Junge) werfen. – **9.** junge Füchse jagen.

cub·age ['kju:bidʒ] → **cubature.**

Cu·ba li·bre ['kju:bə 'li:brə] *s ein Mischgetränk aus Rum u. Kola.*

Cu·ban ['kju:bən] **I** *adj* **1.** ku'banisch. – **II** *s* **2.** Ku'baner(in). – **3.** Kubatabak *m*.

cub·an·gle ['kju:b,æŋgl] *s math.* räumlicher Winkel.

cu·ban·ite ['kju:bə,nait] *s min.* Cuba'nit *m*, Weißkupfererz *n* ($CuFe_2S_3$).

cu·ba·ture ['kju:bətʃər] *s math.* **1.** Kuba'tur *f*, Raum(inhalts)berechnung *f*. – **2.** Rauminhalt *m*, Vo'lumen *n*.

cub·by(·hole) ['kʌbi(,houl)] *s* behagliches Plätzchen, gemütliche Ecke, kleiner gemütlicher Raum.

cube[1] [kju:b] **I** *s* **1.** *math.* Würfel *m*, Kubus *m*, Hexa'eder *n*. – **2.** Würfel *m*: ~ **sugar** Würfelzucker. – **3.** *math.* Kubus *m*, Ku'bikzahl *f*, dritte Po'tenz. – **4.** *tech.* Pflasterwürfel *m*. – **II** *v/t* **5.** *math.* ku'bieren, zur dritten Po'tenz erheben: two ~d zwei zur dritten Potenz, zwei hoch drei (2^3). – **6.** *math.* ku'bieren, den Rauminhalt messen von. – **7.** würfeln, in Würfel schneiden *od.* pressen. – **8.** *tech.* (mit Würfeln) pflastern.

cu·be[2] ['kju:bei] *s* **1.** *bot. eine für Fische u. Insekten giftige amer. Tropenpflanze, bes. der Gattg Lonchocarpus* (*Fam. Caesalpiniaceae*). – **2.** rote'nonhaltiges In'sektenpulver (*aus 1 gewonnen*).

cu·beb ['kju:beb] *s med.* **1.** Ku'bebe *f* (*Frucht des Kubebenpfeffers Piper cubeba*). – **2.** Ku'bebenziga,rette *f* (*gegen Bronchitis etc*).

cube| ore [kju:b] *s min.* Würfelerz *n*, Pharmakoside'rit *m* ($Fe_3(AsO_4)_2 \cdot (OH)_3$). — ~ **root** *s math.* Ku'bikwurzel *f*, dritte Wurzel.

cu·bic ['kju:bik] **I** *adj* **1.** Kubik..., Raum...: ~ **content** Rauminhalt, Volumen; ~ **foot** Kubikfuß. – **2.** kubisch, würfelförmig, Würfel...: ~ **alum** *chem.* Würfelalaun. – **3.** *math.* kubisch: ~ **equation** kubische Gleichung, Gleichung dritten Grades. – **4.** *min.* iso'metrisch (*Kristall*). – **II** *s* **5.** *math.* kubische Größe *od.* Gleichung *od.* Kurve. — '**cu·bi·cal** → **cubic** I (*bes.* 2). — '**cu·bi·cal·ly** *adv* **1.** würfelförmig. – **2.** *math.* kubisch. – **3.** *math.* in der dritten Po'tenz. — '**cu·bi·cal·ness** *s* Würfelförmigkeit *f*.

cu·bi·cle ['kju:bikl; -bə-] *s* **1.** abgeschlossener kleiner Schlafraum. – **2.** kleiner abgeteilter Raum, Nische *f*, Einzelzelle *f*. – **3.** *electr.* Schaltzelle *f*. – **4.** *electr.* Baustein *m*, Einschub *m* (*Baueinheit elektronischer Geräte in separatem Gehäuse*).

cu·bic| meas·ure *s* **1.** Ku'bik-, Raummaß *n*. – **2.** Ku'bikinhalt *m*. — ~ **me·ter**, *bes. Br.* ~ **me·tre** *s* Ku'bik-, Raummeter *n*. — ~ **ni·ter**, *bes. Br.* ~ **ni·tre** *s chem.* 'Würfel-, 'Natronsal,peter *m*. — ~ **num·ber** → **cube**[1] 3.

cu·bic·u·lum [kju:'bikjələm] *pl* **-la** [-lə] *s* **1.** *antiq.* Grab-, Totenkammer *f*. – **2.** kleines Schlafgemach.

cu·bi·form ['kju:bi,fɔ:rm; -bə-] *adj* würfelförmig.

cub·ism ['kju:bizəm] *s* Ku'bismus *m* (*moderne Kunstrichtung*). — '**cub·ist** **I** *s* Ku'bist *m*. – **II** *adj* ku'bistisch. — **cu'bis·tic** → **cubist** II. — **cu'bis·ti·cal·ly** *adv*.

cu·bit ['kju:bit] *s* **1.** Elle *f* (*altes Längenmaß: 18 Zoll = 45,72 cm*). – **2.** → **cubitus.** — '**cu·bi·tal I** *adj* **1.** *med. zo.* kubi'tal, ul'nar, Ell(en)-bogen..., Unterarm... – **2.** *zo.* Kubital...: ~-cell Kubitalzelle (*des Insektenflügels*). – **3.** eine Elle lang. – **II** *s* **4.** → **cubitus** 2.— '**cu·bi·tus** [-təs] *pl* **-ti** [-,tai] *s* **1.** *med.* a) Ell(en)-bogen *m*, b) 'Unterarm *m*. – **2.** *zo.* Kubi'tal-, Ellenader *f* (*im Insektenflügel*).

cub·oc·ta·he·dron [kju:b,ɒktə'hi:drən] *s* Kubo-Okta'eder *n*, Würfelachtflächner *m*.

cu·bo·cube ['kju:bo,kju:b] *s math.* sechste Po'tenz, 'Kuboku,bikzahl *f*.

cu·boid ['kju:bɔid] **I** *adj* **1.** würfelähnlich, annähernd würfelförmig. – **2.** *med.* Würfel... – **II** *s* **3.** *math.* Quader *m*. – **4.** *med.* Würfelbein *n*. — **cu'boi·dal** *adj* **1.** annähernd würfelförmig, quaderförmig: ~ **epithelium** Pflasterepithel. – **2.** *med.* Würfelbein...

cub re·port·er *s colloq.* (junger) unerfahrener Re'porter.

cuck·ing stool ['kʌkiŋ] *s* Belfer-, Schandstuhl *m* (*Pranger für Lästermäuler u. Betrüger*).

cuck·old ['kʌkəld] **I** *s* **1.** Hahnrei *m*, betrogener Ehemann. – **2.** *zo.* a) → **cowbird**, b) → **cowfish** 2. – **3.** *bot.* Durch'wachsener Zweizahn (*Bidens connata*). – **II** *v/t* **4.** zum Hahnrei machen, (*j-m*) Hörner aufsetzen. — '**cuck·old·ry** [-ri] *s* **1.** Hörneraufsetzen *n*. – **2.** Hörnertragen *n*, Hahnreischaft *f*.

cuck·oo ['kuku:] **I** *s pl* **-oos** **1.** *zo.* Gemeiner Kuckuck (*Cuculus canorus*). – **2.** *zo.* Kuckuck *m* (*Fam. Cuculidae*), *bes.* **black-billed** ~ Schwarzschnäbliger Regenkuckuck (*Coccyzus erythropthalmus*). – **3.** Kuckucksruf *m*. – **4.** *sl.* Narr *m*, Einfaltspinsel *m*. – **II** *v/t* **5.** ständig wieder'holen. – **III** *v/i* **6.** ‚kuckuck' rufen. – **IV** *adj* **7.** *sl.* ‚bekloppt', ‚plem'plem'. — ~ **bee** *s zo.* (*eine*) Wespenbiene (*Fam. Nomadidae*). — ~ **clock** *s* Kuckucksuhr *f*. — ~ **dove** *s zo.* (*eine*) Kuckucks-, Schwanztaube (*Gattg Macropygia, bes. M. tusalia*). — '~,**flow·er** *s bot.* **1.** Wiesenschaumkraut *n* (*Cardamine pratensis*). – **2.** → **ragged robin.** – **3.** → **wood sorrel.** — ~ **fly** *s zo.* **1.** (*eine*) Goldwespe (*Fam. Chrysididae*). – **2.** → **ichneumon fly.** — ~ **gil·ly·flow·er** → **ragged robin.** — ~ **grass** *s bot.* Feldsimse *f*, Wiesenkrötengras *n*, Marbel *f* (*Luzula campestris*).—'~,**meat** *s bot.* **1.** Gemeiner Sauerklee, Kuckucksklee *m* (*Oxalis acetosella*). – **2.** → **cuckooflower** 1. —'~,**pint** [-,pint], *auch* '~,**pin·tle** [-tl] *s bot.* Gefleckter Aronstab (*Arum maculatum*). — ~ **shrike** *s zo.* (*ein*) Stachelbürzler *m* (*Fam. Campephagidae*), *bes.* (*ein*) Raupenfresser *m* (*Gattg Campephaga; Vogel*). — ~ **sor·rel** → **cuckoo-meat** 1. — ~ **spit** *s* **1.** *zo.* Kuckucksspeichel *m* (*schaumiges Sekret der Nymphen der Schaumzikaden*). – **2.** *zo.* (*eine*) 'Schaumzi,kade (*bes. Philaenus spumarius*). – **3.** *bot.* a) → **cuckooflower** 1, b) → **cuckoopint**, c) Buschwindröschen *n* (*Anemone nemorosa*). — ~ **spit·tle** → **cuckoo spit** 1, 2. — ~ **wasp** → **cuckoo fly.** — ~ **wrasse** *s zo.* Streifenlippfisch *m* (*Labrus mixtus*).

cu·cu·li·form [kju'kju:li,fɔ:rm] *adj zo.* kuckuckartig.

cu·cu·line ['kju:kju,lain; -lin] *adj zo.* **1.** kuckuckartig. – **2.** 'brutpara,sitisch.

cu·cul·late ['kju:kə,leit; kju'kʌl-], *auch* '**cu·cul,lat·ed** *adj* **1.** (wie) mit einer Ka'puze *od.* Kappe bedeckt (*auch zo.*).

– 2. ka'puzen-, kappenartig. – 3. *bot.* kappenförmig. — **cu·cul·li·form** [kju'kʌliˌfɔːrm] *adj* kappen-, ka'puzenförmig. — **cu'cul·lus** [-əs] *s* 1. *bot. zo.* Kappe *f*, kappenartiges Gebilde. – 2. *antiq.* Ka'puze *f*.

cu·cum·ber ['kjuːkʌmbər] *s* 1. Gurke *f* (*Frucht von* 2): as cool as a ~ *colloq.* kühl, ruhig, beherrscht. – 2. *bot.* Gartengurke *f*, Echte Gurke (*Cucumis sativus*). – 3. → ~ tree. — ~ **bee·tle,** *auch Am.* ~ **bug** *s zo.* Gurkenkäfer *m* (*Gattg Diabrotica*): striped ~ Gestreifter Gurkenkäfer (*D. vittata*). — ~ **flea bee·tle** *s zo.* Gurkenerdfloh *m* (*Epitrix cucumeris*). — ~ **slic·er** *s* Gurkenhobel *m*. — ~ **tree** *s bot.* 1. (*ein*) Gurkenbaum *m*, (*eine*) amer. Ma'gnolie (*Gattg Magnolia*), *bes.* 'Gurken-MaˌgnoIie *f* (*Magnolia acuminata*). – 2. (*in Indien*) → bilimbi.

cu·cu·mi·form [kju'kjuːmiˌfɔːrm; -mə-] *adj* gurkenförmig.

cu·cur·bit [kju'kəːrbit] *s bot.* 1. Kürbis *m* (*Gattg Cucurbita*). – 2. Kürbisgewächs *n* (*Fam. Cucurbitaceae*). — **cuˌcur·bi'ta·ceous** [-'teiʃəs] *adj bot.* zur Fa'milie der Kürbisgewächse gehörig.

cud [kʌd] *s* 1. 'wiedergekäutes Futter: to chew the ~ a) wiederkäuen, b) *fig.* überlegen, nachsinnen. – 2. *sl.* Priemchen *n* Kautabak.

cud·bear ['kʌdbɛr] *s* 1. Cudbear *m*, Persio *m* (*eine Orseille*). – 2. *bot. eine Cudbear liefernde Färberflechte* (*bes. Ochrolechia tartarea*). – 3. Or'seillefarbe *f*.

cud·dle ['kʌdl] **I** *v/t* 1. um'armen, an sich drücken, hätscheln, herzen. – **II** *v/i* 2. sich kuscheln, sich schmiegen, warm *od.* behaglich liegen: to ~ up sich behaglich zusammenkuscheln, sich warm einmummeln (*im Bett*). – *SYN. cf.* caress. – **III** *s* 3. enge Um'armung. – 4. Zu'sammenkuscheln *n*. — **'cud·dle·some** [-səm], **'cud·dly** *adj* schmiegsam, süß.

cud·dy¹ ['kʌdi] *s* 1. *mar.* a) Ka'jüte *f*, b) Kom'büse *f*, c) Plicht *f* (*Verschlußraum*), d) *hist.* Sa'lon *m*. – 2. kleiner Raum *od.* Schrank.

cud·dy² ['kʌdi] *s Scot.* 1. Esel *m*. – 2. *fig.* Esel *m*, Dummkopf *m*.

cudg·el ['kʌdʒəl] **I** *s* 1. Knüttel *m*, Keule *f*: to take up the ~s in den Kampf eingreifen; to take up the ~s for s.o. für j-n eintreten *od.* Partei nehmen. – 2. *pl, auch* ~ play Stockfechten *n*. – **II** *v/t pret u. pp* **-eled,** *bes. Br.* **-elled** 3. prügeln. – 4. *fig.* prügeln: to ~ s.th. out of s.o. j-m etwas austreiben. – 5. zermartern: → brain 2. — **'cudg·el·ing,** *bes. Br.* **'cudg·el·ling** *s* Tracht *f* Prügel.

'cudˌweed *s bot.* 1. Ruhrkraut *n* (*Gattg Gnaphalium*). – 2. (*ein*) Schimmel-, Faden-, Filzkraut *n* (*Gattg Filago*). – 3. (*ein*) Katzenpfötchen *n* (*Gattg Antennaria*).

cue¹ [kjuː] **I** *s* 1. (*Theater*) Stichwort *n*: to miss one's ~ sein Stichwort verpassen. – 2. Wink *m*, Fingerzeig *m*: to give s.o. his ~ j-m die Worte in den Mund legen; to take up the ~ den Wink verstehen; to take the ~ from s.o. sich nach j-m richten. – 3. Rolle *f*, Aufgabe *f*. – 4. Stimmung *f*, Laune *f*. – 5. *mus.* Kustos *m* (*kleine Orientierungsnote in pausierenden Stimmen*). – **II** *v/t* 6. (*j-m*) das Stichwort geben. – 7. *meist* ~ in (*Noten*) als Orien'tierungsnoten einzeichnen.

cue² [kjuː] **I** *s* 1. Queue *n*, Billardstock *m*. – 2. → queue I. – **II** *v/t* 3. (*Haar*) zu einem Zopf flechten.

cue ball *s* (*Billard*) Spiel-, Stoßball *m*.

cue·ist ['kjuːist] *s* Billardspieler *m*.

cues·ta ['kwestə] *s Am.* Schicht-, Landstufe *f* (*die auf einer Seite steil, auf der anderen sanft abfällt*).

cuff¹ [kʌf] *s* 1. Stulpe *f*, Aufschlag *m* (*Ärmel, Hosenbein etc*): off the ~ *Am. colloq.* ohne Gewähr, aus dem Stegreif, ohne Manuskript, frei. – 2. Stulpe *f* (*Handschuh*). – 3. Man'schette *f* (*auch tech.*). – 4. *pl Kurzform für* handcuffs.

cuff² [kʌf] **I** *v/t* (mit der flachen Hand) schlagen, knuffen: to ~ s.o.'s ears j-n ohrfeigen. – **II** *s* (Faust)Schlag *m*, Knuff *m*.

cuff³ [kʌf] → cuffy.

cuff| but·ton *s* Man'schettenknopf *m*. — ~ **link** *s* Man'schettenknopf *m* (*mit beweglichem Verbindungsglied*).

cuf·fo ['kʌfou] *adv Am. sl.* um'sonst, kostenlos.

cuf·fy ['kʌfi] *s Am. colloq. od. humor.* Neger(in).

Cu·fic *cf.* Kufic.

cui bo·no ['kwiː 'bounou; 'kai] (*Lat.*) 1. zu wessen Nutzen? – 2. wo'zu? wes'halb?

cuif *Scot. für* coof.

cui·rass [kwi'ræs] **I** *s* 1. Küraß *m*, (Brust)Harnisch *m*, Panzer *m*. – 2. Brustschild *m* des Kürasses. – 3. *zo.* Panzer *m*. – **II** *v/t* 4. mit einem Küraß bekleiden. – 5. panzern. — **cui·ras·sier** [ˌkwirə'sir] *s mil.* Küras'sier *m*.

cuish [kwiʃ] → cuisse.

cui·sine [kwi'ziːn] *s* 1. Küche *f* (*Raum*). – 2. Küche *f*, Kochkunst *f*.

cuisse [kwis] *s* 1. Beinschiene *f*. – 2. *pl* Beinharnisch *m*.

cui(t)·tle ['kytl] *v/t Scot.* 1. → coax. – 2. kitzeln.

culch *cf.* cultch.

cul-de-sac ['kuldə'sæk; 'kʌl-] *pl* **cul-de-sacs** *od.* **culs-de-sac** *s* 1. Sackgasse *f*. – 2. *med. zo.* Blindsack *m*: Douglas' ~ Douglasscher Raum, ‚Douglas'.

-cule [kjuːl] *diminutive Endsilbe*.

cu·let ['kjuːlit] *s* 1. Kü'lasse *f* (*Unterteil des Brillanten*). – 2. *mil. hist.* Gesäßharnisch *m*.

cu·lex ['kjuːleks] *pl* **'cu·liˌces** [-liˌsiːz; -lə-] *s zo.* Stechmücke *f* (*Gattg Culex*), *bes.* Gemeine Stechmücke, Hausmücke *f* (*C. pipiëns*). — **'cu·li·cid** [-lisid] *zo.* **I** *s* Stechmücke *f*. – **II** *adj* zu den Stechmücken gehörig.

cu·li·cide ['kjuːliˌsaid], **cu·lic·i·fuge** [kju'lisiˌfjuːdʒ] *s* Mückenvernichtungsmittel *n*.

cu·li·nar·y [*Br.* 'kʌlinəri; *Am.* 'kjuːləˌneri] *adj* kuli'narisch, Koch..., Küchen...: ~ art Kochkunst; ~ salt Kochsalz.

cull¹ [kʌl] **I** *v/t* 1. auslesen, -suchen, -wählen: to ~ one's words seine Worte sorgfältig wählen. – 2. (sorgfältig) sammeln, pflücken: to ~ flowers. – 3. 'assorˌtieren, eine Auslese treffen aus. – 4. ausmerzen. – 5. das Merzvieh aussondern aus (*einer Herde*). – 6. (*Tuchmacherei*) noppen, 'durchrauhen: to ~ wool Wolle auskletten. – **II** *v/i* 7. 'assorˌtieren. – 8. Merzvieh aussondern. – *SYN. cf.* choose. – **III** *s* 9. (*etwas*) (als minderwertig) Ausgesondertes. – 10. *pl* a) Ausschuß *m*, b) Merzvieh *n*. – 11. *Am.* Ausschußholz *n*, drittklassiges Holz. – 12. 'Assorˌtieren *n*. – **IV** *adj* 13. ausgemerzt, Ausschuß..., minderwertig.

cull² [kʌl] *s sl. od. dial.* Trottel *m*, Schaf(skopf *m*) *n*.

cul·len·der ['kʌləndər] → colander.

cul·let ['kʌlit] *s* (*Glasfabrikation*) Bruchglas *n*, Glasbruch *m*.

cul·lis ['kʌlis] *s arch.* Dachrinne *f*, Traufe *f*.

cul·ly ['kʌli] *sl.* **I** *s* 1. Kame'rad *m*, Kum'pan *m*. – 2. *selten für* cull². – **II** *v/t* 3. *obs.* foppen, prellen.

culm¹ [kʌlm] *s* 1. Kohlenstaub *m*, -klein *n*, Grus *m*, Staubkohle *f*: ~ coke Fein-, Perlkoks. – 2. (grusartiger) Anthra'zit. – 3. *auch* ~ measures *geol.* Kulm *n*, unterer Kohlenkalk (*unterste Schicht des Karbons*).

culm² [kʌlm] *bot.* **I** *s* Culmus *m*, Halm *m*, Stengel *m* (*bes. von Gräsern*). – **II** *v/i* einen Halm *etc* bilden.

cul·mif·er·ous¹ [kʌl'mifərəs] *adj geol.* 1. kulmhaltig. – 2. (grusigen) Anthra'zit führend.

cul·mif·er·ous² [kʌl'mifərəs] *adj bot.* halm-, stengeltragend (*Gräser*).

cul·mi·nant ['kʌlminənt; -mə-] *adj* 1. *astr.* kulmi'nierend. – 2. *fig.* auf dem Gipfelpunkt. – 3. *fig.* gipfelnd.

cul·mi·nate ['kʌlmiˌneit; -mə-] **I** *v/i* 1. *astr.* kulmi'nieren, die (obere *od.* untere) Kulminati'on erreichen. – 2. den Höhepunkt erreichen: culminating point Kulminations-, Umkehr-, Höhepunkt, Gipfel(höhe). – 3. *fig.* gipfeln (in in *dat*). – 4. Gipfel *od.* Berge bilden (*Wellen etc*). – 5. zunehmen, sich steigern. – **II** *v/t* 6. krönen, der Gipfelpunkt sein von. – 7. auf den Höhepunkt bringen. — **ˌcul·mi'na·tion** *s* 1. *astr.* Kulminati'on *f*. – 2. Gipfel *m*, Höhepunkt *m*, höchster Stand (*auch fig.*): to reach the ~ of one's career den Höhepunkt seiner Laufbahn erreichen. – *SYN. cf.* summit.

cu·lottes [kju'lɒts] *s pl* Hosenrock *m*.

cul·pa·bil·i·ty [ˌkʌlpə'biliti; -əti] *s* Sträflichkeit *f*, Schuldhaftigkeit *f*. — **'cul·pa·ble** *adj* 1. tadelnswert, sträflich, schuldhaft. – 2. *selten* schuldig. – *SYN. cf.* blameworthy. — **'cul·pa·ble·ness** → culpability. — **'cul·pa·bly** *adv*.

cul·prit ['kʌlprit] *s jur.* 1. Angeklagte(r), Beschuldigte(r). – 2. Schuldige(r).

cult [kʌlt] *s* 1. Kult *m*, kultische Verehrung: the Mithras ~, the ~ of Mithras der Mithra(s)kult. – 2. *fig.* Kult *m*. – 3. *fig.* I'dol *n*, Gegenstand *m* kultischer Verehrung. – 4. *relig.* Kult(us) *m* (*äußere Form religiöser Verehrung*). – 5. Kultgemeinschaft *f*. – 6. *relig.* Sekte *f*.

cultch [kʌltʃ] **I** *s* 1. Steine *pl od.* Schalen *pl etc* als Austernbett. – 2. Austernbrut *f*. – 3. Plunder *m*, Abfall *m*. – **II** *v/t* 4. (*Austernbett*) mit Steinen *od.* Schalen *etc* versehen.

cult·ic ['kʌltik] *adj* kultisch, Kult...

cul·ti·gen ['kʌltidʒen] *s bot.* Kul'turpflanze *f*.

cult·ism ['kʌltizəm] *s* 1. Kultbegeisterung *f*. – 2. Cul'tismus *m*, Gongo'rismus *m* (*Literaturrichtung des span. Barocks*). — **'cult·ist** *s* Anhänger(in) eines Kults, Kultbegeisterte(r).

cul·ti·va·bil·i·ty [ˌkʌltivə'biliti; -təv-; -əti] *s* 1. Kulti'vierbarkeit *f*. – 2. Zivili'sierbarkeit *f*. – 3. Ausbildungsfähigkeit *f*. — **'cul·ti·va·ble** *adj* 1. kulti'vierbar, bebaubar, bestellbar (*Boden*). – 2. kulti'vierbar, züchtbar (*Pflanzen, Tiere*). – 3. zivili'sierbar. – 4. ausbildungs-, entwicklungsfähig. — **'cul·tiˌvar** [-ˌvɑːr; -vər] *s biol.* Kul'turrasse *f*, -varieˌtät *f*. — **'cul·tiˌvat·a·ble** [-ˌveitəbl] → cultivable.

cul·ti·vate ['kʌltiˌveit; -tə-] *v/t* 1. (*Boden*) kulti'vieren, bebauen, bestellen, bearbeiten. – 2. *agr.* mit dem Kulti'vator bearbeiten, die Erde lockern *od.* aufreißen um (*Pflanzen*): to ~ corn ein Maisfeld mit dem Kultivator bearbeiten. – 3. (*Pflanzen*) züchten, ziehen, (an)bauen. – 4. (*Tiere*) züchten. – 5. zivili'sieren. – 6. veredeln, verfeinern, entwickeln, (weiter fort)bilden. – 7. (*Kunst etc*) fördern. – 8. (*Kunst etc*) pflegen, betreiben, ausüben. – 9. sich befleißigen (*gen*), Wert legen auf (*acc*): to ~ good manners. – 10. (*Freundschaft*) hegen, pflegen. – **11.** freundschaftlichen Verkehr suchen mit. — **'cul·tiˌvat·ed** *adj* **1.** bebaut, bestellt, kulti'viert, Kultur...: ~ **area** Anbaugebiet, Kulturfläche. – **2.** gezogen, angebaut, Kultur...: ~ **plant** Kulturpflanze. – **3.** zivili'siert, verfeinert. – **4.** kulti'viert, gebildet.

cul·ti·va·tion [ˌkʌlti'veiʃən; -tə-] *s* **1.** Kulti'vierung *f*. – **2.** Bearbeitung *f*, Bestellung *f*, Bebauung *f*, Urbarmachung *f*: ~ **of the soil** Bodenbearbeitung. – **3.** Anpflanzung *f*, Ackerbau *m*, Anbau *m*, Ziehen *n*. – **4.** Züchtung *f*, Zucht *f*. – **5.** Pflege *f*, Übung *f* (*Kunst etc*). – **6.** Pflege *f*, (Aus)Bildung *f*, Vered(e)lung *f* (*Geist etc*). – **7.** Pflegen *n*, Hegen *n* (*Freundschaft*). – **8.** Kul'tur *f*, feine Bildung. — **'cul·tiˌva·tor** [-tər] *s* **1.** Landwirt *m*, Bearbeiter *m*, Bebauer *m*, Besteller *m* (*Boden*). – **2.** Pflanzer *m*, Züchter *m*. – **3.** Förderer *m* (*Kunst etc*). – **4.** *agr.* Kulti'vator *m*, Behäufelungspflug *m*.

cul·trate ['kʌltreit], **'cul·trat·ed** *adj* **1.** scharfkantig u. spitz. – **2.** messerförmig.

cul·tu·al ['kʌltʃuəl] → cultic.

cul·tur·a·ble ['kʌltʃərəbl] → cultivable.

cul·tur·al ['kʌltʃərəl] *adj* **1.** Kultur..., kultu'rell: ~ **change** → **culture change**; ~ **lag** → **culture lag**. – **2.** Kultur..., bildend, erzieherisch. – **3.** *bot. zo.* durch Züchtung her'vorgebracht, Kultur...: ~ **variety** Kulturrasse. — **'cul·tur·al·ly** *adv* in kultu'reller 'Hinsicht *od.* Beziehung, kultu'rell.

cul·ture ['kʌltʃər] **I** *s* **1.** a) Bebauung *f*, Bestellung *f*, Bewirtschaftung *f* (*Boden*), b) Ackerbau *m*. – **2.** Anbau *m*, Zucht *f* (*Pflanzen*): **fruit** ~ Obstbau; ~ **of trees** Baumzucht. – **3.** Züchtung *f*, Zucht *f* (*Tiere*): ~ **of bees** Bienenzucht. – **4.** Kul'tur *f* (*angebaute Pflanzen*). – **5.** *biol.* a) Züchtung *f* (*Bakterien, Gewebe etc*), b) Kul'tur *f*: **bacterial** ~ Bakterienkultur; **broth** ~ Bouillonkultur; **needle** ~ Stichkultur; ~ **of mo(u)lds** Pilzkultur. – **6.** Aus-, Fortbildung *f*, Vered(e)lung *f*, Verfeinerung *f*. – **7.** Bildung *f* (*Geist etc*). – **8.** Kul'tur *f*, (Geistes)Bildung *f*. – **9.** Kulti'viertheit *f* (*Geschmack, Benehmen etc*). – **10.** Kul'tur(stufe, -form) *f*. – **11.** Kul'tur *f* (*Gesamtheit der kulturellen Bestrebungen u. Erscheinungen*). – **12.** Pflege *f*: **the** ~ **of the sonnet**. – **13.** Pflege *f*: **beauty** ~ Schönheitspflege. – **II** *v/t* **14.** → cultivate. – **15.** *biol.* a) (*Bakterien etc*) züchten, b) eine Kul'tur züchten in (*dat*).

cul·ture| a·re·a *s* Kul'turraum *m*. — ~ **change** *s* Kul'turwandel *m*. — ~ **com·plex** *s* Kom'plex *m* mehrerer gleichgerichteter Kul'turerscheinungen u. -tenˌdenzen.

cul·tured ['kʌltʃərd] *adj* **1.** kulti'viert, bebaut. – **2.** zivili'siert. – **3.** kulti'viert, (fein) gebildet.

cul·ture| fac·tor *s sociol.* Kul'turfaktor *m* (*Gesamtheit der weiterwirkenden Kulturerscheinungen*). — ~ **lag** *s sociol.* Zu'rückbleiben *n* eines Kul'turzweiges. — ~ **me·di·um** *s biol.* Kul'tursubˌstrat *n*, (künstlicher) Nährboden. — ~ **pat·tern** *s sociol.* Kul'turform *f*. — ~ **plate** *s biol.* Kul'turschale *f*. — ~ **trait** *s sociol.* Kul'turmerkmal *n*.

cul·tur·ist ['kʌltʃərist] *s* **1.** Züchter *m*. – **2.** Kul'turbeflissene(r). – **3.** Anhänger(in) einer bestimmten Kul'tur.

cul·tus¹ ['kʌltəs] *s* Kult(us) *m*.

cul·tus² ['kʌltəs] *s zo.* (*ein*) Schlangenzahn *m* (*Ophiodon elongatus*; *Fisch*).

cul·tus cod → cultus².

cul·ver ['kʌlvər] *s zo.* Taube *f*, *bes. Br. dial.* Ringeltaube *f* (*Columba palumbus*).

cul·ver·in ['kʌlvərin] *s mil. hist.* **1.** Feldschlange *f*. – **2.** altertümliche Mus'kete.

Cul·ver's| root ['kʌlvərz], *auch* ~ **phys·ic** *s* **1.** *bot.* Vir'ginischer Ehrenpreis (*Leptandra virginica*). – **2.** Lep'tandra-Wurzelstock *m* (*Abführmittel*).

cul·vert ['kʌlvərt] *s tech.* **1.** ('Bach-) ˌDurchlaß *m*. – **2.** (über'wölbter) 'Abzugskaˌnal. – **3.** 'unterirdische (Wasser)Leitung.

cul·ver·wort ['kʌlvərˌwəːrt] *s bot.* Gemeine Ake'lei (*Aquilegia vulgaris*).

cum [kʌm; kum] (*Lat.*) *prep* **1.** (zu'sammen) mit, samt: ~ **dividend** samt Dividende. – **2.** *Br.* (*scherzhaft*) mit, plus: **garage-~-workshop.**

cu·ma·cean [kju'meiʃən] *zo.* **I** *adj* Cumaceen... – **II** *s* Cuma'cee *f* (*Ordng Cumacea*; *Krebs*). — **cu'ma·ceous** → cumacean I.

Cu·mae·an sib·yl [kju'miːən] *s* ku'mäische Si'bylle.

cu·mal·de·hyde [kju'mældiˌhaid; -də-] *s chem.* Cu'minaldeˌhyd *m* ($C_3H_7C_6H_4CHO$).

cu·ma·ra ['kuːmərə], **'cu·maˌru** [-ˌruː] → coumarou.

cum·ber ['kʌmbər] **I** *v/t* **1.** lästig sein, zur Last fallen (*dat*). – **2.** hemmen, (be)hindern. – **3.** belasten, beschweren. – **II** *v/i* **4.** lästig *od.* eine Last sein. – **III** *s* **5.** Lästigkeit *f*. – **6.** Behinderung *f*. – **7.** Last *f*, Hindernis *n*, Bürde *f*. — **'cum·ber·er** *s* **1.** lästiger Mensch. – **2.** lästige Sache, Bürde *f*. — **'cum·ber·some** [-səm] *adj* **1.** lästig, hinderlich, beschwerlich. – **2.** plump, klobig, klotzig. – *SYN. cf.* heavy. — **'cum·ber·some·ness** *s* **1.** Lästigkeit *f*. – **2.** Schwerfälligkeit *f*, Plumpheit *f*.

cum·brance ['kʌmbrəns] *s* **1.** Last *f*, Bürde *f*. – **2.** Schwierigkeit *f*, Unannehmlichkeit *f*.

Cum·bri·an ['kʌmbriən] **I** *adj* kumbrisch (*Cumberland od. das historische Reich Cumbria betreffend*). – **II** *s* Bewohner(in) von Cumberland.

cum·brous ['kʌmbrəs] *adj* **1.** *obs.* lästig, ärgerlich. – **2.** schwerfällig. – *SYN. cf.* heavy. — **'cum·brous·ness** → cumbersomeness.

cu·mene ['kjuːmiːn] *s chem.* Ku'mol *n* (C_9H_{12}).

cum gra·no sa·lis [kʌm 'greinou 'seilis] (*Lat.*) cum grano salis, nicht wortwörtlich.

cu·mic ['kjuːmik] *adj chem.* Cumin...: ~ **acid** Cuminsäure ($C_3H_7C_6H_4CO_2H$).

cum·in ['kʌmin] *s bot.* Kreuzkümmel *m*, Röm. Kümmel *m* (*Cuminum cyminum*; *Pflanze u. Frucht*).

cum lau·de [kʌm 'lɔːdiː; kum 'laude] (*Lat.*) cum laude, mit Lob (*drittbeste Note im Doktorexamen*).

cum·mer ['kʌmər] *s Scot.* **1.** Gevatterin *f*. – **2.** Freundin *f*. – **3.** Mädchen *n*, Frau *f*.

cum·mer·bund ['kʌmərˌbʌnd] *s Br. Ind.* Schärpe *f*, Leibgurt *m*.

cum·min *cf.* cumin.

cum·ming·ton·ite ['kʌmiŋtəˌnait] *s min.* Cummingto'nit *m* (*ein Eisen-Magnesium-Amphibol*).

cu·mol ['kjuːmoul; -mɒl] → cumene.

cum·quat *cf.* kumquat.

cum-sav·vy [kʌm'sævi] *Br. sl. für* know-how.

cum·shaw ['kʌmʃɔː] *s* Trinkgeld *n* (*in chinesischen Hafenstädten*).

cu·mu·lant ['kjuːmjulənt; -mjə-] **I** *adj* (sich) anhäufend, kumu'lierend. — **II** *s math.* Kumu'lant *m*.

cu·mu·late ['kjuːmjuˌleit; -mjə-] **I** *v/t* **1.** (an-, auf)häufen. – **2.** *bes. jur.* kumu'lieren, (*mehrere Klagen zu einer*) vereinigen. – **II** *v/i* **3.** sich (an-, auf)häufen, sich auftürmen. – **III** *adj* [-lit; -ˌleit] **4.** (an-, auf)gehäuft. — **ˌcu·mu'la·tion** *s* **1.** (An)Häufung *f*. – **2.** Haufen *m*, Menge *f*.

cu·mu·la·tive ['kjuːmjuˌleitiv; -mjə-; *Br. auch* -lə-] *adj* **1.** kumula'tiv, Sammel... – **2.** sich (an)häufend, all'mählich zunehmend, sich steigernd. – **3.** zusätzlich, (noch) hin'zukommend, verstärkend, Zusatz... – **4.** *econ.* kumula'tiv: ~ **dividend** Dividende auf kumulative Vorzugsaktien. — ~ **ev·i·dence** *s jur.* **1.** zu'sammenfassendes (sich ergänzendes) Be'weismateriˌal. – **2.** zusätzlicher Beweis. — ~ **leg·a·cy** *s jur.* Zusatzvermächtnis *n*. — ~ **vot·ing** *s* Kumu'lierungssyˌstem *n* (*bei Wahlen*).

cu·mu·li·form ['kjuːmjuliˌfɔːrm; -mjə-] *adj* kumulusförmig.

ˌcu·mu·lo|-'cir·rus [ˌkjuːmjulo; -mjə-] *s* (*Meteorologie*) Kumulo'zirrus *m* (*Wolkenform*). — **ˌ~-'nim·bus** *s* Kumulo'nimbus *m*, Gewitterwolke *f*. — **ˌ~-'stra·tus** *s* Kumulo'stratus *m*, Strato'kumulus *m*.

cu·mu·lous ['kjuːmjuləs; -mjə-] → cumuliform.

cu·mu·lus ['kjuːmjuləs; -mjə-] *pl* **-li** [-ˌlai] *s* **1.** Haufen *m*. – **2.** Kumulus *m*, Haufenwolke *f*.

cu·myl ['kjuːmil; 'kʌm-] *s chem.* Cu'myl *n* (*Radikal*).

cunc·ta·tion [kʌŋk'teiʃən] *s* Zaudern *n*, Zögern *n*. — **cunc'ta·tious**, **'cunc·ta·tive** [-tətiv] *adj selten* zaudernd. — **cunc'ta·tor** [-'teitər] *s* Zauderer *m*. — **cunc'ta·torˌship** *s* Zaudern *n*.

cu·ne·al ['kjuːniəl] *adj* keilförmig, Keil... — **'cu·ne·ate** [-niit; -ˌeit], *auch* **'cu·neˌat·ed** *adj bes. bot.* keilförmig. — **ˌcu·ne'at·ic** [-'ætik] → cuneiform I.

cu·ne·i·form ['kjuːniiˌfɔːrm; -niə-; *Am. auch* -'niːə-] **I** *adj* **1.** keilförmig, Keil...: ~ **characters** Keilschrift(zeichen *pl*). – **2.** Keilschrift... – **3.** *med.* keilförmig (*Knochen*). – **II** *s* **4.** Keilschrift *f*. – **5.** *med.* a) Keilbein *n*, b) Dreiecksbein *n* (*an Fuß u. Hand*).

cu·nette [kju'net] *s* Abzugs-, Kesselgraben *m*.

cu·ni·form ['kjuːniˌfɔːrm] → cuneiform.

cun·ner ['kʌnər] *s zo.* (*ein*) Lippfisch *m* (*Crenilabrus melops u. Tautogolabrus adspersus*).

cun·ning ['kʌniŋ] **I** *adj* **1.** klug, geschickt (gemacht). – **2.** schlau, listig, verschmitzt: ~ **fellow** Schlaukopf. – **3.** verschlagen, 'hinterlistig. – **4.** intelli'gent, klug. – **5.** *Am. colloq.* niedlich, reizend, süß (*Kind etc*). – **6.** *obs.* erfahren, geschickt. – *SYN. cf.* a) **clever**, b) **sly**. – **II** *s* **7.** Schlauheit *f*, Verschmitztheit *f*. – **8.** Verschlagenheit *f*. – **9.** (Arg)List *f*. – **10.** Geschicklichkeit *f*. – *SYN. cf.* art¹. — **'cun·ning·ness** *s* **1.** Geschicklichkeit *f*. – **2.** Schlauheit *f*, Verschmitztheit *f*. – **3.** Verschlagenheit *f*. – **4.** Intelli'genz *f*. – **5.** *Am. colloq.* Niedlichkeit *f*.

cup [kʌp] **I** *s* **1.** Schale *f*, Napf *m*. – **2.** Becher *m*, Kelch *m*: **to be fond of the** ~ gern trinken. – **3.** Tasse *f*. – **4.** Schale *f* (*eines Stielglases*). – **5.** Schale *f*, Becher *m*, Tasse(voll) *f* (*Inhalt*): **a** ~ **of tea** eine Tasse Tee; **that's not my** ~ **of tea** *Br. colloq.* das ist nichts für mich. – **6.** *sport* Cup *m*, Po'kal *m*, Siegespreis *m*: **challenge** ~ Wanderpokal; ~ **final** Cupfinale, Pokalendspiel. – **7.** Schale *f*, Tasse *f* (*Maßeinheit = etwa 16 Eßlöffel*). – **8.** alko'holisches Mischgetränk, Bowle *f etc.* – **9.** *relig.* a) Abendmahlskelch *m*, b) Abendmahlswein *m*. – **10.** Schicksal *n*, (Leidens- *od.* Freuden)Kelch *m*, Los *n*: **his** ~ **is full** das Maß seiner Leiden *od.* Freuden ist voll; → **dreg** 1. – **11.** *pl* a) Zechen *n*, Trinken *n*, b) Zechgelage *n*, c) (Be)-

Trunkenheit *f*: in one's ∼s betrunken, bezecht. – **12.** schalen- *od.* becher- *od.* kelchförmiger Gegenstand. – **13.** *bot.* Cupula *f*, Blüten-, Fruchtbecher *m*, (Blumen)Kelch *m*. – **14.** *zo.* Kelch *m*. – **15.** (*Golf*) a) Me'tallfütterung *f* des Loches, b) Loch *n*. – **16.** *med.* a) → ∼ping glass, b) (Gelenk)Pfanne *f*. – **17.** Eindellung *f*, Vertiefung *f*. – **18.** (Tal)Mulde *f*, Pfanne *f* (*im Gelände*). – **19.** *auch* grease ∼ *tech.* Schmierbüchse *f*, Öler *m*. – **20.** C∼ → crater[2] 4. – **21.** *mil.* Hütchen *n* (*Zündmittel*). – **II** *v/t pret u. pp* **cupped** **22.** in eine Schale *etc* legen *od.* gießen. – **23.** (mit einem Becher) schöpfen. – **24.** becherförmig machen: ∼ your hand mach eine hohle Hand! – **25.** (*in eine Höhlung*) legen. – **26.** (*Golf*) (*den Ball*) ins Loch spielen. – **27.** *med.* schröpfen. – **28.** *tech.* ein-, austiefen. – **III** *v/i* **29.** becher- *od.* kelchförmig werden. – **30.** (*Golf*) ein Loch in den Boden schlagen (*beim Abschlagen*). – **31.** *med.* a) schröpfen, b) geschröpft werden.

cup| and ball *s* Fangbecher(spiel *n*) *m*. — ∼ **ba·rom·e·ter** *s* Ge'fäßbaroˌmeter *n*. — '∼ˌ**bear·er** *s* Mundschenk *m*.

cup·board ['kʌbərd] *s* **1.** (Geschirr-, Speise)Schrank *m*, Kre'denz *f*, Anrichte *f*. – **2.** *Br.* kleiner Schrank (*für Kleider etc*). — ∼ **love** *s* berechnende Liebe(nswürdigkeit).

'**cupˌcake** *s* (*Art*) Napfkuchen *m*.

cu·pel ['kjuːpəl; kjuː'pel] *chem. tech.* **I** *s* **1.** ('Scheide-, 'Treib)Kaˌpelle *f*, Ku'pelle *f*. – **2.** Treibherd *m*. – **II** *v/t pret u. pp* **-peled**, *bes. Br.* **-pelled** **3.** kupel'lieren, abtreiben. — ˌ**cu·pel'la·tion** *s chem. tech.* Kupel'lieren *n*, Abtreiben *n*, 'Treibproˌzeß *m*.

cup·ful ['kʌpˌful] *s* Schale(voll) *f*, Becher(voll) *m*, Tasse(voll) *f*: a ∼ of milk eine Schale Milch.

cup grease *s tech.* **1.** Schmierfett *n*. – **2.** Staufferfett *n*.

'**cupˌhead** *s tech.* Flachrundkopf *m*.

Cu·pid ['kjuːpid] *s* **1.** *antiq.* Kupido *m*, Amor *m*. – **2.** c∼ Amo'rette *f*.

cu·pid·i·ty [kju'piditi; -əti] *s* **1.** Habgier *f*, -sucht *f*. – **2.** Gier *f*, Begierde *f*, Gelüst(e) *n*.

Cu·pid's| bow ['kjuːpidz] *s* **1.** Amorsbogen *m* (*die klassische Bogenform*). – **2.** einem klassischen Bogen ähnliche Linienführung (*bes. der Lippen*).

cup| in·su·la·tor *s electr.* 'Glockenisoˌlator *m*. — ∼ **leath·er** *s tech.* Lederstulp *m* (*für Dichtungen*). — ∼ **li·chen**, ∼ **moss** *s bot.* (*eine*) Becherflechte (*Gattg Cladonia*). — ∼ **mush·room** *s bot.* Gedeckelter Scheibenpilz (*Ordng Pezizales*). — ∼ **of tea** *s* Tasse *f* Tee: that's not my ∼ *Br. colloq.* das ist nichts für mich.

cu·po·la ['kjuːpələ] *s* **1.** Kuppel(dach *n*, -gewölbe *n*) *f*. – **2.** Kuppel *f*, gewölbte Spitze. – **3.** *auch* ∼ furnace *tech.* Ku'pol-, Kuppelofen *m*. – **4.** *med.* Kuppe *f*. – **5.** *mar. mil.* Panzerturm *m*.

cupped [kʌpt] *adj* **1.** becher-, schalenförmig. – **2.** (durch Abnützung) ausgehöhlt: ∼ stairs ausgetretene Treppen. — '**cup·per** *s med.* Schröpfer *m* (*Person*).

cup·ping ['kʌpiŋ] *s* **1.** *med.* Schröpfen *n*. – **2.** *tech.* Tiefziehen *n*. — ∼ **glass** *s med.* Schröpfglas *n*, -kopf *m*.

cup plant *s bot.* Durch'wachsene Kompaßpflanze (*Silphium perfoliatum*).

cup·py ['kʌpi] *adj* **1.** schalen-, becherförmig. – **2.** voll kleiner Löcher *od.* Unebenheiten.

cupr- [kjuːpr] → cupro-.

cu·pre·a bark ['kjuːpriə] *s bot.* Ku'prearinde *f*, unechte Chinarinde (*von Remijia-Arten*).

cu·pre·ine ['kjuːpriˌiːn; -in] *s chem.* Cupre'in *n*. — '**cu·prene** [-priːn] *s chem.* Cu'pren *n*.

cu·pre·ous ['kjuːpriəs] *adj* **1.** kupfern. – **2.** kupferhaltig. – **3.** kupferartig, -farbig.

cupri- [kjuːpri] *Wortelement mit der Bedeutung* Kupfer..., Cupri... (*zweiwertiges Kupfer enthaltend*).

cu·pric ['kjuːprik] *adj chem.* Kupfer..., Cupri... (*zweiwertiges Kupfer enthaltend*): ∼ oxide Kupferoxyd (CuO). — **cu'prif·er·ous** [-'prifərəs] *adj min.* kupferhaltig, Kupfer... — '**cu·prite** [-prait] *s min.* Cu'prit *m*, Rotkupfer(erz) *n* (Cu_2O).

cupro- [kjuːpro] *Wortelement mit der Bedeutung* Kupfer.

cu·proid ['kjuːprɔid] *s* Tri'gondodekaˌeder *n*.

cu·pro·man·ga·nese [ˌkjuːpro'mæŋgəˌniːz; -prə-; *Am. auch* -ˌniːs] *s tech.* Man'gankupfer *n*. — ˌ**cu·pro'nick·el** [-'nikl] *tech.* **I** *s* Kupfernickel *n*, Nickelkupfer *n*. – **II** *adj* Kupfer u. Nickel enthaltend, Kupfernickel... — ˌ**cu·pro'plum·bite** [-'plʌmbait] *s min.* Kupferbleiglanz *m*.

cu·prous ['kjuːprəs] *adj chem.* Kupfer..., Cupro... (*einwertiges Kupfer enthaltend*): ∼ oxide Kupferoxydul (Cu_2O).

cu·prum ['kjuːprəm] *s chem. min.* Kupfer *n* (Cu).

'**cup|ˌseed** *s bot. Am.* Becherfrüchtiger Mondsame (*Calycocarpum lyonii*). — ∼ **shake** *s* (*Holzwirtschaft*) Ringkluft *f*. — '∼-ˌ**shaped** *adj* kelch-, becherförmig: ∼ sucker *biol.* Saugnapf. — ∼ **sponge** *s zo.* Becherschwamm *m*. — ∼ **spring** *s tech.* Tellerfeder *f*.

cu·pu·late ['kjuːpjuˌleit; -pjə-], *auch* '**cu·pu·lar** [-lər] *adj* **1.** becherförmig, -artig. – **2.** bechertragend, becherförmige Or'gane habend.

cu·pule ['kjuːpjuːl], '**cu·pu·la** [-pjulə; -pjə-] *s* **1.** *bot.* Cupula *f*, Blüten-, Fruchtbecher *m* (*unterhalb der Blüte; bes. bei Eicheln*). – **2.** *zo.* Saugnäpfchen *n*.

cu·pu·lif·er·ous [ˌkjuːpju'lifərəs; -pjə-] *adj bot.* **1.** zu den Becherfrüchtlern gehörend. – **2.** bechertragend. — '**cu·pu·liˌform** [-liˌfɔːrm] *adj* becherförmig.

cup| valve *s tech.* 'Glocken-, 'Teller-, 'Haubenvenˌtil *n*. — ∼ **wash·er** *s tech.* becher- *od.* napfförmiger Dichtungsring.

cur [kəːr] *s* **1.** Köter *m*. – **2.** Schuft *m*, Hund *m* (*Schimpfwort*).

cur·a·bil·i·ty [ˌkju(ə)rə'biliti; -əti] *s* Heilbarkeit *f*. — '**cur·a·ble** *adj* heilbar. — '**cur·a·ble·ness** → curability.

cu·ra·çao, *auch* **cu·ra·çoa** [ˌkju(ə)rə'sou] *s* Cura'çao *m* (*ein Pomeranzenlikör*).

cu·ra·cy ['kju(ə)rəsi] *s relig.* **1.** Ku'ratenamt *n*, -stelle *f*. – **2.** Kura'tie *f*, Hilfspfarramt *n*.

cur·agh ['kʌrə] → coracle.

cu·ra·re, cu·ra·ri [kju(ə)'rɑːri], *auch* **cu'ra·ra** [-rɑː] *s* **1.** Ku'rare *n* (*Pfeilgift südamer. Indianer*). – **2.** *bot. eine Kurare liefernde Pflanze* (*bes. Strychnos toxifera*). — ˌ**cu·ra·ri'za·tion** *s* Kurari'sierung *f*, Ku'rarebehandlung *f*. — **cu·ra·rize** ['kju(ə)rəˌraiz; kju(ə)'rɑː-] *v/t* kurari'sieren, mit Ku'rare behandeln.

cu·ras·sow ['kju(ə)rəˌsou; -'ræsou] *s zo.* (*ein*) Baumhuhn *n*, (*ein*) Hokko *m* (*Unterfam. Cracinae, bes. Gattg Crax*).

cu·rate ['kju(ə)rit] *s* **1.** *relig.* Ku'rat(us) *m*, Ku'ratgeistlicher *m*, Hilfspfarrer *m*, Koope'rator *m*: ∼-in-charge stellvertretender Pfarrer, Substitut. – **2.** *Br. colloq.* kleiner Schürhaken. – **3.** *obs.* Seelsorger *m*, Pfarrer *m*. — '**cu·rateˌship** → curacy.

cur·a·tive ['kju(ə)rətiv] **I** *adj* **1.** heilbar. – **2.** heilend, Heil...: ∼ effect Heilwirkung. – **II** *s* **3.** Heilmittel *n*.

cu·ra·tor [kju(ə)'reitər] *s* **1.** Konser'vator *m*, Kustos *m* (*Museum*). – **2.** (*Universität Oxford*) Mitglied *n* des Kura'toriums. – **3.** ['kju(ə)rətər] *jur.* Ku'rator *m*, Vormund *m*, Pfleger *m* (*eines Minderjährigen od. Geisteskranken*). – **4.** *jur.* Verwalter *m*, Pfleger *m* (*Nachlaß etc*): ∼ in bankruptcy Konkursverwalter. — ˌ**cu·ra'to·ri·al** [-rə'tɔːriəl] *adj* vormundschaftlich, Vormundschafts... — **cu'ra·torˌship** *s* Amt *n od.* Amtszeit *f* eines Ku'rators.

curb [kəːrb] **I** *s* **1.** a) Kan'dare *f*, b) Kinnkette *f* (*Pferdezaum*). – **2.** *fig.* Zaum *m*, Zügel *m*, Einhalt *m*: to put a ∼ (up)on s.th. einer Sache Zügel anlegen, etwas zügeln. – **3.** Bordschwelle *f*, Rand-, Bord-, Prellstein *m* (*Gehweg*). – **4.** Einfassung *f* (*Brunnen, Blumenbeet etc*). – **5.** *Br.* (schwellenartiger) Ka'minvorsatz. – **6.** *arch.* a) Auskleidung *f* (*einer runden Öffnung*), b) Kranz *m* (*Kuppeldach*). – **7.** *tech.* a) erhöhter Rand (*Kessel*), b) Be'tonkasten *m*, c) Kranz *m* (*Turbine*), d) (*oberer*) Mühlenkranz, e) Kranz *m* (*Gußform*). – **8.** *econ. Am.* Straßen-, Frei-, Nachbörse *f*, Frei(verkehrs)markt *m*, (Börsen)Freiverkehr *m*. – **9.** *vet.* Spat *m*, Hasenfuß *m*. – **II** *v/t* **10.** zügeln, im Zaum halten, bändigen. – **11.** (*Pferd*) an die Kan'dare legen. – **12.** (*Gehweg*) mit Randsteinen versehen, (*Brunnen*) einfassen. – *SYN. cf.* restrain. — ∼ **beam** *s arch.* Brückenschwelle *f*. — ∼ **bit** *s* Kan'daren-, Kinnkettenstange *f*. — ∼ **hop** *Am. colloq. für* car hop.

curb·ing ['kəːrbiŋ] *s* Materi'al *n* für Randsteine.

curb key *s* (*Telegraphie*) Schnell-, Schlackertaste *f*.

curb·less ['kəːrblis] *adj fig.* hemmungs-, zügellos.

curb| mar·ket → curb 8. — ∼ **pin** *s* (*Uhrmacherei*) Rückerstift *m* (*zur Regulierung der Unruhe*). — ∼ **pric·es** *s pl econ. Am.* Freiverkehrskurse *pl*. — ∼ **roof** *s arch.* Man'sard(en)dach *n*, gebrochenes Dach. — ∼ **serv·ice** *s Am.* Bedienung *f* im Auto (*der Kraftfahrer u. Reisenden, die vor Gaststätten etc halten*). — '∼ˌ**stone** **I** *s* **1.** Rand-, Bordstein *m* (*Gehweg*). – **2.** Bordschwelle *f*. – **II** *adj* **3.** *econ. Am.* Straßen..., Winkel...: ∼ broker Straßenmakler. — '∼ˌ**ston·er** *s Am. colloq.* **1.** Straßenhändler *m*, -verkäufer *m*. – **2.** ‚Pflastertreter' *m*, Her'umlungerer *m*.

curch [kəːrtʃ] *s Scot.* Kopftuch *n*.

cur·cu·li·o [kəːr'kjuːliˌou] *pl* **-os** *s zo.* Rüsselkäfer *m* (*Fam. Curculionidae*), *bes.* → plum ∼.

cur·cu·ma ['kəːrkjumə] *s* **1.** *bot.* Kur'kume *f*, *bes.* Lange Kurkume (*Curcuma longa*). – **2.** 'Kurkumastärke *f*, Tikor *n*. – **3.** 'Kurkuma-, Zitwerwurzel *f*.

cur·cu·min ['kəːrkjumin; -kjə-] *s chem.* Kurku'min *n* ($C_{21}H_{20}O_6$).

curd [kəːrd] **I** *s* **1.** *oft pl* geronnene Milch, Quark *m*: the milk has turned to ∼s and whey die Milch ist geronnen. – **2.** Gerinnsel *n*, Klumpen *m*: ∼ soap Kernseife. – **II** *v/t* **3.** gerinnen lassen. – **III** *v/i* **4.** gerinnen. — ∼ **cheese** *s bes. Br.* Quarkkäse *m*.

cur·dle ['kəːrdl] **I** *v/t* **1.** (*Milch*) gerinnen lassen. – **2.** *fig.* erstarren lassen: it ∼s one's blood es läßt einem das Blut in den Adern erstarren. – II *v/i* 3. gerinnen, dick werden (*Milch*). – 4. *fig.* erstarren: it makes one's blood ~. — '**cur·dly** *adj* 1. leicht gerinnbar. – 2. geronnen. — '**curd·y** *adj* 1. geronnen, dick(lich). – 2. klumpig. – 3. *chem.* (flockig)käsig.

cure[1] [kju*r*] **I** *s* 1. *med.* Kur *f*, Heilverfahren *n*, -behandlung *f*: to take a milk ~ eine Milchkur machen; under ~ in Behandlung. – 2. *med.* Heilung *f*, Genesung *f*: to be past ~ a) unheilbar krank sein (*Person*), b) unheilbar sein (*Krankheit*); to effect a ~ gründlich kurieren. – 3. *med.* Heilmittel *n*: a ~ for a toothache ein Mittel gegen Zahnschmerz. – 4. Haltbarmachung *f*: a) Räuchern *n*, b) Trocknen *n*, c) Beizen *n*, d) Einpökeln *n*, -salzen *n*. – 5. Räucher- *od.* Pökelfleisch *n od.* -fisch *m*. – 6. *tech.* 'Übervulkanisati,on *f*. – 7. *relig.* a) Seelsorge *f*, b) Pfarre *f* (*Amt u. Bezirk*). – **II** *v/t* 8. *med.* heilen, ku'rieren (*auch fig.*): to ~ s.o. of an illness j-n von einer Krankheit heilen; to ~ a disease eine Krankheit heilen; to ~ s.o. of lying j-m das Lügen abgewöhnen; to ~ s.o. of an idea j-n von einer Idee abbringen. – 9. haltbar machen: a) räuchern, b) trocknen, c) beizen, d) einpökeln, -salzen: ~d cod Klippfisch. – 10. vulkani'sieren. – **III** *v/i* 11. Heilung bringen, heilen (*Mittel*). – 12. heilen, geheilt werden (*Wunde*). – 13. sich einer Kur unter'ziehen, eine Kur machen. – *SYN.* heal, remedy.

cure[2] [kju*r*] *s sl.* wunderlicher Kauz, ‚komische Nummer'.

cu·ré [*Br.* 'kjuːrei; *Am.* kju'rei] *s* Cu'ré *m* (*kath. Geistlicher in Frankreich*).

'**cure-,all** *s* 1. All'heil-, Univer'salmittel *n*, Pana'zee *f*. – 2. *bot.* (*ein*) Heilkraut *n*, *bes.* a) Balsamkraut *n* (*Melissa officinalis*), b) Bach-Nelkenwurz *f* (*Geum rivale*).

cure·less ['kju*r*lis] *adj* unheilbar.

cu·ret·tage [kju(ə)'retidʒ] *s med.* Küret'tage *f*, Auskratzung *f*, -schabung *f*, -räumung *f*. — **cu'rette** [-'ret] *med.* **I** *s* Kü'rette *f*, Auskratzer *m*, -räumer *m*. – **II** *v/t* auskratzen, -schaben, -räumen. — **cu'rette·ment** → curettage.

cur·few ['kəː*r*fjuː] *s* 1. *hist.* Läuten *n* der Abendglocken. – 2. Abendläuten *n*. – 3. Zeit *f* des Abendläutens. – 4. *auch* ~ bell Abendglocke *f*. – 5. *mil.* a) Ausgangsverbot *n*, b) Zapfenstreich *m*. – 6. Sperr-, Poli'zeistunde *f*.

cu·ri·a ['kju(ə)riə] *pl* **-ae** [-,iː] (*Lat.*) *s* 1. *antiq.* Kurie *f*: a) *röm. Familienverband*, b) *dessen Versammlungshaus*, c) *Senatsgebäude im alten Rom*. – 2. *hist.* Kurie *f* (*Senat der ital. Städte*). – 3. *hist.* königlicher Gerichts- *od.* Verwaltungshof (*in England*). – 4. **C~** *relig.* Kurie *f* (*Hof u. zentrale Verwaltungsbehörde des Papstes*). — '**cu·ri·al** *adj* kuri'al, Kurial..., Kurien...

cu·rie ['kju(ə)riː; kju(ə)'riː] *s chem. phys.* Cu'rie *f* (*die mit 1 g Radium im Gleichgewicht stehende Radiumemanationsmenge*). — **C~ con·stant** *s phys.* Cu'riesche Kon'stante. — **C~ point** *s phys.* Cu'riepunkt *m* (*bei dem Ferromagnetica paramagnetisch werden*).

Cu·rie's law *s phys.* Cu'riesches Gesetz.

cur·ing ['kju(ə)riŋ] *s* 1. Heilen *n*. – 2. → cure[1] 4.

cu·ri·o ['kju(ə)ri,ou] *pl* **-os** *s* Kuriosi'tät *f*, Rari'tät *f*, Seltenheit *f*. — ,**cu·ri'o·sa** [-sə] *s pl* Kuri'osa *pl*, Kuriosi'täten *pl*, Rari'täten *pl* (*bes. Bücher*).

cu·ri·os·i·ty [,kju(ə)ri'ɒsiti; -əti] *s* 1. Neugier *f*, Wißbegierde *f*: out of ~ aus Neugier. – 2. Kuriosi'tät *f*, Rari'tät *f*. – 3. Merkwürdigkeit *f*, Wunderlichkeit *f*, Ungereimtheit *f*. – 4. *colloq.* Kuri'osum *n*, komischer Kauz. – 5. *obs.* peinliche Genauigkeit. — ~ **shop** *s* Antiqui'täten-, Rari'tätenladen *m*.

cu·ri·ous ['kju(ə)riəs] *adj* 1. neugierig, wißbegierig (about betreffs): I am ~ to know if ich möchte gern wissen, ob; ich bin gespannt, ob; to be ~ about s.th. etwas genau wissen wollen. – 2. neugierig, schnüffelnd, sich einmischend. – 3. kuri'os, seltsam, merkwürdig. – 4. *colloq.* komisch, wunderlich: a ~ person ein komischer Kerl. – 5. *selten* genau, peinlich, streng: ~ discrimination strenge Unterscheidung; ~ investigations genaue Untersuchungen. – 6. anstößig, ob'szön, porno'graphisch (*Literatur*). – 7. *obs.* a) sorgfältig, b) zierlich. – *SYN.* inquisitive, prying. — '**cu·ri·ous·ly** *adv* 1. neugierig. – 2. seltsam, merkwürdig: ~ enough merkwürdigerweise. — '**cu·ri·ous·ness** → curiosity 1, 3 *u.* 5.

cu·ri·um ['kju(ə)riəm] *s chem.* Curium *n* (Cm).

curl [kəː*r*l] **I** *v/t* 1. (*Haar etc*) locken, kräuseln, ringeln, fri'sieren. – 2. (*spiralförmig*) winden, drehen, (auf-, zu'sammen)rollen: to ~ oneself up in the corner sich in der Ecke zusammenkauern. – 3. (*Wasser*) kräuseln. – 4. in Falten legen, krausziehen: to ~ one's nose die Nase rümpfen; → lip 1. – 5. *obs.* mit Locken schmücken. – **II** *v/i* 6. sich locken, sich kräuseln, sich ringeln (*Haar*): to ~ down in Locken niederfallen. – 7. sich wellen: to ~ up sich hochringeln, in Ringeln hochsteigen (*Rauch*). – 8. sich (*spiralförmig*) winden, Spi'ralen bilden. – 9. sich kräuseln, kleine Wellen schlagen (*Wasser*). – 10. *auch* ~ up sich zu'sammen- *od.* einrollen, sich (*am Rande*) aufbiegen: to ~ up a) sich zusammenrollen, b) *sport colloq.* zusammenbrechen, -klappen, aufgeben. – 11. *sport* Curling spielen. – **III** *s* 12. Locke *f*, Ringel *m*: to come (*od.* go) out of ~ aufgehen (*Locke*); to put in ~s (*Haar*) locken. – 13. (Rauch)-Ring *m*, Kringel *m*. – 14. (*spiralförmige*) Windung, Biegung *f*, Schlinge *f*, Wirbel *m*. – 15. Aufwerfen *n*, Kräuseln *n*, Krausziehen *n*. – 16. *bot.* Kräuselkrankheit *f*.

curl cloud *s* Cirrus-, Federwolke *f*.

curled ['kəː*r*ld] *adj* gelockt, lockig, gekräuselt, geringelt, gewellt. — ~ **dock** *s bot.* Krauser Ampfer (*Rumex crispus*). — ~ **mal·low** *s bot.* Krause Malve (*Malva crispa*). — ~ **ma·ple** *s bot. Am.* Krauser Silberahorn (*Acer saccharinum*).

curl·er ['kəː*r*lə*r*] *s* 1. *sport* Curlingspieler *m*. – 2. Lockenwickel *m*.

cur·lew ['kəː*r*ljuː; *Am. auch* -luː] *s zo.* 1. Brachvogel *m* (*Gattg Numenius*), *bes.* a) *auch* common ~ Großer Brachvogel, Große Brachschnepfe, Brachhuhn *n* (*N. arquatus*), b) *auch* ~ jack Kleiner Brachvogel, Regenbrachvogel *m* (*N. phaeopus*), c) Nordamer. Brachvogel *m* (*N. hudsonicus*). – 2. brachvogelähnlicher Vogel. — ~ **sand·pip·er** *s zo.* (*ein*) Strandläufer *m* (*Erolia testacea*).

curl·i·cue ['kəː*r*li,kjuː] *s* Schnörkel *m* (*beim Schreiben etc*).

curl·ie·wurl·y, curl·ie·wurl·ie ['kəː*r*li,wəː*r*li] *s colloq.* Verschnörkelung *f*, schnörkelige Verzierung.

curl·i·ness ['kəː*r*linis] *s* Lockigkeit *f*, Krausheit *f*.

curl·ing ['kəː*r*liŋ] *s* 1. Locken *n*, Kräuseln *n*, Ringeln *n*, Fri'sieren *n* (*Haare*). – 2. Winden *n*, Krümmen *n*. – 3. Wogen *n*, Wellenschlagen *n*. – 4. *sport* Curling(spiel) *n* (*ursprünglich schottische Form des Eisschießens*): ~ stone Curling-Spielstein. — ~ **i·ron** *s*, *auch* ~ **i·rons**, ~ **tongs** *s pl* (Locken)Brennschere *f*, -eisen *n*.

'**curl,pa·per** *s* Pa'pierhaarwickel *m*.

curl·y ['kəː*r*li] *adj* 1. lockig, gelockt, gekräuselt (*Haar*). – 2. wellig gemasert (*Holz*). – 3. sich kräuselnd. – 4. Locken tragend.

curl·y·cue *cf.* curlicue.

'**curl·y|-,head·ed** *adj* locken-, krausköpfig. — '**~-,pate** *s colloq.* Lockenkopf *m* (*Person*). — '**~-,pat·ed** [-,peitid] *adj colloq.* lockenköpfig.

cur·mudg·eon [kəː*r*'mʌdʒən] *s* 1. Geizhals *m*, Knicker *m*. – 2. Griesgram *m*, Brummbär *m*. — **cur'mudg·eon·ly** *adj* 1. griesgrämig. – 2. geizig, knickerig.

curn [kəː*r*n] *s Scot.* 1. Körnchen *n*. – 2. kleine Menge.

curr [kəː*r*] *v/i* 1. girren, gurren (*Taube*). – 2. schnurren (*Katze*).

cur·rach, cur·ragh ['kʌrə] → coracle.

cur·ra·jong *cf.* kurrajong.

cur·rant [*Br.* 'kʌrənt; *Am.* 'kəːr-] *s* 1. Ko'rinthe *f* (*Art Rosine*). – 2. *bot.* (*ein*) Jo'hannisbeerstrauch *m* (*Gattg Ribes*). – 3. *bes. Am.* Jo'hannisbeere *f*. — ~ **bor·er** *s zo. holzbohrende Larve* a) *des Johannisbeerglasflüglers Sesia tipuliformis*, b) *eines Bockkäfers Psenocerus supernotatus*. — ~ **bush** *s bot.* 1. → currant 2. – 2. (*ein*) austral. Kap(p)ernstrauch *m* (*Apophyllum anomalum*). — ~ **clear·wing** *s zo.* Jo'hannisbeerglasflügler *m* (*Sesia tipuliformis*). — ~ **fruit fly** *s zo.* (*eine*) Bohr-, Fruchtfliege (*Epochra canadensis*). — ~ **saw·fly** *s zo.* Stachelbeerblattwespe *f* (*Pteronidea ribesii*). — ~ **span·worm** *s zo.* Jo'hannisbeerspanner *m* (*Diastictis ribearia*). — ~ **tree** *s bot.* (*eine*) Felsenbirne (*Gattg Amelanchier*). — ~ **worm** *s zo.* Jo'hannisbeerraupe *f*.

cur·ren·cy [*Br.* 'kʌrənsi; *Am.* 'kəːr-] *s* 1. 'Umlauf *m*, Zirkulati'on *f*: to give ~ to a rumo(u)r ein Gerücht in Umlauf bringen; ~ of money *econ.* Geldumlauf, -zirkulation. – 2. (Allge'mein)Gültigkeit *f*, allgemeine Geltung, Anerkanntheit *f*. – 3. a) Gebräuchlichkeit *f*, Geläufigkeit *f* (*Ausdruck etc*), b) Verbreitung *f*, Bekanntheit *f* (*Nachricht etc*). – 4. *econ.* (Geld)Währung *f*, Va'luta *f*: ~ of a country Landesvaluta; gold ~ Goldwährung. – 5. *econ.* a) Zahlungs-, 'Umlaufsmittel *n*, Ku'rant(geld) *n*, b) (amtlicher) Kurs, Wert *m*, Va'luta *f*, c) 'Umlaufzeit *f*, d) Laufzeit *f* (*Wechsel*). – 6. (Ver)Lauf *m* (*Zeit*). – 7. *obs.* Strömen *n*, Fließen *n*. — ~ **ac·count** *s econ.* Va'luten-, Währungskonto *n*. — ~ **bills** *s pl econ.* De'visenwechsel *pl*, Wechsel *pl* in ausländischer Währung. — ~ **bonds** *s pl econ.* Va'lutaobligati,onen *pl*. — ~ **note** *s econ.* Schatzschein *m*, -anweisung *f* (*engl. Banknote, 1914–28 herausgegeben*). — ~ **re·form** *s econ.* 'Währungsre,form *f*.

cur·rent [*Br.* 'kʌrənt; *Am.* 'kəːr-] **I** *adj* 1. laufend (*Jahr, Monat, Konto*). – 2. gegenwärtig, jetzig, augenblicklich, aktu'ell, Tages...: ~ affairs Tagesereignisse, -politik; ~ price Tages-, Marktpreis; ~ value Tageswert, gegenwärtiger Marktwert. – 3. 'umlaufend, zirku'lierend, kur'sierend (*bes. Geld*): to be ~ kursieren. – 4. allgemein bekannt *od.* verbreitet. – 5. üblich, geläufig, vorherrschend, gang und gäbe, allgemein gebraucht: this word is not in ~ use dieses Wort ist nicht allgemein üblich. – 6. allgemein gültig *od.* angenommen, anerkannt: to pass ~ allgemein gültig *od.* anerkannt sein. – **7.** *econ.* a) gangbar, gängig, leicht verkäuflich (*Ware*), b) gangbar, gültig, ku'rant (*Geld*), c) kurs-, verkehrsfähig. – **8.** *obs.* fließend: ~ handwriting. – **9.** *obs.* echt, au'thentisch. – *SYN. cf.* prevailing. – **II** *s* **10.** Strömung *f.* – **11.** Strom *m*, Zug *m*: a ~ of air ein Luftzug. – **12.** *electr.* Strom *m*: ~ of high frequency Hochfrequenzstrom; → alternating; wattless. – **13.** *electr.* Stromstärke *f.* – **14.** (Ver)Lauf *m*, Gang *m.* – **15.** Richtung *f*, Ten'denz *f* (*Meinungen etc*). – *SYN. cf.* tendency. — ~ **ac·count** *s econ.* laufende Rechnung, Kontokor'rent *n*, Verrechnungs-, Girokonto *n.* — ~ **as·sets** *s pl econ.* laufende Ak'tiven *pl od.* Guthaben *pl.* — ~ **break·er** *s electr.* 'Stromunter,brecher *m.* — ~ **cir·cuit** *s electr.* Stromkreis *m.* — ~ **col·lec·tor** *s electr.* (Strom)Sammelschiene *f.* — ~ **den·si·ty** *s electr.* spe'zifische Stromstärke *od.* -dichte. — ~ **ex·change** *s econ.* Tageskurs *m*, -preis *m*: at the ~ zum Tageskurs. — ~ **ex·pens·es** *s pl econ.* laufende Ausgaben *pl.* — ~ **funds** *s pl econ.* 'Umlaufsmittel *pl.* — ~ **in·ten·si·ty** *s electr.* Stromstärke *f.* — ~ **li·a·bil·i·ty** *s* laufende Verpflichtung. — ~ **lim·it·er** *s electr.* Strombegrenzer *m.* — ~ **me·ter** *s electr.* Stromzähler *m*, 'Strom,durchflußmesser *m.* — ~ **mon·ey** *s econ.* gangbares Geld, Bar-, Ku'rantgeld *n.* — ~ **rec·ti·fi·er** *s electr.* (*bes.* Strom-, Serien)Gleichrichter *m.* — ~ **strength** → current intensity. — ~ **sup·ply** *s electr.* Stromversorgung *f.* — ~ **trans·form·er** *s electr.* Stromwandler *m.*

cur·ri·cle [*Br.* 'kʌrikl; *Am.* 'kəːrə-] *s* Karri'ol(e *f*) *n*, zweirädrige Kutsche (*mit 2 Pferden*).

cur·ric·u·lar [kə'rikjulər; -jə-] *adj* Lehrplan...

cur·ric·u·lum [kə'rikjuləm; -jə-] *pl* **-lums, -la** [-lə] *s* **1.** 'Studien-, 'Lehrplan *m*, -pro,gramm *n.* – **2.** Kursus *m*, Lehrgang *m.* — ~ **vi·tae** ['vaitiː] (*Lat.*) *s* Lebenslauf *m.*

cur·rie *cf.* curry[2].

cur·ried[1] [*Br.* 'kʌrid; *Am.* 'kəːrid] *adj* **1.** gestriegelt (*Fell, Pferd etc*). – **2.** zugerichtet (*Leder*).

cur·ried[2] [*Br.* 'kʌrid; *Am.* 'kəːrid] *adj* mit Curry zubereitet *od.* gewürzt: ~ chicken.

cur·ri·er [*Br.* 'kʌriər; *Am.* 'kəːr-] *s* **1.** (Pferde)Striegler *m.* – **2.** Lederzurichter *m.* — '**cur·ri·er·y** *s* Lederzurichtung *f.*

cur·rish ['kəːriʃ] *adj* **1.** knurrig, bissig (*Hund*). – **2.** *fig.* gemein, giftig, bösartig. — '**cur·rish·ness** *s* **1.** Knurrigkeit *f*, Bissigkeit *f.* – **2.** Giftigkeit *f*, Gemeinheit *f*, Bösartigkeit *f.*

cur·ry[1] [*Br.* 'kʌri; *Am.* 'kəːri] **I** *v/t* **1.** (*Pferd*) striegeln, abreiben. – **2.** *tech.* (*Leder*) zurichten, gerben. – **3.** (ver)prügeln, verdreschen. – **4.** (*Gunst*) erschmeicheln, erschleichen: to ~ favo(u)r with s.o. um j-s Gunst buhlen. – **II** *v/i* **5.** um Gunst buhlen, schmeicheln.

cur·ry[2] [*Br.* 'kʌri; *Am.* 'kəːri] **I** *s* **1.** Curry *m*, *n* (*Gewürz*). – **2.** Curry(gericht *n*) *m*, *n.* – **II** *v/t* **3.** mit Curry(soße) zubereiten.

'**cur·ry|,comb** **I** *s* Striegel *m.* – **II** *v/t* striegeln. — ~ **pow·der** *s* Currypulver *n.*

curse [kəːrs] **I** *s* **1.** Fluch *m*: to lay a ~ upon verfluchen, mit einem Fluch belegen; there is a ~ upon it es liegt ein Fluch darauf. – **2.** *relig.* a) Verdammung *f*, b) Bann(fluch) *m*, Kirchenbann *m.* – **3.** Fluch(wort *n*) *m*, Verwünschung *f*: ~s (like chickens) come home to roost Flüche fallen auf den Flucher zurück; not worth a (tinker's) ~ keinen Pfifferling wert. – **4.** Fluch *m*, Unglück *n* (to für): a ~ upon you! Fluch über dich! the ~ of Scotland die Karoneun (*Spielkarte*); the ~ of Cain Fluch *od.* Elend der Verbannung. – **II** *v/t pret u. pp* **cursed** *od.* **curst** [kəːrst] **5.** verfluchen, verwünschen, verdammen, (*j-m, einer Sache*) fluchen, fluchen auf (*acc*): ~ it! zum Kuckuck damit! verflucht noch mal! – **6.** (*Gott*) lästern. – **7.** (*meist pass*) strafen, quälen: to be ~d with s.th. mit etwas bestraft *od.* gequält werden *od.* sein. – **8.** *relig.* mit dem Bannfluch belegen, exkommuni'zieren. – *SYN. cf.* execrate. – **III** *v/i* **9.** fluchen, Flüche *od.* Verwünschungen ausstoßen. – **10.** lästern.

curs·ed ['kəːrsid] *adj* **1.** verflucht, verwünscht, verdammt. – **2.** fluchwürdig, scheußlich, verhaßt. – **3.** *bes. dial.* bösartig, giftig. — '**curs·ed·ly** *adv* verflucht, verteufelt, verdammt. — '**curs·ed·ness** *s* **1.** Verfluchtheit *f.* – **2.** Fluchwürdigkeit *f*, Scheußlichkeit *f.* — '**curs·ing** *s* Fluchen *n.* – *SYN. cf.* blasphemy.

cur·sive ['kəːrsiv] **I** *adj* **1.** kur'siv, Kursiv..., Kurrent... (*Handschrift*). – **2.** *print.* Schreib...: printed in ~ characters in Schreibschrift gedruckt. – **II** *s* **3.** Kur'sivbuchstabe *m* (*Handschrift*). – **4.** kur'siv geschriebenes Manu'skript. – **5.** *print.* Schreibschrift *f.*

cur·sor ['kəːrsər] *s math. tech.* Läufer *m*, Schieber *m.* — **cur'so·ri·al** [-'səːriəl] *adj zo.* **1.** zum Laufen geeignet, Renn..., Lauf... – **2.** zu den Laufvögeln gehörend.

cur·so·ri·ness ['kəːrsərinis] *s* Flüchtigkeit *f*, Oberflächlichkeit *f.* — '**cur·so·ry** *adj* flüchtig, oberflächlich, kur'sorisch: ~ view flüchtiger Überblick. – *SYN. cf.* superficial.

curst [kəːrst] → cursed 3.

curt [kəːrt] *adj* **1.** kurz, gekürzt. – **2.** kurz u. bündig, kurzgefaßt, knapp, gedrängt (*Rede*). – **3.** (with) barsch, schroff (gegen), kurz angebunden (mit). – *SYN. cf.* bluff[2].

cur·tail [kəːr'teil] *v/t* **1.** abkürzen, (ver)kürzen: ~ed word Kurzwort. – **2.** beschneiden, stutzen. – **3.** (*j-n*) schmälern, beeinträchtigen (of in *dat*): to ~ s.o.'s rights j-n in seinen Rechten schmälern. – **4.** beschränken, einschränken, vermindern, her'absetzen: to ~ expenses Ausgaben einschränken; to ~ wages Löhne herabsetzen. – *SYN. cf.* shorten. — **cur'tail·ment** *s* **1.** Abkürzung *f*, (Ver)Kürzung *f.* – **2.** Beschneidung *f.* – **3.** Schmälerung *f*, Beeinträchtigung *f.* – **4.** Beschränkung *f*, Einschränkung *f*, Verminderung *f*, Her'absetzung *f* (in *gen*).

cur·tail step *s arch.* Antrittsstufe *f* (*einer Treppe*).

cur·tain ['kəːrtn; -tin] **I** *s* **1.** Vorhang *m*, Gar'dine *f*: to draw the ~(s) den Vorhang *od.* die Gardinen auf- *od.* zuziehen; to draw the ~ over s.th. *fig.* etwas begraben. – **2.** *fig.* Wand *f*, Mauer *f*: ~ of fire *mil.* Feuervorhang. – **3.** *fig.* Vorhang *m*, Schleier *m*, Hülle *f*: behind the ~ hinter den Kulissen; to lift the ~ den Schleier lüften. – **4.** (*Theater*) a) Vorhang *m*, b) Fallen *n* des Vorhangs, c) Ta'bleau *n.* – **5.** *mil.* Kur'tine *f*, Zwischenwall *m.* – **6.** *bot.* → cortina. – **II** *v/t* **7.** mit Vorhängen versehen. – **8.** *auch* ~ off mit Vorhängen abteilen *od.* abschließen. – **9.** *fig.* verhüllen, verschleiern, verbergen. — ~ **call** *s* (*Theater*) Her'vorruf *m* (*der Künstler vor den Vorhang als Zeichen des Beifalls*). — ~ **fall** → curtain 4b. — ~ **fire** *s mil.* Sperrfeuer *n*, Feuervorhang *m.* — ~ **lec·ture** *s* Gar'dinenpredigt *f.* — ~ **lift·er**, ~ **rais·er** *s* (*Theater*) kurzes Vorspiel. — ~ **wall** *s arch.* Füll-, Zwischen-, Verbindungsmauer *f*, Blendwand *f*, (nichttragende) Außenwand.

cur·tal ['kəːrtl] *obs.* **I** *adj* **1.** gestutzt. – **2.** mit kurzem Rock. – **II** *s* **3.** Stutzschwanz *m.* – **4.** *mus.* (*Art*) Fa'gott *n.*

Cur·ta·na [kəːr'tɑːnə; -'teinə] *s* Cur'tane *f* (*Schwert ohne Spitze, das dem engl. König bei der Krönung vorangetragen wird*).

cur·tate ['kəːrteit] *adj* verkürzt, redu'ziert.

cur·te·sy ['kəːrtəsi] *s jur. auch* tenure by ~ Nutznießung *f* des Witwers am Grundbesitz der verstorbenen Ehefrau (*wenn aus der Ehe Kinder hervorgegangen sind*).

cur·ti·lage ['kəːrtilidʒ; -tə-] *s* (um'friedeter) Innenhof.

curt·ness ['kəːrtnis] *s* **1.** Kürze *f*, Knappheit *f*, Gedrängtheit *f* (*bes. Rede*). – **2.** Barschheit *f*, barsches Wesen.

curt·sy, *auch* **curt·sey** ['kəːrtsi] **I** *s* Knicks *m*: to drop (*od.* make) a ~ einen Knicks machen, sich verneigen (to vor *dat*). – **II** *v/i* einen Knicks machen, knicksen (to vor *dat*).

cu·rule ['kju(ə)ruːl; -rul] *adj antiq.* **1.** ku'rulisch: ~ chair kurulischer Stuhl (*lehnenloser Ehrensessel im alten Rom*). – **2.** ku'rulisch, von höchstem Rang.

cur·va·ceous, cur·va·cious [kəːr'veiʃəs] *adj colloq.* ‚kurvenreich', gut gebaut, mit üppigen Formen (*Frau*).

cur·vate ['kəːrveit; -vit], '**cur·vat·ed** [-veitid] *adj* geschweift, geschwungen, gleichmäßig gebogen. — **cur'va·tion** *s* Geschweiftheit *f.*

cur·va·ture ['kəːrvətʃər] *s* **1.** Krümmung *f*, Biegung *f.* – **2.** *med.* a) Kurva'tur *f* (*des Magens*), b) (Ver)Krümmung *f*: ~ of the spine Rückgratverkrümmung. – **3.** (Ab)Rundung *f*, Wölbung *f.* – **4.** *math.* Krümmung *f.* – **5.** Bogen(linie *f*) *m.*

curve [kəːrv] **I** *s* **1.** Kurve *f*, Krümmung *f*, Biegung *f*, Windung *f.* – **2.** Rundung *f*, Kurve *f.* – **3.** *tech.* 'Kurvenline,al *n.* – **4.** *pl* runde Klammern *pl*, Paren'these *f.* – **5.** (*Statistik*) Kurve *f*, Schaulinie *f.* – **6.** (*Baseball*) a) Kurven-, Drall-, Bogenwurf *m*, b) im Bogen geworfener Ball, c) Ablenkung *f*, Abweichung *f.* – **7.** *math.* Kurve *f*: ~ of the second order Kurve zweiten Grades; ~ of pursuit Verfolgungs-, Hundekurve. – **II** *v/t* **8.** biegen, krümmen. – **9.** schweifen, runden, wölben. – **III** *v/i* **10.** sich biegen, sich krümmen. – **11.** eine Kurve beschreiben. – **12.** sich wölben, sich runden. – *SYN.* bend, turn, twist. – **IV** *adj* → curved. — **curved** [kəːrvd] *adj* **1.** gekrümmt, gebogen: ~ line (surface) *math.* Bogenlinie, krumme *od.* gekrümmte Linie (Fläche); ~ space *math.* gekrümmter Raum. – **2.** krummlinig. – **3.** *arch.* gewölbt, Bogen... – **4.** geschweift, gerundet, geschwungen. – **5.** *mil.* Steil...: ~ fire.

curve fit·ting *s math.* Angleichung *f* einer Kurve.

curve·some ['kəːrvsəm] → curvaceous.

cur·vet [kəːr'vet; 'kəːrvit] **I** *s* **1.** (*Reitkunst*) Kur'bette *f*, Bogensprung *m.* – **2.** Luft-, Bocksprung *m.* – **3.** *fig.* lustiger Streich. – **II** *v/i pret u. pp* **cur'vet·ted** **4.** kurbet'tieren. – **5.** Luft- *od.* Bocksprünge machen. – **III** *v/t* **6.** (*Pferd*) kurbet'tieren lassen.

curvi- [kəːrvi] *Wortelement mit der Bedeutung* gebogen, gekrümmt.

cur·vi·form ['kəːrvi͵fɔːrm; -və-] *adj* bogen-, kurvenförmig, geschweift.
cur·vi·lin·e·ar [͵kəːrvi'liniər; -və-], *auch* **͵cur·vi'lin·e·al** [-əl] *adj* **1.** krummlinig. – **2.** krummlinig begrenzt: ~ **angle.** — **͵cur·vi͵lin·e'ar·i·ty** [-'æriti; -əti] *s* Krummlinigkeit *f.*
curv·om·e·ter [kəːr'vɒmitər; -mə-] *s tech.* Kurven-, Krümmungsmesser *m.*
cus·co bark ['kʌskou] *s med.* Kuskorinde *f.*
cu·sec ['kjuːsek] *s* Ku'bikfuß *m* pro Se'kunde.
Cush [kʌʃ] *npr Bibl.* **1.** Kush *m* (*ältester Sohn des Ham*). – **2.** *auch* **the land of** ~ Kusch *n,* Äthi'opien *n.*
cush·at ['kʌʃət] *s zo.* Gemeine Ringeltaube, Große Holztaube (*Columba palumbus*).
cu·shaw [kə'ʃɔː] *s bot.* Moschus-, Me'lonen-, Mus'kat-Kürbis *m* (*Cucurbita moschata*).
cush·ion ['kuʃən] **I** *s* **1.** Kissen *n,* Polster *n.* – **2.** Spitzenkissen *n,* Klöppelsack *m.* – **3.** Nadelkissen *n.* – **4.** Wulst *m* (*für die Frisur*). – **5.** Bande *f* (*Billardtisch*). – **6.** *tech.* a) Puffer *m,* Prellkissen *n,* Dämpfer *m,* b) Vergolder-, Blattkissen *n,* c) Zwischenlage *f,* Polsterschicht *f od.* -streifen *m* (*bei Luftreifen*), d) Felgenring *m,* -band *n,* e) Polster *n* (*aus komprimiertem Gas, Dampf etc*). – **7.** *arch.* a) Kämpferschicht *f,* b) Kissen *n,* Ruhestein *m.* – **8.** *zo.* a) Fettpolster *n* (*des Pferdehufes*), b) wulstige Oberlippe (*bestimmter Hunde*). – **9.** *bot.* → ~ **plant.** – **II** *v/t* **10.** auf ein Kissen setzen *od.* legen. – **11.** durch Kissen schützen. – **12.** polstern. – **13.** *fig.* verbergen, verdecken. – **14.** *fig.* (*Beschwerden*) unter'drücken, stillschweigend über'gehen. – **15.** (*Geräusch*) unter'drücken, dämpfen. – **16.** *tech.* a) abfedern, b) (*Bewegung*) dämpfen. – **17.** (*Billard*) (*die Kugel*) gegen die Bande laufen lassen. — ~ **al·oe** *s bot.* Polsteraloe *f* (*Gattg Haworthia*). — ~ **cap·i·tal** *s arch.* **1.** 'Wulst-, 'Polsterkapi͵tell *n.* – **2.** 'Würfelkapi͵tell *n.* — ~ **car·om** *s* (*Billard*) Bandenball *m,* 'indi͵rekter Ball (*mit Karambolage*).
cush·ioned ['kuʃənd] *adj* **1.** auf (einem) Kissen ruhend, von (einem) Kissen gestützt. – **2.** gepolstert, Polster... – **3.** kissen-, polsterförmig. – **4.** *tech.* stoßgedämpft. — **'cush·ion·ing** *s* **1.** Polsterung *f.* – **2.** *tech.* a) Prellvorrichtung *f,* Prellung *f,* b) → **cushion** 6 e.
cush·ion| pink *s bot.* **1.** Stengelloses Leimkraut (*Silene acaulis*). – **2.** Gemeine Grasnelke (*Armeria vulgaris, syn. Statice armeria*). — ~ **plant** *s bot.* Polsterpflanze *f* (*polsterförmig wachsend*). — ~ **raft·er** *s tech.* 'untergelegter Stützsparren. — ~ **scale** *s zo. Am.* **1.** Wollkissen-Schildlaus *f* (*Icerya purchasi*). – **2.** Ole'ander-Schildlaus *f* (*Aspidiotus hederae*). — ~ **tire,** *bes. Br.* ~ **tyre** *s tech.* 'Hoche͵lastik-, Halbluftreifen *m.*
cush·ion·y ['kuʃəni] *adj* kissenartig, weich, federnd, nachgiebig.
Cush·ite ['kʌʃait] *s* Ku'schite *m,* Ku'schitin *f.* — **Cush·it·ic** [kə'ʃitik] *s ling.* Ku'schitisch *n.*
cush·y ['kuʃi] *adj bes. Br. sl.* leicht, angenehm, bequem.
cusk [kʌsk] *pl* **cusks,** *collect.* **cusk** *s zo.* **1.** Brosme *f,* Lumb *m,* Torsk(fisch) *m,* Seequappe *f* (*Brosmius brosme*). – **2.** Fleckige Aalraupe (*Lota maculosa*).
cusp [kʌsp] *s* **1.** Spitze *f,* spitzes Ende. – **2.** *zo.* Höcker *m* (*Zahn*). – **3.** *med.* Cuspis *f,* Zipfel *m* (*Herzklappe*). – **4.** *math.* Scheitel-, 'Umkehrpunkt *m* (*Kurve*). – **5.** *arch.* Nase *f* (*am gotischen Maßwerk*). – **6.** *astr.* Spitze *f,* Horn *n* (*Halbmond*). – **7.** *astr.* erster Eintritt, Beginn *m* der Nativi'tätsberechnung. – **8.** *bot.* Stachel *m,* harte Spitze.
cus·pa·ri·a bark [kʌs'pɛ(ə)riə] *s bot. med.* Ango'sturarinde *f* (*der südamer. Rutacee Cusparia angostura*).
cus·pate ['kʌspit; -peit], **'cus·pat·ed** [-peitid], **cusped** [kʌspt] *adj* **1.** spitz (zulaufend), in einer Spitze endend. – **2.** mit einer Spitze (versehen).
cus·pid ['kʌspid] *s med.* Eck-, Augenzahn *m.*
cus·pi·dal ['kʌspidl; -pə-] *adj math.* Spitzen...: ~ **curve** Spitzen-, Schnabelkurve. — **'cus·pi͵date** [-͵deit] **I** *adj* **1.** spitz, in einer Spitze endend, zugespitzt, Spitz... – **2.** *bot.* (stachel)spitzig, borstig zugespitzt. – **II** *v/t* **3.** zuspitzen. — **͵cus·pi'da·tion** *s arch.* Nasenverzierung *f.*
cus·pi·dor ['kʌspi͵dɔːr; -pə-] *s Am.* **1.** Spucknapf *m.* – **2.** *aer.* Speitüte *f.*
cuss [kʌs] *colloq.* **I** *s* **1.** Fluch *m,* Verwünschung *f*: **I don't care a tinker's** ~ das ist mir völlig ‚schnuppe'. – **2.** *oft humor.* Indi'viduum *n,* Kerl *m,* Exem'plar *n,* Nummer *f*: **he is a queer** ~ er ist ein komischer Kauz. – **II** *v/t* **3.** verfluchen, verwünschen: **to** ~ **s.o. out** *Am. sl.* j-n in Grund u. Boden fluchen. – **III** *v/i* **4.** fluchen. — **'cuss·ed** [-id] *adj colloq.* **1.** verflucht, verdammt, verflixt. – **2.** böse, boshaft. — **'cuss·ed·ness** *s colloq.* **1.** Bösartigkeit *f,* Bosheit *f.* – **2.** Sturheit *f.* — **cuss·er** *s colloq.* Fluchender *m.*
cuss word *s colloq.* Fluch *m,* Schimpfwort *n.*
cus·tard ['kʌstərd] *s* (*Art*) Pudding *m* aus Milch u. Eiern. — ~ **ap·ple** *s bot.* **1.** (*eine*) An'none, (*ein*) Zimtapfel *m* (*Gattg Annona, trop.-amer. Obstbaum*), *bes.* a) 'Rahm-An͵none *f,* Zuckerapfel *m* (*A. squamosa*), b) Ochsenherz *n,* Sauerapfel *m* (*A. reticulata*), c) Chiri'moya *f* (*A. cherimola*). – **2.** Pa'pau-Baum *m* (*Asimina triloba; Nordamerika*).
cus·to·di·al [kʌs'toudiəl] **I** *adj* **1.** Aufsichts..., Bewachungs..., Bewahrungs... – **2.** Haft..., Gewahrsams... – **3.** vormundschaftlich, Vormundschafts... – **II** *s* **4.** *relig.* a) Cu'stodia *f,* b) Re'liquienkästchen *n.* — **cus'to·di·an** *s* **1.** Hausmeister *m,* Hüter *m,* Verwahrer *m,* Wächter *m.* – **2.** Kustos *m* (*Museum*). – **3.** Vormund *m.* – **4.** Aufseher *m,* Treuhänder *m.* — **cus'to·di·an͵ship** *s* Amt(szeit *f*) *n* eines Verwahrers *etc.*
cus·to·dy ['kʌstədi] *s* **1.** (Ob)Hut *f,* Schutz *m,* Bewachung *f*: **in s.o.'s** ~ in j-s Obhut, unter j-s Schutz. – **2.** Aufsicht *f* (of über *acc*). – **3.** Verwaltung *f.* – **4.** *jur.* Haft *f,* Gewahrsam *m*: **protective** ~ Schutzhaft; **to take into** ~ verhaften, in Gewahrsam nehmen. – **5.** *relig.* Kusto'die *f* (*Vereinigung mehrerer Franziskanerklöster*).
cus·tom ['kʌstəm] **I** *s* **1.** Brauch *m,* Gewohnheit *f,* Sitte *f*: **as was his** ~ wie es seine Gewohnheit war; ~ **of** (*od.* **in**) **trade** *econ.* Handelssitte, -brauch. – **2.** *collect.* Sitten *pl,* Konventi'onen *pl,* Bräuche *pl.* – **3.** *jur.* a) fester Brauch, b) Gewohnheitsrecht *n*: ~ **of war** Kriegsbrauch. – **4.** *pl* Brauchtum *n.* – **5.** *hist.* (*durch Gewohnheitsrecht festgelegte*) Abgabe *od.* Dienstleistung. – **6.** Gebühr *f,* Abgabe *f,* Auflage *f,* Steuer *f.* – **7.** *econ.* Kundschaft *f,* Kunden *pl.* – **8.** *pl* Zoll *m*: **to pay (the)** ~**s** den Zoll bezahlen; ~**s authorities** Zollbehörde. – **9.** *pl* Zollbehörde *f,* -amt *n.* – *SYN. cf.* **habit.** – **II** *adj Am.* **10.** bestellt, auf Bestellung *od.* nach Maß gemacht, Maß...: ~ **work** Maßarbeit. – **11.** auf Bestellung *od.* für Kunden arbeitend, Maß...: ~ **tailor** Maßschneider. — **'cus·tom·a·ble** *adj* zoll-, gebühren-, abgabepflichtig.
cus·tom·ar·i·ness [*Br.* 'kʌstəmərinis; *Am.* -͵mer-] *s* Gewohnheit *f,* Gebräuchlichkeit *f,* Üblichkeit *f.* — **'cus·tom·ar·y I** *adj* **1.** gebräuchlich, gewöhnlich, 'herkömmlich, üblich: **as is** ~ wie es üblich ist, wie üblich. – **2.** gewohnt, Gewohnheits... – **3.** *econ. jur.* Gewohnheitsrecht..., gewohnheitsrechtlich: ~ **freehold** Lehens-, Erbpachtbesitz; ~ **law** Gewohnheitsrecht. – *SYN. cf.* **usual.** – **II** *s* **4.** (Sammlung *f* der) Gewohnheitsrechte *pl.*
'cus·tom-'built *adj Am.* für den Besteller spezi'ell gebaut, einzeln angefertigt (*Auto etc*).
cus·tom·er ['kʌstəmər] *s* **1.** Kunde *m,* Kundin *f,* Abnehmer(in), Käufer(in): **all his** ~**s** sein gesamter Kundenkreis; **chance** ~ Laufkunde; **regular** ~ Stammkunde, -gast; ~**s' man** *econ. Am. colloq.* Angestellter eines Effektenmaklers, der Kunden zu Spekulationen ermutigt. – **2.** *colloq.* Bursche *m,* Kerl *m,* Kunde *m,* Zeitgenosse *m*: **a queer** ~ ein merkwürdiger Kauz; **he is a nasty** ~ **to deal with** mit ihm ist nicht gut Kirschen essen; → **ugly** 4. — ~ **a·gent** *s econ. colloq.* Kundenvertreter *m* (*im Exportgeschäft*). — ~ **own·er·ship** *s econ.* Aktienbesitz *m* der Kundschaft gemeinnütziger Unter'nehmer (*Elektrizitätswerk etc*).
cus·tom| gar·ment *s Am.* nach Maß angefertigtes Kleidungsstück. — **'~͵house** *s* Zollgebäude *n,* -amt *n*: ~ **agent** (*od.* **broker**) Schiffszollmakler; ~ **officer** *Br.* Zollbeamter. — **'~-'made** *adj Am.* nach Maß (angefertigt), Maß..., auf Bestellung.
cus·toms| clear·ance, *auch* ~ **clear·ing** *s* Zollabfertigung *f.* — ~ **dec·la·ra·tion** *s* 'Zolldeklarati͵on *f,* -erklärung *f.* — ~ **ex·am·i·na·tion** *s* 'Zollrevisi͵on *f.* — ~ **un·ion** *s* 'Zolluni͵on *f.*
cus·tos ['kʌstɒs] *pl* **-to·des** [-'toudiːz] (*Lat.*) *s* **1.** Hüter *m,* Aufseher *m,* Kustos *m*: **C**~ **Rotulorum** *jur.* erster Aktuar (*des ersten Friedensrichters*). – **2.** *mus.* Kustos *m,* Führungs-, Leitzeichen *n.*
cus·tu·mal [*Br.* 'kʌstjuməl; *Am.* -tʃu-] **I** *adj* **1.** gewohnheitsrechtlich. – **2.** zollamtlich. – **II** *s* → **customary** 4.
cut¹ [kʌt] *s* Los *n* (*Strohhalm etc*): **to draw** ~**s** losen.
cut² [kʌt] **I** *s* **1.** Schnitt *m*: **to be a** ~ **above s.o. else** *colloq.* eine Stufe *od.* ein gutes Stück über j-d anderem stehen. – **2.** Hieb *m*: ~ **and thrust** a) (*Fechten*) Hieb u. Stoß, b) *fig.* Hieb- u. Stoßfechten, Widerstreit. – **3.** (Spaten)Stich *m.* – **4.** (Schnitt)-Wunde *f,* Schmarre *f,* Schmiß *m.* – **5.** Anschnitt *m* (*Braten etc*): **we have now reached the best** ~ jetzt sind wir am besten Teil. – **6.** Abschnitt *m,* Schnitte *f* (*Fleisch, Brot etc*): **cold** ~**s** Aufschnitt. – **7.** Stück *n* (*Fleisch*): **this** ~ **will roast well** dieses Stück wird sich gut braten. – **8.** Schnitt *m,* abgeschnittene Menge (*Holz, Heu*): **the farmer is making his second** ~ der Bauer schneidet zum zweitenmal Gras *od.* macht zum zweitenmal Heu. – **9.** *tech.* Ein-, Anschnitt *m,* Kerbe *f,* Rinne *f,* Ritz *m,* Schramm *m,* Feilenhieb *m.* – **10.** *geol. tech.* Schliff *m.* – **11.** *tech.* Schnittfläche *f.* – **12.** *tech.* kleiner Graben, Krecke *f.* – **13.** *tech.* Schrot *m, n.* – **14.** *med.* Schnitt *m,* Inzisi'on *f.* – **15.** Schlag *m,* abgeholzte Waldlichtung. – **16.** Einschnitt *m,* 'Durchschnitt *m,* -stich *m,* ('Brücken)͵Durchlaß *m.* – **17.** Weg(ab)kürzung *f,* 'Durchgang *m*: **to take a short** ~ einen Abkürzungsweg einschlagen. – **18.** Tunnel *m.* – **19.** (*Krik-*

ket) a) Schneiden *n* (*Ball*), b) geschnittener Ball. – **20.** (*Tennis*) Drehschlag *m*, geschnittener Ball. – **21.** Stück *n*, Länge *f* (*Tuch, Stoff*). – **22.** Schnitt *m*, Form *f*, Machart *f*, Fas'son *f* (*Kleid*): **of the latest ~** nach der neuesten Mode. – **23.** Schnitt *m*, Schliff *m*, Art *f* der Facet'tierung (*Edelstein*). – **24.** *print.* a) (Kupfer-) Stich *m*, Abbildung *f*, b) Druck-, Bildstock *m*, c) Kli'schee *n*. – **25.** *econ.* Gebinde *n* (*Maß*). – **26.** *econ.* Abschnitt *m*, ('Zins)Ku,pon *m* (*an Wertpapieren*). – **27.** Streichung *f*, Kürzung *f*, Auslassung *f*, Ausschnitt *m* (*Buch*). – **28.** Abschnitt *m*, Absatz *m* (*Artikel*). – **29.** *econ.* Beschneidung *f*, Abstrich *m*, Kürzung *f*, Senkung *f*: (*Preise, Löhne*): **a ~ in wages** (*od.* **in pay**) ein Lohnabzug, eine Lohnsenkung; **a general ~ in prices** eine allgemeine Preissenkung. – **30.** *Am. sl.* Anteil *m*: **his ~ was 20%** er bekam 20%. – **31.** *fig.* Art *f*, Schlag *m*: **he is of quite a different ~** er ist aus ganz anderem Holz geschnitzt. – **32.** Gesichtsschnitt *m*, Aussehen *n*: **I don't like the ~ of his jib** *sl.* er ist mir unsympatisch, seine Nase paßt mir nicht. – **33.** *fig.* Seitenhieb *m*, scharfe Kri'tik, Spott *m*, Unhöflichkeit *f*. – **34.** *colloq.* Schneiden *n*, Nicht'kennenwollen *n*, Grußverweigerung *f*: **to give s.o. the ~ direct** j-n in auffälliger Weise schneiden. – **35.** *colloq.* ‚Schwänzen' *n*, ‚Blaumachen' *n* (*Schule etc*). – **36.** (*Kartenspiel*) Abheben *n*: **it is your ~** Sie heben ab. –

II *adj* **37.** beschnitten, (zu)geschnitten, gestutzt, gehauen, gespalten, zersägt: **~ flowers** Schnittblumen. – **38.** *bot.* (ein)gekerbt. – **39.** gemeißelt, geschnitzt, behauen. – **40.** *tech.* geschoren (*Tuch*). – **41.** geschnitten, gra'viert, geschliffen, facet'tiert. – **42.** *zo.* geschnitten, ka'striert: **a ~ horse** ein Wallach. – **43.** *econ.* her'abgesetzt, erniedrigt, ermäßigt. – **44.** *sl.* betrunken, ‚blau'. –

III *v/t pret u. pp* **cut 45.** (be-, zer)schneiden, ab-, 'durchschneiden, einen Schnitt machen in (*acc*): **to ~ one's finger** sich in den Finger schneiden; **to ~ a hedge** eine Hecke beschneiden *od.* stutzen. – **46.** *reflex* sich schneiden: **he has ~ himself** er hat sich geschnitten. – **47.** durch Schneiden *od.* einen Schnitt abtrennen, zertrennen: **to ~ to pieces** zerstückeln; → **two** 3. – **48.** abhacken, -schneiden, -sägen, mähen: **to ~ a book** ein Buch aufschneiden; **to ~ grass** Gras mähen, Heu machen; **to ~ trees** Bäume fällen; **to ~ turf** Rasen stechen; **to ~ wood** Holz hacken. – **49.** *mar.* (*Ankertau etc*) kappen. – **50.** beschneiden, stutzen, ku'pieren: **to ~ s.o.'s hair** j-m die Haare schneiden; **to ~ one's nails** sich die Nägel schneiden. – **51.** (*durch Schnitt etc*) verwunden, verletzen. – **52.** schlagen: **to ~ a horse with a whip.** – **53.** (*Tiere*) ka'strieren, verschneiden. – **54.** zu'recht-, zuschneiden. – **55.** (durch Schneiden) bilden, formen, behauen. – **56.** 'einritzen, -schneiden, -gra,vieren. – **57.** (*Weg*) ausgraben, -hauen, (*Graben*) stechen, (*Tunnel*) bohren: **to ~ one's way** sich einen Weg bahnen. – **58.** *agr.* (*Land*) 'umackern, pflügen: → **ground**[1] *b. Redw.* – **59.** (*Haut*) aufspringen lassen, schneiden. – **60.** *bes. math.* durch'schneiden, -'stoßen, kreuzen. – **61.** (*etwas*) einschränken, kürzen, beschneiden: **to ~ an article by half** einen Aufsatz um die Hälfte kürzen; **to ~ a film** einen Film schneiden; **to ~ a scene** einige Streichungen in einem Auftritt machen. – **62.** *econ.* (*Preise*) her'absetzen, drücken, erniedrigen. – **63.** *econ.* (*Verlust*) abbuchen, abschreiben: **I have ~ my losses** a) ich habe meine Verluste abgeschrieben, b) *fig.* ich habe diese Sache aufgegeben. – **64.** *tech.* verdünnen, auflösen. – **65.** *colloq.* verwässern, ‚pantschen': **to ~ whisky.** – **66.** (*Farbe*) weicher machen, mildern. – **67.** (*Wasser, Luft*) zerteilen, durch'schneiden. – **68.** (*Zahn*) 'durchbrechen lassen: **the baby is ~ting his teeth** das Baby zahnt; → **eyetooth; wisdom tooth.** – **69.** *tech.* abstoßen, (*Metall*) schneiden, beschroten, fräsen, scheren, schleifen, (*Verbindung*) trennen. – **70.** (*Bergbau*) kerben, schrämen: **to ~ coal** Kohle(n) hauen. – **71.** *med.* (ab)schneiden: **to ~ the (umbilical) cord** abnabeln. – **72.** *fig.* betrüben, verletzen, kränken: **it ~ him to the heart** es tat ihm in der Seele weh, es schnitt ihm ins Herz; **I was ~ to the quick** ich war tief gekränkt. – **73.** *colloq.* (*j-n*) schneiden, nicht grüßen: **to ~ s.o. dead** j-n vollständig ignorieren. – **74.** *colloq.* fernbleiben von, (*Schule etc*) ‚schwänzen'. – **75.** *fig.* aufgeben, links liegenlassen, (*Verbindung*) abbrechen: **to ~ all connections with s.o.** mit j-m nichts mehr zu tun haben wollen. – **76.** (*Karten*) abheben. – **77.** (*Kricket, Tennis, Billard*) (*Ball*) schneiden. – **78.** *Am. sl.* (*Gewinne*) teilen. – **79.** *sport* (*Rekord*) brechen. –

IV *v/i* **80.** schneiden, hauen (in, into in *acc*), bohren, hauen, sägen, stechen: **this drill ~s untrue** dieser Bohrer geht schief *od.* reißt ein; **this argument ~s both ways** das ist ein zweischneidiges Argument, dieses Argument beweist nichts. – **81.** sich (gut) schneiden *od.* zerlegen lassen. – **82.** ein scharfes Werkzeug benutzen. – **83.** 'durchbrechen (*Zähne*). – **84.** den geradesten Weg *od.* eine Wegabkürzung einschlagen. – **85.** *sl.* schnell (weg)rennen, ‚abhauen': **~ along!** hau ab! – **86.** treffen, kränken. – **87.** sich schnell (*durch etwas*) bewegen. – **88.** sich streifen, sich in die Eisen hauen (*Pferd*). – **89.** (*Kartenspiel*) abheben: **who ~s?** wer hebt ab? **to ~ for partners** (*durch Abheben*) die Partner auslosen. – **90.** *sport* (*gewohnheitsmäßig*) Bälle schneiden. – **91.** *colloq.* ohne Erlaubnis (*von der Schule etc*) wegbleiben, ‚schwänzen'. – **92.** *phot.* aufhören, abbrechen (*beim Filmen*). – **93.** (*Malerei*) in die Augen fallen, her'vortreten (*grelle Farbe*). – **94.** *Am. sl.* die Gewinne teilen. – **95.** (*Tanzen*) Kreuzsprung machen, Entre'chat schlagen. –

Besondere Redewendungen:

to ~ a caper a) einen Luftsprung machen, b) sich auffallend benehmen, auffallen; → **cackle** 5; **coat** 1; **to ~ a dash** (*od.* **shine** *colloq. od.* **splash** *colloq.*) a) eine (bedeutende) Rolle spielen, b) großen Erfolg haben, prominent werden; **~ and dried** a) vorbereitet *od.* ausgedacht, b) schablonenhaft, nicht spontan, ausgeleiert, abgestanden; **to ~ it fat** *sl.* a) groß *od.* dicke tun, b) eine (bedeutende) Rolle spielen, c) großen Erfolg haben, prominent werden; **to ~ one's eye** *sl.* Lunte riechen, mißtrauisch werden; → **figure** 5; **fine**[1] 15; **Gordian**; **to ~ it** *colloq.* rennen, ‚abhauen'; → **story**[1] 4; **mutton** 1; **ice** 1; **that ~s no ice with me** das läßt mich kalt, das macht auf mich gar keinen Eindruck; → **painter**[2]; **to ~ one's stick** *sl.* ‚abhauen'; **to ~ a stick** *mar. sl.* desertieren; **to ~ a tooth** *colloq.* zu verstehen beginnen, ‚kapieren'; **to ~ one's teeth on s.th.** etwas mit der Muttermilch einsaugen. –

Verbindungen mit Präpositionen:

cut| a·cross *v/t* **1.** (*etwas*) quer abschneiden, (hin)'durchlaufen durch: **we can ~ this field** wir können durch dieses Feld gehen. – **2.** *tech.* (*Gebirge*) durch'örtern. – **3.** im 'Widerspruch stehen zu, sich nicht vereinbaren lassen mit. – **4.** einschlagen in (*acc*), (*etwas*) berühren. — **~ in·to** *v/t* **1.** einschneiden *od.* -hauen in (*acc*) (*auch fig.*): **it ~ his time** es nahm ihm Zeit weg. – **2.** *math.* durch'dringen: **they ~ each other** sie durchdringen sich. — **~ through** *v/t* durch'schneiden, -'hauen, -'stechen, -'graben (*auch fig.*) –

Verbindungen mit Adverbien:

cut| a·cross *v/i tech.* quer zur Faser schneiden. — **~ a·drift** *v/i mar. od. fig.* loskommen, sich freimachen, sich selbständig machen. — **~ a·new** *v/i tech.* aufhauen. — **~ a·way** *v/t* ab-, aus-, wegschneiden, -hauen, -sägen. — **~ back I** *v/t* **1.** (*Bäume*) stutzen, kürzen: **to ~ plants** Pflanzen beschneiden. – **2.** *tech.* drosseln: **to ~ speed.** – **II** *v/i* **3.** auf frühere Ereignisse zu'rückgreifen, (zu)'rückblenden (*Film, Roman*). – **4.** (*Rugby*) plötzlich die Richtung wechseln. — **~ down** *v/t* **1.** nieder-, ab-, wegschneiden, -hauen. – **2.** (*Bäume*) fällen, (*Wald*) abholzen, (*Getreide*) mähen. – **3.** zu'rechtschneiden. – **4.** niederschlagen, -metzeln, zu'sammenhauen, (*Truppen*) aufreiben. – **5.** *fig.* da'hin-, wegraffen. – **6.** beschneiden, (ver)kürzen, (*Ausgaben*) verringern, einschränken, (*Manuskript*) zu'sammenstreichen, (*Preise*) senken. – **7.** *obs.* demütigen: **to cut s.o. down to size** *Am. sl.* j-n herunterputzen, j-m gehörig die Meinung sagen. – **8.** *tech.* abdrehen. – **9.** *mar.* (*Schiff*) abwracken. — **~ in I** *v/t* **1.** *electr. tech.* (*Motor*) einschalten. – **II** *v/i* **2.** her'einplatzen, sich plötzlich einmischen, das Gespräch *od.* die Reihe unter'brechen. – **3.** sich (*in einen Strom von Fahrzeugen*) einreihen. – **4.** *colloq.* (*beim Tanz*) abklatschen. – **5.** (*Kartenspiel*) als Partner einspringen. — **~ loose** *v/i* **1.** *sl.* ‚abhauen'. – **2.** Hemmungen fallenlassen, sich gehenlassen. – **3.** alle Verbindungen abbrechen, sich zu'rückziehen. – **4.** *fig. Am.* a) wild darauf losschießen, b) frei von der Leber weg sprechen. — **~ off** *v/t* **1.** abschneiden, -hauen, -sägen: **to ~ s.o.'s head** j-n köpfen. – **2.** (*Strom etc*) absperren, -drehen, -schneiden: **to ~ the water at the main** das Wasser am Haupthahn abdrehen; **to ~ the enemy's retreat** dem Feind den Rückzug abschneiden. – **3.** *fig.* abschneiden, trennen. – **4.** *fig.* (*Debatte*) abbrechen. – **5.** enterben; → **shilling** 1. – **6.** da'hinraffen: **to be ~ in one's prime** in den besten Jahren dahingerafft werden *od.* sterben. — **~ o·pen** *v/t* aufschneiden, -trennen: **to cut a book open** ein Buch aufschneiden. — **~ out I** *v/t* **1.** (her)'aus-, zuschneiden, aussägen: **to ~ a dress** ein Kleid zuschneiden. – **2.** *nur pass* ausersehen: **to be ~ for a job** für eine Aufgabe wie geschaffen sein. – **3.** *nur pass* ersinnen, vorbereiten, zuteilen: **he has his work ~ for him** a) er hat seine bestimmte Arbeit, b) *fig.* er hat (mehr als) genug zu tun. – **4.** (*Gegner*) ausstechen, -schalten, verdrängen: **he cut me out with her** er hat mich bei ihr ausgestochen. – **5.** *tech.* her'ausnehmen (*aus einer Gruppe*), abkuppeln, ab-, ausschalten, (*Störungen*) entfernen. – **6.** *fig.* fernhalten, abschneiden. – **7.** *colloq.* entfernen, abstellen, verhindern. – **8.** *mar.* (*Schiff*) durch Abschneiden von der Küste kapern. – **9.** *Am.* (*Weidetier*) von der

Herde absondern. – **10.** *Am. sl.* (*etwas*) unter'lassen, aufhören mit: cut that out! laß das! – **II** *v/i* **11.** plötzlich her'auskommen *od.* abbiegen (*Fahrzeug*). – **12.** (*Kartenspiel*) (*durch Abheben*) ausscheiden. – **13.** aussetzen (*Motor*). — **~ o·ver** *v/t* (*Wald*) ausforsten, abholzen. — **~ short** *v/t* plötzlich beenden, unerwartet kürzen. — **~ through** *v/i* **1.** sich 'durchschlagen, (sich) einen Weg bahnen. – **2.** einen Abkürzungsweg einschlagen. – **3.** (*Rugby*) in plötzlichem Richtungswechsel durch die gegnerischen Reihen brechen. — **~ un·der I** *v/t* (*Konkurrenten*) unter'bieten. – **II** *v/i* unter dem Marktpreis verkaufen, Waren verschleudern. — **~ up I** *v/t* **1.** zerschneiden, -hauen, -sägen. – **2.** zerlegen, se'zieren, ausschlachten. – **3.** (*Einförmigkeit*) unter'brechen. – **4.** (*Buch, Autor*) scharf kriti'sieren, her'untermachen. – **5.** *meist pass* ergreifen, betrüben, kränken: to be ~ tief betrübt sein. – **II** *v/i* **6.** *Br. sl.* sich benehmen: to ~ rough grob *od.* rauhbeinig werden; to ~ fat (*od.* rich) reich sterben, ein großes Vermögen hinterlassen. – **7.** *Am. sl.* lustig *od.* ‚aus dem Häuschen' sein.

'cut-and|-'come-a'gain *s* **1.** Hülle *f* und Fülle *f.* – **2.** *bot.* 'Sommerlevˌkoje *f* (*Matthiola incana annua*). — **'~-'cov·er shel·ter** *s mil.* 'Unterstand *m* (*unter der Erde*).

cu·ta·ne·ous [kjuː'teiniəs] *adj med.* ku'tan, Haut...

'cut·aˌway I *adj* **1.** beschnitten, gekürzt. – **2.** schneidend, mit Schneidewirkung. – **3.** mit abgerundeten Vorderschößen (*Jacke*). – **4.** Schnitt..., im Schnitt: ~ model Schnittmodell; ~ view of the engine der Motor im Schnitt. – **II** *s* **5.** *colloq. für* ~ coat. – **6.** *auch* ~ harrow *agr.* Scheibenegge *f.* — **~ coat** *s* Cut(away) *m.*

'cutˌback *s* **1.** Zu'rückschneiden *n*, Beschneiden *n*, Stutzen *n.* – **2.** Rückschnitt *m.* – **3.** zu'rückgeschnittene Pflanze. – **4.** (*Film etc*) Rückblende *f.* – **5.** *Am.* Redu'zierung *f*, Verringerung *f*, Einschränkung *f*, Kürzung *f*, Abstrich *m.*

cutch [kʌtʃ] → catechu.

cut·cher·ry [kə'tʃeri], **cutch·er·y** ['kʌtʃəri] *s Br. Ind.* Verwaltungsamt *n*, -gebäude *n.*

cute [kjuːt] *adj colloq.* **1.** klug, schlau, scharfsinnig. – **2.** *Am.* nett, hübsch, niedlich. — **'cute·ness** *s colloq.* **1.** Klug-, Schlauheit *f.* – **2.** *Am.* Niedlichkeit *f.*

'cut|-ˌfin·ger *s bot.* **1.** Großes Immergrün (*Vinca major*). – **2.** Knotige Braunwurz (*Scrophularia nodosa*). – **3.** Coty'ledon *n* (*Cotyledon teretifolia; Crassulacee*). – **4.** a) Speer-, Spiekwurzel *f* (*Valeriana phu*), b) (*ein*) Baldrian *m* (*Valeriana pyrenaica*). — **~ gear** *s tech.* Zahnrad *n* mit bestoßenen Kanten. — **~ glass** *s* geschliffenes *od.* facet'tiertes Glas. — **'~ˌgrass** *s bot.* Schneidegras *n*, *bes.* Reisquecke *f* (*Gattg Leersia*).

Cuth·bert ['kʌθbərt] *s Br. sl.* ‚Drückeberger' *m* (*bes. mil.*).

'cutˌheal *s bot.* Baldrian *m* (*Valeriana officinalis*).

cu·ti·cle ['kjuːtikl] *s* **1.** *med.* Ku'tikula *f*, (Ober)Häutchen *n*, Epi'dermis *f.* – **2.** *zo.* Ku'tikula *f* (*zellfreie Abscheidung der Oberhaut*). – **3.** *bot.* Ku'tikula *f* (*äußerste Schicht der Oberhaut*). – **4.** Deck-, Oberhaut *f*, *bes.* Nagelhaut *f.* – **5.** Häutchen *n* (*auf Flüssigkeiten*).

cu·tic·u·la [kjuː'tikjulə; -jə-] *pl* **-lae** [-ˌliː] *s* **1.** → cuticle 1 *u.* 2. – **2.** *zo.* Chi'tinpanzer *m* (*Insekten*). — **cu'tic·u·lar** *adj* kutiku'lär, Oberhaut...

cut·in[1], *Br.* **cut-in** ['kʌtˌin] **I** *adj* **1.** eingefügt, zwischengeschaltet. – **II** *s* **2.** *electr.* Zwischenschaltung *f*, Einschalter *m.* – **3.** Einschiebung *f*, Einfügung *f.* – **4.** Zwischentitel *m* (*bei Filmen*).

cu·tin[2] ['kjuːtin] *s bot.* Ku'tin *n.*

cu·tin·ize ['kjuːtiˌnaiz] **I** *v/i* Ku'tin bilden. – **II** *v/t* in Ku'tin verwandeln.

cu·tis ['kjuːtis], *auch* **~ ve·ra** ['vi(ə)rə] *s med.* Kutis *f*, Korium *n*, Lederhaut *f.* — **ˌcu·ti'za·tion** *s med.* 'Übergehen *n* von Schleimhaut in Haut.

cut·las(s) ['kʌtləs] *s* **1.** *mar.* Entermesser *n.* – **2.** Ma'chete *f*, Busch-, Hackmesser *n.* — **~ fish** *s zo.* Bandfisch *m* (*Trichiurus lepturus*).

cut·ler ['kʌtlər] *s* **1.** 'Messer-, 'Klingenschmied *m*, -fabriˌkant *m.* – **2.** Scherenschleifer *m.* — **'cut·ler·y** *s* **1.** Messerschmiedehandwerk *n.* – **2.** *collect.* Schneidewaren *pl.* – **3.** Tisch-, Eßbesteck *n.*

cut·let ['kʌtlit] *s* **1.** Kote'lett *n*, Karbo'nade *f*, Rippenstück *n.* – **2.** Cro'quette *f.*

'cut|ˌlips *s zo.* **1.** Spaltlippige Seebarbe (*Exoglossum maxillingua*). – **2.** Hasenlippiger Sauger (*Lagochila lacera*). — **~ me·ter** *s tech. ein Tachometer zur Messung der Schnittgeschwindigkeit mechanischer Werkzeuge.* — **~ nail** *s tech.* Polsternagel *m.*

'cutˌoff *s* **1.** Abkürzung *f*, *bes.* Abkürzungsweg *m.* – **2.** *geol.* a) Mä'anderabschnürung *f* (*Fluß*), b) na'türlich abgeschnürte Flußschlinge. – **3.** (*Wasserbau*) 'Stichkaˌnal *m.* – **4.** *electr.* a) (Ab)Sperrung *f*, Abschaltung *f*, b) Sperr-, Ausschalt(zeit)punkt *m*, c) 'Sperr-, 'Abschaltperiˌode *f*, -zeit *f*, d) Ausschalt-, Sperrvorrichtung *f*, e) *auch* ~ point Sperrpunkt *m*, -stelle *f* (*in einem Stromkreis*). – **5.** Brennschluß *m* (*bei Raketen*). — **~ bi·as** *s electr.* (Gitter)-Sperrspannung *f.* — **~ valve** *s tech.* 'Absperrvenˌtil *n.*

'cut|ˌout *s* **1.** Ausschnitt *m.* – **2.** Ausschnittstelle *f.* – **3.** 'Ausschneidefiˌgur *f* (*für Kinder*). – **4.** *electr.* a) Ausschalter *m*, Unter'brecher *m*, b) 'Sicherung(sautoˌmat *m*) *f*, c) Unter'brechung *f*, Kurzschluß *m.* – **5.** *tech.* Auspuffklappe *f.* – **6.** her'ausgeschnittene Szene (*Film*). — **'~ˌo·ver I** *adj* abgeholzt (*Forstland*). – **II** *s* Kahlschlag *m.* — **~ price** *s econ.* redu'zierter Preis. — **'~ˌpurse** *s* Taschendieb(in). — **~ rate** *s econ. Am.* ermäßigter Preis. — **'~-'rate** *adj econ. Am.* ermäßigt, zu her'abgesetzten Preisen verkaufend (*Händler etc*) *od.* verkauft (*Waren*). — **~ stone** *s tech.* Haustein *m.* — **~ sug·ar** *s* Würfelzucker *m.*

cut·tage ['kʌtidʒ] *s agr. bot.* Stecklings-[vermehrung *f.*]

cut·ter ['kʌtər] *s* **1.** (Blech-, Holz)-Schneider *m*, Zuschneider *m*, (Stein)-Hauer *m.* – **2.** *tech.* a) 'Schneideappaˌrat *m*, -maˌschine *f*, -werkzeug *n*, b) Beschneider *m*, c) Zentrums-, Löffelbohrer *m*, d) Münzschere *f*, e) Keil *m*, Schlüssel *m*, Splint *m*, f) Fräser *m*, Fräsemesser *n*, Schneidezahn *m*, g) Stichel *m*, Meißel *m*, Stahl *m*, h) Paral'lelschere *f.* – **3.** (*Bergbau*) Gesteinshauer *m*, Häuer *m.* – **4.** *tech.* (*Art*) weicher Backstein. – **5.** (*Film*) Cutter *m*, Schnittmeister(in). – **6.** *Am.* einspänniger Schlitten. – **7.** *mar.* a) Kutter *m*, b) (Bei)Boot *n* (*von Kriegsschiffen*), c) *auch* **coast guard ~** *Am.* Küstenwachfahrzeug *n.* – **8.** *Am.* minderwertiges Fleisch (*notgeschlachteter Tiere*). — **~ ar·bor** *s tech.* Fräsbolzen *m*, -dorn *m.* — **~ bar** *s tech.* **1.** Bohrstange *f*, -spindel *f*, -welle *f.* – **2.** (*Drechslerei*) Gegenhalt *m.* – **3.** *tech.* Finger-, Schneidebalken *m*, -stange *f* (*Mähmaschine*). — **~ block** *s tech.* Schlitten *m* (*von Hobelmaschinen*). — **'~ˌhead** *s tech.* **1.** Bohr-, Messerkopf *m*, Bohrkrone *f.* – **2.** Fräs(spindel)kopf *m.* – **3.** Hobelmesser *n.*

'cutˌthroat I *s* **1.** (gedungener) Halsabschneider, (Meuchel)Mörder *m.* – **2.** *fig.* Halsabschneider *m*, Schuft *m.* – **3.** *bot.* a) Mustangtraube *f* (*Vitis candicans*), b) Schmalblättriges Wollgras (*Eriophorum polystachyon*). – **4.** *zo.* a) Bandfink *m* (*Amadina fasciata*), b) Dorngrasmücke *f*, Weißkehlchen *n* (*Sylvia communis*). – **5.** *ein Kartenspiel, meist zu dritt.* – **II** *adj* **6.** mörderisch, grausam, Mörder... – **7.** *fig.* mörderisch, halsabschneiderisch, rui'nös, vernichtend: ~ price Wucherpreis. – **8.** zu dreien gespielt (*Kartenspiel*). — **~ grass** *s bot.* (*eine*) Hirse (*Panicum combsii*). — **~ trout** *s zo. eine kaliforn. See-u. Flußforelle* (*Salmo clarkii*).

cut·ting ['kʌtiŋ] **I** *s* **1.** Schneiden *n.* – **2.** Beschneiden *n*, (Ver)Kürzen *n*: ~ of rations Rationskürzung. – **3.** Verschneiden *n* (*Getränke*). – **4.** Verdünnen *n* (*Flüssigkeiten*). – **5.** Ausschneiden *n.* – **6.** (Zeitungs)Ausschnitt *m.* – **7.** Fällen *n* (*Bäume*). – **8.** (Holz)-Schlag *m.* – **9.** *tech.* a) Einschnitt *m*, 'Durchstich *m*, Abgrabung *f*, b) Fräsen *n*, Schneiden *n*, spanabhebende Bearbeitung, Zerspanung *f*, c) Kerbe *f*, Schlitz *m*, d) *pl* (Dreh-, Hobel)Späne *pl*, e) *pl* Abfälle *pl*, Schnitzel *pl.* – **10.** (*Gartenbau*) Ableger *m*, Steckling *m*, Setzling *m.* – **11.** *med.* 'Durchbruch *m* (*Zähne*). – **12.** (*Film*) (Licht)-Schnitt *m.* – **II** *adj* **13.** Schneid(e)..., Schnitt..., schneidend. – **14.** *fig.* scharf, schneidend, beißend: a ~ remark eine beißende Bemerkung. – **15.** *fig.* schneidend (*Wind*). – **16.** bohrend, durch'dringend (*Blick*). – *SYN.* *cf.* incisive. — **~ an·gle** *s tech.* Schneide-, Schnittwinkel *m.* — **~ blow·pipe** *s tech.* Schneidbrenner *m.* — **~ board** *s* Zuschneidebrett *n*, -tisch *m.* — **~ com·pound** *s tech.* Kühlflüssigkeit *f*, -mittel *n* (*für Schneidewerkzeuge*). — **~ die** *s tech.* Schneideisen *n*, 'Schneide-, 'Stanzschaˌblone *f*, 'Schnittmaˌtrize *f.* — **~ lu·bri·cant** → cutting compound. — **~ ma·chine** *s tech.* (Be)'Schneide-, 'Fräsmaˌschine *f.* — **'~-'off** *s tech.* **1.** Abschneiden *n*, Abstechen *n*, Schneidarbeit *f*: ~ tool Abstech-, Schneidstahl. – **2.** Absperren *n* (*Dampf*). — **~ oil** *s tech.* Kühlöl *n.* — **~ press** *s tech.* (Be)-Schneide-, Schnittpresse *f.* — **~ punch** *s tech.* Locheisen *n*, Abschneid-, Schnittstempel *m.* — **~ sand** *s tech.* Schleif-, Po'liersand *m.* — **~ torch** → cutting blowpipe.

cut·tle ['kʌtl] → cuttlefish. — **'~ˌbone** *s zo.* Blackfischbein *n*, weißes Fischbein, Kalkschulp *m.* — **'~ˌfish** *s zo.* (*ein*) Kopffüßer *m* (*Klasse Cephalopoda*), *bes.* Gemeiner Tintenfisch, Kuttelfisch *m* (*Sepia officinalis*).

cut·ty ['kʌti] *bes. Scot.* **I** *adj* **1.** kurz (geschnitten). – **2.** ner'vös, ungeduldig. – **II** *s* **3.** kurzer Hornlöffel. – **4.** Stummelpfeife *f.* – **5.** unter'setzte Frau. – **6.** Dirne *f.* — **'~ˌhunk** *s Am.* starke Angelschnur. — **~ stool** *s bes. Scot.* **1.** Schemel *m.* – **2.** *hist.* Arme-'sünderstuhl *m.*

'cutˌup *pl* **'cutˌups** *s sl.* **1.** Angeber *m*, Aufschneider *m.* – **2.** Spaßvogel *m.*

cut| vel·vet *s* Voile- *od.* Chif'fonstoff *m* mit Samtmuster. — **'~ˌwa·ter** *s* **1.** *mar.* Schegg *m.* – **2.** (*Brückenbau*) Pfeilerhaupt *n*, -kopf *m.* — **'~ˌwork** *s* (*Stickerei*) 'Durchbrucharbeit *f.* — **'~ˌworm** *s zo. Raupe bestimmter Eulenfalter der Gattg Agrotis.*

cyan- [saiən] → cyano-.

cy·an·am·ide [ˌsaiə'næmid; -aid; sai'ænəm-], *auch* **ˌcy·an'am·id** [-id] *s* *chem.* 1. Cyana'mid *n* ($CN{\cdot}NH_2$). – 2. Ester *m od.* Salz *n* des Cyana'mids. – 3. Kalkstickstoff *m* ($CaCN_2$; *Düngemittel*). — **'cy·aˌnate** [-əˌneit] *s chem.* Cya'nat *n.*

cy·an blue ['saiən] **I** *s* Cy'anblau *n.* – **II** *adj* cy'anblau, grünlichblau.

cy·a·ne·ous [sai'einiəs] *adj* dunkelblau.

cy·an·ic [sai'ænik] *adj* **1.** blumen-, cy'anblau. – **2.** *chem.* Cyan..., cy'ansauer: ~ **chloride** Cyanchlorid. — ~ **ac·id** *s chem.* Cy'ansäure *f* (HOCN).

cy·a·nid ['saiənid] → **cyanide** I.

cy·a·nide ['saiəˌnaid; -nid] **I** *s* **1.** *chem.* Cya'nid *n*: ~ **of copper** Cyankupfer; ~ **of potash** Zyankali. – **II** *v/t* **2.** *tech.* (*Hüttenwesen*) a) zemen'tieren, b) im Cya'nidverfahren bearbeiten. — ~ **proc·ess** *s tech.* Cya'nidlaugung *f*, -laugeˌrei *f*, -verfahren *n.*

cy·an·i·dine [sai'æniˌdiːn; -din], *auch* **cy'an·i·din** [-din] *s chem.* Cyani'din *n.*

cy·a·nine ['saiəˌniːn; -nin], *auch* **'cy·a·nin** [-nin] *s chem.* Cya'nin *n* (*Diglucosid des Cyanidins*). — **'cy·aˌnite** [-ˌnait] *s min.* Cya'nit *m*, Di'sthen *m* (Al_2SiO_5).

cyano- [saiəno] *Wortelement mit der Bedeutung* a) dunkelblau, b) Cyanid, Cyano...

cy·an·o·gen [sai'ænədʒən] *s chem.* **1.** Cy'an *n* (CN; *Radikal*). – **2.** 'Di-cyˌan *n* [$(CN)_2$; *Gas*].

cy·a·no·hy·drin [ˌsaiəno'haidrin] *s chem.* Cyˌanhy'drin *n.*

cy·a·nom·e·ter [ˌsaiə'nɒmitər; -mə-] *s phys.* Cyano'meter *n.*

cy·a·no·sis [ˌsaiə'nousis], *auch* ˌ**cy·a'nop·a·thy** [-'nɒpəθi] *s med.* Cya'nose *f*, Blausucht *f.* — ˌ**cy·a'not·ic** [-'nɒtik] *adj med.* cya'notisch.

cy·an·o·type [sai'ænəˌtaip] *s phot.* **1.** Cyanoty'pie *f* (*ein negatives Lichtpausverfahren*). – **2.** Blaupause *f.*

cy·a·nu·ric ac·id [ˌsaiə'nju(ə)rik; *Am. auch* -'nur-] *s chem.* Cya'nur-, Tricy-'ansäure *f* [$C_3N_3(OH)_3$].

cy·ath·i·um [sai'æθiəm] *pl* **-i·a** [-ə] *s bot.* Cy'athium *n*, Blütenstandsbecher *m.*

cy·ber·net·ic [ˌsaibər'netik] *adj* kyber'netisch. — ˌ**cy·ber'net·ics** *s pl* (*als sg konstruiert*) *biol. tech.* Kyber'netik *f* (*Wissenschaft von den Steuerungs- u. Regelungsvorgängen*).

cy·cad ['saikæd] *s bot.* Zyka'dee *f*, Farnpalme *f* (*Fam. Cycadaceae*). — **cyc·a·da·ceous** [ˌsikə'deiʃəs] *adj bot.* zur Fa'milie der Zyka'deen gehörend, farnpalmenartig.

cycl- [saikl; sikl] → **cyclo-**.

cyc·la·men ['sikləmən] *s bot.* Alpenveilchen *n* (*Gattg Cyclamen*).

cyc·la·mine ['sikləˌmiːn; -min], *auch* **'cyc·la·min** [-min] *s chem.* cyclisches A'min (*allgemeine Bezeichnung der cyclischen Stickstoffbasen*).

cy·cle ['saikl] **I** *s* **1.** Zyklus *m*, Kreis(lauf) *m*: **business** ~ Konjunkturrhythmus. – **2.** Peri'ode *f.* – **3.** *astr.* Himmelskreis *m.* – **4.** Zeitalter *n*, Ära *f.* – **5.** (Gedicht-, Lieder-, Sagen)Kreis *m*, Zyklus *m*: **legendary** ~ Sagenkreis. – **6.** Folge *f*, Reihe *f*, Serie *f* (*Schriften*). – **7.** a) Fahrrad *n*, b) Dreirad *n.* – **8.** *electr. phys.* Peri'ode *f*: ~**s per second** Perioden pro Sekunde, Hertz. – **9.** *tech.* a) (Arbeits)Spiel *n*, Arbeitsgang *m*, b) (Motor)Takt *m.* – **10.** (*Thermodynamik*) 'Kreisproˌzeß *m.* – **11.** *chem.* Ring *m.* – **12.** *math.* a) Kreis *m*, b) → **cyclic permutation**. – **13.** *bot.* Quirl *m*, Wirtel *m.* – **14.** *zo.* Zyklus *m*, Entwicklungsgang *m.* – **II** *v/i* **15.** einen Kreislauf bilden *od.* 'durchmachen. – **16.** peri'odisch 'wiederkehren *od.* vorkommen, sich regelmäßig wieder'holen. – **17.** radfahren, radeln. — '~ˌ**car** *s* Kleinstauto *n*, -wagen *m.*

cy·cler ['saiklər] → **cyclist**.

cyc·li·an ['sikliən] → **cyclic** I.

cy·clic ['saiklik; 'sik-] **I** *adj* **1.** zyklisch: a) Kreislauf..., kreisläufig, einen Kreislauf bildend, b) regelmäßig 'wiederkehrend, peri'odisch. – **2.** *chem.* zyklisch, Zyklo..., Ring... – **3.** *bot.* a) zyklisch, wirtelig (*Blüte*), b) zyklisch angeordnet (*Blütenteile*). – **4.** zyklisch (*Sagenzyklus etc betreffend*): ~ **poet** zyklischer Dichter, Zykliker. – **5.** *psych.* zyklisch: ~ **insanity** zyklisches (manisch-depressives) Irresein. – **II** *s* **6.** zyklisches Gedicht. — **'cy·cli·cal** → **cyclic** I. — **'cy·cli·cal·ly** *adv* (*auch zu* **cyclic** I).

cy·clic| cho·rus *s antiq.* zyklischer Chor (*im Kreis stehender od. tanzender Chor im Dionysoskult*). — ~ **per·mu·ta·tion** *s math.* zyklische Permutati'on. — ~ **rate** *s mil.* Feuergeschwindigkeit *f* (*bei automatischen Waffen*).

cy·clide ['saiklid; -klaid] *math.* Zy'klide *f*: **Dupin's** ~ Dupinsche Zyklide.

cy·cling ['saikliŋ] *s* **1.** Radfahren *n.* – **2.** *sport* Radrennsport *m*: ~ **race** Radrennen; ~ **track** Radrennstrecke. — **'cy·clist** *s* Radfahrer(in).

cy·cli·tis [si'klaitis] *s med.* Cy'clitis *f*, Zili'arkörperentzündung *f.*

cyclo- [saiklo; siklo] *Wortelement mit der Bedeutung* a) kreisförmig, Kreis..., b) *chem.* Ring.

cy·clo·graph ['saikloˌgræ(ː)f; -lə-; *Br. auch* -ˌgrɑːf] *s* **1.** → **arcograph**. – **2.** *phot.* Zyklo'graph *m.* — ˌ**cy·clo'hex·ane** [-'heksein] *s chem.* 'Cyklo-heˌxan *n*, ˌHexamethy'len *n* (C_6H_{12}). — ˌ**cy·clo'hex·aˌnol** [-'heksəˌnoul; -ˌnɒl] *s chem.* ˌCyklohexa'nol *n*, ˌHexahydrophe'nol *n*, Jexa'lin *n* ($C_6H_{11}OH$).

cy·cloid ['saikləid] **I** *s* **1.** *math.* Zyklo'ide *f*, Radlinie *f*, -kurve *f*: **common (curtate, prolate)** ~ gemeine (verschlungene, gestreckte) Zykloide. – **2.** *zo.* Zyklo'idschupper *m* (*Fisch*). – **3.** *psych.* zyklo'ider Mensch. – **II** *adj* **4.** kreis-, ringförmig. – **5.** *zo.* a) zyklo'id-, rundschuppig, zu den Zykloidschuppern gehörend (*Fisch*), b) zykloid, rund: ~ **scale** Zykloid-, Rundschuppe. – **6.** *psych.* zyklo'id (*Temperament*). — **cy'cloi·dal** *adj* **1.** *phys.* Zykloiden...: ~ **pendulum** Zykloidenpendel. – **2.** → **cycloid** II.

cy·clom·e·ter [sai'klɒmitər; -mə-] *s* **1.** *math.* Zyklo'meter *n*, Kreisberechner *m* (*Instrument*). – **2.** *tech.* Zyklo'meter *n*, Wegmesser *m*, 'Umlauf-, Um'drehungszähler *m.* — ˌ**cy·clo'met·ric** [-klo'metrik], ˌ**cy·clo'met·ri·cal** *adj math.* zyklo'metrisch. — **cy'clom·e·try** [-'klɒmitri; -mə-] *s math.* Zyklome'trie *f*, Kreismessung *f.*

cy·clo·nal [sai'klounl] → **cyclonic**.

cy·clone ['saikloun] *s* **1.** (*Meteorologie*) a) Zy'klon *m*, Luftwirbel *m*, Wirbelsturm *m*, b) Zy'klone *f*, Tief(druckgebiet) *n*, Störung *f*, c) (*volkstümlich*) Tor'nado *m.* – **2.** *tech.* Zy'klon(entstauber) *m*, Luft- *od.* Gasentstaubungsanlage *f.* — ~ **cel·lar** *s* Keller *m od.* 'unterirdischer 'Unterstand (*als Zuflucht bei Wirbelstürmen*).

cy·clon·ic [sai'klɒnik], *auch* **cy'clon·i·cal** *adj* zy'klonisch.

cy·clo·no·scope [sai'klounəˌskoup] *s* (*Meteorologie*) Zyklono'skop *n.*

cy·clo·o·le·fin [ˌsaiklo'oulifin], *auch* ˌ**cy·clo'o·le·fine** [-fin; -ˌfiːn] *s chem.* Cykloole'fin *n.*

cy·clo·pae·di·a *etc cf.* **cyclopedia** *etc.*

Cy·clo·pe·an [ˌsaiklo'piːən; -lə-] *adj* **1.** Zyklopen... – **2.** *auch* **c**~ zy'klopisch, riesig, gi'gantisch. – **3. c**~ *arch.* mega'lithisch.

cy·clo·pe·di·a [ˌsaiklo'piːdiə; -lə-] *s* Enzyklopä'die *f.* — ˌ**cy·clo'pe·dic**, ˌ**cy·clo'pe·di·cal** *adj* enzyklo'pädisch, univer'sal, um'fassend: ~ **knowledge** umfassendes Wissen. — ˌ**cy·clo'pe·dist** *s* Enzyklopä'dist *m* (*Verfasser einer Enzyklopädie*).

cy·clo·pen·tane [ˌsaiklo'pentein; -lə-] *s chem.* Cyklopen'tan *n*, ˌPentamethy'len *n* (C_5H_{10}).

cy·clo·pi·a [sai'kloupiə] *s med. zo.* Cyklo'pie *f*, Monophthal'mie *f*, Einäugigkeit *f.*

Cy·clop·ic [sai'klɒpik] → **Cyclopean**.

cy·clo·ple·gi·a [ˌsaiklo'pliːdʒiə; -lə-] *s med.* Zili'armuskellähmung *f.*

cy·clo·pro·pane [ˌsaiklo'proupein; -lə-] *s chem.* Cyklopro'pan *n*, Trimethy'len *n* [$(CH_2)_3$].

Cy·clops ['saiklɒps] *pl* **-clo·pes** [sai'kloupiːz] *s* Zy'klop *m* (*einäugiger Riese der griech. Sage*).

cy·clo·ra·ma [ˌsaiklo'rɑːmə; *Am. auch* -'ræmə; -lə-] *s* Zyklo'rama *n*, Rundgemälde *n.* [strömung *f.*]

cy·clo·sis [sai'klousis] *s bot.* Plasma-]

cy·clos·to·mate [sai'klɒstəmit; -ˌmeit], ˌ**cy·clo'stom·a·tous** *adj zo.* **1.** rundmäulig. – **2.** → **cyclostome** I. — **'cy·cloˌstome** [-ˌstoum] *s zo.* **I** *adj* zu den Rundmäulern gehörend. – **II** *s* Rundmaul *n* (*Ordng Cyclostomata*).

cy·clo·style ['saikloˌstail; -lə-] **I** *s* Cyklo'styl *m.* – **II** *v/t* durch Cyklo'styl vervielfältigen.

cy·clo·thyme ['saikloˌθaim; -lə-] *s psych.* zyklo'thymer Mensch. — ˌ**cy·clo'thy·mi·a** [-miə] *s psych.* Zyklothy'mie *f.* — ˌ**cy·clo'thy·miˌac** [-miˌæk] → **cyclothyme**. — ˌ**cy·clo'thy·mic** *adj u. s psych.* zyklo'thym(er Mensch).

cy·clo·tome ['saikloˌtoum; -lə-] *s med.* Cyklo'tom *n.* — **cy'clot·o·my** [-'klɒtəmi] *s* **1.** *med.* Cykloto'mie *f*, Einschnitt *m* in den Zili'arkörper. – **2.** *math.* Kreisteilung *f.*

cy·clo·tron ['saikloˌtrɒn; -lə-] *s phys.* Zyklotron *n*, (Elemen'tar)Teilchenbeˌschleuniger *m*, Beschleuniger *m.*

cy·der *cf.* **cider**.

cy·e·si·ol·o·gy [saiˌiːsi'ɒlədʒi] *s med.* Schwangerschaftslehre *f.* — **cy'e·sis** [-sis] *s med.* Schwangerschaft *f.*

cyg·net ['signit] *s zo.* junger Schwan.

Cyg·nus ['signəs] *s astr.* Schwan *m* (*nördl. Sternbild*).

cyl·in·der ['silindər] **I** *s* **1.** *math.* Zy'linder *m*, Walze *f*: **right (oblique) circular** ~ gerader (schiefer) Kreiszylinder. – **2.** *math.* Zy'linderfläche *f*, -mantel *m.* – **3.** *tech.* Zy'linder *m*, Walze *f*, Rolle *f*, Trommel *f*, *bes.* a) Zylinder *m* (*Motor*), b) Stiefel *m* (*Pumpe*), c) Rotati'onswalze *f*, -zyˌlinder *m* (*Rotationsdruckmaschine*), d) (Holz)Prisma *n* (*Jacquardmaschine*), e) → **cutter block**. – **4.** *tech.* a) (Re'volver)Trommel *f*, b) Bohrung *f*, Seele *f*, c) Stahlflasche *f* (*für Gas*), d) 'Meßzyˌlinder *m.* – **5.** *bot.* Zen'tralzyˌlinder *m.* – **6.** (*Archäologie*) 'Siegelzyˌlinder *m*, Rollsiegel *n* (*der Babylonier, Assyrer etc*). – **II** *v/t* **7.** mit Zy'lindern *od.* Walzen versehen. – **8.** *tech.* walzen, mit Walzen bearbeiten. — ~ **bar·rel** *s tech.* Zy'lindermantel *m.* — ~ **block** *s tech.* Gehäuse-, Zy'linderblock *m.* — ~ **bore** *s tech.* Zy'linderbohrung *f.*

cyl·in·dered ['silindərd] *adj tech.* Zy'linder habend, ...zylindrig: **four-**~ Vierzylindermotor.

cyl·in·der| es·cape·ment *s tech.* Zy'linderhemmung *f* (*Uhr*). — ~ **glass** *s tech. Am.* geblasenes Flachglas. — ~ **head** *s tech.* Zy'linderkopf *m.* — ~ **press** *s tech.* ('Druck)Zyˌlinder(schnell)presse *f.* — ~ **saw** *s tech.* Trommelsäge *f.* — ~ **snake** *s zo.* Walzenschlange *f* (*Gattg Cylindrophis*).

cy·lin·dri·cal [si'lindrikəl], *auch* **cy'lin·dric** *adj* **1.** *math.* zy'lindrisch,

Zylinder... – 2. *tech.* zy'linder-, walzenförmig.
cy·lin·dri·cal| co-or·di·nates *s pl math.* Zy'linderkoordi,naten *pl.* — **~ func·tions, ~ har·mon·ics** *s pl math.* Zy'linderfunkti,onen *pl*, Besselsche Funkti'onen *pl.* — **~ pro·jec·tion** *s* (*Kartographie*) Zy'linderprojekti,on *f.*
cy·lin·dri·form [si'lindri,fɔːrm] *adj* zy'linderförmig. — **'cyl·in,droid I** *s* **1.** *math.* Zylindro'id *n.* – **2.** *med.* Zylindro'id *n*, 'Schleimzy,linder *m.* – **II** *adj* **3.** zylindro'id. — **,cyl·in'droi·dal** *adj* zy'linderähnlich.
cy·lix ['sailiks; 'sil-] *pl* **-li·ces** [-li,siːz] *s antiq.* Kylix *m*, Ky'lichna *f* (*griech. Trinkschale*).
Cyl·le·ni·an [si'liːniən] *adj* kyl'lenisch.
cy·ma ['saimə] *pl* **-mae** [-miː] *s* **1.** *arch.* Kyma *n* (*Schmuckleiste an griech. Bauwerken u. Möbelstücken*): Doric ~, ~ **recta** dorisches Kyma; ~ **reversa** ionisches Kyma. – **2.** *bot.* → **cyme 1.**
cy·mar *cf.* simar.
cy·ma·ti·on [si'meiʃi,ɒn], **cy'ma·ti·um** [-əm] *pl* **-ti·a** [-ə] *s arch.* krönendes Kar'nies.
cym·bal ['simbəl] *mus.* **I** *s* **1.** *meist pl* Becken *n* (*Schlaginstrument*). – **2.** Zimbel *f* (*Orgelregister*). – **3.** Cymbalon *n*, (Zi'geuner)Hackbrett *n.* – **II** *v/i pret u. pp* **-baled**, *bes. Br.* **-balled 4.** das Becken schlagen. – **5.** das Hackbrett spielen. — **'cym·bal·er, ,cym·bal'eer** [-'lir], **'cym·bal·ist** *s mus.* **1.** Beckenschläger *m.* – **2.** Hackbrettspieler *m.*
cym·bi·form ['simbi,fɔːrm] *adj* kahnförmig.
cyme [saim] *s* **1.** *bot.* a) Cyma *f*, Gabel-Blütenstand *m*, b) Trugdolde *f.* – **2.** *arch.* → **cyma 1.**
cy·mene ['saimiːn] *s chem.* Cy'mol *n* ($C_{10}H_{14}$).
cymo- [saimo] *Wortelement mit der Bedeutung* Welle.
cy·mo·gene ['saimə,dʒiːn] *s chem.* Cymo'gen *n.*
cy·mo·graph ['saimə,græ(ː)f; *Br. auch* -,grɑːf] → **kymograph.**
cy·moid ['saimɔid] *adj bot.* cy'mös, trugdoldig.
cy·mom·e·ter [sai'mɒmitər; -mət-] *s electr.* Cymo'meter *n*, Wellenmesser *m.*
cy·mo·phane ['saimə,fein] *s min.* Cymo'phan *m*, Chrysobe'ryll-Katzenauge *n.* — **cy'moph·a·nous** [-'mɒfənəs] *adj* schillernd, opali'sierend.
cy·mo·scope ['saimə,skoup] *s electr.* Cymo'skop *n.*
cy·mose ['saimous; sai'mous] *adj bot.* cy'mös.
Cym·ric ['kimrik] **I** *adj* kymrisch, wa'lisisch. – **II** *s ling.* Kymrisch *n*, das Kymrische. — **'Cym·ry**, *auch* **'Cym·ries** *s pl* Kymren *pl* (*die keltischen Bewohner von Wales*).
cy·mule ['saimjuːl] *s bot.* verkürzte Trugdolde (*als Teilblütenstand*), Scheinquirl *m* (*bei den Tubifloren*).
cyn- [sin; sain] → **cyno-.**
cy·nan·che [si'næŋki] *s med.* Halsentzündung *f*, 'Luftröhrenka,tarrh *m.*
cyn·ic ['sinik] **I** *s* **1.** Zyniker *m*, bissiger Spötter. – **2.** C~ *antiq. philos.* Kyniker *m.* – **II** *adj* **3.** → **cynical.** – **4.** C~ *antiq. philos.* kynisch. – **5.** *astr.* Sirius..., Hundsstern... — **'cyn·i·cal** *adj* **1.** zynisch, bissig, spöttisch. – **2.** zynisch, menschenverachtend, verbittert. – *SYN.* misanthropic, misogynic, pessimistic. — **'cyn·i·cal·ly** *adv* (*auch zu* cynic II). — **'cyn·i,cism** [-,sizəm] *s* **1.** Zy'nismus *m.* – **2.** zynische Bemerkung. – **3.** C~ *antiq. philos.* Ky'nismus *m.* — **'cyn·i·cist** → **cynic 1.**
cyn·ic spasm *s med.* sar'donisches Lachen.
cyno- [sino; saino] *Wortelement mit der Bedeutung* Hund.
cyn·o·ceph·a·lus [,sino'sefələs; ,sai-; -nə-] *pl* **-li** [-,lai] *s* hundsköpfiger Mensch (*der Fabel*). — **'cy·noid** *adj zo.* hundeähnlich. — **cy'nor·rho,don** [-'nɒro,dɒn; -rə-] *s bot.* **1.** → **dogrose.** – **2.** Hagebutte *f.*
cy·no·su·ral [,sainə'ʃu(ə)rəl; ,sin-] *adj fig.* als Leitstern dienend, richtunggebend. — **'cy·no·sure** [-ʃur] *s* **1.** *fig.* a) Leitstern *m*, b) Richtlinie *f.* – **2.** *fig.* Anziehungspunkt *m.* – **3.** C~ *astr.* a) Kleiner Bär (*Sternbild*), b) Po'larstern *m.*
Cyn·thi·a ['sinθiə] *s poet.* der Mond.
cy·per·a·ceous [,saipə'reiʃəs; ,sip-] *adj bot.* **1.** zu den Riedgräsern (*Cyperaceae*) gehörig. – **2.** riedgrasähnlich.
cy·pher *cf.* cipher.
cy pres ['siː 'prei], *auch* **,cy'pres** *adv jur.* (*den Absichten des Erblassers*) soweit wie möglich entsprechend: **doctrine of ~** *Prinzip, im Falle unerfüllbarer od. ungesetzlicher Bedingungen die diesen am nächsten kommenden erfüllbaren Bedingungen anzuwenden.* — **'cy-'pres**, *auch* **'cy'pres** *jur.* **I** *adj* den Absichten des Erblassers möglichst entsprechend. – **II** *s* möglichst weitgehende Über'einstimmung mit den Absichten des Erblassers.
cy·press¹ ['saiprəs; -pris] *s bot.* **1.** Zy'presse *f* (*Gattg Cupressus*). – **2.** (*ein*) zy'pressenartiger Baum, *bes.* a) (*eine*) 'Lebensbaum-, 'Scheinzy,presse (*Gattg Chamaecyparis*), b) → **bald ~**, c) Yaccabaum *m* (*Podocarpus coriacea*; *Mittelamerika*). – **3.** (*eine*) zy'pressenähnliche Pflanze, *bes.* Gilie *f* (*Gilia rubra, nordamer. Polemoniaceae*). – **4.** Zy'pressenholz *n.*
cy·press² ['saiprəs; -pris] *s bot.* Wilder Gal'gant (*Cyperus longus*; *Zypergrasart*).
cy·press³ ['saiprəs; -pris] *s hist.* feiner Ba'tist (*bes. für Trauerkleidung*).
cy·press| grass *s bot.* (*ein*) Zypergras *n* (*Cyperus diandrus*; *Nordamerika*). — **~ knee** *s bot.* Atemknie *n* (*an der Wurzel der Virginischen Sumpfzypresse*). — **~ moss** *s bot.* **1.** Alpenbärlapp *m* (*Lycopodium alpinum*). – **2.** Zy'pressenförmiges Schlafmoos (*Hypnum cupressiforme*). — **'~,root** → **cypress².** — **~ spurge** *s bot.* Zy'pressenwolfsmilch *f* (*Tithymalus cyparissias*). — **~ vine** *s bot.* Fieder-Prunkwinde *f* (*Quamoclit pennata*; *Südamerika*).
Cyp·ri·an ['sipriən] **I** *adj* **1.** zyprisch. – **2.** *fig.* ausschweifend, unkeusch, lasterhaft. – **II** *s* **3.** Zyprer(in), Zypri'ot(in) (*Einwohner von Zypern*). – **4.** *ling.* Zyprisch *n*, zyprischer Dia'lekt. – **5.** Lüstling *m.* – **6.** Dirne *f.*
cyp·rine¹ ['siprin; -rain] *adj bot.* Zypressen...
cyp·rine² ['siprin; -rain] *s min.* Zy'prin *m.*
cy·pri·nid [si'prainid; 'sipri-] *zo.* **I** *s* Karpfen *m* (*Fam. Cyprinidae*). – **II** *adj* karpfenartig. — **cy'prin·o,dont** [-'prino,dɒnt; -nə-; -'prai-] *s zo.* Zahnkarpfen *m* (*Fam. Cyprinodontidae*). — **cyp·ri·noid** ['sipri,nɔid; si'prai-] *adj u. s zo.* karpfenartig(er Fisch).
Cyp·ri·ote ['sipri,out], *auch* **'Cyp·ri·ot** [-ət] **I** *s* **1.** Zypri'ot(in), Zyprer(in). – **2.** *ling.* Zyprisch *n*, zyprischer Dia'lekt. – **II** *adj* **3.** zyprisch.
cyp·ri·pe·di·um [,sipri'piːdiəm; -rə-] *pl* **-di·a** [-ə] *s bot.* Frauen-, Venusschuh *m* (*Gattg Cypripedium*).
cy·prus ['saiprəs] → **cypress³.**
cyp·se·la ['sipsələ] *pl* **-lae** [-,liː] *s bot.* 'unterständige A'chäne.
Cy·re·na·ic [,sai(ə)rə'neiik; *Am. auch* ,sir-] **I** *adj* **1.** cyre'näisch (*die Cyrenaika od. die Stadt Cyrene betreffend*). – **2.** *philos.* kyre'näisch (*Aristippos od. seine Schule betreffend*). – **II** *s* **3.** Cyre'naiker(in) (*Bewohner der Cyrenaika od. der Stadt Cyrene*). – **4.** *philos.* Kyre'naiker *m* (*Anhänger des Aristippos*). — **,Cy·re'na·i,cism** [-,sizəm] *s philos.* kyre'näischer Hedo'nismus.
cy·ril·la [si'rilə] *s bot.* Lederholz *n* (*Cyrilla racemiflora*; *Nordamerika*).
Cy·ril·lic [si'rilik] *adj* ky'rillisch: a) *ling. die kyrillische Schrift betreffend*, b) *relig.* (*den Slawenapostel*) Ky'rillos betreffend. — **~ al·pha·bet** *s ling.* ky'rillisches Alpha'bet.
cyrto- [səːrto], *auch* **cyrt-** [səːrt] *Wortelement mit der Bedeutung* gebogen, gewölbt.
cyr·tom·e·ter [səːr'tɒmitər; -mə-] *s med.* (Brust)Wölbungsmesser *m.*
cyr·to·sis [səːr'tousis] *s med.* Rückgratverkrümmung *f.*
cyst [sist] *s* **1.** *med.* Zyste *f.* – **2.** *bot. zo.* Zyste *f*, Dauer-, Ruhezelle *f.* – **3.** *zo.* (*bindegewebige*) Hülle, Zyste *f*, Blase *f* (*der Bandwurmfinne*). – **4.** Kapsel *f*, Hülle *f.* – **5.** Bläschen *n*, Blase *f.*
-cyst [sist] *Wortelement mit der Bedeutung* Blase, Zyste.
cyst- [sist] → **cysto-.**
cyst·al ['sistl] *adj* Cysten... — **cys'tec·to·my** [-'tektəmi] *s med.* Cystekto'mie *f.* — **'cyst·ed** *adj bot. med. zo.* ency'stiert, eingekapselt. — **'cys·te,ine** [-ti,iːn; -in] *s biol. chem.* Cyste'in *n* ($C_3H_7NO_2S$).
cysti- [sisti] → **cysto-.**
cyst·ic ['sistik] *adj* **1.** *bes. med.* Cysten..., cystisch: ~ **kidney** Cystenniere; ~ **worm** → **cysticercus.** – **2.** *med.* (Gallen-, Harn)Blasen...: ~ **canal**, ~ **duct** Gallenblasengang. – **3.** cystenartig, -förmig. – **4.** *zo.* ency'stiert, eingekapselt.
cys·ti·cer·coid [,sisti'səːrkɔid] *zo.* **I** *adj* Blasenwurm..., Finnen... – **II** *s* Cysticerco'id *n* (*nicht blasenförmige Bandwurmlarve*). — **,cys·ti·cer'co·sis** [-'kousis] *s med.* Cysticer'kose *f*, Cysti'cerkenbefall *m*, Blasenwurmkrankheit *f.* — **,cys·ti'cer·cus** [-kəs] *pl* **-ci** [-sai] *s med. zo.* Cysti'cerkus *m*, Blasenwurm *m*, Finne *f* (*Bandwurmlarve*).
cys·tine ['sistiːn; -tin], *auch* **'cys·tin** [-tin] *s chem.* Cy'stin *n* ($C_6H_{12}N_2O_4S_2$).
-cystis [sistis] → **-cyst.**
cys·ti·tis [sis'taitis] *s med.* Cy'stitis *f*, 'Blasenka,tarrh *m.*
cysto- [sisto] *Wortelement mit der Bedeutung* Zyste, Blase.
cys·to·carp ['sisto,kɑːrp; -tə-] *s bot.* Cystokarp *n*, Karposporen-, Hüllfrucht *f.* — **'cys·to,cele** [-,siːl] *s med.* Cysto'cele *f*, (Harn)Blasenbruch *m.*
cyst·oid ['sistɔid] **I** *adj* cysto'id, cysten-, blasenähnlich. – **II** *s med.* cystenartiges Gebilde.
cys·to·lith ['sistoliθ; -tə-] *s* **1.** *bot.* Cysto'lith *m.* – **2.** *med.* Blasenstein *m.*
cys·to·ma [sis'toumə] *s med.* Cy'stom *n*, cystische Geschwulst.
cys·to·scope ['sisto,skoup; -tə-] *s med.* Cysto'skop *n*, Blasenspiegel *m.* — **cys'tos·co·py** [-'tɒskəpi] *s med.* Cystosko'pie *f.* — **cys'tot·o·my** [-'tɒtəmi] *s med.* Blasen(stein)schnitt *m*, Blaseneröffnung *f.* — **'cyst·ous** → **cystic.**
cyt- [sait] → **cyto-.**
cy·tas·ter [sai'tæstər; 'sai,tæstər] *s biol.* Polstrahlung *f.*
-cyte [sait] *Wortelement mit der Bedeutung* Zelle.

Cyth·er·e·an [ˌsiθəˈriːən] *adj* kyˈtherisch (*die Insel Kythera od. die Göttin Kytheria betreffend*).

cyt·i·sine [ˈsitiˌsiːn; -sin], *auch* **ˈcyt·i·sin** [-sin] *s chem.* Cytiˈsin *n* ($C_{11}H_{14}NO_2$).

cyto- [saito] *Wortelement mit der Bedeutung* Zelle.

cy·to·blast [ˈsaitoˌblæst] *s biol.* Zellkern *m.* — **ˈcy·toˌchrome** [-ˌkroum] *s biol.* Zellfarbstoff *m.*

cy·tode [ˈsaitoud] *s biol.* Cyˈtode *f.*

cy·to·gen·e·sis [ˌsaitoˈdʒenisis; -nə-] *s biol.* Cytogeˈnese *f,* Zellbildung *f,* -entwicklung *f.* — **ˌcy·to·geˈnet·ics** [-dʒəˈnetiks] *s pl* (*als sg konstruiert*) *biol.* Cytogeˈnetik *f* (*Erforschung der zellphysiologischen Grundlagen der Vererbung*). — **cyˈtog·e·nous** [-ˈtɒdʒənəs] *adj biol.* cytoˈgen, zellbildend.

cy·toid [ˈsaitɔid] *adj biol.* zellähnlich.

cy·to·ki·ne·sis [ˌsaitokiˈniːsis; -kai-] *s biol.* Cytokiˈnese *f* (*Plasmavorgänge bei Zellteilung u. Befruchtung*).

cy·to·log·i·cal [ˌsaitoˈlɒdʒikəl] *adj biol.* cytoˈlogisch. — **cyˈtol·o·gist** [-ˈtɒlədʒist] *s biol.* Cytoˈloge *m,* Speziaˈlist *m* in Zellkunde. — **cyˈtol·o·gy** *s biol.* Cytoloˈgie *f,* Zellenlehre *f.*

cy·tol·y·sin [saiˈtɒlisin; -lə-] *s med.* Cytolyˈsin *n* (*zellenauflösender Antikörper*). — **cyˈtol·y·sis** *s med.* Cytoˈlyse *f,* Zellauflösung *f,* -zerfall *m,* -tod *m.*

cy·toph·a·gous [saiˈtɒfəgəs] *adj biol.* phagocyˈtär. — **cyˈtoph·a·gy** [-dʒi] *s biol.* Phagocyˈtose *f.*

cy·to·plasm [ˈsaitoˌplæzəm] *s biol.* Cytoˈplasma *n,* Zellplasma *n.* — **ˌcy·toˈplas·mic** [-mik] *adj biol.* ˈzellplasˌmatisch. — **ˈcy·toˌplast** [-ˌplæst] *s biol.* Cytoˈplasma *n,* Zellplasma *n* (*im Gegensatz zum Kern*), Zellkörper *m* (*ohne Kern*).

cyt·u·la [*Br.* ˈsitjulə; *Am.* -tʃu-] *s biol.* befruchtetes Ei, Spermˈovium *n.*

czar [zɑːr] *s* **1.** Souveˈrän *m,* Herrscher *m.* – **2.** *meist* C~ *hist.* Zar *m* (*Titel der Souveräne Rußlands, Bulgariens etc*). – **3.** *colloq.* autoˈkratischer Herrscher, Dikˈtator *m.*

czar·das [ˈtʃɑːrdɑːʃ] *s* Tschardasch *m* (*ungar. Tanz*).

czar·dom [ˌzɑːrdəm] *s* **1.** Zarenreich *n.* – **2.** Zarenwürde *f,* -macht *f.*

czar·e·vitch [ˈzɑːrəvitʃ; -ri-] *s* Zaˈrewitsch *m,* Großfürst-Thronfolger *m.* — **czaˈrev·na** [-ˈrevnə] *s* Zaˈrewna *f* (*Zarentochter*). — **czaˈri·na** [-ˈriːnə] *s* Zarin *f.* — **ˈczar·ism** *s* Zaˈrismus *m,* Zarentum *n.* — **czarˈis·tic** *adj* zaˈristisch. — **czaˈrit·za** [-ˈriːtsə] → czarina.

Czech [tʃek] **I** *s* **1.** Tscheche *m,* Tschechin *f.* – **2.** *ling.* Tschechisch *n,* das Tschechische. – **II** *adj* **3.** tschechisch. — **ˈCzech·ic, ˈCzech·ish** → Czech II.

Czech·o·slo·vak, Czech·o-Slo·vak [ˈtʃekoˈslouvæk; -kə-], *auch* **ˌCzech·o·sloˈvak·i·an, ˌCzech·o-Sloˈvak·i·an** [-kiən] **I** *s* Tschechosloˈwak(in). – **II** *adj* tschechosloˈwakisch.

D

D, d [diː] **I** *s pl* **D's, Ds, d's, ds** [diːz] **1.** D *n*, d *n* (*4. Buchstabe des engl. Alphabets*): **a capital** (*od.* **large**) **D** ein großes D; **a little** (*od.* **small**) **d** ein kleines D. – **2.** *mus.* D *n*, d *n* (*Tonbezeichnung*): **D flat** Des, des; **D sharp** Dis, dis; **D double flat** Deses, deses; **D double sharp** Disis, disis. – **3.** D (*4. angenommene Person bei Beweisführungen*). – **4.** d (*4. angenommener Fall bei Aufzählungen*). – **5.** d *math.* d (*4. bekannte Größe*). – **6.** D *ped. bes. Am.* Vier *f*, Ausreichend *n*. – **7.** D̲ (*röm. Zahlzeichen*) D (= *500*): D̄ D̄ (= *500000 od. selten 5000*). – **8.** D D *n*, D-förmiger Gegenstand. – **II** *adj* **9.** viert(er, e, es): **Company D** die 4. Kompanie. – **10.** D D-..., D-förmig.

'd [d] *colloq. für* **had, should, would: you'd.**

da [dɑː] → **dad**[1].

dab[1] [dæb] **I** *v/t pret u. pp* **dabbed** **1.** leicht schlagen *od.* klopfen, antippen. – **2.** betupfen, abtupfen. – **3.** (*Fläche*) bestreichen, betupfen, bewerfen. – **4.** (*weiche Masse*) auftragen. – **5.** *tech.* kli'schieren, abklatschen. – **II** *v/i* **6.** tippen, tupfen, leicht schlagen. – **7.** picken. – **III** *s* **8.** (leichter) Klaps, Tupfer *m*, sanfter Schlag. – **9.** Picken *n*. – **10.** Tupfer *m*, Bausch *m*. – **11.** Klecks *m*, Klumpen *m*, Fladen *m*. – **12.** *bes. dial.* Stückchen *n*, Klümpchen *n*. – **13.** *tech.* weicher Ballen, Tupfbeutel *m*, *bes. print.* Farbballen *m*.

dab[2] [dæb] *s zo.* **1.** Dab *m*, Kliesche *f*, Scharbe *f* (*Pleuronectes limanda*). – **2.** Scholle *f*, Flach-, Plattfisch *m* (*Fam. Pleuronectidae*).

dab[3] [dæb] *s colloq.* Könner *m*, Ex'perte *m*, Kenner *m*: **to be a ~ at s.th.** sich auf eine Sache verstehen.

dab·ber ['dæbər] *s* **1.** (Watte)Bausch *m*, weicher Ballen, Tupfer *m*. – **2.** a) (*Gravierkunst*) Abklatscher *m* (*Person*), b) *print.* Farbballen *m*, c) (*Stereotypie*) Klopfbürste *f*.

dab·ble ['dæbl] **I** *v/t* **1.** benetzen, besprengen, bespritzen. – **2.** leicht beklopfen, betupfen. – **II** *v/i* **3.** (*im Wasser*) plantschen, plätschern. – **4.** *fig.* (**in**) sich oberflächlich *od.* aus Liebhabe'rei befassen *od.* beschäftigen (mit), (hin'ein)pfuschen (in *acc*): **to ~ in writing** (so) nebenbei schriftstellern. — **'dab·bler** *s* Dilet'tant(in), Pfuscher(in), Ama'teur(in): **~ in politics** politischer Kannegießer.

dab·chick ['dæbˌtʃik] *s zo.* (*ein*) Steißfuß *m od.* Lappentaucher *m*, *bes.* a) •Zwergsteißfuß *m* (*Podiceps ruficollis*), b) Blauschnabelsteißfuß *m* (*Podilymbus podiceps*).

da·boi·a, da·boy·a [də'bɔiə] *s zo.* Da'boia *m*, Kettenviper *f* (*Vipera russellii*).

dab·ster ['dæbstər] *s* **1.** *bes. Br. dial.* Ex'perte *m*, Kundige(r), Meister(in), Kenner(in) (**at** in *dat*): **to be a ~ at** s.th. sich ausgezeichnet auf etwas verstehen. – **2.** *colloq.* Dilet'tant *m*, Stümper *m*.

da ca·po [da kkapo] (*Ital.*) *mus.* da capo, vom Anfang an, noch einmal.

d'ac·cord [da'kɔːr] (*Fr.*) **1.** im Einklang. – **2.** abgemacht!

dace [deis] *pl* **dac·es,** *collect.* **dace** *s zo.* **1.** Häsling *m*, Hasel *m* (*Leuciscus leuciscus; europ. Karpfenfisch*). – **2.** *ein nordamer. Süßwasser-Karpfenfisch* (*bes. Gattg Rinichthys*).

dachs·hund ['dæksˌhund; *Am. auch* 'dæʃ-] *s zo.* Dachshund *m*, Dackel *m*.

da·cite ['deisait] *s min.* Da'cit *m*.

dack·er ['dækər] *v/i bes. Scot. od. dial.* **1.** (sch)wanken. – **2.** schlendern. – **3.** hadern.

da·coit [də'kɔit] *s* Räuber *m*, Ban'dit *m* (*in Indien u. Burma*). — **da'coit·y,** *auch* **da'coit·age** *s* Räube'rei *f*, Räuberunwesen *n*.

Da·cron ['deikrɒn] (*TM*) *s* Dacron *n* (*synthetischer Stoff*).

dacryo- [dækrio], *auch* **dacry-** *Wortelement mit der Bedeutung* Träne.

dac·ry·o·cyst ['dækrioˌsist] *s med.* Tränensack *m*.

dac·tyl ['dæktil] *s* **1.** *metr.* Daktylus *m* (*Versfuß mit 1 langen u. 2 kurzen Silben*). – **2.** *zo.* Finger *m*, Zehe *f*.

dactyl- [dæktil] → **dactylo-.**

-dactylia [dæktiliə] *Wortelement mit der Bedeutung* ...fingrigkeit.

dac·tyl·ic [dæk'tilik] *adj u. s metr.* dak'tylisch(er Vers). — **dacˌtyl·i·'ol·o·gy** [-'ɒlədʒi] *s* Lehre *f* von den Fingerringen. — **ˌdac·ty'li·tis** [-'laitis] *s med.* Finger-, Zehenentzündung *f*.

dactylo- [dæktilo] *Wortelement mit der Bedeutung* Finger, Zehe.

dac·ty·lo·gram ['dæktiloˌgræm], *auch* **'dac·ty·loˌgraph** [-ˌgræ(ː)f; *Br. auch* -ˌgrɑːf] *s* Fingerabdruck *m*, Daktylo'gramm *n*. — **ˌdac·ty·lo'graph·ic** [-'græfik] *adj* daktylo'graphisch. — **ˌdac·ty'log·ra·phy** [-'lɒgrəfi] *s* **1.** Daktylogra'phie *f*, Wissenschaft *f* von den Fingerabdrücken. – **2.** → **dactylology.** — **ˌdac·ty'lol·o·gy** [-'lɒlədʒi] *s* Fingersprache *f* (*bes. der Taubstummen*). — **ˌdac·ty'los·co·py** [-'lɒskəpi] *s* Daktylosko'pie *f* (*Wissenschaft von den Fingerabdrücken*). — **ˌdac·ty·lo'scop·ic** [-lo'skɒpik] *adj* daktylo'skopisch. — **ˌdac·ty·lo'zo·oid** [-'zouɔid] *s zo.* 'Tastpoˌlyp *m* (*der Hohltiere*).

dad[1] [dæd] *s* (*Kindersprache*) Vati *m*, Papi *m*.

dad[2] [dæd] *interj euphem.* (*in Flüchen*) Gott: **~ blame it!** zum Kuckuck damit!

dad·a ['dædə] → **dad**[1].

Da·da·ism ['dɑːdəˌizəm] *s* Dada'ismus *m* (*Kunst- u. Literaturrichtung etwa 1917–20*). — **'Da·da·ist** *s* Dada'ist *m*.

dad·dle ['dædl] *v/t sl.* beschwindeln.

dad·dy ['dædi] → **dad**[1]. — **~ long-legs** *s zo.* **1.** (*eine*) Erdschnake, (*eine*) Bachmücke (*Gattg Tipula*). – **2.** Kanker *m*, Weberknecht *m* (*Fam. Phalangidae; Spinne*). – **3.** (*ein*) Stelzenläufer *m* (*Himantopus mexicanus*).

da·do ['deidou] *arch.* **I** *s pl* **-does** **1.** Posta'mentwürfel *m*. – **2.** untere Wand (*die die Tapete, Bemalung etc trägt*). – **II** *v/t pret u. pp* **'da·doed** **3.** aushöhlen, -kehlen, nuten. – **4.** in eine Nut einfügen. — **~ plane** *s* Nut-, Kehlhobel *m*.

dae·dal ['diːdl] *adj* **1.** dä'dalisch: a) kunstreich, geschickt, b) kunstvoll gearbeitet. – **2.** *poet.* formenreich, reich gestaltet. — **Dae·da·li·an, Dae·da·le·an** [di'deiliən] *adj* **1.** → daedal 1. – **2.** ingeni'ös, sinnreich, kompli'ziert.

dae·mon ['diːmən] *pl* **-mons** *od.* **-mo·nes** [-ˌniːz] *s* **1.** *antiq.* Dämon *m* (*niedere Gottheit in der griech. Mythologie*). – **2.** *fig.* Geist *m*, Genius *m*, höhere Macht. – **3.** Dai'monion *n*, innere Stimme. – **4.** (*das*) Dä'monische, (*das*) Schöpferische (*im Menschen*). – **5.** *cf.* **demon.** — **dae'mon·ic** [-'mɒnik] *adj* **1.** dä'monisch, geni'al. – **2.** *cf.* **demonic.**

daff[1] [dæf; dɑːf] *v/i Scot.* blödeln.

daff[2] [dæf; dɑːf] *v/t* **1. ~ aside** bei'seite schieben, aus dem Weg räumen. – **2.** *obs. für* **doff.**

daf·fa·down·dil·ly ['dæfədaun'dili] *dial. od. poet. für* **daffodil 1.**

daff·ing ['dæfiŋ; 'dɑːfiŋ] *s Scot. od. dial.* Albernheit *f*, Blödsinn *m*.

daf·fo·dil ['dæfədil] *s* **1.** *bot.* a) Gelbe Nar'zisse, Osterblume *f* (*Narcissus pseudo-narcissus*), b) *obs.* Nar'zisse *f* (*Gattg Narcissus*). – **2.** Kadmiumgelb *n*. — **'daf·foˌdil·ly** *dial. od. poet. für* **daffodil 1.**

daff·y ['dæfi] *adj Am. colloq. od. Br. dial.* blöd, dämlich, albern.

daf·fy·down·dil·ly ['dæfədaun'dili] *dial. od. poet. für* **daffodil 1.**

daft [*Br.* dɑːft; *Am.* dæ(ː)ft] *adj* **1.** dumm, albern, einfältig, trottelhaft, dämlich. – **2.** verrückt, geisteskrank, verdreht. – **3.** *Scot.* 'übermütig. — **'daft·ness** *s* **1.** Albernheit *f*, Dämlichkeit *f*. – **2.** Verrücktheit *f*.

dag [dæg] *s* **1.** Zotte(l) *f*, her'unterhängender Zipfel *od.* Fetzen. – **2.** *Br. od. Austral. für* **~lock.** — **dagged** *adj* geschlitzt (*Kleidungsstück*).

dag·ger ['dægər] **I** *s* **1.** Dolch *m*: **to be at ~s drawn** a) kampfbereit sein, b) *fig.* auf Kriegsfuß stehen (**with** mit); **to look ~s at s.o.** j-n mit Blicken durchbohren; **to speak ~s** scharfe u. verletzende Worte sprechen. – **2.** *print.* Kreuz(zeichen) *n* (†). – **3.** (*Schiffbau*) Diago'nalstück *n*. – **II** *v/t* **4.** erdolchen, mit einem Dolch durch'bohren. – **5.** *print.* mit einem Kreuz(zeichen) versehen. — **~ board** *s mar.* kurzes Schwert, Diago'nal-,

Querholz *n* (*bei kleinen Booten*). — ~ **knee** *s* (*Schiffbau*) schlafendes Knie, Winkel-, Diago'nalknie *n*. — ~ **plant** *s bot.* Dolchpflanze *f*, Palmlilie *f* (*Gattg Yucca*).

dag·gers ['dægərz] *s bot.* **1.** Wasser-Schwertlilie *f* (*Iris pseudacorus*). – **2.** Rohr-Glanzgras *n* (*Phalaris arundinacea*).

dag·gle ['dægl] **I** *v/t* beschmutzen, besudeln. – **II** *v/i* durch den Schmutz waten.

dag·lock ['dægˌlɒk] *s* Wollklunker *f* (*im Schafsfell*).

Da·go ['deigou] *pl* **-gos** *od.* **-goes** *s Am. colloq.* ,Welscher' *m* (*verächtlich für Italiener, Spanier u. Portugiesen*).

da·go·ba ['dɑːgobə] *s relig.* Dagob *f*, Dagopa *f*: a) *innerster, für die Reliquien bestimmter Raum der buddhistischen Reliquienmonumente*, b) *ein solches Reliquienmonument*.

da·guerre·o·type [də'geroˌtaip; -rə-] *phot.* **I** *s* **1.** Daguerreo'typ *n* (*Lichtbild auf Silberplatte*). – **2.** Daguerreoty'pie *f*. – **II** *v/t* **3.** daguerreoty'pieren. — **da'guerre·oˌtyp·er, da'guerre·oˌtyp·ist** *s* Daguerreo'typ-Photoˌgraph *m*. — **da'guerre·oˌtyp·y** → daguerreotype 2.

da·ha·be·ah, *auch* **da·ha·bee·yah, da·ha·bi·ah, da·ha·bi·ya, da·ha·bi·yeh** [ˌdɑːhə'biːə] *s* Daha'bije *f* (*Nilbarke*).

Dahl·gren ['dælgrən], *auch* ~ **gun** *s mil. Am.* Geschütz *n* mit glattem Rohr *od.* Gewehr *n* mit glattem Lauf.

dahl·ia [*Br.* 'deiljə; *Am.* 'dæljə; 'dɑːl-] *s* **1.** *bot.* Dahlie *f*, Geor'gine *f* (*Gattg Dahlia*): a blue ~ *fig.* eine Unmöglichkeit, etwas Unglaubliches. – **2.** Dahlia *n*, Me'thylvioˌlett *n* (*Farbstoff*).

Da·ho·man [dɑː'houmən] **I** *adj* aus Daho'me, da'homisch. – **II** *s* Daho'me *m, f* (*Neger aus Dahome*).

da·hoon (hol·ly) [də'huːn] *s bot.* Jauponstrauch *m* (*Ilex cassine*).

daik·er ['deikər] → dacker.

Dail Eir·eann [dɔil 'ɛ(ə)rən], *auch* **Dail** *s* Abgeordnetenhaus *n* (*von Eire*).

dai·ly ['deili] **I** *adj* **1.** täglich, Tage(s)...: our ~ bread unser täglich(es) Brot; ~ experience (all)tägliche Erfahrung; ~ newspaper Tageszeitung; ~ wages Tag(e)lohn. – **2.** *fig.* all'täglich, fortwährend, häufig, ständig. – **II** *adv* **3.** täglich: to appear ~ täglich erscheinen (*Zeitung*). – **4.** *fig.* Tag für Tag, immer, ständig. – **III** *s* **5.** Tageszeitung *f*. – **6.** *Br. colloq.* Tag(es)-mädchen *n*, -frau *f* (*Bediente, die nicht im Haus wohnt*). – *SYN.* diurnal, quotidian. — ~ **bread·er** *Br. für* commuter 1.

dai·men ['deimin] *adj Scot. od. Irish* gelegentlich, selten.

dai·mi·ate ['daimiˌeit] *s* Daimy'at *n* (*Herrschaft od. Amt eines Daimyo*). — '**dai·mio** [-mjou] *pl* **-mio, -mios** *s hist.* Da'imyo *m*: a) *Mitglied des jap. Feudaladels*, b) *collect. die Kaste der jap. Territorialfürsten*.

dai·mon ['daimoun], **dai'mon·ic** [-'mɒnik] → daemon, daemonic.

dai·mo·ni·on [dai'mouniən] → daemon 3.

dai·myo *cf.* daimio.

Dai Nip·pon ['dai 'nipɒn] *s* Großjapan *n* (*Schlagwort der jap. Imperialisten, jetzt in Japan verboten*).

dain·ti·fy ['deintiˌfai] *v/t* verfeinern, ele'gant *od.* zierlich machen. — '**dain·ti·ness** *s* **1.** Zierlichkeit *f*, Niedlichkeit *f*. – **2.** wählerisches Wesen, Verwöhntheit *f*. – **3.** Zimperlichkeit *f*, Geziertheit *f*. – **4.** Köstlichkeit *f*, Schmackhaftigkeit *f* (*Speisen*).

dain·ty ['deinti] **I** *adj* **1.** zierlich, zart(geformt), nett, ele'gant, niedlich. – **2.** exqui'sit, köstlich, erlesen, vornehm. – **3.** wählerisch, verwöhnt, eigen (*bes. im Geschmack*), anspruchsvoll. – **4.** feinfühlig, empfindsam, -lich, zartfühlend. – **5.** geziert, 'überfein, zimperlich. – **6.** deli'kat, schmackhaft, erlesen (*Speisen*). – *SYN. cf.* a) choice, b) nice. – **II** *s* **7.** Delika'tesse *f*, Leckerbissen *m*, Näsche'rei *f*. – **8.** Genuß *m*, Köstlichkeit *f*.

dai·qui·ri ['daikəri; 'dæ-] *s* Dai'quiri-cocktail *m* (*aus Rum, Zitronensaft, Zucker u. Eis*).

dair·y ['dɛ(ə)ri] *s* **1.** Molke'rei *f*, Meie'rei *f*. – **2.** Molke'rei(betrieb *m*) *f*, Milchwirtschaft *f*. – **3.** *collect.* Milchvieh *n*, *bes.* Kühe *pl*. – **4.** Milchhandlung *f*. — ~ **cat·tle** *s collect.* Milchvieh *n*. — ~ **farm** *s* Meie'rei *f*, Molke'rei *f*. — ~ **hus·band·ry** *s* Milchwirtschaft *f*, Molke'reiwesen *n*.

dair·y·ing ['dɛ(ə)riiŋ] **I** *s* Milchwirtschaft *f*, Molke'reiwesen *n*. – **II** *adj* Molkerei..., Meierei...

dair·y| lunch *s Am. colloq.* Milchbar *f*. — '~ˌ**maid** *s* Milchmädchen *n*. — '~·**man** [-mən] *s irr* **1.** Milchmann *m*, -händler *m*. – **2.** Melker *m*, Schweizer *m*.

da·is ['deiis] *pl* **-is·es** *s* **1.** Podium *n*, E'strade *f*. – **2.** erhöhter Platz. – **3.** Thronhimmel *m*, Baldachin *m*.

dai·sied ['deizid] *adj* voller Gänseblümchen.

dai·sy ['deizi] **I** *s* **1.** *bot.* Gänseblümchen *n*, Maßliebchen *n*, Tausendschön(chen) *n* (*Bellis perennis*): to be as fresh as a ~ sich quicklebendig fühlen; to be under the daisies, to push up (the) daisies *sl.* tot u. begraben sein, ,die Radieschen von unten wachsen sehen'. – **2.** *auch* oxeye ~ *bot.* Marge'rite *f*, Weiße Wucherblume (*Chrysanthemum leucanthemum*). – **3.** *sl.* a) 'Prachtexemˌplar *n*, Gedicht *n*, Kleinod *n*, b) Prachtkerl *m*, Perle *f* (*Person*). – **II** *adj* **4.** *sl.* erstklassig, ausgezeichnet, phan'tastisch, ,prima'. — '~ˌ**bush** *s bot.* Ole'arie *f* (*Olearia haastii; Neuseeland*). — ~ **cut·ter** *s sl.* **1.** Pferd *n* mit schleppendem Gang. – **2.** *sport* flach fliegender Ball, Bodenflitzer *m*. — ~ **flea·bane** *s bot. Am.* (*ein*) Weißstrahliges Berufkraut (*Gattg Erigeron, bes. annuus, ramosus, philadelphicus*). — ~ **stitch** → railway stitch. — ~ **tree** *s bot.* (*eine*) austral.-asiat. Ole'arie, (*ein*) Duftstrauch *m* (*Olearia stellulata*).

dak [dɔːk] *s* (*in Indien*) **1.** Dak *f*, Post *f*: ~ boat Postboot. – **2.** Re'laistransˌport *m*: ~ bungalow Herberge, Rasthaus.

da·ker hen ['deikər] → corn crake.

Da·kin's so·lu·tion ['deikinz] *s chem. med.* Dakinsche Lösung.

da·koit(·y) *cf.* dacoit(y).

Da·ko·ta [də'koutə] **I** *s* **1.** Da'kota *m*, La'kota *m* (*Eigenbezeichnung der Sioux-Indianer*). – **2.** *pl* (*die*) Da'kota *pl*. – **3.** *ling.* Da'kota *n*. – **II** *adj* **4.** Dakota... — **Da'ko·tan I** *s* → Dakota 1 *u.* 3. – **II** *adj* Dakota...

Da·lai La·ma ['dɑːlai 'lɑːmə; 'dæl-] *s* Dalai Lama *m*.

dale [deil] *s bes. dial. od. poet.* Tal *n*.

'**dales|ˌfolk** [deilz-] → dalespeople. — '~·**man** [-mən] *s irr* Talbewohner *m* (*bes. der nordengl. Flußtäler*). — '~ˌ**peo·ple** *s pl* Talbewohner *pl*. — '~ˌ**wom·an** *s irr* Talbewohnerin *f*.

da·li ['dɑːli] *s bot.* Talg-, Mus'katnuß-(baum *m*) *f* (*Myristica sebifera*).

dalle [dɑːl; dæl] *s arch.* (Stein-, Marmor)Platte *f*, Fliese *f* (*bes. als Verzierung*).

dalles [dælz] *s pl* **1.** Steilwände *pl* (*Schlucht*). – **2.** Stromschnellen *pl*: D~ *Schnellen des Columbia*.

dal·li·ance ['dæliəns] *s* **1.** Zeitvergeudung *f*, Tröde'lei *f*, Bumme'lei *f*. – **2.** Verzögerung *f*, Aufschub *m*. – **3.** Tände'lei *f*, Spiele'rei *f*. – **4.** Liebe'lei *f*, Geschäker *n*. — '**dal·li·er** *s* **1.** Bummler *m*, Zeitverschwender *m*. – **2.** Tändler *m*, Schäkerer *m*.

dal·ly ['dæli] **I** *v/i* **1.** scherzen, schäkern, liebeln. – **2.** spielen, liebäugeln, leichtsinnig 'umgehen (with mit): to ~ with danger mit der Gefahr spielen. – **3.** her'umtrödeln, bummeln, Zeit vergeuden. – **II** *v/t* **4.** ~ away a) (*Zeit*) vergeuden, -bummeln, -trödeln, b) (*Gelegenheit*) verpassen, -tun, -scherzen, -spielen. – *SYN. cf.* a) delay, b) trifle. — '**dal·ly·ing** *adj* **1.** scherzend, schäkernd. – **2.** tändelnd, verspielt. – **3.** leichtsinnig, fahrlässig. – **4.** faul, bummelig, verbummelt.

Dal·ma·tian [dæl'meiʃən; -ʃiən] **I** *adj* **1.** dalma'tinisch, dal'matisch. – **II** *s* **2.** Dalma'tiner(in). – **3.** *auch* ~ dog Dalma'tiner *m* (*Hunderasse*).

dal·mat·ic [dæl'mætik] *s relig.* Dal'matik(a) *f* (*liturgisches Obergewand*).

dal se·gno [dal 'seɲo] (*Ital.*) *mus.* vom Zeichen an wieder'holen.

dal·ton·ism ['dɔːltəˌnizəm] *s med.* Dalto'nismus *m*, Farbenblindheit *f* (*bes. Rot-Grün-Blindheit*).

Dal·ton| Plan, ~ **Sys·tem** ['dɔːltən] *s* Dal'tonisches Er'ziehungssysˌstem (*des individuellen Unterrichts, in dem die Schüler so schnell vorwärtskommen, wie es ihre eigenen Fähigkeiten erlauben*).

dam[1] [dæm] **I** *s* **1.** (Stau)Damm *m*, Deich *m*, Wehr *n*, Talsperre *f*. – **2.** Stausee *m*, -gewässer *n*. – **3.** *fig.* Damm *m*. – **II** *v/t pret u. pp* **dammed** **4.** *auch* ~ up a) mit einem Damm versehen, b) stauen, (ab-, ein)dämmen, c) (ab)sperren, hemmen, bloc'kieren (*auch fig.*). – **5.** ~ out aussperren, (durch einen Damm) am Eindringen hindern.

dam[2] [dæm] *s* **1.** *zo.* Mutter(tier *n*) *f* (*bes. bei Vierfüßern*). – **2.** *vulg. od. verächtlich* Alte *f* (*Frau*).

da·ma ['deimə] *s zo.* 'Damagaˌzelle *f* (*Gazella dama; Sudan*).

dam·age ['dæmidʒ] **I** *s* **1.** Schaden *m*, (Be)Schädigung *f* (to an *dat*): to do ~ Schaden anrichten *od.* zufügen; ~ by sea *mar.* Seeschaden, Havarie; → property 1; right to ~ *jur.* Ersatzanspruch. – **2.** Verlust *m*, Einbuße *f*. – **3.** *pl jur.* a) Schadenbetrag *m*, b) Schadenersatz *m*: to pay ~s Schadenersatz leisten. – **4.** Schaden *m*, Beeinträchtigung *f*: to do ~ to one's reputation seinem Rufe schaden. – **5.** *sl.* Preis *m*, Rechnung *f*, ,Zeche' *f*: what's the ~? was macht die Zeche? – **II** *v/t* **6.** beschädigen. – **7.** (*j-m*) Schaden zufügen, schaden, (*j-n*) schädigen. – *SYN. cf.* injure. – **III** *v/i* **8.** Schaden erleiden *od.* nehmen, beschädigt werden. — '**dam·age·a·ble** *adj* empfindlich, leicht zu beschädigen(d). — '**dam·aged** *adj* **1.** beschädigt, schadhaft, de'fekt: in a ~ condition in beschädigtem Zustand. – **2.** verdorben.

dam·an ['dæmən] *s zo.* (*ein*) Klippschliefer *m* (*Procavia syriaca*).

Dam·a·scene ['dæməˌsiːn] **I** *adj* **1.** damas'zenisch, Damas'zener. – **2.** d~ Damaszener..., damas'ziert. – **II** *s* **3.** Damas'zener(in). – **4.** d~ Damas'zenerarbeit *f*, Damas'zierung *f*. – **5.** d~ → damson. – **III** *v/t* **6.** d~ (*Metall*) damas'zieren. — '**dam·aˌscened** *adj* damas'ziert.

da·mas·cus [də'mæskəs] *s* **1.** *Kurzform für* D~ blade, D~ sword, damask steel. – **2.** → damask 1 *u.* 2. — **D~ blade** *s* Damas'zener Klinge *f*. — **D~ steel** → damask steel. — **D~ sword** *s* Damas'zener Schwert *n*.

dam·ask ['dæməsk] **I** *s* **1.** Da'mast *m* (*Stoff*). – **2.** Da'mast *m*, Damas'zierung *f* (*Stahl*). – **3.** → ~ steel. –

4. → ~ rose. – 5. (*Art*) Rosa *n* (*Farbe*). – **II** *adj* 6. damas'zenisch, Damas'zener. – 7. da'masten, aus Da'mast. – 8. aus Da'maststahl. – 9. mit Da'mast(muster), damas'siert. – 10. rosarot. – **III** *v/t* 11. (*Metall*) damas'zieren. – 12. (*Stoffe*) damas'sieren, mustern. – 13. (*Wände etc*) mit Da'mast bespannen *od.* behängen. – 14. (bunt) verzieren. – 15. rosarot färben.

dam·a·skeen [ˌdæmə'skiːn] → damask 11.

dam·ask| rose *s bot.* Damas'zener-, Portlandrose *f* (*Rosa damascena*). — ~ **steel** *s* Da'maststahl *m.*

dam·as·sin ['dæməsin] *s* (*Art*) da'mastgemusterter 'Silber- *od.* 'Goldbroˌkat.

dam·bon·i·tol [dæm'bɒniˌtoul; -tɒl], *auch* **'dam·boˌnite** [-bəˌnait] *s chem.* Dambo'nit *n* ($C_6H_6(OH)_4(OCH_3)_2$). — **'dam·bose** [-bous] *s chem.* Mesoino'sit *m* ($C_6H_6(OH)_6$).

dame [deim] *s* 1. (*in Großbritannien*) Freifrau *f* (*Titel der Frau eines* Knight *od.* Baronet). – 2. D~ *der dem* Knight *entsprechende Titel der weiblichen Mitglieder des* Order of the British Empire (*vor dem Vornamen*): D~ Diana X. – 3. Ma'trone *f*, alte Dame: D~ Nature Mutter Natur. – 4. Vorsteherin *f*, Direk'torin *f* (*Schule*). – 5. (*in Eton*) Vorsteher(in) (*Wohnhaus*). – 6. *sl.* Weibsbild *n*, Frauenzimmer *n.* – 7. *Am. obs. od. hist.* verheiratete Frau. – 8. *obs. od. poet.* gnädige Frau (*Anrede*). – 9. *obs. od. dial.* Hausherrin *f.* – 10. *hist.* Lady *f* (*Frau od. Tochter eines Lord*). — ~ **school** *s Am. hist. od. Br.* pri'vate Elemen'tarschule unter Leitung einer Direk'torin.

dame's| gil·li·flow·er, ~ **rock·et,** ~ **vi·o·let** → damewort.

'dameˌwort *s bot.* 'Frauenviˌole *f*, Mutterblume *f*, Matro'nale *f* (*Hesperis matronalis*).

dam·i·an·a [ˌdæmi'ænə; -'einə] *s med.* Dami'ana *f* (*getrocknete Blätter von Turnera diffusa; Nervenmittel u. Aphrodisiakum*).

dam·mar, dam·mer ['dæmər] *s* Dammar *n*, Dammar-, Steinharz *n.*

damn [dæm] **I** *v/t* 1. *bes. relig.* verdammen. – 2. verurteilen, tadeln. – 3. verwerfen, ablehnen: to ~ a play (*Theater*) ein Stück durchfallen lassen (*Publikum*); to ~ with faint praise durch kühle *od.* gleichgültige Aufnahme ablehnen. – 4. vernichten, verderben, rui'nieren. – 5. verfluchen, verdammen, verwünschen: ~! ~ it! ~ me! *vulg.* verflucht! verwünscht! ~ you! *vulg.* hol dich der Kuckuck! ~ your cheek! *vulg.* zum Teufel mit deiner Frechheit! – *SYN. cf.* execrate. – **II** *v/i* 6. verdammen. – 7. fluchen, Verwünschungen ausstoßen. – **III** *s* 8. Fluch *m.* – 9. *sl.* ‚Pfifferling' *m*, ‚Dreck' *m*: I don't care a ~ ‚das ist mir völlig schnuppe'; → worth[1] 2. – **IV** *interj* 10. verflucht! verflixt!: oh ~! – **V** *adj Kurzform für* ~ed 2. — ˌ**dam·na'bil·i·ty** [-nə'biliti; -əti] *s* Verdammungswürdigkeit *f*, Verwerflichkeit *f.* — **'dam·na·ble** *adj* 1. verdammungswürdig, verwerflich. – 2. ab'scheulich, fluchwürdig, verflucht.

dam·na·tion [dæm'neiʃən] **I** *s* 1. Verdammen *n*, Verdammung *f*, Verurteilung *f.* – 2. Verwerfung *f*, Ablehnung *f.* – 3. *relig.* a) Verdammnis *f*, b) Todsünde *f.* – **II** *interj* → damn IV. — **'dam·na·to·ry** [*Br.* -nətəri; *Am.* -ˌtɔːri] *adj* verdammend, Verdammungs...

damned [dæmd] **I** *adj* 1. *bes. relig.* verdammt: the ~ die Verdammten. – 2. *vulg.* verdammt, verwünscht, verflucht: he's a ~ fool. – 3. *als bekräftigendes Füllwort*: I lost every ~ one of them *vulg.* ich habe aber auch 'jeden verloren. – **II** *adv* 4. *vulg.* verdammt, schrecklich, furchtbar: it was ~ funny es war schrecklich komisch.

dam·ni·fi·ca·tion [ˌdæmnifi'keiʃən; -nəfə-] *s* Schädigung *f*, Beeinträchtigung *f.* — **'dam·niˌfy** [-ˌfai] *v/t* 1. *bes. jur.* (*j-n*) schädigen, (*j-m*) Schaden tun *od.* zufügen. – 2. über'vorteilen.

damn·ing ['dæmiŋ] *adj* 1. verdammlich, verdammungswürdig. – 2. zur Über'führung ausreichend, vernichtend (*Beweismaterial*).

dam·num ['dæmnəm] *pl* **-na** [-nə] (*Lat.*) *s jur.* Schaden *m*, Nachteil *m*, Verlust *m.*

Dam·o·cles ['dæməˌkliːz] *npr* Damokles *m*: sword of ~ *fig.* Damoklesschwert.

dam·oi·selle [ˌdæmə'zel], *auch* **dam·o·sel, dam·o·zel** ['dæməˌzel] *obs. für* damsel.

damp [dæmp] **I** *adj* 1. feucht, dumpfig, klamm. – 2. *obs.* niedergeschlagen. – *SYN. cf.* wet. – **II** *s* 3. Feuchtigkeit *f.* – 4. Dunst *m.* – 5. (*Bergbau*) a) Schwaden *m*, Grubendampf *m*, Wetter *n*, b) *pl* Schlag-, Grubenwetter *n.* – 6. Niedergeschlagenheit *f*, Mutlosigkeit *f*, Depressi'on *f.* – 7. *fig.* Dämpfer *m*, Entmutigung *f*, Hemmnis *n*: to cast a ~ on s.th. etwas dämpfen *od.* lähmen, auf etwas lähmend wirken. – **III** *v/t* 8. befeuchten, feucht machen, benetzen. – 9. stickig *od.* dumpfig machen. – 10. dämpfen, hemmen, bremsen, (ab)schwächen. – 11. ersticken, auslöschen. – 12. *electr. mus. phys.* dämpfen. – **IV** *v/i* 13. feucht werden. – 14. *electr.* abklingen. –

Verbindungen mit Adverbien:

damp| down *v/t* 1. (*Feuer*) abdämpfen. – 2. *tech.* drosseln. – 3. (*Wäsche zum Bügeln*) einsprengen u. einrollen. — ~ **off** *v/i bot.* an der 'Umfallkrankheit leiden (*Keimling*). — ~ **out** → damp 14.

damp course *s arch.* Sperrbahn *f* (*feuchtigkeitsbeständige Schicht in einer Mauer*).

damped [dæmpt] *adj bes. electr. mus. phys.* gedämpft.

damp·en ['dæmpən] **I** *v/t* 1. anfeuchten, befeuchten, benetzen. – 2. dämpfen, niederdrücken. – 3. *fig.* entmutigen, niederschlagen, depri'mieren. – **II** *v/i* 4. feucht werden. — **'damp·en·er** *s* 1. Anfeuchter *m.* – 2. Dämpfer *m*, Hemmvorrichtung *f.*

damp·er ['dæmpər] *s* 1. Dämpfer *m* (*auch fig.*): to be a ~ to, to cast a ~ on entmutigen. – 2. *tech.* Luft-, Ofen-, Zugklappe *f*, Schieber *m.* – 3. *mus.* Dämpfer *m.* – 4. *electr.* a) (Schwingungs)Dämpfung *f*, Dämpfungsvorrichtung *f* (*für Magnetnadeln etc*), b) Kurzschlußring *m.* – 5. *Am. sl.* Regi'strierkasse *f.* – 6. *Br.* Anfeuchter *m*, Sprenger *m* (*Arbeiter*). – 7. *Austral.* flaches, ungesäuertes Brot (*in heißer Asche gebacken*). — ~ **ac·tion** *s mus. tech.* Dämpfung *f*, 'Dämpf(er)mechaˌnismus *m* (*Klavier*). — ~ **ped·al** *s mus.* 'Dämpfungspeˌdal *n*, linkes Pe'dal (*Klavier*). — ~ **wind·ing** *s electr.* Dämpferwicklung *f.*

damp·ing ['dæmpiŋ] *s phys.* 1. *electr.* Dämpfung *f.* – 2. Abklingen *n* (*von Schwingungen*). — ~ **con·stant** *s electr.* 'Dämpfungskonˌstante *f.* — ~ **fac·tor** *s electr.* Dämpfungsfaktor *m.* — ~ **ma·chine** *s tech.* 'Anfeuchtungsmaˌschine *f.* — '~-'**off** *s bot.* 'Umfallkrankheit *f* (*der Keimlinge*).

damp·ish ['dæmpiʃ] *adj* etwas feucht, dumpfig, klamm. — **'damp·ish·ness** *s* leichte Feuchtigkeit, Dumpfigkeit *f.*

damp·ness ['dæmpnis] *s* Feuchtigkeit *f*, Dumpfigkeit *f.* — **'damp-ˌproof** *adj* feuchtigkeitsbeständig.

dam·sel ['dæmzəl] *s* 1. junges Mädchen, Fräulein *n*, Jungfrau *f.* – 2. *obs.* Edelfräulein *n.* — ~ **fly** *s zo.* Schlankjungfer *f* (*Libelle d. Unterordng Zygoptera*).

dam·son ['dæmzən] *s bot.* Hafer-, Damas'zenerpflaume *f*, Spilling *m* (*Prunus institia*). — ~ **cheese** *s* steifes Pflaumenmus. — ~ **plum** *s bot.* 1. → damson. – 2. *Br.* süße Abart der Damas'zenerpflaume.

Dan[1] [dæn] *s obs. Ehrentitel vor Götter- u. Dichternamen*: ~ Cupid Gott Amor.

Dan[2] [dæn] *npr Bibl.* Dan *m* (*Sohn Jakobs u. Name des von ihm gegründeten Stammes*): from ~ to Beersheba von einem Ende zum anderen, ganz und gar.

dan[3] [dæn] *s mar.* Breil *f*, Mar'kierboje *f*: ~ layer → danner.

Dan·a·id ['dæneiid] *pl* **Da·na·i·des** [də'neiiˌdiːz] *s* (*Mythologie*) Dana'ide *f* (*eine der 50 Töchter des Danaos*). — **'dan·aˌide** [-ˌaid] *s tech.* Dana'ide *f*, Schraubenwasserrad *n.* — ˌ**Dan·a'id·e·an** [-'idiən] *adj* dana'idisch, Danaiden... (*frucht- u. endlos*): ~ job Danaidenarbeit.

da·na·ite ['deinəˌait] *s chem.* Dana'it *m*, 'Kobaltarˌsenkies *m* [(Fe, Co)AsS].

dan·bur·ite ['dænbəˌrait] *s min.* Danbu'rit *m* ($CaB_2(SiO_4)_2$).

dance [*Br.* dɑːns; *Am.* dæ(ː)ns] **I** *v/i* 1. tanzen: to ~ to (*od.* after) s.o.'s pipe (*od.* tune, whistle) *fig.* nach j-s Pfeife tanzen; to ~ to another tune *fig.* sich den veränderten Umständen anpassen; to ~ the hay(s) komplizierte Figuren beschreiben. – 2. tanzen, hüpfen, (um'her)springen (with vor *dat*): to ~ on nothing (*ironisch*) gehängt werden, baumeln. – **II** *v/t* 3. (*einen Tanz*) tanzen: to ~ a waltz; to ~ attendance on s.o. *fig.* um j-n herumtanzen. – 4. (*Bären*) tanzen lassen. – 5. tanzen *od.* hüpfen lassen, schaukeln. – 6. tanzen: to ~ away (*Zeit etc*) vertanzen; to ~ one's shoes off sich die Schuhe von den Füßen tanzen. – **III** *s* 7. Tanz *m*: to have a ~ with s.o. mit j-m einen Tanz tanzen; to lead s.o. a ~ j-n zum Narren halten, j-n an der Nase herumführen; to join the ~ *fig.* den Tanz mitmachen, mit den Wölfen heulen; D~ of Death Totentanz. – 8. *mus.* Tanz *m.* – 9. Tanzgesellschaft *f*, Ball *m*: at a ~ auf einem Ball. — **'danc·er** *s* 1. Tänzer(in). – 2. *pl sl.* Treppe *f.*

danc·ing [*Br.* 'dɑːnsiŋ; *Am.* 'dæ(ː)n-] *s* Tanzen *n*, Tanz(kunst *f*) *m.* — ~ **dis·ease** *s med.* Choreoma'nie *f*, Tanzwut *f*, -sucht *f.* — ~ **girl** *s* 1. (*berufsmäßige*) Tänzerin. – 2. (*im Orient*) Tanzmädchen *n*, Baja'dere *f.* — '~-ˌ**girls** *s pl* (*als sg konstruiert*) *bot.* Tanzende Man'tisie, Tänzerin *f* (*Mantisia saltatoria; Indien*). — ~ **hall** *s Am.* öffentliches 'Tanzloˌkal. — ~ **les·son** *s* Tanzstunde *f.* — ~ **ma·ni·a,** *auch* ~ **mal·a·dy** *s med.* epi'demische Tanzwut *od.* Choreoma'nie. — ~ **mas·ter** *s* Tanzlehrer *m.* — ~ **plague** → dancing mania. — ~ **room** *s* 1. Tanzsaal *m.* – 2. öffentliches 'Tanzloˌkal, Tanzboden *m.* – 3. Tanzfläche *f.* — ~ **school** *s* Tanzschule *f.*

dan·de·li·on ['dændiˌlaiən; -də-] *s bot.* Löwenzahn *m* (*Gattg Taraxacum*), *bes.* Kuhblume *f* (*T. officinale*).

dan·der[1] ['dændər] *s colloq.* Ärger *m*, Zorn *m*: to get s.o.'s ~ up j-n in Harnisch bringen, j-n wütend machen.

dan·der[2] ['dændər] *Scot. od. dial.* **I** *v/i* bummeln, spa'zieren. – **II** *s* Bummel *m.*

dan·di·a·cal [dæn'daiəkəl] *adj* stutzer-, geckenhaft, Stutzer...

Dan·die Din·mont ter·ri·er ['dændi 'dinmɒnt] *s* Dandie Dinmont Terrier *m*.
dan·di·fi·ca·tion [ˌdændifi'keiʃən] *s* Stutzerhaftigkeit *f*. — **'dan·diˌfied** [-ˌfaid] *adj* stutzer-, geckenhaft. — **'dan·diˌfy** [-ˌfai] *v/t* zum Stutzer machen, stutzerhaft her'ausputzen.
dan·dle ['dændl] *v/t* **1.** schaukeln, wiegen. – **2.** hätscheln, (lieb)kosen. – **3.** verhätscheln, verwöhnen, verzärteln.
dan·druff, *auch* **dan·driff** ['dændrəf] *s* (Kopf-, Haar)Schuppen *pl*. — **'dan·druff·y** *adj* schuppig, voller (Kopf)-Schuppen.
dan·dy[1] ['dændi] **I** *s* **1.** Dandy *m*, Geck *m*, Stutzer *m*. – **2.** *sl. od. colloq.* (*etwas*) Großartiges *od.* Erstklassiges: that's the ~ das ist das Wahre *od.* Richtige. – **3.** *mar.* a) Eineinhalb-, Heckmaster *m*, b) Treiber *m*, Besansegel *n*. – **4.** *Kurzform für* ~ cart, ~ roll. – **II** *adj* **5.** stutzer-, geckenhaft, Dandy... – **6.** *colloq.* vortrefflich, erstklassig, ‚prima'.
dan·dy[2] ['dændi] → dengue.
dan·dy| brush *s* steife Bürste. — ~ **cart** *s Br.* leichter, gefederter Wagen.
dan·dy·ish ['dændiiʃ] *adj* gecken-, stutzerhaft. — **'dan·dyˌism** *s* Gecken-Stutzerhaftigkeit *f*, geckenhaftes Wesen, Dandytum *n*.
dan·dy| roll, ~ roll·er *s* (*Papierfabrikation*) Dandyroller *m*, -walze *f* (*zur Einpressung des Wasserzeichens*).
Dane [dein] *s* **1.** Däne *m*, Dänin *f*. – **2.** *auch* great D~ *zo.* dänische Dogge. — **'~ˌgeld** [-ˌgeld], **'~ˌgelt** [-ˌgelt] *s Br. hist.* Danegeld *n* (*altengl. Grundsteuer*).
'DaneˌIaw, *auch* (*fälschlich*) **Da·ne·la·ga** [ˌdɑːnə'lɑːgə], **Dane·lagh** ['deinˌlɔː] *s hist.* **1.** dänisches Recht (*in den ehemals von den Dänen besetzten Gebieten Englands*). – **2.** Gebiet *n* unter dänischem Recht.
'Daneˌwort, *auch* **'Daneˌweed**, **Dane's blood** *s bot.* 'Zwergho͵lunder *m*, Eppich *m* (*Scambucus ebulus*).
dan·ger ['deindʒər] *s* **1.** Gefahr *f* (to für): ~ angle *mar.* Gefahrenwinkel; in ~ of death in Todesgefahr; to be in ~ of falling Gefahr laufen, zu fallen; in ~ of one's life in Lebensgefahr. – **2.** Bedrohung *f*, Gefährdung *f*, Gefahr *f*: a ~ to peace eine Bedrohung des Friedens. – **3.** (*Eisenbahn*) Not-, Haltezeichen *n*: the signal is at ~ das Signal zeigt Gefahr an. – **4.** *obs.* a) Macht(bereich *m*) *f*, b) Reichweite *f*. – *SYN.* hazard, jeopardy, peril, risk. — **'dan·ger·ous** *adj* **1.** gefährlich, gefahrvoll: to be ~ to s.o. j-m gefährlich sein, gefährlich für j-n sein. – **2.** ris'kant, bedenklich. – *SYN.* hazardous, jeopardous, perilous, precarious, risky. — **'dan·ger·ous·ness** *s* Gefährlichkeit *f*, Gefahr *f*.
dan·ger| point *s* Gefahrenpunkt *m*. — ~ **sig·nal** *s* 'Not-, Ge'fahren-, 'Halteˌsiˌgnal *n* (*Eisenbahn etc*). — ~ **zone** *s mil.* Gefahren-, Sperrzone *f* (*auf einem Schießplatz*), *mar.* Warngebiet *n*.
dan·gle ['dæŋgl] **I** *v/i* **1.** baumeln, (her'ab)hängen. – **2.** *fig.* (about, round) her'umhängen (um), sich anhängen (*dat od.* an *acc*): to ~ about s.o. j-m nicht vom Leibe gehen. – **II** *v/t* **3.** hin u. her schlenkern, baumeln lassen. – **III** *s* **4.** Schlenkern *n*, Baumeln *n*. – **5.** (*etwas*) Baumelndes *od.* Her'abhängendes. — **'dan·gler** *s* **1.** Baumelnde(r). – **2.** *fig.* Schürzenjäger *m*. — **'dan·gling** *adj* **1.** baumelnd. – **2.** *ling.* unverbunden (*Adverb, Partizip etc*).
Dan·iel ['dænjəl] *s Bibl.* (das Buch) Daniel *m*.
Dan·ish ['deiniʃ] **I** *adj* dänisch. – **II** *s ling.* Dänisch *n*, das Dänische. — ~ **bal·ance** *s tech.* Schnellwaage *f* mit festem Gewicht. — ~ **pas·try** *s* (*Art*) Blätterteiggebäck *n*.
Dan·ite ['dænait] *s* **1.** *Bibl.* Dana'it *m* (*Nachkomme Dans*). – **2.** *hist.* Da'nit *m* (*Mitglied eines angeblichen Geheimbunds von Mormonen*).
dank [dæŋk] *adj* (*unangenehm*) feucht, naß(kalt), dumpfig. – *SYN. cf.* wet. — **'dank·ness** *s* Feuchtigkeit *f*, Dumpfigkeit *f*.
Dan·ne·brog ['dænəˌbrɒg] *s* **1.** Danebrog *m* (*dänische Nationalflagge*). – **2.** Danebrogorden *m*.
dan·ner ['dænər] *s mar.* Boot, das Mar'kierbojen legt.
Da·no-Nor·we·gian ['deinounɔːr'wiːdʒən] *s ling.* Dänisch-Norwegisch *n* (*auf Dänisch beruhende norwegische Schriftsprache*).
danse ma·ca·bre [dɑ̃ːs ma'kɑːbr] (*Fr.*) *s* Danse *m* ma'cabre, Totentanz *m*.
dan·seuse [dɑːn'səːz] *s* Bal'lettänzerin *f*, Ballet'teuse *f*.
Dan·te·an ['dæntiən; dæn'tiːən] **I** *adj* **1.** dantisch, Dantesch(er, e, es) (*Dante od. seine Schriften betreffend*). – **2.** → Dantesque. – **II** *s* **3.** Danteforscher(in) *od.* -liebhaber(in). — **Dan'tesque** [-'tesk] *adj* dan'tesk, in Dantes Art.
Da·nu·bi·an [dæ'njuːbiən; də-] *adj* Donau...
Dan·zig bran·dy ['dæntsig] *s* Danziger Goldwasser *n*.
dap [dæp] *pret u. pp* **dapped I** *v/i* **1.** (*Angelsport*) den Köder sanft ins Wasser fallen lassen. – **2.** leicht *od.* flink 'untertauchen (*Ente etc*). – **3.** hüpfen, (auf u. ab) springen (*Ball*). – **II** *v/t* **4.** (*Ball etc*) hüpfen *od.* springen lassen.
daph·ne ['dæfni] *s bot.* **1.** Seidelbast *m* (*Gattg Daphne*). – **2.** Edler Lorbeer (*Laurus nobilis*).
daph·nin ['dæfnin] *s chem.* Daph'nin *n*, Seidelbastbitter *n* ($C_{15}H_{16}O_9$).
dap·per ['dæpər] *adj* **1.** a'drett, nett, schmuck. – **2.** flink, gewandt, lebhaft. – *SYN.* fashionable, modish, stylish. — **'dap·per·ling** [-liŋ] *s* flinkes u. a'drettes Kerlchen. — **'dap·per·ness** *s* **1.** A'drettheit *f*, Nettigkeit *f*. – **2.** Flinkheit *f*, Gewandtheit *f*.
dap·ple ['dæpl] **I** *v/t* **1.** tüpfeln, sprenkeln, scheckig machen. – **II** *v/i* **2.** scheckig *od.* bunt werden, Tupfen bekommen. – **III** *s* **3.** Scheckigkeit *f*, Sprenkel *pl*, Tupfen *pl*. – **4.** (*das*) Gescheckte *od.* Bunte. – **5.** Scheck(e) *m*, geschecktes Tier: ~ bay Spiegelbrauner. – **IV** *adj* → dappled. — **'dap·pled** *adj* **1.** gesprenkelt, gefleckt, scheckig, getupft. – **2.** bunt.
'dap·ple|-'gray, '~-'grey *adj* apfelgrau: ~ horse Apfelschimmel.
dar·bies ['dɑːrbiz] *s pl sl.* Handschellen *pl*, Fesseln *pl*.
Dar·by and Joan ['dɑːrbi ənd 'dʒoun] *s* glückliches (*bes. älteres*) Ehepaar.
Dar·by·ite ['dɑːrbiˌait] *s relig.* Darby'ist *m*, Plymouthbruder *m*.
Dar·dan ['dɑːrdən], *auch* **Dar'da·ni·an** [-'deiniən] **I** *s* 'Dardaner(in), Tro'janer(in). – **II** *adj* 'dardanisch, tro'janisch.
dare[1] [dɛr] **I** *v/i pret* **dared**, *dial.* **durst** [dəːrst] *pp* **dared 1.** es wagen, sich (ge)trauen, sich erdreisten, sich erkühnen, sich unter'stehen: how ~ you say that? *aber:* how do you ~ to say that? wie können Sie es wagen, das zu sagen? he ~ not come, *aber:* he does not ~ to come er wagt es nicht zu kommen; he ~d (*od.* durst) not ask, he did not ~ to ask er traute sich nicht zu fragen; I ~ say (*od.* ~say) ich darf wohl behaupten, ich glaube wohl, allerdings, jawohl; I ~ swear ich bin ganz sicher, aber gewiß doch. – **II** *v/t* **2.** (*etwas*) wagen, unter'nehmen, ris'kieren, sich her'anwagen an (*acc*). – **3.** (*j-n*) her'ausfordern. – **4.** *fig.* (*acc*) her'ausfordern, (*dat*) trotzen, trotzig *od.* mutig begegnen, Trotz bieten. – **III** *s* **5.** Her'ausforderung *f*, Trotz *m*: to give the ~ to s.o. j-n herausfordern, j-m Trotz bieten; to accept the ~ die Herausforderung annehmen. – **6.** *obs.* Kühnheit *f*.
dare[2] [dɛr] *v/t obs. od. dial.* **1.** einschüchtern. – **2.** blenden, lähmen (*auch fig.*).
'dare|ˌdev·il I *s* Wag(e)hals *m*, Draufgänger *m*, Teufelskerl *m*. – **II** *adj* tollkühn, waghalsig, verwegen. – *SYN. cf.* adventurous. — **'~ˌdev·il(t)ry** *s* Tollkühnheit *f*, Waghalsigkeit *f*, Verwegenheit *f*.
daren't [dɛrnt] *colloq. für* dare not.
dar·er ['dɛ(ə)rər] *s* **1.** Wag(e)hals *m*, Draufgänger *m*. – **2.** Her'ausforderer *m*.
darg, dargue [dɑːrg] *s Scot. od. dial.* Tagewerk *n*.
dar·i ['dʌri] → durra.
dar·ic ['dærik] *s* Darei'kos *m*, Da'rikus *m* (*altpersische Goldmünze*).
dar·ing ['dɛ(ə)riŋ] **I** *adj* **1.** wagemutig, tapfer, kühn. – **2.** unverschämt, dreist. – *SYN. cf.* adventurous. – **II** *s* **3.** (Wage)Mut *m*, Kühnheit *f*. — **dar·ing·ness** *s* Wagemut *m*.
dark [dɑːrk] **I** *adj* **1.** dunkel, finster: it is getting ~ es wird dunkel. – **2.** dunkel (*Farbe*): a ~ complexion ein dunkler Teint; a ~ green ein dunkles Grün. – **3.** brü'nett, dunkel (*Haar*). – **4.** *fig.* düster, finster, freud-, trostlos, trübe: the ~ side of things *fig.* die Schattenseite der Dinge; a ~ future eine freudlose Zukunft. – **5.** düster, finster (*Blick*). – **6.** finster, unwissend, unaufgeklärt. – **7.** böse, verbrecherisch. – **8.** geheim(nisvoll), verborgen, dunkel, unerforschlich: to keep s.th. ~ etwas geheimhalten. – **9.** *fig.* dunkel, unklar, verworren, kompli'ziert. – **10.** schweigsam, finster, verschlossen. – **11.** *fig.* finster, dunkel (*Verbrechen etc*). – **12.** *ling.* dunkel (*Laut*). – **13.** unbekannt: → ~ horse. – *SYN.* a) dim, dusky, gloomy, murky, obscure, b) *cf.* obscure. – **II** *s* **14.** Dunkel(heit *f*) *n*, Finsternis *f*: in the ~ im Dunkel(n), in der Dunkelheit. – **15.** Einbruch *m* der Dunkelheit, Dunkelwerden *n*: after ~ nach Einbruch der Dunkelheit; at ~ bei Dunkelwerden. – **16.** (*Malerei*) dunkle Farbe, Schatten *m*: the lights and ~s Licht u. Schatten. – **17.** *fig.* (*das*) Verborgene *od.* Geheime, Dunkel(heit *f*) *n*. – **18.** *fig.* Ungewißheit *f*, (*das*) Ungewisse *od.* Dunkle, Unkenntnis *f*: to keep s.o. in the ~ about s.th. j-n über etwas im ungewissen lassen; a leap in the ~ ein Sprung ins Dunkle *od.* Ungewisse; I am in the ~ ich tappe im dunkeln. – **19.** Unwissenheit *f*, geistige Blindheit. – **III** *v/i u. v/t obs. für* darken.
dark| ad·ap·ta·tion *s med.* 'Dunkeladaptatiˌon *f* (*Auge*). — **D~ A·ges** *s pl* (frühes) Mittelalter. — **D~ Con·ti·nent** *s* **1.** (*der*) dunkle Erdteil, Afrika *n*. – **2.** unerforschter Kontinent.
dark·en ['dɑːrkən] **I** *v/t* **1.** verdunkeln, dunkel *od.* finster machen, verfinstern: not to ~ s.o.'s door j-s Schwelle nicht betreten. – **2.** dunkel *od.* dunkler färben *od.* machen. – **3.** *fig.* verdüstern, trüben. – **4.** (*Sinn*) verdunkeln, unklar machen. – **5.** blenden, blind machen. – **II** *v/i* **6.** dunkel werden, sich verdunkeln, sich verfinstern. – **7.** sich dunkel *od.* dunkler färben. – **8.** *fig.* sich verdüstern *od.* trüben. – **9.** sich bewölken (*Himmel*). – **10.** erblinden.

dark·ey *cf.* darky.

dark| glass *s tech.* Sonnenblende *f*, -(schutz)glas *n* (*an optischen Instrumenten*). — **~ horse** *s* **1.** (*auf der Rennbahn noch*) unbekanntes Rennpferd, Außenseiter *m* (*auch fig.*). – **2.** *pol.* (*in der Öffentlichkeit*) wenig bekannter Kandi'dat (*der unerwartet gewählt wird*), ‚unbeschriebenes Blatt'.

dark·ish ['dɑːrkiʃ] *adj* **1.** etwas dunkel. – **2.** schwärzlich. – **3.** dämmerig.

dark lan·tern *s* 'Blendlaˌterne *f*.

dar·kle ['dɑːrkl] *v/i* **1.** (im Dunkeln) lauern, verborgen liegen. – **2.** dunkel werden, sich verfinstern.

dark·ling ['dɑːrkliŋ] **I** *adj.* **1.** sich verdunkelnd, dunkel werdend. – **2.** dunkel, finster, trübe. – **II** *adv* **3.** *poet.* im Dunkeln. — **~ bee·tle** *s zo.* Schwarz-, Schatten-, Dunkelkäfer *m* (*Fam. Tenebrionidae*).

dark·ly ['dɑːrkli] *adv* **1.** dunkel. – **2.** *fig.* dunkel, geheimnisvoll. – **3.** *obs.* undeutlich.

dark·ness ['dɑːrknis] *s* **1.** Dunkelheit *f*, Finsternis *f*, Nacht *f*: **under cover of ~** unter dem Schutze der Dunkelheit. – **2.** Heimlichkeit *f*, Verborgenheit *f*. – **3.** dunkle Färbung. – **4.** (*das*) Böse *od.* Schlechte. – **5.** *fig.* (das Reich der) Finsternis *f*: **the Prince of ~** der Fürst der Finsternis (*der Teufel*); **the powers of ~** die Mächte der Finsternis. – **6.** Blindheit *f*. – **7.** *fig.* (geistige) Blindheit, Unwissenheit *f*. – **8.** *fig.* Undeutlichkeit *f*, Unklarheit *f*, Unverständlichkeit *f*, Dunkelheit *f*, Verworrenheit *f*.

dark| pine *s bot.* (*ein*) Sandarakbaum *m* (*Callitris robusta*). — **~ re·ac·tion** *s chem.* 'Dunkelreaktiˌon *f*. — '**~ˌroom** *s phot.* Dunkelkammer *f*. — **~ seg·ment** *s astr.* Erdschatten *m*. — '**~ˌskin** *s* Dunkelhäuter *m*, Mensch *m* mit dunkler Hautfarbe. — **~ slide** *s phot.* **1.** Kas'sette *f*. – **2.** Plattenhalter *m*.

dark·some ['dɑːrksəm] *adj bes. poet.* **1.** dunkel, trübe, traurig. – **2.** finster, böse.

dark| space *s electr.* Dunkelraum *m*, dunkler Raum *od.* Fleck. — **~ star** *s astr.* dunkler Stern (*kaum sichtbar od. nicht leuchtend*).

dark·y ['dɑːrki] *s* **1.** *colloq.* Neger(in), Farbige(r), Schwarze(r). – **2.** *sl.* a) Nacht *f*, b) 'Blendlaˌterne *f*.

dar·ling ['dɑːrliŋ] **I** *s* **1.** Liebling *m*, Liebste(r), Geliebte(r), Schatz *m*: **a ~ of fortune** ein Glückskind. – **2.** liebes Ding, Engel *m*: **aren't you a ~** du bist doch ein Engel. – **II** *adj* **3.** lieb, geliebt, teuer. – **4.** reizend, entzükkend, (aller)liebst(er, e, es), süß: **a ~ little hat.** – **5.** Herzens..., Lieblings...

darn[1] [dɑːrn] **I** *v/t* **1.** (*Loch, Kleidungsstück*) stopfen, (durch Stopfen) ausbessern. – **II** *s* **2.** gestopfte Stelle, (*das*) Gestopfte. – **3.** Stopfen *n*, Ausbessern *n*.

darn[2] [dɑːrn] *sl.* (*euphem. für* **damn**) **I** *v/t* verwünschen, verfluchen, verdammen: **~ it all!** zum Kuckuck damit! – **II** *adj u. adv* → **~ed.** – **III** *s* Pfifferling *m*, Dreck *m*: **not to give a ~ for s.th.** ‚sich einen Dreck um etwas scheren'.

darned ['dɑːrnd] *sl.* (*euphem. für* **damned**) *adj u. adv* verdammt, verflucht, verflixt: **it is a ~ cheek** es ist eine verdammte Frechheit; **he looks ~ well** er sieht verdammt gut aus.

dar·nel ['dɑːrnl] *s bot.* Lolch *m* (*Gattg Lolium; Gras*), *bes.* Taumellolch *m*, Rauschgras *n* (*L. temulentum*).

darn·er ['dɑːrnər] *s* **1.** Stopfer(in), Flicker(in). – **2.** Stopfnadel *f*. – **3.** Stopfei *n*, -pilz *m*.

darn·ing ['dɑːrniŋ] *s* Stopfen *n*, Stopfarbeit *f*. — **~ ball** *s* Stopfkugel *f*. — **~ egg** *s* Stopfei *n*. — **~ nee·dle** *s* **1.** Stopfnadel *f*. – **2.** *zo.* Li'belle *f* (*Ordng Odonata*). — **~ wool** *s* Stopfwolle *f*. — **~ yarn** *s* Stopfgarn *n*.

dart [dɑːrt] **I** *s* **1.** Wurfspeer *m*, -spieß *m*. – **2.** Pfeil *m*: **as straight as a ~** pfeilgerade. – **3.** *zo.* a) Stachel *m* (*Insekt*), b) Liebespfeil *m* (*der Lungenschnecken*). – **4.** Satz *m*, Sprung *m*: **to make a ~ for** losstürzen auf (*acc*); **with a ~** mit einem Satz. – **5.** *pl* Pfeilwerfen *n* (*nach einem Korkbrett*). – **6.** (*Schneiderei*) Abnäher *m*. – **II** *v/t* **7.** (*Speere, Pfeile*) werfen, schießen, schleudern (*auch fig.*): **to ~ a look at s.o.** j-m einen Blick zuwerfen. – **8.** mit einem Abnäher versehen. – **III** *v/i* **9.** schießen, schnellen, fliegen, stürzen: **to ~ at s.o.** auf j-n losstürzen; **he ~ed off** er schoß davon. – **10.** *selten* a) Speere werfen, b) Pfeile abschießen. — '**~ˌboard** *s* Zielscheibe *f* (*beim Pfeilwerfen*).

dart·er ['dɑːrtər] *s* **1.** a) Speerwerfer *m*, b) Pfeilschütze *m*. – **2.** *zo.* a) Schlangenhalsvogel *m* (*Gattg Anhinga*), b) Etheosto'mide *m* (*Fam. Etheostomatidae; nordamer. Fisch*).

dar·tle ['dɑːrtl] **I** *v/t* wieder'holt schleudern *od.* schießen. – **II** *v/i* sich wieder'holt werfen, immer wieder stürzen (**at** auf *acc*).

Dart·moor ['dɑːrtˌmur; -ˌmɔːr], *auch* **~ pris·on** *s engl. Strafanstalt bei Princetown, Devon.*

dar·tre ['dɑːrtər] *s med.* Herpes *f*, Bläschenausschlag *m*. — '**dar·trous** [-trəs] *adj med.* her'petisch.

Dar·win·i·an [dɑːr'winiən] **I** *adj* dar'winisch, darwi'nistisch: **~ theory** → **Darwinism.** – **II** *s* Darwi'nist(in), Darwini'aner(in), Anhänger(in) der Lehre Darwins. — '**Dar·winˌism** *s* Darwi'nismus *m*. — '**Dar·win·ist I** *s* Darwi'nist(in). – **II** *adj* darwi'nistisch. — ˌ**Dar·win'is·tic** *adj* darwi'nistisch. — '**Dar·winˌite** *s* Darwi'nist(in). — '**Dar·winˌize** *v/i* Darwins Lehre folgen.

dash [dæʃ] **I** *v/t* **1.** schlagen, heftig stoßen, schmettern: **to ~ to pieces** in Stücke schlagen, zerschlagen, zerschmettern. – **2.** schleudern, heftig werfen, knallen, schmeißen, schmettern: **to ~ to the ground** zu Boden schmettern *od.* schleudern. – **3.** beschütten, über'gießen, begießen, bespritzen, anspritzen, besprengen (*auch fig.*): **a landscape ~ed with sunlight** eine Landschaft mit sonnigen Flecken. – **4.** spritzen, klatschen, gießen, schütten: **to ~ down a glass of water** ein Glas Wasser hinunterstürzen; **to ~ water in s.o.'s face** j-m Wasser ins Gesicht spritzen. – **5.** (ver)mischen, (ver)mengen. – **6.** *fig.* zerschlagen, zerstören, vernichten, zu'nichte machen. – **7.** (*Gemüt etc*) niederschlagen, -drücken, depri'mieren. – **8.** verwirren, aus der Fassung *od.* in Verlegenheit bringen. – **9.** *fig.* schnell *od.* flüchtig ('hin)werfen, ('hin)zaubern: **to ~ off an essay** einen Aufsatz schnell hinwerfen; **to ~ off** schnell entwerfen *od.* hinwerfen. – **10.** mit (Gedanken)-Strichen versehen: **to ~ s.th. out** *selten* etwas ausstreichen. – **11.** *euphem. für* **damn**: **~ it!** zum Kuckuck (damit)! –

II *v/i* **12.** stürmen, (sich) stürzen, sich werfen. – **13.** aufschlagen, -treffen, klatschen, prallen. – **14.** scheitern (**against** an *dat*). –

III *s* **15.** Schlag *m*: **at one ~** mit 'einem Schlag (*auch fig.*). – **16.** Klatschen *n*, Prall(en *n*) *m*, Aufschlag *m*, Fallen *n*. – **17.** *fig.* Schlag *m*. – **18.** Schuß *m*, Zusatz *m*, Spritzer *m* (*Flüssigkeit*): **wine with a ~ of water** Wein mit einem Schuß Wasser. – **19.** Anflug *m*: **a ~ of sadness** ein Anflug von Traurigkeit. – **20.** Stich *m* (*Farbe*): **blue with a ~ of green** Blau mit einem Stich ins Grüne. – **21.** (Feder)Strich *m*. – **22.** (Gedanken)Strich *m*, Strich *m* für etwas Ausgelassenes. – **23.** Sturm *m*, Vorstoß *m*, stürmischer Anlauf: **to make a ~ at s.th.** auf etwas losstürmen *od.* -stürzen. – **24.** Schneid *m*, Forschheit *f*, E'lan *m*, Feuer *n*, Kraft *f*. – **25.** Ele'ganz *f*, glänzendes Auftreten: → **cut**[2] *b. Redw.* – **26.** *tech.* a) → **~board**, b) Butterstößel *m*. – **27.** *sport* kurzes Rennen, Kurzstreckenlauf *m*. – **28.** (*Telegraphie*) (Morse)Strich *m*. – **29.** *mus.* a) Stac'catostrich *m*, b) (*Generalbaß*) Erhöhungsstrich *m*, c) Schleif-, Ar'peggiostrich *m* (*bei alten Saiteninstrumenten*), d) Plicastrich *m* (*Ligatur*). –

IV *interj* **30.** *bes. Br. colloq.* (*euphem. für* **damn**) verflixt: **oh ~!** ei verflixt! – **V** *adj colloq. für* **~ed.**

'**dashˌboard** *s* **1.** *tech.* Arma'turen-, Instru'mentenbrett *n* (*Kraftfahrzeug*). – **2.** Spritz-, Schmutzbrett *n*, -leder *n* (*Kutsche*). – **3.** *mar.* Schaum-, Spritzbrett *n*, Waschbord *n*.

dashed [dæʃt] *adj colloq.* verflixt, verflucht.

da·sheen [dæ'ʃiːn] *s bot.* Eßbare Kolo'kasie (*Colocasia esculenta*).

dash·er ['dæʃər] *s* **1.** Schläger *m*, Stoßer *m*: **~ block** *mar.* Flaggleinenblock. – **2.** Zerstörer(in), Vernichter(in). – **3.** Butterstößel *m*. – **4.** *Am. für* **dashboard 2.** – **5.** *colloq.* ele'gante Erscheinung (*Person*). — '**dash·ing** *adj* **1.** ungestüm, stürmisch, verwegen, feurig. – **2.** schneidig, forsch, ele'gant, fesch, glänzend. – **3.** klatschend, schlagend. – **4.** rauschend, stürzend (*Wasser*).

dash| lamp *s* Spritzbrettlampe *f* (*Kutsche*). — **~ light** *s tech.* Arma'turenbrettbeleuchtung *f* (*Kraftfahrzeug*). — '**~ˌpot** *s tech.* **1.** Stoßdämpfer *m*, -fang *m*, Puffer *m*. – **2.** 'Bremszyˌlinder *m*. — '**~ˌwheel** *s* (*Färberei etc*) Dasch-, Waschrad *n*, Waschstock *m*.

dash·y ['dæʃi] *adj* **1.** glänzend, ins Auge fallend, auffallend, blendend. – **2.** voller Gedankenstriche (*Text*).

das·sie, das·sy ['dæsi] *s zo.* (*ein*) afrik. Klippschliefer *m* (*Gattg Procavia*).

das·tard ['dæstərd] **I** *s* (gemeiner) Feigling, Memme *f*. – **II** *adj* → **~ly.** — '**das·tard·li·ness** *s* **1.** Feigheit *f*. – **2.** Heimtücke *f*. — '**das·tard·ly** *adj* **1.** feig(e), memmenhaft. – **2.** heimtückisch. – *SYN. cf.* **cowardly.**

da·sym·e·ter [də'simitər; -mə-] *s chem. phys.* (Dampf-, Luft-, Gas)-Dichtemesser *m*.

das·y·phyl·lous [ˌdæsi'filəs] *adj bot.* haar-, wollblättrig.

das·y·ure ['dæsiˌjur] *s zo.* Marderbeutler *m*, Beutelmarder *m* (*Unterfam. Dasyurinae*), *bes.* Bärenbeutler *m*, Beutelteufel *m* (*Sarcophilus satanicus*). — ˌ**das·y'u·rine** [-rain; -rin] *adj* beutelmarderartig.

da·ta ['deitə; *Am. auch* 'dætə] *s pl* **1.** *pl von* **datum.** – **2.** (*Am. oft als sg konstruiert*) Tatsachen *pl*, Einzelheiten *pl*, Angaben *pl*, 'Unterlagen *pl*: **personal ~** Personalien. – **3.** *tech.* Meß- und Versuchswerte *pl*: **~ case** *aer. mil.* Vorschriftenfach (*im Flugzeug*); **~ computer** *mil.* a) (*Artillerie*) Rechengerät, b) (*Flak*) Kommandogerät. [löhner *m*.]

da·tal·ler ['deitələr] *s Br. dial.* Tage-

da·ta·ry ['deitəri] *s relig.* **1.** Data'rie *f* (*ein Amt der röm. Kurie*). – **2.** Da'tar *m* Sr. Heiligkeit (*Leiter der Datarie*).

date[1] [deit] *s bot.* **1.** Dattel *f*. – **2.** Dattelpalme *f* (*Phoenix dactylifera*).

date[2] [deit] **I** *s* **1.** Datum *n*, Tag *m*: **what is the ~ today?** der wievielte ist heute? the "Times" of today's ~ die heutige „Times". – 2. Datum *n*, Zeit(punkt *m*) *f*: of recent ~ neu, modern, neueren Datums; at an early ~ bald, in nicht zu langer Zeit. – 3. Datum *n*, Zeit(raum *m*) *f*, E'poche *f*, Peri'ode *f*. – 4. Datum *n*, Datums- (u. Orts)angabe *f* (*Briefe, Inschrift*): ~ as per post mark Datum des Poststempels; ~ of invoice Rechnungsdatum; ~ of issue Ausgabe-, Ausstellungsdatum. – 5. Frist *f*, Dauer *f*. – 6. *econ.* Tag *m*, Ter'min *m*: ~ of delivery Liefer-, Ablieferungstermin; ~ of maturity Fälligkeits-, Verfallstag; ~ of payment Erfüllungstag; to fix a ~ einen Termin festsetzen. – 7. *econ.* a) Ausstellungstag *m* (*Wechsel*), b) Frist *f*, Sicht *f*: at a long ~ auf lange Sicht. – 8. *Am. colloq.* Verabredung *f*, Stelldichein *n*, Rendez'vous *n*: to have a ~ with s.o. mit j-m verabredet sein; to make a ~ sich verabreden. – 9. *Am. sl.* (Verabredungs)Partner(in): who is your ~ mit wem bist du (denn) verabredet? – 10. heutiges Datum, heutiger Tag: four weeks after ~ vier Wochen (nach dato) von heute. – 11. neuester Stand: out of ~ veraltet, überholt; (up *od.* down) to ~ zeitgemäß, modern, auf dem laufenden, auf der Höhe der Zeit. – **II** *v/t* 12. da'tieren, mit der Datums- u. Ortsangabe versehen: ~d from London aus London datiert; to ~ ahead voraus-, vordatieren; to ~ back zurückdatieren. – 13. da'tieren, ein Datum *od.* eine Zeit bestimmen *od.* angeben für. – 14. 'herleiten (from aus *od.* von). – 15. als über'holt *od.* veraltet kennzeichnen. – 16. da'tieren, einer bestimmten Zeit *od.* E'poche zuordnen. – 17. berechnen (by nach): to ~ s.th. by years etwas nach Jahren berechnen. – 18. ~ up *Am. sl.* sich (regelmäßig) verabreden mit (*j-m*): to ~ a girl. – **III** *v/i* 19. da'tieren, da'tiert sein (from von). – 20. (from, back to) stammen, sich 'herleiten (aus), seinen Ursprung haben, entstanden sein (in *dat*). – 21. ~ back zu'rückreichen, -gehen, sich zu'rückverfolgen lassen: to ~ back to ancient times bis in alte Zeiten zurückreichen, auf alte Zeiten zurückgehen. – 22. rechnen (from von). – 23. veralten, sich über'leben.

dat·ed ['deitid] *adj* 1. da'tiert (*Brief etc*). – 2. veraltet, über'holt. – 3. ~ up *bes. Am. sl.* (im voraus) mit Verabredungen voll beschäftigt (*Person*), voll besetzt (*Tag*). — **'date·less** *adj* 1. 'unda,tiert, ohne Datum *od.* Zeitangabe (*Brief etc*). – 2. endlos, ohne Ende. – 3. uralt. – 4. zeitlos, unsterblich (*bes. Kunstwerk*). – 5. *Am. colloq.* frei, ohne Verabredung(en) (*Abend*).

date| line *s* 1. Datumszeile *f* (*Zeitung, Briefkopf*). – 2. Datumsgrenze *f* (*ungefähr zusammenfallend mit dem 180. Grad östl. von Greenwich*). — **'~,mark I** *s* Jahresstempel *m*, -zeichen *n*. – **II** *v/t* mit dem Jahresstempel versehen. — **~ palm** → date¹ 2. — **~ plum** *s bot.* Götterpflaume *f* (*Gattg Diospyros*).

dat·er ['deitər] *s* Da'tierappa,rat *m*.

date| shell *s zo.* Seedattel *f*, Dattelmuschel *f* (*Gattg Lithodomus*). — **~ stamp** *s* Datum-, Poststempel *m*. — **~ sug·ar** *s* Palmzucker *m*.

da·til ['dɑːtil] *s bot.* 1. Argen'tinische Kokospalme (*Cocos datil*). – 2. Mexik. Palmlilie *f* (*Yucca australis*). – 3. (*eine*) mexik. 'Faser-A,gave (*Gattg Agave*).

dat·ing ['deitiŋ] *s* Da'tierung *f*.

da·tion ['deiʃən] *s jur.* Geben *n*, Verleihung *f*: ~ of an office Verleihung eines Amtes.

da·tis·cin [də'tisin] *s chem.* Datis'cin *n*, Da'tiskagelb *n* ($C_{27}H_{30}O_{15}$).

da·ti·val [dei'taivəl] *adj ling.* da'tivisch, Dativ...

da·tive ['deitiv] **I** *adj* 1. *ling.* da'tivisch, Dativ...: ~ termination Dativendung. – 2. *jur.* vergebbar, zu vergeben(d), verfügbar: judicature ~ zu vergebendes Richteramt. – 3. *jur.* a) wider'ruflich (*nicht erblich*), b) absetzbar, c) über'tragend, ernennend, Übertragungs...: decree ~ Ernennungserlaß (*eines Testamentsvollstreckers*). – 4. *jur.* gegeben, über'tragen, gerichtlich ernannt: ~ tutelage übertragene Vormundschaft. – **II** *s* 5. *ling.* Dativ *m*, dritter Fall, Wemfall *m*.

da·to ['dato] *pl* **-tos** (*Span.*) *s* Häuptling *m*.

dat·o·lite ['dæto,lait; -tə-] *s min.* Dato'lith *m*. — **,dat·o'lit·ic** [-'litik] *adj min.* dato'lithisch.

dat·to *pl* **-tos** *cf.* dato.

dat·tock ['dætək] *s bot.* Dattockholz *n* (*von Detarium senegalense*).

da·tum ['deitəm; *Am. auch* 'dæt-] *pl* **-ta** [-tə] *s* 1. (*das*) Gegebene *od.* Festgesetzte. – 2. gegebene Tatsache, Prä'misse *f*, Vor'aussetzung *f*, Gegebenheit *f*, Grund-, 'Unterlage *f*. – 3. *math.* gegebene Größe. – 4. (Unter'suchungs)Ergebnis *n*, Angabe *f*. — **~ lev·el** → datum plane. — **~ line** *s tech.* Bezugs-, Grund-, Standlinie *f* (*bei Vermessungen*). — **~ plane** *s math. phys.* Bezugsebene *f*, -fläche *f*. — **~ point** *s* 1. *math. phys.* Bezugspunkt *m*. – 2. *tech.* Nor'malfixpunkt *m* (*bei Vermessungen*).

da·tu·ra [də'tju(ə)rə; *Am. auch* -'turə] *s bot.* Stechapfel *m* (*Gattg Datura*).

dat·u·rism ['dætʃə,rizəm] *s med.* Datu'rin-, Stechapfelvergiftung *f*.

daub [dɔːb] **I** *v/t* 1. be-, verschmieren, über'schmieren, be-, über'streichen. – 2. (on) (*Schlamm etc*) verstreichen, verschmieren (auf *dat*), streichen, schmieren (auf *acc*). – 3. (*Wand*) bewerfen, verputzen. – 4. *fig.* besudeln, beschmutzen. – 5. (*Bild*) zu'sammenklecksen, -schmieren, -stümpern. – 6. *fig.* über'tünchen, bemänteln, verhüllen, -bergen, -decken. – **II** *v/i* 7. klecksen, schmieren, sudeln. – 8. *dial.* heucheln. – **III** *s* 9. grober Putz, Rauhputz *m* (*für Wände*). – 10. Schmiere'rei *f*, Geschmiere *n*, Fleck *m*, Klecks *m*, Gekleckse *n*. – 11. schlechtes Gemälde, Geschmiere *n*, (,Farb)Kleckse'rei *f*. – 12. plumpe Schmeiche'lei. — **'daub·er** *s* 1. Schmierer(in), Schmierfink *m*, Kleckser(in), Sudler(in). – 2. Farbenkleckser(in). – 3. plumper Schmeichler. – 4. *bes. tech.* a) Tupfer *m*, Bausch *m*, b) Schmierbürste *f*. — **'daub·er·y** [-əri] *s* 1. Geschmiere *n*, Schmiere'rei *f*, Sude'lei *f*. – 2. unsaubere *od.* plumpe Male'rei, (,Farb)Kleckse'rei *f*. – 3. Heuche'lei *f*, falscher Schein. – 4. plumpe Schmeiche'lei. — **'daub·ster** [-stər] → dauber. — **'daub·y** *adj* 1. schmierig, klebrig. – 2. geschmiert, gekleckst.

daugh·ter ['dɔːtər] **I** *s* 1. Tochter *f* (*auch fig.*): D~s of the American Revolution *patriotische Frauenvereinigung in USA* (*seit 1890*). – 2. *obs.* Jungfrau *f*. – **II** *adj* 3. Tochter...: ~ language Tochtersprache. – 4. weiblich (*Nachkomme*): a ~ child. — **~ cell** *s bot. zo.* Tochterzelle *f* (*Ergebnis einer Zellteilung*). — **'~-in-,law** *s* 1. Schwiegertochter *f*. – 2. *selten* Stieftochter *f*.

daugh·ter·ly ['dɔːtərli] *adj* töchterlich, wie eine Tochter, kindlich.

dauk *cf.* dak.

daunt [dɔːnt; *Am. auch* dɑːnt] *v/t* 1. einschüchtern, erschrecken. – 2. entmutigen. – *SYN. cf.* dismay. — **'daunt·less** *adj* unerschrocken, furchtlos, kühn. — **'daunt·less·ness** *s* Unerschrockenheit *f*, Kühnheit *f*, Furchtlosigkeit *f*.

dau·phin ['dɔːfin] *s hist.* Dau'phin *m* (*Titel des franz. Thronfolgers 1349 bis 1830*). — **'dau·phin·ess**, *auch* **'dau·phine** [-fiːn] *s* Dau'phine *f* (*Gemahlin des Dauphins*).

daut [dɔːt] *v/t bes. Scot.* liebkosen. — **'daut·ie** [-ti] *s Scot. od. dial.* Liebling *m*.

dav·en·port ['dævn,pɔːrt] *s* 1. kleiner Sekre'tär (*Schreibtisch*). – 2. *Am.* Chaise'longue *f*, Diwan *m*.

Da·vid and Jon·a·than ['deivid ənd 'dʒɒnəθən] *s fig.* (*Bezeichnung für*) zwei unzertrennliche Freunde.

Da·vis Cup ['deivis] *s sport* 'Davispo,kal *m* (*Tenniswanderpreis für Ländermannschaften; 1900 gestiftet*).

dav·it ['dævit] *s mar.* Davit *m* (*beweglicher Bootskran an Bord*).

da·vy¹ ['deivi] → D~ lamp.

da·vy² ['deivi] *s sl.* (*Kurzform für* affidavit) Eid *m*: to take one's ~ schwören.

Da·vy Jones ['deivi 'dʒounz] *s mar.* Teufel *m*, (böser) Geist der Meere.

Da·vy Jones's lock·er *s mar.* Meeresgrund *m*: to go (*od.* to be sent) to ~ ertrinken.

Da·vy lamp *s* (*Bergbau*) Davysche Sicherheitslampe.

daw¹ [dɔː] *s* 1. → jack~ 1 *u.* 2. – 2. *obs.* Dummkopf *m*.

daw² [dɔː] *bes. Scot. für* dawn.

daw·dle ['dɔːdl] **I** *v/i* 1. her'umtrödeln, -bummeln, Zeit vergeuden: to ~ over one's work Zeit bei der Arbeit vertrödeln. – **II** *v/t* 2. *oft* ~ away (*Zeit*) vertrödeln, verbummeln, totschlagen. – *SYN. cf.* delay. – **III** *s* 3. → dawdler. – 4. Tröde'lei *f*, Bumme'lei *f*, Zeitvergeudung *f*. — **'daw·dler** *s* (Her'um)Trödler(in), Bummler(in). — **'daw·dling** *adj* träge, langsam, bummelig.

dawk *cf.* dak.

dawn [dɔːn] **I** *v/i* 1. tagen, dämmern, grauen, anbrechen (*Morgen, Tag*). – 2. *fig.* (her'auf)dämmern, aufgehen, erwachen, anfangen. – 3. *fig.* (auf)dämmern, aufgehen, klarwerden, zum Bewußtsein kommen (on, upon *dat*): the truth ~ed (up)on him ihm ging ein Licht auf, die Wahrheit kam ihm zum Bewußtsein; it ~ed (up)on him that es wurde ihm klar, daß. – 4. *fig.* sich zu entwickeln *od.* entfalten beginnen, erwachen (*Geist, Talent*). – **II** *s* 5. (Morgen)Dämmerung *f*, Tagesanbruch *m*, Morgengrauen *n*: at (the crack of) ~ bei Morgengrauen, bei Tagesanbruch. – 6. *fig.* Morgen *m*, Erwachen *n*, Anbrechen *n*, Beginn *m*, Anfang *m*: ~ of a new era Anbruch einer neuen Zeit; ~ of hope erster Hoffnungsschimmer. — **'dawn·ing** → dawn II.

dawt(·ie) *cf.* daut(ie).

day [dei] *s* 1. Tag *m* (*Gegensatz Nacht*): it is broad ~ es ist heller Tag; → break¹ 6. – 2. Tag *m* (*Zeitraum*): civil ~ bürgerlicher Tag (*von Mitternacht zu Mitternacht*). – 3. (*bestimmter*) Tag: → New Year's D~. – 4. Empfangs-, Besuchstag *m*. – 5. Ter'min *m*: to keep one's ~ pünktlich sein. – 6. Sieg *m*: to win (*od.* carry) the ~ den Sieg davontragen, den Kampf siegreich bestehen; to lose the ~ den Kampf verlieren. – 7. (Arbeits)Tag *m*: eight-hour ~ Achtstundentag. – 8. Tag *m*, Tagereise *f*: three ~s from London drei Tagereisen von London entfernt. – 9. *oft pl* (Lebens)Zeit *f*, Zeiten *pl*, Tage *pl*: in my young ~s in meinen Jugendtagen; in his school ~s in seiner Schulzeit; in those ~s in jenen Tagen, damals; in the ~s of old vorzeiten, in alten Zeiten, einst; to end one's ~s seine Tage beschließen, sterben. – **10.** *oft pl* (*beste*) Zeit (*des Lebens*): in our ~ zu unserer Zeit, in unseren Tagen; every dog has his ~ jedem lacht einmal das Glück; to have had one's ~ sich überlebt haben, überlebt *od.* im Niedergang sein. – **11.** (Lebens)Zeit *f*: at his time of ~ in seinem Alter. – **12.** *astr.* Tag *m* (*eines Himmelskörpers*). – **13.** *arch.* Öffnung *f*, (*das*) Lichte (*eines Fensters etc*). – **14.** (*Bergbau*) Tag *m* (*Erdoberfläche*). – *Besondere Redewendungen*: ~ after ~ Tag für Tag; a ~ after (before) the fair zu spät (früh); the ~ after a) tags darauf, am nächsten Tag, b) der nächste Tag; the ~ after tomorrow, *Am.* ~ after tomorrow übermorgen; all (the) ~, all ~ long den ganzen Tag, den lieben langen Tag; (~ and) ~ about einen um den andern Tag, jeden zweiten Tag; the ~ before a) tags zuvor, b) der vorhergehende Tag; the ~ before yesterday, *Am.* ~ before yesterday vorgestern; it was ~s before he came es vergingen *od.* es dauerte Tage, ehe er kam; by ~ bei Tag(e); by the ~ a) tageweise, b) im Tagelohn (*arbeiten*); ~ by ~ (tag)täglich, Tag für Tag, jeden Tag wieder; to call it a ~ *colloq.* Feierabend machen, es (*für den Tag*) genug sein lassen; every other (*od.* second) ~ alle zwei Tage, jeden zweiten Tag, einen um den andern Tag; to fall on evil ~s ins Unglück geraten; from ~ to ~ a) von Tag zu Tag, zusehends, b) von einem Tag zum anderen; ~ in, ~ out tagaus, tagein; immerfort; to ask s.o. the time of ~ j-n nach der Uhrzeit fragen; to give s.o. the time of ~ j-m guten Tag sagen; to know the time of ~ Bescheid wissen; wissen, was es geschlagen hat; D~ of Atonement *relig.* Versöhnungsfest (*Juden*); ~ of delivery *econ.* (Ab)Lieferungstermin, -tag; ~ of issue *econ.* Erscheinungstag (*Wertpapiere*); ~ of payment *econ.* (Fälligkeits)Termin; one ~ eines Tages, einst(mals) (*in Zukunft od. Vergangenheit*); one ~ or (an)other, some ~ or other (irgendwann) einmal (*in Zukunft*); some ~ eines Tages, irgendwann einmal (*in Zukunft*); the other ~ neulich; these ~s heutzutage, in der heutigen Zeit; one of these (fine) ~s demnächst, nächstens, eines schönen Tages; this ~ week *bes. Br.* a) heute in einer Woche, b) heute vor einer Woche; this many a ~ seit langem, schon lange; to this ~ bis auf den heutigen Tag; three times a ~ dreimal täglich; to a ~ auf den Tag genau; within a few ~s innerhalb weniger Tage; → grace 11; judg(e)ment 11; late 6; order 8 *u.* 11.

day| bed *s* Chaise'longue *f*, Ruhebett *n*, Sofa *n*. — **~ blind·ness** *s med.* Tagblindheit *f*. — **~ board·er** *s* Tagesschüler(in) (*eines Internats; ißt in der Schule, schläft zu Hause*). — **'~ˌbook** *s* **1.** Tagebuch *n*. – **2.** *econ.* a) Jour'nal *n*, Memori'al *n*, b) Verkaufsbuch *n*, c) Kassenbuch *n*, -kladde *f*. – **3.** *mar.* Logbuch *n*. — **~ boy** *s Br.* Schüler *m* einer Tagesschule (*ißt u. wohnt zu Hause*). — **'~ˌbreak** *s* Tagesanbruch *m*, Morgengrauen *n*, -dämmerung *f*. — **~ coach**, *auch* **~ car** *s* (*Eisenbahn*) *Am.* (*normaler*) Per'sonenwagen (*Gegensatz Schlafwagen etc*). — **'~ˌdawn** → daybreak. — **'~ˌdream I** *s* **1.** Wachtraum *m*, Träume'rei *f*. – **2.** Luftschloß *n*, Phanta'siegebilde *n*. – **II** *v/i* **3.** Luftschlösser bauen, (mit offenen Augen) träumen. — **'~ˌdream·er** *s* Träumer(in), verträumte Per'son. — **~ fight·er** *s aer. mil.* Tagjäger *m*. — **'~ˌflow·er** *s bot.* **1.** Comme'line *f* (*Gattg Commelina*). – **2.** Trades'cantie *f* (*Gattg Tradescantia*). – **3.** Harzige Zistrose (*Cistus ladaniferus*). — **'~ˌfly** *s zo.* Eintagsfliege *f* (*Ordng Ephemerida*). — **~ la·bo(u)r** *s* Tagelöhner-, Tagesarbeit *f*. — **~ la·bo(u)r·er** *s* Tagelöhner *m*. — **~ let·ter** *s* 'Briefteleˌgramm *n*.

'dayˌlight *s* **1.** Tageslicht *n*: in broad ~ am hellichten Tag; to burn ~ bei Tag (*künstliches*) Licht brennen; to let ~ into s.o. *sl.* j-n ‚durchlöchern' (*erstechen od. erschießen*). – **2.** Tagesanbruch *m*, Morgengrauen *n*: before ~ vor dem Morgengrauen. – **3.** *fig.* Klarheit *f*, Erleuchtung *f*, Licht *n*: he sees ~ at last endlich geht ihm ein Licht auf. – **4.** (Licht *n* der) Öffentlichkeit *f*: to let ~ into s.th. etwas der Öffentlichkeit zugänglich machen. – **5.** Zwischenraum *m*, Abstand *m*: a) *zwischen zwei Booten im Rennen*, b) *sl. zwischen Sattel u. Reiter*. – **6.** freier Raum (*bes. zwischen Getränk u. Glasrand*). — **~ blue** *s* Tageslichtblau *n*. — **~ lamp** *s* Tageslichtlampe *f*. — **~ sav·ing** *s* Nutzung *f* des frühen Tageslichts (*durch Einführen der Sommerzeit*). — **'~-'sav·ing time** *s* Sommerzeit *f*.

day| lil·y *s bot.* **1.** Taglilie *f* (*Gattg Hemerocallis*). – **2.** Funkie *f* (*Gattg Hosta*). — **~ loan** *s econ.* tägliches Geld, Tagesgeld *n*. — **'~ˌlong** *adj* den ganzen Tag dauernd. — **'~ˌman** *s irr* Tagearbeiter *m*, Tagelöhner *m*. — **'~ˌmark** *s aer.* Tageskennzeichen *n*. — **~ net·tle** → dead nettle. — **~ nurs·er·y** *s* **1.** Kinderkrippe *f*, -tagesstätte *f*, Kleinkinderbewahranstalt *f*. – **2.** (Kinder)Spielzimmer *n*. — **~ owl** *s zo.* Sperbereule *f* (*Surnia ulula*). — **'~-ˌpeep** *s* Tagesgrauen *n*. — **~ rate** *s econ.* Tageslohn *m*. — **'~ˌroom** *s* Tagesraum *m* (*in Internaten, Heimen etc*). — **~ schol·ar** *s* Ex'terne(r) (*eines Internats*). — **~ school** *s* **1.** Exter'nat *n*, Schule *f* ohne Pensio'nat. – **2.** Tagesschule *f* (*Gegensatz Abendschule*). – **3.** Werktagsschule *f* (*Gegensatz Sonntagsschule*). — **~ shift** *s* Tagschicht *f*. — **~ sight** *s med.* Nachtblindheit *f*.

days·man ['deizmən] *s irr* **1.** → dayman. – **2.** *obs.* Schiedsrichter *m*, -mann *m*.

'day|ˌspring *s* **1.** Tagesanbruch *m*. – **2.** *fig.* Beginn *m*, Anfang *m*. — **'~ˌstar** *s* **1.** *astr.* Morgenstern *m*. – **2.** *poet.* Tagesgestirn *n*, Sonne *f*.

day's work *s* **1.** Tagewerk *n*. – **2.** *econ.* Arbeitstag *m*. – **3.** *mar.* Etmal *n* (*nautischer Tag von Mittag bis Mittag*).

day|·tal·er ['deiteilər] → dataller. — **~ tick·et** *s* (*Eisenbahn etc*) Tagesrückfahrkarte *f*. — **'~ˌtime** *s* Tageszeit *f*, (*heller*) Tag: in the ~ am Tag, bei Tage. — **'~ˌtimes** *adv Am. colloq.* bei *od.* am Tag: he was busy ~. — **'~ˌwork** *s* **1.** Tagarbeit *f* (*Gegensatz Nachtarbeit*). – **2.** Tagesarbeit *f*, Arbeit *f* im Tagelohn.

daze [deiz] **I** *v/t* **1.** betäuben, lähmen (*auch fig.*). – **2.** blenden, verwirren, betäuben. – **II** *s* **3.** Betäubung *f*, Lähmung *f*, Benommenheit *f* (*auch fig.*): to be in a ~ benommen *od.* betäubt sein. – **4.** Verwirrung *f*, Verstörtheit *f*. – **5.** (*Bergbau*) glänzendes Gestein, *bes.* Glimmer *m*. — **dazed** *adj* **1.** betäubt, benommen, gelähmt. – **2.** geblendet, verwirrt, verstört. — **daz·ed·ly** ['deizidli] *adv* wirr, verwirrt. — **'daz·ed·ness** → daze 3 *u.* 4.

daz·zle ['dæzl] **I** *v/t* **1.** blenden. – **2.** *fig.* verwirren, blenden. – **3.** *fig.* verblüffen, erschrecken, einschüchtern. – **4.** (*durch Bemalung*) tarnen. – **5.** *selten* ausstechen, über'treffen. – **II** *v/i* **6.** geblendet sein. – **7.** *fig.* verwirrt *od.* benommen sein. – **8.** *fig.* glänzen, Eindruck machen, Bewunderung erregen, blenden. – **III** *s* **9.** Blenden *n*: ~ lamps, ~ lights Blendlampen. – **10.** Leuchten *n*, blendender Schimmer *od.* Glanz: a ~ of light eine Lichtflut. – **11.** Tarnfarbe *f*: ~ paint, ~ system *mar.* (Schrägstreifen)Tarnbemalung. — **'daz·zle·ment** *s* **1.** Blenden *n*, Blendung *f*. – **2.** Geblendetsein *n*. — **'daz·zler** *s sl.* **1.** ‚Blender' *m*, ‚Angeber' *m*. – **2.** ‚tolle Frau', ‚Rasseweib' *n*. – **3.** betäubender Schlag. — **'daz·zling** *adj* **1.** blendend. – **2.** verwirrend.

D-day ['diːˌdei] *s mil.* der Tag X (*für den ein militärisches Unternehmen festgesetzt wird, bes. der Tag der alliierten Landung in der Normandie, 6. Juni 1944*).

de- [di; diː] *Vorsilbe mit der Bedeutung* ent-, ver-, aus-, des-, ab-.

dea·con ['diːkən] **I** *s* **1.** Dia'kon *m*, Di'akonus *m*. – **2.** (*anglikanische Kirche*) Geistlicher *m* dritten (*niedersten*) Weihegrades. – **3.** (*Freimaurerei*) Logenbeamter *m*. – **4.** *Am.* *weniger als 8 Pfund wiegende Kalbshaut.* – **II** *v/t Am.* **5.** (*die Verse vor dem Singen*) laut 'hersagen. – **6.** *colloq.* (*Früchte etc*) so verpacken, daß das Beste oben'auf liegt. – **7.** (*Kalb*) bei *od.* gleich nach der Geburt töten. — **'dea·con·ess** *s* **1.** Dia'konin *f*. – **2.** Diako'nissin *f*, Diako'nisse *f*. — **'dea·con·ry** [-ri] *s relig.* Diako'nie *f* (*Amt od. Stand eines Diakons*).

dea·con seat *s Am. od. Canad.* lange Bank, langer Holzklotz (*als Sitz in Holzfällerhütten*). [conry.]

dea·con·ship ['diːkənˌʃip] → dea-

de·ac·ti·vate [diː'æktiˌveit; -tə-] *v/t mil.* **1.** (*Einheit*) auflösen. – **2.** (*Munition*) entschärfen, unscharf machen. — **de·ac·ti·va·tion** [ˌdiːækti'veiʃən] *s* **1.** Auflösung *f* (*einer Einheit*). – **2.** Entschärfen *n* (*von Munition*).

dead [ded] **I** *adj* **1.** tot, gestorben: as ~ as a doornail mausetot; ~ body Leiche, Leichnam; ~ and gone tot u. begraben (*auch fig.*); ~ men tell no tales die Toten sind stumm *od.* verraten nichts; to shoot s.o. ~ j-n erschießen, j-n totschießen; to strike ~ erschlagen; to wait for a ~ man's shoes auf eine Erbschaft warten; he is ~ of pneumonia er ist an Lungenentzündung gestorben. – **2.** tot, leblos: ~ matter tote Materie. – **3.** todähnlich, tief: a ~ sleep. – **4.** *colloq.* ‚restlos fertig', todmüde, zu Tode erschöpft: I'm ~. – **5.** unzugänglich, unempfänglich (to für). – **6.** taub (to gegen): ~ to advice taub gegen Ratschläge. – **7.** gefühllos, gleichgültig, unempfindlich, kalt, abgestumpft (to gegen). – **8.** tot, ausgestorben, erloschen: ~ language tote Sprache. – **9.** über'lebt, tot, veraltet. – **10.** erloschen (*Vulkan, Gefühl etc*). – **11.** tot, kalt, unbelebt, kraft-, geistlos. – **12.** unfruchtbar, tot, leer, öde. – **13.** tot, still, bewegungslos, stehend: → ~ water. – **14.** still, ruhig, unbelebt, flau: ~ market flauer Markt; the ~ season die ruhige Jahreszeit. – **15.** wirkungslos, außer Kraft, ungültig: a ~ law ein ungültiges Gesetz. – **16.** tot, nichtssagend, leer: ~ forms leere Formalitäten. – **17.** *econ.* tot, gewinn-, 'umsatzlos: ~ assets unproduktive (Kapitals)Anlage; ~ capital (stock) totes Kapital (Inventar). – **18.** tot, unbenutzt: ~ track totes Gleis. – **19.** *bes. arch.* blind, Blend...: ~ floor Blend-, Blindboden; ~ window totes Fenster. – **20.** Sack... (*ohne Ausgang*): ~ street Sackgasse. – **21.** dumpf, klang-, farblos, tot (*Ton*). – **22.** matt, glanzlos, nicht leuchtend: ~ colo(u)rs tote Farben;

~ **gilding** matte Vergoldung. – **23.** 'uneˌlastisch (*Ball etc*). – **24.** schal, geschmacklos (*Getränk*). – **25.** verwelkt, dürr, abgestorben (*Blumen*). – **26.** (a'kustisch) tot: ~ **room** toter *od.* schalldichter Raum. – **27.** vollkommen, völlig, abso'lut, restlos: ~ **calm** Flaute, völlige (Wind)Stille; ~ **certainty** absolute Gewißheit; **in** ~ **earnest** in vollem Ernst; → **loss** 1; ~ **stop** völliger Stillstand; **to come to a** ~ **stop** plötzlich anhalten. – **28.** todsicher, nicht fehlend, unfehlbar: **a** ~ **shot** ein unfehlbarer Schütze. – **29.** schnurgerade: **in a** ~ **line**. – **30.** ungebrochen, 'ununterˌbrochen, glatt: **a** ~ **wall** eine ungegliederte Wand. – **31.** unbeweglich, zu schwer (*Last*). – **32.** äußerst(er, e, es), größt(er, e, es): **a** ~ **strain** eine äußerste Anstrengung. – **33.** angestrengt, aber vergeblich: **a** ~ **push** ein verzweifelter, aber vergeblicher Stoß. – **34.** *electr.* spannungs-, stromlos, blind, tot(liegend). – **35.** *tech.* a) tot, starr, blind, fest, bewegungslos, b) Abfall..., Ausschuß... – **36.** *print.* Ablege..., abgelegt: ~ **matter** Ablegesatz. – **37.** *jur.* bürgerlich tot. – **38.** *sport* a) tot, nicht im Spiel (*Ball*), b) nicht im Spiel, nicht mitspielend (*Spieler*), c) ausgeschlossen (*Spieler*), d) tot, ganz nahe am Loch liegend (*Golfball*). – *SYN.* **deceased, defunct, departed, inanimate, late, lifeless.** – **II** *s* **39.** toteste *od.* stillste Zeit: **at** ~ **of night** mitten in der Nacht; **the** ~ **of winter** der tiefste Winter. – **40. the** ~ a) der, die, das Tote, b) *collect.* die Toten *pl*: **several** ~ mehrere Tote. – **III** *adv* **41.** restlos, abso'lut, völlig, gänzlich, in höchstem Maße, tief: ~ **asleep** im tiefsten Schlaf; ~ **straight** schnurgerade; ~ **slow!** Schritt fahren! (*Verkehrszeichen*); → **cut**[2] 73. – **42.** plötzlich u. völlig, ab'rupt: → **stop** 24. – **43.** genau, di'rekt: ~ **against** genau gegenüber von (*od. dat*).

dead| ac·count *s econ.* totes *od.* unbewegtes *od.* 'umsatzloses Konto. — '**~-(and-)a'live** *adj fig.* (geistig) tot, langweilig, halbtot. — ~ **an·gle** *s* (*Festungswesen*) toter Winkel. — ~ **a·re·a** *s mil.* toter Schußwinkel(bereich). — '**~-ˌarm** *s bot.* Weinbeerenfäule *f.* — '**~-'ball line** *s* (*Rugby*) *Begrenzungslinie hinter dem Tor eines Rugbyplatzes.* — '**~ˌbeat I** *adj* **1.** *electr. phys. tech.* aperi'odisch (gedämpft), sich ohne Pendelungen *od.* Schwingungen bewegend. – **II** *s* **2.** *electr. tech.* aperi'odisches *od.* aperiodisch anzeigendes 'Meßinstruˌment. – **3.** *tech.* (ruhende) Hemmung (*Uhr*). – **4.** toter Schlag. — '**~-'beat** *adj colloq.* todmüde, völlig erschöpft. — ~ **beat** *s sl.* **1.** *Am.* ‚Nassauer' *m*, ‚Schnorrer' *m.* – **2.** *Austral.* Habenichts *m.* — ~ **bolt** *s tech.* Absteller *m* (*Schließriegel ohne Feder*). — '**~ˌborn** → stillborn. — ~ **cen·ter**, *bes. Br.* ~ **cen·tre** *s tech.* **1.** toter Punkt, Totlage *f*, -punkt *m.* – **2.** tote *od.* feste *od.* nicht ro'tierende Spitze, Reitstockspitze *f* (*der Drehbank etc*). – **3.** Körnerspitze *f.* — '**~-ˌcol·o(u)r** (*Malerei*) **I** *s* Grun'dierungsfarbe *f.* – **II** *v/t u. v/i* grun'dieren, unter'malen. — '**~-ˌcol·o(u)r·ing** *s* Grun'dierung *f.* — ~ **earth** → dead ground 1.

dead·en ['dedn] *v/t* **1.** dämpfen, (ab)schwächen. – **2.** schalldicht machen. – **3.** (*Gefühl*) abtöten, abstumpfen (to gegen). – **4.** (*Wein*) schal machen. – **5.** (*Metall*) mat'tieren, glanzlos *od.* stumpf machen. – **6.** *tech.* (*Quecksilber*) töten. – **7.** (*Geschwindigkeit*) vermindern. – **8.** *Am.* (*Bäume*) durch (ringförmiges) Abschälen zum Absterben bringen.

dead| end *s* **1.** Sackgasse *f* (*auch fig.*): **to come to a** ~ in eine Sackgasse geraten. – **2.** *bes. tech.* blindes Ende. — '**~-ˌend I** *adj* **1.** blind, ohne Ausgang *od.* Ausweg. – **2.** *fig.* ausweglos. – **3.** *electr.* blind, tot(gelegt). – **4.** verwahrlost, Slum...: ~ **kid** verwahrlostes Kind, jugendlicher Verbrecher. – **II** *v/t* **5.** *electr.* totlegen, tot abschließen, mit totem Endverschluß versehen.

dead·en·ing ['dedniŋ] *s* **1.** (Schall)Dämpfer *m.* – **2.** Mat'tierung *f.*

dead| es·cape·ment *s tech.* Hemmung *f* (*Uhr*). — '**~ˌeye** *s mar.* Doodshoft *n*, Jungfer(nblock *m*) *f.* — '**~ˌfall** *s hunt.* Prügel-, Baumfalle *f.* — ~ **fire** *s* Elmsfeuer *n.* — ~ **flat** *s mar.* Null-, Hauptspant *n.* — ~ **freight** *s mar.* Fehl-, Fautfracht *f.* — ~ **ground** *s* **1.** *electr.* Erdung *f* mit sehr geringem 'Übergangsˌwiderstand. – **2.** *mil.* → dead space. — ~ **hand** → mortmain. — '**~ˌhead I** *s* **1.** *colloq.* a) Freikarteninhaber(in), b) 'Freipassaˌgier *m*, blinder Passa'gier. – **2.** *tech.* a) (*Gießerei*) Anguß *m*, Gießkopf *m*, b) unbewegliche Docke (*einer Drehbank*). – **3.** *mar.* Holzpoller *m.* – **II** *v/t colloq.* **4.** (*j-m*) freien Ein- *od.* Zutritt *od.* kostenlose Mitfahrt gewähren. – **III** *v/i colloq.* **5.** eine Freikarte benützen *od.* haben. — '**~'heart·ed** *adj* herz-, gefühllos. — ˌ**~'heart·ed·ness** *s* Herz-, Gefühllosigkeit *f.* — ~ **heat** *s sport* totes Rennen. — '**~-ˌheat I** *v/i* ein totes Rennen laufen. – **II** *v/t* ein totes Rennen laufen mit. — ~ **horse** *s fig.* reizlos gewordene Sache, *bes.* vor'ausbezahlte Arbeit. — '**~ˌhouse** *s* Leichenhalle *f*, -schauhaus *n.* — '**~ˌlatch** *s* Schnapp-, Fallenschloß *n.* — ~ **lat·i·tude** *s mar.* gegißte geo'graphische Breite. — ~ **let·ter** *s* **1.** toter Buchstabe: a) *unwirksames, aber formell noch nicht abgeschafftes Gesetz*, b) *starr nach dem Wortlaut ausgelegtes Gesetz.* – **2.** unzustellbarer Brief: ~ **office** Abteilung für unzustellbare Briefe. — ~ **lift** *s* **1.** Lastheben *n* ohne me'chanische Hilfsmittel. – **2.** schwere (Kraft)Probe *od.* Anstrengung (*auch fig.*): **to help s.o. at a** ~ j-m in einer schweren Lage beistehen. — '**~ˌlight** *s* **1.** *mar.* a) Bullaugenklappe *f*, Fensterblende *f*, b) dickes Glasfenster. – **2.** feste Dachluke. — ~ **line** *s* **1.** *mil.* Sperrlinie *f* (*um Gefangenenlager*). – **2.** *print.* Führungslinie *f* (*bei Zylinderpressen*). – **3.** → deadline. — '**~ˌline** *s* **1.** letzter ('Ablieferungs)Terˌmin. – **2.** Stichtag *m.* – **3.** äußerste Grenze. – **4.** *Markierung in amer. Gefängnissen, bei deren Überschreitung der Häftling sofort erschossen wird.*

dead·li·ness ['dedlinis] *s* Tödlichkeit *f*, (*das*) Tödliche.

dead| load *s tech.* Belastung *f* ohne 'Nutzefˌfekt, *bes.* a) (*statisch*) totes Gewicht, tote *od.* ruhende Last, Eigengewicht *n*, b) (*dynamisch*) *auch electr.* tote Last *od.* Belastung, Eigenverbrauch *m*, (Gesamt)Verluste *pl.* — '**~ˌlock** *bes. fig.* **I** *s* völliger Stillstand, völlige Stockung, Sackgasse *f*, verfahrene Lage: **to come to a** ~ sich völlig festfahren, auf einem toten Punkt anlangen. – **II** *v/t* zum völligen Stillstand bringen. – **III** *v/i* sich festfahren, auf einem toten Punkt anlangen. — ~ **lock** *s tech.* Ein'riegelschloß *n.*

dead·ly ['dedli] **I** *adj* **1.** tödlich, todbringend, lebensgefährlich, mörderisch. – **2.** *fig.* unversöhnlich, schrecklich, grausam, tödlich, Tod...: ~ **enemy** Todfeind. – **3.** totenähnlich, tödlich, Todes...: ~ **pallor** Todesblässe. – **4.** *colloq.* schrecklich, groß, sehr, äußerst(er, e, es): **in** ~ **haste.** – *SYN.* **fatal, lethal, mortal.** – **II** *adv* **5.** tödlich, totenähnlich, leichenhaft, toten..., leichen...: ~ **pale** toten-, leichenblaß. – **6.** tod..., äußerst, überaus, sehr, schrecklich: ~ **tired** todmüde. — ~ **a·gar·ic** *s bot.* Giftpilz *m*, *bes.* Fliegenpilz *m* (*Amanita muscaria*). — ~ **car·rot** *s bot.* Tur'bitt *m*, Giftrübe *f* (*Thapsia garganica*). — ~ **night·shade** *s* **1.** → belladonna 1. – **2.** → black nightshade. — ~ **sins** *s pl* Todsünden *pl*: **the seven** ~.

'**dead|·man** *s irr* **1.** *tech.* Abfänger *m*, Abfang- *od.* Haltehaken *m.* – **2.** (Zelt)Hering *m.* – **3.** *Am.* 'umgestürzter Baum. — ~ **man** *s irr* **1.** *fig.* toter Mann, Kind *n* des Todes: **he is a** ~. – **2.** → dead marine. — '**~-ˌman con·trol** *s* Sicherheits-, Notsteuerungsvorrichtung *f.* — ~ **man's eye** → deadeye. — '**~-ˌman's-'fin·gers** *s sg u. pl bot. Br. dial.* **1.** Händelkraut *n*, -wurz *f* (*Orchisarten mit handförmigen Knollen*). – **2.** Gefleckter Aronstab (*Arum maculatum*). — '**~-ˌman's-'hand** *s bot. dial.* **1.** → dead-man's-fingers 1. – **2.** → dead-man's-thumb. — '**~-ˌman's-'han·dle** *s electr.* Griff *m* mit Druckknopf (*der, wenn nicht betätigt, den Strom unterbricht*). — '**~-ˌman's-'thumb** *s bot.* Männliches Knabenkraut (*Orchis mascula*). — ~ **march** *s mus.* Trauermarsch *m.* — ~ **ma·rine** *s sl.* leere ‚Pulle'. — ~**·melt** (*Hüttenwesen*) **I** *v/t* ['-ˌmelt] abstehen lassen. – **II** *s* ['-ˌmelt] Abstehenlassen *n.*

dead·ness ['dednis] *s* **1.** Leblosigkeit *f*, Erstarrung *f* (*bes. fig.*). – **2.** Gefühl-, Empfindungslosigkeit *f*, Abgestumpftheit *f*, Kälte *f*, Gleichgültigkeit *f.* – **3.** *fig.* Leere *f*, Öde *f*, Unfruchtbarkeit *f.* – **4.** *bes. econ.* Unbelebt-, Flau-, Mattheit *f.* – **5.** Dumpfheit *f*, Klang-, Farblosigkeit *f* (*Ton*). – **6.** Mattheit *f*, Glanzlosigkeit *f* (*Farbe*). – **7.** Schalheit *f* (*Getränk*). – **8.** Eintönigkeit *f*, Ungebrochenheit *f* (*einer Fläche*). – **9.** *electr.* Spannungslosigkeit *f*, Stromlosigkeit *f.*

dead| net·tle *s bot.* Taubnessel *f* (*Gattg Lamium*). — ~ **of·fice** *s* Beerdigungsgottesdienst *m.* — ~ **oil** *s chem.* Schweröl *n*, Kreo'sot *n.* — ~ **pan** *s Am. sl.* **1.** Schafsgesicht *n* (*ausdrucksloses Gesicht*). – **2.** ‚Ölgötze' *m* (*bes. Komiker, der keine Miene verzieht*). — '**~-ˌpan** *Am. sl.* **I** *adj* **1.** leer, ausdruckslos, dämlich (*Gesicht*). – **2.** schafsgesichtig (*Person*). – **II** *v/i* **3.** ein ausdrucksloses *od.* dämliches Gesicht machen. — '**~ˌpay** *s mar. mil.* **1.** betrügerisch weiterbezogener Sold. – **2.** betrügerischer Soldbezieher. — ~ **plate** *s tech.* Feuerplatte *f*, Rostvorlage *f* (*in Hochöfen*). — ~ **point** → dead center 1. — ~ **rail** *s* (*Eisenbahn*) **1.** Zusatz-, Hilfsschiene *f* (*bei großer Belastung*). – **2.** (*bei elektr. Unterleitung*) Schiene, die nicht unter Strom liegt. — ~ **reck·on·ing** *s* **1.** *mar.* gegißtes Besteck, Koppelkurs *m.* – **2.** *fig.* blinde *od.* ungefähre Berechnung. — ~ **rent** *s* fester Pachtzins. — ~ **rise,** ~ **ris·ing line** *s mar.* Aufkimmung *f.* — ~ **rope** *s mar.* stehendes Gut, festes Tauwerk. — **D~ Sea ap·ple** → apple of Sodom. — ~ **set** *s* **1.** *hunt.* Stehen *n* (*des Hundes*). – **2.** Stockung *f*: **at a** ~ festgefahren. – **3.** (verbissener) Angriff. – **4.** verbissene Feindschaft. – **5.** beharrliches Freien *od.* Werben. — ~ **space** *s mil.* toter Winkel. — ~ **stick** *s aer.* stehender Pro'peller. — '**~-ˌstick land·ing** *s aer.* Landung *f* mit abgestelltem Motor. — '**~-ˌstroke** *adj tech.* rückstoßfrei, ohne Rückstoß: ~ **hammer** Fall-, Federhammer. — ~ **time** *s* **1.** *mil.* Befehls-, Kom'mandoverzug *m* (*Artillerie*). – **2.** (*Atomphysik*) Tot-,

Sperrzeit *f.* — ~ **wa·ter** *s* **1.** stehendes *od.* stilles Wasser. – **2.** *mar.* Totwasser *n*, Sog *m.* – **3.** *tech.* unter der Heizfläche zirku'lierendes Wasser (*im Dampfkessel*). — ~ **weight** *s* **1.** ganze Last, volles Gewicht (*eines ruhenden Körpers*). – **2.** *fig.* schwere Bürde *od.* Last. – **3.** Leer-, Eigengewicht *n*, totes Gewicht. – **4.** *econ. der Teil der Staatsschuld Großbritanniens, dem keine Anlagen od. produktive Ausgaben gegenüberstehen.* – **5.** *mar.* a) Tot-, Eigengewicht *n*, b) Nutzlast *n.* — '~-ˌ**weight ca·pac·i·ty** *s mar.* Tragfähigkeit *f*, Ladevermögen *n*, Gesamtzuladung *f* (*Schiff*). — ~ **wind** *s mar.* (di'rekter) Gegenwind. — '~ˌ**wood** *s* **1.** totes Holz (*abgestorbene Äste od. Bäume*). – **2.** *fig.* Spreu *f*, nutzlose Glieder *pl* (*einer Gesellschaft*). – **3.** (*etwas*) Veraltetes *od.* Über'holtes. – **4.** Plunder *m*, Gerümpel *n*, *bes. econ.* Ladenhüter *pl.* – **5.** *pl mar.* Totholz *n*, Kielklötze *pl*, Aufklotzung *f.* – **6.** (*Kegeln*) her'umliegende Kegel *pl.* — ~ **wool** *s* Sterblingswolle *f* (*verendeter Schafe*). — ~ **work** *s* vorbereitende Arbeit.

de·a·er·ate [diː'eiəreit] *v/t u. v/i* entlüften. — **deˌa·er'a·tion** *s* Entlüftung *f.* — **de'a·erˌa·tor** [-tər] *s* Entlüfter *m*, Entlüftungsanlage *f.*

deaf [def] *adj* **1.** *med.* taub: ~ **and dumb** taubstumm; ~ **of an** (*od.* **in one**) **ear** auf einem Ohr taub; ~ **as an adder** (*od.* **a post**) stocktaub. – **2.** schwerhörig. – **3.** *fig.* (to) taub (gegen), unzugänglich (für): **none so ~ as those that won't hear** (*etwa*) wem nicht zu raten ist, dem ist auch nicht zu helfen; → **ear** *b. Redw.* – **4.** gedämpft, tot, klanglos (*Ton*). — ~ **aid** → **hearing aid.** — '~-**and**-'**dumb al·pha·bet** *s* 'Taubstummen-, 'Fingeralphaˌbet *n.* — '~-**and**-'**dumb lan·guage** *s* Taubstummen-, Fingersprache *f.*

deaf·en ['defn] *v/t* **1.** taub machen. – **2.** betäuben (with durch). – **3.** (*Schall*) dämpfen. – **4.** *arch.* (*Wände, Türen etc*) abdämpfen, schalldicht machen. — '**deaf·en·ing I** *adj* betäubend, ohrenzerreißend (*Lärm*). – **II** *s arch.* Schalldichtmachen *n.*

'**deaf**|-'**mute I** *adj* taubstumm. – **II** *s* Taubstumme(r). — '~-'**mute·ness**, '~-'**mut·ism** *s* Taubstummheit *f.*

deaf·ness ['defnis] *s* **1.** *med.* Taubheit *f*: **psychic** (*od.* **mental**) ~ Seelentaubheit. – **2.** Schwerhörigkeit *f.* – **3.** *fig.* (to) Taubheit *f* (gegen), Unzugänglichkeit *f* (für).

deal[1] [diːl] **I** *v/i pret u. pp* **dealt** [delt] **1.** (with, in) sich befassen, sich beschäftigen, zu tun haben (mit). – **2.** (with, in) handeln (von), sich befassen (mit), behandeln, zum Thema haben (*acc*): **botany ~s with plants.** – **3.** (with, by) sich befassen *od.* beschäftigen (mit), sich ausein'andersetzen (mit): **to ~ with a problem.** – **4.** (with s.th.) (etwas) über'nehmen *od.* erledigen, fertig werden (mit etwas): **I cannot ~ with it** ich werde nicht damit fertig. – **5.** (with, by) behandeln (*acc*), handeln (an *dat*), sich verhalten (gegen), verfahren, 'umgehen (mit): **to ~ fairly with** (*od.* **by**) **s.o.** sich fair gegen j-n verhalten, fair an j-m handeln; **to ~ justly** gerecht *od.* richtig handeln. – **6.** (with) verkehren (mit), zu tun haben (mit), Beziehung haben (zu). – **7.** *econ.* (with) Handel treiben, Geschäfte machen, in Geschäftsverkehr stehen, Geschäftsverbindung haben (mit), kaufen (bei). – **8.** handeln, Handel treiben (in mit): **to ~ in credits** Kredite vergeben; **to ~ in paper** Papier führen. – **9.** heimlich Geschäfte machen, ‚schieben'. – **10.** (*Kartenspiel*) geben. – **II** *v/t* **11.** *oft* ~ **out** (*etwas*) verteilen, austeilen. – **12.** zuteilen, zukommen lassen. – **13.** (*Schlag*) versetzen: **to ~ blows** Schläge austeilen; **to ~ s.o.** (**s.th.**) **a blow, to ~ a blow at s.o.** (**s.th.**) j-m (einer Sache) einen Schlag versetzen. – **14.** a) (*Karten*) geben, austeilen, b) (*j-m eine Karte*) geben: **to ~ s.o. an ace.** – *SYN. cf.* **distribute.** – **III** *s* **15.** *colloq.* a) Handlungsweise *f*, Verfahren *n*, Poli'tik *f*, Sy'stem *n*, b) Behandlung *f.* – **16.** *colloq.* (Handels)Geschäft *n*, Handel *m*, Transakti'on *f.* – **17.** Abkommen *n*, Über'einkunft *f*: **to make a ~** ein Abkommen treffen. – **18.** Schiebung *f*, unehrliches *od.* zweifelhaftes Geschäft. – **19.** (*Kartenspiel*) a) Blatt *n*, b) Austeilen *n*, Geben *n*: **it is my ~** ich muß geben. – **20.** Verteilung *f.*

deal[2] [diːl] *s* **1.** Menge *f*, Teil *m*, *n*, Porti'on *f*: **a great ~** sehr viel; **not by a great ~** bei weitem nicht; **a good ~** eine ganze Menge, ziemlich viel; **a good ~ of reason** ein gut Teil Vernunft; **a good ~ bigger** ganz erheblich größer. – **2.** *colloq.* eine ganze Menge, ziemlich *od.* sehr viel: **a ~ worse** weit *od.* viel schlechter.

deal[3] [diːl] **I** *s* **1.** *Br.* a) Brett *n*, Planke *f* (*aus Tannen- od. Kiefernholz*), b) Bohle *f*, Diele *f.* – **2.** rohes Kiefernbrett (*von bestimmten Maßen*). – **3.** Kiefern- *od.* Tannenholz *n*: **a stack of ~.** – **II** *adj* **4.** Kiefern..., Tannen..., aus Kiefern- *od.* Tannenholz. – **5.** aus rohen Brettern.

deal·er ['diːlər] *s* **1.** *econ.* Händler(in), Handeltreibende(r), Krämer *m*, Kaufmann *m*: ~ **in antiques** Antiquitätenhändler; ~ **in stocks** Aktienhändler; **retail ~** Einzelhändler. – **2.** (*Kartenspiel*) Geber(in). – **3.** *Person von bestimmtem Verhalten*: **plain ~** aufrichtiger Mensch; Mensch, der ehrlich handelt.

'**dealˌfish** *s zo.* (*ein*) Bandfisch *m* (*Gattg Trachypterus*).

deal·ing ['diːliŋ] *s* **1.** *meist pl* 'Umgang *m*, Verkehr *m*, Verbindungen *pl*: **to have ~s with s.o.** mit j-m verkehren *od.* zu tun haben; **there is no ~ with her** mit ihr ist nicht auszukommen. – **2.** *econ.* a) Geschäftsverkehr *m*, b) Handel *m*, Geschäft *n*: ~ **for cash** Kassageschäft; ~ **in real estate** Immobilienhandel; ~ **in stocks** Effektengeschäft. – **3.** Verfahren *n*, Verhalten *n*, Handlungsweise *f.* – **4.** Austeilen *n*, Geben *n* (*Karten*).

dealt [delt] *pret u. pp von* **deal**[1].

de·am·bu·la·tion [diːˌæmbju'leiʃən; -jə-] *s* Um'herwandern *n*, -spaˌzieren *n.* — **de'am·bu·la·to·ry** [*Br.* -lətəri; *Am.* -ˌtɔːri] *adj* um'herwandernd, -spaˌzierend.

de·am·i·nate [diː'æmiˌneit] *v/t chem.* desami'nieren. — **deˌam·i'na·tion** *s chem.* Desami'nierung *f.*

dean[1] [diːn] *s* **1.** De'kan *m* (*an Universitäten, Vorstand einer Fakultät od. eines College*). – **2.** (*Oxford u. Cambridge*) Fellow *m* mit bes. Aufgaben (*bes. Beaufsichtigung der Nichtgraduierten*). – **3.** *ped. Am.* (*an Hochschulen*) a) Vorstand *m* einer Fakul'tät, b) Hauptberater(in), Vorsteher(in) (*der Studenten*): **the ~ of women** die Vorsteherin der Studentinnen. – **4.** *relig.* De'chant *m*, De'kan *m*, 'Superintenˌdent *m.* – **5.** D~ **of Arches** Laienrichter *m* des kirchlichen Appellati'onsgerichts (*der Provinzen Canterbury u. York*). – **6.** Haupt *n*, Vorsitzende(r), Präsi'dent(in): D~ **of Faculty** (*in Schottland*) Präsident der Anwaltskammer; **the ~ of the diplomatic corps** der Doyen des diplomatischen Korps.

dean[2] *cf.* **dene**[2].

dean·er·y ['diːnəri] *s* Deka'nat *n.*

dear[1] [dir] **I** *adj* **1.** teuer, lieb, liebst(er, e, es), wert: **it is very ~ to me** es ist mir sehr teuer; ~ **Mummy, Mummy ~** (*Anrede*) liebste Mutti; D~ **Sir** (*in Briefen*) sehr geehrter Herr (*Name*)! D~ **Mrs. B.** (*Anrede, bes. in Briefen*) sehr geehrte Frau B! **there's a ~ child** (*begütigend zu einem Kind*) (komm u.) sei lieb; **those near and ~ to you** die dir lieb u. teuer sind; **to work for ~ life** arbeiten, als ob es ums Leben ginge. – **2.** teuer, kostspielig. – **3.** hoch (*Preis*). – **4.** tief(gefühlt), innig, sehnlich: **it is my ~est wish** es ist mein Herzenswunsch. – **5.** *obs.* glorreich, ehrenvoll. – *SYN. cf.* **costly.** – **II** *s* **6.** Liebling *m*, Liebste(r), Schatz *m*: **isn't she a ~?** ist sie nicht reizend *od.* ein Engel? **there's a ~** sei (so) lieb. – **7.** (*Anrede*) mein Lieber, meine Liebe: **my ~s** meine Lieben. – **III** *adv* **8.** teuer: **it will cost you ~** das wird dir teuer zu stehen kommen. – **9.** → **~ly** 1. – **IV** *interj* **10.** du liebe Zeit! du meine Güte!: **oh ~! ~, ~! ~ me!** ach du lieber Himmel! du meine Güte! ach je!

dear[2] [dir] *adj obs.* schwer, hart.

'**dear-ˌbought** *adj* **1.** teuer gekauft. – **2.** *fig.* teuer erkauft.

dear·ie *cf.* **deary.**

dear·ly ['dirli] *adv* **1.** innig, herzlich, von ganzem Herzen: **to love s.o. ~.** – **2.** teuer (*im Preis*). — '**dear·ness** *s* **1.** hoher Wert: **her ~ to me** meine Wertschätzung für sie. – **2.** (*das*) Liebe(nswerte), liebe *od.* gewinnende Art. – **3.** Innigkeit *f*, Herzlichkeit *f.* – **4.** hoher Preis, Kostspieligkeit *f.*

dearth [dəːrθ] *s* **1.** (of) Mangel *m* (an *dat*), Fehlen *n* (von). – **2.** Teuerung *f*, (Hungers)Not *f.* – **3.** *obs.* Kostspieligkeit *f.*

dear·y ['di(ə)ri] *s colloq.* Liebling *m*, Schätzchen *n*, Schatz *m.*

death [deθ] *s* **1.** Tod *m*: **to ~** zu Tode; **frozen to ~** erfroren; **to laugh oneself to ~** sich totlachen; **to** (**the**) ~ bis zum äußersten; **fight to the ~** Kampf bis aufs Messer; (**as**) **sure as ~** bombensicher, todsicher; **to catch one's ~** sich den Tod holen, *bes.* sich zu Tode erkälten; **to hold on like grim ~** verbissen festhalten; **field of ~** Schlachtfeld; **to put** (*od.* **do**) **to ~** töten, *bes.* hinrichten; ~ **in life** lebendiger Tod (*Zustand eines Gelähmten etc*); **to be in at the ~** a) *hunt.* bei der Tötung des Fuchses (*durch die Hunde*) dabeisein, b) *fig.* das Ende miterleben; **it is ~ to do this** darauf steht der Tod (*Todesstrafe*); **to come by one's ~** ums Leben kommen; → **bleed** 1; **tired**[1] 1. – **2.** D~ der Tod: **at D~'s door** an der Schwelle des Todes. – **3.** Tod *m*, Ende *n*, 'Untergang *m*, Vernichtung *f.* – **4.** Tod *m* (*Todesart*): **to die an easy ~** einen leichten Tod haben. – **5.** Todesfall *m.* – **6.** Tod *m* (*Todesursache*): **he will be the ~ of me** er bringt mich noch ins Grab; **to be ~ on s.th.** *sl.* a) etwas aus dem Effeff verstehen, b) ganz versessen auf etwas sein, c) etwas ‚nicht riechen' können, etwas ‚gefressen' haben. – **7.** *meist* **civil ~** *jur.* bürgerlicher Tod. – **8.** Blutvergießen *n*, Töten *n.* – **9.** (Ab)Sterben *n.* – **10.** *relig.* geistlicher Tod: **everlasting ~** ewige Verdammnis. – **11.** Seuche *f*: → **Black D~.** – **12.** (*etwas*) Schreckliches *od.* Entsetzliches: **it is ~ to think of it** der bloße Gedanke ist entsetzlich.

death| **ad·der** *s zo. eine austral. Giftschlange* (*Acanthophis antarcticus*). — ~ **ag·o·ny** *s* Todeskampf *m.* — '~ˌ**bed** *s* Sterbebett *n*: ~ **repentance** Reue auf dem Sterbebett, zu spät kommende Reue. — ~ **bell** *s* **1.** Toten-, Sterbeglocke *f*, -glöckchen *n.* – **2.** Klingen *n* in den Ohren. — '~ˌ**blow** *s* **1.** Todesstreich *m.* – **2.** *fig.* Todesstoß *m*, tödlicher Schlag (to für). — **~ cam·as** *s bot.* **1.** *eine kaliforn. Liliacee* (*Zygadenus venenosus*). – **2.** giftige Kamaswurzel (*von* 1). — **~ can·dle** *s* Totenflämmchen *n* (*Lichterscheinung auf Friedhöfen; im Aberglauben Vorzeichen des Todes*). — **~ cer·tif·i·cate** *s* Totenschein *m*, Sterbeurkunde *f.* — **~ chair** *s Am.* e'lektrischer Stuhl (*für Hinrichtungen*). — **~ cham·ber** *s* **1.** Sterbezimmer *n.* – **2.** 'Hinrichtungsraum *m.* — **~ cord** *s* Strang *m* (*des Henkers*). — **~ cup** *s* **1.** Todes-, Giftbecher *m.* – **2.** *bot.* a) Grüner Knollenblätterpilz (*Amanita phalloides*), b) knolliger Stielgrund (*mancher Knollenblätterpilze*). — **~ dance** *s* Totentanz *m.* — **'~ˌday** *s* Todestag *m.* — **~ du·ty** *s jur.* Erbschafts-, Nachlaßsteuer *f.*

death·ful ['deθful; -fəl] *adj* **1.** mörderisch, tödlich, Todes... – **2.** todesähnlich: ~ stillness Totenstille.

death| herb → belladonna 1. — **~ house** *s* Todeshaus *n* (*Gefängnisraum od. -gebäude, in dem Verurteilte auf die Hinrichtung warten*).

death·in ['deθin] *s bot.* **1.** Giftiger Wasserschierling (*Cicuta virosa*). – **2.** Wasserfenchel *m* (*Oenanthe phellandrium*).

death knell *s* Totengeläut(e) *n*, [-glocke *f.*]

death·less ['deθlis] *adj* **1.** unsterblich. – **2.** *fig.* dauernd, ewig (*Ruhm*). — **'death·less·ness** *s* Unsterblichkeit *f.* — **'deathˌlike** *adj* totenähnlich, leichenartig, Toten..., Leichen...: ~ pallor Leichenblässe. — **'death·li·ness** [-linis] *s* **1.** Tödlichkeit *f*, tödliche Wirkung, Verderblichkeit *f.* – **2.** Totenähnlichkeit *f.* — **'death·ly I** *adj* **1.** tödlich, verderblich, todbringend: ~ poison. – **2.** totenähnlich, Todes..., Leichen..., Toten...: ~ silence Totenstille. – **II** *adv* **3.** toten..., leichen...: ~ pale leichenblaß. – **4.** auf den Tod: ~ sick sterbenskrank.

death| mask *s* Totenmaske *f.* — **'~-of-'man** *s Am.* Amer. Wasserschierling *m* (*Cicuta maculata*). — **~ pen·al·ty** *s* Todesstrafe *f.* — **~ rate** *s* Sterblichkeitsziffer *f.* — **~ rat·tle** *s* Todesröcheln *n.* — **~ ray** *s* Todesstrahl *m.* — **~ roll** *s mil.* Gefallenen-, Verlustliste *f.* — **'~ˌroot** *s bot.* Aufrechte Wachslilie (*Trillium erectum*).

'death's-ˌhead *s* **1.** Totenkopf *m* (*bes. als Symbol*). – **2.** → ~ moth. — **~ moth** *s zo.* Totenkopf(schwärmer) *m* (*Acherontia atropos; Schmetterling*).

'deaths·man [-mən] *s irr obs.* Henker *m*, Scharfrichter *m.*

death| tick → deathwatch 3. — **'~ˌtrap** *s* Todesfalle *f* (*ungesunder od. lebensgefährlicher Ort*). — **~ war·rant** *s* **1.** *jur.* 'Hinrichtungsbefehl *m.* – **2.** *fig.* Todesurteil *n* (*von Hoffnungen, Freude*). — **'~ˌwatch** *s* **1.** Toten-, Leichenwache *f.* – **2.** Wächter *m* eines zum Tode Verurteilten (*vor der Hinrichtung*). – **3.** *zo.* a) Totenuhr *f* (*verschiedene Klopfkäfer der Fam. Anobiidae*), b) Staublaus *f* (*Troctes divinatorius*). — **'~ˌweed** *s bot.* (*ein*) amer. 'Sumpfhoˌlunder *m* (*Iva axillaris*).

death·y ['deθi] *selten für* deathly.

deave [diːv] *v/t obs. od. dial.* (*durch Lärm*) betäuben *od.* verwirren.

de·ba·cle [dei'bɑːkl], *auch* (*Fr.*) **dé·bâ·cle** [de'bɑːkl] *s* **1.** De'bakel *n*, Zu'sammenbruch *m*, Kata'strophe *f.* – **2.** plötzliche Massenflucht, wilde Verwirrung. – **3.** *geol.* a) Eisaufbruch *m*, b) Eisgang *m*, c) Mure *f*, Murgang *m.* – **4.** Wassersturz *m.*

de·bar [di'bɑːr] *v/t pret u. pp* **-'barred** **1.** (*j-n*) ausschließen (from, *selten* of aus *einem Verein*; von *etwas*), (*j-n*) hindern (from doing zu tun). – **2.** (*j-n*) fernhalten von, (*j-m etwas*) versagen, entziehen: he was ~red the pleasure das Vergnügen wurde ihm versagt; to ~ s.o. the crown j-n von der Krone ausschließen. – **3.** (*etwas*) verhindern, verbieten. – *SYN. cf.* exclude.

de·bark [di'bɑːrk] *mar.* **I** *v/t* (*Ladung*) ausschiffen, -laden, löschen. – **II** *v/i* an Land gehen. — **ˌde·bar'ka·tion**, *selten* **de'bark·ment** *s* **1.** An'landgehen *n*, Landung *f.* – **2.** Ausschiffung *f*, (Ent)Löschung *f.*

de·bar·ment [di'bɑːrmənt] *s* **1.** Ausschließung *f* (from von). – **2.** Ausgeschlossensein *n*, Ausschluß *m.*

de·base [di'beis] *v/t* **1.** verderben: to ~ s.o. j-n (charakterlich) verderben. – **2.** verunreinigen, entwürdigen. – **3.** verschlechtern, im Wert mindern. – **4.** (*Wert*) (her'ab)mindern. – **5.** verfälschen. – *SYN.* a) corrupt, debauch, deprave, pervert, vitiate, b) *cf.* abase. — **de'base·ment** *s* **1.** Verunreinigung *f*, Entwürdigung *f.* – **2.** Verschlechterung *f*, Wertminderung *f.* – **3.** Verringerung *f*, Her'abminderung *f* (*des Wertes*). – **4.** Schlechtigkeit *f*, Verkommenheit *f*, Verderbtheit *f.* – **5.** Verfälschung *f.* — **de'bas·er** *s* **1.** Verunreiniger *m.* – **2.** Verderber *m.* – **3.** Verfälscher *m.*

de·bat·a·ble [di'beitəbl] *adj* **1.** disku'tierbar, disku'tabel. – **2.** fraglich, strittig, um'stritten. – **3.** *jur.* anfechtbar, streitig. — **~ ground** *s* **1.** um'strittenes Land (*von verschiedenen Staaten beansprucht*). – **2.** *fig.* Zankapfel *m*, strittige Sache: that is ~ darüber läßt sich streiten. — **~ land** → debatable ground 1.

de·bate [di'beit] **I** *v/i* **1.** debat'tieren, disku'tieren, streiten, Erörterungen anstellen (on, upon über *acc*). – **2.** *obs.* kämpfen. – **II** *v/t* **3.** (*etwas*) debat'tieren, disku'tieren, streiten über (*acc*), erörtern. – **4.** erwägen, sich über'legen, mit sich zu Rate gehen über (*acc*). – **5.** *obs.* kämpfen um. – *SYN. cf.* discuss. – **III** *s* **6.** De'batte *f*, Diskussi'on *f*, Dis'put *m*, Verhandlung *f*, Erörterung *f*, Rede-, Wortstreit *m*: beyond ~ unbestreitbar; warm ~ lebhafte Debatte. — **de'bat·er** *s* **1.** Dispu'tant(in), Debat'tierende(r). – **2.** *pol.* Redner *m* (*im Parlament*). — **de'bat·ing** *adj* Debattier...: ~ club, ~ society Debattierklub.

de·bauch [di'bɔːtʃ] **I** *v/t* **1.** (*sittlich*) verderben, korrum'pieren. – **2.** verführen, verleiten (to zu). – **3.** *obs.* abspenstig machen. – *SYN. cf.* debase. – **II** *v/i* **4.** (*sittlich*) her'unterkommen, verkommen. – **5.** schwelgen, schlemmen, prassen. – **III** *s* **6.** Ausschweifung *f*, Orgie *f.* – **7.** Schwelge'rei *f*, Schlemme'rei *f*, Prasse'rei *f.* — **de'bauched** *adj* ausschweifend, liederlich, verderbt, (*sittlich*) verkommen, zuchtlos. — **de'bauch·ed·ness** [-idnis] *s* Verderbtheit *f*, Liederlichkeit *f*, Zuchtlosigkeit *f*, Verkommenheit *f.* — **deb·au·chee** [ˌdebɔː'tʃiː; -'ʃiː] *s* Wüstling *m*, Wollüstling *m*, Schwelger *m*, Schlemmer *m.* — **de'bauch·er** *s* Verführer *m*, Verderber *m.* — **de'bauch·er·y** *s* **1.** Ausschweifung *f*, Schwelge'rei *f*, Prasse'rei *f*, Wollust *f.* – **2.** *pl* Ausschweifungen *pl*, Orgien *pl.* – **3.** Verleitung *f*, Verführung *f.* — **de'bauch·ment** *s* **1.** Ausschweifung *f*, Orgie *f.* – **2.** Schwelge'rei *f*, Prasse'rei *f.* – **3.** Verderbtheit *f*, Liederlichkeit *f*, Verkommenheit *f.* – **4.** Verführung *f.*

de·ben·ture [di'bentʃər] *s econ.* **1.** schriftliche Anerkennung einer Schuld: a) (*amtlich beglaubigter, meist gesiegelter*) Schuldschein, b) *auch* ~ bond (*von einer Körperschaft etc ausgestellte*) Schuldverschreibung, Obligati'on *f*, c) Pfandbrief *m*: mortgage ~ Hypothekenbrief, hypothekarische Obligation; first ~s Prioritätsobligationen, Prioritäten; second ~s Prioritäten zweiten Ranges. – **2.** (*Zollwesen*) Rückzollschein *m.* — **de'ben·tured** *adj econ.* **1.** durch Schuldschein gesichert. – **2.** rückzollberechtigt: ~ goods Rückzollgüter.

de·ben·ture stock *s* **1.** *Am.* Vorzugsaktien *pl* erster Klasse. – **2.** *Br.* Obligati'onen *pl*, Schuldverschreibungen *pl.*

deb·ile ['debil; *Br. auch* 'diːbail] *adj* schwach, kraftlos, schlaff, matt.

de·bil·i·tant [di'bilitənt; -lə-] *med.* **I** *adj* **1.** schwächend. – **2.** beruhigend. – **II** *s* **3.** schwächendes Mittel. – **4.** Beruhigungsmittel *n.*

de·bil·i·tate [di'biliˌteit; -lə-] *v/t* schwächen, entkräften. – *SYN. cf.* weaken. — **de'bil·iˌtat·ed** *adj* geschwächt, entkräftet. — **deˌbil·i'ta·tion** *s* Schwächung *f*, Entkräftigung *f.* — **de'bil·i·ty** *s* **1.** Schwäche *f*, Kraftlosigkeit *f.* – **2.** *med.* a) Schwäche *f*, 'Hinfälligkeit *f*, b) Schwäche-, Erschöpfungszustand *m*: nervous ~ Nervenschwäche.

deb·it ['debit] *econ.* **I** *s* **1.** Debet *n*, Soll(wert *m*) *n*, Schuldposten *m.* – **2.** (Konto)Belastung *f*: to the ~ of zu Lasten von. – **3.** Debetseite *f* (*Hauptbuch*): to charge a sum to s.o.'s ~ j-s Konto mit einer Summe belasten. – **II** *v/t* **4.** (*j-n*) debi'tieren, belasten: to ~ s.o. with an amount j-n mit einer Summe belasten. – **5.** (*Konto*) belasten. – **6.** (*etwas*) debi'tieren, zur Last schreiben. — **~ ac·count** *s econ.* Schuldkonto *n.*

dé·blai [de'blɛ] (*Fr.*) *s* (*Festungswesen*) *hist.* Deckungsmulde *f.*

deb·o·nair(e) [ˌdebə'nɛr] *adj* **1.** liebenswürdig, höflich, gefällig. – **2.** anmutig, heiter, unbefangen. – **3.** *obs.* gutmütig, sanft(mütig). — **ˌdeb·o'nair·ness** *s* **1.** Liebenswürdigkeit *f*, Höflichkeit *f.* – **2.** heitere Anmut.

de bonne grâce [də bɔn 'grɑːs] (*Fr.*) mit guter Miene, bereitwillig, gern.

de·boshed [di'bɒʃt] *Scot. od. obs. für* debauched.

de·bouch [di'buːʃ; *Br. auch* di'bautʃ] **I** *v/i* **1.** *mil.* debou'chieren, her'vorbrechen, -kommen. – **2.** sich ergießen, (ein)münden (*Fluß*): to ~ from the mountains aus dem Gebirge austreten. – **II** *v/t* **3.** her'vor-, her'austreten lassen. – **III** *s* → débouché.

dé·bou·ché [debu'ʃe] (*Fr.*) *s* **1.** *mil.* a) (*Festungswesen*) Ausfallstelle *f*, b) Her'vorbrechen *n*, Ausfall *m.* – **2.** Ausgang *m*, -weg *m.* – **3.** *econ.* Absatzgebiet *n*, -markt *m.*

de·bouch·ment [di'buːʃmənt; *Br. auch* di'bautʃ-] *s* **1.** *mil.* Debou'chieren *n*, Her'vorbrechen *n*, Ausfall *m.* – **2.** Ausgang *m*, Mündung *f.*

dé·bride [dei'briːd] *v/t med.* 'Wundtoiˌlette vornehmen an (*einer Wunde*). — **dé·bri·de·ment** [debrid'mɑ̃] (*Fr.*) *s med.* 'Wundtoiˌlette *f.*

de·brief·ing [diː'briːfiŋ] *s aer. mil.* Einsatzbesprechung *f* (nach dem Flug).

de·bris, dé·bris ['deibriː; *Br. auch* 'debriː; *Am. auch* də'briː] *s* **1.** Bruchstücke *pl*, Trümmer *pl*, Schutt *m*, Ru'inen *pl.* – **2.** *geol.* Schutt *m*, Trümmer *pl.* – **3.** (*Bergbau*) Hau(f)werk *n.*

debt [det] *s* **1.** Schuld *f*: bad ~ zweifelhafte Forderungen *od.* Außenstände; ~ collector *jur.* Schuldeneintreiber; ~ of hono(u)r Ehrenschuld, *bes.* Spielschuld; ~ to nature Sterben, Tod; to pay one's ~ to nature sterben; to incur (*od.* contract) ~s, to run (*od.* get, fall) into ~ Schulden machen, in Schulden geraten; to be in ~ Schulden haben, verschuldet sein; to be in s.o.'s ~ j-m verpflichtet sein, in j-s Schuld stehen (*bes. fig.*); to pay one's ~s seine Schulden (be)zahlen; → active 10; floating ~; funded; national ~; small ~. – **2.** *econ.* Verpflichtung *f*, Obligati'on *f.* – **3.** *meist* action of ~ *jur.* Schuldklage *f.* – **4.** *Bibl.* Schuld *f*, Sünde *f*: forgive us our ~s. — **debt·ee** [de'tiː] *s jur.* Gläubiger(in). — **debt·or** ['detər] *s* **1.** *jur.* Schuldner(in). – **2.** *econ.* Debitor *m.*

de·bunk [diː'bʌŋk] *v/t sl.* enthüllen, -larven, ins rechte Licht setzen, (*j-m od. einer Sache*) den Nimbus nehmen. — **de'bunk·er** *s sl.* Entlarver *m*, -hüller *m.*

de·bus [diː'bʌs] *pret u. pp* **-'bussed** *bes. mil. sl.* **I** *v/i* (*aus Bussen od. Lastwagen*) aussteigen. – **II** *v/t* (*aus dem Bus etc*) aussteigen lassen, (*Truppen aus Lastwagen*) ausladen.

dé·but, *Am.* **de·but** [*Br.* 'deibuː; *Am.* di'bjuː; dei-] *s* **1.** (*bes. Theater*) De'büt *n*, erstes Auftreten. – **2.** De'büt *n*, Einführung *f* (*einer jungen Dame*) in die Gesellschaft. – **3.** Anfang *m*, Antritt *m* (*Tätigkeit, Karriere*). — **dé·bu·tant,** *Am.* **deb·u·tant** [*Br.* 'debjuˌtɑ̃; *Am.* ˌdebju'tɑːnt] *s* Debü'tant *m.* — **dé·bu·tante,** *Am.* **deb·u·tante** [*Br.* -ˌtɑ̃t; *Am.* -'tɑːnt] *s* Debü'tantin *f.*

deca- [dekə], *auch* **dec-** *Wortelement mit der Bedeutung* zehn(mal).

dec·a·chord ['dekəˌkɔːrd] *mus.* **I** *adj* zehnsaitig. – **II** *s* Deka'chord *n.*

dec·ad ['dekæd] *s* **1.** *math.* Zehnzahl *f*, (*die*) Zahl Zehn. – **2.** *mus.* De'kade *f.* — **dec·a·dal** ['dekədl] *adj* de'kadisch: ~ system (of numbers) *math.* dekadisches (Zahlen)System.

dec·ade ['dekeid; *bes. Br.* -kəd; de'keid] *s* **1.** De'kade *f*: a) *Anzahl von 10 Stück, Zehnergruppe*, b) *Zeitraum von 10 Monaten etc*, c) *Gruppe von 10 Büchern des Livius.* – **2.** De'kade *f*, Jahr'zehnt *n*, De'zennium *n.* — ~ **bridge** *s electr.* De'kadenbrücke *f.*

de·ca·dence ['dekədəns; di'kei-], *auch* **'de·ca·den·cy** *s* **1.** Deka'denz *f*, Entartung *f*, Verfall *m*, Niedergang *m* (*bes. kulturell u. sittlich*). – **2.** Deka'denz(literaˌtur) *f.* – *SYN. cf.* deterioration. — **'de·ca·dent I** *adj* **1.** deka'dent, entartet, verfallend, im Niedergang befindlich. – **2.** Dekadenz... – **II** *s* **3.** deka'denter Mensch. – **4.** Deca'dent *m*, Deka'denz-Dichter *m*, *bes.* Symbo'list *m.*

dec·a·di·a·nome [ˌdekə'daiəˌnoum] *s math.* Fläche *f* vierter Ordnung mit zehn Kegelpunkten.

de·cad·ic [di'kædik] *adj math.* de'kadisch, Dezimal..., Zehner...

dec·a·gon ['dekəˌgɒn; -gən] *s math.* Deka'gon *n*, Zehneck *n.* — **de·cag·o·nal** [di'kægənl] *adj* dekago'nal, zehneckig.

dec·a·gram(me) ['dekəˌgræm] *s* Deka'gramm *n* (*10 Gramm*). — ˌ**dec·a'he·dral** [-'hiːdrəl] *adj math.* deka'edrisch, zehnflächig. — ˌ**dec·a'he·dron** [-drən] *pl* **-drons, -dra** [-drə] *s math.* Deka'eder *n*, Zehnflächner *m.*

de·cal·ci·fi·ca·tion [diːˌkælsifi'keiʃən; -səfə-] *s* Entkalkung *f.* — **de'cal·ciˌfi·er** [-ˌfaiər] *s* Entkalkungsmittel *n.* — **de'cal·ciˌfy** [-ˌfai] *v/t* entkalken.

de·cal·co·ma·ni·a [diˌkælko'meiniə; -kə'm-] *s* **1.** Anbringen *n* von Abziehbildern. – **2.** Abziehbild *n.*

de·ca·les·cence [ˌdiːkə'lesns] *s phys.* Dekales'zenz *f.* — ˌ**de·ca'les·cent** *adj* sich sprunghaft abkühlend.

dec·a·li·ter, *bes. Br.* **dec·a·li·tre** ['dekəˌliːtər] *s* Deka'liter *n* (*10 Liter*).

De·cal·o·gist [di'kælədʒist] *s relig.* Erklärer *m* des Deka'logs. — **'Dec·aˌlog(ue), d~** ['dekəˌlɒg; *Am. auch* -ˌlɔːg] *s Bibl.* Deka'log *m*, (*die*) Zehn Gebote *pl.*

De·cam·er·on [di'kæmərən] *s* Dek'ameron *n* (*Boccaccios Novellensammlung*). — **DeˌCam·er'on·ic** [-'rɒnik] *adj* dekame'ronisch.

de·cam·er·ous [di'kæmərəs] *adj* (*bes. bot. meist* 10-merous *geschrieben*) zehnteilig (*Blüte*).

de·cam·e·ter[1] [di'kæmitər; -mə-] *s* De'kameter *m* (*zehnfüßiger Vers*).

dec·a·me·ter[2], *bes. Br.* **dec·a·me·tre** ['dekəˌmiːtər] *s* Deka'meter *n* (*10 Meter*).

de·camp [di'kæmp] *v/i* **1.** *mil.* (heimlich) das Lager abbrechen, 'abmarˌschieren. – **2.** sich aus dem Staube machen, abziehen. – *SYN.* abscond, escape, flee. — **de'camp·ment** *s mil.* (heimlicher) Aufbruch *od.* Abzug.

dec·a·nal [di'keinl; *Am. auch* 'dekə-] *adj* **1.** Dekans..., Dechanten..., Dekanats...: ~ stall Dekansstuhl. – **2.** südseitig (*im Kirchenchor*).

dec·ane ['dekein] *s chem.* De'kan *n* ($C_{10}H_{22}$).

de·ca·ni [di'keinai] *adj* **1.** südseitig, auf der Südseite (*des Kirchenchors*). – **2.** *mus.* von den südseitig stehenden Sängern zu singen.

de·cant [di'kænt] *v/t* **1.** dekan'tieren, abschlämmen, absieben, vorsichtig abgießen. – **2.** ab-, 'umfüllen. — **de·can·ta·tion** [ˌdiːkæn'teiʃən] *s* **1.** Dekantati'on *f*, Abschlämmung *f.* – **2.** 'Umfüllung *f.* — **de'cant·er** *s* **1.** Dekan'tiergefäß *n*, Klärflasche *f.* – **2.** Ka'raffe *f.* – **3.** Dekan'tierer *m* (*Person*).

de·cap·i·tate [di'kæpiˌteit; -pə-] *v/t* **1.** enthaupten, köpfen. – **2.** *Am. colloq.* (*aus politischen Gründen*) entlassen, ‚absägen'. — **deˌcap·i'ta·tion** *s* **1.** Enthauptung *f.* – **2.** *Am. colloq.* plötzliche Entlassung. — **de'cap·iˌta·tor** [-tər] *s* **1.** Enthaupter *m.* – **2.** 'Köpfinstruˌment *n*, *bes.* Fallbeil *n.*

dec·a·pod ['dekəˌpɒd] *zo.* **I** *s* **1.** Zehnfußkrebs *m*, Zehnfüßer *m* (*Ordng Decapoda*). – **II** *adj* **2.** zu den Deka'poden gehörig. – **3.** zehnfüßig. — **de·cap·o·dal** [di'kæpədl] → decapod II. — ˌ**dec·a'pod·iˌform** [-iˌfɔːrm] *adj zo.* deka'podenförmig (*Insektenlarven*). — **de'cap·o·dous** → decapod II.

de·car·bon·ate [diː'kɑːrbəˌneit] *v/t chem.* Kohlensäure *od.* ˌKohlen'dioˌxyd entziehen (*dat*). — **de'car·bonˌa·tor** [-tər] *s tech.* **1.** Entrußungs-, Entkohlungsmittel *n* (*für Zylinder von Verbrennungsmaschinen*). – **2.** Ent'rußungs-, Ent'kohlungsinstruˌment *n.* — **deˌcar·bon·i'za·tion** *s* Dekarboni'sierung *f*, Entkohlung *f.* — **de'car·bonˌize** *v/t u. v/i* dekarboni'sieren, entkohlen, dekarbu'rieren.

de·car·box·yl·ate [ˌdiːkɑːr'bɒksiˌleit; -sə-] *v/t chem.* de-, entcarboxy'lieren, von Carbo'xyl (CO_2H) befreien. — ˌ**de·carˌbox·yl'a·tion** *s chem.* De-, Entcarboxy'lierung *f.*

de·car·bu·ri·za·tion [diːˌkɑːrbju(ə)rai'zeiʃən; -jə-; -ri-], **de'car·buˌrize** [-ˌraiz] → decarbonization *etc.*

dec·are ['dekɛr; de'kɛr] *s* Dekar *n* (*10 Ar*).

de·car·tel·i·za·tion [diːˌkɑːrtəlai'zeiʃən; -li-] *s econ.* Entflechtung *f.*

dec·a·stere ['dekəˌstir] *s* Deka'ster *m* (*10 Kubikmeter*). — **'dec·aˌstich** [-ˌstik] *s metr.* De'kastichon *n*, Zehnzeiler *m.*

de·cas·u·al·i·za·tion [diːˌkæʒuəlai'zeiʃən; -lə-] *s Br.* Ausmerzung *f* der Gelegenheitsarbeit. — **de'cas·u·alˌize** [-ˌlaiz] *v/t Br.* Gelegenheitsarbeiter entfernen aus (*einem Betrieb etc*).

dec·a·syl·lab·ic [ˌdekəsi'læbik], ˌ**dec·a'syl·la·ble** [-əbl] **I** *adj* **1.** zehnsilbig. – **2.** aus zehnsilbigen Versen bestehend. – **II** *s* **3.** zehnsilbiger Vers, Zehnsilber *m.*

de·cath·lon [di'kæθlɒn] *s sport* Zehnkampf *m.*

dec·a·tize ['dekəˌtaiz] *v/t* (*Wolle, Seide etc*) deka'tieren. — **'dec·aˌtiz·ing** *s* Deka'tur *f.*

de·cau·date [diː'kɔːdeit] *v/t* den Schwanz abschneiden (*dat*).

de·cay [di'kei] **I** *v/i* **1.** verfallen, in Verfall geraten, zu'grunde gehen. – **2.** schwach werden, seine Kräfte verlieren. – **3.** abnehmen, sinken. – **4.** verblühen, verwelken, absterben. – **5.** zerfallen, vermodern. – **6.** verfaulen, verwesen. – **7.** *med.* faulen, kari'ös *od.* schlecht werden (*Zahn*). – **8.** *geol.* verwittern. – **9.** *phys.* zerfallen (*Radium etc*). – **II** *v/t* **10.** den Verfall verursachen von, zum Niedergang bringen, zu'grunde richten. – **11.** Fäulnis her'vorrufen in (*dat*). – **12.** *geol.* verwittern. – *SYN.* crumble, decompose, disintegrate, putrefy, rot, spoil. – **III** *s* **13.** Verfall *m*: to fall (*od.* go) (in)to ~ in Verfall geraten, verfallen, zugrunde gehen. – **14.** Verfall *m*, (Alters)Schwäche *f.* – **15.** Nieder-, 'Untergang *m*, Ru'in *m.* – **16.** (Kraft)Abnahme *f*, (ständiger) Rückgang. – **17.** Verblühen *n*, Verwelken *n.* – **18.** Zerfall *m*, Vermoderung *f*, Zersetzung *f.* – **19.** Verfaulen *n*, Verwesung *f.* – **20.** *med.* Faulen *n*, Schlechtwerden *n* (*Zähne*). – **21.** *med.* zehrende Krankheit, *bes.* Tuberku'lose *f.* – **22.** *geol.* Verwitterung *f.* – **23.** *phys.* Zerfall *m* (*radioaktiver Substanzen*). – **24.** *phys.* Abklingen *n.* – **25.** Baufälligkeit *f.* — **de'cayed** *adj* **1.** verfallen: ~ circumstances zerrüttete (Vermögens)Verhältnisse; ~ with age altersschwach. – **2.** her'untergekommen. – **3.** verwelkt, verblüht. – **4.** vermodert, morsch. – **5.** verfault. – **6.** *med.* faul, kari'ös, schlecht (*Zahn*). – **7.** *geol.* verwittert.

de·cease [di'siːs] **I** *v/i* sterben, 'hinscheiden, verscheiden. – **II** *s* Tod *m*, 'Hinscheiden *n*, Verscheiden *n.* — **de'ceased I** *adj* ver-, gestorben. – *SYN. cf.* dead. – **II** *s* the ~ der *od.* die Verstorbene.

de·ce·dent [di'siːdənt] *s jur. Am.* Verstorbene(r), Erblasser(in): ~ estate *jur.* Nachlaß.

de·ceit [di'siːt] *s* **1.** Falschheit *f*, 'Hinterlist *f.* – **2.** Betrug *m*, Betrüge'rei *f*, (bewußte) Täuschung: to practice ~ on s.o. j-n betrügen. – **3.** List *f*, Trug *m*, Tücke *f*, Ränke *pl.* – **4.** *jur.* Betrüge'rei *f*, betrügerische Handlung. – *SYN. cf.* imposture. — **de'ceit·ful** [-ful; -fəl] *adj* **1.** falsch, 'hinterlistig, ränkevoll. – **2.** (be)trügerisch. – *SYN. cf.* dishonest. — **de'ceit·ful·ness** *s* Falschheit *f*, 'Hinter-, Arglist *f.*

de·ceiv·a·bil·i·ty [diˌsiːvə'biliti; -əti] *s* Betrügbar-, Täuschbarkeit *f.* — **de'ceiv·a·ble** *adj* betrügbar, täuschbar, leicht zu täuschen(d).

de·ceive [di'siːv] **I** *v/t* **1.** täuschen, irreführen. – **2.** täuschen, betrügen, hinter'gehen, hinters Licht führen: to be ~d sich täuschen (lassen); to be ~d in s.o. sich in j-m täuschen, falsches Vertrauen zu j-m haben; to ~ oneself sich täuschen, sich einer Täuschung hingeben. – **3.** (*meist pass gebraucht*) (*Hoffnung etc*) enttäuschen, zu'nichte machen, vereiteln: his hopes were ~d. – **4.** *obs.* (*Zeit etc*) vertrödeln. – **II** *v/i* **5.** betrügen, betrügerisch handeln, täuschen. – *SYN.* beguile, delude, mislead. — **de'ceiv·er** *s* **1.** Betrüger(in), Schwindler(in). – **2.** Verführer(in).

de·cel·er·ate [diː'seləˌreit] **I** *v/t* **1.** verzögern, verlangsamen. – **2.** die Geschwindigkeit her'absetzen *od.* vermindern von. – **II** *v/i* **3.** sich verlangsamen. – **4.** seine Geschwindigkeit verringern. — **deˌcel·er'a·tion** *s* Verzögerung *f*, Verlangsamung *f*, Geschwindigkeitsabnahme *f*.

de·cel·er·on [diː'seləˌrɒn] *s aer. Kombination von Luftbremsen u. Landeklappen bei Düsenflugzeugen.*

decem- [diːsem; di-] *Wortelement mit der Bedeutung* zehn.

De·cem·ber [di'sembər] *s* De'zember *m*: in ~ im Dezember. — **De'cem·brist** [-brist] *s hist.* Deka'brist *m* (*Teilnehmer am Aufstand in Rußland im Dezember 1825*).

de·cem·vir [di'semvər] *pl* **-virs, -vi·ri** [-ˌrai] *s* De'zemvir *m*. — **de'cem·vi·ral** *adj* dezemvi'ral, Dezemvir..., Dezemvirats... — **de'cem·vi·rate** [-rit; -ˌreit] *s* Dezemvi'rat *n*: a) *Zehnerrat*, b) *Amt eines Dezemvirn*, c) *Amtsperiode eines Zehnerrats.*

de·cen·a·ry [di'senəri] *Br. hist.* **I** *adj* Zehntbezirks..., Dezennar... – **II** *s* Zehntbezirk *m* (*ursprünglich das von 10 Freisassen u. ihren Familien bewohnte Gebiet*).

de·cen·cy ['diːsnsi] *s* **1.** Anstand *m*, Anständigkeit *f*, Schicklichkeit *f*: for ~'s sake anstandshalber. – **2.** Anständig-, Sittsam-, Ehrbarkeit *f*. – **3.** *pl* geziemende Form. – **4.** *pl* Anstand *m*. – *SYN. cf.* decorum.

de·cen·na·ry[1] [di'senəri] → decennium.

de·cen·na·ry[2] *cf.* decenary.

de·cen·ni·al [di'seniəl] **I** *adj* **1.** zehnjährig, zehn Jahre dauernd. – **2.** alle zehn Jahre 'wiederkehrend. – **II** *s* **3.** zehnter Jahrestag. – **4.** Zehn'jahrfeier *f*. — **de'cen·ni·al·ly** *adv* alle zehn Jahre. — **de'cen·ni·um** [-iəm] *pl* **-ni·ums, -ni·a** [-niə] *s* De'zennium *n*, Jahr'zehnt *n*, De'kade *f*.

de·cent ['diːsnt] *adj* **1.** anständig: a) schicklich, (sich) geziemend, b) sittsam, mo'ralisch einwandfrei, c) ehrbar, ordentlich. – **2.** de'zent, unaufdringlich, bescheiden, schicklich. – **3.** (ganz) anständig, pas'sabel, annehmbar, nett: a ~ fortune. – **4.** *Br. colloq.* nett, freundlich, anständig: it was very ~ of him. – **5.** *obs.* hübsch, schön. – *SYN. cf.* chaste.

de·cen·ter, *bes. Br.* **de·cen·tre** [diː'sentər] *v/t* **1.** dezen'trieren, aus dem Mittelpunkt verlagern. – **2.** ex'zentrisch *od.* außermittig machen.

de·cent·ness ['diːsntnis] → decency.

de·cen·tral·i·za·tion [diːˌsentrəlai'zeiʃən; -li-] *s* Dezentrali'sierung *f*. — **de'cen·tralˌize** *v/t* dezentrali'sieren.

de·cen·tre *bes. Br. für* decenter.

de·cep·tion [di'sepʃən] *s* **1.** Täuschung *f*, Irreführung *f*. – **2.** Betrug *m*. – **3.** Betrogensein *n*. – **4.** Irrtum *m*, (Selbst)Täuschung *f*. – **5.** (*etwas*) Irreführendes. – **6.** List *f*, Kniff *m*. – **7.** Sinnestäuschung *f*, Trugbild *n*. – *SYN.* a) chicane, chicanery, double-dealing, fraud, subterfuge, trickery, b) *cf.* imposture. — **de'cep·tious, de'cep·tive** *adj* **1.** täuschend, irreführend. – **2.** (be)trügerisch, Trug... — **de'cep·tive·ness** *s* (*das*) Trügerische.

de·cer·e·brate *med.* **I** *adj* [diː'seribrit; -ˌbreit] enthirnt, ohne Gehirn. – **II** *v/t* [-ˌbreit] enthirnen, hirnlos machen, (*dat*) das Gehirn entfernen. — **deˌcer·e'bra·tion** *s med.* Ge'hirnexstirpatiˌon *f*, Enthirnung *f*. — **de'cer·eˌbrize** → decerebrate II.

de·cern [di'sɜːrn] **I** *v/t* **1.** *jur. Scot.* dekre'tieren, durch Urteil festsetzen. – **2.** *selten für* discern I. – **II** *v/i* **3.** deutlich unter'scheiden.

de·chris·tian·i·za·tion [diːˌkristʃənai'zeiʃən; -ni-] *s* Entchristlichung *f*. — **de'chris·tianˌize** *v/t* entchristlichen.

deci- [desi] *Wortelement mit der Bedeutung* Zehntel..., Dezi...

dec·i·are ['desiˌɛr] *s* Dezi'ar *n*, Zehntelar *n*.

dec·i·bel ['desiˌbel; -sə-] *s phys.* Dezibel *n* (*Maßeinheit für die Dämpfung*).

de·cid·a·ble [di'saidəbl] *adj* entscheidbar, zu entscheiden(d).

de·cide [di'said] **I** *v/t* **1.** (*Schlacht*) entscheiden. – **2.** (*etwas*) entscheiden, schlichten, einer Lösung zuführen. – **3.** (*j-n*) zu dem *od.* einem Entschluß bringen, bestimmen: to ~ s.o. to do s.th. j-n dazu bestimmen, etwas zu tun. – **4.** entscheiden, bestimmen (that daß). – **5.** feststellen, einsehen, zu dem Schluß kommen (that daß). – **II** *v/i* **6.** entscheiden, die Entscheidung treffen. – **7.** sich entscheiden, sich entschließen, beschließen (to go *od.* on going zu gehen; on s.th. über etwas; against going nicht zu gehen; in favo(u)r of für). – **8.** entscheiden, den Ausschlag geben. – *SYN.* determine, resolve, rule, settle. — **de'cid·ed** *adj* **1.** entschieden, eindeutig, unzweifelhaft, deutlich. – **2.** entschieden, entschlossen, fest, bestimmt (*Haltung etc*). – **3.** entschlossen, fest (*Person*). — **de'cid·ed·ly** *adv* **1.** entschieden, zweifellos, unzweifelhaft. – **2.** sicher, bestimmt. — **de'cid·ed·ness** *s* **1.** Entschiedenheit *f*, Eindeutigkeit *f*. – **2.** Entschlossenheit *f*, Festigkeit *f*. — **de'cid·er** *s* **1.** Entscheider(in), Schiedsrichter(in). – **2.** (*etwas*) Entscheidendes. – **3.** *sport* Entscheidungskampf *m*.

de·cid·u·a [di'sidʒuə; *Br. auch* -djuə] *s med. zo.* De'cidua *f*. — **de'cid·u·al** *adj med. zo.* Decidua... — **de'cid·u·ous** *adj* **1.** *bot.* laubwechselnd, die Blätter abwerfend: ~ trees Laubbäume. – **2.** *bot.* (jedes Jahr) abfallend (*Blätter etc*). – **3.** *zo.* abfallend (*Geweih etc*): ~ tooth *med.* Milchzahn. – **4.** *fig.* vergänglich, vor'übergehend.

dec·iˌgram(me) ['desiˌgræm; -sə-] *s* Zehntel-, Dezi'gramm *n*.

dec·ile ['desil] *s* (*Statistik*) De'zile *f*, Zehntelwert *m*.

dec·i·li·ter, *bes. Br.* **dec·i·li·tre** ['desiˌliːtər; -sə-] *s* Dezi'liter *n*.

de·cil·lion [di'siljən] *s math.* **1.** *Br.* Dezilli'on *f* (10^{60}). – **2.** *Am.* Quintilli'arde *f* (10^{33}).

dec·i·ma ['desimə] *pl* **-mae** [-ˌmiː] *s* **1.** Zehnt(el *n*) *m*. – **2.** *mus.* Dezime *f*: a) *Intervall*, b) *Aliquotregister der Orgel.*

dec·i·mal ['desiməl; -sə-] **I** *adj* **1.** de'kadisch, dezi'mal, Dezimal... – **2.** *relig.* Zehnten... – **II** *s* **3.** → ~ fraction. – **4.** Dezi'malzahl *f*: circulating (recurring) ~ periodische (unendliche) Dezimalzahl. – **5.** Dezi'male *f*, Dezi'malstelle *f*. — ~ **a·rith·me·tic** *s math.* **1.** auf dem Dezi'malsyˌstem aufgebaute Arith'metik. – **2.** Dezi'malrechnung *f*. — ~ **clas·si·fi·ca·tion** *s* Dezi'malklassifikatiˌon *f*. — ~ **frac·tion** *s math.* Dezi'malbruch *m*. — ~ **ga(u)ge** *s tech.* Dezi'mallehre *f* (*Meßinstrument nach dem Dezimalsystem*).

dec·i·mal·ism ['desiməˌlizəm; -səm-] *s* Dezi'malsyˌstem *n* (*bes.* in *Währung, Maßen etc*). — **ˌdec·i·mal·i'za·tion** *s* Zu'rückführung *f* auf das Dezi'malsyˌstem. — **'dec·i·malˌize** *v/t* auf das Dezi'malsyˌstem zu'rückführen, nach dem Dezimalsystem einteilen. — **'dec·i·mal·ly** *adv* **1.** nach dem Dezi'malsyˌstem. – **2.** in Dezi'malzahlen (ausgedrückt).

dec·i·mal| meas·ure *s* Dezi'malmaß *n*. — ~ **no·ta·tion** *s* **1.** Dezi'malzahlensyˌstem *n*. – **2.** de'kadisches 'Zahlensyˌstem. — ~ **place** *s* Dezi'malstelle *f*. — ~ **point** *s* Dezi'malpunkt *m*, -strich *m*, Komma *n*. — ~ **re·sist·ance** *s electr.* De'kadenˌwiderstand *m*. — ~ **rhe·o·stat** *s electr.* De'kadenrheoˌstat *m*. — ~ **sys·tem** *s* Dezi'malsyˌstem *n*, de'kadisches Sy'stem.

dec·i·mate ['desiˌmeit; -sə-] *v/t* **1.** *mil.* dezi'mieren. – **2.** *fig.* dezi'mieren, stark schwächen, (*dat*) schwere Verluste beibringen, Verheerung anrichten unter (*dat*). – **3.** den zehnten Teil nehmen von. — **ˌdec·i'ma·tion** *s* Dezi'mierung *f* (*auch fig.*). — **'dec·iˌma·tor** [-tər] *s* j-d der dezi'miert.

dec·i·me·ter, *bes. Br.* **dec·i·me·tre** ['desiˌmiːtər; -sə-] *s* Dezi'meter *n*.

dec·i·mo·sex·to [ˌdesimo'sekstou; -səm-] → sextodecimo.

dec·i·mus ['desiməs] *adj ped. Br.* zehnt(er): Brown ~ Brown X (*der 10. Schüler dieses Namens*).

de·ci·pher [di'saifər] **I** *v/t* **1.** entziffern. – **2.** (*Geheimschrift*) dechif'frieren. – **3.** (*Sinn od. Bedeutung*) her'ausbekommen, enträtseln. – **4.** *obs.* beschreiben, darstellen. – **II** *s* **5.** dechif'frierter Text. — **de'ci·pher·a·ble** *adj* **1.** entzifferbar. – **2.** enträtselbar. — **de'ci·pher·ment** *s* **1.** Entzifferung *f*, Dechif'frierung *f*. – **2.** Enträtselung *f*.

de·ci·sion [di'siʒən] *s* **1.** Entscheidung *f* (*einer Streitfrage etc*): to make a ~ eine Entscheidung treffen (over über *acc*). – **2.** *jur.* (gerichtliche) Entscheidung, Urteil *n*. – **3.** Schiedsspruch *m*. – **4.** Entschluß *m*: to arrive at a ~, to come to a ~ zu einem Entschluß kommen. – **5.** Entschlußkraft *f*, Entschlossen-, Entschiedenheit *f*. — **de'ci·sion·al** *adj* Entscheidungs...

de·ci·sive [di'saisiv] *adj* **1.** entscheidend, Entscheidungs... – **2.** bestimmend, ausschlag-, maßgebend (to für): to be ~ (in) maßgebend sein (in *dat od.* bei), maßgebend mitwirken (bei). – **3.** endgültig. – **4.** entschlossen, entschieden, fest. – **5.** eindeutig. – *SYN. cf.* conclusive. — **de'ci·sive·ly** *adv* entscheidend, in entscheidender Weise. — **de'ci·sive·ness** *s* **1.** entscheidende Kraft *od.* Eigenschaft. – **2.** Maßgeblichkeit *f*. – **3.** Endgültigkeit *f*. – **4.** Entschlossenheit *f*, Entschiedenheit *f*. – **5.** Eindeutigkeit *f*.

dec·i·stere ['desiˌstir] *s* Dezi'ster *m* ($^1/_{10}$ *Kubikmeter*).

de·civ·i·lize [diː'siviˌlaiz; -və-] *v/t* entzivili'sieren, der Zivilisati'on berauben.

deck [dek] **I** *s* **1.** *mar.* (Ver)Deck *n*: round of the ~ Decksbucht; sheer of the ~ Decksprung; on ~ a) auf Deck, b) *Am. colloq.* bereit, zur Hand, auf dem Posten; all hands on ~! alle Mann an Deck! below ~ unter Deck; to clear the ~s das Schiff klar zum Gefecht machen; to sweep the ~ a) über das Deck hinwegrollen (*Woge*), b) das Deck bestreichen (*Artilleriefeuer*). – **2.** *aer.* Tragdeck *n*, -fläche *f*. – **3.** *Am.* Dach *n* (*Eisenbahnwaggon*). – **4.** (flacher) oberer Teil (*eines Mansardendaches etc*). – **5.** Stockwerk *n*. – **6.** Plattform *f* (*eines Förderkorbes*). – **7.** *bes. Am.* a) Spiel *n*, Pack *m* (Spiel-)Karten, b) Ta'lon *m*, Stock *m* (*nach dem Geben übrigbleibende Karten*). – **II** *v/t* **8.** *oft* ~ out a) kostbar bekleiden, b) (aus)schmücken, zieren. – **9.** *mar.* mit einem Deck versehen. – **10.** ~ up auf dem Deck aufstapeln. – **11.** (*Karten*) ablegen. – *SYN. cf.* adorn. — ~ **beam** *s mar.* Deck(s)balken *m*. — ~ **chair** *s* Liege-, Klappstuhl *m*.

decked [dekt] *adj mar.* gedeckt: ~ boat.

deck·el *cf.* deckle.

deck·er ['dekər] *s* (*in Zusammensetzungen*) ...decker *m*: → three-~.

deck| feath·er *s zo.* Deckfeder *f*. — ~ **floor·ing** *s mar.* Decksbelag *m*. —

~ **hand** *s mar.* gemeiner Ma'trose. — '~ₗ**head** *s* 1. *mar.* Decke *f* (*Kabine etc*). – 2. (*Kartenspiel*) *Am.* aufgedeckte Karte. — ~ **hook** *s mar.* Deckwrange *f*, -band *n* (*Schiff*). — '~ₗ**house** *s mar.* Deckhaus *n* (*Ruder- u. Kartenhaus*).
deck·le ['dekl] *s* (*Papiererzeugung*) 1. Deckel *m* (*der Schöpfform*). – 2. *auch* ~ strap Deckelriemen *m.* – 3. → ~ edge. — ~ **edge** *s* rauher Rand, Büttenrand *m* (*von Papier*). — '~-'**edged** *adj* 1. rauhkantig, mit rauhem Rand, Büttenrand... (*Papier*). – 2. unbeschnitten (*Buch*).
deck| log *s mar.* Logbuch *n.* — ~ **pas·sage** *s mar.* 'Deckspasₗsage *f.* — ~ **pipe** *s mar.* Decksklüse *f.* — ~ **roof** *s arch.* flaches Dach ohne Brüstung. — ~ **stop·per** *s mar.* Deck-, Taustopper *m.*
de·claim [di'kleim] **I** *v/i* 1. (*öffentlich od. feierlich*) reden, sprechen, eine Rede halten (on über *acc*). – 2. (*in Rede od. Schrift*) losziehen, eifern, zu Felde ziehen (against gegen). – 3. dekla'mieren. – 4. Phrasen dreschen, eine Ti'rade vom Stapel lassen. – **II** *v/t* 5. (*Gedichte etc*) dekla'mieren, vortragen. – 6. in bom'bastischer Weise vortragen. — **de'claim·er** *s* 1. öffentlicher Redner. – 2. Eiferer *m.* – 3. Dekla'mator *m.* – 4. Phrasendrescher *m.*
dec·la·ma·tion [ₗdeklə'meiʃən] *s* 1. Deklamati'on *f*, öffentlicher Vortrag. – 2. öffentliche Rede. – 3. schwungvolle *od.* leidenschaftliche Rede. – 4. Ti'rade *f*, (Rede)Erguß *m*, ₗPhrasendresche'rei *f.* – 5. Vortragsübung *f.* – 6. *mus.* Deklamati'on *f.* — **de·clam·a·to·ry** [*Br.* di'klæmətəri; *Am.* -ₗtɔːri] *adj* 1. deklama'torisch, rhe'torisch. – 2. Rede..., Vortrags... – 3. eifernd, streitend. – 4. pa'thetisch, bom'bastisch, geschraubt, geschwollen.
de·clar·ant [di'klɛ(ə)rənt] *s* 1. j-d der eine Erklärung abgibt. – 2. *Am.* Anwärter *m* auf die amer. Staatsbürgerschaft (*der den offiziellen Antrag unterschrieben hat*).
dec·la·ra·tion [ₗdeklə'reiʃən] *s* 1. Erklärung *f*, Verkündung *f*, Aussage *f*: to make a ~ eine Erklärung abgeben. – 2. (feierliche) Erklärung, Prokla'mierung *f*: ~ of independence Unabhängigkeitserklärung; ~ of war Kriegserklärung. – 3. Mani'fest *n*, Proklamati'on *f.* – 4. Deklarati'on *f*: D~ of Paris Pariser Seerechts-Deklaration (*1856*). – 5. *jur.* a) erste klägerische Erklärung, b) Klage(schrift) *f*, c) eidesstattliche Erklärung (*Zeuge etc*). – 6. *econ.* ('Zoll)Deklaratiₗon *f*, Zollerklärung *f*: to make a ~ die Waren deklarieren. – 7. *econ.* (offizi'elle) Erklärung, Anmeldung *f*, Angabe *f*: ~ of bankruptcy Bankrotterklärung, Konkursanmeldung; ~ of export value Exportvalutaerklärung; ~ of property Vermögensanmeldung; ~ of value Wertangabe. – 8. (*Kartenspiel*) a) Ansagen *n* der erzielten Punkte, b) (*Bridge*) Ansage *f.* – 9. (*Pferdesport*) Zu'rückziehung *f* der Nennung eines Pferdes.
de·clar·a·tive [di'klærətiv] *adj* 1. → declaratory 1 *u.* 2. – 2. *ling.* Aussage...: ~ sentence. — **de'clar·a·to·ry** [*Br.* -təri; *Am.* -ₗtɔːri] *adj* 1. klar feststellend, erklärend, verkündend: to be ~ of feststellen, verkünden, ausdrücken, darlegen. – 2. *jur.* interpre'tierend, das gültige Recht feststellend. – 3. *jur.* (*die Rechte der Parteien*) feststellend, Feststellungs...: ~ judg(e)ment Feststellungsurteil.
de·clare [di'klɛr] **I** *v/t* 1. erklären, verkünden, (for'mell) bekanntgeben: to ~ one's insolvency, to ~ oneself insolvent Konkurs anmelden, sich für zahlungsunfähig erklären; to ~ null and void für null u. nichtig erklären; to ~ open für eröffnet erklären; to ~ off absagen, für beendet erklären. – 2. (*offiziell*) erklären, prokla'mieren, verkünden: → war 1. – 3. (*oft mit doppeltem acc*) erklären: to ~ s.o. the winner j-n zum Sieger erklären; to ~ s.o. a fool j-n für verrückt erklären; to ~ s.o. (to be) one's friend j-n für seinen Freund erklären; to ~ oneself (to be) the successor sich zum Nachfolger erklären; to ~ a lawful prize für gute Prise erklären. – 4. kundtun, bekanntgeben, -machen: to ~ s.th. for sale etwas zum Verkauf ausbieten. – 5. eindeutig feststellen, erklären. – 6. erklären, aussagen (that daß). – 7. behaupten, versichern: to ~ s.th. to be false behaupten, daß etwas falsch ist. – 8. *reflex* a) seine Meinung kundtun, b) seinen wahren Cha'rakter *od.* sich im wahren Licht zeigen, c) sich erklären (*durch Heiratsantrag*). – 9. dekla'rieren, zur Verzollung anmelden, verzollen: have you anything to ~? haben Sie etwas zu verzollen? – 10. a) (*Vermögen etc*) anmelden, b) (*Wert*) angeben, dekla'rieren. – 11. (*Dividende*) festsetzen, ausschütten. – 12. (*Kartenspiel*) a) (*Punkte*) ansagen, b) (*Farbe*) als Trumpf ansagen. – 13. (*Kricket*) (*Spiel*) vorzeitig für beendet erklären. – 14. (*Pferdesport*) die Nennung (*eines Pferdes*) zu'rückziehen. – **II** *v/i* 15. eine Erklärung abgeben: I ~! ich muß (schon) sagen! wahrhaftig! – 16. sich erklären, sich entscheiden, sich aussprechen. – 17. *jur.* eine Klage einbringen, klagen. – 18. (*Kartenspiel*) (Trumpf) ansagen. – 19. (*Kricket*) ein Spiel vorzeitig abbrechen. – 20. ~ off a) absagen, b) zu'rücktreten, sich zu'rückziehen, sich lossagen (from von). – *SYN.* a) announce, proclaim, promulgate, publish, b) *cf.* assert. — **de'clared** *adj* offen (erklärt *od.* verkündet), zugegeben. — **de'clar·ed·ly** [-idli] *adv* offen, zugegebener-, erklärtermaßen.
de·class [*Br.* diː'klɑːs; *Am.* -'klæ(ː)s] *v/t* deklas'sieren, aus seiner (Gesellschafts)Klasse ausstoßen. — **dé·clas·sé**, (*f*) **dé·clas·sée** [deklɑ'se] (*Fr.*) **I** *adj* deklas'siert, sozi'al abgesunken. – **II** *s* Deklas'sierte(r).
de·clas·si·fy [diː'klæsiₗfai] *v/t* die Geheimhaltungsstufe aufheben von, (*Dokumente etc*) freigeben.
de·clen·sion [di'klenʃən] *s* 1. Neigung *f*, Abfall *m*, -hang *m*, -schüssigkeit *f* (to zu, nach). – 2. Niedergang *m*, Verfall *m.* – 3. Abweichung *f* (from von). – 4. (höfliche) Ablehnung. – 5. *ling.* Deklinati'on *f.* – 6. → declination 6. — **de'clen·sion·al** *adj* 1. Neigungs... – 2. Abweichungs... – 3. *ling.* Deklinations...
de·clin·a·ble [di'klainəbl] *adj* 1. *ling.* dekli'nierbar, dekli'nabel. – 2. ablehnbar, zu'rückweisbar.
dec·li·na·tion [ₗdekli'neiʃən; -lə-] *s* 1. Neigung *f*, Schräglage *f*, Abschüssigkeit *f.* – 2. Neigung *f*, Beugung *f*, Senkung *f.* – 3. Abweichung *f* (*auch fig.*). – 4. (höfliche) Ablehnung (of *gen*). – 5. *astr.* Deklinati'on *f.* – 6. *phys.* Deklinati'on *f*, 'Mißweisung *f*: ~ compass *mar.* Deklinationsbussole, Deklinatorium. – 7. Niedergang *m*, Verfall *m.* — ₗ**dec·li'na·tion·al** *adj astr. phys.* Deklinations...
dec·li·na·tor ['dekliₗneitər; -lə-] *s mil.* ('Richtkreis)Busₗsole *f.*
de·clin·a·to·ry [*Br.* di'klainətəri; *Am.* -ₗtɔːri] *adj* 1. ablehnend, abweisend. – 2. abweichend. — **de'clin·a·ture** [-tʃər] *s* Ablehnung *f*, Zu'rückweisung *f.*
de·cline [di'klain] **I** *v/i* 1. sich neigen, sich senken, abschüssig sein, abfallen. – 2. sich neigen, zur Neige gehen, dem Ende zugehen: the day ~s der Tag neigt sich; declining age vorgerücktes Alter; declining years Lebensabend. – 3. verfallen, in Verfall geraten. – 4. sich verschlechtern, abnehmen, sinken, zu'rückgehen: business ~s das Geschäft geht zurück; his health is declining mit seiner Gesundheit geht es bergab. – 5. sinken, fallen (*Preise*). – 6. (*körperlich*) abnehmen, verfallen, seine Kraft verlieren. – 7. mut- *od.* ener'gielos werden *od.* sein. – 8. (*charakterlich*) sinken, verkommen. – 9. sich her'beilassen (to zu). – 10. abweichen, sich abwenden (from von). – 11. (höflich) ablehnen, nicht zustimmen. – 12. *ling.* eine Deklinati'on haben, dekli'niert werden. – 13. *astr. obs.* eine Deklinati'on haben. –
II *v/t* 14. neigen, senken, beugen. – 15. ausschlagen, (höflich) ablehnen, nicht annehmen: to ~ with thanks (*oft ironisch*) dankend ablehnen. – 16. ausweichen (*dat*). – 17. es ablehnen (to go *od.* going zu gehen). – 18. *ling.* beugen, dekli'nieren. – 19. *fig. obs.* erniedrigen. – *SYN.* refuse[1], reject, repudiate, spurn. –
III *s* 20. Neigung *f*, Senkung *f.* – 21. Abhang *m.* – 22. Neige *f* (*Tag etc*): ~ of life vorgerücktes Alter, Lebensabend. – 23. Sinken *n*, Untergang *m* (*Sonne etc*). – 24. Niedergang *m*, Verfall *m*: to be on the ~ a) zur Neige gehen, b) sinken. – 25. Verschlechterung *f*, Verminderung *f*, Abnahme *f*, Rückgang *m*: ~ of (*od.* in) strength Abnahme der Kraft. – 26. Rückgang *m*, Fallen *n*, Sturz *m* (*Preise*). – 27. *med.* a) (körperlicher u. geistiger) Verfall, b) Siechtum *n*, zehrende Krankheit, *bes.* 'Lungentuberkuₗlose *f*: to fall into a ~ a) (dahin)siechen, b) Lungentuberkulose bekommen. – 28. *med.* Abklingen *n* (*des Fiebers etc*). – 29. *bot.* Pflanzenseuche *f.* – 30. (*charakterlicher*) Niedergang. – 31. Ende *n*, Neige *f*, letztes Stadium. – *SYN. f.* deterioration.
de·cli·no·graph [di'klainəₗgræ(ː)f; *Br. auch* -ₗgrɑːf] *s phys.* Deklino'graph *m* (*Gerät zur Selbstregistrierung des magnetischen Deklinationsverlaufs*).
dec·li·nom·e·ter [ₗdekli'nɒmitər; -mə-] *s phys.* Deklino'meter *n*, Neigungsmesser *m.*
de·cliv·i·tous [di'klivitəs; -və-] *adj* abschüssig, (ziemlich) steil. — **de'cliv·i·ty** *s* 1. (Abwärts)Neigung *f*, Abschüssigkeit *f*, geneigte Lage, Abdachung *f.* – 2. (Ab)Hang *m.* — **de·cli·vous** [di'klaivəs] *adj* (abwärts)geneigt, abfallend, abschüssig.
de·clutch [diː'klʌtʃ] *v/i tech.* auskuppeln.
de·co·coon [ₗdiːkə'kuːn] *v/t mil.* (*Kriegsmaterial*) einsatzfähig machen, die Schutzhüllen entfernen von.
de·coct [di'kɒkt] *v/t* 1. ab-, auskochen, absieden. – 2. *chem.* diri'gieren. — **de'coc·tion** *s* 1. Ab-, Auskochen *n*, Absieden *n.* – 2. De'kokt *n*, Abkochung *f*, Ab'sud *m.*
de·code [diː'koud] **I** *v/t u. v/i* dechif'frieren, entschlüsseln. – **II** *s* Entschlüsselungsteil *m* (*eines Codebuches*).
de·co·here [ₗdiːko'hir] *v/t u. v/i electr.* entfritten. — ₗ**de·co'her·ence** [-hi(ə)r-] *s* Entfrittung *f.* — ₗ**de·co'her·er** [-hi(ə)r-] *s* Entfritter *m.* — ₗ**de·co'he·sion** [-'hiːʒən] → decoherence.
de·col·late [di'kɒleit] *v/t* 1. (*j-n*) enthaupten, köpfen. – 2. (*Kopf*) abhauen. — **de·col·la·tion** [ₗdiːkə'leiʃən] *s* 1. Enthauptung *f.* – 2. (*Geburtshilfe*) Dekapitati'on *f* (*des Fötus*).

dé·col·le·tage [*Br.* dei'kɔltɑːʒ; *Am.* ˌdeikɑl'tɑːʒ] *s* **1.** Dekolle'té *n.* – **2.** dekolle'tiertes Kleid. — **dé·col·le·té** [*Br.* dei'kɔltei; *Am.* ˌdeikɑl'tei] *adj* **1.** dekolle'tiert, (tief) ausgeschnitten (*Kleid*). – **2.** dekolle'tiert (*Dame*).

de·col·or [diː'kʌlər] → **decolorize.** — **de'col·or·ant I** *adj* entfärbend, bleichend. – **II** *s* Entfärbungs-, Bleichmittel *n.* — **de'col·or·ate, ˌde·col·or'a·tion** → **decolorize, decolorization.** — **deˌcol·or'im·e·ter** [-'rimitər; -mə-] *s* Entfärbungsmesser *m* (*Gerät*). — **deˌcol·or·i'za·tion** *s* Entfärbung *f,* Bleichung *f.* — **de'col·orˌize** *v/t* entfärben, bleichen. — **de'col·orˌiz·er** *s* **1.** Entfärber *m.* – **2.** → **decolorant** II.

de·col·our, de·col·our·i·za·tion, de·col·our·ize, de·col·our·iz·er *bes. Br. für* **decolor** *etc.*

de·com·mis·sion [ˌdiːkə'miʃən] *v/t mar.* außer Dienst stellen.

de·com·pen·sa·tion [diːˌkɒmpen'seiʃən] *s med.* Kompensati'onsstörung *f* (*des Herzens*).

de·com·plex [ˌdiːkəm'pleks] *adj* mehrfach zu'sammengesetzt.

de·com·pos·a·bil·i·ty [ˌdiːkəmˌpouzə'biliti; -əti] *s* **1.** Zerlegbarkeit *f.* – **2.** Zersetzbarkeit *f.* — **ˌde·com'pos·a·ble** *adj* **1.** zerlegbar. – **2.** zersetzbar.

de·com·pose [ˌdiːkəm'pouz] **I** *v/t* **1.** zerlegen, spalten. – **2.** zersetzen. – **II** *v/i* **3.** sich auflösen, zerfallen (into in *acc*). – **4.** sich zersetzen, verwesen, verfaulen. – *SYN. cf.* decay. — **ˌde·com'posed** *adj* **1.** verfault, verwest, faul. – **2.** verdorben (*Nahrung*). — **ˌde·com'pos·er** *s* **1.** Zerleger *m.* – **2.** Zersetzer *m.* – **3.** Zersetzungsmittel *n.*

de·com·pos·ite [di'kɒmpəzit; *Am. auch* ˌdiːkəm'pɑzit] **I** *adj* **1.** doppelt *od.* mehrfach zu'sammengesetzt. – **II** *s* **2.** (*etwas*) mehrfach Zu'sammengesetztes. – **3.** *ling.* mit einem Kom'positum zu'sammengesetztes Wort.

de·com·po·si·tion [ˌdiːkɒmpə'ziʃən] *s* **1.** *chem. phys.* Zerlegung *f,* Aufspaltung *f:* ~ **of forces (light)** Zerlegung der Kräfte (des Lichtes); ~ **potential** (*od.* **voltage**) Zerlegungspotential. – **2.** Zersetzung *f,* Zerfall *m.* – **3.** Verwesung *f,* Fäulnis *f.* – **4.** *geol.* Zerfall *m,* Verwitterung *f.* – **5.** *med.* Dekompositi'on *f,* Kräfteverfall *m.*

de·com·pound [ˌdiːkəm'paund] **I** *v/t* **1.** doppelt *od.* mehrfach zu'sammensetzen. – **2.** zerlegen. – **II** *adj* **3.** doppelt *od.* mehrfach zu'sammengesetzt. – **4.** *bot.* mehrfach zu'sammengesetzt (*Blatt*). – **III** *s* → **decomposite** II.

de·com·press [ˌdiːkəm'pres] *v/t* **1.** *tech.* dekompri'mieren, den Druck her'abmindern in (*dat*). – **2.** von Druck befreien (*auch med.*). — **ˌde·com'pres·sion** [-'preʃən] *s* **1.** *tech.* De-, Entkompressi'on *f,* (all'mähliche) Druckverminderung: ~ **chamber** *bes. aer.* Höhenkammer. – **2.** Druckentlastung *f* (*auch med.*).

de·con·se·crate [diː'kɒnsiˌkreit] *v/t* säkulari'sieren, verweltlichen.

de·con·tam·i·nate [ˌdiːkən'tæmiˌneit; -mə-] *v/t* entgiften, -seuchen, -strahlen. — **ˌde·conˌtam·i'na·tion** *s* Entgiftung *f, bes.* Entgasung *f,* Entseuchung *f,* Entstrahlung *f:* ~ **squad** (*Luftschutz*) Entgiftungstrupp.

de·con·trol [ˌdiːkən'troul] **I** *v/t pret u. pp* **-'trolled 1.** von der Kon'trolle befreien. – **2.** *econ.* freigeben, von der Zwangsbewirtschaftung befreien: to ~ **butter** den Butterverkauf freigeben. – **II** *v/i* **3.** die Kon'trolle aufheben. – **III** *s* **4.** Aufhebung *f* der Kon'trolle, *bes.* der Zwangsbewirtschaftung, Freigabe *f.*

dé·cor [de'kɔːr] (*Fr.*) *s* **1.** De'kor *m,* Ausschmückung *f,* Deko'rierung *f.* – **2.** Verzierung *f.* – **3.** De'kor *m,* Ausstattung *f* (*Bühnenstück*).

dec·o·rate ['dekəˌreit] **I** *v/t* **1.** schmükken, (ver)zieren. – **2.** ausschmücken, auf-, her'ausputzen. – **3.** deko'rieren, (*mit Orden etc*) auszeichnen. – **II** *v/i* **4.** deko'rieren, Verzierungen anbringen. – *SYN. cf.* adorn. — **'Dec·oˌrat·ed style** *s* deko'rierter *od.* reicher Stil (*engl. Hochgotik, 14. Jh.*). — **ˌdec·o'ra·tion** *s* **1.** (Aus)Schmükkung *f,* Verzierung *f,* Deko'rierung *f.* – **2.** Schmuck *m,* Dekorati'on *f,* Verzierung *f.* – **3.** Orden *m,* Ehrenzeichen *n:* **D**~ **Day** → **Memorial Day.** — **'dec·o·ra·tive** [*Br.* -rətiv; *Am.* -ˌreitiv] *adj* **1.** dekora'tiv, schmückend, verzierend, Schmuck..., Zier... – **2.** dekora'tiv, ornamen'tal (*Kunst*). — **'dec·o·ra·tive·ness** *s* dekora'tiver Cha'rakter, dekora'tive Wirkung. — **'dec·oˌra·tor** [-ˌreitər] *s* **1.** Dekora'teur *m:* **window** ~ Schaufensterdekorateur. – **2.** (Aus)Schmücker *m.* – **3.** Dekorati'onsmaler *m.* – **4.** Tape'zierer *m,* Anstreicher *m.*

dec·o·rous ['dekərəs] *adj* **1.** schicklich, ziemlich, geziemend. – **2.** (wohl)anständig, (*konventionell*) sittsam. — **'dec·o·rous·ness** *s* **1.** Schicklich-, Ziemlichkeit *f.* – **2.** Wohlanständigkeit *f.*

de·cor·ti·cate I *v/t* [diː'kɔːrtiˌkeit; -tə-] **1.** entrinden, abrinden. – **2.** (ab)schälen. – **3.** (*Getreide etc*) enthülsen. – **4.** *med.* ausschälen, entkapseln. – **5.** *fig.* schinden. – **II** *adj* [-kit; -ˌkeit] **6.** entrindet. – **7.** rinden-, hülsen-, schalenlos. — **deˌcor·ti'ca·tion** *s* **1.** Entrindung *f,* (Ab-, Aus)Schälung *f,* Enthülsung *f.* – **2.** *med.* Entkapselung *f,* Dekapsulati'on *f.*

de·co·rum [di'kɔːrəm] *pl* **-rums, -ra** [-rə] *s* **1.** De'korum *n,* (Wohl)Anständigkeit *f,* (äußerer) Anstand, Schicklichkeit *f:* **to maintain one's** ~ das Dekorum wahren. – **2.** Eti'kette *f,* Anstandsregeln *pl.* – **3.** Ordnung *f,* ordentlicher Verlauf. – *SYN.* **decency, dignity, etiquette, propriety.**

de·cou·ple [diː'kʌpl] *v/t electr.* entkoppeln: **decoupling network** Entkopplungsschaltung.

de·coy [di'kɔi] **I** *s* **1.** Lockvogel *m* (*Person*). – **2.** Köder *m,* Lockspeise *f.* – **3.** *hunt.* Lockvogel *m:* ~ **duck** a) Lockente, b) *fig.* Lockvogel. – **4.** *hunt.* Vogel-, *bes.* Entenfalle *f.* – **5.** *mil.* a) Scheinanlage *f,* b) *mar.* 'Unterseebootfalle *f.* – **II** *v/t* **6.** ködern. – **7.** locken (into in *acc*). – **8.** verlocken, verleiten. – **III** *v/i* **9.** sich ködern lassen, in die Falle gehen. – *SYN. cf.* lure. — **de'coy·er** → **decoy** 1 *u.* 2. — **de'coy·man** [-mən] *s irr* Vogelsteller *m,* Vogler *m* (*bes.* Entenfänger).

de·crease [diː'kriːs] **I** *v/i* **1.** (all'mählich) abnehmen, sich vermindern, sich verringern, kleiner *od.* geringer *od.* schwächer *od.* kürzer werden: **the days** ~ **in length** die Tage werden kürzer. – **2.** (ab)fallen, abnehmen: **decreasing series** *math.* fallende Reihe. – **II** *v/t* **3.** vermindern, -ringern, -kleinern, -kürzen, her'absetzen, redu'zieren: **to** ~ **one's speed** die Geschwindigkeit vermindern *od.* herabsetzen. – *SYN.* **abate**[1], **diminish, dwindle, lessen, reduce.** – **III** *s* ['diːkriːs; diː'kriːs; di-] **4.** Abnahme *f,* Verminderung *f,* -ringerung *f,* -kleinerung *f,* -kürzung *f,* Redu'zierung *f.* – **5.** Ab-, Rückgang *m,* Verminderung *f:* **a considerable** ~ **in prices** ein beträchtlicher Preisrückgang; ~ **in value** Wert(ver)minderung. – **6.** Abnehmen *n* des Mondes. — **de'creas·ing·ly** *adv* in ständig abnehmendem Maße.

de·cree [di'kriː] **I** *s* **1.** De'kret *n,* Erlaß *m,* Verfügung *f,* Verordnung *f,* Vorschrift *f,* E'dikt *n.* – **2.** *jur.* Entscheid *m,* Urteil *n,* Beschluß *m:* ~ **absolute** rechtskräftiges Urteil, Endurteil; → **nullity 3.** – **3.** *oft* **D**~ *relig.* De'cretum *n.* – **4.** Ratschluß *m* (*höherer Mächte*), Fügung *f,* Bestimmung *f* (*Schicksal*). – **II** *v/t* **5.** dekre'tieren, verfügen, verordnen, durch De'kret anordnen *od.* bestimmen. – **6.** bestimmen (*Schicksal*). – **7.** *jur.* entscheiden, (durch Gerichtsbeschluß) verfügen, beschließen, (gerichtlich) anordnen. – **III** *v/i* **8.** De'krete erlassen, Verordnungen her'ausgeben. – **9.** bestimmen, entscheiden. — ~ **law** *s* Verordnung *f* mit Gesetzeskraft. — ~ **ni·si** ['naisai] *s jur. Br.* vorläufiges Scheidungsurteil.

dec·re·ment ['dekrimənt] *s* **1.** Abnahme *f,* Verminderung *f,* Verringerung *f.* – **2.** Abnahme *f,* Abgang *m.* – **3.** *electr. math.* Dekre'ment *n:* ~ **of damping** Dämpfungsdekrement. – **4.** Dekres'zenz *f* (*der Kristallstruktur*).

de·crem·e·ter [di'kremitər; -mə-] *s electr.* Dämpfungsmesser *m.*

de·crep·it [di'krepit] *adj* altersschwach, 'hinfällig, klapprig, verbraucht: ~ **with age** vom Alter gebrochen. – *SYN. cf.* weak.

de·crep·i·tate [di'krepiˌteit; -pə-] **I** *v/t* (*Salz*) verknistern, abknistern. – **II** *v/i* dekrepi'tieren, zerknistern, verprasseln. — **deˌcrep·i'ta·tion** *s* **1.** Dekrepitati'on *f,* Verknisterung *f,* Abknisterung *f.* – **2.** Knistern *n,* Prasseln *n.* — **de'crep·iˌtude** [-ˌtjuːd; *Am. auch* -ˌtuːd] *s* Altersschwäche *f,* 'Hinfälligkeit *f.*

de·cres·cence [di'kresns] *s* Dekres'zenz *f,* (all'mähliche) Abnahme.

de·cre·scen·do [ˌdiːkre'ʃendou; -krə-] **I** *adj* **1.** *mus.* (all'mählich an Stärke) abnehmend, decre'scendo. – **2.** *ling.* fallend (*Diphthong*). – **II** *adv* **3.** *mus.* decre'scendo, abnehmend. – **III** *s* **4.** *mus.* Dekre'scendo *n,* Abnehmen *n* (*auch fig.*).

de·cres·cent [di'kresnt] **I** *adj* sich vermindernd, abnehmend: ~ **moon** abnehmender Mond. – **II** *s bes. her.* abnehmender Mond.

de·cre·tal [di'kriːtl] **I** *adj* **1.** Dekretal..., ein De'kret enthaltend: ~ **epistle** Dekretalbrief. – **II** *s relig.* **2.** Dekre'tale *n* (*Entscheid, bes. des Papstes*). – **3.** *pl* Dekre'talien *pl* (*als Teil des Kirchenrechts*). — **de'cre·tist** *s* **1.** Dekre'tist *m,* Kano'nist *m.* – **2.** *hist.* 'Rechtsstuˌdent *m.* — **de'cre·tive** *adj* **1.** dekre'torisch, gesetzgebend. – **2.** ein De'kret betreffend, Dekretal... —

dec·re·to·ry [*Br.* di'kriːtəri; *Am.* 'dekrəˌtɔːri] *adj* **1.** → **decretive.** – **2.** endgültig (entscheidend), durch De'kret festgelegt.

de·cri·al [di'kraiəl] *s* (heftige u. laute) Verurteilung, Her'untermachen *n.* — **de'cri·er** *s* Schlechtmacher *m,* (heftiger u. böswilliger) Kritiker. — **de'cry** [-'krai] *v/t* **1.** her'unter-, schlechtmachen, her'absetzen, laut verdammen. – **2.** (*alte Münzen*) für minderwertige *od.* ungültige Zahlungsmittel erklären. – *SYN.* **belittle, depreciate, derogate from, detract from, disparage, minimize.**

de·crypt [diː'kript] *v/t* (*Geheimschrift*) entschlüsseln.

de·cu·bi·tal [di'kjuːbitl] *adj med.* dekubi'tal, Dekubital...: ~ **ulcer.** — **de'cu·bi·tus** [-təs], ~ **ul·cer** *s med.* De'kubitus *m,* Dekubi'tal-, Druckgeschwür *n.*

dec·u·man ['dekjumən] *adj* **1.** riesig, gewaltig, ungeheuer: a ~ **wave.** – **2.** zehnt(er, e, es).

de·cum·ben·cy [di'kʌmbənsi], *auch* **de'cum·bence** *s* Liegen *n,* liegende

Stellung. — **deˈcum·bent** *adj* **1.** liegend, in liegender Stellung. – **2.** *bot.* niederliegend, am Boden liegend *od.* rankend. – **3.** *zo.* anliegend (*Haare, Borsten etc*). — **deˈcum·bi·ture** [-bitʃər] *s med.* (Beginn *m* der) Bettlägerigkeit *f.*

dec·u·ple [ˈdekjupl] **I** *adj* zehnfach. – **II** *s* (*das*) Zehnfache. – **III** *v/t* verzehnfachen.

de·cu·ri·on [diˈkju(ə)riən] *s* **1.** *antiq.* Deˈkurio *m*: a) *Befehlshaber od. Vorsteher einer Dekurie,* b) *Ratsherr des Gemeinderats.* – **2.** *hist.* Vorsteher *m* einer Zehntschaft. — **deˈcu·ri·on·ate** [-nit; -ˌneit] *s* Amt *n od.* Würde *f* eines Deˈkurios.

de·cur·rence [*Br.* diˈkʌrəns; *Am.* -ˈkəːr-] *s* **1.** Abwärtslaufen *n*, -fließen *n.* – **2.** Verrinnen *n*, Verfließen *n* (*Zeit*). — **deˈcur·rent** *adj* **1.** *bot.* (am Stengel) herˈablaufend (*Blatt*). – **2.** abwärtslaufend, -fließend.

de·cur·tate [diˈkəːrteit] *adj* ge-, verkürzt.

de·cur·va·tion [ˌdiːkəːrˈveiʃən] *s* Abwärtskrümmung *f.*

dec·u·ry [ˈdekju(ə)ri] *s antiq.* Deˈkurie *f*: a) *Zehntschaft* (*Abteilung von 10 Mann*), b) *Abteilung, Gruppe.*

de·cus·sate I *v/t u. v/i* [diˈkʌseit; ˈdekəs-] **1.** (sich) kreuzweise schneiden. – **II** *adj* [diˈkʌseit; -sit] **2.** sich kreuzend *od.* schneidend, gekreuzt. – **3.** *bot.* dekusˈsiert, kreuzgegenständig. — ˌ**de·cusˈsa·tion** [ˌdiː-] *s* **1.** (Durch)ˈKreuzung *f*: point of ~ Kreuzungspunkt. – **2.** *bot.* Kreuzgegenständigkeit *f.* – **3.** *med.* Kreuzung *f*, Chiˈasma *n*: **pyramidal** ~ Pyramidenkreuzung.

de·dans [dəˈdɑ̃] (*Fr.*) *s* **1.** (offene) ˈZuschauertriˌbüne (*am Tennisplatz*). – **2.** *collect.* Zuschauer *pl*, Publikum *n.*

ded·i·cate I *v/t* [ˈdediˌkeit; -də-] **1.** weihen, widmen: to ~ s.th. to God etwas Gott weihen. – **2.** (*Zeit*) widmen. – **3.** (*Buch etc*) widmen, dediˈzieren, zueignen. – **4.** *colloq.* feierlich eröffnen. – **5.** *jur.* der Öffentlichkeit zugänglich machen *od.* zur Verfügung stellen. – *SYN. cf.* devote. – **II** *adj* [-kit] **6.** *obs.* geweiht. — ˌ**ded·i·caˈtee** [-ˈtiː] *s* j-d dem etwas gewidmet ist *od.* wird. — ˌ**ded·iˈca·tion** *s* **1.** Weihung *f*, Widmung *f.* – **2.** (to) (Sich)ˈWidmen *n* (*dat*), ˈHingabe *f* (an *acc*). – **3.** Widmung *f*, Zueignung *f* (*Buch*). – **4.** *jur.* Überˈlassung *f* (zum allgemeinen Gebrauch). — ˈ**ded·iˌca·tive** → dedicatory. — ˈ**ded·iˌca·tor** [-tər] *s* Widmer *m*, Zueigner *m.* — ˈ**ded·i·ca·to·ry** [*Br.* -ˌkeitəri; *Am.* -kəˌtəːri], *auch* ˌ**ded·i·caˈto·ri·al** [-ˈtəːriəl] *adj* widmend, zueignend, Widmungs..., Zueignungs...

de·duce [diˈdjuːs; *Am. auch* -ˈduːs] *v/t* **1.** (logisch) ableiten, folgern, schließen (from aus). – **2.** deduˈzieren, durch Dedukti'on ˈherleiten (from von). – **3.** (*Abstammung etc*) ˈherleiten (from von). – *SYN. cf.* infer. — **de**ˌ**duc·iˈbil·i·ty** *s* Ableitbarkeit *f*, ˈHerleitbarkeit *f*, Deduˈzierbarkeit *f.* — **deˈduc·i·ble** *adj* ab-, ˈherleitbar, erschließbar. — **deˈduc·i·ble·ness** → deducibility.

de·duct [diˈdʌkt] *v/t* **1.** abrechnen, abziehen, absetzen, abschreiben (from, out of von): **charges** ~**ed** nach Abzug der Kosten; **to be** ~**ed from a sum** von einer Summe abgehen; ~**ing (our) expenses** abzüglich (unserer) Unkosten. – **2.** folgern, schließen. — **deˈduct·i·ble** *adj* abrechenbar: a) abziehbar, b) *econ.* abzugsfähig.

de·duc·tion [diˈdʌkʃən] *s* **1.** *bes. econ.* Abzug *m*, Abziehen *n*, Abrechnung *f*, Absetzung *f* (from von): ~ **for taxes** Abzug *od.* Rückstellung für Steuern; **all** ~**s made** mit Berücksichtigung aller Abzüge. – **2.** *econ.* Abzug *m*, Raˈbatt *m*, Nachlaß *m*: ~ **from the price** Preisnachlaß. – **3.** *math.* Subtraktiˈon *f.* – **4.** Folgern *n*, Schließen *n.* – **5.** Deduktiˈon *f.* – **6.** (Schluß)-Folgerung *f*, Schluß *m*: **to draw a** ~ einen Schluß ziehen. — **deˈduc·tive** *adj* **1.** dedukˈtiv, Deduktions...: ~ **method** deduktive Methode. – **2.** folgernd, schließend. – **3.** ab-, ˈherleitbar, erschließbar.

de·dud [diˈdʌd] *pret u. pp* **-ˈdud·ded I** *v/i* Blindgänger beseitigen. – **II** *v/t* von Blindgängern räumen.

dee [diː] *s* **1.** D *n*, d *n* (*Buchstabe*). – **2.** D *n*, D-förmiger Gegenstand, *bes. phys.* D-förmige *od.* ˈhalbzyˌlindrische ˈKupferelekˌtrode eines Zykloˈtrons. – **3.** D-förmiger Kummetring.

deed [diːd] **I** *s* **1.** Tat *f*, Handlung *f*, Ausführung *f*: **to do a** ~ eine Tat vollbringen *od.* ausführen; **the will is taken for the** ~ der Wille gilt für die Tat; → **word** *b. Redw.* – **2.** Helden-, Großtat *f.* – **3.** Misse-, Untat *f*: **to commit a** ~ eine Untat begehen. – **4.** Tatsache *f*, Wirklichkeit *f*: **in** ~ (*meist* **in**~) in der Tat, wirklich, wahrhaftig. – **5.** *jur.* (gesiegelter) Vertrag, Urkunde *f*, Dokuˈment *n*: **to draw up a** ~ eine Urkunde aufsetzen; ~ **of arrangement** Vergleichsurkunde; ~ **of gift** (*od.* **donation**) Schenkungsurkunde; ~ **of partnership** Gesellschaftsvertrag; ~ **of settlement** Stiftungsurkunde, Bestellungsvertrag; → **conveyance** 5b. – *SYN. cf.* action. – **II** *v/t* **6.** *jur. Am.* urkundlich überˈtragen (to *dat od.* auf *acc*). — ˈ**deed·ful** [-ful; -fəl] *adj* tatenvoll, tätig. — ˈ**deed·less** tatenlos, untätig. — **deed poll** *s jur.* nur von ˈeiner Parˈtei ausgefertigte Urkunde, Urkunde *f* eines einseitigen Rechtsgeschäfts.

deem [diːm] **I** *v/i* **1.** denken, eine Meinung haben: **to** ~ **well of s.th.** von etwas eine gute Meinung haben. – **2.** (*in Einschaltungen*) glauben, meinen, denken. – **II** *v/t* **3.** halten (für), erachten (für), betrachten (als): **to** ~ **it right to do s.th.** es für richtig halten, etwas zu tun; **to** ~ **s.th. a pleasure** etwas für ein Vergnügen halten, etwas als ein Vergnügen betrachten. – **4.** glauben, meinen (that daß).

deem·ster [ˈdiːmstər] *s* Richter *m* (*auf der Insel Man*).

deep [diːp] **I** *adj* **1.** tief (*in vertikaler Richtung*): **ten feet** ~ zehn Fuß tief; **a** ~ **plunge** ein Sprung in große Tiefe; **to go off** (*od.* **off at, in at, in off**) **the** ~ **end** *sl.* a) *Br.* die Beherrschung verlieren, leidenschaftlich *od.* wild werden, b) *Am.* sich unüberlegt in etwas einlassen; **in** ~ **water(s)** *fig.* in Verlegenheit, in Schwierigkeiten; **he is in** ~ **waters** *fig.* das Wasser reicht ihm bis zum Hals. – **2.** tief (*in horizontaler Richtung*), tief hinˈeingehend, sich in die Tiefe erstreckend: **a** ~ **wardrobe** ein tiefer Kleiderschrank; ~ **forests** tiefe Wälder; **two rows** ~ zwei Reihen *od.* Glieder tief. – **3.** breit, tief: ~ **border** breiter Rand. – **4.** tief (drunten *od.* drinnen): **a village** ~ **in the valley** ein Dorf tief drunten im Tal; ~ **in the woods** tief drinnen im Wald; ~ **in peace** in tiefem Frieden. – **5.** niedrig gelegen. – **6.** tief, aus der Tiefe kommend: **a** ~ **breath.** – **7.** tief (versunken), versunken, vertieft, vergraben: ~ **in thought** tief in Gedanken (versunken). – **8.** tief (steckend *od.* verwickelt): **to be** ~ **in debt** tief in Schulden stecken, große Schulden haben; ~ **in love** schwer verliebt. – **9.** dunkel, unergründlich, schwer verständlich, tief(sinnig): **that is too** ~ **for me** das ist mir zu hoch, da komme ich nicht mit. – **10.** tief (eindringend), gründlich, eingehend: ~ **study** eingehendes Studium. – **11.** verborgen, versteckt, geheim, dunkel: ~ **designs** dunkle Pläne; ~ **motive** verborgener Beweggrund. – **12.** tief(gehend), mächtig, stark, groß: **to make a** ~ **impression.** – **13.** tief, zu Herzen gehend, schwer (erschütternd), bitter: ~ **disappointment** schwere Enttäuschung. – **14.** innig, tief(empfunden), von Herzen kommend, aufrichtig, inbrünstig: ~ **gratitude** tiefe *od.* innige Dankbarkeit; ~ **mourning** tiefe Trauer; ~ **prayer** inbrünstiges Gebet. – **15.** tief, schwer(wiegend): ~ **wrongs** schweres Unrecht. – **16.** tief, vollständig, vollkommen: ~ **sleep** tiefer Schlaf. – **17.** stark, intenˈsiv, radiˈkal, leidenschaftlich: ~ **enemy** radikaler Feind; ~ **love** leidenschaftliche Liebe. – **18.** tiefst(er, e, es), äußerst(er, e, es): ~ **poverty** tiefste Armut. – **19.** tief, gründlich, scharfsinnig: **a** ~ **thinker.** – **20.** verschlagen, durchˈtrieben, listig, schlau: **a** ~ **card, a** ~ **one** *sl.* ein ganz durchtriebener Bursche. – **21.** tief, satt, dunkel (*Farbe*). – **22.** tief, dunkel, tief-, volltönend (*Ton, Stimme*). – **23.** *med.* subkuˈtan, unter der Haut. – **24.** *psych.* im Unbewußten liegend, unbewußt. – *SYN.* a) **abysmal, profound,** b) *cf.* **broad.** –

II *s* **25.** Tiefe *f*, tiefer Teil (*Gewässer*). – **26.** Tiefe *f*, Abgrund *m.* – **27.** tiefgelegene Stelle. – **28.** (*Kricket*) *Stellung der Feldspieler hinter dem Werfer am Außenrand des Spielfeldes.* – **29. the** ~ *poet.* a) das Meer, der Ozean, b) das Firmaˈment, c) der Tartarus, die ˈUnterwelt, d) der unendliche Raum, e) die unendliche Zeit. – **30.** Mitte *f*, Gipfel-, Höhepunkt *m*: **in the** ~ **of night** in tiefster Nacht; **in the** ~ **of winter** im tiefsten Winter. – **31.** *mar.* (nicht durch Marken bezeichnete) Fadenlänge (*der Lotleine*). –

III *adv* **32.** tief: **still waters run** ~ stille Wasser sind tief. – **33.** tief, spät: ~ **into the night** (bis) tief in die Nacht (hinein); ~ **in winter** tief im Winter. – **34.** stark, gründlich, heftig: → drink 16.

ˈ**deep|-ˌchest·ed** *adj* **1.** mit gewölbter Brust. – **2.** mit Brustton. — ˈ**~-ˌdish** *adj* in einer tiefen Schüssel gebacken: ~ **pie** Napfpastete. — ˈ**~-ˌdraw** *v/t irr tech.* tiefziehen. — ˈ**~-ˌdraw·ing** *adj mar.* tiefgehend (*Schiff*). — ˈ**~-ˌdrawn** *adj* **1.** *tech.* tiefgezogen, Tiefzieh... – **2.** aus der Tiefe herˈvorgeholt, tief: ~ **sigh** tiefer Seufzer.

deep·en [ˈdiːpən] **I** *v/t* **1.** tief(er) machen. – **2.** vertiefen, tiefer legen. – **3.** *tech.* a) vertiefen, austiefen, b) ausschachten, ausbaggern. – **4.** (*Schacht*) abteufen. – **5.** *fig.* vertiefen, verstärken, steigern. – **6.** (*Farben*) verdunkeln, vertiefen, (*dat*) einen tieferen Ton geben. – **7.** (*Töne*) tiefer stimmen. – **8.** (*Stimme*) senken. – **II** *v/i* **9.** tiefer werden, sich vertiefen. – **10.** sich senken. – **11.** *fig.* sich vertiefen, sich verstärken, sich steigern, stärker werden. – **12.** dunkel *od.* dunkler werden, (nach)dunkeln (*Farbe*).

ˈ**deep|-ˌfelt** *adj* tiefempfunden. — ˈ**~-ˈfreeze I** *s* Tiefkühlschrank *m.* – **II** *v/t pret u. pp* **-ˈfreezed** tiefkühlen. — ˈ**~-ˈfry** *v/t* in schwimmendem Fett backen.

deep·ie [ˈdiːpi] *s colloq.* ˈdreidimensioˌnaler Film.

deep·ing [ˈdiːpiŋ] *s Br.* Ansatzstück *n* (*eines Treibnetzes*).

ˈ**deep-ˌlaid** *adj* **1.** schlau (angelegt): ~ **plots.** – **2.** verborgen, geheim.

deep·ly [ˈdiːpli] *adv* **1.** tief (*auch fig.*). – **2.** tief, gründlich, reiflich, sorgfältig: ~ **devised** reiflich überlegt; ~ **versed** gründlich bewandert. – **3.** tief, schwer, weitgehend, in hohem Grade, stark: ~ hurt schwer gekränkt; ~ offended tief beleidigt. – **4.** innig(st), inbrünstig. – **5.** leidenschaftlich, heftig, unmäßig: to drink ~ unmäßig trinken. – **6.** schlau, versteckt. – **7.** tief, dunkel (*Farbe*). – **8.** tief (*Ton*): ~ toned tieftonig.

'deep,mouthed *adj* **1.** tieftönend. – **2.** mit tiefer Stimme (bellend): ~ dogs. – **3.** dumpf dröhnend (*Meer etc*).

deep·ness ['di:pnis] *s* **1.** Tiefe *f* (*auch fig.*). – **2.** Tiefe *f*, Dunkelheit *f*, Schwerverständlichkeit *f*. – **3.** Gründlichkeit *f*. – **4.** Verborgenheit *f*, Verstecktheit *f*. – **5.** Tiefe *f*, Stärke *f*. – **6.** Innigkeit *f*, Inbrunst *f*. – **7.** Scharfsinn *m*. – **8.** Verschlagenheit *f*, Schlauheit *f*.

'deep|-'read [-'red] *adj* sehr belesen. — **'~-'root·ed** *adj* **1.** tief eingewurzelt *od.* verwurzelt. – **2.** *fig.* eingefleischt. – *SYN. cf.* inveterate. — **~ scab** *s bot.* Tiefschorf *m* (*der Kartoffeln*). — **'~-,sea** *adj* Tiefsee..., Hochsee...: ~ fish Tiefseefisch; ~ fishing Hochseefischerei; ~ lead Tiefsee-, Tiefenlot. — **'~-'seat·ed** *adj* tiefsitzend, fest verwurzelt. – *SYN. cf.* inveterate. — **'~-,set** *adj* tiefliegend (*Augen*). — **D~ South** *s Am.* tiefer Süden (*bes. Georgia, Alabama, Mississippi u. Louisiana*). — **~ ther·a·py** *s med.* Tiefenbehandlung *f*, -bestrahlung *f*. — **'~-'throat·ed** *adj* mit tiefer Stimme, mit tiefem Ton. — **'~-'toned** *adj* tieftönend, -klingend. — **'~-'waist·ed** *adj mar.* mit tiefer Kuhl (*Schiff*). — **,~'wa·ter·man** *s irr mar.* Hochseeschiff *n*.

deer [dir] *pl* **deers,** *collect.* **deer** *s* **1.** *zo.* Hirsch *m* (*Fam. Cervidae; volkssprachlich meist nur die kleineren Arten*). – **2.** *hunt.* (*volkssprachlich*) Reh *n*. – **3.** Hoch-, Rotwild *n*: → small ~. – **4.** *obs.* (wildes) Tier. — **'~,ber·ry** *s bot.* **1.** Hirschbeere *f* (*Polycodium stamineum*). – **2.** → checkerberry 1. – **3.** → partridgeberry 1. — **~ cab·bage** *s bot.* Blaublühende Lu'pine (*Lupinus diffusus*). — **~ fly** *s zo.* (*eine*) Viehfliege, Bremse *f* (*Fam. Tabanidae, bes. Gattg Chrysops*). — **~ for·est** *s hunt.* Jagdschutzgebiet *n*. — **~ grass** *s bot.* **1.** (*ein*) mexik. Büschelgras *n* (*Epicampes rigens*). – **2.** (*ein*) Bruchheil *n* (*Gattg Rhexia*). — **'~,herd** *s* Rotwildhüter *m*. — **'~,horn cac·tus** *s bot.* Geweihkaktus *m* (*Peniocereus gregii*). — **'~,hound** *s* schottischer Hirschhund, Deerhound *m* (*Windhundrasse*). — **~ hunt** *s* Rotwildjagd *f*. — **~ lau·rel** *s bot.* Große Alpenrose (*Rhododendron maximum*). — **~ lick** *s* Salzlecke *f* für Rotwild. — **~ mouse** *s irr zo.* **1.** (*eine*) nordamer. Weißfußmaus (*Gattg Peromyscus, bes. P. leucopus*). – **2.** (*eine*) nordamer. Feldhüpfmaus (*Zapus hudsonius*). — **~ neck** *s* Hirschhals *m* (*des Pferdes*). — **~ park** *s* Wildpark *m*. — **~ shot** *s* Rehposten *m* (*Schrotsorte*). — **'~,skin** *s* **1.** Hirsch-, Rehhaut *f*, -fell *n*. – **2.** (Kleidungsstück *n* aus) Hirsch- *od.* Rehleder *n*. — **'~,stalk·er** *s* **1.** *hunt.* (Hirsch)Pirscher *m*, Pirschjäger *m*. – **2.** Jagdhut *m*, -mütze *f*. — **'~,stalk·ing** *s* Rotwild-, Rehpirsch *f*. — **'~,stand** *s hunt.* Hochsitz *m*.

'deer's-,tongue *s bot.* **1.** Falsche Va'nille (*Liatris odoratissima*). – **2.** Spitzwegerich *m* (*Plantago lanceolata*). – **3.** Hirschzunge *f* (*Phyllitis scolopendrium*).

deer| ti·ger → cougar. — **'~,weed** *s bot.* (*ein*) kaliforn. Hornklee *m* (*Lotus scoparius*). — **~ yard** *s* Futterstelle *f* für Hirsche (*im Winter*).

de·face [di'feis] *v/t* **1.** entstellen, verunstalten. – **2.** aus-, 'durchstreichen, unleserlich machen. – **3.** (*Briefmarken*) entwerten. – **4.** *fig.* beeinträchtigen. – *SYN.* disfeature, disfigure. — **de'face·a·ble** *adj* **1.** verunstaltbar. – **2.** ausstreichbar. — **de'face·ment** *s* **1.** Entstellung *f*, Verunstaltung *f*. – **2.** Ausstreichung *f*, Unleserlichmachen *n*. – **3.** Entwertung *f* (*von Briefmarken*).

de fac·to [di: 'fæktou] (*Lat.*) *adj u. adv* de facto, tatsächlich: a ~ government eine De-facto-Regierung (*die tatsächlich regiert, mit od. ohne Recht*). — **de'fac·to·ist** *s pol.* j-d der eine De-facto-Regierung anerkennt.

de·fal·cate [di'fælkeit] **I** *v/i* Veruntreuungen *od.* Unter'schlagungen begehen. – **II** *v/t selten* veruntreuen, unter'schlagen. — **,de·fal'ca·tion** [,di:-] *s* **1.** Veruntreuung *f*, Unter'schlagung *f*. – **2.** veruntreuter Betrag, Unter'schlagungssumme *f*. – **3.** *selten* Verminderung *f*, Kürzung *f*. — **'de·fal,ca·tor** [-tər] *s* Veruntreuer *m*.

def·a·ma·tion [,defə'meiʃən] *s* Verleumdung *f*, Schmähung *f*: ~ of character Ehrabschneidung. — **de·fam·a·to·ry** [*Br.* di'fæmətəri; *Am.* -,tɔ:ri] *adj* verleumderisch, ehrenrührig, schmähend, Schmäh...: to be ~ of s.o. j-n schmähen *od.* verleumden.

de·fame [di'feim] *v/t* **1.** verleumden. – **2.** *obs.* entehren. – **3.** *selten* anklagen. – *SYN. cf.* malign. — **de'famed** *adj* **1.** verleumdet. – **2.** *her.* schwanzlos. — **de'fam·er** *s* Verleumder(in). — **de'fam·ing** → defamatory.

de·fat·ted [di:'fætid] *adj* entfettet, fettarm.

de·fault [di'fɔ:lt] **I** *s* **1.** Unter'lassung *f* (*Pflicht*), (Pflicht)Versäumnis *f*, Nachlässigkeit *f*. – **2.** *econ.* Nichterfüllung *f* (*Verbindlichkeit*), Verzug *m*: to be in ~ im Verzug sein; ~ of interest Zinsverzug; to cure a ~ einen Verzug wiedergutmachen; on ~ of payment wegen Nichtzahlung. – **3.** *jur.* Nichterscheinen *n* vor Gericht: to be sentenced by (*od.* in) ~ in Abwesenheit verurteilt werden; to make ~ nicht (vor Gericht) erscheinen; → judgment 3. – **4.** *sport* Nichtantreten *n*. – **5.** Mangel *m*, Ermangelung *f*: in ~ of in Ermangelung von, mangels; in ~ whereof widrigenfalls. – **6.** *hunt.* Verlieren *n* der Fährte. – **7.** *obs.* a) Vergehen *n*, b) Fehler *m*. – **II** *v/i* **8.** seinen Verpflichtungen nicht nachkommen. – **9.** *econ.* seinen (Zahlungs)-Verpflichtungen nicht nachkommen, im Verzug sein: to ~ on a debt eine Schuld nicht bezahlen. – **10.** keine Rechenschaft (*über den Verbleib anvertrauten Geldes*) geben können. – **11.** *jur.* a) nicht (vor Gericht) erscheinen, b) durch Nichterscheinen vor Gericht den Pro'zeß verlieren. – **12.** *sport* a) nicht antreten, b) durch Nichtantreten den Kampf verlieren. – **III** *v/t* **13.** nicht erfüllen, (*einer Verpflichtung*) nicht nachkommen, (*Vertrag*) brechen. – **14.** *econ.* nicht bezahlen (können): ~ed bonds notleidende Obligationen; ~ed mortgage verfallene Hypothek. – **15.** *jur.* das Nichterscheinen feststellen von, wegen Nichterscheinens (vor Gericht) verurteilen. – **16.** *sport* a) nicht antreten zu (*einem Kampf*), b) durch Nichtantreten verlieren. — **de'fault·er** *s* **1.** j-d der seinen Verpflichtungen nicht nachkommt. – **2.** *econ.* säumiger Zahler *od.* Schuldner. – **3.** *econ.* Zahlungsunfähiger *m*, Insol'vent *m*. – **4.** *jur.* vor Gericht nicht Erscheinende(r). – **5.** → defalcator. – **6.** *mil. Br.* Delin'quent *m*: ~ book Strafbuch; ~ sheet Strafbuchauszug.

de·fea·sance [di'fi:zəns] *s jur.* **1.** Annul'lierung *f*, Nichtigkeitserklärung *f*, Aufhebung *f*. – **2.** (zusätzliche Urkunde mit einer) Nichtigkeitsklausel *f*. — **de'fea·sanced** *adj jur.* anfechtbar, 'umstoßbar, annul'lierbar, aufhebbar.

de·fea·si·bil·i·ty [di,fi:zə'biliti; -əti] *s* Anfechtbar-, 'Umstoßbar-, Annul'lierbar-, Aufhebbarkeit *f*. — **de'fea·si·ble** *adj* anfecht-, 'umstoß-, annul'lier-, aufhebbar. — **de'fea·si·ble·ness** → defeasibility.

de·feat [di'fi:t] **I** *v/t* **1.** besiegen, schlagen. – **2.** (*Angriff*) nieder-, ab-, zu'rückschlagen, abweisen. – **3.** (*Antrag etc*) zu Fall bringen: to ~ by vote niederstimmen. – **4.** (*Hoffnung etc*) vereiteln, zu'nichte machen, durch'kreuzen. – **5.** hinter'gehen, täuschen. – **6.** *obs.* (of) bringen (um), berauben (*gen*). – **7.** *jur.* für null u. nichtig erklären, annul'lieren, aufheben, 'umstoßen. – **8.** *obs.* zerstören. – *SYN. cf.* conquer. – **II** *s* **9.** Besiegung *f*, Niederwerfung *f*. – **10.** Niederlage *f*: to inflict a ~ on s.o. j-m eine Niederlage beibringen. – **11.** Zu'rückschlagung *f* (*Angriff*). – **12.** Ablehnung *f* (*Antrag*). – **13.** Vereitelung *f*, Durch'kreuzung *f* (*Hoffnungen etc*). – **14.** Hinter'gehung *f*, Täuschung *f*. – **15.** *jur.* Ungültigkeitserklärung *f*, Annul'lierung *f*, Aufhebung *f*. – **16.** *obs.* Zerstörung *f*. — **de'feat·er** *s* Besieger *m*, Über'winder *m*. — **de'feat·ism** *s* Defä'tismus *m*, ,Miesmache'rei *f*. — **de'feat·ist I** *s* Defä'tist *m*, Miesmacher *m*. – **II** *adj* defä'tistisch.

de·fea·ture [di'fi:tʃər] **I** *s obs.* **1.** Entstellung *f*. – **2.** Vernichtung *f*. – **II** *v/t* **3.** unkenntlich machen, entstellen.

def·e·cate ['defi,keit; -fə-] **I** *v/t* **1.** (*Flüssigkeit*) reinigen, klären. – **2.** *fig.* reinigen, läutern (of von). – **3.** (*Zuckerflüssigkeit*) scheiden. – **II** *v/i* **4.** rein *od.* klar werden. – **5.** Stuhl haben, den Darm entleeren. — **,def·e'ca·tion** *s* **1.** Reinigung *f*, Klärung *f*. – **2.** Abwässerreinigung *f*. – **3.** Defäkati'on *f*, Darmentleerung *f*, Stuhlgang *m*. — **'def·e,ca·tor** [-tər] *s* **1.** Reiniger *m*. – **2.** Kläranlage *f*. – **3.** (*Zuckerherstellung*) Scheidepfanne *f*.

de·fect I *s* [di'fekt; 'di:fekt] **1.** De'fekt *m*, Fehler *m*, schadhafte Stelle (in an *dat*, in *dat*): ~ of construction Konstruktionsfehler; a ~ in character ein Charakterfehler. – **2.** Mangel *m*, Unvollkommenheit *f*, Schwäche *f*: ~ of judg(e)ment Mangel an Urteilskraft; ~ of memory Gedächtnisschwäche. – **3.** (*geistiger od. psychischer*) De'fekt. – **4.** *med.* Gebrechen *n*. – *SYN. cf.* blemish. – **II** *v/i* [di'fekt] **5.** abfallen, treulos werden. — **de'fec·tion** *s* **1.** Abfall *m*, Lossagung *f* (from von). – **2.** Treubruch *m*. – **3.** 'Übertritt *m* (to zu). – **4.** Versagen *n*. – **5.** Mangel *m*.

de·fec·tive [di'fektiv] **I** *adj* **1.** mangelhaft, unvollkommen, unzulänglich, unvollständig: ~ hearing mangelhaftes Hörvermögen; to be ~ in s.th. etwas in unzulänglichem Maße besitzen; ~ year (*jüd. Kalender*) Jahr mit 353 Tagen. – **2.** schadhaft, de'fekt. – **3.** Fehl...: ~ joint Fehlverbindung. – **4.** (*geistig od. psychisch*) de'fekt, 'unterentwickelt: mentally ~ schwachsinnig. – **5.** *ling.* defek'tiv, unvollständig: a ~ verb. – **II** *s* **6.** schadhaftes Ding. – **7.** Kranke(r): mental ~ Schwachsinnige(r). – **8.** Krüppel *m*. – **9.** *ling.* Defek'tivum *n*. — **de'fec·tive·ness** *s* **1.** Mangelhaftigkeit *f*, Unvollständigkeit *f*, Unzulänglichkeit *f*. – **2.** Schadhaftigkeit *f*.

de·fence, *Am.* **de·fense** [di'fens] *s* **1.** Verteidigung *f*, Schutz *m*: in ~ of zur Verteidigung von, zum Schutze von; ~ economy Wehrwirtschaft; D~ of the Realm Act *Br.* Kriegsnotstandsgesetz, Ermächtigungsgesetz zwecks Verteidigung des Reiches (*in Kraft 1914–21*); ~ production Rüstungsproduktion; to come to s.o.'s ~ zu j-s Verteidigung herbeieilen, j-n verteidigen; in ~ of life in Notwehr. – 2. Verteidigung *f*, Gegenwehr *f*: to make a good ~ sich tapfer zur Wehr setzen. – 3. *mil.* a) Verteidigung *f*, (*taktisch*) Abwehr *f*, b) *meist pl* Verteidigungsanlage *f*, -werk *n*, Befestigung *f*. – 4. Verteidigung *f*, Rechtfertigung *f*. – 5. *jur.* a) Verteidigung *f*, b) Verteidigungsrede *f*, -schrift *f*, c) Einrede *f*, d) beklagte Par'tei (*Angeklagter u. Verteidiger*): counsel for the ~, ~ counsel Verteidiger; → witness 1; to conduct s.o.'s ~ j-n als Verteidiger vertreten; to conduct one's own ~ sich selbst verteidigen; in one's ~ zu seiner Verteidigung; to put up a clever ~ sich geschickt verteidigen. – 6. Verteidigungsmittel *n*, -waffe *f*. – 7. Selbstverteidigungskunst *f*, *bes.* a) Fechten *n*, b) Boxen *n*. – 8. *sport* Verteidigung *f*: a) *Kunst od. Taktik der Verteidigung*, b) *verteidigende Spieler, Hintermannschaft etc.* — **de'fence·less**, *Am.* **de'fense·less** *adj* 1. schutz-, wehr-, hilflos. – 2. unbewaffnet. – 3. *mil.* unverteidigt, offen. — **de'fence·less·ness**, *Am.* **de'fense·less·ness** *s* 1. Schutz-, Wehrlosigkeit *f*. – 2. Unbewaffnetheit *f*.

de·fence| mech·a·nism, *Am.* **de·fense mech·a·nism**, ~ **re·ac·tion** *s* 1. *biol.* a) 'Abwehrmecha,nismus *m* (*eines Organismus*), b) Abwehrmaßnahme *f* (*des Körpers*). – 2. *psych.* (unbewußte) Verdrängung, (unbewußtes) Nicht-zur-'Kenntnis-Nehmen (*von unangenehmen Erlebnissen, Affekten etc*). — ~ **test** *s mil.* 'Probemobili,sierung *f*. — ~ **third** *s* (*Eishockey*) Verteidigungsdrittel *n*.

de·fend [di'fend] **I** *v/t* 1. (from, against) verteidigen (gegen), schützen (vor *dat*, gegen). – 2. (*Meinung etc*) verteidigen, aufrechterhalten, rechtfertigen. – 3. (*Interessen*) schützen, wahren. – 4. *jur.* a) (*Angeklagten*) verteidigen, b) (*Klage*) anfechten, bestreiten. – 5. *selten* verbieten. – **II** *v/i* 6. sich verteidigen (*auch jur.*). – 7. *jur.* das Recht des Klägers *od.* die eigene Schuld bestreiten. – *SYN.* a) guard, protect, safeguard, shield, b) *cf.* maintain. — **de'fend·a·ble** *adj* verteidigungsfähig, zu verteidigen(d). — **de'fend·ant I** *s jur.* 1. Beklagte(r) (*im Zivilprozeß*): ~ counterclaiming Widerkläger(in). – 2. *Am.* Angeklagte(r) (*im Strafprozeß*). – **II** *adj* 3. sich verteidigend. – 4. *obs. für* defensive I. — **de'fend·er** *s* 1. Verteidiger *m*, Verfechter *m*. – 2. Verteidiger *m*, (Be)-Schützer *m*: D~ of the Faith Verteidiger des Glaubens (*ein Titel der engl. Könige seit 1521*).

de·fen·es·tra·tion [di:,fenis'treiʃən; di-] *s* Fenstersturz *m*.

de·fense, de·fense·less, de·fense·less·ness *Am. für* defence *etc.*

de·fen·si·bil·i·ty [di,fensi'biliti; -sə-; -əti] *s* 1. Verteidigungsfähigkeit *f*. – 2. Verfechtbarkeit *f*. — **de'fen·si·ble** *adj* 1. zu verteidigen(d), verteidigungsfähig, haltbar. – 2. verfecht-, vertretbar, zu rechtfertigen(d). — **de'fen·si·ble·ness** → defensibility.

de·fen·sive [di'fensiv] **I** *adj* 1. defen'siv, zur Verteidigung dienend (to für), verteidigend, schützend. – 2. Verteidigungs..., Schutz..., Abwehr... – 3. defen'siv, sich verteidigend. – **II** *s* 4. Verteidigungsmittel *n*, Schutz *m*. – 5. Defen'sive *f*, Verteidigung *f*, (*taktisch*) Abwehr *f*: to be (stand) on the ~ sich in der Defensive befinden (halten). — ~ **ac·tiv·i·ty** *s bes. biol.* Abwehrtätigkeit *f*. — ~ **glands** *s pl zo.* Schutzdrüsen *pl*. — ~ **meas·ures** *s pl* Abwehr-, Verteidigungs-, Schutzmaßnahmen *pl*. — ~ **post** *s mil.* 'Widerstandsnest *n*. — ~ **pro·te·in** *s chem. med.* 'Schutzprote,in *n*, Antikörper *m*. — ~ **strike** *s* Abwehr-, Defen'sivstreik *m* (*gegen unerwünschte Neuerungen*). — ~ **war** *s* Defen'siv-, Verteidigungs-, Abwehrkrieg *m*. — ~ **zone** *s mil.* Verteidigungszone *f*.

de·fer[1] [di'fə:r] **I** *v/t pret u. pp* -'**ferred** 1. aufschieben, verschieben, vertagen (to auf *acc*). – 2. hin'ausschieben, verzögern. – 3. zögern (doing *od.* to do zu tun). – 4. (vom Wehrdienst) zu'rückstellen. – **II** *v/i* 5. zögern, abwarten. – *SYN.* intermit, postpone, stay[1], suspend.

de·fer[2] [di'fə:r] **I** *v/i pret u. pp* -'**ferred** 1. (to) sich beugen (vor *dat*), nachgeben (*dat*), sich dem Urteil *od.* Wunsch unter'werfen (von *od. gen*). – **II** *v/t obs.* 2. (*j-m*) an'heimstellen *od.* (zur Entscheidung) über'lassen. – 3. verweisen (to an *acc*). – *SYN. cf.* yield.

de·fer·a·ble *cf.* deferrable.

def·er·ence ['defərəns] *s* 1. Ehrerbietung *f*, (Hoch)Achtung *f* (to gegen'über, vor *dat*): in ~ to, out of ~ to aus Achtung vor (*dat*); with all due ~ to bei aller Hochachtung vor (*dat*); to pay (*od.* show) ~ to s.o. j-m Achtung zollen; blind ~ to authority blinder Autoritätsglaube. – 2. Rücksicht(nahme) *f* (to auf *acc*): in ~ to, out of ~ to mit *od.* aus Rücksicht auf (*acc*). – 3. (höfliche) Nachgiebigkeit (to s.o. j-m gegen'über), Unter'werfung *f* (to unter *acc*). – *SYN. cf.* honour.

def·er·ent[1] ['defərənt] → deferential[1].

def·er·ent[2] ['defərənt] **I** *adj* 1. ableitend, (hin)'ausführend, Ableitungs-..., Ausführungs...: ~ duct Ausführungsgang. – 2. *med.* Samenleiter..., Samengang... – **II** *s* 3. Träger *m*, Leiter *m*.

def·er·en·tec·to·my [,deferen'tektəmi] → vasectomy.

def·er·en·tial[1] [,defə'renʃəl] *adj* 1. ehrerbietig, achtungs-, re'spektvoll. – 2. rücksichtsvoll.

def·er·en·tial[2] [,defə'renʃəl] → deferent[2] 2.

def·er·en·ti·tis [,deferen'taitis] *s med.* Samengangentzündung *f*.

de·fer·ment [di'fə:rmənt] *s* 1. Aufschub *m*, Verschiebung *f*. – 2. Verzögerung *f*. – 3. Zu'rückstellung *f* (*vom Wehrdienst*). — **de'fer·ra·ble I** *adj* 1. aufschiebbar. – 2. a) zu'rückstellbar (*bei der Musterung*), b) eine Zu'rückstellung bewirkend. – **II** *s* 3. U'K-Gestellter *m*, j-d der bei der Musterung zu'rückgestellt werden kann.

de·ferred [di'fə:rd] *adj* auf-, hin'ausgeschoben, ausgesetzt. — ~ **an·nu·i·ty** *s* Anwartschaftsrente *f* (*wird nach einer bestimmten Zeit fällig*). — ~ **as·set** *s econ.* 1. zeitweilig nicht einlösbarer Ak'tivposten. – 2. Anspruch, der von einem künftigen Ereignis abhängig ist. — ~ **bond** *s econ.* 1. *Am.* Obligati'on *f* mit Zinsenauszahlung nach Erfüllung einer bestimmten Bedingung. – 2. *Br.* Obligati'on *f* mit all'mählich ansteigender Verzinsung. — ~ **div·i·dend** *s econ.* Divi'dende, die erst nach Erfüllung bestimmter Bedingungen ausgezahlt wird. — ~ **pay·ment** *s econ.* Zahlung *f* zu einem späteren Zeitpunkt, Ab-, Ratenzahlung *f*. — ~ **stock** *s econ.* Nachzugsaktien *pl*.

de·fer·ring re·lay [di'fə:riŋ] *s electr.* 'Zeitre,lais *n*.

de·fer·rize [di:'feraiz] *v/t* (*Wasser*) enteisenen, von Eisen befreien.

de·fer·ves·cence [,di:fər'vesns] *s* 1. Abkühlung *f*. – 2. *med.* Deferves'zenz *f*, Nachlassen *n* des Fiebers. — ,**de·fer'ves·cent** *med.* **I** *adj* das Fieber her'absetzend. – **II** *s* Antipy'retikum *n* (*das Fieber herabsetzendes Mittel*).

de·fi·ance [di'faiəns] *s* 1. Trotz *m*, kühner *od.* kecker 'Widerstand: to bid ~ to s.o., to set s.o. at ~ j-m Trotz bieten; to live in open ~ with s.o. mit j-m in offener Feindschaft leben. – 2. Trotz *m*, Hohn *m*, offene Verachtung: in ~ of ungeachtet, trotz (*gen*), (*dat*) zuwider; in ~ of s.o. j-m zum Trotz *od.* Hohn; to bid ~ to common sense dem gesunden Menschenverstand hohnsprechen. – 3. Her'aus-, Aufforderung *f*. — **de'fi·ant** *adj* 1. trotzig. – 2. her'ausfordernd, keck. — **de'fi·ant·ness** *s* Trotz *m*, her'ausfordernde Haltung.

de·fi·ber, *bes. Br.* **de·fi·bre** [di:'faibər] *v/t* (*Papierbrei*) in seine faserigen Bestandteile zerlegen.

de·fi·brin·ate [di:'faibri,neit] *v/t med.* (*Blut etc*) defibri'nieren, von Fi'brin befreien. — **de,fi·bri'na·tion** *s med.* Defibri'nierung *f*. — **de'fi·brin,ize** → defibrinate.

de·fi·cience [di'fiʃəns] *selten für* deficiency.

de·fi·cien·cy [di'fiʃənsi] *s* 1. Unzulänglichkeit *f*, Mangelhaftigkeit *f*, Unvollkommenheit *f*, Schwäche *f*. – 2. (of) Mangel *m* (an *dat*), Fehlen *n* (von): from ~ of means aus Mangel an Mitteln; ~ of blood Blutarmut. – 3. De'fekt *m*, Mangel *m*. – 4. Abgang *m*, Manko *n*, Ausfall *m*, Fehlbetrag *m*: ~ in weight Gewichtsmanko; to make up for a ~ das Fehlende ergänzen. – 5. Defizit *n*: ~ in receipts Mindereinnahme, Fehlbetrag. – 6. *psych.* Schwachsinn *m*. — ~ **ac·count** *s econ.* Aufstellung *f* der Verlustquellen. — ~ **dis·ease** *s med.* Mangelkrankheit *f*, *bes.* Avitami'nose *f*. — ~ **judg(e)·ment** *s jur.* Urteil *n* zu'gunsten eines Gläubigers, der seinen Anspruch nicht voll belegt hat. — ~ **re·port** *s mil.* Fehlmeldung *f*.

de·fi·cient [di'fiʃənt] **I** *adj* 1. unzulänglich, unzureichend, mangelhaft, ungenügend: mentally ~ schwachsinnig. – 2. Mangel leidend (in an *dat*): to be ~ in s.th. etwas nicht in genügendem Maß besitzen, es an etwas fehlen lassen; the country is ~ in means dem Land fehlt es an Mitteln; to be ~ in vitamins nicht genügend Vitamine haben; ~ in lime kalkarm. – 3. fehlend: the amount ~ der Fehlbetrag. – **II** *s* 4. *psych.* Schwachsinnige(r).

def·i·cit ['defisit; -fə-] *s* 1. *econ.* Defizit *n*, Fehlbetrag *m*, Verlust *m*, Ausfall *m*: ~ in the budget Budgetdefizit. – 2. Mangel *m* (in an *dat*).

de fi·de [di: 'faidi] (*Lat.*) de fide, zum Glaubensgut gehörend.

de·fi·er [di'faiər] *s* 1. Trotzender *m*. – 2. Verhöhner(in), Verächter(in): ~ of the laws Gesetzesverächter. – 3. Her'ausforderer *m*.

def·i·lade [,defi'leid; -fə-] *mil.* **I** *v/t* 1. defi'lieren, gegen Feuer decken *od.* tarnen. – 2. (*Festungswerke*) im Defile'ment anordnen. – **II** *s* 3. Decken *n*, Tarnen *n*. – 4. Deckung *f*, Tarnung *f*, Defile'ment *n*: ~ position verdeckte (Feuer)Stellung. — ,**def·i'lad·ing** → defilade 4.

de·file[1] [di'fail] *v/t* 1. beschmutzen, besudeln, verunreinigen. – 2. (*moralisch*) verderben, beflecken. – 3. (*Ruf, Ehre*) beflecken, besudeln. – 4. verunglimpfen, mit Schmutz bewerfen. – 5. (*Heiligtum etc*) entweihen, schänden. – 6. *obs.* (*Frau*) schänden, entehren. – *SYN. cf.* contaminate.

de·file[2] **I** *s* ['di:fail; di'fail] 1. Engpaß *m*, Talschlucht *f*, Enge *f*, Hohlweg *m*, Defi'lee *n*. – **2.** *mil.* Vor'beimarsch *m*, Defi'lieren *n*. – **II** *v/i* [di'fail] **3.** *mil.* defi'lieren *od.* (pa'rademäßig) vor'beimar͵schieren. – **III** *v/t* **4.** *mil.* defi'lieren lassen.

de·file·ment [di'failmənt] *s* **1.** Beschmutzung *f*, Besudelung *f*, Befleckung *f*. – **2.** Schändung *f*. – **3.** *fig.* Schmutz *m*, (*moralische*) Unreinheit, Verdorbenheit *f*. – **4.** Schmutz *m*. — **de'fil·er** *s* **1.** Beschmutzer(in), Besudeler(in). – **2.** Schänder(in). – **3.** Verderber(in), Verführer(in).

de·fin·a·bil·i·ty [di͵fainə'biliti; -əti] *s* **1.** Defi'nierbar-, Erklärbarkeit *f*. – **2.** Defi'nierbar-, Bestimmbar-, Festlegbarkeit *f*. — **de'fin·a·ble** *adj* **1.** defi'nierbar, (genau) erklärbar. – **2.** defi'nier-, bestimm-, festlegbar. – **3.** genau um'grenzbar.

de·fine [di'fain] **I** *v/t* **1.** (*Wort etc*) defi'nieren, (genau) erklären. – **2.** defi'nieren, bestimmen, genau bezeichnen. – **3.** (*Recht etc*) defi'nieren, genau um'reißen, festlegen. – **4.** (genau) abgrenzen, be-, um'grenzen, genaue Grenzen angeben für. – **5.** deutlich her'vorheben, scharf her'vortreten lassen: it ∼s **itself against the background** es hebt sich scharf *od.* deutlich vom Hintergrund ab. – **6.** charakteri'sieren, kennzeichnen. – **II** *v/i* **7.** defi'nieren, eine Definiti'on *od.* Definitionen geben. — **de'fin·er** *s* Erklärer(in), Bestimmer(in), Defi'nierer(in).

def·i·nite ['definit; -fə-] *adj* **1.** bestimmt, prä'zis, klar, unzwei-, eindeutig. – **2.** bestimmt, klar *od.* fest um'grenzt *od.* um'rissen, eindeutig festgelegt. – **3.** (genau) festgesetzt, -gelegt, bestimmt (*Zeit*). – **4.** endgültig, defini'tiv, abschließend: **to become** ∼ *jur.* Rechtskraft erlangen; **a** ∼ **answer** eine endgültige Antwort. – **5.** bestimmend, festlegend. – **6.** *ling.* bestimmt: ∼ **article.** – **7.** *bot.* bestimmt, begrenzt (*Zahl der Blütenteile etc*). – *SYN. cf.* **explicit.** — **'def·i·nite·ness** *s* **1.** Bestimmtheit *f*, Klarheit *f*, Eindeutigkeit *f*, Entschiedenheit *f*. – **2.** (genaue) Begrenztheit.

def·i·ni·tion [͵defi'niʃən; -fə-] *s* **1.** Definiti'on *f*, Defi'nierung *f*, genaue Bestimmung. – **2.** Definiti'on *f*, (genaue) Erklärung *od.* Erläuterung, Begriffsbestimmung *f*. – **3.** scharfe Um'rissenheit, Begrenztheit *f*, Bestimmtheit *f*. – **4.** a) (*Radio*) Trennschärfe *f*, b) (*Fernsehen*) Bildschärfe *f*. – **5.** Genauigkeit *f*, Ex'aktheit *f*. – **6.** Präzisi'on *f* (*eines optischen Gerätes etc*).

de·fin·i·tive [di'finitiv; -nə-] **I** *adj* **1.** defini'tiv, endgültig: ∼ **sentence** endgültiges Urteil, Endurteil. – **2.** genau defi'nierend *od.* unter'scheidend. – **3.** klar um'rissen, bestimmt, genau festgelegt. – **4.** *biol.* voll entwickelt *od.* ausgebildet. – **5.** entschlossen, entschieden, fest (*in seiner Meinung*). – *SYN. cf.* **conclusive.** – **II** *s* **6.** endgültiges Urteil. – **7.** *ling.* Bestimmungswort *n*. — **de'fin·i·tive·ness** *s* **1.** Endgültigkeit *f*. – **2.** klare Um'rissenheit, Bestimmtheit *f*, Deutlichkeit *f*. – **3.** Entschiedenheit *f*.

de·fin·i·tude [di'fini͵tjuːd; -nə-; *Am. auch* -͵tuːd] *s* **1.** Bestimmtheit *f*, Klarheit *f*, Eindeutigkeit *f*. – **2.** Genauigkeit *f*, Ex'aktheit *f*.

def·la·gra·bil·i·ty [͵defləgrə'biliti; -əti] *s chem.* Defla'grierbarkeit *f*. — **'def·la·gra·ble** *adj chem.* defla'grierbar, rasch abbrennbar. — **'def·la·͵grate** [-͵greit] *chem.* **I** *v/t* defla'grieren, (rasch) verbrennen *od.* abbrennen (lassen): **deflagrating spoon** Abbrennlöffel. – **II** *v/i* (rasch) verbrennen, abbrennen, verpuffen. — **͵def·la'gra·tion** *s chem.* Deflagrati'on *f*, Verpuffung *f*, rasches Abbrennen. — **'def·la͵gra·tor** [-tər] *s chem.* Defla'grator *m*.

de·flate [di'fleit] **I** *v/t* **1.** Luft *od.* Gas ablassen aus, von Luft *od.* Gas entleeren. – **2.** *econ.* (*Währung etc*) auf den Nor'malstand zu'rückführen. – **3.** *fig.* redu'zieren, (ein)schrumpfen lassen, ‚klein u. häßlich machen'. – **II** *v/i* **4.** Luft *od.* Gas ablassen. – **5.** *econ.* eine Deflati'on 'durchführen, den 'Zahlungsmittel͵umlauf einschränken. – **6.** in sich zu'sammensinken, zu'sammenfallen, einschrumpfen (*auch fig.*). – *SYN. cf.* **contract.** — **de'fla·tion** *s* **1.** Ablassung *f od.* Entleerung *f* von Luft *od.* Gas. – **2.** *econ.* Deflati'on *f*. – **3.** *geogr.* Deflati'on *f*, 'Winderosi͵on *f*, Abblasung *f*. — **de'fla·tion·ar·y** [*Br.* -nəri; *Am.* -͵neri] *adj* Deflations... — **de'fla·tion·ist** *econ.* **I** *s* Befürworter(in) einer Deflati'onspoli͵tik. – **II** *adj* deflatio'nistisch, defla'torisch.

de·flect [di'flekt] **I** *v/t* **1.** ablenken, abwenden. – **2.** *tech.* a) 'umbiegen, b) 'durchbiegen. – **II** *v/i* **3.** abweichen (from von).

de·flect·ing| coil [di'flektiŋ] *s electr.* Ablenkspule *f*. — ∼ **e·lec·trode** *s electr.* 'Ablenkelek͵trode *f*.

de·flec·tion, *bes. Br.* **de·flex·ion** [di'flekʃən] *s* **1.** Abbiegung *f*, Ablenkung *f*. – **2.** Abweichung *f* (*auch fig.*). – **3.** Biegung *f*, Krümmung *f*. – **4.** *phys.* a) Ausschlag *m*, Ab-, Auslenkung *f* (*eines Zeigers vom Nullpunkt*), b) (*Radar, Fernsehen*) Ablenkung *f*, Steuerung *f* (*eines Elektronenstrahls in der Braunschen Röhre*): ∼ **yoke** (*Fernsehen*) Ablenkspule(njoch). – **5.** *phys.* Beugung *f* (*Lichtstrahlen*). – **6.** *tech.* 'Durchbiegung *f*. – **7.** *mar.* Abtreiben *n*, Abtrift *f*. – **8.** *mil.* a) Seitenabweichung *f* (*Geschoß*), b) Seitenvorhalt *m*: ∼ **correction** Seitenvorhaltverbesserung; ∼ **drum** Aufsatztrommel; ∼ **lead** Seitenwinkelvorhalt. — **de'flec·tion͵ize,** *bes. Br.* **de'flex·ion͵ize** *v/t ling.* von Flexi'onen befreien.

de·flec·tive [di'flektiv] *adj* ablenkend.

de·flec·tom·e·ter [͵diːflek'tɒmitər; -mə-] *s tech.* ('Durch)͵Biegungsmesser *m* (*Gerät*).

de·flec·tor [di'flektər] *s* **1.** Ablenker *m*. – **2.** De'flektor *m* (*an Öfen etc*). – **3.** *aer.* Ablenk-, Leitfläche *f*. — ∼ **pis·ton** *s tech.* Nasenkolben *m*. — ∼ **plate** *s electr.* Ablenkplatte *f*.

de·flex·ion *etc bes. Br. für* deflection *etc.*

de·floc·cu·late [di'flɒkju͵leit; -jə-] *v/t u. v/i chem.* (sich) entflocken.

de·flo·rate [di'flɔːreit] → deflower. — **def·lo·ra·tion** [͵deflo'reiʃən; -lə-] *s* **1.** Deflorati'on *f*, Entjungferung *f*. – **2.** Schändung *f*, Plünderung *f*. – **3.** *fig.* Blütenlese *f*.

de·flow·er [di'flauər] *v/t* **1.** deflo'rieren, entjungfern. – **2.** der Blumen berauben. – **3.** schänden, plündern, (*dat*) die Schönheit *od.* den Reiz nehmen. — **de'flow·er·er** *s* **1.** Entjungferer *m*. – **2.** Schänder *m*.

def·lu·ent ['defluənt] *adj* abwärtsfließend.

de·flux·ion [di'flʌkʃən] *s med. selten* Ausfluß *m*.

de·fo·li·ate [di'fouli͵eit; diː-] **I** *v/t* entblättern, entlauben. – **II** *v/i* sich entlauben, die Blätter verlieren *od.* abwerfen. — **de͵fo·li'a·tion** *s* Entblätterung *f*, Laubfall *m*.

de·force [di'fɔːrs] *v/t jur.* **1.** gewaltsam *od.* 'widerrechtlich vorenthalten: to ∼ **s.th. from s.o.** j-m etwas widerrechtlich vorenthalten. – **2.** (*j-n*) 'widerrechtlich seines Besitzes *od.* Besitzrechtes berauben. — **de'force·ment** *s jur.* 'widerrechtliche Vorenthaltung. — **de'for·ciant** [-ʃənt] *s jur.* j-d der j-m 'widerrechtlich Besitz vorenthält.

de·for·est [di'fɒrist; diː-; *Am. auch* -'fɔːr-] *v/t* **1.** entwalden. – **2.** abforsten, abholzen. — **de͵for·est'a·tion** *s* **1.** Entwaldung *f*. – **2.** Abforstung *f*, Abholzung *f*.

de·form [di'fɔːrm] **I** *v/t* **1.** verformen. – **2.** verunstalten, entstellen, defor'mieren. – **3.** 'umformen, 'umgestalten. – **4.** *math. phys.* verzerren. – **5.** *phys. tech.* defor'mieren, verformen. – **II** *v/i* **6.** sich verformen, die Form verlieren, defor'miert werden. – *SYN.* **contort, distort, gnarl, warp.** – **III** *adj* **7.** *obs.* ungestalt. — **de͵form·a'bil·i·ty** *s* **1.** Defor'mierbar-, Verformbarkeit *f*. – **2.** 'Umgestaltbar-, Formbarkeit *f*. — **de'form·a·ble** *adj* **1.** defor'mier-, verformbar. – **2.** 'umgestalt-, formbar.

de·for·ma·tion [͵diːfɔːr'meiʃən] *s* **1.** Verformung *f*. – **2.** Entstellung *f*, Verunstaltung *f*, 'Mißbildung *f*. – **3.** Umgestaltung *f*. – **4.** *math. phys.* Verzerrung *f*. – **5.** *phys. tech.* Deformati'on *f*, Defor'mierung *f*, Form- *od.* Vo'lumenänderung *f*, Verformung *f*: ∼ **crack** Verformungsriß. – **6.** *geol.* Dislokati'on *f*. – **7.** veränderte Form.

de·formed [di'fɔːrmd] *adj* **1.** 'mißgestalt(et), entstellt, häßlich, defor'miert. – **2.** ab'scheulich, gräßlich. — **de'form·ed·ly** [-idli] *adv* häßlich. — **de'form·ed·ness** *s* Ungestaltheit *f*, 'Mißgestalt *f*, Häßlichkeit *f*. — **de'form·i·ty** *s* **1.** Difformi'tät *f*, 'Mißgestalt *f*, Unförmigkeit *f*. – **2.** 'Mißbildung *f*. – **3.** 'mißgestalte Per'son *od.* Sache. – **4.** Ab'scheulich-, Häßlichkeit *f*. – **5.** Verderbtheit *f* (*des Charakters*). – **6.** mo'ralischer *od.* äs'thetischer De'fekt.

de·fraud [di'frɔːd] *v/t* betrügen (of um), über'vorteilen, beschwindeln: to ∼ **s.o. of s.th.** j-n um etwas betrügen *od.* bringen; to ∼ **the revenue (the customs)** Steuern (den Zoll) hinterziehen. – *SYN. cf.* **cheat**[1]. — **͵de·frau'da·tion** [͵diː-] *s* **1.** Über'vorteilung *f*, Beschwindelung *f*: ∼ **of the revenue** Steuerhinterziehung. – **2.** Defraudati'on *f*, Unter'schlagung *f*, Hinter'ziehung *f*. — **de'fraud·er** *s* Defrau'dant *m*, Betrüger *m*, *bes.* 'Steuerhinter͵zieher *m*.

de·fray [di'frei] *v/t* **1.** (*Kosten*) bestreiten, decken, tragen, bezahlen. – **2.** *obs.* (*etwas*) bezahlen. — **de'fray·al, de'fray·ment** *s* Bestreitung *f*, Deckung *f*, Bezahlung *f* (*Kosten*).

de·frock [diː'frɒk] → unfrock.

de·frost [diː'frɒst] *v/t* entfrosten, abtauen, von Eis befreien. — **de'frost·er** *s* Entfroster *m*, Enteisungsanlage *f*.

deft [deft] *adj* flink, geschickt, gewandt. – *SYN. cf.* **dexterous.** — **'deft·ness** *s* Flink-, Geschickt-, Gewandtheit *f*.

de·funct [di'fʌŋkt] **I** *adj* **1.** ver-, gestorben. – **2.** erloschen, eingegangen: **a** ∼ **paper** eine eingegangene Zeitung. – *SYN. cf.* **dead.** – **II** *s* **3.** *selten* Verstorbene(r).

de·fuse [diː'fjuːz] *v/t* (*Bomben etc*) entschärfen.

de·fy [di'fai] **I** *v/t* **1.** trotzen (*dat*), Trotz bieten (*dat*). – **2.** geringschätzen, verachten. – **3.** 'Widerstand entgegensetzen (*dat*): → **description 1.** – **4.** her'aus-, auffordern (*etwas zu tun*): I ∼ **anyone to do it** ich möchte den sehen, der das tut. – **5.** *obs.* (zum Kampf) her'ausfordern. – **II** *s* **6.** *Am. sl.* Her'ausforderung *f*.

dé·ga·gé [dega'ʒe] (*Fr.*) *adj* ungezwungen, zwanglos, frei (*Benehmen*).

de·gas [diː'gæs; di-] *pret u. pp* **-'gassed** *v/t mil. tech.* entgasen. — **de͵gas·i·fi-**

'ca·tion *s mil. tech.* Entgasung *f.* — **de'gas·i,fy** [-,fai] → degas.

de Gaull·ist [də 'goulist] *s pol.* Gaul'list(in). — **de 'Gaull·ism** *s pol.* Gaul'lismus *m.*

de·gauss [di'gaus; -'gɔːs] *v/t* (*Schiff*) 'entmagneti,sieren (*gegen magnetische Minen schützen*).

de·gen·er·a·cy [di'dʒenərəsi] *s* Degenerati'on *f*, Entartung *f*, Verderbtheit *f.* — **de'gen·er,ate I** *v/t* [-,reit] degene'rieren, ausarten, entarten (into zu, in *acc*). – **II** *adj* [-rit] degene'riert, entartet, verderbt: to become (*od.* turn) ~ degenerieren, entarten. – *SYN. cf.* vicious. – **III** *s* [-rit] degene'riertes Lebewesen. — **de'gen·er·ate·ness** *s* Degene'riertheit *f*, Entartung *f.* — **de,gen·er'a·tion** *s* **1.** Degenerati'on *f*, Entartung *f* (*auch biol. med.*). – **2.** Degene'riertheit *f.* – **3.** Ausartung *f.* – *SYN. cf.* deterioration. — **de'gen·er,a·tive** *adj* **1.** degenera'tiv, Degenerations..., Entartungs...: ~ psychosis Degenerationspsychose. – **2.** degene'rierend, entartend.

de·germ [diː'dʒəːrm], **de'ger·mi,nate** [-mi,neit; -mə-] *v/t* entkeimen.

de·glu·ti·nate [di'gluːti,neit; -tə-] *v/t* **1.** (*Weizenmehl etc*) vom Kleber befreien, den Kleber ausziehen aus. – **2.** (*Geklebtes*) auflösen. — **de,glu·ti'na·tion** *s* Kleberentzug *m.*

de·glu·ti·tion [,diːglu'tiʃən] *s* **1.** Schlukken *n*, Schluckakt *m.* – **2.** Schluckfähigkeit *f.* — **de·glu·ti·tive** [di'gluːtitiv; -tə-], **de'glu·ti·to·ry** [*Br.* -təri; *Am.* -,tɔːri] *adj* Schluck..., zum Schlucken dienend.

deg·ra·da·tion [,degrə'deiʃən] *s* **1.** Degra'dierung *f*, Degradati'on *f*, (Her)'Absetzung *f*, Entsetzung *f.* – **2.** Degradati'on *f*, Verschlechterung *f*, Entartung *f*: ~ of energy *phys.* Degradation der Energie. – **3.** *biol.* Degenerati'on *f.* – **4.** Entwürdigung *f*, Erniedrigung *f*, Schande *f.* – **5.** Verringerung *f*, -minderung *f*, -kleinerung *f*, Schwächung *f.* – **6.** *geol.* Abtragung *f*, Erosi'on *f.* – **7.** *chem.* Zerlegung *f*, Abbau *m.* – **8.** *relig.* Degradati'on *f.* – **9.** Bedeutungsverschlechterung *f* (*eines Wortes*).

de·grade [di'greid] **I** *v/t* **1.** degra'dieren, (im Rang) her'absetzen. – **2.** verderben, korrum'pieren, entarten lassen. – **3.** entwürdigen, -ehren, erniedrigen (into, to zu), in Schande bringen. – **4.** vermindern, -ringern, -kleinern, her'unter-, her'absetzen, abschwächen. – **5.** verschlechtern. – **6.** *geol.* abtragen, ero'dieren. – **7.** *chem.* (*Verbindung*) zerlegen, abbauen. – *SYN. cf.* abase. – **II** *v/i* **8.** (ab)sinken. – **9.** *biol.* degene'rieren, entarten. – **10.** *Br.* (*Universität Cambridge*) das Ex'amen um ein Jahr hin'ausschieben. — **de'grad·ed** *adj* **1.** degra'diert. – **2.** entwürdigt, erniedrigt. – **3.** her'untergekommen. – **4.** *biol.* degene'riert, entartet. — **de'grad·ed·ness** *s* **1.** Degra'diertheit *f.* – **2.** Erniedrigung *f.* – **3.** Her'untergekommenheit *f.* – **4.** *biol.* Degene'riertheit *f.* — **de'grad·ing** *adj* **1.** erniedrigend, entwürdigend. – **2.** her'absetzend, -würdigend, verkleinernd: to speak ~ly geringschätzig sprechen.

dé·gras [de'grɑ] (*Fr.*), **deg·ras** ['degrəs] *s tech.* De'gras *m*, Gerberfett *n.*

de·grease [diː'griːs] *v/t* entfetten.

de·gree [di'griː] **I** *s* **1.** Grad *m*, Stufe *f*, Schritt *m*: by ~s Schritt für Schritt, stufenweise, allmählich, nach u. nach; by many ~s bei weitem; by slow ~s ganz allmählich, langsam. – **2.** (Verwandtschafts)Grad *m*: relation in the fourth ~ Verwandtschaft im vierten Grade. – **3.** Rang *m*, Stufe *f*, Stand *m* (*gesellschaftliche Stellung*): of high ~ von hohem Rang; military ~ of rank militärische Rangstufe. – **4.** Grad *m*, Ausmaß *n*: ~ of accuracy Genauigkeitsgrad; ~ of freedom *phys.* Freiheitsgrad; ~ of hardness Härtegrad; ~ of saturation Sättigungsgrad. – **5.** *fig.* Grad *m*, (Aus)Maß *n*: to a ~ a) in hohem Maße, sehr, b) einigermaßen, in gewissem Grade; to a certain ~ ziemlich, bis zu einem gewissen Grade; to a high ~ in hohem Maße; in the highest ~ in höchstem Grade, aufs höchste; insulted to the last ~ zutiefst beleidigt; not in the least (*od.* slightest) ~ nicht im geringsten; in no ~ keineswegs; in no small ~ in nicht geringem Grade; in an unusual ~ in ungewöhnlichem Maße. – **6.** *math.* Grad *m*: an angle of ninety ~s ein Winkel von 90 Grad; an equation of the third ~ eine Gleichung dritten Grades. – **7.** Grad *m* (*Thermometer etc*): ten ~s Fahrenheit 10 Grad Fahrenheit. – **8.** *astr. geogr.* Grad *m*: ~ of latitude Breitengrad. – **9.** Gehalt *m* (of an *dat*): of high ~ hochgradig. – **10.** (aka'demischer) Grad, Würde *f*: the ~ of doctor der Doktorgrad, die Doktorwürde; to take one's ~ einen akademischen Grad erlangen; to hold a ~ einen akademischen Grad besitzen. – **11.** *ling.* Steigerungsstufe *f.* – **12.** *jur.* Grad *m* (*Schwere eines Delikts*): murder in the first ~ *Am.* Mord ersten Grades. – **13.** *mus.* Tonstufe *f*, Inter'vall *n.* – **14.** Grad *m* (*Freimaurer etc*). – **15.** *obs.* Stufe *f* (*Treppe etc*): song of ~s *Bibl.* Gradual-, Stufenpsalm. – **II** *v/t* **16.** *colloq.* (*j-m*) einen aka'demischen Grad verleihen.

de'gree-'day *s* **1.** *phys.* Maßeinheit *f* der mittleren 'Tagestempera,tur. – **2.** Promoti'onstag *m*, Tag *m* der Verleihung aka'demischer Grade.

de·gres·sion [di'greʃən] *s* **1.** (*Steuerrecht*) Degressi'on *f.* – **2.** Absteigen *n*, Abstieg *m.* — **de'gres·sive** *adj* **1.** *econ.* degres'siv. – **2.** absteigend.

de·gum [diː'gʌm] *pret u. pp* **-'gummed** *v/t* **1.** degum'mieren, entleimen, von Gummi *od.* Leim befreien. – **2.** entbasten.

de·gust [di'gʌst], *auch* **de'gus·tate** [-teit] *v/t u. v/i selten* (mit Genuß) kosten. — **,de·gus'ta·tion** [,diː-] *s* (genußvolles) Kosten.

de·hisce [di'his] **I** *v/i* aufplatzen, aufspringen. – **II** *v/t* durch Aufplatzen entleeren. — **de'his·cence** *s* **1.** *bot.* Aufplatzen *n*, Aufspringen *n* (*Früchte etc*). – **2.** *biol.* Entleerung *f* (*eines Organs etc*) durch Aufplatzen. — **de'his·cent** *adj* aufplatzend, aufspringend: ~ fruit *bot.* Springfrucht.

de·horn [diː'hɔːrn] *v/t* **1.** (*dem Vieh*) die Hörner entfernen *od.* verstümmeln. – **2.** *fig.* ungefährlich machen. – **3.** (*Obstbäume*) stark beschneiden.

de·hort [di'hɔːrt] *selten* **I** *v/t* (*j-m*) abraten. – **II** *v/i* abraten. — **,de·hor'ta·tion** [,diː-] *s* Abraten *n.* — **de'hor·ta·tive** [-tətiv], **de'hor·ta·to·ry** [*Br.* -tətəri; *Am.* -,tɔːri] *adj selten* abratend. — **de'hort·er** *s* Abratender *m.*

de·hu·man·i·za·tion [diː,hjuːmənai'zeiʃən; -ni-; -nə-] *s* Entmenschlichung *f*, Entseelung *f.* — **de'hu·man,ize** *v/t* entmenschlichen, entseelen.

de·hu·mid·i·fy [,diːhjuː'midi,fai; -də-] *v/t* (*Luft etc*) von Feuchtigkeit befreien, (*dat*) die Feuchtigkeit entziehen.

de·hy·drate [diː'haidreit] **I** *v/t* **1.** *chem.* dehy'drieren. – **2.** (*Lebensmitteln etc*) das Wasser entziehen, (*acc*) vollständig trocknen: ~d vegetables Trockengemüse. – **3.** entwässern. – **II** *v/i* **4.** Wasser verlieren *od.* abgeben. — **de'hy·drat·ing** *adj* wasserentziehend. — **,de·hy'dra·tion** *s* **1.** *chem.* Dehy'drierung *f*, Dehydratati'on *f*, Wasserabspaltung *f.* – **2.** Entwässerung *f.* – **3.** Wasserentzug *m.* — **de'hy·dra·tor** [-tər] *s* Entwässerungsmittel *n.*

de·hy·dro·gen·ase [diː'haidrədʒə,neis] *s biol. chem.* Dehy'drase *f* (*Ferment*). — **de'hy·dro·gen,ate** → dehydrogenize. — **de,hy·dro·gen'a·tion** → dehydrogenization. — **de,hy·dro·gen·i'za·tion** *s chem.* Dehy'drierung *f*, Entzug *m* von Wasserstoff. — **de'hy·dro·gen,ize** *v/t chem.* dehy'drieren, (*dat*) Wasserstoff entziehen.

de·hyp·no·tize [diː'hipnə,taiz] *v/t* aus der Hyp'nose erwecken.

de·ice [diː'ais] *v/t aer.* enteisen, von Eis freihalten *od.* befreien. — **de'ic·er** *s aer.* Enteiser *m*, Enteisungsmittel *n*, -anlage *f*, -gerät *n*, -vorrichtung *f.*

de·i·cid·al [,diːi'saidl; ,diːə-] *adj* gottesmörderisch. — **'de·i,cide** [-,said] *s* **1.** Gottesmord *m* (*bes. die Kreuzigung Christi*). – **2.** Gottesmörder *m.* – **3.** Opferpriester *m.*

deic·tic ['daiktik] *adj* **1.** *philos.* deiktisch, di'rekt beweisend, auf Beispiele begründet. – **2.** *ling.* deiktisch, 'hinweisend. — **'deic·ti·cal·ly** *adv* deiktisch.

de·if·ic [diː'ifik] *adj* **1.** vergöttlichend. – **2.** gottähnlich. — **,de·i·fi'ca·tion** *s* **1.** Vergöttlichung *f*, Vergötterung *f*, Apothe'ose *f.* – **2.** (*etwas*) Vergöttlichtes. — **'de·i,fi·er** [-,faiər] *s* Vergötterer *m.* — **'de·i,form** [-,fɔːrm] *adj* gottähnlich, göttlich. — **,de·i'form·i·ty** *s* Gottähnlichkeit *f.* — **'de·i,fy** [-,fai] *v/t* **1.** zu einem Gott erheben. – **2.** vergöttlichen, vergöttern. – **3.** gottähnlich machen.

deign [dein] **I** *v/i* **1.** sich her'ablassen, geruhen, belieben (to do zu tun). – **II** *v/t* **2.** gnädig gewähren, sich her'ablassen zu: he ~ed no answer er ließ sich zu keiner Antwort herab. – **3.** *obs.* gnädig annehmen. – *SYN. cf.* stoop[1].

De·i gra·ti·a ['diːai 'greiʃiə] (*Lat.*) von Gottes Gnaden.

deil [diːl] *s Scot.* Teufel *m.*

de·in·crust·ant [,diːin'krʌstənt] *s* Wassererweichungsmittel *n.*

deino- *cf.* dino-.

de·i·on·i·za·tion [diː,aiənai'zeiʃən; -ni-; -nə-] *s electr.* Deionisati'on *f*, Entioni'sierung *f.*

de·ism ['diːizəm] *s* De'ismus *m.* — **'de·ist** *s* De'ist(in). – *SYN. cf.* atheist. — **de'is·tic, de'is·ti·cal** *adj* de'istisch. — **de'is·ti·cal·ly** *adv* (*auch zu* deistic).

de·i·ty ['diːiti; -əti] *s* **1.** Gottheit *f.* – **2.** Göttlichkeit *f*, göttliches Wesen. – **3.** The D~ *relig.* die Gottheit, Gott *m.*

de·ject [di'dʒekt] **I** *v/t* **1.** entmutigen, mutlos machen, betrüben. – **2.** *obs.* niederschlagen. – **II** *adj obs. für* dejected. — **de'jec·ta** [-tə] *s pl* Exkre'mente *pl.* — **de'ject·ed** *adj* niedergeschlagen, mutlos, betrübt. — **de'ject·ed·ness** *s* Niedergeschlagenheit *f*, Mutlosigkeit *f.*

de·jec·tion [di'dʒekʃən] *s* **1.** Niedergeschlagenheit *f*, Betrübtheit *f*, Schwermut *f.* – **2.** *med.* a) Defäkati'on *f*, Kotentleerung *f*, Stuhlgang *m*, b) Stuhl *m*, Kot *m*, Fäzes *pl.* – *SYN. cf.* sadness. — **de'jec·to·ry** [-təri] *adj med.* abführend. — **de'jec·ture** [-tʃər] *s* Exkre'ment *n.*

dé·jeu·ner [deʒœ'ne; 'deiʒə,nei] (*Fr.*) **I** *s* **1.** Frühstück *n.* – **2.** leichtes Mittagessen, Lunch *m.* – **II** *v/i* **3.** deieu'nieren, frühstücken.

de ju·re [diː 'dʒu(ə)ri] (*Lat.*) de jure, von Rechts wegen, rechtmäßig.

deka- [dekə], *auch* **dek-** → deca-.

dek·ko ['dekou] *s sl.* (kurzer *od.* verstohlener) Blick.

de·lac·ta·tion [ˌdiːlæk'teiʃən] *s med.* Entwöhnung *f* (von der Mutterbrust).

de·laine [də'lein] *s* leichter Musse'lin aus Wolle (u. Baumwolle).

de·lam·i·nate [diː'læmiˌneit; -mə-] *v/i* in Schichten abblättern, sich in Schichten abspalten. — **deˌlam·i'na·tion** *s bes. med. zo.* Delaminati'on *f*, Abblätterung *f.*

de·late [di'leit] *v/t* **1.** *Scot.* (*j-n*) anzeigen, denun'zieren. – **2.** (*Verbrechen etc*) melden, bekanntmachen, her'umerzählen. — **de'la·tion** *s* **1.** Anzeige *f*, Denunziati'on *f.* – **2.** *jur.* Über'tragung *f* (*Vermögen*). — **de'la·tor** [-tər] *s* Angeber *m*, Denunzi'ant *m.*

Del·a·ware ['deləˌwɛr] *s* **1.** Delaware-Traube *f* (*rote nordamer. Weintraubensorte*). – **2.** Delaware-Wein *m.* – **3.** Delaware *m* (*Indianer*). — **ˌDel·a'war·e·an** [-'wɛ(ə)riən] **I** *adj* Delaware..., aus *od.* von Delaware. – **II** *s* Bewohner(in) des Staates Delaware (*USA*).

de·lay [di'lei] **I** *v/t* **1.** verschieben, hin'aus-, aufschieben, verzögern: to ~ doing s.th. säumen, etwas zu tun; not to be ~ed unaufschiebbar. – **2.** (*Zahlungen*) stunden. – **3.** aufhalten, hemmen, (be)hindern. – **II** *v/i* **4.** zögern, zaudern. – **5.** nicht weitermachen, Zeit vertrödeln. – **6.** sich aufhalten, Zeit verlieren. – *SYN.* a) detain, retard, slacken, slow, b) dally, dawdle, lag[1], loiter, procrastinate. – **III** *s* **7.** Aufschub *m*, Verschiebung *f*, Verzögerung *f*, Verzug *m*, Verspätung *f*: without ~ ohne Aufschub, unverzüglich; the matter bears no ~ die Sache duldet keinen Aufschub. – **8.** *econ.* Aufschub *m*, Stundung *f*: ~ of payment Zahlungsaufschub. – **9.** *phys. tech.* Verzögerung *f.* – **10.** Behinderung *f.*

de·layed [di'leid] *adj* **1.** aufgeschoben, verschoben. – **2.** verzögert. – **3.** Spät...: ~ epilepsy *med.* Spätepilepsie; ~ ignition *tech.* Spätzündung; ~ neutron (*Atomphysik*) verzögertes Neutron. — **de'layed-'ac·tion** *adj* Verzögerungs...: ~ bomb *mil.* Bombe mit Verzögerungszünder; ~ device *phot.* Selbstauslöser; ~ fuse *mil.* Verzögerungszünder.

de·lay·er [di'leiər] *s* **1.** (Ver)Zögerer *m.* – **2.** Verzögerungsgrund *m.* — **de'lay·ing** *adj* **1.** aufschiebend. – **2.** verzögernd. – **3.** 'hinhaltend.

del cred·er·e [del 'kredəri] *econ.* **I** *s* Del'kredere *n*, Bürgschaft *f*, Haftung *f*: to stand ~ Delkredere stehen, Bürgschaft leisten. – **II** *adj* Delkredere..., Bürgschafts...

de·le ['diːli] *print.* **I** *Imperativ* (*von Lat. delere*) dele'atur, ‚wegzustreichen', ‚zu tilgen'. – **II** *v/t* tilgen, als zu tilgend kennzeichnen. – **III** *v/i* Tilgungszeichen setzen. – **IV** *s* Dele'atur *n* (*Tilgungszeichen*).

de·lec·ta·bil·i·ty [diˌlektə'biliti; -əti] *s* Ergötzlich-, Annehmlich-, Erfreulichkeit *f.* — **de'lec·ta·ble** *adj* ergötzlich, erfreulich, köstlich. — **de'lec·ta·ble·ness** → delectability.

de·lec·tate [di'lekteit] *v/t* ergötzen, erfreuen. — **ˌde·lec'ta·tion** [ˌdiː-] *s* Ergötzen *n*, Vergnügen *n*, Genuß *m.* – *SYN. cf.* pleasure.

de·lec·tus [di'lektəs] *pl* **-tus** *s* (lat. *od.* griech.) Lesebuch *n*, Chrestoma'thie *f*, Auswahl *f.*

del·e·ga·ble ['deligəbl; -lə-] *adj* dele'gierbar. — **'del·e·ga·cy** [-gəsi] *s* **1.** Dele'gierung *f.* – **2.** dele'gierte Vollmacht. – **3.** Delegati'on *f*, Abordnung *f.* – **4.** ständiger Ausschuß (*an engl. Universitäten*).

de·le·gal·ize [diː'liːgəˌlaiz] *v/t* (*dat*) die gesetzliche Eigenschaft nehmen, (*acc*) entlegali'sieren.

del·e·gate I *s* ['deliˌgeit; -git; -lə-] **1.** Dele'gierter *m*, Abgeordneter *m*, bevollmächtigter Vertreter, *bes.* Volksvertreter *m.* – **2.** *pol.* Dele'gierter *m*: a) *Vertreter eines Territoriums im Repräsentantenhaus des amer. Kongresses*, b) *Mitglied des Unterhauses der Staaten Maryland, Virginia od. West Virginia.* – **3.** the ~s *econ.* der Vorstand. – **II** *v/t* [-ˌgeit] **4.** abordnen, zum Abgeordneten ernennen, dele'gieren, als Dele'gierten entsenden, bevollmächtigen. – **5.** (*Vollmachten etc*) über'tragen, anvertrauen: to ~ s.th. to s.o. j-m etwas übertragen; to ~ authority to s.o. j-m Vollmacht erteilen. – **6.** *jur.* (*einen eigenen Schuldner*) einem Gläubiger über'stellen (*zwecks Begleichung der eigenen Schulden*). – **III** *adj* [-git; -ˌgeit] **7.** dele'giert, abgeordnet, beauftragt.

del·e·ga·tion [ˌdeli'geiʃən; -lə-] *s* **1.** Dele'gierung *f*, Abordnung *f*, Ernennung *f* zum *od.* zu Dele'gierten. – **2.** Bevollmächtigung *f*, Über'tragung *f*: ~ of powers Vollmachtsübertragung. – **3.** Delegati'on *f*, Deputati'on *f.* – **4.** *pol.* Dele'gierte *pl*, Abgeordnete *pl*: the ~ from Texas die Abgeordneten von Texas. – **5.** *econ.* a) Kre'ditbrief *m*, b) 'Schuldüberˌweisung *f*, c) 'Vollmachtsüberˌtragung *f.* — **'del·e·ga·to·ry** [*Br.* -ˌgeitəri; *Am.* -gəˌtɔːri] *adj* **1.** dele'giert, abgeordnet, bevollmächtigt. – **2.** Vollmachts...

de·lete [di'liːt] *v/t u. v/i* tilgen, (aus)streichen, ('aus)raˌdieren. – *SYN. cf.* erase.

del·e·te·ri·ous [ˌdeli'ti(ə)riəs; -lə-] *adj* **1.** gesundheitsschädlich. – **2.** schädlich, verderblich. – *SYN. cf.* pernicious. — **ˌdel·e'te·ri·ous·ness** *s* Schädlichkeit *f*, Verderblichkeit *f.*

de·le·tion [di'liːʃən] *s* **1.** Tilgung *f*, (Aus)Streichung *f.* – **2.** (Aus)Streichung *f*, (*das*) Ausgestrichene. – **3.** Auslöschung *f*, Vernichtung *f.*

delft [delft], *auch* **delf**, **'delftˌware** *s* **1.** Delfter Fay'encen *pl od.* Zeug *n.* – **2.** *allg.* gla'siertes Steingut.

De·li·an I *adj* ['diːliən] delisch, aus Delos: ~ problem *math.* delisches Problem; the ~ god Apollo. – **II** *s* Bewohner(in) von Delos.

de·lib·er·ate I *adj* [di'libərit] **1.** über'legt, wohlerwogen, bewußt, absichtlich, vorsätzlich: a ~ lie eine vorsätzliche Lüge; a ~ misrepresentation eine bewußt falsche Darstellung; a ~ly formed plan ein mit Vorbedacht gefaßter Plan. – **2.** bedächtig, bedachtsam, sorgsam über'legend, vorsichtig, besonnen. – **3.** bedächtig, ruhig, ohne Hast: ~ attack *mil.* Angriff nach Bereitstellung; ~ fire langsames Feuer, verlangsamte Salvenfolge. – *SYN. cf.* voluntary. – **II** *v/t* [-ˌreit] **4.** über'legen, erwägen, reiflich bedenken: to ~ what to do überlegen, was man tun soll. – **III** *v/i* **5.** nachdenken, über'legen. – **6.** beratschlagen, sich beraten (on, upon über *acc*). – *SYN. cf.* think. — **de'lib·er·ate·ness** [-rit-] *s* **1.** Bedächtigkeit *f*, Bedachtsamkeit *f*, Besonnenheit *f.* – **2.** Bedächtigkeit *f*, Langsamkeit *f.* – **3.** Wohlerwogenheit *f*, Vorsätzlichkeit *f.*

de·lib·er·a·tion [diˌlibə'reiʃən] *s* **1.** Über'legung *f*: on careful ~ nach reiflicher Überlegung. – **2.** Beratung *f*: to come under ~ zur Beratung kommen, zur Sprache gebracht werden. – **3.** Bedächtigkeit *f*, Vorsicht *f*, Bedachtsam-, Behutsam-, Langsamkeit *f.* — **de'lib·erˌa·tive** *adj* **1.** beratend: ~ assembly beratende Versammlung. – **2.** über'legend, sorgsam abwägend. — **de'lib·erˌa·tor** [-tər] *s* Beratender *m*, Über'legender *m.*

del·i·ca·cy ['delikəsi; -lə-] *s* **1.** Zartheit *f*, Feinheit *f.* – **2.** Niedlichkeit *f*, Zierlichkeit *f.* – **3.** Zerbrechlich-, Weichlich-, Schwächlich-, Anfälligkeit *f.* – **4.** Fein-, Zartgefühl *n*, Takt *m.* – **5.** Ele'ganz *f*, Feinheit *f*, Zartheit *f.* – **6.** Feinheit *f*, Empfindlichkeit *f* (*Meßgerät etc*). – **7.** (*das*) Heikle, heikler Cha'rakter: negotiations of great ~ sehr heikle Besprechungen. – **8.** wählerisches Wesen. – **9.** Delika'tesse *f*, Leckerbissen *m.* – **10.** Genußmittel *n.* – **11.** *obs.* Genuß *m.*

del·i·cate ['delikit; -kət; -lə-] **I** *adj* **1.** zart. – **2.** deli'kat, köstlich, wohlschmeckend, schmackhaft. – **3.** fein, dünn, zart, leicht. – **4.** zart (*Farbe*). – **5.** kaum wahrnehmbar, leise (*Wink*). – **6.** zart, niedlich, zierlich, ele'gant, gra'zil. – **7.** zart, zerbrechlich, schwach, schwächlich: to be of ~ health von zarter Gesundheit sein; to be in a ~ condition in anderen Umständen sein. – **8.** kitzlig, bedenklich, deli'kat, heikel. – **9.** fein gesponnen, schlau (*Plan*). – **10.** fein, empfindlich. – **11.** feinfühlig, zartfühlend, taktvoll. – **12.** fein, vornehm: ~ manners. – **13.** feinfühlig, empfindsam. – **14.** verwöhnt (*Geschmack etc*). – **15.** *obs.* a) wählerisch, b) üppig, ausschweifend. – *SYN. cf.* choice. – **II** *s obs.* **16.** Delika'tesse *f.* – **17.** Schwelger *m.*

del·i·ca·tes·sen [ˌdelikə'tesən; -lə-] *s pl* **1.** Delika'tessen *pl*, Feinkost *f.* – **2.** (*als sg konstruiert*) Delika'tessen-, Feinkostgeschäft *n.*

de·li·cious [di'liʃəs] **I** *adj* köstlich: a) wohlschmeckend, b) herrlich, c) ergötzlich. – **II** *s* D~ (*ein*) amer. roter Eßapfel. — **de'li·cious·ness** *s* **1.** Köstlichkeit *f.* – **2.** Herrlichkeit *f.* – **3.** Ergötzlichkeit *f.*

de·lict [di'likt] *s jur.* De'likt *n*, Vergehen *n.*

de·light [di'lait] **I** *s* **1.** Vergnügen *n*, Freude *f*, Wonne *f*, Lust *f*: to take ~ in s.th. an einer Sache seine Freude haben, an etwas Vergnügen finden; to take a ~ in doing s.th. sich ein Vergnügen daraus machen, etwas zu tun; it is of more ~ es gewährt größeres Vergnügen. – **2.** Ergötzen *n*: to the ~ of zum Ergötzen (*gen*). – *SYN. cf.* pleasure. – **II** *v/t* **3.** ergötzen, erfreuen, entzücken: to be ~ed sich freuen, entzückt sein (with, at über *acc*, von); I shall be ~ed to come ich komme mit dem größten Vergnügen; to be ~ed with s.o. von j-m entzückt sein. – **III** *v/i* **4.** sich (er)freuen, entzückt sein, schwelgen, sich belustigen: to ~ in mischief schadenfroh sein; to ~ in quarrel(l)ing (*od.* to quarrel) ein Vergnügen daran finden zu streiten. – **5.** Vergnügen bereiten. — **de'light·ed** *adj* **1.** entzückt, erfreut, begeistert: to be ~ with the result vom Ergebnis begeistert sein; to be ~ to do s.th. etwas mit Vergnügen tun. – **2.** *obs.* entzückend. — **de'light·ed·ness** *s* Entzücktsein *n.* — **de'light·ful** [-ful; -fəl] *adj* entzückend, köstlich, herrlich, wunderbar, reizend. — **de'light·ful·ness** *s* Köstlich-, Herrlich-, Ergötzlichkeit *f.* — **de'light·some** [-səm] → delightful.

De·li·lah [di'lailə] **I** *npr Bibl.* De'lila *f.* – **II** *s fig.* De'lila *f* (*heimtückische Verführerin*).

de·lime [diː'laim] *v/t chem.* entkalken.

de·lim·it [di'limit], **de'lim·iˌtate** [-ˌteit] *v/t* abgrenzen, begrenzen. — **deˌlim·i'ta·tion** *s* Abgrenzung *f*, Begrenzung *f.* — **de'lim·iˌta·tive** *adj* abgrenzend, begrenzend. — **de'lim·it·ˌize** *v/t* von Beschränkungen befreien.

de·lin·e·a·ble [di'liniəbl] *adj* 1. skiz'zierbar. – 2. zeichnerisch darstellbar. – 3. beschreibbar, genau zu schildern(d).

de·lin·e·ate [di'lini,eit] *v/t* 1. skiz'zieren, entwerfen. – 2. zeichnen. – 3. zeichnerisch darstellen. – 4. genau darstellen. – 5. (genau) beschreiben, schildern. — **de,lin·e'a·tion** *s* 1. Skiz'zierung *f*. – 2. Zeichnung *f*, Zeichnen *n*. – 3. zeichnerische Darstellung. – 4. genaue Darstellung. – 5. (genaue) Beschreibung: ~ **of character** Charakterzeichnung, -beschreibung. – 6. Skizze *f*, Entwurf *m*. – 7. Dia'gramm *n*. — **de'lin·e,a·tive** *adj* 1. skiz'zierend. – 2. zeichnerisch darstellend. – 3. beschreibend. — **de'lin·e,a·tor** [-tər] *s* 1. Skiz'zierer *m*. – 2. Zeichner *m*. – 3. Beschreiber *m*, Schilderer *m*. – 4. verstellbares Schnittmuster. – 5. (*Landvermessung*) Vermessungs-, Entfernungsschreiber *m*. — **de'lin·e·a·to·ry** [*Br.* -ətəri; *Am.* -ə,tɔːri] → **delineative**.

de·li·ne·a·vit [di,lini'eivit] (*Lat.*) deline'avit, hat (es) gezeichnet (*auf Bildern*).

de·lin·quen·cy [di'liŋkwənsi] *s* 1. Pflichtvergessenheit *f*, -verletzung *f*. – 2. Gesetzesverletzung *f*, Vergehen *n*, Verbrechen *n*. – 3. Kriminali'tät *f*: → **juvenile** 2. — **de'lin·quent I** *adj* 1. pflichtvergessen. – 2. straffällig, verbrecherisch: ~ **minor** jugendlicher Straffälliger. – 3. Delinquenten...: ~ **taxes** *Am.* nicht rechtzeitig bezahlte Steuern. – **II** *s* 4. Pflichtvergessene(r). – 5. Delin'quent(in), Straffällige(r), Misse-, Übeltäter(in), Verbrecher *m*.

del·i·quesce [,deli'kwes; -lə-] *v/i* 1. wegschmelzen. – 2. *chem.* zerfließen, zergehen. – 3. *bot.* sich verästeln (*Blattadern etc*). — **,del·i'ques·cence** *s* 1. Zerschmelzen *n*, Wegschmelzen *n*. – 2. *chem.* Zerfließen *n*. – 3. 'Schmelzpro,dukt *n*, -flüssigkeit *f*. — **,del·i'ques·cent** *adj* 1. zerschmelzend, wegschmelzend. – 2. *chem.* zerfließend. – 3. *bot.* sich verästelnd. – 4. *fig.* vergehend.

del·i·ra·tion [,deli'reiʃən; -lə-] → **delirium** 1.

de·lir·i·fa·cient [di,liri'feiʃənt] *med.* **I** *s* De'lirium erzeugendes Mittel. – **II** *adj* De'lirium erzeugend.

de·lir·i·ous [di'liriəs] *adj* 1. *med.* deli'rös, an De'lirium leidend, irreredend, phanta'sierend: **to be ~ with fever** Fieberphantasien haben. – 2. *fig.* rasend, wahnsinnig: ~ **with joy** vor Freude rasend.

de·lir·i·um [di'liriəm] *pl* **-i·ums, -i·a** [-ə] *s* 1. *med.* De'lirium *n*, (Fieber-)Wahn *m*, Phanta'sieren *n*, Irrereden *n*: ~ **of interpretation** Beziehungswahn. – 2. *fig.* Rase'rei *f*, Wahnsinn *m*, Taumel *m*. — ~ **tre·mens** ['triːmenz; -mənz] *s med.* De'lirium *n* tremens, Säuferwahnsinn *m*.

del·i·tes·cence [,deli'tesns; -lə-] *s* Verborgenheit *f*, -sein *n*, Verstecktheit *f*, La'tenz *f*. — **,del·i'tes·cent** *adj* verborgen, versteckt, la'tent.

de·liv·er [di'livər] **I** *v/t* 1. *auch* ~ **up**, ~ **over** über'geben, -'liefern, -'tragen, -'reichen, -'antworten, ausliefern, -händigen, abtreten, aufgeben: **to ~ in trust** in Verwahrung geben; **to ~ oneself up to s.o.** sich j-m stellen *od.* ergeben; **to ~ to posterity** der Nachwelt überliefern. – 2. *bes. econ.* liefern (to an *acc*): **to ~ goods to s.o.** j-m *od.* an j-n Waren liefern; **to ~ in payment** in Zahlung geben; **to ~ subsequently** nachliefern; **~ed free of charge** franko; **to be ~ed in a month** in einem Monat lieferbar. – 3. (*Brief etc*) zustellen, austragen. – 4. über'bringen, abliefern, ausrichten: **to ~ a message** eine Nachricht überbringen. – 5. einhändigen, über'geben (to *dat*). – 6. (*Urteil*) verkünden, aussprechen. – 7. vortragen, zum Vortrag bringen, (*Vortrag*) halten: **to ~ a speech to s.o.** vor j-m eine Rede halten. – 8. mitteilen, bekanntgeben. – 9. äußern, von sich geben. – 10. (*Schlag etc*) austeilen, versetzen: **to ~ a blow**; **to ~ one's blow** losschlagen. – 11. *mil.* abfeuern. – 12. *sport* (*Ball*) werfen. – 13. befreien (from, out of aus, von). – 14. erlösen, (er)retten: ~ **us from evil** erlöse uns von dem Übel. – 15. (*nur im pass gebraucht*) a) entbinden, b) gebären: **~ed by forceps** zangenentbunden; **a child ~ed by forceps** eine Zangengeburt; **to be ~ed of a child** entbunden werden. – 16. *obs.* räumen, entladen, leeren. – 17. *pol. Am. colloq.* (*die erwarteten od. gewünschten Stimmen*) bringen. – *SYN. cf.* **rescue**. – **II** *v/i* 18. befreien, frei machen. – 19. ein Urteil fällen *od.* abgeben. – 20. *tech.* gut loslassen, sich gut lösen (*von der Form*). – **III** *adj* 21. *obs.* behend, tätig, rührig.

de·liv·er·a·ble [di'livərəbl] *adj* 1. zu befreien(d). – 2 *econ.* lieferbar, zu liefern(d). — **de'liv·er·ance** *s* 1. Befreiung *f*. – 2. Erlösung *f*, (Er)Rettung *f* (from aus, von). – 3. Äußerung *f*, Verkündung *f*. – 4. (geäußerte) Meinung. – 5. *bes. jur. Scot.* gerichtliche Entscheidung, Entscheid *m*, De'kret *n*. – 6. *jur.* 'Übergabe *f*, Über'tragung *f*. — **de'liv·er·er** *s* 1. Befreier *m*. – 2. (Er)Retter *m*, Erlöser *m*. – 3. Lieferer *m*. – 4. Über'bringer *m*. – 5. Austräger *m*, Zusteller *m* (*von Briefen etc*). — **de'liv·er·ly** *adv obs.* behend, rasch.

de·liv·er·y [di'livəri] *s* 1. *econ.* (Aus)-Lieferung *f*, Zusendung *f* (to an *acc*): **contract for ~** Liefervertrag; **on ~** bei Lieferung, bei Empfang; *Br.* **cash** (*Am.* **collect**) **on ~** (*abgekürzt* **C.O.D.**) Zahlung gegen Nachnahme; → **bill**[2] 8. – 2. Über'bringung *f*, Ablieferung *f*. – 3. Zustellung *f*, Austragung *f* (*Post*). – 4. Aushändigung *f*, 'Übergabe *f*, Über'antwortung *f*. – 5. *jur.* a) 'Übergabe *f*, Über'tragung *f* (*Vermögen*), b) for'melle Aushändigung *od.* 'Übergabe. – 6. *jur.* Auslieferung *f* (*Verbrecher*). – 7. Stellung *f* (*von Geiseln*). – 8. Äußerung *f* (*Worte*), Vortrag *m* (*Rede*). – 9. Vortragsweise *f*, -art *f*, Vortrag(en *n*) *m*. – 10. *sport* Wurf *m*, (Ab)Werfen *n*, (Ab)Spielen *n* (*Ball*). – 11. Befreiung *f*, Freilassung *f* (from aus). – 12. (Er)-Rettung *f*, Erlösung *f* (from aus, von). – 13. Entbindung *f*, Niederkunft *f*: **to have the ~ at home** zu Hause niederkommen; **abdominal ~** Entbindung durch Kaiserschnitt; **early ~** Frühgeburt. – 14. Ausstoßung *f*: ~ **of the placenta** *med.* Plazentaausstoßung. – 15. *tech.* Ausstoß *m*, Förderleistung *f* (*Pumpe etc*). – 16. *tech.* Ab-, Ausfluß *m*, Ableitung *f*. – 17. Zuleitung *f*, Zufuhr *f*: ~ **of fuel** Brennstoffzufuhr. – 18. Austeilen *n* (*Schläge*). – 19. Lieferung *f*, (*das*) Gelieferte. – 20. Äußerung *f*. – 21. *mil.* Einsatz *m* (*z.B. einer Rakete*). — ~ **ca·nal** *s tech.* 'Abzugs-, 'Ablaßka,nal *m*. — ~ **car** *s* Lieferwagen *m*. — ~ **cock** *s tech.* Ablaßhahn *m*.

de'liv·er·y|·man [-mən] *s irr* 1. Geschäftsbote *m*. – 2. Liefe'rant *m*. — ~ **or·der** *s econ.* Lieferauftrag *m*. — ~ **out·put** *s tech.* Förderleistung *f*. — ~ **pipe** *s tech.* Ausfluß-, Ausguß-, Ausström-, Druckrohr *n*, Ableitungsröhre *f*. — ~ **room** *s* Kreißsaal *m*, Entbindungsraum *m*. — ~ **serv·ice** *s* Zustelldienst *m*. — ~ **tick·et** *s econ.* Schlußzettel *m* (*bei Börsengeschäften*). — ~ **valve** *s tech.* 'Auslaß-, 'Ablaßven,til *n*. — ~ **van**, *Am.* ~ **wag·on** *s* Lieferwagen *m*. — ~ **vol·ume** *s* Fördermenge *f*.

dell [del] *s* 1. enges (*bes.* abgelegenes) Tal. – 2. *pl* → **dalles**.

Del·la-Crus·can [,delə'krʌskən] **I** *adj* 1. die Acca'demia della Crusca betreffend. – 2. gekünstelt (*in Sprache u. Stil*). – 3. *zu einer engl. Dichterschule gehörig, die um 1785 in Florenz gegründet wurde*. – **II** *s* 4. Mitglied *n* der Acca'demia della Crusca. – 5. Mitglied *n* der engl. Dichterschule in Flo'renz (*um 1785*).

de·lo·cal·ize [diː'loukə,laiz] *v/t* 1. (*etwas*) von seinem Platze entfernen. – 2. von lo'kaler Beschränktheit befreien.

de·lo·mor·phic [,diːlo'mɔːrfik], **,de·lo'mor·phous** [-fəs] *adj med.* delo'morph, von bestimmter Gestalt.

de·louse [diː'laus; -z] *v/t* entlausen.

Del·phi·an ['delfiən] **I** *adj* 1. delphisch: **the ~ oracle** das Delphische Orakel. – 2. *fig.* delphisch, dunkel, zweideutig. – **II** *s* 3. Bewohner(in) von Delphi. — **'Del·phic** → **Delphian** I.

Del·phin(e) ['delfin] *adj* den Dau'phin betreffend: **the ~ classics** die zum Gebrauche des Dauphin bestimmten lateinischen Klassikerausgaben.

del·phi·nine ['delfi,niːn; -nin; -fə-], *auch* **'del·phi·nin** [-nin] *s chem.* Delphi'nin *n* (*giftiges Alkaloid aus Ritterspornarten*). — **del'phin·i·um** [-iəm] *s bot.* Rittersporn *m* (*Gattg Delphinium*).

del·phi·noid ['delfi,nɔid] *zo.* **I** *adj* zu den Del'phinen gehörig. – **II** *s* Del'phin *m* (*Fam. Delphinidae; Säugetier*).

Del·phi·nus [del'fainəs] *s astr.* Del'phin *m* (*nördl. Sternbild*).

Del·sarte (sys·tem) [del'sɑːrt] *s sport* Del'sarte-Gym,nastik *f*. — **Del'sar·ti·an** [-tiən] *adj* Delsarte..., del'sartisch.

del·ta ['deltə] *s* 1. Delta *n* (*vierter Buchstabe des griech. Alphabets*). – 2. Delta *n*, deltaförmiger Gegenstand: ~ **connection** *electr.* Dreieckschaltung; ~ **current** *electr.* Dreieckstrom; ~ **wing** *aer.* Deltaflügel (*eines Flugzeugs*). – 3. *geogr.* a) (Fluß)Delta *n* (*Mündungsform*), b) Nildelta *n*. — **,del·ta·fi'ca·tion** *s geogr.* Deltabildung *f*. — **del'ta·ic** [-'teiik] *adj* 1. Delta... – 2. deltaförmig.

del·ta| po·ten·tial *s electr.* 'Dreieckpotenti,al *n*. — ~ **rays** *s pl phys.* Deltastrahlen *pl*. — ~ **wind·ing** *s electr.* Dreieckwicklung *f*.

del·toid ['deltɔid] **I** *s* 1. *med.* Deltamuskel *m*, Delto'ides *m*, Armheber *m*. – 2. *math.* Delto'id *n*. – **II** *adj* 3. *med* delto'id: ~ **muscle** → **deltoid** 1. – 4. dreieckig. – 5. deltaförmig. — **del'toi·dal** *adj* deltaförmig, -artig, Delta...

del·toid moth *s zo.* (*ein*) Eulenfalter *m* (*Fam. Noctuidae*).

de·lude [di'luːd; -'lj-] *v/t* 1. täuschen, irreführen: **to ~ oneself** sich Selbsttäuschungen *od.* Illusionen hingeben. – 2. betrügen. – 3. verleiten (into zu). – 4. *obs.* enttäuschen. – 5. *obs.* ausweichen (*dat*). – *SYN. cf.* **deceive**. — **de'lud·er** *s* 1. Betrüger(in). – 2. Verführer(in).

del·uge ['deljuːdʒ] **I** *s* 1. Über'schwemmung *f*, -'flutung *f*. – 2. **the D~** *Bibl.* die Sintflut. – 3. *fig.* Flut *f*, (Un)Menge *f*, (Un)Masse *f*. – **II** *v/t* 4. über'schwemmen, -'fluten (*auch fig.*): **~d with letters** *fig.* mit Briefen überschüttet; **~d with water** von Wasser überflutet.

de·lu·sion [di'luːʒən; -'ljuː-] *s* 1. Irreführung *f*, Täuschung *f*. – 2. Wahn *m*, Selbsttäuschung *f*, Einbildung *f*, Irrtum *m*, Irrglauben *m*: **to be** (*od.* **to**

labo(u)r) under the ~ that in dem Wahn leben, daß. – 3. *psych.* Wahn *m*: ~s of grandeur Größenwahn. – 4. Betrogensein *n*. – *SYN.* hallucination, illusion, mirage. — **de'lu·sion·al** *adj* wahnhaft, Wahn...: ~ idea Wahnidee, -vorstellung. — **de'lu·sive** *adj* 1. täuschend, irreführend, trügerisch. – 2. eingebildet, wahnhaft, Wahn..., Schein... — **de'lu·sive·ness** *s* trügerisches Wesen, Trüglichkeit *f*. — **de'lu·so·ry** [-səri] → delusive.

de luxe [di 'luks; -'lʌks] **I** *adj* Luxus..., erstklassig, 'hochele,gant, luxuri'ös: ~ edition Luxusausgabe. – **II** *adv* 'hochele,gant, vornehm, luxuri'ös.

delve [delv] **I** *v/i* 1. *fig.* angestrengt suchen, forschen, graben (for nach): to ~ among books in Büchern stöbern. – 2. graben. – 3. sich eingraben (into in *acc*). – 4. plötzlich abfallen (*Gelände*). – **II** *v/t* 5. *obs. od. dial.* (aus)graben. – **III** *s selten* 6. Grube *f*, Graben *m*, Loch *n*, Höhle *f*.

dem- [diːm] → demo-.

de·mag·net·i·za·tion [diː,mægnətai'zeiʃən; -ti-; -tə-] *s* Entmagneti'sierung *f*. — **de'mag·net,ize** *v/t* entmagneti'sieren.

dem·a·gog *cf.* demagogue. — **dem·a·gog·ic** [,demə'gɒgik; -dʒik], **,dem·a'gog·i·cal** *adj* 1. dema'gogisch, aufwieglerisch. – 2. Demagogen... — **,dem·a'gog·i·cal·ly** *adv* (*auch zu* demagogic). — **'dem·a,gog·ism** [-,gɒgizəm; *Am. auch* -,gɔːg-] *s* 1. Demago'gie *f*, Volksverführung *f*, -verhetzung *f*. – 2. Dema'gogentum *n*.

dem·a·gogue ['demə,gɒg; *Am. auch* -,gɔːg] *s* 1. *pol.* Dema'goge *m*, Volksverführer *m*. – 2. *hist.* Dema'goge *m*, Volksführer *m*. — **'dem·a,gog·uer·y** [-əri] → demagogism. — **'dem·a,gog·y** [-,gɒdʒi; *Am. auch* -,gou- *und* -,gɔː-] *s* 1. → demagogism. – 2. *collect.* Dema'gogen *pl*. – 3. Dema'gogenherrschaft *f*.

de·mand [*Br.* di'mɑːnd; *Am.* di'mæ(ː)nd] **I** *v/t* 1. fordern, verlangen: to ~ s.th. of (*od.* from) s.o. von j-m etwas fordern. – 2. (gebieterisch) fragen nach. – 3. verlangen, erfordern, erheischen: this task ~s great skill. – 4. *jur.* beanspruchen, Anspruch erheben auf (*acc*). – 5. *jur.* vorladen. – **II** *v/i* 6. fordern, Forderungen stellen. – 7. verlangen, fragen (of nach). – *SYN.* claim, exact, require. – **III** *s* 8. Forderung *f*, Verlangen *n* (for nach; on s.o. an j-n): ~ for payment Zahlungsaufforderung; (up)on ~ a) auf Verlangen, b) *econ.* bei Vorlage, auf Sicht; bill payable on ~ Sichtwechsel. – 9. Forderung *f*, (*das*) Geforderte. – 10. (on) Anforderung *f* (an *acc*), In'anspruchnahme *f* (*gen*): to make great ~s on s.o.'s time j-s Zeit stark in Anspruch nehmen. – 11. Frage *f*, Nachforschung *f*. – 12. *jur.* a) (Rechts)Anspruch *m* (against s.o. gegen j-n), b) Forderung *f* (on an *acc*). – 13. (for) Nachfrage *f* (nach), Bedarf *m* (an *dat*): to be much in ~ sehr gefragt sein; in (great) ~ (sehr) begehrt *od.* gesucht; ~ for energy Energiebedarf. – 14. *econ.* Nachfrage *f*: → supply[1] 12. – 15. *electr.* (Strom)Verbrauch *m*. — **de'mand·a·ble** *adj* zu fordern(d), ein-, anforderbar. — **de'mand·ant** *s jur.* Kläger *m* (*bes. bei dinglicher Klage*), betreibende Par'tei.

de·mand| bill *s econ.* Sichtwechsel *m*. — **~ de·pos·it** *s econ.* tägliches Geld, so'fort fällige *od.* kurzfristige Einlage. — **~ draft** → demand bill.

de·mand·er [*Br.* di'mɑːndər; *Am.* -'mæ(ː)n-] *s* 1. Forderer *m*, Fordernde(r). – 2. (Nach)Frager *m*. – 3. *econ.* Gläubiger(in). – 4. *econ.* Käufer(in), Kunde *m*, Kundin *f*. — **de'mand·ing** *adj* 1. (mit Entschiedenheit) fordernd. – 2. anspruchsvoll.

de·mand| loan → call loan. — **~ me·ter** *s electr.* Zähler *m* (*für den Stromverbrauch*). — **~ note** → demand bill.

de·man·ga·ni·za·tion [diː,mæŋgənai'zeiʃən; -ni'z-; -nə'z-] *s* Entmanga'nierung *f*. — **de'man·ga,nize** *v/t* entmanga'nieren.

de·man·toid [di'mæntɔid] *s min.* Demanto'id *m*.

de·mar·cate ['diːmɑːr,keit; *Am. auch* di'mɑːr-] *v/t* 1. begrenzen, abgrenzen. – 2. *fig.* (from) abgrenzen (gegen), trennen (von). — **,de·mar'ca·tion** *s* 1. Begrenzung *f*, Abgrenzung *f*. – 2. Grenzfestlegung *f*, Demarkati'on *f*. – 3. Abgrenzung *f*, Trennung *f*: line of ~ a) Grenzlinie, b) *pol.* Demarkationslinie, c) *fig.* Grenze, Scheidelinie. – 4. (*Gewerkschaften*) strenge Abgrenzung der Berufsgruppen.

de·march ['diːmɑːrk] *s* Dem'arch *m*: a) *antiq. Vorsteher eines Demos*, b) *Gemeindevorsteher* (*im modernen Griechenland*).

dé·marche [de'marʃ; 'deimɑːrʃ] (*Fr.*) *s* De'marche *f*, diplo'matischer Schritt.

de·mar·ka·tion *cf.* demarcation.

de·ma·te·ri·al·i·za·tion [,diːmə,ti(ə)riəlai'zeiʃən; -li-; -lə-] *s* 1. Entmateriali'sierung *f*, Entstofflichung *f*. – 2. (*Spiritismus*) Dematerialisati'on *f*. — **,de·ma'te·ri·al,ize** **I** *v/t* 1. entmateriali'sieren, entstofflichen. – 2. auflösen. – **II** *v/i* 3. die stoffliche Form verlieren, sich entmateriali'sieren. – 4. (*Spiritismus*) verschwinden, sich auflösen.

deme [diːm] *s* 1. *antiq.* Demos *m* (*Stadt-Staat od. Gemeinde im alten Griechenland*). – 2. Gemeinde *f* (*im modernen Griechenland*).

de·mean[1] [di'miːn] *v/t* erniedrigen, her'abwürdigen (*meist reflex*): to ~ oneself by doing s.th. sich dadurch erniedrigen, daß man etwas tut. – *SYN. cf.* abase.

de·mean[2] [di'miːn] *v/t* 1. *reflex* to ~ oneself sich benehmen, sich verhalten, sich betragen. – 2. *obs.* lenken, leiten. – *SYN. cf.* behave.

de·mean·or, *bes. Br.* **de·mean·our** [di'miːnər] *s* Benehmen *n*, Verhalten *n*, Betragen *n*, Auftreten *n*. – *SYN. cf.* bearing.

de·ment [di'ment] **I** *v/t* 1. wahnsinnig *od.* blödsinnig machen. – **II** *s* 2. Wahnsinnige(r). – 3. De'mente(r), Verblödete(r). — **de'ment·ed** *adj* 1. wahnsinnig. – 2. de'ment, verblödet, blödsinnig. — **de'ment·ed·ness** *s* 1. Wahnsinn *m*. – 2. Blödsinn *m*.

dé·men·ti [demɑ̃'ti] (*Fr.*) *s* De'menti *n*, Ableugnung *f*, Richtigstellung *f*.

de·men·ti·a [di'menʃiə; -ʃə] *s med.* 1. De'menz *f*, Schwach-, Blödsinn *m*: precocious ~ Jugendirresein; → senile 2. – 2. Wahn-, Irrsinn *m*. – *SYN. cf.* insanity. — **~ prae·cox** ['priːkɒks] *s med.* De'mentia *f* praecox.

dem·e·rar·a [,demə'rɛ(ə)rə] *s*, **D~ crys·tals** *s pl ein brauner Rohrzucker in großen Kristallen* (*aus Brit.-Guayana*).

de·mer·it [diː'merit] *s* 1. Schuldhaftigkeit *f*, Verwerflichkeit *f*. – 2. Mangel *m*, Fehler *m*, Schuld *f*, Vergehen *n*, -sehen *n*, -schulden *n*, tadelnswertes Verhalten. – 3. Unwürdigkeit *f*, Unwert *m*. – 4. *auch* ~ mark *ped.* Schlecht-, Minuspunkt *m* (*bes. für schlechtes Betragen*). – 5. *obs.* Verdienst *n*. — **de·mer·i·to·ri·ous** [diː,meri'tɔːriəs] *adj* tadelnswert, verwerflich.

dem·e·rol ['demə,roul; -,rɒl] *s med.* Deme'rol *n* (*synthetische schmerzstillende Droge*).

de·mer·sal [di'məːrsəl] *adj zo.* auf den (Meeres)Boden sinkend *Fischeier*).

de·mesne [di'mein; -'miːn] *s* 1. *jur.* freier Grundbesitz, Eigenbesitz *m*: to hold land in ~ Land als freies Grundeigentum besitzen. – 2. *jur.* Landsitz *m*, -gut *n*. – 3. *jur.* vom Besitzer selbst verwaltete Lände'reien *pl*. – 4. *jur.* Do'mäne *f*: ~ of the crown, Royal ~ Kron-, Königsgut; ~ of the state Staats-, Reichsgut, Staatsdomäne. – 5. *fig.* Do'mäne *f*, (Arbeits-, Wissens)Gebiet *n*.

de·meth·yl·ate [diː'meθi,leit; -θə-] *v/t chem.* entmethy'lieren.

de·mi ['diːmai] *pl von* demos.

demi- [demi] *Wortelement mit der Bedeutung* halb.

'dem·i'bas·tion *s mil.* 'Halbbasti,on *f*, halbes Bollwerk. — **'dem·i,bath** *s* Sitzbad *n*. — **'dem·i,ca·dence** *s mus.* Halbschluß *m*, unvollkommene Ka'denz. — **'dem·i,can·ton** *s* 'Halbkan,ton *m* (*in der Schweiz*). — **'dem·i,god** *s* Halbgott *m*. — **'dem·i,god·dess** *s* Halbgöttin *f*. — **'dem·i,john** *s* Demijohn *m*, große Korbflasche, Bal'lon *m* (*5–50 Liter fassend*).

'dem·i·le'ga·to *s mus.* 1. 'Nonle,gato *n*. – 2. Por'tato *n*.

de·mil·i·ta·ri·za·tion [diː,militərai'zeiʃən; -ri-; -rə-] *s* 1. Entmilitari'sierung *f*. – 2. Über'führung *f* in Zi'vilverwaltung. — **de'mil·i·ta,rize** *v/t* 1. entmilitari'sieren. – 2. in Zi'vilverwaltung 'überführen.

'dem·i'lune *s* 1. Halbmond *m* (*nur noch fig.*): ~s of Heidenhain *med.* Heidenhainsche Halbmonde. – 2. *mil.* Rave'lin *m*, Lü'nette *f*, Halbmondschanze *f* (*einer Festung*).

,dem·i·mon'daine *s* Halbweltdame *f*. — **'dem·i,monde** *s* Halbwelt *f*.

de·min·er·al·i·za·tion [diː,minərəlai'zeiʃən; -li-; -lə-] *s* Demineralisati'on *f*. — **de'min·er·al,ize** *v/t* demineral'sieren.

,dem·i·of'fi·cial *adj* halbamtlich.

'dem·i,pique *s u. adj* (Sattel *m*) mit halbhohem Rückenbogen.

,dem·i·re'lief *s* 'Halbreli,ef *n*, halberhabene Arbeit.

dem·i·rep ['demi,rep] *s sl.* Frau *f* von zweifelhaftem Ruf.

,dem·i·ri'lie·vo → demirelief.

de·mis·a·ble [di'maizəbl] *adj jur.* 1. über'tragbar. – 2. verpachtbar.

dem·i·sang(ue) ['demi,sæŋ] *s* Halbblut *n*, Mischling *m*.

de·mise [di'maiz] **I** *s* 1. Ableben *n*, 'Hinscheiden *n*, Tod *m*. – 2. *jur.* 'Grundstücksüber,tragung *f*, *bes.* Verpachtung *f*. – 3. ('Herrschafts)Über,tragung *f* (*Übergehen der Regierung an den Nachfolger des bisherigen Herrschers*): ~ of the Crown Übertragung der Krone. – **II** *v/t* 4. *jur.* (*Grundstück*) über'tragen, *bes.* verpachten (to *dat*). – 5. (*Herrschaft, Krone etc*) über'tragen, -'geben. – 6. vermachen: to ~ by will testamentarisch vermachen. – **III** *v/i* 7. 'übergehen (to an *acc*). – 8. die Re'gierung abtreten. – 9. sterben.

demisemi- [demisemi] *Wortelement mit der Bedeutung* Viertel (*oft verächtlich*).

dem·i·sem·i ['demi'semi] *adj* Viertel...: the ~ educated die Viertelgebildeten.

'dem·i'sem·i,qua·ver *s mus.* Zweiund'dreißigstelnote *f*.

de·mis·sion [di'miʃən] *s* 1. Niederlegung *f*, -legen *n* (*Amt etc*). – 2. Demissi'on *f*, Rücktritt *m*. – 3. Abdankung *f*. – 4. *selten* Entlassung *f*.

de·mit [di'mit] **I** *v/t pret u. pp* **-'mit·ted** 1. *bes. Scot.* (*Amt*) niederlegen. – 2. *obs.* entlassen. – **II** *v/i* 3. demissio'nieren, zu'rücktreten, abdanken. – **III** *s Am.* 4. Niederlegung *f* (*Amt*). – 5. Austrittsbescheinigung *f*.

dem·i·tasse ['demiˌtæs; -mə-] *s* **1.** Täßchen *n* Mokka. – **2.** Mokkatasse *f.*
'dem·iˌtone → semitone.
dem·i·urge ['demiˌəːrdʒ] *s* **1.** *philos.* Demi'urg *m*, Weltbaumeister *m* (*bei Plato u. den Gnostikern dem höchsten Wesen untergeordnet*). – **2.** *fig.* Weltschöpfer *m.* – **3.** *antiq.* Demi'urg *m* (*hoher Beamter in einigen griech. Staaten*). — **ˌdem·i'ur·geous, ˌdem·i'ur·gic, ˌdem·i'ur·gi·cal** *adj* demi'urgisch, weltschöpferisch.
dem·i·volt(e) ['demiˌvoult] *s* (*Reitkunst*) halbe Volte.
demo- [diːmo] *Wortelement mit der Bedeutung* Volk.
de·mob [di'mɒb] *Br. colloq.* **I** *s* **1.** → demobilization. – **2.** aus dem Mili'tärdienst Entlassener. – **II** *v/t pret u. pp* **de'mobbed** → demobilize 2. — **de·mo·bi·li·za·tion** [ˌdiːmoubilai'zeiʃən; -bələ-] *s* **1.** Demobili'sierung *f*, Abrüstung *f.* – **2.** Demo'bilmachung *f.* – **3.** Entlassung *f* aus dem Mili'tärdienst. — **de'mo·biˌlize** *v/t* **1.** demobili'sieren, abrüsten. – **2.** (*Soldaten*) entlassen, (*Heer*) auflösen. – **3.** (*Kriegsschiff*) außer Dienst stellen.
de·moc·ra·cy [di'mɒkrəsi; də-] *s* **1.** Demokra'tie *f*: **absolute** (*od.* **pure**) ~ unmittelbare Demokratie; **representative** ~ repräsentative Demokratie. – **2.** das Volk (*als Träger der Souveränität*). – **3.** D~ *pol. Am.* a) *Grundsätze u. Politik der Demokratischen Partei*, b) *die Demokratische Partei, die Demokraten.*
dem·o·crat ['demoˌkræt; -mə-] *s* **1.** Demo'krat(in). – **2.** D~ *pol. Am.* Demo'krat(in), Mitglied *n* der Demo'kratischen Par'tei. – **3.** *Am.* leichter, offener Wagen. — **ˌdem·o'crat·ic,** *auch* **ˌdem·o'crat·i·cal** *adj* **1.** demo'kratisch. – **2.** demo'kratisch, das (gemeine) Volk betreffend, für das (gemeine) Volk bezeichnend *od.* bestimmt. – **3.** *meist* D~ *pol. Am.* demo'kratisch (*die Demokratische Partei betreffend*). – **4.** *pol.* demo'kratisch (*eine demokratische Partei betreffend*). — **ˌdem·o'crat·i·cal·ly** *adv* (*auch zu* democratic) demo'kratisch, in demokratischer Weise.
Dem·o·crat·ic par·ty *s pol.* **1.** Demo'kratische Par'tei (*gegründet 1828; eine der beiden großen Parteien der USA*). – **2.** → Democratic-Republican party.
ˌDem·o'crat·ic-Re'pub·lic·an par·ty *s pol. hist.* Demo'kratisch-Republi'kanische Par'tei (*in USA*).
de·moc·ra·tism [di'mɒkrəˌtizəm] *s* Demokra'tismus *m*, demo'kratisches Sy'stem. — **deˌmoc·ra·ti'za·tion** *s* Demokrati'sierung *f.* — **de'moc·raˌtize I** *v/t* demokrati'sieren, demo'kratisch machen. – **II** *v/i* demo'kratisch werden.
De·moc·ri·te·an [diˌmɒkri'tiːən] *adj* demo'kritisch.
dé·mo·dé [demɔ'de] (*Fr.*), **de·mod·ed** [diː'moudid] *adj* altmodisch, aus der Mode.
de·mod·u·late [*Br.* diː'mɒdjuˌleit; *Am.* -dʒə-] *v/t electr.* demodu'lieren. — **ˌde·mod·u'la·tion** *s electr.* Demodulati'on *f*, HF-Gleichrichtung *f.* — **de'mod·uˌla·tor** [-tər] *s electr.* Demodu'lator *m.*
de·mog·ra·pher [di'mɒgrəfər] *s* Demo'graph *m.* — **de·mo·graph·ic** [ˌdiːmo'græfik; -mə-], **ˌde·mo'graph·i·cal** *adj* demo'graphisch, be'völkerungsstaˌtistisch. — **de'mog·ra·phist** → demographer. — **de'mog·ra·phy** *s* Demogra'phie *f*, Be'völkerungsstaˌtistik *f* (*statistische Beschreibung des Zustands der Bevölkerung*).
dem·oi·selle [ˌdemwɑ'zel] *s* **1.** Fräulein *n*, Mädchen *n.* – **2.** Zofe *f.* – **3.** *zo.* Jungfernkranich *m* (*Anthropoides virgo*). – **4.** *zo.* (*eine*) 'Gleichflügler-Liˌbelle, *bes.* a) (*eine*) Schön-, Seejungfer (*Gattg Calopteryx*), b) (*eine*) Schlankjungfer (*Gattg Agrion*). – **5.** *tech.* Handramme *f.*
de·mol·ish [di'mɒliʃ] *v/t* **1.** demo'lieren, ab-, ein-, niederreißen, sprengen. – **2.** (*Festung*) schleifen. – **3.** vernichten, zerstören, verwüsten. – **4.** *colloq.* aufessen, ‚verputzen'. — **de'mol·ish·ment** → demolition. — **dem·o·li·tion** [ˌdemo'liʃən; -mə-; ˌdiː-] *s* **1.** Demo'lierung *f*, Niederreißen *n.* – **2.** Schleifen *n* (*einer Festung*). – **3.** Vernichtung *f*, Zerstörung *f*, Verwüstung *f.* – **4.** *bes. mil.* Spreng...: ~ **bomb** Sprengbombe; ~ **charge** Sprengladung, geballte Ladung. — **ˌdem·o'li·tion·ist** *s pol.* radi'kaler 'Umstürzler, Revolutio'när *m.*
de·mon ['diːmən] **I** *s* **1.** Dämon *m*, böser Geist, Teufel *m.* – **2.** Dämon *m*, Unhold *m*, Bösewicht *m.* – **3.** Besessener *m*, Teufelskerl *m*: **to be a** ~ **for work** ein unermüdlicher Arbeiter sein; **to be a** ~ **at tennis** ein hervorragender Tennisspieler sein. – **4.** *Br. colloq.* Schwung *m*, Tempo *n*, Leben *n.* – **5.** *cf.* daemon. – **II** *adj* **6.** dä'monisch.
demon- [diːmən] → demono-.
de·mon·ess ['diːmənis] *s* Dä'monin *f*, (weiblicher) Dämon, Teufelin *f.*
de·mon·e·ti·za·tion [diːˌmɒnitai'zeiʃən; -nətə-; -ˌmʌn-] *s* Außer'kurssetzung *f*, Entwertung *f.* — **de'mon·eˌtize** *v/t* außer Kurs setzen.
de·mo·ni·ac [di'mouniˌæk] **I** *adj* **1.** dä'monisch, teuflisch. – **2.** (vom Teufel) besessen. – **3.** rasend, tobend. – **II** *s* **4.** (vom Teufel) Besessene(r). — **de·mo·ni·a·cal** [ˌdiːmə'naiəkəl] → demoniac I. — **ˌde·mo'ni·a·cal·ly** *adv* (*auch zu* demoniac I). — **ˌde·mo'ni·aˌcism** [-ˌsizəm] *s* Dämo'nie *f.*
de·mo·ni·an [di'mouniən] → demonic 1. — **de·mon·ic** [di'mɒnik] *adj* **1.** dä'monisch, teuflisch. – **2.** dä'monisch, 'überirdisch. — **de·mon·ism** ['diːməˌnizəm] *s* **1.** Dämo'nismus *m*, Dä'monenglaube *m.* – **2.** → demonology 1. — **'de·mon·ist** *s* an Dä'monen Glaubende(r). — **'de·monˌize** *v/t* **1.** dämoni'sieren, dä'monisch machen. – **2.** zu einem Dämon machen. – **3.** dä'monischen Kräften ausliefern.
demono- [diːməno] *Wortelement mit der Bedeutung* Dämonen.
de·mon·ol·a·ter [ˌdiːmə'nɒlətər] *s* Dä'monen-, Teufelsanbeter(in). — **ˌde·mon'ol·a·try** [-tri] *s* Dä'monen-, Teufelsverehrung *f*, Teufelsdienst *m.* — **ˌde·mon·o'log·ic** [-nə'lɒdʒik], **ˌde·mon·o'log·i·cal** *adj* dämono'logisch. — **ˌde·mon'ol·o·gist** [-'nɒlədʒist] *s* Dämono'loge *m.* — **ˌde·mon'ol·o·gy** [-dʒi] *s* **1.** Dämonolo'gie *f*, Dä'monenlehre *f.* – **2.** → demonism 1.
de·mon·stra·bil·i·ty [diˌmɒnstrə'biliti; ˌdemən-; -əti] *s* Demon'strierbarkeit *f*, Beweisbar-, Nachweisbarkeit *f.* — **de'mon·stra·ble** *adj* **1.** demon'strierbar, beweisbar, nachweisbar. – **2.** *obs.* offensichtlich. — **de'mon·stra·ble·ness** → demonstrability. — **de'mon·strant** *s* Demon'strant(in).
dem·on·strate ['deměnˌstreit] **I** *v/t* **1.** demon'strieren, beweisen. – **2.** demon'strieren, darlegen, zeigen, anschaulich machen, erweisen. – **3.** (*Gerät, Ware etc*) vorführen. – **4.** zeigen, an den Tag legen. – **5.** *obs.* aufzeigen. – *SYN. cf.* show. – **II** *v/i* **6.** demon'strieren, eine öffentliche Kundgebung veranstalten, an einer Demonstrati'on teilnehmen. – **7.** *mil.* eine Demonstrati'on 'durchführen. – **8.** demon'strieren, beweisen, erklären. — **ˌdem·on'stra·tion** *s* **1.** Demon'strierung *f*, Darlegung *f*, -stellung *f*, Veranschaulichung *f*: ~ **material** Anschauungsmaterial. – **2.** (unzweifelhafter) Beweis (of für): **to** ~ überzeugend. – **3.** Beweismittel *n.* – **4.** Beweisführung *f.* – **5.** (öffentliche) Vorführung, Demonstrati'on *f.* – **6.** Äußerung *f*, Kundgebung *f*, Manifestati'on *f*, Bekundung *f.* – **7.** Demonstrati'on *f*, öffentliche Kundgebung: **to make a** ~ eine Demonstration veranstalten; **at a** ~ bei einer Demonstration, auf einer Kundgebung. – **8.** (po'litische *od.* mili'tärische) Demonstrati'on: **a** ~ **of the fleet** eine Flottendemonstration. – **9.** *mil.* 'Ablenkungs-, 'Scheinmaˌnöver *n*, -angriff *m.*
de·mon·stra·tive [di'mɒnstrətiv] **I** *adj* **1.** (eindeutig) beweisend, über'zeugend, anschaulich (zeigend). – **2.** ausdrucks-, gefühlvoll, 'überschwenglich. – **3.** demonstra'tiv, auffällig, betont: ~ **cordiality.** – **4.** *ling.* demonstra'tiv, 'hinweisend: ~ **pronoun** Demonstrativpronomen, hinweisendes Fürwort. – **II** *s* **5.** *ling.* Demonstra'tivum *n.* — **de'mon·stra·tive·ness** *s* **1.** Über'zeugungs-, Beweiskraft *f.* – **2.** 'Überschwenglichkeit *f.* – **3.** Betontheit *f*, Absichtlichkeit *f.*
dem·on·stra·tor ['demənˌstreitər] *s* **1.** Beweisführer *m*, Darleger *m*, Erklärer *m.* – **2.** Beweis(mittel *n*) *m.* – **3.** → demonstrant. – **4.** a) Demon'strator *m*, b) *med.* Pro'sektor *m.* – **5.** *econ.* a) Vorführer *m*, b) 'Vorführmoˌdell *n.* — **de·mon·stra·to·ry** [*Br.* di'mɒnstrətəri; *Am.* -ˌtɔːri] → demonstrative 1.
de·mor·al·i·za·tion [diˌmɒrəlai'zeiʃən; *Am. auch* -ˌmɔːrələ-] *s* **1.** Demorali'sati'on *f*, Demorali'sierung *f*: a) Entsittlichung *f*, b) Entmutigung *f.* – **2.** Zersetzung *f.* – **3.** Zucht-, Diszi'plinlosigkeit *f.* — **de'mor·alˌize** *v/t* **1.** demorali'sieren, entsittlichen, (sittlich) verderben. – **2.** zermürben, demorali'sieren, entmutigen, -kräften: **a** ~**d army.** – **3.** auflösen, zersetzen. — **de'mor·alˌiz·ing** *adj* **1.** demorali'sierend, zersetzend. – **2.** verderblich (to für).
de·mos ['diːmɒs] *pl* **'de·mi** [-mai] *s* **1.** → deme. – **2.** das (gemeine) Volk.
Dem·os·then·ic [ˌdemɒs'θenik; -məs-; ˌdiː-] *adj* demo'sthenisch.
de·mote [di'mout] *v/t* **1.** degra'dieren (to zu). – **2.** *ped. Am.* (in eine niedere Klasse) zu'rückversetzen.
de·moth(·ball) [diː'mɒθ(ˌbɔːl)] *v/t* (*Flugzeuge u. anderes Kriegsmaterial*) einsatzbereit machen, die Schutzhüllen entfernen von.
de·mot·ic [di'mɒtik; diː-] *adj* de'motisch, volkstümlich: ~ **characters** demotische Schriftzeichen (*vereinfachte altägyptische Schrift*).
de·mot·ics [di'mɒtiks; diː-] *s pl* (*als sg konstruiert*) Soziolo'gie *f*, Gesellschaftslehre *f.*
de·mo·tion [diː'mouʃən] *s mil.* Degra'dierung *f*, 'Dienstgradherˌabsetzung *f.*
de·mount [diː'maunt] *v/t* **1.** (*Wagenrad etc*) 'abmonˌtieren, abnehmen. – **2.** (*Briefmarke etc*) ablösen. – **3.** ausein'andernehmen, zerlegen. — **de'mount·a·ble** *adj* **1.** 'abmonˌtierbar. – **2.** zerlegbar.
demp·ster ['dempstər] → deemster.
de·mul·cent [di'mʌlsənt] **I** *adj bes. med.* lindernd. – **II** *s med.* De'mulgens *n*, Linderungsmittel *n.*
de·mur [di'məːr] **I** *v/i pret u. pp* **-'murred** **1.** Einwände erheben, Einwendungen machen, Bedenken äußern (to gegen). – **2.** *jur.* Rechtseinwände erheben. – **3.** die Entscheidung hin'ausschieben. – **4.** *obs.*

zögern, zaudern. – **II** *s* **5.** 'Widerspruch *m*, Erheben *n* von Einwänden. – **6.** Zweifel *m*, Einwand *m*, -wendung *f*. – **7.** Unentschlossenheit *f*. – **8.** *obs. für* demurrer 2. – **9.** *obs.* Zögern *n*, Zaudern *n*. – *SYN. cf.* qualm.

de·mure [di'mjuər] *adj* **1.** zimperlich, geziert, spröde. – **2.** gesetzt, ernst, nüchtern, zu'rückhaltend. — **de'mure·ness** *s* **1.** Zimperlichkeit *f*. – **2.** Gesetztheit *f*.

de·mur·rage [*Br.* di'mʌridʒ; *Am.* -'mɜːr-] *s econ.* **1.** a) 'Überliegezeit *f* (*eines gecharterten Schiffs*), b) zu langes Stehen (*eines Eisenbahnwagens bei Entladung*): to be on ~ die Liegezeit überschritten haben. – **2.** a) ('Über)Liegegeld *n*, b) Wagenstandgeld *n*. – **3.** *colloq.* Lagergeld *n* (*für nicht rechtzeitig abgeholte Waren*).

de·mur·ral [*Br.* di'mʌrəl; *Am.* -'mɜːr-] *s* Hin'ausschieben *n*, Verzögerung *f*.

de·mur·rer [di'mɜːrər] *s* **1.** Einspruchерhebende(r). – **2.** *jur.* Einrede *f*, -spruch *m*, Rechtseinwand *m* (to gegen): ~ to action prozeßhindernde Einrede. – **3.** Einwand *m*.

de·my [di'mai] *s* **1.** Stipendi'at *m*, 'Halbkollegi,at *m* (*im Magdalen College, Oxford*). – **2.** *ein Papierformat* (*16 × 21 Zoll in USA; in England 15½ × 20 Zoll für Schreibpapier, 17½ × 22½ Zoll für Druckpapier*).

den [den] **I** *s* **1.** Höhle *f*, Bau *m*, Lager *n* (*eines wilden Tiers*): the lion's ~ *fig.* die Höhle des Löwen. – **2.** Höhle *f*, Versteck *n*: ~ of robbers Räuberhöhle; ~ of thieves *Bibl.* Mördergrube. – **3.** *fig.* Höhle *f*, Loch *n*, (Dreck)Bude *f*: ~ of vice Lasterhöhle. – **4.** (gemütliches) Zimmer, ‚Bude' *f*. – **II** *v/i pret u. pp* **denned 5.** in einer Höhle leben *od.* wohnen. – **6.** ~ up *Am.* sich in seine Höhle zu'rückziehen (*bes. zum Winterschlaf*). – **III** *v/t* **7.** in einer Höhle verstecken.

de·nar·i·us [di'nɛ(ə)riəs] *pl* **-nar·i·i** [-ri,ai] *s antiq.* **1.** De'nar *m* (*röm. Silbermünze*). – **2.** 'Golddе,nar *m*.

den·a·ry ['diːnəri; *Am. auch* 'den-] *adj* **1.** zehnfach, Zehn... – **2.** Dezimal...

de·na·tion·al·i·za·tion [diː,næʃənəlai'zeiʃən; -lə-] *s* **1.** Entnationali'sierung *f*. – **2.** *econ.* Entstaatlichung *f*, ,Reprivati'sierung *f*. — **de'na·tion·al,ize** *v/t* **1.** entnationali'sieren, des natio'nalen Cha'rakters berauben. – **2.** der Herrschaft einer (einzelnen) Nati'on entziehen. – **3.** (*dat*) die Nationali'tät entziehen. – **4.** *econ.* entstaatlichen, ,reprivati'sieren.

de·nat·u·ral·i·za·tion [diː,nætʃərəlai'zeiʃən; -lə-] *s* **1.** Na'turentfremdung *f*, 'Unna,türlichmachen *n*. – **2.** ,Denaturalisati'on *f*, Ausbürgerung *f*. — **de'nat·u·ral,ize** *v/t* **1.** 'unna,türlich machen, der Na'tur entfremden. – **2.** seiner wahren Na'tur entfremden. – **3.** denaturali'sieren, ausbürgern, der Staatsbürgerschaft berauben.

de·na·tur·ant [diː'neitʃərənt; di-] **1.** Denatu'rierungsmittel *n*. – **2.** Vergällungsmittel *n*. – **3.** Denatu'rant *m* (*nichtspaltbares Zusatzisotop zum Vergällen von Spaltstoff*). — **de,na·tur'a·tion** *s* **1.** Veränderung *f* der na'türlichen Eigenschaften. – **2.** Vergällung *f*: ~ of alcohol Alkoholvergällung. – **3.** Denatu'rierung *f* (*der Eiweiße*). — **de'na·ture** *v/t* **1.** seiner Eigenart berauben, in den Eigenschaften verändern. – **2.** (*Alkohol*) vergällen, ungenießbar machen, (*Spaltstoff*) denatu'rieren. – **3.** (*Eiweiß*) denatu'rieren. — **de,na·tur·i'za·tion** → denaturation. — **de'na·tur,ize** → denature.

de·na·zi·fi·ca·tion [diː,nɑːtsifi'keiʃən; -səfə-; -,næt-] *s pol.* Entnazifi'zierung *f*. — **de'na·zi,fy** [-,fai] *v/t* entnazifi'zieren.

dendr- [dendr] → dendro-.

den·dra·chate ['dendrə,keit] *s min.* 'Moosa,chat *m*.

den·dri·form ['dendri,fɔːrm; -drə-] *adj* baumförmig, -artig, verzweigt, verästelt.

den·drite ['dendrait] *s* **1.** *min.* Den'drit *m*: a) *baumförmig verästelte Zeichnung auf od. in Mineralien od. Gesteinen*, b) *Mineral od. Gestein mit solcher Zeichnung*, c) *baumförmige Kristallform*. – **2.** *med.* Den'drit *m*, Dendron *n* (*feinverästelter Protoplasmafortsatz der Nervenzellen*). — **den'drit·ic** [-'dritik], **den'drit·i·cal** *adj* **1.** *med. min.* den'dritisch. – **2.** (baumähnlich) verästelt, verzweigt, Baum...: ~ gill *zo.* Baumkieme.

dendro- [dendro] *Wortelement mit der Bedeutung* Baum.

den·dro·bi·um [den'droubiəm] *s bot.* Baumwucherer *m* (*Gattg Dendrobium*).

den·dro·chro·nol·o·gy [,dendrokrə'nɒlədʒi] *s* 'Dendrochronolo,gie *f*, 'Baumringchronolo,gie *f* (*Methode zur Datierung vorgeschichtlicher Epochen aus den Jahresringen gefundener Hölzer*).

den·dro·graph ['dendro,græ(ː)f; *Br. auch* -,grɑːf] *s* Dendro'graph *m* (*Instrument zur selbsttätigen Aufzeichnung der Dickenänderung von Bäumen*). — **den'drog·ra·phy** [-'drɒgrəfi] *s* **1.** Baumbeschreibung *f*. – **2.** Wachstumsfeststellung *f* mittels Dendro'graph.

den·droid ['dendrɔid], *auch* **den'droi·dal** [-dl] *adj* baumähnlich, -artig, verästelt.

den·drol·a·try [den'drɒlətri] *s* Baumanbetung *f*, -verehrung *f*.

den·dro·lite ['dendro,lait; -drə-] *s* Dendro'lith *m*, Pflanzenversteinerung *f*.

den·dro·log·ic [,dendro'lɒdʒik; -drə-], **,den·dro'log·i·cal** [-kəl] *adj* dendro'logisch. — **den'drol·o·gist** [-'drɒlədʒist] *s* Dendro'loge *m*. — **den'drol·o·gous** [-gəs] → dendrologic. — **den'drol·o·gy** [-dʒi] *s* Dendrolo'gie *f*, Gehölzkunde *f*.

den·drom·e·ter [den'drɒmitər; -mə-] *s* Dendro'meter *n*, Baummesser *m*.

den·dron ['dendrɒn] *pl* **-dra** [-drə] → dendrite 2.

-dendron [dendrən] *Wortelement mit der Bedeutung* a) Baum, b) baumartige Bildung.

den·droph·i·lous [den'drɒfiləs; -fə-] *adj* bäumeliebend, auf *od.* in Bäumen lebend.

dene[1] [diːn] *s Br.* (Sand)Düne *f*.

dene[2] [diːn] *s obs. od. Br. dial.* (kleines) Tal.

Den·eb ['deneb] *s astr.* Deneb *m* (*Stern erster Größe im Schwan*).

den·e·ga·tion [,deni'geiʃən; -nə-] *s* (Ab)Leugnung *f*, Ablehnung *f*.

dene·hole ['diːn,houl] *s* (*Archäologie*) *prähistorische, als Wohnung benutzte Bodenhöhle* (*bes. in Essex u. Kent*).

den·gue ['deŋgi; -gei] *s med.* Dengue-, Dandyfieber *n*.

de·ni·a·ble [di'naiəbl] *adj* abzuleugnen(d), ableug-, verneinbar.

de·ni·al [di'naiəl] *s* **1.** Ablehnung *f*, Abweisung *f*, Absage *f*, Verweigerung *f*, abschlägige Antwort: to get a ~, to meet with a ~ eine abschlägige Antwort erhalten; to take no ~ sich nicht abweisen lassen. – **2.** Verneinung *f*, (Ab)Leugnung *f*: to accept the ~ of s.th. sich das Abstreiten einer Sache gefallen lassen. – **3.** Leugnung *f*: ~ of God Gottesleugnung. – **4.** Selbstverleugnung *f*, -beherrschung *f*.

de·nic·o·tin·ize [diː'nikəti,naiz] *v/t* entnikotini'sieren, von Niko'tin befreien: ~d nikotinarm, -frei.

de·ni·er[1] [di'naiər] *s* **1.** Ablehnende(r), Abweisende(r), Verweigerer *m*, Verweigerin. – **2.** Leugner(in).

de·nier[2] *s* **1.** ['denjər] Deni'er *m* (*0,05 g; Gewichtseinheit zur Bestimmung des Titers von Seidengarn etc*). – **2.** [di'nir; də-] *hist.* Deni'er *m*, Pfennig *m* (*alte franz. Münze*).

den·i·grate ['deni,greit; -nə-] *v/t* **1.** schwärzen. – **2.** *fig.* anschwärzen, besudeln, verunglimpfen. — **,den·i'gra·tion** *s* Besudelung *f*, Verunglimpfung *f*, Anschwärzung *f*. — **'den·i,gra·tor** [-tər] *s* Besudeler *m*, Verunglimpfer *m*.

den·im ['denim; -əm] *s* **1.** (grober) Baumwolldrillich. – **2.** *pl* Drillichanzug *m*.

de·ni·trate [diː'naitreit] *v/t chem.* deni'trieren. — **,de·ni'tra·tion** *s chem.* Deni'trierung *f*. — **de·ni·tri·fi·ca·tion** [diː,naitrifi'keiʃən; -trəfə-] *s chem.* Denitrifikati'on *f*. — **de'ni·tri,fy** [-,fai] *v/t chem.* denitrifi'zieren: a) *von Stickstoff befreien*, b) (*Nitrate*) *zu sauerstoffärmeren Stickstoffverbindungen u. schließlich zu elementarem Stickstoff reduzieren*.

den·i·zen ['denizn; -nə-] **I** *s* **1.** Bürger *m*, Bewohner(in), Einwohner(in) (*auch fig.*). – **2.** (teilweise) eingebürgerter Ausländer. – **3.** (*etwas*) Eingebürgertes, *bes.* eingebürgertes Wort *od.* Tier. – **II** *v/t* **4.** (teilweise) einbürgern *od.* naturali'sieren. – **5.** *selten* (mit ausländischen Siedlern) bevölkern.

den·net ['denit] *s hist.* leichter zweirädriger Wagen, (*Art*) Gig *m*.

de·nom·i·na·ble [di'nɒminəbl; -mə-] *adj* (be)nennbar.

de·nom·i·nate I *v/t* [di'nɒmi,neit; -mə-] **1.** benennen, bezeichnen. – **2.** nennen, bezeichnen als: to ~ s.th. a crime. – **II** *adj* [-nit; -,neit] **3.** *bes. math.* benannt: ~ quantity benannte Größe.

de·nom·i·na·tion [di,nɒmi'neiʃən; -mə-] *s* **1.** Benennung *f*. – **2.** Bezeichnung *f*, Name *m*. – **3.** Gruppe *f*, Klasse *f*, Katego'rie *f*. – **4.** *relig.* a) Sekte *f*, b) Konfessi'on *f*, c) Anhänger *pl* einer (bestimmten) Konfession: Christians of all ~s Christen aller Konfessionen. – **5.** (Maß-, Gewichts-, Wert)Einheit *f*. – **6.** Nennwert *m* (*von Banknoten etc*). — **de,nom·i'na·tion·al** *adj relig.* konfessio'nell, Konfessions...: ~ school. — **de,nom·i'na·tion·al,ism** *s* **1.** Sektengeist *m*, -wesen *n*, Sek'tierertum *n*. – **2.** Prin'zip *n* des konfessio'nellen 'Unterrichts. — **de,nom·i'na·tion·al·ist** *s* **1.** Sek'tierer(in). – **2.** Vorkämpfer(in) des konfessio'nellen 'Unterrichts. — **de,nom·i'na·tion·al,ize** *v/t* konfessionali'sieren.

de·nom·i·na·tive [di'nɒminətiv; -,nei-; -mə-] **I** *adj* **1.** benennend, Nenn... – **2.** a) benannt, b) benennbar. – **3.** *ling.* von einem Nomen abgeleitet: a ~ verb. – **II** *s* **4.** *ling.* von einem Nomen abgeleitetes Wort. – **5.** benennender Ausdruck.

de·nom·i·na·tor [di'nɒmi,neitər; -mə-] *s* **1.** *math.* Nenner *m* (*eines Bruchs*). – **2.** Namengeber(in): to be the ~ of a tribe einem Stamm seinen Namen geben. – **3.** Benenner(in).

de·not·a·ble [di'noutəbl] *adj* zu bezeichnen(d), bezeichenbar.

de·no·ta·tion [,diːnou'teiʃən] *s* **1.** Bezeichnung *f*. – **2.** Bedeutung *f* (*eines Ausdrucks*). – **3.** (*Logik*) Be'griffsumfang *m*. — **de·no·ta·tive** [di'noutətiv; 'diːnou,teitiv] *adj* eine Bedeutung habend, andeutend, bedeutend, bezeichnend: to be ~ of s.th. etwas bedeuten *od.* bezeichnen.

de·note [di'nout] *v/t* **1.** andeuten, bedeuten, anzeigen, ein Zeichen sein von: to ~ that bedeuten *od.* anzeigen, daß. – **2.** (an)zeigen, angeben: the hands of the clock ~ the hour die Uhrzeiger geben die Stunde an. – **3.** kennzeichnen, bezeichnen, bedeuten, benennen. – *SYN.* connote.

de·noue·ment [dei'nuːmɑ̃] *s* **1.** Lösung *f* des Knotens (*im Drama etc*). – **2.** Ausgang *m*, Entscheidung *f*.

de·nounce [di'nauns] *v/t* **1.** öffentlich rügen, bloßstellen, brandmarken. – **2.** (to) denun'zieren (bei), anzeigen (*dat od.* bei). – **3.** (*Vertrag*) kündigen. – **4.** *obs.* verkünden. – *SYN. cf.* criticize. — **de'nounce·ment** *s* **1.** öffentliche Rüge, Bloßstellung *f*, Brandmarkung *f*. – **2.** Denunziati'on *f*, Anzeige *f*. – **3.** Kündigung *f*. – **4.** *obs.* Ankündigung *f*.

dense [dens] **I** *adj* **1.** dicht: a ~ forest ein dichter Wald; ~ medium *phys.* dichtes Medium. – **2.** dicht, 'undurchˌdringlich (*Nebel etc*). – **3.** dicht, geschlossen (*Reihe etc*). – **4.** *fig.* beschränkt, dumm, schwerfällig, verbohrt. – **5.** hoffnungslos (*Dummheit etc*). – **6.** *phot.* dicht, gut belichtet, kräftig (*Negativ*): too ~ überbelichtet. – *SYN. cf.* a) close, b) stupid. — **'dense·ness** *s* **1.** Dichtheit *f*, Dichte *f*. – **2.** *fig.* Beschränktheit *f*, Verbohrtheit *f*. — **'den·siˌfy** [-siˌfai; -sə-] **I** *v/t* verdichten. – **II** *v/i* sich verdichten.

den·sim·e·ter [den'simitər; -mə-] *s chem. phys.* Densi'meter *n*, Aräo'meter *n*, Senkwaage *f*. — **ˌden·si'met·ric** [-'metrik] *adj* densi'metrisch. — **ˌden·si'tom·e·ter** [-si'tɒmitər; -sə-] *s* **1.** → densimeter. – **2.** *phot.* Densito'meter *n*, Schwärzungsmesser *m*.

den·si·ty ['densiti; -sə-] *s* **1.** Dichte *f*, Dichtheit *f*: ~ of population Bevölkerungsdichte. – **2.** *fig.* Beschränktheit *f*, Dummheit *f*, Verbohrtheit *f*. – **3.** *electr. phys.* Dichte *f*: ~ of field Feld(linien)dichte. – **4.** *phot.* Dichte *f*, Schwärzung *f*. – **5.** *bot.* Dichte *f*, Deckungsgrad *m* (*Anteil der von einer Pflanzengesellschaft bedeckten Fläche*). – **6.** *chem.* Grädigkeit *f*, Konzentrati'on *f*, Dichte *f* (*Säure*).

dent[1] [dent] **I** *s* Beule *f*, Delle *f*, Einbeulung *f*. – **II** *v/t* (*etwas*) einbeulen, (*Beule*) eindrücken. – **III** *v/i* sich einbeulen, eine Beule *od.* Delle bilden.

dent[2] [dent] *s* **1.** Kerbe *f*, Einschnitt *m*. – **2.** *tech.* Zahn *m*. – **3.** *tech.* Stab *m*, Zahn *m*, Ried *n* (*des Weberblattes*).

dent- [dent] → denti-.

den·tal ['dentl] **I** *adj* **1.** *med.* den'tal, Zahn...: ~ surgery Zahnchirurgie. – **2.** *med.* zahnärztlich: ~ chair Operationsstuhl (*Zahnarzt*). – **3.** *ling.* a) Dental..., den'tal, zahn..., b) Alveolar..., alveo'lar, supraden'tal: ~ consonant a) Dentallaut, b) Alveolarlaut. – **II** *s* **4.** *ling.* a) Den'tal(laut) *m*, b) Alveo'lar(laut) *m*. — **~ arch** *s med. zo.* Zahnbogen *m*. — **~ for·mu·la** *s med.* Zahnformel *f*. — **D~ Corps** *s mil. Am.* zahnärztliches Korps. — **~ sur·geon** *s* Zahnarzt *m*.

den·ta·ry ['dentəri] *zo.* **I** *adj* Zahn(bein)... – **II** *s auch* ~ bone Zahnbein *n*. — **'den·tate** [-teit] *adj bot. zo.* gezähnt. — **den'ta·tion** *s* **1.** *zo.* Bezahnung *f*. – **2.** *bot.* Zähnung *f*. – **3.** zahnartiger Fortsatz.

dent corn *s bot. Am.* Zahnmais *m* (*Kulturrasse des Maises*).

denti- [denti] *Wortelement mit der Bedeutung* Zahn, dental.

den·ti·cle ['dentikl; -tə-] *s* Zähnchen *n*, kleiner zahnartiger Fortsatz. — **den'tic·u·lar** [-'tikjulər; -jə-] *adj* zähnchenartig, -förmig. — **den'tic·u·late** [-lit; -ˌleit], *auch* **den'tic·uˌlat·ed** *adj* **1.** *bot.* gezähnelt. – **2.** *arch.* in Zähne geschnitten (*Gesimsglied*). — **denˌtic·u'la·tion** *s* **1.** *bot.* Zähnelung *f*. – **2.** *arch.* Zahnschnitt *m*. – **3.** → denticle. — **'den·tiˌcule** [-ˌkjuːl] *s arch.* Zahnschnitt *m* (*Gesimsglied*).

den·ti·form ['dentiˌfɔːrm; -tə-] *adj* zahnförmig. — **'den·ti·frice** [-fris] *s* Zahnputzmittel *n*.

den·tig·er·ous [den'tidʒərəs] *adj* zähnetragend, gezähnt.

den·til ['dentil] *s arch.* Zahn *m* (*einzelner Vorsprung beim Zahnschnitt*).

den·ti·la·bi·al [ˌdenti'leibiəl] *ling.* **I** *adj* labioden'tal (*Laut*). – **II** *s* Labioden'tal(laut) *m*.

den·tile ['dentil] *s zo.* Zähnchen *n*, kleine Auszahnung.

den·ti·lin·gual [ˌdenti'liŋgwəl] *ling.* **I** *adj* dentilingu'al (*Laut*). – **II** *s* Dentilingu'al(laut) *m*.

den·tin ['dentin] → dentine. — **'den·ti·nal** [-tinl; -tə-] *adj med.* Dentin..., Zahnbein...: ~ canal Dentin-, Zahnbeinkanälchen. — **'den·tine** [-tiːn; -tin] *s med.* Den'tin *n*, Zahnbein *n*. — **denˌtin·i·fi'ca·tion** [-ˌtinifi'keiʃən; -nəfə-] *s med.* Den'tinbildung *f*.

den·ti·phone ['dentiˌfoun; -tə-] *s med. an die Zähne angesetzter Hörapparat für Schwerhörige.*

den·tist ['dentist] *s* Zahnarzt *m*, -ärztin *f*. — **'den·tist·ry** [-tri] *s* Zahnheilkunde *f*.

den·ti·tion [den'tiʃən] *s* **1.** *med. zo.* Bezahnung *f*, 'Zahnsyˌstem *n*, Gebiß *n*. – **2.** *med.* Dentiti'on *f*, Zahnen *n* (*der Kinder*).

dento- [dento] → denti-.

den·toid ['dentɔid] *adj* zahnartig, -förmig, -ähnlich.

den·ture ['dentʃər] *s med.* Gebiß *n*: artificial ~ künstliches Gebiß, Zahnprothese.

den·u·date ['denjuˌdeit; di'njuː-; *Am. auch* di'nuː-] **I** *v/t* → denude. – **II** *adj* entblößt, bloß, nackt. — **ˌden·u'da·tion** *s* **1.** Entblößung *f*. – **2.** *geol.* Denudati'on *f*, Abtragung *f*.

de·nude [di'njuːd; *Am. auch* -'nuːd] *v/t* **1.** (of) entblößen (von), berauben (*gen*) (*auch fig.*). – **2.** *geol.* denu'dieren, durch Abtragung freilegen.

de·nu·mer·a·ble [di'njuːmərəbl; *Am. auch* -'nuː-] *adj math.* abzählbar. — **de'num·er·ant** *s math.* Anzahl *f* der (*möglichen*) Lösungen eines 'Gleichungssyˌstems.

de·nun·ci·a·ble [di'nʌnsiəbl; -ʃi-] *adj jur.* zur Klage geeignet, klagbar. — **de'nun·ci·ant** *adj* denun'zierend, anzeigend.

de·nun·ci·ate [di'nʌnsiˌeit; -ʃi-] → denounce. — **deˌnun·ci'a·tion** *s* **1.** Brandmarkung *f*, öffentliche Verdammung *od.* Verurteilung. – **2.** Denunziati'on *f*, Anzeige *f*. – **3.** Kündigung *f* (*Vertrag etc*). – **4.** (An)Drohung *f*. — **de'nun·ciˌa·tive** → denunciatory. — **de'nun·ciˌa·tor** [-tər] *s* **1.** Androher *m*. – **2.** Denunzi'ant *m*. — **de'nun·ci·a·to·ry** [*Br.* -ˌeitəri; *Am.* -əˌtɔːri] *adj* **1.** Denunziations..., Anzeige... – **2.** denun'zierend, anzeigend. – **3.** brandmarkend. – **4.** drohend.

de·nu·tri·tion [ˌdiːnjuː'triʃən; *Am. auch* -nuː-] *s med.* **1.** Nahrungsentzug *m*. – **2.** Nahrungsrückgang *m*.

de·ny [di'nai] **I** *v/t* **1.** abstreiten, bestreiten, in Abrede stellen, demen'tieren, (ab)leugnen: it cannot be denied, there is no ~ing (the fact) es läßt sich nicht bestreiten, es ist nicht zu leugnen (that daß); to ~ s.th. to be true etwas dementieren, die Wahrheit einer Sache leugnen; he cannot ~ that (*od.* but) it happened er kann nicht leugnen, daß es geschah; they ~ they have done it sie leugnen, es getan zu haben. – **2.** (*etwas*) verneinen, ne'gieren. – **3.** (*als falsch od. irrig*) ablehnen, verwerfen: to ~ a doctrine. – **4.** (*Bitte etc*) ablehnen, (*j-m etwas*) abschlagen, verweigern, versagen: do not ~ me this schlage mir das nicht ab. – **5.** (*j-n*) zu'rück-, abweisen, (*j-m*) eine Bitte abschlagen *od.* versagen: she was hard to ~ es war schwer, sie zurückzuweisen; to ~ oneself Selbstverleugnung üben. – **6.** (*einer Neigung etc*) wider'stehen, entsagen (*dat*). – **7.** (*j-n*) verleugnen, nichts zu tun haben wollen mit, nicht kennen wollen. – **8.** (*Glauben, Unterschrift etc*) verleugnen, nicht anerkennen. – **9.** (*Besucher etc*) abweisen, nicht zu- *od.* vorlassen. – **10.** (*j-n*) verleugnen, (*j-s Anwesenheit*) leugnen: she denied herself to me sie ließ sich vor mir verleugnen. – **11.** *mil.* (*taktisch*) sperren. – **12.** *obs.* a) ablehnen, b) sich weigern (zu tun). – **II** *v/i* **13.** leugnen. – **14.** verneinen. – *SYN.* contradict, contravene, gainsay, impugn, negative, traverse.

de·o·dand ['diːoˌdænd; 'diːə-] *s jur. hist.* Deo'dand *n* (*in England, Ding od. Tier, das den Tod eines Menschen verursacht hatte u. der Krone zu wohltätigen Zwecken verfiel*).

de·o·dar ['diːoˌdɑːr; 'diːə-] *s bot.* Hi'malaya-, Deo'darazeder *f* (*Cedrus deodara*).

de·o·dor·ant [diː'oudərənt] **I** *s* desodo'rierendes Mittel. – **II** *adj* desodo'rierend. — **deˌo·dor·i'za·tion** *s* Desodo'rierung *f*, Geruchlosmachung *f*. — **de'o·dorˌize** *v/t u. v/i* desodo'rieren, von schlechten Gerüchen befreien. — **de'o·dorˌiz·er** *s* desodo'rierendes Mittel.

De·o gra·ti·as ['diːou 'greiʃiæs] (*Lat.*) Gott sei Dank.

de·on·to·log·i·cal [diˌɒntə'lɒdʒikəl] *adj* deonto'logisch. — **de·on·tol·o·gist** [ˌdiːɒn'tɒlədʒist] *s* Deonto'loge *m*. — **ˌde·on'tol·o·gy** *s* Pflichten-, Sittenlehre *f*, Deontolo'gie *f*.

de·ox·i·date [diː'ɒksiˌdeit; -sə-] → deoxidize. — **deˌox·i'da·tion** → deoxidization. — **deˌox·i·di'za·tion** *s chem.* Desoxydati'on *f*, Redukti'on *f*. — **de'ox·iˌdize** *v/t chem.* desoxy'dieren, redu'zieren.

de·ox·y·gen·ate [diː'ɒksidʒəˌneit; -sə-] *v/t chem.* des Sauerstoffs berauben, (*dat*) Sauerstoff entziehen. — **deˌox·y·gen'a·tion**, **deˌox·y·gen·i'za·tion** *s* Entziehung *f* des Sauerstoffs. — **de'ox·y·genˌize** → deoxygenate.

de·paint [di'peint] *v/t selten* **1.** beschreiben, schildern. – **2.** bemalen.

de·part [di'pɑːrt] **I** *v/i* **1.** weg-, fortgehen, *bes.* abreisen, abfahren: to ~ for London nach London abreisen. – **2.** abgehen, abfahren (*Zug*). – **3.** abweichen, ablassen (from von): to ~ from one's plan seinen Plan ändern *od.* aufgeben. – **4.** da'hingehen, 'hinscheiden, verscheiden: to ~ from life aus dem Leben scheiden. – **5.** *jur.* vom Gegenstand der Klage abweichen. – *SYN. cf.* a) go, b) swerve. – **II** *v/t* **6.** *obs.* verlassen: to ~ this life sterben. – **III** *s* **7.** *obs.* a) Fortgehen *n*, b) 'Hinscheiden *n*. — **de'part·ed** *adj* **1.** tot, gestorben: the ~ a) der *od.* die Verstorbene, b) *collect.* die Verstorbenen *pl.* – **2.** vergangen, vor'bei. – *SYN. cf.* dead.

de·part·ment [di'pɑːrtmənt] *s* **1.** Ab'teilung *f*: ~ of German (*an Universitäten etc*) deutsche *od.* deutschsprachliche Abteilung; accounting ~ *econ.* Buchhaltung (*als Abteilung*). – **2.** Fach *n*, Gebiet *n*. – **3.** *econ.* Branche *f*, Geschäftszweig *m*, -kreis *m*. – **4.** Departe'ment *n*, (Verwaltungs)Bezirk *m* (*in Frankreich*). – 5. Dienst-, Geschäftsstelle *f*. – 6. Amt *n*: health ~ Gesundheitsamt. – 7. Mini'sterium *n* (*in den USA*): D~ of the Air Force Luftwaffenministerium; D~ of the Army Heeresministerium; D~ of Defense Verteidigungsministerium; D~ of National Defense (kanad.) Verteidigungsministerium; D~ of State (*früher auch* D~ of Foreign Affairs) Außenministerium; D~ of War Kriegsministerium (*bis 1947*); D~ of the Treasury Schatzamt; D~ of the Navy Marineministerium; D~ of Agriculture Landwirtschaftsministerium; D~ of Commerce (and Labor) Handelsministerium; D~ of Labor Arbeitsministerium; → interior 12. – 8. *mil.* Bereich *m*.

de·part·men·tal [ˌdiːpɑːrt'mentl] *adj* 1. Abteilungs... – 2. Fach..., Branchen... – 3. Departements..., Bezirks... – 4. ministeri'ell, Ministerial... — **ˌde·part'men·talˌize** *v/t* in Ab'teilungen einteilen. — **ˌde·partˌmen·tal·i'za·tion** *s* Aufteilung *f* in Ab'teilungen.

de·part·ment store *s* Warenhaus *n*.

de·par·ture [di'pɑːrtʃər] *s* 1. Weggehen *n*, -gang *m*. – 2. Abreise *f*, Abfahrt *f* (*Zug etc*), Abflug *m* (*Flugzeug*) (for nach): to take one's ~ sich verabschieden, fortgehen; time of ~ Abfahrtszeit. – 3. Abgangs-, Abfahrtszeit *f*. – 4. *fig.* Anfang *m*, Beginn *m*, Start *m*: a new ~. – 5. (from) Abweichen *n*, Abweichung *f*, Abwendung *f*, Ablassen *n* (von), Aufgeben *n* (*gen*). – 6. *mar.* a) 'Längenˌunterschied *m* (*bei der gegißten Besteckrechnung*), b) Abfahrtspunkt *m* (*Beginn der Besteckrechnung*): to take a ~ den Ort des Schiffs bei Abfahrt bestimmen. – 7. *jur.* Abweichung *f* (*vom Gegenstand der Klage*), Klageänderung *f*. – 8. *obs.* Tod *m*, 'Hinscheiden *n*. — ~ **plat·form** *s* (*Eisenbahn*) Abfahrtsbahnsteig *m*.

de·pas·tur·a·ble [*Br.* diː'pɑːstʃərəbl; *Am.* -'pæ(ː)s-] *adj* (ab)weidbar. — **deˌpas·tur'a·tion** *s* (Ab)Weiden *n*. — **de'pas·ture** *v/t* 1. (*Land*) (ab)weiden. – 2. (*Vieh*) weiden. – **II** *v/i* 3. weiden, grasen (*Vieh*).

de·pau·per·ate **I** *v/t* [di'pɔːpəˌreit] 1. arm machen. – 2. verkümmern lassen. – 3. entkräften. – **II** *adj* [-rit; -ˌreit] 4. *bot.* verkümmert. — **deˌpau·per'a·tion** *s* 1. Verarmung *f*. – 2. Verkümmerung *f*. — **deˌpau·per·i'za·tion** *s* Beseitigung *f* der Armut. — **de'pau·perˌize** *v/t* der Armut entreißen.

de·pend [di'pend] *v/i* 1. (on, upon) sich verlassen, rechnen, zählen (auf *acc*), vertrauen (*dat od.* auf *acc*): you may ~ on it Sie können sich darauf verlassen. – 2. (on, upon) abhängen, abhängig sein (von), angewiesen sein (auf *acc*): to ~ on s.o. auf j-n angewiesen sein, von j-m abhängig sein. – 3. (on) bedingt sein (durch), abhängen (von): it ~s on his permission es hängt von seiner Erlaubnis ab; it ~s on the circumstances es ist durch die Umstände bedingt; that ~s *ellipt.* das kommt darauf an, je nachdem. – 4. 'untergeordnet sein (on, upon *dat*). – 5. *bes. jur.* schweben, in der Schwebe *od.* noch unentschieden *od.* anhängig sein. – 6. her'abhängen, aufgehängt sein. – *SYN. cf.* rely. — **deˌpend·a'bil·i·ty** *s* Verläßlichkeit *f*, Zuverlässigkeit *f*. — **de'pend·a·ble** *adj* verläßlich, zuverlässig. — **de'pend·a·ble·ness** → dependability.

de·pend·ance, de·pend·an·cy, de·pend·ant *cf.* dependence *etc.*

de·pend·ence [di'pendəns] *s* 1. (on, upon) Abhängigkeit *f* (von), Angewiesensein *n* (auf *acc*): to bring under the ~ of abhängig machen von. – 2. Bedingtsein *n* (on, upon durch). – 3. 'Untergeordnetsein *n*. – 4. Vertrauen *n*, Verlaß *m* (on, upon auf *acc*): to put (*od.* place) ~ on s.o. sich auf j-n verlassen, Vertrauen in j-n setzen. – 5. *selten* Zuverlässigkeit *f*, Verläßlichkeit *f*. – 6. *fig.* Stütze *f*. – 7. *bes. jur.* Schweben *n*, Anhängigsein *n* (*Sache*), Ausstehen *n* (*Entscheidung*): in ~ in der Schwebe. — **de'pend·en·cy** *s* 1. → dependence 1, 2, 3. – 2. (*etwas*) 'Untergeordnetes *od.* Da'zugehöriges, Depen'denz *f*. – 3. *pol.* abhängiges Gebiet, Kolo'nie *f*, Depen'denz *f*. – 4. *arch.* Nebengebäude *n*, Depen'dance *f*. — **de'pen·dent** **I** *adj* 1. (on, upon) abhängig, abhängend (von), angewiesen (auf *acc*): ~ variable *math.* abhängige Veränderliche *od.* Variable. – 2. bedingt (on, upon durch). – 3. vertrauend, sich verlassend (on, upon auf *acc*). – 4. (on) 'untergeordnet (*dat*), abhängig (von): ~ clause *ling.* Nebensatz. – 5. her'abhängend. – **II** *s* 6. → dependency 2. – 7. Abhängige(r). – 8. Va'sall *m*, Tra'bant *m*. – 9. Bediente(r), Diener(in).

de·peo·ple [diː'piːpl] *v/t selten* entvölkern.

de·per·son·al·i·za·tion [diːˌpəːrsənəlai'zeiʃən; -lə-] *s psych.* Depersonalisati'on *f*, Entper'sönlichung *f*. — **de'per·son·alˌize** *v/t* das Per'sönliche nehmen (*dat*), 'unperˌsönlich machen.

de·phleg·mate [diː'flegmeit] *v/t chem.* (*Flüssigkeit*) dephleg'mieren, rektifi'zieren (*mit Rücklaufkondensation*). — **ˌde·phleg'ma·tion** *s chem.* Dephleg'mierung *f*. — **de'phleg·ma·tor** [-tər] *s chem.* Dephleg'mator *m*.

de·phlo·gis·ti·cate [ˌdiːflo'dʒistiˌkeit; -flə-; -tə-] *v/t chem.* dephlogi'stieren (*vom Phlogiston befreien*), oxy'dieren: ~d air dephlogistierte Luft (*Sauerstoff*).

de·pict [di'pikt] *v/t* 1. (ab)malen, zeichnen, bildlich 'wiedergeben *od.* darstellen. – 2. schildern, beschreiben, veranschaulichen, anschaulich darstellen. — **de'pic·tion** *s* 1. Malen *n*, Zeichnen *n*. – 2. bildliche 'Wiedergabe *od.* Darstellung, Zeichnung *f*, Bild *n*. – 3. Schilderung *f*, Beschreibung *f*, (anschauliche) Darstellung. — **de'pic·tive** *adj* schildernd, veranschaulichend. — **de'pic·ture** [-tʃər] **I** *v/t* 1. → depict. – 2. vorstellen. – **II** *s* 3. Schilderung *f*.

dep·i·late ['depiˌleit; -pə-] *v/t* enthaaren. — **ˌdep·i'la·tion** *s* Depilati'on *f*, Enthaarung *f*. — **de·pil·a·to·ry** [*Br.* di'pilətəri; *Am.* -ˌtɔːri] **I** *adj* enthaarend, Enthaarungs... – **II** *s* Enthaarungsmittel *n*.

de·plane [diː'plein] **I** *v/t* aus einem Flugzeug ausladen. – **II** *v/i* aus einem Flugzeug (aus)steigen.

de pla·no [diː 'pleinou] (*Lat.*) 1. 'widerspruchslos, unbestritten. – 2. offensichtlich, klar. – 3. *jur.* außergerichtlich.

de·plen·ish [di'pleniʃ] *v/t* entleeren.

de·plete [di'pliːt] *v/t* 1. leeren, leer machen, räumen. – 2. *med.* (*Gefäße*) (ent)leeren, erleichtern. – 3. *fig.* (*Kräfte, Vorräte etc*) erschöpfen, ausbeuten. – *SYN.* bankrupt, drain, exhaust, impoverish. — **de'ple·tion** [-ʃən] *s* 1. Entleerung *f*. – 2. *fig.* Erschöpfung *f*, Ausbeutung *f*: ~ of capital *econ.* Kapitalentblößung. – 3. *med.* a) Flüssigkeitsentzug *m*, b) Flüssigkeitsarmut *f*, c) Kräfteverfall *m*, Erschöpfungszustand *m*. — **de·ple·tive** [di'pliːtiv] **I** *adj* 1. (ent)leerend. – 2. erschöpfend, ausbeutend. – 3. *med.* flüssigkeitentziehend. – **II** *s* 4. *med.* flüssigkeitentziehendes Mittel. — **de·ple·to·ry** [di'pliːtəri] → depletive I.

de·plor·a·bil·i·ty [diˌplɔːrə'biliti; -əti] → deplorableness. — **de'plor·a·ble** *adj* 1. bedauerlich, bedauerns-, beklagenswert. – 2. erbärmlich, jämmerlich, kläglich. — **de'plor·a·ble·ness** *s* 1. Bedauerlichkeit *f*. – 2. Jämmerlich-, Kläglichkeit *f*. – 3. bedauernswerter Zustand. — **dep·lo·ra·tion** [ˌdeplə'reiʃən] *s* 1. Bedauern *n*, Beklagen *n*. – 2. Klage *f*, Jammern *n*.

de·plore [di'plɔːr] *v/t* 1. bedauern, beklagen. – 2. betrauern, beweinen, bejammern. – *SYN.* bemoan, bewail, lament. — **de'plor·ing·ly** *adv* 1. bedauernd. – 2. klagend, jammernd.

de·ploy [di'plɔi] **I** *v/t* 1. *mil.* (*taktisch*) Ge'fechtsformatiˌon annehmen lassen: a) entwickeln, b) entfalten. – 2. *mar.* Ge'fechtsformatiˌon annehmen lassen. – 3. (*Truppen*) statio'nieren. – **II** *v/i* 4. *mil.* sich entwickeln, sich entfalten, ausschwärmen, die Ge'fechtsformatiˌon annehmen. – 5. *mar.* in die Gefechtslinie 'übergehen. – 6. sich ausbreiten. – **III** *s* → deployment. — **de'ploy·ment** *s mil.* 1. Aufmarsch *m*, Entwicklung *f*: ~ in depth Tiefengliederung; ~ in width Seitenstaffelung. – 2. Verteilung *f* (*im Gelände*). – 3. Statio'nierung *f* (*von Truppen*).

de·plu·mate [di'pluːmit; -eit] *adj zo.* nackt, ohne Federn (*Vogel*). — **de·plu·ma·tion** [ˌdiːplu'meiʃən] *s* 1. (Aus)Rupfen *n* von Federn. – 2. Ausfallen *n* von Federn, Mauser *f*. – 3. *med.* Wimpernverlust *m*, Mada'rose *f* der Augenwimpern. — **de·plume** [di'pluːm; diː-] *v/t* 1. (*Vogel*) rupfen. – 2. *fig.* (*j-n*) rupfen.

de·po·lar·i·za·tion [diːˌpoulərai'zeiʃən; -rə-] *s electr. phys.* Depolari'sierung *f*. — **de'po·larˌize** *v/t* 1. *electr. phys.* depolari'sieren. – 2. *fig.* (*Überzeugung etc*) erschüttern. — **de'po·larˌiz·er** *s electr. phys.* Depolari'sator *m*.

de·pol·ish [diː'pɒliʃ] *v/t* matt machen, mat'tieren. — **de'pol·ish·ing** *s* Mat'tierung *f*.

de·pol·y·mer·i·za·tion [diːˌpɒlimərai'zeiʃən; -rə-; ˌdiːpəˌlim-] *s chem.* Depolymeri'sierung *f*. — **de'pol·y·merˌize** *v/t u. v/i chem.* depolymeri'sieren.

de·pone [di'poun] *v/t u. v/i jur.* unter Eid aussagen.

de·po·nent [di'pounənt] **I** *adj* 1. *ling.* mit passiver Form u. aktiver Bedeutung: ~ verb Deponens. – **II** *s* 2. *ling.* De'ponens *n*. – 3. *jur.* Depo'nent(in) (*vereidigter Zeuge od. Sachverständiger*).

de·pop·u·late [diː'pɒpjuˌleit; -jə-] **I** *v/t* entvölkern. – **II** *v/i* sich entvölkern. – **III** *adj* [-lit; -ˌleit] *obs.* entvölkert. — **deˌpop·u'la·tion** *s* Entvölkerung *f*. — **de'pop·uˌla·tive** *adj* zur Entvölkerung führend *od.* neigend, (sich) entvölkernd.

de·port [di'pɔːrt] **I** *v/t* 1. fortschaffen. – 2. depor'tieren. – 3. verbannen, ins E'xil schicken, des Landes verweisen. – 4. *reflex* to ~ oneself sich benehmen, sich betragen. – *SYN. cf.* a) banish, b) behave. – **II** *s obs. für* deportment. — **ˌde·por'ta·tion** [ˌdiː-] *s* 1. Fortschaffung *f*. – 2. Deportati'on *f*, Zwangsverschickung *f*. – 3. Verbannung *f*, Ausweisung *f*, Landesverweisung *f*. — **ˌde·por'tee** [-'tiː] *s* Depor'tierte(r). — **de'port·ment** *s* 1. Benehmen *n*, Betragen *n*, Verhalten *n*, (*charakterliche*) Haltung. – 2. (Körper)Haltung *f*. – *SYN. cf.* bearing.

de·pos·a·ble [di'pouzəbl] *adj* absetzbar. — **de'pos·al** *s* Absetzung *f*.

de·pose [di'pouz] **I** *v/t* 1. *fig.* absetzen, entsetzen: to ~ from office eines

Amtes entsetzen. – 2. entthronen. – 3. *jur.* unter Eid aussagen, eidlich *od.* eidesstattlich bezeugen *od.* erklären. – II *v/i* 4. *jur.* unter Eid aussagen, eine eidesstattliche Erklärung abgeben: to ~ to s.th. etwas eidlich aussagen *od.* eidesstattlich erklären; to ~ to doing s.th. eidlich erklären, etwas getan zu haben. — **de'pos·er** *s* 1. Absetzende(r). – 2. *jur.* (vereideter) Zeuge.

de·pos·it [di'pɒzit] **I** *v/t* 1. ab-, niedersetzen, -stellen, -legen. – 2. *chem. geol. tech.* ablagern, absetzen, sedimen'tieren. – 3. (*Eier*) (ab)legen. – 4. depo'nieren, hinter'legen. – 5. (*Geld etc*) depo'nieren, hinter'legen, einzahlen. – 6. *econ.* (*Geld*) anzahlen. – 7. (*Erde*) aufschütten. – **II** *v/i* 8. *chem.* absitzen, sich abscheiden, sich absetzen, sich ablagern, sich niederschlagen. – 9. eine Einzahlung machen. – **III** *s* 10. *bes. geol.* Ablagerung *f*, (*bes. Bergbau*) Lager(stätte *f*) *n*: ~ of ore Erzlager. – 11. *chem. tech.* Ablagerung *f*, (Boden)Satz *m*, Niederschlag *m*, Präzipi'tat *n*, Sedi'ment *n*: ~ of lime Kalkablagerung, Kesselstein. – 12. *electr.* (gal'vanischer) (Me'tall)ˌÜberzug. – 13. *econ.* Depo'nierung *f*, Hinter'legung *f*. – 14. *jur.* De'positum *n*. – 15. De'pot *n* (*hinterlegter Wertgegenstand*): (up)on (*od.* in) ~ in Depot, deponiert; to place on ~ in Depot geben, deponieren. – 16. (*Bankwesen*) a) Einzahlung *f*, b) (Geld)Einlage *f* (*meist pl*): ~s Depositen(gelder, -einlagen); ~s on short notice kurzfristige Einlagen. – 17. ('Unter)Pfand *n*. – 18. Reugeld *n*. – 19. *econ.* Anzahlung *f*: to make a ~ eine Anzahlung leisten. – 20. → depository 1. — ~ **ac·count** *s econ.* Depo'siten-, Einlagekonto *n*.

de·pos·i·tar·y [*Br.* di'pɒzitəri; *Am.* -ˌteri] *econ.* **I** *s* 1. Deposi'tar(in), Verwahrer(in). – 2. → depository 1. – **II** *adj* 3. Depositen..., Verwahrer...: ~ bank *Am.* Depositenbank; ~ state *pol.* Verwahrerstaat. — **deˌpos·i'ta·tion** *s econ.* Hinter'legung *f*, Depo'nierung *f*.

de·pos·it| bank *s econ.* Depo'sitenbank *f*. — ~ **bank·ing** *s econ.* Depo'sitengeschäft *n*. — ~ **bill** *s econ.* De'potwechsel *m*. — ~ **cap·i·tal** *s econ.* 'Einlagekapiˌtal *n*. — ~ **cur·ren·cy** *s econ. Am. colloq.* bargeldlose Zahlungsmittel *pl*, Gi'ralgeld *n*.

dep·o·si·tion [ˌdepə'ziʃən; ˌdiː-] *s* 1. Amtsenthebung *f*, Absetzung *f*. – 2. Entthronung *f*, Absetzung *f* (*Monarch*). – 3. *relig.* Depositi'on *f* (*eines Klerikers*). – 4. *chem. geol. tech.* a) Ablagerungs-, Sedi'mentbildung *f*, b) → deposit 10 *u.* 11. – 5. *econ. jur.* → deposit 13–16. – 6. *jur.* a) Depositi'on *f*, eidliche Aussage, b) Niederschrift *f* einer eidlichen Aussage. – 7. Behauptung *f*, Erklärung *f*, Feststellung *f*. – 8. (*Malerei*) Kreuzabnahme *f* (*Christi*).

de·pos·i·tor [di'pɒzitər] *s* 1. *econ.* a) Hinter'leger(in), Depo'nent(in), Depo'siteninhaber(in), b) Einzahler(in), (Spar)Einleger(in), c) Bankkunde *m*. – 2. *tech.* Galvani'seur *m*. — **de'pos·i·to·ry** [*Br.* -təri; *Am.* -əˌtɔːri] *s* 1. Deposi'torium *n*, Verwahrungsort *m*, Hinter'legungsstelle *f*. – 2. Stapelplatz *m*, Niederlage *f*, Maga'zin *n*. – 3. Registra'tur *f*. – 4. → depositary 1.

de·pos·it slip *s econ.* Einzahlungs-[beleg *m*.]

de·pot [*Br.* 'depou; *Am.* 'diːpou] *s* 1. De'pot *n*, Lagerhaus *n*, Niederlage *f*, Maga'zin *n*. – 2. *Am.* Bahnhof *m*. – 3. *mil.* De'pot *n*: a) Gerätepark *m*, b) Sammelplatz *m*, -stelle *f*, -lager *n*, c) Er'satzbataiˌlon *n*, -truppenteil *m*.

dep·ra·va·tion [ˌdeprə'veiʃən] *s* 1. → depravity. – 2. Verführung *f* (zum Schlechten), Entsittlichung *f*.

de·prave [di'preiv] *v/t* 1. (*moralisch*) verderben, demorali'sieren, entsittlichen, perver'tieren. – 2. (*Text, Münzmetall etc*) depra'vieren, verschlechtern. – 3. *obs.* diffa'mieren. – *SYN. cf.* debase. — **de'praved** *adj* verderbt, verdorben, verworfen, entartet, (sittlich) schlecht, lasterhaft. — **de'prav·ed·ly** [-idli] *adv.* — **de'prav·ed·ness** → depravity. — **de'prav·er** *s* Verderber(in), Verführer(in) (zum Schlechten). — **de'prav·i·ty** [-'præviti; -əti] *s* 1. Verderbtheit *f*, Verdorbenheit *f*, Verworfenheit *f*, Entartung *f*, Sittenlosigkeit *f*, Lasterhaftigkeit *f*, Entsittlichung *f*. – 2. Schlechtigkeit *f*, böse *od.* lasterhafte Handlung.

dep·re·cate ['depriˌkeit; -rə-] *v/t* 1. miß'billigen, verurteilen, tadeln, verwerfen, ablehnen, von sich weisen, sprechen gegen: he ~s our scheme er ist gegen unser Vorhaben. – 2. (*etwas*) durch Bitten *od.* Gebet abzuwenden suchen. — **'dep·reˌcat·ing** *adj* 1. miß'billigend, ablehnend, abweisend. – 2. bittend, flehend. — **ˌdep·re'ca·tion** *s* 1. 'Mißbilligung *f*, Ablehnung *f*, 'Widerspruch *m*. – 2. Bitten *n od.* Flehen *n* (*um Abwendung eines Übels*). — **'dep·reˌca·tive** → deprecating. — **'dep·reˌca·tor** [-tər] *s* 1. Gegner(in). – 2. Flehende(r), Bittende(r). — **'dep·re·ca·to·ry** [*Br.* -ˌkeitəri; *Am.* -kəˌtɔːri] *adj* 1. miß'billigend, ablehnend. – 2. bittend, flehend. – 3. abbittend, reumütig, Entschuldigungs...

de·pre·ci·a·ble [di'priːʃiəbl] *adj econ.* abschreibbar.

de·pre·ci·ate [di'priːʃiˌeit] **I** *v/t* 1. geringschätzen, unter'schätzen, geringachten, verachten, gering denken von. – 2. her'ab-, her'untersetzen, her'abwürdigen, her'untermachen. – 3. *econ.* a) (*im Wert od. Preis*) her'absetzen, b) abschreiben, den Wert abschreiben von: to ~ a machine by 10 per cent 10% des Maschinenwerts abschreiben. – 4. *econ.* (*Währung*) entwerten, abwerten: ~d currency notleidende Währung. – *SYN. cf.* decry. – **II** *v/i* 5. an Achtung *od.* Wert verlieren. – 6. *econ.* a) (*im Wert od. Preis*) sinken, fallen, b) abgeschrieben werden. — **de'preˌciˌat·ing** *adj* 1. geringschätzend, verächtlich. – 2. her'ab-, her'untersetzend, her'abwürdigend.

de·pre·ci·a·tion [diˌpriːʃi'eiʃən] *s* 1. Unter'schätzung *f*, Geringschätzung *f*, Verachtung *f*, 'Mißachtung *f*. – 2. Her'absetzung *f*, -würdigung *f*. – 3. *econ.* a) Wertminderung *f*, -verlust *m*, b) Abschreibung *f*, c) Abwertung *f* (*Währung*). — ~ **ac·count** *s econ.* Abschreibungskonto *n*. — ~ **al·low·ance** *s econ.* Abschreibungsbetrag *m*. — ~ **charge** *s econ.* Abschreibungssatz *m*, -betrag *m*. — ~ **fund** *s econ.* Abnutzungs-, Abschreibungsfonds *m*.

de·pre·ci·a·to·ry [*Br.* di'priːʃiˌeitəri; *Am.* -əˌtɔːri], *auch* **de'pre·ciˌa·tive** [-ˌeitiv] *adj* geringschätzig, verächtlich.

dep·re·date ['depriˌdeit] **I** *v/t* 1. plündern, berauben. – 2. verheeren, verwüsten. – **II** *v/i* 3. plündern, rauben. – 4. Verwüstungen anrichten. — **ˌdep·re'da·tion** *s* 1. Plünderung *f*, Raub *m*, Räube'rei *f*. – 2. Verheerung *f*, Verwüstung *f*. – 3. *fig.* Raubzug *m*, 'Überfall *m*, Eindringen *n*. — **'dep·reˌda·tor** [-tər] *s* Plünderer *m*, Räuber *m*. — **dep·re·da·to·ry** [*Br.* di'predətəri; *Am.* -ˌtɔːri] *adj* 1. plündernd, raubend. – 2. verheerend, verwüstend.

de·press [di'pres] *v/t* 1. a) (*j-n*) depri'mieren, entmutigen, niederdrücken, bedrücken, b) (*Stimmung*) drücken. – 2. (*Tätigkeit, bes. Handel*) niederdrücken, abflauen lassen, einschränken. – 3. (*Leistung etc*) her'absetzen, schwächen. – 4. (*Preis, Wert*) (her'ab)drücken, her'absetzen, senken, vermindern, verringern: to ~ the market *econ.* die Kurse drücken. – 5. her'unter-, niederdrücken, senken. – 6. (*Augen*) niederschlagen, senken. – 7. *math.* (*Gleichung*) redu'zieren. – 8. *mus.* a) (*Tonhöhe etc*) senken, b) (*Ton*) erniedrigen. – 9. *obs.* unter'drücken. – *SYN.* oppress, weigh down. — **de'pres·sant** *med.* **I** *adj* 1. hemmend, schwächend, dämpfend (*Medikament etc*). – 2. beruhigend. – 3. (*die Sekretion*) her'absetzend, her'unterdrückend. – **II** *s* 4. Beruhigungsmittel *n*.

de·pressed [di'prest] *adj* 1. depri'miert, niedergeschlagen, -gedrückt, bedrückt (*Person*). – 2. gedrückt (*Stimmung*). – 3. eingedrückt, vertieft. – 4. flau, matt, schwach, eingeschränkt (*Tätigkeit*). – 5. gedrückt, her'abgesetzt, gesenkt (*Preis*), verringert, vermindert (*Wert*). – 6. *bot. zo.* abgeflacht, abgeplattet, zu'sammengedrückt, breiter als hoch. — ~ **arch** *s* abgeflachter Bogen. — ~ **a·re·a** *s Br.* Notstandsgebiet *n*. — ~ **class·es** *s pl Br.* Parias *pl* (*niedrigste Kasten Indiens*). — ~ **frac·ture** *s med.* Impressi'ons-, Depressi'onsfrakˌtur *f*, -bruch *m* (*bes. des Schädels*).

de·press·i·ble [di'presibl; -əbl] *adj* niederzudrücken(d). — **de'press·ing** *adj* 1. depri'mierend, niederdrückend, bedrückend. – 2. kläglich, erbärmlich.

de·pres·sion [di'preʃən] *s* 1. Depressi'on *f*, Niedergeschlagenheit *f*, Gedrücktheit *f*, Bedrücktheit *f*. – 2. *psych.* (echte *od.* endo'gene) Melancho'lie. – 3. Depressi'on *f*, (Ein)Senkung *f*, Vertiefung *f*: precordial ~ *med.* Herzgrube. – 4. *geol.* Depressi'on *f*, Landsenke *f*. – 5. *econ.* a) Depressi'on *f*, Flaute *f*, Geschäftsstille *f*, Tiefstand *m*, b) Baisse *f*, c) Fallen *n*, Sinken *n*, Senkung *f* (*Preise*): ~ of the market Preisdruck, Baissestimmung; ~ of trade Handelsdepression. – 6. Nieder-, Her'abdrückung *f*. – 7. Abnehmen *n*, Abflauen *n*, Her'absetzung *f* (*Kraft etc*). – 8. *med.* Entkräftung *f*, Schwäche *f*. – 9. *astr.* Depressi'on *f*, negative Höhe. – 10. (*Landesvermessung*) Depressi'on *f*. – 11. (*Meteorologie*) Depressi'on *f*, Zy'klone *f*, Tief(druckgebiet) *n*, baro'metrisches Minimum. – 12. *mus.* a) Erniedrigung *f* (*Ton*), b) Senkung *f*, Sinken *n* (*Tonhöhe*). – 13. *math.* Redukti'on *f*, Redu'zierung *f*. – *SYN. cf.* sadness.

de·pres·sive [di'presiv] *adj* 1. depri'mierend, bedrückend. – 2. *psych.* depres'siv.

de·pres·so·mo·tor [diˌpreso'moutər] *med.* **I** *adj* bewegungshemmend. – **II** *s* bewegungshemmendes Mittel.

de·pres·sor [di'presər] *s* 1. *med.* a) Senker *m*, Niederzieher *m*, Her'abdrücker *m* (*Muskel*), b) *auch* ~ nerve Nervus de'pressor *m*, c) blutdrucksenkendes Mittel, d) *Instrument zum Niederdrücken, bes.* Zungenspatel *m*. – 2. *chem.* Inhi'bitor *m*. – 3. *electr.* 'Erdstrom-'Ausgleichsbatteˌrie *f*, -potentiˌal *n*.

dep·ri·va·tion [ˌdepri'veiʃən; -rə-], *auch* **de·priv·al** [di'praivəl] *s* 1. Beraubung *f*, Entzug *m*, Entziehung *f*. – 2. (empfindlicher) Verlust. – 3. Mangel *m*, Entbehrung *f*. – 4. Absetzung *f*. – 5. Deprivati'on *f*, Entsetzung *f* aus der Pfründe.

de·prive [di'praiv] *v/t* 1. (of s.th.) (*j-n*) (einer Sache) berauben, (*j-m*) (etwas) entziehen *od.* nehmen: it ~d him of his courage es beraubte ihn seines Mutes, es nahm ihm seinen Mut. –

2. (of s.th.) (*j-m*) (etwas) vorenthalten. – 3. ausschließen, fernhalten (of s.th. von etwas). – 4. (*bes. Geistliche*) absetzen, (*des Amtes*) entsetzen.
de pro·fun·dis [diː prou'fʌndis] (*Lat.*) De pro'fundis *n*: a) *130. Psalm*, b) *Klage-, Schmerzensruf.*
dep·side ['depsaid; -sid], *auch* **dep·sid** ['depsid] *s chem.* Dep'sid *n*.
depth [depθ] *s* **1.** Tiefe *f*: eight feet in ~ 8 Fuß tief; it is beyond (*od.* out of) his ~ das geht über sein Begriffsvermögen *od.* seine Kräfte; to get out of one's ~ *auch fig.* den Boden unter den Füßen verlieren. – **2.** Tiefe *f* (*als dritte Dimension*): ~ of column *mil.* Marschtiefe. – **3.** *phys.* a) *auch* ~ of field, ~ of focus Schärfentiefe *f*, b) *bes. phot.* Tiefenschärfe *f*. – **4.** Tiefe *f*, Mitte *f* (*auch fig.*): in the ~ of night in tiefer Nacht, mitten in der Nacht. – **5.** *oft pl* Tiefe *f*, Abgrund *m* (*auch fig.*): from the ~s of misery aus tiefstem Elend. – **6.** *fig.* a) Tiefe *f* (*Sinn*), b) tiefer Sinn, tiefe Bedeutung, c) Tiefe *f*, Intensi'tät *f* (*Gefühl*), d) Tiefe *f*, Weite *f*, 'Umfang *m*, Ausmaß *n* (*Wissen etc*), e) (Gedanken)Tiefe *f*, Tiefgründigkeit *f* (*Denken*), f) Scharfsinn *m*, g) Dunkelheit *f*, Unklarheit *f*, Unergründlichkeit *f*. – **7.** Tiefe *f* (*Ton, Schweigen etc*). – **8.** Stärke *f*, Kraft *f* (*Farbe*). – **9.** *psych.* 'Unterbewußtsein *n*.
depth| charge, *auch* ~ **bomb** *s mil.* Wasserbombe *f*. — ~ **ga(u)ge** *s tech.* Tiefenmesser *m*, -lehre *f*.
depth·ing tool ['depθiŋ] *s tech.* **1.** Senker *m*, Senkstahl *m*. – **2.** (*Uhrmacherei*) Eingriffszirkel *m*.
depth·less ['depθlis] *adj* **1.** seicht, untief. – **2.** *fig.* unermeßlich tief, unendlich.
depth·om·e·ter [dep'θɒmitər; -mə-] *s tech.* 'Tiefen,meßinstru,ment *n* (*bei Flüssigkeiten*).
depth psy·chol·o·gy *s* 'Tiefenpsycho-lo,gie *f*.
dep·u·rant ['depju(ə)rənt; -jər-] → depurative. — '**dep·u,rate** [-,reit] *bes. chem.* **I** *v/t* reinigen, läutern. – **II** *v/i* gereinigt *od.* geläutert *od.* gesäubert werden. — ,**dep·u'ra·tion** *s chem. med.* Reinigung *f*, Läuterung *f*. — '**dep·u,ra·tive** *med.* **I** *adj* reinigend. – **II** *s* Reinigungsmittel *n*. — '**dep·u-,ra·tor** [-tər] *s* **1.** Reiniger *m*. – **2.** *med.* Reinigungsmittel *n*. – **3.** *tech.* 'Baumwoll,reinigungsma,schine *f*.
de·purge [diː'pəːrdʒ] *v/t pol.* (po'litisch) rehabili'tieren.
dep·u·ta·tion [,depju'teiʃən; -jə-] *s* **1.** Deputati'on *f*, Delegati'on *f*, Abordnung *f*, Absendung *f*. – **2.** Deputati'on *f*, Depu'tierte *pl*, Abgesandte *pl*. – **3.** *Br. hist.* Über'tragung *f* der Rechte eines Wildhüters.
de·pute [di'pjuːt] *v/t* **1.** depu'tieren, dele'gieren, abordnen, bevollmächtigen. – **2.** (*Aufgabe, Vollmacht etc*) über'tragen. — **dep·u·tize** ['depju-,taiz; -jə-] **I** *v/t* depu'tieren, abordnen. – **II** *v/i* als Abgeordneter *od.* Vertreter fun'gieren: to ~ for s.o. j-n vertreten.
dep·u·ty ['depjuti; -jə-] **I** *s* **1.** (Stell)-Vertreter(in), Bevollmächtigte(r): by ~ durch Stellvertreter. – **2.** *pol.* Depu'tierte(r), Abgeordnete(r), Dele'gierte(r). – **3.** Abgesandte(r). – **4.** *Br.* Pensi'onsvorsteher(in). – *SYN. cf.* agent. – **II** *adj* **5.** stellvertretend, Vize... — ~ **chair·man** *s irr* 'Vizepräsi,dent *m*, stellvertretender Vorsitzender. — ~ **lieu·ten·ant** *s Br.* stellvertretender Grafschaftsvorsteher.
de·rac·i·nate [di'ræsi,neit; -sə-] *v/t* **1.** (mit der Wurzel) ausrotten, vernichten. – **2.** entwurzeln. — **de,rac·i'na·tion** *s* Ausrottung *f*, Vernichtung *f*.
de·raign [di'rein] *v/t selten* **1.** *jur.* (*Forderung etc*) a) anfechten, b) beweisen. – **2.** *jur.* einen Anspruch beweisen auf (*acc*). – **3.** ~ battle, ~ combat *hist.* a) das 'Kampfor,dal über die Berechtigung eines Anspruchs *etc* entscheiden lassen, b) *mil.* sich in Schlachtordnung aufstellen.
de·rail [diː'reil; di-] **I** *v/t* entgleisen lassen, zum Entgleisen bringen. – **II** *v/i* entgleisen. — **de'rail·ment** *s* Entgleisung *f*.
de·range [di'reindʒ] *v/t* **1.** in Unordnung bringen, durchein'anderbringen, verwirren. – **2.** (*Organe, Maschinen etc*) deran'gieren, aus der Ordnung *od.* aus dem Gang bringen, stören. – **3.** (geistig) zerrütten, wahnsinnig machen. – **4.** unter'brechen, stören. — **de'ranged** *adj* **1.** in Unordnung, gestört, durchein'ander, verwirrt. – **2.** geistig zerrüttet, geistesgestört, verrückt, wahnsinnig. — **de'range·ment** *s* **1.** Unordnung *f*, Verwirrung *f*, Durchein'ander *n*, Zerrüttung *f*. – **2.** Geisteszerrüttung *f*, -gestörtheit *f*, -störung *f*. – **3.** Störung *f*, Unter'brechung *f*.
de·rate [diː'reit] *v/t* (*Gemeindesteuern*) her'absetzen, senken.
de·ra·tion [diː'ræʃən] → decontrol 2.
de·ray [di'rei] *s obs.* Tu'mult *m*.
Der·by [*Br.* 'dɑːbi; *Am.* 'dəːrbi] *s* **1.** Derby *n*: a) *engl. Zuchtrennen der Dreijährigen in Epsom*, b) *allg. Pferderennen*: the Kentucky ~. – **2.** d~ *Am.* steifer, runder Filzhut (*mit schmaler Krempe*). – **3.** derbies *pl colloq.* Handschellen *pl*. — ~ **blue** *s* Rötlichblau *n*. — ~ **cheese** *s* engl. Derbykäse *m*. — ~ **day** *s* Derbytag *m* (*Tag des engl. Derbys, an einem Mittwoch um den 1. Juni*). — ~ **dog** *s colloq.* ,Panne' *f*, kleiner störender Zwischenfall.
Der·by·shire| neck [*Br.* 'dɑːbiʃiə, -ʃə; *Am.* 'dəːrbiʃir] *s med.* Kropf *m*. — ~ **spar**, *auch* ~ **drop** *s min.* Derbyshire-Flußspat *m*.
dere *cf.* dear².
de règle [də 'rɛgl] (*Fr.*) wie üblich, wie es sich gehört.
der·e·lict ['derilikt; -rə-] **I** *adj* **1.** *meist jur.* aufgegeben, verlassen, herrenlos. – **2.** *bes. Am.* nachlässig, untreu: ~ to duty pflichtvergessen. – **II** *s* **3.** *jur.* herrenloses Gut. – **4.** *mar.* (treibendes) Wrack. – **5.** *jur.* trockengelegtes Land, verlandete Strecke. – **6.** aufgegebener *od.* hoffnungslos her'untergekommener Mensch. – **7.** *bes. Am.* Pflichtvergessene(r). — ,**der·e'lic·tion** [-kʃən] *s* **1.** schuldhafte Vernachlässigung *od.* Versäumnis (*Pflichten etc*): ~ of duty Pflichtversäumnis, -vergessenheit. – **2.** Derelikti'on *f*, Besitzaufgabe *f*, Preisgabe *f*. – **3.** Verlassen *n*, Aufgeben *n*. – **4.** Verlassenheit *f*. – **5.** Versagen *n* (*von Fähigkeiten*). – **6.** *jur.* a) Verlandung *f*, b) → derelict 5.
de·req·ui·si·tion [diː,rekwi'ziʃən; -wə-] *Br.* **I** *s* Rückkehr *f* von der Mili'tärzur Zi'vilverwaltung *od.* -kon,trolle, Aufhebung *f* der Beschlagnahme. – **II** *v/t* wieder der Zi'vilverwaltung zuführen, freigeben. – **III** *v/i* die Beschlagnahme aufheben.
de·re·stric·tion [,diːri'strikʃən] *s* Lockerung *f* von Einschränkungsmaßnahmen.
de·ride [di'raid] *v/t* verlachen, -höhnen, -spotten, verächtlich behandeln. – *SYN. cf.* ridicule. — **de'rid·er** *s* Spötter(in), Verächter(in). — **de'rid·ing·ly** *adv* spöttisch, höhnend.
de ri·gueur [də ri'gœːr] (*Fr.*) streng nach der Eti'kette.
de·ris·i·ble [di'rizibl; -zə-] *adj* lächerlich.
de·ri·sion [di'riʒən] *s* **1.** Verlachen *n*, Verspotten *n*. – **2.** Hohn *m*, Spott *m*: to hold (*od.* have) in ~ verspotten; to be in ~ verspottet werden; to bring into ~ zum Gespött machen. – **3.** *fig.* Gespött *n*, Gegenstand *m od.* Zielscheibe *f* des Spottes: to be a ~ to s.o. j-m zum Gespött dienen. — **de·ri·sive** [di'raisiv] *adj* spottend, höhnisch, spöttisch, verächtlich, Hohn... — **de'ri·sive·ness** *s* (*das*) Spöttische *od.* Höhnische, Verächtlichkeit *f*. — **de'ri·so·ry** [-'raisəri] *adj* **1.** → derisive. – **2.** lächerlich.
de·riv·a·ble [di'raivəbl; də-] *adj* **1.** zu gewinnen(d), zu erhalten(d), erreichbar (from aus): profit ~ from work der Nutzen, den man aus der Arbeit ziehen kann. – **2.** (*Logik*) ab-, 'herleitbar: to be ~ from sich herleiten lassen von. — **de'riv·ant** *adj u. s med.* ableitend(es Mittel). — **der·i·vate** ['deri-,veit; -rə-] → **derivative** 8.
der·i·va·tion [,deri'veiʃən; -rə-] *s* **1.** Ab-, 'Herleitung *f*. – **2.** Her'ausholen *n*, Erhalten *n* (*Nutzen etc*) (from aus). – **3.** 'Herkunft *f*, Ursprung *m*, Abstammung *f*. – **4.** *math.* Derivati'on *f*, Ableitung *f* (*einer Funktion*). – **5.** *ling.* a) Derivati'on *f*, Ableitung (*Wort*), b) Etymolo'gie *f*, etymo'logische Ableitung. – **6.** *med.* Ableitung *f*. — ,**der·i'va·tion·al** *adj* **1.** Ableitungs... – **2.** abgeleitet.
de·riv·a·tive [di'rivətiv; də-] **I** *adj* **1.** abgeleitet (from von). – **2.** sekun'där. – **3.** *med.* ableitend. – **4.** *jur.* deriva'tiv, nicht origi'när: ~ acquisition derivativer Erwerb. – **II** *s* **5.** (*etwas*) Ab- *od.* 'Hergeleitetes, Ab-, 'Herleitung *f*. – **6.** *ling.* Ableitung *f*, abgeleitete Form. – **7.** *chem.* Deri'vat *n*, Abkömmling *m*. – **8.** *math.* Deri'vierte *f*, Ableitung *f*, abgeleitete Funkti'on. – **9.** *med.* ableitendes Mittel. – **10.** *mus.* abgeleiteter Ak'kord.
de·rive [di'raiv; də-] **I** *v/t* **1.** 'herleiten, 'herbringen, über'nehmen (from von): to be ~d from übernommen sein *od.* herstammen von. – **2.** (*Nutzen*) ziehen, (*Gewinn*) schöpfen (from aus). – **3.** (*etwas*) bekommen, erlangen, gewinnen, erhalten (from aus): to ~ pleasure from s.th. Freude an etwas finden *od.* haben. – **4.** (from) a) (*etwas*) schließen (aus), b) (*Schluß*) ziehen (aus). – **5.** *ling.* (*Wort etc*) ab-, 'herleiten. – **6.** *chem. math.* ableiten. – **7.** *electr.* abzweigen, ableiten. – **8.** *reflex* (from) a) 'herstammen *od.* -kommen (von), seinen Ursprung haben (in *dat*), b) sich ab- *od.* 'herleiten (von). – **9.** *obs.* richten, bringen. – **II** *v/i* **10.** (from) ab-, 'herstammen, 'herkommen (von, aus), ausgehen (von), seinen Ursprung haben (in *dat*). – **11.** sich 'her-, ableiten (from von). – *SYN. cf.* spring.
de·rived [di'raivd; də-] *adj* **1.** 'hergeleitet, über'nommen, -'liefert. – **2.** *ling.* abgeleitet. – **3.** sekun'där. — ~ **cir·cuit** *s electr.* Abzweig(strom)-, Nebenschlußstromkreis *m*. — ~ **func·tion** *s math.* abgeleitete Funkti'on. — ~ **in·come** *s econ.* abgeleitetes Einkommen. — ~ **u·nit** *s phys.* abgeleitete (Maß)Einheit.
derm [dəːrm] → derma.
-derm [dəːrm] *Endsilbe mit der Bedeutung* Haut, Hülle, Decke.
derm- [dəːrm] → dermato-.
der·ma ['dəːrmə] *s med. zo.* **1.** Lederhaut *f*, Corium *n*. – **2.** Haut *f*. — '**der·mal** *adj med. zo.* **1.** Lederhaut... – **2.** der'mal, Dermal..., Haut...
dermat- [dəːrmæt; -mət] → dermato-.
der·ma·tal·gi·a [,dəːrmə'tældʒiə] *s med.* Dermatal'gie *f*, Hautschmerz *m*. — **der·mat·ic** [dər'mætik] *adj* der'matisch, Haut... — **der·ma·ti·tis**

[ˌdəːrmə'taitis] *s med* Derma'titis *f*, Hautentzündung *f*.
dermato- [dəːrməto] ˌ*Wortelement mit der Bedeutung* Haut.
der·mat·o·gen [dər'mætədʒən; 'dəːr-məˌtou-] *s bot.* Dermato'gen *n* (*Bildungsgewebe der Pflanzen-Oberhaut*).
der·ma·to·graph ['dəːrmətoˌgræ(ː)f; -tə-; *Br. auch* -ˌgrɑːf] *s* **1.** Dermato-'graph *m*, Hautstift *m*, -schreiber *m*. – **2.** Fingerabdruck *m*. — ˌ**der·ma·to-'graph·i·a** [-'græfiə] → dermographia. — '**der·maˌtoid** [-ˌtɔid] *adj* dermo'id, hautähnlich.
der·ma·to·log·i·cal [ˌdəːrməto'lɒdʒikəl; -tə-] *adj* dermato'logisch. — ˌ**der·ma'tol·o·gist** [-'tɒlədʒist] *s* Dermato'loge *m*. — ˌ**der·ma'tol·o·gy** *s med.* Dermatolo'gie *f* (*Lehre von der Haut u. den Hautkrankheiten*). — ˌ**der·ma'tol·y·sis** [-'tɒlisis; -lə-] *s med.* Dermato'lyse *f* (*Hautkrankheit*). — '**der·maˌtome** [-ˌtoum] *s med.* **1.** Transplantati'ons-, Hautmesser *n*. – **2.** 'Hautsegˌment *n*.
der·ma·to·my·co·sis [ˌdəːrmətomai-'kousis] *s med.* Dermatomy'kose *f*, 'Hautmyˌkose *f* (*Hautkrankheit*). — ˌ**der·ma·to'path·i·a** [-'pæθiə] *s med.* Hautkrankheit *f*. — '**der·ma·to-ˌphyte** [-ˌfait] *s med.* Dermato'phyt *m*, Hautpilz *m*. — ˌ**der·ma·to-phy'to·sis** [-'tousis] *s* Dermatophy'tose *f*, Pilzerkrankung *f* der Haut. — ˌ**der·ma·to'plas·tic** [-'plæstik] *adj med.* hautplastisch. — '**der-ma·toˌplas·ty** *s med.* Hautplastik *f*. — ˌ**der·ma'to·sis** [-'tousis] *s med.* Derma'tose *f*, Hautkrankheit *f*. — ˌ**der·ma·to'zo·on** [-to'zouɒn] *pl* **-'zo·a** [-ə] *s med.* Dermato'zoon *n*, tierischer 'Hautparaˌsit.
der·mic ['dəːrmik] *adj med.* der'matisch, Haut... — '**der·mis** [-is] → derma.
dermo- [dəːrmo] → dermato-.
der·mo·graph·i·a [ˌdəːrmo'græfiə], *auch* **der·mog·ra·phism** [dər'mɒgrəˌfizəm] *s med.* Dermogra'phie *f*, Dermogra'phismus *m*. — ˌ**der·mo-'he·mi·a** [-'hiːmiə] *s med.* 'Blutüberˌfüllung *f* der Haut. — '**der-moid I** *adj* → dermatoid. – **II** *auch* ~ **cyst** *s med.* Dermo'id(zyste *f*) *n*.
der·mop·ter·an [dər'mɒptərən] *s zo.* Pelzflatterer *m*, 'Flatterˌmaki *m* (*Ordnung Dermoptera*).
dern [dəːrn] *dial. für* darn[2].
der·ni·er ['dəːrniər] *adj* letzt(er, e, es), endgültig.
der·nier| cri [dɛrnje 'kri] (*Fr.*) *s* Dernier cri *m*, ‚letzter Schrei', (*das*) Neueste. — ~ **res·sort** [rə'sɔːr] (*Fr.*) *s* letzte Zuflucht *od.* Möglichkeit.
der·o·gate ['deroˌgeit; -rə-] **I** *v/i* **1.** (from) Abbruch tun, abträglich sein, zum Nachteil gereichen, schaden (*dat*), beeinträchtigen, schmälern (*acc*): to ~ **from s.o.'s rights** j-s Rechte beeinträchtigen, j-n in seinen Rechten schmälern. – **2.** *fig.* unwürdig handeln, nachteilig abweichen (from von): to ~ **from oneself** sich zu seinem Nachteil verändern. – **3.** sich erniedrigen, sich etwas vergeben. – **II** *v/t* **4.** *obs.* beeinträchtigen. – **5.** *obs.* vermindern. – *SYN. cf.* decry. – **III** *adj* [-git; -ˌgeit] **6.** *selten* her'untergekommen. — ˌ**der·o'ga-tion** *s* **1.** Beeinträchtigung *f*, Schmälerung *f*, Abbruch *m*, Nachteil *m*: **to be a** ~ **from** (*od.* of, to) **s.th.** einer Sache Abbruch tun, etwas beeinträchtigen. – **2.** *fig.* Her'absetzung *f*, Erniedrigung *f*, Entwürdigung *f*, Verunglimpfung *f*. – **3.** *jur.* teilweise Aufhebung (*Gesetz*).
de·rog·a·tive [di'rɒgətiv] *adj* (to, of) abträglich (*dat*), nachteilig (für), von Nachteil (*dat*): to be ~ of s.th. einer Sache abträglich sein, etwas beeinträchtigen. — **de'rog·a·to·ri·ness** [*Br.* -tərinis; *Am.* -ˌtɔːr-] *s* abschätzige Art. — **de'rog·a·to·ry** *adj* **1.** (from, to) nachteilig (für), abträglich (*dat*), beeinträchtigend (*acc*), schädlich (*dat od.* für), schmälernd (*acc*): to be ~ from (*od.* to) s.th. einer Sache abträglich sein, etwas beeinträchtigen. – **2.** abfällig, gering-, abschätzig (*Bemerkung etc*). – **3.** her'absetzend, -würdigend, unwürdig: ~ to oneself seiner unwürdig.
der·rick ['derik] **I** *s* **1.** *tech.* a) *auch* ~ crane Derrickkran *m* (*Dreh- u. Wippkran*), b) Dreibockgestell *n* (*eines Hebekrans*), c) (fester *od.* beweglicher) Ausleger. – **2.** *tech.* Bohrturm *m*. – **3.** *mar.* Ladebaum *m*, Dirk *m*, Piekfall *n*. – **II** *v/t* **4.** (*Last*) mit einem (Derrick)Kran heben *od.* verladen. — '**~·man** [-mən] *s irr* Kranführer *m*.
der·ring-do ['deriŋ'duː] *s* Verwegenheit *f*, Tollkühnheit *f*.
der·rin·ger ['derindʒər] *s Am. kurze Pistole mit großem Kaliber.*
der·ris ['deris] *s* **1.** (*getrocknete u. gemahlene*) Derriswurzel. – **2.** (*eine*) ma'laiische 'Tubaliˌane (*Gattg Derris, bes. D. elliptica*).
der·ry ['deri], *auch* '**~ˌdown** *s* **1.** ‚Heißa' *n*, ‚Juch'he' *n* (*als Liederrefrain etc*). – **2.** (einfaches) Lied.
derv [dəːrv] *s* Dieselkraftstoff *m*.
der·vish ['dəːrviʃ] *s* Derwisch *m*: **dancing** ~, **whirling** ~ tanzender Derwisch; **howling** ~ heulender Derwisch.
des·cant I *s* ['deskænt] **1.** *mus.* Dis-'kant *m*: a) Gegenstimme *f* (*über Choral etc*), b) Oberstimme *f*, So-'pran *m*: ~ **clef** Diskantschlüssel. – **2.** *mus.* a) Um'spielung *f*, Vari'ierung *f*, b) vari'ierte Melo'die (*bes. als Vorspiel*). – **3.** Kommen'tar *m*, Erläuterung *f*, Bemerkung *f* (on zu). – **4.** Abhandlung *f* (on *über acc*). – **II** *v/i* [des'kænt; dis-] **5.** *mus.* diskan-'tieren: a) (einen) Dis'kant singen *od.* spielen, b) (mehrstimmig) singen. – **6.** (on) sich auslassen (über *acc*), Kommen'tare abgeben (zu), Bemerkungen machen (über *acc od.* zu). — **des'cant·er, des'cant·ist** *s mus.* Diskan'tist(in).
de·scend [di'send] **I** *v/i* **1.** her'ab-, hin'ab-, her'unter-, hin'unter-, niedergehen, -kommen, -steigen, -fahren, -fließen, -sinken, sinken, sich senken, fallen: **the river** ~**s from the mountains** der Fluß kommt *od.* fließt von den Bergen herab; to ~ **to hell** zur Hölle niederfahren; to ~ **into a mine** (*Bergbau*) einfahren, in die Grube fahren. – **2.** *aer.* a) niedergehen, Höhe aufgeben (*Flugzeug*), b) (mit dem Fallschirm) abspringen. – **3.** eingehen, zu sprechen kommen (to auf *acc*): to ~ **to details** auf Einzelheiten eingehen *od.* zu sprechen kommen, zu den Einzelheiten kommen *od.* übergehen. – **4.** zu sprechen kommen: **we now** ~ **to more recent events** wir kommen jetzt zu den neueren Ereignissen *od.* auf die neueren Ereignisse zu sprechen. – **5.** 'herkommen, ab-, 'herstammen (from von): to ~ **from a noble family** aus adliger Familie stammen. – **6.** 'übergehen, sich vererben (to auf *acc*). – **7.** (on, upon) 'herfallen (über *acc*), (sich) stürzen (auf *acc*), über-'fallen, -'raschen (*acc*), einbrechen, einfallen (in *acc*). – **8.** *fig.* her'einbrechen, kommen (on, upon über *acc*). – **9.** *fig.* sich her'abwürdigen, sich erniedrigen, sich 'hergeben (to zu). – **10.** *fig.* (her'ab)sinken. – **11.** *astr.* a) absteigen, sich dem Süden nähern, b) sinken, fallen, sich dem Hori'zont nähern: **the sun** ~**s**. – **12.** *mus.* tiefer werden, absteigen. – **II** *v/t* **13.** (*Treppe etc*) hin'ab-, hin-'unter-, her'ab-, her'untersteigen, -kommen, -gehen. – **14.** (*Fluß etc*) hin'unter-, abwärtsfahren. – **15.** *meist pass* 'herkommen, ab-, 'herstammen (from von): **to be** ~**ed from a noble family**.
de·scend·a·ble *cf.* descendible.
de·scend·ance [di'sendəns] *s* Abstammung *f*, 'Herkunft *f*. — **de-'scend·ant I** *s* Deszen'dent *m*, Nachkomme *m*, Abkömmling *m*. – **II** *adj cf.* descendent I. — **de·scend·ence** *cf.* descendance. — **de'scend·ent I** *adj* **1.** her'ab-, hin'ab-, her'unter-, hin'untergehend, -steigend, -sinkend. – **2.** (ab)stammend. – **3.** absteigend. – **II** *s cf.* descendant I. — **de'scend·er** *s print.* (Buchstabe *m* mit) 'Unterlänge *f*. — **deˌscend·i'bil·i·ty** *s* Vererbbar-, Über'tragbarkeit *f*. — **de-'scend·i·ble** *adj* (to) vererbbar (*dat*), über'tragbar (*dat od.* auf *acc*).
de·scend·ing [di'sendiŋ] *adj* **1.** absteigend. – **2.** her'ab-, hin'absteigend, -gehend. – **3.** abstammend. — ~ **a·or·ta** *s med.* absteigende A'orta. — ~ **diph·thong** *s ling.* fallender Di'phthong. — ~ **let·ter** *s print.* Buchstabe *m* mit 'Unterlänge. — ~ **line** *s* Deszen'denz *f*, absteigende Linie (*Verwandtschaft*). — ~ **rhythm** *s metr.* fallender Rhythmus.
de·scen·sion [di'senʃən] *selten für* descent.
de·scent [di'sent] *s* **1.** Her'ab-, Her-'unter-, Hin'unter-, Hin'absteigen *n*, Abstieg *m*. – **2.** Abhang *m*, Abfall *m*, Neigung *f*, Senkung *f*, Gefälle *n*. – **3.** Weg *m* abwärts *od.* hin'ab: **this is the** ~ hier geht es hinunter, dies ist der Weg nach unten. – **4.** Fallen *n* (*Temperatur etc*). – **5.** *fig.* Niedergang *m*, Sinken *n*, Abstieg *m*, Verfall *m*. – **6.** Deszen'denz *f*, Abstammung *f*, Geburt *f*, Ab-, 'Herkunft *f*: **of French** ~ französischer Herkunft. – **7.** Stammbaum *m*. – **8.** Deszen'denz *f*, Nachkommenschaft *f*. – **9.** Generati'on *f* (*in absteigender Linie*). – **10.** Deszen'denz *f*, Abstammung *f*. – **11.** *med.* Senkung *f*. – **12.** *jur.* Vererbung *f*, Über'tragung *f* (*von Eigentum*). – **13.** (on, upon) Einfall *m* (in *acc*), feindliche Landung (in *dat od.* auf *dat*), 'Herfallen *n* (über *acc*), 'Überfall *m* (auf *acc*). – **14.** *aer.* a) Höhenaufgabe *f*, Sinkflug *m*, Niedergehen *n* (*des Flugzeugs vor der Landung*), b) (Fallschirm)-Absprung *m*.
de·scrib·a·ble [di'skraibəbl] *adj* zu beschreiben(d), beschreibbar.
de·scribe [di'skraib] *v/t* **1.** beschreiben, schildern (s.th. to s.o. j-m etwas). – **2.** (as) bezeichnen (als), nennen (*acc*): to ~ **s.o. as a fool** j-n einen Narren nennen. – **3.** *math.* beschreiben: to ~ **a circle** einen Kreis beschreiben. – *SYN.* **narrate, recount, relate.** — **de'scrib·er** *s* Beschreiber(in), Schilderer *m*.
de·scrip·tion [di'skripʃən] *s* **1.** Beschreibung *f*, Darstellung *f*, Schilderung *f*: **beautiful beyond all** ~ unbeschreiblich schön; to defy ~ jeder Beschreibung spotten; **to know s.o. by** ~ j-n der Beschreibung nach kennen; **to take s.o.'s** ~ j-s Signalement aufnehmen. – **2.** Gattung *f*, Art *f*, Sorte *f*: **people of this** ~ Leute dieser Art. – **3.** Beschreibung *f* (*Weg, Figur etc*). – *SYN. cf.* **type.**
de·scrip·tive [di'skriptiv] *adj* **1.** beschreibend, schildernd, darstellend, erläuternd, deskrip'tiv: ~ **anatomy** *med.* deskriptive *od.* beschreibende Anatomie; ~ **geometry** *math.* darstellende Geometrie; ~ **science** deskriptive *od.* beschreibende Wissen-

schaft; to be ~ of s.th. etwas beschreiben *od.* bezeichnen. – **2.** anschaulich (*Erzählung etc*). – **3.** *ling.* deskrip'tiv, beschreibend: ~ clause nicht einschränkender Relativsatz. — **de'scrip·tive·ness** *s* beschreibende Kraft, Anschaulichkeit *f.*

de·scry [di'skrai] *v/t* **1.** gewahren, erspähen, (*mit dem Auge*) wahrnehmen. – **2.** ausfindig machen, her'ausfinden, entdecken.

des·e·crate ['desiˌkreit] *v/t* **1.** entheiligen, entweihen, profa'nieren, schänden. – **2.** *selten* (*dem Bösen*) weihen, widmen. — **'des·eˌcrat·er** *s* Entweiher(in), Schänder(in). — **ˌdes·e'cra·tion** *s* Entweihung *f*, Entheiligung *f*, Profa'nierung *f.* – *SYN. cf.* profanation. — **des·e·cra·tor** *cf.* desecrater.

de·seg·men·ta·tion [ˌdiːsegmən'teiʃən] *s zo.* Verschmelzung *f*, Zu'sammenwachsen *n.* — **de'seg·ment·ed** *adj* verschmolzen, zu'sammengewachsen.

de·seg·re·gate [diː'segriˌgeit] *v/t pol. Am.* die Rassentrennung aufheben in (*einer Schule etc*). — **ˌde·seg·re'ga·tion** *s pol. Am.* Aufhebung *f* der Rassentrennung (*bes. Beseitigung der getrennten Schulen für Weiße u. Schwarze*).

de·sen·si·ti·za·tion [diːˌsensitai'zeiʃən; -sətə-] *s* **1.** *med.* Desensiti'sierung *f*, Immuni'sierung *f*, Unempfänglichmachung *f.* – **2.** *phot.* Desensibili'sierung *f*, Lichtunempfindlichmachung *f.* — **de'sen·siˌtize** *v/t* **1.** *med.* desensiti'sieren, unempfindlich *od.* im'mun machen, immuni'sieren (to gegen). – **2.** *phot.* desensibili'sieren, lichtunempfindlich machen. — **de'sen·siˌtiz·er** *s phot.* Desensibili'sator *m.*

de·ser·pi·dine [di'səːrpidin; -diːn] *s chem. med. ein Sedativum auf der Basis von Rauwolfia serpentina.*

de·sert[1] [di'zəːrt] **I** *v/t* **1.** verlassen, im Stich lassen: his courage ~ed him sein Mut verließ ihn. – **2.** abtrünnig *od.* untreu werden (*dat*), abfallen von. – **3.** *mil.* deser'tieren: to ~ the colo(u)rs fahnenflüchtig werden; to ~ one's duty vom Dienst deser'tieren. – *SYN. cf.* abandon. – **II** *v/i* **4.** *mil.* deser'tieren, fahnenflüchtig werden, ausreißen: to ~ from the army aus der Armee desertieren.

de·sert[2] [di'zəːrt] *s* **1.** Verdienst *n.* – **2.** Wert *m*, Verdienst(lichkeit *f*) *n*: to be judged according to one's ~ nach seinem Verdienst eingeschätzt werden. – **3.** verdienter Lohn (*auch ironisch*): to get one's ~s seinen wohlverdienten Lohn empfangen.

des·ert[3] ['dezərt] **I** *s* **1.** Wüste *f.* – **2.** Einöde *f*, Ödland *n*, ödes Land. – **3.** *fig.* Unfruchtbarkeit *f*, Öde *f.* – **II** *adj* **4.** Wüsten... – **5.** öde, wüst, verödet, verlassen, unbewohnt.

des·ert (bob·)cat ['dezərt] *s zo.* (*ein*) amer. Rotluchs *m* (*Lynx rufus eremicus*).

de·sert·ed [di'zəːrtid] *adj* **1.** verlassen, unbelebt *od.* unbewohnt (*Gegend etc*). – **2.** verlassen (*Person*). — **de'sert·er** *s* **1.** *mar. mil.* a) Deser'teur *m*, Fahnenflüchtiger *m*, Ausreißer *m*, b) 'Überläufer *m.* – **2.** *fig.* Abtrünnige(r), Untreue(r).

de·ser·tion [di'zəːrʃən] *s* **1.** Verlassen *n*, Im'stichlassen *n.* – **2.** Verlassenheit *f.* – **3.** Abtrünnigwerden *n*, Abtrünnigkeit *f*, Abfall *m*: ~ from a party Abfall von einer Partei. – **4.** Unter'lassen *n* (*Pflicht etc*). – **5.** *jur.* böswilliges Verlassen. – **6.** *mar. mil.* Deserti'on *f*, Fahnenflucht *f.*

des·ert| lem·on, *auch* ~ **kum·quat** ['dezərt] *s bot.* Austral. Zi'tronenbaum *m* (*Eremocitrus glauca*). — ~ **lynx** → caracal. — ~ **oak** → desert she-oak. — ~ **palm** → Washington palm. — ~ **pea** → glory pea. — ~ **plant** *s bot.* Wüstenpflanze *f.* — ~ **pol·ish** → desert varnish. — ~ **rat** *s* **1.** *zo.* → kangaroo rat 2. – **2.** *Br. colloq.* ‚Wüstenratte' *f* (*Angehöriger der 7. brit. Panzerdivision, Kerntruppe der brit. Nordafrika-Armee, 1941–42*). — ~ **she-oak** *s bot.* (*eine*) austral. Kasua'rine (*bes. Casuarina glauca u. C. decaisneana*). — ~ **ship** *s* ‚Schiff *n* der Wüste' (*Kamel od. Dromedar*). — ~ **trum·pet flow·er** *s bot.* (*ein*) Stechapfel *m* (*Datura meteloides*). — ~ **var·nish** *s* Wüstenlack *m* (*durch Sand geglättete Oberfläche von Gesteinen in der Wüste*). — ~ **wil·low** *s bot. eine amer. Bigoniacee* (*Chilopsis linearis*).

de·serve [di'zəːrv] **I** *v/t* **1.** verdienen (*acc*), würdig sein (*gen*), Anspruch haben auf (*acc*): to ~ praise Lob verdienen. – **2.** verdienen, verdient haben: to ~ punishment, to ~ to be punished Strafe verdienen. – **II** *v/i* **3.** sich verdient machen (of um): to ~ well of s.o. (s.th.) sich um j-n (etwas) verdient machen; to ~ ill of s.o. j-m einen schlechten Dienst erweisen. — **de'served** *adj* (wohl)verdient. — **de'serv·ed·ly** [-idli] *adv* verdientermaßen, nach Verdienst, mit Recht. — **de'serv·ing I** *adj* **1.** verdienstvoll, verdient (*Person*). – **2.** verdienstlich, -voll (*Tat*). – **3.** würdig, wert (of *gen*): to be ~ of s.th. etwas verdienen, einer Sache wert *od.* würdig sein. – **II** *s* **4.** Verdienst *n.* — **de'serv·ing·ness** *s* Verdienstlichkeit *f.*

des·ha·bille [ˌdezə'biːl; 'dezəˌbiːl], (*Fr.*) **dés·ha·bil·lé** [dezabi'je] → dishabille.

des·ic·cant ['desikənt; -sə-] *adj u. s med.* (aus)trocknend(es Mittel).

des·ic·cate ['desiˌkeit; -sə-] **I** *v/t* **1.** (aus)trocknen, dörren. – **2.** Feuchtigkeit entziehen (*dat*), ausdörren, austrocknen. – **3.** *fig.* öde *od.* trocken *od.* langweilig machen. – **II** *v/i* **4.** (aus)trocknen, (aus)dörren. – **III** *adj* [-kit; -ˌkeit] → desiccated. — **'des·icˌcat·ed** *adj* getrocknet, gedörrt, Trocken..., Dörr...: ~ fruit Dörrobst; ~ milk Trockenmilch. — **ˌdes·ic'ca·tion** *s* (Aus)Trocknung *f.* — **des·ic·ca·tive** [*Br.* de'sikətiv; *Am.* 'desəˌkeitiv] *adj u. s* (aus)trocknend(es Mittel). — **'des·icˌca·tor** [-tər] *s* **1.** *chem.* Desic'cator *m*, Exsic'cator *m*, Entfeuchter *m.* – **2.** *tech.* 'Trockenappaˌrat *m.* — **de·sic·ca·to·ry** [*Br.* di'sikətəri; *Am.* -ˌtɔːri] *adj* (aus)trocknend.

de·sid·er·a·ta [diˌsidə'reitə] *pl von* desideratum.

de·sid·er·ate [di'sidəˌreit; -'zid-] *v/t* **1.** bedürfen (*gen*), brauchen, benötigen, vermissen, nötig haben. – **2.** ersehnen. — **deˌsid·er'a·tion** *s* (*etwas*) Erwünschtes, Bedürfnis *n*, Deside'rat *n.* — **de'sid·er·a·tive** [*Br.* -rətiv; *Am.* -ˌreitiv] **I** *adj* **1.** (of) bedürfend (*gen*), benötigend (*acc*). – **2.** *ling.* desidera'tiv, ein Verlangen *od.* Bedürfnis ausdrückend: ~ verb Desiderativum. – **II** *s* **3.** (*etwas*) Erwünschtes, Bedürfnis *n*, Wunsch *m.* – **4.** *ling.* Desidera'tivum *n.* — **deˌsid·er'a·tum** [-təm] *pl* **-ta** [-tə] *s* Deside'rat *n*, (*etwas*) Erwünschtes *od.* Benötigtes, Bedürfnis *n*, Erfordernis *n*, Lücke *f*, Mangel *m.*

de·sign [di'zain] **I** *v/t* **1.** entwerfen, aufzeichnen, skiz'zieren: to ~ a dress ein Kleid entwerfen. – **2.** anlegen, ausführen: the façade is beautifully ~ed die Fassade ist schön ausgeführt. – **3.** *fig.* entwerfen, ausdenken, ersinnen, im Geiste erdenken. – **4.** im Sinne haben, vorhaben, planen, beabsichtigen, sich vornehmen: to ~ an attack einen Angriff planen *od.* vorhaben; to ~ doing (*od.* to do) gedenken *od.* beabsichtigen zu tun. – **5.** bestimmen, vorsehen: to ~ s.th. for s.o. (for a purpose) etwas für j-n (für einen Zweck) bestimmen. – **6.** (for) (*j-n*) bestimmen (zu), ausersehen, vorsehen (für): he was ~ed for service in the navy er war zum Dienst in der Marine bestimmt; to ~ s.o. to be a priest j-n zum Priester bestimmen, j-n für den Priesterberuf vorsehen. – **7.** *obs.* bezeichnen, mar'kieren. – **II** *v/i* **8.** Pläne entwerfen, Entwürfe machen, skiz'zieren. – **III** *s* **9.** Entwurf *m*, Zeichnung *f*, Plan *m*, Skizze *f*, Des'sin *n.* – **10.** Muster(zeichnung *f*) *n*, Des'sin *n*: protection of (*od.* copyright in) ~s *jur.* (Gebrauchs)Musterschutz; registered ~ Gebrauchsmuster. – **11.** *tech.* a) Baumuster *n*, Konstrukti'onszeichnung *f*, b) Bau(form *f*) *m*, Konstrukti'on *f*, Ausführung *f.* – **12.** Des'sin *n*, (Stoff)Muster *n.* – **13.** künstlerische Gestaltung *od.* Formgebung. – **14.** Plan *m*, Anlage *f*, Anordnung *f.* – **15.** Plan *m*, Pro'jekt *n*, Vorhaben *n*, Absicht *f*: he left with the ~ of coming (*od.* to come) back er ging mit der Absicht zurückzukehren; whether by accident or ~ ob durch Zufall od. mit Absicht. – **16.** Ziel *n*, (End)Zweck *m*: what was his ~ in doing so? welchen Zweck verfolgte er dabei? – **17.** Anschlag *m*, böse Absicht: to have ~s (up)on (*od.* against) etwas (Böses) im Schilde führen gegen, einen Anschlag vorhaben auf (*acc*). – **18.** Zweckmäßigkeit *f*: argument from ~ *relig.* Beweis aus der Zweckmäßigkeit, teleologischer Gottesbeweis. – *SYN. cf.* a) intention, b) plan.

des·ig·nate I *v/t* ['dezigˌneit] **1.** bezeichnen, kennzeichnen, mar'kieren. – **2.** (*etwas*) bestimmen, festlegen, -setzen. – **3.** (to, for) (*j-n*) (*im voraus*) desi'gnieren, bestimmen, ernennen, ausersehen (für *ein Amt etc*; zu *einem Amtsträger etc*), (*vorläufig*) berufen (auf *einen Posten*; in *ein Amt*; zu *einem Amtsträger*). – **4.** (*etwas*) bestimmen, vorsehen (for für). – **5.** *auch* ~ as bezeichnen als, betiteln, (be)nennen: to ~ s.o. (as) a thief j-n einen Dieb nennen. – **6.** *mil.* (*Schußziel*) ansprechen. – **II** *adj* [-nit; -ˌneit] **7.** desi'gniert, vorgesehen, ausersehen (*nachgestellt*): president ~ designierter Präsident. — **ˌdes·ig'na·tion** *s* **1.** Bezeichnung *f*, Kennzeichnung *f*, Mar'kierung *f.* – **2.** Name *m*, Bezeichnung *f*, Benennung *f.* – **3.** Bestimmung *f*, Festlegung *f*, -setzung *f* (*einer Sache*). – **4.** (to, for) Designati'on *f*, Bestimmung *f od.* Ernennung *f* (*im voraus*) (für *ein Amt etc*; zu *einem Amtsträger etc*), Berufung *f* (*im voraus*) (auf *einen Posten*; in *ein Amt*; zu *einem Amtsträger*). – **5.** Bedeutung *f*, Sinn *m.* — **'des·igˌna·tive**, *auch* **'des·ig·na·to·ry** [*Br.* -ˌneitəri; *Am.* -nəˌtɔːri] *adj* bezeichnend, kennzeichnend, mar'kierend: to be ~ of s.th. etwas bezeichnen.

de·signed [di'zaind] *adj* absichtlich, vorsätzlich. — **de'sign·ed·ly** [-idli] *adv* mit Absicht, absichtlich, vorsätzlich.

des·ig·nee [ˌdezig'niː] *s* Desi'gnatus *m* (*ernannter, aber noch nicht tätiger Beamter*).

de·sign·er [di'zainər] *s* **1.** Entwerfer(in), Dessina'teur *m*, (Muster-)Zeichner(in). – **2.** Erfinder(in). – **3.** *fig.* Ränkeschmied(in), Intri'gant(in). — **de'sign·ful** [-ful; -fəl] *adj* **1.** ränkevoll, intri'gant. – **2.** absichtlich, vorsätzlich. — **de'sign·ing I** *adj* 1. planvoll, 'umsichtig. – 2. ränkevoll, intri'gant, 'hinterhältig. – **II** *s* 3. Dessi'nierung *f*, Entwerfen *n*. – 4. In'trigen(spiel *n*) *pl*, Ränke *pl*. — **de'sign·ment** *s obs.* 1. Zweck *m*, Absicht *f*. – 2. Plan *m*, Entwurf *m*.

de·si·lic·i·fi·ca·tion [ˌdiːsiˌlisifiˈkeiʃən; -səfə-] *s chem.* Entkieselung *f*. — **ˌde·si'lic·iˌfy** [-ˌfai] *v/t* entkieseln.

de·sil·i·con·i·za·tion [diːˌsiliˌkɒnaiˈzeiʃən; -lə-; -nə-] *s chem.* Entsili'zierung *f*. — **de'sil·i·conˌize** [-kəˌnaiz] *v/t chem.* entsili'zieren.

de·sil·ver·i·za·tion [diːˌsilvəraiˈzeiʃən; -rə-] *s* Entsilberung *f*. — **de'sil·verˌize**, *auch* **de'sil·ver** *v/t* entsilbern.

des·i·nence ['desinəns] *s* 1. Ausgang *m*, Ende *n*, Schluß *m*. – 2. *ling.* a) Endung *f*, b) Suf'fix *n*, Nachsilbe *f*. — **ˌdes·i'nen·tial** [-'nenʃəl] *adj* letzt(er, e, es), End..., Schluß...

de·sip·i·ence [di'sipiəns], **de'sip·i·en·cy** *s* Albernheit *f*, Torheit *f*, Unsinn *m*.

de·sir·a·bil·i·ty [diˌzai(ə)rəˈbiliti; -əti] *s* Erwünschtheit *f*. — **de'sir·a·ble** *adj* 1. wünschenswert, erwünscht, zu (er)wünschen(d). – 2. angenehm. — **de'sir·a·ble·ness** → **desirability**.

de·sire [di'zaiər] **I** *v/t* 1. wünschen, begehren, verlangen: to ~ s.th. of s.o. etwas von j-m verlangen; to ~ s.th. (to be) done wünschen, daß etwas getan wird *od.* geschieht; to leave much to be ~d viel zu wünschen übriglassen; as ~d wie gewünscht; if ~d auf Wunsch, wenn gewünscht. – 2. ersehnen, (*sehnlich*) begehren *od.* verlangen. – 3. (*j-n*) bitten, ersuchen: to ~ s.o. to go. – **II** *v/i* 4. Wünsche *od.* einen Wunsch hegen. – *SYN.* covet, crave, want, wish. – **III** *s* 5. Wunsch *m*, Verlangen *n*, Begehren *n* (for nach): to feel a ~ for doing (*od.* to do) den Wunsch verspüren zu tun. – 6. Wunsch *m*, Bitte *f*, Begehr *m*, *n*: to express a ~ einen Wunsch äußern; in accordance with your ~ Ihrem Wunsche gemäß, wie gewünscht; at his ~ auf seine Bitte. – 7. Sehnsucht *f*, Verlangen *n* (for nach). – 8. (*sinnliche*) Lust *od.* Begierde, Trieb *m*. – 9. *ling.* Wunschsatz *m*. — **de'sired** *adj* 1. er-, gewünscht. – 2. ersehnt. — **de'sir·ous** [-'zai(ə)r-] *adj* 1. begierig, (*sehnsüchtig*) verlangend (of nach). – 2. wünschend, begehrend: to be ~ of s.th. etwas wünschen *od.* begehren; to be ~ of doing danach trachten *od.* verlangen zu tun; to be ~ to learn (*od.* to know) s.th. etwas gern wissen wollen. — **de'sir·ous·ness** *s* Verlangen *n*, Begierde *f* (of nach).

de·sist [di'zist] *v/i* (from) abstehen, (ab)lassen (von), aufhören (zu *inf od.* mit *etwas*): to ~ from asking aufhören zu fragen. – *SYN. cf.* stop. — **de'sist·ance, de'sist·ence** *s* Abstehen *n*, Ablassen *n*.

desk [desk] **I** *s* 1. Schreibtisch *m*. – 2. (Lese-, Schreib-, Noten)Pult *n*. – 3. *fig.* a) geistlicher Beruf, b) Bü'ro-, Kanz'leiarbeit *f*, c) lite'rarische Betätigung, Schriftstelle'rei *f*. – 4. *bes. Am.* Kanzel *f* (*in der Kirche*). – 5. *colloq.* Mann *m* hinterm Schreibtisch. – **II** *adj* 6. *für den Gebrauch am Schreibtisch bestimmt*: ~ book Handbuch; ~ knife Radiermesser; ~ set Schreibzeug. – 7. Schreib..., Büro...: ~ work. — **~ clerk** *s Am.* (Ho'tel)Portiˌer *m*. — **~ ser·geant** *s Am.* diensttuender *od.* wachhabender Poli'zist.

desm- [desm] → desmo-.

des·ma ['desmə] *pl* **-ma·ta** [-mətə] *s zo.* unregelmäßig verzweigte Nadel (*bei Schwämmen*).

des·man ['desmən] *s zo.* 1. Desman *m*, Wychuchol *m*, Südruss. Bisamrüßler *m* (*Desmana moschata*). – 2. Almizi'lero *m*, Pyre'näen-Bisamspitzmaus *f* (*Galemys pyrenaicus*). – 3. Silberbisam *m* (*Fell des Wychuchols*). – 4. Bisamspitzmaus(fell *n*) *f*.

des·ma·ta ['desmətə] *pl von* desma.

des·mid ['desmid], **des'mid·i·an** *s bot.* Bandalge *f* (*Fam. Desmidiaceae*).

des·mine ['desmiːn; -min] *s min.* Des'min *m*, Stil'bit *m*.

desmo- [desmo] *Wortelement mit der Bedeutung* Band.

des·mog·ra·phy [des'mɒgrəfi] *s med.* Desmogra'phie *f*, (Gelenk)Bänderbeschreibung *f*.

des·moid ['desmɔid] *med.* **I** *adj* 1. liga'ment-, bandähnlich. – 2. fi'brös, bindegewebsartig. – **II** *s* 3. Desmo'id *n* (*derbe Bindegewebsgeschwulst*).

des·mol·o·gy [des'mɒlədʒi] *s med.* Desmolo'gie *f*, Bandlehre *f*.

des·o·late I *adj* ['desolit; -sə-] 1. wüst, verwüstet, verheert. – 2. einsam, verlassen, leer, unbewohnt (*Gegend*). – 3. einsam, al'lein, verlassen, vereinsamt. – 4. trostlos, traurig, niedergeschlagen. – 5. öde, trostlos. – *SYN. cf.* alone. – **II** *v/t* [-ˌleit] 6. verwüsten, verheeren. – 7. entvölkern. – 8. verlassen, einsam zu'rücklassen. – 9. betrüben, traurig *od.* trostlos machen. — **'des·o·late·ness** *s* [-lit-] 1. Verwüstung *f*, Verheerung *f*. – 2. Einsamkeit *f*, Verlassenheit *f*, Unbewohntheit *f*. – 3. Vereinsamung *f*, Einsamkeit *f*, Verlassenheit *f*. – 4. Trostlosigkeit *f*, Traurigkeit *f*, Niedergeschlagenheit *f*. – 5. Öde *f*, Elend *n*, Trostlosigkeit *f*. — **'des·oˌlat·er** [-ˌleitər] *s* Verwüster *m*, Verheerer *m*, Zerstörer *m*. — **ˌdes·o'la·tion** *s* 1. Verwüstung *f*, Verheerung *f*, Zerstörung *f*. – 2. Entvölkerung *f*, Vereinsamung *f* (*Gegend*). – 3. Einsamkeit *f*, Verlassenheit *f*. – 4. Verlassen *n*, Im'stichlassen *n*. – 5. Trostlosigkeit *f*, Elend *n*, Traurigkeit *f*, Niedergeschlagenheit *f*. – 6. (Ein)Öde *f*, Trostlosigkeit *f*. — **des·o·la·tor** *cf.* desolater.

des·ox·a·late [des'ɒksəˌleit] *s chem.* Desoxa'lat *n*. — **des·ox·al·ic** [ˌdesɒk'sælik] *adj chem.* Desoxal...: ~ acid Desoxalsäure ($C_5H_6O_8$).

de·spair [di'spɛr] **I** *v/i* 1. (of) verzweifeln (an *dat*), ohne Hoffnung sein, alle Hoffnung aufgeben *od.* verlieren (für *od.* auf *acc*), den Glauben verlieren (an *acc*): to ~ of mankind an der Menschheit verzweifeln. – **II** *v/t obs.* 2. verzweifeln an (*dat*). – **III** *s* 3. Verzweiflung *f* (at über *acc*), Hoffnungslosigkeit *f*: to drive s.o. to ~ j-n zur Verzweiflung bringen. – 4. Ursache *f od.* Gegenstand *m* der Verzweiflung: to be the ~ of s.o. j-n zur Verzweiflung bringen. — **de'spair·ing** *adj* verzweifelt, verzweiflungsvoll, verzweifelnd. – *SYN. cf.* despondent. — **de'spair·ing·ly** *adv* voller Verzweiflung, verzweifelt.

des·patch *etc cf.* dispatch *etc.*

des·per·a·do [ˌdespəˈreidou; -'rɑː-] *pl* **-does, -dos** *s* Despe'rado *m* (*tollkühner Radikaler od. Verbrecher*).

des·per·ate ['despərit] **I** *adj* 1. verzweifelt, rasend, verwegen *od.* tollkühn (aus Verzweiflung): a ~ deed eine Verzweiflungstat; a ~ effort eine verzweifelte Anstrengung. – 2. verzweifelt, hoffnungs-, ausweglos: his condition is ~ sein Zustand ist hoffnungslos *od.* läßt das Schlimmste erwarten. – 3. schlimm, böse, äußerst schlecht. – 4. *colloq.* groß, schrecklich: ~ nonsense furchtbarer Unsinn. – *SYN. cf.* despondent. – **II** *adv colloq. od. dial.* 5. schrecklich, äußerst, sehr. — **'des·per·ate·ly** *adv* 1. in Verzweiflung, mit dem Mut der Verzweiflung. – 2. hoffnungslos: ~ ill. – 3. *colloq.* schrecklich, furchtbar, unheimlich: I am ~ hungry. — **'des·per·ate·ness** *s* Verzweiflung *f*, Hoffnungslosigkeit *f*. — **ˌdes·per'a·tion** *s* 1. Rase'rei *f*, Verzweiflung *f*: to drive to ~ rasend machen. – 2. Verzweiflung *f*, Hoffnungslosigkeit *f*.

des·pi·ca·bil·i·ty [ˌdespikəˈbiliti; -əti] → despicableness. — **'des·pi·ca·ble** *adj* verächtlich, verachtungswürdig, verachtenswert. – *SYN. cf.* contemptible. — **'des·pi·ca·ble·ness** *s* Verächtlichkeit *f*, Verachtungswürdigkeit *f*.

de·spise [di'spaiz] *v/t* verachten, verschmähen, geringschätzen. – *SYN.* contemn, disdain, scorn, scout. — **de'spis·er** *s* Verächter(in). — **de'spis·ing** *adj* verachtend, verächtlich.

de·spite [di'spait] **I** *prep* 1. *auch* ~ of trotz (*dat od. gen*), ungeachtet (*gen*): ~ his contradiction trotz seinem Widerspruch *od.* seines Widerspruchs. – **II** *s* 2. Beleidigung *f*, Beschimpfung *f*, Hohn *m*, Schimpf *m*, (angetane) Schmach. – 3. Her'ausforderung *f*, Trotz *m*: in ~ (of) *selten* trotz, ungeachtet; in ~ of his efforts trotz seiner Bemühungen; in ~ of him ihm zum Trotz; in my (his *etc*) ~ *obs.* mir (ihm *etc*) zum Trotz; in ~ of myself (*etc*) ohne es zu wollen. – 4. Haß *m*, Tücke *f*, Gemeinheit *f*, Bosheit *f*, tückische *od.* gemeine Handlung. – 5. *obs.* a) Groll *m*, b) Gehässigkeit *f*. – **III** *v/t obs.* 6. beleidigen. – 7. erbosen. — **de'spite·ful** [-ful; -fəl] *adj* 1. beleidigend, schmähend, höhnend. – 2. her'ausfordernd, trotzig. – 3. tückisch, gehässig, boshaft, gemein. – 4. haßerfüllt.

des·pit·e·ous [des'pitiəs] *adj* 1. verächtlich, verachtend. – 2. gehässig. – 3. grausam, unbarmherzig.

de·spoil [di'spɔil] *v/t* plündern, berauben: to ~ s.o. of s.th. j-n einer Sache berauben. – *SYN. cf.* ravage. — **de'spoil·er** *s* Plünderer *m*, Räuber *m*.

de·spo·li·a·tion [diˌspouliˈeiʃən], *auch* **de·spoil·ment** [di'spɔilmənt] *s* Plünderung *f*, Beraubung *f*.

de·spond [di'spɒnd] **I** *v/i* verzagen, verzweifeln, den Mut verlieren. – **II** *s selten* Verzweiflung *f*. — **de'spond·ence, de'spond·en·cy** *s* Verzagtheit *f*, Mutlosigkeit *f*, Verzweiflung *f*. — **de'spond·ent** *adj* mutlos, verzagt, verzweifelt. – *SYN.* despairing, desperate, hopeless.

des·pot ['despɒt; -pət] *s* 1. Des'pot *m*, Selbstherrscher *m*, Auto'krat *m*, autori'tärer Machthaber. – 2. *fig.* Des'pot *m*, Gewaltmensch *m*, Ty'rann *m*, Unter'drücker *m*. – 3. *hist.* Des'pot *m* (*als Titel*): a) *Prinz im byzantinischen Kaiserreich, seit dem 13. Jh. für den Beherrscher eines byzantinischen Teilstaates*, b) *relig. Bischof od. Patriarch in der morgenländischen Kirche*, c) *Fürst od. Heerführer der ital. Stadtstaaten im 14. u. 15. Jh.* — **des'pot·ic** [-'pɒtik], **des'pot·i·cal** *adj* des'potisch, herrisch, ty'rannisch. — **des'pot·i·cal·ly** *adv* (*auch zu* despotic). — **'des·potˌism** *s* 1. Despo'tismus *m*, Despo'tie *f*, Absolu'tismus *m*, Autokra'tie *f*. – 2. Willkür *f*, Tyran'nei *f*, Gewaltherrschaft *f*. — **'des·pot·ist** *s* Anhänger(in) des Despo'tismus. — **'des·potˌize** *v/t u. v/i* despoti'sieren, tyranni'sieren.

de·spu·mate [di'spjuːmeit; 'despjuˌmeit] *tech.* **I** *v/t* abschöpfen. – **II** *v/i* sich abschäumen. — **ˌdes·pu'ma·tion** *s* Abschäumen *n*.

des·qua·mate ['deskwəˌmeit] *v/i med.* 1. sich abschuppen, in Schuppen abfallen (*Haut etc*). – 2. sich häuten, sich schuppen. — **ˌdes·qua'ma·tion** *s med.* Desquamati'on *f*, Abschuppung *f*, Häutung *f*, Schälung *f*. —

de·squam·a·tive [di'skwæmətiv] *adj med.* desquama'tiv, schuppend, schuppig, schuppenbildend.
des·sert [di'zəːrt] **I** *s* Des'sert *n*, Nachtisch *m*. – **II** *adj* Dessert..., Nachtisch...:~**spoon(ful)** Dessertlöffel(voll).
des·sia·tine ['desjə,tiːn] *s* Desja'tine *f* (*russ. Feldmaß = 109,25 a*).
de·ster·i·lize [diː'steri,laiz; -rə-] *v/t econ.* (*z.B. Gold als Deckungsgrundlage neuer Banknoten*) freigeben, wieder produk'tiv machen.
des·ti·na·tion [,desti'neiʃən; -tə-] *s* 1. Bestimmungsort *m* (*Schiff, Waren etc*): → place 9. – 2. A'dresse *f*, Reiseziel *n*. – 3. Bestimmung *f*, (End)-Zweck *m*.
des·tine ['destin] *v/t* 1. (*etwas*) bestimmen, vorsehen: to ~ s.th. for a purpose etwas für einen Zweck vorsehen. – 2. (*j-n*) (vor'aus)bestimmen, prädesti'nieren, ausersehen (*bes. durch Umstände od. Schicksal*): he was ~d to die early er sollte früh sterben. — '**des·tined** *adj* bestimmt, unter'wegs (for nach) (*Schiff etc*): ~ for London.
des·ti·ny ['destini; -tə-] *s* 1. Schicksal *n*, Geschick *n*, Los *n*: he met his ~ sein Schicksal ereilte ihn. – 2. (*unvermeidliches*) Ende, Schicksal *n*. – 3. D~ das Schicksal (*als Göttin personifiziert*): the Destinies die Schicksalsgöttinnen *od.* Parzen. – *SYN. cf.* fate.
des·ti·tute ['desti,tjuːt; -tə-; *Am. auch* -,tuːt] **I** *adj* 1. hilf-, mittellos, (völlig) unvermögend, verarmt, notleidend. – 2. (of) ermangelnd (*gen*), bar (*gen*), ohne: ~ of all power völlig machtlos, ohne jede Macht. – 3. *fig.* entblößt, beraubt (of *gen*): ~ of all means aller Mittel beraubt. – 4. *obs.* verlassen. – **II** *s* 5. Mittel-, Hilflose(r). – **III** *v/t* 6. (of) berauben (*gen*), entblößen (*gen*). — ,**des·ti'tu·tion** *s* 1. (äußerste) Armut, (bittere) Not, Elend *n*. – 2. (of) Mangel *m* (an *dat*), Fehlen *n* (von *od. gen*). – *SYN. cf.* poverty.
des·tri·er ['destriər] *s obs.* Streitroß *n*.
de·stroy [di'strɔi] *v/t* 1. zerstören, zertrümmern, demo'lieren, rui'nieren. – 2. verheeren, verwüsten. – 3. vernichten, vertilgen, ausrotten. – 4. (*Gebäude etc*) niederreißen, zerstören. – 5. töten, 'umbringen. – 6. (*Hoffnung etc*) zerstören, zu'nichte machen, (*Gesundheit*) zerrütten. — **de'stroy·a·ble** *adj* zerstörbar. — **de'stroy·er** *s* 1. Zerstörer(in), Vernichter(in). – 2. *mar. mil.* Zerstörer *m*: ~ escort Geleitzerstörer; ~ leader Zerstörerflottillen-Führungsschiff.
de·struct·i·bil·i·ty [di,strʌkti'biliti; -tə'biləti] *s* Zerstörbarkeit *f*. — **de'struct·i·ble** *adj* zerstörbar.
de·struc·tion [di'strʌkʃən] *s* 1. Zerstörung *f*, Zertrümmerung *f*, Demo'lierung *f*. – 2. Verheerung *f*, Verwüstung *f*. – 3. Vernichtung *f*, Vertilgung *f*, Ausrottung *f*. – 4. Tötung *f*. – 5. Verderb(en *n*) *m*, 'Untergang *m*. — **de'struc·tion·ist** *s* 1. Zerstörungswütige(r). – 2. *bes. pol.* Revolutio'när(in), 'Umstürzler(in).
de·struc·tive [di'strʌktiv] *adj* 1. zerstörend, verheerend, vernichtend: → distillation 1. – 2. *fig.* destruk'tiv, zersetzend, zerrüttend, unter'grabend, verderblich, schädlich: ~ to health gesundheitsschädlich; ~ to (*od.* of) morals die Moral zersetzend; to be ~ of s.th. etwas zerstören *od.* untergraben. – 3. destruk'tiv, (nur) negativ, verneinend. — **de'struc·tive·ness, de·struc·tiv·i·ty** [,diːstrʌk'tiviti; -əti] *s* 1. zerstörende *od.* vernichtende Wirkung. – 2. (*das*) Destruk'tive *od.* Zersetzende, destruk'tive *od.* zerrüttende Eigenschaft, Verderblichkeit *f*. — **de'struc·tor** [-tər] *s* 1. *tech.* (Abfall-, Müll)Verbrennungsofen *m*. – 2. *mil.* Zerleger *m* (*von Geschoßteilen*).
des·ue·tude ['deswi,tjuːd; *Am. auch* -,tuːd; *Br. auch* di'sjuːi,t-] *s* 1. Ungebräuchlichkeit *f*: to fall (*od.* pass) into ~ außer Gebrauch kommen. – 2. Ungebräuchlichwerden *n*.
de·sul·fur [diː'sʌlfər], **de'sul·fu,rate** [-fju(ə),reit; *Am. auch* -fə,r-], **de'sul·fu,rize** [-fju(ə),raiz; -fə,r-] *v/t chem.* entschwefeln. — **de,sul·fu·ri'za·tion** [-fju(ə)rai'zeiʃən; -fərə-] *s chem.* Entschwefelung *f*. — **de·sul·phur** *etc cf.* desulfur.
des·ul·to·ri·ness [*Br.* 'desəltərinis; *Am.* -,tɔːri-] *s* 1. Zu'sammenhang-, Plan-, Ziellosigkeit *f*. – 2. (*das*) Abschweifende *od.* Abweichende. – 3. Flatterhaftigkeit *f*, Flüchtigkeit *f*, Unbeständigkeit *f*. – 4. Unruhe *f*, Unstetigkeit *f*. — '**des·ul·to·ry** *adj* 1. 'unzu,sammenhängend, 'unme,thodisch, planlos, ziellos, ständig (das Thema) wechselnd: ~ conversation unzusammenhängendes Gerede; ~ discussion planlose Diskussion. – 2. abschweifend, abweichend, nicht zum Thema gehörend. – 3. flatterhaft, unbeständig, sprunghaft. – 4. unruhig, unstet. – *SYN. cf.* random.
de·su·per·heat·er [,diːsjuːpər'hiːtər; *Am. auch* -suː-] *s tech.* Heißdampfkühler *m*, Kühlvorrichtung *f* für über'hitzten Dampf.
des·yl ['desil] *s chem.* De'syl *n* [$C_6H_5COCH(C_6H_5)$; *einwertiges Radikal*].
de·syn·on·y·mize [,diːsi'nɒni,maiz; -nə,m-] *v/t* (*Wörter od. ein Wort*) des syno'nymen Cha'rakters berauben, (*dat*) verschiedene Bedeutung geben.
de·tach [di'tætʃ] **I** *v/t* 1. (ab-, los)trennen, loslösen, losmachen, abnehmen. – 2. absondern, her'auslösen, freimachen. – 3. *mar. mil.* deta'chieren, ('ab)komman,dieren. – 4. *fig.* abspenstig machen (from *dat*). – **II** *v/i* 5. sich (los-, ab-, her'aus)lösen, sich absondern, sich freimachen. — **de,tach·a'bil·i·ty** *s* Abnehmbarkeit *f*, Abtrennbarkeit *f*. — **de'tach·a·ble** *adj* abnehmbar, loslösbar, (ab)trennbar: a ~ top ein abnehmbares Oberteil; ~ stock Anschlagkolben (*der Maschinenpistole*). — **de'tached** *adj* 1. (ab)getrennt, (ab)gesondert, (ab-, los)gelöst: to become ~ sich (los)lösen. – 2. einzeln, al'leinstehend (*Haus*). – 3. getrennt, sepa'rat, gesondert. – 4. *mar. mil.* deta'chiert, 'abkomman,diert. – 5. *fig.* a) 'unpar,teiisch, objek'tiv, 'unvor,eingenommen, b) (about) 'uninteres,siert (an *dat*), gleichgültig (gegen). – *SYN. cf.* indifferent. — **de'tach·ed·ly** [-idli] *adv.* — **de'tached·ness** *s* 1. 'Unpar,teilichkeit *f*, Objektivi'tät *f*. – 2. Gleichgültigkeit *f*, Inter'esselosigkeit *f*.
de·tach·ment [di'tætʃmənt] *s* 1. Absonderung *f*, (Ab)Trennung *f*, (Los)-Lösung *f*, Loslösen *n*, Losmachen *n* (from von). – 2. Getrennt-, Gelöstsein *n*. – 3. *fig.* Losgelöstsein *n*, (inneres) Freisein. – 4. *fig.* Objektivi'tät *f*, 'Unpar,teilichkeit *f*. – 5. Gleichgültigkeit *f* (from gegen). – 6. *mar. mil.* Detache'ment *n*, ('Sonder)-Kom,mando *n*.
de·tail I *s* ['diːteil; di'teil] 1. De'tail *n*: a) Einzelheit *f*, einzelner Punkt, b) *collect.* (nähere) Einzelheiten *pl*, Näheres *n*: to go into ~ ins Detail gehen, auf Einzelheiten eingehen; in ~ a) ausführlich, mit allen Einzelheiten, Punkt für Punkt, b) im einzelnen. – 2. Einzelteil *m*, *n*. – 3. De'tailbehandlung *f*, ausführliche Behandlung (*eines Themas etc*). – 4. De'taildarstellung *f*, ausführliche Darstellung *od.* 'Wiedergabe. – 5. (*bildende Kunst*) De'tail *n*: a) De'tailarbeit *f*, b) Ausschnitt *m* (*aus größerem Kunstwerk*). – 6. 'Nebensache *f*, -,umstand *m*. – 7. *mil.* a) Detache'ment *n*, ('Sonder)Kom,mando *n*, b) 'Abkomman,dierung *f*, c) Sonderauftrag *m*. – *SYN. cf.* item. – **II** *v/t* [di'teil; *Br. auch* 'diː-] 8. (*Geschehnis etc*) detail'lieren, ausführlich behandeln *od.* berichten, genau beschreiben. – 9. (*Tatsachen etc*) einzeln aufzählen, einzeln eingehen auf (*acc*). – 10. *mil.* 'abkomman,dieren, (zum Dienst) einteilen. – **III** *v/i* 11. ins einzelne gehen, ausführlich sein. – 12. *arch. tech.* Teilzeichnungen machen. — ~ **draw·ing** *s arch. tech.* Teilzeichnung *f*.
de·tailed [di'teild; 'diːteild] *adj* 1. ausführlich, eingehend, genau: a ~ report. – 2. 'umständlich (*berichtet*). – *SYN. cf.* circumstantial. — **de'tail·ed·ly** [-idli] *adv.* — **de'tail·ed·ness** *s* 1. Ausführlichkeit *f*. – 2. 'Umständlichkeit *f*.
de·tain [di'tein] *v/t* 1. (*j-n*) auf-, ab-, fest-, zu'rückhalten, hindern. – 2. (*j-n*) warten lassen. – 3. *jur.* (*j-n*) in Haft (be)halten, festhalten. – 4. *obs.* (*etwas*) ('widerrechtlich) zu'rückhalten. – 5. *ped.* nachsitzen lassen. – *SYN. cf.* a) delay, b) keep. — **de'tain·er** *s jur.* 1. 'widerrechtliche Vorenthaltung. – 2. Haft *f*. – 3. Haftverlängerungsbefehl *m*. — **de'tain·ment** → detention 1–5.
de·tas·sel [diː'tæsl] *v/t Am.* (*Maiskolben*) von den Fäden befreien.
de·tect [di'tekt] *v/t* 1. entdecken, (her'aus)finden, ausfindig machen, ermitteln, feststellen, nachweisen. – 2. (*Geheimnis*) enthüllen. – 3. (*Verbrechen etc*) aufdecken. – 4. (*j-n*) entlarven. – 5. (*j-n*) ertappen (in bei). – 6. *mil.* (*Gas, Minen*) spüren, (*Ziel*) auffassen, erfassen. – 7. (*Radio*) gleichrichten. — **de'tect·a·ble** *adj* feststellbar, nachweisbar, aufdeckbar, entdeckbar. — **de'tec·ta,phone** [-tə,foun] *s electr.* Abhörgerät *n* (*beim Telephon*). — **de·tect·i·ble** *cf.* detectable.
de·tec·tion [di'tekʃən] *s* 1. Entdeckung *f*, Entdecken *n*, Feststellung *f*, Nachweis *m*, Ermittlung *f*, Ausfindigmachung *f*. – 2. Ertappung *f*. – 3. Entlarvung *f*. – 4. Aufdeckung *f* (*Verbrechen etc*). – 5. Enthüllung *f* (*Geheimnis*). – 6. (*Radio*) a) Gleichrichtung *f*, b) 'Umwandlung *f* (*in Gleichstrom*). — **de'tec·tive I** *adj* 1. Detektiv..., Kriminal...: ~ police Kriminalpolizei. – 2. 'durchdringend, scharfblickend, entlarvend. – **II** *s* 3. Detek'tiv(in), Krimi'nalbeamter *m*, Ge'heimpoli,zist(in): private ~ Privatdetektiv.
de·tec·tor [di'tektər] *s* 1. Aufdecker *m*, Entdecker *m*, Enthüller *m*. – 2. *tech.* Indi'kator *m*: a) Anzeiger *m*, Anzeigevorrichtung *f*, b) Angeber *m* (*an Geldschränken zur Verhinderung unbefugten Öffnens*). – 3. *tech.* Wasserstandsanzeiger *m* (*an Boilern etc*). – 4. *electr.* a) 'Strom(,richtungs)indi,kator *m*, b) HF-Indikator *m*, c) De'tektor *m*, HF-Gleichrichter *m*, (Kri'stall)Di,ode *f*. – 5. *mar.* Tor'pedo,suchinstru,ment *n*. – 6. *mil.* Spürgerät *n* (*zum Aufspüren von chemischen, biologischen, radioaktiven Stoffen*). – 7. *mar. mil.* Ortungsgerät *n* (*gegen U-Boote*).
de·tent [di'tent] *s tech.* 1. Sperrklinke *f*, -kegel *m*, -haken *m*. – 2. (Ab)Drücker *m*, Spiel *n* (*am Büchsenschloß*). – 3. Einfallshaken *m*, Ein-, Vorfall *m* (*bei Uhren*). – 4. *mil.* Sicherungsriegel *m* (*am Geschütz*).
dé·tente [de'tɑ̃ːt] (*Fr.*) *s bes. pol.* Entspannung *f*.

de·ten·tion [di'tenʃən] *s* **1.** Inhaf'tierung *f*, Festnahme *f*. – **2.** Haft *f*, Gefangenhaltung *f*: ~ **pending** (*od.* **awaiting**) **trial** Untersuchungshaft. – **3.** Zu'rück-, Fest-, Ab-, Aufhaltung *f*. – **4.** Verzögerung *f*, unfreiwilliger Aufenthalt. – **5.** Vorenthaltung *f*, Einbehaltung *f*: ~ **of wages** Gehalts-, Löhnungseinbehaltung. – **6.** (*röm. Recht*) Detenti'on *f*, Deti'nierung *f*, (bloße) Innehabung (*einer Sache*). – **7.** *ped.* Ar'rest *m*, Nachsitzen *n*. — ~ **home** *s* Besserungsanstalt *f* (*für Jugendliche*).

dé·te·nu [detə'ny; det'ny] (*Fr.*) *s* Häftling *m*. — **dé·te'nue** [-'ny] (*Fr.*) *s* (*weiblicher*) Häftling.

de·ter [di'təːr] *pret u. pp* **-'terred** *v/t* **1.** abschrecken, zu'rück-, abhalten (from von): **he is not to be ~red** er läßt sich nicht abhalten. – **2.** hindern (from an *dat*).

de·terge [di'təːrdʒ] *v/t* (*bes. Wunden*) reinigen. — **de'ter·gen·cy,** *auch* **de'ter·gence** *s* Reinigungskraft *f*. — **de'ter·gent I** *adj* **1.** reinigend. – **II** *s* **2.** *bes. med.* Reinigungsmittel *n*. – **3.** Waschmittel *n*.

de·te·ri·o·rate [di'ti(ə)riəˌreit] **I** *v/i* **1.** sich verschlechtern, schlechter werden, verderben, entarten. – **2.** verfallen, in Verfall geraten, her'unterkommen. – **3.** *econ.* an Wert verlieren. – **II** *v/t* **4.** verschlechtern. – **5.** (*Wert*) (ver)mindern. – **6.** im Wert vermindern, her'absetzen. — **deˌte·ri·o'ra·tion** *s* **1.** Verschlechterung *f*, Verschlimmerung *f*. – **2.** Entartung *f*, Degene'rierung *f*. – **3.** *econ.* Deteriorati'on *f*, Verschleiß *m*, Verderb *m*. – **4.** Wertminderung *f*. – *SYN.* **decadence, decline, degeneration.** — **de'te·ri·oˌra·tive** *adj* verschlechternd.

de·ter·ment [di'təːrmənt] *s* **1.** Abschreckung *f* (from von). – **2.** Abschreckungsmittel *n*.

de·ter·mi·na·bil·i·ty [diˌtəːrminə'biliti; -mə-; -əti] *s* **1.** Bestimmbarkeit *f*. – **2.** Entscheidbarkeit *f*. — **de'ter·mi·na·ble** *adj* **1.** bestimmbar, entscheidbar, festsetzbar. – **2.** *jur.* befristet. — **de'ter·mi·na·ble·ness** → **determinability.** — **de'ter·mi·nant I** *adj* **1.** bestimmend. – **II** *s* **2.** (*das*) Bestimmende *od.* Entscheidende. – **3.** *math.* Determi'nante *f*. – **4.** *biol.* Determi'nante *f*, Erbanlage *f*. – **5.** *hist.* erfolgreicher Kandi'dat (*bei der Baccalaureatsprüfung an engl. Universitäten*). – *SYN. cf.* **cause.** — **deˌter·mi'nan·tal** [-'næntl] *adj math.* Determinanten...

de·ter·mi·nate [di'təːrminit; -mə-] *adj* **1.** bestimmt, festgelegt, genau begrenzt *od.* um'rissen. – **2.** entschieden, beschlossen, festgesetzt. – **3.** endgültig. – **4.** entschlossen, entschieden, reso'lut, fest. – **5.** *bot.* → **cymose.** — **de'ter·mi·nate·ness** *s* **1.** Bestimmtheit *f*. – **2.** Entschlossenheit *f*, Entschiedenheit *f*.

de·ter·mi·na·tion [diˌtəːrmi'neiʃən; -mə-] *s* **1.** Entschluß *m*, Entscheidung *f*. – **2.** Beschluß *m*, Beschließung *f*, Resoluti'on *f*. – **3.** Bestimmung *f*, Festsetzung *f*. – **4.** Beschlußfassung *f*. – **5.** Feststellung *f*, Ermittlung *f* (*eines Ergebnisses*). – **6.** Entschlossen-, Entschiedenheit *f*, Zielstrebigkeit *f*, Entschlußkraft *f*. – **7.** Ziel *n*, Zweck *m*, feste Absicht. – **8.** Streben *n*. – **9.** Richtung *f*, Ten'denz *f*, Neigung *f*: ~ **of blood** *med.* Blutandrang. – **10.** Abgrenzung *f*, Grenzziehung *f*, Unter'scheidung *f*. – **11.** *jur.* Ablauf *m*, Ende *n* (*Vertrag*). – **12.** (*Logik*) Determinati'on *f*, Bestimmung *f*, Einengung *f* (*Begriff*). – **13.** (*Embryologie*) Determinati'on *f*. — **de'ter·miˌna·tive I** *adj* **1.** determina'tiv, (näher) bestimmend, einschränkend, Bestimmungs... – **2.** bestimmend, entscheidend: to be ~ of s.th. etwas bestimmen *od.* entscheiden. – *SYN. cf.* **conclusive.** – **II** *s* **3.** (*etwas*) Bestimmendes *od.* Kennzeichnendes *od.* Charakte'ristisches. – **4.** entscheidender Faktor. – **5.** *ling.* a) Determina'tiv *n*, b) Determina'tivproˌnomen *n*.

de·ter·mine [di'təːrmin] **I** *v/t* **1.** (*Streitfrage etc*) entscheiden. – **2.** beschließen, bestimmen, festsetzen. – **3.** (*Zeitpunkt*) festlegen, ansetzen. – **4.** (*Ergebnis*) feststellen, ermitteln, her'ausfinden. – **5.** bedingen, bestimmen: **the weather will ~ our plans** unsere Pläne hängen vom Wetter ab. – **6.** (*j-n*) bestimmen, veranlassen: **it ~d me to stop.** – **7.** die Richtung geben (*dat*), richtunggebend sein für, den Lauf bestimmen von. – **8.** *bes. jur.* beend(ig)en, ablaufen lassen. – **9.** (*Logik*) determi'nieren, bestimmen, einengen. – **10.** *bot. zo.* bestimmen, (durch Vergleich) zuordnen, klassifi'zieren. – **II** *v/i* **11.** (on) sich entscheiden (für), sich entschließen (zu): **to ~ on doing s.th.** sich dazu entschließen, etwas zu tun. – **12.** *bes. jur.* enden, ablaufen, erlöschen, aufhören. – *SYN. cf.* a) **decide,** b) **discover.** — **de'ter·mined** *adj* **1.** entschlossen: **he was ~ to know** er wollte unbedingt wissen. – **2.** entschieden. – **3.** bestimmt, festgelegt.

de·ter·min·ism [di'təːrmiˌnizəm; -mə-] *s philos.* Determi'nismus *m*. — **de'ter·min·ist** *philos.* **I** *s* Determi'nist(in). – **II** *adj* determi'nistisch. — **deˌter·min'is·tic** *adj* determi'nistisch.

de·ter·rence [*Br.* di'terəns; *Am.* -'təːr-] *s* **1.** (*das*) Abschreckende. – **2.** Abschreckung *f* (from von). — **de'ter·rent I** *adj* abschreckend: ~ **principle** Abschreckungsprinzip. – **II** *s* Abschreckungsmittel *n*.

de·ter·sion [di'təːrʃən] *s med.* Wundreinigung *f*. — **de'ter·sive** [-siv] *med.* **I** *adj* reinigend. – **II** *s* Reinigungsmittel *n*. — **de'ter·sive·ness** *s med.* reinigende Eigenschaft.

de·test [di'test] *v/t* verabscheuen, hassen. – *SYN. cf.* **hate.** — **deˌtest·a'bil·i·ty** *s* Ab'scheulichkeit *f*, Verabscheuungswürdigkeit *f*. — **de'test·a·ble** *adj* abscheulich, verabscheuungs-, hassenswert. – *SYN. cf.* **hateful.** — **de'test·a·ble·ness** → **detestability.** — **ˌde·tes'ta·tion** [ˌdiː-] *s* (of) Verabscheuung *f* (*gen*), Abscheu *m* (vor *dat*, gegen): **to hold** (*od.* **have**) **in ~** verabscheuen. — **de'test·er** *s* Verabscheuer(in).

de·throne [di'θroun] *v/t* entthronen (*auch fig.*). — **de'throne·ment** *s* Entthronung *f*. — **de'thron·er** *s* Entthroner(in).

det·i·nue ['detiˌnjuː; -tə-; *Am. auch* -ˌnuː] *s jur.* Vorenthaltung *f*, (*das*) Vorenthaltene: **action of ~** Vindikationsklage (*auf Herausgabe von vorenthaltenen Sachen*).

det·o·nate ['detoˌneit; -tə-] **I** *v/t* deto'nieren lassen, zur Detonati'on bringen. – **II** *v/i* deto'nieren, explo'dieren. — **'det·oˌnat·ing** *adj tech.* Detonations..., Spreng..., Zünd..., Knall...: ~ **fuse** Knallzündschnur; ~ **gas** *chem.* Knallgas; ~ **powder** Brisanzsprengstoff; ~ **tube** *chem.* Verpuffungsröhre, Detonationskapsel. — **ˌdet·o'na·tion** *s* Detonati'on *f*. — **'det·oˌna·tor** [-tər] *s tech.* **1.** Zünd-, Sprengkapsel *f*, Anfeuerung *f* (*bei Munition*), Sprengzünder *m*. – **2.** (Si'gnal)Spreng-, (Si'gnal)Knallkapsel *f*.

de·tour, dé·tour [*Br.* 'deituə *u.* di'tuə; *Am.* 'diːtur; di'tur] **I** *s* **1.** 'Umweg *m*: **to make a ~.** – **2.** (Ver'kehrs)ˌUmleitung *f*. – **3.** *fig.* 'Umschweif *m*. – **II** *v/i* **4.** einen 'Umweg machen. – **III** *v/t* **5.** einen 'Umweg machen lassen.

de·tox·i·cate [diː'tɒksiˌkeit; -sə-] *v/t* entgiften.

de·tract [di'trækt] **I** *v/t* **1.** entziehen, abziehen, wegnehmen: **this ~s half of its value** das nimmt ihm die Hälfte seines Wertes (weg). – **2.** *selten* her'abwürdigen, verunglimpfen. – **3.** ablenken, zerstreuen. – **II** *v/i* **4.** (from) her'absetzen, vermindern, schmälern (*acc*), Abbruch tun (*dat*): **to ~ from s.o.'s reputation** j-s Ruf schaden. – *SYN. cf.* **decry.** — **de'trac·tion** *s* **1.** Her'absetzung *f*, Verunglimpfung *f*. – **2.** Beeinträchtigung *f*, Schmälerung *f* (from *gen*). — **de'trac·tive** *adj* verleumderisch, verunglimpfend. — **de'trac·tor** [-tər] *s* Verleumder(in), Lästerer *m*, Lästerzunge *f*. — **de'trac·to·ry** [-təri] → **detractive.**

de·train [diː'trein] *mil.* (*Eisenbahn*) **I** *v/t* (*Personen*) aussteigen lassen. – **II** *v/i* aussteigen. — **de'train·ment** *s* **1.** Aussteigen *n*. – **2.** Ausladung *f*.

det·ri·ment ['detrimənt; -trə-] *s* **1.** Nachteil *m*, Schaden *m*, Verlust *m* (to für), Abbruch *m*: **to the ~ of s.o.** zu j-s Nachteil *od.* Schaden; **without ~ to** ohne Schaden für. – **2.** *Br.* Abnützungsgebühr *f* (*der Studenten für ihre Zimmer*). — **ˌdet·ri'men·tal** [-'mentl] **I** *adj* nachteilig, schädlich (to für): **to be ~ to s.th.** einer Sache schaden. – *SYN. cf.* **pernicious.** – **II** *s sl.* nicht in Frage kommender *od.* unerwünschter Freier (*z. B. der jüngere Sohn*). — **ˌdet·ri'men·tal·ness** *s* Schädlichkeit *f*.

de·tri·tal [di'traitl] *adj geol.* Geröll..., Schutt... — **de'trit·ed** *adj* **1.** abgenützt, abgegriffen. – **2.** *geol.* zerrieben, verwittert, Geröll... — **de'tri·tion** [-'triʃən] *s* Abreibung *f*, Abnützung *f*, Abtragung *f*. — **de'tri·tus** [-'traitəs] *s geol.* **1.** De'tritus *m*, Geröll *n*, Schutt *m*. – **2.** Rest *m*, 'Überbleibsel *n*.

de·trude [di'truːd] *v/t* **1.** hin'unterstoßen, -drücken. – **2.** hin'aus-, wegstoßen, -schieben.

de·trun·cate [di'trʌŋkeit; diː-] *v/t* beschneiden, stutzen, kürzen. — **ˌde·trun'ca·tion** *s* Stutzen *n*, Beschneiden *n*, Kürzung *f*. [drückung *f*.]

de·tru·sion [di'truːʒən] *s* Hin'aus-]

deuce [djuːs; *Am. auch* duːs] *s* **1.** (*Würfeln*) Daus *m*, *n*, Zwei *f*: **~-ace** a) Wurf mit einer Zwei u. einer Eins, b) Pech, Malheur. – **2.** (*Kartenspiel*) Zwei *f*. – **3.** (*Tennis*) Einstand *m*. – **4.** *sl.* a) Elend *n*, Pech *n*, b) (*als Ausruf od. intens in Verneinungen*) Teufel *m*, Kuckuck *m*: **how the ~** wie zum Teufel; **~ take it!** der Kuckuck soll's holen! **~ knows** der Teufel weiß; **the ~ he can!** nicht zu glauben, daß er es kann! **~ a bit** nicht im geringsten; **a ~ of a row** ein Höllenlärm; **to play the ~ with** Schindluder treiben mit; **to have the ~ to pay** sich eine schöne Suppe eingebrockt haben. — **'deu·ced** [-sid; -st] *adj sl.* verteufelt, verflixt, verflucht. — **'deu·ced·ly** [-sidli] *adv.*

deut- [djuːt; *Am. auch* duːt], **deuter-** [-tər] → **deutero-.**

deu·ter·ag·o·nist [ˌdjuːtə'rægənist; *Am. auch* ˌduː-] *s antiq.* Deuterago'nist *m* (*im griech. Drama der 2. Schauspieler*).

deu·te·ri·um [djuː'ti(ə)riəm; *Am. auch* duː-] *s chem.* Deu'terium *n*, schwerer Wasserstoff (H^2 *od.* D). — **~ ox·ide** *s chem.* Deu'teriumoˌxyd *n*, schweres Wasser (D_2O).

deutero- [djuːtəro; *Am. auch* duː-] *Wortelement mit der Bedeutung* zweit(er, e, es).

deu·ter·o·ca·non·i·cal [ˌdjuːtərokəˈnɒnikəl; -əkəl; *Am. auch* ˌduː-] *adj Bibl.* ˈdeuterokaˌnonisch: ~ books. — ˌ**deu·terˈog·a·my** [-ˈrɒgəmi] *s* Deuterogaˈmie *f*, zweite Ehe. — ˌ**deu·ter·oˈgen·ic** [-roˈdʒenik], *auch* ˌ**deu·terˈog·en·ous** [-ˈrɒdʒənəs] *adj geol.* deuteroˈgen (*Gestein*).

deu·ter·on [ˈdjuːtəˌrɒn; *Am. auch* ˈduː-] *s phys.* Deuteron *n* (*Kern eines Deuteriumatoms*).

Deu·ter·o·nom·ic [ˌdjuːtəroˈnɒmik; *Am. auch* ˌduː-], ˌ**Deu·ter·oˈnom·i·cal** [-kəl] *adj Bibl.* deuteroˈnomisch. — ˌ**Deu·terˈon·o·mist** [-ˈrɒnəmist] *s* Verfasser *m* des 5. Buches Mosis. — ˌ**Deu·terˈon·o·my** *s Bibl.* Deuteroˈnomium *n* (*5. Buch Mosis*).

deu·ter·o·path·ic [ˌdjuːtəroˈpæθik; *Am. auch* ˌduː-] *adj med.* deuteroˈpathisch. — ˌ**deu·terˈop·a·thy** [-ˈrɒpəθi] *s med.* Deuteropaˈthie *f*, Sekunˈdärkrankheit *f*. — ˈ**deu·ter·oˌplasm** [-ˌplæzəm] → deutoplasm. — ˌ**deu·ter·oˈpro·teˌose** [-ˈproutiˌous] *s in Wasser lösliches Sekundärprodukt (entstanden durch Einwirkung gastrischer Säfte bei der Verdauung)*.

deuto- [djuːto; *Am. auch* duː-] → deutero-.

deu·to·plasm [ˈdjuːtoˌplæzəm; *Am. auch* ˈduː-] *s biol.* Deutoˈplasma *n* (*Nährplasma im Ei*).

deut·zi·a [ˈdjuːtsiə; *Am. auch* ˈduː-; ˈdɔit-] *s bot.* Deutzie *f* (*Gattg Deutzia*).

deux-temps [ˈdøˈtɑ̃] (*Fr.*) *s mus.* schneller Zweischrittwalzer.

de·va [ˈdeivə] *s relig.* **1.** Dewa *m* (*indische Gottheit*). – **2.** Dew *m*, Daiwa *m* (*böser Geist in der Lehre Zarathustras*).

de·val·u·ate [diːˈvæljuˌeit] *v/t econ.* devalˈvieren, abwerten. — ˌ**de·val·uˈa·tion** *s econ.* Devalvatiˈon *f*, Abwertung *f*. — **deˈval·ue** [-juː] → devaluate.

dev·as·tate [ˈdevəsˌteit] *v/t* verwüsten, verheeren, vernichten. – *SYN. cf.* ravage. — ˈ**dev·asˌtat·ing** *adj* **1.** verheerend. – **2.** *sl.* eˈnorm, phanˈtastisch. – **3.** *fig.* niederschmetternd. — ˌ**dev·asˈta·tion** *s* Verwüstung *f*, Verheerung *f*. — ˈ**dev·asˌta·tive** *adj* verheerend, verwüstend. — ˈ**dev·asˌta·tor** [-tər] *s* Verwüster(in).

dev·el [ˈdevl] *s Scot.* heftiger Schlag.

de·vel·op [diˈveləp] **I** *v/t* **1.** entwickeln, entfalten, sich auswirken lassen. – **2.** entwickeln, zeigen, an den Tag legen. – **3.** werden lassen (into zu). – **4.** (*Krankheit*) herˈvorbringen, sich zuziehen. – **5.** (*Geschwindigkeit, Stärke etc*) entwickeln, erreichen. – **6.** stärken, ausbauen, fördern. – **7.** (*Gelände, Naturschätze*) erschließen, nutzbar machen. – **8.** (*Bergbau*) (*Mine*) aufschließen. – **9.** (*Gedanken, Plan etc*) entwickeln, herˈausarbeiten, klar-, darlegen (to *dat*). – **10.** (*Verfahren etc*) entwickeln, ausarbeiten. – **11.** *reflex* to ~ oneself sich entwickeln, sich entfalten (into zu). – **12.** *math.* a) (*Gleichung etc*) entwickeln, b) (*Fläche*) abwickeln. – **13.** *mus.* (*Thema*) entwickeln, ˈdurchführen. – **14.** *phot.* (*Platte, Film*) entwickeln. – **15.** *mil.* (*Angriff*) eröffnen. – **II** *v/i* **16.** sich entwickeln (from aus; into zu). – **17.** (langsam) werden, entstehen, sich entfalten. – **18.** *Am.* zuˈtage treten, sich zeigen, offenbar werden, bekanntwerden: it ~s that es zeigt sich, daß. – *SYN.* mature, ripen. — **deˈvel·op·a·ble I** *adj* **1.** entwicklungsfähig, zu entwickeln(d). – **2.** entfaltbar, zur Entfaltung fähig. – **3.** *fig.* ausbaufähig (*Stellung etc*). – **4.** erschließbar. – **5.** *phot.* entwickelbar. – **6.** *math.* developˈpabel, abwickelbar (*Fläche*). – **II** *s* **7.** *math.* Developˈpable *f*, abwickelbare Fläche. — **de·vel·ope, de·vel·ope·ment** *cf.* develop *etc.* — **deˈvel·op·er** *s phot.* **1.** Entwickler(in). – **2.** Entwickler(flüssigkeit *f*) *m*. — **deˈvel·op·ing** *adj bes. phot.* Entwicklungs..., Entwickler...: ~ bath Entwicklungsbad, Entwicklerlösung.

de·vel·op·ment [diˈveləpmənt] *s* **1.** Entwicklung *f*: stage of ~ Entwicklungsstufe. – **2.** Entfaltung *f*, Ausbildung *f*, Wachstum *n*, Werden *n*, Entstehen *n*. – **3.** Ausbau *m*, Stärkung *f*, Förderung *f* (*Beziehungen etc*). – **4.** Erschließung *f*, Nutzbarmachung *f* (*Gelände, Naturschätze etc*). – **5.** (*Bergbau*) Aufschließung *f*. – **6.** Darlegung *f*, Entwicklung *f* (*Pläne, Gedanken*). – **7.** Entwicklung *f*, Ausarbeitung *f* (*Verfahren etc*). – **8.** *math.* a) Entwicklung *f* (*eines Ausdrucks*), b) Abwicklung *f* (*einer Fläche*) – **9.** *biol.* Entwicklung *f*: a) Ontogeˈnie *f*, b) *selten* Evolutiˈon *f*. – **10.** *mus.* a) Entwicklung *f*, ˈDurchführung *f*, b) ˈDurchführung(steil *m*) *f* (*in Sonatensatz u. Fuge*). — **deˌvel·opˈment·al** [-ˈmentl] *adj* Entwicklungs..., Wachstums...: ~ disease *med.* Entwicklungskrankheit.

de·vel·op·ment a·re·a *s pol.* Entwicklungsgebiet *n*.

de·vest [diˈvest] *v/t* **1.** *jur.* → divest 3. – **2.** *obs.* entkleiden.

De·vi [ˈdeiviː] *s relig.* Göttin *f*, weibliche Gottheit (*der Inder*).

de·vi·ant [ˈdiːviənt] → deviate III.

de·vi·ate [ˈdiːviˌeit] **I** *v/i* abweichen, abgehen (from von). – **II** *v/t* ablenken, ableiten, die Richtung ändern von. – *SYN. cf.* swerve. – **III** *adj u. s* [-it; -ˌeit] *psych.* vom ˈDurchschnitt abweichend(es Indiˈviduum). — ˌ**de·viˈa·tion** *s* **1.** Abweichung *f*, Abweichen *n* (from von): ~ of complement *med.* Komplementabweichung. – **2.** Ablenkung *f*. – **3.** (*Statistik*) Deviatiˈon *f*, Abweichung *f*: average (*od.* mean) ~ mittlere Abweichung; standard ~ mittlere quadratische Abweichung. – **4.** *aer. mar.* (*Kompaß*) Deviatiˈon *f*, Abweichung *f*, Ablenkung *f*, Fehlweisung *f*. – **5.** (*Seeversicherung*) unerlaubte Deviatiˈon (*von der Ersatzpflicht entbindende unerlaubte Abweichung vom Kurs*). – **6.** a) *aer.* (Kurs)Versetzung *f*, b) *mar.* Deviatiˈon *f*, Kursabweichung *f*. – **7.** (*Optik*) Ablenkung *f*. – **8.** *mil.* Deviatiˈon *f*, Abweichung *f* (*Geschoß von der Flugbahn*). – **9.** *tech.* Ausschlag *m*, Auslenkung *f* (*des Zeigers etc*). — ˌ**de·viˈa·tion·ism** *s pol.* Abweichen *n* von der Parˈteilinie. — ˌ**de·viˈa·tion·ist** *s* Abweichler *m*. — ˈ**de·viˌa·tor** [-tər] *s* Abweichende(r). — ˈ**de·vi·a·to·ry** [*Br.* [-ˌeitəri; *Am.* -əˌtɔːri] *adj* **1.** abweichend. – **2.** Abweichungs...

de·vice [diˈvais] *s* **1.** Vor-, Einrichtung *f*: an ingenious ~ eine sinnreiche Vorrichtung. – **2.** Gerät *n*, Appaˈrat *m*. – **3.** Erfindung *f*. – **4.** (*etwas*) kunstvoll Erdachtes *od.* Entworfenes, Einfall *m*. – **5.** Plan *m*, Proˈjekt *n*, Vorhaben *n*. – **6.** Kunstgriff *m*, List *f*, Maˈnöver *n*, Schlich *m*, Trick *m*. – **7.** Anschlag *m*, böse Absicht. – **8.** *pl* Neigung *f*, Wille *m*, Wunsch *m*: left to one's own ~s sich selbst überlassen. – **9.** Deˈvise *f*, Motto *n*, Sinn-, Wahlspruch *m*. – **10.** *her.* Sinnbild *n*. – **11.** Zeichnung *f*, Plan *m*, Entwurf *m*. – **12.** *obs.* Erfindungsgabe *f*.

dev·il [ˈdevl] **I** *s* **1.** the ~, *auch* the D~ der Teufel, der Böse, Satan *m*: between the ~ and the deep (blue) sea *fig.* in der Klemme, in einem schweren Dilemma; talk of the ~ and he will appear (*od.* and you'll see his horns) *colloq.* wenn man vom Teufel spricht, dann kommt er; like the ~ *colloq.* wie der Teufel, wie wild; to whip the ~ round the stump (*od.* post) durch List u. Tücke zum Ziel gelangen; to go to the ~ *sl.* zum Teufel *od.* vor die Hunde gehen; go to the ~! scher dich zum Teufel! pack dich! the ~ take the hindmost den letzten beißen die Hunde; the ~ among the tailors *colloq.* großes Tohuwabohu, Hexensabbat; the ~ and all *colloq.* a) alles denkbar Schlechte, b) alles Mögliche *od.* Erdenkliche; there's the ~ (and all) to pay *colloq.* das dicke Ende kommt noch; the ~ is in it if *colloq.* es geht mit dem Teufel zu, wenn; the ~! *colloq.* a) (*verärgerter Ausruf*) zum Teufel! zum Kuckuck! b) (*erstaunt*) Donnerwetter! da hört doch alles auf! the ~ take it (him *etc*) *sl.* der Teufel soll es (ihn *etc*) holen; what (where, how *etc*) the ~ *colloq.* was (wo, wie *etc*) zum Teufel; ~s on horseback *Gericht aus knusprigen Speckstücken auf Austern*; ~ on two sticks Diabolo-, Teufelsspiel; to give the ~ his due jedem das Seine lassen; → tattoo[1] 2. – **2.** Teufel *m*, Höllengeist *m*. – **3.** Teufel *m*, böser Geist, Dämon *m*. – **4.** *relig.* Götze *m*, Abgott *m*. – **5.** *fig.* Teufel *m*, Satan *m*, Unhold *m*, Drache *m* (*böser Mensch*): a ~ in petticoats, a she-~ *colloq.* eine Furie, ein Teufelsweib. – **6.** *meist* poor ~ armer Teufel *od.* Schlucker. – **7.** *humor. od. colloq.* Teufelskerl *m*, toller Bursche. – **8.** *colloq.* Draufgängertum *n*, Schneid *m*. – **9.** *fig.* Laster *n*, Übel *n*, Teufel *m*. – **10.** a (*od.* the) ~ *colloq. intens* a) eine verteufelte Sache, b) ein Mordsding, eine Mordssache: a (*od.* the) ~ of a mess ein Mordsdurcheinander; the ~ of a job eine Heidenarbeit; isn't it the ~ das ist doch eine verflixte Sache; the ~ of it das Vertrackte an der Sache; the ~ of a good joke ein verdammt guter Witz. – **11.** *colloq. intens* (*in Verneinungen*) nicht der (die, das) geringste, nicht eine Spur von: ~ a bit überhaupt nicht, nicht die Spur; ~ a one nicht ein einziger. – **12.** bösartiges Tier. – **13.** Lohnschreiber *m*, liteˈrarischer Tagelöhner. – **14.** *jur.* (*meist unbezahlter*) Hilfsanwalt. – **15.** → printer's ~. – **16.** scharf gewürztes Pfannen- *od.* Grillgericht. – **17.** *colloq. für* dust ~. – **18.** Sprühteufel *m* (*Art Feuerwerk*). – **19.** *tech.* a) Zerˈkleinerungsmaˌschine *f*, *bes.* Reißwolf *m*, Holländer *m*, Hadernschneider *m*, b) Holzgewindedrehbank *f*. – **20.** *mar. sl.* ‚Düwelnaht' *f*, Wasserliniennaht *f*. – **21.** *agr.* Ackerschleife *f* (*Bodenbearbeitungsgerät*). – **II** *v/t pret u. pp* ˈ**dev·iled**, *bes. Br.* ˈ**dev·illed 22.** *colloq.* plagen, schikaˈnieren, ‚piesacken', ‚Schlitten fahren' mit. – **23.** *tech.* (*Lumpen etc*) zerfasern, zerkleinern (*im Reißwolf*). – **24.** (*Speisen*) scharf gewürzt grillen *od.* braten: to ~ a crab. – **III** *v/i* **25.** als Lohnschreiber arbeiten. – **26.** als Hilfsanwalt funˈgieren.

dev·il| box *s colloq.* Elekˈtronengehirn *n*. — ˈ~ˌ**dodg·er** *s colloq.* **1.** Betbruder *m*, -schwester *f*, Frömmler(in), Scheinheilige(r). – **2.** eifernder Prediger. — ~ **dog** *s* Teufelshund *m* (*Spitzname der Angehörigen der US-Marineinfanterie*).

dev·il·dom [ˈdevldəm] *s* **1.** Reich *n* der Teufel, Hölle *f*. – **2.** Herrschaft *f* *od.* Macht *f* des Teufels.

dev·iled, *bes. Br.* **dev·illed** [ˈdevld] *adj* **1.** (*Kochkunst*) fein zerhackt u. scharf gewürzt (*nach dem Kochen od. Braten*): ~ ham. – **2.** vom Teufel besessen.

'dev·il,fish *s zo.* **1.** (*ein*) Rochen *m* (*Gattg Manta*), *bes.* Flügelrochen *m*, Horn-, Teufelsfisch *m* (*M. birostris*). – **2.** Krake *m* (*od. anderer großer Kopffüßer*). – **3.** → **angler** 2.
dev·il·ish ['devliʃ] **I** *adj* **1.** teuflisch. – **2.** *colloq.* schrecklich, verdammt: to be in a ~ hurry es fürchterlich eilig haben. – **II** *adv* **3.** *colloq.* schrecklich, fürchterlich: it's ~ cold. — **'dev·il·ish·ness** *s* **1.** Teuflischkeit *f*, (*das*) Teuflische. – **2.** Teufe'lei *f*, Greueltat *f*, Scheußlichkeit *f*. — **'dev·il,ism** *s* **1.** → **devilishness**. – **2.** *relig.* Teufelsdienst *m*, -anbetung *f*. — **'dev·il,ize I** *v/i* teuflisch handeln. – **II** *v/t* teuflisch machen. — **'dev·il·kin** [-kin] *s* Teufelchen *n*.
dev·illed *bes. Br. für* **deviled**.
dev·il| lore *s* Teufels-, Dä'monenglaube *m*. — **'~-may-'care** *adj* **1.** leichtsinnig, verantwortungslos, sorglos. – **2.** rücksichtslos. – **3.** verwegen.
dev·il·ment ['devlmənt] *s* **1.** Unfug *m*, Schelme'rei *f*. – **2.** böser Streich, Schurkenstreich *m*. — **'dev·il·ry** [-ri] *s* **1.** Teufe'lei *f*, Greuel *m*, Grausamkeit *f*, Schurke'rei *f*. – **2.** Schlechtigkeit *f*. – **3.** wilde Ausgelassenheit, 'Übermut *m*. – **4.** Teufelsgesellschaft *f*, -bande *f*. – **5.** teuflische *od.* dia'bolische Kunst, Teufelskunst *f*.
dev·il's| ad·vo·ca·cy *s* **1.** *relig.* Geltendmachung *f* der Gegengründe (*gegen eine Kanonisation*). – **2.** 'Widerspruch *m*, -part *m*. — **~ ad·vo·cate** *s* Advo'catus *m* di'aboli: a) *relig.* Teufelsanwalt *m* (*beim Kanonisationsprozeß*), b) *fig.* 'Widerspruchsgeist *m*. — **'~-'ap·ple** *s* **1.** → **Jimson weed**. – **2.** → **mandrake** 1. – **3.** → **May apple**. — **~ bed·posts** *s pl sl.* (*Kartenspiel*) Kreuz-, Eichel-Vier *f*. — **'~,bit** *s bot.* **1.** 'Taubenskabi,ose *f*, Teufelsabbiß *m* (*Scabiosa columbaria*). – **2.** *Am.* a) → **blazing star** 2, b) → **button snakeroot**. — **'~,bones** *s* **1.** Würfel(spiel *n*) *pl*. – **2.** *bot.* (*eine*) wilde Yampflanze, -wurzel (*Dioscorea paniculata*). — **~ books** *s pl* Gebetbuch *n* des Teufels, Spielkarten *pl*. — **'~,claw** *s* **1.** *bot.* a) Ackerhahnenfuß *m* (*Ranunculus arvensis*), b) → **unicorn plant**. – **2.** *zo.* Fingerschnecke *f* (*Pteroceras scorpio*). – **3.** *mar.* Stopper *m*, gespaltener Haken. — **'~,club** *s bot.* 'Igel-A,ralie *f* (*Echinopanax horridus*; *Nordamerika*). — **~ dai·sy** *s bot.* Großes Maßlieb, Marga'retenblume *f* (*Chrysanthemum leucanthemum*). — **'~'darn·ing-,nee·dle** *s* **1.** *zo.* → **darning needle** 2. – **2.** *bot.* Nadelkerbel *m* (*Scandix pecten Veneris*). – **3.** *bot.* → **devil's hair**. – **4.** *pl* → **esparto**. — **~ doz·en** *s sl.* Dreizehn *f*. — **~ food (cake)** *s Am.* schwere, dunkle Schoko'ladentorte. — **'~-'grand,moth·er** *s bot. Am.* Ele'fantenfuß *m* (*Elephantopus tomentosus*). — **'~-'hair** *s bot.* Vir'ginische Waldrebe (*Clematis virginiana*). — **'~-'hand** *s bot.* Fingerbaum *m* (*Chiranthodendron pentadactylon*; *Mittelamerika*). — **'~,leaf** *s irr bot.* Indische Nessel (*Urtica spathulata*). — **'~,milk** *s bot.* **1.** *eine Pflanze mit ätzendem Milchsaft, bes.* a) Garten-Wolfsmilch *f* (*Euphorbia peplus*), b) Sonnen-Wolfsmilch *f* (*Euphorbia helioscopia*). – **2.** → **celandine** 1. — **'~,nee·dle** → **darning needle** 2. — **'~-'paint,brush** *s bot.* **1.** O'rangerotes Habichtskraut, Pome'ranzenhabichtskraut *n* (*Hieracium aurantiacum*). – **2.** Hohes Habichtskraut (*Hieracium praealtum*). — **~ pa·ter·nos·ter** *s* **1.** *hist.* Teufelsvaterunser *n* (*der mittelalterlichen Hexenkunst*). – **2.** *sl.* Gefluche *n*, Schwall *m* von Flüchen. — **~ pic·ture(d) books** → **devil's books**. — **'~-'plague** *s bot.* Gemeine Mohrrübe, Möhre *f* (*Daucus carota*). — **'~-'trump·et** → **Jimson weed**.
dev·il·try ['devltri] *Br. dial. od. Am. für* **devilry**.
'dev·il|,wood *s bot.* Amer. Duftbaum *m* (*Osmanthus americanus*). — **~ wor·ship** *s* Teufelsanbetung *f*, -dienst *m*.
de·vi·ous ['diːviəs] *adj* **1.** abwegig, irrig, falsch, vom rechten Weg abschweifend. – **2.** gewunden, geschlängelt, sich windend: ~ path Ab-, Umweg. – **3.** um'herirrend, -wandernd, streunend. – **4.** verschlagen, unaufrichtig. – **5.** abgelegen. – **6.** ausgefallen, ungewöhnlich. – *SYN. cf.* **crooked**. — **'de·vi·ous·ness** *s* **1.** Abwegigkeit *f*, Irrigkeit *f*. – **2.** Gewundenheit *f*, Schlängelung *f*. – **3.** Verschlagenheit *f*, Unaufrichtigkeit *f*. – **4.** Abgelegenheit *f*.
de·vis·a·ble [di'vaizəbl] *adj* **1.** erfindbar, erdenkbar, -lich. – **2.** *jur.* vermachbar, vererbbar. — **de'vis·al** *s* Ersinnen *n*, Erfindung *f*.
de·vise [di'vaiz] **I** *v/t* **1.** erdenken, ausdenken, ersinnen, erfinden: to ~ ways and means Mittel u. Wege ersinnen *od.* ausfindig machen. – **2.** *jur.* (*bes. Grundbesitz*) letztwillig vermachen, hinter'lassen: to ~ s.th. to s.o. j-m etwas testamentarisch vermachen. – **3.** *obs.* trachten nach. – **4.** *obs.* a) sich vorstellen, begreifen, b) ahnen. – **II** *v/i* **5.** einen Plan machen. – **6.** nachdenken, nachsinnen. – **III** *s* **7.** *jur.* a) Hinter'lassung *f*, Vermachen *n*, b) Vermächtnis *n*, vermachter Besitz, Le'gat *n*, c) Testa'ment *n*. — **de·vi·see** [di,vai'ziː; ,devi'ziː] *s jur.* Vermächtnisnehmer(in), Testa'mentserbe *m*, -erbin *f* (*von Grundbesitz*). — **de'vis·er** *s* **1.** Erfinder(in). – **2.** Plänemacher(in). – **3.** → **devisor**. — **de'vi·sor** [-zər; -zɔːr] *s jur.* Erblasser(in) (*von Grundbesitz*).
de·vi·tal·i·za·tion [diː,vaitəlai'zeiʃən; -lə-] *s* Leblosmachung *f*, Beraubung *f* der Lebenskraft. — **de'vi·tal,ize** *v/t* entkräften, schwächen, entnerven.
de·vit·ri·fi·ca·tion [diː,vitrifi'keiʃən; -rəfə-] *s* Entglasung *f*. — **de'vit·ri,fy** [-,fai] *v/t* entglasen.
de·vo·cal·i·za·tion [diː,voukəlai'zeiʃən; -lə-] *s ling.* Stimmlosmachen *n*. — **de'vo·cal,ize** *v/t ling.* (*Laut*) stimmlos machen.
de·void [di'vɔid; diː-] *adj* (of) ohne (*acc*), bar (*gen*), ermangelnd (*gen*), frei (von): ~ of feeling gefühllos; ~ of sense sinnlos; ~ of shame schamlos.
de·voir [də'vwɑːr; 'dev-] *s* **1.** Pflicht *f*: to do one's ~ seine Pflicht *od.* sein möglichstes tun. – **2.** *pl* Höflichkeitserweisungen *pl*: to pay one's ~s to s.o. j-m seine Aufwartung machen.
dev·o·lu·tion [*Br.* ,diːvə'luːʃən; *Am.* ,dev-] *s* **1.** Abrollen *n*, Entwicklung *f*, Ablauf *m*, Verlauf *m* (*von Vorgängen etc*). – **2.** (Ver)Lauf *m* (*Zeit*). – **3.** *jur.* a) Erbfolge *f*, Rechtsnachfolge *f* durch Erbgang, b) Devoluti'on *f*, Über'tragung *f*, 'Übergang *m* (*Rechte, Vollmachten etc*), c) Heimfall *m*. – **4.** Weitergabe *f* (*Pflichten etc*). – **5.** *biol.* Degenerati'on *f*, Entartung *f*.
de·volve [di'vɒlv] **I** *v/t* **1.** (upon) (*Rechte, Pflichten etc*) über'tragen (*dat od.* auf *acc*), weitergeben (*dat od.* an *acc*). – **2.** abwärts- *od.* vorwärtsrollen. – **II** *v/i* **3.** (on, upon, to) 'übergehen (auf *acc*), über'tragen werden (*dat od.* auf *acc*), weitergegeben werden (*dat od.* an *acc*), zufallen (*dat*) (*Rechte, Pflichten, Besitz etc*): it ~d (up)on him to fetch it es wurde ihm übertragen, es zu holen; the crown ~d (up)on his brother die Krone ging an seinen Bruder über. – **4.** abwärtsrollen. – **5.** sich entwickeln.
Dev·on ['devn] *s* Devon(vieh) *n* (*engl. Rinderrasse*).
De·vo·ni·an [di'vouniən; de-] **I** *adj* **1.** de'vonisch (*Devonshire betreffend*). – **2.** *geol.* de'vonisch: ~ formation devonische Formation, Devon. – **II** *s* **3.** Bewohner(in) von Devonshire. – **4.** *geol.* De'von *n*, de'vonische Formati'on (*vierter Abschnitt des Paläozoikums*).
Dev·on·shire cream ['devn,ʃir; -ʃər] *s* dicker Rahm, dicke Sahne.
de·vor·a·tive [di'vɒrətiv] *adj med.* unzerkaut zu schlucken(d).
de·vote [di'vout] *v/t* **1.** widmen, weihen, 'hingeben (to *dat*): to ~ oneself to charity sich der Wohltätigkeit widmen. – **2.** weihen, 'hingeben, über'geben (to *dat*). – **3.** *obs.* verfluchen. – *SYN.* **consecrate, dedicate, hallow**[1]. – **II** *adj* **4.** *obs.* ergeben. — **de'vot·ed** *adj* **1.** 'hingebungsvoll, aufopfernd, treu (ergeben), anhänglich: a ~ friend. – **2.** gewidmet, geweiht. – **3.** dem 'Untergang geweiht. – *SYN.* **affectionate, fond, loving**. — **de'vot·ed·ness** *s* 'Hingebung *f*, (treue) Ergebenheit, Anhänglichkeit *f*.
dev·o·tee [,devo'tiː; -və-] *s* **1.** eifriger Anhänger. – **2.** glühender Verehrer *od.* Anbeter. – **3.** (*bes. religiöser*) Eiferer, Fa'natiker *m*, Ze'lot *m*. — **de'vote·ment** *s* **1.** 'Hingebung *f*, Widmung *f*, Opferung *f*. – **2.** 'Hingegebenheit *f*.
de·vo·tion [di'vouʃən] *s* **1.** Widmung *f*, Weihung *f*. – **2.** Ergebenheit *f*, Treue *f*, Anhänglichkeit *f*, 'Hingegebenheit *f*. – **3.** 'Hingabe *f*, Aufopferung *f*. – **4.** Liebe *f*, Verehrung *f*, (innige) Zuneigung. – **5.** Eifer *m*. – **6.** *relig.* a) Andacht *f*, 'Hingebung *f*, Frömmigkeit *f*, b) *pl* Gebet *n*, Andacht(sübung) *f*. – *SYN. cf.* **fidelity**. — **de'vo·tion·al** *adj* **1.** andächtig, fromm, (gott)ergeben. – **2.** Andachts..., Erbauungs...: ~ book Erbauungsbuch; ~ exercise Andachtsübung. — **de'vo·tion·al·ist** *s* **1.** Andächtige(r). – **2.** Frömmler(in), Pie'tist(in).
de·vour [di'vaur] *v/t* **1.** (gierig) verschlingen. – **2.** *fig.* verzehren, verschlingen, wegraffen, vernichten. – **3.** *fig.* (*mit den Augen*) verschlingen, gierig in sich aufnehmen. – **4.** *fig.* (*j-n*) verzehren, verschlingen, absor'bieren, völlig in Anspruch nehmen: ~ed by passion von Leidenschaft verzehrt. – **5.** *poet.* eilig zu'rücklegen: to ~ the way kräftig ausschreiten (*bes. Pferd*). — **de'vour·ing** *adj* **1.** verschlingend, gierig. – **2.** *fig.* verzehrend, vernichtend. – **3.** *fig.* brennend, verzehrend (*Gefühl*).
de·vout [di'vaut] *adj* **1.** fromm, gläubig, gottesfürchtig, (streng) religi'ös. – **2.** andächtig, 'hingegeben. – **3.** innig, inbrünstig. – **4.** aufrichtig, herzlich. – **5.** eifrig. – *SYN.* **pietistic, pious, religious, sanctimonious**. — **de'vout·ness** *s* **1.** Frömmigkeit *f*, Gottesfurcht *f*. – **2.** Andacht *f*, 'Hingabe *f*, 'Hingegebenheit *f*. – **3.** Innigkeit *f*, Inbrunst *f*. – **4.** Aufrichtigkeit *f*, Herzlichkeit *f*. – **5.** Eifer *m*.
dew [djuː; *Am. auch* duː] **I** *s* **1.** Tau *m*. – **2.** *fig.* Frische *f*, Schmelz *m*, Tau *m*. – **3.** *fig.* Tau *m*, Feuchtigkeit *f* (*Tränen etc*). – **II** *v/t* **4.** betauen, befeuchten, benetzen. – **III** *v/i* **5.** (nieder)tauen. – **IV** *adj* **6.** Tau...
de·wan [di'wɑːn] *s Br. Ind.* **1.** hoher Steuerbeamter. – **2.** Fi'nanzmi,nister *m*. – **3.** eingeborener Verwalter (*eines Geschäftshauses*).
Dew·ar| bulb ['djuːər; *Am. auch* 'duː-] *s* bauchiges Dewargefäß. — **~ flask, ~ tube** *s* röhrenförmiges Dewargefäß. — **~ ves·sel** *s* Dewar-

gefäß *n* (*zum Aufbewahren flüssiger Luft*).
'dew|ˌber·ry *s bot.* (*eine*) Brombeere (*Gattg Rubus; bes. R. caesius, Europa; R. flagellaris, Amerika*). — **'~ˌclaw** *s zo.* Afterklaue *f* (*bei Hund, Hirsch etc*). — **'~ˌdrop** *s* **1.** Tautropfen *m.* – **2.** *bot.* (*eine*) Zwergbrombeere (*Dalibarda repens*).
Dew·ey Dec·i·mal Sys·tem ['djuːi; *Am. auch* 'duːi] *s* (*bibliothekarische*) Dezi'malklassifikatiˌon.
'dew|ˌfall *s* **1.** Taufall *m*, -bildung *f.* – **2.** Zeit *f* des Taufalls (*Abend*). — **~ grass** *s bot.* Sonnentau *m* (*Drosera rotundifolia*).
dew·i·ness ['djuːinis; *Am. auch* 'duː-] *s* (Tau)Feuchtigkeit *f.*
'dew|ˌlap *s* **1.** *zo.* a) Wamme *f* (*Rinder, Hunde etc*), b) Hautlappen *m* (*am Hals einiger Vögel*). – **2.** *colloq.* 'Unterkinn *n.* — **~ plant** → ice plant. — **~ point** *s phys.* Taupunkt *m.* — **~ pond** *s Br.* Tauteich *m* (*meist künstlicher, flacher Teich in den Downs zum Sammeln atmosphärischen Kondenswassers*). — **~ rake** *s* leichter (Draht)Rechen (*für Rasen etc*). — **'~ˌret, '~ˌrot** *v/t* (*Flachs*) taurösten.
dew·try ['djuːtri; *Am. auch* 'duː-] *s* **1.** *bot.* Stech-, Dornapfel *m* (*Datura stramonium*). – **2.** Stra'monium *n* (*aus 1 gewonnene Droge*).
dew worm *s* großer Regenwurm.
dew·y ['djuːi; *Am. auch* 'duːi] *adj* **1.** tauig, betaut, taufeucht. – **2.** feucht, benetzt. – **3.** taugleich, -artig.
dex·ter ['dekstər] *adj* **1.** recht(er, e, es), auf der rechten Seite, rechts(seitig). – **2.** *her.* rechts (*vom Beschauer aus links*). – **3.** *obs.* günstig. — **dex'ter·i·ty** [-'teriti; -əti] *s* **1.** (Hand)Fertigkeit *f*, Geschicklichkeit *f*, Gewandtheit *f*: **~ comes by experience** Übung macht den Meister. – **2.** Behendigkeit *f.* – **3.** Gewandtheit *f*: **~ in argument** Redegewandtheit. – **4.** Rechtshändigkeit *f.* — **'dex·ter·ous** *adj* **1.** (*körperlich*) gewandt, geschickt, behend, flink. – **2.** (*geistig*) gewandt, geschickt, findig. – **3.** wohlgelungen, geschickt ausgeführt. – **4.** rechtshändig. – *SYN.* adroit, deft, feat[2]. — **'dex·ter·ous·ness** → dexterity.
dextr- [dekstr] → dextro-.
dex·tral ['dekstrəl] *adj* **1.** recht(er, e, es), rechts (liegend), dex'tral. – **2.** rechtshändig. – **3.** → dexter 3. – **4.** *zo.* rechtsgewunden (*Schneckengehäuse*). — **dex'tral·i·ty** [-'træliti; -əti] *s* **1.** rechtsseitige Lage. – **2.** Rechtshändigkeit *f.*
dex·tran ['dekstrən], **'dex·trane** [-trein] *s chem.* Dex'tran *n.* — **'dex·trin** [-trin], *auch* **'dex·trine** [-trin; -triːn] *s chem.* Dex'trin *n*, Stärkegummi *n* ($C_6H_{10}O_5$). — **'dex·tro** [-trou] *adj chem.* rechtsdrehend, sich im Uhrzeigersinn drehend.
dextro- [dekstro] *Wortelement mit der Bedeutung* rechts(seitig), nach rechts.
dex·tro·car·di·a [ˌdekstro'kɑːrdiə] *s med.* Dextrokar'die *f.* — **ˌdex·tro'cer·e·bral** [-'seribrəl; -rəb-] *adj med.* rechtshirnig. — **dex'troc·u·lar** [-'trɒkjulər; -jə-] *adj med.* rechtssichtig (*mit dem rechten Auge besser sehend als mit dem linken*). — **dexˌtroc·u'lar·i·ty** [-'læriti; -əti] *s* Rechtssichtigkeit *f.* — **ˌdex·tro'glu·cose** [-'gluːkous] → dextrose. — **ˌdex·tro'gy·rate** [-'dʒairit; -reit] *adj* rechtsdrehend. — **ˌdex·tro·gy'ra·tion** → dextrorotation. — **ˌdex·tro'gy·ra·to·ry** [*Br.* -rətəri; *Am.* -ˌtɔːri] → dextrorotatory.
dex·tron·ic ac·id [deks'trɒnik] *s chem.* Dex'tronsäure *f.*
dex·tro·ro·ta·tion [ˌdekstroro'teiʃən] *s chem. phys.* Rechtsdrehung. — **ˌdex·tro·ro·ta·to·ry** [*Br.* -ro'teitəri; *Am.* -'routəˌtɔːri] *adj chem. phys.* rechtsdrehend.
dex·trorse ['dekstrɔːrs; deks'trɔːrs], *auch* **dex'tror·sal** *adj bot.* rechtsdeckend, -gedreht (*Knospendeckung*).
dex·trose ['dekstrous] *s chem.* Dex'trose *f*, Traubenzucker *m* ($C_6H_{12}O_6$).
dex·trous ['dekstrəs] → dexterous. — **'dex·trous·ness** → dexterity.
dey [dei] *s* Dei *m*, Dai *m*: a) *bis 1830, Titel des Oberhaupts der Janitscharenherrscher in Algerien,* b) *früher Titel der Herrscher von Tunis u. Tripolis.*
de·zinc [diː'ziŋk] *v/t* entzinken. — **ˌde·zinc'a·tion, deˌzinc·i·fi'ca·tion** *s* [-ifi'keiʃən] Entzinkung *f.* — **de'zinc·iˌfy** [-ˌfai] *v/t* entzinken.
'D-'flat *s mus.* Des *n.* — **~ ma·jor** *s* Des-Dur *n.* — **~ mi·nor** *s* des-Moll *n.*
dhak [dɑːk; dɔːk] *s bot.* Dhakbaum *m* (*Butea frondosa; Ostindien*).
dhal [dɑːl] *s Br. Ind.* gemahlene Hülsenfrüchte *pl* (*Gericht*).
dhar·ma ['dɑːrmə] *s* Dharma *n* (*im Indischen alles, was als tragendes Prinzip aufgefaßt werden kann*).
dharm·sa·la [dɑːrm'sɑːlə] *s Br. Ind.* Gebäude *n* für religi'öse *od.* wohltätige Zwecke (*bes. als Herberge für Reisende*).
dhar·na ['dɑːrnə] *s* (*in Indien*) Hungerstreik *m* (*vor der Tür des Übeltäters*) zur Erlangung von Gerechtigkeit.
dho·bi, dho·by ['doubi] *s Br. Ind.* eingeborener Wäscher: **~('s) itch** *med.* Indische Wäscherflechte.
dhole [doul] *s zo.* (*ein*) asiat. Wildhund *m* (*Cuon dukhunensis*).
dhoo·ly *cf.* dooly.
dhoo·ti ['duːti], **dho·ti, dho·ty** ['douti] *s* (*in Indien*) Lendentuch *n* (*der Männer*).
dhow [dau] *s mar.* D(h)au *f* (*arabisches Segelfahrzeug*).
dhur·na ['dʌrnə] → dharna.
dhur·rie ['dʌri] *s derbes indisches Baumwollgewebe für Bodenbelag.*
di [diː] *s mus.* Di *n* (*erhöhtes Do; Solmisationssilbe*).
di-[1] [dai] *Vorsilbe mit der Bedeutung* zwei, doppelt.
di-[2] [di] → dis-[1].
di-[3] [dai] → dia-.
dia- [daiə] *Vorsilbe mit den Bedeutungen* a) durch, (hin)durchgehend, b) vollständig, gründlich, c) sich trennend, auseinandergehend, d) gegen, entgegengesetzt.
di·a·base ['daiəˌbeis] *s min.* **1.** *Am.* Dia'bas *m.* – **2.** *Br.* (*Art*) Ba'salt *m.*
di·a·be·tes [ˌdaiə'biːtiz; -tiːz] *s med.* Dia'betes *m*, Harnruhr *f*: a) *auch* **sugar ~** Zuckerkrankheit *f*, -harnruhr *f*, b) Wasserharnruhr *f.* — **ˌdi·a'bet·ic** [-'betik; -'biː-] *med.* **I** *adj* dia'betisch: a) zuckerkrank, b) Diabetes...: **~ coma** diabetisches Koma; **~ diet** Diabeteskost. – **II** *s* Dia'betiker(in), Zuckerkranke(r). — **ˌdi·a'bet·i·cal** → diabetic I.
di·a·ble·rie [di'ɑːbləri], *auch* **di'ab·ler·y** [-'æb-] *s* **1.** Teufelskunst *f*, Zaube'rei *f*, Hexe'rei *f.* – **2.** Hölle *f*, Pandä'monium *n.* – **3.** Dämonolo'gie *f.* – **4.** wilde Ausgelassenheit, Hexensabbat *m.*
di·a·bol·ic [ˌdaiə'bɒlik], **ˌdi·a'bol·i·cal** *adj* **1.** dia'bolisch, teuflisch, böse, boshaft, grausam. – **2.** Teufels... — **ˌdi·a'bol·i·cal·ness** *s* Teuflischkeit *f.*
di·ab·o·lism [dai'æbəˌlizəm] *s* **1.** Teufelswerk *n*, Hexe'rei *f*, Teufe'lei *f*, Zaube'rei *f.* – **2.** teuflische Besessenheit, teuflisches Wesen *od.* Handeln. – **3.** Diabolo'gie *f*, Teufelslehre *f.* – **4.** Teufelskult *m*, -verehrung *f*, Sata'nismus *m.* — **di'ab·o·list** *s* Teufelsverehrer(in). — **di'ab·oˌlize** *v/t* **1.** teuflisch machen. – **2.** als Teufel darstellen. – **3.** teuflischen Einflüssen aussetzen. — **di'ab·o·lo** [-lou] *s* Di'abolo(spiel) *n*, Teufelsspiel *n.* — **ˌdi·a·bo'lol·o·gy** [-əbo'lɒlədʒi] *s* Diabololo'gie *f* (*Lehre vom Teufel*).
di·a·caus·tic [ˌdaiə'kɔːstik] **I** *adj* dia'kaustisch. – **II** *s* Dia'kaustik *f*, dia'kaustische Kurve *od.* Fläche.
di·ac·e·tate [dai'æsiˌteit; -sə-] *s chem.* 'Diaceˌtat *n.* — **di'ac·e·tyl** [-til; -ˌtiːl] *s chem.* 'Diaceˌtyl *n* ($C_4H_6O_2$).
di·ach·y·lon [dai'ækiˌlɒn; -kə-], *auch* **di'ach·y·lum** [-ləm], **di'ach·u·lum** [-juləm; -jə-] *s med.* Dia'chylon-, Bleipflaster *n.*
di·ac·id [dai'æsid] *chem.* **I** *adj* zweisäurig (*Basen*). – **II** *s* Disäure *f* (*Säure mit 2 aciden Wasserstoffatomen*).
di·a·co·di·on [ˌdaiə'koudiən], *auch* **ˌdi·a'co·de·um** [-diəm] *s med.* Dia'kodion *n*, *bes.* Mohnsirup *m.*
di·ac·o·nal [dai'ækənl] *adj relig.* Diakons... — **di'ac·o·nate** [-nit; -ˌneit] *s relig.* Diako'nat *n.*
di·a·crit·ic [ˌdaiə'kritik] **I** *adj* **1.** dia'kritisch, unter'scheidend. – **2.** *med.* dia'gnostisch. – **II** *s* **3.** *ling.* dia'kritisches Zeichen. — **ˌdi·a'crit·i·cal** *adj* **1.** dia'kritisch, unter'scheidend: **~ mark** → diacritic 3. – **2.** *med.* dia'kritisch, dia'gnostisch.
di·ac·tin·ic [ˌdaiæk'tinik] *adj phys.* die ak'tinischen Strahlen 'durchlassend.
di·a·del·phous [ˌdaiə'delfəs] *adj bot.* dia'delphisch: a) zweibrüderig gestengelt (*Staubfäden*), b) zweibrüderig (*Blüte*).
di·a·dem ['daiəˌdem] **I** *s* **1.** Dia'dem *n*, Stirnband *n.* – **2.** Krone *f.* – **3.** Kranz *m.* – **4.** *fig.* Königswürde *f*, Herrschaft *f*, Hoheit *f.* – **5.** *her.* Bügel *m* (*einer Krone*). – **II** *v/t* **6.** mit einem Dia'dem schmücken, krönen. — **~ le·mur,** *auch* **~ si·fa·ka** *s zo.* Vliesmaki *m* (*Propithecus diadema*). — **~ spi·der** *s zo.* Kreuzspinne *f* (*Epeira diademata*).
di·ad·o·chite [dai'ædəˌkait] *s min.* Diado'chit *m*, (Phosphor)Eisensinter *m.*
di·ad·ro·mous [dai'ædrəməs] *adj bot.* mit fächerläufigen Adern (*Blatt*).
di·aer·e·sis [dai'ɛ(ə)rəsis; *Br. auch* -'i(ə)r-] *s* **1.** *ling.* a) Diä'rese *f*, Di'äresis *f* (*getrennte Aussprache zweier Vokale*), b) Trema *n.* – **2.** *metr.* Diä'rese *f*, Di'äresis *f* (*Verseinschnitt*). — **di·ae·ret·ic** [ˌdaiə'retik] *adj* diä'retisch.
di·a·ge·o·trop·ic [ˌdaiəˌdʒiːə'trɒpik] *adj bot.* transver'sal-geoˌtropisch (*senkrecht zur Schwerkraft wachsend*). — **ˌdi·a·ge'ot·roˌpism** [-dʒi'ɒtrəˌpizəm] *s* Transver'salgeotroˌpismus *m.*
di·ag·nose [ˌdaiəg'nouz; -s; *Br. auch* 'daiəgˌnouz] **I** *v/t* **1.** *med.* (*Krankheit*) diagnosti'zieren, bestimmen. – **2.** beurteilen, bestimmen. – **3.** *biol.* (*Gattung etc*) beschreiben, bestimmen. – **II** *v/i* **4.** *med.* diagnosti'zieren, eine Dia'gnose stellen. — **ˌdi·ag'no·sis** [-'nousis] *pl* **-ses** [-siːz] *s* **1.** *med.* Dia'gnose *f* (*auch fig.*). – **2.** Beurteilung *f* (*der Lage etc*). – **3.** *biol.* Dia'gnose *f*, Bestimmung *f*, Beschreibung *f* (*einer Gattung etc*). — **ˌdi·ag'nos·tic** [-'nɒstik] **I** *adj* **1.** *med.* dia'gnostisch. – **2.** *biol.* bezeichnend, charakte'ristisch, für die Klassifi'zierung wichtig (*Merkmal*). – **II** *s* **3.** *med.* a) Dia'gnose *f*, b) charakte'ristisches Merkmal (*einer Krankheit*), c) *meist pl* Dia'gnostik *f.* – **4.** *allg.* Kennzeichen *n*, charakte'ristisches Merkmal. — **ˌdi·ag'nos·ti·cal·ly** *adv.* — **ˌdi·ag'nos·tiˌcate** [-ˌkeit] → diagnose. — **ˌdi·ag·nos'ti·cian** [-nɒs'tiʃən] *s med.* Dia'gnostiker(in).
di·ag·o·nal [dai'ægənl] **I** *adj* **1.** *math.* diago'nal. – **2.** schräg(laufend). – **3.** diago'nal: a) schräggerippt (*Gewebe*), b) schräg gemasert (*Holz*). –

4. *bes. tech.* Diagonal..., Kreuz... – **II** *s* **5.** *math.* Diago'nale *f.* – **6.** diago'naler Teil. – **7.** → ~ cloth. — ~ **brace** *s arch. tech.* Diago'nal-, Kreuzstrebe *f.*

di'ag·o·nal|-ˌbuilt *adj mar.* diago'nal gebaut: ~ boat Diagonalboot. — ~ **cloth** *s* Diago'nal *n*, schräggeripptes Gewebe. — ~ **gait** *s* Trab *m* (*beim Reiten*). — ~ **line** *s math.* Diago'nale *f.*

di·ag·o·nal·ly [dai'ægənəli] *adv* diago'nal, schräg.

di·ag·o·nal sur·face *s math.* Diago'nalfläche *f.*

di·a·gram ['daiəˌgræm] **I** *s* **1.** Dia'gramm *n*, graphische Darstellung. – **2.** (erläuternde) Fi'gur, Schema *n*, sche'matische Darstellung. – **3.** *bot.* 'Blütendiaˌgramm *n.* – **II** *v/t pret u. pp* **'di·aˌgram(m)ed** **4.** im Dia'gramm *od.* graphisch darstellen. — **ˌdi·a·gram'mat·ic** [-grə'mætik], **ˌdi·a·gram'mat·i·cal** *adj* graphisch. — **ˌdi·a·gram'mat·i·cal·ly** *adv* (*auch zu* diagrammatic) graphisch, in Form eines Dia'gramms. — **ˌdi·aˌgram·ma'ti·cian** [-ˌgræmə'tiʃən] *s* Dia'grammzeichner(in). — **ˌdi·a'gram·maˌtize** → diagram II.

di·a·graph ['daiəˌgræ(ː)f; *Br. auch* -ˌgrɑːf] *s tech.* Dia'graph *m* (*Zeicheninstrument*). — **ˌdi·a'graph·ics** [-'græfiks] *s pl* (*meist als sg konstruiert*) Dia'graphik *f.*

di·a·ki·ne·sis [ˌdaiəki'niːsis; -kai-] *s biol.* Diaki'nese *f.*

di·al ['daiəl] **I** *s* **1.** Zifferblatt *n* (*Uhr*). – **2.** *tech.* Skala *f*, Skalenblatt *n*, -scheibe *f.* – **3.** Federuhr *f* mit großem Zifferblatt. – **4.** → sun ~ 1. – **5.** Wähl-, Nummernscheibe *f* (*Telephon*). – **6.** (*Bergbau*) Markscheide(r)kompaß *m.* – **7.** *sl.* ‚Zifferblatt' *n*, ‚Vi'sage' *f* (*Gesicht*). – **II** *v/t pret u. pp* **'di·aled**, *bes. Br.* **'di·alled** **8.** (*Nummer*) wählen (*Telephon*). – **9.** (*Sender etc*) einstellen. – **10.** mit einer Skala bestimmen. – **11.** mit dem Markscheide(r)kompaß vermessen.

di·al·co·hol [dai'ælkohɒl; -kə-] *s chem.* Dialkohol *m.* — **di'al·deˌhyde** [-'ældiˌhaid; -də-] *s chem.* 'Dialdeˌhyd *n.*

di·a·lect ['daiəˌlekt] **I** *s* **1.** Dia'lekt *m*: a) Mundart *f*, b) Sprachzweig *m.* – **2.** Jar'gon *m.* – **II** *adj* **3.** Dialekt...: ~ atlas Sprachatlas; ~ geography Dialekt-, Sprachgeographie. – *SYN.* argot, cant[1], jargon[1], lingo, slang, vernacular. — **ˌdi·a'lec·tal** *adj* dia'lektisch, mundartlich, Dialekt...

di·a·lec·tic [ˌdaiə'lektik] **I** *adj* **1.** *philos.* dia'lektisch (*die Dialektik betreffend*). – **2.** spitzfindig. – **3.** *ling.* dia'lektisch, mundartlich, Dialekt... – **II** *s philos.* **4.** Dia'lektik *f.* – **5.** dia'lektische Ausein'andersetzung, 'logisch-for'male Diskussi'on *od.* Denkweise. – **6.** Spitzfindigkeit *f.* – **7.** Dia'lektiker *m.*

di·a·lec·ti·cal [ˌdaiə'lektikəl] → dialectic I. — ~ **ma·te·ri·al·ism** *s philos.* dia'lektischer Materia'lismus.

di·a·lec·ti·cian [ˌdaiəlek'tiʃən] *s* **1.** *philos.* Dia'lektiker *m.* – **2.** *ling.* Mundartforscher *m.* — **ˌdi·a'lec·tiˌcism** [-tiˌsizəm] *s* **1.** *philos.* (*praktische*) Dia'lektik. – **2.** *ling.* a) Dia'lekthaftigkeit *f*, Mundartlichkeit *f*, b) Dia'lektausdruck *m*, mundartliche Wendung. — **ˌdi·a'lec·tiˌcize** *v/t philos.* (*Thema etc*) dia'lektisch behandeln. — **ˌdi·a'lec·tics** *s pl* (*meist als sg konstruiert*) → dialectic 4. — **ˌdi·a·lec'tol·o·gy** [-'tɒlədʒi] *s ling.* Dialektolo'gie *f*, Mundartforschung *f.*

di·al ga(u)ge *s tech.* Meßuhr *f* (*Feinmeßgerät*).

di·al·ing ['daiəliŋ], *bes. Br* **di·al·ling** *s* **1.** Chronome'trie *f.* – **2.** (*Vermessungswesen, bes. Bergbau*) Markscheidung *f.*

di·al·lage ['daiəlidʒ] *s min.* Dial'lag *m*, Schillerspat *m.*

di·al·ling *bes. Br. für* dialing.

di·a·log *cf.* dialogue.

di·a·log·ic [ˌdaiə'lɒdʒik], **ˌdi·a'log·i·cal** *adj* dia'logisch, in Dia'logform. — **ˌdi·a'log·i·cal·ly** *adv* (*auch zu* dialogic) dia'logisch, gesprächsweise, in Dia'logform. — **di'al·oˌgism** [-'æləˌdʒizəm] *s* Dialo'gismus *m*, (gedachte) Diskussi'on in Gesprächsform. — **di'al·o·gist** *s* **1.** Teilnehmer(in) an einem Dia'log. – **2.** Verfasser(in) eines Dia'logs. — **di'al·oˌgize** *v/i* einen Dia'log führen, an einem Dialog teilnehmen.

di·a·logue, *Am. auch* **di·a·log** ['daiəlɒg; *Am. auch* -ˌlɔːg] **I** *s* **1.** Dia'log *m*, (Zwie)Gespräch *n*, Unter'redung *f.* – **2.** Dia'log-, Gesprächsform *f*: written in ~. – **3.** Dialo'gismus *m* (*Werk in Dialogform*). – **II** *v/t* **4.** (*Gedanken etc*) dialo'gieren, in Dia'logform ausdrücken. – **5.** (*Dichtung*) dialogi'sieren, in Dia'logform fassen.

di·al| plate → dial 1 *u.* 2. — ~ **tel·e·graph** *s* 'Zeigerteleˌgraph *m.* — ~ **tel·e·phone** *s* 'Selbstanschlußteleˌphon *n*, 'Selbstwähltele ˌphon *n*: ~ system (Fernsprechnetz mit) Selbstanschluß- *od.* Wählbetrieb, Selbstwählsystem. — ~ **tone** *s* (*Telephon*) Amtszeichen *n.*

di·a·lu·ric [ˌdaiə'lju(ə)rik; *Am. auch* -'luː-] *adj chem.* Dialur...: ~ acid Dialursäure.

di·al·y·sis [dai'ælisis; -lə-] *pl* **-ses** [-ˌsiːz] *s* **1.** *chem.* Dia'lyse *f.* – **2.** Trennung *f*, Auflösung *f.* — **di·a·lyt·ic** [ˌdaiə'litik] *adj chem.* dia'lytisch. — **'di·aˌlyz·a·ble** [-ˌlaizəbl] *adj chem.* dialy'sierbar. — **ˌdi·a·ly'za·tion** [-lai'zeiʃən; -lə-] → dialysis 1. — **'di·aˌlyze** *v/t chem.* dialy'sieren. — **'di·aˌlyz·er** *s chem.* Dialy'sator *m.*

di·a·mag·net·ic [ˌdaiəmæg'netik] **I** *adj phys.* diama'gnetisch. – **II** *s* Diama'gnetikum *n*, diama'gnetischer Stoff. — **ˌdi·a'mag·netˌism** [-niˌtizəm; -nə-] *s phys.* Diamagne'tismus *m.*

di·a·man·tif·er·ous [ˌdaiəmæn'tifərəs] *adj* dia'mantenhaltig.

di·am·e·ter [dai'æmitər; -mə-] *s* **1.** *math.* Dia'meter *m*, 'Durchmesser *m*: in ~ im Durchmesser. – **2.** 'Durchmesser *m*, Dicke *f*, Stärke *f* (*Baumstamm etc*). – **3.** *Einheit der Vergrößerung von Linsen(systemen).* — **di'am·e·tral** [-trəl] → diametrical.

di·a·met·ric [ˌdaiə'metrik] → diametrical 1.

di·a·met·ri·cal [ˌdaiə'metrikəl] *adj* **1.** dia'metrisch. – **2.** *fig.* diame'tral, genau entgegengesetzt: ~ opposites diametrale Gegensätze. — **ˌdi·a'met·ri·cal·ly** *adv* (*auch zu* diametric).

di·a·mine ['daiəˌmiːn; ˌdaiə'miːn] *s chem.* Dia'min(overbindung *f*) *n.*

di·a·mond ['daiəmənd; 'daim-] **I** *s* **1.** *min.* Dia'mant *m*: ~ cut ~ ‚Wurst wider Wurst', List gegen List. – **2.** *tech.* Dia'mant *m*, Glasschneider *m.* – **3.** *math.* Raute *f*, Rhombus *m.* – **4.** (*Kartenspiel*) a) Karo *n*, b) Karokarte *f.* – **5.** (*Baseball*) a) (*rautenförmiges*) Spielfeld, b) 'Malquaˌdrat *n.* – **6.** *print.* Dia'mant *f* (*Schriftgrad*). – **II** *v/t* **7.** (wie) mit Dia'manten schmücken. – **III** *adj* **8.** dia'manten. – **9.** Diamant... – **10.** rhombisch, rautenförmig.

'di·a·mond|ˌback *s zo.* **1.** *auch* ~ moth Kohlschabe *f*, Bril'lantfalter *m* (*Plutella cruciferarum*). – **2.** *auch* ~ rattlesnake Dia'mantklapperschlange *f* (*Crotalus adamanteus*). – **3.** *auch* ~ terrapin Salzsumpf-Schildkröte *f* (*Malaclemmys centrata*). — ~ **bee·tle** *s zo.* Bril'lantkäfer *m* (*Entimus imperialis*). — ~ **bird** *s zo.* Dia'mantvogel *m* (*Pardalotus punctatus*). — ~ **ce·ment** *s tech.* **1.** Dia'mant-, Porzel'lankitt *m*, 'Fassungskitt *m*, -zeˌment *m* (*zum Befestigen von Edelsteinen in der Fassung*). – **2.** Gra'phitzeˌment *m*, 'Dicht(ungs)zeˌment *m*, -kitt *m.* — ~ **cut·ter** *s* Dia'mantschleifer *m.* — ~ **drill** *s tech.* **1.** Bohrer *m* mit Dia'mantspitze. – **2.** Dia'mantbohrer *m* (*Bohrer für Diamanten*).

di·a·mond·ed ['daiəməndid; 'daim-] *adj* **1.** mit Dia'manten geschmückt. – **2.** dia'manten. – **3.** mit rautenförmiger Zeichnung, rautenförmig gezeichnet.

di·a·mond| e·di·tion *s* Dia'mantdruckausgabe *f.* — ~ **field** *s* Dia'mantenfeld *n.*

di·a·mond·if·er·ous [ˌdaiəmən'difərəs; ˌdaim-] → diamantiferous. — **'di·a·mondˌize** *v/t* **1.** mit Dia'manten schmücken. – **2.** dia'manten machen.

di·a·mond| ju·bi·lee *s* dia'mantenes Jubi'läum. — ~ **knot** *s mar.* Fallreeps-, Dia'mant-, Schauermannsknoten *m.* — ~ **mine** *s* Dia'mantmine *f.* — ~ **pane** *s* rautenförmige Fensterscheibe. — ~ **pen·cil** *s tech.* 'Glaserdiaˌmant *m.* — ~ **point** *s tech.* **1.** Vierkant-, Rautenstichel *m.* – **2.** (*Eisenbahn*) a) *pl* Schnitt-Eckpunkte *pl* eines Kreuzungsherzstücks, b) spitzer Winkel (*sich schneidender Schienen*). — **'~-ˌpoint(·ed)** *adj tech.* mit rautenförmiger Spitze (*Meißel etc*). — ~ **saw** *s tech.* Dia'mantsäge *f.* — ~ **snake** *s zo.* **1.** Dia'mant-, Rautenschlange *f* (*Python spilotes; Australien*). – **2.** (*eine*) tas'manische Giftnatter (*Hoplocephalus superbus*). — **D**~ **State** *s* (*Spitzname für*) Delaware *n* (*USA*). — ~ **wed·ding** *s* dia'mantene Hochzeit. — ~ **wee·vil** → diamond beetle.

di·a·mor·phine [ˌdaiə'mɔːrfiːn; -fin] *s chem.* Diace'tylmorˌphin *n*, Hero'in *n* ($C_{21}H_{23}NO_5$).

di·am·y·lose [dai'æmiˌlous] *s chem.* Diamy'lose *f* [$(C_6H_{10}O_5)_2$].

Di·an·a [dai'ænə] *s* **1.** *poet.* Mond *m.* – **2.** *fig.* Di'ana *f*: a) Reiterin *f*, b) Jägerin *f*, c) *hübsches Mädchen mit graziösen Bewegungen*, d) *Mädchen, das ledig bleiben will.* — ~ **but·ter·fly** *s zo.* (*ein*) Perlmutterfalter *m* (*Argynnis diana*). — ~ **mon·key** *s zo.* Di'ana-Affe *m* (*Cercopithecus diana*).

di·an·drous [dai'ændrəs] *adj bot.* di'andrisch, zweimännig (*mit 2 Staubblättern*).

di·a·nod·al [ˌdaiə'noudl] *adj math.* durch (einen) Knoten gehend (*Kurven*), Knoten...

di·a·no·et·ic [ˌdaiəno'etik] *philos.* **I** *adj* diano'etisch (*die Verstandestugenden betreffend*). – **II** *s* Diano'etik *f* (*Lehre vom Denken*). — **ˌdi·a·no'et·i·cal** → dianoetic I. — **ˌdi·a·no'et·i·cal·ly** *adv* (*auch zu* dianoetic I).

di·an·thus [dai'ænθəs] *s bot.* Nelke *f* (*Gattg Dianthus*).

di·a·pa·son [ˌdaiə'peizn; -sn] *s* **1.** *antiq. mus.* Diapa'son *m*, *n*, Ok'tave *f.* – **2.** *mus.* a) gesamter Tonbereich, b) 'Tonˌumfang *m* (*Stimme etc*). – **3.** *mus.* Men'sur *f* (*Instrumente*). – **4.** *mus.* (*Orgel*) a) 8-Fuß-Ton *m*, b) Prinzi'pal *n* (*Hauptregister*): open ~ Prinzipal; stopped ~ Gedackt(prinzipal). – **5.** (*in Frankreich*) a) Ton-, Stimmgabel *f*, b) Stimmton *m*, c) *auch* ~ normal Nor'malstimmung *f*, Kammerton *m.* – **6.** *fig.* 'Umfang *m*, Bereich *m.* – **7.** Melo'die *f*, Harmo'nie *f.*

di·a·pe·de·sis [ˌdaiəpi'diːsis] *s med.* Diape'dese *f.*

di·a·per ['daiəpər] **I** *s* **1.** Di'aper *m*, Gänseaugenstoff *m* (*Jacquardgewebe aus Leinen od. Baumwolle*). – **2.** *auch* ~ pattern Di'apermuster *n* (*bes. rautenförmiges Damastmuster*). – **3.** Windel *f.* – **4.** Menstruati'ons-, Monatsbinde *f.* – **II** *v/t* **5.** mit einem

Di'apermuster versehen. – **6.** *(Baby)* wickeln, trockenlegen.

di·a·phane ['daiə,fein] *s* 'durchsichtige Sub'stanz. — **,di·a·pha'ne·i·ty** [-fə'niːiti; -əti] *s* 'Durchsichtigkeit *f*, Transpa'renz *f*.

di·aph·a·nom·e·ter [dai,æfə'nɒmitər; -mə-] *s* Diaphano'meter *n* *(zum Bestimmen der Durchsichtigkeit)*. — **di'aph·a·no,scope** [-no,skoup; -nə-] *s med.* Diaphano'skop *n*, Durch'leuchtungsgerät *n*. — **di,aph·a'nos·co·py** [-'nɒskəpi] *s med.* Diaphanosko'pie *f*, (Unter'suchung *f* mittels) Durch'leuchtung *f*. — **di'aph·a·nous** *adj* dia'phan, 'durchsichtig, transpa'rent *(auch fig.)*. — **di'aph·a·nous·ness** *s* 'Durchsichtigkeit *f*, Transpa'renz *f*.

di·a·phon·ic [,daiə'fɒnik] *adj* dia'phonisch, disso'nant.

di·a·pho·re·sis [,daiəfo'riːsis; -fə-] *s med.* Diapho'rese *f*, *(bes. künstlich hervorgerufene)* Schweißabsonderung. — **,di·a·pho'ret·ic** [-'retik] *adj u. s med.* schweißtreibend(es Mittel).

di·a·pho·to·trop·ic[,daiə,fouto'trɒpik] *adj* diaphoto'tropisch. — **,di·a·pho'tot·ro,pism** [-fo'tɒtro,pizəm] *s bot.* Diaphototro'pismus *m* *(Stellungsreaktion der Pflanzenorgane quer od. schräg zum Licht)*.

di·a·phragm ['daiə,fræm] **I** *s* **1.** *med. zo.* Dia'phragma *n*: a) Scheidewand *f*, b) *bes.* Zwerchfell *n*. – **2.** *phys.* 'semiperme,able *od.* 'halb,durchlässige Schicht *od.* Scheidewand *od.* Mem'bran(e). – **3.** *(Lautsprecher, Telephon etc)* Mem'bran(e) *f*. – **4.** *(Optik)* (Loch)Blende *f*, Dia'phragma *n*. – **5.** *bot.* Dia'phragma *n*. – **6.** Quer-, Scheidewand *f*. – **II** *v/t* **7.** mit einem Dia'phragma versehen. – **8.** *(Optik)* abblenden, abdecken. — **,di·a·phrag'mat·ic** [-fræg'mætik], *auch* **,di·a'phrag·mal** *adj* Diaphragma..., *bes.* Zwerchfell...

di·a·phragm| cur·rent *s phys.* Mem'bran-, Dia'phragmenstrom *m*. — **~ proc·ess** *s chem. electr.* Dia'phragmenverfahren *n*. — **~ pump** *s tech.* Mem'branpumpe *f*. — **~ shut·ter** *s phot.* Dia'phragmenverschluß *m*. — **~ valve** *s tech.* Mem'branven,til *n*.

di·aph·ther·in [dai'æfθərin] *s chem.* Diaphthe'rin *n*, Oxy,chinasep'tol *n* ($C_{24}H_{20}N_2O_6S$).

di·aph·y·sis [dai'æfisis; -fə-] *pl* **-ses** [-,siːz] *s* **1.** *bot.* Dia'physis *f*, Dia'physe *f*, ('Blüten)Durch,wachsung *f*. – **2.** *med.* Dia'physe *f* *(Mittelstück eines Röhrenknochens)*.

di·ap·o·phys·i·al [,daiæpo'fiziəl] *adj med.* Querfortsatz... — **di·a·poph·y·sis** [,daiə'pɒfisis; -fə-] *pl* **-ses** [-,siːz] *s med.* Querfortsatz *m* *(eines Wirbels)*.

di·a·pos·i·tive [,daiə'pɒzitiv; -zə-] *s phot.* Diaposi'tiv *n*.

di·ar·chal [dai'ɑːrkəl], **di'ar·chi·al** [-kiəl], **di'ar·chic** [-kik], **di'ar·chi·cal** *adj* di'archisch *(die Diarchie betreffend)*. — **'di·arch·y** *s* Diar'chie *f*, Doppelherrschaft *f*.

di·ar·i·al [dai'ɛ(ə)riəl] *adj* Tagebuch... — **di'ar·i·an I** *adj* → diarial. – **II** *s* → **diarist**. — **di·a·rist** ['daiərist] *s* Tagebuchschreiber(in). — **'di·a,rize I** *v/t* ins Tagebuch eintragen. – **II** *v/i* ein Tagebuch führen.

di·ar·rh(o)e·a [,daiə'riːə] *s med.* Diar'rhöe *f*, 'Durchfall *m*. — **,di·ar'rh(o)e·al**, **,di·ar'rh(o)e·ic** *adj med.* Durchfall...

di·ar·se·nide [dai'ɑːrsə,naid] *s chem.* Diarse'nid *n*.

di·ar·thro·di·al [,daiɑːr'θroudiəl] *adj* diar'throtisch. — **,di·ar'thro·sis** [-sis] *pl* **-ses** [-siːz] *s med.* Diar'throse *f*, wahres Gelenk.

di·a·ry ['daiəri] **I** *s* **1.** Tagebuch *n*, Di'arium *n*: to keep a ~ ein Tagebuch führen. – **2.** No'tiz-, Merkbuch *n*, 'Taschenka,lender *m*. – **II** *adj* **3.** eintägig, Eintags...: a ~ fever.

di·as·chi·sis [dai'æskisis; -kə-] *s med.* Dias'chisis *f* *(Störung der Gehirntätigkeit durch Verletzung eines Teils des Gehirnsystems)*.

di·a·scope ['daiə,skoup] *s med.* Glasspatel *m* *(zur Untersuchung von Hauteffloreszenzen)*.

di·as·pi·rin [dai'æspirin; -pə-] *s chem.* Diaspi'rin *n* *(Salicylsäuresuccinat)*.

Di·as·po·ra [dai'æspərə] *s* Di'aspora *f*: a) *hist. die seit dem babylonischen Exil außerhalb Palästinas lebenden Juden*, b) *die unter Heiden lebenden Judenchristen*, c) *relig. (bes. christliche)* Streugemeinde.

di·a·spore ['daiə,spɔːr] *s min.* Dia'spor *m*.

di·a·stase ['daiə,steis] *s biol. chem.* Dia'stase *f*. — **,di·a'sta·sic**, **,di·a'stat·ic** [-'stætik] *adj biol. chem.* dia'statisch.

di·a·stem ['daiə,stem] *s antiq. mus.* Di'astema *n*, (einfaches) Inter'vall. — **,di·a'ste·ma** [-'stiːmə] *pl* **-ma·ta** [-mətə] *s* **1.** → **diastem**. – **2.** *med. zo.* Di'astema *n* *(Lücken für die langen Eckzähne bei Säugetieren)*.

di·as·ter [dai'æstər] *s biol.* Di'aster *m*, (Chromo'somen)Tochterstern *m*.

di·a·stim·e·ter [,daiə'stimitər; -mə-] *s tech.* Di'stanzmesser *m*, Diasti'meter *n*.

di·as·to·le [dai'æstəli; -,liː] *s* **1.** *med. zo.* ('Herz)Di,astole *f* *(rhythmische Erweiterung der Herzkammer)*. – **2.** *metr.* Di'astole *f*, metrische Dehnung. — **di·as·tol·ic** [,daiə'stɒlik] *adj bes. med.* dia'stolisch.

di·as·tral [dai'æstrəl] *adj biol.* Diaster..., dia'stral.

di·as·tro·phism [dai'æstrə,fizəm] *s* **1.** *geol.* Veränderung *f* der Erdoberfläche. – **2.** *fig.* 'Umwälzung *f*, Revoluti'on *f*.

di·a·tes·sa·ron [,daiə'tesə,rɒn] *s* Dia'tessaron *n*: a) *relig.* Evan'gelienharmo,nie *f* *(des 2. Jhs.)*, b) *antiq. mus.* Quarte *f*.

di·a·ther·man·cy [,daiə'θəːrmənsi], *auch* **,di·a'ther·mance** *s phys.* Diatherma'sie *f*, 'Wärme,durchlässigkeit *f*, *bes.* 'Ultrarot,durchlässigkeit *f*. — **,di·a'ther·ma·nous** → diathermic 1. — **,di·a'ther·mi·a** [-miə] → diathermy. — **,di·a'ther·mic** *adj* **1.** *phys.* dia'therm, diather'man, 'ultrarot-, 'wärme,durchlässig. – **2.** *med.* dia'thermisch. — **,di·a'ther·mize** *v/t med.* dia'thermisch behandeln. — **,di·a,ther·mo'ther·a·py** [-mo'θerəpi] *s med.* Diather'miebehandlung *f*. — **,di·a'ther·mous** → diathermic. — **'di·a,ther·my** *s med.* Diather'mie *f*, 'Thermopenetrati,on *f*.

di·ath·e·sis [dai'æθisis] *pl* **-e·ses** [-,siːz] *s* Dia'these *f*: a) *med.* Anlage *f*, Dispositi'on *f*, Empfänglichkeit *f* (to für), b) *allg.* Neigung *f*, Anlage *f*. — **,di·a'thet·ic** [-ə'θetik] *adj* dia'thetisch.

di·a·tom ['daiə,tɒm; -təm] *s bot.* Diato'mee *f*, Kiesel-, Stabalge *f*. — **,di·a·to'ma·ceous** [-to'meiʃəs] *adj bot.* **1.** diato'meenartig. – **2.** Diatomeen...: ~ **earth** *geol.* Diatomeen-, Infusorienerde, Kieselgur.

di·a·tom·ic [,daiə'tɒmik] *adj chem.* **1.** 'zweia,tomig. – **2.** zweiwertig. — **,di·a·to'mic·i·ty** [-to'misiti; -əti] *s chem.* **1.** 'Zweia,tomigkeit *f*. – **2.** Zweiwertigkeit *f*.

di·at·o·mite [dai'ætə,mait] *s tech.* Diato'mit *m* *(Isoliermasse)*.

di·a·ton·ic [,daiə'tɒnik] *adj mus.* dia'tonisch.

di·a·tribe ['daiə,traib] **I** *s* Dia'tribe *f*, Ausfall *m*, Kampf-, Schmährede *f od.* -schrift *f*. – **II** *v/i* ausfällig werden, schmähen.

di·a·trop·ic [,daiə'trɒpik] *adj bot.* dia'trop(isch). — **di'at·ro,pism** [-'ætrə,pizəm] *s bot.* Diatro'pismus *m*, Tranver'sal-Tro,pismus *m* *(Reizkrümmung ortsfester Pflanzenteile senkrecht zur Reizrichtung)*.

di·az·ide [dai'æzaid; -zid], *auch* **di'az·id** [-zid] *s chem.* Dia'zid *n*.

di·a·zine ['daiə,ziːn; dai'æziːn; -in], *auch* **'di·a·zin** [-in] *s chem.* Dia'zin *n* ($C_4H_4N_2$).

diazo- [daiæzo; -eizo] *Wortelement* Diazo... *(bezeichnet das Vorhandensein der Gruppe* —N=N— *in einer chemischen Verbindung)*.

di·az·o·a·min(e) [dai,æzoə'miːn; -'æmin; -,eizo-] *s chem.* Diazoa'minoverbindung *f*. — **di,az·o·ben·zene** [-ben'ziːn; -'benziːn] *s chem.* Di'azoben,zol *n* ($C_6H_5N_2OH$).

di·a·zo com·pound *s chem.* Di'azoverbindung *f*.

di·a·zole ['daiə,zoul; dai'æz-] *s chem.* Dia'zol *n* *(2 Stickstoff- u. 3 Kohlenstoffatome in einem Ring enthaltende Verbindung)*.

di·az·o·meth·ane [dai,æzo'meθein; -,eiz-] *s chem.* Diazome'than *n* (CH_2N_2).

di·a·zo·ni·um| com·pound [,daiə'zouniəm] *s chem.* Dia'zoniumverbindung *f*. — **~ salt** *s chem.* Dia'zoniumsalz *n*.

di·az·o-ox·ide [dai,æzo'ɒksaid; -,eiz-], **di,az·o-'ox·id** [-id] *s chem.* Di'azoo,xyd *n* *(ein Diazotat)*.

di·az·o·ti·za·tion [dai,æzotai'zeiʃən; -ətə-] *s chem.* Diazo'tierung *f* *(Reaktion von Aminen mit salpetriger Säure)*. — **di'az·o,tize** *v/t chem.* diazo'tieren. — **di'az·o,type** [-,taip] *s phot.* mit Di'azopräpa,rat 'hergestellte 'Farbphotogra,phie.

dib[1] [dib] *pret u. pp* **dibbed** *v/i* **1.** → dip II. – **2.** *(Angeln)* den Köder *(im Wasser)* auf u. ab hüpfen lassen.

dib[2] [dib] *s* **1.** *pl Br. Kinderspiel mit Steinchen od. (Schafs)Knöchelchen*. – **2.** Spielmünze *f*, -marke *f*. – **3.** *pl sl.* ‚Mo'neten' *pl*, ‚Zaster' *m* *(Geld)*.

di·bas·ic [dai'beisik] *adj chem.* zweibasisch. — **,di·ba'sic·i·ty** [-'sisiti; -əti] *s chem.* Zweibasischkeit *f*.

dib·a·tag ['dibə,tæg] *s zo.* 'Damaga,zelle *f* *(Ammodorcas clarkei; Nordostafrika)*.

dib·ber ['dibər] *s* **1.** → **dibble**[1] 1. – **2.** *mil.* Minenlegestab *m*.

dib·ble[1] ['dibl] *agr.* **I** *s* **1.** Dibbel-, Pflanz-, Setzholz *n*. – **II** *v/t* **2.** mit einem Setzholz pflanzen. – **3.** *(mit dem Setzholz)* Löcher machen in *(acc)*. – **III** *v/i* **4.** dibbeln, (mit einem Setzholz) pflanzen.

dib·ble[2] ['dibl] *v/i* **1.** → dib[1] 2. – **2.** → **dabble**.

dib·buk ['dibək; di'buk] *s* Dibbuk *m*, Dybuk *m* *(in der jüd. Sage)*: a) *böser Geist, Dämon*, b) *Seele eines Toten, die in einem Lebenden wohnt u. durch ihn wirkt*.

dibenzo- [daibenzo], *auch* **dibenz-** *chem. Wortelement, das die Anwesenheit von zwei Benzolringen bezeichnet*.

di·ben·zo·yl [dai'benzoil] → **benzil**.

di·ben·zyl [dai'benzil; ,daiben'zil] *adj chem.* zwei Ben'zylgruppen enthaltend.

'dib,hole *s (Bergbau) Br.* Gesenk *n*, (Schacht)Sumpf *m*.

di·branch ['daibræŋk] *s zo.* Zweikiemer *m*. — **di'bran·chi·ate** [-kiit; -ki,eit] *zo.* **I** *adj* zweikiemig. – **II** *s* Zweikiemer *m*.

di·bro·mide [dai'broumaid; -mid] *s chem.* Dibro'mid *n*.

'dib,stones *s pl* → **dib**[2] 1.

di·car·bon·ate [dai'kɑːrbə,neit] *s chem.* **1.** Dikarbo'nat *n*. – **2.** → dicarboxylate. — ˌ**di·car'bon·ic** [-'bɒnik] → dicarboxylic. — ˌ**di·car'box·yl·ate** [-'bɒksileit] *s chem.* Dicarboxy'lat *n.* — **diˌcar·box'yl·ic** [-bɒk'silik] *adj chem.* dicar'bonisch, mit zwei Carbo'xylgruppen: ~ acid Dicarbonsäure.

di·cast ['dikæst; 'dai-] *s antiq.* Di'kast *m*, Heli'ast *m* (*Mitglied des Dikasteriums*). — **di'cas·ter·y** [-təri] *s antiq.* Dika'sterium *n* (*altgriech. Volksgerichtshof*). — **di'cas·tic** *adj antiq.* di'kastisch, Dikasten...

di·cat·a·lec·tic [ˌdaikætə'lektik] *adj metr.* dikata'lektisch. — ˌ**di·cat·a'lex·is** [-'leksis] *s metr.* Dikata'lexe *f.*

dice [dais] **I** *s* **1.** *pl von* die[2] 1, 2, 3. – **II** *v/t* **2.** in Würfel schneiden. – **3.** würfeln: to ~ away a fortune ein Vermögen beim Würfeln verlieren. – **4.** würfeln, mit einem Würfel- *od.* Karomuster verzieren. – **III** *v/i* **5.** würfeln, knobeln. — '~ˌ**box** *s* Würfel-, Knobelbecher *m*: ~ insulator *electr.* Telegraphen-, Puppenisolator.

di·cen·tra [dai'sentrə] *s bot.* Tränendes Herz (*Gattg Dicentra*).

di·cen·trine [dai'sentriːn; -trin], *auch* **di'cen·trin** [-trin] *s chem.* Dicen'trin *n* ($C_{20}H_{21}NO_4$).

di·ceph·a·lism [dai'sefəˌlizəm] *s med.* Doppel-, Zweiköpfigkeit *f.* — **di'ceph·a·lous** [-ləs] *adj* doppel-, zweiköpfig. — **di'ceph·a·lus** [-ləs] *s med.* Di'cephalus *m*, Doppelkopf *m* (*Mißgeburt mit 2 Köpfen*).

'**diceˌplay** *s* Würfelspiel *n.*

dic·er ['daisər] *s* Würfelspieler(in).

dich- [daik] → dicho-.

di·cha·si·al [dai'keiʒiəl; -ziəl] *adj bot.* dichasi'al. — **di'cha·si·um** [-əm] *pl* **-si·a** [-ə] *s bot.* Di'chasium *n* (*gabelförmiger Blütenstand*).

di·chla·myd·e·ous [ˌdaiklə'midiəs] *adj bot.* di-, heterochlamy'deisch (*mit Kelch u. Blumenkrone*).

di·chlo·ride [dai'klɔːraid], *auch* **di'chlo·rid** [-rid] *s chem.* Dichlo'rid *n.* — **diˌchlo·ro·diˌphen·yl·triˌchlor·o'eth·ane** [daiˌklɔːrodaiˌfeniltraiˌklɔːro'eθein] *s chem.* Dichlorodiphe'nyltrichloroäˌthan *n*, DDT *n* (*Insektenvertilgungsmittel*). — **diˌchlo·ro'hy·drin** [-ro'haidrin] *s chem.* Dichlorhy'drin *n.*

dicho- [daiko] *Wortelement mit der Bedeutung* in zwei Teilen, paarig.

di·cho·car·pous [ˌdaiko'kɑːrpəs] *adj bot.* mit zwei Befruchtungsformen (*Pilz*).

di·cho·gam·ic [ˌdaiko'gæmik], **di'chog·a·mous** [-'kɒgəməs] *adj bot.* dicho'gam. — **di'chog·a·my** *s bot.* Dichoga'mie *f.*

di·chot·o·mal [dai'kɒtəməl], **di·cho·tom·ic** [ˌdaiko'tɒmik] *adj bes. bot. zo.* dicho'tomisch, gabelig, (wieder'holt) gegabelt. — **diˌchot·o·mi'za·tion** → dichotomy. — **di'chot·o·ˌmize** [-'kɒtəˌmaiz] *v/t* **1.** aufspalten, in zwei *od.* mehrere Teile teilen. – **2.** (*Logik*) dicho'tomisch anordnen. – **3.** *bot. zo.* a) dicho'tomisch anordnen, wieder'holt gabeln, b) (*Systematik*) auf einen zweigabeligen Bestimmungsschlüssel verteilen. – **4.** *astr.* (*einen Planeten, bes. den Mond*) halb beleuchten. — **di'chot·o·my** [-mi] *s* Dichoto'mie *f*: a) (Zwei)Teilung *f*, (Auf)Spaltung *f*, b) (*Logik*) Diä'rese *f*, Zweiteilung *f* (*eine Methode der Begriffsanordnung*), c) *bot. zo.* (wieder'holte) Gabelung *od.* Gabelspaltung, d) *astr.* Halbsicht *f* (*bes. des Mondes*).

di·chro·ic [dai'krouik] *adj* **1.** *min.* dichro'itisch (*Kristall*). – **2.** → dichromatic. — '**di·chroˌism** *s* **1.** (*Optik*) Dichro'ismus *m.* – **2.** → dichromatism. — ˌ**di·chro'it·ic** → dichroic. — **di'chro·ma·sy** [-məsi] → dichromatism.

di·chro·mat ['daikroˌmæt], '**di·chroˌmate**[1] [-ˌmeit] *s med.* mit Dichromato'psie Behaftete(r).

di·chro·mate[2] [dai'kroumeit] *s chem.* Di-, Bichro'mat *n.*

di·chro·mat·ic [ˌdaikro'mætik] **I** *adj* **1.** *bes. biol.* dichro'matisch, zweifarbig. – **2.** *med.* a) dichro'mat, parti'ell farbenblind, b) die Dichromato'psie betreffend. – **II** *s* → dichromat. — ˌ**di·chro'mat·iˌcism** [-tiˌsizəm; -tə-] → dichroism 1. — **di·chro·ma·tism** [dai'krouməˌtizəm] *s* **1.** Zweifarbigkeit *f.* – **2.** *med.* Dichromato'psie *f*, parti'elle Farbenblindheit.

di·chro·mic[1] [dai'kroumik] *adj* **1.** → dichroic 1. – **2.** → dichromatic 2b.

di·chro·mic[2] [dai'kroumik] *adj chem.* zwei Radi'kale der Chromsäure enthaltend.

di·chro·mic| ac·id *s chem.* Di'chromsäure *f* ($H_2Cr_2O_7$). — ~ **vi·sion** *s med.* Dichromato'psie *f.*

di·chro·o·scope [dai'krouəˌskoup], '**di·chroˌscope** [-kro-; -krə-] *s* (*Optik*) Dichro'skop *n*, dichro'itische *od.* Haidingersche Lupe. — ˌ**di·chro'scop·ic** [-'skɒpik] *adj* dichro'skopisch.

dick[1] [dik] *s sl.* **1.** Reitpeitsche *f.* – **2.** *Am.* ‚Schnüffler' *m* (*Detektiv*).

dick[2] [dik] *s sl. Kurzform für* declaration: to take one's ~ that schwören, daß.

Dick[3] [dik] **I** *npr Kurzform für* Richard: → Tom, ~, and Harry. – **II** *s* d~ *colloq.* Bursche *m*, Kerl *m*: a queer ~ ein komischer Kauz.

dick·cis·sel [dik'sisl] *s zo.* Schildammer *f* (*Spiza americana*).

dick·ens ['dikinz] *s sl. euphem.* Kuckuck *m*, Teufel *m*: what the ~! was zum Teufel! how the ~! wie zum Teufel!

Dick·en·si·an [di'kenziən] **I** *s* Bewunderer *m od.* Kenner *m* der Werke Dickens'. – **II** *adj* dickenssch(er, e, es).

dick·er[1] ['dikər] *Am.* **I** *s* **1.** Feilschhandel *m*, Schacher *m.* – **2.** Tauschhandel *m.* – **3.** Abmachung *f*, Über'einkunft *f.* – **II** *v/i* **4.** feilschen, schachern. – **5.** tauschen, Tauschgeschäfte machen. – **III** *v/t* **6.** feilschen *od.* schachern mit. – **7.** tauschen, Tauschhandel treiben mit.

dick·er[2] ['dikər] *s econ.* **1.** *meist* Dutzend *n* (*aber auch Zählmaß für andere Quantitäten*). – **2.** *hist.* Decher *m*, Decker *m*, Dechent *m* (*10 Stück, Zählmaß bes. für Felle*).

dick·ey[1] ['diki] *s colloq.* **1.** Hemdenbrust *f.* – **2.** (Blusen)Einsatz *m*, Einlegekragen *m.* – **3.** *Am.* leinener Hemdenkragen. – **4.** (Kinder)Lätzchen *n od.* (-)Schürzchen *n.* – **5.** Esel *m.* – **6.** *auch* ~bird Vögelchen *n*, Piepmatz *m.* – **7.** *auch* ~ box Führer-, Fahrersitz *m.* – **8.** Rück-, Notsitz *m.*

dick·ey[2] ['diki] *adj colloq.* wack(e)lig auf den Beinen, klapp(e)rig, ‚mau'.

Dick test *s med.* Dicktest *m* (*zur Bestimmung der Scharlachempfänglichkeit*).

dick·y *cf.* dickey[1] 6 *u.* dickey[2].

di·cli·nism ['daikliˌnizəm] *s bot.* Getrenntgeschlechtigkeit *f.* — **di·cli·nous** ['daiklinəs; -klə-; dai'klai-] *adj bot.* **1.** di'klin(isch), eingeschlechtig (*Blüte*). – **2.** getrenntgeschlechtig (*Pflanze*).

di·coc·cous [dai'kɒkəs] *adj bot.* zweiknopfig, -kugelig (*Fruchtknoten*).

di·co·de·ine [dai'koudiˌiːn; -in] *s chem.* Dicode'in *n* ($C_{72}H_{84}N_4O_{12}$).

di·coe·li·ous [dai'siːliəs], *auch* **di'coe·lous** [-ləs] *adj zo.* mit zwei Höhlungen.

di·cot·y·le·don [ˌdaiˌkɒti'liːdən; -tə-], *auch* '**di·cot**, **di'cot·yl** *s bot.* Diko'tyle *f*, zweikeimblättrige Pflanze. — ˌ**di·cot·y'le·don·ar·y** [*Br.* -nəri; *Am.* -ˌneri] → dicotyledonous.

di·cot·y·le·don·ous [ˌdaikɒti'liːdənəs; -tə-] *adj bot.* diko'tyl, zweikeimblättrig.

di·cou·ma·rin [dai'kuːmərin] *s chem.* Dicuma'rol *n*, Dicuma'rin *n* ($C_{19}H_{12}O_6$).

dicrano- [daikreino] *Wortelement mit der Bedeutung* zweiköpfig.

di·crot·ic [dai'krɒtik] *adj med.* di'krot(isch), zwei-, doppelschlägig (*Puls*). — '**di·croˌtism** [-krəˌtizəm] *s med.* Dikro'tie *f*, Doppelschlägigkeit *f.*

dic·ta ['diktə] *pl von* dictum.

dic·tate [dik'teit; *Am. auch* 'dikteit] **I** *v/t* **1.** dik'tieren, ansagen: to ~ a letter to s.o. j-m einen Brief diktieren. – **2.** dik'tieren, vorschreiben, befehlen, gebieten: necessity ~s it die Not gebietet es. – **3.** dik'tieren, auferlegen, aufzwingen: to ~ terms to s.o. j-m Bedingungen auferlegen. – **4.** eingeben, -flößen. – **II** *v/i* **5.** dik'tieren, ein Dik'tat geben. – **6.** dik'tieren, befehlen, herrschen: to ~ to s.o. j-n beherrschen, j-m Befehle geben; he will not be ~d to er will sich nicht befehlen lassen. – **III** *s* ['dikteit] **7.** Gebot *n*, Befehl *m*, Dik'tat *n*: the ~s of conscience das Gebot des Gewissens. — **dic'ta·tion** *s* **1.** Dik'tat *n*: a) Dik'tieren *n*, b) Dik'tatschreiben *n*, c) dik'tierter Text. – **2.** Gebot *n*, Befehl *m*, Geheiß *n.*

dic·ta·tor [dik'teitər; *Am. auch* 'dikteitər] *s* **1.** *hist. bes. antiq.* Dik'tator *m.* – **2.** Dik'tator *m*, 'unumˌschränkter Machthaber, Gewalthaber *m.* – **3.** Dik'tator *m*, oberste Autori'tät. – **4.** Dik'tierende(r). — ˌ**dic·ta'to·ri·al** [-tə'tɔːriəl] *adj* **1.** dikta'torisch, gebieterisch, herrschend, befehlshaberisch. – **2.** Diktatoren... – **3.** dikta'torisch, abso'lut, 'unumˌschränkt (*Macht etc*). – *SYN.* doctrinaire, dogmatic, magisterial, oracular. — ˌ**dic·ta'to·ri·al·ness** *s* (*das*) Dikta'torische, gebieterisches Wesen. — **dic'ta·torˌship** *s* Dikta'tur *f*: a) *antiq.* Amt *n* des Dik'tators, b) Gewaltherrschaft *f*, c) Al'leinbestimmungsrecht *n*: the ~ of the proletariat *pol.* die Diktatur des Proletariats. — **dic'ta·tress** [-tris] *s* Dikta'torin *f.*

dic·tion ['dikʃən] *s* **1.** Dikti'on *f*, Ausdrucks-, Redeweise *f*, Sprache *f*, Stil *m.* – **2.** (*gesprochene*) Sprache, Vortrag *m.* – **3.** Aussprache *f.*

dic·tion·ar·y [*Br.* 'dikʃənəri; *Am.* -ˌneri] *s* **1.** Wörterbuch *n*, Lexikon *n*: a French-English ~; pronouncing ~ Aussprachewörterbuch. – **2.** (*bes.* einsprachiges) enzyklo'pädisches Wörterbuch. – **3.** Lexikon *n*, Enzyklopä'die *f*: a walking (*od.* living) ~ ein wandelndes Lexikon (*j-d der alles weiß*). – **4.** *fig.* Wortschatz *m*, Vokabu'lar *n*, Terminolo'gie *f.* — ~ **cat·a·log(ue)** *s* alpha'betisches Bücherverzeichnis.

dic·to·graph ['diktəˌgræ(ː)f; *Br. auch* -ˌgrɑːf] *s electr.* Abhörgerät *n* (*beim Telephon*).

dic·tum ['diktəm] *pl* **-ta** [-tə], **-tums** *s* **1.** autorita'tiver Ausspruch *od.* Entscheid. – **2.** *jur.* richterlicher Ausspruch, richterliche Meinung. – **3.** Spruch *m*, Ma'xime *f*, geflügeltes Wort, Diktum *n.*

dictyo- [diktio], *auch* **dicty-** *Wortelement mit der Bedeutung* Netz.

di·cy·an·di·am·ide [daiˌsaiəndai'æmaid; -id] *s chem.* Dicyˌandia'mid *n* (H_2NCN_2). — **di'cy·aˌnide** [-ˌnaid; -nid], *auch* **di'cy·a·nid** [-nid] *s chem.* Dicya'nid *n*, Dini'tril *n* (*2 Cyangruppen enthaltende Verbindung*). —

di'cy·a·nine [-ˌniːn; -nin], *auch* **di-'cy·a·nin** [-nin] *s chem.* Dicya'nin *n.* — **ˌdi·cy'an·o·gen** [-'ænədʒən] *s chem.* Dicy'an *n* (CN-NC).
did [did] *pret von* do[1].
Did·a·che ['didəˌkiː] *s relig.* Dida'che *f*, Lehre *f* der zwölf A'postel (*altchristl. Schrift*). — **'Did·a·chist** [-kist], **ˌDid·a'chog·ra·pher** [-'kɒgrəfər] *s* (*unbekannter*) Autor der Dida'che.
di·dac·tic [dai'dæktik; *Br. auch* di-] **I** *adj* **1.** di'daktisch, lehrhaft, belehrend, Lehr...: ~ poem Lehrgedicht. – **2.** belehrend, schulmeisternd. – **II** *s* **3.** *pl* (*als sg konstruiert*) Di'daktik *f*, Päda'gogik *f*, 'Unterrichtslehre *f.* — **di'dac·ti·cal** → didactic I. — **diˌdac·ti'cal·i·ty** [-'kæliti; -əti] *s* (*das*) Di'daktische, Di'daktik *f*, Lehrhaftigkeit *f.* — **di'dac·ti·cal·ly** *adv* (*auch zu* didactic I). — **ˌdi·dac'ti·cian** [-'tiʃən] *s* Di'daktiker(in). — **di'dac·tiˌcism** [-tiˌsizəm; -tə-] *s* **1.** di'daktische Me'thode. – **2.** → didacticality. — **ˌdi·dac'tic·i·ty** [-'tisiti; -əti] → didacticality.
di·dap·per ['daiˌdæpər] → dabchick.
did·dle[1] ['didl] *dial. od. sl.* **I** *v/t* **1.** beschwindeln, her'einlegen, betrügen. – **2.** rui'nieren, zerstören. – **3.** 'umbringen, töten. – **4.** *oft* ~ away (*Zeit etc*) verspielen, verplempern. – **II** *v/i* **5.** Zeit verplempern, her'umtrödeln.
did·dle[2] ['didl] *colloq. od. dial.* **I** *v/i* her'umzappeln. – **II** *v/t* hüpfen lassen, schütteln.
did·dle[3] ['didl] *s sl.* **1.** Gin *m.* – **2.** *Am.* Schnaps *m.*
did·dler ['didlər] *s sl.* Schwindler(in).
di·delph ['daidelf] *s zo.* Di'delphier *m*, Beuteltier *n* (*Gruppe Didelphia*). — **di'del·phi·an** *zo.* **I** *adj* zu den Beuteltieren gehörig. – **II** *s* → didelph. — **di'del·phid** [-fid] *s zo.* Beutelratte *f* (*Fam. Didelphyidae*).
di·die *cf.* didy.
did·n't ['didnt] *colloq. für* did not.
di·do ['daidou] *pl* **-do(e)s** *s Am. colloq.* Kapri'ole *f*: to cut (up) ~(e)s Kapriolen machen.
didst [didst] *obs. od. poet. 2. sg pret von* do.
di·dy ['daidi] *s colloq.* Windel *f.*
di·dym·i·um [dai'dimiəm; di-] *s chem.* Di'dym *n.*
did·y·mo·lite ['didiməˌlait] *s min.* Didymo'lit *m.*
did·y·mous ['didiməs] *adj bot. zo.* doppelt, gepaart, Zwillings...
did·y·na·mi·an [ˌdidi'neimiən], **di·dyn·a·mous** [dai'dinəməs] *adj bot.* didy'namisch, zweimächtig.
die[1] [dai] *v/i pres p* **dy·ing** ['daiiŋ] **1.** sterben: to ~ by violence durch Gewalt sterben, eines gewaltsamen Todes sterben; to ~ by one's own hand Selbstmord begehen; to ~ of old age an Altersschwäche sterben; to ~ of hunger Hungers sterben, verhungern; to ~ for one's country für sein (Vater)Land sterben; to ~ from a wound an einer Verwundung sterben, einer Verwundung erliegen; to ~ of (*od.* with) laughter *fig.* vor Lachen sterben, sich totlachen; to ~ poor (*od.* in poverty) arm *od.* in Armut sterben; to ~ a beggar als Bettler sterben; to ~ a man mannhaft *od.* als Mann sterben; to ~ a martyr als Märtyrer *od.* den Märtyrertod sterben; to ~ a dog's death, to ~ like a dog wie ein Hund sterben; to ~ the death *obs. od. humor.* hingerichtet werden; to ~ dunghill feige sterben; to ~ game kämpfend sterben (*auch fig.*); to ~ hard a) ein zähes Leben haben, b) *fig.* nicht nachgeben wollen, stur weiterkämpfen, c) ohne Reue sterben; to ~ in harness in den Sielen sterben (*mitten in der Arbeit*); to ~ in one's bed eines natürlichen Todes sterben; to ~ in one's boots (*od.* shoes) eines plötzlichen *od.* gewaltsamen Todes sterben; to ~ in the last ditch bis zum letzten Atemzug kämpfen *od.* standhalten; never say ~! nur nicht nachgeben! – **2.** eingehen (*Pflanze, Tier*). – **3.** *bes. fig.* vergehen, erlöschen, ausgelöscht werden, aufhören. – **4.** *oft* ~ out, ~ down, ~ away ersterben, vergehen, schwinden, sich verlieren: the sound ~d der Ton erstarb (verhallte *od.* verklang); the light ~d das Licht verglomm *od.* schwand. – **5.** *oft* ~ out, ~ down ausgehen, erlöschen – **6.** vergessen werden, in Vergessenheit geraten. – **7.** nachlassen, schwächer werden, abflauen. – **8.** stehenbleiben (*Motor*). – **9.** *fig.* sterben, Todesqualen erleiden, Todesängste ausstehen. – **10.** schwach werden. – **11.** schal werden (*Getränke*). – **12.** *relig.* geistig sterben. – **13.** (to, unto) sich lossagen *od.* zu'rückziehen (von), den Rücken kehren (*dat*): to ~ to the world der Welt den Rücken kehren; to ~ unto sin sich von der Sünde lossagen. – **14.** (da'hin)schmachten. – **15.** *meist* to be dying schmachten, sich sehnen, verlangen (for nach): he was dying for a drink; I am dying to see it ich möchte es schrecklich gern sehen. –
Verbindungen mit Adverbien:
die| a·way *v/i* **1.** sich verlieren, ersterben, sich legen (Wind), verhallen, verklingen (*Ton*). – **2.** ersterben, immer schwächer werden, langsam erlöschen, schwinden, vergehen: to ~ into the darkness sich im Dunkel verlieren. – **3.** ohnmächtig werden. — **~ back** → die down 2. — **~ down** *v/i* **1.** → die away 1. – **2.** *bot.* (von oben) absterben. — **~ off** *v/i* **1.** (*in großer Zahl*) 'hin-, wegsterben. – **2.** absterben (*einzelnes Glied*). — **~ out** *v/i* **1.** (all'mählich) aufhören, vergehen. – **2.** erlöschen (*Feuer*). – **3.** aussterben.
die[2] [dai] **I** *s pl* (1–3) **dice** [dais] *od.* (4 *u.* 5) **dies** **1.** Würfel *m*: the ~ is cast *fig.* die Würfel sind gefallen; to play at dice würfeln, knobeln, mit Würfeln spielen; upon the ~ auf dem Spiel (stehend); as straight (*od.* true) as a ~ grundehrlich, -anständig; the dice are loaded against him die Chancen sind gegen ihn; to venture on the cast of a ~ auf einen Wurf setzen. – **2.** Würfel *m*, würfelförmiges Stück. – **3.** *fig.* Zufalls-, Glücksspiel *n.* – **4.** *arch.* Würfel *m* (*eines Sockels*). – **5.** *tech.* a) *print.* Prägestock *m*, -stempel *m*, -platte *f*, Ma'trize *f*, Preßstempel *m*, -form *f*, b) Schneideisen *n*, -backe *f*, (Schneid)Kluppe *f* (*für Gewinde etc*), c) (Draht)Zieheisen *n*, (Draht)Ziehstahl *m*, d) Gesenk *n*, Gußform *f*, Ko'kille *f.* – **II** *v/t* **6.** *tech.* a) prägen, formen, b) (*Draht*) ziehen, c) (*Gewinde*) schneiden.
'die|-aˌway *adj* schmachtend. — **'~ˌback** *s bot.* Wipfeldürre *f* (*Bäume*). — **'~-ˌcast** *v/t irr tech.* in Formen gießen. — **~ cast·ing** *s tech.* Spritzguß(stück *n*) *m.* — **~ chuck** → die head.
di·e·cious *cf.* dioecious.
'die|-ˌcut *v/t irr tech.* stempelschneiden. — **'~-ˌhard I** *s* **1.** Dickschädel *m*, -kopf *m*, zäher *u.* unnachgiebiger Mensch, Unentwegte(r). – **2.** zählebige Sache. – **3.** *pol.* hartnäckiger Reaktio'när, *bes.* ex'tremer Konserva'tiver. – **4.** Die-hards *pl mil. Beiname des 57. brit. Infanterieregiments.* – **II** *adj* **5.** hartnäckig, zäh, nicht 'umzubringen(d). — **~-hard** *cf.* die-hard I. — **~ head, ~ hold·er** *s tech.* **1.** Schneidkopf *m.* – **2.** Setzkopf *m* (*einer Niete*).
di·e·lec·tric [ˌdaii'lektrik] *electr.* **I** *s* Dië'lektrikum *n* (*nichtleitendes Medium*). – **II** *adj* dië'lektrisch, nichtleitend: ~ constant Diëlektrizitätskonstante. — **ˌdi·e'lec·tri·cal** → dielectric II. — **ˌdi·e'lec·tri·cal·ly** *adv* (*auch zu* dielectric II).
di·en·ceph·a·lon [ˌdaien'sefəˌlɒn] *pl* **-la** [-lə] *s med.* Dien'cephalon *n*, Zwischenhirn *n.*
di·er·e·sis *cf.* diaeresis.
di·es ['daiiːz; 'diːeis] (*Lat.*) *s sg u. pl* [Tag *m.*]
Die·sel, d~ ['diːzəl] **I** *s* → ~ engine. – **II** *adj* Diesel...: ~ oil Dieselöl; d~-electric dieselelektrisch. — **~ cy·cle** *s tech.* 'Dieselproˌzeß *m.* — **~ en·gine** *s tech.* Dieselmotor *m.*
die·sel·i·za·tion [ˌdiːzəlai'zeiʃən; -li-] *s* 'Umstellung *f* auf Dieselbetrieb. — **'die·selˌize** *v/t* auf Dieselbetrieb 'umstellen.
Die·sel mo·tor, die·sel mo·tor *s tech.* Dieselmotor *m.*
'die|ˌsink·er *s tech.* Werkzeugmacher *m* (*bes. für spanabhebende Werkzeuge u. Stanzwerkzeuge*). — **'~ˌsink·ing** *s tech.* ˌWerkzeugmache'rei *f.*
di·e·sis ['daiəsis] *pl* **-ses** [-ˌsiːz] *s* **1.** *print.* Doppelkreuz *n* (‡). – **2.** *mus.* a) Kreuz *n*, Erhöhungszeichen *n*, b) *antiq.* kleiner Halbton.
di·es non [nɒn] *s* **1.** *jur.* gerichtsfreier Tag. – **2.** *fig.* Tag, der nicht zählt.
die stock *s tech.* Schneideisenhalter *m*, (Gewinde)Schneidkluppe *f*, Kluppe *f.*
di·et[1] ['daiət] **I** *s* **1.** Nahrung *f*, Ernährung *f*, Speise *f*, Kost *f*: full (low) ~ reichliche (magere) Kost; → vegetable 4. – **2.** *med.* Di'ät *f*, Schon-, Krankenkost *f*: strict ~ strenge Diät; to be (put) (up)on a ~ auf Krankenkost gesetzt sein; to take a ~ diät leben. – **II** *v/t* **3.** (*j-n*) auf Di'ät setzen: to ~ oneself → ~ 5. – **4.** nähren, füttern. – **III** *v/i* **5.** Di'ät halten, diät leben. – **6.** *selten* essen, speisen.
di·et[2] ['daiət] *s* **1.** *pol.* Parla'ment *n*, (*jede, bes. nicht brit. od. amer.*) parlamen'tarische Versammlung, *bes.* a) Reichstag *m* (*Japan, Polen, Finnland, Schweden, Dänemark*), b) *selten* Bundesversammlung *f* (*Schweiz*), c) *hist.* Reichstag *m* (*Deutschland*), Reichsrat *m* (*Österreich*), d) Landtag *m* (*in deutschen Ländern*). – **2.** *Scot.* a) (*für eine Versammlung, Vernehmung etc*) festgesetzter Tag, b) Sitzung *f.*
di·e·tar·y [*Br.* 'daiətəri; *Am.* -ˌteri] **I** *s* **1.** *med.* Di'ätzettel *m*, -vorschrift *f.* – **2.** Küchen-, Speisezettel *m.* – **3.** ('Speise)RatiˌON *f* (*in Gefängnissen etc*). – **II** *adj* **4.** Diät..., diä'tetisch: ~ laws *relig.* rituelle Diätvorschriften (*der Juden*). — **'di·et·er** *s* **1.** Diä'tetiker(in). – **2.** Di'ätpatiˌent(in). — **ˌdi·e'tet·ic** [-'tetik], **ˌdi·e'tet·i·cal** *adj med.* diä'tetisch, Diät... — **ˌdi·e'tet·i·cal·ly** *adv* (*auch zu* dietetic). — **ˌdi·e'tet·ics** *s pl* (*als sg konstruiert*) *med.* Diä'tetik *f*, Di'ätlehre *f*, -kunde *f.* — **ˌdi·e'tet·ist** *s med.* Diä'tetiker *m.*
di·eth·yl [dai'eθil; -əl] *adj chem.* Diäthyl... — **di·eth·yl·a·mine** [daiˌeθilə'miːn; -'æmin] *s chem.* Diäthyla'min *n.* — **di·eth·yl·ene·di·a·mine** [daiˌeθiliːnˌdaiə'miːn; -'æmin] *s chem.* Diäthy'lendiaˌmin *n.*
di·eth·yl| e·ther *s chem.* Diä'thylˌäther *m* [$(C_2H_5)_2O$]. — **~ ke·tone** *s chem.* Diä'thylkeˌton *n* ($C_2H_5{\cdot}CO{\cdot}C_2H_5$).
di·eth·yl·stil·bes·trol, di·eth·yl·stil·boes·trol [daiˌeθəlstil'bestroul; -'biːs-; -trɒl] *s chem.* Diäˌthylstilbö'strol *n* ($C_{18}H_{20}O_2$; *Sexualhormon*).
di·eth·yl sul·phate *s chem.* Diä'thylsulˌfat *n* [$(C_2H_5)_2{\cdot}SO_4$].
di·e·ti·tian, *auch* **di·e·ti·cian** [ˌdaiə'tiʃən] *s med.* Di'ätspeziaˌlist(in), Diä'tetiker(in).

di·et kit·chen *s* Di'ätküche *f.*

Dieu et mon droit [djø e mɔ̃ 'drwa] (*Fr.*) Gott u. mein Recht (*Motto im brit. Wappen*).

'die,up *s Am.* Viehsterben *n.*

dif·fer ['difər] *v/i* **1.** sich unter'scheiden, verschieden sein: they ~ from each other in size sie unterscheiden sich in der Größe; we ~ very much in that wir sind darin sehr verschieden; it ~s in being smaller es unterscheidet sich dadurch, daß es kleiner ist. – **2.** ausein'andergehen (*Meinungen*). – **3.** (from, with) nicht über'einstimmen (mit), anderer Meinung sein (als): I ~ from (*od.* with) him about that darin bin ich anderer Meinung als er. – **4.** diffe'rieren, sich nicht einig sein, verschiedener Meinung sein: they ~ on this sie sind sich darüber nicht einig; → agree 5. – **5.** *obs.* dispu'tieren.

dif·fer·ence ['difrəns; -fərəns] **I** *s* **1.** 'Unterschied *m*, Unter'scheidung *f*: to make no ~ between keinen Unterschied machen zwischen (*dat*); that makes a great ~ a) das macht viel aus, b) das ändert die Sach(lag)e, das ist von Bedeutung (to für); it makes no ~ to me es ist mir gleich, es macht mir nichts aus; it made all the ~ es änderte die Sache vollkommen, es gab der Sache ein ganz anderes Gesicht. – **2.** 'Unterschied *m*, Verschiedenheit *f*: ~ of opinion Meinungsverschiedenheit. – **3.** Diffe'renz *f*, 'Unterschied *m* (*in Menge, Grad etc*): price ~ Preisunterschied; ~ of potential *phys.* Potentialdifferenz; to split the ~ a) *fig.* sich vergleichen, zu einem Kompromiß kommen, b) sich in die Differenz teilen. – **4.** *math.* Diffe'renz *f*: a) Rest *m*, b) Änderungsbetrag *m* (*eines Funktionsgliedes, bezeichnet mit* Δ): ~ equation Differenzengleichung; ~ quotient Differenzenquotient. – **5.** (*Börse*) Diffe'renz *f* (*Unterschied der Kurse des Abschluß- u. Abrechnungstags*): to pay (*od.* meet) the ~ die Differenz zahlen. – **6.** (*Logik*) → differentia. – **7.** Uneinigkeit *f*, Diffe'renz *f*, Streit *m*: to settle a ~ einen Streit beilegen. – **8.** Streitpunkt *m*. – **9.** Unter'scheidungsmerkmal *n*, Kennzeichen *n*. – **10.** *her.* Beizeichen *n*. – *SYN. cf.* dissimilarity. – **II** *v/t* **11.** unter'scheiden (from von; between zwischen *dat*). – **12.** einen 'Unterschied machen zwischen (*dat*). – **13.** *math.* differen'zieren, nach der Differenti'alrechnung behandeln.

dif·fer·ent ['difrənt; -fərənt] *adj* **1.** verschieden(artig): they are very ~ sie sind sehr verschieden; in three ~ places an 3 verschiedenen Orten. – **2.** (from, *auch* than, to) verschieden (von), anders (als), abweichend (von): to be ~ from verschieden sein *od.* abweichen von, anders sein als. – **3.** ander(er, e, es): that's a ~ matter das ist etwas anderes. – **4.** ungewöhnlich, besonder(er, e, es). – *SYN.* disparate, divergent, diverse, various.

dif·fer·en·ti·a [ˌdifə'renʃiə] *pl* **-ti·ae** [-ʃiˌiː] *s* (*Logik*) spe'zifischer 'Unterschied. — **ˌdif·ferˌen·ti·a'bil·i·ty** *s* **1.** Unter'scheidbarkeit *f.* – **2.** Differen'zierbarkeit *f.* — **ˌdif·fer'en·ti·a·ble** *adj* **1.** unter'scheidbar. – **2.** *math.* differen'zierbar.

dif·fer·en·tial [ˌdifə'renʃəl] **I** *adj* **1.** unter'scheidend, Unterscheidungs-..., besonder(er, e, es), bezeichnend, charakte'ristisch: ~ feature Unterscheidungsmerkmal. – **2.** 'unterschiedlich, verschieden. – **3.** *math. phys. tech.* Differential...: ~ analyzer mechanische Rechenmaschine zur Lösung von Differentialgleichungen. – **4.** *econ.* gestaffelt, Differential...: ~ tariff Differential-, Staffeltarif. – **5.** *geol.* selek'tiv. – **II** *s* **6.** Unter'scheidungsmerkmal *n*. – **7.** *math.* Differenti'al *n*. – **8.** *tech.* → ~ gear. – **9.** *electr.* a) Differenti'al-, Gegenwicklung *f*, b) Differenti'al-, Ausgleichsverteiler *m*. – **10.** *econ.* a) 'Fahrpreisdiffeˌrenz *f*, b) → ~ rate, c) 'Lohn- *od.* Ge'haltsdiffeˌrenz *f*.

dif·fer·en·tial| brake *s tech.* Differenti'albremse *f.* — **~ cal·cu·lus** *s math.* Differenti'alrechnung *f.* — **~ chain block** *s tech.* Differenti'alflaschenzug *m.* — **~ co·ef·fi·cient** *s math.* Differenti'alquotiˌent *m*, -koeffiziˌent *m.* — **~ con·dens·er** *s electr.* Differenti'al(dreh)kondenˌsator *m.* — **~ cou·pling** *s tech.* Differenti'alkupplung *f.* — **~ du·ties** *s pl econ.* Differenti'al-, Unter'scheidungszoll *m.* — **~ e·qua·tion** *s math.* Differenti'algleichung *f.* — **~ gear, ~ gear·ing** *s tech.* Differenti'al-, Ausgleichs-, Wechselgetriebe *n.* — **~ ge·om·e·try** *s math.* Differenti'algeomeˌtrie *f.* — **~ grass·hop·per** *s zo. eine amer. Heuschrecke* (*Melanoplus differentialis*). — **~ in·duc·tion coil** *s electr.* Indukti'onsspule *f* mit zwei entgegengesetzten Wicklungen.

dif·fer·en·tial·ize [ˌdifə'renʃəˌlaiz] → differentiate I.

dif·fer·en·tial| line *s* Linie *f* mit 'Ausnahme- *od.* 'Vorzugstaˌrif (*bei öffentl. Verkehrsmitteln*). — **~ lo·cust** → differential grasshopper. — **~ mo·tion** *s tech.* Ausgleichsbewegung *f.* — **~ pis·ton** *s tech.* Stufen-, Differenti'alkolben *m.* — **~ quo·tient** → differential coefficient. — **~ rate** *s* (*bei öffentlichen Verkehrsmitteln*) 'Ausnahmetaˌrif *m.* — **~ re·lay** *s electr.* Differenti'al-, 'Fehlerreˌlais *n.* — **~ screw** *s tech.* Differenti'alschraube *f.* — **~ tack·le** → differential chain block. — **~ wind·ing** *s electr.* Gegenwicklung *f.* — **~ wind·lass** *s tech.* Differenti'alwinde *f.*

dif·fer·en·ti·ate [ˌdifə'renʃiˌeit] **I** *v/t* **1.** einen 'Unterschied machen, unter'scheiden (between zwischen *dat*). – **2.** (from) (unter)'scheiden, sondern, trennen (von), aussondern (aus). – **3.** scheiden, (auf)teilen, zerlegen (into in *acc*). – **4.** *meist pp* differen'zieren, ausein'anderentwickeln, ungleichartig machen, speziali'sieren: to be ~d sich differenzieren, sich verschieden entwickeln. – **5.** *math.* differen'zieren, (*Funktion*) ableiten. – **II** *v/i* **6.** sich differen'zieren, sich unter'scheiden, sich entfernen, sich sondern (from von). – **7.** differen'zieren, diskrimi'nieren, 'Unterschiede machen. – **8.** *biol.* sich differen'zieren, sich speziali'sieren. — **ˌdif·ferˌen·ti'a·tion** *s* **1.** Differen'zierung *f*, Unter'scheidung *f*, (Ab)Scheidung *f*, (Aus)Sonderung *f.* – **2.** Differen'zierung *f*, Speziali'sierung *f*: ~ of labo(u)r Arbeitsteilung. – **3.** *math.* Differen'zierung *f*, Differentiati'on *f*, Ableitung *f.* – **4.** *geol.* Differentiati'on *f*, Abspaltung *f.*

dif·fer·ent·ly ['difərəntli] *adv* (from) anders (als), verschieden, 'unterschiedlich (von).

dif·fi·cile [ˌdifi'siːl; -fə-] *adj* diffi'zil, schwierig (*zu behandeln*).

dif·fi·cult ['difikəlt; -fə-; *bes. Am.* -ˌkʌlt] *adj* **1.** a) schwierig, schwer, proble'matisch, b) beschwerlich, mühsam: ~ to understand schwer zu verstehen; ~ of access schwer zugänglich. – **2.** schwierig, schwer zu behandeln(d), eigensinnig (*Person*). – *SYN. cf.* hard. — **'dif·fi·cul·ty** [-kəlti; *bes. Am.* -ˌkʌlti] *s* **1.** Schwierigkeit *f*: to find great ~ in s.th. etwas sehr schwierig finden. – **2.** Unverständlichkeit *f.* – **3.** Schwierigkeit *f*, schwierige Sache, Pro'blem *n.* – **4.** Schwierigkeit *f*, Hindernis *n*, 'Widerstand *m*: to make difficulties Schwierigkeiten bereiten. – **5.** Schwierigkeit *f*, Mühe *f*: with ~ nicht leicht, mit Mühe; to have ~ in doing s.th. Mühe haben, etwas zu tun. – **6.** *oft pl* schwierige Lage, Schwierigkeit *f*, Verlegenheit *f.* – *SYN.* hardship, rigor[1], vicissitude.

dif·fi·dence ['difidəns; -fə-] *s* Schüchternheit *f*, mangelndes Selbstvertrauen (in zu). — **'dif·fi·dent** *adj* schüchtern, scheu: to be ~ in singing sich scheuen zu singen. – *SYN. cf.* shy[1].

dif·flu·ence ['difluəns] *s* Zerfließen *n*, Ausein'anderfließen *n*, Flüssigwerden *n.* — **'dif·flu·ent** *adj* zerfließend, ausein'anderfließend.

dif·fract [di'frækt] *v/t phys.* beugen. — **dif'frac·tion** [-kʃən] *s phys.* Beugung *f*, Diffrakti'on *f* (*Wellen*): ~ grating Diffraktions-, Beugungsgitter; ~ spectrum Gitterspektrum. — **dif'frac·tive** *adj phys.* beugend.

dif·fu·sate [di'fjuːseit] *s* (*Atomphysik*) Diffu'sat *n* (*angereicherte Komponente bei der Gasdiffusion*).

dif·fuse [di'fjuːz] **I** *v/t* **1.** ausgießen, vergießen, ausschütten, verschütten. – **2.** *bes. fig.* ausstreuen, verbreiten. – **3.** zerstäuben, zerstreuen, ausstreuen. – **4.** *fig.* (*seine Kraft etc*) zersplittern, vergeuden. – **5.** ausbreiten. – **6.** *chem. phys.* diffun'dieren: a) zerstreuen, b) vermischen, c) durch'dringen, sich vermischen mit: to be ~d sich vermischen. – **II** *v/i* **7.** sich zerstreuen, sich verbreiten. – **8.** *bes. chem. phys.* a) sich vermischen, b) diffun'dieren, dringen, wandern: to ~ into diffundieren *od.* eindringen in (*acc*). – **III** *adj* [-'fjuːs] **9.** dif'fus: a) weitschweifig, wortreich, langatmig (*Stil, Autor*), b) (weit) zerstreut, ausgebreitet, verbreitet, c) nicht klar abgegrenzt. – *SYN. cf.* wordy. — **dif'fus·er** [-zər] *s* **1.** Verbreiter(in), Zerstreuer(in). – **2.** *tech.* a) Zerstäuber(düse *f*) *m*, b) Diffusi'ons-, 'Leitappaˌrat *m*, (Lade)Leitrad *n* (*bei Turbinen etc*). – **3.** (*Zuckerindustrie*) Diffu'seur *m.*

dif·fus·i·bil·i·ty [diˌfjuːzə'biliti; -əti] *s* **1.** Verbreitbarkeit *f.* – **2.** *phys.* Diffusi'onsvermögen *n*, -fähigkeit *f.* — **dif'fus·i·ble** *adj* **1.** verbreitbar. – **2.** *phys.* diffusi'onsfähig.

dif·fu·sion [di'fjuːʒən] *s* **1.** Ausbreitung *f*, Ausstreuung *f*, Zerstreuung *f.* – **2.** *fig.* Verbreitung *f*, Ausbreitung *f*, Ausstreuung *f.* – **3.** Weitschweifigkeit *f.* – **4.** *chem. phys.* Diffusi'on *f.* – **5.** *sociol.* Diffusi'on *f* (*Ausbreitung von Kulturerscheinungen*). — **dif'fu·sive** [-siv] *adj* **1.** verbreitungs-, ausbreitungsfähig. – **2.** *fig.* weitschweifig, -läufig. – **3.** *phys.* Diffusions... — **dif'fu·sive·ness** *s* **1.** Verbreitungs-, Ausbreitungsfähigkeit *f.* – **2.** *fig.* Weitschweifigkeit *f.* – **3.** *phys.* Diffusi'onsfähigkeit *f.* – **4.** Ausdehnung *f*, Verbreitung *f.* — **ˌdif·fu'siv·i·ty** [-'siviti; -əti] *s phys.* Diffusi'onsvermögen *n*, spe'zifische Diffusi'on.

dig [dig] **I** *s* **1.** Graben *n*, Grabung *f.* – **2.** *colloq.* Puff *m*, Stoß *m*: → rib 1. – **3.** *colloq.* beißende *od.* sar'kastische Bemerkung: to give s.o. a ~ j-m eins auswischen. – **4.** *Am. sl.* ‚Büffler' *m*, ‚Ochser' *m* (*Student, der büffelt*). – **5.** *pl Br. sl.* ‚Bude' *f*, (*bes.* Stu'denten)Zimmer *n.* – **II** *v/t pret u. pp* **dug** [dʌg], *selten* **digged 6.** graben in (*dat*): to ~ the ground. – **7.** *oft* ~ up (*Boden*) 'umgraben, 'umstechen. – **8.** *oft* ~ up, ~ out a) (*etwas*) (aus)graben, graben nach, b) *fig.* aufdecken, entdecken, ans Tageslicht bringen. – **9.** graben, ausheben, -höhlen: to ~ a pit a) eine (Fall)Grube ausheben,

b) *fig.* eine Falle stellen (for *dat*); to ~ one's way through s.th. sich einen Weg durch etwas graben *od.* bahnen (*auch fig.*). – **10.** eingraben, bohren, schlagen: to ~ one's teeth into s.th. die Zähne in etwas graben. – **11.** *colloq.* einen Stoß geben (*dat*), stoßen, puffen: to ~ a horse ein Pferd anspornen. – **12.** *Am. sl.* verstehen, begreifen. – **III** *v/i* **13.** graben, schürfen (for nach). – **14.** sich einen Weg bahnen. – **15.** *fig.* forschen (for nach), (forschend) eindringen (into in *acc*). – **16.** *mil.* schanzen, sich verschanzen, Gräben anlegen. – **17.** *oft* ~ away *colloq.* ‚büffeln', ‚ochsen'. – **18.** *Br. sl.* hausen, wohnen, seine ‚Bude' haben. –

Verbindungen mit Adverbien:

dig| in I *v/t* **1.** eingraben: to ~ one's spurs. – **2.** *reflex* to dig oneself in a) sich eingraben, b) *fig.* sich verschanzen, feste Stellung beziehen. – **II** *v/i* **3.** *mil.* sich eingraben, sich verschanzen. – **4.** *colloq.* festen Fuß fassen, sich verschanzen. – **5.** sich e'nergisch an die Arbeit machen. — **~ out I** *v/t* **1.** ausgraben (*auch fig.*). – **2.** *fig.* aufdecken, ans Tageslicht bringen. – **II** *v/i* **3.** *Am. sl.* ‚abhauen', ‚ausreißen'. — **~ up I** *v/t* **1.** 'um-, ausgraben: → hatchet 2. – **2.** *Am. sl.* (*Geld*) ergattern. – **II** *v/i* **3.** *Am. sl.* Geld her'ausrücken.

di·gal·lic [dai'gælik] *adj chem.* tan'ninsauer: ~ acid Digallus-, Galloylgallus-, Tanninsäure ($C_{14}H_{10}O_9$).

di·gam·ma [dai'gæmə] *s* Di'gamma *n* (*sechster Buchstabe des ältesten griech. Alphabets*).

dig·a·mous ['digəməs] *adj* di'gam. — **'dig·a·my** *s* Diga'mie *f*, zweite Ehe, 'Wiederverheiratung *f*.

di·gas·tric [dai'gæstrik] *adj u. s med.* zweibäuchig(er 'Unterkiefermuskel).

di·gen·e·sis [dai'dʒenisis; -nə-] *s biol.* Meta'genesis *f*, Ammenzeugung *f* (*eine Art des Generationswechsels*). — **ˌdi·ge'net·ic** [-dʒə'netik] *adj biol.* metage'netisch.

di·gest [di'dʒest; də-; dai-] **I** *v/t* **1.** (*Speisen*) verdauen. – **2.** *med.* (*etwas*) verdauen helfen (*Arznei, Getränk*). – **3.** *fig.* verdauen, (innerlich) verarbeiten, in sich aufnehmen. – **4.** über'legen, durch'denken. – **5.** ertragen, hin'unterschlucken. – **6.** ordnen, ordnend zu'sammenfassen, in ein Sy'stem bringen, klassifi'zieren, kodifi'zieren. – **7.** *chem.* dige'rieren, einweichen, versetzen, aufschließen. – **II** *v/i* **8.** (seine Nahrung) verdauen. – **9.** verdaut werden. – **10.** sich verdauen lassen, verdaulich sein: to ~ well leicht verdaulich sein. – **III** *s* ['daidʒest] **11.** Digest *m*, Auslese *f*, -wahl *f* (*aus Veröffentlichungen*). – **12.** Abriß *m*, Auszug *m*, 'Überblick *m*. – **13.** *jur.* a) Gesetzessammlung *f*, b) the D~ die Di'gesten *pl*, die Pan'dekten *pl* (*Hauptbestandteil des Corpus juris civilis*). – *SYN. cf.* compendium. — **di'gest·ant** → digestive 1 *u.* 4. — **di'gest·ed** *adj* **1.** verdaut. – **2.** *fig.* a) über'legt, durch'dacht, b) geordnet, in ein Sy'stem gebracht. — **di'gest·er** *s* **1.** Verdauende(r). – **2.** *med.* verdauungsförderndes Mittel. – **3.** Dampfkochtopf *m*, Di'gestor *m*, Pa'pinscher Topf. – **4.** *chem. tech.* Auto'klav *m*. — **diˌgest·i'bil·i·ty** *s* Verdaulichkeit *f*, Bekömmlichkeit *f*. — **di'gest·i·ble** verdaulich, verdaubar, bekömmlich.

di·ges·tion [di'dʒestʃən; dai-] *s* **1.** *med.* Verdauung *f*, Digesti'on *f*: a) Verdauungstätigkeit *f*, b) *collect.* Ver'dauungsorˌgane *pl*: hard (easy) of ~ schwer (leicht) verdaulich; a good (weak) ~ eine gute (schlechte) Verdauung. – **2.** *fig.* Verdauung *f*, (innerliche) Verarbeitung. – **3.** *fig.* Systemati'sierung *f*, Ordnen *n*. — **di'ges·tive** [-tiv] **I** *adj* **1.** *med.* verdauungsfördernd, dige'stiv, die Verdauung anregend *od.* fördernd. – **2.** bekömmlich. – **3.** Verdauungs...: ~ canal, ~ system, ~ tract Verdauungskanal, -system. – **II** *s* **4.** *med.* verdauungsförderndes Mittel. — **di'ges·tive·ness** *s* Verdaulichkeit *f*, Bekömmlichkeit *f*.

dig·ger ['digər] *s* **1.** Gräber(in). – **2.** → gold ~ 1. – **3.** Grabgerät *n*. – **4.** Grab-, Erdarbeiter *m*. – **5.** *tech.* a) 'Grabmaˌschine *f* (*bes. Löffelbagger, Rodemaschine etc*), b) Ven'tilspindel *f*, -nadel *f*. – **6.** *agr.* Kar'toffelroder *m*. – **7.** D~, *auch* D~ Indian *primitiver Indianer, der sich von wilden Wurzeln ernährt.* – **8.** D~s *pl hist. eine radikale Gruppe der Levelers.* – **9.** *zo.* → ~ wasp. – **10.** *sl.* austral. *od.* neu'seeländischer Sol'dat (*im 1. Weltkrieg*). – **11.** *sl.* Pikkarte *f*. — **~ pine** *s bot.* Nußkiefer *f* (*Pinus sabiniana; Kalifornien*). — **~ wasp** *s zo.* Grabwespe *f* (*Fam. Sphecidae*).

dig·ging ['digiŋ] *s* **1.** Graben *n*. – **2.** *pl* a) Schurf *m*, Schürfung *f* (*Ort, wo geschürft wird*), b) Bergbaubezirk *m*. – **3.** *pl* (*beim Graben*) ausgeworfene Erde. – **4.** *pl colloq.* ‚Bude' *f*, Wohnung *f*, Behausung *f*, Quar'tier *n*.

dight [dait] *pret u. pp* **dight** *od.* **'dight·ed** *v/t* **1.** *poet.* zurichten. – **2.** *obs.* a) ausstatten, b) (be)kleiden. – **3.** *dial.* reinigen.

dig·it ['didʒit] *s* **1.** *zo.* Finger *m od.* Zehe *f*. – **2.** Fingerbreite *f* (*3/4 Zoll = 1,9 cm*). – **3.** *astr.* astro'nomischer Zoll (*1/12 des Sonnen- od. Monddurchmessers*). – **4.** *math.* (*jede*) Zahl unter 10. — **'dig·it·al I** *adj* **1.** digi'tal, Finger...: ~ calculator *tech.* Digitalrechner. – **2.** fingerförmig. – **3.** → digitate. – **II** *s* **4.** *humor.* Finger *m*. – **5.** *mus.* Taste *f* (*Orgel*).

dig·i·tal·e·in [ˌdidʒi'tæliin; -'tei-; -dʒə-] *s med.* Digitale'in *n*. — **dig·i·ta·lin** [ˌdidʒi'teilin; -'tæl-; -dʒə-] *s chem.* Digita'lin *n* ($C_{35}H_{56}O_{14}$).

dig·i·ta·lis [ˌdidʒi'teilis; -'tæl-; -dʒə-] *s* **1.** *bot.* Fingerhut *m* (*Gattg Digitalis*). – **2.** *med.* Digi'talis *n* (*getrocknete Blätter des Fingerhuts*). — **'dig·i·talˌism** [-təˌlizəm] *s med.* Digita'lismus *m*, Digi'talisvergiftung *f*. — **ˌdig·i·tal·i'za·tion** *s med.* Digitali'sierung *f*. — **'dig·i·talˌize** *v/t med.* digitali'sieren.

dig·i·tate ['didʒiˌteit; -dʒə-], *auch* **'dig·iˌtat·ed** [-id] *adj* **1.** *bot.* gefingert, handförmig (*Blatt*). – **2.** *zo.* mit Fingern *od.* fingerförmigen Fortsätzen. – **3.** fingerförmig, -artig. — **ˌdig·i'ta·tion** *s* **1.** fingerförmiger Bau, Fingerform *f*. – **2.** fingerförmiger Fortsatz.

dig·i·ti·form ['didʒitiˌfɔːrm; -dʒətə-] *adj* fingerförmig. — **'dig·i·tiˌgrade** [-ˌgreid] *zo.* **I** *adj* auf den Zehen gehend. – **II** *s* Zehengänger *m*.

dig·i·to·nin [ˌdidʒi'tounin] *s med.* Digito'nin *n* (*ein Digitalin*). — **ˌdig·i'tox·in** [-'tɒksin; -dʒə-] *s med.* Digito'xin *n* (*ein Digitalin*).

dig·i·tule ['didʒiˌtjuːl] *s zo.* Fingerchen *n*, kleiner fingerförmiger Fortsatz. — **'dig·i·tus** [-təs] *pl* **-ti** [-ˌtai] *s* **1.** Daumenbreite *f* (*altes Längenmaß*). – **2.** *zo.* Daktylusfortsatz *m* (*an Insektenbeinen*).

di·glot ['daiglɒt] *adj u. s* zweisprachig(e Ausgabe). — **di'glot·tic** *adj* zweisprachig.

di·glyph ['daiglif] *s arch.* Di'glyph *m*, Zweischlitz *m*.

dig·ni·fied ['digniˌfaid; -nə-] *adj* **1.** würdevoll, würdig. – **2.** mit Würden bekleidet, geehrt. — **'dig·niˌfy** [-ˌfai] *v/t* **1.** ehren, auszeichnen. – **2.** zieren, schmücken. – **3.** euphe'mistisch *od.* hochtrabend benennen.

dig·ni·tar·i·al [ˌdigni'tɛ(ə)riəl; -nə-] *adj* einen Würdenträger betreffend. — **ˌdig·ni'tar·i·an** *s* würdevoller *od.* seiner Würde bewußter Mensch. — **'dig·ni·tar·y** [*Br.* -təri; *Am.* -ˌteri] **I** *s* **1.** Würdenträger(in). – **2.** *relig.* Prä'lat *m*. – **II** *adj* **3.** Würden... – **4.** mit (*bes. geistlichen*) Würden bekleidet.

dig·ni·ty ['digniti; -nə-] *s* **1.** Würde *f*, Hoheit *f*, Erhabenheit *f*. – **2.** Würde *f*, Adel *m*, Ehre *f*. – **3.** Würde *f*, Rang *m*, (hohe) Stellung: beneath my ~ unter meiner Würde; to stand (up)on one's ~ sich nichts vergeben, formell sein. – **4.** (innerer) Wert, Größe *f*, Würde *f*: ~ of soul Seelengröße. – **5.** Würde *f*, Ansehen *n*. – **6.** Würdenträger(in). – **7.** *collect.* Würdenträger *pl*: the whole ~ of the country alle Würdenträger des Landes. – *SYN. cf.* decorum.

di·go·neu·tic [ˌdaigo'njuːtik] *adj zo.* zweimal im Jahr brütend.

di·graph ['daigræ(ː)f; *Br. auch* -grɑːf], *auch* **'di·gram** [-græm] *s ling.* Di'graph *m* (*Verbindung von 2 Buchstaben zur Bezeichnung eines Lautes*).

di·gress [dai'gres; di-] *v/i* **1.** *meist fig.* abweichen, abschweifen (from von, into in *acc*). – **2.** sich abwenden. – *SYN. cf.* swerve. — **di'gres·sion** [-ʃən] *s meist fig.* Digressi'on *f*, Abschweifung *f*: to make a ~ abschweifen. — **di'gres·sion·al, di'gres·sion·ar·y** [*Br.* -nəri; *Am.* -ˌneri] *adj* abschweifend. — **di'gres·sive** [-siv] *adj* **1.** abschweifend, abweichend. – **2.** abwegig. — **di'gres·sive·ness** *s* **1.** (*das*) Abschweifende. – **2.** Abwegigkeit *f*.

digs [digz] *s pl* → dig 5.

di·gyn·i·an [dai'dʒiniən], **dig·y·nous** ['didʒinəs; -dʒə-] *adj bot.* di'gyn(isch).

di·hal·ide [dai'hælaid; -id; -'hei-], **di'hal·id** [-id] *s chem.* Diha'lid *n*.

di·he·dral [dai'hiːdrəl] **I** *adj* **1.** *math.* di'edrisch, zweiflächig, von zwei Ebenen gebildet. – **2.** *aer.* a) mit gegen die Waagerechte geneigten Tragflügeln, b) einen kleineren *od.* größeren Winkel als 180° bildend (*Tragflügelpaar*). – **II** *s* **3.** *math.* Di'eder *m*, Zweiflach *n*, -flächner *m*. – **4.** *aer.* Neigungswinkel *m*, V-Form *f*, V-Stellung *f* (*Tragflächen*). — **~ an·gle** *s* **1.** *math.* Flächenwinkel *m*. – **2.** → dihedral 4.

di·he·dron [dai'hiːdrən] → dihedral 3.

di·hex·ag·o·nal [ˌdaihe'ksægənl] *adj* dihexago'nal. — **diˌhex·a'he·dral** [-ə'hiːdrəl] *adj* dihexa'edrisch. — **diˌhex·a'he·dron** [-drən] *s math.* Dihexa'eder *m*.

di·hy·brid [dai'haibrid] *s biol.* Di'hy'bride *m*.

di·hy·drate [dai'haidreit] *s chem.* Dihy'drat *n*. — **di'hy·drite** [-drait] *s min.* Dihy'drit *m* (*Phosphorkupfererz*). — **di'hy·dro·gen** [-drədʒən] *adj chem.* dihydro'gen.

di·hy·dro·ta·chys·ter·ol [daiˌhaidrotə'kistəˌroul; -ˌrɒl] *s biol. chem.* Dihydrotachyste'rin *n* ($C_{28}H_{45}OH$).

di·i·amb ['dai'aiæmb] *s metr.* Di'jambus *m*.

di·i·o·dide [dai'aiəˌdaid; -did], **di'i·o·did** [-did] *s chem.* Dijo'did *n*. — **ˌdi·i'o·doˌform** [-'oudoˌfɔːrm] *s chem.* Tetrajodäthy'len *n* (C_2J_4; *Ersatz für Jodoform*). — **ˌdi·iˌo·do·ta'rir·ic ac·id** [-ˌoudotə'ririk] *s chem.* ˌDijod-Ta'ririsäure *f* ($C_{18}H_{32}O_2$). — **ˌdi·i'sat·o·gen** [-'sætədʒən] *s chem.* Diisato'gen *n* ($C_{16}H_8N_2O_4$).

di·ka ['daikə; 'diːkə] *s* **1.** *auch* ~ bread Dikabrot *n*, Ga'bunschokoˌlade *f* (*aus den Samen des Obabaums Irvingia barteri; Westafrika*). – **2.** *auch* ~ butter, ~ fat Dikabutter *f*, -fett *n*.

dik-dik [ˈdikˌdik] *s zo.* **1.** Dik-Dik *n*, ˈWindspielantiˌlope *f* (*Gattg Madoqua*). – **2.** ˈRüsselˌzwergantiˌlope *f* (*Gattg Rhynchotragus*).

dike[1] [daik] **I** *s* **1.** Deich *m*, Damm *m*. – **2.** Graben *m*, Kaˈnal *m*. – **3.** (*natürlicher*) Wasserlauf. – **4.** (aufgeworfener) Erdwall. – **5.** erhöhter Fahrdamm. – **6.** *Scot.* Grenz-, Schutzmauer *f* (*bes. aus Erde od. Steinen*). – **7.** Schutz-, Hinderniswall *m*, Barriˈkade *f*. – **8.** *fig.* Bollwerk *n*. – **9.** *auch* ~ **rock** *geol.* Gangstock *m*, stehender Stock (*erstarrten Eruptivgesteins*). – **II** *v/t* **10.** eindämmen, -deichen. – **11.** durch Gräben entwässern. – **III** *v/i* **12.** Gräben schaufeln.

dike[2] [daik] *Am. colloq.* **I** *v/t* **1.** aufputzen, schmücken: ~**d out** (*od.* **up**) aufgeputzt, elegant gekleidet. – **II** *s* **2.** aufgeputzte *od.* eleˈgant gekleidete Perˈson. – **3.** eleˈganter Aufzug *od.* Anzug.

dik·er [ˈdaikər] *s* Deich-, Dammarbeiter *m*.

ˈdikeˌreeve *s Br.* Deich- u. Kaˈnalaufseher *m*.

di·ke·tone [daiˈkiːtoun] *s chem.* Dikeˈton *n*.

dike ward·en → dikereeve.

di·lac·er·ate [diˈlæsəˌreit; dai-] *v/t selten* zerreißen. — **diˌlac·erˈa·tion** *s* Zerreißung *f*.

di·lan·tin [daiˈlæntin], *auch* ~ **so·di·um** *s chem. med.* Dilanˈtin *n*, Epanuˈtin *n* ($C_{15}H_{11}N_2NaO_2$; *Mittel gegen Epilepsie*).

di·lap·i·date [diˈlæpiˌdeit; -pə-] **I** *v/t* **1.** zuˈgrunde richten, verfallen lassen. – **2.** verschwenden, vergeuden, verschleudern. – **II** *v/i* **3.** verfallen, in Verfall geraten. — **diˈlap·iˌdat·ed** *adj* **1.** verfallen, baufällig. – **2.** schäbig, verwahrlost. — **diˌlap·iˈda·tion** *s* **1.** Zuˈgrunderichtung *f*, Verfallenlassen *n*. – **2.** Verfall *m*, Baufälligkeit *f*. – **3.** Vergeudung *f*, Verschleuderung *f*. – **4.** *geol.* Zerfall *m*, Verwitterung *f*.

di·lat·a·bil·i·ty [daiˌleitəˈbiliti; -əti; di-] *s phys.* Dehnbarkeit *f*. — **diˈlat·a·ble** *adj phys.* dehnbar. — **diˈlat·ant** *adj phys.* dilaˈtant. — **di·lat·ate** [daiˈleiteit; ˈdailə-] → dilated.

dil·a·ta·tion [ˌdiləˈteiʃən; ˌdai-] *s* **1.** *phys.* Dilatatiˈon *f*, Ausdehnung *f*, Expansiˈon *f*. – **2.** *med.* Erweiterung *f*, Dilatatiˈon *f*: ~ **of the heart** Herzerweiterung. – **3.** *med.* (Aus)Weitung *f*, (künstliche) Erweiterung.

di·late [daiˈleit; di-] **I** *v/t* **1.** (aus)dehnen, (aus)weiten, erweitern: **with** ~**d eyes** mit weitgeöffneten Augen. – **2.** *selten* weitläufig erzählen. – **II** *v/i* **3.** sich (aus)dehnen, sich verbreiten, sich (aus)weiten, sich erweitern. – **4.** *fig.* sich (ausführlich) verbreiten *od.* auslassen (**on, upon** über *acc*). – *SYN. cf.* **expand.** — **diˈlat·ed** *adj* gedehnt, geweitet, erweitert. — **di·lat·er** *cf.* dilator. — **diˈla·tion** → dilatation. — **diˈla·tive** *adj* (sich) (aus)weitend *od.* (aus)dehnend.

di·la·tom·e·ter [ˌdailəˈtɒmitər; ˌdil-; -mə-] *s phys.* Dilatoˈmeter *n*, (Aus-)Dehnungsmesser *m*.

di·la·tor [daiˈleitər; di-] *s med.* **1.** Dehner *m* (*Muskel*). – **2.** Dehnsonde *f*, Dilaˈtator *m*.

dil·a·to·ri·ness [*Br.* ˈdilətərinis; *Am.* -ˌtɔːrinis] *s* Zögern *n*, Zaudern *n*, Säumigkeit *f*, Saumseligkeit *f*, Langsamkeit *f*. — **ˈdil·a·to·ry** *adj* **1.** aufschiebend, verzögernd, ˈhinhaltend, Verzögerungs...: ~ **policy** Verzögerungspolitik. – **2.** zaudernd, säumig, saumselig, langsam. – **3.** *jur.* dilaˈtorisch, aufschiebend: ~ **plea** Fristgesuch.

di·lem·ma [diˈlemə; dai-] *s* **1.** Diˈlemma *n*, Verlegenheit *f*, Klemme *f*: **the horns of the** ~ die zwei Alternativen eines Dilemmas. – **2.** (*Logik*) Diˈlemma *n*, Wechselschluß *m*. – *SYN. cf.* **predicament.** — **ˌdi·lemˈmat·ic** [-ləˈmætik], **ˌdi·lemˈmat·i·cal, diˈlem·mic** *adj* dilemˈmatisch, verfänglich.

dil·et·tant [ˌdiliˈtænt; -lə-] → dilettante II. — **ˌdil·etˈtan·te** [-ti] **I** *s pl* **-ti** [-tiː], **-tes 1.** Diletˈtant(in): a) Amaˈteur(in) (*bes. in der Kunst*), b) Stümper(in), Pfuscher(in). – **2.** (Kunst)Liebhaber(in). – *SYN. cf.* **amateur.** – **II** *adj* **3.** diletˈtantisch, laien-, stümperhaft. – **III** *v/i* **4.** einer Liebhabeˈrei nachgehen. — **ˌdil·etˈtant·ish,** *auch* **ˌdil·etˈtan·te·ish** *adj* diletˈtantisch. — **ˌdil·etˈtant·ism,** *auch* **ˌdil·etˈtan·teˌism** *s* Dilettanˈtismus *m*: a) (ˈKunst)ˌLiebhabeˌrei *f*, b) Halbwissen *n*, c) Stümpeˈrei *f*.

dil·i·gence[1] [ˈdilidʒəns; -lə-] *s* **1.** Fleiß *m*, Eifer *m*, Emsigkeit *f*, (emsige) Sorgfalt. – **2.** *jur.* Diliˈgentia *f*.

dil·i·gence[2] [ˈdilidʒəns; -lə-] *s* Postwagen *m*, -kutsche *f* (*bes. in Frankreich*).

dil·i·gent [ˈdilidʒənt; -lə-] *adj* **1.** fleißig, emsig. – **2.** sorgfältig. – *SYN. cf.* **busy.** — **ˈdil·i·gent·ness** → diligence[1] 1.

dill [dil] *s bot.* Dill *m*, Gurkenkraut *n* (*Anethum graveolens*). — ~ **pick·le** *s* mit Dill eingelegte Gurke.

dil·ly·dal·ly [ˈdiliˌdæli] *v/i* **1.** Zeit vertrödeln, (herˈum)trödeln. – **2.** zaudern.

di·lo [ˈdiːlou] *pl* **-los** *s bot.* Maˈrienbalsam *m* (*Calophyllum inophyllum*).

dil·o·gy [ˈdilədʒi] *s* (*Rhetorik*) Diloˈgie *f*.

dil·u·ent [ˈdiljuənt] *chem. med.* **I** *adj* verdünnend. – **II** *s* Verdünnungsmittel *n*.

di·lute [diˈljuːt; dai-; -ˈluːt] **I** *v/t* **1.** verdünnen, *bes.* (ver)wässern. – **2.** (*Farbe*) dämpfen. – **3.** *fig.* (ab)schwächen, mildern, verwässern: **to** ~ **labo(u)r** ungelernte Arbeiter einstellen. – **II** *v/i* **4.** sich verdünnen. – **III** *adj* **5.** verdünnt. – **6.** gedämpft (*Farbe*). – **7.** *fig.* geschwächt, verwässert. — **diˈlut·ed** → dilute III. — **diˌlutˈee** [-ˈtiː] *s* ungelernter Arbeiter. — **diˈluteness** → dilution 2. — **diˈlu·tion** *s* **1.** Verdünnung *f*, (Ver)Wässerung *f*. – **2.** Verdünntheit *f*, Wässerigkeit *f*. – **3.** (verdünnte) Lösung.

di·lu·vi·al [diˈluːviəl; *Br. auch* dai-], **diˈlu·vi·an** *adj* **1.** *geol.* diluviˈal, Eiszeit... – **2.** Überschwemmungs... – **3.** (Sint)Flut..., sintflutlich. — **diˈlu·vi·anˌism** *s geol.* Diluviaˈnismus *m* (*Erdbildungstheorie*). — **diˈlu·vi·um** [-əm] *pl* **-vi·a** [-ə] *s geol.* ˈfluvioglaziˌale Schotter *pl*, durch Schmelzwässer gebildete sedimenˈtäre Gesteine *pl*.

dim [dim] **I** *adj comp* **ˈdim·mer,** *sup* **ˈdim·mest 1.** (halb)dunkel, düster: **to take a** ~ **view of s.th.** etwas mit Skepsis betrachten. – **2.** undeutlich, unklar, verschwommen, schwach. – **3.** trübe, blaß, matt (*Farbe etc*). – **4.** schwach, trüb (*Licht*). – **5.** getrübt, trübe. – **6.** *fig.* schwer von Begriff, langsam im Begreifen. – *SYN. cf.* **dark.** – **II** *v/t pret u. pp* **dimmed 7.** verdunkeln, verdüstern. – **8.** trüben: **to** ~ **the sight** die Sicht trüben. – **9.** (*Metalle*) matt machen, matˈtieren. – **10.** *auch* ~ **out** (*Licht*) abblenden. – **III** *v/i* **11.** sich verdunkeln *od.* verdüstern. – **12.** matt *od.* trübe werden, sich trüben. – **13.** unklar *od.* undeutlich werden. – **14.** verblassen (*auch fig.*).

dime [daim] *s* (*silbernes*) Zehnˈcentstück (*in den USA u. Kanada*): **they are a** ~ **a dozen** *Am. colloq.* sie sind spottbillig, man bekommt sie nachgeworfen. — ~ **mu·se·um** *s Am.* Kuriosiˈtätenmuˌseum *n*. — ~ **nov·el** *s Am.* (*billiger*) ˈSchundroˌman, ,ˈGroschenroˌmanˈ *m*.

di·men·sion [diˈmenʃən; *Br. auch* dai-] **I** *s* **1.** Dimensiˈon *f*, Ausdehnung *f*, Aus-, Abmessung *f*, Maß *n*: **of gigantic** ~**s** riesengroß, von riesenhaftem Ausmaß *od.* Umfang; **to take the** ~**s of s.th.** etwas ausmessen. – **2.** *fig.* Ausmaß *n*, Grad *m*. – **3.** Reichweite *f*, Bedeutung *f*. – **4.** *math.* Dimensiˈon *f*. – **5.** *pl phys.* Dimensiˈon *f* (*Maß physikalischer Größen*). – **II** *v/t* **6.** dimensioˈnieren, abmessen. — **diˈmen·sion·al** *adj* dimensioˈnal: **three-**~ dreidimensional. — **diˈmen·sion·less** *adj* winzig klein.

di·mer [ˈdaimər] *s chem.* Diˈmer *n*. — **diˈmer·ic** [-ˈmerik] *adj* **1.** → dimerous. – **2.** *chem.* diˈmer, zweigliedrig. — **ˌdi·mer·iˈza·tion** *s chem.* Dimerisatiˈon *f*.

dim·er·ous [ˈdimərəs] *adj* **1.** *zo.* zweiteilig. – **2.** *bot.* zweigliederig.

dime| store, ˈ~ˌ**store** *s Am. colloq.* (billiges) Warenhaus.

dim·e·ter [ˈdimitər; -mə-] *s metr.* Dimeter *m* (*aus 2 Metren bestehender Vers*).

di·meth·yl [daiˈmeθil] *s chem.* Äˈthan *n* (CH_3—CH_3). — **diˌmeth·yl·a·mine** [-əˈmiːn; -ˈæmin] *s chem.* Dimeˈthylaˌmin *n* [$(CH_3)_2NH$]. — **diˌmeth·ylˈan·i·line** *s chem.* Dimeˈthylaniˌlin *n* ($C_6H_5N(CH_3)_2$). — **diˌmeth·ylˈben·zene** *s chem.* Xyˈlol *n* ($C_6H_4(CH_3)_2$). — **di·meth·yl ke·tone** *s chem.* Aceˈton *n*.

di·met·ric [daiˈmetrik] *adj* **1.** *metr.* diˈmetrisch. – **2.** *min.* tetragoˈnal.

di·mid·i·ate [diˈmidiˌeit; dai-] **I** *v/t* **1.** halˈbieren. – **2.** *her.* halb darstellen. – **II** *adj* **3.** *bot. zo.* halˈbiert, halb ausgebildet: ~ **hermaphroditism** *zo.* Halbseitenzwittrigkeit. – **4.** *bot.* an einer Seite gespalten. — **diˌmid·iˈa·tion** *s* Halˈbierung *f*.

di·min·ish [diˈminiʃ] **I** *v/t* **1.** verringern, (ver)mindern: ~**ed responsibility** *jur.* verminderte Zurechnungsfähigkeit. – **2.** verkleinern. – **3.** einschränken, reduˈzieren, herˈabsetzen. – **4.** (ab)schwächen. – **5.** *fig.* herˈabwürdigen, -setzen. – **6.** *arch.* verjüngen: ~**ed column** verjüngte Säule. – **7.** *mus.* a) (*Notenwerte, Thema*) verkleinern, b) (*Intervall, Akkord*) vermindern: ~**ed chord** (*od.* **triad**) verminderter Dreiklang; ~**ed seventh chord** verminderter Septakkord. – **II** *v/i* **8.** sich vermindern, sich verringern. – **9.** abnehmen (**in** an *dat*). – *SYN. cf.* **decrease.** — **diˈmin·ish·a·ble** *adj* reduˈzierbar. — **diˈmin·ish·ing** *adj* **1.** herˈabsetzend, verkleinernd. – **2.** abnehmend, sich vermindernd, sich verringernd: ~ **return** *econ.* abnehmender Ertrag.

dim·i·nu·tion [ˌdimiˈnjuːʃən; -mə-; *Am. auch* -ˈnuː-] *s* **1.** (Ver)Minderung *f*, Verringerung *f*. – **2.** Verkleinerung *f*. – **3.** Herˈabsetzung *f*, Reduktiˈon *f*, Einschränkung *f*. – **4.** Abnahme *f*, Abnehmen *n*, Nachlassen *n*. – **5.** *fig.* Herˈabsetzung *f*, -würdigung *f*. – **6.** *arch.* Verjüngung *f*. – **7.** *mus.* Verkleinerung *f* (*Notenwert od. Thema*). – **8.** *jur.* Auslassung *f*, Ungenauigkeit *f* (*in den Akten*).

di·min·u·en·do [diˌminjuˈendou] *mus.* **I** *adj u. adv* diminuˈendo, abnehmend. – **II** *pl* **-dos** *s* Diminuˈendo *n*.

di·min·u·ti·val [diˌminjuˈtaivəl; -jə-] → diminutive 2.

di·min·u·tive [diˈminjutiv; -jə-] **I** *adj* **1.** klein, winzig. – **2.** *ling.* diminuˈtiv, Diminutiv..., Verkleinerungs..., verkleinernd. – *SYN. cf.* **small.** – **II** *s* **3.** *ling.* Diminuˈtiv(um) *n*, Verkleinerungsform *f od.* -silbe *f*. – **4.** winziges Ding (*Person od. Sache*). — **diˈmin·u·tive·ness** *s* Winzigkeit *f*.

dim·is·so·ri·al let·ter [ˌdimiˈsɔːriəl] → dimissory letter.

dim·is·so·ry [*Br.* ˈdimisəri; *Am.* -ˌsɔːri] *adj* beurlaubend, entlassend, Entlassungs... — ~ **let·ter** *s relig.* Dimissoriˈale *n.*

di·mit *cf.* demit.

dim·i·ty [ˈdimiti; -əti] *s* Dimitz *m,* Köperbaumwolle *f.*

dim·mer[1] [ˈdimər] *s* Verdunk(e)lungs-, Abblendungsvorrichtung *f* (*bei Lampen etc*).

dim·mer[2] [ˈdimər] *comp zu* dim I.

dim·mest [ˈdimist] *sup zu* dim I.

dim·mish [ˈdimiʃ] *adj* etwas trübe *od.* unklar. — ˈ**dim·ness** *s* **1.** Düsterkeit *f,* Dunkelheit *f.* – **2.** Trüb-, Mattheit *f.* – **3.** Unklarheit *f,* Undeutlichkeit *f.*

di·mor·phic [daiˈmɔːrfik] *adj* diˈmorph, zweigestaltig. — **diˈmor·phism** *s biol. min.* Dimorˈphismus *m,* Zweigestaltigkeit *f.* — **diˈmor·phous** → dimorphic.

ˈ**dim-ˌout** *s* **1.** Abblendung *f.* – **2.** *mil.* Verdunk(e)lung *f.*

dim·ple [ˈdimpl] **I** *s* **1.** Grübchen *n* (*bes. in der Wange*). – **2.** Delle *f,* Vertiefung *f.* – **3.** Kräuselung *f* (*Wasser*). – **II** *v/t* **4.** Grübchen machen in (*acc*): a smile ~d her cheeks. – **5.** (*Wasser*) kräuseln. – **III** *v/i* **6.** Grübchen bekommen. – **7.** sich kräuseln (*Wasser*). — ˈ**dim·pled** *adj* **1.** mit Grübchen: to be ~ Grübchen haben (*Wangen*). – **2.** gekräuselt (*Wasser*). — ˈ**dim·ply** [-pli] *adj* **1.** voll(er) Grübchen. – **2.** gekräuselt.

ˈ**dimˌwit** *s sl.* ‚Blödmann' *m,* ‚Dussel' *m.* — ˈ**dimˌwit·ted** *adj sl.* ‚dämlich', ‚dusselig'.

din [din] **I** *s* **1.** Lärm *m,* Getöse *n*: to make a ~ Lärm schlagen, ein Getöse machen. – **2.** Geklirr *n,* Gerassel *n.* – **3.** *fig.* Wirrwarr *m,* wildes Durcheinˈander. – **II** *v/t pret u. pp* **dinned** **4.** (*durch Lärm*) betäuben. – **5.** schreien. – **6.** (*etwas*) dauernd vorpredigen, immer wieder vorhalten: to ~ s.th. into s.o. j-m etwas einhämmern. – **III** *v/i* **7.** lärmen, tosen. – **8.** klirren, rasseln. – **9.** klingen, tönen, ˈwiderhallen (with von).

din- [dain] → dino-.

di·nar [diːˈnɑːr; di-] *s* Diˈnar *m.*

Di·nar·ic [diˈnærik] *adj* diˈnarisch; ~ race dinarische Rasse; ~ Alps Dinarische Alpen.

din·dle [ˈdindl; ˈdinl] *Scot. od. dial.* **I** *v/t* klingen lassen, leise klirren mit. – **II** *v/i* klingen, leise klirren. – **III** *s* Zittern *n,* Klirren *n.*

dine [dain] **I** *v/i* **1.** speisen, essen: to ~ out zum Essen ausgehen, außer dem Hause essen; to ~ off (*od.* on) mutton zur Mahlzeit Hammelfleisch essen; to ~ with s.o. bei j-m speisen, mit j-m zu Tisch sein; to ~ with Duke Humphrey *fig.* am Hungertuch nagen, nichts zu essen haben. – **II** *v/t* **2.** speisen, (*j-m*) zu essen geben. – **3.** (*j-n*) speisen, bewirten, (bei sich) zu Gaste haben (*bei einer Mahlzeit*). – **4.** (*eine bestimmte Anzahl Personen*) fassen (*Speisezimmer*): this room ~s 20 in diesem Zimmer kann für 20 Personen gedeckt werden. – **III** *s* **5.** *Scot. od. obs.* a) (Haupt)Mahlzeit *f,* b) Mittag *m.* — ˈ**din·er** *s* **1.** Esser(in), Speisende(r). – **2.** Tischgast *m.* – **3.** *Am.* a) Speisewagen *m,* b) speisewagenähnliches Restauˈrant.

di·ner·gate [daiˈnəːrgeit] *s zo.* Solˈdat *m* (*der Ameisen*).

di·ner·ic [daiˈnerik] *adj phys.* die Grenzfläche zwischen zwei nicht mischbaren Flüssigkeiten betreffend.

di·ne·ro [diˈnɛ(ə)rou] *s* **1.** Diˈnero *m.* – **2.** *colloq.* ‚Moˈneten' *pl,* ‚Zaster' *m* (*Geld*).

ˈ**din·er-ˈout** *s* **1.** häufig zum Essen Eingeladener: he was a popular ~ er war ein gern gesehener Tischgast. – **2.** j-d der oft außer dem Hause ißt.

di·nette [daiˈnet] *s Am.* Eßecke *f,* Eß-, Speisenische *f.*

ding [diŋ] **I** *v/t* **1.** (*Glocke etc*) erklingen oder ertönen lassen, klingeln mit. – **2.** ständig vorpredigen, immer wieder einhämmern (s.th. into s.o.) (j-m etwas). – **II** *v/i* **3.** (er)klingen, (er)tönen, klingeln. – **4.** trommeln (on auf *acc*) (*Regen*). – **III** *s* **5.** Klinge(l)n *n.* — ˈ~-**a-ˌling** *s* Klingeˈling *n.*

din·gar [ˈdiŋgɑːr] *s zo.* Riesenhonigbiene *f* (*Apis dorsata; Indien*).

ˈ**dingˌbat** *s Am.* **1.** *colloq.* Knüppel *m,* Brocken *m,* Stein *m* (*zum Werfen*). – **2.** *colloq.* Ding(sda) *n.* – **3.** *sl.* ‚Moˈneten' *pl* (*Geld*).

ding·dong [ˈdiŋˌdɒŋ] **I** *s* **1.** Bimbam *n,* Klingklang *n.* – **2.** Viertelˈstundenglocke *f* (*Turmuhr*). – **II** *adj* **3.** Bimbam... – **4.** *colloq.* heiß, heftig u. wechselvoll (*Rennen, Kampf*): a ~ race. – **III** *adv* **5.** mit Bimbam, mit Klingklang. – **6.** *colloq.* ernsthaft, mit Eifer: to set to work ~. – **IV** *v/i* **7.** bimbam läuten. – **V** *v/t* **8.** fortwährend wiederˈholen, immer wieder predigen.

dinge[1] [dindʒ] **I** *s* Beule *f,* Vertiefung *f.* – **II** *v/t pres p* ˈ**dinge·ing** *Br.* einbeulen.

dinge[2] [dindʒ] *s Am. sl.* Farbige(r).

din·ghy, *auch* **din·gey** [ˈdiŋgi] *s* **1.** *mar.* Ding(h)i *n.* – **2.** *mar.* Beiboot *n.* – **3.** *aer.* Schlauchboot *n* (*für Notlandungen auf See*). – **4.** (*Eisenbahn*) Mannschaftswagen *m* (*für Streckenarbeiter*).

din·gi·ness [ˈdindʒinis] *s* **1.** Schmutzigkeit *f,* Schmuddeligkeit *f.* – **2.** Trübheit *f,* trübe *od.* schmutzige Farbe. – **3.** Schäbigkeit *f* (*auch fig.*). – **4.** Anrüchigkeit *f,* Zweifelhaftigkeit *f.*

din·gle[1] [ˈdiŋgl] *s* enges Tal, enge Schlucht.

din·gle[2] [ˈdiŋgl] **I** *v/i* **1.** klinge(l)n. – **2.** zittern, scheppern. – **II** *v/t* **3.** klinge(l)n lassen, klinge(l)n mit. – **4.** erzittern *od.* scheppern lassen. – **III** *s* **5.** Klinge(l)n *n.*

ˈ**din·gleˌber·ry** *s bot.* Nordamer. Moosbeere *f* (*Oxycoccus erythrocarpus*).

din·go [ˈdiŋgou] *pl* **-goes** *s zo.* Dingo *m* (*Canis dingo; austral. Wildhund*).

ding·us [ˈdiŋəs] *s Am. od. S.Afr. sl.* Dingsda *n.*

din·gy[1] [ˈdindʒi] **I** *adj* **1.** schmutzig, schmuddelig. – **2.** trüb, schmutzigfarben. – **3.** schäbig. – **4.** zweifelhaft, dunkel, anrüchig. – **II** *s* **5.** *dial. od. sl.* Farbige(r).

din·gy[2] *cf.* dinghy.

din·ic [ˈdinik], ˈ**din·i·cal** *adj med.* Schwindel...

di·nic·o·tin·ic ac·id [daiˌnikəˈtinik] *s chem.* Dinikoˈtinsäure *f* ($C_7H_5NO_4$).

din·ing| car [ˈdainiŋ] *s* Speisewagen *m.* — ~ **hall** *s* Speisesaal *m.* — ~ **room** *s* Speise-, Eßzimmer *n.* — ~ **sa·loon** *s* **1.** Speiseraum *m* (*auf Schiffen*). – **2.** *Br.* ˈSpeisesaˌlon *m* (*bes. in Luxuszügen*).

dinitro- [dainaitro] *chem. Wortelement mit der Bedeutung* mit 2 Nitrogruppen.

di·ni·tro·ben·zene [daiˌnaitroˈbenziːn; -benˈziːn] *s chem.* Diˌnitrobenˈzol *n* ($C_6H_4(NO_2)_2$). — **diˌni·tro·ˈcel·lu·ˌlose** [-ˈseljuˌlous; -jə-] *s chem.* Diˌnitrocelluˈlose *f.* — **diˌni·troˈtol·u·ˌene** [-ˈtɒljuˌiːn] *s chem.* Diˌnitrotoluˈol *n* ($C_7H_6(NO_2)_2$).

dink [diŋk] *Scot.* **I** *adj* fein, nett. – **II** *v/t* kleiden, schmücken.

dink·ey [ˈdiŋki] *s colloq.* **1.** kleines Ding, (*etwas*) Kleines. – **2.** kleine Verˈschiebelokomoˌtive.

din·kum [ˈdiŋkəm] *Austral. sl.* **I** *adj* **1.** echt: ~ oil die volle Wahrheit. – **2.** ehrlich, redlich, verläßlich. – **II** *adv* **3.** ehrlich, wahrlich, aufrichtig. – **III** *s* **4.** schwere Arbeit.

dink·y[1] [ˈdiŋki] *adj sl.* **1.** zierlich, niedlich, nett. – **2.** klein, unbedeutend.

dink·y[2] [ˈdiŋki] *s* **1.** → dinghy. – **2.** *cf.* dinkey.

din·ner [ˈdinər] *s* **1.** Essen *n* (*Hauptmahlzeit des Tages*): after ~ nach dem Essen, nach Tisch; what are we having for ~? was gibt es zum Essen? to ask s.o. to ~ j-n zum Essen einladen; ~ without grace Geschlechtsverkehr vor der Ehe; → stay[1] 1. – **2.** Diˈner *n,* Festessen *n*: at a ~ auf *od.* bei einem Diner. — ~ **bell** *s* Gong *m,* Essensglocke *f.* — ~ **call** *s* **1.** Zeichen *n* zum Essen (*Gong etc*). – **2.** Höflichkeitsbesuch *m* als Dank für ein Essen. — ~ **card** *s* Tischkarte *f.* — ~ **clothes** *s pl* Abendkleidung *f,* *bes.* -anzug *m.* — ~ **coat** → dinner jacket. — ~ **dress,** ~ **gown** *s* kleines Abendkleid. — ~ **jack·et** *s* Smoking(jacke *f*) *m.* — ~ **pail** *s Am.* Eßnapf *m,* -gefäß *n* (*in dem Schulkinder etc ihr Essen mitbringen*). — ~ **par·ty** *s* Tisch-, Abendgesellschaft *f.* — ~ **serv·ice,** ~ **set** *s* Tafelgeschirr *n.* — ~ **ta·ble** *s* Speisetisch *m.* — ˈ~ˌ**time** *s* Tischzeit *f.* — ~ **wag·(g)on** *s* fahrbarer Serˈviertisch.

din·nle [ˈdinl] *dial. für* dindle.

dino- [daino] *Wortelement mit der Bedeutung* schrecklich, furchtbar.

di·noc·er·as [daiˈnɒsərəs] *s zo.* Diˈnoceras *n* (*ausgestorbene Huftiergattung des nordamer. Eozäns*).

di·nom·ic [daiˈnɒmik] *adj* zu zwei Weltteilen gehörig.

di·nor·nis [daiˈnɔːrnis] *s zo.* Dinˈornis *m,* Moa *m* (*Gattg ausgestorbener Riesenlaufvögel; Neuseeland*).

di·no·saur [ˈdainəˌsɔːr] *s zo.* Dinoˈsaurier *m.* — ˌ**di·noˈsau·ri·an** *zo.* **I** *adj* **1.** zu den Dinoˈsauriern gehörig. – **2.** dinoˈsaurierartig. – **II** *s* → dinosaur.

di·no·there [ˈdainəˌθiːr] *s zo.* Dinoˈtherium *n* (*Gattg Dinotherium; ausgestorbener Elefant*).

dint [dint] **I** *s* **1.** Kraft *f,* Gewalt *f,* Macht *f* (*bes. in*): by ~ of kraft, mittels, durch. – **2.** a) Delle *f,* Beule *f,* Vertiefung *f,* b) Strieme *f.* – **3.** *fig.* bleibender Eindruck. – **4.** *obs.* Schlag *m.* – **II** *v/t* **5.** eindellen, -beulen. – **6.** (*Beule etc*) schlagen.

di·nus [ˈdainəs] *s med.* Schwindel *m.*

di·oc·e·san [daiˈɒsisən; -səs-] **I** *adj* **1.** Diözesan... – **II** *s* **2.** (Diözeˈsan)Bischof *m.* – **3.** *selten* Diözeˈsan *m.* — **di·o·cese** [ˈdaiəˌsiːs; -sis] *s* Diöˈzese *f*: a) *Sprengel eines Bischofs,* b) *altröm. Verwaltungsbezirk.*

di·oc·ta·he·dral [daiˌɒktəˈhiːdrəl] *adj min.* dioktaˈedrisch.

di·ode [ˈdaioud] *s electr.* **1.** Diˈode *f,* Zweipolröhre *f.* – **2.** Kriˈstalldiˌode *f,* -gleichrichter *m*: ~ detector Diodengleichrichter.

di·o·dont [ˈdaioˌdɒnt] *s zo.* Igelfisch *m* (*Gattg Diodon*).

di·oe·cious [daiˈiːʃəs], *auch* **diˈoe·cian** [-ʃən] *adj* **1.** *biol.* diˈöcisch, getrenntgeschlechtlich. – **2.** *bot.* diˈöcisch, zweihäusig. — **diˈoe·cious·ness, diˈoe·cism** [-sizəm] *s biol.* Diöˈcie *f.*

di·oes·trum [daiˈiːstrəm; -ˈes-] *s zo.* Diˈoestrum *n,* ˈZwischenbrunstperiˌode *f* (*bei weiblichen Tieren*).

Di·og·e·nes crab [daiˈɒdʒəˌniːz] *s zo.* Diˈogeneskrebs *m* (*Cenobita diogenes*).

di·oi·cous [daiˈɔikəs] → dioecious.

Di·o·ny·si·a [ˌdaiəˈniziə; -ʃiə] *s pl antiq.* Dioˈnysien *pl,* Diˈonysosfest *n.* — ˌ**Di·oˈnys·iˌac** [-ˌæk], ˌ**Di·o·nyˈsi·a·cal** [-ˈsaiəkəl] *adj* dioˈnysisch. —

ˌ**Di·o·ny'si·a·cal·ly** *adv* (*auch zu* Dionysiac). — ˌ**Di·o'ny·sian** [-'niʃən; -'nisiən] *adj* **1.** → Dionysiac. – **2.** Dio'nysisch (*einen Dionysius betreffend*): ~ period Dionysische Periode (*Zeitraum von 532 Jahren nach dem Julianischen Kalender*). – **3.** d~ dio'nysisch, orgi'astisch, rauschhaft, ausschweifend.

Di·o·phan·tine [ˌdaio'fæntin; -tain] *adj math.* dio'phantisch: ~ equation diophantische Gleichung.

di·op·side [dai'ɒpsaid; -sid] *s min.* Diop'sid *m* (*ein Pyroxen*). — **di'op·tase** [-teis] *s min.* Diop'tas *m*, 'Kupfersmaˌragd *m* ($CuSiO_3 \cdot H_2O$).

di·op·ter [dai'ɒptər] *s phys.* Diop'trie *f* (*Maßeinheit für die Brechkraft von Linsen*). — ˌ**di·op'tom·e·ter** [-'tɒmitər; -mə-] *s med.* Refrakti'onsmesser *m.* — **di·op·tre** *cf.* diopter. — **di'op·tric** [-trik] **I** *adj* **1.** *phys.* di'optrisch, lichtbrechend. – **2.** 'durchsichtig. – **II** *s* → diopter. — **di'op·tri·cal** → dioptric I. — **di'op·tri·cal·ly** *adv* (*auch zu* dioptric I). — **di'op·trics** *s pl phys.* (*meist als sg konstruiert*) Di'optrik *f*, Brechungslehre *f.* — ˌ**di·op'tros·co·py** [-'trɒskəpi] *s med.* Refrakti'onsbestimmung *f.* — **di'op·try** → diopter.

di·o·ra·ma [ˌdaiə'rɑːmə; *Am. auch* -'ræmə] *s* Dio'rama *n* (*ein Schaubild mit plastischen Gegenständen vor beleuchteter Unterlage*). — ˌ**di·o'ram·ic** [-'ræmik] *adj* dio'ramisch.

di·o·rite ['daiəˌrait] *s min.* Dio'rit *m* (*ein Eruptivgestein*). — ˌ**di·o'rit·ic** [-'ritik] *adj min.* Diorit...

di·os·co·re·a [ˌdaiɒs'kɔːriə] *s med.* getrocknete wilde Yamswurzel (*als Antirheumatikum*).

Di·os·cu·ri [ˌdaiɒs'kju(ə)rai] *s pl* Dios'kuren *pl* (*Castor u. Pollux*).

di·ose ['daious] *s chem.* Bi'ose *f* ($CH_2OH \cdot CHO$; *einfachster Zucker*).

di·os·mose [dai'ɒsmous; -'ɒz-], ˌ**di·os'mo·sis** [-sis] → osmosis.

di·os·phe·nol [ˌdaiɒs'fiːnoul; -nɒl] *s chem.* Diosphe'nol *n*, Bukkokampfer *m* ($C_{10}H_{16}O_2$).

di·o·tic [dai'outik; -'ɒtik] *adj* beide Ohren betreffend *od.* reizend (*Schall etc*).

di·ox·ane [dai'ɒksein], *auch* **di'ox·an** [-sæn] *s chem.* Dio'xan *n* ($C_4H_8O_2$). — **di'ox·ide** [-said; -sid], *auch* **di'ox·id** [-sid] *s chem.* **1.** 'Dioˌxyd *n* (RO_2). – **2.** → peroxide.

dip [dip] **I** *v/t pret u. pp* **dipped**, *auch* **dipt 1.** (ein)tauchen, (ein)tunken (in, into in *acc*): → gall[1] 3. – **2.** *poet.* benetzen. – **3.** *oft* ~ up schöpfen (from, out of aus). – **4.** rasch senken u. wieder heben *od.* hochziehen: to ~ the flag *mar.* die Flagge (zum Gruß) dippen, die Flagge auf u. nieder holen; to ~ the headlights (die Scheinwerfer) abblenden. – **5.** (durch 'Untertauchen) taufen. – **6.** färben, in eine Farblösung tauchen. – **7.** gla'sieren. – **8.** (*Schafe etc*) dippen, in desinfi'zierender *od.* in'sektentötender Lösung baden. – **9.** (*Kerzen*) ziehen. – **10.** *colloq.* in Schulden *od.* Schwierigkeiten verwickeln. – **11.** *obs.* hin'einziehen. – **12.** *obs.* verpfänden. – **13.** *Am. dial.* (*Schnupftabak*) auf Zahnfleisch u. Zähne reiben. –
II *v/i* **14.** 'unter-, eintauchen, *bes.* rasch unter- u. wieder auftauchen. – **15.** hin'einfahren, -langen, -greifen: to ~ into one's purse in die Tasche greifen, zahlen. – **16.** plötzlich (unter dem Hori'zont) verschwinden, sinken (below unter *acc*). – **17.** a) sich neigen, sich senken, abfallen (*Land*), b) *geol.* einfallen. – **18.** sich flüchtig befassen *od.* einlassen (in, into mit). – **19.** einen Blick werfen: to ~ into a book einen Blick in ein Buch werfen, ein Buch (flüchtig) durchblättern. – **20.** ein-, vordringen. – **21.** *aer.* vor dem Steigen plötzlich tiefer gehen. –
III *s* **22.** ('Unter-, Ein)Tauchen *n*: to give s.o. a ~ j-n untertauchen. – **23.** (kurzes) Bad. – **24.** a) geschöpfte Flüssigkeit *etc*, Schöpfprobe *f*, b) Zug *m*, Schluck *m.* – **25.** *bes. tech.* Bad *n*, Lösung *f*: staining ~ Farbbad, -lösung. – **26.** Versinken *n*, Verschwinden *n.* – **27.** Abdachung *f*, Neigung *f*, Senkung *f.* – **28.** Fallwinkel *m.* – **29.** *mar.* Depressi'on *f*, Kimmtiefe *f*: ~ of the horizon Depression des Horizonts, Kimm, Depressionswinkel. – **30.** Inklinati'on *f* (*Magnetnadel*). – **31.** *geol.* Einfallen *n* (*der Schichten*). – **32.** Einsenkung *f*, Vertiefung *f*, Höhlung *f*, Bodensenke *f.* – **33.** Tiefgang *m* (*Schiff*), Tiefe *f* des Eintauchens. – **34.** *auch* ~ candle gezogene Kerze. – **35.** *aer.* plötzliches Tiefergehen vor dem Steigen. – **36.** *sport* Streck-, Beugestütz *m* (*am Barren*). – **37.** (*Kochkunst*) *Am.* Tunke *f*, (süße) Soße. – **38.** *sl.* a) Taschendieb *m*, b) Taschendiebstahl *m.* – **39.** *Am. sl.* ‚Deckel' *m* (*Hut*). – **40.** flüchtiger Blick.

dip| braz·ing *s tech.* Tauchlöten *n.* — ~ **cir·cle** *s tech.* Neigungskreis *m.* — '~-ˌ**dye** *v/t tech.* im Stück färben.

di·pet·al·ous [dai'petələs] *adj bot.* mit 2 Kronblättern.

di·phase ['daiˌfeiz], *auch* ˌ**di'phas·ic** *adj electr.* **1.** zweiphasig. – **2.** Zweiphasen...

'**dipˌhead** *s* (*Bergbau*) Hauptstrecke *f.*

di·phen·ic ac·id [dai'fenik; -'fiː-] *s chem.* Di'phensäure *f* ($C_{14}H_{10}O_4$). — **di'phen·yl** [-il] → biphenyl. — **di**ˌ**phen·yl·a·mine** [-ilə'miːn; -'æmin] *s chem.* Diphenyla'min *n* [$(C_6H_5)_2NH$].

di·phos·gene [dai'fɒsdʒiːn] *s chem.* Diphos'gen *n* ($ClCO_2CCl_3$; *Grünkreuzkampfstoff*).

diph·the·ri·a [dif'θi(ə)riə; dip-] *s med.* Diphthe'rie *f.* — **diph'the·ri·al, diph'ther·ic** [-'θerik], ˌ**diph·the'rit·ic** [-θə'ritik] *adj med.* diph'therisch. — ˌ**diph·the'ri·tis** [-'raitis] → diphtheria. — '**diph·theˌroid** *adj med.* diphthero'id, diphthe'rieartig.

diph·thong ['difθɒŋ; 'dip-; *Am. auch* -θɔːŋ] *s ling.* **1.** Di'phthong *m*, 'DoppelvoˌKal *m.* – **2.** *auch* consonantal ~ untrennbare Konso'nanz aus zwei Mitlauten (*z. B.* [tʃ] *in* church). – – **3.** *die Ligatur* æ *od.* œ. — **diph'thon·gal** [-ŋgəl] *adj ling.* di'phthongisch. — ˌ**diph·thon'ga·tion** → diphthongization. — **diph'thong·ic** → diphthongal. — ˌ**diph·thong·i'za·tion** *s ling.* Diphthon'gierung *f.* — '**diph·thongˌize** *ling.* **I** *v/t* diphthon'gieren. – **II** *v/i* diphthon'giert werden.

di·phyl·lous [dai'filəs] *adj bot.* zwei-|[blätterig.]

diph·y·o·dont ['difiəˌdɒnt] *adj u. s zo.* diphyo'dont(es Tier) (*mit einmaligem Zahnwechsel*).

dipl- [dipl] → diplo-.

di·ple·gi·a [dai'pliːdʒiə] *s med.* Diple'gie *f*, doppelseitige Lähmung.

dip·lei·do·scope [dip'laidəˌskoup] *s astr.* Dipleido'skop *n* (*optisches Gerät zur Zeitbestimmung*).

di·plex ['daipleks] *adj* (*Radio, Telegraphie*) Diplex..., doppelt: ~ operation Diplexbetrieb; ~ telegraphy Doppelschreiber (*Übertragung zweier Telegramme über eine Leitung in gleicher Richtung zu gleicher Zeit*).

diplo- [diplo] *Wortelement mit der Bedeutung* doppelt.

dip·lo·car·di·ac [ˌdiplo'kɑːrdiˌæk] *adj zo.* mit zweigeteiltem Herz. — ˌ**dip·lo'ceph·a·lus** [-'sefələs] *s* Diplo'cephalus *m*, zweiköpfige 'Mißgeburt. — ˌ**dip·lo'coc·cus** [-'kɒkəs] *pl* **-coc·ci** [-'kɒksai] *s med.* Diplo'kokkus *m*: ~ pneumoniae Pneumokokkus.

di·plod·o·cus [di'plɒdəkəs] *s zo.* Diplo'docus *m* (*Dinosauriergattg; Nordamerika*).

dip·lo·e ['diploˌiː] *s med.* Diploe *f* (*schwammige Substanz zwischen den Tafeln der Schädelknochen*).

dip·lo·graph ['dipləˌgræ(ː)f; *Br. auch* -ˌgrɑːf] *s* Doppelschreiber *m* (*bes. ein Gerät, das gleichzeitig in Normal- u. Blindenschrift schreibt*). — ˌ**dip·lo'he·dron** [-'hiːdrən] → diploid 3.

di·plo·ic [di'plouik] *adj med.* diploisch, diploeartig, Diploe...

dip·loid ['diplɔid] **I** *adj* **1.** doppelt, zweifach. – **2.** *biol.* diplo'id (*mit doppeltem Chromosomensatz*). – **II** *s* **3.** Diplo'eder *n* (*Kristallkörper mit 24 trapezoiden Flächen*). – **4.** *biol.* a) diplo'ide Zelle, b) Indi'viduum *n od.* Generati'on *f* mit diplo'ider Chromo'somenzahl. — **dip'loi·dic** → diploid I. — **dip'loi·dy** *s biol.* Diploi'die *f.*

di·plo·ma [di'ploumə] **I** *s pl* **-mas**, *selten* **-ma·ta** [-mətə] **1.** (*bes.* aka'demisches) Di'plom, (Ernennungs-, Verleihungs)Urkunde *f.* – **2.** amtliches Schriftstück. – **3.** Verfassungs-, Staatsurkunde *f*, Charte *f.* – **II** *v/t pret u. pp* **-maed 4.** (*j-n*) diplo'mieren, (*j-m*) ein Di'plom verleihen.

di·plo·ma·cy [di'plouməsi] *s* **1.** *pol.* Diploma'tie *f.* – **2.** *fig.* Diploma'tie *f*, po'litischer Takt, kluge Berechnung, diplo'matisches Vorgehen: to use a little ~ ein wenig diplomatisch vorgehen.

dip·lo·mat ['diploˌmæt; -lə-] *s* **1.** *pol.* Diplo'mat *m.* – **2.** → diplomatist 2. — ˌ**dip·lo'mat·ic I** *adj* **1.** *pol.* diplo'matisch: ~ agent diplomatischer Vertreter; ~ corps, *auch* ~ body diplomatisches Korps; ~ service diplomatischer Dienst. – **2.** *fig.* diplo'matisch, klug, berechnend, taktvoll. – *SYN. cf.* suave. – **3.** paläo'graphisch, urkundlich. – **II** *s* **4.** *pol.* Diplo'mat *m.* – **5.** → diplomatics. — ˌ**dip·lo'mat·i·cal·ly** *adv* **1.** diplo'matisch. – **2.** auf diplo'matischem Gebiet. — ˌ**dip·lo'mat·ics** *s pl* (*meist als sg konstruiert*) **1.** Diplo'matik *f*, Urkundenlehre *f.* – **2.** Diploma'tie *f.*

di·plo·ma·tism [di'plouməˌtizəm] → diplomacy. — **di'plo·ma·tist** *s* **1.** → diplomat 1. – **2.** *fig.* Diplo'mat *m*, geschickter 'Unterhändler, diplo'matisch handelnder Mensch. — **di'plo·maˌtize I** *v/i* **1.** diplo'matisch handeln *od.* vorgehen. – **II** *v/t* **2.** diplo'matisch behandeln. – **3.** → diploma 4. — **di**ˌ**plo·ma'tol·o·gy** [-'tɒlədʒi] → diplomatics 1.

dip·lont ['diplɒnt] *s biol.* Di'plont *m.*

di·plo·pi·a [di'ploupiə] *s med.* Diplo'pie *f*, Doppeltsehen *n.* — **di·plop·ic** [di'plɒpik] *adj med.* doppeltsichtig, doppelt sehend.

dip·lo·pod ['dipləˌpɒd] *zo.* **I** *s* Diplo'pode *m.* – **II** *adj* zu den Diplo'poden gehörig, Diplopoden...

dip·lo·sis [di'plousis] *s biol.* Chromo'somenverdopp(e)lung *f.*

dip·lo·stem·o·nous [ˌdiplo'stemənəs; -'stiː-] *adj bot.* diploste'mon.

dip| nee·dle → dipping needle. — ~ **net** *s* (*Fischerei*) Streichnetz *n.*

dip·no·an ['dipnoən] *zo.* **I** *adj* zu den Lungenfischen gehörig, Lungenfisch... – **II** *s* Lungenfisch *m* (*Gruppe Dipnoi*).

di·pod·ic [dai'pɒdik] *adj metr.* di'podisch. — **dip·o·dy** ['dipədi] *s metr.* Dipo'die *f* (*Gruppe aus 2 gleichen Versfüßen*).

di·po·lar [dai'poulər] *adj phys.* zweipolig. — '**diˌpole** [-ˌpoul] *s electr. phys.* Dipol *m*: ~ array Dipolgruppe, -anordnung.

dip·per ['dipər] *s* **1.** Eintaucher *m.* – **2.** *tech.* a) Färber *m*, b) Gla'sierer *m*, c) Kerzenzieher *m*, d) (Me'tall)-Beizer *m*, e) Büttgeselle *m.* – **3.** *bes. Am.* Schöpfer *m*, Schöpflöffel *m.* – **4.** *tech.* a) Baggereimer *m*, b) Bagger *m.* – **5.** D~ *astr. Am.* a) *auch* Big D~ Himmelswagen *m* (*die 7 hellsten Sterne im Sternbild des Großen Bären*). b) *auch* Little D~ Kleiner Wagen, c) Ple'jaden *pl.* – **6.** *zo.* a) → **water ouzel**, b) *Am. für* **bufflehead** 2, c) → **dabchick**. – **7.** flüchtiger Leser. – **8.** → **immersionist**. – **9.** *sl.* Taschendieb *m.* — ~ **clam** *s zo. Am.* (*eine*) Trogmuschel (*Mactra solidissima*). — ~ **dredge**, ~ **dredg·er** *s tech.* Schaufelbagger *m.* — ~ **gourd** *s bot.* Flaschenkürbis *m* (*Lagenaria vulgaris*).

dip·ping ['dipiŋ] *s* **1.** Eintauchen *n.* – **2.** *tech.* a) Färben *n*, b) Gla'sieren *n*, c) Abbeizen *n*, d) Kerzenziehen *n.* – **3.** Waschen *n* in desinfi'zierender Lösung. – **4.** → **dip** 25. – **5.** Neigung *f.* – **6.** Schöpfen *n.* — ~ **bat·ter·y** *s electr.* 'Tauchbatte,rie *f.* — ~ **com·pass** *s phys.* Inklinati'ons-, Neigungskompaß *m.* — ~ **e·lec·trode** *s electr.* 'Tauchelek,trode *f.* — ~ **frame** *s tech.* **1.** Tauchrahmen *m* (*zum Lichterziehen*). – **2.** (*Färberei*) Küpenrahmen *m.* — ~ **nee·dle** *s mar.* Inklinati'onsnadel *f.* — ~ **rod** *s* Wünschelrute *f.* — ~ **var·nish** *s tech.* Tauchlack *m.*

dip pipe *s tech.* (Wasser)Verschlußrohr *n.*

di·pris·mat·ic [,daipriz'mætik] *adj min.* doppelt pris'matisch.

di·pro·pyl [dai'proupil] *s chem.* He'xan *n* (C_6H_{14}).

dip·sa·ca·ceous [,dipsə'keiʃəs] *adj bot.* zu den Kardengewächsen gehörig.

dip sec·tor *s tech.* Neigungsverhältniszirkel *m.*

dip·set·ic [dip'setik] *adj med.* dursterregend, dip'setisch.

dip·sey, dip·sie ['dipsi] *adj mar.* Tiefsee..., Tiefen...: ~ **lead** Tiefenlot.

dip·so·ma·ni·a [,dipso'meiniə; -sə-] *s med.* Dipsoma'nie *f* (*periodisch auftretende Trunksucht*). — ,**dip·so'ma·ni,ac** [-,æk] *s med.* Dipso'mane *m*, Dipso'manin *f.* — ,**dip·so·ma'ni·a·cal** [-mə'naiəkəl] *adj med.* dipso'manisch.

dip·so·sis [dip'sousis] *s med.* krankhaftes Durstgefühl.

'dip,stick *s tech.* (Öl)Meßstab *m.*

dip·sy *cf.* **dipsey**.

dipt [dipt] *pret u. pp von* **dip**.

dip·ter·al ['diptərəl] *adj* **1.** → **dipterous** 2. – **2.** *arch.* mit doppeltem 'Säulen,umgang. — '**dip·ter·an** *zo.* **I** *adj* → **dipterous** 2. – **II** *s* → **dipteron**.

dip·ter·o·car·pa·ceous [,diptəroka:r'peiʃəs] *adj bot.* zu den Flügelfruchtgewächsen gehörig.

dip·ter·ol·o·gy [,diptə'rɒlədʒi] *s zo.* Dipterolo'gie *f*, Zweiflüglerkunde *f.* — '**dip·ter,on** [-,rɒn] *s zo.* Di'ptere *m*, Zweiflügler *m* (*Ordng Diptera*). — '**dip·ter·ous** *adj* **1.** *bot. zo.* zweiflügelig. – **2.** *zo.* zu den Zweiflüglern gehörend.

dip trap *s tech.* Schwanenhals *m*, U-Rohrkrümmer *m.*

dip·tych ['diptik] *s* Diptychon *n*: a) *antiq. zusammenklappbare Schreibtafel*, b) (*Kunst*) *Gemälde auf 2 zusammenhängenden Altarflügeln.*

di·pyre [di'pair; dai-] *s min.* Di'pyr *m*, Skapo'lith *m.*

di·py·re·nous [,daipai'ri:nəs] *adj bot.* zweisteinig, -kernig (*Frucht*).

dir·dum ['dirdəm; 'də:r-] *s Scot.* **1.** Lärm *m*, Aufruhr *m.* – **2.** Schelte *f.*

dire [dair] *adj* **1.** gräßlich, entsetzlich, schauderhaft, schrecklich: ~ **sisters** Furien. – **2.** a) tödlich, unheilbringend, b) unheilverkündend. – **3.** äußerst(er, e, es), höchst(er, e, es).

di·rect [di'rekt; dai-] **I** *v/t* **1.** richten, lenken (to, toward[s] auf *acc*): to ~ **one's attention to s.th.** seine Aufmerksamkeit auf etwas richten. – **2.** steuern, führen. – **3.** (*Betrieb etc*) führen, leiten, lenken. – **4.** (*Worte*) richten (to an *acc*). – **5.** (*Brief etc*) adres'sieren, richten (to an *acc*). – **6.** anweisen, heißen, beauftragen: **he** ~**ed him to do it** (*od.* **that he do it**) er wies ihn an, es zu tun. – **7.** anordnen, verfügen: to ~ **s.th. to be done** etwas anordnen; anordnen, daß etwas geschieht; **as** ~**ed** laut Verfügung, nach Vorschrift. – **8.** (*j-m*) den Weg zeigen *od.* weisen (to zu, nach), (*j-n*) (ver)weisen (to an *acc*, zu): **to** ~ **s.o. to the station** j-m den Weg zum Bahnhof zeigen. – **9.** a) (*Orchester*) diri'gieren, b) Re'gie führen bei (*einem Film od. Stück*). – **II** *v/i* **10.** führen, die Richtung angeben. – **11.** befehlen, Befehle erteilen. – **12.** *mus.* diri'gieren. – *SYN. cf.* a) **command**, b) **conduct**[1]. – **III** *adj* **13.** di'rekt, gerade. – **14.** di'rekt, unmittelbar (*auch phys. tech.*). – **15.** unmittelbar, per'sönlich: ~ **responsibility**. – **16.** *econ.* di'rekt (*Steuer*). – **17.** *econ.* spe'zifisch, di'rekt: ~ **costs**. – **18.** klar, unzweideutig. – **19.** offen, ehrlich: a ~ **answer**. – **20.** di'rekt, genau: **the** ~ **contrary** das genaue Gegenteil. – **21.** *ling.* di'rekt, wörtlich: ~ **speech**. – **22.** *pol.* di'rekt, unmittelbar (*durch das Volk*): ~ **voting** direkte Wahl. – **23.** *astr.* rechtläufig, sich von Westen nach Osten bewegend. – **24.** *electr.* nur in einer Richtung fließend, Gleich...: ~ **current**. – **25.** *electr.* Gleichstrom... – **26.** *tech.* di'rekt, substan'tiv (*Färberei od. Farbstoff*). – *SYN.* **immediate**. – **IV** *adv* **27.** di'rekt, unmittelbar: **I wrote to him** ~ ich schrieb direkt an ihn.

di·rect| ac·tion *s pol.* di'rekte Akti'on (*bes. illegale Gewaltmaßnahmen der Arbeiterschaft*). — ~ **ad·ver·tis·ing** *s econ.* Werbung *f* beim Konsu'menten. — ~ **at·tack** *s ling.* harter (Vo'kal)-Einsatz. — ~ **carv·ing** *s* (*Bildhauerei*) Behauen *n* ohne Verwendung eines 'Leitmo,dells.

di'rect|-con'nect·ed *adj tech.* di'rekt gekuppelt, auf 'einer Welle arbeitend. — ~ **cur·rent** *s electr.* Gleichstrom *m.* — **di'rect-'cur·rent** *adj electr.* Gleichstrom...

di·rect| dis·course *s ling.* di'rekte Rede. — ~ **drive** *s tech.* di'rekter Antrieb. — ~ **ev·i·dence** *s jur.* Zeugenbeweis *m* (*Gegensatz: Indizienbeweis*). — ~ **fire** *s mil.* di'rekter Beschuß, direktes Schießen *od.* Feuer.

di'rect|-'geared *adj tech.* in di'rektem Eingriff. — ~ **hit** *s mil.* Volltreffer *m.*

di·rect·ing| force [di'rektiŋ; dai-] *s phys. tech.* Richtkraft *f*, -vermögen *n.* — ~ **piece** *s mil.* Grundgeschütz *n.* — ~ **shot** *s mil.* Vi'sierschuß *m.* — ~ **staff** *s irr* Absteck-, Meßstange *f.* — ~ **wheel** *s tech.* Stellrad *n.*

di·rec·tion [di'rekʃən; dai-] *s* **1.** Richtung *f*: **to take a** ~ eine Richtung einschlagen; **in the** ~ **of** in (der) Richtung auf (*acc*) *od.* nach; **from all** ~**s** aus allen Richtungen, von allen Seiten; **in all** ~**s** nach allen Richtungen *od.* Seiten; **what is the** ~ **of the wind?** aus welcher Richtung weht der Wind? – **2.** *phys. tech.* Richtung *f*, Sinn *m*: ~ **of flow** Strömungsrichtung; ~ **of rotation** Drehrichtung, -sinn. – **3.** *fig.* Richtung *f*, Ten'denz *f*, Strömung *f.* – **4.** Richten *n*, Lenken *n*, Lenkung *f.* – **5.** Direkti'on *f*, Leitung *f*, Lenkung *f*, Führung *f* (*Betrieb etc*): **under his** ~ unter seiner Leitung. – **6.** Belehrung *f*, Anweisung *f*, Unter'weisung *f*: → **use** 13. – **7.** *oft pl* Befehl *m*, (An)-Weisung *f*, Anordnung *f*: **by** ~ **of** auf Anweisung von; **according to your** ~**s** Ihren Anweisungen gemäß. – **8.** Richtlinie *f.* – **9.** a) Adres'sieren *n*, b) A'dresse *f*, Aufschrift *f* (*Brief etc*). – **10.** *econ.* Direk'torium *n*, Aufsichtsrat *m.* – **11.** (*Film, Theater*) Spielleitung *f*, Re'gie *f.* – **12.** *mus.* a) Spielanweisung *f* (*über Takt, Tempo etc*), b) Stabführung *f.* – **13.** Gebiet *n*, Seite *f*: **improvement in many** ~**s**. – **14.** *mil.* Seite(nrichtung) *f*: ~ **setter** Seitenrichtkanonier.

di·rec·tion·al [di'rekʃənl; dai-] *adj* **1.** Richtungs...: ~ **sense** *math.* Richtungssinn. – **2.** *electr.* a) Richt..., gerichtet, b) Peil... — ~ **an·ten·na** *s electr.* gerichtete An'tenne, 'Richtan,tenne *f*, -strahler *m.* — ~ **cal·cu·lus** *s math.* Rechnung *f* mit gerichteten Größen. — ~ **co·ef·fi·cient** *s math.* Richtungsfaktor *m.* — ~ **ef·fect** *s electr.* Richtwirkung *f.* — ~ **fil·ter** *s electr.* Bandfilter *n.* — ~ **gy·ro** *s aer.* Kurs-, Richtkreisel *m.* — ~ **ra·di·o** *s electr.* **1.** Richtfunk *m.* – **2.** Peilfunk *m.* — ~ **trans·mit·ter** *s electr.* **1.** Richtfunksender *m*, gerichteter Sender. – **2.** Peilsender *m.*

di·rec·tion| an·gle *s math.* Richtungswinkel *m.* — ~ **find·er** *s electr.* (Funk)Peiler *m*, Peilempfänger *m.* — ~ **find·ing** *s electr.* **1.** (Funk)Peilung *f*, Richtungsbestimmung *f.* – **2.** Peilwesen *n.* — ~ **in·di·ca·tor** *s tech.* **1.** Richtungsanzeiger *m.* – **2.** a) Winker *m*, b) Blinker *m* (*am Auto*). – **3.** *aer.* Kurs(an)zeiger *m* (*Kurssteuerung*).

di·rec·tive [di'rektiv; dai-] **I** *adj* **1.** lenkend, leitend, richtunggebend, -weisend: ~ **rule** Verhaltungsregel. – **2.** leit-, lenkbar, Anweisungen zugänglich. – **II** *s* **3.** Direk'tive *f*, Verhaltungsregel *f*, (An)Weisung *f.* — ~ **an·ten·na** *s electr.* 'Richtan,tenne *f.* — ~ **pow·er** *s electr.* Richtvermögen *n.*

di·rect·ly [di'rektli; dai-] **I** *adv* **1.** gerade, in gerader Richtung, di'rekt. – **2.** senkrecht. – **3.** unmittelbar, di'rekt (*auch tech.*): ~ **proportional** direkt proportional. – **4.** [*Br. auch* 'drekli] a) so'fort, so'gleich, b) gleich, bald: **I am coming** ~ ich komme gleich. – **5.** unzwei-, eindeutig, klar. – **6.** offen, ehrlich. – **7.** di'rekt, unmittelbar, per'sönlich. – **8.** vollkommen, ganz, genau: ~ **opposed opinions**. – **II** *conjunction* [*Br. auch* 'drekli] **9.** *colloq.* so'bald (als), unmittelbar nach'dem: ~ **he entered** sobald er eintrat, unmittelbar nachdem er eingetreten war.

di·rect meth·od *s* di'rekte Me'thode (*Fremdsprachenunterricht ohne Verwendung der Muttersprache u. ohne theoretische Grammatik*).

di·rect·ness [di'rektnis; dai-] *s* **1.** Geradheit *f*, Geradlinigkeit *f*, gerade Richtung. – **2.** Unmittelbarkeit *f.* – **3.** Eindeutigkeit *f*, Deutlichkeit *f*, Klarheit *f.* – **4.** Offenheit *f*, Ehrlichkeit *f.*

di·rect ob·ject *s ling.* di'rektes Ob'jekt, 'Akkusativob,jekt *n.*

Di·rec·toire [direk'twa:r] **I** *s* → **directory** 6. – **II** *adj* Directoire...

di·rec·tor [di'rektər; dai-] *s* **1.** Di'rektor *m.* – **2.** Leiter *m*, Vorsteher *m*: → **prosecution** 3. – **3.** *econ.* a) Di'rektor *m*, b) Aufsichtsratsmitglied *n*: → **board**[1] 6. – **4.** (*Film, Theater*) Regis'seur *m*, Spielleiter *m.* – **5.** *mus.* Diri'gent *m.* – **6.** Lenker *m.* – **7.** Lehrer *m*, Ratgeber *m*, Unter'weiser *m.* – **8.** *relig.* Beichtvater *m.* – **9.** *mil.* Kom'mandogerät *n.* – **10.** *med.* Leitungssonde *f.* — **di'rec·to·ral** → **directorial**. — **di'rec·to·rate** [-rit] *s* **1.** Direkto'rat *n*, Direk'torenposten *m*, -stelle *f*, Di'rektoramt *n.* – **2.** Direk-

'torium *n.* – 3. *econ.* a) Direk'torium *n*, b) Aufsichtsrat *m.* – 4. D~ → **directory** 6.

di'rec·tor-'gen·er·al *pl* **di'rec·tor-'gen·er·als** *s* Gene'raldi,rektor *m.*

di·rec·to·ri·al [di,rek'tɔːriəl] *adj* 1. direktori'al. – 2. Direktor... – 3. Direktorats... – 4. leitend, führend, richtungweisend, -gebend.

di·rec·tor plane *s math.* Leitebene *f.*

di·rec·tor·ship [di'rektər,ʃip; dai-] *s* Direkto'rat *n*, Di'rektoramt *n.*

di·rec·to·ry [di'rektəri; dai-] **I** *s* 1. a) A'dreßbuch *n*, b) Tele'phonbuch *n*, c) Branchenverzeichnis *n*: → **trade** ~. – 2. Regelverzeichnis *n*, Sammlung *f* von Vorschriften. – 3. Leitfaden *m*, Richtschnur *f.* – 4. *relig.* Anweisungen *pl od.* Vorschriften *pl* für den Gottesdienst. – 5. Direk'torium *n.* – 6. D~ *hist.* Direc'toire *n*, Direk'torium *n* (*franz. Regierungsbehörde 1795–99*). – **II** *adj* → **directive** 1.

di·rect pri·ma·ry *s pol. Am.* Vorwahl *f* durch di'rekte Wahl.

di'rect|-'proc·ess steel *s tech.* Rennstahl *m.* — ~ **prod·uct** *s math.* Ska'larpro,dukt *n.*

di·rec·tress [di'rektris; dai-] *s* Direk'torin *f*, Direk'trice *f*, Vorsteherin *f*, Leiterin *f.*

di'rec·trix [-triks] *pl* **-trix·es, -'tri·ces** [-'traisiːz] *s* 1. *selten für* **directress**. – 2. *math.* Di'rektrix *f*, Leitlinie *f.* – 3. *mil.* Nullstrahl *m* (*des Schußfelds*).

di·rect| sale *s econ.* di'rekter Verkauf, Di'rektverkauf *m* (*vom Produzenten an den Verbraucher od. Kleinhändler*). — ~ **scan·ning** *s* (*Fernsehen*) punktförmige Abtastung (*beleuchteter Objekte*). — ~ **tax** *s econ.* di'rekte Steuer. — ~ **train** *s* 'durchgehender Zug.

di'rect-'writ·ing com·pa·ny *s econ.* Rückversicherungsgesellschaft *f.*

dire·ful ['dairful; -fəl] *adj* schrecklich, grauenhaft, entsetzlich, furchtbar, gräßlich. — **'dire·ful·ness** *s* Schrecklichkeit *f*, Grauenhaftigkeit *f*, Entsetzlichkeit *f.*

dirge [dəːrdʒ] *s* 1. Klage-, Trauerlied *n*, Grabgesang *m.* – 2. *relig.* Toten-, Seelenmesse *f*, Requiem *n.* — **'dirge·ful** [-ful; -fəl] *adj* klagend, trauernd, traurig.

dir·hem [dir'hem], *auch* **dir'ham** [-'hæm] *s* Dir'hem *m* (*arabische Silbermünze od. ihr Gewicht als Handelsgewicht*).

dir·i·gi·bil·i·ty [,diridʒə'biliti; -rə-; -əti] *s* Lenkbarkeit *f.* — **'dir·i·gi·ble** *adj u. s* lenkbar(es Luftschiff).

dir·i·go·mo·tor [,dirigo'moutər] *adj med.* Muskelbewegung erzeugend *od.* lenkend.

dir·i·ment ['dirimənt] *adj* 1. unwirksam machend, annul'lierend, aufhebend. – 2. (*eine Ehe von Anfang an*) ungültig machend *od.* trennend: ~ **impediment** trennendes Ehehindernis.

dirk [dəːrk] **I** *s* 1. Dolch *m.* – 2. Seitengewehr *n* (*der brit. Seekadetten*). – **II** *v/t* 3. erdolchen. — ~ **knife** *s irr* Dolchklappmesser *n.*

dirl [dirl; dəːrl] *Scot.* **I** *v/i* beben *od.* dröhnen. – **II** *v/t* (er)beben *od.* (er)dröhnen lassen.

dirn·dl ['dəːrndl] *s* 1. Dirndl(kleid) *n.* – 2. Dirndlrock *m.*

dirt [dəːrt] *s* 1. Schmutz *m*, Kot *m*, Dreck *m*: **a spot of** ~ ein Schmutzfleck. – 2. Erdreich *n*, (lockere) Erde. – 3. *fig.* Plunder *m*, Schund *m.* – 4. *fig.* (*moralischer*) Schmutz. – 5. *fig.* unflätiges Reden. – 6. *fig.* Schmutz *m*, üble Verleumdungen *pl*, Gemeinheit *f.* – 7. (*Bergbau*) Waschberge *pl.* – 8. Schwemme *f.* – 9. *dial.* ‚Dreckwetter' *n.* –

Besondere Redewendungen:
hard ~ Schutt; **soft** ~ Müll, Kehricht; **to throw money about like** ~ mit Geld um sich werfen; **to have to eat** ~ sich demütigen müssen; **to fling** (*od.* **throw**) ~ **at s.o.** j-n mit Schmutz bewerfen, j-n in den Schmutz ziehen; **to treat s.o. like** ~ j-n wie Dreck behandeln; **to do s.o.** ~ *Am. sl.* j-n in gemeiner Weise hereinlegen; → **cheap** 1.

dirt| band *s geol.* Geröllfeld *n* (*Gletscher*). — **'~,bird** *s zo.* 1. Grünspecht *m* (*Picus viridis*). – 2. Schmutz-, Aasgeier *m* (*Neophron percnopterus*). — **'~-'cheap** *adj u. adv* spottbillig. — ~ **farm·er** *s Am. colloq.* Farmer, der selbst sein Land bestellt *od.* mit zupackt. — ~ **groove** *s tech.* Abfallrinne *f.*

dirt·i·ness ['dəːrtinis] *s* 1. Schmutz(igkeit *f*) *m.* – 2. Gemeinheit *f*, Niedertracht *f.* – 3. (*moralische*) Schmutzigkeit. – 4. Unfreundlichkeit *f* (*Wetter*).

dirt| road *s Am.* Erdstraße *f*, Feldweg *m*, ungepflasterte *od.* unbefestigte Straße. — ~ **roof** *s Am.* Erd-, Rasendach *n.* — ~ **track** *s* Schlacken-, Aschenbahn *f* (*bes. für Motorradrennen*).

dirt·y ['dəːrti] **I** *adj* 1. schmutzig, beschmutzt, kotig, dreckig, Schmutz...: ~**-brown** schmutzigbraun; ~ **water** schmutziges Wasser; ~ **work** Dreckarbeit, niedere Arbeit; **to wash one's** ~ **linen in public** *fig.* öffentlich seine schmutzige Wäsche waschen. – 2. *fig.* verächtlich, gemein, niederträchtig: **a** ~ **lot** ein Lumpenpack; **a** ~ **trick** ein gemeiner Streich; **to do the** ~ **on s.o.** *Br. colloq.* j-n gemein behandeln. – 3. *fig.* (*moralisch*) schmutzig, unflätig. – 4. schlecht, stürmisch, regnerisch (*Wetter etc*). – 5. schmutzfarben. – 6. *tech.* verstopft. – *SYN.* **filthy, foul, nasty, squalid.** – **II** *v/t* 7. beschmutzen. – 8. (*Ruf etc*) beschmutzen, besudeln. – **III** *v/i* 9. schmutzig werden, schmutzen.

Dis [dis] *s poet.* 'Unterwelt *f*, Totenreich *n.*

dis-¹ [dis] *Vorsilbe* 1. auseinander-, ab-, dis-, ent-, un-, weg-, ver-, zer-. – 2. *Verneinung*: **to disaccord** nicht beistimmen.

dis-² [dis] → **di-¹**.

dis·a·bil·i·ty [,disə'biliti; -əti] *s* 1. Unvermögen *n*, Unfähigkeit *f.* – 2. *jur.* Rechtsunfähigkeit *f*: **to lie under a** ~ rechtsunfähig sein. – 3. (*dauernde*) Körperbeschädigung, Invalidi'tät *f.* – 4. Unzulänglichkeit *f.* – 5. *mil.* Kampfunfähigkeit *f.* — ~ **clause** *s econ.* Invalidi'tätsklausel *f.* — ~ **in·sur·ance** *s econ.* Invalidi'täts-, Inva'lidenversicherung *f.*

dis·a·ble [dis'eibl] *v/t* 1. unfähig machen, außerstand setzen (**from** doing *od.* **to do s.th.** etwas zu tun). – 2. unbrauchbar *od.* untauglich machen (**for** für, zu). – 3. *mil.* a) dienstuntauglich machen, b) kampfunfähig machen. – 4. *jur.* entmündigen, rechtsunfähig machen. – 5. entkräften, lähmen. – 6. verkrüppeln. – 7. entwerten, im Wert beeinträchtigen. – 8. zu'grunde richten, rui'nieren. – *SYN. cf.* **weaken.** — **dis'a·bled** *adj* 1. (dauernd) dienst-, arbeitsunfähig, inva'lid(e). – 2. *mil.* dienstunfähig, untauglich. – 3. kriegsversehrt: **a** ~ **ex-soldier** ein Kriegsversehrter. – 4. unbrauchbar, untauglich. – 5. *mar.* manö'vrierunfähig, seeuntüchtig. — **dis'a·ble·ment** *s* 1. (Dienst-, Arbeits-, Erwerbs)Unfähigkeit *f*, Invalidi'tät *f*: ~ **annuity** Invalidenrente; ~ **insurance** Invaliden-, Invaliditätsversicherung. – 2. *mil.* a) (Dienst)Untauglichkeit *f*, b) Kampfunfähigkeit *f.* – 3. Untauglichkeit *f*, Unbrauchbarkeit *f.* – 4. Entkräftung *f*, Lähmung *f.* – 5. Unbrauchbarmachen *n.*

dis·a·buse [,disə'bjuːz] *v/t* 1. von einem Irrtum befreien, eines Besseren belehren (**of** über *acc*). – 2. befreien, erleichtern (**of** von): **to** ~ **oneself** (*od.* **one's mind**) **of s.th.** sich von etwas befreien, etwas ablegen.

di·sac·cha·ride [dai'sækə,raid; -rid], *auch* **di'sac·cha·rid** [-rid] *s chem.* Disaccha'rid *n* (*Zuckerart*).

dis·ac·cord [,disə'kɔːrd] **I** *v/i* 1. nicht beistimmen. – 2. nicht über'einstimmen. – **II** *s* 3. Uneinigkeit *f*, Nichtüber'einstimmung *f.* – 4. 'Widerspruch *m*, 'Mißverständnis *n.* — **,dis·ac'cord·ance** → **disaccord** II. — **,dis·ac'cord·ant** *adj* nicht über'einstimmend.

dis·ac·cus·tom [,disə'kʌstəm] *v/t* entwöhnen (**to** *gen*): **to** ~ **s.o. to s.th.** j-n einer Sache entwöhnen, j-m etwas abgewöhnen. — **,dis·ac'cus·tomed** *adj* nicht gewöhnt (**to** an *acc*).

dis·a·cid·i·fy [,disə'sidi,fai; -də-] *v/t selten* entsäuern, von Säure befreien.

dis·ac·knowl·edge [,disək'nɒlidʒ] *v/t* verleugnen, nicht anerkennen. — **,dis·ac'knowl·edg(e)·ment** *s* Verleugnung *f.*

dis·ac·quaint·ance [,disə'kweintəns] *s* Entfremdung *f* (**with** von).

dis·ad·van,tage [*Br.* ,disəd'vaːntidʒ; *Am.* -'væ(ː)n-] **I** *s* 1. Nachteil *m* (**to** für): **to be at a** ~, **to labo(u)r under a** ~ im Nachteil sein; **to put oneself at a** ~ **with s.o.** sich j-m gegenüber in den Nachteil setzen; **to s.o.'s** ~ zu j-s Nachteil *od.* Schaden. – 2. ungünstige Lage: **to take s.o. at a** ~ j-s ungünstige Lage ausnutzen. – 3. Schade(n) *m*, Verlust *m* (**to** für): **to sell to** (*od.* **at a**) ~ mit Verlust verkaufen. – **II** *v/t* 4. benachteiligen. — **dis,ad·van'ta·geous** [-,ædvən'teidʒəs] *adj* nachteilig, ungünstig, unvorteilhaft, schädlich (**to** für). — **dis,ad·van'ta·geous·ness** *s* Nachteiligkeit *f*, Ungünstigkeit *f.*

dis·af·fect [,disə'fekt] *v/t* 1. unzufrieden machen, verstimmen, verärgern. – 2. (*dat*) ablehnend gegen'überstehen. – *SYN. cf.* **estrange.** — **,dis·af'fect·ed** *adj* 1. (**to, toward[s]**) unzufrieden (mit), abgeneigt (*dat*), 'mißvergnügt (über *acc*). – 2. unzuverlässig, unverläßlich: **a** ~ **army.** — **,dis·af'fect·ed·ness, ,dis·af'fec·tion** *s* 1. (**for**) Unzufriedenheit *f* (mit), 'Mißvergnügtheit *f* (über *acc*), Abgeneigtheit *f* (gegen). – 2. *pol.* Unzufriedenheit *f*, Unzuverlässigkeit *f*, Unverläßlichkeit *f.*

dis·af·firm [,disə'fəːrm] *v/t* 1. (ab)leugnen, nicht anerkennen. – 2. *jur.* (*Entscheidung*) aufheben, 'umstoßen. — **,dis·af'firm·ance, dis,af·fir'ma·tion** [-,æfər'meiʃən] *s* 1. (Ab)Leugnung *f*, Nichtanerkennung *f.* – 2. *jur.* Aufhebung *f*, 'Umstoßung *f.*

dis·af·for·est [,disə'fɒrist; *Am. auch* -'fɔːr-] *v/t* 1. *jur.* (*einem Wald*) den gesetzlichen Cha'rakter eines Forstes nehmen, (*acc*) des Schutzes durch das Forstrecht berauben. – 2. abforsten, entwalden, abholzen. — **,dis·af,for·es'ta·tion, ,dis·af'for·est·ment** *s* 1. Erklärung *f* zu gewöhnlichem Land (*das nicht dem Forstrecht untersteht*). – 2. Abforstung *f*, Entwaldung *f.*

dis·ag·gre·gate [dis'ægri,geit; -grə-] **I** *v/t* (in seine Bestandteile) zerlegen. – **II** *v/i* zerfallen, sich auflösen.

dis·ag·i·o [dis'ædʒiou] *s econ.* Dis'agio *n*, Abschlag *m.*

dis·a·gree [,disə'griː] *v/i* 1. (**with**) nicht über'einstimmen (mit), im 'Widerspruch stehen (zu, mit): **the witnesses** ~ die Zeugen widersprechen einander. – 2. verschiedener Meinung sein, uneins *od.* uneinig sein (**on, about** über *acc*): **to** ~ **with s.o.** j-m nicht zustimmen, anderer Meinung sein als j-d. – **3.** sich streiten (about über *acc*). – **4.** (with) schlecht *od.* nicht bekommen (*dat*), nicht zuträglich sein (*dat*): this fruit ~s with me dieses Obst bekommt mir nicht. — ˌ**dis·aˈgree·a·ble** *adj* **1.** unangenehm, widerlich. – **2.** unangenehm, übellaunig, unliebenswürdig, eklig. – **3.** lästig. — ˌ**dis·aˈgree·a·ble·ness** *s* **1.** ˈWiderwärtigkeit *f*, Widerlichkeit *f*. – **2.** Unliebenswürdigkeit *f*. – **3.** Unannehmlichkeit *f*, Lästigkeit *f*. — ˌ**dis·aˈgree·ment** *s* **1.** Nichtüberˈeinstimmung *f*, Verschiedenheit *f*, ˈUnterschied *m*: in ~ from zum Unterschied von, abweichend von. – **2.** ˈWiderspruch *m* (between zwischen *dat*). – **3.** Meinungsverschiedenheit *f*. – **4.** Streitigkeit *f*, ˈMißhelligkeit *f*. – **5.** *selten* ungünstige (Aus)Wirkung auf die Gesundheit.

dis·al·low [ˌdisəˈlau] *v/t* **1.** nicht gestatten *od.* zugeben *od.* erlauben, mißˈbilligen, verbieten, verweigern. – **2.** nicht anerkennen, nicht gelten lassen, zuˈrückweisen, verwerfen. — ˌ**dis·alˈlow·a·ble** *adj* zu verwerfen(d), nicht zu billigen(d). — ˌ**dis·alˈlow·ance** *s* **1.** ˈMißbilligung *f*. – **2.** Nichtanerkennung *f*, Verwerfung *f*.

dis·an·i·mate [disˈæniˌmeit; -nə-] *v/t* **1.** töten. – **2.** entmutigen. — **disˌan·i·ˈma·tion** *s* **1.** Tötung *f*. – **2.** Entmutigung *f*. – **3.** Mutlosigkeit *f*, Niedergeschlagenheit *f*.

dis·an·nex [ˌdisəˈneks] *v/t* **1.** trennen. – **2.** uneinig machen.

dis·an·nul [ˌdisəˈnʌl] *v/t* aufheben, abschaffen, annulˈlieren. — ˌ**dis·anˈnul·ment** *s* Aufhebung *f*, Abschaffung *f*, Annulˈlierung *f*.

dis·a·noint [ˌdisəˈnɔint] *v/t* die Weihe nehmen (*dat*), (*j-s*) Weihe ungültig machen: to ~ a king die Weihe *od.* Salbung eines Königs ungültig machen.

dis·ap·pear [ˌdisəˈpir] *v/i* **1.** verschwinden (from von, aus; to nach). – **2.** verlorengehen (*Gebräuche etc*). — ˌ**dis·apˈpear·ance** [-ˈpi(ə)rəns] *s* **1.** Verschwinden *n*. – **2.** *tech.* Schwindung *f*, Schwund *m*. — ˌ**dis·apˈpear·ing** *adj* **1.** verschwindend. – **2.** versenkbar, Versenk...: ~ bed Klappbett; ~ carriage *mil.* Verschwindlafette, versenkbare Geschützlafette.

dis·ap·point [ˌdisəˈpɔint] *v/t* **1.** (*j-n*) enttäuschen: to be ~ed enttäuscht werden *od.* sein (at, with über *acc*); to be ~ed of s.th. um etwas betrogen *od.* gebracht werden; to be ~ed in s.th. in einer Sache enttäuscht werden. – **2.** (*Hoffnungen etc*) (ent)täuschen, vereiteln. – **3.** *colloq.* im Stich lassen, ‚sitzenlassen'. – **4.** *selten* (*j-s*) Ernennung rückgängig machen. — ˌ**dis·apˈpoint·ed** *adj* **1.** enttäuscht: agreeably ~ angenehm enttäuscht. – **2.** *obs.* unvorbereitet. — ˌ**dis·apˈpoint·er** → disappointment 4. — ˌ**dis·apˈpoint·ment** *s* **1.** Enttäuschung *f* (at s.th. über eine Sache; in s.o. über j-n): to meet with ~ eine Enttäuschung erleben, enttäuscht werden. – **2.** Enttäuschung *f*, Vereitelung *f* (*Pläne etc*). – **3.** ˈMißerfolg *m*, Fehlschlag *m*. – **4.** Enttäuschung *f* (*Person od. Sache, die enttäuscht*).

dis·ap·pro·ba·tion [ˌdisæproˈbeiʃən; -rə-] *s* ˈMißbilligung *f*. — **disˈap·pro·ˌba·tive, disˈap·pro·ba·to·ry** [*Br.* -ˌbeitəri; *Am.* -bəˌtɔːri] *adj* mißˈbilligend, Tadels...

dis·ap·pro·pri·ate [ˌdisəˈproupriˌeit] *v/t* **1.** enteignen. – **2.** *jur.* der kirchlichen Nutznießung entziehen. — ˌ**dis·apˌpro·pri·ˈa·tion** *s* **1.** Enteignung *f*. – **2.** *jur.* Aufhebung *f* der kirchlichen Eigenschaft (*Kirchengüter*).

dis·ap·prov·al [ˌdisəˈpruːvəl] *s* **1.** (of) ˈMißbilligung *f* (*gen*), ˈMißfallen *n* (über *acc*). – **2.** Tadel *m*. — ˌ**dis·apˈprove** [-ˈpruːv] **I** *v/t* **1.** mißˈbilligen, verurteilen, tadeln. – **2.** nicht anerkennen *od.* billigen, zuˈrückweisen. – **II** *v/i* **3.** sein ˈMißfallen äußern (of über *acc*): to ~ of s.th. etwas mißbilligen; to be ~d of Mißfallen erregen. — ˌ**dis·apˈprov·ing·ly** *adv* mißˈbilligend.

dis·arm [disˈɑːrm] **I** *v/t* **1.** entwaffnen. – **2.** unschädlich machen. – **3.** *fig.* entwaffnen, freundlich stimmen. – **4.** besänftigen: to ~ s.o.'s rage. – **II** *v/i* **5.** die Waffen niederlegen. – **6.** *mil. pol.* abrüsten. — **disˈar·ma·ment** *s* **1.** Entwaffnung *f*. – **2.** *mil. pol.* Abrüstung *f*. — **disˈarm·ing** *adj fig.* entwaffnend, besänftigend: a ~ smile. – *SYN.* ingratiating, insinuating.

dis·ar·range [ˌdisəˈreindʒ] *v/t* in Unordnung bringen, durcheinˈanderbringen, verwirren. — ˌ**dis·arˈrange·ment** *s* Verwirrung *f*, Unordnung *f*.

dis·ar·ray [ˌdisəˈrei] **I** *v/t* **1.** (*bes. Truppen*) in Unordnung bringen. – **2.** entkleiden (of *gen*) (*auch fig.*) – **II** *s* **3.** Unordnung *f*, Verwirrung *f*, Durcheinˈander *n*. – **4.** nachlässige *od.* schlampige Kleidung.

dis·ar·tic·u·late [ˌdisɑːrˈtikjuˌleit; -jə-] **I** *v/t* **1.** zergliedern, trennen. – **2.** *med.* exartikuˈlieren. – **II** *v/i* **3.** aus den Fugen gehen. — ˌ**dis·arˌtic·uˈla·tion** *s* **1.** Zergliederung *f*. – **2.** *med.* Exartikulatiˈon *f*, Absetzung *f* im Gelenk. — ˌ**dis·arˈtic·uˌla·tor** [-tər] *s* Zergliederer *m*.

dis·as·sem·ble [ˌdisəˈsembl] *v/t* auseinˈandernehmen, zerlegen. — ˌ**dis·asˈsem·bly** *s* **1.** Zerlegung *f*. – **2.** Zerlegtsein *n*.

dis·as·sim·i·late [ˌdisəˈsimiˌleit; -mə-] *v/t* (*Physiologie*) abbauen, dissimiˈlieren. — ˌ**dis·asˌsim·iˈla·tion** *s med.* Abbau *m*, Kataboˈlismus *m*.

dis·as·so·ci·ate [ˌdisəˈsouʃiˌeit] → dissociate I. — ˌ**dis·asˌso·ciˈa·tion** → dissociation.

dis·as·ter [*Br.* diˈzɑːstə; *Am.* -ˈzæ(ː)stər] *s* **1.** Unglück *n* (to für), Verderben *n*, ˈMißgeschick *n*: to bring to ~ ins Unglück bringen. – **2.** Unglück *n*, Kataˈstrophe *f*. – **3.** *obs.* a) ungünstiger Aˈspekt (*Planet etc*), b) übles Vorzeichen. – *SYN.* calamity, cataclysm, catastrophe. — ~ **u·nit** *s* Kataˈstropheneinsatzdienst *m*.

dis·as·trous [*Br.* diˈzɑːstrəs; *Am.* -ˈzæ(ː)s-] *adj* **1.** unglücklich, unglückselig, unheil-, verhängnisvoll, schrecklich (to für). – **2.** unselig, unglücklich. – **3.** *obs.* unheilkündend. — **disˈas·trous·ness** *s* Unglücklichkeit *f*, Unglückseligkeit *f*, Schrecklichkeit *f*.

dis·a·vow [ˌdisəˈvau] *v/t* **1.** nicht anerkennen, desavouˈieren. – **2.** nichts zu tun haben wollen mit, abrücken von. – **3.** in Abrede stellen, ableugnen, nicht eingestehen, nicht wahrhaben wollen. — ˌ**dis·aˈvow·al** *s* **1.** Nichtanerkennung *f*, Verwerfung *f*. – **2.** Ableugnung *f*, Ableugnen *n*. – **3.** Zuˈrückweisung *f* (*Behauptung etc*). – **4.** Deˈmenti *n*.

dis·az·o [disˈæzou; -ˈeizou] *adj chem.* Disazo...: ~ dye Disazofarbstoff.

dis·band [disˈbænd] **I** *v/t* **1.** *mil.* a) (*Truppen*) entlassen, verabschieden, b) (*Truppenkörper*) auflösen. – **2.** auflösen. – **II** *v/i* **3.** sich auflösen, sich zerstreuen, auseinˈandergehen, -laufen. — **disˈband·ment** *s bes. mil.* Auflösung *f*.

dis·bar [disˈbɑːr] *v/t pret u. pp* -ˈ**barred** *jur.* aus dem Anwaltstand ausschließen, (*dat*) das Recht zu pläˈdieren entziehen. — **disˈbar·ment** *s* Ausschluß *m* aus dem Anwaltstand.

dis·be·lief [ˌdisbiˈliːf; -bə-] *s* **1.** Unglaube *m*. – **2.** Zweifel *m* (in an *dat*). – *SYN. cf.* unbelief. — ˌ**dis·beˈlieve** [-ˈliːv] **I** *v/t* **1.** (*etwas*) bezweifeln, nicht glauben, (*dat*) keinen Glauben schenken. – **2.** (*j-m*) nicht glauben, (*dat*) keinen Glauben schenken. – **II** *v/i* **3.** nicht glauben (in an *acc*). — ˌ**dis·beˈliev·er** *s* Ungläubige(r), Zweifler(in).

dis·bench [disˈbentʃ] *v/t* **1.** *jur. Br.* aus dem Vorstand eines der Inns of Court ausstoßen. – **2.** von (s)einem Sitz vertreiben.

dis·bos·om [disˈbuzəm; *auch* -ˈbuː-] *v/t* aufdecken, enthüllen, offenˈbaren, gestehen: to ~ oneself sein Herz ausschütten.

dis·bow·el [disˈbauəl] *pret u. pp* **-eled,** *bes. Br.* **-elled** → disembowel.

dis·branch [*Br.* disˈbrɑːntʃ; *Am.* -ˈbræ(ː)ntʃ] *v/t* **1.** (*Baum*) entästen. – **2.** (*Ast*) abhauen, abreißen.

dis·bud [disˈbʌd] *v/t pret u. pp* -ˈ**budded** von (ˈüberschüssigen) Knospen *od.* Schößlingen befreien.

dis·bur·den [disˈbəːrdn] **I** *v/t* **1.** von einer Bürde befreien, entlasten (of, from von). – **2.** erleichtern, erlösen, befreien: to ~ one's mind sein Herz ausschütten. – **3.** (*Last, Sorgen etc*) loswerden, abladen (upon auf *acc*). – **4.** (*Zorn etc*) entladen. – **II** *v/i* **5.** eine Last *od.* Lasten ab- *od.* ausladen. – **6.** sich von einer Last befreien.

dis·burs·a·ble [disˈbəːrsəbl] *adj* auszahlbar. — **disˈburse** [-ˈbəːrs] **I** *v/t* **1.** (*Geld*) auszahlen. – **2.** ausgeben, -legen. – **3.** vorschießen. – **II** *v/i* **4.** Geld auslegen. – **5.** Ausgaben haben. — **disˈburse·ment** *s* **1.** Auszahlung *f*. – **2.** Ausgabe *f*, -lage *f*. – **3.** Vorschuß *m*. – **4.** ausgezahltes *od.* ausgegebenes Geld.

dis·burs·ing of·fi·cer [disˈbəːrsiŋ] *s mil.* Zahlmeister *m*.

dis·bur·then [disˈbəːrðən] *obs. für* disburden.

disc [disk] **I** *s* **1.** *cf.* disk I. – **2.** *med. zo.* Scheibe *f*: (inter)articular ~ Gelenkscheibe, Diskus; intervertebral ~ Zwischenwirbelscheibe. – **3.** Schallplatte *f*. – **II** *v/t cf.* disk II. — ˈ**disc·al** *adj* **1.** scheibenförmig. – **2.** Scheiben...

dis·cal·ce·ate [disˈkælsiit; -siˌeit] **I** *adj* → discalced. – **II** *s relig.* Barfüßer *m* (*Mönchsorden*), Barfüßerin *f* (*Nonnenorden*). — **disˈcalced** [-ˈkælst] *adj* **1.** barfuß, unbeschuht. – **2.** *relig.* Barfüßer...: ~ friar Barfüßermönch.

dis·cant [ˈdiskænt; disˈkænt] → descant.

dis·card [disˈkɑːrd] **I** *v/t* **1.** (*Karten*) a) ablegen, b) abwerfen. – **2.** als unbrauchbar beiˈseite legen, ablegen, ˈausranˌgieren. – **3.** ad acta legen. – **4.** (*Gewohnheit*) ablegen, aufgeben. – **5.** (*j-n*) verabschieden, entlassen. – **6.** fallenlassen, sich nicht mehr kümmern um. – *SYN.* cast, junk[1], scrap[1], shed[2], slough[2]. – **II** *v/i* **7.** (*Kartenspiel*) a) Karten ablegen, b) (Karten) abwerfen, nicht Farbe bedienen. – **III** *s* [ˈdiskɑːrd] **8.** (*Kartenspiel*) a) Ablegen *n*, Abwerfen *n*, b) abgeworfene *od.* abgelegte Karte(n *pl*) *f*. – **9.** Beiseite-, Ablegen *n*, ˈAusranˌgieren *n*. – **10.** (*etwas*) Abgelegtes, abgelegte Sache, entlassene Perˈson. – **11.** Abfall *m*, Haufen *m* abgelegter Dinge: to throw into the ~ ablegen, ad acta *od.* beiseite legen, nicht mehr beachten.

dis·car·nate [disˈkɑːrnit; -neit] *adj* unkörperlich, fleisch-, körperlos.

dis·case [disˈkeis] *v/t* **1.** aus der Hülle nehmen. – **2.** aus der Scheide ziehen. – **3.** entkleiden.

dis·cept [diˈsept] *v/i selten* **1.** debatˈtieren. – **2.** verschiedener Meinung sein. — ˌ**dis·cepˈta·tion** *s obs.* Deˈbatte *f*.

dis·cern [di'sɜːrn; -'zɜːrn] **I** *v/t* **1.** (*sinnlich*) wahrnehmen, erkennen, feststellen. – **2.** (*geistig*) wahrnehmen, erfassen. – **3.** erkennen, feststellen, her'ausfinden. – **4.** unter'scheiden (können): to ~ good and (*od.* from) evil zwischen Gut u. Böse unterscheiden (können). – *SYN.* descry, observe, perceive. – **II** *v/i* **5.** unter'scheiden (können). — **dis'cern·i·ble** *adj* (*sinnlich od. geistig*) wahrnehmbar, erkennbar, feststellbar, unter'scheidbar. — **dis'cern·i·ble·ness** *s* Wahrnehmbarkeit *f*, Erkennbarkeit *f*. — **dis'cern·ing** *adj* das Wesentliche erfassend, urteilsfähig, scharfsichtig, einsichtsvoll. — **dis'cern·ment** *s* **1.** Scharfblick *m*, -sinn *m*, Urteil(skraft *f*) *n*, Unter'scheidungsfähigkeit *f*. – **2.** Einsicht *f* (of in *acc*). – **3.** Wahrnehmen *n*, Erkennen *n*. – **4.** Unter'scheiden *n*. – **5.** Wahrnehmungskraft *f*, -fähigkeit *f*. – *SYN.* acumen, clairvoyance, discrimination, divination, insight, penetration, perception.

dis·cerp·ti·bil·i·ty [diˌsɜːrpti'biliti; -tə-; -əti] *s* (Zer)Trennbarkeit *f*, (Zer)Teilbarkeit *f*, Zerreißbarkeit *f*. — **dis'cerp·ti·ble** *adj* (zer)trennbar, (zer)teilbar, zerreißbar. — **dis'cerp·tion** *s* (Zer)Trennung *f*, Zerreißung *f*, Zerstückelung *f*.

dis·charge [dis'tʃɑːrdʒ] **I** *v/t* **1.** entlasten, entladen. – **2.** (*Schiff etc*) entladen. – **3.** (*Ladung*) löschen, ab-, ausladen. – **4.** (*Personen*) ausladen, -leeren, -speien. – **5.** (*Gewehr, Geschoß etc*) abfeuern, abschießen. – **6.** ablassen, ablaufen *od.* abströmen lassen. – **7.** (*Wasser*) ergießen: the river ~s itself into a lake der Fluß ergießt sich *od.* mündet in einen See. – **8.** (*Zorn etc*) auslassen (on an *dat*). – **9.** *med.* (*Eiter etc*) auswerfen, ausströmen lassen: the ulcer ~s matter das Geschwür eitert. – **10.** aussenden, -strömen, von sich geben. – **11.** befreien (of von). – **12.** (*j-n*) befreien, entbinden (of, from von *Verpflichtungen etc*): to ~ s.o. of his oath j-n seines Eides entbinden. – **13.** a) (*Gewissen*) erleichtern, b) (*Herz*) ausschütten. – **14.** freisprechen (of von). – **15.** (*Gefangene etc*) entlassen, freilassen, in Freiheit setzen. – **16.** *electr.* entladen. – **17.** (*Verpflichtungen*) erfüllen, (*dat*) nachkommen, (*Schulden*) bezahlen, begleichen, tilgen: to ~ one's liabilities seinen Verbindlichkeiten nachkommen, seine Schulden bezahlen. – **18.** (*Wechsel*) einlösen. – **19.** (*Amt*) verwalten. – **20.** (*Rolle*) spielen, darstellen. – **21.** entlassen, abbauen. – **22.** *mil.* (*aus dem Dienst*) entlassen, verabschieden. – **23.** (*Körperschaft*) entlassen, auflösen. – **24.** *jur.* (*Urteil*) tilgen, aufheben. – **25.** fortschicken (from aus). – **26.** (*finanziell*) befriedigen: to ~ a creditor. – **27.** *arch.* a) (*Gewicht einer Mauer über einer Öffnung*) auffangen, verteilen, b) (*Balken etc*) entlasten. – **28.** (*Färberei*) (aus)bleichen. – **29.** *Scot.* verbieten. –
II *v/i* **30.** sich einer Last entledigen. – **31.** her'vorströmen. – **32.** sich ergießen, münden (*Fluß*). – **33.** Flüssigkeit ausströmen lassen. – **34.** *med.* eitern. – **35.** losgehen, sich entladen (*Gewehr etc*). – **36.** *electr.* sich entladen. – **37.** verlaufen, auslaufen, verrinnen (*Farbe im Stoff etc*). – *SYN. cf.* a) free, b) perform. –
III *s* [*auch* 'distʃɑːrdʒ] **38.** Entladung *f*, Löschen *n* (*Schiff etc*). – **39.** Löschung *f*, Ausladung *f* (*Fracht*). – **40.** Abfeuern *n*, Abschießen *n*. – **41.** Ausfließen *n*, -strömen *n*, Aus-, Abfluß *m*. – **42.** Abführung *f*, Ab-, Auslaß *m*. – **43.** Ausfluß-, Abflußmenge *f*. – **44.** Fördermenge *f*. – **45.** Absonderung *f*: ~ of saliva Speichelabsonderung. – **46.** Ausfluß *m*, -wurf *m*: a ~ from the eyes *med.* ein Augenausfluß. – **47.** Auswerfen *n*, Ausstoßen *n*: the ~ of smoke. – **48.** Befreiung *f* (*von Verpflichtungen etc*), Entlastung *f*. – **49.** Erleichterung *f* (*Gewissen*). – **50.** *jur.* Freisprechung *f* (from von). – **51.** *jur.* Freilassung *f* (*Gefangene*). – **52.** *jur.* Aufhebung *f* (*Urteil*). – **53.** Rehabili'tierung *f* (*Konkursschuldner*): ~ of a bankrupt Aufhebung des Konkursverfahrens, Entlastung des Gemeinschuldners. – **54.** *electr.* Entladung *f*: point ~ Spitzenentladung. – **55.** Erfüllung *f* (*Verpflichtung etc*). – **56.** Bezahlung *f* (*Schuld etc*): in ~ of zur Begleichung von. – **57.** Einlösung *f* (*Wechsel*). – **58.** Verwaltung *f*, Ausübung *f* (*Amt*). – **59.** Lösegeld *n*. – **60.** Entlassungsbestätigung *f*. – **61.** Quittung *f*: ~ in full vollständige Quittung. – **62.** Entlassung *f* (*Angestellte etc*). – **63.** *mil.* (Dienst)Entlassung *f*, Verabschiedung *f*. – **64.** Entlassung *f* (*einer Körperschaft*). – **65.** (*Färberei*) a) (Aus)Bleichung *f*, b) (Aus)Bleichmittel *n*. – **66.** *arch.* Entlastung *f*, Stütze *f*.

dis·charge·a·ble [dis'tʃɑːrdʒəbl] *adj* **1.** entladbar. – **2.** ab-, ausladbar.

dis·charge| ap·er·ture *s tech.* (Ab)Stichloch *n*. — **~ book** *s mar.* Seefahrtsbuch *n*. — **~ cock** *s tech.* Ablaß-, Abflußhahn *m*.

dis·char·gee [ˌdistʃɑːr'dʒiː] *s* (aus dem Dienst, *bes.* Mili'tärdienst) Entlassener *m*.

dis·charge| pipe *s tech.* **1.** Abflußrohr *n*. – **2.** Ausgangsrohr *n* (*Lokomotive*). — **~ po·ten·tial** *s electr.* Ent'ladungspotentiˌal *n*, -spannung *f*. — **~ print** *s print.* Ätzdruck *m*.

dis·charg·er [dis'tʃɑːrdʒər] *s* **1.** Entlader *m*. – **2.** Entladevorrichtung *f*. – **3.** *electr.* a) Entlader *m*, b) Funkenstrecke *f*. – **4.** Abfeuerer *m*. – **5.** *aer. mil.* Abwurfbehälter *m*.

dis·charg·ing| arch [dis'tʃɑːrdʒiŋ] *s arch.* Entlastungsbogen *m*. — **~ cur·rent** *s electr.* Entladestrom *m*. — **~ pipe** *s tech.* (Aus)Blasrohr *n*. — **~ rod** → discharger 3a. — **~ vault** *s arch.* Leibungsbogen *m*.

disci- [disi] → disco-.

dis·ci·flo·ral [ˌdisi'flɔːrəl], *auch* ˌ**dis·ci'flo·rous** [-rəs] *adj bot.* mit Blütendiskus. — '**dis·ciˌform** [-ˌfɔːrm] *adj* scheibenförmig.

dis·ci·ple [di'saipl] **I** *s* **1.** *Bibl.* Jünger *m*. – **2.** A'postel *m*. – **3.** Schüler *m*, Anhänger *m*, Jünger *m*, Gefolgsmann *m*. – *SYN. cf.* a) follower, b) scholar. – **II** *v/t* **4.** bekehren, zu seinem Jünger *od.* Anhänger machen. – **5.** *obs.* lehren, ausbilden. — **dis'ci·pleˌship** *s* Jünger-, Anhängerschaft *f*.

Dis·ci·ples of Christ *s pl relig.* Campbel'liten *pl*, Jünger *pl* Christi (*1810 in Pennsylvania gegründete kongregationalistische Sekte*).

dis·ci·plin·a·ble ['disiˌplinəbl; -sə-] *adj* **1.** gelehrig, folg-, fügsam, erziehbar. – **2.** strafbar. — **dis·ci·pli·nal** [ˌdisi'plainl; 'disiplinl; -sə-] *adj* **1.** Disziplin... – **2.** erzieherisch, schulend. — '**dis·ci·plin·ant** [-plinənt] *s* **1.** j-d der sich einer (strengen) Diszi'plin unter'wirft. – **2.** *relig. hist.* Flagel'lant *m*, Geißler *m* (*bes. eines span. Ordens*).

dis·ci·pli·nar·i·an [ˌdisipli'nɛ(ə)riən; -sə-] **I** *s* **1.** Zucht-, Exer'ziermeister *m*. – **2.** strenger Lehrer *od.* Vorgesetzter. – **3.** D~ *hist.* kalvi'nistischer Puri'taner (*in England*). – **II** *adj* → disciplinary. — '**dis·ci·pli·nar·y** [*Br.* -nəri; *Am.* -ˌneri] *adj* **1.** schulend, erzieherisch, erziehend, die Diszi'plin fördernd. – **2.** diszipli'narisch, Disziplinar...: ~ action Disziplinarmaßnahme, -verfahren; ~ punishment Disziplinarstrafe; ~ regulations Disziplinarordnung. – **3.** Straf...: ~ barracks *mil.* Militär-Strafanstalt.

dis·ci·pline ['disiplin; -sə-] **I** *s* **1.** Schulung *f*, Ausbildung *f*. – **2.** Drill *m*. – **3.** Bestrafung *f*, Züchtigung *f*. – **4.** Ka'steiung *f*. – **5.** Diszi'plin *f*, (Mannes)Zucht *f*. – **6.** 'Selbstdisziˌplin *f*. – **7.** Vorschriften *pl*, Regeln *pl*, Kodex *m* von Vorschriften. – **8.** *relig.* Diszi'plin *f* (*Regeln der kirchlichen Verwaltung, Liturgie etc*). – **9.** Lehren *pl*, (vermitteltes) Wissen. – **10.** Diszi'plin *f*, Wissenszweig *m*, ('Unterrichts)Fach *n*. – **11.** *obs.* 'Unterricht *m*. – **II** *v/t* **12.** schulen, (aus)bilden, erziehen, unter'richten. – **13.** *mil.* drillen – **14.** an 'Selbstdisziˌplin gewöhnen. – **15.** diszipli'nieren, an Diszi'plin gewöhnen, zur (Mannes)Zucht erziehen: well ~d gut diszipliniert. – **16.** diszipli'nieren, bestrafen. – *SYN. cf.* a) punish, b) teach.

dis·cis·sion [di'siʒən; -ʃən] *s* **1.** Spaltung *f*. – **2.** *med.* Zerschneidung *f*, Aufschneiden *n*.

disc jock·ey *s* (*Rundfunk*) Schallplattenjockey *m* (*der den verbindenden Text bei Schlagerplattensendungen spricht*).

dis·claim [dis'kleim] **I** *v/t* **1.** in Abrede stellen: to ~ s.th. etwas abstreiten *od.* dementieren. – **2.** nichts zu tun haben wollen mit, jede Verantwortung ablehnen für. – **3.** (*Verantwortung*) ablehnen, nicht anerkennen. – **4.** verleugnen. – **5.** *jur.* nicht beanspruchen, Verzicht leisten auf (*acc*), keinen Anspruch erheben auf (*acc*), entsagen (*dat*). – **II** *v/i* **6.** *jur.* Verzicht leisten, verzichten. – **7.** *obs.* jede Beteiligung in Abrede stellen (in an *dat*). — **dis'claim·er** *s* **1.** Verzicht(leistung *f*) *m*. – **2.** (öffentlicher) 'Widerruf, De'menti *n*. – **3.** Verzichtende(r), Entsagende(r). – **4.** j-d der (*etwas*) in Abrede stellt.

dis·cla·ma·tion [ˌdiskləˈmeiʃən] *s* **1.** Verzichtleistung *f*. – **2.** Nichtanerkennung *f*.

dis·close [dis'klouz] **I** *v/t* **1.** enthüllen, sichtbar machen, ans Licht bringen. – **2.** (*Pläne etc*) enthüllen, aufdecken, offen'baren. – **3.** zeigen, verraten: his books ~ great learning. – **4.** *obs.* öffnen. – **5.** *obs.* (*Eier*) ausbrüten. – *SYN. cf.* reveal. – **II** *s obs. für* disclosure. — **dis'clo·sure** [-ʒər] *s* **1.** Enthüllung *f*, Aufdeckung *f*, Offen'barung *f*, Erschließung *f*. – **2.** Enthüllung *f*, (*das*) Enthüllte. – **3.** genaue Beschreibung (*eines zu patentierenden Gegenstandes*).

disco- [disko] *Wortelement mit der Bedeutung* Scheibe.

dis·cob·o·lus [dis'kɒbələs] *pl* **-li** [-ˌlai] *s* **1.** *antiq.* Diskuswerfer *m*. – **2.** D~ Dis'kobolus *m*, Diskuswerfer *m* (*berühmtes Standbild von Myron*).

dis·co·ceph·a·lous [ˌdisko'sefələs] *adj zo.* mit 'Saugorˌgan am Kopf. — ˌ**dis·co'dac·ty·lous** [-'dæktiləs] *adj zo.* mit Haftscheiben an den Zehen.

dis·cog·ra·phy [dis'kɒgrəfi] *s* Schallplattenverzeichnis *n*.

dis·coid ['diskɔid] **I** *adj* scheibenförmig, -ähnlich, Scheiben...: ~ head *bot.* Blütenkörbchen (*der Korbblüter*) ohne Strahlenblüten. – **II** *s* scheibenförmiger Gegenstand. — **dis'coi·dal** *adj* **1.** → discoid I. – **2.** *med.* diskoi'dal: ~ cleavage diskoidale Furchung.

dis·co·lith ['diskoliθ; -kə-] *s geol.* Disko'lith *m*, Scheibenstein *m*.

dis·col·or [dis'kʌlər] **I** *v/t* **1.** verfärben, anders färben. – **2.** beflecken.

– 3. bleichen, entfärben. – 4. *fig.* entstellen. – **II** *v/i* 5. sich verfärben, die Farbe verlieren. – 6. fleckig werden. – 7. verblassen, verschießen. — **dis,col·or'a·tion** *s* 1. Verfärbung *f.* – 2. Befleckung *f.* – 3. Bleichung *f,* Entfärbung *f,* Farbverlust *m.* – 4. Fleck *m, bes.* entfärbte *od.* verschossene Stelle. — **dis'col·ored** *adj* 1. verfärbt. – 2. fleckig. – 3. blaß, entfärbt, verschossen, ausgebleicht. — **dis'col·or·ment** → discoloration.

dis·col·our, dis·col·our·a·tion, dis·col·oured, dis·col·our·ment *bes. Br. für* discolor *etc.*

dis·com·bob·e·rate [ˌdiskəm'bɒbəˌreit], *auch* **ˌdis·com'bob·uˌlate** [-bju-; -bjə-] *v/t Am. sl.* verwirren, durchein'anderbringen.

dis·co·me·du·san [ˌdiskomi'djuːsən] *s zo.* Scheibenqualle *f* (*Ordng Discomedusae*).

dis·com·fit [dis'kʌmfit] **I** *v/t* 1. (vernichtend) schlagen *od.* besiegen, zersprengen, zerschlagen. – 2. (*j-s*) Pläne durch'kreuzen: to ~ s.o. – 3. aus der Fassung bringen, verwirren. – *SYN. cf.* embarras. – **II** *s obs. für* discomfiture. — **dis'com·fi·ture** [-tʃər] *s* 1. Vernichtung *f,* Besiegung *f.* – 2. Niederlage *f* (*Schlacht*). – 3. Vereitelung *f,* Durch'kreuzung *f,* Enttäuschung *f* (*Hoffnungen etc*). – 4. Verwirrung *f.*

dis·com·fort [dis'kʌmfərt] **I** *s* 1. Unannehmlichkeit *f,* (*etwas*) Unangenehmes. – 2. Unbehagen *n.* – 3. (*körperlicher*) Schmerz, Beschwerde *f.* – 4. Sorge *f,* Qual *f.* – **II** *v/t* 5. (*j-m*) Unbehagen verursachen, unbehaglich sein. – 6. beunruhigen, quälen. – 7. *obs.* entmutigen. — **dis'com·fort·a·ble** *adj* 1. unbehaglich, beunruhigt, sich unbehaglich fühlend. – 2. unbequem. – 3. *obs.* beunruhigend. — **dis'com·fort·ed** *adj* 1. 'mißvergnügt. – 2. beunruhigt.

dis·com·mend [ˌdiskə'mend] *v/t* 1. miß'billigen, verurteilen, ablehnen, tadeln. – 2. (*j-n*) nicht empfehlen, unbeliebt machen (to bei). — **ˌdis·com'mend·a·ble** *adj* tadelnswert. — **ˌdis·com·men'da·tion** [-kɒmən'deiʃən] *s* 'Mißbilligung *f,* Tadel *m.*

dis·com·mode [ˌdiskə'moud] *v/t* 1. inkommo'dieren, (*j-m*) Unannehmlichkeiten verursachen. – 2. belästigen, (*j-m*) zur Last fallen. — **ˌdis·com'mod·i·ty** [-'mɒditi; -əti] *s* 1. Unannehmlichkeit *f,* Beschwerlichkeit *f.* – 2. (*das*) Nachteilige, nachteilige *od.* lästige Sache *od.* Handlung.

dis·com·mon [dis'kɒmən] *v/t* 1. (*an den Universitäten Oxford u. Cambridge*) a) (*einem Geschäftsmann*) den Handel mit Stu'denten unter'sagen, (*acc*) in Verruf erklären, b) (*Studenten*) vom gemeinsamen Mahl ausschließen. – 2. *jur.* a) (*Gemeindeland*) der gemeinsamen Nutzung entziehen, einfriedigen, b) eines gemeinsamen Rechts (*bes. des gemeinsamen Weiderechts*) berauben. — **dis'com·mons** → discommon 1.

dis·com·mu·ni·ty [ˌdiskə'mjuːniti; -əti] *s selten* Verschiedenheit *f,* 'Nichtüberˌeinstimmung *f.*

dis·com·pose [ˌdiskəm'pouz] *v/t* 1. in Unordnung bringen, durchein'anderbringen. – 2. (völlig) aus der Fassung bringen, verwirren, beunruhigen. – *SYN.* agitate, disquiet, disturb, flurry, fluster, perturb, upset. — **ˌdis·com'pos·ed·ly** [-idli] *adv* verwirrt, beunruhigt. — **ˌdis·com'po·sure** [-ʒər] *s* Fassungslosigkeit *f,* Verwirrung *f,* Aufregung *f,* Unruhe *f,* Verwirrtheit *f,* Beunruhigung *f.*

dis·con·cert [ˌdiskən'səːrt] *v/t* 1. aus der Fassung bringen, bestürzen, verwirren. – 2. beunruhigen. – 3. durchein'anderbringen. – 4. (*Pläne etc*) zu'nichte machen, vereiteln. – *SYN. cf.* embarras. — **ˌdis·con'cert·ed** *adj* 1. aus der Fassung gebracht, bestürzt, verwirrt. – 2. beunruhigt. — **ˌdis·con'cer·tion, ˌdis·con'cert·ment** *s* Verwirrung *f,* Beunruhigung *f,* Aufregung *f,* Unruhe *f.*

dis·con·form·i·ty [ˌdiskən'fɔːrmiti; -əti] *s* 1. 'Nichtüberˌeinstimmung *f* (to, with mit). – 2. *geol.* diskor'dante Lagerung.

dis·con·nect [ˌdiskə'nekt] *v/t* 1. (zer)trennen, loslösen (with, from von). – 2. *tech.* auskuppeln, entkuppeln, abstellen. – 3. *electr.* trennen, ab-, ausschalten, unter'brechen: ~ing key Trenntaste; ~ing switch Trennschalter. — **ˌdis·con'nect·ed** *adj* 1. (ab)getrennt, losgelöst. – 2. zu'sammenhang(s)los, 'unzuˌsammenhängend. – 3. ohne Fernsprechanschluß. — **ˌdis·con'nec·tion** [-kʃən] *s* 1. Getrenntsein *n,* Abgetrenntheit *f,* Losgelöstheit *f.* – 2. Zu'sammenhangslosigkeit *f.* – 3. Trennung *f.* – 4. *electr.* Trennung *f,* Abschaltung *f,* Unter'brechung *f.* — **ˌdis·con'nec·tor** [-tər] *s electr.* Trennschalter *m.*

dis·con·nex·ion *bes. Br. für* disconnection.

dis·con·sid·er [ˌdiskən'sidər] *v/t* in Verruf bringen.

dis·con·so·late [dis'kɒnsəlit; -ˌleit] *adj* 1. untröstlich, verzweifelt, tief traurig, unglücklich. – 2. trost-, freudlos, düster, trüb: ~ weather. — **dis'con·so·late·ness, disˌcon·so'la·tion** *s* 1. Untröstlichkeit *f.* – 2. Trostlosigkeit *f.*

dis·con·tent [ˌdiskən'tent] **I** *adj* 1. unzufrieden. – **II** *s* 2. Unzufriedenheit *f,* 'Mißvergnügen *n* (at, with über *acc*). – 3. *selten* Unzufriedene(r). – **III** *v/t* 4. unzufrieden machen. — **ˌdis·con'tent·ed** *adj* (with) unzufrieden (mit), 'mißvergnügt (über *acc*). — **ˌdis·con'tent·ed·ness** → discontent 2. — **ˌdis·con'tent·ing** *adj* unbefriedigend, nicht zu'friedenstellend. — **ˌdis·con'tent·ment** → discontent 2.

dis·con·tig·u·ous [ˌdiskən'tigjuəs] *adj bes. Scot.* nicht zu'sammenhängend, sich nicht berührend.

dis·con·tin·u·ance [ˌdiskən'tinjuəns], **ˌdis·conˌtin·u'a·tion** [-'eiʃən] *s* 1. Unter'brechung *f.* – 2. Einstellung *f.* – 3. Aufgeben *n* (*Gewohnheit*). – 4. Abbruch *m* (*Beziehungen*). – 5. Aufhören *n.* – 6. *jur.* a) Einstellung *f* (*Verfahren*), b) Absetzung *f* (*Prozeß*), c) Zu'rückziehung *f* (*Klage*). — **ˌdis·con'tin·ue** [-'tinju] **I** *v/t* 1. aussetzen, unter'brechen. – 2. einstellen, nicht weiterführen. – 3. (*Gewohnheit etc*) aufgeben. – 4. (*Beziehungen*) abbrechen. – 5. (*Zeitung*) abbestellen. – 6. aufhören (doing zu tun). – 7. (*Vertragsverhältnis*) auflösen. – 8. *jur.* a) (*Verfahren*) einstellen, b) (*Prozeß*) absetzen, c) (*Klage*) zu'rückziehen. – **II** *v/i* 9. aufhören. – 10. unter'brochen *od.* eingestellt werden. – *SYN. cf.* stop.

dis·con·ti·nu·i·ty [ˌdiskɒnti'njuiti; -tə'n-; -əti] *s* 1. Unter'brochenheit *f.* – 2. Zu'sammenhangslosigkeit *f.* – 3. Unter'brechung *f,* Lücke *f.* – 4. *math. phys.* Diskontinui'tät *f,* Unstetigkeit *f.*

dis·con·tin·u·ous [ˌdiskən'tinjuəs] *adj* 1. unter'brochen, mit Unter'brechungen. – 2. zu'sammenhang(s)los, 'unzuˌsammenhängend. – 3. *math. phys.* diskontinu'ierlich, unstetig. – 4. sprunghaft (*Entwicklung etc*). — **ˌdis·con'tin·u·ous·ness** → discontinuity 1 *u.* 2.

dis·co·phile ['diskoˌfail; -fil] *s* Schallplattenfreund *m.*

dis·co·plasm ['diskoˌplæzəm; -kə-] *s med.* Disco'plasma *n* (*Zellplasma der roten Blutkörperchen*).

dis·cop·o·dous [dis'kɒpədəs] *adj zo.* mit scheibenförmigen Füßen.

dis·cord I *s* ['diskɔːrd] 1. 'Nichtüberˌeinstimmung *f:* to be at ~ with im Widerspruch stehen mit *od.* zu. – 2. Uneinigkeit *f,* Meinungsverschiedenheit *f.* – 3. Zwietracht *f,* Zwist *m,* Streit *m,* Zank *m.* – 4. *mus.* 'Mißklang *m,* (schreiende) Disso'nanz. – 5. *fig.* 'Mißklang *m,* -ton *m.* – 6. (*bes.* Streit)Lärm *m.* – *SYN.* conflict, contention, dissension, strife, variance. – **II** *v/i* [dis'kɔːrd] 7. uneins sein, (sich) streiten. – 8. nicht über'einstimmen (with, from mit), nicht zu'sammenpassen. — **dis'cord·ance, dis'cord·an·cy** *s* 1. Diskor'danz *f,* 'Nichtüberˌeinstimmung *f.* – 2. Uneinigkeit *f,* Zwistigkeit *f.* – 3. 'Mißklang *m,* Disso'nanz *f.* – 4. *geol.* Diskor'danz *f.* — **dis'cord·ant** *adj* 1. (with) nicht über'einstimmend (mit), wider'sprechend (*dat*). – 2. sich streitend, sich wider'sprechend, entgegengesetzt. – 3. *mus.* a) 'unharˌmonisch, disso'nant, 'mißtönend, schrill, b) verstimmt. – 4. *geol.* diskor'dant.

dis·count ['diskaunt] **I** *s* 1. *econ.* Preisnachlaß *m,* Abschlag *m,* Ra'batt *m,* Skonto *m, n:* to allow ~ Rabatt gewähren; what is the ~? wieviel Rabatt wird gewährt? – 2. *econ.* Dis'kont *m* (*bei Wechseln*). – 3. → ~ rate. – 4. *econ.* Abzug *m* (*vom Nominalwert*): at a ~ a) unter Pari, b) *fig.* unbeliebt, nicht geschätzt, gering geachtet, c) *fig.* nicht gefragt; to sell at a ~ mit Verlust verkaufen. – 5. *econ.* Dis'kont *m,* Zinszahlung *f* im voraus. – 6. *econ.* a) Abziehen *n,* Abrechnen *n,* b) Diskon'tieren *n.* – 7. Abzug *m,* Vorbehalt *m* (*wegen Übertreibung*). – **II** *v/t* [*auch* dis'kaunt] 8. *econ.* abziehen, abrechnen. – 9. *econ.* einen Abzug gewähren auf (*eine Rechnung etc*). – 10. *econ.* (*Wechsel etc*) diskon'tieren. – 11. unberücksichtigt *od.* außer acht lassen, nicht mitrechnen. – 12. im Wert vermindern *od.* her'absetzen, verringern, beeinträchtigen. – 13. nur teilweise glauben: to ~ s.o.'s story. – 14. unvorteilhaft veräußern, um rasch zu Geld (*etc*) zu kommen. – 15. (durch teilweise Vor'wegnahme) im Wert mindern. – **III** *v/i* 16. *econ.* diskon'tieren, Diskontdarlehen gewähren. — **dis'count·a·ble** *adj econ.* dis'kontfähig, diskon'tierbar.

dis·count| bank *s econ.* Dis'kontbank *f.* — **~ bills** *s pl econ.* Dis'konten(wechsel) *pl.* — **~ bro·ker** *s econ.* Dis'kont-, Wechselmakler *m.* — **~ day** *s econ.* Dis'konttag *m.*

dis·coun·te·nance [dis'kauntinəns; -tə-] **I** *v/t* 1. aus der Fassung bringen, verwirren. – 2. beschämen. – 3. (offen) miß'billigen, ablehnen. – 4. zu hindern suchen, nicht unter'stützen, (durch 'Mißbilligung) be- *od.* verhindern. – **II** *s* 5. *selten* 'Mißbilligung *f,* Ablehnung *f.*

dis·count·er ['diskauntər; dis'kauntər] *s econ.* Diskon'tierer *m.*

dis·count| mar·ket *s econ.* Dis'kont-, Wechselmarkt *m.* — **~ rate** *s econ.* Dis'kontsatz *m,* 'Bankdisˌkont *m,* -rate *f.*

dis·cour·age [*Br.* dis'kʌridʒ; *Am.* -'kəːr-] *v/t* 1. entmutigen. – 2. (from von) abschrecken, abhalten, (*dat*) abraten: to ~ s.o. from doing s.th. j-n davon abschrecken, etwas zu tun. – 3. abschrecken von. – 4. ver-, behindern, beeinträchtigen, stören. – 5. miß'billigen, verurteilen. — **dis'cour·age·ment** *s* 1. Entmutigung *f.* – 2. Abschreckung *f.* – 3. Abschreckungsmittel *n.* – 4. Ver-, Be-

hinderung *f*, Störung *f*. – **5.** Hindernis *n*, Schwierigkeit *f* (to für). — **dis'cour·ag·ing** *adj* entmutigend.
dis·course I *s* ['diskɔːrs; dis'kɔːrs] **1.** Unter'haltung *f*, Gespräch *n*. – **2.** a) Darlegung *f*, b) (mündliche *od.* schriftliche) Abhandlung, *bes.* Vortrag *m*, Predigt *f*. – **3.** a) logisches Denken, b) Fähigkeit *f* zu logischem Denken. – **4.** *obs.* Gedanken *pl*, Über'legungen *pl*. – **II** *v/i* [dis'kɔːrs] **5.** sich unter'halten, sprechen (on über *acc*). – **6.** seine Ansichten (mündlich *od.* schriftlich) darlegen. – **7.** einen Vortrag halten (on über *acc*). – **III** *v/t* **8.** *poet.* (*Musik*) vortragen, spielen. – **9.** *obs.* erzählen. — **dis'cours·er** *s* **1.** Sprecher(in), Redner(in). – **2.** Vortragende(r). – **3.** Verfasser(in) einer Abhandlung.
dis·cour·te·ous [dis'kəːrtiəs] *adj* unhöflich, 'unzu,vorkommend, unartig, grob. — **dis'cour·te·ous·ness** → discourtesy. — **dis'cour·te·sy** *s* Unhöflichkeit *f*, 'Unzu,vorkommenheit *f*, Grobheit *f*.
dis·cous ['diskəs] *adj bot.* scheibenförmig.
dis·cov·er [dis'kʌvər] *v/t* **1.** (*Land*) entdecken. – **2.** ausfindig machen, erspähen. – **3.** *fig.* entdecken, (her'aus)finden, (plötzlich) erkennen, einsehen: I ~ed from what he said that I was wrong ich erkannte aus seinen Worten, daß ich unrecht hatte. – **4.** *selten* enthüllen, aufdecken: to ~ check maskiertes Schach bieten. – **5.** *obs.* (unbewußt) verraten. – *SYN.* a) ascertain, determine, learn, unearth, b) *cf.* invent, c) *cf.* reveal. — **dis'cov·er·a·ble** *adj* **1.** entdeckbar. – **2.** sichtbar, wahrnehmbar. – **3.** feststellbar. — **dis'cov·er·er** *s* **1.** Entdecker *m*. – **2.** Auffinder *m*.
dis·cov·ert [dis'kʌvərt] *adj jur.* unverheiratet, nicht verheiratet, verwitwet (*Frau*). — **dis'cov·er·ture** [-tʃər] *s jur.* Unverheiratetsein *n* (*Frau*).
dis·cov·er·y [dis'kʌvəri] *s* **1.** Entdeckung *f*: voyage of ~ Entdeckungsfahrt, Forschungsreise. – **2.** Auffindung *f*. – **3.** Enthüllung *f*, Offen'barung *f*, (offene) Darlegung, Aufschluß *m*. – **4.** Entdeckung *f*, Fund *m*: this is my ~ das ist meine Entdeckung. – **5.** *jur.* zwangsweise Aufdeckung (*von Tatsachen od. Dokumenten*): bill of ~ Ausmittelungsklage. – **6.** erstes Auffinden von Bodenschätzen. — **D~ Day** → Columbus Day.
dis·cre·ate [,diskri'eit] *v/t* vernichten, zerstören. — **,dis·cre'a·tion** *s* Vernichtung *f*, Zerstörung *f*.
dis·cred·it [dis'kredit] **I** *v/t* **1.** diskredi'tieren, in Verruf *od.* 'Mißkre,dit bringen (with bei). – **2.** anzweifeln, nicht glauben, (*dat*) keinen Glauben schenken. – **II** *s* **3.** Zweifel *m*, 'Mißtrauen *n*: to cast ~ on s.th. etwas zweifelhaft erscheinen lassen. – **4.** 'Mißkre,dit *m*, schlechter Ruf, Schande *f*: to bring s.o. into ~, to bring ~ on s.o. j-n in Mißkredit bringen, j-n diskreditieren. – **5.** Schande *f*. – **6.** *econ.* 'Mißkre,dit *m*, schlechter Ruf. — **dis'cred·it·a·ble** *adj* schändlich, entehrend, schimpflich. — **dis'cred·it·ed** *adj* **1.** verrufen, diskredi'tiert. – **2.** angezweifelt, unglaubwürdig.
dis·creet [dis'kriːt] *adj* **1.** 'um-, vorsichtig, besonnen, verständig. – **2.** dis'kret, taktvoll, verschwiegen. — **dis'creet·ness** *s* **1.** Besonnenheit *f*. – **2.** Verschwiegenheit *f*.
dis·crep·an·cy [dis'krepənsi], *selten* **dis'crep·ance** *s* **1.** Diskre'panz *f*, 'Widerspruch *m*, 'Nichtüber,einstimmung *f*, Verschiedenheit *f*. – **2.** Zwiespalt *m*. — **dis'crep·ant** *adj* **1.** diskre'pant, nicht über'einstimmend, sich wider'sprechend. – **2.** abweichend, verschieden (from von).
dis·crete [dis'kriːt] *adj* **1.** getrennt, für sich al'lein stehend, einzeln. – **2.** aus einzelnen Teilen bestehend. – **3.** *math.* dis'kret, unstetig. – **4.** *bot.* getrennt, nicht verwachsen. – **5.** *philos.* ab'strakt, abstra'hiert.
dis·cre·tion [dis'kreʃən] *s* **1.** Entscheidungs-, Verfügungsfreiheit *f*. – **2.** (freies) Ermessen, Gutdünken *n*, Belieben *n*: at ~ nach Belieben, nach Gutdünken; it is at (*od.* within) your ~ es steht Ihnen frei; to be at s.o.'s ~ j-s Ermessen anheimgestellt sein, von j-s Gutdünken abhängig sein; to use one's own ~ nach eigenem Gutdünken handeln; → surrender 6. – **3.** Klugheit *f*, Besonnenheit *f*, 'Um-, Vorsicht *f*: years (*od.* age) of ~ mündiges Alter (*nach engl. Recht das 14. Lebensjahr*); ~ is the better part of valo(u)r Vorsicht ist der bessere Teil der Tapferkeit. – **4.** Diskreti'on *f*, Verschwiegenheit *f*, Takt *m*. – **5.** a) Trennung *f*, b) Getrenntheit *f*, -sein *n*. – **6.** *selten* Urteilskraft *f*, Scharfblick *m*. — **dis'cre·tion·ar·y** [*Br.* -nəri; *Am.* -,neri], *auch* **dis'cre·tion·al** *adj* dem eigenen Gutdünken über'lassen, beliebig, willkürlich: ~ powers unumschränkte Vollmacht.
dis·cre·tive [dis'kriːtiv] *adj* **1.** → disjunctive I. – **2.** unter'scheidend.
dis·crim·i·na·ble [dis'kriminəbl; -mə-] *adj* unter'scheidbar. — **dis'crim·i·nant** [-nənt] *s math.* Diskrimi'nante *f*.
dis·crim·i·nate [dis'krimi,neit; -mə-] **I** *v/i* **1.** (scharf) unter'scheiden, einen 'Unterschied machen (between zwischen *dat*): to ~ between persons Personen unterschiedlich behandeln; to ~ against s.o. j-n benachteiligen; to ~ in favo(u)r of s.o. j-n begünstigen. – **II** *v/t* **2.** (vonein'ander) unter'scheiden, ausein'anderhalten (from von). – **3.** absondern, abtrennen (from von). – **4.** *selten* unter'scheiden, abheben, zur Unter'scheidung dienen für. – **III** *adj* [-nit] **5.** scharf unter'scheidend, feine 'Unterschiede machend. – **6.** unter'schieden, als verschieden gekennzeichnet. — **dis'crim·i,nat·ing** [-,neitiŋ] *adj* **1.** unter'scheidend, ausein'anderhaltend. – **2.** 'umsichtig, scharfsinnig, urteilsfähig. – **3.** *econ.* Differential...: ~ duty Differentialzoll. – **4.** *electr.* Selektiv...: ~ relay Rückstromrelais, Selektivschutz.
dis·crim·i·na·tion [dis,krimi'neiʃən; -mə-] *s* **1.** Unter'scheidung *f*. – **2.** 'Unterschied *m*. – **3.** 'unterschiedliche Behandlung: ~ against (in favo(u)r of) s.o. Benachteiligung (Begünstigung) einer Person. – **4.** Diskrimi'nierung *f*, Benachteiligung *f*: racial ~ Rassendiskriminierung. – **5.** Einsicht *f*, Scharfblick *m*, Urteilskraft *f*, -fähigkeit *f*, Unter'scheidungsvermögen *n*. – **6.** Unter'scheidungsmerkmal *n*. – *SYN. cf.* discernment. — **dis'crim·i,na·tive** [-,neitiv] *adj* **1.** charakte'ristisch, unter'scheidend, Unterscheidungs...: ~ features Unterscheidungsmerkmale. – **2.** 'Unterschiede machend, 'unterschiedlich behandelnd, *bes.* diskrimi'nierend. – **3.** → discriminating 3. — **dis'crim·i,na·tor** [-tər] *s* **1.** Unter'scheidende(r). – **2.** *electr.* a) Fre'quenzgleichrichter *m*, b) (*Fernsehen*) Diskrimi'nator *m*. — **dis'crim·i·na·to·ry** [*Br.* -,neitəri; *Am.* -nə,tɔːri] → discriminative.
dis·crown [dis'kraun] *v/t* **1.** der Krone berauben. – **2.** *fig.* der Würde berauben. – **3.** (*Herrscher*) absetzen.
dis·cur·sive [dis'kəːrsiv] *adj* **1.** abschweifend, unstet, unbeständig, ständig das Thema wechselnd. – **2.** *philos.* diskur'siv. — **dis'cur·sive·ness** *s* **1.** Unstetigkeit *f*, abschweifendes Denken *od.* Reden. – **2.** *philos.* diskur'sives Verfahren *od.* Denken.
dis·cus ['diskəs] *pl* **-cus·es, dis·ci** ['disai] *s sport* **1.** Diskus *m*, Wurfscheibe *f*. – **2.** Diskuswerfen *n*.
dis·cuss [dis'kʌs] *v/t* **1.** disku'tieren, debat'tieren, besprechen, erörtern, be-, verhandeln: to ~ a matter über eine Sache beraten. – **2.** sprechen über (*acc*), sich unter'halten über (*acc*): to ~ s.th. über etwas reden. – **3.** prüfen, unter'suchen. – **4.** *colloq.* (*Nahrung*) ‚sich zu Gemüte führen', genießen. – **5.** *jur.* (*Schuldner*) ausklagen (*ehe ein Bürge in Anspruch genommen wird*). – **6.** *med.* beseitigen. – **7.** *obs.* erklären, enthüllen. – *SYN.* argue, debate, dispute. — **dis'cuss·i·ble** *adj* disku'tierbar, disku'tabel.
dis·cus·sion [dis'kʌʃən] *s* **1.** Diskussi'on *f*, De'batte *f*, Besprechung *f*, Erörterung *f*, Meinungsaustausch *m*: under ~ zur Diskussion stehend; to enter into (*od.* upon) a ~ in eine Diskussion eintreten; a matter for ~ ein Diskussionsgegenstand; → preliminary 1. – **2.** Prüfung *f*, Unter'suchung *f*, Beratung *f*. – **3.** *colloq.* Genuß *m*, (genußvolles) Verzehren. – **4.** *jur.* Ausklagung *f* (*eines Schuldners, ehe ein Bürge in Anspruch genommen wird*).
dis·dain [dis'dein] **I** *v/t* **1.** verachten, geringschätzen. – **2.** verschmähen, für unter seiner Würde halten: to ~ doing (*od.* to do) s.th. es für unter seiner Würde halten, etwas zu tun. – *SYN. cf.* despise. – **II** *v/i* **3.** Verachtung empfinden, verächtlich her'absehen. – **III** *s* **4.** Verachtung *f*, (hochmütige) Geringschätzung: in ~ geringschätzig. – **5.** Hochmut *m*. — **dis'dain·ful** [-ful; -fəl] *adj* **1.** verächtlich, geringschätzig: to be ~ of s.th. etwas verachten. – **2.** hochmütig. – *SYN. cf.* proud. — **dis'dain·ful·ness** *s* (hochmütige) Verachtung, Hochmut *m*.
dis·ease [di'ziːz] **I** *s* **1.** *med.* Krankheit *f*, Leiden *n*. – **2.** *biol.* Krankheit *f* (*Pflanzen etc*). – **3.** geistige *od.* seelische Krankheit. – **4.** *fig.* Krankheit *f*, krankhafter *od.* ungesunder Zustand. – **5.** *obs.* Ungemach *n*. – **II** *v/t* **6.** krank machen. — **dis'eased** *adj* **1.** krank, erkrankt: ~ in body and mind krank an Leib u. Seele. – **2.** krankhaft: ~ imagination. — **dis'eas·ed·ness** [-idnis] *s* Krankhaftigkeit *f*, krankhafter Zustand.
dis'ease-re,sist·ing *adj* erkrankungsfest, 'krankheits,widerständig.
dis·em·bark [,disim'baːrk; -em-] **I** *v/t* ausschiffen, an Land setzen, (*Truppen etc*) landen. – **II** *v/i* landen, aussteigen, sich ausschiffen, an Land gehen. — **,dis·em·bar'ka·tion** [-em-], **,dis·em'bark·ment** *s* Ausschiffung *f*, Landung *f*.
dis·em·bar·rass [,disim'bærəs; -em-] *v/t* **1.** aus einer Verlegenheit befreien, (*j-m*) aus einer Verlegenheit helfen. – **2.** befreien, erlösen (of von): to ~ oneself of sich befreien von, sich freimachen von. – **3.** her'ausholen, -lösen, -ziehen (from aus). – *SYN. cf.* extricate. — **,dis·em'bar·rass·ment** *s* **1.** Befreiung *f* (aus einer Verlegenheit). – **2.** Befreiung *f*, Erlösung *f*.
dis·em·bod·ied [,disim'bɒdid; -em-] *adj* entkörpert, körperlos. — **,dis·em'bod·i·ment** *s* **1.** Entkörperlichung *f*, Befreiung *f* von körperlicher Form *od.* Hülle. – **2.** *mil. selten* Auflösung *f* (*Truppen*). — **,dis·em'bod·y** *v/t* **1.** entkörperlichen. – **2.** (*Seele etc*) von der körperlichen

Hülle befreien. – 3. (*Idee etc*) entkonkreti'sieren. – 4. *mil. selten* (*Truppeneinheit*) auflösen.

dis·em·bogue [ˌdisim'boug; -em-] **I** *v/i* **1.** sich ergießen, sich entladen, münden, fließen (into in *acc*). – **2.** her'vorströmen (*auch fig.*). – **3.** → debouch 2. – **4.** ausbrechen (*Vulkan*). – **II** *v/t* **5.** ergießen, entladen, fließen lassen: the river ~s itself (*od.* its waters) into the sea der Fluß ergießt sich ins Meer. – **6.** ausströmen lassen, auswerfen, ausspeien.

dis·em·bos·om [ˌdisim'buzəm; -em-] **I** *v/t* enthüllen, offen'baren: to ~ oneself sich offenbaren. – **II** *v/i* sich offen'baren (to s.o. j-m).

dis·em·bow·el [ˌdisim'bauəl; -em-] *pret u. pp* **-eled**, *bes. Br.* **-elled** *v/t* **1.** evisze'rieren, ausweiden, (*dat*) die Eingeweide her'ausnehmen. – **2.** (*Bauch*) aufschlitzen. – **3.** (*j-m*) den Bauch aufschlitzen. — ˌ**dis·em'bow·el·ment** *s* **1.** Eviszerati'on *f*, Ausweidung *f*. – **2.** Aufschlitzung *f* (*Bauch*).

dis·em·broil [ˌdisim'brɔil; -em-] *v/t* (*j-m*) aus einer verwickelten Lage helfen.

dis·en·a·ble [ˌdisin'eibl; -en-] *v/t* **1.** unfähig machen, außer'stand setzen. – **2.** rechtsunfähig machen.

dis·en·chant [*Br.* ˌdisin'tʃɑːnt; -en-; *Am.* -'tʃæ(ː)nt] *v/t* ernüchtern, desillusio'nieren. — ˌ**dis·en'chant·ment** *s* Ernüchterung *f*, Desillusio'nierung *f*.

dis·en·cum·ber [ˌdisin'kʌmbər; -en-] *v/t* **1.** (*von einer Last*) befreien, entlasten (of, from von): to ~ oneself of a load sich von einer Last befreien. – **2.** entschulden, (von Schulden) entlasten. – *SYN. cf.* extricate.

dis·en·dow [ˌdisin'dau; -en-] *v/t* (*einer Kirche etc*) die Stiftung *od.* die Schenkungen wegnehmen, (*acc*) der Pfründe berauben.

dis·en·fran·chise [ˌdisin'fræntʃaiz; -en-] → disfranchise.

dis·en·gage [ˌdisin'geidʒ; -en-] **I** *v/t* **1.** los-, freimachen, befreien (from von). – **2.** her'ausziehen, befreien (from aus). – **3.** befreien, entbinden, entlasten (from von *Verbindlichkeiten etc*). – **4.** *mil.* sich absetzen von (*dem Feind*). – **5.** *tech.* entkuppeln, loskuppeln, ausrücken, ausklinken: to ~ the clutch auskuppeln. – **II** *v/i* **6.** sich los- *od.* freimachen, sich befreien, loskommen (from von). – **7.** sich entloben. – **8.** (*Fechten*) täuschen (*eine Parade vermeiden*). – **III** *s* **9.** (*Fechten*) Finte *f*. — ˌ**dis·en'gaged** *adj* **1.** frei, unbeschäftigt. – **2.** frei, nicht besetzt (*Leitung etc*). – **3.** nicht gebunden. — ˌ**dis·en'gage·ment** *s* **1.** Befreiung *f*, Freimachung *f*, Loslösung *f*. – **2.** Entbindung *f* (*Verpflichtungen etc*). – **3.** Entlobung *f*, Lösung *f* einer Verlobung. – **4.** Losgelöst-, Freisein *n*. – **5.** Ungebundenheit *f*. – **6.** Muße *f*. – **7.** Ungezwungenheit *f*. – **8.** (*Fechten*) Finte *f*. – **9.** *chem.* Entbindung *f*, Ausscheidung *f*. – **10.** *pol.* Disen'gagement *n*, Ausein'anderrücken *n* (*von Machtblöcken*).

dis·en·gag·ing| bar [ˌdisin'geidʒiŋ; -en-] *s tech.* Ausrückschiene *f*. — ~ **gear** *s tech.* Ausrück-, Auskuppelungsvorrichtung *f*. — ~ **le·ver** *s tech.* Ausrückhebel *m*, Ausrücker *m*.

dis·en·tail [ˌdisin'teil; -en-] *jur.* **I** *v/t* (*Grundstück*) von einer festgelegten Erbfolge befreien. – **II** *s* Befreiung *f* von einer festgelegten Erbfolge.

dis·en·tan·gle [ˌdisin'tæŋgl; -en-] **I** *v/t* **1.** her'auslösen (from aus). – **2.** entwirren, entflechten, lösen. – **3.** befreien (from von, aus). – **II** *v/i* **4.** sich freimachen, sich loslösen. – **5.** sich befreien. – *SYN. cf.* extricate. — ˌ**dis·en'tan·gle·ment** *s* **1.** Her'auslösung *f*. – **2.** Entwirrung *f*, Entflechtung *f*. – **3.** Befreiung *f*.

dis·en·thral(l) [ˌdisin'θrɔːl; -en-] *pret u. pp* -'**thralled** *v/t* befreien (from aus den Banden *gen*). — ˌ**dis·en'thral(l)·ment** *s* Befreiung *f* (aus Sklave'rei *od.* Unter'drückung).

dis·en·throne [ˌdisin'θroun; -en-] *v/t* entthronen. — ˌ**dis·en'throne·ment** *s* Entthronung *f*.

dis·en·ti·tle [ˌdisin'taitl; -en-] *v/t* eines Rechtsanspruchs *od.* einer Berechtigung berauben.

dis·en·tomb [ˌdisin'tuːm; -en-] *v/t* **1.** exhu'mieren, aus dem Grab nehmen. – **2.** *fig.* ausgraben, ans Tageslicht bringen. — ˌ**dis·en'tomb·ment** *s* **1.** Exhu'mierung *f*. – **2.** *fig.* Ausgrabung *f*.

dis·en·train [ˌdisin'trein; -en-] → detrain.

dis·en·trance [*Br.* ˌdisin'trɑːns; -en-; *Am.* -'træ(ː)ns] *v/t* aus einer Trance *od.* einem tranceähnlichen Zustand erwecken.

dis·en·twine [ˌdisin'twain; -en-] → disentangle.

di·sep·al·ous [dai'sepələs] *adj bot.* mit zwei Kelchblättern.

dis·e·qui·li·brate [disˌiːkwi'laibreit; ˌdisi'kwiliˌbreit] *v/t* aus dem Gleichgewicht bringen. — **disˌe·qui'lib·ri·um** [-'libriəm] *s* Labili'tät *f*, Mangel *m* an Gleichgewicht.

dis·es·tab·lish [ˌdisis'tæbliʃ; -ses-] *v/t* **1.** (*etwas Althergebrachtes etc*) abschaffen, aufheben. – **2.** (*Kirche*) des Cha'rakters einer Staatskirche entkleiden, entstaatlichen. — ˌ**dis·es'tab·lish·ment** *s* **1.** Abschaffung *f*, Aufhebung *f*. – **2.** Entstaatlichung *f* (*Kirche*).

dis·es·teem [ˌdisis'tiːm; -ses-] **I** *s* Geringschätzung *f*, 'Mißachtung *f*. – **II** *v/t* geringschätzen, miß'achten.

di·seur [di'zœːr] (*Fr.*) *s* Di'seur *m* (*ein Vortragskünstler, bes. im Kabarett*). — **di'seuse** [-'zøːz] (*Fr.*) *s* Di'seuse *f*.

dis·fa·vo(u)r [dis'feivər] **I** *s* **1.** 'Mißbilligung *f*, -fallen *n*, -gunst *f*, Unwillen *m*, Ungnade *f*: to incur s.o.'s ~ sich j-s Ungnade zuziehen; to look upon s.th. with ~ etwas mit Mißfallen betrachten. – **2.** Geringschätzung *f*, Verachtung *f*, Nichtachtung *f*. – **3.** Ungnade *f*: to be in ~ in Ungnade stehen; to fall into ~ in Ungnade fallen; in ~ with in Ungnade bei. – **4.** Ungunst *f*, Schaden *m*: in my ~ zu meinen Ungunsten. – **5.** unfreundliche Handlung, Unfreundlichkeit *f*, Gehässigkeit *f*. – **II** *v/t* **6.** (*dat*) seine Gunst entziehen. – **7.** ungnädig behandeln. – **8.** miß'billigen. – **9.** geringschätzen, geringschätzig behandeln.

dis·fea·ture [dis'fiːtʃər] *v/t* entstellen. – *SYN. cf.* deface. — **dis'fea·ture·ment** *s* Entstellung *f*.

dis·fig·u·ra·tion [disˌfigju'reiʃən; -gjə-] → disfigurement. — **dis·fig·ure** [dis'figər; *Am. auch* -gjər] *v/t* **1.** entstellen, verunstalten (with durch). – **2.** beeinträchtigen. – *SYN. cf.* deface. — **dis'fig·ure·ment** *s* **1.** Entstellung *f*, Verunstaltung *f*. – **2.** Entstelltheit *f*, Häßlichkeit *f*. – **3.** Verunstaltung *f*, Fleck(en) *m*. — **dis'fig·ur·er** *s* **1.** Verunstalter *m*. – **2.** → disfigurement 3.

dis·for·est [dis'fɒrist; *Am. auch* -'fɔːr-] → disafforest.

dis·fran·chise [dis'fræntʃaiz] *v/t* **1.** entrechten, (*j-m*) die Bürgerrechte *od.* das Wahlrecht *od.* ein (Vor)Recht nehmen. – **2.** (*j-n*) aus einer Körperschaft ausstoßen. — **dis'fran·chise·ment** [-tʃizmənt] *s* Entrechtung *f*, Entziehung *f* von (Vor)Rechten, *bes.* Entzug *m* der Bürgerrechte *od.* des Wahlrechts.

dis·frock [dis'frɒk] → unfrock.

dis·fur·nish [dis'fəːrniʃ] *v/t* der Einrichtung *od.* Ausstattung berauben.

dis·gorge [dis'gɔːrdʒ] **I** *v/t* **1.** ausspeien, -werfen, -stoßen, ausströmen lassen, entladen. – **2.** (*Magen etc*) entleeren. – **3.** ('widerwillig) auf- *od.* her'ausgeben. – **II** *v/i* **4.** etwas ausspeien *od.* ausströmen lassen. – **5.** sich ergießen, sich entladen. — **dis'gorge·ment** *s* **1.** Ausspeien *n*. – **2.** Entleerung *f*. – **3.** ('widerwilliges) Her'ausgeben.

dis·grace [dis'greis] **I** *s* **1.** Schande *f*, Ehrlosigkeit *f*: to bring ~ on s.o. j-m Schande bereiten. – **2.** Schande *f*, Schandfleck *m*: he is a ~ to the party er ist ein Schandfleck für die Partei. – **3.** Ungnade *f*: to be in ~ with in Ungnade stehen bei. – *SYN.* dishono(u)r, disrepute, ignominy, infamy, obloquy, odium, opprobium, scandal, shame. – **II** *v/t* **4.** entehren, schänden. – **5.** in Ungnade entlassen, (*j-m*) seine Gunst entziehen: to be ~d in Ungnade fallen. – **6.** in Ungnade bringen. — **dis'grace·ful** [-ful; -fəl] *adj* schändlich, schimpflich, schmachvoll, entehrend. — **dis'grace·ful·ness** *s* Schändlichkeit *f*, Schimpflichkeit *f*, Schande *f*.

dis·grun·tle [dis'grʌntl] *v/t bes. Am.* verärgern, verstimmen. — **dis'grun·tled** *adj* verärgert, übelgelaunt, verstimmt (at über *acc*). — **dis'grun·tle·ment** *s* Verärgerung *f*, Übelgelauntheit *f*, schlechte Laune.

dis·guise [dis'gaiz] **I** *v/t* **1.** verkleiden, vermummen. – **2.** verstellen: to ~ one's handwriting. – **3.** verschleiern, verhüllen, bemänteln, verbergen: to ~ one's plans (from s.o. j-m) seine Pläne verbergen. – **4.** entstellen: ~d in (*od.* with) drink (*od.* liquor) betrunken, beschwipst. – *SYN.* cloak, dissemble, mask. – **II** *s* **5.** Verkleidung *f*, Vermummung *f*: in ~ in Verkleidung, maskiert, verkleidet. – **6.** Maske *f* (*eines Schauspielers*). – **7.** Verstellung *f*. – **8.** Verschleierung *f*. – **9.** täuschendes Aussehen. – **10.** Täuschung *f*, Irreführung *f*, Vorwand *m*. – **11.** Maske *f*, Schein *m*. — **dis'guis·ed·ly** [-idli] *adv* **1.** verkleidet. – **2.** verschleiert. – **3.** in verstellter Weise.

dis·gust [dis'gʌst] **I** *v/t* **1.** (an)ekeln, mit Ekel erfüllen: it ~s me es ekelt mich (an); to be ~ed with (*od.* at, by) Ekel empfinden über (*acc*); to become ~ed with life des Lebens überdrüssig werden. – **2.** mit Abscheu *od.* Ärger erfüllen, (*j-m*) auf die Nerven gehen: to be ~ed with s.o. empört *od.* verärgert sein über j-n, sich sehr über j-n ärgern. – **II** *s* **3.** Ekel *m* (at, for vor *dat*), 'Widerwille *m*, Abscheu *m* (at vor *dat*; for, toward[s], against gegen): to take a ~ at s.th. Ekel vor etwas bekommen. — **dis'gust·ed** *adj* angeekelt, angewidert, von Abscheu erfüllt. — **dis'gust·ful** [-ful; -fəl] *adj* **1.** → disgusting. – **2.** von Ekel erfüllt. — **dis'gust·ing** *adj* ekelhaft, widerlich, ab'scheulich. — **dis'gust·ing·ly** *adv* **1.** ekelhaft. – **2.** *colloq.* entsetzlich, schrecklich: ~ rich.

dish [diʃ] **I** *s* **1.** a) Schüssel *f*, Platte *f*, b) Teller *m*. – **2.** Schale *f*. – **3.** a) Schüssel(voll) *f*, b) Teller(voll) *m*. – **4.** Gericht *n*, Speise *f*: a cold ~ ein kaltes Gericht; a made ~ ein aus mehreren Zutaten bereitetes Gericht; standing ~ a) täglich wiederkehrendes Gericht, b) *fig.* ewige Leier, (*etwas*) ständig Wiederkehrendes. – **5.** schüsselartige Vertiefung *od.* Aushöhlung. – **6.** Konkavi'tät *f*: the ~ of the wheel *tech.* der Radsturz. – **7.** (*Bergbau*) *Br.* Meßtrog *m*. – **II** *v/t* **8.** *oft* ~ up a) (*Speisen*) in die Schüsseln *od.* Teller füllen, anrichten, b) auftragen, auftischen, ser'vieren. – **9.** *oft* ~ up *fig.*

a) (für den Gebrauch) 'herrichten, b) mundgerecht darbieten. – **10.** ~ **out** (*Speisen*) austeilen. – **11.** kon'kav machen, schüsselartig vertiefen. – **12.** *tech.* a) napf-, tiefziehen, kümpeln, wölben, buckeln, b) (*Rad*) stürzen. – **13.** *sl.* her'einlegen, ‚anschmieren'. – **14.** *sl.* erledigen, ‚kaltstellen'. – **III** *v/i* **15.** sich kon'kav austiefen, konkav (ausgehöhlt) werden. – **16.** (*beim Traben*) mit den Vorderbeinen schlenkern.

dis·ha·bille [ˌdisæ'biːl; -sə-] *s* **1.** Negli'gé *n*, Hauskleid *n*, Morgenrock *m*. – **2.** Negli'gé *n*, nachlässige Kleidung: in ~ nachlässig gekleidet.

dis·ha·bit·u·ate [*Br.* ˌdishə'bitjuˌeit; *Am.* -tʃu-] *v/t* entwöhnen (for *gen*).

dis·hal·low [dis'hælou] *v/t* entheiligen, entweihen.

dis·har·mo·ni·ous [ˌdishɑːr'mouniəs] *adj* dishar'monisch, nicht über'einstimmend, diskor'dant. — **dis'har·moˌnism** [-məˌnizəm] *s* 'Nichtüberˌeinstimmung *f*, Diskor'danz *f*. — **dis'har·moˌnize I** *v/t* dishar'monisch machen. – **II** *v/i* disharmo'nieren, nicht über'einstimmen. — **dis'har·mo·ny** *s* Disharmo'nie *f*, 'Mißklang *m*, 'Nichtüberˌeinstimmung *f*, Disso'nanz *f*.

'dish|ˌcloth, *auch* '~ˌ**clout** *s* **1.** Spültuch *n*, -lappen *m*. – **2.** Geschirrtuch *n*. — ~ **cov·er** *s* Cloche *f* (*Metallhaube zum Warmhalten von Speisen*).

dis·heart·en [dis'hɑːrtn] *v/t* entmutigen, niedergeschlagen *od.* verzagt machen. — **dis'heart·en·ing** *adj* entmutigend. — **dis'heart·en·ment** *s* Entmutigung *f*, Verzagtheit *f*.

dished [diʃt] *adj* **1.** kon'kav gewölbt. – **2.** *tech.* gestürzt (*Räder*). – **3.** *sl.* ‚fertig', ‚ka'putt', erschöpft.

dis·helm [dis'helm] **I** *v/t* des Helms berauben. – **II** *v/i* den Helm abnehmen.

dis·her·i·son [dis'herizn] *s bes. Br.* Enterbung *f*. — **dis'her·it** *selten für* **disinherit.**

di·shev·el [di'ʃevəl] *pret u. pp* **-eled,** *bes. Br.* **-elled** *v/t* **1.** (*Haar*) unordentlich her'abhängen lassen. – **2.** (*Haar etc*) zerzausen. — **di'shev·eled,** *bes. Br.* **di'shev·elled** *adj* **1.** zerzaust, aufgelöst, wirr (*Haar*). – **2.** mit zerzaustem Haar. – **3.** schlampig, unordentlich, ungepflegt. — **di'shev·el·ment** *s* **1.** Zerzaustheit *f*. – **2.** Schlampigkeit *f*.

'dish|-ˌfaced *adj zo.* mit kon'kav gewölbtem Gesicht. — ~ **gra·vy** *s* Fleischsaft *m*.

dish·ing ['diʃiŋ] **I** *adj* **1.** kon'kav gewölbt. – **II** *s* **2.** kon'kave Wölbung. – **3.** *tech.* Kümpelarbeit *f*.

dis·hon·est [dis'ɒnist] *adj* **1.** unehrlich, unredlich. – **2.** unredlich, unlauter, betrügerisch, unsauber. – **3.** unanständig, unsittlich. – *SYN.* **deceitful, lying**[1], **mendacious, untruthful.** — **dis'hon·es·ty** *s* **1.** Unehrlichkeit *f*, Unredlichkeit *f*. – **2.** Unredlichkeit *f*, unredliche Handlung, *bes.* Betrug *m*.

dis·hon·or [dis'ɒnər] **I** *s* **1.** Ehrlosigkeit *f*, Unehre *f*. – **2.** Schmach *f*, Schande *f*. – **3.** Schandfleck *m*, Schande *f*: **he is a ~ to the nation** er ist eine Schande für die Nation. – **4.** Beschimpfung *f*, Schimpf *m*. – **5.** Ungnade *f*. – **6.** *econ.* 'Nichthonoˌrierung *f*, Nichtbezahlung *f od.* 'Nichtakzepˌtieren *n* (*Wechsel etc*). – *SYN. cf.* **disgrace.** – **II** *v/t* **7.** entehren, in Unehre bringen. – **8.** (*Frau*) schänden, entehren. – **9.** beleidigen, beleidigend *od.* verächtlich behandeln. – **10.** *econ.* (*Wechsel etc*) nicht hono'rieren, nicht akzep'tieren. – **11.** (*Versprechen etc*) nicht einlösen. — **dis'hon·or·a·ble** *adj* **1.** schändlich, schimpflich, entehrend, unehrenhaft: ~ **discharge** *mil.* Ausstoß (*aus der Armee*), Entlassung wegen Wehrunwürdigkeit. – **2.** gemein, niederträchtig. – **3.** ehrlos, verachtet. — **dis'hon·or·a·ble·ness** *s* **1.** Schändlichkeit *f*. – **2.** Gemeinheit *f*. – **3.** Ehrlosigkeit *f*.

dis·hon·our, dis·hon·our·a·ble, dis·hon·our·a·ble·ness *bes. Br. für* **dishonor** *etc.*

dis·horn [dis'hɔːrn] *v/t* (*dem Vieh*) die Hörner abnehmen.

dis·house [dis'hauz] *v/t* der Wohnung berauben. — **dis'housed** *adj* wohnungslos, ohne Wohnung.

'dish|ˌpan *s* Spül-, Abwaschschüssel *f*. — ~ **rack** *s* Abtropf-, Abstellbrett *n* (*für Geschirr*). — '~ˌ**rag** → **dishcloth.** — ~ **tow·el** *s* Geschirrtuch *n*. — '~ˌ**wash** → **dishwater.** — '~ˌ**wash·er** *s* **1.** Tellerwäscher(in). – **2.** Ge'schirrˌwasch-, 'Spülmaˌschine *f*. – **3.** → **water wagtail.** — '~ˌ**wa·ter** *s* Abwasch-, Spülwasser *n*.

dis·il·lu·sion [ˌdisi'luːʒən] **I** *s* Ernüchterung *f*, Enttäuschung *f*, Desillusi'on *f*. – **II** *v/t* ernüchtern, desillusio'nieren, von Illusi'onen befreien. — ˌ**dis·il'lu·sionˌize** → **disillusion** II. — ˌ**dis·il'lu·sion·ment** → **disillusion** I. — ˌ**dis·il'lu·sive** [-siv] *adj* ernüchternd, desillusio'nierend.

dis·im·pas·sioned [ˌdisim'pæʃənd] *adj* leidenschaftslos, ruhig.

dis·im·pris·on [ˌdisim'prizn] *v/t* aus dem Gefängnis entlassen, auf freien Fuß setzen.

dis·in·cen·tive [ˌdisin'sentiv] *s* Abschreckungsmittel *n*, arbeitshemmender Faktor.

dis·in·cli·na·tion [disˌinkli'neiʃən] *s* Abneigung *f*, Abgeneigtheit *f* (for, to gegen; to do zu tun): ~ **to buy** Kaufunlust. — ˌ**dis·in'cline** [-'klain] **I** *v/t* abgeneigt machen (for, to gegen; to do zu tun). – **II** *v/i* abgeneigt sein. — ˌ**dis·in'clined** *adj* abgeneigt. – *SYN.* **averse, hesitant, loath, reluctant.**

dis·in·cor·po·rate [ˌdisin'kɔːrpəˌreit] *v/t* **1.** der Korporati'onsrechte berauben, (*dat*) den Status einer Körperschaft nehmen. – **2.** (*Körperschaft*) auflösen, löschen.

dis·in·fect [ˌdisin'fekt] *v/t* desinfi'zieren, entkeimen, -seuchen, keimfrei machen. — ˌ**dis·in'fect·ant I** *s* Desinfekti'onsmittel *n*. – **II** *adj* desinfi'zierend, keimtötend. — ˌ**dis·in'fec·tion** *s* Desinfekti'on *f*, Desinfi'zierung *f*, Entkeimung *f*, -seuchung *f*. — ˌ**dis·in'fec·tive** *adj* desinfi'zierend. — ˌ**dis·in'fec·tor** [-tər] *s* **1.** Desinfi'zierer *m*. – **2.** Desin'fektor *m*, Desinfekti'onsappaˌrat *m*.

dis·in·fest [ˌdisin'fest] *v/t* von einer Plage (*Ungeziefer, Ratten etc*) befreien.

dis·in·fla·tion [ˌdisin'fleiʃən] *s econ. leicht deflationistische Bewegung.*

dis·in·gen·u·ous [ˌdisin'dʒenjuəs] *adj* **1.** unaufrichtig, unehrlich, unredlich. – **2.** verschlagen, 'hinterlistig. — ˌ**dis·in'gen·u·ous·ness** *s* **1.** Unredlichkeit *f*, Unaufrichtigkeit *f*. – **2.** Verschlagenheit *f*.

dis·in·her·it [ˌdisin'herit] *v/t* enterben. — ˌ**dis·in'her·it·ance** *s* Enterbung *f*.

dis·in·hume [ˌdisin'hjuːm] → **disinter.**

dis·in·te·gra·ble [dis'intigrəbl; -tə-] *adj* **1.** auflösbar, aufspaltbar. – **2.** verwitterbar. – **3.** zerfallbar.

dis·in·te·grate [dis'intiˌgreit; -tə-] **I** *v/t* **1.** (*in seine Bestandteile*) auflösen, aufspalten, zerstückeln. – **2.** zerkleinern, aufschließen. – **3.** zertrümmern, zersetzen. – **4.** *fig.* auflösen, zersetzen. – **II** *v/i* **5.** sich aufspalten, sich auflösen, sich zersetzen. – **6.** ver-, zerfallen (*auch fig.*). – **7.** *geol.* verwittern. – *SYN. cf.* **decay.** — **disˌin·te'gra·tion** *s* **1.** Auflösung *f*, Aufspaltung *f*, Zerstückelung *f*. – **2.** Zertrümmerung *f*, Zersetzung *f*, Zerstörung *f*. – **3.** Zerfall *m*: ~ **constant** Zerfallskonstante; ~ **of the nucleus** Kernzerfall. – **4.** *geol.* Verwitterung *f*. — **dis'in·teˌgra·tive** *adj* zersetzend, aufspaltend, auflösend. — **dis'in·teˌgra·tor** [-tər] *s* **1.** Auflöser *m*, Aufspalter *m*, Zersetzer *m*. – **2.** *tech.* Desinte'grator *m*, Zerkleinerer *m*, 'Brech-, Pulveri'siermaˌschine *f*, Schlag-, Schleudermühle *f*. — **dis'in·te·gra·to·ry** [*Br.* -ˌgreitəri; *Am.* -grəˌtɔːri] → **disintegrative.**

dis·in·ter [ˌdisin'təːr] *pret u. pp* **-'terred** *v/t* **1.** exhu'mieren, ausgraben. – **2.** *fig.* ausgraben, ans Licht bringen.

dis·in·ter·est [dis'intərist; -trist] **I** *s* **1.** Uneigennützigkeit *f*. – **2.** Gleichgültigkeit *f*, Inter'esselosigkeit *f*. – **3.** Nachteil *m*. – **II** *v/t* **4.** (*j-m*) das Inter'esse nehmen. – **5.** ~ **oneself** *reflex* nicht interes'siert sein, seine Gleichgültigkeit bekunden. — **dis'in·ter·est·ed** *adj* **1.** uneigennützig, selbstlos. – **2.** objek'tiv, 'unparˌteiisch. – **3.** *selten* 'uninteresˌsiert (in an *dat*), gleichgültig. – *SYN. cf.* **indifferent.** — **dis'in·ter·est·ed·ness** *s* **1.** Uneigennützigkeit *f*, Selbstlosigkeit *f*. – **2.** Objektivi'tät *f*, 'Unparˌteilichkeit *f*. – **3.** *selten* 'Uninteresˌsiertheit *f*.

dis·in·ter·ment [ˌdisin'təːrmənt] *s* **1.** Exhu'mierung *f*, Ausgrabung *f*. – **2.** Ausgrabung *f* (*das Ausgegrabene*).

dis·in·vest·ment [ˌdisin'vestmənt] *s econ.* Zu'rückziehung *f* von 'Anlagekapiˌtal, *bes.* Reali'sierung *f* von Vermögenswerten im Ausland.

dis·jas·ked, dis·jas·kit [dis'dʒæskit] *adj Scot.* **1.** erschöpft. – **2.** verfallen.

dis·ject [dis'dʒekt] *v/t* ausein'anderreißen, zerfetzen, zerstreuen.

dis·jec·ta mem·bra [dis'dʒektə 'membrə] (*Lat.*) *s pl* zerstreute Glieder *pl*, zu'sammenhanglose Teile *pl*.

dis·join [dis'dʒɔin] **I** *v/t* trennen. – **II** *v/i* sich loslösen.

dis·joint [dis'dʒɔint] **I** *v/t* **1.** ausein'andernehmen, zerlegen, zerstückeln, zergliedern, ausrenken. – **2.** (*Geflügel etc*) zerlegen, tran'chieren. – **3.** (ab)trennen (from von). – **4.** *fig.* in Unordnung *od.* aus den Fugen bringen. – **5.** den Zu'sammenhang zerstören von. – **II** *v/i* **6.** zerfallen, ausein'anderfallen, aus dem Leim gehen. – **7.** *fig.* aus den Fugen gehen. – **III** *adj obs. für* **disjointed.** — **dis'joint·ed** *adj* **1.** zerlegt, zerstückelt, zergliedert. – **2.** abgetrennt. – **3.** aus den Fugen geraten. – **4.** 'unzuˌsammenhängend, zu'sammenhang(s)los, wirr. — **dis'joint·ed·ness** *s* Zu'sammenhangslosigkeit *f*.

dis·junct [dis'dʒʌŋkt] *adj* **1.** (ab)getrennt, unverbunden. – **2.** *zo.* mit deutlich vonein'ander getrennten Körperteilen (*bes. Insekten*). – **3.** *mus.* a) sprungweise (*Stimmbewegung*), b) ausein'anderliegend, nicht benachbart (*Töne etc*). — **dis'junc·tion** [-kʃən] *s* **1.** Trennung *f*, Absonderung *f*. – **2.** (*Logik*) Disjunkti'on *f*. — **dis'junc·tive I** *adj* **1.** (ab)trennend. – **2.** unter'scheidend. – **3.** *ling.* disjunk'tiv: ~ **pronoun.** – **4.** (*Logik*) disjunk'tiv: ~ **proposition** → ~ 7. – **II** *s* **5.** Entweder-Oder *n*. – **6.** *ling.* disjunk'tive Konjunkti'on. – **7.** (*Logik*) Disjunk'tivsatz *m*. — **dis'junc·ture** [-tʃər] *s* Trennung *f*.

dis·june [dis'dʒuːn] *s Scot.* Frühstück *n*.

disk [disk] **I** *s* **1.** Scheibe *f*, runde Platte *od.* Marke, runder Deckel. – **2.** *tech.* a) Scheibe *f*, b) La'melle *f*, c) Kurbelblatt *n*, d) Drehscheibe *f*, e) Si'gnalscheibe *f*. – **3.** (*Telephon*) Nummern-, Wählscheibe *f*. – **4.** *cf.*

disc 3. – 5. Scheibe *f* (*Sonne etc*). – 6. runde (ebene) Fläche. – 7. *sport* Diskus *m*, Wurfscheibe *f*. – 8. *med. zo. cf.* disc 2. – 9. *bot.* a) Scheibe *f* (*Mittelteil des Blütenköpfchens der Compositen*), b) Blattspreite *f*, c) Diskus *m*, Fruchtscheibe *f* (*Wucherung der Blütenachse*), d) Haftscheibe *f*. – 10. (*Eishockey*) *colloq.* Puck *m*, Scheibe *f*. – 11. Schneeteller *m* (*am Schistock*). – 12. → ~ harrow. – II *v/t* 13. in Scheiben schneiden. – 14. mit einer Scheibenegge bearbeiten. – 15. *Am.* auf Schallplatten aufnehmen.

disk| ar·ma·ture *s electr.* Scheibenanker *m*, -wicklung *f*. — ~ **brake** *s tech.* Scheibenbremse *f*. — ~ **clutch** *s tech.* Scheiben-, La'mellenkupplung *f*. — ~ **crank** *s tech.* Kurbelscheibe *f*. — ~ **flow·er** *s bot.* Scheibenblüte *f* (*der Scheibe eines Korbblüters*). — ~ **har·row** *s agr.* Scheibenegge *f*. — ~ **jock·ey** *cf.* disc jockey. — ~ **plough**, *Am.* ~ **plow** *s agr.* Scheibenpflug *m*. — ~ **saw** *s* Kreissäge *f*. — ~ **sys·tem** *s* 'Schallplattenme,thode *f* (*Aufnahme des Tons für Tonfilme auf Schallplatten*) — ~ **valve** *s tech.* 'Tellerven,til *n*. — ~ **wheel** *s tech.* 1. (Voll)Scheibenrad *n*. – 2. Spi'ralscheibenrad *n*. — ~ **wind·ing** *s electr.* Scheibenwicklung *f*.

dis·lik·a·ble [dis'laikəbl] *adj* 'unsym,pathisch, widerlich, abstoßend. — **dis'like** [-'laik] I *v/t* nicht leiden können, nicht mögen, nicht lieben: I ~ having to go ich mag nicht (gern) gehen, ich gehe ungern; to make oneself ~d sich unbeliebt machen. – II *s* Abneigung *f*, 'Widerwille *m* (to, of, for gegen): to take a ~ to s.o. gegen j-n eine Abneigung fassen.

dis·limn [dis'lim] *poet.* I *v/t* auslöschen, verwischen. – II *v/i* verlöschen, verblassen.

dis·lo·cate ['dislo,keit; -lə-] *v/t* 1. verrücken, verschieben. – 2. *med.* a) verrenken, ausrenken, b) lu'xieren, c) dislo'zieren: to ~ one's arm sich den Arm verrenken. – 3. *fig.* erschüttern, in Unordnung bringen, durchein'anderbringen. – 4. *geol.* verwerfen, versetzen. — ,**dis·lo'ca·tion** *s* 1. Verrückung *f*, Verschiebung *f*. – 2. *med.* a) Verrenkung *f*, b) Luxati'on *f*, c) Dislokati'on *f*: congenital ~ angeborene Verrenkung; ~ of the lens Linsenluxation. – 3. *fig.* Verwirrung *f*, Erschütterung *f*. – 4. *geol.* Dislokati'on *f*, Verwerfung *f*, Lagerungsstörung *f*. – 5. *mil. selten* Dislo'zierung *f*, Statio'nierung *f*, Verschiebung *f* (*von Truppen*).

dis·lodge [dis'lɒdʒ] I *v/t* 1. aufjagen, -stöbern. – 2. entfernen, vertreiben, verjagen. – 3. *mil.* (*Feind*) aus der Stellung werfen. – 4. 'ausquar,tieren. – II *v/i* 5. aus-, wegziehen. – 6. aus dem Lager brechen (*Wild*). — **dis'lodg(e)·ment** *s* 1. Entfernung *f*, Vertreibung *f*, Verjagung *f*. – 2. 'Ausquar,tierung *f*.

dis·loy·al [dis'lɔiəl] *adj* 1. verräterisch, treulos, illoy'al (to gegen). – 2. treulos, ungetreu (to s.o. j-m). – *SYN. cf.* faithless. — **dis'loy·al·ist** *pol.* I *s* Illoy'ale(r), unzuverlässiger Staatsangehöriger. – II *adj* verräterisch, unzuverlässig. — **dis'loy·al·ty** [-ti] *s* 1. Untreue *f*, Treulosigkeit *f*. – 2. verräterische Handlung.

dis·mal ['dizməl] I *adj* 1. düster, trübe, trostlos, bedrückend, traurig: → science 3. – 2. furchtbar, elend, schrecklich, gräßlich. – 3. *obs.* unheilvoll. – II *s* 4. the ~s *pl colloq.* der Trübsinn, die Niedergeschlagenheit: to be in the ~s niedergeschlagen sein. – 5. a) trübselige Angelegenheit, bedrückende Sache, b) trübsinniger Mensch. – 6. *Am.* (Küsten)Sumpf *m* (*bes. an der südl. Atlantikküste der USA*). — '**dis·mal·ness** *s* 1. Düsterkeit *f*, Trübheit *f*, Trostlosigkeit *f*. – 2. Furchtbarkeit *f*, Schrecklichkeit *f*. – 3. Traurigkeit *f*.

dis·man·tle [dis'mæntl] *v/t* 1. demon'tieren, abbauen, abbrechen, niederreißen. – 2. entkleiden, entblößen (of s.th. einer Sache). – 3. (vollständig) ausräumen. – 4. (*Schiff*) abtakeln, (*Wrack*) abwracken. – 5. (*Festung*) schleifen. – 6. zerstören. – 7. zerlegen, ausein'andernehmen. — **dis'man·tle·ment** *s* 1. Demon'tage *f*, Abbruch *m*. – 2. Entblößung *f*. – 3. Ausräumung *f*. – 4. Abtakelung *f* (*Schiff*). – 5. Schleifung *f* (*Festung*). – 6. Zerstörung *f*. – 7. Zerlegung *f*.

dis·mast [*Br.* dis'mɑːst; *Am.* -'mæ(ː)st] *v/t* (*Schiff*) entmasten.

dis·may [dis'mei] I *v/t* erschrecken, entsetzen, in Schrecken versetzen, zur Verzweiflung bringen. – *SYN.* appal(l), daunt, horrify. – II *s* Furcht *f*, Schreck(en) *m*, Entsetzen *n*, Bestürzung *f*, Verzweiflung *f* (at über *acc*): to strike s.o. with ~ j-m (einen) Schrecken einjagen; filled with ~ schreckerfüllt *od.* verzweifelt. – *SYN. cf.* fear.

dis·mem·ber [dis'membər] *v/t* zerstückeln, zerreißen, verstümmeln (*auch fig.*). — **dis'mem·ber·ment** *s* Zerstückelung *f*, Zerreißung *f*, Verstümmelung *f*.

dis·mem·bra·tor [dis'membreitər] *s* (*Müllerei*) Dismem'brator *m*, 'Beutelma,schine *f*.

dis·miss [dis'mis] *v/t* 1. entlassen. – 2. fort-, wegschicken, verabschieden. – 3. *mil.* wegtreten lassen: ~! weg(ge)treten! – 4. entlassen (from aus), abbauen: to be ~ed from the army (*aus disziplinaren Gründen*) aus dem Heer entlassen werden. – 5. (*Frau*) verstoßen. – 6. bei'seite legen *od.* stellen, als erledigt betrachten, fallenlassen. – 7. (aus seinen Gedanken) verbannen, ablegen, aufgeben. – 8. abtun, hin'weggehen über (*acc*). – 9. *jur.* abweisen: to ~ an action with costs eine Klage kostenpflichtig abweisen. – 10. (*Kricket*) a) (*Ball*) abschlagen, b) (*Schläger*) ausschalten, zum Ausscheiden zwingen. – *SYN. cf.* eject. — **dis'miss·al** *s* 1. Entlassung *f* (from aus). – 2. Verstoßung *f* (*Frau*). – 3. Bei'seitelegen *n*. – 4. Ablegung *f*, Aufgabe *f*. – 5. Abtun *n* (*Frage etc*). – 6. *jur.* Abweisung *f*. — **dis'miss·i·ble** *adj* 1. entlaßbar, absetzbar. – 2. abweisbar. – 3. unbedeutend, nebensächlich (*Frage etc*). — **dis'mis·sion** *selten für* dismissal.

dis·mount [dis'maunt] I *v/i* 1. absteigen, absitzen (from von): ~! *mil.* absitzen! abgesessen! ~ed drill *mil.* Exerzieren zu Fuß. – 2. *poet.* her'absteigen, -sinken. – II *v/t* 3. aus dem Sattel heben, vom Pferd schleudern. – 4. (ab)steigen von: to ~ a horse. – 5. (*Reitertruppe*) a) der Pferde berauben, b) absitzen lassen. – 6. demon'tieren, 'abmon,tieren. – 7. (*Geschützrohr*) aus der La'fette heben. – 8. (*Edelstein*) aus der Fassung nehmen. – 9. zerlegen, ausein'andernehmen. – 10. (*durch Zerstörung der Räder etc*) bewegungsunfähig machen. – III *s* 11. Absteigen *n*, Absitzen *n*. – 12. Abwerfen *n* (*vom Pferde*). – 13. 'Abmon,tieren *n*. – 14. Zerlegung *f*, Demon'tage *f*. — **dis'mount·a·ble** *adj* zerlegbar.

dis·mu·ta·tion [,dismju'teiʃən] *s biol. chem.* Dismutati'on *f*.

dis·na·ture [dis'neitʃər] I *v/t* 'unna,türlich machen. – II *v/i* 'unna,türlich werden. — **dis'na·tured** *adj* 'unna,türlich.

dis·o·be·di·ence [,diso'biːdiəns; -sə-] *s* 1. Ungehorsam *m*, Unfolgsamkeit *f*, 'Widerspenstigkeit *f* (to gegen). – 2. Gehorsamsverweigerung *f*. – 3. Nichtbefolgung *f* (of a law eines Gesetzes). — ,**dis·o'be·di·ent** *adj* ungehorsam, unfolgsam, 'widerspenstig (to gegen). — ,**dis·o'bey** [-'bei] I *v/t* 1. (*j-m*) nicht gehorchen, ungehorsam sein gegen (*j-n*). – 2. (*Gesetz, Befehl etc*) nicht befolgen, verletzen, über'treten, miß'achten: I will not be ~ed ich dulde keinen Ungehorsam. – II *v/i* 3. ungehorsam sein, nicht gehorchen.

dis·o·blige [,diso'blaidʒ; -sə-] *v/t* 1. ungefällig sein gegen (*j-n*), (*j-m*) ungefällig *od.* unhöflich begegnen. – 2. beleidigen, kränken, verletzen, vor den Kopf stoßen. – 3. (*j-m*) lästig fallen. — ,**dis·o'blig·ing** *adj* 1. ungefällig, unhöflich, unartig, unfreundlich. – 2. beleidigend, verletzend. — ,**dis·o'blig·ing·ness** *s* Ungefälligkeit *f*, Unfreundlichkeit *f*.

dis·oc·cu·pa·tion [dis,ɒkju'peiʃən; -jə-] *s* Unbeschäftigtsein *n*. — **dis'oc·cu,py** [-,pai] *v/t* freimachen, -geben, räumen.

di·so·mic [dai'soumik] *adj biol.* mit einem *od.* mehreren gedoppelten Chromo'somen.

dis·op·er·a·tion [dis,ɒpə'reiʃən] *s biol.* mangelnde Zu'sammenarbeit, schädliches Gegenein'anderarbeiten (*gemeinsam lebender Organismen*).

dis·or·der [dis'ɔːrdər] I *s* 1. Unordnung *f*, Durchein'ander *n*, Verwirrung *f*: to throw into ~ durcheinanderbringen. – 2. Unregelmäßigkeit *f*, Sy'stemlosigkeit *f*. – 3. (öffentliche) Ruhestörung, Aufruhr *m*, Tu'mult *m*, Kra'wall *m*. – 4. ungebührliches Benehmen. – 5. *med.* Störung *f*, Erkrankung *f*, Krankheit *f*: mental ~ Geistesstörung, -krankheit. – II *v/t* 6. in Unordnung bringen, durchein'anderbringen, verwirren, stören. – 7. krank machen, zerrütten, Störungen her'vorrufen in (*dat*). — **dis'or·dered** *adj* 1. durchein'andergebracht, zerrüttet. – 2. *med.* gestört, erkrankt, verdorben: my stomach is ~ ich habe mir den Magen verdorben. – 3. *med.* geisteskrank. — **dis'or·der·li·ness** [-linis] *s* 1. Unordnung *f*, Unordentlichkeit *f*, Schlampigkeit *f*, Verwirrung *f*. – 2. Unbotmäßigkeit *f*, unbotmäßiges Verhalten. — **dis'or·der·ly** I *adj* 1. verwirrt, unordentlich, schlampig, liederlich. – 2. aufrührerisch, re'bellisch, gesetzwidrig, unbotmäßig. – 3. *jur.* Ärgernis erregend, ordnungswidrig: ~ conduct ordnungswidriges Verhalten, ungebührliches Benehmen; ~ house a) verrufenes Haus, Bordell, b) Spielhölle. – II *s* 4. *auch* ~ person *jur.* a) Ruhestörer *m*, Störer *m* der öffentlichen Ordnung, b) Erreger *m* öffentlichen Ärgernisses. – III *adv* 5. unordentlich, in unordentlicher Weise. – 6. unregelmäßig, verworren, durchein'ander.

dis·or·gan·i·za·tion [dis,ɔːrgənai'zeiʃən; -nə-] *s* 1. Desorganisati'on *f*, Auflösung *f*, Zerrüttung *f*. – 2. Unordnung *f*, Durchein'ander *n*, Verwirrung *f*. — **dis'or·gan,ize** *v/t* 1. desorgani'sieren, auflösen, zerrütten. – 2. in Unordnung bringen, durchein'anderbringen, verwirren.

dis·o·ri·ent [dis'ɔːriənt] *v/t* 1. desorien'tieren, verwirren, (*j-m*) die Orien'tierung nehmen. – 2. in die Irre führen. – 3. *psych.* desorien'tieren, verwirren. – 4. *selten* von der Richtung nach Osten ablenken. — **dis'o·ri·en,tate** [-,teit] *v/t* 1. → disorient. – 2. (*Kirche*) nicht genau nach Osten ausrichten. — **dis'o·ri·en,tat·ed** *adj* 1. verwirrt, un-

sicher, ziellos. – 2. *psych.* desorien'tiert. – 3. nicht genau nach Osten gerichtet (*Kirche*). — **dis,o·ri·en'ta·tion** *s* 1. Verwirrtheit *f*, Unsicherheit *f*. – 2. *psych.* Desorien'tiertheit *f*, -sein *n*.
dis·own [dis'oun] *v/t* 1. ablehnen, nicht (als sein eigen) anerkennen, nichts zu tun haben wollen mit. – 2. verleugnen. – 3. nicht (als gültig) anerkennen.
dis·par·age [dis'pæridʒ] *v/t* 1. in Verruf bringen. – 2. verachten, her'absetzen, verunglimpfen, geringschätzen, verächtlich behandeln. – *SYN. cf.* **decry**. — **dis'par·age·ment** *s* 1. Her'absetzung *f*, Verunglimpfung *f*, Verruf *m*, Verächtlichmachung *f*, Geringschätzung *f*: no ~, without ~ to you ohne Ihnen zu nahe treten zu wollen. – 2. Schande *f*. — **dis'par·ag·ing** *adj* verächtlich, geringschätzig, her'absetzend.
dis·pa·rate ['dispərit; -,reit] **I** *adj* 1. ungleichartig, grundverschieden, unvereinbar. – 2. (*Logik*) dispa'rat. – *SYN. cf.* **different**. – **II** *s* 3. (*etwas*) Grundverschiedenes: ~s unvereinbare *od.* unvergleichbare Dinge. — **'dis·pa·rate·ness** *s* Ungleichartigkeit *f*, Unvereinbarkeit *f*. — **dis'par·i·ty** [-'pæriti; -əti] *s* Ungleichheit *f*, Verschiedenheit *f*, Unvereinbarkeit *f*, 'Unterschied *m*, Dispari'tät *f*.
dis·park [dis'pɑːrk] *v/t* 1. (*Park*) öffnen, der Öffentlichkeit zugänglich machen. – 2. (*Tier*) freilassen.
dis·part[1] [dis'pɑːrt] **I** *v/t* zerteilen, (auf)teilen, (zer)spalten, trennen. – **II** *v/i* sich teilen, sich spalten, sich trennen.
dis·part[2] [dis'pɑːrt] *mil.* **I** *s* 1. Diffe'renz *f* zwischen Vi'sierlinie u. Seelenachse. – 2. Vi'sierlinien,ausgleichsstück *n*. – **II** *v/t* 3. mit einem Vi'sierlinien,ausgleichsstück versehen.
dis·part·ment [dis'pɑːrtmənt] *s* (Zer)-Teilung *f*, (Auf)Spaltung *f*.
dis·pas·sion [dis'pæʃən] *s* Leidenschaftslosigkeit *f*, Gemütsruhe *f*. — **dis'pas·sion·ate** [-it] *adj* unbefangen, 'unpar,teiisch, leidenschaftslos, kühl, sachlich, ruhig, nüchtern, objek'tiv. – *SYN. cf.* **fair**[1]. — **dis'pas·sion·ate·ness** *s* Leidenschaftslosigkeit *f*, Sachlichkeit *f*. — **dis'pas·sioned** → **dispassionate**.
dis·patch [dis'pætʃ] **I** *v/t* 1. (*j-n*) (ab)senden, (ab)schicken, *mil.* (*Truppen*) in Marsch setzen. – 2. absenden, versenden, abschicken, befördern, spe'dieren, abfertigen: to ~ a letter (rasch) einen Brief absenden. – 3. (*nach einer Audienz etc*) entlassen. – 4. ins Jenseits befördern, töten. – 5. rasch *od.* prompt erledigen *od.* ausführen. – 6. *colloq.* ‚verputzen', schnell aufessen. – *SYN. cf.* **kill**[1]. – **II** *v/i obs.* 7. sich beeilen. – 8. eine Angelegenheit erledigen. – **III** *s* 9. Absendung *f* (*Bote*). – 10. Absendung *f*, Abschickung *f*, Versand *m*, Abfertigung *f*, Beförderung *f*: ~ by rail Bahnversand; ~ of mail Postabfertigung. – 11. Entlassung *f* (*nach Erfüllung eines Auftrags*). – 12. Tötung *f*: happy ~ Harakiri. – 13. prompte Erledigung, rasche Ausführung. – 14. Eile *f*, Raschheit *f*, Promptheit *f*, Geschwindigkeit *f*: with ~ in Eile, eiligst. – 15. De'pesche *f*, Eilbotschaft *f*. – 16. *Br.* (amtlicher) Kriegsbericht. – 17. Bericht *m*, De'pesche *f* (*Korrespondent*). – 18. Tele'gramm *n*. – 19. *econ.* Spediti'on *f*, Ver'sandunter,nehmen *n*. – *SYN. cf.* **haste**.
,dis·patch| boat *s* A'viso *m*, De'peschenboot *n*. — **~ book** *s* (Post)-Abfertigungsbuch *n*. — **~ box** *s* De'peschentasche *f*.
dis·patch·er [dis'pætʃər] *s* (*Eisenbahn*) Fahrdienstleiter *m*.
dis·patch| goods *s pl* Eilgut *n*. — **~ mon·ey** *s econ. Br.* Eilgeld *n* (*beim Unterschreiten der vereinbarten Hafenliegezeit*). — **~ note** *s Br.* Postbegleitschein *m*, Frachtzettel *m* (*für Auslandspakete*). — **~ rid·er** *s mil.* 1. Meldereiter *m*. – 2. Meldefahrer *m*. — **~ tube** *s* (*Rohrpost*) Beförderungsrohr *n*. — **~ ves·sel** → dispatch boat.
dis·pau·per [dis'pɔːpər] *v/t jur.* (*j-m*) das Armenrecht entziehen.
dis·pel [dis'pel] *pret u. pp* **-'pelled** **I** *v/t* zerstreuen, verbannen, vertreiben, verjagen (*auch fig.*). – *SYN. cf.* **scatter**. – **II** *v/i* sich zerstreuen, sich auflösen, verschwinden.
dis·pend [dis'pend] *v/t obs.* ausgeben, vergeuden.
dis·pen·sa·bil·i·ty [dis,pensə'biliti; -əti] *s* 1. Entbehrlichkeit *f*. – 2. Verteilbarkeit *f*. – 3. *relig.* Dispen'sierbarkeit *f*. – 4. Erläßlichkeit *f*. — **dis'pen·sa·ble** *adj* 1. entbehrlich, unwesentlich. – 2. austeilbar, verteilbar. – 3. *relig.* dispen'sierbar, dispensati'onsfähig. – 4. erläßlich. — **dis'pen·sa·ble·ness** → **dispensability**. — **dis'pen·sa·ry** [-səri] *s* 1. Apo'theke *f*. – 2. 'Armenapo,theke *f*, Dispen'sarium *n*. – 3. Ambu'lanz *f* für Unbemittelte. – 4. *mil.* 'Krankenre,vier *n*, einfacher Sani'tätsbereich.
dis·pen·sa·tion [,dispen'seiʃən; -pən-] *s* 1. Aus-, Zuteilung *f*, Verteilung *f*. – 2. Zuteilung *f*, Gabe *f*, (*das*) Aus- *od.* Zugeteilte. – 3. Lenkung *f*, Führung *f*, Verwaltung *f*. – 4. Ordnung *f*. – 5. Einrichtung *f*, Vorkehrung *f*. – 6. *relig.* a) göttliche Lenkung (der Welt), b) (göttliche) Fügung: by divine (*od.* heavenly) ~ durch göttliche Fügung; the ~ of Providence das Walten der Vorsehung. – 7. *relig.* (religi'öse) Ordnung, (religi'öses) Sy'stem. – 8. *relig.* Dispensati'on *f*, Dis'pens *m* (with, from von): marriage ~ Ehedispens. – 9. *jur.* Dis'pens *m*, Ausnahmebewilligung *f*. – 10. Verzicht *m* (with auf *acc*). — **,dis·pen'sa·tion·al, dis'pen·sa·tive** [-sətiv] *adj* Dis'pens gewährend, dispen'sierend, erlassend. — **'dis·pen,sa·tor** [-,seitər; -pən-] *s* 1. Verteiler *m*, Austeiler *m*, Spender *m*. – 2. *selten* Verwalter *m*, Lenker *m*. — **dis'pen·sa·to·ry** [*Br.* -sətəri; *Am.* -,tɔːri] **I** *s* 1. Dispensa'torium *n*, Arz'neibuch *n*, Pharmako'pöe *f*. – 2. → **dispensary**. – **II** *adj* → **dispensative**.
dis·pense [dis'pens] **I** *v/t* 1. austeilen, verteilen, verschenken. – 2. (*Sakrament*) spenden. – 3. (*Gesetze*) handhaben: to ~ justice Recht sprechen. – 4. (*Arzneien*) dispen'sieren, (nach Re'zept) zubereiten u. abgeben. – 5. dispen'sieren, (*j-m*) Dis'pens gewähren. – 6. lossprechen, entheben, befreien (from von). – *SYN. cf.* **distribute**. – **II** *v/i* 7. Dis'pens erteilen, eine Ausnahme bewilligen. – 8. *selten* entschädigen. – 9. ~ with a) verzichten auf (*acc*), entbehren, auskommen ohne, b) (*Gesetz*) nicht anwenden, c) (*Eid, Versprechen*) als nicht mehr bindend betrachten, verzichten auf die Einhaltung von, d) (*Notwendigkeit*) beseitigen, e) sich wegen eines Dis'penses ins Einvernehmen setzen mit: it may be ~d with man kann darauf verzichten, es kann unterbleiben; to ~ with a promise nicht auf Einhaltung eines Versprechens bestehen. – **III** *s obs.* für **dispensation** 8 *u.* 9. — **dis'pens·er** *s* 1. Austeiler *m*, Verteiler *m*. – 2. Spender *m* (*auch Ausgabegerät*). – 3. Sprecher *m* (*Recht*). – 4. Apo'theker *m*, Arz'neihersteller *m*. – 5. Erteiler *m* eines Dis'penses.
dis·peo·ple [dis'piːpl] *v/t* entvölkern.
dis·per·gate ['dispər,geit] *v/t chem. phys.* (*Kolloid*) disper'gieren, verteilen. — **'dis·per,ga·tor** [-tər] *s chem. phys.* Disper'gator *m*, Disper'gierungsmittel *n*.
di·sper·mous [dai'spəːrməs] *adj bot.* zweisamig.
dis·per·sal [dis'pəːrsəl] → **dispersion** 1–5. — **dis'per·sant** *s chem.* Dispersi'onsmittel *n*.
dis·perse [dis'pəːrs] **I** *v/t* 1. zerstreuen: to be ~d over zerstreut sein über (*acc*). – 2. verbreiten, ausbreiten (over über *acc*). – 3. verteilen. – 4. (*Wissen etc*) verbreiten. – 5. → **dispel** I. – 6. *phys.* zerstreuen. – 7. *chem. phys.* disper'gieren, fein(st) verteilen: ~d phase Dispersionsphase, disperse Phase. – 8. *mil.* auflockern, (*Truppen*) ausein'andersprengen: ~d formation aufgelockerte Formation; ~d in depth in Fliegermarschtiefe; ~d in width in Fliegermarschbreite. – **II** *v/i* 9. sich zerstreuen, ausein'andergehen, zerstreut werden. – 10. sich auflösen, verschwinden. – 11. von seinem 'Überfluß abgeben. – *SYN. cf.* **scatter**. — **dis'pers·ed·ly** [-idli] *adv* verstreut, vereinzelt, hier u. da. — **dis,pers·i'bil·i·ty** *s* 1. Zerstreubarkeit *f*. – 2. Ausbreitbarkeit *f*. – 3. Verteilbarkeit *f*. — **dis'pers·i·ble** *adj* 1. zerstreubar. – 2. ausbreitbar. – 3. verteilbar.
dis·per·sion [dis'pəːrʃən] *s* 1. Zer-, Verstreuung *f*. – 2. Verbreitung *f*, Ausbreitung *f* (over über *acc*). – 3. Verbreitung *f* (*Wissen etc*). – 4. Zerstreuung *f*, Auflösung *f* (*Nebel etc*). – 5. Ausstreuung *f*, Zerstäubung *f*. – 6. D~ Di'aspora *f* (*der Juden*). – 7. *phys.* Dispersi'on *f*, (Zer)Streuung *f*. – 8. *chem.* a) dis'perse Phase, b) Dispersi'on *f*, disperses Sy'stem *od.* Gebilde: ~ medium Dispersionsmittel, Dispergens. – 9. *math. mil.* Streuung *f*: ~ error *mil.* Streu(ungs)-fehler; ~ pattern *mil.* Trefferbild. – 10. *fig.* Auflockerung *f*, Verteilung *f*. — **dis'per·sive** [-siv] *adj* 1. zerstreuend. – 2. Dispersions..., (Zer)-Streuungs... – 3. *chem.* disper'gierend. — **dis'pers·oid** [-sɔid] *s chem.* Disperso'id *n*.
dis·pir·it [dis'pirit] *v/t* entmutigen, niederdrücken, depri'mieren. — **dis'pir·it·ed** *adj* entmutigt, niedergeschlagen, mutlos. — **dis'pir·it·ed·ness** *s* Mutlosigkeit *f*, Niedergeschlagenheit *f*.
dis·pit·e·ous [dis'pitiəs] *adj* erbarmungslos, grausam.
dis·place [dis'pleis] *v/t* 1. versetzen, -rücken, -lagern, -schieben. – 2. verdrängen (*auch mar.*). – 3. (*j-n*) entheben, absetzen, entlassen. – 4. ersetzen (*auch chem.*). – 5. verschleppen, -treiben, depor'tieren. – 6. *obs.* verbannen. – *SYN. cf.* **replace**. — **dis'place·a·ble** *adj* 1. verrückbar, verschiebbar. – 2. absetzbar, ersetzbar.
dis·placed per·son [dis'pleist] *s* Verschleppte(r), *bes.* (*in Deutschland*) ausländischer Zwangsarbeiter, D.P. *m*.
dis·place·ment [dis'pleismənt] *s* 1. Versetzung *f*, -lagerung *f*, -schiebung *f*, -rückung *f*: ~ of funds *econ.* anderweitige Kapitalverwendung. – 2. Verdrängung *f*. – 3. *mar. phys.* (Wasser)-Verdrängung *f*. – 4. Absetzung *f*. – 5. Ersetzung *f* (*auch chem.*), Ersatz *m*. – 6. Verschleppung *f*. – 7. *tech.* Kolbenverdrängung *f*, -auslenkung *f*. – 8. *geol.* Dislokati'on *f*, Versetzung *f*. – 9. *psych.* Gefühlsverlagerung *f*. — **~ cur·rent** *s electr.* Verschiebungsstrom *m*. — **~ ton** *s mar.* Verdrängungstonne *f*. — **~ ton·nage** *s mar.* Ver'drängungston,nage *f*.

dis·plant [*Br.* dis'plɑːnt; *Am.* -'plæ(ː)nt] *v/t* **1.** (*Pflanzen*) ausreißen. – **2.** *obs. für* displace.

dis·play [dis'plei] **I** *v/t* **1.** entfalten, ausbreiten: to ~ the flag. – **2.** ('her)zeigen. – **3.** zeigen, erkennen lassen, offen'baren, enthüllen. – **4.** (*Waren*) auslegen, ausstellen. – **5.** (protzig) zur Schau stellen, protzen mit. – **6.** *print.* her'vorheben. – *SYN. cf.* show. – **II** *s* **7.** Entfaltung *f.* – **8.** ('Her)Zeigen *n,* Schaustellung *f,* Entfaltung *f*: ~ of power Machtentfaltung. – **9.** Ausstellung *f.* – **10.** (protzige) Schaustellung. – **11.** Pomp *m,* Prunk *m*: to make a great ~ großen Prunk entfalten. – **12.** *print.* a) Her'vorhebung *f,* Auszeichnung *f,* b) her'vorgehobene Textstelle. – **13.** *mil.* Entfaltung *f.*

dis·please [dis'pliːz] **I** *v/t* **1.** (*dat*) miß'fallen, (*dat*) zu'wider sein: to be ~d at (*od.* with) s.th. an etwas Mißfallen finden, unzufrieden sein mit etwas, ungehalten sein über etwas. – **2.** ärgern. – **3.** (*Auge etc*) beleidigen, (*Geschmack*) verletzen. – **II** *v/i* **4.** miß'fallen, 'Mißfallen erregen. — **dis'pleas·ing** *adj* unangenehm, widerlich, anstößig.

dis·pleas·ure [dis'pleʒər] **I** *s* **1.** 'Mißfallen *n,* 'Mißvergnügen *n* (of über *acc*): to incur s.o.'s ~ sich j-s Mißfallen zuziehen. – **2.** Ungehaltenheit *f,* Ärger *m,* Verdruß *m,* Unwille *m* (at über *acc*). – **3.** *obs.* Unannehmlichkeit *f.* – **4.** *obs.* Ärger(nis *n*) *m.* – **II** *v/t obs. für* displease I.

dis·plode [dis'ploud] *obs. für* explode.

dis·plume [dis'pluːm] *v/t poet.* **1.** entfiedern. – **2.** entehren.

dis·pone [dis'poun] *Scot. od. obs. für* dispose I *u.* II.

dis·port [dis'pɔːrt] **I** *v/reflex u. v/i* **1.** sich vergnügen, sich unter'halten, sich ergötzen. – **2.** her'umtollen, ausgelassen sein: to ~ oneself. – **II** *s* **3.** Unter'haltung *f,* Lustbarkeit *f,* Spiel *n,* Scherz *m.*

dis·pos·a·bil·i·ty [disˌpouzə'biliti; -əti] *s* (freie) Verfügbarkeit. — **dis'pos·a·ble** *adj* dispo'nibel, (frei) verfügbar, nicht gebunden: ~ income → take-home pay. — **dis'pos·a·ble·ness** → disposability.

dis·pos·al [dis'pouzəl] *s* **1.** Erledigung *f* (of s.th. einer Sache). – **2.** Loswerden *n,* Beseitigung *f*: after the ~ of it nachdem man es losgeworden war. – **3.** 'Übergabe *f,* Über'tragung *f,* Aushändigung *f*: ~ of an estate by sale Übergabe eines Guts durch Verkauf, Verkauf eines Guts; ~ of a daughter in marriage Verheiratung einer Tochter. – **4.** Verkauf *m.* – **5.** Macht *f,* Verfügung(srecht *n*) *f* (of über *acc*): to be at s.o.'s ~ j-m zur Verfügung stehen; to place (*od.* put) s.th. at s.o.'s ~ j-m etwas zur Verfügung stellen; to have the ~ of s.th. über etwas verfügen können. – **6.** Lenkung *f,* Leitung *f.* – **7.** Anordnung *f,* Aufstellung *f.*

dis·pose [dis'pouz] **I** *v/t* **1.** anordnen, verteilen, einrichten, aufstellen: to ~ in depth *mil.* nach der Tiefe gliedern. – **2.** zu'rechtlegen, an den richtigen Ort legen. – **3.** (*j-n*) geneigt machen, bewegen, verleiten, veranlassen (to zu; to do zu tun). – **4.** regeln, bestimmen. – **5.** anwenden, verwenden, gebrauchen. – **6.** *obs.* vorbereiten. – *SYN. cf.* incline. – **II** *v/i* **7.** (*endgültig*) entscheiden, verfügen, ordnen, lenken, Verfügungen treffen: → propose 7. – **8.** *obs.* verhandeln. – **9.** ~ of a) (nach Belieben) verfügen über (*acc*), Gewalt haben über (*acc*), b) entscheiden über (*acc*), lenken, c) (endgültig) erledigen, abtun, d) loswerden, sich vom Hals schaffen, e) wegschaffen, -schicken, f) (*j-n*) aus dem Weg räumen, vernichten, beseitigen, 'umbringen, g) (*Nahrung*) verzehren, trinken, h) über'geben, -'tragen, aushändigen, i) verkaufen, veräußern, j) verschenken, k) sich trennen von, l) (*Tochter*) verheiraten (to an *acc*): I have ~d of that affair diese Sache habe ich erledigt; more than can be ~d of mehr als man brauchen kann; not to know how to ~ of one's time nicht wissen, was man mit seiner Zeit anfangen soll; to ~ of by will testamentarisch vermachen. – **III** *s obs. für* a) disposition 1–3, b) demeanor, c) disposal.

dis·posed [dis'pouzd] *adj* **1.** gestimmt, gelaunt, eingestellt, gesinnt: well-~ gutgelaunt; to be ill-~ (well-~) to(ward[s]) s.o. j-m übelgesinnt (wohlgesinnt) sein. – **2.** geneigt, bereit (to zu; to do zu tun). – **3.** (an)geordnet, aufgestellt. – **4.** *oft* ~ of abgegeben, über'tragen, verkauft, veräußert: not ~ *econ.* unbegeben.

dis·po·si·tion [ˌdispə'ziʃən] *s* **1.** Veranlagung *f,* Gemüts-, Cha'rakteranlage *f.* – **2.** Neigung *f,* Hang *m,* Fähigkeit *f* (to zu). – **3.** (physische) Anlage, Neigung *f,* na'türliche Veranlagung, Bereitschaft *f,* Disposi'ti'on *f.* – **4.** Stimmung *f,* Laune *f.* – *SYN.* character, complexion, individuality, personality, temper, temperament. – **5.** Einrichtung *f,* Anordnung *f,* Plan *m,* Aufstellung *f,* Einteilung *f,* Verteilung *f*: ~ of troops Truppenaufstellung. – **6.** Erledigung *f.* – **7.** Leitung *f,* (*bes.* göttliche) Lenkung. – **8.** 'Übergabe *f,* Über'tragung *f,* Aushändigung *f*: ~ by testament Übertragung durch letztwillige Verfügung. – **9.** Verkauf *m.* – **10.** Verschenkung *f.* – **11.** (freie) Verfügung: at your ~ zu Ihrer Verfügung; ~ of property Verfügung über Sachwerte. – **12.** *pl* Disposi'ti'onen *pl,* Vorkehrungen *pl,* Vorbereitungen *pl*: to make (one's) ~s (seine) Vorkehrungen treffen.

dis·pos·sess [ˌdispə'zes] *v/t* **1.** enteignen, vertreiben, verjagen (of von): to ~ s.o. of his estate j-m sein Gut wegnehmen, j-n von seinem Gut vertreiben. – **2.** berauben (of *gen*). – **3.** *obs.* von bösen Geistern befreien. – **4.** befreien (of von), (*Vorurteil*) austreiben, vertreiben. — ˌ**dis·pos'ses·sion** *s* Enteignung *f,* Vertreibung *f,* Beraubung *f.* — ˌ**dis·pos'ses·sor** [-sər] *s* **1.** Enteigner *m.* – **2.** Vertreiber *m,* Verjager *m.* – **3.** (Thron-)Räuber *m.* — ˌ**dis·pos'ses·so·ry** [-səri] *adj* Enteignung...

dis·po·sure [dis'pouʒər] *s* **1.** → disposal. – **2.** → disposition.

dis·praise [dis'preiz] **I** *v/t* **1.** tadeln, miß'billigen. – **2.** schmähen, her'absetzen. – **II** *s* **3.** Tadel *m,* 'Mißbilligung *f.* – **4.** Schmähung *f,* Her'absetzung *f,* Geringschätzung *f.* — **dis'prais·er** *s* **1.** Tadler *m.* – **2.** Schmäher *m.*

dis·pread [dis'pred] *obs.* **I** *v/t* ausbreiten. – **II** *v/i* sich ausbreiten.

dis·prize [dis'praiz] *v/t obs.* geringschätzen, verachten.

dis·proof [dis'pruːf] *s* Wider'legung *f.*

dis·pro·por·tion [ˌdisprə'pɔːrʃən] **I** *s* 'Mißverhältnis *n,* 'Unproportioˌniertheit *f,* 'Nichtüberˌeinstimmung *f*: ~ of supply to demand Mißverhältnis zwischen Angebot u. Nachfrage; ~ in age Altersunterschied. – **II** *v/t* in ein 'Mißverhältnis setzen *od.* bringen. — ˌ**dis·pro'por·tion·a·ble,** ˌ**dis·pro'por·tion·al** → disproportionate.

dis·pro·por·tion·ate [ˌdisprə'pɔːrʃənit] *adj* **1.** 'unproportioˌniert, in einem 'Mißverhältnis stehend, nicht über'einstimmend. – **2.** unverhältnismäßig, unangemessen. – **3.** a) zu groß, b) zu klein. – **4.** über'trieben (*Erwartungen etc*). — ˌ**dis·pro'por·tion·ate·ness** *s* **1.** 'Unproportioˌniertheit *f,* 'Mißverhältnis *n.* – **2.** Unangemessenheit *f.* – **3.** Über'triebenheit *f.* — ˌ**dis·proˌpor·tion'a·tion** *s chem.* Disproportio'nierung *f.*

dis·prov·a·ble [dis'pruːvəbl] *adj* wider'legbar. — **dis'prov·al** → disproof. — **dis'prove** *v/t* wider'legen, als falsch erweisen. – *SYN.* confute, controvert, rebut, refute.

dis·pu·ta·bil·i·ty [disˌpjuːtə'biliti; -əti; ˌdispjut-] *s* Strittigkeit *f,* Unerwiesenheit *f,* Fraglichkeit *f.* — **dis'pu·ta·ble** *adj* unsicher, bestreitbar, strittig, unerwiesen, fraglich, anzweifelbar. —

dis·pu·tant ['dispjutənt; dis'pjuː-] **I** *adj* **1.** dispu'tierend. – **2.** streitend, wider'sprechend. – **II** *s* **3.** Dispu'tant *m.* – **4.** Dispu'tierer *m,* Streiter *m,* Rechthaber *m.*

dis·pu·ta·tion [ˌdispju'teiʃən] *s* **1.** Dis'put *m,* Wortstreit *m.* – **2.** Disputati'on *f,* Streitgespräch *n,* (gelehrter) Redestreit. – **3.** *obs.* Unter'haltung *f.* — ˌ**dis·pu'ta·tious** *adj* po'lemisch, streitsüchtig, zänkisch. — ˌ**dis·pu'ta·tious·ness** *s* Streitsucht *f.* — **dis·put·a·tive** [dis'pjuːtətiv] → disputatious. — **dis'put·a·tive·ness** → disputatiousness.

dis·pute [dis'pjuːt] **I** *v/i* **1.** dispu'tieren, debat'tieren, streiten (on, about über *acc*): there is no disputing about tastes über den Geschmack läßt sich nicht streiten. – **2.** (sich) streiten, zanken. – **II** *v/t* **3.** disku'tieren, erörtern, debat'tieren. – **4.** bestreiten, in Zweifel ziehen: it cannot be ~d es kann nicht bestritten werden, es läßt sich nicht bestreiten. – **5.** streiten um, kämpfen um, sich bemühen um, sich (*etwas*) streitig machen: to ~ the victory to s.o. j-m den Sieg streitig machen; to ~ the victory sich den Sieg streitig machen, um den Sieg kämpfen. – **6.** (an)kämpfen gegen, (*dat*) wider'streben, -'stehen, (*dat*) 'Widerstand leisten. – *SYN. cf.* discuss. – **III** *s* **7.** Dis'put *m,* Diskussi'on *f,* Wortstreit *m,* Kontro'verse *f,* De'batte *f*: in ~ zur Diskussion *od.* Debatte stehend, umstritten, strittig; beyond (*od.* past, without) ~ außerhalb jeder Diskussion stehend, unzweifelhaft, fraglos, zweifellos, unstreitig; a matter of ~ eine strittige Sache. – **8.** (mündliche) Ausein'andersetzung, (heftiger) Streit, Zank *m.* – **9.** *obs.* Kampf *m.*

dis·qual·i·fi·ca·tion [disˌkwɒlifi'keiʃən; -ləfə-] *s* **1.** Disqualifikati'on *f,* Disqualifi'zierung *f,* Untauglichkeitserklärung *f,* Unfähigmachung *f.* – **2.** Untauglichkeit *f,* Ungeeignetheit *f* (for für). – **3.** *sport* Disqualifikati'on *f,* Ausschluß *m.* – **4.** untauglich- *od.* unfähigmachende Tatsache, Grund *m* zum Ausschluß: it is a ~ for public office es macht zu einem öffentlichen Amt unfähig. – **5.** Nachteil *m* (for für). — **dis'qual·iˌfy** [-ˌfai] *v/t* **1.** ungeeignet *od.* untauglich machen (for für): to be disqualified for untauglich sein für. – **2.** (für) untauglich erklären (for zu). – **3.** *sport* disqualifi'zieren, ausschließen. – **4.** unfähig machen *od.* erklären (for zu): to ~ s.o. from being a witness j-m die Zeugenfähigkeit absprechen *od.* nehmen.

dis·qui·et [dis'kwaiət] **I** *v/t* beunruhigen, mit Besorgnis erfüllen. – *SYN. cf.* discompose. – **II** *s* Unruhe *f,* Besorgnis *f,* Angst *f.* – **III** *adj selten* unruhig, besorgt. — **dis'qui·et·ing** *adj* beunruhigend. — **dis'qui·e·tude** [-ˌtjuːd; *Am. auch* -ˌtuːd] → disquiet II.

dis·qui·si·tion [ˌdiskwiˈziʃən; -kwə-] *s* 1. (*ausführliche*) Abhandlung *od.* Rede (on über *acc*). – 2. gründliche Unterˈsuchung. — **ˌdis·quiˈsi·tion·al** *adj* 1. ausführlich unterˈsuchend, eingehend. – 2. darlegend, erklärend. — **disˈquis·i·tive** *adj* 1. gründlich unterˈsuchend, prüfend. – 2. neugierig.

dis·rate [disˈreit] *v/t* 1. *mar.* degraˈdieren. – 2. *mar.* (*Schiff*) ˈausranˌgieren. – 3. (um eine Stufe) herˈuntersetzen.

dis·re·gard [ˌdisriˈgɑːrd] **I** *v/t* 1. nicht beachten, (*dat*) keine Beachtung schenken, (*acc*) außer acht lassen, nicht achten auf (*acc*). – 2. mißˈachten, geringschätzen. – 3. überˈsehen, ignoˈrieren. – *SYN. cf.* neglect. – **II** *s* 4. Nichtbeachtung *f*, Vernachlässigung *f*, Außerˈachtlassen *n* (of, for *gen*). – 5. Nicht-, ˈMißachtung *f*, Geringschätzung *f* (of, for *gen*, für). – 6. Gleichgültigkeit *f* (of, for gegenüber). – 7. Ignoˈrierung *f* (of, for *gen*). — **ˌdis·reˈgard·ful** [-ful; -fəl] *adj* 1. nicht achtend, unachtsam (of auf *acc*). – 2. nachlässig, vernachlässigend: to be ~ of s.th. etwas mißachten *od.* vernachlässigen.

dis·rel·ish [disˈreliʃ] **I** *s* (for) Abneigung *f*, ˈWiderwille *m* (gegen), Ekel *m* (vor *dat*). – **II** *v/t* nicht mögen, nicht leiden können, keinen Geschmack finden an (*dat*), Ekel empfinden vor (*dat*).

dis·re·mem·ber [ˌdisriˈmembər] *v/t u. v/i colloq. od. dial.* vergessen.

dis·re·pair [ˌdisriˈpɛr] *s* Verfall *m*, Baufälligkeit *f*, schlechter Zustand: to be in (a state of) ~ in baufälligem Zustand sein; to fall into ~ verfallen.

dis·rep·u·ta·bil·i·ty [disˌrepjutəˈbiliti; -əti] *s* 1. schlechter Ruf, Verrufenheit *f*. – 2. Schimpflichkeit *f*, Gemeinheit *f*. — **disˈrep·u·ta·ble** *adj* 1. verrufen, übel beleumundet, von schlechtem Ruf. – 2. schimpflich, gemein, niedrig, unehrenhaft. — **disˈrep·u·ta·ble·ness** → disreputability. — **dis·re·pute** [ˌdisriˈpjuːt] *s* Verruf *m*, schlechter Ruf, Verrufenheit *f*, Schande *f*, ˈMißkreˌdit *m*: to be in ~ in Mißkredit stehen; to bring (fall, get, sink) into ~ in Verruf bringen (kommen). – *SYN. cf.* disgrace.

dis·re·spect [ˌdisriˈspekt] **I** *s* 1. (to) Reˈspektlosigkeit *f*, Unehrerbietigkeit *f* (gegen), Nicht-, ˈMißachtung *f*, Geringschätzung *f* (*gen*). – 2. Unhöflichkeit *f*, Grobheit *f* (to gegen). – **II** *v/t* 3. nicht achten, sich reˈspektlos benehmen gegenˈüber. – 4. unhöflich *od.* verächtlich *od.* geringschätzig behandeln. — **ˌdis·reˌspect·a·ˈbil·i·ty** *s* Nichtˈangesehensein *n*, Unehrbarkeit *f*, ˈUnsolidiˌtät *f*. — **ˌdis·reˈspect·a·ble** *adj* nicht angesehen, nicht ehrbar, ˈunsoˌlid(e). — **ˌdis·reˈspect·ful** [-ful; -fəl] *adj* 1. rücksichts-, reˈspektlos, unehrerbietig, frech. – 2. unhöflich. — **ˌdis·reˈspect·ful·ness** *s* 1. Unehrerbietigkeit *f*, Reˈspektlosigkeit *f*. – 2. Unhöflichkeit *f*.

dis·robe [disˈroub] **I** *v/t* entkleiden, entblößen (*auch fig.*). – **II** *v/i* sich entkleiden. — **disˈrobe·ment** *s* Entkleidung *f*, Entblößung *f*.

dis·root [disˈruːt; *Am. auch* -ˈrut] *v/t* 1. entwurzeln, ausreißen (from aus). – 2. (*aus der Heimat etc*) vertreiben.

dis·rupt [disˈrʌpt] **I** *v/t* 1. auseinˈanderbrechen, zerbrechen, (zer)spalten, (zer)sprengen, zertrümmern. – 2. auseinˈanderreißen, zerreißen, (zer)trennen. – 3. unterˈbrechen. – **II** *v/i* 4. auseinˈanderbrechen, zerbrechen. – 5. zerreißen. – **III** *adj* 6. zerbrochen, zerspalten, zertrümmert. – 7. zerrissen, zertrennt. — **disˈrup·tion** *s* 1. Zerbrechung *f*, Zerreißung *f*, Zerschlagung *f*. – 2. Bersten *n*, Zerbrechen *n*. – 3. Zerrissenheit *f*, Spaltung *f*, Trennung *f*. – 4. Bruch *m*, Riß *m*. – 5. the D~ *relig.* die Spaltung (*der Kirche von Schottland 1843*).

dis·rup·tive [disˈrʌptiv] *adj* 1. (zer)spaltend, zerbrechend, zertrümmernd, zerreißend, zermalmend. – 2. *electr.* disrupˈtiv: ~ discharge plötzliche Entladung, Durch-, Überschlag; ~ strength Durchschlagfestigkeit; ~ voltage Durchschlag-, Überschlagspannung. – 3. *mil.* briˈsant, ˈhochexploˌsiv. – 4. Zertrümmerungs..., Bruch... — **disˈrup·ture** [-tʃər] *selten für* disrupt I.

dis·sat·is·fac·tion [ˌdissætisˈfækʃən] *s* Unzufriedenheit *f* (at, over, with über *acc*, mit). — **ˌdis·sat·isˈfac·to·ry** [-təri] *adj* 1. unbefriedigend, nicht zuˈfriedenstellend. – 2. verdrießlich (to für). — **disˈsat·isˌfied** [-ˌfaid] *adj* 1. (at, with) unzufrieden (über *acc*, mit), unbefriedigt (über *acc*, von). – 2. verdrießlich, unzufrieden. — **disˈsat·isˌfy** *v/t* 1. unzufrieden machen, nicht befriedigen, verdrießen. – 2. (*j-m*) mißˈfallen.

dis·seat [disˈsiːt] → unseat.

dis·sect [diˈsekt] *v/t* 1. zergliedern, zerteilen, zerschneiden, zerlegen. – 2. *med.* seˈzieren, anaˈtomisch zerlegen. – 3. zergliedern, (genau) analyˈsieren. – 4. *geogr.* zerschneiden, zertalen. – 5. *econ.* (*Konten etc*) aufgliedern. – *SYN. cf.* analyze. — **disˈsect·ed** *adj* 1. zergliedert, zerschnitten. – 2. *bot.* tief eingeschnitten (*bes. Blatt*). – 3. *geogr.* zergliedert, zerschnitten. — **disˈsect·ing** *adj* 1. zergliedernd, zerschneidend. – 2. *med.* Sezier..., Sektions... – 3. *bot. zo.* Präparier... — **disˈsec·tion** *s* 1. Zergliederung *f*, Zerschneidung *f*, Zerlegung *f*. – 2. Zergliederung *f*, (genaue) Anaˈlyse. – 3. *med.* Seˈzieren *n*, Seˈzierung *f*, Sektiˈon *f*. – 4. *bot. med. zo.* Präpaˈrat *n*. – 5. *econ.* Aufgliederung *f* (*Konten*). — **disˈsec·tor** [-tər] *s* 1. Zergliederer *m*, Zerleger *m*: ~ tube (*Fernsehen*) Bildzerlegerröhre. – 2. *med.* Seˈzierer *m*.

dis·seise *etc cf.* disseize *etc.*

dis·seize [disˈsiːz] *v/t jur.* ˈwiderrechtlich enteignen *od.* aus dem Besitz vertreiben, berauben (of *gen*). — **ˌdis·seiˈzee** [-ˈziː] *s jur.* ˈwiderrechtlich aus dem Besitz Vertriebene(r), Enteignete(r). — **disˈsei·zin** [-zin] *s jur.* Besitzraubung *f*, ˈwiderrechtliche Enteignung. — **disˈsei·zor** [-zər; -zɔːr] *s jur.* ˈwiderrechtlich Besitzergreifender, Austreiber *m*.

dis·sem·blance[1] [diˈsembləns] *s* Unähnlichkeit *f*, Ungleichheit *f*, Verschiedenheit *f*.

dis·sem·blance[2] [diˈsembləns] *s* 1. Verstellung *f*, Heucheˈlei *f*. – 2. Vortäuschung *f*.

dis·sem·ble [diˈsembl] **I** *v/t* 1. verhüllen, verhehlen, verbergen, sich (*etwas*) nicht anmerken lassen. – 2. vortäuschen, vorschützen, simuˈlieren. – 3. unbeachtet lassen, (scheinbar) nicht beachten, (scheinbar) hinˈweggehen über (*acc*). – *SYN. cf.* disguise. – **II** *v/i* 4. heucheln, sich verstellen. – 5. simuˈlieren. — **disˈsem·bler** *s* 1. Heuchler(in). – 2. Simuˈlant(in). — **disˈsem·bling** **I** *adj* heuchlerisch, falsch, arglistig. – **II** *s* Heucheˈlei *f*, Verstellung *f*.

dis·sem·i·nate [diˈsemiˌneit; -mə-] **I** *v/t* 1. (*Saat*) ausstreuen (*auch fig.*). – 2. (*Lehre etc*) verbreiten. – 3. fein verteilen (through in *dat*). – **II** *v/i* 4. (aus)streuen. — **disˈsem·iˌnat·ed** *adj min.* eingesprengt (through in *acc*). — **disˌsem·iˈna·tion** *s* 1. Ausstreuung *f* (*auch fig.*). – 2. Verbreitung *f*, Ausbreitung *f*. – 3. *geol.* Einsprengung *f*. — **disˈsem·iˌna·tive** *adj* sich (leicht *od.* rasch) ausbreitend. — **disˈsem·iˌna·tor** [-tər] *s* Ausstreuer *m*, Verbreiter *m*.

dis·sen·sion [diˈsenʃən] *s* 1. Zwietracht *f*, (heftige) Meinungsverschiedenheit, Zwist *m*, Streit *m*. – 2. ˈNichtüberˌeinstimmung *f*, Uneinigkeit *f*. – *SYN. cf.* discord.

dis·sent [diˈsent] **I** *v/i* 1. (from) anderer Meinung sein (als), nicht überˈeinstimmen (mit), nicht zustimmen (*dat*). – 2. *relig.* von der Staatskirche (established church, *bes. der anglikanischen Kirche*) abweichen. – **II** *s* 3. ˈNichtüberˌeinstimmung *f*, Meinungsverschiedenheit *f*. – 4. *relig.* a) Abweichung *f* von der Staatskirche (*bes. der anglikanischen Kirche*), b) *collect.* (*die*) Disˈsenters *pl.* — **disˈsent·er** *s* 1. Andersdenkende(r). – 2. *relig.* Dissiˈdent *m*, j-d der die Autoriˈtät einer Staatskirche nicht anerkennt. – 3. *oft* D~ *relig.* Disˈsenter *m*, Nonkonforˈmist(in) (*Protestant, der sich nicht zur anglikanischen Kirche bekennt; früher auch Katholiken*). — **disˈsen·tience** [-ʃəns; -ʃiəns] *s* ˈNichtüberˌeinstimmung *f*. — **disˈsen·tient** [-ʃənt; -ʃiənt] **I** *adj* 1. andersdenkend, nicht (mit der Mehrheit) überˈeinstimmend, abweichend. – 2. gegen die Mehrheit stimmend: without a ~ vote einstimmig; with one ~ vote mit ˈeiner Gegenstimme. – **II** *s* 3. Andersdenkende(r). – 4. Gegenstimme *f*: with no ~, without ~ ohne Gegenstimme, einstimmig. — **disˈsent·ing** *adj* 1. → dissentient I. – 2. von der Staatskirche (*bes. der anglikanischen Kirche*) abweichend, dissiˈdierend. – 3. nonkonforˈmistisch, Dissidenten... — **disˈsen·tious** [-ʃəs] *adj selten* streit-, händelsüchtig.

dis·sep·i·ment [diˈsepimənt; -pə-] *s* 1. *biol.* Scheidewand *f*. – 2. *bot.* (Frucht)Scheidewand *f*. – 3. *zo.* (Segˈment)Scheidewand *f*. — **disˌsep·iˈmen·tal** [-ˈmentl] *adj biol. bot. zo.* Scheidewand...

dis·sert [diˈsəːrt] *selten* **I** *v/i* 1. einen Vortrag halten. – 2. eine Abhandlung schreiben. – **II** *v/t* 3. einen Vortrag halten über (*acc*). – 4. eine Abhandlung schreiben über (*acc*).

dis·ser·tate [ˈdisərˌteit] *v/i* 1. (on) einen (wissenschaftlichen) Vortrag halten (über *acc*), ausführlich darlegen (*acc*). – 2. eine Abhandlung schreiben. — **ˌdis·serˈta·tion** *s* 1. ausführliche (*bes.* schriftliche) Abhandlung (on über *acc*). – 2. Dissertatiˈon *f*. – 3. (wissenschaftliche) Erörterung, (gelehrter) Vortrag. — **ˈdis·serˌta·tor** [-tər] *s* 1. Verfasser(in) einer Abhandlung. – 2. Disserˈtant(in). – 3. Vortragende(r), Erörterer *m*.

dis·serve [disˈsəːrv] *v/t* (*j-m*) einen schlechten Dienst erweisen, schaden. — **disˈserv·ice** [-vis] *s* schlechter Dienst, Schaden *m*, Nachteil *m*: to do s.o. a ~, to do a ~ to s.o. j-m einen schlechten Dienst erweisen; to be of ~ to s.o. j-m schaden, j-m zum Nachteil gereichen.

dis·sev·er [diˈsevər] **I** *v/t* 1. trennen, spalten, absondern (from von). – 2. (zer)teilen, (zer)trennen, zerlegen (into in *acc*). – **II** *v/i* 3. sich trennen, sich scheiden. — **disˈsev·er·ance**, **disˈsev·er·ment** *s* 1. Trennung *f*, Spaltung *f*, Absonderung *f*. – 2. Zerteilung *f*.

dis·si·dence [ˈdisidəns; -sə-] *s* 1. (heftige) Meinungsverschiedenheit, Uneinigkeit *f*, ˈNichtüberˌeinstimmung *f*. – 2. *relig.* Abfall *m* von der Staatskirche. — **ˈdis·si·dent** **I** *adj* 1. andersdenkend, nicht überˈeinstimmend:

to be ~ anderer Meinung sein. – **2.** abweichend (from von). – **II** *s* **3.** Andersdenkende(r), Sezessio'nist *m.* – **4.** *relig.* Dissi'dent(in), Dis'senter *m.*
dis·sight [dis'sait] *s* unschöner Anblick, Schandmal *n*, -fleck *m*.
dis·sil·i·en·cy [di'siliənsi] *s selten* Aufspringen *n*, Aufplatzen *n*. — **dis'sil·i·ent** *adj bes. bot.* aufspringend, aufplatzend.
dis·sim·i·lar [di'similər] *adj* verschieden (to, from von), unähnlich, ungleich(artig). — **disˌsim·i'lar·i·ty** [-'læriti; -əti] *s* **1.** Ungleichheit *f*, Verschiedenheit *f*, -artigkeit *f*, Unähnlichkeit *f*. – **2.** 'Unterschied *m*. – *SYN.* difference, distinction, divergence, unlikeness.
dis·sim·i·late [di'simiˌleit; -mə-] **I** *v/t* **1.** entähnlichen, unähnlich machen. – **2.** *ling.* dissimi'lieren. – **3.** *biol.* dissimi'lieren, abbauen. – **II** *v/i* **4.** entähnlicht werden. – **5.** *biol. ling.* dissimi'liert werden. — **disˌsim·i'la·tion** *s* **1.** Entähnlichung *f*. – **2.** *ling.* Dissimilati'on *f*. – **3.** *biol.* Dissimilati'on *f*, Katabo'lismus *m*, Abbau *m*. — **dis'sim·iˌla·tive** *adj* **1.** dissimi'lierend. – **2.** Dissimilations... — **ˌdis·si'mil·iˌtude** [-'miliˌtjuːd; -lə-; *Am. auch* -ˌtuːd] *s* **1.** Unähnlichkeit *f*, Verschiedenheit *f*, -artigkeit *f*. – **2.** 'Unterschied *m*.
dis·sim·u·late [di'simjuˌleit; -jə-] **I** *v/t* **1.** verheimlichen, verbergen, verstecken. – **II** *v/i* **2.** sich verstellen, heucheln. – **3.** dissimu'lieren, Krankheiten verheimlichen. — **disˌsim·u'la·tion** *s* **1.** Verheimlichung *f*. – **2.** Verstellung *f*, Heuche'lei *f*. – **3.** Dissimulati'on *f*, Verheimlichung *f* von (Geistes)Krankheiten. — **dis'sim·uˌla·tive** *adj* heuchlerisch. — **dis'sim·uˌla·tor** [-tər] *s* Heuchler *m*.
dis·si·pate ['disiˌpeit; -sə-] **I** *v/t* **1.** zerteilen, zerstreuen. – **2.** zerstreuen, (in nichts) auflösen. – **3.** (*Sorgen etc*) zerstreuen, verscheuchen, vertreiben. – **4.** (*Kräfte*) verzetteln, vergeuden. – **5.** (*Vermögen etc*) 'durchbringen, verprassen, verschwenden. – **6.** *phys.* a) (*Hitze*) ableiten, b) (*mechanische Energie etc*) in Hitze 'umwandeln. – **II** *v/i* **7.** sich zerstreuen, sich auflösen verschwinden. – **8.** ein ausschweifendes Leben führen. – *SYN. cf.* scatter. — **'dis·siˌpat·ed** *adj* **1.** ausschweifend, zügellos, liederlich. – **2.** zerstreut, aufgelöst. – **3.** vergeudet, verschwendet. — **'dis·siˌpat·ed·ness** *s* Zügellosigkeit *f*, Liederlichkeit *f*. — **'dis·siˌpat·er** *s* **1.** Verschwender *m*, Prasser *m*. – **2.** ausschweifender Mensch. – **3.** Zerstreuer *m*, Auflöser *m*.
dis·si·pa·tion [ˌdisi'peiʃən; -sə-] *s* **1.** Zerstreuung *f*. – **2.** Zerstreuung *f*, Auflösung *f* (*Nebel etc*). – **3.** Zerstreuung *f*, Vertreibung *f*, Verscheuchung *f* (*Sorgen etc*). – **4.** Verschwendung *f*, Vergeudung *f*. – **5.** (müßige) Zerstreuung, Zeitvertreib *m*, Unter'haltung *f*. – **6.** Zügellosigkeit *f*, Ausschweifung *f*, Liederlichkeit *f*. – **7.** *phys.* a) Zerstreuung *f*, b) Ableitung *f*, c) Verflüchtigung *f*, Verlust *m*, d) Dissipati'on *f* (*der Energie*): **circle of** ~ Streuungskreis. — **'dis·siˌpa·tive** *adj* **1.** zerstreuend, zerteilend. – **2.** verschwenderisch. – **3.** *phys.* a) ableitend, b) dissipa'tiv. — **dis·si·pa·tor** *cf.* **dissipater.**
dis·so·ci·a·ble [di'souʃiəbl; -ʃə-] *adj* **1.** (ab)trennbar, zu trennen(d). – **2.** unvereinbar, unverträglich. – **3.** [-ʃə-] ungesellig, 'unsoziˌal. – **4.** *chem.* dissozi'ierbar. — **dis'so·cial** [-ʃəl] *adj* 'unsoziˌal, ego'istisch. — **disˌso·ci'al·i·ty** [-ʃi'æliti; -əti] *s* 'unsoziˌales Verhalten, Ego'ismus *m*.
dis·so·ci·ate [di'souʃiˌeit] **I** *v/t* **1.** trennen, loslösen, absondern (from von). – **2.** ~ **oneself** *reflex* sich trennen, sich lossagen, abrücken (from von). – **3.** *chem.* dissozi'ieren. – **4.** *psych.* dissozi'ieren: ~**d personality** Mensch mit Doppelbewußtsein. – **II** *v/i* **5.** sich (ab)trennen, sich loslösen. – **6.** *chem.* dissozi'ieren.
dis·so·ci·a·tion [diˌsousi'eiʃən; -ˌsouʃi-] *s* **1.** Dissoziati'on *f*, Trennung *f*, Absonderung *f*, Auflösung *f*, Spaltung *f*. – **2.** Dissoziati'on *f*, Fehlen *n* eines engen Verbundenseins. – **3.** *chem. phys.* Dissoziati'on *f*, Zerfall *m*. – **4.** *psych.* Dissoziati'on *f*, Assoziati'onsstörung *f*, *bes.* Bewußtseinsspaltung *f*. — **dis'so·ciˌa·tive** [-tiv] *adj* **1.** trennend. – **2.** zerlegend, zersetzend. – **3.** Dissoziations... – **4.** 'unsoziˌales Verhalten bewirkend.
dis·sog·e·ny [di'sɒdʒəni] *s zo.* Dissogo'nie *f*.
dis·sol·u·bil·i·ty [diˌsɒlju'biliti; -jə-; -əti] *s* **1.** Löslichkeit *f*. – **2.** (Auf)-Lösbarkeit *f*, Trennbarkeit *f*. — **dis'sol·u·ble** *adj* **1.** (auf)lösbar, dem Zerfall ausgesetzt. – **2.** löslich. – **3.** auflösbar, trennbar (*Ehe etc*).
dis·so·lute ['disəˌluːt; -ˌljuːt] *adj* zügellos, ausschweifend, liederlich. — **'dis·soˌlute·ness** *s* Zügellosigkeit *f*, Ausschweifung *f*.
dis·so·lu·tion [ˌdisə'luːʃən; -'ljuː-] *s* **1.** Auflösung *f*, Zerlegung *f*, Trennung *f*. – **2.** Auflösung *f*, Aufhebung *f*, Ungültigerklärung *f* (*Ehe etc*). – **3.** Auflösung *f* (*Versammlung, Parlament*). – **4.** *econ.* Liquidati'on *f*, Löschung *f* (*Firma*). – **5.** Zersetzung *f*: ~ **of the blood** Blutzersetzung. – **6.** Zerstörung *f*, Vernichtung *f*, Tod *m*. – **7.** Verfall *m*, Zu'sammenbruch *m*, Auflösung *f*. – **8.** *chem.* Lösung *f*. – **9.** Verflüssigung *f*, Auflösung *f*. — **'dis·soˌlu·tive** [-tiv] *adj* **1.** (auf)-lösend. – **2.** Auflösungs...
dis·solv·a·ble [di'zɒlvəbl] *adj* **1.** auflösbar. – **2.** löslich. – **3.** *fig.* vergänglich.
dis·solve [di'zɒlv] **I** *v/t* **1.** (auf)lösen. – **2.** *obs.* verflüssigen, schmelzen. – **3.** *fig.* auflösen: ~**d in** (*od.* to) **tears** in Tränen aufgelöst. – **4.** (*Ehe etc*) aufheben, (auf)lösen: **to** ~ **a partnership** ein Gesellschaftsverhältnis auflösen. – **5.** *jur.* ungültig erklären, annul'lieren, aufheben. – **6.** (*Versammlung, Parlament*) auflösen. – **7.** auflösen, zerlegen, zersetzen. – **8.** zerstören, vernichten. – **9.** (*Geheimnis, Zauber*) lösen. – **10.** (*Film*) (*Bilder*) über'blenden, inein'ander 'übergehen lassen. – **II** *v/i* **11.** sich auflösen. – **12.** sich auflösen, auseinan'dergehen (*Versammlung, Parlament etc*). – **13.** zerfallen. – **14.** vergehen, sich (in nichts) auflösen, verschwinden, 'hinschwinden. – **15.** seine Kraft *od.* Wirkung verlieren. – **16.** (*Film*) über'blenden, all'mählich inein'ander 'übergehen. – *SYN. cf.* adjourn. – **III** *s* **17.** (*Film*) Über'blendung *f*, (all'mähliches) 'Übergehen eines Bildes in das folgende. — **dis'sol·vent I** *adj* **1.** (auf)lösend. – **2.** zersetzend. – **II** *s* **3.** *chem. tech.* Lösungsmittel *n*. – **4.** *fig.* Auflösungsmittel *n*: **to act as a** ~ **upon** (*od.* to) **s.th.** auflösend auf etwas wirken, zur Auflösung einer Sache beitragen. — **dis'solv·er** *s* **1.** (Auf)-Lös(end)er *m*. – **2.** (Auf)Lösungsmittel *n*.
dis·solv·ing [di'zɒlviŋ] *adj* **1.** (auf)-lösend. – **2.** sich auflösend. – **3.** löslich. — ~ **pow·er** *s* (Auf)Lösungsvermögen *n*. — ~ **shut·ter** *s phot.* Über'blenderverschluß *m*, Über'blendungsblende *f*. — ~ **view** → **dissolve** III.
dis·so·nance ['disənəns; -sə-], *auch* **'dis·so·nan·cy** *s* **1.** 'Mißklang *m*. – **2.** *fig.* Disso'nanz *f*, Unstimmigkeit *f*, Uneinigkeit *f*. – **3.** *mus. phys.* Disso'nanz *f*. — **'dis·so·nant** *adj* **1.** *mus.* disso'nant, disso'nierend. – **2.** 'mißtönend, schrill. – **3.** *fig.* (from, to) abweichend (von), nicht über'einstimmend (mit).
dis·spread *cf.* **dispread.**
dis·suade [di'sweid] *v/t* **1.** (*j-m*) abraten (from von): **to** ~ **s.o. from doing s.th.** j-m (davon) abraten, etwas zu tun. – **2.** (*j-n*) abbringen (from von). – **3.** abraten von: **to** ~ **a course of action.** — **dis'suad·er** *s* Abratende(r), Abmahner(in). — **dis'sua·sion** [-ʒən] *s* **1.** Abraten *n*, Abbringen *n* (from von). – **2.** warnender Rat, Abmahnung *f*. — **dis'sua·sive** [-siv] *adj* abratend, abmahnend.
dis·syl·lab·ic [ˌdisi'læbik; ˌdissi-] *adj* zweisilbig. — **dis'syl·la·ble** [-ləbl] *s* zweisilbiges Wort.
dis·sym·met·ric [ˌdisi'metrik; ˌdissi-], **ˌdis·sym'met·ri·cal** *adj* **1.** asym'metrisch, 'unsymˌmetrisch. – **2.** enˌantio'morph (*Kristall*). — **ˌdis·sym'met·ri·cal·ly** *adv* (*auch zu* **dissymmetric**). — **dis'sym·me·try** [-'simitri; -mə-] *s* **1.** Asymme'trie *f*. – **2.** Enˌantiomor'phismus *m*.
dis·taff [*Br.* 'distɑːf; *Am.* -tæ(ː)f] *pl* **-taffs**, *selten* **-taves** [*Br.* -tɑːvz; *Am.* -tæ(ː)vz] *s* **1.** (Spinn)Rocken *m*, Kunkel *f*. – **2.** Frau(en *pl*) *f*. – **3.** *fig.* a) Frauenarbeit *f*, b) Reich *n* der Frau. — **D~ Day** *s* Tag *m* nach den Heiligen drei Königen (*7. Januar*). — ~ **side** *s* **1.** weibliche Fa'milienmitglieder *pl*, Kunkelmagen *pl*. – **2.** weibliche Mitglieder *pl*, Frauen *pl*, Damen *pl* (*Sportmannschaft etc*). — ~ **this·tle** *s bot.* Wilder Saflor (*Carthamus lanatus*).
dis·tain [dis'tein] *v/t obs.* beflecken.
dis·tal ['distl] *adj med. zo.* di'stal, körperfern.
dis·tance ['distəns] **I** *s* **1.** Entfernung *f* (from von): **at (a)** ~ a) (ziemlich) weit entfernt, b) von weitem, von fern, aus der Ferne; **a good** ~ **off** ziemlich weit entfernt; **at an equal** ~ gleich weit (entfernt); **from a** ~ aus einiger Entfernung. – **2.** Zwischenraum *m*, Abstand *m* (**between** zwischen *dat*): ~ **between the pupils** *med.* Pupillenabstand. – **3.** Entfernung *f*, Strecke *f*: **the** ~ **covered** die zurückgelegte Strecke. – **4.** *math. phys.* a) Abstand *m*, Entfernung *f*, Weite *f*, b) Strecke *f*: ~ **of vision** Sehweite. – **5.** (*zeitlicher*) Abstand, Zeitraum *m*. – **6.** Ferne *f*: **in the** ~ in der Ferne. – **7.** *fig.* Abstand *m*, Entfernung *f*, Entferntheit *f*. – **8.** *fig.* Di'stanz *f*, Abstand *m*, Re'serve *f*, Zu'rückhaltung *f*: **to keep s.o. at a** ~ j-m gegenüber reserviert sein; **to keep one's** ~ zurückhaltend sein, (die gebührende) Distanz halten; **to know one's** ~ wissen, wie weit man gehen darf. – **9.** (*Malerei etc*) a) Perspek'tive *f*, b) *auch pl* 'Hintergrund *m*, c) Ferne *f*. – **10.** *mus.* Inter'vall *n*. – **11.** (*Pferderennsport*) ('Ziel)Diˌstanz *f* (*zwischen Ziel u. Distanzpfosten*). – **12.** *sport* a) Di'stanz *f*, Strecke *f*, b) (*Fechten, Boxen*) Di'stanz *f* (*zwischen den Gegnern*), c) Langstrecke *f*: **to cover a** ~ eine Strecke zurücklegen; ~ **runner** Langstreckenläufer. – **13.** *mil.* Abstand *m* (*nach vorn od. hinten*). – **14.** *obs.* Streit *m*. – **II** *v/t* **15.** über'holen, (weit) hinter sich lassen. – **16.** *sport* distan'zieren, hinter sich lassen. – **17.** *fig.* über'flügeln, -'treffen. – **18.** entfernt halten, fernhalten, trennen (from von). – **19.** entfernt erscheinen lassen.
dis·tance| flight *s aer.* Weitflug *m*. — ~ **light** *s* Fernlicht *n* (*Auto*). — ~ **post** *s* Di'stanzpfosten *m* (*beim Ausscheidungsrennen*). — ~ **scale** *s tech.*

Entfernungsskala *f* (*an Meßgeräten*). — ~ **shot** *s phot.* Fernaufnahme *f.*
dis·tant ['distənt] *adj* **1.** entfernt, weit (from von). – **2.** fern (*örtlich u. zeitlich*): ~ times ferne Zeiten. – **3.** (vonein'ander) entfernt. – **4.** entfernt, weitläufig: a ~ relation ein weitläufiger Verwandter. – **5.** entfernt, unbedeutend, undeutlich, schwach, gering (*Ähnlichkeit etc*). – **6.** (from) abweichend (von), im Gegensatz stehend (zu), unvereinbar (mit). – **7.** kalt, kühl, abweisend, zu'rückhaltend (*Benehmen*). – **8.** weit, in große(r) Ferne. – **9.** entfernt wohnend, fern. – **10.** in die Ferne wirkend, Fern...: ~ action Fernwirkung; ~ reconnaissance *mil.* strategische Aufklärung, Fernaufklärung. – *SYN.* far, faraway, far-off, remote, removed. — ~ **(block) sig·nal** *s* (*Eisenbahn*) 'Vorsi,gnal *n.*
dis·taste [dis'teist] **I** *s* **1.** Eß- *od.* Trinkunlust *f.* – **2.** (for) 'Widerwille *m*, Abneigung *f* (gegen), Ekel *m*, Abscheu *m* (vor *dat*). – **II** *v/t selten* **3.** nicht mögen. – **4.** (*j-m*) miß'fallen. — **dis'taste·ful** [-ful; -fəl] *adj* **1.** unangenehm schmeckend, ekelhaft, widerlich. – **2.** *fig.* unangenehm, widerlich, zu'wider (to s.o. j-m). – **3.** *fig.* ekelhaft, -erregend, 'widerlich, -wärtig. – *SYN. cf.* repugnant. — **dis'taste·ful·ness** *s* **1.** Ekelhaftigkeit *f*, 'Widerwärtigkeit *f.* – **2.** Unannehmlichkeit *f.*
dis·tem·per¹ [dis'tempər] **I** *s* **1.** üble Laune, Verstimmung *f.* – **2.** *vet.* a) Staupe *f* (*Hunde*), b) Druse *f* (*Pferde*). – **3.** Krankheit *f*, Beschwerde *f*, Leiden *n*, Unpäßlichkeit *f.* – **4.** Unruhe *f*, Aufruhr *m* (*in einem Staat etc*). – **II** *v/t* **5.** (*körperliche Funktionen*) stören, (*Geist*) zerrütten, (*j-n*) krank machen. – **6.** verstimmen, aufbringen, verärgern.
dis·tem·per² [dis'tempər] **I** *s* **1.** ,Temperamale'rei *f* (*Methode od. Gemälde*). – **2.** a) Temperafarbe *f*, b) Leimfarbe *f*: to paint in ~ → ~ 5. – **3.** *Br. für* calcimine I. – **II** *v/t* **4.** (*Farben*) nach Tempera-Art mischen. – **5.** mit Tempera- *od.* Leimfarbe malen. – **6.** *Br. für* calcimine II. – **7.** *obs.* vermischen, tränken, eintauchen.
dis·tem·per·a·ture [dis'tempərətʃər] *s selten* **1.** Erkrankung *f.* – **2.** Geistesgestörtheit *f.* – **3.** Verstimmung *f.* – **4.** unangenehme Witterung. — **dis'tem·pered** [-pərd] *adj* **1.** krank, unwohl, unpäßlich. – **2.** (geistes)gestört, verwirrt. – **3.** übelgelaunt, 'mißgestimmt, verärgert.
dis·tem·per·er [dis'tempərər] *s* Temperamaler(in).
dis·tend [dis'tend] **I** *v/t* (aus)dehnen, weiten, *bes.* aufblasen, aufblähen: to ~ the lungs die Lunge (mit Luft) füllen. – **II** *v/i* sich (aus)dehnen, (an)schwellen (*auch fig.*): his heart ~s with joy. – *SYN. cf.* expand.
dis·ten·si·bil·i·ty [dis,tensi'biliti; -sə-; -əti] *s* (Aus)Dehnbarkeit *f.* — **dis'ten·si·ble** *adj* (aus)dehnbar. — **dis·ten·sion** *cf.* distention. — **dis'tent** [-'tent] *adj selten* ausgedehnt. — **dis'ten·tion** [-ʃən] *s* **1.** (Aus)Dehnung *f*, Streckung *f.* – **2.** Aufblähung *f*, Aufblasung *f.* – **3.** (An)Schwellen *n.* – **4.** Ausdehnung *f*, Weite *f.*
dis·thene ['disθiːn] *s min.* Di'sthen *m*, blättriger Be'ryll, Cya'nit *m.*
dis·tich ['distik] *s metr.* **1.** Distichon *n* (*Verspaar*). – **2.** gereimtes Verspaar. — '**dis·tich·ous** *adj bot.* di'stich, zweireihig, -zeilig.
dis·til(l) [dis'til] *pret u. pp* **-'tilled I** *v/t* **1.** *chem. tech.* a) ('um)destil,lieren, b) entgasen, schwelen, c) 'abdestil,lieren, durch Destillati'on gewinnen (from aus), d) ~ off, ~ out 'ausdestil,lieren, abtreiben. – **2.** (*Branntwein*) brennen (from aus). – **3.** *fig.* (*das Wesentliche od. Beste*) entnehmen, gewinnen, erhalten (from aus). – **4.** tropfenweise fallen lassen, her'abtropfen *od.* -tröpfeln lassen, sich tropfenweise niederschlagen lassen: to be ~ed sich niederschlagen (on auf *acc*). – **II** *v/i* **5.** *chem. tech.* destil'lieren. – **6.** sich (all'mählich) konden'sieren. – **7.** her'abtröpfeln, -tropfen. – **8.** tröpfchenweise ausgeschieden werden, sich in Tropfen ausscheiden. – **9.** her'ausfließen, rinnen, rieseln. — **dis'till·a·ble** *adj chem. tech.* destil'lierbar.
dis·til·land ['distilənd; ,disti'lænd; -tə-] *s* zu destil'lierendes Materi'al.
dis·til·late ['distilit; -,leit; -tə-] *s chem. tech.* Destil'lat *n* (from aus), 'Über-, 'Umsud *m.* — ,**dis·til'la·tion** *s* **1.** *chem. tech.* Destillati'on *f*: destructive ~ Zersetzungsdestillation, Entgasung, Verkohlung; dry ~ Trockendestillation. – **2.** *chem. tech.* Destil'lat *n.* – **3.** Brennen *n* (*Branntwein*). – **4.** Konzen'trat *n*, Extrakt *m*, Auszug *m.* – **5.** *fig.* 'Quintes,senz *f*, Wesen *n*, Kern *m.* – **6.** Her'abtröpfeln *n.* — **dis'til·la·to·ry** [*Br.* -lətəri; *Am.* -,tɔːri] *adj chem.* Destillier... — **dis'till·er** *s* **1.** *chem. tech.* Destil'lierappa,rat *m* (*für Salzwasser*). – **2.** ('Branntwein)Destilla,teur *m.* — **dis'till·er·y** [-əri] *s* **1.** ('Branntwein)Brenne,rei *f.* – **2.** Destil'lieranlage *f.*
dis·till·ing flask [dis'tiliŋ] *s chem. tech.* Destil'lierkolben *m.*
dis·til(l)·ment [dis'tilmənt] → distillation.
dis·tinct [dis'tiŋkt] *adj* **1.** ver-, unter'schieden (from von). – **2.** einzeln, (vonein'ander) getrennt, abgesondert. – **3.** unähnlich, ungleich, verschiedenartig. – **4.** ausgeprägt, individu'ell, charakte'ristisch. – **5.** klar, deutlich, eindeutig, bestimmt, entschieden, fest um'rissen. – **6.** scharf (unter'scheidend), deutlich: ~ vision deutliches Sehen. – **7.** *poet.* geschmückt. – **8.** *obs.* gekennzeichnet. – *SYN. cf.* evident.
dis·tinc·tion [dis'tiŋkʃən] *s* **1.** Unter'scheidung *f*: a ~ without a difference eine spitzfindige Unterscheidung, ein nur nomineller Unterschied. – **2.** 'Unterschied *m*: in ~ from zum Unterschied von; to draw (*od.* make) a ~ between einen Unterschied machen zwischen (*dat*); without ~ of person(s) ohne Unterschied der Person. – **3.** Verschiedenheit *f*, Unter'scheidbarkeit *f.* – **4.** Unter'scheidungsmerkmal *n*, Kennzeichen *n.* – **5.** Titel *m.* – **6.** Auszeichnung *f*: a) (ehrendes) Her'vorheben, b) Ehrenzeichen *n.* – **7.** Ruf *m*, Ruhm *m*, Ehre *f.* – **8.** her'vorragende Quali'tät, Erstklassigkeit *f.* – **9.** Distinkti'on *f*, (hoher) Rang. – **10.** Vornehmheit *f*, Würde *f.* – **11.** Individuali'tät *f* (*Stil etc*). – **12.** Klarheit *f*, Deutlichkeit *f*, Schärfe *f.* – **13.** *obs.* a) (Zer)Teilung *f*, b) Teil *m.* – *SYN. cf.* dissimilarity.
dis·tinc·tive [dis'tiŋktiv] *adj* **1.** unter'scheidend, Unterscheidungs..., Erkennungs...: → feature 4. – **2.** kennzeichnend, bezeichnend, charakte'ristisch (of für), besonder(er, e, es), ausgeprägt, spe'zifisch: to be ~ of s.th. etwas kennzeichnen. – *SYN. cf.* characteristic. — **dis'tinc·tive·ness** *s* charakte'ristische Eigenart, Besonderheit *f*, (*das*) Unter'scheidende. — **dis'tinct·ly** *adv* **1.** deutlich. – **2.** *fig.* deutlich, klar, unzweideutig. — **dis'tinct·ness** *s* **1.** Deutlichkeit *f*, Klarheit *f*, Bestimmtheit *f.* – **2.** Verschiedenheit *f* (from von). – **3.** Getrenntheit *f* (from von). – **4.** Ungleichheit *f*, Verschiedenartigkeit *f.*
dis·tin·gué, *feminine* **dis·tin·guée** [distæŋ'gei; distɛ̃'ge] *adj* distingu'iert, vornehm.
dis·tin·guish [dis'tiŋgwiʃ] **I** *v/t* **1.** unter'scheiden (from von). – **2.** ausein'anderhalten (können). – **3.** (deutlich) wahrnehmen, erkennen, bemerken, sehen. – **4.** einteilen (into in *acc*). – **5.** kennzeichnen, charakteri'sieren. – **6.** auszeichnen, ehrend her'vorheben, (*dat*) Ruhm verleihen: to ~ oneself sich auszeichnen; to be ~ed by s.th. sich durch etwas auszeichnen. – **II** *v/i* **7.** unter'scheiden, 'Unterschiede *od.* einen 'Unterschied machen: to ~ rigorously between streng unterscheiden zwischen (*dat*). – **8.** einen 'Unterschied zeigen. — **dis'tin·guish·a·ble** *adj* **1.** unter'scheidbar (from von). – **2.** wahrnehmbar, erkennbar. – **3.** einteilbar (into in *acc*). – **4.** kenntlich. — **dis'tin·guished** [-gwiʃt] *adj* **1.** unter'schieden, sich unter'scheidend (by durch). – **2.** kenntlich (by an *dat*, durch). – **3.** bemerkenswert (for wegen, by durch). – **4.** her'vorragend, ausgezeichnet. – **5.** berühmt (for wegen). – **6.** distingu'iert, vornehm. – *SYN. cf.* famous.
Dis·tin·guished| Con·duct Med·al *s mil. Br.* 'Kriegsverdienstme,daille *f.* — ~ **Fly·ing Cross** *s aer. mil.* Fliegerkreuz *n*, Kriegsverdienstkreuz *n* für Flieger. — ~ **Serv·ice Cross** *s mil.* Kriegsverdienstkreuz *n.* — ~ **Service Med·al** *s mil.* 'Kriegsverdienstme,daille *f.* — ~ **Serv·ice Or·der** *s mil. Br.* Kriegsverdienstorden *m.*
dis·tin·guish·er [dis'tiŋgwiʃər] *s* **1.** Unter'scheidende(r). – **2.** scharfer Beurteiler, Kenner(in). — **dis'tin·guish·ing** *adj* charakte'ristisch, unter'scheidend, kennzeichnend, Unterscheidungs...: ~ mark Kennzeichen.
di·stom·a·tous [dai'stɒmətəs; -'stou-] *adj zo.* zweimäulig, mit zwei Saugern versehen. — **dis·tome** ['distoum] *s zo.* (*ein*) Saugwurm *m* (*Gattg Distomum*), *bes.* (Großer) Leberegel (*D. hepaticum*). — **dis·to·mi·a·sis** [,distə'maiəsis] *s med. vet.* Distoma'tose *f*, Leberegelseuche *f.*
dis·tort [dis'tɔːrt] *v/t* **1.** verdrehen, verbiegen, verrenken. – **2.** verzerren: ~ed with pain schmerzverzerrt. – **3.** verformen, verbiegen: to be ~ed sich verziehen, sich werfen (*Holz*). – **4.** (*Geist etc*) irreleiten. – **5.** (*Tatsachen etc*) verdrehen, entstellen. – **6.** *electr.* verzerren. – *SYN. cf.* deform. — **dis'tort·ed·ness** *s* Verdrehtheit *f*, Verbogenheit *f*, Verzerrtheit *f.*
dis·tor·tion [dis'tɔːrʃən] *s* **1.** Verdrehung *f*, Verbiegung *f.* – **2.** Verzerrung *f.* – **3.** Verformung *f.* – **4.** 'Mißgestalt *f.* – **5.** Verdrehung *f*, Entstellung *f* (*Tatsachen*). – **6.** *electr. phot.* Verzerrung *f*: nonlinear ~ nichtlineare Verzerrung, Klirrverzerrung; ~ corrector Entzerrer. – **7.** *phys.* Verdrehung *f.* — **dis'tor·tion·ist** *s* **1.** 'Gliederakro,bat(in), Schlangenmensch *m.* – **2.** Karikatu'rist *m.*
dis·tract [dis'trækt] **I** *v/t* **1.** (*Aufmerksamkeit, Person etc*) ablenken (from von). – **2.** (*Aufmerksamkeit etc*) teilen (between zwischen *dat*). – **3.** verwirren. – **4.** aufwühlen, erregen. – **5.** beunruhigen, quälen, peinigen: to be ~ed with pain von Schmerz gequält werden. – **6.** *meist pp* rasend machen, zur Rase'rei treiben: to be ~ed with (*od.* by, at) s.th. außer sich sein über etwas. – **7.** (*durch Streit*) zerreißen, spalten. – *SYN. cf.* puzzle. – **II** *adj obs. für* distraught. — **dis'tract·ed** → distraught. — **dis'tract·i·ble** *adj* ablenkbar. — **dis-**

'**trac·tion** *s* **1.** Ablenkung *f.* – **2.** Zerstreutheit *f.* – **3.** Verwirrung *f,* Bestürzung *f.* – **4.** (heftige) Erregung, Erregtheit *f,* Aufgewühltheit *f.* – **5.** Verzweiflung *f.* – **6.** Wahnsinn *m,* Rase'rei *f*: to ~ bis zur Raserei; to drive s.o. to ~ j-n zum Wahnsinn treiben; to love to ~ rasend lieben. – **7.** Aufruhr *m,* Unruhe *f,* Tu'mult *m.* – **8.** Ablenkung *f,* Zerstreuung *f,* Erholung *f,* Unter'haltung *f.* — **dis'trac·tive** *adj* **1.** ablenkend. – **2.** verwirrend, beunruhigend.

dis·train [dis'trein] *jur.* **I** *v/t* (*j-n od. j-s Eigentum*) pfänden. – **II** *v/i* eine Pfändung vornehmen: to ~ (up)on s.o. j-n pfänden; to ~ (up)on goods Waren beschlagnahmen. — **dis'train·a·ble** *adj jur.* pfändbar. — ˌ**dis·train'ee** [-'niː] *s jur.* Gepfändete(r). — **dis'train·er** → distrainor. — **dis'train·ment** *s jur.* Pfändung *f.* — **dis·train·or** [dis'treinər; ˌdistrei'nɔːr] *s jur.* Pfänder(in). — **dis'traint** [-'treint] *s jur.* Pfändung *f,* Zwangsvollstreckung *f,* Beschlagnahme *f.*

dis·trait [dis'trei; -'trɛ], *feminine* **dis'traite** [-'treit; -'trɛt] *adj* **1.** zerstreut, geistesabwesend, in Gedanken. – **2.** abgelenkt.

dis·traught [dis'trɔːt] *adj* **1.** verwirrt, bestürzt. – **2.** heftig erregt, aufgewühlt (with von, durch). – **3.** wahnsinnig, rasend, toll (with vor *dat*).

dis·tress [dis'tres] **I** *s* **1.** Qual *f,* Pein *f,* Schmerz *m.* – **2.** Leid *n,* Kummer *m,* Trübsal *f,* Sorge *f.* – **3.** Not *f,* Elend *n,* Leiden *n*: **brothers in** ~ Leidensgenossen. – **4.** Notlage *f,* Notstand *m.* – **5.** *mar.* Seenot *f*: ~ **call,** ~ **signal** (See)Notzeichen, SOS-Ruf; ~ **gun** Alarm-, Notgeschütz; ~ **rocket** Alarm-, Notrakete. – **6.** Gefahr *f,* Bedrängnis *f,* gefährliche Lage. – **7.** Erschöpfung *f.* – **8.** *jur.* Beschlagnahme *f,* Pfändung *f,* 'Zwangsvollˌstreckung *f,* Exekuti'on *f*: to levy a ~ on s.th. etwas pfänden *od.* beschlagnahmen (lassen). – **9.** *jur.* gepfändeter Gegenstand, Pfand *n.* – *SYN.* **agony, misery, suffering.** – **II** *v/t* **10.** quälen, peinigen, plagen. – **11.** bedrücken. – **12.** mit Sorge erfüllen, beunruhigen, betrüben: to ~ **oneself about** sich beunruhigen über (*acc*). – **13.** in Not *od.* Elend bringen. – **14.** in Bedrängnis *od.* Gefahr bringen. – **15.** erschöpfen. – **16.** zwingen, nötigen (into zu). – **17.** *jur.* pfänden, mit Beschlag belegen, beschlagnahmen. — **dis'tressed** [-'trest] *adj* **1.** gequält, gepeinigt. – **2.** bekümmert, betrübt, besorgt (about um). – **3.** unglücklich, bedrängt, in Not. – **4** notleidend, Elends...: ~ **area** *Br.* Elends-, Notstandsgebiet (*bes. Gebiet mit hoher Arbeitslosenziffer*). – **5.** erschöpft, ausgepumpt. — **dis'tress·ed·ness** [-idnis] *s* **1.** Bekümmertheit *f,* Sorge *f.* – **2.** Bedrängnis *f,* Not *f,* Elend *n.* — **dis'tress·ful** [-ful; -fəl] *adj* **1.** quälend, qualvoll, schmerzlich. – **2.** gequält. – **3.** gefährlich. – **4.** unglücklich, elend, jämmerlich, notleidend: the ~ **country** Irland. – **5.** unheilvoll. — **dis'tress·ful·ness** *s* **1.** Schmerzlichkeit *f.* – **2.** Gequältheit *f.* – **3.** Elend *n,* Not *f.* – **4.** Armseligkeit *f.* — **dis'tress·ing** *adj* **1.** qualvoll, schmerzlich. – **2.** (be)drückend, quälend. – **3.** beunruhigend. – **4.** jammervoll.

dis·tress| mer·chan·dise *s econ.* im Notverkauf abgesetzte Ware. — ~ **sale,** ~ **sell·ing** *s econ.* Notverkauf *m.*

dis·trib·ut·a·ble [dis'tribjutəbl; -jə-] *adj* **1.** verteilbar, austeilbar. – **2.** verbreitbar, ausbreitbar. — **dis'trib·u·tar·y** [*Br.* -jutəri; *Am.* -jəˌteri] **I** *s geogr.* abzweigender Flußarm, *bes.* Delta-Arm *m.* – **II** *adj* (sich) verteilend. — **dis'trib·ute** [-bjuːt] *v/t* **1.** verteilen, austeilen (among unter *dat od. acc*; to an *acc*): ~d **capacity** *electr.* verteilte Kapazität; ~d **charge** *mil.* gestreckte Ladung; ~d **fire** (*Artillerie*) Breitenfeuer. – **2.** spenden, zuteilen (to *dat*). – **3.** (*Waren*) verteilen, vertreiben. – **4.** (*Dividende*) ausschütten. – **5.** (*Post*) austragen, zustellen. – **6.** verbreiten, ausbreiten. – **7.** ausstreuen, (*Farbe etc*) verteilen. – **8.** ab-, einteilen (into in *acc*). – **9.** *print.* a) (*Satz*) ablegen, b) (*Farbe*) auftragen. – **10.** *philos.* (*einen Ausdruck*) in seiner ganzen logischen Ausdehnung gebrauchen. – **11.** *mil.* (*Truppen*) gliedern. – **12.** *obs.* (*Gerechtigkeit etc*) wider'fahren lassen: to ~ justice Recht sprechen. – *SYN.* **deal, dispense, divide, dole.** — **disˌtrib·u'tee** [-ju'tiː; -jə-] *s jur.* j-d dem etwas (*bes. ein Erbteil*) zufällt, Empfänger(in). — **dis'trib·ut·er** *s* **1.** Austeiler *m,* Verteiler *m.* – **2.** Spender *m.* – **3.** Verbreiter *m.*

dis·trib·ut·ing| box [dis'tribjutiŋ; -jə-] *s* **1.** *tech.* Dampf-, Schieberkasten *m.* – **2.** *electr.* (Lampen)Abzweig-, Verteilerkasten *m,* -dose *f.* — ~ **le·ver** *s tech.* Steuerungshebel *m.* — ~ **ta·ble** *s print.* Farb(e)tisch *m.*

dis·tri·bu·tion [ˌdistri'bjuːʃən; -trə-] *s* **1.** Verteilung *f,* Austeilung *f.* – **2.** *electr. phys. tech.* a) Verteilung *f,* b) Verzweigung *f*: ~ **of current** Stromverteilung. – **3.** Verbreitung *f,* Ausbreitung *f* (*auch biol.*). – **4.** Einteilung *f* (into in *acc*), Klassifi'zierung *f.* – **5.** Zuteilung *f,* Gabe *f,* Spende *f*: **charitable** ~s milde Gaben. – **6.** *econ.* Verteilung *f,* Vertrieb *m* (*Waren*): **cost of** ~ Vertriebs-, Absatzkosten. – **7.** *econ. pol.* Verteilung *f* (*Volkseinkommen*). – **8.** *econ.* Ausschüttung *f* (*Dividende*). – **9.** Ausstreuen *n* (*Samen etc*). – **10.** Verteilen *n,* Verteilung *f,* Auftragen *n* (*Farben etc*). – **11.** *philos.* Anwendung *f* (*eines Begriffes*) in seiner vollen logischen Ausdehnung. – **12.** *print.* Ablegen *n* (*Satz*). – **13.** *jur.* (Ver)Teilung *f* (*einer nicht testamentarisch geregelten Hinterlassenschaft*). – **14.** *mil.* Gliederung *f*: ~ **in depth** Tiefengliederung. – **15.** (*Film*) Verleih *m.* — ˌ**dis·tri'bu·tion·al** *adj* **1.** Verteilungs... – **2.** Verbreitungs...

dis·tri·bu·tion| curve *s* Verteilungskurve *f.* — ~ **func·tion** *s math.* Ver'teilungsfunktiˌon *f.*

dis·trib·u·tive [dis'tribjutiv; -jə-] **I** *adj* **1.** aus-, zuteilend, verteilend, Verteilungs...: ~ **fault** *geol.* gleichmäßig auftretende Verwerfung. – **2.** jedem das Seine zuteilend: ~ **justice** ausgleichende Gerechtigkeit. – **3.** *ling.* distribu'tiv, Distributiv... – **4.** *philos.* in seiner vollen logischen Ausdehnung genommen (*Begriff*). – **5.** *math.* distribu'tiv: ~ **function** distributive Funktion, Verteilungsfunktion; ~ **law** Distributivgesetz. – **II** *s* **6.** *ling.* Distribu'tivum *n, bes.* distribu'tives Zahlwort. — **dis'trib·u·tive·ly** *adv* im einzelnen, auf jeden einzelnen bezüglich. — **dis'trib·u·tor** [-tər] *s* **1.** *cf.* distributer. – **2.** *tech.* Verteiler *m,* Verteil-, Streugerät *n,* 'Streumaˌschine *f*: **manure** ~ Düngerstreumaschine. – **3.** *electr. tech.* (Zünd)Verteiler *m*: ~ **cable** Zündkabel; ~ **shaft** Verteilerwelle. – **4.** *tech.* Verteilerdüse *f.* – **5.** *econ.* Vertreiber *m,* Verteiler *m* (*Waren*).

dis·trict ['distrikt] **I** *s* **1.** Di'strikt *m,* (Verwaltungs)Bezirk *m,* Kreis *m*: **Congressional** ~ *pol. Am.* Wahlbezirk eines Kandidaten für das Repräsentantenhaus; **electoral** ~, **election** ~ Wahlbezirk; **by** ~s bezirksweise. – **2.** *Br.* Pfarrbezirk *m.* – **3.** *Br.* Grafschaftsbezirk *m.* – **4.** a) Gegend *f,* Landstrich *m,* b) (Stadt)Viertel *n.* – **5.** *fig.* (Arbeits)Gebiet *n.* – **6.** *hist.* (*in Deutschland*) Gau *m.* – **II** *v/t* **7.** in Bezirke einteilen. — ~ **at·tor·ney** *s Am.* Bezirksstaatsanwalt *m.* — ~ **com·mand** *s mil. Br.* Mili'tärbereich *m.* — ~ **coun·cil** *s Br. od. Austral.* Bezirksrat *m.* — ~ **court** *s jur. bes. Am.* Bezirks-, Kreis-, Amtsgericht *n* (*Gerichtshof erster Instanz*). — ~ **heat·ing** *s* Fern(be)heizung *f* (*von Wohnungen*). — ~ **judge** *s jur. bes. Am.* Bezirks-, Kreis-, Amtsrichter *m.* — **D~ Rail·way** *s* Bezirksbahn *f* (*Londoner Stadt- u. Vorortbahn*). — ~ **vis·i·tor** *s Br.* (freiwillige) Pfarrgehilfin.

dis·trin·gas [dis'triŋgæs] (*Lat.*) *s jur.* Pfändungsbefehl *m* (*an den Sheriff*).

dis·trust [dis'trʌst] **I** *s* (of) 'Mißtrauen *n,* Argwohn *m* (gegen), Zweifel *m* (an *dat*): to hold s.o. in ~ j-m mißtrauen. – **II** *v/t* (*dat*) miß'trauen, zweifeln an (*dat*). — **dis'trust·ful** [-ful; -fəl] *adj* 'mißtrauisch, argwöhnisch (gegen), zweifelnd (an *dat*): to be ~ of s.o. gegen j-n mißtrauisch sein, j-m mißtrauen; to be ~ **of oneself** gehemmt sein, kein Selbstvertrauen haben. — **dis'trust·ful·ness** *s* 'Mißtrauen *n,* Argwohn *m* (of gegen).

dis·turb [dis'təːrb] *v/t* **1.** stören, behindern, beeinträchtigen: **do not let me** ~ **you** lassen Sie sich durch mich nicht stören; to ~ **the traffic** den Verkehr behindern. – **2.** stören, belästigen, (*j-m*) zur Last fallen. – **3.** stören, beunruhigen, aufregen, erregen: **that does not** ~ **me** das stört mich nicht, das regt mich nicht auf. – **4.** aufschrecken, aufscheuchen. – **5.** durchein'anderbringen, verwirren. – **6.** *electr. math. tech.* stören. – **7.** *jur.* (*j-n in der Ausübung eines Rechts*) stören. – *SYN. cf.* **discompose.** — **dis'turb·ance** *s* **1.** Störung *f,* Behinderung *f*: ~ **of circulation** *med.* Kreislaufstörung; ~ **in development** Entwicklungsstörung. – **2.** Belästigung *f.* – **3.** Störung *f,* Beunruhigung *f.* – **4.** *bes. psych.* (seelische) Erregung, Aufregung *f,* Aufgeregtheit *f.* – **5.** Unruhe *f,* Aufruhr *m,* Tu'mult *m.* – **6.** Aufscheuchung *f.* – **7.** Verwirrung *f.* – **8.** Durchein'ander *n,* Unordnung *f.* – **9.** *electr. math. tech.* Störung *f.* – **10.** *geol.* Faltung *f.* – **11.** *jur.* Behinderung *f* in der Ausübung von Rechten, *bes.* Besitzstörung *f.* — **dis'turbed** *adj bes. psych.* (seelisch) erregt, gestört. — **dis'turb·er** *s* **1.** Störer(in), Störenfried *m,* Unruhestifter *m*: ~ **of the peace** Friedensstörer, Verletzer der öffentlichen Ordnung. – **2.** *jur.* j-d der (*j-n*) in der Ausübung seiner Rechte stört. — **dis'turb·ing** *adj* **1.** störend, Stör... – **2.** beunruhigend (to für): ~ **news.**

di·sul·fate [dai'sʌlfeit] *s chem.* **1.** 'Pyrosulˌfat *n,* doppelschwefelsaures Salz. – **2.** Bisul'fat *n.* — **di'sul·fide** [-faid; -fid], *auch* **di'sul·fid** [-fid] *s chem.* Bisul'fid *n.* — ˌ**di·sul'fu·ric** [-'fju(ə)rik] → **pyrosulfuric.** — **di·sul·phate** *etc cf.* **disulfate** *etc.*

dis·un·ion [dis'juːnjən] *s* **1.** Trennung *f.* – **2.** Spaltung *f.* – **3.** Uneinigkeit *f,* Zwietracht *f.* — **dis'un·ionˌism** *s pol.* Lostrennungs-, Spaltungsbewegung *f.* — **dis'un·ion·ist** *s pol.* **1.** Befürworter *m* einer Trennung *od.* Spaltung. – **2.** *Am. hist.* Sezessio'nist *m.* – **3.** *Br. hist.* Gegner *m* der Verbindung von Irland mit Großbri'tannien.

dis·u·nite [ˌdisjuː'nait] **I** *v/t* **1.** trennen (from von). – **2.** *fig.* trennen, spalten, entzweien, uneinig machen: a ~d family eine in Unfrieden lebende Familie; to become ~d uneinig werden. – **II** *v/i* 3. sich trennen, aus-ein'andergehen, -fallen. – 4. sich entzweien. — **dis'u·ni·ty** [-niti; -əti] *s* Uneinigkeit *f*.

dis·use I *s* [dis'juːs] 1. Nichtgebrauch *m*, -verwendung *f*, -benutzung *f*: to fall into ~ außer Gebrauch kommen, ungebräuchlich werden. – 2. Nicht-ausübung *f*. – **II** *v/t* [dis'juːz] 3. nicht mehr gebrauchen *od.* verwenden *od.* benützen, aufgeben. — **dis'used** [-'juːzd] *adj* außer Gebrauch, ungebräuchlich, veraltet.

dis·u·til·i·ty [ˌdisjuː'tiliti; -əti] *s* 1. Nutzlosigkeit *f*. – 2. Lästigkeit *f*, Beschwerlichkeit *f*. – 3. Nachteiligkeit *f*.

dis·val·ue [dis'væljuː] *v/t selten* 1. geringschätzen. – 2. her'absetzen.

dis·yl·lab·ic, di·syl·la·ble *cf.* dissyllabic, dissyllable.

dis·yoke [dis'jouk] *v/t selten* (vom Joch) befreien.

dit [dit] *pret u. pp* **'dit·ted** *v/t dial.* versperren, behindern.

ditch [ditʃ] **I** *s* 1. Graben *m*: to be in the last ~ *fig.* in Not sein; → die[1] 1. – 2. Abzugs-, Drä'niergraben *m*, Gosse *f*. – 3. Straßengraben *m*. – 4. (Festungs-)Graben *m*. – 5. Wassergraben *m*, Fluß-, Bachbett *n*, Ka'nal *m*: the D~ *aer. Br. sl.* der ‚Bach': a) der (Ärmel-)Kanal, b) die Nordsee. – 6. Ausgrabung *f*, Loch *n*. – **II** *v/t* 7. mit einem Graben um'geben *od.* versehen. – 8. Gräben ziehen durch *od.* in (*dat*). – 9. durch Abzugsgräben entwässern. – 10. to be ~ed in einen Graben stürzen, im Straßengraben landen *od.* steckenbleiben (*Fahrzeug*), *bes. Am.* entgleisen (*Zug*). – 11. *sl.* (*j-n*) im Stich lassen. – 12. *aer. sl.* auf dem Wasser notlanden mit (*einem Flugzeug*). – 13. *sl.* ‚wegschmeißen', loswerden. – **III** *v/i* 14. Gräben ziehen *od.* ausbessern. – 15. *aer. sl.* auf dem Wasser notlanden. — **'~ˌbur** *s bot.* Spitzklette *f* (*Xanthium strumarium*).

ditch·er ['ditʃər] *s* 1. Grabenbauer *m*, -macher *m*. – 2. *tech.* 'Grabmaˌschine *f*, Tieflöffelbagger *m*.

ditch| moss *s bot.* Wasserpest *f* (*Elodea canadensis*). — **'~ˌwa·ter** *s* schales stehendes Wasser: as dull as ~ *colloq.* ‚stinklangweilig'.

di·the·cal [dai'θiːkəl], **di'the·cous** *adj bot.* di'thecisch, zweifächerig (*bes. Staubbeutel*).

di·the·ism ['daiθiːˌizəm] *s relig.* Dithe'ismus *m* (*Glaube an 2, bes. sich feindlich gegenüberstehende, Gottheiten*). — **'di·the·ist** *s* Dithe'ist *m*. — **ˌdi·the'is·tic, ˌdi·the'is·ti·cal** *adj* dithe'istisch.

dith·er ['diðər] **I** *s* 1. *dial.* Zittern *n*, Gezitter *n*. – 2. *colloq.* ‚Tatterich' *m*, Zittern *n* (*aus Angst*): in a ~ verdattert, tatterig. – 3. *colloq.* Zappeligkeit *f* (*vor Aufregung*). – **II** *v/i* 4. *colloq. od. dial.* verdattert sein. – 5. *colloq. od. dial.* zappeln, (vor Aufregung) zittern. – **III** *v/t* 6. *colloq.* zittern machen: to be ~ed verdattert *od.* zappelig sein.

di·thi·on·ic ac·id [ˌdaiθai'ɒnik] *s chem.* Dithi'onsäure *f*, 'Unterdischwefelsäure *f* ($H_2S_2O_6$). — **di'thi·oˌnite** [-əˌnait] → hyposulfite. — **di'thi·o·nous** [-ənəs] → hyposulfurous.

dith·y·ramb ['diθiˌræm; -ˌræmb] *s* 1. Dithy'rambos *m* (*Kultlied auf Dionysos*). – 2. Dithy'rambe *f*, Lobeshymne *f*. — **ˌdith·y'ram·bic** [-bik] **I** *adj* 1. dithy'rambisch. – 2. enthusi'astisch, schwungvoll. – **II** *s* 3. Dithy'rambe *f*. – 4. Dithy'rambendichter *m*.

dit·o·kous ['ditəkəs] *adj zo.* 1. a) Zwillinge werfend, b) zwei Eier legend. – 2. zwei Arten Junge werfend.

di·tri·glyph [dai'traiglif] *s arch.* Ditri'glyph *m* (*im dorischen Stil*).

di·trig·o·nal [dai'trigənl] *adj* ditrigo'nal, doppel-dreiseitig (*Prisma*).

di·tro·chee [dai'troukiː] *s metr.* Ditro'chäus *m*, 'Doppeltroˌchäus *m*.

dit·ta·ny ['ditəni] *s bot.* 1. Kretischer Diptam, Diptamdost *m* (*Origanum dictamnus*). – 2. → fraxinella. – 3. (*eine*) amer. Minze (*Cunila origanoides*).

dit·tied ['ditid] *adj* als einfaches Lied kompo'niert *od.* gesungen.

dit·to ['ditou] **I** *s pl* **-tos** 1. Dito *n*, (*das*) Besagte *od.* Erwähnte *od.* Gleiche. – 2. gleichartiger Gegenstand, (*das*) Ähnliche. – 3. nochmals das'selbe. – 4. *colloq.* Dupli'kat *n*, Ko'pie *f*. – 5. gleicher *od.* gleichartiger Stoff: ~s (*od.* ~ suit, suit of ~s) (zusammengehörige) Kleidungsstücke aus dem gleichen Stoff. – 6. das'selbe, die'selbe Ansicht: to say ~ to s.o. j-m beipflichten, mit j-m übereinstimmen. – **II** *adv* 7. dito, des'gleichen. – 8. ebenso, -falls, in gleicher Weise. – **III** *v/t pret u. pp* **-toed** *colloq.* 9. ein Gegenstück finden zu, etwas Gleiches finden wie: you won't ~ it Sie werden nichts Gleiches finden. – 10. *Am.* vervielfältigen, ko'pieren, hektogra'phieren. – **IV** *v/i* 11. das'selbe tun *od.* sagen, beistimmen.

dit·to·graph·ic [ˌdito'græfik] *adj* ditto'graphisch. — **dit·tog·ra·phy** [di'tɒgrəfi] *s* Dittogra'phie *f* (*fehlerhafte Wiederholung von Buchstaben etc*). — **dit'tol·o·gy** [-lədʒi] *s* Doppellesart *f*.

dit·to marks *s pl* Dito-, Wieder'holungszeichen *pl*.

dit·ty ['diti] *s* 1. Lied *n* (*als Gedichtform*). – 2. kurzes einfaches Lied, Liedchen *n*.

dit·ty| bag *s mar.* Nähzeug *n*, Nähbeutel *m*. — **~ box** *s mar.* 1. Nähzeug *n*, Nähkästchen *n*. – 2. Neces'saire *n*, Uten'silienkasten *m*.

di·u·re·sis [ˌdaiju(ə)'riːsis] *s med.* Diu'rese *f*, ('übermäßige) Harnausscheidung. — **ˌdi·u'ret·ic** [-'retik] *med.* **I** *adj* diu'retisch, harntreibend: ~ tea Blasentee. – **II** *s* Diu'reticum *n*, harntreibendes Mittel. — **ˌdi·u'ret·i·cal** → diuretic I.

di·ur·nal [dai'əːrnl] **I** *adj* 1. täglich ('wiederkehrend). – 2. täglich, Tag(es)...: ~ aberration *astr.* tägliche Aberration; ~ hours Tagesstunden. – 3. *bot.* sich nur bei Tag entfaltend. – 4. *zo.* bei Tag auftretend *od.* jagend *etc*, Tag...: ~ birds of prey Tagraubvögel, Diurnen; ~ lepidoptera Tagfalter. – *SYN. cf.* daily. – **II** *s* 5. *relig.* Diur'nale *n* (*Brevier für die Tageszeiten*). – 6. *zo.* Tagfalter *m*. – 7. *obs.* Tagebuch *n*. – 8. *obs.* (Tages)Zeitung *f*. — **~ arc** *s astr.* Tagbogen *m*. — **~ circle** *s* 1. *astr.* Tagkreis *m*. – 2. *mar.* 'Abweichungsparaˌlel *m*.

div [diːv] *s* Diw *m* (*böser Geist in der persischen Mythologie*).

di·va ['diːvaː; -və] *pl* **-vas, -ve** [-ve] *s* Diva *f*, Prima'donna *f*.

di·va·gate ['daivəˌgeit] *v/i* 1. her'umwandern, -schweifen. – 2. abschweifen, verwirrt reden. — **ˌdi·va'ga·tion** *s* 1. Her'umwandern *n*. – 2. Sprachverwirrtheit *f*. – 3. Abschweifung *f*, Abkehr *f*.

di·va·lent [dai'veilənt] → bivalent.

di·van [di'væn; 'dai-] *s* 1. Diwan *m*, (Liege)Sofa *n*, Chaise'longue *f*. – 2. (*im Orient*) Diwan *m*: a) *Staatsrat*, b) *Ratszimmer*, c) *Regierungskanzlei*, d) *Gerichtssaal*, e) *Empfangshalle*, f) *großes öffentliches Gebäude*. – 3. Diwan *m*, Gedichtsammlung *f*. – 4. Kaffee- u. Rauchzimmer *n*.

di·var·i·cate I *v/i* [dai'væriˌkeit; di'v-; -rə-] 1. sich gabeln, sich spalten. – 2. gegabelt sein. – **II** *adj* [-kit] 3. *auch bot. zo.* gegabelt, gespreizt, (weit vonein'ander) abstehend. — **diˌvar·i'ca·tion** *s* 1. Gabelung *f*. – 2. Gespreiztheit *f*, (weites) Ausein'anderstehen. – 3. *fig.* Spaltung *f*, Meinungsverschiedenheit *f*. — **di'var·iˌca·tor** [-tər] *s* 1. Spalter *m*. – 2. *zo.* Öffnungsmuskel *m* (*bes. der Armfüßer*).

dive [daiv] **I** *v/i pret* **dived**, *Am. colloq. od. Br. dial. auch* **dove** [douv], *pp* **dived** 1. tauchen (for nach, into in *acc*). – 2. 'untertauchen (*im Wasser*). – 3. *mar.* tauchen (*Unterseeboot*). – 4. einen Kopfsprung machen, mit dem Kopf vor'aus (ins Wasser) springen. – 5. sich hastig bücken (for nach). – 6. *sport* einen Kunstsprung (*ins Wasser*) ausführen. – 7. *sport* sich werfen (for nach): to ~ for the ball. – 8. *aer.* stürzen, einen Sturzflug machen. – 9. (*mit der Hand etc*) (hastig) tauchen, hin'einfahren, -greifen (into in *acc*). – 10. schnell *od.* tief eindringen (into in *acc*). – 11. plötzlich verschwinden (into in *acc*). – 12. *fig.* sich stürzen (into in *acc*). – 13. *fig.* sich vertiefen (into in *acc*). – **II** *v/t* 14. (schnell) ein-, 'untertauchen. – 15. (*Unterseeboot*) tauchen. – **III** *s* 16. ('Unter)Tauchen *n* (*auch mar.*). – 17. Kopf-, Hechtsprung *m*: to take a ~ einen Kopfsprung machen. – 18. (hastiges) Bücken, (plötzliches) Haschen: to make a ~ at s.th. a) sich hastig nach etwas bücken, b) plötzlich nach etwas haschen. – 19. *sport* Kunstsprung *m*. – 20. *aer.* Sturzflug *m*. – 21. plötzliches Verschwinden. – 22. *fig.* tiefes Eindringen: to take a ~ into s.th. sich in etwas vertiefen. – 23. *bes. Am. colloq.* ‚Spe'lunke' *f*, ‚Ka'schemme' *f*, Spielhölle *f*. – 24. *Br.* Unter'führung *f* (*unter einer Bahnlinie etc*). – 25. *mar.* Tauchfahrt *f*, 'Unterwasserfahrt *f*. – 26. *Br.* Keller *m*, 'unterirdisches Lo'kal (*in dem bestimmte Spezialitäten verkauft werden*): an oyster ~.

'dive|-ˌbomb *v/t u. v/i* im Sturzflug mit Bomben angreifen. — **~ bomb·er** *s* Sturzkampfflugzeug *n*, Sturz(kampf)-bomber *m*, Stuka *m*, *n*.

div·er ['daivər] *s* 1. Taucher(in). – 2. *sport* Kunstspringer(in). – 3. *zo.* a) (*ein*) Seetaucher *m* (*Gattg Gavia*), b) (*ein*) Tauchvogel *m*, *bes.* Steißfuß *m*, Alk *m*, Pingu'in *m*. – 4. *sl.* U-Boot *n*. – 5. *Br. sl.* Taschendieb *m*.

di·verge [dai'vəːrdʒ; di'v-; də'v-] **I** *v/i* 1. *math. phys.* diver'gieren. – 2. diver'gieren, ausein'andergehen, -laufen, sich (vonein'ander) trennen. – 3. abzweigen (from von). – 4. (von der Norm) abweichen. – 5. verschiedener Meinung sein. – **II** *v/t* 6. diver'gieren lassen. – 7. ablenken. – *SYN. cf.* swerve. — **di'ver·gence, di'ver·gen·cy** *s* 1. *math. phys.* Diver'genz *f*. – 2. Ausein'andergehen *n*, -laufen *n*. – 3. Abzweigung *f*. – 4. Abweichung *f* (von der Norm). – 5. Diver'genz *f*, Meinungsverschiedenheit *f*. – 6. *bot.* a) Diver'genz *f* (*bei Blattstellung*), b) Spreizen *n*. – *SYN. cf.* dissimilarity. — **di'ver·gent** *adj* 1. *math. phys.* diver'gent, diver'gierend. – 2. (*Optik*) streuend, Zerstreuungs..., Streu... – 3. ausein'andergehend, -laufend. – 4. (von der Norm) abweichend. – *SYN. cf.* different.

di·vers ['daivərz] *adj obs.* 1. di'verse, etliche, mehrere. – 2. → diverse 1.

di·verse [dai'vəːrs; 'dai-; di'v-] *adj* 1. verschieden, ungleich, andersartig. – 2. mannigfaltig, vielförmig. – *SYN. cf.* different. — **di'verse·ly** *adv*

1. verschieden(artig). – 2. mannigfaltig. – 3. nach verschiedenen Richtungen.

di·ver·si·fi·ca·tion [daiˌvəːrsifiˈkeiʃən; -səfə-; diˌv-] *s* 1. Abänderung *f*, Veränderung *f*. – 2. Modifikatiˈon *f*. – 3. abwechslungsreiche Gestaltung. – 4. Mannigfaltigkeit *f*. – 5. *econ.* verteilte Anlage (*von Kapital*). — **diˈver·siˌfied** [-ˌfaid] *adj* 1. verschieden(artig). – 2. mannigfaltig. – 3. abwechslungsreich. – 4. *econ.* verteilt angelegt (*Kapital*).

di·ver·si·flor·ous [daiˌvəːrsiˈflɔːrəs; diˌv-] *adj bot.* verschiedenblütig. — **diˌver·siˈfo·li·ous** [-ˈfouliəs] *adj bot.* verschiedenblättrig. — **diˈver·siˌform** [-ˌfɔːrm] *adj* 1. verschiedenartig. – 2. vielgestaltig, mannigfaltig. — **diˈver·siˌfy** [-ˌfai] *v/t* 1. verändern. – 2. modifiˈzieren. – 3. abwechslungsreich gestalten, variˈieren. – 4. *econ.* (*Kapital*) verteilt anlegen.

di·ver·sion [daiˈvəːrʃən; diˈv-; -ʒən] *s* 1. Ablenkung *f* (from von). – 2. Erholung *f*, Zerstreuung *f*, Zeitvertreib *m*, Unterˈhaltung *f*. – 3. *mil.* ˈAblenkungsmaˌnöver *n*, -angriff *m*. – 4. *Br.* ˈUmleitung *f* (*Verkehr*). — **diˈver·sion·al** *adj* Ablenkungs..., Unterhaltungs..., zur Ablenkung geeignet. — **diˈver·sion·ar·y** [*Br.* -nəri; *Am.* -ˌneri] *adj* Ablenkungs...

di·ver·si·ty [daiˈvəːrsiti; diˈv-; -əti] *s* 1. Verschiedenheit *f*, Ungleichheit *f*: ~ **of opinion** Meinungsverschiedenheit. – 2. Mannigfaltigkeit *f*, Vielförmigkeit *f*, Vielgestaltigkeit *f*. – 3. Abwechslung *f*, Buntheit *f*. – 4. Unterˈscheidungsmerkmal *n*.

di·vert [daiˈvəːrt; diˈv-] *v/t* 1. ablenken, ableiten, abwenden (from von, to nach), lenken (to auf *acc*). – 2. abbringen (from von): **~ing attack** *mil.* Entlastungsangriff. – 3. (*Geld etc*) abzweigen (to für). – 4. *Br.* (*Verkehr*) ˈumleiten. – 5. zerstreuen, unterˈhalten, belustigen (with mit, durch). – 6. von sich ablenken, abwehren, loswerden. – *SYN. cf.* **amuse**. — **diˈvert·er** *s* 1. Ablenker(in). – 2. Ablenkung *f*, Unterˈhaltung *f*. – 3. Unterˈhalter(in).

di·ver·tic·u·lar [ˌdaivərˈtikjulər; -jə-] *adj med.* Divertikel... — **ˌdi·verˈtic·u·lum** [-ləm] *pl* **-la** [-lə] *s med.* Diverˈtikel *n* (*kleine blindsackartige Ausbuchtung*).

di·ver·ti·men·to [divertiˈmento] *pl* **-ti** [-ti] (*Ital.*) *s mus.* Divertiˈmento *n* (*serenadenartiges Musikstück*).

di·vert·ing [daiˈvəːrtiŋ; diˈv-] *adj* unterˈhaltsam, unterˈhaltend, zerstreuend, belustigend, amüˈsant.

di·ver·tisse·ment [divertisˈmɑ̃] (*Fr.*) *s* 1. Unterˈhaltung *f*, Zerstreuung *f*. – 2. *mus.* Divertiˈmento *n*, Divertisseˈment *n*: a) *serenadenähnliches Instrumentalstück*, b) (*Ballett*)*Einlage*, c) *Potpourri*, d) *freies Zwischenspiel in einer Fuge*.

di·ver·tive [daiˈvəːrtiv; diˈv-] → **diverting**.

Di·ves [ˈdaiviːz] *s* 1. *Bibl.* der reiche Mann. – 2. Reicher *m*: ~ **costs** *jur. Br.* erhöhte Kosten für Reiche.

di·vest [daiˈvest; diˈv-] *v/t* 1. entkleiden, entblößen (of *gen*). – 2. *fig.* berauben (of *gen*): to ~ **s.o. of his property** j-n seines Eigentums berauben; to ~ **s.o. of a right** j-m ein Recht entziehen; to ~ **oneself of a right** sich eines Rechts begeben, ein Recht aufgeben, auf ein Recht verzichten. – 3. *jur.* (*Recht etc*) (weg)nehmen, aufheben. — **diˈves·ti·ble** *adj jur.* einziehbar (*Vermögen*), aufhebbar (*Recht*). — **diˈvest·i·ture** [-tʃər], *auch* **diˈvest·ment, diˈves·ture** *s* Entblößung *f*, -kleidung *f*, Beraubung *f*.

di·vid·a·ble [diˈvaidəbl] *adj* teilbar.

di·vide [diˈvaid] **I** *v/t* 1. teilen: to ~ **in halves** in zwei Hälften teilen, halbieren. – 2. (zer)teilen, spalten. – 3. trennen, scheiden (from von). – 4. verteilen, austeilen (among, between unter *dat od. acc*). – 5. *econ.* (*Dividende*) ausschütten. – 6. *fig.* entzweien. – 7. einteilen (into, in in *acc*). – 8. *math.* diviˈdieren: to ~ **ten by three** zehn durch drei dividieren. – 9. *math.* ohne Rest teilen, aufgehen in (*acc*). – 10. *math. tech.* graduˈieren, mit einer Gradeinteilung versehen. – 11. *pol. Br.* (*Parlament etc*) namentlich *od.* im Hammelsprung abstimmen lassen (on über *acc*). – 12. (*Weg*) bahnen (through durch). – 13. *poet.* (*Wellen etc*) zerteilen, durchˈpflügen. – *SYN. cf.* a) **distribute**, b) **separate**. – **II** *v/i* 14. sich teilen. – 15. sich aufteilen, sich auflösen (into in *acc*). – 16. sich trennen, sich abspalten, sich absondern (from von). – 17. Anteil haben, teilnehmen (in an *dat*). – 18. *colloq.* (etwas) austeilen (among unter *dat od. acc*). – 19. *pol. Br.* (im Hammelsprung) abstimmen. – 20. verschiedener Meinung sein (upon über *acc*). – 21. *math.* diviˈdieren. – **III** *s* 22. *colloq.* Verteilung *f* (der Beute). – 23. *geogr. Am.* Wasserscheide *f*: → **Great D~**.

di·vid·ed [diˈvaidid] *adj* 1. geteilt, getrennt: ~ **opinions**. – 2. zerteilt. – 3. verteilt. – 4. *bot.* bis zur Spindel geteilt (*Blatt*). – 5. uneinig, uneins. – 6. Teil...: ~ **circle** *tech.* Teil-, Einstellkreis.

div·i·dend [ˈdividend; -və-] *s* 1. *math.* Diviˈdend *m* (*zu teilende Zahl*). – 2. zu verteilende Menge *od.* Summe. – 3. *econ.* Diviˈdende *f*, Gewinnanteil *m*: ~ **on**, *Br.* **cum** ~ mit Dividende; ~ **off**, *Br.* **ex** ~ ohne Dividende; ~ **on account** Abschlagsdividende. – 4. *jur.* Diviˈdende *f*, Rate *f*, (Konˈkurs)Quote *f*. – 5. Anteil *m* (*an einer Summe etc*). — ~ **cou·pon**, ~ **war·rant** *s econ.* Gewinnanteil-, Diviˈdendenschein *m*.

di·vid·er [diˈvaidər] *s* 1. Teiler(in). – 2. Verteiler(in). – 3. Trenner *m*. – 4. Entzweier *m*. – 5. *pl* Stech-, Teilzirkel *m*: **proportional ~s** Proportionalitätszirkel.

di·vid·ing [diˈvaidiŋ] **I** *s* (Ver)Teilung *f*. – **II** *adj* Trennungs...: ~ **line** Scheide-, Trennungslinie. — ~ **en·gine** *s tech.* ˈTeil-, Graduˈiermaˌschine *f* (*für Skalen etc*). — ~ **head** *s tech.* Teilkopf *m*. — ~ **plate** *s tech.* Teilscheibe *f*. — ~ **sink·er** *s tech.* Barre *f* (*bei Strickmaschinen*).

div·i-div·i [ˈdiviˈdivi] *s bot.* 1. (*eine*) Caesalˈpinie (*Caesalpinia coriaria od. C. tinctoria*). – 2. ˈDiviˈdivi *pl* (*gerbstoffhaltige Schoten von* 1).

di·vid·u·al [*Br.* diˈvidjuəl; *Am.* -dʒuəl] *adj* 1. (ab)getrennt, (ab)gesondert, einzeln. – 2. trennbar, teilbar. – 3. verteilt, ausgeteilt.

div·i·na·tion [ˌdiviˈneiʃən; -və-] *s* 1. Divinatiˈon *f*, Zukunftsschau *f*, ˌWahrsageˈrei *f*. – 2. Vorzeichen *n*, Omen *n*. – 3. Weissagung *f*, Propheˈzeiung *f*. – 4. Ahnungsvermögen *n*. – 5. (Vor)Ahnung *f*. – 6. Erahnen *n*. – *SYN. cf.* **discernment**. — **diˈvin·a·to·ry** [*Br.* -nətəri; *Am.* -ˌtɔːri] *adj* divinaˈtorisch, seherisch, vorahnend.

di·vine [diˈvain] **I** *adj* 1. göttlich: the **D~ Will** der göttliche Wille. – 2. gottgeweiht, geistlich, heilig, fromm, religiˈös: ~ **service**, ~ **worship** a) Gottesverehrung, b) Gottesdienst. – 3. göttlich, von Gott ausgehend: ~ **right of kings** Königtum von Gottes Gnaden. – 4. göttlich, himmlisch: the ~ **Garbo**. – 5. theoˈlogisch. – **II** *s* 6. Geistlicher *m*, Kleriker *m*. – 7. Theoˈloge *m*. – **III** *v/t* 8. (er)ahnen, intuiˈtiv erkennen. – 9. vorˈausahnen. – 10. erraten. – 11. *obs.* (*Unheil etc*) verkünden. – *SYN. cf.* **foresee**. – **IV** *v/i* 12. wahrsagen. – 13. Ahnungen haben, vermuten, raten. — **diˈvine·ness** *s* 1. Göttlichkeit *f*. – 2. Göttlichkeit *f*, Himmlischkeit *f*, Vortrefflichkeit *f*. — **diˈvin·er** *s* 1. Wahrsager *m*. – 2. Erahner *m*. – 3. Errater *m*. – 4. (Wünschel)Rutengänger *m*.

div·ing [ˈdaiviŋ] **I** *s* 1. Tauchen *n*. – 2. *sport* Kunstspringen *n*. – **II** *adj* 3. tauchend. – 4. Tauch..., Taucher... — ~ **bee·tle** *s zo.* (Faden)Schwimmkäfer *m* (*Fam. Dytiscidae*). — ~ **bell** *s tech.* Taucherglocke *f*. — ~ **board** *s sport* Sprungbrett *n*. — ~ **buck** → **duiker**. — ~ **dress** → **diving suit**. — ~ **hel·met** *s mar.* Taucherhelm *m*. — ~ **spi·der** *s zo.* Wasser-, Silberspinne *f* (*Argyroneta aquatica*). — ~ **suit** *s* Taucheranzug *m*. — ~ **tow·er** *s sport* Sprungturm *m*.

di·vin·ing| rod, ~ **stick** [diˈvainiŋ] *s* Wünschelrute *f*.

di·vin·i·ty [diˈviniti; -əti] *s* 1. Göttlichkeit *f*, Diviniˈtät *f*, göttliches Wesen. – 2. Gottheit *f*: the **D~** die Gottheit, Gott. – 3. göttliches *od.* himmlisches Wesen, niedere Gottheit. – 4. göttliche Macht *od.* Kraft. – 5. Herrlichkeit *f*, Himmlischkeit *f*, Vollkommenheit *f*. – 6. Theoloˈgie *f*, Gottesgelehrsamkeit *f*: a **lesson in** ~ eine Religionsstunde; → **doctor** 2. – 7. *ein Schaumgebäck aus Zucker, Eiweiß, Maissirup etc.*

div·i·ni·za·tion [ˌdivinaiˈzeiʃən; -nə-] *s* Vergöttlichung *f*. — **ˈdiv·iˌnize** *v/t* vergöttlichen.

di·vis·i·bil·i·ty [diˌviziˈbiliti; -zə-; -əti] *s* 1. Teilbarkeit *f*. – 2. Spaltbarkeit *f*. — **diˈvis·i·ble** *adj* 1. teilbar. – 2. spaltbar. — **diˈvis·i·ble·ness** → **divisibility**.

di·vi·sion [diˈviʒən] *s* 1. Teilung *f*. – 2. Zerteilung *f*, Spaltung *f*. – 3. Trennung *f*. – 4. (Ver)Teilung *f*: ~ **of labo(u)r** Arbeitsteilung; ~ **of load** *electr. tech.* Belastungsverteilung. – 5. Verteilung *f*, Aus-, Aufteilung *f*. – 6. Einteilung *f* (into in *acc*). – 7. *math.* Divisiˈon *f*: **long** ~ ungekürzte Division. – 8. *math.* Schnitt *m*. – 9. Trenn-, Scheidelinie *f*, -wand *f*. – 10. Grenze *f*, Grenzlinie *f*. – 11. Abschnitt *m*, Teil *m*. – 12. Zwist *m*, Uneinigkeit *f*. – 13. *pol.* (namentliche) Abstimmung, Hammelsprung *m*: to **go into** ~ zur Abstimmung schreiten. – 14. *pol. Am.* Abˈteilung *f* (*eines Ministeriums*). – 15. Abˈteilung *f*, Sektiˈon *f*. – 16. (Verwaltungs-, Gerichts)Bezirk *m*. – 17. *mil.* Divisiˈon *f*. – 18 *mar.* Divisiˈon *f*: a) *Verband von 3 bis 5 Kriegsschiffen*, b) *Abteilung der Bordmannschaft in Zug- bis Kompaniestärke*. – 19. *biol.* (ˈUnter)Gruppe *f*, (ˈUnter)Abˌteilung *f*. – 20. (*Logik*) Auf-, Einteilung *f*, Klassifiˈzierung *f*. – 21. *sport* Liga *f*, Spielklasse *f*, Divisiˈon *f*. – 22. *Br.* Kategoˈrie *f* (*von Beamten*). – 23. *Br.* (Geˈfängnis)Abˌteilung *f*: **first** (**third**) ~ Abteilung mit milder (sehr strenger) Behandlung. – 24. *obs.* Gegensatz *m*. – *SYN. cf.* **part**. — **diˈvi·sion·al** *adj* 1. Teilungs..., Trenn..., Scheide... – 2. *mil.* Divisions...: ~ **headquarters** Divisionsstab, -hauptquartier. – 3. Teil..., Abteilungs... – 4. Bezirks... – 5. Scheide...: ~ **coin** *econ.* Scheidemünze. — **diˈvi·sionˌism** *s* (*Malerei*) Divisioˈnismus *m*. — **diˈvi·sion·ist** *s* 1. Befürworter *m* einer Trennung. – 2. (*Malerei*) Anhänger *m* des Divisioˈnismus.

di·vi·sion| mark *s* 1. → **division sign**. – 2. Teilstrich *m*, Teilungsmarke *f*. — ~ **sign** *s math.* Divisiˈons-, Teilungszeichen *n.* — **~ vi·ol** *s mus. hist.* Gambe *f*, Vi'ola *f* da gamba.

di·vi·sive [di'vaisiv] *adj* **1.** teilend. – **2.** verteilend. – **3.** unter'scheidend. – **4.** ent'zweiend.

di·vi·sor [di'vaizər] *s math.* **1.** Di'visor *m*, Teiler *m*: **~ chain** Teilerkette. – **2.** Nenner *m* (*eines Bruchs*). — **di'vi·so·ry** *adj* (Ver)Teilungs...

di·vorce [di'vɔːrs] **I** *s* **1.** *jur.* (Ehe)-Scheidung *f*: **absolute ~** Ehescheidung, Eheauflösung; **limited ~, ~ from bed and board** Ehetrennung, Trennung von Tisch u. Bett; **to obtain** (*od.* **get**) **a ~ from s.o.** von j-m geschieden werden; **~ on grounds of guilt** Scheidung wegen Verschuldens; **~ court** Scheidungsgericht; **cause of ~, ground for ~** (Ehe)Scheidungsgrund; **to seek a ~** sich scheiden lassen. – **2.** *jur.* Ungültigkeitserklärung *f* einer Ehe. – **3.** *fig.* Scheidung *f*, Trennung *f* (**from** von, **between** zwischen *dat*). – **II** *v/t* **4.** *jur.* (*j-n*) scheiden *od.* trennen (**from** von): **to ~ s.o.** j-s Ehe scheiden; **to ~ oneself from s.o.** sich von j-m scheiden lassen. – **5.** *jur.* sich scheiden lassen von: **to ~ one's wife** sich von seiner Frau scheiden lassen. – **6.** *jur.* (*Ehe*) scheiden *od.* trennen. – **7.** (*Verbindung*) auflösen. – **8.** *fig.* trennen (**from** von): **to ~ a word from its context** ein Wort aus dem Zusammenhang reißen. – *SYN. cf.* **separate.** — **di,vor'cé** [-'sei] → **divorcee** 1. — **di,vor'cée** → **divorcee** 2. — **di,vor'cee** [-'siː] *s* **1.** Geschiedener *m*, geschiedener Mann. – **2.** Geschiedene *f*, geschiedene Frau. — **di'vorce·ment** → **divorce** I. — **di'vorc·er** *s* j-d der eine (Ehe)Scheidung anstrebt *od.* erlangt.

div·ot ['divət] *s* **1.** *Scot.* Sode *f*, Rasen-, Torfstück *n*. – **2.** (*Golf*) (*durch Fehlschläge*) ausgehacktes Rasenstück.

di·vul·gate [di'vʌlgeit] *v/t* (öffentlich) bekanntmachen, enthüllen. — **di'vul·gat·er** *s* Enthüller *m*. — **,div·ul'ga·tion** *s* Bekanntmachung *f*, Verbreitung *f*, Enthüllung *f*.

di·vulge [di'vʌldʒ; *Br. auch* dai-] **I** *v/t* **1.** (*Geheimnis, Neuigkeit etc*) enthüllen, bekanntmachen, ausplaudern, verbreiten. – **2.** *selten* (öffentlich) verkünden, prokla'mieren. – *SYN. cf.* **reveal.** – **II** *v/i* **3.** allgemein bekanntwerden. — **di'vul·gence,** *auch* **di'vulge·ment** *s* Enthüllung *f*, Bekanntmachung *f*, Verbreitung *f*.

di·vul·sion [di'vʌlʃən; *Br. auch* dai-] *s* Ab-, Losreißung *f*, gewaltsame Trennung. — **di'vul·sive** [-siv] *adj* losreißend, abtrennend. — **di'vul·sor** [-sər] *s med.* 'Dehninstru,ment *n*.

div·vy ['divi] *sl.* **I** *v/t oft* **~ up** aufteilen. – **II** *s* (An)Teil *m*.

di·wan *cf.* **dewan.**

dix·ie[1] ['diksi] *s Am. sl. od. Br.* **1.** Kochgeschirr *n*. – **2.** Feldkessel *m*.

Dix·ie[2] ['diksi] *s* **1.** *Bezeichnung für den Süden der USA.* – **2.** *Titel eines bekannten Liedes* (*1859 komponiert*).

Dix·ie|·crat ['diksi,kræt] *s pol. im Süden der USA lebendes Mitglied einer Minderheit der Demokratischen Partei.* — **'~,land** *s mus.* Dixieland(jazz) *m* (*durch weitgehendes Improvisieren gekennzeichnet*). — **~ Land** → **Dixie**[2].

dix·it ['diksit] *s* (unbestätigte) Behauptung.

dix·y *cf.* **dixie**[1].

diz·en ['daizn; 'dizn] *v/t auch* **~ out, ~ up** her'ausputzen, 'ausstaf,fieren. — **'diz·en·ment** *s* Her'ausputzen *n*.

diz·zi·ness ['dizinis] *s* **1.** Schwindel *m*, Schwind(e)ligkeit *f*. – **2.** Schwindelanfall *m*. – **3.** Verwirrtheit *f*.

diz·zy ['dizi] **I** *adj* **1.** schwind(e)lig, von Schwindel ergriffen. – **2.** verwirrt, betäubt, benommen. – **3.** schwindelnd, schwindelerregend: **~ heights.** – **4.** schwindelnd hoch (*Haus*). – **5.** unbesonnen, gedankenlos. – **6.** *colloq.* blöd, 'übergeschnappt. – **II** *v/t* **7.** schwind(e)lig *od.* schwindeln machen. – **8.** verwirren.

djib·bah *cf.* **jibbah.**

djin(n), djin·nee, djin·ni *cf.* **jin** *etc.*

D lay·er *s* D-Schicht *f* (*unterste Schicht der Ionosphäre*).

D ma·jor *s mus.* D-Dur *n*. — **D minor** *s mus.* d-Moll *n*.

do[1] [duː] *pret* **did** [did] *pp* **done** [dʌn] *3. sg pres* **does** [dʌz; dəz] **I** *v/t* **1.** tun, machen: **what can I ~ (for you)?** was kann ich (für Sie) tun? womit kann ich (Ihnen) dienen? **to ~ right** (**wrong**) (un)recht tun; **~ what he would** er konnte anfangen, was er wollte; **to have to ~ with s.o.** (es) mit j-m zu tun *od.* zu schaffen haben; **this has nothing to ~ with him** das geht ihn nichts an, das betrifft ihn nicht; **to have to ~ with s.th.** sich mit etwas beschäftigen; **what is to be done** (*od.* **to do**)? was ist zu tun? was soll geschehen? **if it were to ~ again** wenn es noch einmal getan werden müßte; **what have you done to my suit?** was haben Sie mit meinem Anzug gemacht? **she did no more than look at him** sie hat ihn nur angesehen; **they cannot ~ anything with me** sie können mit mir nichts anfangen; **he does not know what to ~ with his time** er weiß nicht, was er mit seiner Zeit anfangen soll; → **say**[1] 3. – **2.** tun, ausführen, voll'bringen, verrichten: **he would ~ murder** er würde einen Mord begehen; **to ~ odd jobs** allerlei Arbeiten verrichten; **he did all the writing** er hat alles allein geschrieben; **he did (all) the talking** er führte (allein) das große Wort; **it can't be done** es geht nicht, es ist undurchführbar; **well done!** gut gemacht! bravo! **this done ...** als dies getan war ...; **to get s.th. done** etwas ausführen *od.* erledigen lassen; **to ~ one's business** *colloq.* sein ,Geschäft' verrichten; → **battle** *b. Redw.*; **begin** 3; **bit**[2] *b. Redw.*; **duty** 1; **penance** 1; **talking** 3; **well**[1] 2. – **3.** tätigen, machen: **to ~ business** *colloq.* Geschäfte tätigen. – **4.** tun, leisten, voll'bringen: **to ~ one's best** (*od. sl.* **one's damnedest**) sein Bestes *od.* möglichstes tun, sich alle Mühe geben; **to ~ better** a) Besseres leisten, b) sich verbessern, größeren Erfolg haben. – **5.** (*nur im pp*) voll'enden, zu Ende bringen, erledigen: **he had done working** er war mit der Arbeit fertig; **done!** abgemacht! → **all** 7. – **6.** anfertigen, 'herstellen. – **7.** (*Kunstwerk etc*) anfertigen, schaffen: **to ~ a portrait** ein Porträt malen. – **8.** (*j-m etwas*) tun, zufügen, erweisen: **to ~ s.o. harm** j-m Schaden zufügen, j-m schaden; **beer does me good** Bier tut mir gut, Bier bekommt mir; **much good may it ~ you!** (*meist ironisch*) wohl bekomm's! **~ me the hono(u)r** erweisen Sie mir die Ehre; **will you ~ me the favo(u)r?** wollen Sie mir den Gefallen tun? **to ~ s.o. justice, to ~ justice to s.o.** j-m Gerechtigkeit widerfahren lassen, j-m gerecht werden; → **homage** 1; **injustice**; **turn** 22. – **9.** einbringen, gewähren: **to ~ s.o. credit, to ~ credit to s.o.** j-m Ehre einbringen, j-m zur Ehre gereichen. – **10.** bewirken, erzielen, erreichen. – **11.** sich beschäftigen mit, arbeiten an (*dat*). – **12.** in Ordnung bringen, in den gewünschten Zustand versetzen. – **13.** (*Speisen*) zubereiten, *bes.* kochen *od.* braten: → **crisp** 11; **turn** 7. – **14.** (*Geschirr*) abwaschen. – **15.** (*Zimmer*) aufräumen, machen. – **16.** 'herrichten, deko'rieren, schmücken. – **17.** ('her)richten, *bes.* (*Haar*) fri'sieren, (*Zähne*) putzen, (*Körperteil*) waschen: **to ~ one's hair** sich das Haar machen, sich frisieren; **to ~ one's teeth** sich die Zähne putzen; **to ~ one's face** sich das Gesicht waschen; **she is having her nails done** sie läßt sich maniküren. – **18.** (*Hausaufgaben etc*) a) machen, b) lernen. – **19.** (*Aufgabe*) lösen. – **20.** über'setzen (**into** in *acc*). – **21.** (*Rolle etc*) spielen, (*Charakter*) darstellen: **to ~ Othello** den Othello spielen; **to ~ the innocent** den Unschuldigen spielen. – **22.** zu'rücklegen, ,schaffen', machen: **they did 20 miles** sie legten 32 km zurück; **the car does 50 m.p.h.** der Wagen fährt 80 km/h. – **23.** *colloq.* besichtigen, die Sehenswürdigkeiten besichtigen von. – **24.** *colloq.* genügen (*dat*): **it will ~ us for the moment** es wird uns für den Augenblick genügen. – **25.** *colloq.* erschöpfen, ermüden: **they were pretty well done** sie waren am Ende (ihrer Kräfte). – **26.** *colloq.* a) (*j-n*) erledigen, ,fertigmachen': **I'll ~ him in three rounds,** b) drannehmen (*Friseur etc*): **I'll ~ you next, sir.** – **27.** *sl.* ,reinlegen', ,anführen', ,übers Ohr hauen': **to ~ s.o. badly** (*od.* **brown**) j-n schwer ,reinlegen'; **to ~ s.o. out of s.th.** j-n um etwas betrügen *od.* bringen; → **brown** 1; **eye** 2. – **28.** *sl.* (*Strafe*) absitzen: **he did two years in prison** er hat zwei Jahre (im Gefängnis) gesessen. – **29.** *colloq.* (*Speisen etc*) verabreichen, ausgeben. – **30.** *colloq.* bewirten: **to ~ oneself well** sich etwas zukommen lassen, sich gütlich tun; **they ~ you very well here** hier werden Sie gut bewirtet, hier sind Sie gut aufgehoben. – **31.** *econ. Br. colloq.* (*Wechsel etc*) aufkaufen. – **32.** bringen (*obs. außer in*): **to ~ to death** töten, umbringen. –

II *v/i* **33.** handeln, vorgehen, tun, sich verhalten: **he did well to come** er tat gut daran zu kommen; **the premier would ~ wisely to resign** der Premier würde klug handeln, wenn er zurückträte; → **doing** 6; **Rome** I. – **34.** (tätig) handeln, wirken: **~ or die** handeln od. sterben, kämpfen od. untergehen; **a ~ or die spirit** eine Entschlossenheit bis zum Äußersten. – **35.** weiter-, fort-, vor'ankommen: **to ~ well** a) vorwärtskommen, Erfolg haben (**with** bei, mit), gut abschneiden (**in** bei, in *dat*), b) gut gedeihen (*Getreide etc*). – **36.** Leistungen voll'bringen: **to ~ well** a) seine Sache gut machen, b) viel Geld verdienen. – **37.** sich befinden: **to ~ well** a) sich wohl befinden, gesund sein, b) in guten Verhältnissen leben, c) sich gut erholen; **how ~ you ~?** a) (*ursprünglich*) wie geht es (Ihnen)? b) *jetzt allgemeine Begrüßungsformel.* – **38.** auskommen, zu Rande kommen. – **39.** genügen, ausreichen, passen, dem Zweck entsprechen *od.* dienen: **that will (not) ~** das genügt (nicht); **it will ~ tomorrow** es hat Zeit bis morgen; **we'll make it ~** wir werden schon damit auskommen. – **40.** angehen, recht sein, sich schicken, passen: **that won't ~!** das geht nicht (an)! das wird nicht gehen! – **41.** sich machen, sich ausnehmen: **how does it ~?** wie macht es sich? – **42.** (*im pres perfect*) aufhören: **have done!** hör auf! genug (davon)! **let us have done with it!** hören wir auf damit! **to have done with s.th.** a) mit etwas aufhören, b) fertig sein mit etwas, etwas vollendet *od.* erledigt haben, c) mit etwas nichts mehr zu schaffen haben (wollen), genug haben von etwas. –

III *Ersatzverbum zur Vermeidung von Wiederholungen* **43.** *v/t u. v/i* tun (*bleibt meist unübersetzt*): **he treats his children as I ~ my servants** er behandelt seine Kinder wie ich meine Bedienten; **if you knew it as well as I ~** wenn Sie es so gut wüßten wie ich; **he sang better than he had ever done before** er sang besser, als (er) je zuvor (gesungen hatte); **I take a bath — So ~ I** ich nehme ein Bad — Ich auch; **he does not work hard, does he?** er arbeitet nicht viel, nicht wahr? **he works hard, does he not?** er arbeitet viel, nicht wahr? **Did he buy it? He did.** Kaufte er es? Ja(wohl)! **~ you understand? I don't.** Verstehen Sie? Nein! **He sold his car. Did he?** Er hat sein Auto verkauft. Wirklich? So? **I wanted to go there, and I did so** ich wollte hingehen u. tat es auch. –

IV *Hilfszeitwort* **44.** *zur Umschreibung in Fragesätzen*: **~ you know him?** kennen Sie ihn? – **45.** *zur Umschreibung in mit* **not** *verneinten Sätzen*: **I ~ not believe it** ich glaube es nicht; **~ not go there!** gehen Sie nicht hin! **don't!** tun Sie es nicht! – **46.** *zur Verstärkung*: **I ~ like it!** mir gefällt es wirklich; **but I ~ see it!** aber ich sehe es doch! **~ come in!** kommen Sie doch herein! **~ tell!** a) nur zu! mach schon, b) *Am. sl. selten* was Sie nicht sagen! aber nein! das ist doch nicht möglich! **be quiet, ~!** sei doch still! – **47.** *bei Satzumstellungen mit voranstehendem* **hardly, little, rarely** *etc*: **rarely does one see such things** solche Dinge sieht man selten. –

Verbindungen mit Präpositionen:

do| by *v/t* handeln an (*dat*), sich verhalten gegen, behandeln: **to do well by s.o.** j-n gut behandeln, gut an j-m handeln; **~ as you would be done by** was du nicht willst, daß man dir tu', das füg' auch keinem andern zu! — **~ for** *v/t* **1.** erledigen, zu'grunde richten, rui'nieren: **he is done for** er ist erledigt. – **2.** töten, 'umbringen. – **3.** *colloq.* den Haushalt führen für, (*j-m*) den Haushalt führen. – **4.** sorgen für, Vorsorge treffen für. – **5.** genügen für. — **~ to, ~ un·to** → **do by**. — **~ with** *v/t* **1.** verkehren *od.* handeln mit. – **2.** auskommen mit, fertig werden mit, sich begnügen mit: **we can ~ it** wir können damit auskommen. – **3.** *colloq.* Verwendung haben für, (sehr gut) brauchen können: **I could ~ a glass of beer** ich könnte ein Glas Bier vertragen; **we could ~ some more** wir könnten noch einige brauchen. — **~ with·out** *v/t* auskommen ohne, fertig werden ohne, (*etwas*) entbehren, verzichten auf (*acc*): **we can ~ it** wir können darauf verzichten. –

Verbindungen mit Adverbien:

do| a·way *v/t obs.* beseitigen. — **~ a·way with** *v/t* **1.** beseitigen, wegschaffen. – **2.** loswerden: **he has done away with all he had** er hat alles (was er hatte) durchgebracht. – **3.** 'umbringen, töten: **to ~ oneself** sich umbringen, sich das Leben nehmen. – **4.** zerstören. — **~ down** *v/t Br. colloq.* her'einlegen, übers Ohr hauen. — **~ in** *v/t sl.* **1.** verprügeln. – **2.** erschöpfen, ermüden. – **3.** ‚erledigen', zu'grunde richten. – **4.** 'umbringen, 'umlegen. – **5.** ‚übers Ohr hauen'. — **~ out** *v/t colloq.* (*Zimmer etc*) aufräumen, säubern, ausfegen. — **~ up** *v/t* **1.** zu'sammenbinden, -schnüren, (*Päckchen*) zu'rechtmachen *od.* verschnüren: **do these things up for me** packen Sie mir das ein; **you can do the trunk up again** Sie können den Koffer wieder schließen. – **2.** (*Haar*) 'hochfri͵sieren. – **3.** 'herrichten, in'stand setzen. – **4.** (*Kleider etc*) wieder in Ordnung bringen. – **5.** *colloq.* ‚fertigmachen': a) erschöpfen, ermüden, auspumpen, b) *Am.* zu'grunde richten, rui'nieren, her'einlegen: → **brown** 1.

do² [duː] *pl* **dos, do's** [duːz] *s* **1.** *sl.* Schwindel *m*, Gaune'rei *f*, Betrug *m*: **the scheme was a ~ from the start.** – **2.** *Br. colloq.* Feier *f*, Fest(lichkeit *f*) *n*, (große) ‚Sache': **tomorrow we're having a big ~.** – **3.** *pl Br. colloq.* (An)Teile *pl*: **fair do's!** redlich teilen! – **4.** *dial.* a) Getue *n*, b) Trubel *m*. – **5.** *selten* a) Tat *f*, b) Pflicht *f*. – **6.** *pl colloq.* Regeln *pl*: **Golf Do's and Don'ts.**

do³ [dou] *s mus.* Do *n* (*1. Stufe in der Solmisation*).

do·a·ble ['duːəbl] *adj* ausführbar, verrichtbar, zu tun.

'do-͵all *s* Fak'totum *n*.

doat *cf.* dote.

dob·ber ['dɒbər] *s Am. dial.* Schwimmer *m* (*einer Angel*).

dob·bin ['dɒbin] *s* (frommes) Arbeits-, Zugpferd, ‚Hans' *m*.

dob·by ['dɒbi] *s* **1.** *dial.* Kobold *m*. – **2.** (*Weberei*) 'Schaftma͵schine *f*.

Do·bell's so·lu·tion [do'belz] *s med.* Do'bellsche Lösung.

Do·ber·man pin·scher ['doubərmən] *s* Dobermannpinscher *m* (*Haushundrasse*).

do·bie ['doubi] *Am. colloq. für* adobe I.

do·bla ['doublɑː] *s hist.* Dobla *f* (*alte span. Goldmünze*).

do·blon [do'bloun] *pl* **do'blo·nes** [-neis] *s hist.* Do'blon *m*, Du'blone *f* (*alte Goldmünze in Spanien u. im span. Südamerika*).

do·bra ['doubrə] *s hist.* Dobra *f* (*verschiedene alte portug. Münzen, bes. eine Goldmünze*).

dob·son ['dɒbsn] → **hellgrammite.** — **~ fly** *s zo.* (*eine*) Schlammfliege (*Corydalis cornuta*).

do·by ['doubi] *Am. colloq. für* adobe I.

doc [dɒk] *Am. colloq. für* **doctor.**

do·cent ['dousent; do'sent] *s Am.* (Pri'vat)Do͵zent *m*. — **'do·cent͵ship** *s Am.* Dozen'tur *f*.

Do·cet·ic [do'setik; -'siː-] *adj relig. hist.* do'ketisch. — **Do'ce·tism** [-'siː-] *s* Doke'tismus *m*. — **Do'ce·tist I** *s* Do'ket *m*. – **II** *adj* do'ketisch.

doch-an|-dor·rach, ~-dor·roch ['dɒxən'dɒrəx], **'~-'dor·ris** [-ris] *s* Abschiedstrunk *m*.

doch·mi·ac ['dɒkmiæk] *adj u. s metr.* dochmisch(er Vers). — **'doch·mi·us** [-əs] *pl* **-mi͵i** [-͵ai] *s metr.* Dochmius *m*.

doc·ile [*Br.* 'dousail; *Am.* 'dɒsl] *adj* **1.** lenksam, fügsam, willig, leicht zu behandeln(d). – **2.** gelehrig. – **3.** fromm (*Pferd*). – *SYN. cf.* obedient. — **do·cil·i·ty** [do'siliti; -əti] *s* **1.** Lenk-, Fügsamkeit *f*. – **2.** Gelehrigkeit *f*.

dock¹ [dɒk] **I** *s* **1.** Dock *n*: a) *Hafenbecken*, b) *Anlage zum Trockensetzen von Schiffen*: **to put a ship in ~** ein Schiff (ein)docken. – **2.** Hafenbecken *n*, Landungs-, Lade-, Anlegeplatz *m* (*zwischen 2 Kais etc*): **~ authorities** Hafenbehörde, -verwaltung. – **3.** *Am.* Kai *m*, Pier *m*. – **4.** *pl* Docks *pl*, Hafenanlagen *pl*, (Schiffs)Werft *f*. – **5.** (*Eisenbahn*) a) *Am.* Laderampe *f*, b) *Br.* an drei Seiten von Bahnsteigen *etc* um'schlossenes Gleis, Abstellgleis *n*. – **II** *v/t* **6.** (*Schiff*) (ein)docken, ins Dock bringen, am Kai festmachen: **to ~ a train** einen Zug aufs Abstellgleis (*Am.* zur Laderampe) bringen. – **7.** (*Hafen*) mit einem Dock *od.* mit Docks versehen. – **III** *v/i* **8.** ins Dock gehen, docken, im Dock liegen. – **9.** im Hafen *od.* am Kai anlegen: **the ship ~ed here.**

dock² [dɒk] **I** *s* **1.** (Schwanz)Rübe *f*, fleischiger Teil des Schwanzes. – **2.** (Schwanz)Stumpf *m*, (Schwanz)-Stummel *m*, Stutzschwanz *m*. – **3.** a) Schwanzriemen *m*, b) Lederhülle *f* zum Bedecken des Stutzschwanzes. – **4.** Kürzung *f* (*Lohn etc*). – **II** *v/t* **5.** (*Schwanz etc*) stutzen, beschneiden. – **6.** (*dat*) den Schwanz stutzen, (*Pferde*) angli'sieren: **a ~ed horse** ein Stutzschwanz. – **7.** (*j-m*) die Haare schneiden. – **8.** (*Lohn etc*) kürzen, beschneiden, vermindern. – **9.** (*j-m*) den Lohn kürzen. – **10.** berauben (of *gen*). – **11.** *jur.* zerschneiden, zu'nichte machen: **to ~ the entail** die Erbfolge aufheben.

dock³ [dɒk] *s jur.* Anklagebank *f*: **to be in the ~** auf der Anklagebank sitzen.

dock⁴ [dɒk] *s bot.* **1.** Ampfer *m* (*Gattg Rumex*): **bitter ~** Grindwurz (*R. obtusifolius*). – **2.** *verschiedene Pflanzen der Gattungen Arctium, Malva u. Tussilago, bes.* a) → **coltsfoot,** b) → **burdock.**

dock·age¹ ['dɒkidʒ] *s mar.* **1.** Dock-, Hafengebühren *pl*, Kaigebühr *f*, -geld *n*, -abgabe *f*. – **2.** Docken *n*, 'Unterbringung *f* im Dock. – **3.** Dockmöglichkeit(en *pl*) *f*, -anlagen *pl*.

dock·age² ['dɒkidʒ] *s* **1.** Kürzung *f*, Beschneidung *f* (*Löhne etc*). – **2.** (Lohn)Abzug *m*. – **3.** Abfall *m* (*Getreide*).

dock| brief *s jur. Br. von einem Barrister kostenlos übernommener Auftrag zur Verteidigung, den ein mittelloser Angeklagter erteilt.* — **~ cress** *s bot.* Rain-, Hasenkohl *m* (*Lapsana communis*). — **~ dues** *s pl* → **dockage¹** 1.

dock·er¹ ['dɒkər] *s Br.* Dock-, Hafenarbeiter *m*, Schauermann *m*.

dock·er² ['dɒkər] *s* **1.** (Schwanz)-Stutzer *m*, Beschneider *m*. – **2.** Ausstechform *f* (*für Keks etc*).

dock·et ['dɒkit] **I** *s* **1.** *jur.* Liste *f* der anhängigen Rechtsfälle, Pro'zeßliste *f*. – **2.** *jur. bes. Br.* Verzeichnis *n* von Urteilssprüchen. – **3.** *Am.* Tagesordnung *f*, Liste *f* von zu behandelnden Angelegenheiten: **to be on the ~** in Behandlung *od.* auf der Tagesordnung stehen; → **clear** 42. – **4.** Inhaltsangabe *f*, -verzeichnis *n* (*Dokumente etc*). – **5.** *econ.* a) 'Warena͵dreßzettel *m*, b) Eti'kett *n*, c) *Br.* Zollquittung *f*, d) *Br.* Einkaufsgenehmigung *f*, Kaufbewilligung *f*, e) *Br.* Lieferbewilligung *f*, Bestell-, Lieferschein *m*. – **II** *v/t* **6.** *jur.* in ein Re'gister *od.* in die Pro'zeßliste eintragen. – **7.** (*Dokumente etc*) mit kurzer Inhaltsangabe versehen. – **8.** *econ.* (*Waren*) a) mit A'dreßzettel versehen, b) etiket'tieren, beschriften.

dock| gate *s mar.* **1.** Docktor *n*. – **2.** Schleusentor *n*. — **~ glass** *s* großes Glas (*zum Weinkosten*).

dock·ize ['dɒkaiz] *v/t* (*Fluß*) mit Docks *od.* Dockanlagen versehen, (*Docks*) anlegen.

'dock|͵land *s* Hafenviertel *n*. — **'~͵mack·ie** *s bot.* (*ein*) nordamer. Schneeball *m* (*Viburnum acerifolium*). — **'~͵mas·ter** *s mar.* 'Hafenkapi͵tän *m*, Dockmeister *m*. — **~ sor·rel** *s bot.* Sauerampfer *m* (*Rumex acetosa*). — **'~-͵wal·lop·er** *s Am. sl.* Gelegenheitsarbeiter *m* in Docks *od.* auf Werften. — **~ war·rant** *s econ. mar.* Dockempfangs-, Docklagerschein *m*. — **~ work·er** → **docker¹**. — **'~͵yard** *s mar.* **1.** Werft *f*. – **2.** *bes. Br.* Ma'rinewerft *f*.

do·co·sane ['doukə͵sein; 'dɒk-] *s chem.* Doko'san *n* ($C_{22}H_{46}$).

doc·tor ['dɒktər] **I** *s* **1.** Doktor *m*, Arzt *m*: **to consult a ~** einen Arzt zu Rate ziehen; **~'s stuff** *colloq.* Medizin;

(lady) ~ Ärztin; → **send**[1] 12. – **2.** Doktor *m* (*akademischer Grad od. Inhaber dieses Grades*): D~ of Divinity (Laws, Medicine) Doktor der Theologie (Rechte, Medizin); to take one's ~'s degree (zum Doktor) promovieren; Dear D~ Sehr geehrter Herr Doktor! – **3.** Weiser *m*, Gelehrter *m* (*obs. außer in*): D~ of the Church Kirchenlehrer, Doctor Ecclesiae. – **4.** Medi'zinmann *m* (*bei Naturvölkern*). – **5.** *colloq. humor.* Doktor *m* (*Bezeichnung für j-n, dessen Meinung als maßgebend anerkannt wird*). – **6.** *bes. mar. sl.* ‚Küchenbulle' *m* (*Koch*). – **7.** *tech. ein Hilfsmittel, bes.* a) Schaber *m*, Abstreichmesser *n*, b) Lötkolben *m*, c) → donkey engine, d) Duktor *m*, 'Farbzy,linder *m*. – **8.** (*Angeln*) (*Art*) künstliche Fliege. – **9.** *colloq.* kühle Brise. – **10.** *obs. sl.* falscher Würfel. – **II** *v/t* **11.** (ärztlich) behandeln, ku'rieren. – **12.** *colloq.* zu'sammenflicken, (notdürftig) ausbessern. – **13.** (*j-m*) die Doktorwürde verleihen. – **14.** als Doktor anreden *od.* bezeichnen. – **15.** *auch* ~ up *colloq.* a) (*Wein etc*) verfälschen, verpanschen, b) (*Abrechnungen etc*) zu'rechtmachen, ('auf)fri,sieren, fälschen. – **III** *v/i* **16.** *colloq.* als Arzt prakti'zieren. – **17.** sich ärztlich behandeln lassen.

doc·tor·al ['dɒktərəl] *adj* Doktor(s)...: ~ cap Doktorhut; ~ degree Doktorgrad. — **'doc·tor·ate** [-rit] *s* Dokto'rat *n*, Doktorwürde *f*, -titel *m*. — **doc'to·ri·al** [-'tɔːriəl] *adj* **1.** → doctoral. – **2.** doktor-, lehrhaft.

Doc·tors' Com·mons *s Gebäude in London, früher Speisesaal u. Sitz des Rechtsgelehrtenkollegiums, später Sitz von Gerichtshöfen bes. für Ehe- u. Testamentsangelegenheiten.*

doc·tor·ship ['dɒktər,ʃip] *s* **1.** → doctorate. – **2.** Stellung *f od.* Eigenschaft *f* eines Doktors. – **3.** Gelehrtheit *f*, Gelehrsamkeit *f*.

doc·tor so·lu·tion *s tech.* Entschwefelungsmittel *n* (*für Erdöle*).

doc·tri·naire [,dɒktri'nɛr] **I** *s* Doktri'när *m*, engstirniger Prin'zipienreiter *od.* Theo'retiker. – **II** *adj* doktri'när, starr an einer Dok'trin festhaltend. – *SYN. cf.* dictatorial. — **,doc·tri'nair·ism** *s* Doktrina'rismus *m*, engstirnige Prin,zipienreite'rei.

doc·tri·nal ['dɒktrinl; *Br. auch* -'trai-] *adj* **1.** eine Dok'trin enthaltend *od.* ausdrückend, Lehr...: ~ proposition Lehrsatz. – **2.** dog'matisch: ~ theology Dogmatik. – **3.** belehrend, lehrmäßig.

doc·tri·nar·i·an [,dɒktri'nɛ(ə)riən] *selten für* doctrinaire. — **,doc·tri'nar·i·an,ism** *selten für* doctrinairism.

doc·trine ['dɒktrin] *s* **1.** Dok'trin *f*, Lehre *f*, Lehrmeinung *f*: ~ of descent Abstammungslehre. – **2.** *pol.* Dok'trin *f*, Grundsatz *m*: party ~ Parteiprogramm. – **3.** *obs.* Unter'weisung *f*. – *SYN.* dogma, tenet. — **'doc·trin,ism** *s* Doktrina'rismus *m*, Festhalten *n* an einer Dok'trin *od.* Theo'rie.

doc·u·ment I *s* ['dɒkjumənt; -jə-] **1.** Doku'ment *n*, Beweis-, Belegstück *n*, Urkunde *f*: supported by ~s urkundlich belegt. – **2.** Doku'ment *n*, amtliches Schriftstück: secret ~ Geheimdokument. – **3.** *pl econ.* a) Ver'ladepa,piere *pl*, b) 'Schiffspa,piere *pl*: ~s against payment Auslieferung der Verlade- *od.* Schiffspapiere gegen Bezahlung. – **4.** *obs.* a) Beispiel *n*, b) Beweis *m*. – **II** *v/t* [-,ment] **5.** *econ.* a) (*Schiff etc*) mit den amtlichen Pa'pieren ausstatten, b) (*Tratte*) mit den Ver'ladepa,pieren versehen. – **6.** (*j-n*) mit Ausweisen ausstatten. – **7.** dokumen'tieren, dokumen'tarisch belegen. – **8.** (*Buch etc*) mit genauen 'Hinweisen auf Belege ausstatten. – **9.** *obs.* unter'weisen. — **,doc·u'men·tal** [-'mentl] → documentary 1.

doc·u·men·ta·ry [,dɒkju'mentəri; -jə-] **I** *adj* **1.** dokumen'tarisch, urkundlich, durch Urkunden (belegt). – **2.** belegend, auf Belegen aufbauend. – **3.** hi'storische Doku'mente verwendend (*in Literatur, Malerei etc*). – **4.** dokumen'tarisch festhaltend *od.* aufzeichnend, Dokumentar...: ~ film. – **II** *s* **5.** Dokumen'tarfilm *m*. — ~ **bill,** ~ **draft** *s econ.* Doku'mententratte *f*. — ~ **stamp** *s* Urkundenstempel(marke *f*) *m*.

doc·u·men·ta·tion [,dɒkjumen'teiʃən; -jə-] *s* **1.** Dokumentati'on *f* (*Sammlung u. Auswertung von Dokumenten etc*). – **2.** dokumen'tarischer Nachweis *od.* Beleg. – **3.** Benutzung *f* hi'storischer Doku'mente (*Roman etc*). – **4.** Ausstattung *f* (*eines Schiffes etc*) mit amtlichen Pa'pieren. – **5.** *obs.* Belehrung *f*, Unter'weisung *f*.

doc·u·ment bill → documentary bill.

dod [dɒd] *s tech.* Ringform *f* (*zur Herstellung von Tonröhren*).

dod·der[1] ['dɒdər] *v/i* **1.** zittern, (sch)wanken, wackeln. – **2.** schlurfen. – **3.** brabbeln, sabbeln.

dod·der[2] ['dɒdər] *s bot.* Teufelszwirn *m*, Seide *f* (*Gattg Cuscuta*).

dod·dered ['dɒdərd] *adj* **1.** astlos. – **2.** (alters)schwach, kraftlos, tatterig. — **'dod·der·ing** *adj* **1.** (sch)wankend, zittrig. – **2.** → doddered 2. – **3.** se'nil. – **4.** blöd, sinnlos. — **'dod·der·y** → doddering.

dodeca- [doudekə], *auch* **dodec-** *Wortelement mit der Bedeutung* zwölf.

do·dec·a·gon [dou'dekə,gɒn; -gən] *s math.* Zwölfeck *n*, Dodeka'gon *n*. — **,do·de'cag·o·nal** [-'kægənl] *adj math.* zwölfeckig, dodekago'nal. — **,do·dec·a'he·dral** [-'hiːdrəl] *adj math.* dodeka'edrisch, zwölfflächig. — **,do·dec·a'he·dron** [-drən] *pl* **-drons, -dra** [-drə] *s math.* Dodeka'eder *n*, Zwölfflach *n*, -flächner *m*. — **,do·de'cam·er·ous** [-di'kæmərəs] *adj bot.* zwölfteilig.

do·dec·ane [do'dekein; ,doudi'kein; 'doudi-] *s chem.* (*Art*) Paraf'fin *n* ($C_{12}H_{26}$).

Do·dec·a·ne·sian [,doudekə'niːʃən; -ʒən] **I** *adj* dodeka'nesisch. – **II** *s* Bewohner(in) des Dodeka'nes.

do·de·carch·y ['doudi,kɑːrki] *s* Zwölfherrschaft *f*. — **do·dec·a·syl·lab·ic** [,doudekəsi'læbik] *adj* zwölfsilbig. — **,do·dec·a'syl·la·ble** [-ləbl] *s* zwölfsilbiger Vers.

do·de·cath·e·on [,doudi'kæθi,ɒn] *s bot.* Götterblume *f* (*Gattg Dodecatheon*).

do·dec·yl ['doudisil; do'desil] *s chem.* Dode'cyl *n* (*das einwertige Radikal* $C_{12}H_{25}$).

dodge [dɒdʒ] **I** *v/i* **1.** (rasch) zur Seite springen, ausweichen. – **2.** sich verstecken, sich decken (behind hinter *dat*). – **3.** schlüpfen (about um ... herum, behind hinter *acc*). – **4.** sich rasch hin u. her bewegen. – **5.** Ausflüchte gebrauchen. – **6.** sich drücken (*vor einer Pflicht etc*). – **7.** Winkelzüge machen. – **II** *v/t* **8.** (*einem Schlag, einem Verfolger etc*) ausweichen. – **9.** *colloq.* sich drücken vor (*dat*), um'gehen (*acc*), (*dat*) aus dem Weg gehen: to ~ doing vermeiden zu tun. – **10.** zum besten haben, irreführen. – **11.** (*Schüler etc*) unerwartet ausfragen *od.* prüfen. – **12.** hin u. her bewegen. – **13.** *phot.* abwedeln. – **III** *s* **14.** Sprung *m* zur Seite, rasches Ausweichen. – **15.** *colloq.* Schlich *m*, Kniff *m*, Trick *m*: to be up to a ~ or two ‚es faustdick hinter den Ohren haben'. – **16.** *colloq.* a) sinnreicher Mecha'nismus, ‚Pa'tent' *n*, b) (geeignetes) Hilfsmittel. – **17.** (*Wechselläuten*) von der Regel abweichendes Anschlagen einer Glocke. — **'dodg·er** *s* **1.** Ausweichende(r). – **2.** geriebener *od.* verschlagener Mensch. – **3.** Schwindler *m*. – **4.** Drückeberger *m*. – **5.** *Am. od. Austral.* Re'klame-, Handzettel *m*, Flugblatt *n*. – **6.** *mar. colloq.* Schutzkleid *n* auf der Brücke, Schauerkleid *n* (*aus Segeltuch*). – **7.** → corn~. — **'dodg·er·y** [-əri] *s* **1.** Schwinde'lei *f*. – **2.** Kniff *m*, Trick *m*. — **'dodg·y** *adj* **1.** verschlagen, gerieben. – **2.** ständig Ausflüchte machend.

do·do ['doudou] *pl* **-does, -dos** *s* **1.** *zo.* Do'do *m*, Dronte *f* (*Didus ineptus; ausgestorbene Riesentaube*). – **2.** *colloq.* Mensch *m* von gestern, (hinter der Zeit) Zu'rückgebliebene(r). – **3.** *aer. sl.* Flugschüler *m*, Anfänger *m*.

Do·do·n(a)e·an [,doudo'niːən] *adj antiq.* do'donisch: the ~ oracle das Orakel von Dodona.

doe [dou] *s zo.* **1.** Damhirschkuh *f*. – **2.** *Weibchen der Ziegen, Kaninchen u. anderer Säugetiere, deren Männchen allg. als* buck *bezeichnet wird, bes.* (Reh)Geiß *f*.

do·er ['duːər] *s* **1.** Ausführer *m*, Verrichter *m*, Täter *m*. – **2.** Darsteller *m* (*einer Rolle*). – **3.** Handelnder *m*. – **4.** *sl.* Betrüger *m*.

does [dʌz; dəz] *3. sg pres indicative von* do[1]: he ~ er tut.

'doe,skin *s* **1.** a) Rehfell *n*, b) Rehleder *n*. – **2.** Doeskin *n* (*Art Wollstoff*). – **3.** *pl* Schaflederhandschuhe *pl*.

does·n't ['dʌznt] *colloq. für* does not.

do·est ['duːist] *obs. od. poet. 2. sg pres von* do[1]: thou ~ du tust.

do·eth ['duːiθ] *obs. od. poet. 3. sg pres von* do[1]: he ~ er tut.

doff [dɒf] *v/t* **1.** (*Kleider etc*) ablegen, ausziehen. – **2.** (*Hut*) abnehmen. – **3.** *fig.* (*Manieren etc*) ablegen. – **4.** *fig.* bei'seite legen. – **5.** *fig.* loswerden, ‚sich vom Hals schaffen'. – **6.** *tech.* vom Spinnrahmen *od.* von den Spindeln abnehmen. — **'doff·er** *s* **1.** Ableger(in). – **2.** *tech.* Abnehmer *m*, Kammwalze *f*.

doff·ing| cyl·in·der ['dɒfiŋ] → doffer 2. — ~ **knife** *s irr tech.* Abnehmermesser *n*.

dog[1] [dɒg] **I** *s* **1.** *zo.* (Haus)Hund *m* (*Canis familiaris*). – **2.** *zo.* Hund *m* (*Fam. Canidae*). – **3.** *zo.* Rüde *m* (*männlicher Hund, Wolf, Fuchs etc*). – **4.** Jagdhund *m*. – **5.** *Kurzform für* ~fish, prairie ~ *etc.* – **6.** Hund *m*, Schurke *m* (*Schimpfwort*). – **7.** *colloq.* Bursche *m*, Kerl *m*: a lazy ~ ein fauler Kerl; a lucky ~ ein Glückspilz; a sly ~ ein schlauer Fuchs. – **8.** *colloq.* Getue *n*, (großtuerisches) Gehabe: to put on (the) ~ großtun, großtuerisch auftreten, sich brüsten. – **9.** D~ *astr.* Hund *m*: Greater (*od.* Great) D~ Großer Hund; Lesser (*od.* Little) D~ Kleiner Hund. – **10.** D~ → D~ Star. – **11.** *tech. eine Vorrichtung zum Befestigen, bes.* a) Klammer *f*, Klammer-, Greifhaken *m*, b) Kropfeisen *n*, Steinklaue *f*, c) Klauenkörper *m*, d) Drehherz *n*, e) Hebezwinge *f*, f) Sperrklinkenzahn *m*, g) Dorn *m* (*Schlosserei*), h) Mitnehmer(stift) *m*, i) Nocken *m*, k) Klemmschraube *f*, l) Sperrhaken *m*, m) Ziehzange *f* (*zum Drahtziehen*), n) Bock *m*, Gestell *n*. – **12.** → fire~. – **13.** → sun~ 1 b, fog~ *etc.* – **14.** *Am. sl. für* hot ~ I. – **15.** the ~s *Br. colloq.* das Windhundrennen. – *Besondere Redewendungen*:
to go to the ~s vor die Hunde *od.* zugrunde gehen; to give (*od.* throw) to the ~s a) den Hunden vorwerfen,

b) *fig.* opfern, c) wegwerfen; **love me, love my ~** wer mich liebt, muß auch meine Freunde lieben; **not a ~'s chance** nicht die geringste Chance *od.* Aussicht; **to lead s.o. a ~'s life** j-m das Leben zur Hölle machen; **to help a lame ~ over a stile** j-m in der Not beistehen; **to take a hair of the ~ that bit you** den Kater in Alkohol ersäufen; **~ in a blanket** a) Rosinenkloß, b) Marmeladenpudding; **let sleeping ~s lie** *fig.* a) beschwöre nicht mutwillig Unannehmlichkeiten herauf, b) laß den Hund begraben sein, rühr nicht alte Geschichten auf; **~ does not eat ~** eine Krähe hackt der anderen kein Auge aus; **to keep a ~ and bark oneself** trotz Angestellter die Arbeit selbst machen; → **cat** *b. Redw.*; **day** 10; **die**¹ 1; **manger** 1; **rain** 8; **wag** 10; **word** *b. Redw.* – **II** *v/t pret u. pp* **dogged 16.** (*j-m*) auf den Fersen bleiben, (*j-n*) beharrlich verfolgen. – **17.** (wie) mit Hunden hetzen. – **18.** *tech.* mit einer Klammer *od.* Klaue befestigen, zu'sammenklammern. – **III** *adv* **19.** äußerst, höchst, ‚hunde...', ‚hunds...': **~-cheap** spottbillig; **~-hungry** hungrig wie ein Wolf; **~-poor** bettelarm; **~-sick** hundeelend; **~-tired** hundemüde. – **IV** *adj* **20.** Hunde..., Hunds... – **21.** männlich (*Hund*). – **22.** unecht, nicht rein, vermischt.

dog ape → **baboon** 1.

do·gate ['dougeit] *s* Dogenwürde *f*, -amt *n*.

'dog|ˌbane *s bot.* Hundstod *m*, -gift *n* (*Gattg Apocynum*). — **~ belt** *s* (*Bergbau*) Ziehzeug *n*.

'dogˌber·ry¹ *s bot.* **1.** Hundsbeere *f* (*Frucht von Cornus sanguinea*). – **2.** *Am. für* a) **chokeberry**, b) **yellow clintonia**. – **3.** *Br. für* a) **dog rose**, b) **bearberry** 1, c) **guelder-rose**. – **4.** (*eine*) amer. Stachelbeere (*Ribes cynosbati*).

'Dogˌber·ry² *s* dummer u. geschwätziger kleiner Beamter (*nach der Gestalt in „Viel Lärm um nichts"*).

dog| bis·cuit *s* Hundekuchen *m*. — **'~-ˌbox** *s Br.* Hundeabteil *n* (*im Zug*). — **'~ˌcart** *s* **1.** Dogcart *m* (*leichter zweirädriger Einspänner*). – **2.** Hundewägelchen *n*. — **~ clutch** *s tech.* Ausrückmuffe *f*, lösbare Kupplungsmuffe, Klauenkupplung *f*. — **~ col·lar** *s* **1.** Hundehalsband *n*. – **2.** *Br. colloq.* Kol'lar *n*, steifer, hoher Kragen (*eines Geistlichen*). — **~ days** *s pl* Hundstage *pl*.

doge [doudʒ] *s* Doge *m* (*Oberhaupt der Republiken Venedig od. Genua*).

'dogˌear → **dog's-ear.**

doge·dom ['doudʒdəm] *s* Dogentum *n*. — **dogeˌship** *s* Dogenwürde *f*, -amt *n*.

'dog|ˌface *s Am. mil. sl.* **1.** a) Landser *m*, b) Re'krut *m*. – **2.** *Soldat, der immer läuft, um seiner Kolonne nachzukommen.* — **'~-ˌfaced ape** → **baboon** 1. — **'~ˌfall** *s* (*Ringen*) gleichzeitiges Fallen (der beiden Gegner) (*worauf der Kampf als unentschieden gewertet wird*). — **~ fan·ci·er** *s* **1.** Hundeliebhaber *m*. – **2.** Hundezüchter *m*. — **~ fen·nel** *s* **1.** → **mayweed**. – **2.** → **heath aster**. — **'~ˌfight I** *s* **1.** Handgemenge *n*, Balge'rei *f*. – **2.** *mil.* a) (Panzer- *etc*)Nahkampf *m*, b) *aer.* Kurvenkampf *m*, heftiger Luftkampf. – **II** *v/i* **3.** sich balgen, raufen. — **'~ˌfish** *s zo.* **1.** (*ein*) kleiner Hai (*Familien Squalidae, Carchariidae, Scylliorhinidae*), *bes.* a) **spiny ~** Gemeiner Dornhai (*Squalus acanthias*), b) **smooth ~** Hundshai *m* (*Galeus canis*) *od.* Sternhai *m* (*Mustelus mustelus*), c) **spotted ~** Kleinfleckiger Katzenhai (*Scylliorhinus canicula*). – **2.** → **bowfin.** – **3.** → **dog salmon** 1. — **~ fox** *s zo.* **1.** Fuchsrüde *m*, männlicher Fuchs. – **2.** Blaufuchs *m*.

dog·ged ['dɒgid] *adj* verbissen, hartnäckig, zäh: **it's ~ does it** Zähigkeit siegt. – *SYN. cf.* **obstinate.** — **'dog·ged·ness** *s* Verbissenheit *f*, Zähigkeit *f*.

dog·ger¹ ['dɒgər] *s mar.* Dogger *m*, Dog(ger)boot *n* (*zweimastiges Fischerboot*).

Dog·ger² ['dɒgər] *s geol.* Dogger *m* (*mittlere Juraformation*).

dog·ger³ ['dɒgər] *s* beharrlicher Verfolger.

dog·ger·el ['dɒgərəl] **I** *adj* **1.** holp(e)rig, schlecht, Knittel... (*Vers etc*). – **2.** bur'lesk, possenhaft (*Dichtung etc*). – **3.** grob, plump. – **II** *s* **4.** holp(e)riger Vers, *bes.* Knittelvers *m*. – **5.** grobes *od.* bur'leskes Gedicht.

dog·ger·y ['dɒgəri] *s* **1.** gemeines Betragen. – **2.** *collect.* (bissige) Hunde *pl*. – **3.** Gesindel *n*. – **4.** *Am. sl.* Spe'lunke *f*, ‚Schnapsbude' *f*.

dog·gie *cf.* **doggy**¹.

dog·gish ['dɒgiʃ] *adj* **1.** hundeartig, hündisch, Hunde... – **2.** bissig, unfreundlich. – **3.** mürrisch, ärgerlich. – **4.** *colloq.* protzig, großspurig, ‚aufgedonnert'.

dog·go ['dɒgou] *adv sl.* mäuschenstill, regungslos: **to lie ~** regungslos liegen, sich nicht rühren (*bes. in einem Versteck*).

ˌdog'gone *interj Am.* verdammt! verflucht!

dog grass *s bot.* Hundsquecke *f* (*Agropyrum canium*).

dog·grel ['dɒgrəl] → **doggerel.**

dog·gy¹ ['dɒgi] *s* Hündchen *n*, kleiner Hund (*auch als Kosename*).

dog·gy² ['dɒgi] *adj* **1.** → **doggish.** – **2.** *colloq.* in Hunde vernarrt, hundeliebend: **a ~ person** ein Hundenarr.

'dog|ˌhead *s* Hahn *m* (*am Gewehr*). — **'~ˌhole** *s fig.* Hundeloch *n*, elende Dreckbude. — **~ hook** *s tech.* **1.** Greif-, Klammerhaken *m*. – **2.** (*Art*) Schraubenschlüssel *m*. — **'~ˌhouse** *s* **1.** Hundehütte *f*: **in the ~** *bes. Am. colloq.* in Ungnade. – **2.** Verschlag *m*, gedeckter (Führer-)Stand (*bei einem Kran etc*). — **~ hutch** → **doghole.**

do·gie ['dougi] *s Am.* **1.** mutterloses Kalb. – **2.** minderwertiges Tier (*bes. Rind*).

dog| i·ron *s* **1.** → **firedog.** – **2.** *tech.* Klammer *f*, Krampe *f*. – **3.** *mar.* Klampe *f*. — **~ Lat·in** *s* 'Küchenlaˌtein *n*. — **~ lead** *s* Hundeleine *f*. — **'~-ˌleg·ged**, *auch* **'~-ˌleg** *adj* gekrümmt, gebogen gedreht: **~ stairs** abgesetzte Treppe, Treppe mit Absätzen; **~ tobacco** *Am. colloq.* schlechter Tabak, ‚Kraut'. — **~ li·chen** *s bot.* Hundsflechte *f* (*Peltigera canina*). — **~ louse** *s irr zo.* **1.** Hundehaarling *m* (*Trichodectes canis*). – **2.** Hundelaus *f* (*Linognathus setosus*).

dog·ma ['dɒgmə] *pl* **-mas, -ma·ta** [-mətə] *s* **1.** *relig.* Dogma *n*: a) *Glaubenssatz*, b) *Lehrsystem*. – **2.** Dogma *n*, Grundüberˌzeugung *f*, Grundsatz *m*. – **3.** Lehrsatz *m*. – *SYN. cf.* **doctrine.** — **dog'mat·ic** [-'mætik], *auch* **dog'mat·i·cal** *adj* **1.** *relig.* dog'matisch. – **2.** dog'matisch doktri'när, entschieden. – **3** dɔg'matisch, autori'tär, gebieterisch anmaßend (seine Meinung vertretend). – *SYN. cf.* **dictatorial.** — **dog'mat·i·cal·ly** *adv* (*auch zu* **dogmatic**). — **dog'mat·i·cal·ness** *s* **1.** dog'matischer Cha'rakter. – **2.** autori'täres Wesen. — **dog'mat·ics** *s pl* (*als sg konstruiert*) Dog'matik *f*.

dog·ma·tism ['dɒgməˌtizəm] *s* **1.** Dogma'tismus *m* (*auch philos.*). – **2.** selbstsicheres Behaupten. — **'dog·ma·tist** *s* **1.** Dog'matiker *m* (*auch philos.*). – **2.** selbstsicherer Behaupter. – **3.** Aufsteller *m* von Dogmen. — **ˌdog·ma·ti'za·tion** *s* Dogmati'sierung *f*, Verkündung *f* (*einer Lehre etc*) als Dogma. — **'dog·maˌtize I** *v/i* **1.** dogmati'sieren, dog'matische Behauptungen aufstellen (on über *acc*), anmaßend unbewiesene Sachverhalte behaupten. – **II** *v/t* **2.** mit (dog'matischer) Bestimmtheit verkünden *od.* behaupten. – **3.** *bes. relig.* dogmati'sieren, zum Dogma erheben.

dog| nail *s tech.* Schloß-, Kuppennagel *m*. — **~ net·tle** *s bot.* Rote Taubnessel (*Lamium purpureum*).

'do-'good·er *s Am. colloq.* Weltverbesserer *m*, Humani'tätsaˌpostel *m*.

dog| rac·ing *s* Hundewettrennen *n*. — **~ rose** *s bot.* Wilde Rose, Hecken-, Hundsrose *f* (*Rosa canina*).

dog's age *s Am. colloq.* (*eine*) furchtbar lange Zeit: **in a ~** seit einer Ewigkeit.

dog salm·on *s zo.* **1.** Ketalachs *m* (*Oncorhynchus keta*). – **2.** → **humpbacked salmon.**

'dog's|-ˌear I *s* **1.** Eselsohr *n* (*im Buch*). – **2.** *mar. Am.* Bucht *f* (*eines Taus*). – **II** *v/t* **3.** Eselsohren machen in (*ein Buch etc*). — **'~-ˌeared** *adj* mit Eselsohren: **a ~ book** ein Buch mit Eselsohren.

dog| shark → **dogfish** 1. — **'~ˌshore** *s mar. tech.* Schlittenständer *m*. — **~ show** *s* Hundeaustellung *f*. — **'~ˌskin** *s* Hundsleder *n*. — **~ sledge** *s* Hundeschlitten *m*. — **'~ˌsleep** *s* leichter *od.* unruhiger Schlaf.

dog's| let·ter *s* (*der*) Buchstabe r, (*das*) (gerollte) R. — **~ life** *s irr fig.* Hundeleben *n*. — **~ meat** *s* **1.** Fleisch *n* für Hunde, *bes.* Pferdefleisch *n od.* Fleischabfall *m*. – **2.** *sl.* ‚Hunde-, Saufraß' *m*. — **~ mer·cu·ry** *s bot.* Ausdauerndes Bingelkraut (*Mercurialis perennis*). — **'~-ˌnose** *s sl. ein Getränk aus Bier u. Gin od. Rum.* — **'~-ˌtail (grass)** *s bot.* **1.** Kammgras *n* (*Gattg Cynosurus*), *bes.* → **crested dog's-tail.** – **2.** Kora'kan *n*, Indisches Kammgras (*Eleusine indica*).

Dog' Star *s astr.* **1.** Sirius *m*, Hundsstern *m*. – **2.** Prokyon *m*. — **d~ stink·horn** *s bot.* Hundsmorchel *f* (*Mutinus caninus*).

'dog's|-ˌtongue → **hound's-tongue.** — **'~-ˌtooth vi·o·let** → **dogtooth violet.**

'dog|-ˌstop·per *s mar.* Ketten-, Notstopper *m*. — **~ tag** *s* **1.** Hunde(kenn)marke *f*. – **2.** *mil. Am. sl.* ‚Hundemarke' *f* (*Erkennungsmarke*). — **~ tape·worm** *s zo.* Hunde-, Gurkenkernbandwurm *m* (*Dipylidium caninum*). — **~ tax** *s* Hundesteuer *f*. — **~ tent** *s mil. sl.* Feldzelt *n*. — **'~ˌtooth** *s irr* **1.** *auch* **dog tooth** Eck-, Augenzahn *m*. – **2.** *arch.* 'Hundzahnornaˌment *n* (*eine Zierform der engl. Frühgotik*). — **'~ˌtooth vi·o·let** *s bot.* **1.** Gemeiner Hundszahn (*Erythronium denscanis*). – **2.** *ein verwandter amer. Hundszahn* (*bes. Erythronium americanum u. E. albidium*). — **'~ˌtrot** *s* Hundetrab *m*. — **'~ˌvane** *s mar.* Verklicker *m* (*Art Wetterfahne*). — **~ vi·o·let** *s bot.* Hundsveilchen *n* (*Viola canina*). — **'~ˌwatch** *s mar.* Spaltwache *f*, Plattfuß *m*: **first ~** 1. Plattfuß (*16–18 Uhr*); **second ~** 2. Plattfuß (*18–20 Uhr*). — **~ whelk** *s zo. eine dickschalige Meermuschel* (*bes. Gattg Alectrion*). — **~ whip** *s* Hundepeitsche *f*. — **'~ˌwood** *s bot.* **1.** Hartriegel *m*, Hornstrauch *m* (*Gattg Cornus*), *bes.* a) **red ~** Roter Hartriegel, Blutrute *f*, -weide *f* (*C. sanguinea*), b) → **flowering ~**, c) **red osier ~** (*ein*) nordamer. Hartriegel *m* (*C. stolonifera*). – **2.** Hart-

riegelholz *n.* — ~ **wrench** *s tech.* Schraubenschlüssel *m* mit gebogenem Stiel.
do·gy *cf.* dogie.
doh *cf.* do[3].
doiled [dɔild] *adj Scot. od. dial.* dumm, blöd.
doi·ly ['dɔili] *s* **1.** kleine Servi'ette. – **2.** Deckchen *n*, 'Tassen-, 'Teller,unterlage *f.*
do·ing ['du:iŋ] **I** *s* **1.** Tun *n*, Handeln *n*, Tat *f*: it was your ~ a) Sie haben es getan, b) es war Ihre Schuld (that daß); this will want some ~ das will erst getan sein. – **2.** *pl* a) Handlungen *pl*, Taten *pl*, Tätigkeit *f*, b) Begebenheiten *pl*, Vorfälle *pl*, c) Aufführung *f*, Betragen *n*: fine ~s these! das sind mir schöne Geschichten! – **3.** *pl sl.* (gesellschaftliches) Leben, Ereignisse *pl.* – **4.** *pl sl.* notwendige Sachen *pl*, notwendiges Zubehör. – **II** *adj* **5.** handelnd, tätig. – **6.** *sl.* sich abspielend: nothing ~ a) nein, kommt nicht in Frage, ausgeschlossen, nichts zu machen, b) ‚Scheibenhonig', ‚damit ist es Essig'.
doit [dɔit] *s* **1.** *hist.* Deut *m* (*kleine holl. Kupfermünze*). – **2.** *fig.* Deut *m*, Pfifferling *m*: I don't care a ~ ich kümmere mich keinen Deut darum.
doit·ed ['dɔitid] *adj Scot.* verblödet (*bes. durch hohes Alter*).
'do-it-your'self I *s* Selbstmachen *n*, Selbstanfertigen *n.* – **II** *adj* Selbstanfertigungs..., Mach-es-selbst-..., Bastel...
do·lab·ri·form [do'læbri,fɔ:rm; də-] *adj bot. zo.* hackmesser-, axtförmig.
dol·ce ['doltʃe] (*Ital.*) *mus.* **I** *adj* süß, sanft, schmelzend. – **II** *s pl* **'dol·ci** [-tʃi] *pl* sanfte Mu'sik *od.* Orgelstimme. — ~ **far nien·te** ['doltʃe far 'njɛnte] (*Ital.*) *s* Dolcefarni'ente *n* süßes Nichtstun.
dol·drum ['dɒldrəm] *s* **1.** windstille Zone. – **2.** Ruhe *f*, Stille *f.* – **3.** *pl geogr.* a) Kalmengürtel *m*, -zone *f*, b) Kalmen *pl*, äquatori'ale Windstillen *pl.* – **4.** *pl* a) Niedergeschlagenheit *f*, Depressi'on *f*, Trübsinn *m*, b) Lang(e)weile *f*: in the ~s a) lahmgelegt, b) übelgelaunt.
dole[1] [doul] **I** *s* **1.** milde Gabe, Almosen *n.* – **2.** (Almosen)Verteilung *f*, Austeilung *f.* – **3.** 'Arbeitslosen-, Er'werbslosenunter,stützung *f*: to be (*od.* go) on the ~ Arbeitslosenunterstützung beziehen, stempeln gehen. – **4.** *obs.* Schicksal *n.* – **II** *v/t* **5.** als Almosen verteilen. – **6.** ~ out in kleinen Mengen verteilen, sparsam austeilen. – **7.** *fig.* 'widerwillig spenden. – *SYN. cf.* distribute.
dole[2] [doul] *s obs.* Kummer *m*, Klage *f.*
dole·ful ['doulful; -fəl] *adj* **1.** traurig. – **2.** schmerzlich, klagend. – **3.** verdrossen, 'mißmutig. — **'dole·ful·ness** *s* **1.** Trauer *f.* – **2.** Schmerzlichkeit *f.* – **3.** Verdrossenheit *f.*
dole| mead·ow, ~ **moor** *s* Gemeindewiese *f.*
dol·er·ite ['dɒlə,rait] *s geol.* **1.** Dole'rit *m* (*Art Basalt*). – **2.** *Br.* Dia'bas *m.* – **3.** *Am. ein basaltähnliches Gestein.* — **,dol·er'it·ic** [-'ritik] *adj geol.* Dolerit...
dole·some ['doulsəm] → doleful.
dolicho- [dɒliko], *auch* **dolich-** *Wortelement mit der Bedeutung* lang, schmal.
dol·i·cho·ceph·al [,dɒliko'sefəl] *pl* **-a·li** [-,lai] *s* Dolichoce'phale *m*, langköpfiger Mensch, Langkopf *m.* — **,dol·i·cho·ce'phal·ic** [-si'fælik; -sə-] *adj* langköpfig, -schädelig. — **,dol·i·cho'ceph·a,lism** *s* ,Dolichocepha'lie *f*, Langköpfigkeit *f.* — **,dol·i·cho'ceph·a·lous** → dolichocephalic. — **,dol·i·cho'ceph·a·ly** → dolichocephalism. — **,dol·i·cho'cra·ni·al** [-'kreiniəl], **,dol·i·cho'cra·nic** [-nik] → dolichocephalic. — **,dol·i·cho'fa·cial** [-'feiʃəl] *adj* mit langem, schmalem Gesicht.
dol·i·chos ['dɒli,kɒs] *s bot.* Heil-, Schlingbohne *f*, Fasel *f* (*Gattg Dolichos*). — **,dol·i·cho'sty·lous** [-ko'stailəs] *adj bot.* langgrifflig.
do·li·na [dɒ'li:nɑ:], *auch* **do'li·ne** [-nə] *s geol.* Do'line *f*, Karstwanne *f.*
do·li·o·form ['doulio,fɔ:rm; -liə-] *adj zo.* tonnenförmig.
'do-,lit·tle *s colloq.* Nichtstuer *m*, Faulenzer(in), Taugenichts *m.*
doll [dɒl] **I** *s* **1.** Puppe *f*: ~'s house Puppenstube, -haus. – **2.** Puppe *f* (*hübsche, aber dumme Frau*). – **II** *v/t* **3.** ~ up *sl.* aufputzen, ‚-donnern'. – **III** *v/i* **4.** ~ up *sl.* sich aufputzen.
dol·lar ['dɒlər] *s* **1.** Dollar *m* (*Währungseinheit der USA u. mehrerer anderer Länder, bes. Kanadas*). – **2.** *hist.* Taler *m* (*alte deutsche Münze*). – **3.** → Levant ~. – **4.** (mexik.) Peso *m.* – **5.** Juan *m* (*chinesischer Silberdollar*). – **6.** *Br. sl.* Krone *f* (*Fünfschillingstück*). — **'~-a-'year man** *s irr Am.* Re'gierungsbeamter *m* mit einem Gehalt von einem Dollar pro Jahr. — **'~,bird** *s zo.* Austral. Roller *m* (*Eurystomus pacificus*). — ~ **di·plo·ma·cy** *s* 'Dollardiploma,tie *f.* — **'~,fish** *s zo.* **1.** Butterfisch *m* (*Poronotus triacanthus*). – **2.** → moonfish 1. — ~ **gap** *s econ.* Dollarlücke *f.*
doll·ish ['dɒliʃ] *adj* **1.** puppenhaft, -artig. – **2.** hübsch, aber dumm: a ~ girl.
dol·lop ['dɒləp] *s colloq.* **1.** Klumpen *m*, Brocken *m.* – **2.** Masse *f*, Menge *f.*
doll·y ['dɒli] **I** *s* **1.** Puppi *f* (*Kindername für eine Puppe*). – **2.** *tech.* a) niedriger Trans'portwagen, b) fahrbares Mon'tagegestell, c) 'Schmalspurlokomo,tive *f* (*bes. an Baustellen*), d) (*Film*) Kamerawagen *m*, -fahrgestell *n.* – **3.** *mil.* Muniti'onskarren *m*, Geschoßwagen *m.* – **4.** *tech.* Nietkolben *m*, Gegen-, Vorhalter *m.* – **5.** (*Bauwesen*) Rammschutz *m*, Kopfstück *n.* – **6.** (*Bergbau*) Rührer *m.* – **7.** Stampfer *m*, Stößel *m* (*zum Wäschewaschen*). – **II** *adj* **8.** puppenhaft, -artig. — ~ **shot** *s* (*Film, Fernsehen*) Fahraufnahme *f.* — ~ **tub** *s* **1.** Waschfaß *n.* – **2.** Schlämmfaß *n.* — **D~ Var·den** ['vɑ:rdn] *s* **1.** breitrandiger, blumengeschmückter Damenhut. – **2.** buntgeblümtes Damenkleid. – **3.** *auch* ~ trout *zo. eine große nordamer. Forelle* (*Salvelinus malma spectabilis*).
dol·man ['dɒlmən] *pl* **-mans** *s* **1.** Damenmantel *m* mit capeartigen Ärmeln: ~ sleeve capeartiger Ärmel. – **2.** Doliman *m* (*türk. Leibrock*). – **3.** Dolman *m* (*Husarenjacke*).
dol·men ['dɒlmen] *s* Dolmen *m* (*vorgeschichtliches Steingrabmal*).
dol·o·mite ['dɒlə,mait] *s* **1.** *min.* Dolo'mit *m* ($CaMg(CO_3)_2$). – **2.** *geol.* Dolo'mit(gestein *n*) *m.* — **,dol·o'mit·ic** [-'mitik] *adj min.* Dolomit... — **,dol·o,mit·i'za·tion** [-,mitai'zeiʃən; -tə-] *s min.* Dolo'mitbildung *f.* — **'dol·o·mi,tize** *v/t min.* dolomiti'sieren, in Dolo'mit verwandeln.
do·lor, *bes. Br.* **do·lour** ['doulər] *s poet.* Leid *n*, Gram *m*, Qual *f*, Schmerz *m*: the D~s of Mary *relig.* die Schmerzen Mariä. — **dol·or·if·ic** [,dɒlə'rifik] *adj* Schmerz *od.* Leid verursachend.
do·lo·ro·so [dolo'roso] (*Ital.*) *adj mus.* dolo'roso, schmerzlich.
dol·or·ous ['dɒlərəs] *adj* **1.** schmerzlich, qualvoll. – **2.** traurig, trauernd. — **'dol·or·ous·ness** *s* **1.** Schmerzlichkeit *f.* – **2.** Traurigkeit *f.*
do·lose [do'lous; 'dou-] *adj jur.* do'los, mit böser Absicht.
do·lour *bes. Br. für* dolor.
do·lous ['douləs] → dolose.
dol·phin ['dɒlfin] *s* **1.** *zo.* Del'phin *m* (*Fam. Delphinidae*), *bes.* Gemeiner Del'phin (*Delphinus delphis*): bottle-nosed ~ Großer Tümmler, Flaschennase (*Tursiops truncatus*). – **2.** *zo.* 'Goldma,krele *f* (*Gattg Coryphaena*). – **3.** *mar.* a) Ankerboje *f*, b) Dalbe *f*, (Anlege)Pfahl *m.* – **4.** D~ → Delphinus. – **5.** → ~ fly. — ~ **fly** *s zo.* Schwarze Bohnen(blatt)laus (*Aphis fabae*).
dolt [doult] *s* Dummkopf *m*, Tölpel *m.* — **'dolt·ish** *adj* tölpelhaft, dumm. — **'dolt·ish·ness** *s* Tölpelhaftigkeit *f.*
dom [dɒm] *s* Dom *m*: a) *Titel für Vornehme in Portugal u. Brasilien*, b) *Anrede für Angehörige mancher geistlicher Orden, bes. Benediktiner.*
do·main [do'mein; dou-] *s* **1.** *jur.* Verfügungsrecht *n*, -gewalt *f* (*über Landbesitz*). – **2.** → eminent ~. – **3.** Landbesitz *m*, Lände'reien *pl.* – **4.** Herrschaft *f*, Reich *n*, Gebiet *n.* – **5.** Do'mäne *f*, Staats-, Krongut *n.* – **6.** *fig.* Do'mäne *f*, Bereich *m*, Sphäre *f*, (Arbeits-, Wissens)Gebiet *n*, Reich *n.*
dom·ba ['dɒmbə] *s bot.* Ostindischer Tacama'hacbaum (*Calophyllum inophyllum*).
dome [doum] **I** *s* **1.** *arch.* Kuppel(dach *n*) *f*, (Kuppel)Gewölbe *n*: diminished (surmounted) ~ gedrückte (überhöhte) Kuppel; truncated ~ Gürtelgewölbe. – **2.** *poet.* Dom *m*, (stattliches) Gebäude, (stolzer) Bau. – **3.** Kuppel *f*, kuppelförmige Bildung: ~ of pleura *med.* Pleurakuppel. – **4.** *tech.* a) Dampfdom *m*, b) Staubdeckel *m.* – **5.** *geol.* Dom *m.* – **6.** Doma *n* (*Kristallform*). – **II** *v/t* **7.** mit einer Kuppel krönen *od.* versehen. – **8.** kuppelartig formen. – **III** *v/i* **9.** sich (kuppelförmig) wölben.
Do·mei ['dou'mei] *s* Domei *f* (*amtliches jap. Nachrichtenbüro*).
domes·day ['du:mz,dei] *selten für* doomsday. — **D~ Book** *s Reichsgrundbuch Englands* (*1085/86*).
'dome-,shaped *adj* kuppelförmig.
do·mes·tic [do'mestik; də-] **I** *adj* **1.** häuslich, Haus..., Haushalts..., Heim..., Familien..., Privat...: ~ affairs häusliche Angelegenheiten; ~ life Familienleben. – **2.** häuslich (veranlagt). – **3.** Haus..., zahm: ~ animals Haustiere. – **4.** inländisch, im Inland erzeugt, einheimisch, Inlands..., Landes... – **5.** Innen..., Binnen...: → trade 1. – **6.** inner(er, e, es), Innen...: ~ affairs innere Angelegenheiten; in the ~ field innenpolitisch; ~ policy Innenpolitik. – **7.** bürgerlich (*Drama*). – **II** *s* **8.** Hausangestellte(r), Dienstbote *m.* – **9.** *pl econ.* 'Landespro,dukte *pl*, inländische Erzeugnisse *pl.* — **do'mes·ti·ca·ble** *adj* zähmbar. — **do'mes·ti·cal·ly** *adv* (*zu* domestic I). — **do'mes·ti,cate** [-ti,keit; -tə-] **I** *v/t* **1.** domesti'zieren, zu Haustieren machen, zähmen. – **2.** (*Pflanzen*) domesti'zieren, zu Kul'turpflanzen machen. – **3.** an häusliches Leben gewöhnen. – **4.** heimisch machen, (*dat*) ein Heim gewähren. – **5.** *fig.* einbürgern, heimisch machen. – **II** *v/i* **6.** häuslich werden *od.* sein. — **do,mes·ti'ca·tion** *s* **1.** Domestikati'on *f*, Zähmung *f.* – **2.** Gewöhnung *f* an häusliches Leben. – **3.** Eingewöhnung *f* (with bei). – **4.** *fig.* Einbürgerung *f.*
do·mes·tic| bill *s econ.* Inlandswechsel *m.* — ~ **fowl** *s zo.* Haushuhn *n* (*Gallus domesticus*).
do·mes·tic·i·ty [,doumes'tisiti; -əti] *s* **1.** Häuslichkeit *f.* – **2.** häusliches Leben. – **3.** *pl* häusliche Angelegenheiten *pl.* — **do·mes·ti·cize** [do'mesti,saiz; də-; -tə-] → domesticate I.

do·mes·tic| loan *s econ.* Inlandsanleihe *f.* — **~ sci·ence** *s* Hauswirtschaftslehre *f.* — **~ sys·tem** *s* 'Heimindu,strie-Sy'stem *n.* — **~ val·ue** *s econ.* Inlandswert *m* (*eingeführter Waren*).

dom·ett ['dɒmit] *s* (*Art*) grober Fla'nellstoff.

do·mey·kite [do'meikait; də-] *s min.* Domey'kit *m*, Ar'senkupfer *n* (Cu_3As).

dom·i·cal ['doumikəl; 'dɒm-] *adj* 1. Kuppel..., Dom... – 2. kuppelförmig, gewölbt. – 3. kuppelgekrönt.

dom·i·cil ['dɒmisil; -sl; -mə-] → domicile I.

dom·i·cile ['dɒmisil; -mə-; *Br. auch* -,sail] **I** *s* 1. Domi'zil *n*, Wohnsitz *m*, -ort *m*, Aufenthalt(sort) *m.* – 2. Wohnung *f*: breach of ~ Hausfriedensbruch. – 3. *jur.* ständiger Wohnsitz. – 4. *econ.* Zahlungsort *m*, Zahlstelle *f* (*Wechsel*). – **II** *v/t* 5. ansässig *od.* wohnhaft machen, ansiedeln. – 6. *econ.* (*Wechsel*) domizi'lieren, auf einen bestimmten Ort ausstellen: ~d bill Domizilwechsel. – **III** *v/i* 7. ansässig *od.* wohnhaft sein, wohnen. — **'dom·i·ciled** *adj* 1. ansässig, wohnhaft. – 2. eine Wohnung besitzend.

dom·i·cil·i·ar [,dɒmi'siliər; -mə-] *s relig.* Mitglied eines niederen geistlichen Ordens. — **,dom·i'cil·i·ar·y** [*Br.* -'siljəri; *Am.* -li,eri] *adj* Haus..., Wohnungs...: ~ right Hausrecht; ~ visit (*polizeiliche etc*) Haussuchung. — **,dom·i'cil·i,ate** [-'sili,eit] → domicile II *u.* III. — **,dom·i,cil·i'a·tion** *s econ.* Domi'zilangabe *f*, Domizi'lierung *f* (*eines Wechsels*).

dom·i·nance ['dɒminəns; -mə-], *auch* **'dom·i·nan·cy** *s* 1. (Vor)Herrschaft *f*, (Vor)Herrschen *n.* – 2. Macht *f*, Einfluß *m.* – 3. *biol.* Domi'nanz *f.* — **'dom·i·nant I** *adj* 1. domi'nierend, (vor)herrschend: ~ tenement *jur.* herrschendes Grundstück (*bei Servituten*). – 2. tonangebend: the ~ factor der entscheidende Faktor. – 3. beherrschend, über'ragend, em'porragend, weithin sichtbar. – 4. *biol.* domi'nant, über'lagernd, -'deckend. – 5. *mus.* Dominant...: ~ seventh chord Dominantseptakkord. – *SYN.* paramount, predominant, preponderant, sovereign. – **II** *s* 6. *biol.* domi'nante Erbanlage. – 7. *mus.* ('Ober)Domi,nante *f.* – 8. *bot.* Domi'nante *f.*

dom·i·nate ['dɒmi,neit; -mə-] **I** *v/t* 1. beherrschen, herrschen *od.* em'porragen über (*acc*). – 2. *fig.* beherrschen: the fortress ~s the city. – **II** *v/i* 3. domi'nieren, (vor)herrschen: to ~ over herrschen über (*acc*). – 4. eine beherrschende Lage haben. — **,dom·i'na·tion** *s* 1. Herrschen *n.* – 2. (Vor)Herrschaft *f.* – 3. Willkürherrschaft *f.* – 4. *pl relig.* Herrschaften *pl* (*Engelordnung*). — **'dom·i,na·tive** *adj* (vor)herrschend, domi'nierend. — **'dom·i,na·tor** [-tər] *s* 1. (Be)Herrscher *m.* – 2. herrschende Macht.

dom·i·ne ['dɒmini; -mə-; 'dou-] *s obs.* Herr, Meister (*Anrede*).

dom·i·neer [,dɒmi'nir; -mə-] **I** *v/i* 1. (over) des'potisch herrschen (über *acc*), tyranni'sieren (*acc*). – 2. em'porragen (over, above über *acc*). – **II** *v/t* 3. tyranni'sieren. – 4. em'porragen über (*acc*), beherrschen. — **,dom·i'neer·ing** [-'ni(ə)r-] *adj* 1. ty'rannisch, des'potisch. – 2. herrisch, gebieterisch, anmaßend. – *SYN. cf.* masterful. — **,dom·i'neer·ing·ness** *s* ty'rannisches *od.* herrisches Wesen.

do·min·i·cal [do'minikəl; də-] *adj* 1. *relig.* den Herrn (Jesus) betreffend, des Herrn: ~ day Tag des Herrn (*Sonntag*); ~ prayer Gebet des Herrn (*das Vaterunser*). – 2. Sonntags..., sonntäglich: ~ rest Sonntagsruhe. — **~ let·ter** *s* Sonntagsbuchstabe *m* (*in Kirchenkalendern*).

Do·min·i·can [do'minikən; də-] **I** *adj* 1. *relig.* domini'kanisch: a) den heiligen Do'minikus betreffend, b) Dominikaner... – 2. domini'kanisch: the ~ Republic die Dominikanische Republik. – **II** *s* 3. *relig.* Domini'kaner(mönch) *m.* – 4. Domini'kaner(in) (*Einwohner der Dominikanischen Republik*).

Dom·i·nick ['dɒminik; -mə-] → Dom-[inique.]

dom·i·nie ['dɒmini; -mə-] *s* 1. *Scot.* Schulmeister *m.* – 2. [*auch* 'dou-] *Am.* a) Pfarrer *m*, Pastor *m* (*der* Reformed Dutch Church), b) *colloq.* Pfarrer *m*, Geistlicher *m.*

do·min·ion [də'minjən] *s* 1. (Ober)Herrschaft *f.* – 2. Re'gierungsgewalt *f* (over über *acc*). – 3. *fig.* Herrschaft *f*, Einfluß *m.* – 4. (Herrschafts)Gebiet *n.* – 5. Lände'reien *pl* (*eines Feudalherrn etc*). – 6. *oft* D~ Do'minion *n* (*sich selbst regierendes Land des Brit. Staatenbundes; seit 1947* Country of the Commonwealth *genannt*): the D~ of Canada das Dominion Kanada. – 7. the D~ *Am.* Kanada *n.* – 8. *pl* → domination 4. – 9. → dominium. — **D~ Day** *s* Do'minionstag *m* [*nationaler Feiertag in Kanada* (*der 1. Juli*) *u. Neuseeland* (*der 4. Montag im September*)].

Dom·i·nique [,dɒmi'niːk; -mə-] *s zo.* eine amer. Hühnerrasse.

do·min·i·um [do'miniəm; də-] (*Lat.*) *s jur.* Do'minium *n*, unbeschränktes Herrschaftsrecht *od.* Eigentum (*über dinglichen Besitz*).

dom·i·no ['dɒmi,nou; -mə-] **I** *s pl* **-noes, -nos** 1. Domino *m* (*Maskenkostüm u. Person*). – 2. Gesichts-, *bes.* Halbmaske *f*, (kleine) Larve. – 3. *pl* (*als sg konstruiert*) Domino(spiel) *n.* – 4. Dominostein *m.* – **II** *interj* 5. Domino! (*Ausruf beim Ablegen des letzten Dominosteins*). – 6. *fig.* fertig! Schluß! aus! — **'dom·i,noed** *adj* mit einem Domino bekleidet.

do·mite ['doumait] *s geol.* Do'mit *m* (*Art Trachyt*). — **do'mit·ic** [do'mitik] *adj* do'mitisch, Domit...

dom·oid ['doumɔid] *adj* kuppelförmig.

domp·teuse [dɔ̃'tøːz] (*Fr.*) *s* Domp'teuse *f*, Tierbändigerin *f.*

dom·y ['doumi] *adj* dom-, kuppelartig, Kuppel...

don[1] [dɒn] *s* 1. D~ Don *m*: a) *span. Höflichkeitstitel*, b) *in Italien Titel für Geistliche u. viele Adlige.* – 2. Grande *m*, span. Edelmann *m.* – 3. großer Herr, gewichtige Per'sönlichkeit. – 4. *colloq.* (*an engl. Universitäten*) Universi'tätslehrer *m* (*bes. ein Collegeleiter, Fellow od. Tutor, seltener ein Professor*). – 5. Spanier *m.* – 6. Fachmann *m*, Kenner *m.*

don[2] [dɒn] *pret u. pp* **donned** *v/t* (*etwas*) anziehen, (*Hut*) aufsetzen.

Do·ña[1] ['doɲa] (*Span.*) *s* 1. Doña *f* (*span. Höflichkeitstitel für eine Dame*). – 2. d~ span. Dame *f.*

Do·na[2] ['dəna] (*Portuguese*) *s* 1. Dona *f* (*portug. Höflichkeitstitel für eine Dame*). – 2. d~ portug. Dame *f.*

do·na[3], **do·nah** ['dounə] *s sl.* ,Donja' *f*, Liebchen *n.*

do·nate [do'neit; 'dou-] *bes. Am.* **I** *v/t* zum Geschenk machen, schenken, als Schenkung über'lassen (to s.o. j-m). – **II** *v/i* eine Schenkung machen, schenken. – *SYN. cf.* give. — **do'na·tion** *s* 1. Schenken *n.* – 2. Schenkung *f*, Gabe *f*, Geschenk *n*: to make a ~ of s.th. to s.o. j-m etwas zum Geschenk machen. – 3. *jur.* Schenkung *f*, Donati'on *f.*

Don·a·tism ['dɒnə,tizəm] *s relig.* Dona'tismus *m* (*christliche Irrlehre; 4.–7. Jh.*). — **'Don·a·tist** *s* Dona'tist(in).

don·a·tive ['dɒnətiv; 'dou-] **I** *s* 1. Schenkung *f*, Geschenk *n.* – 2. *relig.* durch Schenkung über'tragene Pfründe. – **II** *adj* 3. Schenkungs... – 4. geschenkt. – 5. *relig.* durch bloße Schenkung über'tragen (*Pfründe*). — **do·na·tor** [do'neitər; 'douneitər] *s* Do'nator *m*, Schenker *m*, Geber *m.*

done [dʌn] **I** *pp von* do[1]. – **II** *adj* 1. getan: it isn't ~ so etwas tut man nicht, das schickt sich nicht; it is ~ es ist Mode, es gehört zum guten Ton. – 2. ausgeführt. – 3. erledigt. – 4. *econ.* bezahlt. – 5. gekocht, gebraten, gar: → turn 7. – 6. *colloq.* fertig: I am ~ with it ich bin fertig damit. – 7. *auch* ~ up *colloq.* erschöpft, ,ka'putt' (with von). – 8. ~ brown *colloq.* schwer her'eingelegt, gewaltig betrogen. – 9. (*in Urkunden*) gegeben, ausgefertigt. – 10. *ellipt.* abgemacht! topp!

do·nee [,dou'niː] *s jur.* Schenkungs-, Geschenksempfänger(in), Beschenkte(r).

don·ga ['dɒŋgə] *s S.Afr.* Schlucht *f*, (Fluß)Rinne *f.*

Don·go·la| kid, ~ leath·er ['dɒŋgolə; -gə-] *s* Dongolaleder *n* (*durch Alaun- u. Lohgerbung hergestellt*).

don·jon ['dʌndʒən; 'dɒn-] *s* Don'jon *m*, Hauptturm *m* (*der normannischen Burg*).

Don Ju·an [dɒn 'dʒuːən] **I** *npr* Don Ju'an *m.* – **II** *s fig.* Don Ju'an *m*, Frauenheld *m.*

don·key ['dɒŋki] **I** *s* 1. Esel *m*: ~'s breakfast Strohsack. – 2. *fig.* Esel *m*, Trottel *m*, Dummkopf *m.* – 3. *Kurzform für* ~ engine *etc.* – 4. *pol.* Esel *m* (*Symbol der Demokratischen Partei der USA*). – **II** *adj* 5. Hilfs..., Zusatz... — **~ boil·er** *s mar. tech.* Hilfskessel *m.* — **~ en·gine** *s tech.* kleine (*transportable*) 'Hilfsma,schine. — **'~man** [-mən] *s irr* 1. Eseltreiber *m.* – 2. Arbeiter, der eine 'Hilfsma,schine bedient. – 3. *mar.* Hilfskesselheizer *m.* — **~ pump** *s tech.* Hilfspumpe *f.*

don·key's years *s pl Br. colloq.* lange Zeit: I have not seen him for ~ ich habe ihn eine Ewigkeit nicht gesehen.

'don·key,work *s colloq.* (eintönige) Schufte'rei, Placke'rei *f*, Kuliarbeit *f.*

don·na ['dɒnə; 'dɔːnnɑː] *pl* **-ne** [-ne] (*Ital.*) *s* 1. Dame *f*, Frau *f.* – 2. D~ Donna *f* (*ital. Höflichkeitstitel für eine Dame*).

don·nard, don·nered ['dɒnərd] *adj Scot.* betäubt, benommen.

don·nish ['dɒniʃ] *adj* steif, pe'dantisch, gravi'tätisch. — **'don·nish·ness** *s* Steifheit *f*, Pedante'rie *f.*

Don·ny·brook Fair ['dɒni,bruk] *s* 1. Jahrmarkt *m* von Donnybrook (*bei Dublin*). – 2. *fig.* ausgelassene Veranstaltung, wüstes Volksfest.

do·nor ['dounər; -nɔːr] *s* 1. Geber *m*, Schenker *m*, Spender *m*, Stifter *m.* – 2. *med.* (*bes.* Blut)Spender(in). – 3. *jur.* Do'nator *m*, Schenker *m.*

'do-,noth·ing I *s* Faulenzer(in), Taugenichts *m.* – **II** *adj* nichtstuerisch, untätig, träge, faul. — **'do-,noth·ing·ness** *s* ,Nichtstue'rei *f*, Untätigkeit *f*, Trägheit *f.*

Don Quix·ote [dɒn 'kwiksot; -sət; ki'houti] *s* Don Qui'chotte *m*, Don Qui'jote *m* (*weltfremder Idealist*).

don·sie ['dɒnsi] *adj Scot.* unglücklich, kränklich.

don't [dount] **I** 1. *colloq. für* do not. – 2. *sl. od. dial. für* does not. – **II** *s* 3. *colloq.* Nein *n*, Verbot *n.*

don·zel ['dɒnzl] *s obs.* 1. Junker *m.* – 2. Page *m.*

doo·dad ['duːdæd] *s Am. colloq.* kleine Verzierung, ,Dingsda' *n.*

doo·dah ['duːdɑː] *s sl.* Mords'aufregung *f*: to be all of a ~ ,aus dem Häuschen sein'.

doo·dle[1] ['du:dl] **I** *s* Gekritzel *n*, gedankenlos 'hingezeichnete Fi'guren *pl.* – **II** *v/i* etwas gedankenlos 'hinzeichnen *od.* 'hinkritzeln, kritzeln. – **III** *v/t* bekritzeln.

doo·dle[2] ['du:dl] → ~bug 2.

doo·dle[3] ['du:dl] *v/t Scot.* (*den Dudelsack*) spielen.

doo·dle·bug ['du:dl͵bʌg] *s* **1.** Wünschelrute *f.* – **2.** *Br. colloq.* Ra'kete *f*, *bes.* V 1 *f.* – **3.** *zo. Am.* Ameisenlöwe *m* (*Larve der Ameisenjungfern*).

doo·hick·ey ['du:͵hiki; du:'hiki], *auch* **doo'hick·us** [-kəs], **doo'hin·key** [-'hiŋki], **doo'hin·kus** [-kəs] *s Am. sl.* ‚Dingsda' *n.*

doo·ly, *auch* **doo·lie, doo·lee, doo·ley, doo·li** ['du:li] *s Br. Ind.* Sänfte *f.*

doom [du:m] **I** *s* **1.** Schicksal *n*, Los *n*, (*bes.* böses) Geschick, Verhängnis *n*: he met his ~ sein Schicksal ereilte ihn. – **2.** a) Verderben *n*, 'Untergang *m*, b) Tod *m.* – **3.** Schuld-, Urteilsspruch *m*, (*bes.* Verdammungs)Urteil *n.* – **4.** *relig.* Jüngstes Gericht: the day of ~ der Tag des Gerichts, das Jüngste Gericht; → crack 1. – **5.** *hist.* Gesetz *n*, Erlaß *m.* – *SYN. cf.* fate. – **II** *v/t* **6.** verurteilen, verdammen (to zu; to do zu tun): to ~ to death zum Tode verurteilen; ~ed *fig.* verloren, verurteilt. – **7.** *obs.* (als Strafe) anordnen: to ~ s.o.'s death j-s Tod anordnen. — '**doom·ful** [-ful; -fəl] *adj* verhängnisvoll, vernichtend.

doom palm *s bot.* Ast-, Dumpalme *f* (*Hyphaene thebaica*).

dooms [du:mz] *adv Scot.* sehr, höchst.

dooms·day ['du:mz͵dei] *s* **1.** Jüngstes Gericht, Weltgericht *n*: till ~ bis zum Jüngsten Tag, immerfort. – **2.** *fig.* Tag *m* des Gerichts, Gerichtstag *m.* — **D~ Book** *cf.* Domesday Book.

door [dɔ:r] *s* **1.** Tür *f*: arched ~ Bogentür; communicating ~ Verbindungstür; → sliding 2. – **2.** Tor *n*, Pforte *f.* – **3.** → ~way. – **4.** a) Ein-, Zugang *m*, b) Ausgang *m.* – **5.** Wagentür *f*, (Wagen)Schlag *m.* – **6.** *mar.* Luke *f.* – **7.** *tech.* Schürloch *n.* – **8.** (*Bergbau*) Spund *m*, Wettertür *f.* – *Besondere Redewendungen*: from ~ to ~ von Haus zu Haus; in ~(s) a) im Hause, b) zu Hause; out of (*od.* without) ~s a) außer Haus, nicht zu Hause, b) im Freien, draußen, c) ins Freie; within ~s a) im Hause, b) zu Hause; the enemy is at our ~ der Feind steht vor den Toren; he lives two ~s down the street er wohnt zwei Türen *od.* Häuser weiter (die Straße hinunter); next ~ nebenan, im nächsten Haus *od.* Raum; next ~ but one zwei Türen *od.* Häuser weiter; next ~ to *fig.* beinahe, fast; this is next ~ to a miracle dies ist beinahe ein Wunder, dies grenzt an ein Wunder; to lay s.th. at s.o.'s ~ j-m etwas zur Last legen; to lay the fault at s.o.'s ~ j-m die Schuld in die Schuhe schieben; to lay a charge at s.o.'s ~ j-n anklagen; the fault lies at his ~ er trägt die Schuld; to bang (*od.* close) the ~ on s.th. etwas unmöglich machen; to close (*od.* shut) one's ~ against s.o. j-m die Tür verschließen; to show s.o. the ~, to turn s.o. out of ~s j-m die Tür weisen, j-n hinauswerfen; to see s.o. to the ~ j-n zur Tür begleiten; to enter by (*od.* through) the ~ durch die Tür eintreten; to open the ~ to s.o. j-n hereinlassen, j-m (die Tür) öffnen; to open a ~ to (*od.* for) s.th. etwas ermöglichen *od.* möglich machen; to throw the ~ open to s.th. *fig.* einer Sache Einlaß gewähren; packed to the ~s voll (besetzt); at death's ~ am Rand des Grabes; → darken 1.

'**door**|͵**bell** *s* Türklingel *f*, -glocke *f.* — '~͵**case** *s tech.* Türeinfassung *f*, -futter *n*, -rahmen *m*, -zarge *f.* — ~ **chain** *s* Sicherheitskette *f.* — '~͵**frame** *s* Türrahmen *m.* — ~ **handle** *s* Türgriff *m*, -klinke *f*, -drücker *m.* — ~ **hinge** *s* Türangel *f.* — '~͵**jamb** *s* Türgewände *n.* — '~͵**keep·er** *s* Pförtner *m*, Porti'er *m.* — '~-͵**key chil·dren**, '~-͵**key kids** *s pl* Schlüsselkinder *pl.* — '~͵**knob** *s* Türknopf *m*, -griff *m.* — '~**·man** [-mən] *s irr bes. Am.* **1.** Pförtner *m.* – **2.** Türsteher *m* (*in Hotels etc*). — ~ **mat** *s* Türmatte *f*, Abtreter *m.* — ~ **mon·ey** *s* Eintrittsgeld *n.* — '~͵**nail** *s* Tür-, Tornagel *m*: → dead 1. — '~͵**plate** *s* Türschild *n.* — '~͵**post** *s* Türpfosten *m.* — ~ **scrap·er** *s* Fußabstreifer *m* (*aus Metall*). — '~͵**sill** *s* Türschwelle *f.* — ~ **spring** *s* auto'matischer Türschließer. — '~͵**step** *s* Stufe *f* vor der Haustür, Türstufe *f.* — '~͵**stone** *s* Steinschwelle *f* (*der Haustür*). — '~͵**stop** *s* Anschlag *m* (*einer Tür*). — '~͵**way** *s arch.* **1.** Torweg *m.* – **2.** Türöffnung *f*, (Tür)Eingang *m.* — '~͵**yard** *s Am.* Vorhof *m*, -garten *m.*

dop[1] [dɒp] *s tech.* Dia'mantenhalter *m* (*beim Schleifen*).

dop[2] [dɒp] *s* Kapbranntwein *m* (*minderwertiger südafrik. Branntwein*).

do·pa ['doupə] *s chem.* Dopa *n*, Dioxyphe'nylala͵nin *n* ($C_9H_{11}NO_4$).

dope [doup] **I** *s* **1.** dicke Flüssigkeit, Schmiere *f*, Soße *f.* – **2.** *tech.* Absorpti'onsmittel *n*, Zumischpulver *n.* – **3.** *aer.* (Imprä'gnier)Lack *m*, Flieg-, Spannlack *m.* – **4.** *tech.* Ben'zinzusatzmittel *n.* – **5.** *sl.* Rauschgift *n*, *bes.* Opium *n.* – **6.** *Am. sl.* Rauschgiftsüchtige(r), Nar'kotiker(in). – **7.** *sport sl.* unerlaubtes Präpa'rat (*zur Leistungssteigerung*). – **8.** *sl.* Idi'ot *m*, Trottel *m.* – **9.** *oft* inside ~ *sl.* (vertrauliche) Informati'onen *pl.* – **II** *v/t* **10.** *tech.* (*dat*) ein Absorpti'onsmittel zumischen. – **11.** *aer.* lac'kieren, firnissen. – **12.** *tech.* (*Benzin*) mit einem Zusatzmittel versehen. – **13.** *sl.* (*j-m*) Rauschgift verabreichen. – **14.** *sport sl.* dopen. – **15.** *Am. sl.* ‚hinters Licht führen', ‚übers Ohr hauen'. – **16.** *meist* ~ out *sl.* a) her'ausfinden, ausfindig machen, entlarven, (*dat*) auf die Spur kommen, b) ausarbeiten: to ~ out a plan. – **17.** verfälschen. — ~ **fiend** *s sl.* Rauschgiftsüchtige(r).

dop·er ['doupər] *s* **1.** *aer.* Lac'kierer *m*, Imprä'gnierer *m.* – **2.** *sl.* Rauschgifthändler *m.*

dope| **ring** *s sl.* Ring *m* von Rauschgifthändlern. — '~͵**sheet** *s sport sl.* (vertraulicher) Bericht (*über Rennpferde*).

dope·y ['doupi] *adj sl.* **1.** benommen, benebelt. – **2.** blöd, ‚dämlich', ‚dusselig'. — '**dop·ing** *s sport sl.* Doping *n.*

dopp *cf.* dop[1].

Dop·pler ef·fect ['dɒplər] *s phys.* 'Dopplere͵fekt *m.*

dop·pler·ite ['dɒplə͵rait] *s min.* Dopple'rit *m.*

dop·y *cf.* dopey.

dor[1] [dɔ:r] → ~beetle.

dor[2] [dɔ:r] *s obs.* Ulk *m.*

Do·ra ['dɔ:rə] *Br. colloq. für* Defence of the Realm Act.

do·ra·do [do'rɑ:dou] *s* **1.** *zo.* 'Goldma͵krele *f* (*Gattg Coryphaena*). – **2.** D~ *astr.* Schwertfisch *m* (*südl. Sternbild*).

dor·bee·tle ['dɔ:r͵bi:tl], *auch* **dor bug** *s zo.* **1.** Mist-, Roßkäfer *m* (*Geotrupes stercorarius*). – **2.** ‚Brummer' *m*, Brummkäfer *m*, *bes.* a) Maikäfer *m*, b) Junikäfer *m.*

Dor·cas so·ci·e·ty ['dɔ:rkəs] *s wohltätiger Frauenverein, dessen Mitglieder Kleider für Arme nähen.*

Do·ri·an ['dɔ:riən] **I** *adj* dorisch. – **II** *s* Dorier(in), Bewohner(in) von Doris.

Dor·ic ['dɒrik; *Am. auch* 'dɔ:rik] **I** *adj* **1.** dorisch: ~ mode, ~ music dorische Tonart; ~ order *arch.* dorische (Säulen)Ordnung. – **2.** rauh, bäurisch, grob (*Mundart*). – **II** *s* **3.** Dorisch *n*, dorischer Dia'lekt. – **4.** rauhe Mundart. — '**Dor·i·cal** → Doric I. — '**Dor·i͵cism** [-͵sizəm] *s* Dori'zismus *m.* — '**Dor·i͵cize** [-͵saiz] *v/t* dori'sieren, dorisch machen.

Dor·king ['dɔ:rkiŋ] *s* Dorking-Huhn *n* (*Hühnerrasse*).

dorm [dɔ:rm] *colloq. für* dormitory.

dor·man·cy ['dɔ:rmənsi] *s* **1.** Schlaf(zustand) *m*, Ruhe *f.* – **2.** *bot.* a) Knospenruhe *f*, b) Samenruhe *f.* — '**dor·mant** *adj* **1.** schlafend. – **2.** *fig.* ruhend, untätig: ~ mine *mar.* Grundmine. – **3.** untätig (*Vulkan*). – **4.** *zo.* Winterschlaf haltend. – **5.** *bot.* ruhend (*Knospe, Same etc*). – **6.** *fig.* geheim, schlummernd, verborgen (*Leidenschaften etc*). – **7.** unbenutzt, unbeansprucht, nicht gebraucht. – **8.** *jur.* ruhend, nicht ausgenützt (*Rechte etc*). – **9.** *econ.* tot, brach(liegend): to lie ~ sich nicht verzinsen; → partner 2. – **10.** *her.* schlafend, in Schlafstellung: lion ~. – *SYN. cf.* latent.

dor·mer ['dɔ:rmər] *s arch.* Dach-, Boden-, Giebelfenster *n.* — '**dor·mered** *adj arch.* mit Dachfenstern versehen.

dor·mer win·dow → dormer.

dor·mie *cf.* dormy.

dor·mi·ent ['dɔ:rmiənt] *adj* schlafend, ruhend, untätig.

dor·mi·to·ry [*Br.* 'dɔ:rmitri; *Am.* -mə͵tɔ:ri] *s* **1.** *bes. Br.* Schlafsaal *m.* – **2.** *bes. Am.* Gebäude *n* mit Schlafräumen, *bes.* Wohn-, Stu'dentenheim *n.*

dor·mouse ['dɔ:r͵maus] *s irr zo.* Schlafmaus *f*, Bilch *m* (*Fam. Myoxidae*): common ~ Haselmaus (*Muscardinus avellanarius*).

dor·my ['dɔ:rmi] *adj* (*Golf*) *nur in*: to be ~ two zwei (Löcher) vor'aus haben.

dor·nick[1] ['dɔ:rnik] *s Am.* **1.** Stein *m*, Felsblock *m.* – **2.** Eisenerzblock *m.*

dor·nick[2] ['dɔ:rnik], *auch* '**dor·nock** [-nək] *s obs.* Da'mast(leinwand *f*) *m.*

do·ron·i·cum [do'rɒnikəm; də-] *s bot.* Gems-, Krebswurz *f* (*Gattg Doronicum*).

dor·o·thy bag ['dɒrəθi; *Am. auch* 'dɔ:r-] *s Br.* offene beutelförmige Damenhandtasche (*mit Tragschlaufe*).

dorp [dɔ:rp] *s* **1.** *obs.* Weiler *m.* – **2.** *S.Afr.* Ortschaft *f.*

dorr(·bee·tle) *cf.* dorbeetle.

dors- [dɔ:rs] → dorsi-.

dors·ab·dom·i·nal [͵dɔ:rsəb'dɒminl; -mə-] *adj med.* Rücken- u. Bauch...

dor·sal ['dɔ:rsəl] **I** *adj* **1.** *med. zo.* dor'sal, Rücken..., Dorsal...: ~ vertebra Rückenwirbel. – **2.** *bot.* dor'sal, rückenständig, von der (Abstammungs)Achse abgewendet. – **3.** (*Phonetik*) dor'sal. – **II** *s* **4.** *med.* a) Rückenwirbel *m*, b) Rückennerv *m.* – **5.** *zo.* Rückenflosse *f.* – **6.** → dossal. — '**dor·sal·ly** *adv med. zo.* dor'sal, am Rücken, dem Rücken zu.

Dor·set Horn ['dɔ:rsit] *s eine engl. Schafrasse.*

dorsi- [dɔ:rsi] *Wortelement mit der Bedeutung* Rücken.

dor·si·col·lar [͵dɔ:rsi'kɒlər] *adj med.* Rücken- u. Hals... — '**dor·si͵duct** [-͵dʌkt] *v/t med.* nach dem Rücken hin bewegen. — **dor'sif·er·ous** [-'sifərəs] *adj* **1.** *bot.* die Sporen auf der 'Blatt͵unterseite tragend. – **2.** *zo.* die Eier *od.* Jungen auf dem Rücken tragend. — ͵**dor·si'flex·ion** [-'flekʃən] *s biol.* Dor'salflexi͵on *f*, Biegung *f* nach dem Rücken zu. — ͵**dor·si'spi-**

nal [-ˈspainl] *adj med.* Rücken- u. Rückgrat... — ˌ**dor·siˈven·tral** [-ˈventrəl] *adj* **1.** *bot.* dorsivenˈtral (*mit nur einer Symmetrieebene, mit Ober- u. Unterseite*). – **2.** → **dorsoventral** 1.

dorso- [dɔːrso] → **dorsi-**.

dor·so·ven·tral [ˌdɔːrsoˈventrəl] *adj* **1.** *med. zo.* dorsovenˈtral, in der Richtung vom Rücken zum Bauch (sich erstreckend). – **2.** → **dorsiventral** 1.

dor·sum [ˈdɔːrsəm] *pl* **-sa** [-sə] *s* **1.** *med. zo.* Rücken *m*: ~ **of the foot** Fußrücken. – **2.** (*Phonetik*) Zungenrücken *m*.

dort·y [ˈdɔːrti] *adj Scot.* **1.** mürrisch. – **2.** unverschämt.

do·ry[1] [ˈdɔːri] *s mar.* Dory *n* (*kleines Boot*).

do·ry[2] [ˈdɔːri] **1.** → **John D**~. – **2.** → **walleyed pike**.

dos-à-dos [ˌdouzaˈdou] **I** *adv* **1.** Rükken an Rücken. – **II** *s* **2.** Sofa *n od.* offener Wagen *etc*, auf dem man Rücken an Rücken sitzt. – **3.** *eine Tanzfigur*.

dos·age [ˈdousidʒ] *s* **1.** Doˈsierung *f*, Verabreichung *f* (*von Arznei*) in Dosen. – **2.** Dosis *f*. – **3.** (*Sektherstellung*) Doˈsage *f*: a) Zusetzen *n* von Zucker, b) Zuckerzusatz *m*.

dose [dous] **I** *s* **1.** *med.* Dosis *f*. – **2.** *fig.* Dosis *f*, kleine Menge, Ratiˈon *f*, Portiˈon *f*. – **3.** *fig.* bittere Pille. – **4.** Zuckerzusatz *m*. – **5.** *vulg.* Tripper *m*. – **II** *v/t* **6.** (*Arznei*) doˈsieren, in Dosen verabreichen. – **7.** (*j-m*) Dosen verabreichen, Arzˈnei geben. – **8.** *fig.* (*j-m*) bittere Pillen zu schlucken geben. – **9.** (*dem Sekt etc*) Zucker zusetzen, (*acc*) süßen. – **III** *v/i* **10.** Mediˈzin nehmen, Arzˈneien schlucken.

do·sim·e·ter [doˈsimitər; də-; -mə-] *s med.* **1.** Dosiˈmeter *n*, *bes.* Tropfenzähler *m*. – **2.** Dosiˈmeter *n* (*zur Bestimmung der Bestrahlungsdosis*). — **doˈsim·e·try** [-tri] *s med.* Dosimeˈtrie *f*, Doˈsierung *f*.

do·si·ol·o·gy [ˌdousiˈvlədʒi], **doˈsol·o·gy** [doˈsvl-] *s med.* Dosoloˈgie *f*, Arzˈneiabgabelehre *f*.

doss [dvs] *Br. sl.* **I** *s* **1.** Bett *n* (*bes. im* ~ **house**), ‚Flohkiste' *f*. – **2.** Schlaf *m*. – **II** *v/i* **3.** ‚pennen' (*schlafen*).

dos·sal, *auch* **dos·sel** [ˈdvsəl] *s* **1.** *relig.* Dorˈsale *n* (*meist gestickter Seidenvorhang als Altarhintergrund, Wandschmuck etc*). – **2.** *obs. für* **dosser**[1] 1.

dos·ser[1] [ˈdvsər] *s* **1.** Rücken(trag)korb *m*. – **2.** ˈRücken(lehnen)draˌpierung *f*. – **3.** (reich bestickter) Wandbehang, -teppich.

dos·ser[2] [ˈdvsər] *s sl.* ‚Pennbruder' *m*.

doss house *s sl.* ‚Penne' *f* (*sehr einfache Herberge*).

dos·si·er [ˈdvsiˌei; -siər] *s* Dossiˈer *m*, Akten(heft *n*, -bündel *n*) *pl*, Fasˈzikel *m*.

dos·sil [ˈdvsil; -sl] *s med.* Scharˈpiebäuschen *n*.

ˈ**doss·man** [-mən] *s irr Br. sl.* Herbergsvater *m*, Inhaber *m* einer Penne.

dost [dʌst] *poet. 2. sg pres indicative von* do[1].

dot[1] [dvt] *s jur.* Mitgift *f*, Aussteuer *f*.

dot[2] [dvt] **I** *s* **1.** Punkt *m*, Pünktchen *n*, Tüpfelchen *n*: **correct to a** ~ *colloq.* aufs Haar *od.* bis aufs I-Tüpfelchen (genau); **to come on the** ~ *colloq.* auf die Sekunde pünktlich kommen. – **2.** Tupfen *m*, kleiner Fleck. – **3.** *fig.* Knirps *m*, (*etwas*) Winziges. – **4.** *mus.* Punkt *m*. – **5.** (*Morsen*) Punkt *m*. – **II** *v/t pret u. pp* ˈ**dot·ted** **6.** punkˈtieren, pünkteln: **to sign on the** ~**ted line** auf der punktierten Linie unterschreiben, *fig.* ohne zu fragen unterschreiben *od.* annehmen; **to** ~ **and carry (one)** a) *Kinderformel beim Addieren*, b) *colloq.* Schritt für Schritt *od.* methodisch vorgehen, ein Steinchen zum andern fügen. – **7.** (*i u. j*) mit dem I-Punkt versehen, den I-Punkt machen auf (*acc*): **to** ~ **the i's (and cross the t's)** *fig.* peinlich genau sein, alles ganz genau ausführen *od.* klarmachen. – **8.** tüpfeln, tupfen. – **9.** *fig.* sprenkeln, (wie) mit Tupfen überˈsäen: **a meadow** ~**ted with flowers**. – **10.** aus-, ˈhinstreuen, verstreuen. – **11.** *mus.* (*Noten etc*) punkˈtieren. – **12.** *sl.* schlagen: **he** ~**ted him one** ‚er langte ihm eine'. – **13.** ~ **down** rasch noˈtieren. – **III** *v/i* **14.** Punkte machen. – **15.** punkˈtieren.

dot·age [ˈdoutidʒ] *s* **1.** (*geistige*) Altersschwäche, Seniliˈtät *f*: **to be in one's** ~ senil sein, alt werden. – **2.** Affenliebe *f*, Vernarrtheit *f*. – **3.** abgöttisch geliebtes Wesen.

do·tal [ˈdoutl] *adj* zur Aussteuer gehörig, Aussteuer..., Mitgift...

ˈ**dot|-and-ˈdash** *adj* Morse..., aus Punkten u. Strichen (zuˈsammengesetzt) (*Morsealphabet*). — ~ **and go one** *colloq.* **I** *v/i* **1.** hinken. – **II** *s* **2.** Hinken *n*. – **3.** Hinkende(r). – **III** *adj u. adv* **4.** hinkend, schleppend.

do·tard [ˈdoutərd] **I** *s* **1.** Schwachsinnige(r). – **2.** schwachsinniger u. kindischer Greis. – **II** *adj* **3.** schwachsinnig. – **4.** seˈnil, kindisch.

do·tate [doˈteit; ˈdouteit] *v/t selten* ausstatten, doˈtieren. — **doˈta·tion** *s* **1.** Aussteuer *f*, Ausstattung *f* (*Frau*). – **2.** Doˈtierung *f* (*Stelle etc*).

ˈ**dot-ˈdash line** *s* ˈstrichpunkˌtierte Linie.

dote [dout] *v/i* **1.** (**on, upon**) vernarrt sein (in *acc*), schwärmen (für). – **2.** kindisch *od.* schwachsinnig *od.* seˈnil sein *od.* werden. — ˈ**dot·er** *s* **1.** Vernarrte(r). – **2.** seˈniler Greis.

doth [dʌθ] *poet. 3. sg pres indicative von* do[1].

dot·ing [ˈdoutiŋ] *adj* **1.** vernarrt, verliebt. – **2.** schwachsinnig, kindisch, *bes.* seˈnil. – **3.** altersschwach, kraft- u. saftlos (*Baum, Pflanze*). — ˈ**dot·ing·ness** *s* **1.** Vernarrtheit *f*. – **2.** Schwachsinn *m*, *bes.* Seniliˈtät *f*.

dot·ted swiss [ˈdvtid] *s* ˈTüpfelmusseˌlin *m*.

dot·tel *cf.* **dottle**.

dot·ter [ˈdvtər] *s* **1.** *tech.* Punkˈtiergerät *n*, -werkzeug *n*. – **2.** *mar.* (*Art*) Richt-, Zielgerät *n*.

dot·ter·el [*Br.* ˈdɔtrəl; *Am.* ˈdɑtərəl] **1.** *zo.* Moriˈnell(regenpfeifer) *m* (*Eudromias morinellus*). – **2.** *dial.* Gimpel *m*, Trottel *m*.

dot·tle [ˈdvtl] *s* Tabakrest *m* (*im Pfeifenkopf*).

dot·trel [ˈdvtrəl] → **dotterel**.

dot·ty [ˈdvti] *adj* **1.** punkˈtiert. – **2.** gepünktelt, getüpfelt. – **3.** *colloq.* a) unsicher, (sch)wankend, schwach, b) ‚ˈübergeschnappt', verrückt.

dot·y [ˈdouti] *adj dial.* durch beginnende Fäulnis verfärbt (*Holz*).

douane [dwan] (*Fr.*) *s* Zollhaus *n*, -amt *n*.

Dou·ay| Bi·ble, ~ **Ver·sion** [duːˈei; ˈduːei] *s relig.* Douˈai-Bibel *f* (*aus der Vulgata übersetzt, 1582 u. 1609/10 gedruckt*).

dou·ble [ˈdʌbl] **I** *adj* **1.** doppelt, Doppel..., zweifach: ~ **the value** der zweifache *od.* doppelte Wert; **to give a** ~ **knock** zweimal klopfen. – **2.** Doppel..., verstärkt, besonders stark *od.* groß: ~ **beer** Starkbier. – **3.** Doppel..., für zwei bestimmt: ~ **bed**. – **4.** paarweise auftretend, gepaart, Doppel...: ~ **doors** Doppeltür. – **5.** *bot.* gefüllt, doppelt – **6.** *mus.* a) eine Okˈtave tiefer (klingend), Kontra..., b) → **duple**. – **7.** zwiespältig, zweideutig. – **8.** unaufrichtig, heuchlerisch, falsch. – **9.** gekrümmt, gebeugt. – **II** *adv* **10.** doppelt, noch einmal. – **11.** doppelt, zweifach: **to play (at)** ~ **or quit(s)** alles riskieren *od.* aufs Spiel setzen; **to see** ~ doppelt sehen. – **12.** paarweise, zu zweit: **to sleep** ~. – **13.** unaufrichtig, falsch, zweideutig. – **III** *s* **14.** (*das*) Doppelte *od.* Zweifache. – **15.** Gegenstück *n*, Ebenbild *n*. – **16.** Gegen-, Seitenstück *n*, Dupliˈkat *n*. – **17.** Doppelgänger *m*. – **18.** Koˈpie *f*, Abschrift *f*. – **19.** Falte *f*. – **20.** Seiten-, Quersprung *m*, Seitwärtsspringen *n*, Haken(schlag) *m*: **to give s.o. the** ~ j-m durch die Lappen gehen. – **21.** Kniff *m*, Trick *m*, Winkelzug *m*. – **22.** doppelte *od.* zweite Besetzung. – **23.** (*Film*) Double *n*. – **24.** (*röm.-kath. Kirche*) Doppelfest *n*. – **25.** *astr.* Doppelstern *m*. – **26.** (*Baseball*) Doppellauf *m*, Zwei-Mal-Lauf *m*. – **27.** *pl* (*Tennis etc*) Doppel *n*: **a** ~**s match** eine Doppelpartie. – **28.** *sport* a) Doppelsieg *m*, b) (*Tennis*) Doppelfehler *m*. – **29.** (*Bridge etc*) a) Doppeln *n*, b) Karte, die Doppeln gestattet. – **30.** Doppelwette *f*. – **31.** (*Angeln*) Duˈblette *f*, Doppeltreffer *m* (*Fang zweier Fische auf einmal*). – **32.** Doppel-, Starkbier *n*. – **33.** *mil.* Laufschritt *m*: **at the** ~ im Laufschritt. – **34.** *mus.* Double *n*. – **IV** *v/t* **35.** verdoppeln, verzweifachen: **to** ~ **a number** eine Zahl verdoppeln *od.* doppelt nehmen. – **36.** um das Doppelte überˈtreffen, doppelt so stark sein wie. – **37.** *oft* ~ **up** kniffen, (ˈum-, zuˈsammen)falten, ˈum-, zuˈsammenlegen. – **38.** *oft* ~ **up** (*Faust*) ballen. – **39.** (*dat*) ausweichen, (*dat*) entschlüpfen. – **40.** umˈsegeln, umˈfahren, umˈschiffen. – **41.** *sl.* ˈeinquarˌtieren (**with** bei). – **42.** (*Bridge etc*) (*Gebot*) doppeln. – **43.** *mus.* (*Ton in der Oktave*) verdoppeln. – **44.** a) als Double einspringen für, b) (*Rolle*) als Double spielen: **to** ~ **a part** a) eine Rolle mit übernehmen, b) 2 Rollen in einem Stück spielen. – **45.** (*Spinnerei*) douˈblieren, doppeln, duˈplieren. – **V** *v/i* **46.** sich verdoppeln. – **47.** sich falten, sich biegen. – **48.** plötzlich kehrtmachen, *bes.* einen Haken schlagen. – **49.** Winkelzüge machen, falsches Spiel treiben. – **50.** für zwei Sachen gleichzeitig dienen, doppelt verwendbar sein. – **51.** als Double spielen. – **52.** a) 2 Rollen (in einem Stück) spielen, b) 2 Instruˈmente (in einer Kaˈpelle) spielen. – **53.** (*Bridge*) doppeln, das Gebot des Gegners verdoppeln. – **54.** den Einsatz verdoppeln. – **55.** (*Baseball*) einen Zwei-Mal-Lauf machen. – **56.** *mil.* im Schnellschritt marˈschieren. – **57.** *colloq.* sich beeilen, ‚Tempo an den Tag legen'. –

Verbindungen mit Adverbien:

dou·ble| back **I** *v/t* zuˈsammenfalten, ˈumbiegen. – **II** *v/i* kehrtmachen (u. zuˈrücklaufen) (**on** auf *dat*). — ~ **down** *v/t* ˈumbiegen, (ˈum)falten. — ~ **in** *v/t* einbiegen, nach innen falten. — ~ **up** **I** *v/t* **1.** (zuˈsammen)falten, zuˈsammenlegen. – **2.** zuˈsammenkrümmen: **to be doubled up with pain** sich vor Schmerzen krümmen. – **3.** *colloq.* erledigen, ‚zuˈsammenhauen'. – **II** *v/i* **4.** sich falten. – **5.** sich biegen. – **6.** *fig.* sich (zuˈsammen)krümmen, sich biegen (**with** vor *dat*): **to** ~ **with pain** sich vor Schmerzen krümmen. – **7.** sein Quarˈtier teilen (müssen). – **8.** seinen Einsatz verdoppeln. – **9.** zuˈsammenbrechen, -klappen.

ˈ**dou·ble|-ˈact·ing** *adj tech.* doppeltwirkend, Doppelwirkung erzielend. — ~ **ac·tion fuse** *s mil.* Doppelzünder *m*. — ~ **an·ti·air·craft gun** *s* *mil.* Flakzwilling *m.* — ~ **bar** *s mus.* Doppel-, Schlußstrich *m.* — ˈ~-ˌ**bar·rel(l)ed** *adj* **1.** doppelläufig, Doppel...: ~ **gun** Doppelflinte. – **2.** eine zweifache Wirkung habend, zweischneidig. — ~ **bass** → **contrabass.** — ~ **bas·soon** *s mus.* ˈKontrafaˌgott *n.* — ~ **beam** *s arch.* Doppelbalken *m,* Strebenpaar *n,* Gespärre *n.* — ~ **bend** *s tech.* Doppelkrümmer *m,* S-Krümmer *m.* — ~ **boil·er** *s* Doppelkocher *m.* — ~ **bond** *s chem.* Äthyˈlenbindung *f.* — ~ **bot·tom** *s* **1.** *mar.* Doppelboden *m.* – **2.** *econ. colloq.* Preissturz *m* (*bis fast zum Ausgangskurs*). — ˈ~-ˈ**bot·tom** *adj* mit Doppelboden. — ˈ~-ˈ**breast·ed** *adj* zwei-, doppelreihig (*Anzug etc*). — ˈ~-ˈ**brood·ed** *adj zo.* jährlich zwei Generatiˈonen habend. — ˈ~-ˈ**charge** *v/t* **1.** (*Gewehr etc*) doppelt laden. – **2.** überˈlasten. — ~ **chin** *s* Doppelkinn *n.* — ˈ~-ˈ**chinned** *adj* mit Doppelkinn. — ~ **cloth** *s* Zweischichten-, Doppelgewebe *n.* — ˈ~-ˈ**con·cave** *adj* bikonˈkav. — ~ **con·scious·ness** *s med.* Doppelbewußtsein *n.* — ˈ~-ˈ**con·vex** *adj* bikonˈvex. — ~ **cross** *s* **1.** *sport sl.* (Doppel-)Betrug *m* (*Kämpfer hält die Vereinbarung, möglichst schlecht zu kämpfen, nicht*). – **2.** *sl.* Beschwindeln *n* eines Komˈplicen. – **3.** *biol.* Doppelbastard *m,* -kreuzung *f.* — ˈ~-ˈ**cross** *v/t sl.* täuschen, beschwindeln, hinterˈgehen. — ˈ~-ˈ**cross·er** *s sl.* Betrüger *m,* (Be)Schwindler *m.* — ˈ~-ˌ**cut file** *s tech.* Doppelhiebfeile *f.* — ˈ~-ˌ**cut saw** *s tech.* zweischneidige Säge. — ~ **dag·ger** *s print.* Doppelkreuz *n.* — ~ **date** *s Am. colloq.* ˈDoppelrendezˌvous *n* (*zweier Paare*). — ˈ~-ˈ**deal·er** *s* unaufrichtiger *od.* doppelzüngiger Mensch, Achselträger *m,* Betrüger *m.* — ˈ~-ˈ**deal·ing I** *adj* doppelzüngig, unaufrichtig, falsch, achselträgerisch. – **II** *s* Betrug *m,* Doppelzüngigkeit *f,* Falschheit *f,* Achselträgeˈrei *f.* – *SYN. cf.* **deception.** — ˈ~-ˈ**deck·er** *s* **1.** *mar.* Doppeldecker *m.* – **2.** *aer. colloq.* Doppeldecker *m.* – **3.** *colloq.* a) Doppeldecker *m* (*Autobus*), b) zwei übereinˈander angeordnete Betten. – **4.** *Am. sl.* Doppelsandwich *n* (*aus 3 Brotscheiben u. 2 Einlagen*). — ~ **di·ode** *s electr.* ˈDuo-, ˈDoppeldiˌode *f.* — ~ **Dutch** *s colloq.* Kauderwelsch *n.* — ˈ~-ˈ**dye** *v/t* zweimal färben. — ˈ~-ˈ**dyed** *adj* **1.** zweimal gefärbt. – **2.** *fig.* eingefleischt, Erz...: ~ **villain** Erzgauner. — ~ **ea·gle** *s* **1.** *her.* Doppeladler *m.* – **2.** *Am.* Doppeladler *m* (*goldenes 20-Dollar-Stück*). — ˈ~-ˈ**edged** *adj* zweischneidig (*auch fig.*). — ~ **el·e·phant** *s ein Papierformat* (*40 × 26½ Zoll*). — ˈ~-ˈ**end·er** *s* **1.** *mar.* hinten u. vorn gleiches Boot (*bes. Fähre*). – **2.** *tech.* Schrot-, Quersäge *f.* — ~-**en·ten·dre** [dublɑ̃ˈtɑ̃:dr] (*Fr.*) *s* **1.** Doppelsinn *m* (*Wort etc*). – **2.** Zweideutigkeit *f.* — ~ **en·try** *s econ.* doppelte Buchführung. — ~ **ex·po·sure** *s phot.* Doppelbelichtung *f.* — ˈ~-ˈ**faced** *adj* **1.** heuchlerisch, unaufrichtig. – **2.** doppelgesichtig. — ~ **fault** *s* (*Tennis*) Doppelfehler *m.* — ~ **first** *s* (*an brit. Universitäten*) **1.** mit Auszeichnung erworbener akaˈdemischer Honours-Grad in zwei verschiedenen Fächern. – **2.** *Student, der einen solchen Grad erworben hat.* — ˈ~-ˈ**flow·ered** *adj bot.* gefüllt(blütig). — ˈ~-ˈ**flu·id** *adj electr.* mit zwei Flüssigkeiten (*Batterie*). — ~ **fugue** *s mus.* Doppelfuge *f.* — ˈ~ˌ**gang·er** *s* Doppelgänger *m.* — ~ **har·ness** *s* **1.** Doppelgespann *n,* -joch *n.* – **2.** enge Verbindung, Aneinˈandergebundensein *n.* – **3.** Ehe(stand *m*) *f.* — ˈ~-ˈ**head·er** *s Am.* **1.** von zwei Lokomoˈtiven gezogener Zug. – **2.** *sport* a) zwei Spiele zwischen denˈselben Mannschaften unmittelbar hintereinˈander, b) Doppelveranstaltung *f.* — ˈ~ˈ**heart·ed** *adj* falsch. — ~ **im·age** *s* (*Surrealismus*) Doppelbild *n.* — ˈ~-ˈ**im·age mi·crom·e·ter** *s phys.* ˈDoppelbildmikroˌmeter *n.* — ~ **in·cline** *s* (*Eisenbahn*) Ablaufberg *m.* — ˈ~-ˈ**joint·ed** *adj* mit Gummigelenken (*Artist etc*). — ˈ~-ˈ**lead·ed** [-ˈledid] *adj print.* doppelt durchˈschossen. — ~ **link·age** → **double bond.** — ˈ~-ˈ**lock** *v/t* zweimal *od.* doppelt verschließen. — ~ **mag·num** *s* große Weinflasche, (*etwa*) Vierˈliterflasche *f.* — ˈ~-ˈ**manned** *adj* doppelt bemannt. — ~ **march** *s mil.* Laufschritt *m.* — ˈ~-ˈ**mean·ing** *adj* **1.** doppelsinnig. – **2.** zweideutig. — ˈ~-ˈ**mind·ed** *adj* **1.** wankelmütig, unbeständig, unentschlossen. – **2.** unaufrichtig, betrügerisch. — ~ **nel·son** *s* (*Ringen*) Doppelnelson *m.*

dou·ble·ness [ˈdʌblnis] *s* **1.** Doppelheit *f,* Doppeltsein *n.* – **2.** Falschheit *f,* Doppelzüngigkeit *f,* Unaufrichtigkeit *f,* Heucheˈlei *f.* – **3.** Unentschiedenheit *f.*

dou·ble| noz·zle *s tech.* Doppel-, Zweifachdüse *f.* — ~ **pi·ca** *s print.* Doppelcicero *f* (*Schriftgrad*). — ~ **play** *s* (*Baseball*) Doppelaus *n.* — ~ **point** *s math.* Doppelpunkt *m* (*einer Kurve*). — ˈ~-ˈ**quick** *mil.* **I** *s* → **double time.** – **II** *adj* Schnellschritt... – **III** *adv* im Schnellschritt, im Eilmarsch, sehr schnell. – **IV** *v/i u. v/t* → **double-time.**

dou·bler [ˈdʌblər] *s* **1.** Verdoppler(in). – **2.** → **double** 23. – **3.** *electr.* (Freˈquenz)Verdoppler *m.* – **4.** (*Spinnerei*) Douˈblierer *m,* Duˈplierer *m* (*Arbeiter*). – **5.** *tech.* Rektifikatiˈonsappaˌrat *m.* – **6.** *tech.* a) Duˈpliermaˌschine *f,* b) Drucktuch *n* (*beim Kattundruck*). – **7.** *mar.* Umˈsegler *m,* Umˈfahrer *m.*

dou·ble| reed *s mus.* doppeltes Rohrblatt. — ˈ~-ˈ**reed** *adj mus.* mit doppeltem Rohrblatt. — ~ **re·frac·tion** *s phys.* Doppelbrechung *f.* — ˈ~-ˈ**rip·per,** *auch* ˈ~-ˈ**run·ner** *s Am.* (*Art*) Bob *m,* Doppelschlitten *m.* — ~ **salt** *s chem.* Doppelsalz *n.* — ~ **sharp** *s mus.* Doppelkreuz *n.* — ~ **stand·ard** *s* doppelter Moˈralkodex. — ~ **star** *s astr.* Doppelstern *m.* — ~ **stem** *s* (*Skilauf*) Schneepflug-, Stemmbogen *m.* — ~-**stop** *mus.* **I** *s* [ˈ-ˌstɒp] Doppelgriff *m* (*auf der Geige etc*). – **II** *v/t* [ˈ-ˈstɒp] Doppelgriffe nehmen auf (*dat*). — ˈ~-ˈ**sto·ried** *adj* zweistöckig (*Haus*). — ~ **sum·mer time** *s Br.* doppelte Sommerzeit.

dou·blet [ˈdʌblit] *s* **1.** (*Art*) Wams *n* (*Teil der Männertracht, 15.–17. Jh.*). – **2.** Paar *n* (*Dinge*). – **3.** Duˈblette *f,* Dupliˈkat *n,* Doppelstück *n.* – **4.** *ling.* Doppelform *f* (*eines zweifach entlehnten Wortes*). – **5.** *print.* Duˈblette *f,* Doppelsatz *m.* – **6.** *pl* Pasch *m* (*beim Würfeln*). – **7.** Duˈblette *f* (*unechter Edelstein*). – **8.** *phys. tech.* Doppellinie *f.* – **9.** (*Optik*) Doppellinse *f.* – **10.** (*Funk*) ˈDipol(anˌtenne *f*) *m.*

dou·ble| tack·le *s tech.* Doppel(seil)rolle *f.* — ˈ~-ˌ**take** *s fig.* Spätzündung *f.* — ~ **talk** *s colloq.* **1.** Mischmasch *m* aus sinnvollen Wörtern u. unsinnigen Silben *od.* Wörtern. – **2.** ausweichende *od.* zweideutige Redeweise. — ˈ~-ˌ**think** *s humor.* ‚Zwiedenken' *n* (*die Fähigkeit, zwei einander widersprechende Gesinnungen zu haben*). — ~ **thread** *s tech.* doppelgängiges Gewinde, Doppelgewinde *n.* — ˈ~-ˈ**thread·ed** *adj tech.* **1.** gezwirnt. – **2.** doppel-, zweigängig. — ~ **time** *s* **1.** *mil.* Schnell-, Geschwind-, Eilschritt *m* (*in der amer. Armee: 180 Schritt pro Minute*). – **2.** *mil.* langsamer Laufschritt. – **3.** *colloq.* Laufschritt *m,* Laufen *n,* Rennen *n.* – **4.** *colloq.* doppelte Bezahlung, doppelter Lohn. — ˈ~-ˌ**time I** *v/i* **1.** *mil.* im Schnellschritt marˈschieren. – **2.** laufen, im Laufschritt rennen. – **II** *v/t* **3.** *mil.* im Schnellschritt marˈschieren lassen. — ˈ~-ˈ**T-ˌi·ron** *s tech.* Doppel-T-Eisen *n,* I-Eisen *n.* — ˈ~-ˈ**tongue** *v/i mus.* mit Doppelzunge (stacˈcato) blasen. — ˈ~-ˈ**tongued** *adj* doppelzüngig, falsch. — ˈ~-ˈ**track** *v/t* (*Bahnlinie*) zweig(e)leisig anlegen *od.* machen. — ˈ~-ˈ**tracked** *adj* zwei-, doppelg(e)leisig (*Bahnlinie*). — ˈ~ˌ**tree** *s tech.* Kreuz-, Querbaum *m,* -stück *n,* Ortscheit *n.*

dou·bling [ˈdʌbliŋ] *s* **1.** Verdoppelung *f.* – **2.** (Zuˈsammen)Faltung *f.* – **3.** Hakenschlagen *n,* Ausweichen *n.* – **4.** Winkelzug *m,* Kniff *m.* – **5.** doppelte Destillatiˈon. – **6.** *bot.* Blütenfüllung *f.* – **7.** (*Spinnerei*) Douˈblieren *n,* Duˈplieren *n.* – **8.** *mar.* a) Kissen *n* (*am Beting*), b) *pl* Verstärkungen *pl,* Lappen *pl* (*eines Segels*).

dou·bloon [dʌˈblu:n] *s hist.* Duˈblone *f* (*alte span. Goldmünze*).

dou·blure [duˈbly:r] (*Fr.*) *s* Duˈblüre *f,* (ˈUnter)Futter *n* (*bes. einer Buchdecke*).

dou·bly [ˈdʌ:bli] *adv* **1.** doppelt, zweifach. – **2.** falsch, unaufrichtig, doppelzüngig.

doubt [daut] **I** *v/i* **1.** zweifeln (**of s.th.** an einer Sache). – **2.** zögern, unentschlossen sein, schwanken, Bedenken haben *od.* tragen. – **II** *v/t* **3.** (es) bezweifeln, (darˈan) zweifeln, nicht sicher sein (**whether, if** ob; **that** daß; *in verneinten u. fragenden Sätzen:* **that, but, but that** daß): **I** ~ **whether he will come** ich zweifle, ob er kommen wird; **I** ~ **that he can come** ich bezweifle es, daß er kommen kann; **I don't** ~ **that he will come** ich zweifle nicht daran, daß er kommen wird. – **4.** bezweifeln, anzweifeln, zweifeln an (*dat*): **I almost** ~ **it** ich möchte es fast bezweifeln; **to** ~ **s.o.'s abilities** j-s Fähigkeiten bezweifeln; **I** ~ **it to be true** ich bezweifle, daß es stimmt; **I** ~ **his coming** ich (be)zweifle, daß er kommt. – **5.** (*dat*) mißˈtrauen, (*dat*) keinen Glauben schenken: **to** ~ **s.o.** j-m mißtrauen; **to** ~ **s.o.'s words** j-s Worten keinen Glauben schenken. – **6.** *obs. od. dial.* fürchten. – **III** *s* **7.** Zweifel *m* (**of** an *dat*; **about** betreffs; **that** daß): **no** ~ a) zweifellos, ohne Zweifel, b) wahrscheinlich, vermutlich; **without** ~, **beyond** ~ zweifellos, ohne Zweifel, fraglos; **in** ~ im *od.* in Zweifel, in Ungewißheit, im ungewissen; **to leave s.o. in no** ~ **about s.th.** j-n über etwas nicht im ungewissen *od.* Zweifel lassen; **there is no (not the smallest)** ~ **(that, but)** es besteht kein (nicht der geringste) Zweifel darüber (daß); **to have no** ~ (*od.* **not a** ~) **of** nicht zweifeln an (*dat*); **to have no** ~ **that** nicht bezweifeln, daß; **to make no** ~ sicher sein, keinen Zweifel hegen; **it is not in any** ~ darüber besteht kein Zweifel; → **call** *b. Redw.* – **8.** Bedenken *n,* Besorgnis *f* (**about** wegen): **to have some** ~**s left** noch einige Bedenken hegen; **to raise** ~**s** Bedenken erregen. – **9.** ungewisser Zustand, Ungewißheit *f*: **to give s.o. the benefit of the** ~ im Zweifelsfalle j-n für unschuldig erklären *od.* zu j-s Gunsten entscheiden. – **10.** a) ungelöste Frage *od.* Schwierigkeit, Proˈblem *n,* b) Einwand *m,* Einwurf *m.* – **11.** *obs.* Besorgnis *f,* Angst *f.* – *SYN. cf.* **uncertainty.**

doubt·a·ble ['dautəbl] *adj* bezweifelbar, anzweifelbar, fraglich. — **'doubt·er** *s* Zweifler(in).

doubt·ful ['dautful; -fəl] *adj* **1.** zweifelhaft, unsicher, unklar, dunkel. – **2.** bedenklich, fragwürdig. – **3.** ungewiß, unentschieden, unsicher. – **4.** zweifelhaft, verdächtig, dubi'os: a ~ fellow. – **5.** zweifelnd, unsicher, unschlüssig: to be ~ of (*od.* about) s.th. an etwas zweifeln. – *SYN.* dubious, problematical, questionable. — **'doubt·ful·ness** *s* **1.** Zweifelhaftigkeit *f*, Unsicherheit *f*. – **2.** Fragwürdigkeit *f*, Bedenklichkeit *f*. – **3.** Ungewißheit *f*, Unentschiedenheit *f*. – **4.** Verdächtigkeit *f*. – **5.** Unsicherheit *f*, Unschlüssigkeit *f*. — **'doubt·ing** *adj* **1.** zweifelnd, 'mißtrauisch, argwöhnisch: → Thomas II. – **2.** unschlüssig. — **'doubt·less I** *adv* **1.** zweifellos, ohne Zweifel, gewiß, sicherlich, wohl, ich gebe zu. – **2.** wahr'scheinlich. – **II** *adj* **3.** fraglos, sicher, unzweifelhaft.

douc [du:k] *s zo.* Duk *m*, Kleideraffe *m* (*Presbytis nemaea*).

douce [du:s] *adj* **1.** *Scot.* nüchtern, gesetzt, besonnen. – **2.** *Scot. od. dial.* a) freundlich, b) bescheiden, c) sauber.

dou·ceur [du'sœ:r] (*Fr.*) *s* **1.** (Geld)Geschenk *n*, Dou'ceur *n*, Trinkgeld *n*. – **2.** Bestechung(sgeld *n*) *f*. – **3.** *obs.* Freundlichkeit *f*, Milde *f*.

douche [du:ʃ] **I** *s* **1.** Dusche *f*, Brause *f*. – **2.** (Ab)Duschen *n*. – **3.** Dusch-, Brausebad *n*. – **II** *v/t* **4.** (ab)duschen. – **III** *v/i* **5.** sich (ab)duschen.

dough [dou] **I** *s* **1.** Teig *m*: the ~ rises der Teig geht auf. – **2.** Teig *m*, teigartige Masse, Paste *f*. – **3.** *sl.* ‚Zaster' *m*, ‚Mo'neten' *pl* (*Geld*). – **II** *v/t* **4.** zu Teig kneten *od.* machen. – **5.** ~ in (*Brauwesen*) (*Malz*) einteigen, einmaischen. — **~ bird** *s zo.* Nordischer Brachvogel (*Numenius borealis*). — **'~,boy** *s colloq.* **1.** (gekochter) Mehlkloß. – **2.** *Am.* ‚Landser' *m* (*Infanterist*). — **'~,foot** *s irr* → doughboy 2. — **'~,nut** *s* (*Art*) Krapfen *m*, (*Art*) Ber'liner Pfannkuchen *m* (*in USA meist ringförmig, in England kugelförmig*). — **'~,nut tire** *s Am.* großer Bal'lonreifen, Niederdruckreifen *m* (*für Autos*).

dought [daut] *pret von* dow.

dough·ti·ness ['dautinis] *s obs. od. humor.* Mannhaftigkeit *f*. — **'dough·ty** *adj obs. od. humor.* beherzt, mannhaft, wacker.

dough·y ['doui] *adj* **1.** teigig, teigartig, weich. – **2.** nicht 'durchgebacken. – **3.** *fig.* teigig, bleich u. schlaff.

Doug·las| fir ['dʌgləs], *auch* **~ hemlock**, **~ pine**, **~ spruce** *s bot.* Douglastanne *f*, -fichte *f*, Dou'glasie *f* (*Pseudotsuga taxifolia*). — **~ squir·rel** *s zo.* Douglashörnchen *n* (*Otospermophilus grammurus douglasi*).

Dou·kho·bors ['du:ko,bɔ:rz] → Dukhobors.

doum (palm) *cf.* doom palm.

dou·ma *cf.* duma.

dour [du:r] *adj* **1.** mürrisch, verdrießlich. – **2.** *Scot.* a) hart, streng, b) hartnäckig, störrisch, stur.

dou·ra(h) ['du:rə] → durra.

dou·ri·cou·li [,du(ə)ri'ku:li] *s zo.* Douri'kuli *m*, Nachtaffe *m* (*Gattg Aotus*).

dou·rine [du:'ri:n] *s vet.* Beschälseuche *f*.

douse [daus] **I** *v/t* **1.** ins Wasser tauchen, eintauchen, (mit Wasser) begießen *od.* durch'tränken (with mit). – **2.** *colloq.* (*Licht*) auslöschen: to ~ the glim *sl.* das Licht ausmachen. – **3.** *colloq.* (*Kleider*) ablegen, (*Hut*) abnehmen. – **4.** *mar.* a) (*Segel*) laufen lassen, schnell her'unterlassen, b) (*Tauende*) loswerfen, c) (*Luke*) schließen. – **II** *v/i* **5.** eingetaucht *od.* begossen werden. – **III** *s dial.* **6.** Schlag *m*. – **7.** Ein-, 'Untertauchen *n*.

dou·ze·pers ['du:zə,pɛrz] *s pl* **1.** (*die*) zwölf Pala'dine (*Karls des Großen*). – **2.** *hist.* (*die*) zwölf Pairs Frankreichs.

dove¹ [dʌv] *s* **1.** *zo.* Taube *f* (*Fam. Columbidae*). – **2.** *fig.* Taube *f*: ~ of peace Friedenstaube; as gentle as a ~ sanft wie eine Taube. – **3.** *fig.* sanftmütiges *od.* zärtliches Wesen. – **4.** *relig.* a) Taube *f* (*Symbol des Heiligen Geistes*), b) D~ Heiliger Geist. – **5.** Liebling *m*, Täubchen *n* (*Kosewort*).

dove² [douv] *Am. colloq. od. Br. dial.* [*pret von* dive.]

dove| col·o(u)r [dʌv] *s* Taubengrau *n*. — **'~-,col·o(u)red** *adj* taubengrau. — **'~,cot(e)** *s* Taubenschlag *m*: to flutter the ~s *fig.* Spießbürger erschrecken. — **'~-,eyed** *adj* sanftäugig. — **'~,foot** *pl* **-,foots** *s bot.* A'launwurzel *f* (*Geranium maculatum*).

dove·kie, *auch* **dove·key** ['dʌvki] *s zo.* **1.** Kleiner Krabbentaucher (*Plautus alle*). – **2.** Schwarze Lumme (*Cepphus grylle*).

dove plant *s bot.* 'Taubenorchi,dee *f* (*Peristeria elata*).

Do·ver's pow·der ['douvərz] *s med.* Doversches Pulver.

'dove's-,foot *s irr bot. mehrere europ. Storchschnabelarten* (*Gattg Geranium*).

dove·tail ['dʌv,teil] **I** *s* **1.** taubenschwanzförmiger Gegenstand. – **2.** *tech.* Schwalbenschwanz *m*, Zinken *m*. – **II** *v/t* **3.** *tech.* vernuten, verzinken. – **4.** *tech.* mit Schwalbenschwänzen versehen. – **5.** *fig.* inein'andergreifend *od.* fest verbinden, zu'sammenfügen. – **6.** einfügen, eingliedern (into in *acc*). – **III** *v/i* **7.** genau (inein'ander)passen (into in *acc*). – **8.** *fig.* innig *od.* fest verbunden sein. — **'dove,tailed** *adj* **1.** *tech.* a) durch Schwalbenschwanz verbunden, b) mit Zinken versehen, c) schwalbenschwanzförmig. – **2.** *her.* schwalbenschwanzartig gebrochen (*Schildrand*).

dove·tail| mo(u)ld·ing *s arch.* Taubenschwanzverzierung *f*. — **~ plane** *s tech.* Grathobel *m*. — **~ saw** *s tech.* Zinkensäge *f*.

dow [dau; dou] *pret u. pp* **dowed** *od.* **dought** [daut] *v/i Scot. od. dial.* **1.** können, im'stande sein. – **2.** blühen, gedeihen.

dow·a·ger ['dauədʒər] *s* **1.** *jur. Br.* Witwe *f* (*bes.* aus vornehmem Stand): ~ duchess Herzoginwitwe. – **2.** *colloq.* Ma'trone *f*, würdevolle ältere Dame.

dow·di·ness ['daudinis] *s* 'Unele,ganz *f*, Schlampigkeit *f*. — **'dow·dy I** *adj* **1.** schlecht *od.* nachlässig gekleidet, 'unele,gant, schlampig. – **II** *s* **2.** nachlässig gekleidete Frau, Schlampe *f*. – **3.** *Am.* (*Art*) Fruchtauflauf *m*. — **'dow·dy·ish** *adj* nachlässig, schlampig, schäbig.

dow·el ['dauəl] *tech.* **I** *s* **1.** (*Schreinerei*) (Holz)Dübel *m*, Holzpflock *m*. – **2.** Wanddübel *m*. – **II** *v/t pret u. pp* **-eled**, *bes. Br.* **-elled** **3.** (ver)dübeln, mit Dübeln versehen *od.* verbinden. — **~ pin** → dowel 1. — **~ screw** *s tech.* Dübel *m* mit Gewinde, Führungsschraube *f*.

dow·er ['dauər] **I** *s* **1.** *jur.* Wittum *n*, Witwen-Leibgedinge *n*. – **2.** Mitgift *f*. – **3.** (na'türliche) Gabe, *bes.* Ta'lent *n*, Begabung *f*. – **II** *v/t* **4.** ausstatten, (*j-m*) ein Wittum *od.* eine Mitgift geben. – **5.** als Wittum *od.* Mitgift geben. — **'dow·er·y** [-əri] → dowry.

dowf [dauf; du:f] *adj Scot. od. Irish* schwerfällig, dumm.

dow·ie ['daui; 'doui] *adj Scot. od. dial.* schwermütig, traurig.

dow·itch·er ['dauitʃər] *s zo.* Kanad. Rotbrust-Schnepfe *f* (*Limnodromus griseus*).

dow·las ['dauləs] *s* Dowlas *n*, Daulas *n* (*Art grobe Leinwand*).

Dow·met·al ['dau,metl] (*TM*) *s tech.* 'Dowme,tall *n* (*verschiedene amer. Magnesiumlegierungen*).

down¹ [daun] **I** *adv* **1.** nach unten, her-, hin'unter, her-, hin'ab, ab-, niederwärts, zum Boden, zum Grund: up and ~ hinauf u. hinunter, auf u. ab *od.* nieder; ~ from fort von, von ... herab; ~ to bis hinunter *od.* hinab zu; from ... ~ to von ... bis hinunter zu; to look ~ hinunter-, hinab-, herabsehen; to knock ~ zu Boden schlagen; to come ~ (aus dem Schlafzimmer) herunterkommen, aufgestanden sein; to go ~ a) untergehen, sinken (*Sonne, Schiff*), b) hinunterrutschen (*Speise*), c) sich legen (*Wind*), d) Erfolg *od.* Anklang finden; that will not go ~ with me damit kann man mir nicht kommen; to get s.th. ~ etwas herunter- *od.* hinunterbekommen; to get ~ from a bus aus einem Bus aussteigen; ~ to the ground *colloq.* vollständig, absolut, durchaus, ganz u. gar; to be ~ on s.o. *colloq.* a) über j-n herfallen, j-n streng *od.* grob behandeln, b) j-n nicht leiden können, c) j-n durchschauen; ~ to the last man bis zum letzten Mann. – **2.** nieder...: to burn ~ niederbrennen; to hiss ~ aus-, niederzischen. – **3.** (in) bar, so'fort: to pay ~ (in) bar bezahlen; ten dollars ~ 10 Dollar (in) bar. – **4.** zu Pa'pier, nieder..., in Vormerk: to write ~ niederschreiben; to take ~ zu Papier bringen, notieren; the Bill is ~ for the third reading today heute steht die dritte Lesung der Gesetzesvorlage auf der Tagesordnung; to be ~ for Friday für Freitag angesetzt sein. – **5.** von einer großen Stadt (*bes. in England*: von London) weg: to go ~ to the country in die Provinz *od.* aufs Land fahren; to go ~ *Br.* London verlassen. – **6.** *bes. Am.* a) zu einer großen Stadt hin, b) zur 'Endstati,on hin, c) ins Geschäftsviertel. – **7.** (nach Süden) hin'unter. – **8.** a) mit dem Strom, flußabwärts, b) mit dem Wind. – **9.** *Br.* von der Universi'tät: to go ~ a) in die (Universitäts)Ferien gehen, b) die Universität verlassen; to send s.o. ~ j-n relegieren. – **10.** a) auf einen geringeren Stand, b) in eine demütigende Lage, c) ins Elend, ins Unglück: to bring ~ s.o.'s pride j-s Stolz demütigen; → luck 1. – **11.** bis zur Erschöpfung: to hunt s.o. ~ j-n stellen. – **12.** auf eine geringere Stärke *od.* Höhe: to bring the prices ~ eine Preissenkung bewirken, die Preise drücken. – **13.** von früherer Zeit her: ~ to our times bis auf unsere Zeiten; ~ to date zeitgemäß, modern, bis auf den heutigen Tag (gebraucht *etc*). – **14.** (*Theater*) (nach) vorn. – **15.** *ellipt.* nieder!: ~ helm! *mar.* Ruder in Lee! anluven! ~ on your knees! auf die Knie mit dir! – **16.** in die richtige Lage: to settle ~ to work sich an die Arbeit setzen *od.* machen. – **17.** (dr)unten: ~ there dort unten. – **18.** unten im Hause, aufgestanden: he is not ~ yet er ist noch oben *od.* im Schlafzimmer. – **19.** unten: they are ~ again sie sind wieder unten. – **20.** 'untergegangen (*Gestirne*). – **21.** a) her'untergegangen, gefallen (*Preise*), b) billiger (*Waren*). – **22.** *Br.* nicht in London. – **23.** *Br.* nicht an der Universi'tät. – **24.** nieder-, 'hingestreckt, am Boden (liegend): → hit 10. – **25.** in geringer Stellung, von niedrigem Rang, in bescheidenen Verhältnissen (lebend). – **26.** her'untergekommen, in elenden Verhältnissen (lebend): **to have come ~ in the world** bessere Tage gesehen haben; → heel[1] *b. Redw.* – **27.** bettlägerig: **to be ~ with the flu** wegen Grippe das Bett hüten müssen, an der Grippe darniederliegen. – **28.** erschöpft, ermattet. – **29.** niedergeschlagen, entmutigt, depri'miert: → **mouth** 1. – **30.** (*Boxen*) am Boden: **~ and out** kampfunfähig, *fig.* ruiniert, erledigt. – **31.** *sport* (*um Punkte etc*) zu'rück: **he was two points ~** er war 2 Punkte zurück. – **32.** gefallen (*Thermometer etc*): **to be ~ by 10 degrees** um 10 Grad gefallen sein. – **II** *adj* **33.** nach unten *od.* abwärts gerichtet: **a ~ jump** ein Sprung nach unten. – **34.** sich senkend, abfallend, absteigend, hin'untergehend, Abwärts... – **35.** sinkend, Abwärts...: **~ trend** Abwärtsbewegung, sinkende Tendenz. – **36.** abwärtsführend. – **37.** niedergeschlagen, mutlos. – **38.** unten befindlich. – **39.** *Br.* von London abfahrend *od.* kommend. – **40.** *bes. Am.* a) in Richtung nach einer großen Stadt, b) nach dem Geschäftsviertel zu, in die Stadtmitte. – **41.** *colloq.* bar, Bar...: → **~ payment**. – **42.** (*amer. Fußball*) gestoppt, nicht im Spiel (*Ball*). – **43.** (*Journalismus*) im Druck, zum Druck gegeben. – **III** *prep* **44.** her-, hin'unter, her-, hin'ab, entlang: **~ the hill** den Hügel hinunter; **~ the river** den Fluß hinunter *od.* abwärts; **~ the middle** durch die Mitte (hinunter); **to walk up and ~ the room** im Zimmer auf u. ab gehen; **~ the line** die Strecke entlang; → **line**[1] 28. – **45.** hin'unter (*zum Meer*). – **46.** (in der'selben Richtung) mit: **~ the wind** mit dem Wind; **to let a ship go ~ the wind** ein Schiff seinem Schicksal überlassen. – **47.** hin'unter in (*acc*). – **48.** hin'ein in (*acc*): **~ town**, *meist* **~town** in die Stadt(mitte). – **49.** unten an (*dat*): **further ~ the Rhine** weiter unten am Rhein. – **50.** unten in (*dat*). – **51.** (*zeitlich*) durch ... (hin'durch): **all ~ the age** durch das ganze Zeitalter (hindurch). – **IV** *s* **52.** Abwärtsbewegung *f*, Abstieg *m*. – **53.** 'Widerwärtigkeit *f*, Unannehmlichkeit *f*, unerfreulicher Zustand: → **up** 61. – **54.** *colloq.* Groll *m*: **to have a ~ on s.o.** j-n nicht leiden können. – **55.** (*amer. Fußball*) a) Spielabschnitt *m*, 'Angriffsunterˌbrechung *f* (*durch den Schiedsrichter*), b) Ungültig-Erklärung *f* des Balles. – **V** *v/t* **56.** niederwerfen, bezwingen, demütigen. – **57.** fallen *od.* sinken lassen. – **58.** niederlegen: **to ~ tools** *bes. Br.* a) die Arbeit einstellen, b) in den Streik treten. – **59.** niederschlagen. – **60.** (*Flugzeug*) zum Absturz bringen, abschießen. – **61.** (*Reiter*) abwerfen. – **62.** *bes. Br. colloq.* (*Getränk*) ‚(hin'unter)kippen', hinuntergießen. – **VI** *v/i* **63.** hin'abgehen, -sinken, her'unterkommen, -fallen. – **64.** (die Kehle) hin'unterrutschen, hin'abgleiten.

down² [daun] *s* **1.** *zo.* a) Daunen *pl*, Flaumfedern *pl*, flaumiges Gefieder, b) Daune *f*, Flaumfeder *f*: **in the ~** noch nicht flügge. – **2.** Flaum *m*, feine Härchen *pl*, erste Bartspur. – **3.** *bot.* a) feiner Flaum, b) Reif *m* (*Wachsüberzug*), c) haarige Samenkrone, Pappus *m*. – **4.** Daunen *pl*: **dead ~** Raufdaunen; **live ~** Nestdaunen. – **5.** Daunenbett *n*, -polster *n*. – **6.** weiche, flaumige Masse.

down³ [daun] *s* **1.** a) Hügel *m*, b) Sandhügel *m*, *bes.* Düne *f*. – **2.** *pl* waldloses, höher gelegenes Land, *bes.* grasbedecktes Hügelland. – **3. the D~s** *geogr.* a) *das grasbedeckte Kreidekalk-Hügelland entlang der Süd- u. Südostküste Englands*, b) *Reede an der Südostküste Englands, vor der Stadt Deal.* – **4. D~** Down-Schaf *n* (*aus den Downs stammende Rasse*).

'down|-and-'out I *adj* **1.** (*Boxen*) k.o. (geschlagen). – **2.** völlig ‚erledigt', ‚restlos fertig'. – **3.** her'untergekommen, ‚auf den Hund gekommen'. – **II** *s* **4.** völlig ‚erledigter' Mensch. — **~ and out** *cf.* down-and-out I. — **'~-and-'out·er** → down-and-out II.

'down|ˌbeat I *s mus.* **1.** Niederschlag *m* (*beim Dirigieren*). – **2.** erster Schlag (*eines Takts*). – **II** *adj* **3.** unglücklich, entmutigt, melan'cholisch, tragisch. — **'~-ˌbow** *s mus.* Abstrich *m* (*bei Geige u. Viola*), 'Herstrich *m* (*bei Cello u. Kontrabaß*). — **'~ˌcast I** *adj* **1.** niedergeschlagen, gesenkt (*Blick*). – **2.** niedergeschlagen, mutlos, depri'miert. – **3.** *tech.* einziehend (*Schacht*). – **II** *s* **4.** Sturz *m*, Vernichtung *f*. – **5.** niedergeschlagener Blick. – **6.** *tech.* Wetterschacht *m*, einziehender Schacht. — **'~ˌcome** *s* **1.** (plötzlicher) Fall. – **2.** *fig.* Niedergang *m*, Sturz *m*, Fall *m*. – **3.** → **downcomer**. — **'~ˌcom·er** *s tech.* Fallröhre *f*, Gichtgasabzugsrohr *n*. — **'~ˌdraft**, **'~ˌdraught** *s tech.* Fallstrom *m*: **~ carburet(t)or** Fallstromvergaser. — **'~-'East** *adj Am.* in den Neu'england-Staaten, *bes.* in Maine (sich befindend). — **ˌ~-'East·er** *s Am.* Neu'engländer(in), Bewohner(in) von Neu'england, *bes.* von Maine. — **'~ˌfall** *s* **1.** (plötzliches) Fallen. – **2.** starker Regen- *od.* Schneefall. – **3.** *fig.* Fall *m*, Sturz *m*, Nieder-, 'Untergang *m*. – **4.** *hunt.* Schlagfalle *f*. — **'~ˌfall·en** *adj* **1.** her'abgestürzt. – **2.** *fig.* gefallen, gestürzt, rui'niert. — **~·grade I** *s* ['-ˌgreid] **1.** Gefälle *n*, abfallendes Stück (*Straße etc*). – **2.** *fig.* Niedergang *m*: **on the ~** auf dem absteigenden Ast *od.* im Niedergang (befindlich). – **II** *adj u. adv* ['-'greid] **3.** *colloq. für* **downhill** I *u.* II. – **III** *v/t* **4.** (im Rang) her'absetzen, degra'dieren. – **5.** *mil.* die Geheimhaltungsstufe her'untersetzen von. — **'~ˌhaul** *s mar.* Niederholer *m*. — **'~'heart·ed** *adj* niedergeschlagen, verzagt: **are we ~?** *sl.* bange machen gilt nicht! das kann uns nicht erschüttern! — **ˌ~'heart·ed·ness** *s* Niedergeschlagenheit *f*. — **~·hill I** *adv* ['-'hil] **1.** abwärts, berg'ab, zum *od.* ins Tal (*auch fig.*): **he is going ~** *fig.* es geht bergab mit ihm. – **II** *adj* **2.** berg'abgehend, abschüssig, nach unten geneigt. – **3.** Abwärts... – **4.** (*Skisport*) Abfahrts...: **~ course, ~ run** Abfahrtsstrecke; **~ race** Abfahrtslauf. – **III** *s* ['-ˌhil] **5.** Abhang *m* (*auch fig.*): **the ~ of life** *fig.* die absteigende Hälfte des Lebens.

Down·ing Street ['dauniŋ] *s* Downing Street *f*: a) *Londoner Straße mit dem Amtssitz des Premierministers*, b) *fig. die Regierung von Großbritannien*: **~ disapproves**.

'down|-ˌlead [-ˌliːd] *s electr.* Niederführung *f* (*Hochantenne*). — **'~ˌmost** [-ˌmoust; -məst] *adv u. adj* zu'unterst (liegend). — **~ pay·ment** *s econ.* **1.** Bar-, So'fortzahlung *f*. – **2.** Anzahlung *f* (*bei Ratenkäufen*). — **~ pipe** → downspout. — **~ plat·form** *s* **1.** *Br.* Bahnsteig *m* für von London abgehende *od.* ankommende Züge. – **2.** *Am.* Bahnsteig *m* für die zu einer sehr wichtigen Stadt *od.* in das Stadtzentrum fahrenden Züge. — **'~ˌpour** *s* **1.** Niederströmen *n*. – **2.** a) Platzregen *m*, Regenguß *m*, b) langanhaltender heftiger Regen. — **'~ˌright I** *adj* **1.** to'tal, völlig, vollkommen, 'hundertproˌzentig: **a ~ lie** eine glatte Lüge; **a ~ no** ein kategorisches Nein; **~ nonesnse** völliger *od.* kompletter Unsinn. – **2.** gerade, offen(herzig), bieder, ehrlich, unzweideutig. – **3.** *obs.* senkrecht. – **II** *adv* **4.** vollständig, geradezu, durchaus, ganz u. gar, durch u. durch, to'tal, gehörig, tüchtig, gänzlich, ausgesprochen: **to refuse ~** glatt ablehnen. – **5.** offen, unzweideutig, ohne 'Umstände, gerade her'aus. – **6.** *selten* lotrecht. — **'~ˌright·ness** *s* Geradheit *f*, Offenheit *f*, Biederkeit *f*.

'downs·man [-mən] *s irr* Bewohner *m* der Downs.

'down|ˌspout *s* Fallrohr *n* (*bes. der Dachrinne*). — **'~'stage I** *adv* **1.** im *od.* zum Vordergrund der Bühne. – **II** *adj* **2.** im Vordergrund der Bühne (sich befindend *od.* abspielend). – **3.** *Am. colloq.* freundlich. — **'~ˌstair** → downstairs II. — **~·stairs I** *adv* ['-'stɛrz] **1.** die Treppe hin'unter. – **2.** ein Stockwerk *od.* einige Stockwerke tiefer, in *od.* zu einem tieferen Stockwerk. – **3.** unten (im Haus). – **II** *adj* ['-ˌstɛrz] **4.** unten (im Haus), in einem tieferen Stockwerk gelegen *od.* befindlich, zum unteren Stockwerk gehörig: **the ~ room** das untere Zimmer. – **III** *s* [ˌ-'stɛrz] **5.** unteres Stockwerk, untere Stockwerke *pl*. — **~·stream I** *adv* ['-'striːm] strom'ab(wärts), mit dem Strom zu Tal, (nach) der Mündung zu. – **II** *adj* ['-ˌstriːm] strom'abwärts gerichtet *od.* gelegen; **~ anchor** *mar.* Windanker. — **'~ˌstroke** *s* **1.** Grund-, Abstrich *m* (*beim Schreiben*). – **2.** *tech.* Abwärts-, Leerhub *m* (*Kolben etc*). — **'~-the-ˌline** *adj* **1.** auf der ganzen Linie, vorbehaltlos, rückhaltlos. – **2.** unauffällig pla'ciert, unbedeutend (*Ballettänzerin*). — **'~ˌthrow** *s* **1.** Zu'boden-, Niederwerfen *n*, Sturz *m*. – **2.** *geol.* Schichtensenkung *f*. — **~·town** *Am.* **I** *adv* ['-'taun] **1.** im *od.* zum Geschäftsviertel (der Stadt). – **II** *adj* ['-ˌtaun] **2.** im Geschäftsviertel (gelegen). – **3.** für das Geschäftsviertel kennzeichnend, Geschäfts... – **4.** im Geschäftsviertel beschäftigt *od.* angestellt: **a ~ broker**. – **5.** ins *od.* durchs Geschäftsviertel (fahrend *etc*). – **III** *s* ['-ˌtaun] **6.** Geschäftsviertel *n* (*Stadt*), Stadtmitte *f*, Innenstadt *f*. — **~ town** *cf.* downtown III. — **~ train** *s* **1.** *Br.* von London abfahrender *od.* ankommender Zug. – **2.** *Am.* stadt('ein)wärts fahrender Zug. — **'~'trod·den**, *auch* **'~ˌtrod** *adj* unter'drückt, (mit Füßen) getreten. — **'~ˌturn** *s econ.* Geschäftsrückgang *m*, Flaute *f*. — **~ un·der** *adv Br.* dort unten (in Au'stralien *od.* Neu'seeland): **men from ~** Australier *od.* Neuseeländer.

down·ward ['daunwərd] **I** *adv* **1.** hin'ab, abwärts, nach unten, hin'unter. – **2.** strom'abwärts. – **3.** *fig.* abwärts, berg'ab, zu'grunde, ins Elend *od.* in Schande *etc.* – **4.** (*zeitlich*) her'ab: **~ from Shakespeare to the twentieth century** von Shakespeare (herab) bis zum 20. Jh. – **II** *adj* **5.** Abwärts..., sich neigend, nach unten gerichtet *od.* führend: **~ acceleration** *phys.* Fallbeschleunigung; **~ current** *aer. phys.* Abwind; **~ movement** Abwärtsbewegung; **~ stroke** *tech.* Abwärtshub. – **6.** *fig.* berg'ab führend. – **7.** strom'ab fahrend *od.* führend. – **8.** absteigend (*Linie eines Stammbaums etc*). – **9.** bedrückt, pessi'mistisch. — **'down·wards** [-wərdz] → downward I.

'down|-ˌwash *s* **1.** *aer.* Abwind(winkel) *m*. – **2.** her'abgespültes Materi'al. — **'~ˌwind** *s aer.* Fallwind *m*: **~ landing** Rückenwindlandung; **~ leg** Rückenwindteil.

down·y[1] ['dauni] *adj* **1.** *zo.* mit Daunen bedeckt. – **2.** *bot.* a) feinstflaumig, b) bereift. – **3.** mit Flaum *od.* feinen Härchen bedeckt. – **4.** flaum- *od.* daunenartig, flaumig: ~ **beard** Milchbart. – **5.** Daunen...: ~ **pillow** Daunenpolster. – **6.** *fig.* sanft, weich, still. – **7.** *sl.* gerieben, schlau, gerissen.

down·y[2] ['dauni] *adj* sanft gewellt u. mit Gras bewachsen (*Land*).

down·y wood·peck·er *s zo.* Flaumspecht *m* (*Dryobates pubescens*).

dow·ry ['dau(ə)ri] *s* **1.** Mitgift *f*, Ausstattung *f*, -steuer *f*: **to provide a girl with a** ~ ein Mädchen ausstatten. – **2.** *Bibl. od. obs.* Morgengabe *f*. – **3.** (na'türliche) Gabe, Ta'lent *n*. – **4.** *obs.* Witwen-Leibgedinge *n*.

dow·sa·bel ['dausəˌbel] *s obs.* Liebling *m*.

dowse[1] *cf.* douse.

dowse[2] [dauz] *v/i* mit der Wünschelrute suchen.

dows·er ['dauzər] *s* **1.** Wünschelrute *f*. – **2.** Wünschelrutengänger *m*. — **'dows·ing rod** *s* Wünschelrute *f*.

dow·y *cf.* dowie.

dox·o·log·i·cal [ˌdɒksə'lɒdʒikəl] *adj relig.* doxo'logisch, Gott preisend, lobpreisend, Preis... — **dox'ol·o·gy** [-'ksɒlədʒi] *s relig.* Doxolo'gie *f*, Lobpreisung *f* Gottes, Lobgesang *m*.

dox·y[1] ['dɒksi] *s colloq. od. humor.* **1.** Meinung *f* (*bes. in religiösen Dingen*). – **2.** Lehre *f*.

dox·y[2] ['dɒksi] *s sl.* Flittchen *n*, Dirne *f*.

doy·en [dwa'jɛ̃; 'dɔiən] (*Fr.*) *s* **1.** Sprecher *m*, Wortführer *m*, Rangältester *m*. – **2.** Doy'en *m* (*des diplomatischen Korps*). — **doy·enne** [dwa'jɛn] (*Fr.*) *s* Sprecherin *f*, Rangälteste *f*.

doy·ley, doy·ly *cf.* doily.

doze [douz] **I** *v/i* **1.** dösen, (leicht) schlummern. – **2.** *oft* ~ **off** eindösen, einnicken. – **3.** dösen, halb schlafen, im Wachen träumen. – **II** *v/t* **4.** *oft* ~ **away** (*Zeit etc*) verträumen, verdösen, verschlafen. – **III** *s* **5.** Dösen *n*, leichter Schlummer.

doz·en[1] ['dʌzn] *s* **1.** *sg u. pl* (*vor Haupt- u. nach Zahlwörtern od. ähnlichen Wörtern außer nach* **some**) Dutzend *n*: **three** ~ **apples** 3 Dutzend Äpfel; **several** ~ **eggs** mehrere Dutzend Eier; **a** ~ **bottles of beer** ein Dutzend Flaschen Bier. – **2.** Dutzend *n*: ~**s of birds** Dutzende von Vögeln; **some** ~**s of children** einige Dutzend Kinder; ~**s of times** dutzendmal, oft; **in** ~**s, by the** ~ zu Dutzenden, dutzendweise; **cheaper by the** ~ im Dutzend billiger; **a round** ~ ein volles Dutzend; **a baker's** (*od.* **devil's, printer's, long**) ~ 13 Stück; **ten shillings a** ~ 10 Schilling das Dutzend; **to talk nineteen to the** ~ *Br.* das Blaue vom Himmel herunterschwatzen, ununterbrochen reden. – **3.** a) Dutzend *n*, Handvoll *f*, b) (unbegrenzte) Menge: ~**s of people** viele Leute.

doz·en[2] ['douzn] *v/t Scot.* betäuben.

doz·enth ['dʌznθ] *adj* zwölft(er, e, es).

doz·er ['douzər] *s* Dösende(r), Schlummernde(r).

doz·i·ness ['douzinis] *s* **1.** Schläfrigkeit *f*, Verschlafenheit *f*. – **2.** Verfaultheit *f*. — **'doz·y** *adj* **1.** schläfrig, verschlafen, träge, dösig. – **2.** verfault, faul (*Holz, Obst etc*).

DP, D.P. *pl* **DPs, DP's, D.P.'s** → **displaced person.**

drab[1] [dræb] **I** *s* **1.** Gelb-, Graubraun *n*. – **2.** dicker graubrauner Wollstoff. – **3.** *fig.* Farblosigkeit *f*, Langweiligkeit *f*, Eintönigkeit *f*. – **II** *adj comp* **'drab·ber,** *sup* **'drab·best 4.** gelb-, graubraun, sand- schmutzfarben, drappfarbig. – **5.** *fig.* düster, farblos, mono'ton, langweilig, eintönig, fad(e).

drab[2] [dræb] **I** *s* **1.** Schlampe *f*. – **2.** Flittchen *n*, Dirne *f*, Hure *f*. – **II** *v/i pret u. pp* **drabbed 3.** (her'um)huren, sich mit Huren abgeben.

drab·bet ['dræbit] *s Br.* grober graubrauner Leinenstoff.

drab·ble ['dræbl] **I** *v/t* **1.** (*Kleider*) im Schmutz schleifen lassen, beschmutzen. – **II** *v/i* **2.** naß u. schmutzig werden *od.* sein. – **3.** (im Schmutz) waten.

drab·ness ['dræbnis] *s fig.* Farblosigkeit *f*, Eintönigkeit *f*, Langweiligkeit *f*.

dra·cae·na (palm) [drə'siːnə] *s bot.* **1.** Drachenbaum *m*, Dra'zäne *f*, Blutbaum *m* (*Gattg Dracaena*). – **2.** Keulenlilie *f* (*Gattg Cordyline*).

drachm [dræm] *s* **1.** → drachma. – **2.** → dram.

drach·ma ['drækmə] *pl* **-mas, -mae** [-miː], **-mai** [-mai] *s* **1.** Drachme *f*: a) *altgriech. Gewichts- u. Rechnungseinheit*, b) *Währungseinheit im heutigen Griechenland.* – **2.** *mehrere moderne Gewichtseinheiten, bes.* → dram.

Dra·co ['dreikou] *gen* **Dra'co·nis** [-'kounis] *s astr.* Drache *m* (*nördl. Sternbild*).

Dra·co·ni·an[1] [drei'kouniən] *adj* **1.** dra'konisch, hart, äußerst streng, rigo'ros (*Gesetze etc*). – **2.** Dra'konisch, des Drako(n).

dra·co·ni·an[2] [drei'kouniən] *adj* Drachen...

Dra·co·ni·an·ism [drei'kouniəˌnizəm] *s* Rigo'rismus *m*, unerbittliche Härte, dra'konische Strenge.

dra·con·ic[1] [drei'kɒnik] *adj* Drachen...

Dra·con·ic[2] [drei'kɒnik], **Dra'con·i·cal** → Draconian[1].

drae·ger·man ['dreigərmən] *s irr Mitglied einer Grubenrettungsmannschaft* (*nach A. B. Dräger, der einen Sauerstoffapparat mit Gasmaske erfand*).

draff [dræf] *s* **1.** Bodensatz *m*. – **2.** Abfall *m*. – **3.** Vieh-, Schweinetrank *m*. – **4.** (*Brauerei*) Trester *pl*, Treber *pl*. — **'draff·y** *adj* **1.** Abfall..., übriggeblieben. – **2.** *fig.* wertlos.

draft, *Br.* (*für* 4, 6, 19, 30) **draught** [*Br.* drɑːft; *Am.* dræ(ː)ft] **I** *s* **1.** Zeichnen *n*, Malen *n*, Darstellen *n*. – **2.** a) Zeichnung *f*, Gemälde *n*, Darstellung *f*, b) (Land)Karte *f*, (Stadt)Plan *m*, c) Skizze *f*. – **3.** a) Entwurf *m*, Skizze *f* (*für eine künstlerische Arbeit*), b) Entwurf *m*, Riß *m* (*für Bauten, Maschinen etc*), c) Entwurf *m*, Kon'zept *n* (*für ein Schriftstück etc*), d) Entwerfen *n*, Abfassung *f*: **the amended** ~ der abgeänderte Entwurf; **the preliminary** ~ der Vorentwurf; **the** ~ **agenda** der Tagesordnungsentwurf; **the** ~ **treaty** der Vertragsentwurf. – **4.** (Luft-, Kessel-, Ofen)Zug *m*: **forced** ~ *tech.* künstlicher Zug, Druckluftstrom, Unterwind; **there is an awful** ~ es zieht fürchterlich; **to feel the draught** *Br. sl.* in ernster *od.* arger Bedrängnis sein. – **5.** *tech.* 'Zugreguˌliervorrichtung *f* (*an einem Ofen etc*). – **6.** Ziehen *n*, Zug *m*. – **7.** gezogene Menge *od.* Last. – **8.** Her'anziehen *n*, In'anspruchnahme *f*, starke Beanspruchung (**on, upon** *gen*): **to make a** ~ **on one's means** seine Hilfsmittel heranziehen; **to make a** ~ **on s.o.'s friendship** j-s Freundschaft in Anspruch nehmen; **to make a** ~ **upon s.o.'s patience** j-s Geduld auf die Probe stellen. – **9.** Abhebung *f* (*Geld*): **to make a** ~ **on one's account** von seinem Konto (*Geld*) abheben. – **10.** *econ.* a) schriftliche Zahlungsanweisung, b) Scheck *m*, c) Tratte *f*, (tras'sierter) Wechsel, d) Ziehung *f*, Tras'sierung *f*: ~ **(payable) at sight** Sichttratte, -wechsel; **to make out a** ~ **on s.o.** auf j-n einen Wechsel ziehen. – **11.** Abordnung *f*, Auswahl *f* (*Personen aus einer Menge*). – **12.** *mil.* Aushebung *f od.* Her'anziehung *f* zum Wehrdienst. – **13.** *mil.* Aufgebot *n*, Wehrdienstpflichtige *pl*. – **14.** *mil.* a) Kom'mando *n*, (für besondere Aufgaben 'abkommanˌdierte) Ab'teilung, c) Ersatz(truppe *f*) *m*. – **15.** *econ.* a) 'Überschlag *m* (*der Waage*), b) Gutgewicht *n* (*für Verluste beim Auswiegen etc*). – **16.** *tech.* Querschnitt *m* einer (Ausfluß)Öffnung (*bes. von Turbinen*). – **17.** (*Gießerei*) Verjüngung *f*, Konizi'tät *f* (*des Modells*). – **18.** *tech.* gemeißelte Leitlinie (*eines zu behauenden Steins*). – **19.** *mar.* Tiefgang *m*. – **20.** *cf.* draught I. –
II *v/t* **21.** entwerfen, skiz'zieren, abfassen: **the** ~**ing of the minutes** die Abfassung des Sitzungsberichts. – **22.** (*Vertrag etc*) entwerfen, aufsetzen. – **23.** ziehen. – **24.** fort-, ab-, wegziehen. – **25.** (*Personen*) (zu einem bestimmten Zweck) auswählen. – **26.** *mil.* (zum Wehrdienst) ausheben *od.* einberufen. – **27.** *mil.* (*Truppen*) deta'chieren, 'abkommanˌdieren. – **28.** *Austral.* (*Schafe etc*) auswählen, 'aussorˌtieren. – **29.** *tech.* eine Leitlinie einmeißeln in (*einen Stein*). –
III *adj* **30.** Zug..., zum Ziehen verwendet: ~ **animals** Zugtiere. – **31.** ausgewählt, ausgesucht, ausgehoben. – **32.** *mil.* a) zum Wehrdienst ausgehoben, b) deta'chiert, 'abkommanˌdiert. – **33.** *cf.* draught III.

draft| act *s* Rekru'tierungsgesetz *n*. — ~ **board** *s mil.* 'Musterungskommissiˌon *f*.

draft·ee [*Br.* drɑːf'tiː; *Am.* dræ(ː)f-] *s Am.* **1.** (zu einer bestimmten Aufgabe) Ausgewählte(r). – **2.** *mil.* zum Wehrdienst Eingezogener *m*, Wehrdienstpflichtiger *m*.

draft·er [*Br.* 'drɑːftər; *Am.* 'dræ(ː)f-] *s* Absender *m*, Aufgeber *m* (*von Fernsprüchen*).

draft| e·vad·er *s mil. Am.* Drückeberger *m*. — **'**~**-exˌempt** *adj Am.* vom Wehrdienst befreit. — ~ **ga(u)ge** *s tech.* Zugmesser *m*. — ~ **horse** *s* Zugpferd *n*.

draft·i·ness [*Br.* 'drɑːftinis; *Am.* 'dræ(ː)f-] *s* **1.** Zugigkeit *f*. – **2.** Windigkeit *f*.

draft·ing| board [*Br.* 'drɑːftiŋ; *Am.* 'dræ(ː)f-] *s* Zeichenbrett *n*. — ~ **paper** *s* 'Zeichenpaˌpier *n*. — ~ **room** *s tech. Am.* 'Zeichensaal *m*, -büˌro *n*.

drafts·man [*Br.* 'drɑːftsmən; *Am.* 'dræ(ː)f-] *s irr* **1.** Zeichner *m*, Gestalter *m*. – **2.** *tech.* (Konstrukti'ons-, Muster)Zeichner *m*. – **3.** Entwerfer *m*, Konzi'pist *m*. – **4.** *cf.* **draughtsman.** — **'drafts·manˌship** *s* **1.** Zeichenkunst *f*, zeichnerische Begabung. – **2.** Kunst *f* des Entwerfens *od.* Konzi'pierens *od.* Aufbaus. — **'draftsˌwom·an** *s irr* **1.** Zeichnerin *f*. – **2.** Entwerferin *f*, Konzi'pistin *f*.

draft tube *s tech.* Saugrohr *n*.

draft·y [*Br.* 'drɑːfti; *Am.* 'dræ(ː)fti] *adj* **1.** zugig. – **2.** windig.

drag [dræg] **I** *s* **1.** Schleppen *n*, Zerren *n*. – **2.** geschleppter Gegenstand. – **3.** *mar.* a) Dragge *f*, Such-, Dregganker *m*, b) Dredsche *f*, Dregge *f* (*Art Schleppnetz*), c) Schleppnetz *n*. – **4.** *agr.* a) schwere Egge, b) Mistrechen *m*. – **5.** *tech.* a) starker Roll- *od.* Blockwagen, b) Last-, Trans'portschlitten *m*. – **6.** schwere (vierspännige) Kutsche. – **7.** Schlepp-, Zugseil *n*. – **8.** Schleife *f* (*zum Steintransport etc*). – **9.** *tech.* Baggerschaufel *f*, Erd-, Sand-, Schlammräumer *m*. – **10.** Bremse *f*, Hemmschuh *m*, Schleife *f*: **to put on the** ~ den Hemmschuh ansetzen. – **11.** *tech.* Hemmzeug *n*, -vorrichtung *f*. – **12.** *fig.* Hemmschuh *m*, Hemmnis *n*,

Hindernis *n*, 'Widerstand *m*, Behinderung *f*, Belastung *f* (**on** für). – **13.** *aer. phys.* 'Luft-, 'Strömungs-ˌwiderstand *m*. – **14.** *tech.* (Faden)-Zug *m*, 'Widerstand *m* (*bei Wickelmaschinen etc*). – **15.** Sich'schleppen *n*, schleppende Bewegung: **what a ~ up these stairs!** was für ein mühsames Treppensteigen! – **16.** schleppendes Verfahren, Verschleppung *f*. – **17.** Länge *f*, langweilige Stelle (*in einem Drama etc*). – **18.** *hunt.* Streichnetz *n* (*zum Vogelfang*). – **19.** *hunt.* a) Fährte *f*, Witterung *f*, b) Schleppe *f* (*künstliche Witterung*), c) → **~ hunt**. – **20.** (*Angeln*) a) Spulen-, Rollerbremse *f*, b) seitlicher Zug (*an der Angelschnur*). – **21.** *Am. sl.* a) Einfluß *m*, b) Protekti'on *f*. – **22.** *Am.* Nachzügler *pl* (*beim Viehtreiben*). –
II *v/t pret u. pp* **dragged 23.** schleppen, zerren, schleifen, ziehen: **to ~ the anchor** *mar.* den Anker schleppen, vor Anker treiben; → **coal** 4. – **24.** nachschleifen: **to ~ one's feet** a) mit den Füßen schlurren, b) *fig.* sich Zeit lassen. – **25.** mit einem Suchanker *od.* Schleppnetz absuchen, dreggen. – **26.** mit einem Suchanker *od.* Schleppnetz finden *od.* fangen. – **27.** *fig.* absuchen (**for** nach): **to ~ one's brains** sich den Kopf zerbrechen. – **28.** (*Teich etc*) ausbaggern. – **29.** eggen. – **30.** *fig.* da'hinschleppen. – **31.** *fig.* hin'ein-, her'einziehen (**into** in *acc*). – **32.** (*dat*) einen Hemmschuh anlegen. –
III *v/i* **33.** geschleppt *od.* geschleift werden. – **34.** (am Boden) schleppen *od.* schleifen: **the anchor ~s** *mar.* der Anker findet keinen Halt. – **35.** sich (da'hin)schleppen, mit Mühe vorwärtskommen. – **36.** *fig.* sich (da)-'hinschleppen, ermüden, langweilig werden *od.* wirken. – **37.** *econ.* schleppend *od.* flau gehen. – **38.** zu'rückbleiben, nicht nachkommen. – **39.** *mus.* zu langsam spielen *od.* gespielt werden, nachklappen. – **40.** dreggen, mit einem Suchanker *od.* Schleppnetz suchen *od.* fischen (**for** nach). – **41.** zerren, heftig ziehen (**at** an *dat*). – *SYN. cf.* **pull**. –
Verbindungen mit Adverbien:
drag| a·long I *v/t* fort-, weiterschleppen, -zerren. – **II** *v/i* sich da'hinschleppen. — **~ in** *v/t* hin'ein-, her'beiziehen: **to ~ by the head and shoulders** an den Haaren herbeiziehen. — **~ on I** *v/t* (da)'hin-, weiterschleppen. – **II** *v/i* sich da'hinschleppen, sich 'hinziehen. — **~ out** *v/t* (da)'hinschleppen, 'hin-, hin'ausziehen, ausdehnen. — **~ up** *v/t colloq.* (*Kind*) grob erziehen *od.* aufziehen.

drag| an·chor *s mar.* Treib-, Schleppanker *m*, Draggen *m*. — **'~ˌbar** *s tech.* **1.** Bremsstange *f*. – **2.** (*Eisenbahn*) Kupp(e)lungsstange *f*. — **'~ˌbolt** *s tech.* Kupp(e)lungsbolzen *m*. — **~ chain** *s* **1.** *tech.* Hemm-, Sperrkette *f*. – **2.** *fig.* Hemmnis *n*, Hindernis *n*, Behinderung *f* (**upon** für *od. gen*). – **3.** (*Eisenbahn*) Kupp(e)lungskette *f*.

dra·gée [dra'ʒe; 'drɑːʒei] (*Fr.*) *s* Dra'gée *f*, *n* (*überzuckerte Frucht od. Pille*).

drag·ging ['drægiŋ] *adj* **1.** schleppend, zerrend, schleifend: **a ~ pain** ein ziehender Schmerz. – **2.** *mar.* dreggend. – **3.** sich fortschleppend. – **4.** *fig.* schleppend, langsam, langweilig. – **5.** zu'rückbleibend, nicht nachkommend.

drag·gle ['drægl] **I** *v/t* **1.** beschmutzen, besudeln. – **2.** (nach)schleifen, schleppen. – **II** *v/i* **3.** (nach)schleifen. – **4.** beschmutzt werden. – **5.** zu'rückbleiben, nachhinken. — **'~ˌtail** *s* **1.** Schmutzliese *f*, Schlampe *f*. – **2.** (*auf der Erde*) nachschleifender Frauenrock. — **'~ˌtailed** *adj* schmutzig, schlampig, mit beschmutzten Kleidern.

'drag|ˌhound *s hunt.* Jagdhund *m* für Schleppjagden. — **~ hunt** *s* Schleppjagd *f*, Reitjagd *f* mit künstlich erzeugter Witterung. — **'~ˌline** *s* **1.** *tech.* Schlepp-, Zugleine *f*. – **2.** *aer.* Schlepp-, Leitseil *n*. – **3.** *auch* **~ dredge, ~ excavator** *tech.* Schleppschaufel-, Schürfkübelbagger *m*. — **~ link** *s tech.* Kupplungsglied *n*. — **'~ˌnet** *s* **1.** (*Fischerei*) Schleppnetz *n*. – **2.** → **drag** 18. – **3.** *fig.* (Fang)-Netz *n* (*der Polizei etc*).

drag·o·man ['drægomən; -gə-] *pl* **-mans** *od.* **-men** *s* Dragoman *m* (*Dolmetscher im Nahen Osten*).

drag·on ['drægən] *s* **1.** Drache *m*. – **2.** *selten* Riesenschlange *f*. – **3.** *Bibl.* Drache *m*, Untier *n*: **the old D~** der Satan. – **4.** *fig.* Beschützer(in), Drache *m* (*Anstandsdame etc*). – **5.** *auch* **flying ~** *zo.* (*ein*) Flugdrache *m* (*Gattg Draco*), *bes.* Fliegender Drache (*D. volans*). – **6.** (*Art*) Brieftaube *f*. – **7.** *bot.* (*ein*) Aronstabgewächs *n*, *bes.* → **green ~**. – **8.** *mil.* 'Zugmaˌschine *f*, (gepanzerter) Raupenschlepper. – **9.** *mil. hist.* a) kurze (mit einem Drachenkopf verzierte) Mus'kete, b) Dra'goner *m*. – **10.** **D~** → **Draco**. — **~ beam** *s arch.* Stichbalken *m*.

drag·on·et ['drægənit] *s* **1.** kleiner Drache. – **2.** *zo.* Spinnenfisch *m* (*Fam. Callionymidae*).

'drag·on|ˌfly *s zo.* Li'belle *f*, Wasserjungfer *f* (*Ordng Odonata*). — **'~ˌhead** *s bot.* Drachenkopf *m* (*Gattg Dracocephalum*), *bes.* Kleinblütiger Drachenkopf (*D. parviflora*).

drag·on·ish ['drægəniʃ] *adj* drachenartig, -ähnlich.

drag·on liz·ard *s zo.* 'Komodowaˌran *m* (*Varanus komodoënsis; indonesische Rieseneidechse*).

drag·on·nade [ˌdrægə'neid] **I** *s meist pl* Drago'nade *f*: a) *hist. Verfolgung der franz. Protestanten unter Ludwig XIV.*, b) *militärische Unterdrückungsmaßnahme.* – **II** *v/t* → **dragoon** 5.

drag·on plant *s bot.* Drachenbaum *m* (*Gattg Dracaena*).

drag·on's| blood *s bot.* Drachenblut *n* (*mehrere rote Harze, bes. aus der Frucht der Rotangpalme Calamus draco u. aus dem kanarischen Drachenbaum gewonnen*). — **~ head**, *auch* **'~ˌhead** *s* **1.** *bot.* → **dragonhead**. – **2.** *astr.* Drachenkopf *m*. — **~ tail** *s astr.* Drachenschwanz *m*. — **~ teeth** *s* **1.** *mil.* Höckerhindernis *n* (*gegen Panzer*). – **2.** *fig.* Drachensaat *f* (*die Streit u. Haß hervorbringt*).

drag·on| tree *s bot.* Echter Drachenbaum (*Dracaena draco*). — **~ withe** *s bot. eine westindische Malpighiaceen-Liane* (*Heteropterys laurifolia*).

dra·goon [drə'guːn] **I** *s* **1.** *mil.* Dra'goner *m*. – **2.** → **dragon** 9 a. – **3.** *fig.* Grobian *m*, Rohling *m*. – **4.** → **dragon** 6. – **II** *v/t* **5.** durch Truppen unter'drücken *od.* verfolgen. – **6.** *fig.* zwingen (**into** zu).

'drag|ˌrope *s* **1.** Schlepp-, Zugseil *n*. – **2.** *aer.* a) Ballastleine *f*, b) Leitseil *n*, c) Vertauungsleine *f*. — **~ sail, ~ sheet** *s mar.* Treibanker *m*.

drail [dreil] *s* (*Angeln*) Grundangel *f*.

drain [drein] **I** *v/t* **1.** (*Flüssigkeit*) ableiten, (langsam) ab- *od.* ausfließen lassen. – **2.** *med.* (*Eiter etc*) drä'nieren, abziehen. – **3.** wegnehmen, beseitigen. – **4.** *fig.* erschöpfen, aufbrauchen, aufzehren, verzehren. – **5.** bis zur Neige austrinken *od.* leeren: → **dreg** 1. – **6.** (*Land*) entwässern, drä'nieren, trokkenlegen. – **7.** (*Gebiet*) entwässern. – **8.** das Wasser ableiten von (*Straßen etc*). – **9.** (*Gebäude etc*) kanali'sieren, mit Kanalisati'on versehen. – **10.** ab- *od.* austrocknen lassen. – **11.** (**of**) arm machen (an *dat*), berauben (*gen*). – **12.** (*Land etc*) völlig ausplündern, ausbluten lassen. – **13.** fil'trieren. – **14.** **~ off, ~ away** weg-, ableiten, abziehen. – *SYN. cf.* **deplete**. – **II** *v/i* **15.** *auch* **~ off, ~ away** (all'mählich) weg-, abfließen. – **16.** sikkern. – **17.** leerlaufen, all'mählich leer werden (*Gefäße etc*). – **18.** abtropfen. – **19.** (all'mählich) austrocknen. – **20.** entwässern (**into** in *acc*), entwässert *od.* trocken werden. – **III** *s* **21.** Entwässern *n*, Drä'nieren *n*. – **22.** Ableitung *f* (*Flüssigkeit*). – **23.** a) 'Abzugskaˌnal *m*, Entwässerungsgraben *m*, Drän *m*, b) (Abzugs)-Rinne *f*, c) Straßenrinne *f*, Gosse *f*, d) Entwässerungs-, Sickerrohr *n*, Drän *m*, e) Kanalisati'onsrohr *n*, f) Senkgrube *f*, -loch *n*. – **24.** *pl* Kanalisati'on *f*. – **25.** *med.* Drain *m*: **cigarette ~** Gummidrain mit Gazeeinlage. – **26.** Abfließen *n*, Abfluß *m* (*auch fig.*): **down the ~** *fig.* zum Fenster hinaus; **foreign ~** Kapitalsabwanderung, Abfluß von Geld ins Ausland; **~ of money** Geldabfluß. – **27.** (ständige) In'anspruchnahme, Beanspruchung *f*, Belastung *f*, Verminderung *f* (**on** *gen*): **a great ~ on the purse** eine schwere finanzielle Belastung. – **28.** abgeleitetes Wasser, Abwasser *n*. – **29.** *sl. obs.* Schlückchen *n*.

drain·a·ble ['dreinəbl] *adj* entwässerbar, drä'nierbar.

drain·age ['dreinidʒ] *s* **1.** Ableitung *f* (*Flüssigkeiten*). – **2.** (all'mähliches) Abfließen, Abfluß *m*, Entleerung *f*. – **3.** Entwässerung *f*, Drä'nage *f*, Trockenlegung *f*. – **4.** (na'türliches *od.* künstliches) Ent'wässerungssyˌstem. – **5.** Kanalisati'on *f*. – **6.** Entwässerungsanlage *f*, -graben *m*, -röhre *f*. – **7.** abgeleitete Flüssigkeit, *bes.* Abwasser *n*. – **8.** → **~ basin**. – **9.** *geogr.* Entwässerung *f*. – **10.** *med.* Drä'nage *f*, Dränung *f*. — **~ ba·sin**, *auch* **~ a·re·a** *s geogr.* Strom-, Einzugsgebiet *n*. — **~ tube** *s med.* Drain *m*, 'Abflußkaˌnüle *f*.

drain cock *s tech.* Ablaß-, Entleerungshahn *m*.

drain·er ['dreinər] *s* **1.** Ableiter *m*. – **2.** a) Drä'nierer *m*, Drä'nagearbeiter *m*, b) Kanalisati'onsarbeiter *m*, Röhrenleger *m*. – **3.** *tech.* a) Abtropfgefäß *n*, b) (Ab)Tropfbett *n*, -bank *f*, c) Schöpfkelle *f*.

drain·ing| dish ['dreiniŋ] *s* Abtropfschale *f*. — **~ en·gine** *s* Drä'niermaˌschine *f*. — **~ stand** *s* Abtropfständer *m*, -gestell *n*. — **~ well** *s* Abzugs-, Senkgrube *f*.

drain·less ['dreinlis] *adj* **1.** *poet.* unerschöpflich. – **2.** ohne Kanalisati'on. – **3.** nicht auspumpbar *od.* trockenlegbar.

'drain|ˌpipe *s tech.* Abflußrohr *n*, Abzugsröhre *f*. — **'~ˌtile** *s tech.* Dränziegel *m*.

drake[1] [dreik] *s* (*ein*) Entenvogelmännchen *n*, *bes.* Enterich *m*.

drake[2] [dreik] *s* **1.** *obs.* Drache *m*. – **2.** *hist.* a) *mil.* Feldschlange *f*, b) *mar.* Drache *m* (*Wikingerschiff*). – **3.** *auch* **~ fly** → **May fly** 1.

dram [dræm] **I** *s* **1.** Dram *n*, Drachme *f* (*Apothekergewicht = 3,888 g, Handelsgewicht = 1,772 g*). – **2.** → **fluid ~**. – **3.** Schluck *m*, Schlückchen *n*. – **4.** Kleinigkeit *f*, (*das*) bißchen, Quentchen *n*. – **II** *v/i pret u. pp* **drammed 5.** (Schnaps) trinken, zechen. – **III** *v/t* **6.** mit Alkohol trak'tieren.

dra·ma ['drɑːmə; *Am. auch* 'dræmə] *s* **1.** Drama *n*, Schauspiel *n*. – **2.** Drama *n*, dra'matische Dichtkunst *od.* Literatur, Dra'matik *f*. – **3.** Schauspielkunst *f*. – **4.** *fig.* Drama *n*, erregendes Geschehen.

Dram·a·mine [ˈdræməˌmiːn] (*TM*) *s chem. med.* Dramaˈmin *n* (*gegen See- u. Luftkrankheit etc*).

dra·mat·ic [drəˈmætik] *adj* **1.** draˈmatisch, Schauspiel..., Dramen... – **2.** Schauspiel(er)..., Theater...: ~ **critic** Theaterkritiker; ~ **rights** Aufführungs-, Bühnenrechte; ~ **school** Schauspielschule. – **3.** *fig.* draˈmatisch, handlungsreich, spannend, erregend. – **4.** bühnengerecht, -mäßig. – *SYN.* dramaturgic, histrionic, melodramatic, theatrical. — **draˈmat·i·cal** *selten für* dramatic. — **draˈmat·i·cal·ly** *adv* (*auch zu* dramatic). — **draˈmat·ics** *s pl* **1.** (*als sg od. pl konstruiert*) draˈmatische Aufführungs- *od.* Darstellungskunst. – **2.** (*als pl konstruiert*) draˈmatische Aufführungen *pl od.* Werke *pl* (*bes. von Amateuren*). – **3.** (*als pl konstruiert*) *fig.* Schauspieleˈrei *f*, theaˈtralisches Benehmen. – **4.** Theˈaterwissenschaft *f*.

dram·a·tis per·so·nae [ˈdræmətis pərˈsouniː] (*Lat.*) *s pl* **1.** Perˈsonen *pl* der Handlung. – **2.** Rollenverzeichnis *n*.

dram·a·tist [ˈdræmətist] *s* Draˈmatiker *m*, Schauspieldichter *m*, Bühnendichter *m*, -schriftsteller *m*. — ˌ**dram·a·tiˈza·tion** *s* Dramatiˈsierung *f* (*auch fig.*): ~ **of a novel** Bühnenbearbeitung eines Romans. — ˈ**dram·aˌtize** *v/t* **1.** dramatiˈsieren, für die Bühne bearbeiten. – **2.** *fig.* dramatiˈsieren.

dram·a·turge [ˈdræməˌtəːrdʒ] → dramaturgist. — ˌ**dram·aˈtur·gic**, *auch* ˌ**dram·aˈtur·gi·cal** *adj* **1.** dramaˈturgisch. – **2.** Theater..., Bühnen..., Schauspiel... – **3.** bühnenwirksam. – *SYN. cf.* dramatic. — ˈ**dram·aˌtur·gist** *s* **1.** Dramaˈturg *m*. – **2.** Draˈmatiker *m*. — ˈ**dram·aˌtur·gy** *s* **1.** Dramaturˈgie *f*. – **2.** draˈmatische Darstellung. – **3.** Verfassen *n* von Dramen.

dram·mock [ˈdræmək], *auch* **dram·mach** [ˈdræməx] *s Scot. od. dial.* Mehlbrei *m*.

ˈ**dramˌshop** *s* (Branntwein)Schenke *f*.

drank [dræŋk] *pret u. obs. pp von* drink.

drape [dreip] **I** *v/t* **1.** draˈpieren, (mit Stoff) behängen *od.* (aus)schmücken. – **2.** draˈpieren, in (dekoraˈtive) Falten legen. – **II** *v/i* **3.** draˈpieren. – **4.** in (dekoraˈtiven) Falten herˈabfallen. – **III** *s* **5.** Drapeˈrie *f*, Behang *m*. – **6.** *meist pl* Vorhang *m*. — ˈ**drap·er** *s* **1.** Texˈtilkaufmann *m*, Tuch-, Stoffhändler *m*. – **2.** *obs.* Tuchmacher *m*. – **3.** Draˈpierer *m*. — ˈ**dra·per·ied** [-rid] *adj* draˈpiert. — ˈ**dra·per·y** *s* **1.** Drapeˈrie *f*, Dekoratiˈon *f* mit Stoffen, dekoraˈtiver Behang. – **2.** Draˈpieren *n*, Draˈpierung *f*. – **3.** Drapeˈrie *f*, Faltenwurf *m*. – **4.** *collect.* Texˈtilien *pl*, (*bes.* Woll-) Stoffe *pl*, Tuch(e *pl*) *n*. – **5.** *bes. Br.* Texˈtil-, Tuch-, Stoffhandel *m*. – **6.** *bes. Am.* Vorhänge *pl*, Vorhangstoffe *pl*. – **7.** *obs.* Tuchhandlung *f*.

dras·tic [ˈdræstik] **I** *adj* **1.** *med.* drastisch, kräftig (wirkend). – **2.** drastisch, ˈdurchgreifend, gründlich, eˈnergisch, rigoˈros. – **II** *s* **3.** *med.* drastisch wirkendes Mittel, Drastikum *n*. — ˈ**dras·ti·cal·ly** *adv*.

drat [dræt] *interj colloq.* der Teufel soll (*es etc*) holen!: ~ **it (that fellow)!** der Teufel soll es (den Kerl) holen!

D ra·tion *s mil. Am.* eiserne Ratiˈon.

drat·ted [ˈdrætid] *adj colloq.* verdammt, verflucht.

draught [*Br.* drɑːft; *Am.* dræ(ː)ft] **I** *s* **1.** a) Fischzug *m*, Fischen *n* mit dem Netz, b) Fischzug *m*, (Fisch)Fang *m*. – **2.** Zug *m*, Schluck *m*: **at a** ~ auf einen Zug, mit einem Male; **in deep** ~**s** in tiefen Zügen; **a** ~ **of beer** ein Schluck Bier. – **3.** *fig.* Tropfen *m*, Becher *m*. – **4.** *med.* Arzˈneitrank *m*: → **black** ~. – **5.** Abziehen *n* aus dem Faß *etc*: **beer on** ~ Bier vom Faß. – **6.** *pl* (*als sg konstruiert*) *Br.* Dam(e)spiel *n*. – **7.** a) *Br. für* **draft** 4, 6, 19, b) *selten Br. für* **draft** 3, 10, 14. – **II** *v/t* **8.** *selten Br. für* **draft** 21, 22, 27. – **III** *adj* **9.** vom Faß (*etc* abgezogen): ~ **beer** Bier vom Faß, Faßbier. – **10.** a) *Br. für* **draft** 30, b) *selten Br. für* **draft** 32b.

ˈ**draughtˌboard** *s Br.* Dambrett *n*, Brett *n* für das Dam(e)spiel.

draught·i·ness [*Br.* ˈdrɑːftinis; *Am.* ˈdræ(ː)f-] *bes. Br. für* draftiness.

draught net *s* (*Fischerei*) Zugnetz *n*.

ˈ**draughts·man** [-mən] *s irr* **1.** *Br.* Damstein *m*. – **2.** *cf.* draftsman. — ˈ**draughts·manˌship** *cf.* draftsmanship. — ˈ**draught·y** *bes. Br. für* drafty.

drave [dreiv] *obs. od. dial. pret von* drive.

Dra·vid·i·an [drəˈvidiən] **I** *s* **1.** Drawida *m* (*Angehöriger einer großen indischen Sprachfamilie*). – **2.** Drawida *n*, Draˈwidisch *n* (*große nichtindogermanische indische Sprachfamilie*). – **II** *adj* **3.** draˈwidisch, Drawida... — **Draˈvid·ic** → Dravidian II.

draw [drɔː] **I** *s* **1.** Ziehen *n*. – **2.** Zug *m*. – **3.** *fig.* Zug-, Anziehungskraft *f*. – **4.** (*etwas*) Zugkräftiges, *bes.* Zugstück *n*, Schlager *m*: **box office** ~ Kassenschlager; **the play is a big** ~. – **5.** Ziehen *n* (*Los etc*). – **6.** a) Auslosen *n*, Verlosen *n*, b) Verlosung *f*, Ziehung *f*. – **7.** Ziehen *n* des Reˈvolvers: **he is quick on the** ~ er ist schnell mit dem Revolver bei der Hand. – **8.** Schicksal *n*, Los *n*. – **9.** gezogene Spielkarte(n *pl*). – **10.** abgehobener Betrag. – **11.** (gezogene) Last. – **12.** *Am.* Aufzug *m* (*Teil einer Zugbrücke*). – **13.** Unentschieden *n*, unentschiedener Kampf: **to end in a** ~ *sport* unentschieden ausgehen. – **14.** a) Fangfrage *f*, verfängliche Bemerkung, b) Fühler *m*. – **15.** *Am.* kleines schmales Tal, *bes.* oberes enges Stück eines Tals. – **16.** → ~ **poker**. – **17.** *tech.* a) Ziehen *n* (*Draht*), b) Walzen *n*, Aushämmern *n*, c) Verjüngung *f*, Koniziˈtät *f*. –

II *v/t pret* **drew** [druː] *pp* **drawn** [drɔːn] **18.** ziehen, zerren. – **19.** ab-, an-, auf-, fort-, herˈab-, wegziehen: **to** ~ **a** ~**bridge** eine Zugbrücke aufziehen. – **20.** (*Vorhang*) a) aufziehen, b) zuziehen. – **21.** (*Zügel*) anziehen: **to** ~ **rein** die Zügel anziehen (*auch fig.*). – **22.** (*Bogen*) spannen: → **longbow**. – **23.** (*Verbrecher*) zum Richtplatz schleifen. – **24.** ziehen: **to** ~ **s.o. aside** j-n auf die Seite ziehen, j-n beiseite nehmen; **to** ~ **s.o. into talk** j-n ins Gespräch ziehen. – **25.** (nach sich) ziehen, bewirken, zur Folge haben. – **26.** (upon) ziehen (auf *acc*), bringen (über *acc*): **to** ~ **ruin upon oneself**. – **27.** (*Netz etc*) einziehen, einholen. – **28.** (*Atem*) holen: **to** ~ **a sigh** aufseufzen; → **breath** 1. – **29.** einsaugen. – **30.** (herˈaus)ziehen: → **cork** 3; **stump** 9. – **31.** (*Zahn*) ziehen, extraˈhieren. – **32.** (*Karten*) a) vom Geber erhalten, b) abheben, ziehen, c) herˈausziehen, -holen: **to** ~ **the opponent's trumps** dem Gegner die Trümpfe herausholen, den Gegner zum Ausspielen der Trümpfe zwingen. – **33.** (*Waffen*) ziehen: **to** ~ **one's sword against s.o.** gegen j-n zu Felde ziehen, j-n angreifen; **to live at daggers drawn** auf gespanntem Fuß leben. – **34.** (*Lose*) ziehen: → **blank** 16; **lot** 1. – **35.** (durch Los) gewinnen, (*Preis*) erhalten. – **36.** auslosen: **to** ~ **bonds** *econ.* Obligationen auslosen. – **37.** (*Wasser*) herˈaufpumpen, -holen, schöpfen. – **38.** (*Flüssigkeit*) abziehen, abzapfen (from von, aus). – **39.** *med.* (*Blut*) abnehmen, entnehmen. – **40.** (*Tränen*) herˈvorlocken. – **41.** (*Tee*) ziehen lassen. – **42.** anziehen, an sich ziehen, fesseln. – **43.** ˈhinziehen: **to feel** ~**n to s.o.** sich zu j-m hingezogen fühlen. – **44.** (*Kunden etc*) anziehen, anlocken. – **45.** (*Aufmerksamkeit*) lenken: **to** ~ **s.o.'s attention to** j-s Aufmerksamkeit lenken auf (*acc*). – **46.** bewegen, bringen, überˈreden: **to** ~ **s.o. to do s.th.** j-n dazu bewegen, etwas zu tun. – **47.** (*Linie, Grenze etc*) ziehen: **to** ~ **the line at s.th.** *fig.* bei etwas nicht mehr mitmachen, haltmachen vor etwas, etwas ablehnen *od.* nicht dulden. – **48.** (*Finger, Feder etc*) gleiten lassen: **to** ~ **the pen across the paper**. – **49.** malen, entwerfen, zeichnen (from nach). – **50.** zeichnerisch darstellen: **to** ~ **s.th. to scale** etwas nach Maßstab zeichnen. – **51.** (in Worten) schildern, beschreiben, darstellen: **to** ~ **it fine** *colloq.* es ganz genau nehmen, auf jede Kleinigkeit achten; **to** ~ **it mild** *colloq.* nicht übertreiben, bei der Wahrheit bleiben. – **52.** *oft* ~ **up**, ~ **out** (*Schriftstück*) abfassen, verfassen. – **53.** (*Vergleich*) an-, aufstellen, (*Parallele etc*) ziehen. – **54** (*Unterschiede*) feststellen, machen. – **55.** (*Schlüsse, Lehren etc*) ziehen: **to** ~ **one's own conclusions** seine eigenen Schlüsse ziehen. – **56.** einbringen, abwerfen: **to** ~ **interest** Zinsen abwerfen; **to** ~ **a good price** einen guten Preis einbringen. – **57.** *econ.* (*Geld*) abheben (from von). – **58.** *econ.* (*Wechsel etc*) ziehen, trasˈsieren, ausstellen: **to** ~ **a bill of exchange on s.o.** einen Wechsel ziehen auf j-n; **to** ~ **a check** (*Br.* **cheque**) **upon an account** sich einen Scheck von einem Konto auszahlen lassen. – **59.** (*Gehalt, Ausrüstung etc*) beziehen, in Empfang nehmen. – **60.** (*Nachrichten*) beziehen (from von, aus). – **61.** *fig.* (from) herˈausbringen, -holen (aus), entlocken (*dat*): **to** ~ **applause** Beifall hervorrufen; **to** ~ **applause from an audience** einem Publikum Beifall abringen; **to** ~ **no reply from s.o.** aus j-m keine Antwort herausbringen. – **62.** *colloq.* (*j-n*) aus seiner Reˈserve herˈauslocken, zum Reden *od.* Handeln bringen. – **63.** entnehmen (from *dat*). – **64.** (*Trost*) schöpfen (from aus). – **65.** (*Vorteil*) ziehen (from aus). – **66.** *hunt.* (*Fuchs etc*) aufstöbern. – **67.** aussaugen, -trinken. – **68.** (*Geflügel etc*) ausweiden, -nehmen. – **69.** (*Gewässer*) a) trockenlegen, b) (mit dem Netz) abfischen. – **70.** *hunt.* (*Dickicht*) durchˈstöbern, -ˈsuchen: **to** ~ **a covert** ein Dickicht (nach Wild) durchstöbern. – **71.** *tech.* a) (*Draht, Röhren, Kerzen*) ziehen, b) auswalzen, strecken, recken, ziehen, dehnen: **to** ~ **iron into bars** Eisen (aus)walzen. – **72.** hinˈausziehen, lang ˈhinziehen. – **73.** zuˈsammenziehen, verziehen, in Falten legen, runzeln, entstellen. – **74.** *med.* (*Geschwür etc*) ausziehen, austrocknen. – **75.** wegziehen, beseitigen: **to** ~ **the cloth** das Tischtuch wegnehmen, *fig.* den Tisch nach dem Essen abräumen. – **76.** *mar.* einen Tiefgang haben von: **how much does the ship** ~? welchen Tiefgang hat das Schiff? wie tief geht das Schiff? – **77.** *bes. sport* unentschieden beenden. – **78.** (*Billard*) (*Ball*) (zuˈrück)ziehen. – **79.** (*Kricket*) (*Ball*) zur on-Seite hin (*am Dreistab vorbei*) ablenken. – **80.** (*Golf*) (*Ball*) zu weit nach links schlagen. – **81.** (*Curling*) (*Spielstein*) sanft aufsetzen. – *SYN. cf.* **pull**. –

III *v/i* **82.** ziehen. – **83.** *fig.* ziehen (*Theaterstück etc*). – **84.** (sein Schwert *etc*) ziehen (on gegen). – **85.** sich ziehen lassen, laufen: the wag(g)on ~s easily. – **86.** gezogen werden, fahren. – **87.** *mar.* schwellen, vollstehen, tragen (*Segel*). – **88.** ziehen (*Tee*). – **89.** sich bewegen, sich begeben (*nur mit adv od. prep*): → ~ near; level 17. – **90.** (to) sich nähern (*dat*), her'ankommen (an *acc*): to ~ to an end sich dem Ende nähern, zu Ende gehen; to ~ to a head a) *med.* reifen, zu eitern beginnen (*Geschwür*), b) *fig.* reifen, reif werden (*Pläne*). – **91.** sich versammeln (round, about um). – **92.** sich zu'sammenziehen, (ein)schrumpfen (into zu). – **93.** sich (aus)dehnen. – **94.** zeichnen, sich zeichnerisch betätigen. – **95.** (on, upon) Anspruch erheben (auf *acc*), beanspruchen (*acc*): to ~ on s.o. *econ.* a) j-m eine Zahlungsaufforderung zukommen lassen, b) auf j-n (einen Wechsel) ziehen; to ~ on s.o. *fig.* j-n *od.* j-s Kräfte *od.* Hilfsmittel in Anspruch nehmen *od.* heranziehen; to ~ on s.o. for money j-n um Geld angehen; to ~ on s.o.'s generosity j-s Großzügigkeit ausnützen. – **96.** a) Vorräte *etc* beziehen, b) Informati'onen erhalten. – **97.** *med.* ziehen (*Pflaster, Salbe etc*). – **98.** ziehen, Zug haben (*Kamin, Pfeife*). – **99.** *sport* unentschieden kämpfen *od.* spielen, ein Unentschieden erreichen: they drew sie spielten *od.* trennten sich unentschieden. – **100.** *mar.* Tiefgang haben: to ~ deep großen Tiefgang haben. – **101.** losen, Lose ziehen. – **102.** *hunt.* a) der Witterung folgen (*Hund*), b) sich vorsichtig dem gestellten Wild nähern (*Hund*), c) sich nähern, her'ankommen (*Wild*). –

Verbindungen mit Adverbien:

draw| a·side I *v/t* (*j-n*) bei'seite nehmen, zur Seite ziehen. – **II** *v/i* zur Seite gehen *od.* treten, ausweichen. — **~ a·way I** *v/t* **1.** weg-, zu'rück-, fortziehen. – **2.** (*Aufmerksamkeit*) ablenken. – **II** *v/i* **3.** sich entfernen. – **4.** sich weiter nach vorn schieben (*Rennpferd*). — **~ back I** *v/t* **1.** (*Truppen etc*) zu'rückziehen. – **2.** *econ.* (*Zoll etc*) zu'rückerhalten, eine Rückvergütung erhalten für (*Zoll beim Warenexport*). – **II** *v/i* **3.** sich zu'rückziehen. – **4.** zu'rückweichen. — **~ down** *v/t* **1.** her'abziehen. – **2.** (*Unglück etc*) her'aufbeschwören. — **~ forth** *v/t* **1.** her'vor-, her'ausziehen. – **2.** *fig.* her'auslocken. — **~ in I** *v/t* **1.** ein-, zu'sammenziehen. – **2.** (dazu) verlocken *od.* verleiten (to do zu tun). – **3.** all'mählich enger *od.* schmaler werden lassen. – **4.** (*Ausgaben*) beschränken, einschränken, beschneiden. – **5.** (*Wechsel*) einlösen. – **II** *v/i* **6.** sich neigen (*Tag*). – **7.** abnehmen, kürzer werden (*Tage*). — **~ near** *v/i* (to) sich nähern (*dat*), her'anrücken, näher her'ankommen (an *acc*). — **~ off I** *v/t* **1.** (*Truppen*) ab-, zu'rückziehen. – **2.** (*Aufmerksamkeit*) ablenken. – **3.** ausziehen, 'ausdestil,lieren. – **4.** abzapfen, abziehen. – **II** *v/i* **5.** abziehen (*Truppen*). – **6.** sich abwenden, sich zu'rückziehen. – **7.** zu'rücktreten. — **~ on I** *v/t* **1.** (*Kleider*) an-, 'überziehen. – **2.** *fig.* anziehen, anlocken. – **3.** verursachen, veranlassen, bewirken, her'beiführen: to ~ disaster. – **II** *v/i* **4.** sich nähern, her'ankommen, nahen, anrücken. — **~ out I** *v/t* **1.** her'ausziehen, -holen (from aus). – **2.** (*Wahrheit etc*) her'ausholen, -locken, -bringen. – **3.** (*Truppen*) a) deta'chieren, b) (*in Schlachtordnung*) aufstellen. – **4.** verlängern, ausdehnen, hin'ausziehen. – **5.** → draw 52 *u.* 62. – **II** *v/i* **6.** länger werden (*Tage*). — **~ to·geth·er I** *v/t* zu'sammenziehen. – **II** *v/i* zu'sammenkommen, sich (ver)sammeln. — **~ up I** *v/t* **1.** hin'aufziehen, aufrichten, (auf)heben. – **2.** her'anziehen, -schieben. – **3.** (*Truppen etc*) aufstellen, 'aufmar,schieren lassen. – **4.** (*Vertrag etc*) abfassen, (in richtiger Form) ausfertigen. – **5.** (*Bilanz etc*) aufstellen. – **6.** (*Vorschläge*) ausarbeiten. – **7.** to draw oneself up sich (würdevoll, stolz *etc*) em'porrichten, sich erheben. – **II** *v/i* **8.** (an)halten, stehenbleiben. – **9.** vorfahren (before vor *dat*). – **10.** sich (geordnet) aufstellen (*Truppen etc*). – **11.** her'ankommen (with, to an *acc*). – **12.** aufholen: to ~ with s.o. j-n einholen *od.* überholen.

draw·a·ble ['drɔːəbl] *adj* ziehbar.

'draw,back *s* **1.** Nachteil *m* (to für). – **2.** Beeinträchtigung *f*, Behinderung *f* (to *gen*), Hindernis *n* (to für). – **3.** Schattenseite *f*, Mangel *m*, Nachteil *m*. – **4.** Abzug *m*, Abstrich *m* (from von). – **5.** *econ.* Rückvergütung *f*. – **6.** *econ.* Zoll- *od.* Steuerrückvergütung *f*. – **7.** (*Gießerei*) Keilstück *n*, falscher Kern. — **~ lock** *s tech.* **1.** einseitiges Schloß, Schloß *n* mit einseitiger Klinke. – **2.** Drehknopf-, Knaufschloß *n*.

'draw|,bar *s* **1.** (*Eisenbahn*) Kupp(e)lungs-, Zugstange *f*. – **2.** *Am.* Zugstange *f*, -latte *f* (*Zaun*). — **'~,beam** → windlass I. — **'~,bench** *s tech.* (Draht)Ziehbank *f*. — **'~,bolt** *s tech.* Kupp(e)lungsbolzen *m*. — **'~,bore** *s tech.* (Spreiz)Keilbohrung *f*. — **'~,bridge** *s* Zugbrücke *f*.

Draw·can·sir ['drɔːkænsər] *s* Bra'marbas *m*, Eisenfresser *m*, Maulheld *m*.

draw chain *s agr. tech.* Verbindungskette *f*.

draw·ee [,drɔː'iː] *s econ.* Bezogener *m*, Tras'sat *m* (*eines Wechsels etc*).

draw·er [*für 1-3*: drɔːr; *für 4-7*: 'drɔːər] *s* **1.** Schublade *f*, -fach *n*. – **2.** *pl* → chest of ~s. – **3.** *pl*, *auch* pair of ~s 'Unterhose *f*, *bes.* a) 'Herren,unterhose *f*, b) (Damen)Schlüpfer *m*. – **4.** Zieher *m*. – **5.** Zeichner *m*. – **6.** *econ.* Aussteller *m*, Zieher *m*, Tras'sant *m* (*eines Wechsels etc*). – **7.** *obs.* Schankkellner *m*.

'draw|,file *v/t tech.* mit der Feile glätten. — **'~,gate** *s* (aufziehbares) Schleusentor. — **'~,gear** *s* **1.** Zuggeschirr *n* (*für Pferde*). – **2.** (*Eisenbahn*) Kupp(e)lungsvorrichtung *f*. — **'~,head** *s tech.* **1.** Kupp(e)lungsbolzen *m*. – **2.** belasteter Bolzen (*bei Zerreißproben*). — **'~,horse** *s tech.* Ziehbank *f*.

draw·ing ['drɔːiŋ] *s* **1.** Ziehen *n*. – **2.** Zeichnen *n*, zeichnerisches Darstellen: in ~ a) richtig gezeichnet, b) *fig.* zusammenstimmend; out of ~ a) unperspektivisch, falsch gezeichnet, verzeichnet, b) *fig.* nicht zusammenstimmend. – **3.** Zeichenkunst *f*. – **4.** a) Zeichnung *f*, (gezeichnetes) Bild, b) (Zeichen)Skizze *f*, Entwurf *m*. – **5.** Verlosung *f*, Auslosung *f*, Ziehung *f*. – **6.** Abhebung *f* (*Geld*). – **7.** *pl* Bezüge *pl*. – **8.** *pl econ. Br.* Einnahmen *pl*, *bes.* Tageslosung *f*. – **9.** *Am.* Teemenge *f* für einen Aufguß. — **~ ac·count** *s econ.* **1.** laufende Rechnung. – **2.** Giro-, Scheckkonto *n*. — **~ awl** *s* (*Schuhmacherei*) Binde-, Riemenahle *f*. — **~ bench** → draw bench. — **~ block** *s* Zeichenblock *m*. — **~ board** *s* Reiß-, Zeichenbrett *n*. — **~ card** *s Am.* Zugnummer *f*, zugkräftiges Stück, zugkräftiger Schauspieler. — **~ com·pass·es** *s pl* Reiß-, Zeichenzirkel *m*. — **~ frame** *s tech.* **1.** (*Spinnerei*) 'Band-, 'Streckma,schine *f*, Strecke *f*. – **2.** 'Seil,zieh-, 'Vorspinnma,schine *f*. — **~ ink** *s* Zeichentinte *f*, Ausziehtusche *f*. — **~ knife** → drawknife. — **~ mas·ter** *s* Zeichenlehrer *m*. — **~ of·fice** *Br.* für drafting room. — **~ pa·per** *s* 'Zeichenpa,pier *n*. — **~ pen** *s* Zeichen-, Reißfeder *f*. — **~ pen·cil** *s* Zeichenstift *m*. — **~ pin** *s Br.* Reißzwecke *f*, -nagel *m*, Heftzwecke *f*. — **~ room** *s* **1.** Gesellschafts-, Empfangszimmer *n*, Sa'lon *m*. – **2.** Empfang *m*, Gesellschaftsabend *m*: to hold a ~ einen Empfang geben. – **3.** (*bei einem Empfang*) im Sa'lon versammelte Gesellschaft. – **4.** *Br.* (for'meller) Empfang (*bes. bei Hof*). – **5.** *Am.* Sa'lon *m*, Pri'vatabteil *n* (*im Pullmanwagen*). — **'~-,room** *adj* **1.** Salon..., für einen Sa'lon kennzeichnend, vornehm, gepflegt. – **2.** Gesellschafts..., Salon...: ~ play Gesellschaftsstück. — **~ set** *s* Reißzeug *n*.

'draw,knife *s irr* (*Holzbearbeitung*) (Ab)Zieh-, Reif-, Zugmesser *n*.

drawl [drɔːl] **I** *v/t u. v/i* gedehnt *od.* langsam sprechen. – **II** *s* gedehntes Sprechen. — **'drawl·y** *adj* gedehnt, langsam, schleppend.

drawn [drɔːn] **I** *pp von* draw. – **II** *adj* **1.** gezogen. – **2.** *tech.* gezogen (*Draht etc*). – **3.** verzogen, verzerrt (with von): a face ~ with pain ein schmerzverzerrtes Gesicht. – **4.** ausgeweidet, ausgenommen. – **5.** unentschieden (*Wettkampf*). — **~ bond** *s econ.* ausgeloste Schuldverschreibung. — **~ but·ter (sauce)** *s Am.* Buttersoße *f* (*aus zerlassener Butter, Mehl etc*). — **~ work** *s* Hohlsaumarbeit *f*.

'draw|,plate *s tech.* (Draht)Zieheisen *n*, Lochplatte *f*. — **'~,point** *s* **1.** Ra'dier-, Reißnadel *f* (*des Graveurs*). – **2.** Spitzbohrer *m*. — **~ po·ker** *s Abart des Pokers, bei der nach dem Geben Karten abgelegt u. durch andere ersetzt werden dürfen.* — **'~,rod** *s tech.* Kupp(e)lungsstange *f* (*Lokomotive*). — **'~,shave** → drawknife. — **'~,spring** *s* (*Eisenbahn*) Zugfeder *f*. — **'~,string** *s* **1.** Zugband *n*, -schnur *f*. – **2.** Vorhangschnur *f*. — **~ ta·per** *s* (*Gießerei*) Ablauf *m*, Verjüngung *f* (*der Form od. des Modells*). — **'~,tongs** *s pl tech.* Schleppzange *f*. — **'~,tube** *s* **1.** Ausziehrohr *n*, Zug *m*. – **2.** Ausziehtubus *m* (*Mikroskop*). — **~ well** *s* Ziehbrunnen *m*. — **'~-,well** → drawing card.

dray[1] [drei] **I** *s* **1.** starker niedriger Karren (*ohne feste Seitenwände*), niedriger Block- *od.* Rollwagen. – **2.** Bierwagen *m*. – **3.** Schleife *f*, Lastschlitten *m*. – **II** *v/t* **4.** (*Lasten*) karren, auf einem Blockwagen *etc* transpor'tieren. – **III** *v/i* **5.** als Rollkutscher tätig sein.

dray[2] [drei] *s* Eichhörnchennest *n*.

dray·age ['dreiidʒ] *s* **1.** 'Rolltrans,port *m*. – **2.** Rollgeld *n*.

dray| horse *s* schwerer Karrengaul. — **'~·man** [-mən] *s irr* Roll-, *bes.* Bierkutscher *m*.

dread [dred] **I** *v/t* **1.** (*etwas, j-n*) sehr fürchten, fürchten (to do zu tun), Angst haben vor (*dat*), Schrecken *od.* Grauen empfinden vor (*dat*), sich fürchten vor (*dat*): → burnt 1. – **2.** *obs.* Ehrfurcht haben vor (*dat*). – **II** *v/i* **3.** sich fürchten, (große) Angst haben. – **III** *s* **4.** (große) Angst, Furcht *f* (of vor *dat*; of doing zu tun). – **5.** Grauen *n* (of vor *dat*). – **6.** Ehrfurcht *f*, ehrfürchtige Scheu. – **7.** Schreckgestalt *f*, -bild *n*, Gegenstand *m* des Schreckens, Schrecken *m*. – *SYN. cf.* fear. – **IV** *adj* **8.** schrecken-, furcht-, grauenerregend, schrecklich, furchtbar. – **9.** Ehrfurcht einflößend, erhaben, hehr. — **'dread·ed** *adj* gefürchtet, furchtbar — **'dread·ful** [-ful; -fəl] **I** *adj* **1.** fürchterlich, furchtbar, schrecklich. – **2.** ehrwürdig, erhaben, hehr. – 3. *colloq.* a) furchtbar, schrecklich, verheerend, b) furchtbar groß, kolos'sal, entsetzlich lang. – *SYN. cf.* fearful. – **II** *s* 4. *Br.* Gruselgeschichte *f*, 'Schauerro,man *m*, billiger Reißer. — **'dread·ful·ness** *s* Schrecklichkeit *f*, Furchtbarkeit *f*. — **'dread·less** *adj* furchtlos, unerschrocken. — **'dread,nought,** *auch* **'dread,naught** *s* 1. *mar.* a) Dreadnought *m* (*frühester Typ des modernen Schlachtschiffs*), b) Schlachtschiff *n*. – 2. furchtloser Mensch, Wagehals *m*. – 3. dicker, wetterfester Stoff *od.* Mantel.

dream [driːm] **I** *s* 1. Traum *m*: waking ~ Wachtraum; a ~ comes true ein Traum geht in Erfüllung *od.* wird wahr. – 2. Traum(zustand) *m*: as in a ~ wie im Traum. – 3. Traumbild *n*. – 4. (Tag)Traum *m*, Einbildung *f*, Träume'rei *f*. – 5. Luftschloß *n*, Sehnsucht(straum *m*) *f*. – 6. *fig.* Traum *m*, Ide'al *n*: a ~ of a hat ein Gedicht von einem Hut, ein traumhaft schöner Hut; a perfect ~ etwas Wunderschönes, ein wahrer Traum. – **II** *v/i pret u. pp* **dreamed** *od.* **dreamt** [dremt] 7. träumen (of von). – 8. träumen, sich Träume'reien 'hingeben, träumerisch sein; to ~ on fortträumen, vor sich hinträumen. – 9. im Traume denken (of an *acc*), eine Ahnung haben (of von): I never ~ed of it ich habe es mir nie träumen lassen; we did not ~ of going there wir dachten nicht im Traum daran hinzugehen; more things than we ~ of mehr Dinge, als wir uns denken können. – **III** *v/t* 10. träumen: to ~ a dream einen Traum träumen *od.* haben; I ~ed that mir träumte, daß. – 11. erträumen, ersehnen. – 12. sich träumen lassen, ahnen: without ~ing that ohne zu ahnen, daß. – 13. ~ away verträumen. – 14. ~ up *colloq.* a) zu'sammenträumen, -phanta,sieren, b) erfinden.

dream| a·nal·y·sis *s psych.* 'Traumana,lyse *f*. — ~ **book** *s* Traumbuch *n*.

dream·er ['driːmər] *s* 1. Träumer(in) (*auch fig.*). – 2. Phan'tast(in). — **'dream·ful** [-ful; -fəl] *adj* voll von Träumen, von Träumen erfüllt, traumerfüllt, träumerisch. — **'dream·i·ness** [-inis] *s* 1. Verträumtheit *f*, träumerisches Wesen. – 2. Traumhaftigkeit *f*, Verschwommenheit *f*. — **'dream·ing** *adj* verträumt.

'dream|,land *s* Traum-, Märchenland *n*. — **'~,like** *adj* traumhaft, -ähnlich. — ~ **read·er** *s* Traumdeuter(in).

dreamt [dremt] *pret u. pp von* dream.

dream world *s* Traumwelt *f*.

dream·y ['driːmi] *adj* 1. verträumt, träumerisch. – 2. traumhaft, dunkel, verschwommen, unklar. – 3. visio'när. – 4. traumerfüllt, voll von Träumen.

drear [drir] *poet. für* dreary.

drear·i·ness ['dri(ə)rinis] *s* 1. Düsterkeit *f*, Trostlosigkeit *f*. – 2. Langweiligkeit *f*, Öde *f*. – 3. *obs.* Traurigkeit *f*. — **'drear·y** *adj* 1. düster, trostlos, trübselig. – 2. langweilig, öde. – 3. *obs.* traurig.

dredge[1] [dredʒ] **I** *s* 1. *tech.* a) 'Bagger(ma,schine *f*) *m*, b) Schwimmbagger *m*. – 2. *mar.* a) Schleppnetz *n*, Dredsche *f*, Dredge *f*, b) Dregganker *m*. – **II** *v/t* 3. *tech.* ausbaggern: ~d material Baggergut; to ~ away (up) mit dem Bagger wegräumen (heraufholen). – 4. mit dem Schleppnetz fangen *od.* her'aufholen. – 5. *fig.* genau durch'suchen *od.* absuchen, durch'forschen. – **III** *v/i* 6. *tech.* baggern. – 7. mit dem Schleppnetz suchen *od.* fischen (for nach).

dredge[2] [dredʒ] *v/t* 1. (mit Mehl) bestreuen. – 2. (*Mehl etc*) streuen.

dredg·er[1] ['dredʒər] *s* 1. *tech.* a) Baggerarbeiter *m*, b) Bagger *m*. – 2. Dregger *m*, Schleppnetzfischer *m*.

dredg·er[2] ['dredʒər] *s* (Mehl)Streubüchse *f*.

dredg·er| buck·et *s tech.* Baggereimer *m*. — ~ **drum** *s tech.* Baggertrommel *f*, Turas *m*.

dredg·ing| box ['dredʒiŋ] *s* (Mehl)-Streubüchse *f*. — ~ **ma·chine** *s* 'Bagger(ma,schine *f*) *m*.

dree [driː] *Scot. od. dial.* **I** *v/t* (er)tragen, erdulden: to ~ one's weird sich in sein Schicksal fügen. – **II** *adj* trostlos, trüb. — **dreegh** [driːx] → dree II.

dreg [dreg] *s* 1. *meist pl* a) (Boden)-Satz *m*, b) Verunreinigungen *pl*: to drain a cup to the ~s einen Becher bis zur Neige leeren. – 2. *meist pl fig.* Abschaum *m*, Hefe *f*, Auswurf *m*: the ~s of mankind der Abschaum der Menschheit. – 3. *meist pl* Unrat *m*, wertloser Rückstand, Abfall *m*. – 4. a) (kleiner) Rest, b) kleine Menge, Kleinigkeit *f*. — **'dreg·gy** *adj* hefig, trüb, verunreinigt, schlammig, dick.

dreigh [driːx] → dree II.

drench [drentʃ] **I** *v/t* 1. durch'nässen, (durch)'tränken, einweichen: ~ed in blood in Blut getränkt, blutgetränkt; ~ed with rain vom Regen (vollkommen *od.* bis auf die Haut) durchnäßt; ~ed in tears in Tränen gebadet. – 2. tränken, (*dat*) zu trinken geben. – 3. *vet.* a) (*einem Tier*) Arz'nei (gewaltsam) einflößen, b) pur'gieren. – *SYN. cf.* soak. – **II** *s* 4. Durch'nässen *n*, -'tränken *n*. – 5. (Regen)Guß *m*. – 6. Einweichflüssigkeit *f*, *bes.* Lauge *f*, schwaches Säurebad. – 7. Trunk *m*, großer Schluck. – 8. *vet.* Arz'neitrank *m*, *bes.* Abführmittel *n*. — **'drench·er** *s* 1. (Durch)'Tränker(in). – 2. Regenguß *m*, -schauer *m*. – 3. *vet.* Gerät *n* zum gewaltsamen Eingeben von Arz'neitränken.

drep·a·ni·form ['drepəni,fɔːrm] *adj bot. zo.* sichelförmig. — **dre·pa·ni·um** [dri'peiniəm] *pl* **-ni·a** [-niə] *s bot.* Sichel *f* (*ein Blütenstandstyp*). — **'drep·a,noid** *adj* sichelartig, -förmig.

Dres·den ['drezdən] → ~ china. — ~ **blue** *s* Dresd(e)ner Blau *n*. — ~ **chi·na** *s* Meiß(e)ner Porzel'lan *n*. — ~ **point lace** *s* sächsische Spitzen *pl*. — ~ **ware** → Dresden china.

dress [dres] **I** *s* 1. (Be)Kleidung *f*, Gewand *n*. – 2. a) Toi'lette *f* (*einer Dame*), b) Abend-, Gesellschaftskleidung *f*: in full ~ im Gesellschaftsanzug. – 3. (Damen)Kleid *n*: a summer ~ ein Sommerkleid. – 4. *mil.* Anzug *m*, Uni'form *f*: battle ~ Kampfanzug. – 5. *fig.* Gewand *n*, Kleid *n*, Gestalt *f*, (äußere) Form. – 6. *zo.* (Feder)Kleid *n*: birds in winter ~ Vögel im Winterkleid. – **II** *adj* 7. Kleider..., Kleidungs...: ~ designer Modezeichner. – 8. Gala..., Gesellschafts..., Abend...: ~ sword Galadegen. – **III** *v/t pret u. pp* **dressed** *od. selten* **drest** 9. bekleiden, ankleiden, anziehen: to ~ oneself sich anziehen. – 10. (*j-m*) Galakleidung anziehen, (*j-n*) (fein) her'ausputzen. – 11. (*Theater*) mit Ko'stümen ausstatten, kostü'mieren. – 12. schmücken, deko'rieren, verzieren: to ~ a shop window ein Schaufenster dekorieren; to ~ ship *mar.* die Toppflaggen hissen *od.* heißen. – 13. zu'recht-, fertigmachen, *bes.* a) (*Speisen*) zubereiten, b) (*Salat*) anmachen. – 14. (*Haar*) kämmen, fri'sieren. – 15. (*Pferd*) striegeln. – 16. (*Zimmer*) säubern, putzen, 'herrichten. – 17. *tech.* zurichten, nach(be)arbeiten, aufbereiten, *bes.* a) (*Balken etc*) hobeln *od.* abputzen, b) (*Häute*) gerben, zurichten, garen, c) (*Tuch*) appre'tieren, glätten, d) (*Weberei*) schlichten, e) (*Erz*) aufbereiten, f) (*Stein*) behauen, g) (*Edelstein*) po'lieren, h) zuschneiden, beschneiden, i) glätten, po'lieren, schleifen, j) (*Flachs*) hecheln. – 18. (*Land, Garten etc*) a) bebauen, bestellen, b) düngen, c) jäten. – 19. (*Pflanzen*) zu'rechtstutzen, beschneiden. – 20. *med.* (*Wunden etc*) behandeln, verbinden. – 21. gerade ausrichten, ordnen. – 22. *mil.* (aus)richten, in Reih und Glied for'mieren: to ~ the ranks die Glieder ausrichten; to be ~ed Richtung haben. – **IV** *v/i* 23. sich ankleiden, sich anziehen: to ~ for supper sich zum Abendessen umkleiden *od.* umziehen. – 24. Abendkleidung anziehen, sich festlich kleiden, sich in Gala werfen. – 25. sich kleiden, sich anziehen: to ~ well (badly) sich geschmackvoll (geschmacklos) anziehen. – 26. *mil.* sich (aus)richten, Richtung haben *od.* nehmen: ~! richt't euch! to ~ to the right sich nach rechts ausrichten. –

Verbindungen mit Adverbien:

dress| down, ~ **off** *v/t colloq.* 1. (aus)schimpfen. – 2. 'durchprügeln. — ~ **up,** *auch* ~ **out I** *v/t* 1. fein machen, ausschmücken, (*dat*) Galakleidung anziehen. – 2. her'ausputzen, ‚aufdonnern'. – **II** *v/i* 3. sich fein machen, ‚sich in Gala werfen'. – 4. sich her'ausputzen, sich ‚aufdonnern'. – 5. sich verkleiden.

dress af·fair *s* Galaveranstaltung *f* (*bei der Gesellschaftskleidung vorgeschrieben ist*).

dres·sage [dre'sɑːʒ] *s* Schulreiten *n* ohne sichtbare Hilfen.

dress| cir·cle *s* erster Rang (*Theater etc*). — ~ **clothes** *s pl* Gesellschaftskleidung *f*. — ~ **coat** *s* 1. Frack *m*. – 2. *mar. mil.* Ausgeh-, Pa'raderock *m*.

'dressed-'up [drest] *adj* 1. in Gala (gekleidet). – 2. her'ausgeputzt, ‚aufgedonnert'.

dress·er[1] ['dresər] *s* 1. Ankleider(in). – 2. (*Theater*) a) Kostümi'er *m*, b) Ankleidefrau *f*, c) Fri'seuse *f*. – 3. *colloq.* j-d der sich (*irgendwie*) kleidet: a careful ~ j-d der sich sorgfältig kleidet. – 4. *med.* chir'urgischer Assi'stent, Operati'onsgehilfe *m*. – 5. 'Schaufensterdekora,teur *m*. – 6. *tech.* a) Zurichter *m*, Aufbereiter *m*, b) Appre'tierer *m*, c) Schlichter *m*, d) Steinhauer *m*. – 7. *tech.* Gerät *n* zum Zurichten, Nachbearbeiten, Aufbereiten *etc*, *bes.* a) Keilhaue *f*, Spitzhammer *m*, b) (*Bleibearbeitung*) Schlichthammer *m*, Schlegel *m*, c) Mühlsteinschärfer *m*, d) Abzieh- *od.* Po'liervorrichtung *f*.

dress·er[2] ['dresər] *s* 1. *bes. Br.* (Küchen)Anrichte *f*. – 2. Küchen-, Geschirrschrank *m*. – 3. *Am.* Toi'lettentisch *m*, Fri'sierkom,mode *f*.

dress| goods *s pl* (Damen)Kleiderstoffe *pl*. — ~ **guard** *s* Kleiderschutznetz *n* (*am Damenfahrrad*). — ~ **im·prov·er** *s* (*Mode*) Tur'nüre *f*.

dress·i·ness ['dresinis] *s* 1. ele'gante Kleidung. – 2. Her'ausgeputztheit *f*. – 3. Putzsucht *f*. – 4. *colloq.* Ele'ganz *f*, modischer Schnitt (*Kleidung*).

dress·ing ['dresiŋ] *s* 1. Ankleiden *n*. – 2. (Be)Kleidung *f*, Gewand *n*. – 3. *tech.* Aufbereitung *f*, Nachbearbeitung *f*, Zurichtung *f*. – 4. *tech.* a) Appre'tur *f*, b) Schlichte *f*. – 5. *tech.* a) Verkleidung *f*, Verputz *m*, b) Schotterbelag *m* (*Straße*). – 6. Zubereitung *f* (*Speisen*). – 7. Tunke *f*, Soße *f*. – 8. Füllsel *n*, Füllung *f* (*Geflügel etc*). – 9. → ~-down. – 10. *med.* a) Verbinden *n* (*Wunde*), b) 'Umschlag *m*, Verband *m*. – 11. *agr.* a) Bestellung *f*, Düngung *f*, b) Dünger *m*. — ~ **bell** *s* Ankleideglocke *f* (*zum Dinner*). — ~ **case** *s* Toi'lettenkästchen *n*, 'Reiseneces,saire *n*. — '~-'down *s colloq*. 1. ‚Gar'dinenpredigt' *f*, ‚Standpauke' *f*, strenger Verweis: to give s.o. a ~ a) j-n ausschimpfen, b) j-n verprügeln. – 2. Tracht *f* Prügel, Prügel *pl*. — ~ **gown** *s* Schlaf-, Morgenrock *m*. — ~ **jack·et** *s Br*. Fri'siermantel *m*. — ~ **ma·chine** *s tech*. 'Aufbereitungs-, Appre'tier-, 'Schlichtma,schine *f*. — ~ **room** *s* 1. 'Um-, Ankleidezimmer *n*. – 2. ('Künstler)Garde,robe *f*. — ~ **sack** *Am. für* **dressing jacket**. — ~ **sta·tion** *s med. mil*. (Feld)Verbandsplatz *m*. — ~ **ta·ble** *s* 1. Toi'letten-, Putztisch *m*. – 2. *tech*. Zurichtetisch *m*.

'**dress**|,**mak·er** *s* 1. Damenschneiderin *f*. – 2. *selten* Damenschneider *m*. — '~,**mak·ing** *s* ,Damenschneide'rei *f*. — ~ **pa·rade** *s mil*. Pa'rade *f* in 'Galauni,form. — ~ **pat·tern** *s* 1. Schnittmuster *n*. – 2. zugeschnittener Kleiderstoff. — ~ **pre·serv·er** → dress shield. — ~ **re·hears·al** *s* Gene'ralprobe *f*. — ~ **shield** *s* Schweißblatt *n*. — ~ **shirt** *s* Frackhemd *n*. — ~ **suit** *s* Abend-, Gesellschafts-, Frackanzug *m*. — ~ **u·ni·form** *s mil*. Pa'rade,anzug *m*, (kleine) Pa'radeuni,form, großer Dienstanzug.

dress·y ['dresi] *adj* 1. (auffällig) ele'gant gekleidet. – 2. (her'aus)geputzt, ‚aufgedonnert'. – 3. putzsüchtig. – 4. *colloq*. ele'gant, schick, mo'dern, modisch, fesch (*Kleid*).

drest [drest] *selten pret u. pp von* **dress**.

drew [druː] *pret von* **draw**.

drib·ble ['dribl] **I** *v/i* 1. tröpfeln, rieseln. – 2. sabbern, geifern. – 3. *sport* dribbeln. – **II** *v/t* 4. (her'ab)tröpfeln lassen, tropfen. – 5. *sport* (*Ball*) dribbeln, mit kurzen Stößen vor sich 'hertreiben. – **III** *s* 6. Getröpfel *n*. – 7. Tropfen *m*. – 8. *fig*. Tropfen *m*, Quentchen *n*, (*das*) bißchen. – 9. *colloq*. feiner Regen, Nieseln *n*. – 10. *sport* Dribbeln *n*.

drib·let, *auch* **drib·blet** ['driblit] *s* 1. kleine Menge, (*das*) bißchen, Tropfen *m*: by ~s in kleinen Mengen, tropfenweise. – 2. kleine Summe, bißchen Geld. – 3. Tropfen *m*.

driech [driːx] → dree II.

dried [draid] *adj* Dörr..., getrocknet: ~ **cod** Stockfisch; ~ **fruit** Dörrobst, Trockenfrüchte; ~ **milk** Trockenmilch; ~ **up** auf-, eingetrocknet, verdorrt.

driegh [driːx] → dree II.

dri·er[1] ['draiər] *s* 1. Trocknende(r). – 2. Sikka'tiv *n*, Trockenmittel *n*. – 3. *meist* **dryer** 'Trockenappa,rat *m*, -vorrichtung *f*, Trockner *m*.

dri·er[2] ['draiər] *comp von* **dry**.

dri·est ['draiist] *sup von* **dry**.

drift [drift] **I** *s* 1. (An)Treiben *n*, Antrieb *m*. – 2. Triebkraft *f*, treibende Kraft, Im'puls *m*. – 3. bestimmende Macht, bestimmender Einfluß. – 4. Treiben *n*, Getriebenwerden *n*. – 5. *aer. mar*. Abtrift *f*, Abtrieb *m*, (Kurs)Versetzung *f*. – 6. *geogr*. Drift(strömung) *f* (*im Meer*). – 7. *mar*. Driftgeschwindigkeit *f*. – 8. (Strömungs)Richtung *f*. – 9. *fig*. Strömung *f*, Ten'denz *f*, Lauf *m*, Richtung *f*. – 10. Zweck *m*, Absicht *f*. – 11. Gedankengang *m*, Sinn *m*, Bedeutung *f*. – 12. (*etwas*) Da'hingetriebenes, *bes*. a) Treibholz *n*, b) Treibeis *n*, c) da'hingetriebene Wolke, d) (Schnee)Gestöber *n*, e) da'hinjagender Sturm, Schauer *m*, Guß *m*. – 13. Verwehung *f*, Wehe *f*, Haufen *m* (*Schnee etc*). – 14. angeschwemmte Gegenstände *pl*. – 15. *fig*. Gehen-, (Sich)'Treibenlassen *n*, Untätigkeit *f*, (tatenloses) Warten: **the policy of** ~ die Politik des Treibenlassens. – 16. *geol*. Geschiebe *n*. – 17. (*Ballistik*) Seitenabweichung *f*, Derivati'on *f*. – 18. *mil. hist*. Zündlochreiniger *m*. – 19. *tech*. a) Lochräumer *m*, -hammer *m*, Aushaueisen *n*, b) Austreiber *m*, Dorn *m*, c) Punzen *m*, 'Durchschlag *m*, d) Austief-, Setzmeißel *m*. – 20. *tech*. Quer-, Verbindungstunnel *m*, -gang *m*. – 21. (*Bergbau*) Strecke *f*, Stollen *m*: **inclined** ~ schwebende Strecke; **level** ~ Sohlenstrecke. – 22. *Br*. (Vieh)Auftrieb *m*, Zu'sammentreiben *n*. – 23. → ~ **net**. – 24. *S.Afr*. Furt *f*. – *SYN. cf*. **tendency**. – **II** *v/i* 25. treiben, getrieben werden: **to** ~ **away from s.o.** sich von j-m trennen. – 26. *fig*. getrieben werden, sich (willenlos) treiben lassen. – 27. gezogen werden, geraten (into in *acc*). – 28. sich häufen, Verwehungen bilden: ~**ing sand** Treib-, Flugsand. – 29. verweht werden *od*. sein: **the road has** ~**ed**. – 30. (*Bergbau*) einen Stollen (vor)treiben. – **III** *v/t* 31. treiben, mit sich führen *od*. nehmen, fort-, da'hintragen. – 32. aufhäufen, zu'sammentreiben. – 33. verwehen, mit Haufen *od*. Verwehungen bedecken. – 34. *tech*. (*Loch*) ausdornen, aufräumen, aufreiben.

drift·age ['driftidʒ] *s* 1. Treiben *n*. – 2. Abtrift *f*, Abtrieb *m* (*durch Strömung od. Wind*). – 3. Treibgut *n*, angeschwemmtes Gut.

drift| **an·chor** *s mar*. Treibanker *m*. — ~ **an·gle** *s* 1. *aer*. Abtriftwinkel *m*. – 2. *mar*. Derivati'onswinkel *m*. — ~ **av·a·lanche** *s* 'Staubla,wine *f*.

drift·er ['driftər] *s* 1. Treibende(r, s). – 2. zielloser Mensch. – 3. *mar*. Drifter *m*, Treibnetzfischdampfer *m*, (Fisch)Logger *m*. – 4. Treibnetzfischer *m*. – 5. (*Bergbau*) Gesteins-, Stollen-, Querschlaghauer *m*.

drift ice *s* Treibeis *n*.

drift·less ['driftlis] *adj* richtungs-, ziel-, zwecklos.

drift| **me·ter** *s aer*. Abtriftmesser *m*. — ~ **min·ing** *s* (*Bergbau*) Stollen-, Streckenbetrieb *m*. — ~ **net** *s* Treibnetz *n*. — **D**~ **pe·ri·od** *s geol*. Di'luvium *n*, Eiszeit *f*. — ~ **tube** *s* (*Radio*) Laufzeit-, Triftröhre *f*. — '~,**wood** *s* Treibholz *n*.

drift·y ['drifti] *adj* 1. verweht, voll von Verwehungen. – 2. Verwehungen bildend, treibend. – 3. strömend, (da'hin)treibend.

drill[1] [dril] **I** *s* 1. *tech*. 'Bohrgerät *n*, -ma,schine *f*, (Drill-, Me'tall-, Stein)Bohrer *m*. – 2. *mil*. for'male Ausbildung, Drill *m*, Exer'zieren *n*: **at** ~ beim Exerzieren. – 3. *fig*. Drill(en *n*) *m*, strenge Schulung, me'thodische Ausbildung, scharfes Training: **Swedish** ~ *sport* Freiübungen. – 4. Drill *m*, 'Ausbildungsme,thode *f*. – 5. *zo*. Wellhorn *n* (*Urosalpinx cinerea*; *Meerschnecke, die Austern anbohrt*). – **II** *v/t* 6. (*Loch*) bohren: **to** ~ **through** durchbohren. – 7. durch'bohren. – 8. *mil*. drillen, 'einexer,zieren. – 9. *fig*. drillen, (gründlich u. me'thodisch) ausbilden. – 10. eindrillen, ‚einpauken' (into *dat*): **to** ~ **French grammar into s.o.** j-m die franz. Grammatik einpauken; ~**ed-in** eingedrillt, ‚gepaukt. – **III** *v/i* 11. bohren. – 12. *mil*. gedrillt werden, exer'zieren. – 13. *fig*. gedrillt *od*. ausgebildet werden. – 14. sich ausbilden, trai'nieren. – *SYN. cf*. **practice**.

drill[2] [dril] *agr*. **I** *s* 1. (Saat)Rille *f*, Furche *f*. – 2. 'Reihen,sä-, 'Drillma,schine *f*: **seed-and-manure** ~ Saat-und-Dung-Drillmaschine. – 3. Drillsaat *f*. – **II** *v/t* 4. (*Saat*) in Reihen säen *od*. pflanzen. – 5. (*Land*) in Reihen besäen *od*. bepflanzen. – **III** *v/i* 6. drillen, in Reihen säen.

drill[3] [dril] *s* Drill(ich) *m*, Drell *m*.

drill[4] [dril] *s zo*. Drill *m* (*Papio leucophaeus*; *westafrik. Pavian*).

drill| **bit** *s tech*. 1. Bohrspitze *f*, -eisen *n*. – 2. Einsatzbohrer *m*. — ~ **book** *s mil*. Exer'zierregle,ment *n*. — ~ **bow** [bou] *s tech*. Dreh-, Drillbogen *m* (*eines Drillbohrers*). — ~ **car·tridge** *s mil*. Exer'zierpa,trone *f*. — ~ **chuck** *s tech*. Drillglocke *f*, Bohrkopf *m*, -futter *n*, Bohrerhalter *m*.

drill·er[1] ['drilər] *s* 1. *tech*. Bohrer *m*, 'Bohrma,schine *f*. – 2. *tech*. Bohrer *m*, Bohrarbeiter *m*, -führer *m*, -meister *m*. – 3. *mil*. Ausbilder *m*, Exer'ziermeister *m*. – 4. *fig*. Einpauker *m*.

drill·er[2] ['drilər] *s agr*. 1. → **drill**[2] 2. – 2. Säer *m* (*der in Reihen sät*).

drill| **ga(u)ge** *s tech*. Bohr(er)lehre *f*. — ~ **ground** *s mil*. Exer'zierplatz *m*.

drill·ing[1] ['driliŋ] *s* 1. *tech*. Bohren *n*. – 2. *pl tech*. Bohrspäne *pl*, -mehl *n*. – 3. *mil*. for'male Ausbildung, Drillen *n*, 'Einexer,zieren *n*. – 4. *fig*. Drillen *n*, Einpauken *n*.

drill·ing[2] ['driliŋ] *s agr*. Drillen *n*, Säen *n* mit der 'Drillma,schine.

drill·ing[3] ['driliŋ] *selten für* **drill**[3].

drill·ing| **bit** *s tech*. 1. Bohrspitze *f*. – 2. (Gesteins)Bohrer *m*. — ~ **ca·pac·i·ty** *s tech*. 1. Bohrleistung *f*. – 2. 'Bohr-,durchmesser *m* (*einer Maschine*). — ~ **ham·mer** *s tech*. Bohr-, Drillhammer *m*. — ~ **jig** *s tech*. Bohrvorrichtung *f*, -gestell *n*. — ~ **ma·chine** *s tech*. 'Bohrma,schine *f*.

'**drill**|,**mas·ter** *s* 1. *mil*. Ausbilder *m*. – 2. *fig*. Eindriller *m*, ‚Einpauker' *m*. — ~ **press** *s* ('Säulen),Bohrma,schine *f*. — ~ **ser·geant** *s mil*. 'Ausbildungs,unteroffi,zier *m*. — ~ **ship** *s mar*. Schulschiff *n*. — ~ **steel** *s tech*. Bohrstahl *m*. — '~,**stock** *s tech*. Brust-, Bohrleier *f*. — ~ **thrust** *s tech*. Bohrdruck *m*.

dri·ly *cf*. **dryly**.

drink [driŋk] **I** *s* 1. Getränk *n*. – 2. Drink *m*, alko'holisches Getränk: **to have a** ~ **with s.o.** mit j-m ein Glas trinken; **to be fond of** ~ gern trinken; **in** ~ betrunken, berauscht. – 3. *collect*. Getränke *pl*, Trank *m*: **food and** ~ Speisen u. Getränke, Speise u. Trank. – 4. Trinken *n*, Trunk *m*: **to take to** ~ sich dem Trunk ergeben; **to be on the** ~ *colloq*. dem Trunk frönen; → **worse** 3. – 5. Trunk *m*, Schluck *m*, Zug *m*: **a** ~ **of water** ein Schluck Wasser; **to take** (*od*. **have**) **a** ~ einen Schluck (zu sich) nehmen. – 6. *sl*. ‚Bach' *m*, ‚Teich' *m*: **to cross the** ~ den Teich (*den Ozean*) überqueren. – **II** *v/t pret* **drank** [dræŋk] *obs. auch* **drunk** [drʌŋk], *pp* **drunk**, *selten* **drank**, *obs*. **drunk·en** ['drʌŋkən] 7. trinken: **to** ~ **tea** Tee trinken; **to** ~ **one's fill** sich satt *od*. voll trinken; **to** ~ **the waters** *med*. Brunnen trinken (*im Kurbad*). – 8. trinken, saufen (*Tier*). – 9. aufsaugen, absor'bieren. – 10. *fig*. (*Luft*) trinken, (ein)schlürfen, (ein)atmen. – 11. *fig*. in sich aufnehmen, verschlingen. – 12. austrinken, leeren. – 13. trinken *od*. anstoßen auf (*acc*): **let's** ~ **our President!** trinken wir auf unseren Präsidenten! → **health** 3. – 14. trinken: **to** ~ **s.o. under the table** j-n unter den Tisch trinken. – 15. → ~ **away**. – **III** *v/i* 16. trinken (out of aus; *poet*. of von): **to** ~ **deep** a) einen tiefen Zug tun, einen großen Schluck machen *od*. nehmen, b) *fig*. ein starker Trinker sein. – 17. trinken, saufen (*Tier*). – 18. trinken, dem Alkohol zusprechen: → **fish** 1. – 19. trinken, anstoßen (to auf *acc*): **to** ~ **to the bride** auf die Braut trinken *od*. anstoßen. – 20. schmecken, sich trinken (lassen): **the wine** ~**s well** der Wein schmeckt gut *od*. ist süffig. –

Verbindungen mit Adverbien:

drink| **a·way** *v/t* vertrinken: **to** ~ **one's time** seine Zeit mit Trinken verbringen. — ~ **down** *v/t (j-n)* unter den Tisch trinken. — ~ **in** *v/t* 1. aufsaugen. – 2. *fig.* (gierig) aufnehmen, verschlingen: to ~ s.o.'s words. – 3. *fig.* (*Luft etc*) trinken, einsaugen, (ein)schlürfen. — ~ **off,** ~ **up** *v/t* (auf einen Zug) austrinken *od.* leeren.

drink·a·ble ['driŋkəbl] I *adj* trinkbar, Trink... – II *s pl* trinkbare Stoffe *pl*, Getränke *pl.* — '**drink·er** *s* 1. Trinkende(r). – 2. Zecher *m.* – 3. Trinker *m*, Säufer *m*: hard ~ starker Trinker.

drink·ing ['driŋkiŋ] I *s* 1. Trinken *n.* – 2. (*gewohnheitsmäßiges*) Trinken (*alkoholischer Getränke*). – 3. Zeche'rei *f*, Trink-, Zechgelage *n.* – II *adj* 4. trinkend. – 5. dem Trunk ergeben: a ~ man ein Trinker, ein Alkoholiker. – 6. Trink..., Trunk..., Zech... — ~ **bout** *s* Trinkgelage *n.* — ~ **cup** *s* Trinkbecher *m*, -schale *f.* — ~ **foun·tain** *s* Trinkbrunnen *m.* — ~ **song** *s* Trinklied *n.* — ~ **straw** *s* Trinkhalm *m.* — ~ **wa·ter** *s* Trinkwasser *n.*

drink| mon·ey *s selten* Trinkgeld *n.* — ~ **of·fer·ing** *s relig.* Trankopfer *n.*

drip [drip] I *v/t pret u. pp* **dripped** *od.* **dript** [dript] 1. (her'ab)tröpfeln *od.* (-)tropfen lassen. – II *v/i* 2. triefen (with von): his clothes were ~ping seine Kleider trieften. – 3. (her'ab)tröpfeln, (her'ab)tropfen (from von). – III *s* 4. (Her'ab)Tröpfeln *n.* – 5. (her'ab)tröpfelnde Flüssigkeit. – 6. *arch.* Trauf-, Kranzleiste *f.* – 7. *tech.* Nachlauf *m* (*bei der Destillation etc*). – 8. *tech.* a) Tropfrohr *n*, b) Tropfenfänger *m.* – 9. *sl.* ,Waschlappen' *m* (*Schwächling*). — ~ **cock** *s tech.* Entwässerungshahn *m.* — ~ **cof·fee** *s Am.* Filterkaffee *m.* — '~-,**drip** *s* Tropf-Tropf *n*, fortwährendes Tröpfeln. — ~ **feed** *s tech.* Tropf(öl)schmierung *f.* — ~ **oil·er** *s tech.* Tropföler *m.* — ~ **pan** → dripping pan.

drip·ping ['dripiŋ] I *s* 1. (Her'ab)Tröpfeln *n*, (-)Tropfen *n.* – 2. *oft pl* (her'ab)tröpfelnde Flüssigkeit. – 3. (abtropfendes) Bratenfett. – II *adj* 4. (her'ab)tröpfelnd, (-)tropfend. – 5. triefend: ~ wet. – 6. (völlig) durch'näßt. — ~ **pan** *s* 1. Tropfenpfanne *f* (*für abtropfendes Fett*). – 2. Topf *m* mit Bratenfett. – 3. Bratpfanne *f.*

drip·py ['dripi] *adj* 1. tröpfelnd. – 2. regnerisch.

'**drip,stone** *s* 1. *arch.* Trauf-, Rinn-, Kranzleiste *f.* – 2. *min.* Tropfstein *m.*

driv·a·ble ['draivəbl] *adj* 1. treibbar. – 2. (be)fahrbar (*Straße*). – 3. zum Holzflößen geeignet (*Fluß*).

drive [draiv] I *s* 1. Fahrt *f*, *bes.* Spa'zierfahrt *f*, Ausflug *m*: to take a ~, to go for a ~ eine (Spazier)Fahrt machen; the ~ back die Rückfahrt. – 2. Treiben *n* (*Vieh, Holz etc*). – 3. Zu'sammentreiben *n.* – 4. *hunt.* Treibjagd *f.* – 5. zu'sammengetriebene Tiere *pl.* – 6. *psych.* a) Antrieb *m*, Mo'tiv *n*, Beweggrund *m*, b) Neigung *f*, Ten'denz *f.* – 7. (*Tennis, Golf etc*) Drive *m*, Treibschlag *m.* – 8. *mil.* Vorstoß *m*, heftiger Angriff, kraftvolle Offen'sive. – 9. Vorstoß *m*, e'nergische Unter'nehmung. – 10. *fig.* Kam'pagne *f*, Feldzug *m*, *bes.* Werbefeldzug *m*, großangelegte ('Werbe)Akti,on: a membership ~ eine Kampagne zur Mitgliederwerbung; ~ to raise money for the blind große Sammelaktion zugunsten der Blinden. – 11. *econ. Am. colloq.* große Ver'kaufsakti,on zu her'abgesetzten Preisen, Ver'billigungskam,pagne *f.* – 12. Hochdruckbetrieb *m*, auf Hochtouren laufender (Geschäfts)Betrieb. – 13. lebhafte Bewegung. – 14. Trieb-, Stoßkraft *f.* – 15. Schwung *m*, Tempo *n*, Ener'gie *f.* – 16. Ten'denz *f*, Strömung *f*, Richtung *f*, Neigung *f.* – 17. Fahrstraße *f.* – 18. *Br.* (pri'vate) Auffahrt (*zu einer Villa etc*). – 19. *tech.* Antrieb *m*: four-wheel ~ Vierradantrieb; rear ~ Hinterradantrieb; ~ by extension shaft Fernantrieb. – 20. *tech.* Antriebs-, Betriebsart *f.* – 21. Floß *n*, geflößte Baumstämme *pl.* – II *adj* 22. *tech.* Antriebs..., Trieb..., Treib... – III *v/t pret* **drove** [drouv] *obs.* **drave** [dreiv] *pp* **driv·en** ['drivn] 23. (vorwärts-, an)treiben, mit sich treiben: to ~ sheep to pasture Schafe auf die Weide treiben. – 24. *fig.* treiben: to ~ s.o. to desperation j-n zur Verzweiflung treiben *od.* bringen; to ~ s.o. to death j-n in den Tod treiben; to ~ s.o. out of his senses j-n zum Wahnsinn *od.* zur Raserei bringen; → mad 1. – 25. (ein)treiben, (ein)rammen, (ein)schlagen: to ~ home a) (*Nagel*) ganz einschlagen, b) *fig.* (*j-m etwas*) klarmachen, zu Bewußtsein bringen; to ~ the nail home (*od.* to the head) a) den Nagel ganz einschlagen, b) *fig.* die Angelegenheit endgültig erledigen; to ~ stakes *colloq.* sein Lager aufschlagen, sich häuslich niederlassen; to ~ s.th. into s.o. *fig.* j-m etwas einbleuen. – 26. (zur Arbeit) antreiben, über'anstrengen, -'lasten, hetzen, jagen. – 27. veranlassen (to, into zu; to do zu tun), bringen (to, into zu), dazu bringen (to do zu tun). – 28. nötigen, zwingen (to, into zu; to do zu tun). – 29. zu'sammentreiben, vor sich 'hertreiben: to ~ all before one alles vor sich hertreiben, jeden Widerstand überwinden. – 30. forttreiben, vertreiben, verjagen (from von). – 31. *hunt.* hetzen, jagen: → battue 1. – 32. *hunt.* durch'stöbern. – 33. (*Auto etc*) lenken, steuern, fahren: to ~ one's own car seinen eigenen Wagen fahren; to ~ a coach eine Kutsche lenken, kutschieren. – 34. (*Zugtiere*) lenken, (*Pflug*) führen. – 35. (im Auto *etc*) befördern, fahren, bringen (to nach). – 36. *tech.* (an)treiben. – 37. (*Feder etc*) führen: to ~ a pen schreiben. – 38. zielbewußt 'durchführen, zum Abschluß bringen: to ~ a good bargain ein Geschäft vorteilhaft zum Abschluß bringen. – 39. (*Gewerbe*) (zielbewußt) (be)treiben. – 40. (*Stollen, Tunnel etc*) bohren, vortreiben. – 41. *colloq.* hin'ausschieben, -zögern: to ~ s.th. to the last minute etwas bis zur letzten Minute hinausschieben. – 42. *sport* (*Ball*) mit einem Treibschlag ab- *od.* zu'rückspielen, kräftig schlagen. – 43. (*Golf*) (*Ball*) vom Abschlagmal kräftig abspielen. – *SYN. cf.* a) move, b) ride. – IV *v/i* 44. (da'hin)treiben, (da'hin)getrieben *od.* getragen werden: to ~ before the wind vor dem Wind treiben. – 45. rasen, eilen, brausen, jagen, stürmen, stürzen, rennen. – 46. a) (Auto) fahren, chauf'fieren, ein *od.* das Auto lenken, b) kut'schieren. – 47. (spa'zieren)fahren, eine (Spa'zier)Fahrt unter'nehmen. – 48. *sport* einen Treibschlag ausführen. – 49. (*Golf*) den Ball mit einem Treibschlag vom Abschlagmal abspielen. – 50. zielen (at auf *acc*): → let[1] *b. Redw.* – 51. ab-, 'hinzielen, hin'auswollen (at auf *acc*): what is he driving at? worauf will er hinaus? was meint er damit? – 52. schwer arbeiten (at an *dat*). – 53. einen Stollen vortreiben. – 54. *Br.* (das Vieh) auftreiben. –

Verbindungen mit Adverbien:

drive| a·way I *v/t* vertreiben, verjagen, (*Sorgen etc*) zerstreuen. – II *v/i* fort-, wegfahren. — ~ **back** I *v/t* 1. zu'rücktreiben. – 2. zu'rückfahren, -bringen. – II *v/i* 3. zu'rückfahren. — ~ **in** I *v/t* 1. einrammen, einschlagen, eintreiben. – 2. hin'eintreiben. – II *v/i* 3. (*mit dem Auto etc*) hin'einfahren. — ~ **on** I *v/t* 1. an-, vorwärtstreiben. – 2. *fig.* eifrig betreiben. – 3. (*Tunnel etc*) vortreiben. – II *v/i* 4. weiterfahren. — ~ **out** I *v/t* 1. austreiben, vertreiben, verjagen. – 2. spa'zierenfahren. – II *v/i* 3. hin'austreiben, -getrieben werden. – 4. spa'zieren-, ausfahren, eine Ausfahrt machen. — ~ **up** I *v/t* (*Preise etc*) hin'auftreiben, in die Höhe treiben. – II *v/i* vorfahren (to vor *dat*).

drive·a·ble *cf.* drivable.

drive| as·sem·bly *s tech.* Laufwerk *n.* — '~,**bolt** *s tech.* 1. Treibbolzen *m*, -eisen *n.* – 2. (*Stellmacherei*) a) Treibhammer *m*, b) Spannagel *m.* — '~-,**in** *Am.* I *adj* 1. Auto..., Vorfahr..., Sitz-im-Auto-... – II *s* 2. Autokino *n* (*Kino, in dem die Besucher vom Auto aus zusehen können*). – 3. Geschäft *n*, in dem die Kunden vom Auto aus ihre Einkäufe tätigen können. – 4. (*Art*) Autorasthaus *n* (*in dem die Gäste im Auto bedient werden*).

driv·el ['drivl] I *v/i pret u. pp* **-eled**, *bes. Br.* **-elled** 1. speicheln, sabbern, geifern. – 2. die Nase laufen lassen. – 3. (*aus dem Mund*) (her'aus)rinnen, her'auströpfeln. – 4. (dummes Zeug) schwatzen, plappern, faseln. – 5. sich töricht benehmen. – II *v/t* 6. da'herschwatzen, -plappern. – 7. vertändeln, vergeuden, vertrödeln. – 8. (*Speichel etc*) ausfließen lassen. – III *s* 9. ausfließender Speichel, Sabber *m.* – 10. (unsinniges) Geschwätz, Geplapper *n*, Gefasel *n.* — '**driv·el·er**, *bes. Br.* '**driv·el·ler** *s* 1. Sabberer *m*, Speichler *m.* – 2. Plapperer *m*, Faselhans *m.* – 3. Trottel *m*, Blödsinnige(r).

driv·en ['drivn] I *pp von* drive. – II *adj* 1. (an-, vorwärts-, zu'sammen)getrieben: as white as ~ snow weiß wie frischgefallener Schnee. – 2. (*in die Erde etc*) (hin'ein)getrieben, hin'eingebohrt: ~ well abessinischer Röhrenbrunnen. – 3. *tech.* angetrieben, betrieben: steam-~ dampfbetrieben.

'**drive,pipe** *s tech.* Rammrohr *n.*

driv·er ['draivər] *s* 1. (An)Treiber *m*, (*der, die, das*) Treibende. – 2. a) Lenker *m*, Fahrer *m*, Chauf'feur *m*, b) Führer *m* (*Lokomotive, Straßenbahn etc*), c) Fuhrmann *m*, Kutscher *m*, b) *antiq.* Pferde-, Wagenlenker *m.* – 3. (Vieh)Treiber *m.* – 4. Sklaven-, Gefangenenaufseher *m.* – 5. *colloq.* Antreiber *m*, Schinder *m.* – 6. *tech.* Treib-, Triebrad *n*, Ritzel *n.* – 7. *tech.* a) Treibhammer *m*, b) (Holz)Schlegel *m.* – 8. *tech.* Mitnehmer *m*, Führer *m*, Nase *f.* – 9. *tech.* Rammblock *m*, Ramme *f.* – 10. (*Gießerei*) Stoßwalze *f.* – 11. (*Golf*) Driver *m* (*für Treibschläge*). – 12. *mar.* Be'san(mast) *m.* — ~ **ant** *s zo.* Treiber-, Wanderameise *f* (*Unterfam. Dorylinae*). — ~ **mast** → driver 12.

driv·er's| cab *s tech.* Führerhaus *n*, -stand *m.* — ~ **li·cence**, *Am.* ~ **li·cense** *s* Führerschein *m.*

'**drive|,screw** *s tech.* Schlag-, Triebschraube *f.* — ~ **shaft** *s tech.* Getriebe-, Steuer-, Antriebswelle *f.* — '~,**way** *s* 1. Fahrstraße *f*, -weg *m.* – 2. *Am. für* drive 18. – 3. (Vieh)Trift *f.* — ~ **wheel** → driving wheel.

driv·ing ['draiviŋ] I *adj* 1. treibend: ~ force treibende Kraft. – 2. *tech.* Antriebs..., Treib..., Trieb..., Fahr...: ~ lessons Fahrstunden; to take ~ lessons Fahrunterricht nehmen. – 3. ungestüm, rasend, (da'hin)brausend. – 4. (zur Arbeit) antreibend, antreiberisch. – II *s* 5. Treiben *n.* – 6. Chauf'fieren *n*, Autofahren *n*: to be good at ~ gut chauffieren *od.* fahren (können). — ~ **ax·le** *s tech.* Treibachse *f*, Antriebs-, Triebwelle *f*. — ~ **band** *s mil.* (Geschoß)Führungsband *n*. — ~ **belt** *s tech.* Treibriemen *m*. — ~ **box** *s* **1.** *tech.* Achslager *n*, (Lager)Buchse *f* der Antriebsachse (*bei Lokomotiven*). – **2.** Kutschersitz *m*, Kutschbock *m*. — ~ **gear** *s tech.* Antrieb *m*, Triebwerk *n*, Getriebe *n*. — ~ **i·ron** *s* **1.** *tech.* Bohreisen *n* (*für Erdbohrungen*). – **2.** (*Golf*) eiserner Schläger mit leichter Neigung. — ~ **li·cence**, *Am.* ~ **li·cense** *s* Führerschein *m*. — ~ **mal·let** *s tech.* Schlegel *m*, Klöpfel *m*. — ~ **mir·ror** *s* Rückspiegel *m* (*Auto*). — ~ **pow·er** *s tech.* Antriebskraft *f*, -leistung *f*. — ~ **shaft** → drive shaft. — ~ **spring** *s* **1.** (*Eisenbahn*) Triebachs(en)lagerfeder *f*. – **2.** (*Uhr*) Trieb-, Gangfeder *f*. — ~ **test** *s* Fahrprüfung *f*: to pass one's ~ den Führerschein machen. — ~ **wa·ter** *s tech.* Aufschlagwasser *n*. — ~ **wheel** *s tech.* Trieb-, Antriebsrad *n*.

driz·zle ['drizl] **I** *v/i* **1.** nieseln, fein regnen. – **II** *v/t* **2.** in kleinen Tröpfchen versprühen. – **3.** mit kleinen Tröpfchen benetzen. – **III** *s* **4.** feiner Sprühregen, Nieselregen *m*. — '**driz·zly** *adj* nieselnd, fein regnend *od.* schneiend, feucht u. neblig.

dro·gher ['drougər] *s mar.* **1.** *kleines westindisches Küsten-Segelfahrzeug.* – **2.** plumper Lastkahn *od.* Leichter mit Besegelung.

drogue [droug] *s* **1.** → sea anchor. – **2.** *aer. mil.* Schleppscheibe *f*, -sack *m*.

droit [drɔit; drwa] *s jur.* **1.** Recht(sanspruch *m*) *n*: ~s of Admiralty Rechtsansprüche der Marinebehörde auf feindliche Schiffe. – **2.** Recht *n*, Gesetzessammlung *f*. – **3.** Recht *n* (*das, worauf man Anspruch hat*). – **4.** Abgabe *f*, Gebühr *f*, Zoll *m*.

droll [droul] **I** *adj* drollig, spaßig, komisch, pos'sierlich. – *SYN. cf.* laughable. – **II** *s selten* Possenreißer *m*. – **III** *v/i selten* Possen reißen. — '**droll·er·y** [-əri] *s* **1.** drollige *od.* spaßige Sache. – **2.** drollige Geschichte, Schnurre *f*, Schwank *m*, Spaß *m*. – **3.** Posse *f*. – **4.** Drolligkeit *f*, Spaßigkeit *f*. – **5.** Komik *f*. – **6.** Possenreißen *n*, -reiße'rei *f*, drolliges Benehmen. – **7.** *obs.* a) komisches Gemälde, b) Puppenspiel *n*. — '**drol·ly** *adv* **1.** drollig, komisch, spaßig. – **2.** scherzhaft. – **3.** lustig.

-drome [droum] *Wortelement mit der Bedeutung* (Renn)Bahn.

drome [droum] *sl. für* airdrome *od. Br.* aerodrome.

drom·e·dar·i·an [ˌdrɒmə'dɛ(ə)riən; ˌdrʌm-] **I** *s* Ka'mel-, Drome'darreiter *m*. – **II** *adj* Dromedar... — '**drom·e·dar·y** [*Br.* -dəri; *Am.* -ˌderi] *s zo.* **1.** Drome'dar *n*, Einhöckeriges Ka'mel (*Camelus dromedarius*). – **2.** *selten* 'Reit-, 'Rennkaˌmel *n*.

drom·ond ['drɒmənd; 'drʌm-], *auch* '**drom·on** [-ən] *s mar. hist.* großer Schnellsegler (*im Mittelalter*).

drom·o·pho·bi·a [ˌdrɒmo'foubiə] *s krankhafte Furcht vor dem Überqueren von Straßen.*

-dromous [drɒməs; drə-] *Wortelement mit der Bedeutung* laufend.

drone¹ [droun] **I** *s* **1.** *zo.* Drohn(e *f*) *m* (*Bienenmännchen*). – **2.** *fig.* Drohne *f*, Nichtstuer *m*, Schma'rotzer *m*. – **3.** *mil.* (*durch Funk*) ferngesteuertes Fahrzeug (*bes. Flugzeug, Boot, Rakete*). – **II** *v/i* **4.** faulenzen. – **III** *v/t* **5.** in Müßiggang verbringen, faul vertrödeln.

drone² [droun] **I** *v/i* **1.** brummen, summen. – **2.** murmeln. – **3.** *fig.* leiern, eintönig sprechen *od.* lesen. – **II** *v/t* **4.** (her'unter)leiern. – **III** *s* **5.** *mus.* a) ständiger tiefer Brummton, b) Brumm-, Baßpfeife *f* (*des Dudelsacks*), c) Baßsaite *f*, d) Dudelsack *m*, e) 'Brumminstruˌment *n*. – **6.** Brummen *n*, Gebrumm *n*, Summen *n*. – **7.** *fig.* Geleier *n*, mono'tone Sprache. – **8.** *fig.* leiernder Redner.

drone| bass [beis] *s mus.* Dröhnbaß *m* (*durch das ganze Stück tönender Grundton*). — ~ **bee** → drone¹ 1. — ~ **fly** *s zo.* Drohnen-, Schlammfliege *f* (*Eristalis tenax*).

dron·go ['drɒŋgou] *pl* **-gos** *s zo.* Drongo *m* (*Fam. Dicruridae; Singvogel*). — ~ **cuck·oo** *s zo.* Drongokuckuck *m* (*Surniculus lugubris*). — ~ **shrike** → drongo.

dron·ish ['drouniʃ] *adj* drohnenhaft, faul, untätig. — '**dron·y** *adj* **1.** → dronish. – **2.** brummend, summend.

drool [druːl] **I** *v/i Br. od. Am. dial. für* drivel I. – **II** *s Am. sl. od. Br. dial. für* drivel III.

droop [druːp] **I** *v/i* **1.** (kraftlos) her'abhängen *od.* -sinken. – **2.** (ver)welken, welk her'abhängen. – **3.** ermüden, ermatten, erschlaffen, 'umfallen, erschöpft zu'sammensinken (from, with vor *dat*, in'folge). – **4.** sinken (*Mut etc*). – **5.** den Kopf hängenlassen, den Mut sinken lassen. – **6.** *econ.* abbröckeln, fallen (*Preise*). – **7.** *poet.* sich neigen, sich senken, sinken (*Sonne etc*). – **II** *v/t* **8.** (kraftlos) her'abhängen lassen. – **9.** (*Kopf*) hängenlassen, (*Mut*) sinken lassen. – **III** *s* **10.** (Her'ab)Hängen *n*, Her'absinken *n*. – **11.** Erschlaffen *n*. – **12.** Senken *n*. — '**droop·y** *adj* **1.** erschlafft, ermattet, schlaff, matt. – **2.** niedergeschlagen, mutlos.

drop [drɒp] **I** *s* **1.** Tropfen *m*: a ~ of blood ein Blutstropfen; a ~ in the bucket (*od.* ocean) *fig.* ein Tropfen auf den heißen Stein, ein Tropfen im Meer. – **2.** *med.* a) Tropfen *m*, b) *pl* Tropfen *pl*, 'Tropfarzˌnei *f*. – **3.** *fig.* Tropfen *m*, Tröpfchen *n*, Schlückchen *n*: ~ by ~, in ~s tropfen-, tröpfchenweise, in kleinen Portionen. – **4.** *fig.* (*das*) bißchen, Quentchen *n*, Kleinigkeit *f*. – **5.** Glas *n*, Gläschen *n*: to take a ~ now and then sich dann u. wann ein Gläschen zu Gemüte führen; he has taken a ~ too much er hat ein Glas über den Durst getrunken; to have a ~ in one's eye *colloq.* sichtlich betrunken sein, ‚einen (leichten) sitzen haben'. – **6.** tropfenähnliches Gebilde, *bes.* a) Ohrgehänge *n*, b) (her'abhängendes) Prisma (*Glaslüster*). – **7.** Drop *m*, 'Fruchtbonˌbon *m*, *n*. – **8.** Fallen *n*, plötzliches Niedergehen *od.* Her'abfallen, Fall *m* (from aus): at the ~ of a hat *Am. colloq.* prompt, bei jeder passenden u. unpassenden Gelegenheit; to get (*od.* have) the ~ on s.o. *Am. colloq.* a) j-m (*beim Ziehen der Waffen*) zuvorkommen, j-n mit der Waffe in Schach halten, b) j-s ungünstige Lage ausnützen, j-n in der Klemme haben. – **9.** *econ.* plötzliches Fallen *od.* Sinken: a ~ in prices ein Fallen der Preise. – **10.** Fall(tiefe *f*, -weite *f*) *m*: a ~ of ten feet ein Fall aus 3 Meter Höhe, ein Fall aus einer Höhe von 3 Metern. – **11.** (gesellschaftlicher) Abstieg. – **12.** (plötzliche) Senkung, (steiler) Abfall *od.* Abhang, Gefälle *n*. – **13.** Fall *m*, Sturz *m* (*Temperatur etc*). – **14.** *electr.* (Ab)Fall *m* (*Spannung*). – **15.** *mar.* Tiefe *f* (*gewisser Segel*). – **16.** a) Fallvorrichtung *f*, b) Vorrichtung *f* zum Her'ablassen (*von Lasten etc*). – **17.** Falltür *f*. – **18.** a) Fallbrett *n* (*Galgen*), b) Galgen *m*. – **19.** → ~ hammer. – **20.** (Fall)Klappe *f* (*am Schlüsselloch etc*). – **21.** *Am.* Einwurf *m*: letter ~ Briefeinwurf. – **22.** → ~ curtain. – **23.** → ~ kick. – **24.** (*Obstbau*) a) *Am.* Fallobst *n*, b) Abfallen *n* (*Obst*). – **II** *v/i pret u. pp* **dropped** *od.* **dropt** [drɒpt] **25.** (her'ab)tropfen, her'abtröpfeln, in Tropfen fallen. – **26.** triefen (with von). – **27.** (her'ab-, her'unter)fallen (from von, out of aus): to let s.th. ~ etwas fallen lassen. – **28.** *fig.* fallen: these words ~ped from his lips diese Worte kamen von seinen Lippen. – **29.** (zu Boden) sinken, fallen: to ~ on one's knees auf die Knie sinken *od.* fallen; to ~ into a chair auf *od.* in einen Sessel sinken. – **30.** (besinnungslos) zu Boden sinken, in Ohnmacht fallen, 'umfallen. – **31.** tot zu Boden stürzen, sterben. – **32.** aufhören, sein Ende finden, vergehen. – **33.** im Sande verlaufen, einschlafen, aufhören, zum Stillstand kommen: our correspondence ~ped unser Briefwechsel schlief ein. – **34.** sinken, (ver)fallen: to ~ asleep einschlafen, in Schlaf sinken. – **35.** (ab)sinken, sich senken. – **36.** *econ.* sinken, fallen, zu'rückgehen (*Preise etc*). – **37.** sinken, fallen (*Thermometer etc*). – **38.** sich senken (*Stimme*). – **39.** sich legen (*Wind*). – **40.** sich ducken (*bes. Jagdhund*). – **41.** zufällig *od.* unerwartet kommen *od.* gehen: to ~ into a party in eine Gesellschaft hineinschneien; to ~ across s.o. zufällig auf j-n stoßen; to ~ into a fortune unerwartet zu einem Vermögen kommen. – **42.** *colloq.* 'herfallen (on, across, into s.o. über j-n): to ~ on s.o. über j-n herfallen, ‚j-m die Leviten lesen', ‚j-n anfahren'. – **43.** *meist* ~ down (*auf einem Fluß etc*) hin'abgleiten, -fahren. – **44.** *oft* ~ back, ~ behind (zu'rück)bleiben, (-)fallen: to ~ to the rear zurückbleiben, ins Hintertreffen geraten. – **45.** (*Junge*) werfen, *bes.* a) lammen, b) kalben, c) fohlen. – **46.** geworfen *od.* geboren werden (*Tier*). – **47.** abfallen, sich nach unten erstrecken. – **III** *v/t* **48.** (her'ab)tropfen *od.* (her'ab)tröpfeln lassen. – **49.** tropfenweise eingießen. – **50.** (*Träne etc*) vergießen, fallen lassen. – **51.** *obs.* tüpfeln. – **52.** senken, her'ablassen. – **53.** fallen lassen: → brick 4. – **54.** (hin'ein)werfen (into in *acc*). – **55.** (*Bomben etc*) (ab)werfen. – **56.** *mar.* (*Anker*) auswerfen. – **57.** (*Bemerkungen etc*) fallenlassen, beiläufig äußern. – **58.** (*Thema etc*) fallenlassen. – **59.** einstellen, aufgeben, aufhören mit: to ~ writing aufhören zu schreiben; to ~ the correspondence die Korrespondenz einstellen; ~ it! hör auf damit! laß das! – **60.** nichts mehr zu tun haben wollen mit. – **61.** *Am.* a) entlassen, b) (*von einem College etc*) rele'gieren, ausschließen. – **62.** (*Junge, bes. Lämmer*) werfen. – **63.** (*Brief etc*) (formlos) schreiben: → line¹ 18. – **64.** (*Last etc*) niederlegen, -setzen. – **65.** (*Passagiere*) absetzen. – **66.** *sl.* (*Geld*) a) loswerden, b) verlieren. – **67.** (*Buchstaben etc*) nicht (aus)sprechen *od.* schreiben: to ~ one's aitches das ‚h' (*am Wortanfang*) nicht sprechen, *fig.* eine vulgäre Aussprache haben. – **68.** zu Fall bringen, zu Boden schlagen, fällen, niederschlagen. – **69.** her'unterschießen: to ~ a bird. – **70.** (*Augen*) senken, niederschlagen. – **71.** (*Stimme*) senken. – **72.** *math.* (*Lot*) fällen, errichten. – **73.** *sport* a) (*Tor*) durch einen Sprungtritt erzielen, b) (*Ball*) mit einem Sprungtritt abspielen. – **74.** *mar.* hinter sich lassen, aus der Sicht verlieren. – **75.** → poach². –

Verbindungen mit Adverbien:

drop| a·stern *mar.* **I** *v/i* **1.** zu'rückbleiben. – **2.** achteraus sacken, auswandern (*Landmarken, Feuer etc*). –

II *v/t* → drop 74. — ~ **a·way** *v/i* 1. all'mählich abtröpfeln. – 2. nachein'ander abfallen. – 3. einer nach dem anderen sich entfernen. – 4. außer Sicht kommen. — ~ **back** *v/i* zu'rückbleiben, -fallen. — ~ **behind** *v/i* zu'rückbleiben. — ~ **down** *v/i* 1. her'abtröpfeln. – 2. her'abfallen. – 3. her'ab-, niedersinken. – 4. → drop 43. — ~ **in** *v/i* 1. einzeln *od.* nachein'ander her'einkommen. – 2. einlaufen (*Aufträge*). – 3. plötzlich vorsprechen, her'einschneien: to ~ on s.o. j-m einen formlosen *od.* unerwarteten Besuch machen. — ~ **off** *v/i* 1. abtröpfeln. – 2. abfallen. – 3. *electr.* abfallen. – 4. fallen, geringer werden, zu'rückgehen, abnehmen. – 5. sich zu'rückziehen. – 6. in den 'Hintergrund treten. – 7. einschlafen. – 8. sterben. — ~ **out** *v/i* 1. aus-, fortfallen. – 2. verschwinden. – 3. sich zu'rückziehen, ausscheiden, nicht mehr mitmachen: to ~ of s.th. sich von etwas zurückziehen.

drop| an·nun·ci·a·tor *s tech.* 'Fallklappen-Si,gnaltafel *f.* — ~ **arch** *s arch.* niedriger Spitzbogen. — ~ **biscuit** *s Am.* (*Art*) Plätzchen *n.* — ~ **bomb** *s mil.* Fliegerbombe *f.* — ~ **bot·tom** *s* Bodenklappe *f* (*Güterwagen etc*). — ~ **box** *s* 1. (*Weberei*) Steiglade *f.* – 2. *Am.* Briefkasten *m.* — '~-,**cen·ter** (*Br.* -,**cen·tre**) **rim** *s tech.* Tiefbettfelge *f.* — ~ **cook·y** *s Am.* Tropfteigplätzchen *n.* — ~ **cur·tain** *s* (*Theater*) (bemalter) Vorhang (*der in den Pausen heruntergelassen wird*). — '~-,**forge** *v/t tech.* gesenkschmieden, im Gesenk schmieden, warmpressen. — ~ **forg·ing** *s tech.* 1. Gesenkschmieden *n.* – 2. Gesenkschmiedestück *n.* — ~ **ham·mer** *s tech.* Fall-, Gesenkhammer *m.* — ~ **han·dle** *s tech.* Klappgriff *m.* — '~,**head I** *s tech.* Versenkvorrichtung *f* (*Nähmaschine etc*). – II *adj* versenkbar, abklappbar: ~ coupé geschlossener Wagen mit abklappbarem *od.* versenkbarem Verdeck. — ~ **kick** *s* (*Rugby u. amer. Fußball*) Dropkick *m*, Sprungtritt *m*, Fallab-, Fallballstoß *m.* — '~-,**kick I** *v/t* (*Ball*) mit einem Sprungtritt treten. – II *v/i* einen Ball mit Sprungtritt treten. — ~ **leaf** *s irr* her'unterklappbarer Tischflügel.

drop·let ['drɒplit] *s* Tröpfchen *n.*

drop| let·ter *s Am.* vom Aufgabepostamt zuzustellender Brief, Ortsbrief *m.* — '~,**light** *s tech.* 1. her'abziehbare Lampe, Zugpendel *n.* – 2. Zugpendelrolle *f.* — ~ **mes·sage** *s mil.* Abwurfmeldung *f.* — '~,**out** *s* (*Rugby*) Lagertritt *m* (*Sprungtritt, hinter der Lagergrenze von einem Verteidiger ausgeführt*). — '~-,**out-'cur·rent** *s electr.* Auslöse-, Abfall-, Abschaltstrom *m* (*bes. bei Sicherungen*).

dropped [drɒpt] **I** *pret u. pp von* drop. – **II** *adj tech.* gekröpft.

drop·per ['drɒpər] *s* 1. j-d der *od.* etwas was tropft, fällt, fallen läßt. – 2. Tropfenzähler *m.* – 3. *med.* Tropfer *m*, Tropfglas *n*, -flasche *f*, Tropfenzähler *m*: **eye** ~ Augentropfer.

drop·ping ['drɒpiŋ] *s* 1. (Her'ab)Tropfen *n*, Tröpfeln *n*: **constant ~ wears a stone** steter Tropfen höhlt den Stein. – 2. Abwurf *m*, Abwerfen *n* (*Bomben etc*). – 3. (Her'ab)Fallen *n*, Sinken *n*, Fallenlassen *n.* – 4. (*etwas*) Her'abfallendes *od.* -tröpfelndes, *bes.* a) Regen *m*, b) her'abtröpfelndes Wachs, c) Tropffett *n.* – 5. *pl* (Tier)Mist *m*, Dung *m*, 'Tierexkre,mente *pl.* – 6. *pl* (Ab)Fallwolle *f.* – 7. *electr.* Zu'sammenbrechen *n* (*der Spannung*). — ~ **bot·tle** *s chem. med.* Tropfflasche *f.* — ~ **tube** *s chem. med.* Bü'rette *f*, Pi'pette *f*, Tropfenmesser *m*, Maßröhre *f.*

drop| pit *s tech.* Arbeitsgrube *f.* — ~ **press** → drop hammer. — ~ **scene** *s* 1. → drop curtain. – 2. *fig.* dra'matische Schlußszene, Fi'nale *n.* — ~ **seat** *s* Klappsitz *m.* — ~ **ship·ment** *s econ.* di'rekte Verschiffung (an den Einzelhändler) bei Käufen durch Vermittler. — ~ **shot** *s* 1. *tech.* (*im Tropfverfahren hergestellter*) Me'tallschrot, -grieß. – 2. → drop stroke. — ~ **shut·ter** *s* 1. *phot.* Fallscheibe *f*, -verschluß *m.* – 2. *tech.* Fallklappe *f* (*einer Signalvorrichtung*).

drop·si·cal ['drɒpsikəl], '**drop·sied** [-sid] *adj med.* 1. wassersüchtig, an Wassersucht leidend. – 2. ödema'tös, Wassersucht...

'**drops-of-'snow** *s bot.* Buschwindröschen *n* (*Anemone nemorosa*).

drop| stroke *s* (*Tennis*) Stoppball *m.* — ~ **sul·phur** *s chem.* plastischer Schwefel.

drop·sy ['drɒpsi] *s med. vet.* 1. Wassersucht *f.* – 2. Ö'dem *n.* — ~ **plant**, *auch* '~,**wort** → balm 5a.

dropt [drɒpt] *pret u. pp von* drop.

drop| ta·ble *s* Klapptisch *m.* — ~ **test** *s tech.* Schlagprobe *f*, -versuch *m*, Fallprobe *f.* — ~ **tin** *s chem.* granu'liertes Zink. — '~,**wise** *adv* tropfenweise. — '~,**wort** *s bot.* 1. Jo'hanniswedel *m*, Mädesüß *n* (*Filipendula hexapetala*). – 2. Rebendolde *f* (*Gattg Oenanthe*).

dros·er·a·ceous [,drɒsə'reiʃəs] *adj bot.* zu den Sonnentaugewächsen gehörend.

drosh·ky ['drɒʃki], **dros·ky** ['drɒski] *s* Droschke *f.*

dros·o·graph ['drɒso,græ(:)f; -sə-; *Br. auch* -,grɑ:f] *s phys.* Droso'graph *m*, regi'strierender Taumesser. — **dro·som·e·ter** [dro'sɒmitər; drə-; -mə-] *s phys.* Droso'meter *n*, Taumesser *m.*

dro·soph·i·la [dro'sɒfilə; drə-] *pl* **-lae** [-,li:] *s zo.* Taufliege *f* (*Gattg Drosophila*).

dross [drɒs] *s* 1. *tech.* (Ab)Schaum *m* (*von geschmolzenem Metall*). – 2. *tech.* Schlacke *f*, Gekrätz *n.* – 3. Abfall *m*, Unrat *m*, Mist *m*, Dreck *m*, Spreu *f.* – 4. *fig.* Abfall *m*, wertloses Zeug. — '**dross·y** *adj* 1. unrein, voller Unreinlichkeiten. – 2. schlackig, schlakkenartig. – 3. *fig.* wertlos, vergänglich.

drought [draut] *s* 1. Trockenheit *f*, Dürre *f*, Wassermangel *m*: ~ **resistance** *biol.* Trockenresistenz. – 2. 'Dürre(peri,ode) *f.* – 3. *selten* Mangel *m.* – 4. *obs. od. dial.* Durst *m.* — '**drought·y** *adj* 1. trocken, dürr, ausgedörrt. – 2. regenlos. – 3. *obs. od. dial.* durstig.

drouk [dru:k] *pret u. pp* **drouked** [dru:kt], **drouk·it, drouk·et** ['dru:kit] *pres p* '**drouk·ing,** '**drouk·an** [-kən] *v/t Scot.* 1. durch'nässen. – 2. über'wältigen.

drouth [drauθ], '**drouth·y** → drought, droughty.

drove[1] [drouv] *pret von* drive.

drove[2] [drouv] **I** *s* 1. Trieb *m*, (getriebene) Herde (*Vieh*). – 2. *fig.* Herde *f*, Menge *f*, Zug *m* (*Menschen*). – 3. *tech.* a) Breiteisen *n*, breiter Meißel, b) → ~ work. – 4. *Br.* schmaler Ent- *od.* Bewässerungsgraben. – **II** *v/t* 5. (*Vieh*) (zum Markt) treiben. – 6. *tech.* (*Stein*) rauhbehauen. – **III** *v/i* 7. Vieh zum Markt treiben. – 8. Viehhandel betreiben. – 9. *tech.* Steine mit dem Breiteisen bearbeiten.

dro·ver ['drouvər] *s* 1. Viehhändler *m.* – 2. Viehtreiber *m.*

drove work *s tech.* rauhbehauene Steinoberfläche.

drown [draun] **I** *v/i* 1. ertrinken: a ~ing man will catch at a straw ein Ertrinkender greift nach einem Strohhalm. – **II** *v/t* 2. ertränken: to ~ oneself sich ertränken; to be ~ed ertrinken. – 3. über'schwemmen, -'fluten, -'strömen: to be ~ed in tears in Tränen gebadet sein; like (*od.* as wet as) a ~ed rat pudelnaß. – 4. *auch* ~ out (*bes. die Stimme*) über'tönen, unhörbar machen. – 5. *fig.* ersticken, ertränken, betäuben. – 6. ~ out durch Über'schwemmung vertreiben.

drowse [drauz] **I** *v/i* 1. schläfrig sein, (da'hin)dösen, schlummern. – 2. *fig.* schwerfällig *od.* langsam *od.* verschlafen sein. – **II** *v/t* 3. schläfrig machen. – 4. (*geistig*) abstumpfen. – 5. (*Zeit etc*) verdösen, mit Schlafen verbringen. – **III** *s* 6. Dösen *n*, Halbschlaf *m*, Schlummer *m.* – 7. Schläfrigkeit *f*, Schlaftrunkenheit *f.* — '**drow·si,head** [-zi,hed], *auch* '**drow·si,hood** *obs. für* drowsiness. — '**drow·si·ness** *s* 1. Schläfrigkeit *f.* – 2. (*das*) Einschläfernde. – 3. *fig.* Schwerfälligkeit *f*, Trägheit *f.* — '**drow·sy** *adj* 1. schläfrig, schlaftrunken. – 2. einschläfernd. – 3. sich schläfrig da'hinschleppend. – 4. (*bes. geistig*) schwerfällig, träg(e), unbeweglich. – 5. untätig, träg(e), verschlafen.

drub [drʌb] **I** *v/t pret u. pp* **drubbed** 1. prügeln, (mit einem Stock) schlagen. – 2. *fig.* hämmern, pauken, treiben: to ~ s.th. into (out of) s.o. j-m etwas einhämmern (austreiben). – 3. beschimpfen. – 4. völlig besiegen. – 5. stampfen mit (*den Füßen*). – **II** *v/i* 6. stampfen, trommeln. – **III** *s* 7. (Stock)Hieb *m*, klatschender Schlag. — '**drub·bing** *s* 1. Tracht *f* Prügel. – 2. Niederlage *f*, völlige Besiegung.

drudge [drʌdʒ] **I** *s* 1. *fig.* Roboter *m*, Kuli *m*, Packesel *m*, (Arbeits)Sklave *m*: to be the ~ das Aschenbrödel sein. – 2. → drudgery. – **II** *v/i* 3. sich (ab)placken, schuften, rackern, fronen, sich (ab)schinden. — '**drudg·er** → drudge 1. — '**drudg·er·y** [-əri] *s* Schufte'rei *f*, Schinde'rei *f*, Placke'rei *f.* – *SYN. cf.* work. — '**drudg·ing·ly** *adv* mühsam.

drug [drʌg] **I** *s* 1. Droge *f*, Arz'neimittel *n*, pharma'zeutisches Präpa'rat, Droge'rieware *f.* – 2. Nar'kotikum *n*, *bes.* Rauschgift *n*: ~ **habit** Rauschgiftsucht; ~ **traffic** Rauschgifthandel; → **addict** 1. – 3. *obs.* chemisches Präpa'rat. – 4. *econ.* Ladenhüter *m*, schwer *od.* nicht verkäufliche Ware: a ~ on (*od.* in) the market ein Ladenhüter. – **II** *v/t pret u. pp* **drugged** 5. (*dat*) Drogen beimischen. – 6. (mit Drogen) betäuben *od.* vergiften. – 7. *fig.* über'sättigen. – **III** *v/i* 8. Drogen verschreiben *od.* verabreichen. – 9. *colloq.* Rauschgift nehmen. — '**drug·ger·y** [-əri] *s* 1. Drogen *pl*, Apo'thekerwaren *pl.* – 2. Drogenhandlung *f*, Droge'rie *f.*

drug·get ['drʌgit] *s* 1. Dro'gett *m* (*Art Wollstoff*). – 2. grobes Gewebe, *bes.* Teppich-, Möbelschoner *m.* – 3. (*Art*) grober Teppich, Läufer *m.*

drug·gist ['drʌgist] *s* 1. Dro'gist *m*, Drogenhändler *m*, Pharma'zeut *m.* – 2. *bes. Am. od. Scot.* Apo'theker *m.* – *SYN.* **apothecary, chemist, pharmaceutist, pharmacist.** — '**drug·less** *adj* ohne Drogen, arz'neilos.

'**drug,store** *s Am.* 1. Drugstore *m* (*Drogerie mit Schnellgaststätte, Schreibwaren-, Rauchwaren- u. Kosmetikabteilung*). – 2. Apo'theke *f*, Droge'rie *f.*

dru·id, *oft* **D~** ['dru:id] *s* Dru'ide *m.* — '**dru·id·ess,** *oft* **D~** ['dru:idis] *s* Dru'idin *f.* — **dru'id·ic, dru'id·i·cal** *adj* dru'idisch, Druiden... — '**dru·id,ism** *s* Drui'dismus *m*, dru'idische Religi'on *od.* Lehre.

drum[1] [drʌm] **I** *s* **1.** *mus.* Trommel *f*: to beat the ~ die Trommel schlagen *od.* rühren, trommeln; with ~s beating unter Trommelschlag, mit klingendem Spiel. – **2.** (Baum)-Trommel *f.* – **3.** Trommelschlag *m*, -ton *m* (*auch fig.*): → roll 15. – **4.** *tech.* a) Trommel *f*, b) Mischtrommel *f*, c) Seiltrommel *f*, d) Fördertrommel *f*, e) Walze *f*, f) Spule *f*, g) Scheibe *f*, h) Zy'linder *m*, i) Mühlbottich *m*. – **5.** *mil.* Trommel *f* (*automatischer Feuerwaffen*). – **6.** *electr.* Trommel *f*, (Eisen)Kern *m* (*eines Ankers*). – **7.** Trommel *f*, trommelförmiger *od.* zy'lindrischer Behälter. – **8.** *mus.* Tambu'rin *n.* – **9.** *med. zo.* a) Mittelohr *n*, Paukenhöhle *f*, b) Trommelfell *n.* – **10.** Trommler *m*, Tambour *m.* – **11.** *arch.* a) Trommel *f* (*des Säulenschafts*), b) Trommel *f*, Tambour *m* (*Kuppelträger*). – **12.** → ~fish. – **13.** *obs.* Abendgesellschaft *f.* – **II** *v/t pret u. pp* **drummed 14.** (*Lied*) trommeln. – **15.** trommeln auf (*acc*): to ~ the table. – **16.** ~ up zu'sammentrommeln, anlocken, (an)werben. – **17.** *fig.* pauken: to ~ s.th. into s.o. j-m etwas einpauken. – **18.** ~ out schimpflich ausstoßen, hin'auswerfen. – **19.** (*Felle*) läutern. – **III** *v/i* **20.** trommeln. – **21.** trommeln, (rhythmisch) schlagen, pochen, klopfen: to ~ at the door an die Tür trommeln. – **22.** ein trommelndes Geräusch verursachen, (rhythmisch) dröhnen. – **23.** burren, mit den Flügeln trommeln (*Federwild*). – **24.** (mit den Vorderläufen) trommeln (*Hase*). – **25.** *Am.* die Werbetrommel rühren (for für).

drum[2] [drʌm] *s* **1.** *Scot. od. Irish* langer schmaler Hügel. – **2.** → drumlin.

drum| ar·ma·ture *s electr.* Trommelanker *m.* — '~ˌ**beat** *s* **1.** Trommelschlag *m.* – **2.** Trommeln *n.*

drum·ble ['drʌmbl] *v/i obs. od. dial.* trödeln.

drum| corps *s mil.* Trommlerkorps *n.* — ~ **cyl·in·der** *s tech.* **1.** 'Druckzyˌlinder *m.* – **2.** (*Spinnerei*) (Haupt)-Trommel *f.* — '~ˌ**fire** *s mil.* Trommelfeuer *n.* — '~ˌ**fish** *s zo.* (*ein*) amer. Umberfisch *m* (*Fam. Sciaenidae*), *bes.* a) common ~ Gemeiner Trommelfisch (*Pogonias cromis*), b) → red ~, c) fresh-water ~ Grunzfisch *m* (*Aplodinotus grunniens*).

'**drumˌhead** *s* **1.** *mus.* Trommelfell *n.* – **2.** *med. zo.* Trommelfell *n.* – **3.** *mar.* Gangspillkopf *m.* — ~ **court-mar·tial** *s mil.* Standgericht *n.* — ~ **serv·ice** *s mil. relig.* Feldgottesdienst *m.*

drum·lin ['drʌmlin] *s geol.* langgestreckter Mo'ränen- *od.* Schotterhügel.

drum·ly ['drʌmli] *adj Scot.* sorgenvoll, düster.

drum| ma·jor *s* 'Tambourmaˌjor *m.* — ~ **ma·jor·ette** *s bes. Am.* 'Tambourmaˌjorin *f.*

drum·mer ['drʌmər] *s* **1.** *mus.* a) Trommler *m*, b) Schlagzeuger *m.* – **2.** *econ. Am.* Vertreter *m*, Handlungsreisender *m.* – **3.** *tech. Br.* Arbeiter, der eine Trommel bedient, *bes.* Wickler *m.* – **4.** *zo.* → sea trout 2.

drum·mock ['drʌmək] → drammock.

Drum·mond light ['drʌmənd] *s phys.* Drummondsches (Kalk-, Knallgas)-Licht.

drum·my ['drʌmi] *adj* **1.** trommelförmig. – **2.** trommelähnlich klingend.

drum| saw *s tech.* Zy'lindersäge *f.* — ~ **sieve** *s tech.* Trommelsieb *n.* — '~ˌ**stick** *s* **1.** Trommelstock *m*, -schlegel *m.* – **2.** 'Unterschenkel *m* (*eines zubereiteten Vogels*). — ~ **wheel** *s tech.* **1.** Trommel-, Schneckenrad *n.* – **2.** (*Wasserbau*) Schöpf-, Tretrad *n.* – **3.** Kabeltrommel *f.* — ~ **wind·ing** *s electr.* Trommelwick(e)lung *f.* — '~ˌ**wound** *adj electr.* als Trommelwicklung ausgeführt, Trommel...

drunk [drʌŋk] **I** *adj* (*fast nur pred*) **1.** betrunken: he is ~ er ist betrunken; to get ~ sich betrinken; ~ as a lord (*od.* a fiddler), dead ~ sinnlos *od.* total betrunken; beastly ~ ‚stinkbesoffen'; → blind 33. – **2.** *fig.* trunken (with vor *dat*, von): ~ with joy freudetrunken, trunken vor Freude. – **3.** *obs.* durch'tränkt. – *SYN.* drunken, inebriated, intoxicated, tight, tipsy. – **II** *s sl.* **4.** Betrunkene(r). – **5.** Zechgelage *n*, Saufe'rei *f*, Kneipe'rei *f.* – **6.** Betrunkenheit *f*, Besoffenheit *f.* – **III** *pp u. obs. pret von* drink. — '**drunk·ard** [-ərd] *s* (Gewohnheits)-Trinker(in), Säufer *m*, Trunkenbold *m*, Alko'holiker *m.* — '**drunk·en I** *adj* (*fast nur attributiv*) **1.** betrunken, berauscht: a ~ man ein Betrunkener. – **2.** trunksüchtig, ‚versoffen', Sauf... – **3.** durch Betrunkenheit bedingt: a ~ quarrel ein im Rausch angefangener Streit. – **4.** *selten* ge-, durch'tränkt. – **5.** *tech.* a) toll (*Schraube*), b) schlagend (*Bohrer*). – *SYN. cf.* drunk. – **II** *obs. pp von* drink. — '**drunk·en·ness** *s* **1.** Betrunkensein *n*, Berauschtheit *f*, Rausch *m*: (habitual) ~ Trunksucht, Alkoholismus; → blind 7. – **2.** *fig.* Trunkenheit *f*, Rausch *m.*

drunk·om·e·ter [drʌŋ'kɒmitər] *s Gerät zur Messung des Grades der Berauschung durch chemische Analyse des Atems.*

dru·pa·ceous [druː'peiʃəs] *adj bot.* **1.** Steinfrucht...: ~ tree. – **2.** steinfruchtartig. — **drupe** [druːp] *s bot.* Steinfrucht *f.* — '**drupe·let** [-lit], *auch* '**drup·el** [-pl] *s bot.* Steinfrüchtchen *n.* — **dru'pif·er·ous** [-'pifərəs] *adj bot.* Steinfrüchte tragend.

Druse[1] [druːz] *s* Druse *m*, Drusin *f* (*Mitglied einer moham. Sekte*).

druse[2] [druːz] *s geol. min.* (Kri'stall)-Druse *f.*

Dru·se·an, Dru·si·an ['druːziən] *adj* [drusisch.]

dry [drai] **I** *adj comp* '**dri·er**, *sup* '**dri·est 1.** trocken: to rub s.th. ~ etwas trockenreiben; as ~ as a bone knochentrocken; → chip[1] 1; high 24. – **2.** Trocken... – **3.** trocken, niederschlagsarm *od.* -frei, regenlos, -arm. – **4.** dürr, ausgedörrt. – **5.** ausgetrocknet, vertrocknet, versiegt: → run 104 *u.* 148. – **6.** keine Flüssigkeit mehr enthaltend: a ~ fountain pen eine leere Füllfeder. – **7.** keine Milch gebend, trockenstehend (*Kuh etc*): the cow is ~ die Kuh steht trocken. – **8.** trocken, tränenlos (*Auge*): with ~ eyes ohne Rührung, ungerührt. – **9.** *colloq.* durstig. – **10.** Durst verursachend, durstig machend: ~ work. – **11.** trokken, ohne Butter *od.* Aufstrich: ~ bread. – **12.** unblutig, ohne Blutvergießen. – **13.** (*Malerei etc*) streng, nüchtern, kühl, ohne Wärme, ex'akt. – **14.** schmucklos, nüchtern, nackt, ungeschminkt: ~ facts. – **15.** trocken, langweilig, ledern: as ~ as dust ‚stinklangweilig'. – **16.** trocken (*Humor*). – **17.** sar'kastisch. – **18.** trocken, stur, hu'morlos. – **19.** unbewegt, kühl, gleichgültig, teilnahmslos, kalt. – **20.** barsch, schroff, hart. – **21.** trocken, herb (*Wein etc*). – **22.** *Am. colloq.* a) für die Prohibiti'on eintretend, alkoholfeindlich, b) trocken, mit Alkoholverbot: a ~ State ein Staat mit Alkoholverbot; to go ~ das Alkoholverbot einführen. – **23.** abgehackt rauh-, hohlklingend, trocken: a ~ cough ein trockener Husten. – **24.** *med.* trocken: → gangrene 1. – **25.** *mil. Am.* Übungs..., Manöver..., ohne scharfe Muniti'on: ~ firing Ziel- u. Anschlagübungen. – *SYN.* arid. – **II** *v/t* **26.** trocknen: to ~ one's tears seine Tränen trocknen. – **27.** abtrocknen: to ~ one's hands sich die Hände abtrocknen; to ~ oneself sich abtrocknen. – **28.** *oft* ~ up a) (auf)-trocknen, b) austrocknen, c) *fig.* erschöpfen. – **29.** (*Feuchtigkeit*) beseitigen, *bes.* verdunsten *od.* verdampfen lassen. – **30.** darren, dörren. – **31.** (*Dampf*) über'hitzen. – **III** *v/i* **32.** trocknen, trocken werden. – **33.** verdorren. – **34.** ~ up a) ein-, austrocknen, vertrocknen, b) versiegen, c) trocken stehen, keine Milch mehr geben (*Kuh etc*), d) *fig.* verblöden, e) *colloq.* versiegen, aufhören, f) *colloq.* zu reden aufhören, (endlich) den Mund halten, g) *colloq.* (*in der Rolle*) steckenbleiben. – **IV** *s pl* **dries** [draiz] **35.** Trockenheit *f.* – **36.** Trockenzeit *f.* – **37.** Dürre *f.* – **38.** trockenes Land. – **39.** Trockenhaus *n.* – **40.** *pl* drys *Am. colloq.* Prohibitio'nist *m*, Alkoholgegner *m.*

dry·ad ['draiəd; -æd] *pl* **-ads, -a·des** [-əˌdiːz] *s* (*griech. Mythologie*) Dry'ade *f.* — **dry'ad·ic** [-'ædik] *adj* Dryaden...

'**dry·asˌdust** *s* trockener Stubengelehrter, pe'dantischer Bücherwurm. — '**dry-as-ˌdust** *adj* langweilig (u. pe'dantisch).

dry| bat·ter·y *s electr.* **1.** 'Trockenbatteˌrie *f.* – **2.** → dry pile. — ~ **bob** *s Br.* (*Eton College*) *Schüler, der Landsport treibt.* — '~ˌ**bone ore** → smithsonite. — ~ **bridge** *s Am.* 'Bahn-, 'Straßenüberˌführung *f.* — ~ **cap·i·tal** *s econ. colloq.* unverwässertes Ge'sellschaftskapiˌtal (*Nominalwert gleich dem tatsächlichen Wert*). — ~ **cask** *s* Packfaß *n.* — ~ **cast·ing** *s tech.* Sand-, Masselguß *m.* — ~ **cell** *s electr.* 'Trockeneleˌment *n.* — '~-'**clean** *v/t* trocken *od.* chemisch reinigen. — ~ **clean·er** *s* Trockenreinigungsanstalt *f*, chemische Reinigung(sanstalt). — ~ **clean·ing** *s* Trockenreinigung *f*, chemische Reinigung. — '~-'**cleanse** → dry-clean. — ~ **clutch** *s tech.* Trocken-, Frikti'onskupplung *f.* — ~ **creek** *s Am.* wasserloses Flußbett. — '~-ˌ**cure** *v/t* (*Fleisch etc*) dörren, (trocken) einsalzen. — ~ **dis·til·la·tion** *s* 'Trockendestillatiˌon *f.* — ~ **dock** *s mar.* Trockendock *n.* — '~-ˌ**dock** *mar.* **I** *v/t* ins Trockendock bringen. – **II** *v/i* ins Trockendock gebracht werden.

dry·er *cf.* drier[1].

dry| farm *s agr.* Trockenfarm *f.* — '~-ˌ**farm** *agr.* **I** *v/i* trockenfarmen. – **II** *v/t* im Trockenfarm-Verfahren bearbeiten. — ~ **farm·ing** *s agr.* Trockenfarmen *n.* — ~ **fly** *s* (*Angeln*) Trockenfliege *f.* — '~-ˌ**fly fish·ing** *s* Fischen *n* mit Trockenfliegen. — ~ **fog** *s* durch Staub *od.* Rauch verursachter Dunst. — '~ˌ**foot** *adv* trockenen Fußes. — ~ **goods** *s pl econ.* **1.** *Am.* Tex'tilien *pl*, Tex'til-, Schnittwaren *pl.* – **2.** *Austral. für* hardware 1. — ~ **grind·ing** *s tech.* Trockenschleifen *n.* — '~-ˌ**gulch** *v/t Am. sl.* ‚abmurksen', ‚'umlegen', ermorden. — '~ˌ**house** *s* Trockenhaus *n.* — ~ **ice** *s* Trockeneis *n* (*Kohlendioxyd in fester Form*).

dry·ing ['draiiŋ] *adj* **1.** (auf)trocknend. – **2.** (rasch) (ein)trocknend. – **3.** Trocken... — ~ **a·gent** *s tech.* Trockenmittel *n.* — ~ **cham·ber** *s* Trockenkammer *f.* — ~ **frame** *s tech.* Trockengestell *n.* — ~ **house** *s tech.* Trocken-, Darrhaus *n*, Darre *f.* — ~ **oil** *s tech.* schnell trocknendes Öl. — ~ **ov·en** *s tech.* Trockenofen *m.* — ~ **tube** *s chem. tech.* Trockenrohr *n.*

dry·ish ['draiiʃ] *adj* ziemlich *od.* etwas trocken.

dry| kiln *s tech.* Trockenofen *m* (*für Holz, Bretter etc*). — **~ law** *s Am.* Prohibiti'onsgesetz *n.*
dry·ly ['draili] *adv* **1.** trocken. – **2.** trocken, langweilig. – **3.** trocken, ohne per'sönliche Anteilnahme. – **4.** sar'kastisch. – **5.** kalt, kühl, gleichgültig.
dry meas·ure *s* Trocken(hohl)maß *n.*
dry·ness ['drainis] *s* **1.** Trockenheit *f,* Dürre *f.* – **2.** *fig.* Trockenheit *f,* pe'dantische Nüchternheit. – **3.** *fig.* Trockenheit *f,* Langweiligkeit *f.* – **4.** *fig.* Trockenheit *f* (*Humor*). – **5.** *fig.* Kälte *f,* Kühle *f,* Teilnahms-, Gefühllosigkeit *f.* – **6.** geistige Unfruchtbarkeit.
dry| nurse *s* **1.** Säuglings-, Kinderschwester *f.* – **2.** *Am. sl.* ,Kindermädchen' *n* (*j-d der einen anderen in sein Amt einführt*). — **'~-ˌnurse** *v/t* bemuttern, um'sorgen (*auch fig.*). — **~ pile** *s electr.* Zam'bonische (Trocken)-Säule. — **~ plate** *s phot.* Trockenplatte *f.* — **'~-'plate proc·ess** *s phot.* Trockenplattenverfahren *n,* trockenes Kol'lodiumverfahren. — **~ point** *s* (*Kupferstecherei*) **1.** Kaltnadel *f,* trockene Nadel. – **2.** 'Kaltnadelraˌdierung *f.* – **3.** Kaltnadelverfahren *n.* — **~ rot** *s* **1.** *bot.* Trockenfäule *f.* – **2.** *bot.* (*ein*) Trockenfäule erregender Pilz. – **3.** *fig.* Verfall *m,* Verfaulen *n,* Vermodern *n.* — **'~-ˌrub** *v/t* **1.** trocken abreiben. – **2.** (*Fußböden*) bohnern, wachsen, wichsen. — **~ run** *s mil. sl.* **1.** Übungsschießen *n* ohne scharfe Muniti'on. – **2.** Probe *f,* Übung *f.* — **'~-ˌsalt** *v/t* dörren u. einsalzen. — **'~ˌsalt·er** *s Br.* Drogenhändler *m,* Dro'gist *m.* — **'~ˌsalt·er·y** *s Br.* **1.** Drogen-, Chemi'kalienhandlung *f,* Droge'rie *f.* – **2.** Drogen *pl,* Chemi'kalien *pl.* — **~ sand** *s* (*Gießerei*) ausgeglühter Formsand. — **~ sham·poo** *s* 'Trockenshamˌpoo *n.* — **'~-ˌshave** *v/t sl.* ,einseifen', her'einlegen, prellen. — **'~-'shod** *adj* mit trockenen Schuhen. — **~ steam** *s tech.* trockener *od.* über'hitzter Dampf, Abdampf *m.* — **'~-ˌstone** *adj* ohne Mörtel errichtet. — **~ stor·age** *s* Lagerung *f* mit Kaltluftkühlung. — **~ wall** *s arch.* Trockenmauer *f.* — **~ wash** *s* Trockenwäsche *f* (*gewaschen u. getrocknet, aber noch ungebügelt*). — **~ weight** *s* Trockengewicht *n.*
'D-'sharp *s mus.* Dis *n.*
du·ad ['djuːæd; *Am. auch* 'duː-] *s* Zweizahl *f,* Zweiergruppe *f,* Paar *n.*
du·al ['djuːəl; *Am. auch* 'duː-] **I** *adj* **1.** Zwei..., eine Zweiheit bezeichnend. – **2.** zweifach, doppelt. – **3.** *math.* dual: **~ theorems** duale Sätze. – **4.** *bes. tech.* Doppel..., Zwillings... – **II** *s* **5.** *ling.* Dual *m,* Du'alis *m,* Zweizahl *f.* — **D~ Al·li·ance** *s pol. hist.* **1.** Zweibund *m* (*Deutschland u. Österreich-Ungarn 1879–1918*). – **2.** 'Doppelenˌtente *f* (*Frankreich u. Rußland 1891–1917*). — **~ con·trol** *s aer. tech.* Doppelsteuerung *f.* — **~ ig·ni·tion** *s tech.* Doppelzündung *f,* Kombi(nati'ons)zündung *f.*
du·al·ism ['djuːəˌlizəm; *Am. auch* 'duː-] *s* **1.** *bes. philos. pol. relig.* Dua'lismus *m.* – **2.** Zwei-, Doppelheit *f.* – **3.** Zweigeteiltheit *f.* — **'du·al·ist** *s* Dua'list(in). — **ˌdu·al'is·tic** *adj* **1.** dua'listisch. – **2.** zweifach, doppelt, Doppel... — **du'al·i·ty** [-'æliti; -əti] *s* Duali'tät *f,* Zweiheit *f.*
Du·al Mon·arch·y *s hist.* 'Doppelmonarˌchie *f* (*Österreich-Ungarn*).
du·al| na·tion·al·i·ty *s* doppelte Staatsangehörigkeit. — **~ num·ber** → **dual** 5. — **'~-'pur·pose** *adj* für zwei Zwecke geeignet, einem doppelten Zweck dienend. — **~ tires,** *bes. Br.* **~ tyres** *s pl tech.* Zwillingsbereifung *f.*
dub[1] [dʌb] *v/t pret u. pp* **dubbed** **1.** (zum Ritter) schlagen: to **~** s.o. a knight j-n zum Ritter schlagen *od.* ernennen. – **2.** *oft humor.* betiteln, titu'lieren, nennen: to **~** s.o. **a scribbler** j-n einen Schreiberling schimpfen. – **3.** *tech.* a) (*Holz*) (ab)schlichten, zurichten, b) glätten, behauen, zurichten, c) (*Kettfäden*) schlichten, d) (*Leder*) schlichten, schmieren. – **4.** (*künstliche Angelfliege*) zu-, 'herrichten. – **5.** (*Golf*) (*Ball*) schlecht treffen. – **6.** pfuscherhaft ausführen.
dub[2] [dʌb] *s Am. sl.* ,Flasche' *f,* Taps *m,* Tolpatsch *m.*
dub[3] [dʌb] **I** *v/t pret u. pp* **dubbed** **1.** stoßen. – **2.** (*die Trommel*) schlagen. – **II** *v/i* **3.** stoßen. – **4.** trommeln. – **5.** wirbeln, dröhnen (*Trommel*). – **III** *s* **6.** Stoß *m.* – **7.** Trommelschlag *m,* -ton *m.* – **8.** *selten* dumpfer Schlag.
dub[4] [dʌb] **I** *v/t pret u. pp* **dubbed** **1.** (*Film*) ('nach)synchroniˌsieren, mit (zusätzlichen) 'Tonefˌfekten *etc* unter'malen. – **2.** (*Toneffekte etc in einen Film*) 'einsynchroniˌsieren. – **II** *s* **3.** neue *od.* geänderte 'Tonefˌfekte *pl.*
dub[5] [dʌb; dub] *s Scot. od. dial.* Pfütze *f.*
dub·bin ['dʌbin] → **dubbing** 3.
dub·bing ['dʌbiŋ] *s* **1.** Ritterschlag *m.* – **2.** Betiteln *n,* Titu'lierung *f,* Benennung *f.* – **3.** *tech.* a) (*Weberei*) Schlichte *f,* b) (Leder)Schmiere *f.* – **4.** *tech.* Schlichten *n.* – **5.** Materi'al *n* zur 'Herstellung künstlicher Angelfliegen.
du·bi·e·ty [djuː'baiəti; *Am. auch* duː-], **ˌdu·bi'os·i·ty** [-bi'ɒsiti; -əti] *s* **1.** Zweifelhaftigkeit *f.* – **2.** Unklarheit *f,* Unbestimmtheit *f,* Ungewißheit *f.* – **3.** Unverläßlichkeit *f.* – **4.** Verdächtigkeit *f.* – **5.** Unentschiedenheit *f.* – **6.** Unschlüssigkeit *f,* Unsicherheit *f.* – **7.** zweifelhafte Sache. – **8.** unklare Feststellung, vage Behauptung. – *SYN.* **uncertainty.** — **'du·bi·ous** [-biəs] *adj* **1.** zweifelhaft, unklar, ungewiß, zweideutig. – **2.** unbestimmt, undeutlich, vag. – **3.** zweifelhaft, unverläßlich (*Freund etc*). – **4.** zweifelhaft, von zweifelhaftem Wert. – **5.** zweifelhaft, dubi'os, verdächtig. – **6.** unentschieden, von ungewissem Ausgang: in **~ battle.** – **7.** zweifelnd, unschlüssig, schwankend, zögernd. – **8.** unsicher, im Zweifel (of, about über *acc*). – *SYN. cf.* **doubtful.** — **'du·bi·ous·ness** → **dubiety.**
du·bi·ta·ble ['djuːbitəbl; *Am. auch* 'duː-] *adj* zweifelhaft, ungewiß, anzweifelbar. — **ˌdu·bi'ta·tion** [-'teiʃən] *s* **1.** Zweifel(n *n*) *m.* – **2.** Unentschlossenheit *f,* Schwanken *n,* Zögern *n.* — **'du·biˌta·tive** *adj* **1.** zweifelnd, zögernd. – **2.** einen Zweifel ausdrückend: a **~ statement.**
duc [dyk] (*Fr.*) *s* Herzog *m.* — **du·cal** ['djuːkəl; *Am. auch* 'duː-] *adj* **1.** herzoglich, Herzogs... – **2.** Dogen...
duc·at ['dʌkit] *s* **1.** *hist.* Du'katen *m* (*alte Gold- od. Silbermünze*). – **2.** *pl obs. sl.* ,Mo'neten' *pl.* – **3.** *Am. sl. für* **ticket.**
du·ce [dutʃe] (*Ital.*) *s* Duce *m,* Führer *m.*
duch·ess ['dʌtʃis] *s* **1.** Herzogin *f.* – **2.** impo'nierende Dame, Ma'trone *f.* – **3.** *Br. sl.* Frau *f* eines Straßenhändlers.
du·chesse [du'ʃes; dy'ʃes] *s* Du'chesse *f* (*Art Satin*): **~ lace** *Art Brüsseler Spitzen.*
duch·y ['dʌtʃi] *s* Herzogtum *n*: **the ~ of X** das Herzogtum X.
duck[1] [dʌk] *s* **1.** *pl* **ducks,** *collect.* **duck** *zo.* Ente *f* (*Fam. Anatidae, bes. Gattg Anas*): **five ~** *od.* **~s** 5 Enten; **like a ~ in a thunderstorm** *colloq.* ,platt', erschreckt, bestürzt; **like water off a ~'s back** *colloq.* ohne jede Wirkung; **a fine day for ~s** *colloq.* ein regnerischer Tag; → **shake** 11. – **2.** (weibliche) Ente. – **3.** Ente(nfleisch *n*) *f*: **roast ~** gebratene Ente, Entenbraten. – **4.** *colloq.* Schätzchen *n,* Schatz *m,* Liebling *m*: **she is a ~ of a girl** sie ist ein reizendes Mädchen. – **5.** → **lame ~.** – **6.** *Am. sl.* Bursche *m,* Kerl *m.* – **7.** Hüpfstein *m.* – **8.** **out for a ~** (*Kricket*) aus dem Spiel, ohne einen Punkt erzielt zu haben.
duck[2] [dʌk] **I** *v/i* **1.** (rasch) 'untertauchen, tauchen. – **2.** sich rasch bücken. – **3.** sich ducken (*auch fig.*): **to ~ to s.o.** sich vor j-m ducken. – **4.** sich verbeugen *od.* verneigen. – **5.** *Am. colloq.* sich ,drücken': **to ~ out** *Am. sl.* ,verduften', ,auskneifen', ,türmen'. – **II** *v/t* **6.** (rasch) ins Wasser tauchen, eintauchen. – **7.** ducken: **to ~ one's head.** – **8.** *Am. colloq.* a) sich ducken vor (*einem Schlag*), (*acc*) abducken, b) sich ,drücken' vor (*dat*). – **III** *s* **9.** rasches ('Unter)Tauchen. – **10.** Ducken *n.* – **11.** rasches, tiefes Bücken. – **12.** Verbeugung *f.*
duck[3] [dʌk] *s* **1.** Duck *m,* Segel-, Schiertuch *n,* Sacklein-, Packleinwand *f.* – **2.** *pl colloq.* Segeltuchkleider *pl, bes.* Segeltuchhose *f.*
duck[4] [dʌk] *s mil.* Am'phibien-Lastkraftwagen *m* (*mit Sechsrad- od. Propellerantrieb*).
duck and drake → **ducks and drakes.**
'duck|,bill *s* **1.** Entenschnabel *m.* – **2.** *zo.* Schnabeltier *n* (*Ornithorhynchus anatinus*). – **3.** *bot. Br.* Roter Weizen. — **'~-ˌbilled plat·y·pus** → **duckbill** 2. — **'~ˌboard** *s* Laufbrett *n.* — **~ call** *s hunt.* Entenpfeife *f.* — **~ egg** *s* **1.** Entenei *n.* – **2.** *sport sl.* Null *f,* kein Treffer *m.*
duck·er[1] ['dʌkər] *s* **1.** Tauchend(er, e, es), Taucher(in). – **2.** *zo.* Tauchvogel *m, bes.* → a) **dabchick,** b) **water ouzel.** – **3.** j-d der sich duckt *od.* bückt. – **4.** Kriecher(in), Speichellecker(in), Duckmäuser *m.*
duck·er[2] ['dʌkər] *s* **1.** Entenzüchter *m.* – **2.** *Am.* Entenjäger *m.*
'duck|-ˌfoot·ed *adj zo.* mit nach vorn gerichteter 'Hinterzehe. — **~ hawk** *s zo.* **1.** Amer. Wanderfalke *m* (*Falco peregrinus anatum*). – **2.** *Br. für* **marsh harrier.**
duck·ing[1] ['dʌkiŋ] *s* Entenjagd *f.*
duck·ing[2] ['dʌkiŋ] *s* (Ein-, 'Unter)-Tauchen *n*: **to give s.o. a ~** j-n untertauchen; **to get a ~** *fig.* bis auf die Haut durchnäßt werden.
duck·ing| gun *s* Entenflinte *f.* — **~ stool** *s hist.* Tauchstuhl *m* (*auf dem zänkische Frauen etc ins Wasser getaucht wurden*).
'duck-ˌleg·ged [-ˌlegid; *Br. auch* -ˌlegd] *adj* kurz-, entenbeinig.
duck·ling ['dʌkliŋ] *s* Entchen *n,* Entlein *n*: **ugly ~** *fig.* häßliches Entlein.
'duck|ˌpin *s* **1.** *kurzer, dicker Kegel.* – **2.** *pl* (*als sg konstruiert*) (*Art*) Kegelspiel *n* (*mit 10 ~s*). — **'~ˌpond** *s* Ententeich *m.* — **~ po·ta·to** *s bot.* Bruch-, Sumpfeichel *f* (*von Sagittaria latifolia*).
ducks and drakes *s* Hüpfsteinwerfen *n,* Jungfern *n* (*Steine so werfen, daß sie über das Wasser hüpfen*): **to play (at) ~** Hüpfsteine werfen; **to play (at) ~ with s.th., to make ~ of s.th.** *fig.* a) etwas zum Fenster hinauswerfen, etwas verschwenden *od.* vergeuden, b) mit etwas machen, was man will.
duck's egg → **duck egg.**
duck| shot *s hunt.* Entenschrot *m, n,* -dunst *m,* -hagel *m.* — **~ snipe** → **willet.** — **~ soup** *s Am. sl.* **1.** leichte (u. einträgliche) Beschäftigung, kinderleichte Sache. – **2.** Unsinn *m.* — **'~ˌtail** *s S.Afr.* (*weißer*) Halbstarker.

— '~,weed *s bot.* Wasserlinse *f* (*Fam. Lemnaceae*), *bes.* Entengrütze *f*, -grün *n* (*Gattg Lemna*).

duck·y ['dʌki] *colloq.* **I** *s* Herzchen *n*, Liebling *m* (*Kosename*). – **II** *adj* lieb, niedlich.

duct [dʌkt] *s* **1.** Leitungsröhre *f*, ('Ableitungs)Ka,nal *m*. – **2.** *tech.* Röhre *f*, Rohr *n*, Leitung *f*. – **3.** *electr.* 'Kabelka,nal *m*, -gang *m*. – **4.** *med. zo.* Ductus *m*, (Ausführungs)Gang *m*, Ka'nal *m*. – **5.** *bot.* Gang *m*, Ka'nal *m*.

duc·tile [*Br.* 'dʌktail; *Am.* -til; -tl] *adj* **1.** *phys. tech.* a) duk'til, dehnbar, streckbar, schmiedbar, hämmerbar, b) (aus)ziehbar, c) knetbar, formbar, plastisch, d) verformbar, biegsam. – **2.** lenksam, fügsam, nachgiebig, folgsam. – *SYN. cf.* **plastic.** — **duc'til·i·ty** [-'tiliti; -əti] *s* **1.** *phys. tech.* a) Duktili'tät *f*, Dehn-, Streckbarkeit *f*, b) (Aus)Ziehbarkeit *f*, c) Knetbarkeit *f*, d) Verformbarkeit *f*. – **2.** Lenk-, Fügsamkeit *f*.

duct·less ['dʌktlis] *adj* ohne (Ausführungs)Gang *od.* ('Abfluß)Ka,nal, röhrenlos: ~ **gland** *med. zo.* endokrine Drüse, Drüse mit innerer Sekretion.

dud [dʌd] **I** *s* **1.** *meist pl colloq.* ‚Kla'motte' *f*: ~**s** ‚Klamotten' (*Kleider*). – **2.** *pl colloq.* Kram *m*, ‚Krempel' *m*, Siebensachen *pl*. – **3.** *mil. sl.* Blindgänger *m*. – **4.** *sl.* Niete *f*, Versager *m*, Blindgänger *m*. – **II** *adj sl.* **5.** schlapp (*kraftlos*). – **6.** wertlos, nachgemacht, gefälscht. – **7.** ergebnislos, jämmerlich.

dud·die, dud·dy ['dʌdi] *adj Scot.* zerlumpt.

dude [dju:d; *Am. auch* du:d] *s Am.* **1.** Geck *m*, Stutzer *m*. – **2.** *sl.* (*westl. USA*) a) Oststaatler *m*, b) Großstädter *m*.

du·deen [du:'di:n] *s Irish* kurze Tabakspfeife, Stummelpfeife *f*.

dude ranch *s Am. Farm im Westen, auf der sich die Großstädter zur Erholung als Cowboys etc betätigen.*

dudg·eon[1] ['dʌdʒən] *s* Unwille *m*, Ärger *m*, Groll *m*, Wut *f*: in ~ wütend; to be in high ~ vor Wut kochen. – *SYN. cf.* **offence.**

dudg·eon[2] ['dʌdʒən] *s obs.* (Dolch *m* mit) Holzgriff *m*.

dud·ish ['dju:diʃ; *Am. auch* 'du:-] *adj Am.* **1.** geckenhaft. – **2.** *sl.* großstädt(er)isch.

due [dju:; *Am. auch* du:] **I** *adj* **1.** *econ.* fällig, so'fort zahlbar: **to fall** (*od.* **become**) ~ fällig werden; **when** ~ bei Verfall, zur Verfallszeit; **debts** ~ **and owing** Aktiva u. Passiva; ~ **from** fällig seitens (*gen*). – **2.** *econ.* geschuldet, zustehend (to *dat*): **to be** ~ **to s.o.** j-m geschuldet werden. – **3.** erwartet, zeitlich festgelegt, fällig: **the train is** ~ **at six** der Zug soll um 6 (Uhr) ankommen (abfahren); **I am** ~ **for dinner at eight** ich werde um 8 Uhr zum Diner erwartet. – **4.** gebunden, verpflichtet: **to be** ~ **to do s.th.** etwas tun müssen *od.* sollen; **to be** ~ **to go** gehen müssen. – **5.** (to) zuzuschreiben(d) (*dat*), zu'rückführbar (auf *acc*), veranlaßt (durch): **his poverty is** ~ **to his laziness** seine Armut ist auf seine Faulheit zurückzuführen; **his death was** ~ **to cancer** die Ursache seines Todes war Krebs; **this invention is** ~ **to the Chinese** diese Erfindung verdanken wir den Chinesen. – **6.** ~ **to** (*inkorrekt statt* **owing to**) wegen (*gen*), in'folge (*gen od.* von): ~ **to our ignorance we were cheated** infolge unserer Unwissenheit wurden wir betrogen. – **7.** gebührend, geziemend: **with** ~ **respect** mit gebührender Hochachtung; **to be** ~ **to s.o.** j-m gebühren *od.* zukommen; **the first place is** ~ **to him** ihm gebührt der erste Platz; **it is** ~ **to him to say that** man muß ihm einräumen *od.* zugestehen, daß; zu seiner Entschuldigung muß man sagen, daß; → **honor** *b. Redw.* – **8.** gehörig, gebührend, angemessen, notwendig, 'hinreichend: **after** ~ **consideration** nach reiflicher Überlegung; **to take all** ~ **measures** alle erforderlichen Maßnahmen ergreifen; **to pay** ~ **attention** die gehörige Aufmerksamkeit schenken. – **9.** passend, richtig, recht, genau, vorgesehen: **in** ~ **time** rechtzeitig, zur rechten Zeit; → **course** 15. – **10.** vorschriftsmäßig, vorgeschrieben: → **form** 6. – **11.** *Am. colloq.* im Begriff sein (to do zu tun): **they were about** ~ **to find out.** – **II** *adv* **12.** di'rekt, genau: **to go** ~ **west** genau nach Westen fahren; **a** ~ **north wind** ein genau von Norden kommender Wind. – **13.** *obs. für* **duly.** – **III** *s* **14.** (*das*) Gebührende, (*das*) Zustehende, (rechtmäßiger) Anteil *od.* Anspruch, Recht *n*: **to give everyone his** ~ jedem das Seine geben; **to give s.o. his** ~ j-m Gerechtigkeit widerfahren lassen; **for a full** ~ *mar.* a) endgültig, b) vollständig, gründlich; **it is my** ~ es gebührt mir, es kommt mir (von Rechts wegen) zu; → **devil** 1. – **15.** gebührender Lohn. – **16.** Schuld *f*, Verpflichtung *f*: **to pay one's** ~**s** seine Schulden bezahlen, seinen Verpflichtungen nachkommen. – **17.** *pl* Gebühren *pl*, (öffentliche) Abgaben *pl*, Zoll *m*, Tri'but *m etc*: **harbo(u)r** ~**s** Hafenliegegebühren; ~**s-payer** beitragzahlendes Mitglied, Gebührenzahler. – **18.** *pl* Forderungen *pl* (*des Anstands etc*).

due bill *s econ.* (*nicht übertragbare*) Schuldverschreibung, Pro'messe *f*. — ~ **date** *s econ.* Verfallstag *m*, 'Fälligkeitster,min *m*.

du·el ['dju:əl; *Am. auch* 'du:əl] **I** *s* **1.** Du'ell *n*, (Zwei)Kampf *m* (*auch fig.*): **to fight a** ~ sich duellieren; **students'** ~ Mensur. – **II** *v/i pret u. pp* **'du·eled**, *bes. Br.* **'du·elled** **2.** sich duel'lieren. – **III** *v/t* **3.** sich duel'lieren mit. – **4.** im Du'ell töten. — **'du·el·er**, *bes. Br.* **'du·el·ler** → **duelist.** — **'du·el·ing**, *bes. Br.* **'du·el·ling** **I** *s* Duel'lieren *n*. – **II** *adj* Duell... — **'du·el·ist**, *bes. Br.* **'du·el·list** *s* Duel'lant *m*. — **du·el·lo** [du:'elou] *pl* **-los** *s* **1.** Duel'lieren *n*. – **2.** Du'ellregeln *pl*. – **3.** *obs.* Du'ell *n*.

du·en·na [dju:'enə; *Am. auch* du:-] *s* Du'enja *f*: a) Anstandsdame *f*, b) Erzieherin *f*.

du·et [dju:'et; *Am. auch* du:-] **I** *s* **1.** *mus.* Du'ett *n*. – **2.** *mus.* Duo *n*: **to play a** ~ a) ein Duo spielen, b) (*am Klavier*) vierhändig spielen. – **3.** *fig.* Dia'log *m*, Wortgefecht *n*. – **4.** Paar *n*. – **II** *v/i pret u. pp* **-'et·ted** **5.** *mus.* a) ein *od.* im Du'ett singen, b) ein Duo spielen. — **du'et·tist** *s mus.* **1.** Du'ettpartner(in). – **2.** Duopartner(in).

duff[1] [dʌf] *s* **1.** *dial. für* **dough.** – **2.** *bes. mar.* (Mehl)Pudding *m*.

duff[2] [dʌf] *s* **1.** *Am. od. Scot.* humusartiger Waldboden. – **2.** Gruskohle *f*.

duff[3] [dʌf] *v/t sl.* **1.** 'aufpo,lieren, ‚aufmöbeln', her'ausputzen. – **2.** *Austral.* (*Vieh*) (stehlen u.) mit neuen Brandzeichen versehen. – **3.** (*Golf*) (*Ball*) verfehlen.

duf·fel ['dʌfəl] **I** *s* **1.** Düffel *m* (*gerauhte Halbwollware*). – **2** *bes. Am. colloq.* Ausrüstung *f*, Zubehör *n* (*Camping etc*). – **II** *adj* **3.** Düffel...: ~ **coat** Düffelmantel, Dufflecoat. – **4.** *Am. colloq.* Ausrüstungs..., Zubehör...: ~ **bag** *bes. mil.* Kleider-, Seesack.

duff·er ['dʌfər] *s* **1.** (betrügerischer) Händler *od.* Hau'sierer. – **2.** *Br.* Schwindler *m*, Betrüger *m*. – **3.** *sl.* a) Schund *m*, Ramschware *f*, Talmi *n*, b) gefälschter Gegenstand. – **4.** *colloq.* a) Pfuscher *m*, Stümper *m*, b) Tölpel *m*, Trottel *m*. – **5.** *Austral. colloq.* unergiebiges Bergwerk. — **'duff·ing** *adj Br. sl.* **1.** nachgemacht, gefälscht. – **2.** Schund..., Ramsch... – **3.** blöd.

duf·fle ['dʌfl] → **duffel.**

dug[1] [dʌg] *pret u. pp von* **dig.**

dug[2] [dʌg] *s* **1.** Zitze *f*. – **2.** Euter *n*.

du·gong ['du:gɒŋ] *s zo.* Dugong *m* (*Dugong dugong; Seekuh im Indischen Ozean*).

'dug,out *s* **1.** *bes. mil.* 'Unterstand *m*. – **2.** Erd-, Höhlenwohnung *f*. – **3.** (*Baseball*) kleiner 'Unterstand. – **4.** Einbaum *m*, Kanu *n*. – **5.** *Br. sl.* wieder ausgegrabener (*reaktivierter*) Be'amter *od.* Of'fi'zier.

dui·ker ['daikər], **'~,bok** [-,bɒk], *auch* **'~,buck** [-,bʌk] *s zo.* Waldducker *m* (*Gattg Cephalophus; Antilope*).

Duk-duk ['duk'duk] *s* Dukduk(bund) *m* (*Geheimbund der Eingeborenen von Neupommern*).

duke [dju:k; *Am. auch* du:k] *s* **1.** Herzog *m*. – **2.** (*in Großbritannien*) Herzog *m*: **royal** ~ Herzog u. Mitglied des königlichen Hauses. – **3.** *pl sl.* a) Fäuste *pl*, b) ‚Pranken' *pl*, ‚Flossen' *pl*, Hände *pl*. — **'duke·dom** *s* **1.** Herzogtum *n*. – **2.** Herzogswürde *f*. — **'duk·er·y** [-əri] *s* **1.** Herzogswürde *f*. – **2.** Herzogssitz *m*: **The Dukeries** *Waldland im nordwestl. Nottinghamshire.*

Du·kho·bors ['dju:ko,bɔ:rz; *Am. auch* 'du:-], **,Du·kho'bor·tsy** [-'bɔ:rtsi] *s pl* Ducho'borzen *pl*, Ducho'borzy *pl* (*russ. quäkerähnliche Sekte*).

dul·ca·ma·ra [,dʌlkə'mɛ(ə)rə] *s* **1.** → **bittersweet** II. – **2.** *med.* Dulca'mara *f*.

dul·cet ['dʌlsit] **I** *adj* **1.** wohlklingend, me'lodisch. – **2.** lieblich. – **3.** angenehm, süß, lind, beruhigend. – **4.** *obs.* köstlich, duftend. – **II** *s* **5.** *mus.* Dulcet *n* (*ein Orgelregister*).

dul·ci·an·a [,dʌlsi'ænə] *s mus.* Dulci'an *m* (*Orgelregister*).

dul·ci·fi·ca·tion [,dʌlsifi'keiʃən; -səfə-] *s* Besänftigung *f*. — **'dul·ci,fy** [-,fai] *v/t* **1.** besänftigen, beschwichtigen. – **2.** *obs.* (ver)süßen.

dul·ci·mer ['dʌlsimər; -sə-] *s mus.* **1.** Hackbrett *n*, Cymbal *n*, Zimbel *f*. – **2.** (*Art*) Gi'tarre *f*. – **3.** *Bibl.* Sackpfeife *f*, (*Art*) Dudelsack *m*.

dul·cin ['dʌlsin] *s chem.* Dul'cin *n*.

Dul·cin·e·a, d~ [dʌl'siniə; dʌlsi'ni:ə] *s* Dulzi'nea *f*, Geliebte *f*, Liebchen *n*.

dul·ci·tol ['dʌlsi,tɒl; -,toul], *auch* **'dul·cite** [-sait] *s chem.* Dul'cit *n*, Melampy'rin *n* ($C_6H_8(OH)_6$).

du·li·a [dju:'laiə; du:-] *s* (*röm.-kath. Kirche*) Du'lie *f*.

dull [dʌl] **I** *adj* **1.** stumpf(sinnig), schwer von Begriff, beschränkt, dumm: ~ **of mind** stumpfsinnig. – **2.** langsam *od.* unvollkommen wahrnehmend: ~ **of hearing** schwerhörig. – **3.** stumpf, fühllos, unempfindlich, teilnahmslos, gleichgültig. – **4.** dumpf, undeutlich (*Schmerz etc*). – **5.** träge, schwerfällig, langsam, schläfrig. – **6.** untätig, unbeschäftigt, leblos. – **7.** niedergeschlagen, unlustig, betrübt. – **8.** gelangweilt: **to feel** ~ sich langweilen. – **9.** langweilig, fad(e), einförmig: → **ditchwater.** – **10.** *econ.* a) flau, lustlos, geschäftslos, still (*Saison etc*), b) nicht verlangt, wenig gefragt, schwer verkäuflich (*Ware*). – **11.** stumpf (*Messer etc*). – **12.** schwach (brennend) (*Licht, Feuer*). – **13.** matt, leb-, glanzlos (*Papier, Auge etc*). – **14.** blind (*Spiegel*). – **15.** matt, stumpf, dunkel (*Farbe*). –

16. dumpf (*Ton*). – 17. trübe: a ~ day. – 18. schwach, kraftlos. – *SYN.* a) blunt, obtuse, b) *cf.* stupid. – **II** *v/t* **19.** (*Klinge etc*) stumpf machen. – **20.** *fig.* abstumpfen. – **21.** mat'tieren, matt *od.* glanzlos machen. – **22.** (*Spiegel etc*) blind machen. – **23.** (*Blick*) trüben. – **24.** langweilig *od.* fad machen. – **25.** vermindern, her'absetzen, schwächen. – **26.** mildern, dämpfen. – **27.** (*Schmerz*) betäuben. – **28.** dumpf machen, verdumpfen. – **III** *v/i* **29.** stumpf werden, abstumpfen. – **30.** *fig.* abstumpfen. – **31.** träge *od.* fühllos werden. – **32.** matt *od.* glanzlos *od.* blind werden. – **33.** sich abschwächen, sich vermindern. – **34.** abflauen, sich legen (*auch fig.*).

dull·ard ['dʌlərd] *s* Dummkopf *m*, Einfaltspinsel *m*. — **'dull·ard,ism, 'dull·ard·ness** *s* Dummheit *f*, Stumpfsinn *m*. — **'dull·ish** *adj* etwas *od.* ziemlich träge *od.* langweilig *od.* stumpf *od.* dumm. — **'dull·ness** *s* **1.** Dummheit *f*, Stumpfsinn *m*, (geistige) Trägheit. – **2.** Schwerfälligkeit *f*, Trägheit *f*, Mattigkeit *f*. – **3.** Schwäche *f* (*Sinnesorgane*). – **4.** Traurigkeit *f*, Betrübtheit *f*. – **5.** Langweiligkeit *f*, Fadheit *f*. – **6.** Stumpfheit *f*, Glanzlosigkeit *f*, Mattheit *f* (*Farben etc*). – **7.** Trübheit *f*, Düsterkeit *f* (*Wetter*). – **8.** Stumpfheit *f* (*Messer etc*). – **9.** *econ.* Geschäftsstille *f*, Flaute *f*, Stagnati'on *f*: ~ of the market Börsenflaute. – **10.** Dumpfheit *f* (*Töne*). — **'dull,wit·ted** *adj* dumm, schwachköpfig, stumpfsinnig. — **dul·ness** *cf.* dullness.

du·lo·sis [dju'lousis] *s zo.* Versklavung *f* (*bes. unter Ameisen*).

dulse [dʌls] *s bot.* (*eine*) Speise-Rotalge (*Rhodymenia palmata od. Dilsea edulis*).

du·ly ['djuːli; *Am. auch* 'duː-] *adv* **1.** ordnungsgemäß, vorschriftsmäßig, gehörig, richtig: ~ authorized representative ordnungsgemäß ausgewiesener Vertreter. – **2.** gebührend, schicklich, passend. – **3.** rechtzeitig, pünktlich.

du·ma ['duːmɑː] *pl* **-mas** *s hist.* Duma *f* (*ehemaliger russ. Reichstag*).

dumb [dʌm] **I** *adj* **1.** stumm: the deaf and ~ die Taubstummen; → crambo 1. – **2.** stumm, ohne Sprache: ~ animals, ~ brutes stumme Geschöpfe. – **3.** sprachlos, stumm: → strike 49. – **4.** nicht zum Reden geneigt, schweigsam, schweigend. – **5.** stumm, schweigend ausgeführt: a ~ gesture. – **6.** stumm, nichts zu sagen habend, nicht zu Wort *od.* zur Geltung kommend: the ~ masses. – **7.** *ohne das übliche Merkmal*: ~ vessel *mar.* Fahrzeug ohne Eigenantrieb; ~ note *mus.* nicht klingende Note. – **8.** *colloq.* ‚doof', dumm, blöd. – *SYN. cf.* stupid. – **II** *v/t* **9.** zum Verstummen *od.* Schweigen bringen. — **~ a·gue** *s med.* Wechselfieber *n* ohne Schüttelfrost. — **~ barge** *s mar. Br.* Schute *f*. — **'~,bell I** *s* **1.** *sport* Hantel *f*. – **2.** *Am. sl.* ‚doofe Nuß', Dummkopf *m*. – **II** *v/t u. v/i* **3.** hanteln. — **~ cane** *s bot.* Giftige Dieffen'bachie (*Dieffenbachia seguine*).

,dumb'found *v/t u. v/i* verblüffen, sprachlos machen. – *SYN. cf.* puzzle. — **,dumb'found·ed** *adj* verblüfft, sprachlos, wie vom Donner gerührt. — **,dumb'found·er** → dumbfound.

'dumb|,head *s Am. sl.* ‚Döskopp' *m*, Dummkopf *m*. — **~ i·ron** *s tech.* Federhand *f* (*bei Motoren*).

dum·ble·dore ['dʌmbl,dɔːr] *Br. dial. für* a) dorbeetle, b) bumblebee, c) cockchafer 1.

dumb·ness ['dʌmnis] *s* **1.** Stummheit *f*. – **2.** (Still)Schweigen *n*. – **3** Sprachlosigkeit *f*.

Dum·bo ['dʌmbou] *s mar.* Flugboot *n* für 'Rettungsoperati,onen.

dumb| pi·a·no *s mus.* stummes ('Übungs)Kla,vier. — **~ show** *s* **1.** Gebärdenspiel *n*, stummes Spiel, stumme Gebärden *pl*. – **2.** Panto'mime *f*. — **'~-'wait·er** *s* **1.** stummer Diener (*Drehtisch od. -aufsatz zum Servieren*). – **2.** *Am.* Speiseaufzug *m*. — **~ well** *s tech.* Abwasserführung *f*.

dum·dum ['dʌmdʌm], *auch* **~ bul·let** *s* Dum'dum(geschoß) *n*.

dum·found *etc cf.* dumbfound *etc.*

dum·my ['dʌmi] **I** *s* **1.** At'trappe *f*, *bes.* Leer-, Schaupackung *f* (*in Schaufenstern etc*): to sell the ~ (*Rugby - Fußball*) den Gegner täuschen (*indem man eine Ballabgabe nur andeutet*). – **2.** 'Kleider-, 'Schaufensterpuppe *f*, -fi,gur *f*. – **3.** *bes. jur.* Strohmann *m*. – **4.** (*Theater*) Sta'tist(in). – **5.** (*Kartenspiel*) a) Strohmann *m*, b) Whistspiel *n* mit Strohmann: double ~ Whistspiel mit zwei Strohmännern. – **6.** *bes. Br.* Gummilutscher *m*. – **7.** Puppe *f*, Fi'gur *f* (*als Zielscheibe*). – **8.** *Am. sl.* Stumme(r), stumme Per'son. – **9.** *colloq.* Dumm-, Blödkopf *m*. – **10.** *bes. Am. colloq.* Verkehrsturm *m*. – **11.** *med.* (Zahn)-Brücke *f*. – **12.** *print.* Blindband *m* (*Buch*). – **13.** *tech.* (*Art*) Ran'gierlokomo,tive *f*. – **II** *adj* **14.** vorgeschoben, Schein...: ~ grenade *mil.* Übungshandgranate; ~ warhead *mil.* blinder Gefechtskopf. – **15.** unecht, nachgemacht. — **~ whist** → dummy 5b.

du·mor·ti·er·ite [djuː'mɔːrtiə,rait; duː-] *s min.* Dumortie'rit *m*.

du·mose ['djuːmous; dju'mous] *adj bot.* buschig.

dump[1] [dʌmp] **I** *v/t* **1.** 'hin-, niederwerfen, 'hinplumpsen *od.* 'hinfallen lassen. – **2.** (heftig) niederstellen, -legen, absetzen, abstellen. – **3.** auskippen, abladen. – **4.** (*Karren etc*) ('um)kippen, entladen, entleeren. – **5.** *mil.* lagern, stapeln. – **6.** *econ.* (*Waren*) verschleudern, zu Schleuderpreisen verkaufen. – **7.** (*Einwanderer*) in ein anderes Land abschieben. – **II** *v/i* **8.** 'hinfallen, -plumpsen, heftig aufschlagen. – **9.** ab-, ausladen. – **10.** *econ.* Dumping betreiben, zu Schleuderpreisen verkaufen. – **III** *s* **11.** Plumps *m*, dumpfer Fall *od.* Schlag. – **12.** Schutt-, Abfallhaufen *m*. – **13.** (Schutt-, Müll)Abladeplatz *m*, -stelle *f*, Schutthalde *f*. – **14.** (*Bergbau*) (Abraum)Halde *f*. – **15.** abgeladene Masse *od.* Last. – **16.** *mil.* De'pot *n*, Lager(platz *m*) *n*: ammunition ~ Munitionslager(platz), vorgeschobene Munitionsausgabestelle. – **17.** Ab-, Ausladen *n*, Entladen *n*, Absetzen *n*. – **18.** *sl.* verwahrlostes Nest (*Haus, Ortschaft etc*). – **19.** (*Eisenbahn*) *colloq.* Kippwagen *m*. – **IV** *adj* **20.** Kipp..., mit Kippvorrichtung.

dump[2] [dʌmp] *s* **1.** *pl colloq.* a) Traurigkeit *f*, Niedergeschlagenheit *f*, b) verdrießliche Stimmung, schlechte Laune: to be in the ~s a) traurig *od.* niedergeschlagen sein, b) verdrießlich sein. – **2.** *obs.* a) (schwermütige) Melo'die, b) (*Art*) langsamer Tanz.

dump[3] [dʌmp] *s* **1.** *bes. Br.* Klumpen *m*, Brocken *m*. – **2.** bleierne Spielmünze. – **3.** *obs.* a) *eine austral. Münze*, b) *sl.* Heller *m*. – **4.** *colloq.* unter'setzte Per'son. – **5.** *mar.* a) (*Art*) Bolzen *m* (*beim Schiffbau*), b) Tauring *m*. – **6.** (*Art*) Kegel *m*. – **7.** (*Art*) Bon'bon *m, n*.

dump·age ['dʌmpidʒ] *s Am.* **1.** Abladerecht *n*. – **2.** für das Abladerecht bezahlte Gebühr.

'dump,cart *s* Kippwagen *m* -karren *m*.

dump·er ['dʌmpər] *s* **1.** Kippvorrichtung *f*. – **2.** Kippkarren *m*, -wagen *m*, Kipper *m*.

dump·ing ['dʌmpiŋ] *s* **1.** *econ.* Dumping *n*, Schleuderverkauf *m*, Unter'bieten *n* der Preise, Warenausfuhr *f* zu Schleuderpreisen. – **2.** (Schutt)Abladen *n*. – **3.** Schutt(haufen) *m*. — **~ buck·et** *s* (*Bergbau*) Kippkübel *m*. — **~ ground** *s Am.* Müllabladeplatz *m*.

dump·ish ['dʌmpiʃ] *adj* **1.** dumm, blöd. – **2.** traurig, niedergeschlagen, melan'cholisch. — **'dump·ish·ness** *s* **1.** Dummheit *f*. – **2.** Traurigkeit *f*, Melancho'lie f.

dump·ling ['dʌmpliŋ] *s* **1.** (*mit Kirschen etc gefüllter*) Mehlkloß: apple ~ Apfelknödel. – **2.** (geschälter u. entkernter) Dörrapfel. – **3.** *colloq.* ‚Dicker' *m*, (kleiner) Mops (*Person od. Tier*).

dump truck *s Am.* Kipp-Lastwagen *m*, Lastwagen *m* mit Kippvorrichtung.

dump·y[1] ['dʌmpi] **I** *adj* **1.** unter'setzt, rundlich, kurz u. dick. – **II** *s* **2.** unter'setzte *od.* rundliche Per'son. – **3.** plumpes *od.* stämmiges Tier. – **4.** kurzbeiniges Huhn (*einer schottischen Rasse*).

dump·y[2] ['dʌmpi] *adj* **1.** traurig, niedergeschlagen. – **2.** 'mißgestimmt, mürrisch.

dump·y lev·el *s tech.* Nivel'lierwaage *f* mit Fernrohr.

dun[1] [dʌn] **I** *v/t pret u. pp* **dunned** **1.** (*bes. Schuldner*) drängen, immer wieder mahnen, (*j-m*) dauernd in den Ohren liegen: ~ning letter dringende Zahlungsaufforderung. – **2.** belästigen, bedrängen. – **II** *s* **3.** Plagegeist *m*, Drängler(in), *bes.* drängender Gläubiger. – **4.** Schuldeneintreiber *m*. – **5.** (*bes. schriftliche*) Mahnung, Zahlungsaufforderung *f*.

dun[2] [dʌn] **I** *adj* **1.** grau-, schwärzlichbraun, mausgrau. – **2.** *fig.* dunkel. – **II** *s* **3.** stumpfes Rötlich-Gelb (*Farbe*). – **4.** *zo.* → May fly 1. – **5.** (*Art*) Angelfliege *f*.

'dun,bird *s zo.* **1.** Tafelente *f* (*Nyroca ferina*). – **2.** Bergente *f* (*Nyroca marila*).

Dun·can Phyfe ['dʌŋkən 'faif] *adj* Duncan-Phyfe... (*Möbelstil*).

dunce [dʌns] *s* Schwach-, Dummkopf *m*. — **~ cap**, *auch* **dunce's cap** *s* Narrenkappe *f* (*dummen Schülern zum Spott aufgesetzt*).

dunch [dʌntʃ] *s Scot. od. dial.* Puff *m*, Stoß *m*.

dun crow *s zo.* Nebelkrähe *f* (*Corvus cornix*).

dun·der·head ['dʌndər,hed] *s* Dumm-, Schwachkopf *m*. — **'dun·der,head·ed** *adj* dumm. — **'dun·der,pate** → dunderhead.

dun div·er *s zo.* Weibchen *n od.* junges Männchen des Gänsesägers (*Mergus merganser*).

Dun·drear·y whisk·ers [dʌn'dri(ə)ri] *s pl* (*Art*) Kaiserbart *m*.

dune [djuːn; *Am. auch* duːn] *s* Düne *f*.

dun fly → dun[2] 5.

dung[1] [dʌŋ] **I** *s* **1.** Mist *m*, Dung *m*, Dünger *m*. – **2.** (*bes.* Tier)Kot *m*. – **3.** *fig.* Schmutz *m*. – **II** *v/t u. v/i* **4.** düngen.

dung[2] [dʌŋ] *adj Scot.* erschöpft.

dun·ga·ree, *auch* **dun·ga·ri** [,dʌŋgə'riː] *s* **1.** grobes (*meist indisches*) Kat'tunzeug. – **2.** *pl* grobe Arbeits- *od.* Kat'tunkleidung.

dung| bee·tle *s zo.* Kot-, Mist-, Dungkäfer *m* (*bes. Unterfam. Coprophaginae*). — **~ cart** *s* Mistkarren *m*.

dun·geon ['dʌndʒən] **I** *s* **1.** → donjon. – **2.** (*meist unterirdisches*) Verlies, Kerker *m*. – **II** *v/t* **3.** *auch* ~ up einkerkern.

dung| fly *s zo.* Dung-, Mist-, Kotfliege *f* (*Fam. Scatophagidae*). — **~ fork** *s* Mistgabel *f.*

'dung,hill I *s* **1.** Mist-, Dunghaufen *m*: a cock on his own ~ *fig.* ein Haustyrann; → die[1] 1. – **2.** *fig.* a) schmutziges Loch (*Wohnung etc*), b) *fig.* Schmutz *m*, schmutzige Sache *od.* Angelegenheit, c) niedrige *od.* schmutzige Verhältnisse *pl.* – **II** *adj* **3.** niedrig, gemein, schmutzig. — **~ fowl** *s* Hausgeflügel *n.*

'dung|,hill·y → dunghill II. — **~ worm** *s zo.* Larve *f* der Kotfliege.

dung·y ['dʌŋi] *adj* **1.** mistig, kotig. – **2.** *fig.* schmutzig, gemein.

dun·ie·was·sal ['duːni,wɒsəl], *auch* **'dun·nie,was·sel** ['dʌn-] *s Scot.* niederer Edelmann.

dun·ite ['dʌnait] *s min.* Du'nit *m* (*ein Olivingestein*).

dunk [dʌŋk] *v/t u. v/i* eintunken.

Dunk·er ['dʌŋkər], *auch* **'Dunk·ard** [-ərd] *s relig.* Tunker *m* (*Mitglied einer protestantischen Sekte*).

Dun·kirk ['dʌnkəːrk; dʌn'kəːrk] *s fig.* Dünkirchen *n* (*Szene bedrängter Flucht*).

dunk tree *s bot.* Ju'jubendorn *m* (*Zizyphus jujuba*).

dun·lin ['dʌnlin] *s zo.* Alpenstrandläufer *m* (*Calidris alpina*).

dun·nage ['dʌnidʒ] **I** *s mar.* **1.** Stauholz *n*, Gar'nier(ung *f*) *n.* – **2.** per'sönliches Gepäck. – **II** *v/t* **3.** mit Stauholz füllen, gar'nieren.

dun·ner ['dʌnər] → dun[1] 3.

dun·nish ['dʌniʃ] *adj* leicht graubraun.

dunn·ite ['dʌnait] *s tech.* Dun'nit *n* (*Sprengstoff*).

dun·no [də'nou] *vulg. für* do not know.

dun·nock ['dʌnək] *s zo.* 'Heckenbrau,nelle *f* (*Prunella modularis; Vogel*).

dunt [dʌnt; dunt] **I** *s* **1.** *Scot.* a) (dumpfer) Schlag, b) Platzwunde *f.* – **2.** *aer.* plötzlicher senkrechter Stoß durch Steig- *od.* Fallböen. – **II** *v/t* **3.** *Scot.* (*heftig od. dumpf*) schlagen, stoßen. – **III** *v/i* **4.** (*heftig od. dumpf*) (auf)-schlagen, klopfen.

du·o ['djuːou; *Am. auch* 'duːou] *pl* **-os,** **'du·i** [-iː] *s* **1.** *mus.* Duo *n*, Du'ett *n.* – **2.** Duo *n* (*Künstlerpaar*).

duo- [djuːo; *Am. auch* duːo] *Wortelement mit der Bedeutung* zwei.

du·o·co·sane [dju'ouko,sein; *Am. auch* du-] → docosane.

du·o·de·cane [dju'oudi,kein; *Am. auch* du-] → dodecane.

du·o·de·cil·lion [,djuːodi'siljən; *Am. auch* ,duː-] *s math.* **1.** *Am.* Sextilli'arde *f* (10^{39}) – **2.** *Br.* Duodezilli'on *f* (10^{72}).

du·o·dec·i·mal [,djuːo'desiməl; -ə'd-; -sə-; *Am. auch* ,duː-] *math.* **I** *adj* **1.** duodezi'mal, dode'kadisch. – **II** *s* **2.** zwölfter Teil, Zwölftel *n.* – **3.** *pl* a) Duodezi'malsy,stem *n*, b) Duodezi'mal-Multiplikati,on *f.* — **,du·o·'dec·i,mo** [-,mou] *pl* **-,mos** **I** *s* **1.** Duo'dez *n*, Zwölftel'bogenfor,mat *n* (*Buchformat*). – **2.** *mus.* Duo'dezime *f.* – **II** *adj* **3.** Duodez...

duoden- [djuːodiːn; -əd-; *Am. auch* duː-] → duodeno-.

du·o·de·nal [,djuːo'diːnl; -ə'd-; *Am. auch* ,duː-] *adj med.* duode'nal, Zwölffingerdarm...: ~ ulcer. — **,du·o'den·a·ry** [*Br.* -'diːnəri; *Am. auch* -'den-] *adj math.* **1.** zwölffach, zwölf enthaltend. – **2.** die n-te Wurzel 12 habend.

du·o·de·ni·tis [,djuːodi'naitis; -əd-; *Am. auch* ,duː-] *s med.* Zwölf'fingerdarmentzündung *f*, Duode'nitis *f.*

duodeno- [djuːodiːno; -əd-; *Am. auch* duː-] *Wortelement mit der Bedeutung* Zwölffingerdarm.

du·o·de·num [,djuːo'diːnəm; -ə'd-; *Am. auch* ,duː-] *pl* **-na** [-nə] *s med.* Zwölf'fingerdarm *m*, Duo'denum *n.*

du·o·logue ['djuːə,lɒg; *Am. auch* 'duː-; -,lɔːg] *s* **1.** Zwiegespräch *n.* – **2.** Duo'drama *n* (*Drama für 2 Personen*).

duo·mo [du'əmo] *pl* **-mi** [-mi] *od.* **-mos** (*Ital.*) *s* Dom *m*, Kathe'drale *f.*

du·o·stroll·er ['djuːo,stroulər] *s bes. Am.* Zwillingskinderwagen *m.*

du·o·tone ['djuːo,toun; *Am. auch* 'duː-], *auch* **'du·o,toned** [-,tound] *adj* zweifarbig.

dup [dʌp] *v/t obs. od. dial.* öffnen.

dup·a·bil·i·ty [,djuːpə'biliti; -əti; *Am. auch* ,duːp-] *s* Leichtgläubigkeit *f*, Vertrauensseligkeit *f*, Einfalt *f.* — **'dup·a·ble** *adj* leichtgläubig, vertrauensselig, einfältig, leicht zu täuschen(d).

dupe [djuːp; *Am. auch* duːp] **I** *s* **1.** Gefoppte(r), Angeführte(r), Über'listete(r), Betrogene(r), Opfer *n* einer Täuschung: to be the ~ of a liar auf einen Lügner hereinfallen. – **2.** Leichtgläubige(r), Gimpel *m.* – **II** *v/t* **3.** (*j-n*) über'tölpeln, -'listen, anführen, hinters Licht führen: to be ~d sich täuschen lassen. – *SYN.* gull[2], hoax, trick. — **'dup·er** *s* ,Bauernfänger *m*, Betrüger *m.* — **'dup·er·y** [-əri] *s* **1.** Täuschung *f*, ,Bauernfänge'rei *f*, Über'tölpelung *f*, Über'listung *f.* – **2.** Betrogensein *n.*

du·pla·tion [dju'pleiʃən; *Am. auch* du-] *s* Verdopp(e)lung *f.*

du·ple ['djuːpl; *Am. auch* 'duː-] *adj* doppelt, zweifach. — **~ ra·tio** *s math.* doppeltes Verhältnis, Doppelverhältnis *n.* — **~ time** *s mus.* Zweiertakt *m*, zweiteiliger Takt.

du·plex ['djuːpleks; *Am. auch* 'duː-] **I** *adj* **1.** doppelt, Doppel..., zweifach. – **2.** *electr. tech.* Duplex... – **II** *s* **3.** → ~ house. – **III** *v/t* **4.** *tech.* duplex betreiben. — **~ a·part·ment** *s Am.* Wohnung *f* mit Zimmern in zwei Stockwerken. — **~ gas burn·er** *s tech.* Zweidüsen(gas)-, Doppel(gas)-brenner *m.* — **~ house** *s Am.* 'Zweifa,milienhaus *n.* — **~ lathe** *s tech.* Doppeldrehbank *f.* — **~ re·peat·er** *s electr.* Duplex-, Zweidraht-, Gegensprechverstärker *m* (*in Fernmeldeleitungen*). — **~ te·leg·ra·phy** *s tech.* 'Gegensprech-, 'Duplextelegra,phie *f.* — **~ te·leph·o·ny** *s electr.* 'Duplextelepho,nie *f*, Gegensprechverkehr *m.*

du·pli·cate ['djuːplikit; -plə-; *Am. auch* 'duː-] **I** *adj* **1.** Doppel..., zweifach, doppelt: ~ proportion, ~ ratio → duple ratio. – **2.** genau gleich *od.* entsprechend, Duplikat...: ~ key Nachschlüssel; ~ parts Ersatzteile. – **3.** (*Kartenspiel*) mit gleichen Karten wieder'holt. – **II** *s* **4.** Dupli'kat *n*, (gleichlautende) Ab-, Zweitschrift. – **5.** (genau gleiches) Seitenstück, Ko'pie *f.* – **6.** zweifache Ausfertigung *od.* Ausführung: in ~ in doppelter Ausführung, in 2 Exemplaren, doppelt. – **7.** mit gleichen Karten wieder'holtes Spiel. – **8.** *econ.* a) Se'kunda-, Dupli'katwechsel *m*, 'Wechseldupli,kat *n*, b) Pfandschein *m.* – *SYN. cf.* reproduction. – **III** *v/t* [-,keit] **9.** verdoppeln, dupli'zieren. – **10.** im Dupli'kat 'herstellen. – **11.** ein Dupli'kat anfertigen von, ko'pieren: to ~ s.th. etwas abschreiben, von etwas eine Abschrift machen. – **12.** zu'sammenfalten. – **IV** *v/i* **13.** sich verdoppeln. — **,du·pli'ca·tion** *s* **1.** Verdopp(e)lung *f*, Duplikati'on *f*, Duplika'tur *f.* – **2.** Dupli'kat *n*, (genaue) Ko'pie, *bes.* Ab-, Zweitschrift *f.* – **3.** Vervielfältigung *f.* – **4.** Falte *f*, Knick *m.* – **5.** (Zu'sammen)Falten *n.* — **'du·pli,ca·tor** [-tər] *s* Ver'vielfältigungs-, Ko'pierappa,rat *m.* — **'du·pli,ca·ture** [-tʃər] *s* Duplika'tur *f*, Verdopp(e)lung *f.*

du·plic·i·ty [djuː'plisiti; -əti; *Am. auch* duː-] *s* **1.** *fig.* Doppelzüngigkeit *f*, Falschheit *f.* – **2.** Dupli'tät *f*, doppeltes Vor'handensein *od.* Vorkommen, Zweiheit *f*, Zwiefältigkeit *f.* – **3.** *jur.* Zu'sammenfassung *f od.* gleichzeitige Verhandlung mehrerer Rechtssachen.

du·ra ['dju(ə)rə; *Am. auch* 'durə] → ~ mater.

du·ra·bil·i·ty [,dju(ə)rə'biliti; -əti; *Am. auch* ,dur-] *s* Dauer(haftigkeit) *f*, Beständigkeit *f*, Festigkeit *f*, (Lebens)-Dauer *f.* — **'du·ra·ble** *adj* dauerhaft, haltbar. – *SYN. cf.* lasting. — **'du·ra·ble·ness** → durability.

du·ral ['dju(ə)rəl; *Am. auch* 'durəl] *adj med.* Dural...

du·ral·u·min [dju(ə)'ræljumin; -ljə-; *Am. auch* du'r-] *s tech.* Du'ral *n*, 'Duralu,min(ium) *n* (*aushärtbare Aluminiumlegierung*).

du·ra ma·ter ['dju(ə)rə 'meitər; *Am. auch* 'durə-] *s med.* Dura mater *f* (*harte Hirn- u. Rückenmarkshaut*).

du·ra·men [dju(ə)'reimin; *Am. auch* du'r-] *s bot.* Kern-, Herzholz *n* (*Baum*).

dur·ance ['dju(ə)rəns; *Am. auch* 'dur-] *s* **1.** Haft *f* (*meist in*): in ~ vile hinter Schloß u. Riegel. – **2.** *obs.* Fort-, Ausdauer *f.*

du·ra·tion [dju(ə)'reiʃən; *Am. auch* du'r-] *s* (Fort-, Zeit)Dauer *f*, Zeit *f*: of short ~ von kurzer Dauer; ~ of life Lebensdauer, -zeit; for the ~ für unbestimmte Dauer, für lange Zeit. — **'dur·a·tive** [-rətiv] **I** *adj* **1.** dauernd. – **2.** *ling.* dura'tiv, kontinu'ierlich, Dauer... – **II** *s ling.* **3.** dura'tiver Konso'nant. – **4.** Dura'tiv *m*, Dauerform *f.*

dur·bar ['dəːrbaːr] *s Br. Ind.* **1.** Audi'enz-, Empfangshalle *f.* – **2.** Hof *m* (*eines indischen Fürsten*). – **3.** Dur'bar *n*, 'Galaaudi,enz *f*, -empfang *m* (*bei einem indischen Fürsten od. beim Vizekönig*). – **4.** Audi'enz *f*, Empfang *m.*

dure[1] [djuːr; *Am. auch* duːr] *adj obs.* hart, streng.

dure[2] [djuːr; *Am. auch* duːr] *obs. od. dial. für* endure.

du·rene ['dju(ə)riːn; *Am. auch* 'duː-] *s chem.* Du'rol *n*, Teerkohlenwasserstoff *m* ($C_6H_2(CH_3)_4$).

du·re·nol ['dju(ə)ri,nɒl; -,noul; *Am. auch* 'duː-] *s chem.* Dure'nol *n* (C_6H-$(CH_3)OH$).

du·ress(e) [dju(ə)'res; 'dju(ə)ris; *Am. auch* du-] *s* **1.** Druck *m*, Zwang *m.* – **2.** *jur.* Freiheitsberaubung *f*, Einkerkerung *f*, Haft *f*: to be under ~ gefangengehalten werden, in Haft sein. – **3.** *jur.* Zwang *m*, Nötigung *f*: to act under ~ unter Zwang handeln; plea of ~ Einwand der Nötigung.

Dur·ham [*Br.* 'dʌrəm; *Am.* 'dəːrəm] *s* Durham-, Shorthornrind *n.*

du·ri·an ['du(ə)riən] *s bot.* **1.** Durian *m*, Zibetbaum *m* (*Durio zibethinus*). – **2.** Stink-, Zibetfrucht *f* (*von* 1).

dur·ing ['dju(ə)riŋ; *Am. auch* 'du-] *prep* **1.** während, im Laufe von (*od. gen*): ~ the night im Laufe der Nacht, in der Nacht. – **2.** während der Dauer von (*od. gen*): ~ life auf Lebensdauer.

du·ri·on *cf.* durian.

dur·mast [*Br.* 'dəːrmaːst; *Am.* -mæ(ː)st] *s bot.* Stein-, Wintereiche *f* (*Quercus petraea*).

durn [dəːrn] → darn[2].

du·ro ['du(ə)rou] *pl* **-ros** *s* Duro *m* (*span. u. südamer. Silbermünze*).

'Du·roc(-'Jer·sey) ['dju(ə)rɒk; *Am. auch* 'du-] *s eine amer. Schweinerasse.*

du·rom·e·ter [dju(ə)'rɒmitər; -mə-; *Am. auch* du-] *s tech.* Härtemesser *m*, -prüfer *m.*

dur·ra ['du(ə)rə] *s bot.* Durra *f*, indische Mohrenhirse (*Sorghum vulgare*).

durst [dəːrst] *dial. pret von* dare.

du·rum (wheat) ['dju(ə)rəm; *Am. auch* 'du-] *s bot.* Hartweizen *m* (*Triticum durum*).

du·ryl·ic ac·id [dju(ə)'rilik; *Am. auch* du-] *s chem.* Du'rylsäure *f* (C_6H_2-$(CH_3)_3CO_2H$).

dusk [dʌsk] **I** *s* **1.** (tiefe) Dämmerung, (beginnende) Dunkelheit, Halbdunkel *n*, Schatten *pl*: at ~ bei Einbruch der Dunkelheit; in the ~ of the evening in der Abenddämmerung. – **2.** Dunkelheit *f*, dunkle Färbung. – **II** *adj* **3.** *bes. poet.* dunkel, düster, dämmerig. – **III** *v/t* **4.** dunkel *od.* dunkler machen, verdunkeln. – **5.** trüben (*auch fig.*). – **IV** *v/i* **6.** dunkler *od.* dunkel werden, dämmern. — **'dusk·en** *v/t u. v/i selten* dunkel machen *od.* werden. — **'dusk·i·ness** *s* **1.** Dämmerung *f*, (*beginnende*) Dunkelheit. – **2.** dunkle Färbung *od.* Farbe. – **3.** *fig.* Trübheit *f*. — **'dusk·ish** *adj* leicht dämmerig.

dusk·y ['dʌski] *adj* **1.** dämmerig, schattig, düster. – **2.** schwärzlich, dunkel(farbig). – **3.** *fig.* trüb(e), düster, melan'cholisch. – *SYN.* a) swarthy, tawny, b) *cf.* dark. — ~ **duck** *s zo. Am.* Schwarzente *f* (*Anas rubripes tristis*). — ~ **grouse** *s zo.* (*ein*) nordamer. Feldhuhn *n* (*Dendragapus obscurus*).

dust [dʌst] **I** *s* **1.** Staub *m*: to shake the ~ off one's feet a) sich den Staub von den Füßen schütteln, b) *fig.* entrüstet weggehen; to throw ~ in s.o.'s eyes *fig.* j-m Sand in die Augen streuen; to be humbled in (*od.* to) the ~ (gedemütigt) im Staube liegen; to drag in the ~ in den Schmutz ziehen; in ~ and ashes *fig.* in Sack u. Asche (*im Büßergewand*); to kiss the ~ *fig.* a) den Staub küssen, b) ins Gras beißen; to lick the ~ *fig.* a) kriechen, b) ins Gras beißen; to take s.o.'s ~ *Am. colloq.* von j-m überholt werden; → bite 1; blow[1] 27; cast 20. – **2.** Staub *m* (*staubförmige Teilchen*): → coal ~. – **3.** a ~ eine Staubwolke *od.* -masse: to raise a great ~ eine große Staubwolke aufwirbeln. – **4.** *fig.* Staub *m*, Wirbel *m*, Aufsehen *n*: to raise a ~ viel Staub aufwirbeln, viel Aufsehen erregen, Lärm machen. – **5.** *fig.* a) Staub *m*, Erde *f*, b) Leichnam *m*, sterbliche 'Überreste *pl*, c) menschlicher Körper, Mensch *m*. – **6.** *Br.* Schmutz *m*, Müll *m*, Kehricht *m*. – **7.** Plunder *m*, Tand *m*, wertloser Kram. – **8.** *fig.* Staub *m* (*niedrige Stellung*): to raise from the ~ aus dem Staub erheben. – **9.** *bot.* Blütenstaub *m*. – **10.** Goldstaub *m*. – **11.** *sl.* ‚Moos' *n*, ‚Kies' *m* (*Geld*). – **12.** *selten* Staubkörnchen *n*. – **II** *v/t* **13.** abstauben, abwischen. – **14.** ausstäuben, -bürsten, -klopfen: to ~ s.o.'s jacket *sl.* j-n durchprügeln. – **15.** bestreuen, bestäuben: to ~ s.o.'s eyes *fig.* j-n täuschen, j-m Sand in die Augen streuen. – **16.** (*Pulver etc*) stäuben, streuen. – **17.** staubig machen, mit Staub besudeln. – **18.** zu Staub zerreiben. – **III** *v/i* **19.** staubig werden. – **20.** im Staub baden (*bes. Vogel*). – **21.** staubwischen, abstauben. – **22.** *Am. sl.* sich aus dem Staub(e) machen, ‚abhauen'.

'dust|,bin *s* Mülleimer *m*, -tonne *f*. — ~ **bowl** *s* Staubloch *n* (*Gegend mit viel Staub*). — **'~,box** *s* **1.** → dustbin. – **2.** Streusandbüchse *f*. — ~ **brand** *s agr.* Staubbrand *m* (*Getreidekrankheit*). — ~ **cart** *s* Müllkarren *m*. — ~ **cham·ber** *s tech.* (Flug)Staubkammer *f*. — ~ **cloak** → dust coat. — **'~,cloth** *s* **1.** Staubtuch *n*, -lappen *m*. – **2.** Staubdecke *f* (*als Möbelschutz*). — ~ **coat** *s* Staubmantel *m*. — ~ **cov·er** *s* **1.** 'Schutz,umschlag *m* (*um Bücher*). – **2.** → dustcloth 2. — ~ **dev·il** *s* Windhose *f*, heftiger Staubsturm.

dust·er ['dʌstər] *s* **1.** Abstauber(in), Staubwischer(in). – **2.** a) Staubtuch *n*, -lappen *m*, b) Staubwedel *m*, -besen *m*. – **3.** Staubmantel *m*. – **4.** Streudose *f* (*für Pfeffer, Salz etc*). – **5.** *tech.* Haderndrescher *m*, 'Siebma,schine *f*. – **6.** kurzer Morgenrock.

dust| ex·haust *s tech.* Entstäubungsöffnung *f* (*bei Maschinen*). — ~ **hole** *s* Müll-, Abfallgrube *f*.

dust·ing ['dʌstiŋ] *s* **1.** Abstauben *n*, Staubwischen *n*. – **2.** Entstaubung *f*. – **3.** Bestäuben *n*. – **4.** *sl.* Tracht *f* Prügel.

dust| jack·et → dust cover. — ~ **louse** *s irr* → book louse. — **'~·man** [-mən] *s irr* **1.** Müllabfuhrmann *m*. – **2.** *fig.* Sandmann *m* (*Schlafbringer*). — **'~,pan** *s* Kehrichtschaufel *f*. — **'~'proof** *adj* staubdicht. — ~ **shot** *s hunt.* Vogeldunst *m* (*feinste Schrotsorte*). — ~ **storm** *s* Staubsturm *m*. — **'~'tight** *adj* staubdicht. — ~ **whirl** *s* Staubwirbel *m*. — ~ **wrap·per** *s* **1.** → dustcloth. – **2.** → dust cover 1.

dust·y ['dʌsti] *adj* **1.** staubig, bestaubt, voll Staub. – **2.** aus Staub (bestehend), staub-, pulverförmig. – **3.** trüb, stumpf (*Farbe*). – **4.** staub-, sandfarben. – **5.** staubtrocken. – **6.** *fig.* schal, fad(e), ba'nal, leer. – **7.** *fig.* trocken, 'uninteres,sant. – **8.** *fig.* vag, unklar: a ~ answer. – **9.** *fig.* wertlos, schlecht: not so ~ *sl.* gar nicht so übel. – **10.** *mar. colloq.* stürmisch. — ~ **clo·ver** *s bot.* (*eine*) Lespe'deza (*Lespedeza capitata; nordamer. Leguminose*). — ~ **hus·band** *s bot.* Alpen-Gänsekresse *f* (*Arabis alpina*). — ~ **mill·er** *s* **1.** *bot. eine aschgraue Pflanze, bes.* a) → auricula 1, b) Strand-Kreuzkraut *n* (*Senecio cineraria*), c) Samt-Lichtnelke *f* (*Lychnis coronaria*). – **2.** *eine künstliche Angelfliege.*

Dutch [dʌtʃ] **I** *adj* **1.** holländisch, niederländisch: to go ~ *colloq.* jeden Teilnehmer für sich selbst bezahlen lassen. – **2.** *obs. od. sl.* deutsch. – **II** *s* **3.** *ling.* Holländisch *n*, Niederländisch *n*: that is all ~ to me das sind mir böhmische Dörfer; to talk (double) ~ *colloq.* unverständliches Zeug *od.* Kauderwelsch reden; in ~ a) auf holländisch, im Holländischen, b) *Am. sl.* schlecht angeschrieben, ‚unten durch'. – **4.** *obs. od. sl.* Deutsch *n*. – **5.** the ~ *collect. pl* a) die Holländer *pl*, das holl. Volk, b) *obs. od. sl.* die Deutschen: to beat the ~ *colloq.* a) mit dem Teufel fertigwerden, b) es schaffen, das Rennen machen, c) dem Faß den Boden ausschlagen, unerhört sein; that beats the ~! *colloq.* das ist ja die Höhe! – **6.** → Pennsylvania ~. – **7.** Holländer *m* (*Kaninchenrasse*). – **8.** d~, *meist* old d~ *Br. sl.* ‚Alte' *f* (*Ehefrau*). — ~ **ag·ri·mo·ny** → hemp agrimony. — ~ **auc·tion** *s econ.* (Aukti'on *f* mit) Abschlag *m* (*bei der der Preis erniedrigt wird, bis sich ein Käufer findet*). — ~ **Belt·ed** *s eine holl. Rinderrasse.* — ~ **brick** → Dutch clinker. — ~ **cheese** *s* **1.** holl. Käse *m*. – **2.** → cottage cheese. – **3.** *bot.* Blaue *od.* Wilde Malve, Roß-, Käsepappel *f* (*Malva sylvestris*). — ~ **clink·er** *s tech.* (*Art*) Klinker *m*. — ~ **clo·ver** *s bot.* Weißer Klee (*Trifolium repens*). — ~ **cour·age** *s colloq.* angetrunkener Mut. — ~ **door** *s* quergeteilte Tür. — ~ **elm** *s bot.* Traubenrüster *f* (*Ulmus hollandica var. major*). — ~ **elm dis·ease** *s bot.* Ulmensterben *n* (*durch den Kleinpilz Graphium ulmi*). — ~ **foil,** ~ **gold** *s* unechtes Blattgold, Rausch-, Knittergold *n*. — ~ **leaf** *s irr* → Dutch foil. — ~ **liq·uid** *s chem.* Haarlemer Öl *n*, Äthy'lenchlo,rid *n* ($C_2H_4Cl_2$).

Dutch·man ['dʌtʃmən] *s irr* **1.** Holländer *m*, Niederländer *m* (*auch Südafrikaner holl. Abkunft*). – **2.** *obs. od. sl.* Deutscher *m*: or I'm a ~ oder ich laß mich hängen, oder ich will Hans heißen; I'm a ~ if ich laß mich hängen, wenn. – **3.** *mar.* Holländer *m*, holl. Schiff *n*: → Flying ~. – **4.** d~ *tech.* Spülbohrkopf *m*.

'Dutch·man's|-'breech·es *s bot.* (*ein*) amer. Doppelsporn *m* (*Dicentra cucullaria*). — ~ **lau·da·num** *s bot.* Rauhe Passi'onsblume (*Passiflora murucuja*). — ~ **log** *s mar.* Relingslog(ge *f*) *n*. — **'~-'pipe** *s bot.* Pfeifenkraut *n*, Großblätterige 'Osterlu,zei (*Aristolochia sipho*).

Dutch| met·al *s* **1.** Tombak *m*. – **2.** → Dutch foil. — ~ **mor·gan** *s bot.* Großes Maßliebchen, Wucherblume *f* (*Chrysanthemum leucanthemum*). — ~ **myr·tle** *s bot.* **1.** Gagelstrauch *m* (*Myrica gale*). – **2.** Sumpfporst *m* (*Ledum palustre*). – **3.** Myrte *f* (*Myrtus communis*). — ~ **oil** → Dutch liquid. — ~ **ov·en** *s* **1.** *Am.* (*Art*) flacher Bratentopf. – **2.** Backsteinofen *m*. – **3.** Röstblech *n* (*vor offenem Feuer*). — ~ **rush** *s bot.* Winter-Schachtelhalm *m* (*Equisetum hiemale*). — ~ **sauce** *s* holl. Soße *f*. — ~ **school** *s* (*Malerei*) niederl. Schule *f*. — ~ **tile** *s* gla'sierte Ofenkachel. — ~ **treat** *s colloq.* gemeinsames Vergnügen (*Essen etc*), bei dem jeder für sich bezahlt. — ~ **un·cle** *s colloq. in der Redensart*: to talk to s.o. like a ~ j-m deutlich seine Meinung sagen, j-n gehörig zurechtweisen. — ~ **wife** *s irr* (*in Indien etc*) Rohrgestell *n*, Kissen *n* (*zum Auflegen der Arme u. Beine im Bett*). — **'~,wom·an** *s irr* Holländerin *f*, Niederländerin *f*.

du·te·ous ['djuːtiəs; *Am. auch* 'duː-] *adj* **1.** (pflicht)eifrig, pflichtbewußt, gewissenhaft. – **2.** gehorsam: a ~ son. – **3.** unter'würfig. – **4.** ehrerbietig. — **'du·te·ous·ness** *s* **1.** Pflichteifer *m*, -bewußtsein *n*, Gewissenhaftigkeit *f*. – **2.** Gehorsam *m*. – **3.** Unter'würfigkeit *f*. – **4.** Ehrerbietung *f*.

du·ti·a·ble ['djuːtiəbl; *Am. auch* 'duː-] *adj* **1.** versteuerbar. – **2.** steuer-, abgaben-, zollpflichtig.

du·ti·ful ['djuːtiful; -fəl; *Am. auch* 'duː-] *adj* **1.** pflichtgetreu. – **2.** gehorsam. – **3.** ehrerbietig, re'spektvoll. – **4.** pflichtgemäß, Pflicht... — **'du·ti·ful·ness** *s* **1.** Pflichttreue *f*. – **2.** Gehorsam *m*. – **3.** Ehrerbietung *f*.

du·ty ['djuːti; *Am. auch* 'duːti] **I** *s* **1.** Pflicht *f*, Schuldigkeit *f*, Verpflichtung *f* (to, toward[s] gegen[über]): to do one's ~ seine Pflicht tun (by s.o. an j-m); breach of ~ Pflichtverletzung; (as) in ~ bound pflichtgemäß, -schuldig(st); to be in ~ bound to do s.th. etwas pflichtgemäß tun müssen; → civil 4. – **2.** (amtlicher) Dienst: to be on ~ Dienst haben, im Dienst sein; to have the ~ *mar.* Dienst haben; drunkenness on ~ Trunkenheit im Dienst; the nurse on ~ die diensttuende *od.* -habende Schwester; off ~ dienstfrei; to be off ~ nicht im Dienst sein, dienstfrei haben; to take s.o.'s ~ j-s Dienst übernehmen; to do ~ for a) *fig.* benutzt werden *od.* dienen als (*etwas*), b) (*j-n*) vertreten, Dienst tun für (*j-n*). – **3.** Ehrerbietung *f*, Re'spekt *m*: in ~ to aus Ehrerbietung gegen. – **4.** Ehrfurchts-, Höflichkeitsbezeigung *f*, -geste *f*: ~ call Höflichkeits-, Pflichtbesuch. – **5.** *econ.* Steuer *f*, Abgabe *f*: ~ on checks (*Br.* cheques) Schecksteuer; ~ on increment value Wertzuwachssteuer.

– 6. *econ.* a) Gebühr *f*, Auflage *f*, b) Zoll *m*; ~ **on exports** Ausfuhrzoll; **exempt from** ~, **free of** ~ zollfrei, nicht zollpflichtig; **liable to** ~ zollpflichtig. – 7. *tech.* a) 'Nutzefˌfekt *m*, Nutz-, Wirkleistung *f* (*Maschine*), b) 'Heizefˌfekt *m* (*thermomechanischer Anlagen*). – 8. *meist* ~ **of water** nötige Bewässerungsmenge. – *SYN. cf.* a) **function**, b) **obligation**, c) **task**. – II *adj* 9. Pflicht... — '~-'**free** *adj u. adv* abgaben-, zollfrei, nicht zollpflichtig. — '~-'**paid** *adj* verzollt, nach Verzollung: ~ **entry** Zollerklärung, -deklaration.

du·um·vir [djuː'ʌmvər] *pl* **-viˌri** [-viˌrai], **-virs** *s antiq.* Du'umvir *m*. — **du'um·vi·rate** [-rit] *s* Duumvi'rat *n*, Zwei'männer-, 'Zweierreˌgierung *f*, -behörde *f*.

du·ve·tyn(e), *auch* **du·ve·tine** ['duːvəˌtiːn] *s* Duve'tine *m*, Velveton *m*, Ledersamt *m* (*eine Samtimitation*).

dux [dʌks] *pl* **du·ces** ['djuːsiːz], '**dux·es** (*Lat.*) *s* 1. (An)Führer *m*. – 2. *Br.* Erster *m*, Primus *m* (*einer Klasse*). – 3. *mus.* Dux *m*, Führer *m* (*Kanon- od. Fugenthema in Grundgestalt*).

dwale [dweil] → **belladonna** 1.

dwalm, dwam [dwɑːm] *dial. für* **swoon**.

dwarf [dwɔːrf] I *s* 1. Zwerg(in) (*auch fig.*). – 2. a) *zo.* Zwergtier *n*, b) *bot.* Zwergpflanze *f*. – 3. *astr.* → ~ **star**. – II *adj* 4. zwergartig, zwergenhaft, Zwerg..., klein, winzig. – III *v/t* 5. *bes. fig.* verkümmern *od.* verkrüppeln lassen, im Wachstum *od.* in der Entfaltung hindern. – 6. verkleinern, verkürzen. – 7. klein erscheinen lassen, zu'sammenschrumpfen lassen. – 8. *fig.* in den Schatten stellen. – IV *v/i* 9. verkümmern, verkrüppeln. – 10. klein werden, sich verkleinern, zu'sammenschrumpfen. — ~ **al·der** *s bot.* (*ein*) amer. Kreuzdorn *m* (*Rhamnus alnifolia*). — ~ **ap·ple** *s bot.* Para'dies-, Zwergapfel(baum) *m* (*Malus pumila var. paradisiaca*). — ~ **bay** *s bot.* Immergrüner Seidelbast (*Daphne laureola*). — ~ **bil·ber·ry** *s bot.* Zwergheidelbeere *f* (*Vaccinium caespitosum*; *Nordamerika*). — ~ **birch** *s bot.* Zwergbirke *f* (*Betula nana*). — ~ **cher·ry** *s bot.* Zwergkirsche *f* (*Prunus pumila*; *Nordamerika*). — ~ **chest·nut** *s bot.* 'Zwergkaˌstanie *f* (*Castanea pumila*; *Nordamerika*). — ~ **cor·nel** *s bot.* Kanad. Hornstrauch *m* (*Cornus canadensis*). — ~ **el·der** *s bot.* Attich *m*, 'Kraut-, 'Zwerghoˌlunder *m* (*Sambucus ebulus*).

dwarf·ish ['dwɔːrfiʃ] *adj* 1. zwergig, zwergenhaft, klein. – 2. *med.* 'unter-, unentwickelt. — '**dwarf·ish·ness** *s* 1. Zwergenhaftigkeit *f*. – 2. *med.* 'Unterentwicklung *f*.

dwarf| le·mur *s zo.* (*ein*) Zwergmaki *m* (*Gattg Microcebus*). — ~ **mal·low** *s bot.* Rundblätterige Malve (*Malva rotundifolia*). — ~ **ma·ple** *s bot.* Zwergahorn *m* (*Acer glabrum*). — ~ **oak** *s bot.* (*ein*) Ga'mander *m* (*Gattg Teucrium*). — ~ **palm** *s bot.* Zwergpalme *f* (*Chamaerops humilis*). — ~ **pine** *s bot.* Berg-, Krummholzkiefer *f* (*Pinus mugo*). — ~ **sal·a·man·der** *s zo.* 'Zwergsalaˌmander *m* (*Manculus quadridigitatus*). — ~ **snake** *s zo.* Zwergschlange *f* (*Gattg Calamaria*). — ~ **star** *s astr.* Zwergstern *m*. — ~ **tape·worm** *s zo.* Zwergbandwurm *m* (*Gattg Hymenolepis*). — ~ **wall** *s arch.* Quer-, Zwergmauer *f*. — ~ **wa·ter lil·y** *s bot.* Seekanne *f* (*Nymphoides peltatum*).

dwell [dwel] I *v/i pret u. pp* **dwelt** [dwelt], *auch* **dwelled** 1. wohnen, hausen. – 2. bleiben, (ver)weilen: **to** ~ **in s.o.'s memory** j-m im Gedächtnis bleiben; **to** ~ **(up)on s.th.** *fig.* a) (im Geiste) bei etwas verweilen, über etwas nachdenken, b) auf etwas bestehen *od.* Nachdruck legen; **to** ~ **(up)on a subject** bei einem Thema verweilen, auf ein Thema näher eingehen; **to** ~ **on a note** *mus.* auf einem Ton verweilen, einen Ton aushalten. – 3. zögern, innehalten (*bes. Pferd vor einem Hindernis*). – 4. (in) ruhen, begründet sein (in *dat*), abhängen (von). – II *s* 5. *sport* Halt *m*, Pause *f*, Zögern *n*. – 6. *tech.* Haltezeit *f*, 'Stillstandsperiˌode *f*, Zwischen-, Leerhub *m*. — '**dwell·er** *s* 1. Bewohner(in): **city** ~ Stadtbewohner(in). – 2. *sport* Pferd, das vor Hindernissen zögert.

dwell·ing ['dweliŋ] *s* 1. Wohnung *f*, Behausung *f*. – 2. Wohnen *n*, Aufenthalt *m*: ~ **house** Wohnhaus. – 3. Wohnsitz *m*: **to take up one's** ~ seinen Wohnsitz aufschlagen; ~ **place** Aufenthalts-, Wohnort. — ~ **u·nit** *s* Wohneinheit *f*.

dwelt [dwelt] *pret u. pp von* **dwell**.

dwin·dle ['dwindl] I *v/i* 1. abnehmen, schwinden, (ein-, zu'sammen)-schrumpfen, her'untergehen, sinken: **to** ~ **away** dahinschwinden, -schmelzen. – 2. degene'rieren, verfallen, ausarten, entarten (**into** zu). – II *v/t* 3. schwinden lassen, verringern, vermindern. – *SYN. cf.* **decrease**.

dwine [dwain] *v/i obs. od. dial.* da'hinschwinden.

dy·ad ['daiæd] I *s* 1. Dyas *f*, Zweiheit *f*, Paar *n*. – 2. *chem.* Dy'ade *f*. – 3. *mus.* Zweiklang *m*. – 4. *biol.* Dy'ade *f* (*Zellenpaar der Reduktionsteilung*). – II *adj* → **dyadic**. — **dy'ad·ic** *adj* Zweier..., Doppel..., aus zwei Teilen (bestehend).

Dy·ak ['daiæk] *s* 1. Dajak *m* (*Eingeborener Borneos*). – 2. *ling.* Dajak *n* (*Sprache der Dajak*).

dy·ar·chal *etc cf.* **diarchal** *etc.*

Dy·as ['daiæs] *s geol.* 'Dyas(formatiˌon) *f*, Perm *n*.

d'ye [dji; djə] *colloq. für* **do you**.

dye [dai] I *s* 1. Farbstoff *m*. – 2. *tech.* Färbe(flüssigkeit) *f*: ~ **bath** Färbebad, Flotte; ~**house** Färberei. – 3. Färbung *f*, Farbe *f*, Tönung *f*: **of the deepest** (*od.* **blackest**) ~ *fig.* von der übelsten Sorte. – II *v/t pret u. pp* **dyed**, *pres p* **dye·ing** 4. *bes. tech.* färben: **to** ~ **cloth blue** Stoff blau färben; **to** ~ **in the wool** *tech.* in der Wolle *od.* waschecht färben; **to** ~ **in the grain** *tech.* (*Fasern*) im Rohzustand färben, waschecht färben; → **wool** 1. – 5. (*Farbe*) erzeugen. – III *v/i* 6. färben. – 7. Farbe annehmen, sich färben (lassen): **this cloth** ~**s easily**. — '**dye·a·ble** *adj tech.* (an)färbbar. — '**dyed-in-the-'wool** [daid] *adj* 1. *tech.* in der Wolle gefärbt. – 2. *fig.* waschecht, eingefleischt. — '**dye·ing** *s* 1. Färben *n*. – 2. Färbe'reigewerbe *n*.

dy·er ['daiər] *s* 1. Färber(in). – 2. Farbstoff *m*.

'**dy·er's|-ˌbroom** ['daiərz] *s bot.* Färberginster *m* (*Genista tinctoria*). — ~ **bu·gloss** *s bot.* 'Färberalˌkanna *f* (*Alkanna tinctoria*). — ~ **cro·ton** *s bot.* Tourne'solpflanze *f*, Färberkroton *m* (*Chrozophora tinctoria*). — ~ **mad·der** *s bot.* Färberröte *f*, Krapp *m* (*Rubia tinctorum*). — ~ **moss** *s bot.* Lackmus-, Or'seilleflechte *f* (*Roccella tinctoria*). — ~ **mul·ber·ry** *s bot.* Färbermaulbeerbaum *m* (*Chlorophora tinctoria*). — ~ **oak** *s bot.* Färbereiche *f* (*Quercus velutina*; *Nordamerika*). — ~ **weed** *s bot.* 1. Gelbkraut *n*, Färber-Wau *m* (*Reseda luteola*). – 2. → **dyer's-broom**. – 3. → **dyer's woad**. — ~ **woad** *s bot.* (Färber)Waid *m*, Deutscher Indigo (*Isatis tinctoria*).

'**dye|ˌstuff** *s* Farbstoff *m*. — '~ˌ**weed** *s bot.* 1. → **dyer's weed**. – 2. (*eine*) amer. Aster (*Eclipta alba*). — '~ˌ**wood** *s tech.* Färbe-, Farbholz *n*.

dy·ing ['daiiŋ] I *adj* 1. sterbend: **a** ~ **man** ein Sterbender; **to be** ~ im Sterben liegen. – 2. Todes..., Sterbe..., letzt(er, e, es): ~ **words** letzte Worte. – 3. zu Ende gehend, sich neigend: **the** ~ **year**. – 4. *fig.* ersterbend: **with a** ~ **voice** mit ersterbender Stimme. – 5. schmachtend (*Blick*). – II *s* 6. Sterben *n*, Tod *m*.

dyke *cf.* **dike**[1] *u.* **dike**[2].

dyna- [dainə], *auch* **dyn-, dynam-** [-næm] *Wortelement mit der Bedeutung* Kraft.

dy·nam·e·ter [dai'næmitər; -mə-] *s phys.* Dyna'meter *n*.

dy·nam·ic [dai'næmik] I *adj* 1. dy'namisch: a) wirksam, ak'tiv, tätig, stark, kräftig, le'bendig, b) in Bewegung, nicht ruhend *od.* statisch, c) *phys.* die Dy'namik betreffend. – II *s meist pl* (*als sg konstruiert*) 2. Dy'namik *f*: a) *phys. Lehre von den bewegenden Kräften*, b) *mus. Lehre vom Stärkewechsel*. – 3. *fig.* Triebkraft *f*, treibende Kraft. — **dy'nam·i·cal** → **dynamic** I. — **dy'nam·i·cal·ly** *adv* (*auch zu* **dynamic** I).

dy·nam·ic| bal·ance *s phys.* dy'namisches Gleichgewicht. — ~ **pres·sure** *s phys.* Staudruck *m*, dy'namischer Druck. — ~ **sim·i·lar·i·ty** *s phys.* Prin'zip *n* der dy'namischen Ähnlichkeit.

dy·na·mism ['dainəˌmizəm] *s philos.* Dyna'mismus *m*. — '**dy·na·mist** *s* Anhänger *m* des Dyna'mismus. — ˌ**dy·na'mis·tic** *adj* dy'namisch.

dy·na·mi·tard ['dainəmiˌtɑːrd] → **dynamiter**.

dy·na·mite ['dainəˌmait] I *s* 1. Dyna'mit *n*. – II *v/t* 2. mit Dyna'mit laden. – 3. (*mit Dynamit*) (in die Luft) sprengen. — '**dy·naˌmit·er** *s* Dyna'mitverschwörer *m*, Sprengstoffattentäter *m*. — ˌ**dy·na'mit·ic** [-'mitik], ˌ**dy·na'mit·i·cal** *adj* 1. Dynamit... – 2. dyna'mitartig (*auch fig.*). — ˌ**dy·na'mit·i·cal·ly** *adv* (*auch zu* **dynamitic**). — '**dy·naˌmit·ing** [-ˌmaitiŋ] *s* 1. Dyna'mitsprengung *f*. – 2. Zerstörung *f* durch Dyna'mit. — '**dy·naˌmit·ism** → **dynamiting**. — '**dy·naˌmit·ist** → **dynamiter**.

dy·na·mo ['dainəˌmou] *s electr.* Dy'namo(maˌschine *f*) *m*.

dynamo- [dainəmo] → **dyna-**.

dy·na·mo·e·lec·tric [ˌdainəmoi'lektrik], ˌ**dy·na·mo·e'lec·tri·cal** *adj phys.* dy'namoeˌlektrisch, e'lektrodyˌnamisch. — ˌ**dy·na·mo'gen·e·sis** [-'dʒenisis] *s tech.* Krafterzeugung *f*. — ˌ**dy·na·mo'gen·ic**, ˌ**dy·na'mog·e·nous** [-'mɒdʒənəs] *adj tech.* krafterzeugend. — ˌ**dy·na·moˌmet·a'mor·phism** [-ˌmetə'mɔːrfizəm] *s geol.* Dy'namo-, 'Stauungsmetamorˌphose *f*.

dy·na·mom·e·ter [ˌdainə'mɒmitər; -mət-] *s tech.* 1. Dynamo'meter *n*, Kraftmesser *m*. – 2. *Maß für die optische Vergrößerung von Teleskopen etc.* — ˌ**dy·na·mo'met·ric** [-mo'metrik], ˌ**dy·na·mo'met·ri·cal** *adj* dynamo'metrisch, Dynamometer... — ˌ**dy·na'mom·e·try** [-tri] *s tech.* Kraftmessung *f*.

dy·na·mo·tor ['dainəˌmoutər] *s electr.* 'Umformer *m*, 'Motorgeneˌrator *m*.

dy·nast ['dainæst; -nəst; *Br. auch* 'din-] *s* Dy'nast *m*, Herrscher *m*. — **dy'nas·tic** [-'næstik], **dy'nas·ti·cal** *adj* dy'nastisch. — **dy'nas·ti·cal·ly** *adv* (*auch zu* **dynastic**). — '**dy·nas·ty** *s* Dyna'stie *f*: a) Herrschergeschlecht *n*, -haus *n*, b) Re'gierungszeit *f* (*einer Dynastie*).

dy·na·tron ['dainəˌtrɒn] *s electr.* Dynatron *n*, Mesotron *n* (*Sekundärelektronenröhre*).
dyne [dain] *s phys.* Dyn *n*, Dyne *f* (*Einheit der Kraft im CGS-System*).
dys- [dis] *Vorsilbe mit den Bedeutungen*: a) schwer, schwierig, b) *biol.* ungleich(artig), c) *med.* schwierig, schmerzhaft, d) mangel-, fehlerhaft, e) krankhaft, abnorm.
dys·a·cou·si·a [ˌdisə'kuːʃiə; -ziə] *s med.* **1.** Lärmempfindlichkeit *f.* – **2.** Empfindlichkeit *f* gegen bestimmte Töne. — **dys·aes·the·si·a, dys·aes·thet·ic** *cf.* disesthesia, dysesthetic. — **dys'ar·thri·a** [-'ɑːrθriə] *s med.* Dysar'thrie *f* (*unartikuliertes Sprechen*). — ˌ**dys·ar'thro·sis** [-ɑːr'θrousis] *s med.* **1.** Ge'lenkleiden *n*, *bes.* -deformiˌtät *f.* – **2.** → **dysarthria.** — ˌ**dys·chro·ma'top·si·a** [-kroumə'tɒpsiə] *s med.* Farbenschwäche *f*, parti'elle Farbenblindheit. — **dys'cra·si·a** [-'kreiʃiə; -ziə] *s med.* Dyskra'sie *f*, fehlerhafte 'Blutzuˌsammensetzung. — **dys'cra·si·al, dys'crat·ic** [-'krætik] *adj* dys'kratisch.
dys·en·ter·ic [ˌdisen'terik] *adj med.* **1.** dysen'terisch, Dysenterie..., Ruhr..., ruhrartig. – **2.** ruhrkrank. — **dys·en·ter·y** [*Br.* 'disəntri; *Am.* -ˌteri] *s med.* Dysente'rie *f*, Ruhr *f*.
dys·es·the·si·a [ˌdises'θiːʃiə; -ziə] *s med.* Dysästhe'sie *f*, Gefühlsstörung *f*. — ˌ**dys·es'thet·ic** [-'θetik] *adj* **1.** Dysästhesie... – **2.** gefühlsgestört. — **dys'func·tion** [-'fʌŋkʃən] *s med.* Funkti'onsstörung *f.* — **dys'gen·ic** [-'dʒenik] *adj biol.* rassengefährdend, für die bio'logische Entwicklung ungünstig. — **dys'gen·ics** *s pl* (*als sg konstruiert*) *biol.* Degenerati'onslehre *f.* — ˌ**dys·i'dro·sis** [-i'drousis] *s med.* gestörte Schweißabsonderung. — ˌ**dys·ki'ne·si·a** [-ki'niːsiə; -ziə; -kai-] *s med.* Störung *f* der willkürlichen Muskelbewegungen. — **dys'la·li·a** [-'leiliə] *s med.* Dysla'lie *f*, funktio'nelles Stammeln. — **dys'lo·gi·a** [-'loudʒiə] *s med.* Dyslo'gie *f*, Logopa'thie *f* (*Sprachstörung bei Intelligenzdefekten*).
dys·lo·gis·tic [ˌdislo'dʒistik; -lə-] *adj* abfällig, her'absetzend, tadelnd. — ˌ**dys·lo'gis·ti·cal·ly** *adv.* — '**dys·lo·gy** *s* 'Mißbilligung *f*, Tadel *m*.
dys·men·or·rh(o)e·a [ˌdismenə'riːə] *s med.* Dismenor'rhöe *f* (*schmerzhafte Menstruation*). — ˌ**dys·mer·o'gen·e·sis** [-mərо'dʒenisis; -nə-] *s med. zo.* Dysmero'genesis *f* (*gleichzeitige Erzeugung vieler ungleicher Teile*). — **dys'met·ri·a** [-'metriə] *s med.* Unfähigkeit *f* der Begrenzung von Muskelbewegungen. — '**dys·oˌdile** [-oˌdail; -sə-; -dil] *s min.* Dyso'dil *n*, Stinkkohle *f*. — ˌ**dys·o'rex·i·a** [-o'reksiə] *s med.* gestörter *od.* 'unnaˌtürlicher Appe'tit.
dys·pep·si·a [dis'pepsiə; -ʃə], **dys'pep·sy** [-si] *s med.* Dyspep'sie *f*, Verdauungsstörung *f*. — **dys'pep·tic** [-tik] **I** *adj* **1.** *med.* dys'peptisch. – **2.** *fig.* bedrückt, 'mißgestimmt. – **II** *s* **3.** Dys'peptiker(in). — **dys'pep·ti·cal** → **dyspeptic I.**
dys·pha·gi·a [dis'feidʒiə] *s med.* Dysphaˌ'gie *f*, Schluck-, Schlingbeschwerde *f*. — **dys'pha·si·a** [-'feiʒiə; -ʒə] *s med.* Dyspha'sie *f* (*Sprachstörung aus zentraler Ursache*). — **dys'pho·ni·a** [-'founiə] *s med.* Dyspho'nie *f* (*erschwertes Sprechen von Vokalen u. stimmhaften Lauten*). — **dys'phon·ic** [-'fɒnik] *adj med.* dys'phonisch. — **dys'pho·ria** [-'fɔːriə] *s med.* Dyspho'rie *f*, ner'vöse Unruhe, Unbehagen *n*. — **dys'phor·ic** [-'fɒrik] *adj med.* ner'vös, unruhig. — **dys'phra·si·a** [-'freiʒiə; -ziə] *s med.* Dysphra'sie *f* (*Sprachstörung aus zentraler Ursache*).
dysp·n(o)e·a [disp'niːə] *s med.* Dys'pnoe *f*, Atemnot *f*, Kurzatmigkeit *f*. — **dysp'n(o)e·al, dysp'n(o)e·ic, dysp'no·ic** [-'nouik] *adj med.* dys'pnoisch, kurz-, schweratmig.
dys·pro·si·um [dis'prousiəm; -ʃiəm] *s chem.* Dys'prosium *n* (*Dy*; *seltenes Erdmetall*). — ˌ**dys·tel·e'ol·o·gy** [-teli'ɒlədʒi; -tiː-] *s biol.* Dysteolo'gie *f*, Unzweckmäßigkeitslehre *f*. — **dys'thy·roidˌism** [-'θairɔiˌdizəm] *s med.* Funkti'onsstörung *f* der Schilddrüse. — **dys'to·ci·a** [-'touʃiə] *s med.* Dysto'kie *f*, erschwerte Geburt. — **dys'to·cial** [-ʃəl] *adj med.* dystoki'al. — **dys'tro·phi·a** [-'troufiə] → **dystrophy.** — **dys'troph·ic** [-'trɒfik] *adj med.* **1.** dys'troph, Dystrophie... – **2.** ernährungsgestört. — '**dys·tro·phy** [-trəfi] *s med.* Dystro'phie *f*, Ernährungsstörung *f*. — **dys'u·ri·a** [-'ju(ə)riə] *s med.* Dysu'rie *f*, Harnzwang *m*, -strenge *f*. — **dys'u·ric** *adj* Dysurie...

E

E, e [iː] **I** *s pl* **E's, Es, e's, es** [iːz] **1.** E *n*, e *n* (*5. Buchstabe des engl. Alphabets*): **a capital** (*od.* **large**) **E** ein großes E; **a little** (*od.* **small**) **e** ein kleines E. – **2.** *mus.* E *n*, e *n* (*Tonbezeichnung*): **E flat** Es, es; **E sharp** Eis, eis; **E double flat** Eses, eses; **E double sharp** Eisis, eisis. – **3.** E (*5. angenommene Person bei Beweisführungen*). – **4.** e (*5. angenommener Fall bei Aufzählungen*). – **5.** e *math.* e: a) *Bezeichnung für die Zahl 2,7182818... als Basis der natürlichen Logarithmen*, b) *Symbol für die Exzentrizität, bes. von Kegelschnitten.* – **6.** e *phys.* a) e (*Elementarladung*), b) → **erg.** – **7.** E *ped. bes. Am.* a) Fünf *f*, Mangelhaft *n*, b) *selten* Her'vorragend *n*, Ausgezeichnet *n*. – **8.** E (*Lloyds Schiffsklassifikation*) a) unterste Klasse, b) Schiff *n* unterer Klasse (*Holzschiffe*). – **9.** E *Am.* (*Symbol für*) her'vorragende Leistung (= **excellence**) (*bes. auf Wimpeln, von der US-Marine an Schiffsbesatzungen u. von der US-Armee an Industriewerke verliehen*). – **10.** E E *n*, E-förmiger Gegenstand. – **II** *adj* **11.** fünft(er, e, es): **Company E** die 5. Kompanie. – **12.** E E-..., E-förmig.

e- [i] *für* **ex-** *vor Konsonanten* (*außer c, f, p, q, s, t*).

each [iːtʃ] **I** *adj* jed(er, e, es) (einzelne) (*aus einer bestimmten Zahl od. Gruppe*). – **II** *pron* jed(er, e, es), ein jed(er, es), eine jede: **~ had his own opinion** jeder hatte seine eigene Meinung; **~ of my books** (ein) jedes meiner Bücher; (**we help**) **~ other** (wir helfen) einander; **they think of ~ other** sie denken aneinander; **they heard ~ other's voices** sie hörten jeder des anderen Stimme. – **III** *adv* je, pro Per'son *od.* Stück: **they cost five pounds ~** sie kosten fünf Pfund (das Stück); **we had one room ~** wir hatten jeder ein Zimmer.

ea·ger¹ ['iːgər] *adj* **1.** (**for, after, about**) begierig (nach), erpicht (auf *acc*): **to be ~ for knowledge** wißbegierig sein; **to be ~ about swimming, to be ~ to swim** aufs Schwimmen erpicht sein, erpicht darauf sein zu schwimmen. – **2.** begierig, ungeduldig (wartend): **to be ~ for news** ungeduldig auf Nachricht warten. – **3.** lebhaft, eifrig. – **4.** heiß, hitzig, verbissen (*Kampf etc*). – **5.** lebhaft, ungeduldig (*Blick*). – **6.** heiß brennend (*Verlangen etc*). – *SYN.* **anxious, athirst, avid, keen¹.**

ea·ger² *cf.* **eagre.**

ea·ger bea·ver *s Am. sl.* Streber *m*, 'Übereifriger *m*.

ea·ger·ly ['iːgərli] *adv* **1.** ungeduldig, begierig, gespannt: **waiting ~ for s.th.** ungeduldig *od.* gespannt auf etwas wartend. – **2.** eifrig. — **'ea·ger·ness** *s* **1.** Ungeduld *f*, Spannung *f*. – **2.** Eifer *m*, Begierde *f*. – **3.** Begierde *f*, heftiges Verlangen.

ea·gle ['iːgl] *s* **1.** *zo.* Adler *m* (*Gattg Aquila*). – **2.** *her.* Adler *m*. – **3.** Adlerpult *n* (*in Kirchen*). – **4.** 'Adlerfahne *f od.* -stan,darte *f*. – **5.** *Am. hist.* goldenes Zehn'dollarstück (*Hauptgoldmünze der USA*): **~ day** *mil. sl.* Zahltag. – **6.** *pl mil.* Adler *pl* (*Rangabzeichen eines Obersten in der US-Armee*). – **7.** E~ *astr.* Adler *m* (*nördl. Sternbild*). – **8.** (*Golf*) *Resultat, das um zwei Schläge unter dem Durchschnitt liegt.* — **'~-,eyed** *adj* adleräugig, scharfsichtig. — **~ hawk** *s zo.* Würgadler *m* (*Morphnus guianensis*). — **~ lec·tern** → **eagle** 3. — **~ owl** *s zo.* Uhu *m*, Adlereule *f* (*Bubo bubo*). — **~ ray** *s zo.* (*ein*) Adlerrochen *m*, (*ein*) Meerdrachen *m* (*Fam. Myliobatidae*). — **'~,stone** *s min.* Ae'tit *m*, Adler-, Klapperstein *m*.

ea·glet ['iːglit] *s zo.* junger Adler.

ea·gle vul·ture *s zo.* Geierseeadler *m* (*Gypohiërax angolensis*).

ea·gre ['iːgər; 'eigər] *s* Flutwelle *f*, Springflut *f*.

-ean [i(ː)ən] *Suffix mit der Bedeutung* ähnlich, ...isch: **Herculean** herkulisch.

ean·ling ['iːnliŋ] *obs. für* **yeanling.**

ear¹ [ir] *s* **1.** *med. zo.* Ohr *n*: a) Ge'hör(or,gan) *n*, b) äußeres Ohr. – **2.** *fig.* Gehör *n*, Ohr *n*: **to have an ~ for music** ein musikalisches Gehör haben; → **play** 25. – **3.** *fig.* Gehör *n*, Aufmerksamkeit *f*: **to give** (*od.* **lend**) **an ~ to s.o.** j-m Gehör schenken, j-n anhören; **to have s.o.'s ~** j-s Ohr *od.* Aufmerksamkeit besitzen. – **4.** *ohrförmiger Teil, bes.* a) Henkel *m*, Griff *m*, b) Öhr *n*, Öse *f*. – **5.** *electr.* Aufhängebock *m*, -stück *n* (*für Oberleitungen von Fahrzeugen*). – **6.** *arch.* Eckkropf *m*. – **7.** *zo.* Ohrbüschel *n* (*Eule etc*). – **8.** Titelbox *f* (*bei Zeitungen*). –
Besondere Redewendungen:
about one's ~s um die Ohren, rings um sich; **to bring s.th. about one's ~s** sich etwas einbrocken *od.* auf den Hals laden; **to be all ~s** ganz Ohr sein; **to be by the ~s** sich in den Haaren liegen, streiten; **I did not believe my ~s** ich glaubte *od.* traute meinen Ohren nicht; **his words fell on deaf ~s** seine Worte fanden taube Ohren; **to turn a deaf ~ to s.th.** taube Ohren für etwas haben; **over (head and) ~s, up to the ~s** bis über die Ohren, ganz u. gar; **it goes in (at) one ~ and out at** (*od.* **of**) **the other** es geht zu einem Ohr hinein u. zum anderen wieder hinaus; **to come** (*od.* **get**) **to s.o.'s ~s** j-m zu Ohren kommen; **to prick up** (*od.* **listen with all**) **one's ~s** die Ohren spitzen, gespannt *od.* aufmerksam lauschen; **to have one's** (*od.* **one, an**) **~ to the ground** *colloq.* dem Lauf der Ereignisse aufmerksam folgen, auf dem laufenden sein; **a word in your ~** ein Wort im Vertrauen *od.* unter vier Augen; → **burn¹** 9; **catch** 20; **flea** 1; **give** 6; **set¹** 56; **wall** *b. Redw.*

ear² [ir] **I** *s* (Getreide)Ähre *f*. – **II** *v/i* Ähren ansetzen (*Korn*).

'ear|,ache *s* Ohrenschmerzen *pl*, -reißen *n*. — **'~,cock·le** *s bot.* Gicht-, Radekorn *n* (*Weizenkrankheit*). — **~ conch** *s med.* äußeres Ohr, Ohrmuschel *f*. — **'~,deaf·en·ing** *adj* ohrenbetäubend. — **'~,drop** *s* Ohrgehänge *n*. — **'~,drum** *s med.* **1.** Trommelfell *n*. – **2.** Mittelohr *n*, Paukenhöhle *f*.

eared¹ [ird] *adj* **1.** mit Ohren, beohrt, ...ohrig: → **lop-~.** – **2.** mit Henkel *od.* Öse (versehen).

eared² [ird] *adj* mit Ähren (versehen): **long-~** langährig.

eared| owl *s zo.* Ohreneule *f* (*Unterfam. Buboninae*). — **~ seal** *s zo.* Ohrenrobbe *f* (*Fam. Otariidae*).

ear flap → **earlap.**

ear·ing ['i(ə)riŋ] *s mar.* Nockhorn *n*, (Reff)Bändsel *n*.

earl [əːrl] *s* Graf *m* (*dritthöchste engl. Adelsstufe zwischen* **marquis** *u.* **viscount**).

'ear,lap *s* **1.** Ohrläppchen *n*. – **2.** Ohrmuschel *f*, äußeres Ohr. – **3.** *Am.* Ohrenschützer *m*, -wärmer *m*.

earl·dom ['əːrldəm] *s* **1.** *hist.* Grafschaft *f*. – **2.** Grafentitel *m*. – **3.** Grafenwürde *f*.

ear·less¹ ['irlis] *adj* **1.** ohrlos, ohne Ohren. – **2.** henkellos. – **3.** *mus.* 'unmusi,kalisch.

ear·less² ['irlis] *adj* ährenlos (*Halm*).

ear·li·er ['əːrliər] **I** *comp von* **early.** – **II** *adv* früher, zu'vor, vor'her: **two hours ~** zwei Stunden vorher; **~ on** vorher, zuvor. – **III** *adj* früher, vergangen: **in ~ times** in früheren Zeiten.

ear·li·est ['əːrliist] **I** *sup von* **early.** – **II** *adv* **1.** am frühesten. – **2.** frühestens. – **III** *adj* **3.** frühest(er, e, es): **at your ~ convenience** so bald wie möglich, umgehend; **at the ~** *ellipt.* frühestens.

ear·li·ness ['əːrlinis] *s* **1.** Frühe *f*, Frühzeitigkeit *f*. – **2.** Frühaufstehen *n*.

Earl Mar·shal *s* 'Großzere,monienmeister *m* (*in England*).

'ear,lobe *s* Ohrläppchen *n*.

earl·ship ['əːrlʃip] *s* Grafenwürde *f*.

ear·ly ['əːrli] **I** *adv* **1.** früh, (früh)zeitig: **~ in the day** früh am Tag; **~ in life**, früh im Leben; **~ in the year** früh im Jahr; **~ May** Anfang Mai; **as ~ as May** schon im Mai; **as ~ as the times of Chaucer** schon zu Chaucers Zeiten; **~ to bed and ~ to rise makes a man healthy, wealthy, and wise** Morgenstund' hat Gold im Mund. – **2.** bald: → **possible** 1. – **3.** zu früh: **to arrive ~ for a meeting** zu früh zu einer Versammlung eintreffen. – **II** *adj* **4.** früh, (früh)zeitig: **~ riser**, *humor.* **~ bird** Frühaufsteher(in); the ~ **bird gets the worm** wer zuerst kommt, mahlt zuerst; to **keep** ~ **hours** früh aufstehen u. früh zu Bett gehen; the ~ **summer** der Frühsommer; at an ~ **hour** zu früher Stunde; an ~ **dinner** ein frühes Essen; **it is still** ~ **days** *fig.* es ist noch früh am Tag, es ist noch reichlich Zeit. – **5.** früh (dar'an): **we are** ~ wir sind früh daran. – **6.** jung, früh, Jugend...: **in his** ~ **days** in seiner Jugend(zeit); **an** ~ **death** ein vorzeitiger Tod. – **7.** früh(reifend): ~ **peaches** frühe Pfirsiche. – **8.** Früh..., Anfangs..., Alt..., früh, erst(er, e, es): ~ **Christian** frühchristlich; **the** ~ **Christians** die ersten Christen, die Frühchristen; ~ **history** Frühgeschichte, frühe Geschichte. – **9.** baldig: an ~ **reply** eine baldige Antwort; → **date²** 2; **return** 42.

ear·ly| clos·ing *s econ.* früher Geschäftsschluß: an ~ **day** ein Tag, an dem die Geschäfte früh schließen. — **E~ Eng·lish style** *s arch.* frühgotischer Stil (*in England, etwa 1180 bis 1270*). — ~ **warn·ing** *s mil.* Vorfeld-, Früh-, Vorwarnung *f*, 'Voraˌlarm *m.*

'ear|ˌmark I *s* **1.** Ohrmarke *f* (*der Haustiere*). – **2.** Kenn-, Identi'tätszeichen *n*: **under** ~ gekennzeichnet. – **3.** *fig.* Merkmal *n*, Kennzeichen *n*, Stempel *m*, Gepräge *n.* – **4.** Eselsohr *n.* – **II** *v/t* **5.** mar'kieren, kennzeichnen, bezeichnen. – **6.** *bes. econ.* bestimmen, vorsehen, zu'rückstellen, -legen: ~**ed funds** zweckbestimmte Mittel; to ~ **goods for export** Güter für den Export bestimmen. – **7.** (*Buch*) mit Eselsohren versehen. — **'~-ˌmind·ed** *adj psych.* a'kustisch ausgerichtet *od.* bestimmt, audi'tiv. — ~ **muff** *s Am.* Ohrenschützer *m.*

earn¹ [əːrn] *v/t* **1.** (*Geld etc*) verdienen, erwerben: → **bread** 2; **honest** 1; **living** 14. – **2.** (*Lob etc*) verdienen, Anspruch haben auf (*acc*). – **3.** sich eintragen, erwerben, sich verschaffen. – **4.** einbringen, verschaffen. – **5.** (*Baseball*) (*Lauf etc*) (durch eigene Leistung) erzielen. – *SYN. cf.* **get.**

earn² [əːrn] *obs. für* **yearn.**

earned| in·come [əːrnd] *s econ.* erarbeitetes Einkommen, Arbeitseinkommen *n.* — ~ **sur·plus** *s econ.* Geschäftsgewinn *m.*

earn·er ['əːrnər] *s* Verdiener(in): **salary** ~ Gehaltsempfänger(in).

ear·nest¹ ['əːrnist] **I** *adj* **1.** ernst. – **2.** ernsthaft, emsig, gewissenhaft, eifrig. – **3.** dringend, inbrünstig. – **4.** ehrlich, aufrichtig, ernstlich. – *SYN. cf.* **serious.** – **II** *s* **5.** Ernst *m*: **in** ~ im Ernst, ernst; **in good** ~ in vollem Ernst; **you are not in** ~ das ist doch nicht Ihr Ernst! **to be in** ~ **about s.th.** es mit etwas ernst meinen, etwas ernstlich wollen; → **dead** 27; **sad** 2.

ear·nest² ['əːrnist] *s* **1.** *jur.* An-, Auf-, Drauf-, Handgeld *n.* – **2.** ('Unter)Pfand *n*, Bürgschaft *f.* – **3.** *fig.* Vorgeschmack *m*, Probe *f*, Vorbote *m.*

ear·nest·ly ['əːrnistli] *adv* **1.** ernstlich, -haft: **to entreat s.o.** ~ j-n inständig bitten. – **2.** eifrig, angelegentlich. — **'ear·nest·ness** *s* **1.** Ernst(haftigkeit *f*) *m.* – **2.** Eifer *m.*

ear·nest mon·ey → **earnest²** 1.

earn·ing ['əːrniŋ] *s econ.* **1.** (Geld)Verdienen *n*, Erwerb *m.* – **2.** *pl* Verdienst *m*: a) Einkommen *n*, Lohn *m*, Gehalt *n*, b) Gewinn *m*, Einnahmen *pl*, Ertrag *m*, Erlös *m.* — ~ **pow·er** *s econ.* **1.** Erwerbskraft *f*, -vermögen *n*, -fähigkeit *f.* – **2.** Ertragswert *m*, -fähigkeit *f*, Rentabili'tät *f.* — ~ **val·ue** *s econ.* Ertragswert *m.*

'ear|ˌphone → **head phone.** — **'~ˌpick** *s med.* Ohrlöffel *m.* — **'~ˌpiece** *s tech.* Hör-, Ohrstück *n*, -teil *n*, *bes.* Hörmuschel *f* (*Telephon*). — **'~ˌpierc·ing** *adj* ohrenbetäubend. — **'~ˌplug** *s* Wattepfropf *m* (*zur Geräuschdämpfung ins Ohr eingelegt*). — **'~ˌreach** → **earshot.** — **'~ˌring** *s* Ohrring *m.* — ~ **shell** *s zo.* Meer-, Seeohr *n* (*Gattg Haliotis*). — **'~ˌshot** *s* Hörweite *f*: **within (out of)** ~ in (außer) Hörweite. — **'~ˌsplit·ting** *adj* ohrenbetäubend, -zerreißend. — ~ **stone** *s med.* Oto'lith *m*, Hörstein *m.*

earth [əːrθ] **I** *s* **1.** Erde *f*, Erdball *m*, -kugel *f.* – **2.** Erde *f*, Welt *f*: **on** ~ a) auf Erden, auf der Erde, b) *colloq. intens* in aller Welt; **how on earth** wie in aller Welt; **what on** ~ **are you doing?** *colloq.* was in aller Welt tust du da? – **3.** Erde *f* (*Gegensatz Himmel, Hölle*): → **heaven** 1. – **4.** Menschheit *f*, Erde *f*, Welt *f.* – **5.** Erde *f*, (Erd)Boden *m*: **to fall to (the)** ~ zu Boden fallen; **to dig the** ~ im Boden graben; **down to** ~ *fig.* nüchtern, prosaisch, unromantisch; **to come back to** ~ *fig.* wieder nüchtern werden, auf den Boden der Wirklichkeit zurückkehren. – **6.** (Fest)Land *n* (*Gegensatz See*). – **7.** *fig.* irdische *od.* weltliche Dinge *pl*, Welt *f*, irdisches Dasein. – **8.** *fig.* Erde *f*, Staub *m*: **of the** ~ erdgebunden, naturhaft, irdisch. – **9.** (Tier)Bau *m*: **to run to** ~ a) *hunt.* (*Tier*) im Bau aufstöbern, bis in seinen Bau verfolgen, b) *fig.* aufstöbern, (nach langer Suche) ausfindig machen, c) in den Bau flüchten, sich verkriechen (*Tier*). – **10.** *chem.* Erde *f*: → **rare** ~. – **11.** *electr.* a) Erde *f*, Erdverbindung *f*, Erdung *f*, b) Erdschluß *m.* – **12.** *poet.* Land *n.* – *SYN.* **universe, world.** – **II** *v/t* **13.** (*Wurzeln*) mit Erde bedecken. – **14.** in der Erde vergraben. – **15.** *hunt.* (*Fuchs etc*) in den Bau treiben. – **16.** *electr.* erden. – **17.** *obs. od. dial.* begraben. – **III** *v/i* **18.** sich eingraben. – **19.** in den Bau kriechen (*Tier*).

earth| al·mond *s bot.* **1.** Erdnuß *f* (*Arachis hypogaea*). – **2.** Erdmandel *f* (*Cyperus esculentus*). — **'~ˌboard** → **moldboard** 1. — **'~ˌborn** *adj* **1.** *poet.* a) irdisch, sterblich, b) niedrig geboren. – **2.** (*bes. Mythologie*) der Erde entstammend *od.* entwachsen. — **'~-ˌbound** *adj* erdgebunden, an irdischen Dingen hängend. — ~ **clos·et** *s* Trockenabort *m.* — ~ **cur·rent** *s electr.* Erd(ungs)strom *m.*

earth·en ['əːrθən] *adj* **1.** irden, tönern, Ton... – **2.** Erd... — **'~ˌware I** *s* **1.** (grobes) Steingut(geschirr), Töpferware *f*, irdenes Geschirr. – **2.** grobes Steingut, Ton *m* (*Material*). – **II** *adj* **3.** irden, aus Steingut *od.* Ton, tönern.

earth in·duc·tor com·pass *s aer.* 'Erdinduktiˌonsbusˌsole *f*, -kompaß *m.*

earth·i·ness ['əːrθinis] *s* **1.** Erdigkeit *f*, erdige Beschaffenheit. – **2.** Irdischkeit *f*, Weltlichkeit *f.*

earth·ing| tires, *bes. Br.* ~ **tyres** ['əːrθiŋ] *s pl aer. Flugzeugreifen, die beim Landen die statische Elektrizität abgeben.*

'earth|ˌlight → **earthshine.**

earth·li·ness ['əːrθlinis] *s* **1.** Irdischkeit *f*, Weltlichkeit *f.* – **2.** Körperlichkeit *f.* — **'earth·ling** [-liŋ] *s* **1.** Erdenbürger(in), Erdbewohner(in), Sterbliche(r). – **2.** Weltkind *n.*

earth·ly ['əːrθli] *adj* **1.** irdisch, weltlich. – **2.** körperlich, irdisch. – **3.** *colloq.* denkbar, menschenmöglich, begreiflich: **there is no** ~ **reason** es gibt keinen denkbaren Grund; **no** ~ **doubt** nicht der geringste Zweifel; **not to have an** ~ *sl.* nicht die geringste Aussicht haben. – *SYN.* **mundane, terrestrial, worldly.** — **'~-'mind·ed** *adj* weltlich gesinnt. — **ˌ~-'mind·ed·ness** *s* weltliche Gesinnung, irdischer Sinn.

'earth|ˌnut *s bot.* **1.** *eine Knolle u. die sie hervorbringende Pflanze, bes.* a) Franz. 'Erdkaˌstanie *f* (*Conopodium maius*), b) Erd-Eichel *f* (*Lathyrus tuberosus*), c) Erdnuß *f* (*Arachis hypogaea*), d) Erdmandel *f* (*Cyperus esculentus*). – **2.** Echte Trüffel (*Gattg Tuber*). — **'~ˌpea** *s bot.* Erdnuß *f* (*Arachis hypogaea*). — ~ **plate** *s electr.* Erd(ungs)platte *f.* — **'~ˌquake** *s* **1.** Erdbeben *n.* – **2.** *fig.* Erschütterung *f*, Unruhe *f*, 'Umwälzung *f.* — **'~ˌquaked** *adj* von Erdbeben heimgesucht. — **'~ˌshine** *s astr.* Erdlicht *n*, -schein *m.* — **'~ˌstar** *s bot.* Erdstern *m* (*Gattg Geaster; Pilz*).

earth·ward ['əːrθwərd] **I** *adv* erdwärts, nach der Erde zu (gerichtet). – **II** *adj* erdwärts gerichtet. — **'earth·wards** → **earthward I.**

earth| wave *s* **1.** Bodenwelle *f*, wellenförmige Bodenerhebung. – **2.** *geol.* Erdbebenwelle *f.* — ~ **wax** *s min.* Ozoke'rit *n*, Erdwachs *n.* — **'~ˌwork** *s* **1.** *tech.* a) Erdarbeit *f*, Bodenbewegung *f*, b) Erd-, Sand-, Lehmbau(werk *n*) *m*, c) (*Bahn- u. Straßenbau*) 'Unterbau *m.* – **2.** *mil.* Feldschanze *f.* — **'~ˌworm** *s* **1.** *zo.* (*ein*) Regenwurm *m* (*Gattg Lumbricus*). – **2.** *fig.* Wurm *m*, gemeiner Mensch.

earth·y ['əːrθi] *adj* **1.** erdig, Erd... – **2.** erdähnlich. – **3.** erdfarben, erdfahl. – **4.** der Erde angehörig, irdisch, sinnlich. – **5.** *fig.* grob, roh. – **6.** erdgebunden.

ear| trum·pet *s med.* Hörrohr *n* (*für Schwerhörige*). — **'~ˌwax** *s med.* Ohrenschmalz *n.* — **'~ˌwig I** *s zo.* (*ein*) Ohrwurm *m* (*Gattg Forficula*). – **II** *v/t pret u. pp* **-ˌwigged** (*j-n*) durch Einflüsterungen beeinflussen wollen. — **'~'wit·ness** *s* Ohrenzeuge *m.*

ease [iːz] **I** *s* **1.** Bequemlichkeit *f*, Behaglichkeit *f*, Behagen *n*, Wohlgefühl *n*: **to take one's** ~ es sich bequem machen; **at** ~ a) bequem, behaglich, b) *fig.* ruhig, ausgeglichen, c) ungeniert, zwanglos, ungezwungen. – **2.** (Gemüts)Ruhe *f*, Ausgeglichenheit *f*, (Seelen)Friede *m*, (inneres) Wohlgefühl: **to be** (*od.* **feel**) **at** ~ sich wie zu Hause *od.* sich wohl fühlen; ~ **of mind** Gemüts-, Seelenruhe; **to put** (*od.* **set**) **s.o. at** (**his**) ~ a) j-n beruhigen, j-m innere Ruhe verschaffen, b) j-m die Befangenheit nehmen; → **ill** 10. – **3.** Sorglosigkeit *f*: **to live at** ~ ohne Sorgen *od.* in guten Verhältnissen leben. – **4.** Leichtigkeit *f*, Mühelosigkeit *f*: **with** ~ mühelos, leicht, mit Leichtigkeit. – **5.** Ungezwungenheit *f*, Na'türlichkeit *f*, 'Ungeˌniertheit *f*, Unbefangenheit *f*, Zwanglosigkeit *f*: ~ **of manner** ungezwungenes Benehmen; **to be at** ~ **with s.o.** ungezwungen mit j-m verkehren; **(stand) at** ~! *mil.* Rührt euch! **at** ~, **march!** *mil.* ohne Tritt, Marsch! – **6.** (*bes in der Kunst*) Na'türlichkeit *f*, Leichtigkeit *f*, Gelöstheit *f* (*des Stils*). – **7.** Erleichterung *f*, Befreiung *f* (**from** von): **to give s.o.** ~ a) j-m Ruhe gönnen, b) j-m Erleichterung verschaffen. – **8.** Entspannung *f.* –

II *v/t* **9.** erleichtern, beruhigen: **to** ~ **one's mind** sich befreien; **to** ~ **oneself** a) sich erleichtern, sich Erleichterung verschaffen, b) seine Notdurft verrichten. – **10.** bequem(er) machen, mildern, lindern, erleichtern. – **11.** (*Arbeit etc*) erleichtern. – **12.** *oft* ~ **off** abschwächen. – **13.** (*einer Sache*) abhelfen. – **14.** befreien, entlasten, erlösen (**of** von). – **15.** *humor.* (**of**) (*j-n*) erleichtern (um), berauben (*gen*). – **16.** lockern, entspannen, locker machen: **to** ~ **off** (*od.* **away, down**) a rope *mar.* lose geben; ~ **her!** *mar.* Fahrt vermindern! **to ~ the helm** (*od.* **rudder**) *mar.* mit dem Ruder aufkommen. – **17.** *oft* ~ **down** a) (*Fahrt etc*) vermindern, verlangsamen, b) die Fahrt *od.* Geschwindigkeit (ver)mindern von. –

III *v/i* **18.** erleichtern, Erleichterung *od.* Entspannung schaffen. – **19.** *meist* ~ **off,** ~ **up** nachlassen, sich vermindern. – **20.** *econ.* fallen, abbröckeln (*Aktienkurse*).

ease·ful ['i:zful; -fəl] *adj* **1.** behaglich, bequem, wohlig. – **2.** bequem, träge, gemächlich. – **3.** ruhig, friedlich. – **4.** erleichternd. — **'ease·ful·ness** *s* **1.** Behaglichkeit *f*, Bequemlichkeit *f*. – **2.** Bequemlichkeit *f*, Gemächlichkeit *f*, Trägheit *f*. – **3.** Ruhe *f*, Friedlichkeit *f*. – **4.** Erleichterung *f*, erleichternde Eigenschaft.

ea·sel ['i:zl] *s* (*Malerei*) Staffe'lei *f*, Gestell *n*.

ease·ment ['i:zmənt] *s* **1.** Erleichterung *f*, Linderung *f*. – **2.** Befreiung *f*, Erlösung *f*. – **3.** Hilfe *f*, Stütze *f*, Erleichterung *f*. – **4.** *jur.* Grunddienstbarkeit *f*, Re'alservi,tut *n*. — **'eas·er** *s* Stütze *f* (*bes. fig.*).

eas·i·ly ['i:zili] *adv* **1.** leicht, mühelos, mit Leichtigkeit, reibungslos, ruhig. – **2.** ohne Frage, ohne Zweifel, bei weitem. — **'eas·i·ness** [-nis] *s* **1.** Leichtigkeit *f*, Mühelosigkeit *f*. – **2.** Ungezwungenheit *f*, 'Unge,niertheit *f*, Na'türlichkeit *f*. – **3.** Gleichgültigkeit *f*, Leichtfertigkeit *f*. – **4.** Bequemlichkeit *f*. – **5.** Leichtgläubigkeit *f*.

east [i:st] **I** *s* **1.** Osten *m*: **to the ~ of** östl. von, im Osten von; **the wind is in the ~** der Wind kommt von Osten; ~ **by north** *mar.* Ost zu Nord *od.* zum Norden. – **2.** E~ Osten *m*, Orient *m*, Morgenland *n*. – **3.** *meist* E~ Osten *m*, östl. Teil *m* (*Land etc*). – **4. the E~** *Am.* der Osten (*der USA*), *bes.* a) *das Gebiet östl. des Mississippi,* b) *fast hist. die Neuenglandstaaten.* – **5.** *poet.* Ostwind *m*. – **II** *adj* **6.** Ost..., östlich: **the ~ gate** das Osttor, das östl. Tor. – **7.** Ost... (*aus Osten kommend*): **an ~ wind.** – **8.** *relig.* (*in Kirchen*) östlich, nach dem Al'tar zu *od.* im Ostende gelegen. – **III** *adv* **9.** ostwärts, in östl. Richtung, östlich: **to go ~** sich ostwärts *od.* in östl. Richtung bewegen.

'east|·a,bout *adv mar.* nach Osten her'um (*beim Kreuzen*). — **'~,bound** *adj* **1.** östlich. – **2.** nach Osten gehend, in östl. Richtung abgehend. — **E~ End** *s* **1.** *Ostteil von London (mit vorwiegend armer Bevölkerung).* – **2.** e~ e~ *fig.* Armenviertel *pl* (*einer Stadt*). — **'E~-'end·er** *s Bewohner(in) des Ostteils von London.*

East·er ['i:stər] **I** *s* **1.** Ostern *n od. pl*: **at ~** an *od.* zu Ostern. – **2.** Osterfest *n*. – **II** *adj* **3.** Oster...: ~ **card** Osterkarte. — ~ **day** *s* Oster(sonn)tag *m*. — ~ **egg** *s* Osterei *n*. — ~ **eve** *s* Ostersonnabend *m*. — ~ **flow·er** *s bot.* Küchen-, Kuhschelle *f* (*Pulsatilla vulgaris*). — ~ **lil·y** *s bot.* **1.** Weiße Lilie (*Lilium candidum*). – **2.** (*eine*) Zephyrblume (*Zephyranthes atamasco; nordamer. Amaryllidacee*).

east·er·ling ['i:stərliŋ] *s hist.* **1.** Ostbewohner(in), -länder(in). – **2.** *Br.* (*bes. handeltreibender*) Ostseeküstenbewohner. — **'east·er·ly I** *adj* **1.** Ost..., östlich (gelegen). – **2.** Ost..., von Osten kommend: ~ **wind.** – **II** *adv* **3.** östlich, ostwärts, nach Osten. – **4.** von Osten. – **III** *s* **5.** Ostwind *m*.

East·er Mon·day *s* Ostermontag *m*.

east·ern ['i:stərn] **I** *adj* **1.** östlich. – **2.** orien'talisch, morgenländisch, östlich. – **3.** *relig.* a) E~ morgenländisch (*die morgenländische Kirche betreffend*), b) → **east** 8. – **4.** östlich, nach Osten (gerichtet): **an ~ route** ein östl. Kurs. – **5.** Ost..., östlich (gelegen): ~ **England** Ostengland. – **6.** Ost..., aus Osten kommend: ~ **wind.** – **II** *s* E~ **7.** Orien'tale *m*. – **8.** → **easterner** 1. – **9.** *relig.* Angehörige(r) der morgenländischen Kirche. — **E~ Church** *s relig.* morgenländische Kirche, ortho'dox-ana,tolische Kirche. — **E~ Empire** *s hist.* Oström. Reich *n*.

east·ern·er ['i:stərnər] *s* **1.** Ostländer (-in) (*Bewohner des östl. Teils eines Gebiets*). – **2.** E~ *Am.* Bewohner(in) des Ostens (*der USA*).

East·ern| Hem·i·sphere *s geogr.* östl. Hemi'sphäre *f*. — **'e~·most** [-,moust; -məst] *adj* östlichst, am weitesten östlich gelegen. — ~ **Ques·tion** *s pol.* orien'talische Frage. — ~ **speech** *s ling.* östl. Aussprachegruppe *f* (*des Amerikanischen*). — ~ **(stand·ard) time** *s Einheitszeit für den östl. Teil der USA, Ostkanada, die Bahamainseln, Kuba, Jamaika, Panama, Westbrasilien, Peru, Chile.*

'East·er|,tide, ~ **time** *s* **1.** Osterzeit *f*, österliche Zeit. – **2.** Osterwoche *f*. — ~ **week** → **Eastertide** 2.

East| In·di·a Com·pa·ny *s hist.* Ostindische Gesellschaft (*1600–1858*). — ~ **In·di·a·man** *s mar. hist.* Ost'indienfahrer *m* (*Schiff*). — ~ **In·di·an I** *adj* ostindisch. – **II** *s* Ostinder(in).

east·ing ['i:stiŋ] *s* **1.** *mar.* zu'rückgelegter östl. Kurs. – **2.** östl. Entfernung *f* (*von einem bestimmten Meridian*). – **3.** Annäherung *f* an eine östl. Richtung. – **4.** 'Umschlagen *n* (*des Windes*) nach Ost.

'east-,north'east *s mar.* Ostnord'ost *m*.

East Side *s* **1.** *Ostteil von Manhattan (mit vorwiegend armer Bevölkerung).* – **2.** e~ s~ *Am. fig.* Armenviertel *pl*.

east·ward ['i:stwərd] **I** *adv* **1.** ostwärts, nach Osten. – **II** *adj* **2.** östlich, ostwärts (gerichtet *etc*). – **III** *s* **3.** östl. Richtung *f*. – **4.** Osten *m*. — **'east·ward·ly I** *adj* **1.** östlich (gelegen *od.* gerichtet). – **2.** östlich, aus Osten kommend: **an ~ wind.** – **II** *adv* **3.** ostwärts, nach Osten. – **4.** aus *od.* von Osten. — **'east·wards** → **eastward** I.

eas·y ['i:zi] **I** *adj* **1.** leicht, mühelos: ~ **to understand** leicht verständlich; **an ~ victory** ein müheloser Sieg; ~ **of access** leicht zugänglich *od.* erreichbar; **it is ~ for him to talk** er hat gut reden. – **2.** leicht, einfach: ~ **money** leicht verdientes Geld. – **3.** bequem: ~ **chair** (bequemer) Sessel; **to make oneself ~** es sich bequem machen. – **4.** (sorgen)frei, unbekümmert, ruhig, unbesorgt, unbeschwert, sorglos: ~ **in one's mind** unbesorgt, leichten Mutes. – **5.** bequem (sitzend), leicht, behaglich, angenehm: **an ~ fit** ein loser *od.* bequemer Sitz (*der Kleidung*); **to live in ~ circumstances** in guten Verhältnissen leben, wohlhabend sein. – **6.** schmerzfrei, frei von Schmerzen *od.* Beschwerden. – **7.** gemächlich, bequem, lässig: **an ~ pace.** – **8.** mild, nachsichtig. – **9.** günstig, erträglich, leicht, mäßig: → **term** 11. – **10.** nachgiebig, weich, gefügig. – **11.** haltlos, wandelbar, unzuverlässig, unbeständig. – **12.** locker, frei (*Moral etc*): **of ~ virtue** dirnenhaft, liederlich (*Frau*). – **13.** ungezwungen, na'türlich, frei, unbefangen: **an ~ carriage** eine ungezwungene Haltung; **an ~ style** ein leichter *od.* flüssiger Stil. – **14.** formlos, frei, ungezwungen: **free and ~** ohne Formalitäten. – **15.** *econ.* a) flau, lustlos (*Markt*), b) wenig gefragt (*Ware*). – **16.** (*Kartenspiel*) gleich (an Zahl) (*Asse, Trümpfe*): **aces are ~** jede Seite hat zwei Asse. – *SYN.* a) **effortless, facile, light**[2], **simple, smooth,** b) *cf.* **comfortable.** –

II *adv* **17.** leicht, bequem: **to take it ~** es leicht nehmen, es nicht so schwer *od.* genau nehmen; **to go ~** es sich leicht machen; **to go ~ on** *Am. colloq.* a) (*Thema etc*) ‚antippen', nur leicht berühren, (*Unternehmen*) sachte anfassen, b) (*j-n*) schonend behandeln, milde umgehen mit; ~! sachte! langsam! ~ **all!** (*Rudern*) Halt! **stand ~!** *mil.* Rührt euch! **easier said than done** leichter gesagt als getan; ~ **come,** ~ **go** wie gewonnen, so zerronnen. –

III *s* **18.** (*Rudern*) (Ruhe)Pause *f*.

'eas·y|'go·ing *adj* **1.** bequem, gemächlich. – **2.** unbekümmert, unbeschwert, leichtlebig. – **3.** leicht gehend (*Pferd*). — **,~'go·ing·ness** *s* **1.** Bequemlichkeit *f*, Gemächlichkeit *f*. – **2.** Unbeschwertheit *f*, Leichtlebigkeit *f*. — ~ **mark** *s* **1.** leichtes Ziel, leicht zu treffendes Ziel. – **2.** *colloq.* leichte Beute, leichtgläubiger Mensch. — **E~ Street,** ~ **street** *s colloq.* Wohlstand *m*, -sein *n*, -ergehen *n*: **he is on ~** es geht ihm gut.

eat [i:t] **I** *s* **1.** *pl Am. sl.* ‚Fraß' *m*, Essen *n*, Speisen *pl*. –

II *v/t pret* **ate** [*bes. Br.* et; *bes. Am.* eit], *pp* **eat·en** ['i:tn] **2.** essen (*Mensch*), fressen (*Tier*): **to ~ one's head off** *colloq.* a) essen wie ein Scheunendrescher, b) mehr (fr)essen, als man wert ist (*bes. von Tieren*); **to ~ one's terms** (*od.* **dinners**) *jur.* seine Studien an den Inns of Court absolvieren (*u. an den vorgeschriebenen Essen teilnehmen*); **to ~ one's words** das Gesagte (*demütig*) zurücknehmen *od.* widerrufen; **to ~ s.o. out of house and home** a) j-n arm essen, b) j-n ruinieren; **to ~ oneself sick** sich krank essen; **don't ~ me** *humor.* nur nicht so heftig, friß mich nur nicht (gleich) auf! → **cake** 1; **crow**[1] 1; **dirt** *b. Redw.*; **dog** *b. Redw.*; **heart** *b. Redw.*; **humble pie**; **salt**[1] 1; **stick**[1] 5. – **3.** essen, genießen: **can one ~ this?** kann man das essen? ist es genießbar? – **4.** zerfressen, zernagen, zehren *od.* nagen an (*dat*): **the wood was ~en by worms** das Holz war wurmstichig. – **5.** fressen, nagen: **to ~ holes** Löcher fressen. – **6.** *oft* ~ **up** verzehren, verschlingen, verwüsten, vernichten. – **7.** *meist* ~ **up** *sl.* (*etwas*) ‚schlucken' (*kritiklos hinnehmen*). – **8.** *sl.* quälen, plagen, wurmen, ‚fuchsen': **what's ~ing him?** was ist ihm über die Leber gelaufen *od.* gekrochen? – **9.** *Am. colloq.* (*j-n*) ‚füttern', beköstigen. –

III *v/i* **10.** essen, seine Mahlzeit(en) einnehmen: **where do you ~?** wo essen Sie (*gewöhnlich*)? **to ~ well** gut essen, einen guten Appetit haben; **to ~ out of s.o.'s hand** *bes. fig.* j-m aus der Hand fressen. – **11.** *meist fig.* sich essen *od.* fressen (*mit prep*): **to ~ through s.th.** sich durch etwas hindurch(fr)essen; **to ~ to windward of** *mar.* den Wind aus den Segeln nehmen; **to ~ to windward** *mar.* Luv abschneiden. – **12.** sich essen (lassen): **it ~s like pork.** – **13.** fressen, zehren, nagen. –

Verbindungen mit Adverbien:

eat| a·way *v/t* (*langsam*) verzehren *od.* vernichten. — ~ **up** *v/t* **1.** aufessen, verzehren. – **2.** *fig.* völlig in Anspruch nehmen, absor'bieren: **to be eaten up with curiosity** vor Neugierde vergehen. – **3.** → **eat** 7.

eat·a·ble ['i:təbl] **I** *adj* eßbar, genießbar. – **II** *s pl* Eßwaren *pl*, Lebensmittel *pl*. — **'eat·er** *s* **1.** Esser(in): **a poor ~** ein schwacher Esser. – **2.** (*das*) Fressende *od.* Zerstörende.

eath [i:ð; i:θ] *adj u. adv Scot.* leicht.

eat·ing ['i:tiŋ] **I** *s* **1.** Essen *n*. – **2.** Speise *f*, Nahrung *f*. – **II** *adj* **3.** essend. – **4.** Eß...: **an ~ apple.** –

5. zehrend, nagend, fressend (*bes. fig.*). — **~ house** *s* Gast-, Speisehaus *n.*

eau [o] *pl* **eaux** [o] (*Fr.*) *s* Wasser *n.* — **E~ de Co·logne** [ˌoudəkəˈloun] *s* Kölnischwasser *n.* — **~ de Ja·velle** [odʒaˈvɛl] (*Fr.*) *s* Jaˈvellewasser *n.* — **~ de Nil(e)** [odˈnil] (*Fr.*) *s* Nilgrün *n* (*Farbe*). — **~ de vie** [odˈvi] (*Fr.*) *s* Branntwein *m.* — **~ su·crée** [o syˈkre] (*Fr.*) *s* Zuckerwasser *n.*

eave [iːv] *sg von* **eaves.** — **~ board** *etc* → **eaves board** *etc.*

eaves [iːvz] *s pl* **1.** (Dach)Traufe *f*, Dachrinne *f.* – **2.** ˈüberhängende Kante. — **~ board, ~ catch** *s tech.* (Dach)Traufenbrett *n*, -haken *m.* — **ˈ~ˌdrip** *obs. für* eavesdrop I. — **ˈ~ˌdrop I** *s* **1.** Traufenwasser *n.* – **2.** Stelle, auf die das Traufenwasser herˈuntertropft. – **II** *v/i* **3.** (heimlich) lauschen *od.* horchen. — **ˈ~ˌdrop·per** *s* Horcher(in), Lauscher(in). — **ˈ~ˌdrop·ping** *s* (heimliches) (Be-)Lauschen *od.* Horchen.

ebb [eb] **I** *s* **1.** Ebbe *f*: **~ and flow** Ebbe u. Flut. – **2.** *fig.* Ebbe *f*, Tiefstand *m*, Abnahme *f*, Zuˈrückfluten *n*, Neige *f*, Verfall *m*: **to be at a low ~** traurig dastehen, heruntergekommen sein. – **II** *v/i* **3.** (ver)ebben, zuˈrückgehen: **to ~ and flow** steigen u. sinken (*auch fig.*). – **4.** *fig.* abnehmen, zuˈrückgehen, (daˈhin)schwinden, versiegen. – **5.** verfallen, in Verfall geraten. – *SYN. cf.* **abate**[1]. – **III** *v/t selten* **6.** (ver)ebben lassen. — **~ tide** *s* **1.** Ebbe *f.* – **2.** *fig.* Ebbe *f*, Verfall *m*, Tiefstand *m.*

e·bo *cf.* **eboe.**

ˈE-ˌboat *s mar. Br.* Schnellboot *n*, ˈMotortorˌpedoboot *n.*

e·boe [ˈiːbou] *s bot. ein mittelamer. Leguminosen-Baum* (*Dipteryx oleifera*). — **~ light, ~ torch·wood** *s bot.* Westindischer Rotholzstrauch (*Erythroxylon brevipes*).

eb·on [ˈebən] **I** *s poet.* Ebenholz *n.* – **II** *adj* → **ebony** II. — **ˈeb·onˌite** [-ˌnait] *s* Eboˈnit *n* (*Hartkautschuk*). — **ˈeb·onˌize** *v/t* schwarz (*wie Ebenholz*) färben *od.* beizen.

eb·on·y [ˈebəni] **I** *s* **1.** *bot.* Ebenholzbaum *m* (*bes. Diospyros ebenum*). – **2.** Ebenholz *n.* – **3.** *colloq.* Neger(in). – **II** *adj* **4.** Ebenholz... – **5.** schwarz. — **~ spleen·wort** *s bot.* Amer. Ebenholzfarn *m* (*Asplenium platyneuron*).

e·brac·te·ate [iːˈbræktiˌeit], *auch* **eˈbrac·teˌat·ed** [-tid] *adj bot.* ohne Deckblätter.

e·bri·e·ty [i(ː)ˈbraiəti] → **inebriety.** — **e·bri·ous** [ˈiːbriəs] *adj selten* **1.** trunksüchtig. – **2.** (be)trunken.

e·bul·li·ence [iˈbʌljəns], *auch* **eˈbul·li·en·cy** *s* **1.** Aufwallen *n*, Sieden *n.* – **2.** ˈÜberfließen *n.* – **3.** *fig.* a) ˈÜberschäumen *n*, -wallen *n* (*Leidenschaft etc*), b) ˈÜberschwenglichkeit *f.* — **eˈbul·li·ent** *adj* **1.** siedend, aufwallend, kochend. – **2.** ˈüberfließend, -kochend. – **3.** *fig.* a) sprudelnd, ˈüberschäumend (**with** von), b) ˈüberschwenglich. — **eb·ul·li·tion** [ˌebəˈliʃən] *s* **1.** Sieden *n*, Aufwallen *n*, Aufwallung *f.* – **2.** ˈÜberschäumen *n.* – **3.** *fig.* Aufwallen *n*, Ausbruch *m* (*Gefühl etc*). — **e·bul·li·tive** [iˈbʌlitiv; -lə-] *adj* **1.** leicht siedend. – **2.** *fig.* leicht aufwallend.

e·bur·nat·ed [iˈbəːrneitid] *adj med.* eburnifiˈziert, krankhaft verdichtet. — **e·bur·na·tion** [ˌiːbərˈneiʃən] *s med.* Eburneatiˈon *f*, Eburnifikatiˈon *f* (*des Knochengewebes*).

é·car·té [*Br.* eiˈkɑːtei; *Am.* ˌeikɑːrˈtei] *s* Ecarˈté *n* (*Kartenspiel*).

e·cau·date [iːˈkɔːdeit] *adj zo.* schwanzlos.

ec·bol·ic [ekˈbɒlik] *adj u. s med.* abˈortverursachend(es Mittel).

ec·ce ho·mo [ˈeksi ˈhoumou] (*Lat.*) **I** *interj* seht, welch ein Mensch! – **II** *s* **E~ H~** Ecce-Homo *n* (*Darstellung des dornengekrönten Christus*).

ec·cen·tric [ikˈsentrik; ek-] **I** *adj* **1.** exˈzentrisch: a) abˈsonderlich, wunderlich, überˈspannt, launisch, verschroben, b) ausgefallen, aus dem Rahmen fallend, ungewöhnlich. – **2.** *math. tech.* exˈzentrisch: a) ohne gemeinsamen Mittelpunkt, b) vom Mittelpunkt abweichend, nicht zenˈtral, c) die Achse nicht im Mittelpunkt habend, d) nicht durch den Mittelpunkt gehend (*Achse*). – **3.** *bes. astr.* nicht rund. – **4.** *tech.* Exzenter... – *SYN cf.* **strange.** – **II** *s* **5.** Sonderling *m*, wunderlicher Kauz, exˈzentrischer Mensch. – **6.** (*etwas*) Ausgefallenes *od.* Ungewöhnliches. – **7.** *tech.* Exˈzenter *m.* – **8.** *math.* exˈzentrische Fiˈgur, *bes.* exˈzentrischer Kreis. — **ecˈcen·tri·cal** → **eccentric** I. — **ecˈcen·tri·cal·ly** *adv* (*auch zu* **eccentric** I).

ec·cen·tric| chuck *s tech.* exˈzentrisches (Spann)Futter, Versetzkopf *m.* — **~ gear** *s tech.* Exˈzentergetriebe *n.* — **~ gov·er·nor** *s tech.* Exˈzenterregler *m.*

ec·cen·tric·i·ty [ˌeksenˈtrisiti; -sən-; -əti] *s* **1.** Abˈsonderlichkeit *f*, Wunderlichkeit *f*, Verschrobenheit *f*, Überˈspanntheit *f*, Exzentriziˈtät *f.* – **2.** Laune *f*, wunderlicher *od.* verschrobener Einfall. – **3.** *math.* Exzentriziˈtät *f.* – **4.** *tech.* Schlag *m*, Exzentriziˈtät *f.* – *SYN.* **idiosyncrasy.**

ec·cen·tric| press *s tech.* Exˈzenterpresse *f.* — **~ rod** *s tech.* Exˈzenterstange *f.* — **~ strap** *s tech.* Exˈzenterbügel *m.* — **~ wheel** *s tech.* Exˈzenterscheibe *f*, -rad *n.*

ec·chy·mo·sis [ˌekiˈmousis] *s med.* Ekchyˈmose *f*, subkuˈtane Blutung, Hautblutung *f.*

ec·cle·si·a [iˈkliːziə; -ʒiə; eˈk-] *pl* **-ae** [-ˌiː] (*Lat.*) *s* **1.** *antiq.* Ekˈklesia *f* (*Volksversammlung in altgriech. Staaten*). – **2.** Kirche(ngemeinde) *f.* — **ecˈcle·siˌast** [-ziˌæst] *s* **1.** *antiq.* Mitglied *n* einer Ekˈklesia. – **2.** *relig.* a) Ekklesiˈast *m*, Geistlicher *m*, b) **E~** *Bibl.* Verfasser *m* des Predigers Salomo. — **Ecˌcle·siˈas·tes** [-tiːz] *s Bibl.* der Prediger Salomo (*Buch des Alten Testaments*). — **ecˌcle·siˈas·tic I** *adj* → **ecclesiastical.** – **II** *s* Ekklesiˈast *m*, Geistlicher *m.*

ec·cle·si·as·ti·cal [iˌkliːziˈæstikəl] *adj* ekklesiˈastisch, kirchlich, Kirchen..., geistlich. — **~ cal·en·dar** *s* ˈKirchenkaˌlender *m* (*für die beweglichen Feste*). — **E~ Com·mis·sion·ers** *pl*, *auch* **E~ Com·mis·sion** *s relig. Behörde, die das Vermögen der Kirche von England verwaltet.* — **~ court** *s* kirchlicher Gerichtshof. — **~ law** *s* Kirchenrecht *n.*

ec·cle·si·as·ti·cal·ly [iˌkliːziˈæstikəli] *adv zu* **ecclesiastic(al).**

ec·cle·si·as·ti·cal so·ci·e·ty *s* (*Art*) ˈKirchenkongregatiˌon *f*, -verband *m* (*der Kongregationalkirchen der USA*).

ec·cle·si·as·ti·cism [iˌkliːziˈæstiˌsizəm; -tə-] *s* Kirchentum *n*, Kirchlichkeit *f.* — **Ecˌcle·siˈas·ti·cus** [-kəs] *s Bibl.* das Buch Jesus Sirach. — **ecˌcle·siˈol·a·try** [-ˈɒlətri] *s* überˈtriebene Ehrfurcht vor der Kirche. — **ecˌcle·si·oˈlog·ic** [-iəˈlɒdʒik], **ecˌcle·si·oˈlog·i·cal** *adj* kirchenbaukundlich. — **ecˌcle·si·ˈol·o·gy** [-ˈɒlədʒi] *s* Kirchenbaukunde *f.*

ec·dys·i·ast [ekˈdiziˌæst] *bes. humor. für* **strip-teaser.** — **ˈec·dy·sis** [-sis] *pl* **-ses** [-ˌsiːz] *s zo.* Häutung *f.*

e·ce·sis [iˈsiːsis] *s bot.* Einbürgerung *f* (*am Standort*).

ec·go·nine [ˈekgəˌniːn; -nin] *s chem.* Ecgoˈnin *n* ($C_9H_{15}NO_3$; *Alkaloid*).

eche [iːtʃ] *obs.* **I** *v/t* **1.** vermehren, vergrößern. – **2.** **~ out** mühsam herˈausschinden. – **II** *v/i* **3.** sich vermehren, sich vergrößern.

ech·e·lon [ˈeʃəˌlɒn] **I** *s* **1.** *mar. mil.* Staffelung *f*, Staffelstellung *f*: **in ~** staffelförmig (aufgestellt). – **2.** *aer.* ˈStaffelflug *m*, -formatiˌon *f.* – **3.** *mil.* a) Staffel *f* (*Voraus-, Sicherungs- od. Nachhutabteilung*), b) Stabsteil *m*, c) (Befehls)Ebene *f*, d) (Inˈstandhaltungs)Stufe *f*, e) Welle *f* (*eines Angriffs*). – **4.** Rang *m*, Stufe *f.* – **II** *adj* **5.** gestaffelt, Staffel... – **III** *v/t* **6.** staffeln, staffelförmig anordnen. – **IV** *v/i* **7.** sich staffeln, sich staffelförmig aufstellen. — **~ lens** *s phys.* Zonen-, Stufenlinse *f.*

e·chid·na [iˈkidnə] *s zo.* Austral. Ameisen-, Schnabeligel *m* (*Echidna aculeata*).

ech·i·nate [ˈekiˌneit], *auch* **ˈech·iˌnat·ed** [-tid] *adj bot. zo.* stachelig, igelborstig.

ech·i·nite [ˈekiˌnait; iˈkainait] *s zo.* Echiˈnit *m*, versteinerter Seeigel.

echino- [ikaino; ek-; ekino] *Wortelement mit den Bedeutungen* a) stachelig, b) seeigelartig.

e·chi·no·coc·cus [iˌkainoˈkɒkəs; eˌk-] *s zo.* Blasenwurm *m* (*Finne des Bandwurms Taenia echinococcus*).

e·chi·no·derm [iˈkainoˌdəːrm; eˈk-; ˈekino-] *zo.* **I** *s* **1.** Stachelhäuter *m.* – **II** *adj* **2.** stachelhäutig. – **3.** zu den Stachelhäutern gehörig.

e·chi·noid [iˈkainɔid; eˈk-; ˈekiˌnɔid] *zo.* **I** *adj* **1.** Seeigel... – **2.** seeigelähnlich. – **II** *s* **3.** Seeigel *m.*

e·chi·nops [iˈkainɒps; eˈk-; ˈekiˌnɒps] *s bot.* Kugeldistel *f* (*Gattg Echinops*).

e·chi·nus [iˈkainəs; eˈk-] *pl* **-ni** [-nai] *s* **1.** *zo.* Seeigel *m* (*Gattg Echinus*). – **2.** *arch.* Eˈchinus *m.*

ech·o [ˈekou] *pl* **-oes I** *s* **1.** Echo *n*, ˈWiderhall *m*: **to the ~** laut, schallend. – **2.** **E~** Echo *n* (*personifiziert*). – **3.** *fig.* Echo *n*, Nachbeter *m*, -ahmer *m.* – **4.** genaue Nachahmung *od.* ˈWiedergabe. – **5.** *fig.* Echo *n*, ˈWiderhall *m*, Anklang *m.* – **6.** *mus.* a) Echo *n*, leise Wiederˈholung, b) → **~ organ**, c) → **~ stop.** – **7.** *metr.* → **~ verse.** – **8.** *electr.* Echo *n* (*Reflektierung einer Radiowelle*): a) (*Fernsehen*) Geisterbild *n*, b) (*Radar*) Schattenbild *n.* – **9.** (*Kartenspiel, bes. Whist u. Bridge*) Trumpfforderung *f* (*als Antwort auf eine unberücksichtigte Trumpfforderung des Partners*). – **II** *v/i pret u. pp* **ˈech·oed 10.** echoen, ˈwiderhallen (**with** von). – **11.** zuˈrück-, nach-, ˈwiderhallen, zuˈrückgeworfen werden (*Ton*). – **12.** tönen, hallen (*Ton*). – **III** *v/t* **13.** (*Ton*) zuˈrückwerfen, nach- *od.* ˈwiderhallen lassen. – **14.** a) (*Worte*) (meˈchanisch) nachsprechen, nachbeten, b) (*j-m*) alles nachbeten. – **15.** nachahmen, imiˈtieren. — **ˈech·o·er** *s* Echo *n*, Nachbeter *m.*

ech·o·gram [ˈekoˌgræm] *s mar.* Echoˈgramm *n.*

e·cho·ic [eˈkouik] *adj* **1.** echoartig, -ähnlich, Echo... – **2.** onomatopoˈetisch, lautmalend, schallnachahmend. — **ˈech·oˌism** *s* Onomatopoˈie *f*, Lautmaleˈrei *f*, Klang-, Schallnachahmung *f.*

ech·o·la·li·a [ˌekoˈleiliə] *s psych.* Echolaˈlie *f*, Echophraˈsie *f* (*Nachplappern*). — **ˌech·oˈlal·ic** [-ˈlælik] *adj* echoˈlalisch.

ech·o·la·tion [ˌekoˈleiʃən] *s electr. phys.* Reflektiˈons-, Echoortung *f* (*Funkortung*).

ech·o or·gan *s mus.* Echo-, Fernwerk *n* (*bei großen Orgeln*).

ech·o·prax·i·a [ˌekoˈpræksiə] *s psych.* Echopraˈxie *f*, Echokiˈnese *f* (*Nachahmen von Bewegungen*).

ech·o| sound·er *s mar.* Echolot *n.* — **~ sound·ing** *s mar.* Echolotung *f.* — **~ stop** *s mus.* ˈEchoreˌgister *n*, -zug *m* (*der Orgel*). — ~ **verse** *s metr.* Echovers *m* (*der die letzten Silben des vorhergehenden Verses wiederholt*).

e·cize [ˈiːsaiz] *v/i* (*Ökologie*) sich der neuen Umˈgebung anpassen.

é·clair [eiˈklɛr] *s* Eˈclair *n*.

é·clair·cisse·ment [eklɛrsisˈmɑ̃] (*Fr.*) *s* Aufklärung *f*, Aufschluß *m*.

ec·lamp·si·a [ekˈlæmpsiə; ik-] *s med.* Eklampˈsie *f*, ekˈlamptische Krämpfe. — **ecˈlamp·tic** [-tik] **I** *adj* ekˈlamptisch. – **II** *s* an Eklampˈsie erkrankte Schwangere.

é·clat [*Br.* ˈeiklɑː; *Am.* eiˈklɑː; eˈkla] *s* **1.** Eˈklat *m*, ˈdurchschlagender Erfolg, öffentliches Aufsehen. – **2.** allgemeiner Beifall, Zustimmung *f*: **with great** ~ unter großem Beifall. – **3.** *fig.* Auszeichnung *f*.

ec·lec·tic [ekˈlektik; ik-] **I** *adj* ekˈlektisch: a) *philos. den Eklektizismus betreffend*, b) auswählend, c) eine Auswahl darstellend, aus verschiedenen Quellen schöpfend *od.* zuˈsammengestellt. – **II** *s bes. philos.* Ekˈlektiker *m*. — **ecˈlec·ti·cal** → **eclectic** I. — **ecˈlec·ti·cal·ly** *adv* (*auch zu* **eclectic** I). — **ecˈlec·tiˌcism** [-ˌsizəm] *s* **1.** *philos.* Eklektiˈzismus *m*. – **2.** ekˈlektisches Syˈstem.

e·clipse [iˈklips] **I** *s* **1.** *astr.* Ekˈlipse *f*, Finsternis *f*, Verfinsterung *f*: **partial (total)** ~ partielle (totale) Finsternis. – **2.** Verdunkelung *f*, Dunkelheit *f*. – **3.** *mar.* Verdunkelung *f* (*Zeit zwischen dem Aufleuchten eines Leuchtfeuers*). – **4.** *fig.* Verdüsterung *f*, Überˈschattung *f*, Verlust *m* des Glanzes. – **5.** (Ver)Schwinden *n*, Sinken *n*, Schwund *m*, Wegfall *m*, Ekˈlipse *f*: **in** ~ im Schwinden, im Sinken. – **6.** *zo.* Abwerfen *n* des Hochzeitskleides (*bei den Männchen bestimmter Vögel*). – **II** *v/t* **7.** *astr.* verfinstern. – **8.** verdunkeln. – **9.** *fig.* verdunkeln, verdüstern, trüben. – **10.** *fig.* in den Schatten stellen, überˈtreffen, -ˈragen.

e·clips·ing var·i·a·ble [iˈklipsiŋ] *s astr.* Algolstern *m* (*mit wechselnder Helligkeit*).

e·clip·tic [iˈkliptik] *astr.* **I** *s* Ekˈliptik *f* (*scheinbare Sonnenbahn*). – **II** *adj* ekˈliptisch (*die Ekliptik od. Eklipse betreffend*). — **eˈclip·ti·cal** → **ecliptic** II. — **eˈclip·ti·cal·ly** *adv* (*auch zu* **ecliptic** II).

ec·lo·gite [ˈekləˌdʒait] *s min.* Ekloˈgit *m*.

ec·logue [ˈeklɒg; *Am. auch* -lɔːg] *s* Ekˈloge *f*, Hirtengedicht *n*, Iˈdylle *f*.

e·clo·sion [iˈklouʒən] *s zo.* Entpuppung *f*.

ec·o·log·ic [ˌekəˈlɒdʒik], **ˌec·oˈlog·i·cal** *adj* ökoˈlogisch. — **e·col·o·gist** [iˈkɒlədʒist] *s* Ökoˈloge *m*. — **eˈcol·o·gy** [-dʒi] *s* **1.** *biol.* Ökoloˈgie *f*: a) *Wissenschaft von den Beziehungen der Lebewesen zu ihrer Umwelt*, b) *die Gesamtheit dieser Beziehungen*. – **2.** *sociol.* Lehre *f* von den Beziehungen der Menschen zu den sie umˈgebenden Einrichtungen.

e·con·o·met·rics [iˌkɒnəˈmetriks] *s pl* (*als sg konstruiert*) *econ.* Ökonomeˈtrie *f*.

e·co·nom·ic [ˌiːkəˈnɒmik; ˌekə-] **I** *adj* **1.** staats-, volkswirtschaftlich, natioˈnalökoˌnomisch, wirtschaftlich, Wirtschafts...: ~ **conditions** a) Wirtschaftslage, b) Erwerbsverhältnisse; ~ **development** wirtschaftliche Entwicklung *od.* Erschließung; → **crisis** 1. – **2.** wirtschaftswissenschaftlich. – **3.** hauswirtschaftlich, Hauswirtschafts... – **4.** praktisch, angewandt: ~ **botany**. – **5.** *selten für* **economical** 1. – **II** *s* **6.** *pl* (*als sg konstruiert*) a) Volkswirtschaft(slehre) *f*, Natioˈnalökonoˌmie *f*, poˈlitische Ökonoˈmie, b) → **economy** 4. — **ˌe·coˈnom·i·cal** *adj* **1.** wirtschaftlich, sparsam, haushälterisch. – **2.** Spar... – **3.** → **economic** I. – **4.** *obs.* häuslich. – *SYN. cf.* **sparing**. — **ˌe·coˈnom·i·cal·ly** *adv* (*auch zu* **economic** I).

E·co·nom·ic Co·op·er·a·tion Ad·min·is·tra·tion *s* ECA *f* (*Behörde der US-Regierung zur Verwaltung der Marshallplanhilfe*).

e·co·nom·ic| ge·og·ra·phy *s econ.* ˈWirtschaftsgeograˌphie *f*. — ~ **ge·ol·o·gy** *s* Monˈtangeoloˌgie *f*, Lagerstättenkunde *f*. — ~ **sci·ence** → **economic** 6a.

e·con·o·mist [i(ː)ˈkɒnəmist] *s* **1.** → **political** ~. – **2.** guter Haushälter, sparsamer Wirtschafter. — **eˌcon·o·miˈza·tion** [-maiˈzeiʃən; -miˈz-] *s* **1.** sparsame Wirtschaft. – **2.** Sparsamkeit *f*. — **eˈcon·oˌmize I** *v/t* **1.** sparsam anwenden, sparsam wirtschaften *od.* haushalten mit, haushälterisch gebrauchen. – **2.** (der Induˈstrie) nutzbar machen, (gut *od.* am besten) ausnützen. – **II** *v/i* **3.** sparen, sparsam wirtschaften. – **4.** (in) sich einschränken (in *dat*), sparsam ˈumgehen (mit). – **5.** Einsparungen machen, ˈüberflüssige Ausgaben *od.* Kosten vermeiden. – **6.** Kosten *od.* Verluste reduˈzieren. — **eˈcon·oˌmiz·er** *s* **1.** haushälterischer Mensch, Sparer(in). – **2.** *tech.* Sparanlage *f*, *bes.* Speise-, Wasser-, Abgas-, Rauchgas-, Luftvorwärmer *m*, Eˈkonomiser *m*, Wärmetauscher *m*.

e·con·o·my [i(ː)ˈkɒnəmi] *s* **1.** Sparsamkeit *f*, Wirtschaftlichkeit *f*, Ausnützung *f*. – **2.** Sparmaßnahme *f*, Einsparung *f*, Ersparnis *f*. – **3.** *econ.* a) Ökonoˈmie *f*, Wirtschaft *f*, b) Wirtschaftslehre *f*: **free** ~, **uncontrolled** ~ freie Wirtschaft. – **4.** orˈganisches Syˈstem, Organisatiˈon *f*, Anordnung *f*, Aufbau *m*. – **5.** *relig.* a) göttliche Weltordnung, b) verständige Handhabung (*einer Doktrin*).

e·cor·ti·cate [iːˈkɔːrtikit; -ˌkeit] *adj bot.* ohne Rinde, entrindet.

e·co·spe·cies [ˈiːkoˌspiːʃiz] *s biol.* Ökoˈspecies *f*. — **ˌe·co·speˈcif·ic** [-spiˈsifik; -spə-] *adj biol.* ökospeˈzifisch. — **ˌe·co·speˈcif·i·cal·ly** *adv*.

e·cos·tate [iːˈkɒsteit] *adj bot.* nicht gerippt, ohne Mittelrippe (*Blatt*).

e·co·sys·tem [ˈiːkoˌsistəm; -tim] *s biol.* ˈOekosyˌstem *n* (*dynamische Lebenseinheit höherer Ordnung aus abiotischem Lebensraum u. biotischer Lebensgemeinschaft*).

e·co·ton·al [ˌiːkoˈtounl] *adj biol.* Übergangs... — **ˈe·coˌtone** [-ˌtoun] *s* ˈÜbergangsgesellschaft *f* (*zwischen Pflanzenformationen*).

e·co·type [ˈiːkoˌtaip] *s biol.* Ökoˈtyp *m* (*Gesamtheit der standortgemäßen Erbeinheiten*). — **ˌe·coˈtyp·ic** [-ˈtipik] *adj* ökoˈtypisch. — **ˌe·coˈtyp·i·cal·ly** *adv*.

é·cra·seur [ekrɑˈzœːr] (*Fr.*) *s med.* Ekraˈseur *m*, Kettenquetscher *m*.

e·cra·site [ˈiːkrəˌsait; ˈei-] *s chem. mil.* Ekraˈsit *n* (*Sprengstoff*).

ec·ru, *auch* **é·cru** [ˈekruː; ˈeikruː] **I** *adj* **1.** eˈkrü, naˈturfarben, ungebleicht (*Stoff*). – **II** *s* **2.** Eˈkrüstoff *m*. – **3.** Eˈkrü *n*, Naˈturfarbe *f*.

ec·sta·size [ˈekstəˌsaiz] **I** *v/t* in Ekˈstase versetzen. – **II** *v/i* in Ekˈstase geraten.

ec·sta·sy [ˈekstəsi] *s* **1.** Ekˈstase *f*, (Gefühls-, Sinnen)Taumel *m*, Raseˈrei *f*, Außersichsein *n*: **to be in** ~ außer sich sein. – **2.** Freudentaumel *m*, Verzückung *f*: **to be in ecstasies over s.th.** über etwas entzückt *od.* von etwas begeistert sein. – **3.** Erregung *f*, Aufregung *f*. – **4.** Trancezustand *m*, *bes.* dichterische *od.* religiˈöse Verzückung. – **5.** *med.* Ekˈstase *f*, krankhafte Erregung. – *SYN.* **rapture**, **transport**.

ec·stat·ic [ekˈstætik; ik-] **I** *adj* **1.** ekˈstatisch. – **2.** in Ekˈstase. – **3.** schwärmerisch, ˈüberschwenglich. – **4.** *fig.* ent-, verzückt, begeistert, ˈhingerissen. – **5.** *fig.* entzückend, ˈhinreißend. – **II** *s* **6.** Ekˈstatiker(in), Schwärmer(in). – **7.** *pl* ˈüberschwengliche (Gefühls)Äußerungen *pl*, Verzückung *f*, Taumel *m*. — **ecˈstat·i·cal** → **ecstatic** I. — **ecˈstat·i·cal·ly** *adv* (*auch zu* **ecstatic** I).

ect- [ekt] → **ecto-**.

ec·tad [ˈektæd] *adv med.* auswärts, nach außen. — **ˈec·tal** [-təl] *adj med.* äußer(er, e, es).

ec·ta·si·a [ekˈteiʒiə; -ziə] *s med.* Ektaˈsie *f*, Ausdehnung *f*, Erweiterung *f*. — **ˈec·ta·sis** [-təsis] *s* **1.** *ling.* Dehnung *f* (*Silbe*). – **2.** → **ectasia**.

ec·thy·ma [ekˈθaimə; ˈekθimə] *pl* **ec·thym·a·ta** [ekˈθimətə] *s med.* Ekˈthyma *n*, Pustelflechte *f*.

ecto- [ekto] *Wortelement mit der Bedeutung* außen, äußer(er, e, es).

ec·to·blast [ˈektoˌblæst; -tə-] *s biol.* Ektoˈblast *m*, Ektoˈderm *n*, äußeres Keimblatt. — **ˌec·toˈblas·tic** *adj biol.* ektoˈblastisch, Ektoblast... — **ˈec·toˌcyst** [-ˌsist] *s zo.* Ektoˈzyste *f*, Cuticuˈlarpanzer *m*. — **ˈec·toˌderm** [-ˌdəːrm] *s zo.* Ektoˈderm *n*, äußeres Keimblatt. — **ˌec·toˈder·mal**, **ˌec·toˈder·mic** *adj zo.* ektoderˈmal, Ektoderm... — **ˌec·toˈen·tad** [-ˈentæd] *adv med.* (von außen) nach innen gerichtet. — **ˌec·toˈen·zyme** [-ˈenzaim], *auch* **ˌec·toˈen·zym** [-zim] *s biol. chem.* extrazelluˈläres Enˈzym.

ec·to·gen·ic [ˌektoˈdʒenik], **ec·tog·e·nous** [ekˈtɒdʒənəs] *adj med. zo.* außerhalb des Orgaˈnismus entstanden (*Parasit etc*).

ec·to·mere [ˈektoˌmir; -tə-] *s* (*Embryologie*) Ectoˈdermabschnitt *m*. — **ˌec·toˈmer·ic** [-ˈmerik] *adj* des Ectoˈdermabschnitts, ectoˈdermisch. — **ˌec·toˈmorph·ic** [-ˈmɔːrfik] *adj* (*Anthropologie*) ektoˈmorph, leptoˈsom.

-ectomy [ektəmi] *Wortelement mit der Bedeutung* Exzision, Ausschneiden, Entfernung, Resektion.

ec·to·par·a·site [ˌektoˈpærəˌsait] *s zo.* ˌEktoparaˈsit *m*, ˈAußenschmaˌrotzer *m*. — **ˌec·toˌpar·aˈsit·ic** [-ˈsitik] *adj zo.* ektoparaˈsitisch. — **ˈec·toˌphyte** [-ˌfait] *s bot.* pflanzlicher ˈAußenschmaˌrotzer.

ec·to·pi·a [ekˈtoupiə] *s med.* Ektoˈpie *f*, Verlagerung *f* (*Organ*). — **ec·top·ic** [ekˈtɒpik] *adj med.* ekˈtopisch, verlagert: ~ **pregnancy** Extrauterinschwangerschaft.

ec·to·plasm [ˈektoˌplæzəm; -tə-] *s biol.* Ektoˈplasma *n*, äußere Protoˈplasmaschicht. — **ˌec·toˈplas·mic** [-ˈplæzmik] *adj* ektoˈplasmisch. — **ˈec·toˌsarc** [-ˌsɑːrk] → **ectoplasm**.

ec·tos·to·sis [ˌektɒsˈtousis] *s med.* Knochenauflagerung *f*, appositioˈnelle Knochenbildung.

ec·to·zo·on [ˌektoˈzouɒn] *pl* **-zo·a** [-ə] *s zo.* Ektoˈzoon *n*, Ekto-, Außenparaˈsit *m*.

ec·tro·pi·on [ekˈtroupiən] *s med.* Ekˈtropion *n*, Auswärtskehrung *f*.

ec·tro·pom·e·ter [ˌektroˈpɒmitər; -mə-] *s tech.* Instruˈment *n* zur Bestimmung der Kompaßrichtung.

ec·ty·pal [ˈektipəl] *adj* nachgebildet. — **ec·type** [ˈektaip] *s* **1.** Nachbildung *f*, Reproduktiˈon *f*, Koˈpie *f*. – **2.** Ektypon *n*, Abdruck *m* (*eines Stempels etc*). — **ˌec·tyˈpog·ra·phy** [-tiˈpɒgrəfi] *s tech.* Reliˈefätzung *f*.

é·cu [eˈky] (*Fr.*) *s* **1.** Eˈcu *m* (*Gold- u. Silbermünze*). – **2.** *hist.* kleiner Schild.

ec·u·men·i·cal [*Br.* ˌiːkjuˈmenikəl; *Am.* ˌek-], *auch* **ˌec·uˈmen·ic** *adj* ökuˈmenisch, allgemein, ˈweltumˌfassend: **ecumenical council** *relig.* ökumenisches Konzil, Weltkirchenversammlung. — ˌ**ec·u'men·i·cal·ly** *adv* (*auch zu* ecumenic).

ec·ze·ma ['eksimə; -sə-] *s med.* Ek'zem *n*. — **ec·zem·a·toid** [ek'zeməˌtɔid; eg-], **ec'zem·a·tous** *adj med.* ekzema'tös, ek'zemartig.

e·da·cious [i'deiʃəs] *adj* **1.** Essen..., das Essen betreffend. – **2.** gefräßig, gierig. – **3.** verzehrend. — **e'da·cious·ness, e·dac·i·ty** [i'dæsiti; -əti] *s* Gefräßigkeit *f*.

E·dam (cheese) ['iːdæm] *s* Edamer [(Käse) *m*.]

e·daph·ic [i'dæfik] *adj bot.* e'daphisch, vom Boden abhängig, bodenbedingt.

Ed·da ['edə] *pl* **-das** *s* Edda *f*: Elder (Poetic) ~ ältere (poetische) Edda; Younger (Prose) ~ jüngere (prosaische) Edda. — **Ed·da·ic** [e'deiik], **'Ed·dic** *adj* Edda..., eddisch.

ed·do ['edou] *pl* **-does** *s bot.* Taro-Knolle *f* (*Colocasia antiquorum*).

ed·dy ['edi] **I** *s* **1.** (Wasser)Wirbel *m*, Strudel *m*. – **2.** (Luft-, Staub)Wirbel *m*. – **3.** *fig.* Wirbel *m*. – **II** *v/i* **4.** wirbeln, strudeln. – **III** *v/t* **5.** (um'her)wirbeln *od.* strudeln (lassen). — ~ **cur·rent** *s electr.* Wirbelstrom *m*.

e·del·weiss ['eidəlˌvais] *s bot.* **1.** Edelweiß *n* (*Leontopodium alpinum*). – **2.** Neu'seeländisches Edelweiß (*Helichrysum leontopodium*). – **3.** (*ein*) Ruhrkraut *n* (*Gattg Gnaphalium*).

e·de·ma [i(ː)'diːmə] *pl* **-ma·ta** [-mətə] *s med.* Ö'dem *n*, Wassersucht *f*: ~ of the lungs Lungenödem. — **e'dem·a·tous** [-'demətəs], *auch* **e'dem·a·ˌtose** [-ˌtous], **e'dem·ic** *adj* ödema'tös, ö'demartig, Ödem...

E·den ['iːdn] *s* **1.** *Bibl.* (der Garten) Eden, das Para'dies. – **2.** *fig.* a) Para'dies *n*, b) (Glück)Seligkeit *f*. — **E·den·ic** [i'denik] *adj* (den Garten) Eden betreffend, para'diesisch, Paradies...

e·den·tate [i'denteit] **I** *adj* **1.** *zo.* zahnarm, zu den Zahnarmen gehörig. – **2.** *bot. zo.* zahnlos. – **II** *s* **3.** *zo.* zahnarmes Tier, Tier *n* der Gruppe Eden'tata.

edge [edʒ] **I** *s* **1.** Schneide *f*, Schärfe *f* (*Klinge*): the knife has no ~ das Messer ist stumpf *od.* schneidet nicht; to take the ~ off s.th. a) (*Klinge*) stumpf machen, abstumpfen, b) *fig.* (*einer Sache*) die Spitze *od.* Wirkung nehmen; to give an ~ to s.th. etwas verschärfen *od.* anregen; to put an ~ on s.th. etwas schärfen *od.* schleifen; on ~ a) ungeduldig, b) nervös, gereizt; his nerves were all on ~ seine Nerven waren aufs äußerste gespannt; to set s.o.'s teeth on ~ a) j-n kribbelig *od.* nervös machen, b) j-m durch Mark u. Bein gehen. – **2.** *fig.* Schärfe *f*, (*das*) Schneidende *od.* Beißende, Spitze *f*: the ~ of sarcasm die Schärfe des Sarkasmus; not to put too fine an ~ upon it frei von der Leber weg reden, kein Blatt vor den Mund nehmen. – **3.** Ecke *f*, Zacke *f*, scharfe Kante, Grat *m* (*Bergrücken etc*). – **4.** Saum *m*, (äußerster) Rand: on the ~ of kurz vor, im Begriff zu; to be on the ~ of despair *fig.* am Rand der Verzweiflung sein. – **5.** Grenze *f*, Grenzlinie *f*, (scharf begrenzende) Linie. – **6.** Kante *f*, Schmalseite *f*: the ~ of a table die Tischkante; on ~ hochkant, auf der hohen Kante (stehend). – **7.** Schnitt *m* (*Buch*): with gilt ~s mit Goldschnitt. – **8.** *sport od. sl.* Vorteil *m*: to have the ~ on (*od.* over) s.o. einen Vorteil gegenüber j-m haben, j-m überlegen sein; to give s.o. the ~ j-m eine Chance geben zu gewinnen. – **9.** (*Eiskunstlauf*) (Einwärts-, Auswärts)Bogen *m*: to do the inside (outside) ~ bogenfahren einwärts (auswärts). – **10.** *dial.* a) Hügel *m*, b) Klippe *f*. – *SYN. cf.* border. – **II** *v/t* **11.** (*Klinge etc*) schärfen, schleifen. – **12.** um'säumen, um'randen, begrenzen, einschließen, einfassen. – **13.** *tech.* a) beschneiden, abkanten, abranden, b) (*Blech*) bördeln. – **14.** (*langsam*) schieben, rücken, drängen: to ~ one's way through a crowd sich durch eine Menschenmenge schieben; to ~ oneself into s.th. sich in etwas (hin)eindrängen. – **15.** (*Ski*) kanten. – **III** *v/i* **16.** sich schieben *od.* drängen: to ~ along sich entlangschieben. – *Verbindungen mit Adverbien*:

edge| a·way *v/i* **1.** *mar.* abhalten (*Kurs*). – **2.** (langsam) wegrücken *od.* wegschleichen, sich langsam absetzen. — ~ **down** *v/t mar.* zuhalten (on auf *acc*). — ~ **in I** *v/t* einschieben, -werfen, -fügen: to ~ a word, to edge a word in. – **II** *v/i* sich eindrängen, sich hin'einschieben. — ~ **off** → edge away. — ~ **on** *v/t* antreiben, anstacheln, drängen. — ~ **out I** *v/t* hin'ausdrängen. – **II** *v/i* sich hin'ausdrängen, (langsam *od.* unbemerkt) hin'aus- *od.* weggehen.

'edgeˌbone → aitchbone.

edged [edʒd] *adj* **1.** mit einer Schneide, schneidend, scharf. – **2.** (*in Zusammensetzungen*) ...schneidig: → double-~. – **3.** gerändelt, eingefaßt, gesäumt. – **4.** (*in Zusammensetzungen*) ...randig: black-~. — ~ **tool** *s* **1.** → edge tool. – **2.** *pl fig.* gefährliche Maßnahmen *pl od.* Waffen *pl*: to play (*od.* jest) with edge(d) tools mit dem Feuer spielen.

edge| i·ron *s tech.* Eckeisen *n*, Winkelschiene *f*, -eisen *n*. — ~ **joint** *s tech.* Eckverband *m*.

edge·less ['edʒlis] *adj* stumpf, ohne Kante *od.* Schneide.

edge| mill *s tech.* Kollergang *m*, -mühle *f*. — ~ **plane** *s tech.* Bestoßhobel *m*. — ~ **rail** *s* (*Eisenbahn*) Kantenschiene *f*. — ~ **roll** *s* (*Buchbinderei*) **1.** Rändelstempel *m*. – **2.** Randverzierung *f*. — ~ **tool** *s* Schneidewerkzeug *n* (*Messer, Meißel, Hobel etc*).

'edge|ˌways, '~ˌwise *adv* **1.** seitlich, von der Seite, Kante an Kante, mit der Kante nach vorn *od.* oben: I could hardly get a word in ~ *fig.* ich konnte kaum ein Wort anbringen *od.* einwerfen. – **2.** hochkant(ig).

edg·ing ['edʒiŋ] *s* **1.** Schärfen *n*, Schleifen *n*, Beschneiden *n*, Säumen *n*: ~ shears Gartenschere zum Beschneiden der Rasenränder. – **2.** Rand *m*, Besatz *m*, Einfassung *f*, Borte *f*. — **'edg·y** *adj* **1.** kantig, eckig, scharf. – **2.** *fig.* bissig, giftig, gereizt. – **3.** (*bildende Kunst*) scharflinig, mit scharfen Kon'turen *od.* Linien.

edh [eð] *s ling.* durch'strichenes D (*altengl. Buchstabe zur Bezeichnung des interdentalen Spiranten*).

ed·i·bil·i·ty [ˌedi'biliti; -də-; -əti] *s* Eß-, Genießbarkeit *f*. — **'ed·i·ble I** *adj* **1.** eß-, genießbar. – **II** *s* **2.** (*etwas*) Eßbares. – **3.** *pl* Eßwaren *pl*, Lebens-, Nahrungsmittel *pl*. — **'ed·i·ble·ness** → edibility.

e·dict ['iːdikt] *s* E'dikt *n*, Erlaß *m*, Verordnung *f*: the E~ of Nantes *hist.* das Edikt von Nantes (*1598*). — **e·dic·tal** [i'diktəl] *adj* Verordnungs...

ed·i·fi·ca·tion [ˌedifi'keiʃən; -dəfə-] *s* (religi'öse *od.* mo'ralische) Erbauung. — **'ed·i·fiˌca·to·ry** [*Br.* -təri; *Am. auch* i'difikəˌtɔːri] *adj* erbaulich.

ed·i·fice ['edifis; -də-] *s* **1.** Gebäude *n*, Bau *m*. – **2.** *fig.* Gefüge *n*. — ˌ**ed·i'fi·cial** [-'fiʃəl] *adj* Gebäude..., Bau..., Struktur..., baulich... — **'ed·iˌfy** [-ˌfai] *v/t* **1.** *fig.* erbauen, aufrichten, (geistig *od.* mo'ralisch) bessern. – **2.** *obs.* a) (er)bauen, b) gründen. — **'ed·iˌfy·ing** *adj* erbauend, erbaulich, lehrreich, belehrend.

e·dile *cf.* aedile.

ed·it ['edit] *v/t* **1.** (*Texte, Schriften*) her'ausgeben, e'dieren. – **2.** (*Ausgabe*) bearbeiten. – **3.** (*Texte*) a) redi'gieren, druckfertig machen, b) zur Her'ausgabe sammeln u. ordnen u. korri'gieren. – **4.** (*Zeitung etc*) als Her'ausgeber leiten. – **5.** zur Veröffentlichung verbessern u. fertigmachen: to ~ a motion picture.

e·di·tion [i'diʃən] *s* **1.** Ausgabe *f*, Veröffentlichung *f* (*eines Buches etc*): a one-volume ~ eine einbändige Ausgabe; pocket ~ Taschenausgabe; the morning ~ die Morgenausgabe (*Zeitung*); → cabinet 9; de luxe I. – **2.** *fig.* Auflage *f*, Eben-, Abbild *n*, Ausgabe *f*: he is a miniature ~ of his father *humor.* er ist ganz der Papa. – **3.** Auflage *f*: first ~ erste Auflage; to run into 20 ~s 20 Auflagen erleben.

e·di·ti·o prin·ceps [i'diʃiou 'prinseps] (*Lat.*) *s* Erstausgabe *f*.

ed·i·tor ['editər] *s* **1.** Her'ausgeber *m* (*eines literarischen Werks*): ~ in chief Hauptherausgeber. – **2.** Schriftleiter *m*, 'Chefredakˌteur *m* (*Zeitung*): financial ~ Schriftleiter des Finanzteils; the ~s die Schriftleitung. – **3.** 'Leitarˌtikler *m*, Verfasser *m* von 'Leitarˌtikeln. — ˌ**ed·i'to·ri·al** [-'tɔːriəl] **I** *adj* **1.** Herausgeber... – **2.** redaktio'nell, Redaktions... – **II** *s* **3.** 'Leitarˌtikel *m* (*Zeitung*). — ˌ**ed·i'to·ri·alˌize** *Am.* **I** *v/t* (*einen Zeitungsartikel*) nach Art eines 'Leitarˌtikels schreiben. – **II** *v/i* sich in einem 'Leitarˌtikel auslassen (on, about über *acc*). — ˌ**ed·i'to·ri·al·ly** *adv* **1.** redaktio'nell. – **2.** in Form eines 'Leitarˌtikels. — **'ed·i·torˌship** *s* Amt *n od.* Tätigkeit *f* eines Her'ausgebers *od.* Redak'teurs. — **'ed·i·tress** [-tris] *s* Her'ausgeberin *f*.

E·dom·ite ['iːdəˌmait] *s Bibl.* Edo'miter(in).

ed·u·ca·ble [*Br.* 'edjukəbl; *Am.* 'edʒə-] *adj* erziehbar.

ed·u·cate ['edʒuˌkeit; -dʒə-; *Br. auch* -dju-] *v/t* **1.** erziehen, unter'richten, (aus)bilden. – **2.** (ein)üben, entwickeln, trai'nieren. – **3.** *obs.* (*Kinder, Tiere*) aufziehen. – *SYN. cf.* teach. — **'ed·uˌcat·ed** *adj* **1.** erzogen, gebildet: ~ man gebildeter Mensch; to be well ~ gebildet sein, eine gute Erziehung haben. – **2.** kulti'viert: ~ diction kultivierte Sprache. – **3.** abgerichtet.

ed·u·ca·tion [ˌedʒu'keiʃən; *Br. auch* -dju-] *s* **1.** Erziehung *f*, (Aus)Bildung *f*: university ~, college ~ akademische Bildung. – **2.** Bildungs-, Schulwesen *n*: primary ~ *bes. Br.* Volksschulwesen. – **3.** (Aus)Bildungsgang *m*. – **4.** Päda'gogik *f*, Erziehung *f* (*als Wissenschaft*): department of ~ pädagogisches *od.* erziehungswissenschaftliches Seminar (*einer Universität*). – **5.** Dres'sur *f*, Abrichtung *f* (*Tiere*). — ˌ**ed·u'ca·tion·al** *adj* **1.** erzieherisch, Erziehungs..., päd·a'gogisch: ~ film Lehrfilm. – **2.** Bildungs... — ˌ**ed·u'ca·tion·al·ist,** *auch* ˌ**ed·u'ca·tion·ist** *s* **1.** Päda'gog(in), Erzieher(in). – **2.** Erziehungswissenschaftler(in).

ed·u·ca·tive ['edʒuˌkeitiv; -dʒə-; *Br. auch* -dju- *u.* -kət-] *adj* **1.** erzieherisch, Erziehungs... – **2.** bildend, Bildungs... — **'ed·uˌca·tor** [-ˌkeitər] *s* **1.** Erzieher(in), Lehrer(in). – **2.** Erziehungs-, Bildungsmittel *n*. — **'ed·u·ca·to·ry** [*Br.* -ˌkeitəri; *Am.* -kəˌtɔːri] → educative.

e·duce [i'djuːs; *Am. auch* -'duːs] *v/t* **1.** her'vor-, her'ausholen, entwickeln. – **2.** (*Logik*) (*Begriff*) ableiten, (*Schluß*) ziehen (from aus). – **3.** *chem.* ausziehen, iso'lieren, extra'hieren. – *SYN.* elicit, evoke, extort, extract.

— **e'duc·i·ble** *adj* **1.** ableitbar. – **2.** zu entwickeln(d), entwickelbar. —

e·duct ['iːdʌkt] *s* **1.** *chem.* E'dukt *n*, Auszug *m*. – **2.** (*Logik*) Folgerung *f*, Ableitung *f*, Ergebnis *n*, Schluß(folge *f*) *m*.

e·duc·tion [i'dʌkʃən] *s* **1.** *fig.* Her'vor-, Her'ausholen *n*, Entfaltung *f*, Entwicklung *f*. – **2.** (*Logik*) a) Ableitung *f* (*Begriff*), b) (Schluß)Folgerung *f*. – **3.** *chem.* a) Extra'hieren *n*, Ausziehen *n*, Iso'lieren *n*, b) E'dukt *n*. — **~ pipe** *s tech.* Abzugsrohr *n*. — **~ valve** *s tech.* 'Auslaß-, 'Abzugsven,til *n*.

e·duc·tive [i'dʌktiv] *adj* **1.** *chem.* edu'zierend, ausziehend. – **2.** (*Logik*) ableitend, folgernd. – **3.** *fig.* her'vor-, her'ausholend.

e·dul·co·rate [i'dʌlkə,reit] *v/t chem.* **1.** von Säure *od.* Salz *etc* befreien, entsäuern, absüßen. – **2.** wässern, auswaschen, reinigen. — **e,dul·co'ra·tion** *s chem.* **1.** Ab-, Aussüßung *f*. – **2.** Auswaschen *n*, Wässerung *f*.

Ed·war·di·an [ed'wɔːrdiən] **I** *adj* aus der Re'gierungszeit *od.* charakte'ristisch für das Zeitalter König Eduards (*bes.* Eduards VII.). – **II** *s* → **Teddy boy.**

-ee [iː] *Suffix zur Bezeichnung der Person, der eine Handlung gilt*: **payee** Zahlungsempfänger(in).

eel [iːl] *s zo.* **1.** Aal *m* (*Fam. Anguillidae*), *bes.* a) Flußaal *m* (*Anguilla anguilla, Europa*; *A. rostrata, Nordamerika*), b) Meeraal *m* (*Conger conger*): **as slippery as an ~** *fig.* aalglatt. – **2.** aalähnlicher Fisch: **nine-eyed ~** Flußneunauge (*Petromyzon fluviatilis*). – **3.** (*ein*) Fadenwurm *m*, *bes.* Essigälchen *n* (*Anguillula aceti*). — **~ buck** *s* Aalreuse *f*.

eel·er ['iːlər] *s* Aalfänger *m*, -fischer *m*.

'eel|,grass *s bot.* **1.** *Am.* (*ein*) Seegras *n* (*Zostera marina*). – **2.** Schraubige Vallis'nerie (*Vallisneria spiralis*). — **'~,pot** *s* Aalreuse *f*. — **'~,pout** *s zo.* **1.** Hammelfleischfisch *m* (*Zoarces anguillaris*). – **2.** Quappe *f* (*Lota vulgaris*). — **'~,spear** *s* Aalspeer *m*, -gabel *f*. — **'~,ware** *s bot.* Flutendes Froschkraut (*Ranunculus fluitans*). — **'~,worm** *s zo.* (*ein*) Älchen *n* (*Ordnung Nematoda*; *Fadenwurm*), *bes.* Essigälchen *n* (*Anguillula aceti*).

eel·y ['iːli] *adj* **1.** aalähnlich, -gleich. – **2.** sich windend, sich schlängelnd.

e'en [iːn] *adv poet. für* **even**[1] *u.* [3].

e'er [ɛr] *adv poet. für* **ever.**

ee·rie ['i(ə)ri] *adj* **1.** unheimlich, grausig. – **2.** furchtsam, ängstlich. – *SYN. cf.* **weird.** — **'ee·ri·ly** *adv.* — **'ee·ri·ness** *s* **1.** Unheimlichkeit *f*. – **2.** Furchtsamkeit *f*.

ee·ry *cf.* eerie.

ef- [if; ef] *assimilierte Form von* **ex-.**

ef·fa·ble ['efəbl] *adj selten* aussprechbar.

ef·face [i'feis] *v/t* **1.** (aus)löschen, (aus)streichen, (aus)tilgen, entfernen, auswischen, verwischen (*auch fig.*). – **2.** in den Schatten stellen, zu'rückhalten: **to ~ oneself** sich (*bescheiden*) zurückhalten *od.* -ziehen, sich im Hintergrund halten. – *SYN. cf.* **erase.** — **ef'face·a·ble** *adj* auslöschbar, (aus)tilgbar. — **ef'face·ment** *s* (Aus-)Löschung *f*, Tilgung *f*, Streichung *f*.

ef·fect [i'fekt; ə'f-] **I** *s* **1.** Wirkung *f* (on auf *acc*): **cause and ~** Ursache u. Wirkung. – **2.** Wirkung *f*, Erfolg *m*, Folge *f*, Konse'quenz *f*, Ergebnis *n*, Resul'tat *n*: **of no ~, without ~** ohne Erfolg *od.* Wirkung, erfolglos, ergebnislos, wirkungslos, vergeblich, unwirksam. – **3.** Auswirkung(en *pl*) *f* (on, upon auf *acc*), Folge(n *pl*) *f*: → **after~.** – **4.** Einwirkung *f*, Einfluß *m*. – **5.** Ef'fekt *m*, Wirkung *f*, Eindruck *m* (on, upon auf *acc*): **calculated for ~** auf Effekt berechnet; **to give ~ to s.th.** a) einer Sache Nachdruck verleihen, b) etwas in Kraft treten lassen; **to have an ~ on** wirken auf (*acc*); **to produce an ~** eine Wirkung ausüben *od.* erzielen; **general ~** Gesamteindruck. – **6.** Inhalt *m*, Sinn *m*: **he wrote a letter to the ~ that** er schrieb einen Brief des Inhalts, daß; **to the same ~** desselben Inhalts; **to this ~** diesbezüglich. – **7.** Wirklichkeit *f*: **to carry into** (*od.* **bring to**) **~** verwirklichen, ausführen; **in ~** in Wirklichkeit, tatsächlich, praktisch. – **8.** Kraft *f*, Gültigkeit *f*: **to take ~, to go** (*od.* **come**) **into ~** in Kraft treten, gültig *od.* wirksam werden. – **9.** *tech.* (Nutz)Leistung *f* (*Maschine*). – **10.** *electr. phys.* indu'zierte Leistung, Sekun'därleistung *f*. – **11.** *pl econ.* a) Ef'fekten *pl*, b) bewegliches Eigentum, Vermögen(sstücke *pl*, -werte *pl*) *n*, Habseligkeiten *pl*, Habe *f*, c) Barbestand *m*, -vorräte *pl*, d) Ak'tiva *pl*, (Bank)Guthaben *n*, *pl*: **no ~s** kein *od.* ohne Guthaben, ohne Deckung (*Scheckvermerk*). – *SYN.* **consequence, event, issue, outcome, result.** – **II** *v/t* **12.** be-, erwirken, bewerkstelligen, verursachen, veranlassen. – **13.** 'durch-, ausführen, tätigen, vornehmen, besorgen, erledigen, voll'bringen, voll'ziehen: **to ~ payment** *econ.* Zahlung leisten; **to ~ a compromise** zu einem Vergleich kommen, sich verständigen; **to be ~ed** zur Ausführung kommen, ausgeführt werden. – **14.** her'vorbringen. – **15.** *econ.* a) (*Versicherung, Geschäft*) abschließen, b) (*Police*) ausfertigen. – *SYN. cf.* **perform.** — **ef'fect·i·ble** *adj* 'durch-, ausführbar.

ef·fec·tive [i'fektiv; ə'f-] **I** *adj* **1.** wirksam, erfolgreich, wirkend, wirkungsvoll: **to be ~** a) wirken, Erfolg haben, b) in Kraft treten; **~ beaten zone, ~ pattern** *mil.* wirksamer Treffbereich; **~ range** *mil.* wirksame Schußweite (*eines Geschosses*). – **2.** eindrucks-, ef'fektvoll. – **3.** wirksam, gültig, in Kraft (*Gesetz*): **to become ~** in Kraft treten. – **4.** tatsächlich, wirklich, effek'tiv: **~ money** Bargeld; **~ strength** *mil.* Iststärke. – **5.** *mil.* diensttauglich, kampffähig, einsatzbereit. – **6.** *tech.* Effektiv..., effek'tiv, nutzbar, Nutz...: **~ current** *electr.* Effektivstrom; **~ output** Nutzleistung; **~ resistance** *electr.* (gesamter) Verlustwiderstand, Wirkwiderstand; **~ value** *electr.* Effektivwert, tatsächlicher Wert. – *SYN.* **effectual, efficacious, efficient.** – **II** *s* **7.** *mar. mil.* a) diensttauglicher, ausgebildeter u. ausgerüsteter Sol'dat, b) Effek'tivbestand *m*. – **8.** *econ.* gemünztes Geld, Bargeld *n*. — **ef'fec·tive·ness** *s* Wirksamkeit *f*. — **ef'fect·less** *adj* wirkungs-, erfolg-, frucht-, ergebnislos, unwirksam. — **ef'fec·tor** [-tər] *s* **1.** *med.* 'Nerven,endor,gan *n*. – **2.** Ausführer(in), Voll'bringer(in).

ef·fec·tu·al [i'fektʃuəl; ə'f-; *Br. auch* -tju-] *adj* **1.** wirksam, erfolgreich: **to be ~** wirken. – **2.** 'hin-, ausreichend, genügend. – **3.** (rechts)gültig, in Kraft, bindend (*Dokument etc*). – **4.** *econ.* vor'handen: **~ demand** durch vorhandenes Bargeld gedeckte Nachfrage. – *SYN. cf.* **effective.** — **ef,fec·tu'al·i·ty** [-'æliti; -əti], **ef'fec·tu·al·ness** *s* **1.** Wirksamkeit *f*. – **2.** (Rechts)Gültigkeit *f*. — **ef'fec·tu,ate** [-,eit] *v/t* **1.** verwirklichen, 'durch-, ausführen. – **2.** bewerkstelligen, be-, erwirken. – **3.** erfüllen. — **ef,fec·tu'a·tion** *s* **1.** Verwirklichung *f*, Ausführung *f*. – **2.** Bewerkstelligung *f*.

ef·fem·i·na·cy [i'feminəsi; ə'f-; -mə-] *s* **1.** Weichlichkeit *f*, Verweichlichung *f*. – **2.** Unmännlichkeit *f*, Weibischkeit *f*, Schwächlichkeit *f*.

ef·fem·i·nate I *adj* [i'feminit; ə'f-; -mə-] **1.** weibisch, unmännlich. – **2.** verweichlicht, entnervt, schlaff, weichlich, 'überempfindlich. – *SYN. cf.* **female.** – **II** *v/t* [-,neit] **3.** weibisch *od.* unmännlich machen. – **4.** verweichlichen, entnerven. – **III** *v/i* **5.** weibisch *od.* unmännlich werden, ein weibisches Wesen annehmen. – **6.** verweichlichen, verweichlicht werden. – **IV** *s* [-nit] **7.** Weichling *m*, weibischer Mensch, Muttersöhnchen *n*. — **ef'fem·i·nate·ness** *s* **1.** weibisches Wesen, Unmännlichkeit *f*. – **2.** Verweichlichung *f*, Weichlichkeit *f*. — **ef,fem·i'na·tion** [-'neiʃən] *s* **1.** weibisches Wesen, Unmännlichkeit *f*. – **2.** Verweichlichung *f*, Verzärtelung *f*. – **3.** *psych.* Effeminati'on *f*, weibisches Gebaren.

ef·fen·di [e'fendi; i'f-] *s* E'fendi *m* [(*türk. Anredeform*).]

ef·fer·ent ['efərənt] *med.* **I** *adj* aus-, wegführend, nach außen führend: **~ nerve** motorischer Nerv. – **II** *s* ausführendes Or'gan.

ef·fer·vesce [,efər'ves] *v/i* **1.** (auf)brausen, sprudeln, (auf)schäumen, mous'sieren, efferves'zieren (*Sekt, Sprudel etc*). – **2.** unter Brausen *od.* Schäumen entweichen. – **3.** *fig.* ('über)sprudeln, 'überschäumen. — **,ef·fer'ves·cence, ,ef·fer'ves·cen·cy** *s* **1.** (Auf)Brausen *n*, Schäumen *n*, Mous'sieren *n*. – **2.** *fig.* ('Über-)Sprudeln *n*, 'Überschäumen *n*. — **,ef·fer'ves·cent, ,ef·fer'vesc·ing** *adj* **1.** sprudelnd, brausend, schäumend, mous'sierend. – **2.** *fig.* ('über)sprudelnd, 'überschäumend.

ef·fete [e'fiːt; i'f-] *adj* **1.** ausgemergelt, erschöpft, entkräftet, schwach. – **2.** ausgelaugt, kraftlos (*Boden*). – **3.** unfruchtbar. — **ef'fete·ness** *s* **1.** Erschöpfung *f*, Entkräftung *f*, Schwäche *f*. – **2.** Kraftlosigkeit *f*, Unfruchtbarkeit *f*.

ef·fi·ca·cious [,efi'keiʃəs; -fə-] *adj* wirksam, wirkungsvoll. – *SYN. cf.* **effective.** — **,ef·fi'ca·cious·ness, 'ef·fi·ca·cy** [-kəsi] *s* Wirksamkeit *f*.

ef·fi·cien·cy [i'fiʃənsi; ə'f-] *s* **1.** Tüchtigkeit *f*, (Leistungs)Fähigkeit *f*: **~ report** *mil. Am.* (Personal)Beurteilung. – **2.** Tauglichkeit *f*, Brauchbarkeit *f*: **~ expert** *econ.* Wirtschaftsberater, -experte, Rationalisierungsfachmann, Betriebswirt(schaftler). – **3.** *phys. tech.* Wirkungsgrad *m*, Leistung(sfähigkeit) *f*, 'Nutzef,fekt *m*, -leistung *f*. – **4.** Wirksamkeit *f*. – **5.** wirkende Ursächlichkeit. — **ef'fi·cient I** *adj* **1.** tüchtig, (leistungs)fähig. – **2.** wirksam. – **3.** brauchbar, tauglich, gut funktio'nierend. – **4.** (be)wirkend: **~ cause** wirkende Ursache. – *SYN. cf.* **effective.** – **II** *s* **5.** *mil.* Diensttauglicher *m*.

ef·fi·gy ['efidʒi; -fə-] *s* (Ab)Bild *n*, Bildnis *n*, Nachbildung *f*, Denkmal *n*, Plastik *f*: **to burn (hang) s.o. in ~** j-n in effigie *od.* im Bild verbrennen (hängen).

ef·flo·resce [,efloː'res] *v/i* **1.** *bes. fig.* aufblühen, sich entfalten, sich entwickeln, zur Entfaltung kommen. – **2.** *chem.* 'ausblühen, -kristalli,sieren, -wittern. — **,ef·flo'res·cence,** *obs. auch* **,ef·flo'res·cen·cy** *s* **1.** *bot.* (Auf)Blühen *n*, Blüte(zeit) *f*. – **2.** *med.* Effloreszenz *f* (*Hautausschlag*). – **3.** *chem.* Efflores'zenz *f*: a) Ausblühen *n*, 'Auskristalli,sieren *n*, b) Beschlag *m*, Ausblühung *f*, -witterung *f*. — **,ef·flo'res·cent** *adj* **1.** *bot. u. fig.* (auf)blühend. – **2.** *chem.* efflores'zierend, 'ausblühend, -kristalli,sierend, -witternd.

ef·flu·ence ['efluəns] *s* **1.** Ausfließen *n*, Ausströmen *n*. – **2.** Ausstrahlung *f*. –

3. Aus-, Abfluß *m.* — **'ef·flu·ent I** *adj* **1.** ausfließend, ausströmend. – **2.** ausstrahlend. – **II** *s* **3.** Aus-, Abfluß *m,* Ablauf *m.*
ef·flu·vi·al [e'flu:viəl; i'f-] *adj* Ausdünstungs... — **ef'flu·vi·um** [-əm] *pl* **-vi·a** [-ə], **-vi·ums** *s* **1.** (*bes. unangenehme*) Ausdünstung. – **2.** *phys.* Ausfluß *m,* Strom *m* (*kleinster Partikel*).
ef·flux ['eflʌks], *auch* **ef·flux·ion** [e'flʌkʃən; i'f-] *s* **1.** a) Aus-, Abfließen *n,* Ausströmen *n,* b) Ausströmung *f,* Ausfluß *m,* Erguß *m.* – **2.** *fig.* Verfließen *n,* Vergehen *n,* Verlauf *m,* Ablauf *m,* Ende *n.*
ef·fo·di·ent [e'foudiənt; i'f-] *adj zo.* grabend.
ef·fort ['efərt] *s* **1.** Anstrengung *f,* Bemühung *f,* Mühe *f,* angestrengter Versuch, Bestreben *n*: **to make an ~** sich Mühe geben, sich bemühen, sich anstrengen; **to make every ~** sich alle Mühe geben; **to spare no ~** keine Mühe scheuen; **with an ~** mühsam; → **combined** 4. – **2.** *colloq.* Leistung *f.* – **3.** *phys.* Sekun'därkraft *f,* Potenti'alabfall *m.* – *SYN.* **exertion, pain, trouble.** — **'ef·fort·ful** [-ful; -fəl] *adj* mühevoll, mühsam. — **'ef·fort·less** *adj* **1.** mühelos, leicht, ohne Anstrengung. – **2.** müßig, untätig, sich nicht anstrengend. – *SYN. cf.* **easy.**
ef·fron·ter·y [i'frʌntəri; e'f-; ə'f-] *s* Frechheit *f,* Unverschämtheit *f,* Unverfrorenheit *f.* – *SYN. cf.* **temerity.**
ef·fulge [e'fʌldʒ; i'f-] *selten* **I** *v/t* ausstrahlen, aussenden. – **II** *v/i* strahlen, glänzen. — **ef'ful·gence** *s* Glanz *m.* — **ef'ful·gent** *adj* strahlend, glänzend.
ef·fuse I *v/t* [e'fju:z; i'f-] **1.** ausgießen, vergießen, ausströmen lassen (*auch fig.*). – **2.** (*Licht*) aussenden, ausstrahlen, verbreiten. – **II** *v/i* **3.** sich ergießen. – **4.** ausströmen (*Gase etc*). – **III** *adj* [-s] **5.** *bot.* ausgebreitet, sich ausbreitend (*Blütenstand*). – **6.** *zo.* a) klaffend (*Muscheln*), b) lose verbunden.
ef·fu·sion [i'fju:ʒən; e'f-; ə'f-] *s* **1.** Ausgießen *n,* Vergießen *n.* – **2.** Entströmen *n,* Ausströmen *n.* – **3.** *fig.* Erguß *m.* – **4.** (sich ergießender) Fluß *od.* Strom. – **5.** *med.* Erguß *m*: **~ of blood** Bluterguß. – **6.** *phys.* Effusi'on *f.* — **ef'fu·sive** [-siv] *adj* **1.** 'überschwenglich. – **2.** 'überfließend, -strömend. – **3.** *geol.* effu'siv: **~ rock** Effusivgestein. — **ef'fu·sive·ness** *s* 'Überschwenglichkeit *f.*
Ef·o·ca·ine [ˌefou'keiin; 'efouˌkein] (*TM*) *s med.* Efoca'in *n* (*Lokalanästhetikum*).
eft[1] [eft] *s zo.* Kamm-, Wassermolch *m* (*Triturus cristatus od. T. vulgaris*).
eft[2] [eft] *adv obs.* **1.** 'wiederum, nochmals. – **2.** nachher.
eft·soon(s) [eft'su:n(z)] *adv obs.* **1.** bald dar'auf. – **2.** 'wieder(um). – **3.** so'fort.
e·gad [i'gæd] *interj colloq.* bei Gott! wahrhaftig!
e·gal·i·tar·i·an [iˌgæli'tε(ə)riən; -lə-] **I** *s* Gleichmacher *m,* Verfechter *m* der Gleichheit aller. – **II** *adj* gleichmacherisch, den Gleichheitsgedanken verfechtend. — **eˌgal·i'tar·i·anˌism** *s* Lehre *f* von der Gleichheit aller.
é·ga·li·té [egali'te] (*Fr.*) *s* Gleichheit *f.*
E·ge·ri·a [i'dʒi(ə)riə] *s* Ratgeberin *f* (*nach der Ratgeberin des sagenhaften Königs Numa Pompilius*).
e·gest [i:'dʒest] *v/t med.* ausscheiden. — **e'ges·ta** [-tə] *s pl med.* Ausscheidungen *pl,* Exkre'mente *pl.* — **e'ges·tion** [-tʃən] *s med.* Ausscheidung *f,* (Stuhl)Entleerung *f.* — **e'ges·tive** [-tiv] *adj med.* Ausscheidungs...
egg[1] [eg] **I** *s* **1.** Ei *n*: **hard- (soft-)boiled ~** hart- (weich)gekochtes Ei; **new-laid ~** frisch gelegtes Ei; **in the ~** *fig.* a) im Anfangsstadium, in der Wiege, b) latent; **as full as an ~** gestopft voll, vollgepfropft; **as sure as ~s is** (*selten* **are**) **~s** *sl.* so sicher wie das Amen in der Kirche, todsicher; **to have all one's ~s in one basket** *colloq.* alles auf eine Karte setzen; **teach your grandmother to suck ~s** *sl.* mir kannst du nichts vormachen. – **2.** *biol.* Eizelle *f.* – **3.** Ei *n* (*eiförmiger Gegenstand*): **~ and dart** (*od.* **anchor, tongue**) *arch.* Eierstab(ornament). – **4.** *mil. sl.* a) (Flieger)Bombe *f,* b) Gra'nate *f,* c) Wasserbombe *f.* – **5.** → **~ coal.** – **6.** → **duck ~** 2. – **7.** *sl.* ‚Blindgänger' *m* (*Witz etc, der nicht ankommt*). – **8.** *sl.* a) Kerl *m,* Krea'tur *f* (*meist verächtlich*), b) Sache *f,* Angelegenheit *f*: **a bad (good) ~** a) ein übler (feiner) Kerl, b) eine faule (prima) Sache; **good ~!** glänzend! prima! – **II** *v/t* **9.** (*Speisen*) mit Ei zubereiten.
egg[2] [eg] *v/t meist* **~ on** anreizen, anfeuern, anstacheln, antreiben (to zu).
'egg|-and-'spoon race *s* Eierlaufen *n* (*Kinderspiel*). — **~ ap·ple** → **eggplant.** — **~ beat·er** *s* **1.** Schneebesen *m,* -schläger *m.* – **2.** *aer. sl.* Hubschrauber *m.* — **'~ˌber·ry** *s bot.* Vogel-, Süßkirsche *f* (*Padus avium*). — **~ bird** *s zo.* Rußseeschwalbe *f* (*Sterna fuscata*). — **~ bread** *s Am.* *mit Eiern zubereitetes Maisbrot.* — **~ case** *s* **1.** *zo.* Eiertasche *f,* -beutel *m* (*verschiedener Tiere*). – **2.** Eierkiste *f.* — **~ cell** → **egg**[1] 2. — **~ ce·ment** → **egg glue.** — **~ cleav·age** *s biol.* Furchung *f* (der befruchteten Eizelle). — **~ coal** *s* Nußkohle *f* (*mittlerer Größe*). — **~ co·zy** *s Br.* Eierwärmer *m,* -haube *f.* — **'~ˌcup** *s* Eierbecher *m.* — **~ dance** *s* Eiertanz *m*: a) *Geschicklichkeitstanz zwischen Eiern,* b) *fig. kniffl̲ige od. heikle Aufgabe.* — **'~ˌeat·er** *s* **1.** Eieresser *m.* – **2.** *zo.* (*ein*) Rotes Eichhörnchen (*Gattg Sciurus*). – **3.** *zo.* (*eine*) afrik. Eierschlange (*Gattg Dasypeltis*). — **'~-ˌeat·ing snake** → **eggeater** 3.
egg·er ['egər] *s zo.* (*eine*) Glucke (*Fam. Lasiocampidae; Nachtschmetterling*).
egg| flip *s* Eierflip *m.* — **~ glass** *s* **1.** Eierbecher *m.* – **2.** Eieruhr *f.* — **~ glue** *s zo.* Eierleim *m* (*zum Anhaften der Eier bei Krebstieren*). — **'~ˌhead** *s Am. sl.* (*oft verächtlich*) Intellektu'eller *m,* (*ein*) Stu'dierter.
egg·ler ['eglər] *s dial.* Eier- u. Geflügelhändler(in).
egg| mem·brane *s zo.* **1.** 'Eimemˌbran *f.* – **2.** Eihaut *f.* — **~ mon·ey** *s bes. Am. colloq.* Eiergeld *n* (*durch Eierverkauf verdient*). — **'~'nog** *s* Milchbecher *m* mit Ei. — **'~ˌplant** *s* **1.** *bot.* Eierfrucht *f,* Auber'gine *f* (*Solanum melongena*). – **2.** (*stets sg*) Eierfrucht *f* (*als Gericht*).
'eggs|-and-'ba·con [egz] *s bot.* **1.** 'Prachtnarˌzisse *f* (*Narcissus incomparabilis*). – **2.** → **toadflax** 1. — **'~-and-'but·ter** *s bot.* **1.** (*ein*) Hahnenfuß *m* (*bes. Ranunculus acris u. R. bulbosus*). – **2.** → **toadflax.**
egg| sauce *s* Eiersoße *f.* — **~ shampoo** *s* 'Eiershamˌpoo *n* (*zur Haarwäsche*). — **'~-ˌshaped** *adj* eiförmig: **~ hand grenade** *mil.* Eierhandgranate. — **'~ˌshell I** *s* **1.** Eierschale *f.* – **2.** *auch* **~ china, ~ porcelain** 'Eierschalenporzelˌlan *n.* – **II** *adj* **3.** leicht glänzend (*wie Eierschalen*). – **4.** dünn u. zerbrechlich. — **~ slice** *s* Pfannenschaufel *f* (*für Omelettes etc*). — **~ spoon** *s* Eierlöffel *m.* — **~ tim·er** *s* Eieruhr *f.* — **~ tooth** *s zo.* Eizahn *m.* — **~ whisk** → **egg beater** 1.
e·gis *cf.* **aegis.**
e·glan·du·lar [*Br.* i'glændjulər; *Am.* -dʒə-], **e'glan·duˌlose** [-ˌlous], **e'glan·du·lous** *adj biol.* drüsenlos.
eg·lan·tine ['egləntain; -ˌti:n] *s bot.* **1.** → **sweetbrier.** – **2.** Geißblatt *n,* Heckenlilie *f* (*Lonicera periclymenum*).
eg·le·ston·ite ['eglstəˌnait] *s min.* Eglesto'nit *m* (Hg_4Cl_2O).
e·go ['egou; 'i:gou] *pl* **-gos** *s* **1.** *philos. psych.* a) Ich *n,* Selbst *n,* b) Per'sönlichkeit *f,* Selbst *n.* – **2.** *psych.* Selbsterhaltungstrieb *m*: **~ ideal** Ichideal (*erstrebte, eingebildete od. nachgeahmte Charaktereigenschaften*). – **3.** *colloq.* Ego'tismus *m,* Selbstsucht *f,* -gefälligkeit *f.* — **ˌe·go'cen·tric** [-'sentrik] **I** *adj* **1.** ego'zentrisch: a) über'trieben ichbewußt, b) *philos.* ich- *od.* selbstbezogen. – **2.** ego'istisch, selbstsüchtig. – **II** *s* **3.** ego'zentrischer Mensch. — **ˌe·go·cen'tric·i·ty** [-'trisiti; -əti], **ˌe·go'cen·trism** *s* ego'zentrisches Wesen, Ego'zentrik *f,* Ichbezogenheit *f.* — **'e·goˌism** *s* **1.** Ego'ismus *m,* Selbstsucht *f,* Eigennutz *m.* – **2.** *philos.* Ego'ismus *m.* – **3.** Ego'tismus *m.* — **'e·go·ist** *s* **1.** Ego'ist(in), selbstsüchtiger Mensch. – **2.** *philos.* a) Ego'ist *m,* Anhänger *m* des Ego'ismus, b) Solip'sist *m.* – **3.** Ego'tist(in). — **ˌe·go'is·tic, ˌe·go'is·ti·cal** *adj* ego'istisch: a) selbstsüchtig, b) *philos.* den Ego'ismus betreffend. — **ˌe·go'is·ti·cal·ly** *adv* (*auch zu* **egoistic**). — **ˌe·go'ma·ni·a** *s* krankhafte Selbstsucht *od.* -gefälligkeit.
e·go·tism ['egəˌtizəm; 'i:g-; -go-] *s* **1.** (*bes. übertriebener*) Gebrauch des Wortes „Ich" (*in Rede u. Schrift*). – **2.** Ego'tismus *m*: a) 'Selbstüberˌhebung *f,* Eigenlob *n,* b) Geltungsbedürfnis *n,* Selbstgefälligkeit *f.* – **3.** Ego'ismus *m,* Selbstsucht *f.* – **4.** Erzählung *f* über sich u. das eigene Tun. — **'e·go·tist** *s* **1.** geltungsbedürftiger *od.* selbstgefälliger Mensch, Ego'tist *m.* – **2.** selbstsüchtiger Mensch, Ego'ist *m.* — **ˌe·go'tis·tic, ˌe·go'tis·ti·cal** *adj* **1.** ego'tistisch, selbstgefällig. – **2.** selbstsüchtig, ego'istisch. — **ˌe·go'tis·ti·cal·ly** *adv* (*auch zu* **egotistic**). — **'e·goˌtize** *v/i* (*zu viel*) von sich sprechen *od.* schreiben.
e·gre·gious [i'gri:dʒəs; -dʒiəs] *adj* **1.** unerhört, ungeheuer(lich), Mords..., Erz...: **~ lie** schreiende Lüge; **~ fool** Schafskopf. – **2.** *obs. od. humor.* her'vorragend. — **e'gre·gious·ness** *s* Unerhörtheit *f,* Ungeheuerlichkeit *f.*
e·gress ['i:gres] **I** *s* **1.** Verlassen *n,* Fortgang *m.* – **2.** Ausgang *m,* Weg *m* nach draußen. – **3.** Ausgangsrecht *n.* – **4.** *fig.* Ausweg *m.* – **5.** *astr.* Austritt *m.* – **II** *v/i* **6.** her'ausgehen, -treten. — **e·gres·sion** [i'greʃən] *s* Her'ausgehen *n,* -treten *n,* Austritt *m.*
e·gret ['i:grit; 'eg-; -ret] *s* **1.** *zo.* Silberreiher *m* (*Casmerodius albus*). – **2.** *bot.* Federkrone *f,* Pappus *m.* – **3.** Reiherfeder *f.* — **~ mon·key** *s zo.* Gemeiner Ma'kak, Ja'vaneraffe *m* (*Macacus cynomolgus*).
E·gyp·tian [i'dʒipʃən] **I** *adj* **1.** ä'gyptisch. – **2.** *humor.* Zigeuner... – **II** *s* **3.** Ä'gypter(in). – **4.** *ling.* Ä'gyptisch *n.* – **5.** Zi'geuner(in). — **~ bean** *s bot.* **1.** Helm-, Reisbohne *f,* Gemeiner Lablab, Ä'gyptische Fasel (*Dolichos lablab*). – **2.** Indische Lotosblume (*Nelumbo nucifera*). — **~ dark·ness** *s Bibl. u. fig.* ä'gyptische Finsternis. — **~ goose** *s irr zo.* Nilgans *f* (*Chenalopex aegypticus*). — **~ lo·tus** *s bot.* (*eine*) ä'gyptische Lotosblume (*Nymphaea coerulea u. N. lotus*). — **~ pound** *s* ä'gyptisches Pfund (*Währungseinheit Ägyptens*). — **~ print·ing type** *s print.* Egypti'enne *f* (*Druckschrift*). — **~ rose** *s bot.* **1.** Garten-Witwenblume *f* (*Scabiosa atropurpurea*). – **2.** 'Feldskabiˌose *f* (*Knautia arvensis*). — **~ thorn** *s bot.* **1.** (*eine*) ä'gyptische A'kazie (*Acacia vera*). – **2.** Feuer-

dorn *m* (*Crataegus pyracantha*). — **~ vul·ture** *s zo.* Aas-, Schmutzgeier *m* (*Neophron percnopterus*).

E·gyp·to·log·i·cal [iˌdʒiptəˈlɒdʒikəl] *adj* ägyptoˈlogisch. — **E·gyp·tol·o·gist** [ˌiːdʒipˈtɒlədʒist] *s* Ägyptoˈloge *m*, Äˈgyptenforscher(in). — **ˌE·gypˈtol·o·gy** *s* Ägyptoloˈgie *f*, Äˈgyptenforschung *f*.

eh [ei; e] *interj* **1.** (*fragend*) a) wie? wie bitte? b) nicht wahr? wie? oder? – **2.** (*überrascht*) ei! sieh da!

ei·dent [ˈaidənt] *adj Scot.* fleißig, sorgfältig.

ei·der [ˈaidər] *s* **1.** → ~ **duck.** – **2.** → ~ **down.** — **~ down** *s* **1.** *collect.* Eiderdaunen *pl.* – **2.** Daunendecke *f.* – **3.** *weiches, ein- od. beiderseitig gerauhtes* (*Baum*)*Woll- od. Seidengewebe.* — **~ duck** *s zo.* Eiderente *f*, -gans *f* (*bes. Gattg Somateria*). — **~ yarn** *s* weiches Wollgarn.

ei·det·ic [aiˈdetik] *psych.* **I** *s* Eiˈdetiker (-in). – **II** *adj* eiˈdetisch, anschaulich nachempfindend. — **~ im·age·ry** *s psych.* Anschauungsbilder *pl* (*eines Eidetikers*).

ei·do·graph [ˈaidoˌgræ(ː)f; *Br. auch* -ˌgrɑːf] *s* Eidoˈgraph *m* (*Art Storchschnabel*).

ei·dol·ic [aiˈdɒlik] *adj* phanˈtomartig. — **ei·do·lism** [aiˈdoulizəm] *s* Geisterglaube *m.* — **eiˈdo·lon** [-lən] *pl* **-la** [-lə] *od.* **-lons** *s* Phanˈtom *n*, Erscheinung *f*, (Trug)Bild *n.*

eight [eit] **I** *adj* **1.** acht: ~ **times** achtmal; **one of ~** *ellipt.* ein(er, e, es) von acht; **at ~-thirty** *ellipt.* um acht Uhr dreißig. – **II** *s* **2.** Acht *f* (*Ziffer, Nummer, Figur, Spielkarte etc*): **to have one over the ~** *sl.* ‚einen in der Krone haben' (*betrunken sein*). – **3.** *sport* Achtermannschaft *f*: **the E~s** *Ruderrennen zwischen den College-Achtern von Oxford u. Cambridge.* — **~ ball** *s* **1.** *Am. die acht Punkte zählende schwarze Kugel beim Poulespiel*: **to be behind the ~** *fig.* in einer schwierigen Lage *od.* im Nachteil sein, das Nachsehen haben. – **2.** *electr.* (*Art*) Mikroˈphon *n* mit ˈRundcharakteˌristik *od.* ohne Richtwirkung.

eight·een [ˈeiˈtiːn] **I** *adj* achtzehn: **in the ~-twenties** in den zwanziger Jahren des 19. Jhs. – **II** *s* (*Zahl, Nummer*) Achtzehn *f.* — **eightˈeen·mo** [-mou] *colloq. für* **octodecimo.**

eight·eenth [ˈeiˈtiːnθ] **I** *adj* **1.** achtzehnt(er, e, es). – **II** *s* **2.** (*der, die, das*) Achtzehnte. – **3.** Achtzehntel *n*, achtzehnter Teil. — **ˌeightˈeenth·ly** *adv* achtzehntens.

ˈeightˌfold *adj u. adv* achtfach, -fältig.

eighth [eitθ] **I** *adj* **1.** acht(er, e, es): **the ~ part** der achte Teil. – **II** *s* **2.** (*der, die, das*) Achte. – **3.** Achtel *n*, achter Teil. – **4.** *mus.* Okˈtave *f.* — **ˈeighth·ly** *adv* achtens.

eighth| note *s mus.* Achtelnote *f.* — **~ rest** *s mus.* Achtelpause *f.* — **~ won·der** *s* achtes Weltwunder.

eight·i·eth [ˈeitiiθ] **I** *adj* **1.** achtzigst(er, e, es). – **II** *s* **2.** (*der, die, das*) Achtzigste. – **3.** Achtzigstel *n*, achtzigster Teil.

eight·some [ˈeitsəm] *Scot.* **I** *adj u. adv* zu acht. – **II** *s meist* **~ reel** *lebhafter schottischer Tanz mit 8 Tänzern.*

eight·y [ˈeiti] **I** *adj* **1.** achtzig. – **II** *s* **2.** Achtzig *f* (*Zahl, Nummer*): **in the eighties** in den achtziger Jahren. – **3.** *Am.* Bodenfläche *f* von achtzig Morgen. — **E~ Club** *s liberaler Klub, 1880 in England gegründet.* — **ˌ~-ˈnin·er** *s Am. hist. Siedler, der sich 1889 in Oklahoma niederließ.*

ei·kon *cf.* **icon.**

ein·korn [ˈainˌkɔːrn] *s agr. bot.* Ein-, Schwaben-, Pferdekorn *n* (*Triticum monococcum*).

Ein·stein e·qua·tion [ˈainstain] *s math. phys.* Einsteinsche Gleichung. — **Einˈstein·i·an** *adj phys.* Einsteinsch(er, e, es). — **einˈstein·i·um** [-iəm] *s chem.* Einsteinium *n* (Ei). — **Ein·stein the·o·ry** *s phys.* Einsteinsche Relativiˈtätstheoˌrie.

ei·ren·i·con [ai(ə)ˈriːnikɒn] *s* Friedensangebot *n.*

eis·tedd·fod [aisˈteðvɒd; eis-] *pl* **-fods, -fod·au** [-ˌdai] *s* Eisˈteddfod *n* (*jährliches walisisches Sänger- u. Dichterfest*).

eis wool [ais] *s* Eiswolle *f.*

ei·ther [*bes. Br.* ˈaiðər; *bes. Am.* ˈiːðər] **I** *adj* **1.** jed(er, e, es) (*von zweien*), beide: **on ~ side** auf beiden Seiten; **in ~ case** in jedem der beiden Fälle; **there is nothing in ~ bottle** beide Flaschen sind leer. – **2.** irgendein(er, e, es) (*von zweien*): **you may sit at ~ end of the table** Sie können am oberen od. unteren Ende des Tisches sitzen. – **3.** *selten* jed(er, e, es) (*von mehreren*). – **II** *pron* **4.** irgendein(er, e, es) (*von zweien*): ~ **of you can come** (irgend)einer von euch (beiden) kann kommen; **I haven't seen ~** ich habe beide nicht gesehen, ich habe keinen (von beiden) gesehen. – **5.** beides: ~ **is possible** beides ist möglich. – **6.** *selten* jed(er, e, es) (*von mehreren*). – **III** *conjunction* **7.** entweder: ~ ... **or** entweder ... oder; ~ **be quiet or go** entweder sei still od. gehe; ~ **you are right or I am** entweder du hast recht od. ich. – **8.** ~ ... **or** weder ... noch (*im verneinenden Satz*): **it is not enough ~ for you or for me** es reicht weder für dich noch für mich. – **IV** *adv* **9.** **nor** ... ~ (und) auch nicht, noch (*im verneinenden Satz*): **she could not hear nor speak ~** sie konnte weder hören noch sprechen; **if he does not come, she will not ~** wenn er nicht kommt, wird sie auch nicht kommen. – **10.** *unübersetzt*: **without ~ good or bad intentions** ohne gute od. schlechte Absichten.

e·jac·u·late [iˈdʒækjuˌleit; -jə-] **I** *v/t* **1.** *med. zo.* (*aus dem Körper*) ausstoßen, -werfen, *bes.* (*Samen*) ejakuˈlieren. – **2.** (*Worte etc*) ausstoßen. – **II** *v/i* **3.** Worte ausstoßen. — **eˌjac·uˈla·tion** *s* **1.** Ausruf *m*, Stoßseufzer *m*, -gebet *n.* – **2.** Ausstoßen *n* (*Worte etc*). – **3.** *med. zo.* a) Ejakuˈlat *n*, b) Ausstoßung *f*, -werfen *n* (*Flüssigkeiten etc*), *bes.* Samenerguß *m*, -ausstoß *m*, -abgabe *f*, Ejakulatiˈon *f.* — **eˈjac·uˌla·tive** → **ejaculatory.** — **eˈjac·u·la·to·ry** [*Br.* -lətəri; -ˌlei-; *Am.* -ləˌtɔːri] *adj* **1.** hastig (ausgestoßen), Stoß...: ~ **prayer** Stoßgebet. – **2.** *med. zo.* a) ausstoßend, -werfend, b) (Samen)Ausstoß...: ~ **duct** Samenausführungsgang.

e·ject I *v/t* [iˈdʒekt] **1.** (from) a) (*j-n*) hinˈauswerfen (aus), vertreiben (aus *od.* von), b) *jur.* exmitˈtieren, zwangsweise entfernen (aus). – **2.** (from) entsetzen (*gen*), entlassen *od.* entfernen (aus): **to ~ s.o. from an office** j-n eines Amtes entsetzen, j-n aus einem Amte entfernen. – **3.** ausstoßen, auswerfen. – *SYN.* **dismiss, evict, expel, oust.** – **II** *s* [ˈiːdʒekt] **4.** *psych.* (*etwas*) nur Gefolgertes, (*etwas*) nicht dem eigenen Bewußtsein Angehöriges. — **eˈjec·ta** [-tə] *s pl* Auswürfe *pl* (*Vulkan, Körper etc*). — **eˈjec·tion** [-kʃən] *s* **1.** (from) a) Vertreibung *f* (aus *od.* von), b) *jur.* Exmissiˈon *f*, Ejektiˈon *f*, Ausweisung *f*, zwangsweise Entfernung (aus): **action for ~** Räumungsklage. – **2.** (Amts)Entsetzung *f*, Entlassung *f*, Entfernung *f* (**from an office** aus einem Amt). – **3.** Ausstoßung *f*, Auswerfung *f*: ~ **seat** *aer.* Katapult-, Schleudersitz. – **4.** Auswurf *m* (*Vulkan etc*). — **eˈjec·tive** [-tiv] **I** *adj* **1.** ausstoßend, Ausstoß(ungs)... – **2.** *ling.* emˈphatisch, Preß... – **3.** *psych.* nur gefolgert. – **II** *s* **4.** *ling.* emˈphatischer *od.* als Preßlaut gesprochener Verschluß- *od.* Reibelaut. — **eˈject·ment** *s* **1.** Vertreibung *f*, Ausstoßung *f.* – **2.** *jur.* Vertreibung *f* aus einem Besitz: **action of ~** Besitzstörungsklage. — **eˈjec·tor** [-tər] *s* **1.** Vertreiber(in). – **2.** *tech.* a) Eˈjektor *m*, ˈAusblase-, ˈAuswurf-, ˈStrahlappaˌrat *m*, (Saug-, Dampf)-Strahlpumpe *f*, b) (Paˈtronenhülsen)-Auswerfer *m*: ~ **seat** *aer.* Katapult-, Schleudersitz.

ˈe·ka-a·luˈmin·i·um, *Am.* **ˈe·ka-a·lu·mi·num** [ˈiːkə; ˈeikə] *s chem.* ˈEka-aluˌminium *n*, Gallium *n.* — **ˌe·ka-ˈbo·ron** *s chem.* Ekabor *n*, Skandium *n.* — **ˌe·ka-ˈer·bi·um** *s chem.* Ekaˈerbium *n*, Fermium *n* (Fm; *künstliches Transuran*). — **ˌe·ka-ˈhol·mi·um** *s chem.* Ekaˈholmium *n*, Einsteinium *n* (Ei; *künstliches Transuran*).

eke[1] [iːk] *v/t* **1.** *meist* ~ **out** (mühsam) ergänzen *od.* zuˈsammenstückeln: **to ~ out ink with water** Tinte mit Wasser verlängern *od.* verdünnen. – **2.** ~ **out** (*Lebensunterhalt*) mühsam herˈausschinden *od.* erarbeiten: **to ~ out a scanty living** sich kümmerlich durchschlagen. – **3.** *obs.* a) vergrößern, b) vermehren.

eke[2] [iːk] *adv u. conjunction obs.* auch.

ek·ka [ˈekɑː] *s* einspänniger Wagen (*der Eingeborenen in Indien*).

el [el] *pl* **els** *s* **1.** L *n*, l *n* (*Buchstabe*). – **2.** *Am. colloq. Kurzform für* **elevated railroad.** – **3.** *cf.* **ell**[1].

e·lab·o·rate I *adj* [iˈlæbərit] **1.** sorgfältig *od.* kunstvoll gearbeitet, (in allen Einzelheiten) vollˈendet (*Gegenstand*). – **2.** (ˈwohl)durchˌdacht, (sorgfältig) ausgearbeitet. – **3.** kunstvoll, kompliˈziert. – **II** *v/t* [-ˌreit] **4.** sorgfältig *od.* bis ins einzelne ausarbeiten, vervollkommnen. – **5.** (*Theorie etc*) entwickeln, aufstellen, ausarbeiten. – **6.** (*Methode*) ersinnen, erfinden. – **7.** (mühsam) herˈausarbeiten, erarbeiten. – **III** *v/i* **8.** (on, upon) sich verbreiten (über *acc*), ausführlich behandeln (*acc*). – **9.** sich (höher) entwickeln, sich vervollkommnen. — **eˈlab·o·rate·ly** *adv* **1.** sorgfältig, mit Genauigkeit, bis ins einzelne. – **2.** ausführlich. — **eˈlab·o·rate·ness** *s* **1.** sorgfältige *od.* kunstvolle Ausführung. – **2.** ˈWohldurchˌdachtheit *f*, Sorgfalt *f*, sorgfältige Ausarbeitung. – **3.** Kompliˈziertheit *f.* — **eˌlab·oˈra·tion** *s* **1.** (sorgfältige *od.* kunstvolle) Ausarbeitung *od.* Ausführung. – **2.** Ausarbeitung *f*, Entwicklung *f*, Aufstellung *f* (*Theorie etc*). – **3.** Zuˈrechtlegung *f*, Ersinnen *n.* – **4.** Vervollkommnung *f*, Entwicklung *f*, Verfeinerung *f*, Verbesserung *f.* – **5.** ausführliche Behandlung (*Thema etc*). – **6.** kunstvolle *od.* sorgfältige Arbeit. — **eˈlab·oˌra·tive** [-ˌreitiv; -rə-] *adj* ausarbeitend, entwickelnd: **to be ~ of s.th.** etwas entwickeln. — **eˈlab·oˌra·tor** [-ˌreitər] *s* Entwickler *m*, Ausarbeiter *m.*

elaeo- [elio; iliːo] *Wortelement mit der Bedeutung* Öl.

el·ae·o·mar·gar·ic ac·id [ˌeliomɑːrˈgærik] *s chem.* Oleomargaˈrinsäure *f* ($C_{18}H_{32}O_2$). — **ˌel·aeˈom·e·ter** [-ˈɒmitər; -mə-] *s tech.* ˈÖlaräoˌmeter *n*, Ölwaage *f*, -messer *m.* — **ˌel·aeˈop·tene** [-ˈɒptiːn], *auch* **ˌel·aeˈop·ten** [-ten] *s chem.* Eläopˈten *n* (*der bei der Abkühlung flüssig bleibende Teil ätherischer Öle*).

e·la·i·date [iˈleiiˌdeit; -əˌd-] *s chem.* elaiˈdinsaures Salz. — **el·a·id·ic** [ˌeleiˈidik; -liˈid-] *adj chem.* Elaidin...: ~ **acid** Elaidinsäure. — **e·la·i·din** [iˈleiidin; -ədin] *s chem.* Elaiˈdin *n.*

E·lam·ite [ˈiːləˌmait] **I** *s* Elaˈmit(in), Elyˈmäer(in) (*Bewohner von Elam*). – **II** *adj* eˈlamisch.

é·lan [eˈlɑ̃] (*Fr.*) *s* Eˈlan *m*, Schwung *m*, Feuer *n*, Begeisterung *f*.

e·land [ˈiːlənd] *s zo.* **1.** ˈElenantiˌlope *f* (*Taurotragus oryx*). – **2.** *auch* **giant ~** ˈRiesen-ˌElenantiˌlope *f* (*Taurotragus derbianus*).

é·lan vi·tal [elɑ̃ viˈtal] (*Fr.*) *s* Lebenskraft *f*.

el·a·phine [ˈeləˌfain] *adj zo.* hirschartig, Hirsch... — **ˈel·aˌphure** [-ˌfjur] *s zo.* Milu *m*, Davidshirsch *m* (*Elaphurus davidianus*).

e·lapse [iˈlæps] **I** *v/i* vergehen, verstreichen (*Zeit*). – **II** *s selten* Ablauf *m*, Verlauf *m*, Verstreichen *n*.

e·las·mo·branch [iˈlæzmoˌbræŋk; iˈlæs-] *zo.* **I** *s* Knorpelfisch *m*, Elasmoˈbranchier *m* (*Fam. Elasmobranchii*). – **II** *adj* Knorpelfisch...

e·las·tic [iˈlæstik] **I** *adj* **1.** eˈlastisch, federnd, spannkräftig. – **2.** biegsam, geschmeidig. – **3.** *phys.* a) eˈlastisch (verformbar), b) (unbegrenzt) expansiˈonsfähig (*Gase*), c) inkompresˈsibel (*Flüssigkeiten*). – **4.** *fig.* dehnbar, biegsam, geschmeidig, anpassungsfähig: **~ conscience** weites Gewissen. – **5.** *fig.* eˈlastisch, lebhaft, nicht leicht ˈunterzukriegen(d), unverwüstlich. – **6.** *fig.* (*körperlich od. geistig*) spannkräftig, eˈlastisch. – **7.** Gummi... – *SYN.* **flexible, resilient, springy, supple.** – **II** *s* **8.** Gummiband *n*, -zug *m*, -ring *m*. — **eˈlas·ti·cal·ly** *adv*.

e·las·tic| curve *s tech.* Kettenlinie *f*, (ˈDurch)Bieg(ungs)linie *f*. — **~ de·for·ma·tion** *s phys. tech.* eˈlastische Formänderung. — **~ force** *s phys. tech.* Elastiziˈtät *f*, Federkraft *f*. — **~ hys·ter·e·sis** *s phys.* eˈlastische Hysteˈrese *od.* Hyˈsteresis.

e·las·tic·i·ty [ˌiːlæsˈtisiti; -əti; *Am. auch* iˌlæs-] *s* **1.** Elastiziˈtät *f*, Spann-, Federkraft *f*. – **2.** Biegsamkeit *f*, Geschmeidigkeit *f*. – **3.** *fig.* Dehnbarkeit *f*, Fügsamkeit *f*, Geschmeidigkeit *f*, Anpassungsfähigkeit *f*. – **4.** *fig.* Elastiziˈtät *f*, Spannkraft *f*, Unverwüstlichkeit *f*.

e·las·tic lim·it *s phys. tech.* Elastiziˈtätsgrenze *f*. — **eˈlas·tic-ˈside boots, eˈlas·tic-ˈsides** *s pl* Zugstiefel *pl*.

e·las·tin [iˈlæstin] *s chem. med.* Elaˈstin *n* (*elastisches Gerüsteiweiß der Blutgefäß- u. Sehnenwände*).

e·las·tiv·i·ty [iˌlæsˈtiviti; -əti; ˌiːlæs-] *s electr.* speˈzifische Unfähigkeit zur Haltung elektroˈstatischer Ladung.

e·las·to·mer [iˈlæstomər; -tə-] *s chem.* eˈlastische (*gummiartige*) Masse.

e·late [iˈleit] **I** *v/t* **1.** ermutigen, erheben, freudig erregen, (*j-m*) Mut machen. – **2.** aufblähen, stolz machen. – **II** *adj* → **elated.** — **eˈlat·ed** *adj* **1.** in gehobener Stimmung, freudig (erregt), ˈübermütig. – **2.** erhaben, hochmütig, stolz. — **eˈlat·ed·ness** *s* **1.** freudige Erregung, gehobene Stimmung. – **2.** Stolz *m*, Erhabenheit *f*, Hochmut *m*.

el·a·ter [ˈelətər] *s* **1.** *bot.* Elaˈtere *f*, (Sporen)Schleuderer *m*, Schleuderzelle *f* (*der Lebermoose*). – **2.** *zo.* → **elaterid II.**

e·lat·er·id [iˈlætərid] *zo.* **I** *adj* die Schnellkäfer betreffend. – **II** *s* Schnellkäfer *m*, Schmied *m* (*Fam. Elateridae*). — **eˈlat·er·in** [-rin] *s chem.* Elateˈrin *n* ($C_{28}H_{38}O_7$; *Bitterstoff des Springgurkensaftes*). — **eˈlat·erˌite** [-ˌrait] *s min.* Elateˈrit *m*, eˈlastisches Erdpech.

el·a·te·ri·um [ˌeləˈti(ə)riəm] *s med.* Elaˈterium *n* (*Abführmittel*).

e·la·tion [iˈleiʃən] *s* **1.** freudige Erregung, gehobene Stimmung. – **2.** Stolz *m*, Hochmut *m*.

E lay·er *s phys.* E-Schicht *f* (*der Ionosphäre*).

el·bow [ˈelbou] **I** *s* **1.** Ell(en)bogen *m*: **I have it at my ~** ich habe es bei der Hand, es steht mir zur Verfügung; **out at ~s** a) schäbig, abgetragen (*Kleidung*), b) auf den Hund gekommen, arm (*Person*); → **to be up to the ~s in work** alle Hände voll zu tun haben, bis über die Ohren in Arbeit stecken; **to raise one's ~** ‚einen heben' (*trinken*); → **crook** 12. – **2.** (scharfe) Biegung *od.* Krümmung, Ecke *f*, Knie *n*, Knick *m* (*Straße etc*). – **3.** *tech.* a) (Rohr)Knie *n*, (Rohr-)Krümmer *m*, Kniestück *n*, Winkel(stück *n*) *m*, b) Seitenlehne *f* (*eines Stuhls etc*). – **4.** *arch.* → **ancon** 2. – **II** *v/t* **5.** (*mit dem Ellbogen*) stoßen, drängen, schieben (*auch fig.*): **to ~ s.o. out** j-n hinausdrängen *od.* -stoßen, j-n beiseite schieben; **to ~ oneself through a crowd** sich durch eine Menschenmenge drängen; **to ~ one's way** sich (*mit den Ellbogen*) einen Weg bahnen. – **III** *v/i* **6.** (*rücksichtslos*) die Ellbogen gebrauchen (*auch fig.*). – **7.** sich (*mit den Ellbogen*) schieben, drängen, stoßen: **to ~ through a crowd.** – **8.** eine scharfe Krümmung *od.* Biegung machen, sich krümmen. — **ˈ~ˌboard** *s* Fensterbrett *n*. — **ˈ~ˌchair** *s* Armstuhl *m*, -sessel *m*. — **~ grease** *s humor.* **1.** (*körperliche*) Kraft, ‚Armschmalz' *n*. – **2.** schwere Arbeit, ‚Schufteˈrei' *f*. — **~ joint** *s* **1.** Ell(en)bogengelenk *n*. – **2.** *tech.* Knie-, Winkelverbindungsstück *n*. — **~ pipe** *s tech.* Knierohr *n*. — **ˈ~ˌroom** *s* Bewegungsfreiheit *f*, Spielraum *m* (*auch fig.*). — **~ scis·sors** *s pl med. tech.* Winkel-, Kniesschere *f*. — **~ tel·e·scope** *s* Winkelfernrohr *n*.

el·chee, el·chi [ˈeltʃi] *s* Gesandter *m*, Botschafter *m*.

eld [eld] *s* **1.** *Scot. od. poet.* (Greisen-)Alter *n*. – **2.** *obs.* alte Zeiten *pl*.

eld·er¹ [ˈeldər] **I** *adj* **1.** älter(er, e, es) (*bes. unter den Angehörigen einer Familie*): **my ~ brother; which is the ~?** welche(r) ist die (der) ältere? **Brown the ~** Brown senior. – **2.** älter (*an Rang, Gültigkeit etc*): **~ officer** *mil.* rangälterer Offizier; **~ title** älterer Anspruch. – **3.** *poet.* früher: **in ~ times.** – **4.** in Jahren vorgeschritten, später im Leben. – **II** *s* **5.** (der, die) Ältere, Senior *m*: **my ~s** Leute, die älter sind als ich. – **6.** Greis(in). – **7.** (Stammes-, Gemeinde)Ältester *m*. – **8.** *relig.* (Kirchen)Ältester *m*, Presbyter *m*. – **9.** Seˈnator *m*. – **10.** Vorfahr *m*, Ahn(e *f*) *m*.

el·der² [ˈeldər] *s bot.* **1.** Hoˈlunder *m* (*Gattg Sambucus*). – **2.** *Br.* Schwarzerle *f* (*Alnus glutinosa*).

ˈel·der|ˌber·ry *s bot.* **1.** Hoˈlunderbeere *f*. – **2.** → **elder²** 1. — **~ blow** *s bot.* Hoˈlunderblüten *pl*. — **~ hand** → **eldest hand.**

eld·er·ly [ˈeldərli] **I** *adj* älter(er, e, es), ältlich: **an ~ lady** eine ältere Dame. – **II** *s* ältere *od.* ältliche Perˈson.

eld·er states·men *s pl* **1.** *hist.* Genro *pl*, (die) alten Staatsmänner *pl* (*Berater des Kaisers von Japan*). – **2.** *pol.* erfahrene u. hochgeachtete Staatsmänner *pl*.

eld·est [ˈeldist] *adj* ältest(er, e, es) (*bes. unter Angehörigen einer Familie*): **my ~ brother; the ~ son** der erstgeborene Sohn. — **~ hand** *s* (*Kartenspiel*) Vorhand *f*.

el·ding [ˈeldiŋ] *s dial.* Brennholz *n*.

El Do·ra·do, *auch* **El·do·ra·do** [ˌeldəˈrɑːdou] *pl* **-dos** *s* (El)Doˈrado *n*, Gold-, Wunderland *n*, Paraˈdies *n*.

el·dritch [ˈeldritʃ] *adj Scot.* unheimlich, geisterhaft.

El·e·at·ic [ˌeliˈætik] *philos.* **I** *adj* eleˈatisch. – **II** *s* Eleˈat *m*, Anhänger *m* der eleˈatischen Schule. — **ˌEl·eˈat·i·ˌcism** [-tiˌsizəm] *s* eleˈatische Lehre.

el·e·cam·pane [ˌelikæmˈpein] *s* **1.** *bot.* Echter Aˈlant (*Inula helenium*). – **2.** Aˈlantbonˌbon *m*, *n*.

e·lect [iˈlekt] **I** *v/t* **1.** (*j-n*) (er)wählen: **to ~ s.o. to an office** j-n für ein *od.* zu einem Amt wählen; **to ~ s.o. to a council** j-n in einen Rat wählen; **they ~ed him (to be) their president** sie wählten ihn zum Präsidenten. – **2.** (*etwas*) wählen, sich entscheiden für, sich entschließen zu: **to ~ to do s.th.** sich entschließen, etwas zu tun. – **3.** (*etwas*) (aus)wählen. – **4.** *relig.* auserwählen, ausersehen. – **II** *v/i* **5.** a) wählen, b) sich entscheiden *od.* entschließen. – *SYN. cf.* **choose.** – **III** *adj* **6.** (*meist nach Substantiv*) desiˈgniert: **bride-~** die Verlobte *od.* Zukünftige. – **7.** (aus)gewählt. – **8.** erlesen. – **9.** *relig.* (*von Gott*) auserwählt, ausersehen. – **IV** *s* **10. the ~** *collect.* die Auserwählten *pl* (*auch fig.*). – **11.** a) (Aus)Gewählte(r), *bes.* desiˈgnierter Bischof, b) *relig.* Auserwählte(r) (*Gottes*).

e·lec·tion [iˈlekʃən] *s* **1.** *pol.* Wahl *f*: **~ of a president** Präsidentenwahl; **freedom of ~** Wahlfreiheit; **right of ~** Wahlrecht, -berechtigung; **~ meeting** Wahl-, Wählerversammlung. – **2.** Wahl *f*, Wählen *n*. – **3.** *relig.* a) (Aus)Erwählung *f*, Gnadenwahl *f*, b) **the ~** *selten* die Auserwählten *pl*. – *SYN. cf.* **choice.** — **~ cam·paign** *s pol.* Wahlkampf *m*, -feldzug *m*. — **~ com·mit·tee** *s* Wahlausschuß *m*. — **E~ Day** *s pol.* Wahltag *m*. — **~ dis·trict** *s pol.* Wahlbezirk *m*, -kreis *m*.

e·lec·tion·eer [iˌlekʃəˈnir] *pol.* **I** *v/i* **1.** agiˈtieren, ˈWahlpropaˌganda machen *od.* treiben, einen Wahlfeldzug ˈdurchführen. – **2.** Stimmen werben, die Wähler bearbeiten. – **II** *s* → **electioneerer.** — **eˌlec·tionˈeer·er** *s pol.* Stimmenwerber(in), ˈWahlagiˌtator *m*, -propaganˌdist(in). — **eˌlec·tionˈeer·ing** *pol.* **I** *adj* Wahl(propaganda)...: **~ campaign** Wahlfeldzug. – **II** *s* ˈWahlpropaˌganda *f*, -agitatiˌon *f*.

e·lec·tion re·turns *s pl pol.* Wahlergebnisse *pl*.

e·lec·tive [iˈlektiv] **I** *adj* **1.** gewählt, durch Wahl, Wahl... (*Beamter etc*). – **2.** Wahl..., durch Wahl zu vergeben(d) (*Amt*). – **3.** wahlberechtigt, wählend. – **4.** *pol.* Wahl..., die Wahl betreffend: **~ franchise** Wahlrecht. – **5.** *ped.* wahlfrei, Wahl... (*Schulfach*). – **6.** *chem.* Wahl...: **~ attraction, ~ affinity** Wahlverwandtschaft (*auch fig.*). – **II** *s* **7.** *ped. Am.* Wahlfach *n*, wahlfreies Fach. — **eˈlec·tive·ness, eˌlecˈtiv·i·ty** *s* Wahlvermögen *n*. — **eˈlec·tor** [-tər] *s* **1.** Wahl-, Stimmberechtigte(r), Wähler(in). – **2.** **E~** *hist.* Kurfürst *m* (*im Heiligen Röm. Reich Deutscher Nation*): **the Great E~** der Große Kurfürst (*Friedrich Wilhelm von Brandenburg*). – **3.** *pol.* Wahlmann *m* (*bei der Präsidentenwahl in USA*).

e·lec·tor·al [iˈlektərəl] *adj* **1.** Wahl..., Wähler...: **~ register** Wahl-, Wählerliste. – **2.** *hist.* kurfürstlich, Kurfürsten...: **~ crown** Kur(fürsten)hut. — **~ col·lege** *s pol.* ˈWahlmänner *pl*, -ausschuß *m*, -komiˌtee *n*, -kommissiˌon *f* (*eines Staates der USA*).

e·lec·tor·ate [iˈlektərit] *s* **1.** *pol.* Wähler(schaft *f*) *pl*. – **2.** Wahlbezirk *m*, -kreis *m*. – **3.** *hist.* Elektoˈrat *n*: a) Kurwürde *f*, b) Kurfürstentum *n*. — **eˈlec·torˌship** *s* **1.** Stand *m* eines Wählers. – **2.** *hist.* Kurwürde *f*, Amt *n* eines Kurfürsten.

electr- [ilektr] → **electro-.**

E·lec·tra com·plex [iˈlektrə] *s psych.* Eˈlektrakomˌplex *m*.

e·lec·tress [iˈlektris] *s* **1.** Wählerin *f*. – **2.** Kurfürstin *f* (*Gemahlin eines Kurfürsten*).

e·lec·tric [iˈlektrik] **I** *adj* **1.** eˈlektrisch: a) Elektrizitäts..., b) Elektro... – **2.** *fig.* elektriˈsierend, aufreizend, fasziˈnierend. – **II** *s* **3.** *phys.* elektroˈstatischer Körper, Nichtleiter *m*. – **4.** *colloq.* a) ‚Eˈlektrische' *f* (*Straßenbahn*), b) O(berleitungs)bus *m*. — **~ ac·tion** *s mus. tech.* elektr. Trakˈtur *f* (*der Orgel*).

e·lec·tri·cal [iˈlektrikəl] → **electric** I. — **~ en·gi·neer** *s* Eˈlektroingeniˌeur *m*, -ˌtechniker *m*. — **~ en·gi·neer·ing** *s* Eˈlektroˌtechnik *f*.

e·lec·tri·cal·ly [iˈlektrikəli] *adv zu* electric(al).

e·lec·tri·cal tran·scrip·tion *s electr.* **1.** elektr. ˈTonaufzeichnung *f*, -aufnahme *f*, -überˌtragung *f*, *bes.* Tonband-, Magnetoˈphonüberˌtragung *f*. – **2.** Magnetoˈphon *n*, Tonbandgerät *n*.

e·lec·tric| au·to·mo·bile *s* Eˌlektromoˈbil *n*. — **~ blan·ket** *s* elektr. Heizdecke *f*. — **~ blue** *s* Stahlblau *n*. — **~ ca·ble** *s* elektr. Kabel *n*. — **~ cat·fish** *s zo.* Zitterwels *m* (*Malapterurus electricus*). — **~ chair** *s* **1.** elektr. Stuhl *m* (*für Hinrichtungen*). – **2.** *fig.* Tod *m od.* ˈHinrichtung *f* auf dem elektr. Stuhl. — **~ charge** *s phys.* elektr. Ladung *f*. — **~ cir·cuit** *s* elektr. Kreis *m*, Stromkreis *m*. — **~ col·umn** *s phys.* elektr. (Eleˈmenten)Säule *f*. — **~ cur·rent** *s* elektr. Strom *m*. — **~ eel** *s zo.* Zitteraal *m* (*Electrophorus electricus*). — **~ eye** *s electr.* **1.** Photozelle *f*. – **2.** magisches Auge, magischer Fächer, Abstimmungsanzeiger(röhre *f*) *m*. — **~ fence** *s* elektr. geladener Drahtzaun. — **~ field** → **electrostatic** field. — **~ fur·nace** *s tech.* elektr. Ofen *m*, Eˈlektroofen *m*. — **~ helms·man** *s irr mar.* elektr. Steuerer *m*, Eˈlektro-Steuergerät *n*.

e·lec·tri·cian [iˌlekˈtriʃən; iː-] *s* **1.** Eˈlektrotechniker *m*, -meˌchaniker *m*, Eˈlektriker *m*. – **2.** *mar.* Eˈlektriker *m* (*Dienstgrad an Bord*). — **eˌlecˈtric·i·ty** [-siti; -əti] *s phys.* **1.** Elektriziˈtät *f*. – **2.** Elektriziˈtätslehre *f*.

e·lec·tric| light *s* elektr. Licht *n*. — **~ lo·co·mo·tive** *s tech.* elektr. Lokomoˈtive *f*. — **~ ma·chine** *s* elektr. Maˈschine *f*, Eˈlektromaˌschine *f*. — **~ me·ter** *s electr.* elektr. Meßgerät *n bes.* Stromzähler *m*, elektr. Zähler *m*. — **~ or·gan** *s* **1.** *mus.* elektr. betriebene Orgel. – **2.** *zo.* elektr. Orˈgan *n* (*mancher Fische*). — **~ plant** *s electr.* elektr. Anlage *f*, Eˈlektroanlage *f*. — **~ rail·way**, *bes. Am.* **~ rail·road** *s* elektr. Eisenbahn *f*. — **~ ray** *s zo.* (*ein*) Zitterrochen *m* (*bes. Torpedo marmorata*). — **~ seal** *s* ˈSeal(eˌlectric)kaˌnin *n* (*Sealskinimitation*). — **~ shock** *s* elektr. Schlag *m*. — **~ stor·age stove** *s* Eˈlektrospeicherofen *m*. — **~ storm** *s* Gewittersturm *m*. — **~ ther·mom·e·ter** *s tech.* elektr. Thermoˈmeter *n*, Eˈlektrothermoˌmeter *n*. — **~ torch** *s* elektr. Taschenlampe *f*.

e·lec·tri·fi·ca·tion [iˌlektrifiˈkeiʃən; -trəfə-] *s* **1.** a) Elektriˈsierung *f*, b) *fig.* Begeisterung *f*. – **2.** Elektrifiˈzierung *f*. — **eˈlec·triˌfied** [-ˌfaid] *adj* **1.** elektriˈsiert: a) elektr. geladen, b) *fig.* ˈhingerissen: **~ obstacle** *mil.* Starkstromsperre. – **2.** elektrifiˈziert. — **eˈlec·triˌfi·er** [-ˌfaiər] *s* j-d der *od.* etwas was elektriˈsiert *od.* elektrifiˈziert. — **eˈlec·triˌfy** [-ˌfai] **I** *v/t* **1.** elektriˈsieren, elektr. (auf)laden. – **2.** (*j-n*) elektriˈsieren, (*j-m*) einen elektr. Schlag versetzen. – **3.** *fig.* elektriˈsieren, ˈhinreißen, von den Sitzen *etc* reißen. – **4.** (*Bahnlinie etc*) elektrifiˈzieren. – **II** *v/i* **5.** sich elektr. aufladen. — **eˌlec·triˈza·tion, eˈlec·trize** → **electrification, electrify**.

e·lec·tro [iˈlektrou] *pl* **-tros** *s print. colloq.* Kliˈschee *n*, Druck-, Bildstock *m*, Galˈvano *n*.

electro- [ilektro] *Wortelement mit den Bedeutungen* a) Elektro..., elektro..., elektrisch, b) elektrolytisch, c) elektromagnetisch, d) Galvano...

eˌlec·tro·aˈnal·y·sis *s chem.* Eˈlektroanaˌlyse *f*. — **eˌlec·tro·biˈol·o·gy** *s* Eˌlektrobioloˈgie *f*. — **eˌlec·troˈcar·di·oˌgram** *s med.* Eˌlektrokardioˈgramm *n*, EKG *n*. — **eˌlec·troˈcar·di·oˌgraph** *s med.* Eˌlektrokardioˈgraph *m*, EKˈG-Appaˌrat *m*. — **eˌlec·troˌcar·diˈog·ra·phy** *s med.* Eˌlektrokardiograˈphie *f*.

eˌlec·troˈchem·i·cal *adj* eˌlektroˈchemisch. — **eˌlec·troˈchem·ist** *s* Eˌlektroˈchemiker *m*. — **eˌlec·troˈchem·is·try** *s* Eˌlektrocheˈmie *f*.

eˌlec·tro·coˌag·u·ˈla·tion *s med.* Eˌlektrokoagulatiˈon *f*.

e·lec·tro·cor·ti·co·gram [iˌlektroˈkɔːrtikoˌgræm] → **electroencephalogram**.

e·lec·tro·cute [iˈlektrəˌkjuːt] *v/t* **1.** auf dem elektr. Stuhl ˈhinrichten. – **2.** durch elektr. Strom töten *od.* ˈhinrichten. — **eˌlec·troˈcu·tion** [-ʃən] *s* ˈHinrichtung *f od.* Tötung *f* durch elektr. Strom.

e·lec·trode [iˈlektroud] *s electr.* Elekˈtrode *f*.

eˌlec·troˈde·posˈit I *v/t* galˈvanisch niederschlagen. – **II** *s* galˈvanischer Niederschlag. — **eˌlec·troˌdep·oˈsi·tion** *s* galˈvanischer Niederschlag, elektroˈlytische Fällung.

e·lec·trode po·ten·tial *s chem.* Elekˈtrodenspannung *f*.

eˌlec·tro·dyˈnam·ic, eˌlec·tro·dyˈnam·i·cal *adj* eˌlektrodyˈnamisch. — **eˌlec·tro·dyˈnam·i·cal·ly** *adv* (*auch zu* electrodynamic). — **eˌlec·tro·dyˈnam·ics** *s pl* (*meist als sg konstruiert*) Eˌlektrodyˈnamik *f*.

eˌlec·troˌdy·naˈmom·e·ter *s electr.* Eˌlektrodynamoˈmeter *n*, eˌlektrodyˈnamisches ˈMeßinstruˌment.

eˌlec·tro·enˈceph·a·loˌgram *s med.* Eˌlektroenˌzephaloˈgramm *n*, EEG *n*. — **eˌlec·tro·enˈceph·a·loˌgraph** *s med.* Eˌlektroenˌzephaloˈgraph *m*, EEˈG-Appaˌrat *m*. — **eˌlec·tro·enˌceph·aˈlog·ra·phy** *s med.* Eˌlektroenˌzephalograˈphie *f*.

e·lec·tro·graph [iˈlektroˌgræ(ː)f; *Br. auch* -ˌgrɑːf] *s* **1.** regiˈstrierendes Eˌlektroˈmeter. – **2.** Eˌlektroˈmeter-Diaˌgramm *n*. – **3.** elektr. Graˈvierappaˌrat *m*. – **4.** Appaˈrat *m* zur elektr. ˈBildüberˌtragung. – **5.** *med.* Röntgenbild *n*. – **6.** ˈBogenlicht-Kinematoˌgraph *m*. — **eˌlecˈtrog·ra·phy** [-ˈtrɒgrəfi] *s* **1.** Anfertigen *n* elektr. regiˈstrierter Diaˈgramme. – **2.** Eˌlektrograˈphie *f*, Galˌvanoˈplastik *f* (*galvanische Hochätzung*). – **3.** elektr. ˈBildüberˌtragung *f*. – **4.** *med.* ˈHerstellen *n* von Röntgenaufnahmen, Röntgen *n*.

eˌlec·tro·kiˈnet·ic *adj* eˌlektrokiˈnetisch. — **eˌlec·tro·kiˈnet·ics** *s pl* (*als sg konstruiert*) Eˌlektrokiˈnetik *f*.

e·lec·tro·lier [iˌlektroˈliər; -trə-] *s* elektr. Kronleuchter *m*.

e·lec·trol·y·sis [iˌlekˈtrɒlisis; -əsis] *s* **1.** *phys.* Elektroˈlyse *f*. – **2.** *med.* Beseitigung *f* von Tuˈmoren *etc* durch elektr. Strom.

e·lec·tro·lyte [iˈlektroˌlait; -trə-] *s* **1.** Elektroˈlyt *m*. – **2.** (*bei Batterien*) Elektroˈlyt *m*, Füll-, Akkusäure *f*. — **eˌlec·troˈlyt·ic** [-ˈlitik], *auch* **eˌlec·troˈlyt·i·cal** *adj* eˌlektroˈlytisch.

e·lec·tro·lyt·ic| cell *s* eˌlektroˈlytische Zelle. — **~ con·dens·er** *s* Elektroˈlytkondenˌsator *m*. — **~ dis·so·ci·a·tion** *s* elektroˈlytische Dissoziatiˈon *od.* Zersetzung.

e·lec·tro·ly·za·tion [iˌlektrəlaiˈzeiʃən; -lə-] *s* Elektrolyˈsierung *f*. — **eˈlec·troˌlyze** [-ˌlaiz] *v/t* elektrolyˈsieren, eˌlektroˈlytisch zersetzen.

eˌlec·troˈmag·net *s* Eˈlektromaˌgnet *m*. — **eˌlec·tro·magˈnet·ic, eˌlec·tro·magˈnet·i·cal** *adj* eˌlektromaˈgnetisch. — **eˌlec·troˈmag·netˌism** *s* Eˌlektromagneˈtismus *m*. — **eˌlec·troˈmag·net·ist** *s* Fachmann *m* auf dem Gebiet des Eˌlektromagneˈtismus.

eˌlec·troˌmet·alˈlur·gi·cal *adj* eˌlektrometalˈlurgisch. — **eˌlec·troˈmet·alˌlur·gist** *s* Eˌlektrometalˈlurg *m*. — **eˌlec·troˈmet·alˌlur·gy** *s* Eˌlektrometallurˈgie *f*.

e·lec·trom·e·ter [iˌlekˈtrɒmitər; -mə-] *s* Eˌlektroˈmeter *n*. — **eˌlec·troˈmet·ric** [-troˈmetrik] *adj* eˌlektroˈmetrisch. — **eˌlecˈtrom·e·try** [-tri] *s* Eˌlektromeˈtrie *f*.

eˌlec·tro·moˈbile *s* Eˌlektromoˈbil *n*. — **eˌlec·troˈmo·tion** *s* Eˌlektriziˈtätsbewegung *f*, -erregung *f*, Bewegung *f* aus elektr. Ursache.

eˌlec·troˈmo·tive I *adj* eˌlektromoˈtorisch. – **II** *s* elektr. Lokomoˈtive *f*. — **~ force** *s* eˌlektromoˈtorische Kraft (*abgekürzt*: EMK).

eˌlec·troˈmo·tor *s* **1.** *tech.* Eˈlektromotor *m*. – **2.** *phys.* Eˌlektriziˈtätserreger *m*. — **eˌlec·troˈmus·cu·lar** *adj med.* eˌlektromuskuˈlär.

e·lec·tron [iˈlektrɒn] *s* **1.** *chem. phys.* Elektron *n*. – **2.** *cf.* **elektron**. — **~ af·fin·i·ty** *s phys.* Elekˈtronenaffiniˌtät *f*.

eˌlec·troˈneg·a·tive *s chem. phys.* **I** *adj* eˌlektronegaˈtiv, negaˈtiv eˈlektrisch. – **II** *s* eˌlektronegaˈtive Subˈstanz.

e·lec·tron| gas *s phys.* Elekˈtronengas *n*. — **~ gun** *s* (*Fernsehen*) Elekˈtronenstrahlsyˌstem *n*, Strahlerzeuger *m*, Elekˈtronenkaˌnone *f*.

e·lec·tron·ic [iˌlekˈtrɒnik; ˌelek-] *adj* elekˈtronisch, Elektronen...: **~ brain** ‚Elektronengehirn' (*elektronisches Rechengerät*); **~ flash** *phot.* Elektronenblitz; **~ theater** (*Br.* **theatre**) Theater im Fernsehen; → **computer** 2. — **eˌlecˈtron·ics** *s pl* (*als sg konstruiert*) *phys.* Elekˈtronik *f*, Elekˈtronenphyˌsik *f*, -lehre *f*.

e·lec·tron| lens *s phys.* Elekˈtronenlinse *f*. — **~ mi·cro·scope** *s phys.* Elekˈtronenmikroˌskop *n*. — **~ op·tics** *s pl* (*als sg konstruiert*) *phys.* Elekˈtronenoptik *f*. — **~ ray** *s phys.* Elekˈtronenstrahl *m*. — **~ shell** *s phys.* Elekˈtronenhülle *f*. — **~ tube** *s electr.* Elekˈtronenröhre *f*. — **~ volt** *s phys.* Elekˈtronenvolt *n*.

eˌlec·troˈop·tics *s pl* (*als sg konstruiert*) *phys.* Eˈlektrooptik *f*.

e·lec·trop·a·thy [iˌlekˈtrɒpəθi; ˌelek-] → **electrotherapeutics**.

eˈlec·troˌphones *s pl mus.* Eˈlektro-Instruˌmente *pl* (*Sammelname*). — **eˌlec·troˈphon·ic** *adj mus.* elektroˈphon, mit elektr. Tonerzeugung (*Instrument*).

e·lec·tro·pho·re·sis [iˌlektrofəˈriːsis] *s chem. phys.* Eˌlektro-, Katapho'rese *f*.

e·lec·troph·o·rus [iˌlekˈtrɒfərəs; ˌelek-] *pl* **-ri** [-ˌrai] *s phys.* Eˌlektroˈphor *m*.

eˌlec·troˌphys·iˈol·o·gy *s med.* Eˌlektrophysioloˈgie *f*.

eˈlec·troˌplate I *v/t* eˌlektroplatˈtieren, galvaniˈsieren, auf eˌlektroˈlytischem Wege mit Meˈtall überˈziehen. – **II** *s* eˌlektroplatˈtierte Ware. — **eˈlec·troˌplat·ing** *s* Eˌlektroplatˈtierung *f*, Galˌvanoˈtechnik *f*.

eˌlec·tro·pneuˈmat·ic *adj* eˌlektropneuˈmatisch.

eˌlec·troˈpos·i·tive *chem. phys.* **I** *adj* **1.** eˌlektroˈpositiv, positiv eˈlektrisch, edel. – 2. basisch (*Element etc*). – **II** *s* 3. eˌlektro'positive Sub'stanz.

eˌlec·tro'punc·ture *s med.* Eˌlektropunk'tur *f.*

eˌlec·tro·re'fin·ing *s* Eˌlektroraffinati'on *f.*

e·lec·tro·scope [i'lektroˌskoup; -trə-] *s phys.* Eˌlektro'skop *n.* — **eˌlec·tro'scop·ic** [-'skɒpik] *adj* eˌlektro'skopisch.

e'lec·troˌshock *s med.* E'lektroschock *m.*

eˌlec·tro'stat·ic, *auch* **eˌlec·tro'stat·i·cal** *adj* eˌlektro'statisch. — **eˌlec·tro'stat·i·cal·ly** *adv* (*auch zu* electrostatic).

e·lec·tro·stat·ic| field *s phys.* eˌlektro'statisches Feld. — **~ flux** *s phys.* die'lektrischer Fluß. — **~ in·duc·tion** *s phys.* Influ'enz *f.* — **~ ma·chine** *s phys.* Influ'enzmaˌschine *f.*

eˌlec·tro'stat·ics *s pl* (*als sg konstruiert*) Eˌlektro'statik *f.*

eˌlec·tro'steel *s* E'lektrostahl *m.*

eˌlec·tro'tech·nic, **eˌlec·tro'tech·ni·cal** *adj* eˌlektro'technisch. — **eˌlec·tro'tech·ni·cal·ly** *adv* (*auch zu* electrotechnic). — **eˌlec·tro·tech'ni·cian** *s* Eˌlektro'techniker *m.* — **eˌlec·tro'tech·nics** *s pl* (*als sg konstruiert*) Eˌlektro'technik *f.*

eˌlec·troˌther·a'peu·tic, **eˌlec·troˌther·a'peu·ti·cal** *adj med.* eˌlektrothera'peutisch. — **eˌlec·troˌther·a'peu·tics** *s pl* (*als sg od. pl konstruiert*) *med.* Eˌlektrothera'pie *f.* — **eˌlec·troˌther·a'peu·tist** *s med.* Eˌlektrothera'peut *m.*

eˌlec·tro'ther·a·pist → electrotherapeutist. — **eˌlec·tro'ther·a·py** → electrotherapeutics.

eˌlec·tro'ther·mal, **eˌlec·tro'ther·mic** *adj phys.* eˌlektro'thermisch. — **eˌlec·tro'ther·mics** *s pl* (*als sg konstruiert*) Eˌlektro'thermik *f*, Lehre *f* von der E'lektrowärme.

e·lec·tro·ton·ic [iˌlektro'tɒnik] *adj med.* eˌlektro'tonisch. — **eˌlec'trot·oˌnize** [-'trɒtəˌnaiz] *v/t med.* eˌlektrotoni'sieren. — **eˌlec'trot·o·nus** [-nəs] *s* Eˌlektro'tonus *m* (*Zustand eines Nervs, durch den elektr. Strom fließt*).

e·lec·trot·ro·pism [iˌlek'trɒtrəˌpizəm] *s biol.* Eˌlektrotro'pismus *m.*

e·lec·tro·type [i'lektroˌtaip; -trə-] *print.* **I** *s* 1. Gal'vano *n*, Eˌlektro'type *f* (*Kopie einer Druckplatte*). – 2. mit Gal'vano 'hergestellter Druckbogen. – 3. → electrotypy. – **II** *adj* 4. galˌvano'plastisch, Galvano... – **III** *v/t* 5. galˌvano'plastisch vervielfältigen, (gal'vanisch) kli'schieren. – **IV** *v/i* 6. Gal'vanos anfertigen. — **e'lec·troˌtyp·er** *s* Galˌvano'plastiker *m.* — **eˌlec·tro'typ·ic** [-'tipik] *adj* galˌvano'plastisch. — **e'lec·troˌtyp·ist** [-ˌtaipist] → electrotyper. — **e'lec·troˌtyp·y** *s* Galˌvano'plastik *f*, Eˌlektroty'pie *f.*

eˌlec·tro'va·lence, **eˌlec·tro'va·len·cy** *s chem. phys.* Eˌlektrova'lenz *f.* — **eˌlec·tro'va·lent** *adj chem. phys.* eˌlektrova'lent.

e·lec·trum [i'lektrəm] *s* 1. E'lektrum *n*, Goldsilber *n* (*bernsteinfarbige Silber-Gold-Legierung*). – 2. German Silver *n* (*Art Neusilber*).

e·lec·tu·ar·y [*Br.* i'lektjuəri; *Am.* -tʃuˌeri] *s med.* Lat'werge *f.*

el·ee·mos·y·nar·y [*Br.* ˌelii:'mɒsinəri; ˌeli:'m-; *Am.* ˌelə'm-; ˌeliə'm-; -ˌneri] *adj* 1. Almosen..., Wohltätigkeits... – 2. wohl-, mildtätig, Wohltätigkeits...: ~ corporation Wohltätigkeitsverein. – 3. als Almosen gegeben, mild: ~ gifts milde Gaben. – 4. von einer 'Wohltätigkeitsorganisatiˌon unter'stützt, Almosen empfangend.

el·e·gance ['eligəns; -lə-], *auch* **'el·e·gan·cy** *s* 1. Ele'ganz *f*, vornehme Schönheit. – 2. Gewähltheit *f*, Gepflegtheit *f*, Schönheit *f* (*Stil etc*). – 3. guter *od.* feiner Geschmack. – 4. (*etwas*) Ele'gantes, elegante Form *od.* Erscheinung. – 5. gewählte Ausdrucksweise. – 6. feine Sitte. — **'el·e·gant** [-gənt] *adj* 1. ele'gant. – 2. geschmackvoll, vornehm u. schön, nett, anmutig. – 3. feinen Geschmack besitzend. – 4. zierlich, gewählt, gepflegt (*Stil*). – 5. gepflegt, vornehm, gefällig (*Umgangsformen*). – 6. ele'gant, fein. – 7. *Am. sl.* prima, erstklassig. – *SYN. cf.* choice.

el·e·gi·ac [ˌeli'dʒaiæk; *Am. auch* i'li:dʒiˌæk] **I** *adj* 1. e'legisch: ~ distich, ~ couplet elegisches Distichon; ~ poet Elegiendichter. – 2. e'legisch, schwermütig, klagend, Klage... – **II** *s* 3. e'legischer Vers, *bes.* Pen'tameter *m.* – 4. *meist pl* e'legisches Gedicht. — **ˌel·e'gi·a·cal** → elegiac I. — **el·e·gist** ['elidʒist; -lə-] *s* Ele'giendichter *m.*

e·le·git [i'li:dʒit] *s jur.* 'Pfändungsdeˌkret *n*, Exekuti'onsbefehl *m.*

el·e·gize ['eliˌdʒaiz; -lə-] **I** *v/i* eine Ele'gie schreiben (upon auf *acc*). – **II** *v/t* in einer Ele'gie beklagen, eine Ele'gie schreiben auf (*acc*).

el·e·gy ['elidʒi; -lə-] *s* 1. Ele'gie *f*, Klagegedicht *n*, -lied *n.* – 2. *mus.* Ele'gie *f*, Trauermarsch *m*, -gesang *m.*

e·lek·tron [i'lektrɒn] *s tech.* E'lektron *n* (*Magnesiumlegierung bes. mit Aluminium*).

el·e·ment ['elimənt; -lə-] *s* 1. Ele'ment *n*, Grundbestandteil *m*, wesentlicher Bestandteil. – 2. Ele'ment *n*, Ursprung *m*, Grundlage *f.* – 3. *pl* Anfangsgründe *pl*, Anfänge *pl*, Grundlage(n *pl*) *f* (*Wissenschaft etc*). – 4. *fig.* Körnchen *n*, Fünkchen *n.* – 5. Grundtatsache *f*, grundlegender 'Umstand, wesentlicher Faktor: ~ of uncertainty Unsicherheitsfaktor. – 6. (*Naturphilosophie*) Ele'ment *n*, Grund-, Urstoff *m*: the four ~s die vier Elemente. – 7. Ele'ment *n* (*als Lebensraum*). – 8. Ele'ment *n*, Sphäre *f*, gewohnte Um'gebung: to be in one's ~ in seinem Element sein; to be out of one's ~ nicht in seinem Element sein, sich in ungewohnter Umgebung befinden, sich unbehaglich fühlen. – 9. *pl* Ele'mente *pl*: the war of the ~s das Toben der Elemente. – 10. *chem.* Ele'ment *n*, Grundstoff *m.* – 11. *math.* a) Ele'ment *n* (*einer Menge etc*), b) Erzeugende *f* (*einer Kurve etc*). – 12. (*Logistik*) Ele'ment *n.* – 13. *astr.* Ele'ment *n*, Bestimmungsstück *n.* – 14. *electr.* (elektr.) Ele'ment *n.* – 15. *electr.* Elek'trode *f* (*einer Elektronenröhre*). – 16. *phys.* Ele'ment *n* (*eines Elementenpaars*). – 17. *ling.* Ele'ment *n.* – 18. *mil.* Ele'ment *n*, Truppenkörper *m*, -teil *m*, (Teil)Einheit *f.* – 19. *aer.* Rotte *f* (*Formation von 2 u. mehr Flugzeugen*). – 20. *pl relig.* Brot *n* u. Wein *m* (*beim Abendmahl*). – *SYN.* component, constituent, factor, ingredient.

el·e·men·tal [ˌeli'mentl; -lə-] **I** *adj* 1. elemen'tar, rein, pri'mär, einfach, na'türlich, unvermischt. – 2. Elementar... – 3. Natur... – 4. urgewaltig. – 5. Ur...: ~ cell. – 6. wesentlich, einen wesentlichen Bestandteil bildend, notwendig. – 7. grundlegend, ein letztes Ele'ment darstellend, elemen'tar. – 8. → elementary 2. – **II** *s* 9. (*Naturphilosophie*) Elemen'targeist *m.* — **ˌel·e'men·talˌism** [-təl-] *s* Na'turanbetung *f*, Verehrung *f* der Na'turkräfte *od.* -geister.

el·e·men·ta·ri·ness [ˌeli'mentərinis; -lə-] *s* 1. Reinheit *f*, Einfachheit *f*, Unvermischtheit *f.* – 2. elemen'tarer Cha'rakter. – 3. elemen'tare Kraft, Urgewalt *f.* – 4. Wesentlichkeit *f.* – 5. Unentwickeltheit *f.*

el·e·men·ta·ry [ˌeli'mentəri; -lə-] *adj* 1. → elemental 1–4. – 2. elemen'tar, grundlegend, Elementar..., Einführungs..., Anfangs..., einführend. – 3. *chem.* elemen'tar, unvermischt, rein, nicht zerlegbar. – 4. *chem. math. phys.* Elementar... – 5. unentwickelt, rudimen'tär. — **~ a·nal·y·sis** *s chem.* Elemen'taranaˌlyse *f.* — **~ charge** *s phys.* Elemen'tarladung *f*, -quantum *n.* — **~ ed·u·ca·tion** *s* Grundschul-, Volksschulbildung *f.* — **~ par·ti·cle** *s phys.* Elemen'tarteilchen *n.* — **~ school** *s* Grund-, Volksschule *f.*

el·e·mi ['e'imi; -lə-] *s* E'lemi(harz) *n.*

e·len·chus [i'leŋkəs] *pl* **-chi** [-kai] (*Lat.*) *s* (*Logik*) 1. Gegenbeweis *m*, Wider'legung *f.* – 2. so'phistischer Gegenbeweis, Trugschluß *m*, So'phisma *n.* — **e'lenc·tic** [-tik] *adj* wider'legend, durch Gegenbeweis über'zeugend.

el·e·op·tene [ˌeli'ɒpti:n] *s chem.* Eleop'ten *n* (*flüssiger Anteil ätherischer Öle*).

el·e·phant ['elifənt; -lə-] *s* 1. *zo.* Ele'fant *m* (*Fam. Elephantidae*), *bes.* a) African ~ Afrik. Elefant *m* (*Loxodonta africana*), b) Indian ~ Indischer Elefant (*Elephas maximus*). – 2. *Am.* Ele'fant *m*: a) *als Symbol der Republikanischen Partei der USA*, b) *fig. als Bezeichnung dieser Partei.* – 3. *meist* white ~ *colloq.* wertvoller, aber lästiger *od.* kostspieliger Besitz. – 4. *ein Papierformat (28 × 23 Zoll).* — **~ ap·ple** *s bot.* Ele'fantenapfel(baum) *m* (*Feronia elephantum*). — **~ bee·tle** *s zo.* (*ein*) Riesenkäfer *m* (*Gattg Megasoma od. Goliathus*). — **~ creep·er** *s bot.* (*eine*) Silberwinde (*Argyreia speciosa*). — **'~-ˌear fern** *s bot.* Ele'fantenohr-, Zungenfarn *m* (*Elaphoglossum crinitum*). — **~ fish** *s zo.* Seekatze *f* (*Callorhynchus callorhynchus; Fisch*). — **~ grass** *s bot.* 1. Indischer Rohrkolben (*Typha elephantina*). – 2. Ele'fantengras *n* (*Pennisetum purpureum*).

el·e·phan·ti·ac [ˌeli'fæntiˌæk; -lə-] *adj med.* elefanti'astisch (*die Elefantiasis betreffend*). — **ˌel·e·phan'ti·a·sis** [-fən'taiəsis; -fæn-] *s med.* Elefan'tiasis *f*, Ele'fantenkrankheit *f.*

el·e·phan·tic [ˌeli'fæntik; -lə-] → elephantine.

el·e·phan·tine [ˌeli'fæntain; -ti:n] *adj* 1. ele'fantenartig, -ähnlich, -gleich. – 2. Elefanten... – 3. *fig.* ungeheuer, riesenhaft. – 4. unbeholfen, plump, schwerfällig.

el·e·phant i·ron *s mil.* halbtonnenförmiges Wellblech (*für Baracken etc*).

el·e·phan·toid [ˌeli'fæntɔid; -lə-], *auch* **ˌel·e·phan'toi·dal** *adj* ele'fantenartig, -ähnlich, Elefanten...

el·e·phant seal *s zo.* (*eine*) Ele'fantenrobbe, (*ein*) 'See-Eleˌfant *m* (*Mirounga leonina u. M. angustirostris*).

'el·e·phant's|-ˌear *s* 1. → begonia. – 2. → taro. — **'~-ˌfoot** *s irr* 1. *bot.* Ele'fantenfuß *m*, Schildkrötenpflanze *f* (*Testudinaria elephantipes*). – 2. *tech.* (*Art*) Ramme *f.* — **~ grass** → elephant grass.

el·e·phant shrew *s zo.* (*ein*) Rüsselspringer *m*, (*eine*) Ele'fantenspitzmaus (*bes. Gattg Macroscelides*).

'el·e·phant's|-ˌtooth *s irr* 1. Ele'fantenzahn *m.* – 2. *zo.* Zahnschnecke *f* (*Gattg Dentalium*). — **'~-ˌtrunk plant** *s bot.* Gemshorn *n* (*Martynia proboscidea*). — **'~-ˌtusk** → elephant's-tooth.

el·e·phant| thorn *s bot.* (*eine*) indische A'kazie (*Acacia tomentosa*). — **~ tor·toise** *s zo.* Ele'fantenschildkröte *f* (*Testudo gigantea*). — **~ wood** *s bot. ein kaliforn. Anacardiaceen-Baum* (*Pachycormus discolor*).

El·eu·sin·i·an [ˌelju'siniən] *adj antiq.* eleu'sinisch. — **~ mys·ter·ies** *s pl antiq. relig.* Eleu'sinische My'sterien *pl.*

e·leu·ther·a bark [iˈljuːθərə] → cascarilla 1.
eleuthero- [iljuːθəro] *Wortelement mit der Bedeutung* frei, Freiheit.
e·leu·ther·o·ma·ni·a [iˌljuːθəroˈmeiniə] *s* Freiheitssucht *f*. — **eˌleu·ther·oˈma·niˌac** [-niˌæk] **I** *s* ˈFreiheitssüchtige(r), -faˌnatiker(in). – **II** *adj* freiheitssüchtig. — **eˌleu·ther·oˈpet·a·lous** [-ˈpetələs] *adj bot.* eleutheropeˈtal, freikronblättrig. — **eˌleu·ther·oˈphyl·lous** [-ˈfiləs] *adj bot.* eleutheroˈphyll, getrenntblättrig.
el·e·vate [ˈeliˌveit; -lə-] **I** *v/t* **1.** (*Last etc*) (hoch-, emˈpor-, auf)heben. – **2.** erhöhen, höher machen. – **3.** (*Blick etc*) erheben, emˈporrichten. – **4.** *mil.* a) (*Rohr einer Feuerwaffe*) erhöhen, b) (*Geschütz*) der Höhe nach richten. – **5.** (*Stimme*) heben: to ~ one's voice die Stimme heben, lauter sprechen. – **6.** (*Mast etc*) aufrichten, aufstellen. – **7.** (*j-n*) erheben, erhöhen, befördern: to ~ s.o. to the nobility j-n in den Adelsstand erheben. – **8.** *fig.* erheben, aufrichten. – **9.** heben, veredeln, verfeinern, edler *od.* besser machen. – **10.** erheitern, aufheitern, beleben. – **II** *v/i* **11.** *fig.* erheben, erhebend sein. – *SYN. cf.* lift[1]. – **III** *adj poet. für* elevated. — **ˈel·eˌvat·ed I** *adj* **1.** erhöht. – **2.** erhoben (*Stimme, Augen etc*). – **3.** erhaben, gehoben, edel, vornehm. – **4.** erheitert, aufgemuntert. – **5.** hoch, Hoch...: ~ antenna *electr.* Hochantenne; ~ railway, *bes. Am.* ~ railroad Hochbahn. – **6.** *colloq.* angeheitert, leicht betrunken. – **II** *s* **7.** *Am. colloq.* Hochbahn *f*.
el·e·vat·ing [ˈeliˌveitiŋ; -lə-] *adj* **1.** *bes. tech.* hebend, Hebe..., Aufzieh..., Aufzugs..., Neigungs..., Elevations... – **2.** *fig.* erhebend. – **3.** erheiternd, belebend. — **~ gear** *s mil. tech.* ˈHöhenrichtmaˌschine *f*. — **~ screw** *s mil. tech.* Höhenstellspindel *f*, Richtschraube *f*.
el·e·va·tion [ˌeliˈveiʃən; -lə-] *s* **1.** (Hoch-, Emˈpor-, Auf)Heben *n*, Hebung *f*. – **2.** Erhöhung *f*, Höherlegung *f*. – **3.** Höhe *f*, (Grad *m* der) Erhebung *f od.* Erhöhung *f*. – **4.** Erheben *n* (*Stimme, Blick etc*). – **5.** *mil. tech.* Elevatiˈon *f*, Richthöhe *f*, Rohrerhöhung *f*, Höhenrichtbereich *m*: ~ indicator Höhenweiserempfänger (*am Geschütz*); ~ quadrant Libellenquadrant; ~ range Höhenrichtfeld, -richtbereich; ~ setter Höhenrichtkanonier. – **6.** *relig.* Elevatiˈon *f*, Erhebung *f* (*von Hostie u. Kelch*). – **7.** *astr.* Elevatiˈon *f*, Höhe *f*. – **8.** Aufrichtung *f*, Aufstellen *n* (*Mast etc*). – **9.** *fig.* Erhebung *f*, Erhöhung *f*, Beförderung *f*: ~ to the throne Erhebung auf den Thron. – **10.** hohe Stellung, hoher Rang, Höhe *f*. – **11.** (Boden)Erhebung *f*, Erhöhung *f*, (An)Höhe *f*. – **12.** *fig.* Erhebung *f*, Aufrichtung *f*. – **13.** *fig.* a) Veredelung *f*, Verfeinerung *f*, Verbesserung *f*, Hebung *f*, b) Erhabenheit *f*, Gehobenheit *f*, Adel *m*, Würde *f*, Feinheit *f*, Vornehmheit *f*. – **14.** *geogr.* Meereshöhe *f*. – **15.** *arch. math.* (*Zeichnen*) Aufriß *m*, Vorderansicht *f*. – **16.** Schwebe *f* (*Ballettänzer*). – *SYN. cf.* height.
é·lé·va·tion [elevaˈsjɔ̃] (*Fr.*) → elevation 16.
el·e·va·tor [ˈeliˌveitər; -lə-] *s* **1.** *tech.* a) Eleˈvator *m*, Förderwerk *n*, b) Lift *m*, Fahrstuhl *m*, Aufzug *m*, c) (Becher-, Eimer)Hebewerk *n*, -zeug *n*. – **2.** *agr. Am.* Getreidespeicher *m*, -silo *m* (*mit Aufzug*). – **3.** *aer.* Höhensteuer *n*, -ruder *n*. – **4.** *med.* a) Elevaˈtorium *n*, Hebel *m*, b) (*Zahnmedizin*) Wurzelheber *m*, Geißfuß *m*. – **5.** *med. zo.* Hebemuskel *m*, Leˈvator *m*. – **6.** Erhebende(r), Emˈporhebende(r). — **ˈel·eˌva·to·ry** [-təri] **I** *adj* (emˈpor)hebend, Hebe... – **II** *s* → elevator 4a.
e·lev·en [iˈlevn] **I** *adj* **1.** elf: the E~ *Bibl.* die elf Jünger (*Christi*). – **II** *s* **2.** (*Zahl, Nummer*) Elf *f*. – **3.** (*Fußball, Kricket etc*) Elfermannschaft *f*, Elf *f*. – **4.** ~s(es) *pl colloq.* leichter Imbiß um 11 Uhr vormittags. — **eˈlev·enˌfold** *adj u. adv* elffach, -fältig. — **eˌlev·en-ˈplus ex·am·i·na·tion** *s ped. hist. Br. von Schülern ab dem 11. Lebensjahr abzulegende Prüfung, die über die schulische Weiterbildung* (*Aufnahme in die höhere Schule etc*) *entscheidet.* — **eˈlev·enth** [-θ] **I** *adj* **1.** elft(er, e, es): at the ~ hour *fig.* kurz vor Toresschluß, im letzten Augenblick. – **II** *s* **2.** (*der, die, das*) Elfte. – **3.** Elftel *n*, elfter Teil. — **eˈlev·enth·ly** *adv* elftens.
el·e·von [ˈelivɒn; -vən] *s aer.* kombiˈniertes Höhen- u. Querruder.
elf [elf] *pl* **elves** [elvz] *s* **1.** Elf *m*, Elfe *f*. – **2.** Geist *m*, Kobold *m*. – **3.** winzige Perˈson, Zwerg *m*, Knirps *m*. – **4.** (kleiner) Schelm, ‚Racker' *m*, Kobold *m*, Schalk *m*. — **~ ar·row**, **~ bolt** *s* Pfeilspitze *f* aus Feuerstein. — **~ child** *s irr* **1.** Elfenkind *n*. – **2.** Wechselbalg *m*. — **~ dart** → elf arrow. — **~ dock** → elecampane. — **~ fire** *s* Irrlicht *n*.
elf·in [ˈelfin] **I** *adj* **1.** Elfen..., Zwergen... – **2.** elfisch, elfenhaft, -artig. – **II** *s* → elf.
elf·ish [ˈelfiʃ] *adj* **1.** elfisch, elfenartig, geisterhaft, Elfen... – **2.** schalk-, boshaft, schelmisch, neckisch. — **ˈelf·ish·ness** *s* **1.** Geister-, Elfenhaftigkeit *f*, elfenhaftes Wesen. – **2.** Bosheit *f*, Schalkheit *f*. – **3.** Schelmeˈrei *f*.
ˈelf|ˌlock *s* verfilztes Haar. — **ˈ~-ˌstrick·en**, **ˈ~-ˌstruck** *adj* verhext, verzaubert.
E·li [ˈiːlai], *auch* **son of ~** *s Am. colloq. Student des Yale College.*
e·lic·it [iˈlisit] *v/t* **1.** (from) (*etwas*) herˈvor-, herˈauslocken, herˈausbringen (aus *j-m*), entlocken (*j-m*): to ~ a reply from s.o. j-m eine Antwort entlocken. – **2.** (from) ab-, ˈherleiten (von), entnehmen (*dat*). – **3.** herˈausbekommen, finden, ans Licht bringen. – **4.** (*Reflex etc*) auslösen. – *SYN. cf.* educe. — **eˌlic·iˈta·tion** *s* **1.** Herˈvor-, Herˈauslocken *n*, Entlocken *n*. – **2.** Ab-, ˈHerleitung *f* (from von). – **3.** *fig.* Aufdeckung *f*, Ausfindigmachen *n*. – **4.** Auslösen *n* (*Gefühl etc*).
e·lide [iˈlaid] *v/t* **1.** *ling.* (*Vokal od. Silbe*) eliˈdieren, ausstoßen, -lassen. – **2.** (*etwas*) überˈgehen, ignoˈrieren, außer acht lassen, auslassen. – **3.** *jur.* annulˈlieren. — **eˈlid·i·ble** *adj* eliˈdierbar.
el·i·gi·bil·i·ty [ˌelidʒəˈbiliti; -əti] *s* **1.** Annehmbarkeit *f*, Qualifikatiˈon *f*, Eignung *f*. – **2.** Erwünschtheit *f*. – **3.** Wählbarkeit *f*, Wahlwürdigkeit *f*. — **ˈel·i·gi·ble I** *adj* **1.** in Frage kommend, geeignet, annehmbar, akzepˈtabel, passend. – **2.** erwünscht, wünschenswert. – **3.** wählbar, wahlwürdig, qualifiˈziert (for für). – **4.** *econ.* bank-, disˈkontfähig, diskonˈtierbar (*Wechsel etc*): ~ paper *Am.* diskont- *od.* bankfähiges Wertpapier. – **II** *s* **5.** in Frage kommende Perˈson *od.* Sache, *bes.* annehmbarer Freier, akzepˈtable Parˈtie.
e·lim·i·na·ble [iˈliminəbl; -mə-] *adj* elimiˈnierbar, ausscheidbar, auszuscheiden(d). — **eˈlim·iˌnate** [-ˌneit] *v/t* **1.** tilgen, beseitigen, entfernen, ausmerzen, ausschalten, elimiˈnieren (from aus). – **2.** ausstoßen, -scheiden, -sondern, -schließen. – **3.** (*Geschriebenes*) streichen (*auch fig.*). – **4.** aus-, weglassen. – **5.** überˈgehen, ignoˈrieren. – **6.** *math.* (*eine Größe*) elimiˈnieren. – **7.** *med.* ausscheiden. – **8.** *chem.* aus-, abscheiden. – *SYN. cf.* exclude.
e·lim·i·na·tion [iˌlimiˈneiʃən; -mə-] *s* **1.** Tilgung *f*, Beseitigung *f*, Entfernen *n*, Ausmerzung *f*, Ausschaltung *f*, Elimiˈnierung *f*. – **2.** Ausstoßung *f*, -scheidung *f*, -sonderung *f*, -schließung *f*. – **3.** Streichung *f* (*auch fig*). – **4.** Aus-, Weglassung *f*. – **5.** Überˈgehung *f*, Ignoˈrierung *f*. – **6.** *math.* Eliminatiˈon *f* (*einer Größe*). – **7.** *med.* Ausscheidung *f*: organs of ~ Ausscheidungsorgane. – **8.** *sport* Ausscheidung *f*. – **9.** *chem.* Aus-, Abscheidung *f*. — **eˈlim·iˌna·tive** [-tiv] *adj med.* Ausscheidungs... — **eˈlim·iˌna·tor** [-tər] *s* **1.** Ausscheider(in). – **2.** *electr.* Sieb-, Sperrkreis *m*.
el·in·var [ˈelinˌvɑːr] *s tech.* ˈElinvar-Leˌgierung *f* (*Nickelstahllegierung, bes. für Spezialuhrfedern*).
e·li·sion [iˈliʒən] *s ling.* Elisiˈon *f*, Ausstoßung *f*, -lassung *f*, Verschleifung *f* (*bes. eines Vokals*).
e·li·sor [iˈlaizər] *s jur.* Auswähler *m* der Geschworenen (*Stellvertreter des Sheriffs*).
é·lite [eiˈliːt; eˈliːt], *Am. auch* **e·lite** [iˈliːt] *s* **1.** Eˈlite *f*, Auslese *f*, Blüte *f*. – **2.** *mil.* Eˈlite(truppe) *f*. – **3.** *eine Typengröße auf der Schreibmaschine* (*10 Punkte*). — **E~ Guard** *s hist.* **1.** Schutzstaffel *f* (*Hitlers*), SˈS *f*. – **2.** Mitglied *n* der SˈS.
e·lix·ir [iˈliksər] *s* **1.** *med.* Eliˈxier *n*: ~ of life Lebenselixier. – **2.** Zaubertrank *m*, Allˈheilmittel *n*. – **3.** ˈQuintesˌsenz *f*, Kern *m*. – **4.** (*Alchimie*) Auflösungsmittel *n* (*zur Verwandlung unedler Metalle in Gold*).
E·liz·a·be·than [iˌlizəˈbiːθən; -ˈbeθən] **I** *adj* Elisabeˈthanisch. – **II** *s* Elisabeˈthaner(in), Zeitgenosse *m od.* -genossin *f* Eˈlisabeths I. von England. —**~son·net** *s metr.* Elisabeˈthanisches Soˈnett. — **~ style** *s arch.* Eˈlisabethstil *m* (*Verschmelzung von gotischen Formen und Renaissanceelementen*).
elk [elk] *pl* **elks** *od. bes. collect.* **elk** *s* **1.** *zo.* a) Europ. Elch *m*, Elen(tier) *n* (*Alces alces*), b) Elk *m*, Waˈpiti *m* (*Cervus canadensis*; *Nordamerika*), c) Ariˈstoteles-, Pferdehirsch *m*, Sambar *m* (*Rusa unicolor*; *Südasien*). – **2.** Elchleder *n*. — **~ bark** *s bot.* Großblättrige Maˈgnolie (*Magnolia macrophylla*). — **ˈ~ˌhorn fern** *s bot.* Elchgeweihfarn *m* (*Platycerium alcicorne*). — **ˈ~ˌhound** *s* schwed. Elchhund *m*. — **~ nut** → buffalo nut. — **ˈ~ˌslip** *s bot.* (*eine*) nordamer. Dotterblume (*Caltha rotundifolia*). — **~ tree** → sorrel tree. — **ˈ~ˌwood** *s* **1.** *bot.* → sorrel tree. – **2.** *bot.* Regenschirmbaum *m* (*Magnolia tripetala*). – **3.** Holz *n* des Regenschirmbaums.
ell[1] [el] *s Br. dial. od. Am.* (*meist rechtwinklig angebauter*) Flügel (*eines Gebäudes*).
ell[2] [el] *s* Elle *f* (*früheres Längenmaß*; *in England = 45 Zoll = 114,3 cm*): give him an inch and he'll take an ~ *fig.* wenn man ihm den kleinen Finger gibt, nimmt er die ganze Hand.
el·la·gate [ˈeləˌgeit] *s chem.* Ellaˈgat *n*. — **el·lag·ic** [iˈlædʒik] *adj chem.* Ellag...: ~ acid Ellagsäure ($C_{14}H_6O_8$).
ˈellˌfish → menhaden.
el·lipse [iˈlips] *s* **1.** *math.* Elˈlipse *f*. – **2.** *selten für* ellipsis 1. — **elˈlip·sis** [-sis] *pl* **-ses** [-siːz] *s* **1.** *ling.* Elˈlipse *f*, Auslassung *f* (*eines Worts*). – **2.** *print.* (*durch Punkte etc angedeutete*) Auslassung. – **3.** *math. selten* Elˈlipse *f*. — **elˈlip·soˌgraph** [-soˌgræ(ː)f; -sə-; *Br. auch* -ˌgrɑːf] *s math. tech.* Elˈlipsenzirkel *m*, Ellipsoˈgraph *m*. — **elˈlips·oid** *s math. phys.* Ellipsoˈid *n*: ~ of gyration, ~ of revolution, ~ of rotation Sphäroid, Rotationsellipsoid; ~ of inertia Trägheitsellipsoid.

el·lip·soi·dal [ˌelipˈsɔidl; ˌil-] *adj math.* ellipsoˈidisch, ellipsoˈidförmig, elˈliptisch: ~ **co-ordinates** elliptische Koordinaten.
el·lip·tic [iˈliptik], **elˈlip·ti·cal** *adj* **1.** *math.* elˈliptisch, Ellipsen... – **2.** *ling.* elˈliptisch, unvollständig (*Satz*). — **elˈlip·ti·cal·ly** *adv* (*auch zu* elliptic).
el·lip·tic| com·pass → ellipsograph. — ~ **co·noid** *s math.* Sphäroˈid *n*, Rotatiˈonsellipsoˌid *n*. — ~ **func·tion** *s math.* elˈliptische Funktiˈon. — ~ **ge·om·e·try** *s math.* elˈliptische Geomeˈtrie. — ~ **in·te·gral** *s math.* elˈliptisches Inteˈgral.
el·lip·tic·i·ty [ˌelipˈtisiti; -əti; ˌil-] *s bes. astr.* Elliptiziˈtät *f*, Abplattung *f*.
el·lip·tic spring *s tech.* Elˈliptikfeder *f*.
el·lip·toid [iˈliptɔid] *adj* elˈlipsenähnlich.
elm [elm] *s* **1.** *bot.* Ulme *f*, Rüster *f* (*Gattg Ulmus*). – **2.** Ulmenholz *n*. — ~ **balm**, ~ **bal·sam** *s bot.* Ulmenschleim *m*. — ~ **bark bee·tle** *s zo. ein Ulmen befallender Borkenkäfer.* — ~ **bee·tle** *s zo.* Ulmen(blatt)käfer *m* (*Galerucella luteola*). — ~ **blight** → Dutch elm disease. — ~ **leaf bee·tle** → elm beetle.
elm·y [ˈelmi] *adj* **1.** ulmenreich. – **2.** Ulmen...
el·o·cu·tion [ˌeləˈkjuːʃən] *s* **1.** Vortrag(sweise *f*) *m*, rednerische Darstellung. – **2.** Vortrags-, Redekunst *f*. – **3.** (*ironisch*) schwülstiges Gerede. — ˌ**el·oˈcu·tion·ar·y** [*Br.* -nəri; *Am.* -ˌneri] *adj* rednerisch, Vortrags... — ˌ**el·oˈcu·tion·ist**, *auch* ˌ**el·oˈcu·tion·er** *s* **1.** Vortrags-, Redekünstler(in). – **2.** Vortragslehrer(in), Sprecherzieher (-in).
é·loge [eˈlɔːʒ] (*Fr.*) *s* Eˈloge *f*, Leichen(lob)rede *f*.
E·lo·him [eˈlouhim] *s* Eloˈhim *m*. — **Eˈlo·hist** *s Bibl.* Eloˈhist *m*. — **El·o·his·tic** [ˌeloˈhistik] *adj Bibl.* eloˈhistisch (*den Namen Elohim statt Jahwe gebrauchend*).
e·loign, *Br. meist* **e·loin** [iˈlɔin] *v/t* **1.** to ~ **oneself** sich entfernen. – **2.** *jur.* (aus dem Gerichtsbezirk) entfernen.
e·lon·gate [*Br.* ˈiːlɔŋˌgeit; *Am.* iˈlɑŋ-; iˈlɔːŋ-] **I** *v/t* **1.** verlängern. – **II** *v/i* **2.** sich verlängern, sich in die Länge ziehen. – **3.** *bot.* a) in die Länge wachsen, b) sich verjüngen, spitz zulaufen. – *SYN. cf.* extend. – **III** *adj* [-git; -ˌgeit] → elongated. — **e·lon·gat·ed** [*Br.* ˈiːlɔŋˌgeitid; *Am.* iˈlɑŋ-; iˈlɔːŋ-] *adj* **1.** verlängert: ~ **charge** *mil.* gestreckte Ladung. – **2.** lang u. dünn, in die Länge gezogen. — **e·lon·ga·tion** [*Br.* ˌiːlɔŋˈgeiʃən; *Am.* iˌlɑŋ-; iˌlɔːŋ-] *s* **1.** Verlängerung *f*, (Längen)Ausdehnung *f*. – **2.** Verlängerung(sstück *n*) *f*. – **3.** *tech.* Dehnung *f*, Streckung *f*. – **4.** *phys.* Elongatiˈon *f*. – **5.** *astr.* Elongatiˈon *f* (*Winkelabstand eines Planeten von der Sonne*).
e·lope [iˈloup] *v/i* **1.** (mit einem Liebhaber) entlaufen *od.* ˈdurchgehen, sich entführen lassen: **she ~d with her lover** sie ließ sich von ihrem Geliebten entführen, sie ging mit ihrem Geliebten durch. – **2.** (*mit einer Frau od. einem Mädchen*) ˈdurchgehen (*Mann*). – **3.** sich (heimlich) daˈvonmachen. — **eˈlope·ment** *s* Entlaufen *n*, Fortlaufen *n*, Flucht *f*. — **eˈlop·er** *s* Ausreißer(in).
el·o·quence [ˈeləkwəns; -lo-] *s* **1.** Beredsamkeit *f*, Beredtheit *f*, Redegabe *f*, -kunst *f*, Eloˈquenz *f*. – **2.** *pl* beredte Worte *pl od.* Äußerungen *pl*. – **3.** Rheˈtorik *f*, Beredsamkeit *f*. — ˈ**el·o·quent** *adj* **1.** beredt, redegewandt, eloˈquent. – **2.** überˈzeugend. – **3.** *fig.* beredt, sprechend, ausdrucksvoll (*Züge, Gebärden etc*).

else [els] **I** *adv* **1.** (*in Fragen u. Verneinungen*) sonst, weiter, außerdem: **anything ~?** sonst noch etwas? **what ~ can we do?** was können wir sonst noch tun? **no one ~**, **nobody ~** niemand sonst, weiter niemand; **nothing ~** sonst nichts; **it is nobody ~'s business** es geht sonst niemanden etwas an; **where ~?** wo anders? wo sonst (noch)? **nowhere ~** sonst nirgends. – **2.** ander(er, e, es): **that's something ~** das ist etwas anderes; **everybody ~ was there** alle anderen waren da; **somebody ~'s seat** der (Sitz)Platz eines (*od.* einer) anderen. – **3.** oder, sonst, wenn nicht: **hurry, (or) ~ you will be late** beeile dich, oder du kommst zu spät *od.* sonst kommst du zu spät *od.* wenn du nicht zu spät kommen willst. – **II** *pron* **4.** *obs.* etwas anderes. — ˈ**~ˌwhere** *adv* **1.** sonst-, anderswo, anderwärts. – **2.** ˈanderswoˌhin, woˈanders hin. — ˈ**~ˌwise** *adv* andernfalls, sonst, anders, wenn nicht.
e·lu·ci·date [iˈluːsiˌdeit; iˈljuː-; -sə-] *v/t* aufhellen, aufklären, erklären, erläutern, deutlich machen. – *SYN. cf.* explain. — **eˌlu·ciˈda·tion** *s* **1.** Erläuterung *f*, Erklärung *f*, Aufklärung *f*, Aufhellung *f*. – **2.** Aufschluß *m* (of über *acc*). — **eˈlu·ciˌda·tive** *adj* aufhellend, erklärend, erläuternd. — **eˈlu·ciˌda·tor** [-tər] *s* Erläuterer *m*, Erläuterin *f*, Erklärer (-in). — **eˈlu·ci·da·to·ry** [*Br.* -ˌdeitəri; *Am.* -dəˌtɔːri] → elucidative.
e·lude [iˈluːd; iˈljuːd] *v/t* **1.** (geschickt) entgehen *od.* ausweichen (*dat*), sich entziehen (*dat*), aus dem Wege gehen (*dat*): to ~ **an obligation** sich einer Verpflichtung entziehen. – **2.** (*Gesetz etc*) umˈgehen. – **3.** entgehen (*dat*), der Aufmerksamkeit entgehen von: **this fact ~d him** diese Tatsache entging ihm *od.* seiner Aufmerksamkeit; to ~ **observation** nicht bemerkt werden. – **4.** *fig.* sich nicht erfassen lassen von, sich entziehen (*dat*): **a sense that ~s definition** ein Sinn, der sich nicht definieren läßt; to ~ **s.o.'s understanding** sich j-s Verständnis entziehen. – *SYN. cf.* escape.
E·lul [eˈluːl] *s* Eˈlul *m* (*12. Monat des jüd. Kalenders*).
e·lu·sion [iˈluːʒən; -ˈljuː-] *s* **1.** (geschicktes) Ausweichen *od.* Entkommen (of vor *dat*). – **2.** (geschickte) Umˈgehung (*eines Gesetzes etc*). — **eˈlu·sive** [-siv] *adj* **1.** ausweichend (of *dat od.* vor *dat*). – **2.** schwer (er)faßbar *od.* bestimmbar *od.* defiˈnierbar. – **3.** umˈgehend. – **4.** unzuverlässig, schlecht: an ~ **memory**. — **eˈlu·sive·ness** *s* **1.** Ausweichen *n* (of vor *dat*), ausweichendes Verhalten. – **2.** Unbestimmbarkeit *f*, Undefiˈnierbarkeit *f*. — **eˈlu·so·ri·ness** [-sərinis] *s* **1.** (*das*) Trügerische, (*das*) Täuschende. – **2.** → elusiveness. — **eˈlu·so·ry** [-səri] *adj* **1.** täuschend, trügerisch. – **2.** → elusive.
e·lu·tri·ate [iˈluːtriˌeit; -ˈljuː-] *v/t* auswaschen, schlämmen, reinigen. — **eˌlu·triˈa·tion** *s* Auswaschung *f*, Schlämmung *f*, Reinigung *f*.
e·lu·vi·al [iˈluːviəl; -ˈljuː-] *adj geol.* eluviˈal, Eluvial... — **eˈlu·viˌate** [-ˌeit] *v/i geol.* ausgelaugt werden (*Boden*). — **eˌlu·viˈa·tion** *s geol.* Auslaugung *f* (*des Bodens*). — **eˈlu·vi·um** [-əm] *s geol.* Eˈluvium *n* (*an seinem Entstehungsort verbliebener Verwitterungsschutt*).
el·van [ˈelvən] *geol.* **I** *s* Elvangang *m* (*aus Feldspatporphyr gebildete Apophyse*). – **II** *adj* zum kornischen Elvangang gehörig, Elvan...
el·ver [ˈelvər] *s zo.* junger Aal.
elves [elvz] *pl von* elf. — ˈ**elv·ish** → elfish.

E·ly·sée [eliˈze] (*Fr.*) *s* Elyˈsée *n* (*Palast des franz. Staatspräsidenten in Paris*).
E·ly·sian [*Br.* iˈliziən; *Am.* iˈliʒən] *adj* elyˈsäisch, eˈlysisch: a) *Elysium betreffend*, b) *fig.* paraˈdiesisch, himmlisch, wonnig, selig, beseligend. — **Eˈly·si·um** [-ziəm; *Am. auch* -ʒiəm] *pl* **-si·ums**, **-si·a** [-ə] *s* **1.** Eˈlysium *n* (*Aufenthalt der Seligen in der griech. Mythologie*). – **2.** *fig.* Eˈlysium *n*, Paraˈdies *n*, Himmel *m* (*auf Erden*).
elytr- [elitr] → elytro-.
el·y·tra [ˈelitrə] *pl von* elytron, elytrum.
e·lyt·ri·form [iˈlitriˌfɔːrm] *adj zo.* flügeldecken-, schildförmig. — **el·y·trin** [ˈelitrin] *s zo.* Elyˈtrin *n* (*Chitin der Käferflügeldecken*).
elytro- [elitro] *Wortelement mit der Bedeutung* Scheide.
el·y·tro·cele [ˈelitroˌsiːl] *s med.* Scheidenbruch *m*.
el·y·troid [ˈeliˌtrɔid] *adj zo.* flügeldecken-, deckflügelartig. — ˈ**el·yˌtron** [-ˌtrɒn], ˈ**el·y·trum** [-trəm] *pl* **-tra** [-trə] *s zo.* Flügeldecke *f*, Deckflügel *m* (*Käfer*).
El·ze·vir [ˈelzivir; -zə-] *print.* **I** *s* **1.** Elzevir(schrift) *f*. – **2.** Elzevirdruck *m*, -ausgabe *f*. – **II** *adj* **3.** Elzevir... — ˌ**El·zeˈvir·i·an** → Elzevir 3.
em [em] **I** *s* **1.** M *n*, m *n* (*Buchstabe*). – **2.** M *n* (*M-förmiger Gegenstand*). – **3.** *print.* Geviert *n*, Quaˈdrätchen *n* (*Ausschlußstück*). – **II** *adj* **4.** M-..., M-förmig. – **5.** *print.* Geviert...
'em [əm] *colloq. für unbetontes* them: let 'em.
e·ma·ci·ate [iˈmeiʃiˌeit] **I** *v/t* **1.** abzehren, ausmergeln. – **2.** (*Boden*) auslaugen. – **II** *v/i* **3.** sich abzehren, abmagern. – **III** *adj* [-it; -ˌeit] → emaciated. — **eˈma·ciˌat·ed** *adj* **1.** abgemagert, abgezehrt, ausgemergelt. – **2.** ausgelaugt (*Boden*). — **eˌma·ciˈa·tion** *s* **1.** Aus-, Abzehrung *f*, Ausmergelung *f*, Abmagerung *f*. – **2.** Auslaugung *f*.
em·a·nate [ˈeməˌneit] **I** *v/i* **1.** (from) ausfließen (aus), -gehen, -strömen (von). – **2.** *fig.* ˈherrühren, ˈherstammen, ausgehen (from von). – *SYN. cf.* spring. – **II** *v/t* **3.** aussenden, -strömen, -strahlen. — ˈ**em·aˌnat·ing** *adj* **1.** (from) ausfließend (aus), -strömend, -gehend (von). – **2.** *fig.* ˈherrührend, ˈherstammend, ausgehend (from von). — ˌ**em·aˈna·tion** *s* **1.** Ausströmen *n*, -fließen *n*. – **2.** Ausströmung *f*. – **3.** Ausdünstung *f*. – **4.** Ausstrahlung *f* (*auch fig.*). – **5.** *fig.* Auswirkung *f*, Folge *f*, Resulˈtat *n*. – **6.** *chem.* Emanatiˈon *f* (*durch radioaktiven Zerfall gebildete Substanz*). – **7.** *philos.* Emanatiˈon *f*. — ˌ**em·aˈna·tion·al**, ˈ**em·aˌna·tive** *adj* **1.** ausströmend, -fließend, Ausströmungs... – **2.** Ausstrahlungs..., ausgestrahlt. – **3.** *chem. philos.* Emanations...
e·man·ci·pate [iˈmænsiˌpeit; -sə-] *v/t* **1.** frei-, losmachen, befreien, emanziˈpieren, selbständig *od.* unabhängig machen (from von): to ~ **oneself** sich freimachen. – **2.** (*bes. Sklaven*) emanziˈpieren, freigeben, -lassen, befreien, (bürgerlich u. soziˈal) gleichstellen, (*j-m*) gleiche Rechte zugestehen. – **3.** (*röm. Recht*) (*ein Hauskind*) emanziˈpieren. – *SYN. cf.* free. — **eˈman·ciˌpat·ed** *adj* **1.** frei. – **2.** emanziˈpiert, gleichberechtigt. – **3.** vorurteilslos, unvoreingenommen. — **eˌman·ciˈpa·tion** *s* **1.** Emanzipatiˈon *f*, Befreiung *f* von Bevormundung, bürgerliche Gleichstellung, Gleichberechtigung *f* (*bes. Frau*). – **2.** Befreiung *f*, Freilassung *f* (*Sklave*): **E~ Proclamation** Proklamation der Befreiung aller Sklaven (*in bestimmten Gebieten der USA, erlassen von Lincoln am 1. Januar 1863*). – **3.** *fig.* Befreiung *f*, Freimachung *f*. – **4.** (*röm. Recht*)

Emanzipati'on *f.* — **eˌman·ci'pa·tion·ist I** *s* **1.** Verteidiger(in) *od.* Fürsprecher(in) der Sklavenbefreiung (*bes. in den USA unter Lincoln*). – **2.** Fürsprecher(in) der Gleichberechtigung. – **II** *adj* **3.** die Sklavenbefreiung *od.* die Gleichberechtigung (der Frau) verfechtend. — **e'man·ciˌpa·tor** [-tər] *s* Befreier *m*: the Great E~ *Beiname Abraham Lincolns.* — **e'man·ci·pist** *s Austral.* entlassener Sträfling.

e·mar·gi·nate [i'mɑːrdʒiˌneit; -dʒə-], **e'mar·giˌnat·ed** [-tid] *adj* **1.** *bot.* ausgerandet, (ein)gekerbt. – **2.** abgekantet. — **eˌmar·gi'na·tion** *s* Ausränderung *f*, Abkantung *f.*

e·mas·cu·late I *v/t* [i'mæskjuˌleit; -kjə-] **1.** (*Mensch od. Tier*) entmannen, ka'strieren. – **2.** *fig.* entnerven, verweichlichen. – **3.** ausmergeln, entkräften, schwächen. – **4.** *fig.* (*Gesetz*) abschwächen. – **5.** (*Sprache*) kraft- *od.* farblos machen. – *SYN. cf.* unnerve. – **II** *adj* [-lit; -ˌleit] **6.** entmannt, ka'striert. – **7.** *fig.* unmännlich, weibisch, weichlich, verweichlicht. – **8.** verwässert, kraftlos. — **eˌmas·cu'la·tion** *s* **1.** Entmannung *f*, Ka'strierung *f.* – **2.** Entnervung *f*, Verweichlichung *f.* – **3.** Entkräftung *f*, Schwächung *f.* – **4.** Schwächlichkeit *f*, Unmännlichkeit *f*, Weibischkeit *f.* – **5.** *fig.* Verstümmelung *f*, Verwässerung *f* (*Stil etc*). — **e'mas·cu·la·to·ry** [*Br.* -ˌleitəri; *Am.* -ləˌtɔːri], *auch* **e'mas·cuˌla·tive** [-ˌleitiv] *adj* verweichlichend, schwächend.

em·balm [em'bɑːm; im-] *v/t* **1.** (*Leichnam*) ('ein)balsaˌmieren, salben. – **2.** *poet.* durch'duften. – **3.** *fig.* (*etwas*) vor der Vergessenheit bewahren, erhalten, (*j-s*) Andenken pflegen. — **em'balm·er** *s* 'Einbalsaˌmierer(in), 'Tierpräpaˌrator *m.* — **em'balm·ment** *s* 'Einbalsaˌmierung *f.*

em·bank [em'bæŋk; im-] *v/t* eindämmen, eindeichen. — **em'bank·ment** *s* **1.** Eindämmung *f*, Eindeichung *f.* – **2.** (Erd)Damm *m*, Wasserwehr *f.* – **3.** (Bahn-, Straßen)Damm *m.* – **4.** gemauerte Uferstraße, Kai *m*: the Victoria (*od.* Thames) E~ *Straße in London am Themseufer.*

em·bar [em'bɑːr] *pret u. pp* **-'barred** *v/t* **1.** einschließen, verschließen, versperren. – **2.** *obs.* (be)hindern, hemmen.

em·bar·ca·tion *cf.* embarkation.

em·bar·go [em'bɑːrgou; im-] **I** *s pl* **-goes 1.** *mar.* Em'bargo *n*: a) (Schiffs)Beschlagnahme *f* (*durch den Staat*), b) Hafensperre *f*, -sperrung *f*: civil ~ staatsrechtliches Embargo; hostile ~ internationales *od.* völkerrechtliches Embargo; to be under an ~ beschlagnahmt *od.* mit Beschlag belegt sein, unter Beschlagnahme stehen; to lay an ~ on (*Hafen*) sperren, (*Schiff*) mit Beschlag belegen, beschlagnahmen; to take off (*od.* lift) the ~ die Beschlagnahme *od.* Sperre aufheben. – **2.** *econ.* a) Handelssperre *f*, -verbot *n*, b) Sperre *f*, Verbot *n* (on auf *dat od. acc*): ~ on imports Einfuhrsperre. – **3.** Verhinderung *f*, Hindernis *n* (on für). – **4.** Verbot *n.* – **II** *v/t pret u. pp* **-goed** [-goud] **5.** (*Handel, Hafen*) sperren. – **6.** (*bes. staatsrechtlich*) beschlagnahmen, mit Beschlag belegen.

em·bark [em'bɑːrk; im-] **I** *v/t* **1.** *mar.* einschiffen, verladen (for nach): → bottom 9. – **2.** *fig.* (*j-n*) hin'einziehen, verwickeln (in in *acc*). – **3.** (*Geld*) anlegen, inve'stieren (in in *dat*). – **II** *v/i* **4.** *mar.* an ˌBord gehen, sich einschiffen (for nach). – **5.** *fig.* (in, upon) sich einlassen (in *acc od.* auf *acc*), (*etwas*) anfangen: to ~ upon s.th. etwas anfangen *od.* beginnen, in etwas einsteigen. — **em·bar·ka·tion** [ˌembɑːr'keiʃən], **em'bark·ment** *s mar.* Einschiffung *f*, Verladung *f.*

em·bar·ras| de choix [ɑ̃ba'rɑ də ʃwa] (*Fr.*) *s* Verlegenheit *f* wegen zu großer Auswahl, ‚Qual *f* der Wahl'. — **~ de ri·chesse** [ri'ʃɛs] (*Fr.*) *s* 'Überfluß *m*, -fülle *f* (*an Möglichkeiten, Reichtümern etc*).

em·bar·rass [em'bærəs; im-] *v/t* **1.** verwirren, aus der Fassung *od.* in Verlegenheit bringen. – **2.** (*etwas*) kompli'zieren, erschweren, verwickeln. – **3.** (*j-n*) behindern, belästigen, (*j-m*) lästig sein. – **4.** (*Bewegung etc*) erschweren, (be)hindern. – **5.** in Geldverlegenheit bringen. – **6.** in Frage stellen. – *SYN.* abash, discomfit, disconcert, rattle[1]. — **em'bar·rassed** *adj* **1.** verlegen, peinlich berührt, in Verlegenheit, außer Fassung (by über *acc*, wegen). – **2.** verwirrt, bestürzt. – **3.** behindert. – **4.** kompli'ziert, verwickelt. – **5.** *econ.* in Geldverlegenheit, in Zahlungsschwierigkeiten. — **em'bar·rass·ing** *adj* peinlich, ungelegen (to s.o. j-m). — **em'bar·rass·ment** *s* **1.** Verlegenheit *f*, Verwirrung *f.* – **2.** Bestürztheit *f.* – **3.** Verwirrung *f*, Verwirren *n.* – **4.** Kompli'zierung *f*, Verwicklung *f.* – **5.** Behinderung *f*, Erschwerung *f*, Störung *f*, Schwächung *f*, Beeinträchtigung *f* (to *gen*). – **6.** Hindernis *n*, Schwierigkeit *f.* – **7.** verwirrende *od.* peinliche Sache *od.* Lage. – **8.** Geldverlegenheit *f*, ‚Klemme' *f.* – **9.** *med.* (Funkti'ons)Störung *f.*

em·bas·sa·dor [em'bæsədər] → ambassador. — **'em·bas·sage** [-bəsidʒ] *obs. für* embassy 3 *u.* 5.

em·bas·sy ['embəsi] *s* **1.** Botschafts- *od.* Ge'sandtschaftspersoˌnal *n*, diplo'matische Vertreter *pl.* – **2.** a) Botschaft(sgebäude *n*) *f*, b) Gesandtschaft(sgebäude *n*) *f.* – **3.** Botschafteramt *n*, -würde *f.* – **4.** diplo'matische Missi'on: on an ~ in diplomatischer Mission. – **5.** Entsendung *f* von Botschaftern *od.* Gesandten.

em·bat·tle [em'bætl; im-] *v/t mil.* **1.** in Schlachtordnung aufstellen. – **2.** zur Schlacht rüsten. – **3.** (*Stadt etc*) befestigen, zur Festung ausbauen. — **em'bat·tled** *adj bes. her.* mit Zinnen gespalten.

em·bay [em'bei; im-] *v/t* **1.** (*Schiffe etc*) in eine Bucht legen. – **2.** in eine Bucht treiben. – **3.** einschließen, um'geben. — **em'bay·ment** *s* **1.** Einbuchtung *f*, Bucht *f.* – **2.** Bildung *f* einer Bucht.

em·bed [em'bed; im-] *pret u. pp* **-'bed·ded** *v/t* **1.** (ein)betten, (ein)lagern, vergraben, eingraben. – **2.** verankern, fest einmauern (in in *acc od. dat*): firmly ~ded fest verankert. – **3.** (fest) um'schließen, einschließen, um'geben. — **em'bed·ment** *s* **1.** Einbettung *f*, (Ein)Lagerung *f.* – **2.** Verankerung *f.*

em·bel·lish [em'beliʃ; im-] *v/t* **1.** verschönern, (aus)schmücken, verzieren. – **2.** *fig.* (*Erzählung etc*) ausschmücken. – *SYN. cf.* adorn. — **em'bel·lish·ment** *s* **1.** Verschönerung *f*, Schmuck *m.* – **2.** *fig.* Ausschmückung *f*, Verzierung *f.* – **3.** *mus.* Verzierung *f*, Orna'ment *n.*

em·ber[1] ['embər] *s* **1.** glühende Kohle. – **2.** *pl* Glut(asche) *f.* – **3.** *pl fig.* Nachglut *f*, (letzte) Funken *pl*, schwelendes Feuer.

em·ber[2] ['embər] *adj relig.* Quatember...: E~ week Quatemberwoche.

em·ber[3] ['embər] → ~goose.

Em·ber| days *s pl relig.* Qua'tember *pl*, Qua'tember-, Weihefasten *pl.* — **'e~ˌgoose** *irr, auch* **e~ div·er** *s zo.* Eistaucher *m* (*Gavia immer*).

em·bez·zle [em'bezl; im-] *v/t* **1.** veruntreuen, unter'schlagen. – **2.** *obs.* stehlen. – **3.** *obs.* vergeuden. — **em'bez·zle·ment** *s* Veruntreuung *f*, 'Unterschleif *m*, Unter'schlagung *f.* — **em'bez·zler** *s* Veruntreuer(in).

em·bit·ter [em'bitər; im-] *v/t* **1.** verbittern, bitter(er) machen. – **2.** erschweren, verschlimmern. – **3.** *fig.* (*j-n*) verbittern. — **em'bit·ter·ment** *s* **1.** Verbitterung *f* (*auch fig.*). – **2.** Erschwerung *f*, Verschlimmerung *f.*

em·blaze[1] [em'bleiz; im-] *v/t* **1.** prächtig verzieren *od.* schmücken. – **2.** *obs. für* emblazon[1].

em·blaze[2] [em'bleiz; im-] *v/t* **1.** beleuchten. – **2.** entzünden.

em·bla·zon [em'bleizən; im-] *v/t* **1.** *her.* a) blaso'nieren, he'raldisch bemalen *od.* schmücken, b) he'raldisch darstellen. – **2.** durch Verzierungen her'vorheben. – **3.** schmücken, (ver)zieren. – **4.** *fig.* feiern, verherrlichen. – **5.** 'auspoˌsaunen. — **em'bla·zon·er** *s her.* **1.** Wappenmaler(in). – **2.** Wappenkundige(r). — **em'bla·zon·ment** *s* he'raldische Bemalung, Wappenschmuck *m.* — **em'bla·zon·ry** [-ri] *s* **1.** Blaso'nierung *f*, ˌWappenmale'rei *f.* – **2.** Wappenschmuck *m*, -gemälde *n.* – **3.** Verzierung *f*, Ausschmückung *f.*

em·blem ['embləm] **I** *s* **1.** Em'blem *n*, Sym'bol *n*, Sinnbild *n.* – **2.** Kennzeichen *n.* – **3.** Verkörperung *f* (*einer Idee etc*). – **4.** *obs.* Em'blem *n* (*Mosaik- od. Einlegearbeit*). – **II** *v/t* **5.** versinnbildlichen. — **ˌem·blem'at·ic** [-'mætik], **ˌem·blem'at·i·cal** *adj* emble'matisch, sym'bolisch, sinnbildlich: to be ~ of s.th. etwas versinnbildlichen. — **ˌem·blem'at·i·cal·ly** *adv* (*auch zu* emblematic). — **ˌem·blem'at·i·cal·ness** *s* Sinnbildlichkeit *f.* — **em'blem·a·tist** [-'blemətist] *s* j-d der Em'bleme entwirft, anfertigt *od.* benützt. — **em'blem·aˌtize** *v/t* versinnbildlichen, symboli'sieren, sinnbildlich darstellen.

em·ble·ments ['embləmənts] *s pl jur.* **1.** Ernteertrag *m.* – **2.** Ernte-, Feldfrüchte *pl*, Ernte *f.*

em·bod·i·ment [em'bɒdimənt; im-] *s* **1.** Inkarnati'on *f.* – **2.** Verkörperung *f*, Personifikati'on *f.* – **3.** Darstellung *f*, Verkörpern *n.* – **4.** Aufnahme *f*, Einverleibung *f*, Einfügung *f.*

em·bod·y [em'bɒdi; im-] *v/t* **1.** (*dat*) körperliche Form *od.* Gestalt geben. – **2.** verkörpern, darstellen, in kon'kreter Form ausdrücken, (*dat*) kon'krete Form geben. – **3.** einfügen, aufnehmen, einverleiben (in in *acc*). – **4.** verkörpern, personifi'zieren: virtue embodied verkörperte Tugend. – **5.** um'fassen, in sich schließen, vereinigen.

em·bog [em'bɒg] *pret u. pp* **-'bogged** *v/t* **1.** in einen Sumpf stürzen (*auch fig.*). – **2.** *fig.* verstricken, verwirren.

em·bold·en [em'bouldən; im-] *v/t* ermutigen.

em·bo·lec·to·my [ˌembə'lektəmi] *s med.* Embolekto'mie *f* (*chirurgische Beseitigung einer Embolie*). — **em'bol·ic** [-'bɒlik] *adj biol. med.* em'bolisch.

em·bo·lism ['embəˌlizəm] *s* **1.** Embo'lismus *m*, Einschaltung *f*, Einschiebung *f.* – **2.** *med.* Embo'lie. – **3.** *relig.* Doxolo'gie *f* des Vater'unsers. — **'em·bo·lus** [-ləs] *pl* **-ˌli** [-ˌlai] *s med.* Embolus *m*, Embo'lie *f.*

em·bon·point [ɑ̃bɔ̃'pwɛ̃] (*Fr.*) *s* Embon'point *n*, (Wohl)Beleibtheit *f.*

em·bos·om [em'buzəm; im-] *v/t* **1.** um'armen, ans Herz drücken. – **2.** *fig.* ins Herz schließen. – **3.** hegen u. pflegen. – **4.** *fig.* (ver)bergen, um'schließen, einschließen, einhüllen, um'geben (*meist pp*): ~ed in (*od.* with) umschlossen *od.* umgeben von, eingeschlossen *od.* eingehüllt in (*acc*).

em·boss[1] [em'bɒs; im-; *Am. auch* -'bɔːs] *v/t tech.* **1.** a) bosseln, bos'sie-

ren, erhaben ausarbeiten, prägen, in erhabener Arbeit anfertigen, b) (*erhabene Arbeit*) (mit dem Hammer) treiben, hämmern. – 2. mit erhabener Arbeit schmücken. – 3. (*Stoffe*) gau'frieren. – 4. reich verzieren *od.* schmücken.
em·boss² [em'bɒs; im-; *Am. auch* -'bɔːs] *v/t obs.* 1. (*Wild*) bis zur Erschöpfung jagen. – 2. mit Schaum bedecken.
em·bossed [em'bɒst; im-; *Am. auch* -'bɔːst] *adj* 1. *tech.* a) erhaben gearbeitet, getrieben, bos'siert, gebosselt, b) gau'friert (*Stoffe*), c) gepreßt, geprägt. – 2. *bot.* mit einem Buckel auf der Mitte des Hutes (*Pilz*). – 3. hoch-, her'vorstehend. — **em'boss·ment** *s* 1. erhabene Arbeit, Reli'efarbeit *f.* – 2. Erhebung *f*, Erhabenheit *f*, Wulst *m*, Schwellung *f.*
em·bou·chure [ˌɔmbu'ʃur] *s* 1. Mündung *f* (*Fluß*). – 2. (Tal)Öffnung *f.* – 3. *mus.* Mundstück *n* (*Blasinstrument*).
em·bow [em'bou] *v/t* 1. *arch.* wölben. – 2. *obs.* biegen. — **em'bowed** [-'boud] *adj* 1. *arch.* gewölbt. – 2. kon'vex, gekrümmt, gebogen.
em·bow·el [em'bauəl; im-] *pret u. pp* **-eled**, *bes. Br.* **-elled** *v/t* 1. → disembowel. – 2. *obs.* einbetten.
em·bow·er [em'bauər; im-] I *v/t* (wie) mit einer Laube um'geben, (wie) mit Laub über'wölben. – II *v/i* sich (wie) in einer Laube verbergen.
em·brace¹ [em'breis; im-] I *v/t* 1. um'armen, in die Arme schließen. – 2. einschließen, um'schließen, um'geben, um'fassen, in sich schließen. – 3. *fig.* a) bereitwillig annehmen, sich zu eigen machen, b) (*Gelegenheit*) ergreifen, c) (*Angebot*) annehmen, d) (*Religion etc*) annehmen, e) (*Beruf*) einschlagen, ergreifen, f) (*Hoffnung*) hegen, g) (*Geschick*) 'hinnehmen. – 4. (*mit dem Auge od. Geist*) trinken, in sich aufnehmen, erfassen. – II *v/i* 5. sich um'armen. – *SYN. cf.* a) adopt, b) include. – III *s* 6. Um'armung *f.*
em·brace² [em'breis; im-] *v/t jur.* (*Geschworene etc*) bestechen *od.* zu bestechen suchen.
em·brace·ment [em'breismənt; im-] *s* 1. Um'armung *f.* – 2. (bereitwillige) Annahme.
em·brac·er, *auch* **em·brace·or** [em'breisər] *s jur.* Bestecher *m* (*von Geschworenen*). — **em'brac·er·y** [-səri] *s jur.* Bestechung(sversuch *m*) *f.*
em·branch·ment [*Br.* em'brɑːntʃmənt; im-; *Am.* -'bræ(ː)ntʃ-] *s* Gabelung *f*, Abzweigung *f*, Verzweigung *f*, Zweig *m* (*auch fig.*).
em·bran·gle [em'bræŋgl; im-] *v/t* 1. verwirren, verwechseln. – 2. verwickeln, vermischen. — **em'bran·gle·ment** *s* Verwirrung *f*, Verwicklung *f*, Verwechslung *f.*
em·bra·sure [em'breiʒər; im-] *s* 1. *arch.* Leibung *f* (*innere Mauerfläche bei Fenster od. Tür*). – 2. *mil.* (Schieß)Scharte *f.*
em·bro·cate ['embroˌkeit] *v/t med.* einreiben. — ˌ**em·bro'ca·tion** *s* 1. Einreibung *f.* – 2. Einreibemittel *n.*
em·broi·der [em'brɔidər; im-] *v/t u. v/i* 1. (*Muster*) sticken. – 2. (*Stoff*) besticken, mit Sticke'rei verzieren. – 3. *fig.* (*Bericht etc*) ausschmücken, über'treiben. — **em'broi·der·er** *s* Sticker(in). — **em'broi·der·ess** *s* Stickerin *f.* — **em'broi·der·ing** I *s* Sticken *n*, Sticke'rei *f.* – II *adj* stickend, Stick...: ~ machine Stickmaschine. — **em'broi·der·y** *s* 1. Sticken *n.* – 2. Sticke'rei(arbeit) *f*: to do ~ sticken. – 3. bunter Schmuck. – 4. *fig.* Ausschmückung *f*, Über'treibung *f.* — ~ **frame** *s* Stickrahmen *m.* — ~ **nee·dle** *s* Sticknadel *f.*
em·broil [em'brɔil; im-] *v/t* 1. verwickeln, hin'einziehen: ~ed in a war in einen Krieg verwickelt. – 2. in einen Streit *od.* Krieg hin'einziehen (with mit): to be ~ed with s.o. mit j-m in einen Streit verwickelt sein. – 3. verwickeln, verwirren, durchein'anderwerfen. — **em'broil·ment** *s* 1. Verwicklung *f*, Streitigkeit *f.* – 2. Verwirrung *f*, Durchein'ander *n.*
em·brown [em'braun; im-] *v/t* braun machen *od.* färben, bräunen.
em·brue [em'bruː; im-], **em'brute** [-'bruːt] → imbrue, imbrute.
embry- [embri] → embryo-.
em·bry·ec·to·my [ˌembri'ektəmi] *s med.* chir'urgische Entfernung eines Embryos.
embryo- [embrio] *Wortelement mit der Bedeutung* Embryo, embryonisch.
em·bry·o ['embriˌou] I *s pl* **-os** 1. *biol.* a) Embryo *m*, b) (Frucht)Keim *m.* – 2. *fig.* Keim *m*, Anfangsstadium *n* (*Werk*): in ~ im Keim, im Entstehen, im Werden. – II *adj* 3. *biol.* → embryonic. – 4. keimend, werdend.
em·bry·oc·to·ny [ˌembri'ɒktəni] *s med.* Fruchttötung *f*, Tötung *f* des Embryo.
em·bry·o·gen·e·sis [ˌembrio'dʒenisis; -nə-] → embryogeny. — ˌ**em·bry·o'gen·ic** *adj* die Embryo'nalentwicklung betreffend. — ˌ**em·bry'og·e·ny** [-'ɒdʒəni] *s med.* Embryo'nalentwicklung *f.*
em·bry·o·log·ic [ˌembrio'lɒdʒik], ˌ**em·bry·o'log·i·cal** *adj med.* embryo'logisch. — ˌ**em·bry'ol·o·gist** [-'ɒlədʒist] *s med.* Embryo'loge *m.* — ˌ**em·bry'ol·o·gy** *s med.* Embryolo'gie *f.*
em·bry·on ['embriˌɒn] → embryo.
em·bry·o·nal ['embriənl], *selten* '**em·bry·oˌnar·y** [-ˌneri] → embryonic. — '**em·bry·oˌnate** [-ˌneit], '**em·bry·oˌnat·ed** *adj med.* Embry'onen *od.* einen Embryo enthaltend. — ˌ**em·bry'on·ic** [-'ɒnik] *adj* 1. embryo'nal, Embryo... – 2. unentwickelt, rudimen'tär (*auch fig.*).
em·bry·o sac *s bot.* Embryosack *m.*
em·bry·o·tome ['embrioˌtoum] *s med.* Embryo'tom *n.* — ˌ**em·bry'ot·o·my** [-'ɒtəmi] *s med.* Embryoto'mie *f*, Kindeszerstückelung *f.*
em·bus [em'bʌs] *pret u. pp* **-'bussed** *mil.* I *v/t* (*Truppen etc*) auf Kraftfahrzeuge verladen. – II *v/i* auf Kraftfahrzeuge verladen werden, aufsitzen (*Truppen etc*).
em·bus·qué [ɑ̃bys'ke] (*Fr.*) *s* Drückeberger *m.*
em·cee ['em'siː] *colloq.* I *s* → master of ceremonies. – II *v/t* als Zere'monienmeister *od.* Conférenci'er leiten. – III *v/i* als Zere'monienmeister *od.* Conférenci'er fun'gieren.
eme [iːm] *s dial.* 1. Onkel *m.* – 2. Freund *m.*
e·meer, e·meer·ate *cf.* emir, emirate.
e·mend [i'mend] *v/t* (*bes. Texte*) verbessern, korri'gieren, emen'dieren. – *SYN. cf.* correct. — **e'mend·a·ble** *adj* korri'gierbar, emen'dierbar. —
e·men·dan·dum [ˌiːmen'dændəm; ˌem-] *pl* **-da** [-də] *s* Emen'dandum *n*, zu verbessernde Stelle.
e·men·date ['iːmenˌdeit; -mən-] *v/t* (*Texte etc*) emen'dieren, verbessern, berichtigen. — ˌ**e·men'da·tion** *s* Emendati'on *f*, Verbesserung *f*, Berichtigung *f*, kritische 'Durchsicht. — '**e·menˌda·tor** [-tər] *s* (Text)Verbesserer *m*, Berichtiger *m.* — **e·mend·a·to·ry** [*Br.* i'mendətəri; *Am. auch* -ˌtɔːri] *adj* (text)verbessernd, Verbesserungs...
em·er·ald ['emərəld; 'emrəld] I *s* 1. *min.* a) Sma'ragd *m*, b) *auch* Oriental ~ grüner Saphir. – 2. In'sertie *f* (*Schriftgrad von etwa* 6½ *Punkten*). – II *adj* 3. sma'ragdgrün. — ~ **cuck·oo** *s zo.* 1. Afrik. Goldkuckuck *m* (*Chrysococcyx smaragdineus*). – 2. Asiat. Glanzkuckuck *m* (*Chalcites maculatus*). — ~ **feath·er** *s bot.* Sprengers Spargel *m*, Spargelkraut *n*, Gärtnergrün *n* (*Asparagus sprengeri*). — ~ **fish** *s zo.* (*eine*) mexik. Meergrundel (*Gobionellus oceanicus*). — ~ **green** *s* Sma'ragdgrün *n.* — '~-'**green** *adj* sma'ragdgrün. — **E~ Isle** *s* Grüne Insel (*Beiname Irlands*).
e·merge [i'məːrdʒ] *v/i* 1. auftauchen, zum Vorschein kommen, zu'tage treten, her'vor-, her'auskommen (from, out of aus). – 2. auftauchen, entstehen, sich erheben (*Frage*). – 3. her'auskommen, sich her'ausstellen (*Tatsache*). – 4. *fig.* her'vorgehen (from aus), da'vonkommen. – 5. *fig.* sich erheben, sich entwickeln, em'porkommen: to ~ from poverty sich aus der Armut erheben. – 6. ein-, her'vor-, auftreten, in Erscheinung treten. — **e'mer·gence** *s* 1. Auftauchen *n*, Her'vor-, Her'auskommen *n*, Sichtbarwerden *n.* – 2. Em'porkommen *n.* – 3. Auf-, Zu'tagetreten *n.* – 4. *bot.* Emer'genz *f*, Auswuchs *m.* – 5. *biol.* Epige'nese *f*, Neuauftreten *n* von Merkmalen (*in der Phylogenie*). – 6. *astr.* → emersion 2.
e·mer·gen·cy [i'məːrdʒənsi] I *s* 1. (*plötzlich eintretende*) Not(lage), Notstand *m*, (*unvorhergesehene*) Bedrängnis: in an ~, in case of ~ im Ernst-, Notfall, notfalls. – 2. *selten für* emergence 1. – *SYN. cf.* juncture. – II *adj* 3. Not(stands)..., (Aus)-Hilfs..., Behelfs...: ~ aid (program) Soforthilfe(programm). — ~ **brake** *s tech.* Notbremse *f.* — ~ **ca·ble** *s electr.* Hilfskabel *n.* — ~ **call** *s* (*Telephon*) Notruf *m.* — ~ **clause** *s* Dringlichkeits-, Notklausel *f.* — ~ **de·cree** *s* Notverordnung *f.* — ~ **door**, ~ **ex·it** *s* Notausgang *m.* — ~ **land·ing** *s aer.* Notlandung *f.* — ~ **land·ing field**, ~ **land·ing ground** *s aer.* Notlande-, Hilfslandeplatz *m.* — ~ **man** *s irr* 1. (*in Irland*) Gehilfe *m* eines Gerichtsdieners. – 2. *sport* Re'servespieler *m*, Ersatzmann *m.* — ~ **meas·ure** *s* Not(stands)maßnahme *f.* — ~ **ra·tion** *s mil.* eiserne Rati'on.
e·mer·gent [i'məːrdʒənt] I *adj* 1. auftauchend, aufsteigend, her'vor-, em'porkommend. – 2. dringend. – 3. *fig.* entstehend, entspringend, her'vorgehend, sich ergebend (from aus). – 4. *biol. philos.* neu auftretend (*phylogenetische Merkmale*). – 5. *obs.* plötzlich u. unerwartet eintretend. – II *s* 6. *biol. philos.* Neubildung *f* (*in der Entwicklung*). – 7. *phys.* auf mehrere gleichzeitig wirksame Ursachen zu'rückzuführende Erscheinung *od.* Eigenschaft. — ~ **ev·o·lu·tion** *s biol. philos.* Neuauftauchen *n*, Neuauftreten *n* (*von Merkmalen*), Entwicklungs-Anstoß *m.*
e·mer·i·tus [i'meritəs; -rə-] I *s pl* **-ti** [-ˌtai] E'meritus *m*, emeri'tierter Geistlicher *od.* Gelehrter. – II *adj* emeri'tiert, in den Ruhestand versetzt.
em·er·ods ['eməˌrɒdz] *s pl Bibl.* Hämorrho'iden *pl.*
e·mersed [i'məːrst; iː-] *adj* 1. vorspringend, her'ausragend. – 2. *bot.* e'mers, (*aus dem Wasser*) her'ausragend. — **e'mer·sion** *s* 1. Auftauchen *n*, Her'vor-, Her'auskommen *n*, -treten *n* (from aus). – 2. *astr.* Emersi'on *f*, Austritt *m* (*eines Himmelskörpers aus dem Schatten eines anderen*).
em·er·y ['eməri] I *s* 1. *min.* körniger Ko'rund, Schmirgel *m*: to rub with ~ (ab)schmirgeln. – II *v/t* 2. mit Schmirgel bedecken. – 3. (ab)schmirgeln. – III *adj* 4. Schmirgel... — ~ **board** *s*

(*Spinnerei*) Schleif-, Schmirgelpappe *f*. — ~ **cake** *s tech.* Schmirgelkuchen *m*. — ~ **cloth** *s* Schmirgelleinen *n*. — ~ **pa·per** *s* 'Schmirgelpa,pier *n*. — ~ **pow·der** *s* Schmirgelpulver *n*, -staub *m*. — ~ **roll·er** *s tech.* Schmirgelwalze *f*. — ~ **stone** *s tech.* Schmirgelstein *m*. — ~ **wheel** *s tech.* Schmirgelscheibe *f*, -rad *n*.

em·e·sis ['emisis] *s med.* Erbrechen *n*, Emesis *f*.

emet- [emit; imet] → emeto-.

e·met·ic [i'metik] *med.* **I** *adj* erbrechenerregend, e'metisch. – **II** *s* Brechmittel *n*, E'metikum *n*. — **e'met·i·cal** → emetic I. — **e'met·i·cal·ly** *adv* (*auch zu* emetic I).

e·met·ic| hol·ly → cassina. — ~ **mush·room** *s bot.* Spei-Täubling *m* (*Russula emetica; Pilz*). — ~ **weed** *s bot.* Aufgeblasene Lo'belie (*Lobelia inflata*).

em·e·tine ['emi,ti:n; -tin], *auch* **'em·e·tin** [-tin] *s chem.* Eme'tin *n* ($C_{29}H_{40}N_2O_4$).

emeto- [emito] *Wortelement mit der Bedeutung* Erbrechen, Brechmittel.

em·e·to·ca·thar·tic [,emitokə'θɑ:rtik] *med.* **I** *adj* erbrechenerregend u. abführend. – **II** *s* Brech- u. Abführmittel *n*.

e·meu *cf.* emu.

é·meute [e'mø:t; i'mju:t] (*Fr.*) *s* Aufruhr *m*.

em·gal·la [em'gælə] *s zo.* Südafr. Warzenschwein *n* (*Phacochoerus aethiopicus*).

-emia [i:miə] *Wortelement mit der Bedeutung* Blutzustand.

e·mic·tion [i'mikʃən] *s med.* **1.** Uri'nieren *n*, Harnlassen *n*. – **2.** U'rin *m*. — **e'mic·to·ry** [-təri] *adj u. s med.* harntreibend(es Mittel).

em·i·grant ['emigrənt; -mə-] **I** *s* **1.** Auswanderer *m*, Emi'grant(in). – **II** *adj* **2.** auswandernd, emi'grierend. – **3.** Auswanderungs..., Auswanderer..., Emigranten... – *SYN. cf.* immigrant.

em·i·grate ['emi,greit; -mə-] **I** *v/i* **1.** auswandern, emi'grieren (from aus, von; to nach). – **2.** *colloq.* 'umziehen. – **II** *v/t* **3.** auswandern lassen, zur Auswanderung veranlassen. – **4.** (*j-m*) beim Auswandern helfen. — **,em·i'gra·tion** *s* **1.** Auswanderung *f*, Emigrati'on *f* (*auch fig.*). – **2.** *collect.* Auswanderer *pl*. – **3.** *med.* Zellaustritt *m*, Diape'dese *f*. — **,em·i'gra·tion·al**, **'em·i·gra·to·ry** [*Br.* -,greitəri; *Am.* -grə,tɔ:ri] *adj* Auswanderungs...

é·mi·gré [emi'gre; 'emigrei] (*Fr.*) *s* Emi'grant *m*: a) *emigrierter Royalist zur Zeit der Franz. Revolution*, b) *Flüchtling aus Sowjetrußland*. — **'em·i,gree** [-,grei] *s* Ausgewiesene(r), Landesverwiesene(r).

em·i·nence ['eminəns; -mə-] *s* **1.** (Boden)Erhebung *f*, Erhöhung *f*, (An)Höhe *f*. – **2.** a) hohe Stellung, Würde *f*, hoher Rang, b) Ruhm *m*, Berühmtheit *f*: to rise to ~ zu Rang u. Würden gelangen. – **3.** Vorrang *m*: to have the ~ of den Vorrang haben vor (*dat*), übertreffen (*acc*). – **4.** *relig.* Emi'nenz *f* (*Titel der Kardinäle*). — **'em·i·nen·cy** *s* **1.** *fig.* Nachdruck *m*, Gewicht *n*. – **2.** *obs. für* eminence.

em·i·nent ['eminənt; -mə-] *adj* **1.** her'vorragend, ausgezeichnet, berühmt. – **2.** a) emi'nent, bedeutend, her'vorragend, b) vornehm, erhaben. – **3.** her'vorstechend, -ragend, außergewöhnlich, besonder(er, e, es), bemerkenswert, beispielhaft: an ~ success ein außergewöhnlicher Erfolg. – **4.** hoch(ragend), her'vor-, her'ausstehend, -ragend: an ~ promontory. – *SYN. cf.* famous. — ~ **do·main** *s jur.* Enteignungsrecht *n* des Staates.

em·i·nent·ly ['eminəntli; -mə-] *adv* (ganz) besonders, in hohem Maße, hochgradig, 'überaus.

e·mir [e'mir; 'əmir] *s* Emir *m*: a) *Titel der arab. Stammeshäuptlinge u. angeblichen Nachkommen Mohammeds*, b) *Titel türk. Würdenträger*. — **e'mir·ate** [-rit; -reit] *s* Emi'rat *n* (*Würde od. Herrschaftsgebiet eines Emirs*).

em·is·sar·y [*Br.* 'emisəri; *Am.* 'emə,seri] **I** *s* **1.** Bote *m*, Sendling *m*. – **2.** Emis'sär *m*, Send-, Geheimbote *m*, Abgesandter *m* (mit geheimem Auftrag). – **3.** *med.* Emis'sarium *n*, 'Durchtrittsloch *n* (*am Schädel*). – **II** *adj* **4.** *obs.* (aus)kundschaftend, Kundschafter...

e·mis·sion [i'miʃən] *s* **1.** *bes. phys.* Ausstrahlung *f*, -strömung *f*, -sendung *f*, Emissi'on *f*: Newton's theory of ~ Newtonsche Emissionstheorie. – **2.** Erguß *m*, (Aus)Fluß *m*. – **3.** *fig.* Ausstrahlung *f*. – **4.** *econ.* Emissi'on *f*, Ausgabe *f*: a) In'umlaufsetzung *f* (*Papiergeld*), b) *auf einmal in Umlauf gesetzte Papiergeldmenge*. – **5.** *obs.* Veröffentlichung *f*. — **e'mis·sive** [-siv] *adj bes. phys.* aussendend, -strahlend, -strömend: ~ power Strahlungsvermögen; to be ~ of heat Hitze ausstrahlen. — **em·is·siv·i·ty** [,emi'siviti; -mə-; -əti] *s phys.* Emissi'ons-, Strahlungsvermögen *n*, -kraft *f*.

e·mit [i'mit] *pret u. pp* **e'mit·ted** *v/t* **1.** (*Licht, Wärme etc*) aussenden, -strahlen, -strömen, entsenden. – **2.** ausstoßen, -werfen, von sich geben, ausströmen lassen. – **3.** (*Verfügung, Befehl etc*) erlassen, ergehen lassen. – **4.** (*Meinung*) äußern. – **5.** (*Ton etc*) von sich geben, äußern, hören lassen, ausstoßen. – **6.** *econ.* (*Wertpapiere*) emit'tieren, in 'Umlauf setzen, ausgeben. – **7.** *phys.* emit'tieren, ausstrahlen. – **8.** *obs.* veröffentlichen. — **e'mit·tent** [-tənt] → emissive.

em·men·a·gog·ic [i,menə'gɒdʒik; i'mi:n-; ə,m-] *adj* menstruati'onsfördernd. — **em'men·a,gogue** [-,gɒg; *Am. auch* -,gɔ:g] *s med.* Emmena'gogum *n*, menstruati'onsförderndes Mittel. — **em·men·ic** [i'menik; ə'm-] *adj med.* **1.** menstru'ierend. – **2.** Menstruations... — **em·men·i·op·a·thy** [i,meni'ɒpəθi; i,mi:n-; ə,m-] *s med.* Menstruati'onsstörung *f*. — **em·me·nol·o·gy** [,emi'nɒlədʒi; -mə-] *s med.* Menstruati'onslehre *f*.

Em·men·tal ['emən,tɑ:l], **'Em·men,ta·ler (cheese)** [-lər] *s* Emmentaler (Käse) *m*.

em·mer ['emər] *s bot.* Emmer *m* (*Triticum dicoccum*).

em·met ['emit] *s zo. poet. od. dial.* Ameise *f*.

em·me·trope ['emi,troup; -mə-] *s med.* Emme'trope(r), Nor'malsichtige(r). — **,em·me'tro·pi·a** [-piə] *s* Emmetro'pie *f*, Nor'malsichtigkeit *f*. — **,em·me'trop·ic** [-'trɒpik] *adj* emme'trop, nor'malsichtig.

e·mol·li·ent [i'mɒliənt; -ljənt] *adj u. s med.* erweichend(es Mittel).

e·mol·u·ment [i'mɒljumənt; -ljə-] *s* **1.** Vergütung *f* (*bes. einer Nebenbeschäftigung*). – **2.** *pl* Einkünfte *pl*, (Dienst)Bezüge *pl*, Di'äten *pl* (*aus einem Amt etc*). – *SYN. cf.* wage[1].

Em·o·ry('s) oak ['eməri(z)] *s bot. Am.* Emory-Eiche *f* (*Quercus emoryi*).

e·mo·tion [i'mouʃən] *s* **1.** (Gemüts)Bewegung *f*, (Gefühls)Regung *f*, Rührung *f*, Emoti'on *f*, Gefühl *n*. – **2.** Gefühlswallung *f*, Erregung *f*. – **3.** *obs.* Tu'mult *m*, Störung *f*. – *SYN. cf.* feeling. — **e'mo·tion·a·ble** *adj* erregbar. — **e'mo·tion·al** *adj* **1.** gefühlsmäßig, -bedingt, emotio'nal, Affekt...: ~ act gefühlsbedingte Handlung, Affekthandlung. – **2.** gefühlsbetont, emotio'nal, leicht erregbar *od.* gerührt, empfindsam. – **3.** Gemüts..., Gefühls..., emotio'nell. — **e'mo·tion·al,ism** *s* **1.** Gefühlsbetontheit *f*, Empfindsamkeit *f*. – **2.** Ge,fühlsduse'lei *f*. – **3.** Gefühlsäußerung *f*, -ausbruch *m*. — **e'mo·tion·al·ist** *s* Gefühlsmensch *m*, empfindsame *od.* gefühlsbetonte Per'son. — **e,mo·tion'al·i·ty** [-'næliti; -əti] *s* **1.** Gefühlsmäßigkeit *f*, -bedingtheit *f*. – **2.** Gefühlsbetontheit *f*, Empfindsamkeit *f*. — **e'mo·tion·al,ize** [-nə-] *v/t* zur Gefühlssache machen, mit Gefühl behandeln. — **e'mo·tion·al·ly** *adv* gefühlsmäßig, emotio'nell, in gefühlsmäßiger 'Hinsicht. — **e'mo·tion·less** *adj* **1.** unbewegt, ungerührt. – **2.** gefühllos, unempfindsam.

e·mo·tive [i'moutiv] *adj* **1.** gefühlsmäßig, emotio'nal, affek'tiv, Gefühls... – **2.** gefühlvoll, die Gefühle ansprechend. — **e'mo·tive·ness**, **e·mo·tiv·i·ty** [,i:mo'tiviti; -əti] *s* Gefühlsmäßigkeit *f*, -betontheit *f*.

em·pale [em'peil; im-] → impale. — **em'pan·el** [-'pænl] → impanel.

em·path·ic [em'pæθik] *adj* einfühlend, Einfühlungs... — **em'path·i·cal·ly** *adv*. — **em·pa·thy** ['empəθi] *s psych.* Einfühlung(svermögen *n*) *f*.

em·pen·nage [ɑ̃pɛ'na:ʒ] (*Fr.*) *s aer.* Leitwerk *n* (*Flugzeug*).

em·per·or ['empərər] *s* **1.** Kaiser *m*: E~ of Japan → ~fish. – **2.** *antiq. od. obs.* Impe'rator *m*. – **3.** *zo.* a) → ~ penguin, b) → purple ~. — ~ **bo·a** *s zo.* Kaiserboa *f* (*Constrictor constrictor imperator*). — ~ **but·ter·fly** → purple emperor. — ~ **fish** *s zo.* Kaiserfisch *m* (*Holacanthus imperator*). — ~ **goose** *s irr zo.* Kaisergans *f* (*Philacte canagica*). — ~ **moth** *s zo.* Kleines Nachtpfauenauge (*Saturnia pavonia*). — ~ **pen·guin** *s zo.* Kaiserpinguin *m* (*Aptenodytes forsteri*).

em·per·or·ship ['empərər,ʃip] *s* Kaisertum *n*, kaiserliche Würde.

em·per·or wor·ship *s antiq.* göttliche Verehrung des Impe'rators (*in Rom*).

em·per·y ['empəri] *s poet.* **1.** Kaiserreich *n*, Herrschaftsgebiet *n* eines Kaisers. – **2.** abso'lute Herrschaft, Re'gime *n*.

em·pha·sis ['emfəsis] *pl* **-ses** [-,si:z] *s* **1.** *fig.* Betonung *f*, Gewicht *n*: to lay ~ on s.th. einer Sache Gewicht geben *od.* Wert beimessen; with ~ nachdrücklich, mit Nachdruck. – **2.** (*Rhetorik*) Betonung *f*, Em'phase *f*, Her'vorhebung *f*. – **3.** Betonung *f*, Nachdruck *m*, Bestimmtheit *f*, Em'phase *f*: to lay (*od.* place) ~ on s.th. etwas her'vorheben *od.* betonen, auf etwas Nachdruck legen. – **4.** (*Phonetik*) Ak'zent *m*, Betonung *f*, Ton *m* (on auf *dat*). – **5.** (*Malerei*) Schärfe *f*, Deutlichkeit *f*, Betonung *f*. — **'em·pha,size** *v/t* **1.** (nachdrücklich) betonen, Nachdruck legen auf (*acc*), her'vorheben, unter'streichen. – **2.** besonderen Wert legen auf (*acc*), besonderes Gewicht beimessen (*dat*).

em·phat·ic [em'fætik; im-], *auch selten* **em'phat·i·cal** *adj* **1.** nachdrücklich, em'phatisch, betont, unter'strichen. – **2.** em'phatisch, aus-, eindrucksvoll, eindringlich, deutlich. — **em'phat·i·cal·ly** *adv* **1.** nachdrücklich, mit Nachdruck. – **2.** bestimmt, (ganz) entschieden, kate'gorisch.

em·phrac·tic [em'fræktik; im-] *med.* **I** *adj* porenschließend, schweißhemmend. – **II** *s* porenschließendes Mittel. — **em'phrax·is** [-'fræksis] *s med.* Verstopfung *f*, Schließung *f* (*bes. der Poren*).

em·phy·se·ma [,emfi'si:mə; -fə-] *pl* **-ma·ta** [-mətə] *s med.* Emphy'sem *n*, Wundgeschwulst *f*: pulmonary ~ Lungenemphysem, -erweiterung. —

ˌem·phy'sem·a·tous [-'semətəs; -'siː-] *adj* emphyse'matisch, emphysema'tös.
em·phy·teu·sis [ˌemfi'tjuːsis] *s jur.* Erbpacht *f.* — **ˌem·phy'teu·ta** [-tə] *s* Erbpächter *m.* — **ˌem·phy'teu·tic** *adj* erbpachtlich.
em·pire ['empaiə*r*] **I** *s* **1.** Reich *n*, Im'perium *n*: the E~ *hist.* das (*erste franz.*) Kaiserreich; the (Holy Roman) E~ *hist.* das Heilige Röm. Reich (Deutscher Nation); the (British) E~ das Brit. (Welt)Reich. – **2.** Kaiserreich *n.* – **3.** (Ober)Herrschaft *f*, Gewalt *f* (over über *acc*). – **II** *adj* **4.** E~ Empire... (*den Empirestil od. die Empiretracht betreffend*). – **5.** (Welt-, Kaiser)Reichs..., Empire... — **E~ Cit·y** *s* **1.** *Am. Beiname der Stadt New York.* – **2.** *New Zeal. Beiname der Stadt Wellington.* — **~ cloth** *s electr.* Iso'lierleinen *n*, Ölseide *f* (*als Isolierbekleidung*). — **E~ Day** *s brit. Staatsfeiertag am 24. Mai, dem Geburtstag der Königin Victoria.* — **E~ gown** *s* Kleid *n* im Em'pirestil. — **E~ State** *s Am. Beiname des Staates New York.*
em·pir·ic [em'pirik] **I** *s* **1.** *philos.* Em'piriker(in), Empi'rist(in). – **2.** Quacksalber(in), Kurpfuscher(in). – **II** *adj* → empirical. — **em'pir·i·cal** *adj* **1.** *philos.* (*u. Naturwissenschaften*) em'pirisch, erfahrungsgemäß, auf Erfahrung beruhend, Erfahrungs...: ~ formula *chem.* empirische Formel. – **2.** nicht wissenschaftlich, quacksalberisch, pfuscherhaft. — **em'pir·i·cal·ly** *adv* aus (der) Erfahrung, em'pirisch.
em·pir·i·cism [em'piriˌsizəm; -rə-] *s* **1.** Empi'rismus *m*, Empi'rie *f*, Er'fahrungsmeˌthode *f.* – **2.** *philos.* Empi'rismus *m.* – **3.** ˌQuacksalbe'rei *f*, ˌKurpfusche'rei *f.* — **em'pir·i·cist** → empiric 1.
em·place [em'pleis; im-] *v/t* **1.** aufstellen. – **2.** *mil.* (*Geschütze*) in Stellung bringen, auf Bettung stellen. — **em'place·ment** *s* **1.** (Auf)Stellung *f.* – **2.** Lage *f* (*Gebäude etc*). – **3.** *mil.* Geschützstellung *f*, -stand *m*, Feuerstellung *f*, Bettung *f* (*von Geschützen od. einer Festung*).
em·plane [em'plein; im-] *aer.* **I** *v/t* in ein Flugzeug (ver)laden (*Truppen etc*). – **II** *v/i* in ein Flugzeug steigen, an Bord eines Flugzeugs gehen.
em·ploy [em'plɔi; im-] **I** *v/t* **1.** (*j-n*) beschäftigen, (*j-m*) Arbeit geben. – **2.** (*Arbeiter*) an-, einstellen, einsetzen. – **3.** anwenden, verwenden, gebrauchen (in, on bei; for für, zu): to ~ stones in building; to ~ to advantage vorteilhaft anwenden, zum Vorteil gebrauchen. – **4.** (in) widmen (*dat*), hängen (an *acc*), (*Zeit*) verbringen (mit): to ~ all one's energies in s.th. einer Sache seine ganze Kraft widmen. – **II** *s* **5.** Dienst(e *pl*) *m*, Beschäftigung(sverhältnis *n*) *f*: in ~ beschäftigt; out of ~ ohne Beschäftigung, stellen-, arbeitslos; to be in s.o.'s ~ in j-s Dienst(en) stehen, bei j-m beschäftigt *od.* angestellt sein. – **6.** *obs. für* employment. – *SYN.* a) hire, b) *cf.* use. — **em'ploy·a·ble** *adj* **1.** arbeitsfähig. – **2.** zu beschäftigen(d). – **3.** verwendbar, anwendbar, brauchbar, verwendungsfähig. — **em'ployed** [-'plɔid] *adj* angestellt, beschäftigt, berufstätig: the ~ die Angestellten. — **em·ploy·ee** [ˌemplɔi'iː; *Am. auch* im'plɔiiː], *selten* **em·ploy·é, em·ploy·e** [*Br.* ɔm'plɔiei; *Am.* im'plɔiiː *od.* ˌemplɔi'iː] *s* Arbeitnehmer (-in), Angestellte(r), Arbeiter(in), Lohn- *od.* Gehaltsempfänger(in): the ~s das Personal, die Angestellten, die Arbeitnehmer(schaft). — **em'ploy·er** *s* **1.** Arbeitgeber(in), Unter'nehmer(in), Dienstherr(in): organization of ~s, ~'s association Arbeitgeber-, Unternehmerverband. – **2.** *econ.* Auftraggeber(in), Kommit'tent(in).
em·ploy·er's li·a·bil·i·ty *s econ.* Unfallhaftpflicht *f* des Arbeitgebers. — **~ in·sur·ance** *s econ.* Betriebshaftpflichtversicherung *f.*
em·ploy·ment [em'plɔimənt; im-] *s* **1.** Beschäftigung *f*, Arbeit *f*, (An)Stellung *f*, Dienst-, Arbeitsverhältnis *n*, Dienst *m*: to be in (full) ~ (voll)beschäftigt sein; to seek ~ Beschäftigung suchen; out of ~ stellen-, arbeitslos; ~ agency → ~ bureau. – **2.** Beschäftigung *f*, Ein-, Anstellung *f.* – **3.** Beruf *m*, Tätigkeit *f*, Geschäft *n.* – **4.** Benützung *f*, Gebrauch *m*, Verwendung *f*, Anwendung *f.* – *SYN. cf.* work. — **~ bu·reau** *s* 'Stellenvermittlungsbüˌro *n*, Stellen-, Arbeitsnachweis *m.* — **~ ex·change** *s Br.* Arbeitsamt *n*, -vermittlung *f*, -nachweis *m.* — **~ mar·ket** *s* Arbeits-, Stellenmarkt *m.*
em·poi·son [em'pɔizn] *v/t* **1.** *fig.* a) vergiften, verderben, zersetzen, b) verbittern. – **2.** *obs.* vergiften.
em·po·ri·um [em'pɔːriəm] *pl* **-ri·ums** *od.* **-ri·a** [-riə] *s* **1.** Em'porium *n*: a) (Haupt)Handels-, Stapelplatz *m*, Handelszentrum *n*, b) Hauptmarktstadt *f*, Markt *m.* – **2.** a) *bes. humor.* (großer) Laden, b) Warenhaus *n*, Maga'zin *n.*
em·pov·er·ish [em'pɒvəriʃ; im-] → impoverish.
em·pow·er [em'pauə*r*; im-] *v/t* **1.** bevollmächtigen, ermächtigen, berechtigen (to zu). – **2.** fähig machen, befähigen (for zu). – *SYN. cf.* enable. — **em'pow·er·ment** *s* **1.** Ermächtigung *f*, Berechtigung *f.* – **2.** Befähigung *f.*
em·press ['empris] *s* **1.** Kaiserin *f.* – **2.** *fig.* (Be)Herrscherin *f*: ~ of the seas. — **~ cloth** *s* (*Art*) Me'rinostoff *m.* — **~ dow·a·ger** *s* Kaiserinwitwe *f.*
em·presse·ment [ɑ̃prɛs'mɑ̃] (*Fr.*) *s* betonte Freundlichkeit *od.* Herzlichkeit.
em·prise, em·prize [em'praiz] *s obs.* **1.** Unter'nehmen *n*, Wagnis *n.* – **2.** Kühnheit *f.*
emp·ti·ly ['emptili] *adv zu* empty. — **'emp·ti·ness** *s* **1.** Leerheit *f*, Leere *f.* – **2.** *fig.* Hohlheit *f*, Unwissenheit *f.* – **3.** Nichtigkeit *f*, (inhaltliche) Leere. – **4.** Mangel *m* (of an *dat*).
emp·tings ['emptiŋz] *s pl Am.* Hefesatz *m*) *f* (*von Bier, Most etc*).
emp·ty ['empti] **I** *adj* **1.** leer. – **2.** leer(stehend), unbewohnt, verlassen. – **3.** leer, unbefrachtet, unbeladen. – **4.** (of) leer (an *dat*), bar (*gen*): ~ of joy freudlos, jeder Freude bar; to be ~ of s.th. einer Sache entbehren *od.* ermangeln. – **5.** *fig.* leer, nichtig, nichtssagend, eitel, inhaltslos, hohl: ~ talk leeres *od.* hohles Gerede. – **6.** *colloq.* hungrig, nüchtern: on an ~ stomach auf nüchternen Magen. – *SYN.* a) blank, vacant, vacuous, void, b) *cf.* vain. – **II** *v/t* **7.** (*Gefäß*) (aus)leeren, entleeren, leer machen. – **8.** (*Glas*) leeren, austrinken. – **9.** (*Haus etc*) (aus)räumen. – **10.** schütten, leeren: to ~ water out of a pot Wasser aus einem Topf gießen. – **11.** *reflex* münden, sich ergießen (*Fluß etc*): to ~ itself into the sea ins Meer münden. – **12.** entleeren, berauben (of *gen*): to ~ s.th. of sense etwas des Sinnes berauben. – **III** *v/i* **13.** leer werden, sich leeren. – **14.** sich ergießen, münden. – **IV** *s* **15.** *pl econ.* 'Leergut *n*, -materiˌal *n.* — **'~-'hand·ed** *adj* mit leeren Händen. — **'~-'head·ed** *adj fig.* hohlköpfig, dumm.
emp·ty·ing ['emptiiŋ] *s* Leermachen *n*, Entleeren *n*, Entleerung *f.*
emp·ty weight *s aer.* Eigen-, Leergewicht *n.*
em·pur·ple [em'pəːrpl] *v/t* purpurrot färben.
em·py·e·ma [ˌempi'iːmə; -pai-] *pl* **-ma·ta** [-mətə] *s med.* Empy'em *n*, Eiteransammlung *f.* — **ˌem·py'e·mic** *adj* empyema'tös. — **ˌem·py'e·sis** [-sis] *s* Pustelbildung *f.*
em·pyr·e·al [em'pi(ə)riəl; -'pai(ə)r-; ˌempi'riːəl; -pai-] *adj* **1.** *philos. relig.* empy'reisch. – **2.** empy'reisch, himmlisch, Himmels... – **3.** von reinstem Feuer *od.* Licht. — **ˌem·py're·an I** *s* **1.** *antiq. philos.* Empy'reum *n*, Feuer-, Lichthimmel *m*, höchster Himmel (*bei den antiken Naturphilosophen die oberste Weltgegend*). – **2.** Firma'ment *n*, Himmel *m.* – **3.** Weltall *n.* – **II** *adj* → empyreal.
e·mu ['iːmjuː] *s zo.* Emu *m* (*Dromiceius novae-hollandiae u. D. irroratus; austral. Strauß*).
em·u·late I *v/t* ['emjuˌleit; -jə-] **1.** wetteifern mit, nacheifern (*dat*). – **2.** nachahmen (*acc*), es gleichtun (*dat*): to ~ s.o. es j-m gleichtun. – **II** *adj* [-lit] *obs. für* emulous. — **ˌem·u'la·tion** *s* **1.** Wetteifer *m*: in ~ of s.o. j-m nacheifernd. – **2.** *obs.* Eifersucht *f*, Neid *m.* — **'em·uˌla·tive** *adj* nacheifernd: to be ~ of s.o. j-m nacheifern. — **'em·uˌla·tor** [-tə*r*] Nacheiferer *m.*
e·mul·gent [i'mʌldʒənt] *med.* **I** *adj* reinigend. – **II** *s* Reinigungsmittel *n*, gallen- u. u'rintreibendes Mittel.
em·u·lous ['emjuləs; -jə-] *adj* **1.** wetteifernd (of mit). – **2.** eifersüchtig (of auf *acc*). – **3.** eifrig strebend, begierig (of nach). – **4.** *obs.* neidisch.
e·mul·si·fi·a·bil·i·ty [iˌmʌlsiˌfaiə'biliti; -sə-; -əti] *s chem.* Emul'gierbarkeit *f.* — **e'mul·siˌfi·a·ble** *adj* emul'gierbar. — **eˌmul·si·fi'ca·tion** [-fi'keiʃən; -fə-] *s* Emul'gierung *f*, Emulsifi'zierung *f.* — **e'mul·siˌfi·er** [-ˌfaiə*r*] *s* E'mulgens *n*, Emulsi'onsmittel *n.* — **e'mul·siˌfy** [-ˌfai] *v/t u. v/i* emul'gieren, (sich) in Emulsi'on verwandeln.
e·mul·sin [i'mʌlsin] *s chem.* Emul'sin *n*, Synap'tase *f* (*β-Glucoside spaltendes Enzym*).
e·mul·sion [i'mʌlʃən] *s chem. med. phot.* Emulsi'on *f.* — **e'mul·sionˌize** → emulsify. — **e'mul·sive** [-siv] *adj* emulsi'onsartig, Emulsions... — **e'mul·soid** *s chem.* Emulsi'on *f* (*kolloider Teilchen*).
e·munc·to·ry [i'mʌŋktəri] *med.* **I** *s* 'Absonderungs-, 'Ausscheidungsorˌgan *n.* – **II** *adj* Ausscheidungs...
e·mu wren *s zo.* (*ein*) Borstenschwanz *m* (*Gattg Stipiturus; austral. Vogel*).
en [en] **I** *s* **1.** N *n*, n *n* (*Buchstabe od. Laut*). – **2.** N *n*, N-förmiger Gegenstand. – **3.** *print.* Halbgeviert *n*, 'durchschnittliche Buchstabenbreite. – **II** *adj* **4.** N-förmig, N-... – **5.** *print.* Halbgeviert...
en·a·ble [e'neibl; i'n-] *v/t* **1.** (*j-n*) berechtigen, ermächtigen: to ~ s.o. to do s.th. j-n dazu ermächtigen, etwas zu tun. – **2.** (*j-n*) befähigen, (*j-n*) in den Stand setzen, es (*j-m*) möglich machen, (*j-m*) die Mittel *od.* die Möglichkeit geben: this ~d me to come dies machte es mir möglich zu kommen. – **3.** (*etwas*) möglich machen, ermöglichen. – *SYN. cf.* empower.
en·a·bling| act, ~ stat·ute [e'neibliŋ; i'n-] *s jur. pol.* Ermächtigungsgesetz *n.*
en·act [e'nækt; i'n-] *v/t* **1.** *jur.* a) (*Gesetz*) erlassen, b) gesetzlich verfügen, verordnen, c) (*einem Parlamentsbeschluß*) Gesetzeskraft verleihen: ~ing clause Einführungsklausel. – **2.** (*Theater*) a) (*Stück*) aufführen, insze'nieren, b) (*Person, Rolle*) darstel-

len, spielen. – 3. to be ~ed *pass* stattfinden. — **en'ac·tion** → enactment. — **en'ac·tive** *adj* Verfügungs... — **en'act·ment** *s* 1. *jur.* a) Erlassen *n* (*Gesetz*), b) Erhebung *f* zum Gesetz, c) gesetzliche Verfügung *od.* Verordnung *od.* Bestimmung, Gesetz *n*, Erlaß *m.* – 2. Spiel *n*, Darstellung *f* (*Rolle*). — **en'ac·tor** [-tər] *s* 1. Gesetzgeber *m*, Verordner *m.* – 2. Darsteller *m* (*Rolle*). — **en'ac·to·ry** [-təri] *adj* Verfügungs..., Verordnungs...

en·am·el [i'næməl] **I** *s* **1.** E'mail(le *f*) *n*, Schmelzglas *n* (*auf Metallgegenständen*). – **2.** Gla'sur *f* (*auf Töpferwaren*). – **3.** E'mail- *od.* Gla'surmasse *f*. – **4.** E'mailgeschirr *n*. – **5.** (*künstlerische*) E'mailarbeit, *bes.* ˌSchmelz-, EˌmailmaIe'rei *f*. – **6.** *tech.* Lack *m*, ('Schmelz)GlaˌSur *f*, Schmelz *m.* – **7.** E'mail-, Gla'sur- *od.* Lackfläche *f*. – **8.** *med. zo.* (Zahn)Schmelz *m.* – **9.** (*Kosmetik*) (*Art*) Make-up *n* (*Creme in fester od. flüssiger Form*). – **10.** *poet.* Schmelz *m*, 'Überzug *m.* – **II** *v/t pret u. pp* **en'am·eled**, *bes. Br.* **en'amelled 11.** email'lieren, mit E'mail über'ziehen. – **12.** gla'sieren. – **13.** glänzend po'lieren *od.* lac'kieren. – **14.** in E'mail malen *od.* arbeiten. – **15.** bunt machen, mit Farben schmükken. – **16.** *obs.* schmücken. – **III** *v/i* **17.** in E'mail arbeiten *od.* malen. — **~ cell** *s med. zo.* innere Schmelzzelle, Adamanto'blast *m.* — **~ column** → enamel prism.

en·am·el·er, *bes. Br.* **en·am·el·ler** [i'næmələr] *s* Email'leur *m*, Schmelzarbeiter *m.* — **en'am·el·ing**, *bes. Br.* **en'am·el·ling** *s* Email'lierung *f*. — **en'am·el·ist**, *bes. Br.* **en'amel·list** → enameler.

en·am·el kiln *s tech.* Email'lierofen *m.*

en·am·el·ler *etc bes. Br. für* enameler *etc.*

en·am·el| paint·ing *s* EˌmailmaIe'rei *f*. — **~prism** *s med. zo.* Schmelzprisma *n* (*des Zahnschmelzes*).

en'am·el-ˌware *s* E'mailwaren *pl*, -geschirr *n*.

en·am·or, *bes. Br.* **en·am·our** [e'næmər; i'n-] *v/t meist pass* **1.** verliebt machen: to be ~ed of verliebt sein in (*acc*). – **2.** fesseln, bezaubern: to be ~ed of books auf Bücher versessen sein. — **en'am·ored**, *bes. Br.* **en'am·oured** [-ərd] *adj* **1.** verliebt (of in *acc*). – **2.** *fig.* (of) gefesselt, faszi'niert (von), 'hingezogen (zu). – *SYN.* infatuated.

en·am·our *etc bes. Br. für* enamor *etc.*

en·an·the·ma [ˌenæn'θiːmə; in-] *s med.* Enan'them *n*, innerer Ausschlag (*bes. auf einer Schleimhaut*). — **ˌen·an'them·a·tous** [-'θemətəs] *adj* Enanthem...

en·an·ti·o·path·ic [enˌæntio'pæθik; in-] *adj med.* allo'pathisch. — **enˌan·ti'op·a·thy** [-'ɒpəθi] *s* Allopa'thie *f*.

en ar·rière [ɑ̃nar'jɛːr] (*Fr.*) **1.** (nach) hinten. – **2.** im Rückstand (*Zahlung etc*).

en·ar·thro·sis [ˌenɑːr'θrousis; in-] *s med.* Enar'throse *f*, Nuß-, Kugelgelenk *n*.

e·na·tion [i'neiʃən] *s* **1.** *bot.* Auswuchs *m.* – **2.** Verwandtschaft *f* mütterlicherseits.

en a·vant [ɑ̃na'vɑ̃] (*Fr.*) vorwärts.

en bloc [en blɒk; ɑ̃] im ganzen, als Ganzes, en bloc.

en bro·chette [ɑ̃ bro'ʃet] am Spieß (*Speisen*).

en·cae·ni·a [en'siːniə; -njə; in-] *s* **1.** Gründungs-, Stiftungsfest *n.* – **2.** E~ *jährliches Gründerfest an der Universität Oxford* (*im Juni*).

en·cage [en'keidʒ; in-] *v/t* (in einen Käfig) einsperren, ein-, abschließen.

en·camp [en'kæmp; in-] **I** *v/i* **1.** (sich) lagern, ein Lager beziehen *od.* aufschlagen. – **2.** *mil.* lagern. – **II** *v/t* **3.** *mil.* ein Lager beziehen *od.* lagern lassen. — **en'camp·ment** *s mil.* **1.** Lager *n.* – **2.** Lagern *n*.

en·cap·su·late [en'kæpsjuˌleit; in-; *Am. auch* -sə-] *v/t* einkapseln, verkapseln. — **enˌcap·su'la·tion** *s* Verkapselung *f*.

en·car·nal·ize [en'kɑːrnəˌlaiz; in-] *v/t* **1.** verkörpern. – **2.** verkörperlichen, fleischlich machen.

en·car·pus [en'kɑːrpəs; in-] *pl* **-pi** [-pai] *s arch.* 'FruchtgirˌIande *f* (*am Fries*).

en·case [en'keis; in-], **en'case·ment** → incase(ment).

en·cash [en'kæʃ; in-] *v/t econ. Br.* (*Wechsel, Noten etc*) 'einkasˌsieren, -ziehen, in bar einlösen. — **en'casha·ble** *adj Br.* einlösbar. — **en'cashment** *s Br.* In'kasso *n*, 'Einkasˌsierung *f*, Barzahlung *f*.

en cas·se·role [en 'kæsəˌroul; ɑ̃ kas'rəl] en casse'role, in der Schüssel ser'viert (*Speise*).

en·caus·tic [en'kɔːstik] **I** *adj* (*Malerei*) en'kaustisch: a) eingebrannt, b) *die Enkaustik betreffend.* – **II** *s* En'kaustik *f* (*Malerei mit eingebrannten* [*Wachs*] *Farben*). — **~ paint·ing** *s* en'kaustische Male'rei. — **~ tile** *s* 'buntglaˌsierte Kachel.

en·ceinte[1] [ɑ̃'sɛ̃ːt; *Am. auch* en'seint] (*Fr.*) *adj* schwanger.

en·ceinte[2] [ɑ̃'sɛ̃ːt; *Am. auch* en'seint] (*Fr.*) *s* **1.** *mil.* En'ceinte *f*, Um'wallung *f*. – **2.** um'mauerter Stadtteil.

encephal- [ensefəl] → encephalo-.

en·ceph·a·lal·gi·a [enˌsefə'lældʒiə] *s med.* ner'vöser Kopfschmerz.

en·ce·phal·ic [ˌense'fælik; -sə-] *adj med.* Gehirn..., das Gehirn betreffend. — **enˌceph·a'lit·ic** [-fə'litik] *adj* enzepha'litisch.

en·ceph·a·li·tis [enˌsefə'laitis] *s med.* Enzepha'litis *f*, Gehirnentzündung *f*. — **~ le·thar·gi·ca** [li'θɑːrdʒikə] (*Lat.*) *s* Gehirngrippe *f*, euro'päische Schlafkrankheit.

encephalo- [ensefəlo] *Wortelement mit der Bedeutung* Gehirn.

en·ceph·a·lo·cele [en'sefəloˌsiːl] *s med.* Hirnbruch *m.* — **en'ceph·a·loˌgram** [-loˌgræm] → encephalograph 1. — **en'ceph·a·loˌgraph** [-loˌgræ(ː)f; *Br. auch* -ˌgrɑːf] *s med.* **1.** Enzephalo'gramm *n*, Röntgenaufnahme *f* des Gehirns. – **2.** Enzephalogra'phie *f*. — **enˌceph·a'log·ra·phy** [-'lɒgrəfi] *s med.* Enzephalogra'phie *f*. — **en'ceph·aˌloid** [-ˌlɔid] *adj med.* **1.** hirnähnlich. – **2.** hirngewebeähnlich. — **enˌceph·a'lo·ma** [-'loumə] *s med.* Hirntumor *m.* — **enˌceph·al·o·ma'la·ci·a** [-lomə'leiʃiə] *s med.* Gehirnerweichung *f*, Enzephalomala'zie *f*. — **enˌceph·a·loˌmy·e'li·tis** [-loˌmaiə'laitis] *s med. vet.* Enzephalomye'litis *f*, Hirn- u. Rückenmarksentzündung *f*. — **en'ceph·aˌlon** [-ˌlɒn] *pl* **-la** [-lə] *s med.* Hirn *n*, Gehirn *n.* — **enˌceph·a·lo'spi·nal** [-lo'spainl] *adj med.* zerebrospi'nal, Gehirn u. Rükkenmark betreffend.

en·ceph·a·lous [en'sefələs] *adj zo.* mit Kopf (*Mollusk*).

en·chain [en'tʃein; in-] *v/t* **1.** anketten, mit Ketten befestigen. – **2.** *fig.* fesseln, festhalten, hindern. – **3.** *fig.* (*Aufmerksamkeit*) fesseln. — **en'chainment** *s* **1.** Ankettung *f*, Fesselung *f*. – **2.** *fig.* Verkettung *f*, Kette *f* (*Ereignisse etc*).

en·chant [*Br.* en'tʃɑːnt; in-; *Am.* -'tʃæ(ː)nt] *v/t* **1.** verzaubern, ver-, behexen, verwünschen. – **2.** *fig.* bezaubern, entzücken, berücken, 'hinreißen: to be ~ed entzückt sein. – **3.** *obs.* täuschen. – *SYN. cf.* attract. — **en'chant·er** *s* Zauberer *m*, Hexenmeister *m.* — **en'chant·ing** *adj* bezaubernd, entzückend, 'hinreißend. — **en'chant·ment** *s* **1.** Verzauberung *f*, Behextheit *f*, Verwunschensein *n.* – **2.** Zauber(bann) *m.* – **3.** Zaube'rei *f*, Hexe'rei *f*. – **4.** *fig.* Zauber *m.* — **en'chant·ress** [-tris] *s* **1.** Zauberin *f*, Hexe *f*. – **2.** *fig.* bezaubernde Frau.

en·chase [en'tʃeis; in-] *v/t* **1.** (*Edelstein*) (ein)fassen. – **2.** zise'lieren, mit Me'tallstich verzieren: ~d work getriebene *od.* ziselierte Arbeit. – **3.** (*Muster*) 'eingraˌvieren (on in *acc*). – **4.** *fig.* schmücken. — **en'chas·er** *s* Zise'leur *m*, Me'tallstecher *m*, Gra'veur *m.*

en·chi·rid·i·on [ˌenkai(ə)'ridiən] *pl* **-ons, -i·a** [-ə] *s* Ench(e)i'ridion *n*, Handbuch *n*, Leitfaden *m.*

en·chon·dro·ma [ˌenkɒn'droumə; -kən-] *s med.* Enchon'drom *n*, Knorpelgeschwulst *f*. — **ˌen·chon'dro·sis** [-sis] *s med.* Enchon'drose *f*, Knorpelauswuchs *m.*

en·cho·ri·al [en'kɔːriəl], **en·chor·ic** [en'kɒrik; *Am. auch* -'kɔːr-] *adj* (ein)heimisch, en'demisch.

en·ci·na [en'siːnə] *s bot.* **1.** Kaliforn. Eiche *f* (*Quercus agrifolia*). – **2.** (*eine*) amer. Eiche (*Quercus virginiana*).

en·ci·pher [en'saifər; in-] **I** *v/t* in Ziffern schreiben, chif'frieren, verschlüsseln. – **II** *s* chif'friertes Schriftstück.

en·cir·cle [en'sɔːrkl; in-] *v/t* **1.** um'geben, um'fassen, um'schlingen, um'schließen. – **2.** einkreisen, um'zingeln. — **en'cir·cle·ment** *s* **1.** Um'fassung *f*, Um'schließung *f*. – **2.** Einkreisung *f*.

en clair [ɑ̃ 'klɛːr] (*Fr.*) *adj* in offener Sprache (*bes. von nicht chiffrierten diplomatischen Depeschen*).

en·clasp [*Br.* en'klɑːsp; in-; *Am.* -'klæ(ː)sp] *v/t* um'fassen, um'schließen.

en·clave [en'kleiv; in-] **I** *v/t* (*ein Gebiet*) einschließen, um'fassen, um'geben. – **II** *s* [*auch* 'enkleiv] En'klave *f* (*von fremdem Staatsgebiet umgebener Landesteil*). — **en'clave·ment** *s* Einschließung *f*.

en·cli·sis ['eŋklisis] *s ling.* En'klisis *f*, En'klise *f*. — **en·clit·ic** [en'klitik; in-] *ling.* **I** *adj* en'klitisch. – **II** *s* En'klitikon *n*, en'klitisches Wort. — **en'clit·i·cal·ly** *adv.*

en·close [en'klouz; in-] *v/t* **1.** (in) einschließen (in *dat od. acc*), um'geben (mit): to ~ in parentheses einklammern. – **2.** (*Land*) einfriedigen, einhegen, um'zäunen: to ~ with (*od.* in) a wall mit einer Mauer umgeben. – **3.** (*einem Brief od. Paket*) beilegen, beifügen, beischließen: I ~d a cheque in my last letter. – **4.** in sich schließen, enthalten: his letter ~d a cheque. – **5.** *math.* einschließen. – **6.** (von allen Seiten) um'geben *od.* um'ringen. — **en'closed** [-'klouzd] *adj* (*in Briefen*) an'bei, in-, beiliegend, in der Anlage: ~ please find anbei erhalten Sie.

en·clo·sure [en'klouʒər; in-] *s* **1.** Einschließung *f*. – **2.** Einfriedigung *f*, Einhegung *f*, Um'zäunung *f* (*bes. von Gemeindeland, um es zu Privateigentum zu machen*). – **3.** Bezirk *m*, Gehege *n*, eingehegtes Grundstück. – **4.** Ein-, Bei-, Anlage *f* (*Brief, Paket etc*). – **5.** Einfassung *f*, Zaun *m*, Mauer *f*.

en·clothe [en'klouð; in-] → clothe.

en·cloud [en'klaud; in-] *v/t* **1.** um'wölken. – **2.** *fig.* verdunkeln, über'schatten.

en·code [en'koud; in-] *v/t* (*Text*) verschlüsseln, chif'frieren. — **en'codement** *s* verschlüsselter Text.

en·co·mi·ast [en'koumiˌæst] *s* Lobredner *m*, Schmeichler *m.* — **enˌcomi'as·tic**, **enˌco·mi'as·ti·cal** *adj* lobend, (lob)preisend. — **enˌco·mi'as·ti·cal·ly** *adv* (*auch zu* encomiastic). — **en'co·mi·um** [-əm] *pl* **-ums**

od. **-mi·a** [-ə] *s* Lobrede *f*, -lied *n*, -preisung *f*, En'komion *n*. – *SYN.* citation, eulogy, panegyric, tribute.

en·com·pass [en'kʌmpəs; in-] *v/t* **1.** um'fassen, -'geben, -'ringen, einschließen (with mit) (*auch fig.*). – **2.** enthalten, fassen. – **3.** *obs.* über'listen. — **en'com·pass·ment** *s* Um'gebensein *n*, Einschließung *f*.

en·core [*Br.* ɔŋ'kɔː; *Am.* 'ɑŋkɔːr; ɑn-] **I** *interj* **1.** noch einmal! da capo! – **II** *s* **2.** Da'kapo(ruf *m*) *n*. – **3.** a) Wieder'holung *f* (*eines Auftritts etc*), b) Zugabe *f*: he had several ~s er mußte mehrere Zugaben geben. – **III** *v/t* **4.** (*durch Dakaporufe*) nochmals verlangen: to ~ a song. – **5.** (*j-n*) um eine Zugabe bitten: to ~ a singer.

en·coun·ter [en'kauntər; in-] **I** *v/t* **1.** (*j-m*) (feindlich) begegnen, treffen *od.* stoßen auf (*j-n*). – **2.** (feindlich) zu'sammenstoßen *od.* -treffen mit (*j-m*). – **3.** (*j-m*) entgegentreten, (*j-n*) treffen. – **4.** (*Widerstand*) finden. – **II** *v/i* **5.** sich begegnen, sich treffen, zu'sammenstoßen, streiten. – **III** *s* **6.** Zu'sammentreffen *n*, -stoß *m*, Gefecht *n*, Treffen *n*, Zweikampf *m*, Du'ell *n*. – **7.** Begegnung *f*, zufälliges Zu'sammentreffen (of, with mit). – **8.** *obs.* Begrüßung *f*, Benehmen *n* (beim Begegnen). – *SYN.* brush, skirmish.

en·cour·age [*Br.* en'kʌridʒ; in-; *Am.* -'kɔːr-] *v/t* **1.** ermutigen, aufmuntern, begeistern (to zu). – **2.** antreiben, anreizen (to zu). – **3.** (*j-n*) unter'stützen, bestärken (in in *dat*). – **4.** (*etwas*) fördern, unter'stützen, beleben. – **5** (*etwas*) verstärken, verschlimmern. — **en'cour·age·ment** *s* **1.** Ermutigung *f*, Aufmunterung *f*, Ermunterung *f*, Antrieb *m* (to für): I gave him no ~ to do so ich habe ihn nicht dazu ermutigt; by way of ~ zur Aufmunterung. – **2.** Förderung *f*, Unter'stützung *f*, Begünstigung *f*, Gunst *f*. — **en'cour·ag·ing** *adj* **1.** ermutigend. – **2.** hoffnungsvoll, vielversprechend. – **3.** entgegenkommend.

En·cra·tism ['enkrəˌtizəm] *s relig.* Enkra'tismus *m* (*Enthaltung von Fleisch, Wein u. Ehe*). — **'En·craˌtite** [-ˌtait] *s relig.* Enkra'tit *m*.

en·crim·son [en'krimzn] *v/t* hochrot färben.

en·cri·nal ['enkrinl; -'krai-], **en'crin·ic** [-'krinik], **ˌen·cri'ni·tal** [-kri'naitəl] *adj geol.* haarstern-, meerlilienartig. — **'en·cri·nite** [-nait] *s geol.* Enkri'nit *m* (*Meerlilienversteinerung*). — **ˌen·cri'nit·ic** [-'nitik] → encrinal.

en·croach [en'kroutʃ; in-] **I** *v/i* **1.** (on, upon) eingreifen (in *j-s Besitz od. Recht*), Eingriffe tun, unberechtigt eindringen (in *acc*), 'übergreifen (in, auf *acc*). – **2.** *fig.* berauben, schmälern (on, upon *acc*). – **3.** die Grenze (*des Anstandes etc*) über'schreiten. – **4.** miß'brauchen (on, upon *acc*): to ~ (up)on s.o.'s kindness j-s Güte mißbrauchen. – **5.** schmälern, beeinträchtigen (on, upon *acc*): to ~ (up)on s.o.'s rights j-s Rechte schmälern. – **6.** sich anmaßen (on, upon *acc*). – *SYN. cf.* trespass. – **II** *s obs. für* encroachment. — **en'croach·ing·ly** *adv* in anmaßender *od.* 'übergreifender Weise. — **en'croach·ment** *s* **1.** Ein-, 'Übergriff *m* (on, upon in, auf *acc*): ~ (up)on his rights Verletzung seiner Rechte. – **2.** Beeinträchtigung *f*, Anmaßung *f*. – **3.** (*das*) durch Anmaßung Erlangte. – **4.** 'Übergreifen *n*, Vordringen *n*: ~ of swamps *geogr.* Versumpfung. – **5.** *med.* all'mähliches Fortschreiten (*Krankheit*).

en·crust [en'krʌst; in-] → incrust.

en·crypt [en'kript; in-] *v/t* (*Text*) verschlüsseln. — **en'cryp·tion** *s* Verschlüsselung *f*.

en·cul·tur·a·tion [enˌkʌltʃə'reiʃən] *s sociol.* Enkulturati'on *f*.

en·cum·ber [en'kʌmbər; in-] *v/t* **1.** (*durch Belastung*) (be)hindern. – **2.** beschweren, belasten (with mit): ~ed estate belastetes Grundstück. – **3.** (*Räume*) behindernd anfüllen, über'laden. – **4.** (*Durchgang*) versperren, verschütten. – **5.** erschweren, verwickeln. — **en'cum·ber·ment** *s* Behinderung *f*, Versperrung *f*, Belastung *f*. — **en'cum·brance** *s* **1.** Belästigung *f*. – **2.** Last *f*, Belastung *f*, Hindernis *n*, Behinderung *f*, Beschwerde *f*: ~ in walking Behinderung beim Gehen. – **3.** Anhang *m* (*zu versorgende Personen*): married couple without ~ Ehepaar ohne Verpflichtungen. – **4.** *jur.* Belastung *f* (*eines Grundstücks; z. B. Hypothek*). – **5.** *mar.* Behinderung *f*, Belemmerung *f*. — **en'cum·branc·er** *s jur.* Pfand-, Hypo'thekengläubiger(in).

en·cy·cli·cal [en'siklikəl; -'sai-], *auch* **en'cy·clic I** *adj* en'zyklisch, im Kreise 'umlaufend, Rund...: encyclical letter *relig.* (päpstliche) Enzyklika. – **II** *s relig.* (päpstliche) En'zyklika.

en·cy·clo·p(a)e·di·a [enˌsaiklo'piːdiə; -lə-; in-] *s* **1.** Enzyklopä'die *f*, Konversati'onslexikon *n*. – **2.** E~ Enzyklopä'die *f* (*der franz. Enzyklopädisten unter Führung von Diderot u. d'Alembert, 1751–80*). – **3.** allgemeines Lehrbuch (*einer Wissenschaft*). — **enˌcy·clo'p(a)e·dic, enˌcy·clo'p(a)e·di·cal** *adj* enzyklo'pädisch, um'fassend, vielwissend. — **enˌcy·clo'p(a)e·dism** *s* **1.** enzyklo'pädischer Cha'rakter. – **2.** enzyklo'pädisches Wissen. – **3.** Lehren *pl* der franz. Enzyklopä'disten. — **enˌcy·clo'p(a)e·dist** *s* **1.** Verfasser *m* einer *od.* Mitarbeiter *m* an einer Enzyklopä'die. – **2.** E~ (franz.) Enzyklopä'dist *m*. – **3.** Mensch *m* mit enzyklo'pädischem Wissen. — **enˌcy·clo'p(a)e·dize** *v/t* (*Wissensstoff*) enzyklo'pädisch darstellen *od.* ordnen.

en·cyst [en'sist] *v/t zo.* in eine Kapsel *od.* Blase einschließen, ab-, einkapseln (*auch fig.*). — **ˌen·cys'ta·tion** → encystment. — **en'cyst·ed** *adj* abgekapselt, verkapselt: ~tumo(u)r *med.* Balggeschwulst. — **en'cyst·ment** *s med. zo.* Verkapselung *f*, Einkapselung *f*, Einbalgung *f*.

end[1] [end] **I** *v/t* **1.** beendigen, (be-, voll)'enden, zu Ende bringen *od.* führen, (*einer Sache*) ein Ende machen. – **2.** vernichten, töten, 'umbringen. – **3.** a) (*etwas*) beschließen, abschließen, b) (*Rest*) verbringen, zubringen: to ~ one's days in a workhouse den Lebensabend im Armenhaus verbringen. – **4.** aufrecht stellen. – **5.** ~ up auf die Schmalseite *od.* hochkant stellen. –

II *v/i* **6.** enden, endigen, aufhören, zu Ende kommen, schließen: all's well that ~s well Ende gut, alles gut; the match ~ed in a draw das Spiel ging unentschieden aus. – **7.** *auch* ~ up zu etwas führen, endigen, ausgehen, auslaufen (by, in, with damit, daß): it ~ed with (*od.* in) s.o. getting hurt schließlich führte es dazu, daß j-d verletzt wurde; to ~ in nothing (*od.* smoke) zu nichts führen, verpuffen, im Sand verlaufen; he will ~ by marrying her er wird sie schließlich heiraten. – **8.** sterben. – **9.** ~ up a) enden, sein Ende finden, landen, b) *sl.* ‚abkratzen', sterben. – *SYN. cf.* close.

III *s* **10.** (*örtlich*) Ende *n*: to begin at the wrong ~ am falschen Ende anfangen; from one ~ to another, from ~ to ~ von einem Ende zum anderen, von Anfang bis (zum) Ende. – **11.** Teil *m*, Gegend *f*: → East E~; the ~s of the earth das Ende der Welt. – **12.** Ende *n*, Endchen *n*, Rest *m*, Stück(chen) *n*: shoemaker's ~ Pechdraht; → odds 9. – **13.** *pl* Endstücke *pl*: candle ~s Kerzenstummel. – **14.** (*zeitlich*) Ende *n*, Schluß *m*: in the ~ am Ende, schließlich; ~ of the term Ablauf der Frist; to the ~ of time bis zum Ende (aller Tage); without ~ in Ewigkeit, fortwährend, endlos, immer u. ewig. – **15.** Tod *m*, Vernichtung *f*, Weltende *n*, Jüngstes Gericht: to be near one's ~ dem Tode nahe sein; you will be the ~ of me! du bringst mich noch ins Grab! – **16.** Zu'endegehen *n*, Aufhören *n*, Schluß *m*: our stores are at an ~ unsere Vorräte sind zu Ende. – **17.** Konse'quenz *f*, Resul'tat *n*, Ergebnis *n*, Folge *f*: the ~ of the matter was that die Folge war, daß. – **18.** *oft pl* Absicht *f*, (End)Zweck *m*, Ziel *n*, Nutzen *m*: the ~ justifies the means der Zweck heiligt die Mittel; to what ~? zu welchem Zweck? to gain (*od.* attain) one's ~s sein Ziel erreichen; for one's own ~ zum eigenen Nutzen; private ~s Privatinteressen; to no ~ vergebens. – **19.** *mar.* Ende *n*, Tauende *n*, -stück *n*: cable's ~ Kabelende; to give s.o. a rope's ~ j-n durchprügeln; ~ for ~ Ende für Ende, Hand über Hand. – **20.** *sport* a) (*Fußball etc*) Schlußmann *m*, Spieler, der an der Grundlinie spielt, b) (*Bowling etc*) *Teil des Spiels* (*der von einem Ende des Spielplatzes zum anderen gespielt wird*). – **21.** *tech.* Stirnseite *f*, Kopf *m*. – *SYN.* a) ending, termination, terminus, b) *cf.* intention. –

Besondere Redewendungen:

no ~ a) unendlich, überaus, b) sehr viel(e), sehr groß, unzählig; no ~ of applause *colloq.* nicht enden wollender Beifall; he is no ~ of a fool *sl.* er ist ein Vollidiot; we had no ~ of fun *colloq.* wir hatten einen Mordsspaß; no ~ disappointed *sl.* maßlos *od.* unsagbar enttäuscht; on ~ a) ohne Unterbrechung, ununterbrochen, hintereinander, b) aufrecht stehend, hochkant; for hours on ~ stundenlang; to put s.th. on its ~ etwas aufrecht *od.* hochkant hinstellen; to turn ~ for ~ (ganz) umdrehen; ~ to ~ der Länge nach, hintereinander; my hair stood on ~ mir standen die Haare zu Berge; at our ~ hier (bei uns); at your ~ *colloq.* bei Ihnen, dort, in Ihrer Stadt; to be at an ~ a) zu Ende *od.* aus sein, b) mit seinen Mitteln *od.* Kräften am Ende sein; to be at one's wits' ~ mit seinem Latein zu Ende sein, sich nicht mehr zu helfen wissen; to come to an ~ ein Ende nehmen *od.* finden, zu Ende gehen *od.* kommen, ablaufen; to come to a bad ~ ein böses Ende nehmen; to fight to the bitter ~ bis zum bitteren Ende kämpfen; to go off the deep ~ *sl.* a) seine Haut zu Markte tragen, (*etwas riskieren*), b) in Harnisch geraten, aus der Haut fahren, ‚den wilden Mann markieren' (*sich aufregen, aufbrausen*), c) den Kopf *od.* die Fassung verlieren; to have an ~ ein Ende haben *od.* nehmen; to have s.th. at one's finger's ~s etwas im Griff haben, etwas am Schnürchen können (*ausgezeichnet können od. kennen*); to keep one's ~ up a) gut abschneiden, b) seinen Mann stehen; to make both ~s meet mit seinen Einkünften auskommen, sich einrichten, sich nach der Decke strecken; to make an ~ of (*od.* put an ~ to) s.th. a) Schluß machen mit etwas, einer Sache Einhalt gebieten, b) etwas abschaffen; there's an ~ of it! Schluß damit! Punktum! → loose 3; tether 2.

end[2] [end] *v/t obs. od. dial.* (*Heu, Getreide etc*) stapeln, einfahren.
end- [end] → endo-.
end|a·but·ment *s tech.* Landpfeiler *m* (*einer Brücke*). — '~-ˌ**all** *s selten* (*das*) alles Beendende, Abschluß *m*, Schlußstrich *m*: → be-all.
en·dam·age [en'dæmidʒ; in-] *v/t* (*j-m, einer Sache*) schaden, (*j-s Ruf*) schädigen. — **en'dam·age·ment** *s* Schädigung *f*, Benachteiligung *f*.
en·da·me·ba *etc cf.* endamoeba *etc*.
en·da·moe·ba [ˌendə'miːbə] *pl* **-bas** *od.* **-bae** [-biː] *s med. zo.* ˌEnda'möbe *f*, krankheitserregende, para'sitische A'möbe (*Gattg Endamoeba*). — ˌ**en·da·moe'bi·a·sis** [-mi'baiəsis] *s med.* durch ˌEnda'möben verursachte Erkrankung. — ˌ**en·da'moe·bic** *adj med. zo.* enda'möbisch.
en·dan·ger [en'deindʒər; in-] *v/t* gefährden, in Gefahr bringen, einer Gefahr aussetzen, beeinträchtigen: to ~ a country die Sicherheit eines Landes gefährden; ~ed in Gefahr, gefährdet. — **en'dan·ger·ment** *s* **1.** Gefährdung *f*. – **2.** Gefahr *f* (to für).
'**end|-**ˌ**blown** *adj mus.* mit Endmundstück (*Flöte*): → pipe 4. — '~ˌ**brain** *s med.* Telen'cephalon *n*, Endhirn *n*. — ~ **bulb** *s biol.* Endkölbchen *n* (*an Nerven*). — ~ **cell** *s electr.* (Zu)Schalt-, Zusatzzelle *f*. — ~ **clear·ance** *s tech.* Axi'alspiel *n*. — ~ **cleared zone** *s aer.* hindernisfreie Zone (*eines Flugplatzes*).
en·dear [en'dir; in-] *v/t* **1.** (*j-n*) teuer *od.* wert *od.* lieb machen: to ~ oneself to s.o. a) j-s Zuneigung gewinnen, b) sich bei j-m lieb Kind machen. – **2.** *obs.* verteuern. – **3.** *obs.* lieben. — **en'deared** *adj* **1.** teuer, wert, lieb. – **2.** zugetan. — **en'dear·ing** *adj* **1.** teuer, wert. – **2.** zärtlich, lieblich, lockend, reizend. — **en'dear·ment** *s* **1.** a) Zuneigung *f*, Liebe *f*, b) Beliebtheit *f*. – **2.** Liebkosung *f*, Zärtlichkeit *f*, Reiz *m*: term of ~ Kosewort.
en·deav·or, *bes. Br.* **en·deav·our** [en'devər; in-] **I** *v/i* **1.** (after) sich bemühen (um), streben, trachten (nach). – **II** *v/t* **2.** (ver)suchen (to do s.th. etwas zu tun). – **3.** *obs.* erstreben, zu erlangen suchen. – *SYN. cf.* attempt. – **III** *s* **4.** Bemühung *f*, Anstrengung *f*, Bestreben *n*, eifrige Bemühung: in the ~ to do s.th. in dem Bestreben, etwas zu tun; to make every ~ sich sehr anstrengen, alles Erdenkliche versuchen; to do one's (best) ~s sich alle Mühe geben.
en·deic·tic [en'daiktik; in-] *adj* en'deiktisch, darlegend, beweisend.
en·dem·ic [en'demik] **I** *adj* **1.** *med.* en'demisch, (an bestimmten Orten *od.* bei bestimmten Völkern *etc*) vorherrschend. – **2.** örtlich, einheimisch. – **3.** *bot. zo.* en'demisch, auf ein (enges) Gebiet beschränkt. – *SYN. cf.* native. – **II** *s* **4.** *med.* en'demische Krankheit. — **en'dem·i·cal** → endemic I. — **en'dem·i·cal·ly** *adv* (*auch zu* endemic I). — **en·de·mic·i·ty** [ˌendi'misiti; -də-; -əti] → endemism. — **en·de·mi·ol·o·gy** [enˌdiːmi'ɒlədʒi; -ˌdem-] *s med.* Endemiolo'gie *f*, Wissenschaft *f* von den en'demischen Krankheiten. — **en·de·mism** ['endiˌmizəm] *s med.* En'demischsein *n*, Vorherrschen *n* an bestimmten Orten.
en·den·i·zen [en'denizn] *v/t* **1.** naturali'sieren, einbürgern, zum Bürger machen. – **2.** *fig.* einbürgern.
en·der·mic [en'dəːrmik], *auch* **en·der·mat·ic** [ˌendər'mætik] *adj med.* en-der'mal, ˌintraku'tan, auf die Haut wirkend: ~ medication endermatische Behandlung.
en·de·ron ['endəˌrɒn] *s med.* innere [Haut.]
en dés·ha·bil·lé [ɑ̃ dezabi'je] (*Fr.*) im Negli'gé, nicht angezogen.

end| game *s* Endspiel *n*. — '~ˌ**gate** *s Am.* Ladeklappe *f* (*am Lastkraftwagen*). — '~-ˌ**grain** *adj tech.* Hirnholz... — ~ **gun** *s mil.* Flügelgeschütz *n* (*einer Batterie*).
end·ing ['endiŋ] *s* **1.** Beendigung *f*, Voll'endung *f*, Abschluß *m*. – **2.** Ende *n*, Schluß *m*: the play has a tragic ~ das Stück endet tragisch. – **3.** *ling.* Endung *f*. – **4.** (Lebens)Ende *n*, Tod *m*. – *SYN. cf.* end[1].
en·dive ['endiv; -daiv] *s bot.* 'Winter-enˌdivie *f* (*Cichorium endivia*).
end·less ['endlis] *adj* **1.** *bes. math.* endlos, ohne Ende, un'endlich, grenzenlos. – **2.** sehr *od.* zu lang, langwierig. – **3.** 'ununterˌbrochen, unaufhörlich, ewig, ständig: she is an ~ talker sie redet unaufhörlich. – **4.** *tech.* endlos, geschlossen, ohne Ende: ~ screw Schraube ohne Ende, Schnecke; → band[2] 9. — '**end·less·ness** *s* Unendlichkeit *f*, Endlosigkeit *f*, Ewigkeit *f*.
end| line *s sport* Grundlinie *f*. — '~ˌ**long** *adj u. adv dial.* **1.** der Länge nach, längs, entlang. – **2.** aufrecht. — ~ **man** *s irr* **1.** *sport* Schlußmann *m*. – **2.** *Am.* letzter Mann der Reihe (*bes. bei* minstrel shows *der Clown an jedem Ende der halbkreisförmigen Aufstellung*). — '~ˌ**mill** *s tech.* Schaft-, Stirnfräser *m*. — '~·**most** [-moust] *adj selten* entferntest(er, e, es), hinterst(er, e, es).
endo- [endo] *Wortelement mit der Bedeutung* das Innere betreffend, nach Innen liegend.
en·do·blast ['endoˌblæst] *s biol.* Ento'blast *n*, inneres Keimblatt. — ˌ**en·do'blas·tic** *adj* ento'blastisch.
en·do·car·di·al [ˌendo'kɑːrdiəl], *auch* ˌ**en·do'car·diˌac** [-ˌæk] *adj med.* das innere Herz betreffend, endokardi'al: ~ cushion Endokardpolster. — ˌ**en·do·car'di·tis** [-'daitis] *s med.* Endokar'ditis *f*, Herzinnenhautentzündung *f*. — ˌ**en·do'car·di·um** [-diəm] *s med.* Endo'kard *n*, Herzinnenhaut *f*.
en·do·carp ['endoˌkɑːrp] *s bot.* Endo'karp *n* (*innere, oft harte Schicht der Fruchtwand*).
en·do·cen·tric [ˌendo'sentrik] *adj ling.* endo'zentrisch.
en·do·crane ['endoˌkrein] *s med.* Schädelinnenfläche *f*, Endo'kranium *n*.
en·do·cri·nal [ˌendo'krainl] *adj* endo'krin. — '**en·doˌcrine** [-ˌkrain] *med.* **I** *adj* **1.** mit innerer Sekreti'on, endo'krin, inkre'torisch: ~ glands endokrine Drüsen, Drüsen mit innerer Sekretion. – **II** *s* **2.** innere Sekreti'on. – **3.** endo'krine Drüse, Drüse *f* mit innerer Sekreti'on. — ˌ**en·do·cri'nol·o·gy** [-'nɒlədʒi] *s med.* 'Endokrinoloˌgie *f*, Lehre *f* von der inneren Sekreti'on. — **en·doc·ri·nous** [en'dɒkrinəs] → endocrinal.
en·do·cyst ['endoˌsist] *s zo.* Zellwand *f* (*der Polyzoen*).
en·do·derm ['endoˌdəːrm] *s* **1.** *bot.* Endo'dermis *f*, Schutzscheide *f*. – **2.** *zo.* a) innere Schicht der Keimhaut, b) inneres Deckgewebe des Verdauungstrakts. — ˌ**en·do'der·mal**, ˌ**en·do'der·mic** *adj* endo'dermisch. — ˌ**en·do'der·mis** [-mis] *s bot.* Endo'dermis *f*, Schutzscheide *f*.
en·do·en·zyme [ˌendo'enzaim; -zim], *auch* ˌ**en·do'en·zym** [-zim] *s biol.* Endoen'zym *n*, 'ZellenˌZym *n*.
en·do·gam·ic [ˌendo'gæmik], **en·dog·a·mous** [en'dɒgəməs] *adj biol.* endo'gam, sich nur innerhalb desselben Stammes verheiratend. — **en'dog·a·my** *s* Endoga'mie *f*, Verwandtenehe *f*.
en·do·gas·tric [ˌendo'gæstrik] *adj biol. med.* das Mageninnere betreffend.
en·do·gen ['endodʒen] *s bot.* Mono-ko'tyle *f*, Monokotyle'done *f*, Einkeimblättler *m*. — **en·dog·e·nous** [en'dɒdʒənəs] *adj* **1.** *bes. bot.* endo'gen, von innen her'auswachsend. – **2.** *geol.* endo'gen, im Erdinnern entstanden. — **en'dog·e·ny** *s bot.* Wachstum *n* von innen nach außen.
en·do·lymph ['endoˌlimf] *s med.* Endo'lymphe *f*, Flüssigkeit *f* des 'OhrlabyˌRinths.
en·do·me·tri·al [ˌendo'miːtriəl] *adj med.* ˌendo'metrisch, Gebärmutterschleimhaut... — ˌ**en·do·me'tri·tis** [-mi'traitis] *s med.* Gebärmutterschleimhautentzündung *f*, Endome'tritis *f*. — ˌ**en·do'me·tri·um** [-əm] *s med.* Gebärmutterschleimhaut *f*, ˌEndo'metrium *n*.
en·dom·e·try [en'dɒmitri; -mə-] *s med.* Messung *f* der inneren Tiefe *od.* des Fassungsvermögens einer Höhle.
en·do·mi·to·sis [ˌendomai'tousis; -mi-] *s biol.* Endomi'tose *f* (*Vervielfachung der normalen Chromosomenzahl durch Längsteilung von Chromosomen ohne Spindelbildung u. ohne Auflösung der Kernwand*).
en·do·morph ['endoˌmɔːrf] *s* **1.** *min.* in den Kri'stallen anderer Körper eingeschlossenes Mine'ral. – **2.** *psych.* endo'morpher (Körperbau)Typ. — ˌ**en·do'mor·phic** *adj min. psych.* endo'morph. — ˌ**en·do'mor·phism** *s* Endomor'phismus *m*. — '**en·doˌmor·phy** *s psych.* Endomor'phie *f* (*entspricht dem pyknischen Körperbau*).
'**end-'on** *adj u. adv* mit dem Ende vor-'an, (*einem Gegenstande*) zugekehrt: ~ view zugekehrte Ansicht.
en·do·par·a·site [ˌendo'pærəˌsait] *s zo.* Entopara'sit *m*, 'InnenschmaˌRotzer *m*. — ˌ**en·do·pe'rid·i·um** [-pi'ridiəm] *pl* **-i·a** [-iə] *s bot.* Balg *m*, 'Umschlag *m*, Perde *f*, innere Hüllhaut um die Sporenlager. — ˌ**en·do'phyl·lous** [-'filəs] *adj bot.* sich innerhalb eines Blattes *od.* einer Blattscheide entwickelnd. — '**en·doˌphyte** [-ˌfait] *s bot.* Endo'phyt *m*, im Inneren ihres Wirtes lebende Schma'rotzerpflanze (*bes. Pilz*). — '**en·doˌplasm** [-ˌplæzəm] *s biol.* innere Plasmaschicht, Endo'plasma *n*. — ˌ**en·do'plas·mic** *adj* Endoplasma... — '**en·doˌplast** [-ˌplæst] *s zo.* Kern *m* der Proto'zoen. — ˌ**en·do'pleu·ra** [-'plu(ə)rə] *s bot.* Endo'pleura *f*, innere Samenhaut. — ˌ**en·do'psy·chic** [-'saikik] *adj psych.* innerhalb der Psyche bestehend *od.* entstehend.
end or·gan *s med.* 'Nervenendorˌgan *n*.
en·dors·a·ble [en'dɔːrsəbl; in-] *adj econ.* indos'sierbar, gi'rierbar.
en·dorse [en'dɔːrs; in-] *v/t* **1.** a) (*Dokument etc*) auf der Rückseite beschreiben, b) (*Erklärung, Notiz*) vermerken (on auf *dat*): to ~ a licence (*Am.* license) Strafe auf einem Führerschein *etc* vermerken. – **2.** *econ.* a) (*Scheck, Wechsel etc*) indos'sieren, gi'rieren, b) *auch* ~ over (durch Indossa'ment) über'tragen *od.* -'weisen (to *j-m*), c) (*Zahlung*) auf der Rückseite des Wechsels *od.* Schecks bestätigen, d) Zinszahlung(en) vermerken auf (*einem Wechsel etc*): to ~ in blank in blanko indossieren. – **3.** (*Meinung etc*) bestätigen, bekräftigen: to ~ a decision eine Entscheidung billigen; to ~ s.o.'s opinion j-m beipflichten; to ~ s.o.'s view sich j-s Ansicht anschließen. – *SYN. cf.* approve. — ˌ**en·dor'see** [-'siː] *s econ.* Indos'sat *m*, Indossa'tar *m*, Gi'rat *m*, Gira'tar *m*, 'Wechsel-überˌnehmer *m*. — **en'dorse·ment** *s* **1.** Aufschrift *f*, Vermerk *m* (*auf der Rückseite von Dokumenten*). – **2.** *econ.* a) Giro *n*, Indossa'ment *n*, b) Zessi'on *f*, Über'tragung *f*: ~ in blank Blankogiro; ~ in full Vollgiro; ~ without recourse Giro ohne Verbindlichkeit. – **3.** *fig.*

a) Genehmigung *f*, Bestätigung *f*, Bekräftigung *f* (*Ansicht etc*), b) Billigung *f* (*Handlung*). – **4.** *econ.* Zusatz(klausel *f*) *m*, Nachtrag *m* (*Versicherungspolice*). — **en'dors·er** *s econ.* Indos'sant *m*, Gi'rant *m*, Über'trager *m*: **subsequent** ~ Nach-, Hintermann; → **preceding** 2.

en·do·sarc ['endoˌsɑːrk] *s biol.* innere Plasmaschicht, 'Endoˌplasma *n.* — **'en·doˌscope** [-ˌskoup] *s med.* Endo'skop *n* (*Instrument zur Untersuchung von Körperhöhlen*). — **en·dos·co·py** [en'dɒskəpi] *s med.* ˌEndosko'pie *f.* — **en·do·skel·e·tal** [ˌendo'skelitl; -lə-] *adj zo.* Innenskelett... — **ˌen·do'skel·e·ton** [-tn] *s zo.* inneres Ske'lett.

en·dos·mom·e·ter [ˌendɒs'mɒmitər; -mət-] *s phys.* Endosmo'meter *n.* — **ˌen·dos·mo'met·ric** [-mo'metrik] *adj* ˌendosmo'metrisch. — **ˌen·dos'mo·sic** [-'mousik] *adj phys.* endos'motisch. — **ˌen·dos'mo·sis** [-sis] *s phys.* Endos'mose *f.* — **ˌen·dos'mot·ic** [-'mɒtik] → **endosmosic.**

en·do·sperm ['endoˌspəːrm] *s bot.* Endo'sperm *n*, Nährgewebe *n* (*des Samens*). — **ˌen·do'sper·mic** *adj* Nährgewebs...

en·do·spore ['endoˌspəːr] *s* **1.** → **endosporium.** – **2.** *bot.* Endo'spore *f* (*in einer Zelle gebildet*). — **ˌen·do'spo·ri·um** [-riəm] *s bot.* In'tine *f* (*Innenhaut des Pollenkorns od. der Spore*). — **en·dos·po·rous** [en'dɒspərəs; ˌendo'spəːrəs] *adj bot.* Endosporen...

en·dos·te·al [en'dɒstiəl] *adj med.* endo'stal, im Innern des Knochens liegend. — **enˌdos·te'i·tis** [-'aitis] *s med.* En'dostentzündung *f.* — **enˌdos·te'o·ma** [-'oumə] *pl* **-ma·ta** [-mətə] *s med.* Knochentumor *m.* — **en'dos·te·um** [-əm] *s med.* En'dost *n*, Markhaut *f.* — **ˌen·dos'ti·tis** [-'taitis] → **endosteitis.** — **ˌen·dos'to·sis** [-'tousis] *s med. zo.* Verknöcherung *f* von Knorpeln.

en·do·the·ci·um [ˌendo'θiːʃiəm; -siəm] *pl* **-ci·a** [-ə] *s bot.* Endo'thecium *n*: a) Innenschicht *f* eines Staubbeutelfaches, b) inneres Gewebe der Laubmooskapsel.

en·do·the·li·al [ˌendo'θiːliəl], *auch* **ˌen·do'the·liˌoid** [-ˌəid] *adj med.* endotheli'al. — **ˌen·doˌthe·li'o·ma** [-'oumə] *pl* **-ma·ta** [-mətə] *od.* **-mas** *s med.* Endotheli'om *n*, Endo'thelgeschwulst *f.* — **ˌen·do'the·li·um** [-əm] *s med.* Endo'thel *n* (*Innenhäutchen der Lymph-, Blutgefäße etc*). — **en·doth·e·loid** [en'dɒθiˌləid] → **endothelial.**

en·do·ther·mic [ˌendo'θəːrmik], *auch* **ˌen·do'ther·mal** *adj chem.* endo'therm(isch), wärmezehrend.

en·do·tox·ic [ˌendo'tɒksik] *adj med. zo.* ˌendo'toxisch. — **ˌen·do'tox·in** [-sin] *s* ˌEndoto'xin *n.*

en·dow [en'dau; in-] *v/t* **1.** do'tieren, ausstatten, aussteuern. – **2.** stiften, gründen, subventio'nieren: **to** ~ **a professorship** eine Professur gründen. – **3.** *fig.* ausstatten, begaben. — **en'dowed** *adj* **1.** ausgestattet, do'tiert: ~ **school** durch Stiftung erhaltene Schule. – **2.** *fig.* begabt (**with** mit). — **en'dow·ment** *s* **1.** Ausstattung *f*, Aussteuer *f*: ~ **insurance**, ~ **assurance** *econ.* Aussteuerversicherung, Lebensversicherung auf den Erlebensfall. – **2.** Stiftung *f*, Dotati'on *f.* – **3.** *meist pl* Begabung *f*, Gabe *f*, Ta'lent *n.* – **4.** *oft pl relig. Am.* Vorbereitungskurs *m* für die Konfirmati'on (*in der Mormonenkirche*).

end| pa·per *s* (*Buchbinderei*) Vorsatz *m*, Vorsatzblatt *n.* — **'~ˌpiece** *s* **1.** Endstück *n*, Zipfel *m.* – **2.** (*Schneiderei*) Anstoß *m.* – **3.** *agr.* kreuzweise gepflügtes Ackerende. – **4.** Mundstück *n*, Spitze *f* (*der Tabakspfeife*). — ~ **plane** *s* Endfläche *f.* — ~ **plank** *s tech.* Kopf-, Stirnwand *f.* — ~ **plate** *s* **1.** *med.* Nervenendplatte *f.* – **2.** *tech.* Endplatte *f.* — ~ **play** *s tech.* Längsspiel *n.* — ~ **shake** *s tech.* unregelmäßige Bewegung, Schlagen *n* (*einer Welle*). — ~ **sleeve** *s electr. tech.* (Kabel)Endverschluß *m.* — ~ **stone** *s tech.* Deckstein *m.* — ~ **ta·ble** *s Am.* (kleiner) Tisch (*am Sofaende*).

en·due [en'djuː; in-; *Am. auch* -'duː] *v/t* **1.** (*Kleider etc*) anlegen, anziehen. – **2.** (be)kleiden (**with** mit, **in** in *acc*). – **3.** *fig.* begaben: **to be** ~**d with s.th.** etwas besitzen, mit etwas ausgestattet sein. – **4.** ausstatten, ausrüsten, versehen (**with** mit).

en·dur·a·ble [en'dju(ə)rəbl; in-; *Am. auch* -'du-] *adj* erträglich, leidlich.

en·dur·ance [en'dju(ə)rəns; in-; *Am. auch* -'du-] **I** *s* **1.** Dauer *f.* – **2.** Dauerhaftigkeit *f.* – **3.** Erleiden *n*, Ertragen *n*, Erdulden *n*, Aushalten *n*, Ausdauer *f*, Geduld *f*: **beyond** ~, **past** ~ unerträglich, nicht auszuhalten. – **4.** Leid(en) *n*, Erduldetes *n.* – **5.** *aer.* Maxi'malflugzeit *f* (*Flugzeug*). – **II** *adj* **6.** Dauer... — ~ **fir·ing test** *s mil.* Dauerschußbelastung *f.* — ~ **flight** *s aer.* Dauerflug *m.* — ~ **lim·it** *s tech.* Belastungsgrenze *f.* — ~ **ra·tio** *s tech.* Belastungsverhältnis *n.* — ~ **run** *s* Dauerlauf *m.* — ~ **strength** *s tech.* 'Widerstandsfähigkeit *f* (bei Belastung). — ~ **test** *s tech.* Belastungsprobe *f*, Ermüdungsversuch *m.*

en·dure [en'djur; in-; *Am. auch* -'dur] **I** *v/i* **1.** (aus-, fort)dauern, Dauer haben. – **2.** Geduld haben, ausharren, aushalten. – *SYN. cf.* **continue.** – **II** *v/t* **3.** aushalten, ertragen, erdulden, ausstehen, 'durchmachen, erfahren: **not to be** ~**d** unerträglich. – **4.** *fig.* (*nur neg*) ausstehen, leiden: **I cannot** ~ **him** ich kann ihn nicht ausstehen. – **5.** *obs.* gestatten. – *SYN. cf.* **bear**[1]. — **en'dur·ing** *adj* **1.** an-, fortdauernd, bleibend. – **2.** ausdauernd, fest. — **en'dur·ing·ness** *s* Aushalten *n*, Dauer *f.*

'endˌways, 'endˌwise *adv* **1.** mit dem Ende nach vorn *od.* nach oben *od.* zum Betrachter. – **2.** aufrecht, gerade. – **3.** hinterein'ander. – **4.** der Länge nach, von einem Ende zum anderen. – **5.** auf das Ende *od.* die Enden zu.

en·e·ma ['enimə; -nə-] *pl* **-mas** *od.* **-ma·ta** [e'nemətə] *s med.* **1.** Enema *n*, Kli'stier *n*, Einlauf *m*, Irrigati'on *f.* – **2.** Darm-, Kli'stierspritze *f.*

en·e·my ['enimi; -nə-] **I** *s* **1.** *mil.* Feind *m*: **the** ~ der Feind, das feindliche Heer, Schiff *etc*, die feindliche Macht. – **2.** Gegner *m*, Feind *m*, 'Widersacher *m*, Gegenspieler *m* (**of, to** *gen*): **to be one's own** ~ sich selbst schaden *od.* im Wege stehen; **the article made him many enemies** der Artikel machte ihm viele Feinde; → **sworn** 2. – **3.** *Bibl.* a) **the E**~, **the old** ~ der böse Feind, der Teufel, b) **the** ~ der Tod. – **4.** *colloq.* Zeit *f*: **how goes the** ~ wie spät ist es? – *SYN.* **foe.** – **II** *adj* **5.** feindlich, Feindes..., Feind...: ~ **action** Feind-, Kriegseinwirkung; ~ **alien** → **alien** ~; ~ **country** Feindesland; ~ **position** *mil.* Feindstellung: ~ **property** *econ.* Feindvermögen. – **6.** *obs.* feindlich gesinnt.

en·er·ge·sis [ˌenər'dʒiːsis] *s bot.* Ener'gieerzeugung *f* innerhalb einer Pflanzenzelle.

en·er·get·ic [ˌenər'dʒetik], *auch* **ˌen·er'get·i·cal** *adj* **1.** en'ergisch, tatkräftig. – **2.** nachdrücklich, wirksam. – **3.** *tech.* ener'getisch. – *SYN. cf.* **vigorous.** — **ˌen·er'get·i·cal·ly** *adv* (*auch zu* **energetic**). — **ˌen·er'get·ics** *s pl* (*als sg konstruiert*) *phys.* Ener'getik *f* (*Lehre von der Energie*).

en·er·gic [e'nəːrdʒik] *adj phys.* Energie... — **en'er·gid** [-dʒid] *s bot.* Ener'gid *n.*

en·er·gize ['enərˌdʒaiz] **I** *v/i* **1.** (en'ergisch) wirken *od.* tätig sein, (mit Ener'gie) handeln. – **II** *v/t* **2.** (*etwas*) kräftigen *od.* kräftig machen, (*einer Sache*) Ener'gie verleihen, (*j-n*) anspornen, mit Tatkraft *od.* Leben erfüllen. – **3.** *phys. tech.* erregen, mit Ener'gie speisen *od.* versehen. – **4.** *electr.* erregen, unter Spannung *od.* Strom setzen.

en·er·gu·men [ˌenər'gjuːmen; -mən] *s* **1.** *relig. hist.* Besessene(r). – **2.** *fig.* Enthusi'ast(in), Fa'natiker(in).

en·er·gy ['enərdʒi] *s* **1.** Ener'gie *f*, Kraft *f*, Nachdruck *m*, Feuer *n*: **native** ~ lebendige Kraft; **devote your energies to this** setze deine (ganze) Kraft dafür ein. – **2.** *chem. phys.* Ener'gie *f*, (innewohnende) Kraft, Arbeitsfähigkeit *f*: **actual** (**kinetic**) ~ wirkliche (kinetische) Energie; **chemical** ~ chemische Energie; **molecular** ~ Molekularkraft; ~ **level** Energieniveau, -stufe. **3.** Ener'gie *f*, kraftvolle Tätigkeit, Wirksamkeit *f*, Entschiedenheit *f*, Tatkraft *f.* – **4.** Kraftaufwand *m*, Nachdruck *m*, Volldampf *m.* – *SYN. cf.* **power.** — ~ **range** *s phys.* Ener'giebereich *m.* — ~ **the·o·rem** *s math.* Ener'giesatz *m.*

en·er·vate I *v/t* ['enərˌveit] entnerven, -kräften, ermüden, schwächen (*auch fig.*). – *SYN. cf.* **unnerve.** – **II** *adj* [-vit] entnervt, abgespannt, kraftlos, schlaff, schwach. — **ˌen·er'va·tion** *s* **1.** Entnervung *f*, Entkräftung *f*, Schwächung *f.* – **2.** Schwäche *f*, Abgespanntheit *f.*

en·face [en'feis; in-] *v/t* **1.** (*etwas*) auf die Vorderseite (*eines Wechsels etc*) schreiben *od.* drucken. – **2.** (*Schriftstück*) auf der Vorderseite beschreiben *od.* bedrucken (**with** mit). — **en'face·ment** *s* Aufschrift *f*, Aufdruck *m*, Vermerk *m.*

en fa·mille [ɑ̃ fa'miːj] (*Fr.*) im Fa'milienkreis, (wie) zu Hause.

en·fee·ble [en'fiːbl; in-] *v/t* entkräften, schwächen. – *SYN. cf.* **weaken.** — **en'fee·ble·ment** *s* Entkräftung *f*, Schwächung *f.*

en·feoff [en'fef; -'fiːf; in-] *v/t* **1.** *jur.* (*j-n*) in den Besitz eines Lehens setzen, belehnen (**with** mit). – **2.** (*j-m etwas*) über'geben, ausliefern. — **en'feoff·ment** *s* **1.** Belehnung *f.* – **2.** Lehnbrief *m.* – **3.** Lehen *n* (*auch fig.*).

en fête [ɑ̃ 'fɛːt] (*Fr.*) *adv* festlich gekleidet.

en·fet·ter [en'fetər; in-] *v/t* fesseln (*auch fig.*).

En·field ri·fle ['enfiːld] *s mil. hist.* Enfield-Gewehr *n.*

en·fi·lade [ˌenfi'leid; -fə-] **I** *s* **1.** *mil.* Flankenfeuer *n*, Längsbestreichung *f.* – **2.** Zimmerflucht *f.* – **II** *v/t* **3.** *mil.* mit Flankenfeuer bestreichen, der Länge nach beschießen.

en·fin [ɑ̃'fɛ̃] (*Fr.*) *adv* **1.** kurz gesagt, mit einem Wort. – **2.** endlich, schließlich.

en·fleu·rage [ɑ̃flœ'raːʒ] (*Fr.*) *s Parfümherstellung aus Blumen.*

en·fold [en'fould; in-] *v/t* **1.** einhüllen (**in** in *acc*), um'hüllen (**with** mit). – **2.** *fig.* um'fassen, um'schließen. – **3.** falten.

en·force [en'fəːrs; in-] *v/t* **1.** a) (mit Nachdruck) geltend machen, zur Geltung bringen, nachdrücklich einschärfen, b) voll'strecken: **to** ~ **a judgment.** – **2.** 'durchsetzen, erzwingen: **to** ~ **obedience (up)on s.o.** von j-m Gehorsam erzwingen, sich bei j-m Gehorsam verschaffen. – **3.** (*als Zwang*) auferlegen, aufzwingen: to ~ one's will (up)on s.o. j-m seinen Willen aufzwingen. – 4. (*Forderungen etc*) geltend machen. – 5. (*dat*) Geltung verschaffen: to ~ a law ein Gesetz durchführen. – *SYN.* implement. — **en'force·a·ble** *adj* 1. 'durchsetz-, erzwingbar. – 2. geltend zu machen(d), voll'streckbar, klagbar. — **en'forced** *adj* erzwungen, aufgezwungen: ~ sale Zwangsverkauf. — **en'for·ced·ly** [-sidli] *adv* 1. notgedrungen. – 2. unter Zwang, zwangsweise, gezwungen. — **en'force·ment** *s* 1. Erzwingung *f*, Geltendmachung *f*, 'Durchsetzung *f*, -führung *f*. – 2. Voll'streckung *f*, Voll'ziehung *f*, Exekuti'on *f*, gewaltsame *od.* zwangsweise 'Durchführung: ~ by writ *jur.* Zwangsvollstreckung; ~ of a judgment Urteilsvollstreckung. – 3. Zwang *m*.

en·frame [en'freim; in-] *v/t* einrahmen, um'rahmen, einfassen. — **en'frame·ment** *s* Um'rahmung *f*.

en·fran·chise [en'fræntʃaiz; in-] *v/t* 1. (*aus der Sklaverei*) befreien, freilassen, für frei erklären. – 2. (*von Verpflichtungen etc*) befreien. – 3. (*j-m*) das Bürger- *od.* Wahlrecht erteilen *od.* verleihen, (*j-n*) einbürgern: to ~ s.o. j-n zur Wahl zulassen. – 4. (*einer Stadt*) po'litische *etc* Rechte gewähren. – 5. *fig.* einbürgern. – 6. *Br.* (*einem Ort*) Vertretung im 'Unterhaus verleihen. — **en'fran·chise·ment** [-tʃizmənt] *s* 1. Freilassung *f*, -machung *f*, Befreiung *f*. – 2. Einbürgerung *f*. – 3. a) Erteilung *f* des Bürger- *od.* Wahlrechts, b) Gewährung *f* von 'Stadtprivi,legien. – 4. *jur.* Ablösung *f* eines Lehens, 'Umwandlung *f* eines Lehnsgutes in freien Besitz.

en·gage [en'geidʒ; in-] **I** *v/t* 1. *fig.* (*Ehre etc*) verpfänden. – 2. (*durch Vertrag etc*) binden, (*j-n*) verpflichten: to ~ oneself to do s.th. sich verpflichten etwas zu tun; to ~ oneself to s.o. sich j-m verdingen *od.* verpflichten. – 3. (*meist pass od. reflex*) versprechen, verloben (to mit): ~d couple Brautpaar, Verlobte; to become (*od.* get) ~d sich verloben. – 4. (*j-n*) enga'gieren, ein-, anstellen, in Dienst nehmen, heuern, dingen: to ~ s.o. as one's secretary j-n als Sekretär(in) anstellen; to ~ oneself to s.o. bei j-m in Dienst treten; to ~ men Leute anheuern. – 5. a) (*Platz etc*) (vor'her)bestellen, b) (*etwas*) mieten, (*Zimmer*) belegen. – 6. (*meist pass*) beschäftigen (in mit): to be ~d in writing mit Schreiben beschäftigt sein; to be ~d in s.th. an etwas arbeiten; to be ~d eingeladen sein, etwas vorhaben. – 7. *selten* (*zu etwas*) bewegen, auffordern, veranlassen. – 8. *fig.* (*j-n*) verwickeln, fesseln, in Anspruch nehmen: to be deeply ~d in conversation in ein Gespräch vertieft sein. – 9. *mil.* a) (*Truppen*) einsetzen, b) (*j-n*) angreifen, c) beschießen: to ~ the enemy den Feind binden. – 10. (*Klingen*) kreuzen. – 11. *econ. mar.* bedingen. – 12. *tech.* (*Kuppelung etc*) kuppeln, einschalten, einrücken, einrasten: the clutch is ~d die Kuppelung ist im Eingriff, es ist eingekuppelt; to ~ a gear (*Auto*) einen Gang einschalten *od.* einrücken. – 13. (*Aufmerksamkeit*) auf sich ziehen, einnehmen, fesseln, (für sich) gewinnen. – 14. *arch.* a) festmachen, einfügen, einlassen, b) anbinden, verbinden. – 15. *obs.* verpfänden. – **II** *v/i* 16. Gewähr leisten, einstehen, garan'tieren. – 17. sich binden, sich verpflichten. – 18. sich einlassen (in in, auf *acc*). – 19. sich abgeben *od.* beschäftigen (in mit). – 20. *mil.* einen Kampf beginnen, angreifen, anbinden (with mit): to ~ in battle einen Kampf eröffnen. – 21. (*Fechten*) Klingen binden, Ausgangsstellung einnehmen. – 22. *tech.* inein'ander-, eingreifen (*Zahnräder etc*). – *SYN.* covenant, pledge, promise.

en·gaged [en'geidʒd; in-] *adj* 1. verpflichtet, gebunden. – 2. besetzt, beschäftigt, vergeben, nicht abkömmlich. – 3. verlobt, versprochen. – 4. verwickelt (*in einen Kampf etc*). – 5. *arch.* (*teilweise*) eingelassen. – 6. besetzt (*Telephon*), reser'viert (*Tisch*), belegt (*Zimmer*). – 7. *tech.* eingerückt, im Eingriff (*Zahnräder etc*).

en·gage·ment [en'geidʒmənt; in-] *s* 1. Verpflichtung *f*, Verbindlichkeit *f*, Versprechen *n*: to be under an ~ to s.o. j-m (gegenüber) vertraglich verpflichtet *od.* gebunden sein; ~s *econ.* Zahlungsverpflichtungen; to meet one's ~s seinen Verpflichtungen nachkommen; to enter into an ~ eine Verpflichtung eingehen; without ~ unverbindlich, freibleibend. – 2. Einladung *f*, Verabredung *f*: to have an ~ for the evening für den Abend eingeladen *od.* nicht frei sein, abends verabredet sein. – 3. Verlobung *f*, Verlöbnis *n* (to mit): to break off an ~ eine Verlobung lösen, sich entloben. – 4. Beschäftigung *f*, Stelle *f*, Posten *m*, (An)Stellung *f*. – 5. (*Theater*) Engage'ment *n*. – 6. Geschäft *n*, Beschäftigung *f*, Unter'nehmung *f*. – 7. Über'einkommen *n*, Verabredung *f*. – 8. *mil.* a) Gefecht *n*, Treffen *n*, Kampfhandlung *f*, Handgemenge *n*, b) Beschuß *m* (*eines Ziels*). – 9. (*Fechten*) Waffenkreuzen *n*, Klingenbindung *f*. – 10. *tech.* Eingriff *m*, Verzahnung *f*. – *SYN. cf.* battle. — ~ **book** *s* Merkbuch *n* (*für Verpflichtungen etc*). — ~ **ring** *s* Verlobungsring *m*.

en·gag·ing [en'geidʒiŋ; in-] **I** *adj* 1. einnehmend, gewinnend, fesselnd, anziehend, reizend. – 2. sich verpflichtend, bürgend. – 3. verpflichtend, verbindlich. – 4. *tech.* Ein- *od.* Ausrück...: ~ gear, ~ mechanism Ein- u. Ausrückvorrichtung. – **II** *s* 5. Enga'gieren *n*. — **en'gag·ing·ness** *s* einnehmendes Wesen.

en gar·çon [ɑ̃ gar'sɔ̃] (*Fr.*) wie *od.* als ein Junggeselle.

en garde [ɑ̃ 'gard] (*Fr.*) 1. auf der Hut. – 2. (*Fechten*) in Stellung! (*Kommando*).

en·gar·land [en'gɑːrlənd; in-] *v/t* (wie) mit Gir'landen schmücken, bekränzen, um'geben (with mit).

en·gen·der [en'dʒendər; in-] **I** *v/t* 1. *fig.* (*Gefühl etc*) erzeugen, her'vorbringen, -rufen. – 2. *obs.* zeugen. – *SYN.* breed, generate, procreate, propagate. – **II** *v/i* 3. entstehen. — **en'gen·der·ment** *s* Erzeugung *f*, Her'vorrufung *f*, -bringung *f*.

en·gine ['endʒin; -dʒən] **I** *s* 1. a) Ma'schine *f*, me'chanisches Werkzeug, b) *hist.* 'Wurfma,schine *f*, Sturmbock *m*, Folterwerkzeug *n*. – 2. *tech.* ('Antriebs)Ma,schine *f*, Motor *m*: → four-stroke. – 3. Lokomo'tive *f*. – 4. *tech.* Holländer *m*, Stoffmühle *f*. – 5. *fig.* Mittel *n*, Werkzeug *n*. – **II** *v/t* 6. *mar.* (*Schiff*) mit Ma'schinen versehen.

en·gine| beam *s tech.* Balanci'er *m*, Schwebebalken *m* (*Dampfmaschine*). — ~ **bed** *s tech.* Ma'schinenfunda,ment *n*. — ~ **block** *s tech.* Motorblock *m*. — ~ **bon·net** *s tech. Br.* Mo'torenhaube *f*. — ~ **break·down** *s tech.* Motorstörung *f*, -panne *f*. — ~ **build·er** *s* Ma'schinenbauer *m*. — ~ **build·ing** *s tech.* Ma'schinenbau *m*. — ~ **ca·pac·i·ty** *s tech.* Mo'toren-, Ma'schinenleistung *f*. — ~ **car** *s tech.* Ma'schinengondel *f*. — ~ **case** *s tech.* Mo'torengehäuse *n*. — ~ **com·pa·ny** *s Am.* 'Feuerwehrab,teilung *f*, Löschzug *m*. — ~ **con·trol** *s tech.* 1. Ma'schinen-, Motorsteuerung *f*. – 2. Bedienungshebel *m* (*Motor etc*). — ~ **draw·ing** *s tech.* Ma'schinenzeichnen *n*, -zeichnung *f*. — ~ **driv·er** *s* Lokomo'tivführer *m*, Maschi'nist *m*.

en·gi·neer [,endʒi'nir; -dʒə-] **I** *s* 1. Ingeni'eur *m*, Techniker *m*: → chief 6. – 2. → mechanical ~. – 3. Maschi'nist *m*. – 4. *Am.* Lokomo'tivführer *m*. – 5. *mil.* Pio'nier *m*: ~ combat battalion leichtes Pionierbataillon; ~ construction battalion schweres Pionierbataillon; ~ group Pionierregiment; ~ park Pionierpark. – 6. (*Bergbau*) a) Kunststeiger *m*, Werkmeister *m*, b) → mining ~. – 7. *colloq.* geschickter Unter'nehmer *od.* Organi'sator. – **II** *v/t* 8. (*Straßen, Brücken etc*) (er)bauen, anlegen, konstru'ieren, errichten. – 9. *bes. Am.* (*geschickt*) in Gang setzen, ('durch-, aus)führen, 'durchsetzen, -bringen, manö'vrieren. – 10. *fig.* her'beiführen, bewerkstelligen, ‚deichseln'. – *SYN. cf.* guide. – **III** *v/i* 11. als Ingeni'eur tätig sein. — **,en·gi'neer·ing** *s* 1. Bedienung *f* von Ma'schinen. – 2. Ma'schinenbau(kunst *f*) *m*, Ingeni'eurwesen *n*: railway ~ Eisenbahnbau; ~ department technische Abteilung, Konstruktionsbüro; ~ facilities technische Einrichtungen; ~ specialist Fachingenieur; → marine 3. – 3. *mil.* Pio'nierwesen *n*. – 4. *fig.* Manipulati'onen *pl*, Tricks *pl*, In'trigenspiel *n*.

en·gi·neer's chain *s* (*Landvermessung*) (Länge *f* einer) Meßkette (= *100 Fuß*).

en·gi·neer·ship [,endʒi'nirʃip; -dʒə-] *s* Tätigkeit *f od.* Stellung *f* eines Ingeni'eurs.

en·gine| fit·ter *s* Ma'schinenschlosser *m*. — ~ **frame** *s tech.* Ma'schinengestell *n*, -rahmen *m*. — ~ **fram·ing** *s tech.* Ma'schinenfunda,ment *n*. — '~,**house** *s* 1. Ma'schinenhaus *n*, Lokomo'tivschuppen *m*. – 2. (*Feuerwehr*) Spritzenhaus *n*. — ~ **lathe** *s tech.* Ma'schinendrehbank *f*. — '~·**man** [-mən] *s irr* 1. Ma'schinenwärter *m*. – 2. Spritzenmann *m*. – 3. *pl* Feuerwehr *f*. – 4. Lokomo'tivführer *m*. — ~ **mount·ing** *s tech.* Motorträger *m*, -vorbau *m*, -aufhängung *f*. — ~ **out·put** *s tech.* Ma'schinenleistung *f*. — ~ **pit** *s* (*Eisenbahn*) 1. Pumpenschacht *m*. – 2. Reinigungsgrube *f*. — ~ **room** *s* Ma'schinenraum *m*.

en·gine·ry ['endʒinri; -dʒən-; -nəri] *s* 1. *bes. fig.* Maschine'rie *f*. – 2. *collect.* (*bes.* 'Kriegs)Ma,schinen *pl*.

en·gine| shaft *s tech.* 1. Motorwelle *f*. – 2. Wasserhaltungs-, Pumpenschacht *m*. — ~ **speed** *s tech.* Motordrehzahl *f*. — ~ **torque** *s tech.* 'Motor,drehmo,ment *n*. — ~ **trou·ble** *s tech.* Motorstörung *f*, -panne *f*, -schaden *m*.

en·gi·nous ['endʒinəs; -dʒə-] *adj obs.* schlau, erfinderisch, geni'al.

en·gird [en'gəːrd; in-] *pret u. pp* **-'gird·ed** *od.* **-'girt** [-'gəːrt], **en'gir·dle** [-dl] *v/t* um'gürten, um'geben, um'schließen.

en·gla·cial [en'gleiʃəl; in-; -ʃiəl] *adj geol.* (früher) von Gletschereis um'geben.

Eng·land·er ['iŋgləndər] *s* Engländer *m* (*fast nur in*): → Little ~.

Eng·lish ['iŋgliʃ] **I** *adj* 1. englisch. – **II** *s* 2. the ~ die Engländer, das engl. Volk. – 3. *ling.* Englisch *n*, das Englische: in ~ auf englisch; the King's (*od.* Queen's) ~ korrektes, reines Englisch; in plain ~ unverblümt, 'auf gut deutsch'. – **4.** *oft* e∼ *Am.* (*Billard*) Ef'fet *n* (*gefälschter od. gezogener Stoß*). – **5.** *print.* a) Mittel *f* (*Schriftgrad; 14 Punkt*), b) Old∼ *eine gotische Schrift.* – **III** *v/t* **6.** *selten* ins Englische über'setzen, verenglischen. – **7.** (*Wort etc*) angli'sieren, einenglischen, (*dat*) engl. Form *etc* geben. – **8.** *oft* e∼ *Am.* (*Billard*) (*Kugel*) fälschen, ziehen.

Eng·lish| base·ment *s Am.* hohes Kellergeschoß. — ∼ **blue·grass** *s bot.* (*ein*) amer. Rispengras *n* (*Poa compressa*). — ∼ **bond** *s arch.* Blockverband *m.* — ∼ **Braille** *s* engl. Blindenschrift *f.* — ∼ **Church** *s* angli'kanische Kirche. — ∼ **dai·sy** *Am. für* daisy 1. — ∼ **elm** *s bot.* Feldulme *f* (*Ulmus procera*). — ∼ **gal·in·gale** *s bot.* Langes Zyperngras (*Cyperus longus*). — ∼ **gil·ly·flow·er** → carnation 1. — ∼ **haw·thorn** *s bot.* Hage-, Weiß-, Scharlachdorn *m* (*Crataegus oxyacantha*). — ∼ **horn** *s mus.* Englischhorn *n* (*auch Orgelregister*). — ∼ **inde** [ind] *s* Indigofarbe *f.* — ∼ **i·ris** *s bot.* Engl. Schwertlilie *f* (*Iris xiphioides*).

Eng·lish·ism ['iŋgliˌʃizəm] *s* **1.** Eigentümlichkeit *f* der Engländer. – **2.** Vorliebe *f* für engl. Wesen. – **3.** *ling.* Angli'zismus *m.*

Eng·lish| i·vy → ivy 1. — ∼ **maid·en·hair** *s bot.* Brauner Streifenfarn (*Asplenium trichomanes*).

Eng·lish·man ['iŋgliʃmən] *pl* **-men** [-men; -mən] *s* **1.** Engländer *m.* – **2.** *mar.* engl. Schiff *n*, Engländer *m.*

Eng·lish·man's tie *s mar.* Seemannsknoten *m.*

Eng·lish| mer·cu·ry *s bot.* Guter Heinrich (*Chenopodium bonus henricus*). — ∼ **mon·key** *s Am. gebackenes Käsegericht.* — ∼ **myr·tle** *s bot.* (*ein*) Li'guster *m* (*Ligustrum vulgare*). — ∼ **oak** *s bot.* Sommer-, Stieleiche *f* (*Quercus robur*). — ∼ **Pale** *s hist.* engl. Gebiet *n* im Ausland (*unter besonderer Verwaltung*). — ∼ **plan·tain** *s bot.* (*ein*) amer. Wegerich *m* (*Plantago lanceolata*). — ∼ **Pope** *s relig.* Papst Hadrian IV. (*Nicholas Breakspeare, 1154–59*). — ∼ **prim·rose** *s bot.* Duftender Himmelsschlüssel (*Primula veris*). — ∼ **red** *s* Englischrot *n.* — ∼ **rob·in** *s zo.* (*ein*) Rotkehlchen *n* (*Erithacus rubecula*).

Eng·lish·ry ['iŋgliʃri] *s* **1.** engl. Abkunft *f.* – **2.** *hist.* engl. Bevölkerung *f* in Irland. – **3.** *hist.* 'Engländerkoloˌnie *f.* – **4.** engl. Eigenart *f.* – **5.** (Vorliebe *f* für) engl. Wesen *n od.* Ausdrucksweise *f.*

English| rye grass *s bot.* Deutsches Weidelgras, Engl. Raigras *n* (*Lolium perenne*). — ∼ **sad·dle** *s* engl. Reitsattel *m*, Pritsche *f.* — ∼ **sea grape,** ∼ **sea grass** *s bot.* Queller *m*, Krautiger Glasschmalz (*Salicornia herbacea*). — ∼ **set·ter** *s zo.* engl. Vorstehhund *m* (*Hunderasse*). — ∼ **sonnet** *s* engl. So'nett *n* (*im Stil Shakespeares od. der Elisabethanischen Periode*). — ∼ **spar·row** *s zo.* Sperling *m*, Spatz *m.* — ∼ **talc** *s min.* Fasergips *m* ($CaSO_4 \cdot 2H_2O$). — ∼ **toy span·iel** *s zo.* Zwergspaniel *m* (*Hunderasse*). — ∼ **trea·cle** *s bot.* 'Knoblauchgaˌmander *m* (*Teucrium scordium*). — ∼ **wal·nut** *s bot. Am.* Gemeine Walnuß, Welscher Nußbaum (*Juglans regia*). — ∼ **win·ter·green** *s bot.* Wintergrün *n* (*Gattg Pirola*), *bes.* Kleines Wintergrün (*P. minor*). — '∼ˌ**wom·an** *s irr* Engländerin *f.* — ∼ **yew** *s bot.* Eibe(nbaum *m*) *f* (*Taxus baccata*).

en·glut [en'glʌt; in-] *pret u. pp* **-'glut·ted** *v/t selten* verschlingen.

en·gobe [en'goub; in-] *s chem.* 'Überzug *m*, -gußmasse *f.*

en·gorge [en'gɔːrdʒ; in-] **I** *v/t* **1.** gierig verschlingen. – **2.** *med.* verstopfen, über'füllen: to be ∼d voll *od.* verstopft sein (with von). – **II** *v/i* **3.** gierig (fr)essen. — **en'gorge·ment** *s* **1.** Über'essen *n*, -'sättigung *f.* – **2.** *med.* Über'füllung *f*, Kongesti'on *f*, Blutandrang *m.*

en·graft [*Br.* en'grɑːft; in-; *Am.* -'græ(ː)ft] *v/t* **1.** (*Pflanzen*) (ein)pfropfen (into in *acc*, upon auf *acc*). – **2.** *fig.* tief einpflanzen, einprägen, einwurzeln: to ∼ **principles in the mind** Grundsätze fest (dem Geist) einprägen. – **3.** (upon) (*etwas*) aufpfropfen (*dat*), (noch) hin'zufügen (zu). — ˌ**en·graf'ta·tion** *s* Pfropfen *n*, Einprägen *n.*

en·grail [en'greil; in-] *v/t* (*Wappen*) auszacken, einkerben, (*Münze*) rändeln, (*einer Sache*) eine Randverzierung geben. — **en'grailed** *adj* gerändelt, mit gekerbtem Rand (versehen). — **en'grail·ment** *s* Rändelung *f*, gekerbter Rand.

en·grain [en'grein; in-] *v/t* **1.** *tech.* in der Wolle *od.* tief *od.* echt färben (*auch fig.*). – **2.** (*meist als pp*) durch'dringen, -'tränken, tief einwurzeln. – **3.** *fig.* tief einpflanzen, einprägen: it is deeply ∼ed in him es ist ihm in Fleisch u. Blut übergegangen. – *SYN. cf.* infuse.

en·gram [en'græm; in-] *s* **1.** *psych.* En'gramm *n*, dauernde Einwirkung, bleibender Eindruck. – **2.** *biol.* En'gramm *n*, Reizspur *f* im Proto'plasma.

en·grave [en'greiv; in-] *pp* **-'graved,** *auch poet.* **-'grav·en** *v/t* **1.** eingraben, -schneiden, stechen, zise'lieren, gra'vieren (upon, on in, auf *acc od. dat*). – **2.** *fig.* tief einprägen: it is ∼d upon his memory es hat sich ihm tief eingeprägt. — **en'grav·er** *s* Gra'veur *m*, Zise'leur *m*, Kunststecher *m*: ∼'s burnisher Polierstahl; ∼ of music Notenstecher; ∼ on copper Kupferstecher; ∼ on (*od.* in) steel Stahlstecher; ∼ on wood Holzschneider, Xylograph. — **en'grav·ing** *s* **1.** Gra'vieren *n*, Me'tallstech-, Gra'vierkunst *f*: ∼ cylinder Bildwalze; ∼ establishment Gravieranstalt. – **2.** gra'vierte Platte, Druckplatte *f*: photographic ∼ Photogravüre. – **3.** (Kupfer-, Stahl)Stich *m*, Holzschnitt *m.*

en·gross [en'grous; in-] *v/t* **1.** *jur.* a) (*Urkunden etc*) ausfertigen, in großer *od.* deutlicher Schrift *od.* ins reine (ab)schreiben, mun'dieren, b) in gesetzlicher *od.* rechtsgültiger Form ausdrücken: to ∼ a document a) von einer Urkunde eine Reinschrift anfertigen, b) eine Urkunde aufsetzen. – **2.** *econ.* a) (*im großen*) (auf)kaufen, b) (*Markt*) monopoli'sieren, an sich reißen. – **3.** (*Besitz etc*) an sich reißen, für sich in Anspruch nehmen, monopoli'sieren. – **4.** *fig.* auf sich ziehen, sich anmaßen, ganz (für sich) in Anspruch nehmen: it ∼ed his whole attention es nahm seine ganze Aufmerksamkeit in Anspruch; to ∼ the conversation das große Wort führen, die Unterhaltung an sich reißen. — **en'grossed** *adj* (voll) in Anspruch genommen, vertieft, versunken: to be ∼ in one's work in seine Arbeit vertieft sein. – *SYN. cf.* intent[2]. — **en'gross·er** *s* **1.** Verfertiger *m* einer Reinschrift. – **2.** Verfasser *m* einer Urkunde. — **en'gross·ing** *adj* **1.** fesselnd, spannend, interes'sant. – **2.** voll(auf) beschäftigend *od.* in Anspruch nehmend. – **3.** ∼ hand Kanz'leischrift *f.* — **en'gross·ment** *s* **1.** a) Ausfertigung *f*, Ab-, Reinschrift *f* (*in großer Schrift*), (mun'dierte) Urkunde, b) Anfertigung *f* einer Reinschrift. – **2.** a) Aufkauf *m*, b) Anhäufung *f* (*Besitz*). – **3.** In'anspruchnahme *f* (of, with durch).

en·gulf [en'gʌlf; in-] *v/t* **1.** (*in einen Abgrund*) stürzen, versenken. – **2.** verschlingen. – **3.** *fig.* über'wältigen, -'schütten, (ganz u. gar) in Anspruch nehmen, begraben, hin'einziehen. — **en'gulf·ment** *s* **1.** Absturz *m*, Versenken *n*, Verschlingen *n.* – **2.** *fig.* Versunkensein *n.*

en·hance [en'hæ(ː)ns; in-; *Br. auch* -'hɑːns] **I** *v/t* **1.** (*Wert, Kraft etc*) erhöhen, vergrößern, steigern. – **2.** *econ.* (*Preise*) erhöhen, in die Höhe treiben: to ∼ the price of s.th. etwas verteuern. – **3.** *fig.* vergrößern, über'treiben. – **4.** (*Verbrechen, Strafe*) verschlimmern. – **II** *v/i* **5.** sich erhöhen *od.* vergrößern, wachsen. – **6.** steigen, wertvoller werden: to ∼ in price im Preis steigen. – *SYN. cf.* intensify. — **en'hance·ment** *s* **1.** Steigerung *f*, Verstärkung *f*, Erhöhung *f*, Vergrößerung *f*, Verteuerung *f.* – **2.** Verschlimmerung *f.* – **3.** Über'treibung *f.* — **en'han·cive** [-siv] *adj* erhöhend, vergrößernd, steigernd, verstärkend, intensi'vierend.

en·har·mon·ic [ˌenhɑːr'mɒnik] *mus.* **I** *adj* enhar'monisch. – **II** *s* enhar'monischer Ton *od.* Ak'kord. — ˌ**en·har'mon·i·cal·ly** *adv.*

en·hy·drite [en'haidrait] *s min.* wasserhaltiges Mine'ral. — ˌ**en·hy'drit·ic** [-'dritik], *auch* **en'hy·drous** *adj min.* wasserhaltig.

en·i·ac ['eniæk] *s* ENIAC (*ein elektronischer Rechenautomat; aus* electronic numerical integrator and calculator).

e·nig·ma [i'nigmə] *pl* **-mas** *s* **1.** Rätsel *n.* – **2.** rätselhafte Sache *od.* Per'son. – *SYN. cf.* mystery[1]. — **en·ig·mat·ic** [ˌenig'mætik], *auch* ˌ**en·ig'mat·i·cal** *adj* schleier-, rätselhaft, dunkel, zweideutig, geheimnisvoll, unverständlich. – *SYN. cf.* obscure. — ˌ**en·ig'mat·i·cal·ly** *adv* (*auch zu* enigmatic). — **e'nig·maˌtize I** *v/i* in Rätseln sprechen, o'rakeln. – **II** *v/t* (*etwas*) in Dunkel hüllen, verschleiern.

en·isle [e'nail; i'n-] *v/t* **1.** (*etwas*) zur Insel machen. – **2.** (*j-n*) auf einer Insel aussetzen. – **3.** *fig.* iso'lieren, (ab)trennen.

en·jamb(e)·ment [en'dʒæmmənt; in-; -'dʒæmb-] *s metr.* Enjambe'ment *n*, Versbrechung *f*, Zeilensprung *m.*

en·join [en'dʒɔin; in-] *v/t* **1.** auferlegen, zur Pflicht machen, vorschreiben: it was ∼ed on him es wurde ihm vorgeschrieben; to ∼ a conduct (up)on s.o. j-m ein Verhalten vorschreiben. – **2.** (*j-m*) auftragen, befehlen, einschärfen (to do zu tun). – **3.** bestimmen, Anweisung(en) erteilen (that daß). – **4.** *jur. bes. Am.* (durch gerichtliche Verfügung *etc*) verbieten, unter'sagen, inhi'bieren: to ∼ s.o. from doing s.th. j-m verbieten, etwas zu tun; j-n von etwas zurückhalten. – *SYN. cf.* command.

en·joy [en'dʒɔi; in-] *v/t* **1.** a) Vergnügen *od.* Gefallen finden *od.* sich erfreuen an (*dat*; doing zu tun), b) genießen, sich (*etwas*) schmecken lassen: do you ∼ this drink? schmeckt Ihnen dieses Getränk? to ∼ oneself sich amüsieren, sich gut unterhalten; he ∼s conversation er liebt die Unterhaltung. – **2.** sich (*eines Besitzes*) erfreuen, (*etwas*) haben, besitzen: to ∼ (good) credit (guten) Kredit genießen; to ∼ good health sich einer guten Gesundheit erfreuen; to ∼ a right ein Recht genießen *od.* haben; he ∼s a bad reputation er hat einen schlechten Ruf. — **en'joy·a·ble** *adj* **1.** brauch-, genießbar. – **2.** genußreich, erfreulich. — **en'joy·a·ble·ness** *s* Genuß *m.* — **en'joy·ment** *s* **1.** Genuß *m*, Vergnügen *n*, Gefallen *n*, Freude *f* (of an *dat*, to für). – **2.** Genuß *m* (*eines Besitzes od. Rechts*), Besitz *m*. – **3.** *jur.* Ausübung *f* eines Rechts. – *SYN. cf.* pleasure.

en·kin·dle [en'kindl; in-] *v/t* **1.** *fig.* entflammen, -zünden. – **2.** erleuchten.

en·lace [en'leis; in-] *v/t* **1.** (fest) um'schlingen, verstricken, verflechten. – **2.** *fig.* um'geben. — **en'lace·ment** *s* Um'schlingung *f*.

en·large [en'lɑːrdʒ; in-] **I** *v/t* **1.** erweitern, ausdehnen, ausweiten, vergrößern, erhöhen, verbreitern: **reading** ~**s the mind** Lektüre erweitert den Gesichtskreis; **to** ~ **a hole** *tech.* ein Loch aufdornen. – **2.** *phot.* vergrößern: ~**d negative** Negativvergrößerung. – **3.** *obs.* freilassen. – **II** *v/i* **4.** zunehmen, sich ausdehnen, sich erweitern, sich vergrößern. – **5.** sich (weitläufig) auslassen *od.* verbreiten (on, upon über *acc*). – **6.** a) photo'graphische Vergrößerungen anfertigen, b) sich vergrößern lassen. – *SYN. cf.* increase. — **en'larged** *adj* **1.** vermehrt, erweitert: ~ edition. – **2.** libe'ral, großzügig, weitherzig. – **3.** befreit, frei. — **en'large·ment** *s* **1.** a) Erweiterung *f*, Ausdehnung *f*, Zunahme *f*, Vergrößerung *f*, Erhöhung *f*, Verbreiterung *f* (*auch fig.*), b) Zusatz *m*, Anhang *m*, Vergrößerungs-, Anbau *m*. – **2.** *fig.* Erweiterung *f*. – **3.** *phot.* a) Vergrößern *n*, b) Vergrößerung *f*, vergrößerte Aufnahme. – **4.** *obs.* Befreiung *f*, Freilassung *f* (from aus). — **en'larg·er** *s phot.* Vergrößerungsgerät *n*. — **en'larg·ing** *adj phot.* Vergrößerungs...

en·light·en [en'laitn; in-] *v/t* **1.** *fig.* a) (*geistig*) erleuchten, aufklären, belehren, unter'richten (on, as to über *acc*), b) benachrichtigen, erklären, infor'mieren. – **2.** *Bibl.* a) (*Augen*) sehend machen, b) *fig.* (*Sinne*) erleuchten. – **3.** *poet. od. obs.* erhellen. — **en'light·ened** *adj* **1.** erleuchtet, hell. – **2.** *fig.* aufgeklärt (on über *acc*). – **3.** vorurteilsfrei. — **en'light·en·ment** *s* **1.** Erleuchten *n*, Aufklären *n*, Erleuchtung *f*, Aufklärung *f*, Aufgeklärtheit *f*. – **2.** E~ Aufklärung *f* (*geistige Strömung des 18. Jahrhunderts*): **the Age of E**~ das Zeitalter der Aufklärung.

en·link [en'liŋk; in-] *v/t* (to, with) fesseln (an *acc*, mit), verketten, fest verbinden (mit) (*auch fig.*).

en·list [en'list; in-] **I** *v/t* **1.** (*Soldaten*) anwerben: ~**ed grade** *Am.* Unteroffiziers- *od.* Mannschaftsdienstgrad; ~**ed men** *Am.* Unteroffiziere u. Mannschaften (*Gegensatz Offiziere u.* **warrant officers**). – **2.** werben, einstellen, einreihen, in Dienst stellen. – **3.** *fig.* her'anziehen, enga'gieren, zur Mitarbeit (*an einer Sache*) gewinnen: **to** ~ **s.o.'s services** j-s Dienste in Anspruch nehmen; **to** ~ **s.o. in a cause** j-n für eine Sache gewinnen. – **II** *v/i* **4.** *bes. mil.* sich anwerben lassen, Sol'dat werden, sich freiwillig (*zum Militärdienst*) melden: **to** ~ **in the Tank Corps** sich zu den Panzertruppen melden. – **5.** (in) eintreten (für), mitwirken (bei), sich beteiligen, teilnehmen (an *dat*). — **en'list·ment** *s* **1.** *mil.* (An)Werbung *f*, Einstellung *f*: ~ **allowance** *Am.* Treuprämie. – **2.** *bes. Am.* Eintritt *m* in die Ar'mee. – **3.** *Am.* (Dauer *f* der) Mili'tär-, Dienstzeit *f*. – **4.** Gewinnung *f* (*zur Mitarbeit*), Hin'zuziehung *f* (*von Helfern*). – **5.** Teilnehmerzahl *f*.

en·liv·en [en'laivn; in-] *v/t* beleben, beseelen, anfeuern, ‚ankurbeln', ermuntern, erheitern, ‚aufpulvern'. – *SYN. cf.* quicken.

en masse [en 'mæs; ɑ̃ 'mas] **1.** in der Masse, in Massen. – **2.** alle(s) zu'sammen. – **3.** als Ganzes.

en·mesh [en'meʃ; in-] *v/t* **1.** (wie) in einem Netz fangen. – **2.** *fig.* um'garnen, um-, verstricken. — **en'mesh·ment** *s* Verstrickung *f*, -wick(e)lung *f*.

en·mi·ty ['enmiti; -mə-] *s* Feindschaft *f*, -seligkeit *f*, Abneigung *f*, Haß *m*, Übelwollen *n* (of, against gegen): **to be at** ~ **with s.o.** mit j-m verfeindet sein, j-m feindlich gegenüberstehen. – *SYN.* **animosity, animus, antagonism, antipathy, hostility, ranco(u)r.**

ennea- [eniə], *auch* **enne-** [eni] *Wortelement mit der Bedeutung* neun.

en·ne·ad ['eniˌæd] *s* **1.** Gruppe *f od.* Satz *m od.* Serie *f* von 9 Per'sonen *od.* Dingen. – **2.** E~ *antiq. Gruppe von 9 ägyptischen Gottheiten.* — **ˌen·ne'ad·ic** *adj* aus 9 Teilen (bestehend).

en·no·ble [e'noubl; i(n)'n-] *v/t* **1.** adeln, in den Adelsstand erheben. – **2.** *fig.* veredeln, erhöhen. — **en'no·ble·ment** *s* **1.** Ad(e)lung *f*, Erhebung *f* in den Adelsstand. – **2.** *fig.* Veredelung *f*.

en·nui [ɑː'nwiː] **I** *s* Langeweile *f*. – **II** *v/t pret u. pp* **en'nuied** (*fast nur im pp*) langweilen. — **en·nuy·é, en·nuy·ée** [ɑ̃nɥi'je] (*Fr.*) **I** *adj* gelangweilt. – **II** *s* Gelangweilte(r).

e·nol ['iːnɒl; -noul] *s chem.* E'nol *n* (*organische Verbindung mit der Atomgruppe* —CH = C[OH]—). — **e'nol·ic** [-'nɒlik] *adj* Enol...

e·norm [i'nɔːrm] *obs. für* **enormous**. — **e'nor·mi·ty** [-miti; -mə-] *s* **1.** 'Übermäßigkeit *f*, Ungeheuerlichkeit *f*, Enormi'tät *f*. – **2.** Ab'scheulichkeit *f*, Frevel *m*, (ab'scheuliches) Verbrechen, Greuel *m*, Untat *f*. — **e'nor·mous** *adj* **1.** sehr groß, ungeheuer, e'norm, gewaltig, riesig. – **2.** ab'scheulich, unerhört, grauenhaft. – *SYN.* **colossal, gigantic, huge, immense, mammoth, vast.** — **e'nor·mous·ness** *s* **1.** 'übermäßige Größe *od.* Dicke, Monumentali'tät *f*, Kolossali'tät *f*, Riesengröße *f*, -haftigkeit *f*, Fülle *f*. – **2.** *obs.* Ungeheuerlichkeit *f*.

en·o·sis [e'nousis; 'en-] *s* Enosis *f* (*Vereinigung; Kampfruf der griech. Zyprioten*).

en·os·to·sis [ˌenɒs'tousis] *s med.* Eno'stose *f* (*innerer Knochenauswuchs*).

e·nough [i'nʌf; ə'n-] **I** *adj* ausreichend, 'hinlänglich, genug: ~ **bread, bread** ~ genug Brot; **five are** ~ fünf reichen *od.* langen *od.* sind genug; **this is** ~ (**for us**) das genügt (uns); **it is** ~ **for me to know** es genügt mir, zu wissen; **he was not man** ~ er war nicht Manns genug. – *SYN. cf.* **sufficient**. – **II** *s* Genüge *f*, *n*, genügende Menge: **to have (quite)** ~ (wahrhaftig) genug haben; **we have had (more than)** ~ **of it** wir sind *od.* haben es (mehr als) satt; ~ **of that!** genug davon! Schluß damit! bitte lassen Sie das! **to cry** ~ sich geschlagen geben, aufhören; **I had** ~ **to do to stay awake** ich hatte Mühe, wach zu bleiben; ~ **and to spare** mehr als genug, übergenug. – **III** *adv* genug, genügend, 'hinlänglich: **it's a good** ~ **story** die Geschichte ist gut genug; **he does not sleep** ~ er schläft nicht genug; **I am warm** ~ ich fühle mich warm genug; **be kind** ~ **to do this for me** sei so gut *od.* freundlich u. erledige das für mich; **safe** ~ durchaus sicher; **sure** ~ a) und richtig *od.* tatsächlich, b) freilich, gewiß; **true** ~ nur zu wahr; **he writes well** ~ a) er schreibt recht gut (*anerkennend*), b) er schreibt (zwar) ganz leidlich *od.* schön (aber ...) (*kritisierend*); **you know well** ~ **that this is untrue** Sie wissen sehr wohl *od.* ganz gut, daß das unwahr ist; **you know well** ~! tun Sie doch nicht so, als wäre Ihnen das neu! → **curiously** 2. – **IV** *interj* genug! aufhören!

e·nounce [i'nauns; iː'n-] *v/t* **1.** ankündigen, verkünden, bekanntmachen, erklären. – **2.** aussprechen, äußern. – **3.** ausdrücken, darlegen. — **e'nounce·ment** *s* **1.** Verkündung *f*. – **2.** Äußerung *f*. – **3.** Feststellung *f*, Darlegung *f*.

e·now [i'nau] *adj u. adv obs. od. dial.* genug.

en pas·sant [ɑ̃ pa'sɑ̃] (*Fr.*) **1.** en pas'sant, im Vor'beigehen (*bes. beim Schachspiel*): **to take a pawn** ~ einen Bauer en passant schlagen. – **2.** beiläufig, neben'her, en pas'sant.

en·phy·tot·ic [ˌenfai'tɒtik] *adj u. s bot.* regelmäßig an bestimmten Orten auftretend(e Pflanzenkrankheit).

en·plane [en'plein; in-] *v/i* ein Flugzeug besteigen, (in das *od.* ein Flugzeug) einsteigen.

en prise [ɑ̃ 'priːz] (*Fr.*) (*Schachspiel*) bedroht.

en·quire [en'kwair; in-], **en·quir·y** → **inquire, inquiry.**

en·rage [en'reidʒ; in-] *v/t* wütend *od.* rasend machen, erzürnen, aufbringen. — **en'raged** *adj* wütend, rasend, entrüstet: **to be** ~ **at** (*od.* **about**) **s.th.** über etwas wütend sein; **to be** ~ **with s.o.** auf j-n wütend sein. — **en'rag·ed·ness** [-idnis] *s* Erregung *f*, Wut *f*, Zorn *m*.

en·rank [en'ræŋk; in-] *v/t* ordnen, in Reihen aufstellen.

en rap·port [ɑ̃ ra'pɔːr] (*Fr.*) in (enger) Verbindung.

en·rapt [en'ræpt; in-] *adj* 'hingerissen, entzückt. — **en'rap·ture** [-tʃər] *v/t* 'hinreißen, entzücken: **to be** ~**d with** (*od.* **by**) **s.th.** von etwas hingerissen sein.

en·rav·ish [en'ræviʃ; in-] *v/t* entzücken, 'hinreißen.

en·reg·i·ment [en'redʒimənt; -dʒə-; in-] *v/t selten* in einem Regi'ment zu'sammenfassen, (*in eine Gruppe*) einreihen, organi'sieren.

en·reg·is·ter [en'redʒistər; in-] *v/t* eintragen, regi'strieren, aufzeichnen (*auch fig.*).

en rè·gle [ɑ̃ 'rɛgl] (*Fr.*) regelrecht.

en·rich [en'ritʃ; in-] *v/t* **1.** reich *od.* wertvoll machen, bereichern: **to** ~ **oneself** sich bereichern. – **2.** (*Land, Boden*) anreichern, fruchtbar(er) *od.* ertragreich(er) machen. – **3.** (*Gebäude*) (aus)schmücken, reich verzieren. – **4.** *fig.* (*einer Sache*) mehr Farbe *od.* Geschmack *od.* Gehalt geben. – **5.** *fig.* a) (*Geist*) bereichern, befruchten, b) (*Wert etc*) erhöhen, steigern. – **6.** *tech.* anreichern: ~**ed pile** (*mit radioaktivem Material*) angereicherter Meiler. – **7.** (*Nahrungsmittel*) anreichern, den Nährwert erhöhen von. — **en'rich·ment** *s* **1.** Bereicherung *f*. – **2.** Befruchtung *f*. – **3.** Verzierung *f*, Ausschmückung *f*. – **4.** *tech.* Anreicherung *f*, Aufbereitung *f*: ~ **factor** *phys.* Anreicherungsfaktor.

en·ring [en'riŋ; in-] *v/t poet.* **1.** um'ringen, um'geben. – **2.** beringen.

en·robe [en'roub; in-] *v/t* bekleiden (with, in mit; *auch fig.*).

en·rol, en·roll [en'roul; in-] *pret u. pp* **-'rolled I** *v/t* **1.** (*einen Namen in einer Liste*) einschreiben, eintragen, verzeichnen (in in *dat od. acc*). – **2.** a) *mil.* (an)werben, annehmen, (*Heer*) ausheben, b) *mar.* anmustern, c) (*Arbeiter*) einstellen: **to** ~ (**oneself**) sich einschreiben *od.* anwerben lassen; **to be** ~**ed in the artillery** bei der Artillerie eintreten. – **3.** als Mitglied aufnehmen *od.* eintragen: **to** ~ **oneself in a society** einer Gesellschaft als Mitglied beitreten. – **4.** *jur.* a) amtlich aufzeichnen, regi'strieren, gerichtlich niederschreiben, b) (*ein Dokument in gesetzmäßiger Form*) auf Perga'ment schreiben. – 5. *fig.* aufzeichnen, verewigen, ehren. – 6. in Rollen formen, einrollen. – 7. einwickeln, einschließen, um'hüllen. – **II** *v/i* 8. *ped. Am.* sich (als Schüler *od.* Stu'dent) ˌimmatriku'lieren (lassen). — **en'rol·ment, en'roll·ment** *s* 1. Eintragung *f*, Einschreibung *f.* – 2. *bes. jur.* Re'gister *n*, Doku'ment *n*, Urkunde *f*, Verzeichnis *n.* – 3. a) *mil.* Anwerbung *f*, b) *mar.* Anheuerung *f*, c) Einstellung *f.* – 4. Beitrittserklärung *f.* – 5. *ped. Am.* Zahl *f* der Stu'dierenden: **how large is your ~?** wie viele Studenten sind an Ihrer Universität?

en·root [en'ruːt; in-] *v/t* (*nur im pp*) tief *od.* fest einwurzeln: **to be deeply ~ed** fest verwurzelt sein.

en route [ɑːn 'ruːt] auf dem Wege, unter'wegs, en route.

ens [enz] *pl* **en·ti·a** ['enʃiə] (*Lat.*) *s philos.* Ens *n*, Sein *n*, (*das*) Seiende, Ding *n*, Wesen *n.*

En·sa ['ensə] *s Br. Organisation zur Freizeitgestaltung der Truppen während des Krieges* (*aus* **Entertainments National Service Association**).

en·sam·ple [en'sæ(ː)mpl; *Br. auch* -'sɑːm-] *obs. für* **example** I.

en·san·guine [en'sæŋgwin; in-] *v/t* mit Blut beflecken, blutrot färben: **~d** blutig, blutbefleckt, blutrot.

en·sconce [en'skɒns; in-] *v/t* 1. *meist reflex* verbergen, verstecken: **to ~ oneself** sich verbergen. – 2. *reflex* es sich bequem machen, sich (behaglich) niederlassen.

en·sem·ble [ɑːn'sɑːmbl; ɑ̃'sɑ̃bl] **I** *s* 1. Ganzes *n*, Gesamtheit *f*, -wirkung *f*, -eindruck *m* (*Kunstwerk etc*). – 2. *mus.* a) En'semble(spiel) *n*, b) Einklang *m*, Harmo'nie *f.* – 3. (*Theater*) En'semble *n*, Zu'sammenspiel *n.* – 4. (*Kleider*) En'semble *n*, Zu'sammenstellung *f*, Garni'tur *f*, Kom'plet *n.* – 5. *math.* Aggre'gat *n.* – **II** *adv* 6. alle(s) zu'sammen.

en·sep·ul·cher, en·sep·ul·chre [en'sepulkər; in-] *v/t* beerdigen, beisetzen.

en·shield [en'ʃiːld; in-] *adj selten* beschirmt, verborgen.

en·shrine [en'ʃrain; in-] *v/t* 1. (*in einen Schrein etc*) einschließen. – 2. (als Heiligtum) verwahren. – 3. als Schrein dienen für (*etwas*).

en·shroud [en'ʃraud; in-] *v/t* einhüllen, (ver)hüllen (*auch fig.*).

en·si·form ['ensiˌfɔːrm; -sə-] *adj bot. zo.* schwertförmig: **~ cartilage** Schaufelknorpel.

en·sign ['ensain; *bes. mar. u. mil.* -sin, -sən] *s* 1. Fahne *f*, Banner *n*, Stan'darte *f.* – 2. *mar.* (Schiffs)Flagge *f*, *bes.* Natio'nalflagge *f*: **to dip one's ~ to s.o.** vor j-m die Fahne senken. – 3. ['ensain] *Br. hist.* Fähnrich *m* (*unterster Offiziersgrad im Heer vor 1891*). – 4. *mar. Am.* Leutnant *m* zur See. – 5. Abzeichen *n* (*eines Amts od. einer Würde*), Sinnbild *n*, Kenn-, Ehrenzeichen *n.* – 6. *selten* Zeichen *n*, Merkmal *n.* – 7. *obs.* Si'gnal *n.* — **'en·sign·cy, 'en·signˌship** *s* 1. *Br. hist.* Fähnrichsrang *m.* – 2. *mar. Am.* Rang *m* eines Leutnants zur See.

en·si·lage ['ensilidʒ; -sə-] *agr.* **I** *s* 1. Aufbewahren *n od.* Einsäuerung *f* von Grünfutter in Silos. – 2. Silo-, Grünfutter *n.* – 3. Süßpreßfutter *n.* – **II** *v/t* → **ensile.** — **en·sile** [en'sail; 'ensail] *v/t agr.* (*Grünfutter*) in Silos aufbewahren, zu Süßpreßfutter bereiten.

en·slave [en'sleiv; in-] *v/t* 1. zum Sklaven machen, versklaven, knechten, unter'jochen. – 2. *fig.* binden, fesseln (to an *acc*): **to be ~d** verstrickt *od.* umgarnt sein. — **en'slave·ment** *s* 1. Sklave'rei *f*, Versklavung *f*, Unter'jochung *f*, Knechtschaft *f*, Knechtung *f.* – 2. *fig.* sklavische Bindung (to an *acc*). — **en'slav·er** *s* 1. Unter'jocher(in). – 2. Verführerin *f*, ‚Vamp' *m.*

en·snare [en'snɛr; in-] *v/t* 1. (*in einer Schlinge etc*) fangen. – 2. *fig.* ver-, bestricken, um'garnen, verführen. – *SYN. cf.* **catch.** — **en'snare·ment** *s* Verstrickung *f*, Verführung *f.*

en·sor·cell, *Am. auch* **en·sor·cel** [en'sɔːrsl; in-] *v/t* bezaubern, behexen.

en·soul [en'soul; in-] *v/t* beseelen.

en·sphere [en'sfir; in-] *v/t* 1. (kugelförmig) um'geben. – 2. runden, (*einer Sache*) Kugelform geben.

en·sta·tite ['enstəˌtait] *s min.* Ensta'tit *m* ($MgSiO_3$).

en·sue [en'sjuː; -'suː; in-] **I** *v/t* 1. *Bibl.* (*Ziel*) verfolgen, (*einem Vorbild*) nachstreben. – **II** *v/i* 2. (darauf, nach)folgen, da'nach kommen: **ensuing ages** Nachwelt; **the ensuing years** die (darauf)folgenden *od.* nächsten *od.* bevorstehenden Jahre. – 3. (er)folgen, sich ergeben (from aus, on, upon auf *acc*): **the ensuing consequences** die sich ergebenden Folgen. – *SYN. cf.* **follow.**

en suite [ɑ̃ 'sɥit] (*Fr.*) in geschlossener Folge *od.* Serie, mitein'ander verbunden: **rooms ~** Zimmerflucht.

en·sure [en'ʃur; in-] *v/t* 1. (against, from) (*etwas*, *j-n*) sichern, sicherstellen (gegen), schützen (vor *dat*): **to ~ oneself** sich sichern *od.* schützen. – 2. Gewähr leisten für, garan'tieren (that daß; s.o. being daß j-d ist): **a good conscience ~s sound sleep** ein gut(es) Gewissen ist ein sanftes Ruhekissen. – 3. sorgen für (*etwas*). – 4. *selten* a) (*etwas*) versichern, b) (*j-m etwas*) versichern. – *SYN.* **assure, insure, secure.**

en·swathe [en'sweið; in-] *v/t poet.* um'hüllen, einhüllen, um'geben. — **en'swathe·ment** *s* Einhüllung *f*, Hülle *f.*

ent- [ent] → **ento-.**

en·tab·la·ture [en'tæblətʃər] *s arch.* Hauptgesims *n*, Gebälk *n* (*über einer Säule*). — **en·ta·ble·ment** [en'teiblmənt] *s arch.* 1. → **entablature.** – 2. horizon'tale Plattform (*über dem Sockel einer Statue*).

en·tad ['entæd] *adv med. zo.* (*in Richtung*) nach innen, im *od.* zum Mittelpunkt, auf *od.* nach der Innenseite.

en·tail [en'teil; in-] **I** *v/t* 1. *jur.* (*Grundbesitz*) a) in ein unveräußerliches Erblehen verwandeln, b) in ein Fideikommiß verwandeln, als Fideikommiß vererben (on auf *acc*): **~ed estate** Erb-, Familiengut; **~ed property** unveräußerlicher Grundbesitz. – 2. *fig.* (on) (*etwas*) als unveräußerlichen Besitz verleihen (*dat*) *od.* über'tragen (auf *acc*). – 3. *fig.* (*etwas*) mit sich bringen, zur Folge haben, nach sich ziehen: **the work ~s expense** die Arbeit verursacht Kosten. – 4. (*etwas*) aufbürden, auferlegen ([up]on s.o. j-m). – 5. *obs.* zum Erben bestimmen. – **II** *s* 6. *jur.* a) 'Umwandlung *f* (*eines Grundstücks*) in ein unveräußerliches Erblehen, b) als Erblehen vererbter Grundbesitz, Erb-, Stamm-, Fa'miliengut *n*, Majo'rat *n*, c) Fideikommiß *n*, d) unveräußerliche Erbfolge: **to break the ~** das Fideikommiß auflösen. – 7. *fig.* a) (vor'herbestimmte) Nachfolgeordnung (*in einem Amt etc*), b) Über'tragung *f* von Verpflichtungen *etc*, c) unveräußerliches Erbe, d) Folge *f*, Konse'quenz *f*, Ergebnis *n.* — **en'tail·ment** *s jur.* Errichtung *f* eines Fideikommiß.

en·ta·m(o)e·ba [ˌentə'miːbə] *etc cf.* **endamoeba** *etc.*

en·tan·gle [en'tæŋgl; in-] **I** *v/t* 1. (*Haare, Garn etc*) verwirren, verfilzen, verfitzen. – 2. verwickeln, verschlingen. – 3. *fig.* (in Schwierigkeiten) verwickeln *od.* verstricken, in Verlegenheit bringen: **to ~ oneself in s.th.** sich in eine Sache verwickeln. – 4. (*j-n*) in Verruf bringen: **to become ~d with** in kompromittierende Beziehungen geraten mit. – 5. a) (*j-n*) verwirrt machen, verwirren, b) (*etwas*) verwickelt *od.* verworren machen. – **II** *v/i* 6. in Schwierigkeiten *od.* in Verlegenheit geraten. — **en'tan·gled** *adj* 1. verwickelt, verschlungen: **to get ~** hängenbleiben. – 2. *fig.* um'garnt. – 3. verwirrt, in Verlegenheit. – 4. *fig.* kompli'ziert. — **en'tan·gle·ment** *s* 1. Verwicklung *f*, Verwirrung *f* (*auch fig.*): **to unravel an ~** eine Verwirrung lösen. – 2. *fig.* Verlegenheit *f*, Hindernis *n*, Fallstrick *m.* – 3. Liebschaft *f*, Liai'son *f.* – 4. *mil.* Drahtverhau *m.*

en·ta·sis ['entəsis] *s* 1. *arch.* En'tase *f* (*Ausbauchung des Säulenschafts*). – 2. *med.* Starrkrampf *m.*

en·tel·e·chy [en'teliki; -lə-] *s philos.* Entele'chie *f*: a) zielgerichtetes Entwicklungsvermögen, b) Eigengesetzlichkeit *f.*

en·tel·lus [en'teləs] *s zo.* Hulman *m*, Hanuman *m* (*Presbytis entellus; ostindischer Affe*).

en·tente [ɑ̃'tɑ̃ːt; ɑːn'tɑːnt] *s* Bündnis *n*, En'tente *f*: **E~ Cordiale** Bündnis zwischen Frankreich u. Großbritannien (*1904*).

en·ter ['entər] **I** *v/t* 1. hin'eingehen, -kommen, -treten, -fließen in (*acc*), einfahren, -laufen, -treten, -steigen, -greifen in (*acc*), (*etwas*) betreten: **to ~ a harbo(u)r** in einen Hafen einlaufen; **to ~ a room** ein Zimmer betreten. – 2. sich begeben in (*acc*), (*etwas*) aufsuchen: **to ~ a hospital** ein Krankenhaus aufsuchen, in ein Krankenhaus (*als Patient*) gehen. – 3. sich ergießen in (*das Meer etc*). – 4. sich Eintritt erzwingen zu, eindringen *od.* einbrechen in (*acc*): **to ~ a city** *mil.* in eine Stadt eindringen *od.* einrücken. – 5. *fig.* eintreten, Mitglied werden bei: **to ~ the army (a convent)** Soldat (Nonne) werden; **to ~ s.o.'s service** in j-s Dienste treten; **to ~ a profession** einen Beruf ergreifen; **to ~ the university** die Universität *od.* Hochschule beziehen; **to ~ the war** in den Krieg eintreten. – 6. *fig.* (*etwas*) antreten, beginnen, (*Zeitabschnitt, Werk*) anfangen: **to ~ one's fiftieth year** in das fünfzigste Lebensjahr eintreten. – 7. kommen in (*den Sinn etc*): **the thought ~ed my head** mir kam der Gedanke; → **mind** 5 *u.* 8. – 8. eintreten lassen, hin'einbringen, (*Namen etc*) eintragen, (*j-n*) aufnehmen, zulassen: **to ~ one's name** sich eintragen; **the parents have ~ed the boy at ... school** die Eltern haben den Jungen auf die Warteliste der ...-Schule setzen lassen; **he was ~ed as a student of London University** er wurde an der Universität von London immatrikuliert; **to ~ s.th. into the minutes** etwas protokollieren. – 9. *econ.* (ver)buchen: **to ~ s.th. to the debit of s.o.** j-m etwas in Rechnung stellen, j-n mit etwas belasten; → **credit** 10. – 10. *econ. mar.* (*Waren beim Zollamt*) dekla'rieren, (*Schiffe*) anmelden, 'einklaˌrieren: **to ~ inwards (outwards)** die Fracht eines Schiffes bei der Einfahrt (Ausfahrt) anmelden. – 11. *jur.* (*ein Recht*) durch amtliche Eintragung wahren: **to ~ an action against s.o.** j-n verklagen. – 12. *jur. bes. Am.* Rechtsansprüche

geltend machen auf (*acc*). – **13.** (*Vorschlag*) einreichen, ein-, vorbringen: to ~ **a protest** Protest erheben *od.* einlegen, protestieren. – **14.** *hunt.* (*Tier*) anlernen, abrichten, dres'sieren. – **15.** (*Rennpferd*) nennen, anmelden. – **16.** *tech.* einfügen, -führen, -setzen, -ziehen. – **17.** eindringen in (*acc*), durch'bohren (*auch fig.*). – **18.** (*Puffspiel*) (*herausgeworfenen Stein*) wieder ins Spiel bringen. – **19.** *obs.* einweihen, einführen. – **20.** ~ **up** a) *econ.* (*Posten*) regelrecht buchen, b) *jur.* (*Urteil*) protokol'lieren (lassen). – *SYN.* penetrate, pierce, probe. – **II** *v/i* **21.** eintreten, her'ein-, hin'einkommen, -gehen, -treten: ~! herein! – **22.** *sport* sich (als Teilnehmer) anmelden: to ~ **for a race.** – **23.** (*Theater*) auftreten: E~ **a servant** ein Diener tritt auf (*Bühnenanweisung*). –
Verbindungen mit Präpositionen:
en·ter| in·to *v/t* **1.** eindringen in (*acc*). – **2.** (hin)'eingehen *od.* -treten in (*acc*) (*auch fig.*): to ~ **s.o.'s service** in j-s Dienste treten. – **3.** anfangen, beginnen, sich einlassen auf (*acc*), teilnehmen *od.* sich beteiligen an (*dat*), eingehen auf (*acc*): to ~ **an arrangement (plan)** auf einen Vergleich (Plan) eingehen; to ~ **conversation** sich an der Unterhaltung beteiligen, ein Gespräch anknüpfen; to ~ **correspondence** in Briefwechsel treten; to ~ **details** ins einzelne gehen. – **4.** sich hin'eindenken in (*acc*): to ~ **s.o.'s feelings** j-s Gefühle erfassen *od.* verstehen *od.* würdigen, mit j-m sympathisieren. – **5.** einen (wesentlichen) Bestandteil bilden von: **lead enters into the composition of pewter** Blei bildet einen wesentlichen Bestandteil im *od.* von Hartzinn. – **6.** eingehen, abschließen: to ~ **a bond** *econ.* eine Verpflichtung eingehen; → **contract** 1; **partnership** 2. — ~ **on,** ~ **up·on** *v/t* **1.** *jur.* Besitz ergreifen von, (*etwas*) in Besitz nehmen. – **2.** a) (*Thema*) anschneiden, b) eintreten *od.* sich einlassen in (*ein Gespräch etc*). – **3.** a) (*Amt*) antreten, b) beginnen: to ~ **a new phase** in ein neues Stadium treten.

enter- [entər] → entero-.

en·ter·ic [en'terik] *adj med.* Darm betreffend, Darm..., en'terisch: ~ **canal** Verdauungskanal, -rohr. — ~ **fe·ver** *s med.* ('Unterleibs)Typhus *m.*

en·ter·ing ['entəriŋ] **I** *adj* **1.** eintretend. – **2.** Eingangs..., Eintritts... – **II** *s* **3.** Eintreten *n,* Eintritt *m.* – **4.** Einzug *m.* – **5.** Antritt *m.* – **6.** Eintragung *f,* (Ver)Buchung *f.*

en·ter·i·tis [ˌentə'raitis] *s med.* Ente'ritis *f,* 'Darmkaˌtarrh *m.*

entero- [entəro] *Wortelement mit der Bedeutung* Unterleib, Darm.

en·ter·o·cele ['entəroˌsiːl] *s med.* Darmbruch *m.* — **en·ter·o·cri·nin** [ˌentəro'krainin] *s biol. chem.* Enterocri'nin *n* (*Gastrointestinalhormon, das Sekretion steigert*). — ˌ**en·ter·o·gas·'tri·tis** [-gæs'traitis] *s med.* ˌGastroente'ritis *f,* Magen-'Darm-Kaˌtarrh *m.* — ˌ**en·ter'og·e·nous** [-'rɒdʒənəs] *adj med.* entero'gen, im Darm erzeugt. — ˌ**en·ter·o'hem·or·rhage** [-'hemərid3] *s med.* Darmblutung *f.* — '**en·terˌoid** *adj med.* darmähnlich. — '**en·ter·o·lith** [-roliθ; -rə-] *s med.* Darmstein *m.* — ˌ**en·ter'ol·o·gy** [-'rɒlədʒi] *s med.* Enterolo'gie *f,* Eingeweidelehre *f.* — '**en·terˌon** [-ˌrɒn] *pl* **-ter·a** [-rə] *s med.* 'Darmkaˌnal *m.* — ˌ**en·ter'op·a·thy** [-'rɒpəθi] *s med.* Darmleiden *n.* — ˌ**en·ter·op'to·sis** [-ɒp'tousis] *s med.* Enterop'tose *f,* Eingeweidesenkung *f.* — ˌ**en·ter·o·sten'o·sis** [-roste'nousis] *s med.* 'Darmstrikˌtur *f,* -verengung *f.* — ˌ**en·ter'os·to·my** [-'rɒstəmi] *s med.* Enterosto'mie *f,* Anlegen *n* eines künstlichen Afters. — '**en·ter·oˌtome** [-roˌtoum] *s med.* Darmschere *f.* — ˌ**en·ter'ot·o·my** [-'rɒtəmi] *s med.* Darmschnitt *m,* Enteroto'mie *f.* — ˌ**en·ter·o·tox'e·mi·a** [-rotɒk'siːmiə] *s med. vet.* Septikä'mie *f,* aus dem Darm 'herrührende Blutvergiftung.

en·ter·prise ['entərˌpraiz] *s* **1.** Unter'nehmen *n,* -'nehmung *f.* – **2.** Ge'schäft(sunterˌnehmen) *n,* Betrieb *m:* **private** ~ freie Wirtschaft. – **3.** Spekulati'on *f,* Wag(e)stück *n,* Wagnis *n.* – **4.** Unter'nehmungsgeist *m,* -lust *f,* Initia'tive *f:* **a man of** ~ ein Mann mit Unternehmungsgeist. — '**en·terˌpris·ing** *adj* **1.** unter'nehmend, -'nehmungslustig. – **2.** wagemutig, kühn, verwegen.

en·ter·tain [ˌentər'tein] **I** *v/t* **1.** (*j-n*) (angenehm) unter'halten, ergötzen, belustigen: to ~ **oneself** sich unterhalten, sich amüsieren. – **2.** (*j-n*) gastlich aufnehmen, bewirten, beherbergen, als Gast bei sich sehen: **to be** ~**ed at** (*Br. auch* **to**) **dinner by s.o.** bei j-m zum Abendessen zu Gast sein; to ~ **angels unawares** außerordentliche Gäste haben, ohne es zu wissen. – **3.** (*Furcht, Verdacht, Zweifel etc*) hegen. – **4.** (*Vorschläge etc*) in Betracht *od.* Erwägung ziehen, (*einer Sache*) Raum geben, eingehen *od.* sich einlassen auf (*acc*), (*etwas im Gemüt*) bewahren: to ~ **an idea** sich mit einem Gedanken tragen. – **5.** *obs.* a) (aufrecht)erhalten, b) beibehalten, c) empfangen. – **II** *v/i* **6.** Gastfreundschaft üben, Gäste empfangen, ein gastliches Haus führen: **they** ~ **a great deal** sie haben oft Gäste. – *SYN. cf.* amuse. — ˌ**en·ter'tain·er** *s* **1.** Gastgeber *m,* Wirt *m.* – **2.** Unter'halter *m.* — ˌ**en·ter'tain·ing** *adj* unter'haltend, ergötzend, amü'sant, unter'haltsam. — ˌ**en·ter'tain·ment** *s* **1.** Unter'haltung *f,* Ablenkung *f,* Belustigung *f:* **for s.o.'s** ~ zu j-s Unterhaltung; ... **much to our** ~ ... was uns sehr amüsierte. – **2.** (*öffentliche*) Unter'haltung, Aufführung *f,* Vorstellung *f:* **a place of** ~ eine Vergnügungsstätte; ~ **tax** Lustbarkeits-, Vergnügungssteuer. – **3.** (gastliche) Aufnahme, Gastfreundschaft *f,* Bewirtung *f,* Verpflegung *f:* ~ **allowance** Aufwandsentschädigung. – **4.** Gastmahl *n,* Fest *n.* – **5.** Erwägung *f.* – **6.** *obs.* Dienst *m,* Lohn *m.*

en·thal·py [en'θælpi; 'enθəlpi] *s phys.* Enthal'pie *f.*

en·thel·min·tha [ˌenθel'minθə; -θəl-], ˌ**en·thel'min·thes** [-θiːz] *s pl med.* Eingeweidewürmer *pl.*

en·thet·ic [en'θetik] *adj med.* von außen (*durch Einimpfung*) über'tragen.

en·thrall, *auch* **en·thral** [en'θrɔːl; in-] *pret u. pp* **-'thralled** *v/t* **1.** *fig.* einnehmen, bezaubern, fesseln. – **2.** *selten* versklaven, unter'jochen. — **en'thrall·ing** *adj* fesselnd, entzückend. — **en'thrall·ment,** *auch* **en'thral·ment** *s* **1.** Fesselung *f,* Bezauberung *f.* – **2.** Unter'jochung *f.*

en·throne [en'θroun; in-] *v/t* **1.** auf den Thron setzen, (*j-n*) mit königlicher *od.* bischöflicher Gewalt bekleiden. – **2.** *relig.* (*Bischof*) einsetzen, inthroni'sieren. – **3.** *fig.* erhöhen: **to be** ~**d** thronen. — **en'throne·ment, enˌthron·i'za·tion** *s* **1.** Erhebung *f* auf den Thron. – **2.** *relig.* Einsetzung *f,* Inthronisati'on *f* (*eines Bischofs*). — **en'thron·ize** → enthrone.

en·thuse [en'θjuːz; in-; *Am. auch* -'θuːz] *colloq.* **I** *v/t* **1.** begeistern. – **II** *v/i* **2.** sich begeistern, begeistert sein *od.* werden. – **3.** schwärmen: to ~ **about s.o.** j-n umschwärmen, für j-n schwärmen. — **en'thu·siˌasm** [-ziˌæzəm] *s* **1.** Enthusi'asmus *m,* Begeisterung *f* (for für, about über *acc*). – **2.** leidenschaftliche Bewunderung, Verehrung *f.* – **3.** Ausdruck *m* der Bewunderung, Entzücken *n.* – **4.** Schwärme'rei *f.* – **5.** *obs.* Verzückung *f,* (religi'öse) Besessenheit. – *SYN. cf.* a) inspiration, b) passion. — **en'thu·siˌast** [-ziˌæst] *s* **1.** Enthusi'ast(in), Begeisterte(r), Schwärmer(in). – **2.** *obs.* Verzückte(r). — **enˌthu·si'as·tic,** *selten* **enˌthu·si'as·ti·cal** *adj* **1.** enthusi'astisch, begeistert, bewundernd, verehrend, vor Begeisterung glühend (about, at über *acc*): **he was** ~ **about it** er war davon begeistert; **he was** ~ **about her** er schwärmte von ihr. – **2.** *obs.* verzückt. — **enˌthu·si'as·ti·cal·ly** *adv* (*auch zu* enthusiastic).

en·thy·me·mat·ic [ˌenθimi'mætik; -θə-], ˌ**en·thy·me'mat·i·cal** [-kəl] *adj philos.* enthyme'matisch. — '**en·thyˌmeme** [-ˌmiːm] *s philos.* Enthymem(a) *n:* a) (*nach Aristoteles*) Beweis, der sich auf bloß wahrscheinliche Gründe stützt, b) verkürzter (logischer) Schluß.

en·tice [en'tais; in-] *v/t* **1.** (ver)locken, an-, weglocken (from von): to ~ **s.o. away** j-n abspenstig machen. – **2.** reizen, verleiten, verführen (into s.th. zu etwas): to ~ **s.o. to do** (*od.* **into doing**) **s.th.** j-n dazu verleiten, etwas zu tun. – *SYN. cf.* lure. — **en'tice·ment** *s* **1.** (Ver)Lockung *f,* (An-)Reiz *m.* – **2.** Verführung *f,* Verleitung *f.* — **en'tic·er** *s* Verführer(in). — **en'tic·ing** *adj* verlockend, verführerisch, (an)reizend.

en·tire [en'tair; in-] **I** *adj* **1.** ganz, ein Ganzes bildend, ungeteilt, völlig, vollkommen, -zählig, -ständig, kom'plett. – **2.** ganz, unversehrt, unbeschadet, unbeschädigt, unverstümmelt, unzerbrochen, unvermindert, Gesamt...: ~ **proceeds** Gesamtertrag. – **3.** nicht ka'striert: ~ **horse** Hengst. – **4.** *fig.* uneingeschränkt, ungeteilt, voll, ungeschmälert, aufrichtig: **my** ~ **affection** meine volle *od.* aufrichtige Zuneigung. – **5.** aus 'einem Stück, zu'sammenhängend. – **6.** *bot. zo.* ganzrandig. – **7.** *jur.* ungeteilt: ~ **tenancy** Pachtung in 'einer Hand. – **8.** *obs.* unvermischt. – *SYN. cf.* a) perfect, b) whole. – **II** *s* **9.** *selten für* **entirety** 1. – **10.** nicht ka'striertes Pferd, Hengst *m.* – **11.** *Br. hist.* (*Art*) Porter-, Malzbier *n.* — **en'tire·ly** *adv* **1.** völlig, gänzlich, durchaus: ~ **wrong** ganz u. gar falsch. – **2.** lediglich, bloß. — **en'tire·ness** → **entirety** 1. — **en'tire·ty** *s* **1.** (*das*) Ganze, Ganzheit *f,* Vollständigkeit *f,* Unversehrtheit *f,* Ungeteiltheit *f:* **in its** ~ in seiner Gesamtheit, als (ein) Ganzes. – **2.** *jur.* ungeteilter Besitz eines Grundstücks: **to have land by entireties** Land mit anderen gemeinsam als ungeteilten Besitz haben.

en·ti·ta·tive ['entiˌteitiv; -təˌt-] *adj* **1.** wirklich vor'handen, bestehend. – **2.** *philos.* wesentlich, das Wesen betreffend.

en·ti·tle [en'taitl; in-] *v/t* **1.** (*Buch etc*) betiteln, benennen. – **2.** (*j-n*) titu'lieren, mit einem Titel anreden. – **3.** (*j-n*) berechtigen, (*j-m*) einen Rechtstitel *od.* berechtigten Anspruch geben (to auf *acc*): **to be** ~**d to s.th.** einen (Rechts)Anspruch haben auf etwas, zu etwas berechtigt sein: **to be** ~**d to do s.th.** dazu berechtigt sein *od.* das Recht haben, etwas zu tun. — **en'ti·tle·ment** *s* **1.** Betitelung *f,* Bezeichnung *f.* – **2.** zustehende Menge; Betrag, auf den man (berechtigten) Anspruch hat.

en·ti·ty ['entiti; -təti] *s philos.* **1.** Dasein *n,* Wesen *n,* Enti'tät *f* (*scholasti-*

scher Begriff der Wesenheit). – **2.** (re'ales) Ding, Gebilde *n.* – **3.** Wesenheit *f.*
ento- [ento] *Wortelement mit der Bedeutung* inner(er, e, es).
en·to·blast ['ento,blæst; -tə-] *s biol.* Ento'blast *n*, -'derm *n*, inneres Keimblatt. — **,en·to'blas·tic** *adj* ento'blastisch. — **'en·to,cele** [-,siːl] *s med.* innerer Bruch, Entero'cele *f.* — **'en·to,derm** [-,dəːrm] *etc cf.* endoderm *etc.* — **,en·to-'ec·tad** [-'ektæd] *adv* von innen nach außen.
en·toil [en'tɔil; in-] *v/t obs.* ver-, um'wickeln.
en·tomb [en'tuːm; in-] *v/t* **1.** begraben, beerdigen, bestatten. – **2.** (wie) in ein Grab aufnehmen. – **3.** verschütten, le'bendig begraben. – **4.** einschließen *od.* vergraben (in in *dat od. acc*). — **en'tomb·ment** *s* Begräbnis *n*, Beerdigung *f.*
en·tom·ic [en'tɒmik], **en'tom·i·cal** [-kəl] *adj zo.* In'sekten betreffend, entomo'logisch.
entomo- [entomo; -tə-] *Wortelement mit der Bedeutung* Insekt.
en·to·mog·e·nous [,ento'mɒdʒənəs; -tə-] *adj bot.* auf *od.* in In'sekten wachsend (*Pilz*).
en·to·mo·log·ic [,entəmə'lɒdʒik], **,en·to·mo'log·i·cal** [-kəl] *adj* entomo'logisch. — **,en·to·mo'log·i·cal·ly** *adv* (*auch zu* entomologic). — **,en·to'mol·o·gist** [-'mɒlədʒist] *s* Entomo'log(e) *m*, In'sektenkundiger *m*, -kenner *m.* — **,en·to'mol·o,gize** *v/i* **1.** In'sektenkunde stu'dieren. – **2.** In'sekten sammeln. — **,en·to'mol·o·gy** *s* Entomolo'gie *f*, In'sektenkunde *f*, -lehre *f.*
en·to·moph·a·gous [,entə'mɒfəgəs] *adj* in'sektenfressend. — **,en·to'moph·i·lous** [-filəs] *adj bot.* ento'mo'phil, durch In'sekten bestäubt (*Pflanze*).
,en·to'mos·tra·can [,entə'mɒstrəkən] **I** *adj* zu den niederen Krebsen gehörig. – **II** *s* niederer Krebs (*Unterklasse Entomostraca*). — **,en·to'mos·tra·cous** → entomostracan I.
en·to·phy·tal [,entə'faitl] → entophytic. — **'en·to,phyte** [-,fait] *s bot.* im Inneren (*ihres Wirts*) lebende Schma'rotzerpflanze (*bes. Pilze*). — **,en·to'phyt·ic** [-'fitik] *adj* Innenschmarotzer...
en·top·ic [en'tɒpik] *adj med. zo.* en'topisch, an der üblichen Stelle vorkommend.
en·to·plasm ['ento,plæzəm; -tə-] → endoplasm.
ent·op·tic [en'tɒptik] *adj med. zo.* ent'optisch, das Augeninnere betreffend. — **ent'or·gan,ism** [-'tɔːrgə,nizəm] *s zo.* 'Innenpara,sit *m.* — **ent'o·tic** [-'toutik; -'tɒtik] *adj med.* en'totisch, das Innenohr betreffend.
en·tou·rage [,əntu'rɑːʒ; ,ɑːn-] *s* **1.** Um'gebung *f.* – **2.** Begleitung *f.*
en tout cas [ɑ̃ tu 'kɑ] (*Fr.*) *s* (*kombinierter*) Sonnen- u. Regenschirm.
en·to·zo·a [,ento'zouə; -tə-] *s pl zo.* Ento'zoa *pl*, Eingeweidewürmer *pl* (*Ordnungen Acanthocephala, Cestodes, Nematodes, Trematodes*). — **,en·to'zo·al** *adj* die Eingeweidewürmer betreffend. — **,en·to'zo·an I** *adj* → entozoal. – **II** *s* Eingeweidewurm *m.* — **,en·to'zo·ic, ,en·to,zo·o'log·i·cal** [-'lɒdʒikəl] → entozoal. — **,en·to·zo'ol·o·gy** [-zo'ɒlədʒi] *s zo.* Lehre *f* von den Eingeweidewürmern.
en·tr'acte [ɑ̃'trækt; ɑːn-] *s* Entre'akt *m*, 'Zwischen,akt(mu,sik *f*, -tanz *m*) *m*, Zwischenspiel *n.*
en·trails ['entreilz] *s pl* **1.** *med. zo.* Eingeweide *pl*, innere Or'gane *pl*, Gedärme *pl.* – **2.** *fig.* (*das*) Innere: the ~ of the earth das Erdinnere.
en·train¹ [en'trein; in-] **I** *v/t* (*bes. Truppen*) in einen Eisenbahnzug verladen. – **II** *v/i* in einen Eisenbahnzug steigen.
en·train² [en'trein; in-] *v/t poet.* **1.** mit sich fortziehen. – **2.** *fig.* nach sich ziehen.
en·train·ment [en'treinmənt; in-] *s* (Truppen)Verladung *f.*
en·tram·mel [en'træməl; in-] *v/t nur fig.* verwickeln, hemmen, fesseln.
en·trance¹ ['entrəns] *s* **1.** Eintreten *n*, Eintritt *m*, Einzug *m*: to make one's ~ eintreten: ~ zone *aer.* Einflugzone. – **2.** Ein-, Zugang *m*, Tür *f*, Hausflur *m*, Torweg *m*: carriage ~ Einfahrt; at the ~ am Eingang, an der Tür; the ~ to the house is through the garden der Zugang zum Haus führt durch den Garten. – **3.** *fig.* (Amts)Antritt *m*: ~ into (*od.* upon) an office Dienst-, Amtsantritt; ~ upon an inheritance Antritt einer Erbschaft. – **4.** *auch* ~ money Eintrittsgeld *n.* – **5.** Eintrittserlaubnis *f*, -recht *n*, Einlaß *m*, Zulassung *f* (*auch fig.*): to have free ~ freien Zutritt haben; no ~! Eintritt verboten! – **6.** (*Theater*) Auftritt *m* (*Schauspieler*). – **7.** *mar.* a) (Hafen)-Einfahrt *f*, b) Einlaufen *n* in den Hafen. – **8.** *med.* In'troitus *m.*
en·trance² [*Br.* en'trɑːns; in-; *Am.* -'træ(ː)ns] *v/t* **1.** (*j-n*) in Verzückung *od.* Ek'stase versetzen, entzücken, 'hinreißen: ~d entzückt, begeistert, hingerissen. – **2.** außer sich bringen, über'wältigen (with vor *dat*): to be ~d with joy freudetrunken sein. – **3.** in Trancezustand versetzen.
en·trance| blade ['entrəns] *s tech.* Leitschaufel *f.* — **~ du·ty** *s econ.* Eingangszoll *m.* — **~ ex·am·i·na·tion** *s* Aufnahmeprüfung *f.* — **~ fee** *s* **1.** Eintritt(sgeld *n*, -sgebühr *f*) *m.* – **2.** Aufnahme-, Einschreibegebühr *f.* — **~ hall** *s* (Vor-, Eingangs)Halle *f*, (Haus)Flur *m.*
en·trance·ment [*Br.* en'trɑːnsmənt; in-; *Am.* -'træ(ː)ns-] *s* Verzückung *f*, Entzücken *n*, Bezauberung *f*, bezaubernder Reiz. — **en'tranc·ing** [-siŋ] *adj* entzückend, bezaubernd.
en·trant ['entrənt] *s* **1.** Eintretende(r), Besucher(in). – **2.** neu(eintretend)es Mitglied (*Verein etc*). – **3.** *sport* Teilnehmer *m*, Bewerber *m*, Konkur'rent *m*: ~ for a race Teilnehmer an einem Rennen.
en·trap [en'træp; in-] *pret u. pp* **-'trapped** *v/t* **1.** (in einer Falle) fangen. – **2.** *fig.* über'listen, unvermutet in Gefahr bringen. – **3.** verführen, ver-, bestricken, verleiten (to s.th. zu etwas; into doing zu tun). – **4.** in 'Widersprüche verwickeln, bei Widersprüchen ertappen. – *SYN. cf.* catch.
en·treas·ure [en'treʒər; in-] *v/t* (wie) in einer Schatzkammer aufhäufen.
en·treat [en'triːt; in-] **I** *v/t* **1.** dringend bitten, ersuchen, (*j-n*) anflehen, (*etwas*) erbitten: to ~ s.o. to do s.th. j-n anflehen, etwas zu tun. – **2.** *obs.* durch Bitten veranlassen *od.* über'zeugen. – **3.** *Bibl. od. obs.* behandeln, verfahren mit. – **II** *v/i* **4.** erbitten, erflehen: to ~ of s.o. to do s.th. j-n bitten, etwas zu tun. – *SYN. cf.* beg. — **en'treat·ing·ly** *adv* flehentlich (bittend). — **en'treat·y** *s* anhaltende Bitte, dringendes Gesuch: at s.o.'s ~ auf j-s Bitte. – *SYN.* request, supplication.
en·tre·chat [ɑ̃trə'ʃa] (*Fr.*) *s* (*Ballett*) Entre'chat *m*, Kreuzsprung *m.* — **en·tre·côte** [ɑ̃trə'koːt] (*Fr.*) *s* (*Kochkunst*) Rippenstück *n.*
en·tree, en·trée ['ɑːntrei; ɑ̃'tre] *s* **1.** Ein-, Zutritt *m*: to have the ~ of a house Zutritt zu einem Hause haben. – **2.** (*Kochkunst*) a) Zwischengericht *n* (*Frankreich: zwischen den Hauptgängen, England: zwischen Vorspeise u. Braten*), b) *Am.* Hauptgericht *n*, c) (*auf Speisekarten*) Fleischgericht *n* (*außer Braten*). – **3.** *mus.* Einleitung *f*, Antrittslied *n* (*bei Opern etc*).
en·tre·mets ['ɑːntrə,mei; ,ɑ̃trə'mɛ] *s sg u. pl* (*Kochkunst*) Zwischen-, Nebengericht *n*, Beischüssel *f*, -lage *f.*
en·trench [en'trentʃ; in-] **I** *v/i selten* ein-, 'übergreifen. – *SYN. cf.* trespass. – **II** *v/t mil.* mit Schützengräben versehen, befestigen, verschanzen: to ~ oneself sich eingraben, sich verschanzen, sich festsetzen (*auch fig.*).
en·trenched pro·vi·sion [en'trentʃt; in-] *s pol.* (*in der Südafrik. Union*) *Verfassungsbestimmung, die nur in einer gemeinsamen Sitzung beider Kammern mit ²/₃-Mehrheit abgeändert werden kann.*
en·trench·ment [en'trentʃmənt; in-] *s mil.* **1.** Verschanzung *f.* – **2.** *pl* Schützengräben *pl.* – **3.** Schanzarbeiten *pl.*
en·tre nous [ɑ̃trə 'nu] (*Fr.*) unter uns, im Vertrauen.
en·tre·pôt ['ɑːntrə,pou] *s* **1.** Niederlage *f*, Lager-, Stapelplatz *m*, Speicher *m.* – **2.** *econ.* Transitlager *n*, Zollniederlage *f.* — **,en·tre·pre'neur** [-prə'nəːr] *s* **1.** Unter'nehmer *m*, Industri'eller *m.* – **2.** Veranstalter *m*, The'aterunter,nehmer *m.* — **,en·tre·pre'neur·i·al** *adj* Unternehmer...
en·tre·sol ['ɑːntrə,sɒl; *Am. auch* 'entər-] *s arch.* Entre'sol *n*, Halbgeschoß *n*, Zwischenstock(werk *n*) *m.*
en·tro·pi·on [en'troupi,ɒn], *auch* **en'tro·pi·um** [-əm] *s med.* Einwärtskehrung *f* des Augenlides, En'tropion *n.*
en·tro·py ['entrəpi] *s phys.* Entro'pie *f* (*Zustandsgröße der Stoffe, die den Irreversibilitätsgrad physikalischer Prozesse angibt*).
en·truck [en'trʌk; in-] *mil. Am.* **I** *v/t* (*Truppen*) (auf Lastkraftwagen) verladen. – **II** *v/i* (auf Lastkraftwagen) aufsitzen.
en·trust [en'trʌst; in-] *v/t* **1.** (*etwas*) anvertrauen (to s.o. j-m). – **2.** betrauen: to ~ s.o. with a task j-n mit einer Aufgabe betrauen. – **3.** an-, zuweisen (to *dat*). – *SYN. cf.* commit.
en·try ['entri] *s* **1.** Eintreten *n*, Eintritt *m* (into in *acc*). – **2.** (feierlicher) Einzug. – **3.** (*Theater*) Auftritt *m* (*Schauspieler*): to make one's ~ auftreten. – **4.** Einfall(en *n*) *m* (*in ein Land*). – **5.** Zu-, Eingang(stür *f*) *m*, Einfahrt(stor *n*) *f.* – **6.** Flur *m*, Vorhalle *f*, Vesti'bül *n.* – **7.** Eintrag(ung *f*) *m*, Vormerkung *f*: ~ in a diary Tagebucheintrag(ung); ~ in a minute book Protokollierung. – **8.** *bes. Am.* Eintragung *f* eines Anspruchs (*auf ein Stück Land*). – **9.** *econ.* Eintragung *f*, Buchung *f*: to make an ~ of s.th. etwas buchen *od.* eintragen; credit ~ Gutschrift; → bookkeeping. – **10.** *econ.* Eingang *m* (*von Werten*): upon ~ nach Eingang. – **11.** *econ.* (gebuchter) Posten. – **12.** *econ. mar.* 'Einkla,rierung *f*, 'Zolldeklarati,on *f*: to make a bill of ~ deklarieren, verzollen; ~ inwards Einfuhrdeklaration; ~ outwards Ausfuhrdeklaration. – **13.** Zuzug *m*, Einreise *f*: ~ permit Einreiseerlaubnis; ~ and residence permit Zuzugsgenehmigung. – **14.** *obs.* An-, Eintritt *m.* – **15.** (*Bergbau*) Fahr-, Hauptförderstrecke *f.* – **16.** *biol.* Eintritt *m*: place of ~ Eintrittsstelle. – **17.** *jur.* Besitzantritt *m*, -ergreifung *f* (upon *gen*). – **18.** *jur.* Einbruch *m.* – **19.** *geogr.* (Fluß)Mündung *f.* – **20.** *sport* a) Nennung *f*, Meldung *f*, Bewerber *m*, Renn-Nennung *f* (*Pferde*), b) Nennungs-, Teilnehmerliste *f*: ~ fee Nenngebühr, -geld. – **21.** the ~ *collect.* a) die jungen Hunde *pl* (*die dressiert werden*), b) die junge Generati'on.

en·try| book *s* Eintragungsbuch *n.* — **~ door** *s* Eingangs-, Haustür *f.* — **~ form** *s* 'Anmeldeschein *m*, -formu,lar *n.* — '**~,way** *s* Zugang *m*, Zufahrt *f.*

en·twine [en'twain; in-] **I** *v/t* **1.** um'schlingen, um'winden, verflechten (*auch fig.*). – **2.** um'fassen, um'armen (*auch fig.*). – **II** *v/i* **3.** sich her'umwinden, um'wunden *od.* verflochten werden. — **en'twine·ment** *s* Um'schlingung *f*, Verflechtung *f.*

en·twist [en'twist; in-] *v/t* (ver)flechten, um'winden, verknüpfen, verknoten.

e·nu·cle·ate [i'nju:kli,eit; *Am. auch* i'nu:-] **I** *v/t* **1.** (*Kern*) her'ausschälen. – **2.** *fig.* (*Sinn*) deutlich machen, entwirren, aufklären, erläutern. – **3.** *med.* (*Geschwulst*) (her)'ausschälen, -schneiden. – **II** *adj* **4.** kernlos. — **e,nu·cle'a·tion** *s* **1.** Entwirrung *f*, Bloßlegung *f*, Aufklärung *f*, Erklärung *f.* – **2.** *med.* Enukleati'on *f*, Ausschälen *n.* — **e'nu·cle,a·tor** [-tər] *s med.* Knopfsonde *f.*

e·nu·mer·ate [i'nju:mə,reit; *Am. auch* i'nu:-] *v/t* **1.** auf-, 'herzählen. – **2.** spezifi'zieren: **~d powers** *jur. Am.* speziell in Gesetzen erwähnte Machtbefugnisse. — **e,nu·mer'a·tion** *s* **1.** Auf-, 'Herzählung *f.* – **2.** Liste *f*, Verzeichnis *n.* – **3.** (*Rhetorik*) Wieder'holung *f.* — **e'nu·mer,a·tive** *adj* aufzählend. — **e'nu·mer,a·tor** [-tər] *s* **1.** Aufzählende(r). – **2.** Zähler *m* (*bei Volkszählungen*).

e·nun·ci·a·bil·i·ty [i,nʌnsiə'biliti; -ʃiə-] *s fig.* Ausdrückbarkeit *f.* — **e'nun·ci·a·ble** *adj fig.* ausdrückbar, ausdrucksfähig.

e·nun·ci·ate [i'nʌnsi,eit; -ʃi,eit] **I** *v/t* **1.** ausdrücken, aussprechen. – **2.** formu'lieren. – **3.** behaupten, (*Grundsatz etc*) aufstellen. – **4.** aussagen, verkünden, (öffentlich) erklären. – **II** *v/i* **5.** (deutlich) (aus)sprechen. — **e,nun·ci'a·tion** *s* **1.** a) Ausdruck *m*, Formu'lierung *f*, b) Aufstellung *f* (*Grundsatz etc*). – **2.** *math.* Wortlaut *m* (*Behauptung*). – **3.** Aussprache *f*, Vortragsart *f*, Ausdrucksweise *f.* – **4.** (öffentliche) Erklärung, Ausspruch *m*, Kundgebung *f.* — **e'nun·ci,a·tive** *adj* **1.** erklärend, ausdrückend: to be **~ of** erklären, ausdrücken. – **2.** Ausdrucks..., Aussprache... — **e'nun·ci,a·tor** [-tər] *s* Verkünder *m*, Sprecher *m.* — **e'nun·ci·a·to·ry** [*Br.* -,eitəri; *Am.* -ə,tɔ:ri] *obs. für* **enunciative.**

en·ure [en'jur; in-] → **inure.**

en·u·re·sis [,enju(ə)'ri:sis] *s med.* Enu'resis *f*, Blasenschwäche *f*, Harnfluß *m*, Bettnässen *n.* — **,en·u'ret·ic** [-'retik] *adj* enu'retisch.

en·vel·op [en'veləp; in-] **I** *v/t* **1.** einschlagen, -wickeln (in in *acc*; **with** mit). – **2.** *fig.* einhüllen, ver-, um'hüllen, bedecken, um'geben. – **3.** *mil.* (*Feind*) um'fassen, -'klammern. – **II** *s* → **envelope.**

en·ve·lope ['envi,loup; -və-; 'ɒn-] *s* **1.** Decke *f*, Hülle *f*, 'Umschlag *m* (*auch fig.*). – **2.** 'Brief,umschlag *m*, Ku'vert *n.* – **3.** *aer.* a) (äußere) Luftschiff-, Bal'lonhülle, b) Hülle *f* des Luftschiff- *od.* Bal'longasbehälters. – **4.** *mil.* Vorwall *m* (*einer Festung*). – **5.** *astr.* Nebelhülle *f* (*eines Kometenkerns*). – **6.** *bot.* Kelch *m*, (Blüten)Hülle *f.* – **7.** *med. zo.* Hülle *f*, Schale *f.* – **8.** *math.* Um'hüllungskurve *f*, -fläche *f*, Hüllkurve *f*, Einhüllende *f.* — **en·vel·op·ment** [en'veləpmənt; in-] *s* **1.** Einhüllung *f*, Um'hüllung *f*, Hülle *f.* – **2.** *mil.* Um'fassung(sangriff *m*) *f*, Um'klammerung *f*, Einschließung *f.*

en·ven·om [en'venəm; in-] *v/t* **1.** (*Speisen etc*) vergiften. – **2.** *fig.* vergiften, verbittern. – **3.** erbittern.

en·vi·a·ble ['enviəbl] *adj* zu beneiden(d), beneidenswert. — '**en·vi·a·ble·ness** *s* beneidenswerter Zustand. — '**en·vi·er** *s* Neider(in). — '**en·vi·ous** *adj* **1.** 'mißgünstig (of gegen). – **2.** neidisch (of auf *acc*): to be **~ of s.o. because of s.th.** j-n um etwas beneiden. – **3.** *obs.* boshaft. – *SYN.* **jealous.** — '**en·vi·ous·ness** *s* 'Mißgunst *f*, Neid *m.*

en·vi·ron [en'vai(ə)rən; in-] *v/t* **1.** um'geben, um'ringen, um'schließen (**with** mit). – **2.** um'zingeln, belagern (*auch fig.*). – **3.** einhüllen, um'hüllen, einschließen. — **en'vi·ron·ment** *s* **1.** Um'geben(sein) *n*, äußere Lebensbedingungen *pl.* – **2.** Um'gebung *f* (*Ort etc*). – **3.** *biol. sociol.* Außen-, 'Umwelt *f*, Um'gebung *f.* – **4.** *bot.* Standort *m* (*als Faktorenkomplex, nicht Fundort*). — **en,vi·ron'men·tal** [-'mentl] *adj* um'gebend, Umgebungs...: **~ effect** *biol.* Umweltwirkung; **~ factors** Umwelteinflüsse. — **en,vi·ron'men·tal·ly** *adv* in bezug auf *od.* durch die 'Umwelt. — **en·vi·rons** [en'vai(ə)rənz; in-; 'envi-] *s pl* Um'gebung *f*, 'Umgegend *f* (*eines Ortes etc*), Vororte *pl* (*einer Stadt*).

en·vis·age [en'vizidʒ; in-] *v/t* **1.** (*einer Gefahr etc*) ins Auge sehen, mutig entgegensehen. – **2.** (*etwas*) ins Auge fassen, im Geiste betrachten, sich vorstellen. – **3.** beabsichtigen, planen, zu tun gedenken. – **4.** intui'tiv wahrnehmen. – *SYN. cf.* **think.**

en·vi·sion [en'viʒən; in-] *v/t* sich (*etwas*) ausmalen *od.* (im Geiste) vorstellen, sich ein (geistiges) Bild machen von (*etwas*). – *SYN. cf.* **think.**

en·voi [ɑ̃'vwa] (*Fr.*) *s* Zueignungs-, Schlußstrophe *f* (*eines Gedichts*).

en·voy[1] ['envɔi] → **envoi.**

en·voy[2] ['envɔi] *s* **1.** Gesandter *m* (*zweiten Grades unter dem Botschafter*). – **2.** Bote *m*, A'gent *m*, Bevollmächtigter *m.*

en·voy ex·traor·di·nar·y *s* **1.** *hist.* außerordentlicher Gesandter. – **2.** bevollmächtigter Gesandter (*mit dem Titel* **~ and minister plenipotentiary**).

en·voy·ship ['envɔi,ʃip] *s* Gesandtenwürde *f.*

en·vy ['envi] **I** *s* **1.** Neid *m* (of auf *acc*), 'Mißgunst *f* (of gegen): **to feel ~** neiden, Neid hegen; **to be eaten up** (*od.* **to perish** *od.* **to burst**) **with ~** vor Neid platzen; **demon of ~** Neidteufel; **she was green with ~** sie war blaß vor Neid. – **2.** Gegenstand *m* des Neides *od.* der Eifersucht: **his garden is the ~ of all his friends** alle seine Freunde beneiden ihn um seinen Garten. – **3.** *meist pl* ,Eifersüchte'lei *f*, Nebenbuhlerschaft *f.* – **4.** *obs.* Bosheit *f*, üble Nachrede. – **5.** *obs.* Sehnsucht *f.* – **II** *v/t* **6.** (*j-n*) beneiden um (*etwas*), (*j-m etwas*) neiden, miß'gönnen: **I ~ you** ich beneide dich; **we ~ (you) your nice house** wir beneiden Sie um Ihr schönes Haus. – **7.** ersehnen. – **III** *v/i* **8.** neidisch sein, Neid empfinden (at über, auf *acc*).

en·weave [en'wi:v; in-] → **inweave.**

en·wind [en'waind; in-] *v/t* um'winden, einhüllen (*auch fig.*).

en·womb [en'wu:m; in-] *v/t* einschließen, verbergen.

en·wrap [en'ræp; in-] *pret u. pp* **-'wrapped**, *auch* **-'wrapt** *v/t* **1.** einhüllen, um'hüllen, -'wickeln. – **2.** (*in Gedanken*) versenken.

en·wreathe [en'ri:ð; in-] *v/t* um'winden, um'geben, um'kränzen.

en·zo·ot·ic [,enzo'ɒtik] *zo.* **I** *adj* enzo'otisch, bei Tieren en'demisch vorkommend (*Krankheit*). – **II** *s* Enzoo'tie *f*, enzo'otische Krankheit.

en·zym ['enzim] → **enzyme.** — **,en·zy'mat·ic** [-zai'mætik; -zi-] *adj* enzy'matisch. — '**en·zyme** [-zaim; -zim] *s chem.* En'zym *n*, Fer'ment *n.* — **en'zy·mic** → **enzymatic.** — **en·zy·mol·o·gy** [,enzai'mɒlədʒi; -zi-] *s* Enzymolo'gie *f.*

eo- [i:o] *Wortelement mit der Bedeutung* früh, Frühzeit, alt, urzeitlich.

E·o·an·thro·pus [,i:oæn'θroupəs; -'ænθrəpəs] *s* vorgeschichtlicher Mensch.

E·o·cene ['i:ə,si:n] *geol.* **I** *adj* eo'zän. – **II** *s* Eo'zän *n* (*unterste Gruppe der Tertiärformation*). — '**E·o,gene** [-,dʒi:n] *geol.* **I** *adj* 'frühterti,är. – **II** *s* 'Frühterti,ärperi,ode *f.*

e·o·hip·pus [,i:o'hipəs] *s zo.* Eo'hippus *m* (*Gattg fossiler kleiner, vierzehiger Pferde aus dem Eozän des amer. Westens*).

E·o·li·an *etc cf.* **Aeolian** *etc.*

e·o·lith ['i:oliθ; 'i:ə-] *s* Eo'lith *m*, (vorgeschichtliches) Steinwerkzeug. — **,e·o'lith·ic** *adj* eo'lithisch, frühsteinzeitlich.

e·on ['i:ən; -ɒn] *cf.* **aeon.**

e·o·phyte ['i:ə,fait] *s geol.* versteinerte Pflanze. — **,e·o'phyt·ic** [-'fitik] *adj geol.* durch das erste Auftreten des Pflanzenlebens gekennzeichnet (*Versteinerungen führendes Gestein*).

e·o·sin ['i:əsin], *auch* '**e·o·sine** [-sin; -,si:n] *s chem.* **1.** Eo'sin *n* ($C_{20}H_8Br_4O_5$; *roter Anilinfarbstoff*). – **2.** *ein ähnlicher Farbstoff.* — **,e·o'sin·ic** [-'sinik] *adj* Eosin... — **,e·o'sin·o,phile** [-nə,fail; -fil], *auch* **,e·o'sin·o·phil** [-fil] *biol.* **I** *adj* eosino'phil, Eo'sinfarbe leicht annehmend. – **II** *s* eosino'phile Zelle. — **,e·o,sin·o'phil·ic** [-'filik] → **eosinophile I.**

E·o·zo·ic [,i:ə'zouik] **I** *adj* **1.** eo'zoisch, die eozoische Peri'ode betreffend. – **2.** durch das erste Auftreten des Tierlebens gekennzeichnet, Tierversteinerungen enthaltend. – **II** *s* **3.** Eo'zoikum *n*, eo'zoische Peri'ode. – **4.** eo'zoische Versteinerung.

ep- [ep] → **epi-.**

e·pact ['i:pækt] *s astr.* Ep'akte *f.* — **e·pac·tal** [i'pæktl] *adj med.* 'überzählig: **~ bone** Wormscher Knochen, Nahtknochen.

ep·a·go·ge [,epə'goudʒi] *s philos.* Epago'ge *f*, Indukti'on *f.* — **,ep·a'gog·ic** [-'gɒdʒik] *adj* epa'gogisch, induk'tiv.

e·pal·pate [i:'pælpeit] *adj zo.* ohne Fühlhörner (*Insekten*).

ep·an·a·di·plo·sis [e,pænədi'plousis] *s* (*Rhetorik*) Epanadi'plosis *f* (*Gebrauch desselben Wortes am Satzanfang u. -ende*). — **ep·a·na·lep·sis** [,epənə'lepsis] *s* Epana'lepsis *f* (*Wiederholung des ersten Wortes nach Parenthesen*). — **ep·an·o·dos** [e'pænə,dɒs] *s* E'panodos *m*: a) *Wiederholung von Wörtern in umgekehrter Ordnung*, b) *Wiederaufnahme des Fadens nach einer Abschweifung.* — **ep·an·or·tho·sis** [,epənɔ:r'θousis] *s* Epanor'thosis *f* (*Berichtigung des Gesagten*).

e·pap·pose [i:'pæpous] *adj bot.* ohne Pappus, haarkronenlos.

ep·arch ['epɑ:rk] *s* **1.** *antiq.* Ep'arch *m*, Statthalter *m* (*einer griech. Provinz*). – **2.** (*Neugriechenland*) Verwalter *m od.* Erzbischof *m* (*einer Eparchie*). — '**ep·arch·ate** [-kit; -,keit] *s* Epar'chat *n.* — **ep'ar·chi·al** *adj* zu einer Epar'chie gehörig. — '**ep·arch·y** *s* Epar'chie *f*: a) *antiq.* Pro'vinz *f* unter einem Ep'archen, b) Diö'zese *f.*

e·paule·ment [i'pɔ:lmənt] *s mil.* Schulterwehr *f.*

ep·au·let(te) ['epɔ:,let; -pə-] *s mil.* Epau'lette *f*, Schulterstück *n*: **to win one's ~s** zum Offizier befördert werden.

ep·ax·i·al [e'pæksiəl] *adj med.* auf *od.* über der Körperachse liegend (*Muskeln etc*).

é·pée [eˈpe] (*Fr.*) *s* (*bes.* Fecht)-Degen *m.* — **éˈpée·ist** *s* Degenfechter *m.*

e·pei·ro·gen·e·sis [iˌpai(ə)roˈdʒenisis; -nə-] → epeirogeny. — **eˌpei·ro·geˈnet·ic** [-dʒəˈnetik], **eˌpei·roˈgen·ic** *adj geol.* epirogeˈnetisch. — **ep·ei·rog·e·ny** [ˌepai(ə)ˈrɒdʒəni] *s geol.* Epirogeˈnese *f,* Kontinenˈtalbildung *f,* allgemeine Krustenbewegung.

ep·en·ce·phal·ic [ˌepensiˈfælik] *adj med.* Nachhirn... — **ˌep·enˈceph·aˌlon** [-ˈsefəˌlɒn] *pl* **-la** [-lə] *s med.* Nachhirn *n.*

ep·en·dy·ma [eˈpendimə] *s med.* Epenˈdym *n,* ˈHirnvenˌtrikelˌauskleidung *f.*

ep·en·the·sis [eˈpenθisis; -θə-] *pl* **-ses** [-ˌsiːz] *s ling.* Epenˈthese *f,* Laut-, Silben-, Buchstabeneinfügung *f* (*in ein Wort*). — **ˌep·enˈthet·ic** [-ˈθetik] *adj* epenˈthetisch, eingeschaltet, -geschoben.

e·pergne [iˈpəːrn] *s* Tafelaufsatz *m.*

ep·ex·e·ge·sis [eˌpeksiˈdʒiːsis] *s ling.* Epexeˈgese *f,* erklärender Zusatz. — **epˌex·eˈget·ic** [-ˈdʒetik], **epˌex·eˈget·i·cal** *adj* (ep)exeˈgetisch, erklärend.

e·phah, *auch* **e·pha** [ˈiːfə] *s Bibl.* Epha *n* (*Trockenmaß*).

e·phebe [iˈfiːb; ˈefiːb] *pl* **-s,** *auch* **eˈphe·bus** [-bəs] *pl* **-bi** [-bai] *od.* **-boi** [-bɔi] *s antiq.* Eˈphebe *m* (*Grieche von 18 bis 20 Jahren*). — **eˈphe·bic** *adj* mannbar.

e·phed·rine [iˈfedrin; *chem.* ˈefiˌdriːn], *auch* **eˈphed·rin** [-rin] *s chem. med.* Epheˈdrin *n* ($C_{10}H_{15}NO$; *Pflanzen-Alkaloid im Meerträubchen Ephedra distachya, synthetisierbar*).

e·phem·er·a [iˈfemərə] *pl* **-ae** [-ˌriː] *s* **1.** *zo.* Eintagsfliege *f* (*Fam. Ephemeridae*). – **2.** *fig.* Eintagsfliege *f,* kurzlebiges Wesen, epheˈmere Erscheinung, Strohfeuer *n.* — **eˈphem·er·al I** *adj* **1.** *med. zo.* epheˈmer(isch), eintägig, Eintags... – **2.** *fig.* flüchtig, kurzlebig, rasch vorˈübergehend, (sehr) vergänglich. – *SYN. cf.* transient. – **II** *s* **3.** → ephemera 2. – **4.** *bot.* kurzlebige Pflanze. — **eˈphem·er·id** [-rid] → ephemera 1.

e·phem·er·is [iˈfemǝris] *pl* **-i·des** [ˌefiˈmeriˌdiːz; -fə-] *s* **1.** *astr.* a) Epheˈmeˈriden *pl* (*Tabelle über die tägliche Stellung der Himmelskörper*), b) astroˈnomischer Almanach. – **2.** *relig.* tägliche Gottesdienstordnung. – **3.** *fig.* Eintagsfliege *f.* – **4.** *obs.* Tagebuch *n.*

e·phem·er·o·morph [iˈfeməroˌmɔːrf] *s biol.* niedrigste Form des orˈganischen Lebens.

e·phem·er·on [iˈfeməˌrɒn; -rən] *pl* **-a** [-rə] → ephemera. — **eˈphem·er·ous** → ephemeral I.

E·phe·sian [iˈfiːʒən; -ʒiən] **I** *adj* **1.** eˈphesisch. – **II** *s* **2.** ˈEpheser(in), Bewohner(in) von Ephesos. – **3.** *pl Bibl.* Paulus-Brief *m* an die Epheser, Epheserbrief *m.*

eph·od [ˈefɒd; ˈiː-] *s* Ephod *m, n* (*Gewand der jüd. Priester*).

eph·or [ˈefɔːr; -fər] *pl* **-ors** *od.* **-oˌri** [-əˌrai] *s* **1.** *antiq.* Eˈphor *m* (*einer der fünf höchsten Beamten Spartas*). – **2.** Oberaufseher *m,* Leiter *m.* — **ˈeph·or·al** *adj* eˈphorisch.

epi- [epi] *Vorsilbe mit der Bedeutung* auf, an, bei, daran, dazu, danach.

ep·i·blast [ˈepiˌblæst; -pə-] *s biol.* Epiˈblast *n,* äußeres Keimblatt, Ektoˈderm *n.* — **ˌep·iˈblas·tic** *adj* ektoˈderm. — **ˌep·iˈble·ma** [-ˈbliːmə] *s* **1.** *antiq.* ˈÜberwurf *m,* Schal *m.* – **2.** *bot.* Epiˈblem(a) *n,* Oberhautgewebe *n* der Wurzeln. — **ˌep·iˈbol·ic** [-ˈbɒlik] *adj med.* Epibolie... — **e·pib·o·ly** [iˈpibəli] *s med.* Epiboˈlie *f.*

ep·ic [ˈepik] **I** *adj* **1.** episch, erzählend: ~ **poem** episches Gedicht, Epos. – **2.** heldenhaft, heldisch, heˈroisch, Helden...: ~ **achievements** Heldentaten; ~ **laughter** homerisches Gelächter. – **II** *s* **3.** Epos *n,* Heldengedicht *n:* **national** ~ Nationalepos. – **4.** Epiker *m.* — **ˈep·i·cal** *adj* episch. — **ˈep·i·cal·ly** *adv* (*auch zu* epic I).

ep·i·ca·lyx [ˌepiˈkeiliks; -ˈkæliks; -pə-] *s bot.* Außenkelch *m.* — **ˌep·iˈcar·di·um** [-ˈkɑːrdiəm] *pl* **-di·a** [-ə] *s med.* Epiˈcard(ium) *n,* viszeˈrales Perikardiˈalblatt. — **ˈep·iˌcarp** [-ˌkɑːrp] *s bot.* Epiˈkarp *n,* äußere Fruchthaut.

ep·i·cede [ˈepiˌsiːd; -pə-] → epicedium. — **ˌep·iˈce·di·al** [-diəl], **ˌep·iˈce·di·an** [-ən] *adj* Trauer..., Klage..., eˈlegisch. — **ˌep·i·ce·di·um** [-ˈsiːdiəm; -siˈdaiəm] *pl* **-di·a** [-ə] *od.* **-di·ums** *s* Trauer-, Grabgesang *m,* Eleˈgie *f.*

ep·i·cene [ˈepiˌsiːn; -pə-] **I** *adj* **1.** *ling.* epiˈzönisch, beiden Geschlechtern gemein, beiderlei Geschlechts. – **2.** *fig.* a) beiderlei Geschlechts, b) für beide Geschlechter, c) geschlechtslos, d) weibisch, weichlich. – **II** *s* **3.** Wesen *n* beiderlei Geschlechts, Zwitter *m.*

ep·i·cen·ter, *bes. Br.* **ep·i·cen·tre** [ˈepiˌsentər], **ˌep·iˈcen·trum** [-trəm] *pl* **-tra** [-trə] *s* **1.** Epiˈzentrum *n,* Gebiet *n* über dem Erdbebenherd. – **2.** *fig.* Mittelpunkt *m.* — **ˌep·iˈcen·tral** *adj* **1.** epizenˈtral. – **2.** *med.* über einem Wirbelzentrum liegend.

ep·i·chei·re·ma, *auch* **ep·i·chi·re·ma** [ˌepikaiˈriːmə; -pə-] *pl* **-ma·ta** [-mətə] *s philos.* Epicheˈrem *n* (*zusammengezogener logischer Doppelschluß*).

ep·i·chor·dal [ˌepiˈkɔːrdl; -pə-] *adj med.* auf *od.* über dem Gehirn-Rückenstrang. — **ˌep·iˈcho·ri·al** [-ˈkɔːriəl] *adj* epiˈchorisch, einheimisch, landesüblich. — **ˌEp·iˈchris·tian** [-ˈkristʃən] *adj* der Zeit kurz nach Christi Geburt angehörig.

ep·i·cism [ˈepiˌsizəm; -pə-] *s* Epiˈzismus *m.* — **ˈep·i·cist** *s* Epiker *m,* epischer Dichter.

ep·i·cle·sis *cf.* epiklesis.

ep·i·con·dy·lar [ˌepiˈkɒndilər; -pə-] *adj med.* Gelenkhöcker... — **ˌep·iˈcon·dyle** [-dil] *s med.* äußerer Gelenkhöcker (*des Oberarmknochens*). — **ˌep·i·conˈdyl·i·an, ˌep·i·conˈdyl·ic** → epicondylar.

ep·i·cot·yl [ˌepiˈkɒtil; -pə-] *s bot.* Epikoˈtyl *n* (*Sproßstück über den Keimblättern*). — **ˌep·iˌcot·yˈle·don·ar·y** [*Br.* -ˈliːdənəri; *Am.* -ˌneri] *adj bot.* über den Keimblättern befindlich.

ep·i·cra·ni·um [ˌepiˈkreiniəm; -pə-] *s* **1.** *med.* Epiˈkranium *n,* Weichteile *pl* über der Schädeldecke. – **2.** *zo.* Rückwand *f* (*am Kopf von Insekten*).

ep·i·crit·ic [ˌepiˈkritik; -pə-] *adj* epiˈkritisch.

Ep·ic·te·tian [ˌepikˈtiːʃən] *adj philos.* epikˈtetisch, Epikˈtet betreffend.

ep·i·cure [ˈepiˌkjur; -pə-] *s* **1.** Epikuˈreer *m,* Äsˈthet *m,* Kenner *m,* Liebhaber *m.* – **2.** a) *hist.* Genußmensch *m,* b) Genießer *m,* Feinschmecker *m.* – *SYN.* glutton, gourmand, gourmet. — **ˌEp·i·cuˈre·an** [-kju(ə)ˈriːən] **I** *adj* **1.** *philos.* epikuˈreisch. – **2.** *auch* e~ a) genußsüchtig, sinnlich, b) feinschmeckerisch. – *SYN. cf.* sensuous. – **II** *s* **3.** Epikuˈreer *m* (*Anhänger des Epikur*). – **4.** *auch* e~ Genußmensch *m,* Feinschmecker *m,* Epikuˈreer *m.* — **ˌEp·i·cuˈre·anˌism, ˈEp·i·curˌism** *s* **1.** *philos.* Epikureˈismus *m,* Lehre *f* des Epiˈkur. – **2.** e~ [ˌepiˈkju(ə)rizəm; -pə-] Genußsucht *f.*

ep·i·cy·cle [ˈepiˌsaikl; -pə-] *s* **1.** *bes. astr.* Epiˈzykel *m,* Nebenkreis *m.* – **2.** *math.* (*der*) eine Radlinie (*Epi- od. Hypozykloide*) herˈvorbringende Kreis. — **ˌep·iˈcy·clic** [-ˈsaiklik; -ˈsik-], **ˌep·iˈcy·cli·cal** *adj* epiˈzyklisch, Epizykel...

ep·i·cy·clic| gear, ~ **train** *s tech.* Plaˈneten-, ˈUmlaufgetriebe *n.*

ep·i·cy·cloid [ˌepiˈsaiklɔid; -pə-] *s math.* Epizykloˈide *f,* Radlinie *f:* **interior** ~ Hypozykloide. — **ˌep·i·cyˈcloi·dal** *adj* epizykloˈidisch: ~ **wheel** *tech.* Epizykloidenrad, Rad eines Umlaufgetriebes.

ep·i·deic·tic [ˌepiˈdaiktik] *adj* (*Rhetorik*) epiˈdeiktisch, prunkend.

ep·i·dem·ic [ˌepiˈdemik; -pə-] **I** *adj* **1.** *med.* epiˈdemisch, seuchenartig: ~ **catarrh** Influenza; ~ **chorea** Veitstanz; ~ **disease** Epidemie, Seuche. – **2.** *fig.* grasˈsierend, weit verbreitet, allgemein. – **II** *s* **3.** *med.* Epideˈmie *f,* epiˈdemische Krankheit, Seuche *f.* – **4.** *biol.* Massenauftreten *n.* — **ˌep·iˈdem·i·cal** → epidemic I. — **ˌep·iˈdem·i·cal·ly** *adv* (*auch zu* epidemic I). — **ˌep·iˈdem·i·cal·ness, ˌep·i·deˈmic·i·ty** [-diˈmisiti; -əti] *s* epiˈdemischer Zustand. — **ˌep·iˌde·miˈol·o·gist** [-ˌdiːmiˈɒlədʒist] *s* Kenner *m* der epiˈdemischen Krankheiten. — **ˌep·iˌde·miˈol·o·gy** *s med.* Lehre *f* von den Epideˈmien, Epidemioloˈgie *f.*

ep·i·derm [ˈepiˌdəːrm; -pə-] → epidermis. — **ˌep·iˈder·mal** *adj med.* epidermiˈal, Epidermis... — **ˌep·iˈder·maˌtoid** [-məˌtɔid] *adj med.* **1.** → epidermal. – **2.** oberhautartig. — **ˌep·iˈder·mic, ˌep·iˈder·mi·cal** → epidermal. — **ˌep·iˈder·mis** [-mis] *s med. zo.* Epiˈdermis *f,* Oberhaut *f.* — **ˌep·iˌder·miˈza·tion** *s med.* Epiˈdermisbildung *f,* Hautplastik *f.* — **ˌep·iˈder·moid, ˌep·i·derˈmoi·dal** *adj med zo.* oberhautartig, epiderˈmal. — **ˌep·i·derˈmol·y·sis** [-ˈmɒlisis] *s med.* Epidermoˈlyse *f,* Epiˈdermiszerfall *m.* — **ˌep·i·derˈmoph·yˌton** [-ˈmɒfiˌtɒn] *pl* **-ta** [-tə] *s bot. med.* Epiderˈmophyton *n,* ˈHautparaˌsit *m.* — **ˌep·iˌder·mo·phyˈto·sis** [-mofaiˈtousis] *s med.* Epidermophyˈtie *f.*

ep·i·di·a·scope [ˌepiˈdaiəˌskoup; -pə-] *s* Epidiaˈskop *n.*

ep·i·dic·tic [ˌepiˈdiktik] → epideictic.

ep·i·did·y·mal [ˌepiˈdidiməl; -pə-; -dəm-] *adj med.* zum Nebenhoden gehörig. — **ˌep·iˈdid·y·mis** [-mis] *s med.* Nebenhoden *m.* — **ˌep·iˌdid·yˈmi·tis** [-ˈmaitis] *s* Nebenhodenentzündung *f.*

ep·i·dote [ˈepiˌdout; -pə-] *s min.* Epiˈdot *m.* — **ˌep·iˈdot·ic** [-ˈdɒtik] *adj* epiˈdotisch, epiˈdotartig, -haltig.

ep·i·fo·cal [ˌepiˈfoukəl; -pə-] *adj* über dem Erdbebenzentrum (gelegen).

ep·i·gas·ter [ˌepiˈgæstər; -pə-] *s med.* ˈHinterdarm *m.* — **ˌep·iˈgas·tric** [-trik] *adj* epiˈgastrisch. — **ˌep·iˈgas·tri·um** [-triəm] *s* **1.** *med.* Oberbauch-, Magengegend *f.* – **2.** *zo.* Bauchgegend *f* (*bei Insekten*).

ep·i·ge·al [ˌepiˈdʒiːəl; -pə-], **ˌep·iˈge·an** [-ən] *adj* **1.** *bot.* → epigeous. – **2.** *zo.* auf niedrigen Sträuchern, Moosen *od.* Wurzeln *od.* auf der Erde lebend (*Insekten etc*). — **ˈep·iˌgene** [-ˌdʒiːn] *adj* **1.** pseudoˈmorph (*Kristalle*). – **2.** *geol.* auf der Erdoberfläche gebildet: ~ **agents** Oberkräfte.

ep·i·gen·e·sis [ˌepiˈdʒenisis; -pə-; -nə-] *s* **1.** *biol.* Epiˈgenesis *f* (*allmähliche Entwicklung eines organischen Keims durch Anwachs von außen*). – **2.** *med.* Epigeˈnese *f.* – **3.** *geol.* Wechsel *m* der mineˈralischen Beschaffenheit durch Einfluß von außen. — **ˌep·i·geˈnet·ic** [-dʒəˈnetik] *adj* epigeˈnetisch.

e·pig·e·nous [iˈpidʒənəs] *adj bot.* außen auf der (*oberen*) Fläche der Blätter wachsend (*Pilze*).

ep·i·ge·ous [ˌepiˈdʒiːəs; -pə-] *adj bot.* **1.** dicht auf der Erde wachsend, kriechend. – **2.** oberirdisch (keimend).

ep·i·glot·tal [ˌepi'glɒtl; -pə-], **ˌep·i'glot·tic** [-tik] *adj* Kehldeckel... — **ˌep·iˌglot·ti'di·tis** [-ti'daitis] *s med.* Kehldeckelentzündung *f.* — **ˌep·i'glot·tis** [-tis] *pl* **-tiˌdes** [-tiˌdiːz] *s med.* Epi'glottis *f*, Kehldeckel *m.*

ep·i·gone ['epiˌgoun; -pə-] *s selten* Epi'gone *m*, Nachkomme *m.* — **ˌep·i'gon·ic** [-'gɒnik] *adj* epi'gonisch, Nachkommen... — **E·pig·o·nus** [i'pigənəs] *pl* **-ni** [-ˌnai] *s* **1.** *antiq.* Epi'gone *m.* – **2.** e~ Nachkomme *m.*

ep·i·gram ['epiˌgræm; -pə-] *s* **1.** Epi'gramm *n*, kurzes Sinngedicht. – **2.** beißender *od.* gegensätzlicher Spruch, epigram'matischer Ausdruck. — **ˌep·i·gram'mat·ic** [-grə'mætik], **ˌep·i·gram'mat·i·cal** *adj* **1.** epigram'matisch. – **2.** kurz u. treffend, schlagkräftig. — **ˌep·i·gram'mat·i·cal·ly** *adv* (*auch zu* epigrammatic). — **ˌep·i'gram·maˌtism** [-məˌtizəm] *s* epigram'matischer Cha'rakter *od.* Stil. — **ˌep·i'gram·ma·tist** *s* Epi'grammdichter *m.* — **ˌep·i'gram·maˌtize I** *v/t* **1.** kurz u. treffend ausdrücken. – **2.** ein Epi'gramm machen über *od.* auf (*acc*). – **II** *v/i* **3.** Epi'gramme verfassen.

ep·i·graph ['epiˌgræ(ː)f; *Br. auch* -ˌgrɑːf] **I** *s* Epi'graph *n*: a) Inschrift *f* (*Grab etc*), b) Auf-, 'Umschrift *f* (*Münze*), c) Denk-, Sinnspruch *m*, Motto *n*, d) 'Überschrift *f*, Titel *m* (*Brief, Buch etc*). – **II** *v/t* mit einem Epi'graph versehen. — **e·pig·ra·pher** [i'pigrəfər] → epigraphist. — **ep·i·graph·ic** [ˌepi'græfik], **ˌep·i'graph·i·cal** *adj* epi'graphisch, Inschriften(kunde) betreffend. — **ˌep·i'graph·i·cal·ly** *adv* (*auch zu* epigraphic). — **e'pig·ra·phist** [i-] *s* Inschriftenkenner *m*, -forscher *m.* — **e'pig·ra·phy** *s* Epi'graphik *f*, Inschriftenkunde *f.*

e·pig·y·nous [i'pidʒinəs; -dʒə-] *adj bot.* epi'gyn(isch). — **e'pig·y·ny** *s* Epigy'nie *f.*

ep·i·kle·sis [ˌepi'kliːsis; -pə-] *s relig.* [Anrufung *f.*]

ep·i·late ['epiˌleit; -pə-] *v/t* (*Haare*) ausreißen, entfernen.

ep·i·lep·sy ['epiˌlepsi; -pə-] *s med.* Epilep'sie *f*, Fallsucht *f.* — **ˌep·i'lep·tic** [-tik] **I** *adj* epi'leptisch, fallsüchtig: ~ fit epileptischer Anfall. – **II** *s* Epi'leptiker(in). — **ˌep·i'lep·ti·cal** → epileptic I. — **ˌep·i'lep·toid** *adj med.* epilep'sieartig.

ep·i·lobe ['epiˌloub; -pə-] *s bot.* Weidenröschen *n* (*Gattg Epilobium*).

e·pil·o·gist [i'pilədʒist] *s* Verfasser *m od.* Sprecher *m* eines Epi'logs. — **e'pil·oˌgize I** *v/i* einen Epi'log schreiben *od.* sprechen. – **II** *v/t* (*Roman etc*) mit einem Epi'log versehen. — **ep·i·logue** ['epiˌlɒg; -pə-; *Am. auch* -lɔːg] *s* **1.** Epi'log *m*, Nach-, Schlußwort *n* (*im Buch etc*). – **2.** (*Theater*) a) Epi'log *m*, Schlußrede *f*, b) Epi'logsprecher(in).

e·pim·a·cus [i'piməkəs] *s her.* greifartiges Tier.

ep·i·mor·pho·sis [ˌepimɔːr'fousis; -pə-] *s zo.* Epimor'phose *f* (*Entwicklungsart niederer Insekten*).

ep·i·myth ['epimiθ; -pə-] *s* Mo'ral *f* (*der Geschichte etc*).

ep·i·nas·tic [ˌepi'næstik; -pə-] *adj bot.* epi'nastisch. — **'ep·iˌnas·ty** *s* Epina'stie *f* (*stärkeres Wachstum der Oberseite*).

ep·i·neph·rine, [ˌepi'nefrin; -ˌriːn; -pə-], *auch* **ˌep·i'neph·rin** [-rin] *s chem.* Adrena'lin *n.*

ep·i·neu·ri·al [ˌepi'nju(ə)riəl; -pə-; *Am. auch* -'nu-] *adj med.* zur Nervenscheide gehörig. — **ˌep·i'neu·ri·um** [-əm] *s med.* Epi'neurium *n*, Nervenscheide *f.*

ep·i·nine ['epinin; -ˌniːn; -pə-] *s chem.* Epi'nin *n.*

ep·i·nos·ic [ˌepi'nɒsik] *adj* gesundheitsschädlich, ungesund.

ep·i·pe·riph·er·al [ˌepipə'rifərəl] *adj med. zo.* auf der Außenseite des Körpers entstehend.

ep·i·pet·al·ous [ˌepi'petələs; ˌepə-] *adj bot.* epipe'tal, vor den Kronblättern stehend (*Staubgefäße etc*).

E·piph·a·ny [i'pifəni] *s* **1.** *relig.* Epi'phania(sfest *n*) *f*, Drei'königstag *m.* – **2.** e~ (göttliche) Erscheinung, Manifestati'on *f*, Offen'barung *f.*

ep·i·pha·ryn·ge·al [ˌepifə'rindʒiəl; -pə-] *adj med.* über dem Schlund liegend. — **ˌep·i'phar·ynx** [-'færiŋks] *s* Epi'pharynx *f.*

ep·i·phe·nom·e·nal [ˌepifə'nɒminl; -pə-; -mə-] *adj* **1.** sekun'där in Erscheinung tretend. – **2.** *med.* später auftretend (*Krankheit*). — **ˌep·i·phe'nom·e·nalˌism** *s philos.* Automa'tismus *m* (*Lehre von der rein physiologischen Ursache jeglichen Verhaltens von Mensch u. Tier*). — **ˌep·i·phe'nom·eˌnon** [-ˌnɒn] *pl* **-na** [-nə] *s* **1.** sekun'däre Erscheinung, Begleiterscheinung *f.* – **2.** *med.* später auftretende Krankheitserscheinung.

e·piph·o·ra [i'pifərə; -fə-] *s med.* Tränenfluß *m*, E'piphora *f.*

ep·i·phragm ['epiˌfræm; -pə-] *s* **1.** *bot.* Epi'phragma *n.* – **2.** *zo.* Epi'phragma *n*, Winterdeckel *m.* — **ˌep·i'phrag·mal** [-'frægməl] *adj* Epiphragma...

ep·i·phyl·lous [ˌepi'filəs; -pə-] *adj bot.* epi'phyll, auf Blättern wachsend.

ˌep·i'phys·e·al, ep·i·phys·i·al [ˌepi'fiziəl; -pə-] *adj med.* das Knochenendstück betreffend. — **e·piph·y·sis** [i'pifisis; -fə-] *pl* **-ses** [-ˌsiːz] *s* **1.** *med. zo.* Knochenendstück *n.* – **2.** Zirbeldrüse *f.*

ep·i·phy·tal [ˌepi'faitl; -pə-] *adj bot.* epi'phytisch, auf anderen Pflanzen wachsend. — **'ep·iˌphyte** [-ˌfait] *s* **1.** *bot.* Epi'phyt *m*, After-, Luftpflanze *f*, 'Scheinschmaˌrotzer *m.* – **2.** *med.* (*Hautkrankheit erzeugender*) Epi'phyt. — **ˌep·i'phyt·ic** [-'fitik], **ˌep·i'phyt·i·cal, ˌep·i'phy·tous** [-'faitəs] *adj* **1.** → epiphytal. – **2.** *med.* durch Epi'phyten erzeugt. — **ˌep·i·phy'tot·ic** [-'tɒtik] *adj bot.* bei Pflanzen vorkommend (*Krankheit etc*).

ep·i·pleu·ra [ˌepi'plu(ə)rə; -pə-] *pl* **-rae** [-riː] *s zo.* (knochenartiger) Rippenfortsatz, 'umgeschlagener Deckenrand. — **ˌep·i'pleu·ral** *adj med. zo.* epipleu'ral.

e·pip·lo·ce [i'pipləsi] *s* (*Rhetorik*) Steigerung *f*, Klimax *f.*

e·pip·lo·cele [i'pipləˌsiːl] *s med.* Netzbruch *m.* — **eˌpip·lo'i·tis** [-lo'aitis] *s* Netzentzündung *f.* — **e'pip·lo·on** [-loˌɒn; -ən] *pl* **-lo·a** [-ə] *s* ('Unterleibs-, Darm)Netz *n*, O'mentum *n.*

ep·i·pol·ic [ˌepi'pɒlik; -pə-] *adj phys.* fluores'zierend. — **e·pip·o·lism** [i'pipəˌlizəm] *s* Fluores'zenz *f.*

e·pi·ro·gen·ic *etc cf.* epeirogenic *etc.*

E·pi·rot *cf.* Epirote I. — **E·pi·rote** [i'pai(ə)rout] **I** *s* Epi'rot(in), Bewohner(in) von E'pirus. – **II** *adj* epi'rotisch. — **Ep·i·rot·ic** [ˌepi'rɒtik] → Epirote II.

e·pis·co·pa·cy [i'piskəpəsi] *s relig.* Episko'pat *n*: a) bischöfliche Verfassung, b) Gesamtheit *f* der Bischöfe, c) Amtstätigkeit *f* eines Bischofs, d) Bischofswürde *f.* — **e'pis·co·pal I** *adj relig.* **1.** episko'pal, bischöflich, Bischofs..., Episkopal... – **2.** die bischöfliche Verfassung betreffend *od.* stützend. – **3.** *meist* E~ auf bischöfliche Verfassung begründet: E~ Church Episkopalkirche. – **4.** zu einer bischöflichen Kirche gehörig. – **II** *s obs. od. colloq. für* episcopalian II. — **eˌpis·co'pa·li·an** [-'peiliən; -ljən] **I** *adj* **1.** bischöflich. – **2.** *meist* E~ zu einer (*bes. der engl.*) Episko'palkirche gehörig. – **II** *s* **3.** Episko'pale *m*, Anhänger *m* der Episko'palverfassung (*bes. der anglikanischen Kirche*). – **4.** *meist* E~ Mitglied *n* einer (*bes. der engl.*) Episko'palkirche. — **Eˌpis·co'pa·li·anˌism** *s* Grundsätze *pl* der Episko'palen. — **e'pis·co·palˌism** [-pəˌlizəm] *s relig.* Episko'palsyˌstem *n.*

e·pis·co·pate [i'piskəpit; -ˌpeit] *s relig.* Episko'pat *n*: a) Bischofsamt *n*, -würde *f*, b) Bistum *n*, Bischofssitz *m*, c) Amtstätigkeit *f* eines Bischofs, d) Gesamtheit *f* der Bischöfe. — **e'pis·coˌpize** *relig.* **I** *v/i* **1.** als Bischof handeln. – **II** *v/t* **2.** (*j-n*) zum Bischof machen *od.* weihen. – **3.** (*Gebiet*) als Bischof re'gieren. – **4.** (*etwas, j-n*) unter bischöfliche Herrschaft bringen, bischöflich machen.

ep·i·sep·al·ous [ˌepi'sepələs] *adj bot.* epise'pal, vor den Kelchblättern stehend (*Staubgefäße*).

ep·i·sode ['epiˌsoud; -pə-] *s* Epi'sode *f*: a) *antiq.* Dia'log *m* (*zwischen den Chorgesängen*), b) Neben-, Zwischenhandlung *f* (*im Drama etc*), c) Abschweifung *f*, eingeflochtene Erzählung, d) Abschnitt *m* von Ereignissen (*aus größerem Ganzen*), e) (Neben-)Ereignis *n*, f) *mus.* 'Nebenmoˌtiv *n*, Zwischenspiel *n.* – *SYN. cf.* occurrence. — **ˌep·i'sod·ic** [-'sɒdik], **ˌep·i'sod·i·cal** *adj* epi'sodisch. — **ˌep·i'sod·i·cal·ly** *adv* (*auch zu* episodic).

ep·i·spas·tic [ˌepi'spæstik; -pə-] *adj u. s med.* blasenziehend(es Mittel).

ep·i·sperm ['epiˌspəːrm; -pə-] *s bot.* Samenschale *f.* — **ˌep·i'sper·mic** *adj bot.* zur Samenschale gehörig. — **ˌep·i·spo'ran·gi·um** [-spo'rændʒiəm] *pl* **-gi·a** [-ə] *s bot.* In'dusium *n.* — **'ep·iˌspore** [-ˌspɔːr], *auch* **ˌep·i'spo·ri·um** [-riəm] *pl* **-ri·a** [-ə] *s bot.* äußere Sporenhaut (*der Farne*).

e·pis·ta·sis [i'pistəsis] *s* **1.** *med.* Unter'drückung *f* einer Absonderung *od.* Ausscheidung, Blutstillung *f.* – **2.** Oberflächenbelag *m* auf Flüssigkeiten. – **3.** *biol.* Epista'sie *f.*

ep·i·stax·is [ˌepi'stæksis; -pə-] *s med.* Nasenbluten *n*, Epi'staxis *f.*

e·pis·te·mo·log·i·cal [iˌpistimə'lɒdʒikəl; -tə-] *adj* epistemo'logisch. — **eˌpis·te'mol·o·gist** [-'mɒlədʒist] *s* Epistemo'loge *m.* — **eˌpis·te'mol·o·gy** *s philos.* Epistemolo'gie *f*, Lehre *f* vom Wissen, Er'kenntnistheoˌrie *f.*

ep·i·ster·nal [ˌepi'stəːrnl; -pə-] *adj med.* epister'nal, auf dem Brustbein liegend: ~ fossa Kehlgrube. — **ˌep·i'ster·num** [-nəm] *s* **1.** *zo.* Brustbeinfortsatz *m.* – **2.** *med.* Brustbein *n.*

e·pis·tle [i'pisl] *s* **1.** E'pistel *f*, (langer, for'meller) Brief. – **2.** E~ *Bibl.* Brief *m*, Sendschreiben *n*: E~ to the Romans Römerbrief. – **3.** *relig.* E'pistel *f* (*Auszug aus den Episteln*): → side 4. — **e'pis·tler** [-lər; -tlər] *s* **1.** Brief-, E'pistelschreiber *m.* – **2.** *relig.* E'pistelvorleser *m.* — **e'pis·to·lar·y** [*Br.* -təlari; *Am.* -ˌleri] *adj* **1.** Briefe *od.* Briefschreiben betreffend. – **2.** brieflich, Brief... – **3.** *relig.* zur E'pistel gehörig. — **e'pis·to·ler** [-tələr] → epistler. — **e'pis·to·list** → epistler 1. — **eˌpis·to·li'za·tion** *s* E'pistel-, Briefschreiben *n.* — **e'pis·toˌlize I** *v/t* (*j-m*) einen Brief schreiben. – **II** *v/i* einen Brief schreiben (to an *acc*). — **eˌpis·to'log·ra·pher** [-'lɒgrəfər] *s* Briefschreiber *m.* — **eˌpis·to'log·ra·phy** *s* Epistologra'phie *f*, Briefschreibekunst *f.*

e·pis·to·ma [i'pistəmə] *pl* **-ma·ta** [ˌepi'stoumətə; -'stɒm-; -pə-] *s zo.* Epi'stoma *n* (*Art Oberlippe bei Krebstieren u. Insekten*). — **e'pis·to·mal** *adj* ein Epi'stoma betreffend. — **ep·i-**

stome [ˈepiˌstoum; -pə-] → epistoma. — ˌ**ep·iˈsto·mi·an** → epistomal.

e·pis·tro·phe [iˈpistrəfi] *s* **1.** (*Rhetorik*) Eˈpistrophe *f* (*Figur, in der jeder Satz mit demselben Wort endet*). – **2.** *mus.* a) ˈSchlußwiederˌholung *f*, b) Reˈfrain *m*. – **3.** *bot.* Flächenstellung *f* (*der Chlorophyllkörper*). — **ep·i·stroph·ic** [ˌepiˈstrɒfik; -pə-] *adj* zur Eˈpistrophe gehörig.

ep·i·sty·lar [ˌepiˈstailər; -pə-] *adj arch.* den Archiˈtrav betreffend: ~ **arcuation** Anordnung mit Bogen über den Säulen. — ˈ**ep·iˌstyle** *s arch.* Archiˈtrav *m*, Hauptbalken *m*.

ep·i·taph [ˈepiˌtæ(ː)f; -pə-; *Br. auch* -ˌtɑːf] **I** *s* **1.** Epiˈtaph *n*, Grabschrift *f*. – **2.** Totengedicht *n*. – **II** *v/t* **3.** eine Grabschrift schreiben für (*j-n*). – **III** *v/i* **4.** eine Grabschrift schreiben. — ˈ**ep·iˌtaph·er** *s* Verfasser *m* einer Grabschrift. — ˌ**ep·iˈtaph·ic**, ˌ**ep·iˈtaph·i·cal** *adj* Grabschrift... — ˈ**ep·iˌtaph·ist** → epitapher. — ˈ**ep·i·taphˌize** *v/t* eine Grabschrift machen auf (*j-n*).

e·pit·a·sis [iˈpitəsis] *s* **1.** Eˈpitasis *f*, Schürzung *f* des Knotens (*in einem Drama*). – **2.** *mus.* ˈÜbergehen *n* zu einem höheren Ton. – **3.** *med.* Eˈpitasis *f*, Paroˈxismus *m*, heftigstes Stadium (*Fieber etc*).

ep·i·tha·la·mi·al [ˌepiθəˈleimiəl; -pə-] *adj* Hochzeitsgedicht... — ˌ**ep·i·thaˈla·miˌast** [-ˌæst] *s* Verfasser *m* eines Hochzeitsgedichtes. — ˌ**ep·i·thaˈla·mi·um** [-əm], *auch* ˌ**ep·i·thaˈla·mi·ˌon** [-ˌɒn] *pl* **-a** [-ə] *od.* **-ums** *s antiq.* Hochzeitsgedicht *n*, -lied *n*. — ˌ**ep·iˈthal·aˌmize** [-ˈθæləˌmaiz] *v/t u. v/i* ein Hochzeitsgedicht machen (auf *j-n*).

ep·i·the·li·al [ˌepiˈθiːliəl; -pə-] *adj* Epithel... — ˌ**ep·iˈthe·liˌoid** *adj med.* epiˈthelartig. — ˌ**ep·iˌthe·liˈo·ma** [-ˈoumə] *pl* **-ma·ta** [-mətə] *s med.* Epitheliˈal-, Hautkrebs *m*. — ˌ**ep·iˌthe·liˈom·a·tous** [-ˈɒmətəs; -ˈoum-] *adj* Epitheliom... — ˌ**ep·iˌthe·liˈo·sis** [-ˈousis] *s med.* (*übermäßige, aber gutartige*) Bildung von Epiˈthelium. — ˌ**ep·iˈthe·li·um** [-əm], *pl* **-li·ums** *od.* **-li·a** [-ə] *s* **1.** *med.* Epiˈthel(ium) *n*. – **2.** *bot.* Deckgewebe *n*, dünnwandiges Zellengewebe.

ep·i·them [ˈepiˌθem], *auch* ˌ**ep·iˈthe·ma** [-ˈθiːmə] *s bot.* Epiˈthem *n*, wasserausscheidendes Gewebe.

ep·i·thet [ˈepiˌθet; -pə-] *s* **1.** Eˈpitheton *n*, Eigenschafts-, Beiwort *n*, Attriˈbut *n*, Bezeichnung *f*: **strong** ~**s** Kraftausdrücke; **to use strong** ~**s** fluchen, sich drastisch ausdrücken. – **2.** Beiname *m*, bezeichnende Benennung. – **3.** *bot.* (*zusätzliche*) Bezeichnung (*bes. Artname*). — ˌ**ep·iˈthet·ic**, ˌ**ep·iˈthet·i·cal** *adj* **1.** epiˈthetisch, Beiwort... – **2.** reich an Beiwörtern.

e·pit·o·me [iˈpitəmi] *s* **1.** Auszug *m*, Abriß *m*, Eˈpitome *f*. – **2.** kurze Darstellung *od.* Inhaltsangabe, Inbegriff *m*: in ~ a) in Form eines Auszuges, auszugsweise, b) in verkleinerter Form. – *SYN. cf.* **abridgement.** — **ep·i·tom·i·cal** [ˌepiˈtɒmikəl; -pə-; -mə-], *auch* ˌ**ep·iˈtom·ic** *adj* auszugs-, abrißartig, Auszugs... — **eˈpit·o·mist** → epitomizer. — **eˈpit·o·ˌmize I** *v/t* **1.** einen Auszug machen aus *od.* von, zuˈsammenziehen, -drängen, abkürzen, verkürzen. – **2.** eine gedrängte Darstellung *od.* einen Abriß geben von. – **II** *v/i* **3.** Auszüge machen. — **eˈpit·oˌmiz·er** *s* Verfasser(in) von Auszügen.

e·pit·ro·pe [iˈpitrəˌpiː] *s* (*Rhetorik*) Eˈpitrope *f*, scheinbare Einräumung.

ep·i·zeux·is [ˌepiˈzjuːksis; -pə-] *s* (*Rhetorik*) Epiˈzeuxis *f*, nachdrückliche ˈWortwiederˌholung.

ep·i·zo·al [ˌepiˈzouəl; -pə-], ˌ**ep·iˈzo·an** [-ən] → epizoic I. — ˌ**ep·iˈzo·ic I** *adj* **1.** epiˈzoisch, ˈoberflächenschmaˌrotzend (*Insekten, Pilze*). – **2.** *zo.* zu den Schmaˈrotzertieren gehörig. – **II** *s* → epizootic 3. — ˌ**ep·iˈzo·on** [-ɒn] *pl* **-ˈzo·a** [-ə] *s zo.* Epiˈzoon *n*, ˈAußenschmaˌrotzer *m*.

ep·i·zo·ot·ic [ˌepizoˈɒtik] **I** *adj* **1.** → epizoic I. – **2.** *vet.* epizoˈotisch, seuchenartig, epiˈdemisch: ~ **aphtha** Maul- u. Klauenseuche. – **II** *s* **3.** *vet.* Viehseuche *f*, Epizooˈtie *f*. — ˌ**ep·i·zoˌot·iˈol·o·gy** [-ˈɒlədʒi] *s vet.* Lehre *f* von den Schmaˈrotzerkrankheiten. — ˌ**ep·iˈzo·o·ty** [-ˈzouəti] → epizootic 3.

e plu·ri·bus u·num [iː ˈpluribəs ˈjuːnəm; ˈuːnəm] (*Lat.*) *Motto der USA* (*etwa: Einigkeit macht stark*).

ep·och [*bes. Br.* ˈiːpɒk; *Am.* ˈepək] *s* **1.** Eˈpoche *f*: **to make an** ~ Epoche machen, Aufsehen erregen, bahnbrechend *od.* epochemachend sein. – **2.** Eˈpoche *f*, Zeitraum *m*, -abschnitt *m*. – **3.** neuer Zeitabschnitt, Wendepunkt *m*, Markstein *m*: **this makes** (*od.* **marks**) **an** ~ **in the history** (**of**) dies ist ein Markstein *od.* Wendepunkt in der Geschichte (*gen*). – **4.** *geol.* Eˈpoche *f*. – *SYN. cf.* **period.** — ˈ**ep·och·al** *adj* **1.** Epochen... – **2.** epoˈchal, eˈpochemachend. — ˈ**ep·ochˌism** *s* Eˈpocheneinteilung *f*.

ˈ**ep·och|-ˈmak·ing**, ˈ~**-ˈmark·ing** *adj* eˈpochemachend, bahnbrechend.

ep·ode [ˈepoud] *s* **1.** *metr.* Epˈode *f*: a) Schlußgesang *m* einer Ode, b) *ein lyrisches Gedicht aus abwechselnden Lang- u. Kurzversen.* – **2.** *mus.* Kehrzeile *f*, Reˈfrain *m*. — **epˈod·ic** [-ˈpɒdik] *adj* epˈodisch.

e·pol·li·cate [iˈpɒlikit; -ˌkeit] *adj zo.* **1.** ohne Daumen. – **2.** ohne Hallux *od.* ˈHinterzehe (*Vögel*).

ep·o·nym [ˈepənim] *s* Epoˈnym *m*: a) Stammvater *m*, b) *Person, nach der etwas benannt ist*, c) *Gattungsbezeichnung, die auf eine Person zurückgeht* (*z.B. Baedeker für Reiseführer*), d) bezeichnendes Beiwort. — ˌ**ep·oˈnym·ic** *adj* epoˈnymisch, namengebend, Stammvater... — **epˈon·yˌmism** [-ˈpɒniˌmizəm; -nə-] *s* Benennung *f* nach Perˈsonen. — **epˈon·y·mous** → eponymic. — **epˈon·y·my** → eponymism.

ep·o·pee [ˈepəˌpiː] *s* **1.** a) Epoˈpöe *f*, Epos *n*, Heldengedicht *n*, episches Gedicht, b) epische Dichtung. – **2.** Fabel *f* eines Epos. — ˌ**ep·oˈpoe·an** [-ˈpiːən] *adj* eines epischen Dichters würdig. — ˌ**ep·oˈpoe·ist** *s* epischer Dichter. — ˌ**ep·oˈpoe·ia** [-jə] → epopee.

ep·opt [ˈepɒpt] *pl* **-op·tae** [eˈpɒptiː] *s* **1.** *antiq.* Epˈopt *m*. – **2.** *fig.* Eingeweihte(r). — **epˈop·tic** *adj* **1.** Eingeweihten..., mystisch. – **2.** *phys.* epˈoptisch (*Kristall*).

ep·or·nit·ic [ˌepɔːrˈnitik] *vet.* **I** *adj* Vogelseuchen... – **II** *s* Vogelseuche *f*. — ˌ**ep·orˈnit·i·cal·ly** *adv*.

ep·os [ˈepɒs] *s* **1.** Epos *n*, erzählendes *od.* episches Gedicht, Heldengedicht *n*. – **2.** (*frühe, ungeschriebene*) epische Dichtung. – **3.** Reihe *f* von Ereignissen, die sich zur epischen Darstellung eignen.

ep·si·lon [ˈepsiˌlɒn; -lən; *bes. Br.* epˈsai-] *s* Epsilon *n* (*5. Buchstabe des griech. Alphabets*).

ep·som·ite [ˈepsəˌmait] *s min.* Epsoˈmit *n*, Epsomer Bittersalz *n* ($MgSO_4$).

Ep·som salt [ˈepsəm] *s oft pl med.* Epsomer Bittersalz *n* ($MgSO_4 \cdot 7H_2O$; *Heilpräparat aus Epsomit*).

ep·u·lis [eˈpjuːlis] *s med.* Epulis *f*, Zahnfleischgeschwulst *f*.

eq·ua·bil·i·ty [ˌekwəˈbiliti; -əti] *s* **1.** Gleichmut *m*. – **2.** Gleichförmigkeit *f*. — ˈ**eq·ua·ble** *adj* **1.** gleich(förmig). – **2.** ausgeglichen, -gewogen, ruhig (*Gemüt*). – *SYN. cf.* **steady.** — ˈ**eq·ua·ble·ness** → equability.

e·qual [ˈiːkwəl] **I** *adj* **1.** (*an Größe, Rang etc*) gleich (to *dat*): **to be** ~ **to** gleichen, gleich sein; **twice three is** ~ **to six** zweimal drei ist gleich sechs; **not** ~ **to** geringer als; **other things being** ~ unter sonst gleichen Umständen; ~ **in all respects** *math.* kongruent (*Dreieck*); ~ **in size** von gleicher Größe. – **2.** ruhig, gleichförmig, -mütig, -mäßig: ~ **mind** Gleichmut. – **3.** angemessen, entsprechend, gemäß (to *dat*): **dyed** ~ **to new** wie neu aufgefärbt; ~ **to your merit** Ihrem Verdienst entsprechend; **to be** ~ **to s.th.** einer Sache entsprechen *od.* gleichkommen. – **4.** alles gleichmäßig berücksichtigend, pariˈtätisch: ~ **justice under the law** Gleichheit vor dem Gesetz. – **5.** *math.* treu: **of** ~ **angle** winkeltreu; **of** ~ **area** flächentreu. – **6.** imˈstande, fähig, gewachsen: **to be** ~ **to s.th.** einer Sache gewachsen sein; (**not**) **to be** ~ **to a task** einer Aufgabe (nicht) gewachsen sein; **to be** ~ **to anything** zu allem fähig *od.* imstande *od.* entschlossen sein. – **7.** (wohl)aufgelegt, geneigt (to *dat od.* zu): **to be** ~ **to a glass of wine** einem Glas Wein nicht abgeneigt sein. – **8.** eben, plan (*Oberfläche*). – **9.** ausgeglichen, proportioˈniert. – **10.** *bot.* symˈmetrisch, auf beiden Seiten gleich. – **11.** gleichmäßig, ohne Schwankung (*Bewegung*). – **12.** *mus.* gleichartig (*Gesangsstimmen*). – **13.** ebenbürtig, gleichwertig, -berechtigt: ~ **in strength** gleich stark, gleich an Stärke. – *SYN. cf.* **same.** –
II *s* **14.** Gleichgestellte(r), -berechtigte(r) (*an Rang, Alter etc*): **among** ~**s** unter Gleichgestellten; **your** ~**s** deinesgleichen; ~**s in age** Altersgenossen; **he has not his** ~, **he has no** ~, **he is without** ~ er hat nicht *od.* sucht seinesgleichen; **to be the** ~ **of s.o.** j-m ebenbürtig sein. – **15.** *math.* gleiche Anzahl, Gleiche *f*, Gleiche *n*. –
III *v/t pret u. pp* ˈ**e·qualed**, *bes. Br.* ˈ**e·qualled 16.** (*j-m, einer Sache*) gleichen, entsprechen, es aufnehmen mit, (*dat*) gleich sein, gleichkommen (in an *dat*): **not to be** ~**ed** nicht seinesgleichen haben, ohne Konkurrenz sein. – **17.** *obs.* gleichmachen. – **18.** (*Zuneigung etc*) völlig vergelten, erwidern. –
IV *v/i* **19.** gleich sein.

ˈ**e·qual-ˈa·re·a** *adj* flächentreu.

e·qual·i·tar·i·an [iˌkwɒliˈtɛ(ə)riən; -lə-] **I** *adj* die (Theoˈrie von der) Gleichheit aller Menschen betreffend, Gleichheits... – **II** *s* Anhänger(in) des Gleichheitsgedankens, ˈGleichheitsaˌpostel *m*, -faˌnatiker(in). — **eˌqual·iˈtar·i·anˌism** *s* Theoˈrie *f* von der Gleichheit aller.

e·qual·i·ty [iˈkwɒliti; -əti] *s* **1.** Gleichheit *f*: **to be on an** ~ **with** a) auf gleicher Stufe stehen mit (*j-m*), b) identisch *od.* gleich(bedeutend) sein mit (*etwas*); **circle of** ~ *astr.* Gleichheitskreis; **perfect** ~ *math.* Kongruenz; **sign of** ~ Gleichheitszeichen; **to treat s.o. on a footing of** ~ mit j-m wie mit seinesgleichen verkehren; ~ **of votes** Stimmengleichheit; → **status** 1. – **2.** *math.* Gleichförmigkeit *f*, -mäßigkeit *f*. – **3.** Ebenheit *f* (*Oberfläche*). — **E**~ **State** *s* (*Spitzname für*) Wyˈoming *n* (*erster Staat der USA, der das Frauenstimmrecht einführte*).

e·qual·i·za·tion [ˌiːkwəlaiˈzeiʃən; -li-; -lə-] *s* **1.** Gleichstellung *f*, -machung *f*. – **2.** Ausgleich(ung *f*) *m*. – **3.** *tech.* Abgleich *m*. — ˈ**e·qualˌize I** *v/t* **1.** gleichmachen, -stellen, -setzen. – **2.** ausgleichen, kompenˈsieren, gleichförmig *od.* -mäßig machen. – **3.** (*Uhr-*

macherei) ab-, ausgleichen. – **4.** *chem.* egali'sieren. – **5.** *electr. phot.* entzerren. – **II** *v/i* **6.** *sport* ausgleichen. – **7.** gleich werden. — **'e·qual,iz·er** *s* **1.** Ausgleicher(in), Gleichmacher(in). – **2.** *tech.* Stabili'sator *m*, Vorrichtung *f* zum Ausgleich des Ganges (*Maschine*), Wippe *f*. – **3.** *electr.* Entzerrer *m*. – **4.** *sport Br.* Ausgleich(stor *n*, -punkt *m*) *m*.

e·qual·iz·ing| bar ['i:kwə,laiziŋ] *s* Zugwaage *f*, Bracke *f*, Ortscheit *n* (*eines Wagens*). — **~ coil** *s electr.* Ausgleichspule *f*. — **~ flow** *s phys.* Ausgleichströmung *f*. — **~ gear** *s tech.* Ausgleichgetriebe *n*. — **~ spring** *s tech.* Ausgleich-, Dämpfungsfeder *f*.

e·qual·ly ['i:kwəli] *adv* **1.** ebenso, in gleicher Weise, gleich(mäßig): **~ distant** gleichweit entfernt. – **2.** zu gleichen Teilen, in gleichem Maße: **we ~ with them** wir ebenso wie sie, wir zusammen. — **'e·qual·ness** → **equality.**

e·qua·nim·i·ty [,i:kwə'nimiti; ,ek-; -mə-] *s* Gleichmut *m*: **with ~** mit Gleichmut, gleichmütig. – *SYN.* **composure, phlegm, sang-froid.** — **e·quan·i·mous** [i'kwænimәs; -nə-] *adj* gleichmütig.

e·quate [i'kweit] **I** *v/t* **1.** gleichmachen, ausgleichen. – **2.** (*j-n, etwas*) gleichstellen, -setzen, auf gleiche Stufe stellen (**with, to** mit): **to be ~d with s.o.** mit j-m auf gleiche Stufe gestellt werden. – **3.** *math.* a) die Gleichheit von (*etwas*) feststellen *etc*, b) in die Form einer Gleichung bringen. – **4.** *fig.* als gleich(wertig) ansehen *od.* behandeln *od.* darstellen. – **II** *v/i* **5.** gleich sein, gleichen. — **e'quat·ed** *adj econ.* Staffel...: **~ abstract of account** Staffelauszug; **~ calculation of interest** Staffelzinsrechnung.

e·qua·tion [i'kweiʃən; -ʒən] *s* **1.** Gleichmachen *n*, Ausgleich(ung *f*) *m*, Gleichgewicht *n*, Gleichheit *f*: **~ of supply and demand** *econ.* Gleichgewicht von Angebot u. Nachfrage; **~ of payments** *econ.* mittlerer Zahlungstermin. – **2.** individu'elle Beurteilung *od.* Beobachtung, Berücksichtigung *f* der auf individuelle Eigentümlichkeiten zu'rückzuführenden Fehler: **personal ~** persönliche Beobachtungsfehler. – **3.** *math.* Gleichung *f*: **to solve (form) an ~** eine Gleichung auflösen (ansetzen); **quadratic ~** quadratische Gleichung. – **4.** *astr.* Gleichung *f*: **annual ~** Jahresgleichung der Sonne u. des Mondes. — **e'qua·tion·al** *adj* **1.** Gleichungen betreffend, Gleichungs... – **2.** *electr. tech.* Ausgleichs..., ausgleichend.

e·qua·tion| form·u·la *s math.* Gleichungsformel *f*. — **~ of a cir·cle** *s math.* Kreisgleichung *f*. — **~ of state** *s phys.* Zustandsgleichung *f*.

e·qua·tor [i'kweitər] *s* **1.** *astr. geogr.* Ä'quator *m*: **~ line** *geogr. mar.* Äquationslinie; **~ of magnet** Indifferenzpunkt eines Stabmagneten. – **2.** Gürtel-, Mittellinie *f*, Teilungskreis *m*.

e·qua·to·ri·al [,i:kwə'tɔ:riəl; ek-] **I** *adj* **1.** äquatori'al, Äquator..., zum Ä'quator gehörig, nahe beim *od.* am Äquator (liegend): **~ head** parallaktisches Achsensystem. – **2.** äquatori'al, ä'quatorähnlich: **~ heat** äquatoriale Hitze. – **II** *s* **3.** *astr.* Re'fraktor *m*, Äquatori'al(instru,ment) *n*. — **~ cir·cle** *s astr.* Stundenkreis *m* am Äquatori'al. — **~ cur·rent** *s mar.* Äquatori'alströmung *f*. — **~ in·stru·ment, ~ tel·e·scope** → **equatorial** 3.

eq·uer·ry ['ekwəri; *Br. auch* i'kweri] *s* **1.** Stallmeister *m* (*an königlichen od. fürstlichen Höfen*). – **2.** [i'kweri] *Br.* Oberstallmeister *m*, Beamter *m* des königlichen Haushaltes.

e·ques·tri·an [i'kwestriən] **I** *adj* **1.** Pferde *od.* Reiter *od.* Reitkunst betreffend, Reit... – **2.** zu Pferde (darstellend), Reiter...: **~ statue** Reiterstatue, -standbild. – **3.** *antiq.* (*Rom*) Ritter...: **~ order** Ritterstand. – **II** *s* **4.** (*bes.* Kunst-, Tur'nier)Reiter(in). — **e,ques·tri'enne** [-'en] *s* (Kunst)-Reiterin *f*.

equi- [i:kwi] *Vorsilbe mit der Bedeutung* gleich.

e·qui·an·gu·lar [,i:kwi'æŋgjulər; -gjə-] *adj math.* gleichwink(e)lig. — **,e·qui·,an·gu'lar·i·ty** [-'læriti; -əti] *s* Gleichwink(e)ligkeit *f*.

e·qui·axed ['i:kwi,ækst] *adj* gleichachsig.

e·qui·dif·fer·ent [,i:kwi'difərənt; -kwə-] *adj* **1.** *math.* mit gleichen 'Unterschieden: **~ series** arithmetische Reihe *od.* Progression. – **2.** progressi'onsfähig (*Kristalle*).

e·qui·dis·tance [,i:kwi'distəns; -kwə-] *s* gleicher Abstand: **at ~ from** in gleicher Entfernung von. — **,e·qui'dis·tant** *adj* **1.** gleich weit entfernt (**from** von), paral'lel (*Linie*). – **2.** *geogr. math.* längentreu, äquidi'stant, abstandstreu.

e·qui·form ['i:kwi,fɔ:rm; -kwə-], **,e·qui'for·mal** [-məl] *adj* gleichförmig. — **,e·qui'for·mi·ty** *s* Gleichförmigkeit *f*.

e·qui·lat·er·al [,i:kwi'lætərəl; -kwə-] *bes. math.* **I** *adj* **1.** gleichseitig. – **II** *s* **2.** gleichseitige Fi'gur. – **3.** gleiche Seite.

e·quil·i·brant [i'kwilibrənt; -lə-] *s phys.* Kraft *f od.* 'Kräftesy,stem *n* (*das ein anderes ins Gleichgewicht bringt*). — **e·qui·li·brate** [,i:kwi'laibreit; -kwə-; i'kwili-; -lə-] **I** *v/t* **1.** ins Gleichgewicht bringen. – **2.** im Gleichgewicht halten, im Gleichgewicht sein mit, aufwiegen. – **3.** *tech.* auswuchten. – **4.** *electr.* abgleichen. – **II** *v/i* **5.** sich das Gleichgewicht halten (**with** mit). — **,e·qui·li'bra·tion** [-li-] *s* **1.** Gleichgewicht *n* (**with** mit, **to** zu). – **2.** 'Herstellung *f od.* Aufrechterhaltung *f* des Gleichgewichts. — **,e·qui'li·bra·tor** [-'laibreitər] *s* Ausgleicher *m*.

e·quil·i·brist [i'kwilibrist; -lə-] *s* Seiltänzer *m*, Akro'bat *m*, Äquili'brist *m*. — **e,quil·i'bris·tic** *adj* äquili'bristisch.

e·qui·lib·ri·um [,i:kwi'libriəm; -kwə-] *pl* **-ums** *od.* **-a** [-ə] *s* **1.** *phys.* Gleichgewicht *n*: **to be in ~** im Gleichgewicht sein; **state of ~** Gleichgewichtszustand. – **2.** *fig.* Gleichgewicht *n*, Gleichheit *f*, richtiges Verhältnis: **political ~** politisches Gleichgewicht. – **3.** *fig.* Schwanken *n*, Unschlüssigkeit *f*, Unsicherheit *f*, Abwägen *n* (*Gründe*). – **4.** 'Unpar,teilichkeit *f*. — **~ valve** *s tech.* 'ausbalan,ciertes Ven'til, Zy'linderven,til *n*.

e·qui·mo·lec·u·lar [,i:kwimə'lekjulər; -kwə-; -kjəl-] *adj chem.* 'äquimoleku,lar. — **,e·qui·mo'men·tal** [-mo'mentl] *adj phys.* mit gleichen Mo'menten. — **,e·qui'mul·ti·ple** [-'mʌltipl; -tə-] *s meist pl math.* Zahlen *pl* mit gemeinsamem Faktor.

e·quine ['i:kwain] **I** *adj* pferdeartig, Pferde... – **II** *s selten* Pferd *n*. — **~ an·te·lope** *s zo.* Blaubock *m* (*Hippotragus equinus*).

e·quin·i·a [i'kwiniə] *s vet.* Rotz *m*.

e·qui·noc·tial [,i:kwi'nɒkʃəl; -kwə-] **I** *adj* **1.** das Äqui'noktium *od.* die Tagundnachtgleiche betreffend, Äquinoktial... – **2.** zur Zeit des Äqui'noktiums geschehend *od.* herrschend, Äquinoktial... – **3.** äquatori'ale Gegenden *od.* Kli'mate betreffend. – **II** *s* **4.** → **~ circle.** – **5.** Äquinokti'alsturm *m*. — **~ cir·cle** *s* 'Himmels-, 'Erdä,quator *m*. — **~ co·lure** *s astr.* (*durch die Äquinoktialpunkte gehender*) Meridi'an. — **~ line** → **equinoctial circle.** — **~ point** *s* Äquinokti'alpunkt *m*. — **~ time** *s astr.* *vom Eintritt der Sonne in das Frühlingsäquinoktium an gerechnete Zeit.*

e·qui·nox ['i:kwi,nɒks; -kwə-] *pl* **-,nox·es** *s astr.* **1.** Äqui'noktium *n*, Tagundnachtgleiche *f*: → **autumnal ~**; **vernal ~**. – **2.** Äquinokti'alpunkt *m*.

e·quip [i'kwip] *pret u. pp* **-'quipped** *v/t* **1.** *mar. mil.* ausrüsten, -statten, equi'pieren: **to ~ oneself** sich ausrüsten *od.* ausstatten; **to ~ a ship** ein Schiff ausrüsten *od.* ausreeden. – **2.** einkleiden, 'ausstatten, -rüsten, -staf,fieren. – **3.** *fig.* mit geistigem Rüstzeug versehen, ausrüsten (**with** mit). – **4.** *tech.* aussteuern, versehen. – *SYN. cf.* **furnish.**

eq·ui·page ['ekwipidʒ; -kwə-] *s* **1.** *mar. mil.* a) Equi'pierung *f*, Ausrüstung(sgegenstände *pl*) *f* (*Heer, Flotte etc*), b) Kriegsgerät *n*, -zubehör *n*, c) *obs.* Uni'form *f*, An-, Aufzug *m*. – **2.** Ausstattung *f*, -rüstung *f* (*Expedition, Reise etc*). – **3.** a) (*kleines*) Hausgerät, Besteck *n*, Geschirr *n*, Ser'vice *n*, b) 'Schmuck(kollekti,on *f*) *m*, Gebrauchsgegenstände *pl* (*auch Kassette etc dazu*). – **4.** Equi'page *f*, ele'ganter (Staats)Wagen (*auch mit Pferden u. Dienern*).

e·qui·pe·dal [,i:kwi'pi:dl; -kwə-] *adj* **1.** *math.* gleichschenk(e)lig (*Dreieck*). – **2.** *zo.* mit gleichen Fußpaaren.

e·quip·ment [i'kwipmənt] *s* **1.** *mar. mil.* Ausrüstung *f*, (Kriegs)Gerät *n*. – **2.** Ausrüstung *f*, Ausstattung *f*, Einkleidung *f*. – **3.** *meist pl* Ausrüstung(sgegenstände *pl*) *f*, Materi'al *n*. – **4.** *fig.* (*geistiges*) Rüstzeug. – **5.** (*Eisenbahn*) rollendes Materi'al. – **6.** *tech.* Einrichtung *f*, Appara'tur *f*, Gerät *n*, (Ma'schinen)Anlage *f*. — **~ bond** *s econ.* Schuldverschreibung *f*: a) *Am. einer Finanzierungsgesellschaft für Eisenbahnbedarf*, b) *Br. deren Erlös zur Anschaffung von Ausrüstungsgegenständen für das betreffende Unternehmen dienen soll.* — **~ de·pot** *s mil.* Zeugamt *n*. — **~ note** *s econ. Am.* (*von der Eisenbahn ausgegebene*) Schuldverschreibung zur Deckung des Einkaufs von (rollendem) Materi'al. — **~ trust** *s econ. Am.* Finan'zierungsgesellschaft *f* für Eisenbahnbedarf.

e·qui·poise ['ekwi,pɔiz; 'i:k-; -kwə-] **I** *s* **1.** Gleichgewicht *n*. – **2.** *fig.* (mo'ralisches) Gleichgewicht, gleiche Stärke. – **3.** *meist fig.* Gegengewicht *n* (**to** gegen). – **II** *v/t* **4.** aufwiegen. – **5.** im Gleichgewicht halten.

e·qui·pol·lence [,i:kwi'pɒləns; -kwə-], *auch* **,e·qui'pol·len·cy** *s* **1.** Gleichheit *f*. – **2.** *philos.* Äquiva'lenz *f*, Gleichwertigkeit *f* (*zwischen 2 od. mehr Sätzen*). — **,e·qui'pol·lent I** *adj* **1.** gleich. – **2.** gleichstark, -bedeutend, -wertig (**with** mit). – **3.** *philos.* gleichbedeutend (*Sätze*). – **II** *s* **4.** Äquiva'lent *n*, Gleichwertiges *n*.

e·qui·pon·der·ance [,i:kwi'pɒndərəns; -kwə-], *auch* **,e·qui'pon·der·an·cy** *s* **1.** Gleichheit *f* des Gewichts *etc*. – **2.** Gleichgewicht *n*. — **,e·qui'pon·der·ant** *adj* **1.** gleich schwer *od.* (ge)wichtig. – **2.** *fig.* von gleichem Gewicht *od.* Einfluß, von gleicher Kraft. — **,e·qui'pon·der,ate** [-,reit] **I** *v/i* gleich schwer sein (**to, with** wie). – **II** *v/t* aufwiegen, im Gleichgewicht halten.

e·qui·po·tent [,i:kwi'poutənt; -kwə-] *adj* **1.** gleich stark. – **2.** *math.* gleichwertig. — **,e·qui·po'ten·tial** [-po'tenʃəl] *adj* **1.** *fig.* mit gleicher Macht *od.* Kraft *od.* Fähigkeit. – **2.** *chem. phys.* äquipotenti'al: **~ line** a) *math.* Niveaulinie, b) *phys.* Äquipotentiallinie. – **3.** *electr.* auf gleichem Potenti'al (befindlich), die gleiche Spannung führend, Spannungsausgleich(s)...

e·qui·ro·tal [ˌiːkwiˈroutl; -kwə-] *adj* mit gleich großen Rädern.

eq·ui·se·ta·ceous [ˌekwisiˈteiʃəs; -kwə-] *adj bot.* zu den Schachtelhalmen (*Fam. Equisetaceae*) gehörig, Schachtelhalm... — ˌ**eq·uiˈse·tic** [-ˈsiːtik; -ˈsetik] *adj* **1.** → **equisetaceous.** – **2.** *chem.* Akonit...: ~ **acid** Equiset-, Schachtelhalm-, Akonitsäure ($C_6H_6O_6$). — ˌ**eq·uiˈse·tum** [-ˈsiːtəm] *s bot.* Schachtelhalm *m* (*Gattg Equisetum*).

e·qui·so·nance [ˌiːkwiˈsounəns; -kwə-] *s mus.* Gleich-, Einklang *m* in Okˈtaven. — ˌ**e·quiˈso·nant** *adj mus.* gleichklingend.

eq·ui·ta·ble [ˈekwitəbl] *adj* **1.** gerecht, (recht u.) billig. – **2.** ˈunparˌteiisch. – **3.** *jur.* a) das Billigkeitsrecht betreffend *od.* auf ihm beruhend, b) billigkeitsgerichtlich: ~ **estate** *Vermögen od. Grundstück, das j-m nach Billigkeitsrecht zusteht*; ~ **mortgage** *econ.* Billigkeitspfand. – *SYN. cf.* **fair.** — ˈ**eq·ui·ta·ble·ness** *s* Gerechtigkeit *f*, Billigkeit *f*, ˈUnparˌteilichkeit *f*.

eq·ui·tant [ˈekwitənt; -kwə-] *adj bot.* reitend (*Schwertlilienblätter etc*). — ˌ**eq·uiˈta·tion** *s* **1.** Reiten *n*, Reitkunst *f*, (DresˌsurˌReiteˈrei *f*. – **2.** Spaˈzierritt *m*. — ˈ**eq·uiˌtes** [-ˌtiːz] *s pl antiq.* Ritter *pl* (*mit besonderen Privilegien in Rom*).

eq·ui·ty [ˈekwiti; -kwə-] *s* **1.** Billigkeit *f*, Gerechtigkeit *f*, ˈUnparˌteilichkeit *f*. – **2.** *jur.* a) *auch* ~ **law** (*ungeschriebenes*) Billigkeitsrecht: **laws of** ~ Billigkeitsgesetzgebung, b) Billigkeitsgerichtsbarkeit *f*, c) billiger Anspruch, d) Rechtsnormen *pl*, Gesetzesbestimmungen *pl* (*zum Ausgleich von Härten durch veraltete Bestimmungen*). – **3.** *econ. jur.* der über den verpfändeten *od.* belasteten Teil einer Sache hinˈausgehende Wert. – **4.** *meist pl econ.* (industriˈelle) ˈWert-, Diviˈdendenpaˌpiere *pl*. — **E~ Court** *s jur.* Billigkeitsgericht *n*. — **~ of re·demp·tion** *s jur.* **1.** Rückkaufs-, Einlösungsrecht *n* des Hypoˈthekenschuldners. – **2.** dem Pfandschuldner verbleibender ˈÜberschuß nach Verkauf seines verpfändeten Eigentums.

e·quiv·a·lence [iˈkwivələns], *auch* **eˈquiv·a·len·cy** *s* **1.** Gleichwertigkeit *f*, gleicher Wert. – **2.** gleiche Bedeutung *od.* Geltung *od.* Macht. – **3.** gleichwertiger Betrag, Gegenwert *m*. – **4.** *chem.* a) Äquivaˈlenz *f*, Gleichwertigkeit *f*, b) Wertigkeit *f*. – **5.** *nur* **equivalency** *geol.* Überˈeinstimmung *f* (*Schichten*). — **eˈquiv·a·lent I** *adj* **1.** gleichbedeutend, iˈdentisch (to mit): **his words were** ~ **to an insult** seine Worte kamen einer Beleidigung gleich. – **2.** gleichwertig, entsprechend. – **3.** *math.* äquivaˈlent, gleichwertig. – **4.** *med. zo.* von gleichem (Körper)Bau. – **5.** *chem.* äquivaˈlent, von gleicher Wertigkeit: ~ **number** Valenzzahl. – **6.** *geol.* (*im Ursprung*) gleichzeitig. – **7.** *obs.* gleich stark. – *SYN. cf.* **same.** – **II** *s* **8.** Äquivaˈlent *n* (of für). – **9.** volle Entsprechung, Gegen-, Seitenstück *n* (of zu). – **10.** gleicher Betrag, (Gegen)Wert *m*. – **11.** *phys.* Äquivaˈlent *n*: **mechanical** ~ **of heat** mechanisches Wärmeäquivalent. – **12.** gleichbedeutendes Wort *od.* Zeichen. – **13.** *chem.* Mischungsverhältnis *n*. – **14.** *geol.* gleichartige Formatiˈon.

e·qui·valve [ˈiːkwiˌvælv; -kwə-] *adj zo.* gleichklappig.

e·quiv·o·cal [iˈkwivəkəl] *adj* **1.** zweideutig, doppelsinnig. – **2.** unbestimmt, ungewiß, zweifelhaft, fraglich: ~ **success** zweifelhafter Erfolg. – **3.** fragwürdig, verdächtig. – **4.** *biol.* unbestimmbar (*niedere Organismen*). – *SYN. cf.* **obscure.** — **eˌquiv·oˈcal·i·ty** [-ˈkæliti; -əti], **eˈquiv·o·cal·ness** *s* Zweideutigkeit *f*, Doppelsinn *m*. — **eˈquiv·oˌcate** [-ˌkeit] *v/i* **1.** doppelsinnige Worte gebrauchen. – **2.** zweideutig *od.* doppelzüngig reden *od.* handeln, Worte verdrehen. – **3.** Ausflüchte gebrauchen. – *SYN. cf.* **lie**[1]. — **eˌquiv·oˈca·tion** *s* **1.** Zweideutigkeit *f*, Ausflucht *f*. – **2.** Wortverdrehung *f*. – **3.** *bes. philos.* Doppelsinn *m*. — **eˈquiv·oˌca·tor** [-tər] *s* zweideutig Redende(r), Wortverdreher(in). — **eˈquiv·o·ca·to·ry** [*Br.* -ˌkeitəri; *Am.* -kəˌtɔːri] → **equivocal 1.**

eq·ui·voque, *auch* **eq·ui·voke** [ˈekwiˌvouk; -kwə-] *s* **1.** zweideutiger Ausdruck. – **2.** Zweideutigkeit *f*, Doppelsinn *m*. – **3.** Wortspiel *n*.

e·ra [ˈi(ə)rə; ˈiː-] *s* **1.** Ära *f*, Zeitrechnung *f*, Zeitalter *n*: **the Christian** ~ christliche Zeitrechnung. – **2.** denkwürdiger Tag (*an dem ein neuer Zeitabschnitt beginnt*). – **3.** geschichtliche Periˈode, Zeitalter *n*. – **4.** neuer Zeitabschnitt, Eˈpoche *f*: **to mark an** ~ eine Epoche einleiten. – *SYN. cf.* **period.**

e·ra·di·ate [iˈreidiˌeit] **I** *v/i* strahlen, leuchten. – **II** *v/t* ausstrahlen. — **eˌra·diˈa·tion** *s* (Aus)Strahlen *n*, (Aus)Strahlung *f*.

e·rad·i·ca·ble [iˈrædikəbl] *adj* ausrottbar, auszurotten(d). — **eˈrad·iˌcate** [-ˌkeit] *v/t bes. fig.* (*gänzlich*) ausrotten, entwurzeln. – *SYN. cf.* **exterminate.** — **eˌrad·iˈca·tion** *s* Ausrottung *f*, Entwurzelung *f*. — **eˈrad·iˌca·tive I** *adj* **1.** (*gänzlich*) ausrottend. – **2.** *med.* vom Grunde aus heilend, Radikal... – **II** *s* **3.** *med.* Radiˈkalmittel *n*. — **eˈrad·iˌca·tor** [-tər] *s* **1.** a) Entwurzeler *m* (*Gartengerät*), b) *fig.* Ausrotter *m*. – **2.** Entfernungsmittel *n* (*Flecke etc*).

e·ras·a·ble [*Br.* iˈreizəbl; *Am.* -sə-] *adj* auslöschbar, vertilgbar.

e·rase [*Br.* iˈreiz; *Am.* -s] *v/t* **1.** a) (*Farbe etc*) ab-, auskratzen, -reiben, b) (*Schrift etc*) ˈausstreichen, -raˌdieren, -löschen (from von). – **2.** *fig.* auslöschen (from aus), (ver)tilgen: **to** ~ **from one's memory** aus seinem Gedächtnis tilgen. – *SYN.* **blot**[1], **cancel, delete, efface, expunge, obliterate.** — **eˈrase·ment** *s* **1.** Auskratzen *n*, ˈAusraˌdierung *f*. – **2.** *fig.* (Ver)Tilgung *f*, Vernichtung *f*. — **eˈras·er** *s* **1.** Auskratzer *m*. – **2.** a) Raˈdiermesser *n*, b) Raˈdiergummi *m*: **pencil (ink)** ~ Radiergummi für Bleistift (Tinte). — **eˈra·sion** *s* **1.** → **erasure.** – **2.** *med.* Auskratzung *f*.

E·ras·mi·an [iˈræzmiən] **I** *adj* eˈrasmisch, Eˈrasmus von Rotterdam (*1467–1536*) betreffend. – **II** *s* Erasmiˈaner *m*: a) Anhänger *m* des Eˈrasmus, b) *Anhänger seines Aussprachesystems des Griechischen.*

E·ras·tian [iˈræstiən; -tʃən] *relig.* **I** *adj* erastiˈanisch. – **II** *s* Erastiˈaner *m* (*Anhänger des Thomas Erastus*). — **Eˈras·tianˌism** *s relig.* Lehre *f* des Eˈrastus (*Oberherrschaft des Staates über die Kirche*).

e·ra·sure [iˈreiʒər] *s* **1.** ˈAusraˌdieren *n*, -streichen *n* (from aus, von), ˈAusraˌdierung *f*. – **2.** Entfernung *f* (from aus, von). – **3.** ˈausraˌdierte *od.* -gekratzte Stelle, Raˈsur *f*. – **4.** *fig.* (Ver)Tilgung *f*, Zerstörung *f*.

Er·a·to [ˈerəˌtou] *npr* (*griech. Mythologie*) Eˈrato *f* (*Muse der Liebesdichtung*).

er·bi·a [ˈəːrbiə] *s chem.* ˈErbiumoˌxyd *n*, Erˈbinerde *f* (Er_2O_3). — ˈ**er·bi·um** [-əm] *s chem.* Erbium *n* (Er).

ere [ɛr] **I** *prep* **1.** (*zeitlich*) vor (*dat*): ~ **this** vordem, zuvor, schon vorher. – **II** *conjunction poet.* **2.** ehe, bevor. – **3.** eher als, lieber als.

Er·e·bus [ˈeribəs; -rə-] *s poet.* Erebus *m*, ˈUnterwelt *f*.

e·rect [iˈrekt] **I** *v/t* **1.** aufrichten, in die Höhe richten, aufstellen, -pflanzen: **to** ~ **oneself** sich aufrichten. – **2.** (*Gebäude etc*) errichten, bauen: **to** ~ **the frames of a ship** *mar.* ein Schiff in Spanten stellen. – **3.** *fig.* (*Theorie etc*) aufstellen, (*Schluß*) ˈherleiten, (*Horoskop*) stellen. – **4.** *tech.* (*Maschinen*) aufstellen, zuˈsammenbauen, monˈtieren. – **5.** *math.* (*Lot, Senkrechte*) fällen, errichten. – **6.** *electr.* (*Oberleitungen*) legen. – **7.** *zo.* sträuben, aufrichten. – **8.** *jur.* einrichten, stiften, gründen, ins Leben rufen. – **9.** *fig.* a) *obs.* (*Reich etc*) errichten, (*Streitmacht*) aufstellen, b) ~ **into** machen *od.* erheben zu: **to** ~ **a custom into law.** – **10.** *obs.* a) (*Geist*) aufmuntern, b) (*an Rang etc*) erheben. – **II** *adj* **11.** aufgerichtet, aufrecht, erhoben: **with head** ~ erhobenen Hauptes; ~ **posture** Orthostase, aufrechtes Stehen. – **12.** gerade: **to spring** ~ kerzengerade in die Höhe springen; **to stand** ~ gerade stehen. – **13.** aufgerichtet, aufrecht, zu Berge stehend (*Haare*). – **14.** *fig.* standhaft, fest, unerschüttert: **to stand** ~ standhalten. – **15.** *bot.* aufrecht (*Stamm etc*). – **16.** *obs.* wachsam. — **eˈrect·a·ble** *adj* aufrichtbar. — **eˈrec·tile** [*Br.* -tail; *Am.* -til; -təl] *adj* **1.** aufrichtbar. – **2.** aufgerichtet, hochstehend. – **3.** *biol.* anschwellbar, erekˈtil: ~ **tissue** Schwellgewebe. — **eˌrecˈtil·i·ty** [-ˈtiliti; -əti] *s* Fähigkeit *f*, sich aufzurichten.

e·rect·ing [iˈrektiŋ] *s* **1.** *tech.* Aufbau *m*, Monˈtage *f*. – **2.** *phys.* ˈBildˌumkehrung *f*, -aufrichtung *f*. — **~ crane** *s tech.* Monˈtagekran *m*. — **~ glass** *s tech. Linse zum Umdrehen der seitenverkehrten Bilder eines Mikroskops.* — **~ shop** *s tech.* Monˈtagehalle *f*, -stätte *f*.

e·rec·tion [iˈrekʃən] *s* **1.** Aufrichtung *f*, Errichtung *f*, Aufführung *f*. – **2.** (*das*) Aufgerichtete, Bau *m*, (*meist leichtes*) Gebäude. – **3.** *biol. med.* Erektiˈon *f*. – **4.** aufgerichtete Stellung. – **5.** Gründung *f*, Stiftung *f*. – **6.** *tech.* Monˈtage *f*: ~ **blue print** (Pause einer) Montagezeichnung. — **eˈrec·tive** *adj* aufrichtend, erbauend. — **eˈrect·ness** *s* **1.** aufrechte Stellung *od.* Haltung. – **2.** *fig.* Aufrichtigkeit *f*, G(e)radheit *f*.

e·rec·to·pa·tent [iˌrektoˈpeitənt] *adj* **1.** *bot.* halb aufgerichtet. – **2.** *zo.* das vordere Paar aufrecht, das hintere liegend (*Insektenflügel*).

e·rec·tor [iˈrektər] *s* **1.** Errichter *m*, Erbauer *m*. – **2.** *med. zo.* Aufrichtmuskel *m*. – **3.** → **erecting glass.**

e·rect ray cell *s bot.* stehende Markstrahlzelle.

E re·gion → **E layer.**

ˌ**ereˈlong,** *auch* **ere long** *adv poet.* binnen kurzem, bald.

erem- [erim] → **eremo-.**

e·re·ma·cau·sis [ˌeriməˈkɔːsis] *s chem.* langsame Verbrennung, allˈmähliche Zersetzung, Eremakauˈsie *f*.

e·re·mic [iˈriːmik] *adj bes. zo.* Wüsten bewohnend.

er·e·mite [ˈeriˌmait; -rə-] *s* Ereˈmit *m*, Einsiedler *m*. — ˌ**er·eˈmit·ic** [-ˈmitik], ˌ**er·eˈmit·i·cal,** ˌ**er·eˈmit·ish** [-ˈmaitiʃ] *adj* ereˈmitisch, Einsiedler...

eremo- [erimo] *Wortelement mit der Bedeutung* einsam, Wüsten...

er·e·mol·o·gy [ˌeriˈmɒlədʒi] *s* Wüstenkunde *f*.

ˌ**ereˈnow,** *oft* **ere now** *adv poet.* vordem, schon früher, bis jetzt.

e·rep·sin [iˈrepsin] *s biol. chem.* Erepˈsin *n* (*Magensaftenzym*).

e·reth·ic [iˈreθik] *adj med.* ereˈthistisch, reizbar. — **er·e·thism** [ˈeriˌθizəm; -rə-] *s med.* Ereˈthismus *m*, ˈÜbererregbarkeit *f*, Reizzustand *m*.

— ˌ**er·e'this·mic**, ˌ**er·e'this·tic** [-'θistik] *adj med.* krankhaft gereizt.

ˌ**ere'while**, *auch* ˌ**ere'whiles** *adv obs.* vor kurzem, zu'vor.

erg [əːrg] *s phys.* Erg *n*, Arbeitseinheit *f* (*Arbeit eines Dyns auf dem Weg von 1 cm*).

er·ga·toc·ra·cy [ˌəːrgə'tɒkrəsi] *s* Arbeiterherrschaft *f*.

er·go ['əːrgou] (*Lat.*) *conjunction u. adv* ergo, also, folglich.

er·gom·e·ter [əːr'gɒmitər; -mə-] *s* Dynamo'meter *n*, Kraftmesser *m* (*Gerät*).

er·gon ['əːrgɒn; -gən] *s phys.* **1.** Arbeit *f* (*nach Wärmeeinheiten gemessen*). – **2.** → erg.

er·gos·ter·ol [ər'gɒstəˌrɒl; -ˌroul] *s chem.* Ergoste'rol *n*.

er·got ['əːrgət] *s* **1.** *bot.* Mutterkorn *n* (*Claviceps purpurea*). – **2.** *zo.* weiches Horn (*unter u. hinter dem Fesselgelenk der Pferde*), Flußgalle *f*. – **3.** *med.* kleiner Sporn (*des Gehirns*).

er·got·a·mine [ər'gɒtəˌmiːn; -min] *s chem.* Ergota'min *n* ($C_{33}H_{35}N_5O_5$). — **er·got·am·i·nine** [ˌəːrgə'tæmiˌniːn; -nin] *s chem.* Ergotami'nin *n*.

er·got·ed ['əːrgətid] *adj bot.* Mutterkorn... — '**er·got·in(e)** ['əːrgətin] *s chem.* Ergo'tin *n* (*Extrakt aus Mutterkorn*). — **er·got·i·nine** [ər'gɒtiˌniːn; -nin], *auch* **er'got·i·nin** [-nin] *s chem.* Ergoti'nin *n* ($C_{35}H_{39}N_5O_5$). — '**er·gotˌism** *s* **1.** *bot.* Mutterkornbefall *m*. – **2.** *med.* Kornstaupe *f*, Mutterkornvergiftung *f*, Ergo'tismus *m*. — '**er·gotˌize** *v/t* (*Getreide*) mit Mutterkorn behaften. — ˌ**er·go'tox·ine** [-go'tɒksiːn; -sin] *s chem.* Ergoto'xin *n* ($C_{35}H_{41}N_5O_6$).

e·ri·a ['i(ə)riə; 'eiriˌɑː] *s* **1.** *zo.* Ai'lanthusspinner *m* (*Philosamia cynthia; Seidenspinner*). – **2.** *auch* ~ **silk** Eriaseide *f*.

er·i·ca ['erikə] *s bot.* Erika *f*, Heidekraut *n* (*Gattg Erica*). — **er·i'ca·ceous** [-'keiʃəs] *adj bot.* heidekrautartig. — **e·ri·cal** [i'raikəl] *adj bot.* Heidekraut... — **er·i·coid** ['eriˌkɔid] *adj bot.* heidekrautartig, *bes.* nadelblättrig.

e·rig·er·on [i'ridʒəˌrɒn] *s bot.* Berufkraut *n* (*Gattg Erigeron*).

Er·in ['i(ə)rin; 'erin] *npr poet.* Erin *n*, Irland *n*: **son of** ~ Irländer.

er·i·na·ceous [ˌeri'neiʃəs] *adj zo.* igelartig.

e·rin·go *cf.* eryngo.

er·i·nite ['eriˌnait] *s min.* Eri'nit *m* ($C_5(AsO_4(OH)_2)_2$).

E·rin·ys [i'rinis; -'rai-] *pl* **-yˌes** [-iˌiːz] *s antiq.* E'rin(n)ye *f*, Rachegöttin *f*.

e·ri·om·e·ter [ˌi(ə)ri'ɒmitər; -mə-] *s tech.* Wollstärkemesser *m*.

E·ris ['i(ə)ris; 'eris] *npr antiq.* Eris *f* (*Göttin der Zwietracht*). — **er·is·tic** [e'ristik] **I** *adj* **1.** e'ristisch, Streit..., po'lemisch, Disputations...: **the E**~ **School** die Philosophenschule von Megara. – **II** *s* **2.** E'ristiker *m*, Po'lemiker *m*, Dispu'tier-, Streitsüchtiger *m*. – **3.** E'ristik *f*, Dispu'tierkunst *f*. — **er'is·ti·cal** → eristic I.

erk [əːrk] *s aer. sl.* **1.** Flieger *m*, 'Luftwaffenreˌkrut *m*. – **2.** 'Flugzeugmeˌchaniker *m*.

erl·king ['əːrlˌkiŋ] *s* Erlkönig *m*.

er·mine ['əːrmin] *s* **1.** *zo.* Herme'lin *n* (*Mustela erminea*). – **2.** Herme'lin(pelz) *m*. – **3.** Herme'linmantel *m* (*der engl. Richter u. Peers*). – **4.** *fig.* richterliche Würde *od.* Unbescholtenheit. – **5.** *her.* Herme'lin *n* (*weißes Feld mit schwarzen Hermelinschwänzen*). – **6.** *oft* ~ **moth** *zo.* a) (*eine*) Gespinstmotte (*Gattg Yponomeuta*), b) (*ein*) Bärenschmetterling *m*, -spinner *m* (*Fam. Arctiidae*). — '**er·mined** *adj* **1.** mit Herme'lin besetzt *od.* bekleidet. – **2.** *fig.* mit der Richter- *od.* Peerswürde bekleidet.

erne, *Am. auch* **ern** [əːrn] *s zo.* (*ein*) Adler *m*, *bes.* Seeadler *m* (*Haliaeëtus albicilla*).

e·rode [i'roud] *v/t* **1.** anfressen, zerfressen, ätzen. – **2.** *geol.* auswaschen, ero'dieren, abtragen, wegfressen. – **3.** benagen. – **4.** *mil.* (*Geschützrohr*) ausbrennen. — **e'rod·ed** *adj* **1.** weggefressen. – **2.** *bot.* zernagt, ausgezackt (*Blattrand*). — **e'rod·ent** *adj u. s* ätzend(es Mittel). — **e'rose** [-s] *adj bot.* ausgebissen, unregelmäßiggezackt. — **e'ro·sion** [-ʒən] *s* **1.** Zerfressen *n*, Zerfressung *f*. – **2.** *geol.* Erosi'on *f*, Auswaschung *f*, Abtragung *f*, Abschürfung *f*. – **3.** angefressene Stelle. – **4.** *med.* Krebs *m*. – **5.** *tech.* Verschleiß *m*, Abnützung *f*. – **6.** *mil.* Ausbrennung *f* (*eines Geschützrohrs*). — **e'ro·sion·al** *adj geol.* Abtragungs...: ~ **debris** Abtragungsschutt; ~ **remnant** Zeugenberg; ~ **surface** Verebnungsfläche. — **e'ro·sion·ist** *s geol.* Anhänger *m* der Erosi'onstheoˌrie. — **e'ro·sive** [-siv] *adj* ätzend, zerfressend, zernagend.

e·ros·trate [i'rɒstreit; -trit] *adj zo.* schnabellos.

e·rot·ic [i'rɒtik] **I** *adj* **1.** e'rotisch, sinnlich. – **2.** Liebes..., verliebt. – **II** *s* **3.** e'rotisches Gedicht. – **4.** E'rotiker *m*, e'rotisch veranlagter Mensch. – **5.** Liebeskunst *f*, -lehre *f*. — **e'rot·i·cal** → erotic I. — **e'rot·i·cal·ly** *adv* (*auch zu* erotic I). — **e'rot·iˌcism** [-ˌsizəm] *s* **1.** E'rotik *f*. – **2.** Verliebtheit *f*. — **er·o·tism** ['erəˌtizəm] *s* **1.** *med.* geschlechtliche Erregung *od.* Begierde. – **2.** *psych.* E'rotik *f* (*Geschlechterliebe als geistig-sinnliche Einheit*).

e·ro·to·ma·ni·a [iˌrouto'meiniə; -tə-] *s med.* Erotoma'nie *f*, Liebeswahnsinn *m*, -tollheit *f*. — **eˌro·to'ma·niˌac** [-ˌæk] *s* Eroto'mane *m*, Liebestolle(r). — **e'ro·toˌpath** [-ˌpæθ] *s med.* Eroto'path *m*, sexu'ell ano'mal Veranlagte(r). — **er·o·top·a·thy** [ˌero'tɒpəθi; -rə-] *s med.* 'widernaˌtürliche geschlechtliche Neigung.

err [əːr] *v/i* **1.** (sich) irren: **to** ~ **is human** Irren ist menschlich; **to** ~ **on the safe side** sichergeh(e)n. – **2.** falsch *od.* unrichtig sein, fehlgehen (*Urteil etc*). – **3.** (*moralisch*) abirren, sündigen, auf Abwege geraten, fehlen.

er·rand ['erənd] *s* **1.** Botschaft *f*. – **2.** (kurzer Boten-, Bestell)Gang *m*, Besorgung *f*, Auftrag *m*: **to go** (*od.* **run**) (**on**) **an** ~ einen Auftrag ausführen, eine Bestellung *od.* einen (Boten)Gang machen, eine Botschaft ausrichten; **to run** (*od.* **go**) ~**s** Bote *od.* Laufbursche sein. — ~ **boy** *s* Laufbursche *m*.

er·rant ['erənt] **I** *adj* **1.** (um'her)ziehend, wandernd, fahrend, Abenteuer suchend: **knight** ~, ~ **knight** fahrender Ritter. – **2.** *fig.* abenteuerlich. – **3.** *jur. hist.* um'herreisend (*Richter in seinem Bezirk*). – **4.** irrend. – **5.** irrig, abweichend, ex'zentrisch. – **II** *s* **6.** fahrender Ritter. – **7.** Verirrte(r). — '**er·rant·ry** [-ri] *s* **1.** Um'herirren *n*, Wandern *n*. – **2.** fahrendes Rittertum, Leben *n* eines fahrenden Ritters. – **3.** Irrfahrt *f*.

er·ra·ta [i'reitə] *s pl* **1.** *pl von* **erratum**. – **2.** Druckfehlerverzeichnis *n*, Er'rata *pl*.

er·rat·ic [i'rætik] **I** *adj* **1.** um'herirrend, -ziehend, -wandernd, Wander... – **2.** *med.* (*im Körper*) hin u. her ziehend (*Gicht etc*). – **3.** *geol.* er'ratisch. – **4.** ungleich-, unregelmäßig, regel-, ziellos (*Bewegung*). – **5.** seltsam, auffällig, launenhaft, unberechenbar, ex'zentrisch. – *SYN. cf.* **strange**. – **II** *s* **6.** *auch* ~ **block** *geol.* er'ratischer Block, Findling *m*. – **7.** Sonderling *m*. — **er'rat·i·cal** → erratic I. — **er'rat·i·cal·ly** *adv* (*auch zu* erratic I). — **er'rat·i·cal·ness** *s* **1.** Um'herwandern *n*. – **2.** Unberechenbarkeit *f*.

er·ra·tum [i'reitəm] *pl* **-ta** [-tə] *s* (Druck)Fehler *m*, Er'ratum *n*.

er·rhine ['erain; 'erin] *adj u. s med.* zum Niesen reizend(es Mittel).

err·ing ['əːriŋ] *adj* **1.** sündig. – **2.** unartig. – **3.** abweichend. – **4.** irrig, falsch.

er·ro·ne·ous [i'rouniəs; e'r-; ə'r-] *adj* **1.** irrig, irrtümlich, unrichtig, falsch. – **2.** *obs.* a) irregeleitet, b) um'herziehend, unstet. — **er'ro·ne·ous·ly** *adv* **1.** irrtümlicherweise, zu Unrecht. – **2.** aus Versehen. — **er'ro·ne·ous·ness** *s* Irrigkeit *f*, Irrtum *m*.

er·ror ['erər] *s* **1.** Irrtum *m*, Fehler *m*, Verstoß *m*, Versehen *n*, ‚Schnitzer' *m*: **in** ~ a) aus Versehen, irrtümlicherweise, b) im Irrtum; **clerical** ~ Schreibfehler; **to make** (*od.* **commit**) **an** ~ einen Fehler begehen *od.* machen; **to be** (*od.* **to stand**) **in** ~ sich irren, sich im Irrtum befinden; **margin of** ~ Fehlergrenze; ~ **of judg(e)ment** a) Täuschung, b) falsche Beurteilung; → **excepted** 2. – **2.** *astr. math.* Fehler *m*, Abweichung *f*: ~ **in range** Längenabweichung; ~ **integral** Fehlerintegral; ~ **law** Gaußsches Fehlergesetz; ~ **of observation** Beobachtungsfehler. – **3.** *jur.* Formfehler *m*: **defendant** (**plaintiff**) **in** ~ Angeklagter (Kläger) im Revisionsverfahren; **writ of** ~ Revisionsbefehl. – **4.** (*moralischer*) Fehltritt, Vergehen *n*, Übeltat *f*, Sünde *f*: **to see the** ~ **of one's ways** seine Fehler einsehen. – **5.** (*Baseball*) Fehler *m* (*eines Feldspielers*). – **6.** (*Christian Science*) Irrglaube *m*, Glaube *m* an etwas nicht Bestehendes. – **7.** (*Philatelie*) Briefmarke *f* mit einem Form- *od.* Farbfehler, Fehldruck *m*. – **8.** *mar.* 'Mißweisung *f*, Fehler *m*: **heeling** ~ Krängungsfehler; **total** ~ Gesamtmißweisung. – *SYN.* **blunder, lapse, mistake, slip**[1]. — ~ **in com·po·si·tion** *s print.* Satzfehler *m*. — ~ **in fact** *s jur.* Tatbestandsirrtum *m*. — ~ **in law** *s jur.* Rechtsirrtum *m*.

er·ror·less ['erərlis] *adj* fehlerlos, -frei.

er·ror of clo·sure *s* (*Landvermessung*) **1.** Fehler *m* bei der Berechnung einer Transver'sale. – **2.** *Verhältnis dieses Fehlers zum Umfang der Transversale.* – **3.** Abweichung *f* der beobachteten von der tatsächlichen Winkelsumme.

er·satz [er'zats] (*Ger.*) **I** *s* Ersatz *m*, Austauschstoff *m*. – **II** *adj* Ersatz...

Erse [əːrs] **I** *adj* **1.** ersisch, gälisch (*das schott. Hochland u. die Sprache seiner Bewohner betreffend*). – **2.** (*fälschlich*) irisch. – **II** *s ling.* **3.** Ersisch *n*, Gälisch *n* (*Sprache des schott. Hochlandes*). – **4.** (*fälschlich*) Irisch *n*.

erst [əːrst] *adv obs.* **1.** ehedem, früher. – **2.** zu'erst. — '**erstˌwhile I** *adv obs.* ehedem, vormals. – **II** *adj* ehemalig, früher. — '**erstˌwhiles** → erstwhile I.

er·u·bes·cence [ˌeru'besns] *s* **1.** Erröten *n*, Rotwerden *n*. – **2.** Röte *f* (*der Haut*). — ˌ**er·u'bes·cent** *adj* errötend, rötlich.

e·ruct [i'rʌkt], *auch* **e'ruc·tate** [-teit] *v/t u. v/i* **1.** aufstoßen, rülpsen. – **2.** (*Geruch etc*) ausströmen. — **eˌruc'ta·tion** *s* **1.** Aufstoßen *n*, Rülpsen *n*, Ructus *m*. – **2.** Ausbruch *m* (*Vulkan etc*). – **3.** Auswurf *m*. — **e'ruc·ta·tive** [-tətiv] *adj* **1.** Aufstoßen betreffend. – **2.** (gelegentlich) ausbrechend.

er·u·dite ['eruˌdait; -rju-] **I** *adj* gelehrt, ('wohl)unterˌrichtet, (gründlich) belesen. – **II** *s* Gelehrter *m*. — '**er·uˌdite·ness** *s* Gelehrsamkeit *f*. — ˌ**er·u'dit·i·cal** [-'ditikəl] *selten für* eru-

-dite I. — ˌer·u'di·tion *s* Gelehrsamkeit *f*, gelehrte Bildung, Belesenheit *f*.

e·rum·pent [i'rʌmpənt] *adj* her'vorbrechend.

e·rupt [i'rʌpt] **I** *v/i* **1.** aus-, her'vorbrechen (*Vulkan etc*). – **2.** *fig.* her'aus-, her'vorstürzen, -kommen (from aus). – **3.** 'durchbrechen (*Zähne etc*). – **II** *v/t* **4.** (*Lava*) auswerfen. — **e'rup·tion** *s* **1.** Erupti'on *f*, Aus-, 'Durchbruch *m* (*Vulkan*): sheet ~ flach ausgebreiteter Lava-Erguß. – **2.** a) Aus-, Her'vorbrechen *n* (*Flammen etc*), b) (*das*) Hervorbrechende, Stichflamme *f*, 'Wasserfonˌtäne *f*. – **3.** *fig.* Ausbruch *m*. – **4.** *med.* a) (Her'vorbrechen *n* von) Hautausschlag *m*, b) 'Durchbruch *m* (*Zähne*). — **e'rup·tive I** *adj* **1.** aus-, her'vorbrechend. – **2.** *geol.* erup'tiv, Eruptiv...: ~ masses Ausbruchsmassen; ~ rock → ~ 5. – **3.** *med.* ausschlagartig, von Ausschlag begleitet. – **4.** *fig.* losbrechend, stürmisch, gewaltsam. – **II** *s* **5.** *geol.* Erup'tivgestein *n*. — ˌ**e·rup'tiv·i·ty** [ˌiː-] *s* erup'tiver Zustand.

Er·y·man·thi·an boar [ˌeri'mænθiən] *s antiq.* Ery'mantischer Eber (*der von Herakles gefangen wurde*).

e·ryn·go [i'riŋgou] *s bot.* Mannstreu *n* (*Gattg Eryngium*).

er·y·sip·e·las [ˌeri'sipiləs; -rə-; -pə-] *s med.* Erysi'pel *n*, (Wund)Rose *f*, Rotlauf *m*. — ˌ**er·y·si'pel·aˌtoid** [-'peləˌtɔid] *adj med.* erysi'pel. — **er·y·si'pel·a·tous** *adj med.* **1.** erysi'pelartig. – **2.** erysipela'tös, mit Rotlauf behaftet. — ˌ**er·y'sip·eˌloid** *s med.* Erysipelo'id *n*.

er·y·the·ma [ˌeri'θiːmə] *pl* **-ma·ta** [-mətə] *s med.* Ery'them *n*, Rötung *f* der Haut. — ˌ**er·y·the'mat·ic** [-θi'mætik], ˌ**er·y'them·a·tous** [-'θemətəs], ˌ**er·y'the·mic** [-'θiːmik] *adj med.* erythema'tös.

erythr- [iriθr] → erythro-.

er·y·thras·ma [ˌeri'θræzmə; ˌerə-] *s med.* Ery'thrasma *n*, Zwergflechte *f*. — ˌ**er·y'thre·mi·a**, *auch* ˌ**er·y'thrae·mi·a** [-'θriːmiə] *s med.* Vaquessche Krankheit, Erythrä'mie *f*.

e·ryth·rin [i'riθrin] → erythrine 1.

er·y·thri·na [ˌeri'θrainə; ˌerə-] *s bot.* Ko'rallenbaum *m* (*Gattg Erythrina*).

e·ryth·rine [i'riθrin; -riːn] *s* **1.** *chem.* Ery'thrinsäure *f* ($C_{20}H_{22}O_{10}$). – **2.** → erythrite 3. — **er·y·thrin·ic** [ˌeri'θrinik; ˌerə-] *adj* Erythrin...

e·ryth·rism [i'riθrizəm] *s zo.* (*durch Überwiegen der roten Farbstoffe bedingte*) Rotfärbung bei Tieren.

e·ryth·rite [i'riθrait] *s* **1.** → erythritol. – **2.** *chem.* Ery'thrit *m* (*organischer Stoff aus Erythrin*). – **3.** *min.* Kobaltblüte *f* ($CO_3(AsO_4)_2 \cdot 8H_2O$).

er·y·thrit·ic [ˌeri'θritik; ˌerə-] *adj* **1.** *chem.* Erythrit..., Erythritol... – **2.** *zo.* ungewöhnlich rot (*Vogelgefieder etc*). — ~ **ac·id** *s chem.* Erythri'tolsäure *f* ($CH_2OH(CHOH)_2CO_2H$).

e·ryth·ri·tol [i'riθriˌtɒl; -ˌtoul] *s chem.* Erythri'tol *n* ($CH_2OH(CHOH)_2CH_2OH$). [*der Bedeutung* rot.]

erythro- [iriθro] *Wortelement mit*

e·ryth·ro·blast [i'riθroˌblæst] *s med. zo.* E'rythroblast *m*, kernhaltige Erythro'zytenjugendform. — **e'ryth·ro·cyte** [-ˌsait] *s med. zo.* Erythro'zyte *f*, rotes Blutkörperchen. — **eˌryth·ro'cyt·ic** [-'sitik] *adj* erythro'zytisch. — **eˌryth·ro·cy'tom·e·ter** [-sai'tɒmitər; -mə-] *s med.* Zählkammer *f* (*zur Zählung der roten Blutkörperchen*).

er·y·throid ['eriˌθrɔid] *adj* rot, rötlich.

er·y·throl ['eriˌθrɒl; -ˌθroul] *s chem.* **1.** Ery'throl *n*. – **2.** Erythri'tol *n*. — ˌ**er·y'thro·le·in** [-'θrouliin] *s chem.* Erythrole'in *n* (*aus Lackmus*). — **e·ryth·ro·lit·min** [iˌriθro'litmin; -rə'l-] *s chem.* Erythrolit'min *n* (*rötlicher Hauptbestandteil von Lackmus*).

e·ryth·ro·my·cin [iˌriθro'maisin] *s chem. med.* Erythromy'cin *n* (*Antibiotikum*).

er·y·thro·ni·um [ˌeri'θrouniəm] *s bot.* Zahnlilie *f* (*Gattg Erythronium*).

e·ryth·ro·phore [i'riθroˌfɔːr] *s zo.* rote Farbzelle (*bei Fischen, Krebsen etc*). — **eˌryth·ro·poi'e·sis** [-pɔi'iːsis] *s biol.* Erythropo'ese *f*, Erzeugung *f* roter Blutzellen (*aus Knochenmark*). — **eˌryth·ro·poi'et·ic** [-'etik] *adj* erythropo'etisch.

er·y·throse ['eriˌθrous; i'riθrous] *s chem.* Ery'throse *f* ($C_4H_8O_4$; *Kunstzucker aus Sirup*).

e·ryth·ro·zinc·ite [iˌriθro'ziŋkait; -rə'z-] *s min.* Erythrozin'kit *m*. — **e'ryth·roˌzyme** [-ˌzaim] *s chem.* Erythro'zym *n*. — **e'ryth·ruˌlose** [-ruˌlous] *s chem.* Ery'throlzucker *m* ($C_4H_8O_4$).

es·ca·drille [ˌeskə'dril] *s* **1.** *mar.* Geschwader *n* (*meist 8 Schiffe*). – **2.** *aer.* Staffel *f* (*meist 6 Flugzeuge, bes. in Frankreich*).

es·ca·lade [ˌeskə'leid] **I** *s mil. hist.* Eska'lade *f*, (Mauer)Ersteigung *f* (*mit Leitern*), Erstürmung *f*, Sturm *m* (*auch fig.*). – **II** *v/t* mit Sturmleitern ersteigen, erstürmen, eskala'dieren.

es·ca·la·tor ['eskəˌleitər] *s* **1.** Rolltreppe *f*. – **2.** *econ.* auto'matischer Ausgleich. — ~ **clause** *s* **1.** *jur.* Gleitklausel *f* (*die freie Hand in der Abänderung gewisser Vertragspunkte läßt*). – **2.** *econ.* Lohngleitklausel *f*.

es·cal·op, *bes. Br.* **es·cal·lop** [es'kɒləp; is-] *s* **1.** *zo.* (*eine*) Kammuschel *f* (*Fam. Pectinidae*). – **2.** gezähnter Rand. – **3.** → scallop 3. — **es'cal·oped,** *bes. Br.* **es'cal·loped** *adj* **1.** gezähnt, gezackt. – **2.** *her.* geschuppt. – **3.** → scalloped.

es·cap·a·ble [is'keipəbl; es-] *adj* entrinn-, vermeidbar.

es·ca·pade [ˌeskə'peid; 'eskəˌpeid] *s* **1.** Flucht *f*, Entweichen *n*, Ausreißen *n*. – **2.** mutwilliger *od.* toller Streich, Ge'niestreich *m*, unverantwortliches Benehmen, Eska'pade *f*.

es·cape [is'keip; es-] **I** *v/t* **1.** (*j-m*) entfliehen, -kommen, -rinnen, -schlüpfen, -wischen, -laufen. – **2.** (*einer Sache*) entgehen: to ~ destruction der Zerstörung entgehen; to ~ being laughed at der Gefahr entgehen, ausgelacht zu werden; he ~d prison er entging mit knapper Not einer Gefängnisstrafe. – **3.** *fig.* (*j-m*) entgehen, über'sehen werden von (*j-m*): that mistake ~d me dieser Fehler entging mir; the sense ~s me der Sinn leuchtet mir nicht ein, meines Erachtens hat es keinen Sinn. – **4.** (*dem Gedächtnis*) entfallen: his name ~s me sein Name fällt mir nicht ein *od.* ist mir entfallen; → memory 1; notice 1. – **5.** (*dat*) entschlüpfen, -fahren: no friendly word ~d his lips kein freundliches Wort kam über seine Lippen. – **II** *v/i* **6.** entrinnen, -wischen, -laufen, -springen, -kommen (from aus, von): to ~ from prison aus dem Gefängnis (ent)fliehen; to ~ by the skin of one's teeth *colloq.* mit knapper Not entkommen, mit einem blauen Auge davonkommen. – **7.** a) *auch* to ~ with one's life mit dem Leben da'vonkommen, b) *auch* to ~ scot-free ungestraft da'vonkommen. – **8.** a) ausfließen (*Flüssigkeit etc*), b) entweichen, ausströmen (from aus) (*Gas etc*). – **9.** *selten* vergehen (*Zeit*). – **10.** verwildern (*Pflanzen*). – *SYN.* avoid, elude, eschew, evade, shun. – **III** *s* **11.** Entrinnen *n*, Entweichen *n*, Entkommen *n*, Flucht *f* (from aus, von): to have a narrow (lucky, hairbreadth) ~ mit genauer Not (knapper Not, um Haaresbreite) davonkommen *od.* entkommen; to make one's ~ entweichen, sich aus dem Staub(e) machen. – **12.** Bewahrt-, Gerettetwerden *n* (from vor *dat*). – **13.** Entweichung *f*, Ausströmung *f*, Ausfluß *m*. – **14.** *biol.* verwilderte Gartenpflanze, Kul'turflüchtling *m*. – **15.** *Mittel zum Entkommen*: rope ~ Seilrettungsgerät. – **16.** → ~ pipe. – **17.** *obs.* Ausbruch *m* (*Gefühle etc*). – **18.** *fig.* Unter'haltung *f*, (Mittel *n* der) Entspannung *f od.* Zerstreuung *f*: ~ reading, ~ literature Unterhaltungsliteratur. – **19.** *obs.* Fehler *m*, Über'tretung *f*. – **IV** *adj* **20.** Zerstreuungs..., Unterhaltungs... – **21.** Ausnahme..., Befreiungs...: ~ clause Befreiungsklausel. – **22.** Abfluß...

es·cape| ap·pa·ra·tus *s mil.* Tauchretter *m* (*im U-Boot*). — ~ **cock** *s tech.* **1.** Stütze *f* der Hemmung einer Uhr. – **2.** Ablaßhahn *m*. — ~ **de·tec·tor** *s tech.* Lecksucher *m* (*für undichte Gasleitungen etc*).

es·ca·pee [ˌeskə'piː] *s* entlaufener Sträfling *od.* Kriegsgefangener, Ausreißer *m*, Flüchtling *m*.

es·cape| gear → escape apparatus. — ~ **mech·a·nism** *s psych.* (*seelischer*) ,'Ausflucht'-Mechaˌnismus.

es·cape·ment [is'keipmənt; es-] *s* **1.** *tech.* a) Hemmung *f* (*Uhr*), b) 'Auslösemechaˌnismus *m*, Vorschub *m* (*Schreibmaschine*). – **2.** *tech.* Schaltung *f*, Gang *m*. – **3.** Abfluß *m*, Ausweg *m* (*auch fig.*). – **4.** *selten* Flucht(weg *m*) *f*. — ~ **spin·dle** *s tech.* Hemmungswelle *f* (*Uhr*). — ~ **wheel** *s tech.* **1.** Hemmungsrad *n* (*Uhr*). – **2.** Schaltrad *n* (*Schreibmaschine*).

es·cape| pipe *s tech.* Abflußrohr *n*. — ~ **shaft** *s* Rettungsschacht *m*. — ~ **valve** *s tech.* 'Abfluß-, 'Sicherheitsvenˌtil *n*. — ~ **war·rant** *s jur.* Haftbefehl *m* für einen entsprungenen Sträfling. — ~ **wheel** → escapement wheel.

es·cap·ism [is'keipizəm; es-] *s* Eska'pismus *m*: a) (Hang *m* zur) Wirklichkeitsflucht *f*, Abkehr *f* von der Wirklichkeit *od.* Scha'blone, Vergnügungssucht *f*, b) *Literatur od. Kunst, die diese Tendenz ausdrückt od. unterstützt.* — **es'cap·ist I** *s* Mensch *od.* Schriftsteller, der vor der Wirklichkeit zu fliehen sucht. – **II** *adj* vor der Wirklichkeit fliehend, wirklichkeitsfliehend.

es·car·got [ɛskar'go] (*Fr.*) *s* (*eßbare*) Schnecke.

es·ca·role ['eskəˌroul] → endive.

es·carp [es'kɑːrp; is-] *mil.* **I** *s* **1.** Böschung *f*, Abdachung *f*. – **2.** vordere Grabenwand, innere Grabenböschung (*eines Wallgrabens*). – **II** *v/t* **3.** mit einer Böschung versehen, zu einer Böschung machen, abdachen. — **es'carped** *adj* **1.** abgedacht. – **2.** abwärts gehend (from von). — **es'carp·ment** *s* **1.** *mil.* Schanzwerk *n*, Abdachung *f*, steiler Abhang, Böschung *f*. – **2.** *geol.* Steilabbruch *m*, Landstufe *f*.

esch·a·lot ['eʃəˌlɒt; ˌeʃə'lɒt] → shallot.

es·char ['eskɑːr; -kər] *s med.* **1.** Grind *m*, (Brand)Schorf *m*, Kruste *f*. – **2.** gebrannte Stelle. — **es·cha·rot·ic** [ˌeskə'rɒtik] *adj u. s med.* schorfbildend(es Mittel).

es·cha·to·log·i·cal [ˌeskətə'lɒdʒikəl] *adj* eschato'logisch. — ˌ**es·cha'tol·o·gist** [-'tɒlədʒist] *s* Eschato'loge *m*. — ˌ**es·cha'tol·o·gy** *s relig.* Eschatolo'gie *f*, Lehre *f* von den letzten Dingen (*des Menschen*).

es·cheat [es'tʃiːt; is-] *jur.* **I** *s* **1.** Heimfall *m* (*eines Guts an die Krone od. den Lehensherrn, in Amerika an den Staat nach dem Tode aller Erben*). – **2.** heimgefallenes Gut. – 3. → escheatage. – **II** *v/i* 4. an'heimfallen. – **III** *v/t* 5. konfis'zieren, als Heimfallsgut einziehen *od.* über'lassen ([in]to *dat*). — **es'cheat·a·ble** *adj* heimfällig. — **es'cheat·age** *s* Heimfallsrecht *n.*

es·chew [es'tʃuː; is-] *v/t* (*etwas*) scheuen, (ver)meiden, fliehen, unter'lassen. – *SYN. cf.* escape. — **es'chew·al** *s* Vermeiden *n*, Scheu *f.*

esch·scholtz·i·a [e'ʃɒltsiə; is'kɒlʃə] *s bot.* Esch'scholtzie *f* (*Gattg Eschscholtzia*). ['nit *m.*

es·chy·nite ['eskiˌnait] *s min.* Äschy-

es·clan·dre [ɛs'klɑ̃ːdr] (*Fr.*) *s* Skan'dal *m*, Szene *f.*

es·co·lar [ˌesko'lɑːr; -kə-] *s zo. ein makrelenartiger Mittelmeerfisch* (*Ruvettus pretiosus*).

es·cort I *s* ['eskɔːrt] 1. *mil.* Es'korte *f*, Bedeckung *f*, Begleitmannschaft *f.* – 2. *aer. mar.* Geleit(schutz *m*) *n.* – 3. *fig.* Geleit *n*, Schutz *m*, Gefolge *n*, Be'gleitperˌson *f.* – 4. *mar.* Geleitschiff *n*, -fahrzeug *n.* – **II** *v/t* [es'k-; is'k-] 5. (*j-n*) eskor'tieren, geleiten, decken, (*j-m*) ein Schutzgeleit geben. – 6. *fig.* begleiten, geleiten. – *SYN. cf.* accompany. — **~ car·ri·er** *s mar.* Geleitflugzeugträger *m* (*etwa 4000 t*). — **~ fight·er** *s aer.* Begleitjäger *m.*

e·scribe [is'kraib; es'k-] *v/t math.* (*Kreis etc*) anschreiben.

es·cri·toire [ˌeskri'twɑːr] *s* Schreibtisch *m*, -pult *n.* — **ˌes·cri'to·ri·al** [-'tɔːriəl] *adj* Schreib...

es·crow [ˌes'krou; 'esˌkrou] *s jur.* 1. Über'tragungsurkunde *f* (*dritten Personen übergebene Urkunde, die nach Erfüllung gewisser Bedingungen in Kraft tritt*). – 2. bedingte Ausstellung u. Hinter'legung (*einer Urkunde*).

es·cu·age [es'kjuidʒ] → scutage.

es·cu·do [es'kuːdou] *pl* **-dos** *s* 1. *Goldod. Silbermünze mehrerer span. Länder.* – 2. Es'kudo *m* (*portug. Währungseinheit zu 100 Centavos*).

es·cu·lent ['eskjulənt; -kjə-] **I** *adj* eßbar, genießbar. – **II** *s* Nahrungs-, Lebensmittel *n.*

es·cu·le·tin [ˌeskju'liːtin; -kjə-] *s chem.* Äskule'tin *n* ($C_9H_6O_4$). — **'es·cu·lin** [-lin] *s chem.* Äsku'lin *n*, Schillerstoff *m.*

es·cutch·eon [is'kʌtʃən; es-] *s* 1. *her.* (Wappen)Schild *m, n*, Wappen *n*: ~ of pretence (*Am.* pretense) Beiwappen. – 2. *fig.* Ehre *f*, Ruf *m*: → blot[1] 2. – 3. *mar.* a) Namensbrett *n*, b) Spiegel *m* (*der Plattgatschiffe*). – 4. *tech.* Schlüssel(loch)-, Namensschild *n.* – 5. *bot.* (Pfropf)Schild *n*: ~ grafting Schildpfropfen. – 6. *zo.* a) Schild *m*, Spiegel *m* (*Dam- u. Rotwild*), b) Schildchen *n* (*Käfer etc*). — **es'cutch·eoned** *adj* mit Schilde(r)n verziert.

e·sep·tate [iː'septeit] *adj bot. zo.* ohne Scheidewände.

es·er·ine ['esəˌriːn; -rin] *s chem.* Ese'rin *n* (*Alkaloid aus der Kalabarbohne*).

es·kar ['eskɑːr; -kər], *bes. Am.* **'es·ker** [-kər] *s geol.* langgestreckter Geschiebehügel.

Es·ki·mau·an [ˌeski'mouən] *adj* Eskimo...

Es·ki·mo ['eskiˌmou; -kə-] *pl* **-mos** **I** *s* 1. Eskimo *m.* – 2. Eskimosprache *f.* – **II** *adj* 3. Eskimo... — **~ dog** *s* Eskimohund *m* (*Schlittenhund*). — **~ pie** *s Am.* ‚Kalter Kuß', (Speise-)Eis *n* mit Schoko'lade(nˌüberzug).

Es·march band·age ['ɛsmarç] *s med.* Esmarchsche Abschnürung.

es·ne ['ezni] *s hist.* Haussklave *m* (*der Angelsachsen*).

eso- [eso] *Wortelement mit der Bedeutung* innen.

es·o·an·hy·dride [ˌesoæn'haidraid] *s chem.* intermoleku'lares Anhy'drid.

e·soc·id [i'sɒsid] *s zo.* Hecht *m* (*Fam. Esocidae*).

e·sod·ic [i'sɒdik] *adj med. zo.* e'sodisch, zum Rückenmark führend, affe'rent (*Nerv*).

e·soph·a·gi·tis [iːˌsɒfə'dʒaitis] *s med.* Speiseröhrenentzündung *f.* — **eˌsoph·a'got·o·my** [-'gɒtəmi] *s med.* Speiseröhrenschnitt *m*, Ösophagoto'mie *f.* — **e'soph·a·gal** [-gəl], **e·so·phag·e·al** [ˌiːso'fædʒiəl], *auch* **ˌe·so'phag·e·an** [-ən] *adj med.* ösophage'al, Speiseröhren... — **e·soph·a·gus** [iː'sɒfəgəs] *s med.* Speiseröhre *f.*

es·o·ter·ic [ˌeso'terik; -sə-] **I** *adj* 1. *philos.* eso'terisch, (nur) für Eingeweihte bestimmt. – 2. auserlesen. – 3. geheim, vertraulich. – 4. *biol.* den inneren Orga'nismus betreffend. – 5. *fig.* tief, dunkel. – **II** *s* 6. *pl* Eso'terik *f*, eso'terische Lehren *pl.* – 7. Eso'teriker *m*, in die Geheimlehren Eingeweihte(r). — **ˌes·o'ter·i·cal** → esoteric I. — **ˌes·o'ter·i·cal·ly** *adv* (*auch zu* esoteric I). — **ˌes·o'ter·iˌcism** [-ˌsizəm], **e·sot·er·ism** [i'sɒtərizəm] *s* Geheimlehre *f.* — **es·o·ter·y** ['esoˌteri; -təri] *s* Geheimlehre *f*, eso'terische Dok'trin.

es·o·tro·pi·a [ˌeso'troupiə] *s med.* Stra'bismus *m* con'vergens con'comitans.

es·pa·gno·lette [ɛspaɲə'lɛt] (*Fr.*) *s* Drehriegel *m* (*Flügelfenster*).

es·pal·ier [es'pæljər; is-] **I** *s* 1. Spa'lier *n.* – 2. Spa'lierbaum *m.* – **II** *v/t* 3. spa'lieren, zu Spa'lieren ziehen. – 4. mit einem Spa'lier versehen.

es·par·to [es'pɑːrtou], *auch* **~ grass** *s bot.* Es'parto-, Spartgras *n*, Zähes Pfriemgras (*Stipa tenacissima, auch Lygeum spartum*).

e·spa·thate [iː'speiθit; -θeit] *adj bot.* ohne Blütenscheide.

es·pe·cial [es'peʃəl; is-] *adj* besonder(er, e, es), her'vorragend, vor'züglich, Haupt..., hauptsächlich, spezi'ell: with ~ dexterity mit besonderer Geschicklichkeit. – *SYN. cf.* special. — **es'pe·cial·ly** *adv* besonders, im besonderen, hauptsächlich, vor'züglich, vornehmlich. — **es'pe·cial·ness** *s* Besonderheit *f.*

es·per·ance ['espərəns] *s obs.* Hoffnung *f.*

Es·pe·ran·tism [ˌespə'ræntizəm] *s* Espe'rantobewegung *f.* — **ˌEs·pe'ran·tist** *s* Esperan'tist(in), Anhänger(in) der Espe'rantobewegung. — **ˌEs·pe'ran·to** [-tou] *s* Espe'ranto *n* (*Welthilfssprache*).

es·pi·al [es'paiəl] *s* 1. Spähen *n*, Auskundschaften *n*, Spio'nieren *n.* – 2. Entdeckung *f*, Entdecktwerden *n.* – 3. *obs.* Spi'on *m.*

es·piè·gle [ɛs'pjɛgl] (*Fr.*) *adj* schalkhaft, mutwillig. — **es·piè·gle·rie** [ɛspjɛglə'ri] (*Fr.*) *s* Schelmenstück *n*, mutwilliger Streich.

es·pi·er [es'paiər] *s* Erspäher(in).

es·pi·o·nage ['espiənidʒ; ˌespiə'nɑːʒ] *s* Spio'nage *f*, ('Aus)Spioˌnieren *n.*

es·pla·nade [ˌesplə'neid] *s* 1. *mil.* Gla'cis *n.* – 2. Espla'nade *f*, offener, freier Platz, Prome'nade *f.*

es·plees [es'pliːz] *s pl jur.* Ertrag *m* (*aus Grundstücken etc*), Einkünfte *pl.*

es·pous·al [is'pauzəl; es-] **I** *s* 1. (of) Annahme *f* (von), offener Anschluß (an *acc*), Eintreten *n*, Par'teinahme *f* (für). – 2. *meist pl obs.* a) Vermählung *f*, b) Verlobung *f.* – **II** *adj* 3. bräutlich, Verlobungs... — **es'pouse** [-z] *v/t* 1. heiraten (*vom Mann*). – 2. *selten* (*Mädchen*) verheiraten, einem Mann versprechen. – 3. *fig.* anvertrauen. – 4. (*etwas*) erwählen, sich anschließen an (*acc*), eifrig auf- *od.* annehmen, eintreten für (*etwas*): to ~ the Roman Catholic faith den kath. Glauben annehmen. – *SYN. cf.* adopt.

es·pres·si·vo [espres'sivo] (*Ital.*) *adj u. adv mus.* espres'sivo, mit Ausdruck.

es·pres·so [es'presou] *s* Es'pressomaˌschine *f* (*Kaffeemaschine*). — **~ bar** *s* Es'pressobar *f.*

es·prit [ɛs'pri; 'espriː] (*Fr.*) *s* Es'prit *m*, Geist *m*, Witz *m.* — **~ de corps** [də 'kɔːr] (*Fr.*) *s* Korpsgeist *m.*

es·py [es'pai] *v/t* (*Fehler*) erspähen, entdecken, gewahren.

Es·qui·mau ['eskiˌmou] *pl* **-maux** [-ˌmou; -ˌmouz] → Eskimo.

es·quire [is'kwair; es-] **I** *s* 1. E~ (*als Titel dem Namen nachgestellt, bes. auf Briefen, ohne Mr., Dr. etc, abgekürzt* Esq.) Wohlgeboren: C.A. Brown, Esq. Herrn C. A. Brown. – 2. Herr *m*, (ritterlicher) Begleiter einer Dame. – 3. *hist.* (Schild)Knappe *m*, Waffenträger *m*, Junker *m.* – 4. *Br. obs. für* squire. – **II** *v/t selten* 5. (*j-n*) mit dem Titel Esquire anreden. – 6. (*Dame*) als Ritter begleiten.

ess [es] *pl* **ess·es** ['esiz] *s* 1. S *n*, s *n* (*Buchstabe*). – 2. S *n*, S-förmiger Gegenstand, S-Form *f*: Collar of Esses *Br. hist. Abzeichen des Hauses Lancaster.*

-ess [-is] *Nachsilbe* a) *zur Bezeichnung des weiblichen Geschlechts*: authoress, lioness, b) *zur Bildung von abstrakten Substantiven aus Adjektiven*: duress, largess.

es·say [e'sei] **I** *v/t* 1. versuchen, erproben, pro'bieren. – **II** *v/i* 2. versuchen, einen Versuch machen. – *SYN. cf.* attempt. – **III** *s* ['esei; 'esi] 3. Versuch *m* (at s.th. [mit] einer Sache; at doing zu tun). – 4. Essay *n*, (*kurze literarische etc*) Abhandlung, Aufsatz *m* (on, in über *acc*). – 5. Probedruck *m*, -abzug *m* (*neuer Briefmarken*). – 6. *obs.* (Kost)Probe *f.* — **'es·say·ist** *s* 1. Essay'ist(in), Verfasser(in) kurzer lite'rarischer Abhandlungen. – 2. j-d der Versuche anstellt. — **ˌes·say'is·tic** *adj* essay'istisch, aufsatzhaft.

es·se ['esi] (*Lat.*) *s* Sein *n.*

es·sence ['esəns] *s* 1. *philos.* Sub'stanz *f*, abso'lutes Sein. – 2. Daseinsgrund *m.* – 3. elemen'tarer Bestandteil, Ele'ment *n*: fifth ~ Quintessenz. – 4. *fig.* Wesenheit *f*, (*das*) Wesentliche, Hauptinhalt *m*, (innerstes) Wesen, Kern *m*: that is the very ~ of the matter das ist des Pudels Kern. – 5. Es'senz *f*, Auszug *m*, Ex'trakt *m*, ä'therisches Öl, Geist *m.* – 6. Par'füm *n*, Wohlgeruch *m.* — **~ of mirbane** *s chem.* Nitroben'zol *n*, Mir'banöl *n*, künstliches Bittermandelöl.

Es·sene ['esiːn; e's-] *s hist.* Es'sener *m* (*Angehöriger einer jüd. Sekte etwa 200 v. Chr.–200 n. Chr.*). — **Es'se·ni·an, Es·sen·ic** [e'senik] *adj* es'senisch.

es·sen·tial [i'senʃəl; e's-; ə's-] **I** *adj* 1. im höchsten Sinne, abso'lut, vollkommen. – 2. vom inneren Wesen abhängig, zur Wesenheit gehörig, wesentlich, essenti'ell. – 3. *med.* selbständig auftretend, genu'in, idio'pathisch. – 4. unbedingt notwendig, erforderlich, wesentlich: ~ condition of life *biol.* Lebensbedingung. – 5. wichtig, bedeutend, unentbehrlich (to für): ~ goods lebenswichtige Güter. – 6. *relig.* wesentlich: ~ vows die drei wesentlichen Mönchsgelübde (*Keuschheit, Armut, Gehorsam*). – 7. *chem.* rein, destil'liert, Essenz...: ~ oil ätherisches Öl. – 8. *mus.* Haupt..., Grund...: ~ chord Grundakkord. – *SYN.* cardinal, fundamental, vital. – **II** *s* 9. (*das*) Wesentliche *od.* Wichtigste, Hauptsache *f*, wesentliche 'Umstände *pl.* – 10. Wesen *n* (*eines Dinges*). — **esˌsen·ti'al·i·ty** [-ʃi'æliti; -əti] *s* 1. Wesentlichkeit *f*, Wirklichkeit *f*, (*das*) Wesentliche. – 2. wesentliche Eigenschaft, Hauptsache *f.* – 3. *pl* wesentliche Punkte *pl od.* Bestandteile *pl*, Wesensmerkmale *pl.* — **es'sen·tial·ly** *adv* **1.** im wesentlichen, in der Hauptsache. – **2.** in hohem Maße, ganz besonders. — **es'sen·tial·ness** → essentiality.

Es·sex ['esiks] *s engl. Schweinerasse.*

es·so·nite ['esəˌnait] *s min.* Ka'ne(e)l-stein *m.*

es·tab·lish [is'tæbliʃ; es-] *v/t* **1.** fest-, einsetzen, fest-, aufstellen, stiften, einrichten, errichten, einführen, anlegen, ansiedeln, eta'blieren: to ~ oneself sich niederlassen; ~ed credit festbegründeter Kredit; the ~ed laws die bestehenden Gesetze; ~ed truth (fact) unzweifelhafte, feststehende Wahrheit (Tatsache). – **2.** (*Regierung*) bilden, einsetzen, (*Geschäft*) eta'blieren, (be)gründen, errichten. – **3.** (*j-n*) in sichere, dauernde Stellung bringen, 'unterbringen, selbständig machen: to ~ oneself as a businessman sich als Geschäftsmann etablieren, sich selbständig machen, sich niederlassen. – **4.** (*Ruhm*) begründen, erringen: to ~ one's reputation as a surgeon sich als Chirurg einen Namen machen. – **5.** (*etwas*) 'durchsetzen, 'herstellen, schaffen: to ~ contact with s.o. mit j-m Fühlung aufnehmen; to ~ order Ordnung schaffen. – **6.** (*Rekord*) aufstellen. – **7.** be-, erweisen, außer Frage stellen: to ~ the fact that die Tatsache beweisen, daß. – **8.** *relig.* (*Kirche*) verstaatlichen: E~ed Church of England engl. Staatskirche. – **9.** (*Kartenspiel*) (*Farbe*) 'durchsetzen, so viele Stiche (*einer Farbe*) machen, daß die übrigen sicher sind. – **10.** *jur.* (*streitige Sache*) gerichtlich feststellen, die Gültigkeit (*gen*) festsetzen.

es·tab·lish·ment [is'tæbliʃmənt; es-] *s* **1.** Errichtung *f*, Einrichtung *f*, Ein-, Festsetzung *f*, (Be)Gründung *f*, Stiftung *f*, Eta'blierung *f*: ~ of diplomatic relations Aufnahme diplomatischer Beziehungen. – **2.** Genehmigung *f*, Bestätigung *f*. – **3.** Versorgung *f*, Einkommen *n*, Gehalt *n*. – **4.** *relig.* staatskirchliche Verfassung. – **5.** organi'sierte Körperschaft *od.* Staatseinrichtung: civil ~ Beamtenschaft; military ~ (*das*) Militär, Kriegsmacht; naval ~ Flotte. – **6.** *mar. mil.* a) Perso'nal-, Mannschaftsbestand *m*, (Soll)Stärke *f*, b) *Br.* Stärke- u. Ausrüstungsnachweisung *f*: war ~ Kriegsstärke. – **7.** Anstalt *f*, (öffentliches) Insti'tut: educational ~ Erziehungsinstitut. – **8.** *econ.* Firma *f*, Geschäft *n*, Unter'nehmen *n*. – **9.** Niederlassung *f*, fester Wohnsitz, (*bes. großer*) Haushalt: separate ~ getrennter Haushalt; to have a separate ~ sich eine Geliebte mit Wohnung halten; to keep up a large ~ ein großes Haus führen. – **10.** Festsetzung *f*, -stellung *f* (*Text etc*): ~ of paternity *jur.* Vaterschaftsnachweis. — **esˌtab·lish·men'tar·i·an** [-men'tɛ(ə)riən] **I** *adj* staatskirchlich. – **II** *s* Anhänger *m* des Staatskirchentums. — **esˌtab·lish·men'tar·i·anˌism** *s* Grundsätze *pl od.* Verfechtung *f* des Staatskirchentums.

es·ta·fette [ˌestə'fet] *s* Esta'fette *f*, berittener Eilbote.

es·ta·mi·net [ɛstami'nɛ] (*Fr.*) *s* (kleines) Café, Kneipe *f*.

es·tate [is'teit; es-] **I** *s* **1.** Stand *m*, Klasse *f*: E~s General *hist.* Generalstaaten (*in Frankreich*); the (Three) E~s of the Realm *Br.* die drei gesetzgebenden Faktoren (Lords Spiritual, Lords Temporal, Commons). – **2.** *jur.* Besitz(tum *n*, -recht *n*) *m*, Vermögen *n*, (Erbschafts-, Kon'kurs)-Masse *f*, Nachlaß *m*: → real ~; personal ~ bewegliche Habe, Mobiliarvermögen; to wind up an ~ eine Vermögensmasse ordnen, die Vermögensangelegenheiten regeln *od.* abwickeln. – **3.** (großes) Grundstück, Besitzung *f*, Landsitz *m*, Gut *n*. – **4.** *fast nur Bibl.* (Zu)Stand *m*: man's ~ Mannesalter. – **5.** *selten* Stand *m*, (hoher) Rang, Stellung *f*, Würde *f*: man of ~ Mann von hohem Rang. – **II** *v/t obs.* **6.** (*j-n*) ausstatten. — ~ **a·gent** *s Br.* **1.** Grundstücksverwalter *m*. – **2.** Grundstücks-, Häusermakler *m*. — ~ **at will** *s jur.* Besitzrecht *n* auf ein Grundstück (*durch persönlichen Willensakt des bisherigen Besitzers*). — ~ **car** *s Br.* Kombiwagen *m*. — ~ **du·ty** *s econ. jur.* Nachlaß-, Erbschaftssteuer *f*. — ~ **in fee sim·ple** *s jur.* unbeschränkt vererbliches Grundeigentum. — ~ **in joint ten·an·cy** *s jur.* gemeinschaftlicher Besitz. — ~ **in tail**, *auch* ~ **tail** *s jur.* (*in bezug auf Veräußerung u. Vererbung*) beschränktes Besitzrecht, Fideikommiß *n*.

es·teem [is'tiːm; es-] **I** *v/t* **1.** achten, schätzen: to ~ highly (little) hoch-, (gering)schätzen; to be highly ~ed sehr geschätzt *od.* geachtet werden. – **2.** hochschätzen, -achten. – **3.** (*etwas*) erachten als, (*etwas*) halten für: to ~ it an hono(u)r (duty) es als eine Ehre (Pflicht) ansehen. – **4.** *obs.* beurteilen. – *SYN. cf.* regard. – **II** *s* **5.** (for, of) Wertschätzung *f* (*gen*), Achtung *f* (vor *dat*): to hold in (high) ~ achten, wertschätzen. – **6.** *obs.* a) Würdigung *f*, b) Wert *m*, Ruf *m*.

es·ter ['estər] *s chem.* Ester *m*. — **'es·terˌase** [-ˌreis] *s chem.* Ester'ase *f* (*Enzym, das die Spaltung von Estern beschleunigt*). — **ˌes·ter'el·lite** [-'relait] *s min.* quarzhaltiger 'Hornblendeporphyˌrit. — **es'ter·iˌfy** [-'teriˌfai; -rə-] *chem.* **I** *v/t* in Ester verwandeln, zu Ester machen. – **II** *v/i* sich in Ester verwandeln. — **ˌes·ter·i'za·tion** *s chem.* Verwandlung *f* in *od.* Bildung *f* von Ester. — **'es·terˌize** → esterify.

Es·ther ['estər] *s Bibl.* Buch *n* Esther.

es·the·si·a *etc cf.* aesthesia *etc.*

es·the·si·om·e·ter [esˌθiːzi'ɒmitər; -mə-; iːs-] *s med.* Tasterzirkel *m*.

es·thete *etc cf.* aesthete *etc.*

Es·tho·ni·an *cf.* Estonian.

es·ti·ma·ble ['estiməbl; -tə-] *adj* **1.** achtungs-, schätzenswert. – **2.** schätzbar. – **3.** *obs.* wertvoll. — **'es·ti·ma·ble·ness** *s* Schätzbarkeit *f*, Ehrwürdigkeit *f*.

es·ti·mate ['estiˌmeit; -tə-] **I** *v/t* **1.** (ab)schätzen, berechnen, ta'xieren, veranschlagen (at auf *acc*, zu): ~d receipts *econ.* Solleinnahmen; ~d value Schätzungswert; to ~ the productive capacity of land *econ.* bonitieren. – **2.** (*etwas*) beurteilen, bewerten, sich eine Meinung bilden über (*acc*). – **II** *v/i* **3.** (ab)schätzen. – *SYN.* a) appraise, assess, evaluate, rate[1], value, b) *cf.* calculate. – **III** *s* [-mit; -ˌmeit] **4.** (Ab)Schätzung *f*, Veranschlagung *f*, (Kosten)Anschlag *m*: fair (rough) ~ reiner (ungefährer) Überschlag; the E~s Staatshaushaltsvoranschlag, Budget. – **5.** Meinung *f*, Bewertung *f*, Beurteilung *f*: to form an ~ of s.th. etwas abschätzen, beurteilen, sich eine Meinung von etwas bilden: ~ of the situation *mil.* Lagebeurteilung.

es·ti·ma·tion [ˌesti'meiʃən; -tə-] *s* **1.** (Ab)Schätzung *f*. – **2.** Schätzung *f*, Veranschlagung *f*, 'Überschlag *m*. – **3.** Meinung *f*, Ansicht *f*, Urteil *n*: in my ~ nach meiner Ansicht. – **4.** (Wert)-Schätzung *f*, Achtung *f*, guter Ruf. – **5.** Hochachtung *f*: to hold in ~ hochschätzen. — **'es·tiˌma·tive** *adj* schätzend, würdigend. — **'es·tiˌma·tor** [-tər] *s* Abschätzer *m*, Ta'xator *m*.

e·stip·u·late [iː'stipjulit; -ˌleit; -pjə-] → exstipulate.

es·ti·val ['estivəl; -tə-; es'taivəl; *Br. auch* iːs-] *adj* sommerlich, Sommer... — **'es·tiˌvate** [-ˌveit] *v/i* **1.** den Sommer verbringen. – **2.** *zo.* über'sommern, einen Sommerschlaf halten. — **ˌes·ti'va·tion** *s* **1.** *zo.* Sommerschlaf *m*. – **2.** *bot.* Knospendeckung *f*. — **'es·tiˌva·tor** [-tər] *s zo.* Sommerschlaf haltendes Tier.

es·toile [es'tɔil] *s her.* Stern *m* mit welligen Strahlen.

Es·to·ni·an [es'touniən] **I** *s* **1.** Este *m*, Estin *f*, Estländer(in). – **2.** *ling.* Estnisch *n*, das Estnische. – **II** *adj* **3.** estnisch, estländisch.

es·top [es'tɒp; is-] *pret u. pp* **-'topped** *v/t* **1.** *meist pass od. reflex jur.* (from) (*j-n*) hemmen, hindern (an *dat*), abhalten (von). – **2.** *selten* hindern. – **3.** *obs.* verstopfen. — **es'top·page** *s* **1.** Hemmung *f*. – **2.** → estoppel. — **es'top·pel** [-əl] *s jur.* (*auf eine rechtswidrige Handlung des Klägers gegründete*) Hemmung der Klage, Hinderung *f* des Gegners (*an dem Nachweis einer Behauptung, die mit dem Protokoll in Widerspruch steht*).

es·to·vers [es'touvərz] *s pl jur.* gesetzlich zugestandene Bedürfnisse *pl*, *bes.* a) Holzgerechtigkeit *f* (*des Pächters*), b) Ali'mente *pl* (*einer Geschiedenen*).

es·trade [es'trɑːd] *s* E'strade *f*, erhöhter Platz.

es·tra·di·ol [ˌestrə'daiɒl; -oul] *s chem.* Oestradi'ol *n*, 'Dihydrofolˌlikelhorˌmon *n*.

es·trange [is'treindʒ; es-] *v/t* **1.** fernhalten, entfernen (from von): to ~ oneself sich fernhalten. – **2.** (*etwas*) seinem Zweck entfremden. – **3.** (*j-n*) abhalten, abwenden (from von), (*j-s Zuneigung*) abwendig machen, (*j-n*) entfremden (from *dat*). – *SYN.* alienate, disaffect, wean[1]. — **es'trange·ment** *s* Entfremdung *f* (from von).

es·tra·pade [ˌestrə'peid] *s* **1.** Bock(s)-sprung *m*, Estra'pade *f* (*Pferd*). – **2.** → strappado.

es·tray [is'trei; es-] **I** *s* **1.** *jur.* entlaufenes *od.* verirrtes Haustier. – **2.** *fig.* Verirrte(r). – **3.** *biol.* etwas was nicht an seinem gewohnten Platz ist. – **II** *v/i* **4.** *obs.* um'herirren.

es·treat [is'triːt; es-] *jur.* **I** *s* **1.** getreue Abschrift. – **II** *v/t* **2.** Proto'koll-auszüge (*eines Urteils etc*) machen (*u. dem Vollstreckungsbeamten übermitteln*). – **3.** a) (*j-m*) eine Geldstrafe auferlegen, b) (*etwas*) eintreiben.

es·trepe [is'triːp; es-] *v/t jur.* (*Pachtbesitz*) beschädigen, verwahrlosen lassen. — **es'trepe·ment** *s* Beschädigung *f*, Verwahrlosung *f*.

es·trin *cf.* oestrin.

es·tri·ol ['estriˌɒl; -ˌoul; 'iːs-] *s biol. chem.* Oestri'ol *n* ($C_{18}H_{24}O_3$). — **'es·tro·gen** [-trədʒən] *s biol. chem.* Oestro'gen *n* (*Empfängnis begünstigend; Sexualhormon*). — **ˌes·tro'gen·ic** [-'dʒenik] *adj* oestro'gen. — **'es·trone** [-troun] *s biol. chem.* Oe'stron *n* ($C_{18}H_{22}O_2$; *weibliches Sexualhormon*). — **'es·trous** *etc cf.* oestrous *etc.*

es·tu·ar·i·al [*Br.* ˌestju'ɛ(ə)riəl; *Am.* -tʃu-], **'es·tu·a·rine** [-ərin; -əˌrain] *adj* ästu'arisch: ~ strata *geol.* Ablagerungen einer Seebucht *od.* Flußmündung (*mit Ebbe u. Flut*). — **'es·tu·ar·y** [*Br.* -əri; *Am.* -ˌeri] *s* **1.** (*den Gezeiten ausgesetzte*) Trichter-, Fluß-, Seemündung *f*. – **2.** Meeresbucht *f*, -arm *m*.

e·su·ri·ence [i'sju(ə)riəns; *Am. auch* -su-], **e'su·ri·en·cy** [-si] *s* Hunger *m*, Gier *f*. — **e'su·ri·ent** *adj* hungrig, gefräßig.

e·ta ['iːtə; 'eitə] *s* Eta *n* (*7. Buchstabe des altgriech. Alphabets*). — **'e·ta-**

ˌ**cism** [-ˌsizəm] *s ling.* Aussprache *f* des griech. Eta als [e].
é·ta·gère [etaˈʒɛːr] (*Fr.*) *s* Etaˈgere *f*, Reˈgal *n*, Wandgestell *n*.
et·a·mine [ˈetəˌmiːn] *s* Etaˈmin *n* (*locker gewebter Stoff*).
é·tape [eˈtap] (*Fr.*) *s* **1.** öffentliches Lagerhaus. – **2.** *mil.* a) ˈMarschproviˌant *m*, b) Nachtlager *n* auf dem Marsch, c) *selten* Tagemarsch *m*.
E·tat Ma·jor [etamaˈʒɔːr] (*Fr.*) *s mil.* Stab *m*, ˈHauptquarˌtier *n*.
et cet·er·a, *auch* **et caet·er·a** [etˈsetərə; -trə; it-] (*Lat.*) und das übrige, und so weiter, et cetera (*abgekürzt etc. od. &c*). — **etˈcet·er·as** *s pl* sonstige Dinge *pl*, Kleinigkeiten *pl*, Extraausgaben *pl*, Nebenkosten *pl*.
etch [etʃ] *v/t u. v/i tech.* **1.** (*Metall, Glas etc*) ätzen. – **2.** kupferstechen. – **3.** a) raˈdieren, b) mattschleifen. – **4.** *oft* ~ out wegfressen. — **ˈetch·er** *s* Kupferstecher *m*, Raˈdierer *m*.
etch·ing [ˈetʃiŋ] *s* **1.** Ätzen *n*, Raˈdieren *n*, Kupferstechen *n*: ~ **bath** Ätzbad. – **2.** Ätz-, Raˈdierkunst *f*, ˌKupferstecheˈrei *f*. – **3.** Raˈdierung *f*, Kupferstich *m*. – **4.** *tech.* Beize *f*. — ~ **ground** *s tech.* Ätz-, Raˈdiergrund *m*. — ~ **lye** *s tech.* Ätzlauge *f*. — ~ **nee·dle** *s tech.* Raˈdiernadel *f*.
e·ter·nal [iˈtəːrnl] **I** *adj* **1.** ewig, ohne Anfang u. Ende, zeitlos. – **2.** ewig, immerwährend: The E~ City die Ewige Stadt (*Rom*). – **3.** (be)ständig, unveränderlich, bleibend. – **4.** *colloq.* unaufhörlich, ewig, dauernd: this ~ noise dieser ewige Lärm. – **5.** ˈunabˌänderlich (*Gesetz, Wahrheit*). – **6.** *fig.* ewig, ewige *od.* göttliche Dinge betreffend, ewige Folgen habend. – **II** *s* **7.** the E~ der Ewige (*Gott*). – **8.** *pl* ewige Dinge *pl*. — **eˌter·nal·iˈza·tion** [-nəl-] *s* Verewigung *f*. — **eˈter·nalˌize** *v/t* verewigen, ewig fortdauern lassen. — **eˈter·nal·ness** *s* (ewige) Dauer, Zeitlosigkeit *f*, Beständigkeit *f*. — **e·terne** [iˈtəːrn] *adj obs.* ewig.
e·ter·ni·ty [iˈtəːrniti; -əti] *s* **1.** Ewigkeit *f*, Unˈsterblichkeit *f*: to all ~ bis in alle Ewigkeit. – **2.** *fig.* Ewigkeit *f*, sehr lange Zeit. – **3.** *philos.* Zeitlosigkeit *f*. – **4.** *relig.* Ewigkeit *f*, Jenseits *n*. — **eˌter·niˈza·tion** *s* Verewigung *f*. — **eˈter·nize** *v/t* **1.** ewig *od.* unvergeßlich machen, verewigen. – **2.** unsterblich machen, verewigen. – **3.** (*Zustand*) auf unbestimmte Zeit verlängern, verewigen.
e·te·sian [iˈtiːʒən] *adj* periˈodisch, Jahres..., jährlich: E~ **winds** Etesien (*passatähnliche Winde im Mittelmeer*).
eth → edh.
eth·al [ˈeθæl; ˈiː-] *s chem.* Äˈthal *n*, Ceˈtylalkohol *m* ($C_{16}H_{33}OH$). — **eth·al·de·hyde** [eˈθældiˌhaid] *s chem.* Äthaldeˈhyd *n* (CH_3CHO).
eth·ane [ˈeθein] *s chem.* Äˈthylwasserstoff *m*, Äˈthan *n* (C_2H_6). — ˌ**eth·aneˈthi·ol** [-ˈθaiɒl; -oul] *s chem.* Mercapˈtan *m* (C_2H_5SH). — ˈ**eth·aˌnol** [-əˌnɒl; -ˌnoul] *s chem.* Äthaˈnol *n*, Äˈthylalkohol *m* (C_2H_5OH). — **ethˈan·oˌyl** [-ˈθænoˌil] *s chem.* Aceˈtyl *n*, Äthanoˈyl *n* (C_2H_5–). — ˈ**eth·ene** [-iːn] *s chem.* Äˈthen *n*, Äthyˈlen *n* (C_2H_4).
eth·e·noid [ˈeθiˌnɔid; -θə-], *auch* ˌ**eth·eˈnoi·dal** [-dəl] *adj chem.* äthyˈlenartig. — ˈ**eth·eˌnol** [-ˌnɒl; -ˌnoul] *s chem.* Viˈnylalkohol *m*. — ˈ**eth·e·nyl** [-nil] *s chem.* Äthyliˈden *n* ($CH_3C{\equiv}$).
e·ther [ˈiːθər] *s* **1.** *poet.* Äther *m*, Himmel *m*. – **2.** *chem.* Äther *m* [$(C_2H_5)_2O$]. – **3.** *chem.* Ätherverbindung *f*: **butyric** ~ Buttersäureäther; **compound** ~ gemischter Äther (*aus Alkohol u. Säuren*); **ethylic** ~ Äthyläther; **hydrochloric** ~ Chlorwasserstoffäther. – **4.** *phys.* (Licht)Äther *m* (*von der früheren Physik bis um 1900 angenommener Stoff im freien Raum*). — **e·the·re·al** [iˈθi(ə)riəl] *adj* **1.** *meist poet.* Äther..., äˈtherisch, himmlisch, zart, duftig, vergeistigt. – **2.** *chem.* ätherartig, äˈtherisch. — **eˌthe·reˈal·i·ty** [-ˈæliti; -əti] → **etherealness**. — **eˈthe·re·alˌize** [-əˌlaiz] *v/t* **1.** *fig.* äˈtherisch machen, vergeistigen, verklären. – **2.** *chem.* ätheriˈsieren. — **eˈthe·re·al·ness** *s* äˈtherisches Wesen, Geistigkeit *f*. — **eˈthe·re·ous**, **e·ther·ic** [iˈθerik] *adj* äˈtherisch, Äther... — **e·ther·i·fi·ca·tion** [iˌθerifiˈkeiʃən; -rəfə-] *s* Ätherbildung *f*, Verwandlung *f* in Äther. — **eˈther·iˌfy** [-ˌfai] *v/t* in Äther verwandeln.
e·ther·in [ˈiːθərin] *s chem.* Ätheˈrin *n*, Weinölkampfer *m*. — ˈ**e·therˌism** *s med.* Ätheˈrismus *m*, Äthervergiftung *f*. — ˌ**e·ther·iˈza·tion** *s med.* ˈÄtherbetäubung *f*, -narˌkose *f*. — ˈ**e·therˌize** *v/t* **1.** → etherify. – **2.** *med.* in Ätherrausch versetzen, mit Äther betäuben, narkotiˈsieren.
eth·ic [ˈeθik] **I** *adj* **1.** *selten für* ethical. – **II** *s* **2.** *selten* a) Ethos *n*, b) Sittenlehre *f*. – **3.** *pl* (*als sg konstruiert*) Moˈralphilosoˌphie *f*, Sittenlehre *f*, Ethik *f* (*als Wissenschaft*): ~s **deals with moral codes**. – **4.** *pl* (*als pl konstruiert*) a) Sittlichkeit *f*, ethische Grundsätze *pl*, Moˈral *f*: **his** ~s **leave much to be desired**, b) Ethik *f*, (*Werk über*) Sittenlehre *f*: **Aristotelian** E~s. — ˈ**eth·i·cal** *adj* **1.** ethisch, moˈralisch, sittlich: ~ **truth** Übereinstimmung in Wort u. Gedanke. – **2.** dem Berufsethos entsprechend: **it is not considered** ~ **for physicians to advertise** es widerspricht dem Berufsethos, wenn Ärzte werben. – **3.** *ling.* ethisch: ~ **dative** ethischer Dativ. – *SYN. cf.* moral. — ˌ**eth·iˈcal·i·ty** [-ˈkæliti; -əti], ˈ**eth·i·cal·ness** *s* Sittlichkeit *f*. — **e·thi·cian** [iˈθiʃən], **eth·i·cist** [ˈeθisist] *s* Ethiker *m*, Moraˈlist *m*, ethischer Schriftsteller. — ˈ**eth·iˌcize** *v/t* **1.** ethisch machen. – **2.** (*dat*) ethische Eigenschaften beilegen: to ~ **nature**.
eth·ide [ˈeθaid; -θid], *auch* ˈ**eth·id** [-θid] *s chem.* Verbindung *f* eines Radiˈkals mit Äˈthyl. — ˈ**eth·ine** [-θain], *auch* ˈ**eth·in** [-θin] → acetylene. [Äthiˈonsäure *f* ($C_2H_6O_7S_2$).]
eth·i·on·ic ac·id [ˌeθaiˈɒnik] *s chem.*
E·thi·o·pi·an [ˌiːθiˈoupiən], *auch* **E·thi·op** [ˈiːθiˌɒp], ˈ**E·thiˌope** [-ˌoup] **I** *adj* **1.** äthiˈopisch. – **II** *s* **2.** Äthiˈopier(in). – **3.** Angehörige(r) der äthiˈopischen Rasse. – **4.** *humor.* Neger *m*, Mohr *m*. — ˌ**E·thiˈop·ic** [-ˈɒpik] **I** *adj* äthiˈopisch. – **II** *s ling.* Äthiˈopisch *n*.
eth·moid [ˈeθmɔid] *med.* **I** *adj* siebartig: ~ **bone** Siebbein. – **II** *s* Siebbein *n*. — **ethˈmoi·dal** *adj* ethmoiˈdal, Siebbein...
ethn- [eθn] → ethno-.
eth·narch [ˈeθnɑːrk] *s antiq.* Ethˈnarch *m*, Statthalter *m*. — ˈ**eth·narch·y** *s antiq.* Ethnarˈchie *f*, Statthalteˈrei *f*, Statthalterschaft *f*.
eth·nic [ˈeθnik], *auch* ˈ**eth·ni·cal** [-kəl] *adj* **1.** heidnisch (*weder christlich noch jüdisch*). – **2.** ethnisch, volklich, völkisch. — ˈ**eth·ni·cal·ly** *adv* (*auch zu* ethnic).
eth·nic group *s sociol.* Volksgruppe *f* (*durch gemeinsame Abstammung od. Kultur verbunden, z. B. ital. Kolonie in einer amer. Stadt*).
ethno- [eθno] *Wortelement mit der Bedeutung* Volk.
eth·no·cen·tric [ˌeθnoˈsentrik] *adj sociol.* ethnoˈzentrisch. — ˌ**eth·noˈcen·trism** *s* Ethnozentriziˈtät *f* (*Glaube an die Überlegenheit der eigenen u. Verachtung jeder fremden soziologischen Gruppe od. Kultur*).
eth·nog·e·ny [eθˈnɒdʒəni] *s* (Lehre *f* von der) Völkerentstehung.
eth·nog·ra·pher [eθˈnɒgrəfər] *s* Ethnoˈgraph *m*, Völkerforscher *m*. — **eth·no·graph·ic** [ˌeθnəˈgræfik], ˌ**eth·noˈgraph·i·cal** *adj* ethnoˈgraphisch, völkerkundlich. — ˌ**eth·noˈgraph·i·cal·ly** *adv* (*auch zu* ethnographic). — **ethˈnog·ra·phy** *s* Ethnograˈphie *f*, Völkerbeschreibung *f*, (beschreibende) Völkerkunde.
eth·no·log·ic [ˌeθnəˈlɒdʒik], ˌ**eth·noˈlog·i·cal** [-kəl] *adj* ethnoˈlogisch. — ˌ**eth·noˈlog·i·cal·ly** *adv* (*auch zu* ethnologic). — **ethˈnol·o·gist** [-ˈnɒlədʒist] *s* Ethnoˈloge *m*, Völkerkundler *m*. — **ethˈnol·o·gy** *s* Ethnoloˈgie *f*, (vergleichende) Völkerkunde.
eth·no·ma·ni·ac [ˌeθnoˈmeiniˌæk; -nə-] *s* Chauviˈnist *m*. — ˌ**eth·no·psyˈchol·o·gy** [-saiˈkɒlədʒi] *s* ˈVölkerpsycholoˌgie *f*.
e·thog·ra·phy [iˈθɒgrəfi] *s* Ethograˈphie *f*, Sittenschilderung *f*.
eth·o·log·ic [ˌeθəˈlɒdʒik], ˌ**eth·oˈlog·i·cal** [-kəl] *adj* ethoˈlogisch. — **e·thol·o·gist** [iˈθɒlədʒist] *s* Ethoˈloge *m*. — **eˈthol·o·gy** *s* **1.** Etholoˈgie *f*, Sittenlehre *f*. – **2.** Wissenschaft *f* von der Chaˈrakterbildung, Perˈsönlichkeitsforschung *f* (*J. S. Mill*).
e·tho·poe·ia [ˌiːθoˈpiːjə] *s* (*Rhetorik*) Ethopöˈie *f*, Chaˈrakterbezeichnung *f*.
e·thos [ˈiːθɒs] *s* **1.** Ethos *n*, Chaˈrakter *m*, Geist *m*, Eigentümlichkeit *f*, sittlicher Gehalt (*Kultur*). – **2.** Sitte *f*, Lebensgrundsatz *m*, sittliches Wollen (*Gemeinschaft*). – **3.** ethischer Wert (*Kunstwerk*).
eth·yl [ˈeθil; -əl] *s* **1.** *chem.* Äˈthyl *n* (C_2H_5). – **2.** *tech.* a) E~ (*TM*) Antiklopfmittel *n*, b) Treibstoff *m* mit Antiklopfmittel. — ~ **ac·e·tate** *s chem.* Äˈthylaceˌtat *n*, ˈEssigsäureäˌthylester *m* ($CH_3CO_2C_2H_5$). — ~ **al·co·hol** *s chem.* (Äˈthyl)Alkohol *m*, Äthaˈnol *n*, Weingeist *m*, Spiritus *m*, Sprit *m* (C_2H_5OH).
eth·yl·a·mine [ˌeθiləˈmiːn; -θəl-; -ˈæmin], *auch* ˌ**eth·ylˈam·in** [-ˈæmin] *s chem.* Äthylaˈmin *n* ($C_2H_5NH_2$). — ˈ**eth·yl·ate** [-ˌleit] *chem.* **I** *s* Äthyˈlat *n*, Äˈthylverbindung *f*. – **II** *v/t* mit Äˈthyl verbinden, äthyˈlieren.
eth·yl| bro·mide *s chem.* Äˈthylbroˌmid *n*, ˈBromäˌthan *n*, -äˌthyl *n* (C_2H_5Br). — ~ **bu·tyr·ate** *s chem.* Äˈthylbutyˌrat *n*, Butteräther *m* ($C_3H_2CO_2C_2H_5$). — ~ **chaul·moo·grate** [tʃɔːlˈmuːgreit] *s chem.* Äˈthylester *m* der Chaulˈmoograsäure (*gegen Lepra*). — ~ **chlo·ride** *s chem.* Äˈthylchloˌrid *n* (C_2H_5Cl). — ~ **cy·a·nide** *s chem.* Äˈthylcyaˌnid *n* (C_2H_5CN). — ~ **di·sul·phide** *s chem.* Äˈthylsulˌfid *n* [$(C_2H_5)_2S_2$].
eth·yl·ene [ˈeθiˌliːn; -θə-] *s chem.* Äthyˈlen *n*, ölbildendes Gas, schweres Kohlenwasserstoffgas (C_2H_4). — ~ **bro·mide** *s chem.* Äthyˈlenbroˌmid ($C_2H_4Br_2$). — ~ **chlo·ride** *s chem.* Äthyˈlenchloˌrid *n* ($C_2H_4Cl_2$). — ~ **gly·col** *s chem.* Äthyˈlenglyˌkol *n* (HOH_2C-CH_2OH). — ~ **se·ries** *s chem.* Äthyˈlenreihe *f* (*mit der allgemeinen Formel* C_nH_{2n}).
eth·yl e·ther *s* Äˈthyläther *m* ($C_2H_5{\cdot}O{\cdot}C_2H_5$).
e·thyl·ic [iˈθilik] *adj* äˈthylisch, Äthyl...
e·ti·o·late [ˈiːtiəˌleit] **I** *v/t* **1.** (*Pflanzen etc durch Ausschluß von Licht*) (aus)bleichen. – **2.** *fig.* bleichsüchtig machen, verkümmern lassen. – **II** *v/i* **3.** bleichsüchtig werden. – **4.** *fig.* daˈhinsiechen. – **5.** *agr.* vergeilen, verspillern. — ˌ**e·ti·oˈla·tion** *s* **1.** Bleichen *n*, Bleichsucht *f*, -werden *n*. – **2.** *fig.* Siechtum *n*. – **3.** *agr.* Etioleˈment *n*, Vergeilung *f*, Verspillern *n*.
e·ti·o·log·i·cal, *bes. Br.* **ae·ti·o·log·i·cal** [ˌiːtiəˈlɒdʒikəl] *adj* ätioˈlogisch, ursächlich, begründend. — ˌ**e·tiˈol·o-**

gist, *bes. Br.* ˌ**ae·ti'ol·o·gist** [-'ɒlədʒist] *s* Ätio'loge *m.* — ˌ**e·ti'ol·o·gy**, *bes. Br.* ˌ**ae·ti'ol·o·gy** *s* **1.** Ätiolo'gie *f* (*Lehre von Ursache u. Wirkung*), Ursachenlehre *f*, logische Begründung. – **2.** *med.* Ätiolo'gie *f*, Ursachenforschung *f*, -erklärung *f*.

et·i·quette ['etiˌket; ˌeti'ket] *s* **1.** Eti'kette *f*, ('Hof)Zeremoniˌell *n*. – **2.** Eti'kette *f*, gute Sitte, 'Umgangsform *f*. – *SYN. cf.* decorum.

et·na ['etnə] *s* (*Art*) Spirituskocher *m*, Schnellsieder *m*.

E·ton| col·lar ['iːtn] *s* breiter, steifer Kragen (*über dem Rockkragen*). — **~ Col·lege** *s* Eton College *n* (*engl. Public School, gegr. 1440*). — **~ crop** *s* kurzgeschorenes Haar (*bei Damen*), 'Pagenkopf *m*, -friˌsur *f*.

E·to·ni·an [iː'touniən] **I** *adj* Eton betreffend, Eton... – **II** *s* Schüler *m* von Eton College, Etonschüler *m*.

E·ton jack·et *s* schwarze, kurze Jacke (*bes. der Etonschüler*).

E·trus·can [i'trʌskən], *auch* **E·tru·ri·an** [i'tru(ə)riən] **I** *adj* **1.** e'truskisch, e'trurisch. – **II** *s* **2.** E'trusker(in). – **3.** *ling.* E'truskisch *n*, das Etruskische.

é·tude [ei'tjuːd; *Am. auch* -'tuːd] *s mus.* E'tüde *f*, Übungsstück *n*.

e·tui [ei'twiː; 'etwiː], *auch* **e·twee** [e'twiː; 'etwiː] *s* E'tui *n*.

et·ym ['etim] → etymon. — **et'ym·ic** *adj ling.* ein Etymon betreffend, Wurzel-, Stamm(wort)...

et·y·mol·o·ger [ˌeti'mɒlədʒər] → etymologist. — ˌ**et·y·mo'log·ic** [-mə'lɒdʒik], ˌ**et·y·mo'log·i·cal** *adj* ety'mo'logisch, wortgeschichtlich. — ˌ**et·y·mo'log·i·cal·ly** *adv* (*auch zu* etymologic). — ˌ**et·y'mol·o·gist** *s* Etymo'loge *m*, Wortforscher *m*. — ˌ**et·y'mol·oˌgize I** *v/t* etymo'logisch erklären, (*Wörter*) auf ihren Ursprung unter'suchen, ableiten. – **II** *v/i* Etymolo'gie treiben. — ˌ**et·y'mol·o·gy** *s ling.* **1.** Etymolo'gie *f*, Wortableitung *f*, -forschung *f*, -entwicklung *f* (*Lehre von dem Ursprung der Wörter*). – **2.** *selten* Laut-, Flexi'onslehre *f*.

et·y·mon ['etiˌmɒn; -tə-] *pl* **-mons** *od.* **-ma** [-mə] *s* Etymon *n*, Grund-, Stammwort *n*.

eu- [juː-] *Wortelement mit der Bedeutung* gut, wohl.

eu·caine, *auch* **eu·cain** [juː'kein] *s chem.* Euca'in *n* (*a-Eucain* $C_{19}H_{27}NO_4$ *od. b-Eucain* $C_{15}H_{21}NO_2$).

eu·ca·lypt ['juːkəlipt] → eucalyptus. — ˌ**eu·ca'lyp·teˌol** [-tiˌɒl; -ˌoul] *s chem.* Eukalypte'ol *n* (*Eukalyptusölverbindung; internes Antiseptikum*). — ˌ**eu·ca'lyp·tic** *adj* Eukalyptus... — ˌ**eu·ca'lyp·tol(e)** [-toul; -tɒl] → cineol(e). — ˌ**eu·ca'lyp·tus** [-təs] *pl* **-ti** [-tai], *auch* **-tus·es** *s bot.* Euka'lyptus *m* (*Gattg Eucalyptus; austral. Gummibaum*): ~ oil *chem.* Eukalyptusöl.

eu·cat·ro·pine [juː'kætrəpin; -ˌpiːn] *s chem.* Eukatro'pin *n* ($C_{17}H_{25}NO_3HCl$).

eu·cha·ris ['juːkəris] *s bot.* Eucharis *f* (*Gattg Eucharis*).

Eu·cha·rist ['juːkərist] *s relig.* **1.** Euchari'stie *f*, (*das*) heilige Abendmahl, Sakra'ment *n* des Abendmahls. – **2.** Hostie *f*, 'Abendmahlsobˌlate *f*, Leib *m* Christi. – **3.** (*Christian Science*) Verbindung *f* zu Gott. — ˌ**Eu·cha'ris·tic,** ˌ**Eu·cha'ris·ti·cal** *adj* **1.** eucha'ristisch, Abendmahls... – **2.** Dankes...

eu·chlo·rine [juː'klɔːriːn; -rin] *s chem.* Euchlo'rin *n*, ˌChloroxy'dul *n* (ClO_2).

eu·chre ['juːkər] **I** *s* **1.** Euchrespiel *n* (*ein amer. Kartenspiel*). – **II** *v/t* **2.** im Euchrespiel besiegen. – **3.** *Am. sl.* über'treffen, -'listen, schlagen.

eu·chro·ite ['juːkroˌait] *s min.* Euchro'it *m*.

eu·chro·mat·ic [ˌjuːkro'mætik] *adj biol.* euchro'matisch, Euchromatin... — **eu'chro·ma·tin** [-'kroumətin] *s* Euchroma'tin *n*.

eu·chro·mo·some [juː'krouməˌsoum] *s biol.* Euchromo'som *n*.

eu·clase ['juːkleis] *s min.* Euklas *m* ($HBeAlSiO_5$).

Eu·clid ['juːklid] *s* **1.** Eu'klids Werke *pl*. – **2.** (Eu'klidische) Geome'trie: to know one's ~ in der Geometrie gut beschlagen sein. — **Eu'clid·e·an, Eu'clid·i·an** *adj* eu'klidisch.

eu·cy·clic [ju'saiklik; -'sik-] *adj bot.* iso'mer, mit regelmäßig abwechselnden Teilen.

eu·dae·mon [juː'diːmən] *s* **1.** Eu'dämon *m*, guter Geist. – **2.** *astr.* elftes Haus, Haus *n* des Glücks. — ˌ**eu·dae'mo·ni·a** [-di'mouniə] *s* Eudämo'nie *f*, Glückseligkeit *f*. — ˌ**eu·dae'mon·ic** [-'mɒnik], ˌ**eu·dae'mon·i·cal** *adj* glückbringend. — ˌ**eu·dae'mon·ics** *s pl* **1.** Mittel *pl* zum Glück. – **2.** (*als sg konstruiert*) → eudaemonism. — **eu'dae·monˌism** *s philos.* Eudämo'nismus *m*, Glückseligkeitslehre *f*. — **eu'dae·mon·ist** *s* Eudämo'nist *m*. — **euˌdae·mon'is·tic, euˌdae·mon'is·ti·cal** *adj* eudämo'nistisch. — **euˌdae·mon'is·ti·cal·ly** *adv* (*auch zu* eudaemonistic).

eu·de·mon *etc cf.* eudaemon *etc.*

eu·di·om·e·ter [ˌjuːdi'ɒmitər; -mə-] *s phys.* Eudio'meter *n* (*Gasprüfgerät*). — ˌ**eu·di·o'met·ric** [-ə'metrik], ˌ**eu·di·o'met·ri·cal** *adj* eudio'metrisch. — ˌ**eu·di·o'met·ri·cal·ly** *adv* (*auch zu* eudiometric). — ˌ**eu·di'om·e·try** [-tri] *s phys.* Eudiome'trie *f*.

eu·gen·ic [juː'dʒenik], *auch* **eu'gen·i·cal** *adj* eu'genisch, 'rassenhygiˌenisch, -veredelnd. — **eu'gen·i·cist** [-sist] → eugenist. — **eu'gen·ics** *s pl* (*als sg konstruiert*) Eu'genik *f*, 'Rassenhygiˌene *f*. — '**eu·ge·nist** [-dʒənist] *s* Eu'geniker *m*, 'Rassenhygiˌeniker *m*.

eu·ge·nol ['juːdʒəˌnɒl; -ˌnoul] *s chem.* Euge'nol *n* ($C_{10}H_{12}O_2$).

eu·har·mon·ic [ˌjuːhɑːr'mɒnik] *adj mus.* vollkommen har'monisch (*Orgel*).

eu·he·mer·ism [juː'hiːməˌrizəm; -'hem-] *s philos.* Euheme'rismus *m* (*Theorie des Euhemerus, daß die mythologischen Gestalten vergöttlichte Menschen seien*). — **eu'he·mer·ist** *s* Euheme'rist *m*. — **euˌhe·mer'is·tic** *adj* euheme'ristisch. — **euˌhe·mer'is·ti·cal·ly** *adv*. — **eu'he·merˌize** *v/t* (*religiöse Anschauungen, Mythen*) rationa'listisch erklären.

eu·la·chon ['juːləˌkɒn] → candlefish 1.

Eu·le·ri·an [juː'li(ə)riən; ɔi'l-] *adj math.* Euler(i)sch (*den Mathematiker Euler betreffend*). — **~ con·stant** *s math.* Euler(i)sche Kon'stante.

Eu·ler's e·qua·tion ['ɔilərz; 'juː-] *s math.* Euler(i)sche Gleichung.

eu·lo·gi·a [juː'loudʒiə] *s relig.* Eulo'gie *f*, geweihtes Brot (*bei der Messe*).

eu·lo·gist ['juːlədʒist] *s* Lobpreiser(in), -redner(in). — ˌ**eu·lo'gis·tic,** ˌ**eu·lo'gis·ti·cal** *adj* (lob)preisend, lobend, rühmend: to be ~ of preisen. — ˌ**eu·lo'gis·ti·cal·ly** *adv* (*auch zu* eulogistic). — **eu·lo·gi·um** [-'loudʒiəm] *pl* **-a** [-ə] *od.* **-ums** → eulogy. — '**eu·loˌgize** *v/t* **1.** loben, preisen, ‚in den Himmel heben'. – **2.** *selten* segnen. – *SYN.* acclaim, extol, laud, praise. — '**eu·lo·gy** *s* **1.** Lob(preisung *f*) *n*. – **2.** Lob-, Ehrenrede *f*, Lob-, Nachschrift *f* (on auf *acc.*). – *SYN. cf.* encomium.

eu·ly·site ['juːliˌsait; -lə-] *s min.* Euly'sit *m*. — '**eu·lyˌtite** [-ˌtait], *auch* '**eu·ly·tine** [-tin; -ˌtiːn] *s min.* Euly'tin *n* ($Bi_4Si_3O_{12}$).

Eu·men·i·de·an [juːˌmeni'diːən] *adj* **1.** *antiq.* die Eume'niden betreffend. – **2.** vergeltend, rächend. — **Eu'men·iˌdes** [-ˌdiːz] *s pl antiq.* Eume'niden *pl* (*Rachegöttinnen der griech. Sage*).

eu·men·or·rhe·a [ˌjuːmenə'riːə] *s med.* nor'male Menstruati'on.

eu·mer·ism ['juːməˌrizəm] *s biol.* Masse *f* eume'ristischer Teile. — ˌ**eu·mer'is·tic** *adj* eume'ristisch. — ˌ**eu·mer·o'gen·e·sis** [-ro'dʒenisis; -nə-] *s* Eumeroge'nese *f* (*gleichzeitige Entstehung vieler gleicher Teile*). — ˌ**eu·mer·o·ge'net·ic** [-dʒə'netik] *adj* eumeroge'netisch. — '**eu·mer·oˌmorph** [-ˌmɔːrf] *s biol.* eume'ristischer Orga'nismus.

eu·nuch ['juːnək] *s* **1.** Eu'nuch *m*, (*kastrierter*) Haremsaufseher. – **2.** *fig.* Schwächling *m*. — '**eu·nuch·al** *adj* eu'nuchenhaft, weibisch, unmännlich. — '**eu·nuchˌism** *s* **1.** Eu'nuchentum *n*. – **2.** Entmannung *f*, Ka'strierung *f*. — '**eu·nuchˌize** *v/t* entmannen, ka'strieren (*auch fig.*).

eu·o·nym ['juːənim] *s* passender, geeigneter Ausdruck (*für eine Sache*). — **eu'on·y·mous** [-'ɒniməs] *adj* passend *od.* treffend benannt.

eu·on·y·mus [juː'ɒniməs] *s* **1.** → evonymus. – **2.** *med.* (*purgativ wirkende*) Rinde der Spindelbaumwurzel.

eu·pa·thy ['juːpəθi] *s philos.* Eupa'thie *f*, gute Stimmung, Wohlbefinden *n*.

eu·pa·to·ri·um [ˌjuːpə'tɔːriəm], '**eu·pa·to·ry** [*Br.* -təri; *Am.* -ˌtɔːri] *s bot.* Wasserdost *m* (*Gattg Eupatorium*).

eu·pat·rid [juː'pætrid; 'juːpə-] *pl* **-riˌdae** [-riˌdiː] **I** *s* **1.** *antiq.* Eupa'tride *m* (*Patrizier im alten Athen*). – **2.** Adeliger *m*, Pa'trizier *m*. – **II** *adj* **3.** eupa'tridisch, adelig.

eu·pep·sia [juː'pepsiə; -ʃə] *s med.* Eupep'sie *f*, gute Verdauung. — **eu'pep·tic** [-tik] *adj med.* **1.** gut *od.* schnell verdauend. – **2.** verdauungsfördernd. — ˌ**eu·pep'tic·i·ty** [-'tisiti; -əti] *s med.* Zustand *m* bei guter Verdauung.

eu·phe·mism ['juːfəˌmizəm] *s* Euphe'mismus *m*: a) Beschönigung *f*, (sprachliche) Milderung *od.* Verhüllung, b) beschönigender *od.* mildernder Ausdruck. — '**eu·phe·mist** *s* Verwender(in) von Euphe'mismen. — ˌ**eu·phe'mis·tic,** ˌ**eu·phe'mis·ti·cal** *adj* euphe'mistisch, beschönigend, mildernd. — ˌ**eu·phe'mis·ti·cal·ly** *adv* (*auch zu* euphemistic). — '**eu·pheˌmize I** *v/t* (*etwas*) euphe'mistisch *od.* beschönigend ausdrücken. – **II** *v/i* euphe'mistisch reden, Euphe'mismen verwenden.

eu·phon·ic [juː'fɒnik], **eu'phon·i·cal** [-kəl] *adj* eu'phonisch, wohllautend, -klingend. — **eu'phon·i·cal·ly** *adv* (*auch zu* euphonic). — **eu'phon·i·cal·ness** → euphony. — **eu'pho·ni·ous** [-'founiəs] *adj* wohlklingend. — **eu'pho·ni·ous·ness** → euphony. — **eu'pho·ni·um** [-əm] *s mus.* Eu'phonium *n* (*Name mehrerer Musikinstrumente, bes. des Baritonhorns*). — '**eu·phoˌnize** [-fəˌnaiz] *v/t* wohlklingend machen. — '**eu·pho·ny** *s* **1.** Eupho'nie *f*, Wohlklang *m*. – **2.** *ling.* leichte, angenehme Aussprache.

eu·phor·bi·a [juː'fɔːrbiə] *s bot.* Wolfsmilch *f* (*Gattg Euphorbia*). — **euˌphor·bi'a·ceous** [-'eiʃəs] *adj bot.* wolfsmilchartig.

Eu·phor·bi·a sphinx *s zo.* Wolfsmilchschwärmer *m* (*Deilephila euphorbiae; Schmetterling*).

eu·phor·bi·um [juː'fɔːrbiəm] *s* Eu'phorbiengummi *m*.

eu·pho·ri·a [juː'fɔːriə] *s med.* **1.** Eupho'rie *f* (*Wohlbefinden Schwerkranker*). – **2.** Wohlbefinden *n*. — **eu'phor·ic** [-'fɒrik; *Am. auch* -'fɔːr-] *adj u. s med.* dem Wohlbefinden dienend(es Mittel). — **'eu·pho·ry** [-fəri] → euphoria.

eu·phra·sy ['ju:frəsi] *s bot.* Augentrost *m* (*Euphrasia officinalis*).

eu·phroe ['ju:frou; -vr-] *s mar.* Jungfernblock *m.*

eu·phu·ism ['ju:fju:ˌizəm] *s* Euphu'ismus *m*: a) *Stil nach Lylys „Euphues"*, b) gezierte *od.* gespreizte Ausdrucksweise, schwülstige Sprache, c) gezierter Ausdruck. — **'eu·phu·ist** *s* Euphu'ist *m.* — **ˌeu·phu'is·tic, ˌeu·phu'is·ti·cal** *adj* euphu'istisch, geziert, gespreizt, schwülstig. — **ˌeu·phu'is·ti·cal·ly** *adv* (*auch zu* euphuistic).

eu·plas·tic [ju:'plæstik] *biol.* **I** *adj* Bildungs..., sich leicht anpassend. – **II** *s* Bildungsstoff *m.*

eup·ne·a, eup·noe·a [ju:p'ni:ə] *s med.* Eup'noë *f*, nor'males Atmen. — **eup'no·ic** [-'nouik] *adj med.* nor'mal atmend.

Eur·a·sian [ju(ə)'reiʒən; -ʒiən] **I** *adj* **1.** eu'rasisch (*den europ.-asiat. Kontinent betreffend*). – **2.** von europ.-asiat. Abstammung. – **II** *s* **3.** Eu'rasier(in).

Eur·at·om [ju(ə)'rætəm] *s* Eura'tom *f* (*Europ. Gemeinschaft für Atomenergie*).

Eu·re·ka [ju(ə)'ri:kə] **I** *interj* heureka! ich hab's (gefunden)! (*freudiger Ausruf bei einer Entdeckung*). – **II** *adj u. s* hochfein(e Entdeckung).

eu·rhyth·mic *etc cf.* eurythmic *etc.*

Eu·roc·ly·don [ju(ə)'rɒkliˌdɒn; -lə-] *s* heftiger Nord'ostwind (*Mittelmeergebiet*).

Eu·ro·pe·an [ˌju(ə)rə'pi:ən] **I** *adj* euro'päisch: ~ **Atomic Energy Community** Europ. Gemeinschaft für Atomenergie; ~ **Coal and Steel Community** Europ. Gemeinschaft für Kohle u. Stahl; ~ **Economic Community** Europ. Wirtschaftsgemeinschaft; ~ **championship** *sport* Europameisterschaft. – **II** *s* Euro'päer(in). — **ˌEu·ro'pe·anˌism** *s* **1.** europ. Eigenschaft *f*, europ. Denken *n*, euro'päerfreundliche Einstellung. – **2.** Euro'päertum *n.* — **ˌEu·ro'pe·anˌize** *v/t* europäi'sieren, euro'päisch machen.

Eu·ro·pe·an plan *s* (*Hotelwesen*) *Am.* Zimmer(ver)mieten *n* ohne Verpflegung (*Gegensatz* American plan).

eu·ro·pi·um [ju(ə)'roupiəm] *s chem.* Eu'ropium *n* (Eu).

Eu·ro·vi·sion ['ju(ə)roˌviʒən] *s* Eurovisi'on *f* (*europ. Fernsehnetz*).

Eu·rus ['ju(ə)rəs] *s obs.* Süd'ostwind *m.*

eury- [ju(ə)ri] *Wortelement mit der Bedeutung* weit, breit.

eu·ry·ce·phal·ic [ˌju(ə)risi'fælik; -sə-] *adj zo.* breitschädlig. — **ˌeu·ryg'nath·ic** [-rig'næθik] *adj zo.* mit breitem Oberkiefer. — **eu'ryp·ter·id** [-'riptərid] *zo.* **I** *s* (*ein*) paläo'zoischer Gliederfüßer (*Fam. Eurypterida*). – **II** *adj* zu den Eurypterida gehörig.

eu·ryth·mic [ju:'riðmik; ju(ə)-], **eu'ryth·mi·cal** [-kəl] *adj* eu'rhythmisch: a) die Harmo'nie (der Teile) betreffend, b) *arch.* proportio'niert, har'monisch ([an]geordnet). — **eu'ryth·mics** *s pl* (*als sg konstruiert*) rhythmisches Tanzen, rhythmische Gym'nastik, Eu'rhythmik *f.* — **eu'ryth·my** *s* Eurhyth'mie *f*: a) *arch.* Ebenmaß *n*, Harmo'nie *f*, b) *med.* Regelmäßigkeit *f* des Pulses, c) rhythmische Bewegung, Ausdrucksbewegung *f.*

eu·ry·stom·a·tous [ˌju(ə)ri'stɒmətəs; -'stou-] *adj zo.* weitmäulig.

eu·sol ['ju:sɒl; -soul] *s chem. med.* Eu'sol *n* (*Antiseptikum*).

Eu·sta·chi·an [ju:'steikiən; -ʃiən] *adj* eu'stachisch (*den ital. Arzt Eustachio betreffend*). — ~ **tube** *s med.* Eu'stachische Röhre, 'Ohrtromˌpete *f.*

eu·sta·sy ['ju:stəsi] *s geol.* Eusta'sie *f.* — **eu·stat·ic** [ju:'stætik] *adj* eu'statisch.

eu·tax·ite [ju:'tæksait] *s min.* Euta'xit *m.* — **'eu·tax·y** *s* gute *od.* richtige Ordnung.

eu·tec·tic [ju:'tektik] *tech.* **I** *adj* **1.** eu'tektisch: ~ **texture** Schriftstruktur. – **2.** Legierungs...: ~ **melting point.** – **II** *s* **3.** Eu'tektikum *n* (*binäres od. polynäres Stoffgemisch mit einheitlichem Schmelzpunkt*). — **eu'tec·toid** *adj u. s tech.* eutekto'id(e Le'gierung).

Eu·ter·pe [ju:'tə:rpi] *npr* (*griech. Mythologie*) Eu'terpe *f* (*Muse der Musik u. der lyrischen Dichtung*).

eu·tha·na·si·a [ˌju:θə'neiziə; -ʒə] *s* Euthana'sie *f*: a) sanfter, leichter Tod, b) *schmerzlose Tötung von unheilbar Kranken*, c) *med.* Sterbehilfe *f.*

eu·then·ics [ju:'θeniks] *s pl* (*als sg konstruiert*) Eu'thenik *f* (*Pflege der umweltbedingten Eigenschaften*).

eu·ther·mic [ju:'θə:rmik] *adj med.* Wärme erzeugend *od.* fördernd.

eu·thy·trop·ic [ˌju:θi'trɒpik] *adj* sich geradlinig fortpflanzend (*Erdstoß*).

eu·to·mous ['ju:təməs] *adj min.* leicht spaltbar.

eu·troph·ic [ju:'trɒfik] *med.* **I** *adj* eu'trophisch, nährstoffreich. – **II** *s* eu'trophische Arz'nei. — **'eu·tro·phy** [-trəfi] *s* Eutro'phie *f*, guter Ernährungszustand.

eu·trop·ic [ju:'trɒpik] *adj* sich rechts (*mit der Sonne*) drehend.

eux·e·nite ['ju:ksəˌnait] *s min.* Euxe'nit *m.*

e·vac·u·ant [i'vækjuənt] *med.* **I** *adj* ausleerend, abführend. – **II** *s* Abführmittel *n.*

e·vac·u·ate [i'vækjuˌeit] **I** *v/t* **1.** entleeren, ausleeren, -räumen. – **2.** *med.* entleeren, ausscheiden, absondern, abführen: to ~ **the bowels** den Darm entleeren, abführen. – **3.** (*Personen*) evaku'ieren, 'abtransporˌtieren, (*Truppen*) verlegen. – **4.** a) (*besetzte Stadt etc*) räumen, verlassen (*Truppen*), b) (*Haus, Grundstück*) räumen. – **5.** *fig.* seines Inhaltes *od.* Wertes berauben. – **II** *v/i* **6.** *bes. mil.* sich zu'rückziehen. — **eˌvac·u'a·tion** *s* **1.** Ausleerung *f*, Entleerung *f.* – **2.** *mil.* Evaku'ierung *f*, 'Um-, Aussiedlung *f*, Räumung *f*: ~ **of inhabitants** *mil.* Aussiedlung der Einwohner. – **3.** *med.* a) Ausleerung *f*, Stuhlgang *m*, b) ausgeschiedene Sub'stanz, Exkre'mente *pl.* — ~ **hos·pi·tal** *s mil. Am.* 'Feldlazaˌrett *n.*

e·vac·u·ee [iˌvækju'i:; i'vækjuˌi:] *s* Evaku'ierte(r), 'Umsiedler(in).

e·vad·a·ble [i'veidəbl] *adj* vermeidbar, zu vermeiden(d).

e·vade [i'veid] **I** *v/i* **1.** Ausflüchte machen. – **2.** *selten* entkommen, entrinnen (from, out of *dat od.* aus). – **II** *v/t* **3.** sich (*einer Sache*) entziehen, (*geschickt*) ausweichen, entwischen, (*etwas*) um'gehen, vermeiden: to ~ **detection** der Entdeckung entgehen; to ~ **a duty** sich einer Pflicht entziehen; to ~ **answering a question** einer Frage aus dem Weg gehen; to ~ **definition** sich nicht definieren lassen; to ~ **regulations** Bestimmungen umgehen; **evading movement** Ausweichbewegung. – *SYN. cf.* escape. — **e'vad·er** *s mil. Versprengter, der sich der Gefangennahme entziehen konnte.* — **e·vad·i·ble** *cf.* evadable.

e·vag·i·nate [i'vædʒiˌneit; -dʒə-] *v/t* **1.** (*das Innere nach außen*) 'umstülpen. – **2.** *med.* (*Organ*) aus einer Scheide ausstoßen, ausstülpen. — **eˌvag·i'na·tion** *s* Ausstoßung *f*, -stülpung *f.*

e·val·u·ate [i'vælјuˌeit] *v/t* **1.** abschätzen, den Wert bestimmen von, bewerten, kritisch beurteilen. – **2.** *math.* a) ausrechnen, berechnen, zahlenmäßig bestimmen, b) auswerten. – *SYN. cf.* estimate. — **eˌval·u'a·tion** *s* **1.** Abschätzung *f*, Ta'xierung *f*, Bewertung *f.* – **2.** *math.* (Wert)Bestimmung *f*, Berechnung *f*, Ausrechnung *f*, Auswertung *f.*

ev·a·nesce [ˌevə'nes] *v/i* (ver)schwinden. — **ˌev·a'nes·cence** [-'nesns] *s* **1.** (Da'hin)Schwinden *n.* – **2.** Flüchtigkeit *f*, Vergänglichkeit *f.* — **ˌev·a'nes·cent** *adj* **1.** verschwindend, (da'hin)schwindend. – **2.** *math.* infinitesi'mal, unendlich klein (*auch fig.*). – *SYN. cf.* transient.

e·van·gel [i'vændʒəl] *s selten* **1.** E~ *relig.* Evan'gelium *n.* – **2.** *fig.* Evan'gelium *n*, frohe Botschaft. – **3.** Evange'list *m.*

e·van·gel·i·cal [ˌi:væn'dʒelikəl; -vən-], *auch* **ˌe·van'gel·ic** *relig.* **I** *adj* **1.** die vier Evan'gelien betreffend, in den Evangelien enthalten. – **2.** Evangelien... – **3.** den Vorschriften der Evan'gelien entsprechend. – **4.** *meist* **evangelical** evan'gelisch, prote'stantisch (*nur noch von Kirchen in Deutschland u. der Schweiz*). – **5.** evan'geliumsgläubig (*Gegensatz: werkgläubig*). – **II** *s* **6.** Anhänger(in) *od.* Mitglied *n* einer evan'gelischen Kirche *od.* der evangelischen Richtung einer prote'stantischen Kirche. — **ˌe·van'gel·i·calˌism** *s* **1.** Evan'geliumsgläubigkeit *f* (*Gegensatz: Werkgläubigkeit*). – **2.** evan'gelischer Glaube. — **e·van·ge·lism** [i'vændʒəˌlizəm] *s* **1.** Verkündigung *f* des Evan'geliums. – **2.** Bekehrungstätigkeit *f.* — **e'van·ge·list** *s* **1.** *Bibl.* Evange'list *m.* – **2.** Prediger *m* des Evan'geliums, Glaubensbote *m.* – **3.** Massenbekehrungs-, Wanderprediger *m.* – **4.** Patri'arch *m* (*der Mormonenkirche*). — **eˌvan·ge'lis·tic** *adj* **1.** die vier Evan'gelien betreffend. – **2.** die Evan'gelisten betreffend. – **3.** die evan'gelische Richtung einer prote'stantischen Kirche betreffend. – **4.** Massenbekehrungs... — **eˌvan·ge'lis·ti·cal·ly** *adv.* — **eˌvan·ge·li'za·tion** *s relig.* **1.** Predigt *f od.* Verkündigung *f* des Evan'geliums, Evangelisati'on *f.* – **2.** Bekehrung *f* zum Evan'gelium. – **3.** Deutung *f* heidnischer Anschauungen im christlichen Sinn. — **e'van·geˌlize** **I** *v/i* **1.** das Evan'gelium predigen, evangeli'sieren. – **II** *v/t* **2.** für das Evan'gelium gewinnen, (zum Christentum) bekehren. – **3.** mit dem Geist des Evan'geliums erfüllen.

e·van·ish [i'væniʃ] *v/i meist poet.* (da'hin)schwinden. — **e'van·ish·ment** *s* Verschwinden *n*, 'Hinschwinden *n.*

e·vap·o·ra·bil·i·ty [iˌvæpərə'biliti; -əti] *s* Verdunstbarkeit *f.* — **e'vap·o·ra·ble** *adj* verdunstbar. — **e'vap·oˌrate** [-ˌreit] **I** *v/t* **1.** zur Verdampfung bringen, verdampfen *od.* verdunsten lassen. – **2.** (*Milch etc*) ab-, eindampfen, evapo'rieren: ~d **milk** (evapo'rierte) Kondensmilch. – **3.** *fig.* schwinden lassen. – **II** *v/i* **4.** verdampfen, verdunsten, abrauchen. – **5.** *fig.* verschwinden, ‚verduften'. — **eˌvap·o'ra·tion** *s* **1.** Verdampfung *f*, -dunstung *f.* – **2.** *tech.* Ab-, Eindampfen *n*, Einkochen *n.* – **3.** verdampfte Masse: ~ **of syrup** (*Zuckerherstellung*) Klärselkochen. – **4.** Ausdünstung *f*, -hauchen *n.* – **5.** *fig.* Verfliegen *n.* – **6.** *bot.* Verdunstungskraft *f* (*der Luft*). — **e'vap·oˌra·tive** *adj* Verdunstungs..., Verdampfungs... — **e'vap·oˌra·tor** [-tər] *s tech.* Abdampfvorrichtung *f*, Verdampfer *m*, Eindämpfgerät *n.* — **eˌvap·o'rim·e·ter** [-'rimitər; -mə-], **eˌvap·o'rom·e·ter** [-'rɒm-] *s phys. tech.* Verdunstungsmesser *m* (*Gerät*).

e·va·sion [i'veiʒən] *s* **1.** Entkommen *n*, -rinnen *n*, Flucht *f.* – **2.** (listiges) Ausweichen, Um'gehen *n*: ~ **of a duty**

Außerachtlassung einer Pflicht; ~ of a law Umgehung eines Gesetzes; ~ of tax Steuerhinterziehung. – 3. Ausflucht f, Ausrede f, Vorwand m, ausweichende Antwort. — e'va·sive [-siv] adj 1. voller Ausflüchte. – 2. ausweichend (Antwort). – 3. schwer feststell- od. faßbar. — e'va·sive·ness s ausweichendes Wesen od. Verhalten.

Eve[1] [iːv] npr Bibl. Eva f: a daughter of ~ a) eine typische Frau, b) neugierig wie alle Frauen.

eve[2] [iːv] s 1. poet. Abend m. – 2. Vorabend m: → Christmas ~; New Year's ~. – 3. Vorabend m, Tag m (vor einem Ereignis): on the ~ of am Vorabend von (od. gen); to be on (od. upon) the ~ of s.th. nahe an etwas daran sein, unmittelbar vor etwas stehen.

e·vec·tion [i'vekʃən] s astr. Evekti'on f, (Größe der) Ungleichheit der Mondbahn (um die Erde). — e'vec·tion·al adj Evektions...

e·ven[1] ['iːvən] adv 1. so'gar, selbst, auch (verstärkend): not ~ he nicht einmal er; I never ~ read it ich habe es nicht einmal gelesen; ~ then selbst dann; ~ though, ~ if selbst wenn, wenn auch; ~ were there ... poet. selbst wenn es ... gäbe; ~ in Europe sogar in Europa. – 2. noch (vor comp): ~ better (sogar) noch besser; ~ more noch mehr. – 3. gerade (zeitlich): ~ now a) eben od. gerade jetzt, in diesem Augenblick, b) selbst jetzt od. heutzutage. – 4. eben, ganz, gerade (verstärkend): ~ as genau wie, gerade als; ~ so allerdings, so ist's, immerhin, eben so, wenn schon; ~ thus gerade so. – 5. nämlich, das heißt (zur Verdeutlichung): God, ~ our own God. – 6. or ~ oder auch (nur). – 7. obs. od. dial. gerade (so viel) (räumlich).

e·ven[2] ['iːvən] I adj 1. eben, flach, platt, glatt, gerade, gleich: ~ with the ground dem Boden gleich. – 2. in gleicher Höhe (with mit). – 3. fig. gleich(förmig), ruhig, gelassen: of an ~ temper ruhigen Gemüts; an ~ rhythm ein gleichmäßiger Rhythmus. – 4. regel-, gleichmäßig (in Farbe, Dichtigkeit etc). – 5. selten aufrichtig (Gesinnung). – 6. gerade (Weg). – 7. waagrecht, horizon'tal: → keel[1] 1. – 8. genau über'einstimmend od. angeordnet: to make ~ lines, to end ~ print. mit voller Zeile schließen. – 9. econ. ausgeglichen, glatt, quitt, schuldenfrei: to be ~ with s.o. j-m nichts mehr schuldig sein; to get ~ with s.o. mit j-m abrechnen (auch fig.), ins reine kommen; we are ~ wir sind quitt; to break ~ colloq. ohne Verlust abschneiden. – 10. frei von Schwankungen, im Gleichgewicht (auch fig.). – 11. gerecht, 'unpar,teiisch (Gesetz, Recht). – 12. selten richtig (Gewicht). – 13. gleich, i'dentisch (Größe, Zahl, Menge etc): ~ bet Wette mit gleichem Einsatz; ~ chances gleiche Chancen; to meet on ~ ground mit gleichen Chancen kämpfen; three ~ shares drei gleiche Anteile; on ~ terms in gutem Einvernehmen. – 14. gleich (vom Datum): your letter of ~ date Ihr Schreiben gleichen Datums. – 15. gleich (im Rang etc): to be ~ with s.o. gleichen Rang mit j-m haben, j-m gleichstehen. – 16. gerade, durch eine gerade Zahl bezeichnet: ~ number gerade Zahl; ~ page Buchseite mit gerader Zahl; odd or ~ ungerade od. gerade. – 17. gerade, rund, voll (Summe etc): ~ sum runde Summe. – 18. prä'zise, genau: an ~ dozen genau ein Dutzend; an ~ mile genau eine Meile. – SYN. cf. a) level, b) steady. –
II v/t 19. (Boden etc) ebnen, gleichmachen, glätten. – 20. tech. a) abfluchten, b) (Metallarbeit) gleichschlagen, abgleichen. – 21. (Waage, Rechnung etc) ins gleiche bringen, ausgleichen. – 22. dial. als gleich behandeln, vergleichen. – 23. ~ up (Rechnung) ausgleichen, begleichen (auch fig.): to ~ up accounts Konten abstimmen; to even matters up mit j-m ins reine kommen, sich revanchieren.

e·ven[3] ['iːvən] s poet. od. dial. Abend m.

e·ven break s 1. gleiche Aussichten pl, gleiche Chance. – 2. gleicher Gewinn od. Verlust.

e·ven·er ['iːvənər] s 1. j-d der ebnet od. ausgleicht. – 2. Schwengel m, Waage f (eines mehrspännigen Wagens). – 3. Schlichtkamm m (Weberei). – 4. Am. für doubletree.

'e·ven|,fall s poet. Her'einbrechen n des Abends. — '~'hand·ed adj 'unpar,teiisch, 'unpar,teilich. — ,~'hand·ed·ness s 'Unpar,teilichkeit f.

eve·ning ['iːvniŋ] I s 1. Abend m: in the ~ abends, am Abend; late in the ~ spätabends; last (this, tomorrow od. to-morrow) ~ gestern (heute, morgen) abend; on the ~ of the same day am Abend desselben Tages; one ~ eines Abends. – 2. Abendzeit f (von der Dämmerung bis zum Schlafengehen). – 3. dial. (bes. im Süden der USA) Nachmittag m (vom Mittag bis zur Dämmerung). – 4. Lebensabend m. – 5. 'Abend(unter,haltung f) m, Gesellschaftsabend m: musical ~ musikalischer Abend. – II adj 6. abendlich, Abend... — ~ dress s 1. Abendkleid n. – 2. Abend-, Gesellschaftsanzug m (Frack, Smoking etc). — ~ flow·er s bot. Abendblume f (Gattg Hesperantha; afrik. Iridacee). — '~-,glo·ry → moonflower. — ~ gown s Abendkleid n. — ~ gros·beak s zo. (ein) amer. Kernbeißer m (Hesperiphona vespertina). — ~ hymn s (geistliches) Abendlied. — ~ prim·rose s bot. Nachtkerze f (Gattg Oenothera), bes. Gemeine od. Zweijährige Nachtkerze, Schinkenwurzel f (O. biennis). — ~ school → night school. — ~ serv·ice s Abendgottesdienst m. — '~-'snow s bot. Am. Gegabelte Gilie (Linanthus dichotomus). — ~ star s astr. Abendstern m.

'e·ven|'mind·ed adj gleichmütig, gelassen, seelenruhig. — ~ mon·ey s gleicher Einsatz (bei Wetten).

e·ven·ness ['iːvənnis] s 1. Ebenheit f, Geradheit f, gerade Richtung. – 2. Glätte f. – 3. Gleichmäßigkeit f, -förmigkeit f. – 4. Gleichheit f (Rang). – 5. Gleichmut m, (Seelen)Ruhe f. – 6. 'Unpar,teilichkeit f.

'e·ven,song s relig. 1. Abendgesang m, Vesper f. – 2. Abendgebet n, -gottesdienst m.

e·vent [i'vent] s 1. Fall m: at all ~s auf alle Fälle; in the ~ of death im Todesfalle; in the ~ of his death im Falle seines Todes, falls er sterben sollte; in the ~ of his coming (od. that he comes) falls er kommen sollte; in any ~ auf jeden Fall. – 2. Ereignis n, Vorfall m, -kommnis n, Begebenheit f: in the course of ~s im (Ver)Lauf der Ereignisse; quite an ~ ein besonderes Ereignis. – 3. sport sportliche Veranstaltung, (Pro'gramm)Nummer f, Rennen n: athletic ~s (leicht)athletische Wettkämpfe; track ~s (Hürden-, Staffel)Laufwettkämpfe; → field ~s. – 4. Ausgang m, Ergebnis n: in the ~ schließlich. – SYN. cf. a) effect, b) occurrence.

'e·ven-'tem·pered adj gleichmütig, gelassen, ruhig.

e·vent·ful [i'ventful; -fəl] adj 1. ereignisreich. – 2. wichtig, bedeutend.

'e·ven,tide meist poet. für evening.

e·vent·less [i'ventlis] adj ereignislos, einförmig. — e'vent·less·ness s Einförmigkeit f, Monoto'nie f.

e·ven·tra·tion [,iːven'treiʃən] s 1. Ausweiden n, Evisze'rierung f. – 2. med. Eingeweidevorfall m.

e·ven·tu·al [i'ventʃuəl; Br. auch -tjuəl] adj 1. etwaig, möglich, eventu'ell, von unsicheren Ereignissen abhängig. – 2. erfolgend, sich ... ergebend. – 3. schließlich, endlich. – SYN. cf. last[1]. — e,ven·tu'al·i·ty [-'æliti; -əti] s Möglichkeit f, Eventuali'tät f, mögliches Ereignis. — e'ven·tu·al·ly adv schließlich, endlich.

e·ven·tu·ate [i'ventʃu,eit; Br. auch -tju-] I v/i 1. ausfallen, -gehen, endigen: to ~ well gut ausgehen; to ~ in s.th. in etwas endigen. – 2. stattfinden, sich ereignen. – II v/t 3. zum Ausgang bringen. — e,ven·tu'a·tion s Verwirklichung f, Ausgang m.

ev·er ['evər] adv 1. immer (wieder), fortwährend: for ~ (and ~), for ~ and a day für immer, in alle Ewigkeit; ~ after(wards), ~ since von der Zeit an, seit der Zeit, solange, seit(dem); ~ and again (od. obs. anon) dann u. wann, immer wieder; Yours ~, As ~ yours immer der Ihrige (Briefschluß). – 2. immer (vor comp): an ~ larger attendance eine immer größere od. größer werdende Besucherzahl; with ~ increasing disgust mit immer (mehr) wachsendem Ekel. – 3. immer, unaufhörlich (in Zusammensetzungen): ~-recurrent immer wiederkehrend. – 4. je, jemals (bes. in fragenden, verneinenden u. bedingenden Sätzen): no hope ~ to return keine Hoffnung, jemals zurückzukehren; did you ~ see him? haben Sie ihn jemals gesehen? if you ~ meet him falls Sie ihn jemals treffen sollten; scarcely ~, hardly ~ fast nie; the best I ~ saw das Beste, was ich je gesehen habe. – 5. colloq. je dagewesen, bei weitem, das es je gegeben hat: the nicest thing ~. – 6. irgend, über'haupt, nur: to run as fast as ~ one can so schnell laufen, wie man nur kann. – 7. ~ so sehr, noch so: ~ so long eine Ewigkeit; ~ so much noch so sehr, so viel wie nur irgend möglich, sehr viel; ~ so many sehr viele; thank you ~ so much! tausend Dank! let him be ~ so rich mag er auch noch so reich sein. – 8. colloq. denn, über'haupt (zur Verstärkung der Frage): what ~ does he want? was will er denn überhaupt? who ~ can it be? wer zum Kuckuck kann das bloß sein? did you ~! hat man jemals so etwas erlebt!

'ev·er|,bloom·er s bot. immerblühende Pflanze (bes. Rose). — '~'bloom·ing adj bot. immer blühend. — ,~'dur·ing adj selten immerwährend, unaufhörlich. — '~,glade s Am. sumpfige Steppe, Küstensumpf m: the E~s sumpfiges Steppenland in Florida. — '~,glade kite s zo. Hakenweih m (Rostrhamus sociabilis; amer. Raubvogel). — '~,glaze s Everglaze m (knitterfreier Baumwollstoff).

'ev·er,green I adj 1. immergrün (auch fig.). – 2. nie versiegend, unverwüstlich. – II s 3. bot. immergrüne Pflanze. – 4. bot. Immergrün n (Vinca minor). – 5. pl (Tannen)Reisig n, (-)Grün n (für Dekoration). — ~ beech s bot. Hopfen-, Schein-, Südbuche f (Gattg Nothofagus). — ~ oak → holm oak. — ~ thorn s bot. Feuerdorn m (Crataegus pyracantha).

ev·er·last·ing [Br. ,evər'lɑːstiŋ; Am. -'læ(ː)stiŋ] I adj 1. immerwährend, ewig: the ~ God der ewige Gott. – 2. fig. unaufhörlich, lange dauernd, immer wieder'holt, ermüdend. – 3. dauerhaft, unverwüstlich (Stoff etc). – II s 4. Ewigkeit f: for ~ auf ewig, für alle Zukunft; from ~ seit Urzeiten; to ~ bis in alle Ewigkeit. – 5. the E~ der Ewige (*Gott*). – 6. → ~ flower. – 7. Lasting *m* (*starker Wollstoff*). — ~ **flow·er** *s bot.* (*eine*) Immor'telle, (*ein*) Immerschön *n*, (*eine*) Strohblume (*Gattg Helichrysum*). — ˌ**ev·er'last·ing·ness** *s* Ewigkeit *f*, Endlosigkeit *f*.

ˌ**ev·er'last·ing pea** *s bot.* (*eine*) ausdauernde Platterbse, *bes.* Winterwicke *f* (*Lathyrus latifolius*).

ˌ**ev·er|'liv·ing** *adj* ewig, unsterblich. — ˌ~'**more** *adv* **1.** a) immer, ewig, allezeit, beständig, b) *meist* for ~ immerfort, für immer, stets. – **2.** je wieder, jemals in Zukunft.

e·ver·si·ble [i'vəːrsibl; -sə-] *adj* 'umstülpbar. — **e'ver·sion** *s med.* Auswärts-, 'Umkehrung *f*, 'Umstülpung *f* (*Augenlid etc*), Ektropi'on *f*.

ˌ**ev·er'sport·ing** *adj biol.* immerspaltend (*Vererbung mit Ausfall der nicht lebensfähigen Homozygoten*): ~ variety umschlagende Sippe.

e·vert [i'vəːrt] *v/t med.* das Innere (*gen*) nach außen kehren, aus-, 'umstülpen, 'umkehren (*Augenlid etc*).

e·ver·te·bral [i'vəːrtibrəl; -tə-] *adj med.* nicht aus Wirbeln zu'sammengesetzt. — **e'ver·te·brate** [-brit; -ˌbreit] **I** *adj u. s* → invertebrate. – **II** *v/t* [-ˌbreit] der Wirbelsäule *od. fig.* der Stütze berauben.

e·ver·tor [i'vəːrtər] *s med.* Muskel *m* (*der einen Körperteil nach auswärts bewegt*).

ev·er·y ['evri] *adj* **1.** jed(er, e, es): I expect him ~ minute ich erwarte ihn jeden Augenblick. – **2.** jed(er, e, es) ([nur] denkbare), all(er, e, es) (erdenkliche): with ~ respect mit aller Hochachtung. – **3.** vollständig, vollkommen: to have ~ confidence in s.o. volles Vertrauen zu j-m haben. –

Besondere Redewendungen:

all and ~ all u. jeder; an artist in his ~ fibre (*Am.* fiber) jeder Zoll ein Künstler; my ~ word (ein) jedes meiner *od.* alle meine Worte, jedes Wort von mir; ~ two days, ~ other (*od.* second) day jeden zweiten Tag, alle zwei Tage; ~ three days, ~ third day jeden dritten Tag, alle drei Tage; ~ four days alle vier Tage; ~ bit *colloq.* vollständig, völlig, durchweg, ganz u. gar; ~ bit as much ganz genau so viel *od.* sehr; ~ day jeden Tag, alle Tage, täglich; ~how *Am. colloq.* in jeder Weise, auf jede Art; ~ last *Am. colloq.* jeder einzelne, absolut jeder, aber auch jeder; ~like *dial.* häufig, beständig, unaufhörlich; ~ man Jack, ~ mother's son *colloq.* jeder(mann), Hinz u. Kunz; ~ now and then (*od.* again) *od.* ~ once in a while (*od.* ~ so often) *colloq.* gelegentlich, ab u. zu, von Zeit zu Zeit, dann u. wann, immer wieder, in Abständen; ~ other jeder zweite; ~ time a) jedesmal, ohne Ausnahme, b) völlig, ganz, stets; ~ way in jedem Punkte, in jeder Weise; ~when *selten* jederzeit, immer, stets; ~ which way *Am. colloq.* a) in jeder Richtung, nach allen Seiten, b) unordentlich.

'**ev·er·y|ˌbod·y** *pron* jeder(mann). — '~ˌ**day** *adj* **1.** (all)'täglich: ~ routine. – **2.** Alltags...: ~ clothes. – **3.** gewöhnlich, (mittel)mäßig: ~ people. — '**E**~ˌ**man** *s* **1.** Jedermann *n*, der Mensch. – **2.** e~ jedermann. — '~ˌ**one** *pron* jeder(mann): in ~'s mouth in aller Munde. — ~ **one I** *pron* → everyone. – **II** *adj* jeder einzelne: ~ of you (ein) jeder von euch; we ~ jeder von uns. — '~ˌ**thing** *pron* **1.** alles (that was): ~ good alles Gute. – **2.** *colloq.* alles, das Aller'wichtigste: that is ~ das ist die Hauptsache; speed is ~ to them Geschwindigkeit bedeutet für sie alles. – **3.** *colloq.* sehr viel, alles: to think ~ of s.o. große Stücke auf j-n *od.* sehr viel von j-m halten; art is his ~ Kunst ist sein ein u. alles. — '~ˌ**where** *adv* 'überall, allent'halben.

e·vict [i'vikt] *v/t* **1.** *jur.* a) (*j-n, bes. Pächter*) (gerichtlich) aus dem Besitz vertreiben *od.* entfernen, exmit'tieren, b) (*Grundbesitz*) nehmen, entreißen (from *j-m*): to ~ property from s.o. von seinem Eigentum wieder Besitz nehmen (*nach einem Gerichtsverfahren*). – **2.** *fig.* (*j-n*) gewaltsam vertreiben. – *SYN. cf.* eject. — **e'vic·tion** *s jur.* Exmissi'on *f*, gerichtliche Vertreibung aus einem Besitz (*bes. aus der Pacht*), Wiederinbe'sitznahme *f*. — **e'vic·tor** [-tər] *s jur.* Vertreiber *m*.

ev·i·dence ['evidəns; -və-] **I** *s* **1.** Augenscheinlichkeit *f*, Klarheit *f*, Offenkundigkeit *f*, Evi'denz *f*, augenscheinliche Gewißheit: in ~ deutlich sichtbar; to be in ~ auffallen. – **2.** *jur.* Be'weismateriˌal *n*, -mittel *n*, -schrift *f*, -urkunde *f*: for lack of ~ wegen Mangels an Beweisen; ~ for the defense (prosecution) Entlastungs-(Belastungs)material. – **3.** *jur.* Zeuge *m*, Zeugin *f*: to call s.o. in ~ j-n als Zeugen anrufen *od.* benennen; to turn King's (*od.* Queen's, State's) ~ Kronzeuge werden (*bei Zusicherung der Straffreiheit gegen seine Mitschuldigen aussagen*). – **4.** *jur.* (gerichtliches) Zeugnis, Bekundung *f*, Zeugenaussage *f*: to give ~ als Zeuge aussagen. – **5.** *jur.* (Zeugen)Beweis *m*: to admit as ~ als Beweis zulassen; to be in ~ als Beweis gelten. – **6.** *jur.* Beweisverfahren *n*. – **7.** Beweis *m*, Zeugnis *n* (of, for für): to be in striking ~ of s.th. etwas schlagend beweisen; to give ~ of s.th. von etwas Zeugnis ablegen, etwas unter Beweis stellen. – **8.** Beweise *pl*, Zeugnisse *pl*: external ~ äußere Beweise; on very authentic ~ auf Grund sehr authentischer Zeugnisse; a piece of ~ ein Beweis *od.* Beleg. – **9.** einzelnes Anzeichen, Zeichen *n*, Spur *f* (of *gen*). – **II** *v/t* **10.** augenscheinlich machen, dartun, be-, erweisen, bestätigen, zeigen: it is ~d by documents es ist durch Urkunden bewiesen. – *SYN. cf.* show.

ev·i·dent ['evidənt; -və-] *adj* augenscheinlich, einleuchtend, offenbar, -kundig, klar (ersichtlich), in die Augen fallend, handgreiflich, unstreitig, unzweifelhaft. – *SYN.* apparent, clear, distinct, manifest, obvious, patent, plain[1]. — ˌ**ev·i'den·tial** [-'denʃəl], ˌ**ev·i'den·tia·ry** [-ʃəri] *adj* **1.** klar beweisend, über'zeugend, Zeugnis...: to be ~ of (klar) beweisen. – **2.** sich auf das Be'weismateriˌal verlassend. — '**ev·i·dent·ly** *adv* augenscheinlich, offenbar, zweifelsohne.

e·vil ['iːvl; -vil] **I** *adj* **1.** übel, böse, schlecht, schlimm, schädlich: ~ eye a) böser Blick, b) *fig.* schlimmer Einfluß; the E~ One der Böse (*Teufel*); of ~ repute von schlechtem Ruf; → spirit 6. – **2.** gottlos, boshaft, übel, bösartig, böse: ~ tongue böse Zunge; to look with an ~ eye upon s.o. j-n scheel *od.* mißfällig ansehen. – **3.** unglücklich, Unglücks...: ~ day Unglückstag. – *SYN. cf.* bad. – **II** *adv* **4.** (*heute meist* ill) in böser *od.* schlechter Weise: to speak ~ of s.o. schlecht über j-n sprechen. – **III** *s* **5.** Übel *n*, Schaden *m*, Unheil *n*, Unglück *n*, Elend *n*, Trübsal *f*: of two ~s choose the less von zwei Übeln wähle das kleinere. – **6.** (*das*) Böse, Sünde *f*, Verderbtheit *f*: the powers of ~ die Mächte der Finsternis. – **7.** Unglück *n*: to wish s.o. ~ j-m Unglück wünschen; for good or for ~ auf Gedeih u. Verderb. – **8.** Krankheit *f* (*bes. in*): Aleppo ~ Aleppo-, Orientbeule. – **9.** *bes. Bibl.* Frevel *m*: to do ~ Böses tun, sündigen, freveln. — '~-**dis'posed** *adj* übelgesinnt, boshaft. — ˌ~'**do·er** *s* Übeltäter(in). — ˌ~'**do·ing** *s* Missetat *f*. — '~-'**eyed** *adj* **1.** mit dem bösen Blick behaftet. – **2.** scheelsüchtig, neidisch. — '~-'**mind·ed** *adj* übelgesinnt, boshaft, bösartig, mit bösen Absichten. — ˌ~-'**mind·ed·ness** *s* Boshaftigkeit *f*. — '~-'**starred** → ill-starred.

e·vince [i'vins] *v/t* **1.** klar dartun, be-, erweisen, bekunden, an den Tag legen, zeigen: to ~ interest in s.th. an etwas Interesse bekunden. – **2.** *obs.* über'winden. – *SYN. cf.* show. — **e'vin·ci·ble** *adj* beweisbar. — **e'vin·cive** *adj* beweisend, über'zeugend, bezeichnend (of für): to be ~ of s.th. etwas beweisen *od.* zeigen.

Ev·i·pan ['evipæn] (*TM*) *s chem. med.* Evi'pan *n* (*Einschlafmittel*).

e·vi·rate ['iːviˌreit; 'ev-; -və-] *v/t selten* entmannen, ka'strieren (*auch fig.*). — ˌ**ev·i'ra·tion** [ˌev-] *s selten* Entmannung *f* (*auch fig.*).

e·vis·cer·ate [i'visəˌreit] *v/t* **1.** (*Tiere*) ausweiden, ausnehmen. – **2.** *fig.* (*eine Sache*) inhalts- *od.* bedeutungslos machen, des Kerns *od.* Wesens berauben. — **e**ˌ**vis·cer'a·tion** *s* **1.** Ausweidung *f*. – **2.** *fig.* Verstümmelung *f*, Vernichtung *f*, Zerstückelung *f*.

ev·i·ta·ble ['evitəbl; -və-] *adj* vermeidlich. — **e·vite** [i'vait] *v/t obs.* (ver)meiden. [rufbar.]

ev·o·ca·ble ['evəkəbl] *adj* her'vor-

ev·o·ca·tion [ˌevo'keiʃən; -və-] *s* **1.** Her'vorrufung *f* (*aus der Verborgenheit*). – **2.** (Geister)Beschwörung *f*. – **3.** *fig.* Erzeugung *f*. – **4.** *jur.* Evokati'on *f*, Verweisung *f* (*einer Sache*) an ein höheres Gericht. — **e·voc·a·tive** [i'vɒkətiv] *adj* (*im Geist*) her'vorrufend: to be ~ of s.th. an etwas erinnern. — '**ev·o**ˌ**ca·tor** [-tər] *s* (Geister)Beschwörer(in).

e·voke [i'vouk] *v/t* **1.** (*Gefühl*) her'vor-, wachrufen. – **2.** (*Geister*) (her'auf)-beschwören, bannen. – **3.** *jur.* (*eine Sache*) an ein höheres Gericht ziehen. – *SYN. cf.* educe.

ev·o·lute ['evəˌluːt; -ljuːt; *Br. auch* 'iː-] **I** *v/i u. v/t Am. colloq.* (sich) entfalten *od.* entwickeln. – **II** *s math.* Evo'lute *f*, Linie *f* aller Krümmungsmittelpunkte.

ev·o·lu·tion [ˌevə'luːʃən; -'ljuː-; *Br. auch* ˌiː-] *s* **1.** Entfaltung *f*, Entwicklung *f*, Werdegang *m*, Evoluti'on *f*. – **2.** Reihe *f*, Folge *f* (*Ereignisse*). – **3.** *math.* a) Evoluti'on *f*, Abwicklung *f* von Kurven, b) Wurzelziehen *n*, Radi'zieren *n*. – **4.** *biol.* Evoluti'on *f*, Abstammung *f*: doctrine (*od.* theory) of ~ Entwicklungslehre (*bes. Darwins Deszendenztheorie*). – **5.** *fig.* Fortschritt *m*. – **6.** *mil.* taktische Bewegung *od.* Entfaltung einer Formati'on. – **7.** *mil.* Ma'növer *n*, Manö'vrieren *n*, Stellungswechsel *m*. – **8.** Ergebnis *n od.* Pro'dukt *n* einer Entwicklung. – **9.** *tech.* Um'drehung *f*, Bewegung *f*: to perform ~s Umdrehungen machen. – **10.** *chem.* Entbindung *f* (*Gase*). — ˌ**ev·o'lu·tion·al** *adj* entwickelnd, Entwicklungs... — ˌ**ev·o'lu·tion·ar·y** [*Br.* -nəri; *Am.* -ˌneri] *adj* **1.** Entwicklungs..., Evolutions... – **2.** *mil.* Entfaltungs..., Schwenkungs..., Manövrier... — ˌ**ev·o'lu·tion·ist I** *s* Anhänger(in) der (*biologischen*) Entwicklungslehre. – **II** *adj* die Entwicklungslehre betreffend. — ˌ**ev·o**ˌ**lu·tion'is·tic** → evolutional.

e·volv·a·ble [i'vɒlvəbl] *adj* ableitbar.

e·volve [i'vɒlv] **I** *v/t* **1.** entwickeln, entfalten, enthüllen, her'ausarbeiten.

– **2.** *chem.* von sich geben, ausscheiden, entbinden. – **3.** her'vorrufen, erzeugen (from aus). – **II** *v/i* **4.** sich entwickeln, -falten (into zu, in *acc*). – **5.** entstehen (from aus). — **e'volve·ment** *s* Entwicklung *f*, Entfaltung *f*. — **e'volv·ent** *s math.* Evol'vente *f*.
ev·on·y·mus [e'vɒniməs; -nə-] *s bot.* Pfaffenhütchen *n*, Spindelstrauch *m* (*Gattg Evonymus*; *Celastraceae*).
e·vul·sion [i'vʌlʃən] *s* (gewaltsames) Ausreißen *od.* Ausziehen.
ev·zone ['evˌzoun] *s* Ev'zone *m* (*Soldat einer griech. Elite-Gebirgstruppe*).
E·we[1] ['eivei] *s ling.* (afrik.) Ewesprache *f*.
ewe[2] [juː] *s zo.* Mutterschaf *n*.
ewe| lamb [juː] *s* **1.** *zo.* Schaflamm *n*. – **2.** *fig.* kostbarer Besitz. — **'~-ˌneck** *s* Hirschhals *m* (*an Pferden u. Hunden*). — **'~-ˌnecked** *adj* mit Hirschhals (behaftet).
ew·er ['juːər] *s* **1.** Wasserkanne *f*, -krug *m*. – **2.** Gießkanne *f*.
ex[1] [eks] *prep econ.* **1.** aus, ab, von: ~ **factory** ab Fabrik (*Preisberechnung*). – **2.** (*bes. von Börsenpapieren*) ohne, exklu'sive, abzüglich, nicht ... enthaltend: ~ **dividend** ohne Dividende.
ex[2] [eks] *pl* **'ex·es** *s* X *n*, x *n* (*Buchstabe*).
ex- [eks] *Vorsilbe mit den Bedeutungen* a) aus..., heraus..., b) Ex..., ehemalig.
ex·ac·er·bate [ig'zæsərˌbeit; ek's-] *v/t* **1.** verbittern. – **2.** (*Schmerz*) verschlimmern. – **3.** (*j-n*) reizen, erbittern. — **exˌac·er'ba·tion** *s* **1.** Erbitterung *f*. – **2.** *med.* Verschlimmerung *f*.
ex·act [ig'zækt] **I** *adj* **1.** ex'akt, genau (gleich), wirklich, stimmend (*Sache*): ~ **class limit** *math.* Wechselpunkt. – **2.** streng (um'rissen), genau: ~ **interest** *econ.* auf der Basis von 365 Tagen errechnete Zinsen. – **3.** genau, richtig, eigentlich: **his** ~ **words** seine tatsächlichen Worte. – **4.** me'thodisch, pünktlich, gewissenhaft, sorgfältig (*Person*). – *SYN. cf.* **correct.** – **II** *v/t* **5.** (*dringend*) fordern, verlangen, erzwingen: **to** ~ **obedience** Gehorsam erzwingen. – **6.** (*Zahlung*) eintreiben, erpressen (from von). – **7.** dringend erfordern, erheischen. – *SYN. cf.* **demand.** — **ex'act·a·ble** *adj* erzwingbar, eintreibbar. — **ex'act·er** *s* **1.** (Steuer)Beitreiber *m*, Steuererheber *m*. – **2.** streng Fordernde(r). – **3.** Erpresser(in). — **ex'act·ing** *adj* **1.** streng, genau. – **2.** aufreibend, mühevoll. – **3.** anspruchsvoll, hohe Anforderungen stellend. – *SYN. cf.* **onerous.** — **ex'act·ing·ness** *s* Strenge *f*. — **ex'ac·tion** *s* **1.** Eintreibung *f*, Erpressung *f*. – **2.** erpreßte Abgabe, ungesetzliche *od.* ungebührliche Forderung, Tri'but *m*.
ex·act·i·tude [ig'zæktiˌtjuːd; -təˌt-; *Am. auch* -ˌtuːd] → **exactness.** — **ex'act·ly** *adv* **1.** ex'akt, genau. – **2.** sorgfältig, pünktlich. – **3.** (*als Antwort*) ganz recht, genau wie Sie sagen, eben. – **4.** not ~ nicht gerade, nicht eben: **not** ~ **ugly** nicht gerade häßlich. — **ex'act·ness** *s* **1.** Genauigkeit *f*, Ex'aktheit *f*, Richtigkeit *f*. – **2.** Sorgfalt *f*, Regelmäßigkeit *f*, Pünktlichkeit *f*. — **ex'ac·tor** [-tər] *cf.* **exacter.**
ex·act sci·ence *s* ex'akte *od.* strenge Wissenschaft.
ex·ag·ger·ate [ig'zædʒəˌreit] **I** *v/t* **1.** unangemessen vergrößern, hochschrauben. – **2.** *fig.* über'treiben, über'trieben darstellen, zuviel aus (*etwas*) machen. – **3.** (*Kunst*) unverhältnismäßig grell darstellen. – **4.** *ling.* zu stark betonen, her'vorheben. – **5.** verstärken, verschlimmern. – **II** *v/i* **6.** über'treiben. — **ex'ag·gerˌat·ed** *adj* über'trieben, hochgeschraubt. — **exˌag·ger'a·tion** *s* **1.** Über'treibung *f*, (unangemessene) Vergrößerung. – **2.** zu starke Betonung. — **ex'ag·gerˌa·tive, ex'ag·ger·a·to·ry** [*Br.* -ətəri; *Am.* -əˌtɔːri] *adj* **1.** über'treibend. – **2.** über'trieben.
ex·a·late [ik'seileit; ek's-] *adj bot.* flügellos, ungeflügelt.
ex·al·bu·mi·nous [ikˌsæl'bjuːminəs; ekˌs-], *auch* **exˌal'bu·miˌnose** [-ˌnous] *adj bot.* nährgewebslos (*Samen*).
ex·alt [ig'zɔːlt] *v/t* **1.** (hoch)heben, erheben. – **2.** (*an Rang etc*) erheben, erhöhen (to zu). – **3.** verstärken. – **4.** *fig.* verstärken, beleben, veredeln. – **5.** *fig.* erheben, (lob)preisen: **to** ~ **to the skies** in den Himmel heben. – **6.** (*Geist*) erheben, ermutigen.
ex·al·ta·tion [ˌegzɔːl'teiʃən] *s* **1.** Erhebung *f*. – **2.** Begeisterung *f*, (leidenschaftliche) Erregung: ~ **of mind** Gemütserregung. – **3.** gehobene Stimmung, (*Zustand der*) Verzückung. – **4.** Verstärkung *f*. – **5.** Erhebung *f*, Erhöhung *f*, Aufrichtung *f*, Höhe *f*: ~ **of the cross** *relig.* Kreuzeserhöhung. – **6.** *astr. med.* Exaltati'on *f*.
ex·alt·ed [ig'zɔːltid] *adj* **1.** gehoben (*Stil etc*). – **2.** hoch. – **3.** exal'tiert. – **4.** begeistert. – **5.** erhaben. — **ex'alt·ed·ness** *s* **1.** Gehobenheit *f*, Begeisterung *f*, leidenschaftliche Erregung. – **2.** Erhabenheit *f*.
ex·am [ig'zæm] *colloq. Kurzform für* **examination.** — **ex·a·men** [ig'zeimən; eg-] *s* Unter'suchung *f*, Prüfung *f*. — **ex·am·in·a·ble** [ig'zæminəbl; -mə-] *adj* prüfbar, zu einer Prüfung *od.* Unter'suchung geeignet. — **ex'am·i·nant** *s* Prüfer *m*.
ex·am·i·na·tion [igˌzæmi'neiʃən; -mə-] *s* **1.** Prüfung *f*, Unter'suchung *f* (of, into s.th. einer Sache): ~ **board** *mil.* Musterungskommission; **digital** ~ *med.* Untersuchung mit den Fingern; **post mortem** ~ Leichenöffnung; **to hold an** ~ **into a matter** eine eingehende Untersuchung einer Sache anstellen. – **2.** Ex'amen *n*, Prüfung *f*: **to pass an** ~ eine Prüfung bestehen; **to undergo** (*od.* **take**) **an** ~ sich einer Prüfung unterziehen; **to fail in an** ~ in *od.* bei einer Prüfung durchfallen; ~ **paper** a) schriftliche Prüfung, b) Prüfungsarbeit; **oral** (**written**) ~ mündliche (schriftliche) Prüfung. – **3.** *jur.* Unter'suchung *f*, Verhör *n*, Vernehmung *f*: **direct** ~ direkte Befragung; **to be under** ~ geprüft werden, unter Verhör stehen; **to take the** ~ **of s.o.** j-n verhören *od.* vernehmen. – **4.** *jur.* Ver'nehmungsprotoˌkoll *n*. – **5.** Prüfung *f*, Unter'suchung *f*, Besichtigung *f*, 'Durchsicht *f*: **on** (*od.* **upon**) ~ bei näherer Prüfung; **to make an** ~ **of s.th.** etwas besichtigen. – **6.** *econ.* Über'rechnung *f*, Kon'trolle *f*. — **exˌam·i'na·tion·al** *adj* Prüfungs... — **exˌam·i·na'to·ri·al** [-nə'tɔːriəl] *adj* Prüfungs...
ex·am·ine [ig'zæmin] **I** *v/t* **1.** prüfen, durch-, unter'suchen, revi'dieren, visi'tieren: **to** ~ **accounts** Rechnungen überprüfen; **to** ~ **one's conscience** sein Gewissen prüfen. – **2.** wissenschaftlich unter'suchen, erforschen. – **3.** *jur.* vernehmen, verhören, ausfragen. – **4.** (*j-n*) exami'nieren, prüfen: **examining board** Prüfungsausschuß, -behörde; **examining post** *mil.* Durchlaßposten; **to be** ~**d in** (*od.* **on**) **a subject** in einem Gegenstand *od.* Fach geprüft werden. – **5.** besichtigen, revi'dieren. – **II** *v/i* **6.** unter'suchen, prüfen (into s.th. etwas). – *SYN. cf.* **scrutinize.** — **exˌam·i'nee** [-'niː] *s* Prüfling *m*, Exami'nand *m*, 'Prüfungskandiˌdat *m*, Geprüfte(r). — **ex'am·in·er** *s* **1.** Prüfer(in), Prüfende(r), Unter'sucher *m*, Re'visor *m*, Exami'nator *m*, Kon'trollbeamter *m*. – **2.** *jur.* Vernehmer *m*, Verhörer *m*.
ex·am·ple [*Br.* ig'zɑːmpl; *Am.* -'zæ(ː)m-] **I** *s* **1.** Muster *n*, Probe *f*, Exem'plar *n*. – **2.** Beispiel *n* (of für): **for** ~ zum Beispiel; **beyond** ~, **without** ~ beispiellos; **by way of** ~ um ein Beispiel zu geben. – **3.** Vorbild *n*, vorbildliches Verhalten, (warnendes *etc*) Beispiel, Warnung *f* (to für): **to give** (*od.* **set**) **a good** (**bad**) ~ ein gutes (schlechtes) Beispiel geben, mit gutem (schlechtem) Beispiel vorangehen; **to hold up as an** ~ **to s.o.** j-m als Beispiel hinstellen; **to make an** ~ (**of s.o.**) (an j-m) ein Exempel statuieren, j-n exemplarisch bestrafen; **let this be an** ~ **to you** möge dir dies eine Warnung sein; **to take** ~ **by** a) sich ein Beispiel nehmen an (*dat*), b) sich zur Warnung dienen lassen. – **4.** *math.* Ex'empel *n*, Aufgabe *f*, Pro'blem *n*. – *SYN. cf.* a) **instance,** b) **model.** – **II** *v/t* **5.** *selten* a) ein Beispiel geben *od.* sein für, b) (*j-n*) als Beispiel 'hinstellen.
ex·an·i·mate [ig'zænimit; -ˌmeit; -nə-] *adj* **1.** entseelt, leblos. – **2.** *fig.* mutlos, entmutigt.
ex·an·the·ma [ˌeksæn'θiːmə] *pl* **-ma·ta** [-'θemətə; -'θiːm-] *s med.* Exan'them *n*, (Haut)Ausschlag *m* (*bes. mit Fieber*). — **exˌan·the'mat·ic** [-θi'mætik; -θə-], **ˌex·an'them·a·tous** [-'θemətəs] *adj med.* exanthe'matisch, (Haut)Ausschlags...
ex·a·rate ['eksərit; -ˌreit] *adj zo.* mit (*parallelen*) Längsfurchen (*Insekt*).
ex·arch ['eksɑːrk] *s* **1.** *hist.* Ex'arch *m*. – **2.** *relig.* Le'gat *m* (*des griech. Patriarchen*). — **'ex·archˌate** [-ˌkeit; ek'sɑːrkeit] *s* Exar'chat *n*.
ex·ar·tic·u·late **I** *v/t* [ˌeksɑːr'tikjuˌleit; -kjə-] *med.* (*Glied*) im Gelenk absetzen (*durch Operation*). – **II** *adj* [-lit; -ˌleit] *zo.* gelenklos (*Glied*). — **ˌex·arˌtic·u'la·tion** *s* **1.** *med.* Absetzen *n* eines Gliedes, Exartikulati'on *f*. – **2.** *zo.* Gelenklosigkeit *f*.
ex·as·per·ate [ig'zæspəˌreit; *Br. auch* -'zɑːs-] *v/t* **1.** (*j-n*) ärgern, aufbringen, erbittern, reizen, erzürnen. – **2.** *fig.* vergrößern, verschärfen, verschlimmern. – *SYN. cf.* **irritate**[1]. — **ex'as·perˌat·ed** *adj* gereizt. — **ex'as·perˌat·ing** *adj* ärgerlich, aufregend, Ärger verursachend, zum Verzweifeln. — **exˌas·per'a·tion** *s* **1.** Erbitterung *f*, Reizung *f*, Ärger *m*. – **2.** *med.* Verschlimmerung *f*. — **ex'as·perˌa·tive** *adj* erbitternd.
ex·cal·ca·rate [eks'kælkərit; -ˌreit] *adj zo.* sporenlos.
ex·cau·date [eks'kɔːdeit] *adj zo.* schwanzlos.
ex·ca·vate ['ekskəˌveit] *v/t* **1.** ausgraben, aushöhlen. – **2.** (*Tunnel etc*) graben. – **3.** freilegen. – **4.** *fig.* ausgraben. – **5.** *tech.* ausgraben, ausschachten, schürfen, unter'höhlen, (*Erde*) abtragen. — **ˌex·ca'va·tion** *s* **1.** Aushöhlung *f*. – **2.** Höhle *f*, Vertiefung *f*, Grube *f*. – **3.** Ausgrabung *f*. – **4.** a) *tech.* Ausgrabung *f*, b) (*Eisenbahn*) 'Durchstich *m*, Einschnitt *m*. – **5.** *geol.* Auskolkung *f*. — **'ex·caˌva·tor** [-tər] *s* **1.** Ausgraber *m*. – **2.** Eisenbahn-, Erdarbeiter *m*. – **3.** *tech.* Exka'vator *m*, (Löffel-, Trocken)Bagger *m*. – **4.** *med.* Exka'vator *m* (*des Zahnarztes*), 'Aushöhlungsinstruˌment *n* (*des Arztes*).
ex·ceed [ik'siːd] **I** *v/t* **1.** über'schreiten, -'steigen, höher sein als (*auch fig.*). – **2.** *fig.* hin'ausgehen über (*acc*). – **3.** (*etwas, j-n*) über'treffen. – **II** *v/i* **4.** zu weit gehen, das Maß über'schreiten (in in *dat*). – **5.** besser *od.* größer sein, vorwiegen. – **6.** sich auszeichnen. – **7.** zu viel essen *od.* trinken. – *SYN.* **excel, outdo, outstrip, surpass, transcend.** — **ex'ceed·ing** **I** *adj* **1.** über'steigend, mehr als. – **2.** 'über-

mäßig, außer'ordentlich, äußerst. – **II** *adv obs. für* **exceedingly.** — **ex'ceed·ing·ly** *adj* außerordentlich, überaus, äußerst.

ex·cel [ik'sel] *pret u. pp* **ex'celled I** *v/t* über'treffen, -'ragen: **not to be ~led** nicht zu übertreffen *od.* unschlagbar (sein); **to ~ oneself** sich selbst übertreffen. – **II** *v/i* sich her'vortun, sich auszeichnen, her'vorragen (in, at in *dat*; as als). – *SYN. cf.* **exceed.** — **ex·cel·lence** ['eksələns] *s* **1.** Vor'trefflichkeit *f*, Vor'züglichkeit *f*, Güte *f.* – **2.** vor'treffliche Eigenschaft, Vorzug *m*, Verdienst *n.* – **3.** vor'zügliche Leistung. – **4.** *meist* **E~** *obs. für* **excellency 1.** — **'ex·cel·len·cy** *s* **1. E~** Exzel'lenz *f* (*Titel für* **governors, ambassadors** *etc u. deren Gemahlinnen*): **Your (His, Her) E~** Eure (Seine, Ihre) Exzellenz. – **2.** *selten für* **excellence 1** *u.* **2.** — **'ex·cel·lent** *adj* **1.** ausgezeichnet, (vor)'trefflich, vor'züglich: **~ reasons** (ganz) besondere *od.* triftige Gründe. – **2.** *obs.* a) über'legen, b) **E~** erhaben: **to the Queen's most E~ Majesty** an Ihre erhabenste Majestät.

ex·cel·si·or [ik'selsi,ɔːr; -siər] **I** *adj* **1.** höher (hin'auf), noch besser (*Motto des Staates New York*). – **2.** *econ.* von bester Quali'tät, alles über'treffend, prima (*in Markenbezeichnungen*). – **II** *s* **3.** *econ. Am.* (*Bezeichnung für*) (Polster)Hobelspäne *pl*, Holzwolle *f.* – **4.** *print.* Bril'lant *f* (*Schriftgrad; 3 Punkt*).

ex·cen·tral [ek'sentrəl] *adj bot.* außerhalb des Mittelpunktes, ex'zentrisch. — **ex'cen·tric** *adj* **1.** *cf.* **eccentric.** – **2.** → **excentral.**

ex·cept [ik'sept] **I** *v/t* **1.** ausnehmen, ausschließen (from, out of von, aus): **present company ~ed** Anwesende ausgenommen. – **2.** vorbehalten (from von): **errors (and omissions) ~ed** *econ.* Irrtümer (u. Auslassungen) vorbehalten. – **II** *v/i* **3.** Einwendungen machen, Einspruch erheben (to, against gegen). – **III** *prep* **4.** ausgenommen, außer, mit Ausnahme von: **~ for a few blunders** bis auf einige Fehler, abgesehen von einigen Fehlern; **they were all successful ~ you** sie hatten alle Erfolg außer Ihnen. – **IV** *conjunction* **5.** es sei denn, daß: **~ he has complained to my brother.** – **6. ~ that** außer, daß: **parallel cases ~ that A is younger than B.** – **7.** ausgenommen: **well fortified ~ here.** — **ex'cept·ing I** *prep* (*fast nur nach* **always, not, nothing, without**) ausgenommen, außer, mit Ausnahme von: **not ~ my brother** mein Bruder nicht ausgenommen. – **II** *conjunction obs.* ausgenommen, daß.

ex·cep·tion [ik'sepʃən] *s* **1.** Ausnahme *f*, Ausschließung *f*: **by way of ~** ausnahmsweise; **with the ~ of** mit Ausnahme von, außer, ausgenommen, bis auf; **to admit of no ~(s)** keine Ausnahme zulassen. – **2.** Ausnahme *f*, (*das*) Ausgenommene: **an ~ to the rule** eine Ausnahme von der Regel; **there is no rule without ~s** keine Regel ohne Ausnahme; **the ~ proves the rule** die Ausnahme bestätigt die Regel; **without ~** ohne Ausnahme, ausnahmslos. – **3.** Einwendung *f*, Einwand *m*, Einwurf *m* (to gegen): **to take ~ to s.th.** gegen etwas Einwendungen machen, etwas übelnehmen, an etwas Anstoß nehmen; **above ~, beyond ~** unanfechtbar. – **4.** *jur.* a) Vorbehalt *m* (*in einer Urkunde*), b) (*in einer Urkunde*) ausgenommener Gegenstand, c) Einwand *m*, Einrede *f.* — **ex'cep·tion·a·ble** *adj* **1.** streitig, anfechtbar. – **2.** tadelnswert, anstößig. — **ex'cep·tion·al** *adj* **1.** eine Ausnahme machend, Ausnahme..., Sonder...: **~ offer** *econ.* Vorzugsangebot. – **2.** außer-, ungewöhnlich. — **ex,cep·tion'al·i·ty** [-'næliti; -əti] *s* außergewöhnlicher Zustand, (*etwas*) Außergewöhnliches. — **ex'cep·tion·al·ly** *adv* **1.** außergewöhnlich. – **2.** ausnahmsweise. — **ex'cep·tion·al·ness** *s* Außergewöhnlichkeit *f.*

ex·cep·tive [ik'septiv] *adj* **1.** eine Ausnahme machend: **~ law** Ausnahmegesetz. – **2.** 'überkritisch, spitzfindig, streit-, zanksüchtig.

ex·cerpt [ik'səːrpt; ek-] **I** *v/t* **1.** (*Schriftstelle*) exzer'pieren, ausziehen (from aus). – **II** *s* [*auch* 'eksəːrpt] **2.** Ex'zerpt *n*, Auszug *m* (from aus). – **3.** Sepa'rat-, Sonderabdruck *m.* — **ex'cerp·tion** *s* **1.** Exzer'pieren *n*, Ausziehen *n.* – **2.** Auszug *m.* — **ex'cerp·tive** *adj* ausziehend, wählend.

ex·cess [ik'ses; ek-] **I** *s* **1.** Über'schreitung *f* (*Grenze*), Ausschreitung *f*, Ex'zeß *m.* – **2.** 'Übermaß *n*, -fluß *m* (of von, an *dat*): **in ~** übermäßig, -schüssig, im Übermaß; **in ~ of (demand)** mehr als (benötigt); **to ~** bis zum Übermaß (getrieben); **to be in ~ of s.th.** etwas übersteigen *od.* -schreiten, über etwas hinausgehen: **~ in birth rate** Geburtenüberschuß; → **carry 13.** – **3.** Unmäßigkeit *f*, Ausschweifung *f*: **to be given to ~** ein starker Trinker sein. – **4.** *chem. math.* 'Übermaß *n*, -schuß *m*, Ex'zeß *m*, 'Unterschied *m*, Mehrsumme *f*: **~ of acid** Säureüberschuß. – **5.** *math.* Über'höhung *f*, Steilheit *f.* – **6.** *econ.* Mehrbetrag *m*: **to be in ~** überschießen; **~ of age** Überalterung; **~ of export** Ausfuhrüberschuß; **~ of purchasing power** Kaufkraftüberhang; **~ of weight** Mehrgewicht. – **II** *adj* [*auch* 'ekses] **7.** 'überzählig, Über... – **III** *v/t* **8.** *Br.* a) einen Zuschlag bezahlen für (*etwas*), b) einen Zuschlag erheben von (*j-m*).

ex·cess| cur·rent *s electr.* 'Überstrom *m.* — **~ fare** *s* (Fahrpreis)Zuschlag *m.* — **~ freight** *s* 'Überfracht *f.*

ex·ces·sive [ik'sesiv; ek-] *adj* **1.** 'übermäßig, über'trieben: **~ charge** wucherische Forderung, Überforderung; **~ curvature** Überkrümmung; **~ demand** a) Überforderung, b) Überbedarf; **~ interest** Wucherzinsen; → **supply**[1] **12.** – **2.** *math.* über'höht. – *SYN.* **exorbitant, extravagant, extreme, immoderate, inordinate.** — **ex'ces·sive·ness** *s* 'Übermäßigkeit *f.*

ex·cess| lug·gage *s* 'Übergewicht *n* (*Reisegepäck*). — **~ post·age** *s* Strafporto *n*, Nachgebühr *f.* — **~ pres·sure** *s tech.* 'Überdruck *m.* — **~ prof·its du·ty, ~ prof·its tax** *s* Mehrgewinnsteuer *f.* — **~ switch** *s electr.* 'Überstromschalter *m.* — **~ volt·age** *s electr.* 'Überspannung *f.* — **~ weight** *s econ.* Mehr-, 'Übergewicht *n.*

ex·change [iks'tʃeindʒ] **I** *v/t* **1.** (*etwas*) aus-, 'umtauschen, vertauschen (for gegen, mit). – **2.** eintauschen, (*Geld*) ('um)wechseln (for gegen): **to ~ dollars for pounds** Dollar gegen Pfunde einwechseln. – **3.** (*gegenseitig*) austauschen: **to ~ civilities (thoughts)** Höflichkeiten (Gedanken) austauschen; **to ~ letters** korrespondieren; **to ~ presents** sich gegenseitig beschenken. – **4.** *tech.* (*Teile*) auswechseln. – **5.** (*Schachspiel*) (*Figuren*) austauschen. – **6.** (*etwas*) ersetzen (for s.th. durch etwas). – **II** *v/i* **7.** tauschen. – **8.** sich austauschen *od.* wechseln lassen (for gegen), als Gegenwert bezahlt werden, wert sein: **a mark ~s for one Swiss franc** eine Mark ist einen Schweizer Franken wert. – **9.** *mil.* mit einem anderen Offi'zier die Stellung tauschen: **to ~ from one regiment (ship) into another** sich von einem Regiment (Schiff) in (auf) ein anderes versetzen lassen. – **III** *s* **10.** Tausch *m*, Aus-, 'Umtausch *m*, Auswechs(e)lung *f*, Tauschhandel *m*: **in ~** als Ersatz, anstatt, dafür; **in ~ for** gegen, (als Entgelt) für; **~ is no robbery** Tausch ist kein Raub; **~ of letters** Schriftwechsel; **~ of prisoners** Gefangenenaustausch; **~ of shots** Kugelwechsel; **~ of views** Gedanken-, Meinungsaustausch; **to give (take) in ~** in Tausch geben (nehmen). – **11.** eingetauschter Gegenstand, Gegenwert *m.* – **12.** *econ.* a) ('Um)Wechseln *n*, Wechselverkehr *m*, b) 'Geld-, 'Wert,umsatz *m*, c) *meist* **bill of ~** Tratte *f*, Wechsel *m*, d) *auch* **rate of ~, ~ rate** 'Umrechnungs-, Wechselkurs *m*, Geld-, Wechselpreis *m*, Wertunterschied *m* zwischen zwei Währungen, Agio *n*: **at the ~ of** zum Kurs von; → **par 1.** – **13.** *auch* **E~** *econ.* Börse *f*: **at the ~** auf der Börse. – **14.** (Fernsprech)-Amt *n*, Vermittlung *f*, Zen'trale *f.* – **15.** *jur.* a) Austausch *m* von Landbesitz, b) wechselseitige Gewährung gleicher Einkünfte (*beim Länderaustausch*). – **IV** *adj* **16.** Wechsel...

ex·change·a·bil·i·ty [iks,tʃeindʒə'biliti; -əti] *s* **1.** (Aus)Tausch-, Auswechselbarkeit *f.* – **2.** *math.* Vertauschbarkeit *f.* — **ex'change·a·ble** *adj* **1.** (aus)tauschbar, auswechselbar (for gegen). – **2.** *math.* vertauschbar. – **3.** Tausch...: **~ value.**

ex·change| bro·ker *s econ.* Wechsel-, Börsenmakler *m.* — **~ clear·ing** *s econ.* De'visenclearing *n.* — **~ com·pound** *s chem.* im Austausch entstandene Verbindung. — **~ con·trol** *s econ.* offizi'elle Pari'tätskon,trolle. — **~ deal·er** *s econ.* De'visenhändler *m.* — **~ em·bar·go** *s econ.* De'visensperre *f.* — **~ line** *s electr.* Amtsleitung *f.* — **~ list** *s econ.* (Geld)-Kurszettel *m.* — **~ pro·fes·sor** *s* 'Austauschpro,fessor *m.* — **~ rate** *s econ.* 'Umrechnungs-, Wechselkurs *m.* — **~ stu·dent** *s* 'Austauschstu,dent *m.*

ex·cheq·uer [iks'tʃekər] *s* **1.** *Br.* Schatzamt *n*, Staatskasse *f*, Fiskus *m*: **the E~** das Finanzministerium. – **2.** (**Court of**) **E~** *hist.* Fi'nanzgericht *n.* – **3.** *econ.* Geldvorrat *m*, Fi'nanzen *pl*, Kasse *f* (*einer Firma etc*). — **~ bill** *s econ.* (kurzfristige) verzinsliche Schatzanweisung. — **~ bond** *s econ.* (langfristige) Schatzanweisung, 'Staatsobligati,on *f.*

ex·cide [ik'said] → **excise**[1].

ex·cip·i·ent [ik'sipiənt] *s chem. med.* Bindemittel *n*, Hülle *f* (*einer Arznei*).

ex·ci·ple ['eksipl; -sə-], *auch* **'ex·ci,pule** [-,pjuːl], **ex'cip·u·lum** [-pjələm] *s bot.* Rand *m* des Fruchtlagers der Flechten.

ex·cir·cle [eks'səːrkl] *s math.* An[kreis *m.*]

ex·cis·a·ble [ik'saizəbl; ek-] *adj econ.* (be)steuerbar, verbrauchssteuerpflichtig.

ex·cise[1] [ik'saiz; ek-] *v/t* **1.** *med.* her'aus-, abschneiden. – **2.** *fig.* ausmerzen.

ex·cise[2] [ik'saiz; ek-] **I** *v/t* **1.** (*j-n*) besteuern. – **2.** *Br.* (*j-n*) über'lasten. – **3.** *Br.* (*j-m*) zu viel abnehmen. – **II** *s* [*auch* 'eksaiz] **4.** Ak'zise *f*, Verbrauchsabgabe *f*, (*indirekte*) Waren-, Verbrauchssteuer (*auf inländischen Waren*). – **5.** *Br.* Fi'nanzab,teilung *f* für 'indi,rekte Steuern (*heute*: **Commissioners of Customs and E~**). – **III** *adj* **6.** Akzise...

ex·cise| li·cence, *bes. Am.* **~ li·cense** *s* 'Schankkonzessi,on *f.* — **'~·man** [-mən] *s irr* Ak'zisen-, Steuereinnehmer *m.* — **~ of·fice** *s* (Verbrauchs)-Steueramt *n.*

ex·ci·sion [ikˈsiʒən; ek-] *s* **1.** *med.* Aus-, Abschneidung *f*, Exzisiˈon *f*. – **2.** Ausscheidung *f*, -rottung *f* (from aus).

ex·cit·a·bil·i·ty [ikˌsaitəˈbiliti; -əti] *s* Reiz-, Erregbarkeit *f*, Nervosiˈtät *f*. — **exˈcit·a·ble** *adj* reiz-, erregbar, nerˈvös. — **exˈcit·a·ble·ness** → excitability. — **ex·cit·ant** [ikˈsaitənt; ˈeksit-] **I** *adj* reizend. – **II** *s med.* Reizmittel *n*, Stimulans *n*. — **ex·ci·ta·tion** [ˌeksaiˈteiʃən; -siˈt-] *s* **1.** Erregung *f*. – **2.** *fig.* An-, Aufregung *f*, Reizung *f*. – **3.** *med.* Reiz *m*, Stimulus *m*. – **4.** *chem. electr.* Anregung *f*: ~ **energy** *chem.* Anregungsenergie; ~ **output** *electr.* Erregerleistung; ~ **potential** *chem.* Anregungsspannung; ~ **voltage** *electr.* Erregerspannung. — **ex·cit·a·tive** [ikˈsaitətiv], *auch* **exˈcit·a·to·ry** [*Br.* -təri; *Am.* -ˌtɔːri] *adj* anregend, erregend, anreizend.

ex·cite [ikˈsait] *v/t* **1.** (*j-n*) erregen, aufregen: to ~ **oneself,** to **get** ~**d** sich aufregen, sich ereifern (over über *acc*); **don't** ~! *Br. colloq.* reg dich nicht (so) auf! – **2.** (*j-n*) (an)reizen. – **3.** (*Aufmerksamkeit etc*) erregen, erwecken, herˈvorrufen. – **4.** *med.* (*Nerv*) reizen, erregen, stimuˈlieren. – **5.** *phot.* (*Film etc*) lichtempfindlich machen, präpaˈrieren. – **6.** *electr.* (*Elektromagneten etc*) erregen. – **7.** (*Atomphysik*) (*Kern*) anregen. – *SYN. cf.* **provoke.** — **exˈcite·ment** *s* **1.** Erregung *f*, Aufregung *f* (over über *acc*). – **2.** *med.* Reizung *f*. – **3.** Anregung *f*, Antrieb *m*, Reizmittel *n*. – **4.** Aufgeregtheit *f*. — **exˈcit·er** *s* **1.** Antrieb *m*, Beweggrund *m*. – **2.** Reizmittel *n* (of für). – **3.** *electr.* Erˈreger(maˌschine *f*) *m*, Treiberröhre *f*: ~ **brush** Erregerbürste; ~ **circuit** Erreger(strom)kreis; ~ **lamp** Erregerlampe. — **exˈcit·ing** *adj* **1.** anregend, erregend. – **2.** aufregend, gefährlich. – **3.** spannend, nervenaufpeitschend. – **4.** *electr.* Erreger...: ~ **current** Erregerstrom.

excito- [iksaito] *Wortelement mit der Bedeutung* Anregung.

ex·ci·to·mo·tor [ikˌsaitoˈmoutər], **exˌci·toˈmo·to·ry** [-təri] *adj med.* Bewegung erzeugend, exˌcitomoˈtor. — **exˈci·tor** [-tər] *s med.* **1.** Reizmittel *n*. – **2.** Reiznerv *m*.

ex·claim [iksˈkleim] **I** *v/i* **1.** ausrufen, schreien. – **2.** heftig sprechen, eifern (against gegen). – **3.** laut jammern. – **II** *v/t* **4.** (*etwas*) ausrufen, herˈvorstoßen.

ex·cla·ma·tion [ˌekskləˈmeiʃən] *s* **1.** a) Ausrufen *n*, Ausrufung *f*, b) *pl* Geschrei *n*. – **2.** Ausruf *m*: **mark** (*od.* **note, point, sign**) **of** ~ Ausrufungszeichen. – **3.** (heftiger) Proˈtest, Vorwurf *m*. – **4.** Ausrufe-, Ausrufungszeichen *n*. – **5.** *ling.* a) ˌInterjektiˈon *f*, b) Ausrufesatz *m*. — ~ **mark,** *bes. Am.* ~ **point** → **exclamation** 4.

ex·clam·a·to·ry [*Br.* iksˈklæmətəri; *Am.* -ˌtɔːri] *adj* **1.** ausrufend. – **2.** a) eifernd, b) geräuschvoll. – **3.** Ausrufungs...

ex·clave [ˈekskleiv] *s* **1.** Exˈklave *f* (*Landesteil in fremdem Staatsgebiet*). – **2.** *med.* Orˈganabsprengung *f*.

ex·clo·sure [iksˈklouʒər] *s* eingezäunter Raum (*gegen Ungeziefer etc geschützt*).

ex·clude [iksˈkluːd] *v/t* **1.** ausschließen, fernhalten (from von): **not excluding myself** ich selbst nicht ausgenommen. – **2.** ausstoßen. – **3.** ausscheiden, elimiˈnieren. – *SYN.* **debar, eliminate, suspend.** — **exˈclud·ed** *adj* ausgeschlossen.

ex·clu·sion [iksˈkluːʒən] *s* **1.** Ausschließung *f*, Ausschluß *m* (from von): **to the** ~ **of** unter Ausschluß von. – **2.** Ausnahme *f*. – **3.** *tech.* (Ab)Sperrung *f*, Abtrennung *f*. – **4.** a) Abhalten *n* (*Luft, Licht etc*), b) Ausscheidung *f*. — **exˈclu·sionˌism** *s* excluˈsives Wesen, exklusive Grundsätze *pl*. — **exˈclu·sion·ist** *s* Anhänger *m od.* Verfechter *m* des Ausschließungsgedankens.

ex·clu·sion prin·ci·ple *s* **1.** *phys.* Äquivaˈlenzprinˌzip *n*. – **2.** *math.* Prinˈzip *n* der Ausschließung.

ex·clu·sive [iksˈkluːsiv] *adj* **1.** ausschließend, ausnehmend: **to be** ~ **of s.th.** etwas ausschließen. – **2.** ungeteilt, ausschließlich, alˈleinig, Allein...: ~ **agent** Alleinvertreter; ~ **representation** alleiniges Vertretungsrecht. – **3.** excluˈsiv, vornehm, wählerisch, unnahbar, sich abschließend. – **4.** ~ **of** excluˈsive, mit Ausschluß von, abgesehen von, ohne. — **exˈclu·sive·ly** *adv* nur, ausschließlich. — **exˈclu·sive·ness** *s* Abgeschlossenheit *f*, Ausschließlichkeit *f*, Exklusiviˈtät *f*. — **exˈclu·sivˌism** *s* sich abschließendes Wesen.

ex·cog·i·tate [eksˈkɒdʒiˌteit] *v/t* ausdenken, erdenken, ersinnen, aussinnen. — **exˌcog·iˈta·tion** *s* **1.** Nachdenken *n* (of über *acc*). – **2.** Plan *m*, Erfindung *f*.

ex·com·mu·ni·ca·ble [ˌekskəˈmjuːnikəbl] *adj relig.* exkommuniˈzierbar.

ex·com·mu·ni·cate I *v/t* [ˌekskəˈmjuːniˌkeit; -nə-] **1.** aus einer Gemeinschaft ausstoßen. – **2.** *relig.* exkommuniˈzieren, mit dem (Kirchen)Bann belegen. – **II** *adj* [-kit; -ˌkeit] **3.** ausgestoßen. – **III** *s* [-kit; -ˌkeit] **4.** Ausgestoßene(r). – **5.** *relig.* Exkommuniˈzierte(r). — ˌ**ex·comˌmu·niˈca·tion** *s* **1.** Ausschließung *f*, Ausstoßung *f*. – **2.** *relig.* (Kirchen)Bann *m*, Exkommunikatiˈon *f*: **lesser** (**greater, major**) ~ kleiner (großer) Bann. — ˌ**ex·comˈmu·niˌca·tive** *adj* exkommuniˈzierend, Exkommunikations... — ˌ**ex·comˈmu·niˌca·tor** [-tər] *s relig.* Exkommuniˈzierender *m*. — ˌ**ex·comˈmu·ni·ca·to·ry** [*Br.* -kətəri; *Am.* -kəˌtɔːri → **excommunicative.**

ex·co·ri·ate [iksˈkɔːriˌeit; eks-] *v/t* **1.** (*Haut*) ritzen, wund reiben, abschürfen, abschälen. – **2.** (*Bäume*) abrinden. – **3.** die Haut abziehen von. – **4.** *fig.* brandmarken, herˈuntermachen. — **exˌco·riˈa·tion** *s* **1.** Abschälen *n*, Abschürfen *n*, Abrinden *n*. – **2.** a) Schinden *n* (*der Haut*), b) (Haut)Abschürfung *f*. – **3.** Wundreiben *n*. – **4.** *med.* Exkoriatiˈon *f*.

ex·cor·ti·cate [iksˈkɔːrtiˌkeit; eks-; -tə-] *v/t biol.* entrinden, abkorken.

ex·cre·ment [ˈekskrimənt] *s oft pl* Ausscheidung *f*, Auswurf *m*, Stuhl *m*, Kot *m*, Exkreˈmente *pl*. — ˌ**ex·creˈmen·tal** [-ˈmentl], ˌ**ex·cre·menˈti·tious** [-menˈtiʃəs] *adj* kotartig, Kot...

ex·cres·cence [iksˈkresns; eks-] *s* **1.** (*normaler*) (Aus)Wuchs (*Haare etc*). – **2.** Vorsprung *m*, (*das*) Vorspringende. – **3.** (*anomaler*) Auswuchs (*auch fig.*). – **4.** *fig.* sekunˈdäre *od.* abˈnorme Entwicklung (from aus). — **exˈcres·cen·cy** *s* **1.** Auswuchs *m*, Wucherung *f*. – **2.** *ling.* (Konsoˈnanten)Einschub *m*. — **exˈcres·cent** *adj* **1.** einen Auswuchs darstellend. – **2.** auswachsend. – **3.** *fig.* ˈüberflüssig, -schüssig. – **4.** *fig.* unpassend. – **5.** *ling.* (*aus lautlichen Gründen*) eingeschoben (*Konsonant*).

ex·cre·ta [iksˈkriːtə; eks-] *s pl biol. med.* Ausscheidungs-, Auswurfstoffe *pl*, Ausscheidungen *pl*. — **exˈcrete** *v/t u. v/i* absondern, ausscheiden, entleeren. — **exˈcre·tion** *s* **1.** Ausscheiden *n*, Ausscheidung *f*. – **2.** Ab-, Aussonderung *f* (*Schweiß etc*). – **3.** Auswurf *m*. — **exˈcre·tive** *adj* ausscheidend. — **exˈcre·to·ry** [*Br.* -təri; *Am.* ˈekskriˌtɔːri] *biol. med.* **I** *adj* **1.** Ausscheidungs... – **2.** absondernd, abführend. – **II** *s* **3.** ˈAusscheidungsorˌgan *n*.

ex·cru·ci·ate [iksˈkruːʃiˌeit; eks-] *v/t* martern, foltern, quälen. — **exˈcru·ciˌat·ing** *adj* **1.** qualvoll, peinigend (to für). – **2.** *colloq.* schauderhaft. – **3.** *Am. colloq.* unerträglich, unausstehlich (*Höflichkeit etc*). — **exˌcru·ciˈa·tion** *s* Martern *n*, Peinigen *n*, Marter *f*, Qual *f*.

ex·cul·pa·ble [iksˈkʌlpəbl] *adj* entschuldbar, zu rechtfertigen(d).

ex·cul·pate [ˈekskʌlˌpeit] *v/t* **1.** reinwaschen, rechtfertigen, entlasten, freisprechen (from von). – **2.** (*j-m*) als Entschuldigung dienen. – *SYN.* **absolve, acquit, exonerate, vindicate.** — ˌ**ex·culˈpa·tion** *s* Entschuldigung *f*, Entlastung *f*, Reinwaschung *f*, Rechtfertigung *f*. — **exˈcul·pa·to·ry** [*Br.* -pətəri; *Am.* -ˌtɔːri] *adj* rechtfertigend, entlastend, Entschuldigungs..., Rechtfertigungs...

ex·cur·rent [*Br.* iksˈkʌrənt; *Am.* -ˈkəːr-] *adj* **1.** herˈausfließend, -laufend, (*Wasser*) Ausfluß gewährend: ~ **canal** *biol.* Ausflußröhre. – **2.** *bot.* a) überˈragend, herˈaustretend (*Mittelrippe des Blattes*), b) astlos bis zum Wipfel auslaufend (*Fichtenstamm etc*). – **3.** *zo.* nach außen mündend, sich öffnend.

ex·curse [iksˈkəːrs] *v/i* **1.** einen Ausflug machen. – **2.** *fig.* abschweifen.

ex·cur·sion [iksˈkəːrʃən; -ʒən] *s* **1.** Abweichung *f*. – **2.** *fig.* Abschweifung *f*. – **3.** kurze Reise, Ausflug *m*, Ausfahrt *f*, Abstecher *m*, Exkursiˈon *f*, Parˈtie *f*: **scientific** ~ wissenschaftliche Exkursion; ~ **into the country** Landpartie; **to go on** (*od.* **for**) **an** ~, **to make an** ~ einen Ausflug machen. – **4.** Reisegesellschaft *f*. – **5.** Streifzug *m*. – **6.** → ~ **train.** – **7.** *astr.* Abweichung *f*. – **8.** *phys.* Schwingung *f*, Ausschlag *m* (*Stimmgabel, Pendel etc*). – **9.** *tech.* Weg *m* eines beweglichen Maˈschinenteils: ~ **of a piston** Kolbenhub. — **exˈcur·sion·ist** *s* Ausflügler(in), Vergnügungsreisende(r), Touˈrist(in).

ex·cur·sion| tick·et *s* Ausflugs(fahr)karte *f*, ˈFerienbilˌlet *n*. — ~ **train** *s* Vergnügungs-, Sonder-, Ausflugszug *m*.

ex·cur·sive [iksˈkəːrsiv] *adj* **1.** umˈherstreifend, -schweifend. – **2.** *fig.* abschweifend, abirrend. – **3.** *fig.* sprunghaft, ˈunzuˌsammenhängend. — **exˈcur·sive·ness** *s* abschweifendes Wesen, Sprunghaftigkeit *f*. — **exˈcur·sus** [-səs] *pl* **-sus·es,** *auch* **-sus** *s* **1.** Abschweifung *f*. – **2.** Exˈkurs(us) *m*, ausführliche Erörterung (*im Anhang*) (on über *acc*).

ex·cur·va·ture [iksˈkəːrvətʃər] *s zo.* Krümmung *f* nach außen. — **exˈcurved** *adj zo.* nach außen gekrümmt.

ex·cus·a·bil·i·ty [iksˌkjuːzəˈbiliti; -əti] *s* Entschuldbarkeit *f*. — **exˈcus·a·ble** *adj* entschuldbar, verzeihlich. — **exˈcus·a·ble·ness** → **excusability.** — **exˈcus·a·to·ry** [*Br.* -təri; *Am.* -ˌtɔːri] *adj* entschuldigend, Rechtfertigungs...

ex·cuse I *v/t* [iksˈkjuːz] **1.** (*j-n*) entschuldigen, rechtfertigen, (*j-m*) verzeihen: ~ **me** a) entschuldigen Sie (mich), b) (*als Widerspruch*) keineswegs, aber erlauben Sie mal! ~ **me for being late,** ~ **my being late** verzeih, daß ich zu spät komme; **to** ~ **oneself** (**on account of s.th.**) sich (wegen etwas) entschuldigen *od.* rechtfertigen. – **2.** milde beurteilen, Nachsicht haben mit (*j-m*). – **3.** (*etwas*) entschuldigen, überˈsehen, (*Fehler etc*) verzeihen. – **4.** *nur neg* für (*etwas*) eine Entschuldigung finden, (*etwas*) rechtfertigen, gutheißen: **I cannot** ~ **his conduct** ich kann sein Verhalten nicht gutheißen. – **5.** *meist pass* (from) (*j-n*) befreien (von), entheben (*gen*), (*j-m*) erlassen (*acc*): to be ~d from attendance vom Erscheinen befreit sein *od.* werden; to be ~d from duty dienstfrei bekommen; I must be ~d from doing this ich muß es leider ablehnen, dies zu tun; I beg to be ~d ich bitte, mich zu entschuldigen. – 6. (*j-m etwas*) erlassen, schenken: to ~ s.o. s.th. j-m etwas erlassen; he was ~d the fee ihm wurde die Gebühr erlassen. – *SYN.* condone, forgive, pardon. – **II** *s* [iks'kjuːs] 7. Entschuldigung *f*, Bitte *f* um Verzeihung *od.* Nachsicht: to offer an ~ eine Entschuldigung vorbringen, sich entschuldigen; it admits of no ~ es läßt sich nicht entschuldigen; in ~ of als *od.* zur Entschuldigung für; make my ~s to her entschuldige mich bei ihr. – 8. Entschuldigungs-, Milderungsgrund *m*, Rechtfertigung *f*: there is no ~ for his conduct sein Verhalten läßt sich nicht entschuldigen *od.* rechtfertigen, für sein Verhalten gibt es keine Entschuldigung *od.* Rechtfertigung. – 9. Ausrede *f*, Vorwand *m*: a mere ~; not on any ~ unter keinem Vorwand; to make ~s Ausflüchte gebrauchen; → blind 4. – 10. Enthebung *f* (*von einer Verpflichtung*). – *SYN. cf.* apology.

ex·e·at ['eksiˌæt] (*Lat.*) *s Br.* Urlaub *m* (*für Studenten*).

ex·e·cra·ble ['eksikrəbl] *adj* ab'scheulich, fluchwürdig, scheußlich. — **'ex·e·cra·ble·ness** *s* Ab'scheulichkeit *f*, Fluchwürdigkeit *f*. — **'ex·e·ˌcrate** [-ˌkreit] **I** *v/t* 1. verfluchen. – 2. verabscheuen. – **II** *v/i* 3. fluchen. – *SYN.* anathematize, ban[1], curse, damn, objurgate. — **ˌex·e'cra·tion** *s* 1. Verwünschung *f*, Verfluchung *f*, Fluch *m*. – 2. Abscheu *m*: to hold in ~ verabscheuen. — **'ex·eˌcra·tive, 'ex·e·cra·to·ry** [*Br.* -ˌkreitəri; *Am.* -krəˌtɔːri] *adj* verwünschend, verfluchend, Verwünschungs...

ex·e·cut·a·ble ['eksiˌkjuːtəbl] *adj* 'durch-, ausführbar, voll'ziehbar. — **ex·ec·u·tant** [ig'zekjutənt] *s* Ausführende(r), *bes. mus.* ausführender Künstler (*auf einem Instrument*).

ex·e·cute ['eksiˌkjuːt] **I** *v/t* 1. aus-, 'durchführen, voll'führen, ausüben, verrichten, zu Ende führen, bewerkstelligen: to ~ justice (laws) Justiz (Gesetze) handhaben. – 2. ausüben: to ~ an office. – 3. (*Musikstück etc*) vortragen, spielen. – 4. *jur.* a) (*Urkunde etc*) ausfertigen, rechtsgültig machen, durch 'Unterschrift, Siegel *etc* voll'ziehen, b) die Bedingungen (*eines Vertrags etc*) erfüllen, c) (*Urteil*) voll'ziehen, -'strecken, d) (*j-n*) 'hinrichten, e) (*j-n*) (aus)pfänden. – **II** *v/i* 5. handeln, ausführen. – 6. *mus.* spielen, vortragen. – *SYN. cf.* a) administer, b) kill[1], c) perform. – **'ex·eˌcut·er** *cf.* executor.

ex·e·cu·tion [ˌeksi'kjuːʃən] *s* 1. Aus-, 'Durchführung *f*, Voll'ziehung *f*, -'streckung *f*, Handhabung *f*: to carry (*od.* put) s.th. into ~ etwas ausführen *od.* vollziehen *od.* bewerkstelligen. – 2. (*Art u. Weise der*) Ausführung: a) *mus.* Ausführung *f*, Aufführung *f*, Vortrag *m*, Spiel *n*, Technik *f*, b) Darstellung *f*, Stil *m* (*Kunst u. Literatur*). – 3. *jur.* a) Voll'ziehung *f* (*Urkunde, Urteil*), b) Voll'ziehungsbefehl *m*, c) Exekuti'on *f*, 'Zwangsvollˌstreckung *f*, Pfändung *f*: to take in ~ (*etwas*) pfänden; writ of ~ Vollstreckungsbefehl, d) Ausfertigung *f*, Unter'zeichnung *f*, e) 'Hinrichtung *f*: place of ~ Richtplatz, -stätte. – 4. *selten* Zerstörung *f* (*nur noch in*): to do ~ a) Schaden anrichten (*Waffen*), b) *fig.* Herzen brechen, Eroberungen machen. — **ˌex·e'cu·tion·er** *s* 1. Voll'zieher(in), -'strecker(in). – 2. Henker *m*, Scharfrichter *m*.

ex·ec·u·tive [ig'zekjutiv] **I** *adj* 1. ausübend, voll'ziehend: ~ command *mil.* Ausführungskommando. – 2. *pol.* Exekutiv...: E~ Council Ministerrat (*in einigen Staaten der USA, Australien, Südafrika, Irland*); ~ power, ~ authority Exekutive; ~ session *Am.* Geheimsitzung. – 3. zur Aus- *od.* 'Durchführung *od.* Leitung geeignet: ~ ability praktische Geschicklichkeit, Eignung als Leiter (*Unternehmen etc*). – 4. *econ.* verwaltend, leitend: ~ committee Verwaltungsrat. – **II** *s* 5. Exeku'tive *f*, Voll'ziehungsgewalt *f*, ausübende Gewalt (*im Staat*). – 6. *bes. Am.* erster geschäftsführender Beamter. – 7. ('Staats)Präsiˌdent *m*, Gouver'neur *m*. – 8. *econ. bes. Am.* leitender Angestellter, Geschäftsführer *m*. – 9. *mil. Am.* a) stellvertretender Komman'deur (*bis einschließlich Regiment*), b) (*Artillerie*) Batte'rieoffiˌzier *m*, c) *mar. mil.* 'Seeoffiˌzier *m*. — **E~ Man·sion** *s Am.* 1. (*das*) Weiße Haus, (*die*) Wohnung des Präsi'denten (der USA). – 2. Amtswohnung *f* des Gouver'neurs (*in einigen Staaten der USA*). — **~ or·der** *s Am.* Verfügung *f* des Präsi'denten, 'Durchführungsverordnung *f*.

ex·ec·u·tor [ig'zekjutər] *s* 1. Voll'zieher(in), -'strecker(in). – 2. *jur.* Testa'mentsvollˌstrecker *m*: ~ de son tort Testamentsvollstrecker ohne rechtlichen Auftrag; literary ~ Nachlaßverwalter eines Autors. — **exˌec·u'to·ri·al** [-'tɔːriəl] *adj* voll'ziehend, Vollstreckungs..., einen Testa'mentsvollˌstrecker betreffend. — **ex'ec·u·torˌship** *s* Amt *n* eines (Testa'ments)Vollˌstreckers.

ex·ec·u·to·ry [*Br.* ig'zekjutəri; *Am.* -ˌtɔːri] *adj* 1. voll'streckend, -'ziehend, exeku'tiv. – 2. *econ. jur.* exeku'torisch, wirksam werdend: ~ purchase *econ.* Bedingungskauf. – 3. Ausführungs..., Vollziehungs..., Ausübungs... — **ex'ec·u·trix** [-triks] *s* (Testa'ments)Vollˌstreckerin *f*.

ex·e·ge·sis [ˌeksi'dʒiːsis; -sə-] *pl* **-ses** [-siːz] *s* Exe'gese *f*, Auslegung *f*, Erklärung *f* (*bes. der Bibel*).

ex·e·gete ['eksiˌdʒiːt; -sə-] *s* Exe'get *m*, (Bibel)Erklärer *m*. — **ˌex·e'get·ic** [-'dʒetik], **ˌex·e'get·i·cal** *adj* exe'getisch, erklärend, auslegend. — **ˌex·e'get·i·cal·ly** *adv* (*auch zu* exegetic). — **ˌex·e'get·ics** *s pl* (*als sg konstruiert*) Exe'getik *f*, Kunst *f* der (Bibel)Auslegung.

ex·em·plar [ig'zemplər] *s* 1. Muster(beispiel) *n*, Vorbild *n*, Ide'al *n*. – 2. Typ *m*, Arche'typ *m*, Urbild *n*. – 3. Exem'plar *n* (*Buch, Schriftstück*). – 4. (*das*) typische *od.* ähnliche Beispiel (of für). – *SYN. cf.* model. — **ex'em·pla·ri·ness** *s* Musterhaftigkeit *f*, -gültigkeit *f*. — **ex'em·pla·ry** *adj* 1. musterhaft, -gültig, nachahmenswert, vorbildlich. – 2. exem'plarisch, abschreckend (*Strafe etc*): ~ damages *jur.* Buße. – 3. typisch, Muster...

ex·em·pli·fi·ca·tion [igˌzemplifi'keiʃən; -pləfə-] *s* 1. Erläuterung *f od.* Belegung *f* durch Beispiele: in ~ of s.th. zur Erläuterung einer Sache. – 2. Beleg *m*, Beispiel *n*, Muster *n*. – 3. *jur.* beglaubigte Abschrift. — **ex'em·pli·fiˌca·tive** *adj* durch Beispiele erklär- *od.* belegbar. — **ex'em·pliˌfy** [-ˌfai] *v/t* 1. durch Beispiele erläutern, an Beispielen illu'strieren. – 2. ko'pieren, eine (beglaubigte) Abschrift machen von. – 3. durch beglaubigte Abschrift beweisen. – 4. als Beispiel dienen für, exemplifi'zieren.

ex·em·pli gra·ti·a [ig'zemplai 'greiʃiə] (*Lat.*) zum Beispiel (*abgekürzt* e.g.).

ex·empt [ig'zempt] **I** *v/t* 1. (from) (*j-n*) befreien, ausnehmen (von), verschonen (mit): to be ~ed from s.th. von etwas ausgenommen werden *od.* sein. – 2. *mil.* (*vom Wehrdienst*) freistellen. – 3. *obs.* abtrennen. – **II** *adj* 4. befreit, verschont, ausgenommen, frei: to be ~ from taxes von Steuern befreit sein; ~ from postage portofrei. – 5. *obs.* entfernt. – **III** *s* 6. Befreite(r) (*bes. von Steuern*), Privile'gierte(r), Bevorrechtigte(r). – 7. *Br. hist. für* exon[2]. — **ex'empt·i·ble** *adj* befreibar. — **ex'emp·tion** *s* 1. Befreiung *f*, Freisein *n* (from von): ~ from taxes Steuer-, Abgabenfreiheit. – 2. *mil.* Freistellung *f* (*vom Wehrdienst*).

ex·en·ter·ate [ik'sentəˌreit] *v/t* 1. *med.* (*Organ*) entfernen. – 2. *fig.* (*Buch etc*) ausziehen. — **exˌen·ter'a·tion** *s* Evisceratі'on *f*, Ausweiden *n*.

ex·e·qua·tur [ˌeksi'kweitər] *s* Exe'quatur *n*: a) *amtliche Anerkennung eines ausländischen Konsuls durch die Landesregierung*, b) *Genehmigung der Veröffentlichung päpstlicher Bullen durch einen weltlichen Herrscher*, c) *Anerkennung eines dem Papst unterstehenden Bischofs (durch einen Herrscher)*.

ex·e·quy ['eksikwi] *s* Ex'equien *pl*, Leichenbegängnis *n*, Totenfeier *f*.

ex·er·cis·a·ble ['eksərˌsaizəbl] *adj* ausüb-, anwendbar.

ex·er·cise ['eksərˌsaiz] **I** *s* 1. Ausübung *f*, Anwendung *f*, Gebrauch *m*, (Dienst-, Pflicht)Erfüllung *f*: ~ of an art Ausübung einer Kunst; ~ of an office Verwaltung eines Amtes; in ~ of their powers in Ausübung ihrer Machtbefugnisse. – 2. Übung *f* (der körperlichen *od.* geistigen Fähigkeiten), (Körper)Bewegung *f*, Leibesübung *f*: bodily ~, physical ~ Leibesübung; to take ~ sich Bewegung machen (*im Freien*); ~ of memory Gedächtnisübung. – 3. *mil.* (Waffen-) Übung *f*, Exer'zieren *n*, Ma'növer *n*. – 4. Übungsarbeit *f* (schriftliche) Schulaufgabe, Exer'zitium *n*: school ~s Schulaufgaben. – 5. *mus.* Übung(sstück *n*) *f*: to play ~s üben. – 6. Andachtsübung *f*, Gottesdienst *m*. – 7. *meist pl Am.* Formali'täten *pl*, Feierlichkeiten *pl* (*bei bestimmten Gelegenheiten*). – **II** *v/t* 8. ausüben, gebrauchen, anwenden: to ~ power Macht ausüben; to ~ one's skill seine Geschicklichkeit üben; → influence 1. – 9. (*Amt*) verwalten, bekleiden. – 10. (*Körper, Geist*) üben, exer'zieren. – 11. (*j-n*) üben, drillen, trai'nieren, 'einexerˌzieren, (*Pferde*) bewegen, zureiten, in Bewegung halten: to ~ troops Truppen ausbilden. – 12. beschäftigen: to ~ one's mind sich geistig beschäftigen. – 13. beunruhigen, quälen: to be much ~d by s.th. sich über etwas Sorgen machen. – 14. *fig.* (*Geduld etc*) üben, an den Tag legen. – **III** *v/i* 15. sich üben, sich Bewegung machen. – 16. *sport* trai'nieren. – 17. *mil.* exer'zieren. – *SYN. cf.* practice.

ex·er·ci·ta·tion [igˌzəːrsi'teiʃən] *s* 1. Tätigkeit *f*, geistige Anstrengung *od.* Übung. – 2. (*literarische od. rhetorische*) Übung, Vortrag *m*. – 3. lite'rarische Unter'suchung.

exˌer·ci'to·ri·al [igˌzəːrsi'tɔːriəl] *adj* Reederei...

ex·ergue [ig'zəːrg; ek's-] *s* (*auf Münzen etc*) Ex'ergue *f*, Raum *m* unter dem Bild (*für Datum etc*).

ex·ert [ig'zəːrt] *v/t* 1. (*Kraft*) zeigen, äußern, (ge)brauchen, anwenden: to ~ one's authority seine Autorität geltend machen; to ~ a force *phys.* eine Kraft ausüben. – 2. *reflex* sich anstrengen, sich bemühen (for für, um): to ~ oneself. – 3. *obs.* her'ausstrecken, zeigen. — **ex'er·tion** *s* **1.** Äußerung *f*, Anwendung *f*. – **2.** Anstrengung *f*, Bemühung *f*, Streben *n*, Eifer *m*: to redouble one's ~s seine Anstrengungen verdoppeln; to use every ~ to do s.th. sich alle Mühe geben, etwas zu tun. – **3.** *math. phys.* Ausübung *f* (*einer Kraft*). – *SYN. cf.* effort. — **ex'er·tive** *adj* **1.** äußernd. – **2.** anstrengend.

ex·e·unt ['eksiʌnt; -ənt] (*Lat.*) (*Bühnenanweisung*) (sie gehen) ab.

ex·fo·li·ate [eks'fouliˌeit] **I** *v/t* **1.** (*etwas*) (schuppig *od.* in Schuppen) abwerfen, ablegen. – **2.** *med.* (*Haut*) (in Schuppen) ablegen, (*Knochenoberfläche*) abschälen. – **3.** entfalten. – **4.** *fig.* entwickeln. – **II** *v/i* **5.** sich abblättern, -splittern, -schälen, -schilfern (*Baumrinde etc*). – **6.** *geol.* sich (schichtenförmig) abschiefern. – **7.** *med.* sich abblättern. – **8.** sich entfalten. – **9.** *tech.* verzundern. — **exˌfo·li'a·tion** *s* **1.** Abblätterung *f*, -schieferung *f*, -schilferung *f*, -schuppung *f*, Häutung *f*. – **2.** abgeblätterter, -schilferter Zustand. – **3.** Schuppen *pl*, (*das*) Abgeblätterte (*Haut, Rinde etc*). — **ex'fo·liˌa·tive** *adj* **1.** Abblätterung *od.* Abschieferung verursachend. – **2.** *med.* abblätternd, desquama'tiv.

ex·hal·a·ble [eks'heiləbl] *adj* leicht verdunstend, flüchtig. — **ex'hal·ant** **I** *adj* **1.** ausdunstend, -hauchend. – **II** *s* **2.** Verdunstungsmittel *n*. – **3.** Ver'dunstungsorˌgan *n*. — **ˌex·ha'la·tion** [-hə'leiʃən] *s* **1.** Ausdunstung *f*, Verdunstung *f*, Verdampfung *f*. – **2.** Ausatmung *f*. – **3.** Dunst *m*, Nebel *m*, Dampf *m*, Brodem *m*. – **4.** *med.* Blähung *f*, Ausdünstung *f*. – **5.** *fig.* Ausbruch *m*.

ex·hale [eks'heil; ig'zeil] **I** *v/t* **1.** ausatmen, -hauchen, -dünsten: to be ~d ausdunsten. – **2.** verdunsten *od.* verdampfen lassen. – **3.** *fig.* von sich geben, (*Leben etc*) aushauchen. – **4.** *fig.* entladen, Luft machen (*dat*): to ~ anger seinem Zorn Luft machen. – **II** *v/i* **5.** in Dunst *od.* Dampf aufgehen. – **6.** ausströmen (from aus). – **7.** ausatmen.

ex·haust [ig'zɔːst] **I** *v/t* **1.** ausschöpfen, erschöpfen, entleeren. – **2.** (*Boden*) erschöpfen, aussaugen, (*Bergwerk*) aushauen: to ~ the land Raubbau treiben. – **3.** *fig.* erschöpfen, ermüden, aufbrauchen, auspumpen: to be ~ed erschöpft *od.* ausgepumpt *od.* ausgemergelt sein; to ~ s.o.'s patience j-s Geduld erschöpfen. – **4.** *chem. phys.* (*Luft etc*) her'auspumpen, -ziehen (from aus), (*etwas*) leeren, entlüften: to ~ the water in a well einen Brunnen auspumpen. – **5.** *fig.* (*Thema*) erschöpfen(d behandeln). – **6.** *med.* schwächen, erschöpfen, entkräften. – **7.** *chem.* absaugen. – **8.** *tech.* (*Gas*) auspuffen, abblasen. – **II** *v/i* **9.** entweichen, ausströmen (*Dampf*). – *SYN. cf.* a) deplete, b) tire[1]. – **III** *s* **10.** *tech.* a) Dampfausströmung *f*, b) Auspuffgase *pl*, c) Auspuff *m*, Auspuffrohr *n*, -vorrichtung *f*. – **11.** *phys. tech.* Ex'haustor *m*.

ex·haust| a·larm *s tech.* Auspuffpfeife *f*. — **~ box** *s tech.* Schalldämpfer *m*, Auspufftopf *m*. — **~ cut-out** *s tech.* Auspuffklappe *f*. — **~ cy·cle** *s tech.* Auspufftakt *m*.

ex·haust·ed [ig'zɔːstid] *adj* **1.** verbraucht, ermattet, erschöpft. – **2.** *tech.* a) abgebaut, b) luftleer. – **3.** *econ.* vergriffen, nicht vorrätig. – **4.** *econ.* abgelaufen (*Versicherung*). – **5.** *biol.* erschöpft, ausgebaut. — **ex'haust·er** *s tech.* Lüfter *m*, Ex'haustor *m*. — **ex·ˌhaust·i'bil·i·ty** *s* Erschöpfbarkeit *f*. — **ex'haust·i·ble** *adj* erschöpfbar, zu erschöpfen(d).

ex·haus·tion [ig'zɔːstʃən] *s* **1.** Ausschöpfung *f*, Ausleerung *f*, Entleerung *f*. – **2.** *fig.* Erschöpfung *f*. – **3.** *tech.* Ausströmen *n*, Abführung *f*, Auspuffen *n* (*Dampf, Gas etc*). – **4.** *phys.* Auspumpen *n* (*Luft etc*). – **5.** erschöpfender Verbrauch, Kon'sum *m*. – **6.** *chem.* Erschöpfung *f* (*durch Auflösung*). – **7.** (*Bergbau*) Erschöpfung *f*, Abbau(en *n*) *m* (*Erzlager etc*). – **8.** *tech.* An-, Ein-, Aufsaugung *f* (*Pumpe*). – **9.** *math.* Approximati'on *f*, Exhausti'on *f*: method of ~ Approximationsmethode. – **10.** *med.* Ermattung *f*, Entkräftung *f*: ~ delirium Inanitionsdelirium. — **ex'haus·tive** [-tiv] *adj* **1.** erschöpfend, schwächend. – **2.** *fig.* erschöpfend, vollständig: to be ~ of (a subject) (einen Gegenstand) erschöpfen(d behandeln). — **ex'haus·tive·ness** *s* (*das*) Erschöpfende, erschöpfende Eigenschaft *od.* Behandlung. — **ex'haust·less** *adj* unerschöpflich. — **ex'haust·less·ness** *s* Unerschöpflichkeit *f*.

ex·haust| noz·zle *s tech.* Schubdüse *f*. — **~ pipe** *s tech.* Auspuffrohr *n*. — **~ port** *s tech.* 'Auspuffkaˌnal *m*. — **~ steam** *s* **1.** *tech.* Abdampf *m*. – **2.** *chem.* 'indiˌrekter Dampf. — **~ stroke** *s tech.* Auspuffhub *m*. — **~ valve** *s tech.* 'Auslaß-, 'Auspuffvenˌtil *n*.

ex·hib·it [ig'zibit] **I** *v/t* **1.** zur Schau stellen, ausstellen, (*Waren*) auslegen, (*Flagge*) zeigen. – **2.** zeigen, darlegen, aufweisen, entfalten, an den Tag legen. – **3.** *jur.* (*Urkunde*) vorlegen, (*Klage etc*) öffentlich *od.* amtlich anbringen, zustellen, (*Gesuch*) an-, vorbringen, einreichen. – **4.** *med.* verordnen, verschreiben. – **II** *v/i* **5.** ausstellen, eine Ausstellung veranstalten. – *SYN. cf.* show. – **III** *s* **6.** Ausstellung *f*. – **7.** Ausstellungsgegenstand *m*, Schaustück *n*. – **8.** *jur.* a) schriftliche Eingabe, b) Ex'hibitum *n*, Beweisschrift *f*, -stück *n*, eidliches *od.* schriftliches Zeugnis.

ex·hi·bi·tion [ˌeksi'biʃən; -sə-] *s* **1.** Darlegung *f*, -stellung *f*, Bekundung *f*, Entfaltung *f*, Zeigen *n*. – **2.** a) Aus-, Schaustellung *f*, Messe *f*, b) Schauspiel *n*, Vortrag *m*, Vorführung *f*: ~ contest *sport* Schaukampf; art (world) ~ Kunst- (Welt)-ausstellung; to be on ~ öffentlich ausgestellt sein, zu sehen sein; to make an ~ of oneself sich zum Gespött machen, eine lächerliche Figur machen. – **3.** ausgestellter Gegenstand, 'Ausstellungsobˌjekt *n*. – **4.** *jur.* a) Einreichung *f*, Vorlage *f*, -zeigung *f* (*von Papieren*), b) *Scot.* Pro'zeß *m* wegen Her'ausgabe (*von Papieren*). – **5.** *med.* Verordnen *n* (*Arznei*). – **6.** (*Universität*) *Br.* Sti'pendium *n*, Stiftungsgeld *n* (*für Studierende*): scholarships and ~s Stipendien u. Preise (*in engl. Schulen*). — **ˌex·hi'bi·tion·er** *s* (*Universität*) *Br.* Stipendi'at *m*. — **ˌex·hi'bi·tion·ism** *s* **1.** *psych.* Exhibitio'nismus *m*. – **2.** *die Neigung, sich selbst zur Schau zu stellen, um die Aufmerksamkeit auf sich zu lenken.* — **ˌex·hi'bi·tion·ist** *s* **1.** *psych.* Exhibitio'nist *m*. – **2.** *j-d der sich selbst zur Schau stellt, um die Aufmerksamkeit auf sich zu lenken.* — **ex·hib·i·tive** [ig'zibitiv] *adj* dar-, vorstellend: to be ~ of s.th. etwas dar- *od.* vorstellen. — **ex'hib·i·tor** [-tər] *s* **1.** Aussteller *m*. – **2.** Darsteller *m*. – **3.** *jur.* Einreicher *m* (*einer Schrift*). — **ex'hib·i·to·ry** [*Br.* -təri; *Am.* -ˌtɔːri] *adj* darlegend, aufweisend, zeigend.

ex·hil·a·rant [ig'zilərənt] **I** *adj* aufheiternd, erheiternd, belebend, anregend. – **II** *s* Anregungsmittel *n*. — **ex'hil·aˌrate** [-ˌreit] *v/t* erheitern, aufheitern. — **ex'hil·aˌrat·ed** *adj* heiter, angeregt. — **ex'hil·aˌrat·ing** *adj* anregend, erheiternd. — **exˌhil·a'ra·tion** *s* **1.** Erheiterung *f*. – **2.** Heiterkeit *f*. — **ex'hil·aˌra·tive, ex'hil·a·ra·to·ry** [*Br.* -rətəri; *Am.* -rəˌtɔːri] → exhilarating.

ex·hort [ig'zɔːrt] **I** *v/t* **1.** ermahnen. – **2.** ermuntern, zureden, antreiben (to zu). – **3.** (*etwas*) dringend empfehlen *od.* raten. – **4.** warnen. – **II** *v/i* **5.** (er)mahnen. — **ex·hor·ta·tion** [ˌegzɔːr'teiʃən; -zər-] *s* **1.** Ermahnung *f*. – **2.** Ermahnungsrede *f*. – **3.** Ermunterung *f*, Zureden *n*. — **ex'hor·ta·tive** [-tətiv], **ex'hor·ta·to·ry** [*Br.* -tətəri; *Am.* -təˌtɔːri] *adj* (er)mahnend, Ermahnungs...

ex·hu·ma·tion [ˌekshjuː'meiʃən] *s* Exhu'mierung *f*, (Wieder)'Ausgrabung *f* (*Leiche*). — **ex·hume** [ig'zjuːm; eks'hjuːm] *v/t* **1.** (*Leiche*) (wieder) ausgraben, exhu'mieren. – **2.** *fig.* ans Tageslicht bringen.

ex·i·geant [egzi'ʒɑ̃; 'eksidʒənt] (*Fr.*) *adj* anspruchsvoll.

ex·i·gen·cy ['eksidʒənsi; 'eksə-], *auch* **'ex·i·gence** *s* **1.** Dringlichkeit *f*, dringender Fall. – **2.** (dringendes) Bedürfnis *od.* Erfordernis, Bedarf *m*. – **3.** (dringende) Not, Zwangs-, Notlage *f*, schwierige *od.* kritische Lage. – *SYN. cf.* a) juncture, b) need. — **'ex·i·gent** *adj* **1.** dringend, dringlich, kritisch. – **2.** viel verlangend, anspruchsvoll. – **3.** benötigend, Bedarf habend: to be ~ of s.th. etwas dringend brauchen *od.* verlangen. — **'ex·i·gi·ble** [-dʒəbl] *adj* eintreibbar, einzutreiben(d), zu verlangen(d), zu berechnen(d).

ex·i·gu·i·ty [ˌeksi'gjuːiti; -sə-; -əti] *s* Kleinheit *f*, Spärlichkeit *f*, Geringfügigkeit *f*, Unerheblichkeit *f*. — **ex·ig·u·ous** [ig'zigjuəs; ik'sig-] *adj* klein, dürftig, unbedeutend, geringfügig. – *SYN. cf.* meager. — **ex'ig·u·ous·ness** → exiguity.

ex·ile ['eksail; 'egz-] **I** *s* **1.** Ex'il *n*, Verbannung *f*: to go (send) into ~ in die Verbannung gehen (schicken). – **2.** *fig.* lange Abwesenheit, Abgeschiedenheit *f*. – **3.** Verbannte(r). – **4.** the E~ *Bibl.* die Baby'lonische Gefangenschaft (*der Juden*). – **II** *v/t* **5.** verbannen, verweisen, vertreiben (from aus). – **6.** *fig.* trennen. – *SYN. cf.* banish. — **ex·il·i·an** [eg'ziliən], **ex'il·ic** *adj* **1.** *Bibl.* die Baby'lonische Gefangenschaft (*der Juden*) betreffend. – **2.** Exil..., ex'ilisch.

ex·il·i·ty [eg'ziliti; -əti] *s* **1.** Schwachheit *f*, Dünnheit *f*, Feinheit *f*. – **2.** *fig.* Feinheit *f*, Subtili'tät *f*.

ex·im·i·ous [eg'zimiəs] *adj selten* auserlesen, ausgezeichnet.

ex·in·a·ni·tion [ekˌsinə'niʃən] *s* **1.** Entleerung *f*, Entkräftung *f*, Schwächung *f*. – **2.** Erniedrigung *f*. – **3.** Dürftigkeit *f*.

ex·ist [ig'zist] *v/i* **1.** exi'stieren, vor'handen sein, (da)sein, sich finden, begegnen (in in *dat*): to ~ as existieren in Form von; able to ~ existenzfähig; the right to ~ Existenzberechtigung. – **2.** leben, bestehen, vege'tieren. – **3.** dauern, bestehen. — **ex'ist·ence** *s* **1.** (Da-, Vor'handen)Sein *n*, Leben *n*, Bestehen *n*, Exi'stenz *f*: conditions (means, minimum) of ~ Existenzbedingungen (-mittel, -minimum); to call into ~ ins Leben rufen; to be in ~ bestehen, existieren; to remain in ~ weiterbestehen; → struggle 6. – **2.** Dauer *f*, Fortbestehen *n*. – **3.** Exi'stenz *f*, Wesen *n*. – **4.** Tatsächlichkeit *f*, 'Umwelt *f*. — **ex'ist·ent** **I** *adj* **1.** exi'stierend, bestehend, vor'handen. – **2.** gegenwärtig, augenblicklich (bestehend *od.* lebend). – **II** *s* **3.** (*das*) Vor'handene.

ex·is·ten·tial [ˌegzis'tenʃəl] *adj* **1.** Existenz... – **2.** *philos.* existenti'ell, Existential... – 3. *biol. phys.* Daseins..., Wahrnehmungs...: ~ judg(e)ment Wahrnehmungsurteil. — ˌ**ex·is'ten·tialˌism** *s philos.* Existentia'lismus *m*, Exi'stenzphilosoˌphie *f*. — ˌ**ex·is'ten·tial·ist** *s* Existentia'list(in).

ex·it ['eksit; 'egzit] **I** *s* **1.** Abtreten *n*, Abgang *m* (*von der Bühne*). – **2.** *fig.* Abgang *m*, Tod *m*: to make one's ~ a) abtreten, b) sterben. – **3.** Ausgang *m* (*Kino etc*). – **4.** *tech.* Ausströmung *f*, Ausfluß *m*, Austritt *m*: port of ~ Ausström-, Ausflußöffnung; ~ angle Austrittswinkel; ~ cone angle Erweiterungswinkel einer Düse; ~ gas Gichtgas; ~ heat Abzugswärme; ~ loss Austrittsverlust. – **5.** *biol.* Austritt *m*: ~ pupil Austrittspupille. – **6.** Ausreise *f*: ~ permit Ausreiseerlaubnis. – **II** *v/i* **7.** a) abgehen, abtreten, b) (*Bühnenanweisung*) (er, sie, es geht) ab: ~ Macbeth Macbeth ab. – **8.** *fig.* sterben. — '**ex·i·tus** [-təs] *s* **1.** *jur.* Ausgang *m* (*Prozeß*). – **2.** *econ.* Ausfuhrzoll *m*. – **3.** *med.* a) Ausflußöffnung *f*, b) Exitus *m*, Tod *m*.

ex li·bris [eks 'laibris] (*Lat.*) *s* Ex'libris *n*, Buchzeichen *n*.

exo- [ekso] *Vorsilbe mit der Bedeutung* außerhalb, äußerlich, außen.

ex·o·car·di·ac [ˌekso'kɑːrdiˌæk], ˌ**ex·o'car·di·al** *adj med.* außerhalb des Herzens (gelegen). — '**ex·oˌcarp** [-ˌkɑːrp] *s bot.* Exo'karp(ium) *n*, Epi'karp(ium) *n* (*äußere Fruchtwand*). — ˌ**ex·o'cen·tric** [-'sentrik] *adj ling.* eine getrennte grammati'kalische Funkti'on habend. — '**ex·oˌcrine** [-ˌkrain; -krin; -ˌkriːn] *adj biol. med.* nach außen sezer'nierend (*Drüsen etc*).

ex·oc·u·late [ig'zɒkjuˌleit] *v/t* des Augenlichts berauben, blenden. — **exˌoc·u'la·tion** *s* Blendung *f*.

ex·ode ['eksoud] *s antiq.* sa'tirisches Nach- *od.* Zwischenspiel.

ex·o·der·mis [ˌekso'dəːrmis] *s bot.* Exo'dermis *f*, Zellen(schutz)schicht *f* auf Wurzeln (*gewisser Orchideen etc*).

ex·o·don·ti·a [ˌekso'dɒnʃiə; -ʃə] *s med.* Lehre *f* vom Zahnziehen, 'Zahnextraktiˌonskunde *f*. — ˌ**ex·o'don·tist** [-tist] *s* 'Zahnchirˌurg *m*.

ex·o·dus ['eksədəs] *s* **1.** Auszug *m* (*bes. der Juden aus Ägypten*). – **2.** *fig.* Ab-, Auswanderung *f*, Weggehen *n*: general ~ allgemeiner Aufbruch; ~ of capital *econ.* Kapitalabwanderung. – **3.** E~ *Bibl.* Exodus *m*, Zweites Buch Mosis.

ex·o·en·zyme [ˌekso'enzaim] → ectoenzyme.

ex of·fi·ci·o [ˌeksə'fiʃiˌou] (*Lat.*) **I** *adv* von Amts wegen. – **II** *adj* Amts..., amtlich: ~ members of committee.

ex·o·gam·ic [ˌekso'gæmik], **ex'og·a·mous** [-'sɒgəməs] *adj biol.* exo'gamisch, Exogamie... — **ex'og·a·my** *s* **1.** Exoga'mie *f*, Fremdheirat *f* (*Ehe zwischen Angehörigen verschiedener [Stammes]Gruppen*). – **2.** *biol.* Kreuzungspaarung *f*, -befruchtung *f*.

ex·o·gen ['eksoˌdʒen; -sədʒən] *s bot.* zu den Exo'genae gehörige Pflanze.

ex·og·e·nous [ek'sɒdʒənəs] *adj* **1.** exo'gen, außen erzeugt *od.* entstehend. – **2.** *biol.* auf der Außenseite erzeugt (*Pilzsporen*). – **3.** *geol.* von außen wirkend, exo'gen, außenbürtig.

ex·om·pha·los [ek'sɒmfəˌlɒs] *s med.* Nabelbruch *m*, Ex'omphalos *m*. — **ex'om·pha·lous** *adj* Exomphal...

Ex·on[1] ['eksɒn] *s* Bewohner(in) von Exeter (*England*).

ex·on[2] ['eksɒn] *s einer der 3 Offiziere der* Yeomen of the Guard (*königliche Leibwache*).

ex·o·nar·thex [ˌekso'nɑːrθeks; -sə-] *s arch.* äußerer Vorhof.

ex·on·er·ate [ig'zɒnəˌreit] *v/t* **1.** (*j-n*) entlasten, befreien: to ~ s.o. from a charge j-n von einer Anschuldigung befreien. – **2.** (from) entbinden (von), entheben (*gen*). – **3.** reinigen, freisprechen (from von), entschuldigen. – *SYN. cf.* exculpate. — **exˌon·er'a·tion** *s* Befreiung *f*, Entlastung *f*. — **ex'on·erˌa·tive** *adj* entlastend, befreiend.

ex·o·path·ic [ˌekso'pæθik] *adj med.* exo'pathisch (*aus äußeren Krankheitserregern entstanden*).

ex·o·pe·rid·i·um [ˌeksopi'ridiəm; -pə-] *s bot.* äußere Hüllhaut (*um die Sporenlager einiger Pilze*).

ex·oph·a·gous [ig'zɒfəgəs; ek's-] *adj* kanniba'listisch mit Ausschluß von Stammesangehörigen. — **ex'oph·a·gy** [-dʒi] *s* ˌMenschenfresse'rei, welche Stammesangehörige ausschließt.

ex·oph·thal·mi·a [ˌeksɒf'θælmiə] *s med.* Exophthal'mie *f*, Glotzäugigkeit *f*. — ˌ**ex·oph'thal·mic** *adj* exoph'thalmisch, vorstehend (*Auge*). — ˌ**ex·oph'thal·mos** [-mɒs], ˌ**ex·oph'thal·mus** [-məs] *s med.* Exoph'thalmus *m*, Glotzauge *n*, -äugigkeit *f*.

ex·op·o·dite [ig'zɒpəˌdait; ek's-] *s zo.* Außenast *m*: ~ of maxilliped Kieferfühler; ~ of schizopodal leg Außenfußast (*bei Krebsen*).

ex·o·ra·bil·i·ty [ˌeksərə'biliti; -əti] *s* Erbittlichkeit *f*, Zugänglichkeit *f*. — '**ex·o·ra·ble** *adj* erbittlich, (Bitten) zugänglich. — '**ex·o·ra·ble·ness** → exorability.

ex·or·bi·tance [ig'zɔːrbitəns; -bə-], *auch* **ex'or·bi·tan·cy** [-si] *s* **1.** Über'schreitung *f* (des Maßes), 'Übermaß *n*, Grenzen-, Maßlosigkeit *f*. – **2.** Neigung *f* zur Maßlosigkeit, Wucher *m*, Habsucht *f*, -gier *f*, Unmäßigkeit *f*. — **ex'or·bi·tant** *adj* **1.** über'trieben, 'übermäßig, grenzen-, maßlos, unerschwinglich, exorbi'tant, ungeheuer: ~ price Wucherpreis. – **2.** *jur.* 'widerrechtlich, verbrecherisch. – *SYN. cf.* excessive.

ex·or·cise ['eksɔːrˌsaiz] *v/t* **1.** (*böse Geister*) (durch Beschwörung) austreiben, bannen. – **2.** (*j-n, einen Ort*) (durch Beschwörung) von bösen Geistern befreien. – **3.** (*Geister*) beschwören, her'beirufen. — '**ex·orˌcism** *s* **1.** Exor'zismus *m*, Teufelsbannung *f*, -austreibung *f*, Geisterbeschwörung *f*. – **2.** Beschwörungsformel *f*. — '**ex·or·cist** *s* **1.** *relig.* Exor'zist *m*. – **2.** Teufelsaustreiber *m*, Geisterbeschwörer *m*. — '**ex·orˌcize** *cf.* exorcise.

ex·or·di·al [ig'zɔːrdiəl; ek's-] *adj* einleitend, Eingangs... — **ex'or·di·um** [-əm] *pl* **-ums** *od.* **-a** [-ə] *s* Einleitung *f*, Eingang *m*, Anfang *m* (*Rede, Abhandlung*).

ex·or·gan·ic [ˌeksɔːr'gænik] *adj* 'anorˌganisch geworden.

ex·o·skel·e·ton [ˌekso'skelitn; -lə-] *s zo.* 'Hautskeˌlett *n*, äußeres Ske'lett.

ex·os·mo·sis [ˌeksɒs'mousis; -sɒz-], *auch* '**ex·osˌmose** [-ˌmous] *s chem. phys.* Exos'mose *f*. — ˌ**ex·os'mot·ic** [-'mɒtik] *adj* exos'motisch.

ex·os·po·ral [ig'zɒspərəl] *adj bot.* exo'spor, nacktsporig. — **ex·o·spore** ['eksoˌspɔːr] *s bot.* Exo'sporium *n*, äußere Sporenhaut. — **ex'os·po·rous** → exosporal.

ex·os·tosed [ik'sɒstouzd; ig'z-] → exostotic. — **ex·os·to·sis** [ˌeksɒs'tousis] *s* **1.** *med.* Knochenauswuchs *m*, Exo'stose *f*. – **2.** *bot.* Knorren *m*, Auswuchs *m* (*an Bäumen*). — ˌ**ex·os'tot·ic** [-'tɒtik] *adj* exo'stotisch, mit Auswuchs behaftet.

ex·o·ter·ic [ˌekso'terik; -sə-] **I** *adj* exo'terisch, für Außenstehende bestimmt, öffentlich, popu'lär, gemeinverständlich. – **II** *s* Außenstehende(r), Nichteingeweihte(r). — ˌ**ex·o'ter·i·cal** → exoteric I. — ˌ**ex·o'ter·i·cal·ly** *adv* (*auch zu* exoteric I). — ˌ**ex·o'ter·iˌcism** [-ˌsizəm] *s* Gemeinverständlichkeit *f*. — ˌ**ex·o'ter·ics** *s pl* gemeinverständliche Vorlesungen *pl od.* Abhandlungen *pl*.

ex·o·the·ca [ˌekso'θiːkə] *pl* **-cae** [-siː] *s zo.* äußeres Gewebe (*der Korallen*). — ˌ**ex·o'the·cal**, ˌ**ex·o'the·cate** [-kit; -keit] *adj* Außengewebs...

ex·o·ther·mic [ˌekso'θəːrmik], *auch* ˌ**ex·o'ther·mal**, ˌ**ex·o'ther·mous** *adj chem.* exo'therm(isch), Wärme abgebend.

ex·ot·ic [ig'zɒtik; eg-; ek's-] **I** *adj* **1.** ex'otisch, ausländisch, fremd (*bes. Pflanzen*). – **2.** *fig.* ex'otisch, fremdländisch. – **II** *s* **3.** fremdländischer *od.* -artiger Mensch *od.* Gegenstand (*Pflanze, Sitte, Wort etc*). — **ex'ot·i·cal·ly** *adv.* — **ex'ot·iˌcism** [-ˌsizəm] *s* **1.** ausländische Art. – **2.** (*das*) Ex'otische. – **3.** ausländisches Idi'om.

ex·o·tox·ic [ˌekso'tɒksik] *adj* Exotoxin... — ˌ**ex·o'tox·in** [-in] *s chem.* Exoto'xin *n* (*von einem Mikroorganismus ausgehender Giftstoff*).

ex·pand [iks'pænd] **I** *v/t* **1.** ausbreiten, -spannen, entfalten. – **2.** ausdehnen, weiten, entwickeln, erweitern (*auch fig.*): heat ~s matter Wärme dehnt Körper aus. – **3.** (*Abkürzung*) voll ausschreiben. – **4.** *math.* (*Gleichung*) entwickeln. – **5.** *phys.* expan'dieren, entspannen, (auf)weiten, aufdornen. – **II** *v/i* **6.** sich ausbreiten *od.* -dehnen, sich erweitern: his heart ~s with joy sein Herz schwillt vor Freude. – **7.** sich entwickeln, aufblühen (into zu). – **8.** freundlich *od.* entgegenkommend werden. – *SYN.* amplify, dilate, distend, inflate, swell. — **ex'pand·a·ble** *adj* ausdehnbar. — **ex'pand·ed** *adj* **1.** gedehnt, geweitet, geöffnet. – **2.** *biol.* weitausgebreitet. – **3.** *ling.* erweitert, um'schreibend. – **4.** *print.* breit(laufend). — **ex'pand·er** *s* **1.** *sport* Ex'pander *m*, Muskelstrecker *m*. – **2.** *tech.* Rohrdichter *m*.

ex'pand·ing|-ˌband clutch [iks'pændiŋ] *s tech.* Spreizringkupplung *f*. — ~ **bor·er** *s tech.* Stellbohrer *m*. — ~ **bul·let** *s mil.* Dum'dumgeschoß *n*. — ~ **clutch** *s tech.* Ausdehnungskupplung *f*. — ~ **man·drel** *s tech.* Spreiz-, Spanndorn *m*. — ~ **roll·er** *s tech.* Riemenspanner *m*. — ~ **u·ni·verse** *s* (*Kosmologie*) expan'dierender Kosmos.

ex·panse [iks'pæns] *s* **1.** ausgedehnter Raum, weite Fläche, Ausdehnung *f*, Weite *f*. – **2.** *zo.* Flügel-, Spannweite *f*, Spanne *f*. – **3.** Ausbreitung *f*. — **exˌpan·si'bil·i·ty** *s* (Aus)Dehnbarkeit *f*, Ausdehnungsvermögen *n*. — **ex'pan·si·ble** *adj* (aus)dehnbar, dehnungsfähig. — **ex'pan·si·ble·ness** → expansibility. — **ex'pan·sile** [*Br.* -sail; *Am.* -sil] *adj* sich dehnend, (aus)dehnbar, Ausdehnungs...

ex·pan·sion [iks'pænʃən] *s* **1.** Ausbreitung *f*. – **2.** *phys.* Ausdehnen *n*, -dehnung *f*, Aufweitung *f*, Entspannung *f*: ~ due to heat Wärmeausdehnung; linear ~ lineare Ausdehnung, Längenausdehnung. – **3.** (weiter) 'Umfang, Raum *m*, Weite *f*. – **4.** *econ.* a) Erweiterung *f* (*Geschäft*), (Kapi'tal)Ausweitung *f*, b) Zunahme *f* (*Banknotenumlauf*). – **5.** *math.* Entwicklung *f* (*Gleichung etc*), entwickelte Schreibweise. – **6.** *tech.* Expansi'onsvorrichtung *f*. – **7.** *pol.* Expansi'on *f*, Gebietsvergrößerung *f*. — ~ **cir·cuit break·er** *s electr.* Expansi'ons(aus)schalter *m*. — ~ **coup·ling** *s tech.* Ausdehnungskupplung *f*. — ~ **en·gine** *s tech.* Expansi'onsmaˌschine *f*. — ~ **gear** *s tech.* Spannungshebel *m*, -steuerung *f*, -vorrichtung *f*.

ex·pan·sion·ism [iks'pænʃəˌnizəm] *s* Expansi'onspoliˌtik . — **ex'pan·sion·ist I** *s* Anhänger *m* der Expansi'onspoli,tik. – **II** *adj* expansio'nistisch, expan'siv, Expansions...

ex·pan·sion| joint *s tech.* **1.** (Aus)Dehnungsfuge *f.* – **2.** dehnbare Verbindung. — **~ pipe** *s tech.* Dehnungsrohr *n.* — **~ ring** *s tech.* Spannring *m.* — **~ screw** *s tech.* Spreizschraube *f.* — **~ stroke** *s tech.* Expansi'ons-, Arbeits-, Ausdehnungshub *m.* — **~ valve** *s tech.* Expansi'onsven,til *n.*

ex·pan·sive [iks'pænsiv] *adj* **1.** ausdehnend, expan'siv, Ausdehnungs..., Expansions...: **~ faculty** *phys.* Ausdehnungsvermögen; **~ force** *tech.* (Aus)Dehnungskraft, -vermögen. – **2.** ausdehnungsfähig. – **3.** weit, um'fassend, ausgedehnt, breit. – **4.** *fig.* mitfühlend, mitteilsam, freundlich. – **5.** *fig.* 'überschwenglich, bom'bastisch. – **6.** *psych.* größenwahnsinnig. — **ex'pan·sive·ness** *s* **1.** Ausdehnung *f.* – **2.** Ausdehnungsvermögen *n.* – **3.** *fig.* Mitteilsamkeit *f*, Offenheit *f*, Freundlichkeit *f.* – **4.** *fig.* 'Überschwenglichkeit *f.* – **5.** Megaloma'nie *f*, Größenwahn *m.*

ex par·te [eks 'pɑːrti] (*Lat.*) *adj u. adv jur.* (nur) von *od.* im Inter'esse 'einer Seite *od.* Par'tei gesehen, einseitig.

ex·pa·ti·ate [iks'peiʃi,eit; eks-] *v/i* **1.** sich (*in Wort od. Schrift*) auslassen, sich verbreiten (on, upon über *acc*). – **2.** *selten* um'herschweifen, sich tummeln. — **ex,pa·ti'a·tion** *s* **1.** langatmige Auslassung, weitläufige Ausführung *od.* Erörterung. – **2.** *selten* Um'herschweifen *n.* — **ex'pa·ti,a·tor** [-tər] *s* Schwätzer *m.* — **ex'pa·ti·a·to·ry** [*Br.* -,eitəri; *Am.* -ə,tɔːri] *adj* langatmig vortragend, weitläufig, sich in ('überlangen) Reden ergehend.

ex·pa·tri·ate [eks'peitri,eit; -'pæt-] **I** *v/t* **1.** (*j-n*) ausbürgern, (aus dem Vaterland) verbannen, expatri'ieren, (*j-m*) die Staatsbürgerschaft entziehen: to ~ oneself auswandern, die Nationalität aufgeben. – **II** *v/i* **2.** seine Nationali'tät aufgeben, auswandern. – **III** *adj* [-it; -,eit] **3.** verbannt, ausgebürgert. – **IV** *s* **4.** Verbannter *m*, Ausgebürgerter *m.* – **5.** freiwillig im Ex'il Lebende(r), j-d der seine Nationali'tät gewechselt hat. — **ex,pa·tri'a·tion** *s* **1.** Verbannung *f*, Vertreibung *f*, Ausbürgerung *f*, Aberkennung *f* der Staatsangehörigkeit. – **2.** Auswanderung *f.* – **3.** Wechsel *m* der Nationali'tät.

ex·pect [iks'pekt] **I** *v/t* **1.** (*j-n*) erwarten: to ~ s.o. to dinner j-n zum Essen erwarten. – **2.** (*etwas*) erwarten. – **3.** erwarten, hoffen: I ~ to see you soon ich erwarte *od.* hoffe, Sie bald zu sehen; I ~ (that) he will come ich erwarte, daß er kommt; I ~ you to come ich erwarte, daß du kommst. – **4.** (*etwas von j-m*) erwarten: **this is just what I ~ed of** (*od.* **from**) **him** genau das erwartete ich von ihm. – **5.** *oft neg* gefaßt sein auf (*acc*): **I had not ~ed such a reply** ich war auf so eine Antwort nicht gefaßt *od.* vorbereitet. – **6.** (*etwas*) vor'hersehen, (*einer Sache*) entgegensehen. – **7.** (*etwas*) bestimmt erwarten, rechnen auf (*acc*), (*etwas*) verlangen: **England ~s every man to do his duty** England erwartet, daß jeder Mann seine Pflicht tut. – **8.** *obs.* abwarten, warten auf (*acc*). – **9.** *colloq.* vermuten, denken, annehmen, glauben: I ~ so ich nehme (es) an. – **II** *v/i* **10.** *colloq.* schwanger sein: → expecting. – *SYN.* hope, look. — **ex'pect·ance** → expectancy.

ex·pect·an·cy [iks'pektənsi] *s* **1.** Erwarten *n*, Erwartung *f*, Hoffnung *f.* – **2.** Gegenstand *m* der Erwartung. – **3.** *econ. jur.* Anwartschaft *f*: **estate in ~** Gut, auf das j-d Anwartschaft hat; **tables of ~** (*Versicherungswesen*) Mortalitäts-, Lebenserwartungstafeln. – **4.** Aussicht *f.* – **5.** Anspruch *m.* — **ex'pect·ant I** *adj* **1.** erwartend: **to be ~ of s.th.** etwas erwarten. – **2.** erwartungsvoll, zuversichtlich. – **3.** Aussicht *od.* Anwartschaft habend (of auf *acc*): **~ heir** Thronanwärter. – **4.** zu erwarten(d). – **5.** *med.* abwartend, expekta'tiv. – **6.** schwanger, in anderen 'Umständen: **~ mother** werdende Mutter. – **II** *s* **7.** Anwärter(in), Expek'tant(in) (of auf *acc*).

ex·pec·ta·tion [,ekspek'teiʃən] *s* **1.** Erwartung *f*, Erwarten *n*: **beyond ~** über Erwarten; **on tiptoes with ~** brennend vor Erwartung; **against** (*od.* **contrary to**) **~(s)** wider Erwarten, entgegen allen Erwartungen; **according to ~** erwartungsgemäß; **to fall short of s.o.'s ~s** hinter j-s Erwartungen zurückbleiben. – **2.** Gegenstand *m* der Erwartung: **to have great ~s** einmal viel (*durch Erbschaft etc*) zu erwarten haben. – **3.** *oft pl* Hoffnung *f*, Aussicht *f*: → life 7. – **4.** erwartungsvolle (geistige) Einstellung. – **5.** Zustand *m* der Erwartung. – **6.** *med.* abwartende Haltung. – **7.** *math.* Erwartungswert *m.* — **E~ Week** *s relig. die 10 Tage zwischen Himmelfahrt u. Pfingsten.*

ex·pect·a·tive [iks'pektətiv] *adj* **1.** abwartend, erwartend. – **2.** die Anwartschaft auf etwas gebend, Anwartschafts...: **~ grace** Verleihung der Anwartschaft auf eine (noch besetzte) Pfründe. — **ex'pect·ed·ly** [-idli] *adv* wie zu erwarten, erwartungsgemäß. — **ex'pect·ing** *adj* schwanger: **to be ~** in anderen Umständen sein.

ex·pec·to·rant [iks'pektərənt] **I** *adj* schleimlösend. – **II** *s* schleimlösendes Mittel, Ex'pektorans *n*, Lösemittel *n.* — **ex'pec·to,rate** [-,reit] **I** *v/t* **1.** *med.* (*Schleim*) auswerfen, -speien, -husten. – **2.** (*etwas*) ausspucken. – **II** *v/i* **3.** a) (aus)spucken, b) Blut spucken *od.* husten. — **ex,pec·to'ra·tion** *s* **1.** *med.* Auswerfen *n* (*Schleim etc*). – **2.** (Aus)Spucken *n.* – **3.** Auswurf *m*, Sputum *n.*

ex·pe·di·ence [iks'piːdiəns], **ex'pe·di·en·cy** [-si] *s* **1.** Tunlichkeit *f*, Ratsamkeit *f*, Schicklichkeit *f*, Angemessenheit *f.* – **2.** Nützlichkeit *f*, Vorteilhaftigkeit *f*, Zweckdienlichkeit *f*, -mäßigkeit *f.* – **3.** (kluge, selbstsüchtige) Berechnung, 'Zweckdienlichkeitsprin,zip *n*, (verwerfliche) Selbstsucht. — **ex'pe·di·ent I** *adj* **1.** tunlich, ratsam, angemessen, passend, angebracht. – **2.** nützlich, praktisch, zweckdienlich, -mäßig, vorteilhaft. – **3.** eigennützig, selbstsüchtig. – *SYN.* advisable, politic. – **II** *s* **4.** (Hilfs)Mittel *n*, (Not)Behelf *m*: **by way of ~** behelfsmäßig. – **5.** Ausweg *m*, Ausflucht *f*: **to hit upon an ~** einen Ausweg finden. – *SYN. cf.* resource. — **ex,pe·di'en·tial** [-'enʃəl] *adj* Zweckmäßigkeits..., Nützlichkeits... — **ex'pe·di·ent·ly** *adv* zweckmäßigerweise.

ex·pe·dite ['ekspi,dait; -pə-] **I** *v/t* **1.** beschleunigen, fördern: **to ~ matters** die Dinge beschleunigen, der Sache nachhelfen. – **2.** schnell ausführen *od.* verrichten. – **3.** expe'dieren, absenden, befördern. – **4.** (*Dokument etc amtlich*) ausstellen, her'ausgeben. – **II** *adj* **5.** unbehindert, leicht. – **6.** rasch. — **,ex·pe'di·tion** [-'diʃən] *s* **1.** Eile *f*, Schnelligkeit *f*, Geschwindigkeit *f*: **with the utmost ~** mit äußerster Eile. – **2.** Gewandtheit *f.* – **3.** (Forschungs)Reise *f*, Expediti'on *f*, Fahrt *f*: **on an ~** auf einer Expedition. – **4.** (Mitglieder *pl* einer) Expediti'on. – **5.** *mil.* Kriegs-, Feldzug *m*, Unter'nehmen *n*, -'nehmung *f.* – *SYN. cf.* haste. — **,ex·pe'di·tion·ar·y** [*Br.* -nəri; *Am.* -,neri] *adj* Expeditions...: **~ force** Expeditionsstreitkräfte.

ex·pe·di·tious [,ekspi'diʃəs; -pə-] *adj* **1.** schnell (bereit), eilig, flink, emsig, geschäftig, prompt: **~ answer.** – **2.** förderlich. – *SYN. cf.* fast[1]. — **,ex·pe'di·tious·ness** *s* Eile *f*, Geschwindigkeit *f*, prompte Erledigung.

ex·pel [iks'pel] *pret u. pp* **-'pelled** *v/t* **1.** (hin)'aus-, weg-, forttreiben (from von, aus): **to have s.o. ~led (from) a country** j-n aus einem Land ausweisen lassen. – **2.** wegjagen, verbannen. – **3.** hin'auswerfen, ausstoßen, -schließen, rele'gieren: **he was ~led (from) the school** er wurde von der Schule ausgeschlossen. – **4.** *chem.* abtreiben. – *SYN. cf.* eject. — **ex'pel·la·ble** *adj* **1.** vertreibbar, auszutreiben(d) (*auch chem.*). – **2.** ausschließbar. — **ex'pel·lant** *adj u. s med.* austreibend(es Mittel). — **ex·pel·lee** [,ekspe'liː] *s* Heimatvertriebene(r), Flüchtling *m.* — **ex'pel·lent** *cf.* expellant. — **ex'pel·ler** *s* Vertreiber *m* (of *gen*).

ex·pend [iks'pend] **I** *v/t* **1.** (*Zeit, Mühe etc*) aufwenden, verwenden, (*Geld*) auslegen: **to ~ much time on s.th.** viel Zeit für etwas verwenden. – **2.** verbrauchen, verzehren: **to ~ oneself** *fig.* sich verausgaben. – **3.** *mar.* a) (*durch Sturm etc*) verlieren, b) (*Tau*) um'winden. – **II** *v/i* **4.** Geld ausgeben. — **ex'pend·a·ble I** *adj* **1.** verbrauchbar, zum Verbrauch: **~ item** *mil. Am.* Verbrauchsartikel; **~ items**, *Br.* **~ stores** *mil.* Verbrauchsmaterial. – **2.** *mil.* entbehrlich, dem Feind (*im Notfall*) aufzuopfern(d). – **II** *s meist pl* **3.** *bes. mil.* Verbrauchsgüter *pl.* – **4.** *mil.* verlorener Haufe. — **ex'pen·di·ture** [-ditʃər] *s* **1.** Verausgabung *f*, Ausgabe *f.* – **2.** Aufwand *m*: **~ of energy** Aufwand an Energie. – **3.** Verbrauch *m* (of an *dat*). – **4.** verausgabter Betrag, Kosten *pl*: **the ~** die Ausgaben; **estimate of ~s** Kostenanschlag; **excess of ~** Mehraufwand, Mehrausgaben; **net ~s** Reinausgaben; **~ for repairs** Instandsetzungskosten. – **5.** *pl econ.* Auslagen *pl*, Ausgänge *pl.*

ex·pense [iks'pens] *s* **1.** (Geld)Ausgabe *f*, Auslage *f*, Aufwand *m*, Verbrauch *m.* – **2.** *pl* (Un)Kosten *pl*, Spesen *pl.* – **3.** Aufwand *m.* – **4.** *fig.* Kosten *pl*: **there was much laughter at his ~** er wurde tüchtig ausgelacht. – **5.** *obs.* Verschwendung *f.* – *Besondere Redewendungen*:

~s advanced Spesen-, Kostenvorschuß; **~s covered** kostenfrei; **~s deducted** nach Abzug der Kosten; **~s for management and administration** Betriebs- u. Verwaltungskosten; **~ item** Ausgabeposten; **bill of ~s** Spesenrechnung; **calculation of ~s** Kostenberechnung; **cash ~s** Barauslagen; **charge for ~s** Unkostenberechnung; **collection ~s** Einziehungskosten; **covering of the ~s** Kostendeckung; **fixed** (*od.* **ordinary** *od.* **running**) **~s** laufende Ausgaben; **living ~** Lebenshaltungskosten; **the matter of ~s** der Kostenpunkt; **working ~s** Betriebs(un)kosten; **to spare no ~** keine Kosten scheuen, es sich etwas kosten lassen; **at any ~** um jeden Preis; **at an ~ of** mit einem Aufwand von, unter Verlust von; **at the ~ of** a) auf Kosten von, b) *fig.* zum Schaden *od.* Nachteil von; **at my ~** auf meine Kosten; **to bear (the) ~s** (*od.* **the ~**) die Kosten tragen; **to go to the ~ of buying s.th.** soweit gehen etwas zu kaufen; **to put s.o. to great ~** j-m große Kosten verursachen; → go 22; incidental 5; out-of-pocket.

ex·pen·sive [iks'pensiv] *adj* teuer, kostspielig: **it will come ~** es wird teuer sein *od.* viel Geld kosten. – *SYN. cf.* costly. — **ex'pen·sive·ness** *s* Kostspieligkeit *f.*

ex·pe·ri·ence [iks'pi(ə)riəns] **I** *s* **1.** Erfahrung *f*, Praxis *f*: I learnt by ~ ich habe aus der *od.* durch Erfahrung gelernt; by (*od.* from) my own ~ aus eigener Erfahrung; to speak from ~ aus Erfahrung sprechen; based on ~ auf Erfahrung gegründet; I know (it) by ~ ich weiß (es) aus Erfahrung, ich kann ein Lied davon singen. – **2.** Erlebnis *n*: I had a strange ~ ich hatte ein seltsames Erlebnis, ich habe etwas Seltsames erlebt. – **3.** (*in der Praxis erworbenes*) Wissen, Erfahrung *f*, Empi'rie *f*, Kenntnisse *pl* (*auf bestimmtem Gebiet*): business ~, ~ in trade Geschäftserfahrung, -routine; many years' ~ langjährige Erfahrung(en). – **4.** *relig.* a) Er'fahrungsreligi,on *f*, b) *Am.* Erleuchtung *f*, religi'öse Erweckung: ~ meeting methodistische Erweckungsversammlung. – **II** *v/t* **5.** erfahren, kennenlernen. – **6.** erleben, stoßen auf (*acc*): to ~ difficulties auf Schwierigkeiten stoßen. – **7.** erleiden, empfinden, 'durchmachen: to ~ an advance *econ.* eine Kurssteigerung erfahren; to ~ losses Verluste erleiden; to ~ pain (sorrow) Schmerz (Kummer) erdulden; to ~ pleasure Vergnügen empfinden; to ~ religion *Am. colloq.* erweckt *od.* bekehrt werden. — **ex'pe·ri·enced** *adj* erfahren, bewandert, erprobt, geschickt, routi'niert: ~ in business geschäftskundig.

ex·pe·ri·ence ta·ble *s* (*Versicherungswesen*) 'Sterblichkeitsta,belle *f*.

ex·pe·ri·ent [iks'pi(ə)riənt] **I** *s* **1.** *psych.* Wahrnehmende(r), j-d der etwas erlebt. – **2.** *selten* erfahrener Mensch. – **II** *adj selten* **3.** erfahren. — **ex,pe·ri'en·tial** [-'enʃəl] *adj philos.* erfahrungsmäßig, em'pirisch, Erfahrungs... — **ex,pe·ri'en·tial,ism** *s philos.* Empi'rismus *m*. — **ex,pe·ri'en·tial·ist I** *s* Em'piriker *m*, Anhänger *m* des Empi'rismus. – **II** *adj* em'pirisch, Erfahrungs...

ex·per·i·ment I *s* [iks'perimənt; -rə-] Versuch *m*, Probe *f*, Experi'ment *n*: to demonstrate by ~ experimentell erläutern; fundamental ~ Grundversuch; ~ on animals Tierversuch; ~ station *Am.* Versuchsstation. – **II** *v/i* [-,ment] experimen'tieren, Versuche anstellen (on, upon an *dat*; with mit): to ~ with s.th. etwas erproben *od.* versuchen; to ~ on s.th. an einer Sache Versuche anstellen.

ex·per·i·men·tal [iks,peri'mentl; -rə-] *adj* **1.** *phys.* Versuchs..., experimen'tell, Experimental..., praktisch: ~ error Versuchsfehler; ~ evolution *biol.* künstliche Erzeugung neuer Rassen *od.* Gattungen (*durch Hybridenerzeugung etc*); ~ physics Experimentalphysik; → stage 8. – **2.** Erfahrungs..., auf Erfahrung gegründet: ~ philosophy. – **3.** Erfahrungs..., Erlebnis... — **ex,per·i'men·tal·ist** *s* **1.** Experimen'tator *m*. – **2.** Experimenta'list *m*. — **ex,per·i'men·tal,ize** *v/i* experimen'tieren, Versuche anstellen (on, upon an *dat*). — **ex,per·i'men·tal·ly** *adv* durch Versuch *od.* Erfahrung, experimen'tell, auf experimentellem Wege. — **ex,per·i·men'ta·tion** *s* Experimen'tieren *n*.

ex·pert ['ekspəːrt] **I** *adj* [*pred auch* iks'pəːrt] **1.** erfahren, kundig. – **2.** Sachverständigen..., fachmännisch: ~ work. – **3.** geschickt, gewandt (at, in in *dat*). – *SYN. cf.* proficient. – **II** *s* **4.** Fachmann *m*, (Sach)Kundiger *m*, Kenner *m*. – **5.** Autori'tät *f*, Spezia'list *m*, Sachverständiger *m*, Gutachter *m*, Ex'perte *m* (at, in in *dat*; on s.th. [auf dem Gebiet] einer Sache): mining ~ Bergbausachverständiger; ~ opinion (Sachverständigen)Gutachten.

ex·per·tise [ɛkspɛr'tiːz] (*Fr.*) *s* **1.** Exper'tise *f*, (Sachverständigen)Gutachten *n*. – **2.** Sachkenntnis *f*. – **3.** fachmännisches Geschick.

ex·pert·ness [eks'pəːrtnis] *s* Geschicklichkeit *f*, Erfahrenheit *f*.

ex·pi·a·ble ['ekspiəbl] *adj* sühnbar. — **'ex·pi,ate** [-,eit] *v/t* sühnen, wieder'gutmachen, (ab)büßen. — **,ex·pi'a·tion** *s* **1.** Sühne *f*, (Ab)Büßung *f*, Buße *f*, Tilgung *f*: to make ~ for s.th. etwas sühnen; in ~ of s.th. um etwas zu sühnen. – **2.** *antiq.* Sühnopfer *n*. – **3.** Feast of E~ *relig.* (jüd.) Versöhnungsfest *n*. — **'ex·pi·a·to·ry** [*Br.* -,eitəri; *Am.* -ə,təːri] *adj* sühnend, Sühn..., Buß...: ~ sacrifice Sühnopfer; to be ~ of s.th. etwas sühnen, die Sühne für etwas sein.

ex·pi·ra·tion [,ekspi'reiʃən; -pə-] *s* **1.** Ausatmen *n*, -atmung *f*. – **2.** *fig.* letzter Atemzug, Verscheiden *n*, Tod *m*. – **3.** *fig.* Ablauf *m*, Verlauf *m*, Ende *n*, Schluß *m*: at the ~ of the year nach Ablauf des Jahres. – **4.** *econ.* Verfall *m*, Fälligwerden *n* (*Wechsel etc*): at the time of ~ zur Zeit der Zahlung, zur Verfallszeit. – **5.** Hauch *m*, Laut *m*. — **ex·pir·a·to·ry** [*Br.* iks'pai(ə)rətəri; *Am.* -,təːri] *adj* ausatmend, Ausatmungs..., Atem...: ~ organ Atmungsorgan.

ex·pire [iks'paiǝr] **I** *v/t* **1.** (*Luft*) ausatmen, -hauchen. – **2.** *obs.* (*Geruch etc*) ausströmen. – **II** *v/i* **3.** ausatmen, -hauchen. – **4.** sterben, verscheiden. – **5.** *poet.* vergehen, 'untergehen. – **6.** enden, zu Ende gehen, ablaufen, verstreichen. – **7.** ungültig werden, verfallen, seine Gültigkeit verlieren: the ticket has ~d die Fahrkarte ist verfallen. – **8.** *econ.* fällig werden. – **9.** erlöschen (*Rechte, Titel etc*). — **ex'pir·ing** *adj* **1.** sterbend, Todes... – **2.** ablaufend, verfallend. — **ex'pi·ry** *s* **1.** Ablauf *m*, Ende *n*. – **2.** *obs.* Tod *m*.

ex·pis·cate [iks'piskeit; eks-] *v/t bes. Scot.* her'ausfinden, erforschen.

ex·plain [iks'plein] **I** *v/t* **1.** erklären, erläutern, verständlich machen, ausein'andersetzen: to ~ s.th. to s.o. j-m etwas erklären; to ~ s.th. away (*j-m*) etwas ausreden, etwas durch Erklären beseitigen. – **2.** begründen, rechtfertigen: ~ yourself! a) erklären Sie sich (deutlich)! b) rechtfertigen Sie sich! to ~ one's conduct sein Verhalten rechtfertigen. – **II** *v/i* **3.** Erklärung(en) geben, sich erklären. – *SYN.* elucidate, explicate, expound, interpret. — **ex'plain·a·ble** *adj* **1.** erklärbar, erklärlich, zu erklären(d). – **2.** zu rechtfertigen(d).

ex·pla·na·tion [,eksplə'neiʃən] *s* **1.** Erklärung *f*, Erläuterung *f* (of für): to give an ~ of s.th. etwas erklären; in ~ of zur Erklärung von, als Erklärung für, um zu erklären; to make some ~ eine Erklärung abgeben, sich erklären. – **2.** Auslegung *f*, Aufklärung *f*, Aufhellung *f*: to find an ~ of (*od.* for) a mystery. – **3.** Ausein'andersetzung *f*, Verständigung *f*: to come to an ~ with s.o. sich mit j-m verständigen. — **ex·plan·a·tive** [iks'plænətiv] → explanatory. — **ex'plan·a·to·ri·ness** [*Br.* -tərinis; *Am.* -,təːr-] *s* erklärende Beschaffenheit. — **ex'plan·a·to·ry** *adj* erklärend, erläuternd: to be self-~ sich von selbst erklären *od.* verstehen.

ex·plant *biol.* **I** *v/t* [*Br.* eks'plɑːnt; *Am.* -'plæ(ː)nt] (*Gewebe etc*) verpflanzen. – **II** *s* ['ekspl-] verpflanztes Gewebestück. — **,ex·plan'ta·tion** *s* Gewebszüchtung *f*, Explantati'on *f*.

ex·ple·ment ['ekspliment] *s math.* Ergänzung *f* (*zu 360°*).

ex·ple·tive ['eksplitiv; *Br. auch* eks'pliːtiv] **I** *adj* **1.** ausfüllend, Ausfüll... – **II** *s* **2.** Füllsel *n*, ‚Lückenbüßer' *m*. – **3.** *ling.* Füllwort *n*. – **4.** *euphem.* Fluch *m*, Verwünschung *f*. — **'ex·ple·to·ry** [*Br.* -təri; *Am.* -,təːri] → expletive I.

ex·pli·ca·ble ['eksplikəbl] *adj* erklärbar, erklärlich. — **'ex·pli,cate** [-,keit] *v/t* erklären, (*Begriffe etc*) entwickeln, erläutern, ausein'andersetzen, expli'zieren. – *SYN. cf.* explain. — **,ex·pli'ca·tion** *s* **1.** Erklärung *f*, Erläuterung *f*. – **2.** Entfaltung *f*, Entwicklung *f*. — **'ex·pli,ca·tive**, **'ex·pli·ca·to·ry** [*Br.* -,keitəri; -kə-; *Am.* -kə,təːri] *adj* erklärend, erläuternd.

ex·plic·it [iks'plisit] *adj* **1.** deutlich, bestimmt, klar, ausdrücklich. – **2.** ausführlich. – **3.** offen (*Person*). – **4.** *math.* expli'zit: ~ form explizite *od.* entwickelte Schreibweise. – *SYN.* definite, express, specific. — **ex'plic·it·ness** *s* Deutlichkeit *f*, Bestimmtheit *f*.

ex·plode [iks'ploud] **I** *v/t* **1.** zur Explosi'on bringen, in die Luft sprengen, explo'dieren *od.* losgehen lassen. – **2.** (*Theorie etc*) verwerfen, über den Haufen werfen, (*Brauch*) vernichten, beseitigen: to be ~d überlebt *od.* veraltet sein. – **3.** *ling.* als Explo'sivlaut aussprechen. – **4.** *obs.* (*Stück etc*) auspfeifen. – **II** *v/i* **5.** explo'dieren, in die Luft fliegen, (zer)platzen, sich entladen, abknallen. – **6.** *fig.* (explosi'onsartig) her'vor- *od.* ausbrechen, platzen (with vor *dat*): to ~ with fury vor Wut platzen; to ~ with laughter in Gelächter ausbrechen, ‚sich totlachen'.

ex·plod·ed view [iks'ploudid] *s tech.* Darstellung *f* in ausein'andergezogener Anordnung.

ex·plod·ent [iks'ploudənt] → explosive 5. — **ex'plod·er** *s* Explosi'ons-, Sprengmittel *n*, Zündgerät *n*.

ex·ploit I *s* ['eksplɔit; iks'plɔit] **1.** (Helden)Tat *f*. – *SYN. cf.* feat[1]. – **II** *v/t* [iks'plɔit] **2.** ausbauen, in Betrieb nehmen, benutzen, kulti'vieren. – **3.** *math. tech.* ausschlachten, -werten, abbauen. – **4.** (*etwas*) erfolgreich *od.* gewinnbringend ausbeuten, ausnutzen, -werten. – **5.** (*j-n*) ausnutzen, -beuten. — **ex'ploit·a·ble** *adj* (aus)nutzbar. — **,ex·ploi'ta·tion**, *auch* **ex'ploit·age** *s* **1.** Inbe'triebnahme *f*. – **2.** Abbau *m*, Ausnutzung *f*, -beutung *f*: wasteful ~ Raubbau. – **3.** *econ.* Verwertung *f*: right of ~ Verwertungsrecht. — **ex'ploit·a·tive** [-ətiv] *adj* ausnutzend, Ausbeutungs... — **ex'ploit·er I** *s* Ausbeuter *m*. – **II** *v/t Am.* ausbeuten.

ex·plo·ra·tion [,eksplo'reiʃən; -plə-] *s* **1.** Erforschung *f* (*Land*). – **2.** Unter'suchung *f*. – **3.** *ped.* Orien'tierung *f*: ~ course Orientierungs-, Überblickskurs. — **ex·plor·a·tive** [iks'plɔːrətiv] → exploratory. — **ex'plor·a·to·ry** [*Br.* -təri; *Am.* -,təːri] *adj* **1.** (er)forschend, unter'suchend, Erkundungs..., Forschungs...: ~ drilling Versuchs-, Probebohrungen; ~ expedition Forschungs-, Entdeckungsreise. – **2.** unter'suchend: ~ incision *med.* Probeinzision. – **3.** informa'torisch, Informations...

ex·plore [iks'plɔːr] **I** *v/t* **1.** (*Land*) erforschen, auskundschaften, unter'suchen. – **2.** *med.* (*Wunde*) son'dieren. – **3.** *tech.* aufschließen. – **4.** *obs.* suchen nach. – **II** *v/i* **5.** eingehende Unter'suchungen anstellen, Forschungsarbeit treiben, forschen. — **ex'plor·er** *s* **1.** Forscher *m*, Forschungsreisender *m*: polar ~ Polarforscher. – **2.** *med.* Sonde *f*. – **3.** E~ *amer. Erdsatellit.*

ex·plo·sion [iks'plouʒən] *s* **1.** Explosi'on *f*, Entladung *f*, Schuß *m*: colliery ~ Grubenexplosion; fire-damp ~ schlagende Wetter. – **2.** Knall *m*, Erschütterung *f*, Detonati'on *f*. – **3.** *fig.* Ausbruch *m*. – **4.** *med.* Entladung *f* (*Nerv*). – **5.** *ling.* Explosi'on *f* (*Verschlußsprengung bei*

Verschlußlauten). — ~ **gas** *s mil.* Pulvergas *n.*

ex·plo·sive [iks'plousiv] **I** *adj* **1.** explo'siv, sich entladend, Knall..., Schlag..., Spreng...: ~ **rivet** Sprengniete. – **2.** Explosions... – **3.** *fig.* aufbrausend. – **II** *s* **4.** Explo'siv-, Sprengstoff *m*, -mittel *n.* – **5.** *ling.* Explo'siv-, Verschlußlaut *m* (*k, p, t*). – **6.** *pl mil.* Muniti'on *f* u. Sprengstoffe *pl.* — ~ **bomb** *s mil.* Sprengbombe *f.* — ~ **charge** *s mil. tech.* Sprengladung *f*, -körper *m.* — ~ **cot·ton** *s tech.* Schießbaumwolle *f*, 'Nitrocelluˌlose *f.* — ~ **ef·fect** *s mil.* Bri'sanz-, Sprengwirkung *f.* — ~ **fill·er** *s mil.* Sprengstoff-Füllung *f.* — ~ **flame** *s tech.* Stichflamme *f.* — ~ **force** *s mil. tech.* Bri'sanz-, Sprengkraft *f.*

ex·plo·sive·ness [iks'plousivnis] *s* Explosi'onsfähigkeit *f.*

ex·po·nent [iks'pounənt] *s* **1.** *fig.* Expo'nent *m*, Typ *m*, Repräsen'tant *m.* – **2.** *math.* Expo'nent *m*, Hochzahl *f.* – **3.** erklärendes Beispiel. – **4.** Erläuterer *m*, Erklärer(in). – **5.** *fig.* Vertreter(in), Verfechter(in) (*Grundsatz etc*). — **ex·po·nen·tial** [ˌekspo'nenʃəl] *math.* **I** *adj* Exponential...: ~ **series** Exponentialreihe. – **II** *s* Exponenti'algröße *f.* — **ex'po·ni·ble** *philos.* **I** *adj* eine Erklärung fordernd, neu zu formu'lieren(d). – **II** *s* zu erklärende Behauptung.

ex·port I *v/t* [iks'pɔːrt] *econ.* **1.** expor'tieren, ausführen, versenden. – **II** *s* ['eks-] **2.** Ex'port *m*, Ausfuhr *f.* – **3.** 'Ausfuhrarˌtikel *m.* – **4.** *pl* a) Gesamtausfuhr *f*, b) Ausfuhrware *f.* – **III** *adj* **5.** Ausfuhr..., Export... — **ex'port·a·ble** *adj* ausführbar, ex'portfähig, zur Ausfuhr geeignet, Ausfuhr... — ˌ**ex·por'ta·tion** *s* **1.** Ausfuhr *f*, Ex'port *m.* – **2.** Ex'portarˌtikel *m.*

ex·port| bar ['ekspɔːrt] *s econ.* Goldbarren *m* (*für internationalen Goldexport*). — ~ **boun·ty** *s* Ex'port-, Ausfuhrprämie *f.* — ~ **cred·it** *s* Ex'port-, 'Ausfuhrkreˌdit *m.* — ~ **dec·la·ra·tion** *s* Ex'porterklärung *f*, 'Ausfuhrdeklaratiˌon *f* (*bei Seetransport*). — ~ **du·ty** *s* Ausfuhr-, Ausgangszoll *m.*

ex·port·er [iks'pɔːrtər] *s* Expor'teur *m.*

ex·port| li·cence, *bes. Am.* ~ **li·cense** ['ekspɔːrt] *s econ.* Ausfuhrbewilligung *f.* — ~ **per·mit** *s* Ausfuhrbewilligung *f*, -zollschein *m*, 'Zollpasˌsierzettel *m.* — ~ **point** *s* oberer Goldpunkt. — ~ **pre·mi·um** *s* 'Ausfuhrˌprämie *f.* — ~ **sur·plus** *s* 'Ausfuhrˌüberschuß *m.* — ~ **trade** *s* Ex'port-, Ausfuhr-, Ak'tiv-, Außenhandel *m.*

ex·pos·al [iks'pouzəl] → **exposure.**

ex·pose [iks'pouz] *v/t* **1.** (*einer Gefahr etc*) aussetzen, preisgeben: ~**d position** exponierte *od.* gefährliche Lage. – **2.** (*Kind*) aussetzen. – **3.** *fig.* bloßstellen: to ~ **oneself** sich bloßstellen. – **4.** enthüllen, entblößen. – **5.** aufdecken, entlarven: to ~ **a thief** einen Dieb entlarven. – **6.** *fig.* (*j-n*) aussetzen, unter'werfen (to *dat*): to ~ **oneself to ridicule** sich lächerlich machen, sich dem Gespött (der Leute) aussetzen. – **7.** (*Waren*) ausstellen, -legen, feilhalten: to ~ **for inspection** zur Ansicht auslegen; to ~ **for sale** zum Verkauf ausstellen. – **8.** *phot.* expo'nieren, belichten. – **9.** *fig.* darlegen, ausein'andersetzen. – *SYN. cf.* **show.** — **ex'posed** *adj* **1.** frei, offen. – **2.** expo'niert, ungeschützt, preisgegeben, gefährdet. – *SYN. cf.* **liable.** — **ex'pos·ed·ness** [-idnis] *s* Ausgesetztsein *n.*

ex·po·sé [*Br.* eks'pouzei; *Am.* ˌekspou'zei] *s* **1.** Expo'sé *n*, Denkschrift *f*, Ausein'andersetzung *f*, Darlegung *f*, Bericht *m.* – **2.** Enthüllung *f*, Entlarvung *f.*

ex·po·si·tion [ˌekspo'ziʃən; -pə-] *s* **1.** (*öffentliche*) Ausstellung, Schau *f.* – **2.** Darlegung(en *pl*) *f*, Erklärung *f*, Ausführung(en *pl*) *f.* – **3.** (Kinder-)Aussetzung *f*, Preisgabe *f.* – **4.** Ausgesetztsein *n.* – **5.** Expositi'on *f* (*Drama, Stoff*). – **6.** *philos.* Auslegung *f*, (aristo'telische) Ekthesis. – **7.** *mus.* Expositi'on *f*: a) erster Teil einer So'nate, b) einleitender Teil einer Fuge. – **8.** *phot.* Belichtung *f.*

ex·pos·i·tive [iks'pɒzitiv; -zə-] *adj* erklärend, erläuternd: to be ~ **of s.th.** etwas erklären. — **ex'pos·i·tor** [-tər] *s* Ausleger *m*, Erklärer *m*, Deuter *m*, Kommen'tator *m.* — **ex'pos·i·to·ry** [*Br.* -təri; *Am.* -ˌtɔːri] *adj* erklärend, Kommentar...

ex post fac·to ['eks ˌpoust 'fæktou] (*Lat.*) nach geschehener Tat: ~ **law** *jur.* rückwirkendes Gesetz.

ex·pos·tu·late [iks'pɒstʃuˌleit; -tʃə-; *Br. auch* -tju-] *v/i* **1.** prote'stieren. – **2.** (ernste) Vorhaltungen machen (with *dat*). – **3.** zur Rede stellen, zu'rechtweisen (with *acc*). – *SYN. cf.* **object.** — **exˌpos·tu'la·tion** *s* **1.** Klage *f*, Pro'test *m.* – **2.** ernste Vorstellung *od.* Vorhaltung, Verweis *m.* – **3.** Wortwechsel *m.* — **ex'pos·tuˌla·tive, ex'pos·tu·la·to·ry** [*Br.* -ˌleitəri; *Am.* -ləˌtɔːri] *adj* Vorhaltungen machend, mahnend, Beschwerde...

ex·po·sure [iks'pouʒər] *s* **1.** (Kindes-)Aussetzung *f.* – **2.** Aussetzen *n*: ~ **to gas** *biol.* Begasung; ~ **to light** Belichtung. – **3.** Ausgesetztsein *n*, Preisgegebensein *n*: **death by** ~ Tod durch Erfrieren *od.* durch die Unbilden der Witterung. – **4.** *med.* Frei-, Bloßlegung *f*, Expositi'on *f.* – **5.** *fig.* Bloßstellung *f*, Enthüllung *f*, Entlarvung *f*, Aufdeckung *f.* – **6.** ungeschützte Lage. – **7.** *phot.* a) Belichtung(szeit) *f*, b) Aufnahme *f*: ~ **against the sun** Gegenlichtaufnahme; ~ **value** Lichtwert. – **8.** Feilhalten *n*, Ausstellung *f* (*Waren*). – **9.** Lage *f* (*Gebäude*): **southern** ~ Südlage. – **10.** freie, offene (Ober-)Fläche. — ~ **me·ter** *s phot.* Belichtungsmesser *m.*

ex·pound [iks'paund] **I** *v/t* **1.** erklären, erläutern: to ~ **a theory** eine Theorie entwickeln. – **2.** auslegen: to ~ **a text.** – **II** *v/i* **3.** Erläuterungen geben (upon über *acc*, zu). – *SYN. cf.* **explain.**

ex·pres·i·dent [ˌeks'prezidənt; -zə-] *s* 'Ex-Präsiˌdent *m*, ehemaliger Präsi'dent.

ex·press [iks'pres] **I** *v/t* **1.** (*Saft etc*) auspressen, ausdrücken (from, out of aus). – **2.** (*durch Worte etc*) ausdrücken, äußern, beschreiben, (*etwas*) zum Ausdruck bringen: to ~ **one's opinion** seine Meinung äußern; to ~ **oneself** sich äußern, sich erklären; **not to be** ~**ed** unaussprechlich. – **3.** *selten* (*Geständnis etc*) erpressen, her'auslocken. – **4.** bezeichnen, bedeuten, vor-, darstellen. – **5.** (*Gefühle etc*) zeigen, offen'baren, an den Tag legen. – **6.** a) durch Eilboten schicken, als Eilgut senden, b) *Am.* (*Gepäck etc*) durch ein Pri'vattransˌportunterˌnehmen befördern lassen. – *SYN.* **air**[1], **broach, utter, vent**[1], **voice.** – **II** *adj* **7.** ausdrücklich, bestimmt, deutlich. – **8.** Express..., Schnell..., Eil...: ~ **messenger (letter, delivery)** *Br.* Eilbote (Eilbrief, -zustellung). – **9.** genau, gleich: **these were his** ~ **words** dies waren genau seine Worte. – **10.** besonder(er, e, es): **he came for this** ~ **purpose** er kam eigens zu diesem Zweck. – *SYN. cf.* **explicit.** – **11.** *Am.* Privattransport...: ~ **delivery** Beförderung durch ein privates Transportunternehmen. – **III** *adv* **12.** ex'preß. – **13.** eigens. – **14.** *Br.* durch Eilboten, per Ex'preß, als Eilgut: **to send s.th.** ~. – **15.** *Am.* durch Pri'vattransˌport. – **IV** *s* **16.** *Br.* Eilbote *m.* – **17.** *Am.* pri'vate Beförderung. – **18.** Eilbeförderung *f.* – **19.** Eil-, Ex'preßbrief *m*, -botschaft *f*, -gut *n.* – **20.** Ex'preß-, Schnellzug *m.* – **21.** → ~ **rifle.** — **ex'press·age** *s Am.* **1.** Sendung *f* durch Pa'ketbeförderungsgesellschaft. – **2.** Frachtgebühr *f.*

ex·press| a·gent *s Am.* Spedi'teur *m.* — ~ **bill of lad·ing** *s econ. Br.* Eilgutladeschein *m.* — ~ **boat** *s* Eilboot *n*, -dampfer *m.* — ~ **car** *s Am.* Pa'ketwagen *m* (*der Bahn*). — ~ **com·pa·ny** *s Am.* Pa'ketpostgesellschaft *f.* — ~ **en·gine** *s* 'Schnellzuglokomoˌtive *f.* — ~ **goods** *s pl econ.* **1.** *Br.* Eilfracht *f*, -gut *n.* – **2.** *Am.* durch Pa'ketpostgesellschaft beförderte Fracht. — ~ **high·way** → **expressway.**

ex·press·i·ble [iks'presibl; -səbl] *adj* ausdrückbar.

ex·pres·sion [iks'preʃən] *s* **1.** Auspressen *n*, Ausdrücken *n.* – **2.** *fig.* Ausdruck *m*, Äußerung *f*, Redensart *f*: **to give** ~ **to s.th.** einer Sache Ausdruck verleihen; **beyond all** ~ unaussprechlich, über alle Beschreibung. – **3.** *fig.* Ausdrucksweise *f*, Dikti'on *f.* – **4.** Ausdruck(skraft *f*) *m*, Gefühl *n*: **to put** ~ **into one's playing, to play with** ~ mit Gefühl spielen. – **5.** *fig.* a) (Gesichts)Ausdruck *m*, b) Tonfall *m*, Betonung *f*, c) Darstellung *f*, Gepräge *n.* – **6.** *math.* Ausdruck *m*, Terminus *m*, Formel *f.* — **ex'pres·sion·al** *adj* Ausdrucks... — **ex'pres·sionˌism** *s* Expressio'nismus *m*, Ausdruckskunst *f* (*Kunstrichtung*). — **ex'pres·sion·ist I** *s* Expressio'nist *m.* – **II** *adj* expressio'nistisch. — **exˌpres·sion'is·tic** *adj* expressio'nistisch. — **ex'pres·sion·less** *adj* ausdruckslos (*Gesicht etc*).

ex·pres·sive [iks'presiv] *adj* **1.** ausdrückend (of *acc*): **to be** ~ **of s.th.** etwas ausdrücken. – **2.** ausdrucksvoll, kräftig, nachdrücklich. – **3.** Ausdrucks... — **ex'pres·sive·ness** *s* **1.** Ausdrücklichkeit *f*, Ausdruckskraft *f.* – **2.** Nachdruck *m*, (*das*) Ausdrucksvolle. — **ex'press·ly** *adv* **1.** ausdrücklich, klar, bestimmt. – **2.** besonders, eigens.

ex'press|·man [-mən] *s irr Am.* Angestellter *m* einer Pa'ketpostgesellschaft. — ~ **of·fice** *s Am.* Pa'ketannahmestelle *f*, Bü'ro *n* einer Pa'ketpostgesellschaft. — ~ **ri·fle** *s* (*leichtes*) Jagdgewehr (*für Patronen mit hoher Brisanz*). — ~ **train** → **express** 20. — ~ **wag·on** *s Am.* **1.** Trans'portwagen *m* (*einer Paketpostgesellschaft*). – **2.** Kinderleiterwagen *m.*

ex'press·way *s Am.* Schnell(verkehrs)straße *f* (*meist plankreuzungsfrei*).

ex·pro·bra·tion [ˌekspro'breiʃən] *s* Vorwurf *m*, Tadel *m.*

ex·pro·pri·ate [eks'proupriˌeit] *v/t* **1.** *jur.* (*j-n*) expropri'ieren, enteignen, berauben: **to** ~ **the owners from their estates** die Eigentümer ihrer Güter berauben. – **2.** ausschließen. — **exˌpro·pri'a·tion** *s* **1.** *jur.* (*gerichtliche*) Enteignung, Expropri'ierung *f.* – **2.** Enteignung *f*, Eigentumsberaubung *f.*

ex·pul·sion [iks'pʌlʃən] *s* **1.** (from) Austreibung *f*, Vertreibung *f*, Verbannung *f* (aus), Entfernung *f* (von): ~ **of enemy nationals** Abschiebung von feindlichen Ausländern. – **2.** Verstoßung *f*, Ausstoßung *f.* – **3.** Relegati'on *f.* – **4.** Ausweisung *f*: ~ **order** Ausweisungsbefehl. – **5.** *med.* Abführen *n.* — **ex'pul·sive** [-siv] *adj* **1.** austreibend, vertreibend. – **2.** Stoß..., Abtreib... – **3.** *med.* abführend, expul'siv.

ex·punc·tion [iks'pʌŋkʃən] *s* **1.** Ausstreichung *f*, 'Ausraˌdieren *n.* – **2.** *fig.* Tilgung *f.* — **ex'punge** [-'pʌndʒ] *v/t*

1. aus-, 'durchstreichen, ra'dieren: to ~ from a list aus einer Liste streichen. – 2. auslassen. – 3. *fig.* (aus)tilgen, annul'lieren, vernichten. – *SYN. cf.* erase.

ex·pur·gate ['ekspər,geit] *v/t* 1. (*Buch etc*) säubern, reinigen, (*Irrtümer*) berichtigen, (*Stellen*) streichen: to ~ a book from obscenities. – 2. reinigen, säubern (*auch fig.*). — **,ex·pur'ga·tion** *s* Reinigung *f*, Säuberung *f*, Berichtigung *f*, Ausmerzung *f* (*Fehler*), Streichung *f*. — **'ex·pur,ga·tor** [-tər] *s* Säuberer *m*, Berichtiger *m*. — **ex·pur·ga·to·ri·al** [iks,pəːrgə'tɔːriəl] *adj* reinigend, säubernd, Säuberungs... — **ex'pur·ga·to·ry** [*Br.* -gətəri; *Am.* -gə,tɔːri] *adj* 1. reinigend, säubernd, berichtigend: E~ Index *relig.* Reinigungskatalog (*Liste von Büchern, die vom Papst solange verboten werden, bis sie von Irrtümern etc gereinigt sind*). – 2. *med.* reinigend, säubernd.

ex·qui·site ['ekskwizit; iks'kwizit] **I** *adj* 1. köstlich, vor'züglich, ausgezeichnet, höchst, exqui'sit. – 2. äußerst fein *od.* empfindlich: he has an ~ ear er hat ein äußerst feines Ohr *od.* Gehör. – 3. (sehr) heftig, hochgradig, empfindlich (*Freude, Schmerz*). – 4. *fig.* verfeinert, vollkommen: ~ taste feiner *od.* gepflegter Geschmack. – 5. *obs.* ausgesucht. – *SYN. cf.* choice. – **II** *s* 6. Stutzer *m*. — **'ex·qui·site·ly** *adv* ausnehmend, ungemein, höchst, genau. — **'ex·qui·site·ness** *s* 1. Vor'züglichkeit *f*, Vortrefflichkeit *f*. – 2. Genauigkeit *f*. – 3. Heftigkeit *f*, Stärke *f* (*Schmerz etc*). – 4. Feinfühligkeit *f*.

ex·san·gui·nate [eks'sæŋgwi,neit] *v/t* 1. blutlos machen. – 2. *med.* schröpfen. — **ex'san·guine** [-gwin], *auch* **,ex·san'guin·e·ous** [-iəs], **ex'san·gui·nous** *adj med.* blutarm, -leer, ausgeblutet.

ex·scind [ek'sind] *v/t* 1. (her)'ausschneiden. – 2. *fig.* ausstoßen.

ex·sect [ek'sekt] *v/t* (her)'aus-, wegschneiden, exzi'dieren. — **ex'sec·tion** *s* Aus-, Abschneiden *n*, Exzisi'on *f*.

ex·sert [eks'səːrt] **I** *v/t bot. med.* vortreiben: to be ~ed vorstehen. – **II** *adj* → exserted. — **ex'sert·ed** *adj biol.* her'vorgestreckt, her'ausragend. — **ex'ser·tile** [-til; -tl] *adj biol.* her'vorstreckbar. — **ex'ser·tion** *s* Her'vorstrecken *n*, Her'ausragen *n*, Vorstehen *n*.

ex-serv·ice man [,eks'səːrvis] *s irr* gedienter *od.* ehemaliger Sol'dat, Vete'ran *m*: ex-service men's association Veteranenbund.

ex·sic·ca·tae [,eksi'keitiː] *s pl bot.* Exsik'katen *pl* (*als Muster ausgegebene Herbarpflanzen*). — **'ex·sic,cate** [-,keit] *v/t u. v/i* austrocknen. — **,ex·sic'ca·tion** *s* 1. Austrocknung *f*, Wasserentzug *m*, Abdörren *n*. – 2. Dürre *f*. — **'ex·sic,ca·tive** *adj u. s* austrocknend(es Mittel). — **'ex·sic,ca·tor** [-tər] *s* 1. Austrockner *m*. – 2. 'Trockenappa,rat *m*, Exsik'kator *m*.

ex·stip·u·late [eks'stipjulit; -,leit] *adj bot.* ohne Nebenblätter, nebenblattlos.

ex·stro·phy ['ekstrəfi] *s med.* 'Umstülpung *f*, Ekstro'phie *f*, Eversi'on *f*.

ex·suc·cous [eks'sʌkəs] *adj* saftlos, trocken (*auch fig.*).

ex·tant [iks'tænt; 'ekstənt] *adj* 1. (noch) vor'handen *od.* bestehend *od.* exi'stierend, gegenwärtig, noch zu finden(d): ~ to this day bis auf den heutigen Tag (erhalten); the ~ types die noch bestehenden *od.* erhalten gebliebenen Typen. – 2. *selten* auffallend, her'vorstehend.

ex·ta·sy *obs. für* ecstasy.

ex·tem·po·ral [iks'tempərəl] → extemporaneous. — **ex,tem·po·ra'ne·i·ty** [-'niːiti; -əti] → extemporaneousness. — **ex,tem·po'ra·ne·ous** [-'reiniəs] *adj* extempo'riert, unvorbereitet, aus dem Stegreif (*gesprochen etc*). — **ex,tem·po'ra·ne·ous·ness** *s* Unvorbereitetheit *f*, -sein *n*. — **ex'tem·po·rar·i·ly** [*Br.* -rərili; *Am.* -,rerəli] *adv* aus dem Stegreif, improvi'siert. — **ex'tem·po·rar·i·ness** *s* Unvorbereitetheit *f* (*Rede etc*). — **ex'tem·po·rar·y** *adj* 1. improvi'siert, unvorbereitet, aus dem Stegreif: ~ speaker Improvisator. – 2. behelfsmäßig. — **ex'tem·po·re** [-pəri] **I** *adv* unvorbereitet, aus dem Stegreif, ex'tempore: to speak ~ aus dem Stegreif reden, frei sprechen. – **II** *adj* → extemporary. – **III** *s* unvorbereitete Rede, Stegreifgedicht *n*, Improvisati'on *f*, Ex'tempore *n*. — **ex,tem·po·ri'za·tion** *s* Extempo'rieren *n*, Improvisati'on *f*. — **ex'tem·po,rize** **I** *v/t* (*etwas*) extempo'rieren, aus dem Stegreif *od.* unvorbereitet darbieten *od.* dichten *od.* spielen, improvi'sieren. – **II** *v/i* extempo'rieren. — **ex'tem·po,riz·er** *s* Improvi'sator *m*, Stegreifdichter *m*.

ex·tend [iks'tend] **I** *v/t* 1. (aus)dehnen, ausbreiten, strecken. – 2. verlängern, recken, strecken, ausziehen: ~ing table *Br.* Ausziehtisch. – 3. ausbauen, vergrößern, erweitern. – 4. ziehen, führen: to ~ a rope ein Seil ziehen. – 5. ausstrecken: to ~ one's hand die Hand ausstrecken. – 6. *math.* erweitern, vergrößern: to ~ a theorem einen Satz erweitern. – 7. *fig.* fortsetzen, fortführen, (*Zeit*) verlängern, (*Macht*) ausdehnen. – 8. (*Gunst etc*) gewähren, erteilen, erweisen (to, towards *dat*), (*Gerechtigkeit*) üben. – 9. *jur.* (*verschuldeten Besitz*) a) gerichtlich abschätzen, b) mit Beschlag belegen, pfänden. – 10. (*Abkürzungen*) voll ausschreiben, (*Kurzschrift*) (in gewöhnliche Schrift) über'tragen. – 11. *sport colloq.* (*Pferde etc*) bis zum äußersten anstrengen: to ~ oneself sich anstrengen, sich ins Zeug legen. – 12. *aer.* (*Fahrgestell etc*) ausfahren. – 13. *econ.* (*Zahlungsfrist*) verlängern, prolon'gieren, eine Frist gewähren für. – 14. *econ.* (*in eine andere Buchhaltungskolonne*) über'tragen. – 15. *obs.* a) beschlagnahmen, b) über'treiben. – **II** *v/i* 16. sich ausdehnen, sich erstrecken, reichen (over über *acc*, to bis). – 17. hin'ausgehen (beyond über *acc*). – 18. *mil.* (aus)schwärmen. – *SYN.* elongate, lengthen, prolong, protract. — **ex'tend·ed** *adj* 1. ausgedehnt. – 2. *Am.* lang (dauernd). – 3. *aer.* entfaltet. – 4. *print.* breit. – 5. ausgebreitet: ~ order *mil.* geöffnete Ordnung. – 6. weit verbreitet *od.* reichend. – 7. ausgestreckt. – 8. verlängert, fortgesetzt: ~ leave *bes. mil.* Urlaubsverlängerung. – 9. *math.* erweitert. — **ex,tend·i'bil·i·ty** *s* Ausdehnungsfähigkeit *f*. — **ex'tend·i·ble** *adj* 1. (aus)dehnbar, streckbar. – 2. sich erstreckend (to auf *acc*).

ex·ten·si·bil·i·ty [iks,tensi'biliti; -əti] *s* (Aus)Dehnbarkeit *f*. — **ex'ten·si·ble** *adj* 1. (aus)dehnbar. – 2. *zo.* aus-, vorstreckbar. — **ex'ten·si·ble·ness** → extensibility. — **ex'ten·sile** [-sil] → extensible.

ex·ten·sim·e·ter [,eksten'simitər; -mə-] → extensometer.

ex·ten·sion [iks'tenʃən] *s* 1. Ausdehnen *n*, Ausdehnung *f*. – 2. *fig.* Erweiterung *f*, Vergrößerung *f*: → university ~. – 3. *med.* a) Ziehen *n*, Strecken *n* (*gebrochenes Glied*), b) Vorstrecken *n* (*Zunge etc*). – 4. *econ.* Verlängerung *f*, Prolongati'on *f*: ~ of credit Kreditverlängerung. – 5. *electr. math. tech.* Verlängerung *f*, Streckung *f*, Ansatz *m*: to add an ~ to s.th. etwas verlängern. – 6. *arch.* Erweiterung *f*, Anbau *m* (*Gebäude*). – 7. *philos.* a) Ausdehnung *f*, b) 'Umfang *m* (*Begriff*). – 8. *fig.* Ausdehnung *f* (to auf *acc*). – 9. *biol.* Streckungswachstum *n*. – 10. *electr. tech.* Nebenanschluß *m*. – 11. *phot.* Kameraauszug(slänge *f*) *m*. — ~ **ap·pa·ra·tus** *s med.* 'Streck-, 'Zug-, Extensi'onsappa,rat *m*. — ~ **arm** *s tech.* Ausleger *m*. — ~ **board** *s* 'Hauszen,trale *f* (*Fernsprecher*). — ~ **cord** *s* Verlängerungsschnur *f*. — ~ **course** *s* (*Art*) Volkshochschulkursus *m* (*der Universität*). — ~ **ladder** *s* Ausziehleiter *f*. — ~ **line** *s* (Fernsprech)Nebenanschluß *m*. — ~ **piece** *s* Verlängerungsstück *n*, Vorlage *f*. — ~ **spring** *s tech.* Zugfeder *f*. — ~ **stock** *s mil.* Anschlagkolben *m* (*der Maschinenpistole*). — ~ **strength** *s phys. tech.* Zugfestigkeit *f*. — ~ **table** *s Am.* Ausziehtisch *m*.

ex·ten·si·ty [iks'tensiti; -əti] *s* 1. (*Grad od. Möglichkeit der*) Ausdehnung. – 2. *philos.* Räumlichkeit *f*. — **ex'ten·sive** [-siv] *adj* 1. ausgedehnt, geräumig, weit, um'fassend, sich weit erstreckend (*auch fig.*): ~ knowledge umfassendes Wissen. – 2. *philos.* räumlich, Raum... – 3. *agr.* exten'siv, das Sy'stem der Bestellung großer Flächen (*mit einem Minimum an Hilfskräften u. Kosten*) betreffend. – 4. *math.* ausgedehnt, exten'siv: ~ entity ausgedehntes Gebilde. — **ex'ten·sive·ness** *s* Ausdehnung *f*, Weite *f*, Größe *f*, 'Umfang *m*.

ex·ten·som·e·ter [,eksten'sɒmitər; -mə-] *s phys.* Dehnungsmesser *m* (*für kleine Ausdehnungen*).

ex·ten·sor [iks'tensər] *s med.* Streckmuskel *m*.

ex·tent [iks'tent] *s* 1. Ausdehnung *f*, Länge *f*, Weite *f*, Höhe *f*, Größe *f*. – 2. *math.* Bereich *m*, Dimensi'on *f*. – 3. *fig.* 'Umfang *m*, (Aus)Maß *n*, Grad *m*: ~ of damage Umfang des Schadens; ~ of dilution Verdünnungsgrad; to the ~ of bis zum Betrag *od.* zur Höhe von; to a large ~ in hohem Grade, in großem Umfang, beträchtlich; to a certain ~ gewissermaßen, bis zu einem gewissen Grade; to the full ~ in vollem Umfang, völlig; to reach the ~ die Grenze erreichen; → some 5. – 4. Raum *m*, Strecke *f*: a vast ~ of marsh. – 5. *auch* writ of ~ *jur. hist.* a) *Br.* Bewertung *f* (*Land*), b) Beschlagnahme *f*, Pfändung *f* (*durch den Staat*), Beschlagnahmeschrift *f*, c) *Am.* (*Art*) einstweilige Verfügung (*die dem Gläubiger* [*vorübergehend*] *den Besitz der Ländereien des Schuldners überträgt*).

ex·ten·u·ate [iks'tenju,eit] *v/t* 1. verdünnen, entkräften, schwächen. – 2. *fig.* verringern, verkleinern, beschönigen, mildern, bemänteln: extenuating circumstances mildernde Umstände. – 3. *fig.* her'absetzen. — **ex,ten·u'a·tion** *s* 1. Magerkeit *f*, Abmagerung *f*. – 2. *fig.* Abschwächung *f*, Beschönigung *f*, Milderung *f*: in ~ of s.th. zur Milderung einer Sache, um etwas zu mildern. — **ex'ten·u,a·tive, ex'ten·u·a·to·ry** [*Br.* -,eitəri; *Am.* -ə,tɔːri] *adj* (straf)mildernd, schwächend, beschönigend.

ex·te·ri·or [iks'ti(ə)riər] **I** *adj* 1. äußerlich, äußer(er, e, es), Außen...: ~ angle Außenwinkel; ~ ballistics äußere Ballistik; ~ view Außenansicht; ~ to s.th. abseits von etwas, außerhalb einer Sache. – 2. *fig.* von außen (ein)wirkend *od.* kommend, fremd. – 3. auswärtig: ~ possessions. – **II** *s* 4. (*das*) Äußere, Außenseite *f*. – 5. äußeres Ansehen *od.* Benehmen. – 6. *pl* Äußerlichkeiten *pl*. – 7. (*Film*) Außenaufnahme *f*. — **ex,te·ri'or·i·ty**

[-'ɒriti; -əti] *s* **1.** Außenseite *f*, (*das*) Äußere. – **2.** Äußerlichkeit *f*. — **exˌte·ri·or·i'za·tion** *s* Verkörperung *f*, Objekti'vierung *f*. — **ex'te·ri·orˌize** *v/t* **1.** veräußerlichen, äußerlich machen. – **2.** eine äußere Form geben (*dat*), als objek'tiv wahrnehmen, verkörpern, -körperlichen.

ex·ter·mi·nant [iks'tə:rmiˌnənt] *s* Schädlingsbekämpfungsmittel *n*.

ex·ter·mi·nate [iks'tə:rmiˌneit; -mə-] *v/t* **1.** ausrotten, vertilgen. – **2.** *math.* wegschaffen, elimi'nieren. – *SYN.* eradicate, extirpate, uproot. — **exˌter·mi'na·tion** *s* **1.** Ausrottung *f*, Vertilgung *f*. – **2.** *math.* Wegschaffung *f*, Eliminati'on *f*. — **ex'ter·miˌna·tive** → exterminatory. — **ex'ter·miˌna·tor** [-tər] *s* **1.** Ausrotter *m*, Zerstörer *m*. – **2.** Kammerjäger *m*. – **3.** In'sektenpulver *n*, Insekti'zid *n*. — **ex'ter·mi·na·to·ry** [*Br.* -ˌneitəri; *Am.* -nəˌtə:ri] *adj* vertilgend, Ausrottungs...: ~ war Vernichtungskrieg. — **ex'ter·mine** [-min] *v/t obs.* vertilgen.

ex·tern ['ekstə:rn; iks'tə:rn] **I** *adj* **1.** *selten für* external. – **II** *s* **2.** Ex'terner *m*, ex'terner Schüler. – **3.** *med.* a) ex'terner 'Krankenhausassiˌstent, b) *Krankenhausarzt, der Patienten in deren Wohnung ambulant behandelt.*

ex·ter·nal [iks'tə:rnl] **I** *adj* **1.** äußerlich, außen befindlich, Außen...: ~ angle a) *math.* Außenwinkel, b) *tech.* ausspringende Ecke; ~ ballistics äußere Ballistik; ~ remedy äußerliches (Heil)Mittel. – **2.** (*äußerlich*) wahrnehmbar, sichtbar. – **3.** außerhalb (to s.th. einer Sache). – **4.** oberflächlich, nicht tiefgehend, (nur) an der Oberfläche. – **5.** ausländisch, Außen...: ~ assets Auslandsvermögen; ~ debt auswärtige Schuld; ~ trade Außenhandel. – **6.** *med.* an *od.* nahe der Körperoberfläche: ~ ear äußeres Ohr. – **7.** *philos.* a) durch die äußeren Sinne wahrnehmbar, b) körperlich, c) Erscheinungs...: ~ world. – **8.** äußer(er, e, es): ~ evidence. – **II** *s* **9.** *oft pl* (*das*) Äußere, äußere Form. – **10.** *pl* Äußerlichkeiten *pl*, Nebensächlichkeiten *pl*. – **11.** *pl* äußere Gebräuche *pl od.* Formen *pl*.

ex'ter·nal-com'bus·tion en·gine *s tech.* Verbrennungsmotor *m* (*mit Außenverbrennung*).

ex·ter·nal·ism [iks'tə:rnəˌlizəm] *s* **1.** *philos.* Lehre *f* von den äußeren Erscheinungen, Phänomena'lismus *m*. – **2.** Hang *m* zu Äußerlichkeiten. — **ex·ter·nal·i·ty** [ˌekstər'næliti; -əti] *s* **1.** Äußerlichkeit *f*. – **2.** *philos.* Exi'stenz *f* außerhalb des Wahrnehmenden, Gegenständlichkeit *f*. – **3.** a) äußerer Gegenstand *od.* Zug, äußere Eigenschaft, b) äußere Dinge *pl*, äußere Um'gebung. — **exˌter·nal·i'za·tion** *s philos.* Objekti'vierung *f*, Verkörperung *f*. — **ex'ter·nalˌize** *v/t philos.* **1.** verkörperlichen, objekti'vieren. – **2.** *psych.* (*subjektive Empfindung*) als objek'tiv wahrnehmen, nach außen proji'zieren. — **ex'ter·nal·ly** *adv* äußerlich, von außen.

ex·ter·o·cep·tive [ˌekstəro'septiv; -rə-] *adj biol. med.* exterozep'tiv, von der Körperoberfläche kommend: ~ impulse Oberflächenreiz. — **'ex·ter·oˌcep·tor** [-tər] *s* Oberflächennervenendigung *f*, Extero'zepter *m*.

ex·ter·ri·to·ri·al [ˌeksteri'tə:riəl; -rə't-] *adj* exterritori'al, den Landesgesetzen nicht unter'worfen. — **exˌter·riˌto·ri'al·i·ty** [-'æliti; -əti] *s* Exterritoriali'tät *f*, Unverletzlichkeit *f*, Unantastbarkeit *f*.

ex·tinct [iks'tiŋkt] *adj* **1.** ausgelöscht, erloschen: → volcano 1. – **2.** *fig.* ausgestorben, 'untergegangen, erloschen: ~ animal ausgestorbenes Tier; ~ title erloschener Titel; to become ~ erlöschen, aussterben. – **3.** abgeschafft, aufgehoben (*Gesetz*). — **ex'tinc·tion** [-kʃən] *s* **1.** Erlöschen *n*, Auslöschen *n*, (Aus)Löschung *f*: ~ of a firm Erlöschen einer Firma. – **2.** Vernichtung *f*, Ausrottung *f*, Vertilgung *f*, 'Untergang *m*. – **3.** *fig.* Aussterben *n*. – **4.** Tilgung *f*, Abschaffung *f*. – **5.** *electr. phys.* Ab-, Auslöschung *f*, Extinkti'on *f*: ~ of the arc Löschung des Lichtbogens; ~ voltage Löschspannung. — **ex'tinc·tive** *adj* auslöschend, tilgend, vernichtend.

ex·tin·guish [iks'tiŋgwiʃ] *v/t* **1.** (*Feuer*) (aus)löschen, ersticken. – **2.** *fig.* verdunkeln, in den Schatten stellen. – **3.** *fig.* (*Leben, Gefühl etc*) auslöschen, ersticken, töten. – **4.** *fig.* (*j-n*) zum Schweigen bringen, ‚kaltstellen'. – **5.** vernichten, zerstören, (*einer Sache*) ein Ende machen. – **6.** abschaffen, aufheben. – **7.** (*Schuld*) tilgen. – *SYN. cf.* abolish. — **ex'tin·guish·a·ble** *adj* auslöschbar, zerstörbar, tilgbar. — **ex'tin·guish·er** *s* **1.** Auslöscher(in). – **2.** Lösch-, Lichthütchen *n*. – **3.** Ziga'rettentöter *m*. — **ex'tin·guish·ment** *s* **1.** Auslöschung *f*. – **2.** Erlöschen *n*, Aussterben *n*. – **3.** *jur.* Aufhebung *f*. – **4.** *fig.* Unter'drückung *f*, Vertilgung *f*, Vernichtung *f*.

ex·tir·pate ['ekstərˌpeit] *v/t* **1.** ausrotten, vernichten, vertilgen. – **2.** entwurzeln. – **3.** *med.* ausschneiden, entfernen, ausschälen, exstir'pieren. – *SYN. cf.* exterminate. — **ˌex·tir'pa·tion** *s* **1.** Ausrottung *f*. – **2.** *med.* Exstirpati'on *f*, Ausschneidung *f*. — **'ex·tirˌpa·tive** *adj* **1.** ausrottend. – **2.** *med.* Exstirpations... — **'ex·tirˌpa·tor** [-tər] *s* Vernichter *m*, Ausrotter *m*.

ex·tol, *auch* **ex·toll** [iks'toul; -s'tɒl], *pret u. pp* **ex'tolled** *v/t* erheben, loben, preisen: to ~ s.o. to the skies j-n in den Himmel heben. — **ex'tol·ler** *s* Lobpreiser(in). — **ex'tol·ment**, *auch* **ex'toll·ment** *s selten* Lobpreisung *f*.

ex·tort [iks'tə:rt] *v/t* **1.** (*etwas*) erpressen, abringen, abzwingen, erzwingen. – **2.** *jur.* (*etwas*) unter dem Schein des Rechts nehmen. – **3.** *fig.* (*aus Worten den Sinn*) gewaltsam her'ausholen *od.* -pressen. – *SYN. cf.* educe. — **ex'tor·tion** *s* **1.** Erpressung *f*, Erpressen *n*. – **2.** Wucher *m*, ˌGeldschneide'rei *f*. — **ex'tor·tion·ar·y** [*Br.* -nəri; *Am.* -ˌneri] *adj* Erpressungs... — **ex'tor·tion·ate** [-nit] *adj* **1.** erpressend, bedrückend, erpresserisch. – **2.** 'übermäßig (*Preis*). — **ex'tor·tion·er**, **ex'tor·tion·ist** *s* Erpresser *m*, Wucherer *m*. — **ex'tor·tive** *adj* erpresserisch.

ex·tra ['ekstrə] **I** *adj* **1.** zusätzlich, Extra..., Sonder..., Neben...: ~ pay Zulage; if you pay an ~ two shillings wenn Sie noch zwei Schilling zulegen; ~ work Extraarbeit, zusätzliche Arbeit, (*Schule*) Strafarbeit. – **2.** besonder(er, e, es) außerordentlich, -gewöhnlich: it is nothing ~ es ist nichts Besonderes. – **II** *adv* **3.** extra, besonders, ungewöhnlich: ~ special edition Spätausgabe; an ~ high price ein besonders hoher Preis; to be charged for ~ gesondert zu berechnen. – **III** *s* **4.** (*etwas*) Außergewöhnliches, Sonderberechnung *f*, Zuschlag *m*: heating and light are ~s Heizung u. Licht werden zusätzlich *od.* extra berechnet. – **5.** (besonderer) Zusatz. – **6.** *pl* Sonder-, Nebenausgaben *pl*, -einnahmen *pl*. – **7.** Extragericht *n*. – **8.** *Br.* Extrablatt *n*, -ausgabe *f* (*Zeitung*). – **9.** (*fallweise eingestellter*) Arbeiter. – **10.** (*Film*) Kom'parse *m*, Sta'tist *m*. – **11.** (*Kricket*) *Punkt, der nicht durch Läufe erworben wurde.* – **12.** *tech.* Zugabe *f*, Tole'ranz *f*.

extra- [ekstrə] *Wortelement mit der Bedeutung* außen, außerhalb, jenseits.

ex·tra| al·low·ance *s tech.* Zuschlag *m*. — **'~-ˌat·mos'pher·ic** *adj phys.* außerhalb der Atmo'sphäre (gelegen). — **'~-'ax·il·lar** *adj bot.* nicht-achselständig, 'extra-axilˌlar. — **'~'bold** *s print.* (*ein*) Fettdruck *m*, fette Schrift. — **ˌ~·ca'non·i·cal** *adj relig.* nicht im Kanon enthalten (*Bücher*). — **ˌ~'cel·lu·lar** *adj biol.* 'extrazelluˌlar, außerhalb der Zelle befindlich. — **'~'cer·e·bral** *adj med.* 'extrazereˌbral, außerhalb des Gehirns (gelegen). — **~ charge** *s* **1.** *econ.* a) (Sonder)Aufschlag *m*, b) *pl* Extra-, Nebenkosten *pl*, Nebenspesen *pl*. – **2.** *mil.* Zusatzladung *f*. — **ˌ~-con'densed** *adj print.* schmallaufend (*Schrift*). — **'~'cra·ni·al** *adj med. zo.* 'extrakraniˌal, außerhalb des Schädels befindlich.

ex·tract I *v/t* [iks'trækt] **1.** her'ausziehen, extra'hieren: to ~ a tooth einen Zahn ziehen. – **2.** (*Beispiele*) ausziehen, exzer'pieren. – **3.** *chem.* ausscheiden, ausziehen, extra'hieren, auslaugen. – **4.** *math.* (*Wurzel*) ziehen. – **5.** *fig.* (*etwas*) her'ausholen, entlocken, abringen. – **6.** *tech.* gewinnen. – **7.** *fig.* (*Lehre etc*) ab-, 'herleiten. – *SYN. cf.* educe. – **II** *s* ['ekstrækt] **8.** Ex'trakt *m*: ~ of beef Fleischextrakt. – **9.** Auszug *m*, Ausschnitt *m*, Zi'tat *n*, Ex'zerpt *n*: ~ of account Kontoauszug. – **10.** *chem.* Auszug *m*, Ex'trakt *m*: ~ of lead Bleiessig. — **ex'tract·a·ble**, **ex'tract·i·ble** *adj* ausziehbar. — **ex'tract·ing** *adj* Gewinnungs...: ~ plant Gewinnungsanlage.

ex·trac·tion [iks'trækʃən] *s* **1.** (Her)'Ausziehen *n*, Extrakti'on *f*. – **2.** Exzer'pieren *n*, Auszug *m* (*aus einem Buch etc*). – **3.** *chem.* a) Extra'hieren *n*, Ausziehen *n*, Auszug *m*, Ex'trakt *m*, Extrak'tivstoff *m*, b) Ausscheidung *f*, Absonderung *f*, Auslaugen *n*, Gewinnung *f* (from aus). – **4.** *math.* (Aus)Ziehen *n* (*Wurzeln*), Radi'zierung *f*. – **5.** *tech.* Gewinnung *f* (*Metall aus Erz*): direct ~ of malleable iron Rennarbeit. – **6.** *fig.* Entlockung *f*. – **7.** Ab-, 'Herkunft *f*, Abstammung *f*, Geburt *f*. — **ex'trac·tive I** *adj* **1.** (her)'ausziehend: ~ industry Industrie zur Gewinnung von Naturprodukten. – **2.** *chem.* Extraktiv... – **II** *s* **3.** *chem.* Ex'trakt *m*, Extrak'tivstoff *m*. — **ex'trac·tor** [-tər] *s* **1.** Ausziehende(r). – **2.** *tech.* Auszieher *m*, Auswerfer *m*: ~ hook Auszieherkralle. – **3.** *med.* (Geburts-, Zahn)Zange *f*. – **4.** 'Trokkenmaˌschine *f*, -schleuder *f*. – **5.** *mil.* (Pa'tronen-, Hülsen)Auszieher *m*: ~ lever Patronenträgerhebel.

ˌex·tra·cur'ric·u·lar *adj ped.* außerhalb des Lehrplans fallend, außerplanmäßig (*Unterrichtsfächer*).

ex·tra·dit·a·ble ['ekstrəˌdaitəbl] *adj* **1.** Auslieferung nach sich ziehend. – **2.** auszuliefern(d). — **'ex·traˌdite** *v/t* **1.** (*flüchtige ausländische Verbrecher*) ausliefern. – **2.** (*j-s*) Auslieferung erwirken. — **ˌex·tra'di·tion** [-'diʃən] *s* Auslieferung *f*.

ex·tra| div·i·dend *s econ.* 'Extra-, 'Zusatzdiviˌdende *f*, Bonus *m*. — **~ dis·count** *s econ.* 'Sonderraˌbatt *m*.

ex·tra·dos [eks'treidɒs] *s arch.* äußerer Bogen, Gewölberücken *m*.

ˌex·tra|'do·tal *adj jur.* nicht zur Mitgift gehörig. — **ˌ~·en'ter·ic** *adj zo.* außerhalb des Darms befindlich. — **ˌ~·ju'di·cial** *adj jur.* außergerichtlich. — **ˌ~'mun·dane** *adj* außerweltlich. — **ˌ~'mu·ral** *adj* außerhalb der Mauern (*einer Stadt od. Universität*): ~ student Gasthörer; ~ courses, ~ work,

Hochschulkurse außerhalb der Universität.

ex·tra·ne·ous [iks'treiniəs] *adj* **1.** äußer(er, e, es), Außen... – **2.** fremd (to *dat*). – **3.** unwesentlich, nicht gehörig (to zu): to be ~ to s.th. nicht zu etwas gehören. – *SYN. cf.* **extrinsic.** — **ex'tra·ne·ous·ness** *s* Fremdheit *f*, Nicht-Zugehörigkeit *f*.

ˌex·tra·of'fi·cial *adj* außeramtlich.

ex·traor·di·nar·i·ly [*Br.* iks'trɔːdinərili; *Am.* -ˌner-] *adv* außerordentlich, besonders: ~ **cheap.** — **ex'traor·di·nar·i·ness** *s* Außerordentlichkeit *f*, (*das*) Außerordentliche. — **ex'traor·di·nar·y I** *adj* **1.** außerordentlich. – **2.** ungewöhnlich, seltsam, unverständlich. – **3.** besonder(er, e, es), spezi'ell, Extra... – **4.** (*von Beamten etc*) außerordentlich, Sonder...: → **ambassador** 1. – **II** *s selten* **5.** *meist pl* (*das*) Besondere *od.* Außergewöhnliche.

ˌex·tra|·pa'ro·chi·al *adj* ˌextraparochi'al (*außerhalb der Pfarrei*). —ˌ**~'phys·i·cal** *adj* physischen Gesetzen nicht unter'worfen, meta'physisch.

ex·trap·o·late [eks'træpəˌleit; 'ekstrəpə-] *v/t u. v/i math.* extrapo'lieren, (*aus bekannten Größen*) annähernd berechnen, weiterführen. — **exˌtrap·o'la·tion** *s* Extrapolati'on *f*, Weiterführung *f*.

ˌex·tra|·pro'fes·sion·al *adj* außerberuflich, nicht zum Beruf gehörig. — **~ prof·it** *s econ.* 'Übergewinn *m*, Nebenverdienst *m*. — **'~ˌsen·so·ry** *adj* den Sinnen nicht zugänglich: ~ **perception** anomale Fähigkeit der Sinneswahrnehmung (*Hellsehen etc*). — **'~'spe·cial I** *adj* **1.** Extra..., Sonder... – **2.** außergewöhnlich fein, kostbar. – **II** *s* **3.** *Br.* Extrablatt *n*, -ausgabe *f* (*Zeitung*). — **'~ˌter·ri'to·ri·al** *adj* exterritori'al, nicht den Gesetzen des Gaststaates unter'worfen, Auslands...: ~ **air traffic** Auslandsluftverkehr; ~ **waters** Außengewässer. — **'~ˌter·riˌto·ri'al·i·ty** *s* ˌExterritoriali'tät *f*. — **'~-'time** *s sport* Verlängerungszeit *f*, -spiel *n*, (Spiel)Verlängerung *f*. — ˌ**~'u·ter·ine** *adj med.* ˌextraute'rin, außerhalb der Gebärmutter (befindlich).

ex·trav·a·gance [iks'trævəgəns], *selten* **ex'trav·a·gan·cy** [-si] *s* **1.** Verschwendung(ssucht) *f*. – **2.** Ausschweifung *f*, Zügellosigkeit *f*: **extravagances** törichte Streiche. – **3.** 'Übermaß *n*, Abgeschmacktheit *f*, Über'triebenheit *f*, -'spanntheit *f*, Extrava'ganz *f*. — **ex'trav·a·gant** *adj* **1.** verschwenderisch. – **2.** 'übermäßig, über'trieben, -'spannt, extrava'gant. – **3.** ausschweifend, zügellos. – **4.** *obs.* um'herschweifend. – *SYN. cf.* **excessive.** — **exˌtrav·a'gan·za** [-'gænzə] *s* **1.** phan'tastische *od.* über'spannte Dichtung *od.* Kompositi'on. – **2.** Ausstattungsstück *n*, (Zauber-)Posse *f*, Bur'leske *f*, ('Ausstattungs-)Ope'rette *f*. – **3.** Über'spanntheit *f*.

ex·trav·a·gate [iks'trævəˌgeit] *v/i* **1.** um'her-, abschweifen. – **2.** die Grenzen *od.* das Maß über'schreiten. – **3.** *selten* extrava'gant sein.

ex·trav·a·sate [iks'trævəˌseit] **I** *v/t* **1.** (*Blut etc aus einem Gefäß*) her'auslassen, -drängen. – **II** *v/i* **2.** *med.* (aus den Gefäßen) her'austreten, ausfließen (*Blut*). – **3.** *geol.* her'vorbrechen, ausfließen (*Lava etc*). — **exˌtrav·a'sa·tion** *s med.* **1.** Austritt *m*, Erguß *m* (*Blut etc*). – **2.** Extrava'sat *n* (*ins Gewebe ausgetretenes Blut*). – **3.** *geol.* Ausfließen *n* (*Lava*).

ˌex·tra'vas·cu·lar *adj med. zo.* **1.** ˌextravasku'lär, außerhalb eines Gefäßes befindlich. – **2.** keine Blutgefäße besitzend, blutgefäßlos. — **ˌex·tra'ver·sion, 'ex·traˌvert** *cf.* **extroversion** *etc.*

ex·treme [iks'triːm] **I** *adj* **1.** äußerst(er, e, es), weitest(er, e, es), End... – **2.** letzt(er, e, es): ~ **unction** Letzte Ölung. – **3.** äußerst(er, e, es), höchst(er, e, es), sehr groß *od.* heftig *od.* hoch: ~ **danger** äußerste Gefahr; ~ **old age** hohes Greisenalter. – **4.** außergewöhnlich, über'trieben, Not...: ~ **case** äußerster Notfall. – **5.** *pol.* ex'trem, radi'kal: ~ **party** radikale Partei. – **6.** *tech.* ex'trem: ~ **value** Extremwert. – **7.** dringend(st): ~ **necessity** dringende Notwendigkeit. – **8.** sehr streng *od.* genau. – **9.** *mus.* erhöht, 'übermäßig (*Intervall*). – *SYN. cf.* **excessive.** – **II** *s* **10.** äußerstes Ende, äußerste Grenze. – **11.** (*das*) Äußerste, höchster Grad, Ex'trem *n*. – **12.** äußerste Maßnahme. – **13.** 'Übermaß *n*, Über'treibung *f*. – **14.** Gegensatz *m*, entgegengesetztes Ende. – **15.** *meist pl* äußerste Not. – **16.** *math.* a) die größte *od.* kleinste Größe, b) Außenglied *n*, erstes *od.* letztes Glied (*Gleichung etc*): **the ~s and the means** die äußeren u. inneren Glieder einer Proportion. – **17.** *philos.* äußerstes Glied (*eines logischen Schlusses*). –
Besondere Redewendungen:
at the other ~ am entgegengesetzten Ende; **in the ~, to an ~** übermäßig, äußerst, aufs äußerste; **difficult in the ~** äußerst schwierig; **to carry s.th. to an ~** etwas zu weit treiben; **to fly to the opposite ~** in das entgegengesetzte Extrem verfallen; **to go to ~s** vor nichts zurückschrecken; **to go from one ~ to the other** aus *od.* von einem Extrem ins andere fallen; **~s meet** die Extreme berühren sich; **to run to an ~** bis zum Äußersten gehen.

ex·treme·ly [iks'triːmli] *adv* äußerst, sehr, höchst. — **ex'treme·ness** *s* Neigung *f* zu Ex'tremen, Maßlosigkeit *f*. — **ex'trem·ism** *s* Extre'mismus *m*, betont radi'kale Einstellung, Neigung *f* zur Maßlosigkeit. — **ex'trem·ist I** *s* Extre'mist *m*, Fa'natiker *m*, Anhänger *m* ex'tremer Anschauungen, ('Ultra)Radiˌkaler *m*. – **II** *adj* ex'trem, extre'mistisch, Radikal...

ex·trem·i·ty [iks'tremiti; -əti] *s* **1.** (*das*) Äußerste, äußerstes Ende, äußerste Grenze, Spitze *f*: **to the last ~** bis zum Äußersten; **to drive s.o. to extremities** j-n zum Äußersten treiben. – **2.** *fig.* höchster Grad: ~ **of joy** Übermaß der Freude. – **3.** *fig.* höchste Verlegenheit *od.* Not: **to be reduced to extremities** in größter Not sein. – **4.** *oft pl* äußerste Maßnahme: **to proceed** (*od.* **go**) **to extremities against s.o.** die äußersten Maßnahmen gegen j-n ergreifen. – **5.** *fig.* verzweifelter Entschluß *od.* Gedanke. – **6.** *pl* Gliedmaßen *pl*, Extremi'täten *pl*. – **7.** *math.* Ende *n*.

ex·tri·ca·ble ['ekstrikəbl] *adj* her'ausziehbar (from aus). — **'ex·triˌcate** [-ˌkeit] *v/t* **1.** (from) (*j-n*) her'auswinden, -wickeln, -ziehen (aus), freimachen (von): **to ~ oneself** sich befreien. – **2.** *chem.* (*Gas*) freimachen. – *SYN.* **disembarrass, disencumber, disentangle, untangle.** — **ˌex·tri'ca·tion** *s* Her'auswick(e)lung *f*, Frei-, Losmachen *n*, Befreiung *f*.

ex·trin·sic [eks'trinsik], *auch* **ex'trin·si·cal** [-kəl] *adj* **1.** äußer(er, e, es), außen gelegen. – **2.** von außen wirkend. – **3.** nicht gehörend (to zu): **to be ~ to s.th.** nicht zu etwas gehören, außerhalb einer Sache liegen. – *SYN.* **alien, extraneous, foreign.** — **ex'trin·si·cal·ly** *adv* (*auch zu* **extrinsic**).

extro- [ekstro] → **extra-.**

ex·trorse [eks'trɔːrs] *adj bot. zo.* auswärts gewendet, auswendig.

ex·tro·ver·sion [ˌekstro'vəːrʃən; -ʒən] *s* ˌExtraversi'on *f*: a) *med.* 'Umstülpung *f* eines Or'gans, b) *psych.* nach außen gerichtetes Inter'esse, c) *psych.* Extraver'tiertsein *n*. — **'ex·troˌvert** [-ˌvəːrt] **I** *s* **1.** Extravert *m* (*aufgeschlossener, unmittelbar an äußeren Sachverhalten interessierter Mensch*). – **II** *adj* **2.** *med.* 'umgestülpt, extra'vert. – **3.** *psych.* extraver'tiert.

ex·trude [iks'truːd] **I** *v/t* **1.** ausstoßen, verdrängen. – **2.** (*Formgießerei*) durch eine Form pressen, aus-, strangpressen. – **II** *v/i* **3.** vorstehen. — **ex'tru·sion** [-ʒən] *s* **1.** *tech.* 'Strangpreß-, 'ZiehproˌfiI *n*. – **2.** *geol.* Extrusi'on *f*. – **3.** Verdrängung *f*, Vertreibung *f*. — **ex'tru·sive** [-siv] *adj* **1.** ausstoßend, verdrängend. – **2.** *tech.* Ausstoßungs..., stranggepreßt. – **3.** *geol.* durch die Erdoberfläche gepreßt (*Gestein*).

ex·u·ber·ance [ig'zjuːbərəns; -'zuː-], *selten* **ex'u·ber·an·cy** [-si] *s* **1.** Üppigkeit *f*, üppiger Reichtum, 'Überfluß *m*, Fülle *f*. – **2.** 'Überschwenglichkeit *f*, (Rede)Schwall *m*. — **ex'u·ber·ant** *adj* **1.** üppig, ('über)reichlich. – **2.** *fig.* 'überschwenglich: ~ **spirits** sprudelnde Laune. – **3.** *fig.* fruchtbar. – *SYN. cf.* **profuse.** — **ex'u·berˌate** [-ˌreit] *v/i* strotzen (with von), schwelgen (in in *dat*).

ex·u·date ['eksjuˌdeit] *s chem. med.* Exsu'dat *n*. — **ˌex·u'da·tion** *s* ˌExsudati'on *f*, Ausschwitzung *f*: ~ **water** Blutungssaft. — **ex'u·da·tive** [-'juːdətiv] *adj* exsuda'tiv.

ex·ude [ig'zjuːd; *Am. auch* -'zuːd] **I** *v/t* **1.** (*Feuchtigkeit*) ausschwitzen, ausscheiden. – **2.** *fig.* ausstrahlen. – **II** *v/i* **3.** ausgeschieden werden, her'vorkommen (from aus).

ex·ul·cer·a·tion [igˌzʌlsə'reiʃən] *s* **1.** *med.* Schwären *n*, Geschwürbildung *f*. – **2.** *fig.* Er-, Verbitterung *f*.

ex·ult [ig'zʌlt] *v/i* **1.** froh'locken, jauchzen (at, over, in über *acc*). – **2.** trium'phieren: **to ~ over s.o.** über j-n triumphieren. – **3.** *obs.* (Freuden-)Sprünge machen. — **ex'ult·an·cy** → **exultation.** — **ex'ult·ant** → **exulting.** — **ex·ul·ta·tion** [ˌegzʌl'teiʃən] *s* Jubel *m*, Froh'locken *n*, Jauchzen *n*, Trium'phieren *n*. — **ex'ult·ing** *adj* frohlockend, jauchzend.

ex·u·vi·ae [ig'zuːviˌiː; ik'suː-] *sg* **ex'u·vi·a** [-viə] (*Lat.*) *s pl* **1.** *zo.* abgeworfene Häute *pl*, Schalen *pl*. – **2.** fos'sile 'Überreste *pl*. — **ex'u·vi·al** *adj* **1.** *zo.* abgeworfen, abgelegt, abgeschält. – **2.** Fos'silien enthaltend. – **3.** *fig.* fos'sil, alt. — **ex'u·viˌate** [-ˌeit] *zo.* **I** *v/t* (*Haut*) abwerfen. – **II** *v/i* sich häuten, mausern. — **exˌu·vi'a·tion** *s zo.* Ablegen *n* (*Haut etc*), Häutung *f*.

ey·as ['aiəs] *pl* **'ey·as·es** [-iz] *s zo.* Nestling *m*, Nestfalke *m* (*auch fig.*).

eye [ai] **I** *s* **1.** Auge *n*: **artificial ~** künstliches Auge, Glasauge; (**an**) ~ **for** (**an**) ~ *Bibl.* Auge um Auge; **~s right** (**front, left**)! *mil.* Augen rechts (geradeaus, die Augen links)! **up to the ~s in work** bis über die Ohren in Arbeit; **to cry one's ~s out** sich die Augen ausweinen; **to put the finger in the ~, to pipe the ~** *colloq.* weinen, ‚flennen'; **to have a cast in one's ~** schielen; **with one's ~s shut** mit geschlossenen Augen (*auch fig.*); **to believe one's ~s** seinen Augen trauen; → **meet** 10; **sight** 6; **twinkling** 2; **wipe** 5. – **2.** *fig.* Gesichtssinn *m*, Blick *m*, Auge(nmerk) *n*: **to cast an ~ over s.th.** einen Blick auf etwas werfen; **to give an ~ to s.th.** ein Auge auf etwas haben, etwas anblicken; **to have an ~ for s.th.** einen Blick *od.* ein Auge für etwas haben; **to have an ~ to s.th.** a) etwas (als Ziel) im Auge behalten, b) auf etwas achten; **to keep an ~ on**

s.th. ein (wachsames) Auge auf etwas haben; if he had half an ~ wenn er nicht völlig blind wäre; to see s.th. with half an ~ etwas mühelos *od.* mit einem Blick sehen; to be all ~s seine Augen überall haben, scharf beobachten; to catch s.o.'s ~ j-s Aufmerksamkeit auf sich ziehen; to do s.o. in the ~ *colloq.* j-n ‚reinlegen', j-n ‚übers Ohr hauen'. – **3.** *fig.* Gesicht(skreis *m*) *n*, Blickfeld *n*, Gegenwart *f*: to keep s.o. under one's ~ j-n im Auge behalten, j-n überwachen; mind your ~! paß auf! nimm dich in acht! the mind's ~ das geistige Auge, die Vorstellung; in the ~s of the law vom Standpunkt des Gesetzes aus; in the ~s of s.o. nach j-s Ansicht; the ~ of the law *humor.* das Auge des Gesetzes, der Polizist; to set (*od.* clap *od.* lay) ~s on s.th. etwas zu Gesicht bekommen; to shut one's ~s to s.th. die Augen vor etwas verschließen; to keep one's ~s peeled (*od.* skinned) *sl.* scharf *od.* wie ein Schießhund aufpassen; → strike 25. – **4.** *mar.* Richtung *f*: to be a sheet in the wind's ~ *fig.* ‚Schlagseite haben', leicht betrunken sein; → wind[1] 14. – **5.** *fig.* Sinn *m* (*für etwas*), Urteil *n*, Geschmack *m*, Meinung *f*: to have an ~ for s.th. für etwas Sinn haben; in my ~s nach meiner Meinung; all my ~ (and Betty Martin)! *sl.* das ist Quatsch! Unsinn! my ~(s)! du lieber Gott *od.* Himmel! ‚au Backe!' to find favo(u)r in s.o.'s ~s vor j-m Gnade finden; with an ~ to s.th. mit Rücksicht auf etwas; with other ~s von einem anderen Standpunkt aus; to offend the ~ *fig.* dem Auge weh tun; to open s.o.'s ~s (to s.th.) j-m die Augen (für etwas) öffnen; this made him open his ~s das verschlug ihm die Sprache; to see ~ to ~ with s.o. (on s.th.) mit j-m völlig (in einer Sache) übereinstimmen. – **6.** *fig.* Auge *n*, (einladender *od.* ko'ketter) Blick: to make ~s at s.o. j-m Augen machen, mit j-m kokettieren; to give s.o. the (glad) ~ j-m einen einladenden Blick zuwerfen. – **7.** *obs.* Lichtschimmer *m*, Glanz *m* (*Edelstein*). – **8.** *fig.* (*das*) Schönste *od.* Wichtigste, Mittel-, Brennpunkt *m*: ~ of day (*od.* heaven *od.* the morning) *poet.* die Sonne; ~ of a storm Auge *od.* windstilles Zentrum eines Wirbelsturms. – **9.** *zo.* Krebsauge *n* (*Kalkkörper im Krebsmagen*). – **10.** *augenförmiges Ding od. Loch, bes. an Werkzeugen*: a) Öhr *n*: ~ of a needle Nadelöhr, b) Auge *n*, Öhr *n*, Stielloch *n* (*Hammer, Beil etc*), c) Öse *f* (*Kleid*): → hook 1, d) *bot.* Auge *n*, Knospe *f*: dormant ~ schlafendes Auge; to leave four ~s only (*Weinstock*) bis auf 4 Augen ausschneiden, e) *zo.* Auge *n* (*Fleck auf Schmetterling, Pfauenschweif etc*), f) *zo.* Kennung *f* (*Fleck am Pferdezahn*), g) Loch *n* (*Käse, Brot*), h) Hahnentritt *m*, Narbe *f* (*im Ei*), i) *arch.* rundes Fenster: ~ of a dome runde Öffnung an der Kuppelspitze, j) → bull's ~ 1 *u.* 2, k) *mar.* Auge *n*: ~ of an anchor Ankerauge; the ~s of a ship die Klüsen (*am Bug*), l) Zentrum *n* (*Zielscheibe*). –

II *v/t pres p* **'eye·ing** *od.* **'ey·ing** **11.** anschauen, betrachten, (scharf) beobachten, ins Auge fassen, angucken, beäuge(l)n: to ~ s.o. up and down j-n (kritisch) ansehen *od.* mustern. – **12.** (*Nadel*) öhren. –

III *v/i* **13.** *obs.* erscheinen.

'eye|,ball *s med.* Augapfel *m.* — **'~-,bath** *s med.* Augenbad *n.* — **'~,beam** *s* Blick *m*, Augenstrahl *m.* — **'~,bolt** *s tech.* Aug-, Ringbolzen *m.* — **'~,bright** → euphrasy. — **'~,brow** *s* **1.** (Augen)Braue *f*: ~ pencil Augenbrauenstift; to raise one's ~s *fig.* a) entrüstet aufblicken, b) hochnäsig dreinschauen. – **2.** *zo.* gefärbter Strich (*über dem Vogelauge*). — **~ cap** *s tech.* Oku'lardeckel *m.* — **'~-,catch·er** *s econ.* Blickfang *m.* — **'~,cup** *s med.* Augenschale *f*, -bad *n.*

eyed [aid] *adj* **1.** mit Ösen *od.* augenförmigen Flecken (versehen). – **2.** (*in Zusammensetzungen*) ...äugig: black-~.

'eye|,glass *s* **1.** Augenglas *n*: (a pair of) ~es (ein) Kneifer *od.* Zwicker, (eine) Lorgnette. – **2.** *tech.* Oku'lar *n* (*Fernrohr etc*). — **~ ground** *s med.* 'Augen,hintergrund *m.* — **'~,hole** *s* **1.** Guckloch *n.* – **2.** *tech.* kleine runde Öffnung. – **3.** *bot.* Keimpore *f* der Kokosnuß. – **4.** *med.* Augenhöhle *f.* — **~ hos·pi·tal** *s* Augenklinik *f.* — **'~,lash** *s* Augenwimper *f.* — **~ lens** *s* **1.** *med. zo.* Hornhaut *f* (*Auge*). – **2.** *tech.* Oku'larlinse *f* (*Mikroskop etc*).

eye·less ['ailis] *adj* augenlos, blind.

eye·let ['ailit] **I** *s* **1.** Öse *f*, Masche *f.* – **2.** Guckloch *n.* – **3.** Äuglein *n*, kleines Auge. – **4.** kleine runde Öffnung. – **5.** *arch.* Dachluke *f.* – **II** *v/t* **6.** Ösen anbringen an (*dat*). — **,eye·let'eer** [-lə'tir] *s tech.* Locheisen *n.*

'eye,lid *s med.* Augenlid *n*, -deckel *m*: to hang by the ~s an einem Faden *od.* Haar hängen, gefährdet sein.

ey·en ['aiən] *obs. od. dial. pl von* eye.

eye| o·pen·er *s* **1.** *colloq.* aufklärender 'Umstand, Über'raschung *f*, über'raschende Aufklärung: it was quite an ~ to me es hat mir einmal richtig die Augen geöffnet *od.* ein Licht aufgesteckt. – **2.** *Am. sl.* Schnäpschen *n*, ‚Rachenputzer' *m*, *bes.* Frühschoppen *m.* — **'~,piece** *s tech.* Oku'lar *n*, Augenmuschel *f* (*Teleskop*). — **~ rhyme** *s* Augenreim *m* (*love: move*). — **'~,serv·ant**, **'~,serv·er** *s* Augendiener *m.* — **'~,serv·ice** *s* ,Augendiene'rei *f.* — **'~,shot** *s* Sicht-, Sehweite *f*: within ~ in Sehweite. — **'~,sight** *s* **1.** Gesicht(ssinn *m*) *n.* – **2.** Sehkraft *f*, -vermögen *n*, Augen(licht *n*) *pl*: to have good ~ gute Augen haben; his ~ failed seine Augen wurden schwach. — **~ sock·et** *s med.* Augenhöhle *f.*

eye·some ['aisəm] *adj* hübsch, gefällig.

'eye|,sore *s* **1.** *fig.* häßlicher Zug, unschöne Stelle: it is an ~ to me es ist mir ein Dorn im Auge. – **2.** Ursache *f od.* Gegenstand *m* des Ekels: he is an ~ er ist ein Ekel. — **~ splice** *s mar.* Augspleiß *m.* — **'~,spot** *s* **1.** *zo.* Augenfleck *m*, rudimen'täres Auge (*eines Embryos*). – **2.** augenförmiger Fleck. — **'~,stalk** *s zo.* Augenstiel *m* (*bei Krebsen*). — **'~,stone** *s* Krebs-, Augenstein *m* (*um Fremdkörper aus dem Auge zu entfernen*). — **'~,strain** *s* Über'anstrengung *f* der Augen. — **'~,string** *s med.* Augenmuskel *m.* —

Eye·ti, Eye·tie ['aitai] *s mil. sl.* Itali'ener *m.*

'eye|'tooth *s irr med.* Augen-, Eckzahn *m*: to cut one's eyeteeth *fig.* a) die Kinderschuhe austreten, b) erfahrener u. klüger werden. — **'~,wash** *s* **1.** *med.* Augenwasser *n.* – **2.** *sl.* a) leeres Geschwätz, ‚Quatsch' *m*, ‚Gewäsch' *n*, b) Schmeiche'lei *f*, ‚Schmus' *m.* — **'~,wa·ter** *s* **1.** *med.* Augenwasser *n.* – **2.** *med.* Augenflüssigkeit *f.* – **3.** *sl.* Schnaps *m*, ‚Fusel' *m.* — **'~,wink** *s* **1.** Augenzwinkern *n.* – **2.** Wink *m* (*mit den Augen*). – **3.** Augenblick *m* (*zeitlich*). — **'~,wink·er** *s* Wimper *f.* — **'~'wit·ness** *s* Augenzeuge *m*: ~ account Augenzeugenbericht. — **'~,wort** → eyebright.

eyne [ain] *obs. pl von* eye.

ey·ot [eit] *s Br.* Flußinselchen *n*, Werder *m.*

ey·ra ['ɛ(ə)rə; 'ai(ə)rə] *s zo.* Eyra *f*, Wieselkatze *f* (*Felis eyra*).

eyre [ɛr] *s jur. hist.* **1.** Her'umreisen *n*, Rundreise *f*: justices in ~ wandernde Richter. – **2.** her'umreisender Gerichtshof: ~ of the forest Forstgericht.

ey·rie ['ai(ə)ri; 'ɛ(ə)ri] → aerie.

ey·rir ['ɛ(ə)rir] *pl* **au·rar** ['ɔirɑr] *s isländische Münze* (*hundertster Teil einer Krone*).

ey·ry ['ai(ə)ri; 'ɛ(ə)ri] → aerie.

Ey·tie *cf.* Eyeti.

F

F, f [ef] **I** *s pl* **F's, Fs, f's, fs** [efs] **1.** F *n*, f *n* (*6. Buchstabe des engl. Alphabets*): **a capital** (*od.* **large**) **F** ein großes F; **a little** (*od.* **small**) **f** ein kleines F. – **2.** *mus.* F *n*, f *n* (*Tonbezeichnung*): **F flat** Fes, fes; **F sharp** Fis, fis; **F double flat** Feses, feses; **F double sharp** Fisis, fisis. – **3.** F (*6. angenommene Person bei Beweisführungen*). – **4.** f (*6. angenommener Fall bei Aufzählungen*). – **5.** F *math.* f (*Funktion von*). – **6.** F (*Vererbungslehre*) F (*Symbol für die Generation der Nachkommen*). – **7.** F *ped. bes. Am.* a) Sechs *f*, Ungenügend *n*, b) *selten* Befriedigend *n*. – **8.** F F *n*, F-förmiger Gegenstand. – **II** *adj* **9.** sechst(er, e, es): **Company F** die 6. Kompanie. – **10.** F F-..., F-förmig: **F hole** *mus.* F-Loch (*Schalloch bei Violininstrumenten*).

fa [fɑː] *s mus.* fa *n*: a) *4. Stufe in der Solmisation*, b) F *n*, f *n* (*im franz.-ital. System*).

fa·ba·ceous [fəˈbeiʃəs] *adj bot.* bohnenartig, Bohnen...

Fa·bi·an [ˈfeibiən] **I** *adj* **1.** fabisch, fabiˈanisch, zaudernd, aufschiebend, unentschlossen: **~ tactics**, **~ policy** fabische Taktik, Verzögerungspolitik. – **2.** die **~ Society** betreffend. – **II** *s* → **Fabianist**. — **ˈFa·bi·anˌism** *s* Fabiaˈnismus *m*, Lehre *f* der **Fabian Society**. — **ˈFa·bi·an·ist** *s* Fabier(in), Mitglied *n* der **Fabian Society**.

Fa·bi·an So·ci·e·ty *s* Gesellschaft *f* der Fabier (*eine 1884 in England gegründete sozialistische Gesellschaft*).

fa·ble [ˈfeibl] **I** *s* **1.** (Tier)Fabel *f*, Sage *f*, Märchen *n*. – **2.** *collect.* Mythen *pl*, Leˈgenden *pl*. – **3.** *fig.* Fabel *f*, Märchen *n*, erfundene Geschichte, Lüge *f*. – **4.** Geschwätz *n*: **old wives' ~s** Altweibergewäsch. – **5.** *selten* Fabel *f*, Handlung *f* (*eines Dramas*). – **II** *v/i u. v/t obs. od. poet.* **6.** (er)dichten, fabeln. — **ˈfa·bled** [-bld] *adj* **1.** erdichtet, der Sage angehörend, fabel-, sagenhaft. – **2.** in Fabeln gepriesen. – **3.** in Mythen vorkommend, legenˈdär. — **ˈfa·bler** [-blər] *s* **1.** Fabeldichter *m*, Fabel-, Märchenerzähler(in). – **2.** *fig.* Fabelhans *m*, Lügner *m*.

fab·ric [ˈfæbrik] *s* **1.** Zuˈsammensetzung *f*, Bau *m*, ˈHerstellung *f* (*auch fig.*). – **2.** *arch.* Gebäude *n*, Bau *m*. – **3.** Bauerhaltung *f* (*bes. von Kirchen*). – **4.** *fig.* Bau *m*, Gefüge *n*, Strukˈtur *f*: **the ~ of society** die soziale Struktur. – **5.** *fig.* Syˈstem *n*. – **6.** Stoff *m*, Gewebe *n*, Fabriˈkat *n*: **~ gloves** Stoffhandschuhe. – **7.** *tech.* Leinwand *f*, Reifengewebe *n*: **~ binding** Leinenumwicklung; **~dope** Kleblack; **~gore** Stoffbahn. – **8.** *geol.* Texˈtur *f*, Schichtenzeichnung *f* (*im Gestein*). — **ˈfab·ri·cant** *s* Fabriˈkant *m*.

fab·ri·cate [ˈfæbriˌkeit] *v/t* **1.** fabriˈzieren, (an)fertigen, ˈherstellen, zubereiten. – **2.** (er)bauen, errichten. – **3.** *fig.* (*Lüge etc*) erfinden, ersinnen. – **4.** *fig.* (*Dokument*) fälschen. – *SYN. cf.* **make**. — **ˌfab·riˈca·tion** *s* **1.** Fabrikatiˈon *f*, ˈHerstellung *f*, Anfertigung *f*. – **2.** Bau *m*, Errichtung *f*. – **3.** *fig.* Erfindung *f*, Erdichtung *f*, Lüge *f*. – **4.** Fälschung *f*. — **ˈfab·riˌca·tor** [-tər] *s* **1.** ˈHersteller *m*, Verfertiger *m*, Fabriˈkant *m*. – **2.** Erbauer *m*, Errichter *m*. – **3.** *fig.* Erfinder *m* (*von Lügen etc*), Schwindler *m*. – **4.** Fälscher *m*.

fab·ri·koid [ˈfæbriˌkɔid] (*TM*) *s* (*Art*) wasserdichtes Kunstleder.

fab·u·list [ˈfæbjulist; -jə-] *s* **1.** Fabuˈlist(in), Fabeldichter(in). – **2.** Lügner(in), Schwindler(in). — **ˌfab·uˈlos·i·ty** [-ˈlɒsiti; -əti] → **fabulousness**. — **ˈfab·u·lous** *adj* **1.** erdichtet, sagenhaft. – **2.** Fabel... – **3.** mythisch, leˈgendenhaft: **~ hero** legendärer Held. – **4.** *fig.* fabelhaft, ungeheuer, unglaublich: **~ wealth** sagenhafter Reichtum. – *SYN. cf.* **fictitious**. — **ˈfab·u·lous·ness** *s* Fabelhaftigkeit *f*.

fa·çade [fəˈsɑːd; fæ-] *s* **1.** *arch.* Fasˈsade *f*, Vorder-, Stirnseite *f*. – **2.** *fig.* Fasˈsade *f*.

face [feis] **I** *s* **1.** Gesicht *n*, Angesicht *n*, Antlitz *n* (*auch fig.*): **to look s.o. in the ~** j-m ins Gesicht sehen; **with the wind in one's ~** gegen den Wind; **to be full in the ~** ein volles Gesicht haben; → **show** *b. Redw.* – **2.** Geˈsicht(sausdruck *m*) *n*, Aussehen *n*, Miene *f*: **to have a good ~** ein gutes Gesicht haben, gut aussehen; **to put a good ~ on a matter** gute Miene zum bösen Spiel machen; **to put a bold ~ on s.th.** sich etwas (*Unangenehmes etc*) nicht anmerken lassen; **to put s.o. out of ~** j-n aus der Fassung *od.* in Verlegenheit bringen; → **wry** 1. – **3.** *fig.* günstige Miene, Gunst *f*: → **set against** 1. – **4.** Fratze *f*, Griˈmasse *f*: **to make ~s at s.o.** *colloq.* j-m Gesichter schneiden. – **5.** *colloq. fig.* Stirn *f*, Dreistigkeit *f*, Unverschämtheit *f*: **to have the ~ to do s.th.** die Stirn haben *od.* so unverschämt sein, etwas zu tun; **to run one's ~** *Am. sl.* Kredit *od.* Gunst auf sein bloßes Gesicht hin erlangen, sein gutes Aussehen ausnutzen: **he's got some ~** er besitzt eine gehörige Portion Unverschämtheit. – **6.** *fig.* Gegenwart *f*, Anblick *m*, Angesicht *n*: **before the ~ of s.o.** vor j-s Angesicht, in j-s Gegenwart; **to be brave in the ~ of danger** angesichts der Gefahr Tapferkeit zeigen; **in the very ~ of day** bei hellichtem Tage; **for s.o.'s fair ~** um j-s schöner Augen willen; **to laugh in s.o.'s ~** j-m ins Gesicht lachen; **to shut the door in s.o.'s ~** j-m die Tür vor der Nase zuschlagen; **to say s.th. to s.o.'s ~** j-m etwas ins Gesicht sagen; **~ to ~** von Angesicht zu Angesicht, direkt; **to bring persons ~ to ~** Personen (einander) gegenüberstellen; **to fly in the ~ of s.o.** j-m (offen) widersprechen *od.* trotzen; **to fly in the ~ of danger** der Gefahr mutig entgegentreten. – **7.** *fig.* (*das*) Äußere, (äußere) Gestalt *od.* Erscheinung, Anstrich *m*, Anschein *m*: **the ~ of affairs** die Sachlage; **on the (mere) ~ of it** auf den ersten Blick, gleich beim ersten Anblick. – **8.** *fig.* Gesicht *n*, Würde *f*, Preˈstige *n*, Ruf *m*: **to save one's ~** das Gesicht wahren, sein Prestige retten; **to lose ~** seinen guten Ruf verlieren. – **9.** *econ. jur.* Nennwert *m*, -betrag *m*, Nomiˈnalwert *m* (*Banknote, Wertpapier*), Wortlaut *m* (*Dokument*). – **10.** Vorderseite *f*: **~ of a clock** Zifferblatt; **half ~** Profil; **in (the) ~ of** gegenüber, direkt vor (*dat*), angesichts (*gen*), trotz (*dat od. gen*). – **11.** Ober-, Schlagfläche *f*, hoher Teil (*des Golfschlägerkopfes*). – **12.** rechte Seite (*Stoff, Leder etc*). – **13.** Bildseite *f* (*Spielkarte*), Aˈvers *m* (*Münze*). – **14.** Schneide *f* (*Messer, Werkzeug etc*). – **15.** *arch.* Fasˈsade *f*, Vorderseite *f*. – **16.** *math.* (*geometrische*) Fläche: **~ of a crystal** Kristallfläche; **~ of a cleavage** *min.* Spaltfläche. – **17.** *mil.* a) Face *f*, Gesichtslinie *f* (*Festungswerk*), b) Seite *f* (*einer geschlossenen Formation*). – **18.** *print.* Bild *n* (*der Type*). – **19.** (*Bergbau*) Streb *n*, Ort *n*, Wand *f* (*eines Kohlenflözes od. Schachtes*): **~ of a coal seam** mit dem Streichen parallel laufende Wand; **~s of coal** Schlechten; **~ of a gangway** Ort einer Strecke, Ortsstoß; **~ of a shaft** Schachtstoß. – *SYN.* **countenance, physiognomy, visage**. – **II** *v/t* **20.** (*j-m*) das Gesicht zuwenden, mit der Vorderseite nach (*einer bestimmten Richtung*) stehen, gegenˈübersein, -liegen, -sitzen, -stehen, -treten (*dat*), (hinˈaus)gehen nach *od.* auf (*acc*): **the house ~s the sea** das Haus liegt (nach) dem Meer zu; **the windows ~ the street** die Fenster gehen auf die Straße (hinaus); **the statue ~s the park** die Statue blickt auf den Park. – **21.** (*etwas*) ˈumkehren, ˈumwenden: **to ~ a card** eine Spielkarte aufdecken. – **22.** (*j-m, einer Sache*) mutig *od.* keck *od.* unverschämt entgegentreten, Trotz *od.* die Stirn bieten, trotzen: **to ~ the enemy** dem Feind die Stirn *od.* Spitze bieten; **let's ~ it** seien wir ehrlich; → **music** 1. – **23.** *fig.* sich (*j-m od. einer Sache*) gegenˈübersehen, gegenˈüberstehen, entgegenblicken, ins Auge sehen (*dat*): **to be ~d with ruin** dem Nichts gegenüberstehen; **to ~ s.th. out** etwas mit Unverfrorenheit vertreten. – **24.** *tech.* a) (*Oberfläche*) verkleiden, verblenden, (*Enden*) schleifen, b) flach drehen, fräsen, schlichten, plandrehen, c) (*Schneiderei*) besetzen, einfassen: **to ~ with red** mit roten Aufschlägen besetzen. – **25.** *arch.*

a) verblenden, verkleiden, belegen, b) (*Steine*) ebnen, glätten, flächen. – **26.** *econ.* (*einer Ware*) ein besseres Äußeres geben: to ~ tea Tee färben. – **27.** *mil.* eine Wendung machen lassen. – **28.** *print.* auf der gegen'überliegenden Seite stehen von. –
III *v/i* **29.** das Gesicht wenden, sich drehen, eine Wendung machen (to, towards nach): to ~ about sich umwenden, kehrtmachen (*auch fig.*); left ~! *mil. Am.* linksum! – **30.** sehen, blicken (to, towards nach), liegen: to ~ full to the South direkt nach Süden liegen; to ~ on the lake nach dem See zu liegen.

face·a·ble ['feisəbl] *adj* ansehbar.

'face|-,ache *s* Ge'sichtsschmerz *m*, -neural,gie *f*. — **~ a·mount** *s econ.* Nennbetrag *m*. — **~ brick** *s arch.* Verblendstein *m*. — **~ card** *s* (*Kartenspiel*) Bildkarte *f*. — **'~-,cen·tered,** *bes. Br.* **'~-,cen·tred** *adj chem. min. phys.* 'flächenzen,triert. — **'~,cloth** *s* Waschlappen *m*.

faced [feist] *adj* **1.** (*bes. in Zusammensetzungen*) mit (einem) ... Gesicht (versehen): → double-~; full-~; two-~. – **2.** (*Kartenspiel*) a) mit einem Bild (*Karte*), b) aufgedeckt. – **3.** mit einem Kopf *od.* Bild (*Münze*). – **4.** *tech.* a) geglättet (*Stein etc*), b) (*Schneiderei*) mit Aufschlägen, eingefaßt, c) verkleidet.

face| guard *s* (Draht)Schutzmaske *f*. — **~ ham·mer** *s tech.* Bahnschlägel *m*. — **'~-,hard·en** *v/t tech.* die Oberfläche härten von. — **'~-,hard·en·ing** *s tech.* Oberflächenhärtung *f*. — **~ lathe** *s tech.* Plandreh-, Scheibendrehbank *f*.

face·less ['feislis] *adj* **1.** gesichtslos. – **2.** ohne Vorderseite, abgegriffen (*Münze*).

face| lift·ing *s* **1.** Gesichtsstraffung *f* (*kosmetische Operation*). – **2.** *fig.* Erneuerung *f*, Reno'vierung *f*, Verschönerung *f* (*eines Hauses etc*). — **~ mill** *s tech.* Planfräser *m*. — **~ mo(u)ld** *s tech.* Scha'blone *f*. — **~ piece** *s mil.* (Gas)Maskenkörper *m*. — **'~,plate** *s tech.* **1.** (Ab)Richtplatte *f*. – **2.** Planscheibe *f* (*Drehbank*). – **3.** Schutz-, Frontplatte *f*. — **~ pres·en·ta·tion** *s med.* Gesichtslage *f* (*bei Geburten*).

fac·er ['feisər] *s* **1.** Schlag *m* ins Gesicht (*auch fig.*). – **2.** *fig.* plötzlich auftretende Schwierigkeit. – **3.** *tech.* Plandreher *m*.

'face|-,sav·ing *adj* Pre'stigeverlust vermeidend, das Gesicht *od.* den (An)Schein wahrend. — **~ ser·ra·tion** *s tech.* Stirnverzahnung *f*.

fac·et ['fæsit] **I** *s* **1.** kleine (Ober)Fläche. – **2.** Fa'cette *f* (*Edelstein*). – **3.** *min. tech.* Rauten-, Schliff-, Schleif-, Kri'stallfläche *f*. – **4.** *zo.* Fa'cette *f* (*eines Facettenauges*). – **5.** *arch.* Leistchen *n* (*zwischen den Rinnen einer Säule*). – **6.** *med.* Gelenkfläche *f* (*eines Knochens*). – **7.** *fig.* A'spekt *m*, Seite *f* (*eines Charakters etc*). – *SYN. cf.* phase. – **II** *v/t* **8.** (*Steine*) facet'tieren, mit Fa'cetten schleifen.

fa·cete [fə'siːt] *adj obs.* witzig, spaßhaft.

fac·e·ted ['fæsitid] *adj* facet'tiert, Facetten...: ~ eye *zo.* Facetten-, Netzauge.

fa·ce·ti·ae [fə'siːʃi,iː] *s pl* Fa'zetien *pl*: a) witzige Aussprüche *pl*, b) (*in Bücherkatalogen*) derbkomische Werke *pl*. — **fa'ce·tious** [-ʃəs] *adj* witzig, drollig, spaßig, spaßhaft, lustig. – *SYN. cf.* witty. — **fa'ce·tious·ness** *s* Scherzhaftigkeit *f*, Witzigkeit *f*, Hu'mor *m*.

face| val·ue *s* **1.** *econ.* Nenn-, Nomi'nalwert *m* (*Banknote etc*). – **2.** *fig.* scheinbarer Wert: I took his words at their ~ ich nahm seine Worte für bare Münze. — **~ wall** *s arch.* Front-, Stirnmauer *f*. — **~ wheel** *s tech.* Kronrad *n*. — **'~,work** *s arch.* äußeres Mauerwerk.

fa·ci·a ['fæʃiə; 'fei-] *s* Firmenschild *n*.

fa·cial ['feiʃəl] **I** *adj* Gesichts... – **II** *s Am. colloq.* Ge'sichtsmas,sage *f*. — **~ an·gle** *s* **1.** (*Schädellehre*) Gesichtswinkel *m*. – **2.** *tech.* Pro'filwinkel *m*. — **~ ar·ter·y** *s med.* Gesichtsschlagader *f*. — **~ cut** *s* Gesichtsschnitt *m*. — **~ in·dex** *s* (*Schädelmessung*) Gesichtsindex *m* (*Längenbreitenverhältnis*). — **~ nerve** *s med.* Gesichtsnerv *m*, Fazi'alis *m*.

fa·cient ['feiʃənt] *s math.* Faktor *m*, Multipli'kator *m*.

-facient [feiʃənt] *Endsilbe mit der Bedeutung* machend, verursachend.

fa·ci·es ['feiʃi,iːz; -si,iːz] *s* **1.** *med. zo.* Gesicht *n*, Gesichtsausdruck *m*, -züge *pl*. – **2.** (*das*) Äußere, äußere Erscheinung, Habitus *m*. – **3.** *med. zo.* allgemeiner Typus (*einer Klasse etc*). – **4.** *bot. zo.* Sondergebiet *n* eines Bio'tops. – **5.** *geol.* Fazi'es *f* (*Bezirk zusammengehöriger Schichten*).

fac·ile [*Br.* 'fæsail; *Am.* -sil; -sl] *adj* **1.** leicht (zu tun *od.* zu bezwingen *od.* zu erwerben) (*Br. oft herabsetzend*). – **2.** *fig.* leicht zugänglich, leutselig, 'umgänglich. – **3.** *fig.* nachgiebig, fügsam, gefällig. – **4.** leicht zu über'reden(d), leichtgläubig. – **5.** leicht, gewandt, flink, geschickt. – *SYN. cf.* easy. — **'fac·ile·ness** *s* **1.** leichte Hand, Gewandtheit *f*. – **2.** Zugänglichkeit *f*. – **3.** Fügsamkeit *f*. – **4.** Leichtgläubigkeit *f*.

fa·cil·i·tate [fə'sili,teit; -lə-] *v/t* (*etwas*) erleichtern, (*Am. auch j-n*) fördern. — **fa,cil·i'ta·tion** *s* Erleichterung *f*, Förderung *f*.

fa·cil·i·ty [fə'siliti; -əti] *s* **1.** Leichtigkeit *f* (*Ausführung*). – **2.** Gewandtheit *f*, Geschicklichkeit *f*. – **3.** Nachgiebigkeit *f*, Gefälligkeit *f*. – **4.** Zugänglichkeit *f*, Leutseligkeit *f*. – **5.** Neigung *f*. – **6.** günstige Gelegenheit, Möglichkeit *f* (for für). – **7.** *meist pl* Einrichtung(en *pl*) *f*, Anlage(n *pl*) *f*: port facilities Hafenanlagen. – **8.** *meist pl* Erleichterung(en *pl*) *f*, Vorteil(e *pl*) *m*: to grant certain facilities bestimmte Vorteile einräumen; facilities of payment Zahlungserleichterungen; to afford s.o. every ~ j-m jegliche Erleichterung gewähren.

fac·ing ['feisiŋ] *s* **1.** Ansehen *n*, Gegen'überstehen *n*. – **2.** *mil.* Wendung *f*: to go through one's ~s *fig.* seine Prüfung durchmachen; zeigen müssen, was man kann; to put s.o. through his ~s *fig.* j-n auf Herz u. Nieren prüfen. – **3.** *tech.* Verkleidung *f*. – **4.** *tech.* a) Zier- *od.* Schutzbedeckung *f*, Einfassung *f*, b) (*Tischlerei*) Bekleidung *f*, Holzwerk *n* (*um Türen u. Fenster*), c) Einfalzung *f*, Einfügung *f*, d) Plandrehen *n*, e) Planflächenschliff *m*, f) (*Gießerei*) feingesiebter Formsand, g) Glätten *n* (*Ziegel*) h) Schärfen *n* (*Mühlstein*), i) Futter *n*: ~ of a brake Bremsfutter. – **5.** *arch.* a) Ebenen *pl* (*Stein*), b) Verblendung *f*, Verkleidung *f* (*mit Blendsteinen, Stuck etc*), c) Stirn-, Frontmauer *f*. – **6.** (*Schneiderei*) a) Aufschlag *m*, b) Einfassung *f*, Besatz *m*.

fac·ing| board ['feisiŋ] *s tech.* (dünnes) Blendholz, Verblendpappe *f*. — **~ brick** *s tech.* Verblendziegel *m*, Blendstein *m*. — **~ ham·mer** *s tech.* **1.** Bahnschlägel *m*. – **2.** Kraushammer *m*. — **~ head** *s tech.* Planfräskopf *m*. — **~ lathe** → face lathe. — **~ sand** *s tech.* feingesiebter Formsand. — **~ slip** *s Am.* Aufklebezettel *m*, Pa'keta,dresse *f*. — **~ tool** *s tech.* Plandrehstahl *m*, Plandrehwerkzeug *n*.

fa·cin·o·rous [fə'sinərəs] *adj obs.* verrucht.

fac·sim·i·le [fæk'simili; -mə-] *s* **1.** Fak'simile *n*, genaue Nachbildung. – **2.** *electr.* ('Raster),Bildüber,tragung *f*: ~ apparatus Bildfunkgerät. – *SYN. cf.* reproduction.

fact [fækt] *s* **1.** Tatsache *f*, Faktum *n*, Wirklichkeit *f*, Wahrheit *f*: in (point of) ~ in der Tat, tatsächlich, faktisch; it is a ~ es ist eine Tatsache, es ist tatsächlich so; to be founded on ~ auf Tatsachen beruhen; the ~s of life das Geheimnis des Lebens, die Tatsachen über die Entstehung des Lebens; → hard 16; matter *b. Redw.* – **2.** (Un)Tat *f* (*nur noch in*): question of ~ *jur.* Tatfrage; → accessory 11. – **3.** *oft pl jur.* Tatbestand *m*, 'Tat,umstände *pl*, Sachverhalt *m*: the ~s of the case die Tatumstände; ablative ~, divestitive ~ Tatsache, die den Verlust eines Rechtes nach sich zieht; investitive ~ Tatsache, die ein Recht begründet. – **4.** Tatbericht *m*, Darstellung *f* des Tatbestandes. — **'~-,find·ing** *adj* den Tatbestand erforschend, Untersuchungs...: ~ commission Untersuchungsausschuß; ~ tour Informationsreise.

fac·tice ['fæktis] *s chem.* Faktis *m*, Gummi-Ersatz *m*.

fac·tion ['fækʃən] *s* **1.** *bes. pol.* (*eigennützige*) Par'tei, Clique *f*, Fakti'on *f*: spirit of ~ Parteigeist. – **2.** Par'teisucht *f*, Vorherrschen *n* von Par'teigeist. – **3.** Uneinigkeit *f*, Zwietracht *f* (in einer Partei). – **4.** *obs.* Kaste *f*. — **'fac·tion·al** *adj* **1.** eigennützig, -süchtig. – **2.** Faktions..., Partei... — **'fac·tion·al,ism** *s* Par'teigeist *m*. — **'fac·tion·ar·y** [*Br.* -nəri; *Am.* -,neri] **I** *adj selten* par'teiisch, Partei... – **II** *s* Par'teigänger *m*. — **'fac·tion·ist** *s* **1.** Par'teigänger *m*. – **2.** Aufwiegler *m*, Unruhestifter *m*.

fac·tious ['fækʃəs] *adj* **1.** Partei..., par'teisüchtig. – **2.** fakti'ös, aufrührerisch. — **'fac·tious·ness** *s* Par'teigeist *m*, -sucht *f*.

fac·ti·tious [fæk'tiʃəs] *adj* **1.** künstlich, nachgemacht. – **2.** gewohnheitsmäßig, gekünstelt, konventio'nell. – *SYN. cf.* artificial. — **fac'ti·tious·ness** *s* Künstlichkeit *f*.

fac·ti·tive ['fæktitiv; -tət-] *adj ling.* fakti'tiv, kausa'tiv, bewirkend: ~ verb faktitives Zeitwort.

fac·tor ['fæktər] **I** *s* **1.** *econ.* A'gent *m*, Dispo'nent *m*, Faktor *m*, Geschäftsführer *m*, (Handels)Vertreter *m*, Kommissio'när *m*. – **2.** *fig.* Faktor *m*, (mitwirkender) 'Umstand, Mo'ment *n*, Einfluß *m*: the determining ~ of (*od.* in) s.th. der bestimmende Umstand in einer Sache; ~ of merit *tech.* Gütefaktor; ~ of safety *tech.* Sicherheitsgrad. – **3.** *biol.* Erbfaktor *m*, -anlage *f*. – **4.** *math.* Faktor *m*. – **5.** *jur. Scot. od. Am. dial.* (Guts)Verwalter *m*. – **6.** *phot.* Multiplikati'onsfaktor *m* (*für richtige Entwicklung*). – **7.** *med.* Faktor *m*, mitwirkender 'Umstand (*Hormon, Vitamin etc*). – *SYN. cf.* a) agent, b) element. – **II** *v/t* **8.** → factorize 1. – **9.** ~ out *math.* ausklammern.

fac·tor·a·ble ['fæktərəbl] *adj math.* zerlegbar.

fac·tor·age ['fæktəridʒ] *s* Provisi'on *f*, Kommissi'onsgebühr *f*.

fac·to·ri·al [fæk'tɔːriəl] **I** *adj* **1.** eine Fakto'rei *od.* Fa'brik betreffend. – **2.** *biol. math. med.* einen Faktor betreffend, Faktoren...: ~ magnification Einzelvergrößerung. – **II** *s* **3.** *math.* Pro'dukt *n* einer Reihe von Fak'toren, Fakul'tät *f*.

fac·tor·ing ['fæktəriŋ] *s econ.* Aufkaufen *n* fälliger Rechnungen (*zum Inkasso*). — ˌ**fac·tor·i'za·tion** *s math.* Fak'torenzerlegung *f.* — '**fac·torˌize** *v/t* **1.** *math.* in Fak'toren auflösen *od.* zerlegen. – **2.** *jur. Am. für* **garnish** 4. — '**fac·torˌship** *s* Geschäft *n od.* Tätigkeit *f* eines Faktors.

fac·to·ry ['fæktəri; -tri] *s econ.* **1.** Fa'brik(gebäude *n*) *f*, Fabrik-, Betriebs-, Fertigungsanlage *f*: F~ **Acts** Fabrikgesetzgebung. – **2.** Fakto'rei *f*, Handelsniederlassung *f.* — ~ **hand** *s* Fa'brikarbeiter *m.* — ~ **sys·tem** *s econ.* Fa'brikwesen *n.*

fac·to·tum [fæk'toutəm] *s* **1.** Fak'totum *n*, ‚Mädchen *n* für alles'. – **2.** *fig.* rechte Hand, Stütze *f.*

fac·tu·al [*Br.* 'fæktjuəl; *Am.* -tʃuəl] *adj* **1.** tatsächlich, wirklich, Tatsachen...: a ~ **report** ein Tatsachenbericht. – **2.** auf Tatsachen beruhend, tatsächlich, genau.

fac·ture ['fæktʃər] *s* **1.** Kompositi'on *f* (*bes. musikalischer od. literarischer Werke*). – **2.** Werk *n.*

fac·u·la ['fækjulə; -jə-] *pl* **-lae** [-ˌliː] *s astr.* Sonnenfackel *f.*

fac·ul·ta·tive ['fækəlˌteitiv] *adj* **1.** berechtigend. – **2.** fakulta'tiv, freigestellt, wahlfrei, beliebig: ~ **subject** *ped.* Wahlfach. – **3.** möglich. – **4.** *biol.* gelegentlich, zufällig. – **5.** *psych.* Fähigkeit betreffend.

fac·ul·ty ['fækəlti] *s* **1.** Fähigkeit *f*, Vermögen *n*: ~ **of discrimination** Unterscheidungsvermögen; ~ **of hearing** Hörvermögen. – **2.** Kraft *f*, Geschicklichkeit *f*, Gewandtheit *f.* – **3.** na'türliche Gabe, Anlage *f*, Ta'lent *n*, Sinn *m*: **mental** ~ seelische *od.* geistige Kraft, Geistesgabe. – **4.** Fakul'tät *f*, Wissenszweig *m* (*Universität*): **the medical** ~ a) die medizinische Fakultät, b) die Mediziner, die Ärzteschaft. – **5.** (Mitglieder *pl* einer) Fakul'tät, *Am.* Lehrkörper *m* (*College, Universität*). – **6.** *jur.* a) Erlaubnis *f*, Ermächtigung *f*, Befugnis *f* (for zu, für), b) *meist pl* Vermögen *n*, Eigentum *n.* – **7.** *relig.* Befugnis *f*, Vollmacht *f*, Dispensati'on *f.* – **8.** *obs.* (*erlernter*) Beruf. – *SYN. cf.* **gift.**

fad [fæd] *s* **1.** ˌLiebhabe'rei *f*, Steckenpferd *n*, Mode(torheit) *f.* – **2.** Ma'rotte *f*, Schrulle *f*, Laune *f.* – *SYN. cf.* **fashion.** — '**fad·dish** *adj* **1.** der (*gerade geltenden*) Mode ergeben, modisch. – **2.** schrullen-, launenhaft, schrullig, launisch. — '**fad·dist** *s* Schwärmer(in), Fex *m.*

fad·dy ['fædi] → **faddish.**

fade¹ [feid] **I** *v/i* **1.** (ver)welken. – **2.** verschießen, verblassen, verbleichen, ausbleichen, (an) Glanz u. Farbe verlieren. – **3.** *auch* ~ **away** *fig.* (da'hin)schwinden, abklingen, vergehen. – **4.** (*Radio*) schwach *od.* unhörbar werden, schwinden, Schwund haben. – **5.** (ver)schwinden. – **II** *v/t* **6.** verwelken *od.* verblassen lassen, zum Verblassen bringen. – **7.** (*Film, Radio*) schwächer *od.* verschwommen werden lassen, über'blenden, ein-, ausblenden. –

Verbindungen mit Adverbien:

fade| in *v/t electr. phot.* ein-, aufblenden. — ~ **out** *v/t electr. phot.* aus-, abblenden.

fade² [fad] (*Fr.*) *adj* langweilig, fad(e).

fad·ed ['feidid] *adj* **1.** verblichen, verschossen. – **2.** *bot.* welk, verwelkt, verblüht, verblaßt, fahl (*auch fig.*).

'**fade-ˌin** *s* **1.** *phot.* Einblenden *n*, Einblendung *f.* – **2.** *electr.* Einblendregler *m.* — '**fade·less** *adj* **1.** licht-, farbecht. – **2.** *fig.* unvergänglich. — '**fade-ˌout** *s* **1.** *phot.* Ausblenden *n*, Ausblendung *f.* – **2.** *electr.* Abblendregler *m.* – **3.** *phys.* Ausschwingen *n*: ~ **time** Ausschwingzeit. — '**fad·er** *s* (*Rundfunk, Fernsehen*) Aufblend-, Abblend-, Über'blendregler *m.*

fadge [fædʒ] *v/i obs.* **1.** passen. – **2.** gelingen.

fad·ing ['feidiŋ] **I** *adj* **1.** verblassend, verschießend. – **2.** *bot.* (ver)welkend, verblühend. – **3.** *fig.* verblühend. – **4.** *fig.* a) vergänglich, b) matt, ('hin)schwindend: ~ **smile** schwaches Lächeln. – **5.** (*Radio*) an Lautstärke verlierend, schwindend. – **II** *s* **6.** Verblassen *n*, Verschießen *n.* – **7.** *electr.* Über'blendung *f.* – **8.** (*Radio*) Fading *n*, Schwund *m*: ~ **control** Schwundregelung; ~ **rectifier** Schwundgleichrichter; ~**-reducing antenna** schwundmindernde Antenne. — '**fad·ing·ness** *s* ('Hin)Schwinden *n*, Vergänglichkeit *f.*

fae·cal, fae·ces *cf.* **fecal** *etc.*

fa·er·ie, fa·er·y ['feiəri; 'fɛ(ə)ri] *obs.* **I** *s* **1.** → **fairy.** – **2.** Feen-, Märchen-, Traumland *n.* – **II** *adj* **3.** Feen..., Märchen...

fag¹ [fæg] *s bes. Br. sl.* ‚Glimmstengel' *m*, Ziga'rette *f.*

fag² [fæg] **I** *v/i pret u. pp* **fagged** **1.** *Br.* angestrengt *od.* bis zur Erschöpfung arbeiten, sich abarbeiten, sich placken, sich (ab)schinden, roboten: **to** ~ **uphill** mühsam bergauf steigen. – **2.** *Br.* den älteren Schülern Dienste leisten. – **3.** *mar.* sich aufdrehen (*Tauende*). – **II** *v/t* **4.** ermüden, erschöpfen: **to be completely** ~**ged out** vollkommen ausgepumpt *od.* fertig sein. – **5.** (*j-n*) zu niederen Diensten zwingen, schinden. – **6.** *Br.* sich von (*jüngerem Schüler*) bedienen lassen. – *SYN. cf.* **tire¹.** – **III** *s Br.* **7.** *fig.* Arbeitspferd *n* (*Person*), hart Arbeitende(r). – **8.** *Br. Schüler, der für einen älteren regelmäßig Dienste verrichtet.* – **9.** *bes. Br. colloq.* harte, ermüdende Arbeit, Placke'rei *f*: **what a** ~! welch eine Schinderei! – **10.** Erschöpfung *f.* – **11.** *mar.* aufgedrehtes Tauende. – **12.** Knoten *m*, Fehler *m* (*im Tuch*).

fa·ga·ceous [fə'geiʃəs] *adj bot.* buchenartig.

fag end *s* **1.** Salband *n*, -leiste *f* (*am Tuch*). – **2.** *mar.* → **fag²** 11. – **3.** *fig.* Ende *n*, Schluß *m*: **to arrive at the** ~ knapp vor Torschluß kommen. – **4.** (*wertloser*) Rest, 'Überbleibsel *n*: **the** ~ **of the term** die letzten paar Tage des Semesters. – **5.** *bes. Br. sl.* (Ziga'retten-*etc*)Stummel *m*, ‚Kippe' *f.*

fag·ging ['fægiŋ] *s* **1.** Placke'rei *f*, Schinde'rei *f.* – **2.** *auch* ~ **system** *Br. die Sitte, daß jüngere Schüler den älteren Dienste leisten müssen.*

fag·got, *bes. Am.* **fag·ot** ['fægət] **I** *s* **1.** Holz-, Reisigbündel *n.* – **2.** *hist.* Scheiterhaufen *m*, Ketzerverbrennung *f*: **fire and** ~**s** Strafe der Verbrennung. – **3.** *tech.* a) Bündel *n* Stahlstangen (*von 54,43 kg*), b) 'Schweißpaˌket *n*, Pa'ket *n* Eisenstäbe *od.* -abfälle: ~ **of steel** Zange, Stahlpaket. – **4.** *Br.* (*verächtlich*) Schlampe *f*; altes, runzeliges Weib. – **5.** (*Kochkunst*) *Br.* 'Leberfrikaˌdelle *f.* – **II** *v/t* **6.** bündeln, zu Bündeln *od.* einem Bündel zu'sammenbinden. — '**fag·got·ing,** *bes. Am.* '**fag·ot·ing** *s* **1.** A'jourarbeit *f* (*durchbrochene Handarbeit*). – **2.** *tech.* Pake'tierverfahren *n.*

'**fag·got-'vote** *s Br. hist.* durch (*meist* Schein)Kauf *od.* Über'tragung von Grundbesitz erlangte Wahlstimme.

fag·ot, fag·ot·ing *cf.* **faggot** *etc.*

fa·got·tist [fə'gɒtist] *s* Fagot'tist *m*, Fa'gottbläser *m.* — **fa·got·to** [fa'gɒttɔː] *pl* **-ti** [-ti] (*Ital.*) *s mus.* Fa'gott *n* (*auch als Orgelregister*).

fagot-vote *cf.* **faggot-vote.**

Fahl·band ['faːlˌbant] (*Ger.*) *s min.* Fahlband *n* (*bandartige Erzanreicherung*).

Fahr·en·heit ['færənˌhait] *s in England u. USA gebräuchliches Thermometersystem nach Fahrenheit.*

fa·ience [fa'jɑ̃ːs; fai'ɑːns] *s* Fay'ence *f* (*Tonware mit Zinnglasur*).

fail [feil] **I** *v/i* **1.** (of, in) fehlen, mangeln, Mangel haben (an *dat*), ermangeln (*gen*). – **2.** nachlassen, aufhören, (ver)schwinden, verlorengehen, ausbleiben, versiegen (*Quellen etc*): **our supplies** ~**ed** unsere Vorräte gingen aus *od.* zu Ende. – **3.** miß'raten (*Ernte*), nicht aufgehen (*Saat*). – **4.** verfallen, abnehmen, schwächer werden, ermatten. – **5.** stocken, versagen: **the engine** ~**ed** der Motor versagte. – **6.** fehlschlagen, scheitern, miß'lingen, (seinen Zweck) verfehlen, 'durchfallen, 'Mißerfolg haben: **if everything else** ~**s** *fig.* wenn alle Stricke reißen; **he** ~**ed in all his attempts** alle seine Versuche schlugen fehl; **it** ~**ed in its effect** es hatte nicht die beabsichtigte Wirkung; **the prophecy** ~**ed** die Prophezeiung traf nicht ein; **I** ~ **to see** ich kann nicht einsehen. – **7.** verfehlen, versäumen, unter'lassen: **he will not** ~ **to come** er wird nicht versäumen zu kommen; **he** ~**s in his duty** er ver(ab)säumt *od.* vernachlässigt seine Pflicht. – **8.** fehlgehen, irren: **to** ~ **in one's hopes** sich in seinen Hoffnungen täuschen. – **9.** *econ.* seine Zahlungen einstellen, bank'rott machen *od.* gehen, in Kon'kurs geraten. – **10.** *ped.* 'durchfallen: → **examination** 2. – **11.** *obs.* sterben. –

II *v/t* **12.** (*j-m*) fehlen, versagen: **his courage** ~**ed him** ihm sank der Mut; **words** ~ **me** es fehlen mir die Worte. – **13.** (*j-n*) verlassen, im Stich lassen, enttäuschen: **I will never** ~ **you.** – **14.** (*j-n in einer Prüfung*) 'durchfallen lassen: **he** ~**ed them all** er ließ sie alle durchfallen. – **15.** 'durchfallen in (*einer Prüfung*): **to** ~ **an examination.** – **16.** *selten* verfehlen, versäumen. –

III *s* **17.** Fehlschlagen *n*, Miß'lingen *n* (*fast nur noch in*): **without** ~ unfehlbar, ganz gewiß. – **18.** (*im Examen*) 'Durchgefallene(r).

fail·ing ['feiliŋ] **I** *adj* **1.** fehlend, (er)mangelnd, ausbleibend: **never** ~ a) nie versagend, b) nie versiegend. – **2.** sich irrend: **never** ~ unfehlbar. – **II** *prep* **3.** mangels, in Ermang(e)lung (*gen*): ~ **a purchaser** in Ermangelung eines Käufers. – **4.** im Falle des Ausbleibens *od.* Miß'lingens *od.* Versagens *od.* Sterbens (*gen*): ~ **this** wenn nicht, andernfalls; ~ **whom** im Falle seines Nichterscheinens, vertreten durch; ~ **which, which** ~ widrigenfalls. – **III** *s* **5.** Fehlen *n*, Ausbleiben *n.* – **6.** Fehler *m*, Mangel *m*, Schwäche *f.* – *SYN. cf.* **fault.**

faille [feil; fail] *s* Faille *f*, Ripsseide *f.*

fail·ure ['feiljər] *s* **1.** Ausbleiben *n*, Fehlen *n*, Versagen *n*, Versiegen *n.* – **2.** Unter'lassung *f*, Versäumnis *f*, *n*: ~ **to render a report** Unterlassung einer Meldung. – **3.** Fehlschlag(en *n*) *m*, Miß'lingen *n*, 'Mißerfolg *m*: ~ **of crops** Mißernte. – **4.** Verfall *m*, Sinken *n*, Schwäche *f* (*der Kräfte, Sinne etc*). – **5.** *fig.* Schiffbruch *m*, Fall *m*, Zu'sammenbruch *m.* – **6.** *econ.* Bank'rott *m*, Kon'kurs *m*, Zahlungseinstellung *f.* – **7.** Versager *m* (*fehlgeschlagene Sache, untaugliche Person*): **he is a complete** ~ er ist ein vollkommener Versager. – **8.** *ped.* 'Durchfallen *n* (*in einer Prüfung*). – **9.** *tech.* Riß *m.* – **10.** *electr.* Störung *f.*

fain¹ [fein] **I** *adj* **1.** *selten* froh, erfreut, zufrieden: **to be** ~ **to do s.th.** – **2.** *selten* geneigt, bereit. – **3.** *obs. od. dial.* begierig. – **II** *adv* **4.** (*nur noch nach* **would**) gern: **I would** ~ **do it** ich würde *od.* möchte es gern tun.

fain² [fein] → fains.

fai·naigue [fə'neig] **I** *v/i* **1.** (*Kartenspiel*) nicht bedienen. – **2.** betrügen. – **II** *v/t* **3.** (*etwas*) auf Schleichwegen erreichen, erschwindeln. — **fai'naiguer** *s* Betrüger *m*, Schwindler *m*.

fai·ne·ance ['feiniəns], **'fai·ne·an·cy** *s* Nichtstun *n*, Müßiggang *m*. — **'fai·né·ant I** *adj* müßig, faul. – **II** *s* Müßiggänger *m*, Faulenzer *m*.

fain it *interj Kinderbitte um Pause od. Gnade bei Spielen.*

fains [feinz] *interj Br.* (*beim Spielen*) *meist* ~ I *mit nachfolgendem Gerundium* ich scheide aus, ich mach' nicht mit, ohne mich: ~ I keeping goal ich möchte nicht Torhüter sein.

faint [feint] **I** *adj* **1.** schwach, matt, kraftlos (with vor *dat*): to feel ~ sich matt fühlen. – **2.** schwach, matt (*Ton, Farbe etc, auch fig.*): I have not the ~est idea ich habe nicht die leiseste Ahnung; ~ hope schwache Hoffnung. – **3.** *print. cf.* feint². – **4.** schwach, undeutlich: to have a ~ recollection of s.th. sich nur schwach an etwas erinnern (können). – **5.** drückend (*Luft*). – **6.** zaghaft, furchtsam, kleinmütig, feige: ~ heart never won fair lady wer nicht wagt, der nicht gewinnt. – **II** *s* **7.** Ohnmacht *f*: dead ~ tiefe Ohnmacht. – **III** *v/i* **8.** *auch* ~ away *poet.* schwach *od.* matt werden (with vor *dat*). – **9.** in Ohnmacht fallen (with vor *dat*). – **10.** *obs.* schwach *od.* mutlos werden, verzagen. – **11.** *selten* verblassen, verschwinden.

'faint,heart *s* **1.** Feigheit *f*. – **2.** Feigling *m*. — **'faint'heart·ed** *adj* feig, mutlos, kleinmütig, zaghaft. — **,faint'heart·ed·ness** *s* Feigheit *f*, Mutlosigkeit *f*, Zaghaftigkeit *f*.

faint·ing ['feintiŋ] *s* Ohnmacht *f*: ~ fit Ohnmachtsanfall. — **'faint·ish** *adj* (etwas) schwach, schwächlich. — **'faint·ness** *s* **1.** Schwäche *f*, Mattigkeit *f*. – **2.** Ohnmacht *f*, Erschöpfung *f*. – **3.** *fig.* Mutlosigkeit *f*, Verzagtheit *f* (*nur noch in*): ~ of heart. – **4.** Schwäche *f*, Undeutlichkeit *f*. — **faints** *s pl* (*Branntweinbrennerei*) unreiner Rückstand.

fair¹ [fɛr] **I** *adj* **1.** schön, hübsch, nett, lieblich: the ~ sex das schöne *od.* zarte Geschlecht. – **2.** rein, sauber, tadel-, flecken-, makellos, unbescholten (*Ruf, Charakter etc*). – **3.** *fig.* schön, gefällig: ~ words schöne Worte, Schmeichelei. – **4.** gerade (*Fläche, Linie*). – **5.** klar, wolkenlos, heiter (*Himmel*), beständig, trocken (*Wetter*): a ~ day ein schöner Tag. – **6.** rein, klar (*Wasser, Luft*). – **7.** sauber, deutlich, leserlich (*Handschrift*): ~ copy Reinschrift, druckfertiges Manuskript. – **8.** hell(farbig), blond, zart (*Haut, Haar, Teint*). – **9.** klar, frei, offen, unbehindert (*Aussicht etc*): ~ game Freiwild (*auch fig.*). – **10.** *fig.* günstig, aussichtsreich, vielversprechend: ~ chance aussichtsreiche Chance; → way¹ *b. Redw.*; wind¹ 1. – **11.** schön, ansehnlich, nett (*Summe etc*): a ~ heritage eine annehmbare Erbschaft. – **12.** ehrlich, offen, aufrichtig (with gegen): by ~ means auf ehrliche Weise. – **13.** ehrlich, fair, anständig, 'unpar,teiisch, billig, gerecht, recht u. billig (*Handlungsweise*): → play 4; warning 1. – **14.** leidlich, ziemlich *od.* einigermaßen gut: to be a ~ judge of s.th. ein ziemlich gutes Urteil über etwas abgeben können; ~ business leidlich gute Geschäfte; pretty ~ ganz leidlich, ziemlich gut, (*auf Schulzeugnissen*) genügend. – **15.** angemessen, re'ell, annehmbar: ~ estimate angemessene Schätzung; ~ price angemessener Preis. – *SYN.* a) *cf.* beautiful, b) dispassionate, equitable, impartial, just¹, objective, unbias(s)ed. – **II** *adv* **16.** schön, gut, freundlich, höflich: to speak s.o. ~ j-m schöne *od.* freundliche Worte sagen. – **17.** rein, sauber, leserlich: to copy (*od.* write) ~ ins reine schreiben. – **18.** günstig, gut (*nur noch in*): to bid (*od.* promise) ~ sich gut anlassen, viel versprechen, zu Hoffnungen berechtigen; the wind sits ~ *mar.* der Wind ist günstig. – **19.** anständig, gerecht, billig, fair: to fight (play) ~ ehrlich *od.* fair kämpfen (spielen), *fig.* ehrliches Spiel treiben. – **20.** 'unpar,teiisch, billig, gerecht. – **21.** aufrichtig, offen, ehrlich: ~ and square offen u. ehrlich. – **22.** auf gutem Fuß (with mit): to keep (*od.* stand) ~ with s.o. (sich) gut mit j-m stehen. – **23.** *obs.* klar, deutlich. – **24.** richtig, genau, di'rekt, gerade, genau: to strike s.o. ~ in the face j-n mitten ins Gesicht schlagen. – **25.** *obs.* ruhig, friedlich: the sea runs ~ *mar.* die See ist ruhig. – **III** *s obs.* **26.** Schöne *f*, Geliebte *f*: the ~ die Schönen, das schöne Geschlecht. – **27.** (*das*) Schöne *od.* Gute: for ~ *Am. sl.* wirklich; out of ~ nicht der Wahrheit entsprechend. – **28.** Schönheit *f*. – **IV** *v/t* **29.** *tech.* glätten, zurichten. – **30.** ins reine schreiben, eine Reinschrift anfertigen von. – **31.** *obs.* schön machen, verschönern. – **V** *v/i* **32.** *auch* ~ off, ~ up aufklaren, sich aufheitern (*Wetter*).

fair² [fɛr] *s* **1.** Jahrmarkt *m*, Messe *f*: at the ~ auf der Messe; (a day) after the ~ *fig.* (einen Tag) zu spät. – **2.** Ausstellung *f*: agricultural ~ landwirtschaftliche Ausstellung. – **3.** Ba'sar *m*: fancy ~ Basar, in dem Modeartikel zu wohltätigen Zwecken verkauft werden.

fair| catch *s* (*Rugby-Fußball*) di'rekter Fang (*des Balls*). — **'~-com'plex·ioned** → fair-faced 1. — **'~-,deal·ing** *adj* 'unpar,teiisch, ehrlich. — **'~-,faced** *adj* **1.** von heller Gesichtsfarbe, hellhäutig. – **2.** schön, gut aussehend. – **3.** *fig.* trügerisch. — **~ green** *s* (*Golf*) kurzgeschnittene Rasenfläche, gepflegte Spielfläche (*zwischen der Marke u. dem Grün*). — **'~,ground** *s Am. oft pl* **1.** Ausstellungs-, Messegelände *n*. – **2.** Rummel-, Vergnügungsplatz *m*. — **'~-,haired** *adj* **1.** blond, hellhaarig. – **2.** *fig.* beliebt: he is the manager's ~ boy er ist beim Direktor lieb Kind.

'fair·ies|-'horse ['fɛ(ə)riz] *s bot.* Jakobs-Kreuzkraut *n* (*Senecio jacobaea*). — **'~-'ta·ble** *s bot.* Brachpilz *m*, Feld-Champignon *m* (*Psalliota campestris*).

fair·ing¹ ['fɛ(ə)riŋ] *s aer.* Ver'kleidung(s,übergang *m*) *f* (*Rumpf-Tragfläche*), Verschalung *f* (*Flugzeug*): ~ plate Verkleidungsblech.

fair·ing² ['fɛ(ə)riŋ] *s* Jahrmarkts-, Meßgeschenk *n*.

fair·ish ['fɛ(ə)riʃ] *adj* ziemlich (gut *od.* groß), leidlich.

'fair-,lead [-,liːd], *auch* **'fair-,lead·er** *s mar.* Führung(sring *m*, -srolle *f*) *f*.

fair·ly ['fɛrli] *adv* **1.** ehrlich, auf ehrliche (Art u.) Weise, rechtmäßig. – **2.** leidlich, ziemlich. – **3.** gänzlich, völlig. – **4.** klar, deutlich. – **5.** günstig: a town ~ situated eine günstig gelegene Stadt.

'fair-'mind·ed *adj* aufrichtig, ehrlich(gesinnt). — **,fair-'mind·ed·ness** *s* ehrliche Gesinnung, Aufrichtigkeit *f*, Ehrlichkeit *f*.

fair·ness ['fɛrnis] *s* **1.** Schönheit *f*, Lieblichkeit *f*. – **2.** Reinheit *f*, Fleckenlosigkeit *f*. – **3.** Klarheit *f*, Sauberkeit *f*, Deutlichkeit *f*. – **4.** a) Hellfarbigkeit *f*, b) helle Haut- *od.* Gesichtsfarbe, c) Blondheit *f*. – **5.** Aufrichtigkeit *f*, Gerechtigkeit *f*, 'Unpar,teilichkeit *f*, Anständigkeit *f*, Ehrlichkeit *f*: in ~ ehrlicherweise, von Rechts wegen. – **6.** Angemessenheit *f*. – **7.** Freundlichkeit *f*, Artigkeit *f*.

'fair|-'spo·ken *adj* **1.** (wohl)beredt. – **2.** freundlich, höflich. — **~ to mid·dling** *adj colloq.* gut bis mäßig. — **'~-'trade I** *adj* Preisbindungs...: ~ agreement Preisbindungsvertrag. – **II** *v/t* (*Ware*) in Über'einstimmung mit einem Preisbindungsvertrag verkaufen. — **'~,way** *s* **1.** *mar.* Fahrwasser *n*, -rinne *f*: ~ buoy Ansegelungsboje. – **2.** → fair green. — **'~-'weath·er** *adj* Schönwetter..., nur für schönes Wetter (geeignet): ~ cumulus Schönwetterkumulus; ~ friends *fig.* Freunde im Glück.

fair·y ['fɛ(ə)ri] **I** *s* **1.** Fee *f*, Elf(e *f*) *m*, Nymphe *f*. – **2.** *obs.* Feenland *n*, -volk *n*. – **3.** *sl.* ‚warmer Bruder', Homosexu'eller *m*. – **II** *adj* **4.** feenartig. – **5.** *fig.* feen-, zauberhaft, zauberisch, Feen..., Zauber... — **~ bird** *s zo.* Zwergseeschwalbe *f* (*Sterna minuta*). — **~ cir·cle** *s* Feenreigen *m*, -kreis *m* (*runde Stelle auf Wiesen etc, die sich in der Färbung von ihrer Umgebung abhebt*). — **~ cups** *s bot.* Scharlachroter Becherpilz (*Peziza coccinea*). — **~ fin·gers** *s pl bot.* Roter Fingerhut (*Digitalis purpurea*).

fair·y·ism ['fɛ(ə)ri,izəm] *s* Feenhaftigkeit *f*.

'fair·y|,land *s* Elfen-, Feen-, Wunder-, Zauberland *n*. — **~ mar·tin** *s zo.* (*eine*) austral. Schwalbe (*Lagenoplastes ariel*). — **~ ring** → fairy circle. — **'~-,ring mush·room** *s bot.* Feldschwindling *m* (*Marasmius oreades*). — **~ shrimp** *s zo.* (*ein*) Kiemenfuß(krebs) *m* (*Eubranchipus diaphanus*). — **~ tale** *s* Märchen *n*.

fait ac·com·pli [fɛtakɔ̃'pli] (*Fr.*) *s* voll'endete Tatsache.

faith [feiθ] *s* **1.** (in, on) Glaube(n) *m* (an *acc*), Vertrauen *n* (auf *acc*, zu): to have (*od.* put) ~ in s.th. einer Sache Glauben schenken, an etwas glauben; on the ~ of im Vertrauen auf (*acc*); to have ~ in s.o. zu j-m Vertrauen haben; → pin 25. – **2.** *relig.* a) Glaube(n) *m*, b) Glaubensbekenntnis *n*, c) 'Glaubensar,tikel *m*: → defender 2. – **3.** Treue *f*, Redlichkeit *f*, Pflichttreue *f*: breach of ~ Treu-, Vertrauensbruch; in good ~ in gutem Glauben, auf Treu u. Glauben, ehrlich; in ~! upon my ~! auf Ehre! meiner Treu! wahrlich! – **4.** Versprechen *n*, Zusage *f*, Wort *n*: to give (*od.* pledge) one's ~ sein Versprechen geben; to keep one's ~ sein Wort halten; to break (*od.* violate) one's ~ sein Versprechen *od.* Wort brechen. – *SYN. cf.* belief. — **~ cure** *s* Gesundbeten *n*.

faith·ful ['feiθful; -fəl] **I** *adj* **1.** (ge)treu (to *dat*), pflichttreu. – **2.** ehrlich, aufrichtig, gewissenhaft. – **3.** (wahrheits)getreu, genau (*Schilderung etc*). – **4.** glaubwürdig, wahr, zuverlässig (*Zeuge, Aussage etc*). – **5.** gläubig. – *SYN.* constant, loyal, resolute, stanch², steadfast. – **II** *s* **6.** the ~ *pl relig.* die Gläubigen *pl* (*bes. die Anhänger Mohammeds*): Father of the F~ (*Islam*) Kalif, Beherrscher der Gläubigen. — **'faith·ful·ly** *adv* **1.** treu, ergeben: Yours ~ Ihr (sehr) ergebener, hochachtungsvoll (*am Briefende*). – **2.** ehrlich, aufrichtig, gewissenhaft. – **3.** getreu(lich). – **4.** *colloq.* mit Nachdruck, ausdrücklich: he promised ~ that he would come er hat hoch u. heilig versprochen, daß er kommen würde. — **'faith·ful·ness** *s* **1.** Treue *f*, Pflichttreue *f*, Zuverlässigkeit *f*. – **2.** Ehrlichkeit *f*, Aufrichtigkeit *f*, Gewissenhaftigkeit *f*.

faith heal·ing → faith cure.

faith·less ['feiθlis] *adj* **1.** ungläubig. – **2.** un(ge)treu, treulos, unzuverlässig. – *SYN.* disloyal, false, perfidious, traitorous, treacherous. — **'faith·less·ness** *s* **1.** Unglaube *m*. – **2.** Untreue *f*, Treulosigkeit *f*.

fai·tour ['feitər] *s* **1.** *obs.* Betrüger *m*, Lump *m*. – **2.** *dial.* Faulenzer *m*.

fake¹ [feik] *mar.* **I** *s* Bucht *f* (*Tauwindung*). – **II** *v/t* (*Tau*) winden.

fake² [feik] *colloq.* **I** *v/t* **1.** *auch* ~ **up** (*Nachricht, Bilanz etc*) ,fri'sieren', zu'rechtmachen. – **2.** fälschen, nachmachen, imi'tieren. – **3.** (*Überraschung etc*) heucheln, vortäuschen. – **II** *s* **4.** Schwindel *m*, Betrug *m*. – **5.** Fälschung *f*, Falsifi'kat *n*, Nachahmung *f*, Imitati'on *f*. – **6.** *Am.* Schwindler *m*, Betrüger *m*. – *SYN.* *cf.* **imposture**. – **III** *adj* **7.** ver-, gefälscht, nachgemacht. – **8.** vorgetäuscht.

fa·keer *cf.* fakir.

fake·ment ['feikmənt] *s colloq.* Schwindel *m*, Betrug *m*, Machenschaft *f*. — **'fak·er** *s colloq.* Fälscher *m*, Betrüger *m*, Schwindler *m*.

fa·kir [fə'kir; 'feikir; -kər] *s* **1.** *relig.* Fakir *m* (*moham. Bettelmönch*). – **2.** (*ostindischer*) 'Hindu-Asˌket. – **3.** *Am.* (Straßen)Händler *m* mit billigen Ar'tikeln.

fa la, *auch* **fa-la** [ˌfɑː'lɑː] *s mus. hist.* Fala *n*: a) *volkstümliches Tanzlied im 16. u. 17. Jh.*, b) *Refrain eines solchen Liedes.*

Fa·lange [fə'lændʒ; 'fei-] *s* Fa'lange *f*, fa'schistische Par'tei Spaniens. — **Fa'lan·gist** [-dʒist] *s* Falan'gist *m*, Mitglied *n* der span. Fa'lange.

fal·ba·la ['fælbələ], **'fal·beˌlo** [-ˌlou] *s* Falbel *f*, Falbala *f*, Rüsche *f*.

fal·cate ['fælkeit], **'fal·cat·ed** [-tid] *adj* sichelförmig.

fal·chion ['fɔːltʃən; -lʃ-] *s* **1.** *hist.* Krummschwert *n*. – **2.** *poet.* Schwert *n*.

fal·ci·form ['fælsiˌfɔːrm] → falcate. — ~ **bod·y** *med.* Sporozo'it *m*, Sichelkeim *m*. — ~ **proc·ess** *s med.* Sichelfortsatz *m*.

fal·con ['fɔːlkən; 'fɔːkən] *s* **1.** *zo.* (*ein*) Falke *m* (*Fam. Falconidae*). – **2.** *hunt.* Jagdfalke *m*. – **3.** *mil. hist.* Falke *m*, Fal'kaune *f* (*leichtes Geschütz*). — **'fal·con·er** *s hunt.* Falkner *m*, Falke'nier *m*: a) Abrichter *m* von Jagdfalken, b) Falken-, Beizjäger *m*. — **'fal·coˌnet** [-ˌnet] *s* **1.** *zo.* (*ein*) asiat. Falke *m* (*Gattg Microhierax*). – **2.** *hist.* Falko'nett *n* (*kleines Geschütz*).

'fal·con-'gen·tle *s zo.* **1.** Wanderfalkenweibchen *n*. – **2.** Falkenweibchen *n*.

fal·con·ry ['fɔːlkənri; 'fɔːk-] *s hunt.* **1.** Falkne'rei *f*, Falkenzucht *f*. – **2.** Falkenbeize *f*, -jagd *f*.

fal·de·ral ['fældəˌræl; -'ræl], *auch* **'fal·deˌrol** [-ˌrɒl; -'rɒl] *s* **1.** *mus.* (Valle'ri)Valle'ra *n* (*Kehrreim alter Lieder*). – **2.** Lari'fari *n*, Firlefanz *m*, Schnickschnack *m*.

fald·stool ['fɔːldˌstuːl] *s tech.* Falt-, Klapp-, Feldstuhl *m*: a) Bischofsstuhl *m*, b) Bet-, Krönungsschemel *m* (*engl. Könige*), c) Lutherstuhl *m* (*mit Lehnen u. nicht faltbar*), d) (*Church of England*) Lita'neipult *n*.

fall [fɔːl] **I** *s* **1.** Fall *m*, Sturz *m*, Fallen *n*: ~ **from** (*od.* **out of**) **the window** Sturz aus dem Fenster; **to have a bad** ~ schwer stürzen *od.* zu Fall kommen; **to break s.o.'s** ~ j-n (im Fallen) auffangen. – **2.** (Ab)Fallen *n* (*Blätter etc*), *bes. Am.* Herbst *m*. – **3.** Fall *m*, Her'abfallen *n*, Faltenwurf *m* (*Stoff*). – **4.** *tech.* Niedergang *m* (*Kolben etc*). – **5.** Zu'sammenfallen *n*, Einsturz *m* (*Gebäude*). – **6.** *phys.* a) *auch* **free** ~ freier Fall, b) Fallhöhe *f*, -strecke *f*. – **7.** (Regen-, Schnee)Fall *m*, Niederschlagsmenge *f*: **a two-inch** ~ **of rain** eine Regenmenge von zwei Zoll; **there was a great** ~ **of snow** es war viel Schnee gefallen. – **8.** Fallen *n*, Sinken *n*, Sturz *m*, Abnehmen *n*: ~ **in prices** Preis-, Kurssturz; ~ **of the tide** Fallen der Flut; **to be on the** ~ im Fallen begriffen sein, fallen. – **9.** Abfall(en *n*) *m*, Gefälle *n*, Neigung *f*, Absenkung *f* (*Straße, Gelände*): **a sharp** ~ ein starkes Gefälle. – **10.** Münden *n*, Mündung *f* (*Fluß*). – **11.** *meist pl* (Wasser)Fall *m*: **the Niagara F~s**. – **12.** *selten* Einfallen *n*, Anbruch *m*, Her'einbrechen *n* (*Nacht, Winter etc*). – **13.** Fall *m*, Sturz *m*, Nieder-, 'Untergang *m*, Ende *n*: **the** ~ **of Troy** der Fall von Troja; **decline and** ~ Abstieg u. Ende; **rise and** ~ Aufstieg u. Untergang; ~ **of life** *fig.* Herbst des Lebens. – **14.** (*moralischer*) (Ver)Fall, Fehltritt *m*. – **15.** **the F~**, **the** ~ **of man** *Bibl.* der (erste) Sündenfall. – **16.** *mus. tech.* Kla'vierdeckel *m*. – **17.** *hunt.* a) Fall *m*, Tod *m* (*Wild*), b) Falle *f*. – **18.** *agr.* Werfen *n* (*Lämmer etc*), Wurf *m* (*Anzahl geworfener Lämmer etc*). – **19.** (*Ringen*) Geworfenwerden *n* (*auch fig.*): **to try a** ~ sich (im Ringkampf) messen, es aufnehmen mit; **to give s.o. a** ~ j-n zu Fall bringen, j-n niederwerfen; **to take** (*od.* **get**) **a** ~ **out of s.th.** *Am. colloq.* sich das Beste aussuchen von *od.* aus. – **20.** (*Ringen*) Gang *m*, Runde *f*. – **21.** (Holz)Fällen *n*, *collect.* Einschlag *m*, gefälltes Holz. – **22.** *pl mar.* a) *auch* **boatfalls** Talje *f* (*eines Davits*), b) Decksbucht *f*, Decksprung *m*. – **23.** *tech.* Läufer *m*, Kette *f* (*eines Flaschenzugs*). – **24.** *bot. großes herabhängendes Blütenblatt einer Schwertlilie.* – **25.** lose her'abfallender (Hut)Schleier. –

II *adj* **26.** *Am.* herbstlich, Herbst... –

III *v/i pret* **fell** [fel] *pp* **fall·en** ['fɔːlən] **27.** fallen: **the night** ~**s** die Nacht bricht herein; **leaves** ~ Blätter fallen (ab). – **28.** ('um-, 'hin-, nieder)fallen, stürzen, zu Fall kommen, zu Boden gehen (*Person*): **he fell badly** er stürzte schwer; **to** ~ **on one's knees** auf die Knie fallen. – **29.** (her'ab)fallen (*Locken, Gewand etc*). – **30.** *fig.* fallen: a) (*im Kampf*) 'umkommen, b) genommen werden (*Stadt*), c) gestürzt werden (*Regierung*), d) (*moralisch*) sinken, e) die Unschuld verlieren (*Frau*). – **31.** *fig.* fallen, abnehmen, sinken: **the wind** ~**s** der Wind legt sich *od.* läßt nach; **their courage fell** der Mut sank ihnen; **his voice (eyes) fell** er senkte die Stimme (den Blick); **his face fell** er machte ein langes Gesicht. – **32.** abfallen, sich neigen (*Straße*): **the land** ~**s towards the river** das Land senkt sich gegen den Fluß hin. – **33.** zerfallen: **to** ~ **asunder** (*od.* **in two**) auseinanderfallen, entzweigehen; → **piece** 2. – **34.** fallen, eintreten (*zeitlich*): **Easter** ~**s late this year**. – **35.** *agr.* geworfen werden (*Lämmer*). – **36.** *selten* (*körperlich*) verfallen, schwinden. – **37.** *obs.* ausfallen, verlaufen. –

IV *v/t* **38.** *Am. vulg.* (*Bäume*) fällen. –

Besondere Redewendungen:

to ~ **a-laughing** zu lachen beginnen; **to** ~ **dead** *sport* nach dem Schlagen nicht rollen (*Ball*); → **decline** 27; **disfavo(u)r** 3; **disrepair**; **disrepute**; **disuse** 1; **due** 1; **flat¹** 34; **foot** 1; **ground¹** 17 *u. b. Redw.*; **to** ~ **heir to s.th.** etwas erben; **to** ~ **home** (*Schiffsbau*) nach binnen fallen, eine Krümmung nach innen haben (*Spanten*); **to** ~ **ill** erkranken; **to** ~ **lame** gelähmt werden; → **love** 1; **to** ~ **a prey** (*od.* **victim** *od.* **sacrifice**) **to s.th.** einer Sache zum Opfer fallen, das Opfer von etwas werden; **to** ~ **vacant** frei werden (*Stelle*). –

Verbindungen mit Präpositionen:

fall| a·board *v/t mar.* zu'sammenstoßen mit, (*Schiff*) rammen: → **aboard** 1. — ~ **a·cross** *v/t* zufällig treffen. — ~ **a·mong** *v/t* geraten unter (*acc*): **to** ~ **thieves** *Bibl.* unter die Mörder fallen, unter die Räuber geraten (*auch fig.*). — ~ **be·hind** *v/t* zu'rückbleiben hinter (*j-m*), über'holt werden von (*j-m*). — ~ **down** *v/t* (*Treppe etc*) hin'unterfallen. — ~ **for** *v/t Am. colloq.* **1.** reinfallen auf (*acc*). – **2.** schwärmen für, vernarrt sein in (*j-n od. etwas*). — ~ **from** *v/t* abfallen von, (*j-m od. einer Sache*) abtrünnig *od.* untreu werden: **to** ~ **grace** a) sündigen, b) in Ungnade fallen. — ~ **in** *v/t* **1.** fallen *od.* schlagen in (*ein Gebiet od. Fach*), gehören zu (*einem Bereich*). – **2.** *colloq.* (*Soldaten*) antreten lassen. — ~ **in·to** *v/t* **1.** kommen *od.* geraten *od.* sich einfügen in (*acc*): **to** ~ **line** a) *mil.* in Reih u. Glied antreten, sich ausrichten, b) *fig.* konform gehen (**with** mit), sich anschließen (**with** *dat*); **to** ~ **conversation** ins Gespräch kommen; **to** ~ **difficulties** in Schwierigkeiten geraten; **to** ~ **step** *mil.* Tritt fassen; → **disrepair**; **disrepute**; **disuse** 1. – **2.** verfallen (*dat*), verfallen in (*acc*): **to** ~ **error** einem Irrtum verfallen; → **habit** 1. – **3.** zerfallen *od.* sich aufteilen in (*acc*): **to** ~ **ruin** zerfallen, in Trümmer gehen. – **4.** münden *od.* sich ergießen in (*acc*). — ~ **on** *v/t* **1.** fallen auf (*acc*): **the stress falls on the first syllable** der Ton liegt auf der ersten Silbe. – **2.** über (*j-n*) 'herfallen, (*j-n*) anfallen. – **3.** geraten in (*acc*): **to** ~ **evil times** eine schlimme Zeit mitmachen müssen. — ~ **o·ver** *v/t* **1.** *colloq.* 'herfallen über (*acc*). – **2.** *sl.* mit über'triebener Freundlichkeit behandeln: **to** ~ **s.o.** *fig.* vor j-m kriechen; **to** ~ **oneself** *colloq.* sich anstrengen (to do zu tun). — ~ **to** *v/t* **1.** (*etwas*) unvermittelt beginnen, sich machen an (*acc*): **to** ~ **doing s.th.**; **to** ~ **work**. – **2.** fallen an (*acc*), (*j-m*) zu-, an'heimfallen: → **lot** 3. — ~ **un·der** *v/t* **1.** fallen unter (*acc*), gehören zu (*etwas*). – **2.** (*der Kritik etc*) unter'liegen. — ~ **up·on** → **fall on**. — ~ **with·in** → **fall in** 1. –

Verbindungen mit Adverbien:

fall| a·stern *v/i mar.* achteraus sacken, zu'rückbleiben. — ~ **a·way** *v/i* **1.** abfallen, abmagern, da'hinschwinden: **he fell away** er verlor Gewicht. – **2.** (**from**) abtrünnig werden (*dat*), abfallen (von), deser'tieren (von). – **3.** nachlassen, schwächer werden (*Kraft*). — ~ **back** *v/i* **1.** den Rückzug antreten, sich zu'rückziehen. – **2.** (**on, upon**) Hilfe suchen (bei), sich verlegen, zu'rückkommen (auf *acc*): **you can always** ~ **on teaching** du kannst ja jederzeit (wieder) Lehrer werden. – **3.** zu'rückbleiben. – **4.** *mil.* (in Reih u. Glied) zu'rücktreten. — ~ **be·hind** *v/i* zu'rückbleiben (*auch fig.*), ins 'Hintertreffen geraten. — ~ **down** *v/i* **1.** 'hin-, hin'unterfallen. – **2.** 'umfallen, einstürzen. – **3.** (*ehrfürchtig*) niederfallen. – **4.** (*wallend*) her'abfallen. – **5.** *colloq.* enttäuschen, versagen: **to** ~ **on the job** bei der Arbeit versagen. — ~ **foul** *v/i* **1.** (**of**) zu'sammenstoßen (mit) (*bes. Schiff*). – **2.** *fig.* zu'sammenstoßen, in Streit *od.* Kon'flikt geraten, sich über'werfen (**of** mit): **they** ~ **of each other** sie geraten sich in die Haare. — ~ **in** *v/i* **1.** einfallen (*Gebäude, Mund etc*), einstürzen. – **2.** *mil.* antreten, ins Glied treten. – **3.** *fig.* sich anschließen (*Person*), sich einfügen (*Sache*). – **4.** fällig werden

(*Wechsel etc*), frei werden, ablaufen (*Pacht etc*). – **5.** (with) zufällig treffen (*acc*), stoßen auf (*acc*). – **6.** beipflichten, zustimmen (with *dat*). — **~ off** *v/i* **1.** abfallen (*Blätter*), nachlassen (*Kraft*), fallen (*Wert*). – **2.** sinken, abnehmen. – **3.** sich verschlechtern, schlechter werden. – **4.** *fig.* abfallen, abtrünnig werden, sich zu'rückziehen. – **5.** *mar.* (leewärts) vom Strich abfallen. – **6.** *aer.* über den Flügel abkippen, abrutschen. — **~ on** *v/i* **1.** angreifen. – **2.** zupacken, tüchtig essen. — **~ out** *v/i* **1.** her'aus-, hin'ausfallen. – **2.** *fig.* ausfallen, -gehen, sich erweisen *od.* her'ausstellen: to ~ well. – **3.** sich ereignen. – **4.** *mil.* a) (aus Reih u. Glied) wegtreten, austreten, b) einen Ausfall machen. – **5.** (sich) zanken, sich entzweien. – **6.** aufgeben. — **~ o·ver** *v/i* 'um-, 'überkippen: to ~ backwards *colloq.* ‚sich beinahe umbringen'. — **~ short** *v/i* **1.** knapp werden, ausgehen, nicht mehr ausreichen. – **2.** *mil.* zu kurz gehen (*Geschoß*). – **3.** es fehlen lassen (in an *dat*). – **4.** (of) zu'rückbleiben (hinter *dat*), (*Ziel*) nicht erreichen: → expectation 1. — **~ through** *v/i* **1.** 'durchfallen. – **2.** *fig.* miß'glücken, ins Wasser fallen. — **~ to** *v/i* **1.** zufallen, ins Schloß fallen (*Tür*). – **2.** zupacken, zugreifen (*beim Essen*). – **3.** handgemein werden. — **~ to·geth·er** *v/i ling.* zu'sammenfallen (*Laute*).

fal la *cf.* fa la.

fal·la·cious [fə'leiʃəs] *adj* **1.** täuschend, irreführend. – **2.** (*logisch*) falsch, irrig. – **3.** trügerisch. — **fal'la·cious·ness** *s* Irrigkeit *f*, Falschheit *f*, Trüglichkeit *f*.

fal·la·cy ['fæləsi] *s* **1.** Trugschluß *m*, Irrtum *m*: a popular ~ ein weitverbreiteter Irrtum. – **2.** Unlogik *f*. – **3.** Täuschung *f*, Irreführung *f*. – **4.** → pathetic ~.

fal-lal [ˌfæl'læl] **I** *s* **1.** (Auf)Putz *m*, Flitter *m*, Tand *m*, (*auffälliger bes.* Kleider)Schmuck. – **2.** *hist.* Schmuckband *n*. – **II** *adj* **3.** putzsüchtig, läppisch, eitel. — ˌ**fal-'lal·er·y** [-əri] *s* Firlefanz *m*, Flitterkram *m*.

fall dan·de·li·on *s bot.* Herbstlöwenzahn *m* (*Leontodon autumnalis*).

fall·en ['fɔːlən] **I** *adj* gefallen: a) gestürzt, b) entehrt (*Frau*), c) getötet. – **II** *s* the ~ *collect.* die Gefallenen. — '**fall·er** *s* **1.** *tech.* Fallhammer *m*, -bolzen *m*, -gewicht *n*. – **2.** *Am.* Holzfäller *m*.

'**fallˌfish** *s zo. Am.* (*ein*) Karpfenfisch *m* (*bes. Leucosomus corporalis*).

fall guy *s Am. sl.* **1.** (*der*) Her'eingefallene *od.* Dumme, leichte Beute. – **2.** *fig.* Sündenbock *m*.

fal·li·bil·i·ty [ˌfæli'biliti; -lə'b-; -əti] *s* **1.** Fehlbarkeit *f*. – **2.** Trüglichkeit *f*, Irrigkeit *f*. — '**fal·li·ble** *adj* **1.** fehlbar. – **2.** trügerisch, irrig.

fall·ing ['fɔːliŋ] **I** *adj* **1.** fallend, sinkend, abnehmend: ~ pitch fallende Tonhöhe. – **II** *s* **2.** Fall(en *n*) *m*, Sturz *m*, Sinken *n*. – **3.** *med.* (Vor)Fall *m*: ~ of the womb Gebärmuttervorfall. — **~ a·way** *s* **1.** Ab-, Aus-, Wegfall(en *n*) *m*. – **2.** Abfall *m* (*von einer Partei*). – **3.** Abmagern *n*. — **~ band** *s hist.* 'Umleg-, 'Überfallkragen *m*. — **~ e·vil** → falling sickness. — **~ gra·di·ent** *s phys.* 'Neigungsgradiˌent *m*. — **~ latch** *s tech.* Fallklinke *f*, -riegel *m*. — **~ sick·ness** *s med. selten* Fallsucht *f*, Epilep'sie *f*. — **~ star** *s* Sternschnuppe *f*. — **~ stone** *s* Mete'orstein *m*, Meteo'rit *m*.

Fal·lo·pi·an [fə'loupiən] *adj med.* fal'lopisch. — **~ tube** *s oft pl med.* Fal'lopische Röhre, Eileiter *m*, 'Mutterröhre *f*, -tromˌpete *f*.

'**fall-ˌout** *s phys.* 'radioakˌtiver Niederschlag, 'radioakˌtive Ausschüttung.

fal·low[1] ['fælou] *agr.* **I** *adj* brach(liegend), unbebaut: to be (*od.* lie) ~ brachliegen. – **II** *s* Brache *f*: a) Brachfeld *n*, -acker *m*, b) Brachliegen *n*: ~ crop Brachernte; ~ pasture Ackerbrachweide, Brachwiese. – **III** *v/t* brachen, stürzen.

fal·low[2] ['fælou] *adj* falb, fahl, rötlich-, braungelb.

fal·low| buck, **~ deer** *s zo.* Damhirsch *m*, -wild *n* (*Dama dama*). — **~ finch** *s zo.* Weißkehlchen *n*, Steinschmätzer *m* (*Saxicola oenanthe*).

'**fall|-ˌplow** *v/i u. v/t agr. Am.* im Herbst pflügen. — **~ proof** *s tech.* Wurf-, Schlagprobe *f*. — **~ swing** *s* (*Ringen*) Fallschwung *m*. — '**~-ˌtrap** *s* (Klappen-, Kasten-, Gruben)Falle *f*. — **~ wind** *s* (*Meteorologie*) Fallwind *m*.

false [fɔːls] **I** *adj* **1.** falsch: a) unwahr, b) 'unkorˌrekt, fehlerhaft, c) treulos, unaufrichtig: ~ to s.o. falsch gegen j-n *od.* gegenüber j-m, d) täuschend, irreführend, vorgetäuscht (*auch arch. tech.*): to give a ~ impression ein falsches Bild (von sich) geben, e) gefälscht, unecht: ~ coin falsches Geldstück, f) *biol. med.* (*in Namen*) *fälschlich so genannt*: the ~ acacia, g) *arch. tech.* Schein..., zusätzlich, verstärkend, provi'sorisch: ~ bottom falscher *od.* doppelter Boden; ~ supports for a bridge; ~ door blinde Tür, h) unbegründet: ~ shame falsche Scham, i) *jur.* rechtswidrig: ~ imprisonment. – *SYN.* a) *cf.* faithless, b) wrong. – **2.** *her.* offen, leer. – **II** *adv* **3.** verräterisch, treulos, unaufrichtig: to play s.o. ~ ein falsches Spiel mit j-m treiben.

false| a·larm *s* **1.** *bes. fig.* blinder A'larm, falsche Meldung. – **2.** *sl.* ‚Niete' *f*, Versager *m*. — **~ at·tack** *s* Scheinangriff *m*, Finte *f*. — **~ bed·ding** *s geol.* Diago'nal-, Kreuzschichtung *f*. — **~ but·ton·hole** *s* blindes Knopfloch. — **~ cap** *s mil.* Geschoßhaube *f*. — **~ card** *s* (*Kartenspiel*) irreführende Karte. — **~ cast** *s med.* 'Pseudozyˌlinder *m*. — **~ cir·rus** *s* (*Meteorologie*) falscher Zirrus. — **~ coin·er** *s* Falschmünzer *m*. — **~ col·o(u)rs** *s pl* falsche Flagge, *fig.* betrügerische Aufmachung. — **~ croup** *s med.* falscher Krupp. — **~ deck** *s tech.* Deck-, Bodenbelag *m*. — **~ dove·tail** *s tech.* 'umgekehrter Schwalbenschwanz. — **~ face** *s* falsches Gesicht, Maske *f*. — '**~-ˌface** *adj* mit falschem Gesicht, verstellt. — '**~-ˌfaced** *adj fig.* heuchlerisch. — **~ floor** *s tech.* Zwischen-, Fehl-, Schragboden *m*, Einschub *m*. — **~ fox·glove** *s bot.* (*ein*) amer. Klappertopf *m* (*Gattgen Dasistoma, Aureolaria, Gerardia*). — **~ front** *s Am.* **1.** *arch.* 'Hintersetzer *m*, falsche Fas'sade (*Gebäude*). – **2.** *sl. fig.* bloße Fas'sade, ‚Mache' *f*, Blendwerk *n*. — **~ ga·le·na** *s min.* Zinkblende *f*, Sphale'rit *m*. — '**~'heart·ed** *adj* falsch, treulos, verräterisch. — ˌ**~'heart·ed·ness** *s* Falschheit *f*, Treulosigkeit *f*. — **~ heart·wood** *s* Scheinkern *m* des Holzes. — **~ hel·le·bore** *s bot.* **1.** Grüner Germer (*Veratrum viride*). – **2.** 'Herbst-A'donisröschen *n* (*Adonis annua*).

false·hood ['fɔːlshud] *s* **1.** Unwahrheit *f*, Lüge *f*. – **2.** Falschheit *f*, Unehrlichkeit *f*, Lügenhaftigkeit *f*, Treulosigkeit *f*.

false| hoof *s zo.* Afterklaue *f*. — '**~-ˌhoofed** *adj zo.* afterhufig. — **~ ho·ri·zon** *s phys.* künstlicher Hori'zont. — **~ in·di·go** *s bot.* **1.** (*ein*) Bastardindigo *m* (*Gattg Amorpha, bes. A. fruticosa*). – **2.** Färberhülse *f* (*Baptisia tinctoria*). — **~ in·her·it·ance** *s biol.* Scheinvererbung *f*. — **~ keel** *s mar.* Vor-, Loskiel *m*. — **~ key** *s tech.* Dietrich *m*, Nachschlüssel *m*. — **~ mal·low** *s bot.* Scheinmalve *f* (*Gattg Malvastrum*). — **~ mem·brane** *s med.* Belag *m*, 'Pseudomemˌbran *f*, diph'therische Mem'bran. — **~ nec·tar guide** *s bot.* Pseudosaftmal *n*. — **~ nec·ta·ry** *s bot.* 'Scheinnekˌtarium *n*.

false·ness ['fɔːlsnis] *s* **1.** Falschheit *f*, Unrichtigkeit *f*, Unwahrheit *f* (*Behauptung etc*), Unechtheit *f* (*Münze etc*). – **2.** *fig.* Falschheit *f*, Unaufrichtigkeit *f*, Treulosigkeit *f*.

false| o·give *s mil.* Geschoßhaube *f*. — **~ preg·nan·cy** *s med.* eingebildete Schwangerschaft, Scheinschwangerschaft *f*. — **~ pre·tenc·es** *s pl jur.* Vorspiegelung *f* falscher Tatsachen. — **~ quan·ti·ty** *s ling. metr.* falsche Vo'kal- *od.* Silbenlänge. — **~ quar·ter** *s vet.* Hornkluft *f* (*Pferdehuf*). — **~ re·la·tion** *s mus.* falsches Tonverhältnis. — **~ rib** *s med.* fliegende Rippe, Fleischrippe *f*. — **~ start** *s sport* Fehl-, Frühstart *m*. — **~ step** *s* Fehltritt *m*. — **~ take-off** *s aer.* Fehlstart *m*. — **~ tears** *s pl fig.* falsche Tränen *pl*, ‚Kroko'dilstränen' *pl*. — **~ to·paz** *s min.* Gelbquarz *m*.

fal·set·tist [fɔːl'setist] *s mus.* Falset'tist(in). — **fal'set·to** [-tou] **I** *s* **1.** Fal'sett *n*, Kopf-, Fistelstimme *f*. – **2.** Fal'settsänger(in), Falset'tist(in). – **II** *adj* **3.** Falsett..., Fistel... – **4.** *fig.* gekünstelt, affek'tiert, gezwungen.

false| um·bel *s bot.* Schein-, Trugdolde *f*. — **~ vam·pire** *s zo.* Fledermaus *f*. — **~ ver·dict** *s jur.* Fehlurteil *n*, -entscheid *m*. — **~ vo·cal cord** *s med.* falsches Stimmband, Taschenband *n*, -falte *f*. — **~ win·ter·green** *s bot.* (*ein*) Wintergrün *n* (*Pyrola americana*). — '**~ˌwork** *s tech.* Hilfs-, Lehrgerüst *n*, Notjoch *n*.

fals·ies ['fɔːlsiz] *s pl colloq.* Schaumgummieinlagen *pl* (*im Büstenhalter*).

fal·si·fi·ca·tion [ˌfɔːlsifi'keiʃən; -səfə-] *s* (Ver)Fälschung *f*.

fal·si·fy ['fɔːlsiˌfai; -sə-] **I** *v/t* **1.** fälschen. – **2.** verfälschen, falsch darstellen. – **3.** (ent)täuschen, vereiteln, zu'nichte machen: my hopes were falsified meine Hoffnungen wurden zunichte. – **4.** *jur.* (*Urteil*) als falsch nachweisen. – **II** *v/i* **5.** falsch aussagen, lügen. — '**fal·si·ty** [-ti] *s* **1.** Falschheit *f*, Unrichtigkeit *f*. – **2.** Lüge *f*, falsche Behauptung, Unwahrheit *f*.

Fal·staff [*Br.* 'fɔːlstɑːf; *Am.* -stæ(ː)f] *s fig.* Falstaff *m*, prahlerischer Dickwanst, Schlemmer *m*. — **Fal'staff·i·an** *adj* fal'staffisch, in der Art Falstaffs.

falt·boat ['fɑːltˌbout] *s* Faltboot *n*.

fal·ter ['fɔːltər] **I** *v/i* **1.** zögern, schwanken (*im Handeln*). – **2.** schwanken, taumeln, unsicher sein. – **3.** versagen: his courage (memory) ~ed der Mut (das Gedächtnis) verließ ihn. – **4.** stottern, stammeln. – **II** *v/t* **5.** (*Entschuldigung etc*) stottern, stammeln. – *SYN. cf.* hesitate. – **III** *s* **6.** Schwanken *n*, Unsicherheit *f* (*im Handeln etc*). – **7.** Stottern *n*, Stammeln *n*, Stocken *n*. — '**fal·ter·ing** *adj* **1.** zögernd. – **2.** schwankend, taumelnd. – **3.** stotternd, stammelnd, stockend.

falx [fælks] *pl* **fal·ces** ['fælsiːz] *s med.* Sichel *f*.

fame [feim] **I** *s* **1.** Ruhm *m*, (guter) Ruf, Berühmtheit *f*: literary ~ Schriftstellerruhm; to seek ~ nach Ruhm trachten, berühmt werden wollen; of ill (*od.* evil) ~ berüchtigt; → house of ill ~. – **2.** *obs.* Gerücht *n*, Fama *f*. – **II** *v/t* **3.** *nur pass* to be ~d berühmt werden (as als, for wegen). – **4.** *obs.* (*j-s*) Ruhm verbreiten. — **famed** *adj* berühmt, bekannt (for für, wegen).

Fa·meuse [fə'mju:z] *s Am. ein später Herbstapfel.*

fa·mil·ial [fə'miljəl] *adj* Familien...

fa·mil·iar [fə'miljər] **I** *adj* **1.** (allgemein) bekannt, gewohnt, gewöhnlich: a ~ **sight** ein (alt)gewohnter Anblick. – **2.** vertraut, (wohl)bekannt: **to make oneself** ~ **with s.o.** sich mit j-m bekannt machen; **that is quite** ~ **to me** das ist mir völlig vertraut. – **3.** famili'är, vertraulich, ungezwungen, frei: **to be on** ~ **terms with s.o.** mit j-m gut bekannt sein, freundschaftliche Beziehungen zu j-m haben. – **4.** in'tim, vertraut: a ~ **friend** ein intimer *od.* enger Freund; **too** ~, **over**~ zu frei, zu intim, zu-, aufdringlich. – **5.** *obs.* leutselig, zu-, 'umgänglich. – *SYN. cf.* a) **common**, b) **intimate**[1]. – **6.** zutraulich, zahm (*Tier*). – **7.** *obs.* Familien..., Haus(halt)... – **II** *s* **8.** Vertraute(r), in'time(r) Bekannte(r), Freund(in). – **9.** → ~ **spirit**. – **10.** *relig.* Famili'aris *m*: a) *Inquisitionsbeamter*, b) *Hausgenosse hoher Prälaten.* — **fa,mil·i'ar·i·ty** [-li'æriti; -əti] *s* **1.** Vertrautheit *f*, Bekanntschaft *f* (**with** mit). – **2.** famili'ärer Ton *od.* 'Umgang, Ungezwungenheit *f*, Zwanglosigkeit *f*, Vertraulichkeit *f*. – **3.** *auch pl* (zu große) Freiheit, Vertraulichkeit *f*, Familiari'tät *f*, Intimi'tät *f*. — **fa,mil·iar·i'za·tion** *s* Bekanntmachen *n*, Gewöhnen *n*. — **fa'mil·iar,ize I** *v/t* **1.** allgemein bekanntmachen. – **2.** (**with**) vertraut *od.* bekannt machen (mit), gewöhnen (an *acc*). – **II** *v/i* **3.** *selten* 'Umgang haben, verkehren.

fa·mil·iar spir·it *s* Haus-, Schutzgeist *m*.

fam·i·ly ['fæmili; -məli] **I** *s* **1.** Fa'milie *f*, Sippe *f*: **a teacher's** ~ eine Lehrer(s)familie; **have you a** ~? haben Sie Familie (*Kinder*)? **to raise a** ~ Kinder aufziehen. – **2.** Stamm *m*, Geschlecht *n*, Vorfahren *pl*. – **3.** Fa'milie *f*, 'Herkommen *n*, Abkunft *f*: **of** ~ aus guter *od.* vornehmer Familie, aus gutem Haus. – **4.** *biol.* Fa'milie *f*. – **5.** *ling.* ('Sprach)Fa,milie *f*. – **6.** *math.* Schar *f*: ~ **of characteristics** Kennlinienfeld. – **II** *adj* **7.** zur Fa'milie gehörig, Familien..., Haus...: **in a** ~ **way** vertraulich, ungezwungen; **to be in the** ~ **way** in andern Umständen sein; ~ **affair** Familienangelegenheit; ~ **doctor** Hausarzt; ~ **environment** häusliches Milieu; ~ **likeness** Familienähnlichkeit; ~ **welfare** Familienwohlfahrt, -fürsorge. — ~ **al·low·ance** *s* Kinder-, Fa'milienzulage *f*, -beihilfe *f*. — ~ **cir·cle** *s* **1.** Fa'milienkreis *m*. – **2.** (*Theater*) *Am.* oberer Rang, obere Gale'rie. — ~ **liv·ing** *s relig. Br.* Fa'milienpfründe *f*. — ~ **man** *s irr* **1.** Fa'milienvater *m*. – **2.** häuslicher Mann: **he is a** ~ er ist nur für seine Familie da. — ~ **name** *s* Fa'milien-, Geschlechts-, Zuname *m*. — ~ **skel·e·ton** *s* (*verheimlichte*) Fa'milienschande, dunkler Punkt in der Familiengeschichte. — ~ **tree** *s* Stammbaum *m*.

fam·ine ['fæmin] *s* **1.** Hungersnot *f*. – **2.** Not *f*, Mangel *m*: **coal** ~. – **3.** Hunger *m* (*auch fig.*): **to die of** ~ vor Hunger sterben. — ~ **bread** *s bot.* Nordische Flechte (*Umbilicaria arctica*).

fam·ish ['fæmiʃ] **I** *v/i* **1.** (fast) verhungern, verschmachten (*auch fig.*). – **2.** darben, große Not leiden. – **II** *v/t* **3.** (ver)hungern *od.* (ver)schmachten lassen. – **4.** (*Stadt etc*) aushungern, durch Hunger *etc* niederzwingen. — **'fam·ish·ment** *s* Aushungern *n*, Hungersnot *f*.

fa·mous ['feiməs] *adj* **1.** berühmt (**for** für, wegen). – **2.** *colloq.* fa'mos, prima: a ~ **dinner**. – **3.** *obs.* berüchtigt. – *SYN.* **celebrated, distinguished, eminent, illustrious, noted, notorious, renowned.** — **'fa·mous·ness** *s* Berühmtheit *f*.

fam·u·lus ['fæmjuləs; -jə-] *pl* **-li** [-,lai] (*Lat.*) *s* Famulus *m*, Diener *m*.

fan[1] [fæn] **I** *s* **1.** Fächer *m*. – **2.** *tech.* Venti'lator *m*. – **3.** *tech.* Gebläse *n*: a) → ~ **blower**, b) Zy'klon *m*, Windfang *m*, Staubmühle *f*: ~ **blade** (Wind-, Ventilator)Flügel. – **4.** *tech.* Flügelrad *n* (*Gebläse*), Leitrad *n* (*Turbine*). – **5.** (*Baumwollverarbeitung*) Wolf *m*, Teufel *m*. – **6.** *tech.* Flügel *m*: a) *einer Windmühle*, b) *mar.* Pro'peller-, Schraubenblatt *n*. – **7.** *etwas Fächerartiges*: a) *auch poet.* Schwanz *m*, Schweif *m od.* Schwinge *f* (*eines Vogels*), b) *geol.* Schutt-, Schwemmkegel *m*, c) ~ **aerial** *electr.* 'Fächeran,tenne *f*. – **8.** *agr. hist.* Wurfschaufel *f*. – **II** *v/t pret u. pp* **fanned** **9.** (*Luft*) fächeln. – **10.** um'fächeln, anfächeln, anwedeln, (*j-m*) zuwedeln, -fächeln. – **11.** (*Feuer*) anfachen. – **12.** *fig.* (*Leidenschaften*) entfachen, -flammen. – **13.** fächerförmig ausbreiten. – **III** *v/i* **14.** *oft* ~ **out** a) sich fächerförmig ausbreiten, b) *mil.* ausschwärmen. – **15.** ~ **along** *mar.* sich stoßweise vorwärtsbewegen (*Segler*).

fan[2] [fæn] **I** *s colloq.* ('Sport- *etc*)Fa,natiker *m*, (-)Narr *m*, begeisterter Anhänger, Fan *m*: **a football** ~; **a movie** ~. – **II** *adj* Verehrer...: ~ **letters**, ~ **mail** Briefe von begeisterten Verehrern (*eines Filmstars etc*).

fa·nat·ic [fə'nætik] **I** *s* Fa'natiker *m*, Eiferer *m*, Schwärmer *m*. – **II** *adj* fa'natisch. — **fa'nat·i·cal** *adj* **1.** fa'natisch. – **2.** Fanatiker... — **fa'nat·i·cal·ly** *adv* (*auch zu* **fanatic II**). — **fa'nat·i,cism** [-,sizəm] *s* Fana'tismus *m*, blinder Eifer. — **fa'nat·i,cize** [-,saiz] **I** *v/t* fanati'sieren, aufhetzen. – **II** *v/i* fa'natisch werden *od.* sein.

fan blow·er *s tech.* Flügel(rad)gebläse *n*, Zentrifu'galventi,lator *m*, Windfang *m*.

fan·ci·er ['fænsiər] *s* **1.** Freund *m*, Liebhaber *m*, Züchter *m* (*von Blumen etc*): **a dog** ~. – **2.** Phan'tast *m*.

fan·ci·ful ['fænsiful; -fəl] *adj* **1.** phanta'sievoll, -reich, voller Phanta'sien, schrullig (*Person*). – **2.** a) seltsam (geformt *od.* aussehend), kuri'os, b) neckisch, launig, spielerisch (*Sachen*). – **3.** phan'tastisch, 'unrea,listisch (*Pläne etc*). – *SYN. cf.* **imaginary**. — **'fan·ci·ful·ness** *s* Phanta'siereichtum *m*. — **'fan·ci·less** *adj* phanta'sie-, geistlos.

fan| con·vec·tor *s electr.* Heizfächer *m*, -lüfter *m*. — ~ **cor·al** *s zo.* (*eine*) 'Fächer-, 'Rindenko,ralle (*Fam. Gorgonidae*). — **'~-,crest·ed** *adj zo.* mit fächerartigem Schopf. — ~ **crick·et** *s zo.* Maulwurfsgrille *f* (*Gryllotalpa vulgaris*).

fan·cy ['fænsi] **I** *s* **1.** Phanta'sie *f*: **that's mere** ~ das ist reine Phantasie. – **2.** (Augenblicks)Einfall *m*, Eingebung *f*: **it struck my** ~ es kam mir plötzlich in den Sinn; **I have a** ~ **that** ich habe so eine Idee, daß. – **3.** Schrulle *f*, Laune *f*: **a passing** ~ eine vorübergehende Laune. – **4.** (bloße) Einbildung, Vorstellung *f*. – **5.** Urteil(svermögen) *n*, Geschmack *m*. – **6.** (*Ästhetik*) Einbildungskraft *f* (*Gegensatz* **imagination**). – **7.** Neigung *f*, Vorliebe *f*, (plötzliches) Gefallen, Inter'esse *n*: **to take a** ~ **to** (*od.* **for**) Gefallen finden an (*dat*), eingenommen sein für; **to catch s.o.'s** ~ j-s Interesse erwecken, j-m gefallen; **a** ~ **for** ein lebhaftes Interesse an (*dat*) *od.* für. – **8.** Tierzucht *f* (aus Liebhabe'rei). – **9. the** ~ *collect. selten* die Fans *pl*, *bes.* die Boxfans *pl*. – **10.** *obs.* a) Liebe *f*, b) Erscheinung *f*, Phan'tom *n*. – *SYN. cf.* **imagination**. – **II** *adj* (*meist attributiv*) **11.** Phantasie..., phan'tastisch (*unwirklich, übertrieben*): ~ **name** Phantasiename; **a** ~ **portrait** eine phantastische *od.* unwirkliche Schilderung; ~ **price** Phantasie-, Liebhaberpreis. – **12.** Phantasie..., Luxus..., Mode...: ~ **article**. – **13.** Phantasie..., phanta'sievoll, ausgefallen (*Form*), reich verziert, prunkhaft (*Muster*). – **14.** Delikateß... (*Früchte, Lebensmittel*), extrafein, feinst(er, e, es): ~ **fruits**; ~ **work**. – **15.** aus einer Liebhaberzucht: **a** ~ **dog**. – **16.** *sport* mit besonderem Können ausgeführt, Kunst...: ~ **skating** Eiskunstlauf. – **III** *v/t* **17.** sich vorstellen: ~ **him to be here** stell dir vor, er sei *od.* wäre hier; ~ **that!** stell dir vor! denk nur! – **18.** sich einbilden, annehmen: **he fancies himself an actor** er bildet sich ein, ein Schauspieler zu sein. – **19.** ~ **oneself** *reflex colloq.* sich wichtig vorkommen. – **20.** gern haben *od.* mögen: **I wouldn't** ~ **going there**. – **21.** (*Tiere, Pflanzen*) (aus Liebhabe'rei) züchten. – *SYN. cf.* **think**.

fan·cy| ar·ti·cle *s* Phanta'sie-, 'Mode-, 'Luxusar,tikel *m*. — ~ **ball** *s* Ko'stümfest *n*, Maskenball *m*. — ~ **dress** *s* 'Maskenko,stüm *n*. — **'~-,dress I** *adj* kostü'miert, (Masken)Kostüm... – **II** *v/i* sich kostü'mieren, sich verkleiden. — **'~-'free** *adj* **1.** frei u. ungebunden. – **2.** nicht verliebt. — ~ **goods** *s pl* Mode-, Luxus-, Galante'riewaren *pl*. — ~ **man** *s irr* **1.** Ga'lan *m*, Liebhaber *m*. – **2.** Zuhälter *m*. — ~ **stocks** *s pl econ. Am.* unsichere *od.* sehr teure Spekulati'onspa,piere *pl*. — ~ **wom·an** *s irr* Geliebte *f*, Mä'tresse *f*, Prostitu'ierte *f*. — ~ **woods** *s pl* feine (Fur'nier-, Edel)Hölzer *pl*. — **'~,work** *s* **1.** Orna'ment *n*, Zierwerk *n*. – **2.** feine (Hand)Arbeit.

fan·dan·gle [fæn'dæŋgl] *colloq.* **I** *s* ‚Kinkerlitzchen' *pl*, ‚Firlefanz' *m*, Tand *m*. – **II** *adj* über'laden, pom'pös.

fan·dan·go [fæn'dæŋgou] *pl Br.* **-goes**, *Am.* **-gos** *s* **1.** Fan'dango *m* (*span. Tanz*). – **2.** *colloq.* Ball *m*, Tanz *m*.

fan| del·ta *s geol.* Schwemmdelta *n*, -kegel *m*. — ~ **driv·ing** *s tech.* Venti'lator,antrieb *m*.

fane [fein] *s obs.* Tempel *m*, Kirche *f*.

fa·ne·ga [fɑː'neigɑː] *s* **1.** *Hohlmaß*: a) *in Spanien = 1,58 amer.* **bushels**, b) *in Mexiko u. Südamerika je nach Land wechselnde Größe.* – **2.** *mexik. Ackermaß = 8,81* **acres**. — **,fa·ne'ga·da** [-dɑː] *s Ackermaß = 1,25 bis 1,75* **acres**.

fan·fare ['fænfɛr] *s* **1.** *mus.* Fan'fare *f*, Tusch *m*. – **2.** *fig.* Tra'ra *n*, (großes) Getue, ‚The'ater' *n*.

fan·fa·ron ['fænfə,rɒn] *s* **1.** Aufschneider *m*, Prahlhans *m*. – **2.** *selten für* **fanfare 2**. — **,fan·fa·ron'ade** [-rə'neid] *s* Aufschneide'rei *f*, Großtue'rei *f*.

'fan,foot *pl* **-feet, -foots** *s zo.* (*ein*) Fächerzeher *m*, Gecko *m* (*Gattg Ptyodactylus, bes. P. lobatus; Ägypten*).

fang [fæŋ] **I** *s* **1.** Reiß-, Fangzahn *m*, Fang *m* (*des Raubtiers etc*), Eckzahn *m*, Hauer *m* (*des Ebers*), Giftzahn *m* (*der Schlange*). – **2.** *med.* Zahnwurzel *f*. – **3.** spitz zulaufender Teil *od.* Fortsatz, *bes. tech.* a) Dorn *m* (*Gürtelschnalle*), b) Feilenangel *f*, Einsetz-, Heftzapfen *m*, c) Klaue *f* (*Schloß*), d) *mar.* Ven'til *n* (*Pumpe*), e) Bolzen *m*: ~ **bolt** *mar.* (durchgehender) Ankerbolzen. – **4.** *dial.* Kralle *f*, Klaue *f*. – **II** *v/t* **5.** (mit den Fangzähnen) packen *od.* fassen. – **6.** (*Pumpe*) mit Wasser füllen.

fanged *adj* **1.** *zo.* mit Gift- *od.* Reißzähnen *od.* Hauern *od.* Krallen (versehen). – **2.** mit Wurzeln (versehen).

fan·gle [ˈfæŋgl] *s meist* **new** ~ läppische Neuheit *od.* Mode: **new** ~**s of dress.** — **ˈfan·gled** *adj meist* **new-**~ überˈspannt, auffallend, läppisch.

fan| heat·er → fan convector. — **ˈ~ˌlight** *s arch.* (fächerförmiges) Fenster, Lüˈnette *f.* — ~ **mark·er** *s aer.* ˈFächer-Marˌkierungssender *m.* — ~ **mo·tor** *s electr.* Ventiˈlatormotor *m.*

fan·ner [ˈfænər] *s* **1.** → fan blower. – **2.** → fanning machine.

ˈfan-ˌnerved *adj bot. zo.* mit fächerförmigen Rippen *od.* Adern.

fan·ning| ma·chine, ~ **mill** [ˈfæniŋ] *s* **1.** *agr.* ˈKornreinigungsmaˌschine *f,* Staubmühle *f,* (Silo)Futtermühle *f.* – **2.** (*Bergbau*) ˈGrubenventiˌlator *m,* ˈWettermaˌschine *f,* -trommel *f.* — **ˈ~-ˈout** *s* fächerförmiges Ausbreiten.

Fan·ny Ad·ams [ˈfæni ˈædəmz] *s Br. sl.* Hammelfleisch *n* in Dosen: **sweet** ~ nichts.

fan·on [ˈfænən], *auch* **ˈfan·o** [-ou], **ˈfan·um** [-əm] *s* (*kath. Kirche*) **1.** Maˈnipel *f.* – **2.** Fanon *m* (*weißer Schulterkragen des Papstes beim feierlichen Pontifikalamt*).

fan| palm *s bot.* (*eine*) Fächerpalme, (*eine*) Palme mit fächerförmigen Blättern (*Fam. Palmae*), *bes.* a) → cabbage palmetto, b) → hemp palm 1, c) → talipot (palm), d) → Washington palm. — **ˈ~ˌshape(d)** *adj* fächerförmig. — ~ **shell** *s zo.* (*eine*) Kammuschel (*Fam. Pectinidae*). — ~ **struc·ture** *s geol.* Fächerstellung *f.* — **ˈ~ˌtail** *s* **1.** *zo.* Pfau(en)taube *f* (*Haustaube mit Fächerschwanz*). – **2.** *zo.* Austral. Fächerschwanz *m,* (*ein*) austral. Fliegenschnäpper *m* (*Gattg Rhipidura*). – **3.** *zo.* Schleierschwanzgoldfisch *m.* – **4.** *arch.* fächerförmige Stütze, fächerförmiges Joch. – **5.** *mar.* fächerförmiger Schnabel (*am Bug od. Heck*). – **6.** *Br.* Südwester *m* (*der Kohlenträger*). — **ˈ~-ˌtailed** *adj zo.* mit Fächerschwanz.

fan-tan [ˈfænˌtæn] *s* **1.** *chinesisches Wettspiel mit Münzen etc, deren Anzahl, unter einer Schüssel verborgen, zu erraten ist.* – **2.** *ein Kartenspiel.*

fan·ta·si·a [fænˈteiziə; -ʒiə] *s* Phantaˈsie *f:* a) *mus. auch* Fantaˈsia *f* (*Tonstück in freier Form*), b) *literarisches Werk ohne feste Form.*

fan·tasm, fan·tas·ma·go·ri·a *cf.* phantasm *etc.*

fan·tast [ˈfæntæst] *s* Phanˈtast *m,* Träumer *m.*

fan·tas·tic [fænˈtæstik] **I** *adj* **1.** überˈtrieben, wild, wirr, biˈzarr, groˈtesk (*Form, Gebärde*). – **2.** phanˈtastisch, seltsam, wunderlich, verstiegen, überˈspannt, exˈzentrisch (*Person, Ideen*). – **3.** unbegründet, phanˈtastisch, wahnwitzig, unsinnig, abˈsurd, aus der Luft gegriffen. – *SYN.* a) bizarre, grotesque, b) *cf.* imaginary. – **II** *s obs.* **4.** Phanˈtast *m.* – **5.** Sonderling *m.* — **fan·tas·ti·cal** *selten für* fantastic I. — **fanˌtas·tiˈcal·i·ty** [-ˈkæliti; -əti] *s* phanˈtastische *od.* merkwürdige Art, Eigentümlichkeit *f.* — **fanˈtas·ti·cal·ly** *adv* (*auch zu* fantastic I). — **fanˈtas·ti·cal·ness** *s* **1.** Phanˌtasteˈrei *f.* – **2.** → fantasticality.

fan·ta·sy [ˈfæntəsi; -zi] **I** *s* **1.** Phantaˈsie *f:* a) Einbildungskraft *f,* Vorstellungsvermögen *n,* b) Phantaˈsiegebilde *n,* c) *psych.* Phantaˈsienfolge *f,* Wachtraum *m.* – **2.** (bloße) Einbildung, Hirngespinst *n,* Trugbild *n.* – **3.** (*das*) Phantaˈsieren, (*das*) Spintiˈsieren. – **4.** *mus.* Fantaˈsie *f.* – *SYN. cf.* imagination. – **II** *v/i u. v/t* **5.** phantaˈsieren.

fan·tigue, *auch* **fan·teague, fan·teeg** [fænˈtiːg] *s dial.* Aufregung *f.*

fan·toc·ci·ni [ˌfæntəˈtʃiːni] *s pl* **1.** Marioˈnetten *pl.* – **2.** Puppenspiel *n.*

fan·tom *cf.* phantom.

fan| trac·er·y *s arch.* Fächermaßwerk *n.* — ~ **train·ing** *s* (*Obstbau*) Spaˈlierziehen *n* in Fächerform.

fan·um [ˈfænəm] → fanon.

fan| vault·ing *s arch.* Fächer-, Palmengewölbe *n.* — **ˈ~-ˌveined** → fan-nerved. — ~ **ven·ti·la·tor** *s tech.* Flügelgebläse *n.* — ~ **wheel** *s tech.* Flügelrad *n* (*Ventilator*), Windrad *n* (*Anemograph*). — ~ **win·dow** *s arch.* Fächerfenster *n.* — ~ **work** *s* (*Ornamentik*) Fächerwerk *n.* — **ˈ~ˌwort** *s bot.* Fischgras *n* (*Cabomba caroliana*).

far [fɑːr] *comp* **ˈfar·ther** [-ðər], **fur·ther** [ˈfəːrðər], *sup* **far·thest** [ˈfɑːrðist], **fur·thest** [ˈfəːrðist] **I** *adj* **1.** fern, (weit) entfernt, weit, entlegen: ~ **relations** entfernte Verwandte. – **2.** *fig.* weit entfernt (from von): **I am** ~ **from believing it** ich bin weit davon entfernt, es zu glauben; ~ **be it from me (to deny it)** es liegt mir fern(, es zu leugnen), ich möchte (es) keineswegs (abstreiten); ~ **from it** weit gefehlt! ganz im Gegenteil! – **3.** (*vom Sprecher aus*) entfernter, abliegend, abgewendet: **the** ~ **end** das andere Ende; **the** ~ **side** die andere Seite. – **4.** weit vorgerückt, fortgeschritten (in in *dat*). – *SYN. cf.* distant. – **II** *adv* **5.** weit(hin), fern(hin): ~ **into the night** bis spät in die Nacht (hinein); **it went** ~ **to console him** das hat ihn fast getröstet. – **6.** *auch* ~ **and away** weit(aus), bei weitem, um vieles, wesentlich (*bes. mit comp u. sup*): ~ **better (the worst)** weitaus besser (am schlimmsten); ~ **different** ganz anders *od.* verschieden; ~ **wrong** weit gefehlt. –

Besondere Redewendungen:

as ~ **as** a) soweit (wie), insofern als, b) bis (nach), nicht weiter als; **by** ~ weitaus, bei weitem; ~ **and near** fern u. nah; ~ **and wide** weit u. breit, weitherum; → **between** 3; **from** ~ von weitem; **to go** ~ a) weit gehen *od.* reichen, b) weit kommen, es weit bringen; **in so** ~ **(as)** insofern, -weit (als); **so** ~ bis hierher, bisher, bis jetzt; **so** ~ **so good** bis hierhin war's gut, soweit lasse ich es gelten.

far·ad [ˈfærəd] *s electr.* Faˈrad *n.* — **ˌfar·aˈda·ic** [-ˈdeiik], **fa·rad·ic** [fəˈrædik] *adj* faˈradisch, Induktions... — **ˈfar·a·day** [-di; -ˌdei] *s electr.* Faraday *n* (*elektrolytische Konstante*).

Far·a·day's| cage *s electr. phys.* Faradayscher Käfig. — ~ **disk** *s electr.* Faradays Scheibe *f.* — ~ **law** *s electr.* Induktiˈonsgesetz *n.* — ~ **screen** → Faraday's cage.

far·a·dism [ˈfærəˌdizəm], **ˌfar·a·diˈza·tion** [-daiˈzeiʃən; -diˈz-] *s med.* Faradiˈsierung *f,* Faradisatiˈon *f.* — **ˈfar·aˌdize** *v/t med.* faradiˈsieren, elektriˈsieren. — **ˈfar·aˌdiz·er** *s* Induktiˈonsappaˌrat *m.*

far·and *cf.* farrand.

far·an·dole [ˈfærənˌdoul], *auch* **fa·ran·do·la** [fəˈrændələ] *s* Fandaˈrole *f,* Faranˈdole *f* (*provenzalischer Tanz*).

ˈfar|·aˌway *adj* **1.** weit entfernt, weit weg. – **2.** *fig.* entrückt, (geistes)abwesend, verträumt. – *SYN. cf.* distant. — **ˈ~-beˈtween** *adj* vereinzelt, sehr selten, in großen Abständen.

farce [fɑːrs] **I** *s* **1.** (*Theater*) Posse *f,* Schwank *m,* Farce *f.* – **2.** *fig.* Farce *f,* Possenspiel *n,* (übler) Scherz. – **3.** *fig.* ‚Theˈater' *n,* Schwindel *m.* – **4.** (*Kochkunst*) Farce *f,* Füllsel *n.* – **II** *v/t* **5.** (*Rede etc mit geistreichen Bemerkungen*) würzen. – **6.** (*Kochkunst*) *obs.* farˈcieren, füllen. — **ˈ~ˌmeat** → forcemeat.

far·ceur [farˈsœːr] (*Fr.*) *s* Farˈceur *m:* a) Farcendichter *m od.* -spieler *m,* b) Possenreißer *m,* Spaßvogel *m.*

far·ci·cal [ˈfɑːrsikəl] *adj* **1.** Farcen..., Possen..., farcen-, possenhaft. – **2.** *fig.* abˈsurd, lächerlich. – *SYN. cf.* laughable. — **ˌfar·ciˈcal·i·ty** [-ˈkæliti; -əti], **ˈfar·ci·cal·ness** *s* possenhaftes Wesen, Komik *f,* Posse *f.*

far cry *s fig.* weiter Weg, großer ˈUnterschied.

far·cy [ˈfɑːrsi] *s vet.* Rotz *m* (*knotenförmige, eitrige Vergrößerungen der Lymphgefäße, bes. bei Pferden*). — ~ **bud,** ~ **but·ton** *s vet.* (Haut)Rotzgeschwür *n.*

far·del [ˈfɑːrdl] *s obs. od. dial.* **1.** Bündel *n.* – **2.** Last *f* (*auch fig.*). – **3.** Kleider *pl.* — **ˈ~-ˌbound** *adj vet.* verstopft (*Rinder*).

fare [fɛr] **I** *s* **1.** a) Fahrpreis *m,* -geld *n,* b) Flugpreis *m:* **what's the** ~? wieviel kostet die Fahrt? – **2.** Fahrgast *m, oft collect.* Fahrgäste *pl,* Passaˈgiere *pl.* – **3.** Kost *f,* Nahrung *f* (*auch fig.*): **ordinary** ~ Hausmannskost; **wholesome** ~ gesunde Kost; → **bill**[2] 5. – **4.** *mar. Am.* Fischfracht *f* (*eines Bootes*). – **5.** *obs.* a) Gebaren *n,* b) Stand *m* der Dinge. – **II** *v/i* **6.** sich befinden, leben, (er)gehen: **we** ~**d well** wir ließen es uns wohl ergehen, es ging uns gut; **how did you** ~ **in London?** wie ist es dir in London ergangen? **he** ~**d ill, it** ~**d ill with him** es ist ihm schlecht ergangen; **to** ~ **alike** in gleicher Lage sein, Gleiches erleben. – **7.** *poet.* reisen: **to** ~ **forth** sich aufmachen; **to** ~ **on** weiterziehen; **to** ~ **out** in die Welt hinausziehen.

Far East *s* (*der*) Ferne Osten (*Ost- u. Südostasien*).

fare| pay·ments *s pl econ.* Fahr- u. Wegegelder *pl.* — **ˈ~-ˌstage** *s Br.* Fahrpreiszone *f,* Teilstrecke *f* (*Bus etc*).

fare·well [ˌfɛrˈwel] **I** *interj* **1.** lebe wohl! lebt wohl! – **II** *s* **2.** Lebeˈwohl *n,* Abschiedsgruß *m:* **to bid** ~ **to s.o., to bid s.o.** ~ j-m Lebewohl sagen. – **3.** Abschied *m:* **to take one's** ~ **of** Abschied nehmen von (*auch fig.*). – **III** *adj* **4.** Abschieds...

ˈfar|-ˈfamed *adj* ˈweithin berühmt *od.* bekannt. — **ˈ~ˈfetched** *adj fig.* (von) weit ˈhergeholt, gesucht, an den Haaren herˈbeigezogen, gezwungen. — **ˈ~-ˈflung** *adj* (weit) ausgebreitet, ausgedehnt. — **ˈ~-ˌforth,** ~ **forth** *adv obs.* **1.** weit(aus). – **2.** größtenteils. — **ˈ~-ˈgone** *adj* weit fortgeschritten: a) stark betrunken, b) halb verrückt, c) sterblich verliebt, d) fast tot, e) (sehr) herˈuntergekommen, verschuldet.

fa·ri·na [fəˈrainə; *Am. auch* -ˈriːnə] *s* **1.** feines (Weizen-, Mais- *etc*)Mehl. – **2.** *chem.* (Karˈtoffel)Stärke *f.* – **3.** *zo.* feiner Staub, Puder *m* (*auf Insekten*). — **far·i·na·ceous** [ˌfæriˈneiʃəs; -rə-] *adj* **1.** aus Mehl bestehend *od.* Mehl erzeugend, Mehl... – **2.** mehlartig, mehlig. — **ˈfar·iˌnose** [-ˌnous] *adj* **1.** (stärke)mehlhaltig. – **2.** *bot. zo.* mehlig bestäubt, bepudert.

far·kle·ber·ry [ˈfɑːrklˌberi] *s bot.* Baumheidelbeere *f* (*Vaccinium arboreum; Nordamerika*).

farl(e) [fɑːrl] *s Scot. od. Irish* kleiner (Hafermehl)Fladen.

farm [fɑːrm] **I** *s* **1.** Farm *f,* (Land-, Bauern-, *früher nur* Pacht)Gut *n,* Bauernhof *m,* Landwirtschaft *f.* – **2.** Farm *f,* Zucht *f:* **chicken** ~; **oyster** ~. – **3.** Guts-, Bauernhaus *n.* – **4.** ˈLandpacht(syˌstem *n*) *f.* – **5.** verpachteter Bezirk zur Einziehung des Pacht- *od.* Steuergeldes. – **6.** *selten* Pacht *f:* a) Pachtgeld *n,* b) *selten* Pachtgebiet *n.* – **7.** *Br. hist.* (Einkommen *n* aus) Land- *od.* Steuerverpachtung *f.* – **8.** *auch* ~ **club** (*bes.*

Baseball) Am. Nachwuchsspielerklub *m.* – **9.** *obs. (jährliche)* Steuer. – **II** *v/t* **10.** *(Land)* bebauen, bewirtschaften. – **11.** pachten. – **12.** *oft* ~ out *(Gut etc)* verpachten, in Pacht geben (to s.o. j-m *od.* an j-n). – **13.** *oft* ~ out *(Leute)* verdingen. – **14.** (gegen Entgelt) betreuen, sorgen für *(j-n od. etwas).* – **15.** *auch* ~ out *sport Am.* a) *(Baseballspieler)* einem Klub zum Training zuweisen, b) *econ. (Arbeit, Aufträge etc)* (zur Erledigung) vergeben, fort-, weitergeben. – **III** *v/i* **16.** (eine) Landwirtschaft betreiben, Bauer sein.

farm·er ['fɑːrmər] *s* **1.** Bauer *m,* Landwirt *m,* Farmer *m.* – **2.** Steuerpächter *m,* -einzieher *m.* – **3.** Züchter *m,* Bauer *m*: cattle ~ Viehzüchter; dairy ~ Milchproduzent; fruit ~ Obstbauer. – **4.** Betreuer(in), Wärter(in): baby ~ Kinderwärter(in). — ˌ**farm·er'ette** [-'ret] *s Am. colloq.* Land-, Farmarbeiterin *f.*

'**farm·er-'gen·er·al** *pl* '**farm·ers-'gen·er·al** *s hist. (franz.)* Gene'ralsteuerpächter *m (des Ancien régime).*

farm·er·y ['fɑːrməri] *s collect. Br.* Wirtschaftsgebäude *pl,* (Bauern)-Gehöft *n.*

farm| hand *s* Landarbeiter *m,* Knecht *m.* — '~ˌ**house** *s* Bauern-, Gutshaus *n.*

farm·ing ['fɑːrmiŋ] **I** *s* **1.** Landwirtschaft *f,* Acker-, Landbau *m.* – **2.** Verpachtung *f.* – **II** *adj* **3.** landwirtschaftlich, Acker(bau)..., Land...

farm| land *s* Ackerland *n,* -boden *m,* Flur *f.* — '~-ˌ**light·ing gen·er·a·tor** *s electr.* 'Kleinaggreˌgat *n (in USA meist 32 V, 2 bis 3 kW).* — ~ **loan** *s econ.* 'Landwirtschaftskreˌdit *m.* — '~**·stead,** *auch* '~ˌ**stead·ing** *s* Bauernhof *m,* Gehöft *n.* — ~ **work·er** *s* Landarbeiter *m,* landwirtschaftlicher Arbeiter. — '~ˌ**yard** *s* (Innen)-Hof *m* eines Bauernhofs, Wirtschaftshof *m,* (Vor)Platz *m* einer Farm *od.* Scheune. — '~ˌ**yard·y** *adj* bäuerlich, ländlich: a ~ smell.

far·ne·sol ['fɑːrniˌsoul; -ˌsɒl; -nə-] *s chem.* Farne'sol *n,* A'kazienˌblütenexˌtrakt *m* ($C_{15}H_{26}O$).

far·o ['fɛ(ə)rou] *s* Phar(a)o *n (Glücks-kartenspiel).*

'**far-'off** *adj* **1.** weit entfernt, abgelegen, entlegen. – **2.** *fig.* (geistes)abwesend. – *SYN. cf.* distant.

fa·rouche [*Am.* fa'ruʃ; *Br.* fə'ruːʃ] *(Fr.) adj* **1.** mürrisch. – **2.** scheu.

far point *s* **1.** *(Optik)* Fern-, Ruhepunkt *m (des Auges).* – **2.** *phys.* Fern-, Aufpunkt *m.* – **3.** *math.* unendlich weit entfernter Punkt.

far·rag·i·nous [fə'rædʒinəs; -dʒə-] *adj selten* gemischt, kunterbunt. — **far·ra·go** [fə'reigou; -'rɑː-] *pl* **-goes,** *Br.* **-gos** *s* (buntes) Gemisch, Mischmasch *m.*

'**far-'reach·ing** *adj* **1.** weitreichend. – **2.** *fig.* folgenschwer, schwerwiegend, tiefgreifend.

far·ri·er ['færiər] *s Br.* **1.** Hufschmied *m.* – **2.** *mil.* Beschlagmeister *m,* Fahnenschmied *m (Unteroffizier).* – **3.** *obs.* Roßarzt *m.* — '**far·ri·er·y** [-əri] *s* **1.** Hufschmiedehandwerk *n.* – **2.** Hufschmiede *f.*

far·row[1] ['færou] **I** *s agr.* **1.** Wurf *m* Ferkel: ten at one ~; with ~ trächtig *(Sau).* – **2.** *obs.* Ferkel *n.* – **II** *v/i* **3.** ferkeln *(Sau),* frischen *(Wildsau).* – **III** *v/t* **4.** *(Ferkel)* werfen.

far·row[2] ['færou] *adj Scot. od. Am.* gelt, nicht tragend *(Kuh).*

'**far|'see·ing** *adj* **1.** *fig.* weitblickend, vor'aussehend. – **2.** weitsichtig *(auch fig.).* — '~'**sight·ed** *adj* **1.** *fig.* weit-, 'umsichtig, weitblickend, scharfsinnig. – **2.** *med.* weit-, 'übersichtig, hyperme'trop. — ˌ~'**sight·ed·ness** *s* **1.** Weitblick *m,* 'Umsicht *f.* – **2.** *med.* Weitsichtigkeit *f,* Hypermetro'pie *f.*

fart [fɑːrt] *vulg.* **I** *s* ‚Furz' *m.* – **II** *v/i* ‚furzen'.

far·ther ['fɑːrðər] **I** *adj* **1.** *comp von* far. – **2.** → further II. – **3.** weiter weg liegend, *(vom Sprechenden)* abgewendet, entfernter. – **II** *adv* **4.** weiter: so far and no ~ bis hierher u. nicht weiter. – **5.** ferner, weiterhin, über'dies. – *SYN.* further. — '**far·ther·ˌmost** *adj* weitest(er, e, es), entferntest(er, e, es).

far·thest ['fɑːrðist] **I** *adj* **1.** *sup von* far. – **2.** längst(er, e, es), ausgedehntest(er, e, es): at (the) ~ höchstens. – **II** *adv* **3.** am weitesten, weitestens, spätestens.

far·thing ['fɑːrðiŋ] *s* **1.** Farthing *m (seit 1. 1. 1961 nicht mehr gültige engl. Kupfermünze = 1/4 Penny).* – **2.** *fig.* Kleinigkeit *f*: it doesn't matter a ~ es macht gar nichts.

far·thin·gale ['fɑːrðiŋˌgeil] *s hist.* Reifrock *m,* Krino'line *f.*

Far West *s Am.* **1.** *Gebiet der Rocky Mountains u. der pazifischen Küste.* – **2.** *hist.* Mittelwesten *m (bes. westlich des Mississippi).*

fas·ces ['fæsiːz] *s pl antiq.* Faszes *pl,* Lik'toren-, Rutenbündel *n* mit Beil *(röm. Dienstzeichen der Strafgewalt).*

fas·cet ['fæsit] *s (Glasfabrikation)* Träger *m (zum Transport heißer Flaschen).*

fas·ci·a ['fæʃiə] *pl* **-ae** [-ˌiː] *s* **1.** Binde *f,* (Quer)Band *n.* – **2.** *zo.* Farbstreifen *m.* – **3.** *biol. med.* (Muskel)Faszie *f*: band of ~ Faszienband; broad ~ Schenkelbinde. – **4.** *arch.* a) Gurtsims *m (an ionischen od. korinthischen Tragbalken),* b) Bund *m (von Säulenschäften).* – **5.** *antiq.* (Leib)Gurt *m,* Binde *f,* Band *n.* – **6.** *med.* Bindenverband *m*: abdominal ~ Bauchbinde.

fas·ci·al[1] ['fæʃiəl] *adj* zu einer Faszie *od.* Binde gehörig, Faszien...

fas·ci·al[2] ['fæʃiəl] *adj* Liktoren(bündel)...

fas·ci·ate ['fæʃiˌeit], *auch* '**fas·ciˌat·ed** [-tid] *adj* **1.** mit einem Band um'wunden. – **2.** *bot.* verbändert. – **3.** *zo.* bandförmig gestreift, ban'diert. — ˌ**fas·ci'a·tion** *s* **1.** Zu'sammenbündeln *n.* – **2.** *med.* Verbinden *n.* – **3.** *bot.* Fasciati'on *f,* Verbänderung *f.* – **4.** *zo.* bandförmige Streifung, Bänderung *f.*

fas·ci·cle ['fæsikl] *s* **1.** Bündel *n.* – **2.** *(Buchhandel)* Fas'zikel *m,* (Teil)-Lieferung *f,* (Einzel)Heft *n (eines Werks).* – **3.** *med.* → fasciculus 1. – **4.** *bot.* a) (dichtes) Büschel: ~ of flowers Blütenbüschel, b) Leitbündel *n.* – **5.** Fas'zikel *m,* Aktenbündel *n.* — '**fas·ci·cled** *adj* in Bündeln *od.* Büscheln gewachsen, gebündelt, gebüschelt. — **fas·cic·u·lar** [fə'sikjulər; -jə-] *adj* **1.** Bündel..., Büschel..., büschelförmig. – **2.** *bot.* Leitbündel... — **fas'cic·u·late** [-lit; -ˌleit], **fas'cic·uˌlat·ed** → fascicled. — **fasˌcic·u'la·tion** *s* **1.** Büschel-, Bündelform *f.* – **2.** Bündelung *f,* Büschelbildung *f.* — '**fas·ciˌcule** [-ˌkjuːl] → fascicle, *bes.* 2. — **fas'cic·u·lus** [-ləs] *pl* **-ˌli** [-ˌlai] *s* **1.** *med.* kleines (Nerven-, Muskelfaser)Bündel, Faserstrang *m,* Traktus *m*: cerebellar ~ Kleinhirnstrang; hooked ~ Hakenbündel. – **2.** → fascicle 2 *u.* 5.

fas·ci·nate ['fæsiˌneit; -sə-] *v/t* **1.** faszi'nieren, bezaubern, betören, bestricken, fesseln, packen, gefangennehmen, 'hinreißen. – **2.** hypnoti'sieren, in seinen Bann ziehen. – **3.** *obs.* behexen. – *SYN. cf.* attract. — '**fas·ciˌnat·ing** *adj* **1.** faszi'nierend, bezaubernd, entzückend, reizvoll, 'hinreißend. – **2.** fesselnd, spannend, packend, aufregend. — ˌ**fas·ci'na·tion** *s* **1.** Faszi'nieren *n,* Bezaubern *n.* – **2.** Faszinati'on *f,* Bezauberung *f.* – **3.** Zauber *m,* Reiz *m,* Scharm *m.* — '**fas·ciˌna·tor** [-tər] *s* **1.** faszi'nierende Per'son *od.* Sache. – **2.** (Häkel-, Spitzen)Kopftuch *n,* The'aterschal *m.*

fas·cine [fæ'siːn] *s* **1.** Reisigbündel *n.* – **2.** *mil. tech.* Fa'schine *f*: ~ choker Reitel, Würgetau; ~ dam Faschinendamm, Senkstück; ~ road Faschinenbahn.

fas·cis ['fæsis] *sg von* fasces.

fas·cism, *oft* **F~** ['fæʃizəm] *s pol.* Fa'schismus *m.* — '**fas·cist I** *s auch* F~ Fa'schist *m.* – **II** *adj* fa'schistisch, Faschisten... — **fa·scis·tic** [fə'ʃistik] *adj* fa'schistisch. — **Fa'scis·ti** [-ti] *s pl* Fa'schisten *pl (in Italien).*

fash[1] [fæʃ] *Scot.* **I** *v/i* sich ärgern, sich Sorgen machen. – **II** *v/t* ärgern, plagen: to ~ oneself. – **III** *s* Ärger *m.*

fash[2] [fæʃ] **I** *s* **1.** *tech.* Gußnaht *f,* Bart *m,* Grat *m.* – **2.** *mar.* unregelmäßige Naht. – **II** *adj* **3.** *tech.* rauh, zackig, mit Grat.

fash·ion ['fæʃən] **I** *s* **1.** Mode *f*: the latest ~ die neueste Mode; it became the ~ es wurde große Mode; to set the ~ die Mode vorschreiben, *fig.* den Ton angeben; it is the ~ es ist Mode, es ist modern; out of ~ aus der Mode, unmodern; to dress in the English ~ sich nach engl. Mode kleiden; ~ designer Modezeichner, -schöpfer; ~ journal Modejournal. – **2.** *(feine)* Lebensart, *(gepflegter)* Lebensstil, Vornehmheit *f*: a man of ~ ein Mann von Lebensart. – **3.** Art *f* u. Weise *f,* Me'thode *f,* Ma'nier *f,* Stil *m*: after their ~ auf ihre Weise; to do s.th. after *(od.* in) a ~ etwas nur halb *od.* oberflächlich *od.* nachlässig tun; after the ~ of im Stil von. – **4.** Fas'son *f,* (Zu)Schnitt *m,* Form *f,* Mo'dell *n,* Machart *f.* – **5.** Sorte *f,* Art *f*: men of all ~s. – **6.** *obs.* 'Herstellung *f.* – **7.** *obs.* Handfertigkeit *f.* – *SYN.* a) craze, fad, mode[2], rage, style[1], vogue, b) *cf.* method. – **II** *v/t* **8.** formen, bilden, gestalten, machen, arbeiten (according to, after nach; out of, from aus; to, into zu). – **9.** *tech.* in eine Fas'son bringen, ausarbeiten, zuschneiden. – **10.** denken, ersinnen (to fit): lies ~ed to a special purpose. – **11.** anpassen (to *dat,* an *acc),* ('um)-arbeiten, zu'rechtmachen (to für). – – *SYN. cf.* make. – **III** *adv* **12.** wie, nach Art von.

fash·ion·a·ble ['fæʃənəbl] **I** *adj* **1.** modisch, mo'dern, ele'gant, fein. – **2.** vornehm, ele'gant. – **3.** in (der) Mode, Mode... – *SYN.* modish, smart, stylish. – **II** *s* **4.** ele'ganter Herr, ele'gante Dame. — '**fash·ion·a·ble·ness** *s* **1.** Moderni'tät *f.* – **2.** *(das)* Mo'derne, Ele'ganz *f.* — '**fash·ioned** *adj* geformt, ausgeführt: well ~ gut geformt. — '**fash·ion·er** *s selten* (Damen)Schneider(in). — '**fash·ion·ing** *s tech.* Fasso'nierung *f,* Formung *f.*

'**fash·ion|ˌmon·ger** *s* Modeheld *m,* -narr *m.* — ~ **pa·rade** → fashion show. — ~ **piece** *s mar.* Randsomholz *n.* — ~ **plate** *s* **1.** Modebild *n.* – **2.** *fig.* Modepuppe *f,* -held *m.* — ~ **show** *s* Modenvorführung *f,* -schau *f.* — '~ˌ**wear** *s* 'Modearˌtikel *pl.*

fast[1] [*Br.* fɑːst; *Am.* fæ(ː)st] **I** *adj* **1.** schnell, geschwind, rasch, flink: to pull a ~ one on s.o. *sl.* j-m einen Streich spielen, j-n ‚reinlegen'. – **2.** zu schnell: a) vorgehend *(Uhr),* b) *Am.* zu'viel anzeigend *(Waage etc)*: my watch is ~ meine Uhr geht vor. – **3.** Schnelligkeit fördernd: a ~ tennis-court ein Tennisplatz, auf dem (es) sich gut spielen läßt. – **4.** *fig.* flott, schnellebig: a) draufgängerisch, verwegen, frei, emanzi'piert, b) leichtlebig, locker, ausschweifend. – **5.** *phot.*

stark lichtempfindlich, kurz zu belichten (*Film*), lichtstark (*Objektiv*). – *SYN.* expeditious, fleet[2], hasty, quick, rapid, speedy, swift. – **II** *adv* **6.** schnell, geschwind. – **7.** drauf'los, leichtsinnig: to live ~ ein flottes Leben führen.

fast[2] [*Br.* fɑːst; *Am.* fæ(ː)st] **I** *adj* **1.** fest, befestigt, sicher, festgemacht, -gehalten, unbeweglich: to make ~ festmachen, befestigen, *mar.* festzurren; ~ in the mud im Schlamm steckengeblieben; ship ~ aground festgefahrenes Schiff. – **2.** fest (zu'sammenhaltend): a ~ friendship eine feste Freundschaft; a ~ grip ein fester (Zu)Griff; a ~ knot ein fester Knoten; take ~ hold of fest anpacken; ~ friends unzertrennliche *od.* treue Freunde. – **3.** fest, unzerstörbar, stetig: → color 9; ~ sleep fester *od.* tiefer Schlaf; there is no hard and ~ rule es gibt keine feste Regel. – **4.** fest, 'widerstandsfähig, beständig: → acid-~. – **II** *adv* **5.** fest, sicher: to play ~ and loose *fig.* Katz u. Maus spielen, Schindluder treiben (with mit). – **6.** *poet. od. obs.* nahe: ~ by, ~ beside ganz nahe bei; ~ upon dicht darauf(folgend). – **III** *s* **7.** *tech.* Festhalter *m*, -steller *m*. – **8.** *mar.* Festhaltetau *n*, -kette *f*.

fast[3] [*Br.* fɑːst; *Am.* fæ(ː)st] *bes. relig.* **I** *v/t* **1.** fasten. – **II** *s* **2.** Fasten *n*. – **3.** a) Fastenzeit *f*, b) *auch* ~ day Fast(en)tag *m*.

fas·ten [*Br.* 'fɑːsn; *Am.* 'fæ(ː)sn] **I** *v/t* **1.** festmachen, fi'xieren, sichern. – **2.** (to, on an *acc od. dat*) festmachen, -binden, befestigen, anbinden, anheften, (*Brett etc*) anschlagen, (*Schiff*) verankern (with mit, by mittels). – **3.** *auch* ~ up (*Tür etc*) zumachen, (ab)schließen, verriegeln, zu-, abriegeln, (*Jacke etc*) zuknöpfen, (*Paket*) zuschnüren, verschnüren: to ~ with nails zunageln; to ~ with plaster zugipsen; to ~ with putty verkitten. – **4.** ~ in (*Mensch, Tier*) einsperren. – **5.** *fig.* (*etwas*) anhängen, beilegen (upon *j-m*): to ~ a nickname upon s.o. j-m einen Spottnamen beilegen; they ~ed the crime upon him sie schoben ihm die Schuld zu. – **6.** *fig.* (*Augen, Gedanken*) heften, richten, (*Erwartungen*) setzen (on auf *acc*). – **II** *v/i* **7.** (on, upon) sich heften *od.* klammern (an *acc*), sich festhalten (an *dat*), sich bemächtigen (*gen*), sich aussehen (*acc*). – **8.** fest werden, sich setzen. – **9.** sich fest- *od.* zumachen *od.* schließen lassen. – *SYN.* affix, attach, fix. — **'fas·ten·er** *s* **1.** Festhalter *m*, Befestiger *m*, Befestigungsmittel *n*. – **2.** *tech.* Schließer *m*, Riegel *m*, Halter *m*, Verschluß *m*: → zip ~. – **3.** (*Färberei*) Fi'xiermittel *n*, Beize *f*. — **'fas·ten·ing I** *s* **1.** Festmachen *n*, Befestigen *n*. – **2.** *tech.* Befestigungsvorrichtung *f*, Sicherung *f*, Verankerung *f*. – **3.** → fastener 1 *u.* 2. – **II** *adj* **4.** *tech.* Befestigungs..., Schließ..., Verschluß...: ~ iron Moniereisen.

fas·tid·i·ous [fæs'tidiəs] *adj* schwer zu befriedigen(d), sehr anspruchsvoll, wählerisch, verwöhnt, mäk(e)lig. – *SYN. cf.* nice. — **fas'tid·i·ous·ness** *s* Verwöhntheit *f*, anspruchsvolles Wesen, 'Überempfindlichkeit *f*.

fas·tig·i·ate [fæs'tidʒiit; -ˌeit], *auch* **fas'tig·iˌat·ed** [-ˌeitid] *adj* **1.** *zo.* spitzig, in Spitze *od.* Kante endend. – **2.** *bot.* aufwärts gerichtet. — **fas'tig·i·um** [-əm] *pl* -**'tig·i·a** [-ə] (*Lat.*) *s* **1.** *arch.* (Spitz)Giebel *m*, Fron'ton *n*. – **2.** *med.* Fa'stigium *n*.

fast·ing [*Br.* 'fɑːstiŋ; *Am.* 'fæ(ː)stiŋ] **I** *adj* fastend, Fasten...: ~ cure Hunger-, Fastenkur. – **II** *s* Fasten *n*.

fast·ness [*Br.* 'fɑːstnis; *Am.* 'fæ(ː)st-] *s* **1.** Festigkeit *f*, Haltbarkeit *f*, Beständigkeit *f*, 'Widerstandsfähigkeit *f*, Echtheit *f* (*bes. Farben*). – **2.** sicherer Ort *od.* Platz, Feste *f*, Festung *f* (*auch fig.*). – **3.** Schnelligkeit *f*, Raschheit *f*. – **4.** *fig.* Leichtlebigkeit *f*, Ausschweifungen *pl*.

fast| pul·ley *s tech.* Fest-, Vollscheibe *f* (*Flaschenzug*). — **~ train** *s* Schnell-, Eilzug *m*, D-Zug *m*.

fat [fæt] **I** *adj comp* **'fat·ter**, *sup* **'fat·test 1.** dick, plump, korpu'lent (*Personen*), fett, feist (*Tiere*). – **2.** fett, fettig, fett-, ölhaltig. – **3.** *fig.* fett, einträglich, lohnend, ergiebig, reich(haltig), reichlich: ~ coal Fettkohle, bituminöse Kohle; ~ purse dicker Geldbeutel; ~ soil fetter *od.* fruchtbarer Boden; ~ wood harzreiches Holz; a ~ lot *sl.* sehr viel, *ironisch* herzlich wenig; a ~ profit ein reicher Gewinn. – **4.** *fig.* schwerfällig, träge, dumm. – **5.** *bes. Bibl.* reich, wohlhabend, glücklich. – *SYN.* corpulent, obese, portly, stout. – **II** *s* **6.** *auch biol. chem.* Fett *n*: vegetable ~ Pflanzenfett; ~s *chem.* einfache Fette; the ~ is in the fire der Teufel ist los. – **7.** Fettansatz *m*, Fettsucht *f*: to incline to ~. – **8.** the ~ das Beste, das Ergiebigste: to live on the ~ of the land in Saus u. Braus leben. – **9.** einträgliche Arbeit: to cut up ~ ein großes Vermögen hinterlassen. – **10.** (*Theater*) Glanzstelle *f*, Pa'radestück *n* (*einer Rolle*). – **III** *v/t* **11.** mästen. – **IV** *v/i* **12.** fett *od.* dick werden.

fa·tal ['feitl] *adj* **1.** tödlich, todbringend, mit tödlichem Ausgang: a ~ accident ein tödlicher Unfall. – **2.** vernichtend, unheilvoll, gefährlich, verhängnisvoll (to für). – **3.** (über Wohl u. Wehe) entscheidend, schicksalhaft, schicksalsschwer, omi'nös, fa'tal. – **4.** unvermeidlich. – **5.** Schicksal(s)...: the ~ thread der Schicksals-, Lebensfaden. – **6.** *auch* F~ höheren Mächten angehörig: → sister 1. – **7.** *obs.* verurteilt. – *SYN. cf.* deadly. — **'fa·talˌism** [-təl-] *s* Fata'lismus *m*, Schicksalsglaube *m*. — **'fa·tal·ist** *s* Fata'list *m*. — **ˌfa·tal'is·tic** *adj* fata'listisch.

fa·tal·i·ty [fə'tæliti; -əti] *s* **1.** Verhängnis *n*: a) Geschick *n*, b) Schicksalsschlag *m*, Unglück *n*. – **2.** Schicksalhaftigkeit *f*, Fatali'tät *f*. – **3.** tödlicher Ausgang (*Unglück*). – **4.** Todesfall *m*, -opfer *n*.

fa·tal·ize ['feitəˌlaiz] *v/t u. v/i* (sich) dem Schicksal unter'werfen.

Fa·ta Mor·ga·na ['fɑːtɑː mɔːr'gɑːnɑː] *s* Fata Mor'gana *f*, Luftspiegelung *f*.

fat| back *s Am.* Rückenspeck *m* (*eines Schweins*). — **~ cat** *s pol. Am. sl.* (erhoffter) Geldgeber (*einer Partei im Wahlkampf*).

fate [feit] **I** *s* **1.** Schicksal(smacht *f*) *n*. – **2.** Geschick *n*, Los *n*, Schicksal *n*: he met his ~ das Schicksal ereilte ihn; to seal (decide, fix) s.o.'s ~ j-s Schicksal besiegeln (entscheiden). – **3.** Verhängnis *n*, Verderben *n*, 'Untergang *m*. – **4.** F~ (*Mythologie*) a) Fatum *n*, b) *meist pl* Schicksalsgöttin *f*: the three Fates die Parzen *od.* Nornen. – *SYN.* destiny, doom, lot, portion. – **II** *v/t* **5.** (*nur pass*) (vor'her)bestimmen. — **'fat·ed** *adj* **1.** vom Schicksal verhängt *od.* ereilt. – **2.** dem 'Untergang geweiht. — **'fate·ful** [-ful; -fəl] *adj* **1.** verhängnisvoll. – **2.** schicksalsschwer, entscheidend. – **3.** schicksal- (*bes.* unheil)verkündend, pro'phetisch. – **4.** schicksalhaft, Schicksals... – *SYN. cf.* ominous. — **'fate·ful·ness** *s* Schicksalhaftigkeit *f*, (*das*) Verhängnisvolle.

'fat|ˌhead *s* **1.** *colloq.* Dumm-, ‚Schafskopf' *m*. – **2.** *zo.* (*ein*) Lippfisch *m* (*Pimelometopon pulcher*). — **'~ˌhead·ed** *adj* dumm, ‚schafsköpfig'. — **~ hen** *s bot.* Weißer Gänsefuß (*Chenopodium album*).

fa·ther ['fɑːðər] **I** *s* **1.** Vater *m*: adoptive ~ Adoptivvater; like ~ like son der Apfel fällt nicht weit vom Stamm; F~'s Day *bes. Am.* Vatertag (*3. Sonntag im Juni*). – **2.** *meist* F~ *relig.* (All)Vater *m* (*Gott*). – **3.** the F~ *relig.* (*der christliche*) Gott Vater *m*. – **4.** *meist pl* Ahn *m*, Vorfahr *m*: to rest with one's ~s bei seinen Vätern ruhen. – **5.** *colloq.* Schwieger-, Stief-, Adop'tivvater *m*. – **6.** (*höfliche Anrede eines Greises*) Vater *m*, Väterchen *n*, Großvater *m*. – **7.** *fig.* Urheber *m*, Ursprung *m*, Vater *m*: the wish was ~ to the thought der Wunsch war der Vater des Gedankens; the F~ of lies Satan. – **8.** *antiq.* (*röm.*) Se'nator *m*. – **9.** *pl* Stadt-, Landesväter *pl*: the F~s of the Constitution die Gründer der USA. – **10.** Beschützer *m*, Beschirmer *m*: ~ to the poor Beschützer der Armen. – **11.** *oft* F~, *auch* F~ of the Church *relig. hist.* Kirchenvater *m*. – **12.** *relig.* a) Vater *m* (*Bischofs- od. Abttitel*): The Holy F~ der Heilige Vater, b) → ~-confessor, c) Pater *m*. – **13.** F~ *poet. u. ehrfürchtige Anrede katholischer Geistlicher*: F~ Thames; F~ Time Chronos. – **14.** *bes. Br.* (Dienst)Ältester *m*, Vorsitzender *m* (*Gesellschaft*). – **II** *v/t* **15.** (*Kind*) zeugen. – **16.** (*etwas*) ins Leben rufen, her'vorbringen. – **17.** wie ein Vater sein gegen, väterlich behandeln. – **18.** sich als Vater *od.* Urheber (*gen*) ausgeben *od.* bekennen. – **19.** (*j-m, einer Sache*) einen Vater geben. – **20.** (*etwas*) zuschreiben (on, upon *dat*): Macpherson ~ed his poems upon Ossian. [mann *m*.]

Fa·ther Christ·mas *s Br.* Weihnachts-

'fa·ther|-con'fes·sor *s* Beichtvater *m*. — **'~-ˌfig·ure** *s* geistiger Vater.

fa·ther·hood ['fɑːðərˌhud] *s* Vaterschaft *f*, Eigenschaft *f* als Vater.

'fa·ther|-in-ˌlaw *pl* **'fa·thers-in-ˌlaw** *s* **1.** Schwiegervater *m*. – **2.** *Br. selten* Stiefvater *m*. — **'~ˌland** *s* Vaterland *n*. — **'~-ˌlash·er** *s zo.* **1.** 'Meerskorpiˌon *m* (*Cottus scorpius*). – **2.** (*eine*) Groppe (*Acanthocottus bubalis*).

fa·ther·less ['fɑːðərlis] *adj* vaterlos, verwaist. — **'fa·ther·less·ness** *s* Vaterlosigkeit *f*. — **'fa·therˌlike** *adj u. adv* väterlich, wie ein Vater. — **'fa·ther·li·ness** [-linis] *s* Väterlichkeit *f*. [legs 1.]

fa·ther long·legs → daddy long-

fa·ther·ly ['fɑːðərli] **I** *adj* väterlich. – **II** *adv obs.* wie ein Vater. — **'fa·therˌship** *s* Vaterschaft *f*.

fath·om ['fæðəm] **I** *s* (*nach Maßzahl pl oft* ~) **1.** Faden *m*, Klafter *f*, *m*, *n*: a) *mar. Längen- u. Tiefenmaß* (*6 Fuß = 1,83 m*), b) *Holzmaß* (*= 36 Quadratfuß im Querschnitt u. von unbestimmter Länge*). – **II** *v/t* **2.** loten, son'dieren, mit Lot messen. – **3.** *fig.* ergründen, (von Grund auf) erforschen *od.* verstehen. – **4.** *selten* um'fassen, um'spannen. – **III** *v/i* **5.** son'dieren. — **'fath·om·a·ble** *adj* **1.** meßbar, son'dierbar. – **2.** *fig.* ergründlich, ergründbar. — **fa·thom·e·ter** [fæ'ðɒmitər; -mə-; fə-] *s mar.* Echo-, Behmlot *n*. **'fath·om·less** *adj* unergründlich, bodenlos (*auch fig.*).

'fath·om|-ˌline *s mar.* Lotleine *f*. — **~ wood** *s* Klafterholz *n*.

fa·tid·ic [fei'tidik; fə-], **fa'tid·i·cal** [-kəl] *adj* pro'phetisch. — **fa'tid·i·cal·ly** *adv* (*auch zu* fatidic).

fat·i·ga·ble ['fætigəbl] *adj* leicht ermüdend, ermüdbar. — **'fat·iˌgate** *obs.* **I** *v/t* [-ˌgeit] ermüden. – **II** *adj* [-git; -ˌgeit] ermüdet.

fa·tigue [fə'tiːg] **I** *s* **1.** Ermüdung *f*, Ermattung *f*, Erschöpfung *f*. – **2.** *bes.*

pl mühselige Arbeit, Mühsal *f*, Stra'paze *f*. – **3.** Über'müdung *f*, -'arbeitung *f*, -'anstrengung *f* (*auch med., Zellen, Organe*). – **4.** *agr.* Erschöpfung *f* (*Boden*). – **5.** *tech.* Ermüdung *f*, Schwächung *f* (*bes. Metallteile*): ~ **crack** Ermüdungs-, Dauerriß; ~ **strength** Wechselbeanspruchungsfestigkeit; ~ **test** Ermüdungsprobe. – **6.** *mil.* a) Arbeitsdienst, b) *pl* → ~ **clothes**. – **II** *v/t pret u. pp* **fa'tigued**, *pres p* **fa'ti·guing 7.** ermüden, erschöpfen, schwächen, stark beanspruchen. – **III** *v/i* **8.** ermüden, geschwächt werden. – **9.** *mil.* Arbeitsdienst machen. – *SYN. cf.* tire[1]. – **IV** *adj* **10.** *tech.* Ermüdungs... – **11.** *mil.* Arbeits(dienst)...

fa·tigue clothes *s mil.* Drillich-, Arbeitsanzug *m*.

fa·tigued [fə'ti:gd] *adj* ermüdet, ermattet.

fa·tigue| de·tail → fatigue party. — ~ **dress** → fatigue clothes. — ~ **du·ty** → fatigue 6a.

fa·tigue·less [fə'ti:glis] *adj* unermüdlich, nicht zu ermüden(d).

fa·tigue| par·ty *s mil.* 'Arbeitskom,mando *n*. — ~ **u·ni·form** → fatigue clothes.

fa·ti·guing [fə'ti:giŋ] *adj* mühsam, ermüdend.

fat·less ['fætlis] *adj* ohne Fett, mager. — **'fat·ling** [-liŋ] *s* junges Masttier.

fat lute *s tech.* 'Harz-, 'Bastixze,ment *m*.

fat·ly ['fætli] *adv* **1.** reichlich, ausgiebig, ergiebig. – **2.** fett, unbeholfen. — **'fat·ness** *s* **1.** Fettig-, Öligkeit *f*. – **2.** Fettheit *f*, Korpu'lenz *f*, (Wohl)Beleibtheit *f*. – **3.** Ausgiebigkeit *f*, Fruchtbarkeit *f* (*Boden etc*).

'fat-'sol·u·ble *adj chem.* fettlöslich.

fat·ten ['fætn] **I** *v/t* **1.** fett *od.* dick machen. – **2.** (*Tier*) mästen. – **3.** (*Land*) fruchtbar machen, düngen. – **4.** (*Kartenspiel*) (*Einsatz*) erhöhen. – **II** *v/i* **5.** fett *od.* dick werden. – **6.** sich mästen (on von). — **'fat·tish** *adj* etwas fett(ig) *od.* dick.

fat·ty ['fæti] **I** *adj* **1.** fetthaltig, aus Fett bestehend. – **2.** *chem.* fettig, fettartig. – **3.** *med.* fett(bildend), Fett...: ~ **degeneration** Verfettung; ~ **heart** Herzverfettung, Fettherz; ~ **tissue** Fettgewebe. – **II** *s* **4.** *colloq.* Dicke(r) (*Person*). — ~ **ac·id** *s chem.* Fettsäure *f*, gesättigte Säure ($C_nH_{2n}O_2$). — ~ **tu·mo(u)r** *s med.* Li'pom *n*, Fettgeschwulst *f* (*unter der Haut*).

fa·tu·i·tous [fə'tju:itəs; -ətəs; *Am. auch* fə'tu:-] *adj* dumm, einfältig, albern. — **fa'tu·i·ty** *s* **1.** Dummheit *f*, Einfältigkeit *f*. – **2.** *obs.* Geistesschwäche *f*.

fat·u·ous ['fætjuəs; -tʃuəs] *adj* **1.** dumm, einfältig, albern. – **2.** sinnlos, illu'sorisch. – *SYN. cf.* simple. — **'fat·u·ous·ness** → fatuity.

'fat-,wit·ted *adj* stumpfsinnig, dumm.

fau·bourg [fo'bu:r; 'fouburg] (*Fr.*) *s* Vorort *m*.

fau·cal ['fɔ:kəl] **I** *adj med.* Kehl..., Rachen... – **II** *s ling.* Kehllaut *m*. — **'fau·ces** [-si:z] *s pl med.* Rachen *m*, Schlund *m*.

fau·cet ['fɔ:sit] *s tech. Am.* **1.** (Wasser)Hahn *m*, (Faß)Zapfen *m*. – **2.** (*Röhrenleitung*) kurzes Verbindungsstück.

fau·cial ['fɔ:ʃəl] → faucal. — **fau·ci·tis** [fɔ:'saitis] *s med.* Rachenentzündung *f*.

faugh [fɔ:] *interj* pfui.

fauld [fɔ:ld] *s* (*Hochofen*) Arbeitsgewölbe *n*.

fault [fɔ:lt] **I** *s* **1.** (Unter'lassungs)Fehler *m*, Schuld *f*, Verschulden *n*, Makel *m*, Mangel *m*: **it's not her** ~, **the** ~ **is not hers, it's no** ~ **of hers** sie hat keine Schuld, es ist nicht ihre Schuld; **to be at** ~ sich irren; **to be in** (*od. colloq.* at) ~ schuldig *od.* im Unrecht sein; **to commit a** ~ einen Fehler machen, sich versehen; **to find** ~ mißbilligen, tadeln, nörgeln, etwas auszusetzen haben (**with** an *dat*); **I have no** ~ **to find with her** ich habe an ihr nichts auszusetzen; **to a** ~ allzu(sehr), nur zu sehr: **she is conscientious to a** ~. – **2.** a) Versehen *n*, Irrtum *m*, b) Vergehen *n*, Fehltritt *m*. – **3.** *geol.* (Schichten)Bruch *m*, Verwerfung *f*, Unter'brechung *f*, Spalte *f*, Kluft *f*: **bedding** ~ Schichtensprung; **block** ~ Schollenbruch; **fold** ~ Deckenüberschiebung; **pivotal** ~ Drehverwerfung; **ridge** ~ Horst. – **4.** *electr.* De'fekt *m*: a) Fehler *m*, Störung *f*, b) Erd-, **Leitungsfehler** *m*, **fehlerhafte** Iso'lierung. – **5.** *sport* (*bes. Tennis*) Fehler *m*. – **6.** *hunt.* a) Verlieren *n* der Spur, b) verlorene Fährte: **at** ~ *auch fig.* auf falscher Fährte, in Verlegenheit. – **7.** *obs.* Mangel *m* (in an *dat*). – *SYN.* **failing, foible, frailty, vice**[1]. – **II** *v/t* **8.** *selten* bemängeln, tadeln. – **9.** *geol.* (*Schichten*) verwerfen. – **III** *v/i* **10.** *geol.* sich verwerfen, brechen. — **'~,find·er** *s* Besserwisser *m*, Tadler *m*, Nörgler *m*, Krittler *m*. — **'~,find·ing I** *s* Kritte'lei *f*, ,Besserwisse'rei *f*, Nörge'lei *f*, Schulmeistern *n*. – **II** *adj* (be)krittelnd, nörglerisch, tadelnd. – *SYN. cf.* **critical**.

fault·i·ness ['fɔ:ltinis] *s* Fehlerhaftigkeit *f*, Unvollkommenheit *f*, Schuld *f*. — **'fault·ing** *s geol.* Verwerfung *f*: **block** ~ Tafelbruch, Schollenverschiebung, Bruchschollenbildung; **reverse** ~ abnorme Bruchbildung. — **'fault·less** *adj* fehlerfrei, -los, makel-, tadellos, untadelig. — **'fault·less·ness** *s* Fehler-, Tadellosigkeit *f*.

fault plane *s geol.* Bruchfläche *f*.

faults·man ['fɔ:ltsmən] *s irr* (*Telephon*) Störungssucher *m*.

fault sur·face *s geol.* Bruch(ober)fläche *f*.

fault·y ['fɔ:lti] *adj* **1.** fehler-, schad-, mangelhaft, 'unvoll,kommen, schlecht, Fehl...: ~ **control** Fehlschaltung; ~ **design** Fehlkonstruktion. – **2.** *obs.* tadelnswert, schuldig.

faun [fɔ:n] *s antiq.* Faun *m*.

fau·na ['fɔ:nə] *pl* **-nas** *selten* **-nae** [-ni:] *s zo.* Fauna *f*, (Darstellung *f* einer) Tierwelt. — **'fau·nal** *adj* Tierwelt..., Fauna... — **'fau·nal·ly** *adv* in bezug auf die Tierwelt. — **'fau·nist** *s* Kenner *m* einer Fauna.

fau·teuil [fo'tœ:j; 'foutil] (*Fr.*) *s* **1.** Fau'teuil *m*, Armsessel *m*. – **2.** (*Theater*) Sperrsitz *m*.

faux pas [fo 'pɑ; fou 'pɑ:] *pl* **faux pas** (*Fr.*) *s* Faux'pas *m*, (gesellschaftlicher) Verstoß, 'Mißgriff *m*, Fehltritt *m*.

fa·ve·o·late [fə'vi:o,leit; -ə,l-] *adj* bienenzellenförmig, wabenartig.

fa·vo·ni·an [fə'vouniən; -njən] *adj* **1.** Westwind... – **2.** mild, günstig.

fa·vor, *bes. Br.* **fa·vour** ['feivər] **I** *v/t* **1.** (*j-m, einer Sache*) günstig gesinnt sein, gewogen sein, wohlwollen. – **2.** erleichtern, begünstigen, bevorzugen. – **3.** (*j-n*) beehren (with mit): **to** ~ **s.o. with s.th.** j-m etwas schenken *od.* verehren. – **4.** (*Ansicht*) unter'stützen, bestätigen, bekräftigen. – **5.** (*dat*) ähnlich sehen: **to** ~ **one's father**. – **6.** *selten* (*Bein etc*) schonen. – **II** *s* **7.** Gunst *f*, Gnade *f*, Gewogenheit *f*, Wohlwollen *n*: **to be** (*od.* **stand**) **high in s.o.'s** ~ bei j-m in besonderer Gunst stehen, bei j-m gut angeschrieben sein; **to court** (*od.* **curry**) ~ sich einschmeicheln; **to find** ~ **with** (*od.* **in the eyes of**) **s.o.** bei j-m Gunst (*od.* Gnade) finden, j-m gefallen; **to grant** (**s.o.**) **a** ~ (j-m) eine Gunst gewähren; **to look with** ~ **on s.o.** j-n mit Wohlwollen betrachten; **by** ~ **of** a) mit gütiger Erlaubnis von, b) überreicht von; **in** ~ begehrt, beliebt, gefragt; **in** ~ **of** *econ.* zugunsten von; **out of** ~ nicht mehr begehrt, in Ungnade gefallen; **a balance in your** ~ ein Saldo zu Ihren Gunsten; **he is not in** ~ **of the plan** er ist mit dem Plan nicht einverstanden. – **8.** *selten* Hilfe *f*, Unter'stützung *f*, Schutz *m*: **under** ~ **of night**. – **9.** Gefallen *m*, Gefälligkeit *f*: **to ask s.o. a** ~ (*od.* **a** ~ **of s.o.**) j-n um einen Gefallen bitten; **we request the** ~ **of your company** wir beehren uns, Sie einzuladen. – **10.** Bevorzugung *f*, Begünstigung *f*, Privi'leg *n*, Vorteil *m*: **he doesn't ask for** ~**s** er stellt keine besonderen Ansprüche. – **11.** Vorliebe *f*, Par'teinahme *f*: **to win s.o.'s** ~ j-n für sich gewinnen; **without fear or** ~ unparteiisch. – **12.** *pl* Liebesgunst *f*, Gunstbezeigung *f* (*einer Frau*): **to bestow one's** ~**s on s.o.** j-m seine Gunst *od.* Liebe schenken, sich j-m hingeben. – **13.** Festgeschenk *n*, Angebinde *n*, Ro'sette *f*, Bandschleife *f*. – **14.** *econ. jetzt selten* Schreiben *n*: **your** ~ **of the 3rd of the month** Ihr Geehrtes vom 3. des Monats. – **15.** *obs.* Anmut *f*. – **16.** *obs.* Aussehen *n*, Gesicht *n*. – *SYN.* **countenance, good will**.

fa·vor·a·ble, *bes. Br.* **fa·vour·a·ble** ['feivərəbl] *adj* **1.** günstig gesinnt, gewogen, geneigt (to *dat*). – **2.** günstig, vorteilhaft (to, for für): ~ **balance of trade** aktive Handelsbilanz; ~ **terms** günstige Preise. – **3.** bejahend, zustimmend. – **4.** vielversprechend, verheißungsvoll. – *SYN.* **auspicious, propitious**. — **'fa·vor·a·ble·ness**, *bes. Br.* **'fa·vour·a·ble·ness** *s* Gunst *f*, günstiger Zustand.

fa·vored, *bes. Br.* **fa·voured** ['feivərd] *adj* **1.** begünstigt: **highly** ~ sehr begünstigt; **most** ~ meistbegünstigt. – **2.** (*in Zusammensetzungen*) ...gestaltet, ...aussehend: → **well-**~. — **'fa·vor·er**, *bes. Br.* **'fa·vour·er** *s* Gönner *m*, Begünstiger *m*. — **'fa·vor·ing**, *bes. Br.* **'fa·vour·ing** *adj* günstig, vorteilhaft.

fa·vor·ite, *bes. Br.* **fa·vour·ite** ['feivərit] **I** *s* **1.** Günstling *m*, Liebling *m*, Begünstigte(r), (*das*) Bevorzugte: **to play** ~**s** *Am.* parteiisch sein; **to be the** ~ **of** (*od.* **a** ~ **with** *od.* **of**) **s.o.** bei j-m beliebt sein *od.* in besonderer Gunst stehen, von j-m besonders bevorzugt werden. – **2.** *sport* Favo'rit(in), mutmaßlicher Sieger. – **II** *adj* **3.** bevorzugt, Lieblings...: ~ **dish** Leibspeise. — **'fa·vor·it,ism**, *bes. Br.* **'fa·vour·it,ism** *s* **1.** Günstlingswirtschaft *f*, -wesen *n*. – **2.** Liebling-, Favo'ritsein *n*.

fav·o·site ['fævə,sait] *s geol.* (*eine*) Favo'site *od.* fos'sile 'Wabenko,ralle (*Gattg Favosites*).

fa·vour, fa·vour·a·ble, fa·vour·a·ble·ness, fa·voured, fa·vour·er, fa·vour·ing, fa·vour·ite, fa·vour·it·ism *bes. Br. für* favor *etc.*

fa·vus ['feivəs] *pl* **-vi** [-vai] *s* **1.** *med. vet.* Favus *m*, (Waben)Kopfgrind *m*, Grindflechte *f*. – **2.** *tech.* (*Klinkerböden*) sechseckige Ziegelplatte.

fawn[1] [fɔ:n] **I** *s* **1.** *zo.* (Dam)Kitz *n*, einjähriges Rehkalb: **in** ~ trächtig. – **2.** Rehfarbe *f*. – **II** *adj* **3.** rehfarben, fahl. – **III** *v/t u. v/i* **4.** (Kitz) setzen (*Reh*).

fawn[2] [fɔ:n] **I** *v/i* **1.** schwänzeln, wedeln (*Hund etc*). – **2.** *fig.* (on, upon) sich einschmeicheln (bei), katzbuckeln (vor *dat*), schar'wenzeln (um). – *SYN.* **cower, cringe, toady**[1], **truckle**. – **II** *s obs.* **3.** Krieche'rei *f*.

'fawn-,col·o(u)red *adj* rehfarbig, hellbraun.

fawn·er ['fɔ:nər] *s* Schmeichler *m*.

fay[1] [fei] *v/t u. v/i oft* ~ **in(to)**, ~ **together** (*Schiffbau*) zu'sammenfügen, -passen, zum Fluchten bringen.

fay² [fei] *interj obs. nur in*: by my ~ meiner Treu! traun!
fay³ [fei] *s poet.* Fee *f*.
fay·al·ite ['feiəˌlait; fai'ɑːlait] *s min.* Faya'lit *m* (Fe_2SiO_4).
faze [feiz] *v/t Am. colloq.* stören, belästigen: that won't ~ him das läßt ihn kalt, ‚das bringt ihn nicht auf die Palme'.
F clef *s mus.* F-Schlüssel *m*.
feal [fiːl] *adj obs.* treu.
fe·al·ty ['fiːəlti] *s* **1.** Lehens-, Mannestreue *f*. – **2.** Treue *f*, Unverbrüchlichkeit *f*, Loyali'tät *f*. – *SYN. cf.* fidelity.
fear [fir] **I** *s* **1.** Furcht *f*, Angst *f* (of vor *dat*, that [*od.* lest] daß): from ~, out of ~, through ~ aus Furcht; to be in ~ (of s.o.) sich (vor j-m) fürchten; ~ of death Todesangst; ~ of God Gottesfurcht, Ehrfurcht vor Gott; in ~ of one's life in Todesängsten; no ~ keine Bange. – **2.** *pl* Befürchtungen *pl*, Besorgnis *f*: to have ~s besorgt sein. – **3.** Ängstlichkeit *f*, Furchtsamkeit *f*, Bangigkeit *f*: for ~ of in der Befürchtung, daß; um (*etwas*) zu verhüten; damit nicht; for ~ of hurting him um ihn nicht zu verletzen; → favor 11. – *SYN.* alarm, consternation, dismay, dread, fright, horror, panic², terror, trepidation. – **II** *v/t* **4.** fürchten, sich fürchten *od.* Angst haben vor (*dat*): to ~ to do (*od.* doing) s.th. Angst haben, etwas zu tun. – **5.** (*Gott*) fürchten, Ehrfurcht haben vor (*dat*). – **6.** (be)fürchten: I ~ (that) you might fall; you need not ~ but (that) du brauchst nicht zu befürchten, daß. – **7.** *reflex obs.* sich fürchten: I ~ myself. – **8.** *obs.* erschrecken. – **III** *v/i* **9.** sich fürchten, Furcht *od.* Angst haben: never ~ keine Angst! sei unbesorgt! we ~ for his health wir bangen um seine Gesundheit.
fear·ful ['firful; -fəl] *adj* **1.** furchtbar, -erregend, fürchterlich. – **2.** sehr besorgt, sich ängstigend (of um, that [*od.* lest] daß). – **3.** *intens* schrecklich, furchtbar, gräßlich. – **4.** furchtsam, ängstlich, angsterfüllt. – **5.** ehrfurchtsvoll. – **6.** Angst..., Schreckens... – *SYN.* a) appalling, awful, dreadful, frightful, horrible, horrific, shocking, terrible, terrific, b) afraid, apprehensive. — **'fear·ful·ness** *s* **1.** Schrecklichkeit *f*, Furchtbarkeit *f*. – **2.** Furchtsamkeit *f*, Ängstlichkeit *f*. — **'fear·less** *adj* furchtlos, unerschrocken. — **'fear·less·ness** *s* Furchtlosigkeit *f*. — **'fearˌnought**, *auch* **'fearˌnaught** [-ˌnɔːt] *s* **1.** Wagehals *m*, Draufgänger *m*, Unerschrockener *m*. – **2.** Flausch *m* (*dicker wollener Schutzstoff*). — **'fear·some** [-səm] *adj* **1.** *oft humor.* fürchterlich, schrecklich, gräßlich (anzusehen). – **2.** furchtsam, scheu, ängstlich.
fea·sance ['fiːzns] *s jur.* Erfüllung *f* (*einer Pflicht*). — **ˌfea·si'bil·i·ty** *s* 'Durch-, Ausführbarkeit *f*, Tunlichkeit *f*, Möglichkeit *f*, Eignung *f*. — **'fea·si·ble** *adj* **1.** tunlich, prakti'kabel, aus-, 'durchführbar, möglich. – **2.** gangbar, passend, geeignet. – **3.** (*fälschlich*) plau'sibel, wahr'scheinlich, möglich. – *SYN. cf.* possible. — **'fea·si·ble·ness** → feasibility.
feast [fiːst] **I** *s* **1.** (*religiöses od. jährlich wiederkehrendes*) Fest, Festlichkeit *f*: (im)movable church ~s (un)bewegliche Kirchenfeste; ~ of Corpus Christi Fronleichnam; F~ of Lanterns Lampionfest der Chinesen; F~ of Weeks Fest der Wochen (*jüd. Erntedankfest*), jüd. Pfingsten. – **2.** Kirmes *f*. – **3.** Festessen *n*, Ban'kett *n*. – **4.** Schmaus *m*, Leckerbissen *m*, Festessen *n*. – **5.** *fig.* Fest *n*, Labsal *n*, (Ohren)Schmaus *m*, Augenweide *f*, hoher Genuß. – **II** *v/t* **6.** (festlich) bewirten. – **7.** erquicken, ergötzen, unter'halten: to ~ one's eyes on seine Augen weiden an (*dat*). – **III** *v/i* **8.** schmausen, sich weiden *od.* ergötzen *od.* laben (on, upon an *dat*). – **9.** schwelgen, schlemmen: to ~ away the night die Nacht durchzechen. — **'feast·ful** [-ful; -fəl] *adj* **1.** festlich. – **2.** schwelgerisch, fröhlich.
feat¹ [fiːt] *s* **1.** Kunst-, Glanz-, Meisterstück *n*. – **2.** Kraft-, Bra'vourstück *n*. – **3.** *obs.* Tat *f*. – *SYN.* achievement, exploit.
feat² [fiːt] *adj obs. od. dial.* **1.** geschickt. – **2.** passend. – **3.** nett. – *SYN. cf.* dexterous.
feath·er ['feðər] **I** *s* **1.** Feder *f*, *pl* Gefieder *n*: fine ~s make fine birds Kleider machen Leute; birds of a ~ (all) flock together gleich u. gleich gesellt sich gern; to crop s.o.'s ~s j-n demütigen; → white ~ 1. – **2.** Schmuck-, Hutfeder *f*: a ~ in one's cap eine ehrende Auszeichnung; that is a ~ in his cap darauf kann er stolz sein. – **3.** Federbusch *m* (*Helm*). – **4.** Art *f*, Schlag *m* (*Menschen*). – **5.** Verfassung *f*, Stimmung *f*: in high (*od.* full) ~ in gehobener Stimmung. – **6.** hoch- *od.* abstehendes Haarbüschel. – **7.** *med.* weißer Fleck (*im Auge*). – **8.** *tech.* federartiger Sprung (*Edelsteine*). – **9.** (*Bogenschießen*) Pfeilfeder *f*. – **10.** (*Rudern*) Flachhalten *n* der Riemen. – **11.** *hunt.* Federwild *n*, -vieh *n*: fur and ~ Wild u. Federwild. – **12.** *tech.* (Strebe)Band *n*. – **13.** *tech.* Feder *f*: a) dünner Spund, b) Verstärkungsrippe *f*, Gußnaht *f*. – **14.** *mar.* Schaumkrone *f* (*U-Boot-Periskop*). – **15.** *bot.* Samenfederkrone *f*. – **16.** (*etwas*) Federleichtes, Leichtigkeit *f*: with a ~ spielend, mit dem kleinen Finger. – **II** *v/t* **17.** (*Pfeil etc*) mit Federn versehen. – **18.** mit Federn schmücken, befiedern: to ~ one's nest sein Schäfchen ins trockene bringen, sich bereichern, sich weich betten. – **19.** *hunt.* (*Vogel*) anschießen. – **20.** (*Rudern*) (*Riemen*) flach drehen, abscheren. – **21.** *tech.* mit Nut u. Feder versehen. – **22.** federn: → tar 3. – **23.** *aer.* (*Propeller*) auf Segelstellung fahren. – **III** *v/i* **24.** Federn bekommen, sich befiedern. – **25.** federartig wachsen, sich federartig ausbreiten *od.* bewegen, federn. – **26.** (*Rudern*) federn, flach liegen.
feath·er| al·um *s min.* 'Federaˌlaun *m*. — **~ bed** *s* **1.** 'Unterbett *n*. – **2.** *fig.* bequeme Lage, angenehmer Posten. — **'~ˌbed I** *v/t sl.* verweichlichen. – **II** *v/i econ.* unnötige Arbeitskräfte einstellen. — **'~ˌbed·ding** *s colloq.* **1.** *econ. Am.* Anstellung *f* unnötiger Arbeitskräfte (*auf Verlangen einer Gewerkschaft*). – **2.** *fig.* Verwöhnung *f*, Verweichlichung *f*. — **'~ˌbone** *s* Federbein *n*. — **'~ˌbrain** *s* **1.** Schwach-, Dummkopf *m*. – **2.** leichtsinniger *od.* zerstreuter Mensch. — **'~ˌbrained** *adj* **1.** schwachköpfig. – **2.** leichtsinnig. — **'~ˌcut** *s* (*Art*) 'Krauskopffriˌsur *f*.
feath·ered ['feðərd] *adj* **1.** be-, gefiedert: black-~ mit schwarzen Federn. – **2.** *fig.* beflügelt, schnell.
'feath·er|ˌedge *tech.* **I** *s* dünner Rand, feine Kante. – **II** *adj* mit dünner Kante versehen. — **'~ˌedged** → featheredge II. — **'~ˌfoil** *s bot.* Wasserfeder *f* (*Gattg Hottonia*). — **~ grass** *s bot.* Federgras *n* (*Stipa pennata*). — **'~ˌhead, '~ˌhead·ed** → featherbrain, featherbrained.
feath·er·i·ness ['feðərinis] *s* **1.** Befiederung *f*. – **2.** Leichtigkeit *f*, Federartigkeit *f*.
'feath·er·ing ['feðəriŋ] *s* **1.** Gefieder *n*, Federschmuck *m*. – **2.** *zo.* Befiederung *f*. – **3.** *mus.* (*Violinspiel*) leichtes kurzes Streichen. – **4.** *arch.* halbrunde Kanten *pl* (*im gotischen Maßwerk*). — **~ pad·dle** *s tech.* bewegliche Schaufel.
feath·er| key *s tech.* Federkeil *m*. — **~ moss** *s bot.* Ast-, Schlafmoos *n* (*Gattg Hypnum*). — **~ ore** *s min.* Federerz *n*. — **~ palm** *s bot.* Fiederpalme *f* (*z. B. Gattg Phoenix*). — **~ salt** *s min.* Federsalz *n*. — **~ shot** *s tech.* Federkupfer *n*. — **~ star** → comatulid. — **'~ˌstitch I** *s* Federstich *m*. – **II** *v/t* mit Federstich verzieren. – **III** *v/i* Federstiche sticken. — **'~-ˌveined** *adj bot.* federnervig. — **'~ˌweight I** *s* **1.** *sport* Federgewicht *n*. – **2.** leichte *od.* belanglose Per'son *od.* Sache. – **II** *adj* **3.** *sport* Federgewichts... – **4.** leicht, unbedeutend. — **'~ˌwood** *s bot. ein austral. Baum mit hickoryähnlichem Holz* (*Polysma cunninghamii*).
feath·er·y ['feðəri] *adj* **1.** ge-, befiedert, mit Federn bedeckt. – **2.** feder(n)artig, federig, federleicht, Feder...
fea·tur·al ['fiːtʃərəl] *adj* (Gesichts)-Züge betreffend.
fea·ture ['fiːtʃər] **I** *s* **1.** (Gesichts)-Zug *m*, *meist pl* Gesichtsbildung *f*, -züge *pl*, Züge *pl*. – **2.** charakte'ristischer *od.* wichtiger (Bestand)Teil *od.* Zug, Grundzug *m*. – **3.** Aussehen *n*, Merkmal *n*, (*das*) Charakte'ristische. – **4.** (*das*) Her'vortretende *od.* -stehende: distinctive ~ Unterscheidungsmerkmal. – **5.** Haupt-, Spielfilm *m*. – **6.** (*Zeitung*) besondere Beigabe *od.* Spalte, spezi'eller Ar'tikel. – **7.** *obs.* a) Gestalt *f*, b) Schönheit *f*. – **II** *v/t* **8.** charakteri'sieren, charakte'ristisch darstellen, in den Haupt- *od.* Grundzügen schildern. – **9.** als Hauptschlager 'hin- *od.* darstellen *od.* zeigen, (*einer Sache*) den Vorrang einräumen. – **10.** (*einer Sache*) Hauptmerkmale *od.* charakte'ristische Züge verleihen, kennzeichnen, bezeichnend sein für. – **11.** in der Hauptrolle zeigen *od.* darstellen (*Film*). – **12.** *sl.* (*j-m*) ähnlich sehen. — **'fea·tured** *adj* **1.** gebildet, geformt, gestaltet. – **2.** her'vorgehoben, betont, zur Schau gestellt. — **'fea·ture·less** *adj* **1.** ohne bestimmte Merkmale *od.* Züge. – **2.** 'uninteresˌsant. – **3.** *econ.* flau (*Börse*).
feaze¹ [fiːz] **I** *v/i* fasern (*Flachs etc*), sich aufdrehen (*Garn etc*). – **II** *v/t mar.* (*Tauende*) aufdrehen, -reppeln, -dröseln.
feaze² [fiːz] → faze.
febri- [febri; fibri] *Wortelement mit der Bedeutung* Fieber.
fe·bric·i·ty [fi'brisiti; -əti] *s med.* Fieberhaftigkeit *f*. — **fe'bric·u·la** [-kjulə; -kjələ] *s med.* leichter Fieberanfall.
feb·ri·fa·cient [ˌfebri'feiʃənt; -brə-] *adj u. s med.* fiebererregend(e Ursache). — **fe·brif·er·ous** [fi'brifərəs] *adj med.* fiebererzeugend. — **fe'brif·ic** *adj med.* **1.** Fieber verursachend. – **2.** fieberhaft. — **fe'brif·u·gal** [-fjugəl; -jə-] *adj med.* 'fiebermildernd, -herˌabsetzend, -vertreibend. — **feb·ri·fuge** ['febriˌfjuːdʒ] *med.* **I** *s* **1.** Fiebermittel *n*. – **2.** kühlendes Getränk. – **II** *adj* **3.** fiebervertreibend.
fe·brile ['fiːbril; -brəl; *Br. auch* -brail] *adj med.* fiebrig, fiebernd, fieberhaft, Fieber...: ~ condition, ~ state Fieberzustand; ~ excitement fieberhafte Erregung. — **fe'bril·i·ty** [-'briliti; -əti] *s* Fieberhaftigkeit *f*.
Feb·ru·ar·y [*Br.* 'februəri; *Am.* -ˌeri] *s* Februar *m*: in ~ im Februar.
fe·cal ['fiːkəl] *adj med.* fä'kal, kotig, Kot...: ~ concretion Kotstein; ~

fistula Kotfistel; ~ matter Kotsubstanz. — 'fe·cal,oid adj kotartig, -ähnlich. — **fe·ces** ['fi:si:z] s 1. *med.* Fäzes *pl*, Exkre'mente *pl*, Fä'kalien *pl*, Stuhl(gang) *m*, Kot(entleerung *f*) *m*. — 2. Rückstände *pl*, (Boden)-Satz *m*.

fe·cit ['fi:sit] (*Lat.*) fecit (*hat gemacht; hinter dem Künstlernamen auf Bildern etc*).

feck [fek] *s Scot. od. dial.* 1. Kraft *f*, Wirkung *f*, Wert *m*. — 2. Menge *f*, Haufen *m*.

feck·et ['fekit] *s Scot.* 'Unterjacke *f*.

feck·ful ['fekful; -fəl] *adj Scot. od. dial.* tüchtig, kräftig, stark. — **'feck·less** *adj* 1. schwach, kraftlos. – 2. geist-, wertlos.

fec·u·la ['fekjulə; -jələ] *pl* **-lae** [-,li:] *s chem.* Stärke(mehl *n*) *f*, Satz-, Bodenmehl *n*. — **'fec·u·lence** *s* 1. Schlammig-, Schmutzigkeit *f*. – 2. Bodensatz *m*, Hefe *f*. – 3. Schmutz *m*, Unrat *m* (*auch fig.*). — **'fec·u·lent** *adj* 1. schlammig, trübe, unrein. – 2. *med.* fäku'lent, kotartig. – 3. *fig.* 'widerwärtig, ekelhaft, schmutzig.

fe·cund ['fi:kənd; 'fek-] *adj* 1. fruchtbar, produk'tiv, schöpferisch. – *SYN. cf.* fertile. – 2. *biol.* befruchtend, befruchtungsfähig. — **'fe·cun,date** [-,deit] *v/t* 1. fruchtbar machen, befruchten. – 2. *biol.* schwängern, befruchten. — **,fe·cun'da·tion** *s* 1. Befruchtung *f*. – 2. Schwängerung *f*. — **fe·cun·da·tive** [fi'kʌndətiv] *adj* befruchtend. — **fe'cun·di·ty** *s* Fruchtbarkeit *f*, Produktivi'tät *f*, Schöpfer-, Gestaltungskraft *f*.

fed [fed] *pret u. pp von* feed.

fed·er·a·cy ['fedərəsi] *s* Föderati'on *f*, (Staaten)Bund *m*, Alli'anz *f*.

fed·er·al ['fedərəl] **I** *adj* 1. zu einem Bund gehörig, durch einen Bund vereinigt, bundesmäßig, födera'tiv. – 2. *pol.* a) bundesstaatlich, den (Gesamt)Bund *od.* die 'Bundesre,gierung betreffend, b) (*Schweiz*) eidgenössisch, Bundes...: ~ government Bundesregierung. – 3. *pol. Am.* unita'ristisch, unio'nistisch, zentra'listisch. – 4. F~ *Am. hist.* die Uni'onsgewalt *od.* die Zen'tralre,gierung *od.* die Nordstaaten unter'stützend. – 5. (*Theologie*) den (Alten u. Neuen) Bund Gottes mit dem Menschen betreffend: ~ theology. – **II** *s* 6. Födera'list *m*, Befürworter *m* der 'Bundes(,staats)i,dee. – 7. F~ *Am. hist.* Födera'list *m*: a) Unio'nist *m* im Bürgerkrieg, b) Sol'dat *m* der 'Bundesar,mee. — **F~ Bu·reau of In·ves·ti·ga·tion** *s pol.* amer. 'Bundes,sicherheitspoli,zei *f*, amer. 'Bundeskrimi-,nalamt *n* (*abgekürzt FBI*).

fed·er·al·ism ['fedərə,lizəm] *s pol.* Födera'lismus *m*: a) *außer USA*: Selbständigkeitsbestrebung *f* der Gliedstaaten, Partikula'rismus *m*, 'Sonderinter,essen *pl*, b) *USA*: Unita'rismus *m*, Zentra'lismus *m*. — **'fed·er·al·ist I** *adj* 1. födera'listisch. – **II** *s* 2. Födera'list *m*. – 3. F~ *Am. hist.* Mitglied *n* der zentra'listischen Par'tei (*etwa 1790 bis 1816*). — **,fed·er·al'is·tic** *adj* födera'listisch. — **,fed·er·al·i'za·tion** *s* Föderali'sierung *f*. — **'fed·er·al,ize** *v/t pol.* föderali'sieren, in einem (Staaten)-Bund *od.* Bundesstaat vereinigen.

Fed·er·al Re·serve Bank *s Am.* Federal Reserve Bank *f*, 'Bundesre,servebank *f*.

fed·er·ate ['fedə,reit] *bes. pol.* **I** *v/t* zu einem Bund *od.* Bündnis vereinigen. – **II** *v/i* sich föde'rieren, sich verbünden, zu einem (Staaten)Bund zu'sammentreten. – **III** *adj* [-rit; -,reit] verbündet. — **,fed·er'a·tion** *s* 1. Verbündung *f*, Bündnis *n*. – 2. *econ.* Bund *m*, (Dach)Verband *m*. – 3. *pol.* a) Bundesstaat *m*, b) Staatenbund *m*, c) 'Bundesre,gierung *f*. — **'fed·er,a·tive** *adj* födera'tiv, bundesmäßig.

fe·do·ra [fi'dɔ:rə] *s Am.* weicher Filzhut.

fee [fi:] **I** *s* 1. *auch* admission ~, entrance ~ Eintrittsgeld *n* (*Museum etc*): club ~s Vereinsbeitrag. – 2. *oft pl* Schulgeld *n*. – 3. Gebühr *f*: a) Hono'rar *n*, Bezahlung *f*: a doctor's ~ Arztrechnung, b) amtliche Gebühr, Taxe *f*: licence ~s Lizenzgebühr; remission of ~s Gebührenerlaß, c) Ta'rif *m*, Vergütung *f*, Trinkgeld *n*: a porter's ~ *bes. Am.* Gepäckträgergebühr; parking ~ Parkgebühr. – *SYN. cf.* wage[1]. – 4. Eigen(tum) *n*, Besitz *m*: to hold land in ~ Land zu eigen haben. – 5. *jur.* (*Common Law*): a) *hist.* Lehensgut *n*, b) *Art des Landbesitzes*: (estate in) ~ simple Eigen-, Allodialgut; (estate in) ~ tail begrenztes Lehen. – **II** *v/t pret u. pp* **feed** [fi:d] 6. (*j-m*) eine Gebühr bezahlen *od.* entrichten, ein Trinkgeld geben, (*Arzt etc*) bezahlen, hono'rieren. – 7. *bes. Scot.* mieten, dingen, anstellen.

fee·ble ['fi:bl] *adj* 1. (körperlich *od.* geistig) schwach, schwächlich, (lenden)lahm, 'hinfällig. – 2. kraftlos, wirkungsarm, -los, schwach, leise, undeutlich. – *SYN. cf.* weak. — **'~-'mind·ed** *adj* 1. schwachsinnig, geistesschwach, de'bil. – 2. wankelmütig, anfällig. — **,~-'mind·ed·ness** *s* 1. Schwachsinn *m*. – 2. Wankelmut *m*. — **'fee·ble·ness** *s* Schwäche *f*, Kraftlosigkeit *f*, Entkräftung *f*. — **'fee·blish** *adj* schwächlich.

feed [fi:d] **I** *v/t pret u. pp* **fed** [fed] 1. (*j-m*) Nahrung zuführen, (*Tiere*) füttern (on, with mit), (*Kühe*) weiden lassen: to ~ up (*od.* off) (*Vieh*) mästen; to ~ the fishes *sl.* seekrank sein, ‚die Fische füttern'; to go to ~ the fishes *sl.* ertrinken; to be fed up with s.th. genug *od.* ‚die Nase voll' haben von etwas, etwas satt haben. – 2. (*j-n*) (er)nähren, speisen, (*j-m*) zu essen geben: to ~ at the breast stillen; he cannot ~ himself er kann nicht ohne Hilfe essen; to ~ a cold tüchtig essen, wenn man erkältet ist. – 3. (*Feuer, Maschine*) unter'halten, speisen, beschicken, (laufend) versorgen (with mit). – 4. (*Material*) zuführen. – 5. a) (*Gefühl*) nähren, hegen, pflegen, unter'halten, b) befriedigen: to ~ one's vanity; to ~ one's eyes (*od.* sight) (with *od.* on s.th.) die Augen (an etwas) weiden. – 6. *fig.* (*j-n*) 'hinhalten, (ver)trösten. – 7. *auch* ~ close, ~ down *agr.* (*Wiese*) abweiden *od.* abfressen lassen. – 8. a) (*Futter*) verabreichen, (ver)füttern, zu fressen geben (to *dat*), b) als Nahrung dienen für. – 9. (*Theater*) *sl.* (*dem Komiker*) Stoff *od.* Stichworte liefern. – 10. *sport* (*Spieler*) mit Bällen versorgen, ‚beliefern', (*j-m*) zuspielen. – **II** *v/i* 11. a) Nahrung zu sich nehmen, fressen, weiden (*Tiere*), b) *colloq.* ‚futtern' (*Menschen*): to ~ at the high table tafeln; to ~ out of s.o.'s hand j-m aus der Hand fressen, gefügig sein. – 12. sich (er)nähren, leben (on, upon von) (*auch fig.*). – **III** *s* 13. (Vieh)-Futter *n*, Nahrung *f*: out at ~ auf der Weide; on the ~ auf der Nahrungssuche. – 14. ('Futter)Rati,on *f*. – 15. Füttern *n*, Fütterung *f*. – 16. *colloq.* Mahlzeit *f*, Essen *n*: to be off one's ~ keinen Appetit haben, den Appetit verloren haben. – 17. *tech.* Speisung *f*, Beschickung *f*, Vorschub *m*, Zuleitung *f*, Zuführung *f*. – 18. *tech.* Beschickungs-, Vorschubmenge *f* (*Maschinen etc*), Ladung *f* (*Geschütz etc*). – 19. *tech.* (Werkstoff)Zuleitung *f*, Zuführer *m*. – 20. (*Theater*) *Br. colloq.* Stichwort *n* (*für die schlagfertige Antwort od. den Witz eines Komikers*).

feed| ac·tion *s tech.* Vorschub(bewegung *f*) *m*. — **'~,back** *s* 1. *allg.* Rückwirkung *f*. – 2. *psych.* Feedback *m*, (*etwa*) Reaffe'renz *f*. – 3. *sociol.* Rückbeeinflussung *f*. – 4. *electr.* Rückkoppelung *f*. — **'~-,back** *adj electr.* Rückkoppelungs... — **~ bag** *s Am.* Hafer-, Futtersack *m*: to put on the ~ *sl.* essen, ‚einhauen'. — **~ belt** *s mil.* (Ma'schinengewehr)Pa,tronengurt *m*. — **~ boil·er** *s tech.* Speisekessel(anlage *f*) *m*. — **~ cock** *s tech.* Speisehahn *m*. — **~ cur·rent** *s electr.* 1. Speisestrom *m*. – 2. (An'oden)-Ruhe-, Gleichstrom *m*. — **~ cyl·in·der** *s tech.* Zuführ(ungs)walze *f*.

feed·er ['fi:dər] *s* 1. Fütterer *m*. – 2. a) Esser *m*, b) Fresser *m*: a large ~ ein starker Esser. – 3. *Am.* Viehmäster *m*, -züchter *m*. – 4. *auch* ~-in, ~-up *tech.* (*Material*) zuführende Per'son. – 5. *print.* Anleger(in). – 6. *tech.* a) *electr.* Speiseleitung *f*, b) Bewässerungs-, Zuflußgraben *m*, Nebenfluß *m*, c) (*Bergbau*) Kreuzkluft *f*, Nebenerzader *f*, d) (*Eisenbahn*) Zubringerzug *m*, -strecke *f*, e) (*Orgelbau*) Hilfsblasebalg *m*, f) *print.* 'An-, 'Einlegeappa,rat *m*, g) *mil.* Zuführer *m* (*am Maschinengewehr*). – 7. Saugflasche *f* (*für Säuglinge*). – 8. *Br.* Kinderlatz *m*. – 9. *agr.* Lamm *n od.* Schaf *n* zum Mästen. – 10. (*Ballspiele*) Zuspieler *m*. – 11. *geogr.* Nebenfluß *m*. – 12. (*Theater*) 'Nebenfi,gur *f*. — **~ line** *s* 1. (*Bahn, Luftfahrt*) Zubringerlinie *f*. – 2. *electr.* Speiseleitung *f*. — **~ road** *s* Zubringerstraße *f*.

'feed|,head *s tech.* 1. Speisetank *m*. – 2. (*Gießerei*) Anguß *m*, Gießkopf *m*. — **~ heat·er** *s* 1. *tech.* Vorwärmer *m* (*Dampfmaschine*). – 2. *agr.* Viehfutterkessel *m*. — **~ hop·per** *s tech.* Aufgabe-, Aufschütt-, Beschickungstrichter *m*.

feed·ing ['fi:diŋ] **I** *s* 1. Füttern *n*, Fütterung *f*. – 2. *biol. med.* (Er)Nähren *n*, Nährgeschäft *n*, Nahrungsaufnahme *f*, Mahlzeit *f*: bottle ~ Flaschennahrung; mixed ~ Zwiemilchernährung; ~ hair Futterhaar (*in Blüten*). – 3. *tech.* Speisung *f*, Beschickung *f*, Zuleitung *f*, Vorschub *m*: ~ roller Speisewalze. – 4. *agr.* Futter *n*, Weide *f*. – **II** *adj* 5. (sich) (er)nährend. – 6. *fig.* zunehmend, anwachsend: a ~ storm. – 7. weidend. – 8. speisend, versorgend, Zufuhr... – 9. *mil.* Lade...: ~ device Ladevorrichtung (*Gewehr*); ~ lever Ladehebel (*Maschinengewehr*). — **~ bot·tle** *s* (Saug)Flasche *f*. — **~ crane** *s* (*Eisenbahn*) Speise-, Wasserkran *m*. — **~ cup** *s* Schnabeltasse *f*. — **~ head** → feedhead.

feed| mech·a·nism *s mil.* Munition'szuführung *f*, Zuführer *m* (*am Maschinengewehr*). — **~ pipe** *s tech.* Zuleitungsrohr *n*. — **~ pump** *s tech.* Speise(wasser)pumpe *f* (*Dampfkessel*). — **~ ta·ble** *s tech.* Einlegetisch *m*. — **~ tank**, **~ trough** *s tech.* Wassertank *m* (*Dampflokomotive*). — **~ wa·ter** *s tech.* Speisewasser *n*. — **'~-,wa·ter heat·er** *s tech.* Speisewasservorwärmer *m*.

fee| farm *s jur.* Erbpacht *f*. — **~ farm·er** *s* Erbpächter *m*.

fee-faw-fum ['fi:'fɔ:'fʌm] **I** *interj* (*um Kinder zu erschrecken*) buh! huhu! – **II** *s* Kinderschreck *m*.

feel [fi:l] **I** *v/t pret u. pp* **felt** [felt] 1. betasten, (be)fühlen, anfühlen: to ~ one's way a) sich tastend zurechtfinden, b) vorsichtig vorgehen; → pulse[1] 1. – 2. (*Wirkung*) (ver)spüren, fühlen, wahrnehmen, merken, zu spüren *od.* zu fühlen bekommen; to ~ one's legs (*od.* feet) festen Boden finden, *fig.* Vertrauen fassen, ruhig werden; he ~s his oats *Am. colloq.* ihn sticht der Hafer; to ~ the helm dem Steuer gehorchen (*Schiff*); to ~ the blade (*Fechten*) Bindung haben; ~ it *colloq.* heb's mal; → draft 4. – 3. empfinden, erfahren: a felt want ein ausgesprochener Mangel. – 4. a) ahnen, glauben an (*acc*), b) halten für. – 5. *mil.* a) (*Gelände*) erkunden, b) Feindfühlung nehmen *od.* haben mit. – **II** *v/i* 6. fühlen, tasten. – 7. a) (nach)spüren, suchen (for, after nach): he felt about for his glasses er tastete nach seiner Brille (herum), b) durch Fühlen feststellen (whether, if ob, how wie), c) (out [for]) die *od.* seine Fühler ausstrecken (nach), Fühlung suchen (mit). – 8. fühlen, Gefühle haben, empfinden. – 9. sich fühlen, sein: to ~ cold frieren; I ~ warm mir ist warm; I ~ bad (about it) es tut mir leid, ich bedaure die Sache; to ~ cheap sich gedemütigt fühlen; I don't ~ quite myself ich bin nicht ganz beieinander; to ~ up to s.th. sich einer Sache gewachsen fühlen; to ~ like (doing) s.th. Lust haben zu einer Sache (etwas zu tun). – 10. (with) Mitgefühl *od.* Mitleid haben (mit), Teilnahme empfinden (für): we ~ with you wir fühlen mit euch. – 11. das Gefühl *od.* die Über'zeugung haben, glauben (that daß): to ~ strongly about entschiedene Ansichten haben über (*acc*); how do you ~ about it? was meinst du dazu? → bone[1] 1. – 12. sich anfühlen: velvet ~s soft. – 13. *impers* sich fühlen: they know how it ~s to be hungry sie wissen, was es heißt, hungrig zu sein. – **III** *s* 14. Gefühl *n*, Art u. Weise *f* wie sich etwas anfühlt: a soapy ~. – 15. Tastsinn *m*, (An)Fühlen *n*: it is soft to the ~ es fühlt sich weich an. – 16. (Gefühls)Eindruck *m*, Gefühl *n*, Empfindung *f*. – 17. Gefühl *n*, Stimmung *f*, Atmo'sphäre *f*: a hom(e)y ~.

feel·er ['fiːlər] *s* 1. *zo.* Fühler *m*: a) Fühlhorn *n* (*Insekten*), b) Greifarm *m* (*Seetiere*). – 2. *mil.* Kundschafter *m*. – 3. *fig.* Fühler *m*, Tastversuch *m*, Ver'suchsbal,lon *m*: to throw out ~s Fühler ausstrecken, auf den Busch klopfen. – 4. *tech.* a) Dorn *m*, Fühler *m*: ~ gauge Fühllehre, b) Schienenräumer *m*, c) (*Webstuhl*) Tasthebel *m*. — **'feel·ing I** *s* 1. Gefühl *n*, Gefühlssinn *m*, Tastempfindung *f*: I have no ~ in my arm ich habe kein Gefühl im Arm. – 2. Gefühlszustand *m*: good ~ Wohlwollen, Verträglichkeit, Entgegenkommen; hard ~ Ressentiment, Groll; ill ~ Verstimmung, Feindseligkeit. – 3. Rührung *f*, Erregung *f*, Aufregung *f*: the ~ went high die Gemüter erhitzten *od.* erregten sich. – 4. (Gefühls)Eindruck *m*, gefühlsmäßige Haltung *od.* Meinung: I have a ~ that ich habe das Gefühl, daß; strong ~s starke Überzeugung. – 5. Fein-, Takt-, Mitgefühl *n*, Empfindsamkeit *f*: to have a ~ for Gefühl haben für. – 6. *pl* Empfindlichkeit *f*, Gefühle *pl*: to hurt s.o.'s ~s j-s Gefühle *od.* j-n beleidigen *od.* verletzen. – *SYN.* affection, emotion, passion, sentiment. – **II** *adj* 7. fühlend, empfindend, Gefühls... – 8. gefühlvoll, mitfühlend. – 9. lebhaft (empfunden), voll Gefühl.

fee sim·ple → fee 5.

feet [fiːt] *pl von* foot I.

fee tail → fee 5.

feeze [fiːz] → faze.

feice [fais] → feist.

feign [fein] **I** *v/t* 1. vortäuschen, vorgeben, (vor)heucheln, simu'lieren: he ~s madness (*od.* himself mad *od.* to be mad) er stellt sich verrückt. – 2. (*Ausrede, Geschichte etc*) fin'gieren, frei erfinden, erdichten. – 3. nachahmen, -äffen. – **II** *v/i* 4. simu'lieren, heucheln, sich verstellen. – *SYN. cf.* assume. — **feigned** *adj* 1. verstellt, gefälscht, vorgeblich, simu'liert, Schein... – 2. fin'giert, erdichtet, frei erfunden. — **'feign·ed·ly** [-idli] *adv* verstellt, fin'giert, zum Schein. — **'feign·er** *s* Heuchler *m*.

feint[1] [feint] **I** *s* Finte *f*: a) Ablenkungs-, Scheinangriff *m*, 'Täuschungsma,növer *n*, b) Verstellung *f*, Vorwand *m*. – *SYN. cf.* trick. – **II** *v/i* (durch eine Finte) täuschen, einen Scheinangriff machen (at, upon, against gegen).

feint[2] [feint] *adj u. adv print. Br.* schwach: ~ lines schwache Liniierung; ruled ~ schwach liniiert.

feints *cf.* faints.

feis, F~ [feʃ] *pl* **feis·ean·na, F~** ['feʃənə] (*Irish*) *s* 1. *hist.* altirisches Parla'ment. – 2. irischer Sängerwettstreit.

feist [faist] *s Am. dial.* kleiner Hund, Köter *m*. — **'feist·y** *adj Am. dial.* 1. lebhaft. – 2. aufdringlich. – 3. leicht reizbar.

feld·spar ['feld,spɑːr] *s min.* Feldspat *m*. — **,feld'spath·ic** [-'spæθik], **'feld·spath,ose** [-,θous] *adj* feldspathaltig, -artig, Feldspat...: ~ ware Hartsteingut.

fe·li·cide ['fiːli,said] *s* Katzentöten *n*.

fe·li·cif·ic [,fiːli'sifik] *adj* beglückend, glücklich machend.

fe·lic·i·tate [fi'lisi,teit; -sə-] *v/t* 1. beglückwünschen, (*j-m*) gratu'lieren (on zu). – 2. *selten* beglücken. – *SYN.* congratulate. — **fe,lic·i'ta·tion** *s meist pl* Glückwunsch *m*, Gratulati'on *f*. — **fe'lic·i,ta·tor** [-tər] *s* Gratu'lant *m*. — **fe'lic·i·tous** *adj* gut *od.* glücklich gewählt, glücklich, treffend, trefflich. – *SYN. cf.* fit[1]. — **fe'lic·i·tous·ness** *s* Trefflichkeit *f*, glückliche Wahl. — **fe'lic·i·ty** *s* 1. Glück(seligkeit *f*) *n*. – 2. Segnung *f*, Wohltat *f*, Segen *m*. – 3. Trefflichkeit *f*, Geschick *n*, Gefälligkeit *f*, glückliche Wahl. – 4. a) glücklicher *od.* guter Einfall *od.* Gedanke, b) glücklicher Griff, c) treffender Ausdruck. – 5. *selten* Glück *n*, Erfolg *m*.

fe·lid ['fiːlid] *s zo.* Katzentier *n*, Katze *f* (*Fam. Felidae*). — **'fe·line** [-lain] **I** *adj* 1. *zo.* zur Fa'milie der Katzen gehörig, Katzen... – 2. katzenartig, -haft, -gleich. – 3. *fig.* schlau, falsch, verstohlen. – **II** *s* 4. *zo.* Katze *f*. — **'fe·line·ness, fe·lin·i·ty** [fi'liniti; -əti] *s* 'Katzenna,tur *f*.

fell[1] [fel] *pret von* fall.

fell[2] [fel] **I** *v/t* 1. (*Baum*) fällen, 'umhauen. – 2. (*Tier, j-n*) niederschlagen, -strecken. – 3. (*Nähen*) (*Kappnaht*) (ein)säumen, flach über'steppen. – **II** *s* 4. (*Holzfällerei*) a) (in einem Jahr) gefällte Holzmenge, b) Fällen *n*. – 5. (*Nähen*) Kappnaht *f*, Saum *m*.

fell[3] [fel] *adj poet.* 1. grausam. – 2. zerstörend.

fell[4] [fel] *s* 1. Balg *m*, (rohes Tier)Fell. – 2. ('Unter-, Fett)Haut *f* (*Tier*), *fig.* (Menschen)Haut *f*. – 3. Vlies *n*, dickes, zottiges Fell: a ~ of hair struppiges Haar.

fell[5] [fel] *s* (*Nordengland*) 1. (*in Namen*) Berg *m*. – 2. Moorland *n*.

fell·age ['felidʒ] *s* Holzschlag *m*, Fällen *n*.

fel·lah ['felə] *pl* **-lahs**, *auch* **-la·hin, -la·heen** [,felə'hiːn] (*Arab.*) *s* Fel'lache *m*, Fel'lah *m* (*ägyptischer Bauer od. Arbeiter*).

fell·er[1] ['felər] *s* 1. (Holz)Fäller *m*. – 2. (*Nähen*) Stepper(in).

fell·er[2] ['felər] *vulg. od. affektiert für* fellow.

fel·lic ['felik] *adj chem.* Gallen...

fell·ing ['feliŋ] *s* 1. → fellage. – 2. (*Forstbetrieb*) Schlagfläche *f*, (Kahl)Schlag *m*: ~ machine Holzfällermaschine.

'fell,mon·ger *s* (Schaf)Fellhändler *m*.

fel·loe ['felou] *s tech.* Radkranz *m*, Felge *f*.

fel·low ['felou; -lə] **I** *s* 1. Gefährte *m*, Gefährtin *f*, Genosse *m*, Genossin *f*, Kame'rad(in): stone dead hath no ~ Tote plaudern nichts aus; → hail ~. – 2. Mitmensch *m*, Zeitgenosse *m*. – 3. *colloq.* Verehrer *m*, Freund *m*. – 4. *colloq.* ‚Junge' *m*, Kerl *m*, Geselle *m*, Bursche *m*: a jolly ~ ‚ein fideles Haus'; my dear ~ mein lieber Freund! the ~ (*verächtlich*) der *od.* dieser Kerl; a ~ man, einer. – 5. Gegenstück *n*, (*der, die, das*) Gleiche *od.* Da'zugehörige: to be ~s zusammengehören; where is the ~ to this glove? wo ist der andere Handschuh? – 6. Gleichgestellte(r), Ebenbürtige(r): he shall never find his ~ er wird nie seinesgleichen finden. – 7. Fellow *m*: a) *Br.* Mitglied *n* eines College (*Dozent, der im College wohnt u. unterrichtet*), b) Stipendi'at *m* mit aka'demischem Titel (*der höhere Universitätsstudien betreibt*), c) Mitglied *n* des Verwaltungsrates (*gewisser Universitäten od. Colleges*). – 8. Mitglied *n* (*einer gelehrten etc Gesellschaft*): a F~ of the British Academy. – 9. *obs.* (Geschäfts)Partner *m*. – **II** *adj* (*nur attributiv*) 10. zur gleichen Klasse gehörend, Mit...: ~ being Mitmensch; ~ soldier (Kriegs)Kamerad; ~ student Studienkamerad, -kollege; ~ sufferer Leidensgefährte. – **III** *v/t* 11. gleichstellen (with mit). – 12. etwas Gleiches finden zu.

fel·low| Chris·tian *s* Mitchrist *m*, Glaubensbruder *m*. — ~ **com·mon·er** *s Br.* (*an einigen Colleges*) Stu'dent *m* mit dem Vorrecht, am Tisch der Fellows zu essen. — ~ **coun·try·man** *s irr* Landsmann *m*. — ~ **crea·ture** *s* Mitgeschöpf *n*, Mitmensch *m*. — ~ **feel·ing** *s* Zu'sammengehörigkeits-, Mitgefühl *n*. — ~ **serv·ants** *s pl jur.* Mitangestellte *pl*.

fel·low·ship ['felou,ʃip] **I** *s* 1. Kame'radschaft *f*, Kollegiali'tät *f*. – 2. (*geistige etc*) Gemeinschaft, Zu'sammengehörigkeit *f*. – 3. Religi'ons-, Glaubensgemeinschaft *f*. – 4. *oft* good ~ Geselligkeit *f*, Gemütlichkeit *f*, Verträglichkeit *f*. – 5. (Inter'essen)Gemeinschaft *f*, Gesellschaft *f*, Körperschaft *f*, Zunft *f*, Gilde *f*. – 6. (*Universität*) a) die Fellows *pl* eines College *od.* einer Universi'tät, b) Stellung *f* eines Fellow, c) Sti'pendienfonds *m*, 'Forschungskre,dit *m*, d) Sti'pendium *n*. – **II** *v/t pret u. pp* **-,ship(p)ed** 7. *Am. colloq.* in eine (Religi'ons)Gemeinschaft aufnehmen. – **III** *v/i* 8. *Am. colloq.* religi'öse Gemeinschaft pflegen.

fel·low trav·el·(l)er *s* 1. Mitreisende(r), Reisegefährte *m*. – 2. *pol.* (kommu'nistischer) Gesinnungsgenosse *od.* Mitläufer.

fel·ly[1] ['feli] → felloe.

fel·ly[2] ['feli] *adv* grausam.

fe·lo-de-se ['fiːloudə'siː; 'fel-], *pl* **'fe·lo,nes-de-'se** ['felou,niːz-], *auch* **'fe·los-de-'se** [-louz-] (*Lat.*) *s jur.* 1. Selbstmörder *m*. – 2. (*kein pl*) Selbstmord *m*.

fel·on[1] ['felən] **I** *s* 1. *jur.* (Schwer-, Kapi'tal)Verbrecher *m*. – 2. *selten* Schurke *m*. – **II** *adj* 3. *poet.* grausam.

fel·on[2] ['felən] *s med.* Pana'ritium *n*, Nagelbetteiterung *f*, 'Umlauf *m*.

fe·lo·ni·ous [fi'louniəs; fe-] *adj* 1. *jur.* (schwer)verbrecherisch, verräterisch, mit böser Absicht, vorbedacht. – 2. *jur.* (Schwer)Verbrecher... – 3. *selten* schurkisch, verrucht.

fel·on·ry ['felənri] *s collect.* 1. Schwerverbrecher *pl.* – 2. Sträflinge *pl* einer 'Strafkolo,nie. — **'fel·o·ny** *s* 1. *jur.* Kapi'tal-, Schwerverbrechen *n*, schweres Verbrechen. – 2. *hist.* Felo'nie *f* (*Bruch der Lehnstreue*).

fel·site ['felsait] *s min.* Fel'sit *m.* — **fel'sit·ic** [-'sitik] *adj* 1. aus Fel'sit (bestehend). – 2. fel'sithaltig. — **'fel-,spar** [-,spɑːr] → feldspar. — **'fel-,stone** → felsite.

felt¹ [felt] *pret u. pp von* feel.

felt² [felt] I *s* 1. Filz *m.* – 2. Gegenstand *m* aus Filz, Filzhut *m.* – 3. (*Papierfabrikation*) Pa'piertrans-,porttuch *n.* – II *adj* 4. aus Filz, Filz... – III *v/t* 5. filzen, zu Filz machen. – 6. mit Filz bekleiden *od.* über'ziehen. – IV *v/i* 7. (sich) verfilzen. — **'felt·er** *s* Filzer *m*, Walker *m.*

felt grain *s* Längsfaser *f* des Holzes.

felt·ing ['feltiŋ] *s* 1. Filzen *n.* – 2. Filzstoff *m.* – 3. Holzspalten *n* nach der Faser.

'felt,wort *s bot.* Königskerze *f*, Wollkraut *n* (*Verbascum thapsus*).

fe·luc·ca [fe'lʌkə] *s mar.* Fe'luke *f.*

fel·wort ['fel,wəːrt] *s bot.* 1. (*eine*) Swertie (*Swertia perennis*). – 2. Goldenzian *m* (*Gentiana lutea*).

fe·male ['fiːmeil] I *s* 1. a) Frau *f*, Mädchen *n*, b) (*verächtlich*) Weib(sbild) *n*, Frauenzimmer *n.* – 2. Weibchen *n* (*Tier*). – 3. *bot.* weibliche Pflanze. – *SYN.* lady, woman. – II *adj* 4. weiblich(en Geschlechts) (*Gegensatz* male): ~ child Mädchen; ~ slave Sklavin; ~ dog Hündin. – 5. von *od.* für Frauen, Frauen..., weiblich. – 6. schwächer, zarter: ~ sapphire. – 7. *tech.* mit hohlem Teil, in den ein anderer paßt, Hohl..., Steck..., (Ein)Schraub...: ~ key Hohlschlüssel; ~ screw Muttergewinde, Schraubenmutter. – 8. *bot.* a) fruchttragend, b) → pistillate. – 9. *obs.* weibisch, schwächlich. – *SYN.* effeminate, feminine, ladylike, womanish, womanlike, womanly. — ~ **fern** *s bot.* 1. Frauenfarn *m* (*Athyrium filixfemina*). – 2. Adlerfarn *m* (*Pteridium aquilinum*).

fe·male·ness ['fiːmeilnis] *s* Weiblichkeit *f.*

fe·male| rhyme → feminine rhyme. — ~ **suf·frage** *s pol.* Frauenwahlrecht *n*, Frauenstimmrecht *n.*

fe·mal·i·ty [fi'mæliti; -əti] *s* 1. weibliche Na'tur. – 2. Unmännlichkeit *f.*

feme [fem] *s* 1. *jur. hist.* Ehefrau *f.* – 2. *obs.* Frau *f.* — ~ **cov·ert** *s jur.* verheiratete Frau. — ~ **sole** *s jur.* 1. unverheiratete Frau. – 2. Ehefrau, die in bezug auf ihren Besitz vom Ehemann ganz unabhängig ist. — **'~-'sole trad·er, '~-'sole mer·chant** *s jur.* selbständige Geschäftsfrau, Ehefrau, die selbständig u. unabhängig vom Ehemann ein Geschäft führt.

fem·ic ['femik] *adj min.* femisch.

fem·i·na·cy ['feminəsi; -mə-] *s* weibliche Na'tur. — **,fem·i'nal·i·ty** [-'næliti; -əti] *s* 1. weibliche Na'tur *od.* Besonderheit. – 2. weiblicher Kram *od.* Tand. — **,fem·i'ne·i·ty** [-'niːiti; -əti] *s* 1. Fraulichkeit *f.* – 2. weibisches Wesen. — **'fem·i·nie** [-ni] *s poet. collect.* (*Land der*) Ama'zonen *pl*, (*die*) Weiblichkeit. — **'fem·i·nin** [-nin] *Am. für* estrone.

fem·i·nine ['feminin; -mə-] I *adj* 1. weiblich: a) von *od.* für Frauen, typisch weiblich, Frauen... (*Stimme etc*), b) *ling. metr.* femi'nin (*Wort, Reim*), c) *selten* weiblichen Geschlechts. – 2. fraulich, sanft, zart, schwach. – 3. *selten* weibisch, unmännlich. – *SYN. cf.* female. – II *s* 4. *ling.* Femi'ninum *n.* – 5. *colloq.* weibliche Per'son, *collect.* (*die*) Weiblichkeit. – 6. the ~ das Weibliche: „the eternal ~“ „das Ewig-Weibliche“. — ~ **ca·dence** *s mus.* 'Schlußka-,denz *f* mit Ak'kord auf schwachem Taktteil. — ~ **end·ing** *s* 1. *ling.* Femi'ninendung *f*, -suf,fix *n.* – 2. *metr.* weibliche (Reim)Endung, weiblicher Endreim *od.* Vers. — ~ **rhyme** *s* weibliches Reimpaar, weiblicher (Paar)Reim.

fem·i·nin·i·ty [,femi'niniti; -mə-; -əti] *s* 1. Fraulichkeit *f*, Weiblichkeit *f.* – 2. weibisches Wesen, Unmännlichkeit *f.* – 3. *collect.* (*die*) (holde) Weiblichkeit, (*die*) Frauen *pl.* — **'fem·i-,nism** *s* 1. Frauenrechtlertum *n*, Femi'nismus *m.* – 2. typisch weiblicher (Cha'rakter)Zug. — **'fem·i·nist** *s* Frauenrechtler(in), Femi'nist *m.* — **,fem·i'nis·tic** *adj* frauenrechtlerisch, femi'nistisch. — **fe·min·i·ty** [fi'miniti; -əti] → femininity.

fem·i·ni·za·tion [,feminai'zeiʃən; -nə-] *s* 1. Verweiblichung *f.* – 2. *zo.* Femi'nierung *f.* – 3. *agr.* Femeln *n* (*Hanf*). — **'fem·i,nize** I *v/t* 1. weiblich machen. – 2. *zo.* femi'nieren. – 3. *agr.* (*Hanf*) femeln. – 4. *fig.* verweiblichen, verweichlichen. – II *v/i* 5. weiblich werden.

femme [fam] (*Fr.*) *s* 1. Frau *f.* – 2. → feme. — ~ **de cham·bre** ['fam də 'ʃɑ̃ːbr] (*Fr.*) *s* 1. Zimmermädchen *n.* – 2. Zofe *f.*

fem·o·ral ['femərəl] *adj med.* Oberschenkel(knochen)..., Schenkel...: ~ artery Oberschenkelarterie.

fe·mur ['fiːmər] *pl* **-murs** *od.* **fem·o·ra** ['femərə] *s* 1. *med.* Oberschenkel(knochen) *m*, Schenkelbein *n.* – 2. *zo.* drittes Beinglied (*Insekten*).

fen [fen] *s* Fenn *n*: a) Sumpf-, Marschland *n*, b) (Nieder-, Wiesen-, Flach)Moor *n.* — **'~,ber·ry** *s bot.* Moosbeere *f* (*Oxycoccus palustris*).

fence [fens] I *s* 1. Zaun *m*, Einzäunung *f*, Um'zäunung *f*, Einfriedung *f*, Gehege *n*: to sit on the ~, *bes. Am.* to ride the ~ sich neutral verhalten, abwarten, unentschlossen sein; on the ~ *Am. colloq.* unentschlossen, neutral; to come down on the right side of the ~ die Partei des Siegers ergreifen; to mend (*od.* look after) one's ~s *pol. Am. sl.* seine politischen Interessen wahren. – 2. *sport* Hürde *f*, Hindernis *n.* – 3. *tech.* Regu'lier-, Schutzvorrichtung *f*, Zuhaltung *f* (*Türschloß*), Führung *f* (*Hobelmaschine etc*). – 4. a) Fechtkunst *f*, b) *fig.* Debat'tierkunst *f*: a master of ~ ein guter Fechter. – 5. *sl.* Hehler *m.* – 6. *sl.* Aufbewahrungsort *m* für Diebesgut. – 7. *obs.* Bollwerk *n.* – II *v/t* 8. einzäunen, -hegen, -frieden. – 9. *oft* ~ in, ~ about, ~ round, ~ up um'geben, um'zäunen (with mit). – 10. verteidigen, schützen, sichern (from, against gegen). – 11. ~ off, ~ out abhalten, abwehren. – 12. *hunt. Br.* zum Schongebiet erklären. – III *v/i* 13. a) pa'rieren, fechten, b) *fig.* ,Spiegelfechte'rei treiben, Ausflüchte machen: to ~ with (a question) (einer Frage) ausweichen. – 14. *sport* die Hürde nehmen. – 15. *sl.* hehlen, mit Diebesgut handeln. — **'fence·less** *adj* 1. offen, uneingezäunt. – 2. *poet.* wehrlos.

fence| liz·ard *s zo. eine amer. Eidechse* (*Sceloporus undulatus*). — ~ **month** *s hunt. Br.* Schonzeit *f.*

fenc·er ['fensər] *s* 1. *sport* Fechter *m*, Fechtmeister *m.* – 2. *sport* (*guter*) Springer (*Pferd*). – 3. Zaunmacher *m*, -flicker *m.*

fence| sea·son, ~ **time** → fence month.

fen·ci·ble ['fensibl; -sə-] I *adj Scot.* verteidigungs-, wehrfähig. – II *s hist.* 'Landwehrsol,dat *m*: the F~s die Miliz *od.* Landwehr.

fenc·ing ['fensiŋ] I *s* 1. Fechten *n*, Fechtkunst *f.* – 2. *fig.* Wortgefecht *n*, ,Spiegelfechte'rei *f*, Ausflüchte *pl.* – 3. *collect.* a) Zäune *pl*, b) 'Zaunmateri,al *n.* – 4. Einzäunen *n*, Einfriedigung *f.* – II *adj* 5. Fecht...: ~ loft Fechtsaal, -boden. — ~ **foil** *s* (*Fechten*) 'Stoßra,pier *n.* — ~ **stick** *s* (*Fechten*) Exer'zierstock *m* (*mit Korb*).

fen cress → water cress.

fend [fend] I *v/t* 1. *oft* ~ off abwehren, abhalten. – 2. *obs.* verteidigen. – II *v/i* 3. sich wehren, sich wider'setzen. – 4. Schläge abwehren. – 5. *colloq.* sich 'durchschlagen: to ~ for oneself sich ganz allein durchs Leben schlagen.

fend·er ['fendər] *s* 1. *tech.* Schutzvorrichtung *f.* – 2. *tech. Am.* Kotflügel *m* (= *Br.* mudguard). – 3. *tech. bes. Br.* Stoßfänger *m* (*Lokomotive etc*). – 4. *mar.* Fender *m.* – 5. (*meist metallener*) Ka'minvorsetzer. — ~ **beam** *s* 1. *arch.* schräger Holm, Pfette *f.* – 2. *mar.* Reibholz *n.* – 3. (*Eisenbahn*) Prellbock *m.* — ~ **bolt** *s mar.* Kopfbolzen *m.* — ~ **pile** *s mar.* Schutzpfahl *m.*

fen duck → shoveler 2.

fen·es·tel·la [,fenis'telə] *s arch.* 1. Fensterchen *n.* – 2. fensterartige Wandnische (*an der Südseite des Altars*).

fe·nes·tra [fi'nestrə] *pl* **-trae** [-triː] *s* 1. *med.* Fenster *n* im Mittelohr: ~ cochleae rundes Fenster; ~ vestibuli Vorhoffenster. – 2. *med.* Fenster *n*, Fensterung *f* (*im Gipsverband*). – 3. *zo.* Fensterchen *n* (*an Insektenflügeln*). — **fe'nes·tral** *adj* fensterartig, Fenster... — **fe'nes·trate** [-treit], **fe'nes·trat·ed** *adj arch. biol.* mit Fenster(n) versehen, gefenstert. — **,fen·es'tra·tion** [,fenis'treiʃən] *s* 1. Fensterung *f*, Fensterwerk *n.* – 2. *med.* Fenster(gips)verband *m.*

fen fire *s* Irrlicht *n.*

Fe·ni·an ['fiːniən] I *s hist.* Fenier *m*: a) *Mitglied eines irischen Geheimbunds zum Sturz der engl. Herrschaft (1858 bis 1880)*, b) *schottisch-irischer Freiheitskämpfer gegen die Römer.* – II *adj* fenisch. — **'Fe·ni·an,ism** *s* Feniertum *n.*

fenks [feŋks] *s pl* Abfälle *pl* vom Walspeck.

'fen·man [-mən] *s irr* Bewohner *m* des Marschlandes.

fen·nec ['fenik] *s zo.* Fennek *m*, Großohrfuchs *m* (*Vulpes zerda*).

fen·nel ['fenl] *s bot.* Fenchel *m* (*Foeniculum vulgare*). — **'~,flow·er** *s bot.* Schwarzkümmel *m* (*Gattg Nigella*).

fen·ny ['feni] *adj* 1. sumpfig, Moor..., Sumpf... – 2. in Sümpfen wachsend.

'fen|-,pole *s Br.* Stab *m* zum 'Gräbenüber,springen. — **'~-,reeve** *s Br.* Mooraufseher *m.* — **'~-,run·ners** *s pl Br.* (*Art*) Moorschlittschuhe *pl.*

fen·u·greek ['fenju,griːk] *s bot.* Griech. Heu *n* (*Trigonella foenum-graecum*).

feod *etc cf.* feud *etc.*

feoff [fef; fiːf] *jur.* I *s cf.* fief. – II *v/t* → enfeoff. — **feoff'ee** [-iː] *s jur.* Belehnter *m*: ~ in (*od.* of) trust Treuhänder. — **'feof·fer** *cf.* feoffor. — **'feoff·ment** *s jur.* Belehnung *f.* — **'feof·for** [-ər] *s jur.* Lehnsherr *m.*

-fer [fər] *Wortelement mit der Bedeutung* tragend.

fe·ra·cious [fə'reiʃəs] *adj* fruchtbar. — **fe·rac·i·ty** [fə'ræsiti; -əti] *s* Fruchtbarkeit *f.*

fe·ral ['fi(ə)rəl] *adj* 1. wild(lebend), nicht gezähmt. – 2. verwildert. – 3. *fig.* bar'barisch.

fer-de-lance [fɛrdəˈlɑ̃s] *s zo.* Lanzenschlange *f* (*Bothrops atrox*).

fere [fir] *s obs. od. dial.* Freund *m*, Gefährte *m*.

fer·e·to·ry [*Br.* ˈferitəri; -rət-; *Am.* -ˌtɔːri] *s* **1.** ReˈIiquienschrein *m*, -raum *m*, -kaˌpelle *f*. – **2.** *Br.* Totenbahre *f*.

fe·ri·a [ˈfi(ə)riə] *pl* **-ae** [-riˌiː] (*Lat.*) *s* **1.** *pl antiq.* Festtage *pl*, Ferien *pl*. – **2.** *relig.* Wochentag *m*. — **ˈfe·ri·al** *adj relig.* Wochentags...

fe·rine [ˈfi(ə)rain; -rin] → **feral**.

Fe·rin·ghee, Fe·rin·gi [fəˈriŋgi] *s Br. Ind.* **1.** Euroˈpäer(in). – **2.** (*verächtlich*) Euˈrasier(in) (*indo-portug. Abstammung*).

fer·i·ty [ˈferiti; -əti] *s* Wildheit *f*: a) wildes Vorkommen, b) Grausamkeit *f*.

fer·ment [fərˈment] **I** *v/t* **1.** in Gärung bringen. – **2.** *fig.* in Wallung bringen, aufputschen. – **II** *v/i* **3.** gären, in Gärung sein (*auch fig.*). – **III** *s* [ˈfəːrment] **4.** *chem.* Gärstoff *m*, Ferˈment *n*, Enˈzym *n*, Gärungserreger *m*. – **5.** Gärung *f*. – **6.** *fig.* Gärung *f*, innere Unruhe, Wallung *f*, Aufruhr *m*: to **be in a** ~ in Gärung *od.* Aufruhr sein, gären. — **ferˌmen·ta'bil·i·ty** *s* Gär(ungs)fähigkeit *f*. — **ferˈment·a·ble** *adj* gär(ungs)fähig.

fer·men·ta·tion [ˌfəːrmenˈteiʃən] *s* **1.** *chem.* (Ver)Gärung *f*, ˈGärungsproˌzeß *m*, Fermentatiˈon *f*: → **lactic** ~. – **2.** *fig.* Gärung *f*, innere Wallung *od.* Wandlung, Aufruhr *m*, Aufregung *f*. — **fer·ment·a·tive** [fərˈmentətiv] *adj chem.* **1.** Gärung bewirkend. – **2.** gärend, Gärungs... — **ferˈment·ing** *adj* **1.** gärend. – **2.** Gär..., Gärungs...

fer·mi·um [ˈfəːrmiəm] *s chem.* Fermium *n* (Fm).

fern [fəːrn] *s bot.* **1.** Farn(kraut *n*) *m* (*Klasse Filicinae*). – **2.** *auch* ~ **frond** Farnblatt *n*. – **3.** *collect.* Farn *m*. — **ˈfern·er·y** [-əri] *s* **1.** *collect.* Farne *pl*. – **2.** Farn(kraut)pflanzung *f*.

fern| owl → **goatsucker** 2. — ~ **seed** *s* Farnsame *m*, -sporen *pl*.

fern·y [ˈfəːrni] *adj* farnartig, voller Farnkraut, Farn...

fe·ro·cious [fəˈrouʃəs] *adj* wild, grausam, grimmig. – *SYN. cf.* **fierce**. — **feˈro·cious·ness, fe·roc·i·ty** [fəˈrɒsiti; -əti] *s* Grausamkeit *f*, Wildheit *f*.

-ferous [fərəs] *Wortelement mit der Bedeutung* ...tragend, ...haltig, ...erzeugend.

fer·ox [ˈferɒks] *s zo. Br.* Große ˈSeeforˌelle (*Salmo ferox*).

fer·rate [ˈfereit] *s chem.* eisensaures Salz.

fer·rel [ˈferəl] → **ferrule**.

fer·re·ous [ˈferiəs] *adj* eisenhaltig, Eisen...

fer·ret[1] [ˈferit] **I** *s* **1.** *zo.* Frettchen *n* (*Mustela furo*). – **2.** *fig.* Spiˈon *m*, Spitzel *m*. – **3.** *mil.* Spürfahrzeug *n* (*für elektromagnetische Strahlungen*). – **II** *v/t* **4.** *meist* ~ **about**, ~ **away**, ~ **out** *hunt.* (*Boden*) (mit Frettchen) säubern, (*Kaninchen*) fretˈtieren, (her-) ˈausjagen. – **5.** *fig.* ~ **out** aufspüren, -stöbern, -decken. – **III** *v/i* **6.** *hunt.* mit Frettchen jagen, fretˈtieren. – **7.** ~ **about** (herˈum)suchen (**for** nach).

fer·ret[2] [ˈferit] *s* schmales (Baum)-Wollband.

ˈfer·ret-ˌbadg·er *s zo.* (*ein*) asiat. Marder *m* (*Gattg Helictis*).

fer·ret·ing [ˈferitiŋ] → **ferret**[2].

ferri- [ferai; -ri] *Wortelement mit der Bedeutung* Eisen.

fer·ri·age [ˈferiidʒ] *s* **1.** Fährgeld *n*. – **2.** ˈÜberfahrt *f* (*mit einer Fähre*).

fer·ric [ˈferik] *adj chem.* Eisen..., Ferri...: ~ **acid** Eisensäure (H_2FeO_4); ~ **oxide** Eisenoxyd (Fe_2O_3).

fer·ri·cy·a·nide [ˌferiˈsaiəˌnaid; -nid] *s chem.* Cyˈaneisenverbindung *f*: **potassium** ~ Ferricyankalium, Kaliumferricyanid, rotes Blutlaugensalz ($K_3Fe(CN)_6$). — **ferˈrif·er·ous** [-fərəs] *adj chem.* eisenhaltig.

Fer·ris wheel [ˈferis] *s* Riesenrad *n* (*nach Ferris, amer. Ingenieur*).

fer·rite [ˈferait] *s chem. min.* Ferˈrit *m*.

ferro- [fero] → **ferri-**.

ˌfer·roˈcon·crete *s* ˈEisen-, ˈStahlbeˌton *m*. — **ˌfer·ro·cyˈan·ic** *adj chem.* eisenblausauer. — **ˌfer·roˈcy·a·ˌnide** *s chem.* Cyˈaneisenverbindung *f*: **potassium** ~ Ferrocyankalium, gelbes Blutlaugensalz ($K_4Fe(CN)_6 \cdot 3H_2O$). — **ˌfer·ro·magˈne·sian** *adj min.* eisen- u. maˈgnesiumhaltig. — **ˌfer·ro·magˈnet·ic** *phys.* **I** *adj* ˈeisen-, ˈferromaˌgnetisch. – **II** *s* ˈFerromaˌgnetikum *n*. — **ˌfer·roˈmag·netˌism** *s* ˈEisenmagneˌtismus *m*. — **ˌfer·roˈman·gaˌnese** *s chem.* ˈEisenmanˌgan *n*. — **ˌfer·roˈprus·siˌate** *s chem.* ˈFerrocyaˌnid *n*.

ˈfer·roˌtype *phot.* **I** *s* **1.** ˌFerrotyˈpie *f*: a) ˈBlechphotograˌphie *f*, b) Photograˈphieren *n* auf Blech, amer. Photograˈphieren *n*. – **II** *v/t* **2.** (*auf Blech*) ˈschnellphotograˌphieren. – **3.** (*Kopie*) auf Hochglanz glänzen.

fer·rous [ˈferəs] *adj chem.* eisenhaltig, -artig, Eisen..., Ferro...: ~ **chloride** Eisenchlorür ($FeCl_2$); ~ **hydroxyde** Eisenhydroxydul ($Fe(OH)_2$).

fer·ru·gi·nous [feˈruːdʒinəs; -dʒə-], *auch* **ˌfer·ruˈgin·e·ous** [-ˈdʒiniəs] *adj* **1.** *chem. min.* eisenhaltig, -schüssig, -führend, Eisen... – **2.** rostfarbig, rotbraun.

fer·rule[1] [ˈferuːl; -rəl] *tech.* **I** *s* **1.** Stockzwinge *f*, Ringbeschlag *m*, Sperr-, End-, Klink-, Hirnring *m* (*als Stangen-, Rohrabschluß etc*). – **2.** (*Maschinen*) Buchse *f*, Muffe *f*, Futter *n*. – **II** *v/t* **3.** mit Stockzwinge *od.* Buchse versehen.

fer·rule[2] *fälschlich für* **ferule**[1].

fer·ry [ˈferi] **I** *s* **1.** Fähre *f*, Fährschiff *n*, -boot *n*. – **2.** *jur.* Fährrecht *n*. – **3.** *aer.* Überˈführungsdienst *m* (*von der Fabrik zum Benützer*). – **II** *v/t* **4.** ˈüberführen, -setzen, (*Fahrzeuge*) abliefern, an den Bestimmungsort bringen. – **5.** (*Flugzeug*) von der Faˈbrik zum Flugplatz fliegen, überˈführen. – **III** *v/i* **6.** Fähr(en)dienst versehen, als Fähre benützt werden (*Schiff etc*). – **7.** in einer Fähre *od.* einem Boot fahren (**across** über *acc*). — **ˈ~ˌboat** → **ferry** 1. — ~ **bridge** *s* **1.** Traˈjekt *m*, *n*, Eisenbahnfähre *f*. – **2.** Fähr-, Landungsbrücke *f*. — ~ **com·mand** *s aer.* Abhol-, Überˈführungs-, ˈLieferkomˌmando *n*. — **ˈ~ˌhouse** *s* Fährhaus *n*. — **ˈ~·man** [-mən] *s irr* Fährmann *m*, Ferge *m*.

fer·tile [*Br.* ˈfəːrtail; *Am.* -til; -tl] *adj* **1.** fruchtbar, ergiebig, reich (**in**, **of**, **an** *dat*). – **2.** *fig.* schöpferisch, produkˈtiv. – **3.** *biol.* befruchtet. – **4.** *bot.* fortpflanzungsfähig: ~ **shoot** Blütensproß. – *SYN.* **fecund**, **fruitful**, **prolific**. — **ferˈtil·i·ty** [-ˈtiliti; -əti] *s* Fruchtbarkeit *f*, Ergiebigkeit *f*, Reichtum *m* (**of** an *dat*) (*auch fig.*). — **fer·ti·li·za·tion** [ˌfəːrtilaiˈzeiʃən; -təli-] *s* **1.** Fruchtbarmachen *n*, Befruchtung *f*. – **2.** *biol.* Befruchtung *f*, Schwängerung *f*. – **3.** *agr.* Düngen *n*, Düngung *f*. – **4.** *bot.* Bestäubung *f*: ~ **tube** Befruchtungs-, Pollenschlauch. — **ˈfer·tiˌlize** *v/t* **1.** fruchtbar machen. – **2.** *biol.* befruchten, schwängern. – **3.** *agr.* (*Land*) düngen. – **4.** *bot.* (*Blüte*) bestäuben. — **ˈfer·tiˌliz·er** *s* **1.** Befruchter *m*, Befruchtungsstoff *m*. – **2.** *agr.* (Kunst)-Dünger *m*, Düngemittel *n*: **artificial** ~.

fer·u·la [ˈferjulə; -ru-] *pl* **-lae** [-ˌliː] *s* **1.** *bot.* Ruten-, Steckenkraut *n* (*Gattg Ferula*). – **2.** → **ferule**[1] I. – **3.** *hist.* (*Art*) Bischofs-, Papstzepter *n*. —**ˌfer·uˈla·ceous** [-ˈleiʃəs] *adj bot.* rutenkrautartig.

fer·ule[1] [ˈferuːl; -rəl] **I** *s* **1.** (flaches) Lineˈal, (Zucht)Rute *f*. – **2.** *fig.* Züchtigung *f*. – **II** *v/t* **3.** züchtigen.

fer·ule[2] *fälschlich für* **ferrule**[1].

fer·ven·cy [ˈfəːrvənsi] *s* Glut *f*, Inbrunst *f*, Feuer *n*. — **ˈfer·vent** *adj* **1.** inbrünstig, glühend, feurig. – **2.** (glühend) heiß. – *SYN. cf.* **impassioned**.

fer·ves·cent [fərˈvesnt] *adj* heiß *od.* hitzig *od.* fiebrig werdend.

fer·vid [ˈfəːrvid] *adj bes. poet.* **1.** hitzig, feurig, heftig, leidenschaftlich (erregt). – **2.** glühend (heiß). – *SYN. cf.* **impassioned**. — **ˈfer·vor**, *bes. Br.* **ˈfer·vour** [-vər] *s* **1.** (Feuer)Eifer *m*, Leidenschaft *f*, Inbrunst *f*, Eindringlichkeit *f*, Ernst *m*. – **2.** Hitze *f*, Glut *f*. – *SYN. cf.* **passion**.

Fes·cen·nine [ˈfesəˌnain; -nin] *adj* feszenˈninisch, schlüpfrig, zotig.

fes·cue [ˈfeskjuː] *s* **1.** *auch* ~ **grass** *bot.* Schwingelgras *n* (*Gattg Festuca*). – **2.** *ped.* Zeigestab *m*, -stock *m*.

fess(e) [fes] *s her.* (horizonˈtaler Quer)-Balken. — ~ **point** *s* Herzstelle *f* (*Wappenschild*). — **ˈ~ˌwise** *adv* quer durch ein Wappen, wie ein Balken.

fes·tal [ˈfestl] *adj* festlich, Fest...

fes·ter [ˈfestər] **I** *v/i* **1.** schwären, eitern. – **2.** Eiterung herˈvorrufen. – **3.** ˈmodern, verwesen, verfaulen. – **4.** *fig.* nagen, um sich fressen (*Gefühl*). – **II** *v/t* **5.** zum Schwären bringen. – **6.** *fig.* zerfressen, zernagen. – **III** *s* **7.** Geschwür *n*, Fistel *f*. – **8.** kleine eiternde Wunde, Pustel *f*.

fes·ti·na·tion [ˌfestiˈneiʃən; -tə-] *s med.* schneller nerˈvöser Gang, Trippelgang *m* (*von Nervenkranken*).

fes·ti·val [ˈfestivəl; -tə-] **I** *s* **1.** Fest(tag *m*) *n*. – **2.** (*bes. musikalische*) Festspiele *pl*, -spieltage *pl*, -aufführung(en *pl*) *f*: **the Edinburgh** ~. – **3.** *obs.* Gelage *n*, Lustbarkeit *f*: **to hold** (*od.* **keep** *od.* **make**) ~ sich ergötzen. – **II** *adj* **4.** festlich, Fest..., Festspiel-(wochen)... — **ˈfes·tive** *adj* festlich, gesellig, fröhlich, heiter, Fest... — **ˈfes·tive·ness** *s* Festlichkeit *f*, festliches Gepräge *od.* Aussehen. — **fesˈtiv·i·ty** *s* **1.** *oft pl* festlicher Anlaß, Fest(lichkeit *f*) *n*. – **2.** festliche Stimmung, Feststimmung *f*, Ausgelassenheit *f*, Fröhlichkeit *f*. — **ˈfes·ti·vous** *selten für* **festive**.

fes·toon [fesˈtuːn] **I** *s* **1.** Girˈlande *f*, Feˈston *n*, (Blumen-, Frucht)Gehänge *n*: ~ **cloud** (*Meteorologie*) Mammatokumulus. – **II** *v/t* **2.** mit Girˈlanden schmücken. – **3.** zu Girˈlanden (ver)binden. — **fesˈtoon·er·y** [-əri] *s* **1.** Girˈlandenschmuck *m*. – **2.** *collect.* Girˈlanden *pl*, Gehänge *n*.

fe·tal [ˈfiːtl] *adj med.* föˈtal, Fötus... — **feˈta·tion** *s med.* Schwangerschaft *f*, Fötatiˈon *f*.

fetch [fetʃ] **I** *v/t* **1.** (herˈbei-, herˈan-, ab)holen, holen u. bringen: **to** (**go and**) ~ **a doctor** einen Arzt holen; **to** ~ **a deep breath** tief einatmen *od.* Atem holen. – **2.** (*Gewinn*) erzielen, eintragen, einbringen. – **3.** *colloq.* für sich einnehmen, gefangennehmen, fesseln, anziehen, erfreuen, ergötzen. – **4.** *colloq.* (*Laute*) ausstoßen: **to** ~ **a sigh** seufzen. – **5.** *colloq.* (*Schlag*) versetzen, (*Ohrfeige*) geben. – **6.** (*Bewegung, Spaziergang*) machen. – **7.** *mar. od. dial.* erreichen, gelangen nach. – **8.** ~! *hunt.* faß! apˈport! – **9.** ~ **up** a) (*Kind*) aufziehen, b) (*verlorene Zeit*) auf-, einholen, c) (*etwas*) ausspeien. – **II** *v/i* **10.** holen gehen: **to** ~ **and carry** Handlanger sein, niedrige Dienste verrichten. – **11.** *mar.* Kurs nehmen: **to** ~ **about** vieren. – **12.** *hunt.* apporˈtieren. – **13.** *meist* ~ **up**, ~ **through** das Ziel erreichen, stillstehen. – **14.** *colloq.* reizend wirken, anziehen. – **III** *s* **15.** (Ein-, Herbei)Holen *n*, Bringen *n*. – **16.** durch'messene Strecke, Reichweite *f*: a long ~ ein weiter Weg. – **17.** Trick *m*, Kunstgriff *m*, Kniff *m*. – **18.** Geistererscheinung *f*, Doppelgänger *m*. – **19.** *dial.* Seufzer *m*.

fetch·ing ['fetʃiŋ] *adj colloq.* reizend, bezaubernd, fesselnd.

fete, fête [feit; fɛːt] **I** *s* **1.** (Fa'milien-, Garten-, Wald)Fest *n*, Festlichkeit *f*, Feier *f*. – **2.** *auch* ~ **day** Namenstag *m*. – **II** *v/t* **3.** (*j-n, Ereignis*) feiern, (*j-s*) in einer Feier gedenken. – **4.** (*j-n*) festlich bewirten.

fête cham·pê·tre [fɛːt ʃɑ̃'pɛːtr] (*Fr.*) *s* Gartenfest *n*, Fest *n* im Freien.

fete day *s* **1.** Festtag *m*. – **2.** Namenstag *m*.

fet·e·ri·ta [ˌfetə'riːtə] *s bot.* Negerhirse *f*, Durra *f* (*Sorghum vulgare*).

fe·tial ['fiːʃəl] *antiq.* **I** *s pl* **fe·ti·a·les** [ˌfiːʃi'eiliːz] **1.** Feti'al(is) *m*, Mitglied *n* des altröm. 'Priesterkolˌlegiums. – **II** *adj* **2.** über Krieg *od.* Frieden entscheidend: ~ law. – **3.** Herolds...

fe·tich *etc cf.* **fetish** *etc.*

fe·ti·cide ['fiːtiˌsaid; -tə-] *s jur. med.* Tötung *f* der Leibesfrucht.

fet·id ['fetid; 'fiː-] *adj* stinkend, (übel)riechend. – *SYN. cf.* **malodorous.** — '**fet·id·ness** *s* Gestank *m*, übler Geruch.

fe·tif·er·ous [fi'tifərəs] *adj biol.* tragend, trächtig.

fe·tish ['fiːtiʃ; 'fetiʃ] *s* Fetisch *m*, Götzenbild *n*, Gegenstand *m* abergläubischer Verehrung. – *SYN.* **amulet, charm, talisman.** — '**fe·tishˌism** *s* **1.** Fetischverehrung *f*, Götzendienst *m*. – **2.** blinde Treue *od.* 'Hingabe. – **3.** *psych.* Feti'schismus *m*. — '**fe·tish·ist** *s* Fetischanbeter *m*, Feti'schist *m*. — ˌ**fe·tish'is·tic** *adj* Götzen..., fetischverehrend.

fet·lock ['fetlɒk] *s* (*Pferd*) **1.** Behang *m*, Huf-, Kötenhaar *n*. – **2.** *meist* ~ **joint** Fessel *f*, Köten-, Fesselgelenk *n*. – **3.** → **fetterlock.** — '**fet·locked** *adj* **1.** mit Hufhaar. – **2.** gefesselt. — '**fet·low** [-lou] *s vet.* Huf-, Klauengeschwür *n* (*Rind*).

fe·tor ['fiːtər] *s* Gestank *m*.

fet·ter ['fetər] **I** *s* **1.** (Fuß)Fessel *f*. – **2.** *pl fig.* Fesseln *pl*, Gefangenschaft *f*: to be in ~s gefangen *od.* gefesselt sein. – **3.** *fig.* Fessel *f*, Zwang *m*, Hemmschuh *m*, Hindernis *n*. – **II** *v/t* **4.** fesseln, binden, einschränken, zügeln. – *SYN. cf.* **hamper**[1]. — ~ **bone** *s* Fesselknochen *m* (*Pferd*). — '~ˌ**bush** *s bot.* **1.** (*eine*) amer. Gränke (*Neopieris nitida*). – **2.** *eine amer. Ericacee* (*Pieris floribunda*).

fet·ter·less ['fetərlis] *adj* **1.** ohne Fesseln. – **2.** zwanglos. — '**fet·ter·lock** *s* **1.** (D-förmige) Pferdefußfessel (*auch her.*). – **2.** → **fetlock** 1 *u.* 2.

fet·tle ['fetl] **I** *s* Verfassung *f*, Zustand *m*, Form *f*: in good ~ in Form. – **II** *v/t u. v/i dial.* in Ordnung bringen.

fet·tling ['fetliŋ] *s* (*Töpferei*) **1.** Besetzen *n*, Ausstreichen *n*. – **2.** Besatz *m*, (Herd)Futter *n*.

fe·tus ['fiːtəs] *s med.* Fötus *m*, Leibesfrucht *f*.

fet·wa(h) ['fetwə], *auch* '**fet·va(h)** [-və] (*Arab.*) *s* Fetwa *m*, *n* (*moham. Gerichtsentscheid*).

feu [fjuː] *jur. Scot.* **I** *s* Lehen(sbesitz *m*) *n*. – **II** *v/t* in Lehen geben *od.* nehmen: land to ~ Land zu verpachten. — '**feu·ar** [-ər] *s jur. Scot.* Lehenspächter *m*.

feud[1] [fjuːd] *s* **1.** Fehde *f*: to be at (deadly) ~ with s.o. mit j-m in (tödlicher) Fehde liegen. – **2.** *obs.* Streit *m*.

feud[2] [fjuːd] *s jur.* Lehen(sgut) *n*.

feu·dal ['fjuːdl] *adj* Lehens..., feu'dal: ~ **investiture** Belehnung. — '**feu·dalˌism** [-dəl-] *s* Feuda'lismus *m*, Feu'dal-, 'Lehenssyˌstem *n*. — '**feu·dal·ist** *s* Anhänger *m* des Feu'dalsyˌstems. — ˌ**feu·dal'is·tic** *adj* feuda'listisch. — **feu·dal·i·ty** [fju'dæliti; -əti] *s* **1.** Lehnbarkeit *f*. – **2.** Lehenswesen *n*, -verfassung *f*. — '**feu·dalˌize** *v/t* lehnbar machen. [Lehenswesen *n*.]

feu·dal sys·tem *s* Feu'dalsyˌstem *n*,

feu·da·to·ry [*Br.* 'fjuːdətəri; *Am.* -ˌtɔːri] **I** *s* Lehnsmann *m*, Va'sall *m*. – **II** *adj* lehnspflichtig, Lehns...

feud·ist[1] ['fjuːdist] *s jur.* Feu'dalrechtsgelehrter *m*.

feud·ist[2] ['fjuːdist] *s Am.* an einem Fa'milienstreit Beteiligte(r).

feuil·le·ton [fœj'tɔ̃] (*Fr.*) *s* Feuille'ton *n*. — '**feuil·le·tonˌism** [-tɒˌnizəm] *s* Feuilleto'nismus *m*. — '**feuil·leˌton·ist** *s* Feuilleto'nist(in), Feuille'tonschreiber(in). — ˌ**feuil·le·ton'is·tic** *adj* feuilleto'nistisch.

fe·ver ['fiːvər] **I** *s* **1.** *med.* Fieber *n*: to have a ~ Fieber haben; → **recurrent** 2. – **2.** *med.* Fieberzustand *m*, -krankheit *f*: **nervous** ~ Nervenfieber; **traumatic** ~ Wundfieber. – **3.** *fig.* Fieber *n*, (fiebrige) Aufregung *od.* Erregung: in a ~ in (heller) Aufregung. – **II** *v/i* **4.** fiebern, Fieber haben. – **III** *v/t* **5.** (*j-n*) in Fieber versetzen. — ~ **bark** *s med.* Fieberrinde *f*, Bitterholz *n* (*von Alstonia constricta etc*). — ~ **blis·ter** *s med.* Fieberbläschen *n*. — '~ˌ**bush** *s bot.* **1.** (*ein*) amer. Hülsdorn *m* (*Ilex verticillata*). – **2.** Fieberstrauch *m* (*Benzoin aestivale*).

fe·vered ['fiːvərd] *adj* **1.** fiebernd, fieberhaft. – **2.** aufgeregt, erregt.

'**fe·ver|ˌfew** *s bot.* Mutterkraut *n*, Frauenminze *f* (*Chrysanthemum parthenium*). — ~ **heat** *s* **1.** *med.* Fieberhitze *f*. – **2.** *fig.* fiebernde Erregung.

fe·ver·ish ['fiːvəriʃ], *selten* '**fe·ver·ous** [-rəs] *adj* **1.** fieberkrank, fiebrig, Fieber...: she is ~ sie hat Fieber. – **2.** Fieber erregend *od.* erzeugend. – **3.** *fig.* fieberhaft, aufgeregt. — '**fe·ver·ish·ness** *s* Fieberhaftigkeit *f*.

'**fe·ver|ˌroot** *s bot.* Amer. Fieberwurz *f* (*Triosteum perfoliatum*). — ~ **sore** → **fever blister.** — '~ˌ**trap** *s* Fieberhöhle *f*, ungesunder Ort. — ~ **tree** *s bot.* **1.** → **blue gum** 1. – **2.** Weichhaarige Pinckneye (*Pinckneya pubens*). — '~ˌ**weed** *s bot.* (*eine*) Mannstreu (*Gattg Eryngium*), *bes.* Feld-Mannstreu *f*, Brachdistel *f* (*E. campestre*). — '~ˌ**wort** *s bot.* **1.** → **feverroot.** – **2.** 'Durchwachs *m* (*Eupatorium perfoliatum*).

few [fjuː] **I** *adj u. pron* (*immer pl*) **1.** wenige (*Gegensatz* **many**): a man of ~ words ein Mann von wenig Worten; some ~ einige wenige; we happy ~ wir wenigen Glücklichen; the labo(u)rers are ~ *Bibl.* der Arbeiter sind wenige. – **2.** a ~ einige, ein paar (*Gegensatz* **none**): he told me a ~ things er hat mir einiges erzählt; a good ~, quite a ~ ziemlich viele; a faithful ~ ein paar Getreue; every ~ days alle paar Tage; not a ~ nicht wenige, viele; only a ~ nur wenige. – **3.** the ~ die wenigen *pl*, die Minderheit (*Gegensatz* **the many**): the select ~ die Elite, die Auserwählten. – **II** *adv* **4.** *sl.* a ~ sehr (viel), ganz bestimmt. — '**few·er** *adj u. pron* weniger, eine geringere Anzahl: ~ people weniger Leute. — '**few·ness** *s* geringe (An)Zahl, Wenigkeit *f*.

fey [fei] *adj obs. od. Scot.* **1.** todgeweiht. – **2.** sterbend. – **3.** (welt)entrückt.

fez [fez] *pl* '**fez·zes** *s* Fes *m*, *n*.

fi·a·cre [fi'ɑːkər] *s* Fi'aker *m*.

fi·an·cé [fi'ɑ̃ːsei; ˌfiːɑːn'sei] *s* Verlobter *m*. — **fi·an·cée** [fi'ɑ̃ːsei; ˌfiːɑːn'sei] *s* Verlobte *f*.

Fi·an·na ['fiːənə], *auch* ~ **Eir·eann** ['ɛ(ə)rən] (*Irish*) *s pol.* Fenier *pl*. — ~ **Fail** [fɔːl] *s Partei de Valeras, gegründet 1927.*

fi·ar ['fiːər] *s Scot.* Lehenspächter *m*.

fi·as·co [fi'æskou] *pl* **-cos,** *auch* **-coes** *s* **1.** Fi'asko *n*, 'Mißerfolg *m*. – **2.** Bla'mage *f*, Reinfall *m*.

fi·at ['faiæt; -ət] **I** *s* **1.** Fiat *n*, Befehl *m*, (*göttlicher*) Machtspruch. – **2.** Bestätigung *f*, Zustimmung *f*, Ermächtigung *f*. – **II** *v/t* **3.** (*etwas*) bestätigen, gutheißen. — ~ **mon·ey** *s Am.* Pa'piergeld *n* ohne Deckung.

fib[1] [fib] **I** *s* (Not)Lüge *f*, kleiner Schwindel, Schwinde'lei *f*, Flunke'rei *f*: to tell a ~ flunkern. – **II** *v/i pret u. pp* **fibbed** schwindeln, flunkern. – *SYN. cf.* **lie**[1].

fib[2] [fib] **I** *v/t u. v/i pret u. pp* **fibbed** *sl.* ‚hauen', prügeln. – **II** *s* Schlag *m*.

fi·ber, *bes. Br.* **fi·bre** ['faibər] *s* **1.** *biol. tech.* Faser *f*, Fiber *f*, Faden *m*. – **2.** *collect.* Faserstoff *m*, -gefüge *n*, -gewebe *n*, Tex'tur *f*. – **3.** *fig.* Anlage *f*, (Ein)Schlag *m*, Cha'rakter(stärke *f*) *m*, Rückgrat *n*: of coarse ~ grobschlächtig. – **4.** (Wurzel)Faser *f*. — '~ˌ**board** *s tech.* Holzfaserplatte *f*. — '**F**~ˌ**glas** (*TM*) *s tech. Am.* Glaswolle *f*, -watte *f*.

fi·ber·less, *bes. Br.* **fi·bre·less** ['faibərlis] *adj* **1.** faserlos. – **2.** kraftlos.

fibr- [faibr] *Wortelement mit der Bedeutung* Faser.

fi·bre, ~**·board** *bes. Br. für* **fiber, fiberboard.**

fi·bre·less *bes. Br. für* **fiberless.**

fibri- [faibri; -brə] → **fibr-.**

fi·bri·form ['faibriˌfɔːrm; -brə-] *adj* faserförmig, -artig, faserig.

fi·bril ['faibril; -əl] *s* **1.** Fäserchen *n*, kleine Faser, Fi'brille *f*. – **2.** *bot.* Faserwurzel *f*. — **fi'bril·la** [-brilə] *pl* **-lae** [-liː] *s bot.* Fäserchen *n*. — '**fi·bril·lar,** '**fi·bril·lar·y** [*Br.* -ləri; *Am.* -ˌleri] *adj* feinfaserig, fibril'lär. — '**fi·brilˌlate** [-ˌleit] *adj* faserig. — ˌ**fi·bril'la·tion** *s* **1.** Faserbildung *f*, Faserung *f*. – **2.** *med.* Flimmern *n*, Flattern *n* (*Herzkammern*). — **fi'bril·liˌform** [-liˌfɔːrm; -lə-] *adj* faserförmig, Faser... — '**fi·brilˌlose** [-ˌlous], '**fi·bril·lous** *adj* befasert, faserig.

fi·brin ['faibrin] *s* **1.** *chem.* Fi'brin *n*, Blutfaserstoff *m*. – **2.** *auch* **plant** ~, **vegetable** ~ *bot.* Pflanzenfaserstoff *m*. — ˌ**fi·bri'na·tion** *s med.* krankhafte Vermehrung des Blutfaserstoffs. — **fi'brin·o·gen** [-ədʒən] *s chem.* Fibrino'gen *n*. — ˌ**fi·brin·o'gen·ic** [-ə'dʒenik], *auch* ˌ**fi·bri'nog·e·nous** [-'nɒdʒənəs] *adj chem.* Fi'brin bildend.

fi·bri·no·ly·sin [ˌfaibrino'laisin; -'nɒlisin] *s chem.* Fibrinoly'sin *n*. — ˌ**fi·brin'ol·y·sis** [-'nɒlisis] *s chem.* Fibrino'lyse *f*.

fi·brin·ous ['faibrinəs] *adj* aus Fi'brin bestehend, fi'brinähnlich, -artig, fibri'nös, Fibrin...

fibro- [faibro] → **fibr-.**

fi·bro·car·ti·lage [ˌfaibro'kɑːrtilidʒ; -tə-] *s med.* Faserknorpel *m*. — ˌ**fi·broˌcar·ti'lag·i·nous** [-'lædʒənəs] *adj* faserknorpelig.

fi·broid ['faibrɔid] **I** *adj* **1.** faserartig, -ähnlich, Faser... – **2.** aus Fasern bestehend. – **II** *s* **3.** *med.* Fasergeschwulst *f*.

fi·bro·in ['faibroin] *s chem.* Fibro'in *n*.

fi·bro·lite ['faibroˌlait; -brə-] *s min.* Faserkiesel *m*, Silima'nit *m* (Al_2SiO_5).

fi·bro·ma [fai'broumə] *pl* **-ma·ta** [-mətə], **-mas** *s med.* Fi'brom *n*, Fasergeschwulst *f*. — **fi'bro·sis** [-sis] *s med.* 'übermäßige Entwicklung von Bindegewebsfasern, Fi'brosis *f*. — ˌ**fi·bro'si·tis** [-bro'saitis; -brə-] *s med.* Bindegewebsentzündung *f*, 'Muskelrheumaˌtismus *m*.

fi·brous ['faibrəs] *adj* **1.** faserig, fi'brös, faserähnlich, -artig. – **2.** *tech.* sehnig (*Metall*).
fi·bro·vas·cu·lar [ˌfaibro'væskjulər; -kjə-] *adj bot.* Fasern u. Gefäße enthaltend, 'fibrovaˌsal.
fib·ster ['fibstər] *s colloq.* Flunkerer *m*, Schwindler *m*.
fib·u·la ['fibjulə] *pl* **-lae** [-ˌliː], **-las** *s* **1.** *biol.* Wadenbein *n*. – **2.** *antiq.* Fibel *f*, Spange *f*. — '**fib·u·lar** *adj med.* fibu'lar.
-fic [fik] *Suffix mit der Bedeutung* machend, erzeugend, verursachend.
-fication [fikeiʃən; fə-] *Suffix in Substantiven mit der Bedeutung* Machen, Erzeugen, Verursachen.
fice [fais] → **feist**.
fi·celle [fi'sel] *adj* fadenfarbig.
fich·u ['fiʃuː] *s* Hals-, Busentuch *n*, Fi'chu *n*.
fick·le ['fikl] *adj* unbeständig, wankelmütig, veränderlich, launisch. – *SYN. cf.* **inconstant**. — '**fick·le·ness** *s* Unbeständigkeit *f*, Wankelmut *m*.
fi·co ['fiːkou] *pl* **-coes** *s* Mumpitz *m*, Nichtigkeit *f*.
fic·tile [*bes. Br.* 'fiktail; *Am.* -tl] *adj* **1.** formbar, plastisch. – **2.** (kunstvoll) geformt. – **3.** tönern, irden, Töpferei..., Töpfer...: ~ **art** Töpferkunst, Keramik; ~ **ware** Steingut.
fic·tion ['fikʃən] *s* **1.** (freie) Erfindung, Dichtung *f*. – **2.** *collect.* Er'zählungs-, 'Prosa-, Ro'manliteraˌtur *f*: **work of ~** Roman. – **3.** *collect.* Ro'mane *pl*, Prosa *f* (*eines Autors*). – **4.** *jur. philos.* Fikti'on *f*, (bloße) Annahme, ‚Als ob' *n*. – **5.** (*etwas*) frei Erfundenes, Fabel *f*, Märchen *n*. – **6.** Erfinden *n*. — '**fic·tion·al** *adj* **1.** erdichtet, erfunden. – **2.** Roman..., Erzählungs... — '**fic·tion·er**, '**fic·tion·ist** *s* **1.** Geschichtenerzähler(in). – **2.** Ro'man-, Prosaschriftsteller(in).
fic·ti·tious [fik'tiʃəs] *adj* **1.** (frei) erfunden, nicht den Tatsachen entsprechend, nicht hi'storisch echt, gefälscht: **a ~ character** eine erfundene Person. – **2.** unwirklich, Phantasie... – **3.** ro'manhaft, Fabel..., Roman... – **4.** *jur. philos.* fik'tiv, fin'giert, (bloß) angenommen, Schein...: ~ **bill** *econ.* Reit-, Kellerwechsel. – **5.** nachgemacht, unecht, falsch: ~ **name** Deckname. – *SYN.* **apocryphal, fabulous, legendary, mythical**. — **fic'ti·tious·ness** *s* Unechtheit *f*, Falschheit *f*.
fic·ti·tious per·son *s jur.* ju'ristische Per'son.
fic·tive ['fiktiv] *adj* **1.** ersonnen, erdichtet, angenommen, fik'tiv, imagi'när. – **2.** schöpferisch begabt, Roman..., Erzähler..., Erfindungs...
fid [fid] *mar.* **I** *s* **1.** Schloß-, Schlotholz *n*: ~ **of the top mast** Stütze des Topmastes. – **2.** *auch* **splicing ~**, **~pin** Fid *m*, Splißhorn *n*, Marlspieker *m* (*zum Öffnen von Tausträhnen*). – **3.** Stützholz *n*, -klotz *m*, dicker Keil. – **II** *v/t pret u. pp* '**fid·ded 4.** mit einem Schloßholz *etc* befestigen.
-fid [fid] *Suffix mit der Bedeutung* geteilt, gespalten.
fid·dle ['fidl] **I** *s* **1.** *mus. colloq.* Fiedel *f*, Geige *f*: **to play (on) the ~** Geige spielen; **to play first (second) ~** die erste (zweite) Geige spielen (*auch fig.*); **to hang up one's ~ when one comes home** seine gute Laune an den Nagel hängen, wenn man heimkommt; auswärts geistreich u. zu Hause langweilig sein; **fit as a ~** a) kerngesund, b) ‚quietschvergnügt', (in) bester Laune; **to have a face as long as a ~** ein Gesicht machen, als wäre einem die Petersilie verhagelt. – **2.** *mar.* Schlingerbort *n*. – **II** *v/i* **3.** *auch* ~ **away** *colloq.* fiedeln, geigen. – **4.** *auch* ~ **around** (her'um)tändeln, spielen (with mit). – **III** *v/t* **5.** *colloq.* (*Melodie*) fiedeln. – **6.** *meist* ~ **away** *sl.* (*Zeit*) ‚verplempern', vergeuden. – **IV** *interj* **7.** Unsinn! dummes Zeug! — '**~ˌback** *adj u. s* geigenförmig(er Gegenstand). — **~ bow** *s mus.* Fiedel-, Geigenbogen *m*. — **~ case** *s* Geigenkasten *m*. — ˌ**~-de-'dee**, *auch* ˌ**~·dee'dee** [-di'diː] *interj* Unsinn! — '**~-ˌfad·dle** [-ˌfædl] **I** *s* **1.** Kleinigkeit *f*, Lap'palie *f*. – **2.** Unsinn *m*. – **II** *v/i* **3.** (dummes Zeug) schwatzen. – **4.** die Zeit vertrödeln. – **III** *adj* **5.** tändelnd, geschwätzig, läppisch. – – **IV** *interj* **6.** Unsinn! — '**~ˌhead** *s mar.* Gali'onsfiˌgur *f*.
fid·dler ['fidlər] *s* **1.** Fiedler *m*, Geiger *m*: **to pay the ~** *bes. Am. sl.* ‚berappen', ‚blechen', die Zeche bezahlen; **F~'s Green** Seemannsparadies (*Lokal für Seeleute*). – **2.** Tändler *m*, Müßiggänger *m*. – **3.** → ~ **crab**. — **~ crab** *s zo.* Winkerkrabbe *f* (*Gattg Uca*).
'**fid·dle|ˌstick I** *s* **1.** *mus.* Fiedel-, Geigenbogen *m*. – **2.** *fig.* nichtiges Zeug, (*etwas*) Wertloses. – **II** *interj* **3.** *pl* Unsinn! — '**~ˌwood** *s bot.* Geigen-, Leierholz *n* (*Gattg Citharexylum*).
fid·dley ['fidli] *pl* **-dleys, -dlies** *s mar.* 'Schornsteinˌumbau *m*, Oberheizraum *m* (*Schiff*).
fid·dling ['fidliŋ] *adj* läppisch, trivi'al, unnütz, geringfügig.
fi·de·i·com·mis·sar·y [*Br.* ˌfaidiai'kɒmisəri; *Am.* -məˌseri] *jur.* **I** *s* Empfänger *m* eines 'Fideikomˌmisses. – **II** *adj* Fideikommiß... — ˌ**fi·de·i·com'mis·sum** [-kə'misəm] *pl* **-sa** [-sə] *s jur.* 'Fideikomˌmiß *n*.
Fi·de·i De·fen·sor ['faidiˌai di'fensɔːr] (*Lat.*) *s* Verteidiger *m* des Glaubens (*Titel der engl. Könige*).
fi·del·i·ty [fai'deliti; -əti; fi'd-] *s* **1.** (Pflicht)Treue *f* (to gegenüber, zu). – **2.** Aufrichtigkeit *f*, Ehrlichkeit *f*. – **3.** Genauigkeit *f*, genaue Über'einstimmung (*mit den Tatsachen*). – **4.** *tech.* genaue *od.* getreue 'Wiedergabe: **a high-~ receiver**. – *SYN.* **allegiance, devotion, fealty, loyalty, piety**. — **~ bond** *s econ.* Ver'trauensˌschadenskautiˌon *f*. — **~ in·sur·ance** *s econ.* Ver'trauensˌschadensverˌsicherung *f*.
fidg·et ['fidʒit], *dial. auch* **fidge** [fidʒ] **I** *s* **1.** *oft pl* ner'vöse Unruhe. – **2.** ‚Zappelphilipp' *m*, unruhiger Mensch. – **3.** Zappeln *n*. – **4.** (Kleider)Rascheln *n*. – **II** *v/t* **5.** beunruhigen, ner'vös machen. – **III** *v/i* **6.** (her'um)zappeln, unruhig *od.* ner'vös sein. — '**fidg·et·i·ness** *s* (ner'vöse) Unruhe, (Herˌum)Zappe'lei *f*. — '**fidg·et·y** *adj* unruhig, ner'vös, kribbelig, zappelig.
fid hole *s mar.* Schloßholzgatt *n*.
fid·i·a ['fidiə] *s zo.* Blattkäfer *m* (*Gattg Fidia*).
fid·i·bus ['fidibəs] *s Br.* Fidibus *m*.
Fi·do, FI·DO ['faidou] *s aer. ein Verfahren zur Bodenentnebelung.*
fi·du·cial [fi'djuːʃiəl; -ʃəl; -'duː-] *adj* **1.** *astr. phys.* Vergleichs... – **2.** vertrauend, vertrauensvoll. — **fi'du·ci·ar·y** [*Br.* -ʃiəri; *Am.* -ʃiˌeri] *jur.* **I** *s* **1.** Treuhänder *m*, Vertrauensmann *m*. – **II** *adj* **2.** anvertraut, Treuhänder..., Vertrauens... – **3.** *econ.* fiduzi'är, ungedeckt (*Noten*).
fi·dus A·cha·tes ['faidəs ə'keitiːz] (*Lat.*) *s* **1.** der getreue A'chates. – **2.** treuer Freund.
fie [fai] *interj oft* ~ **upon you!** pfui! schäm dich!
fief [fiːf] *s jur.* Lehen *n*, Lehngut *n*.
field [fiːld] **I** *s* **1.** *agr.* Feld *n*, Acker(land *n*) *m*: ~ **of barley** Gerstenfeld. – **2.** *min.* Flöz *n*: **coal ~**. – **3.** *fig.* Bereich *m*, (Sach-, Fach)Gebiet *n*: **in his ~** auf seinem Gebiet, in seinem Fach. – **4.** a) (weite) Fläche, b) *math. phys.* Feld *n*: **a wide ~ of vision** ein weites Blick- *od.* Gesichtsfeld; → **magnetic ~**. – **5.** *her.* Feld *n*, Grundfläche *f*. – **6.** *sport* a) Sportfeld *n*, Spielfeld *n*, -fläche *f*, b) *Gesamtheit od. Hauptmasse der beteiligten Spieler od. Pferde*, c) (*Baseball, Kricket*) 'Fängerparˌtei *f*: **good ~** starke u. gute Besetzung; **fair ~ and no favo(u)r** gleiche Bedingungen für alle (*auch fig.*). – **7.** *mil.* a) *meist poet.* Schlachtfeld *n*, (Feld)Schlacht *f*, b) Feld *n*: **a hard-fought ~** eine heiße Schlacht; **in the ~** im Felde, an der Front; **to take (keep) the ~** den Kampf eröffnen (aufrechterhalten); **to hold the ~** das Feld behaupten; **to leave s.o. in possession of the ~** j-m das Feld räumen; **out in the ~** *Am. colloq.* nicht in Washington stationiert. – **8.** *mil.* a) *aer.* Flugplatz *m*, b) Feld *n* (*im Geschützrohr*). – **9.** *bes. psych. sociol.* Praxis *f*, Empi'rie *f*, Wirklichkeit *f* (*Gegensatz: wissenschaftliche Theorie*). – **10.** *econ.* Außendienst *m*, (praktischer) Einsatz (*Gegensatz: Innendienst, Verwaltungsarbeit*): **large returns from agents in the ~** großer Umsatz von Vertretern im Außendienst. – **II** *v/t* **11.** (*Baseball, Kricket*) a) (*Ball*) auffangen u. zu'rückwerfen, b) (*Spieler der Schlägerpartei*) im Feld aufstellen. – **III** *v/i* **12.** (*Baseball, Kricket*) bei der 'Fängerparˌtei sein. – **IV** *adj* **13.** *mil.* Feld..., Front..., Truppen... – **14.** *sport* Feld(sport)...
field| ar·til·ler·y *s mil.* 'Feldartilleˌrie *f*. — **~ bag** *s mil.* Brotbeutel *m*, Feldtasche *f*. — **~ base** *s* (*Baseball*) Laufmal *n*. — **~ bas·il** *s bot.* Wirbeldost *m* (*Satureja vulgaris; europ. Labiate*). — **~ bat·ter·y** *s mil.* 'Feldbatteˌrie *f*. — **~ clerk** *s mil.* Mili'tärschreiber *m*. — **~ coil** *s electr.* Feld-, Erregerspule *f*. — **~ col·o(u)rs** *s mil.* Mar'kierfahne *f*. — **~ corn** *s agr. Am.* Mais *m* (*als Viehfutter*). — **~ crick·et** *s zo.* (*eine*) Grille (*Gattungen Gryllus u. Nemobius*), *bes.* Feldgrille *f* (*G. campestris*). — **~ cy·press** *s bot.* Gelbblütiger Günsel (*Ajuga chamaepitys*). — **~ day** *s* **1.** Sportfest *n*, Exkursi'onstag *m*. – **2.** *fig.* ereignisreicher Tag, Galatag *m*: **he had a ~** er konnte sich erfolgreich betätigen. – **3.** *mil.* Felddienstübung *f*, Truppenbesichtigung *f*. — **~ dog** *s* Jagdhund *m*. — **~ dress·ing** *s mil.* Notverband *m*, Verbandpäckchen *n*: **~ station** Verbandplatz. — **~ driv·er** *s Am.* Feldhüter *m*, Viehaufseher *m*. — **~ duck** *s zo.* Zwergtrappe *f* (*Tetrax tetrax*). — **~ en·gi·neers** *s pl mil. Br.* leichte Pio'niertruppe(n *pl*). — **~ e·quip·ment** *s mil.* feldmarschmäßige Ausrüstung.
field·er ['fiːldər] *s* (*Kricket, Baseball*) **1.** Spieler, der den Ball fängt u. zu'rückwirft. – **2.** Feldspieler *m*. – **3.** *pl* 'Fangparˌtei *f*.
field·er's choice *s* (*Baseball*) *Versuch eines* **fielder**, *einen anderen Spieler als den Schläger aus dem Spiel zu bringen.*
field| e·vents *s pl sport Br.* Sprung- u. Wurfwettkämpfe *pl*. — **~ ex·er·cise** *s mil.* Felddienst-, Truppenübung *f* (*bis einschließlich Divisionsebene*). — '**~ˌfare** *s zo.* Wa'cholderdrossel *f* (*Turdus pilaris*). — **~ fir·ing** *s mil.* Gefechtsschießen *n*. — **~ glass** *s* Feldglas *n*, -stecher *m*. — **~ gun** *s mil.* 'Feldgeschütz *n*, -kaˌnone *f*. — **~ hock·ey** *s sport* (Rasen)Hockey *n*. — **~ hos·pi·tal** *s mil.* 'Kriegslazaˌrett *n*. — **~ ice** *s* Feldeis *n*. — **~ in·ten·si·ty** *s math. phys.* Feldstärke *f*. — **~ kitch·en** *s mil.* Feldküche *f*. — **~ lark** *s zo.* Feldlerche *f* (*Alauda arvensis*). — **~ mad·der** *s bot.* Ackerröte *f* (*Sherardia arvensis*). — **~ mag·net** *s phys.* 'Feldmaˌgnet *m*.

— ~ **map** *s* Flurkarte *f*. — ~ **marshal** *s mil*. 'Feldmar,schall *m*. — ~ **mouse** *s irr zo*. **1.** Wiesenmaus *f* (*Microtus pennsylvanicus*). – **2.** Feldmaus *f* (*Microtus agrestis*). — ~ **music** *s mar. mil*. **1.** Spielmannszug *m* aus (Si'gnal)Hor,nisten u. Trommlern. – **2.** Ge'fechtssi,gnale *pl*, 'Marschmu,sik *f* (*von* 1). — ~ **night** *s pol. Br.* entscheidende *od.* wichtige Sitzung *od.* De'batte. — ~ **of·fi·cer** *s mil.* 'Stabsoffi,zier *m* (*Major bis Oberst*). — ~ **of force** *s phys.* Kraftfeld *n*. — ~ **of hon·o(u)r** *s* **1.** Feld *n* der Ehre. – **2.** Du'ellplatz *m*. — ~ **pack** *s mil.* Marschgepäck *n*, Tor'nister *m*. — '~,**piece** *s mil.* Feldgeschütz *n*. — ~ **ra·tion** *s mil.* 'Feldverpflegung *f*, -rati,on *f*. — ~ **rush** *s bot.* Marbel *f*, Hainsimse *f* (*Gattg Luzula*).

'**fields·man** [-mən] *s irr* → fielder.

field| span·iel *s* Feldspaniel *m* (*für die Jagd*). — ~ **spar·row** *s zo.* (*ein*) amer. Sperling *m* (*Spizella pusilla*). — ~ **sports** *s pl* Sport *m od.* Vergnügungen *pl* im Freien (*bes. Jagen, Fischen*). — ~ **train·ing** *s mil.* Geländedienst *m*, -ausbildung *f*. — ~ **tri·al** *s hunt.* Hundeprobe *f*. — ~ **trip** *s ped.* Schulausflug *m*, Studienfahrt *f*, -reise *f*, Exkursi'on *f*. — ~ **wind·ing** *s electr.* Erreger-, Feldwicklung *f*. — '~,**work** *s mil.* **1.** Feldbefestigung *f*, -schanze *f*. – **2.** Schanzarbeit *f*. — ~ **work** *s* **1.** Arbeit *f* im Gelände. – **2.** praktische (wissenschaftliche) Arbeit, praktischer Einsatz. – **3.** *bes. econ.* Außendienst *m*, -einsatz *m*.

fiend [fi:nd] *s* **1.** Satan *m*, Teufel *m*. – **2.** böser Geist, Furie *f*, Unhold *m*. – **3.** Teufel(in), teuflischer Mensch. – **4.** *sl.* Quälgeist *m*, lästiger Mensch. – **5.** *sl.* a) Süchtige(r), Besessene(r): **an opium** ~, b) Fex *m*, Narr *m*, Fa'natiker *m*: **a golf** ~, c) ,Größe' *f*, ,Ka'none' *f*. — '**fiend·ish** *adj* teuflisch, unmenschlich. — '**fiend·ish·ness** *s* teuflische Bosheit, Grausamkeit *f*. — '**fiend,like** *adj* teuflisch.

fierce [firs] *adj* **1.** wild, grimmig, wütend. – **2.** stürmisch, heftig: ~ **winds**. – **3.** hitzig, verbissen, leidenschaftlich, brennend: ~ **desire**. – **4.** *tech.* hart. – **5.** *sl.* sehr schlecht, ,fies', widerlich: **a** ~ **character**. – *SYN.* **barbarous, cruel, ferocious, inhuman, savage, truculent.** — '**fierce·ness** *s* **1.** Wildheit *f*, Grimm *m*, Grimmigkeit *f*, Wut *f*. – **2.** Ungestüm *n*, Heftigkeit *f*.

fi·e·ri fa·ci·as ['faiə,rai 'feiʃi,æs] (*Lat.*) *s jur.* 'Zwangsvoll,streckungsbe,fehl *m*.

fi·er·i·ness ['fai(ə)rinis] *s* Hitze *f*, Feuer *n*. — '**fi·er·y** *adj* **1.** brennend, feurig, Feuer... – **2.** heiß, glühend. – **3.** *fig.* feurig, heftig, hitzig, leidenschaftlich. – **4.** feuergefährlich. – **5.** *med.* entzündet. – **6.** (*Bergbau*) schlagwetterführend.

fi·es·ta [fi'estə] *s* Fi'esta *f*, Feier-, Festtag *m*.

fife [faif] *mus.* **I** *s* (Quer)Pfeife *f*. – **II** *v/t u. v/i* (*auf der Querpfeife*) pfeifen. — ~ **rail** *s mar.* Nagelbank *f*.

fif·teen ['fif'ti:n] **I** *adj* **1.** fünfzehn. – **II** *s* **2.** (*die*) Fünfzehn. – **3.** *colloq.* Rugby-Fußballmannschaft *f*. – **4. the** F~ *der jakobitische Aufstand des Jahres 1715.* — '**fif'teenth** [-'ti:nθ] **I** *adj* **1.** fünfzehnt(er, e, es). – **II** *s* **2.** (*der, die, das*) Fünfzehnte. – **3.** *math.* Fünfzehntel *n*. – **4.** *hist.* (*der*) Fünfzehnte (*eine Steuer*).

fifth [fifθ] **I** *adj* **1.** fünft(er, e, es): → **rib** 1. – **II** *s* **2.** (*der, die, das*) Fünfte. – **3.** *math.* Fünftel *n*. – **4.** *mus.* Quinte *f*. — ~ **col·umn** *s pol.* Fünfte Ko'lonne. — ,~-'**col·umn** *adj* die Fünfte Ko'lonne betreffend. — ~ **col·umn·ist** *s* Mitglied *n* der Fünften Ko'lonne.

fifth·ly ['fifθli] *adv* fünftens.

Fifth| Mon·ar·chy *s hist.* Fünfte (univer'sale) Monar'chie: ~ **Men** (*im 17. Jh.*) *fanatische Anhänger des Glaubens an den baldigen Anbruch des Reiches Christi.* — **f**~ **wheel** *s* **1.** fünftes (Ersatz)Rad (für ein vierrädriges Fahrzeug). – **2.** *fig.* ,fünftes Rad am Wagen', 'überflüssige Per'son *od.* Sache. – **3.** *tech.* Dreh(schemel)ring *m* der Vorderachse.

fif·ty ['fifti] **I** *adj* fünfzig: **I have** ~ **things to tell you** ich habe dir hunderterlei zu erzählen. – **II** *s* Fünfzig *f*: **in the fifties** in den Fünfzigern *od.* fünfziger Jahren. — '~-'**fif·ty** *adj u. adv colloq.* halbpart, halb u. halb, zu gleichen Teilen, fifty-fifty.

fig[1] [fig] *s* **1.** *bot.* Feigenbaum *m* (*Gattg Ficus, bes. F. carica*). – **2.** *bot.* Feige *f*. – **3.** *bot. eine Pflanze mit feigenartigen Früchten.* – **4.** *fig. verächtliche od. geringschätzige Geste.* – **5.** *fig.* Kleinigkeit *f*, Wertloses *n*, Pfifferling *m*: **I would not give a** ~ **for it** ich würde keinen Deut dafür geben; **a** ~ **for** was frag' ich nach, zum Teufel mit; → **care** 9.

fig[2] [fig] **I** *s colloq.* **1.** Kleidung *f*, Ausrüstung *f*, Gala *f*: **in full** ~ in vollem Wichs. – **2.** Form *f*, Zustand *m*. – **II** *v/t pret u. pp* **figged 3.** *meist* ~ **out** her'ausputzen, anziehen. – **4.** *meist* ~ **up** ausstatten. – **5.** ~ **out**, ~ **up** (*Pferd*) munter machen.

fig| ba·nan·a *s bot.* (westindische) kleine Ba'nane. — ~ **dust** *s* feines Hafermehl (*Vogelfutter*). — '~,**eat·er** *s zo.* Glänzender Feigenkäfer (*Cotinis nitida*).

fight [fait] **I** *s* **1.** *mil.* Kampf *m*, Gefecht *n*, Treffen *n*. – **2.** Kampf *m*, Kon'flikt *m*, Schläge'rei *f*, Boxe'rei *f*, Streit *m*: **sham** ~ Manöver, Scheingefecht; **stand-up** ~ offener u. regelrechter Kampf; **to make (a)** ~ (**for s.th.**) (um etwas) kämpfen; **to put up a (good)** ~ einen (guten) Kampf liefern, *fig.* sich einsetzen. – **3.** Kampffähigkeit *f*, Kampf(es)lust *f*: **to show** ~ sich zur Wehr setzen, kampflustig sein; **there was no** ~ **left in him** er war kampfunfähig *od.* geschlagen. – **4.** *mar. hist.* Schott *n*, Wand *f*. – **II** *v/t pret u. pp* **fought** [fɔ:t] **5.** *mil.* (*Krieg*) führen (**against, with** mit *od.* gegen). – **6.** (*j-n, etwas*) bekämpfen, bekriegen, kämpfen gegen. – **7.** a) (aus)fechten, austragen, schlagen, liefern, b) verfechten, verteidigen: **to** ~ **it out** es ausfechten; → **battle** *b. Redw.*; **duel** 1. – **8.** durch Kampf gewinnen *od.* behaupten, erkämpfen: **to** ~ **one's way** seinen Weg machen, sich durchschlagen. – **9.** sich boxen *od.* schlagen mit, kämpfen mit *od.* gegen. – **10.** (*Hund etc*) kämpfen lassen, zum Kampf an- *od.* aufstacheln. – **11.** (*Truppen, Geschütze etc*) komman'dieren, ins Gefecht führen. – **III** *v/i* **12.** kämpfen, fechten, sich schlagen: **to** ~ **shy of (s.o.)** (j-m) aus dem Weg gehen, (j-n) meiden. – **13.** sich raufen, sich boxen.

fight·er ['faitər] *s* **1.** Kämpfer *m*, Fechter *m*, Streiter *m*. – **2.** Schläger *m*, Boxer *m*, Raufbold *m*. – **3.** *aer. mil.* Jagdflugzeug *n*, Jäger *m*: ~ **group** *Br.* Jagdgeschwader, *Am.* Jagdgruppe; ~ **pilot** Jagdflieger; ~ **wing** *Br.* Jagdgruppe, *Am.* Jagdgeschwader. — '~-'**bomb·er** *s aer. mil.* Jagdbomber *m*, Jabo *m*.

fight·ing| chance ['faitiŋ] *s* Gewinnchance *f*, Aussicht *f* auf Erfolg. — ~ **cock** *s* Kampfhahn *m* (*auch fig.*). — ~ **fish** *s zo.* (*ein*) Kampffisch *m* (*Gattg Betta*). — ~ **forc·es** *s pl mil.* Kampftruppe *f*. — ~ **top** *s mar.* Gefechtsmars *m*.

fig| leaf *s irr* **1.** Feigenblatt *n* (*auch fig. humor.*). – **2.** *fig.* Beschönigung *f*. — ~ **mar·i·gold** *s bot.* (*eine*) Mittagsblume (*Gattg Mesembryanthemum*).

fig·ment ['figmənt] *s* **1.** Pro'dukt *n* der Einbildung, (reine) Erdichtung. – **2.** erfundene *od.* vorgetäuschte Geschichte *od.* Theo'rie.

'**fig-,tree** *s* Feigenbaum *m*: **under one's vine and** ~ sicher unterm eignen Dach *od.* am eignen Herd.

fig·u·line ['figjulin] *s tech.* **1.** Töpferton *m*. – **2.** irdenes Gefäß. – **3.** 'Tonstatu,ette *f*.

fig·u·rant ['figju,rænt] *s* Figu'rant *m*: a) (*Theater*) 'Nebenfi,gur *f*, Sta'tist *m*, b) (*Ballett*) Chortänzer *m*. — ,**fig·u'rante** [-'rænt] *s* Figu'rantin *f*: a) (*Theater*) Sta'tistin *f*, b) (*Ballett*) Chortänzerin *f*.

fig·ur·ate ['figju(ə)rit; -jə-] *adj* **1.** *math.* figu'riert, polygo'nal. – **2.** *mus.* figu'riert, verziert, Figural... — ,**fig·ur'a·tion** *s* **1.** Form-, Gestaltgebung *f*, Gestaltung *f*, Bildung *f*. – **2.** Form *f*, Gestalt *f*. – **3.** bildliches Darstellen. – **4.** bildliche Darstellung. – **5.** Ausschmückung *f*, Verzierung *f*. – **6.** *mus.* Figurati'on *f*, Verzierung *f*. — '**fig·ur·a·tive** [-rətiv] *adj* **1.** bildlich, über'tragen, fi'gürlich, meta'phorisch. – **2.** bilderreich, blühend (*Stil*). – **3.** sym'bolisch. — '**fig·ur·a·tive·ness** *s* Bildlichkeit *f*, Fi'gürlichkeit *f*, Bilderreichtum *m*.

fig·ure [*Br.* 'figə; *Am.* 'figjər] **I** *s* **1.** Zahl(zeichen *n*) *f*, Ziffer *f*: **the cost runs into three** ~**s** die Kosten gehen in die Hunderte. – **2.** Preis *m*, Betrag *m*, Summe *f*: **at a low** ~ billig. – **3.** *pl* Rechnen *n*, Zählen *n*, 'Umgehen *n* mit Zahlen: **he is good at** ~**s** er weiß mit Zahlen umzugehen. – **4.** Fi'gur *f*, Form *f*, Gestalt *f*, Aussehen *n*: **to keep one's** ~ die Figur nicht verlieren, schlank bleiben. – **5.** *fig.* Fi'gur *f*, bemerkenswerte Erscheinung, wichtige Per'son, Per'sönlichkeit *f*: **to cut** (*od.* **make**) **a poor** (**brilliant**) ~ eine armselige (hervorragende) Rolle spielen *od.* Figur machen. – **6.** Darstellung *f* der menschlichen Fi'gur, Bild *n*, Statue *f*. – **7.** Sym'bol *n*, Typus *m*. – **8.** ('Sprach)Fi,gur *f*, Redewendung *f*. – **9.** (Stoff)Muster *n*. – **10.** (*Tanz, Eislauf*) ('Tanz)Fi,gur *f*, Tour *f*. – **11.** *mus.* a) Fi'gur *f*, b) (Baß)Bezifferung *f*. – **12.** Fi'gur *f*, Dia'gramm *n*, Zeichnung *f*. – **13.** (*Logik*) 'Schlußfi,gur *f*. – **14.** *phys.* Krümmung *f* einer Linse, *bes.* Spiegel *m* eines Tele'skops. – **15.** Illustrati'on *f*, Tafel *f*, Abbildung *f* (*im Buch*). – **16.** *obs.* Illusi'on *f*. – *SYN. cf.* **form.** – **II** *v/t* **17.** bilden, formen, gestalten. – **18.** a) abbilden, abzeichnen, bildlich darstellen, b) *oft* ~ **to oneself** sich (im Geist) vorstellen. – **19.** mit Fi'guren schmücken. – **20.** *tech.* mustern, blümen. – **21.** sym'bolisch darstellen, fi'gürlich gebrauchen. – **22.** mit *od.* in Zahlen angeben, kalku'lieren: **to** ~ **a graduation** *tech.* eine Teilung beziffern. – **23.** ~ **out** *Am. colloq.* a) ausrechnen, lösen, b) verstehen, begreifen. – **III** *v/i* **24.** *meist* ~ **out** *sl.* ausrechnen, berechnen, erklären, verstehen. – **25.** *Am. colloq.* meinen, glauben: **I** ~ **he will do it** ich glaube, er wird es tun. – **26.** *Am.* (**on**) a) zählen (auf *acc*), rechnen (mit), b) beabsichtigen, ins Auge fassen (*acc*). – **27.** einen guten Klang haben (*Name*), Ansehen genießen. – **28.** erscheinen, auftreten, eine Rolle spielen: **to** ~ **large** eine große Rolle spielen. – **29.** rechnen.

fig·ured [*Br.* 'figəd; *Am.* -gjərd] *adj* **1.** geformt, gebildet, gestaltet: ~ **iron** Profil-, Formeisen; ~ **wire** Fassondraht. – **2.** durch ein Bild *od.* eine

Statue dargestellt. – 3. verziert, gemustert. – 4. *mus.* a) figu'riert, verziert, b) beziffert: ~ **bass** Generalbaß. – 5. figura'tiv, bildlich, bilderreich (*Stil, Sprache*). – 6. Figuren...: ~ **dance**.

'fig·ure|-'eight knot *s mar.* Achterstich *m*, -steek *m.* — **'~,head** *s* 1. Strohmann *m.* – 2. *mar.* Gali'ons-, 'Bugfi,gur *f.* — **~ of eight** *s* 1. *auch* ~ **knot** → **figure-eight knot**. – 2. *auch* ~ **bandage** *med.* Achtertour(enverband *m*) *f.* — **~ of speech** *s* 'Sprachfi,gur *f*, Redewendung *f.* — **~ skat·ing** *s sport* Eiskunstlauf *m*: ~ **by pairs** Paarlaufen. — **~ stamp** *s tech.* Zahlenpunze *f.*

fig·u·rine [,figju(ə)'ri:n; -jə'r-] *s* kleine Me'tall- *od.* 'Tonfi,gur, Figu'rine *f.*

'fig,wort *s bot.* Braunwurz *f* (*Gattg Scrophularia*).

fikh [fik] *s* Fikh *n* (*religiöse Pflichtenlehre des Islam*).

fil·a·gree ['filə,gri:] → **filigree**.

fil·a·ment ['filəmənt] *s* 1. Faden *m*, Fädchen *n*, Draht *m*, Faser *f*, Fäserchen *n.* – 2. *bot.* Staubfaden *m.* – 3. *electr.* (Glüh-, Heiz)Faden *m*: ~ **battery** Heizbatterie, -sammler; ~ **circuit** Heizkreis. – 4. *zo.* Fahne *f* einer Flaumfeder. – 5. *med.* (U'rin)-Faden *m.* — **,fil·a'men·ta·ry** [-'mentəri] *adj* faserartig, -förmig. — **,fil·a'men·toid, ,fil·a'men·tose** [-tous] → **filamentous**.

fil·a·men·tous [,filə'mentəs] *adj* 1. faserig, fi'brös. – 2. faserähnlich, -förmig, -artig. – 3. Fasern... – 4. *bot.* Staubfäden tragend, Faden...: ~ **fungi** Fadenpilze. – 5. *biol.* haarfaserig. — **,fil·a'men·tule** [-tju:l; -tʃ-] *s zo.* Bart *m* einer Flaumfeder.

fi·lan·ders [fi'lændərz] *s pl vet. Fadenwurmkrankheit der Falken.*

fi·lar ['failər] *adj* Faden...: ~ **substance** *biol.* Fädchensubstanz, Zellgerüst, Interfilarmasse. — **fi·lar·i·a** [fi'lɛ(ə)riə] *pl* **-i·ae** [-i,i:] *s zo.* Fi'laria *f*, Fadenwurm *m* (*Gattg Filaria*). — **fi'lar·i·al** *adj* 1. *zo.* zu den Fadenwürmern gehörig, Fadenwurm... – 2. *med.* Filariasis... — **fil·a·ri·a·sis** [,filə'raiəsis] *s med.* Filari'asis *f*, Fadenwurmbefall *m.*

fil·a·ture ['filətʃər] *s tech.* 1. (Faden)-Spinnen *n*, Abhaspeln *n* der Seide. – 2. (Seiden)Haspel *f.* – 3. ,Seidenspinne'rei *f.*

fil·bert ['filbərt] *s bot.* 1. Haselnußstrauch *m* (*Corylus avellana*). – 2. Hasel-, Lambertsnuß *f* (*Corylus maxima*).

filch [filtʃ] *v/t u. v/i* entwenden, ,mausen', ,sti'bitzen'. – *SYN. cf.* steal. — **'filch·er** *s* Dieb *m.*

file[1] [fail] **I** *s* 1. (Brief-, Pa'pier-, Doku'menten)Ordner *m*: **to place on** ~ in einen Ordner einheften, einordnen, zu den Akten legen. – 2. (die in einem Ordner befindlichen) Briefe *pl*, Aktenbündel *n*, Stoß *m.* – 3. Aufreihfaden *m*, -draht *m.* – 4. *bes. mil.* Reihe *f*: **in** ~ in Reih u. Glied. – 5. *mil.* Rotte *f.* – 6. Reihe *f* der 'Schachbrettqua,drate (*von Spieler zu Spieler*). – 7. Liste *f*, Verzeichnis *n*, Rolle *f.* – **II** *v/t* 8. (*Briefe*) ablegen, einreihen, ordnen, aufbewahren. – 9. ~ **off** (*Soldaten*) (in einer Reihe *od.* im Gänsemarsch 'ab)-mar,schieren lassen. – 10. amtlich einreichen: **have you ~d an application?** haben Sie ein Gesuch eingereicht *od.* einen Antrag gestellt? – **III** *v/i* 11. ~ **off**, ~ **away** in einer Reihe *od.* im Gänsemarsch ('ab)mar,schieren *od.* (weg)gehen: **the children ~d out of the house** die Kinder kamen im Gänsemarsch aus dem Haus. – 12. sich bewerben (**for** um).

file[2] [fail] **I** *s* 1. *tech.* Feile *f*: **to bite** (*od.* **gnaw**) **a** ~ *fig.* sich die Zähne ausbeißen, etwas Zweckloses versuchen. – 2. *zo.* 'Zirpappa,rat *m* der Heuschrecken. – 3. *Br. sl.* ,schlauer Fuchs', geriebener Mensch: **a deep** (*od.* **old**) ~ ein ganz geriebener Kunde, ein alter *od.* schlauer Fuchs. – **II** *v/t* 4. *tech.* glätten, zufeilen, (be)feilen: **to** ~ **away** (*od.* **off**) ab-, wegfeilen. – 5. (*Stil*) glätten, (*etwas*) formen, zu'rechtfeilen (**into** zu).

file[3] [fail] *obs. od. dial. für* **defile**[1].

file| card *s tech.* Feilenbürste *f.* — **~ clerk** *s Am.* Regi'strator *m.* — **~ cut·ter** *s tech.* Feilenhauer *m.* — **'~,fish** *s zo.* (*ein*) Drückerfisch *m* (*Gattg Balistes*).

fil·e·mot ['fili,mɒt; -lə-] *adj u. s* braungelb(e Farbe).

fil·er ['failər] *s* Ordner *m.*

fi·let [fi'lɛ; fi'lei; 'filei; *Br. auch* 'filit] (*Fr.*) **I** *s* 1. (*Kochkunst*) *Am.* Fi'let *n*: ~ **mignon** Rinderfilet; ~ **de sole** Seezungenfilet. – 2. Fi'let *n*, Netzarbeit *f*, Netz *n* mit qua'dratischen Maschen. – **II** *v/t* 3. *Am.* (*Fleisch od. Fisch*) als Fi'let zubereiten. — **~ lace** *s* Fi'letspitzen *pl*, Netz *n* mit qua'dratischen Maschen.

fil·i·al ['filiəl] *adj* 1. kindlich, Kindes..., Tochter..., Sohnes... – 2. *tech.* Tochter... (*auch fig.*). — **'fil·i,ate** [-,eit] *selten für* **affiliate** I. — **,fil·i'a·tion** *s* 1. Kindschaft(sverhältnis *n*) *f.* – 2. 'Herkunft *f*, Abstammung *f.* – 3. *jur.* Bestimmung *f od.* Feststellung *f* der Vaterschaft. – 4. Feststellung *f* der 'Herkunft *od.* Quelle. – 5. Abzweigung *f*, Verzweigung *f*, Verästelung *f*, Zweig *m.*

fil·i·beg ['filibeg; -lə-] → **kilt** 1.

fil·i·bus·ter ['fili,bʌstər; -lə-] **I** *s* 1. *pol. Am.* Obstrukti'on *f*, Verschleppungstaktik *f*, Fili'buster *m* (*im gesetzgebenden Körper*) (*auch fig.*). – 2. *pol. Am.* Obstruktio'nist *m*, Verschleppungstaktiker *m.* – 3. *hist.* Abenteurer *m*, Freibeuter *m*, Seeräuber *m.* – **II** *v/i* 4. *pol. Am.* Obstrukti'on *od.* Ver'schleppungspoli,tik treiben. – 5. auf ,Seeräube'rei ausgehen, freibeuten.

fi·lic·ic ac·id [fi'lisik] *s chem.* Filixsäure *f* ($C_{14}H_{18}O_5$).

fil·i·cid·al [,fili'saidl] *adj* Kind(e)s-mord..., Kind(e)smörder... — **'fil·i,cide** *s jur.* 1. Kind(e)s-, Tochter-, Sohnesmord *m.* – 2. Kind(e)s-, Tochter-, Sohnesmörder *m.*

fi·lic·i·form [fi'lisi,fɔ:rm] *adj bot.* farnkrautförmig. — **'fil·i,coid** [-,kɔid] *adj u. s bot.* farnkrautartig(e Pflanze).

fi·lif·er·ous [fai'lifərəs; fi-] *adj* fadenbildend, -tragend. — **fil·i·form** ['fili-,fɔ:rm; -lə-; 'fai-] *adj* fadenförmig, -artig, fädig, fili'form: ~ **gill** *zo.* Fadenkieme.

fil·i·grain, fil·i·grane ['fili,grein; -lə-] *obs. für* **filigree**.

fil·i·gree ['fili,gri:; -lə-] **I** *s* 1. Fili'gran-(arbeit *f*) *n.* – 2. Flitterwerk *n*, (*etwas*) sehr Zartes *od.* Gekünsteltes. – **II** *adj* 3. mit Fili'gran geschmückt *od.* verziert, wie Filigran, Filigran... – **III** *v/t* 4. mit Fili'gran schmücken *od.* verzieren, in Filigran arbeiten. — **'fil·i,greed** *adj* mit Fili'gran geschmückt: ~ **paper** Filigranpapier.

fil·ing[1] ['failiŋ] *s* 1. Ablegen *n* von Akten: ~ **cabinet** Aktenschrank; ~ **clerk** *bes. Br.* Registrator. – 2. Einreichen *n*, Anmeldung *f* (*Forderung, Patentanspruch, Bewerbung*): ~ **of claim** Forderungsanmeldung.

fil·ing[2] ['failiŋ] *s tech.* 1. Feilen *n*: ~ **block** Feilholz, -futter; ~ **vice** Feilkloben. – 2. *pl* Feilspäne *pl.*

Fil·i·pi·no [,fili'pi:nou; -lə-] **I** *s* Fili'pino *m* (*Bewohner der Philippinen*). – **II** *adj* philip'pinisch.

fill [fil] **I** *s* 1. Fülle *f*, Genüge *f*: **to eat one's** ~ sich satt essen; **to have one's** ~ **of s.th.** genug von etwas haben; **to weep one's** ~ sich ausweinen. – 2. Füllung *f*, Schüttung *f.* – 3. *tech. Am.* Erd-, Steindamm *m.* – 4. *tech.* Sich-Füllen *n*: **lake** ~ *geol.* Verlandung (*See*). – **II** *v/t* 5. (an-, aus-, voll)füllen, laden: **to** ~ **ammunition belts** *mil.* (Munition) gurten. – 6. (*Pfeife*) stopfen. – 7. (*mit Nahrung*) sättigen. – 8. zahlreich vorkommen in (*dat*): **fish** ~ **the river**. – 9. erfüllen, durch'dringen, sättigen. – 10. (*Amt etc*) besetzen, ausfüllen, bekleiden. – 11. (*Auftrag*) ausführen. – 12. (*Formular*) ausfüllen. – 13. (*leere Fläche*) (aus)füllen, bedecken. – 14. erfüllen, gerecht werden: **to** ~ **the bill** a) *Br. sl.* eine hervorragende Stelle einnehmen, b) *colloq.* allen Ansprüchen genügen, gerade passen, der richtige Mann sein. – 15. *med.* (*Zahn*) füllen, plom'bieren. – 16. *mar.* a) (*Rahen*) vollbrassen, b) (*die Segel*) füllen (*Wind*). – 17. (*Seife etc*) fälschen. – 18. *tech.* pla'nieren, glätten, auffüllen. – 19. *obs.* (*Wein etc*) einschenken. – **III** *v/i* 20. voll werden, sich füllen. – 21. (an)schwellen, sich ausdehnen (*Segel etc*). – 22. (zu trinken) einschenken. –

Verbindungen mit Adverbien:

fill| a·way *v/i mar.* vollbrassen. — **~ in** *v/t* 1. (*Loch*) an-, ausfüllen. – 2. (*Liste etc*) ausfüllen, ergänzen. – 3. (*Namen etc*) hin'einschreiben, einsetzen. – 4. *Br.* (*Formular etc*) ausfüllen. — **~ out I** *v/t* 1. *Am.* (*Formular etc*) ausfüllen. – 2. aufblasen, ausdehnen. – 3. rund machen, ausfüllen. – **II** *v/i* 4. rund *od.* voll werden, schwellen, sich ausdehnen. — **~ up I** *v/t* 1. an-, vollfüllen, zuschütten. – 2. vollgießen. – 3. nachschütten, -gießen. – **II** *v/i* 4. sich anfüllen.

filled| gold [fild] *s tech.* auf Me'tall aufgezogenes Gold. — **~ milk** *s Milch, deren Butterfettgehalt durch anderes Fett ersetzt ist.*

fill·er ['filər] *s* 1. (An-, Auf)Füller *m.* – 2. *arch.* Füllung *f*, Füllquader *m*, Schüttung *f.* – 3. *tech.* a) Füll-, Streckmittel *n*, b) Sprengladung *f.* – 4. (*Malerei*) Grun'dierfirnis *m.* – 5. (Zi'garren)Einlage *f.* – 6. (Blatt)Füllsel *n*, Lückenbüßer *m* (*Zeitungsartikel etc*). – 7. *ling.* Füll-, Flickwort *n.* – 8. Trichter *m.* – 9. *mil.* a) Ersatzmann *m*, b) (Geschoß)Füllung *f.*

fil·lér ['fi:llɛr] *s* Filler *m* (*kleine ungar. Münze*).

'fill·er|,cap *s tech.* Füllschraube *f*, Tankverschluß *m.* — **~ tube** *s tech.* Einfüllstutzen *m.*

fil·let ['filit] **I** *s* 1. Haar-, Stirnband *n*, Schleife *f*, Kopfbinde *f.* – 2. Leiste *f*, Band *n*, Streifen *m*, Saum *m*, Steg *m.* – 3. a) Fi'let *n*, (Gold)Zierstreifen *m* (*am Buchrücken*), b) Fi'lete *f* (*Gerät zum Anbringen von a*). – 4. *arch.* Leiste *f*, Reif *m*, Rippe *f.* – 5. Rou'lade *f*, Rollfleisch *n*, Schnitte *f od.* Stück *n* (*eines von Gräten befreiten Fisches*), Lendenstück *n*, Fi'let *n* (*vom Rind*): ~ **steak** Filetsteak. – 6. *med.* (Nerven)-Faserbündel *n.* – 7. *her.* schmaler Saum des Wappenschildes, horizon'tale Teilung des Schildes. – 8. Rand *m*, Ring *m* (*an Gewehrmündungen etc*). – 9. *tech.* a) Anlauf *m*, Ausrundung *f* (*Schraube*), b) Hohlkehle *f*, c) Schweißnaht *f*: **~-welding** Kehlschweißung. – **II** *v/t* 10. mit einer Kopfbinde *od.* Leiste *od.* einem Zierstreifen schmücken. – 11. (*Fleisch od. Fisch*) als Fi'let schneiden *od.* zubereiten.

fill·ing ['filiŋ] *s* 1. Füllung *f*, Füllmasse *f*, Einlage *f*, Füllsel *n*: ~ **compound** Verguß-, Füllmasse. – 2. *tech.* 'Füllsteine *pl*, -materi,al *n.* – 3. *med.* (Zahn)Plombe *f*, Plom'bierung *f.* – 4. Voll-, Aus-, Anfüllen *n*, Füllung *f.*

– 5. *mil.* a) Füllung *f* (*bei chemischer Munition*), b) Filterfüllung *f* (*Gasmaske*). — **~ sta·tion** *s* Tankstelle *f*.

fil·lip ['filip; -əp] **I** *s* **1.** Schnalzer *m*, Schnippchen *n* (*mit Finger u.Daumen*). – **2.** (Nasen)Stüber *m*, Klaps *m*. – **3.** *fig.* Ansporn *m*, Anregung *f*, Anreiz *m*. – **4.** Kleinigkeit *f*, Lap'palie *f*: **not worth a ~** keinen Pfifferling wert. – **II** *v/t* **5.** (*j-m*) einen Nasenstüber geben, (*etwas*) anstoßen, (*einer Murmel etc*) einen Schubs geben. – **6.** *fig.* antreiben. – **III** *v/i* **7.** schnalzen, schnippen, schnellen.

fil·li·peen [ˌfili'piːn; -lə-] → **philopena.**

fil·lis·ter ['filistər] *s tech.* **1.** Falz *m*. – **2.** *auch* **~ plane** Falzhobel *m*. — **~ head screw** *s tech.* Rundkopfschraube *f*.

fil·ly ['fili] *s* **1.** weibliches Füllen *od.* Fohlen. – **2.** *sl.* ausgelassenes Mädchen, ‚wilde Hummel'.

film [film] **I** *s* **1.** Mem'bran(e) *f*, dünnes Häutchen, Film *m*. – **2.** *phot.* Film(band *n*) *m*. – **3.** Film *m*, Kino *n*: **~ advertisement** Kinoreklame. – **4.** the **~s** *pl* a) die 'Filmindu,strie, b) der Film, das Filmwesen, c) das Kino. – **5.** dünne Lage *od.* Schicht, 'Überzug *m*, (Zahn)Belag *m*. – **6.** a) dünnes zartes Gewebe, b) Faser *f*, Faden *m*. – **7.** *med.* Trübung *f* des Auges, Schleier *m*, Nebel *m*. – **II** *v/t* **8.** (mit einem Häutchen) über'ziehen. – **9.** (ver)filmen. – **III** *v/i* **10.** sich mit einem Häutchen über'ziehen. – **11.** a) verfilmt werden, b) sich verfilmen lassen, sich zum (Ver)Filmen eignen: **this story ~s well.** – **12.** einen Film drehen *od.* 'herstellen *od.* machen, filmen. — **~ base** *s chem. phot.* Blankfilm *m*, Emulsi'onsträger *m*. — **~ ce·ment** *s phot.* Filmklebemittel *n*. — **~ clip** *s phot.* Filmklammer *f*, -halter *m*.

film·i·ness ['filminis] *s* häutige Beschaffenheit.

film| li·brar·y *s* 'Lichtbilder-, ('Mikro)ˌFilmarˌchiv *n*. — **~ mag·a·zine** *s phot.* 'Filmkasˌsette *f*, -magaˌzin *n*. — **~ pack** *s phot.* Filmpack *m*. — **~ reel** *s phot.* Filmspule *f*. — **~ scan·ning** *s* (*Fernsehen*) Filmabtastung *f*. — **~ side** *s phot.* Schichtseite *f*. — **~ speed** *s phot.* **1.** Lichtempfindlichkeit *f* (*Film*). – **2.** Laufgeschwindigkeit *f* (*des Films in der Kamera*). — **'~ˌstrip** *s ped. phot.* Stehfilm *m* (*mit einkopiertem Text für Lehrzwecke*). — **~ take-up spool** *s phot.* Filmführungsrolle *f*. — **~ wind·er** *s phot.* 'Umroller *m*.

film·y ['filmi] *adj* **1.** mit einem Häutchen bedeckt. – **2.** häutchenartig. – **3.** trübe, verschleiert (*Auge*). – **4.** *fig.* zart, duftig, (hauch)dünn.

fil·o·plume ['filəˌpluːm] *s zo.* Faden-, Haarfeder *f*.

fi·lose ['failous] *adj* **1.** fadenförmig, -ähnlich, -artig. – **2.** fadenförmig endend.

fils [fis] (*Fr.*) *s* Sohn *m*, der Jüngere (*zur Unterscheidung vom Vater*).

fil·ter ['filtər] **I** *s* **1.** Filter *m*, Seihtuch *n*, -vorrichtung *f*, Seiher *m*. – **2.** *chem. phot. phys.* Filter *m*, *n*. – **3.** *tech.* Schmutzfänger *m*, 'Durchschlag *m*. – **4.** *electr.* Weiche *f*, Saugkreis *m*. – **II** *v/t* **5.** filtern, ('durch)seihen, 'durchlaufen lassen, fil'trieren, reinigen: **~ off** abfiltern. – **6.** abseihen, absondern. – **7.** *mil.* (*Nachrichten*) auswerten. – **III** *v/i* **8.** 'durchsickern, -laufen. – **9.** *fig.* 'durchsickern, all'mählich bekanntwerden. – **10.** *meist* **~** in *Br.* sich (*in den Verkehrsstrom*) einreihen. — **ˌfil·ter·a'bil·i·ty** *s* Fil'trierbarkeit *f*. — **'fil·ter·a·ble** *adj* fil'trierbar. — **'fil·ter·a·ble·ness** → **filterability.**

fil·ter| ba·sin *s tech.* Sickerbecken *n*. — **~ bed** *s* **1.** Fil'trierbett *n*, Kläranlage *f*. – **2.** Filterlage *f*, -schicht *f*. — **~ char·coal** *s tech.* Filterkohle *f*. — **~ choke** *s electr.* Filter-, Siebdrossel *f*. — **~ cir·cuit** *s electr.* Siebkreis *m*. — **~ flask** *s chem.* Absaug(e)kolben *m*.

fil·ter·ing ['filtəriŋ] *s tech.* Fil'trieren *n*, Filtrier..., Filter...: **~ basin** Klärbecken; **~ jar** Filtrierstutzen.

fil·ter tip *s* 'Filterzigaˌrette *f*.

filth [filθ] *s* **1.** Schmutz *m*, Dreck *m*, Kot *m*, Unrat *m*. – **2.** *fig.* sittliche Verderbnis, Unflätigkeit *f*, Schmutz *m*. – **3.** unflätige Sprache, ob'szönes Reden. — **'filth·i·ness** *s* Schmutz *m*, Kot *m*, Unflätigkeit *f*. — **'filth·y** *adj* **1.** schmutzig, dreckig, kotig. – **2.** *fig.* unflätig, schmutzig, unsittlich. – **3.** *fig.* ekelhaft, scheußlich. – *SYN. cf.* **dirty.**

fil·tra·ble ['filtrəbl] → **filterable.**

fil·trate ['filtreit] **I** *v/t u. v/i* fil'trieren. – **II** *s* Fil'trat *n*. — **fil'tra·tion** *s* Fil'trierung *f*, Filtern *n*, Filtrati'on *f*: **~ plant** Filteranlage.

fi·lum ['failəm] *pl* **-la** [-lə] (*Lat.*) *s med.* fadenartiges Gewebe.

fim·ble ['fimbl] *s bot.* Fimmel *m*, Femel *m*, männlicher Hanf.

fim·bri·a ['fimbriə] *pl* **-ae** [-ˌiː] *s bot. zo.* fransenartiger Rand, Zotte *f*, Franse *f*. — **'fim·bri·al** *adj* fransenartig. — **'fim·bri·ate** [-it; -ˌeit], *auch* **'fim·briˌat·ed** [-ˌeitid] *adj bot. zo.* gefranst. — **ˌfim·bri'a·tion** *s bot. zo.* **1.** Befransung *f*. – **2.** Franse *f*, Zotte *f*. — **'fim·bri·cate** [-kit; -ˌkeit] → **fimbriate.** — **fim'bril·late** [-lit; -leit] *adj bot. zo.* spreuborstig.

fin[1] [fin] **I** *s* **1.** *zo.* Flosse *f*, Finne *f*, Floßfeder *f*. – **2.** *mar.* Kiel-, Ruderflosse *f*. – **3.** *aer.* a) Gleit-, Steuerflosse *f*, Leitfläche *f*, b) Steuerschwanz *m* (*Bombe*). – **4.** *tech.* Gußnaht *f*, (Kühl)Rippe *f*. – **5.** *sl.* Hand *f*, ‚Flosse' *f*. – **II** *v/t pret u. pp* **finned** **6.** (*Fisch*) zerlegen, -teilen. – **III** *v/i* **7.** mit den Flossen schlagen.

fin[2] [fin] *s Am. sl.* Fünf'dollarschein *m*.

fin·a·ble ['fainəbl] *adj* einer Geldstrafe unter'liegend.

fi·na·gle [fi'neigl], **fi'na·gler** [-glər] → **fainaigue(r).**

fi·nal ['fainl] **I** *adj* **1.** letzt(er, e, es), schließlich(er, e, es). – **2.** endgültig, End..., Schluß...: **~ account** Abschlußrechnung; **~ copy** Reinschrift; **~ dividend** Schlußdividende; **~ examination** Abschlußprüfung; **~ quotation** *econ.* Schlußkurs; **~ result** Endresultat; **~ run** *sport* Endlauf; **~ score** *sport* Schlußstand; **~ spurt** *sport* Endspurt; **~ stock-taking** *econ.* Schlußinventur; **~ switch** *electr.* Leitungswähler; **~ velocity** Endgeschwindigkeit. – **3.** entscheidend. – **4.** *ling.* auslautend, End... – **5.** *ling.* Absichts..., Final... – *SYN. cf.* **last.** – **II** *s* **6.** Schluß *m*, Ende *n*, (*der, die, das*) Letzte. – **7.** *pl sport* Endspiel *n*, Schlußrunde *f*. – **8.** *oft pl* a) 'Schlußexˌamen *n*, -prüfung *f*, b) (Gesamtheit *f* der) Jahresabschlußprüfungen *pl*. – **9.** *colloq.* letzte Ausgabe, Spätausgabe *f* (*einer Zeitung*). – **10.** *mus. Br.* Grundton *m*. — **~ as·sem·bly** *s* **1.** *tech.* 'Endmonˌtage *f*. – **2.** *mil.* Bereitstellung *f*. — **~ cause** *s* **1.** End-, Zweckursache *f*, Endzweck *m*. – **2.** *pl philos. Anschauung von den Endursachen als Erklärungsprinzip des Universums.* — **~ di·am·e·ter** *s mar.* 'Drehkreisˌdurchmesser *m*.

fi·na·le [fi'nɑːli] *s* **1.** *mus.* Fi'nale *n*, Schlußsatz *m*. – **2.** Schluß *m*, letzter Akt (*Drama etc*).

fi·nal·ism ['fainəˌlizəm] *s philos.* Fina'lismus *m*. — **'fi·nal·ist** *s* **1.** *sport* Endspielteilnehmer *m*, Fina'list *m*. – **2.** Ex'amenskandiˌdat *m*. — **fi'nal·i·ty** [-'næliti; -əti] *s* **1.** Finali'tät *f*, Endlichkeit *f*, Endzustand *m*. – **2.** a) Endgültigkeit *f*, 'Unwiderˌruflichkeit *f*, b) abschließende Handlung *od.* Äußerung. – **3.** Entschiedenheit *f*. – **4.** *philos.* Finali'tät *f*, Teleolo'gie *f*. — **'fi·nalˌize** *v/t* be-, voll'enden. — **'fi·nal·ly** *adv* **1.** endlich, schließlich, zu'letzt. – **2.** endgültig, gänzlich, völlig.

fi·nance [fi'næns; fai-] **I** *s* **1.** Fi'nanzwesen *n*, -wissenschaft *f*, Finanz-, Geldwirtschaft *f*. – **2.** *pl* Fi'nanzen *pl*, Einkünfte *pl*: **public ~s** Staatsfinanzen. – **II** *v/t* **3.** (*Unternehmen*) mit Kapi'tal versehen, finan'zieren, Geld bereitstellen für. – **4.** finanzi'ell ausarbeiten *od.* verwalten. – **III** *v/i* **5.** Geldgeschäfte machen *od.* treiben. — **~ bill** *s* **1.** *pol.* a) Steuervorlage *f*, b) Steuergesetz *n*. – **2.** *econ.* Fi'nanzwechsel *m*. — **~ com·pa·ny** *s econ.* Finan'zierungsgesellschaft *f*.

fi·nan·cial [fi'nænʃəl; fai-] *adj* finanzi'ell, Geld..., Fiskal...: **~ affairs** finanzielle Angelegenheiten, Geldgeschäfte; **~ circles** Finanzkreise; **~ circumstances** Vermögensverhältnisse; **~ columns** Handels-, Wirtschaftsteil; **~ embarrassment** Geldverlegenheit; **~ interrelation** Kapitalverflechtung; **~ paper** Börsenblatt; **~ standing** Kreditfähigkeit; **~ year** a) Geschäfts-, Betriebsjahr (*privat*), b) *Br.* Etatsjahr, staatliches Rechnungsjahr. – *SYN.* **fiscal, monetary, pecuniary.**

fin·an·cier [ˌfinən'sir; ˌfai-] **I** *s* [*Br.* fi'nænsiə] **1.** Finanzi'er *m*, Geldmann *m*, -geber *m*, Kapita'list *m*. – **2.** Fi'nanzfachmann *m*. – **3.** Fi'nanzbeamter *m*. – **II** *v/t* **4.** finan'zieren. – **5.** *bes. Am.* (*j-n*) betrügen: **to ~ s.o. out of his money** j-n um sein Geld bringen; **to ~ money away** Geld verschieben *od.* auf die Seite schaffen. – **III** *v/i* **6.** (*meist verächtlich*) Geldgeschäfte machen.

fi·nanc·ing [fi'nænsiŋ; fai-] *s econ.* Finan'zieren *n*, Finan'zierung *f*: **direct ~** Barfinanzierung.

'finˌback (whale) *s zo.* (*ein*) Finn-, Blau-, Furchenwal *m* (*Gattg Balaenoptera*).

finch [fintʃ] *s zo.* Fink *m* (*Gattg Fringilla*). — **~ creep·er** *s zo.* (*ein*) amer. Baumläufer *m* (*Compsothlypis americana*).

find [faind] **I** *s* **1.** Fund *m*, Entdeckung *f*. – **2.** Finden *n*, Entdecken *n*. – **II** *v/t pret u. pp* **found** [faund] **3.** finden, (an)treffen, stoßen auf (*acc*), (*dat*) begegnen. – **4.** sehen, erfahren, bemerken, gewahr werden, (an)erkennen, entdecken, (her'aus)finden: **you must take us as you ~ us** du mußt uns nehmen, wie wir sind; **to ~ one's way (in, to)** sich (zurecht)finden (in *dat*, nach); **to ~ oneself** *reflex* a) sich befinden, b) sich sehen, c) seine Berufung erkennen; → **fault 1; heart** *b. Redw.* – **5.** ('wieder)gewinnen, (-)erlangen: **to make s.o. ~ his tongue** j-m die Zunge lösen, j-n zum Reden bringen. – **6.** finden, erlangen. – **7.** *jur.* erklären, erkennen, befinden für: **to ~ a person guilty.** – **8.** (*j-n*) versorgen, ausstatten (in mit), (*etwas*) verschaffen, stellen, liefern, auftreiben: **they found him in clothes** sie versorgten ihn mit Kleidung; **all found** freie Station, volle Beköstigung; **to ~ oneself** sich selbst versorgen *od.* beköstigen. – **9.** **~ out** entdecken, her'aus-, auffinden, ermitteln. – **III** *v/i* **10.** *jur.* (be)finden, für Recht erklären, erkennen: **the jury found for the defendant** die Geschworenen sprachen den Angeklagten frei. – **11.** *hunt. Br.* Wild aufspüren.

find·a·ble ['faindəbl] *adj* auffindbar. — **'find·er** *s* **1.** Finder *m*, Entdecker *m*. – **2.** *phot.* Sucher *m*. – **3.** *electr. phys.* Peiler *m*, Peil(funk)gerät *n*.

fin de siè·cle [fɛ̃ də ˈsjɛkl] (*Fr.*) **I** *s* **1.** Fin de siˈècle *n*: a) Ende *n* des (*bes. 19.*) Jahrˈhunderts, b) Zeitalter *n* ohne moˈralische Bindungen. – **II** *adj* **2.** dekaˈdent. – **3.** moˈdern.

find·ing [ˈfaindiŋ] *s* **1.** Finden *n*, Entdecken *n*: ~ the means *econ.* Geldbeschaffung, -aufbringung. – **2.** Fund *m*, Entdeckung *f*. – **3.** *oft pl jur.* Befund *m*, Ausspruch *m*, Entscheidung *f*, Verˈdikt *n*. – **4.** *pl Am.* Werkzeuge *pl od.* Materiˈal *n* von Handwerkern.

fine[1] [fain] **I** *adj* **1.** fein, verfeinert. – **2.** rein, klar. – **3.** fein, ausgezeichnet, herˈvorragend, glänzend: one of these ~ days eines schönen Tages. – **4.** fein (*aus kleinsten Teilen bestehend*): ~ sand. – **5.** fein, dünn, zart. – **6.** fein geschliffen, scharf, dünn, spitz. – **7.** fein, aus feinem Gewebe: ~ linen. – **8.** fein ausgeführt *od.* gearbeitet *od.* geformt. – **9.** gut traiˈniert (*Sportlehrer*). – **10.** vornehm, eleˈgant. – **11.** geziert, auffällig (*gekleidet*). – **12.** hübsch, schön, edel (*Gesicht*). – **13.** fein, rein (*Gold etc*): gold 22 carats ~ 22karätiges Gold. – **II** *adv* **14.** *colloq.* a) auf feine Art, eleˈgant, nett: to talk ~ gebildet sprechen, b) sehr gut: that will suit me ~. – **15.** knapp: to cut (*od.* run) it ~ ins Gedränge (*bes.* in Zeitnot) kommen. – **16.** (*Billard*) *so gespielt, daß eine Kugel die andere kaum berührt.* – **III** *v/t* **17.** ~ away, ~ down dünn *od.* zart *od.* fein(er) machen, abschleifen, zuspitzen. – **18.** *oft* ~ down (*Wein etc*) filˈtrieren, reinigen, läutern, klären. – **19.** *tech.* (*Eisen*) frischen. – **IV** *v/i* **20.** ~ away, ~ down, ~ off fein(er) *od.* dünn(er) werden, ˈhinschwinden, sich abschleifen. – **21.** sich klären.

fine[2] [fain] **I** *s* **1.** Geldstrafe *f*, -buße *f*, Strafsumme *f*. – **2.** *jur. hist.* Abstandsgeld *n*, -summe *f*. – **3.** *obs.* Ende *n* (*nur noch in*): in ~ endlich, kurz(um). – **II** *v/t* **4.** strafen, mit einer Geldstrafe belegen: he ~d him forty shillings er verurteilte ihn zu 40 Schilling Geldstrafe.

fi·ne[3] [ˈfiːne] (*Ital.*) *s mus.* Ende *n*.

fine| ad·just·ment [fain] *s tech.* Feineinstellung *f*: ~ screw Feinstellspindel. — ~ **arch** *s tech.* Frittofen *m*. — ~ **arts** *s pl* schöne Künste *pl*. — ˈ~-ˌ**bore** *v/t tech.* präzisiˈonsbohren. — ~ **cast·ing** *s tech.* Edelguß *m*. — ~ **cut** *s* Feinschnitt *m* (*Tabak*). — ~ **darn·ing** *s* Kunststopfen *n*. — ˈ~-ˈ**draw** *v/t* **1.** fein-, kunststopfen. – **2.** *tech.* (*Draht*) fein ausziehen. — ˈ~-ˌ**draw·er** *s* **1.** Kunststopfer *m*. – **2.** (*Spinnerei*) Feinstrecker *m*. — ˈ~-ˈ**drawn** *adj* **1.** fein *od.* dünn ausgezogen. – **2.** → fine-spun. — ~ **fis·sure** *s biol.* Haarspalte *f*. — ~ **gold** *s* Feingold *n*. — ~ **grain** *s tech.* Feinkorn *n*. — ˈ~-ˈ**grained** *adj tech.* feinkörnig, -faserig. — ~ **grav·el** *s tech.* Splitt *m*. — ~ **liq·uor** *s tech.* Klärsel *n*.

fine·ness [ˈfainnis] *s* **1.** Fein-, Zart-, Schönheit *f*, Eleˈganz *f*, Vorˈtrefflichkeit *f*. – **2.** Feingehalt *m*, Reinheit *f* (*Gold etc*). – **3.** *tech.* Schlankheit *f*. – **4.** Schärfe *f*. – **5.** Genauigkeit *f*. — ˈ**fin·er** *s tech.* Frischer *m*. — ˈ**fin·er·y** [-əri] *s* **1.** Putz *m*, Staat *m*, Glanz *m*. – **2.** *selten* Eleˈganz *f*, Schönheit *f*. – **3.** *tech.* Frischofen *m*, -feuer *n*, -herd *m*, -werk *n*, Frischeˈrei *f*: ~ slag Frischschlacke, Lacht.

fines [fainz] *s pl tech.* feingesiebtes Materiˈal, Abrieb *m*, Grus *m*.

fine| sight *s mil.* feines Korn, Feinkorn *n* (*Visier*). — ˈ~-ˈ**spun** *adj* fein (aus)gesponnen (*auch fig.*).

fi·nesse [fiˈnes] **I** *s* **1.** Spitzfindigkeit *f*, Feinheit *f*. – **2.** Fiˈnesse *f*, List *f*, Schlauheit *f*. – **3.** (*Bridge, Whist*) Schneiden *n*, Imˈpaß *m*. – **II** *v/t* **4.** (*Bridge, Whist*) schneiden *od.* impasˈsieren mit. – **5.** mit List bewerkstelligen. – **III** *v/i* **6.** schneiden, impasˈsieren. – **7.** Kniffe anwenden.

ˈ**fine|ˌstill** *v/t tech.* destilˈlieren. — ~ **thread** *s tech.* Feingewinde *n*, scharfgängiges Gewinde. — ˈ~-ˌ**tooth,** ˈ~-ˌ**toothed** *adj* fein(gezahnt): to go over s.th. with a ~ comb etwas scharf *od.* sorgfältig prüfen *od.* unter die Lupe nehmen. — ~ **tun·ing** *s* (*Radio*) Scharf-, Feinabstimmung *f*.

ˈ**fin|ˌfish** → finback. — ˈ~ˌ**foot** *pl* ˈ~ˌ**foots** *s zo.* Taucherhühnchen *n* (*Fam. Heliornithidae*). — ˈ~-ˌ**foot·ed** *adj zo.* mit Schwimm- *od.* Lappenfüßen versehen.

fin·ger [ˈfiŋgər] **I** *s* **1.** Finger *m*: → burn 16; to have a ~ in the pie die Hand im Spiel haben; to lay (*od.* put) one's ~ on s.th. auf etwas genau hinweisen; to put the ~ on s.o. *Am. sl.* j-n angeben *od.* verpetzen *od.* ‚verpfeifen'; not to stir a ~ keinen Finger krumm machen; to turn (*od.* twist *od.* wind) s.o. round one's (little) ~ j-n um den (kleinen) Finger wickeln; → itch 5; his ~s are (*od.* he has his ~s) all thumbs er ist ungeschickt, er hat zwei linke Hände; with a wet ~ mit dem kleinen Finger, mit Leichtigkeit; to work one's ~s to the bone sich die Hände wund arbeiten. – **2.** (Handschuh)Finger *m*. – **3.** Fingerbreit *m*. – **4.** (Mittel)Fingerlänge *f*. – **5.** Zeiger *m* (*Uhr*). – **6.** *zo.* Finger *m*, Strahl *m* (*Seestern*). – **7.** *tech.* Zahn *m*, Finger *m*. – **II** *v/t* **8.** betasten, befühlen, berühren, befingern, spielen mit. – **9.** *mus.* a) (*etwas, Instrument*) mit den Fingern spielen, b) (*Noten*) mit (besonderem) Fingersatz versehen *od.* spielen. – **10.** stehlen. – **III** *v/i* **11.** die Finger gebrauchen, herˈumfingern (at an *dat*), spielen (with mit). – **12.** *mus.* a) sich mit den Fingern spielen lassen (*Instrument*), b) den Fingersatz angeben.

fin·ger| board *s* **1.** *mus.* a) Griffbrett *n*, b) Klaviaˈtur *f*. – **2.** *Am.* Wegweiser *m*. — ~ **bone** *s med.* Fingerknochen *m*, Phalanx *f*. — ~ **bowl** *s* Fingerschale *f*. — ~ **brush** *s* (*Buchbinderei*) Vergolderpinsel *m*. — ~ **disk** *s* (*Telephon*) Nummern-, Wählscheibe *f*. — ~**fern** *s bot.* Streifenfarn *m* (*Gattg Asplenium*): marsh ~ Blutauge (*Comarum palustre*). — ˈ~ˌ**flow·er** *s bot.* Roter Fingerhut (*Digitalis purpurea*). — ~ **glass** *s* Fingerschale *f* (*bei Tisch*). — ~ **grass** *s bot.* Finger-, Bluthirse *f* (*Digitaria sanguinalis*). — ~ **grip** *s tech.* Geißfuß *m*. — ~ **guard** *s mil.* (Degen)Bügel *m*. — ~ **hole** *s mus.* Fingerloch *n* (*an einer Flöte etc*).

fin·ger·ing[1] [ˈfiŋgəriŋ] *s* **1.** Betasten *n*, Befühlen *n*. – **2.** *mus.* Fingersatz *m*.

fin·ger·ing[2] [ˈfiŋgəriŋ] *s* Strumpfwolle *f*, -garn *n*.

fin·ger lake *s geol.* Zungenbecken-, Talsee *m*.

fin·ger·ling [ˈfiŋgərliŋ] *s* **1.** *zo. Br.* kleiner *od.* junger Fisch (*bes. Lachs od. Forelle*). – **2.** (*etwas*) sehr Kleines.

fin·ger| mark *s* (durch Finger verursachter) (Schmutz)Fleck. — ˈ~ˌ**nail** *s* Fingernagel *m*: to the ~s völlig, bis in die Fingerspitzen. — ~ **nut** *s tech.* Flügelmutter *f*. — ˈ~ˌ**paint** *v/t u. v/i* (*Bild etc*) mit den Fingern malen. — ~ **paint·ing** *s* **1.** Malen *n* mit den Fingern. – **2.** mit den Fingern gemaltes Bild. — ˈ~ˌ**part·ed** *adj bot.* gefingert (*Blatt*). — ~ **plate** *s tech.* Schutzplatte *f*, Türschoner *m*. — ~ **post** *s* Wegweiser *m*. — ˈ~ˌ**print I** *s* Fingerabdruck *m*. – **II** *v/t* (*j-s*) Fingerabdruck nehmen. — ˈ~ˌ**root** → fingerflower. — ˈ~ˌ**stall** *s* Fingerling *m*. — ˈ~ˌ**stone** *s min.* Belemˈnit *m*. — ~ **tip** *s* Fingerspitze *f*: to have at one's ~s zur Verfügung haben, vollständig beherrschen; to one's ~s vollständig. — ~ **wave** *s* (Haar)Welle *f*.

fin·i·al [ˈfiniəl; ˈfai-] *s arch.* Kreuzblume *f*, Blätterknauf *m*.

fin·i·cal [ˈfinikəl] *adj* **1.** zimperlich, überˈtrieben, genau, wählerisch. – **2.** geziert, affekˈtiert. – *SYN. cf.* nice. — ˌ**fin·iˈcal·i·ty** [-ˈkæliti; -əti], *auch* ˈ**fin·i·cal·ness** *s* Zimperlichkeit *f*, Geziertheit *f*. — ˈ**fin·ick·ing** [-kiŋ], *selten* ˈ**fin·i·kin** [-kin], *Am. od. dial.* ˈ**fin·ick·y** → finical.

fin·ing [ˈfainiŋ] *s tech.* Klären *n*, Klärung *f*, Läutern *n*, Frischen *n*: ~ process Frischarbeit; ~ slag Frischschlacke.

fi·nis [ˈfainis] *pl* ˈ**fi·nis·es** (*Lat.*) *s* Ende *n*, Abschluß *m*.

fin·ish [ˈfiniʃ] **I** *v/t* **1.** (be)enden, aufhören mit: to ~ one's apprenticeship auslernen. – **2.** vollˈenden, fertigmachen, -bearbeiten, ausarbeiten, ausbauen, beendigen. – **3.** verbrauchen, aufbrauchen, aufessen, austrinken. – **4.** *colloq.* (*j-n*) töten, (*j-m*) den Rest geben. – **5.** a) *auch* ~ off, ~ up vervollkommnen, perfektioˈnieren, veredeln, b) ausbilden. – **6.** *tech.* nach-, fertigbearbeiten, (*Papier*) glätten, (*Tuch*) auswirken, (*Zeug*) zurichten, appreˈtieren, (*Möbel*) firnissen, poˈlieren. – **7.** *chem.* garen. – **II** *v/i* **8.** *auch* ~ off, ~ up Schluß machen, enden, endigen, aufhören. – **9.** *obs.* sterben. – *SYN. cf.* close. – **III** *s* **10.** Ende *n*, Schluß *m*. – **11.** *sport* letzte Entscheidung, Ende *n* eines Kampfes, Endspurt *m*, Finish *n*: ~ fight *Am. colloq.* Kampf bis zur Entscheidung; to be in at the ~ in den Endkampf kommen. – **12.** Entscheidung *f*, (*das*) Letzte: to fight to a ~ bis zur Entscheidung kämpfen. – **13.** Vollˈendung *f*, Eleˈganz *f*, Ausführung *f*, feine Qualiˈtät. – **14.** *tech.* Nach-, Fertigbearbeitung *f*, Poliˈtur *f*, Glanz *m*, Appreˈtur *f*. – **15.** *arch.* a) Ausbau(en *n*) *m*, b) Verputz *m* (*des Rohbaus*).

fin·ished [ˈfiniʃt] *adj* **1.** beendet, fertig, abgeschlossen: half-~ products Halbfabrikate; ~ goods Fertigwaren; ~ iron Handelseisen. – **2.** *fig.* vollˈendet, vollkommen. — ˈ**fin·ish·er** *s* **1.** *tech.* Fertigwalzwerk *n*. – **2.** *tech.* Feinzeugholländer *m*. – **3.** *colloq.* niederschmetternder Schlag, Entscheidung *f*.

fin·ish·ing [ˈfiniʃiŋ] **I** *s* **1.** Vollˈenden *n*, Fertigmachen *n*, Ausarbeitung *f*. – **2.** *arch.* Schlußzierat *m*. – **3.** *tech.* Ver-, Überˈarbeitung *f*, Nachbearbeitung *f*, Fertigstellung *f*. – **4.** (*Buchbinderei*) Verzieren *n* der Einbände. – **5.** *pl* Installatiˈon *f* (*Wasser-, Gas- u. Elektrizitätsleitungen eines Hauses*). – **6.** (*Tuchfabrikation*) Appreˈtur *f*, Zurichtung *f*. – **7.** Veredelung *f*, Raffineˈrie *f*. – **II** *adj* **8.** vollˈendend. — ~ **a·gent** *s chem.* Appreˈturmittel *n*. — ~ **bit** *s tech.* Kaˈliber-, Schlichtbohrer *m*. — ~ **coat** *s arch.* Deckanstrich *m*. — ~ **cut** *s tech.* Schlichtschnitt *m*. — ~ **drum** *s tech.* Fertigwasch-, Tratschtrommel *f*. — ~ **in·dus·try** *s econ. tech.* Veredelungswirtschaft *f*, verarbeitende Induˈstrie. — ~ **ma·te·ri·al** *s chem.* Appreˈtiermasse *f*. — ~ **mill** *s tech.* Fertigstraße *f*, Nachwalzwerk *n*. — ~ **mor·tar** *s tech.* Putzmörtel *m*. — ~ **proc·ess** *s econ. tech.* Veredelungsverfahren *n*. — ~ **school** *s* ˈMädchenpensioˌnat *n*. — ~ **tool** *s tech.* Schlichtwerkzeug *n*.

fi·nite [ˈfainait] **I** *adj* **1.** begrenzt, endlich. – **2.** *ling.* durch Perˈson u. Zahl bestimmt, nicht im Infinitiv stehend: ~ verb Verbum finitum. – **3.** *math.* endlich. – **II** *s* **4.** the ~ das Endliche *od.* Begrenzte. — ˈ**fi·nite·ness, fin·i-**

tude [ˈfiniˌtjuːd; ˈfai-; *Am. auch* -ˌtuːd] *s* Endlichkeit *f*, Begrenztheit *f*.
fink [fiŋk] *s Am. sl.* **1.** Streikbrecher *m*. – **2.** Angeber *m*, Spitzel *m*.
fin keel *s mar.* Ballast-, Flossen-, Wulstkiel *m*.
fin·let [ˈfinlit] *s zo.* flossenähnlicher Fortsatz, falsche Flosse.
Fin·land·er [ˈfinləndər], **Finn** *s* Finne [*m*.]
fin·nan had·die [ˈfinən ˈhædi], *auch* **fin·nan had·dock** *s* geräucherter Schellfisch.
finned [find] *adj* **1.** *zo.* mit Flossen versehen. – **2.** *tech.* gerippt: ~ **bomb** Flügelbombe, -mine. — **ˈfin·ner** *s zo.* Finnwal *m*.
Finn·ic [ˈfinik] → **Finnish** II. — **ˈFinn·ish I** *s ling.* Finnisch *n*, das Finnische. – **II** *adj* finnisch. — **Fin·no-U·gri·an** [ˈfinoˈuːgriən], *auch* **ˌFin·no-ˈU·gric** [-grik] *ling.* **I** *adj* finno-ugrisch. – **II** *s ling.* Finno-Ugrisch *n*, das Finno-Ugrische.
fin·ny [ˈfini] *adj* **1.** *zo.* mit Flossen versehen. – **2.** flossenähnlich, -artig. – **3.** Fisch... – **4.** fischreich.
fin ray *s biol.* Flossenstachel *m*.
Fin·sen light [ˈfinsən] *s* Finsenlampe *f* (*für therapeutische Behandlung*).
fiord [fjɔːrd] *s geogr.* Fjord *m*.
fi·o·rin [ˈfaiərin] *s bot. Br.* (*ein*) Fioˈrin-, Straußgras *n* (*Agrostis stolonifera major*).
fip·pen·ny bit [ˈfipəni; ˈfipni] *s Am. hist. span. Münze* (*etwa 5 Cent*).
fip·ple [ˈfipl] *s mus.* Kern *m*, Pfropf *m*. — ~ **flute** *s mus.* Pfropfflöte *f*.
fir [fəːr] *s bot.* **1.** Tanne *f* (*Gattg Abies*): **Canadian** ~, **hemlock** ~ Schierlingstanne (*Tsuga canadensis*); **golden** ~ Goldzapfentanne (*A. magnifica var. shastensis*; *westl. Nordamerika*); **himalayan** ~ Himalaja-Tanne (*A. spectabilis*); **Japanese** ~, **momi** ~ Momi-Tanne (*A. firma*). – **2.** (*fälschlich*) Kiefer *f*, Föhre *f* (*Gattg Pinus*). – **3.** Tannenholz *n*. — ~ **cone** *s bot.* Tannenzapfen *m*.
fire [fair] **I** *s* **1.** Feuer *n*, Flamme *f*: **no smoke without** ~ wo Rauch ist, da ist auch Feuer; an jedem Gerücht ist etwas Wahres; **to be on** ~ in Brand stehen, brennen (*auch fig.*); **to catch** (*od.* **take**) ~ a) Feuer fangen, b) sich erregen, sich ereifern; **to set** ~ **to s.th.**, **to set s.th. on** ~ etwas anzünden *od.* in Brand stecken; **to set s.o. on** ~ *fig.* j-n entflammen; **to go through** ~ **and water** durch (das) Feuer gehen, den größten Gefahren trotzen *od.* ins Auge sehen; → **burnt** 1; **fat** 6; **play** 18; **Thames**. – **2.** Glut *f*, Funke(n *pl*) *m*: **to strike** ~ Funken schlagen. – **3.** Brand *m*, (Groß)Feuer *n*, Feuersbrunst *f*: → **oil** 1. – **4.** ˈBrennmateriˌal *n*: → **lay**[1] 19. – **5.** Materiˈal *n* für Feuerwerkskörper. – **6.** *poet.* Blitz *m*. – **7.** Feuer *n*, Glanz *m* (*Edelstein*). – **8.** Wärme *f* (*Alkohol*). – **9.** *fig.* Feuer *n*, Begeisterung *f*, Leidenschaft *f*, Glut *f*, Lebendigkeit *f*. – **10.** *med.* Fieber *n*, Hitze *f*, Entzündung *f*. – **11.** *fig.* ernste Prüfung. – **12.** *mil.* Feuer *n*, Beschuß *m*, Schießen *n*: **between two** ~**s** zwischen zwei Feuern (*auch fig.*); **to come under** ~ a) unter Beschuß geraten, b) *fig.* heftig angegriffen werden; **to open** (**cease**) ~ das Feuer eröffnen (einstellen); **to miss** ~ a) versagen, b) *fig.* fehlschlagen. –
II *v/t* **13.** entzünden, anzünden, in Brand stecken. – **14.** (*Kessel*) heizen, (*Ofen*) (be)feuern, beheizen. – **15.** dem Feuer aussetzen. – **16.** (*Ziegel*) brennen, (*Tabak*) beizen. – **17.** *fig.* entflammen, anfeuern, inspiˈrieren. – **18.** *mil.* a) (*Gewehr etc*) abfeuern, abschießen, b) (*Sprengladung*) zünden. – **19.** *colloq.* schleudern, werfen. – **20.** *med.* (aus)brennen. – **21.** *colloq.* (*aus einer Stellung etc*) entlassen, ‚rausschmeißen'. – **22.** röten. –
III *v/i* **23.** Feuer fangen, sich entzünden. – **24.** *fig.* Feuer fangen, in Hitze geraten. – **25.** *mil.* feuern, schießen. – **26.** losgehen (*Gewehr etc*). – **27.** *colloq.* a) werfen, schleudern, b) ~ **away!** schieß los! fang an! – **28.** *agr.* den Brand bekommen, brandig werden (*Getreide*). – **29.** erröten, rot werden. –
IV *interj* **30.** Feuer! es brennt! – **31.** *mil.* Feuer! Schuß!
fire|a·larm *s* **1.** ˈFeueraˌlarm *m*, -lärm *m*. – **2.** Feuermelder *m* (*Gerät*). — ~ **ant** *s zo. eine beißende amer. Ameise* (*Solenopsis geminata*). — ~ **a·re·a** *s mil.* Feuerbereich *m*. — ˈ~ˌ**arm** *s* Feuer-, Schußwaffe *f*. — ˈ~ˌ**back** *s* **1.** *zo.* (*ein*) ˈGlanzfaˌsan *m* (*Gattg Lophura*). – **2.** *tech.* Brandmauer *f*. — ˈ~ˌ**ball** *s* **1.** *mil. hist.* Feuer-, Brandkugel *f*. – **2.** Feuerball *m*, -kugel *f* (*Sonne etc*). – **3.** Meteˈor *m*. – **4.** *mil.* Feuerball *m* (*Atombombenexplosion*). — ~ **bal·loon** *s* **1.** → **montgolfier**. – **2.** erleuchteter Balˈlon (*Feuerwerk*). — ~ **bar** *s tech.* Roststab *m*. — ~ **bar·rel** *s mar.* Feuertonne *f*. — ~ **bay** *s mil. Br.* Feuerstellung *f* (*zwischen zwei Schulterwehren eines Schützengrabens*). — ~ **bee·tle** *s zo.* (*ein*) Cucujo *m*, (*ein*) südamer. Leuchtkäfer *m* (*Gattg Pyrophorus*). — ~ **bell** *s* Feuerglocke *f*. — ~ **bill** *s mar.* Brandrolle *f* (*Feuerbekämpfungseinteilung für die Mannschaft*). — ˈ~ˌ**bird** *s zo.* (*ein*) Feuervogel *m* (*orangefarbig od. rot*). — ~ **blast** *s bot.* Falscher Hopfen-Meltau (*Pseudoperonospora humuli*). — ~ **blight** *s bot.* Feuerbrand *m* (*durch Bacillus amylovorus*). — ˈ~ˌ**board** *s* Kaˈminbrett *n*. — ˈ~ˌ**boat** *s mar.* Feuerlöschboot *n*. — ~ **bomb** *s mil.* Brandbombe *f*. — ˈ~ˌ**box** *s tech.* Feuerbuchse *f*, Feuerungsraum *m*, Brennkammer *f*. — ˈ~ˌ**boy** *s* (Kessel)-Heizer *m*. — ˈ~ˌ**brand** *s* **1.** brennendes Holzscheit. – **2.** *fig.* Unruhestifter *m*, Aufwiegler *m*. — ˈ~ˌ**break** *s Am.* Feuerschneise *f* (*um Brände einzudämmen*). — ˈ~ˌ**brick** *s tech.* feuerfester Ziegel, Schaˈmottestein *m*, Ofenziegel *m*. — ~ **bridge** *s tech.* Feuerbrücke *f*. — ~ **bri·gade** *s* **1.** *Br.* Feuerwehr *f*. – **2.** *Am.* örtliche freiwillige Feuerwehr. — ˈ~ˌ**bug** *s Am. sl.* Brandstifter *m*. — ~ **clay** *s tech.* feuerfester Ton, Schaˈmotte *f*. — ~ **com·pa·ny** *s* **1.** *Am.* Feuerwehr *f*. – **2.** *bes. Br.* Feuerversicherungsgesellschaft *f*. — ~ **con·trol** *s mil.* Feuerleitung *f*: ~ **indicator** Kommandotafel; ~ **map** Schießplan. — ˈ~ˌ**crack·er** *s Am.* Frosch *m* (*Feuerwerk*). — ~ **crest** *s mil.* Gewehrauflage *f*. — ˈ~-ˌ**cure** *v/t tech.* (*Tabak*) trocknen, beizen (*durch offenes Feuer*). — ˈ~ˌ**damp** *s* (*Bergbau*) schlagende Wetter *pl*, Grubengas *n*. — ~ **de·part·ment** *s* **1.** *Am.* Feuerwehr *f*. – **2.** *Br.* ˈFeuerversicherungsabˌteilung *f*. — ~ **de·tec·tor** *s bes. mar.* (*automatischer*) Feuermelder, Schnüffelanlage *f*. — ~ **di·rec·tion** *s mil.* Feuerleitung *f*, taktische Lenkung des Artilleˈriefeuers: ~ **chart** Schießplan. — ~ **di·rec·tor** *s mil.* **1.** Komˈmandogerät *n* (*Flak*). – **2.** *mar.* Zenˈtralrichtgerät *n*. — ˈ~ˌ**dog** *s* Feuerbock *m* (*vor Kamin*). — ~ **door** *s* **1.** Ofen-, Heiztür *f*. – **2.** *tech.* Schürloch *n*, Feuertür *f*. — ˈ~ˌ**drag·on** → **firedrake**. — ˈ~ˌ**drake** *s* Feuerdrache *m*, feuerspeiender Drache. — ~ **drill** *s* **1.** Feuerwehrausbildung *f*. – **2.** ˈFeuerlöschübung *f*, -löschmaˌnöver *n*. – **3.** ˈProbeˌfeueraˌlarm *m*. – **4.** *hist.* Reibholz *n* (*zum Feueranzünden*). — ˈ~-ˌ**eat·er** *s* **1.** Feuerschlucker *m*, -fresser *m*. – **2.** *fig.* Raufbold *m*, ‚Eisenfresser' *m*, ‚Streithahn' *m*. — ~ **en·gine** *s* **1.** *tech.* Motorspritze *f*. – **2.** Feuerwehrfahrzeug *n*. — ~ **es·cape** *s* **1.** Rettungs-, Feuerleiter *f*, Nottreppe *f*. – **2.** Notausgang *m*. — ~ **ex·tin·guish·er** *s tech.* ˈFeuerlöscher *m*, -löschappaˌrat *m*. — ~ **fan** *s tech.* (Ventiˈlator)Geˌbläse *n*, Blasebalg *m*. — ˈ~ˌ**fang** *v/i* sich (*durch langsame Oxydation*) zersetzen (*Getreide, Käse etc*). — ~ **finch** *s zo.* Feuerweber *m* (*Gattg Pyromelana*). — ˈ~ˌ**flaught** [-ˌflɔːt; -ˌflɑːxt] *s Scot.* Blitz *m*, Wetterleuchten *n*. — ˈ~ˌ**flirt** → **redstart**. — ˈ~ˌ**fly** *s zo.* (*ein*) Leuchtkäfer *m*, (*eine*) Feuerfliege, (*ein*) Glühwurm *m* (*Familien Lampyridae u. Pyrophoridae*). — ~ **grass** *s bot.* Ohmkraut *n* (*Alchemilla arvensis*). — ~ **grate** *s tech.* Feuerrost *m*. — ˈ~ˌ**guard** *s* **1.** Feuer-, Kaˈmingitter *n*. – **2.** Feuer-, Brandwache *f*. — ~ **hook** *s* **1.** Schür-, Feuerhaken *m*. – **2.** *tech.* Rührkrücke *f*. — ~ **hose** *s* Feuerwehrschlauch *m*. — ˈ~ˌ**house** *s* Spritzenhaus *n*. — ~ **in·sur·ance** *s* Feuer-, Brandversicherung *f*. — ~ **i·ron** *s* **1.** *tech.* Schüreisen *n*. – **2.** *pl* Feuer-, Kaˈmin-, Ofengeräte *pl*. — ~ **lane** *s* Feuerschneise *f*.
fire·less [ˈfairlis] *adj* **1.** feuerlos, ohne Feuer: ~ **cooker** *Am.* Kochkiste. – **2.** *fig.* ohne Feuer, temperaˈmentlos.
ˈfire|ˌlight *s* Feuerschein *m*. — ˈ~-ˌ**light·er** *s Br.* Feueranzünder *m*. — ˈ~ˌ**lock** *s mil. hist.* **1.** Zünd-, Flintenschloß *n*. – **2.** Musˈkete *f*. — ~ **main** *s* Wasserrohr *n*. — ˈ~**man** [-mən] *s irr* **1.** Feuerwehrmann *m*, Feuerwache *f*. – **2.** *pl* Löschmannschaft *f*, Löschzug *m*. – **3.** *tech.* Heizer *m*. — ~ **mar·shal** *s Am.* ˈBranddiˌrektor *m* (*einer Stadt od. eines Staates*). — ˈ~-ˌ**new** *obs. für* **brand-new**. — ~ **of·fice** *s Br.* Feuerversicherung(sanstalt) *f*. — ~ **o·pal** *s min.* ˈFeueroˌpal *m*. — ˈ~-ˌ**pan** *s Br.* Feuer-, Kohlenpfanne *f*. — ~ **pink** *s bot.* Virˈginische Lichtnelke, Virˈginisches Leimkraut (*Silene virginica*). — ˈ~ˌ**place** *s* **1.** (offener) Kaˈmin. – **2.** *tech.* Herd *m*. – **3.** *tech.* Feuer-, Heizraum *m*. — ˈ~ˌ**plug** *s tech.* Hyˈdrant *m*, Wasseranschluß *m*. — ~ **point** *s phys.* Brenn-, Flammpunkt *m*. — ˈ~-ˈ**pol·i·cy** *s Br.* ˈFeuerpoˌlice *f*, -versicherungsschein *m*. — ~ **pot** *s* Ofenraum *m*, -sack *m*. — ~ **pow·er** *s mil.* Feuerkraft *f*. — ˈ~ˌ**proof I** *adj* feuerfest, -sicher, hitze-, feuerbeständig: ~ **bulkhead** Brand-, Feuerschott; ~ **cement** feuerfester Kitt, Schamottemörtel; ~ **varnish** Feuerlack. – **II** *v/t* feuerfest machen. — ˈ~ˌ**proof·ing** *s* **1.** Feuerfest-, Unverbrennlichmachen *n*. – **2.** Feuerschutzmittel *n od. pl*. — ~ **pump** *s* Feuerlöschpumpe *f*.
fir·er [ˈfai(ə)rər] *s* **1.** a) Schütze *m*, b) Heizer *m*. – **2.** *mil.* Feuerwaffe *f*.
ˈfire|-ˌrais·ing *s Br.* Brandstiftung *f*. — ˈ~ˌ**room** *s tech.* **1.** Feuerungs-, Heizraum *m*. – **2.** (Kern)Schacht *m*, Seele *f* (*Hochofen*). — ~ **sale** *s Am.* (Aus)Verkauf *m* von feuerbeschädigten Waren. — ~ **screen** *s* Ofen-, Feuerschirm *m*. — ~ **set** *s* (*Satz*) Feuergeräte *pl*. — ~ **set·ting** *s* (*Bergbau*) Sprengen *n* des Gesteins. — ~ **ship** *s mar.* Brander *m*. — ˈ~ˌ**side** *s* **1.** Herd *m*, Kaˈmin *m*. – **2.** häuslicher Herd *od.* Kreis, Daˈheim *n*. — ~ **spots** *s pl med. rötliche Flecke auf der Iris*. — ~ **sta·tion** *s* Feuerwache *f*. — ~ **step** *s mil.* Feuer-, Ausfallstufe *f*, Schützenauftritt *m*. — ~ **stick** *s* **1.** Reibholz *n* (*zum Feueranzünden*). – **2.** Kienspan *m*. – **3.** Feuerzange *f* (*aus Stöcken*). —

'~ˌstone *s min.* **1.** Feuerstein *m*, Flint *m.* – **2.** Py'rit *m.* – **3.** Sandstein *m.* — **~ sup·port** *s mil.* 'Feuerschutz *m*, -unterˌstützung *f.* — **'~ˌtail** *s zo.* **1.** (*ein*) tas'manischer Fink (*Zonaeginthus bellus*). – **2.** (*ein*) Kolibri *m* (*Gattg Lesbia*). — **'~-ˌteaz·er** *s Br.* Heizer *m.* — **~ tongs** *s pl* Kohlenzange *f.* — **~ tow·er** *s* **1.** Leuchtturm *m.* – **2.** 'Feuersiˌgnalbeobachtungsturm *m.* – **3.** feuersicherer Schacht. — **'~ˌtrap** *s* feuergefährdetes Gebäude ohne (genügende) Notausgänge. — **~ tree** *s bot.* (*ein*) Eisenholzbaum *m* (*Metrosideros tomentosa*). — **~ trench** *s mil.* Schützengraben *m.* — **~ tube** *s tech.* **1.** 'Heiz-, 'Feuerkaˌnal *m.* – **2.** Flamm-, Rauchröhre *f.* – **3.** Heiz-, Siederohr *n.* — **'~-ˌwalk·ing** *s hist.* Lauf *m* über glühende Kohlen. — **~ wall** *s* Sicherungs-, Schutz-, Brandmauer *f.* — **'~ˌward·en,** *auch* **'~ˌward** *s Am.* Feuer-, Brandwache *f.* — **'~-ˌwatch·er** *s Br.* Luftschutzwart *m*, Feuerposten *m.* — **'~ˌwa·ter** *s colloq.* Feuerwasser *n*, Branntwein *m.* — **'~ˌweed** *s bot.* **1.** (*ein*) Afterkreuzkraut *n* (*Erechthites hieracifolia*; *nordamer. Composite*). – **2.** Kanad. Berufkraut *n* (*Erigeron canadensis*). – **3.** → **jimson weed.** – **4.** *auch* **purple ~** Schmalblättriges Weidenröschen (*Epilobium angustifolium*). — **'~ˌwood** *s* Brennholz *n.* — **'~ˌwork** *s* **1.** Feuerwerk *n.* – **2.** *pl fig.* Feuerwerk *n*, sprühender Wortschwall, geistreicher Vortrag. — **'~ˌworm** → **glowworm.** — **~ wor·ship** *s* Feueranbetung *f.* — **~ wor·ship·per** *s* Feueranbeter *m.*

fir·ing ['fai(ə)riŋ] *s* **1.** Anzünden *n*, Feuern *n.* – **2.** 'Brennmateriˌal *n.* – **3.** *mil.* (Ab)Feuern *n*, Schießen *n.* – **4.** *tech.* Zündung *f*, Feuerung *f.* – **5.** *tech.* Heizung *f*, Verbrennung *f.* — **~ bolt** *s mil.* Schlagbolzen *m* (*Mine*). — **~ chart** *s mil.* Batte'rieplan *m.* — **~ da·ta** *s pl mil.* Schußwerte *pl* (*Artillerie*). — **~ hole** *s tech.* Schürloch *n.* — **~ i·ron** *s med.* Brenneisen *n*, -messer *n.* — **~ line** *s mil.* **1.** Feuerlinie *f*, -stellung *f.* – **2.** Feuer-, Schützenkette *f*, (Schützen)Grabenbesatzung *f.* — **~ or·der** *s* **1.** *tech.* Zündfolge *f* (*Verbrennungsmotor*). – **2.** *mil.* Schießbefehl *m.* — **~ par·ty** *s mil.* **1.** 'Ehrenkompaˌnie *f*, -abordnung *f.* – **2.** Exekuti'onskomˌmando *n.* — **~ pin** *s tech.* Schlagbolzen *m*, Zündnadel *f.* — **~ point** *s mil.* Geschützstand *m*, Abschußstelle *f*, Schützenstandort *m.* — **~ port** *s mil.* **1.** Schießscharte *f.* – **2.** Walzenblende *f* (*am Panzer*). — **~ po·si·tion** *s mil.* **1.** Anschlag(sart *f*) *m.* – **2.** (*Artillerie*) Feuerstellung *f.* — **~ range** *s mil.* **1.** Schuß-, Reichweite *f.* – **2.** Feuerbereich *m.* – **3.** Schießplatz *m*, -stand *m*, -anlage *f*, Schußbahn *f.* — **~ squad** → **firing party.** — **~ step** → **fire step.** — **~ volt·age** *s electr.* Zündspannung *f.* — **~ wire** *s electr.* Zünd-, Sprengkabel *n.*

fir·kin ['fəːrkin] *s* **1.** (Butter)Fäßchen *n.* – **2.** Viertelfaß *n* (*Hohlmaß*; = *Br.* 40,9 *l*, *Am.* 34,1 *l*).

firm[1] [fəːrm] **I** *adj* **1.** fest, stark, hart, steif: **to be on ~ ground** *fig.* festen Boden unter den Füßen haben. – **2.** *bes. tech.* befestigt, sta'bil, fest angemacht, straff, gut *od.* sicher befestigt, haltbar, statio'när: **to make ~** befestigen. – **3.** ruhig, nicht zitternd: **a ~ hand.** – **4.** *fig.* fest, beständig, standhaft, -fest, unveränderlich: **a ~ offer** *econ.* ein festes Angebot; **~ friends** enge Freunde. – **5.** entschlossen. – **6.** fest, haltbar, beständig: **~ prices** stabile Preise. – *SYN.* **hard, solid.** – **II** *v/t* **7.** fest *od.* hart machen. – **8.** *obs.* bestätigen. – **III** *v/i* **9.** fest werden, sich festigen. – **IV** *adv* **10.** fest, sicher: **to stand ~.**

firm[2] [fəːrm] *s* (Handels)Firma *f*, Betrieb *m*, Unter'nehmen *n*, (Handels)Haus *n*: **a ~ of builders and contractors** eine Bauunternehmung.

fir·ma·ment ['fəːrməmənt] *s* Firma'ment *n*, Himmelsgewölbe *n*, Sternenzelt *n.* — **ˌfir·ma'men·tal** [-'mentl] *adj* Firmaments..., Himmels...

fir·man ['fəːrmæn; fər'mæn] *pl* **-mans** *s* Fer'man *m* (*Geleitbrief, Verfügung etc eines östl. Herrschers*).

fir·mer chis·el ['fəːrmər] *s tech.* Stechbeitel *m.*

fir moss *s bot.* Tannenbärlapp *m* (*Lycopodium selago*).

firm·ness ['fəːrmnis] *s* Festigkeit *f*, Entschlossenheit *f*, Beständigkeit *f.*

firn [firn] *s* Firn(schnee) *m.*

fir par·rot *s zo.* (Fichten)Kreuzschnabel *m* (*Loxia curvirostra*).

fir·ry ['fəːri] *adj* **1.** Tannen... – **2.** (*fälschlich*) a) Fichten..., b) Kiefern... – **3.** aus Tannenholz (gemacht). – **4.** tannenreich.

first [fəːrst] **I** *adj* **1.** erst(er, e, es), vorderst(er, e, es): → **hand** 8; **at ~ sight** (*od.* **view** *od.* **blush**) beim *od.* auf den ersten (An)Blick; **to do s.th. ~ thing** *colloq.* etwas als erstes *od.* zu(aller)erst tun; **to put ~ things ~** Dringendem den Vorrang *od.* Vortritt geben; **come ~ thing tomorrow** *colloq.* komme morgen ganz früh *od.* gleich morgen; **the ~ two** die ersten beiden; **the ~ men in the country** die hervorragendsten Persönlichkeiten des Landes; **he does not know the ~ thing about it** er hat keine Ahnung davon; → **place** 11. –

II *adv* **2.** (zu)'erst, zu'vorderst: **head ~** mit dem Kopf voran. – **3.** zum erstenmal. – **4.** eher, lieber: **I'll be hanged ~** eher laß ich mich hängen. – **5.** erstens, zu'vörderst, vor allen Dingen: **~ come, ~ served** wer zuerst kommt, mahlt zuerst; **~ or last** früher od. später, über kurz od. lang; **~ and last** vor allen Dingen, im großen ganzen; **~ of all** vor allen Dingen; → **foremost** II. –

III *s* **6.** (*der, die, das*) Erste. – **7.** erster Teil: **from the ~** von Anfang an; **from ~ to last** immerfort; **at ~** im *od.* am Anfang, anfangs, zuerst. – **8.** *mus.* erste Stimme. – **9.** erster Gang (*Auto*). – **10.** *sport* erster Platz. – **11.** (*der*) (Monats)Erste: **the ~ of June** der 1. Juni; **the F~** *hunt. colloq.* der 1. September, der Anfang der Rebhuhnjagd. – **12.** *Br.* Eins *f*, höchste Note (*bei einer Universitätsprüfung*): **he got a ~ in mathematics** er bekam eine Eins in Mathematik. – **13.** *pl* erste *od.* beste Quali'tät (*Waren*).

first| aid *s* Erste Hilfe: **~ kit** Verbandpäckchen; → **post** 7. — **~ base** *s Am.* **1.** (*Baseball*) erstes Mal. – **2.** *fig.* erste *od.* anfängliche Stufe: **he didn't get to ~** *sl.* er hat nicht das geringste erreicht. — **~ base·man** [-mən] *s irr* (*Baseball*) Feldspieler *m* am ersten Mal. — **~ bid** *s* (*Versteigerung*) Erstgebot *n.* — **'~-ˌborn I** *adj* erstgeboren(er, e, es), ältest(er, e, es). – **II** *s* (*der, die, das*) Erstgeborene. — **~ cause** *s philos.* erste Ursache. — **'~-'chop** *adj Br. Ind. od. colloq.* erstklassig, prima. — **~ claim** *s econ.* Vorhand *f*, erster Anspruch. — **~ class** *s* **1.** erste Klasse (*Schiff, Eisenbahn etc*). – **2.** **the ~** die höheren Gesellschaftsschichten. – **3.** *Br.* höchste Note (*in Universitätsprüfungen*). — **'~-'class I** *adj* **1.** ausgezeichnet, erstklassig. – **2.** besteingerichtet, teuerst(er, e, es), erster Klasse: **~ mail** *Am.* Briefpost. – **II** *adv* **3.** erster Klasse: **to travel ~.** — **~ coat** *s tech.* **1.** Rohputz *m*, Bewurf *m.* – **2.** Grundanstrich *m*, Grun'dierung *f.* — **~ cost** *s* Einkaufs-, Selbstkostenpreis *m.* — **F~ day** *s* Sonntag *m* (*Quäker*). — **~ draft** *s* Kon'zept *n*, erster Entwurf. — **~ floor** *s* **1.** *Br.* erster Stock, erstes Stockwerk. – **2.** *Am.* Erdgeschoß *n.* — **'~-ˌfoot** *Scot.* **I** *s irr der Erste, der am Neujahrsmorgen über die Schwelle tritt.* – **II** *v/i* als Erster im neuen Jahr die Schwelle über'schreiten. — **~ form** *s ped. Br.* erste *od.* unterste Klasse. — **~ fruits,** *auch* **~ fruit** *s* **1.** *bot.* Erstling *m*, erste Frucht (des Jahres). – **2.** *fig.* Erstlingswerk *n*, -erzeugnis *n.* — **~ grade** *s ped. Am.* unterste Volksschulklasse. — **'~'hand I** *adv auch* **at ~** aus erster Hand: **to buy ~** *econ.* aus erster Hand beziehen. – **II** *adj* aus erster Hand, unmittelbar, di'rekt. — — **~ la·dy** *s Am.* Frau *f* des Präsi'denten der USA *od.* des Gouver'neurs eines Staates. — **~ lieu·ten·ant** *s mil.* Oberleutnant *m.*

first·ling ['fəːrstliŋ] *s* Erstling *m.*

First Lord| of the Ad·mi·ral·ty *s* Erster Lord der Admirali'tät (*brit. Marineminister*). — **~ of the Treas·ur·y** *s* Erster Lord des Schatzamtes (*Ehrenamt des brit. Premiers*).

first·ly ['fəːrstli] *adv* erstens, erstlich, zu'erst, zum ersten.

first| me·rid·i·an *s geogr.* 'Nullmeridiˌan *m.* — **~ mort·gage** *s econ. jur.* erste Hypo'thek, Priori'tätshypoˌthek *f.* — **~ name** *s* Vorname *m.* — **~ night** *s* **1.** Premi'ere *f*, Uraufführung *f.* – **2.** Premi'erenabend *m.* — **ˌ~-'night·er** *s* Premi'erenbesucher *m.* — **~ off** *adv Am. sl.* gleich (jetzt). — **~ of·fend·er** *s jur.* erstmalig Straffällige(r), noch nicht Vorbestrafte(r). — **~ pa·pers** *s pl Am. Dokumente, die vor allen anderen von Bewerbern um die Staatsbürgerschaft der USA ausgefüllt werden müssen.* — **~ per·son** *s ling.* erste Per'son. — **~ proof** *s print.* erster Korrek'turabzug. — **'~-'rate I** *adj* ausgezeichnet, erstklassig, vor'züglich, ersten Ranges: **a ~ power** eine der ersten Großmächte. – **II** *adv colloq.* ausgezeichnet, großartig. — **~ run·ning** *s* (*Destillation*) Vorlauf *m.* — **F~ Sea·lord** *s* Chef *m* des brit. Admi'ralstabs. — **~ ser·geant** *s mil. Am.* Haupt-, Ober-, Kompa'niefeldwebel *m.* — **~ speed** *s tech. Br.* erster Gang (*Auto etc*). — **~ vi·o·lin** *s mus.* erste Geige. — **~ wa·ter** *s* **1.** erstes *od.* reinstes Wasser (*Diamant*). – **2.** höchster Rang *od.* Grad, erste Quali'tät: → **water** 26.

firth [fəːrθ] *s* Meeresarm *m*, (weite) Mündung, Förde *f.*

fir tree *s* Tanne(nbaum *m*) *f.*

fisc [fisk] *s antiq.* Fiskus *m*, Staatskasse *f.* — **'fis·cal I** *adj* **1.** fis'kalisch, steuerlich, Fiskal..., Finanz...: **~ year** a) Geschäfts-, Rechnungsjahr (*privat*), b) *bes. Am.* Steuer-, Etatsjahr. – *SYN. cf.* **financial.** – **II** *s* **2.** Fis'kal *m* (*Justizbeamter*). – **3.** Steuermarke *f.*

fish [fiʃ] **I** *s pl* **'fish·es** *od. collect.* **fish** **1.** Fisch *m*: **there are as good ~ in the sea as ever came out of it** es gibt noch mehr (davon) auf der Welt; **all's ~ that comes to his net** er nimmt, was er kann; er steckt ein, was ihm in die Hände kommt; **he drinks like a ~** er säuft wie ein Loch; **he is like a ~ out of water** er ist nicht in seinem Element; **I have other ~ to fry** ich habe Wichtigeres *od.* Besseres zu tun; **he is neither ~, flesh nor good red herring** er hat kein Mark in den Knochen, er ist weder Fisch noch Fleisch; **it is neither ~ nor flesh** es ist nichts Halbes u. nichts Ganzes; → **feed** 1; **kettle** 1. – **2.** **the F~(es)** *astr.* die Fische *pl* (*Sternbild*). – **3.** *colloq.*

Mensch *m*, Per'son *f*: a queer ~ ein komischer Kauz. – 4. *mar.* Fisch *m*, Schalstück *n* (*zum Mastverstärken etc*). – 5. (*Eisenbahn*) Lasche *f*. – 6. (*Ballett*) *sl.* Fischsprung *m*. – II *v/t* 7. fischen, (*Fische*) fangen. – 8. (*Fluß etc*) abfischen, absuchen. – 9. (*Eisenbahn*) verlaschen. – 10. *fig.* her'aus-, her'vorholen. – III *v/i* 11. fischen, Fische fangen, angeln: ~ or cut bait *Am. sl.* entschließ dich — so oder so; to ~ in troubled waters im trüben fischen. – 12. *fig.* haschen, fischen (for nach). – 13. *mar.* a) den Anker fischen, b) einen Mast fischen *od.* verschalen. — '**fish·a·ble** *adj* fischbar, zum Fischen geeignet.

fish| and chips *s Br.* (gebackener) Fisch u. Pommes frites. — '~,**back** *s mar.* Fischblocksteert *m*. — ~ **ball** *s* (*Kochkunst*) 'Fischklops *m*, -frika,delle *f*. — ~ **bas·ket** *s* (Fisch)-Reuse *f*. — ~ **beam** *s tech.* fischbauchartig ausgebogener Balken. — '~,**bed** *s geol.* Schicht *f* mit fos'silen Fischen. — '~,**ber·ry** *s bot.* (*Art*) Fischfanggift *n*, *bes.* Kokkelskörner *pl* (*von Anamirta cocculus*). — ~ **block** *s mar.* Fisch-, Kattblock *m*. — '~,**bolt** *s tech.* Laschenbolzen *m*. — '~,**bone** *s* (Fisch)Gräte *f*. — '~,**bone tree** *s bot.* (*eine*) Ginsengpflanze (*Pseudopanax crassifolium*). — ~ **boom** *s mar.* Anker(aufwinde)baum *m*. — ~ **cake** → fish ball. — ~ **carv·er** *s* Fischvorlegemesser *n*. — ~ **coop** *s Am.* *Vorrichtung zum Fischfang in einem Eisloch.* — ~ **crow** *s zo.* Fischkrähe *f* (*Corvus ossifragus*). — ~ **cul·ture** *s* Fischzucht *f*. — ~ **dav·it** *s mar.* Fischgalgen *m*, -kran *m*, -davit *m*. — ~ **day** *s relig.* Fasttag *m*. — ~ **duck** *s zo.* (*ein*) Säger *m* (*Gattg Mergus*).

fish·er ['fiʃər] *s* 1. Fischer *m*, Angler *m*. – 2. *zo.* Fischfänger *m*. – 3. *zo.* Fischermarder *m* (*Martes pennanti*). — '~·**man** [-mən] *s irr* 1. Fischer *m*, Angler *m*: ~s bend *mar.* Fischersteek, -knoten. – 2. Fischdampfer *m*, *bes.* Walfänger *m*.

Fish·er's Seal *s relig.* Fischerring *m* (*des Papstes*).

fish·er·y ['fiʃəri] *s* 1. Fische'rei *f*, Fischfang *m*. – 2. Fisch-, Angelplatz *m*, Fische'reigebiet *n*. – 3. Fische'reirecht *n*, Fischerlaubnis *f*.

fish| flake *s* Fischhürde *f*. — ~ **flour** *s* Fischmehl *n*. — ~ **fork** *s* 1. Fischgabel *f*, -speer *m*. – 2. Fischgabel *f* (*Besteck*). — ~ **fry** *s Am.* Fischessen *n* (*gesellige Zusammenkunft, bei der Fische gebraten u. verzehrt werden*). — ~ **globe** *s* kugelförmiges Fischglas *od.* A'quarium. — ~ **glue** *s* Fischleim *m*. — ~ **gua·no** *s* 'Fischgu,ano *m*, -dünger *m*. — ~ **hawk** *s zo.* Fisch-, Flußadler *m* (*Pandion haliaëtus*). — ~ **hold** *s mar.* Fischladeraum *m*, Bünn *f*. — '~,**hook** *s* 1. Angelhaken *m*, Fischangel *f*. – 2. *mar.* Fisch-, Penterhaken *m*.

fish·i·ness ['fiʃinis] *s* 1. Fischartigkeit *f*. – 2. *sl.* Zweifelhaftigkeit *f*, Verdächtigkeit *f*.

fish·ing ['fiʃiŋ] *s* 1. Fischen *n*, Angeln *n*. – 2. Fisch-, Angelplatz *m*. – 3. *tech.* Laschenverbindung *f*. — ~ **boat** *s* Fische'reifahrzeug *n*. — ~ **duck** → fish duck. — ~ **grounds** *s pl* Fangplatz *m*, Fischgrund *m*. — ~ **net** *s* Fischnetz *n*. — ~ **pole**, ~ **rod** *s* Angelrute *f*. — ~ **sto·ry** *s Br.* über'triebene *od.* unglaubliche Geschichte, 'Jägerla,tein *n*. — ~ **tack·le** *s* Fisch-, Angelgerät *n*, -zeug *n*.

fish| jig *s* Fischstachel *m*. — ~ **joint** *s tech.* Laschen-, Stoßverbindung *f*. — ~ **ket·tle** *s* Fischkessel *m*, -kocher *m*. — ~ **kill·er** *s zo.* (*eine*) Riesenwasserwanze (*Fam. Belostomatidae*). — ~ **knife** *s irr* Fischmesser *n*. — ~ **lad·der** *s tech.* Fischtreppe *f*. — ~ **line** *s* Angelschnur *f*. — ~ **louse** *s irr zo.* (*ein*) para'sitischer Ruderfußkrebs (*bes. Gattg Lernaea*). — ~ **maw** *s* Schwimm-, Fischblase *f*. — ~ **meal** *s* Fischmehl *n*. — '~,**mon·ger** *s Br.* Fischhändler *m*. — ~ **moth** *s zo.* Silberfischchen *n* (*Lepisma saccharinum*). — ~ **oil** *s* Fischtran *m*. — ~ **owl** *s zo.* (*eine*) fischfressende Eule (*Gattungen Ketupa u. Scotopelia*). — ~ **pearl** *s* Fischperle *f*. — '~,**plate** *s tech.* (Fuß-, Schienen)Lasche *f*. — ~ **poi·son** *s* 1. *bot.* Fischtod *m* (*eine fischbetäubende Pflanze*). – 2. Fischgift *n*. — ~ **pole** *s Am.* Angelrute *f*. — ~ **pom·ace** *s tech.* Fischdünger *m*. — '~,**pond** *s* Fischteich *m*. — '~,**pot** *s* Fischreuse *f* (*zum Krebsfang*). — '~,**pound** *s Am.* kammerförmiges Fischernetz. — ~ **roe** *s zo.* Rogen *m*. — ~ **scale** *s* 1. Fischschuppe *f*. – 2. *tech.* schuppenähnlicher Fehler. — ~ **scrap** → fish pomace. — '~,**skin** *s* Fischhaut *f*. — ~ **slice** *s* Fischkelle *f*. — ~ **spear** *s* Fischspieß *m*, Har'pune *f*. — ~ **sto·ry** *Am. colloq.* für fishing story. — ~ **tack·le** *s mar.* Ankertalje *f*, Penter-, Fischtakel *n*. — '~,**tail I** *s* 1. Fischschwanz *m*. – 2. (*etwas*) Fischschwanzähnliches. – 3. *zo.* → fish moth. – 4. *aer. colloq.* Abbremsen *n*. – II *adj* 5. fischschwanzähnlich, -artig. – III *v/i* 6. *aer. colloq.* abbremsen (*durch wechselseitige Seitenruderbetätigung*). — ~ **tor·pe·do** *s mil.* fischähnlicher Tor'pedo. — ~ **well** *s* Bünn *f*. — '~,**wife** *s irr* 1. Fischhändlerin *f*, -weib *n*. – 2. *fig.* keifendes Weib. — '~,**wood** *s bot.* Amer. Pfaffenhütchen *n*, Amer. Spindelstrauch *m* (*Evonymus americanus*). — '~,**worm** *s* Angelwurm *m*.

fish·y ['fiʃi] *adj* 1. fischähnlich, -artig, fischig. – 2. aus Fisch bestehend, Fisch... – 3. fischreich. – 4. *sl.* ‚faul', unwahrscheinlich, zweifelhaft, verdächtig. – 5. ausdruckslos, trübe: ~ eyes.

fisk *cf.* fisc.

fissi- [fisi] *Wortelement mit der Bedeutung* Teilung, Spaltung.

fis·sile ['fisil; -sl; *Br. auch* -sail] *adj* spalt-, teilbar. — **fis·sil·i·ty** [fi'siliti; -əti] *s* Spalt-, Teilbarkeit *f*.

fis·sion ['fiʃən] *s* 1. *phys.* Spaltung *f*, Teilung *f*: ~ induced by neutron durch Neutron ausgelöste Spaltung; ~ product Spaltungsprodukt; ~ threshold Energieschwelle der Spaltung; ~ of uranium Uranspaltung. – 2. *bot.* Spaltung *f* (*Zellen*). – 3. *zo.* (Zell)Teilung *f*. — '**fis·sion·a·ble** *adj phys.* spaltbar: ~ material spaltbares Material.

fis·sion| bomb *s mil.* A'tombombe *f*. — ~ **cap·ture** *s phys.* Spaltungseinfang *m*.

fis·sip·a·rous [fi'sipərəs] *adj zo.* sich durch Teilung vermehrend, fissi'par.

fis·si·ped ['fisi,ped] *zo.* I *adj* spaltfüßig. – II *s* Spaltfüßer *m*, Landraubtier *n*. — ,**fis·si'ros·tral** [-'rɒstrəl] *adj zo.* 1. mit einem Spaltschnabel versehen, zu den Spaltschnäblern gehörig. – 2. gespalten (*Schnabel*).

fis·sure ['fiʃər] I *s* 1. Spalt(e *f*) *m*, Riß *m*, Ritz(e *f*) *m*, Sprung *m*. – 2. Spalten *n*. – 3. Spaltung *f*, Gespaltensein *n*. – 4. *med.* Fis'sur *f*. – 5. (*Bergbau*) Kluft *f*, Gangspalte *f*. – 6. *biol.* Gewebespalt *m*, Einriß *m*, Schlitz *m*. – II *v/t* 7. spalten, sprengen. – III *v/i* 8. (auf)springen, Risse bekommen, rissig werden, sich spalten. — '**fis·sured** *adj* 1. gespalten, rissig. – 2. *med.* aufgesprungen, schrundig. – 3. *tech.* rissig. – 4. *geol.* zerklüftet.

fist [fist] I *s* 1. Faust *f*: ~ law Faustrecht. – 2. *humor.* Hand *f*. – 3. *humor.* Handschrift *f*, ‚Klaue' *f*. – 4. *print.* Hand(zeichen *n*) *f*. – II *v/t* 5. mit der Faust schlagen. – 6. anpacken.

fist·ed ['fistid] *adj* mit Fäusten *od.* Händen (*meist in Zusammensetzungen*): close~ geizig; clumsy-~ mit ungeschickten Händen; two-~ a) *dial.* ungeschickt, b) *Am. sl.* kraftstrotzend.

fist·ic ['fistik] *adj sport* Faust(kampf)..., Box... — '**fist·i,cuff** [-,kʌf] I *s* 1. Faustschlag *m*. – 2. *pl sport* Faustkampf *m* (*Boxen ohne Handschuhe*). – II *v/t u. v/i* 3. mit den Fäusten (zu)schlagen *od.* kämpfen.

fis·tu·la [*Br.* 'fistjulə; *Am.* -tʃu-] *pl* **-las** *od.* **-lae** [-,liː] *s* 1. *med. vet.* Fistel *f*: biliary ~ Gallenfistel. – 2. *mus.* Rohrflöte *f*. — '**fis·tu·lous**, *auch* '**fis·tu·lar** *adj* 1. *med.* fistelartig, fistu'lös. – 2. rohrförmig, -artig.

fist·y ['fisti] → feisty.

fit[1] [fit] I *adj comp* '**fit·ter** *sup* '**fit·test** 1. passend, geeignet. – 2. geziemend, schicklich, anständig. – 3. geeignet, qualifi'ziert, fähig, tauglich: the boy was crying ~ to burst *colloq.* der Junge schrie wie am Spieß; dressed ~ to kill *sl.* bunt herausgeputzt, ‚geschmückt wie ein Pfingstochse'; ~ to be tied *Am. sl.* wütend, verärgert; to see (*od.* think) ~ es für richtig halten; not ~ to hold a candle to s.o. j-m weit unterlegen sein, j-m nicht das Wasser reichen können; ~ for founding *tech.* gießbar; ~ for transport transportfähig. – 4. würdig, wert: a dinner ~ for a king ein königliches Mahl. – 5. fertig, bereit. – 6. in guter körperlicher Verfassung, in (guter) Form, wohlauf, gesund, kräftig: → fiddle 1. – *SYN.* appropriate, apt, felicitous, fitting, happy, meet, proper, suitable. –

II *s* 7. genaues Passen, Sitz *m* (*Kleidungsstück*): it is a perfect ~ es paßt genau, es sitzt ausgezeichnet. – 8. (*etwas*) Passendes, passendes Kleidungsstück. – 9. Anpassen *n*, Passendmachen *n*, Passung *f*. –

III *v/t pret u. pp* '**fit·ted** 10. passend *od.* geeignet machen, ausrüsten, ausstatten: to ~ (on) a suit einen Anzug anprobieren; to ~ a curve to given points *math.* eine Kurve in eine Reihe gegebener Punkte einzeichnen. – 11. (*j-m*) passen, sitzen, passen für *od.* auf (*j-n*), die richtige *od.* passende Form haben für (*etwas*). – 12. *tech.* geeignet *od.* befähigt machen, akkommo'dieren, zurichten, qualifi'zieren. – 13. vorbereiten, ausbilden. – 14. ausrüsten, versehen. – 15. *tech.* a) einpassen, -bauen, b) aufstellen, mon'tieren. –

IV *v/i* 16. passend *od.* angemessen sein. – 17. passen, die richtige Größe *od.* Form haben: to ~ in(to) s.th. in *od.* zu etwas passen; to ~ tightly stramm sitzen; if the cap (*Am.* shoe) ~s, you can wear it *colloq.* wem die Jacke paßt, der kann sie anziehen; wenn du dich getroffen fühlst, ist das nicht meine Schuld. –

Verbindungen mit Adverbien:

fit| in I *v/t* (hin)'einfügen, einpassen. – II *v/i* (with) passen (in *acc*, zu), über'einstimmen (mit). — ~ **on** *v/t* anpassen, 'anpro,bieren. — ~ **out** *v/t* ausstatten, (*Wohnung*) einrichten. — ~ **to·geth·er I** *v/t* zu'sammenfügen. – II *v/i* zu'sammenpassen. — ~ **up** *v/t* ausstatten.

fit[2] [fit] *s* 1. *med.* Anfall *m*, Paro'xysmus *m*, Ausbruch *m*: apoplectic ~ Schlaganfall; ~ of coughing Hustenanfall; ~ of epilepsy epileptischer Anfall; to give s.o. a ~, to throw s.o. into ~s *colloq.* j-n furchtbar erschrecken *od.* aufregen; to give s.o. ~s, to beat s.o. into ~s *colloq.* j-n spielend leicht besiegen. – 2. An-, Einfall *m*, Anwandlung *f*, Laune *f*,

Stimmung *f*: by ~s (and starts) stoß-, ruckweise, dann u. wann, von Zeit zu Zeit.

fit[3] [fit] *s obs.* Fitte *f*, Liedabschnitt *m*, Canto *m*.

fitch [fitʃ] *s* **1.** Iltishaar(bürste *f*) *n*. – **2.** → fitchew. — **'fitch·ew** [-uː], *auch* **'fitch·et** [-it] *s zo.* Iltis *m* (*Putorius putorius*).

fit·ful ['fitful; -fəl] *adj* **1.** Anfällen unter'worfen. – **2.** unregelmäßig auftretend, veränderlich, vom Zufall abhängig. – **3.** wechselvoll, launenhaft. – *SYN.* convulsive, spasmodic. — **'fit·ful·ness** *s* Ungleichmäßigkeit *f*, Unbeständigkeit *f*, Launenhaftigkeit *f*.

fit·ly ['fitli] *adv* **1.** auf passende Art, sach-, sinngemäß. – **2.** zur rechten Zeit. — **'fit·ment** *s* **1.** Einrichtungsgegenstand *m*. – **2.** *pl* Ausstattung *f*, Einrichtung *f*. — **'fit·ness** *s* **1.** Angemessenheit *f*, Schicklichkeit *f*. – **2.** Tauglichkeit *f*, Eignung *f*, Tüchtigkeit *f*, Fähigkeit *f*, Befähigung *f*, Qualifikati'on *f*. – **3.** Gesundheit *f*. – **4.** *bes. biol.* Zweckmäßigkeit *f*, -haftigkeit *f*, Eignung *f*. — **'fit,out** *s* Ausrüstung *f*. — **'fit·ter** *s* **1.** Ausrüster *m*, Einrichter *m*, Zubereiter *m*. – **2.** Schneider(in) (*der od. die in einem Konfektionshaus Änderungen absteckt*). – **3.** *tech.* Mon'teur *m*, Schlosser *m*, Installa'teur *m*. – **4.** Liefe'rant *m*, Ausstatter *m*. — **fit·ting** ['fitiŋ] **I** *adj* **1.** passend, geeignet. – **2.** angemessen, schicklich. – *SYN. cf.* fit[1]. – **II** *s* **3.** Einrichten *n*, Zu'rechtmachen *n*, Ein-, Anpassen *n*. – **4.** (An)-Probe *f*. – **5.** *tech.* Mon'tieren *n*, Instal'lieren *n*, Mon'tage *f*, Installati'on *f*. – **6.** *pl* Beschläge *pl*, Zubehör *n*, Arma'turen *pl*, Ausstattungs-, Ausrüstungsgegenstände *pl*. – **7.** *tech.* Einpaßzugabe *f*, Kupplungsstück *n*, Rohrverbindung *f*. — **'fit·ting·ness** *s* Angemessenheit *f*, Schicklichkeit *f*, Eignung *f*.

'fit·ting|-'out ba·sin *s mar.* Ausrüstungsbecken *n*, -kai *m*, -dock *n*. — ~ **piece** *s tech.* Paßstück *n*. — ~ **shop** *s tech.* Mon'tagewerkstatt *f*.

'fit-,up *s* (*Theater*) *Br. colloq.* **1.** provi'sorische Bühne u. Requi'siten *pl*. – **2.** *auch* ~ company (kleine) Wandertruppe.

five [faiv] **I** *adj* **1.** fünf: ~-day week Fünftagewoche; ~-finger exercise *mus.* Fünffingerübung. – **II** *s* **2.** Fünf *f* (*Spielkarte, Dominostein etc*). – **3.** Fünf *f*, Fünfer *m* (*Zahl*). – **4.** Fünf *f*, (Gruppe *f* von) fünf Menschen *od.* Dinge(n): a bunch of ~s *sl.* eine Faust. – **5.** a) *Br.* Fünf'pfundnote *f*, b) *Am. colloq.* Fünf'dollarnote *f*. – **6.** (*Krikket*) fünf Läufe einbringender Schlag. – **7.** *pl econ. colloq.* 'fünfpro,zentige 'Wertpa,piere *pl*. – **8.** *pl* Gegenstände *pl* der Größe *od.* Nummer 5 (*Schuhe etc*). — **'~-,fig·ure** *adj* fünfstellig: he has a ~ income sein Einkommen übersteigt 10000 (Pfund *od.* Dollar). — **'~-,fin·ger** *s* **1.** *bot.* a) → cinquefoil 1, b) → bird's-foot trefoil, c) Wilder Wein (*Parthenocissus quinquefolia*), d) Gartenprimel *f* (*Primula elatior*). – **2.** *zo.* (*ein*) Seestern *m* (*Ordng Asteroidea*). — **'~-,fin·gered** *adj bot. zo.* fünffingrig, -strahlig. — **'~'fold I** *adj* fünffach, -mal. – **II** *adv* um das Fünffache. — ~ **hun·dred** *s* (*Kartenspiel*) *eine Abart des* Euchre, *in der 500 Punkte gewinnen.* — **'~-,mast·ed ship** *s mar.* Fünfmastvollschiff *n*. — **'~-,ply** *s tech.* fünffaches Sperrholz.

fiv·er ['faivər] *sl. für* five 5 *u.* 6.

fives [faivz] *s sport Br.* (*Art*) Wandball(spiel *n*) *m*.

'five|-,sid·ed *adj math.* fünfseitig. — **'~-,u·nit code** *s tech.* 'Fünferalpha,bet *n*. — **'~-,wire net·work** *s electr.* Fünfleiternetz *n*. — **'F~-'Year Plan** *s* Fünfjahresplan *m* (*bes. der russische*).

fix [fiks] **I** *v/t* **1.** befestigen, festmachen, anheften: to ~ the position orten; → bayonet 1. – **2.** (*Preis*) festsetzen, -legen, bestimmen, verabreden. – **3.** (*Zeit etc*) anberaumen, festsetzen. – **4.** (*Augen etc*) richten, heften (upon, on auf *acc*). – **5.** (*Aufmerksamkeit etc*) festhalten, bannen, fesseln, auf sich lenken. – **6.** *chem.* (*Flüssigkeit*) zum Gestehen *od.* Erstarren bringen, fest werden lassen. – **7.** *tech.* fi'xieren, härten, nor'mieren. – **8.** (*Schuld, Verantwortung etc*) zuschreiben, in die Schuhe schieben (upon *j-m*). – **9.** (*Zimmer, Kleider*) ein-, 'herrichten, repa'rieren, in Ordnung bringen. – **10.** *bes. Am.* (*Pläne*) machen, aushecken. – **11.** *bes. Am. sl.* (*Spiel, Rennen, Gericht*) auf unehrliche Weise beeinflussen. – **12.** *Am.* (*j-m*) zu essen geben, (*Essen*) zubereiten. – **13.** *sl.* (*j-n*) beseitigen, handlungsunfähig machen, ausschalten. – **14.** *meist* ~ up *bes. Am. sl.* (*j-n*) versorgen, 'unterbringen: → well-~ed. – **15.** *sl.* an (*j-m*) Rache nehmen, (*j-m*) heimzahlen. – **16.** *phot.* fi'xieren. – **17.** (*Mikroskopie*) (*etwas*) präpa'rieren, für mikro'skopische Unter'suchung zu'rechtmachen. – **II** *v/i* **18.** *chem.* fest *od.* steif werden, erstarren. – **19.** befestigt *od.* angemacht werden. – **20.** sich niederlassen *od.* festsetzen. – **21.** beschließen, sich entschließen (on, upon zu, für). – **22.** *Am. sl.* sich ordentlich kleiden. – *SYN. cf.* fasten. – **III** *s* **23.** *sl.* üble Lage, ‚Klemme' *f*, ‚Patsche' *f*. – **24.** *Am. sl.* abgekartetes Spiel. – **25.** *Am. sl.* guter Zustand (*meist negativ*): out of ~ kaputt, reparaturbedürftig. – **26.** *mar.* Besteck *n* (*Schiffsposition*). – **27.** *tech.* Peilung *f*. – **28.** *math.* Schnittpunkt *m*. – *SYN. cf.* predicament.

fix·a·ble ['fiksəbl] *adj* fi'xierbar, zu befestigen(d).

fix·ate ['fikseit] **I** *v/t* **1.** (*Eindrücke etc*) fi'xieren, festhalten. – **2.** (*etwas, j-n*) dauernd im Auge behalten. – **II** *v/i* **3.** fi'xiert *od.* festgehalten werden. – **4.** (*in einem gewissen Stadium*) steckenbleiben. — **fix'a·tion** *s* **1.** Festmachen *n*, Befestigen *n*. – **2.** Festsetzung *f*, -legung *f*, Bestimmung *f*, Bindung *f*, Fi'xierung *f*. – **3.** Festigkeit *f*, Stetigkeit *f*. – **4.** *chem.* Verdichtung *f*, Verdichten *n*. – **5.** *psych.* Kom'plex *m*.

fix·a·tive ['fiksətiv] *phot. tech.* **I** *s* Fixa'tiv *n*, Fi'xiermittel *n*, Beize *f*. – **II** *adj* Fixier...: ~ bath Fixierbad; ~ salt Fixiersalz. — **'fix·a·ture** [-tʃər] *s* ('Bart)Po,made *f*.

fixed [fikst] *adj* **1.** festgemacht, befestigt, fest angebracht: ~ assets *econ.* feste Anlagen, Anlagevermögen. – **2.** *chem.* gebunden, nicht flüchtig. – **3.** fest, starr, bestimmt, festgesetzt, -gelegt, -stehend: ~ day Frist, Termin. – **4.** stetig, beständig: ~ expenses laufende Ausgaben. – **5.** *tech.* fest eingebaut, statio'när: ~ ammunition *mil.* Patronen-, Einheitsmunition; ~ antenna Festantenne; ~ armament *mil.* ortsfeste Geschütze; ~ landing gear *aer.* festes Fahrwerk; ~ support (Auf)Hängerahmen; ~ tail surface *aer.* Leitwerkflosse. – **6.** in Ordnung gebracht, 'hergerichtet, repa'riert. – **7.** *colloq.* geordnet, erledigt, beigelegt. — ~ **charge** *s econ.* feste *od.* gleichbleibende Belastung. — ~ **fo·cus** *s phot.* Fixfokus *m*. — ~ **i·de·a** *s psych.* fixe I'dee, Kom'plex *m*. — ~ **light** *s mar.* festes Feuer, Festfeuer *n*.

fix·ed·ly ['fiksidli] *adv* **1.** starr, unverwandt. – **2.** *tech.* ständig, stetig. — **'fix·ed·ness** *s* Festig-, Beständigkeit *f*.

fixed| net *s mar.* Setz-, Stellnetz *n*. — ~ **oil** *s chem.* gebundenes Öl. — ~ **point** *s math.* Fest-, Fixpunkt *m*. — ~ **price** *s econ.* Festpreis *m*. — ~ **pul·ley** *s tech.* Festrolle *f*, -scheibe *f*. — ~ **sight** *s mil.* 'Standvi,sier *n*. — ~ **star** *s astr.* Fixstern *m*.

fix·er ['fiksər] *s phot.* Fi'xiermittel *n*. — **'fix·ing** *s* **1.** Befestigen *n*, Befestigung *f*: ~ agent Befestigungs-, Fixier-, Bindemittel; ~ bolt Haltebolzen; ~ point Einspannstelle; ~ screw Stellschraube. – **2.** In'standsetzen *n*. – **3.** *chem. phot.* Fi'xieren *n*, Fi'xierung *f*: ~ bath Fixierbad. – **4.** *tech.* Aufstellen *n*, Einspannung *f*, Mon'tieren *n*. – **5.** *tech.* Besatz *m*, Fütterung *f*, Versteifung *f*. – **6.** *pl Am. sl.* Ausrüstungsgegenstände *pl*, Geräte *pl*, Zubehör *n*, Zutaten *pl* (*beim Kochen*). – **7.** *mar.* Berechnung *f*. — **'fix·i·ty** *s* **1.** Festigkeit *f*, Stabili'tät *f*, Beständigkeit *f*. – **2.** *phys.* Feuerbeständigkeit *f*. — **fixt** [-t] *obs. od. poet. pret u. pp von* fix.

fix·ture ['fikstʃər] *s* **1.** niet- u. nagelfester Gegenstand, feste Anlage, Inven'tarstück *n*, Körper *m*. – **2.** *fig.* Per'son *f* in fester Stellung. – **3.** *tech.* (Ein)Spannvorrichtung *f*, Arma'tur *f*. – **4.** (*etwas*) Unverrückbares. – **5.** *Br.* (festgelegter Zeitpunkt für) sportliche Veranstaltungen *pl*. – **6.** *jur.* festes Inven'tar, Zubehör *n* (*wesentlicher Bestandteil eines Grundstücks*). – **7.** *pl* Inven'tar *n*, Ausstattung *f* (*eines Hauses, abgesehen von den Möbeln*).

fix·ure ['fikʃər] *s obs.* Festigkeit *f*.

fiz *cf.* fizz.

fiz·gig ['fiz,gig] **I** *s* **1.** flatterhaftes Mädchen, leichtfertige Frau. – **2.** Sprüh-, Knallfeuerwerk *n*, Schwärmer *m*. – **3.** Kreisel *m* (*Spielzeug*). – **4.** *selten* Fischspeer *m*, Har'pune *f*. – **II** *adj* **5.** flatterhaft, leichtfertig, unstet.

fizz [fiz] **I** *v/i* **1.** zischen, sprühen, summen. – **II** *s* **2.** Zischen *n*, Gezische *n*, Sprühen *n*, Summen *n*. – **3.** *Am.* a) Sodawasser *n*, sprudelndes Getränk, b) eisgekühltes Getränk (*aus Alkohol, Zitronensaft, Zucker u. Sodawasser*). – **4.** *Br. sl.* Sekt *m*, Cham'pagner *m*.

fiz·zle ['fizl] **I** *s* **1.** (Auf)Zischen *n*, Gezisch *n*, Summen *n*, Mous'sieren *n*. – **2.** *colloq.* miß'lungenes Unter'nehmen, Fi'asko *n*, Steckenbleiben *n*, Pleite *f*, Abfallen *n*. – **II** *v/i* **3.** (auf)-zischen, brausen, sprühen. – **4.** verpuffen. – **5.** ~ out a) erlöschen, nachlassen, schwächer werden, b) *fig.* 'uninteres,sant werden, an Spannung verlieren, c) *colloq.* enttäuschen, (nach gutem Anfang) versagen, im Sand verlaufen.

fizz·y ['fizi] *adj* zischend, summend, sprühend, schäumend.

fjeld [fjeld] (*Norwegian*) *s* öde Hochebene.

fjord *cf.* fiord.

flab·ber·gast [*Br.* 'flæbər,gɑːst; *Am.* -,gæ(ː)st] *v/t colloq.* verblüffen, verwirren, bestürzen: I was ~ed ich wußte nicht, wie mir geschah; ich war platt. – *SYN. cf.* surprise.

flab·bi·ness ['flæbinis] *s* Schlaffheit *f*, Kraftlosigkeit *f*. — **'flab·by** *adj* **1.** schlaff, schlapp, matt (*Muskeln etc*). – **2.** *fig.* schlapp, kraft-, ener'gielos. – *SYN. cf.* limp[2].

fla·bel·late [flə'belit; -eit] *adj bot. zo.* fächerförmig, Fächer... — **flab·el·la·tion** [,flæbə'leiʃən] *s* Fächern *n*, Kühlen *n*.

flabelli- [fləbeli] *Wortelement mit der Bedeutung* fächerförmig, -artig.

fla·bel·li·form [flə'beli,fɔːrm] → flabellate. — **fla'bel·lum** [-ləm] *pl* **-la** [-lə] *s* **1.** *relig.* Fla'bellum *n*, Fächer *m*. – **2.** *zo.* fächerförmiger Teil.

flac·cid ['flæksid] *adj* **1.** schlaff, weich, schlapp: ~ muscles. – **2.** *fig.* kraftlos,

schwach. – 3. welk. – *SYN. cf.* limp[2].
— **flac'cid·i·ty, 'flac·cid·ness** *s* 1. Schlaff-, Weichheit *f.* – 2. *fig.* Schwäche *f.* – 3. Welkheit *f.*

fla·con [fla'kɔ̃] (*Fr.*) *s* Fla'kon *m, n,* Flasche *f,* Fläschchen *n.*

flag[1] [flæg] **I** *s* **1.** Fahne *f,* Flagge *f,* Wimpel *m*: ~ of convenience *mar.* fremde Flagge (*unter der eine Schiffahrtsgesellschaft ein Schiff fahren läßt, um Steuern zu umgehen*); ~ salute Flaggengruß; ~-staff Flaggenstock; yellow ~ Quarantäneflagge; to strike (*od.* lower) one's ~ die Flagge streichen (*als Gruß od. Zeichen der Übergabe*). – **2.** *mar.* (Admi'rals)-Flagge *f*: to hoist (strike) one's ~ das Kommando übernehmen (abgeben). – **3.** *zo.* a) Federbüschel *n* (*am Bein eines Falken*), b) Kielfeder *f* (*des Vogelschwanzes*). – **4.** *hunt.* Fahne *f* (*Schwanz eines Vorstehhundes od. Rehs*). – **5.** *print.* Name *m od.* Titel *m* einer Zeitung. – **6.** *mus.* Schwanz *m* (*einer Note*). – **7.** (*Fernsehen*) Linsenschirm *m,* Gegenlichtblende *f,* Lichtabdeckschirm *m.* – **II** *v/t pret u. pp* **flagged 8.** beflaggen, mit Flaggen schmücken. – **9.** (*j-m*) mit einer Flagge ein Si'gnal geben, (*j-n*) durch Flaggenzeichen warnen, (*etwas*) signali'sieren. – **10.** *sport* (mit 'Flaggensi,gnal) starten *od.* anhalten, abwinken.

flag[2] [flæg] *s bot.* **1.** *eine Pflanze mit langen schwertförmigen Blättern, bes.* a) Gelbe Schwertlilie (*Iris pseudacorus*), b) (*eine*) blaue Schwertlilie (*I. prismatica u. I. versicolor*), c) Breitblättriger Rohrkolben (*Typha latifolia*). – **2.** langes schwertförmiges Blatt.

flag[3] [flæg] *v/i pret u. pp* **flagged 1.** schlaff her'unter- *od.* her'abhängen, sich neigen. – **2.** nachlassen, -geben, erlahmen (*Interesse, Kraft etc*). – **3.** langweilig werden.

flag[4] [flæg] **I** *s* **1.** Steinplatte *f,* Fliese *f.* – **2.** *pl* gepflasterter (Geh)Weg, Fliesen(pflaster *n*) *pl.* – **II** *v/t pret u. pp* **flagged 3.** pflastern.

'flag|,boat *s* (*Wassersport*) Mar'kierboot *n.* — ~ **cap·tain** *s Br.* 'Flaggkapi,tän *m,* Komman'dant *m* des Flaggschiffs. — ~ **day** *s* **1.** *Br.* Opfertag *m* (*an dem eine Straßensammlung für einen wohltätigen Zweck stattfindet*). – **2.** Flag Day *Am.* Jahrestag *m* der Natio'nalflagge (*14. Juni*).

flag·el·lant ['flædʒilənt; -dʒə-; flə'dʒel-] **I** *s* **1.** Geißler(in). – **2.** *relig.* Flagel'lant *m,* Geißelbruder *m.* – **II** *adj* **3.** geißelnd, schlagend.

flag·el·late ['flædʒi,leit; -dʒə-] **I** *v/t* **1.** schlagen, peitschen, geißeln. – **II** *adj* **2.** *zo.* mit Fla'gellen versehen, geißelförmig, Geißel... – **3.** *bot.* Schößlinge *od.* Ausläufer tragend *od.* treibend, Schößlings... – **III** *s* **4.** *zo.* Geißeltierchen *n* (*Klasse Flagellatae*). — **,flag·el'la·tion** *s* Geißelung *f.*

fla·gel·li·form [flə'dʒeli,fɔːrm; -lə-] *adj bot. zo.* geißel-, peitschenförmig, -artig. — **fla'gel·lum** [-ləm] *pl* **-la** [-lə] *od.* **-lums** *s* **1.** *zo.* Geißel *f,* Fla'gellum *n,* Fla'gelle *f.* – **2.** *bot.* Ausläufer *m,* Schößling *m,* Vermehrungssproß *m.* – **3.** Geißel *f,* Peitsche *f.*

flag·eo·let[1] [,flædʒo'let; -dʒə-] *s mus.* Flageo'lett *n.*

flag·eo·let[2] [,flædʒo'let; -dʒə-] *s bot. eine franz. grüne Bohne.*

flag·ging[1] ['flægiŋ] *adj* schlaff *od.* matt werdend: ~ enthusiasm nachlassende Begeisterung.

flag·ging[2] ['flægiŋ] *s* **1.** *collect.* Pflastersteine *pl,* Fliesen *pl.* – **2.** gepflasterter Gehweg, Trot'toir *n.* – **3.** Fliesenlegen *n.*

flag·gy[1] ['flægi] *adj* schlaff, schlapp, weich.

flag·gy[2] ['flægi] *adj* **1.** fliesenartig, -förmig. – **2.** (*in Schichten*) spaltbar.

flag·gy[3] ['flægi] *adj* voller *od.* reich an Schwertlilien *od.* Kalmus.

fla·gi·tious [flə'dʒiʃəs] *adj* **1.** verworfen, verderbt. – **2.** abscheulich, schändlich. – *SYN. cf.* vicious. — **fla'gi·tious·ness** *s* Verworfenheit *f,* Schändlichkeit *f,* Gräßlichkeit *f.*

flag| lieu·ten·ant *s* Flaggleutnant *m.* — ~ **list** *s Br.* Liste *f* der 'Flaggoffi,ziere. — **'~·man** [-mən] *s irr* **1.** Fahnenträger *m.* – **2.** *Am.* a) Bahnwärter *m,* b) Bremser *m* (*im letzten Wagen*). – **3.** *sport* Starter *m.* — ~ **of·fi·cer** *s mar.* 'Flaggoffi,zier *m.* — ~ **of truce** *s mil.* Waffenstillstands-, Parlamen'tärflagge *f,* weiße Fahne.

flag·on ['flægən] *s* **1.** (*bauchige*) Flasche (*bes. in Bocksbeutelform*). – **2.** Krug *m* (*meist mit Schnabel u. Deckel*).

'flag,pole *s* Fahnenmast *m,* Flaggenstange *f.*

fla·gran·cy ['fleigrənsi], *auch* **'fla·grance** *s* **1.** Abscheulichkeit *f,* Schändlichkeit *f.* – **2.** Ungeheuerlichkeit *f* (*Verbrechen*). — **'fla·grant** *adj* **1.** schamlos, schreiend. – **2.** abscheulich, schändlich. – **3.** *obs.* brennend. – *SYN.* glaring, gross, rank[2].

'flag|,ship *s mar.* Flaggschiff *n.* — ~ **sta·tion** *s* **1.** (*Eisenbahn*) Bedarfshaltestelle *f.* – **2.** *aer.* Bedarfsanflughafen *m.* — **'~,stone** *s* **1.** → flag[4] I. – **2.** zu Fliesen geeigneter Stein. — ~ **stop** *Am. für* flag station. — **'~-,wag·ging** *s sl.* **1.** Fahnenschwenken *n,* Signali'sieren *n.* – **2.** → flag-waving 2. — **'~-,wav·er** *s* **1.** Agi'tator *m,* Aufwiegler *m.* – **2.** *colloq.* Chauvi'nist *m,* fa'natischer Nationa'list. — **'~-,wav·ing** *s* **1.** Agi'tieren *n,* Agitati'on *f.* – **2.** Chauvi'nismus *m,* (fa'natischer) Nationa'lismus.

flail [fleil] **I** *s* **1.** *agr.* Dreschflegel *m.* – **2.** *mil. hist.* flegelähnliche Waffe. – **II** *v/t* **3.** dreschen. — ~ **tank** *s mil.* Minenräumpanzer *m.*

flair [flɛr] *s* **1.** Spürnase *f,* feine Nase, na'türliche Begabung. – **2.** Vorliebe *f,* Neigung *f.* – **3.** *hunt.* Witterung *f,* Geruchssinn *m.* – *SYN. cf.* leaning.

flak [flæk] *s mil.* **1.** Flak *f*: a) 'Fliegerabwehrka,none *f,* b) Fliegerabwehr-, Fla(k)einheit *f,* -truppe *f.* – **2.** Fla(k) *f,* Fliegerabwehr *f*: ~ ship. – **3.** Fliegerabwehr-, Flakfeuer *n.*

flake[1] [fleik] **I** *s* **1.** kleines flaches Stück, dünne Schicht, Lage *f,* Blatt *n,* Schuppe *f,* Platte *f.* – **2.** (Schnee)-Flocke *f.* – **3.** Steinsplitter *m,* -span *m.* – **4.** Eisscholle *f.* – **5.** (Feuer)Funke *m.* – **6.** (*Sortenname für eine*) zweifarbige, gestreifte Gartennelke. – **7.** *tech.* Flockenriß *m.* – **II** *v/t* **8.** abblättern, Schichten abspalten *od.* wegbrechen von. – **9.** (wie) mit Flocken bedecken. – **10.** zu Platten formen. – **III** *v/i* **11.** *meist* ~ off (schichtweise) abschuppen, abfallen, abblättern, abspalten. – **12.** in Flocken fallen. – **13.** zu Flocken werden, sich flocken. – **14.** *tech.* verzundern.

flake[2] [fleik] *s* **1.** *tech.* Trockengestell *n.* – **2.** *mar.* Stel'lage *f,* Stelling *f,* (kleiner) Bootsmannsstuhl (*für Außenbordarbeiten*).

flaked [fleikt] *adj* schuppig, flockig, Blättchen...: ~ asbestos Flockenasbest; ~ gunpowder Blättchenpulver.

flake white *s tech.* Schieferweiß *n.*

flak·i·ness ['fleikinis] *s* flockige *od.* schuppige Beschaffenheit. — **'flak·y** *adj* **1.** flockenartig, flockig, schuppig, geschichtet, schieferig, plattenähnlich. – **2.** blätterig: ~ pastry Blätterteig. – **3.** *tech.* zunderig, flockenrissig.

flam[1] [flæm] **I** *s* **1.** Lüge *f,* Unwahrheit *f.* – **2.** Schwindel *m,* Betrug *m.* – **II** *v/t u. v/i pret u. pp* **flammed 3.** betrügen, täuschen, (be)schwindeln.

flam[2] [flæm] *s mus.* (*besondere Art*) Trommelwirbel *m.*

flam·beau ['flæmbou] *pl* **-beaux** *od.* **-beaus** [-bouz] *s* **1.** Fackel *f.* – **2.** Leuchter *m,* Lüster *m.*

flam·boy·ance [flæm'bɔiəns], **flam'boy·an·cy** [-si] *s* über'ladener Schmuck, Grellheit *f.* — **flam'boy·ant I** *adj* **1.** grell, leuchtend. – **2.** *fig.* flammend, blühend, glänzend. – **3.** *arch.* wellenförmig, flammenähnlich, wellig: ~ style Flammenstil. – **4.** auffallend, auffallen wollend. – **II** *s* **5.** *bot.* Flamboy'ant *m* (*Poinciana regia*).

flame [fleim] **I** *s* **1.** Flamme *f,* Feuer *n*: to burst into ~(s) in Flammen aufgehen. – **2.** *fig.* Flamme *f,* Glut *f,* Hitze *f,* Heftigkeit *f.* – **3.** *colloq.* Geliebte *f,* ‚Flamme' *f.* – **4.** Leuchten *n,* Glanz *m.* – **5.** grelle Färbung, Farbstrich *m,* -fleck *m.* – **6.** *zo.* Wimperflamme *f.* – *SYN. cf.* blaze. – **II** *v/t* **7.** *tech.* flammen, absengen, dem Feuer aussetzen. – **8.** (*Signal*) durch Flammenzeichen senden. – **III** *v/i* **9.** flammen, (auf)lodern, züngeln. – **10.** (rot) glühen, glänzen, leuchten, blitzen. – **11.** *fig.* glühen, auffahren, -brausen. — ~ **arc** *s electr.* Flammenbogen *m.* — ~ **bridge** *s tech.* Feuerbrücke *f.* — ~ **cell** *s biol.* Wimperflamme(nzelle) *f.* — ~ **col·o(u)r** *s* Feuerfarbe *f.* — **'~-,col·o(u)red** *adj* feuerfarben, geflammt. — **'~,flo·wer** *s bot.* Tri'tome *f,* Fackellilie *f* (*Gattg Kniphofia*).

flame·let ['fleimlit] *s* Flämmchen *n,* kleine Flamme.

flame lil·y *s bot.* **1.** Maiglöckchen *n* (*Convallaria majalis*). – **2.** Zephirblume *f* (*Gattg Zephyranthes*).

fla·men ['fleimen] *pl* **-mens, flam·i·nes** ['flæmi,niːz] *s antiq.* Flamen *m,* Priester *m.*

flame| pro·jec·tor → flame thrower. — **'~,proof** *adj* **1.** feuersicher, -fest. – **2.** *tech.* flammsicher, entzündungsfest. — ~ **throw·er** *s bes. mil.* Flammenwerfer *m.* — ~ **tree** *s bot.* **1.** Flammen-, Feuerbaum *m* (*Nuytsia floribunda*). – **2.** Flaschenbaum *m* (*Brachychiton acerifolius*).

flam·ing ['fleimiŋ] *adj* **1.** brennend, feurig, flammend. – **2.** glühend, glänzend, leuchtend. – **3.** *fig.* lodernd, feurig, leidenschaftlich, heftig.

fla·min·go [flə'miŋgou] *pl* **-gos, -goes** *s zo.* Fla'mingo *m* (*Gattg Phoenicopterus*). — ~ **plant** *s bot.* (*eine*) Fla'mingo-, Schwanzblume, (*ein*) Blütenschweif *m* (*Anthurium andraeanum u. A. scherzerianum*).

Fla·min·i·an [flə'miniən] *adj antiq.* fla'minisch: the ~ Way, the ~ Road die Flaminische Straße.

flam·ma·bil·i·ty [,flæmə'biliti; -əti] *s tech.* Entflammbarkeit *f,* Entzündbarkeit *f.* — **'flam·ma·ble** *adj* brennbar, leicht entzündlich *od.* entzündbar.

flam·y ['fleimi] *adj* **1.** glühend, flammend, feurig. – **2.** flammenförmig, -artig.

flan[1] [flæn] *s* Obst-, Käsekuchen *m.*

flan[2] [flæn] *s tech.* **1.** Münzplatte *f.* – **2.** ('Münz)Me,tall *n.*

flâ·ne·rie [flɑn'ri] (*Fr.*) *s* Bummeln *n.* — **flâ'neur** [-'nœːr] (*Fr.*) *s* Bummler *m.*

flange [flændʒ] **I** *s* **1.** *tech.* her'vorspringender Rand, Ring *m,* Kante *f,* Kragen *m,* Flansch *m,* Bördel *n.* – **2.** *tech.* Spurkranz *m* (*des Rades*). – **3.** Vorrichtung *f* zur 'Herstellung von Ringen. – **4.** *biol.* Krempe *f.* – **II** *v/t* **5.** *tech.* flanschen, ('um)bördeln, krempen. – **III** *v/i* **6.** *tech.* vorspringen, die Form eines Flansches annehmen. — ~ **an·gle** *s tech.* Gurtungswinkel *m.*

— ~ **cou·pling** *s tech.* Scheibenkupplung *f.* — ~ **fac·ing** *s tech.* Flanschfläche *f.* — ~ **groove** *s tech.* Spurrille *f.* — ~ **pipe** *s tech.* Flansch(en)rohr *n.* — ~ **rail** *s tech.* Breitfuß-, Viˈgnoleschiene *f.* — ~ **tube** *s tech.* Flanschstutzen *m.*

flang·ing [ˈflændʒiŋ] *s tech.* Kümpeln *n*, Bördeln *n*: ~ **machine** Bördelmaschine; ~ **press** Kümpel-, Bördelpresse.

flank [flæŋk] **I** *s* **1.** Flanke *f*, Weiche *f* (*Tier*). – **2.** Seite *f* (*Mensch*). – **3.** Seite *f* (*Gebäude etc*). – **4.** *mil.* Flanke *f*, Flügel *m.* – **II** *v/t* **5.** flanˈkieren, seitlich abschließen *od.* begrenzen. – **6.** *mil.* a) flanˈkieren, an der Flanke bewachen *od.* verteidigen, b) (*j-m*) in die Flanke fallen, (*j-n*) in der Flanke angreifen. – **7.** flanˈkieren, (seitwärts) umˈgehen. – **III** *v/i* **8.** angrenzen. – **9.** an der Flanke *od.* Seite liegen, die Flanke *od.* den Flügel bilden. — ~ **com·pa·ny** *s mil.* ˈAnschlußkompaˌnie *f.*

flank·er [ˈflæŋkər] *s mil.* **1.** Flankenwerk *n* (*Befestigung*). – **2.** Flankensicherung *f*, Seitendeckung *f.*

flank| front *s tech.* Seitenfront *f.* — ~ **guard** → flanker 2. — ~ **man** *s irr mil.* Flügelmann *m.* — ~ **vault** *s* (*Turnen*) Flanke *f.*

flan·nel [ˈflænl] **I** *s* **1.** Flaˈnell *m.* – **2.** *pl* Kleidungsstück *n* aus Flaˈnell, *bes.* Flaˈnellhose *f.* – **3.** *pl* Flaˈnellˌunterwäsche *f.* – **II** *v/t pret u. pp* **-neled**, *bes. Br.* **-nelled 4.** mit Flaˈnell zudecken *od.* (be)kleiden. – **5.** mit Flaˈnell (ab)reiben. — ~ **cake** *s Am.* dünner Pfannkuchen.

flan·nel·et, *Br.* **flan·nel·ette** [ˌflænəˈlet] *s* Flaˈnellimitatiˌon *f*, ˈBaumwollflaˌnell *m.* — ˈ**flan·nel·ly** *adj* flaˈnellartig, Flanell...

flap [flæp] **I** *s* **1.** flatternde Bewegung, Flattern *n*, (Flügel)Schlag *m.* – **2.** Schlag *m*, Klaps *m.* – **3.** Patte *f* (*Tasche*), Krempe *f* (*Hut*). – **4.** Klappe *f*, Falltür *f.* – **5.** *tech.* Manˈschette *f.* – **6.** Rockschoß *m.* – **7.** Lasche *f* (*Schuh*). – **8.** (*etwas*) lose Herˈabhängendes: a) Lappen *m*, b) Klappe *f* (*Tisch*). – **9.** *med.* (Haut)Lappen *m*, (Fleisch)Fetzen *m*: **cutaneous** ~, **skin** ~ Hautlappen; ~ **of the ear** Ohrläppchen. – **10.** *pl vet.* Mundfäule *f* (*Pferd*). – **11.** *aer.* (Lande)Klappe *f.* – **12.** *sl.* Durcheinˈander *n*, Aufregung *f*, Panik *f.* – **II** *v/t pret u. pp* **flapped 13.** schlagen mit (*Flügeln etc*), hin u. her bewegen. – **14.** schlagen, (*j-m*) einen Klaps versetzen. – **15.** in schwingende Bewegung versetzen: ~**ped sound** *ling.* mit einmaligem Zungenschlag gebildeter Laut. – **III** *v/i* **16.** flattern. – **17.** lose herˈab- *od.* herˈunterhängen. – **18.** mit den Flügeln schlagen, flattern. — ˈ~ˌ**doo·dle** *s colloq.* Unsinn *m*, ‚Quatsch' *m*, ‚Mumpitz' *m.* — ˈ~ˌ**drag·on** *s* **1.** *altes Spiel, bei dem die Spieler Rosinen etc aus brennendem Schnaps herausnehmen u. essen.* – **2.** *eine so erhaschte Rosine etc.* — ˈ~-ˌ**eared** *adj* schlappohrig, mit Hängeohren. — ˈ~ˌ**jack** *s* **1.** Pfannkuchen *m.* – **2.** *Br.* (flache) Puderdose.

flap·per [ˈflæpər] *s* **1.** Fliegenklappe *f*, -klatsche *f.* – **2.** Klappe *f*, breites, flaches herˈabhängendes Stück. – **3.** *zo.* junge Wildente, junges Rebhuhn. – **4.** *sl.* Backfisch *m.* – **5.** *sl.* ‚Pfote' *f* (*Hand*). – **6.** breite Flosse. – **7.** Sache *od.* Perˈson, die Aufmerksamkeit *od.* Erinnerung weckt, Denkzettel *m.* — ˈ**flap·per·dom** *s* Backfischzeit *f*, -stadium *n.* — ˈ**flap·per·ish** *adj* backfischhaft. — ˈ**flap·perˌism** *s* (*etwas*) (typisch) Backfischhaftes.

flare [flɛr] **I** *s* **1.** (auf)flackerndes Licht. – **2.** (Auf)Flackern *n*, (Auf)Lodern *n.* – **3.** *bes. mar.* Leuchtfeuer *n*, ˈLicht-, ˈFeuersiˌgnal *n.* – **4.** Aufbauschen *n*, Ausbauchen *n*, Ausbauchung *f.* – **5.** *fig.* (plötzlicher) Ausbruch, Aufbrausen *n.* – **6.** *phys.* Flimmern *n*, Reˈflexlicht(strahl *m*) *n.* – **7.** *mil.* Siˈgnal-, Leuchtkugel *f*, -bombe *f.* – *SYN. cf.* **blaze.** – **II** *v/t* **8.** (*Kerze etc*) flackern(d brennen) lassen, hin u. her schwenken. – **9.** zur Schau stellen, blenden mit. – **10.** aufflammen lassen, mit Licht *od.* Feuer signaliˈsieren. – **11.** ausdehnen, ausweiten. – **12.** *tech.* (*Kupfer*) erhitzen. – **III** *v/i* **13.** flackern. – **14.** *meist* ~ **up** (auf)flammen, -leuchten, -lodern. – **15.** *meist* ~ **up** *fig.* aufbrausen, in Zorn ausbrechen. – **16.** glühen, glänzen. – **17.** sich (auf)bauschen, sich nach außen erweitern *od.* öffnen. — ~ **an·gle** *s phys.* Erweiterungswinkel *m.* — ˈ~ˌ**back** *s* **1.** *tech.* Flammenrückschlag *m* (*Kanone etc*). – **2.** *fig.* ˈWiederkehr *f*, -ausbruch *m*: a ~ **of winter** ein Nachwinter. — ~ **path** *s aer.* Leuchtpfad *m.* — ~ **pis·tol** *s mil.* ˈLeuchtpiˌstole *f.* — ˈ~-ˌ**up** *s* **1.** Aufflackern *n*, -lodern *n*, -flammen *n.* – **2.** *fig.* Aufbrausen *n*, (Wut-, Zorn)Anfall *m.* – **3.** kurzer Erfolg, (kurzlebige) Modeerscheinung. – **4.** *colloq.* ‚Mordsulk' *m.*

flar·ing [ˈflɛ(ə)riŋ] *adj* **1.** (auf)flakkernd, lodernd, flammend. – **2.** *fig.* auffallend, -fällig, grell, protzig. – **3.** sich erweiternd *od.* ausbauchend. – **4.** *biol.* spreizend.

fla·ser [ˈflɑːzər] *geol.* **I** *s* Flaser *f.* – **II** *adj* flaserig.

flash [flæʃ] **I** *s* **1.** Aufblitzen *n*, -leuchten *n*, Blitz *m.* – **2.** *mil.* Mündungsfeuer *n.* – **3.** *fig.* Aufflammen *n*, Ausbruch *m*, Einfall *m*: a ~ **of wit** ein Geistesblitz. – **4.** *fig.* Augenblick *m*, Blitzesschnelle *f*: **he did it in a** ~ er tat es im Nu. – **5.** Gepränge *n*, Glanz *m*, Prachtentfaltung *f.* – **6.** (*Zeitung, Radio*) Kurznachricht *f.* – **7.** *sl.* Gauner-, Vagaˈbundensprache *f.* – **8.** *chem.* Entflammung *f.* – **9.** *tech.* a) Gußnaht *f*, b) ˈÜberlauf *m.* – **10.** *mar.* Schleusenwassersturz *m*, (aus einer Schleuse) freigelassener Wasserstrom. – **11.** *tech.* ˈWasserˌdurchflußˌöffnung *f.* – **12.** *Br.* Rückblick *m*, -blende *f* (*Film, Roman etc*). – **13.** *tech.* (ˈZucker)Couˌleur *f* (*zum Branntweinfärben*). – **14.** *mil. Br.* Uniˈformˌabzeichen *n*, Divisiˈonszeichen *n.* – **15.** *Am. colloq.* Taschenlampe *f.* –
II *v/t* **16.** (blitzartig) aufleuchten lassen *od.* ausstrahlen. – **17.** leuchten *od.* (auf)blitzen lassen. – **18.** blitzschnell entsenden. – **19.** (*Botschaft etc*) durch Teleˈgramm *od.* Rundfunk senden, ˈdurchsagen lassen, telegraˈphieren. – **20.** *colloq.* schnell herˈvor- *od.* herˈausziehen, sehen lassen, zur Schau stellen. – **21.** bespülen, mit Wasser füllen. – **22.** *tech.* (*Glas etc*) überˈfangen, mit einer farbigen Glasschicht überˈziehen. – **23.** *obs.* (*Wasser*) spritzen. –
III *v/i* **24.** entflammen, blitzen, aufflammen, aufblinken. – **25.** glänzen, leuchten. – **26.** *fig.* plötzlich sichtbar *od.* bewußt werden, plötzlich erwachen: **it** ~**ed into my mind** es fuhr mir plötzlich durch den Sinn. – **27.** sich blitzartig *od.* -schnell bewegen, ‚flitzen'. – **28.** plötzlich handeln. – **29.** *obs.* fließen. – *SYN.* **coruscate, glance, gleam, glimmer, glint, glisten, glitter, scintillate, shimmer, sparkle.** –
IV *adj* **30.** auffällig, grell, auffallend, protzig, geckenhaft. – **31.** falsch, gefälscht, unecht. – **32.** *sl.* Gauner(sprache)...

flash- [flæʃ] *Wortelement mit den Bedeutungen* a) für kurze Zeit, b) in kurzer Zeit, blitzartig.

flash| back *s* **1.** Rückblende *f*, -blick *m*, -schau *f* (*Film, Roman etc*). – **2.** *tech.* Rückschlag *m* der Flamme. — ˈ~ˌ**board** *s tech.* Staubrett *n.* — ~ **bomb** *s mil.* Blitzlichtbombe *f.* — ~ **bulb** *s phot.* Blitzlicht(lampe *f*) *n.* — ~ **charge** *s mil.* Innen-, Zündhütchen *n*, Knallzündsatz *m.*

flash·er [ˈflæʃər] *s* **1.** (*etwas*) Aufflammendes. – **2.** *tech.* Spritzdampfkessel *m.* – **3.** *zo.* Rotrückiger Würger (*Lanius collurio*).

flash| flood *s geogr.* plötzliche Überˈschwemmung, Wildbach *m.* — ~ **gun** *s phot.* synchroniˈsierter Blitzlichtanschluß. — ~ **hid·er** *s mil.* Mündungsfeuerdämpfer *m.* — ~ **hole** *s mil.* ˈZündkaˌnal *m.*

flash·i·ness [ˈflæʃinis] *s* auffälliger Prunk, oberflächlicher Glanz, Auffälligkeit *f.* — ˈ**flash·ing I** *s* **1.** Aufblitzen *n*, -lodern *n.* – **2.** *tech.* Schutzblech *n.* – **3.** *tech.* Überˈziehen *n* mit farbiger Schicht (*Glas*). – **4.** Aufstauen *n* u. plötzliches Freilassen von Wasser. – **II** *adj* **5.** blitzend, (auf)leuchtend: ~ **indicator** Blinker (*am Auto*); ~ **light** *mar.* Blinkfeuer; ~ **point** Flammpunkt.

flash| lamp *s phot.* Blitzlichtlampe *f.* — ˈ~ˌ**light** *s* **1.** *bes. Am.* Taschenlampe *f* (= *Br.* **torch**). – **2.** Lichtstrahl *m.* – **3.** *phot.* Blitzlicht *n*: ~ **capsule** Kapselblitz; ~ **photography** Blitzlichtphotographie. — ˈ~ˌ**o·ver** *s electr.* ˈÜberschlag *m.* — ~ **point** *s phys.* Flamm-, Entzündungspunkt *m*: ~ **apparatus** Flammpunktprüfer. — ~ **rang·ing** *s mil.* Lichtmessen *n.* — ~ **tube** *s phot.* Blitzlichtröhre *f.* — ˈ~-ˌ**weld·ed** *adj tech.* lichtbogengeschweißt.

flash·y [ˈflæʃi] *adj* **1.** glitzernd, glänzend. – **2.** *fig.* auffällig, grell, prunkhaft. – *SYN. cf.* **gaudy.**

flask[1] [*Br.* flɑːsk; *Am.* flæ(ː)sk] *s* **1.** Flasche *f.* – **2.** *tech.* Kolben *m*, Flasche *f*: **absorption** ~ Absorptionskolben; **conical** ~ Erlenmeyerkolben; **generating** ~ Entbindungsflasche; **volumetric** ~ Meßkolben. – **3.** *tech.* Form-, Gießkasten *m*, Formflasche *f*: ~ **board** Formbrett; ~ **mo(u)ld** Kastenform.

flask[2] [*Br.* flɑːsk; *Am.* flæ(ː)sk] *s mil.* Laˈfettenschwanz-ˌSeitenplatten *pl.*

flask·et [*Br.* ˈflɑːskit; *Am.* ˈflæ(ː)s-] *s* **1.** Fläschchen *n.* – **2.** langer flacher Korb.

flat[1] [flæt] **I** *s* **1.** Fläche *f*, Ebene *f.* – **2.** flache Seite (*Schwert, Hand etc*). – **3.** Flachland *n*, Niederung *f.* – **4.** Untiefe *f*, Flach *n*, Watt *n*, Sandbank *f.* – **5.** *mus.* a) B *n* (*Vorzeichen*), b) Halbton *m.* – **6.** (*Theater*) Kuˈlisse *f.* – **7.** *sl.* ‚Platter' *m*, ‚Plattfuß' *m*, Reifenpanne *f.* – **8.** *mar.* a) *Br.* Leichter *m*, Zille *f*, b) Truppenlandungsboot *n*, c) Plattform *f*, kleines Deck. – **9.** *tech.* Flacheisen *n.* – **10.** (*Eisenbahn*) *Am.* Plattformwagen *m*, flacher, offener Güterwagen. – **11.** *Am.* breitkrempiger Hut. – **12.** *sport* Pferderennbahn *f.* – **13.** *Am.* Wagen *m*, auf dem lebende Bilder dargestellt werden (*bei Festzügen*). – **14.** flacher Korb. – **15.** *sl.* Dummkopf *m*, ‚Knallkopf' *m.* –
II *adj comp* ˈ**flat·ter** *sup* ˈ**flat·test 16.** flach, platt, eben. – **17.** (aus)gestreckt, flach am Boden liegend. – **18.** (on) eng (an *dat*), paralˈlel (zu). – **19.** ˈumgehauen (*Baum*), dem Erdboden gleich. – **20.** dünn, tafelförmig. – **21.** flach, offen (*Hand*). – **22.** platt (*Autoreifen*). – **23.** stumpf, platt. – **24.** entschieden, glatt: a ~ **denial.** – **25.** langweilig, fade, ˈuninteresˌsant. – **26.** geschmacklos, flau, schal (*Getränk etc*). – **27.** wirkungslos, matt (*Witz etc*). – **28.** *econ.* flau, lustlos. – **29.** ohne Höhen *od.* Tiefen, ohne

Kon'trast *od.* Schat'tierung, kon'trastlos (*Photographie etc*). – 30. ohne Glanz, glanzlos (*Gemälde*). – 31. klanglos, unscharf, undeutlich (*Stimme etc*). – 32. *mus.* a) erniedrigt (*Note*), b) klein, vermindert (*Intervall*), c) mit B-Vorzeichen (*Tonart*). – 33. *ling.* ohne Formänderung abgeleitet *od.* gebildet. – *SYN. cf.* a) **insipid**, b) **level**. – **III** *adv* 34. eben, flach, rundweg: ~ **broke** *Am. sl.* ‚völlig pleite'; **to fall** ~ a) mißglücken, fehlschlagen, b) keinen Eindruck machen. – 35. genau: **in ten seconds** ~. – 36. *mus.* um einen halben Ton niedriger. – 37. zinslos. – **IV** *v/t pret u. pp* **'flat·ted** 38. *tech.* flach *od.* eben machen, glätten. – 39. *mus.* um einen halben Ton erniedrigen. – **V** *v/i* 40. flach *od.* eben werden.

flat² [flæt] *s* 1. Wohnung *f*, Apparte'ment *n*. – 2. *Br. selten* Stockwerk *n*.

flat| arch *s arch.* Flachbogen *m*. — **'~-ˌbase rim** *s tech.* Flachbettfelge *f*. — ~ **bil·let** *s tech.* Breiteisen *n*. — **'~ˌboat** *s mar.* Platt-, Flachboot *n*. — ~ **bone** *s biol.* Plattenknochen *m*. — **'~-ˌbot·tom flask** *s chem.* Erlenmeyer-, Stehkolben *m*. — **'~ˌcap** *s* flache Mütze. — ~ **cap** *s ein Papierformat* (*14 × 17 Zoll*). — **'~ˌcar** → **flat¹** 10. — ~ **card** *s tech.* Deckelkarde *f*. — ~ **cut** *s print.* flache Strichätzung. — **'~ˌfish** *s zo.* Plattfisch *m* (*Flunder etc*; *Unterordng Heterosomata*). — **'~ˌfoot** *s irr* 1. *med.* a) Plattfüßigkeit *f*, b) *auch* **flat foot** Platt-, Senkfuß *m*. – 2. *Am. sl.* ‚Po'lyp' *m*, Poli'zist *m*. — **'~-'foot·ed I** *adj* 1. plattfüßig: **to catch** ~ *Am. colloq.* a) überrumpeln, b) (auf frischer Tat) ertappen. – 2. *tech.* auf breiter Grundfläche (ruhend). – 3. *Am. sl.* entschieden, entschlossen, fest. – 4. *Br.* schwerfällig, phanta'sielos. – **II** *adv* 5. entschieden, entschlossen, fest. — **'~ˌham·mer** *v/t tech.* glatt-, nachhämmern, richten. — **'~'hat** *v/i aer.* rücksichtslos u. gefährlich niedrig fliegen. — **'~ˌhead I** *s* 1. 'Flachkopf-, 'Salishan-, 'Chinookindiˌaner *m*. – 2. *zo.* Barra'munda *m* (*Ceratodus Forsteri*). – 3. *tech.* a) versenkter Kopf, b) Flachkopfbolzen *m*. – 4. *sl.* ‚Schafskopf' *m*. – **II** *adj* 5. flachköpfig. – 6. zu den 'Flachkopfindiˌanern gehörig. — **'~ˌi·ron I** *s* 1. *tech.* Flacheisen *n*. – 2. Bügel-, Plätteisen *n*. – **II** *v/t* 3. bügeln, plätten. — ~ **key** *s tech.* Flachkeil *m*. — ~ **knot** *s mar.* Reffknoten *m*.

flat·ling ['flætliŋ] **I** *adj* 1. *selten* mit der flachen Seite (gegeben) (*Schlag etc*). – 2. *fig.* (er)drückend. – **II** *adv obs.* 3. flach. — **'flat·lings, 'flat·long** → **flatling** II. — **'flat·ly** *adv* 1. flach, platt. – 2. schal, matt, geistlos. – 3. rundweg, glatt, offen her'aus.

flat·ness ['flætnis] *s* 1. Flach-, Ebenheit *f*. – 2. Entschieden-, Unbedingtheit *f*. – 3. Eintönigkeit *f*. – 4. *econ.* Matt-, Flauheit *f*, Lustlosigkeit *f*. – 5. (*Ballistik*) Ra'sanz *f* (*der Geschoßbahn*).

'flat|-ˌnosed [-ˌnouzd] *adj* stumpf-, plattnasig: ~ **pliers** *tech.* Flachzange. — ~ **pick** *s tech.* Kreuz-, Spitz-, Flachhacke *f*. — ~ **price** → **flat rate**. — ~ **race** *s sport* Rennen *n* ohne Hindernisse, Flachrennen *n*. — ~ **rail** *s tech.* Flachschiene *f*. — ~ **rate** *s econ.* Pau'schal-, Einheitspreis *m*. — ~ **shore** *s geogr.* Flachküste *f*. — ~ **sil·ver** *s Am.* Silberbestecke *pl*. — ~ **stern** *s mar.* Platt-, Spiegelheck *n*.

flat·ten ['flætn] **I** *v/t* 1. eben *od.* flach *od.* glatt machen, ebnen. – 2. niederwerfen, -ringen. – 3. *fig.* niederdrücken, entmutigen. – 4. *mus.* (*Note*) erniedrigen. – 5. (*Gemälde*) dämpfen, matt machen. – 6. (*Lederfabrikation*) (*Fell*) enthaaren. – 7. *tech.* breitschlagen, flachdrücken, abflachen. – 8. *tech.* (*Draht*) plätten, lahnen. – 9. *tech.* nachhämmern, strecken. – **II** *v/i* 10. flach *od.* eben *od.* platt werden. – 11. *fig.* fade *od.* matt *od.* geistlos werden. — ~ **out** *aer.* **I** *v/i* ausschweben, im Gleitflug her'untergehen. – **II** *v/t* (*Flugzeug*) abfangen (*nach Gleit- od. Sturzflug*), aufrichten (*bei Landung*).

flat·tened ['flætnd] *adj* 1. *math. tech.* abgeflacht, abgeplattet. – 2. *biol.* plattgedrückt, Platten... — **'flat·ten·er** *s tech.* 1. (*Glasfabrikation*) Strekker *m*. – 2. a) Plätter *m*, Strecker *m*, b) Pla'nierer *m*. – 3. Streck-, Plättwalze *f*. — 4. Setz-, Flachhammer *m*. — **'flat·ten·ing** *s math. tech.* Abflachung *f*, Abplattung *f*, Strecken *n*, Ebnung *f*: ~ **arrangement** *electr.* Abflachschaltung; ~ **furnace** Streckofen; ~ **of the image** *biol.* Bildfeldebnung; ~ **tool** Streckeisen.

flat·ter¹ ['flætər] **I** *v/t* 1. (*j-m*) schmeicheln, Kompli'mente *od.* den Hof machen. – 2. über'trieben *od.* günstig darstellen. – 3. erfreuen, entzücken, (*Eitelkeit*) befriedigen. – 4. mit unbegründeter Hoffnung erfüllen. – 5. *reflex* sich einbilden: **he** ~**s himself that he knows all about it** er gefällt sich in dem Gedanken, daß er alles davon versteht. – **II** *v/i* 6. schmeicheln, Schmeiche'leien sagen.

flat·ter² ['flætər] *s tech.* 1. j-d der *od.* etwas was flach macht. – 2. Breit-, Richt-, Spann-, Stab-, Streckhammer *m*. – 3. Plätt-, Streckwalze *f*.

flat·ter³ ['flætər] *comp von* **flat¹** II *u.* III.

flat·ter·er ['flætərər] *s* Schmeichler(in). — **'flat·ter·ing** *adj* schmeichelhaft, schmeichlerisch. — **'flat·ter·y** *s* Schmeiche'lei *f*.

flat·test ['flætist] *sup von* **flat¹** II *u.* III.

flat·ting ['flætiŋ] *s tech.* 1. Platthämmern *n*. – 2. 'Leimbehandlung *f*, -ˌüberzug *m*. – 3. matter Ölanstrich. – 4. (*Glasfabrikation*) Über'fangen *n*. — ~ **mill** *s tech.* Streckwerk *n*. — ~ **paste** *s chem. tech.* Schleifwachs *n*.

flat| tire, *bes. Br.* ~ **tyre** *s* 1. *tech.* Reifenpanne *f*. – 2. *Am. sl.* langweiliger Mensch. — ~ **tool** *s tech.* Schlichtstahl *m*. — **'~ˌtop¹** *s bot.* 1. Wollknöterich *m* (*Eriogonum umbellatum*). – 2. *Am.* Ver'nonie *f* (*Gattg Vernonia*). — **'~ˌtop²** *s mar. Am. sl.* Flugzeugträger *m*. — ~ **tra·jec·to·ry** *s aer. mil. tech.* gestreckte *od.* ra'sante Flugbahn: ~ **fire** Flachfeuer; ~ **gun** Flachbahngeschütz. — ~ **tun·ing** *s electr.* Grobabstimmung *f*, unscharfes Abstimmen. — **'~-ˌtype re·lay** *s electr.* 'Flachreˌlais *n*. — ~ **tyre** *bes. Br. für* **flat tire**.

flat·u·lence [*Br.* 'flætjuləns; *Am.* -tʃə-], *auch* **'flat·u·len·cy** [-si] *s* 1. *med.* Blähung *f*, Blähsucht *f*, Flatu'lenz *f*. – 2. *fig.* Nichtigkeit *f*, Eitelkeit *f*, Schwulst *m*. – 3. *fig.* Anmaßung *f*. — **'flat·u·lent** *adj* 1. *med.* blähend, blähsüchtig. – 2. *fig.* nichtig, leer, eitel, schwülstig. – 3. *fig.* anmaßend. – *SYN. cf.* **inflated**.

fla·tus ['fleitəs] *s* 1. (Wind)Hauch *m*. – 2. *med.* Blähung *f*, Wind *m*.

'flat|ˌware *s Am.* 1. (Eß)Bestecke *pl*. – 2. *collect.* (flache) Teller *pl*, 'Untertassen *pl* u. Platten *pl* (*Gegensatz* **hollowware**). — **'~ˌwise,** *auch* **'~ˌways** *adv* mit der flachen *od.* breiten Seite vorn *od.* oben, platt, der Länge nach. — **'~ˌwork** *s bes. Am.* Mangelwäsche *f* (*Gegensatz Bügelwäsche*). — **'~ˌworm** *s zo.* Plattwurm *m* (*Stamm Platyhelminthes*).

flaunt [flɔːnt] **I** *v/t* 1. prunken mit, (*etwas*) stolz zur Schau tragen *od.* stellen. – **II** *v/i* 2. (her'um)stolˌzieren, para'dieren. – 3. kühn *od.* stolz wehen, prangen. – *SYN. cf.* **show**. – **III** *s* 4. Prunken *n*, Zur'schautragen *n*.

flau·tist ['flɔːtist] *s mus.* Flö'tist *m*, Flötenbläser *m*.

fla·ves·cent [flə'vesnt] *adj bot.* 1. gelb werdend. – 2. gelblich.

fla·vin ['fleivin] *s chem.* Fla'vin *n*, Quenzi'trin *n*.

flavo- [fleivo], *auch* **flav-** *Wortelement mit der Bedeutung* gelb.

fla·vone ['fleivoun] *s chem.* Fla'von *n* ($C_{15}H_{10}O_2$).

fla·vo·pro·te·in [ˌfleivo'proutiːin; -tiːn] *s chem.* ˌFlavoprote'in *n*. — **ˌfla·vo-'pur·pu·rin** [-'pəːrpjurin; -pjə-] *s chem.* ˌFlavopurpu'rin *n* ($C_{14}H_8O_5$).

fla·vor, *bes. Br.* **fla·vour** ['fleivər] **I** *s* 1. (Wohl)Geschmack *m*, A'roma *n*, Duft *m*, (Wohl)Geruch *m*. – 2. Würze *f*, aro'matischer Ex'trakt. – 3. (*etwas*) Charakte'ristisches, Luft *f*, Atmo'sphäre *f*. – 4. *fig.* besondere Quali'tät, Einschlag *m*, Beigeschmack *m*. – *SYN. cf.* **taste**. – **II** *v/t* 5. würzen, schmackhaft machen, (*einer Sache*) Geschmack geben. — **'fla·vored,** *bes. Br.* **'fla·voured** *adj* schmackhaft, würzig, stark, schwer. — **'fla·vor·ing,** *bes. Br.* **'fla·vour·ing** *s* Würze *f*, 'Würzesˌsenz *f*, -exˌtrakt *m*. — **'fla·vor·less,** *bes. Br.* **'fla·vour·less** *adj* geschmack-, geruchlos, fade, schal. — **'fla·vor·ous,** *Am. auch* **'fla·vour·ous, 'fla·vor·some,** *bes. Br.* **'fla·vour·some** [-səm] *adj* 1. schmackhaft, wohlriechend. – 2. (stark) duftend, (sehr) würzig.

flaw¹ [flɔː] **I** *s* 1. Fehler *m*, Makel *m*, – 2. Sprung *m*, Riß *m*, Bruch *m*. – 3. *tech.* a) Feder *f*, Blase *f*, Wolke *f* (*Edelstein*), b) Platte *f* (*Tuch*), c) brüchige Stelle, Schiefer *m* (*Eisen*), Gußblase *f*, Windriß *m*. – 4. *jur.* Formfehler *m*. – 5. *geol.* transver'sale Horizon'talverschiebung. – *SYN. cf.* **blemish**. – **II** *v/t* 6. brüchig *od.* rissig machen, brechen, knicken. – 7. *fig.* verunstalten, entstellen. – **III** *v/i* 8. brüchig werden, brechen, einen Riß bekommen.

flaw² [flɔː] *s* 1. Bö *f*, Windstoß *m*. – 2. kurzer Regen- *od.* Schneesturm. – 3. *obs.* (Wut)Ausbruch *m*.

flaw·less ['flɔːlis] *adj* fehlerlos, -frei, makellos, rißfrei. — **'flaw·less·ness** *s* Fehler-, Makellosigkeit *f*.

flaw·y¹ ['flɔːi] *adj* de'fekt, rissig, brüchig.

flaw·y² ['flɔːi] *adj* stürmisch, windig.

flax [flæks] **I** *s* 1. *bot.* Flachs *m*, Lein(pflanze *f*) *m* (*Gattg Linum*): **fairy** ~ Berg-, Purgierflachs (*L. catharticum*). – 2. Flachs(faser *f*) *m*: **cut (dressed)** ~ geschnittener (zubereiteter) Flachs; **hackled** ~ Hechel-, Kernflachs; **raw** ~, **undressed** ~ roher Flachs. – 3. Stoff *m* aus Flachs, Leinen *n*. – **II** *adj* 4. Flachs... – 5. aus Flachs (bestehend). – **III** *v/t* 6. *selten* in Linnen *od.* Flachs hüllen. – 7. *meist* ~ **out** *Am. colloq.* schlagen, ‚dreschen'. – **IV** *v/i* 8. *selten* in Flachs *od.* Linnen eingehüllt werden. – 9. *meist* ~ **(a)round** *Am. colloq.* sich zu schaffen machen. – 10. *meist* ~ **out** *Am. colloq.* erschlaffen, nachlassen. — ~ **bast** *s tech.* Flachsbast *m*, -faser *f*. — ~ **bleach·ing** *s tech.* Flachsbleiche *f*. — ~ **brake,** ~ **break** *s tech.* Flachsbreche *f*. — **'~ˌbush** *s bot.* Neu'seeländischer Flachs (*Phormium tenax*). — ~ **comb** *s tech.* Flachshechel *f*, -kamm *m*. — ~ **cot·ton** *s* Flachs(baum)wolle *f*, Halbleinen *n*. — ~ **dod·der** *s bot.* Flachsseide *f* (*Cuscuta epilinum*).

flax·en ['flæksən] *adj* 1. aus Flachs (bestehend), Flachs... – 2. zum Flachs gehörig, Flachs betreffend. – 3. flachsartig, -ähnlich. – 4. flachsen, flachsfarben: ~ **hair** flachsblondes Haar.

flax|lil·y → flaxbush. — **~ mill** *s tech.* ˌFlachsspinneˈrei *f.* — **~ reel·er** *s tech.* Flachshaspler *m.* — **ˈ~ˌseed** *s* **1.** *bot.* Flachs-, Leinsame(n) *m.* – **2.** *bot.* Zwergflachs *m* (*Radiola linoides*). – **3.** *zo. Am.* Puppe *f* der Hessenfliege *Cecidomyia destructor.* — **ˈ~-ˌsick** *adj agr.* flachsmüde: ~ **soil.** — **~ star** *s bot.* Sternflachs *m* (*Asterolinum linumstellatum*). — **~ tow** *s* Flachshede *f*, -werg *n.* — **ˈ~ˌweed** *s bot.* Wildes Löwenmaul, Leinkraut *n* (*Linaria vulgaris*).

flax·y [ˈflæksi] → flaxen.

flay (flei) *v/t* **1.** schinden, (*dat*) die Haut abziehen. – **2.** (*Rinde etc*) abschälen. – **3.** *fig.* (*j-n*) scharf kritiˈsieren, herˈuntermachen. – **4.** *fig.* (*j-n*) ausplündern, schinden. — **ˈ~-ˌflint** *s Br.* **1.** Geizhals *m.* – **2.** habgieriger Mensch, Schinder *m.*

flea [fliː] *s zo.* **1.** Floh *m* (*Fam. Pulicidae*): **to send s.o. away with a ~ in his ear** j-n mit einem scharfen Verweis wegschicken, ‚j-m gehörig den Kopf waschen', j-m eine schwere Abfuhr erteilen; **to put a ~ in s.o.'s ear** *Am. sl.* ‚j-m einen Floh ins Ohr setzen'. – **2.** (*ein*) springendes Gliedertier. — **~ bag** *s sl.* ‚Flohkiste' *f*, Schlafsack *m.* — **ˈ~ˌbane** *s bot.* **1.** (*ein*) Flohkraut *n* (*Pulicaria dysenterica u. vulgaris*). – **2.** *Am.* (*ein*) Berufkraut *n* (*Gattg Erigeron*). — **~ bee·tle** *s zo.* (*ein*) Erdfloh *m* (*Fam. Chrysomelidae*). — **ˈ~ˌbite** *s* **1.** Flohbiß *m*, -stich *m.* – **2.** *fig.* geringfügige Wunde, kleiner Schmerz *od.* Ärger. – **3.** Kleinigkeit *f*, Bagaˈtelle *f.* — **ˈ~-ˌbit·ten** *adj* **1.** von Flöhen gebissen. – **2.** rötlich gesprenkelt (*Pferd etc*). — **ˈ~ˌdock** → butterbur. — **~ louse** *s irr zo.* (*ein*) Blattfloh *m*, (*eine*) Springlaus (*Fam. Psyllidae*).

fleam [fliːm] *s vet.* Lanˈzette *f*, Laßeisen *n*, Fliete *f.*

ˈflea·ˌwort *s bot.* **1.** Flohsamenwegerich *m* (*Plantago psyllium*). – **2.** Dürrwurz *f* (*Inula conyza*).

flèche [fleiʃ] *s* **1.** *arch.* Spitzturm *m.* – **2.** (*Festungsbau*) Flesche *f*, Pfeilschanze *f.* — **fléˈchette** [-ˈʃet] *s aer. hist.* Fliegerpfeil *m.*

fleck [flek] **I** *s* **1.** (Haut)Fleck(en) *m*, Sommersprosse *f.* – **2.** Licht-, Farbfleck(en) *m.* – **3.** Stückchen *n*, Teilchen *n*, Parˈtikel *f.* – **II** *v/t* → flecker. — **ˈfleck·er** *v/t* sprenkeln, tüpfeln, scheckig machen. — **ˈfleck·y** *adj* **1.** fleckig, gesprenkelt. – **2.** wellig, gewellt.

flec·tion, *bes. Br.* **flex·ion** [ˈflekʃən] *s* **1.** Biegen *n*, Beugen *n.* – **2.** Biegung *f*, Beugung *f*, Wendung *f.* – **3.** Krümmung *f*, Bogen *m*, gekrümmter *od.* gebogener Teil, ˈDurchbiegung *f.* – **4.** *ling. med.* Flexiˈon *f.* — **ˈflec·tion·al**, *bes. Br.* **ˈflex·ion·al** *adj* Biegungs..., Beugungs..., Flexions...

fled [fled] *pret u. pp von* flee.

fledge [fledʒ] **I** *v/t* **1.** (*Vogel*) bis zum Flüggewerden aufziehen. – **2.** (*Pfeil*) befiedern, mit Federn versehen. – **II** *v/i* **3.** Federn bekommen, flügge werden (*Vogel*). — **ˈfledg·ling**, *auch bes. Br.* **ˈfledge·ling** [-liŋ] *s* **1.** eben flügge gewordener Vogel. – **2.** *fig.* unerfahrener Mensch, Grünschnabel *m.* — **ˈfledg·y** *adj selten* gefiedert, Feder...

flee [fliː] *pret u. pp* **fled** [fled] *inf u. pres p häufig* fly *u.* flying **I** *v/i* **1.** die Flucht ergreifen, fliehen (**from** vor *dat*). – **2.** (daˈhin)schwinden, entfliehen, aufhören. – **3.** abweichen, sich fernhalten (**from** von). – **II** *v/t* **4.** fliehen, plötzlich *od.* schnell verlassen, meiden, (*einer Gefahr etc*) ausweichen.

fleece [fliːs] **I** *s* **1.** Fell *n*, Vlies *n*, *bes.* Schaffell *n*: → Golden F~. – **2.** Schur *f*, geschorene Wolle: ~ **wool** Schurwolle. – **3.** *etwas Vliesähnliches*: a) (Haar)Pelz *m*, b) Schäfchenwolken *pl*, c) dicht fallender Schnee. – **4.** *Am.* Rückenfleisch *n* eines Büffels. – **II** *v/t* **5.** (*Schaf etc*) scheren. – **6.** *fig.* plündern, ‚rupfen', ausrauben, betrügen. – **7.** bedecken, überˈziehen. — **ˈfleece·a·ble** *adj* auszubeuten(d), zu plündern(d), ‚zu rupfen(d)'. — **ˈfleeced** [-t] *adj* **1.** mit einem Fell versehen. – **2.** *tech.* gerauht. — **ˈfleec·er** *s* Schinder *m*, Erpresser *m.* — **ˈfleec·i·ness** *s* Weichheit *f*, Wolligkeit *f.* — **ˈfleec·y** *adj* **1.** mit einem Fell versehen. – **2.** wollig, weich. – **3.** vlies-, fell-, wollähnlich: ~ **clouds** Schäfchenwolken.

fleer [flir] *dial.* **I** *s* Hohn(gelächter *n*) *m*, hämischer Blick, Spott *m.* – **II** *v/t* verhöhnen, -spotten. – **III** *v/i* spöttisch *od.* hämisch lachen. – *SYN. cf.* scoff[1].

fleet[1] [fliːt] *s* **1.** *mar.* (*bes.* Kriegs)-Flotte *f.* – **2.** *aer.* Luftflotte *f.* – **3.** *Gruppe von Fahrzeugen od. Flugzeugen* (*mit gemeinsamem Befehlshaber od. Eigentümer*): **a ~ of cabs** ein Wagenpark. – **4.** *mar.* (Netz)-Fleeth *n.*

fleet[2] [fliːt] **I** *adj* **1.** schnell, flink, geschwind. – **2.** vergänglich, unbeständig. – **3.** *dial.* seicht. – *SYN. cf.* fast[1]. – **II** *v/i* **4.** daˈhineilen, schnell vergehen, ‚flitzen', fliehen. – **5.** *mar.* Positiˈon wechseln. – **6.** *obs.* segeln, schwimmen. – **III** *v/t* **7.** (*Zeit*) verbringen. – **8.** *mar.* a) verschieben, Positiˈon wechseln lassen, b) (*Blöcke einer Talje*) ab-, freilegen, c) (*Tau*) anholen. – *SYN. cf.* while.

fleet[3] [fliːt] *s* Bai *f*, Bucht *f*, Schiffslände *f*, Fle(e)t *n*, Flete *f*, Gewässer *n*: **the F~** a) der Fleetfluß (*in London*), b) *das alte Londoner Schuldgefängnis*; **F~ marriage** *hist.* heimliche Eheschließung; **F~ parson** *hist.* verrufener Pfarrer (*der Fleetgegend*).

fleet ad·mi·ral *s mar.* ˈGroßadmiˌral *m.*

fleet·er [ˈfliːtər] *s mar.* Fleeter *m* (*Nordseefischdampfer*).

ˈfleet-ˌfoot, ˈfleet-ˈfoot·ed *adj* schnellfüßig.

fleet·ing [ˈfliːtiŋ] *adj* schnell daˈhin-*od.* vorˈübereilend, flüchtig, vergänglich: ~ **target** *mil.* Augenblicksziel. – *SYN. cf.* transient. — **ˈfleet·ness** *s* **1.** Schnelligkeit *f*, Flinkheit *f.* – **2.** Flüchtigkeit *f.*

Fleet Street *s* **1.** Londoner Presseviertel *n.* – **2.** *fig.* Londoner Presse *f od.* Journaˈlisten *pl.*

Flem·ing [ˈflemiŋ] *s* Flame *m*, Flamländer *m.*

Flem·ish[1] [ˈflemiʃ] **I** *s* **1.** *ling.* Flämisch *n*, das Flämische. – **2.** Flamen *pl.* – **II** *adj* **3.** flämisch, flandrisch: ~ **horse** *mar.* Nockpferd; ~ **window** *arch.* Halbgeschoßfenster.

flem·ish[2] [ˈflemiʃ] *v/i hunt.* (*beim Suchen nach der Spur*) (mit Schwanz u. Körper) zittern (*Jagdhund*).

flench [flentʃ] → flense.

flense [flens] *v/t* **1.** a) (*Wal*) flensen, aufschneiden (u. den Walspeck abziehen), b) (*Walspeck*) abziehen: **flensing deck** Flensdeck. – **2.** (*Seehund*) abhäuten.

flesh [fleʃ] **I** *s* **1.** Fleisch *n*: **to be one ~** *Bibl.* ein Fleisch sein; **it makes one's ~ creep** es macht einen (er)schaudern, es überläuft einen kalt. – **2.** Fleisch *n* (*Nahrungsmittel, Gegensatz: Fisch*). – **3.** Fett *n*, Gewicht *n*: **to lose ~** abmagern; **to put on ~** dick werden, Fett ansetzen; **in ~** korpulent, fett. – **4.** Körper *m*, Leib *m*, Fleisch *n* (*Gegensatz: Seele u. Geist*): **in the ~** leibhaftig, höchstpersönlich. – **5.** Menschengeschlecht *n*, menschliche Naˈtur: **after the ~** *Bibl.* nach dem Fleisch, nach Menschenart. – **6.** *collect.* Lebewesen *pl*, Kreaˈturen *pl.* – **7.** Fleisches-, Sinnenlust *f.* – **II** *v/t* **8.** (*Waffe*) in das Fleisch bohren: **to ~ one's sword (pen)** (zum erstenmal) das Schwert (die Feder) üben. – **9.** *hunt.* (*Jagdhund*) mit Fleisch füttern, Fleisch kosten lassen. – **10.** *fig.* kampfgierig machen, im Kämpfen üben. – **11.** *fig.* (*j-s*) Leidenschaft entfachen. – **12.** (*Verlangen*) befriedigen. – **13.** *fig.* (*Gerippe*) ausfüllen. – **14.** (*Tierhaut*) vom Fleisch befreien. – **III** *v/i* **15.** Fleisch ansetzen, fleischig werden.

flesh| and blood I *s* **1.** Fleisch *n* u. Blut *n*, Kinder *pl*, Verwandte *pl*: **my own ~.** – **2.** menschliche Naˈtur: **it is more than ~ can endure** das hält der Mensch nicht aus. – **II** *adj* **3.** leibhaftig. — **~ and fell I** *s* der ganze Mensch *od.* Körper. – **II** *adv* vollkommen, mit Haut u. Haar(en). — **ˈ~ˌbrush** *s* Körper-, Frotˈtierbürste *f.* — **~ col·o(u)r** *s* Fleischfarbe *f.* — **ˈ~-ˌcol·o(u)red** *adj* fleischfarben, -farbig. — **~ crow** → carrion crow.

flesh·er [ˈfleʃər] *s* **1.** *Scot.* Fleischer *m.* – **2.** Hornfleischschaber *m* (*Werkzeug*). – **3.** (*Gerberei*) a) Ausfleischer *m*, Schaber *m*, b) Ausfleischmesser *n.*

flesh| flea → chigoe. — **~ fly** *s zo.* Fleischfliege *f* (*Gattg Sarcophaga*).

flesh·ful [ˈfleʃful; -fəl] *adj* fett, plump, fleischig.

ˈflesh|ˌhook *s* **1.** Fleischhaken *m*, Hängestock *m.* – **2.** Fleischgabel *f.* — **~ hoop** *s* Spannreif *m* (*Trommel*).

flesh·i·ness [ˈfleʃinis] *s* **1.** Fleischigkeit *f.* – **2.** Dicke *f*, Beleibtheit *f.* — **ˈflesh·ing** *s* **1.** (*Gerberei*) a) Ausfleischung *f*, b) *pl* Abschabsel *pl*, Fleischreste *pl.* – **2.** Verteilung *f* von Fleisch u. Fett (*bei einem Tier*). – **3.** *pl* fleischfarbener Triˈkot. — **ˈflesh·li·ness** *s* Fleischlichkeit *f*, Sinnlichkeit *f.* — **ˈflesh·ly** *adj* **1.** fleischlich, körperlich, leiblich. – **2.** sinnlich. – **3.** weltlich, irdisch, menschlich. – *SYN. cf.* carnal.

ˈflesh|ˌpot *s* **1.** Fleischtopf *m.* – **2.** *pl fig.* Fleischtöpfe *pl*, gutes *od.* üppiges Leben. — **~ side** *s* Fleisch-, Aasseite *f* (*Fell*). — **~ tights** → fleshing 3. — **~ tints** *s pl* (*Malerei*) Fleischtöne *pl.* — **~ worm** *s zo.* **1.** Fleischwurm *m* (*Larve der Fleischfliege*). – **2.** Triˈchine *f* (*Trichinella spiralis*). — **~ wound** *s* Fleischwunde *f.*

flesh·y [ˈfleʃi] *adj* **1.** fleischig, dick, plump, fett. – **2.** fleischig, aus Fleisch (bestehend), fleischartig, -ähnlich. – **3.** *bot.* fleischig (*Früchte etc*).

fletch [fletʃ] *v/t* (*Pfeil*) befiedern.

Fletch·er·ism [ˈfletʃəˌrizəm] *s* (Lehre *f* vom) Fletschern *n od.* Feinkauen *n* (*nach Horace Fletcher, 1849–1919*). — **ˈFletch·erˌize** *v/t u. v/i* (*Nahrung*) fein (zer)kauen, fletschern.

fleur-de-lis [ˌflœrdəˈliː] *pl* **ˌfleurs-de-ˈlis** [-ˈliːz] *s* **1.** *her.* Lilie *f.* – **2.** *sg od. pl* a) *königliches Wappen Frankreichs*, b) *königliches Haus Frankreichs*, c) *Frankreich.* – **3.** *bot.* Schwertlilie *f* (*Gattg Iris*).

fleu·ret [ˈflu(ə)rit] *s* kleines ˈBlumenornaˌment.

fleu·ron [flœˈrɔ̃] (*Fr.*) *s* Fleuˈron *m*, ˈBlumenornaˌment *n* (*auf Gebäuden od. Münzen*).

fleu·ry [ˈflu(ə)ri] *adj her.* mit Lilien geschmückt.

flew [fluː] *pret von* **fly.**

flews [fluːz] *s pl* Lefzen *pl* (*bes. vom Bluthund*).

flex[1] [fleks] *v/t u. v/i med.* beugen, biegen.

flex[2] [fleks] *s electr. bes. Br.* Litze(ndraht *m*) *f*, (Anschluß-, Gummiader)-Schnur *f.*

flexed [flekst] *adj med. tech.* gebeugt, geknickt. — ˌ**flex·i'bil·i·ty** *s* **1.** Biegsamkeit *f*, Beweglichkeit *f*. – **2.** *fig.* Anpassungsfähigkeit *f*, Fügsam-, Schmiegsamkeit *f*. — '**flex·i·ble** *adj* **1.** biegsam, geschmeidig, gelenkig. – **2.** *tech.* beweglich, nicht starr, fle'xibel: ~ **axle** Vereinslenkachse; ~ **coupling** Gelenkkupplung, flexible Verbindung; ~ **drive shaft** Kardan-(gelenk)welle; ~ **shaft** Gelenkwelle, biegsame Welle. – **3.** *fig.* anpassungsfähig. – **4.** unzerbrechlich (*Schallplatte*). – **5.** *fig.* fügsam, nachgiebig. – *SYN. cf.* **elastic.** — '**flex·i·ble·ness** → **flexibility.** — '**flex·ile** [-il] *adj* **1.** biegsam. – **2.** lenksam. – **3.** nachgiebig. — **flex·ion, flex·ion·al** *bes. Br. für* **flection** *etc.* — '**flex·or** [-ər] *s med.* Beugemuskel *m*, Beuger *m*, Gelenkbeuge *f*: ~ **muscle of the head** Kopfneiger; ~ **side** Beugeseite; ~ **tendon** Beugesehne.

flex·u·ose [*Br.* 'fleksjuˌous; *Am.* -kʃu-] → **flexuous.** — ˌ**flex·u'os·i·ty** [-'ɒsiti; -əti] *s* Gewundenheit *f*, Biegung *f*. — '**flex·u·ous** *adj* **1.** gekrümmt, sich schlängelnd, sich windend. – **2.** *bot. zo.* geschlängelt, gewunden.

flex·ur·al ['flekʃərəl] *adj* Biege..., Biegungs...: ~ **stress** Biegespannung, Scherkraft. — '**flex·ure** [-ʃər] *s* **1.** Biegen *n*, Beugen *n*. – **2.** Beugung *f*, Krümmung *f*, Knickung *f*, ('Durch-) Biegung *f*. – **3.** *geol.* Fle'xur *f*, 'Umbiegung *f*.

fley [flei] *dial.* **I** *s* Schreck(en) *m*. – **II** *v/t* erschrecken.

flib·ber·ti·gib·bet ['flibərtiˌdʒibit] *s* Schwätzer(in), leichtfertiger *od.* leichtsinniger Mensch.

flic·flac ['flikˌflæk] *s* Flicflacschritt *m* (*Tanzschritt, bei dem die Füße schnell zusammengeschlagen werden*), flatternde Bewegung.

flick [flik] **I** *s* **1.** leichter Hieb *od.* Schlag. – **2.** scharfer, kurzer Laut, Knall *m*, Schnalzer *m*. – **3.** plötzliche kurze Bewegung, Ruck *m*. – **4.** *Br. sl.* a) Film *m*, b) *pl* ‚Kintopp' *m*, Kino *n*. – **II** *v/t* **5.** (leicht mit der Peitsche) schlagen, (*j-m*) einen Klaps geben. – **6.** (mit dem Finger) wegschnellen. – **7.** (*etwas*) ruck- *od.* schlagartig bewegen. – **8.** (*Ball*) (mit schnellender Bewegung des Handgelenks) schlagen. – **III** *v/i* **9.** sich schnell *od.* ruckartig bewegen, sich abschnellen. – **10.** flattern.

flick·er¹ ['flikər] **I** *s* **1.** flackernde Flamme, unruhiges Licht. – **2.** (Auf-) Flackern *n*. – **3.** Flattern *n* (*Vögel*). – **4.** Zucken *n* (*Augenlid*). – **5.** *fig.* Funke *m*, Aufflackern *n*. – **6.** *meist pl sl.* Film *m*. – **II** *v/i* **7.** flackern, unruhig brennen. – **8.** flattern. – **III** *v/t* **9.** flackern lassen. – **10.** in flatternde Bewegung versetzen.

flick·er² ['flikər] *s zo.* (*ein*) nordamer. Goldspecht *m* (*Colaptes auratus*).

'**flick·erˌtail** *s zo. Am.* (*ein*) Ziesel *n*, (*ein*) Erdhörnchen *n* (*Citellus richardsoni*).

flick·er·y ['flikəri] *adj* **1.** flackernd. – **2.** flatternd. – **3.** unstet.

flick knife *s irr* Schnappmesser *n*.

fli·er ['flaiər] *s* **1.** etwas was fliegt (*Vogel, Insekt etc*): **a high** ~ ein hoch fliegender Vogel. – **2.** *aer.* a) Flieger *m*, b) Flugzeug *n*. – **3.** (*etwas*) sehr Schnelles, *bes.* a) Ex'preßzug *m*, b) Schnell(auto)bus *m*, c) Rennpferd *n*. – **4.** *tech.* a) Schwungrad *n*, Flügel *m*, b) Unruhe *f* (*Uhr*), c) *print.* Ausleger *m*. – **5.** flugähnlicher Sprung. – **6.** *arch.* → **flight** 10b. – **7.** Fliehende(r), Flüchtling *m*. – **8.** *econ. Am. sl.* gewagte Spekulati'on. – **9.** *Am.* Flugblatt *n*.

flight¹ [flait] **I** *s* **1.** Flug *m*, Fliegen *n*: **to take one's** (*od.* a) ~ fliegen. – **2.** Flug(richtung *f*) *m*. – **3.** Flug(entfernung *f*, -strecke *f*) *m*. – **4.** Schwarm *m* (*Vögel od. Insekten*), Flug *m*, Schar *f* (*Vögel*): **in the first** ~ *fig.* in vorderster Front; **a** ~ **of arrows** ein Pfeilhagel. – **5.** *aer.* Flug *m*, Luftreise *f*. – **6.** *aer. mil.* a) Schwarm *m* (*4 Flugzeuge*), b) Kette *f* (*3 Flugzeuge*). – **7.** *aer.* Fliegen *n*, Kunst *f* des Fliegens. – **8.** Fliegen *n*, Flug *m*, schnelle (Fort)Bewegung (*Geschoß etc*). – **9.** *fig.* Flug *m*, Schwung *m* (*Gedanken etc*). – **10.** *arch.* a) Treppenlauf *m*, -arm *m*, b) geradläufige Treppenflucht. – **11.** Reihe *f*, Flucht *f* (*Zimmer etc*). – **12.** Flug *m*, Verfliegen *n* (*Zeit*). – **13.** (*Bogenschießen*) (leichter Pfeil zum) Weitschießen *n*. – **14.** (*Angeln*) *Gerät, um den Köder in rasche Drehbewegung zu versetzen.* – **II** *v/i* **15.** in Schwärmen fliegen (*Vögel*). – **III** *v/t* **16.** (*Vogel*) im Flug schießen. – **17.** (*Pfeil*) befiedern. – **18.** *sport* die Wurfbahn (*eines Balles*) ändern.

flight² [flait] *s* Flucht *f*: **to put to** ~ in die Flucht schlagen; **to take (to)** ~ fliehen, die Flucht ergreifen, flüchten.

flight| ar·row *s* (*Bogenschießen*) **1.** Pfeil *m* ohne 'Widerhaken. – **2.** langer, leichter Pfeil, Langbogenpfeil *m*. — ~ **deck** *s mar.* Flugdeck *n* (*Flugzeugträger*). — ~ **feath·er** *s zo.* Schwung-, Flugfeder *f*. — ~ **for·ma·tion** *s aer.* 'Flugform *f*, -formatiˌon *f*. — ~ **goose** *s irr zo. Am.* Kleine Kanadagans (*Branta Hutchinsii*).

flight·i·ness ['flaitinis] *s* **1.** Launenhaftigkeit *f*, Unbeständigkeit *f*. – **2.** Leichtsinnigkeit *f*. – **3.** leichte Verrücktheit, Verdrehtheit *f*. – **4.** *selten* Flüchtigkeit *f*. – *SYN. cf.* **lightness**².

flight in·struc·tor *s aer.* Fluglehrer *m*.

flight·less ['flaitlis] *adj* flugunfähig (*Vögel*).

'**flight|-lieu'ten·ant** *s aer. mil. Br.* Hauptmann *m* (*der* R.A.F.). — ~ **me·chan·ic** *s aer.* 'BordmeˌchanikerKer *m*, -wart *m*. — ~ **mus·cle** *s zo.* Flugmuskel *m*. — ~ **path** *s* **1.** *aer.* Flugweg *m*. – **2.** (*Ballistik*) Flugbahn *f*. — ~ **per·son·nel** *s aer.* fliegendes Perso'nal. — '~-'**ser·geant** *s aer. mil. Br.* Oberfeldwebel *m* (*der* R.A.F.). — ~ **strip** *s* behelfsmäßige Lande- u. Startbahn, Start- u. Landestreifen *m*.

flight·y ['flaiti] *adj* **1.** launisch, unbeständig. – **2.** leichtsinnig. – **3.** schwärmerisch, voll blühender Phanta'sie. – **4.** (ein wenig) verrückt, verdreht. – **5.** *selten* schnell, flüchtig.

flim·flam ['flimˌflæm] **I** *s* **1.** Unsinn *m*, ‚Mumpitz' *m*. – **2.** Schwindel *m*, Betrug *m*. – **II** *adj* **3.** unsinnig. – **4.** schwindelhaft. – **III** *v/t pret u. pp* -ˌ**flammed** **5.** *colloq.* ‚beschummeln', beschwindeln, betrügen. — '**flim-ˌflam·mer** *s colloq.* **1.** j-d der Unsinn treibt *od.* redet. – **2.** Schwindler *m*.

flim·si·ness ['flimzinis] *s* **1.** Schwach-, Dünn-, Lockerheit *f*. – **2.** Nichtigkeit *f*, Fadenscheinigkeit *f*. – **3.** Oberflächlichkeit *f*. – **4.** loses Gewebe *od.* Gefüge. — '**flim·sy I** *adj* **1.** schwach, locker, lose, dünn, zart. – **2.** *fig.* schwach, nichtig, fadenscheinig: **a** ~ **excuse.** – **3.** oberflächlich. – *SYN. cf.* **limp**². – **II** *s* **4.** (*etwas*) Dünnes *od.* Schwaches *od.* Zartes. – **5.** *pl colloq.* 'DamenˌunterwäSche *f*. – **6.** dünnes 'DurchschlagpaˌPier. – **7.** *Br.* 'Durchschlag *m*, Ko'pie *f*. – **8.** *Br. sl.* Banknote *f*.

flinch¹ [flintʃ] **I** *v/i* **1.** (from) zu'rückweichen, -schrecken (vor *dat*), abstehen (von), ausweichen (*dat*). – **2.** (zu'rück)zucken, zu'sammenfahren (*vor Schmerz etc*): **he never** ~**ed** er hat mit keiner Wimper gezuckt. – **3.** (*Krocket*) den Fuß von der Kugel abgleiten lassen. – *SYN. cf.* **recoil.** – **II** *v/t* **4.** sich (*einer Sache*) enthalten: **to** ~ **the flagon** sich des Trinkens enthalten. – **III** *s* **5.** Zu'rückschrecken *n*, (Zu'sammen)Zucken *n*. – **6.** *ein Kartenspiel.*

flinch² [flintʃ] → **flense.**

flinch·er ['flintʃər] *s* j-d der zu'rückschrickt *od.* zu'sammenzuckt. — '**flinch·ing·ly** *adv* zaghaft, ängstlich.

flin·ders ['flindərz] *s pl* Splitter *pl*, kleine Stücke *pl*: **to break in(to)** ~ in kleine Stücke brechen.

Flin·ders bar *s mar.* Flinderstange *f*.

fling [fliŋ] **I** *s* **1.** Werfen *n*, Schleudern *n*. – **2.** a) Wurf *m*, b) Ausschlagen *n* (*Pferd*). – **3.** Sich'austoben *n*, -'gehenlassen *n*: **to have one's** ~ sich austoben. – **4.** *colloq.* Versuch *m*: **to have a** ~ **at s.th.** etwas versuchen *od.* probieren. – **5.** spöttische *od.* verächtliche Bemerkung, Stiche'lei *f*: **to have a** ~ **at s.o.** gegen j-n sticheln. – **6.** lebhafter (*schottischer*) Tanz: **the Highland** ~. – **II** *v/t pret u. pp* **flung** [flʌŋ] **7.** werfen, schleudern: **to** ~ **s.th. in s.o.'s teeth** *fig.* j-m etwas ins Gesicht schleudern; **to** ~ **oneself into s.o.'s arms** sich in j-s Arme werfen; **to** ~ **oneself on s.o.** sich j-m anvertrauen. – **8.** a) bei'seite lassen, in den Wind schlagen, miß'achten, b) abwerfen, ablegen. – **9.** aussenden, ausstrahlen. – **10.** *auch* ~ **down** zu Boden werfen, niederwerfen. – **11.** *fig.* zu Fall bringen, stürzen. – *SYN. cf.* **throw.** – **III** *v/i* **12.** eilen, stürzen, rennen. – **13.** sich her'umwerfen, sich (sehr) lebhaft hin u. her bewegen. – **14.** (hinten) ausschlagen (*Pferd*). – **15.** *meist* ~ **out** a) schimpfen, toben, b) fluchen. –

Verbindungen mit Adverbien:

fling| a·way *v/t* **1.** wegwerfen. – **2.** *fig.* verschleudern, 'durchbringen. — ~ **back** *v/t* **1.** zu'rückwerfen. – **2.** heftig *od.* hastig erwidern. — ~ **off** *v/t* **1.** abwerfen. – **2.** *hunt.* von der Spur bringen, irreführen. — ~ **o·pen** *v/t* (*Tür etc*) aufreißen. — ~ **out I** *v/t* **1.** hin'auswerfen. – **2.** (*Arme*) (plötzlich) ausbreiten, -strecken. – **3.** *fig.* (*Worte*) her'vorstoßen. – **II** *v/i* → **fling** 14 *u.* 15. — ~ **to** *v/t* (*Tür*) zuwerfen, zuschlagen. — ~ **up** *v/t* **1.** in die Höhe werfen. – **2.** *fig.* aufgeben.

fling·er ['fliŋər] *s* **1.** Werfer *m*, Schleuderer *m*. – **2.** Spötter *m*, Stichler *m*. – **3.** *bes. Scot.* Tänzer *m*.

flint [flint] **I** *s* **1.** *min.* Kiesel *m*, Flint *m*, Feuerstein *m* (SiO_2): ~ **and steel** Feuerzeug; **to set one's face like a** ~ fest entschlossen sein; **to skin a** ~ geizig sein; **to wring water from a** ~ Wunder verrichten. – **2.** *tech.* Feuerstein *m* (*aus Metall*). – **3.** *fig.* Stein *m*, (*etwas*) Hartes. – **4.** *selten* Geizhals *m*. – **II** *v/t* **5.** mit einem Feuerstein versehen. — ~ **age** *s* Steinzeit *f*. — ~ **corn** *s bot.* (*ein*) Pferdemais *m* (*Zea mays var. indurata*). — ~ **glass** *s tech.* Blei-, Flintglas *n*. — '~ˌ**head** *s zo.* Waldibis *m*, Jabi'ru *m* (*Mycteria americana*). — '~'**heart·ed** *adj* hartherzig.

flint·i·ness ['flintinis] *s* **1.** Kieselartigkeit *f*, Steinigkeit *f*. – **2.** *fig.* Härte *f*, Unerbittlichkeit *f*, Hartherzigkeit *f*.

'**flint|ˌlock** *s mil. hist.* **1.** Steinschloß *n* (*am Gewehr*). – **2.** Feuersteingewehr *n*. — ~ **mill** *s* (*Porzellanherstellung*) Flintsteinmühle *f*. — ~ **pa·per** *s tech.* 'Glas-, 'Schmirgel-, 'SandpaˌPier *n*. — ~ **sponge** *s zo.* (*ein*) Glasschwamm *m* (*Hyalonema mirabilis*). — '~ˌ**wood** *s* Holz *n* des Euka'lyptusbaums *Eucalyptus pilularis* (*Australien*).

flint·y ['flinti] *adj* **1.** aus Feuerstein *od.* Kiesel, Kiesel...: ~ **slate** Kieselschiefer. – **2.** kieselhaltig. – **3.** kieselhart, -artig. – 4. *fig.* unerbittlich, hart(herzig), grausam.

flip[1] [flip] **I** *v/t pret u. pp* **flipped** **1.** schnipsen, leicht schlagen, klapsen. – **2.** schnellen, mit einem Ruck bewegen. – **3.** (*Münze etc*) hochwerfen. – **II** *v/i* **4.** schnippen, schnipsen. – **5.** sich flink bewegen. – **6.** eine Münze hochwerfen (*zum Losen*). – **III** *s* **7.** Klaps *m*, leichter Schlag. – **8.** Ruck *m*, plötzliche Bewegung. – **9.** *colloq.* Salto *m* (*Kunstspringen etc*). – **10.** *Br. colloq.* Vergnügungsflug *m*, kurzer Rundflug.

flip[2] [flip] *s* Flip *m* (*Getränk aus Bier od. Wein mit Branntwein, Zucker, Ei u. Muskatnuß*).

flip[3] [flip] *adj u. s colloq.* keck(er Mensch).

flip-flap [ˈflipˌflæp], *auch* **ˈflip-ˌflop** [-ˌflɒp] *s* **1.** Klatsch-Klatsch *n* (*Geräusch wiederholter Schläge*). – **2.** Purzelbaum *m*. – **3.** *Br.* Schwärmer *m* (*Feuerwerk*). – **4.** *Br.* Luftschaukel *f*.

flip·pan·cy [ˈflipənsi] *s* **1.** Keck-, Frechheit *f*. – **2.** Frivoliˈtät *f*, Leichtfertigkeit *f*. – **3.** *obs.* Geschwätzigkeit *f*. – *SYN. cf.* **lightness**[2]. — **ˈflip·pant** *adj* **1.** keck, frech, vorlaut. – **2.** friˈvol, reˈspektlos, leichtfertig. – **3.** *obs.* geschwätzig, redselig. — **ˈflip·pant·ness** → **flippancy**.

flip·per [ˈflipər] *s* **1.** *zo.* a) (Schwimm)-Flosse *f*, b) Paddel *n* (*von Seeschildkröten*). – **2.** *sl.* Hand *f*, ‚Flosse' *f*. – **3.** (*Theater*) (*Art*) ˈDoppelkuˌlisse *f*.

flip·per·ty-flop·per·ty [ˈflipərtiˈflɒpərti] *adj* lose, hängend, baumelnd.

flip switch *s electr.* Kippschalter *m*.

flirt [fləːrt] **I** *v/t* **1.** schnellen, schnipsen, schnell *od.* plötzlich werfen. – **2.** schnell bewegen, rasch auf- *od.* zumachen: to ~ a fan. – **II** *v/i* **3.** herˈumflattern, -springen, -schießen. – **4.** koketˈtieren, flirten. – **5.** spielen, liebäugeln (*mit einem Gedanken etc*). – *SYN. cf.* **trifle**. – **III** *s* **6.** a) schnelle Bewegung, b) Ruck *m*, Wurf *m*. – **7.** a) koˈkette Frau, Koˈkette *f*, b) Hofmacher *m*, Schäker *m*. — **flirˈta·tion** *s* **1.** Koketˈtieren *n*, Flirten *n*. – **2.** Flirt *m*, Liebeˈlei *f*. — **flirˈta·tious** *adj* **1.** koˈkett, gefallsüchtig. – **2.** koketˈtierend, flirtend. – **3.** Flirt... — **flirˈta·tious·ness** *s* koˈkettes Wesen. — **ˈflirt·y** → **flirtatious**.

flit [flit] **I** *v/i pret u. pp* **ˈflit·ted** **1.** flitzen, huschen. – **2.** (umˈher)-flattern. – **3.** schnell vergehen, verfliegen (*Zeit*). – **4.** *Br.* ˈum-, wegziehen. – **5.** *Br.* sich entfernen, fortgehen. – **6.** *Scot. od. dial.* sterben. – **II** *v/t* **7.** *obs.* a) vertreiben, b) entfernen. – **III** *s* **8.** Flitzen *n*, Huschen *n*. – **9.** Flattern *n*. – **10.** *Br.* Wohnungswechsel *m*, ˈUmzug *m*.

flitch [flitʃ] **I** *s* **1.** gesalzene *od.* geräucherte Speckseite: the ~ of Dunmow *Speckseite, die jedes Jahr in Dunmow, Essex, an junge Ehepaare verteilt wird, die in völliger Harmonie gelebt haben.* – **2.** (*geräucherte*) Heilbuttschnitte. – **3.** Walspeckstück *n*. – **4.** (*Zimmerei*) a) Beischale *f*, b) Schwarte *f*, c) Trumm *n*, d) Planke *f*. – **II** *v/t* **5.** in Schnitten schneiden. — ~ **beam** *s tech.* Verbundbalken *m*, -träger *m*, -balkenträger *m*. — ~ **gird·er** *s tech.* Eisen-, Holz(gitter)-träger *m*.

flite [flait] *dial.* **I** *v/i* streiten, zanken. – **II** *s* Zank *m*, Streit *m*. — **ˈflit·ing** *s* **1.** *dial.* Streit *m*. – **2.** *hist.* Streit-, Spottgedicht *n*.

flit·ter [ˈflitər] *obs. od. dial. für* **flutter**.

ˈflit·ter|ˌbat, ˈ~ˌmouse *s irr zo. selten* Fledermaus *f*.

flit·ting [ˈflitiŋ] *adj* **1.** flitzend, (vorˈüber)huschend. – **2.** flatternd.

fliv·ver [ˈflivər] *s* **1.** *sl.* kleine *od.* alte ‚Karre' (*Auto*). – **2.** *Am. sl.* billiger Plunder. – **3.** *humor.* ‚Schlitten' *m*: a) Auto *n*, b) Flugzeug *n*.

float [flout] **I** *v/i* **1.** (obenˈauf) schwimmen. – **2.** *mar.* flott sein *od.* werden, aufschwimmen. – **3.** (daˈhin)treiben, gleiten. – **4.** schweben, treiben: strains of music ~ing on the breeze vom Wind getragene Musikklänge. – **5.** (daˈhin)gleiten. – **6.** *fig.* (*vor Augen*) schweben, (*geistig*) vorschweben. – **7.** ˈumlaufen, ˈumgehen (*Gerücht etc*). – **8.** *econ.* ˈumlaufen, in ˈUmlauf sein. – **9.** *econ.* gegründet werden. – **10.** in Gang gesetzt werden (*Unternehmen etc*). – **11.** *bes. pol.* nicht gebunden sein, sich nicht festlegen. – **12.** *meist* ~ about, ~ around *Am.* sich (*ohne festen Wohnsitz*) herˈumtreiben. – **13.** *min. Am.* fortschwimmen, abfließen (*kleine Goldstücke beim Goldwaschen*). – **14.** (*Weberei*) flotten. – **15.** *Am.* (*nachts von einem Boot aus*) (Rehe) jagen. – **II** *v/t* **16.** schwimmen *od.* treiben lassen, zum Schwimmen bringen. – **17.** *mar.* flottmachen. – **18.** (*etwas*) tragen (*Wasser*). – **19.** unter Wasser setzen, überˈfluten, -ˈschwemmen (*auch fig.*). – **20.** bewässern. – **21.** *econ.* in ˈUmlauf *od.* auf den Markt bringen: to ~ a loan eine Anleihe auflegen. – **22.** *econ.* (*Unternehmen etc*) gründen, in Gang bringen. – **23.** (*Gerücht etc*) in ˈUmlauf setzen, verbreiten. – **24.** *fig.* schwemmen, tragen: to ~ s.o. into power j-n an die Macht bringen. – **25.** *tech.* glatt *od.* fertig putzen, glätten. – **26.** *Am.* (*Pferdezähne*) abfeilen. – **III** *s* **27.** (*etwas*) Schwimmendes (*Treibeis etc*). – **28.** *mar.* a) Floß *n*, b) Prahm *m*, c) schwimmende Landebrücke. – **29.** a) Angel-, Netzkork *m*, b) Flotte *f* (*Glaskugeln*). – **30.** Schwimm-, Rettungsgürtel *m*, -ring *m*. – **31.** *tech.* Schwimmer *m* (*zur Regulierung etc*). – **32.** *aer.* Schwimmgestell *n*, Schwimmer *m*. – **33.** *zo.* Fisch-, Schwimmblase *f*, Luftkammer *f*. – **34.** niedriger Transˈportwagen (*für schwere Güter*). – **35.** flacher Plattformwagen, *bes.* Festwagen *m* (*bei Umzügen etc*). – **36.** *mar. tech.* (Rad)Schaufel *f*. – **37.** *meist pl* (*Theater*) Rampenlicht *n*. – **38.** *tech.* einhiebige Feile, Raspel *f*, Reibebrett *n*, Pflasterkelle *f*. – **39.** (*Weberei*) Flotten *n*. – **40.** *Am.* Eierrahm *m* mit Schlagsahne. – **41.** *selten* Schwimmen *n*, Treiben *n*.

float·a·ble [ˈfloutəbl] *adj* **1.** schwimmfähig. – **2.** flößbar (*Fluß etc*).

float·age, float·a·tion *bes. Br. für* **flotage** *etc.*

ˈfloat|ˌboard *s tech.* (Rad)Schaufel *f*. — ~ **bridge** *s* Floßbrücke *f*. — ~ **cham·ber** *s tech.* **1.** Schwimmergehäuse *n*. – **2.** Flutkammer *f*. — ~ **cop·per** *s tech.* feine, durch Wasser ausgeschwemmte Kupferteile *pl*.

float·er [ˈfloutər] *s* **1.** j-d der *od.* etwas was auf dem Wasser *etc* schwimmt *od.* treibt. – **2.** *Am. colloq.* a) j-d der oft seinen Wohnsitz *od.* seine Arbeit wechselt, b) Gelegenheitsarbeiter *m*. – **3.** *Am.* parˈteiloser (*bes.* käuflicher) Wähler. – **4.** *Am.* (käuflicher) Wähler, der widerrechtlich in mehreren Wahlbezirken wählt, Wahlschwindler *m*. – **5.** *econ. Br.* erstklassiges Paˈpier. – **6.** *tech.* Schwimmer *m*, Pegel *m*. — ~ **crane** *s tech.* Schwimmkran *m*. — ~ **dredg·er** *s tech.* Schwimmbagger *m*. — ~ **switch** *s electr.* Schwimmerschalter *m*.

ˈfloat-ˌfeed *adj tech.* mit einer ˈschwimmerreguˌlierten Zuleitung (versehen).

float·ing [ˈfloutiŋ] **I** *adj* **1.** schwimmend, treibend, Schwimm..., Treib... – **2.** lose, locker. – **3.** *fig.* schwebend, schwankend, unbestimmt. – **4.** *med.* nicht in der norˈmalen Lage befindlich, Wander... – **5.** variˈabel, fluktuˈierend. – **6.** nicht fest ansässig (*Bevölkerung*). – **7.** *econ.* a) ˈumlaufend, zirkuˈlierend (*Geld etc*), b) schwebend (*Schuld*), c) flüssig (*Kapital*). – **8.** *tech.* erschütterungsfrei, fliegend (gelagert). – **II** *s* **9.** Schwimmen *n*, Treiben *n*. – **10.** *tech.* a) Feinputz *m*, b) Anwerfen *n* des Feinputzes. – **11.** (*Weberei*) Flotten *n*, Flottliegen *n*.

float·ing| an·chor *s mar.* Treibanker *m*. — ~ **as·sets** *s pl econ.* flüssige Anlagen *pl*. — ~ **ax·le** *s tech.* Schwingachse *f*. — ~ **bat·ter·y** *s* **1.** *mil.* schwimmende Batteˈrie. – **2.** *electr.* ˈPufferbatteˌrie *f*. — ~ **bridge** *s* **1.** Schiffs-, Floß-, Tonnenbrücke *f*. – **2.** Kettenfähre *f*. — ~ **cap·i·tal** *s econ.* ˈUmlaufs-, Beˈtriebskapiˌtal *n*. — ~ **crane** *s tech.* Schwimmkran *m*. — ~ **debt** *s* schwebende Schuld. — ~ **(dry) dock** *s mar.* Schwimmdock *n*. — ~ **heart** *s bot.* (*eine*) Seekanne (*Gattg Limnanthemum, bes. L. nymphoides*). — ~ **ice** *s* Treibeis *n*. — ~ **is·land** *s* **1.** schwimmende Insel. – **2.** *Am. Art Süßspeise aus Eiercreme u. Schlagsahne.* — ~ **kid·ney** *s med.* Wanderniere *f*. — ~ **le·ver** *s tech.* Bremshebel *m*. — ~ **light** *s mar.* **1.** Leuchtboje *f*. – **2.** Leuchtschiff *n*. – **3.** Warnungslicht *n*. — ~ **mine** *s mar.* Treibmine *f*. — ~ **pol·i·cy** *s econ. mar.* Geneˈralpoˌlice *f*. — ~ **rates** *s pl econ.* Seefrachtsätze *pl*. — ~ **ribs** *s pl med.* fliegende Rippen *pl*. — ~ **screed** *s tech.* Lehrstreifen *m* für den Wandputz. — ~ **sup·ply** *s econ.* laufendes Angebot. — ~ **trade** *s econ.* Seefrachthandel *m*. — ~ **vote** *s pol.* ˌnichtparˈteigebundene Wählerschaft.

ˈfloat|ˌplane *s aer.* Schwimmer-, Wasserflugzeug *n*. — ~ **stick** *s tech.* Schwimmeranzeiger *m*. — ˈ~ˌ**stone** *s* **1.** *min.* Schwimmstein *m*. – **2.** *tech.* Reibestein *m*. — ~ **switch** *s electr.* Schwimmerschalter *m*. — ~ **un·der·car·riage** *s aer.* Schwimmergestell *n*. — ~ **valve** *s tech.* ˈSchwimmervenˌtil *n*.

float·y [ˈflouti] *adj* **1.** schwimmfähig. – **2.** leicht. – **3.** *mar.* wenig Wasser anziehend (*Boot*).

floc [flɒk] *s chem.* Flöckchen *n*. — **floc·cil·la·tion** [ˌflɒksiˈleiʃən; -sə-] *s med.* Flockenlesen *n*. — **ˈfloc·cose** [-kous] *adj bot. zo.* flockig, Flocken tragend.

floc·cu·lar [ˈflɒkjulər; -jə-] *adj* flockig. — **ˈfloc·cuˌlate** [-ˌleit] **I** *v/t bes. chem.* zu Flocken bilden, ausflocken. – **II** *v/i bes. chem.* sich zu Flocken *od.* Wolken bilden, flocken. – **III** *adj* [-lit; -ˌleit] *biol.* Haarbüschel tragend. — ˌ**floc·cuˈla·tion** *s bes. chem.* Flocken- *od.* Wölkchen- *od.* Kügelchenbildung *f*, Ausflockung *f*, Ausfällung *f*. — **ˈfloc·cule** [-juːl] *s* Flöckchen *n*, Wölkchen *n*.

floc·cu·lence [ˈflɒkjuləns; -jə-] *s* flockige *od.* wollige Beschaffenheit. — **ˈfloc·cu·lent** *adj* **1.** flockig, flockenartig, -förmig. – **2.** wollig. — **ˈfloc·cu·lus** [-ləs] *pl* **-li** [-ˌlai] *s* **1.** Flöckchen *n*, Wölkchen *n*. – **2.** Büschel *n*. – **3.** *astr.* (Sonnen)Flocke *f*. – **4.** *med.* Flocculus *m*.

floc·cus [ˈflɒkəs] *pl* **floc·ci** [ˈflɒksai] *s* **1.** Flocke *f*, Flöckchen *n*. – **2.** *zo.* Haarbüschel *n*.

flock[1] [flɒk] **I** *s* **1.** Herde *f* (*bes. Schafe*): ~s and herds Schafe u. Rinder. – **2.** Flug *m* (*Vögel*). – **3.** Menge *f*, Schar *f*, Haufen *m*: to come in ~s in (hellen) Scharen herbeiströmen. – **4.** *fig.* Menge *f* (*Bücher etc*). – **5.** *relig.* Herde *f*, Gemeinde *f*. – **II** *v/i* **6.** (zuˈsammen)strömen: to ~ out hinausströmen; to ~ to s.o. j-m zuströmen; to ~ together sich zusammenscharen, zusammenströmen.

flock² [flɒk] **I** *s* **1.** (Woll)Flocke *f.* – **2.** (Haar)Büschel *n.* – **3.** *auch pl* a) Wollabfall *m*, zerkleinerte Woll- *od.* Stoffreste *pl*, b) Wollpulver *n* (*für Tapeten etc*). – **4.** *pl chem.* flockiger Niederschlag. – **II** *v/t* **5.** mit Wollabfällen füllen. – **6.** *tech.* (*Papier etc*) mit Flockmuster versehen.

flock³ *cf.* floc.

flock| bed *s* Wollbett *n.* — **~ dot** *s tech.* aufgeklebtes (*nicht eingewebtes*) Muster. — **'~·man** [-mən] *s irr* Schäfer *m.* — **~ mas·ter** *s* **1.** Schafzüchter *m.* – **2.** (Schaf)Hirte *m.* — **~ mat·tress** *s* 'Wollmaˌtratze *f.* — **~ pa·per** *s tech.* 'Flock-, 'Samtta͵pete *f.*

flock·y ['flɒki] *adj* **1.** flockig, flockenartig. – **2.** wolkig.

floe [flou] *s* **1.** treibendes Eis(feld). – **2.** Eisscholle *f.*

flog [flɒg; *Am. auch* flɔːg] **I** *v/t pret u. pp* **flogged 1.** peitschen, schlagen: to ~ a dead horse sich um eine aussichtslose Sache bemühen, sich vergeblich anstrengen. – **2.** züchtigen, prügeln. – **3.** antreiben: to ~ along vorwärtstreiben. – **4.** (*etwas*) einbleuen (into s.o. j-m), (*etwas*) austreiben (out of s.o. j-m). – **5.** *Br. sl.* über'treffen, schlagen. – **6.** (*Gewässer*) (durch wieder'holtes Werfen der Angelschnur) abangeln. – **7.** *sl.* ‚verkloppen' (*verkaufen*). – **II** *s* **8.** Peitschen *n*, Schlagen *n.* – **9.** Klatschen *n* (*Geräusch*). — **'flog·ger** *s* Züchtiger *m*, Schlagender *m*, Auspeitscher *m.* — **'flog·ging** *s* **1.** (Aus)Peitschen *n.* – **2.** Züchtigung *f*, Prügelstrafe *f.*

flong [flɒŋ] *s print.* Ma'trizenpa͵pier *n*, -kar͵ton *m*, -pappe *f.*

flood [flʌd] **I** *s* **1.** Flut *f*, strömende Wassermasse. – **2.** Über'schwemmung *f*, Hochwasser *n.* – **3.** the F~ *Bibl.* die Sintflut. – **4.** *mar.* Flut *f*: to be at the ~ steigen. – **5.** *poet.* Flut *f*, Fluten *pl* (*See, Strom etc*). – **6.** *fig.* Flut *f*, Erguß *m*, Fülle *f*, Strom *m*, Schwall *m*: ~s of rain Regenfluten; a ~ of words ein Wortschwall. – **7.** *colloq. für* ~light. – **II** *v/t* **8.** über'schwemmen, -'fluten (*auch fig.*). – **9.** mit Wasser über'gießen, unter Wasser setzen, bewässern. – **10.** *mar.* (*Tank etc*) fluten. – **11.** (*Fluß etc*) anschwellen lassen (*Regen etc*). – **III** *v/i* **12.** fluten, strömen, sich ergießen. – **13.** *fig.* in großen Mengen (da'her)kommen, sich ergießen: to ~ in upon s.o. j-n über'schwemmen. – **14.** 'überfließen, -strömen. – **15.** *med.* an Gebärmutterblutung *od.* 'übermäßigem Monatsfluß leiden.

flood| arch *s* (*Wasserbau*) Flutbrücke *f.* — **'~͵cock** *s mar.* 'Flut-, 'Seeven͵til *n.* — **~ con·trol** *s tech.* 'Hochwasserkon͵trolle *f.* — **~ cur·rent** *s mar.* Flutstrom *m.* — **~ dis·as·ter** *s* 'Hochwasserkata͵strophe *f.* — **'~͵gate** *s tech.* Schleuse(ntor *n*) *f* (*auch fig.*).

flood·ing ['flʌdiŋ] *s* **1.** 'Überfließen *n.* – **2.** Über'schwemmung *f*, -'flutung *f.* – **3.** *med.* Gebärmutterblutung *f.*

'flood|͵light I *s* **1.** Scheinwerfer-, Flutlicht *n.* – **2.** *auch* ~ projector Scheinwerfer *m*, Lichtstrahler *m.* – **II** *v/t irr* **3.** (mit Scheinwerfern) beleuchten *od.* anstrahlen: floodlit (von Scheinwerfern) angestrahlt; floodlit match *sport* Flutlichtspiel. — **'~͵mark** *s* Hochwasserstandszeichen *n.*

flood·om·e·ter [flʌ'dɒmitər; -mə-] *s* Wasserstandanzeiger *m.*

flood| plain *s* Über'schwemmungsgebiet *n.* — **~ tide** *s mar.* Flut(zeit) *f.*

floor [flɔːr] **I** *s* **1.** (Fuß)Boden *m*, Diele *f*: to lay a ~ die Dielen legen; to take the ~ tanzen. – **2.** Grund *m*, Boden *m* (*Meer etc*). – **3.** *tech.* Plattform *f*: ~ of a bridge Fahrbahn, Brückenbelag. – **4.** Scheunen-, Dreschtenne *f.* – **5.** Stock(werk *n*) *m*, Geschoß *n.* – **6.** ebene (Gelände)Fläche, Boden *m.* – **7.** Sitzungssaal *m* (*Parlament etc*). – **8.** *pol. Am.* Wort *n* (*das Recht zu sprechen*): to get (have) the ~ das Wort erhalten (haben); to take (be on) the ~ das Wort ergreifen (führen). – **9.** *econ. Am.* Minimum *n*: a price ~; a wage ~. – **10.** (*Bergbau*) (Strecken)Sohle *f*, Liegendes *n.* – **11.** *mar.* Schiffsbodenstück *n*, Bodenwrange *f.* – **12.** *tech.* a) (*Brauerei*) Malztenne *f*, b) (Schleusen)Bettung *f.* – **II** *v/t* **13.** mit einem Boden versehen, dielen. – **14.** pflastern. – **15.** den Boden bilden für. – **16.** zu Boden werfen *od.* schlagen. – **17.** *fig.* besiegen, über'winden: to ~ a paper *Br.* alle Fragen einer Schularbeit richtig beantworten. – **18.** *fig.* verwirren, verblüffen, zum Schweigen bringen. – **19.** *fig.* (*Schüler*) sich setzen lassen, in die Bank zu'rückschicken.

floor·age ['flɔːridʒ] *s* (Fuß)Bodenfläche *f.*

floor| ceil·ing *s mar.* Bauch-, Boden-, Flachwegerung *f.* — **'~͵cloth** *s* **1.** Boden-, Wischtuch *n.* – **2.** Fußbodenbelag *m.*

floor·er ['flɔːrər] *s* **1.** *tech.* Fußboden-, Dielen-, *bes.* Par'kettleger *m.* – **2.** niederschmetternder Schlag. – **3.** *fig.* Schlag *m*, unerwartete, unangenehme Nachricht. – **4.** (*etwas*) Über'wältigendes. – **5.** *sl.* kniffIige Frage.

floor| grid *s tech.* Lattenrost *m.* — **~ hang·er** *s tech.* Hängeeisen *n.* — **'~͵head** *s mar.* Kimme *f*, Bodenwrangen-Außenende *n*, -Oberkante *f.*

floor·ing ['flɔːriŋ] *s* **1.** a) (Fuß)Boden *m*, b) Pflaster *n.* – **2.** ('Fuß)Bodenbelag *m*, -materi͵al *n*, Dielung *f.* – **3.** (*Brauerei*) Mälzen *n*, Haufenführen *n.* – **4.** *mar.* Gar'nierbodenbelag *m.*

floor| lamp *s* Stehlampe *f.* — **~ lead·er** *s pol. Am.* Par'tei-, Frakti'onsführer *m* (*im Kongreß*). — **~ man·ag·er** *s Am.* Ab'teilungsleiter *m* (*Warenhaus*). — **~ plan** *s tech.* Grundriß *m.* — **~ show** *s* Kaba'rett-, Nachtklubvorstellung *f.* — **~ space** *s* **1.** Grundfläche *f.* – **2.** *econ.* Lager-, Bodenfläche *f.* — **~ tile** *s tech.* Fußbodenfliese *f.* — **~ tim·ber** *s mar.* Kielplanken *pl*, (hölzerne) Bodenwrange. — **'~͵walk·er** *s* Aufsicht *f* (*Warenhaus*). — **~ wax** *s* Bohnerwachs *n.*

flop [flɒp] **I** *v/i pret u. pp* **flopped 1.** ('hin-, nieder)plumpsen, plumpsend fallen. – **2.** sich (plumpsend) fallen lassen (into in *acc*). – **3.** hin u. her *od.* auf u. nieder schlagen. – **4.** lose hin u. her schwingen *od.* schlagen (*Segel etc*). – **5.** plump *od.* ungeschickt gehen. – **6.** *oft* ~ over *Am.* plötzlich die Richtung wechseln, 'umschwenken (to zu), (*von einer Partei etc zur anderen*) 'übergehen. – **7.** *sl.* (völligen) 'Mißerfolg haben, ein ‚Versager' sein, scheitern: the play has ~ped das Stück ist durchgefallen. – **II** *v/t* **8.** achtlos ('hin)plumpsen *od.* fallen lassen, 'hinwerfen. – **9.** (*Flügel etc*) plump *od.* träge schlagen. – **III** *s* **10.** a) ('Hin)Plumpsen *n*, b) schwerfälliges Schlagen. – **11.** Plumps(en *n*) *m*, Klatschen *n*, dumpfes Geräusch. – **12.** *Am.* 'Umschwenken *n.* – **13.** *sl.* a) 'Mißerfolg *m*, ‚Versager' *m*, Fi'asko *n*, b) ‚Versager' *m*, ‚Niete' *f* (*Person*). – **14.** *colloq.* Schlapphut *m.* – **IV** *adv* **15.** a) plumpsend, b) schwerfällig. – **V** *interj* **16.** plumps.

'flop͵house *s Am. sl.* ‚Penne' *f* (*Herberge*).

flop·per ['flɒpər] *s* **1.** j-d der *od.* etwas was plumpst. – **2.** *Am.* 'Überläufer *m.* – **3.** junger Wildvogel, *bes.* junge Wildente.

flop·pi·ness ['flɒpinis] *s* **1.** Schlaff-, Schlappheit *f.* – **2.** Plumpheit *f.* – **3.** Nachlässigkeit *f.* — **'flop·py** *adj* **1.** schlaff (her'ab)hängend, schlapp. – **2.** plump, schwerfällig. – **3.** nachlässig, schlampig, liederlich.

'flop͵wing → lapwing.

flo·ra ['flɔːrə] *pl* **-ras**, *auch* **-rae** [-riː] *s* **1.** *bot.* Flora *f*: a) Pflanzenwelt *f*, b) *Werke über die Flora eines Landes.* – **2.** *med.* Flora *f*: intestinal ~ Darmflora.

flo·ral ['flɔːrəl] *adj* **1.** Blumen..., Blüten... – **2.** eine Flora betreffend, Floren... — **~ em·blem** *s* Wappenblume *f.* — **~ en·ve·lope** *s bot.* Blütenhülle *f*, Peri'anth *n.* — **~ leaf** *s irr bot.* Blütenhüll-, Peri'anthblatt *n.* — **~ zone** *s* Florenzone *f.*

flo·re·at·ed *cf.* floriated.

Flor·en·tine ['flɒrən͵tain; *Am. auch* 'flɔːr-] **I** *s* **1.** Floren'tiner(in). – **2.** Floren'tiner Atlas *m* (*Seidenstoff*). – **II** *adj* **3.** floren'tinisch, Florentiner... — **~ ex·per·i·ment** *s phys.* Torri'cellischer Versuch. — **~ i·ris** *s bot.* Floren'tinische Schwertlilie (*Iris florentina*). — **~ re·ceiv·er** *s chem.* Floren'tiner Flasche *f*, Ölvorlage *f.*

flo·res·cence [flɔː'resns] *s bot.* Blüte(zeit) *f* (*auch fig.*). — **flo'res·cent** *adj bot.* (auf)blühend.

flo·ret ['flɔːrit] *s bot.* **1.** Blümchen *n*, kleine Blume. – **2.** Blütchen *n* (*bei Compositen etc*).

flo·ri·ate ['flɔːri͵eit] *v/t arch.* mit blumenartigen Verzierungen schmükken. — **'flo·ri͵at·ed** *adj* **1.** mit blumenartigen Verzierungen (versehen). – **2.** blumenförmig. — **͵flo·ri'a·tion** *s* blumenartige Verzierung.

flo·ri·can ['flɒrikən] *s zo.* **1.** Ben'galische Barttrappe (*Houbaropsis bengalensis*). – **2.** Flaggentrappe *f* (*Sypheotides aurita*).

flo·ri·cul·tur·al [͵flɔːri'kʌltʃərəl] *adj* Blumen(zucht)... — **'flo·ri͵cul·ture** *s* Blumenzucht *f.* — **͵flo·ri'cul·tur·ist** *s* Blumenzüchter *m.*

flor·id ['flɒrid; *Am. auch* 'flɔːrid] *adj* **1.** blühend, frisch, rot. – **2.** über'laden, blumenreich (*Stil etc*). – **3.** *arch.* über'laden, 'übermäßig verziert. – **4.** *selten* blütenreich, blumig.

Flor·i·da moss ['flɒridə; -rə-; *Am. auch* 'flɔːr-] → long moss.

Flor·i·dan ['flɒridən; -rə-] → Floridian.

Flor·i·da wa·ter *s Art Kölnischwasser.*

flo·rid·e·ous [flɔː'ridiəs; flə-] *adj bot.* zu den Rottangen gehörig.

Flo·rid·i·an [flɔː'ridiən; flə-] **I** *adj* von Florida, Florida... – **II** *s* Bewohner(in) von Florida.

flo·rid·i·ty [flɔː'riditi; flə-; -əti], **flor·id·ness** ['flɒridnis; *Am. auch* 'flɔːr-] *s* **1.** blühende *od.* frische (Gesichts-)Farbe. – **2.** Blumigkeit *f*, Über'ladenheit *f*, Gesuchtheit *f* (*Stil etc*).

flo·rif·er·ous [flɔː'rifərəs] *adj bot.* blumen-, blütentragend, -reich. — **͵flo·ri·fi'ca·tion** *s bot.* Blühen *n*, Blüte(zeit) *f.* — **'flo·ri͵form** [-͵fɔːrm] *adj* blumenförmig. — **͵flo·ri'le·gi·um** [-'liːdʒiəm] *pl* **-gi·a** [-dʒiə] *s* Blüten-, Blumenlese *f*, Antholo'gie *f.*

flor·in ['flɒrin; *Am. auch* 'flɔːrin] *s* **1.** (*in England*) Zwei'schillingstück *n.* – **2.** (*bes. holl.*) Gulden *m.* – **3.** *hist.* a) *engl. goldenes Sechsschillingstück aus der Zeit Eduards III.*, b) *österr. Gulden.*

flo·rist ['flɒrist; *Am. auch* 'flɔːr-] *s* Blumenhändler *m*, -züchter *m.*

flo·ris·tic [flɔː'ristik; flə-] *adj bot.* flo'ristisch, Pflanzen(verbreitungs)... — **flo'ris·tics** *s pl* (*als sg konstruiert*)

Flo'ristik *f*, Pflanzenkunde *f*. — **flo'riv·o·rous** [-'rivərəs] *adj* sich von Blumen nährend.

-florous [flɔːrəs] *Wortelement mit der Bedeutung* ...blütig.

flo·ru·it ['flɒrjuit; -ruit; *Am. auch* 'flɔːr-] (*Lat.*) *s* 'Schaffensperi,ode *f*, Blütezeit *f*.

flo·ry ['flɔːri] → fleury.

flos·cu·lar ['flɒskjulər; -jə-; *Am. auch* 'flɔːs-], '**flos·cu·lous** [-ləs] *adj bot.* Blütchen...

flos fer·ri ['flɒs 'ferai] (*Lat.*) *s min.* Eisenblüte *f* (*Varietät des Aragonits*).

floss[1] [flɒs; *Am. auch* flɔːs] *s* **1.** Rohseide *f*, Ko'kon-, Seidenwolle *f*, Flaum *m*. – **2.** Chappe-, Flo'rettseide *f*. – **3.** ungezwirnte Seidenfäden *pl*, *bes.* Flo'rettgarn *n*. – **4.** *bot.* Seidenbaumwolle *f*, Kapok *m*. – **5.** *bot.* Narbenfäden *pl* (*der Maiskolben*). – **6.** weiche, seidenartige Sub'stanz.

floss[2] [flɒs; *Am. auch* flɔːs] *s tech.* **1.** Glasschlacke *f*. – **2.** *auch* ~ **hole** Abstich-, Schlackenloch *n*, Fuchsöffnung *f*.

floss[3] [flɒs; *Am. auch* flɔːs] *s Br.* kleiner Bach.

floss silk → floss[1] 2 *u.* 3.

floss·y ['flɒsi; *Am. auch* 'flɔːsi] *adj* **1.** aus Flo'rettseide bestehend, Flo'rettseiden. – **2.** seidenweich, seidig. – **3.** *Am. sl.* ‚aufgedonnert', auf-, her'ausgeputzt, pom'pös.

floss yarn *s* Flockseidengarn *n*.

flo·tage, *bes. Br.* **floa·tage** ['floutidʒ] *s* **1.** Schwimmen *n*, Treiben *n*. – **2.** Schwimmfähigkeit *f*, -kraft *f*. – **3.** (*etwas*) Schwimmendes (*Holz, Wrack*), Strandgut *n*. – **4.** schwimmende Schiffe *pl*. – **5.** *mar.* Schiffsteil *m* über der Wasserlinie.

flo·ta·tion, *bes. Br.* **floa·ta·tion** [flou'teiʃən; flo-] *s* **1.** Schwimmen *n*, Treiben *n*. – **2.** Schweben *n*. – **3.** *econ.* a) Gründung *f* (*Gesellschaft etc*), b) In'umlaufsetzung *f*, Begebung *f* (*Wechsel etc*), c) Auflegung *f* (*Anleihe*). – **4.** *tech.* Schwimmaufbereitung *f*, Flotati'on *f*. – **5.** *phys.* Lehre *f* von den schwimmenden Körpern. — ~ **gear** *s aer.* Schwimmergestell *n* (*an einem Landflugzeug für Wasserlandungen*). — ~ **proc·ess** *s tech.* Flotati'ons-, Schwimmaufbereitungsverfahren *n*.

flo·til·la [flo'tilə; flə-] *s mar.* Flot'tille *f*.

flot·sam ['flɒtsəm] *s* **1.** *mar.* Treibgut *n*, treibendes Wrackgut, seetriftiges Gut. – **2.** treibende Gegenstände *od.* Per'sonen *pl*. – **3.** Austernlaich *m*. – **4.** *fig.* Strandgut *n*. — ~ **and jet·sam** *s* **1.** *mar.* Strand-, Wrackgut *n*. – **2.** allerlei Kleinigkeiten *pl*, 'Überbleibsel *pl*, Reste *pl*.

flot·san, flot·sen, flot·son ['flɒtsən] *obs. für* flotsam.

flounce[1] [flauns] **I** *v/i* **1.** erregt stürmen *od.* stürzen: to ~ **off** fort-, davonstürzen. – **2.** sich winden, sich drehen, sich her'umwerfen, krampfhafte Bewegungen machen. – **II** *s* **3.** plötzliche *od.* krampfhafte Bewegung, Ruck *m*.

flounce[2] [flauns] **I** *s* Vo'lant *m*, Besatz *m*, Falbel *f*. – **II** *v/t* mit Vo'lants besetzen. — '**flounc·ing** *s* **1.** Materi'al *n* für Vo'lants. – **2.** Besatz *m* aus Vo'lants, Volant *m*.

floun·der[1] ['flaundər] **I** *v/i* **1.** zappeln, sich abquälen. – **2.** mühsam vorwärtskommen, sich quälen, sich wühlen. – **3.** (um'her)stolpern, taumeln. – **4.** um'hertappen, -irren (*auch fig.*). – **5.** *fig.* zappeln, nicht weiterwissen. – **II** *s* **6.** Zappeln *n*. – **7.** (mühsames) Gestolper. – **8.** Um'hertappen *n*, -irren *n*.

floun·der[2] ['flaundər] *pl* **-ders** *od. collect.* **-der** *s zo.* **1.** Scholle *f*, Flunder *f* (*Pleuronectes flesus*). – **2.** *Am.* a) Sommerflunder *f* (*Paralichthys dentatus*), b) Winterflunder *f* (*Pseudopleuronectes americanus*).

floun·der·ing·ly ['flaundəriŋli] *adv* **1.** zappelnd. – **2.** (mühsam) stolpernd.

flour [flaur] **I** *s* **1.** feines (Weizen-)Mehl. – **2.** feines Pulver, Staub *m*, Mehl *n*: ~ **of emery** Schmirgelstaub, -asche. – **II** *v/t* **3.** *Am.* (zu Mehl) mahlen, mahlen u. beuteln. – **4.** mit Mehl bestreuen. – **III** *v/i* **5.** *tech.* sich in kleine Kügelchen auflösen (*Quecksilber beim Amalgamationsprozeß*). — ~ **bee·tle** *s zo.* (*ein*) Schwarzkäfer *m* (*Fam. Tenebrionidae*). — ~ **bolt** *s tech.* 'Mehlbeutelappa,rat *m*. — ~ **box,** ~ **dredg·er** *s* 'Mehlstreuma,schine *f*.

flour·ish [*Br.* 'flʌriʃ; *Am.* 'flɔːriʃ] **I** *v/i* **1.** blühen, gedeihen, flo'rieren, in Blüte sein (*Kunst etc*). – **2.** auf der Höhe der Macht *od.* des Ruhms sein. – **3.** tätig sein, wirken, leben (*Schriftsteller etc*). – **4.** üppig gedeihen (*Pflanze*). – **5.** a) ein Schwert schwingen, b) eine Fahne schwenken. – **6.** prahlen, aufschneiden, protzen. – **7.** schwülstig sprechen *od.* schreiben, sich geziert ausdrücken. – **8.** Schnörkel *od.* Floskeln machen. – **9.** *mus.* a) prälu'dieren, phanta'sieren, b) bravou'rös spielen, c) einen Tusch blasen. – **II** *v/t* **10.** (*Fahne*) schwenken, (*Schwert*) schwingen. – **11.** zur Schau stellen, protzen mit, prunkend entfalten. – **12.** mit Schnörkeln verzieren, verschnörkeln. – **13.** (aus)schmücken, verzieren. – **14.** (*Waren im Schaufenster*) auslegen, -stellen. – *SYN. cf.* **swing**[1]. – **III** *s* **15.** *fig.* Blüte *f*, Höhepunkt *m*. – **16.** Schwenken *n*, Schwingen *n*. – **17.** Zur'schaustellung *f*. – **18.** Schnörkel *m*, Verzierung *f*. – **19.** Floskel *f*, schwülstige Redewendung. – **20.** *mus.* a) bravou'röse Pas'sage, b) Tusch *m*, Fan'faren-, Trom'petenstoß *m*. – **21.** *arch.* Schnitzwerk *n*, Schnörkel *m*. – **22.** *print.* (Kopf-, Rand)Leiste *f*, Vi'gnette *f*, (Rand)Verzierung *f*. – **23.** *obs.* Blüte *f*, Blühen *n*. — '**flour·ish·ing** *adj* **1.** blühend, gedeihend. – **2.** schwunghaft (*Handel etc*). – **3.** prunkhaft: ~ **thread** (glänzender) Leinenzwirn. — '**flour·ish·y** *adj* verschnörkelt, schnörkelig, blumenreich.

flour| mill *s tech.* Mühle *f*. — ~ **mite** *s zo.* Mehlmilbe *f* (*Tyroglyphus farinae*).

flour·y ['flau(ə)ri] *adj* **1.** mehlig, mehlartig. – **2.** mehlbestreut, -bedeckt.

flout [flaut] **I** *v/t* verspotten, -höhnen. – **II** *v/i* spotten (at über *acc*), spötteln, höhnen. – *SYN. cf.* **scoff**[1]. – **III** *s* Spott *m*, Hohn *m*, Spötte'lei *f*. — '**flout·er** *s* Spötter *m*.

flow [flou] **I** *v/i* **1.** fließen, strömen, laufen, rinnen: to ~ **in** herein-, hineinströmen; to ~ **by heads** *tech.* stoßweise fließen (*Ölquelle*). – **2.** (from) entströmen (*dat*), entspringen (*dat*), fließen (aus). – **3.** *fig.* (from) 'herrühren, -kommen (von), entspringen (*dat*), entstehen (aus). – **4.** fluten, quellen, strömen, sich ergießen (*auch fig.*): ~ **into** strömen in (*acc*). – **5.** da'hinfließen, -gleiten. – **6.** wallen, lose (u. wellig) her'abhängen. – **7.** *fig.* (with) 'überfließen, -quellen, -schäumen (von), gefüllt sein (mit): **a land ~ing with milk and honey** ein Land, wo Milch u. Honig fließt. – **8.** *med.* heftig bluten. – **9.** *mar.* steigen (*Flut*). – *SYN. cf.* **spring.** – **II** *v/t* **10.** über'fluten, -'schwemmen (*auch fig.*). – **11.** fließen lassen. – **12.** (*Flüssigkeit*) ergießen. – **13.** *tech.* (*mit Farbe etc*) spritzen, dick bestreichen. – **14.** *tech.* (*Metall beim Guß*) in der Form hin u. her fließen lassen. – **III** *s* **15.** (Da'hin)Fließen *n*, Strömen *n*. – **16.** Strom *m*, Fluß *m* (*auch fig.*). – **17.** Zu-, Abfluß *m*. – **18.** *mar.* Flut *f*. – **19.** Über'schwemmung *f*. – **20.** *fig.* Schwall *m*, Erguß *m* (*von Gefühlen*). – **21.** *fig.* 'Überfluß *m*, -schäumen *n*. – **22.** sich ergebende Menge, Produkti'onsmenge *f*, Leistung *f*. – **23.** *med.* Monatsfluß *m*, Menstruati'on *f*. – **24.** *tech.* a) (*Töpferkunst*) Fluß *m*, b) 'Durchfluß *m*, c) Fließen *n* (*Verformung*), d) *electr.* Strommenge *f*, e) Flüssigkeit *f* (*einer Farbe etc*). – **25.** *phys.* Fließen *n* (*Bewegungsart*).

flow·age ['flouidʒ] *s* **1.** Fluß *m*, Strömung *f*, Fließen *n*, Strömen *n*. – **2.** Über'schwemmung *f*. – **3.** ('über)fließende Flüssigkeit. – **4.** *tech.* → flow 24c.

'**flow,back valve** *s tech.* 'Rückschlagven,til *n*.

flow chart → flow sheet.

flow·er ['flauər] **I** *s* **1.** Blume *f*: **cut** ~ Schnittblume. – **2.** *bot.* Blüte *f*: **double** ~ gefüllte Blüte. – **3.** Blüte(zeit) *f* (*auch fig.*): **in** ~ in Blüte, blühend; **the** ~ **of life** die Blüte des Lebens. – **4.** (*das*) Beste *od.* Feinste, Auslese *f*. – **5.** Blüte *f*, Zierde *f*, Schmuck *m*. – **6.** ('Blumen)Orna,ment *n*, (-)Verzierung *f*. – **7.** *fig.* Redeblüte *f*, Floskel *f*. – **8.** *print.* Vi'gnette *f*, Blumenverzierung *f*. – **9.** (*Färberei*) Blume *f*, Schaum *m*. – **10.** *pl chem.* pulveriger Niederschlag, Blumen *pl*: **~s of sulphur** Schwefelblumen, -blüte. – **11.** *pl* Kahmhaut *f* (*Pilzschicht auf gärendem Wein etc*). – **12.** *relig.* ,Blumensticke'rei *f* (*Meßgewand*). – **II** *v/i* **13.** blühen. – **14.** voller Blumen *od.* Blüten sein. – **15.** *fig.* blühen, in höchster Blüte stehen. – **16.** *oft* ~ **out** *fig.* sich entfalten, sich voll entwickeln (into zu). – **III** *v/t* **17.** mit (künstlichen) Blumen *od.* Blüten (be)decken. – **18.** mit Blumen(mustern) verzieren *od.* schmücken, blüme(l)n. – **19.** (*Gärtnerei*) a) zur Blüte bringen, b) blühen lassen. – **IV** *adj* **20.** Blumen..., Blüten...

flow·er·age ['flauəridʒ] *s* **1.** Blüten(reichtum *m*) *pl*. – **2.** 'Blumen-, 'Blütenorna,ment *n*. – **3.** (Auf)Blühen *n*, Blüte *f*.

flow·er| bed *s* Blumenbeet *n*. — '**~-de-'luce** [-də'ljuːs; -'luːs] *Am. od. obs. für* fleur-de-lis 3.

flow·ered ['flauərd] *adj* **1.** blühend, blütentragend. – **2.** mit Blüten *od.* Blumen geschmückt. – **3.** geblümt, mit Blumenmustern verziert. – **4.** (*in Zusammensetzungen*): a) ...blütig, b) ...blühend. — '**flow·er·er** *s* **1.** *bot.* Blüher *m*: **late** ~ Spätblüher. – **2.** j-d der (*etwas*) mit Blumenmustern verziert. — '**flow·er·et** [-rit] *s* Blümchen *n*.

flow·er| fence *s bot.* Prachtpfauenschwanz *m* (*Caesalpinia pulcherrima*). — ~ **girl** *s* **1.** *Br.* Blumenfrau *f*, -verkäuferin *f*. – **2.** *Am.* blumenstreuendes Mädchen (*Hochzeit*). — ~ **head** *s bot.* Blütenköpfchen *n*, -körbchen *n*.

flow·er·i·ness ['flauərinis] *s* **1.** Blumen-, Blütenreichtum *m*. – **2.** *fig.* Geblümtheit *f*, Geziertheit *f*, blumenreicher Schmuck.

flow·er·ing ['flauəriŋ] **I** *adj bot.* **1.** blühend, in Blüte stehend. – **2.** (auffallende) Blüten tragend. – **3.** Blumen..., Blüte... – **II** *s* **4.** Blüte(zeit) *f*, (Auf)Blühen *n* (*auch fig.*). — ~ **ash** *s bot.* Blumenesche *f* (*Fraxinus ornus*). — ~ **dog·wood** *s bot.* Blumen-Hartriegel *m* (*Cornus florida*). — ~ **fern** *s bot.* (*ein*) Rispenfarn *m* (*Gattg Osmunda*). — ~ **ma·ple** *s bot.* Samtmalve *f* (*Gattg Abutilon*). — ~ **quince** → Japanese quince. — ~ **reed** *s bot.* Indische Canna, Blumenrohr *n* (*Canna indica*). — ~ **rush** *s bot.* Blumenbinse *f* (*Butomus umbellatus*). — ~ **to·bac·co** *s bot.* Zier-Tabak *m* (*Gattg Nicotiana*).

flow·er·less ['flauərlis] *adj bot.* **1.** blütenlos. – **2.** krypto'gam.

flow·er| of an hour → bladder ketmia. — **~ of Con·stan·ti·no·ple** [ˌkɒnstænti'noupl] → scarlet lychnis. — '**~ˌpeck·er** *s zo. (ein)* Mistelfresser *m (Fam. Dicaeidae).* — **~ piece** *s (Malerei)* Blumenstück *n.* — '**~ˌpot** *s* **1.** Blumentopf *m.* – **2.** *(Art)* Feuerwerk *n.* — **~ pride** → flower fence. — **~ show** *s* Blumenschau *f,* -ausstellung *f.* — **~ stalk** *s bot.* Blütenstiel *m.*

flow·er·y ['flauəri] *adj* **1.** blumig, blumen-, blütenreich. – **2.** *fig.* blumig, blumenreich *(Rede etc).* – **3.** geblümt.

flow heat·er *s tech.* 'Durchflußerhitzer *m.*

flow·ing ['flouiŋ] *adj* **1.** fließend, strömend. – **2.** *fig.* geläufig, fließend, glatt *(Stil etc).* – **3.** fließend, schwungvoll. – **4.** wallend *(Bart),* lose hängend, flatternd *(Haar, Kleid).* – **5.** voll, 'überschäumend (with von). – **6.** *mar.* steigend *(Flut).* – **7.** 'ununterˌbrochen, zu'sammenhängend: **~ quantity** a) *phys.* Strömungsgröße, b) *math.* Fluent, veränderliche Größe. — **~ fur·nace** *s tech.* Fluß-, Blauofen *m.*

flow| mass *s tech.* Fördermenge *f.* — '**~ˌme·ter** *s tech.* 'Durchflußmesser *m.*

flown[1] [floun] *pp von* fly.

flown[2] [floun] *adj* **1.** *tech.* mit flüssiger Farbe behandelt *(Porzellan etc).* – **2.** *obs.* geschwollen.

flow| pat·tern *s phys.* Stromlinien-, Strömungsbild *n.* — **~ po·ten·tial** *s phys.* 'Strömungspotentiˌal *n.* — **~ sep·a·ra·tion** *s phys.* Strömungsablösung *f.* — **~ sheet** *s* Ver'arbeitungsdiaˌgramm *n (Darstellung von Arbeitsprozessen in der Industrieplanung).* — **~ sys·tem** *s tech.* 'Bandmonˌtage *f,* Fließbandfertigung *f.* — **~ vol·ume** *s phys.* 'Durchflußmenge *f.*

flu [fluː] *s colloq.* Grippe *f,* Influ'enza *f*: **Asian ~** asiatische Grippe.

flub·dub ['flʌbˌdʌb] *s Am. sl.* Gefasel *n,* ‚Quatsch' *m.*

fluc·tu·ant ['flʌktʃuənt; *Br. auch* -tju-] *adj* veränderlich, schwankend, fluktu'ierend. — '**fluc·tuˌate** [-ˌeit] **I** *v/i* **1.** schwanken, fluktu'ieren, sich ständig ändern. – **2.** *econ.* schwanken, fluktu'ieren, steigen u. fallen. – **3.** *fig.* schwanken, unschlüssig sein. – **4.** (hin u. her) wogen. – *SYN. cf.* **swing.** – **II** *v/t* **5.** in schwankende Bewegung versetzen. – **6.** wogen lassen *od.* machen. — ˌ**fluc·tu'a·tion** *s* **1.** Schwankung *f,* Fluktuati'on *f,* ständige Änderung. – **2.** *econ.* Fluktu'ieren *n.* – **3.** *phys.* Schwankung *f*: **~ of current** Stromschwankung. – **4.** *biol. med.* Fluktuati'on *f.* – **5.** *fig.* Schwanken *n,* Unschlüssigkeit *f.* – **6.** Wogen *n.*

flue[1] [fluː] *s* **1.** *tech.* Rauchfang *m,* Esse *f,* Ka'min *m.* – **2.** *tech.* a) Zug *m,* ('Luft)Kaˌnal *m,* b) 'Heiz-, 'Feuerkaˌnal *m,* Feuer-, Flammenrohr *n,* c) Heizröhre *f,* d) Fuchs *m.* – **3.** *mus.* a) → **~ pipe,** b) Kernspalte *f (einer Lippenpfeife der Orgel).*

flue[2] [fluː] *s* Flaum *m,* Staubflocken *pl.*

flue[3] [fluː] *s mar.* Schleppnetz *n.*

flue[4] [fluː] *s* **1.** *zo.* Fahne *f (einer Feder).* – **2.** → fluke[1] 1 *u.* 2.

flue[5] [fluː] *Br.* **I** *v/t* aus-, abschrägen, nach innen *od.* außen weiten. – **II** *v/i* sich abschrägen.

flue[6] *cf.* flu.

flue| ash *s tech.* Flugasche *f.* — **~ boil·er** *s tech.* Flammrohrkessel *m.* — **~ bridge** *s tech.* Fuchs-, Feuerbrücke *f.*

flued [fluːd] *adj* mit 'Widerhaken versehen.

flue gas *s tech.* Rauch-, Abgas *n.*

flu·el·len [fluː'elin; -ən] *s bot.* **1.** Leinkraut *n (Linaria vulgaris).* – **2.** *(ein)* Ehrenpreis *m (Veronica officinalis u. V. chamaedrys).*

flu·el·lite ['fluːəˌlait; fluː'elait] *s min.* Fluel'lit *m* ($AlF_3 \cdot H_2O$).

flu·en·cy ['fluːənsi] *s* **1.** Geläufigkeit *f,* Fluß *m (Rede etc).* – **2.** *fig.* Flüssigkeit *f.* – **3.** *math.* Fluxi'onsgröße *f.* — '**flu·ent** *adj* **1.** fließend. – **2.** *fig.* geläufig, fließend, gewandt: **to speak ~ German** fließend Deutsch sprechen. – **3.** *fig.* fließend sprechend. – **4.** flüssig, leicht, ele'gant.

flue| pipe *s mus.* Lippenpfeife *f (Orgel).* — **~ stop** *s mus.* 'Lippen-, Labi'alreˌgister *n (Orgel).* — **~ sur·face** *s tech.* Heiz-, Feuerfläche *f.* — '**~ˌwork** *s mus.* Flötwerk *n (Orgel).*

fluff [flʌf] **I** *s* **1.** Staub-, Feder-, Flaumflocke *f.* – **2.** Flaum *m.* – **3.** Flaum *m,* erster Bartwuchs. – **4.** *Br. sl.* schlecht gelernte *od.* vorgetragene Rolle. – **5.** *auch* **bit of ~** *sl.* (leichtsinniges) Mädchen. – **II** *v/t* **6.** flaumig *od.* flockig machen. – **7. ~ out, ~ up** *(Federn)* aufplustern: **to ~ oneself up** sich aufplustern. – **8.** *Br. sl. (Rolle)* mangelhaft beherrschen, verpfuschen. – **III** *v/i* **9.** flaumig *od.* flockig werden. – **10.** sich sanft bewegen *od.* niederlassen, sanft da'hinschweben. – **11.** *sl.* eine Rolle mangelhaft beherrschen, seine Rolle verpfuschen *od.* ‚verpatzen'. — '**fluff·i·ness** *s* **1.** Flaumigkeit *f,* Flockigkeit *f.* – **2.** *Br. sl.* Vergeßlichkeit *f.* — '**fluff·y** *adj* **1.** flaumig, flockig, locker, weich. – **2.** flaumig, mit Flaum bedeckt. – **3.** *Br. sl.* a) stümperhaft, vergeßlich, mit schwachem Gedächtnis *(Schauspieler etc),* b) betrunken, c) schlapp.

flu·gel·man ['fluːglmən] *s irr* → fugleman.

flu·id ['fluːid] **I** *s* **1.** a) Flüssigkeit *f,* b) Gas *n.* – **2.** *med.* Flüssigkeit *f,* Saft *m.* – **II** *adj* **3.** a) flüssig, b) gasförmig. – **4.** *med.* flüssig. – **5.** *fig.* fließend, geläufig *(Stil etc).* – **6.** leicht veränderlich *od.* beweglich. – *SYN. cf.* **liquid.** — '**flu·id·al** *adj* **1.** Flüssigkeits... – **2.** Fluidal..., Fluxions...: **~ structure** Fluxionsstruktur.

flu·id| cou·pling *s tech.* Flüssigkeitskupplung *f,* hy'draulische Kupplung. — **~ dram,** *auch* **~ drachm** *s* $^1/_8$ fluid ounce *(Am. = 3,69 ccm; Br. = 3,55 ccm).* — **~ drive** *s tech.* Flüssigkeitsgetriebe *n,* hy'draulisches Getriebe. — '**~'ex·tract** *s med.* 'Fluidexˌtrakt *m.*

flu·id·ic [fluː'idik] *adj* **1.** flüssig. – **2.** Flüssigkeits... — **fluˌid·i·fi'ca·tion** *s* Verflüssigung *f.* — **flu'id·iˌfy** [-ˌfai] *v/t* verflüssigen, in flüssigen *od.* gasförmigen Zustand 'umwandeln. — **flu'id·i·ty** *s* **1.** *phys.* a) flüssiger Zustand, Flüssigkeit *f,* rezi'proke Viskosi'tät, b) Gasförmigkeit *f.* – **2.** *fig.* Veränderlichkeit *f,* Unbeständigkeit *f.* – **3.** *fig.* Flüssigkeit *f (Stil).* — '**flu·idˌize** → fluidify.

fluid| me·chan·ics *s pl (als sg konstruiert) phys.* Strömungslehre *f.* — **~ ounce** *s Hohlmaß:* a) *Am.* $^1/_{16}$ pint (= *29,57 ccm*), b) *Br.* $^1/_{20}$ imperial pint (= *28,4 ccm*). — **~ pres·sure** *s phys. tech.* hy'draulischer Druck.

fluke[1] [fluːk] *s* **1.** *mar.* Ankerhand *f,* -flügel *m,* -schaufel *f.* – **2.** *tech.* Bohrlöffel *m.* – **3.** 'Widerhaken *m.* – **4.** *zo.* a) Schwanzhälfte *f,* b) *pl* Schwanz *m (Wal).* – **5.** *zo.* Saugwurm *m,* Leberegel *m (Distomum hepaticum).* – **6.** *zo.* Plattfisch *m,* Flunder *f (Pleuronectes flesus).* – **7.** *(Art)* 'Nierenkarˌtoffel *f.*

fluke[2] [fluːk] *sl.* **I** *s* **1.** Glücksfall *m.* – **2.** *(Billard)* glücklicher Stoß, Fuchs *m.* – **II** *v/t* **3.** (durch Zufall) treffen *od.* erreichen *od.* zu'stande bringen.

'**flukeˌwort** *s bot.* Gemeiner Wassernabel *(Hydrocotyle vulgaris).*

fluk·(e)y ['fluːki] *adj sl.* **1.** unverdient, glücklich, Glücks..., Zufalls... – **2.** unsicher, schwankend.

flume [fluːm] *Am.* **I** *s* **1.** Klamm *f,* enge Bergwasserschlucht. – **2.** künstlicher Wasserlauf, Ka'nal *m.* – **II** *v/t* **3.** in einem Ka'nal befördern, durch einen Kanal flößen. – **4.** *(Wasser)* durch einen Ka'nal (ab)leiten. – **III** *v/i* **5.** einen Ka'nal bauen *od.* benutzen.

flum·mer·y ['flʌməri] *s* **1.** Mehl- *od.* Haferbrei *m.* – **2.** Flammeri *m.* – **3.** *fig.* leere Schmeiche'lei, Humbug *m,* Gewäsch *n.*

flum·mox ['flʌməks] *v/t sl.* verwirren, verblüffen, aus der Fassung bringen.

flump [flʌmp] *sl.* **I** *s* **1.** Plumps *m,* dumpfer Laut. – **II** *v/t* **2.** (nieder)fallen *od.* ('hin)plumpsen lassen. – **III** *v/i* **3.** (schwer 'hin)fallen, (nieder)plumpsen. – **4.** sich schwerfällig *od.* tolpatschig bewegen.

flung [flʌŋ] *pret u. pp von* fling.

flunk [flʌŋk] *Am. sl.* **I** *v/t oft* **~ out** **1.** *(Schüler)* 'durchfallen lassen. – **2.** *(aus der Schule etc)* entfernen. – **II** *v/i oft* **~ out** **3.** 'durchfallen, versagen. – **4.** sich drücken, ‚kneifen', einen Rückzieher machen. – **III** *s* **5.** Versagen *n,* 'Durchfallen *n,* Fehlschlag *m.* – **6.** ˌDrückeberge'rei *f,* Rückzieher *m.*

flunk·ey, *Am. auch* **flunk·y** ['flʌŋki] *s* **1.** li'vrierter Diener, La'kai *m.* – **2.** Kriecher *m,* Speichellecker *m,* unter'würfiger Mensch. – **3.** *Am.* Handlanger *m,* Gehilfe *m.* — '**flunk·ey·dom,** *Am. auch* '**flunk·y·dom** *s collect.* Dienerschaft *f.* — '**flunk·eyˌism,** *Am. auch* '**flunk·yˌism** *s* Unter'würfigkeit *f,* ˌSpeichellecke'rei *f,* Krieche'rei *f.*

fluo- [fluːo] *Wortelement mit der Bedeutung* Fluor enthaltend.

flu·o·bo·rate [ˌfluːo'bɔːreit] *s chem.* fluorborsaures Salz. — ˌ**flu·o'bo·ric** *adj chem.* fluorborsauer: **~ acid** Fluorborsäure (HBF_4). — ˌ**flu·o'bo·ride** [-raid] *s chem.* Fluorbo'rid *n.* — ˌ**flu·o'ce·rine** [-'si(ə)rin], ˌ**flu·o'ce·rite** [-rait] *s min.* Fluorge'rit *m.* — ˌ**flu·o'hy·dric** [-'haidrik] *adj chem.* fluorwasserstoffsauer. — ˌ**flu·o'phos·phate** [-'fɒsfeit] *s* **1.** *chem.* fluorphosphorsaures Salz, 'Fluophosˌphat *n.* – **2.** *min.* 'Fluorphosˌphat *n.*

flu·or ['fluːɔːr] → fluorite.

fluor- [fluːɔːr] → fluoro-.

flu·o·resce [ˌfluːə'res] *v/i chem. phys.* fluores'zieren, schillern. — ˌ**flu·o'res·ce·in** [-'resiin], ˌ**flu·o'res·ce·ine** [-in; -ˌiːn] *s chem.* Fluoresze'in *n,* Fluores'zin *n* ($C_{20}H_{12}O_5$). — ˌ**flu·o'res·cence** *s chem. phys.* Fluores'zenz *f.* — ˌ**flu·o'res·cent** *adj* fluores'zierend, schillernd: **~ lamp** Leuchtstofflampe.

flu·or·hy·dric [ˌfluːɔr'haidrik] *adj chem.* fluorwasserstoffsauer: **~ acid** Fluorwasserstoffsäure. — **flu'or·ic** [-'ɔːrik; -'ɒrik] *adj chem.* Fluor...: **~ acid** Fluorwasserstoff-, Flußsäure.

flu·o·ri·date ['fluː(ə)riˌdeit] *v/t chem. (Trinkwasser)* mit einem Fluo'rid versetzen.

flu·o·ride ['fluːəˌraid], *auch* '**flu·o·rid** [-rid] *s chem.* Fluo'rid *n.* — '**flu·o·riˌdize** [-riˌdaiz] *v/t chem. (Zähne)* mit einem Fluo'rid behandeln. — '**flu·oˌrine** [-ˌriːn; -rin], *auch* '**flu·o·rin** [-rin] *s chem.* Fluor *n.* — '**flu·o·riˌnate** [-riˌneit] *v/t chem.* fluo'rieren, mit Fluor verbinden *od.* behandeln. — '**flu·oˌrite** [-ˌrait] *s min.* Flußspat *m,* Fluorkalzium *n* (CaF_2).

fluoro- [fluːəro] *Wortelement mit der Bedeutung* a) Fluor, b) Fluoreszenz.

flu·o·ro·gen·ic [ˌfluːəro'dʒenik] *adj phys.* fluores'zenzerregend. — **flu·or·om·e·ter** [ˌfluə'rɒmitər; -mə-] *s phys.* Fluores'zenzmesser *m.*

flu·or·o·scope ['fluərəˌskoup] *s phys.* Fluoro'skop *n,* Röntgenbildschirm *m.* ˌ**flu·or·o'scop·ic** [-'skɒpik] *adj* Röntgen... — ˌ**flu·orˈos·co·py** [-ˈrɒskəpi] *s* ˈRöntgendurchˌleuchtung *f.*

flu·o·ro·sis [ˌfluːəˈrousis] *s med.* Fluorvergiftung *f.* — ˈ**flu·orˌspar** [-ɔːr-ˌspɑːr; -ər-] → fluorite.

flu·o·sil·i·cate [ˌfluːoˈsiliˌkeit; -kit; -lə-] *s chem. min.* ˈFluorsiliˌkat *n*, Fluˈat *n* (Me_2SiF_6): to treat with ~ *tech.* fluatieren. — ˌ**flu·o·siˈlic·ic** [-ˈlisik] *adj chem.* fluorkieselsauer. — ˌ**flu·o·tanˈtal·ic** [-tænˈtælik] *adj chem.* fluortantal...: ~ acid Fluortantalsäure. — ˌ**flu·o·tiˈtan·ic ac·id** [-taiˈtænik] *s chem.* ˈFluotiˌtansäure *f* (H_2TiF_6).

flur·ry [*Br.* ˈflʌri; *Am.* ˈfləːri] **I** *s* **1.** Windstoß *m*, leichte, ˈumspringende Brise. – **2.** a) kurzer (Regen)Schauer, Guß *m*, b) kurzes (Schnee)Gestöber. – **3.** *fig.* Aufregung *f*, Unruhe *f*, Verwirrung *f*: in a ~ aufgeregt. – **4.** Hast *f*, nerˈvöse Eile. – **5.** Todeskampf *m* (*Wal*). – **6.** *econ.* plötzliche, kurze Belebung (*Aktienmarkt etc*). – *SYN. cf.* stir[1]. – **II** *v/t* **7.** nerˈvös machen, beunruhigen, verwirren. – *SYN. cf.* discompose.

flush[1] [flʌʃ] **I** *s* **1.** a) (plötzliches) Erröten, (Er)Glühen *n*, b) Glut *f*, Röte *f*. – **2.** Erguß *m*, (plötzliches) Ansteigen des Wassers, gewaltiger Wassersturz *od.* -zufluß. – **3.** (Aus)Spülung *f*. – **4.** Aufwallung *f*, Flut *f*, Sturm *m* (*Gefühl etc*). – **5.** üppiges Wachstum. – **6.** Frische *f*, Glut *f*, Kraft *f*, Blüte *f* (*Jugend etc*). – **7.** *med.* Fieberhitze *f*. – **8.** ˈÜberfluß *m*. – **II** *v/t* **9.** (plötzlich) röten. – **10.** ausspülen, -waschen. – **11.** überˈschwemmen, unter Wasser setzen. – **12.** (*Pflanzen*) zum Sprießen bringen. – **13.** entflammen, beleben, ermutigen. – **14.** erregen, erhitzen. – **III** *v/i* **15.** rot werden, erröten. – **16.** erglühen. – **17.** (plötzlich) fließen *od.* strömen. – **18.** strömen, sich ergießen, steigen (*Blut*). – **19.** sprießen.

flush[2] [flʌʃ] **I** *adj* **1.** eben, in gleicher Ebene *od.* Höhe. – **2.** reich (of an *dat*), reichlich versehen (of mit), wohlhabend: ~ times *colloq.* üppige Zeiten. – **3.** reichlich, viel (*Geld*). – **4.** verschwenderisch (with mit). – **5.** a) gerötet, b) errötend. – **6.** frisch, kräftig, blühend, lebendig. – **7.** (ˈüber-, rand)voll. – **8.** *mar.* mit einem Glattdeck (versehen) (*Schiff*). – **9.** *print.* stumpf, ohne Einzug. – **10.** voll, diˈrekt (*Schlag*): ~ blow Volltreffer. – **II** *adv* **11.** glatt, eben, gerade. – **III** *v/t* **12.** ebnen, glätten, bündig *od.* gleich machen. – **13.** *tech.* (*Fugen etc*) ausfüllen, -streichen.

flush[3] [flʌʃ] *hunt.* **I** *v/t* (*Vogel*) aufscheuchen, -jagen. – **II** *v/i* plötzlich auffliegen. – **III** *s* aufgescheuchter Vogel(schwarm).

flush[4] [flʌʃ] (*Kartenspiel*) **I** *s* lange Farbe, ‚Flöte' *f*. – **II** *adj* von ˈeiner Farbe: ~ hand lange Farbe.

flush deck *s mar.* Glattdeck *n*: ~ vessel Glattdecker, -deckschiff.

flush·er[1] [ˈflʌʃər] *s* **1.** Kaˈnalreiniger *m*. – **2.** Straßenreiniger *m*, -abspritzer *m*.

flush·er[2] [ˈflʌʃər] *s zo.* Neuntöter *m*, Rotrückiger Würger (*Lanius collurio*).

flush head *s tech.* Versenkkopf *m*.

flush·ing[1] [ˈflʌʃiŋ] *s* Spülung *f*.

flush·ing[2] [ˈflʌʃiŋ] *s* Mästen *n* (*Schafe*).

flush·ing[3] [ˈflʌʃiŋ] *s* (*Weberei*) Flottliegen *n* der Fäden.

flush·ing[4] [ˈflʌʃiŋ] *s Br.* grober Flausch (*für Überkleider*).

flush·ing| box *s tech.* Spülkasten *m*. — ~ **rim** *s tech.* Spülrand *m* (*WC*).

flush| joint *s arch.* bündiger Stoß. — ~ **riv·et** *s tech.* Senkniete *f*. — ~ **screw** *s tech.* Senkschraube *f*. — ~ **switch** *s electr.* Unterˈputzschalter *m*.

flus·ter [ˈflʌstər] **I** *v/t* **1.** nerˈvös *od.* unruhig machen, verwirren, aufregen. – **2.** ‚benebeln', betrunken machen. – *SYN. cf.* discompose. – **II** *v/i* **3.** nerˈvös *od.* unruhig werden, sich aufregen. – **4.** sich erhitzen. – **III** *s* **5.** Erregung *f*, Aufregung *f*, Verwirrung *f*.

flus·ter·ate [ˈflʌstəˌreit], ˈ**flus·trate** [-treit] *colloq.* für fluster I *u.* II. — ˌ**flus·terˈa·tion, flusˈtra·tion** *colloq.* für fluster III.

flute [fluːt] **I** *s* **1.** *mus.* a) Flöte *f*, b) ˈFlötenreˌgister *n*, -zug *m* (*Orgel*), c) → flutist. – **2.** Rille *f*, Rinne *f*, Hohlkehle *f*, Kanneˈlierung *f*, Riffel *f*, Riefe *f* (*Säule etc*). – **3.** (*Tischlerei*) Rinnleiste *f*. – **4.** Rüsche *f*, gauˈfrierte Falte. – **5.** Flöte(nglas *n*) *f* (*Weinglas*). – **6.** langes franz. Weißbrot. – **II** *v/i* **7.** flöten, mit weichem leisem Ton singen *od.* sprechen. – **8.** *mus.* (auf der) Flöte spielen. – **III** *v/t* **9.** *mus.* (*etwas*) auf der Flöte spielen. – **10.** flöten, mit zarter Stimme singen *od.* sagen. – **11.** *tech.* ein-, auskehlen, riffeln, kanneˈlieren, nuten. – **12.** (*Kleider*) kräuseln, gauˈfrieren. — ˈ~ˌ**bird** *s zo.* Flötenvogel *m* (*Gymnorhina tibicen*).

flut·ed [ˈfluːtid] *adj* **1.** flötenartig, (klar u.) sanft. – **2.** *tech.* geriffelt, ausgekehlt, gerillt, kanneˈliert: ~ roll Riffelzylinder, geriffelte Walze. — ˈ**flut·er** *s* **1.** *tech.* Kanneˈlierer *m*. – **2.** *selten für* flutist.

flute shrike *s zo.* Flötenwürger *m* (*Gattg Laniarius*).

flut·ing [ˈfluːtiŋ] *s* **1.** (*Zimmerei*) Falzung *f*, Spundung *f*. – **2.** *tech.* gekerbter Rand (*Münze*). – **3.** *arch. tech.* Kanneˈlierung *f*, Schaftrinne *f*, Riefe *f*. – **4.** Falten *pl*, Rüschen *pl*: ~ iron Fälteleisen. – **5.** *mus.* Flötenspielen *n*. – **6.** Flötenton *m*. — ˈ**flut·ist** *s* FlöˈTist *m*, Flötenspieler *m*.

flut·ter [ˈflʌtər] **I** *v/i* **1.** flattern. – **2.** flattern, wehen, sich unruhig hin u. her bewegen. – **3.** schnell schlagen, flattern (*Herz*). – **4.** aufgeregt sein, zittern. – **5.** aufgeregt hin u. her eilen. – **6.** ziellos herˈumgehen. – **7.** a) im Zickzack fahren (*Blitz*), b) flackern (*Flamme*), c) sich kräuseln (*Wasser*). – **II** *v/t* **8.** (schnell) hin u. her bewegen, flattern lassen. – **9.** verwirren, erregen, aufregen, beunruhigen. – **III** *s* **10.** Flattern *n*, Geflatter *n*. – **11.** *med.* Flattern *n* (*Puls*). – **12.** Aufregung *f*, Erregung *f*, Unruhe *f*, Verwirrtheit *f*. – **13.** Sensatiˈon *f*, Aufsehen *n*. – **14.** *sl.* Spekulatiˈon *f*. – **15.** → ~ kick. – **16.** *aer.* Flattern *n*, Viˈbrieren *n* (*Leitwerk, Sporn-, Bugrad*). — ˈ**flut·ter·er** *s* Flatterer *m*, Flatternde(r).

flut·ter| kick *s* (*Kraulen*) Beinschlag *m*. — ~ **mill** *s Am.* Wassermühle *f* (*Spielzeug*). — ~ **wheel** *s tech.* kleines oberschlächtiges Wasserrad.

flut·ter·y [ˈflʌtəri] *adj* **1.** flatternd. – **2.** viˈbrierend.

flut·y [ˈfluːti] *adj* flötenartig, -ähnlich (*Ton*), sanft, weich.

flu·vi·al [ˈfluːviəl] *adj* **1.** Fluß..., Flüsse betreffend. – **2.** *bot. zo.* fluviˈal, in Flüssen wachsend *od.* lebend. – **3.** Fluvial... — ˈ**flu·vi·al·ist** *s* j-d der geoˈlogische Erscheinungen durch die Tätigkeit der Flüsse erklärt. — ˈ**flu·vi·a·tile** [-til; *Br. auch* -ˌtail] *adj* fluviˈal, fluviaˈtil, Fluß...

flu·vi·o·gla·cial [ˌfluːvioˈgleiʃəl] *adj geol.* ˌfluvioglaziˈal. — ˌ**flu·vi·o·maˈrine** [-məˈriːn] *adj geol.* ˌfluviomaˈrin. — ˌ**flu·vi·o·terˈres·tri·al** [-teˈrestriəl; -təˈres-] *adj geogr.* Land- u. Fluß...

flux [flʌks] **I** *s* **1.** Fließen *n*, Fluß *m*. – **2.** Ausfluß *m*. – **3.** Strom *m*. – **4.** Flut *f*: ~ and reflux Flut u. Ebbe (*auch fig.*). – **5.** *fig.* beständiger Wechsel, dauernde Veränderung, Fluß *m*: in ~ im Fluß. – **6.** *med.* a) (Blut-, Aus-)Fluß *m*, b) *auch* bloody ~ rote Ruhr. – **7.** *phys.* (Licht-, Kraft)Fluß *m*. – **8.** *electr.* (maˈgnetischer) Fluß. – **9.** *chem. tech.* Fluß-, Schmelzmittel *n*, Zuschlag *m*, Fluß *m*. – **10.** *math.* Fluß *m*. – **11.** *fig.* Flut *f*, Schwall *m* (*Worte etc*). – **12.** Verschmelzung *f*. – **II** *v/t* **13.** schmelzen, flüssig machen, in Fluß bringen. – **14.** *chem.* durch Schmelzen aufschließen. – **III** *v/i* **15.** (aus)fließen, (-)strömen. — ~ **den·si·ty** *s* **1.** *phys.* (maˈgnetische) Flußdichte. – **2.** *electr.* Stromdichte *f*.

flux·ion [ˈflʌkʃən] *s* **1.** Fließen *n*, Fluß *m*, Fluxiˈon *f* (*auch med.*). – **2.** *fig.* ständiger Wandel, dauernde Veränderung. – **3.** *math.* Fluxiˈon *f*: method of ~s Differentialrechnung. — ˈ**flux·ion·al**, ˈ**flux·ion·ar·y** [*Br.* -nəri; *Am.* -ˌneri] *adj* **1.** unbeständig, veränderlich, fließend. – **2.** *math.* die Differentiˈalrechnung betreffend, Differential..., Fluxions...

ˈ**fluxˌme·ter** *s* **1.** *phys.* Flußmesser *m*, ˈDurchflußmeßgerät *n*. – **2.** *electr.* Strommesser *m*.

fly[1] [flai] **I** *s* **1.** Fliegen *n*, Flug *m*: on the ~ a) im Fluge, b) in ständiger Bewegung. – **2.** *tech.* Windfang *m*. – **3.** *tech.* Unruhe *f* (*Uhr*). – **4.** *tech.* Schwungstück *n*, -rad *n*. – **5.** *tech.* Flügel *m*, Gabel *f* (*am Spinnrad*). – **6.** *print.* (Bogen)Ausleger *m*. – **7.** → ~leaf. – **8.** (*Baseball, Kricket*) Flugball *m*, hochfliegender Ball. – **9.** a) Flaggenlänge *f*, b) frei flatternder Teil (*Fahne*). – **10.** *Br.* Einspänner *m*, Droschke *f*. – **11.** *pl* (*Theater*) Sofˈfitten *pl*, ˈDecken(dekoratiˌons)stücke *pl*. – **12.** (*Näherei*) Klappe *f*, Patte *f*, Latz *m*. – **13.** Zeltklappe *f*, -tür *f*. – **14.** äußeres, zweites Zeltdach. –

II *v/i pret* **flew** [fluː] *pp* **flown** [floun] **15.** fliegen: to ~ high (*od.* at high game) *fig.* hoch hinauswollen, ehrgeizige Ziele haben; the bird is flown *fig.* der Vogel ist ausgeflogen; to let ~ a) (*Geschoß*) abschießen, b) losschlagen, -gehen. – **16.** fliegen (*mit dem Flugzeug*): to ~ blind blindfliegen. – **17.** (*nur pres, inf u. pres p*) fliehen, daˈvonlaufen, -rennen. – **18.** daˈhin-, vorˈübereilen. – **19.** stürmen, stürzen, fliegen, springen: to ~ to arms zu den Waffen eilen; to ~ at (*od.* on) s.o. j-n anspringen, über j-n herfallen, auf j-n losgehen; to ~ at s.o.'s throat j-m an die Kehle gehen; to ~ all to pieces (at) *Am. sl.*, to ~ off the handle (for) *sl.* ‚aus dem Häuschen (*in Wut*) geraten' (über *acc*); → face 6; rage 2. – **20.** flattern, wehen. – **21.** (ver)fliegen, enteilen (*Zeit*). – **22.** zerrinnen, verfliegen (*Vermögen*). – **23.** *hunt.* a) mit einem Falken jagen, b) im Flug angreifen. – **24.** zerspringen, zerbrechen (*Glas etc*). – **25.** reißen (*Saite, Segel etc*). – **26.** *tech.* (zer)springen, Härterisse bekommen (*Guß*). – **27.** *pret u. pp Am.* flied [flaid] (*Baseball*) einen hochfliegenden Ball schlagen. –

III *v/t* **28.** fliegen lassen: to ~ hawks *hunt.* mit Falken jagen. – **29.** steigen lassen: → kite 1. – **30.** (*Fahne*) wehen lassen, führen. – **31.** überˈfliegen: to ~ the Atlantic. – **32.** *aer.* (*Flugzeug*) fliegen, führen, steuern. – **33.** *aer.* (*j-n, etwas*) im Flugzeug befördern. – **34.** (*Zaun etc*) überˈspringen. – **35.** a) fliehen aus, b) fliehen (vor *dat*), meiden. –

Verbindungen mit Adverbien:

fly| a·bout *v/i* **1.** herˈumfliegen. – **2.** sich verbreiten (*Gerücht etc*). — ~ **a·broad** *v/i* sich schnell verbreiten, schnell bekanntwerden. — ~ **a·part** *v/i* zerspringen, zerplatzen. — ~ **a·round** *v/i Am. colloq.* unruhig umˈherlaufen. — ~ **back** *v/i* **1.** zuˈrückprallen, -springen. – **2.** stutzen, scheuen (*Pferd*). — ~ **off** *v/i* **1.** fort-, wegfliegen. – 2. forteilen. – 3. abtrünnig werden. — ~ **o·pen** *v/i* auffliegen (*Tor*). — ~ **out** *v/i* **1.** hinˈausfliegen. – **2.** hinˈausstürzen. – **3.** in Zorn geraten: to ~ at s.o. auf j-n losgehen, gegen j-n ausfallend werden. – **4.** (*Baseball*) durch einen hochfliegenden Ball ‚aus' werden. — ~ **to,** ~ **up** *v/i mar.* plötzlich in den Wind kommen.

fly[2] [flai] *s* **1.** *zo.* Fliege *f*: a ~ in the ointment *fig.* ein Haar in der Suppe; a ~ in amber *fig.* ein seltenes Stück, eine Rarität; there are no flies on him *sl.* er ist makellos *od.* vollkommen; → wheel 7. – **2.** *ein Insekt mit durchsichtigen Flügeln.* – **3.** (*Angeln*) (künstliche) Fliege. – **4.** *bot.* Fliege *f*, durch Fliegen *etc* verursachte Pflanzenkrankheit.

fly[3] [flai] *adj sl.* gerissen, schlau, pfiffig.

fly[4] [flai] *s Am.* **1.** Sumpf *m*, Marsch *f*. – **2.** Bach *m*.

fly·a·ble [ˈflaiəbl] *adj aer.* den Flug *od.* die Landung ermöglichend: ~ weather Flugwetter.

fly| a·gar·ic, ~ **am·a·ni·ta** *s bot.* Fliegenschwamm *m*, -pilz *m* (*Amanita muscaria*). — ~ **ash** *s* Flugasche *f* (*in der Backsteinherstellung u. als teilweiser Ersatz für Zement verwendet*). — ˈ~**·aˌway I** *adj* **1.** flatternd, wehend, lose. – **2.** locker, frei. – **3.** flatterhaft, leichtfertig. – **II** *s* **4.** flatterhafter *od.* leichtfertiger Mensch. — ˈ~**·aˌway grass** *s bot.* (*ein*) Straußgras *n* (*Agrostis hiemalis*). — ~ **ball**[1] → fly[1] 8. — ~ **ball**[2], ˈ~ˌ**ball** *s tech.* Schwung-, Reglerkugel *f*, Fliehgewicht *n*: flyball governor Fliehkraftregler. — ˈ~ˌ**bane** *s bot.* **1.** Leimkraut *n* (*Gattg Silene*). – **2.** → fly agaric. — ˈ~ˌ**belt** *s* Tsetsefliegengürtel *m*. — ˈ~-ˌ**bit·ten** *adj* von Fliegen zer- *od.* gestochen. — ~ **blis·ter** *s med.* Spanischˈfliegenpflaster *n*. — ~ **block** *s mar.* oberer Marsfallblock. — ˈ~ˌ**blow I** *s* **1.** Fliegenei *n*, -schmutz *m*, -made *f*. – **II** *v/i irr* **2.** Eier ablegen (*Fliege*). – **III** *v/t* **3.** beschmeißen. – **4.** *fig.* beschmutzen, beflecken. — ˈ~ˌ**blown** *adj* **1.** von Fliegen beschmutzt. – **2.** *fig.* unsauber, unrein, schmutzig, befleckt. — ˈ~ˌ**boat** *s mar.* **1.** Flieboot *n*. – **2.** schnelles Schiff. — ~ **book** *s* (*Angeln*) Büchse *f* für künstliche Fliegen. — ˈ~-ˈ**by** *s aer.* (*parademäßiger*) Vorˈbeiflug. — ˈ~-**byˌnight I** *adj* **1.** unverantwortlich, finanziˈell nicht funˈdiert. – **2.** unverläßlich. – **II** *s* **3.** Schuldner, der in der Nacht ˈdurchbrennt. – **4.** Nachtschwärmer *m*. — ~ **cap** *s hist.* Flügelhaube *f*. — ˈ~ˌ**catch·er** *s* **1.** Fliegenfänger *m*. – **2.** *zo.* Fliegenschnäpper *m* (*Fam. Muscicapidae*). — ~ **drill** *s tech.* Schwungradbohrer *m*.

fly·er *cf.* flier.

ˈ**fly|-ˌfish** *v/i sport* mit (künstlichen) Fliegen angeln. — ˈ~ˌ**flap** *s* Fliegenwedel *m*, -klatsche *f*. — ~ **frame** *s* **1.** (*Spinnerei*) Spindelbank *f*, Fleier *m*, ˈVorspinnmaˌschine *f*. – **2.** (*Glasherstellung*) ˈSchleif-, Poˈliermaˌschine *f*. — ~ **hon·ey·suck·le** *s bot.* **1.** Rote Heckenkirsche (*Lonicera xylosteum*). – **2.** Kanad. Heckenkirsche *f* (*Lonicera canadensis*).

fly·ing [ˈflaiiŋ] **I** *adj* **1.** fliegend, Flug... – **2.** flatternd, wehend, fliegend, wallend. – **3.** eilend, schnell. – **4.** *sport* fliegend. – **5.** hastig, eilig. – **6.** flüchtig, vorˈübergehend. – **7.** fliehend, flüchtend. – **8.** schnell, Bereitschafts... – **9.** *Am.* wellig, fließend (*Brandzeichen*). – **II** *s* **10.** a) Fliegen *n*, b) Flug *m*. – **11.** *aer.* Fliegeˈrei *f*, Flugwesen *n*. — ~ **ash·es** *s pl tech.* Flugasche *f*. — ~ **bed·stead** *s aer.* fliegendes Bettgestell (*senkrecht startendes Düsenflugzeug*). — ~ **boat** *s aer.* Flugboot *n*. — ~ **bomb** *s mil.* fliegende Bombe, V-Waffe *f*. — ~ **bridge** *s tech.* **1.** Gier-, Rollfähre *f*. – **2.** Schiffsbrücke *f*. — ~ **but·tress** *s arch.* Strebebogen *m*. — ~ **cat** → flying lemur. — ~ **cir·cus** *s aer.* **1.** gemeinsam opeˈrierendes Geschwader. – **2.** roˈtierende ˈStaffelformatiˌon (*im Kampfeinsatz*). — ~ **col·o(u)rs** *s pl* fliegende Fahnen *pl*: to come off with ~ einen glänzenden Sieg erringen. — ~ **col·umn** *s mil.* fliegende *od.* schnelle Koˈlonne. — ~ **disk** → flying saucer. — ~ **dog** *s zo.* Fliegender Hund (*Gattg Pteropus*). — ~ **drag·on** → dragon 5. — **F**~ **Dutch·man** *s* Fliegender Holländer. — ~ **ex·hi·bi·tion** *s* Wanderausstellung *f*. — ~ **fer·ry** *s mar.* Gierfähre *f*. — ~ **field** *s aer.* Flugfeld *n*, (*kleiner*) Flugplatz. — ~ **fish** *s* **1.** *zo.* Fliegender Fisch (*Fam. Exocoetidae*). – **2.** (*Spitzname für einen*) Bewohner von Barbados. — ~ **fore·sail** *s mar.* Breitfock *f*. — ~ **fox** *s zo.* Flughund *m* (*Fam. Pteropodidae*). — ~ **frog** *s zo.* Fliegender Frosch (*Gattg Polypedates*). — ~ **geck·o** *s zo.* Faltengecko *m* (*Ptychozoon homalocephalum*). — ~ **gur·nard** *s zo.* Flughahn *m* (*Gattg Dactylopterus*). — ~ **in·stru·ments** *s pl aer.* ˈFlug(überˌwachungs)instruˌmente *pl*. — ~ **jib** *s mar.* Flieger *m*, Außenklüver *m*. — ~ **jump** *s sport* Sprung *m* mit Anlauf. — ~ **lane** *s aer.* (Ein)Flugschneise *f*. — ~ **le·mur** *s zo.* Flattermaki *m* (*Gattg Cynocephalus*). — ~ **liz·ard** *s zo.* Fliegende Eidechse (*Draco volans*). — ~ **ma·chine** *s aer.* ˈFlugappaˌrat *m*. — ~ **man** *s irr* Flieger *m*. — ~ **mare** *s* (*Ringen*) Schulterwurf *m*. — ~ **mem·brane** *s zo.* Flughaut *f*. — ~ **mile** *s sport* fliegende Meile. — **F**~ **Of·fi·cer** *s aer. Br.* Oberleutnant *m* (*der* R.A.F.). — ~ **pha·lan·ger** *s zo.* (*ein*) Kletter-, Flugbeutler *m* (*Gattgen Petauroides, Petaurus u. Acrobates*). — ~ **range** *s aer.* Aktiˈonsradius *m*, -bereich *m*. — ~ **rob·in** → flying gurnard. — ~ **sau·cer** → Fliegende ˈUntertasse. — ~ **school** *s aer.* Flieger-, Flugschule *f*. — ~ **sound·er** *s mar.* ˈLotmaˌschine *f*, ˈTieflotappaˌrat *m*. — ~ **speed** *s* Fluggeschwindigkeit *f*. — ~ **spot scan·ner** *s* (*Fernsehen*) Lichtpunkt-, Leuchtfleckabtaster *m*. — ~ **squad** *s* ˈÜberfallkomˌmando *n* (*der Polizei*). — ~ **squid** *s zo.* Seepfeil *m* (*Ommastrephes bartrami*). — ~ **squir·rel** *s zo.* Flug-, Flatterhörnchen *n* (*Unterfam. Petauristidae*). — ~ **start** *s sport* fliegender Start. — ~ **u·nit** *s aer.* fliegender Verband. — ~ **weight** *s aer.* Fluggewicht *n*. — ~ **wing** *s aer.* Nurflügel(flugzeug *n*) *m*.

ˈ**fly|ˌleaf** *s irr* (*Buchbinderei*) Reˈspekt-, Vorsatz-, Deckblatt *n*. — ~ **line** *s* **1.** Zuglinie *f*, -weg *m* (*Zugvögel*). – **2.** *sport* Angelschnur *f* mit (künstlicher) Fliege. — ~ **loft** *s* (*Theater*) Sofˈfitten *pl*. — ˈ~**·man** [-mən] *s irr* **1.** Sofˈfittenarbeiter *m*. – **2.** Droschkenfahrer *m*, -kutscher *m*. — ~ **nut** *s tech.* Flügelmutter *f*. — ~ **or·chid** *s bot.* ˈFliegenorchiˌdee *f* (*Listera muscifera*). — ˈ~-ˌ**o·ver** *s* **1.** *aer.* → fly-past. – **2.** (ˈStraßen-, ˈEisenbahn)Überˌführung *f*. — ˈ~ˌ**pa·per** *s* Fliegenfänger *m*. — ˈ~-ˌ**past** *s aer.* ˈLuftpaˌrade *f*, Vorˈbeiflug *m*. — ~ **poi·son** *s bot.* Amer. Weiße Nieswurz (*Zygadenus muscaetoxicum*). — ~ **press** *s tech.* **1.** Schwunghebel-, Knie(hebel)presse *f*. – **2.** Stoß-, Prägewerk *n*. — ~ **rail** *s tech.* Schieber *m*, Auszug *m* (*Klapptisch*). — ~ **rod** *s* Angelrute *f* (*für künstliche Fliegen*). — ~ **sheet** *s* **1.** Flug-, Reˈklameblatt *n*. – **2.** Beschreibung *f*, Gebrauchsanweisung *f*, Anleitung *f*. — ~ **snap·per** *s zo. Am.* (*ein*) Fliegenschnäpper *m* (*Gattungen Myiagra, Phainopepla etc*). — ˈ~ˌ**speck I** *s* **1.** Fliegenschmutz *m*. – **2.** *fig.* kleines Pünktchen. – **II** *v/t* **3.** mit Fliegenschmutz beflecken. — ~ **swat·ter** *s* Fliegenwedel *m*, -klatsche *f*.

flyte *cf.* flite.

ˈ**fly|ˌti·er** [-ˌtaiər] *s* Anfertiger *m* von künstlichen (Angel)Fliegen. — ~ **tip** *s* Spitze *f* der Angelrute. — ˈ~ˌ**trap** *s* **1.** Fliegenfalle *f*. – **2.** *bot.* a) Fliegenfänger *m* (*Apocynum androsaemifolium*), b) → pitcher plant, c) → Venus's-~. — ˈ~-ˌ**un·der** *s* (ˈStraßen-, ˈEisenbahn)Unterˌführung *f*. — ˈ~**-up-the-ˈcreek** *s zo. Am.* Kleiner Grüner Reiher (*Butorides virescens*). — ~ **wa·ter** *s* (*giftiges*) Fliegenwasser. — ˈ~ˌ**way** → fly line 1. — ~ **wee·vil** *s zo.* Getreidemotte *f* (*Sitotroga cerealella*). — ˈ~ˌ**weight** *s sport* **1.** Fliegengewichtler *m*. – **2.** Fliegengewicht *n*. — ˈ~ˌ**wheel** *s tech.* Schwungrad *n*.

F num·ber *s phot.* **1.** Blende *f* (*Einstellung*). – **2.** Lichtstärke *f* (*Objektiv*).

foal [foul] *zo.* **I** *s* Fohlen *n*, Füllen *n*: in ~, with ~ trächtig. – **II** *v/t* (*Fohlen*) werfen. – **III** *v/i* fohlen, werfen. — ˈ~ˌ**foot** *pl* ˈ~ˌ**foots** *s bot.* Huflattich *m* (*Tussilago farfara*).

foam [foum] **I** *s* **1.** Schaum *m*. – **2.** *obs.* Meer *n*. – **II** *v/i* **3.** schäumen: to ~ with rage *fig.* vor Wut schäumen. – **4.** schäumend fließen. – **III** *v/t* **5.** schäumen machen. — ~ **ex·tin·guish·er** *s* Schaum(feuer)löscher *m*. — ˈ~ˌ**flow·er** *s bot.* Schaumblüte *f* (*Tiarella cordifolia*).

foam·i·ness [ˈfouminis] *s* Schaumigkeit *f*, schaumige Beschaffenheit.

foam rub·ber *s* Schaumgummi *m*.

foam·y [ˈfoumi] *adj* **1.** schaumbedeckt, schäumend, schaumig. – **2.** aus Schaum, Schaum... – **3.** schaumartig.

fob[1] [fɒb] **I** *s* **1.** Uhrtasche *f* (*in der Hose*). – **2.** *auch* ~ chain a) Uhrkette *f*, -band *n*, b) Uhranhänger *m*. – **II** *v/t pret u. pp* **fobbed 3.** in die Uhrtasche stecken.

fob[2] [fɒb] *pret u. pp* **fobbed** *v/t* **1.** ~ off anhängen, andrehen: to ~ off s.th. on s.o. j-m etwas andrehen. – **2.** ~ off abspeisen, ‚abwimmeln'. – **3.** *obs.* betrügen, beschwindeln.

fo·cal [ˈfoukəl] *adj* **1.** *math. phys.* im Brennpunkt stehend, foˈkal, Brenn(punkt)... – **2.** *med.* foˈkal, Herd... — ~ **chord** *s math.* Paˈrameter *m*. — ~ **dis·tance** *s* **1.** *phys.* Brennweite *f*. – **2.** *math.* Brennpunkt(s)abstand *m*. — ~ **in·fec·tion** *s med.* ˈHerdinfektiˌon *f*.

fo·cal·i·za·tion [ˌfoukəlaiˈzeiʃən; -lə-] *s* **1.** Vereinigung *f* in einem Brennpunkt, Fokalisatiˈon *f*. – **2.** Einstellung *f* (*eines optischen Geräts*). — ˈ**fo·calˌize I** *v/t* **1.** → focus 8 *u.* 9. – **2.** *med.* auf einen bestimmten Teil des Körpers beschränken. – **II** *v/i* **3.** → focus 11 *u.* 12. – **4.** *med.* sich auf einen bestimmten Teil des Körpers beschränken.

fo·cal| length → focal distance. — ~ **line** *s phys.* Brennlinie *f*. — ~ **plane** *s phys.* Brennfläche *f*, -ebene *f*. — ˈ~-ˌ**plane shut·ter** *s phot.* Schlitzverschluß *m*. — ~ **point** *s phys.* Brennpunkt *m*. — ~ **spot** *s phys.* Fokus *m*, Brennpunkt *m*.

fo·cim·e·ter [foˈsimitər; -mə-] *s phys.* Fokoˈmeter *n*.

fo'c's'le [ˈfouksl] → forecastle.

fo·cus [ˈfoukəs] *pl* **-cus·es, -ci** [-sai] **I** *s* **1.** *math. phys. tech.* Brennpunkt *m*, Fokus *m*: to bring into ~ in den Brennpunkt rücken. – **2.** *phys.* Brennweite *f*. – **3.** scharfe Einstellung: in ~ scharf *od.* richtig eingestellt; out of ~ nicht scharf, unscharf. – **4.** scharfe Darstellung: in ~ scharf dargestellt.

– 5. *fig.* Brenn-, Mittelpunkt *m.* – 6. *med.* Herd *m.* – 7. Herd *m* (*Erdbeben*). – **II** *v/t pret u. pp* **-cused, -cussed 8.** *phys.* fokus'sieren, scharf einstellen. – **9.** *phys.* im Brennpunkt vereinigen. – **10.** *fig.* konzen'trieren. – **III** *v/i phys.* **11.** sich in einem Brennpunkt vereinigen. – **12.** sich scharf einstellen.

fo·cus·(s)ing| cam·er·a ['foukəsiŋ] *s phot.* Mattscheibenkamera *f.* — **~ mag·ni·fi·er** *s phot.* Einstellupe *f.* — **~ scale** *s phot.* Entfernungsskala *f.* — **~ screen** *s phot.* Mattscheibe *f.*

fod·der ['fɒdər] **I** *s* (grobes) Futter (*Heu etc*). – **II** *v/t* (*Vieh*) füttern.

fodg·el ['fɒdʒəl] *adj Scot.* plump.

foe [fou] *s* **1.** Feind *m*, 'Widersacher *m.* – **2.** *mil.* Feind *m.* – **3.** *sport* Gegner *m.* – **4.** *fig.* a) Gegner *m*, Feind *m*, b) Zerstörer *m*: a ~ to **progress** ein Gegner des Fortschritts. – *SYN. cf.* enemy.

foehn [fəːn; fein] *s* Föhn *m* (*trockener, warmer Fallwind*).

'foe·man [-mən] *s irr obs.* Feind *m.*

foe·tal, foe·ta·tion, foe·ti·cide, foe·tid, foe·tif·er·ous, foe·tor, foe·tus *cf.* fetal, fetation, feticide *etc.*

fo·far·raw ['foufəˌrɔː] *s Am.* Heiterkeit *f*, Leichtigkeit *f.*

fog[1] [fɒg; *Am. auch* fɔːg] **I** *s* **1.** (dichter) Nebel. – **2.** a) Trübheit *f*, Dunkelheit *f*, b) Dunst *m.* – **3.** *fig.* Verwirrung *f*, Verworrenheit *f*, Unsicherheit *f*, Um'nebelung *f.* – **4.** *phot.* Schleier *m.* – *SYN. cf.* haze[1]. – **II** *v/t pret u. pp* **fogged 5.** in Nebel hüllen, um'nebeln, einnebeln. – **6.** verdüstern, verdunkeln. – **7.** *fig.* verwirren, in Verlegenheit bringen. – **8.** *phot.* einen Schleier verursachen auf (*dat*). – **III** *v/i* **9.** neblig werden, in Nebel gehüllt werden. – **10.** undeutlich werden, verschwimmen. – **11.** *phot.* schleiern. – **12.** (*Eisenbahn*) 'Nebelsiˌgnale auflegen. – **13.** an Feuchtigkeit zu'grunde gehen (*Pflanzen*).

fog[2] [fɒg; *Am. auch* fɔːg] **I** *s* **1.** Spätheu *n*, Grum(me)t *n.* – **2.** Wintergras *n.* – **3.** *Scot.* Moos *n.* – **II** *v/t pret u. pp* **fogged 4.** Wintergras stehen lassen auf (*dat*). – **5.** mit Wintergras füttern.

fog[3] [fɒg; *Am. auch* fɔːg] *v/t Am. sl.* **1.** bedrängen, in die Enge treiben. – **2.** angreifen, losschießen auf (*acc*).

fog| bank *s* Nebelbank *f.* — **~ bell** *s* Nebelglocke *f.* — **'~ˌbound** *adj mar.* durch Nebel festgehalten *od.* behindert. — **'~ˌbow** *s* Nebelbogen *m.* — **'~ˌdog** *s* heller Fleck (in einer Nebelbank).

fo·gey *cf.* fogy.

'fogˌfruit *s bot.* Zi'tronenkraut *n* (*Gattg Lippia*).

fog·gage ['fɒgidʒ; *Am. auch* 'fɔːg-] *Scot. od. dial. für* fog[2] I.

fog·ger ['fɒgər; *Am. auch* 'fɔːg-] *s* (*Eisenbahn*) *Br.* 'Nebelsiˌgnalˌleger *m.*

fog·gi·ness ['fɒginis; *Am. auch* 'fɔːg-] *s* **1.** Nebligkeit *f.* – **2.** Trübheit *f*, Dunkelheit *f.* – **3.** *fig.* Unklarheit *f*, Verworrenheit *f.* — **'fog·gy** *adj* **1.** neblig. – **2.** trüb, düster, dunstig, wolkig. – **3.** *fig.* nebelhaft, unklar, verworren, wirr, benebelt, benommen (with vor *dat*). – **4.** *phot.* verschleiert.

'fogˌhorn *s* **1.** Nebelhorn *n.* – **2.** *fig.* Brummbaß *m* (*tiefe, laute Stimme*).

fo·gle ['fougl] *s* (*Gaunersprache*) (Seiden)Taschentuch *n.*

fo·gram, fo·grum ['fougrəm] *adj* altmodisch.

fog sig·nal *s* 'Nebelsiˌgnal *n.*

fo·gy ['fougi] *s* **1.** *meist* **old ~** altmodischer Mensch *od.* Kauz, Phi'lister *m*, 'Erzkonservaˌtiver *m.* – **2.** schwerfälliger *od.* langweiliger Mensch. — **'fo·gy·ish** *adj* phi'listerhaft, 'stockkonservaˌtiv. — **'fo·gy·ˌism** *s* Phi'listertum *n*, -haftigkeit *f.*

föhn *cf.* foehn.

foi·ble ['fɔibl] *s* **1.** *fig.* Schwäche *f*, schwache Seite. – **2.** Vorderteil *m, n* einer (Degen)Klinge. – *SYN. cf.* fault.

foil[1] [fɔil] **I** *v/t* **1.** vereiteln, verhindern, zu'schanden *od.* zu'nichte machen. – **2.** (*j-m*) entgegentreten. – **3.** *hunt. Br.* (*Spur*) zertrampeln, verwischen. – **4.** *obs.* über'winden. – *SYN. cf.* frustrate. – **II** *s* **5.** *obs.* Niederlage *f*, Fehlschlag *m.* – **6.** *hunt. Br.* Fährte *f*, Spur *f* (*Wild*).

foil[2] [fɔil] **I** *s* **1.** *tech.* Folie *f*, 'Blattmeˌtall *n*: → tin ~. – **2.** *tech.* (Spiegel)Belag *m*, Folie *f.* – **3.** Folie *f*, 'Unterlage *f*, Glanzblättchen *n* (*für Edelsteine*). – **4.** *fig.* Folie *f*, Kon'trast *m*, 'Hintergrund *m.* – **5.** *arch.* a) Nasenschwung *m*, b) Blattverzierung *f.* – **II** *v/t* **6.** *tech.* mit Me'tallfolie belegen. – **7.** *arch.* mit Blätterwerk (ver)zieren. – **8.** durch Kon'trast her'vor- *od.* abheben.

foil[3] [fɔil] *s* (*Fechten*) **1.** Flo'rett *n.* – **2.** *pl* Flo'rettfechten *n.* — **foils·man** ['fɔilzmən] *s irr* Flo'rettfechter *m.*

foin [fɔin] *obs.* **I** *s* Stoß *m.* – **II** *v/i* stechen, stoßen.

foi·son ['fɔizn] *s obs.* Fülle *f.*

foist [fɔist] *v/t* **1.** anhängen, ‚andrehen': to ~ s.th. (up)on s.o. j-m etwas andrehen. – **2.** einschmuggeln, 'unterschieben.

Fok·ker ['fɒkər] *s aer.* Fokker(-Flugzeug *n*) *f.*

fold[1] [fould] **I** *v/t* **1.** falten. – **2.** *oft* ~ **up** zu'sammenlegen, -falten. – **3.** überein'anderlegen, verschränken, (*Arme*) kreuzen, (*Hände*) falten. – **4.** legen, schließen: to ~ **one's arms about s.o.'s neck.** – **5.** (*Flügel*) anlegen, zu'sammenfalten. – **6.** 'umbiegen, kniffen. – **7.** *tech.* falzen, bördeln. – **8.** einhüllen, -wickeln, -schlagen: to ~ **s.o. in one's arms** j-n umarmen. – **9.** *poet.* um'schließen. – **10.** (*Kochkunst*) einrühren, dar'untermischen. – **II** *v/i* **11.** sich (zu'sammen)falten, sich zu'sammenlegen. – **12.** sich zu'sammenfalten lassen. – **13.** ~ **up** *Am.* a) zu'sammenbrechen (*auch fig.*), b) *econ.* bank'rott gehen, fal'lieren, zu'sammenbrechen. – **III** *s* **14.** a) Falte *f*, Runzel *f*, b) Windung *f*, Schlinge *f*, c) 'Umschlag *m.* – **15.** *tech.* Falz *m*, Bördel *m.* – **16.** *med.* Falte *f*, Plica *f*: **vocal ~** Stimmfalte, -band. – **17.** *geol.* a) (Boden)Falte *f*, b) Senkung *f.* – **18.** (Tür)Flügel *m.* – **19.** (Zu'sammen)Falten *n.*

fold[2] [fould] **I** *s* **1.** (Schaf)Hürde *f*, Pferch *m.* – **2.** Schafherde *f.* – **3.** *relig.* a) (christliche) Gemeinde, Herde *f*, b) (Schoß *m* der) Kirche. – **II** *v/t* **4.** (*Schafe*) einpferchen. – **5.** (*Land*) (durch Schafe in Hürden) düngen.

-fold [fould] *Suffix mit der Bedeutung* ...fach, ...fältig.

'foldˌboat *s* Faltboot *n.*

fold·ed moun·tains ['fouldid] *s pl geol.* Faltengebirge *n.*

fold·er ['fouldər] *s* **1.** Falt(end)er *m.* – **2.** zu'sammenfaltbare Druckschrift, *bes.* 'Faltproˌspekt *m*, -blatt *n*, Bro'schüre *f.* – **3.** Aktendeckel *m*, ('Akten)ˌUmschlag *m*, Mappe *f.* – **4.** *tech.* 'Bördel-, 'Faltmaˌschine *f.* – **5.** *tech.* Falzbein *n*, (Pa'pier)Falzmaˌschine *f.* – **6.** *tech.* Falzer *m* (*Person*). – **7.** *pl* Klappkneifer *m.*

fol·de·rol ['fɒldəˌrɒl] → falderal.

fold·ing ['fouldiŋ] **I** *s* **1.** Falten *n*, Zu'sammenlegen *n.* – **2.** Falte *f.* – **3.** *tech.* Falz *m*, Bördel *m.* – **4.** *geol.* Schichtenfaltung *f.* – **II** *adj* **5.** zu'sammenlegbar, -klappbar, Falt..., Klapp..., Flügel... – **6.** Falz... — **~ bed** *s* Klapp-, Feldbett *n.* — **~ boat** → foldboat. — **~ cam·er·a** *s* Klappkamera *f.* — **~ chair** *s* Klappstuhl *m*, -sessel *m.* — **~ doors** *s pl* Flügeltür *f.* — **~ gate** *s* zweiflügeliges Tor. — **~ hat** *s* Klapphut *m.* — **~ lad·der** *s* Klappleiter *f.* — **~ ma·chine** *s tech.* **1.** 'Bördelmaˌschine *f.* – **2.** (Pa'pier)ˌFalz-, 'Faltmaˌschine *f.* — **~ mon·ey** *s Am. humor.* Pa'piergeld *n.* — **~ press** *s tech.* 'Abkantbank *f*, -maˌschine *f.* — **~ rule** *s tech.* Schräg-, Stellwinkel *m.* — **~ screen** *s* span. Wand *f.* — **~ stool** *s* Klapp-, Feldstuhl *m.* — **~ ta·ble** *s* Klapptisch *m.*

fo·li·a ['fouliə] *pl von* folium.

fo·li·a·ceous [ˌfouli'eiʃəs] *adj* **1.** blattähnlich, -artig. – **2.** blättertragend, beblättert. – **3.** blätterig, Blatt..., Blätter... – **4.** *geol.* schieferig. — **~ foot** *s irr zo.* Blattfuß *m* (*der Crustaceen*).

fo·li·age ['fouliidʒ] *s* **1.** Laub(werk) *n*, Blätter(werk *n*) *pl*: ~ **plant** Blattpflanze. – **2.** *arch.* Blatt-, Laubwerk *n*, Blattverzierung *f.* — **'fo·li·aged** *adj* mit Laub(werk) verziert. — **'fo·li·ar** *adj* Blatt..., Blätter...

fo·li·ate ['fouliˌeit] **I** *v/t* **1.** zu Blättern *od.* Plättchen schlagen *od.* formen. – **2.** *arch.* mit Blattverzierung(en) schmücken. – **3.** *tech.* foli'ieren, (*Spiegel etc*) mit Folie belegen. – **4.** *tech.* mit 'Blattmeˌtall belegen *od.* über'ziehen. – **5.** (*Buch*) pagi'nieren. – **II** *v/i* **6.** *bot.* Blätter treiben. – **7.** sich in Blättchen spalten. – **III** *adj* ['fouliit; -ˌeit] **8.** *bot.* belaubt, blattreich. – **9.** blattähnlich, -artig, blätterig. — **'fo·liˌat·ed** *adj* **1.** blattförmig, -artig. – **2.** geblättert, (dünn)blätterig, lamel'lar. – **3.** *geol.* schieferig. — **ˌfo·li'a·tion** *s* **1.** *bot.* a) Ausschlagen *n*, Blattbildung *f*, b) Belaubtheit *f*, c) Blattstand *m*, -stellung *f*, d) Blätter(werk *n*) *pl.* – **2.** a) 'Blattzählung *f*, -numeˌrierung *f*, Pagi'nierung *f*, b) Blattzahl *f* (*Buch*). – **3.** *geol.* Schieferung *f*, schichtenförmige Lagerung. – **4.** (*Kunst*) a) Laubwerk *n*, Blätterschmuck *m*, b) Verzierung *f* mit Laubwerk, c) Laubschmuck *m.* – **5.** *tech.* a) 'Herstellung *f* von (Me'tall)Folien, b) Belegen *n* (*Spiegel*). — **'fo·li·a·ture** [-ətʃər] *s* Laubwerk *n.*

fo·lic ac·id ['foulik; 'fɒlik] *s chem. med.* Fol-, Blattsäure *f*, Pteroˌylgluta'minsäure *f.*

fo·li·i·form ['fouliiˌfɔːrm] *adj* blattförmig.

fo·li·o ['fouliˌou] **I** *s pl* **-os 1.** Blatt *n.* – **2.** *print.* a) Folioblatt *n* (*einmal gefalteter Druckbogen*), b) Foli'ant *m*, c) 'Folio(forˌmat) *n*, d) nur auf der Vorderseite nume'riertes Blatt, e) Seitenzahl *f* (*Buch*). – **3.** *econ.* a) Kontobuchseite *f*, b) (*die*) zu'sammengehörenden rechten u. linken Seiten des Kontobuchs. – **4.** *jur.* Einheitswortzahl *f* (*Einheit für die Längenangabe von Dokumenten; in England 72 od. 90, in USA 100 Wörter*). – **II** *adj* **5.** Folio..., in Folio: ~ **volume** Foliant. – **III** *v/t* **6.** (*Buch etc*) (nach Blättern) pagi'nieren, mit Seitenzahl(en) versehen. – **7.** *jur.* (*Dokument*) (gemäß der Worteinheitszahl richtig) abteilen u. nume'rieren.

fo·li·o·late ['foulioˌleit; -liə-; fo'laiəlit; -ˌleit] *adj bot.* aus Blättchen bestehend.

fo·li·ole ['fouliˌoul] *s bot.* Blättchen *n* (*eines zusammengesetzten Blatts*). — **'fo·liˌose** [-ˌous], *auch* **'fo·li·ous** *adj bot.* **1.** blattreich. – **2.** blattartig.

-folious [fouliəs] *Wortelement mit der Bedeutung* ...blätt(e)rig.

fo·li·um ['fouliəm] *pl* **-li·a** [-liə] *s* **1.** Blatt *n*, Blättchen *n*, La'melle *f.* – **2.** *geol.* dünne Schicht. – **3.** *math.* Blattkurve *f*: ~ **of Descartes** Descartessches Blatt.

folk [fouk] **I** *s pl* **folk, folks 1.** *pl* Leute *pl*: **poor ~s** arme Leute;

rural ~ Landvolk, Leute vom Lande; ~s say die Leute sagen, man sagt. – **2.** *pl* (*nur* **folks**) *colloq.* Verwandtschaft *f*, (*die*) Verwandten *pl*, (*die*) Angehörigen *pl*. – **3.** Volk *n* (*Träger des Volkstums*). – **4.** a) (gemeines) Volk, b) Dienerschaft *f*, Gefolge *n*. – **5.** (*pl nur* **folks**) Volk *n* (*meist Bezeichnung für noch primitive Völker*). – **II** *adj* **6.** Volks... — **~ dance** *s* Volkstanz *m*. — **~ et·y·mol·o·gy** *s ling.* 'Volksetymolo,gie *f*.

'folk,lore *s* **1.** Folklore *f*, Volkskunde *f*. – **2.** Volkstum *n* (*Gebräuche, Sagen etc*). — **'folk,lor·ist** *s* Folklo'rist *m*, Volkskundler *m*. — **,folk·lor'is·tic** *adj* folklo'ristisch, volkskundlich.

'folk|,moot [-,muːt], *auch* **'~,mot(e)** [-,mout] *s hist.* Volksversammlung *f* (*der Angelsachsen*). — **~ mu·sic** *s* 'Volksmu,sik *f*. — **~ play** *s* Volksstück *n*. — **'~,say** *s ling.* volkstümliche Ausdrücke *pl*. — **~ song** *s* Volkslied *n*. — **~ sto·ry** → **folk tale**.

folk·sy ['fouksi] *adj Am.* **1.** gesellig. – **2.** (*ironisch*) volkstümelnd, volkstümlerisch.

folk| tale *s* Volkserzählung *f*, -sage *f*. — **'~,ways** *s pl* traditio'nelle Lebensart *od.* -form *od.* -weise.

fol·li·cle ['fɒlikl] *s* **1.** *bot.* Fruchtbalg *m* (*aus Einzelfruchtblatt hervorgegangene Kapselfrucht*). – **2.** *med.* Fol'likel *m*, Drüsenbalg *m*, -bläschen *n*: → **Graafian ~**. – **3.** Ko'kon *m*.

fol·lic·u·lar [fə'likjulər; -jə-], *auch* **fol'lic·u,late** [-,leit], **fol'lic·u,lat·ed** [-tid] *adj* **1.** *bot.* balgfrüchtig, -fruchtartig. – **2.** *med.* folliku'lär, folliku'lar, Follikular..., Follikel... – **3.** *biol.* Balg... — **fol'lic·u·lin** [-lin] *s chem. med.* Öst'ron *n*, α-Fol'likelhor,mon *n*, Thee'lin *n* ($C_{18}H_{22}O_2$; *weibliches Geschlechtshormon*).

fol·low ['fɒlou] **I** *s* **1.** (Nach)Folgen *n*. – **2.** (*Billard*) Nachläufer *m*. – **II** *v/t* **3.** (nach)folgen (*dat*). – **4.** folgen auf (*acc*): **this story is ~ed by another** auf diese Geschichte folgt noch eine (andere). – **5.** die Folge sein von, folgen aus, sich ergeben aus. – **6.** (nach)folgen (*dat*), nachgehen (*dat*), -laufen (*dat*), -eilen (*dat*): **to ~ one's pleasure** seinem Vergnügen nachgehen; **to ~ s.o. close** j-m auf dem Fuße folgen; → **hound**[1] 1; **nose** *b. Redw.* – **7.** (*j-m*) folgen, (*j-n*) als Führer anerkennen. – **8.** (*j-m*) gehorchen, dienen. – **9.** (*Rat, Befehl*) befolgen, folgen (*dat*), sich halten an (*acc*). – **10.** (*einem Weg*) folgen, verfolgen (*acc*). – **11.** (*j-n*) begleiten, mitgehen mit. – **12.** (*j-n*) verfolgen. – **13.** (*Ziel, Zweck*) verfolgen, anstreben. – **14.** (*einer Sache*) obliegen, sich widmen (*dat*), (*Geschäft*) betreiben, (*Beruf*) ausüben: **to ~ the plough** (*Am.* **plow**) Bauer sein; → **sea** *b. Redw.* – **15.** (*einer Partei etc*) anhängen, sich bekennen zu, (*Meinung*) teilen. – **16.** erfassen, verstehen, (*dat*) folgen (können): **do you ~ me?** können Sie mir folgen? – **17.** (*einem Vortrag*) folgen, Aufmerksamkeit schenken, aufmerksam zuhören. – **18.** nach-, mitmachen, nachahmen, (*dat*) folgen: **to ~ the fashion** die Mode mitmachen; → **suit** 3. – **19.** (*Vorgang*) verfolgen, (genau) beobachten. – *SYN.* **chase**[1], **pursue**, **trail**[1]. – **III** *v/i* **20.** (nach)folgen: **to ~ after s.o.** a) j-m nachfolgen, b) j-m dienen; **letter to ~** Brief folgt (nach); **as ~s** wie folgt, folgendermaßen; **my suggestions are as ~s** ich mache folgende Vorschläge; **~ing is** es folgt. – **21.** nachkommen, -folgen. – **22.** (*zeitlich*) folgen (**on, upon** auf *acc*). – **23.** folgen, sich ergeben (**from** aus): **it ~s from this** daraus ergibt sich. – **24.** als Begleiter *od.* als Diener mitgehen (**after** mit). – **25.** streben, sein Ziel zu erreichen suchen. – *SYN.* **ensue, succeed, supervene**. – *Verbindungen mit Adverbien:*

fol·low| on *v/i* **1.** gleich weitermachen *od.* -gehen. – **2.** (*Kricket*) so'fort nochmals zum Schlagen antreten. — **~ out** *v/t* bis zum Ende 'durchführen, beharrlich ausführen *od.* verfolgen. — **~ through** *v/i sport* ganz 'durchziehen (*Schlagen od. Werfen*). — **~ up I** *v/t* **1.** (eifrig *od.* e'nergisch) verfolgen. – **2.** (*Vorteil etc*) ausnutzen. – **3.** (*j-m*) auf den Fersen bleiben. – **4.** (*auf einen Schlag etc einen anderen*) (so'fort) folgen lassen. – **II** *v/i* **5.** *mil.* nachstoßen, -drängen.

fol·low·er ['fɒlouər] *s* **1.** Verfolger(in), Nachfolger(in). – **2.** Anhänger *m*, Schüler *m*, Jünger *m*. – **3.** Diener *m*. – **4.** *hist.* Gefolgsmann *m*. – **5.** Begleiter *m*. – **6.** *Br. colloq.* Verehrer *m* (*bes. eines Dienstmädchens*). – **7.** *pl* Gefolge *n*, Gefolgschaft *f*. – **8.** *tech.* a) Nebenrad *n*, Getriebe *n*, Kolbendeckel *m* (*Dampfmaschine*), b) Stopfbüchsdeckel *m*, c) Kettenspanner *m*, d) Man'schette *f*, e) *mil.* Zubringer *m* (*am Magazin*). – *SYN.* **adherent, disciple, partisan**[1], **satellite**. — **'fol·low·ing I** *s* **1.** Gefolge *n*, Anhang *m*, Anhänger-, Gefolgschaft *f*. – **II** *adj* **2.** folgend(er, e, es), nächst(er, e, es). – **3.** *math.* (nächst)folgend, hinter(er, e, es), subseku'tiv. – **4.** *aer.* Rücken... – **5.** *mar.* mitlaufend.

'fol·low|-,through *s* (*Tennis, Golf*) 'Durchziehen *n*, -schwingen *n* (*Schlag*). — **'~-,up I** *s* **1.** weitere Verfolgung *od.* Unter'suchung (*einer Sache*). – **2.** *mil.* fron'tales Nachdrängen. – **II** *adj* **3.** weiter(er, e, es) (*bes. Werbung*): **~ letter** Nachfaßbrief. – **4.** Fern...: **~ gear** *mar.* Fernsteuerapparat. – **5.** Nach...: **~ shot** Nachschuß.

fol·ly ['fɒli] *s* **1.** Narr-, Torheit *f*, Wahnsinn *m*. – **2.** Unsinnigkeit *f*, närrischer Einfall, törichte Handlung. – **3.** **Follies** *pl* (*als sg konstruiert*) (*Theater*) Re'vue *f*. – **4.** *obs.* Lasterhaftigkeit *f*.

Fol·som ['fɒlsəm] *adj* Folsom...: **~ man** Folsommensch (*der ungefähr 15000 v. Chr. in der Gegend um Folsom, USA, gelebt haben soll*); **~ point** Folsomspitze (*aus Feuerstein*).

fo·ment [fou'ment] *v/t* **1.** *med.* bähen, (er)wärmen, warm baden. – **2.** *fig.* pflegen, fördern. – **3.** *fig.* (*Aufstand etc*) anstiften, anfachen, erregen, schüren. – *SYN. cf.* **incite**. — **,fo·men'ta·tion** *s* **1.** *med.* Bähen *n*, Bähung *f*. – **2.** *med.* Bähmittel *n*. – **3.** *fig.* Aufreizung *f*, Schürung *f*, Anstiftung *f*.

fo·mes ['foumiːz] *pl* **'fo·mi,tes** [-mi,tiːz; *auch* 'fɒm-] *s med.* Ansteckungsträger *m*, -herd *m*.

fond[1] [fɒnd] *adj* **1.** (**of**) vernarrt (in *acc*), versessen (auf *acc*): **to be ~ of s.o. (s.th.)** j-n (etwas) lieben *od.* mögen *od.* gern haben; **to be ~ of smoking** gern rauchen. – **2.** zärtlich, liebevoll, innig, herzlich. – **3.** 'überzärtlich, töricht verliebt, vernarrt. – **4.** über'trieben zuversichtlich, leichtgläubig. – **5.** *obs.* dumm, närrisch. – *SYN.* **infatuated, insensate**.

fond[2] [fɒnd; fɔ̃] *s* **1.** 'Hintergrund *m*, Grundwerk *n*. – **2.** *obs.* Vorrat *m*.

fon·dant ['fɒndənt] *s* (dickes, weiches) Zuckerwerk, Fon'dant *m*.

fon·dle ['fɒndl] **I** *v/t* **1.** liebkosen, herzen, hätscheln, verzärteln. – **2.** streicheln. – **3.** *obs.* nachsichtig behandeln. – **II** *v/i* **4.** zärtlich *od.* lieb sein, schmeicheln, sich anschmiegen. – *SYN. cf.* **caress**. — **fond·ly** ['fɒndli] *adv* **1.** liebevoll, herzlich. – **2.** mit falscher Zuversicht, in törichtem Opti'mismus. – **3.** *obs.* törichterweise. — **'fond·ness** *s* **1.** Zärtlichkeit *f*, Verliebtheit *f*, Innigkeit *f*, Wärme *f*. – **2.** (**for**) Vorliebe *f* (für), Hang *m* (zu). – **3.** Leichtgläubigkeit *f*. – **4.** über'triebene Zärtlichkeit, Vernarrtheit *f*, Schwärme'rei *f*.

F 1 lay·er [ef wʌn] *s phys.* F_1-Schicht *f* (*der Ionosphäre*).

font[1] [fɒnt] *s* **1.** *relig.* a) Taufstein *m*, -becken *n*, b) Weihwasserbecken *n*. – **2.** Ölbehälter *m* (*Lampe*). – **3.** *obs.* Brunnen *m*.

font[2] [fɒnt], *bes. Br.* **fount** [faunt] *s tech.* **1.** Gießen *n*, Guß *m*. – **2.** *print.* Schrift(satz *m*, -guß *m*, -sorte *f*) *f*.

font·al ['fɒntl] *adj* **1.** Ur(sprungs)..., ursprünglich. – **2.** Quell... – **3.** *relig.* Tauf(becken)...

fon·ta·nel(le) [,fɒntə'nel] *s med.* Fonta'nelle *f*.

food [fuːd] *s* **1.** Speise *f*, Essen *n*, Kost *f*, Nahrung *f*: **~ conditions** Ernährungslage; **F~ Office** *Br.* Ernährungsamt; **~ plant** Nahrungspflanze; **~ rent** Naturalrente; **~ supply** a) Verpflegung, b) Lebensmittelvorrat. – **2.** Nahrungs-, Lebensmittel *pl*. – **3.** Futter *n*. – **4.** *bot.* Nährstoff(e *pl*) *m*. – **5.** *fig.* Nahrung *f*, Stoff *m*. – *SYN.* **aliment, nourishment, nutriment, pabulum, sustenance**. — **'~,stuff** *s* **1.** Nahrungsmittel *n*. – **2.** Nährstoff *m*.

fool[1] [fuːl] **I** *s* **1.** Narr *m*, Närrin *f*, Tor *m*, Dummkopf *m*: **to make a ~ of s.o.** j-n zum Narren halten; **no ~ like an old ~** Alter schützt vor Torheit nicht; **he is a ~ to him** er ist ein Waisenknabe gegen ihn. – **2.** Narr *m*, Hanswurst *m*, Hofnarr *m*: **to play the ~** Possen treiben. – **3.** Betrogener *m*, Gimpel *m*, Über'vorteilter *m*. – **4.** schwachsinniger Mensch, Irrer *m*, Idi'ot *m*. – **5.** Närrchen *n*, dummes Ding. – *SYN.* **idiot, imbecile, moron, natural, simpleton**. – **II** *adj* **6.** *Am. colloq.* töricht, närrisch. – **III** *v/t* **7.** zum Narren halten, hänseln, äffen. – **8.** betrügen (**out of** um), täuschen, verleiten (**into doing** zu tun). – **9.** **~ away** (*Zeit*) unnütz verschwenden. – **IV** *v/i* **10.** sich wie ein Narr benehmen, Possen treiben, Faxen machen, spaßen. – **11.** *Am.* oft **~ along, ~ around** tändeln, (her'um)spielen, Zeit vertrödeln, sich her'umtreiben.

fool[2] [fuːl] *s Br.* (Frucht)Creme *f*, Obstmus *n*: → **gooseberry ~**.

fool·er·y ['fuːləri] *s* Torheit *f*, Dummheit *f*, Narrheit *f*.

'fool|,fish *s zo.* **1.** (*eine*) Scholle (*Pleuronectes glaber*). – **2.** Langflossiger Hornfisch (*Monacanthus hispidus*). — **'~,har·di·ness** *s* Tollkühnheit *f*, Draufgängertum *n*. — **'~,har·dy** *adj* tollkühn, draufgängerisch. – *SYN. cf.* **adventurous**. — **~ hen** *Am.* für **spruce grouse**.

fool·ing ['fuːliŋ] *s* **1.** Albernheit *f*, Dummheit *f*. – **2.** Ausgelassenheit *f*. – **3.** Spiele'rei *f*, Tändeln *n*. — **'fool·ish** *adj* **1.** dumm, töricht, albern, läppisch. – **2.** 'unüber,legt, unklug, lächerlich. – **3.** *obs.* unbedeutend. – *SYN. cf.* **simple**. — **'fool·ish·ness** *s* Dumm-, Torheit *f*. — **'fool,proof** *adj* **1.** narrensicher, harmlos, ungefährlich, abso'lut sicher. – **2.** verläßlich, todsicher. – **3.** *tech.* betriebssicher.

fools·cap ['fuːlz,kæp] *s* **1.** [*auch* 'fuːls,kæp] a) Pro'patriapa,pier *n* (*gefaltetes Schreibpapier, 12 × 15 bis 12 1/2 × 16 Zoll*), b) *engl. Druckpapierformat* (*13 1/2 × 17 Zoll*). – **2.** Narrenkappe *f*.

fool's| cap [fuːlz] *s* Narrenkappe *f*. — **'~-,coat** *s zo.* Distelfink *m* (*Carduelis carduelis*). — **~ er·rand** *s* vergeblicher Gang, ‚Metzgergang' *m*: **to send s.o. on a ~** j-n in den April schicken.

— ~ **gold** *s* Narrengold *n*, Eisenkies *m*. — ~ **par·a·dise** *s* Schla'raffenland *n*, Uto'pie *f*, Illusi'on *f*: to live in a ~ sich Illusionen hingeben. — '~-'**pars·ley** *s bot.* 'Glanz-, 'Hundspeter,silie *f* (*Aethusa cynapium*).

foot [fut] **I** *s pl* **feet** [fiːt] **1.** Fuß *m*: to know (find) the length of s.o.'s ~ j-n *od.* j-s Schwächen genau kennen(lernen); on ~ a) zu Fuß, b) im Gange; to set s.th. on ~ etwas in Gang bringen; to be on one's feet *fig.* (wieder) auf den Beinen *od.* bei Kräften sein; to put one's best ~ forward a) sein Bestes tun, b) einen möglichst guten Eindruck machen, c) so schnell wie möglich gehen; to put one's ~ down auftrumpfen, energisch werden *od.* auftreten; to put one's ~ in it *colloq.* a) ,ins Fettnäpfchen treten', einen Fauxpas begehen, b) sich in eine üble Lage bringen, ,schön reinfallen'; to carry s.o. off his feet j-n begeistern *od.* (mit) fortreißen; to fall on one's feet immer auf die Füße fallen, immer Glück haben; → grave[1] 1. – **2.** (*pl colloq. auch* foot) Fuß *m* (= *0,3048 m*): a ten-~ pole eine 10 Fuß lange Stange. – **3.** *mil.* ,Infante'rie *f*. – **4.** *hist.* Fußvolk *n*. – **5.** Gehen *n*, Gang *m*, Schritt *m*: swift of ~ schnellfüßig. – **6.** Fuß *m*, Füßling *m* (*Strumpf*). – **7.** Fuß *m* (*Glas etc*). – **8.** *tech.* a) Schenkel *m* (*Zirkel*), b) Schwelle *f* (*Drehbank*), c) Blatt *n*, Platte *f* (*Radspeiche*), d) (*Gerberei*) Trempel *m*, Fußstock *m*, e) (*pl* foots) Bodensatz *m*, Hefe *f*. – **9.** *arch.* Plinthe *f*, Fuß *m* (*Postament*). – **10.** *mar.* a) Stuhl *m* (*Mast*), b) Fuß-, 'Unterliek *n* (*Segel*). – **11.** *metr.* (Vers-)Fuß *m*. – **12.** *mus.* a) Re'frain *m*, Chor *m* (*Lied*), b) (Pfeifen)Boden *m* (*Orgel*). – **13.** *math.* Fußpunkt *m*. – **II** *v/i* **14.** *meist* ~ it *selten* (zu Fuß) gehen. – **15.** tanzen, trippeln, springen. – **16.** schnell fahren, sich bewegen (*Schiff*). – **17.** sich belaufen (up [to] auf *acc*). – **III** *v/t* **18.** treten auf (*acc*), betreten. – **19.** zu Fuß über'schreiten, zu'rücklegen. – **20.** (*Strümpfe*) mit Füßlingen versehen, anstricken. – **21.** mit den Fängen *od.* Krallen fassen (*Raubvögel*). – **22.** *econ.* a) *meist* ~ up zu'sammenrechnen, -zählen, b) begleichen: to ~ a bill. – **23.** ins Werk setzen, auf die Beine bringen. – **24.** *obs.* mit dem Fuß stoßen.

foot·age ['futidʒ] *s* **1.** Gesamtlänge *f od.* Ausmaß *n* (in Fuß): the ~ of a film. – **2.** (*Bergbau*) Bezahlung *f* nach Fuß.

'**foot-and-'mouth dis·ease** *s vet.* Maul- u. Klauenseuche *f*.

'**foot**|,**ball** *s sport* **1.** Fußball *m*: a) *in England entweder deutsche Art Fußball* (Association ~ *od.* soccer) *od. Rugby-Fußball* (Rugby ~ *od.* rugger), b) *in USA eine Abart des Rugby-Fußball, im Deutschen auch, amerikanischer Fußball' genannt.* – **2.** Fußball(spiel *n*) *m*. – **3.** Fußball *m* (*rund od. länglich*). – **4.** *fig.* Fuß-, Spielball *m*. — '~,**ball·er** *s* Fußballspieler *m*, Fußballer *m*. — '~,**ball game** *s sport bes. Am.* Fußballspiel *n*. — '~,**ball match** *s sport bes. Br.* Fußballspiel *n*. — ~ **base** *s arch.* Sims *m* über einer Plinthe. — '~-,**bath** *s* Fußbad(ewanne *f*) *n*. — '~,**blow·er** *s tech.* Tretblasebalg *m*. — '~,**board** *s* **1.** Fuß-, Trittbrett *n* (*Fahrzeug*). – **2.** Fußteil *n*, -brett *n* (*am Bett*). – **3.** Gale'rie *f*, Laufrahmen *m* (*Lokomotive*). — '~,**boy** *s* **1.** Laufbursche *m*. – **2.** Page *m*, La'kai *m*. — ~ **brake** *s tech.* **1.** Fußbremse *f*. – **2.** Rücktrittbremse *f* (*am Fahrrad*). — '~,**bridge** *s* **1.** Steg *m*, Brücke *f* für Fußgänger. – **2.** *mil.* Laufbrücke *f*, Schnellsteg *m*. — '~-'**can·dle** *s phys.* Fußkerze *f* (*Maß für Lichtstärke*). — '~,**cloth** *s* **1.** Teppich *m*. – **2.** *hist.* Scha'bracke *f*. — ~ **con·trol** *s tech.* Fußsteuerung *f*, -schaltung *f*.

foot·ed ['futid] *adj* (*meist in Zusammensetzungen*) mit Füßen, ...füßig: flat-~; sure-~. — '**foot·er** *s* **1.** (*in Zusammensetzungen*) *eine ... Fuß große od. lange Person od. Sache*: a six-~. – **2.** *Br. sl.* Fußball(spiel *n*) *m*.

'**foot**|,**fall** *s* Schritt *m* (*bes. Geräusch*). — ~ **fault** *s* (*Tennis*) Fußfehler *m*. — '~,**gear** *s* Fußbekleidung *f*, Schuhwerk *n*. — '~-'**grain** *s tech.* Fußgran *n* (*Arbeitseinheit*). — ~ **guard** *s* **1.** Fußschutz *m* (*für Pferde*). – **2.** *tech.* Fußschutz *m*, Füllstück *n* (*zwischen Eisenbahnschienen*). – **3.** F~ G~s *pl mil. Br.* (Infante'risten *pl* der) 'Garderegi,menter *pl*. — '~,**halt** *s vet.* Lähme *f* (*der Schafe*). — '~,**hill** *s* **1.** Vorhügel *m*, -berg *m*. – **2.** *pl* Ausläufer *pl* eines Gebirges, Vorgebirge *n*, Vorberge *pl*. — '~,**hold** *s* **1.** fester Stand *od.* Fuß, Platz *m* zum Stehen. – **2.** *fig.* sichere Stellung, Halt *m*, Stütze *f*. – **3.** *sport* Fußbrett *n*.

foot·ing ['futiŋ] *s* **1.** Stand *m*, Halt *m*, sichere Stellung, fester Fuß. – **2.** Fußstütze *f*. – **3.** Raum *m od.* Platz *m* zum Stehen. – **4.** Auftreten *n*, Aufsetzen *n* der Füße. – **5.** *arch.* Sockel *m*, Mauerfuß *m*, Funda'ment *n*. – **6.** *tech.* Fuß *m*, Funda'ment *n* (*Damm etc*). – **7.** Verhältnis *n*, Lage *f*, Basis *f*, Zustand *m*, wechselseitige Beziehung: friendly ~ freundschaftliches Verhältnis. – **8.** a) Eintritt *m*, b) Einstand(sgeld *n*) *m*: to pay (for) one's ~ seinen Einstand geben. – **9.** Anstricken *n*. – **10.** a) End-, Gesamtsumme *f*, b) Ad'dieren *n* einzelner Posten. – **11.** *tech.* a) Spitzenrand *m*, glatter Spitzengrund, b) Bauern-, Zwirnspitze *f*. — ~ **beam** *s arch. tech.* Spannriegel *m*.

foot jaw *s biol.* Kieferfuß *m*.

foot·le [*Br.* 'fuːtl; *Am.* 'futl] *sl.* **I** *v/i* ,kälbern', sich dumm benehmen, töricht handeln *od.* reden. – **II** *s* ,Stuß' *m*, Unsinn *m*, dummes Gerede, Dummheit *f*.

foot·less ['futlis] *adj* **1.** fußlos, ohne Füße. – **2.** *fig.* halt-, grundlos. – **3.** *Am. colloq.* tolpatschig, hilflos, ungeschickt, unbeholfen.

'**foot**|,**lick·er** *s* Speichellecker *m*. — '~,**lights** *s pl* **1.** (*Theater*) Rampenlicht(er *pl*) *n*. – **2.** Bühne *f*, The'ater *n*, Rampe *f*. – **3.** *fig.* Schauspielerstand *m*, -beruf *m*. — ~ **line** *s* **1.** Grundleine *f* (*Fischnetz*). – **2.** *print.* (Ko'lumnen)-,Unterschlag *m*, letzte Zeile.

foot·ling [*Br.* 'fuːtliŋ; *Am.* 'fut-] *adj sl.* albern.

'**foot**|,**lock** *s* Fußbrett *n*. — ~ **lock·er** *s mil.* Feldkiste *f*. — ~ **log** *s Am.* Baumstamm *m* über Bach *od.* Schlucht *etc*, Steg *m*. — '~-,**loose** *adj* frei, ungebunden, unbeschwert. — '~**man** [-mən] *s irr* **1.** La'kai *m*, Bedienter *m*. – **2.** Gestell *n* vor dem Feuer (*zum Wärmen von Speisen etc*). – **3.** *auch* ~ moth *zo. Am.* (*ein*) Flechtenspinner *m* (*Fam. Lithosiidae*). — '~,**mark** *s* Fußspur *f*. — '~,**note** *s* Fußnote *f* (*im Buch*). — '~,**pace** *s* **1.** langsamer Schritt. – **2.** *arch.* a) erhöhter Absatz, E'strade *f*, b) Treppenabsatz *m*. — '~,**pad** *s* Straßenräuber *m*, Wegelagerer *m*. — ~ **page** *s* Page *m*. — ~ **pan** *s* **1.** Fußbadewanne *f*. – **2.** Wärmflasche *f*. — ~ **pas·sen·ger** *s* Fußgänger *m*, Reisende(r) zu Fuß. — '~,**path** *s* (Fuß)-Pfad *m*. — '~,**plate** *s* **1.** Wagentritt *m*. – **2.** (*Eisenbahn*) Plattform *f* für den ,Lokomo'tivführer. — '~-'**pound** *s phys.* Fußpfund *n* (*Einheit der Energie u. Arbeit*). — '~-'**pound·al** *s* 'Fußpoun,dal *n* (= $^1/_{32}$ *Fußpfund*). — '~,**print** *s* **1.** Fußspur *f*, -(s)tapfe *f*. – **2.** *med.* Fußabdruck *m*, Ichno'gramm *n*. — ~ **race** *s* Wettlauf *m*. — '~,**rail** *s* **1.** *tech.* Fuß-, Vi'gnolesschiene *f*, breitbasige Schiene. – **2.** Fußleiste *f*. — '~,**rest** *s* Schemel *m*, Fußbank *f*, -raste *f*. — '~,**rope** *s mar.* **1.** Pferd *n* (*Fußtau*). – **2.** 'Unterliek *n*. — ~ **rot** *s* **1.** *vet.* Fußfäule *f* (*der Schafe*). – **2.** *bot. Pflanzenkrankheit, die den Stengel in Bodennähe angreift.* — ~ **rule** *s tech.* Zollstab *m*, -stock *m*. — ~ **screw** *s tech.* Bodenschraube *f*. — '~,**slog** *v/i sl.* ,klotzen', mar'schieren. — '~,**slog·ger** *s sl.* ,Stoppelhopser' *m*, Infante'rist *m*. — ~ **soldier** *s mil.* Infante'rist *m*. — '~,**sore** *adj* fußwund. — '~,**sore·ness** *s* Wundsein *n* der Füße. — ~ **spar** *s mar.* Stemmbrett *n*. — '~,**stalk** *s bot. zo.* Stengel *m*, Stiel *m*, Pedi'cellus *m*, Peti'olus *m*, Pe'dunculus *m*. — '~,**stall** *s* **1.** Damensteigbügel *m*. – **2.** *arch.* Posta'ment *n*, Piede'stal *n*, Säulenfuß *m*. — ~ **start·er** *s tech.* Tretanlasser *m*. — '~,**step** *s* **1.** Tritt *m*, Schritt *m*. – **2.** Schritt *m* (*Längenmaß*). – **3.** Fuß(s)tapfe *f*, -spur *f*: to follow in s.o.'s ~s *fig.* in j-s Fuß(s)tapfen treten. – **4.** Stufe *f*. – **5.** *print.* (An)Tritt *m* (*an der Presse*). – **6.** *tech.* Zapfenlager *n*. — '~,**stone** *s* **1.** Stein *m* am Fußende eines Grabes. – **2.** Grundstein *m* (*Gebäude*). — '~,**stool** *s* Schemel *m*, Fußbank *f*. — ~ **stove** *s* Fußwärmer *m*. — ~ **switch** *s tech.* Fußschalter *m*. — '~-'**ton** *s phys.* Fußtonne *f* (*Einheit der Energie u. Arbeit*). — ~ **valve** *s tech.* 'Saug-, 'Boden-, 'Fußven,til *n*. — ~ **wal·ing** *s mar.* Bauchdiele *f*, Bodenweger *m* (*Holzschiff*). — '~,**wall** *s* (*Bergbau*) Liegendschicht *f*, Liegendes *n*. — '~,**way** *s* Fußweg *m*, -pfad *m*. — '~,**wear** *s* Fußbekleidung *f*, Schuhwerk *n*, -zeug *n*. — '~,**work** *s sport* Beinarbeit *f*. — '~,**worn** *adj* **1.** aus-, abgetreten. – **2.** fußwund.

foot·y[1] ['fuːti] *adj dial.* ärmlich.

foot·y[2] ['futi] *adj Br.* Bodensatz habend *od.* bildend: ~ oil.

foo·zle ['fuːzl] *bes. sport sl.* **I** *v/t* **1.** verderben, ,verpfuschen', ,vermasseln': to ~ a stroke. – **II** *v/i* **2.** schlecht *od.* ungeschickt spielen. – **III** *s* **3.** Stümpe'rei *f*, Ungeschicklichkeit *f*, *bes.* ungeschickter Schlag. – **4.** Stümper *m*, ,Pfuscher' *m*, Dummkopf *m*.

fop [fɒp] *s* Stutzer *m*, Fex *m*, Geck *m*, Narr *m*. — '**fop·per·y** [-əri] *s* Gecken-, Stutzerhaftigkeit *f*, Ziere'rei *f*. — '**fop·pish** *adj* stutzer-, geckenhaft, geziert. — '**fop·pish·ness** *s* Stutzertum *n*, Geckenhaftigkeit *f*.

for [fɔːr; fər] **I** *prep* **1.** mit der Absicht zu, zum Zwecke von, um, zu, für, halber, um ... willen: to go ~ a walk spazierengehen; he died ~ us er starb für uns *od.* um unsertwillen. – **2.** (passend *od.* geeignet) für, bestimmt für *od.* zu: that is the man ~ me das ist mein Mann. – **3.** (*Wunsch*) nach, (*Neigung*) zu, für: to have an eye ~ beauty einen (sicheren) Blick für das Schöne haben. – **4.** (*als Entgelt*) für, gegen, um. – **5.** für, wegen, in Anbetracht. – **6.** (*als Veranlassung dienend*) für, zu. – **7.** im 'Hinblick auf, angesichts, für, auf, im Verhältnis zu: he is tall ~ his age. – **8.** während, auf, für die Dauer von, lang, seit: ~ two weeks zwei Wochen lang; ~ ages (schon) ewig (lange); ~ some time past seit längerer Zeit; ~ life lebenslänglich; the first picture ~ two months der erste Film in *od.* seit zwei Monaten. – **9.** für, auf der Seite von. – **10.** für, an Stelle von, (an)'statt. – **11.** für, im Inter'esse *od.* Auftrag von:

he sits ~ Manchester *Br.* er ist Abgeordneter für *od.* er vertritt Manchester im Unterhaus. – **12.** zu Ehren von, für: **to give a party ~ s.o.** – **13.** für, zu'gunsten *od.* zum Besten von: **that speaks ~ him** das spricht für ihn. – **14.** nach, auf, in Richtung (auf *acc*): **the train ~ London** der Zug nach London. – **15.** auf: **it is getting on ~ two o'clock** *Br.* es geht auf zwei Uhr; **now ~ it!** *Br. colloq.* jetzt geht's los! **to be in ~ it** *colloq.* etwas ausbaden müssen, zur Verantwortung gezogen werden. – **16.** für, gegen: **change this suit ~ a dark one** tausche diesen Anzug gegen einen dunklen um. – **17.** bei: **it is ~ you to decide** es liegt bei Ihnen, (dies) zu entscheiden. – **18.** für, um: **word ~ word** Wort für Wort. – **19.** für, zu, gegen: **there is nothing ~ it but to give in** es läßt sich nichts anderes machen als nach(zu)geben. – **20.** für, als: **~ example** zum (*od.* als) Beispiel; **to know ~ certain** sicher wissen; **to give s.th. up ~ lost** etwas verloren geben. – **21.** (*infolge von*) aus, vor (*dat*), wegen: **to weep ~ joy** aus *od.* vor Freude weinen; **she died ~ grief** sie starb aus *od.* vor Gram. – **22.** trotz, ungeachtet, bei: **~ all that** trotz alledem; **not ~ the life of me** *colloq.* beim besten Willen nicht. – **23.** weit, lang: **to walk ~ ten miles** zehn Meilen (weit) gehen. – **24.** (*in Anbetracht von*) wegen, vor, aus: **~ fun** aus Spaß; **~ me** meinetwegen; **~ shame** schäm dich, pfui; **~ your life** wenn Ihnen Ihr Leben lieb ist. – **25.** dank, wegen: **were it not ~ his energy** wenn er nicht so energisch wäre, dank seiner Energie. – **26.** in Anbetracht, betreffs, was ... an(be)langt, so'weit, so'viel in Betracht *od.* Frage kommt: **as ~ me** was mich betrifft *od.* an(be)langt; **~ that matter** was das betrifft; **~ all I know** soviel ich weiß; → **one** 7. – **27.** wenn ich (doch) hätte: **oh, ~ a horse** ach, hätte ich (doch) (nur) ein Pferd! – **28.** *Am.* nach: **he was named ~ his father** man nannte ihn nach seinem Vater. –
II *conjunction* **29.** denn, weil. –
III *s* **30.** Für *n*.

for·age ['fɒridʒ; *Am. auch* 'fɔːr-] **I** *s* **1.** (Vieh)Futter *n*. – **2.** Nahrungs-, Futtersuche *f*, Füttern *n*. – **3.** Beute-, Raub-, Streifzug *m*. – **4.** *Am.* Futterpflanze *f*. – **II** *v/i* **5.** (nach) Nahrung *od.* Futter suchen. – **6.** *fig.* her'umsuchen, -stöbern. – **7.** einen Streifzug machen. – **III** *v/t* **8.** (aus)plündern, Lebensmittel wegnehmen (*dat*). – **9.** mit Nahrung *od.* Futter versorgen. — **~ cap** *s mil. Br., Am. hist.* Schiffchen *n*, Käppi *n*.

for·ag·ing ant ['fɒridʒiŋ; *Am. auch* 'fɔːr-] *s zo.* Foura'gier-, Treiber-, Wanderameise *f* (*Unterfam. Dorylinae*).

for·a·lite ['fɒrəˌlait; *Am. auch* 'fɔːr-] *s geol.* Fora'lit *m*.

fo·ra·men [fo'reimən] *pl* **-ram·i·na** [-'ræminə; -mə-] *s bot. med. zo.* Loch *n*, Öffnung *f*, Fo'ramen *n*: **~ magnum** Hinterhauptloch. — **fo'ram·i·nate** [-nit; -ˌneit], *auch* **fo'ram·iˌnat·ed** *adj* durch'löchert.

for·a·min·i·fer [ˌfɒrə'minifər; *Am. auch* ˌfɔːr-] *s zo.* Foramini'fere *f*, Wurzelfüßer *m*. — **fo·ram·i·nif·er·al** [foˌræmi'nifərəl; -mə-] *adj* aus Wurzelfüßern bestehend, Foraminiferen... — **foˌram·i'nif·er·ous** *adj* mit winzigen Öffnungen.

for·as·much [ˌfɔːrəz'mʌtʃ; fər-] *conjunction* insofern, da, weil: **~ as** insofern als.

for·ay ['fɒrei; *Am. auch* 'fɔːrei] **I** *s* Beute-, Raubzug *m*. – **II** *v/i u. v/t* plündern, rauben.

for·bade [fər'bæd; *Br. auch* -'beid], *auch* **for'bad** [-'bæd] *pret von* **forbid**.

for·bear[1] [fɔːr'bɛr] *pret* **-bore** [-'bɔːr] *pp* **-borne** [-'bɔːrn] **I** *v/t* **1.** unter'lassen, (ver)meiden, abstehen von, sich (*einer Sache*) enthalten: **I cannot ~ laughing** ich kann nicht umhin zu lachen. – **2.** erdulden, ertragen, schonen, nachsichtig behandeln. – **3.** nicht erwähnen *od.* gebrauchen, für sich behalten. – **II** *v/i* **4.** ablassen, abstehen. – **5.** geduldig *od.* nachsichtig sein. – *SYN. cf.* **refrain**.

for·bear[2] *cf.* **forebear**.

for·bear·ance [fɔːr'bɛ(ə)rəns; fər-] *s* **1.** Unter'lassung *f*, Enthaltung *f*. – **2.** Geduld *f*, Nachsicht *f*, Schonung *f*. – **3.** *jur.* Abstehen *n* von der Erzwingung eines Rechtes. — **for'bear·ing** *adj* nachsichtig, geduldig, langmütig.

for·bid [fər'bid; fɔːr-] *pret* **-bade** [-'bæd; *Br. auch* -'beid], *auch* **-bad** [-'bæd] *pp* **-bid·den** [-'bidn], *auch* **-bid** *v/t* **1.** verbieten, unter'sagen. – **2.** (ver)hindern, unmöglich machen. – **3.** 'ausschließen, zu'rückweisen. – *SYN.* **interdict, prohibit**. — **for'bid·dance** *s* Verbot *n*.

for·bid·den [fər'bidn; fɔːr-] *adj* verboten, unter'sagt. — **~ fruit** *s* **1.** *fig.* verbotene Frucht. – **2.** *bot.* a) Pampelmuse *f*, 'RiesenoˌrangeAnd *f* (*Citrus decumana*), b) Baum *m* der Erkenntnis, Eva-Apfelbaum *m* (*Tabernaemontana dichotoma*; *Indien*).

for·bid·ding [fər'bidiŋ; fɔːr-] *adj* **1.** verbietend, unter'sagend. – **2.** *fig.* abstoßend, abschreckend, 'widerwärtig, häßlich. – **3.** *fig.* gefährlich, drohend.

for·bore [fɔːr'bɔːr] *pret von* **forbear**[1]. — **for'borne** [-'bɔːrn] *pp von* **forbear**[1].

for·by(e) [fɔːr'bai] *adv u. prep obs. od. Scot.* **1.** nahe(bei). – **2.** obendrein, außerdem.

force[1] [fɔːrs] **I** *s* **1.** Stärke *f*, Kraft *f*: **~ of gravity** Schwerkraft, Erdschwere; **~ of impact** *mil.* Auftreffwucht, Aufschlagskraft; **~ of penetration** Durchschlagskraft; **by ~ of** vermittels; **in great ~** stark, lebhaft. – **2.** Macht *f*, Gewalt *f*: **brute ~** rohe Gewalt; **by ~** gewaltsam. – **3.** Zwang *m*, Kraftanwendung *f*, Gewalt(anwendung) *f*, Druck *m*. – **4.** *jur.* Gewalt(anwendung, -tätigkeit) *f*. – **5.** *jur.* Gültigkeit *f*, bindende Kraft, Gesetzeskraft *f*: **to come (put) into ~** in Kraft treten (setzen). – **6.** Einfluß *m*, Macht *f*, Gewicht *n*, Nachdruck *m*. – **7.** geistige u. mo'ralische Kraft, Bedeutung *f*, Gehalt *m*, Wert *m*. – **8.** *dial.* Menge *f*. – **9.** *mil.* a) *oft pl* Streit-, Kriegsmacht *f*, b) *pl* Mili'tär *n*, Truppen *pl*, Streitkräfte *pl*, Heer *n*, Ar'mee *f*. – **10.** Truppe *f*, Arbeitertrupp *m*, Belegschaft *f*: **the (police) ~** die Polizei. – **11.** (*Billard*) *Am.* Zu'rückzieher *m*. – *SYN. cf.* **power**. –
II *v/t* **12.** zwingen, nötigen: **to ~ s.o.'s hand** j-n unter Druck setzen. – **13.** erzwingen, (mit Gewalt) her'vorbringen *od.* erreichen. – **14.** über'wältigen, bezwingen. – **15.** erzwingen, erpressen. – **16.** erstürmen, erobern. – **17.** aufbrechen, sprengen. – **18.** (*j-m*) Zwang antun, (*Frau*) schänden. – **19.** (*dem Sinn etc*) Gewalt antun, in gezwungener Weise auslegen *od.* gebrauchen, zu Tode hetzen. – **20.** *bot.* (*Wachstum*) künstlich beschleunigen, hochzüchten, zur Reife bringen. – **21.** *tech.* for'cieren, drängen, dringen auf (*acc*), (an)treiben, beschleunigen: **to ~ the pace** das Tempo beschleunigen. – **22.** (*Preise*) in die Höhe treiben, hin'auftreiben. – **23.** aufzwingen, -drängen (**s.th. on** *od.* **upon s.o.** j-m etwas). – **24.** (*Kartenspiel*) a) (*j-n*) zum Trumpfen *od.* zum Ausspielen einer bestimmten Karte zwingen, b) (*j-n*) zwingen, so zu spielen, daß die Stärke seiner Karten bekannt wird, c) *fig.* (*j-n*) zum Aufdecken seiner Pläne zwingen. – **25.** (*Baseball*) (*Läufer zum Verlassen eines Males zwingen u. dadurch*) aus dem Spiel setzen. – **26.** *obs.* (*Gesetz*) in Kraft setzen. – *SYN.* **coerce, compel, constrain, oblige**. –
Verbindungen mit Adverbien:
force| back *v/t* zu'rücktreiben. — **~ down** *v/t aer.* zur Notlandung zwingen. — **~ on** *v/t* antreiben, (*Wachstum*) beschleunigen. — **~ through** *v/t* 'durchsetzen, erzwingen.

force[2] [fɔːrs] *s dial.* Wasserfall *m*.

forced [fɔːrst] *adj* **1.** erzwungen, Zwangs...: **~ labo(u)r** Zwangsarbeit; **~ landing** Notlandung; **~ loan** Zwangsanleihe; **~ march** Gewaltmarsch; **~ sale** Zwangsverkauf, -versteigerung. – **2.** gezwungen (*Lächeln etc*), gekünstelt (*Stil etc*), künstlich. – **3.** gezwungen, dem Zwang unter'worfen.

force feed *s tech.* Druckschmierung *f*.

force·ful ['fɔːrsfəl; -ful] *adj* **1.** stark, kräftig. – **2.** eindrucksvoll, -dringlich, wirkungsvoll. – **3.** gewaltsam, ungestüm, mächtig. — **'force·ful·ness** *s* Eindringlichkeit *f*, Ungestüm *n*.

force ma·jeure [fɔrs ma'ʒœːr] (*Fr.*) *s jur.* höhere Gewalt, Vis *f* maior.

'forceˌmeat *s* gehacktes Füllfleisch, Füllsel *n*.

for·ceps ['fɔːrseps; -səps] *pl* **-ceps, -ci·pes** [-siˌpiːz], *selten* **-ceps·es** *s med. zo.* Zange *f*, Pin'zette *f*: **~ delivery** *med.* Zangengeburt.

force pump *s tech.* Druckpumpe *f*.

forc·er ['fɔːrsər] *s tech.* **1.** Stempel *m*, Kolben *m* (*Druckpumpe*). – **2.** kleine Handpumpe.

for·ci·ble ['fɔːrsəbl] *adj* **1.** gewaltsam. – **2.** stark, kräftig, wirksam. – **3.** über'zeugend, eindringlich, eindrucksvoll, zwingend. — **'~-'fee·ble I** *s* Maulheld *m*, Großtuer *m*. – **II** *adj* großtuerisch.

for·ci·ble·ness ['fɔːrsəblnis] *s* Stärke *f*, Wirksamkeit *f*, Gewaltsamkeit *f*.

forc·ing ['fɔːrsiŋ] **I** *s* **1.** Zwingen *n*, Treiben *n*. – **2.** *biol.* ˌFrühtreibe'rei *f*, Entwicklungserregung *f*: **~ house** *Br.* Treibhaus. – **3.** *tech.* Führung *f*. – **4.** *mil.* Erstürmen *n*. – **5.** Sprengen *n*, 'Aufbrechen *n*. – **II** *adj* **6.** zwingend. – **7.** *bot.* Treibhaus..., frühtreibend. – **8.** (*Bridge*) hoch (u. den Partner zum Ausreizen zwingend): **~ bid**.

for·ci·pate ['fɔːrsiˌpeit; -pit], *auch* **'for·ciˌpat·ed** [-ˌpeitid] *adj bot. zo.* zangen-, scherenförmig, gegabelt.

for·cite ['fɔːrsait] *s tech. dynamitähnlicher Sprengstoff.*

ford[1] [fɔːrd] **I** *s* **1.** Furt *f*. – **2.** *poet.* Fluß *m*, Strom *m*. – **II** *v/t* **3.** (*Fluß*) durch'waten, -'schreiten.

Ford[2] [fɔːrd] *s* Ford(wagen) *m*.

ford·a·ble ['fɔːrdəbl] *adj* durch'watbar, seicht. — **'ford·ing** *s* **1.** Durch'waten *n*, -'schreiten *n*. – **2.** Furt *f*.

for·do [fɔːr'duː] *v/t irr obs.* töten, vernichten. — **for'done** [-'dʌn] *adj obs.* erschöpft.

fore[1] [fɔːr] **I** *adj* **1.** vorder(er, e, es), Vorder... – **2.** früher(er, e, es), oberst(er, e, es). – **II** *adv* **3.** *mar.* vorn, gegen den Bug hin. – **4.** *dial.* a) vorher, b) nach vorn. – **III** *s* **5.** Vorderteil *m*, -seite *f*, Front *f*: **to the ~** a) voran, (nach) vorn, b) bei der *od.* zur Hand, zur Stelle, c) am Leben, d) sichtbar, im Vordergrund, e) *fig.* am Ruder; **come to the ~** ans Ruder kommen. – **6.** *mar.* Fockmast *m*. – **IV** *prep* **7.** *colloq.* bei (*in Flüchen*): **~ George!** bei Gott!

fore² [fɔːr] *interj* (*Golf*) Achtung!

'fore|-and-'aft *adj* **1.** *mar.* in Kiellinie, längsschiffs: ~ sail Stag-, Schrat-, Schonersegel. – **2.** *fig. Am.* der Länge nach gestellt *od.* ziehend, länglich: ~ cap *mil.* Käppi, Schiffchen. — **'~-and-'aft·er** *s mar.* **1.** Gaffelschoner *m.* – **2.** Scherstock *m.*

'foreˌarm¹ *s* **1.** 'Unter-, Vorderarm *m.* – **2.** *tech.* Schaft *m.*

fore'arm² *v/t* im voraus bewaffnen: forewarned is ~ed.

'fore|ˌbay *s tech.* Wasserschloß *n.* — **~ beam** *s* (*Weberei*) Vorder-, Brustbaum *m.* — **'~·bear** *s meist pl* Vorfahr *m*, Ahne *m*, Ahnherr *m.*

fore·bode [fɔːr'boud] **I** *v/t* **1.** vor'her-, weissagen, prophe'zeien. – **2.** anzeigen, ankündigen. – **3.** (*Unheil*) ahnen, vor'aussehen. – **II** *v/i* **4.** weissagen. – **5.** als Vor'aussage dienen. – *SYN. cf.* foretell. — **fore'bod·ing I** *s* **1.** Vor'hersage *f*, Weissagung *f*, Prophe'zeiung *f.* – **2.** (Vor)Ahnung *f.* – **3.** Anzeichen *n*, Omen *n.* – **II** *adj* **4.** (vorher) verkündend, anzeigend.

'fore|ˌbrace *s mar.* Fockbrasse *f.* — **'~ˌbrain** *s med.* **1.** Vorderhirn *n*, Prosen'cephalon *n*: ~ flexure Scheitelkrümmung. – **2.** Telen'cephalon *n.* — **'~ˌcab·in** *s mar. Br.* vordere Ka'jüte (*für II. Klasse*). — **'~ˌcar·riage** *s tech.* **1.** Vordergestell *n* (*Waren*). – **2.** Schirm *m*, Rahmen *m* (*Eisenbahnwagen*). – **3.** Rollenstütze *f*, kleiner zweirädriger Wagen (*Pflug*).

fore·cast [*Br.* fɔːr'kɑːst; 'fɔːr-; *Am.* -kæ(ː)st] **I** *v/t pret u. pp* **-cast** *od.* **-cast·ed 1.** vor'aussagen, vor'hersehen, im 'voraus schätzen. – **2.** (*Wetter etc*) vor'hersagen. – **3.** anzeigen, ahnen lassen. – **4.** im voraus entwerfen *od.* planen, aussinnen. – **II** *v/i* **5.** eine Vor'hersage machen. – **6.** im voraus planen. – *SYN. cf.* foretell. – **III** *s* [*Br.* 'fɔːrˌkɑːst; *Am.* -ˌkæ(ː)st] **7.** Vor'aus-, Vor'hersage *f*: → weather ~. – **8.** Vor'hersehen *n*, Planen *n* im voraus. – **9.** Vorbedacht *m*, Vorsicht *f*, Klugheit *f.*

fore·cas·tle, *Br. auch* **fo'c's'le** ['fouksl] *s mar.* **1.** Vorderdeck *n*, Back *f.* – **2.** Lo'gis *n.* — **'~·man** [-mən] *s irr mar.* Bug-, Backsgast *m.*

fore|·cit·ed ['fɔːrˌsaitid] *adj* obenerwähnt. — **~'close I** *v/t* **1.** *jur.* a) präklu'dieren, abweisen, b) (*Hypothek*) für verfallen erklären. – **2.** ausschließen. – **3.** hindern, hemmen. – **4.** al'leinigen Anspruch geltend machen auf (*acc*). – **5.** im voraus beantworten *od.* schließen. – **II** *v/i* **6.** eine Hypo'thek für verfallen erklären. — **~'clo·sure** *s jur.* Präklusi'on *f*, Rechtsausschließung *f*, Verfallserklärung *f.* — **'~ˌcourse** *s mar.* Fock(segel *n*) *f.* — **'~ˌcourt** *s* **1.** Vorhof *m.* – **2.** (*Tennis*) Aufschlagsfeld *n.* — **ˌ~'date** *v/t* vor'aus-, 'vordaˌtieren. — **'~ˌdeck** *s mar.* Vor(der)deck *n.* — **~'do** *cf.* fordo. — **~·doom I** *v/t* [-'duːm] vor'her bestimmen (to zu, für), im voraus verurteilen (to zu). – **II** *s* ['-ˌduːm] Vor'herbestimmung *f*, Schicksal *n.* — **~ edge** *s* Außensteg *m*, äußerer Pa'pierrand (*Buch*). — **'~ˌfa·ther** *s* Ahne *m*, Vorfahr *m*: F~s' Day *Am.* Fest der Vorfahren (*22. Dezember; Landung der ersten Siedler in Plymouth, Massachusetts*). — **~'feel** *v/t irr* vor'ausfühlen, -ahnen. — **'~ˌfield** *s* **1.** Vorfeld *n.* – **2.** (*Bergbau*) *Br.* Ort(sstoß *m*) *n.* — **'~ˌfin·ger** *s* **1.** Zeigefinger *m*, Index *m.* – **2.** *zo.* Vorderfinger *m.* — **'~ˌfoot** *s irr* **1.** *zo.* Vorderfuß *m.* – **2.** *mar.* Stevenanlauf *m.* — **'~ˌfront** *s* Vorderseite *f*, -teil *m*, erste *od.* vorderste Reihe: to stand in the ~ *fig.* zu den Ersten *od.* Besten gehören. — **~'gath·er** *cf.* forgather. — **'~ˌgift** *s jur. Br.* Vor'ausbezahlung *f*, *bes.* Angeld *n* eines Pächters.

fore'go¹ *v/t u. v/i irr* vor'her-, vor'angehen.

fore'go² *cf.* forgo.

fore'go·er *s* **1.** Vorgänger *m*, -läufer *m.* – **2.** *mar.* Vorläufer *m.* — **fore'go·ing** *adj* vor'her-, vor'angehend, vorig(er, e, es), früher(er, e, es). – *SYN. cf.* preceding.

fore·gone [fɔːr'gɒn, 'fɔːrˌgɒn] *adj* vor'aus-, vor'an-, vor'hergegangen *od.* -gehend, früher(er, e, es). — **~ con·clu·sion** *s* **1.** unvermeidlicher Schluß, Selbstverständlichkeit *f.* – **2.** vor'hergefaßter Schluß, ausgemachte Sache.

'fore|ˌground *s* Vordergrund *m.* — **'~-ˌgut** *s med. zo.* Vorder-, Kopfdarm *m.* — **'~ˌham·mer** *s tech.* Vorschlaghammer *m.*

'foreˌhand I *adj* **1.** Vorhand...: (*Tennis*) ~ stroke, (*Hockey*) ~ hit Vorhandschlag. – **2.** vorn befindlich. – **3.** führend(er, e, es), vorderst(er, e, es), Vorder..., Führer... – **4.** vorher getan, vor'weggenommen. – **II** *s* **5.** Vorrang *m*, -zug *m*, -teil *m.* – **6.** (*Tennis*) Vorhand *f.* – **7.** Vorderhand *f*, -teil *m* (*Pferd*). — **'fore'hand·ed** *adj* **1.** Vorhand..., mit Vorhand. – **2.** *Am.* bedacht, vorsorglich, sparsam, 'umsichtig. – **3.** *Am.* wohlhabend, vermögend. — **ˌfore'hand·ed·ness** *s Am.* Sparsamkeit *f.*

fore·head ['fɒrid; *Am. auch* 'fɔːr-; 'fɔːrˌhed] *s* **1.** Stirn *f.* – **2.** Vorderseite *f*, Front *f*, Stirn *f.* — **'fore·head·ed** *adj* mit ... Stirn (versehen): a low-~ race eine niedrigstirnige Rasse.

'fore|ˌhearth *s tech.* Vor(der)herd *m.* — **'~ˌhold** *s mar.* Vorderraum *m*, vorderer Laderaum.

for·eign ['fɒrin; *Am. auch* 'fɔːrin] *adj* **1.** fremd, ausländisch, -wärtig, Auslands..., Außen...: ~ department Auslandsabteilung; ~ product Auslandserzeugnis; ~ trade Außenhandel; in ~ parts im Ausland. – **2.** *econ.* Devisen...: ~ assets Devisenwerte; ~ quota Devisenkontingent. – **3.** *med.* fremd: a ~ body ein Fremdkörper. – **4.** (to) nicht gehörig *od.* passend (zu), nicht in Verbindung stehend (mit). – **5.** seltsam, unbekannt, fremd. – **6.** *jur.* von einem andern Gericht abhängig. – *SYN. cf.* extrinsic. — **~ af·fairs** *s pl* 'Außenpoliˌtik *f*, auswärtige Angelegenheiten *pl.* — **~ bill (of ex·change)** *s econ.* Auslands-, Fremdwährungswechsel *m.*

for·eign·er ['fɒrinər; *Am. auch* 'fɔːr-] *s* **1.** Ausländer(in), Fremde(r). – **2.** 'Auslandsproˌdukt *n*, -erzeugnis *n.* – **3.** *mar.* Schiff *n* einer fremden Nati'on, ausländisches Schiff. – **4.** *zo.* fremdes Tier.

for·eign| ex·change *s* **1.** De'visenkurs *m*, ausländischer Wechselkurs *od.* -verkehr. – **2.** De'visen *pl.* — **'~-ˌgo·ing ves·sel** *s mar.* Schiff *n* auf großer Fahrt *od.* Auslandsfahrt.

for·eign·ism ['fɒriˌnizəm; *Am. auch* 'fɔːr-] *s* **1.** fremdes Idi'om, fremde Spracheigentümlichkeit. – **2.** Fremd-, Ausländе'rei *f*, Nachahmung *f* des Fremden. – **3.** fremde Sitte *od.* Gewohnheit.

for·eign| le·gion *s mil.* 'Fremdenlegiˌon *f.* — **~ mis·sion·ar·y** *s relig.* (christlicher) Missio'nar im Ausland. — **~ mis·sions** *s pl relig. collect.* (christliches) Missi'onswesen im Ausland.

for·eign·ness ['fɒrinis] *s* **1.** Fremdheit *f*, -artigkeit *f.* – **2.** *jur.* 'Inkompeˌtenz *f.*

For·eign Of·fice *s pol. Br.* Auswärtiges Amt, 'Außenminiˌsterium *n*, Mini'sterium *n* des Äußeren. — **f~ trade** *s* **1.** *econ.* Außenhandel *m.* – **2.** *mar.* große Fahrt (*Gegensatz kleine Fahrt u. Küstenfahrt*): ~ certificate (Kapitäns-, Steuermanns)Patent für große Fahrt.

fore'judge¹ *v/t* im voraus entscheiden *od.* beurteilen.

fore'judge² *cf.* forjudge.

fore|'know *v/t irr* vor'herwissen, -sehen. – *SYN. cf.* foresee. — **~'know·a·ble** *adj* vor'auszusehen(d). — **'~'knowl·edge** *s* Vor'herwissen *n*, -sehen *n.*

for·el ['fɒrəl] *s tech.* (*Art*) Perga'ment *n* (*für Buchdeckel*).

'fore|ˌla·dy → forewoman. — **'~·land** [-lənd] *s* **1.** Kap *n*, Vorgebirge *n*, Landspitze *f.* – **2.** *geol.* Vorland *n.* — **'~ˌleg, '~ˌlimb** *s zo.* Vorderbein *n*, -fuß *m.*

'foreˌlock¹ *s* Stirnlocke *f*, -haar *n*: to take (occasion *od.* time) by the ~ (die Gelegenheit) beim Schopf fassen.

'foreˌlock² *s tech.* **1.** Splint *m*, Vorstecknagel *m.* – **2.** Achsnagel *m*, Lünse *f.*

fore|·man ['fɔːrmən] *s irr* **1.** Vorarbeiter *m*, Aufseher *m*, Werkmeister *m*, -führer *m*, Po'lier *m.* – **2.** *jur.* Obmann *m*, Sprecher *m* (*der Geschworenen*). – **3.** *mar.* Vormann *m.* — **'~·mast** [*Br.* -ˌmɑːst; -məst; *Am.* -ˌmæ(ː)st] *s mar.* Fockmast *m.* — **ˌ~'men·tioned** *adj* vor(her)erwähnt, besagt. — **'~ˌmilk** *s med.* Vormilch *f*, Co'lostrum *n.*

fore·most ['fɔːrˌmoust; -məst] **I** *adj* vorderst(er, e, es), erst(er, e, es), vornehmst(er, e, es): feet ~ mit den Füßen zuvorderst. – **II** *adv* zu'erst, an erster Stelle, vor'an, vor'aus: first and ~ zu allererst, in erster Linie.

'fore|ˌname *s* Vorname *m.* — **'~ˌnamed** *adj* vor'her genannt *od.* erwähnt. — **'~ˌnoon I** *s* Vormittag *m.* – **II** *adj* Vormittags..., vormittäglich: → watch 5.

fo·ren·sic [fə'rensik] *adj jur.* **1.** gerichtlich, Gerichts...: → medicine 2. – **2.** zur Beweisführung geeignet. – **3.** *med.* fo'rensisch, ge'richtsmediˌzinisch.

ˌfore|·or'dain *v/t* vor'herbestimmen (to zu). — **ˌ~·or'dain·ment** *s* Vor'ausbestimmung *f.* — **ˌ~·or·di'na·tion** *s* **1.** Vor'herbestimmung *f.* – **2.** *relig.* ˌPrädestinati'on *f.* — **'~ˌpart** *s* **1.** vorderster *od.* frühester Teil, Anfang *m.* – **2.** Vorderteil *m*, -schuh *m.* — **'~ˌpeak** *s mar.* Vorpiek *f.* — **~ plane** *s tech.* Rauh-, Schrothobel *m.* — **'~ˌquar·ter** *s* Vorderviertel *n* (*Tier*), Vorhand *f* (*Pferd*). — **~'reach** *v/t u. v/i* über'holen. — **~'run** *v/t irr* **1.** vor'aus-, vor'angehen, der Vorgänger sein von. – **2.** vor'wegnehmen. – **3.** *fig.* über'holen, hinter sich lassen. — **'~ˌrun·ner**, *auch* **ˌ~'run·ner** *s* **1.** Vorläufer *m*, -gänger *m*: the F~ *relig.* der Vorläufer (*Johannes der Täufer*). – **2.** Vorfahr *m.* – **3.** Vorbote *m*, Anzeichen *n.* – **4.** Bote *m*, Herold *m.* – *SYN.* harbinger, herald, precursor.

'fore|ˌsaid *adj* vor'hergenannt, besagt. — **'~ˌsail** *s mar.* **1.** Focksegel *n.* – **2.** Stagfock *f.* — **~'see** *irr* **I** *v/t* vor'her-, vor'aussehen, -wissen. – *SYN.* anticipate, apprehend, divine, foreknow. – **II** *v/i* Vorsorge treffen. — **~'see·a·ble** *adj* vor'hersehbar. — **~'shad·ow** *v/t* ahnen lassen, vorher andeuten. — **'~ˌshaft** *s* Vorderschaft *m* (*Pfeil*). — **'~ˌsheet** *s mar.* **1.** Fockschot *f.* – **2.** *pl* Vorderboot *n.* — **'~ˌship** *s mar.* Vorderschiff *n.* — **'~ˌshore** *s* Strand *m*, Gestade *n*, Uferland *n*, (Küsten)Vorland *n.* — **~'short·en** *v/t* (*Figuren*) verkürzen, in Verkürzung zeichnen. — **~'short·en·ing** *s* (*zeichnerische*) Verkürzung, Zeichnung *f* in Verkürzung. — **'~ˌshot** *s* (*Destillation*) Vorlauf *m.* — **~'show** *v/t irr* **1.** vorher zeigen *od.* darstellen. –

2. (vorher) anzeigen, vorbedeuten. – 3. vor'her-, vor'aussagen. — '~,**side** *s* 1. Vorderseite *f*, -teil *m*. – 2. *Am*. Küstenland *n*, Strand *m*. — '~,**sight** *s* 1. Vor-, Fürsorge *f*. – 2. Vor'her-, Vor'aussehen *n*. – 3. Vor'aussicht *f*, Blick *m* in die Zukunft. – 4. *mil*. (*Am*. fore sight) (Vi'sier)Korn *n*. – 5. *tech*. 'Vorwärtsvi,sieren *n*, -ablesen *n*. — ,~'**sight·ed** *adj* vor'aussehend, vorsorglich. — ,~'**sight·ed·ness** *s* Vor-, Fürsorglichkeit *f*. — '~,**skin** *s med*. Vorhaut *f*, Prä'putium *n*.

for·est ['fɒrist; *Am. auch* 'fɔːr-] **I** *s* 1. (großer) Wald, Forst *m*. – 2. Bäume *pl*, Holz *n* (*eines Waldes*). – 3. *Br*. (teilweise bewaldetes) Heideland. – 4. *fig*. Wald *m*, Menge *f*: a ~ of masts. – **II** *v/t* 5. aufforsten. – **III** *adj* 6. Wald..., Forst... — '**for·est·al** *adj* Wald..., Forst...

fore|'stall *v/t* 1. (*j-m*) zu'vorkommen. – 2. (*einer Sache*) vorbeugen. – 3. (*etwas*) vor'wegnehmen. – 4. durch Vor'wegnehmen *od*. Zu'vorkommen verhindern. – 5. (*Güter*) vorkaufen, im voraus aufkaufen: to ~ the market durch Aufkauf den Markt beherrschen. – *SYN*. *cf*. prevent. — '~,**star·ling** *s tech*. Eisbrecher *m*, Bock *m* (*vor Brücken*).

for·est·a·tion [,fɒris'teiʃən; *Am. auch* ,fɔːr-] *s* Aufforsten *n*, Beforstung *f*.

'**fore,stay** *s mar*. Fockstag *n*.

for·est·ed ['fɒristid; *Am. auch* 'fɔːr-] *adj* bewaldet. — '**for·est·er** *s* 1. Förster *m*, Forst(fach)mann *m*. – 2. Waldbewohner *m*. – 3. *zo*. Waldtier *n*. – 4. *zo*. (*ein*) Groß(fuß)känguruh *n* (*Gattg Macropus*), *bes*. Graues Riesenkänguruh (*M. giganteus*). – 5. *zo*. (*ein*) Widderchen *n* (*Fam. Zygaenidae*).

for·est fly → horse tick.

'**fore,stick** *s Am*. vorderstes Scheit (*im offenen Kaminfeuer*).

for·est·ine ['fɒristin; -,tain; *Am. auch* 'fɔːr-] → forestal.

for·est| peat *s* Baum-, Waldtorf *m*. — ~ **pest** *s biol*. Waldverderber *m*. — ~ **pre·serve** → forest reserve. — ~ **rang·er** *s Am*. Förster *m*. — ~ **re·serve** *s Am*. Waldschutzgebiet *n*, Bannwald *m*.

for·est·ry ['fɒristri; *Am. auch* 'fɔːr-] *s* 1. 'Forstwirtschaft *f*, -wesen *n*, -kul,tur *f*. – 2. Waldland *n*, -gebiet *n*, Wälder *pl*.

'**fore|,tack** *s mar*. Fockhals *m*. — '~,**taste I** *s* 1. Vorgeschmack *m*. – *SYN*. *cf*. prospect. – **II** *v/t* [-'teist] 2. einen Vorgeschmack haben von. – 3. *fig*. ahnen. – 4. sich freuen auf (*acc*). — ~'**tell** *irr* **I** *v/t* 1. vor'her-, vor'aussagen. – 2. andeuten, im voraus anzeigen. – **II** *v/i* 3. weis-, wahrsagen. – *SYN*. augur, forebode, forecast, portend, predict, presage, prognosticate, prophesy. — '~,**thought** *s* 1. Vorsorge *f*, -bedacht *m*. – 2. Vor'wegnahme *f*, Vor'herdenken *n*, Erwägung *f* im voraus. — ,~'**thought·ful** *adj* vorsorglich. — ,~'**thought·ful·ness** *s* vorsorgliches Wesen, Vorsorglichkeit *f*. — '~,**time** *s* 1. Vor-, Frühzeit *f*. – 2. Vergangenheit *f*. — ~·**to·ken I** *s* ['-,toukən] Vorbote *m*, Vor-, Anzeichen *n*, Vorbedeutung *f*. – **II** *v/t* [-'toukən] vorbedeuten, ein Vor- *od*. Anzeichen sein für. — '~-,**tooth** *s irr med. zo*. Vorder-, Schneidezahn *m*.

'**fore|,top** *s* 1. *mar*. Fock-, Vormars *m*. – 2. *Am*. Vordersitz *m* (*Kutsche etc*). – 3. Stirnhaar *n*, -locke *f*, Schopf *m* (*Pferd*). — ,~-**top'gal·lant** *s mar*. Vorbramsegel *n*: ~ mast Vorbramstenge. — ,~-'**top·mast** *s mar*. Fock-, Vormarsstenge *f*. — ,~-'**top,sail** *s mar*. Vormarssegel *n*.

'**fore,type** *s* Vortypus *m*.

for'ev·er, *Br. meist* **for ev·er** *adv* 1. immer(dar), ewig, für alle Zeit, für *od*. auf immer. – 2. ständig, dauernd, ohne 'Unterlaß: he is ~ complaining. — **for,ev·er'more**, *Br. meist* **for ev·er more** *adv* für immer u. ewig, auf ewig.

fore|'warn *v/t* vorher warnen, warnend vor'hersagen. – *SYN*. *cf*. warn. — '~,**wom·an** *s irr* 1. Vorarbeiterin *f*, Aufseherin *f*. – 2. *jur*. Sprecherin *f* der Geschworenen. — '~,**word** *s* Vorwort *n*, -rede *f*. — '~,**yard** *s mar*. Fockrahe *f*.

for·far ['fɔːrfər] *s* grobes, ungebleichtes Leinen.

for·feit ['fɔːrfit] **I** *s* 1. (Geld)Strafe *f*, Buße *f*. – 2. Verwirkung *f*, Verlust *m*. – 3. verwirktes Pfand, verfallenes Gut. – 4. (*etwas*) Verwirktes. – 5. Pfand *n*: to pay a ~ ein Pfand geben. – 6. *pl* Pfänderspiel *n*: to play ~s Pfänderspiele machen. – **II** *v/t* 7. als Pfand verlieren. – 8. (*einer Sache*) verlustig gehen, (*Leben, Güter etc*) verwirken. – 9. *fig*. einbüßen, verlieren, verscherzen. – **III** *adj* 10. verwirkt, verfallen. — '**for·feit·a·ble** *adj* verwirkbar, einziehbar. — '**for·fei·ture** [-tʃər] *s* 1. Verlust *m*, Verwirkung *f*, Erlöschen *n* (*Recht*), Verfallen *n* (*Summe*): ~ of civil rights Aberkennung der bürgerlichen Ehrenrechte. – 2. (*das*) Verwirkte, (Ein)-Buße *f*, (Geld)Strafe *f*.

for·fend [fɔːr'fend] *v/t* 1. *bes. Am*. (be)schützen, verteidigen, sichern. – 2. *obs*. abwehren, verhindern, *noch in*: God ~! Gott behüte!

for·fi·cate ['fɔːrfikit; -,keit; -fə-] *adj zo*. scherenartig, (tief)gegabelt (*Vogelschwanz*). — ,**for·fi'ca·tion** *s* tiefe Gabelung. — **for'fic·u·late** [-'fikjulit; -,leit; -jə-] *adj* gegabelt.

for·gat [fər'gæt] *obs. pret von* forget.

for'gath·er *v/i* 1. sich (ver)sammeln, zu'sammenkommen. – 2. zufällig zu'sammentreffen, sich begegnen, sich treffen: to ~ with s.o. j-n zufällig treffen. – 3. verkehren, vertraut sein (with mit).

for'gave *pret von* forgive.

forge[1] [fɔːrdʒ] **I** *s* 1. Schmiede *f* (*auch fig*.). – 2. *tech*. Esse *f*, Schmiedeherd *m*, -feuer *n*. – 3. *tech*. Glühofen *m*. – 4. *tech*. Eisenhammer *m*, -werk *n*, Puddelhütte *f*. – **II** *v/t* 5. schmieden, treiben, hämmern. – 6. machen, formen, 'herstellen. – 7. (*Geschichte etc*) erfinden, ersinnen, sich ausdenken. – 8. (*Scheck*) nachmachen, fälschen. – *SYN*. *cf*. make. – **III** *v/i* 9. fälschen, eine Fälschung begehen. – 10. schmieden.

forge[2] [fɔːrdʒ] *v/i* mühsam vorwärtskommen, sich schwerfällig bewegen, sich mit Gewalt Bahn brechen, mit Wucht da'hinfahren: to ~ ahead nach vorwärts *od*. an die Spitze drängen *od*. gelangen, die Führung übernehmen.

forge·a·ble ['fɔːrdʒəbl] *adj* schmiedbar. — '**forged** *adj* 1. geschmiedet. – 2. gefälscht, nachgemacht. — '**forg·er** *s* 1. (Grob-, Hammer)Schmied *m*. – 2. Erdichter *m*, Erfinder *m*. – 3. Fälscher *m*. – 4. Falschmünzer *m*. — '**forg·er·y** *s* 1. Fälschung *f*, Nachahmung *f*, Falsifi'kat *n*. – 2. Fälschen *n*, Nachahmen *n*, -machen *n*. – 3. *fig*. Erdichtung *f*, Erfindung *f*.

for·get [fər'get] *pret* **for'got** [-'gɒt] *pp* **for'got·ten** [-tn] *od. poet*. **for'got I** *v/t* 1. vergessen, nicht denken an (*acc*). – 2. sich nicht erinnern an (*acc*), vergessen, aus der Erinnerung verlieren, verlernen: never to be forgotten unvergeßlich. – 3. (*aus Unachtsamkeit*) unter'lassen, vernachlässigen. – 4. unerwähnt *od*. unbeachtet lassen: ~ it *sl*. mach dir nichts draus, Schwamm drüber! don't you ~ it! merk es dir! – 5. (*j-n*) außer acht lassen, willentlich über'sehen, nicht beachten, miß'achten. – 6. ~ oneself *reflex* a) sich vergessen, etwas Ungehöriges tun, ‚aus der Rolle fallen', b) sich selbst vergessen, selbstlos handeln, an andere denken, c) zerstreut werden, in Gedanken (verloren) sein, d) das Bewußtsein verlieren (*im Schlafe*). – *SYN*. *cf*. neglect. – **II** *v/i* 7. vergessen, sich nicht mehr erinnern: I ~ ich weiß (es) nicht mehr, ich habe (es) vergessen; he has forgotten about it er erinnert sich nicht mehr daran, es ist ihm entfallen. — **for'get·ful** [-fəl; -ful] *adj* 1. vergeßlich. – 2. achtlos, nachlässig: to be ~ of s.th. etwas vergessen. – 3. *poet*. vergessen machend. – *SYN*. oblivious, unmindful. — **for'get·ful·ness** *s* 1. Vergessenheit *f*, -sein *n*. – 2. Vergeßlichkeit *f*. – 3. Vernachlässigung *f*, Achtlosigkeit *f*.

for·ge·tive ['fɔːrdʒətiv] *adj obs*. erfinderisch, schöpferisch.

for'get-me-,not *s bot*. 1. (*ein*) Vergißmeinnicht *n* (*Gattg Myosotis, bes. M. palustris*). – 2. → germander speedwell. – 3. *Am*. Engelsauge *n* (*Houstonia coerulea*). – 4. *Am*. Ka'puzenveilchen *n* (*Viola cucullata*).

for·get·ta·ble [fər'getəbl] *adj* (leicht) zu vergessen(d).

forge wa·ter *s tech*. Abschreck-, Löschwasser *n*.

forg·ing ['fɔːrdʒiŋ] *s* 1. Schmieden *n* (*auch fig*.). – 2. Schmiedearbeit *f*, -stück *n*. – 3. Verletzen *n* der Vorderbeine (durch die 'Hinterhufe) (*Rennpferd*). – 4. *tech*. Warmverformung *f*. – 5. Fälschen *n*.

for·giv·a·ble [fər'givəbl] *adj* verzeihlich, -bar.

for·give [fər'giv] *irr* **I** *v/t* 1. verzeihen, -geben: to ~ s.o. (for doing) s.th. j-m etwas verzeihen. – 2. (*Strafe etc*) erlassen: to ~ s.o. a debt j-m eine Schuld erlassen. – **II** *v/i* 3. vergeben, -zeihen. – *SYN*. *cf*. excuse. — **for'give·ness** *s* 1. Verzeihen *n*, -geben *n*. – 2. Erlassung *f*. – 3. Verzeihung *f*, -gebung *f*. – 4. Versöhnlichkeit *f*. — **for'giv·ing** *adj* 1. versöhnlich, mild. – 2. vergebend, -zeihend. — **for'giv·ing·ness** *s* Versöhnlichkeit *f*, Milde *f*.

for·go [fɔːr'gou] *irr* **I** *v/t* 1. abstehen von, verzichten auf (*acc*). – 2. aufgeben, (*einer Sache*) entsagen. – 3. gehen lassen, nicht nehmen. – 4. *obs*. a) vernachlässigen, b) verlassen. – **II** *v/i* 5. entsagen.

for·got [fər'gɒt] *pret u. poet. pp von* forget. — **for'got·ten** *pp von* forget.

fo·rint ['fɔːrint] *s econ*. Forint *m* (*ungar. Währungseinheit*).

fo·ris·fa·mil·i·ate [,fɔːrisfə'mili,eit] *jur*. **I** *v/t* 1. (*Vermögen*) (zu Lebzeiten) aus der Hand geben. – 2. (*j-m*) das Erbteil aushändigen *od*. -zahlen, (*j-n*) (bei Lebzeiten) abfinden. – **II** *v/i* 3. auf weitere Erbansprüche verzichten. — ,**fo·ris·fa,mil·i'a·tion** *s* Abfindung *f* (bei Lebzeiten).

for'judge *v/t jur*. aberkennen, enteignen, ausschließen: to ~ s.o. (of *od*. from) s.th. j-m etwas aberkennen.

fork [fɔːrk] **I** *s* 1. (Eß-, Fleisch-, Tisch)-Gabel *f*. – 2. (Heu-, Mist)Gabel *f*, Forke *f*. – 3. *mus*. Stimmgabel *f*. – 4. Gabelung *f*, Abzweigung *f* (*Straße*). – 5. (Gabel)Stütze *f*. – 6. *Am*. (größter) Nebenfluß. – 7. *oft pl Am*. Gebiet *n* an einer Flußgabelung. – 8. (abzweigende) Nebenstraße. – 9. (*Weberei*) Krückchen *n*. – 10. gespaltener Blitz. – 11. *Am*. gabelförmiger Einschnitt (*Eigentumszeichen*). – 12. *obs*. Pfeilspitze *f* mit 'Widerhaken. – 13. *tech*. Gabel *f*. – **II** *v/t* 14. gabelförmig machen, gabeln. – 15. mit einer Gabel aufladen *od*. graben *od*. heben. – 16. (*Schach*) (*zwei Figuren*) gleichzeitig angreifen. – 17. *tech. Br.* (*Schacht*) auspumpen. – 18. *Am. sl.* (*Pferd*) besteigen u. reiten. – 19. ~ out, ~ over, ~ up *sl.* (*Geld*) (be)zahlen, herˈausrücken, ‚blechen'. – **III** *v/i* 20. sich gabeln, abzweigen. – 21. sich gabelförmig teilen *od.* spalten. — **ˈ~ˌbeard** *s zo.* (*ein*) Schellfisch *m* (*Raniceps trifurcus*).

forked [fɔːrkt] *adj* 1. gegabelt, gabelspaltig, -förmig, gespalten. – 2. zickzack(förmig) (*Blitz*). — **fork·ed·ness** [ˈfɔːrkidnis] *s* gabelförmige Teilung *od.* Beschaffenheit.

fork end *s tech.* Gabel(gelenk *n*) *f.*

fork·ing [ˈfɔːrkiŋ] *s* Gabelung *f*, Verzweigung *f.*

fork| lift (truck) *s tech.* Gabel-, Hubstapler *m.* — **ˈ~ˌtail** *s zo.* 1. *Fisch mit gegabeltem Schwanz, bes.* → **swordfish** 1. – 2. Gabelweihe *f* (*Milvus milvus*). — **ˈ~-ˌtailed** *adj zo.* gabel-, scherenschwänzig, Schwalbenschwanz...

fork·y [ˈfɔːrki] → **forked.**

for·lorn [fərˈlɔːrn] *adj* 1. verlassen, einsam. – 2. verzweifelt, hoffnungs-, hilflos. – 3. unglücklich, elend. – 4. fast aussichtslos. – 5. *poet.* (of) beraubt (*gen*), entblößt (von). – *SYN. cf.* **alone.** — **~ hope** *s* 1. aussichtsloses *od.* gefährliches *od.* verzweifeltes Unterˈnehmen. – 2. *mil.* verlorener Haufen *od.* Posten, ‚ˈHimmelfahrtskomˌmando' *n.* – 3. letzte (verzweifelte) Hoffnung.

for·lorn·ness [fərˈlɔːrnnis] *s* Verlassenheit *f*, Elend *n.*

form [fɔːrm] **I** *s* 1. Form *f*, Gestalt *f*, Fiˈgur *f.* – 2. *tech.* Form *f*, Moˈdell *n*, Schaˈblone *f.* – 3. (Kuchen)Form *f.* – 4. Formuˈlar *n*, Formblatt *n*, Vordruck *m.* – 5. Form *f* (*Dichtung, Wort etc*). – 6. (An)Ordnung *f*, Syˈstem *n*, Meˈthode *f*, Schema *n*, Formel *f*, Art *f* u. Weise *f*: **in due ~** vorschriftsmäßig; **~ of payment** Zahlungsweise, -modus. – 7. *philos.* Form *f*: a) Wesen *n*, Strukˈtur *f*, Naˈtur *f*, b) Gestalt *f*, c) (*Platonismus*) Iˈdee *f.* – 8. Erscheinungsform *f*, -weise *f.* – 9. Sitte *f*, (Ge)Brauch *m.* – 10. (ˈherkömmliche) gesellschaftliche Form, Anstand *m*, Maˈnier *f*, Benehmen *n*: **in bad ~** unschicklich, unerzogen. – 11. Formaliˈtät *f*, Förmlichkeit *f*: **a mere matter of ~** eine bloße Formalität. – 12. Zeremoˈnie *f.* – 13. *math. tech.* Formel *f.* – 14. körperliche Verfassung, Zustand *m*, Leistungsfähigkeit *f*: **he is in (out of) ~** *colloq.* er ist (nicht) in Form. – 15. *Br.* (Schul)Klasse *f.* – 16. *Br. meist* **forme** *print.* (Druck)Form *f.* – 17. a) *Br.* Schulbank *f*, Sitz *m*, b) Bank *f* ohne Lehne. – 18. *hunt.* Lager *n*, Sitz *m* (*Hase*). – 19. *tech.* Planum *n.* – 20. *Am.* Baumwollknospe *f.* – *SYN.* **configuration, conformation, figure, shape.** –

II *v/t* 21. formen, bilden, machen, gestalten (**into** zu; **after, upon** nach). – 22. (*einen Teil*) bilden, ausmachen, darstellen, (*etwas*) sein, dienen als. – 23. (an)ordnen, zuˈsammen-, aufstellen. – 24. *mil.* forˈmieren (**into** in *acc*). – 25. (*Plan*) fassen, entwerfen, ersinnen, erdenken. – 26. sich (*eine Meinung*) bilden. – 27. (*Freundschaft etc*) schließen, anknüpfen. – 28. schulen, (aus-, herˈan)bilden. – 29. (*Gewohnheit*) annehmen, entwickeln. – 30. *ling.* (*Wörter*) bilden. – 31. *tech.* verformen, fassoˈnieren, modelˈlieren, forˈmieren. – 32. (*Gesellschaft*) gründen. – *SYN. cf.* **make.** –

III *v/i* 33. Form *od.* Gestalt annehmen, sich formen, sich gestalten, sich bilden. – 34. gestaltet *od.* geformt *od.* geschaffen werden. – 35. eine bestimmte Form *od.* (An)Ordnung annehmen. – 36. *mil.* antreten, sich aufstellen, sich forˈmieren (**into** in *acc*).

-form [fɔːrm] *Suffix mit der Bedeutung* ...förmig.

for·mal [ˈfɔːrməl] **I** *adj* 1. forˈmal, gehörig, ˈherkömmlich, konventioˈnell. – 2. forˈmell, förmlich, feierlich: **~ call** Höflichkeitsbesuch. – 3. Gesellschaftskleidung verlangend (*Tanz, Diner*). – 4. ˈumständlich, steif. – 5. äußerlich, forˈmal, scheinbar, rein gewohnheitsmäßig. – 6. gültig, gesetzlich. – 7. peinlich genau. – 8. gleich-, regelmäßig, symˈmetrisch. – 9. akaˈdemisch, streng meˈthodisch, forˈmal, schulmäßig. – 10. gehoben, feierlich (*Stil*). – 11. *philos.* a) forˈmal, Form..., b) wesentlich: **~ logic** Formallogik. – *SYN. cf.* **ceremonial.** – **II** *s Am. colloq.* 12. Tanz, für den Gesellschaftskleidung vorgeschrieben ist. – 13. Abendkleid *n.*

for·mal·de·hyd(e) [fɔːrˈmældiˌhaid; -də-] *s chem.* Formaldeˈhyd *m* (CH_2O). — **ˈfor·ma·lin** [-məlin] *s chem.* Formaˈlin *n.*

for·ma·lism [ˈfɔːrməˌlizəm] *s* 1. Förmlichkeit *f.* – 2. *bes. math. relig.* Formaˈlismus *m.* – 3. (leeres) Formenwesen. — **ˈfor·mal·ist** *s* Formaˈlist *m.* — **ˌfor·malˈis·tic** *adj* formaˈlistisch. — **forˈmal·i·ty** [-ˈmæliti; -əti] *s* 1. Förmlichkeit *f*, ˈHerkömmlichkeit *f*, Brauch *m.* – 2. peinlich genaues Wesen. – 3. Steifheit *f.* – 4. ˈUmständlichkeit *f*, Förmlichkeit *f*: **without ~** ohne Umstände (zu machen). – 5. Formaliˈtät *f*, Formsache *f*, vorgeschriebene Form: **for the sake of ~** aus formellen Gründen. – 6. förmliche Handlung, Zeremoˈnie *f.* – 7. Äußerlichkeit *f*, leere Geste. — **ˈfor·malˌize** [-məˌlaiz] **I** *v/t* 1. zur Formsache machen, in konventioˈnelle Formen kleiden, formaliˈsieren. – 2. formen, feste Form geben (*dat*), in eine bestimmte Form bringen. – **II** *v/i* 3. förmlich sein *od.* handeln. — **ˈfor·mal·ly** *adv* 1. förmlich. – 2. forˈmal, in bezug auf (die) Form. – 3. forˈmell, ausdrücklich, in aller Form.

for·mat [ˈfɔːrmæt] *s* Forˈmat *n* (*Buch*).

for·mate [ˈfɔːrmeit] *s chem.* Formiˈat *n* (H_2CO_2).

for·ma·tion [fɔːrˈmeiʃən] *s* 1. Formung *f*, Gestaltung *f*, (Aus)Bildung *f*: **~ of a concept** Begriffsbildung; **~ of the image** Bildentstehung. – 2. Formen *n*, Machen *n*, Forˈmierung *f.* – 3. Entstehung *f*, Gründung *f.* – 4. Anordnung *f* (*Teil*), Strukˈtur *f*, Zuˈsammensetzung *f*, Bau *m.* – 5. *aer. mil. sport* a) Formatiˈon *f*, Aufstellung *f*, b) Antreten *n*: **~ flying** *aer.* Fliegen im Verband. – 6. *geol.* Formatiˈon *f*, Gebilde *n.* – 7. (*das*) Geformte *od.* ˈHergestellte. – 8. *mil.* Truppenteil *m*, Verband *m.*

form·a·tive [ˈfɔːrmətiv] **I** *adj* 1. formend, formaˈtiv, gestaltend, bildend. – 2. Formungs..., Entwicklungs..., bildend. – 3. *ling.* formbildend, Bildungs..., Ableitungs... – 4. *bot. zo.* morphoˈgen, Bildungs..., Gestaltungs...: **~ growth** morphogenes, ausbauendes *od.* inneres Wachstum; **~ stimulus** Neubildungsreiz; **~ tissue** Bildungsgewebe. – **II** *s* 5. *ling.* ˈBildungs-, ˈAbleitungseleˌment *n.* — **~ el·e·ment** *s ling.* ˈWortbildungseleˌment *n.*

form| class *s ling.* Klasse *f*, Redeteil *m.* — **~ drag** *s tech.* ˈFormˌwiderstand *m*, ˈFormkompoˌnente *f* des ˈStrömungsˌwiderstandes.

forme *bes. Br. für* **form** 16.

for·mer[1] [ˈfɔːrmər] *adj* 1. früher(er, e, es), vorig(er, e, es): **the ~ Mrs. Smith** die frühere Frau Smith; **he is his ~ self again** er ist wieder (ganz) der alte. – 2. vorˈhergehend, vorˈherig(er, e, es). – 3. (längst) vergangen, vormalig(er, e, es): **in ~ times** vormals, vorzeiten. – 4. ersterwähnt(er, e, es), erstgenannt(er, e, es). – 5. ehemalig(er, e, es): **a ~ president.** – *SYN. cf.* **preceding.**

form·er[2] [ˈfɔːrmər] *s* 1. Former *m*, Gestalter *m*, Bildner *m.* – 2. *tech.* Dreher *m*, Former *m*, Gießer *m.* – 3. *tech.* a) Form *f*, Moˈdell *n*, (Koˈpier)SchaˌbIone *f*, b) Stechbeitel *m*, Schroteisen *n.*

for·mer·ly [ˈfɔːrmərli] *adv* 1. ehe-, vormals, ehedem, früher: **Mrs. Smith, ~ Brown** a) Frau Smith, geborene Brown, b) Frau Smith, ehemalige Frau Brown. – 2. *obs.* vorher, zuˈvor.

for·mic ac·id [ˈfɔːrmik] *s chem.* Ameisensäure *f* (HCOOH).

for·mi·car·i·an [ˌfɔːrmiˈkɛ(ə)riən; -mə-] *adj zo.* 1. Ameisen(haufen)... – 2. zu den Formicariˈidae gehörig. — **ˌfor·miˈcar·i·um** [-əm] *pl* **-ˈcar·i·a** [-ə], **ˈfor·mi·car·y** [*Br.* -kəri; *Am.* -ˌkeri] *s zo.* Ameisenhaufen *m*, -nest *n.* — **ˈfor·mi·cate I** *v/i* [-ˌkeit] wimmeln, krabbeln (**with** von). – **II** *adj* [-kit; -ˌkeit] *zo.* ameisenartig, Ameisen... — **ˌfor·miˈca·tion** *s med.* Ameisenkriechen *n*, -laufen *n*, Kribbelgefühl *n*, Pelzigsein *n.*

for·mi·da·bil·i·ty [ˌfɔːrmidəˈbiliti; -əti] *s* Furchtbarkeit *f*, Schwierigkeit *f.* — **ˈfor·mi·da·ble** *adj* 1. schrecklich, furchtbar, fürchterlich. – 2. ungeheuer stark *od.* mächtig, äußerst schwierig, sehr groß, gewaltig. — **ˈfor·mi·da·ble·ness** → **formidability.**

form·ing [ˈfɔːrmiŋ] *s tech.* 1. Verformung *f*, Fassoˈnierung *f*, Formgebung *f*: **~ property** Verformbarkeit. – 2. Formen *n*, Bilden *n*: **~ current** *phys.* Formationsstrom. – 3. Profiˈlierung *f.* — **ˈform·less** *adj* formlos. — **ˈform·less·ness** *s* Formlosigkeit *f.*

form let·ter *s Am.* Formuˈlarbrief *m.*

for·mu·la [ˈfɔːrmjulə; -jə-] *pl* **-las, -lae** [-ˌliː] *s* 1. *chem. math.* Formel *f.* – 2. *med.* Reˈzept *n.* – 3. *relig.* (Glaubens-, Gebets)Formel *f.* – 4. Formel *f*, bestimmte Phrase, wörtlich festgelegte Erklärung (*bei Zeremonien etc*). — **ˌfor·mu·lar·iˈza·tion** *s* Formuˈlierung *f.* — **ˈfor·mu·larˌize** *v/t* formuˈlieren, in eine Formel fassen. — **ˈfor·mu·lar·y** [*Br.* -ləri; *Am.* -ˌleri] **I** *s* 1. Formelsammlung *f*, -buch *n*, -heft *n.* – 2. Formel *f*, (vorgeschriebener) Satz. – 3. Arzˈneimittel-, Reˈzeptbuch *n*, pharmaˈzeutisches Handbuch. – 4. *relig.* Rituˈalbuch *n.* – **II** *adj* 5. förmlich, formelhaft. – 6. vorschriftsmäßig, vorgeschrieben. – 7. *relig.* rituˈell. – 8. Formel... — **ˈfor·muˌlate** [-ˌleit] *v/t* 1. genau *od.* klar ausdrücken *od.* darlegen. – 2. in einer Formel ausdrücken, auf eine Formel bringen, formuˈlieren. — **ˌfor·muˈla·tion** *s* Formuˈlierung *f*, Fassung *f.*

for·mu·lism [ˈfɔːrmjuˌlizəm; -jə-] *s* 1. Formelwesen *n*, -haftigkeit *f*, -kram *m.* – 2. ˈFormelsyˌstem *n.* — **ˌfor·muˈlis·tic** *adj* formelhaft. — **ˈfor·muˌlize** → **formulate.**

for·myl [ˈfɔːrmil] *s chem.* Forˈmyl *n* (HCO).

for·ni·cate [ˈfɔːrniˌkeit] *v/i* Unzucht treiben, huren. — **ˌfor·niˈca·tion** *s* 1. Unzucht *f*, Huren *n*, Hureˈrei *f.* – 2. *Bibl.* a) Ehebruch *m*, b) Götzendienst *m.* — **ˈfor·niˌca·tor** [-tər] *s* 1. Unzüchtiger *m*, Hurer *m.* – 2. *Bibl.* a) Ehebrecher *m*, b) Götzendiener *m.*

for·nix [ˈfɔːrniks] *pl* **-ni·ces** [-niˌsiːz] *s med. zo.* 1. Gehirnwölbung *f*, Hirngewölbe *n.* – 2. Scheidengewölbe *n.*

for·rad·er [ˈfɒrədər] *adj dial.* 1. weiter vorn. – 2. *fig.* weiter fortgeschritten.

for·rel *cf.* **forel.**

for·sake [fərˈseik] *pret* **forˈsook** [-ˈsuk] *pp* **forˈsak·en** *v/t* 1. (*j-n*) verlassen, im Stich lassen. – **2.** aufgeben, entsagen (*dat*). – *SYN. cf.* abandon. — **for'sak·en I** *pp von* forsake. – **II** *adj* verlassen, einsam. — **for'sook** *pret von* forsake.

for·sooth [fər'suːθ; fɔːr-] *adv* wahrlich, in der Tat, für'wahr (*ironisch*).

for·spend [fɔːr'spend] *v/t obs.* erschöpfen. — **for'spent** *adj* erschöpft.

for·ster·ite ['fɔːrstəˌrait] *s min.* Forste'rit *m* (Mg_2SiO_4).

for·swear [fɔːr'swɛr] *v/t irr* **1.** eidlich bestreiten, unter Eid verneinen *od.* (ver)leugnen, unter Pro'test zu'rückweisen. – **2.** abschwören (*dat*), eidlich entsagen (*dat*) *od.* aufgeben (*acc*). – **3.** *fig.* geloben zu meiden, aufzugeben versprechen. – **4.** *reflex* meineidig werden, falsch schwören, einen Meineid leisten: to ~ oneself. – *SYN. cf.* abjure. — **for'sworn** [-'swɔːrn] **I** *pp von* forswear. – **II** *adj* meineidig.

for·syth·i·a [fɔːr'saiθiə; -'siθ-] *s bot.* For'sythie *f* (*Gattg Forsythia*).

fort [fɔːrt] **I** *s* **1.** *mil.* Fort *n*, Feste *f*, Festung(swerk *n*) *f* (*auch fig.*). – **2.** *Am. hist.* Handelsposten *m*. – **II** *v/t* **3.** *auch* ~ in, ~ up *Am.* durch ein Fort sichern. – **III** *v/i* **4.** *auch* ~ in *Am.* ein Fort errichten, in einem Fort Schutz suchen.

for·ta·lice ['fɔːrtəlis] *s mil.* **1.** kleines Fort, Außenwerk *n*. – **2.** *obs. od. poet.* Feste *f*.

forte[1] [fɔːrt] *s* **1.** Stärke *f* der Klinge (*Säbel*). – **2.** *fig.* Stärke *f*, starke Seite, besondere Fähigkeit (for für).

for·te[2] ['fɔːrti; -te] *mus.* **I** *s* Forte *n*. – **II** *adj u. adv* forte, laut, kräftig.

forth [fɔːrθ] **I** *adv* **1.** her'vor, vor, her: → bring ~; come ~; show ~. – **2.** her'aus, hin'aus. – **3.** (dr)außen, außerhalb. – **4.** *poet.* sichtbar. – **5.** vorwärts, weiter, fort(an): and so ~ und so fort *od.* weiter; from this time ~ von nun an, in Zukunft, hinfort; from that day ~ von dem Tag an; so far ~ bis zu diesem Punkt, (in)soweit. – **6.** weg, fort (*von einem Ort etc*). – **II** *prep* **7.** *obs.* fort von *od.* aus. – **III** *s* **8.** *Scot.* (*das*) Freie. — ˌ~'**com·ing I** *adj* **1.** her'aus-, her'vorkommend, erscheinend. – **2.** bevorstehend, nächst(er, e, es). – **3.** im Erscheinen begriffen (*Buch*). – **4.** bereit, verfügbar. – **5.** zu'vor-, entgegenkommend, hilfreich. – **II** *s* **6.** Erscheinen *n*, Her'auskommen *n*. — '~ˌ**right I** *adj* **1.** di'rekt, gerade. – **2.** *fig.* offen, ehrlich, gerade. – **II** *s* **3.** *obs.* gerader Weg. – **III** *adv* [ˌ-'rait] **4.** di'rekt, gerade(aus). – **5.** so'fort, gleich. — '~ˌ**right·ness** *s fig.* Geradheit *f*, offenes Wesen. — ˌ~'**rights** → forthright III.

forth·with [ˌfɔːrθ'wiθ; -'wið] *adv* **1.** so'fort, gleich, unverzüglich, 'umgehend. – **2.** so bald wie möglich, so bald es nur geht.

for·ti·eth ['fɔːrtiiθ] **I** *s* **1.** (*der, die, das*) Vierzigste. – **2.** Vierzigstel *n*. – **II** *adj* **3.** vierzigst(er, e, es).

for·ti·fi·a·ble ['fɔːrtiˌfaiəbl; -tə-] *adj* zu befestigen(d). — ˌ**for·ti·fi'ca·tion** *s* **1.** (Ver)Stärken *n*, (Be)Festigung *f*. – **2.** Verstärken *n* (*Wein mit Alkohol*). – **3.** Schutz(mittel *n*) *m*, Sicherung *f*. – **4.** *mil.* a) Festungsbauwesen *n*, b) Festung *f*, c) *meist pl* Festungswerk *n*, Verschanzung *f*, Werke *pl*, Befestigung(sanlage) *f*. — '**for·ti·ˌfi·er** [-ˌfaiər] *s* Stärkungsmittel *n*.

for·ti·fy ['fɔːrtiˌfai; -tə-] **I** *v/t* **1.** *mil.* befestigen, mit Festungswerken schützen. – **2.** (*Wein mit Alkohol*) (ver)stärken. – **3.** (ver)stärken. – **4.** stärken, kräftigen, (*dat*) Ener'gie verleihen. – **5.** *fig.* geistig *od.* mo'ralisch stärken, ermutigen, bestärken, befestigen (*in Entschließungen*), waffnen, wappnen (with mit): to ~ oneself against s.th. sich gegen etwas wappnen. – **6.** (*Nahrungsmittel*) anreichern, (*dat*) mehr Nährwert verleihen. – **II** *v/i* **7.** Befestigungen anlegen.

for·tis ['fɔːrtis] *pl* **-tes** [-tiːz] *ling.* **I** *s* Fortis *f*. – **II** *adj* fortis.

for·tis·si·mo [fɔːr'tisiˌmou; -sə-] *adj u. adv mus.* sehr stark *od.* laut, for'tissimo.

for·ti·tude ['fɔːrtiˌtjuːd; -təˌt-; *Am. auch* -ˌtuːd] *s* **1.** mo'ralische Kraft, Geistes-, Seelenstärke *f*. – **2.** Mut *m*, Standhaftigkeit *f*. – *SYN.* backbone, grit, guts, pluck, sand.

fort·night ['fɔːrtˌnait; -nit] *s bes. Br.* vierzehn Tage, Zeitraum *m* von 14 Tagen: this day ~ a) heute in 14 Tagen, b) heute vor 14 Tagen; in a ~ in 14 Tagen; this ~ seit 14 Tagen; a ~ hence heute über 14 Tage *od.* in 14 Tagen; I would rather keep him a week than a ~ er ist ein starker Esser; a ~'s holiday ein vierzehntägiger Urlaub, vierzehntägige Ferien. — '**fortˌnight·ly** *bes. Br.* **I** *adj* vierzehntägig: ~ settlement *econ.* Medioabrechnung, -liquidation. – **II** *adv* alle 14 Tage. – **III** *s* Halbmonatsschrift *f*, alle 14 Tage erscheinende Zeitschrift.

for·tress ['fɔːrtris] **I** *s* **1.** *mil.* Festung *f*, Fort *n*. – **2.** *fig.* sicherer Ort, Hort *m*, Schutz *m*. – **II** *v/t* **3.** *meist poet.* befestigen, schützen.

for·tu·i·tism [fɔːr'tjuːiˌtizəm; -əˌt-; *Am. auch* -'tuː-] *s philos.* Lehre *f* vom Herrschen des (blinden) Zufalls, Zufallsglaube *m*. — **for'tu·i·tist I** *s* Anhänger *m* des Zufallsglaubens. – **II** *adj* Zufallsglaubens... — **for'tu·i·tous** *adj* zufällig. – *SYN. cf.* accidental. — **for'tu·i·ty,** *auch* **for'tu·i·tous·ness** *s* **1.** Zufall *m*, Ungefähr *n*. – **2.** Zufälligkeit *f*. – **3.** zufälliges Ereignis.

for·tu·nate ['fɔːrtʃənit] **I** *adj* **1.** glücklich: to be ~ in having s.th. (so) glücklich sein, etwas zu besitzen. – **2.** glückbringend, -verheißend, günstig. – **II** *s* **3.** Glückskind *n*, vom Glück begünstigter Mensch. – **4.** *astr.* glückbringende Konstellati'on. – *SYN. cf.* lucky. — '**for·tu·nate·ly** *adv* glücklicherweise, zum Glück. — '**for·tu·nate·ness** *s* Glücklichkeit *f*, Glück *n*.

for·tune ['fɔːrtʃən] **I** *s* **1.** Vermögen *n*, großer Reichtum *od.* Besitz: to make one's ~ sein Glück machen; to make a ~ (sich) ein Vermögen erwerben; a man of ~ ein Mann von Vermögen, ein reicher Mann; to spend a (small) ~ on s.th. ein (kleines) Vermögen für etwas ausgeben; to come into a ~ ein Vermögen erben. – **2.** reiche Par'tie *od.* Frau: he married a ~ er hat reich *od.* eine reiche Frau geheiratet, er hat eine gute Partie gemacht. – **3.** Glück(sfall *m*) *n*, Zufall *m*. – **4.** *oft pl* Geschick *n*, Schicksal *n*: to tell ~s wahrsagen, *bes.* Karten legen; by good ~ glücklicherweise; to try one's ~ sein Glück versuchen. – **5.** *oft* F~ For'tuna *f*, Glück(sgöttin *f*) *n*. – **6.** Erfolg *m*, Wohlfahrt *f*, -ergehen *n*. – **II** *v/i* **7.** *obs. od. poet.* geschehen, sich zutragen: it ~d that es geschah, daß. — ~ **hunt·er** *s* Glücks-, *bes.* Mitgiftjäger *m*. — '~ˌ**tell·er,** *bes. Br.* '~-ˌ**tell·er** *s* Wahrsager(in). — '~ˌ**tell·ing,** *bes. Br.* '~-ˌ**tell·ing** *s* Wahrsagen *n*, ˌWahrsage'rei *f*, *bes.* Kartenlegen *n*.

for·ty ['fɔːrti] **I** *s* **1.** Vierzig *f*. – **2.** Alter *n* von 40 Jahren. – **3.** the forties die Vierziger(jahre) *pl* (*von 39 bis 50; Leben od. Jahrhundert*). – **4.** the Forties die See zwischen Schottlands Nord'ost- u. Norwegens Süd'westküste. – **5.** the roaring forties stürmischer Teil des Ozeans (zwischen dem 39. u. 50. Breitengrad). – **6.** the F~-five Jako'bitische Erhebung im Jahre 1745. – **II** *adj* **7.** vierzig: ~ winks *colloq.* Nickerchen, Schläfchen; the F~ Immortals die 40 Unsterblichen (*der Académie Française*); the F~ Thieves die 40 Räuber (*1001 Nacht*). — '~-ˌ**knot** *s bot.* (*eine*) amer. Streublume (*Achyranthes repens*). — '~-''**lev·en** [-'levn] *adj Am. sl.* riesig viele: ~ times ...zigmal. — ˌ~-'**nin·er,** *auch* ˌ**F~-'Nin·er** *s Am.* Goldgräber, der 1849 nach Kali'fornien ging.

fo·rum ['fɔːrəm] *pl* **-rums** *od.* **-ra** [-rə] *s* **1.** *antiq.* Forum *n*. – **2.** *jur.* Gericht(shof *m*) *n*, Tribu'nal *n* (*auch fig.*). – **3.** Forum *n*.

for·ward ['fɔːrwərd] **I** *adv* **1.** in (der) Zukunft, vor, nach vorn, vorwärts, vor'an, vor'auf, vor'aus: from this day ~ von heute an; send him ~ schick ihn voraus; brought ~, carried ~ Übertrag (*eines Betrages*); freight ~ Fracht bei Ankunft der Ware zu bezahlen; to go ~ *fig.* Fortschritte machen, fortschreiten; → balance 7; look ~. – **2.** her'aus, her'vor, vor: to come ~ sich melden; to bring (*od.* put) ~ vorbringen, vorschlagen. – **II** *adj* **3.** vorwärts *od.* nach vorn gerichtet, Vorwärts...: a ~ motion. – **4.** *bot.* frühreif, zeitig. – **5.** vorgerückt, vorgeschritten, frühreif. – **6.** *fig.* fortschrittlich. – **7.** *fig.* weitgekommen, -gediehen (in in *dat*). – **8.** *fig.* dreist, keck, vorlaut. – **9.** *fig.* vorschnell, voreilig. – **10.** *fig.* vorgerückt (*an Jahren*). – **11.** vorn liegend *od.* befindlich, vorder(er, e, es): ~ line of defended localities *mil.* vorderer Rand der Verteidigungsstellungen, (*früher*) Hauptkampflinie. – **12.** *econ.* Termin... – **13.** bereit(willig), eifrig. – **III** *s* **14.** *sport* Stürmer *m*: ~ line Stürmerreihe. – **IV** *v/t* **15.** nach-, weiterschicken, -senden: please ~ bitte nachsenden. – **16.** beschleunigen. – **17.** fördern, begünstigen. – **18.** spe'dieren, verschicken, (weiter)befördern, senden. – **19.** (*Buchbinderei*) für den Fertigmacher vorbereiten. – *SYN. cf.* advance. – **V** *interj* **20.** *mil.* geradeaus! vorwärts!: ~, march! im Gleichschritt, marsch! Frei-weg! — ~ **de·liv·er·y** *s econ.* Ter'minlieferung *f*.

for·ward·er ['fɔːrwərdər] *s* **1.** Absender *m*, Ver-, Über'sender *m*. – **2.** Spedi'teur *m*. — '**for·ward·ing** *s* **1.** *tech.* Vorbereiten *n* eines Buches. – **2.** (*Kupferstechen*) Bearbeitung *f* einer Kupferplatte. – **3.** Absenden *n*, Versenden *n*. – **4.** Beförderung *f*, Verschickung *f*, Versendung *f*, Abfertigung *f* (*Waren*), Spe'dieren *n*: ~ agent Spediteur; ~ charges Versandspesen; ~ note Speditionsauftrag, Frachtbrief. – **5.** Nachsenden *n*, -sendung *f*: ~ office (*Eisenbahn*) Weiterleitungsstelle. — '**for·ward·ness** *s* **1.** Eifer *m*, Fleiß *m*, Bereitwilligkeit *f*. – **2.** 'Übereifer *m*, Voreiligkeit *f*, Dreistigkeit *f*, Keckheit *f*. – **3.** *bot.* zeitiges Reifen *od.* Blühen, Frühzeitigkeit *f*. – **4.** Frühreife *f*.

for·ward| pass *s sport* Vorlage *f*. — ~ **quo·ta·tion** *s econ.* Preis *m* im Ter'mingeschäft.

for·wards ['fɔːrwərdz] → forward I.

for·ward| speed *s phys.* **1.** Längsgeschwindigkeit *f*, Geschwindigkeit *f* in Ausbreitungsrichtung. – **2.** Vortriebsgeschwindigkeit *f*, Vorwärtsgang *m*. — ~ **zone** *s* (*Eishockey*) Angriffsdrittel *n*.

for'wear·ied, for'worn *adj obs.* erschöpft.

for·zan·do [for'tsando] (*Ital.*) *adj u. adv mus.* for'zando, stärker werdend, verstärkend.

fos·sa ['fɒsə] *pl* **-sae** [-siː] *s med.* Fossa *f*, Grube *f*, Höhlung *f*, Bucht *f*.

fosse [fɒs; *Am. auch* fɔːs] *s* **1.** Grube *f*, Graben *m*, Ka'nal *m*. – **2.** *med.* Grube *f*, Höhle *f*. — **fos·sette** [fɒ'set] *s* kleine Vertiefung, Grübchen *n*.

fos·sick ['fɒsik] **I** *v/i* **1.** *Austral.* (*in alten Minen etc*) (nach) Gold suchen. – **2.** suchen, angeln (for nach). – **3.** her'umstöbern, -suchen. – **II** *v/t* **4.** *Austral. od. dial.* graben, jagen, krampfhaft suchen. — **'fos·sick·er** *s Austral.* Goldgräber *m*.

fos·sil ['fɒsl] **I** *s* **1.** *geol. min.* Fos'sil *n*, Versteinerung *f*: ~ **ivory** Mammutelfenbein. – **2.** *colloq.* a) verknöcherter *od.* rückständiger Mensch, b) (*etwas*) Altes *od.* Vorsintflutliches. – **II** *adj* **3.** fos'sil, versteinert, Versteinerungs...: ~ **meal** Infusorienerde. – **4.** ausgegraben. – **5.** *colloq.* alt, veraltet, verknöchert, rückständig, vorsintflutlich.— **ˌfos·sil'if·er·ous** [-i'lifərəs] *adj* fos'silienhaltig, fos'silführend, Fossil... — **'fos·sil·ist** *s* Paläonto'loge *m*, Fos'silienkundiger *m*. — **ˌfos·sil·i'za·tion** *s* Versteinerung *f*, Fos'sil(ien)bildung *f*. — **'fos·silˌize I** *v/t* **1.** *geol.* versteinern. – **2.** *fig.* starr *od.* leblos machen. – **II** *v/i* **3.** versteinern. – **4.** *fig.* verknöchern.

fos·sil oil *s geol.* Berg-, Erd-, Steinöl *n*, Pe'troleum *n*.

fos·so·ri·al [fɒ'sɔːriəl] *adj zo.* grabend, Grab...: ~ **leg** Grabbein.

fos·su·la ['fɒsjulə; -jə-] *s med.* Grübchen *n*, Delle *f*, Fossula *f*. — **'fos·su·late** [-lit; -ˌleit] *adj zo.* gefurcht. — **'fos·sule** [-juːl], **'fos·su·let** [-lit] → fossula.

fos·ter ['fɒstər; *Am. auch* 'fɔːs-] **I** *v/t* **1.** fördern, anregen, beleben. – **2.** (*Kind*) aufziehen, nähren, pflegen. – **3.** *fig.* (*Gefühl*) nähren, hegen, pflegen. – **4.** begünstigen (*Umstände*). – **II** *adj* **5.** Nähr..., Pflege...: ~ **brother** Adoptiv-, Milchbruder; ~ **child** Pflegekind. — **'fos·ter·age** *s* **1.** Pflege *f*, Aufziehen *n* eines Pflegekindes. – **2.** Pflegekindsein *n*. – **3.** *hist. Brauch, die Kinder Pflegemüttern zu übergeben*. – **4.** *fig.* Förderung *f*, Anregen *n*. — **'fos·ter·er** *s* **1.** *fig.* Förderer *m*. – **2.** *Irish* Adoptiv-, Milchbruder *m*. – **3.** a) Amme *f*, b) Pflegevater *m*. — **'fos·ter·ling** [-liŋ] *s* **1.** Pflegekind *n*, Pflegling *m*. – **2.** *fig.* Schützling *m*.

fos·ter| fa·ther *s* Pflegevater *m*. — ~ **moth·er** *s* **1.** Pflegemutter *f*. – **2.** Amme *f*, Kinderschwester *f*. — ~ **par·ent** *s* Pflegevater *m*, -mutter *f*.

fos·tress ['fɒstris; *Am. auch* 'fɔːs-] *s* Pflegerin *f*, Ernährerin *f*, Erhalterin *f*.

fou·droy·ant [fuː'drɔiənt] *adj* **1.** blendend, über'wältigend. – **2.** *med.* plötzlich u. heftig auftretend.

fou·gasse [fuː'gæs] *s mil.* Fladdermine *f*, Fu'gasse *f*.

fought [fɔːt] *pret u. pp von* **fight.**

foul [faul] **I** *adj* **1.** stinkend, widerlich. – **2.** verpestet, schlecht: ~ **air** a) schlechte Luft, b) (*Bergbau*) gebrauchte Wetter. – **3.** übelriechend. – **4.** schmutzig, unrein, unsauber (*Kleider etc*). – **5.** verrußt (*Schornstein*), voll Unkraut (*Garten*), verschmutzt, verschmiert (*Schußwaffe*), belegt (*Zunge*), bewachsen (*Schiffsboden*), gefährlich, unrein (*Küste*). – **6.** ungünstig, schlecht, stürmisch (*Wetter etc*): ~ **wind** *mar.* Gegenwind. – **7.** *mar.* a) unklar (*Taue etc*), b) in Kollisi'on geratend (**of** mit), c) ungünstig (*Ankergrund*). – **8.** faul, verdorben (*Wasser*), schlecht, unrein (*während der Laichzeit gefangene Fische*). – **9.** *fig.* abscheulich, schlecht, verderbt, böse, gemein: **the** ~ **fiend** der Teufel; **by fair means or** ~ auf anständige *od.* unredliche Weise, auf jeden Fall, komme es wie es wolle. – **10.** *fig.* zotig, lose, gemein, unanständig. – **11.** *fig.* unredlich, unehrlich, falsch. – **12.** *sport* foul: a) regelwidrig, b) unfair. – **13.** *print.* unsauber (*Druck etc*): → **copy** 1. – **14.** *print.* fehlerhaft: ~ **proof** unkorrigierter Abzug. – **15.** *dial.* häßlich. – **16.** *sl.* eklig. – **17.** *obs.* verunstaltet. – *SYN. cf.* **dirty.** –

II *adv* **18.** auf gemeine *od.* unehrliche Art, regelwidrig: ~**-spoken** verleumderisch, schmähend; **to play s.o.** ~ j-n hintergehen, an j-m eine Gemeinheit begehen. –

III *s* **19.** (*etwas*) Widerliches *od.* Schmutziges *od.* Gemeines *od.* Verdorbenes: **through** ~ **and fair** durch dick u. dünn. – **20.** Zu'sammenstoß *m*, Anfahren *n* (*bei Rennen*), ‚Aus'-Schlag *m* (*Baseball*). – **21.** *sport* Foul *n*, Regelverstoß *m*. –

IV *v/t* **22.** beschmutzen, besudeln, beflecken (*auch fig.*). – **23.** *sport* (*Gegner*) regelwidrig angreifen *od.* behindern, foulen. – **24.** zu'sammenstoßen mit. – **25.** *bes. mar.* anfahren, verwickeln, hemmen. –

V *v/i* **26.** schmutzig werden. – **27.** *mar.* a) sich verwickeln (*Taue etc*), unklar sein, b) zu'sammenstoßen. – **28.** *sport* regelwidrig *od.* unfair spielen, foulen. – **29.** (*Baseball*) ‚Aus'-Schlag schlagen: **to** ~ **out** aus sein.

fou·lard [fuː'lɑːrd; *Br. auch* 'fuːlɑːr] *s* Fou'lard *m* (*Seidenstoff*).

foul ball *s* (*Baseball*) ‚Aus'-Schlag *m*, Fehlball *m*.

fou·lé [fu'le] (*Fr.*) *s* Fou'lé *m* (*Wollstoff*).

foul·ing ['fauliŋ] *s* **1.** Beschmutzung *f*, Verunreinigung *f*. – **2.** *mar.* Anwuchs *m*, Bewuchs *m* (*am Schiffsrumpf*).

foul| line *s sport* **1.** (*Baseball*) *Linie vom Ziel über das 1. bzw. 3. Mal bis zur Spielfeldgrenze*. – **2.** (*Basketball*) Freiwurflinie *f*. – **3.** (*Kegeln*) Abwurfgrenze *f*, 'Übertrittsˌlinie *f*. — **'~-'mind·ed** *adj* schlecht *od.* gemein denkend. — **'~-'mouthed** *adj* schmutzige *od.* zotige Reden führend.

foul·ness ['faulnis] *s* **1.** Schmutzigkeit *f*, Verdorbenheit *f*, Schlechtigkeit *f*. – **2.** Schmutz *m*, (*das*) Unreine *od.* Häßliche. – **3.** Gemeinheit *f*, Schändlichkeit *f*, Niedrigkeit *f*. – **4.** (*Bergbau*) *Br.* schlagende Wetter *pl*, Grubengas *n*.

foul play *s* **1.** unsauberes Spiel, verräterische Handlung, Verbrechen *n*, Mord *m*. – **2.** Schwindel *m*, Falschspielen *n*.

fouls [faulz] *s vet.* Fußfäule *f*.

foul| shot *s* (*Basketball*) **1.** Freiwurf *m*. – **2.** Spielstand *m* von 1 Punkt. — ~ **tip** *s* (*Baseball*) ‚Aus'-Ball, der vom Schläger di'rekt in die Hand des Ballfängers kommt. — **'~-'tongued** → foul-mouthed.

fou·mart ['fuːmɑːrt] *s zo.* Europ. Iltis *m* (*Putorius foetidus*).

found[1] [faund] *pret u. pp von* **find.**

found[2] [faund] **I** *v/t* **1.** bauen, errichten. – **2.** errichten, gründen. – **3.** stiften, einrichten, ins Leben rufen: ~**ing fathers** *Am.* Staatsmänner aus der Zeit der Unabhängigkeitserklärung u. der Entstehung der Union. – **4.** *fig.* gründen, bauen, stützen (**on, upon,** in auf *acc*): ~**ed on documents** urkundlich; **to be** ~**ed on** beruhen auf (*dat*); **a story** ~**ed on facts** eine Geschichte, die auf Tatsachen beruht. – **II** *v/i* **5.** *fig.* sich stützen, bauen, fußen (**on** *od.* **upon** auf *dat*).

found[3] [faund] *v/t tech.* **1.** (*Metall*) schmelzen u. in eine Form gießen. – **2.** gießen, durch Guß formen *od.* 'herstellen.

found[4] [faund] *adj Am.* einschließlich 'Unterkunft u. Verpflegung: **12 dollars and** ~ 12 Dollar (Gehalt) mit Zimmer u. voller Verpflegung.

foun·da·tion [faun'deiʃən] *s* **1.** *arch.* Grund(lage *f*, -mauer *f*) *m*, Sockel *m*, Funda'ment *n*. – **2.** *tech.* 'Unterbau *m*, Fun'dierung *f*, Bettung *f*: ~ **plate** a) Grundplatte, Sohle, b) *mar.* Fundamentplatte. – **3.** Grundlegung *f*. – **4.** *fig.* Gründung *f*, Stiftung *f*, Errichtung *f*, Einrichtung *f*: **F**~ **Day** Gründungstag (*26. Januar; austral. gesetzlicher Feiertag*). – **5.** Anstalt *f*, Stift(ung *f*) *n*. – **6.** *fig.* Grund(lage *f*) *m*, Basis *f*, Funda'ment *n*: **the report has no** ~ der Bericht entbehrt jeder Grundlage. – **7.** 'Unterlage *f* (*Hut*), Steifleinen *n* (*Kleid*), Anfang *m*, erste Maschen *pl* (*Häkeln, Stricken*). – **8.** Schenkung *f*, Stiftung *f*: ~ **school** durch Stiftung erhaltene Schule. – **9.** *agr.* Mutterboden *m*. – *SYN. cf.* **base**[1]. — **foun'da·tion·er** *s ped. Br.* Stipendi'at *m* (*einer Stiftung*).

foun·da·tion| gar·ment *s* **1.** a) Hüftformer *m*, b) Mieder *n*, Korse'lett *n*. – **2.** *pl* Mieder(waren) *pl*. — ~ **stone** *s* **1.** Grundstein *m*: **to lay the** ~ **of** den Grundstein legen zu. – **2.** *arch.* Funda'ment-, Grundstein *m*. – **3.** *fig.* Funda'ment *n*, Grundlage *f*, Basis *f*.

found·er[1] ['faundər] *s* Gründer *m*, Stifter *m*: ~**'s preference rights** *econ.* Gründerrechte; ~**'s shares** Gründeraktien.

found·er[2] ['faundər] *s tech.* Gießer *m*, Schmelzer *m*: ~**'s black** Schlichte.

foun·der[3] ['faundər] **I** *v/i* **1.** *mar.* sinken, 'untergehen. – **2.** sinken (*Gebäude*), nachgeben, einfallen (*Boden*). – **3.** *fig.* scheitern, miß'lingen, fehlschlagen. – **4.** *vet.* lahmen, steif werden (*Pferd*). – **5.** straucheln, stolpern, zu Boden fallen. – **II** *v/t* **6.** (*Schiff*) zum Sinken bringen. – **7.** *vet.* (*Pferdehuf*) durch Über'anstrengung zum Entzünden bringen, (*Pferd*) lahm reiten. – **8.** (*Golf*) (*Ball*) in den Boden schlagen. – **III** *s* **9.** *vet.* Hufentzündung *f*, Steifheit *f*.

foun·der·ous ['faundərəs] *adj* holperig, voll Schlaglöcher, mo'rastig.

found·ling ['faundliŋ] *s* Findling *m*, Findelkind *n*: ~ **hospital** Findelhaus, -anstalt. — **'~ˌstone** *s geol.* Findling *m*, er'ratischer Block.

found·ress ['faundris] *s* Gründerin *f*, Stifterin *f*.

found·ry ['faundri] *s tech.* **1.** (ˌSchrift-)Gieße'rei *f*, Gießhaus *n*, (Schmelz-)Hütte *f*. – **2.** Gußstücke *pl*, -waren *pl*. – **3.** Gießen *n*. — ~ **i·ron** *s tech.* graues *od.* gares Roheisen, Gieße'reiroheisen *n*. — **'~·man** [-mən] *s irr tech.* Gießer *m*, Schmelzer *m*. — ~ **pig** → foundry iron. — ~ **proof** *s print.* Revisi'onsabzug *m* (*vor dem Matern*).

fount[1] [faunt] → font[2].

fount[2] [faunt] *s* **1.** Ölbehälter *m* (*Lampe*), Tintenraum *m* (*Füllfeder*). – **2.** *poet.* a) Quelle *f*, Brunnen *m*, Born *m*, b) *fig.* Ursprung *m*.

foun·tain ['fauntin; -tən] *s* **1.** Quelle *f*. – **2.** *fig.* Quelle *f*, Ursprung *m*, 'Herkunft *f*. – **3.** künstlicher Brunnen, Wasserbecken *n*. – **4.** Fon'täne *f*, Springbrunnen *m*. – **5.** Wasserwerk *n*. – **6.** *tech.* Füllkammer *f*, Reser'voir *n*. — **'~ˌhead** *s* **1.** Quelle *f*. – **2.** *fig.* (eigentliche) Quelle, erste Hand. – **3.** *fig.* Urquell *m*. — **F**~ **of Youth** *s* Jungbrunnen *m*. — ~ **pen** *s* Füllfeder(halter *m*) *f*. — ~ **syr·inge** *s med.* Irri'gator *m*, Spülkanne *f*.

four [fɔːr] **I** *adj* **1.** vier: **the** ~ **corners of the earth** die entlegensten Gegenden der Erde; **within the** ~ **seas** in Großbritannien; ~ **figures** vierstellige Zahl; **at** ~ *ellipt.* um vier (Uhr); **carriage and** ~ Kutsche mit 4 Pferden. – **II** *s* **2.** Vier *f*. – **3.** *mar.* a) Vierer(boot *n*) *m*, b) Vierermannschaft *f*, c) *pl* Viererrennen *n od. pl*. – **4.** Vier *f*

(*Spielkarte*). – 5. *oft pl* vier *pl* (*Personen od. Dinge*): in ~s a) zu vieren, b) *mil.* in Viererreihen; on all ~s auf allen vieren; to be on all ~s (with s.th.) *fig.* (mit etwas) übereinstimmen *od.* analog sein, (einer Sache) genau entsprechen. — ~ **ale** *s Br. hist.* billiges Bier (*zu 4d das Quart*). — ˈ~-ˌ**blade** *adj* Vierblatt..., vierflügelig: ~ propeller *aer.* Vierblattschraube, Kreuzpropeller. — ~ **by two** *s mil. Br.* Gewehrreinigungslappen *m* (*4 × 2 Zoll*). — ˈ~-ˌ**cant** *adj u. s mar.* vierschäftig(es Tau). — ˈ~-ˈ**cen·tered,** *bes. Br.* ˈ~-ˈ**cen·tred** *adj arch.* gedrückt: ~ arch gedrückter (engl.) Spitzbogen.

four·chée, four·ché [furˈʃei] *adj her.* an den Enden gegabelt (*Kreuz*).

four·chette [furˈʃet] *s* 1. *med.* ˈSchamlippenkommisˌsur *f*, hinteres Scheidenhäutchen. – 2. *zo.* a) Furcula *f*, Gabelbein *n* (*eines Vogels*), b) Strahl *m*, Gabel *f* (*Huf*).

ˈ**four|-ˌcou·pled** *adj tech.* Vierrad... — ˈ~-ˌ**course** *adj agr.* alle vier Jahre an die Reihe kommend (*Saaten*). — ˈ~-ˌ**cy·cle** *tech.* **I** *s* Viertakt *m.* – **II** *adj* Viertakt...: ~ engine Viertaktmotor. — ˈ~-**di'men·sion·al** *adj math.* ˈvierdimensioˌnal. — ~ **flush** *s* 1. (*Poker*) unvollständige Hand (*4 Karten einer Farbe*). – 2. *Am. sl.* Bluff *m*, ˌGroßtueˈrei *f.* — ˈ~-ˈ**flush** *v/i Am. sl.* großtun, angeben. — ˈ~ˈ**flush·er** *s Am. sl.* Großtuer *m*, Angeber *m.* — ˈ~ˌ**fold I** *adj* vierfach, -fältig: ~ block *mar.* vierscheibiger Block. – **II** *s* (*das*) Vierfache. – **III** *v/t* vervierfachen. – **IV** *adv* um das Vierfache. — ˈ~-ˈ**foot·ed** *adj* vierfüßig. — ~ **free·doms** *s pl* (*die*) vier Freiheiten (*Freiheit der Rede u. Religion, Freiheit von Not u. Furcht*).

four·gon [furˈgɔ̃] (*Fr.*) *s* Fourˈgon *m*, Gepäck-, Packwagen *m.*

ˈ**four|-ˈhand·ed** *adj* 1. *zo.* vierhändig (*Affe*). – 2. *mus.* vierhändig, für 4 Hände. – 3. für 4 Perˈsonen: ~ game Viererspiel. — ˈ**F~-ˈH club,** *auch* **4-H club** *s Am. erzieherischer Landjugendverein* ("head, heart, hands, health"). — ˈ~-ˌ**horse(d)** *adj* vierspännig: ~ coach Vierspänner. — ~ **hun·dred, the** *s Am.* die Hautevoˈlee, ‚die oberen Zehntausend'.

Four·i·er a·nal·y·sis [fuːˈrjei] *s math. phys.* Fouriˈer-AnaˌlyseƒF, -Zerlegung *f.*

Fou·ri·er·ism [ˈfuriəˌrizəm] *s* Fourieˈrismus *m.* — ˈ**Fou·ri·er·ist,** ˈ**Fou·ri·erˌite** *s* Fourieˈrist *m*, Anhänger *m* der Lehre Fouriˈers.

ˈ**four|-in-ˌhand I** *s* 1. Vierspänner *m*, Viererzug *m.* – 2. Viergespann *n.* – 3. Schleife *f*, Halstuch *n*, lange Kraˈwatte. – **II** *adv* 4. mit einem Vierspänner: to drive ~. — ˈ~-ˌ**jawed** *adj tech.* Vierbacken... — ˈ~-ˌ**mast·ed** *adj mar.* mit 4 Masten, viermastig: ~ ship Viermastervollschiff. — ˈ~-ˌ**oared** *adj mar.* mit 4 Riemen, Vierer... — ˈ~-oˈˌ**clock** *s bot.* Wunderblume *f* (*Gattg Mirabilis*). — ˈ~-ˌ**part** *adj mus.* vierstimmig, für 4 Stimmen. — ˈ~·**pence** [-pəns] *s Br.* 1. (Betrag *m* von) 4 Pence. – 2. *hist.* Vier-Pence-Münze *f.* — ˈ~·**pen·ny** [-pəni] *Br.* **I** *adj* 1. Vierpence..., im Wert von 4 Pence: to give s.o. a ~ one (*od.* bit) *Br. sl.* j-m eine ˈrunterhauen; to get a ~ one *aer. Br. sl.* abgeschossen werden. – **II** *s* 2. etwas was 4 Pence kostet. – 3. *hist.* Vier-Pence-Münze *f.* — ˈ~-ˌ**place** *adj math.* viergliedrig, -stellig. — ˈ~-ˌ**point bear·ing** *s mar.* Vierstrichpeilung *f.* — ˈ~-ˈ**post·er** *s* 1. Himmelbett *n.* – 2. *mar. sl.* Viermastschiff *n.* — ˈ~ˈ**pound·er** *s mil.* Vierpfünder *m.*

four·ra·gère [furaˈʒɛːr] (*Fr.*) *s mil.* Fourraˈgère *f* (*franz. Auszeichnung*).

ˈ**four|-ˌrowed bar·ley** *s agr.* vierzeilige Gerste. — ˈ~ˈ**score I** *adj* achtzig. – **II** *s* Alter *n* von 80 Jahren. — ˈ~·**some** [-səm] **I** *s* 1. *sport* Golfspiel *n* zwischen 2 Paaren, Viererspiel *n.* – 2. Gesellschaft *f od.* Satz *m* von vier(en). – **II** *adj* 3. aus vier(en), zu viert. — ˈ~-ˌ**speed gear** *s tech.* Vierganggetriebe *n.* — ˈ~ˈ**square** *adj u. adv* 1. vierseitig, -eckig, quaˈdratisch. – 2. *fig.* fest, standhaft, unnachgiebig, unerschütterlich. – 3. *fig.* offen, barsch, grob, ˈunumˌwunden. — ˈ~ˌ**stroke** *adj tech.* Viertakt..., viertaktig: ~ engine Viertaktmotor.

four·teen [ˈfɔːrˈtiːn] **I** *s* Vierzehn *f.* – **II** *adj* vierzehn: the F~ Points die 14 Punkte (*Wilsons*). — ˈ**fourˈteenth** [-θ] **I** *adj* 1. vierzehnt(er, e, es). – **II** *s* 2. (*der, die das*) Vierzehnte. – 3. Vierzehntel *n.*

fourth [fɔːrθ] **I** *adj* 1. viert(er, e, es): ~ stomach of ruminants *zo.* Labmagen. – **II** *s* 2. (*der, die, das*) Vierte. – 3. Viertel *n*, vierter Teil. – 4. *mus.* Quart(e) *f.* – 5. the F~ of June *Br.* der Vierte, jährliche Feier in Eton College (*Jahresschlußfeier mit Bootsparade*). – 6. the F~ (of July) *Am.* der Vierte (Juli), der Jahrestag der Unabhängigkeitserklärung. – 7. *pl* Arˈtikel *pl* vierter Güte, minderwertige Waren *pl.* — ˈ~-ˌ**class mat·ter** *s Am.* Warensendungen *pl* (*Post*). — ~ **di·men·sion** *s math.* vierte Dimensiˈon. — ~ **es·tate** *s* 1. Presse *f*, Zeitungswesen *n*, Zeitungen *pl.* – 2. *collect.* Journaˈlisten *pl.* – 3. *hist.* vierter Stand.

fourth·ly [ˈfɔːrθli] *adv* viertens.

fourth par·ty *s pol. Br. hist.* Parˈtei *f* Lord R. Churchills (*1880-85*).

ˈ**four|-ˌway** *adj tech.* Vierwege...: ~ switch *electr.* Vierfach-, Vierwegeschalter. — ˈ~-ˌ**wheel** *adj* vierräderig: ~ drive Vierradantrieb. — ˈ~-ˈ**wheel·er** *s Br. colloq.* vierrädrige Droschke.

fou·ter, *auch* **fou·tre** [ˈfuːtər] *s vulg.* 1. *Ausdruck der Verachtung*: a ~ for zum Henker mit; he cares not a ~ ‚es ist ihm Wurscht'. – 2. Lumpenkerl *m.*

fo·ve·a [ˈfouviə] *pl* **-ve·ae** [-viˌiː] *s bot. med. zo.* Grübchen *n*, Grube *f.* — ˈ**fo·ve·al** *adj* Grübchen... — ˈ**fo·ve·ate** [-it; -ˌeit] *adj* 1. *med. zo.* Grübchen habend. – 2. *bot.* mit Grübchen bedeckt, genarbt. — **fo·ve·o·la** [foˈviːələ] *pl* **-lae** [-ˌliː] *s bot. zo.* Grübchen *n.* — **foˈve·oˌlate** [-ˌleit], *auch* **foˈve·oˌlat·ed** *adj bot. med. zo.* kleingrubig, fein genarbt.

fowl [faul] **I** *s pl* **fowls,** *bes. collect.* **fowl** 1. Haushuhn *n*, -ente *f*, Truthahn *m*: a barndoor ~ ein Haushuhn. – 2. *collect.* Geflügel *n*, Federvieh *n*, Hühner *pl*: ~ run Auslauf. – 3. *selten* Vogel *m*, Vögel *pl* (*meist in Verbindungen*): → water ~; wild ~. – 4. Huhn(fleisch) *n.* – **II** *v/i* 5. Vögel fangen *od.* schießen. — ~ **chol·er·a** *s vet.* Geflügelcholera *f*, -tod *m.*

fowl·er [ˈfaulər] *s* Vogelsteller *m*, -fänger *m.*

fowl grass *s bot.* 1. Spätes Rispengras (*Poa palustris*). – 2. (*ein*) amer. Süßgras *n* (*Glyceria striata*).

fowl·ing [ˈfauliŋ] *s* Vogelfang *m*, -jagd *f*, -stellen *n.* — ~ **piece** *s hunt.* Vogel-, Schrotflinte *f.* — ~ **shot** *s hunt.* Vogeldunst *m.*

fowl| mead·ow grass → fowl grass. — ~ **pest** *s vet.* Hühnerpest *f.* — ~ **pox** *s vet.* Geflügelpocken *pl.*

fox [fɒks] **I** *s* 1. *zo.* Fuchs *m* (*bes. Gattg Vulpes*): he ~ Fuchs; she ~ a) Füchsin, b) *hunt.* Fähe; ~ and geese *ein Brettspiel*; to set the ~ to keep the geese *fig.* den Bock zum Gärtner machen. – 2. fuchsähnliches Tier, *bes. Bibl.* Schaˈkal *m.* – 3. *fig.* Fuchs *m*, Schlaukopf *m*, -meier *m*, (arg)listiger Mensch: with ~es one must play the ~ mit den Wölfen muß man heulen. – 4. Fuchspelz(kragen) *m.* – 5. *mar.* Nitzel *m*, Bändsel *m*, Füchsel *m*: ~es Füchsjes. – 6. ˈFox(indiˌaner) *m od. pl* (*nordamer. Indianerstamm*). – 7. *tech.* Keil *m*, Splint *m.* – **II** *v/t* 8. *sl.* täuschen, überˈlisten. – 9. berauschen, betäuben. – 10. (*Papier*) stockfleckig machen. – 11. (*Bier*) sauer machen. – 12. (*Schuhe*) vorschuhen. – 13. Oberleder (*eines Schuhs*) mit Zierleder *od.* Verzierungen versehen. – **III** *v/i* 14. *sl. od. dial.* schlau handeln, sich verstellen. – 15. (stock)fleckig werden (*Papier*). – 16. sauer werden (*Bier*). – 17. *Am.* auf die Fuchsjagd gehen.

ˈ**fox|ˌbane** *s bot.* Gelber *od.* Wolfs-Eisenhut (*Aconitum lycoctonum*). — ~ **bat** → flying fox. — ~ **bolt** *s tech.* Riegel *m* mit Vorstecker. — ˈ~-ˌ**brush** *s* ˈFuchsschwanz *m*, -stanˌdarte *f.* — ~ **earth** *s* Fuchsbau *m*, -höhle *f.* — ~ **fire** *s* 1. phosphoresˈzierendes Licht (*von faulem Holz*). – 2. *fig. Am.* Täuschung *f.* — ˈ~ˌ**fish** *s zo.* Fuchshai *m* (*Alopias vulpes*). — ˈ~ˌ**glove** *s bot.* (*ein*) Fingerhut *m* (*Gattg Digitalis*). — ~ **goose** *s irr zo.* Äˈgyptische Gans, Nilgans *f* (*Chenalopex aegyptiacus*). — ~ **grape** *s bot.* 1. *auch* northern ~ Nördl. Fuchsrebe *f* (*Vitis labrusca*). – 2. *auch* southern ~ Gemeine Fuchsrebe (*Vitis rotundifolia*). — ˈ~ˌ**hole** *s* 1. Fuchsbau *m.* – 2. *mil.* Schützen(deckungs)loch *n.* — ˈ~ˌ**hound** *s* Fuchshund *m.* — ~ **hunt** *s* Fuchsjagd *f.* — ˈ~-ˌ**hunt** *v/i* den Fuchs jagen, auf die Fuchsjagd gehen.

fox·i·ness [ˈfɒksinis] *s* 1. Gerissenheit *f*, Verschlagenheit *f.* – 2. Stockfleckigkeit *f* (*Papier*). – 3. saurer Geschmack. – 4. fuchsiger Geruch.

fox| key *s* (*Zimmerei*) Keil *m* mit Gegenkeil. — ˈ~ˈ**like** *adj* 1. fuchsartig, Fuchs... – 2. *fig.* schlau, listig, verschmitzt. — ~ **moth** *s zo.* Brombeerspinner *m* (*Macrothylacia rubi*). — ~ **snake** *s zo.* Fuchsnatter *f* (*Coluber vulpinus*). — ~ **spar·row** *s zo.* Fuchssperling *m* (*Passerella iliaca*). — ~ **squir·rel** *s zo.* Fuchseichhorn *n* (*Farbrasse von Sciurus vulgaris*).

ˈ**foxˌtail** *s* 1. Fuchsschwanz *m.* – 2. *bot.* (*ein*) Fuchsschwanz(gras *n*) *m* (*Gattungen Alopecurus u. Setaria*). – 3. *tech.* zyˈlindrische hohle Schlacke. – 4. *tech.* Fuchsschwanzfuge *f.* — ~ **grass** → foxtail 2. — ~ **mil·let** *s bot.* Mohar *m*, Kolben-, Körner-, Futterhirse *f* (*Setaria italica*). — ~ **pine** *s bot.* (*eine*) amer. Kiefer, *bes.* a) Grannenkiefer *f* (*Pinus balfouriana od. aristata*), b) Weihrauchkiefer *f* (*P. taeda*). — ~ **saw** *s tech.* Fuchsschwanz *m* (*Säge*). — ~ **wedge** *s tech.* Gegenkeil *m.*

fox| ter·ri·er *s zo.* Foxterrier *m.* — ~ **trot** *s* 1. Fuchs-, Zuckeltrab *m.* – 2. Foxtrott *m* (*Tanz*). — ˈ~-ˌ**trot** *pret u. pp* **-trot·ted** *v/i* Foxtrott tanzen. — ~ **wolf** *s irr zo.* 1. Azarafuchs *m* (*Lycalopex azarae*). – 2. Fuchswolf *m* (*Gattg Pseudalopex*). — ˈ~ˌ**wood** *s Am.* faules leuchtendes Holz.

fox·y [ˈfɒksi] *adj* 1. schlau, listig. – 2. fuchsig, rotbraun. – 3. vermodert, moderig, (stock)fleckig. – 4. beschädigt. – 5. sauer, dumpfig (*Wein*). – 6. fuchsig riechend. – *SYN. cf.* sly.

foy [fɔi] *s dial.* 1. Abschiedsfest *n*, -geschenk *n.* – 2. (Ernte)Fest *n.*

foy·er [ˈfɔiei; *Am. auch* -ər] *s* Foˈyer *n*: a) Halle *f* (*Hotel*), b) Wandelgang *m* (*Theater*).

Fra [frɑː] *s relig.* Fra *m* (*Bruder; vor Mönchsnamen*).

fra·cas [*Br.* ˈfrækɑː; *Am.* ˈfreikəs] *s sg u. pl* Aufruhr *m*, Lärm *m*, Spekˈtakel *m.*

frac·tion ['frækʃən] **I** *s* **1.** *math.* Bruch *m*: simple ~, vulgar ~ gemeiner Bruch; ~ in its lowest terms unkürzbarer Bruch. – **2.** Bruchteil *m.* – **3.** Bruchteil *m,* Frag'ment *n,* Stückchen *n*: by a ~ of an inch *fig.* um ein Haar, mit knapper Not. – **4.** *selten* (Zer)Brechen *n.* – **5.** F~ *relig.* Brechen *n* (*des Brotes*). – **6.** *tech.* Bruch(stück *n*) *m.* – **7.** *colloq.* (*das*) bißchen, Stückchen *n.* – **II** *v/t* **8.** in Brüche teilen, in Bruchteile zerlegen. — **'frac·tion·al** *adj* **1.** *math.* Bruch..., gebrochen: ~ amount Teilbetrag; ~ currency *Am. od. Canad. hist.* a) Scheidemünze, b) Papiergeld (*kleine Beträge*); ~ part Bruchstück. – **2.** *fig.* unbedeutend, unwesentlich, mini'mal. – **3.** *chem.* fraktio'niert, teilweise (*Destillation etc*). — **'frac·tion·al·ist** *s pol.* (Par'tei)Spalter *m.* — **'frac·tion·al,ize** *v/t* in Bruchteile zerlegen. — **'frac·tion·ar·y** [*Br.* -nəri; *Am.* -,neri] *adj* Bruch(stück)..., Teil... — **'frac·tion,ate** [-,neit] *v/t chem.* **1.** fraktio'nieren, in Teile aufspalten. – **2.** durch Fraktio'nieren erhalten. — **,frac·tion'a·tion** *s* Fraktio'nierung *f.* — **'frac·tion,ize** *v/t u. v/i* in Teile trennen, teilen.

frac·tious ['frækʃəs] *adj* **1.** mürrisch, verdrießlich, zänkisch, reizbar. – **2.** 'widerspenstig, unbändig, störrisch. – *SYN.* irritable, peevish, waspish. — **'frac·tious·ness** *s* **1.** mürrisches Wesen, Reizbarkeit *f.* – **2.** Unbändigkeit *f,* 'Widerspenstigkeit *f,* Zanksucht *f.*

fracto- [frækto] *Wortelement mit der Bedeutung* ge-, zerbrochen, zerrissen: ~-cloud Wolkenfetzen; ~stratus Fraktostratus(wolke).

frac·tur·al ['fræktʃərəl] *adj* Bruch...

frac·ture ['fræktʃər] **I** *s* **1.** *med.* (Knochen)Bruch *m,* Frak'tur *f*: comminuted ~ Splitterbruch; → simple 7. – **2.** *min.* Bruch(fläche *f*) *m.* – **3.** Brechen *n.* – **4.** Zer-, Gebrochensein *n.* – **5.** *ling.* Brechung *f.* – **6.** *fig.* Bruch *m,* Zwiespalt *m,* Zerwürfnis *n.* – **7.** *chem. tech.* Bruchgefüge *n.* – *SYN.* rupture. – **II** *v/t* **8.** zerbrechen, zerschlagen. – **9.** *med.* (*Knochen*) brechen: to ~ one's arm sich den Arm brechen. – **10.** *geol.* zerklüften. – **III** *v/i* **11.** (zer)brechen, zersplittern.

frae [frei] *Scot. für* from.

frae·num ['friːnəm] *pl* **-na** [-nə] *s med. zo.* Band *n.*

frag·ile [*Br.* 'frædʒail; *Am.* -dʒəl] *adj* **1.** zerbrechlich. – **2.** *tech.* brüchig, bröckelig. – **3.** brüchig (*Eis*). – **4.** gebrechlich, schwach, zart. – *SYN.* a) brittle, crisp, frangible, friable, b) *cf.* weak. — **'frag·ile·ness, fra·gil·i·ty** [frə'dʒiliti; -əti] *s* **1.** Zerbrechlichkeit *f.* – **2.** Brüchigkeit *f.* – **3.** Gebrechlichkeit *f,* Schwäche *f,* Zartheit *f.*

frag·ment ['frægmənt] *s* **1.** Frag'ment *n.* – **2.** (*Bergbau*) Abfall *m,* Abbruch *m.* – **3.** 'Überrest *m,* -bleibsel *n,* Stück *n.* – **4.** *mil.* Sprengstück *n,* Splitter *m.* – *SYN. cf.* part. — **frag'men·tal** [-'mentl] *adj* **1.** aus Bruchstücken bestehend, fragmen'tarisch (*auch fig.*). – **2.** *geol.* aus Trümmergestein bestehend: ~ rock Trümmergestein. — **'frag·men·tar·i·ness** [*Br.* -tərinis; *Am.* -,ter-] *s* bruchstückartige Beschaffenheit, 'Unvoll,ständigkeit *f.* — **'frag·men·tar·y** *adj* **1.** aus Stücken *od.* Frag'menten bestehend. – **2.** fragmen'tarisch, 'unvoll,ständig, bruchstückartig. – **3.** zer-, gebrochen. — **,frag·men'ta·tion I** *s* **1.** *med. zo.* Fragmentati'on *f,* Spaltung *f,* Ami'tosis *f.* – **2.** Zerteilung *f,* -trümmerung *f,* -splitterung *f,* -klüftung *f.* – **3.** *mil.* Splitterwirkung *f,* Geschoßzerlegung *f.* – **II** *adj* **4.** *mil.* Splitter...: ~ bomb Splitterbombe. — **'frag·ment·ed** *adj* in Stücke zerbrochen, aus Trümmern bestehend.

fra·grance ['freigrəns], *auch* **'fra·gran·cy** *s* Wohlgeruch *m,* (süßer) Duft. – *SYN.* bouquet, incense[1], perfume, redolence, scent. — **'fra·grant** *adj* **1.** wohlriechend, (süß) duftend, duftig: to be ~ with duften von. – **2.** *fig.* angenehm: ~ memories.

frail[1] [freil] *adj* **1.** zerbrechlich, schwach. – **2.** *fig.* zart, schwach (*Gesundheit*), vergänglich (*Leben*). – **3.** *euphem.* sündhaft, unkeusch (*Frau*). – *SYN. cf.* weak.

frail[2] [freil] *s Br.* **1.** Binsenkorb *m* (*für Rosinen etc*). – **2.** Korb(voll) *m* Ro'sinen (*etwa 75 Pfund*).

frail·ty ['freilti], *auch* **'frail·ness** [-nis] *s* **1.** Zerbrechlichkeit *f.* – **2.** *fig.* Gebrechlichkeit *f,* zarte Gesundheit. – **3.** *fig.* a) Schwachheit *f,* mo'ralische Schwäche, b) Fehltritt *m.* – *SYN. cf.* fault.

fraise[1] [freiz] **I** *s* **1.** *mil.* Pali'sade *f,* Pfahlwerk *n.* – **2.** *hist.* Halskrause *f.* – **II** *v/t* **3.** durch Pali'saden schützen.

fraise[2] [freiz] *tech.* **I** *s* Bohrfräse *f.* – **II** *v/t* fräsen.

fram·b(o)e·si·a [fræm'biːʒiə; -ziə] *s med.* Frambö'sie *f,* Himbeerpocken *pl.*

frame [freim] **I** *s* **1.** Rahmen *m.* – **2.** Gerüst *n,* Gestell *n.* – **3.** *tech.* Gatter *n,* Gehäuse *n,* Einfassung *f,* Bock *m.* – **4.** *print.* ('Setz)Re,gal *n.* – **5.** *tech.* Gebälk *n,* Balkenwerk *n* (*Haus*). – **6.** *tech.* Holzbau *m.* – **7.** *tech.* Joch *n* (*Brücke*). – **8.** *electr.* Stator *m.* – **9.** *mar.* a) Spant *n,* b) Gerippe *n.* – **10.** (*Fernsehen etc*) a) Abtast-, Bildfeld *n,* b) Raster(bild *n*) *m.* – **11.** (*bes. Film*) Einzel-, Teilbild *n.* – **12.** *tech.* Zarge *f.* – **13.** (*Gartenbau*) Frühbeetkasten *m.* – **14.** (*Weberei*) ('Spinn-, 'Web)Ma,schine *f,* (Web)Stuhl *m.* – **15.** Körper(bau) *m,* Gestalt *f,* Fi'gur *f*: the mortal ~ die sterbliche Hülle. – **16.** Einrichtung *f,* Bau *m,* Gebäude *n,* Gefüge *n,* Gebilde *n,* (An)Ordnung *f,* Sy'stem *n*: ~ of reference a) *math.* Bezugssystem, b) *fig.* Gesichtspunkt. – **17.** *fig.* Verfassung *f,* Zustand *m*: ~ of mind Gemütsverfassung, -zustand, Stimmung. – **18.** (*Baseball*) *sl.* Spielabschnitt *m.* – **19.** (*Bowling*) *Am.* An-der-Reihe-Sein *n,* Kegelrunde *f.* – **20.** (*Pool*) a) *Dreiecksanordnung der Bälle,* b) *Bälle im Dreieck,* c) Spielzeit *f.* –

II *v/t* **21.** verfertigen, machen, (auf)bauen. – **22.** zu'sammenpassen, -setzen, -fügen. – **23.** *tech.* (*Ziegel*) formen, streichen. – **24.** (*Bild*) einrahmen, einspannen. – **25.** *print.* (*Satz*) einfassen. – **26.** *fig.* (*Plan*) ersinnen, erfinden, entwerfen. – **27.** (*Gedicht*) machen, verfertigen, schreiben, planen. – **28.** gestalten, formen, bilden. – **29.** anpassen, passend machen für. – **30.** (*Worte*) ausdrücken, sprechen, formen. – **31.** *oft* ~ up *colloq.* betrügerisch vorher planen, aushecken, ,einfädeln'. – **32.** *colloq.* (*j-m*) eine Falle stellen, gegen (*j-n*) intri'gieren *od.* wühlen, (*j-n*) verleumden, ,hin'einlegen'. – **33.** *obs.* lenken. –

III *v/i obs. od. dial.* **34.** sich begeben. – **35.** sich anschicken. – **36.** sich gut anlassen (*Sache*). –

IV *adj* **37.** gefügt, zu'sammengesetzt, -gepaßt (*bes. Holz*).

frame| a·e·ri·al *s electr.* 'Rahmenan,tenne *f.* — ~ **crane** *s tech.* Bockkran *m.*

framed [freimd] *adj* **1.** gerahmt. – **2.** Fachwerk... – **3.** *mar.* in Spanten stehend.

frame| house *s tech. Am.* **1.** Holzhaus *n* (*mit Schindel- od. Bretterverkleidung*). – **2.** Fachwerkhaus *n.* — ~ **saw** *s tech.* **1.** Gestell-, Spannsäge *f.* – **2.** Gattersäge *f.* — **'~-,up** *s Am. sl.* **1.** Machenschaft(en *pl*) *f,* Kom'plott *n,* In'trige *f,* Ränke(spiel *n*) *pl.* – **2.** abgekartete Sache, abgekartetes Spiel. — **'~,work I** *s* **1.** *tech.* a) Fach-, Riegel-, Bindewerk *n,* Gebälk *n,* b) Gestell *n* (*Eisenbahnwagen*), c) (*Bergbau*) Ausschalung *f,* Verkleidung *f,* d) Gerüst *n,* Gestell *n,* Gerippe *n* (*auch biol.*), e) Rost *m.* – **2.** (*Handarbeit*) Rahmenarbeit *f.* – **3.** *fig.* Einrichtung *f,* Rahmen *m,* Bau *m,* Sy'stem *n*: the ~ of society. – **II** *adj* **4.** Fachwerk..., Gerüst..., Rahmen...: ~ body *aer.* Fachwerkrumpf; ~ fiber (*Br.* fibre) *biol.* Gerüstfaser; ~ stay *tech.* Rahmenträger.

fram·ing ['freimiŋ] *s* **1.** Bilden *n,* Formen *n,* Bauen *n.* – **2.** (Ein)-Rahmen *n.* – **3.** *tech.* Gestell *n,* Einfassung *f,* -rahmung *f,* Rahmen *m.* – **4.** *arch.* a) Holzverbindung *f,* Ab-, Ausbinden *n,* b) Holz-, Zimmerwerk *n* (*Gebäude*), c) Rahmenwerk *n* (*Tür etc*). – **5.** (*Fernsehen*) a) Einrahmung *f,* Um'rahmung *f,* b) Bildeinstellung *f.*

franc [fræŋk] *s* **1.** Franc *m* (*Währungseinheit Frankreichs u. Belgiens*). – **2.** Franken *m* (*Währungseinheit der Schweiz*).

fran·chise ['fræntʃaiz] *s* **1.** *pol.* a) Wahl-, Stimmrecht *n,* b) Bürgerrecht *n.* – **2.** *Am.* Vorrecht *n,* Privi'leg *n.* – **3.** *hist.* Gerechtsame *f,* Vorrecht *n.* – **4.** Konzessi'on *f* (*Wirtschaft*). – **5.** Freibezirk *m,* A'syl *n.*

Fran·cis·can [fræn'siskən] *relig.* **I** *s* Franzis'kaner(mönch) *m.* – **II** *adj* franzis'kanisch, Franziskaner...

fran·ci·um ['frænsiəm] *s chem.* Francium *n* (Fr).

Franco- [fræŋko] *Wortelement mit der Bedeutung* Franko..., französisch.

fran·co·lin ['fræŋkəlin] *s zo.* Franko'linhuhn *n* (*Gattg Francolinus*).

Fran·co·phile ['fræŋko,fail; -kə-], **'Fran·co·phil** [-fil] **I** *s* Franko'phile *m,* Fran'zosenfreund *m.* – **II** *adj* franko'phil, fran'zosenfreundlich. — **'Fran·co,phobe** [-,foub] **I** *s* Fran'zosenhasser *m,* -feind *m.* – **II** *adj* franko'phob, fran'zosenfeindlich.

franc-ti·reur [frɑ̃ti'rœːr] *pl* **francs-ti·reurs** [-'rœːr] (*Fr.*) *s* Frankti'reur *m,* Freischärler *m.*

fran·gi·bil·i·ty [,frændʒi'biliti; -dʒə-; -əti] *s* Zerbrechlichkeit *f.* — **'fran·gi·ble** *adj* zerbrechlich: ~ grenade *mil.* Brandflasche. – *SYN. cf.* fragile. — **'fran·gi·ble·ness** → frangibility.

fran·gi·pane ['frændʒi,pein; -dʒə-] *s* **1.** (*Art*) Mandelbackwerk *n.* – **2.** → frangipani. — **,fran·gi'pan·i** [-'pæni; -'pɑːni] *pl* **-pan·is** *s* **1.** Jas'min(blüten)par,füm *n.* – **2.** *bot.* Roter Jas'minbaum (*Plumiera rubra*).

fran·gu·la ['fræŋgjulə; -gjə-] *s* **1.** → alder buckthorn. – **2.** *med.* Faulbaumrinde *f.* — **'fran·gu·lin** [-lin] *s chem.* Frangu'lin *n* ($C_{21}H_{20}O_9$).

Frank[1] [fræŋk] *s* **1.** Franke *m.* – **2.** ('West)Euro,päer *m* (*in der Levante*).

frank[2] [fræŋk] **I** *adj* **1.** offen(herzig), aufrichtig, frei(mütig). – **2.** offen, ausgesprochen. – **3.** *selten* freigebig. – **4.** *obs.* frei. – *SYN.* candid, open, plain[1]. – **II** *s hist.* **5.** Franko-, Freivermerk *m.* – **6.** Portofreiheit *f.* – **7.** portofreie Sendung. – **III** *v/t* **8.** *hist.* (*Brief*) fran'kieren. – **9.** (*j-m*) freie Fahrt gewähren, die Reise *od.* das Kommen erleichtern. – **10.** befreien, ausnehmen (from *od.* against von). – **11.** Zu- *od.* Eintritt verschaffen (*dat*). — **'frank·a·ble** *adj* frei zu machen(d).

frank·al·moign(e), frank·al·moin ['fræŋkæl,mɔin] *s jur. relig. Br.*

1. Landschenkung *f* an die Kirche. – 2. zinsfreies (Kirchen)Gut.

Frank·en·stein ['fræŋkənˌstain] *s j-d der ein Ding schafft, das ihm zum Verderben wird:* ~'s monster *Ding, das seinen Schöpfer zugrunde richtet.*

Frank·fort black ['fræŋkfərt] *s* Frankfurter Schwarz *n*, Drusenschwarz *n*.

frank·furt·er ['fræŋkfərtər], *auch* **'frank·furt** *s bes. Am.* Frankfurter (Würstchen *n*) *f*.

frank·in·cense ['fræŋkinˌsens] *s bot. relig.* Weihrauch *m*, O'libanum *n*, Gummiharz *n* des a'rabischen Weihrauchbaums *Boswellia carterii.*

Frank·ish ['fræŋkiʃ] **I** *adj* **1.** fränkisch. – **2.** euro'päisch (*in der Levante*). – **II** *s* **3.** *ling.* Fränkisch *n*.

frank·lin ['fræŋklin] *s hist.* **1.** Freisasse *m*. – **2.** kleiner Landbesitzer.

Frank·lin·i·an [fræŋk'liniən] **I** *adj* frank'linisch. – **II** *s* Anhänger *m* der Elektrizi'tätstheoˌrie Franklins. — **Frank'lin·ic** *adj* frank'linisch: ~ electricity Reibungselektrizität. — **'Frank·linˌism** *s electr.* statische Elektrizi'tät.

frank·lin·ite ['fræŋkliˌnait] *s min.* Frankli'nit *m*, Man'gan-, Zinkeisenerz *n*.

Frank·lin stove *s Am.* freistehender eiserner Ka'min (*von Benjamin Franklin erfunden*).

frank·ly ['fræŋkli] *adv* frei(her'aus), offen (gestanden), rückhaltlos, frank u. frei. — **'frank·ness** *s* Offenheit *f*, Freimütigkeit *f*.

frank·pledge ['fræŋkˌpledʒ] *s* **1.** *jur. Br. hist.* a) Bürgschaft *f* (innerhalb einer Zehnerschaft), b) (Mitglied *n* einer) Zehnerschaft *f*. – **2.** *fig.* gegenseitige Verantwortung (innerhalb einer Gruppe).

fran·tic ['fræntik] *adj* **1.** wild, ungestüm, außer sich, rasend (with vor *dat*). – **2.** *colloq.* furchtbar: he is in a ~ hurry er hat es schrecklich eilig. – **3.** *selten* wahnsinnig. — **'fran·ti·cal·ly, 'fran·tic·ly** *adv.* — **'fran·tic·ness** *s* Rase'rei *f*, Wahnsinn *m*.

frap [fræp] *pret u. pp* **frapped** *v/t mar.* zurren.

frap·pé [fræ'pei] *Am.* **I** *s* **1.** gefrorene Fruchtsaftmischung. – **2.** Gefrorenes *n* mit Schoko'laden- *od.* Fruchtsoße. – **II** *adj* **3.** gefroren, eisgekühlt (*Getränke etc*).

frass [fræs] *s zo.* **1.** Kot *m* von In'sektenlarven. – **2.** Fraßmehl *n*.

frat [fræt] *s Am. sl.* Stu'dentenverˌbindung *f* (*Kurzform für* fraternity).

fra·te ['fraːte] *pl* **-ti** [-ti] (*Ital.*) *s relig.* **1.** Mönch *m*. – **2.** F~ Frater *m* (*als Anrede*).

fra·ter[1] ['freitər] *s relig.* Frater *m*, Mönch *m*.

fra·ter[2] ['freitər] *s relig. hist.* Speisesaal *m* (*im Kloster*).

fra·ter·nal [frə'təːrnl] **I** *adj* **1.** brüderlich, Bruder..., Brüder... – **2.** Bruderschafts... – **3.** *biol.* geschwisterlich. – **II** *s* **4.** *auch* ~ association, ~ order, ~ society *Am.* Verein *m* zur Förderung gemeinsamer Inter'essen: ~ insurance *Am.* mit einem Unterstützungsverein auf Gegenseitigkeit abgeschlossene Versicherung. — **fra'ter·nalˌism** *s* Brüderlichkeit *f*.

fra·ter·ni·ty [frə'təːrniti; -əti] *s* **1.** *Am.* Stu'dentenverˌbindung *f*, stu'dentische Vereinigung. – **2.** Bruderschaft *f*. – **3.** Vereinigung *f*, Verbindung *f*, (Inter'essen)Gemeinschaft *f*. – **4.** geistliche *od.* weltliche Bruderschaft, Orden *m*. – **5.** Brüderlichkeit *f*.

frat·er·ni·za·tion [ˌfrætərnai'zeiʃən; -ni-; -nə-] *s* Verbrüderung *f*. — **'frat·erˌnize I** *v/i* **1.** sich verbrüdern, brüderlich verkehren. – **2.** *bes. Br.* liebenswürdig sein. – **3.** (*mit den Bewohnern eines feindlichen od. besiegten Landes*) fraterni'sieren, freundschaftlich verkehren. – **II** *v/t* **4.** brüderlich vereinigen, verbrüdern.

frat·ri·cid·al [ˌfrætri'saidəl; ˌfrei-; -trə-] *adj* **1.** brudermörderisch: ~ war Bruderkrieg. – **2.** *fig.* sich gegenseitig vernichtend. — **'frat·riˌcide** *s* **1.** Bruder-, Geschwistermord *m*. – **2.** Bruder-, Geschwistermörder *m*.

fraud [frɔːd] *s* **1.** *jur.* a) Betrug *m*, Unter'schlagung *f*, b) arglistige Täuschung: in (*od.* to the) ~ of s.o. um j-n zu betrügen. – **2.** Schwindel *m*, Trick *m*, Betrug *m*, List *f*. – **3.** *sl.* Betrüger *m*, Schwindler *m*. – *SYN. cf.* a) deception, b) imposture. — **'fraud·u·lence** [*Br.* -djuləns; *Am.* -dʒə-], *auch* **'fraud·u·len·cy** *s* Betrüge'rei *f*. — **'fraud·u·lent** *adj* betrügerisch: ~ conversion Unterschlagung, Veruntreuung; ~ entry *econ.* Falschbuchung.

fraught [frɔːt] **I** *adj* **1.** (with) mit sich bringend (*acc*), voll (von): ~ with danger gefahrvoll, -drohend. – **2.** *obs. od. poet.* beladen. – **II** *s* **3.** *Scot. od. obs.* Fracht *f*, Ladung *f*.

Fräu·lein ['frɔilain] (*Ger.*) *s* **1.** Fräulein *n*. – **2.** *Br.* deutsche Erzieherin *od.* Gouver'nante.

Fraun·ho·fer lines ['fraunhoːfər] *s pl phys.* Fraunhofersche Linien *pl*.

frax·i·nel·la [ˌfræksi'nelə; -sə-] *s bot.* Diptam *m* (*Dictamnus albus*).

fray[1] [frei] **I** *s* Schläge'rei *f*, Kampf *m*, Gefecht *n*, Streit *m*: eager for the ~ kampflustig. – **II** *v/t obs.* erschrecken. **III** *v/i obs.* kämpfen.

fray[2] [frei] **I** *v/t* **1.** (*Stoff etc*) abnutzen, abtragen, 'durchscheuern, ausfransen. – **2.** (ab)reiben. – **3.** (*Geweih*) abfegen (*Hirsch etc*). – **II** *v/i* **4.** sich abnutzen, sich ausfransen, sich 'durchscheuern. – **III** *s* **5.** abgenutzte Stelle. — **'fray·ing** *s* **1.** Abnutzen *n*, 'Durchscheuern *n*, (Ab)Reiben *n*. – **2.** abgefegter Bast (*Geweih*). – **3.** → fray[2] 5.

fra·zil [frei'zil; 'fræzil] *s Am. od. Canad.* Grundeis *n*.

fraz·zle ['fræzl] *bes. Am.* **I** *v/t* **1.** zerfetzen, -reißen, ausfransen. – **2.** *oft* ~ out *fig.* ermüden, erschöpfen, zermürben. – **II** *v/i* **3.** sich ausfransen, zerreißen. – **4.** *oft* ~ out *fig.* ermüden. – **III** *s* **5.** Franse *f*, Fetzen *m*, ('Über)Rest *m*. – **6.** *fig.* Ermüdung *f*, Erschöpfung *f*: I am worn (*od.* beaten) to a ~ ich bin völlig erledigt *od.* erschlagen.

freak[1] [friːk] **I** *s* **1.** plötzlicher Einfall, Grille *f*, Laune *f*. – **2.** Launenhaftigkeit *f*. – **3.** lustiger Einfall. – **4.** Monstrum *n*, 'Mißbildung *f*, (*etwas*) Ungewöhnliches (*Sache*). – **5.** 'Mißgeburt *f*. – *SYN. cf.* caprice. – **II** *adj* **6.** ungewöhnlich, seltsam.

freak[2] [friːk] **I** *s* Fleck *m*, Farbstreifen *m*. – **II** *v/t poet.* sprenkeln, streifen.

freak·ish ['friːkiʃ] *adj* **1.** wunderlich, seltsam, grillenhaft. – **2.** launisch, unberechenbar, kaprizi'ös. – **3.** un-, außergewöhnlich, gro'tesk, sonderbar. — **'freak·ish·ness** *s* Launenhaftigkeit *f*, Wunderlichkeit *f*.

freck·le ['frekl] **I** *s* **1.** Sommersprosse *f*, Leberfleck *m*. – **2.** Fleck(chen *n*) *m*. – **3.** *phys.* Sonnenfleck *m*. – **II** *v/t* **4.** tüpfeln, sprenkeln. – **5.** mit Sommersprossen bedecken. – **III** *v/i* **6.** Sommersprossen bekommen. — **'freck·led** [-kld], **'freck·ly** [-li] *adj* gesprenkelt, sommersprossig, fleckig.

free [friː] **I** *adj* **1.** (*persönlich*) frei, selbständig, unabhängig: of my own ~ will aus freiem Willen; to make s.o. ~ of the city j-m das Bürgerrecht verleihen. – **2.** (*von Fesseln etc*) befreit, frei. – **3.** uneingeschränkt, frei (*Handel*). – **4.** nicht wörtlich, frei (*Übersetzung*). – **5.** nicht an Regeln gebunden, frei (*Vers*). – **6.** beweglich, nicht versperrt *od.* verstellt, unbeengt (*Gang*), leer (*Maschine*): to run ~ leer laufen; to be ~ of the harbo(u)r aus dem Hafen heraus sein. – **7.** befreit, verschont, ausgenommen, frei (from, of von): ~ from halo *phot.* lichthoffrei; ~ from inclusions *tech.* lunkerfrei; ~ of taxes steuerfrei. – **8.** gefeit, im'mun, gesichert (from gegen). – **9.** *chem.* nicht gebunden, frei. – **10.** *geol.* gediegen. – **11.** offen, frei: ~ port Freihafen. – **12.** allgemein. – **13.** unbehindert, leicht, ungezwungen, flott. – **14.** los(e), frei: to get one's arm ~ seinen Arm freibekommen. – **15.** nicht verbunden, frei(stehend, -schwebend). – **16.** dreist, zügellos, derb, allzu frei: to make ~ with s.o. sich j-m gegenüber zuviel herausnehmen *od.* erlauben. – **17.** ungezwungen, zwanglos, frei: to give s.o. a ~ hand j-m freie Hand lassen. – **18.** aufrichtig, offen(herzig), freimütig. – **19.** unverschämt, unanständig, schamlos. – **20.** freigebig, großzügig. – **21.** (kosten)frei, unentgeltlich: ~ schools. – **22.** (gebühren-, spesen)frei, kostenlos: → board[2] 2. – **23.** öffentlich, allen zugänglich, frei: to be made ~ of s.th. freien Zutritt zu etwas haben. – **24.** erlaubt: it is ~ for (*od.* to) him to do so es steht ihm frei, es zu tun. – **25.** frei, rein (from, of von), nicht belastet (of mit): ~ of debt schuldenfrei; ~ and unencumbered unbelastet, hypothekenfrei. – **26.** willig, bereit: I am ~ to confess. – **27.** *bot.* nicht verwachsen, freistehend. – **28.** (*Turnen*) ohne Geräte, frei. – **29.** (*Gartenbau*) reich blühend, reichlich Früchte tragend. – **30.** *mar.* günstig: ~ wind raumer Wind. – **31.** *ling.* a) in einer offenen Silbe stehend (*Vokal*), b) frei, nicht fest (*Wortakzent*). – *SYN.* autonomous, independent, sovereign. – **II** *v/t* **32.** befreien, frei machen, freilassen, entlassen. – **33.** (from) erlösen (von), verschonen (mit). – **34.** entlasten, befreien (of von). – **35.** *mar.* (*Schiff*) aus-, lenzpumpen. – *SYN.* discharge, emancipate, liberate, manumit, release. – **III** *adv* **36.** frei, kostenlos. – **37.** *mar.* raum(schots): to go ~ raumschots segeln.

free| a·long·side ship *adv econ.* frei Längsseite See- *od.* Binnenschiff. — **~ and eas·y I** *adj* unbeschwert, unge'niert, zwanglos: he is ~ er benimmt sich ganz zwanglos. – **II** *s Br.* geselliger Abend. — **~ as·sets** *s pl econ.* frei verfügbare Guthaben *pl*. — **~ as·so·ci·a·tion** *s psych.* freie Assoziati'on. — **'~ˌboard** *s mar.* Freibord *n* (*senkrechte Höhe, mittschiffs gemessen*): ~ depth Freibordhöhe. — **~ bonds** *s pl econ.* frei verfügbare Obligati'onen *pl*. — **'~ˌboot** *v/i* ˌFreibeute'rei treiben, seeräubern. — **'~ˌboot·er** *s* Freibeuter *m*, (See)Räuber *m*, Pi'rat *m*. — **'~ˌborn** *adj* freigeboren. — **~ church I** *s* Freikirche *f*. – **II** *adj* freikirchlich. — **~ cit·y** *s* Freistadt *f*, freie Stadt. — **~ coin·age** *s* freies unbegrenztes Prägerecht. — **~ com·pan·ion** *s mil. hist.* Söldner *m*. — **~ com·pa·ny** *s mil. hist.* Söldnerschar *f*. — **~ com·pe·ti·tion** *s econ.* freier Wettbewerb. — **'~-'cur·ren·cy coun·try** *s econ.* nichtde'visenbeˌwirtschaftetes Land. — **'~-ˌcut·ting** *adj tech.* gut spanabhebend. — **~ de·liv·er·y** *s* (*Post*) portofreie Zustellung.

freed·man ['friːdmən] *s irr* Freigelassener *m*.

free·dom ['friːdəm] *s* **1.** Freiheit *f*: ~ of the press Pressefreiheit; ~ of the seas Seefreiheit; ~ of trade Gewerbefreiheit; ~ of the will Willensfreiheit. – 2. Unabhängigkeit *f.* – 3. Vorrecht *n*, Privi'leg *n*: ~ of a city (Ehren)-Bürgerrecht. – 4. *philos.* Willens-, Handlungsfreiheit *f*, Selbstbestimmung *f.* – 5. Ungebundenheit *f*, Kühnheit *f.* – 6. Frei-, Befreitsein *n*: ~ from contradiction Widerspruchsfreiheit; ~ from distortion *tech.* Verzerrungsfreiheit; ~ from wear and tear Verschleißfestigkeit. – 7. Ausgenommensein *n*, Freiheit *f*: ~ from taxation Steuerfreiheit. – 8. Offenheit *f*, Freimütigkeit *f.* – 9. Zwanglosigkeit *f*, Vertraulichkeit *f*: to take ~s with s.o. sich j-m gegenüber Vertraulichkeiten erlauben. – 10. Kühnheit *f*, Dreistigkeit *f.* – 11. freier Zutritt (of zu), freie Benutzung, Nutznießungsrecht *n.* – *SYN.* liberty, license.

freed·wom·an ['friːd,wumən] *s irr* Freigelassene *f.*

free| en·er·gy *s phys.* freie *od.* freigesetzte *od.* ungebundene Ener'gie. — **~ en·ter·prise** *s* freie Wirtschaft. — **~ en·ter·pris·er** *s* Befürworter *m* der freien Wirtschaft. — **~ fight** *s* allgemeine Raufe'rei, Schläge'rei *f.* — **~ fit** *s tech.* Gewindepassung *f* ‚mittel', Fein-, Schlichtpassung *f.* — **'~-for-'all** *s colloq.* 1. allgemein zugänglicher Wettbewerb *od.* -kampf, offenes Spiel. – 2. *bes. Am.* allgemeine Raufe'rei. — **~ gold** *s* 1. *Am.* freies Gold (*des Schatzamts*). – 2. (*Bergbau*) reines Gold. — **~ grace** *s relig.* Akt *m* der Gnade. — **'~,hand I** *adj* 1. freihändig, Freihand... – **II** *s* 2. Freihandzeichnen *n.* – 3. Freihandzeichnung *f.* — **~ hand** *s* freie Hand: to give s.o. a ~ j-m freie Hand lassen. — **'~'hand·ed** *adj* 1. freigebig, großzügig. – 2. mit freien Händen, ungehindert. — **'~-'heart·ed** *adj* 1. freimütig, offenherzig. – 2. freigebig, großmütig, -zügig. — **'~,hold** *s* 1. freier Grundbesitz: ~ flat Eigentumswohnung. – 2. *hist.* Al'lod *n*, Freisassengut *n.* — **'~,hold·er** *s* 1. unabhängiger Guts- *od.* Hausbesitzer. – 2. *hist.* Freisasse *m.* — **~ house** *s Wirtshaus, das an keinen Lieferanten gebunden ist.* — **~ kick** *s sport* Freistoß *m.* — **~ la·bo(u)r** *s* 'unorgani,sierte Arbeiter(schaft *f*) *pl.* — **~ lance** *s* 1. freier Schriftsteller *od.* Journa'list *od.* Dolmetscher. – 2. Unabhängiger *m*, Par'teiloser *m.* – 3. *mil.* Söldner *m.* — **'~-'lance I** *adj* 1. frei-(beruflich tätig), unabhängig. – **II** *v/i* 2. freiberuflich tätig sein. – 3. sich für die Belange anderer einsetzen. — **~ list** *s* 1. Liste *f* zollfreier Ar'tikel. – 2. Liste *f* der Empfänger von 'Freikarten *od.* -exem,plaren. — **~ liv·er** *s* Schlemmer *m*, Genießer *m.* — **'~-'liv·ing** *adj* 1. schlemmerisch, genießerisch. – 2. *zo.* frei lebend. — **'~,load·er** *s Am. sl.* ‚Schnorrer' *m*, ‚Nassauer' *m.* — **~ love** *s* freie Liebe. — **~ lov·er** *s* Anhänger *m* der freien Liebe. — **~ lunch** *s Am.* kostenlose Mahlzeit (*in Wirtshäusern, um Gäste zu werben*). — **'~·man** [-mən] *s irr* 1. freier Mann. – 2. (Ehren)Bürger *m* (*einer Stadt*). – 3. Wahlberechtigter *m.* – 4. Meister *m* (*Gilde*). — **~ mar·ket** *s econ.* freie Marktwirtschaft. — **'~,mar·tin** *s* Zwitterrind *n* (*mit einem Bullenkalb zugleich geboren*), *bes.* unfruchtbares Kuhkalb. — **'F~,ma·son** *s* Freimaurer *m*: ~s' lodge Freimaurerloge. — **,F~·ma'son·ic** *adj* freimaurerisch. — **'F~,ma·son·ry** *s* 1. ,Freimaure'rei *f.* – 2. f~ *fig.* instink'tives Zu'sammengehörigkeitsgefühl. — **~ mill·ing** *s tech.* Zermalmen *n* u. Quicken *n* des Golderzes. — **~ pass** → pass² 53. — **~ place** *s ped.* Freistelle *f.* — **~ play** *s tech.* Spiel(raum *m*) *n.* — **~ port** *s* Freihafen *m.* — **,~-'quar·ter** *s* 'Freiquar,tier *n*, freie 'Unterkunft. — **~ rid·er** *s* ‚Wilder' *m* (*Arbeiter, der, selbst der Gewerkschaft nicht angehörend, deren Vorteile genießt*). — **~ rock·et** *s mil.* bal'listische Ra'kete. — **~ scope** *s fig.* freie Hand. — **~ share** *s econ.* Freiaktie *f.*

free·si·a ['friːʒiə; -ziə] *s bot.* Freesie *f* (*Gattg Freesia*).

free| sil·ver *s econ.* freie *od.* unbeschränkte Silberprägung. — **~ soil** *s Am. hist.* Freiland *n* (*in dem es Sklaverei verboten war*). — **'~-'soil** *adj Am.* gegen die Ausdehnung der Sklave'rei gerichtet, Freiland...: F ~ party Freilandpartei (*1848–1856*). — **~ space** *s* 1. *mar.* Freiraum *m.* – 2. *tech.* Spielraum *m.* — **'~-'spo·ken** *adj* freimütig, offen, leutselig. — **'~-'spo·ken·ness** *s* Freimütigkeit *f*, Offenheit *f.* — **~ state** *s* 1. *Am. hist.* Staat *m*, in dem es vor dem Bürgerkrieg keine Sklave'rei gab. – 2. Freistaat *m.* – 3. the F~ S~ der (*ehemalige*) Irische Freistaat. — **'~,stone I** *s* 1. *tech.* Mauer-, Sand-, Quader-, Haustein *m.* – 2. *bot.* Freistein-Obst *n.* – **II** *adj* 3. *bot.* mit leicht auslösbarem Kern (*Pfirsich etc*). – 4. *Am.* keinen Kesselstein bildend (*Wasser*). — **~ style** *s* (*Schwimmen*) Freistil *m.* — **'~-'swim·mer** *s zo.* frei (um'her)-schwimmendes Lebewesen. — **'~-'swim·ming** *adj zo.* freischwimmend, nicht gebunden. — **'~'think·er** *s* Freidenker *m.* – *SYN. cf.* atheist. — **'~'think·ing I** *s* 1. freies Denken. – 2. → free thought. – **II** *adj* 3. freidenkerisch, -geistig. — **~ thought** *s* ,Freigeiste'rei *f*, -denke'rei *f.* — **~ throw** *s* (*Basketball*) 1. Freiwurf *m.* – 2. Stand *m* von einem Punkt. — **~ time** *s econ.* gebührenfreie Ladezeit. — **~ trade** *s* 1. Freihandel *m*, -verkehr *m*, Handelsfreiheit *f*: ~ area Freihandelszone. – 2. *Br. hist.* Schmuggel *m.* — **,~'trad·er, ~ trad·er** *s* Freihändler *m*, Anhänger *m* des Freihandels. — **~ verse** *s* freier Vers. — **,~-'ver·si,fi·er** *s* Verfasser(in) freier Verse. — **~ vote** *s pol.* Abstimmung *f* ohne Frakti'onszwang. — **'~,way** *s Am.* Autobahn *f* (*plankreuzungsfreie Fernverkehrsstraße*). — **'~'wheel** *s tech.* Freilauf *m.* — **~ will** *s* 1. freier Wille. – 2. Willensfreiheit *f.* — **'~'will** *adj* 1. frei(willig), aus freiem Willen. – 2. die Willensfreiheit betreffend.

freez·a·ble ['friːzəbl] *adj* gefrierbar.

freeze [friːz] **I** *v/i pret* **froze** [frouz] *pp* **froz·en** ['frouzn] 1. (ge)frieren, zu Eis werden. – 2. hart *od.* fest *od.* starr werden. – 3. zu-, einfrieren, durch Eis verstopft werden: to ~ up *aer.* vereisen. – 4. fest-, anfrieren (*auch fig.*): to ~ on to *sl.* sich festhalten an (*acc*). – 5. frieren: to ~ to death erfrieren. – 6. *fig.* erstarren, erkalten, eisig (kühl) werden. – 7. frieren: it is freezing hard es friert stark. – 8. *colloq.* erstarren, bewegungslos stehen(bleiben), sich nicht rühren. – 9. *tech.* sich festfressen. – **II** *v/t* 10. gefrieren machen, zum Gefrieren bringen. – 11. (*Rohre etc*) durch Eis verstopfen. – 12. *meist* ~ in, ~ up in Eis einschließen. – 13. starr *od.* steif *od.* hart machen. – 14. sich (*ein Glied etc*) erfrieren. – 15. *fig.* erstarren *od.* erschaudern machen, (durch Furcht) lähmen, (*j-s*) Begeisterung dämpfen. – 16. (*Fleisch etc*) durch Gefrieren haltbar machen. – 17. *bes.* ~ out *sl.* ausschließen, -schalten, hin'ausdrängen. – 18. *econ.* (*Kredite etc*) einfrieren (lassen), sperren, bloc'kieren, lahmlegen. – 19. *Am. colloq.* (*Preise etc*) gesetzlich festlegen, (amtlich) auf einer bestimmten Höhe halten. – 20. *med.* vereisen. – **III** *s* 21. (Ge)-Frieren *n.* – 22. Gefrorensein *n*, gefrorener Zustand. – 23. Frost *m.*

'freeze-,out *s Am. Abart des Pokerspiels, in dem jeder ausscheidet, der sein Spielkapital verloren hat.* — **'freez·er** *s* 1. Ge'frierma,schine *f.* – 2. a) Gefrierkammer *f*, b) Tiefkühltruhe *f.*

freez·ing ['friːziŋ] **I** *adj* 1. auf *od.* unter dem Gefrierpunkt, Gefrier..., Kälte...: ~ mixture Kältemischung; ~ process Tiefkühlverfahren. – 2. *colloq.* eisig, kalt, unnahbar. – 3. sehr kalt, eisig. – **II** *s* 4. Einfrieren *n.* – 5. *econ.* Einfrierung *f*: ~ of foreign property Einfrierung ausländischer Guthaben. – 6. *med.* Vereisung *f.* – 7. *tech.* Erstarrung *f*: ~-up *aer.* Vereisen. — **~ point** *s phys.* Ge'frierpunkt *m*, -tempera,tur *f.*

free zone *s* Freihafengebiet *n.*

freight [freit] **I** *s* 1. Fracht *f*, Trans'port *m od.* Beförderung *f* als Frachtgut. – 2. Fracht(gebühr *f*, -geld *n*) *f*, Fuhrlohn *m*: additional ~ Frachtaufschlag. – 3. *mar.* Fracht *f*, Last *f*, Ladung *f*: dead ~ Faut-, Fehlfracht; lump-sum ~ Total-, Pauschalfracht. – 4. Schiffsmiete *f*, -mietpreis *m.* – 5. *Am. od. Canad.* a) Fracht(gut *n*) *f*, b) Güterzug *m.* – **II** *v/t* 6. (mit Gütern) beladen. – 7. als Fracht(gut) befördern *od.* senden. – 8. (*für den Transport*) vermieten, -geben, -heuern. – 9. *fig.* beladen, belasten. – **III** *v/i* 10. *Am.* Frachtgut befördern. — **'freight·age** *s* 1. Trans'port *m.* – 2. Frachtgeld *n*, -gebühr *f*, -satz *m.* – 3. Ladung *f*, Fracht *f.*

freight| car *s Am.* (*bes.* geschlossener) Güterwagen. — **~ en·gine** *s Am.* 'Güterzuglokomo,tive *f.*

freight·er ['freitər] *s* 1. *mar.* Frachter *m*, Frachtschiff *n.* – 2. Befrachter *m*, Schiffsheurer *m*, Reeder *m.* – 3. Ablader *m*, Verlader *m.*

freight| house *s Am.* Lagerhaus *n.* — **~ rate** *s econ. mar.* Frachtsatz *m*, -rate *f.* — **~ ship** → freighter 1. — **~ ton** → ton¹ 2c. — **~ ton·nage** *s mar.* Frachtraum *m*, Nutztragfähigkeit *f.* — **~ train** *s Am.* Güterzug *m.*

fremd [fremd] *adj dial.* 1. fremd. – 2. feindselig.

frem·i·tus ['fremitəs] *s med.* Fremitus *m*, Schwirren *n*: pectoral ~ Vokal-, Stimmfremitus; purring ~ Katzenschnurren.

French [frentʃ] **I** *adj* 1. fran'zösisch. – **II** *s* 2. Fran'zosen *pl.* – 3. *ling.* Fran'zösisch *n*, das Fran'zösische: in ~ auf französisch. — **~ A·cad·e·my** *s* Franz. Akade'mie *f.* — **~ bean** *s bot. Br.* 1. Feuerbohne *f* (*Phaseolus coccineus*). – 2. Garten-, Schminkbohne *f* (*Phaseolus vulgaris*). – 3. *pl* grüne Bohnen *pl.* — **~ bread** *s* Pa'riserbrot *n*, langes, knuspriges Weizenbrot. — **~ Ca·na·di·an** *s* 1. 'Frankoka,nadier(in), Ka'nadier(in) franz. Abstammung. – 2. *ling.* kanad. Französisch *n.* – 3. *ein kanad. Rind.* — **'~-Ca'na·di·an** *adj* 1. 'frankoka,nadisch. – 2. ka'nadisch-fran,zösisch. — **~ chalk** *s* 1. Schneiderkreide *f.* – 2. *tech.* Federweiß *n*, Talkum *n.* — **~ chop** *s* Kote'lett *n* (*ohne das auslaufende Ende*). — **~ curve** *s tech.* 'Kurvenline,al *n.* — **~ dai·sy** → marguerite 2. — **~ dis·ease** *s med.* Fran'zosenkrankheit *f*, Syphilis *f.* — **~ door** *s* Glastür *f.* — **~ drain** *s tech.* mit Steinen gefüllter Graben (*zum Wasserabsickern*). — **~ dress·ing** *s* Sa'latwürze *f* aus Öl, Essig, Salz u. Gewürzen. — **~ fried po·ta·toes** *s pl* Pommes frites *pl.* — **~ grey** *s* (*Art*) grauer Farbton. — **~ heel** *s* hoher, geschwungener Absatz (*Damenschuh*). — **~ horn** *s mus.* Waldhorn *n.*

— ~ **horse·pow·er** *s phys.* metrische Pferdestärke (= *75 kgm/sec*).
French·i·fy ['frentʃiˌfai; -tʃə-] **I** *v/t* franzö'sieren, franz. machen, verwelschen. – **II** *v/i* franz. werden.
French leave *s* heimliches Weggehen *od.* Verlassen: to take ~ sich franz. empfehlen, (heimlich) verschwinden.
French·less ['frentʃlis] *adj* das Fran'zösische nicht beherrschend.
French| let·ter *s* Con'dom *m*, Präserva'tiv *n.* — ~ **lock** *s tech.* franz. Zuhaltungsschloß *n.* — '~·**man** [-mən] *s irr* **1.** Fran'zose *m.* – **2.** *mar.* franz. Schiff *n.* – **3.** *Br.* franz. Rebhuhn *n.* — ~ **mar·i·gold** *s bot.* Samt-, Stu'dentenblume *f* (*Tagetes patula*).
French·ness ['frentʃnis] *s* franz. Aussehen *n od.* Wesen *n*, franz. Cha'rakter *m.*
French| pan·cake *s* Pala'tschinke *f*, süße Ome'lette. — ~ **pas·try** *s* gefülltes Gebäckstück. — ~ **pol·ish** *s* 'Möbelpoliˌtur *f.* — ˌ~-'**pol·ish** *v/t* (*Möbel*) po'lieren. — ~ **roll** *s* Semmel *f*, Weißbrötchen *n*, Franzbrot *n.* — ~ **roof** *s arch.* Man'sardendach *n.* — ~ **rose** *s bot.* Essigrose *f* (*Rosa gallica*). — ~ **seam** *s* Rechts-Links-Naht *f.* — ~ **toast** *s* (*Kochkunst*) arme Ritter *pl.* — ~ **win·dow** *s* (*bis zum Fußboden reichendes*) Flügelfenster, Ve'randatür *f.* — '~ˌ**wom·an** *s irr* Fran'zösin *f.*
French·y ['frentʃi] *colloq.* **I** *adj* (betont *od.* typisch) fran'zösisch. – **II** *s* (*verächtlich*) Fran'zose *m*, ‚Franzmann' *m.*
fre·net·ic [fri'netik] **I** *adj* wahnsinnig, fre'netisch, rasend. – **II** *s* wahnsinniger Mensch. — **fre'net·i·cal·ly** *adv.*
fren·u·lum ['frenjuləm; -jə-] *pl* **-la** [-lə] *s* **1.** *med. zo.* Bändchen *n*, Frenulum *n.* – **2.** *zo.* Haftborste *f.*
fre·num *cf.* fraenum.
fren·zied ['frenzid] *adj* wahnsinnig, rasend, toll. — '**fren·zy** [-zi] **I** *s* **1.** (wilde) Aufregung, (lodernde) Begeisterung, (höchste seelische) Erregung. – **2.** Wahnsinn *m*, Rase'rei *f*, Tobsucht *f.* – *SYN. cf.* **inspiration.** – **II** *v/t* **3.** rasend *od.* wahnsinnig machen, zur Rase'rei bringen.
fre·on ['friːɒn] *s chem.* Freon *n*, Fri'gen *n* (CCl_2F_2).
fre·quence ['friːkwəns] → **frequency** 1.
fre·quen·cy ['friːkwənsi] *s* **1.** Häufigkeit *f*, häufiges Vorkommen. – **2.** *electr. phys.* Fre'quenz *f*, Schwingungszahl *f*: **high** ~ Hochfrequenz. – **3.** *biol. math. med.* Häufigkeit *f.* — ~ **band** *s electr.* Fre'quenzband *n.* — ~ **chang·er** *s electr.* Fre'quenzwandler *m.* — ~ **con·vert·er** *s phys.* Fre'quenzˌumformer *m*, -wandler *m*, Mischstufe *f.* — ~ **curve** *s* **1.** *biol. math.* Häufigkeitskurve *f.* – **2.** *biol.* Größenverteilungs-, Variati'onskurve *f.* — ~ **de·vi·a·tion** *s electr.* Fre'quenzhub *m.* — ~ **dis·tri·bu·tion** *s* **1.** Häufigkeitsverteilung *f.* – **2.** Variati'onsreihe *f.* — ~ **me·ter** *s electr.* Fre'quenz-, Wellenmesser *m.* — ~ **mod·u·la·tion** *s phys.* Fre'quenzmodulatiˌon *f*: ~ **range** Breite *od.* Bereich der Frequenzmodulation, Wobbelbereich.
fre·quent I *adj* ['friːkwənt] **1.** häufig ('wiederkehrend), öfter (vorkommend), (häufig) wieder'holt. – **2.** regelmäßig, gewohnt, beständig. – **3.** nahe bei'sammen, in geringer Entfernung vonein'ander. – **4.** *med.* fre'quent. – **5.** *obs.* voll. – **II** *v/t* [fri'kwent] **6.** oft *od.* fleißig aufsuchen *od.* besuchen, frequen'tieren. – *SYN.* **habituate, haunt.** — ˌ**fre·quen'ta·tion** *s* häufiger Besuch, 'Umgang *m*, Verkehr *m.* — **fre'quen·ta·tive** [-'kwentətiv] *ling.* **I** *adj* frequenta'tiv. – **II** *s* Frequenta'tivum *n.* — **fre'quent·er** *s* (fleißiger) Besucher. — **fre·quent·ly** ['friːkwəntli] *adv* oft, öfters, häufig.
frère [frɛːr] (*Fr.*) *s* **1.** Bruder *m.* – **2.** Mönch *m.*
fres·co ['freskou] **I** *s pl* **-cos, -coes** **1.** ˌFreskomale'rei *f.* – **2.** Fresko(gemälde) *n.* – **II** *v/t pret u. pp* **-coed** **3.** in Fresco malen.
fresh [freʃ] **I** *adj* **1.** neu, frisch. – **2.** neu, kürzlich verfaßt, bisher unbekannt: a ~ **novel.** – **3.** kürzlich *od.* jüngst angekommen. – **4.** neu, anders, verschieden: a ~ **chapter** ein neues Kapitel; **to break** ~ **ground** etwas ganz Neues unternehmen. – **5.** zusätzlich, weiter, frisch: ~ **supplies.** – **6.** frisch, süß, trinkbar: ~ **water** Frischwasser. – **7.** nicht alt, unverdorben, frisch: ~ **eggs.** – **8.** frisch, Frisch... (*Fleisch*), ungesalzen (*Butter*): ~ **meat** Frischfleisch. – **9.** neu, ungebraucht, ungetragen, rein. – **10.** vor kurzer Zeit erhalten: ~ **news.** – **11.** *fig.* blühend, frisch, lebhaft, kräftig, jugendlich, munter. – **12.** rein, kühl, erfrischend (*Luft*). – **13.** stark, frisch (*Wind*). – **14.** *Scot. od. dial.* mild (*Winter*), regnerisch. – **15.** *Scot.* nüchtern. – **16.** *colloq.* angeheitert, ‚beschwipst'. – **17.** *fig.* unerfahren. – **18.** *sl.* keck, vorlaut, zudringlich. – **19.** frisch(melkend) (*Kuh*). – *SYN. cf.* **new.** – **II** *s* **20.** Flut *f*, Strömung *f* (*in einem Fluß*). – **21.** erster Teil, Anfang *m* (*Tag etc*). – **22.** Frische *f*, Kühle *f* (*Morgen*). – **III** *v/t u. v/i* **23.** *obs. od. dial. für* **refresh.** – **IV** *adv* **24.** *colloq.* frisch, neu, kürzlich: ~ **in** kürzlich angekommen.
fresh| air *s* frische Luft: **in the** ~ im Freien. — '~-ˌ**air** *adj* Frischluft... — ~ **breeze** *s* frische Brise (*Windstärke 5 der Beaufortskala*).
fresh·en ['freʃn] **I** *v/t* **1.** frisch machen, auffrischen, erfrischen, ('wieder)beleben, erneuern. – **2.** entsalzen, (*Fleisch*) (aus)wässern, (*dat*) das Salz entziehen. – **3.** *mar.* auffieren. – **4.** *med. tech.* anfrischen. – **II** *v/i* **5.** frisch werden, aufleben. – **6.** kalben (*Kuh*). – **7.** *mar.* auffrischen (*Wind*). — '**fresh·er** *Br. sl. für* **freshman** 1.
fresh·et ['freʃit] *s* **1.** Hochwasser *n*, Flut *f*, Über'schwemmung *f.* – **2.** *fig.* Flut *f*, Schwall *f.* – **3.** Süßwasserfluß, der in das Meer fließt.
fresh| gale *s* stürmischer Wind (*Windstärke 8 der Beaufortskala*). — '~·**man** [-mən] *s irr* **1.** Stu'dent(in) im ersten Se'mester: **the freshmen** die ersten Semester. – **2.** Neuling *m*, Anfänger *m.* — '**fresh·ness** *s* Frische *f*, Unverdorbenheit *f*, Neuheit *f*, Unerfahrenheit *f.*
'**fresh-**ˌ**wa·ter** *adj* **1.** Süßwasser...: ~ **fish.** – **2.** *fig.* unerfahren. – **3.** *Am. colloq.* klein, wenig bekannt: a ~ **college.**
fret[1] [fret] **I** *v/t pret u. pp* '**fret·ted** **1.** *fig.* ärgern, reizen, kränken, aufregen: **to** ~ **one's life away** sich zu Tode ärgern. – **2.** zerfressen, zernagen, anfressen, annagen, abreiben, anrosten. – **3.** (*Wasser*) in Bewegung setzen, kräuseln. – **II** *v/i* **4.** *fig.* sich kränken *od.* quälen *od.* ärgern *od.* Sorgen machen: **to** ~ **and fume** vor Wut schäumen. – **5.** sich abreiben *od.* abnutzen *od.* abschälen. – **6.** sich einfressen, nagen. – **7.** sich kräuseln *od.* bewegen (*Wasser*). – **III** *s* **8.** *fig.* Aufregung *f*, Erregung *f*, Kummer *m*, Ärger *m*, Zorn *m*: **to be on the** ~ bekümmert sein. – **9.** Ärgernis *n*, 'Widerwärtigkeit *f*: **the** ~ **and fume of life** die Widerwärtigkeiten des Lebens. – **10.** Abnutzung *f*, Abreiben *n*, Zerfressen *n.* – **11.** abgenutzte *od.* abgeriebene Stelle. – **12.** Gärung *f.*
fret[2] [fret] **I** *s* **1.** verflochtene, durch'brochene Verzierung. – **2.** *arch.* Reli'efverzierung *f.* – **3.** geflochtenes Gitterwerk. – **4.** *her.* gekreuzte Bänder *pl.* – **5.** *hist.* Haarnetz *n.* – **II** *v/t pret u. pp* '**fret·ted** **6.** gitterförmig *od.* durch'brochen verzieren. – **7.** streifen, mit Streifen schmücken, bunt machen.
fret[3] [fret] *mus.* **I** *s* Bund *m*, Griff *m* (*Saiteninstrumente*). – **II** *v/t pret u. pp* '**fret·ted** mit Bünden versehen.
fret·ful ['fretful; -fəl] *adj* ärgerlich, mürrisch, verdrießlich, leicht reizbar. — '**fret·ful·ness** *s* Reizbarkeit *f*, Verdrießlichkeit *f*, schlechte Laune.
fret saw *s tech.* Schweif-, Laubsäge *f.*
fret·ted ['fretid] *adj* gitterartig *od.* mit verflochtener Arbeit verziert.
fret·ty[1] ['freti] *adj* **1.** ärgerlich, mürrisch, schlecht gelaunt. – **2.** *colloq.* eiternd, schwärend, entzündet.
fret·ty[2] ['freti] *adj* gitterartig verziert, gitterförmig.
fret work *s* **1.** verflochtenes Stabwerk, Gitterwerk *n.* – **2.** durch'brochene Arbeit. – **3.** Laubsägearbeit *f.*
Freud·i·an ['frɔidiən] **I** *adj* Freudsch(er, e, es). – **II** *s* Freudi'aner *m.*
fri·a·bil·i·ty [ˌfraiə'biliti; -əti] *s* Zerreibbarkeit *f*, Bröckligkeit *f.* — '**fri·a·ble** *adj* **1.** (leicht) zu zerreiben, zerreibbar. – **2.** bröcklig, krümelig, mulmig: ~ **condition of the soil** Gare. – *SYN. cf.* **fragile.** — '**fri·a·ble·ness** → **friability.**
fri·ar ['fraiər] *s* **1.** *relig.* Mönch *m*, (Kloster)Bruder *m*: → **Austin III.** – **2.** *print.* Mönch *m* (*blaßgedruckte Stelle*). – *SYN. cf.* **religious.** — '~ˌ**bird** *s zo.* Austral. Mönchsvogel *m* (*Tropidorhynchus corniculatus*).
fri·ar's| bal·sam *s med.* (*Art*) Wundbalsam *m.* — '~-'**cap** *s bot.* Blauer Eisenhut (*Aconitum napellus*). — '~-'**cowl** *s bot.* **1.** Kohlaron *m* (*Arisarum vulgare*). – **2.** → **friar's-cap.** – **3.** Gefleckter Aronstab (*Arum maculatum*). — '~-'**crown** *s bot.* Wollköpfige Kratzdistel (*Cirsium eriophorum*). — ~ **lan·tern** *s* Irrlicht *n.* — '~-'**this·tle** → **friar's-crown.**
fri·ar·y ['fraiəri] *s relig.* **1.** (Mönchs-)Kloster *n.* – **2.** (Mönchs)Orden *m.*
frib [frib] *s tech. Am.* kleine schmutzige Wollflocke.
frib·ble ['fribl] **I** *v/t* **1.** vertändeln, -trödeln, -geuden. – **II** *v/i* **2.** trödeln, tändeln, oberflächlich leben. – **III** *s* **3.** Tändler *m*, Fasler *m*, Schwätzer *m.* – **4.** Schwätze'rei *f*, Geschwätz *n*, Fase'lei *f*, Nichtigkeit *f.* – **5.** Leichtfertigkeit *f*, Oberflächlichkeit *f.*
fric·an·deau [ˌfrikən'dou] *s* (*Kochkunst*) Frikan'deau *n.* — ˌ**fric·as'see** [-kə'siː] (*Kochkunst*) **I** *s* Frikas'see *n.* – **II** *v/t* als Frikas'see (zu)bereiten, frikas'sieren.
fric·a·tive ['frikətiv] *ling.* **I** *adj* Reibe..., Frika'tiv. – **II** *s* Reibe-, Frika'tiv. laut *m.*
fric·tion ['frikʃən] *s* **1.** *phys. tech.* Reibung *f*, Frikti'on *f.* – **2.** *med.* Frikti'on *f*, Ein-, Abreibung *f.* – **3.** *fig.* Reibe'rei *f*, Schwierigkeit *f*, Gegensatz *m*, 'Mißhelligkeit *f.* — '**fric·tion·al** *adj* Reibungs..., Friktions..., Schleif...
fric·tion| ball *s tech.* Kugel *f* (*Kugellager*). — ~ **bear·ing** *s* Gleitlager *n.* — ~ **brake** *s* Backen-, Reibungsbremse *f.* — ~ **change gear** *s* Reibungswendegetriebe *n.* — ~ **clutch,** ~ **cou·pling** *s* Reibungs-, Frikti'ons-, Rutschkupplung *f.* — ~ **disk** *s* Reibscheibe *f*, Mitnehmerring *m.* — ~ **disk clutch** *s* 'Reibungslaˌmellenkupplung *f.* — ~ **force** *s* **1.** 'Reibungsˌwiderstand *m*, -kraft *f.* – **2.** zur Über'windung der (Haft)Reibung

nötige Kraft. — ~ **gear(·ing)** *s* Reib(rad)-, Reibungs-, Frikti'onsgetriebe *n*.
fric·tion·less ['frikʃənlis] *adj tech.* reibungsfrei, -arm.
fric·tion| match *s* Streichholz *n*. — ~ **sur·face** *s tech.* Lauffläche *f*. — ~ **wheel** *s tech.* Reib-, Frikti'onsrad *n*.
Fri·day ['fraidi] *s* **1.** Freitag *m*: on ~ am Freitag; on ~s freitags. – **2.** treu ergebener Diener.
fri(d)ge [fridʒ] *s Br. colloq.* Kühl-, Eisschrank *m*.
fried [fraid] **I** *pret u. pp von* fry. – **II** *adj* gebraten, Brat... — '~ˌ**cake** *s Am.* in Fett Gebackenes, *bes.* Krapfen *m od.* Pfannkuchen *m*.
friend [frend] **I** *s* **1.** Freund(in): ~ at court einflußreicher Freund; to be ~s with s.o. mit j-m befreundet sein; to make a ~ einen Freund gewinnen; to make ~s with sich befreunden mit. – **2.** Bekannte(r). – **3.** Helfer *m*, Förderer *m*, Begünstiger *m*, Gutgesinnter *m*, wohlwollender Mensch. – **4.** Landsmann *m*, Par'teigenosse *m*, Kol'lege *m*: my honourable ~ *Br. Anrede eines Parlamentsmitglieds an ein anderes*; my learned ~ *Br.* verehrter Herr Kollege (*Anrede eines Juristen an einen anderen*). – **5.** (*oft ironisch*) Freund *m*: our ~ over there. – **6.** Vorredner *m*: our ~ has said. – **7.** Vertreter *m*, Sekun'dant *m*. – **8.** *bes. Scot.* Verwandte(r). – **9.** *fig.* Hilfe *f*, Freund *m*. – **10.** F~ Quäker *m*: the Society of F~s die Quäker, die Gesellschaft der Freunde. – **11.** *colloq.* Freund(in), ‚Schatz' *m*. – **II** *v/t poet.* **12.** (*j-m*) helfen. — '**friend·ed** *adj* Freunde besitzend, von Freunden begleitet. — '**friend·less** *adj* freundlos, verlassen, al'lein. — '**friend·less·ness** *s* Freundlosigkeit *f*, Verlassensein *n*.
friend·li·ness ['frendlinis] *s* Freundlichkeit *f*, Wohlwollen *n*, freundschaftliche Gesinnung.
friend·ly ['frendli] **I** *adj* **1.** freundlich. – **2.** freundschaftlich, nett: to be on ~ terms with s.o. mit j-m auf freundschaftlichem Fuß stehen. – **3.** wohlwollend, geneigt, hilfsbereit, freundlich gesinnt (to s.o. j-m): ~ neutrality wohlwollende Neutralität. – **4.** befreundet: a ~ nation. – **5.** günstig, gelegen, zuträglich: ~ troops *mil.* eigene Truppen. – *SYN. cf.* amicable. – **II** *adv* **6.** freundlich, freundschaftlich. – **III** *s* **7.** freundlich gesinnter Mensch. — **F~ So·ci·e·ty** *s Br.* Versicherungsverein *m* auf Gegenseitigkeit, Arbeiterhilfsverein *m*.
friend·ship ['frendʃip] *s* **1.** Freundschaft *f*. – **2.** freundschaftliche Gesinnung. – **3.** Freundschaftlichkeit *f*.
Frie·sian ['friːʒən], *auch* '**Fries·ic** [-zik] → Frisian.
frieze[1] [friːz] *arch.* **I** *s* Fries *m*. – **II** *v/t* mit einem Fries versehen.
frieze[2] [friːz] *s* Fries *m* (*grobes Wollzeug*).
friez·ing tool ['friːziŋ] *s tech.* Kraus-, Körnchenpunze *f*.
frig *cf.* fri(d)ge.
frig·ate ['frigit] *s mar.* **1.** Fre'gatte *f*. – **2.** *hist.* 'Kreuzer(freˌgatte *f*) *m*. — ~ **bird** *s zo.* Fre'gattvogel *m* (*Gattg Fregata*). — ~ **mack·er·el** *s zo.* Fre'gattenmaˌkrele *f* (*Auxis thazard*).
Frigg [frig], *auch* '**Frig·ga** [-ə] *npr* Frigg *f* (*germanische Göttin*).
fright [frait] **I** *s* **1.** Schreck(en) *m*, Entsetzen *n*: to get a ~, to take ~ einen Schreck bekommen; to get off with a ~ mit dem Schrecken davonkommen. – **2.** *fig.* Scheusal *n*, Schreck-, Zerrbild *n*, Fratze *f*: he looked a ~ *colloq.* er sah einfach scheußlich *od.* ‚verboten' aus. – *SYN. cf.* fear. – **II** *v/t poet.* **3.** erschrecken.
fright·en ['fraitn] *v/t* **1.** (er)schrecken, in Furcht *od.* Schrecken versetzen, einschüchtern: to ~ s.o. into doing s.th. j-n durch Schrecken *od.* Furcht zu etwas treiben; to ~ s.o. out of his wits j-n furchtbar erschrecken *od.* ängstigen; to ~ s.o. to death j-n zu Tode erschrecken, j-n in Todesangst versetzen. – **2.** *meist* ~ away, ~ off vertreiben, verjagen, verscheuchen. — '**fright·ened** *adj* erschreckt, eingeschüchtert, verschüchtert: to be ~ of s.th. sich vor etwas fürchten.
fright·ful ['fraitful; -fəl] *adj* **1.** erschreckend, schrecklich, furchtbar. – **2.** gräßlich, entsetzlich, häßlich. – **3.** *colloq.* unerfreulich, scheußlich: we had a ~ time es war ganz scheußlich. – *SYN. cf.* fearful. — '**fright·ful·ly** *adv* **1.** schrecklich. – **2.** *colloq.* ‚furchtbar', sehr. — '**fright·ful·ness** *s* **1.** Schrecklichkeit *f*. – **2.** Terrori'sierung *f* (*der Zivilbevölkerung im Krieg*).
frig·id ['fridʒid] *adj* **1.** kalt, frostig, eisig. – **2.** *fig.* kühl, kalt, eisig, stumpf. – **3.** *fig.* förmlich, steif. – **4.** *med. psych.* fri'gid.
frig·id·aire [ˌfridʒi'dɛr] (*TM*) *s* Kühlschrank *m*.
fri·gid·i·ty [fri'dʒiditi; -əti], '**frig·id·ness** *s* **1.** Kälte *f*. – **2.** *fig.* Frostigkeit *f*, Steifheit *f*, Frigidi'tät *f*.
Frig·id Zone *s geogr.* kalte Zone.
frig·o·rif·ic [ˌfrigə'rifik], ˌ**frig·o'rif·i·cal** [-kəl] *adj* Kälte erzeugend: ~ mixture *chem.* Kältemischung.
frig·o·ther·a·py [ˌfrigo'θerəpi; -gə-] *s med.* ˌFrigothera'pie *f*, Kältebehandlung *f*.
fri·jol, *auch* **fri·jole** ['friːhoul] *pl* '**fri·joles** (*Span.*) *s bot. Am.* Bohne *f* (*Gattg Phaseolus*), *bes.* Schmink-, Stangenbohne *f* (*P. vulgaris*).
frill [fril] **I** *s* **1.** (Hals-, Hand)Krause *f*, Rüsche *f*. – **2.** Haarkrause *f* (*Hund*), Halsfedern *pl* (*Vogel*), Haarkranz *m* (*Pflanze*), Man'schette *f* (*Hutpilz*). – **3.** *zo.* Gekröse *n*, Hautfalte *f*. – **4.** *phot.* Kräuseln *n*. – **5.** *meist pl* Schmuck *m*, Tand *m*, Ziere'rei *f*, Aufgeblasenheit *f*: to put on ~s sich aufgeblasen benehmen, den Vornehmen spielen. – **II** *v/t* **6.** mit einer Krause besetzen *od.* schmücken. – **7.** kräuseln, fälteln, in Falten legen. – **III** *v/i* **8.** *phot.* sich kräuseln.
frilled liz·ard [frild] *s zo.* Kragenechse *f* (*Chlamydosaurus kingii*).
frill·er·y ['friləri] *s* Krausen *pl*, Falbeln *pl*, Vo'lantbesatz *m*. — '**frill·ing** *s* **1.** Kräuseln *n*. – **2.** Krausen(besatz *m*) *pl*. – **3.** Stoff *m* für Krausen. — '**frill·ies** [-liz] *s pl Br. colloq.* 'Unterwäsche *f* mit Spitzenbesatz. — '**frill·y** *adj* mit Krausen besetzt, krausenähnlich, gekräuselt.
fringe [frindʒ] **I** *s* **1.** Franse *f*, Besatz *m*. – **2.** Rand *m*, Saum *m*, Einfassung *f*. – **3.** 'Ponyfriˌsur *f*. – **4.** Barthaar *n*: → Newgate. – **5.** a) Randbezirk *m*, äußerer Bezirk, b) *fig.* Rand(zone *f*) *m*: the ~s of civilization die Randzonen der Zivilisation. – **6.** *bot.* Läppchen- *od.* Fadenbesatz *m*. – **7.** *phys.* abwechselnd heller u. dunkler Streifen. – **8.** *med. zo.* Haarfranse *f*, Zotte *f*. – **II** *v/t* **9.** mit Fransen besetzen. – **10.** als Rand dienen für. – **11.** einsäumen, um'säumen. — ~ **ben·e·fits** *s pl econ. Am.* Sozi'alleistungen *pl* (*Urlaub, Kinderzulagen etc*).
fringed [frindʒd] *adj* gefranst. — ~ **gen·tian** *s bot.* Gefranster Enzian (*Gentiana crinita*). — ~ **or·chis** *s bot.* (*eine*) amer. 'Sommerorchiˌdee (*Gattg Blephariglottis*). — ~ **wa·ter lil·y** *s bot.* Seekanne *f* (*Gattg Nymphoides*).
fringe tree *s bot.* Vir'ginischer Schneeflockenstrauch (*Chionanthus virginica*).
frin·gil·la·ceous [ˌfrindʒi'leiʃəs; -dʒə-], **frin'gil·liˌform** [-'dʒiliˌfɔːrm; -lə-], **frin'gil·line** [-'dʒilain; -lin] *adj zo.* finkenartig, Finken...
fring·ing ['frindʒiŋ] *adj* Saum..., Fransen... — '**fring·y** *adj* fransig, zottig.
frip·per·y ['fripəri] **I** *s* **1.** Putz *m*, Flitterkram *m*. – **2.** Gepränge *n*, leere Prahle'rei, Blendwerk *n*. – **3.** Kleinigkeiten *pl*, Unwesentliches *n*, Unwichtiges *n*, Plunder *m*. – **II** *adj* **4.** gering, wertlos, leer, Flitter...
fri·sette [fri'zet] *s* Fri'sett *n* (*bes. künstlicher Haaransatz für Frauen*). — **fri·seur** [fri'zœːr] (*Fr.*) *s selten* Fri'seur *m*.
Fri·sian ['friʒən; -ziən] **I** *s* **1.** Friese *m*, Bewohner *m* Frieslands. – **2.** *ling.* Friesisch *n*, das Friesische. – **3.** *meist* Friesian friesisches Rindvieh. – **II** *adj* **4.** friesisch.
frisk [frisk] **I** *v/i* **1.** hüpfen u. springen, (ausgelassen) her'umtanzen. – **II** *v/t* **2.** lebhaft (hin u. her) bewegen: the dog ~s its tail der Hund wedelt mit dem Schwanz. – **3.** *sl.* (*j-n nach Waffen*) abtasten, absuchen, durch'suchen. – **4.** *sl.* (*j-m etwas*) ‚aus der Tasche mopsen' (*stehlen*), (*j-m*) die Taschen durch'suchen. – **III** *s* **5.** Ausgelassenheit *f*, gute Laune. – **6.** *obs.* Luftsprung *m*. – **7.** *sl.* Durch'suchen *n* (*nach Waffen*). – **IV** *adj* **8.** lustig, ausgelassen.
fris·ket ['friskit] *s print.* Maske *f*, Rahmen *m*.
frisk·i·ness ['friskinis] *s* Munter-, Lustigkeit *f*, Ausgelassenheit *f*. — '**frisk·y** *adj* **1.** lebhaft, munter. – **2.** lustig, fröhlich, vergnügt. – **3.** spielerisch, ausgelassen.
frit [frit] *tech.* **I** *s* **1.** Fritt-, Weich-, 'Knochenporzelˌlanmasse *f*. – **2.** Fritte *f*, Glasmasse *f*. – **II** *v/t pret u. pp* '**frit·ted** **3.** fritten, schmelzen, sintern.
frit fly *s zo.* Frit-, Haferfliege *f* (*Gattg Oscinis, bes. O. frit*).
frith [friθ] → firth.
frit·il·lar·i·a [ˌfriti'lɛ(ə)riə; -tə-] *s bot.* Schach(brett)blume *f*, Kaiserkrone *f* (*Gattg Fritillaria*). — **frit·il·lar·y** [*Br.* fri'tiləri; *Am.* 'fritəˌleri] *s* **1.** → fritillaria. – **2.** *zo.* (*ein*) Perlmutterfalter *m* (*Gattg Argynnis*).
fritt *cf.* frit.
frit·ter ['fritər] **I** *v/t* **1.** *meist* ~ away vergeuden, verzetteln, vertrödeln. – **2.** zerschneiden, zerreißen, zerstückeln. – **II** *s* **3.** Stückchen *n*, Fetzen *m*. – **4.** Bei'gnet *m*, Fettgebackenes *n* (*gefüllt mit Früchten od. Austern etc*).
Fritz [frits] *s sl.* Deutscher *m* (*Spitzname*).
Fri·u·li·an [fri'uːliən] *s ling.* Fri'aulisch *n*, das Fri'aulische.
friv·ol ['frivəl] *pret u. pp* **-oled**, *bes. Br.* **-olled** *colloq.* **I** *v/i* tändeln, oberflächlich *od.* leichtsinnig sein, bummeln. – **II** *v/t meist* ~ away ‚verplempern', vertändeln, (nutzlos *od.* leichtsinnig) vergeuden.
fri·vol·i·ty [fri'vɒliti; -əti] *s* **1.** Leichtsinnigkeit *f*, -fertigkeit *f*, Oberflächlichkeit *f*. – **2.** leichtfertige *od.* -sinnige Handlung. – **3.** Wertlosigkeit *f*, Geringfügigkeit *f*. – *SYN. cf.* lightness[2]. — '**friv·o·lous** [-vələs] *adj* **1.** geringfügig, wertlos, nichtig. – **2.** völlig ungenügend, unbegründet, nicht stichhaltig (*Argument etc*). – **3.** leichtfertig, -sinnig. — '**friv·o·lous·ness** → frivolity.
friz [friz] **I** *v/t* **1.** (*Haare*) kräuseln, brennen, eindrehen. – **2.** (*Tuch*) fri'sieren, aufkratzen u. kraus machen. – **3.** (*Leder mit Bimsstein*) abreiben. – **II** *v/i* **4.** kraus werden, sich kräuseln (*Haar*). – **III** *s* **5.** gekräuseltes Haar (*etwas*) Krauses. – **6.** Kräuselung *f*.
fri·zette *cf.* frisette.

frizz[1] *cf.* friz.

frizz[2] [friz] *v/i* zischen (*Braten*).

friz·zle[1] ['frizl] **I** *v/t* (*Haar*) kräuseln, eindrehen. – **II** *v/i* sich kräuseln (*Haar*). – **III** *s* gekräuseltes Haar, Haarlocke *f*.

friz·zle[2] ['frizl] **I** *v/i* zischen, schmoren (*auch fig.*). – **II** *v/t* (braun) rösten, (knusprig) braten.

friz·zly ['frizli], *auch* **friz·zy** ['frizi] *adj* gekräuselt, kraus.

fro [frou] *adv* weg, zu'rück (*nur in*): to and ~ hin u. her, auf u. ab.

frock [frɒk] **I** *s* **1.** Mönchskutte *f*. – **2.** *fig.* Priesterstand *m*, -amt *n*. – **3.** wollene Seemannsjacke. – **4.** (Kinder)Spielhose *f*, -kleid *n*. – **5.** Kleid *n*. – **6.** (Arbeits)Kittel *m*, Bluse *f*. – **7.** Gehrock *m*. – **8.** *Br.* (außerdienstlicher) Uni'form- *od.* Waffenrock. – **9.** Po'litiker *m*, Abgeordneter *m*. – **II** *v/t* **10.** in ein geistliches Amt einsetzen. – **11.** in einen Rock kleiden. — **~ coat** → frock 7.

froe [frou] *s Am.* Spaltmesser *n*.

Froe·bel·i·an [frəː'beliən] *ped.* **I** *adj* Fröbelsch(er, e, es). – **II** *s* Fröbel-Lehrer(in), Kindergärtner(in) nach dem Fröbelschen Sy'stem. — **'Froe-belˌism** [-bəˌlizəm] *s* Fröbelsches 'Lehrsyˌstem.

frog[1] [frɒg] **I** *s* **1.** *zo.* Frosch *m* (*bes. Gattg Rana*). – **2.** Frosch *m*, Heiserkeit *f*: to have a ~ in the throat einen Frosch im Hals haben, heiser sein. – **3.** F~ (*verächtlich*) ‚Franzmann' *m*, Fran'zose *m*. – **4.** Blumenhalter *m* (*in einer Vase*). – **5.** *mus.* Frosch *m* (*des Geigenbogens*). – **6.** *Am. sl.* Bizeps *m*. – **II** *v/i pret u. pp* **frogged** **7.** Frösche fangen *od.* suchen.

frog[2] [frɒg] **I** *s* **1.** Schnurverschluß *m*, Verschnürung *f* (*Rock etc*). – **2.** *pl* Schnurbesatz *m*. – **3.** *mil.* Bajo'nettschlaufe *f*, Säbeltasche *f*. – **II** *v/t* **4.** mit Verschnürung befestigen.

frog[3] [frɒg] *s* **1.** (*Eisenbahn*) Herz-, Kreuzungsstück *n*. – **2.** *electr.* Fahrdraht-, Oberleitungsweiche *f*.

frog[4] [frɒg] *s zo.* Strahl *m*, Gabel *f* (*am Pferdehuf*).

'frog|ˌbit *s bot.* **1.** *Br.* Froschbiß *m* (*Hydrocharis morsus-ranae*). – **2.** *Amer.* Froschbiß *m* (*Limnobium spongia*). — **~ cheese** *s bot.* **1.** junger 'Riesenboˌvist. – **2.** Frucht *f* der Malve *od.* Käsepappel. — **~ clock** → froghopper. — **~ crab** *s zo.* Froschkrabbe *f* (*bes. Gattg Ranina*). — **'~ˌeat·er** *s* **1.** Froschesser *m*. – **2.** F~ *vulg.* ‚Franzmann' *m*, Fran'zose *m*. — **'~ˌeye** *s bot.* Froschaugenflecken *pl* (*Pilzkrankheit auf Tabakblättern*). — **'~ˌfish** *s zo.* (*ein*) Anglerfisch *m* (*Fam. Lophiidae*).

frog·gish ['frɒgiʃ] *adj* froschartig.

frog grass *s bot.* Queller *m*, Glasschmalz *n* (*Gattg Salicornia*).

frog·gy ['frɒgi] **I** *adj* **1.** froschreich. – **2.** froschartig, Frosch... – **II** *s* **3.** Fröschlein *n*. – **4.** F~ → frogeater 2.

'frog|ˌhop·per *s zo.* Schaumzirpe *f* (*Fam. Cercopidae*). — **~ kick** *s* (*Schwimmen*) Grätschstoß *m*. — **'~ˌland** *s* **1.** froschreiches Land. – **2.** F~ *humor.* Holland *n*. — **~ lil·y** *s bot.* Gelbe Teichrose *od.* Wasserlilie (*Nuphar luteum*). — **'~·man** [-mən] *s irr mil.* Kampfschwimmer *m*, ‚Froschmann' *m*. — **'~ˌmarch** *v/t* (*j-n*) (mit dem Kopf nach unten) fortschleppen. — **'~ˌmouth** *s zo.* (*ein*) Schwalm *m*, (*eine*) Eulenschwalbe (*Fam. Podargidae*). — **~ shell** *s zo.* Kröten-, Taschenschnecke *f* (*bes. Gattg Ranella*). — **~ spawn** *s* **1.** *zo.* Froschlaich *m*. – **2.** *bot.* a) (*eine*) Grünalge (*Klasse Chlorophyceae*), b) Froschlaichalge *f* (*Gattg Batrachospermum*). — **~ spit(·tle)** → frog spawn 2a. — **~ stick·er** *s Am. sl. humor.* Taschenmesser *n*. — **'~ˌstool** → toadstool.

Fröh·lich's syn·drome ['frøːliçs] *s med.* Fröhlichsche Krankheit, pitui'täre Fettsucht.

frol·ic ['frɒlik] **I** *s* **1.** Scherz *m*, Posse *f*, lustiger Streich, heiteres Spiel, Ausgelassenheit *f*. – **2.** Lustbarkeit *f*, Unter'haltung *f*. – **II** *v/i pret u. pp* **'frol·icked** **3.** ausgelassen sein, Scherz *od.* Possen treiben, Spaß haben, toben, scherzen, spaßen. – **III** *adj* **4.** *obs. od. Am.* fröhlich, lustig, vergnügt, voll Possen. — **'frol·ic·some** [-səm] *adj* lustig, vergnügt, fröhlich. — **'frol·ic·some·ness** *s* Fröhlichkeit *f*, Ausgelassenheit *f*.

from [frɒm; frəm] *prep* **1.** von, aus, von ... aus *od.* her, aus ... her'aus, von *od.* aus ... her'ab: ~ mouth to mouth von Mund zu Mund; he comes ~ London er kommt von *od.* aus London. – **2.** von, vom, von ... an, seit: → colophon; ~ day to day von Tag zu Tag; ~ time to time von Zeit zu Zeit, gelegentlich; ~ Thursday von Donnerstag an; ~ this time ab jetzt. – **3.** von ... bis, bis, zwischen, wenigstens: I saw ~ 10 to 20 boats ich sah 10 bis 20 Boote. – **4.** (weg *od.* entfernt) von: ten miles ~ Rome 10 Meilen von Rom (weg *od.* entfernt); ~ home von daheim *od.* zu Hause weg, nicht zu Hause; far ~ the truth weit von der Wahrheit entfernt; I am far ~ saying es liegt mir fern zu sagen, ich bin weit davon entfernt zu sagen; apart ~ abgesehen von. – **5.** von, vom, aus, weg, aus ... her'aus: they released him ~ prison sie entließen ihn aus dem Gefängnis; I cannot refrain ~ laughing ich kann nicht umhin zu lachen; to dissuade ~ folly von einer Dummheit abbringen. – **6.** von, aus (*Wandlung*): to raise the penalty ~ banishment to death die Strafe der Verbannung in die Todesstrafe verwandeln. – **7.** von, von ... ausein'ander (*Unterscheidung*): he does not know black ~ white er kann Schwarz u. Weiß nicht auseinanderhalten *od.* unterscheiden. – **8.** von, aus, aus ... her'aus (*Quelle*): to draw a conclusion ~ premises einen Schluß aus Prämissen ziehen. – **9.** von, von ... aus (*Stellung*): ~ his point of view von seinem Standpunkt (aus), wie er die Dinge sieht. – **10.** von (*Geben etc*): gifts ~ Providence Gaben (von) der Vorsehung. – **11.** nach: painted ~ nature nach der Natur gemalt. – **12.** aus, vor, wegen, infolge von, an (*Grund*): he died ~ fatigue er starb vor Erschöpfung.

from| a·bove *adv* von oben (her'ab). — **~ be·fore** *adv* aus der Zeit vor. — **~ be·neath** *adv u. prep* unter ... (*dat*) her'vor *od.* her'aus. — **~ be·tween** *adv u. prep* zwischen ... (*dat*) her'vor. — **~ be·yond** *adv u. prep* von jenseits.

fro·men·ty ['frouménti] → frumenty.

from| long a·go *adv* von alters her. — **~ on high** *adv* aus der Höhe, von oben. — **~ out of** *prep* aus ... her'aus. — **~ o·ver** *prep* von jenseits *od.* der andern Seite her. — **~ un·der** → from beneath. — **~ with·in** *adv u. prep* von innen (her *od.* her'aus), aus ... heraus. — **~ with·out** *adv u. prep* von außen (her).

frond [frɒnd] *s* **1.** *bot.* a) (Farn)Wedel *m*, b) blattähnlicher Thallus. – **2.** *zo.* blattähnliche Struk'tur. — **'frond·age** *s* Blattwerk *n*, Farnkrautwedel *pl*, Laub *n*.

Fronde [frɔ̃ːd; frɔːnd] (*Fr.*) *s* Fronde *f*: a) *hist. in Frankreich*, b) Par'tei *f* aus unzufriedenen Ele'menten, c) erbitterte (*politische*) Oppositi'on.

fron·des·cence [frɒn'desns] *s bot.* **1.** Frondes'zenz *f*, Zeit *f* der Blattbildung. – **2.** Verlaubung *f*, Blattbildung *f*. – **3.** Laub *n*. — **fron'des·cent** *adj* blattbildend, sich belaubend. — **fron'dif·er·ous** [-'difərəs] *adj bot.* (farn)wedel-, laubtragend. — **'frond·iˌform** [-iˌfɔːrm] *adj bot.* farnwedelförmig. — **fron'dig·er·ous** [-'didʒərəs] → frondiferous. — **fron'div·o·rous** [-'divərəs] *adj* blattfressend. — **'fron·dose** [-dous] *adj bot.* **1.** farnwedeltragend. – **2.** farnwedelartig. – **3.** fron'dos.

frons [frɒnz] *pl* **'fron·tes** [-tiːz] *s med. zo.* Stirn *f*.

front [frʌnt] **I** *s* **1.** Fas'sade *f*, Außen-, Vorderseite *f*. – **2.** Front *f*. – **3.** *mil.* a) Front *f*, Kampf-, Schlachtlinie *f*, b) Frontrichtung *f*, c) Frontausdehnung *f*: to go to the ~ an die Front gehen. – **4.** vordere Lage, Vordergrund *m*: in ~ an der *od.* die Spitze, vorn, davor; in ~ of vor (*dat*); to the ~ nach vorn, voraus, voran; to come to the ~ hervortreten, sich auszeichnen, in den Vordergrund treten. – **5.** the ~ *Br.* die 'Strandpromeˌnade. – **6.** *fig.* Front *f*, Organisati'on *f*. – **7.** a) Strohmann *m*, nomi'neller Vertreter, b) ‚Aushängeschild' *n* (*Person od. Gruppe, die unter Vortäuschung guter Absichten für eine Interessengruppe od. eine subversive Organisation arbeitet*). – **8.** *colloq.* Fas'sade *f*, äußerer Schein *od.* Eindruck. – **9.** a) *poet.* Stirn *f*, b) Antlitz *n*, Gesicht *n*. – **10.** Frech-, Keck-, Unverfroren-, Unverschämtheit *f*: to have the ~ to do s.th. die Stirn haben, etwas zu tun. – **11.** Hemdbrust *f*, Vorhemd *n*. – **12.** Kra'watte *f*. – **13.** (*falsche*) Stirnlocken *pl*, falscher Scheitel. – **14.** (*Meteorologie*) Front *f*. – **15.** (*Theater*) Zuschauerraum *m*. – **16.** *poet.* Anfang *m*. –
II *adj* **17.** Front..., Vorder... – **18.** fron'tal, vorn liegend. – **19.** *ling.* Vorderzungen... –
III *v/t* **20.** (*dat*) gegen'überstehen, -liegen, mit der Front liegen an (*dat*) *od.* nach ... zu. – **21.** gegen'überstellen, konfron'tieren. – **22.** (*j-m*) gegen'übertreten, Trotz *od.* die Stirn bieten. – **23.** mit einer Front *od.* Vorderseite versehen. – **24.** als Front *od.* Vorderseite dienen für. – **25.** *ling.* palatali'sieren. – **26.** *mil.* Front machen lassen. –
IV *v/i* **27.** mit der Front liegen *od.* die Front haben (on, to, toward[s] nach, nach ... zu, zu). –
V *adv* **28.** nach vorn(e), gerade'aus: → eye 1. –
VI *interj* **29.** *Am.* Hausbursche!

front·age ['frʌntidʒ] *s* **1.** (Vorder)Front *f* (*Haus*). – **2.** an eine Straße *od.* einen Fluß angrenzendes Land. – **3.** Frontlänge *f*, -breite *f* (*Haus*). – **4.** *arch.* Mittelbau *m*. – **5.** Grundstück *n* zwischen der Vorderfront eines Hauses u. der Straße. – **6.** *mil.* a) Frontabschnitt *m*, b) Front-, Gefechtsbreite *f* (*einer Einheit*). – **7.** Ausblick *m*, Lage *f*. — **'front·ag·er** *s* Vorderhausbewohner *m*.

front·age road *s Am. parallel zu einer Autobahn verlaufende Straße mit Tankstellen, Motels etc.*

fron·tal ['frʌntl] **I** *adj* **1.** fron'tal, Front(en)..., Vorder..., Frontal...: ~ attack Frontalangriff. – **2.** *med.* Gesichts..., Stirn(knochen)..., Vorder...: ~ arch Stirnbogen. – **3.** *tech.* Stirn... – **II** *s* **4.** *relig.* Al'tardecke *f*, Fron'tale *n*. – **5.** *med.* Stirnbein *n*. – **6.** Fas'sade *f*. – **7.** Stirnband *n*, -binde *f*. – **8.** *med.* 'Stirnˌumschlag *m*. – **9.** *arch.* (Zier)Giebel *m*. — **~ an·gle** *s med.* Gesichtswinkel *m*. — **~ bone** *s* **1.** *med.* Stirnbein *n*. – **2.** *zo.* Kronen-, Hauptstirnbein *n*. — **~ con·vo·lu·tion** *s* *biol.* Stirn-, Augenwindung *f.* — **~ crest** *s biol.* Stirnkamm *m.* — **~ em·i·nence** *s biol.* Stirnhügel *m.* — **~ lobe** *s med.* Stirnlappen *m.* — **~ si·nus** *s biol.* Stirnbeinhöhle *f.* — **~ soar·ing** *s aer.* (Gewitter)Frontensegelflug *m.*

front| ax·le *s tech.* Vorderachse *f.* — **~ bench** *s pol. Br.* Vordersitze *pl* im Parla'ment (*für Regierung u. Oppositionsführer*). — **'~'bench·er** *s Br.* führender Po'litiker einer Par'tei. — **~ door** *s* Haustür *f*, Haupteingang *m.* — **~ foot** *s irr Am. Flächenmaß für städtische Grundstücke* (*6 Fuß breit × Grundstücklänge*).

fron·tier ['frʌntiɹ; 'frɒn-; *bes. Am.* frʌn'tiɹ] **I** *s* **1.** Grenze *f*, Grenzgebiet *n.* – **2.** *Am.* Gebiet *n* an der Siedlungsgrenze, Neu-, Grenzland *n.* – **3.** *fig.* Neuland *n*, Grenzbereich *m*: **~s of philosophy.** – **4.** *math.* Rand *m.* – **II** *adj* **5.** an der Grenze *od.* im Grenzland (gelegen), Grenz...: **~ town** Grenzstadt. – **6.** *Am.* an der Siedlungsgrenze (gelegen): **~ town** (neugegründete) Stadt an der Siedlungsgrenze. — **~ guard** *s* **1.** Grenzschutz *m.* – **2.** Grenzwächter *m*, -wache *f.*

fron'tiers·man [-mən] *s irr Am.* Grenzer *m*, Grenzbewohner *m*, -ansiedler *m.*

Fron·ti·gnac ['frɒntinjæk] *s* Frontignac *m* (*Muskatellerwein*).

fron·tis·piece ['frʌntisˌpiːs; 'frɒn-] *s* **1.** Fronti'spiz *n*: a) Titelbild *n* (*Buch*), b) *arch.* Vorder-, Giebelseite *f*, c) *arch.* (verziertes) Giebelfeld. – **2.** (*Theater*) Pro'szenium *n.*

front lens *s* **1.** *tech.* Vorsatzlinse *f.* – **2.** *zo.* Vorderlinse *f.*

front·less ['frʌntlis] *adj* **1.** ohne Front *od.* Fas'sade. – **2.** *selten* frech. — **'front·let** [-lit] *s* **1.** *zo.* a) Stirn *f*, b) Kopfrand *m* (*Vögel*). – **2.** Stirnband *n.* – **3.** (schmales) Tuch über der Al'tardecke.

front| line *s mil.* Kampffront *f*, Front(linie) *f.* — **'~-ˌline** *adj mil.* Gefechts... — **~ mat·ter** *s print. Am.* Tite'lei *f.*

fronto- [frɒnto] *Wortelement mit der Bedeutung* Stirn(bein).

fron·ton [frɔ̃'tɔ̃; 'frʌntən] (*Fr.*) *s arch.* Fron'ton *n*, Giebelfeld *n*, Ziergiebel *m.*

front| page *s* Titelblatt *n*, Vorderseite *f.* — **'~-'page** *adj* wert, auf der Titelseite zu erscheinen, wichtig, aktu'ell. — **~ plate** *s* **1.** *tech.* Stirnblech *n*, -wand *f*, Frontplatte *f.* – **2.** *mil.* Verschlußplatte *f* (*Geschütz*). — **'~-'rank man** *s irr mil.* Mann *m* im ersten Glied. — **~ sight** *s mil.* Korn *n.*

'fronts·man [-mən] *s irr Br.* Straßenverkäufer *m.*

front| view *s tech.* Front-, Stirnansicht *f*, Aufriß *m.* — **~ wave** *s* (*Ballistik*) Kopfwelle *f.* — **'~-ˌwheel** *adj tech.* Vorderrad...

frore [frɔːɹ] *adj obs.* gefroren, kalt.

frosh [frɒʃ] *s sg u. pl Am. sl.* Stu'dent(in) im ersten Studienjahr.

frost [frɒst; frɔːst] **I** *s* **1.** Frost *m*: **ten degrees of ~** *Br.* 10 Grad Kälte; **~ in fissures** *tech.* Spaltenfrost. – **2.** Reif *m.* – **3.** (Ge)Frieren *n.* – **4.** *fig.* Kühle *f*, Kälte *f.* – **5.** *colloq.* Frostigkeit *f* (*Benehmen*). – **6.** (Fenster)Eis *n*, Eisblumen *pl.* – **7.** *sl.* 'Mißerfolg *m*, Fehlschlag *m.* – **II** *v/t* **8.** mit Reif *od.* Eis über'ziehen *od.* bedecken. – **9.** *tech.* (*Glas*) mat'tieren, matt *od.* rauh *od.* milchig machen, ätzen. – **10.** (*Kochkunst*) gla'sieren. – **11.** a) durch Frost verletzen *od.* töten, b) *fig.* (durch eisiges Benehmen) abstoßen. – **12.** *poet.* (*Haare*) grau machen. – **13.** (*Hufeisen*) schärfen, (*Pferd*) scharf beschlagen. – **III** *v/i* **14.** *meist* **~ over** sich bereifen, sich mit Eis(blumen) über'ziehen.

frost| ac·tion *s geol.* Frostverwitterung *f.* — **'~ˌbite I** *s* Frostbeule *f*, Erfrieren *n*, Erfrierungserscheinung *f.* – **II** *v/t irr* durch Frost beschädigen *od.* verletzen. — **'~ˌbit·ten** *adj* erfroren. — **'~-ˌblite** *s bot.* **1.** Melde *f* (*Atriplex sabulosa*). – **2.** → **lamb's-quarters** 1. — **~ can·ker** *s biol.* Frostkrebs *m.*

frost·ed ['frɒstid; 'frɔːstid] *adj* **1.** mit (Rauh)Reif bedeckt, bereift, über'froren. – **2.** *tech.* rauh, mat'tiert, matt: **~ glass** Matt-, Milchglas. – **3.** *med.* ge-, erfroren. – **4.** gla'siert, mit Zuckerguß (über'zogen).

'frost|ˌfish *s zo. Am.* Zwergschellfisch *m* (*Microgadus tomcodus*). — **'~ˌflow·er** *s bot.* Mexiko-Stern *m* (*Milla biflora*). — **'~-ˌfree** *adj* frostfrei: **~ subsoil** *biol. geogr.* Niefrostboden. — **~ grape** → **chicken grape.**

frost·i·ness ['frɒstinis; 'frɔːst-] *s* **1.** Frost *m*, Eiseskälte *f.* – **2.** *fig.* Frostigkeit *f.* — **'frost·ing** *s* **1.** 'Zukker(ˌüber)guß *m*, -glaˌsur *f.* – **2.** *tech.* matte *od.* geätzte Oberfläche (*Glas etc*). – **3.** Verzierungsstoff *m* aus grob gepulverten Glasflocken. – **4.** Anlaufen *n* (*Scheiben*). – **5.** *tech.* Mattschleifen *n.*

frost| in·ju·ry *s* Frostschaden *m*: **~ to needles** *bot.* Kälteschütte. — **'~ˌproof** *adj tech.* frostbeständig. — **~ shake** *s tech.* Frostriß *m.* — **'~ smoke** *s geogr.* Rauhfrost *m*, gefrorener Nebel über dem Wasser. — **~ valve** *s tech.* 'Frost(schutz)venˌtil *n*, -hahn *m.* — **~ weath·er·ing** *s geol.* Frostverwitterung *f.* — **'~ˌweed** *s bot.* (*ein*) amer. Sonnenröschen *n* (*Gattg Helianthemum*). — **'~ˌwork** *s* **1.** Eisblumen *pl.* – **2.** Arbeit *f* mit rauher Oberfläche, Mat'tierung *f.*

frost·y ['frɒsti; 'frɔːsti] *adj* **1.** (eis)kalt, eisig, frostig. – **2.** mit Reif *od.* Eis bedeckt. – **3.** *fig.* frostig, eisig. – **4.** (eis)grau, ergraut (*Haar*). – **5.** *fig.* Alters...

froth [frɒθ; frɔːθ] **I** *s* **1.** Schaum *m* (*Bier etc*): **~-blower** *Br. humor.* Biertrinker; **~ ladle** *tech.* Schaumkelle. – **2.** *med. zo.* Schaum *m*, Speichel *m*, Ausfluß *m.* – **3.** *fig.* Nichtigkeit *f*, Seichtheit *f*, ˌSchaumschläge'rei *f.* – **4.** Abschaum *m* (*auch fig.*). – **II** *v/t* **5.** mit Schaum bedecken. – **6.** schäumen(d) machen, zum Schäumen bringen. – **III** *v/i* **7.** schäumen, Schaum von sich geben. — **'froth·i·ness** *s* **1.** Schäumen *n*, Schaum *m.* – **2.** *fig.* ˌSchaumschläge'rei *f*, Hohlheit *f*, Leerheit *f.* — **'froth·ing** *s* Schaumbildung *f.* — **'froth·y** *adj* **1.** schaumig, schäumend, voll Schaum. – **2.** *fig.* unwesentlich, nichtig, seicht.

frou·frou ['fruːˌfruː] *s* Knistern *n*, Rauschen *n*, Rascheln *n* (*bes. Seide*).

frounce [frauns] **I** *s* leeres Gepränge, äußerer Schmuck. – **II** *v/t obs.* (*Haar*) kräuseln.

frouz·y *cf.* frowzy.

frow[1] *cf.* froe.

frow[2] [frau] *s Br.* Holländerin *f.*

fro·ward ['frouərd; -wərd] *adj selten* eigensinnig, trotzig. – *SYN. cf.* **contrary.** — **'fro·ward·ness** *s* Eigensinn(igkeit *f*) *m*, Trotz *m.*

frown [fraun] **I** *v/i* **1.** die Stirn runzeln *od.* in Falten ziehen. – **2.** finster *od.* zornig (drein)schauen *od.* blicken: **to ~ at** (*od.* **on** *od.* **upon**) **s.o. (s.th.)** auf j-n (etwas) mit Mißfallen blicken, j-n (etwas) finster *od.* mißbilligend anblicken *od.* ansehen. — **II** *v/t* **3.** (*Mißbilligung etc*) durch Stirnrunzeln *od.* finstere Blicke ausdrücken. – **4. ~ down** (*j-n*) (durch finstere Blicke) einschüchtern. – **III** *s* **5.** Stirnrunzeln *n*, finsterer Blick. – **6.** Zeichen *n od.* Ausdruck *m* des 'Mißfallens *od.* der Ablehnung. – *SYN.* **glower, lower**[1]**, scowl.**

frowst [fraust] *colloq.* **I** *s* ‚Mief' *m*, stickige, verbrauchte Zimmerluft. – **II** *v/i Br.* ein Stubenhocker sein, faul her'umliegen. — **'frowst·y** *adj colloq.* muffig u. heiß.

frowz·i·ness ['frauzinis] *s* **1.** Schlampigkeit *f*, ungepflegtes Äußeres. – **2.** muffiger Geruch. – **3.** unangenehmer Lärm. — **'frowz·y** *adj* **1.** schmutzig, schlampig, unordentlich. – **2.** muffig, ranzig, übelriechend. – **3.** abstoßend. – **4.** lärmend, betäubend.

froze [frouz] *pret von* **freeze.**

fro·zen ['frouzn] **I** *pp von* **freeze.** – **II** *adj* **1.** (zu)gefroren, mit Eis bedeckt: **~ food** tiefgekühlte Lebensmittel; **~ meat** Gefrierfleisch; **~ section** *biol.* Gefrierschnitt. – **2.** (eis)kalt: **~ zone** kalte Zone. – **3.** erfroren, Frost... – **4.** zu-, eingefroren (*Rohre etc*). – **5.** *fig.* kühl, frostig. – **6.** *fig.* gefühl-, teilnahmslos, hart. – **7.** *econ.* festliegend, eingefroren, nicht verwertbar: **~ assets** eingefrorene Guthaben; **~ debts** Stillhalteschulden. – **8.** *bes. Am.* hart, kalt, 'unumˌstößlich: **~ facts; that is the ~ limit** *colloq.* das ist die Höhe, das ist doch allerhand.

fruc·ted ['frʌktid] *adj her.* mit Früchten. — **fruc'tif·er·ous** [-'tifərəs] *adj bot.* fruchttragend. — **ˌfruc·ti·fi'ca·tion** *s bot.* **1.** Fruchtbildung *f.* – **2.** Fruchtstand *m.* – **3.** Be'fruchtungsorˌgane *pl.* — **'fruc·ti·fiˌca·tive** *adj* befruchtungsfähig. — **'fruc·tiˌform** [-ˌfɔːrm] *adj* fruchtähnlich, -artig. — **'fruc·tiˌfy** [-ˌfai] *bot.* **I** *v/i* Früchte tragen (*auch fig.*). – **II** *v/t* fruchtbar machen, befruchten (*auch fig.*).

fruc·tose ['frʌktous] *s chem.* Fruchtzucker *m* ($C_6H_{12}O_6$).

fruc·tu·ous ['frʌktʃuəs; *Br. auch* -tju-] *adj* **1.** fruchtbar, früchtereich. – **2.** *fig.* ertrag-, erfolgreich. — **'fruc·tu·ous·ness** *s* Fruchtbarkeit *f*, Erfolg *m.*

fru·gal ['fruːgəl] *adj* **1.** sparsam, haushälterisch (of mit, in *dat*). – **2.** genügsam, bescheiden. – **3.** einfach, spärlich, fru'gal. – **4.** mäßig (*Summe*). – *SYN. cf.* **sparing.** — **fru'gal·i·ty** [-'gæliti; -əti], **'fru·gal·ness** *s* Genügsam-, Mäßigkeit *f*, Einfachheit *f.*

fru·giv·o·rous [fruː'dʒivərəs] *adj zo.* fruchtfressend.

fruit [fruːt] **I** *s* **1.** Frucht *f.* – **2.** *meist collect.* (Pflanzen-, Baum)Frucht *f*, Früchte *pl*: **the tree has lost its ~; small ~s** Beerenobst. – **3.** *collect.* Obst *n*: **dried ~** Dörrobst. – **4.** *bot.* Frucht *f.* – **5.** *bot. Am.* Frucht *f od.* Samenkapsel *f* (*der Baumwollpflanze*). – **6.** *Bibl.* Kind *n*, Nachkommenschaft *f*: **~ of the body** (*od.* **loins** *od.* **womb**) Leibesfrucht. – **7.** *fig.* Frucht *f*, Resul'tat *n*, Ergebnis *n.* – **8.** *fig.* Frucht *f*, Erfolg *m*, Wirkung *f*, Folge *f.* – **9.** *fig.* Gewinn *m*, Nutzen *m*: **to reap the ~s** die Früchte ernten. – **10. old ~** *Br. sl.* ‚alter Schwede' *od.* ‚Knabe'. – **II** *v/i* **11.** Frucht *od.* Früchte tragen, zur Reife kommen. – **III** *v/t* **12.** zum Tragen *od.* zur Reife bringen.

fruit·age ['fruːtidʒ] *s* **1.** (Frucht)Tragen *n.* – **2.** *collect.* Früchte *pl*, Fruchternte *f.* – **3.** *fig.* Ertrag *m*, Früchte *pl*, Erfolg *m.* — **fruit'ar·i·an** [-'tɛ(ə)riən] *s* (Frucht)Rohköstler(in).

fruit| bat *s zo.* (*ein*) Flughund *m* (*Gattgen Pteropus u. Epomophorus*). — **~ bod·y** *s biol.* **1.** Fruchtkörper *m.* – **2.** Fruchtboden *m.* — **'~ˌcake** *s* engl. Kuchen *m.* — **~ cock·tail** *s* kleingeschnittenes, gemischtes Obst (*Vorspeise*). — **~ crow** *s zo.* (*ein*) südamer. Schmuckvogel *m* (*Fam. Cotingidae*). — **~ cup** → **fruit cocktail.**

fruit·er ['fru:tər] *s* **1.** *mar.* Frachtschiff *n.* – **2.** *Br.* Obstzüchter *m.* – **3.** tragender Obstbaum. — **'fruit·er·er** *s bes. Br.* Obsthändler *m.*

fruit fly *s zo.* **1.** (*eine*) Taufliege (*Gattg Drosophila*). – **2.** (*eine*) Fruchtfliege (*Fam. Trypetidae*).

fruit·ful ['fru:tful; -fəl] *adj* **1.** fruchtbar, -schwer, ergiebig, früchtereich. – **2.** fruchtbar (*Boden*), günstig, das Wachstum begünstigend (*Regen etc*). – **3.** *fig.* (ertrag-, ergebnis)reich. – *SYN. cf.* fertile. — **'fruit·ful·ness** *s* Fruchtbarkeit *f*, Ergiebigkeit *f.* — **'fruit·i·ness** *s* **1.** fruchtartige Eigenschaft. – **2.** Fruchtigkeit *f* (*des Weins*).

fruit·ing year ['fru:tiŋ] *s biol.* Samenjahr *n.*

fru·i·tion [fru:'iʃən] *s* **1.** Erfüllung *f* (*Hoffnungen*), Erreichen *n* (*Ziel*), Ergebnis *n*, Gewinn *m*: **the ~ of one's labo(u)rs.** – **2.** (Voll)Genuß *m* (*eines Besitzes, des Erreichten*). – **3.** *fig.* Früchtetragen *n.* – *SYN. cf.* pleasure.

fruit| jar *s* Einweck-, Einmachglas *n.* — **~ juice** *s* Frucht-, Obstsaft *m.* — **~ knife** *s irr* Obstmesser *n.*

fruit·less ['fru:tlis] *adj* **1.** unfruchtbar. – **2.** *fig.* zweck-, fruchtlos, unnütz, vergeblich. – *SYN. cf.* futile. — **'fruit·less·ness** *s* Unfruchtbarkeit *f*, Frucht-, Nutzlosigkeit *f.* — **'fruit·let** [-lit] *s* **1.** kleine Frucht. – **2.** *bot.* (Einzel)Früchtchen *n.*

fruit| ma·chine *s colloq.* 'Spielauto,mat *m.* — **~ pi·geon** *s zo.* (*eine*) Fruchttaube (*Fam. Carpophagidae*). — **~ pulp** *s biol.* Fruchtfleisch *n.* — **~ ranch** *s Am.* Obstfarm *f*, -gut *n.* — **~ sug·ar** *s chem.* Fruchtzucker *m*, Fruk'tose *f*, Lävu'lose *f* ($C_6H_{12}O_6$). — **~ tree** *s* Obstbaum *m.*

fruit·y ['fru:ti] *adj* **1.** frucht-, obstartig. – **2.** fruchtig (*Wein*). – **3.** *Am. sl.* kinderleicht, angenehm. – **4.** *Br. sl.* ‚saftig', zweideutig, derb (*Witz*). – **5.** klangvoll, so'nor: **a ~ voice.**

fru·men·ta·ceous [,fru:mən'teiʃəs] *adj* getreideartig, Getreide...

fru·men·ty ['fru:mənti] *s Br. od. Am. dial. Brei aus Weizen, Milch, Rosinen, Eidotter, Zucker.*

frump [frʌmp] *s* ‚Vogelscheuche' *f*, altmodisch *od.* 'unele,gant gekleidete Frau. — **'frump·i·ness** → frumpishness. — **'frump·ish** *adj* altmodisch, sonderbar. — **'frump·ish·ness** *s* altmodisches Wesen. — **'frump·y** *adj* altmodisch, 'unele,gant.

frus·trate I *v/t* ['frʌstreit; frʌs'treit] **1.** (*Pläne, Absichten*) vereiteln, -hindern, durch'kreuzen, zu'schanden *od.* zu'nichte machen. – **2.** (of) (ent)täuschen (in *dat*), bringen (um): **to ~ s.o.'s expectations** j-n in seinen Erwartungen täuschen. – *SYN.* **baffle, balk, circumvent, foil¹, outwit, thwart.** – **II** *adj* ['frʌs-] *obs.* **3.** vereitelt, getäuscht. – **4.** vergeblich. — **'frus·trat·ed** *adj* **1.** vereitelt, enttäuscht. – **2.** *psych.* gehemmt, beengt, verkrampft. — **frus'tra·tion** *s* **1.** Vereitelung *f*, Verhütung *f.* – **2.** Enttäuschung *f.* – **3.** *psych.* Gehemmtheit *f*, Beengung *f*, Verkrampfung *f*, Frustrati'on *f.* — **'frus·tra·tive,** *auch* **'frus·tra·to·ry** [*Br.* -trətəri; *Am.* -,tɔ:ri] *adj* trügerisch, vereitelnd, enttäuschend.

frus·tule [*Br.* 'frʌstju:l; *Am.* -tʃu:l] *s bot.* Diato'meenzelle *f.* — **'frus·tu·,lose** [-,lous] *adj bot.* aus (Bruch)-Stücken bestehend.

frus·tum ['frʌstəm] *pl* **-tums** *od.* **-ta** [-tə] *s math.* Stumpf *m*: **~ of a cone** Kegelstumpf; **~ of a pyramid** Pyramidenstumpf.

fru·tes·cence [fru:'tesns] *s* Strauchwuchs *m.* — **fru'tes·cent** *adj bot.* strauchartig, Strauch... — **'fru·tex** [-teks] *pl* **-ti·ces** [-ti,si:z; -tə-] *s bot.* Strauch *m.* — **'fru·ti,cose** [-,kous] *adj bot. min.* strauchartig, Strauch..., buschig. — **fru'tic·u,lose** [-'tikju,lous; -jə-] *adj bot.* klein-, halbstrauchig.

fry¹ [frai] **I** *v/t* **1.** braten, (*in der Pfanne*) backen: **fried eggs** Spiegel-, Setzeier; **fried potatoes** Bratkartoffeln. – **II** *v/i* **2.** braten, schmoren. – **III** *s* **3.** Gebratenes *n.* – **4.** *Br. od. Am. dial.* Gekröse *n*, Kal'daunen *pl.* – **5.** *Am.* Picknick *n*, bei dem die Hauptspeise aus Gebratenem besteht.

fry² [frai] *s sg u. pl* **1.** Fischrogen *m*, -satz *m*, -brut *f.* – **2.** junger Fisch. – **3.** Junge *pl* (*bes. Frösche od. Bienen*). – **4.** *auch* **small ~** *fig.* a) Kindervolk *n*, junges Volk, b) unbedeutende Wesen *pl*, kleine Leute *pl.*

fry·er ['fraiər] *s* **1.** j-d der (*etwas*) brät: **he is a fish-~** er hat ein Fischrestaurant. – **2.** *Br.* (Fisch)Bratpfanne *f.* – **3.** *Am.* zum Braten geeignetes Geflügel, Backhühnchen *n.*

fry·ing pan ['fraiiŋ] *s* Bratpfanne *f*: **(to jump** *od.* **leap) out of the ~ into the fire** vom Regen in die Traufe (kommen).

'F-'sharp *s mus.* Fis *n*: **~ major** Fis-Dur; **~ minor** fis-Moll.

F 2 lay·er *s phys.* F_2-Schicht *f* (*Teil der Ionosphäre*).

fub·sy ['fʌbzi] *adj Br.* plump, rundlich.

fuch·sia ['fju:ʃə] *s bot.* **1.** Fuchsie *f* (*Gattg Fuchsia*). – **2.** *meist* **California ~** 'Kolibri-Trom,pete *f* (*Zauschneria californica*).

fuch·sin ['fuksin], *auch* **'fuch·sine** [-sin; -si:n] *s chem.* Fuch'sin *n.*

fuchs·ite ['fuksait] *s min.* Fuch'sit *m.*

fu·coid ['fju:kɔid] *bot.* **I** *s* Echter Tang (*Fam. Fucaceae*). – **II** *adj* tangartig. — **fu'coi·dal** → fucoid II.

fu·cus ['fju:kəs] *pl* **-ci** [-sai], **-cus·es** *s bot.* Blasentang *m* (*Gattg Fucus*).

fud·dle ['fʌdl] *colloq.* **I** *v/t* **1.** berauschen, betrunken machen. – **2.** verwirren. – **II** *v/i* **3.** sich betrinken, saufen, sich besaufen. – **III** *s* **4.** Trunk *m*, Saufe'rei *f*: **on the ~** beim Saufen. – **5.** Rausch *m.* – **6.** Alkohol *m.* – **7.** Verwirrung *f.*

fud·dy-dud·dy ['fʌdi,dʌdi] *colloq.* **I** *s* **1.** altmodischer Mensch. – **2.** ‚Nörgler' *m*, ‚Meckerer' *m.* – **II** *adj* **3.** altmodisch, konserva'tiv. – **4.** ‚nörglerisch'.

fudge [fʌdʒ] **I** *v/t* **1.** *oft* **~ up** zu'rechtmachen, ungeschickt zu'sammenpassen *od.* -stutzen. – **2.** fälschen, ‚fri'sieren'. – **II** *v/i* **3.** dumm (da'her)reden, Unsinn *od.* ‚Blech' reden. – **4.** *Am. sl.* a) (beim Murmelspiel) betrügen, b) mogeln, schwindeln. – **III** *s* **5.** Un-, Blödsinn *m.* – **6.** (*Zeitungswesen*) a) letzte Meldungen *pl*, b) *Platte zum Einrücken letzter Meldungen*, c) *Maschine zum Druck letzter Meldungen.* – **7.** weiches Zuckerwerk (*Art Fondant*). – **IV** *interj* **8.** Blödsinn! ‚Blech!'.

Fu·e·gi·an [fju:'i:dʒiən; 'fweidʒ-] **I** *s* Feuerländer(in). – **II** *adj* feuerländisch.

fu·el ['fju:əl] *pret u. pp* **'fu·eled**, *bes. Br.* **'fu·elled I** *v/t* **1.** (*Feuer*) mit Brennstoff versehen, nähren, unter'halten. – **II** *v/i* **2.** 'Brennmateri,al bekommen *od.* sammeln. – **3.** tanken, bunkern. – **III** *s* **4.** Brenn-, Kraft-, Treibstoff *m*, 'Heiz-, 'Brennmateri,al *n*: **~ feed** Brennstoffzuleitung; **~ gauge** Benzinuhr, Kraftstoffmesser; **~ injection engine** Einspritzmotor; **~ jet, ~ nozzle** Kraftstoffdüse. – **5.** *fig.* Nahrung *f*, Ansporn *m*: **to add ~ to s.th.** etwas schüren; **to add ~ to the flames** Öl ins Feuer gießen. — **~ fil·ter** *s tech.* Kraftstoff-Filter *m, n.* — **~ oil** *s tech.* Heiz-, Brennöl *n.*

fug [fʌg] *Br. colloq.* **I** *s* **1.** ‚Mief' *m*, stickige Luft, muffiger Geruch. – **2.** Staub *m*, Schmutz *m.* – **II** *v/i* **3.** ein Stubenhocker sein.

fu·ga·cious [fju:'geiʃəs] *adj* **1.** *bot.* 'hinfällig, früh abfallend *od.* verblühend, kurzlebig. – **2.** flüchtig, vergänglich. — **fu'gac·i·ty** [-'gæsiti; -əti] *s* **1.** 'Hinfälligkeit *f*, Vergänglichkeit *f.* – **2.** *biol. chem.* Fugazi'tät *f.*

fu·gal ['fju:gəl] *adj mus.* fu'gal, fugenartig, -haft, Fugen... — **'fu·gate** [-geit], **fu·ga·to** [fu:'gɑ:tə] *s mus.* Fu'gato *n* (*fugiertes Stück*).

-fuge [fju:dʒ] *Wortelement mit den Bedeutungen* a) fliehend, b) vertreibend.

fug·gy ['fʌgi] *adj colloq.* stickig, dumpf, verbraucht.

fu·gi·tive ['fju:dʒitiv; -dʒə-] **I** *s* **1.** Flüchtling *m*, Ausreißer *m.* – **II** *adj* **2.** ent-, geflohen, flüchtig. – **3.** vergänglich, flüchtig. – **4.** *fig.* flüchtig, kurzlebig, ephe'merisch. – **5.** unbeständig, unecht: **~ dye** unechte Färbung. – **6.** wandernd, vagabun'dierend, sich her'umtreibend. – *SYN. cf.* transient. — **'fu·gi·tive·ness** *s* Flüchtigkeit *f*, Vergänglichkeit *f.*

fu·gle ['fju:gl] *v/i colloq.* **1.** den Wortführer *od.* Sprecher abgeben. – **2.** als Beispiel dienen. – **3.** gestiku'lieren, her'umfuchteln. — **'~·man** [-mən] *s irr* **1.** (An-, Wort)Führer *m*, Sprecher *m*, Organi'sator *m.* – **2.** *mil. selten* Flügelmann *m.*

fugue [fju:g] **I** *s* **1.** *mus.* Fuge *f.* – **2.** *psych.* Fugue *f* (*Verlassen der gewohnten Umgebung im Dämmerzustand*). – **II** *v/t u. v/i* **3.** *mus.* fu'gieren. — **fugued, 'fu·guing** *adj* in Form einer Fuge. — **'fu·guist** *s* Fu'gist *m*, 'Fugenkompo,nist *m.*

Ful [ful] *s ling.* Ful *n* (*Senegalsprache*).

-ful [ful; fəl] *Suffix mit der Bedeutung* voll.

ful·crum ['fʌlkrəm] *pl* **-crums** *od.* **-cra** [-krə] *s* **1.** *phys.* Dreh-, Hebe-, Gelenk-, Stütz-, Auflage(r)punkt *m*: **~ bracket** Hebelträger; **~ of moments** *phys.* Momentendrehpunkt; **~ pin** Drehbolzen, -zapfen. – **2.** *biol.* Beuge *f.* – **3.** *zo.* Stütze *f* (*an Flossen*).

ful·fil, *Am.* **ful·fill** [ful'fil], *pret u. pp Am. u. Br.* **ful'filled** *v/t* **1.** (*Versprechen*) erfüllen, halten, voll'bringen, -'ziehen. – **2.** (*Pflicht*) erfüllen, tun, (*Befehl*) befolgen, ausführen. – **3.** (*Anforderungen, Bedingungen*) erfüllen, zu'friedenstellend ausführen *od.* machen, zu'friedenstellen, befriedigen, (*einer Verpflichtung*) nachkommen. – **4.** beenden, abschließen. – *SYN. cf.* perform. — **ful'fil·ment,** *Am.* **ful'fill·ment** *s* Erfüllung *f*, Voll'ziehung *f*, Befriedigung *f*, Ableistung *f.*

ful·gent ['fʌldʒənt] *adj poet.* blendend, glänzend. — **'ful·gid** [-dʒid] *adj* leuchtend.

ful·gu·rant ['fʌlgju(ə)rənt; -gjə-] *adj* (auf)blitzend. — **'ful·gu,rate** [-,reit] *v/i* **1.** blitzen, blitzartig zucken *od.* (auf)leuchten. – **2.** *med.* ausbrennen. — **'ful·gu,rat·ing** *adj med.* scharf, stechend, zuckend (*Schmerz*). — **,ful·gu'ra·tion** *s* Fulgurati'on *f*, Gewebsverschorfung *f.* — **'ful·gu,rite** [-,rait] *s geol. min.* Fulgu'rit *m*, Blitzröhre *f.* — **'ful·gu·rous** *adj* blitzartig.

ful·ham ['fuləm] *s sl.* falscher Würfel.

fu·lig·i·nous [fju:'lidʒinəs; -dʒə-] *adj* **1.** rußig, rauchig, Ruß... – **2.** *bot. zo.* schwarz-, graubraun. – **3.** *med.* fuligi'nös.

full¹ [ful] **I** *adj* **1.** (of) (bis zum Rand) voll (von) *od.* (an)gefüllt (mit). – **2.** höchst(er, e, es), größt(er, e, es), maxi'mal. – **3.** voll, ganz: **a ~ mile.**

– **4.** weit, faltenreich, groß (*Kleid*). – **5.** voll, rund, dick, plump (*Körper*). – **6.** *mus.* voll, mächtig, stark, wohlklingend (*Ton, Stimme*). – **7.** *electr. tech.* lautstark. – **8.** stark, schwer (*Wein*). – **9.** voll, besetzt, nicht frei (*Platz, Stelle*): this taxi is ~ diese Taxe ist voll besetzt; to have one's hands ~ vollauf zu tun haben. – **10.** eingehend, weitläufig, ausführlich, genau: ~ information. – **11.** erfüllt, in Anspruch genommen: ~ of himself von sich eingenommen. – **12.** inten'siv, satt, kräftig (*Farbe etc*). – **13.** kräftig, lebhaft: a ~ pulse. – **14.** satt, gesättigt. – **15.** reichlich, vollständig: a ~ meal. – **16.** unbeschränkt: ~ power of attorney Generalvollmacht. – **17.** *fig.* 'übervoll. – **18.** voll, über'laden (of von, mit). – **19.** rein, echt, leiblich: a ~ sister eine leibliche Schwester. – **20.** trächtig. – **21.** ergiebig, fruchtreich. – **22.** *colloq.* ‚voll', betrunken. – *SYN.* complete, plenary, replete. –

II *adv* **23.** völlig, gänzlich, ganz, vollkommen. – **24.** gerade, di'rekt, genau: ~ in the face. – **25.** *bes. poet.* sehr, gar: ~ well sehr wohl *od.* gut. –

III *v/t* **26.** (*Stoff*) raffen. –

IV *v/i* **27.** *Am.* voll werden (*Mond*). – **28.** sich bauschen. –

V *s* **29.** (*das*) Ganze, höchstes Maß, äußerster Grad: in ~ vollständig, nicht abgekürzt; to spell (*od.* write) in ~ ausschreiben; to the ~ vollständig, -kommen, durchaus, bis zum letzten *od.* äußersten, in vollem Maße; to pay in ~ voll bezahlen; I cannot tell you the ~ of it ich kann Ihnen nicht alles ausführlich erzählen. – **30.** Fülle *f*, Genüge *f*, Höhepunkt *m*: at ~ auf dem Höhepunkt; at the ~ of the tide, at ~ tide beim höchsten Wasserstand. – **31.** (*Poker*) *Am.* Full(hand) *f* (*2 u. 3 gleichwertige Karten*).

full[2] [ful] *v/t tech.* (*Tuch etc*) walken, pressen.

full age *s jur.* Mündigkeit *f*.

ful·lam *cf.* fulham.

full| and by *adv mar.* voll u. bei, scharf beim Wind. — **'~,back** *s sport* Verteidiger *m* (*Fußball, Hockey*), Schlußmann *m* (*Rugby*). — **~ bind·ing** *s* Ganzleder-, Ganzleineneinband *m*. — **~ blood** *s* **1.** Vollblut *n*, Mensch *m* reiner Abstammung. – **2.** Vollblut(pferd) *n*. — **'~-'blood·ed** *adj* **1.** voll-, reinblütig. – **2.** *fig.* stark, kräftig, sinnlich. — **,~-'blood·ed·ness** *s* Reinblütigkeit *f*, Kraft *f*. — **'~-'blown** *adj* **1.** *bot.* in voller Blüte, voll *od.* ganz aufgeblüht. – **2.** *mar.* voll (*Segel*). – **3.** *sl.* to'tal, ausgesprochen. — **'~-'bod·ied** *adj* **1.** schwer, stark (*Wein etc*). – **2.** kräftig, mächtig. — **~ bot·tom** *s* Al'longepe,rücke *f*. — **'~-'bot·tomed** *adj* **1.** breit, mit großem Boden: a ~ wig Allongeperücke. – **2.** *mar.* voll gebaut, mit großem Laderaum unterhalb der Wasserlinie. — **'~-'cen·tered**, *bes. Br.* **'~-'cen·tred** *adj arch.* halbkreis-, bogenförmig: ~-vault Rundbogen, Tonnengewölbe. — **~ charge** *s mil.* Gefechtsladung *f*. — **~ dis·tance** *s mil.* vorschriftsmäßiger Abstand. — **~ dress** *s* **1.** Gesellschaftsanzug *m*. – **2.** *mil.* Pa'radeanzug *m*. — **'~-,dress** *adj* for'mell, Gala..., in aller Form (stattfindend): ~ debate *pol. Br.* wichtige Debatte (im Unterhaus); ~ rehearsal Generalprobe. — **~ em·ploy·ment** *s econ.* Vollbeschäftigung *f*.

full·er[1] ['fulər] *s tech.* **1.** (Tuch)-Walker *m*. – **2.** Stampfe *f* (*einer Walkmaschine*).

full·er[2] ['fulər] *s tech.* (halb)runder Setzhammer *od.* -stempel, Rundbahn-, Ballhammer *m*.

full·er's| earth *s min.* Fuller-, Bleicherde *f*. — **~ herb** → soapwort. — **~ tea·sel** *s bot.* Weberkarde *f* (*Dipsacus fullonum*).

full·er·y ['fuləri] *s tech.* Walke('rei) *f*, Walkmühle *f*.

'full|-,eyed *adj* großäugig. — **'~'face** *s* **1.** Bildnis *n od.* Darstellung *f* einer Per'son mit zugewandtem Gesicht. – **2.** *print.* fette Schrift. — **'~-'faced** *adj* **1.** pausbackig, mit rundem Gesicht. – **2.** mit voll zugewandtem Gesicht. – **3.** *print.* fett. — **'~-'fash·ioned** *adj* mit (voller) Paßform (*Strümpfe*). — **'~-'fledged** *adj* **1.** *zo.* flügge (*Vögel*). – **2.** voll entwickelt. – **3.** *fig.* in voller Würde *od.* Stellung, Voll...: a ~ professor. — **~ gain·er** → gainer 2. — **~ gal·lop** *s* voller *od.* gestreckter Ga'lopp. — **~ gear** *s tech.* größte Über'setzung: in ~ im höchsten Gang. — **'~-'grown** *adj* **1.** ausgewachsen. – **2.** *bot.* hochstämmig (*Bäume*). – **3.** voll, entwickelt, reif. — **~ hand** → full[1] 31. — **'~'heart·ed** *adj* **1.** tief bewegt. – **2.** eifrig, mutig, entschlossen. — **~ house** → full[1] 31.

full·ing ['fuliŋ] *s tech.* Walken *n*: close ~ Festwalken; flat ~ Plattwalken. — **~ mill** → fullery.

'full|-'length *adj* in voller Größe: ~ portrait lebensgroßes Bild *od.* Porträt; ~ film abendfüllender Film. — **~ load** *s* **1.** *electr.* Vollast *f*, -belastung *f*. – **2.** *tech.* Gesamtgewicht *n*. – **3.** *aer.* Gesamtfluggewicht *n*. — **~ moon** *s* **1.** Vollmond *m*. – **2.** Zeit *f* des Vollmonds. — **'~,mouthed** *adj* **1.** *zo.* mit vollem Gebiß (*Vieh*). – **2.** laut bellend. – **3.** *fig.* hochtönend, -trabend. — **~ nel·son** *s* (*Ringen*) Doppelnelson *m*.

full·ness ['fulnis] *s* **1.** Vollsein *n*, Fülle *f*: in the ~ of time *Bibl.* da die Zeit erfüllet war(d). – **2.** *fig.* ('Über)-Fülle *f*, Reichtum *m* (*des Herzens*). – **3.** Plumpheit *f*, Dicke *f*. – **4.** Sattheit *f*, Tiefe *f* (*Farben etc*). – **5.** *mus.* Völle *f*, Wohlklang *m*. – **6.** Weite *f*, Ausdehnung *f*.

ful·lom *cf.* fulham.

full| pay *s econ.* volles Gehalt, voller Lohn: to be retired on ~ mit vollem Gehalt pensioniert werden. — **~ pitch** *s* (*Kricket*) di'rekter Wurf. — **~ pro·fes·sor** *s ped. Am.* Ordi'narius *m*. — **'~-'rigged** *adj* **1.** *mar.* vollgetakelt. – **2.** voll ausgerüstet. — **~ scale** *s tech.* na'türliche Größe. — **~ sight** *s mil.* Vollkorn *n*, volles Korn. — **~ speed** *s* **1.** *mar.* Volldampf *m*. – **2.** Vollgas *n*. — **~ stop** *s* Punkt *m*. — **'~-'time** *adj* hauptamtlich, Voll...: ~ post, ~ job ganztägige Beschäftigung. — **'~-,tim·er** *s ped. Br. Kind, das die Schule für die volle Klassenstundenzahl besucht.* — **~ toss** → full pitch. — **'~-'track** *adj tech.* Vollketten...: ~ vehicle Vollketten-, Raupenfahrzeug. — **~ up** *adj Br.* **1.** (voll) besetzt. – **2.** *colloq.* satt. — **~ val·ue** *s econ.* Ersatz-, Versicherungswert *m*. — **'~-'view**, **'~-'vi·sion** *adj tech.* Vollsicht... — **'~-,wave** *adj tech.* Doppelweg..., Vollweg...: ~ rectifier *electr.* Vollweg-, Doppelweggleichrichter.

ful·ly ['fuli] *adv* voll, völlig, aus'führlich: ~ automatic vollautomatisch; ~ entitled vollberechtigt. — **'~-'fash·ioned** *adj* mit (voller) Paßform (*Strümpfe*).

ful·mar ['fulmər] *s zo.* Fulmar *m*, Eissturmvogel *m* (*Fulmarus glacialis*).

ful·mi·nant ['fʌlminənt; -mə-] *adj* **1.** donnernd, krachend, wetternd. – **2.** *med.* plötzlich ausbrechend, sich rasch ausbreitend: ~ plague. — **'ful·mi,nate** [-,neit] **I** *v/i* **1.** krachen, donnern, explo'dieren, deto'nieren. – **2.** *fig.* (los)donnern, wettern. – **II** *v/t* **3.** zur Explosi'on *od.* Entladung bringen. – **4.** *fig.* (against) losdonnern, wettern (gegen), angreifen (*acc*). – **III** *s* **5.** *chem.* Fulmi'nat *n*, knallsaures Salz, Knallpulver *n*.

ful·mi·nat·ing ['fʌlmi,neitiŋ; -mə-] *adj* **1.** *chem.* explo'dierend, sich entladend, Knall..., Schieß... – **2.** *fig.* donnernd, wetternd. – **3.** *med.* → fulminant 2. — **~ gold** *s chem.* Knallgold *n*. — **~ mer·cu·ry** *s chem.* Knallquecksilber *n* [$Hg(CNO_2)$]. — **~ pow·der** *s chem.* Knallpulver *n*. — **~ sil·ver** *s chem.* Knallsilber *n* ($AgCNO$).

ful·mi·na·tion [,fʌlmi'neiʃən; -mə-] *s* **1.** Explosi'on *f*, Knall *m*. – **2.** *fig.* schwere Drohung. – **3.** *relig.* Bannstrahl *m*.

ful·min·ic ac·id [fʌl'minik] *s chem.* Knallsäure *f* ($C{:}N{\cdot}OH$).

ful·mi·nous ['fʌlminəs; -mə-] *adj* gewitterähnlich, donnernd, Gewitter...

ful·ness *cf.* fullness.

ful·some ['fulsəm; *Am. auch* 'fʌl-] *adj* **1.** 'übermäßig, über'trieben, geschmacklos. – **2.** 'widerwärtig, abstoßend, ekelhaft. — **'ful·some·ness** *s* Ekelhaftig-, Geschmacklosigkeit *f*.

ful·ves·cent [fʌl'vesnt] *adj* ins Rötlichgelbe gehend. — **'ful·vous** *adj* **1.** gelbgrau, -braun, lohfarben. – **2.** *bot.* stumpf-, löwengelb.

fu·ma·do [fjuː'meidou] *pl* **-dos**, *auch* **fu'made** [-'meid] *s* gesalzene u. geräucherte Sar'dine.

fu·ma·rate ['fjuːmə,reit] *s chem.* fu'marsaures Salz.

fu·mar·ic ac·id [fjuː'mærik] *s chem.* Fu'marsäure *f* ($C_4H_4O_4$).

fu·ma·rine ['fjuːmə,riːn; -rin], *auch* **'fu·ma·rin** [-rin] *s chem.* Fuma'rin *n*.

fu·ma·role ['fjuːmə,roul] *s* Fuma'role *f* (*Erdöffnung, die vulkanische Dämpfe ausströmt*).

fu·ma·to·ry [*Br.* 'fjuːmətəri; *Am.* -,tɔːri] **I** *s* Räucherkammer *f*. – **II** *adj* Rauch..., Räucher...

fum·ble ['fʌmbl] **I** *v/i* **1.** a) um'hertappen, -tasten, (her'um)fummeln (at an *dat*), b) ungeschickt 'umgehen, täppisch spielen (with mit), c) tappen, tastend suchen (for, after nach). – **2.** *sport* den Ball ungeschickt anhalten *od.* fallen lassen. – **II** *v/t* **3.** ungeschickt behandeln *od.* handhaben. – **4.** *sport* (*Ball*) fallen lassen, nicht (auf)fangen *od.* halten, ‚verhauen'. – **III** *s* **5.** Um'hertappen *n*, Her'umtasten *n*, ungeschickter *od.* stümperhafter Versuch. – **6.** *sport* schlechte Ballbehandlung, ungeschickte Annahme, Fallenlassen *n* (*des Balles*). — **'fum·bler** *s* Stümper *m*, Tölpel *m*, ungeschickter Mensch. — **'fum·bling I** *adj* täppisch, linkisch. – **II** *s* → fumble III.

fume [fjuːm] **I** *s* **1.** *oft pl* Dampf *m*, Schwaden *m*, Dunst *m*, Rauch *m*. – **2.** Geruch *m*. – **3.** (*zu Kopf steigender*) Dunst, Nebel *m* (*des Weins etc*). – **4.** *fig.* Aufwallung *f*, Ausbruch *m*, Hitze *f*, Zorn *m*, Erregung *f*: in a ~ in Wut. – **II** *v/t* **5.** verrauchen *od.* -dampfen *od.* -dunsten lassen. – **6.** (*Holz, Film*) räuchern, dem Dunst *od.* Dampf aussetzen: ~d oak dunkles Eichenholz. – **7.** (*mit Weihrauch*) beräuchern. – **8.** *fig.* (*j-m*) über'trieben schmeicheln, (*j-n*) beweihräuchern. – **III** *v/i* **9.** rauchen, dunsten, dampfen. – **10.** verrauchen, -dunsten, -dampfen. – **11.** *fig.* wütend *od.* ungeduldig sein: he is fuming with anger er kocht vor Wut. — **~ cup·board** *s chem.* Abzug(sschrank) *m* (*für Abgase*).

fu·met ['fjuːmit], *auch* **fu·mette** [fju'met] *s* **1.** Wildgeruch *m*. – **2.** 'Wildex,trakt *m* (*Würze*).

fu·mi·gant ['fjuːmigənt; -mə-] *s* ,Desinfekti'onsmittel *n*.

fu·mi·gate ['fju:mi,geit; -mə-] *v/t* 'durch-, ausräuchern, -gasen, dem Rauch aussetzen: to ~ with sulphur ausschwefeln. — **,fu·mi'ga·tion** *s* (Aus)Räucherung *f*, Desinfekti'on *f* durch Dämpfe, Ausgasung *f*, Fumigati'on *f*. — **'fu·mi,ga·tor** [-tər] *s* **1.** Räucherer *m*, Desinfi'zierer *m*. – **2.** 'Räucherappa,rat *m*. — **'fu·mi·ga·to·ry** [*Br.* -gətəri; *Am.* -,tɔ:ri] *s* Räucherkammer *f*.

fu·mi·to·ry [*Br.* 'fju:mitəri; *Am.* -mə,tɔ:ri] *s bot.* Erdrauch *m* (*Gattg Fumaria, bes. F. officinalis*).

fum·y ['fju:mi] *adj* rauchig, dunstig.

fun [fʌn] **I** *s* Scherz *m*, Spaß *m*, Zeitvertreib *m*, Kurzweil *f*: for ~ aus *od.* zum Spaß; in ~ im *od.* zum Scherz; for the ~ of it spaßeshalber; it is ~ es macht Spaß, es ist lustig; it was great ~ es war sehr lustig *od.* amüsant; he is great ~ *colloq.* er ist sehr amüsant *od.* unterhaltsam u. lustig; to make ~ of s.o. j-n zum besten haben, sich über j-n lustig machen; like ~ wie verrückt; → poke¹ 5. – *SYN.* game¹, jest, play, sport. – **II** *v/i pret u. pp* **funned** *colloq. selten* spaßen, scherzen.

fu·nam·bu·late [fju:'næmbju,leit; -bjə-; fju-] *v/i* seiltanzen. — **fu,nam·bu'la·tion** *s* Seiltanzen *n*. — **fu'nam·bu·list** *s* Seiltänzer *m*.

func·tion ['fʌŋkʃən] **I** *s* **1.** Funkti'on *f*, (Amts)Tätigkeit *f*, Wirken *n*, Amt *n*, Beruf *m*, Dienst *m*, Obliegenheit *f*. – **2.** Funkti'on *f*, Tätigkeit *f*, Wirksamkeit *f*, Verrichtung *f*, Arbeitsweise *f*: defective ~, inadequate ~ Fehlfunktion; ~ value *tech.* Gebrauchswert. – **3.** amtliche Pflicht *od.* Aufgabe. – **4.** Feier *f*, Zeremo'nie *f*, Festlichkeit *f*, (gesellschaftliches) Fest. – **5.** *ling.* Funkti'on *f*. – *SYN.* duty, office, province. – **II** *v/i* **6.** eine Funkti'on haben (*Organ etc*). – **7.** tätig sein, am'tieren, seine Funkti'on *od.* sein Amt ausüben. – **8.** *tech.* arbeiten, funktio'nieren, laufen.

func·tion·al ['fʌŋkʃənl] *adj* **1.** amtlich, dienstlich, fachlich. – **2.** *med.* funktio'nell: ~ capacity Leistungsfähigkeit; ~ disease, ~ disorder Funktionsstörung. – **3.** *math.* funktio'nal, funktio'nell, Funktions... – **4.** funktio'nal, zweckhaft, -mäßig: ~ building Zweckbau; ~ style *arch.* Funktionalstil, Stil der neuen Sachlichkeit. — **'func·tion·al,ism** *s arch.* Funktiona'lismus *m*, Zweckstil *m*, Sachlichkeit *f*, Zweckhaftigkeit *f*. — **'func·tion·al,ize** *v/t* (*j-n*) in ein Amt einsetzen, (*j-m*) eine Tätigkeit zuweisen. — **'func·tion·al·ly** *adv* in funktio'neller 'Hinsicht, was die Funkti'onen betrifft. — **'func·tion·ar·y** [*Br.* -nəri; *Am.* -,neri] **I** *s* **1.** Beamter *m*. – **2.** *econ. pol.* Funktio'när *m*. – **II** *adj* → functional 1 *u.* 2. — **'func·tion·ate** [-,neit] → function II.

fund [fʌnd] *econ.* **I** *s* **1.** Kapi'tal *n*, Geldsumme *f*, Fonds *m*: original ~s Grundstock, Stammkapital; permanent ~s eiserner Bestand; secret ~ Geheimfonds; sufficient ~s genügende Deckung. – **2.** *pl* Geldmittel *pl*, Gelder *pl*: to be in ~s (gut) bei Kasse sein; for lack of ~s mangels Barmittel; out of ~s mittellos; without ~s unbemittelt, unvermögend; without ~s in hand ohne Deckung; ~s on hand flüssige Mittel; ~s for reimbursement Deckungsmittel. – **3.** Vorrat *m*, Schatz *m*, Fülle *f*, Grundstock *m* (of von, an *dat*). – **4.** the ~s *Br.* die 'Staatsschulden *pl*, -pa,piere *pl*. – **II** *v/t* **5.** *Br.* (*Gelder*) in 'Staatspa,piere anlegen, fun'dieren. – **6.** (*schwebende Schuld*) konsoli'dieren, kapitali'sieren. – **7.** *selten* aufhäufen, sammeln. – **8.** *obs.* finan'zieren.

fun·da·ment ['fʌndəmənt] *s* **1.** Funda'ment *n*, 'Unterbau *m* (*auch fig.*). – **2.** *geogr.* physische Merkmale *pl* (*einer Region*). – **3.** Gesäß *n*. – **4.** *biol.* Keimblattstamm *m*.

fun·da·men·tal [,fʌndə'mentl] **I** *adj* **1.** als Grundlage dienend, grundlegend, wesentlich, fundamen'tal, tiefgreifend, Wesens..., Haupt... – **2.** ursprünglich, grundsätzlich, elemen'tar. – **3.** Grund..., Fundamental...: ~ bass *mus.* Fundamentalbaß; ~ character *biol.* Grundeigenschaft; ~ circuit *electr.* Grundschaltung; ~ colo(u)r Grundfarbe; ~ data grundlegende Tatsachen; ~ idea Grundbegriff; ~ law *math. phys.* Hauptsatz; ~ sequence Fundamentfolge, -reihe; ~ substance *biol.* Stützsubstanz; ~ tone *mus. phys.* Grundton; ~ type *biol.* Grundform. – **II** *s* **4.** 'Grundlage *f*, -prin,zip *n*, -zug *m*, -begriff *m*, Funda'ment *n*. – **5.** *mus.* a) 'Grundton *m*, -ak,kord *m*, b) Fundamen'talbaß *m*. – **6.** *phys.* Fundamen'taleinheit *f*. – **7.** *electr.* Grundwelle *f*. – **8.** *pl biol.* Grundriß *m*. — **,fun·da'men·tal,ism** *s relig.* ,Fundamenta'lismus *m*, streng wörtliche Bibelgläubigkeit. — **,fun·da'men·tal·ist** *s* ,Fundamenta'list *m*. — **,fun·da·men'tal·i·ty** [-'tæliti; -əti] *s* ,Fundamentali'tät *f*, Wesentlichkeit *f*, (*das*) Wesentliche. — **,fun·da'men·tal·ly** *adv* im Grunde, im wesentlichen.

fun·da·men·tal u·nit *s phys.* Grundeinheit *f* (*im CGS-System*).

fund·ed ['fʌndid] *adj econ.* fun'diert, kapitali'siert, verzinsbar angelegt: ~ debt fundierte Schuld, Anleiheschuld.

'fund,hold·er *s econ.* **1.** *Br.* Fondsbesitzer *m*, Inhaber *m* von 'Staatspa,pieren. – **2.** Aktio'när *m*.

fun·di ['fʌndi] *s bot.* (*ein*) Fingergras *n* (*Digitaria exilis*).

fund·ing ['fʌndiŋ] *s econ.* (kapi'talmäßige) Fun'dierung, Konsoli'dierung *f*.

fun·dus ['fʌndəs] *s med.* ('Hinter)Grund *m*, Boden *m*: ~ of the eye Augenhintergrund.

fu·ne·bri·al [fju:'ni:briəl; fju-] → funereal.

fu·ner·al ['fju:nərəl] **I** *s* **1.** Begräbnis *n*, Leichenbegängnis *n*, Beerdigung *f*. – **2.** Leichenzug *m*, -gefolge *n*. – **3.** *Am.* Totenfeier *f*. – **4.** *sl.* Sorge *f*, Sache *f*: that's your ~ das ist deine Sache. – **II** *adj* **5.** Begräbnis..., Leichen..., Trauer..., Grab...: ~ allowance Sterbegeld; ~ expenses Bestattungskosten. — **~ di·rec·tor** *s bes. Am.* Be'stattungsunter,nehmer *m*. — **~ home, ~ par·lor** *s Am.* Leichenhalle *f*. — **~ pile** *s* Scheiterhaufen *m*.

fu·ner·ar·y [*Br.* 'fju:nərəri; *Am.* -,reri] *adj* Begräbnis..., Beerdigungs...: ~ urn Totenurne. — **fu'ne·re·al** [-'ni(ə)riəl] *adj* **1.** Trauer..., Leichen..., Beerdigungs... – **2.** traurig, düster, trübe.

fu·nest [fju:'nest] *adj* unheilvoll, traurig.

fun·gal ['fʌŋgəl] *bot.* **I** *adj* pilzartig, zu den Pilzen gehörig, Pilz... – **II** *s* → fungus I. — **'fun·gate** [-geit] *v/i med.* (pilzartig) em'porschießen, pilzförmig wachsen *od.* wuchern.

fun·gi ['fʌndʒai] *pl von* fungus.

fun·gi·ble ['fʌndʒibl; -dʒə-] *jur.* **I** *adj* ersetz-, vertretbar (*bes. Ware*). – **II** *s* Gattungsware *f*, vertretbare Ware.

fun·gi·cid·al [,fʌndʒi'saidl; -dʒə-] *adj* pilztötend, fungi'cid. — **'fun·gi,cide** *s* pilztötendes Mittel, Fungi'cid *n*. — **'fun·gi,form** [-,fɔ:rm] *adj* pilz-, schwammförmig, fungi'form.

fun·go ['fʌŋgou] *s* (*Baseball*) zwangloses Übungsspiel.

fun·goid ['fʌŋgɔid] *adj* pilz-, schwammartig, schwammig. — **fun'gos·i·ty** [-'gɒsiti; -əti] *s* **1.** 'Pilzartigkeit *f*, -na,tur *f*. – **2.** *med.* pilzartige Wucherung. — **'fun·gous** *adj* **1.** pilz-, schwammartig, schwammig. – **2.** *med.* schnell aufschießend, fun'gös.

fun·gus ['fʌŋgəs] *pl* **fun·gi** ['fʌndʒai] *od.* **-gus·es** **I** *s* **1.** *bot.* Pilz *m*, Schwamm *m* (*Unterstamm Fungi*): ~ disease Pilzkrankheit; ~ infection Pilzinfektion, Mykose. – **2.** *med.* schwammartiger Auswuchs. – **II** *adj* → fungous. — **~ gnat, ~ midge** *s zo.* Pilzmücke *f* (*Fam. Mycetophilidae*). — **~ tin·der** *s* Zündschwamm *m*.

fu·ni·cle ['fju:nikl; -nə-] *s* **1.** *bot.* a) dünne Schnur, kleine Faser, Fiber *f*, b) Samenstrang *m*, Fu'niculus *m*. – **2.** *zo.* a) Geißel *f* (*an den Fühlern*), b) 'Gastroparie,talstrang *m*.

fu·nic·u·lar [fju:'nikjulər; -jə-] **I** *adj* **1.** Seil..., Ketten...: ~ force Seilkraft; ~ polygon Seileck, -polygon. – **2.** durch Seil *od.* Kette betrieben. – **3.** *bot. med.* aus kleinen Fasern bestehend, faserig, funiku'lär: ~ cell Strangzelle. – **II** *s* **4.** *auch* ~ railway (Draht)Seilbahn *f*. — **fu'nic·u·late** [-lit; -,leit] *adj* einen Fu'niculus bildend *od.* besitzend. — **fu,nic·u'li·tis** [-'laitis] *s med.* Samenstrangentzündung *f*, Funicu'litis *f*. — **fu'nic·u·lus** [-ləs] *pl* **-li** [-,lai] *s* Fu'niculus *m*: a) *med.* Schnur *f*, Faser *f*, Strang *m*, b) *bot.* Samenstrang *m*, c) *biol.* Nabelstrang *m*, Keimgang *m*.

funk [fʌŋk] *Am. colloq. od. Br. sl.* **I** *s* **1.** riesige Angst: blue ~ Mordsangst; to be in a blue ~ of ,mächtigen Bammel' *od.* ,Dampf haben' vor (*dat*). – **2.** Feigling *m*, Hasenfuß *m*, Angsthase *m*. – **II** *v/i* **3.** Angst haben, sich fürchten: to ~ out *Am.* sich drücken. – **III** *v/t* **4.** Angst haben *od.* sich fürchten vor (*dat*). – **5.** (*j-n*) (er)schrecken, ängstigen, (*j-m*) Angst einjagen. – **6.** sich drücken von *od.* um. — **~ hole** *s mil. sl.* **1.** 'Unterstand *m*, ,Heldenkeller' *m*. – **2.** *fig.* Druckposten *m*.

fun·nel ['fʌnl] **I** *s* **1.** Trichter *m*: ~ breast *med.* Trichterbrust. – **2.** Schornstein *m* (*Schiff, Lokomotive*): ~ mark *mar.* Schornsteinzeichen. – **3.** *tech.* Abzugsröhre *f*, Tülle *f*, Rauchfang *m*, Schlot *m*, Ka'min *m*. – **4.** *geol.* Vul'kan-, Erupti'onsschlot *m*. – **5.** (*Gießerei*) Einguß-, Gießloch *n*. – **6.** *tech.* Mund *m* (*Hochofen*). – **7.** *mar.* S-Trommel *f*. – **II** *v/t pret u. pp* **'fun·neled**, *bes. Br.* **'fun·nelled** **8.** *fig. Am.* zu'sammennehmen, konzen'trieren (into auf *acc*). — **'~-,shaped** *adj med. tech.* trichterförmig.

fun·nies ['fʌniz] *s pl bes. Am. sl.* **1.** → comic strips. – **2.** Witzseite *f* (*einer Zeitung etc*). — **'fun·ni·ment** *s humor.* Spaß *m*, Witz *m*, Scherz *m*. — **'fun·ni·ness** *s* Spaßhaftigkeit *f*.

fun·ny¹ ['fʌni] *adj* **1.** spaßhaft, komisch, drollig, lustig, ulkig. – **2.** sonderbar, seltsam: to feel ~ sich unbehaglich fühlen; ~ business *colloq.* dunkle, zweideutige Geschäfte; Schwindel. – *SYN. cf.* laughable.

fun·ny² [fʌni] *s Br.* schmales Ruderboot mit einem Paar Riemen.

fun·ny| bone *s* Musi'kanten-, Judenknochen *m*, Narrenbein *n*. — **'~,man** *s irr* Clown *m*, Hanswurst *m*. — **~ pa·per** *s Am.* buntes Heft mit Bildergeschichten (*für Kinder*).

fur [fə:r] **I** *s* **1.** Pelz *m*, Fell *n*, Balg *m*: to make the ~ fly Unruhe stiften, Streit heraufbeschwören; to hunt ~ auf die Hasenjagd gehen. – **2.** Pelzfutter *n*, -besatz *m*, -verbrämung *f*. – **3.** *pl* Rauchwaren *pl*, Kleidungsstücke *pl* aus Pelz, Pelzwerk *n*. – **4.** *collect.* Pelztiere *pl*. – **5.** *med.*

(Zungen)Belag *m.* – 6. *bot.* (weicher) Flaum. – 7. a) Kesselstein *m*, b) Schimmel *m* (*auf Nahrungsmitteln, in leeren Weinflaschen*). – 8. Pelzmantel *m*, -jacke *f.* – 9. *mar. tech.* (Ausfüll)Span *m*, Spund(wand *f*) *m.* – **II** *v/t pret u. pp* **furred** 10. mit Pelz füttern *od.* besetzen *od.* verbrämen. – 11. (*j-n*) in Pelz kleiden. – 12. *med.* (*Zunge*) mit Belag über'ziehen *od.* bedecken. – 13. a) mit Kesselstein über'ziehen, b) von Kesselstein reinigen. – 14. *tech.* mit Futterholz bekleiden. – **III** *v/i* 15. sich (mit Belag *od.* Kesselstein) über'ziehen.

fu·ran ['fju(ə)ræn; fju(ə)'ræn], *auch* '**fu·rane** [-rein] *s chem.* Fu'ran *n* (C_4H_4O).

fur·be·low ['fəːrbiˌlou; -bə-] **I** *s* 1. Faltensaum *m*, -besatz *m*, Falbel *f*, Vorstoß *m.* – 2. *pl fig.* Putz *m*, Staat *m.* – **II** *v/t* 3. mit einer Falbel besetzen, mit Faltensaum (ver)zieren.

fur·bish ['fəːrbiʃ] *v/t* 1. *meist* ~ up aufputzen, -frischen, 'herrichten (*auch fig.*). – 2. blank putzen, po'lieren.

fur·cate I *adj* ['fəːrkeit; -kit] gabelförmig, gegabelt. – **II** *v/i* [-keit] sich gabeln *od.* teilen. — **fur'ca·tion** *s* Gabelung *f*, Gabelteilung *f.*

fur·cu·la ['fəːrkjulə; -kjə-] *pl* **-lae** [-ˌliː], '**fur·cu·lum** [-ləm] *pl* **-la** [-lə] *s med. zo.* Gabelknochen *m*, gabelförmiger Fortsatz, Sprunggabel *f.*

fur·fur ['fəːrfər] *s* 1. Schorf *m*, Kopfgrind *m.* – 2. feine Hautschuppe. — ˌ**fur·fu'ra·ceous** [-fju'reiʃəs; -fjə-] *adj* 1. kleiig. – 2. schuppig, schorfig, Schorf..., Schuppen...

fur·fur·al ['fəːrfərəl; -ˌræl] *s chem.* Furfu'ral *n* ($C_5H_4O_2$). — '**fur·furˌan** [-ˌræn], *auch* '**fur·furˌane** [-ˌrein] → furan. — '**fur·furˌol(e)** [-ˌroul; -ˌrɒl] → furfural.

fu·ri·bund ['fju(ə)riˌbʌnd] *adj* tobsüchtig, rasend, furi'bund.

fu·ri·o·so [ˌfju(ə)ri'ouzou; -sou] *adj u. adv mus.* furi'oso, äußerst erregt.

fu·ri·ous ['fju(ə)riəs] *adj* 1. wütend, rasend, wild, zornig. – 2. *fig.* wild, ungestüm. – 3. *fig.* unbändig, ungehemmt: **fast and** ~ **mirth** wilde Stimmung, Ausgelassenheit. — '**fu·ri·ous·ness** *s* Rase'rei *f*, Wut *f*, Ungestüm *n.*

furl [fəːrl] **I** *v/t* 1. *mar.* (*Segel*) zu'sammenrollen, festmachen. – 2. a) (*Fächer*) zu'sammenlegen, b) (*Fahne etc*) aufrollen, c) (*Schirm etc*) zumachen, schließen, d) (*Flügel*) falten, e) (*Vorhang*) aufziehen. – **II** *v/i* 3. zu'sammen- *od.* aufgerollt *od.* gefaltet *od.* geschlossen werden. – 4. sich verziehen (*Wolken etc*). – **III** *s* 5. Falten *n*, Zu'sammenlegen *n*, -klappen *n*, Schließen *n.* – 6. Rolle *f.*

fur·long ['fəːrlɒŋ] *s* Achtelmeile *f* (*220 Yards = 201,168 m*).

fur·lough ['fəːrlou] *mil.* **I** *s* Urlaub *m.* – **II** *v/t* beurlauben, (*j-m*) Urlaub geben.

fur·me(n)·ty ['fəːrmə(n)ti] → frumenty.

fur·nace ['fəːrnis] **I** *s* 1. *tech.* (Schmelz-, Hoch)Ofen *m*: **almond** ~ Gekrätzofen; **cupola blast** ~ Kupolofen; **enameling** ~ Farbenschmelzofen; **revolving** ~, **rotary** ~ Drehofen. – 2. *tech.* (Heiz)Kessel *m*, Feuerung *f.* – 3. glühend heißer Raum *od.* Ort, ‚Backofen' *m.* – 4. *fig.* Feuerprobe *f*, -taufe *f*, harte Prüfung. – 5. *fig.* Ort *m* der Prüfung *od.* Qual: **tried in the** ~ erprobt. – **II** *v/t* 6. der Hitze eines Ofens aussetzen, in einem Ofen erhitzen. — ~ **blast** *s tech.* (Hochofen-)Wind *m.* — ~ **cad·mi·um,** ~ **cad·mi·a** *s tech.* Ofenbruch *m*, Gichtschwamm *m*, Tutia *f.* — ~ **charge** *s tech.* Satz *m*, (Ofen)Gicht *f.* — ~ **coke** *s tech.* Hochofenkoks *m.* — ~ **feed·er** *s tech.* 1. (Ofen)Heizer *m.* – 2. Brennstoffzuführeinrichtung *f.* – 3. Anschluß-, Zuleitung *f* (*elektr. Öfen*). — ~ **gas** *s tech.* Gichtgas *n.* — ~ **mak·er** *s tech.* 1. Tiegelbrenner *m.* – 2. Ofenbauer *m*, -setzer *m.* — '~**·man** [-mən] *s irr tech.* 1. Ofenarbeiter *m.* – 2. Gießer *m*, Schmelzer *m.* – 3. Heizer *m.* — ~ **mouth** *s tech.* (Ofen)Gicht *f.* — ~ **steel** *s tech.* Schmelzstahl *m*, Mock *m.* — ~ **throat** → furnace mouth.

fur·nish ['fəːrniʃ] *v/t* 1. versorgen, -sehen, ausstatten, -rüsten (with mit): ~**ed with** versehen mit, im Besitze von. – 2. (*Haus*) ausstatten, einrichten, mö'blieren: ~**ed rooms** möblierte Zimmer. – 3. liefern, ver-, beschaffen, gewähren, bieten: **to** ~ **proof** (den) Beweis führen *od.* liefern. – *SYN.* accouter *od.* accoutre, appoint, arm[2], equip, outfit. — '**fur·nish·er** *s* 1. Liefe'rant *m.* – 2. Möbelhändler *m.* — '**fur·nish·ing** *s* 1. Ausrüstung *f*, Ausstattung *f.* – 2. *pl* Installati'ons-, Einrichtungsgegenstände *pl*, Mobili'ar *n*, Möbel *pl.* – 3. *pl Am.* Be'kleidungsarˌtikel *pl.* – 4. *pl tech.* Zubehör *n.*

fur·ni·ture ['fəːrnitʃər; -nə-] *s* 1. Möbel *pl*, Einrichtung *f*, Hausrat *m*, Mobili'ar *n.* – 2. Ausrüstung *f*, Ausstattung *f.* – 3. Geschirr *n*, Sattelzeug *n* (*Pferd*). – 4. Inhalt *m*: ~ **of one's pocket** Geld. – 5. *fig.* Wissen *n*, Können *n*, Intelli'genz *f*: ~ **of one's mind.** – 6. *tech.* Zubehör *n.* – 7. *arch.* Beschlag *m*, Beschläge *pl.* – 8. *mar.* Ausrüstung *f*, Betakelung *f.*

fu·ror ['fju(ə)rɔːr], **fu'rore** [-'rɔːri *auch* -'rɔːr] *s* 1. Erregung *f*, Begeisterung *f*, dichterische Inspirati'on. – 2. Wut *f*, Rase'rei *f*, Tollheit *f.* – 3. Fu'rore *f*, *n*, Aufsehen *n*: **the play created a regular** ~ das Stück machte Furore. – *SYN. cf.* inspiration.

furred [fəːrd] *adj* 1. mit Pelz *od.* Fell versehen, Pelz... – 2. mit Pelz gefüttert *od.* verbrämt *od.* besetzt. – 3. mit (einem) Pelz bekleidet. – 4. *med.* belegt (*Zunge*). – 5. *tech.* mit Kesselstein *etc* belegt.

fur·ri·er [*Br.* 'fʌriər; *Am.* 'fəːr-] *s* Kürschner *m*, Pelzhändler *m.* — '**fur·ri·er·y** *s* 1. Pelze *pl*, Pelzwerk *n.* – 2. Pelzhandel *m*, Kürschne'rei *f.*

fur·ri·ness ['fəːrinis] *s* Pelzähnlichkeit *f*, -artigkeit *f.* — '**fur·ring** *s* 1. Füttern *n od.* Verbrämen *n* mit Pelz. – 2. 'Pelzfutter *n*, -verbrämung *f*, -materiˌal *n.* – 3. *med.* Bildung *f* des Belages (*Zunge*). – 4. *tech.* Kesselsteinbildung *f.* – 5. *arch.* a) Span *m*, Futterholz *n*, b) Aufnageln *n* von Futterholz.

fur·row [*Br.* 'fʌrou; *Am.* 'fəːrou] **I** *s* 1. (Acker)Furche *f*: ~ **slice** *Br.* (Acker)Scholle. – 2. Graben *m*, Rinne *f.* – 3. *tech.* Rille *f*, Rinne *f*, Nut(e) *f.* – 4. *biol.* Falz *m*, Tälchen *n.* – 5. *geol.* Dislokati'onsˌlinie *f.* – 6. Runzel *f*, Furche *f.* – 7. *mar.* Spur *f*, Bahn *f* (*Schiff*). – 8. *med. zo.* Vertiefung *f*, Furche *f*, Spalte *f*, Sulcus *m.* – **II** *v/t* 9. (*Land*) pflügen. – 10. (*Wasser*) durch'furchen, -'fahren. – 11. *tech.* riffeln, riefen, auskehlen, -höhlen. – 12. (*Gesicht*) furchen, runzeln. — '**fur·rowed,** '**fur·row·y** *adj* runzelig, ge-, durch'furcht.

fur·ry ['fəːri] *adj* 1. aus *od.* mit Pelz (gemacht). – 2. mit Pelz bekleidet. – 3. aus Pelz, pelzartig, Pelz...

Fur·ry Dance *s dial. Tanz durch die Straßen von Helston, Cornwall, am 8. Mai.*

fur seal *s zo.* (*ein*) Seebär *m*, (*eine*) Bärenrobbe (*Gattgen Callorhinus u. Arctocephalus*).

fur·ther ['fəːrðər] **I** *adv* 1. weiter, ferner, entfernter: **no** ~ nicht weiter; ~ **off** weiter weg; **I'll see you** ~ **first** *colloq.* ‚das fällt mir nicht im Traum ein', ‚ich werde dir was husten'. – 2. mehr, weiter. – 3. weiterhin, über'dies, außerdem. – *SYN. cf.* farther. – **II** *adj* 4. weiter, ferner, entfernter. – 5. weiter(er, e, es), hin'zukommend(er, e, es), zusätzlich(er, e, es): ~ **particulars** Näheres, nähere Einzelheiten; → **order** *b. Redw.* – **III** *v/t* 6. (*j-n od. etwas*) fördern, unter'stützen, (*j-m*) behilflich sein. – *SYN. cf.* advance. — '**fur·ther·ance** *s* 1. Fördern *n*, Unter'stützen *n*, Helfen *n.* – 2. Hilfe *f*, Förderung *f*, Unter'stützung *f*: **in** ~ **of s.th.** um etwas zu fördern. – 3. Fortschritt *m*, -kommen *n.* — '**fur·ther·er** *s* Förderer *m.* — '**fur·therˌmore** [-ˌmɔːr] *adv* ferner, über'dies, außerdem. — '**fur·therˌmost** [-ˌmoust] *adj* weitest(er, e, es), fernst(er, e, es). — '**fur·ther·some** [-səm] *adj* förderlich. — '**fur·thest** [-ðist] **I** *adj* fernst(er, e, es), weitest(er, e, es). – **II** *adv* am fernsten, am weitesten.

fur·tive ['fəːrtiv] *adj* 1. heimlich, verstohlen. – 2. ('hinter)listig, verschlagen, 'hinterhältig. – 3. diebisch. – 4. gestohlen. – *SYN. cf.* secret. — '**fur·tive·ness** *s* Verstohlenheit *f*, Heimlichkeit *f*, 'Hinterhältigkeit *f.*

fu·run·cle ['fju(ə)rʌŋkl] *s med.* Fu'runkel *m.* — **fu'run·cu·lar** [-kjulər; -kjə-], **fu'run·cuˌloid** *adj* furunku'lös, Furunkel... — **fuˌrun·cu'lo·sis** [-'lousis] *s med.* Furunku'lose *f.* — **fu'run·cu·lous** → furuncular.

fu·ry ['fju(ə)ri] *s* 1. Zorn *m*, Wut *f*, Rase'rei *f*: ~ **against s.o. (at s.th.)** Zorn *od.* Wut gegen *od.* über j-n (über etwas); **in a** ~ wütend, zornig. – 2. Heftigkeit *f*, Fana'tismus *m*, Ungestüm *n*: **like** ~ wild, wie toll. – 3. wütender Mensch, *bes.* böses Weib, Furie *f*, Xan'thippe *f.* – 4. F~ *antiq.* Furie *f*, Rachegöttin *f.* – *SYN. cf.* a) anger, b) inspiration.

furze [fəːrz] *s bot.* (*ein*) Ginster *m* (*Gattgen Ulex u. Genista*), *bes.* Stechginster *m* (*Ulex europaeus*). — '**fur·zy** *adj* Stechginster..., voll von Stechginster.

fu·sain ['fjuːzein; fjuː'zein] *s* 1. Holzkohlenstift *m.* – 2. Kohlezeichnung *f.*

fus·cous ['fʌskəs] *adj* dunkel-, graubraun, dunkel(farbig).

fuse [fjuːz] **I** *s* 1. Zünder *m*, Brandröhre *f*: ~ **cap** a) Zünderkappe, b) Zündhütchen; ~ **data** Zünderwerte; ~**-firing pin** Zündnadel. – 2. Leitfeuer *n*, Zündschnur *f*, Lunte *f*: ~ **cord** Abreißschnur (*Handgranate*). – 3. *electr.* Sicherung *f*: ~ **cartridge** Sicherungspatrone; ~ **strip** Sicherungsschmelzstreifen; ~ **wire** Sicherungs-, Abschmelzdraht. – **II** *v/t* 4. Zünder anbringen an (*dat*) *od.* einsetzen in (*acc*). – 5. *tech.* absichern. – 6. *tech.* ab-, ausschmelzen, verschmelzen: **to** ~ **off** niederschmelzen. – 7. *econ.* fusio'nieren, verschmelzen. – 8. *fig.* vereinigen, -mischen, -binden, zu'sammenbringen, durch'tränken. – **III** *v/i* 9. *bes. Br.* 'durchbrennen. – 10. *tech.* schmelzen, zerfließen. – 11. *fig.* sich vereinigen *od.* mischen, eins werden. – *SYN. cf.* mix.

fu·see [fjuː'ziː] *s* 1. Windstreichholz *n*, Schwefelhölzchen *n.* – 2. (*Eisenbahn*) *Am.* 'Warnungs-, 'Lichtsiˌgnal *n.* – 3. (*Uhr*) Schnecke(nkegel *m*) *f*, Spindel *f.* – 4. *vet.* Beingeschwulst *f.*

fu·se·lage ['fjuːziˌlɑːʒ; -lidʒ; -zə-] *s aer.* (Flugzeug)Rumpf *m*: ~ **frame** Rumpfspant; ~ **framework** Rumpfgerippe.

fuse link *s electr.* Sicherungsdraht *m*, Schmelzeinsatz *m*, -streifen *m.*

fu·sel oil ['fjuːzl; -sl] *s chem.* Fuselöl *n*, roher 'Gärungsa,mylalkohol ($C_5H_{11}OH$).

fu·si·bil·i·ty [,fjuːzi'biliti; -zə-; -əti] *s phys. tech.* Schmelzbarkeit *f.* — **'fu·si·ble** *adj chem. tech.* schmelzbar, -flüssig, Schmelz...: ~ **alloy**, ~ **metal** Schnell-Lot; ~ **cone** Brenn-, Schmelz-, Segerkegel; ~ **piece** Schmelzeinsatz; ~ **wire** Abschmelzdraht. — **'fu·si·ble·ness** → **fusibility.**

fu·si·form ['fjuːzi,fɔːrm; -zə-] *adj* **1.** *med.* spindelförmig, fusi'form: ~ **cataract** Spindelstar. – **2.** *bot.* feilspanförmig.

fu·sil[1] ['fjuːzil; -zl] *s her.* Raute *f.*

fu·sil[2] ['fjuːzil; -zl] *s mil. hist.* Steinschloßflinte *f*, Mus'kete *f.*

fu·sil[3] ['fjuːzil; -sil; -l], *auch* **'fu·sile** [-zil; -sil; -sail] *adj* **1.** geschmolzen, gegossen. – **2.** *selten* schmelzbar.

fu·sil·ier, *Am. auch* **fu·sil·eer** [,fjuːzi'lir; -zə-] *s mil.* Füsi'lier *m.* — **,fu·sil'lade** [-'leid] **I** *s* **1.** *mil.* a) (Feuer)Salve *f*, b) Salvenfeuer *n.* – **2.** Füsi'lierung *f*, Massenerschießung *f.* – **3.** *fig.* Hagel *m*, Flut *f*, Strom *m.* – **II** *v/t* **4.** *mil.* unter dauerndem Feuer angreifen, beschießen. – **5.** erschießen, füsi'lieren.

fus·ing ['fjuːziŋ] *s tech.* **1.** Schmelzen *n*, Einschmelzung *f*: ~ **burner** Schneidbrenner; ~ **current** Abschmelzstromstärke (*einer Sicherung*); ~ **point** Schmelzpunkt. – **2.** (sprühende) Verbrennung.

fu·sion ['fjuːʒən] *s* **1.** *tech.* Schmelzen *n*, Schmelzung *f*: ~ **bomb** *mil.* Wasserstoffbombe; ~ **coefficient** *chem.* Abschmelzkonstante; ~ **electrolysis** *electr.* Schmelzflußelektrolyse; ~ **nucleus** *biol.* Verschmelzungskern; ~ **of parts** *biol.* Verwachsung; ~ **of rays** *biol.* Strahlenvereinigung; ~ **welding** *tech.* Schmelzschweißung. – **2.** *tech.* Schmelzmasse *f*, Fluß *m.* – **3.** *fig.* Verschmelzung *f*, Vereinigung *f*, Fusi'on *f.* – **4.** *pol.* Fusi'on *f*, Koaliti'on *f.* — **'fu·sion,ism** *s pol.* Fusio'nismus *m* (*Eintreten für Koalitionen*). — **'fu·sion·ist I** *s* Fusio'nist *m.* – **II** *adj* fusio'nistisch.

fuss [fʌs] **I** *s* **1.** Getue *n*, Lärm *m*, ,Wesen' *n*, Aufregung *f*, unnötige Nervosi'tät, über'triebene Geschäftigkeit: **to make a ~ about s.th.** viel Aufhebens um *od.* von etwas machen. – **2.** *Am.* Wichtigtuer *m*, Pe'dant *m*, ,'Umstandskrämer' *m.* – *SYN. cf.* **stir**[1]. – **II** *v/i* **3.** viel Aufhebens machen (**about** um, von), sich aufregen, ner'vös tun *od.* werden. – **III** *v/t* **4.** *colloq.* (*j-n*) erregen, aufregen, ner'vös machen. — **'~-,budg·et** *Am. colloq. für* fuss 2.

fuss·i·ness ['fʌsinis] *s* über'triebene Geschäftigkeit, Aufregung *f*, Nervosi'tät *f.* — **'fuss·y** *adj* **1.** unnötig ner'vös *od.* geschäftig, (grundlos) aufgeregt, viel Aufhebens machend. – **2.** kleinlich, 'umständlich, pe'dantisch. – **3.** heikel, über'trieben sorgfältig. – **4.** gekünstelt, über'trieben verziert.

fust [fʌst] *s Br. dial.* muffiger Geruch.

fus·ta·nel·la [,fʌstə'nelə] *s* Fusta'nella *f*, alba'nesisches Hemd, Faltenrock *m* (*Balkan*).

fus·tet ['fʌstit] *s* **1.** *bot.* Färber-Sumach *m*, Pe'rückenstrauch *m* (*Cotinus coggygria*). – **2.** Fi'setholz *n* (*von* 1).

fus·tian [*Br.* 'fʌstiən; *Am.* -tʃən] **I** *s* **1.** Barchent *m*, Man'chester *m.* – **2.** *fig.* Schwulst *m*, Bom'bast *m* (*Rede etc*). – *SYN. cf.* **bombast.** – **II** *adj* **3.** aus Barchent, Barchent... – **4.** *fig.* bom'bastisch, schwülstig. – **5.** *fig.* wertlos, minderwertig.

fus·tic ['fʌstik] *s* **1.** *bot.* Gelbholzbaum *m* (*Chlorophora tinctoria*). – **2.** Fustikholz *n*, echtes Gelbholz: **young ~** Fisetholz. – **3.** Gelbholz *n* (*Farbstoff*).

fus·ti·gate ['fʌsti,geit; -tə-] *v/t humor.* schlagen, prügeln. — **,fus·ti'ga·tion** *s* Prügeln *n*, Prügelstrafe *f.*

fust·i·ness ['fʌstinis] *s* **1.** Modergeruch *m.* – **2.** Rückständigkeit *f.* — **'fust·y** *adj* **1.** schimmelig, moderig, muffig, dumpfig. – **2.** altmodisch, verstaubt, veraltet. – **3.** *fig.* verkalkt, rückständig. – *SYN. cf.* **malodorous.**

fut *cf.* **phut.**

futch·el(l) ['fʌtʃəl] *s* Deichselarm *m*, Achsschere *f.*

fu·thark ['fuːθɑːrk], *auch* **'fu·thorc, 'fu·thork** [-θɔːrk] *s* Futhark *n*, 'Runenalpha,bet *n.*

fu·tile [*Br.* 'fjuːtail; *Am.* -til; -tl] *adj* **1.** nutz-, zweck-, aussichts-, wirkungslos, vergeblich. – **2.** unwesentlich, nichtig, leer. – **3.** oberflächlich. – *SYN.* **fruitless, vain.** — **'fu·tile·ness** → **futility.** — **fu,til·i'tar·i·an** [-,tili'tɛ(ə)riən; -lə-] *adj u. s* menschliches Hoffen u. Streben als nichtig betrachtend(er Mensch). — **fu'til·i·ty** *s* **1.** Zweck-, Nutz-, Wert-, Sinnlosigkeit *f.* – **2.** Nichtigkeit *f*, Geringfügigkeit *f.* – **3.** zwecklose Handlung.

fut·tock ['fʌtək] *s mar.* Auflanger *m*, Sitzer *m* (*der Spanten*). — **~ plate** *s mar.* Marspütting *f*, Püttingschiene *f.* — **~ shrouds** *s pl mar.* Püttingswanten *pl*, -taue *pl.*

fu·ture ['fjuːtʃər] **I** *s* **1.** Zukunft *f*: **in the (near) ~** in der (nahen) Zukunft; **in ~** in Zukunft, künftig(hin); **for the ~** für die Zukunft, künftig(hin). – **2.** künftige Ereignisse *pl*, Zukunft *f*: **to have a great ~** eine große Zukunft haben. – **3.** *ling.* Fu'turum *n*, Zukunft *f.* – **4.** *meist pl econ.* Ter'mingeschäfte *pl*, Lieferungskäufe *pl.* – **II** *adj* **5.** (zu)künftig, Zukunfts... – **6.** *ling.* fu'turisch. — **'fu·ture·less** *adj* ohne Zukunft, ohne Hoffnung auf Erfolg *od.* Besserung.

fu·ture| life *s* Leben *n* im Jenseits *od.* nach dem Tode. — **~ per·fect** *s ling.* Fu'turum *n* ex'actum.

fu·tur·ism ['fjuːtʃə,rizəm] *s* Futu'rismus *m* (*Kunstrichtung*). — **'fu·tur·ist I** *adj* **1.** futu'ristisch. – **II** *s* **2.** Futu'rist *m.* – **3.** *relig. j-d der an die Erfüllung der Prophezeiungen Christi in der Zukunft glaubt.* — **,fu·tur'is·tic** → **futurist** I.

fu·tu·ri·ty [fjuː'tju(ə)riti; -əti; *Am. auch* -'tur-] *s* **1.** Zukunft *f.* – **2.** zukünftiges Ereignis, zukünftiger Zustand. – **3.** Zukünftigkeit *f.* – **4.** zukünftiges Leben. – **5.** → **~ race.** — **~ race** *s sport Am.* (*Pferde- etc*)*Rennen, das lange nach den Nennungen stattfindet.* — **~ stakes** *s pl sport* **1.** (Wett)Einsätze *pl* für ein futurity race. – **2.** → **futurity race.**

fuze *bes. Am. für* fuse I *u.* 4.

fu·zee *cf.* **fusee.**

fuzz [fʌz] **I** *s* **1.** feiner Flaum, fasrige Sub'stanz, zarte, leichte Teilchen *od.* Fäserchen *pl.* – **2.** 'Überzug *m od.* Masse *f* aus feinem Flaum. – **II** *v/t* **3.** *tech.* (zer)fasern. – **III** *v/i* **4.** zerfasern, sich in Fasern auflösen. — **'fuzz·i·ness** *s* **1.** flaumige *od.* flockige Beschaffenheit. – **2.** Struppigkeit *f* (*Haare*). – **3.** Undeutlichkeit *f*, Verschwommenheit *f* (*Umrisse*).

fuzz·y ['fʌzi] *adj* **1.** flockig, flaumig, leicht, faserig. – **2.** mit Fasern *od.* Härchen bedeckt. – **3.** kraus, struppig (*Haar*). – **4.** trübe, undeutlich, verwischt, verschwommen. — **'F~-'Wuzz·y** [-'wʌzi] *s* **1.** Suda'nesischer Krieger. – **2.** fuzzy-wuzzy ,Wuschelkopf' *m*, Krauskopf *m.*

-fy [fai] *Suffix mit der Bedeutung* ... machen, zu ... machen: **Frenchify.**

fyke [faik] *s Am.* Sacknetz *n.*

fyl·fot ['filfɒt] *s* Hakenkreuz *n.*

G

G, g [dʒiː] **I** *s pl* **G's, Gs, g's, gs** [dʒiːz] **1.** G *n*, g *n* (*7. Buchstabe des engl. Alphabets*): **a capital** (*od.* **large**) **G** ein großes G; **a little** (*od.* **small**) **g** ein kleines G. – **2.** *mus.* G *n*, g *n* (*Tonbezeichnung*): **G flat** Ges, ges; **G sharp** Gis, gis; **G double flat** Geses, geses; **G double sharp** Gisis, gisis. – **3.** G (*7. angenommene Person bei Beweisführungen*). – **4.** g (*7. angenommener Fall bei Aufzählungen*). – **5.** G *ped. bes. Am.* Gut *n*. – **6.** G *Am. sl.* 1000 Dollar *pl*. – **II** *adj* **7.** siebent(er, e, es), siebt(er, e, es): **Company G** die 7. Kompanie.

gab[1] [gæb] *s Scot.* Mund *m*.

gab[2] [gæb] *colloq.* **I** *s* **1.** Plaudern *n*, Geplauder *n*, Geschwätz *n*: **stop your ~!** halt den Mund! **~fest** *Am. colloq.* endlose Debatte *od.* ‚Quasselei'. – **2.** Zungenfertigkeit *f*: **the gift of the ~** (*Am.* **of ~**) ‚ein gutes Mundwerk'. – **II** *v/i pret u. pp* **gabbed** **3.** plaudern, schwatzen.

gab·ar·dine *cf.* gaberdine *bes.* 3.

gab·bard ['gæbərd], *auch* **'gab·bart** [-ərt] *s obs. od. Scot.* Barke *f*.

gab·ble ['gæbl] **I** *v/i* schnattern, plappern, schwatzen. – **II** *v/t auch* **~ over** her'unter-, da'herplappern, unverständlich *od.* schnell sprechen *od.* vorlesen. – **III** *s* Geschwätz *n*, Geschnatter *n*, Schnattern *n*. — **'gab·bler** *s* **1.** Schwätzer *m*, Plapperer *m*. – **2.** schlechter *od.* undeutlicher Sprecher.

gab·bro ['gæbrou] *pl* **-bros** *s min.* Gabbro *m*, Schillerfels *m*, Serpen'tin *m*.

gab·by ['gæbi] *adj colloq.* geschwätzig, schwatzhaft.

ga·belle [gə'bel] *s* **1.** *selten* Steuer *f*, Zoll *m*. – **2.** *hist.* Salzsteuer *f*.

gab·er·dine ['gæbərˌdiːn; ˌgæbər'diːn] *s* **1.** *hist.* Kittel *m*, weites 'Überkleid. – **2.** Kaftan *m* (*der Juden*). – **3.** *meist* **gabardine** Gabardine *m* (*feines Kammgarn*).

ga·bi·on ['geibiən] *s mil. tech.* Schanzkorb *m*. — **ˌga·bi·on'ade** [-'neid] *s* **1.** *mil.* Befestigung *f* aus Schanzkörben. – **2.** *tech.* Buhne *f* aus Schanzkörben.

ga·ble ['geibl] *arch.* **I** *s* **1.** Giebel *m*. – **2.** *auch* **~ end** Giebelwand *f*. – **II** *v/t* **3.** mit einem Giebel bauen *od.* versehen. — **'ga·bled** [-bld] *adj* giebelig, Giebel... — **'ga·blet** [-blit] *s* giebelförmiger Aufsatz *od.* -bau, kleiner Giebel.

ga·by ['geibi] *s colloq. od. dial.* Einfaltspinsel *m*, Tropf *m*.

gad[1] [gæd] **I** *v/i pret u. pp* **'gad·ded** **1.** *meist* **~ about, ~ abroad** sich her'umtreiben, um'herstreifen, -wandern, -laufen. – **2.** *meist* **~ out** hin'ausschlendern, -wandern. – **3.** *bot.* wuchern, sich ausbreiten. – **II** *s* **4.** *colloq.* Um'herwandern *n*, -streifen *n*: **(up)on the ~** umherstreifend, -wandernd, auf der Wanderschaft.

gad[2] [gæd] **I** *s* **1.** Peitschen-, Stachelstock *m* (*des Viehtreibers*). – **2.** *tech.* Fimmel *m*, Berg-, Setzeisen *n*, Keil *m*. – **II** *v/t pret u. pp* **'gad·ded** **3.** (*Gestein*) mit einem Keil losbrechen *od.* spalten.

gad[3] [gæd] *interj* Gott!: **by ~** *od.* **be~!** bei Gott!

gad[4] [gæd] *Am. Kurzform für* **~fly** 1.

'gad|·aˌbout *colloq.* **I** *s* **1.** Nichtstuer *m*, Bummler *m*, ‚Pflastertreter' *m*. – **2.** vergnügungssüchtiger Mensch. – **II** *adj* **3.** flatterhaft, um'herschweifend, -wandernd. — **'~ˌbee** → gadfly 1.

gad·di ['gʌdi; gə'diː] *s Br. Ind.* **1.** Thron *m*. – **2.** königliche Macht.

'gadˌfly *s* **1.** *zo.* Viehbremse *f* (*Fam. Tabanidae*). – **2.** *fig.* Störenfried *m*, lästiger Mensch. – **3.** *fig.* Im'puls *m*.

gadg·et ['gædʒit] *s colloq.* **1.** Appa'rat *m*, Gerät *n*, Vorrichtung *f*. – **2.** Ding(sda) *n*, ‚Dingsbums' *n*. – **3.** *fig.* Schlich *m*, Kniff *m*.

Ga·dhel·ic [gə'delik] → Gaelic.

gad·hi *cf.* gaddi.

ga·did ['geidid] *s zo.* Schellfisch *m* (*Fam. Gadidae*). — **'ga·doid** [-dɔid] *zo.* **I** *adj* zu den Schellfischen gehörig. – **II** *s* Schellfisch *m*.

gad·o·lin·i·a [ˌgædo'liniə; -də-] *s chem.* Gado'liniumoˌxyd *n*, Gado'linerde *f* (Gd_2O_3). — **'gad·o·linˌite** [-ˌnait] *s min.* Gadoli'nit *m* (*Silikaterz*). — **ˌgad·o'lin·i·um** [-niəm] *s chem.* Gado'linium *n* (Gd).

ga·droon [gə'druːn] **I** *s* **1.** *arch.* reich verzierte erhabene Arbeit, Kehlung *f*, Zierleiste *f*, Gesims *n*. – **2.** rundgeschweifte Randverzierung (*Silberarbeiten etc*). – **II** *v/t* **3.** mit Zierleisten *od.* Randverzierung versehen.

gad·wall ['gædwɔːl] *pl* **-walls** *od. collect.* **-wall** *s zo.* Schnatterente *f* (*Anas strepera*).

Gael [geil] *s* Gäle *m*: a) schott. Kelte *m*, b) *selten* irischer Kelte. — **Gael·ic** ['geilik; 'gælik] **I** *s* **1.** *ling.* Gälisch *n*. – **2.** Goi'delisch *n*. – **II** *adj* **3.** gälisch: **~ coffee** *Mokka mit irischem Whisky, Zucker u. Süßrahm.* — **'Gael·i·cist** *s ling.* Gäli'zist *m*.

gaff[1] [gæf] **I** *s* **1.** Fischhaken *m*. – **2.** Stahlsporn *m*: **to stand** (*od.* **take**) **the ~** *Am. sl.* durchhalten, ‚sich nicht kleinkriegen lassen'; **to get the ~** *Am. sl.* schwere Schläge erleiden; **to give s.o. the ~** *Am. sl.* j-m das Leben schwer machen. – **3.** *mar.* Gaffel *f*. – **II** *v/t* **4.** mit (einem) Fischhaken fangen *od.* ans Land ziehen.

gaff[2] [gæf] *s meist* **penny ~** *Br. sl.* ‚Bums' *m*, ‚Schmiere' *f*, billiges Varie'té.

gaff[3] [gæf] *s sl. nur in*: **to blow the ~** ‚pfeifen', ‚petzen', plaudern.

gaffe [gæf] *s* Faux'pas *m*, Fehler *m*, 'Mißgriff *m*, Schnitzer *m*.

gaf·fer ['gæfər] *s* **1.** Alter(chen *n*) *m*, Väterchen *n*, Vater *m*. – **2.** *Br.* Vorarbeiter *m*. Aufseher *m*, Chef *m*.

ˌgaff-'top·sail *s mar.* oberes Gaffelsegel, Gaffeltoppsegel *n*.

gag [gæg] **I** *v/t pret u. pp* **gagged** **1.** knebeln. – **2.** *fig.* mundtot machen. – **3.** *med.* den Mund offenhalten. – **4.** zum Würgen *od.* Brechen reizen. – **5.** (*Theater*) (humo'ristische) Pointen *od.* Gags einschalten in (*acc*). – **6.** *sl.* täuschen, betrügen. – **II** *v/i* **7.** würgen, sich erbrechen wollen. – **8.** (*Theater*) improvi'sieren, extempo'rieren. – **9.** *sl.* schwindeln. – **III** *s* **10.** Knebel *m*. – **11.** *fig.* Knebelung *f*, Hemmung *f*. – **12.** *pol.* Schluß *m od.* Beendigung *f* einer De'batte. – **13.** *med.* Knebel *m*, Mundsperre *f*. – **14.** (*Theater*) Gag *m*, witziger Einfall, Improvisati'on *f*. – **15.** *sl.* Schwindel *m*, Täuschung *f*.

gag·a ['gægə; 'gɑːgɑː] *adj Br. sl.* dumm, se'nil, ‚me'schugge'.

'gag-ˌbit *s* Zaumgebiß *n* für unbändige Pferde.

gage[1] [geidʒ] **I** *s* **1.** (Zeichen *n* der) Her'ausforderung *f*, Fehdehandschuh *m*. – **2.** ('Unter)Pfand *n*, Bürgschaft *f*. – **II** *v/t fig.* **3.** verpfänden, als Preis aussetzen. – **4.** *obs.* wetten.

gage[2] *cf.* gauge.

gage[3] [geidʒ] *Kurzform für* **green~**.

gag·er *cf.* gauger.

gag·gle ['gægl] **I** *v/i* **1.** schnattern, gackern. – **II** *s* **2.** Geschnatter *n* (*auch fig.*). – **3.** Schar *f* Gänse.

gag|man *s irr* (*Theater*) *sl.* Witzschreiber *m* für Aufführungen. — **~ rein** *s* Zaum *m* zum strafferen Anziehen des Pferdegebisses. — **'~ˌroot** → Indian tobacco.

gahn·ite ['gɑːnait] *s min.* Gah'nit *m*, Automo'lith *m*, 'Zinkspiˌnell *m* ($ZnAl_2O_4$).

gai·e·ty ['geiəti] *s* **1.** Frohsinn *m*, -mut *m* Fröhlich-, Lustigkeit *f*. – **2.** *oft pl* Lustbarkeit(en *pl*) *f*, Fest(e *pl*) *n*, Festlichkeit(en *pl*) *f*. – **3.** *fig.* Auffälligkeit *f*, Pracht *f*, Schmuck *m*, Glanz *m* (*Kleider*).

gail·lar·di·a [gei'lɑːrdiə] *s bot.* Ko'kardenblume *f* (*Gattg Gaillardia*).

gai·ly ['geili] *adv* **1.** lustig, fröhlich, heiter. – **2.** auffällig, -fallend. – **3.** unbekümmert.

gain[1] [gein] **I** *v/t* **1.** gewinnen: **to ~ a point** a) einen Punkt gewinnen, b) *fig.* in einem gewissen Punkt recht bekommen *od.* sich behaupten; **to ~ the upper hand** die Oberhand gewinnen; **to ~ the wind** *mar.* luv machen; → **ground**[1] 24; **time** 11 *u. b. Redw.* – **2.** verdienen (**by** durch, an *dat*): **to ~ one's living** seinen Lebensunterhalt verdienen. – **3.** erreichen, ankommen in (*dat*) *od.* an (*dat*). – **4.** erwerben, erlangen, erhalten (**from** von). – **5.** zunehmen an (*dat*): **he ~ed 10 pounds** er nahm 10 Pfund zu; **to ~ speed** schneller werden. – **6.** *meist* **~ over** für sich gewinnen, über'reden, auf seine Seite bringen. – *SYN. cf.* a) **get**, b) **reach**.

– **II** *v/i* 7. (on, upon) näherkommen (*dat*), (an) Boden gewinnen, aufholen (gegen'über). – 8. Einfluß *od.* Boden *od.* Kraft gewinnen: he ~ed daily er kam täglich mehr zu Kräften. – 9. Vorteil haben, profi'tieren. – 10. (an Wert) gewinnen, besser zur Geltung kommen, im Ansehen steigen. – 11. (on, upon) 'übergreifen (auf *acc*), sich ausbreiten (über *acc*): the sea ~s (up)on the land. – 12. vorgehen (*Uhr*). – **III** *s* 13. Gewinn *m*, Vorteil *m*, Nutzen *m* (to für). – 14. Zunahme *f*, Zunehmen *n*, Steigerung *f*. – 15. *pl econ.* Einnahmen *pl*, -künfte *pl*, Pro'fit *m*: clear ~ Reingewinn; extra ~ Überverdienst. – 16. *phys.* Verstärkung *f*, (An'tennen-, Leistungs)Gewinn *m*: ~ control Verstärkungsregler, Lautstärkeregelung.

gain[2] [gein] **I** *s* 1. (*Zimmerei*) Fuge *f*, Kerbe *f*, Einschnitt *m*, Zapfenloch *n*. – 2. *arch.* schräge Ausladung. – **II** *v/t* 3. kerben, verzapfen.

gain·a·ble ['geinəbl] *adj* erreich-, gewinnbar. — **'gain·er** *s* 1. Gewinner *m*, (*der*) Gewinnende: to be the ~(s) by s.th. durch etwas gewinnen. – 2. (*Kunstspringen*) *Am.* Auerbachsprung *m*: full ~ Auerbachsalto.

gain·ful ['geinful; -fəl] *adj* 1. einträglich, gewinnbringend, ertragreich, vorteilhaft. – 2. auf Gewinn bedacht. — **'gain·ful·ness** *s* Einträglichkeit *f*, Vorteilhaftigkeit *f*. — **'gain,giv·ing** *s obs.* schlimme Ahnung. — **'gain·ings** *s pl* Einkünfte *pl*, Gewinne *pl*, Pro'fit *m*. — **'gain·less** [-lis] *adj* unvorteilhaft, nicht einträglich.

gain·li·ness ['geinlinis] *s* hübsches Aussehen, artiges Benehmen, einnehmendes Wesen. — **'gain·ly** *adj* 1. nett, hübsch, einnehmend, gutaussehend. – 2. *obs. od. dial.* be'hend, geschickt.

gain·say *obs. od. poet.* **I** *v/t* [,gein'sei] *irr* 1. (*etwas*) bestreiten, verneinen, leugnen. – 2. (*j-m*) wider'sprechen. – *SYN. cf.* deny. – **II** *s* ['gein,sei] 3. 'Widerspruch *m*, Leugnung *f*.

gainst, 'gainst [geinst, genst] *poet. Kurzform für* against.

gait [geit] **I** *s* 1. Gang(art *f*) *m*, Gehweise *f*, Haltung *f* (beim Gehen). – 2. *auch pl* Gangart *f* (*des Pferdes*). – **II** *v/t* 3. zügeln, lenken. — **'gait·ed** *adj* (*in Zusammensetzungen*): ... gehend, mit ... Gang (*Tier*): slow-~.

gai·ter ['geitər] *s* 1. Ga'masche *f*: ready to the last ~ button vollkommen gerüstet. – 2. *Am.* Stoff- *od.* Lederschuh *m* mit Gummizügen.

gal [gæl] *s sl.* Mädchen *n*.

ga·la ['geilə; *Br. auch* 'gɑːlə; *Am. auch* 'gæ(ː)lə] **I** *adj* 1. festlich, feierlich, glänzend, Gala... – **II** *s* 2. Festlichkeit *f*, Feier *f*. – 3. Festkleidung *f*, Gala *f*.

galact- [gəlækt] → galacto-.

ga·lac·ta·gogue [gə'læktə,gɒg; *Am. auch* -,gɔːg] *adj u. s med.* milchtreibend(es Mittel). — **ga'lac·tic** *adj* 1. *astr.* Milchstraßen... – 2. *chem. med.* milchig, 'milchprodu,zierend, Milch... — **ga'lac·tite** [-tait] *s min.* Milchstein *m*, -jaspis *m*.

galacto- [gəlækto] *Wortelement mit der Bedeutung* Milch.

ga·lac·to·cele [gə'lækto,siːl; -tə-] *s med.* Milchgeschwulst *f*, -zyste *f*. — **ga,lac·to'den·dron** [-'dendrən] *s bot.* Milch-, Kuhbaum *m* (*Brosimum galactodendron*). — **ga'lac·toid** *adj* milchähnlich, -artig. — **gal·ac·tom·e·ter** [,gælæk'tɒmitər; -mə-] *s* Milchmesser *m*, -prüfer *m*, -waage *f*. — **ga'lac·to,phore** [-to,fɔːr; -tə-] *s med. zo.* Milchgang *m*. — **,gal·ac,toph·o'ri·tis** [-,tɒfə'raitis] *s med.* Milchgangentzündung *f*. — **,gal·ac'toph·o·rous** *adj* milchführend, -leitend. — **ga,lac·to·poi'et·ic** [-pɔi'etik] → galactagogue. — **ga,lac·to'rh(o)e·a** [-'riːə] *s med.* Milchfluß *m*. — **ga'lac·tose** [-tous] *s chem.* Galak'tose *f* ($C_6H_{12}O_6$).

ga·la·go [gə'leigou] *s zo.* Ga'lago *m* (*Gattg Galago; Halbaffe*).

Gal·a·had, Sir ['gælə,hæd] **I** *npr* Galahad *m* (*Ritter der Tafelrunde*). – **II** *s* reiner, ide'al denkender u. handelnder Mensch.

ga·lan·gal [gə'læŋgəl] → galingale.

gal·an·tine ['gælən,tiːn; ,gælən'tiːn] *s Gericht aus Huhn, Fisch, Wild od. Fleisch in Gelee.*

ga·lan·ty show [gə'lænti] *s* Schattenspiel *n*.

gal·a·te·a [,gælə'tiːə] *s* gestreifter Kat'tun.

Ga·la·tians [gə'leiʃiəns; -ʃəns] *s pl Bibl.* (Brief *m* des Paulus an die) Galater *pl*.

gal·a·vant ['gælə,vænt] → gallivant.

ga·lax ['geilæks] *s bot.* Bronzeblatt *n* (*Galax aphylla; Nordamerika*).

gal·ax·y ['gæləksi] *s* 1. *astr.* Milchstraße *f*, Gala'xie *f*. – 2. *fig.* glänzende Versammlung *od.* Schar: a ~ of talent.

gal·ba·num ['gælbənəm] *s* Galbanum *n* (*Gummiharz von Arten der Gattg Ferula*).

gal·bu·lus ['gælbjuləs; -bjə-] *s bot.* Beerenzapfen *m*.

gale[1] [geil] *s* 1. frischer Wind. – 2. *mar.* Sturm *m*, Kühlte *f*, Kühlde *f*, steife Brise. – 3. (*Meteorologie*) Sturmwind *m* (*45 bis 100 km/h*). – 4. *poet.* leichter Wind. – 5. *colloq.* Taumel *m*, Sturm *m*, Ausbruch *m*: a ~ of laughter eine Lachsalve.

gale[2] [geil] *s bot.* Heidemyrte *f*, Gagelstrauch *m* (*Myrica gale*).

gale[3] [geil] *s Br.* peri'odische Renten- *od.* Miet- *od.* Pachtzahlung: hanging ~ rückständige Miete, Rückstandspacht.

ga·le·a ['geiliə] *pl* **-le·ae** [-li,iː] *s* 1. *bot.* Helm *m* (*Lippenblütler*). – 2. *zo.* a) Stirnschild *m* (*Wasserhuhn etc*), b) hornartiger Helm (*Kasuar etc*), c) helmartiger Schnabelhornaufsatz (*Gemeiner Nashornvogel etc*), d) äußere Kaulade der 'Unterkiefer (*Insekten*). – 3. *med.* a) Kopfschwarte *f*, -haut *f*, b) Kopfverband *m*. – 4. *geol.* (*Art*) fos'siler Seestern. — **'ga·le,ate** [-,eit], *auch* **'ga·le,at·ed** *adj bot.* helmförmig, gehelmt, Helm...

ga·lee·ny [gə'liːni] *Br. dial. für* guinea fowl.

ga·le·i·form [gə'liːi,fɔːrm; -ə,f-] *adj* helmförmig, -artig, -ähnlich.

Ga·len ['geilin; -lən] *s humor.* ,Äsku'lapjünger' *m* (*Arzt*).

ga·le·na [gə'liːnə] *s min.* Gale'nit *m*, Bleiglanz *m* (PbS).

Ga·len·ic[1] [gei'lenik], *auch* **Ga'len·i·cal**[1] [-kəl] *adj med.* ga'lenisch.

ga·len·ic[2] [gə'lenik], *auch* **ga'len·ical**[2] [-kəl] *adj min.* bleiglanzhaltig, Bleiglanz...

Ga·len·ism ['geilə,nizəm] *s med.* Gale'nismus *m*, ga'lenisches ('Heil-)Sy,stem. — **'Ga·len·ist** *s* Gale'nist *m*.

ga·le·nite [gə'liːnait] → galena. — **ga,le·no'bis·mut,ite** [-o'bizmə,tait] *s chem.* Se'lenblei,wismutglanz *m* ($PbS·Bi_2S_3$).

Ga·li·cian [gə'liʃən] **I** *adj* ga'lizisch. – **II** *s* Ga'lizier(in).

Gal·i·le·an[1] [,gæli'liːən; -ə'l-] **I** *adj* 1. gali'läisch: ~ Lake See Genezareth, Galiläisches Meer. – **II** *s* 2. Gali'läer(in). – 3. the ~ der Gali'läer (*Christus*). – 4. Christ(in).

Gal·i·le·an[2] [,gæli'liːən; -ə'l-] *adj* gali'leisch: ~ telescope galileisches Fernrohr.

gal·i·lee ['gæli,liː; -lə,liː] *s* Vorhalle *f* (*mancher Kirchen*).

gal·i·ma·ti·as [,gæli'meiʃiəs; -'mætiəs] *s* Gewäsch *n*, Geschwätz *n*, ,Quatsch' *m*, Galima'thias *m*.

gal·in·gale ['gæliŋ,geil] *s* 1. *med.* Ga'langa-, Gal'gantwurzel *f* (*von Alpinia officinarum*). – 2. *bot.* a) → English ~, b) Gal'gant *m* (*Cyperus repens, C. strigosus, C. Schweinitzii*).

gal·i·ot ['gæliət] *s mar.* 1. holl. Frachtschiff *n od.* Fischerboot *n*. – 2. Gali'ote *f* (*meist im Mittelmeer*).

gal·i·pot, *Am. auch* **gal·li·pot** ['gæli,pɒt; -lə-] *s* Gali'pot(harz *n*) *m*.

gall[1] [gɔːl] *s* 1. *med.* Gallenblase *f*. – 2. *med.* Galle *f* (*von Tieren, bes. Ochsen*). – 3. *fig.* Galle *f*, Bitterkeit *f*, Erbitterung *f*, beißende Schärfe: to dip one's pen in ~ Galle verspritzen, seine Feder in Galle tauchen. – 4. *fig.* bittere Erfahrung, bitteres Erlebnis (to für): ~ and wormwood *Bibl.* Galle u. Wermut (*etwas Bitteres*). – 5. *Am. sl.* Unverschämtheit *f*, Frechheit *f*. – *SYN. cf.* temerity.

gall[2] [gɔːl] **I** *s* 1. (Haut)Abschürfung *f*, wundgeriebene Stelle. – 2. Wolf *m*. – 3. (Eiter)Pustel *f*, Blase *f*, schmerzhafte Schwellung (*bes. eines Pferdes*). – 4. *fig.* Erbitterung *f*, Ärger *m*, Qual *f*, Pein *f*. – 5. *fig.* (*etwas*) Quälendes *od.* Schmerzliches *od.* Störendes *od.* Ärgererregendes. – 6. fehlerhafte *od.* dünne *od.* kahle Stelle, Fehler *m* (*Garn*). – 7. kahler *od.* leerer Fleck. – **II** *v/t* 8. wund-, bloß-, abreiben. – 9. *fig.* belästigen, ärgern, reizen, plagen, quälen. – 10. *tech.* fräsen. – **III** *v/i* 11. wund(gerieben) werden.

gall[3] [gɔːl] *s bot.* Gallapfel *m*, 'Mißbildung *f*, Wucherung *f*.

gall[4] [gɔːl] → **inkberry** 1.

gal·lant I *adj* ['gælənt] 1. tapfer, mutig, ritterlich. – 2. prächtig, stattlich. – 3. auffällig, -fallend, prunkvoll (*Kleider*). – 4. [*auch* gə'lænt] ga'lant: a) höflich, zu'vorkommend, b) verliebt, Liebes... – *SYN. cf.* civil. – **II** *s* ['gælənt; gə'lænt] 5. Kava'lier *m*, stattlicher *od.* vornehmer *od.* ritterlicher Mann. – 6. Ga'lan *m*, Verehrer *m*. – 7. Geliebter *m*. – **III** *v/t* [gə'lænt] 8. (*Dame*) ga'lant behandeln. – 9. (*Dame*) führen, eskor'tieren, (*einer Dame*) als Kava'lier dienen. – **IV** *v/i* 10. den Kava'lier spielen, ga'lant sein.

gal·lant·ry ['gæləntri] *s* 1. Tapferkeit *f*, (Helden)Mut *m*. – 2. Edelmut *m*, -mütigkeit *f*, Ritterlichkeit *f*. – 3. Zu'vorkommenheit *f*, Höflichkeit *f*, Artigkeit *f* (*gegen Damen*). – 4. edle *od.* heldenhafte Tat. – *SYN. cf.* heroism.

gal·late ['gæleit] *s chem.* Gal'lat *n*, Salz *n* der Gallussäure ($C_7H_6O_5$).

'gall|,ber·ry → inkberry 1. — ~ **blad·der** *s med.* Gallenblase *f*.

gal·le·ass ['gæli,æs] *s mar.* Gale'asse *f*, Ga'leere *f*. — **'gal·le·on** [-iən] *s mar. hist.* Gale'one *f*.

gal·ler·y ['gæləri] *s* 1. *arch.* Gale'rie *f*, langer, gedeckter Gang, Säulenhalle *f*, Korridor *m*. – 2. *arch.* Em'pore *f* (*in Kirchen*). – 3. (*Theater*) Gale'rie *f*: a) *oberster Rang*, b) *die Zuschauer auf der Galerie*, c) *der am wenigsten gebildete Teil des Publikums*: to play to the ~ für den niederen Geschmack spielen, nach Effekt haschen. – 4. ('Kunst-, Ge'mälde)Gale,rie *f*. – 5. *mar.* Gale'rie *f*, Laufgang *m*. – 6. *mil.* a) Minengang *m*, Stollen *m*, b) bedeckter Gang. – 7. (*Bergbau*) Stollen *m*, Gesteinsgang *m*, Strecke *f*. – 8. Zy'linderhalter *m* einer Lampe. – 9. *sport* Zuschauer *pl*, Publikum *n*. – 10. *zo.* 'unterirdischer Gang. – 11. *arch. Am.* Vorbau *m*, Ve'randa *f*. – 12. *Am.* 'Photoateli,er *n*. – 13. *mil. Kurzform für* shooting ~. — **'gal·ler·y·ite** *s* Gale'riebesucher(in) (*im Theater*).

gal·ley [ˈgæli] *s* **1.** *mar.* a) Gaˈleere *f*, b) Langboot *n*, Gig *f*. – **2.** *mar.* Komˈbüse *f*, Küche *f*. – **3.** *print.* (Setz)Schiff *n*. – **4.** *print.* Fahnen-, Bürstenabzug *m*, Fahne *f*. — ~ **proof** → galley 4. — ~ **slave** *s* **1.** Gaˈleerensklave *m*. – **2.** *fig.* Sklave *m*, Knecht *m*. — ˌ~-ˈ**west** *adv Am. sl.* ‚erledigt', verwirrt: to knock ~ ‚erledigen', kampfunfähig machen, verwirren. — ˈ~ˌ**worm** → millepede.

ˈ**gall**|ˌ**fly** *s zo.* Gallwespe *f* (*Fam. Cynipidae*). — ~ **gnat** → gall midge.

gal·li·am·bic [ˌgæliˈæmbik] *metr.* **I** *adj* galliˈambisch. – **II** *s meist pl* Galliˈambus *m*, galliˈambischer Vers.

gal·liard [ˈgæljərd] **I** *s* **1.** *mus. hist.* Galliˈarde *f*. – **II** *adj obs.* **2.** lustig. – **3.** tapfer.

gal·li·ass *cf.* galleass.

Gal·lic[1] [ˈgælik] *adj* **1.** gallisch. – **2.** *bes. humor. od. poet.* franˈzösisch.

gal·lic[2] [ˈgælik] *adj chem.* galliumhaltig, Gallium...: ~ **chloride** Gallichlorid ($GaCl_3$); ~ **hydroxide** Gallihydroxyd ($Ga(OH)_3$); ~ **oxide** Gallioxyd (Ga_2O_3).

gal·lic[3] [ˈgælik] *adj chem.* Gallus...: ~ **acid** Gallussäure ($C_7H_6O_5$).

Gal·li·can [ˈgælikən] *adj* **1.** gallisch. – **2.** *relig.* galliˈkanisch, franˈzösisch-kaˈtholisch. — ˈ**Gal·li·canˌism** *s relig.* Gallikaˈnismus *m*.

gal·li·ce [ˈgælisi] (*Lat.*) *adv* auf franˈzösisch.

Gal·li·cism, g~ [ˈgæliˌsizəm; -lə-] *s ling.* Galliˈzismus *m*, franz. Spracheigenheit *f*. — ˈ**Gal·liˌcize, g~ I** *v/t* franzöˈsieren, dem franz. Wesen *od.* der franz. Sprache anpassen. – **II** *v/i* franzöˈsiert werden, sich dem franz. Wesen anpassen.

gal·li·gas·kins [ˌgæliˈgæskinz; -lə-] *s pl* **1**. *hist.* Pluderhosen *pl*. – **2.** *humor.* weite Hosen *pl*. – **3.** *Br. dial.* ˈLedergaˌmaschen *pl*.

gal·li·mau·fry [ˌgæliˈmɔːfri; -lə-] *s* **1.** Mischmasch *m*, Durcheinˈander *n*. – **2.** Raˈgout *n*, Haˈschee *n*.

gal·li·na·cean [ˌgæliˈneiʃən; -lə-] *adj u. s zo.* hühnerartig(er Vogel). — ˌ**gal·liˈna·ceous** *adj zo.* hühnerartig.

gal·li·na·zo [ˌgæliˈnɑːzou] *pl* **-zos** *s zo.* Truthahngeier *m* (*Cathartes aura*).

gall·ing [ˈgɔːliŋ] *adj* **1.** reibend, wetzend, scheuernd. – **2.** ärgerlich, verdrießlich. – **3.** störend, quälend.

gal·li·nip·per [ˈgæliˌnipər; -lə-] *s zo. ein stechendes Insekt, z. B. eine große Stechmücke.*

gal·li·nule [ˈgæliˌnjuːl; -lə-; *Am. auch* -ˌnuːl] *s zo.* Teich-, Wasserhuhn *n* (*Gattg Gallinula, bes. G. chloropus in Europa, G. galeata in Nordamerika*).

Gal·li·o [ˈgæliˌou] *s* gleichgültiger Mensch *od.* Beamter.

gal·li·ot *cf.* galiot.

Gal·lip·o·li [gəˈlipəli], *auch* ~ **oil** *s* erstklassiges Oˈlivenöl.

gal·li·pot[1] *cf.* galipot.

gal·li·pot[2] [ˈgæliˌpɒt; -lə-] *s* **1.** Salben-, Medikaˈmententopf *m*, Reibschale *f*. – **2.** *colloq.* ‚Pillendreher' *m* (*Apotheker*).

gal·li·um [ˈgæliəm] *s chem.* Gallium *n* (Ga).

gal·li·vant [ˈgæliˌvænt; -lə-; ˌgæliˈvænt] *v/i* schäkern, flirten, sich herˈumtreiben (with mit).

gal·li·wasp [ˈgæliˌwɒsp] *s zo.* **1.** (*eine*) Eidechse (*Diploglossus monotropis*). – **2.** Stinkfisch *m* (*Synodus foetens*).

gall| **midge** *s zo.* Gallmücke *f* (*Fam. Cecidomyidae*). — ˈ~ˌ**nut** *s bot.* Gallapfel *m*, Knopper *m*.

Gallo- [gælo] *Wortelement mit der Bedeutung* Gallo..., französisch.

gall| **oak** *s bot.* Gall-, Tintenäpfeleiche *f* (*Quercus lusitanica*). — ~ **of the earth** *s bot. Am.* Hasenlattich *m* (*Prenanthes serpentaria*).

gal·lo·glass [*Br.* ˈgæloˌglɑːs; *Am.* -ˌglæ(ː)s] *s mil. hist.* irischer ˈFußsolˌdat.

Gal·lo·ma·ni·a [ˌgæloˈmeiniə] *s* Gallomaˈnie *f*, Vorliebe *f* für die Franˈzosen. — ˌ**Gal·loˈma·niˌac** [-ˌæk] *s* Galloˈmane *m*.

gal·lon [ˈgælən] *s* Galˈlone *f* (*Hohlmaß; 3,7853 l in USA, 4,5459 l in Großbritannien*).

gal·loon [gəˈluːn] *s* Galˈlon *m*, Borte *f*, Tresse *f*.

gal·loot *cf.* galoot.

gal·lop [ˈgæləp] **I** *v/i* **1.** (im) Gaˈlopp reiten, (ˈlos)galopˌpieren. – **2.** galopˈpieren (*Pferd*). – **3.** *meist* ~ through, ~ over schnell sprechen *od.* lesen, eilen, hasten. – **4.** schnell fortschreiten: ~**ing consumption** galoppierende Schwindsucht. – **II** *v/t* **5.** (*Pferd*) in Gaˈlopp setzen, galopˈpieren lassen. – **III** *s* **6.** Gaˈlopp *m* (*auch fig.*). — ˌ**gal·loˈpade** [-ˈpeid] *s* **1.** *mus.* Galopˈpade *f* (*Tanz*). – **2.** (*Pferdedressur*) Galopˈpade *f*, gehobener kadenˈzierter ˈBahngaˌlopp. — ˈ**gal·lop·er** *s* **1.** galopˈpierendes Pferd. – **2.** galopˈpierender Reiter. – **3.** *mil. Br.* a) Adjuˈtant *m*, Melder *m*, b) leichtes Feldgeschütz.

Gal·lo·phile [ˈgæloˌfail; -fil; -lə-], *auch* ˈ**Gal·lo·phil** [-fil] *s* Galloˈphile *m*, Frankreichfreund *m*. — **Gal·loph·i·lism** [gəˈlɒfəˌlizəm] *s* Frankreichfreundlichkeit *f*. — ˈ**Gal·loˌphobe** [-ˌfoub] *s* Franˈzosenhasser *m*. — ˌ**Gal·loˈpho·bi·a** [-biə] *s* Franˈzosenhaß *m*, Gallophoˈbie *f*.

Gal·lo-Ro·mance [ˌgælourouˈmæns] *s ling.* ˌGalloroˈmanisch *n*.

gal·lous [ˈgæləs] *adj chem.* Gallium...: ~ **chloride** Galliumchlorür ($GaCl_2$); ~ **oxide** Galliumoxydul (GaO).

Gal·lo·way [ˈgæloˌwei; -lə-] *s* **1.** kleines, starkes Pferd, Galloway(pferd) *n*. – **2.** Mastrind *n*, Galloway(rind) *n*.

gal·low·glass *cf.* galloglass.

gal·lows [ˈgælouz; -əz] *pl* **-lows·es**, *obs.* **-lows** (*gewöhnlich als sg verwendet*) *s* **1.** Galgen *m*: to come to the ~ an den Galgen kommen, gehängt werden; to end on the ~ am Galgen enden; a ~ look ein Galgengesicht; to have the ~ in one's face unheimlich aussehen; to cheat the ~ dem Galgen entrinnen, der gerechten Strafe entkommen. – **2.** galgenähnliches Gestell (*bes. für Kochtöpfe*). – **3.** *mar.* (Lade)Baumgalgen *m*. — ~ **bird** *s colloq.* Galgenvogel *m*. — ~ **bitts** *s pl mar.* Gerüst *n* für Rundhölzer (*auf dem Oberdeck*). — ˈ~-ˌ**ripe** *adj* reif für den Galgen. — ~ **tree, gal·low tree** → gallows 1.

gall| **sick·ness** *s vet.* Gallsucht *f*. — ˈ~ˌ**stone** *s med.* Gallenstein *m*.

Gal·lup poll [ˈgæləp] *s* Meinungsbefragung *f*.

gal·lus·es [ˈgæləsiz] *s pl Am. dial.* Hosenträger *pl*.

gall wasp *s zo.* Gallwespe *f* (*Fam. Cynipidae*).

gall·y [ˈgɔːli] *adj* **1.** galle(n)bitter. – **2.** *Am. sl.* ‚pampig', frech, unverschämt.

ga·loot [gəˈluːt] *s Br. colloq. od. Am. sl.* Tölpel *m*, Dummkopf *m*, ungeschickter *od.* unbeholfener Mensch.

gal·op [ˈgæləp] *mus.* **I** *s* Gaˈlopp *m* (*Tanz*). – **II** *v/i* einen Gaˈlopp tanzen.

ga·lore [gəˈlɔːr] *colloq.* **I** *adv* im ˈÜberfluß, reichlich (genug): **he has money** ~ er hat Geld wie Heu. – **II** *s selten* Fülle *f*.

ga·losh(e) [gəˈlɒʃ] **I** *s meist pl* Gaˈlosche *f*, ˈÜberschuh *m*. – **II** *v/t* (*j-m*) Gaˈloschen ˈüberziehen.

ga·lumph [gəˈlʌmf] *v/i* im Triˈumph *od.* triumˈphierend einˈhergehen *od.* -stolˌzieren.

ga·lump·tious [gəˈlʌmpʃəs] *adj sl.* erstklassig, ‚tippˈtopp'.

gal·van·ic [gælˈvænik] *adj electr. phys.* galˈvanisch: ~ **cell** galvanisches Element; ~ **electricity** Berührungselektrizität; ~ **etching** Galvanokaustik, -plastik. — **galˈvan·i·cal·ly** *adv*.

gal·va·nism [ˈgælvəˌnizəm] *s* **1.** *med.* Galvaˈnismus *m*, Galˈvanotheraˌpie *f*, Gleichstrombehandlung *f*. – **2.** *phys.* Beˈrührungselektriziˌtät *f*, Galvaˈnismus *m*. — ˌ**gal·va·niˈza·tion** *s chem. med. phys.* Galvaniˈsierung *f*, Galvanisatiˈon *f*. — ˈ**gal·vaˌnize** *v/t* **1.** *med.* galvaniˈsieren, mit galˈvanischem Strom behandeln. – **2.** *fig.* beleben, anspornen (into zu): to ~ into life zu neuem Leben (er)wecken, neu beleben. – **3.** *tech.* a) (*Eisen, Stahl*) verzinken, b) *obs.* galvaniˈsieren, elektroˈlytisch mit einer Meˈtallschicht überˈziehen: ~**d iron** verzinktes Eisen(blech). — ˈ**gal·vaˌniz·er** *s* Galvaniˈseur *m*.

galvano- [gælvəno] *Wortelement mit der Bedeutung* galvanisch.

gal·va·no·cau·ter·y [ˌgælvənoˈkɔːtəri] *s med.* **1.** Galvanoˈkauter *n*. – **2.** Galvanoˈkaustik *f*. — ˈ**gal·va·noˌgraph** [-ˌgræ(ː)f; *Br. auch* -ˌgrɑːf] *s print.* Galˈvano *n*. — ˌ**gal·vaˈnog·ra·phy** [-ˈnɒgrəfi] *s* Galvanoˈplastik *f*.

gal·va·nom·e·ter [ˌgælvəˈnɒmitər; -mə-] *s phys.* Galvanoˈmeter *n*: ~ **oscillograph** Schleifenoszillograph. — ˌ**gal·va·noˈmet·ric** [-noˈmetrik] *adj* galvanoˈmetrisch. — ˌ**gal·vaˈnom·e·try** [-tri] *s phys.* Galvanomeˈtrie *f*.

gal·va·no·plas·tic [ˌgælvənoˈplæstik] *adj tech.* galvanoˈplastisch: ~ **art** (*od.* **process**) Galvanoplastik. — ˌ**gal·va·noˈplas·ty**, *auch* ˌ**gal·va·noˈplas·tics** *s* Galvanoˈplastik *f*, Eˌlektrotyˈpie *f*. — ˈ**gal·va·noˌscope** [-ˌskoup; -nə-] *s phys.* Galvanoˈskop *n*. — ˌ**gal·va·noˈscop·ic** [-ˈskɒpik] *adj* galvanoˈskopisch. — ˈ**gal·va·noˌther·my** [-ˌθəːrmi] *s* Wärmeerzeugung *f* durch elektr. Strom. — ˌ**gal·vaˈnot·roˌpism** [-ˈnɒtrəˌpizəm] *s bot.* Galvanotroˈpismus *m* (*Richtungskrümmung festgewachsener Pflanzen in Beziehung zum elektr. Strom*).

Gal·ways [ˈgɔːlweiz] *s pl Am. sl.* Backenbart *m*.

gal·yak, *auch* **gal·yac** [ˈgæljæk] *s* Pelzstreifen *m* aus Schaf- *od.* Ziegenfell.

gam [gæm] **I** *s* **1.** Walherde *f*. – **2.** *Am.* (gegenseitiger) Besuch (*bes. von Walfängern auf See*). – **II** *v/i pret u. pp* **gammed 3.** sich versammeln (*Wale*). – **4.** *Am.* sich gegenseitig (*bes. auf See*) besuchen. – **III** *v/t* **5.** (*j-n*) (*bes.* auf See) besuchen.

ga·ma grass [ˈgɑːmə] *s bot.* Gamagras *n* (*Tripsacum dactyloides*).

ga·mash·es [gəˈmæʃiz] *s pl obs. od. Scot.* ˈReitgaˌmaschen *pl*.

gamb [gæmb] *s her.* Vorderbein *n* (*Tier*).

gam·ba [ˈgæmbə] *s mus.* Gambe(nstimme) *f*, ˈOrgelreˌgister *n* mit Saitenton.

gam·bade [gæmˈbeid] → gambado[2].

gam·ba·do[1] [gæmˈbeidou] *pl* **-does** *s* **1.** am Sattel befestigter Stiefel. – **2.** lange Gaˈmasche.

gam·ba·do[2] [gæmˈbeidou] **I** *pl* **-does** *s* **1.** (Luft)Sprung *m* eines Pferdes. – **2.** Sprung *m*, Kapriˈole *f*. – **II** *v/i* **3.** Luftsprünge machen.

gambe *cf.* gamb.

gam·be·son [ˈgæmbisn; -bə-] *s hist. mil.* gefüttertes Wams.

gam·bier [ˈgæmbir] *s* Gamˈbir(kateˌchu) *n*, gelbes Kateˈchu.

gam·bit [ˈgæmbit] *s* **1.** (*Schachspiel*) Gamˈbit *n*. – **2.** *fig.* Eröffnung *f*, erster Schritt.

gam·ble [ˈgæmbl] **I** *v/i* **1.** (Haˈsard *od.* um Geld) spielen: **to ~ with s.th.**

fig. etwas aufs Spiel setzen. – **2.** (*Börse*) (waghalsig) speku'lieren. – **3.** wetten (on auf *acc*). – **II** *v/t* **4.** *meist* ~ away verspielen, verlieren. – **5.** (als Einsatz) setzen. – **III** *s* **6.** Glücks-, Ha'sardspiel *n.* – **7.** *colloq.* Wagnis *n,* ris'kanter Schritt, gewagtes Unter'nehmen. — **'gam·bler** [-blər] *s* Spieler *m.* — **'gam·bling** *s* Spielen *n,* Wetten *n*: ~ debt Spielschuld; ~ house Kasino, Spielhölle.

gam·boge [gæm'boudʒ; -'buːʒ] *s* **1.** *chem.* Gummi'gutt *n.* – **2.** tiefes sattes Rötlichgelb.

gam·bol ['gæmbəl] **I** *v/i pret u. pp* **'gam·boled,** *bes. Br.* **-bolled** (her'um)tanzen, -springen, -hüpfen. – **II** *s* Freuden-, Luftsprung *m,* Hüpfen *n.*

gam·brel ['gæmbrəl] *s* **1.** (Sprung)-Gelenk *n,* Kniebug *m* (*Pferd*). – **2.** Krummholz *n,* Spriegel *m* (*zum Aufhängen von geschlachtetem Vieh*). – **3.** *auch* ~ roof *arch.* gebrochenes *od.* holl. Dach, Walmdach *n.*

gam·broon [gæm'bruːn] *s* geköperter Stoff (*für Herrenkleidung*).

game¹ [geim] **I** *s* **1.** Scherz *m,* Belustigung *f,* Spaß *m,* Spott *m*: to make ~ of s.o. j-n zum besten haben, j-n auslachen; to make ~ of s.th. etwas ins Lächerliche ziehen; what a ~! a) wie lustig! b) (*ironisch*) eine unangenehme Sache! – **2.** Spiel *n,* Zeitvertreib *m,* Zerstreuung *f.* – **3.** (Karten-, Ball- *etc*)Spiel *n*: a ~ of chance ein Glücksspiel; a ~ of skill a) ein Geschicklichkeitsspiel, b) ein Spiel, das gelernt sein will; to be on (off) one's ~ (nicht) in Form sein, gut (schlecht) spielen; to have the ~ in one's hands das Spiel in der Hand haben, sicher gewinnen; to play the ~ a) sich an die (Spiel)-Regeln halten, fair spielen, b) *fig.* sich ehrenhaft benehmen, ehrlich sein, mit ehrlichen Mitteln kämpfen; to play a good (poor) ~ gut (schlecht) spielen; he plays a losing ~ er wird bestimmt verlieren. – **4.** (einzelnes) Spiel, Par'tie *f* (*Schach etc*), Satz *m* (*Tennis*). – **5.** *pl ped.* Sport *m*: on Wednesdays we have ~s jeden Mittwoch treiben wir Sport. – **6.** *pl antiq.* (Kampf)Spiele *pl,* (Mu'sik-, Dichter)-Wettstreit *m*: Olympic G~s Olympische Spiele. – **7.** *fig.* Spiel *n,* Plan *m,* Absicht *f,* Sache *f*: I know his (little) ~ ich weiß, was er im Schilde führt; to give (*od.* throw) up the ~ das Spiel aufgeben; the ~ is up das Spiel *od.* es ist aus *od.* vorbei; to play a double ~ ein Doppelspiel treiben; to beat s.o. at his own ~ j-n mit seinen eigenen Waffen schlagen; I played his ~ ich habe ihm ganz unabsichtlich geholfen; → candle 1. – **8.** *pl fig.* Schliche *pl,* Tricks *pl,* Kniffe *pl*: none of your ~s! keine Dummheiten *od.* Tricks! – **9.** *sport* (Spiel)Stand *m*: the ~ is four all das Spiel steht 4 zu 4 *od.* 4 beide. – **10.** Spiel *n* (*Geräte*): a ~ of table-tennis ein Tischtennis-(spiel). – **11.** Wild *n,* jagdbare Tiere *pl.* – **12.** Wildbret *n.* – **13.** *fig.* Wild *n,* Beute *f*: women are fair ~ to him Frauen sind Freiwild für ihn. – **14.** (Zucht)Herde *f od.* (-)Schar *f* von Schwänen. – **15.** *fig. Am.* Kampfgeist *m,* Mut *m,* Schneid *m.* – **16.** *colloq.* Wettbewerb *m,* Kampf *m* um Erfolg: he is in the advertising ~ er macht in Reklame. – **17.** *sl.* Diebesbeute *f.* – *SYN. cf.* fun. – **II** *adj* **18.** Jagd..., Wild... – **19.** schneidig, entschlossen, mutig: a ~ sportsman. – **20.** bereit, aufgelegt (for, to zu): I'm ~ *sl.* ich bin zu allen Schandtaten bereit, ich mache mit. – **III** *v/i* **21.** (um Geld *od.* hoch) spielen. – **IV** *v/t* **22.** *meist* ~ away verspielen, verlieren.

game² [geim] *adj colloq.* lahm: a ~ leg.

game| act *s meist pl jur.* Jagdgesetz *n.* — **'~,bag** *s* Jagdtasche *f.* — **'~,ball** *s* (*Tennis*) Satz-, Match-Ball *m* (*der das Spiel für den entscheiden kann, dem nur noch ein Punkt fehlt; der entsprechende Spielstand*). — **~ bird** *s* Jagdvogel *m.* — **'~,cock** *s* Kampfhahn *m.* — **~ fish** *s* Sportfisch *m* (*für den Angelsport geeigneter Fisch*). — **~ fowl** *s* **1.** Geflügelwild *n.* – **2.** Kampfhahn *m.* — **~ hawk** *s zo.* Wanderfalke *m* (*Falco peregrinus*). — **~ hog** *s Am.* Jagdfrevler *m* (*j-d der Wild schießt, das unter Jagdschutz steht od. Schonzeit hat*). — **'~,keep·er** *s bes. Br.* Wildhüter *m,* Heger *m.* — **~ law** *s meist pl* Jagdgesetz *n.* — **~ li·cence,** *bes. Am.* **~ li·cense** *s* Jagdschein *m.*

ga·mene [gə'miːn] *s* gemahlener Krapp.

game·ness ['geimnis] *s* Mut *m,* Schneid *m,* Ausdauer *f.*

game| pre·serve *s* Wildpark *m.* — **~ pre·serv·er** *s* Heger *m* eines Wildstandes.

games| mas·ter *s ped.* Sportlehrer *m.* — **~ mis·tress** *s ped.* Sportlehrerin *f.*

game·some ['geimsəm] *adj* lustig, fröhlich, heiter, ausgelassen. — **'game·some·ness** *s* Lustigkeit *f,* Fröhlichkeit *f.*

game·ster ['geimstər] *s* **1.** Spieler *m* (*um Geld*). – **2.** *obs.* a) Spaßvogel *m,* b) unzüchtiger Mensch.

gam·e·tan·gi·um [ˌgæmə'tændʒiəm] *pl* **-gi·a** [-dʒiə] *s bot. zo.* Game'tangium *n* (*Organ, in dem Keimzellen entwickelt werden*).

gam·ete [gæ'miːt; gə-; 'gæmiːt] *s bot. zo.* Ga'met *m,* Ga'mete *f,* Keim-, Geschlechtszelle *f.*

'game-ˌten·ant *s* Jagdpächter *m.*

ga·met·ic [gə'metik] *adj* Gameten..., Geschlechtszellen...

gameto- [gæmito; gəmiːto] *Wortelement mit der Bedeutung* Keimzelle.

gam·e·to·gen·e·sis [ˌgæmito'dʒenisis; -mə-; -nə-] *s bot. zo.* Gaˌmetoge'nese *f,* Erzeugung *f* von Ga'meten. — **ga·me·to·phore** [gə'miːtoˌfɔːr] *s bot.* Gameto'phor *m* (*Träger der Geschlechtsorgane*). — **ga·me·to·phyte** [gə'miːtoˌfait] *s bot.* Gameto'phyt *m* (*geschlechtliche haploide Generation*).

game ward·en *s* Jagdaufseher *m.*

gam·ic ['gæmik] *adj bot. zo.* geschlechtlich.

gam·i·ly ['geimili; -məli] *adv* mutig, beherzt.

gam·in [*Br.* ga'mɛ̃; *Am.* 'gæmin] (*Fr.*) *s* Gassen-, Straßenjunge *m,* Ga'min *m.*

gam·i·ness ['geiminis] → gameness. — **'gam·ing** *s* Spiel(en) *n.*

gam·ma ['gæmə] *s* **1.** Gamma *n* (*3. Buchstabe des griech. Alphabets*). – **2.** das Dritte, dritter Fall (*bei Aufzählungen*). – **3.** *phot.* Kon'trastgrad *m.* – **4.** *pl* ~ *phys.* Gamma *n,* Mikrogramm *n* ($^1/_{1000}$*mg*): ~ globulin *med.* Gammaglobulin; ~ rays Gammastrahlen. – **5.** → ~ moth. — **'gam·maˌcism** [-ˌsizəm] *s med.* Gamma'zismus *m,* Kehlstammeln *n.* — **gam·ma·di·on** [gə'meidiən] *pl* **-di·a** [-diə] *s* Fi'gur *f* von 4 Gammas.

gam·ma moth *s zo.* Gamma-Eule *f* (*Autographa gamma*).

gam·mer ['gæmər] *s Br.* Mütterchen *n,* Gevatterin *f.*

gam·mon¹ ['gæmən] **I** *s* **1.** geräucherter Schinken: ~ and spinach a) Schinken mit Spinat, b) *fig.* Unsinn. – **2.** unteres Stück einer Speckseite. – **3.** *dial.* Schenkel *m,* Bein *n.* – **II** *v/t* **4.** (*Schinken*) einpökeln, einsalzen, räuchern.

gam·mon² ['gæmən] **I** *s* **1.** (*Puffspiel*) doppelter Sieg (*ein Spieler hat alle Steine im Spiel, der andere keinen*). – **2.** *obs. für* back~. – **II** *v/t* **3.** (*Puffspiel*) doppelt schlagen.

gam·mon³ ['gæmən] *mar.* **I** *s* Bugsprietzurring *f.* – **II** *v/t* (*Bugspriet*) mit einer Zurring am Vordersteven befestigen: to ~ the bowsprit die Bugsprietzurring einscheren.

gam·mon⁴ ['gæmən] *bes. Br. colloq.* **I** *s* **1.** Humbug *m,* Unsinn *m,* Betrug *m,* Schwindel *m.* – **II** *v/i* **2.** Unsinn reden, schwätzen. – **3.** sich verstellen, heucheln. – **III** *v/t* **4.** (*j-n*) betrügen, foppen, (*j-m*) etwas aufbinden. – **IV** *interj* **5.** Unsinn! — **'gam·mon·er** *s colloq.* Schwindler *m.*

gamo- [gæmo] *Wortelement mit der Bedeutung* geschlechtlich verbunden, verwachsen, vereint, Gamo...

gam·o·gen·e·sis [ˌgæmo'dʒenisis; -mə-; -nə-] *s bot. zo.* geschlechtliche Fortpflanzung, Gamoge'nese *f.* — **ˌgam·o·ge'net·ic** [-dʒə'netik] *adj* gamoge'netisch. — **ˌgam·o'pet·al·ous** [-'petələs] *adj bot.* gamope'tal, verwachsenkronblättrig, sympe'tal. — **ˌgam·o'phyl·lous** [-'filəs] *adj bot.* verwachsen-, vereintblättrig. — **ˌgam·o'sep·al·ous** [-'sepələs] *adj bot.* synse'pal.

-gamous [gəməs] *Wortelement mit der Bedeutung* geschlechtliche Vereinigung.

gamp [gæmp] *s Br. colloq.* (großer) Regenschirm.

gam·ut ['gæmət] *s* **1.** *mus.* a) erste, tiefste Note (*in Guidos Tonleiter*), b) Tonleiter *f,* Skala *f,* c) Grundtonleiter *f,* d) 'Stimmˌumfang *m,* e) 'Tonˌumfang *m.* – **2.** *fig.* 'Umfang *m,* Skala *f,* Reihe *f,* Stufenleiter *f.*

gam·y ['geimi] *adj* **1.** wildreich. – **2.** nach Wild riechend *od.* schmeckend. – **3.** *fig.* mutig.

-gamy [gəmi] *Wortelement mit der Bedeutung* Ehe, (geschlechtliche) Vereinigung.

gan [gæn] *obs. od. poet. für* began.

gan·der¹ ['gændər] *s* **1.** Gänserich *m*: (what is) sauce for the goose is sauce for the ~ was dem einen recht ist, ist dem andern billig. – **2.** *fig.* Dummkopf *m.*

gan·der² ['gændər] *Am. sl.* **I** *v/i* gucken. – **II** *s* Blick *m*: to take a ~ at s.th. einen Blick auf etwas werfen, sich etwas ansehen.

ga·nef ['gɑːnif] (*Yiddish*) *s* ‚Ganeff' *m* (*Dieb*).

gang [gæŋ] **I** *s* **1.** Gruppe *f,* Schar *f,* Trupp *m,* Rotte *f,* Ko'lonne *f,* Ab'teilung *f.* – **2.** Bande *f*: a ~ of criminals eine Verbrecherbande. – **3.** *tech.* Satz *m,* Sorti'ment *n.* – **4.** *tech.* Schicht *f* (*Arbeiter*). – **5.** *cf.* gangue. – **6.** (*Weberei*) Gang *m.* – **II** *v/t* **7.** zu einer Gruppe *od.* Schar zu'sammenschließen. – **8.** *Am. sl.* in einer Bande *od.* Schar angreifen. – **III** *v/i* **9.** *meist* ~ up *sl.* eine Bande bilden, sich zu'sammenrotten. – **10.** *dial.* gehen. — **'~,board** *s mar.* Laufplanke *f,* -steg *m,* Landsteg *m.* — **~ boss** *s Am.* Vorarbeiter *m,* Rottenführer *m.* — **~ con·dens·er** *s electr.* 'Mehrfach(ˌdreh)-kondenˌsator *m.* — **~ cul·ti·va·tor** *s tech.* 'Reihen-, 'Mehrfach-, Kombinati'onskultiˌvator *m.* — **~ cut·ter** *s tech.* Satz-, Doppel-, Mehrfachfräser *m.*

gange [gændʒ] *v/t* (*Angelhaken*) mit Draht um'wickeln.

ganged [gæŋd] *adj tech.* in Gleichlauf, Einknopf...: ~ tuning *electr.* Einknopfabstimmung.

gang edg·er *s tech.* 'Sägemaˌschine *f* (*mit mehreren Kreissägen*).

gang·er ['gæŋər] *s* Vorarbeiter *m,* Rottenführer *m.*

gang hook *s sport* Kreuz(angel)-haken *m.*

gang·ing [ˈgændʒiŋ] *s* (geschütztes) Ende der Angelschnur.

gangli- [gæŋgli] → ganglio-.

gan·gli·a [ˈgæŋgliə] *pl von* ganglion.

gan·gli·ac [ˈgæŋgliˌæk], **ˈgan·gli·al** [-əl] **ˈgan·gli·ar** [-ər] *adj med.* Ganglien... — **ˈgan·gliˌat·ed** [-ˌeitid], *auch* **ˈgan·gli·ate** [-it; -ˌeit] *adj med. zo.* mit Ganglien versehen: ~ **cord** *zo.* Grenzstrang. — **ˈgan·gliˌform** [-ˌfɔːrm] *adj med.* ganglienartig, knötchenförmig.

gan·gling [ˈgæŋgliŋ] *adj colloq.* **1.** hochgewachsen, (hoch) aufgeschossen. – **2.** spindeldürr, schmächtig.

ganglio- [gæŋglio] *Wortelement mit der Bedeutung* Ganglion, Nervenknoten.

gan·gli·on [ˈgæŋgliən] *pl* **-gli·a** [-gliə] *od.* **-gli·ons** *s* **1.** *med. zo.* Ganglion *n*, Nervenknoten *m*: ~ **cell** Ganglienzelle. – **2.** *med.* ˈÜberbein *n*. – **3.** *fig.* Knoten-, Mittelpunkt *m*, Enerˈgie-, Kraftquelle *f*. — **ˈgan·gli·on·ar·y** [*Br.* -nəri; *Am.* -ˌneri] *adj med.* **1.** aus Ganglien bestehend. – **2.** Ganglien betreffend. — **ˌgan·gli·onˈec·to·my** [-ˈnektəmi] *s med.* operaˈtive Entfernung eines ˈÜberbeins, Ganglionektoˈmie *f*. — **ˌgan·gliˈon·ic** [-ˈɒnik] *adj* Ganglien...

ˈgang|ˌplank *s mar.* Landungsbrücke *f*, -steg *m*, Laufbrett *n*, -planke *f*. — **ˈ~ˌplough,** *Am.* **ˈ~ˌplow** *s tech.* Kombinatiˈons-, Mehrfachpflug *m*.

gan·grene [ˈgæŋgriːn] **I** *s* **1.** *biol. med.* Brand *m*, Ganˈgrän *n*: **dry** (**hot** *od.* **moist**) ~ trockener (feuchter) Brand. – **2.** *fig.* Fäulnis *f*, Verfall *m*, Verderbtheit *f*. – **II** *v/t u. v/i* **3.** *med.* brandig machen *od.* werden. — **ˈgan·gre·nous** *adj* brandig, gangräˈnös.

gang saw *s tech.* Spalt-, Trenngatter *n*.

gang·ster [ˈgæŋstər] *s bes. Am. colloq.* Gangster *m*, Bandenmitglied *n*, Verbrecher *m*.

gangue [gæŋ] *s tech.* ˈGangmineˌral *n*, -masse *f*, -gestein *n*: **the** ~ **changes** das Gestein setzt ab; **mixed** ~**s** Geschütte; ~ **minerals** Gangarten.

ˈgangˌway I *s* **1.** ˈDurchgang *m*, Pasˈsage *f*. – **2.** *mar.* a) Fallreep *n*, b) Gang *m* in der Kuhl, c) Fallreepstreppe *f*, d) Gangway *m*, Laufplanke *f*, -brücke *f*, Landgang *m*, Landungsbrücke *f*, -steg *m*. – **3.** *Br.* a) Gang *m* (*zwischen Theatersitzen etc*), b) (schmaler) Quergang im **House of Commons**. – **4.** (*Bergbau*) Strecke *f*: **level** ~ Grundstrecke; **main** ~ Sohlenstrecke. – **5.** *tech.* a) Schräge *f*, Rutsche *f*, b) Laufbühne *f*, -brücke *f*. – **II** *interj* **6.** Platz (bitte)!

gan·is·ter [ˈgænistər] *s min.* Gaˈnister *m*.

gan·net [ˈgænit] *s zo.* Tölpel *m* (*Fam. Sulidae*; *Vogel*).

ga·nof [ˈgɑːnəf] → ganef.

gan·oid [ˈgænɔid] *zo.* **I** *adj* **1.** glänzend, glatt (*Fischhaut*). – **2.** schmelzschuppig, zu den Schmelzschuppern gehörig (*Fisch*). – **II** *s* **3.** Ganoˈid *m*, Schmelzschupper *m*.

gant·let¹ [ˈgɔːntlit; ˈgænt-] → gauntlet¹.

gant·let² [ˈgæntlit; ˈgɔːnt-], *Br.* **gauntlet** [ˈgɔːntlit] **I** *s* **1.** *mil. hist.* Spießruten-, Gassenlaufen *n*: **to run the** ~ Spießruten laufen (*auch fig.*). – **2.** (*Eisenbahn*) Gleisverschlingung *f*. – **II** *v/t* **3.** *tech.* (*Gleise*) verschlingen, zuˈsammenlegen.

gant·line [ˈgæntˌlain] *s mar.* Aufholer *m*, Wippe *f*: ~ **of the sheers** Jolltau.

gan·try [ˈgæntri] *s* **1.** ˈFaßˌunterlage *f*, -stützblock *m*. – **2.** *tech.* Bock *m*, Porˈtal *n*. – **3.** (*Eisenbahn*) Siˈgnalbrücke *f*.

Gan·y·mede [ˈgæniˌmiːd; -nə-] *s* **1.** *humor.* Mundschenk *m*. – **2.** *astr.* Ganyˈmed *m* (*3. Mond des Jupiter*).

gaol [dʒeil] *cf.* jail.

gap [gæp] **I** *s* **1.** Loch *n*, Riß *m*, Öffnung *f*, Kluft *f*, Spalt *m*, Spalte *f*. – **2.** *mil.* a) Bresche *f*, b) Lücke *f*, Gasse *f* (*im Minenfeld*). – **3.** Kluft *f*, Schlucht *f* (*in den Bergen*). – **4.** *biol.* Lücke *f*, Scharte *f*, Sprung *m*. – **5.** *geol.* ˈDurchbruch *m*: → **water** ~. – **6.** Lücke *f*, Leere *f*, Unterˈbrechung *f*, Wartezeit *f*: **to fill a** ~ eine Lücke (aus)füllen (*auch fig.*). – **7.** *fig.* Kluft *f*, ˈUnterschied *m*, Abweichung *f*. – **8.** *aer.* Tragflächenabstand *m* (*Doppeldecker*). – **9.** Hiˈatus *m*. – **II** *v/t pret u. pp* **gapped 10.** spalten, eine Öffnung machen in (*acc*).

gap·a [ˈgæpə] *s aer.* ferngelenkter Boden-ˈLuft-Flugkörper (*aus* **ground-to-air pilotless aircraft**).

gape [geip; *Am. auch* gæp] **I** *v/i* **1.** den Mund aufsperren *od.* -reißen (*vor Erstaunen etc*). – **2.** starren, glotzen, gaffen: **to** ~ **at s.o.** j-n anstarren, j-n anglotzen. – **3.** gähnen. – **4.** den Schnabel aufsperren (*junge Vögel*). – **5.** schnappen (**for, after** nach). – **6.** *poet.* schmachten, lechzen (**for, after** nach). – **7.** klaffen (*Wunden*), gähnen (*Kluft*), offen stehen. – **8.** sich öffnen, sich spalten, sich auftun, einen Hiˈatus bilden. – *SYN. cf.* **gaze**. – **II** *s* **9.** Gaffen *n*, Starren *n*, Glotzen *n*. – **10.** Gähnen *n*. – **11.** Erstaunen *n*. – **12.** Riß *m*, Sprung *m*, Hiˈatus *m*, Öffnung *f*. – **13.** *zo.* Schnabelspalt *m*, Sperrweite *f* (*Mund*). – **14. the** ~**s** *pl* a) *vet.* Schnabelsperre *f*, b) *humor.* Anfall *m* von Gähnen. — **ˈgap·er** *s* **1.** Gaffer *m*, Starrender *m*. – **2.** Gähnender *m*. – **3.** *zo.* a) (*ein*) Hornrachen *m* (*Gattg Eurylaemus*; *Vogel*), b) Gemeiner Sägebarsch (*Serranus cabrilla*), c) Klaffmuschel *f* (*Fam. Myidae*).

ˈgape|ˌseed *s humor.* **1.** (Anlaß *m* zum) Staunen *n*. – **2.** Gaffer *m*. — **ˈ~ˌworm** *s zo.* Luftröhrenwurm *m* (*Syngamus trachealis*).

gap·ing [ˈgeipiŋ; *Am. auch* ˈgæpiŋ] *adj* **1.** klaffend. – **2.** starrend. – **3.** den Mund aufsperrend. – **4.** gähnend.

gapped [gæpt] *adj* gespalten, zerklüftet, unterˈbrochen. — **ˈgap·py** *adj* (viele) Lücken aufweisend, lückenhaft.

gar [gɑːr] *s zo.* **1.** → **needlefish** 2. – **2.** Kaimanfisch *m* (*Fam. Lepisosteidae*).

ga·rage [*Br.* ˈgærɑːʒ; -ridʒ; *Am.* gəˈrɑːʒ; -ˈrɑːdʒ] **I** *s* **1.** Gaˈrage *f*. – **2.** Repaˈraturwerkstatt *f*. – **3.** *aer.* Hangar *m*. – **II** *v/t* **4.** in einer Gaˈrage ˈunterbringen, (*Auto*) in die Gaˈrage fahren, einstellen.

Gar·a·mond [ˈgærəˌmɒnd] *s print.* Garamond *f* (*Schriftart*).

Gar·and ri·fle [ˈgærənd] *s mil.* Gaˈrand-Gewehr *n* (*Infanteriegewehr der amer. Armee*).

ga·ra·pa·ta [ˌgɑːrɑːˈpɑːtɑː] *s zo.* Schaflaus *f* (*Melophagus ovinus*).

gar·a·vance [ˈgærəˌvæns] → **chickpea**.

garb [gɑːrb] **I** *s* **1.** Kleidung *f*, Gewand *n*. – **2.** Tracht *f*, Amtskleid *n*, äußere Erscheinung. – **3.** *fig.* Anschein *m*, Mantel *m*, Hülle *f*, Form *f*. – **4.** *obs.* a) Haltung *f*, b) Sitte *f*. – **II** *v/t* **5.** *meist pass* ankleiden, (be)kleiden: **to** ~ **oneself as** sich kleiden als.

gar·bage [ˈgɑːrbidʒ] *s* **1.** *bes. Am.* Abfall *m*, Müll *m*, *bes.* Küchenabfälle *pl*: ~ **chute** Müllschlucker. – **2.** *tech.* Ausschuß *m*. – **3.** *fig.* Auswurf *m*, Schmutz *m*, Schund *m* (*Bücher etc*).

gar·ble [ˈgɑːrbl] **I** *v/t* **1.** (*Bericht etc*) verstümmeln, entstellen, (ver)ändern. – **2.** parˈteiisch sichten. – **3.** *nur econ.* (aus)sieben. – **4.** *selten* aussuchen. – **II** *s* **5.** Entstellung *f*, Verstümmelung *f*. – **6.** entstellter Bericht.

ˈgarˌboard, *auch* ~ **strake** *s mar.* Kielgang *m*, -beplankung *f*.

ˈgar·boil *s obs.* Lärm *m*, Wirrwarr *m*.

gar·çon [garˈsõ] (*Fr.*) *s* Garˈçon *m*: a) Junge *m*, b) Kellner *m*.

gar·dant [ˈgɑːrdənt] *adj her.* den Beschauer ansehend.

gar·den [ˈgɑːrdn] **I** *s* **1.** Garten *m*: **to lead s.o. up the** ~ (**path**) j-n täuschen *od.* anführen. – **2.** *fig.* Garten *m*, fruchtbare Gegend: **Kent is the** ~ **of England**. – **3.** *pl* Gartenanlagen *pl*: **the botanical** ~**s** der botanische Garten. – **4. the G**~ *philos.* Epikuˈreische Philosoˈphie *od.* Schule. – **II** *v/i* **5.** im Garten arbeiten. – **6.** Gartenbau treiben. – **7.** *selten* einen Garten anlegen. – **III** *v/t* **8.** als Garten kultiˈvieren *od.* anlegen. – **IV** *adj* **9.** Garten... – **10.** ˈwiderstandsfähig (*Pflanzen*; *Gegensatz*: *Treibhauspflanzen*). – **11.** *fig.* gewöhnlich, allˈtäglich: → **common** 8. — ~ **balm** → **balm** 5a. — ~ **bal·sam** *s bot.* ˈGarten-Balsaˌmine *f* (*Impatiens balsamina*; *asiat. Balsaminacee*). — ~ **bur·net** *s bot.* Großer Wiesenknopf (*Sanguisorba officinalis*). — ~ **cit·y** *s* Gartenstadt *f* (*mit vielen Grünflächen*). — ~ **cress** *s bot.* Gartenkresse *f* (*Lepidium sativum*).

gar·dened [ˈgɑːrdnd] *adj* **1.** einen Garten besitzend. – **2.** als Garten angelegt. – **3.** gartenförmig. — **ˈgar·den·er** *s* Gärtner *m*. — **ˌgar·denˈesque** [-ˈnesk] *adj* gartenartig.

gar·den| flea *s* → **flea beetle**. — ~ **frame** *s* Mistbeetfenster *n*. — **ˈ~-ˈgate** *s* Gartentür *f*. — ~ **glass** *s* **1.** Gartenglaskugel *f*. – **2.** Glasglocke *f* (*für Pflanzen*).

gar·de·ni·a [gɑːrˈdiːniə; -njə] *s bot.* Garˈdenie *f* (*Gattg Gardenia*).

gar·den·ing [ˈgɑːrdniŋ] *s* **1.** Gartenbau *m*. – **2.** Gärtneˈrei *f*, Gartenarbeit *f*.

garden| mint *s bot.* Gartenminze *f* (*Mentha spicata*). — ~ **mo(u)ld** *s* Blumentopferde *f*. — ~ **par·ty** *s* Gartenfest *n*, -gesellschaft *f*. — ~ **patch** *Am. für* **garden plot**. — ~ **plot** *s* Stück *n* Garten, Gartenland *n*, -grundstück *n*. — ~ **por·tu·lac·a** *s bot.* Großblumiger Portulak, Portulak-Röschen *n* (*Portulaca grandiflora*). — ~ **sage** *s bot.* ˈGartensalˌbei *m*, Echter Salˈbei (*Salvia officinalis*). — ~ **sauce** → **sauce** 5. — ~ **seat** *s* **1.** Gartensitz *m*. – **2.** *Br.* Holzsitz *m* auf einem Omnibus. — ~ **snail** *s zo.* (*eine*) Gartenschnecke (*Helix asperga u. H. hortensis*). — ~ **sor·rel** *s bot.* **1.** Engl. Spiˈnat *m*, Gartenampfer *m* (*Rumex patientia*). – **2.** Großer Sauerampfer (*R. acetosa*). — **G**~ **State** *s Am.* (*Spitzname für*) New Jersey *n* (*USA*). — ~ **stuff**, *Am.* ~ **truck** *s* Gartengewächse *pl*, -erzeugnisse *pl*, Gemüse *n* u. Obst *n*. — ~ **sub·urb** *s Br.* Gartenvorstadt *f*. — ~ **truck** *Am. für* **garden stuff**. — ~ **war·bler** *s zo.* Gartengrasmücke *f* (*Sylvia borin*). — ~ **white** *s zo.* Weißling *m* (*Gattg Pieris*; *Schmetterling*).

garde·robe [ˈgɑːrdroub] *s hist.* **1.** Kleiderschrank *m*. – **2.** (eigenes) Zimmer.

gare·fowl [ˈgɛrˌfaul] → **great auk**.

gar·fish [ˈgɑːrˌfiʃ] → **needlefish** 2.

gar·ga·ney [ˈgɑːrgəni] *s zo.* Knäkente *f* (*Anas querquedula*).

Gar·gan·tu·an [gɑːrˈgæntjuən; -tʃu-] *adj* riesig, gewaltig, ungeheuer.

gar·get [ˈgɑːrgit] *s vet.* **1.** Blutfleckenkrankheit *f* (*der Rinder u. Schweine*). – **2.** Milchdrüsenentzündung *f* (*Kühe*).

gar·gle [ˈgɑːrgl] **I** *v/t* **1.** (*Mund*) ausspülen. – **2.** gurgelnd sprechen *od.* singen *od.* herˈvorstoßen. – **II** *v/i* **3.** gurgeln. – **III** *s* **4.** Mundwasser *n*.

gar·goyle [ˈgɑːrgɔil] *s arch.* Wasserspeier *m*.

gar·goyl·ism [ˈgɑːrgɔiˌlizəm] *s med.* Gargoyˈlismus *m*, Dysosˈtosis *f* multiplex (*Knochenanomalie des Skeletts, Zwergwuchs etc*).

gar·i·bal·di [ˌgæriˈbɔːldi; -rə-] *s* **1.** (*Art*) (Frauen)Bluse *f*. – **2.** *zo.* (*ein*) kaliforn. Riffisch *m* (*Hypsypops rubicundus*). – **3.** *Br.* (*Art*) Roˈsinenkeks *m*.

gar·ish [ˈgɛ(ə)riʃ] *adj* **1.** grell, auffallend, blendend, prunkend. – **2.** *obs.* ˈübermütig, flüchtig. – *SYN. cf.* gaudy. — **ˈgar·ish·ness** *s* Grelle *f*, Grellheit *f*, auffallendes Wesen *od.* Aussehen, Prunken *n*.

gar·land [ˈgɑːrlənd] **I** *s* **1.** Girˈlande *f*, Blumengewinde *n*, -gehänge *n*, Kranz *m*. – **2.** Anthoḷoˈgie *f*, Blumenlese *f*. – **3.** *fig.* Siegespreis *m*, -palme *f*. – **4.** *mar.* a) Ratiˈons-, Lebensmittelnetz *n*, b) Heißstropp *m*, großer Stropp zum Masteinsetzen, c) Taukragen *m*. – **II** *v/t* **5.** (*j-n*) bekränzen. – **6.** (*etwas*) zu einer Girˈlande winden *od.* machen. — **~ flow·er** *s bot.* **1.** Kranzblume *f* (*Gattg Hedychium*). – **2.** Steinröschen *n*, Wohlriechender Seidelbast (*Daphne cneorum*). – **3.** Südafr. Heidekraut *n* (*Erica persoluta*).

gar·lic [ˈgɑːrlik] *s bot.* Knoblauch *m* (*Allium sativum*). — **ˈgar·lick·y** *adj* knoblauchartig, nach Knoblauch riechend.

gar·lic| mus·tard *s bot.* Lauchhederich *m*, -kraut *n* (*Alliaria officinalis*). — **~ pear** *s bot.* Obstschralle *f* (*Crataeva gynandra*). — **~ shrub** *s bot.* **1.** Knoblauchstrauch *m* (*Adenocalymna alliacea*). – **2.** Petiˈverie *f* (*Petiveria alliacea*).

gar·ment [ˈgɑːrmənt] **I** *s* Kleid(ungsstück) *n*, Gewand *n*. – **II** *v/t* (be)kleiden, (ein)hüllen (in in *acc*).

gar·ner [ˈgɑːrnər] **I** *s* **1.** Getreidespeicher *m*, -boden *m*. – **2.** Speicher *m*, (Vorrats)Lager *n*. – **3.** *fig.* Kornkammer *f*, Speicher *m*, Sammlung *f*. – **II** *v/t* **4.** (*Getreide*) aufspeichern. – **5.** *fig.* (an)sammeln, (auf)speichern.

gar·net¹ [ˈgɑːrnit] **I** *s* **1.** *min.* Graˈnat *m*. – **2.** Graˈnat(farbe *f*) *n*. – **II** *adj* **3.** graˈnatrot.

gar·net² [ˈgɑːrnit] *s mar.* (Stag-)Garnat *n*.

ˈgar·net,ber·ry *s bot.* Rote Joˈhannisbeere (*Ribes rubrum*).

gar·net·if·er·ous [ˌgɑːrniˈtifərəs] *adj min.* graˈnathaltig.

gar·ni·er·ite [ˈgɑːrniəˌrait] *s min.* Garnieˈrit *m*.

gar·nish [ˈgɑːrniʃ] **I** *v/t* **1.** schmücken, (ver)zieren. – **2.** (*Kochkunst*) garˈnieren. – **3.** versehen (with mit). – **4.** *jur.* (*j-n*) vorladen, ziˈtieren, (*j-m*) eine Aufforderung *od.* einen Pfändungsbescheid zukommen lassen, (*Geld od. Forderungen eines Schuldners*) mit Beschlag belegen. – *SYN. cf.* adorn. – **II** *s* **5.** Schmuck *m*, Verzierung *f*, Ornaˈment *n*. – **6.** (*Kochkunst*) Garˈnierung *f*. — **ˌgar·nishˈee** [-ˈʃiː] *jur.* **I** *s* **1.** (vor Gericht) Vorgeladene(r). – **2.** *j-d der vom Gericht davor gewarnt wird, das in seinen Händen befindliche Geld eines verklagten Schuldners diesem auszuzahlen.* – **3.** Drittschuldner *m*. – **4.** Anspruch *m od.* Forderung *f* auf Herˈausgabe (gegen einen Dritten). – **II** *v/t* **5.** (*Gelder od. Forderungen eines verklagten Schuldners*) mit Beschlag belegen *od.* einem Treuhänder überˈgeben. – **6.** vorladen, vor Gericht laden. — **ˈgar·nish·ment** *s* **1.** Zierat *m*, Schmuck *m*, Verzierung *f*. – **2.** *jur.* a) gerichtliche Vorladung (*bes. an einen Dritten, in einem Prozeß zu erscheinen*), b) Zahlungsverbot *n*, c) Beschlagnahme *f* einer Forderung.

gar·ni·ture [ˈgɑːrnitʃər] *s* **1.** Schmuck *m*, Verzierung *f*, Putz *m*. – **2.** Garniˈtur *f*, Zubehör *n*, Ausstattung *f*. – **3.** Kleidung *f*, Koˈstüm *n*.

ga·rotte *cf.* garrotte.

gar pike → needlefish 2.

gar·ran *cf.* garron.

gar·ret¹ [ˈgærit] *s* **1.** *arch.* Dachstube *f*, Dach-, Bodenkammer *f*, Manˈsarde *f*. – **2.** *fig. sl.* Kopf *m*, ‚Oberstübchen' *n*: to be wrong in the ~, to have one's ~ unfurnished ‚nicht alle Tassen im Schrank haben'.

gar·ret² [ˈgærit] *v/t arch.* (*Mauerlücken*) durch Steinsplitter ausfüllen.

gar·ret·eer [ˌgæriˈtiər] *s* **1.** Dachkammerbewohner *m*. – **2.** *fig.* armer Schriftsteller, Zeilenschinder *m*.

gar·ri·son [ˈgærisn; -rə-] *mil.* **I** *s* **1.** *Am.* Fort *n*, Festung *f*. – **2.** Garniˈson *f*, Besatzung *f* (*eines Ortes*), Standort *m*: ~ town Garnisonstadt. – **II** *v/t* **3.** mit einer Garniˈson versehen, besetzen. – **4.** durch (bemannte) Festungen schützen *od.* verteidigen. – **5.** zum Garniˈsondienst kommanˈdieren. – **6.** besetzen, bewachen, mit Truppen belegen. — **~ cap** *s* Schirmmütze *f*. — **~ com·mand·er** *s* ˈStandortkommanˌdant *m*.

gar·ron [ˈgærən] *s* (minderwertiges) Pferd (*gezüchtet in Irland u. Schottland*), Klepper *m*.

gar·rot [ˈgærət] → goldeneye 2.

gar·rot(t)e [gəˈrɒt; *Am. auch* -ˈrout] **I** *s* Garˈrotte *f*: a) Halseisen *n* zum Erdrosseln, b) Erdrosselung *f*. – **II** *v/t pret u. pp* **garˈrot·ed** *od.* **garˈrot·ted** garrotˈtieren, erdrosseln.

gar·ru·li·ty [gəˈruːliti; -əti] *s* Geschwätzigkeit *f*. — **gar·ru·lous** [ˈgærulәs; -rə-; -rj-] *adj* **1.** geschwätzig, gesprächig, schwatzhaft. – **2.** zeternd, kreischend (*Vögel*). – **3.** plätschernd (*Flüsse*). – **4.** weitschweifig, langatmig (*Erzählung*). – *SYN. cf.* talkative. — **ˈgar·ru·lous·ness** → garrulity.

gar·ter [ˈgɑːrtər] **I** *s* **1.** Strumpfband *n*. – **2.** the G~ a) Hosenbandorden *m*, Abzeichen *n* des Hosenbandordens, b) → Order of the G~, c) Mitgliedschaft *f* des Hosenbandordens. – **3.** G~ (King of Arms) erster Wappenherold Englands. – **II** *v/t* **4.** mit einem Strumpfband binden *od.* befestigen. — **~ snake** *s zo.* Nordamer. Vipernatter *f* (*Gattg Thamnophis*).

garth [gɑːrθ] *s Br. obs. od. dial.* (Kloster)Hof *m*.

gas [gæs] **I** *s* **1.** *chem.* Gas *n*: blast-furnace ~ Gichtgas; chimney ~ Abzugsgas. – **2.** (*Bergbau*) Grubengas *n*. – **3.** Leuchtgas *n*, Gaslicht *n*, -flamme *f*: to lay on the ~ eine Gasleitung legen; to turn on (off) the ~ das Gas aufdrehen (abdrehen). – **4.** *mil.* (Gift-)Gas *n*, Kampfstoff *m*. – **5.** *bes. Am. colloq.* Benˈzin *n*, Kraftstoff *m* (*Kurzform für gasoline*): to step on the ~ (*od. Am. sl.* to give her the ~) Gas geben (*auch fig.*). – **6.** *sl.* leeres Geschwätz, Aufschneideˈrei *f*. – **II** *v/t pret u. pp* **gassed** **7.** mit Gas versehen *od.* -sorgen *od.* beleuchten. – **8.** (*Ballon*) mit Gas füllen. – **9.** *tech.* a) (*Metall*) mit Gas behandeln, b) (*Stoff etc*) mit einer Gasflamme sengen, c) (*Batterie*) gasen. – **10.** *mil.* mit Gas töten *od.* vergiften, vergasen. – **11.** *sl.* (*j-m*) blauen Dunst vormachen *od.* Unsinn vorschwatzen. – **III** *v/i* **12.** *tech.* gasen, Gas abgeben *od.* freisetzen. – **13.** *sl.* faseln, schwatzen, ‚Blech reden'.

ˈgas|-abˈsorb·ing *adj* ˈgasabsorˌbierend: ~ coal gasabsorbierende Kohle, Aktivkohle. — **ˈ~-ˌair mix·ture** *s tech.* Brennstoffluftgemisch *n*. — **ˈ~ˌbag** *s* **1.** *tech.* Gassack *m*, -zelle *f*. – **2.** *colloq.* Schwätzer *m*. — **~ black** *s tech.* Gasruß *m*. — **~ brack·et** *s tech.* Wandarm *m* für Gasbeleuchtung. — **~ burn·er** *s* Gasbrenner *m*. — **~ burn·ing** *s* Gasfeuerung *f*. — **~ car·bon** *s chem.* Reˈtortengraˌphit *m*, -kohle *f*. — **~ cell** *s chem. phys.* Gaskette *f*. — **~ check** *s tech.* Gasdichtung *f*. — **~ coal** *s tech.* Gas-, Fettkohle *f*. — **~ coke** *s tech.* (Gas)-Koks *m*. — **~ com·pound** *s tech.* Gasgemisch *n*.

Gas·con [ˈgæskən] **I** *s* **1.** Gasˈkogner *m*. – **2.** *fig.* Aufschneider *m*, Prahlhans *m*. – **II** *adj* **3.** gasˈkonisch. — **ˌgas·conˈade** [-ˈneid] **I** *s* Prahleˈrei *f*, Aufschneideˈrei *f*. – **II** *v/i* prahlen, aufschneiden.

gas| cut·ting *s tech.* Autoˈgenschnitt *m*, Autogen-, Brennschneiden *n*. — **~ cyl·in·der** *s tech.* Gasflasche *f*: ~ method Blasverfahren (*Stahlherstellung etc*). — **~ de·tec·tor** *s chem.* ˈGasdeˌtektor *m*, -reaˌgens *n*, -anzeiger *m*, -melder *m*. — **ˈ~-disˌcharge tube** *s electr. phys.* Kaltlichtröhre *f*.

gas·e·i·ty [gæˈsiːəti] → gaseousness.

gas·e·lier [ˌgæsəˈliər] *s* Gaskron-, Gasarmleuchter *m*.

gas| en·gine *s tech.* ˈGasmotor *m*, -maˌschine *f*. — **~ en·gi·neer·ing** *s chem.* Gastechnik *f*, -fach *n*. — **~ en·ve·lope** *s tech.* Schutzgas *n* (*beim Schweißen*).

gas·e·ous [ˈgæsiəs; *Br. auch* ˈgeiz-] *adj chem.* **1.** gasartig, -förmig, gasig, luftartig. – **2.** Gas... – **3.** *fig.* spärlich, dürftig, gehaltlos. — **ˈgas·e·ous·ness** *s* Gaszustand *m*, -förmigkeit *f*.

gas| fit·ter *s* ˈGasinstallaˌteur *m*. — **~ fit·ting** *s* **1.** ˈGasinstallatiˌon *f*. – **2.** *pl* ˈGasanlage *f*, -armaˌturen *pl*. — **~ fix·ture** *s* **1.** Gasarm *m*. – **2.** Gasarm-, Gaskronleuchter *m*, Gasbeleuchtung *f*. — **~ gan·grene** *s med.* Gasbrand *m*. — **~ gen·er·a·tion** *s tech.* Gasgewinnung *f*, -entwicklung *f*. — **~ gen·er·a·tor** *s chem. tech.* **1.** ˈGaserzeuger *m*, -geneˌrator *m*, -entwicklungsgerät *n*. – **2.** Gasentbindungsflasche *f*.

gash¹ [gæʃ] **I** *s* **1.** klaffende Wunde *od.* Schramme, tiefer Riß *od.* Schnitt. – **II** *v/t* **2.** (*j-m*) eine tiefe Wunde schlagen, einen klaffenden Riß beibringen, (*Haut*) aufreißen, -schneiden. – **3.** *geol.* zerscharten.

gash² [gæʃ] *adj Scot.* **1.** klug. – **2.** schmuck.

gash³ [gæʃ] *adj mar. sl.* ˈüberzählig, extra.

gas| hel·met → gas mask. — **ˈ~ˌhold·er** *s tech.* **1.** Gasoˈmeter *m*. – **2.** Gasglocke *f*, -flasche *f*. — **ˈ~ˌhouse** *s tech. Am.* Gaswerk *n*. — **~ hull** *s aer. tech.* Balˈlonhülle *f*.

gas·i·fi·a·ble [ˈgæsiˌfaiəbl; -sə-] *adj* vergasbar. — **ˌgas·i·fiˈca·tion** *s* Vergasung *f*, Zerstäubung *f*. — **ˈgas·i·ˌfi·er** *s tech.* Vergaser *m*. — **ˈgas·i·ˌform** [-ˌfɔːrm] *adj chem.* gasförmig, Gas... — **ˈgas·iˌfy** [-ˌfai] **I** *v/t* in Gas verwandeln. – **II** *v/i* zu Gas werden.

gas jet *s* **1.** Gasflamme *f*. – **2.** Gasbrenner *m*.

gas·ket [ˈgæskit], *auch* **ˈgas·kin¹** [-kin] *s* **1.** *tech.* ˈDichtung(smanˌschette) *f*, Verdichtungsring *m*, Pakkung *f*. – **2.** *mar.* a) Beschlagzeising *f*, b) Gummibelagstreifen *m*.

gas·kin² [ˈgæskin] *s* ˈHinterschenkel *m* (*Pferd etc*).

gas·king [ˈgæskiŋ] → gasket.

gas| leak·age *s tech.* (ungewollter) Gasaustritt. — **ˈ~ˌlight** *s* **1.** Gaslicht *n*. – **2.** Gasbrenner *m*. – **3.** Gaslampe *f*. — **ˈ~ˌlight·er** *s* Gasanzünder *m*. — **~ liq·uor** *s chem.* Gas-, Ammoniˈakwasser *n*. — **~ log** *s Am.* holzstückähnlicher Gasbrenner. — **~ main** *s tech.* Haupt(gas)rohr *n*, Gasleitung *f*, -anschluß *m*. — **ˈ~ˌman** *s irr* **1.** ˈGasinstallaˌteur *m*. – **2.** ˈGasmann *m*, -kasˌsierer *m*. – **3.** (*Bergbau*) Aufseher *m* über die Wetterführung. —

~ man·tle *s chem.* Gasglühlichtkörper *m*, Gasglühstrumpf *m*. — **~ mask** *s mil.* Gasmaske *f*. — **~ me·ter** *s tech.* Gasuhr *f*, -messer *m*, -zähler *m*. — **~ mo·tor** *s tech.* 'Gasmotor *m*, -maˌschine *f*.
gas·o·gene *cf.* gazogene.
gas·o·lene *cf.* gasoline.
gas·o·lier *cf.* gaselier.
gas·o·line ['gæsəˌliːn; *Am. auch* ˌgæsə'liːn] *s* **1.** *chem.* Gaso'lin *n*, Gasäther *m*. – **2.** *Am.* Ben'zin *n*: ~ attendant Tankwart; ~ container Benzinkanister; ~ ga(u)ge Benzinstandsanzeiger. – **3.** *Am.* Brenn-, Betriebsstoff *m*.
gas·om·e·ter [gæ'sɒmitər; -mə-] *s tech.* Gaso'meter *m*, Gasbehälter *m*. — **gas·o·met·ric** [ˌgæso'metrik], ˌ**gas·o'met·ri·cal** *adj* gaso'metrisch. — **gas'om·e·try** [-'sɒmitri; -mə-] *s chem.* Gasome'trie *f*, Gasmeßkunst *f*.
gasp [*Br.* gɑːsp; *Am.* gæ(ː)sp] **I** *v/i* **1.** schwer atmen, nach Luft ringen, keuchen: to ~ for breath nach Luft schnappen. – **2.** *fig.* sich sehnen, trachten, schmachten (for, after nach). – **II** *v/t* **3.** *meist* ~ forth, ~ out ausatmen, -hauchen, her'vorstoßen, seufzend äußern: to ~ one's life out sein Leben aushauchen. – **III** *s* **4.** Ringen *n* nach Luft, Keuchen *n*, schweres Atmen: at one's last ~ in der Todesstunde, in den letzten Zügen. — **'gasp·er** *s Br. sl.* billige Ziga'rette, ‚Sargnagel' *m*.
gas| pipe, *auch* '~ˌpipe *s tech.* Gasrohr *n*. — **~ plant**[1] → fraxinella. — **~ plant**[2] *s tech.* Gasanlage *f*, -werk *n*. — **~ pli·ers** *s pl tech.* Gasrohrzange *f*. — **~ pock·et** *s* **1.** *tech.* Gaseinschluß *m* (*in Glas, Gußstücken*). – **2.** *mil.* Gassumpf *m*. — **~ pro·duc·tion** *s* Gasentwicklung *f*, -erzeugung *f*. — **~ pro·jec·tor** *s mil.* Gaswerfer *m*. — **~ pud·dling** *s tech.* Gas(flammofen)-frischen *n*, Gaspuddeln *n*. — **~ range** *s Am.* (mehrflammiger) Gasherd. — **~ reg·u·la·tor** *s tech.* Gas(druck)-regler *m*. — **~ ring** *s* Gasbrenner *m*, -ring *m*, -kocher *m*. — **~ seal** *s chem.* Gasverschluß *m*.
gassed [gæst] *adj med.* vergast, gaskrank, -vergiftet. — **'gas·ser** *s* **1.** *tech.* Gas freigebende Ölquelle. – **2.** *tech.* Tuch-, Garngaser *m*. – **3.** *fig.* Schwätzer *m*, Aufschneider *m*. — **'gas·sing** *s* **1.** *tech.* Behandlung *f* mit Gas, Gasen *n*. – **2.** Vergasen *n*, -gasung *f*. – **3.** *electr.* Gasen *n*, Gasentwicklung *f*, ‚Kochen' *n*. – **4.** *colloq.* Geschwätz *n*, leeres Gerede, ‚Blech' *n*.
gas| sta·tion *s Am.* Tankstelle *f* (= *Br.* petrol station). — **~ sup·ply** *s tech.* Gasversorgung *f*, -zufuhr *f*.
gas·sy ['gæsi] *adj* **1.** *chem.* gashaltig, -artig, voll Gas. – **2.** (*Bergbau*) schlagwetterreich. – **3.** *fig.* aufgeblasen, eitel.
gas| take *s tech.* Gichtgasfang *m*. — **~ tank** *s tech.* Gasbehälter *m*. — **~ tar** *s tech.* Gas-, Steinkohlenteer *m*.
gas·ter·o·my·cete [ˌgæstəromai'siːt] *s bot.* Bauchpilz *m* (*Ordnung Gastromycetales*). — **'gas·ter·oˌpod** [-ˌpɒd] → gastropod.
gast·ful *cf.* ghastful.
gas| thread *s tech.* Gas(rohr)gewinde *n*. — **'~'tight** *adj* gasdicht. — **~ torch** *s tech.* Gasschweißbrenner *m*.
gastr- [gæstr] → gastro-.
gas·trae·a [gæs'triːə] *s zo.* Ga'sträa *f* (*tierische Urform*).
gas·tral ['gæstrəl] *adj med. zo.* ga'stral, den Magen- *od.* Verdauungstrakt betreffend: ~ epithelium Darmepithel. — **gas'tral·gi·a** [-'trældʒiə] *s med.* Gastral'gie *f*, Magen-, Bauchschmerz *m*. — **gas·trec·to·my** [-'trektəmi] *s med.* 'Magenresektiˌon *f*.
gas·tric ['gæstrik] *adj med.* gastrisch, Magen(gegend)...: → ulcer 1. — **'gas·trin** [-trin] *s med.* Ga'strin *n* (*Hormon*). — **gas'tri·tis** [-'traitis] *s med.* Ga'stritis *f*, 'Magenkaˌtarrh *m*.
gastro- [gæstro] *Wortelement mit der Bedeutung* Magen, Bauch.
gas·tro·col·ic [ˌgæstro'kɒlik] *adj med.* gastro'kolisch.
gas·tro·en·ter·i·tis [ˌgæstroˌentə'raitis] *s med.* ˌMagen-'Darm-Kaˌtarrh *m*, 'Gastroenteˌritis *f*.
gastroentero- [gæstroentəro] *Wortelement mit der Bedeutung* Magen- u. (Dünn)Darm.
gas·tro·en·ter·ol·o·gy [ˌgæstroˌentə'rɒlədʒi] *s med.* (Fachgebiet *n* der) Magen- u. Darmleiden *pl*. — ˌ**gas·troˌhys·ter'ot·o·my** [-ˌhistə'rɒtəmi] *s med.* Kaiserschnitt *m*.
gas·tro·lith ['gæstrəliθ] *s med.* Gastro'lith *m*, Magenstein *m*.
gas·tro·log·i·cal [ˌgæstrə'lɒdʒikəl] *adj* **1.** *med.* gastro'logisch, Magenkrankheiten... – **2.** *humor.* Koch(kunst)... — **gas'trol·o·gist** [-'trɒlədʒist] *s* **1.** *med.* Gastro'loge *m*, 'Magenspeziaˌlist *m*. – **2.** *humor.* Kochkünstler *m*. — **gas'trol·o·gy** *s* **1.** *med.* Gastrolo'gie *f*, (Fachgebiet *n* der) Magenkrankheiten *pl*. – **2.** *humor.* Kochkunst *f*.
gas·tro·nome ['gæstrəˌnoum], *auch* **gas'tron·o·mer** [-'trɒnəmər] *s* Feinschmecker *m*, Gastro'nom *m*. — ˌ**gas·tro'nom·ic** [-'nɒmik], ˌ**gas·tro'nom·i·cal** *adj* feinschmeckerisch. — **gas'tron·o·mist** → gastronome. — **gas'tron·o·my** *s* ˌFeinschmecke'rei *f*, Gastrono'mie *f*.
gas·tro·pod ['gæstrəˌpɒd] *zo.* **I** *pl* **-trop·o·da** [-'trɒpədə] *s* Gastro'pode *m*, Bauchfüßer *m*. – **II** *adj* zu den Bauchfüßern gehörig. — **gas'trop·o·dous** → gastropod II.
gas·tro·scope ['gæstrəˌskoup] *s med.* Gastro'skop *n*, Magenspiegel *m*. — ˌ**gas·tro'scop·ic** [-'skɒpik] *adj* gastro'skopisch. — **gas'tros·co·py** [-'trɒskəpi] *s* 'Magenunterˌsuchung *f* mit dem Gastro'skop, Gastrosko'pie *f*. — **gas'tros·to·my** [-'trɒstəmi] *s med.* Gastrosto'mie *f*. — **gas'trot·o·my** [-'trɒtəmi] *s med.* Magenschnitt *m*, Gastroto'mie *f*.
gas·trot·ri·chan [gæs'trɒtrikən] *s zo.* Gastro'trich *n*, Bauchhaarling *m* (*Ordnung Gastrotricha; mikroskopisch kleiner im Wasser lebender Wurm*).
gas·tro·vas·cu·lar [ˌgæstro'væskjulər] *adj zo.* zu'gleich als Ver'dauungs- u. Zirkulati'onsappaˌrat dienend.
gas·tru·la ['gæstrulə] *pl* **-lae** [-ˌliː] *s zo.* Gastrula *f*, Becherkeim *m*, Darmlarve *f*. —**'gas·tru·lar** *adj* Gastrula..., Gastrulations... — **'gas·truˌlate** [-ˌleit] *v/i* gastru'lieren. — ˌ**gas·tru'la·tion** *s* Gastrulati'on *f* (*Keimeinstülpung*).
gas| tube *s phys.* **1.** Gasentladungsröhre *f*. – **2.** Gasröhre *f*, Röhre *f* mit Gasfüllung, Stahlflasche *f*. — **~ tur·bine** *s tech.* 'Gasturˌbine *f*. — **~ vent** *s tech.* Gasabzug(söffnung *f*) *m*. — **~ wash·er** *s tech.* 'Gaswaschappaˌrat *m*. — **~ weld·ing** *s tech.* auto'genes Schweißen, Gasschweißen *n*, Gasschweißung *f*. — **~ well** *s tech.* Gasbohrloch *n*, Gasquelle *f*. — **'~ˌworks** *s pl* (*meist als sg konstruiert*) *tech.* Gasanstalt *f*, -werk *n*.
gat[1] [gæt] *obs. od. dial. pret von* get.
gat[2] [gæt] *s mar.* Öffnung *f*, Pas'sage *f*, 'Durchgang *m*, -fahrt *f*, Fahrwasser *n*, Seegat(t) *n*.
gat[3] [gæt] *s Am. sl.* Re'volver *m*.
gate[1] [geit] **I** *s* **1.** Tor *n*, Pforte *f*. – **2.** Sperre *f*, (Eisenbahn)Schranke *f*, Flugsteig *m*. – **3.** (enger) Eingang, (schmale) 'Durchfahrt. – **4.** *Bibl.* Gerichtsstätte *f*. – **5.** (Gebirgs)Paß *m*. – **6.** *fig.* Weg *m*, Zugang *m*, (Eingangs)-Tor *n*. – **7.** (*Wasserbau*) Schleusentor *n*. – **8.** (*Gießerei*) Einguß *m*, Eingußloch *n*. – **9.** *tech.* Ven'til *n*, Klappe *f*. – **10.** *tech.* Sägegestell *n*, -rahmen *m*, Gatter *n*. – **11.** *phot.* Filmfenster *n*. – **12.** *sport* a) Besucher(zahl *f*) *pl*, Zahl *f* der verkauften Eintrittskarten, b) Eintritt *m*, (eingenommenes) Eintrittsgeld. – **13.** *sport* Slalom-Tor *n*. – **14.** *Am. colloq.* Entlassung *f*, Hin'auswurf *m*, ‚Korb' *m*: to get the ~ entlassen *od.* ‚hinausgeschmissen' werden; to give s.o. the ~ ‚j-m einen Korb geben'. – **II** *v/t* **15.** *Br.* die Ausgangszeit (*eines Studenten*) beschränken: he was ~d er erhielt Ausgangsverbot. – **16.** *tech.* einblenden.
gate[2] [geit] *s* **1.** *dial.* Brauch *m*. – **2.** *obs. od. dial.* Gasse *f*.
gate| bill *s Br.* (*Oxford u. Cambridge*) **1.** *Protokoll vom Ausbleiben eines Studenten über die festgesetzte Zeit hinaus.* – **2.** *Geldstrafe wegen Überschreitens der Ausgehzeit.* — **'~-ˌcrash** *sl.* **I** *v/i* uneingeladen zu einer Gesellschaft *etc* kommen. – **II** *v/t* (*etwas*) uneingeladen mitmachen. — **~ crash·er** *s sl.* Eindringling *m*, ungeladener Gast. — **'~ˌhouse** *s* **1.** Pförtnerhaus *n*. – **2.** Pförtner-, Wachzimmer *n* (*über einem Stadttor*). – **3.** *hist.* Gefängnis *n* (*über einem Stadttor*). – **4.** *tech.* Schleusen-, Tur'binenhaus *n* (*einer Staustufe*). – **5.** (*Eisenbahn*) *Am.* Schrankenwärterhäuschen *n*. — **'~ˌkeep·er** *s* **1.** Pförtner *m*, Torhüter *m*. – **2.** *Am.* Bahnwärter *m*. — **'~-ˌleg(ged) ta·ble** *s* Klapptisch *m*. — **~ meet·ing** *s sport* Sportveranstaltung *f* mit Eintrittsgeld. — **~ mon·ey** → gate[1] 12b. — **'~ˌpost** *s* Tor-, Türpfosten *m*: → between 2. — **~ saw** *s tech.* Gestell-, Gattersäge *f*. — **'~-ˌtype gear shift** *s tech.* Ku'lissenschaltung *f* (*Auto*). — **'~ˌway** *s* **1.** Torweg *m*, Einfahrt *f*. – **2.** 'Torrahmen *m*, -ˌüberbau *m*. – **3.** *fig.* (Eingangs)-Tor *n*, Zugang *m*.
gath·er ['gæðər] **I** *v/t* **1.** (*Dinge*) sammeln, zu'sammen-, anhäufen. – **2.** (*Menschen*) versammeln, zu'sammenbringen, vereinigen: to be ~ed to one's fathers (*od.* people) zu seinen Vätern versammelt werden. – **3.** (*Tiere*) zu'sammentreiben. – **4.** (*Blumen etc*) pflücken, lesen, brechen. – **5.** (*Korn etc*) ernten, sammeln. – **6.** nehmen, schließen: to ~ s.o. in one's arms. – **7.** auswählen, -suchen, -lesen. – **8.** erwerben, sammeln, ansetzen: to ~ dust staubig werden; the complexion ~s colo(u)r das Gesicht bekommt Farbe; to ~ head a) stark werden, b) *med.* reifen, eitern; to ~ way a) *mar.* Fahrt aufnehmen, in Fahrt kommen, b) *fig.* sich durchsetzen; to ~ speed schneller werden. – **9.** (*Näherei*) raffen, (an)-krausen, zu'sammenziehen. – **10.** *meist* ~ up (*Stoff, Kleid*) 'aufnehmen, zu'sammenraffen. – **11.** (*Stirn*) in Falten ziehen. – **12.** *meist* ~ up (*vom Boden*) aufnehmen, -heben. – **13.** *meist* ~ up (*Glieder*) einziehen. – **14.** (*Buchbinderei*) (*Bogen*) zu'sammentragen. – **15.** *math.* folgern, erschließen. – **16.** *fig.* schließen, folgern (that daß). – **17.** *fig.* sammeln: to ~ breath Luft schöpfen; to ~ strength Kräfte sammeln, zu Kräften kommen. – **18.** *fig.* (*Tatsachen*) zu'sammentragen, -fassen. – **II** *v/i* **19.** sich (ver)sammeln, zu'sammenkommen. – **20.** sich häufen, sich (an)sammeln. – **21.** anwachsen, ansteigen, größer werden, sich vergrößern. – **22.** *med.* reifen, eitern. – *SYN.* a) assemble, collect[1], congregate, b) *cf.* infer. – **III** *s* **23.** *selten* (An)Sammlung *f*. – **24.** *pl* Kräuseln *pl*, Falten *pl* (*Kleid*). – **25.** *tech.* Neigung *f* des Achsschenkels (*Auto*).

gath·er·er ['gæðərər] *s* **1.** Sammler *m*. – **2.** *agr.* Schnitter *m*, Winzer *m*. – **3.** Steuer-, Geldeinnehmer *m*. – **4.** (*Buchbinderei*) a) Zu'sammenträger *m*, b) Zu'sammentragma,schine *f*. – **5.** (*Glasfabrikation*) Ausheber *m*, Sammler *m* der Glasmasse.

gath·er·ing ['gæðəriŋ] *s* **1.** (Ver)Sammeln *n*, Versammlung *f*. – **2.** (*das*) Gesammelte. – **3.** (Menschen)Ansammlung *f*, Menge *f*. – **4.** Sammlung *f*, Kol'lekte *f*. – **5.** (*Buchbinderei*) Lage *f*. – **6.** *med.* Eitern *n*, (eiterndes) Geschwür. – **7.** Kräuseln *n*, Einhalten *n*, Aufreihen *n*. — ~ **coal** *s* Stück *n* Kohle (*um die Glut zu halten*). — ~ **hoop** *s* (*Böttcherei*) (Faß)Reifen *m*.

gat·ing ['geitiŋ] *s* **1.** *electr.* a) Austastung *f*, Hellsteuerung *f* (*Kathodenstrahlröhre*), b) Si'gnalauswertung *f* (*Radar*). – **2.** *Br.* Ausgangsverbot *n* (*an Universitäten*).

Gat·ling gun ['gætliŋ] *s mil. hist.* [Re'volverka,none *f*.]

gauche [gouʃ] *adj* **1.** linkisch. – **2.** taktlos. – *SYN. cf.* **awkward.** — '**gauche·ness** *s* Ungeschicklichkeit *f*, Taktlosigkeit *f*.

gau·che·rie [,gouʃə'riː; 'gouʃə,riː] *s* **1.** Plumpheit *f*. – **2.** Taktlosigkeit *f*.

Gau·cho ['gautʃou] *pl* **-chos** *s* Gaucho *m* (*Viehhüter*).

gaud [gɔːd] *s* **1.** Putz *m*, Schmuck *m*, Tand *m*. – **2.** *pl* Prunk *m*, Pomp *m*. — '**gaud·er·y** [-əri] *s* Putz *m*, Flitter (-staat) *m*. — '**gaud·i·ness** *s* geschmackloser Prunk, über'triebener Putz, Flitterstaat *m*. — '**gaud·y I** *adj* **1.** prunkend, glänzend, protzig. – **2.** geschmacklos. – *SYN.* **flashy, garish, meretricious, tawdry.** – **II** *s* **3.** *Br.* (jährliche) festliche Zu'sammenkunft (der Mitglieder eines College): [~-day.]

gauf·fer ['gɔːfər] → **goffer.**

gauge [geidʒ] **I** *v/t* **1.** (ab-, aus)messen. – **2.** *tech.* eichen, ju'stieren, kali'brieren. – **3.** *fig.* (ab)schätzen, ta'xieren, beurteilen. – **4.** begrenzen. – **5.** (*Ziegel, Steine*) zuklopfen, (*Steinen*) die richtige Form *od.* Größe geben. – **6.** (*Mörtel*) in richtigem Verhältnis mischen. – **II** *s* **7.** *tech.* (Nor'mal-, Eich)Maß *n*. – **8.** 'Umfang *m*, Ausdehnung *f*, Inhalt *m*. – **9.** *tech.* Meßgerät *n*, Anzeiger *m*, Messer *m*: a) Pegel *m*, Wasserstandsmesser *m*, b) Mano'meter *n*, c) Lehre *f*, d) Maß-, Zollstab *m*, e) *print.* Ko'lumnen-, Zeilenmaß *n*, f) (*Schriftgießerei*) Kernmaß *n*. – **10.** *mil.* Ka'liber *n* (*bei nichtgezogenen Läufen*). – **11.** (*Eisenbahn*) Spurweite *f*: → **broad** ~; **standard** ~. – **12.** *arch.* freiliegende Länge (*von Ziegeln od. Platten*). – **13.** *arch.* Gipsmenge, die dem Mörtel beigemengt ist. – **14.** *mar.* Abstand *m od.* Lage *f* eines Schiffs zu einem anderen mit Bezug auf den Wind: **she has the lee** (**weather** *od.* **windward**) ~ es liegt zu Lee (Luv). – **15.** (*Strumpffabrikation*) Gauge *n*, Maschenzahlmaß *n*. – *SYN. cf.* **standard**[1]. — '**gauge·a·ble** *adj* meßbar.

gauge| cock *s tech.* Wasserstandshahn *m*. — ~ **door** *s* (*Bergbau*) Wettertür *f*, Ventilati'onsregu,lier(ungs)tür *f*. — ~ **glass** *s tech.* Steigrohr *n*, Ableseröhre *f*. — ~ **lathe** *s tech.* Präzisi'ons-, Lehrdrehbank *f*. — ~ **nar·row·ing** *s tech.* Spurverengung *f*. — ~ **pin** *s print.* Anlegemarke *f*. — ~ **pipe** *s tech.* Mano'meterleitung *f*. — ~ **point** *s tech.* Meßpunkt *m*.

gaug·er ['geidʒər] *s* **1.** Maß *n*, Meßgerät *n*. – **2.** (Aus)Messer *m*, Eicher *m*, Eichmeister *m*. – **3.** *hist.* Steuerbeamter *m*.

gauge| ring *s electr.* Paß-, Einsatzring *m*. — ~ **rod** *s tech.* Spurstange *f*. — ~ **saw** *s tech.* Säge *f* mit Schnitteinstellung. — ~ **stuff** *s arch.* Gipsmörtel *m*. — ~ **wheel** *s tech.* Stelze *f*, 'Pflugtiefenregu,lierungsrad *n*.

gaug·ing ['geidʒiŋ] *s tech.* Eichung *f*, Messung *f*: ~ **instrument** Meßwerkzeug; ~ **office** Eichamt; ~ **rod** Eichmaß, -stab.

Gaul [gɔːl] *s* **1.** Gallier *m*. – **2.** *humor.* Fran'zose *m*. — '**Gaul·ish I** *adj* **1.** gallisch. – **2.** *humor.* fran'zösisch. – **II** *s* **3.** *ling.* Gallisch *n*, das Gallische.

gault [gɔːlt] *s geol.* Gault *m*, Flammenmergel *m*.

gaul·the·ri·a [gɔːl'θi(ə)riə] *s bot.* Gaul'therie *f* (*Gattg Gaultheria; immergrünes Heidekrautgewächs*).

gaum [gɔːm] *v/t dial.* beschmieren.

gaunt [gɔːnt] *adj* **1.** hager, mager, dünn. – **2.** verlassen, unheimlich, öde, schauerlich. – *SYN. cf.* **lean**[2].

gaunt·let[1] ['gɔːntlit], *Am. auch* '**gantlet** ['gænt-; 'gɔːnt-] *s* **1.** Panzerhandschuh *m*. – **2.** *fig.* Fehdehandschuh *m*: **to fling** (*od.* **throw**) **down the** ~ (**to s.o.**) (j-m) den Fehdehandschuh hinwerfen, (j-n) herausfordern; **to pick** (*od.* **take**) **up the** ~ den Fehdehandschuh aufnehmen. – **3.** Reit-, Fechthandschuh *m*. – **4.** *pl* (*Eishockey*) Handschuhe *pl* des Torwarts.

gaunt·let[2] ['gɔːntlit] *Br. für* **gantlet**[2].

gaunt·let·ed ['gɔːntlitid; *Am. auch* 'gænt-], *Am. auch* '**gant·let·ed** ['gænt-; 'gɔːnt-] *adj* mit Panzer- *od.* Reit- *od.* Fechthandschuhen (versehen).

gaunt·ness ['gɔːntnis] *s* **1.** Hagerkeit *f*. – **2.** Einsamkeit *f*.

gaun·try ['gɔːntri] → **gantry.**

gaur [gaur] *s zo.* Gaur *m* (*Bibos gaurus; indischer Büffel*).

gau·ra ['gɔːrə] *s bot.* Prachtkerze *f* (*Gattg Gaura*).

gauss [gaus] *s phys.* Gauß *n* (*Einheit der magnetischen Feldstärke*). — '**Gauss·i·an** *adj math.* Gaußsch(er, e, es): ~ **number field** Gaußscher Zahlenkörper; **ring of the** ~ **integers** Ring der ganzen Gaußschen Zahlen.

gauze [gɔːz] **I** *s* **1.** Gaze *f*, Flor *m*: ~ **pack** (*od.* **plug** *od.* **sponge**) *med.* Gazetupfer. – **2.** feines Drahtgeflecht: **asbestos wire** ~ Drahtasbestgewebe; ~ **brush** *electr.* Schleifkontakt aus Kupfergeflecht. – **3.** leichter Nebel. – **II** *adj* **4.** aus *od.* wie Gaze, Gaze... — '**gauz·i·ness** *s* Gazeartigkeit *f*. — '**gauz·y** *adj* gazeartig, -ähnlich, dünn (wie Gaze).

gave [geiv] *pret von* **give.**

gav·el[1] ['gævl] *s bes. Am.* (kleiner) Hammer (*eines Auktionators, Vorsitzenden etc*).

gav·el[2] ['gævl] *s jur. hist.* Steuer *f*, Tri'but *m*: ~ **work** Frondienst. — '**gav·el,kind** [-,kaind] *s jur. hist.* **1.** Lehnsbesitz, der beim Tode des Inhabers den ehelichen Abkömmlingen zu gleichen Teilen zufällt. – **2.** (*eine solche*) Lehnsbesitzteilung.

gav·e·lock ['gævə,lɒk] *s obs. od. dial.* Brechstange *f*.

ga·vi·al ['geiviəl] *s zo.* Gavi'al *m*, 'Schnabel-, 'Gangeskroko,dil *n* (*Gavialis gangeticus*).

ga·votte, *auch* **ga·vot** [gə'vɒt] *s mus.* Ga'votte *f*.

gawk [gɔːk] **I** *s* Tölpel *m*, Dummkopf *m*, Einfaltspinsel *m*. – **II** *v/i Am. colloq.* sich wie ein Dummkopf benehmen, dumm glotzen. — '**gawk·i·ness** *s* Dummheit *f*, Ungeschicklichkeit *f*. — '**gawk·y I** *adj* **1.** einfältig, dumm. – **2.** ungeschickt, tölpelhaft. – **II** *s* **3.** Tölpel *m*, Dummkopf *m*.

gaw·sie, *auch* **gaw·sy** ['gɔːsi] *adj Scot. od. dial.* beleibt.

gay [gei] *adj* **1.** lustig, fröhlich, heiter, gut aufgelegt. – **2.** lebhaft, licht (*Farbe*), in die Augen fallend, bunt (*Blumen etc*), glänzend, strahlend: **to be** ~ **with** a) strahlen vor, b) widerhallen von (*Klängen*). – **3.** auffällig, her'ausgeputzt (*Anzug*). – **4.** *bes. Am. sl.* frech, keck. – **5.** flott, lebenslustig, vergnügungssüchtig. – **6.** *euphem.* a) dirnenhaft, ausschweifend (*Frauen*), b) *Am.* homosexu'ell veranlagt (*Männer*). – *SYN. cf.* **lively.**

gay·al ['geiəl; gə'jɑːl] *s zo.* Gayal *m*, Stirnrind *n* (*Bibos frontalis*).

'**gay,bine** *s bot.* Trichterwinde *f* (*Gattg Ipomaea*).

gay·e·ty *cf.* **gaiety.**

'**gay-,feath·er** *s bot.* (*eine*) Scharte (*Liatris scariosa u. L. spicata, nordamer. Compositen*).

gay·lus·site ['geilə,sait] *s min.* Gaylus'sit *m*. [→ **gaiety.**]

gay·ly *cf.* **gaily.** — **gay·ness** ['geinis]

Gay Nine·ties, the *s pl* die neunziger Jahre *pl* (des 19. Jahr'hunderts).

Gay-Pay-Oo ['gei'pei'uː] *s pol.* G.P.U. *f* (*Sowjetischer Geheimdienst 1922-35*).

'**gay,wings** *s bot.* Armblütige Kreuzblume (*Polygala paucifolia; Nordamerika*).

ga·za·bo [gə'zeibou] *pl* **-bos** *od.* **-boes** *s Am. sl.* langer Kerl, ‚lange Latte'.

gaze [geiz] **I** *v/i* (**at, on, upon**) starren (auf *acc*), anstarren, anstaunen, anblicken (*acc*). – *SYN.* **gape, glare, gloat, peer**[1], **stare.** – **II** *s* fester, starrer Blick, Anstarren *n*, Anstaunen *n*: **to stand at** ~ gaffen, staunen, starren.

ga·ze·bo [gə'ziːbou] *pl* **-bos** *od.* **-boes** *s* **1.** Aussichtspunkt *m*, -türmchen *n*. – **2.** Erker *m*, (glasgeschützter) Bal'kon. – **3.** → **gazabo.**

'**gaze,hound** *s hunt. hist.* Jagdhund *m* (*der mehr Augen- als Nasentier ist*).

ga·zelle [gə'zel] *s zo.* Ga'zelle *f* (*Gattg Gazella*).

gaz·er ['geizər] *s* Gaffer *m*.

ga·zette [gə'zet] **I** *s* **1.** Zeitung *f*. – **2.** *Br.* Amtsblatt *n*, -zeitung *f*, Staatsanzeiger *m* (*in London, Edinburgh, Belfast veröffentlicht*). – **II** *v/t* **3.** *Br.* im Amtsblatt bekanntgeben *od.* veröffentlichen. — **gaz·et·teer** [,gæzə'tir] *s* **1.** Journa'list *m* einer (amtlichen) Zeitung. – **2.** geo'graphisches Lexikon, Ortslexikon *n*.

gaz·o·gene ['gæzo,dʒiːn; -zə-] *s tech.* Appa'rat *m* zur Erzeugung kohlensauren Wassers. [schlüssel *m*.]

G clef *s mus.* G-Schlüssel *m*, Vio'lin-

gean [giːn] *s* Herzkirsche *f*.

ge·an·ti·cli·nal [,dʒiːænti'klainl] *geol.* **I** *adj* antikli'nal (*Falte*). – **II** *s* → **geanticline.** — **ge'an·ti,cline** [-,klain] *s geol.* Geantikli'nale *f*, Sattel(falte *f*) *m*.

gear [gir] **I** *s* **1.** *tech.* (Zahnrad-, Riemen)Getriebe *n*. – **2.** *tech.* a) Eingriff *m*, Verzahnung *f*, b) Gang *m*, Getriebestufe *f*: **to be in** ~ a) (**with**) im Eingriff stehen (mit), eingreifen (in *acc*) (*Zahnräder*), b) in einem (*bestimmten*) Gang sein *od.* fahren, eingerückt sein; **out of** ~ a) ausgerückt, im Leerlauf, außer Eingriff, b) *fig.* in Unordnung, außer Betrieb; **in full** ~ mit höchster Über- *od.* Untersetzung, im vollen Eingriff; **in high** ~ in einem schnellen *od.* hohen Gang; **in low** ~ im ersten Gang; **to change** ~**s** den Gang wechseln, schalten. – **3.** *tech.* Unter-, Über'setzung *f*. – **4.** *mar.* a) Geschirr *n*, Gerät *n*, b) Seezeug *n*, seemännische Ausrüstung. – **5.** Werkzeug *n*, Gerät *n*, Geschirr *n*, *bes.* Hausrat *m*. – **6.** (Pferde- *etc*)Geschirr *n*, Sielenzeug *n*. – **7.** (Be)Kleidung *f*, Aufzug *m*. – **8.** *obs.* a) Waffen *pl*, b) Reichtum *m*, c) Zeug *n*, d) Gerümpel *n*, e) Angelegenheit *f*. – **II** *v/t* **9.** *tech.* a) mit einem Getriebe versehen, b) in Gang setzen, c) über'setzen: **to** ~ **up** übersetzen; **to** ~ **level 1:1** übersetzen; **to** ~ **down** untersetzen. – **10.** ausrüsten, mit Geräten *od.* Werkzeugen versehen. – **11.** *oft* ~

up (*Zugtier*) anschirren. – **12.** (to) einstellen (auf *acc*), anpassen, angleichen (*dat od.* an *acc*), abstimmen (auf *acc*): to ~ production to demand die Produktion der Nachfrage anpassen. – **III** *v/i* **13.** *tech.* a) ineinˈandergreifen (*Zahnräder*), b) genau passen *od.* eingreifen (into, with in *acc*). – **14.** in Gang kommen *od.* sein. – **15.** *fig.* a) zuˈsammenpassen, b) passen (with zu).

ˈgear|ˌbox, ~ case *s tech.* **1.** Getriebe(gehäuse) *n.* – **2.** Zahnrad-, Kettenschutz(blech *n*) *m.* — **~ cut·ter** *s tech.* Hobelkamm *m*, Kammstahl *m*, ˈZahnradˌfräsmaˌschine *f.*

gear·ing [ˈgi(ə)riŋ] *s tech.* **1.** Ausstatten *n* mit Getriebe. – **2.** Getriebe *n*, Triebwerk *n.* – **3.** Überˈsetzung *f* (*eines Getriebes*). – **4.** Verzahnung *f.*

gear| le·ver *s tech.* Schalthebel *m.* — **~ ra·tio** *s* Überˈsetzung(sverhältnis *n*) *f.* — **~ shaft** *s* Getriebewelle *f.* — **ˈ~ˌshift** *s* **1.** (Gang)Schaltung *f.* – **2.** Schalthebel *m.* — **ˈ~ˌshift le·ver** *s* Schalthebel *m.* — **~ wheel, ˈ~ˌwheel** *s* Getriebe-, Zahnrad *n.*

geck·o [ˈgekou] *pl* **-os, -oes** *s zo.* Gecko *m* (*Fam. Gekkonidae; Echse*).

ged(d) [ged] *s Scot.* Hecht *m.*

gee[1] [dʒiː] *s* G *n*, g *n* (*Buchstabe*).

gee[2] [dʒiː] *s Br. colloq.* ‚Hotteˈhü' *n*, Pferd *n.*

gee[3] [dʒiː] **I** *interj* **1.** *meist* ~ up hüh! hott! jü! hüˈhott! (*Kommando zum Schnellergehen*). – **2.** hott! (*Kommando, nach rechts zu wenden*). – **II** *s* **3.** Hüh *n*, Hott *n*, Jü *n.* – **III** *v/t* **4.** nach rechts lenken. – **5.** *fig.* ausweichen (*dat*). – **IV** *v/i* **6.** nach rechts gehen.

gee[4] [dʒiː] *v/i sl.* (*in verneinenden Sätzen*) (überˈein)stimmen, passen: it won't ~ es wird nicht gehen.

gee[5] [dʒiː] *interj Am. sl.* **1.** ‚Donnerwetter'! ‚Mensch (so was)'! (*Ausruf der Überraschung*). – **2.** (*bekräftigend*) und ob! aber sicher!

gee-gee [ˈdʒiːˌdʒiː] → gee[2].

gee-ho [ˈdʒiːˈhou], **ˈgee-ˈhup** [-ˈhʌp] → gee[3] I.

gee pole *s Am.* Deichsel *f* (*eines Hundeschlittens*).

geese [giːs] *pl von* goose.

geest [giːst] *s geol.* alluviˈales Erdreich.

gee-up [ˈdʒiːˈʌp] → gee[3] I.

gee| whiz [ˈdʒiː ˈhwiz], *auch* **~ whil·li·kins** [-ˈhwilikinz; -lə-] *Am. sl. für* gee[5].

gee-wo [ˈdʒiːˈwəu] → gee[3] I.

gee·zer [ˈgiːzər] *s sl.* **1.** wunderlicher Kauz. – **2.** ‚alter Knochen', Mummelgreis *m.* – **3.** altes Weib, Alte *f.*

Ge·hen·na [giˈhenə] *s relig.* Geˈhenna *f*, Hölle *f* (*nach dem Tal südl. von Jerusalem*).

Gei·ger| count·er [ˈgaigər] *s phys.* Geigerzähler *m.* — **ˈ~-ˈMül·ler count·er** [-ˈmylər] *s phys.* Geiger-Müller-Zähler *m.*

gei·sha [ˈgeiʃə] *pl* **-sha, -shas** *s* Geisha *f*, Geescha *f.*

Geiss·ler tube [ˈgaislər] *s electr.* Geißlersche Röhre.

gel [dʒel] **I** *s* Gelaˈtine *f*, Gel *n.* – **II** *v/i pret u. pp* **gelled** geˈlieren, gelatiˈnieren.

gel·a·da [ˈdʒelədə] *s zo.* Dschelada *m* (*Theropithecus gelada; Affe*).

gel·a·tin [ˈdʒelətin] *s* **1.** Gelaˈtine *f*, reiner Knochenleim. – **2.** Galˈlerte *f.* – **3.** mit Gelaˈtine ˈhergestellte Masse. – **4.** *auch* blasting ~ ˈSprenggelaˌtine *f.* — **ge·lat·i·nate** [dʒiˈlætiˌneit; -tə-] *v/i u. v/t* gelatiˈnieren *od.* geˈlieren (lassen). — **gel·a·tin·a·tion** [ˌdʒelətiˈneiʃən] *s* Gelatiˈnierung *f*, Geˈlierung *f.*

gel·a·tine [ˈdʒelətin; -ˌtiːn] → gelatin. — **ˌgel·a·tin·iˌform** [-ˈtiniˌfɔːrm; -nə-] *adj* gallert- *od.* gelaˈtineartig.

ge·lat·i·ni·za·tion [dʒiˌlætinaiˈzeiʃən; -ni-; -nə-] *s* **1.** Gelatiˈnierung *f*, Geˈlierung *f.* – **2.** *tech.* Behandlung *f* mit Gelaˈtine. — **geˈlat·iˌnize I** *v/t* **1.** gelatiˈnieren *od.* geˈlieren lassen. – **2.** *tech.* mit Gelaˈtine überˈziehen. – **II** *v/i* **3.** gelatiˈnieren, geˈlieren. — **geˈlat·iˌnoid** *adj u. s* gallertartig(e Subˈstanz). — **geˈlat·i·nous** *adj* **1.** gallertartig, gelatiˈnös. – **2.** gelaˈtinehaltig.

ge·la·tion [dʒiˈleiʃən] *s* Fest-, Steifwerden *n*, Erstarren *n*, Geˈlierung *f.*

geld[1] [geld] *pret u. pp* **ˈgeld·ed** *od.* **gelt** [gelt] *v/t* **1.** (*bes. Tier*) kaˈstrieren, verschneiden. – **2.** *fig. obs.* beschneiden, verstümmeln, berauben.

geld[2] [geld] *s hist.* Kronsteuer *f* (*unter den angelsächsischen u. normannischen Königen*).

geld·ing [ˈgeldiŋ] *s* **1.** kaˈstriertes Tier, *bes.* Wallach *m.* – **2.** Verschneiden *n*, Kaˈstrieren *n.* – **3.** *obs.* Euˈnuch *m.*

gel·id [ˈdʒelid] *adj* kalt, eisig, gefroren. — **ge·lid·i·ty** [dʒiˈliditi; -əti], **ˈgel·id·ness** *s* Eis(es)kälte *f.*

gel·ig·nite [ˈdʒeligˌnait] *s chem.* Gelaˈtinedynaˌmit *n.*

gel·se·mine [ˈdʒelsəˌmiːn; -min], *auch* **ˈgel·se·min** [-min] *s chem.* Gelseˈmin *n* ($C_{20}H_{22}N_2O_2$).

gel·se·mi·um [dʒelˈsiːmiəm] *s* **1.** *bot.* Dufttrichter *m* (*Gelsemium sempervirens*). – **2.** *med.* Gelˈsemium(wurzel *f*) *n* (*offizinelles Rhizom von* 1).

gelt[1] [gelt] *s* **1.** *humor. od. dial.* Geld *n*, Gold *n.* – **2.** *fälschlich für* geld[2].

gelt[2] [gelt] *pret u. pp von* geld.

gem [dʒem] **I** *s* **1.** Edelstein *m.* – **2.** Gemme *f.* – **3.** *fig.* Perle *f*, Juˈwel *n*, Pracht-, Glanzstück *n.* – **4.** *Am.* Brötchen *n*: graham ~. – **5.** *print. ein sehr kleiner Schriftgrad.* – **II** *v/t pret u. pp* **gemmed 6.** mit Edelsteinen schmücken *od.* besetzen.

Ge·ma·ra [geˈmɑːrɑː; gə-] *s* Geˈmara *f* (*2. Teil des Talmuds*).

gem·el win·dow [ˈdʒeməl] *s arch.* Zwillingsfenster *n.*

gem·i·nate I *adj* [ˈdʒeminit; -ˌneit; -mə-] gepaart, paarweise, Doppel..., Zwillings... – **II** *v/t u. v/i* [-ˌneit] (sich) verdoppeln. — **ˌgem·iˈna·tion** *s* **1.** Verdopp(e)lung *f*, Wiederˈholung *f.* – **2.** Paarigkeit *f.* – **3.** (*Rhetorik*) Geminatiˈon *f*, Verdopp(e)lung *f.* – **4.** *ling.* Geminatiˈon *f*, Konsoˈnantenverdopp(e)lung *f.*

Gem·i·ni [ˈdʒemiˌnai; -mə-] **I** *s pl astr.* Zwillinge *pl.* – **II** *interj obs. od. vulg.* jemine!

gem·ma [ˈdʒemə] *pl* **-mae** [-miː] *s* **1.** *bot.* a) Gemme *f*, Brutkörper *m*, b) Blattknospe *f*, c) ~ cup Fruchtbecher *m* (*Lebermoose*). – **2.** *biol.* Knospe *f*, Gemme *f.* — **gem·ma·ceous** [dʒeˈmeiʃəs] *adj biol.* Gemmen *od.* Knospen betreffend. — **ˈgem·mate** [-meit] *biol.* **I** *adj* **1.** sich durch Knospung fortpflanzend. – **2.** knospentragend. – **II** *v/i* **3.** sich durch Knospung fortpflanzen. – **4.** Knospen tragen. — **gemˈma·tion** *s* **1.** *biol.* Knospung *f*, Gemˈmatio *f.* – **2.** *bot.* Knospen *n*, Sprossen *n.*

gem·mif·er·ous [dʒeˈmifərəs] *adj* **1.** edelsteinhaltig. – **2.** *biol.* → gemmate I. — **ˈgem·miˌform** [-ˌfɔːrm] *adj biol.* knospen-, gemmenartig.

gem·mip·a·ra [dʒeˈmipərə], **gemˈmip·aˌres** [-ˌriːz] *s pl zo.* sich durch Knospung fortpflanzende Tiere *pl.* — **gemˈmip·a·rous** *adj bot. zo.* gemmiˈpar, knospentragend, sich durch Knospung vermehrend.

gem·mo·log·i·cal [ˌdʒeməˈlɒdʒikəl] *adj* edelsteinkundlich. — **gem·mol·o·gy** [dʒeˈmɒlədʒi] *s* Edelsteinkunde *f.*

gem·mu·la·tion [ˌdʒemjuˈleiʃən; -jə-] *s biol.* Fortpflanzung *f* durch Gemmulae (*bes. bei Schwämmen*).

gem·mule [ˈdʒemjuːl] *s* **1.** *bot.* kleine Blattknospe, kleiner Brutkörper. – **2.** *biol.* Gemmula *f*, Keimchen *n* (*in Darwins Pangenesistheorie*). – **3.** *zo.* Gemmula *f*, Brutknospe *f* (*bes. von Schwämmen*).

gem·my [ˈdʒemi] *adj* **1.** voller Edelsteine. – **2.** glänzend, funkelnd.

gem·ol·o·gy *cf.* gemmology.

ge·mot(e) [giˈmout; gə-] *s hist.* Versammlung *f*, Gericht *n* (*der Angelsachsen*).

gems·bok [ˈgemzˌbɒk] *s zo.* ˈGemsantiˌlope *f*, Paˈsan *m* (*Oryx gazella*).

Gem State *s* (*Spitzname für*) Idaho *n* (*Staat in USA*).

gen [dʒen] *s mil. Br. sl.* (allgemeine) Anweisungen *pl od.* Nachrichten *pl.*

-gen [dʒen; dʒən] *Nachsilbe mit der Bedeutung* erzeugt, erzeugend.

ge·nappe [dʒiˈnæp; dʒə-] *s* Geˈnappegarn *n.*

gen·darme [ˈʒɑːndɑːrm; ʒɑ̃ˈdarm] *s* **1.** Genˈdarm *m.* – **2.** Felsspitze *f.* — **gen·dar·me·rie** [ʒɑ̃darməˈri] (*Fr.*), *auch* **gen·darm·er·y** [ʒɑːnˈdɑːrməri] *s* Gendarmeˈrie *f.*

gen·der[1] [ˈdʒendər] *s* **1.** *ling.* Genus *n*, Geschlecht *n*: masculine (feminine, neuter) ~ männliches (weibliches, sächliches) Geschlecht. – **2.** *colloq. u. humor.* (*männliches od. weibliches*) Geschlecht (*Menschen*). – **3.** *obs.* Art *f.*

gen·der[2] [ˈdʒendər] *obs. für* engender.

gene [dʒiːn] *s biol.* Gen *n*, Erbeinheit *f.*

gen·e·a·log·i·cal [ˌdʒiːniəˈlɒdʒikəl; ˌdʒen-], *auch* **ˌgen·e·aˈlog·ic** *adj* geneaˈlogisch, Abstammungs..., Geschlechts..., Stamm...: genealogical tree Stammbaum. — **ˌgen·e·aˈlog·i·cal·ly** *adv* (*auch zu* genealogic). — **ˌgen·eˈal·o·gist** [-ˈælədʒist] *s* Geneaˈloge *m*, Sippen-, Abstammungsforscher *m.* — **ˌgen·eˈal·oˌgize I** *v/i* Ahnenforschung (be)treiben. – **II** *v/t* den Stammbaum erforschen von. — **ˌgen·eˈal·o·gy** *s* Genealoˈgie *f*: a) Geschlechterforschung *f*, b) Abstammung *f*, Geschlechterfolge *f*, c) Stammbaum *m.*

gen·er·a [ˈdʒenərə] *pl von* genus.

gen·er·a·ble [ˈdʒenərəbl] *adj* erzeugbar.

gen·er·al [ˈdʒenərəl] **I** *adj* **1.** allgemein, gemeinsam, gemeinschaftlich, Gemeinschafts... – **2.** allgemein gebräuchlich *od.* verbreitet, üblich: the ~ practice das übliche Verfahren; as a ~ rule meistens, üblicherweise. – **3.** allgemein, Allgemein..., umˈfassend, nicht begrenzt: the ~ public die breite Öffentlichkeit; a ~ term ein Allgemeinbegriff; of ~ interest von allgemeinem Interesse. – **4.** allgemein (gehalten), nicht speziaˈlisiert: the ~ reader der gewöhnliche Leser; ~ store, ~ shop Gemischtwarenhandlung. – **5.** ganz, gesamt: the ~ body of citizens die gesamte Bürgerschaft. – **6.** ungefähr, annähernd, unbestimmt, unklar, vage: a ~ idea eine ungefähre Vorstellung; a ~ resemblance eine vage Ähnlichkeit. – **7.** führend, Haupt..., General... (*meist nachgestellt*): lover ~ *humor.* Schürzenjäger; → governor ~. – **8.** *mil.* im Geneˈralsrang, Generals... – *SYN. cf.* universal. –

II *s* **9.** *mil.* a) Geneˈral *m*, b) Feldherr *m*, Straˈtege *m*, c) *hist.* Geneˈralmarsch *m.* – **10.** *mil. Am.* a) (VierˈSterne-)Geneˌral *m* (*zweithöchster Generalsrang, entspricht dem dt. General*), b) G~ of the Army Fünf-ˈSterne-Geneˌral *m* (*höchster Generalsrang, entspricht etwa dem früheren dt. Generalfeldmarschall*), c) G~ of the Armies *hist. der dem* General of the Army *entsprechende Rang des Generals John J. Pershing.* – **11.** *relig.* (Gene'ral)-Oberer *m*, (-)Abt *m*, Gene'ral *m* (*Ordensoberhaupt*). – **12.** *meist pl selten* (*das*) Allge'meine. – **13.** in ~ a) *auch* in the ~ im allgemeinen, im großen u. ganzen, b) *obs.* ohne Ausnahme, in jeder Beziehung. – **14.** → ~ servant. – **15.** *obs.* a) Gesamtheit *f*, b) Masse *f*, Volk *n*: → caviar(e) 2.

gen·er·al| ac·cept·ance *s econ.* reines Ak'zept. — **G~ A·mer·i·can Speech** *s ling.* das Allge'mein-Ameri,kanische (*nach früherer Annahme verhältnismäßig einheitliche Variante des Englischen im mittleren Westen der USA*). — **G~ As·sem·bly** *s* **1.** Voll-, Gene'ralversammlung *f*. – **2.** *pol. Am.* gesetzgebende Körperschaft (*bestimmter Staaten*). — **~ av·er·age** *s jur. mar.* gemeinsame *od.* große Hava'rie (*Schiff u. Ladung betreffend*). — **~ car·go** *s econ. mar.* gemischte Fracht, Stückgut *n*. — **G~ Coun·cil** *s relig.* allgemeiner Kirchenrat. — **G~ Court** *s pol.* gesetzgebende Körperschaft (*Massachusetts u. New Hampshire*).

gen·er·al·cy ['dʒenərəlsi] *s mil.* Stellung *f od.* Befehlsbereich *m od.* Dienstzeit *f* eines Gene'rals.

gen·er·al| deal·er *s Br.* Gemischtwarenhändler *m*. — **~ de·liv·er·y** *s* **1.** *Am.* a) Ausgabe *f* postlagernder Sendungen (*beim Postamt*), b) Ausgabestelle *f* für postlagernde Sendungen, c) (*als Vermerk auf Sendungen*) postlagernd. – **2.** *Br.* allgemeine Postzustellung (*an Wochentagen*). — **~ e·lec·tion** *s pol.* allgemeine Wahlen *pl*. — **G~ E·lec·tion Day** *s* Wahltag *m*, Tag *m* der allgemeinen Wahlen. — **~ hos·pi·tal** *s med.* **1.** *mil.* 'Kriegslaza,rett *n*. – **2.** allgemeines Krankenhaus.

gen·er·al·is·si·mo [,dʒenərə'lisi,mou; -sə-] *pl* **-mos** *s mil.* Genera'lissimus *m*, Oberbefehlshaber *m*.

gen·er·al·i·ty [,dʒenə'ræliti; -əti] *s* **1.** allgemeine Redensart *od.* Feststellung: to speak in generalities sich in allgemeinen Redensarten ergehen. – **2.** allgemeines Prin'zip *od.* Gesetz, Regel *f*. – **3.** Mehrzahl *f*, größter Teil. – **4.** Allge'meingültigkeit *f*. – **5.** Unbestimmtheit *f*, Vagheit *f*, Unklarheit *f*. — **,gen·er·al·i'za·tion** *s* **1.** Verallge'meinerung *f*. – **2.** (*Logik*) Indukti'on *f*. — **'gen·er·al,ize I** *v/t* **1.** verallge'meinern, allgemein anwenden. – **2.** (*Logik*) a) (*etwas Allgemeines*) aus dem Besonderen ableiten, indu'zieren, b) generali'sieren, etwas Allgemeines ableiten aus. – **3.** auf eine allgemeine Formel bringen. – **4.** der Allge'meinheit zugänglich machen. – **5.** (*Malerei*) in großen Zügen darstellen. – **II** *v/i* **6.** verallge'meinern, Verallge'meinerungen anstellen: a) allgemeine Schlüsse ziehen, allgemeine Urteile bilden, b) allgemeine Äußerungen *od.* Feststellungen machen. – **7.** *bes. med.* allgemein werden, sich generali'sieren. — **'gen·er·al·ly** *adv* **1.** *oft* ~ speaking im allgemeinen, allgemein, im großen u. ganzen. – **2.** allgemein. – **3.** gewöhnlich, meistens.

gen·er·al| of·fi·cer *s mil.* Gene'ral *m*, Offi'zier *m* im Gene'ralsrang. — **~ or·ders** *s pl mil.* allgemeine (Wach)-Befehle *pl*. — **~ pa·ral·y·sis,** *auch* **~ pa·re·sis** *s med.* progres'sive Para'lyse. — **~ pause** *s mus.* Gene'ralpause *f*. — **~ post** *s* **1.** → general delivery 2. – **2.** (*Art*) Blindekuhspiel *n*. — **~ post of·fice** *s* Hauptpostamt *n*. — **~ prac·ti·tion·er** *s med.* praktischer Arzt. — **'~-'pur·pose** *adj tech.* Mehrzweck...: ~ aircraft *aer.* Mehrzweckflugzeug. — **~ sci·ence** *s ped.* allgemeine Na'turwissenschaften *pl* (*Schul- od. Studienfach*). — **~ serv·ant** *s Br.* Mädchen *n* für alles.

gen·er·al·ship ['dʒenərəl,ʃip] *s mil.* **1.** Gene'ralsrang *m*, -würde *f*. – **2.** Dienstzeit *f* (als Gene'ral). – **3.** Feldherrnkunst *f*, Strate'gie *f*. – **4.** Führung *f*, Leitung *f*.

gen·er·al| staff *s mil.* Gene'ralstab *m*. — **~ strike** *s* Gene'ralstreik *m*.

gen·er·ate ['dʒenə,reit] **I** *v/t* **1.** erzeugen, entwickeln, her'vorbringen: to ~ electricity Elektrizität erzeugen; to be ~d entstehen. – **2.** *math.* (*Linie, Figur, Körper*) bilden, erzeugen. – **3.** zeugen, her'vorbringen. – **4.** *fig.* verursachen, her'vorrufen. – **II** *v/i* **5.** entstehen, her'vorgebracht *od.* erzeugt werden. – **6.** Nachkommen (er)zeugen. – **7.** *electr.* Strom erzeugen.

gen·er·at·ing ['dʒenə,reitiŋ] *adj* erzeugend. — **~ line** *s math.* **1.** Mantellinie *f* (*Kegel*). – **2.** Er'zeugungsfunkti,on *f*. — **~ sta·tion** *s electr.* Elektrizi'täts-, Kraftwerk *n*.

gen·er·a·tion [,dʒenə'reiʃən] *s* **1.** Generati'on *f*: the rising ~ die heranwachsende Generation. – **2.** Menschenalter *n* (*etwa 33 Jahre*): for two ~s 2 Menschenalter lang. – **3.** *biol.* Entwicklungsstufe *f*. – **4.** Zeugung *f*, Fortpflanzung *f*, Generati'on *f*. – **5.** Erzeugung *f*, Her'vorbringung *f*, Entwicklung *f*: ~ of current *electr.* Stromerzeugung. – **6.** Entstehung *f*. – **7.** *math.* Erzeugung *f* (*geometrische Größe*). — **'gen·er,a·tive** [-,reitiv; *Br. auch* -rətiv] *adj biol.* **1.** Zeugungs..., Fortpflanzungs..., genera'tiv: ~ power Zeugungskraft; ~ cell generative Zelle, Geschlechtszelle. – **2.** fruchtbar.

gen·er·ator ['dʒenə,reitər] *s* **1.** *electr.* Gene'rator *m*, Dy'namo-, 'Lichtma,schine *f*. – **2.** *tech.* a) 'Gaserzeuger *m*, -gene,rator *m*, b) Dampferzeuger *m*, -kessel *m*. – **3.** *chem.* Entwicklungsgefäß *n*, Entwickler *m*. – **4.** *biol.* (Er)Zeuger *m*. – **5.** *math.* Erzeugende *f*. – **6.** *mus.* Grundton *m*. — **,gen·er'a·trix** [-'reitriks] *pl* **-tri·ces** [*Br.* -'reitri,si:z; *Am.* -rə'traisi:z] *s* **1.** Erzeugerin *f*. – **2.** *math.* Gene'ratrix *f*, Erzeugende *f*.

ge·ner·ic [dʒi'nerik; dʒə-], *auch* **ge'ner·i·cal** [-kəl] *adj* **1.** ge'nerisch, Gattungs... – **2.** allgemein, gene'rell, typisch. – *SYN. cf.* universal. — **ge'ner·i·cal·ly** *adv* (*auch zu* generic).

gen·er·os·i·ty [,dʒenə'rɒsiti; -əti] *s* **1.** Freigebigkeit *f*, Großzügigkeit *f*. – **2.** Großmut *f*, Edelmut *m*. – **3.** edle Tat. — **'gen·er·ous** *adj* **1.** freigebig, großzügig. – **2.** großzügig, edel(mütig), hochherzig. – **3.** reichlich, üppig, voll: a ~ portion. – **4.** stark, gehaltvoll, edel, vollmundig (*Wein*). – **5.** reich, fruchtbar (*Boden*). – *SYN. cf.* liberal. — **'gen·er·ous·ness** → generosity.

gen·e·sis ['dʒenisis; -nə-] *pl* **-e·ses** [-,si:z] *s* **1.** G~ *Bibl.* Genesis *f* (*1. Buch Moses*). – **2.** Ge'nese *f*, Entstehung *f*, Entwicklung *f*. – **3.** Erzeugung *f*, Erschaffung *f*. – **4.** Ursprung *m*, 'Herkunft *f*.

-genesis [dʒenisis; -nə-] *Wortelement mit der Bedeutung* Erzeugung, Entwicklung, Entstehung.

gen·et[1] ['dʒenit; dʒi'net] *s* **1.** *zo.* Ge'nette *f*, Ginsterkatze *f* (*Genetta genetta*). – **2.** Ge'nettepelz *m*.

gen·et[2] *cf.* jennet.

ge·neth·li·ac [dʒi'neθli,æk; dʒə-], *auch* **gen·eth·li·a·cal** [,dʒeneθ'laiəkəl] *adj obs.* **1.** Geburtstags... – **2.** *astr.* Nativitäts...

ge·net·ic [dʒi'netik; dʒə-], *auch* **ge'net·i·cal** [-kəl] *adj bes. biol.* **1.** ge'netisch, entwicklungsgeschichtlich, Entstehungs..., Entwicklungs... – **2.** Erb... — **ge'net·i·cal·ly** *adv* (*auch zu* genetic). — **ge'net·i·cist** [-təsist] *s biol.* Fachkundige(r) in der Erblehre *od.* Ge'netik. — **ge'net·ics** [-tiks] *s pl biol.* **1.** (*als sg konstruiert*) Ge'netik *f*, (Abhandlung *f* über) Vererbungslehre *f*. – **2.** ge'netische Formen *pl* u. Erscheinungen *pl* (*eines Typus etc*).

ge·nette [dʒi'net] → genet[1].

ge·ne·va[1] [dʒi'ni:və; dʒə-] *s* Ge'never *m*, holl. Wa'cholderbranntwein *m*.

Ge·ne·va[2] [dʒi'ni:və; dʒə-] **I** *adj* Genfer(...). – **II** *s fig.* Genf *n*: a) *die Genfer Konvention*, b) *der Völkerbund*, c) *der Kalvinismus*. — **~ bands** *s pl relig.* Beffchen *n* (*am liturgischen Gewand*). — **~ Con·ven·tion** *s mil.* Genfer Konventi'on *f*. — **~ cross** → red cross 2a. — **~ drive** *s tech.* Mal'teserkreuzantrieb *m*. — **~ gown** *s relig.* Ta'lar *m*, (*schwarzer*) Chorrock (*der protestantischen Geistlichen*).

Ge·ne·van [dʒi'ni:vən; dʒə-] **I** *adj* **1.** Genfer, Genfer... – **2.** *relig.* kal'vinisch, kalvi'nistisch. – **II** *s* **3.** Genfer(in). – **4.** *relig.* Kalvi'nist(in).

Gen·e·vese [,dʒeni'vi:z; -nə-] **I** *adj* Genfer, Genfer... – **II** *s sg u. pl* Genfer(in), Genfer(innen) *pl*.

gen·ial[1] ['dʒi:njəl] *adj* **1.** freundlich, jovi'al, herzlich. – **2.** belebend, anregend, wohltuend. – **3.** günstig, mild, warm (*Klima etc*). – **4.** *selten* Zeugungs..., Ehe... – **5.** *selten* geni'al. – **6.** *obs.* angeboren. – *SYN. cf.* gracious.

ge·ni·al[2] [dʒi'naiəl; dʒə-] **I** *adj med. zo.* Kinn... – **II** *s zo.* Kinnschuppe *f* (*der Reptilien*).

ge·ni·al·i·ty [,dʒi:ni'æliti; -əti], **gen·ial·ness** ['dʒi:njəlnis] *s* **1.** Freundlichkeit *f*, Joviali'tät *f*, Herzlichkeit *f*. – **2.** (*das*) Belebende *od.* Anregende. – **3.** Milde *f* (*Klima*). – **4.** *selten* Geniali'tät *f*.

gen·ic ['dʒenik] *adj biol.* Gene betreffend, genbedingt.

-genic [dʒenik] *Wortelement mit der Bedeutung* erzeugend.

ge·nic·u·late [dʒi'nikjulit; dʒə-; -jə-; -,leit], *Br. auch* **ge'nic·u,lat·ed** [-,leitid] *adj* knieförmig (gebogen), geknickt. — **ge,nic·u'la·tion** *s* **1.** knieförmige Biegung. – **2.** knieförmiger Teil *od.* Fortsatz. — **ge·nic·u·lum** [-ləm] *s med.* Knie *n*, knieförmiger Teil.

ge·nie ['dʒi:ni] *s* (Feuer-, Wasser-, Erd-, Luft)Geist *m*, Kobold *m* (*der moham. Mythologie*).

ge·ni·i ['dʒi:ni,ai] *pl von* genius 6.

genio- [dʒinaio; dʒə-] *Wortelement mit der Bedeutung* Kinn.

ge·ni·o·plas·ty [dʒi'naio,plæsti; dʒə-] *s med.* Kinnplastik *f*.

gen·i·pap ['dʒeni,pæp] *s bot.* **1.** eßbare Frucht des Genipbaumes. – **2.** Genipbaum *m* (*Genipa americana*).

ge·nis·ta [dʒi'nistə; dʒə-] *s bot.* Ginster *m* (*Gattg Genista*).

gen·i·tal ['dʒenitl; -nə-] *adj med. zo.* **1.** Zeugungs..., Generations..., Fortpflanzungs... – **2.** geni'tal, Genital..., Geschlechts... — **'gen·i·tals,** *auch* **,gen·i'ta·lia** [-'teiljə] *s pl* Geni'talien *pl*, Ge'schlechtsteile *pl*, -or,gane *pl*.

gen·i·ti·val [,dʒeni'taivəl; -nə-] *adj* Genitiv..., genitivisch. — **'gen·i·tive** [-tiv] *ling.* **I** *s* **1.** Genitiv *m*, Genetiv *m*, Wesfall *m*. – **2.** 'Genitivkonstrukti,on *f*. – **II** *adj* **3.** Genitiv..., genitivisch: ~ case Wesfall, Genitiv.

genito- [dʒenito; -nə-] *Wortelement mit der Bedeutung* Genitalien.

gen·i·tor ['dʒenitər; -nə-] *s selten* Erzeuger *m*, Vater *m*.

gen·i·to·u·ri·nar·y [*Br.* ,dʒenito'ju(ə)rinəri; *Am.* -rə,neri] *adj med.* die Ge'schlechtsor,gane u. Harnwege betreffend.

gen·ius ['dʒi:njəs] *pl* **'gen·ius·es** *s* **1.** Ge'nie *n*: a) geni'aler Mensch,

b) (*ohne pl*) Geniali'tät *f*, origi'nelle Schöpferkraft. – **2.** (na'türliche) Begabung, (Na'tur)Anlage *f*: **a task suited to his** ~ eine seiner Anlage entsprechende Aufgabe. – **3.** (innewohnender) Geist, Genius *m*, eigener Cha'rakter, (*das*) Eigentümliche (*einer Nation, Epoche etc*). – **4.** Geist *m*, Atmo'sphäre *f* (*eines Ortes*). – **5.** Geist *m* (*Person*): **she is his good** ~. – **6.** *pl* **ge·ni·i** ['dʒiːniˌai] a) *oft* G~ *antiq. relig.* Genius *m*, Schutzgeist *m* (*auch fig.*), b) Geist *m*, Kobold *m*, Dämon *m*. – *SYN. cf.* **gift.** — ~ **lo·ci** ['lousai] (*Lat.*) *s* Genius *m* loci: a) Schutzgeist *m* eines Ortes, b) Atmo'sphäre *f* eines Ortes.

Gen·o·a cake ['dʒenoə; 'dʒenəwə] *s schwerer Rosinenkuchen mit Mandeln bestreut.*

gen·o·blast [*Br.* 'dʒenoˌblɑːst; *Am.* -ˌblæ(ː)st] *s med.* reife Geschlechtszelle.

gen·o·cid·al [ˌdʒeno'saidl] *adj* völker-, rassenmörderisch. — **'gen·o·ˌcide** [-ˌsaid] *s* (*systematische*) Ausrottung einer Nati'on *od.* Rasse, Völker-, Rassenmord *m*.

Gen·o·ese [ˌdʒeno'iːz] **I** *s sg u. pl* Genu'eser(in), Genu'eser(innen) *pl*. – **II** *adj* genu'esisch, Genu'eser, Genueser...

gen·ome ['dʒenoum], *auch* **'gen·om** [-nɒm] *s biol.* Ge'nom *n*, Chromo'somensatz *m*, Erbmasse *f* (*des Zellkerns*). — **ge·no·mic** [dʒi'noumik; -'nɒmik] *adj* ge'nomisch.

gen·o·type ['dʒenoˌtaip] *s biol.* Geno-, Erbtypus *m* (*Erbanteil der Merkmale eines Individuums*). — **ˌgen·o'typ·ic** [-'tipik], **ˌgen·o'typ·i·cal** *adj* geno'typisch.

-genous [dʒenəs; dʒə-] *Wortelement mit den Bedeutungen* a) erzeugend, b) erzeugt von, entstanden aus.

gen·re [ʒɑ̃ːr; 'ʒɑːnrə] *s* **1.** Genre *n*, Gattung *f*, Art *f*. – **2.** Form *f*, Stil *m*. – **3.** (*Malerei*) Genre *n*: ~ **painting** Genremalerei.

gen·ro ['gen'rou] *pl* **-ros** → **elder statesmen.**

gens [dʒenz] *pl* **'gen·tes** [-tiːz] *s antiq.* Gens *f*, Stamm *m*.

gent[1] [dʒent] *adj obs.* **1.** adelig. – **2.** ele'gant.

gent[2] [dʒent] *humor. od. vulg. für* [gentleman.]

gen·teel [dʒen'tiːl] *adj* **1.** vornehm, höflich, wohlerzogen. – **2.** ele'gant, fein, grazi'ös. – **3.** fein *od.* vornehm tuend, geziert, affek'tiert. — **gen'teel·ness** *s* **1.** Vornehmheit *f*. – **2.** Ele'ganz *f*, Grazie *f*. – **3.** ˌVornehmtue'rei *f*, Geziertheit *f*, Affek'tiertheit *f*.

gen·tian ['dʒenʃən; -ʃiən] *s* **1.** *bot.* Enzian *m* (*Gattg Gentiana*). – **2.** *med.* a) *auch* ~ **root** Enzianwurzel *f* (*offizinelle Wurzel von Gentiana lutea*), b) → ~ **bitter.**

gen·ti·a·na·ceous [ˌdʒenʃiə'neiʃəs] *adj bot.* enzianartig, zu den Enzianen gehörig.

gen·tian| bit·ter *s med.* 'Enziantinkˌtur *f*. — ~ **blue** *s* Genti'ana-, Sprit-, Enzianblau *n* (*Farbe*).

gen·tian·el·la [ˌdʒenʃə'nelə; -ʃiə-] *s* **1.** *bot.* (*ein*) Enzian *m*, *bes.* Stengelloser Enzian (*Gentiana acaulis*). – **2.** tiefes Himmelblau (*Farbe*).

gen·tian vi·o·let *s med.* Genti'anavioˌlett *n*.

gen·tile ['dʒentail] **I** *s* **1.** Nichtjude *m*, *bes.* Christ(in). – **2.** Heide *m*, Heidin *f*. – **3.** (*unter Mormonen*) 'Nichtmorˌmone *m*. – **4.** *antiq. jur.* Gen'tile(r) (*Stammes-, Geschlechtsmitglied*). – **5.** [-til; -tail] *ling.* Wort, das eine Gegend *od.* ein Volk bezeichnet. – **II** *adj* **6.** nichtjüdisch, *bes.* christlich. – **7.** heidnisch, ungläubig. – **8.** (*unter Mormonen*) 'nichtmorˌmonisch. – **9.** [-til; -tail] zu einem Stamm *od.* Volk *od.* Geschlecht gehörig. – **10.** [-til; -tail] *ling.* Völker..., eine Gegend bezeichnend (*Wort*).

gen·til·ism ['dʒentaiˌlizəm; -ti-] *s* **1.** Heidentum *n*. – **2.** *antiq.* Gentili'tät *f*, Stammesgefühl *n*.

gen·ti·li·tial [ˌdʒenti'liʃəl] *adj* **1.** einheimisch, natio'nal, angestammt. – **2.** Volks..., Familien... — **gen'til·i·ty** *s* **1.** vornehme 'Herkunft. – **2.** (gesuchte) Vornehmheit.

gen·tle ['dʒentl] **I** *adj* **1.** freundlich, sanft, gütig, liebenswürdig: ~ **reader** geneigter Leser. – **2.** sanft, leicht, mäßig. – **3.** sanft, leise, leicht. – **4.** zahm, fromm (*Tier*). – **5.** mild (*Medizin etc*). – **6.** zart: **the** ~ **sex.** – **7.** edel, vornehm, ehrenhaft: **a** ~ **calling** ein ehrenhafter Beruf; **of** ~ **extraction** von vornehmer Herkunft; ~ **and simple** Vornehm u. Gering. – **8.** *obs.* ritterlich. – *SYN. cf.* **soft.** – **II** *v/t* **9.** *colloq.* (*bes. Pferd*) zureiten, zähmen. – **10.** besänftigen, mildern. – **11.** *obs.* veredeln. – **III** *s* **12.** (*Angeln*) Fleischmade *f* (*Köder*). – **13.** *hunt.* weiblicher Wanderfalke. – **14.** *obs.* a) → ~**man,** b) *pl* → ~**folk(s).** — ~ **breeze** *s* schwache Brise (*Windstärke 3 der Beaufortskala*). — ~ **craft** *s* **1.** Angelsport *m*, Angeln *n*. – **2.** *obs.* Schuhmacherhandwerk *n*. — **'**~**ˌfolk(s)** *s pl* vornehme Leute *pl*, (*die*) Vornehmen *pl*.

gen·tle·hood ['dʒentlˌhud] *s* Vornehmheit *f* (der 'Herkunft), vornehme Herkunft.

gen·tle·man ['dʒentlmən] *pl* **-men** [-mən] *s* **1.** Gentleman *m*, Ehrenmann *m*, vornehmer Mann, Mann *m* von Bildung u. guter Erziehung. – **2.** Herr *m*: „**The Two Gentlemen of Verona**" „Die beiden Herren aus Verona" (*Shakespeare*); **the old** ~ *humor.* der Teufel; ~ **of fortune** Abenteurer, Glücksritter; ~ **of the road** Wegelagerer, Straßenräuber. – **3.** *pl* (*als Anrede*) meine Herren: **ladies and gentlemen** meine Damen u. Herren. – **4.** *jur.* unabhängiger *od.* wohlhabender Mann. – **5.** Diener *m* (*bes. an einem Hof*): ~ **in waiting** Kämmerer; → **large** 14. – **6.** *pl* (*als sg konstruiert*) 'Herrenaˌbort *m*. – **7.** *hist.* a) Mann *m* von Stand, b) Edelmann *m*. — **'**~**-at-'arms** *pl* **'gen·tle·men-at-'arms** *s* (*königlicher od. fürstlicher*) 'Leibgarˌdist. — **'**~**-'com·mon·er** *pl* **'gen·tle·men-'com·mon·ers** *s hist.* privile'gierter Stu'dent (*Oxford u. Cambridge*). — **'**~**-'farm·er** *pl* **'gen·tle·men-'farm·ers** *s* (vornehmer) Gutsbesitzer. — **'**~**ˌlike** → **gentlemanly.** — **'**~**ˌlike·ness, gen·tle·man·li·ness** ['dʒentlmənlinis] *s* vornehme Haltung *od.* (Lebens)Art, feines Wesen, Vornehmheit *f*, Bildung *f*. — **'gen·tle·man·ly** *adj* eines Gentleman würdig, vornehm, fein, gebildet.

gen·tle·man's| a·gree·ment *s* Gentleman's Agreement *n*, Vereinbarung *f* auf Treu u. Glauben (*aber ohne juristische Gültigkeit*), stillschweigendes (*nicht schriftlich niedergelegtes*) Über'einkommen. — ~ **gen·tle·man** *pl* **gen·tle·men's gen·tle·men** *s* (Kammer)Diener *m*.

gen·tle·men's a·gree·ment *cf.* **gentleman's agreement.**

gen·tle·ness ['dʒentlnis] *s* **1.** Freundlichkeit *f*, Güte *f*, Liebenswürdigkeit *f*, Milde *f*. – **2.** Sanft-, Zahmheit *f*. – **3.** Vornehmheit *f*, Ehrenhaftigkeit *f*.

'gen·tle|ˌwom·an *pl* **'**~**ˌwom·en** *s* **1.** Dame *f* (aus guter Fa'milie), Dame *f* von Stand *od.* Bildung. – **2.** Kammerfrau *f*, -jungfer *f*. — **'**~**ˌwom·anˌlike** *adj* vornehm, fein, damenhaft. — **'**~**ˌwom·an·li·ness** *s* Vornehmheit *f*, Damenhaftigkeit *f*. — **'**~**ˌwom·an·ly** → **gentlewomanlike.**

gen·tly ['dʒentli] *adv zu* **gentle** I. — ~ **born** *adj* von vornehmer Geburt.

Gen·too [dʒen'tuː] *pl* **-toos** *s* **1.** Hindu *m*. – **2.** *ling.* Te'lugu *n*, Te'linga *n*.

gen·trice ['dʒentris] *s obs.* **1.** vornehme 'Herkunft. – **2.** Wohlerzogenheit *f*.

gen·try ['dʒentri] *s* **1.** gebildete u. besitzende Stände *pl*. – **2.** *Br.* Gentry *f*, niederer Adel. – **3.** (*auch als pl konstruiert*) (*humor. od. verächtlich*) Leute *pl*, Gesellschaft *f*, Sippschaft *f*: **these** ~ diese Gesellschaft; **the light-fingered** ~ die (Taschen)Diebe, die Langfinger. – **4.** *obs.* Wohlerzogenheit *f*.

ge·nu ['dʒiːnjuː; *Am. auch* -nuː] *pl* **gen·u·a** ['dʒenjuə] *s med. zo.* Knie *n*. — **'gen·u·al** *adj* Knie...

gen·u·flect ['dʒenjuˌflekt] *v/i bes. relig.* die Knie beugen. — **ˌgen·u'flec·tion,** *Br. auch* **ˌgen·u'flex·ion** [-'flekʃən] *s* Kniebeugung *f*, Beugen *n* der Knie. — **ˌgen·u'flex·u·ous** [-kʃuəs; -ksjuəs] *adj* knieförmig gebogen, geknickt.

gen·u·ine ['dʒenjuin] *adj* **1.** echt, au'thentisch, unverfälscht. – **2.** echt, wahr, wirklich. – **3.** na'türlich, aufrichtig, lauter. – **4.** rein, echt. – *SYN. cf.* **authentic.** — **'gen·u·ine·ness** *s* Wahr-, Echtheit *f*, Unverfälschtheit *f*.

ge·nus ['dʒiːnəs] *pl* **gen·er·a** ['dʒenərə], *selten* **'ge·nus·es** *s* **1.** *bot. philos. zo.* Gattung *f*. – **2.** Klasse *f*, Art *f*, Sorte *f*.

-geny [dʒəni] *Wortelement mit der Bedeutung* Entstehung, Erzeugung, Ursprung, Entwicklung.

geo- [dʒiːo; dʒiːə; dʒiːɒ; dʒiɒ] *Wortelement mit der Bedeutung* Erde, Land, Boden.

ge·o·cen·tric [ˌdʒiːo'sentrik], **ˌge·o'cen·tri·cal** [-kəl] *adj astr.* geo'zentrisch: **geocentric parallax** geozentrischer Ort.

ge·o·ce·rite [ˌdʒiːo'si(ə)rait] *s min.* [Erdwachs *n*.]

ge·o·chem·i·cal [ˌdʒiːo'kemikəl] *adj* geo'chemisch. — **ˌge·o'chem·is·try** [-istri] *s chem.* Geoche'mie *f*.

ge·o·chro·nol·o·gy [ˌdʒiːokrə'nɒlədʒi] *s* geo'logische Chronolo'gie.

ge·o·cy·clic [ˌdʒiːo'saiklik; -'sik-] *adj astr.* **1.** (peri'odisch) die Erde um'kreisend. – **2.** geo'zyklisch.

ge·ode ['dʒiːoud] *s min.* Ge'ode *f*, Druse *f*.

ge·o·des·ic [ˌdʒiːo'desik; -'diːs-; ˌdʒiːə-], *auch* **ˌge·o'des·i·cal** [-kəl] *adj* geo'dätisch, Geodäsie... — **ge·'od·e·sist** [-'ɒdisist; -də-] *s* Geo'dät *m*, Erdmesser *m*. — **ge'od·e·sy** *s* Geodä'sie *f*, (Wissenschaft *f* von der) Erdmessung *f*.

ge·o·det·ic [ˌdʒiːo'detik; ˌdʒiːə-], *auch* **ˌge·o'det·i·cal** [-kəl] *adj* geo'dätisch.

ˌge·o·dif·er·ous [ˌdʒiːo'difərəs; ˌdʒiːə-] *adj min.* Ge'oden enthaltend.

ge·o·dy·nam·ic [ˌdʒiːodai'næmik], **ˌge·o·dy'nam·i·cal** [-kəl] *adj* geody'namisch. — **ˌge·o·dy'nam·ics** *s pl* (*oft als sg konstruiert*) Geody'namik *f* (*Lehre von der Bewegung der festen Körper*).

ge·og·nost ['dʒiːɒgnɒst] *s* Geo'gnost *m*, Geo'loge *m*. — **ˌge·og'nos·tic, ˌge·og'nos·ti·cal** *adj* geo'gnostisch, geo'logisch. — **ge·og·no·sy** [dʒi'ɒgnəsi] *s* Geogno'sie *f*, Geolo'gie *f*.

ge·og·o·ny [dʒi'ɒgəni] *s geol.* Geoge'nie *f*, Lehre *f* von der Entstehung der Erde.

ge·og·ra·pher [dʒi'ɒgrəfər] *s* Geo'graph(in). — **ge·o·graph·i·cal** [ˌdʒiːo'græfikəl; ˌdʒiːə-], *auch* **ˌge·o'graph·ic** *adj* geo'graphisch. — **ˌge·o'graph·i·cal·ly** *adv* (*auch zu* **geographic**).

ge·o·graph·i·cal| mile *s* geo'graphische Meile. — ~ **tongue** *s med.* Landkartenzunge *f*.

ge·og·ra·phy [dʒiˈɒɡrəfi] *s* **1.** Geograˈphie *f*, Erdkunde *f*, -beschreibung *f*. – **2.** Geograˈphie(buch *n*) *f*, geoˈgraphische Abhandlung. – **3.** geoˈgraphische Beschaffenheit.

ge·oid [ˈdʒiːɔid] *s geogr.* Geoˈid *n* (*wahre Erdfigur*).

ge·o·log·ic [ˌdʒiːoˈlɒdʒik; ˌdʒiːə-], **ˌge·oˈlog·i·cal** [-kəl] *adj* geoˈlogisch. — **ˌge·oˈlog·i·cal·ly** *adv* (*auch zu* geologic).

ge·o·log·i·cal sur·vey *s geol. Am.* **1.** geoˈlogische Aufnahme (*eines Gebiets*). – **2.** G~ S~ Amt *n* für geoˈlogische Aufnahmen.

ge·ol·o·gist [dʒiˈɒlədʒist] *s* Geoˈloge *m*.

ge·ol·o·gize [dʒiˈɒləˌdʒaiz] **I** *v/i* geoˈlogische Studien machen, Geoloˈgie stuˈdieren. – **II** *v/t* geoˈlogisch unterˈsuchen. — **geˈol·o·gy** [-dʒi] *s* **1.** Geoloˈgie *f*. – **2.** Geoloˈgie *f*: a) geoˈlogische Abhandlung, b) geoˈlogische Beschaffenheit.

ge·o·mag·net·ic [ˌdʒiːomæɡˈnetik] *adj phys.* ˈerdmaˌgnetisch.

ge·o·man·cer [ˈdʒiːoˌmænsər; ˈdʒiːə-] *s* Geoˈmant(in), Erdwahrsager(in). — **ˈge·oˌman·cy** *s* Geomanˈtie *f*, Geoˈmantik *f*, Erdwahrsagung *f*. — **ˌge·oˈman·tic** [-tik] *adj* geoˈmantisch.

ge·om·e·ter [dʒiˈɒmitər; -mə-] *s* **1.** → geometrician. – **2.** *zo.* a) → geometrid II, b) Spannerraupe *f*.

ge·o·met·ric [ˌdʒiːoˈmetrik; ˌdʒiːə-], **ˌge·oˈmet·ri·cal** [-kəl] *adj* geoˈmetrisch.

ge·om·e·tri·cian [ˌdʒiːomeˈtriʃən; ˌdʒiːəmə-; dʒiˌɒm-] *s* Geoˈmeter *m*.

ge·o·met·ric| mean *s math.* geoˈmetrisches Mittel, mittlere Proportioˈnale. — **~ pro·gres·sion** *s math.* geoˈmetrische Reihe. — **~ pro·por·tion** *s math.* geoˈmetrische Proportiˈon, geometrisches Verhältnis. — **~ ra·tio** *s math.* geoˈmetrisches Verhältnis, Vektorverhältnis *n*. — **~ se·ries** → geometric progression. — **~ spi·der** *s zo.* Radnetzspinne *f*.

ge·om·e·trid [dʒiˈɒmitrid; -mə-] *zo.* **I** *adj* Spanner..., zu den Spannern gehörig. – **II** *s* Spanner *m* (*Fam. Geometridae; Schmetterling*).

ge·om·e·trize [dʒiˈɒmiˌtraiz; -mə-] **I** *v/i* nach geoˈmetrischen Meˈthoden arbeiten, nach geoˈmetrischen Gesetzen verfahren. – **II** *v/t* geometriˈsieren. — **geˈom·e·try** [-tri] *s* **1.** Geomeˈtrie *f*. – **2.** Geomeˈtrie(buch *n*) *f*, geoˈmetrische Abhandlung.

ge·o·mor·phic [ˌdʒiːoˈmɔːrfik; ˌdʒiːə-] *adj geol.* **1.** die Erdform *od.* die Erdoberflächenformen betreffend. – **2.** erdähnlich. — **ˌge·oˌmor·phoˈlog·i·cal** [-fəˈlɒdʒikəl] *adj* ˌgeomorphoˈlogisch. — **ˌge·o·morˈphol·o·gy** [-ˈfɒlədʒi] *s* ˌGeomorpholoˈgie *f*.

ge·oph·a·gism [dʒiˈɒfəˌdʒizəm] → geophagy. — **geˈoph·a·gist** *s* Geoˈphag(e) *m*, Erdeesser *m*. — **geˈoph·a·gous** [-ɡəs] *adj* geoˈphag, erdeessend. — **geˈoph·a·gy** [-dʒi] *s* Geophaˈgie *f*, Erdeessen *n*.

ge·oph·i·lous [dʒiˈɒfiləs; -fə-] *adj* geoˈphil.

ge·o·phys·i·cal [ˌdʒiːoˈfizikəl] *adj* geophysiˈkalisch. — **ˌge·oˈphys·i·cist** [-sist] *s* Geoˈphysiker *m*. — **ˌge·oˈphys·ics** *s pl* (*oft als sg konstruiert*) Geophyˈsik *f*, Phyˈsik *f* der Erde.

ge·o·phyte [ˈdʒiːoˌfait; ˈdʒiːə-] *s bot.* Geoˈphyt *m* (*im Boden wachsende od. überwinternde Pflanze*).

ge·o·po·lit·i·cal [ˌdʒiːopəˈlitikəl], *auch* **ˌge·oˈpol·i·tic** [-ˈpɒlitik; -lə-] *adj* geopoˈlitisch. — **ˌge·oˌpol·iˈti·cian** [-ˈtiʃən] *s* Geopoˈlitiker *m*, Anhänger *m* der ˌGeopoliˈtik. — **ˌge·oˈpol·i·tics** *s pl* (*oft als sg konstruiert*) *pol.* ˌGeopoliˈtik *f*. — **ˌge·oˈpol·i·tist** → geopolitician.

ge·o·pon·ic [ˌdʒiːoˈpɒnik; ˌdʒiːə-] *adj* **1.** Ackerbau..., landwirtschaftlich. – **2.** ländlich, bäuerlich. — **ˌge·oˈpon·ics** *s pl* (*oft als sg konstruiert*) **1.** Landwirtschaft *f*, Ackerbau *m*. – **2.** Landwirtschafts-, Ackerbaukunde *f*. — **ˌge·oˈram·a** [*Br.* -ˈrɑːmə; *Am.* -ˈræ(ː)mə] *s* Geoˈrama *n* (*Hohlkugel, auf deren Innenseite die Erdfläche dargestellt ist*).

Geor·die [ˈdʒɔːrdi] *s Scot. od. dial.* **1.** → collier 1 *u.* 2. – **2.** *Br. colloq.* Bewohner(in) von Northumbrien.

George [dʒɔːrdʒ] **I** *s* **1.** St. ~ der heilige Georg (*Schutzpatron Englands seit dem 13. Jh.*): St. ~'s day Sankt-Georgs-Tag (*23. April*); St. ~'s cross Georgskreuz; by ~! Donnerwetter! (*Fluch od. Ausruf*); let ~ do it *Am. fig.* mag es tun, wer Lust hat! (*ich tue es nicht*). – **2.** Kleinod *n* mit dem Bild des heiligen Georg (*am Halsband des Hosenbandordens*). – **3.** *aer. sl.* Kurssteuerung *f*, Autoˈmatik *f*, autoˈmatische Steuerung. – **4.** *obs. sl. Münze mit dem Bild des heiligen Georg.* – **II** *adj* **5.** g~ *sl.* ‚toll', erstklassig.

George| Cross *s mil. Br.* Georgskreuz *n* (*1940 gestiftet*). — **~ Med·al** *s mil. Br.* ˈGeorgsmeˌdaille *f* (*1940 gestiftet*).

Geor·gette [dʒɔːrˈdʒet], *auch* **~ crepe**, *Br.* **g~** *s* Georˈgette *m*, dünner Seidenkrepp.

Geor·gi·an [ˈdʒɔːrdʒən; -dʒiən] **I** *adj* **1.** georgiˈanisch: a) *die vier George von England* (*1714–1830*) *od. ihre Zeit betreffend*, b) *Georg V. von England* (*1910–1936*) *od. seine Zeit betreffend*. – **2.** georˈginisch (*den Staat Georgia der USA betreffend*). – **3.** geˈorgisch, georˈginisch (*die Sowjetrepublik Georgien betreffend*). – **II** *s* **4.** Georgiˈaner(in). – **5.** *bes. arch.* (*das*) Georgiˈanische, georgiˈanischer Stil *od.* Geschmack. – **6.** Geˈorgier(in). – **7.** *ling.* Geˈorgisch *n*, das Geˈorgische.

Geor·gia pine [ˈdʒɔːrdʒə; -dʒiə] *s bot.* Sumpfkiefer *f* (*Pinus palustris*).

geor·gic [ˈdʒɔːrdʒik] **I** *adj* Ackerbau..., ländlich, landwirtschaftlich. – **II** *s* Geˈorgikon *n* (*Gedicht über den Landbau*).

ge·o·stat·ic [ˌdʒiːoˈstætik; ˌdʒiːə-] *adj phys.* geoˈstatisch. — **ˌge·oˈstat·ics** *s pl* (*oft als sg konstruiert*) Geoˈstatik *f* (*Lehre vom Gleichgewicht starrer Körper*).

ge·o·syn·cli·nal [ˌdʒiːosinˈklainl] *geol.* **I** *adj* geosynkliˈnal. – **II** *s* → geosyncline. — **ˌge·oˈsyn·cline** [-klain] *s* Geosynkliˈnale *f*, Senkungstrog *m*.

ge·o·tac·tic [ˌdʒiːoˈtæktik] *adj biol.* geoˈtaktisch. — **ˌge·oˈtac·ti·cal·ly** *adv.* — **ˌge·oˈtax·is** [-ˈtæksis] *s biol.* Geoˈtaxis *f* (*Bewegung in Beziehung zur Schwerkraftrichtung*).

ge·o·tec·ton·ic [ˌdʒiːotekˈtɒnik] *adj geol.* geotekˈtonisch.

ge·o·ther·mal [ˌdʒiːoˈθəːrməl], **ˌge·oˈther·mic** [-mik] *adj geol.* geoˈthermisch (*die Erdwärme betreffend*). — **ˌge·o·therˈmom·e·ter** [-θərˈmɒmitər; -mətər] *s phys.* ˌGeothermoˈmeter *n*, Erdwärmemesser *m*.

ge·o·trop·ic [ˌdʒiːoˈtrɒpik] *adj biol.* geoˈtrop(isch). — **ˌge·oˈtrop·i·cal·ly** *adv.* — **ge·ot·ro·pism** [dʒiˈɒtrəˌpizəm] *s biol.* Geotroˈpismus *m*, Erdwendigkeit *f* (*Wachstumsrichtung in Beziehung zur Schwerkraftrichtung*).

ge·rah [ˈɡiːrə] *s alte hebräische Münz- u. Gewichtseinheit.*

ge·ra·ni·a·ceous [dʒiˌreiniˈeiʃəs; dʒə-] *adj bot.* zur Faˈmilie Geraniaˈceae gehörig.

ge·ra·ni·al [dʒiˈreiniəl; dʒə-] *s chem.* Ciˈtral *n*, Geraniˈal *n* ($C_{10}H_{16}O$).

ge·ra·ni·um [dʒiˈreiniəm; dʒə-; -njəm] *s* **1.** → crane's-bill 1. – **2.** *bot.* (*eine*) Pelarˈgonie, (*volkstümlich*) Geˈranie *f* (*Gattg Pelargonium*). – **3.** (*Art*) Scharlachrot *n*.

ger·a·to·log·ic [ˌdʒerətoˈlɒdʒik; -tə-], **ˌger·aˈtol·o·gous** [-ˈtɒləɡəs] *adj biol.* geratoˈlogisch. — **ˌger·aˈtol·o·gy** [-dʒi] *s biol.* Geratoloˈgie *f*, Unterˈsuchung *f* des Verfalls des Lebens.

ger·bil(le) [ˈdʒəːrbil] *s zo.* Wüsten-, Rennmaus *f* (*Unterfam. Gerbillinae*).

ge·rent [ˈdʒi(ə)rənt] *s selten* Leiter *m*, Lenker *m*.

ger·fal·con *cf.* gyrfalcon.

ger·i·a·tri·cian [ˌdʒeriəˈtriʃən] *s med.* Facharzt *m* für Alterskrankheiten. — **ˌger·iˈat·rics** [-ˈætriks] *s pl* (*oft als sg konstruiert*) *med.* Geriaˈtrie *f* (*Lehre von Physiologie u. Krankheiten des Alters*). — **ˌger·iˈat·rist** → geriatrician.

germ [dʒəːrm] **I** *s* **1.** Miˈkrobe *f*, ˈMikroorgaˌnismus *m*. – **2.** *med.* Keim *m*, Bakˈterie *f*, (Krankheits)Erreger *m*. – **3.** *fig.* Keim *m*, Ansatz *m*: in ~ im Keim, noch unentwickelt. – **4.** (*Embryologie*) a) Embryo *m*, b) Same *m*, c) Brutknospe *f*, Reis *n*. – **5.** *biol.* Ursprung *m*, Urform *f*. – **II** *v/t u. v/i* → germinate.

ger·man[1] [ˈdʒəːrmən] *adj* **1.** (*nachgestellt*) leiblich, ersten Grades: brother-~ leiblicher Bruder. – **2.** *selten für* germane 1 *u.* 2.

Ger·man[2] [ˈdʒəːrmən] **I** *adj* **1.** deutsch. – **II** *s* **2.** Deutsche(r). – **3.** *ling.* Deutsch *n*, das Deutsche. – **4.** g~ a) Kotilˈlon(tanz) *m*, b) *Gesellschaft, auf der nur Kotillon getanzt wird.*

ˈGer·man|-Aˈmer·i·can I *adj* ˈdeutsch-ameriˌkanisch. – **II** *s* ˈDeutschameriˌkaner(in). — **~ Bap·tist Breth·ren** → Dunker. — **~ black** *s* Frankfurter-schwarz *n*. — **~ carp** *Am. für* carp[2]. — **~ Con·fed·er·a·tion** *s hist.* Deutscher Bund.

ger·man·der [dʒərˈmændər] *s bot.* **1.** Gaˈmander *m* (*Gattg Teucrium*), *bes.* a) Echter *od.* Gemeiner Gaˈmander, Frauenbiß *m* (*T. chamaedrys*), b) *Am.* Kanad. Gaˈmander *m* (*T. canadense*). – **2.** → ~ speedwell. — **~ speed·well** *s bot.* Gaˈmanderehrenpreis *m* (*Veronica chamaedrys*).

ger·mane [dʒəːrˈmein; dʒər-] *adj* **1.** (to) passend, gehörig (zu), in Zuˈsammenhang *od.* Beziehung stehend (mit), angemessen (*dat*), betreffend (*acc*): a question ~ to the issue eine zur Sache gehörige Frage. – **2.** einschlägig. – **3.** *selten für* german[1] 1. – *SYN. cf.* relevant.

Ger·man| flute *s mus.* Querflöte *f*. — **~ gold** → Dutch foil.

Ger·man·ic[1] [dʒəːrˈmænik; dʒər-] **I** *adj* **1.** gerˈmanisch. – **2.** deutsch. – **II** *s* **3.** *ling.* das Gerˈmanische, die gerˈmanische Sprachgruppe: Primitive ~, Proto-~ das Urgermanische. – **4.** *pl* (*oft als sg konstruiert*) deutsche Philoloˈgie, Germaˈnistik *f*.

ger·man·ic[2] [dʒəːrˈmænik; dʒər-] *adj chem.* Germanium...: ~ acid Germaniumsäure (H_2GeO_3).

Ger·man·ism [ˈdʒəːrməˌnizəm] *s* **1.** *ling.* Germaˈnismus *m*, deutsche Spracheigenheit. – **2.** (*etwas*) typisch Deutsches. – **3.** deutsche Art. – **4.** Deutschfreundlichkeit *f*. – **5.** Deutschennachahmung *f*. — **ˈGer·man·ist** *s* Germaˈnist(in).

Ger·man·i·ty [dʒəːrˈmæniti; dʒər-; -əti] → Germanism 3 *u.* 4.

ger·ma·ni·um [dʒəːrˈmeiniəm; dʒər-] *s chem.* Gerˈmanium *n*.

Ger·man·i·za·tion [ˌdʒəːrmənaiˈzeiʃən; -ni-] *s* **1.** Germaniˈsierung *f*, Eindeutschung *f*. – **2.** *ling.* Verdeutschung *f*, Überˈsetzung *f* ins Deutsche. — **ˈGer·manˌize I** *v/t* **1.** germaniˈsieren, eindeutschen, deutsch machen, (*dat*) deutschen Chaˈrakter geben. – **2.** *ling.* verdeutschen, ins Deutsche über'setzen. – **II** *v/i* **3.** sich germani'sieren, deutsch werden.

Ger·man| mea·sles *s pl med.* Röteln *pl.* — **~ mil·let** *s bot.* Welscher Fennich (*Setaria italica stramineofructa*).

Germano- [dʒəːrməno] *Wortelement mit der Bedeutung* deutsch.

Ger·man O·cean *s geogr.* Nordsee *f.*

Ger·ma·no·ma·ni·a [ˌdʒəːrmənoˈmeiniə] *s* über'triebene Deutschfreundlichkeit. — **ˌGer·ma·no'ma·niˌac** [-ˌæk] *s* über'trieben Deutschfreundliche(r).

Ger·man·o·phil [dʒəːrˈmænofil; dʒər-], **Ger'man·o·phile** [-ˌfail; -fil] **I** *adj* deutschfreundlich. – **II** *s* Deutschfreundliche(r). — **Ger'man·oˌphobe** [-ˌfoub] *s* Deutschenhasser(in). — **ˌGer·ma·no'pho·bi·a** [-monoˈfoubiə] *s* Deutschenhaß *m od.* -angst *f*, Germanopho'bie *f.*

ger·man·ous [dʒəːrˈmænəs; dʒər-] *adj chem.* Germanium(II)-..., zweiwertiges Ger'manium enthaltend.

Ger·man| po·lice dog, ~ shep·herd dog *s* Deutscher Schäferhund. — **~ sil·ver** *s* Neusilber *n.* — **~ steel** *s tech.* Schmelzstahl *m.* — **~ text** *s print.* Frak'tur(schrift) *f.* — **~ tin·der** → amadou.

germ| car·ri·er *s med.* Keim-, Ba'zillenträger *m.* — **~ cell** *s biol.* Keim-, Geschlechtszelle *f.* — **~ disk** *s* **1.** *bot.* Keimscheibe *f* (*einiger Lebermoose*). – **2.** → germinal disk.

ger·men [ˈdʒəːrmin] *pl* **-mens, -mi·na** [-minə] *s* **1.** *obs. od. fig.* Keim *m.* – **2.** *bot.* Fruchtknoten *m.*

'germ|'free *adj med.* keimfrei, ste'ril. — **~ gland** *s zo.* Keim-, Geschlechtsdrüse *f.*

ger·mi·cid·al [ˌdʒəːrmiˈsaidl; -mə-] *adj* keimtötend. — **'ger·miˌcide** [-ˌsaid] **I** *adj* keimtötend. – **II** *s* keimtötendes Mittel.

ger·mi·na·ble [ˈdʒəːrminəbl; -mə-] *adj biol.* keimfähig.

ger·mi·nal [ˈdʒəːrminl; -mə-] *adj* **1.** *biol.* Keim(zellen)... – **2.** *med.* Keim..., Bakterien... – **3.** *fig.* im Keim befindlich, unentwickelt, Anfangs...: **~ ideas.** — **~ disk** *s biol.* Keimscheibe *f*, -schild *n*, Embryo'nalschild *n.* — **~ lay·er** *s* **1.** *med.* Keimschicht *f* (*bes. der Oberhaut*). – **2.** *biol.* → germ layer. — **~ spot** *s* (*Embryologie*) Keimfleck *m.* — **~ ves·i·cle** *s* (*Embryologie*) Keimbläschen *n.*

ger·mi·nant [ˈdʒəːrminənt; -mə-] *adj* keimend, sprossend (*auch fig.*).

ger·mi·nate [ˈdʒəːrmiˌneit; -mə-] **I** *v/i* **1.** *bot.* keimen. – **2.** aufgehen (*Saat*). – **3.** sprossen, knospen, ausschlagen. – **4.** *fig.* sich entwickeln, keimen. – **II** *v/t* **5.** *bot.* keimen lassen, zum Keimen bringen. – **6.** *fig.* her'vorrufen, entwickeln. — **ˌger·mi'na·tion** *s* **1.** *bot.* Keimen *n*, Keimung *f.* – **2.** Sprießen *n*, Sprossen *n*, (Aus-)Treiben *n.* – **3.** *fig.* Keimen *n*, Entwicklung *f.* — **'ger·miˌna·tive** *adj bot.* **1.** Keim..., Keimungs...: **~ power** Keimkraft, -fähigkeit. – **2.** keimentwicklungsfähig.

germ lay·er *s* (*Embryologie*) Keimblatt *n*, -schicht *f.*

ger·mon [ˈdʒəːrmən] → albacore.

germ| plasm, ~ plas·ma *s biol.* Keimplasma *n.* — **~ the·o·ry** *s* **1.** *biol.* 'Fortpflanzungstheoˌrie *f.* – **2.** *med.* Infekti'onstheoˌrie *f.* — **~ tube** *s bot.* Keimschlauch *m.* — **~ war·fare** *s mil.* Bak'terienkrieg *m*, bio'logische Kriegführung.

geronto- [dʒirɒnto], *auch* **geront-** [dʒerɒnt] *Wortelement mit der Bedeutung* Greis, alt.

ge·ron·toc·ra·cy [ˌdʒerɒnˈtɒkrəsi] *s pol.* Gerontokra'tie *f*, Greisenherrschaft *f.*

ger·on·tol·o·gy [ˌdʒerɒnˈtɒlədʒi] *s med.* Gerontolo'gie *f* (*Lehre von den Alterskrankheiten*).

-gerous [dʒərəs] *Wortelement mit der Bedeutung* tragend, erzeugend.

ger·ry·man·der [ˈgeriˌmændər; ˈdʒer-] **I** *v/t* **1.** *pol. Am.* (*Staat, Kreis etc*) willkürlich in Wahlbezirke einteilen (*bes. um einer Partei etc Vorteile zu verschaffen*). – **2.** (*Tatsachen etc*) willkürlich zu'rechtmachen *od.* -schneiden, (zum eigenen Vorteil) verdrehen. – **II** *s* **3.** *pol. Am.* willkürliche Einteilung in Wahlbezirke.

ger·und [ˈdʒerənd] *ling.* **I** *s* Ge'rundium *n.* – **II** *adj* Gerund... — **~ grind·er** *s colloq.* ‚La'teinpauker' *m.*

ge·run·di·al [dʒiˈrʌndiəl; dʒə-] *adj* Gerundial...

ger·un·di·val [ˌdʒerənˈdaivəl] *adj ling.* Gerundiv..., gerun'divisch. — **ge·run·dive** [dʒiˈrʌndiv; dʒə-] *ling.* **I** *s* Gerun'div(um) *n.* – **II** *adj* gerun'divisch.

ges·so [ˈdʒesou] *s* **1.** (*Bildhauerei*) Gips *m.* – **2.** Gips-, Kreidegrund *m.*

gest [dʒest] *s obs.* **1.** (Helden)Tat *f.* – **2.** Verserzählung *f*, -epos *n.* – **3.** Posse *f.*

Ge·stalt psy·chol·o·gy [gəˈʃtalt] *s* Ge'staltpsycholoˌgie *f.*

ges·tate [ˈdʒesteit] *v/t med.* (im Mutterleib) tragen. — **ges'ta·tion** *s med.* **1.** Gestati'on *f*, Schwangerschaft *f.* – **2.** Trächtigkeit *f*, -sein *n* (*Tier*). — **ges'ta·tion·al** *adj* Schwangerschafts..., Trächtigkeits...

ges·ta·to·ri·al chair [ˌdʒestəˈtɔːriəl] *s* Tragsessel *m* (*des Papstes*).

geste *cf.* gest.

ges·tic [ˈdʒestik], **'ges·ti·cal** [-kəl] *adj* Gesten..., Gebärden..., Bewegungs...

ges·tic·u·late [dʒesˈtikjuˌleit; -jə-] **I** *v/i* gestiku'lieren, sich lebhaft bewegen, (mit den Händen) (her'um)fuchteln. – **II** *v/t* (durch Gebärden) ausdrücken *od.* darstellen. — **gesˌtic·u'la·tion** *s* **1.** Gestikulati'on *f*, Gebärdenspiel *n*, Gesten *pl.* – **2.** lebhafte *od.* aufgeregte Geste. — **ges'tic·u·la·to·ry** [*Br.* -ˌleitəri; *Am.* -ləˌtɔːri], *auch* **ges'tic·u·la·tive** [-ˌleitiv; -lətiv] *adj* gestiku'lierend, gebärdenhaft.

ges·tion [ˈdʒestʃən] *s obs.* ('Durch-)Führung *f.*

ges·ture [ˈdʒestʃər] **I** *s* **1.** Gebärde *f*, Geste *f*: **a ~ of impatience (of friendship)** eine ungeduldige (freundschaftliche) Geste. – **2.** Gebärdenspiel *n*, -sprache *f.* – **3.** *obs.* (Körper)Haltung *f.* – **II** *v/t u. v/i* → gesticulate.

get [get] **I** *s* **1.** *sport* (*bes. Tennis*) zu'rückgeschlagener Ball. – **2.** (*von Tieren*) a) Nachkomme *m*, b) Nachkommen(schaft *f*) *pl.* – **3.** *Br.* Fördermenge *f*, Ertrag *m* (*Kohlengrube*). – **4.** *obs. od. dial.* Ertrag *m*, Gewinn *m.* –

II *v/t pret* **got** [gɒt] *obs.* **gat** [gæt], *pp* **got** [gɒt] *bes. Am. od. obs.* **got·ten** [ˈgɒtn] **5.** bekommen, erhalten: **we could not ~ leave** wir konnten keinen Urlaub bekommen; **to ~ what's coming to one** *Am. colloq.* den verdienten Lohn erhalten (*meist negativ*); → **hold**[1] 2 *u.* 5; **wind**[1] 1, 9, 10. – **6.** (*Krankheit*) bekommen. – **7.** erwerben, gewinnen, verdienen, erringen, erzielen: **to ~ a living** seinen Lebensunterhalt erwerben; **to ~ fame (a victory)** Ruhm (einen Sieg) erringen; **to ~ the best of it** den Sieg davontragen; → **better**[1] 4; **upper hand.** – **8.** (*Wissen, Erfahrung etc*) erwerben, sich aneignen, (er)lernen: **to ~ by heart** auswendig lernen; **to ~ s.th. on s.o.** *Am. colloq.* etwas (Kompromittierendes) über j-n erfahren; → **religion** 1. – **9.** (*Kohle etc*) gewinnen, fördern. – **10.** ‚kriegen', bekommen: **to ~ s.th. out of s.o.** etwas aus j-m herauskriegen; **to ~ it into one's head** es sich in den Kopf setzen; **to ~ s.th. on the brain** dauernd an etwas denken; **to ~ it** ‚es kriegen' (*bestraft werden*); **he has got three months** *colloq.* er hat drei Monate (Gefängnis) gekriegt; → **boot**[1] 15; **sack**[1] 2. – **11.** erreichen: **to ~ bottom** (*beim Loten*) den Grund erreichen. – **12.** (*telephonisch etc*) erreichen, die Verbindung 'herstellen mit. – **13.** (*Fische etc*) fangen. – **14.** (*Ernte*) einbringen. – **15.** holen: **to ~ help** Hilfe holen. – **16.** verschaffen, besorgen: **I can ~ it for you** ich kann es dir besorgen. – **17.** *colloq.* (*im Perfekt*) a) haben: **have you got a pencil?** hast du einen Bleistift? **got a knife?** *sl.* hast du ein Messer? b) müssen: **we have got to do it** wir müssen es tun. – **18.** machen, werden lassen, in einen (*bestimmten*) Zustand versetzen *od.* bringen: **to ~ one's feet wet** sich die Füße naß machen; **to ~ s.th. ready** etwas fertigmachen *od.* -bringen; **to ~ s.o. nervous** j-n nervös machen; **to ~ s.o. with child** j-n schwängern; **to ~ s.th. under way** etwas in Fahrt bringen; **to ~ s.th. under control** etwas bändigen *od.* unter (seine) Kontrolle bringen; **I got my finger broken** ich habe mir den Finger gebrochen. – **19.** (*mit pp*) lassen: **to ~ one's hair cut** sich die Haare schneiden lassen; **to ~ s.th. painted** etwas malen lassen. – **20.** (*mit inf*) dazu *od.* dahin bringen, bewegen, veranlassen: **to ~ s.o. to speak** j-n zum Sprechen bringen *od.* bewegen; **to ~ s.th. to burn** etwas zum Brennen bringen. – **21.** schaffen, bringen, befördern (**from** von, aus; **out of** aus): **~ him away!** schafft ihn fort! **~ you gone!** *obs.* mach dich fort! verschwinde! – **22.** *fig.* bringen: **to ~ s.o. upon a subject** j-n auf ein Thema bringen. – **23.** *reflex* sich begeben: **to ~ oneself home** sich nach Hause begeben. – **24.** zeugen (*fast nur noch von Tieren*). – **25.** zu-, vorbereiten, fertigmachen, 'herrichten: **to ~ dinner.** – **26.** *Br. colloq.* zu sich nehmen, essen, trinken, einnehmen: **~ your dinner!** – **27.** ergreifen, fassen, packen. – **28.** *colloq.* erwischen, ertappen. – **29.** *colloq.* erwischen, treffen. – **30.** *colloq.* verstehen, ‚ka'pieren': **I don't ~ him** ich verstehe nicht, was er will; **I don't ~ that** das kapiere ich nicht; → **wrong** 8. – **31.** *colloq.* in die Enge treiben, verwirren: **this matter ~s me** diese Sache geht über meine Begriffe *od.* macht mir zu schaffen; **now they have got me** nun sitze ich fest. – **32.** *colloq.* ärgern, reizen, quälen. – **33.** *Am. colloq.* 'umbringen (*töten*). – **34.** *colloq.* nicht mehr loslassen, über'wältigen. – **35.** *sport* aus dem Spiel werfen, zum Ausscheiden zwingen. – *SYN.* acquire, earn[1], gain, obtain, procure, secure, win. –

III *v/i* **36.** kommen, gelangen, sich begeben: **to ~ as far as Munich** bis (nach) München kommen *od.* gelangen; **to ~ home** nach Hause kommen, zu Hause ankommen; **where has it got to?** wo ist es hingekommen? **to ~ next to s.o.** *Am. colloq.* j-s (*bes.* böse) Absichten erkennen; → **ahead** 2. – **37.** (*mit inf*) dahin gelangen *od.* kommen, die Gewohnheit annehmen, dazu 'übergehen: **he got to like it** er hat es liebgewonnen; **to ~ to be friends** Freunde werden; **to ~ to know it** es erfahren. – **38.** werden, in einen (*bestimmten*) Zustand *etc* geraten: **~ busy!** *colloq.* mach dich an die Arbeit! **to ~ tired** müde werden, ermüden; **to ~ better** sich erholen; **to ~ drunk** sich betrinken; **to ~ even with s.o.** *Am. colloq.* es j-m heimzahlen; **to ~ married** (sich ver)-

heiraten; to ~ used to it sich daran gewöhnen; → excite 1; rid[1] 1. – 39. (*mit pres p*) beginnen, anfangen: they got quarrel(l)ing sie fingen an zu streiten; to ~ going sich in Bewegung setzen. – 40. verdienen, profi'tieren. – 41. *sl. od. vulg.* ,verduften', ,abhauen' (*verschwinden*): ~ (*oft* git)! hau ab! –
Verbindungen mit Präpositionen:
get| a·round *v/t colloq.* um'gehen, her'umkommen um. — ~ **at** *v/t* 1. Zugang erhalten zu. – 2. her'ankommen an (*acc*), erreichen. – 3. habhaft werden (*gen*). – 4. ermitteln, her'ausfinden. – 5. *colloq.* a) bestechen, b) (mit unerlaubten Mitteln) beeinflussen. – 6. *sl.* ,aufs Korn nehmen', angreifen, *bes.* ,veräppeln'. — ~ **be·hind** *v/t sl.* unter'stützen. — ~ **in·to** *v/t* 1. (hin'ein)kommen *od.* (-)geraten in (*acc*): → habit 1. – 2. *colloq.* (*Schuhe etc*) anziehen. – 3. steigen in (*acc*). – 4. *colloq.* (hin'ein)fahren in (*acc*): what's got into you? was ist in dich gefahren? was ist mit dir los? — ~ **off** *v/t* 1. absteigen von. – 2. aussteigen aus. – 3. weg- *od.* her'untergehen von: to ~ the rails entgleisen. – 4. sich los- *od.* freimachen von. — ~ **on** *v/t* 1. aufsteigen *od.* -sitzen auf (*acc*). – 2. einsteigen in (*acc*). – 3. sich stellen auf (*acc*): to ~ one's feet (*od.* legs) sich zum Sprechen erheben. — ~ **out of** *v/t* 1. her'aussteigen aus: he got out of bed on the wrong side er ist mit dem linken Fuß zuerst aufgestanden, er ist schlecht gelaunt. – 2. her'aus- *od.* hin'auskommen *od.* -gelangen aus: to ~ sight außer Sicht kommen, verschwinden; to ~ hand aus der Hand gleiten, sich der Kontrolle entziehen; to ~ smoking sich das Rauchen abgewöhnen; → depth 1. – 3. sich drücken vor (*dat*): to ~ doing s.th. sich davor drücken, etwas zu tun. – 4. (*Geld etc*) her'auskriegen *od.* -locken aus. — ~ **o·ver** *v/t* 1. hin'wegkommen über (*acc*), über'winden. – 2. sich erholen von, (*Krankheit etc*) über'stehen. – 3. (*Argument*) entkräften. – 4. (*Entfernung*) zu'rücklegen. – 5. (*Aufgabe*) ausführen, voll'enden. – 6. *sl.* her'einlegen, über'listen. — ~ **round** *v/t* 1. → get around. – 2. (*j-m*) um den Bart gehen, (*j-n*) ,her'umkriegen'. – 3. über'listen. — ~ **through** *v/t* 1. (*Zeit*) verbringen. – 2. *pol.* 'durchgehen bei: the bill got through the Lords der Gesetzesantrag ging bei den Lords *od.* im Oberhaus durch. — ~ **to** *v/t* 1. kommen nach, erreichen. – 2. gehen an (*acc*), beginnen. –
Verbindungen mit Adverbien:
get| a·bout *v/i* 1. her'umgehen, -spa,zieren. – 2. her'umkommen. – 3. unter die Leute kommen, sich verbreiten (*Gerücht etc*). — ~ **a·broad** → get about 3. — ~ **a·cross I** *v/t* verständlich machen, klarmachen. – **II** *v/i sl.* ,ankommen', ,einschlagen', Erfolg haben (*Bühnenstück*). — ~ **a·long I** *v/t* 1. vorwärts-, weiterbringen. – **II** *v/i* 2. vorwärts-, weiterkommen (*auch fig.*): to ~ well gut vorwärtskommen, gute Fortschritte machen. – 3. zu'recht-, auskommen: they ~ well together sie kommen gut miteinander aus, sie vertragen sich gut; to ~ on little money mit wenig Geld auskommen. – 4. weitergehen, -eilen: ~! verschwinde! ~ with you! *colloq.* a) verschwinde! b) hör auf! Unsinn! — ~ **a·round** *colloq. für* get about. — ~ **a·way I** *v/t* 1. fortschaffen, -bringen. – **II** *v/i* 2. weg-, weiterkommen. – 3. entkommen. – 4. *sport* starten. – 5. *im Imperativ*: ~! mach dich fort! — ~ **a·way with** *v/i* 1. entkommen mit, wegbringen, -schnappen. – 2. *colloq.* (*etwas*) ungestraft ausführen: to ~ it ungestraft davonkommen. – 3. Erfolg haben mit: to ~ it Erfolg haben. – 4. *colloq.* fertig werden mit: he won't be able to ~ all that pie. — ~ **back I** *v/t* 1. zu'rückbekommen, -erhalten. – 2. zu'rückholen: to get one's own back *sl.* sich rächen. – **II** *v/i* 3. zu'rückkommen. – 4. *Am. sl.* (at) sich rächen (an *dat*), abrechnen (mit). — ~ **behind** *v/i* zu'rückbleiben. — ~ **by** *v/i* unbemerkt vor'beigelangen, sich 'durchschwindeln. — ~ **down I** *v/t* 1. hin'unterbringen. – 2. hin'unterschlucken. – 3. her'unterholen. – **II** *v/i* 4. her'unterkommen, -steigen. – 5. absteigen, absitzen. – 6. sich machen (to an *acc*): to ~ to business zur Sache kommen; → brass tacks. — ~ **in I** *v/t* 1. hin'einbringen, -schaffen. – 2. (*Ernte*) einbringen. – 3. (*Gelder etc*) eintreiben. – 4. hin'einbekommen: to get one's hand in geübt werden, mit der Arbeit (*etc*) vertraut werden; → edgeways 1. – 5. (*Schlag*) anbringen. – **II** *v/i* 6. hin'ein-, her'eingelangen, -kommen, -gehen. – 7. einsteigen. – 8. *pol.* (ins Parla'ment) gewählt werden. – 9. (with) vertraut werden (mit), in enge Beziehungen treten (zu). — ~ **off I** *v/t* 1. wegbringen, -schaffen. – 2. losbekommen, -kriegen. – 3. (*Waren*) absetzen, loswerden. – 4. (*Geschichte etc*) erzählen, vorbringen, von sich geben. – 5. (*Kleider*) ausziehen. – 6. lernen. – 7. *colloq.* her'ausbringen, vorführen. – **II** *v/i* 8. fortgehen, abreisen, aufbrechen. – 9. entkommen, da'vonkommen. – 10. *aer.* aufsteigen, (vom Boden) frei- *od.* loskommen. – 11. (from) absteigen (von), aussteigen (aus): to tell s.o. where to ~ *sl.* ,j-m die Leviten lesen'. – 12. einschlafen. – 13. anbändeln (with mit). — ~ **on I** *v/t* 1. (*Kleider*) anziehen. – 2. vorwärts-, weiterbringen. – 3. (*Tätigkeit*) entwickeln, zeigen: → move 25. – **II** *v/i* 4. vorwärtskommen (*auch fig.*): to ~ in life a) es zu etwas bringen, b) älter werden; to ~ to business zur Sache kommen. – 5. → get along 3 *u.* 4. – 6. (for) zugehen auf (*acc*), sich nähern (*dat*): to be getting on for sixty sich den Sechzigern nähern. – 7. ~ to *Am. colloq.* ausfindig machen, verstehen, ,ka'pieren': to ~ to s.o.'s tricks hinter j-s Schliche kommen. — ~ **out I** *v/t* 1. hin'ausbringen, -schaffen. – 2. her'ausholen, -nehmen. – 3. (*Geheimnis etc*) her'ausbekommen, -kriegen. – 4. (*Wort etc*) her'ausbringen. – 5. (*Buch*) her'ausbringen. – **II** *v/i* 6. hin'ausgehen. – 7. aussteigen. – 8. da'vonkommen, entkommen: he got out from under *Am. colloq.* er kam mit heiler Haut davon. – 9. fort-, weggehen: ~! a) geh weg! b) hör auf! Unsinn! – 10. 'durchsickern (*Geheimnis*). — ~ **o·ver I** *v/t* 1. hinter sich bringen, erledigen. – 2. hin'über-, her'überbringen. – 3. auf seine Seite bringen. – **II** *v/i* 4. hin'über-, her'überkommen, -gelangen. – 5. → get across II. — ~ **round** *v/i* (da'zu)kommen, sich entschließen (to doing zu tun). — ~ **through** *v/t* 1. 'durchbringen, -bekommen (*auch fig.*). – 2. zu Ende bringen. – **II** *v/i* 3. 'durchkommen, das Ziel erreichen. – 4. 'durchkommen, bestehen (*beim Examen*). – 5. 'durchgehen, angenommen werden (*Gesetzesvorlage*). – 6. (with) fertig werden (mit), erfolgreich beendigen (*acc*). – 7. Verbindung erhalten (*beim Telephonieren etc*). — ~ **to·geth·er I** *v/t* 1. zu'sammenbringen. – **II** *v/i* 2. zu'sammenkommen. – 3. *Am. colloq.* einig werden, sich einigen. — ~ **un·der** *v/t* 'unterkriegen, (sich) unter'werfen (*dat*). — ~ **up I** *v/t* 1. hin'aufbringen, -schaffen. – 2. ins Werk setzen. – 3. veranstalten, organi'sieren. – 4. 'herrichten, zu'sammenstellen, zu'rechtmachen. – 5. (*Schriftstück*) abfassen. – 6. konstru'ieren, erfinden. – 7. her'ausputzen, 'ausstaf,fieren: to get oneself up sich herausputzen. – 8. (*Buch etc*) ausstatten. – 9. (*Wäsche*) waschen u. bügeln. – 10. (*Rolle etc*) 'einstu,dieren, erlernen. – 11. in die Höhe bringen: → back[1] 1. – 12. aufdrehen: to ~ steam a) *tech.* Dampf aufmachen, b) *fig.* in Schwung kommen, c) *fig.* in Wut geraten; → wind[1] 1. – 13. sich hin'einsteigern in (*einen Affekt*). – **II** *v/i* 14. aufstehen. – 15. sich erheben. – 16. aufsitzen (*aufs Pferd*). – 17. hin'aufkommen. – 18. steigen (*Preise*). – 19. stürmisch werden (*See etc*). – 20. *hunt.* aufschrecken *od.* -fliegen. – 21. (*Kricket*) steil hochfliegen (*Ball*). – 22. *im Imperativ*: hü! vorwärts!

get·a·ble *cf.* gettable.

get|-at-a·bil·i·ty [get,ætə'biliti; -əti] *s* 1. Erreichbarkeit *f.* – 2. Zugänglichkeit *f.* — ,~-'**at-a·ble** [-əbl] *adj* 1. erreichbar, zu erreichen(d), zu erlangen(d). – 2. zugänglich (*Ort od. Person*). – 3. zu erfahren(d), zu erkunden(d). — ,~-'**at-a·ble·ness** → get-at-ability. — '~**·a,way** *s* 1. *colloq.* Flucht *f*, Entkommen *n*: to make one's ~ fliehen, sich aus dem Staub machen. – 2. *sport* Start *m.* – 3. *aer.* Abheben *n* (*des Flugzeugs vom Boden*). – 4. Anzugsvermögen *n* (*Auto*).

Geth·sem·a·ne [geθ'seməni] *s* 1. *Bibl.* Geth'semane *n.* – 2. g~ *fig.* Leiden(s-stätte *f*) *n.*

'**get-,off** *s* 1. *aer.* Abflug *m*, Start *m.* – 2. *fig.* Ausflucht *f*, ,Drückeberge'rei *f.*

get·ta·ble ['getəbl] *adj* erreichbar, zu erreichen(d), zu erlangen(d).

get·ter ['getər] *s* 1. Empfänger *m.* – 2. j-d der (*einem anderen*) etwas verschafft. – 3. (Er)Zeuger *m*, Vater *m.* – 4. (*Bergbau*) Häuer *m*, Abkohler *m.* – 5. *electr.* Fangstoff *m*, 'Getter(me,tall *n*, -pille *f*) *n* (*in Vakuumlampen u. -röhren*). — '**get·ting** *s* 1. Bekommen *n*, Erhalten *n.* – 2. Erlangen *n*, Erreichen *n*, Erwerben *n.* – 3. Erwerb *m*, Gewinn *m.* – 4. Zeugung *f*, Fortpflanzung *f.* – 5. (*Bergbau*) *Br.* Abbau *m*, Abkohlen *n.*

'**get-to,geth·er** *s Am. colloq.* (zwangloses) Treffen *od.* Bei'sammensein, (zwanglose) Zu'sammenkunft.

'**get,up** *s colloq.* 1. Aufbau *m*, Anordnung *f*, Zu'sammensetzung *f*, Struk'tur *f.* – 2. Ausstattung *f*, Aufmachung *f.* – 3. (*Theater*) Insze'nierung *f.* – 4. Kleidung *f*, Anzug *m*, Putz *m*, 'Ausstaf,fierung *f.* – 5. *Am.* Ener'gie *f*, Unter'nehmungsgeist *m*, Initia'tive *f.*

ge·um ['dʒiːəm] → avens.

gew·gaw ['gjuːgɔː] **I** *s* 1. Spielzeug *n*, Tand *m.* – 2. *fig.* Lap'palie *f*, Kleinigkeit *f.* – **II** *adj* 3. flitterhaft, nichtig.

gey [gei] *adj u. adv Scot.* beträchtlich, ziemlich. — '**gey·lies** [-lis] *adv Scot.* 1. ziemlich gut. – 2. sehr.

gey·ser *s* 1. ['gaizər; -sər] Geiser *m*, Geysir *m*, heiße Springquelle. – 2. ['giːzər] *Br.* Boiler *m*, 'Heißwasserbereiter *m*, -appa,rat *m.* — '**gey·ser·al**, '**gey·ser·ic** ['gai-] *adj* Geiser...

gey·ser·ite ['gaizə,rait; *Br. auch* 'giːz-] *s min.* Geise'rit *m.*

ghar·ry, *auch* **ghar·ri** ['gæri] *s Br. Ind.* Karren *m*, Wagen *m*, *bes.* Mietskutsche *f.*

ghast [*Br.* gɑːst; *Am.* gæ(ː)st] *obs. für* ghastly I. — '**ghast·ful** [-ful; -fəl] *adj obs.* schrecklich, schaurig. — '**ghast-**

li·ness [-linis] *s* **1.** Grausigkeit *f*, Schrecklichkeit *f*, Gräßlichkeit *f*. – **2.** Gespenstigkeit *f*, Geisterhaftigkeit *f*. – **3.** Toten-, Leichenblässe *f*. — **'ghast·ly I** *adj* **1.** grausig, gräßlich, entsetzlich, schauderhaft. – **2.** gespenstisch, geisterhaft. – **3.** totenbleich, -blaß. – **4.** *colloq.* schrecklich, furchtbar. – **II** *adv* **5.** entsetzlich, gräßlich. – **6.** geisterhaft, toten..., tod...: ~ pale totenblaß. – *SYN.* grim, grisly[1], gruesome, lurid, macabre.

ghat, ghaut [gɔːt] *s Br. Ind.* **1.** (Gebirgs)Paß *m*. – **2.** Ghat *n*, Gebirgszug *m*, -kette *f*. – **3.** Lande- u. Badeplatz *m* mit Ufertreppe *od.* -pfad. – **4.** *meist* burning ~ Totenverbrennungsplatz *m* (*der Hindus*) am oberen Ende einer Ufertreppe.

gha·zi ['gɑːziː] *s* **1.** (*moham.*) Kriegsheld *m* (*bes. im Kampf gegen die Ungläubigen*). – **2.** G~ Ghazi *m*, Ghasa *m* (*türk. Ehren- u. Präsidententitel*).

Ghe·ber, Ghe·bre ['geibər; 'giː-] *s relig.* Feuerverehrer *m*.

ghee [giː] *s* (*in Indien*) (halbflüssige) Butter (*aus Büffelmilch*).

gher·kin ['gəːrkin] *s* **1.** Essig-, Pfeffergurke *f*. – **2.** *bot.* Arada-, An'gurien-Gurke *f* (*Cucumis anguria*).

ghet·to ['getou] *pl* **-tos, -ti** [-tiː] *s* **1.** *hist.* Getto *n*. – **2.** Judenviertel *n*.

Ghib·el·line ['gibilin; -bə-; -ˌlain; -ˌliːn] *hist.* **I** *s* Gibel'line *m*. – **II** *adj* gibel'linisch. — **'Ghib·el·linˌism** *s hist.* gibel'linische Gesinnung.

ghost [goust] **I** *s* **1.** Geist *m*, Gespenst *n*, Spuk(gestalt *f*) *m*: to lay (raise) a ~ einen Geist bannen (heraufbeschwören *od.* herbeirufen); the ~ walks (*Theater*) *sl.* es gibt Geld, es ist Zahltag. – **2.** *obs. für* Holy G~. – **3.** Geist *m*, Seele *f* (*nur noch in*): to give (*od.* yield) up the ~ den Geist aufgeben, sterben. – **4.** *fig.* Spur *f*, Schatten *m*: not the ~ of a chance *colloq.* nicht die geringste Aussicht. – **5.** Ghostwriter *m* (*anonymer Schriftsteller, der Bücher u. Reden für andere schreibt*). – **6.** *fig.* Gespenst *n*, Ske'lett *n*, abgemagerter Mensch. – **7.** a) (*Optik*) Doppelbild *n*, unscharfes Bild, b) (*Fernsehen*) Geister-, Doppelbild *n*. – **8.** *auch* ~ line (*Hüttenwesen*) Längszeile *f*, Schleifriß *m*. – **II** *v/t* **9.** den Ghostwriter machen für, (ano'nym) schreiben für. – **10.** (*j-m*) als Geist erscheinen, (*j-n*) als Geist verfolgen. – **III** *v/i* **11.** Ghostwriter sein, (ano'nym) für einen anderen schreiben. – **12.** (her'um)spuken. — **~ cit·y** *s Am.* Geisterstadt *f*, verlassene *od.* entvölkerte Stadt (*bes. Bergwerkstadt im Westen der USA*). — **~ dance** *s* Geistertanz *m* (*religiöse Bewegung der nordamer. Indianerstämme um 1888*). — **'~ˌlike** *adj* geister-, gespensterhaft, gespenstisch. — **~ line** → ghost 8.

ghost·li·ness ['goustlinis] *s* Geister-, Gespensterhaftigkeit *f*. — **'ghost·ly** *adj* **1.** geister-, gespensterhaft, Geister... – **2.** *obs.* geistig, nicht körperlich: our ~ enemy der Teufel. – **3.** *relig. obs.* geistlich: ~ comfort geistliche Tröstung; ~ father Beichtvater.

ghost| moth *s zo.* Hopfenwurzelbohrer *m* (*Hepialus humuli*). — **~ plant** *s* **1.** → tumble weed. – **2.** → Indian pipe. — **~ sto·ry** *s* Geister-, Gespenstergeschichte *f*. — **~ town** → ghost city. — **~ word** *s* falsche *od.* irrtümliche Wortbildung (*durch Druckfehler etc entstanden*). — **'~ˌwrite** *v/t u. v/i irr* → ghost 9 *u.* 11. — **~ writ·er** → ghost 5.

ghoul [guːl] *s* **1.** Ghul *m* (*Dämon der orient. Sage, der Leichen frißt u. Gräber plündert*). – **2.** *Am. fig.* a) Leichenschänder *m*, Grabplünderer *m*, b) Erpresser *m*. — **'ghoul·ish** *adj* **1.** ghulenhaft. – **2.** *fig.* a) leichenschänderisch, b) teuflisch, greulich.

ghyll *cf.* gill[2].

GI, G.I. ['dʒiː'ai] *pl* **GIs, GI's, G.I.'s, G.I.s** *mil. Am. colloq.* **I** *s* **1.** ‚Landser' *m*, Sol'dat *m* (*der US Streitkräfte*): ex-~ ehemaliger Soldat *od.* Frontkämpfer. – **II** *adj* **2.** Kommiß... – **3.** (durch Ar'meebestimmungen) vorgeschrieben: ~ haircut. – **4.** Mannschafts...

gi·ant ['dʒaiənt] **I** *s* **1.** Riese *m*, Gi'gant *m* (*der Mythologie*). – **2.** Riese *m*, Ko'loß *m*. – **3.** riesiges Exem'plar (*Tier etc*). – **4.** *fig.* (geistiger) Riese. – **5.** (*Bergbau*) große Düse (*beim hydraulischen Abbau*). – **6.** *astr.* → ~ star. – **II** *adj* **7.** riesenhaft, riesig, ungeheuer (groß), Riesen... – **8.** *bot. zo.* Riesen... — **~ cane** *s bot.* Nordamer. Bambus *m* (*Arundinaria macrosperma*). — **~ cell** *s med.* Riesenzelle *f*. — **~ ce·ment** *s tech. bes.* zäher Zement.

gi·ant·ess ['dʒaiəntis] *s* Riesin *f*.

gi·ant| fen·nel *s bot.* Gemeines Steckenkraut (*Ferula communis*). — **~ ful·mar** *s zo.* Riesensturmvogel *m* (*Macronectes giganteus*).

gi·ant·ism ['dʒaiənˌtizəm] *s* **1.** ungeheure Größe. – **2.** *med.* → gigantism 1 a.

gi·ant| pan·da → panda 2. — **~ pow·der** *s tech. ein amer. Dynamit.* — **~ puff·ball** *s bot.* Riesenbovist *m* (*Globaria bovista*). — **~ star** *s astr.* Riesenstern *m*. — **~ stride** *s sport* Rundlauf *m* (*Turngerät*). — **~ swing** *s sport* Riesenschwung *m*, -welle *f*.

giaour [dʒaur] (*Turk.*) *s* Giaur *m* (*Schimpfwort für Nichtmohammedaner, bes. Christen*).

gib[1] [gib] *tech.* **I** *s* **1.** Haken-, Gegenkeil *m*. – **2.** Bolzen *m*, Keil *m*. – **3.** *pl* Gegenschließen *pl* mit Absätzen: ~ and key, ~ and cotter Keil u. Lösekeil. – **4.** (*Bergbau*) Stütze *f*, Strebe *f*, kurzes Grubenholz. – **5.** Kranbalken *m*, Ausleger *m*. – **II** *v/t pret u. pp* **gibbed** **6.** verkeilen.

gib[2] [gib] *s* **1.** *obs.* Katze *f*. – **2.** *dial.* (ka'strierter) Kater.

gibbed [gibd] *adj* ka'striert (*Katze*).

gib·ber ['dʒibər; 'gib-] **I** *v/i* **1.** schnattern, plappern. – **2.** dumm (da'her)reden, schwatzen. – **II** *s* → gibberish. — **'gib·ber·ish** *s* **1.** Kauderwelsch *n*, Geschnatter *n*: to talk ~ kauderwelschen. – **2.** dummes Geschwätz.

gib·bet ['dʒibit] **I** *s* **1.** Galgen *m*. – **2.** *tech.* a) Kranarm *m*, -balken *m*, b) (*Zimmerei*) Querbaum *m*, -balken *m*, -holz *n*. – **II** *v/t* **3.** (an den Galgen) hängen, henken. – **4.** anprangern, lächerlich machen.

gib·bon ['gibən] *s zo.* Gibbon *m* (*Gattgen Hylobates u. Symphalangus*).

gib·bose [gi'bous; 'gibous] → gibbous. — **gib'bos·i·ty** [-'bɒsiti; -əti] *s* **1.** Gewölbt-, Erhabensein *n*. – **2.** Buckligkeit *f*. – **3.** Wölbung *f*, Schwellung *f*, Ausbauchung *f*. – **4.** Buckel *m*, Höcker *m*. — **'gib·bous** *adj* **1.** gewölbt, erhaben, kon'vex. – **2.** *astr.* auf beiden Seiten kon'vex (*Mondscheibe zwischen Halb- u. Vollmond*). – **3.** *bot.* aufgetrieben, angeschwollen. – **4.** buck(e)lig, höckerig. — **'gib·bous·ness** → gibbosity.

gibbs·ite ['gibzait] *s min.* Gibb'sit *m*, Hydrargil'lit *m* ($Al(OH)_3$).

gibe[1] [dʒaib] **I** *v/t* verhöhnen, verspotten. – **II** *v/i* höhnen, spotten, sich spöttisch äußern (at über *acc*). – *SYN. cf.* scoff[1]. – **III** *s* Hohn *m*, Spott *m*, Stiche'lei *f*.

gibe[2] *cf.* jibe[2].

gib·el ['gibəl] → crucian carp.

Gib·e·on·ite ['gibiəˌnait] *s Bibl.* Gibeo'niter(in).

gib·er ['dʒaibər] *s* Höhner *m*, Spötter *m*.

'gib-ˌhead key *s tech.* Nasenkeil *m*.

gib·let ['dʒiblit] *s* **1.** *meist pl* Inne'reien *pl* (*bes. von Geflügel*), Gänseklein *n*. – **2.** *pl bes. dial.* Kleinigkeiten *pl*. – **3.** *obs.* a) Abfall *m*, b) Eingeweide *n od. pl.*

Gi·bral·tar [dʒi'brɔːltər] *s fig.* Bollwerk *n*, Feste *f*.

Gib·son girl ['gibsn] *s Am.* **1.** *das* (*typische*) *amer. Mädchen der 90er Jahre* (*nach den Zeichnungen von C. D. Gibson*). – **2.** *aer. sl.* (*in Rettungsbooten verwendeter u. mit Kurbel betriebener*) Kleinstfunksender.

gi·bus ['dʒaibəs], **~ hat** *s* Zy'linder-, Klapphut *m*.

gid [gid] *s vet.* Drehkrankheit *f* (*der Schafe*).

gid·di·ness ['gidinis] *s* **1.** Schwindel(gefühl *n*) *m*, Schwindeligkeit *f*. – **2.** (*das*) Schwindelerregende. – **3.** *fig.* Unbesonnenheit *f*, Leichtsinn *m*, Flatterhaftigkeit *f*. – **4.** *fig.* Unbeständigkeit *f*, Wankelmut *m*.

gid·dy ['gidi] **I** *adj* **1.** schwind(e)lig: I am ~ mir ist schwind(e)lig. – **2.** schwindelerregend, schwindelnd, verwirrend. – **3.** *fig.* unbesonnen, flatterhaft, leichtsinnig, -fertig: a ~ girl. – **4.** albern, närrisch, 'übermütig: → goat 1. – **5.** *fig.* trunken (with vor *dat*). – **II** *v/t u. v/i* **6.** schwind(e)lig machen *od.* werden. — **'~-goˌround** *Br. für* merry-go-round.

Gid·e·on Bi·ble ['gidiən] *s Am. in Hotelzimmern, Pullmanwagen etc ausliegende Bibel* (*von einer religiös gesinnten Gesellschaft von Handelsreisenden, den ‚Gideons', gestiftet*).

gie [giː] *Scot. od. dial. für* give.

'gier-ˌea·gle [dʒir] *s Bibl. od. obs.* Geieradler *m*.

gift [gift] **I** *s* **1** Gabe *f*, Geschenk *n*: to make a ~ of s.th. etwas schenken; I wouldn't have it at a ~ das nehme ich nicht geschenkt. – **2.** Schenken *n*, Geben *n*. – **3.** *jur.* Zuwendung *f*, Schenkung *f*: deed of ~ Schenkungsurkunde. – **4.** *jur.* Verleihungsrecht *n*: the office is not in his ~ er kann dieses Amt nicht vergeben; this post is in the king's ~ der König vergibt diese Stelle. – **5.** *fig.* (for, of) Begabung *f*, Gabe *f*, Ta'lent *n* (für), Fähigkeit *f*, Anlage *f* (zu): → gab 2; tongue 6. – **6.** *obs.* Bestechungsgeld *n*. – *SYN.* aptitude, bent[1], faculty, genius, knack[2], talent. – **II** *v/t* **7.** beschenken (with mit). – **8.** schenken, geben: to ~ s.th. to s.o. j-m etwas schenken; to ~ away wegschenken. – **III** *adj* **9.** geschenkt, Geschenk...: better not look a ~ horse in the mouth einem geschenkten Gaul sieht man nicht ins Maul. — **~ book** *s* **1.** *Am.* Almanach *m*, Taschenbuch *n*. – **2.** Geschenkbuch *n*, -band *m*.

gift·ed ['giftid] *adj* begabt, talen'tiert. — **'gift·ie** [-ti] *Scot. für* gift 5.

'gift|-ˌloan *v/t* als geschenktes Darlehen geben. — **'~-ˌwrap** *v/t* geschenkmäßig verpacken.

gig[1] [gig] **I** *s* **1.** *mar.* Gig(boot) *n*. – **2.** *sport* Gig *n* (*Sportruderboot*). – **3.** Gig *n* (*leichter offener Zweiradwagen*). – **II** *v/i* **4.** in einem Gig fahren.

gig[2] [gig] **I** *s* Fischrechen *m*. – **II** *v/t u. v/i* mit dem Fischrechen fischen.

gig[3] [gig] *s* **1.** a) (*etwas*) Wirbelndes, b) *obs.* Kreisel *m*. – **2.** *tech.* ('Tuch-)ˌRauhmaˌschine *f*. – **3.** (*etwas*) Gro'teskes *od.* Lächerliches.

gig[4] [gig] *s Am.* Verbindung *f* von (*meist*) drei Nummern beim Lossspiel.

gi·gan·tic [dʒai'gæntik], *auch* **ˌgi·gan·te·an** [-'tiːən], **ˌgi·gan'tesque** [-'tesk] *adj* **1.** gi'gantisch, riesenhaft, Riesen... – **2.** gi'gantisch, ungeheuer (groß), riesig. – *SYN. cf.* enormous. — **gi'gan·ti·cal·ly** *adv zu* gigantic.

gi·gan·tic·ness [dʒai'gæntiknis] *s* Riesenhaftigkeit *f*, ungeheure Größe.

gi·gan·tism ['dʒaigæn,tizəm; dʒai'gæn-] *s* **1.** Riesenwuchs *m*: a) *med. Entwicklung zu abnormer Größe*, b) *bot.* ab'normes Wachstum. – **2.** → giantism 1. — **gi'gan·tize** *v/t* riesig erscheinen lassen.

gi·gan·to·lite [dʒai'gænto,lait; -tə-] *s min.* (*Art*) Kordu'rit *m* mit großen Kri'stallen.

gi·gan·tol·o·gy [,dʒaigæn'tɒlədʒi] *s* Gigantolo'gie *f*.

gi·gan·tom·a·chy [,dʒaigæn'tɒməki], *auch* **gi,gan·to'ma·chi·a** [-to'meikiə] *s* Gigantoma'chie *f*, (Darstellung *f* einer) Gi'gantenschlacht *f* (*bes. Kampf der Riesen gegen die olympischen Götter*).

gig·gle ['gigl] **I** *v/i* kichern. – **II** *s* Kichern *n*, Gekicher *n*. — **'gig·gler** [-lər] *s* Kichernde(r), Kicherer *m*. — **'gig·gling·ly** *adv* kichernd, unter Kichern. — **'gig·gly** *adj* zum Kichern neigend, allezeit kichernd.

gig lamp *s* **1.** Giglampe *f* (*an beiden Seiten eines Gigs*). – **2.** *pl sl.* Brille *f*, ‚Nasenfahrrad' *n*.

gig·let ['giglit], *auch* **'gig·lot** [-lət] *s* **1.** albernes *od.* mutwilliges junges Mädchen. – **2.** *obs.* Gigo'lette *f*, unzüchtiges Frauenzimmer.

gig ma·chine → gig³ 2.

'gig·man [-mən] *s irr* **1.** Besitzer *m* eines Gigs. – **2.** *fig.* Phi'lister *m*, Spießbürger *m*. — **gig'man·i·ty** [-'mæniti; -əti] *s* Phi'listertum *n*, Spießbürgertum *n*.

gig mill *s* (*Tuchherstellung*) 'Rauhma,schine *f*.

gig·o·lo ['dʒigə,lou] *pl* **-los** *s* **1.** Gigolo *m*, Eintänzer *m*. – **2.** Zuhälter *m*.

gig·ot ['dʒigət] *s* **1.** *auch* ~ **sleeve** Gi'got *m*, Keulenärmel *m*. – **2.** (gekochte) Hammel- *od.* Lammkeule.

gigue [ʒiːg] *s mus.* Gigue *f* (*Tanz; auch Schlußsatz der Suite im 17. u. 18. Jh.*).

GI Jane *s mil. Am. colloq.* (*Art*) Ar'meehelferin *f* (*bei den US Streitkräften*).

GI Joe *s Am. colloq.* ‚Landser' *m*, Sol'dat *m* (*der US Streitkräfte*).

Gi·la| mon·ster ['hiːlə], *auch* **'Gi·la** *s zo.* Gilamonster *n*, -tier *n* (*Heloderma suspectum u. H. horridum; giftige Krustenechse*). — ~ **wood·peck·er** *s zo.* Gilaspecht *m* (*Centurus uropygialis*).

gil·bert ['gilbərt] *s electr.* Gilbert *n* (*Einheit der magnetomotorischen Kraft = 1 Maxwell pro Oersted*).

Gil·ber·ti·an [gil'bəːrtiən] *adj* **1.** in der Art (des Hu'mors) von W. S. Gilbert. – **2.** *fig.* lächerlich, komisch.

gil·bert·ite ['gilbər,tait] *s min.* Gilber'tit *m*.

gild¹ [gild] *v/t pret u. pp* **'gild·ed** *od.* **gilt** [gilt] **1.** vergolden. – **2.** *fig.* verschöne(r)n, (aus)schmücken, (*dat*) ein schönes *od.* gefälliges *od.* glänzendes Aussehen geben: → pill 2. – **3.** *fig.* annehmbar machen. – **4.** (*j-n*) mit Geld versehen. – **5.** *fig.* beschönigen: to ~ a lie. – **6.** *selten* röten.

gild² *cf.* guild.

gild·ed ['gildid] *adj* **1.** vergoldet, golden. – **2.** *fig.* verschöne(r)nd, beschönigend. – **3.** *fig.* verschönt, geschmückt, beschönigt. — **G~ Chamber** *s* Oberhaus *n* (*des brit. Parlaments*). — ~ **spurs** *s pl* vergoldete Sporen *pl* (*Wahrzeichen der Ritter*). — ~ **youth** *s* Jeu'nesse *f* do'rée.

gild·er¹ ['gildər] *s* Vergolder *m*.

gil·der² *cf.* guilder.

gild·hall *cf.* guildhall.

gild·ing ['gildiŋ] *s* **1.** Vergolden *n*. – **2.** Vergoldung *f*, Goldauflage *f*. – **3.** Vergoldermasse *f*. – **4.** *fig.* Beschönigung *f*, Über'tünchung *f*. – **5.** *fig.* Verschönerung *f*, Ausschmückung *f*. – **6.** Goldfarbe *f* (*eines Räucherherings*).

gilds·man *cf.* guildsman.

gil·guy ['gilgai] *s mar. sl.* Ding *n*.

gill¹ [gil] **I** *s* **1.** *zo.* Kieme *f* (*der Fische*). – **2.** *zo.* Kehllappen *m* (*des Geflügels*). – **3.** *bot.* La'melle *f* (*der Pilze*). – **4.** Doppel-, 'Unterkinn *n*: rosy about the ~s gesund-, frischaussehend. – **5.** *pl Br. sl.* (Ecken *pl* vom) ‚Vatermörder' *m*. – **6.** (*Spinnerei*) 'Hechelkamm *m*, -appa,rat *m*. – **7.** *tech.* a) Rippe *f* (*eines Heizkörpers etc*), b) Luftregelklappe *f*. – **II** *v/t* **8.** (*Fische*) ausnehmen. – **9.** (*Fische*) mit einem Wandnetz fangen. – **10.** die La'mellen entfernen von (*Pilzen*). – **11.** (*Flachs etc*) hecheln.

gill² [gil] *s bes. Scot.* **1.** (waldige) Schlucht. – **2.** Gebirgs-, Wildbach *m*.

gill³ [dʒil] *s* **1.** Viertelpint *f* (*Br. 0,142 l; Am. 0,118 l*). – **2.** *Br. dial.* halbe Pint.

gill⁴ [dʒil] *s* **1.** *obs.* Mädchen *n*, Liebste *f* (*jetzt nur noch in*): Jack and G~ Bursche u. Mädchen, Hans u. Grete. – **2.** *Br. dial. für* ground ivy. – **3.** *Br. dial.* weibliches Frettchen.

gill arch [gil] *s zo.* Kiemenbogen *m*.

gil·la·roo [,gilə'ruː] *s zo.* Irische 'Bachfo,relle (*Salmotrutta fario stomachice*).

gill| bas·ket [gil] *s zo.* Kiemenkorb *m*. — ~ **box** *s tech.* 'Hechelkamm *m*, -appa,rat *m*. — ~ **cav·i·ty**, ~ **chamber** *s zo.* Kiemenhöhle *f*. — ~ **cleft** *s zo.* Kiemenspalte *f*. — ~ **comb** → ctenidium. — ~ **cov·er** *s zo.* Kiemendeckel *m*.

gilled [gild] *adj* **1.** *zo.* mit Kiemen versehen. – **2.** *tech.* gerippt (*bes. Heizkörper*).

gill| frame [gil] → gill box. — ~ **fun·gus** *s bot.* Blätterpilz *m* (*Pilz mit Lamellen*). — ~ **head** → gill box.

gil·lie ['gili] *s* **1.** *hist.* Begleiter *m*, Diener *m* (*eines schott. Hochlandhäuptlings*). – **2.** Diener *m*, Anhänger *m*. – **3.** Jagdgehilfe *m*, -begleiter *m*.

gil·li·flow·er *cf.* gillyflower.

gill·ing ma·chine ['giliŋ] → gill box.

gill| net [gil] *s* (*Fischerei*) Wandnetz *n*. — **'~-,net·ter** *s* Wandnetzfischer *m*. — ~ **plume** → ctenidium. — ~ **rak·er**, *auch* ~ **rake** *s zo.* Kiemendorn *m* (*horniger Fortsatz an der inneren Seite eines Kiemenbogens*).

gil·ly *cf.* gillie.

gil·ly·flow·er ['dʒili,flauər] *s bot.* **1.** Lev'koje *f* (*Gattg Matthiola*), *bes.* 'Winterlev,koje *f* (*M. incana var. hiberna*). – **2.** → wallflower 1. – **3.** *obs. für* clove pink 1. – **4.** G~ *längliche, dunkelrote Apfelsorte.*

gil·son·ite ['gilsə,nait] *s min.* Gilso'nit *m* (*ein ganz reiner Asphalt*).

gilt¹ [gilt] **I** *adj* **1.** → gilded. – **II** *s* **2.** Vergoldermasse *f*, Gold(farbe *f*) *n*. – **3.** Vergoldung *f*. – **4.** *fig.* Reiz *m*: to take the ~ off the gingerbread der Sache den Reiz nehmen. – **5.** *sl.* a) ‚Draht' *m*, Geld *n*, b) Gold *n*.

gilt² [gilt] *s* junge Sau.

'gilt|,cup → buttercup. — ~ **edge** *s oft pl* Goldschnitt *m*. — **'~-'edged**, *auch* **'~-'edge** *adj* **1.** mit Goldschnitt (versehen). – **2.** *econ. colloq.* erstklassig, prima, mündelsicher: ~ stocks mündelsichere (Wert)Papiere. — **'~,head** *s zo.* **1.** Echte Do'rade (*Sparus auratus*). – **2.** Goldmaid *f* (*Crenilabrus melops*). — ~ **top** *s* Kopfgoldschnitt *m*.

gim·baled, *bes. Br.* **gim·balled** ['dʒimbəld] *adj* mit einer kar'danischen Aufhängung *od.* einem Kar'dangelenk (versehen).

gim·bal| joint ['dʒimbəl] *s tech.* Kar'dangelenk *n*. — ~ **ring** *s tech.* **1.** Haue *f*, Ankerkreuz *n* (*Mühlenbau*). – **2.** Kar'danring *m*.

gim·bals ['dʒimbəlz] *s pl mar. tech.* Kar'danringe *pl*, kar'danische Aufhängung (*Kompaß etc*).

gim·crack ['dʒim,kræk] **I** *s* **1.** Spiele'rei *f*, Tand *m*. – **2.** (me'chanische) Vorrichtung, Mecha'nismus *m*. – **II** *adj* **3.** *fig.* wertlos, nichtig, flitterhaft. – **4.** prunkhaft. — **'gim,crack·er·y** [-əri] *s* **1.** Flitter *m*, Tand *m*, Plunder *m*. – **2.** Nichtigkeit *f*, äußerer Schein, *collect.* ‚Kinkerlitzchen' *pl*. — **'gim,crack·y** *colloq. für* gimcrack II.

gim·let¹ ['gimlit] *tech.* **I** *s* **1.** Holz-, Vor-, Nagelbohrer *m*. – **II** *v/t pret u. pp* **'gim·let·ted** **2.** (*Loch*) mit einem Nagelbohrer bohren. – **3.** durch'bohren (*auch fig.*).

gim·let² ['gimlit] *s sl.* **1.** halbes Glas Whisky. – **2.** Gin *m* mit Limo'nellensaft.

gim·mal ['giməl; 'dʒi-] *s tech.* **1.** verschränkte Ma'schinenteile *pl*. – **2.** Doppelring *m*, Glieder-, Kar'danringe *pl*.

gim·mick ['gimik] *s sl.* **1.** sinnreiche Einrichtung, kompli'zierte Sache. – **2.** ‚Dreh' *m*, Kniff *m*, (Zauber)-Trick *m*, ‚Mätzchen' *n*.

gimp¹ [gimp] **I** *s* **1.** Gimpe *f*, Korde(l) *f*, Besatzschnur *f*. – **2.** mit Draht verstärkte (seidene) Angelschnur. – **II** *v/t* **3.** aus Gimpe machen, mit Gimpe besetzen: ~ed embroidery erhabene Stickerei.

gimp² [gimp] *s colloq.* Schwung *m*, Schneid *m*.

gin¹ [dʒin] *s* Wa'cholderschnaps *m*, Gin *m*.

gin² [dʒin] **I** *s* **1.** (*Baumwollspinnerei*) Ent'körnungsma,schine *f*: saw ~ Egrenierkreissäge. – **2.** a) *tech.* Hebezeug *n*, -bock *m*, -kran *m*, Dreibein *n*, Winde *f*, b) *mar.* Spill *n*. – **3.** *tech.* Göpel *m*, 'Förderma,schine *f*. – **4.** *tech.* 'Rammgerüst *n*, -ma,schine *f*. – **5.** *tech. Br.* durch Mühlenflügel getriebene Pumpe. – **6.** *tech.* Ma'schine *f*, Vorrichtung *f*. – **7.** *hunt.* Falle *f*, Schlinge *f*. – **8.** *mar.* Gienblock *m*, Löschrad *n* (*am Ladebaum*). – **9.** *obs.* Kniff *m*. – **II** *v/t pret u. pp* **ginned** **10.** in *od.* mit einer Schlinge fangen. – **11.** *tech.* (*Baumwolle*) entkörnen, egre'nieren.

gin³ [gin] *pret u. pp* **gan** [gæn] *od.* **gun** [gʌn] *obs. od. poet. für* begin.

gin⁴ [dʒin] *s* (*Art*) Rommé *n*.

gin⁵ [gin] *conjunction Scot.* wenn, ob.

gin⁶ [gin] *dial. pret u. pp von* give.

gin⁷ [gin] *prep Scot. od. dial.* gegen (*meist zeitlich*): ~ night gegen Abend.

gin⁸ [dʒin] *s Austral.* **1.** (*bes.* verheiratete) Eingeborene *f*. – **2.** *zo.* Weibchen *n*, *bes.* weibliches Känguruh.

gin block [dʒin] *s tech.* Baurolle *f*.

gin·gal(l) *cf.* jingal.

gin·ge(l)·li ['dʒindʒəli] → gingili.

gin·ger ['dʒindʒər] **I** *s* **1.** *bot.* Ingwer *m* (*Gattg Zingiber, bes. Z. officinale*). – **2.** Ingwer *m* (*getrockneter Wurzelstock von Zingiber officinale*): ~ shall be hot in the mouth der Ingwer soll Euch noch im Munde brennen; by ~! *Am. colloq.* ‚Donnerwetter'! – **3.** Ingwerfarbe *f*, Rötlichgelb *n*, -braun *n*. – **4.** *colloq.* ‚Mumm' *m*, Schneid *m*, Feuer *n*. – **II** *adj* **5.** ingwerfarben, rötlich(gelb). – **6.** *fig. colloq.* lebhaft, feurig, schneidig. – **III** *v/t* **7.** mit Ingwer würzen. – **8.** *fig.* anfeuern, aufmuntern.

gin·ger·ade [,dʒindʒə'reid] → ginger ale.

gin·ger| ale, ~ **beer** *s* Gingerbeer *n*, 'Ingwerlimo,nade *f*. — ~ **bran·dy** *s* 'Ingwerli,kör *m*.

'gin·ger,bread **I** *s* **1.** Ingwer-, Pfeffer-, Lebkuchen *m*: → gilt¹ 4. – **2.** *fig.* Tand *m*, Flitter *m*. – **3.** *arch.* 'überflüssiges Orna'ment. – **4.** *sl.* ‚Moneten' *pl*, Geld *n*, Reichtum *m*. – **II** *adj* **5.** flitterhaft, prunkvoll. – **6.** über'laden, kitschig: ~ Gothic ‚Zuckerbäckergotik'. — ~ **nut** *s* Pfeffer-, Lebkuchennuß *f*. — ~ **plum** *s* *bot.* Ingwerpflaume *f* (*Frucht von* gingerbread tree 2). — **~ tree** *s bot.* **1.** → doom palm. – **2.** *ein westafrik. Rosaceenbaum* (*Parinarium macrophyllum*).

gin·ger| grass *s bot.* **1.** Ka'melheu *n*, Wohlriechendes Bartgras (*Cymbopogon flexuosus*). – **2.** (*eine*) grobe Hirse (*Panicum glutinosum*; *Westindien*). — **~ group** *s pol. Br. Gruppe von Politikern im Parlament, die zu radikalem Vorgehen anfeuert.*

gin·ger·li·ness ['dʒindʒərlinis] *s* Behutsamkeit *f*, über'triebene Vorsicht. — **'gin·ger·ly** *adv u. adj* **1.** (über'trieben) vorsichtig, behutsam, zimperlich. – **2.** *obs.* zierlich.

'gin·ger|ˌnut → gingerbread nut. — **~ pop** *colloq. für* ginger ale. — **'~-ˌrace** *s* Ingwerwurzel *f*. — **'~ˌsnap** *s* Ingwerkeks *m, n*, -plätzchen *n*. — **~ wine** *s* Ingwerwein *m*. — **'~ˌwork** *s* Flitterwerk *n*, -kram *m*. — **'~ˌwort** *s bot.* Ingwergewächs *n* (*Fam. Zingiberaceae*).

gin·ger·y ['dʒindʒəri] *adj* **1.** ingwerartig. – **2.** ingwerfarben. – **3.** mit Ingwer gewürzt, Ingwer... – **4.** scharf, würzig.

ging·ham ['giŋəm] *s* **1.** Gingham *m*, Gingan(g) *m* (*Baumwollstoff*). – **2.** *colloq.* (*bes.* billiger) Regenschirm.

gin·gi·li ['dʒindʒili; -dʒə-] *s* **1.** → sesame 1. – **2.** Sesamsamen *m*, -öl *n* (*von* sesame 1).

gin·gi·val [dʒin'dʒaivəl; 'dʒindʒivəl] **I** *adj* **1.** *med.* zum Zahnfleisch gehörig, Zahnfleisch... – **2.** *ling.* alveo'lar (*Laut*). – **II** *s* **3.** *ling.* Alveo'larlaut *m*. — **ˌgin·gi'vi·tis** [-dʒi'vaitis] *s med.* Zahnfleischentzündung *f*, Gingi'vitis *f*.

ging·ko ['giŋkou; 'dʒ-] *pl* **-ko(e)s** → ginkgo.

gin·gly·moid ['giŋgliˌmɔid, 'dʒ-] *adj med.* gingly'modisch, ginglymoi'dalisch. — **'gin·gly·mus** [-məs] *pl* **-ˌmi** [-ˌmai] *s* Ginglymus *m*, Winkel-, Schar'niergelenk *n*.

'ginˌhouse [dʒin] *s tech.* Egre'nierhaus *n* (*zur Baumwollentkörnung*).

gink [giŋk] *s Am. sl.* komischer Kauz.

gink·go ['giŋkgou; 'dʒ-] *pl* **-go(e)s** *s bot.* Ginkgo *m*, Fächerblattbaum *m* (*Ginkgo biloba*).

gin mill [dʒin] *s Am. colloq.* Spe'lunke *f*, Kneipe *f*.

gin·ner ['dʒinər] *s* Baumwollentkörner *m*. — **'gin·ner·y** [-ri] *s* Egre'nierwerk *n* (*zur Baumwollentkörnung*).

gin| pal·ace [dʒin] *s* bunt *od.* auffällig deko'riertes Wirtshaus. — **~ rick·ey** *s Am. Getränk aus Gin, Zitronensaft u. Sodawasser.* — **~ rum·my** → gin[4].

gin·seng ['dʒinseŋ] *s* **1.** *bot.* a) Ginseng *m*, Chines. Kraftwurz *f* (*Panax ginseng*), b) Nordamer. Ginseng *m* (*P. quinquefolius*). – **2.** *med.* Ginsengwurzel *f*, chines. Heilwurzel *f*.

gin| shop [dʒin] *s* Gin-Schenke *f*. — **~ sling** *s Am. Getränk aus Gin u. Zuckerwasser.* — **~ tack·le** *s mar.* Hebetalje *f*, -zeug *n*.

gip[1] [dʒip] *v/t pret u. pp* **gipped** (*Fische*) ausnehmen.

gip[2] *cf.* gyp[2].

gi·pon [dʒi'pɒn; 'dʒipɒn] → pourpoint.

gip·po ['dʒipou] *s Br. sl.* **1.** Zi'geuner(in). – **2.** *mil.* a) Suppe *f*, b) Soße *f*, Bratenfett *n*, c) Eintopf *m*. – **3.** *mil.* Ä'gypter(in), *bes.* ä'gyptischer Sol'dat. — **'gip·py** → gippo 3.

gip·sy, *bes. Am.* **gyp·sy** ['dʒipsi] **I** *s* **1.** *oft* G~ a) Zi'geuner(in), b) Zi'geunersprache *f*. – **2.** *fig.* Zi'geuner(in), um'herziehender *od.* wie ein Zi'geuner lebender Mensch. – **3.** *Br. colloq. humor.* Zi'geunerin *f*, Hexe *f* (*bes. brünette Frau*). – **4.** → ~ winch. – **II** *adj* **5.** Zigeuner... – **6.** zi'geunerhaft. – **III** *v/i* **7.** zi'geunern, ein Zi'geunerleben führen. — **~ bon·net** *s* breitrandiger Damenhut. — **~ cap·stan** *s mar.* Verholspill *n*.

gip·sy·dom ['dʒipsidəm], **'gip·syˌhood** *s* **1.** Zi'geunertum *n*. – **2.** *collect.* Zi'geuner *pl*.

gip·sy| moth *s zo.* Großer Schwammspinner (*Lymantria dispar*). — **~ rose** → scabious[2]. — **~ ta·ble** *s* leichter dreibeiniger Rundtisch. — **~ winch** *s mar.* Verholwinde *f*. — **~ wort** *s bot.* Wolfstrapp *m* (*Lycopus europaeus*).

gi·raffe [*Br.* dʒi'rɑːf; -'ræf; *Am.* dʒə'ræ(ː)f] *s* **1.** *zo.* Gi'raffe *f* (*Giraffa camelopardalis*). – **2.** G~ *astr.* Gi'raffe *f* (*Sternbild*). – **3.** *mus.* aufrecht stehendes Spi'nett (*des 18. Jh.*). – **4.** (*Bergbau*) (*Art*) Karren *m*.

gir·an·dole ['dʒirənˌdoul], *auch* **gi'ran·do·la** [-'rændələ] *s* **1.** Giran'dole *f*, Giran'dola *f*: a) *springbrunnenartige Raketengarbe* (*Feuerwerk*), b) *reichverzierter Armleuchter*, c) *mit Edelsteinen besetztes Ohrgehänge.* – **2.** reichverzierter Kon'vexspiegel mit zwei (*od.* mehr) Leuchtern.

gir·a·sol(e) ['dʒirəˌsɒl; -ˌsoul] *s* **1.** *bot.* a) Helio'trop *n* (*Gattg Heliotropium*), b) Sonnenblume *f* (*Gattg Helianthus*), *bes.* → Jerusalem artichoke. – **2.** *min.* 'Feueroˌpal *m*.

gird[1] [gəːrd] *v/t pret u. pp* **'gird·ed, girt** [gəːrt] **1.** (*j-n*) (um)'gürten. – **2.** (*Kleid etc*) gürten, mit einem Gürtel halten. – **3.** *oft* ~ on (*Schwert etc*) 'umgürten, an-, 'umlegen: to ~ s.th. on s.o. j-m etwas umgürten. – **4.** (to) befestigen (an *dat*), binden (an *acc*, um). – **5.** (*j-m, sich*) ein Schwert 'umgürten: to ~ oneself (up), to ~ (up) one's loins *fig.* sich gürten, sich rüsten. – **6.** *selten* (*Seil etc*) binden, legen (round um). – **7.** *fig.* (*j-n*) ausstatten, erfüllen (with mit). – **8.** um'geben, um'schließen (*meist pass*): a town girt with a river eine von einem Strom umgebene Stadt.

gird[2] [gəːrd] **I** *v/i* **1.** höhnen, spotten (at über *acc*): to ~ at s.o. j-n verspotten. – **2.** *obs. od. dial.* eilen, stürzen (forth, forward vorwärts, nach vorn). – **II** *v/t* **3.** *obs.* verhöhnen, verspotten. – *SYN. cf.* scoff[1]. – **III** *s* **4.** *obs. od. dial.* Ruck *m*, schnelle Bewegung. – **5.** *obs.* Stiche'lei *f*, Spott *m*.

gird·er ['gəːrdər] *s tech.* Träger *m*, Tragbalken *m*, 'Durch-, 'Unterzug *m*, Joch *n*. — **~ bridge** *s* Balkenbrücke *f*.

gir·dle[1] ['gəːrdl] **I** *s* **1.** Gürtel *m*, Gurt *m*, Schärpe *f*: to have s.o. under one's ~ *fig.* j-n in der Gewalt haben. – **2.** Hüfthalter *m*, -gürtel *m*. – **3.** *med.* (Knochen)Gürtel *m*: shoulder ~, thoracic ~ Schultergürtel; → pelvic. – **4.** Gürtel *m*, (*etwas*) Um'gebendes *od.* Einschließendes, 'Umkreis *m*, Um'gebung *f*. – **5.** *tech.* Fassungskante *f* (*geschliffener Edelsteine etc*). – **6.** Gürtelring *m* (*ringförmig ausgeschnittene Baumrinde*). – **7.** *bot.* Zuckertang *m* (*Laminaria saccharina*). – **II** *v/t* **8.** um'gürten. – **9.** *oft* ~ about, ~ in, ~ round um'geben, einschließen (with mit). – **10.** (*Baum*) ringeln (*um ihn absterben zu lassen od. fruchtbarer zu machen*).

gir·dle[2] ['gəːrdl] *s Scot. od. dial.* rundes Röstblech (*über dem Feuer*): ~ cake Röstkuchen.

gir·dle bone *s zo.* Gürtelknochen *m*.

gir·dler ['gəːrdlər] *s* **1.** Gürtler *m*, Gürtelmacher *m*. – **2.** j-d der Bäume ringelt. – **3.** *zo.* Amer. Bockkäfer *m* (*Oncideres cingulata*).

gir·dle sen·sa·tion *s med.* Gürtelgefühl *n*.

girl [gəːrl] **I** *s* **1.** Mädchen *n*: old ~ a) (*zärtlich*) mein Mädchen, b) (*beleidigend*) Alte, c) *zärtliche Anrede für Stute*; poor old ~ armes Ding; shop ~ Ladenmädchen, Verkäuferin; the ~s die Töchter des Hauses. – **2.** (Dienst)Mädchen *n*. – **3.** *oft* best ~ Mädchen *n*, Liebste *f*. – **4.** *colloq.* Frau *f*. – **II** *adj* **5.** weiblich: ~ friend Freundin. – **6.** mädchenhaft: ~ nature. — **~ guide** *s* Pfadfinderin *f* (*in England*). — **G~ Guides** *s pl* (*engl.*) Pfadfinderinnen(bewegung *f*) *pl*.

girl·hood ['gəːrlhud] *s* **1.** Mädchenzeit *f*, -jahre *pl*. – **2.** Jugend(lichkeit) *f*, Mädchenhaftigkeit *f*. – **3.** *collect.* Mädchen *pl*.

girl·ie ['gəːrli] *s* kleines Mädchen. — **'girl·ish** *adj* mädchenhaft, Mädchen... — **'girl·ish·ness** *s* (*das*) Mädchenhafte, Mädchenhaftigkeit *f*.

girl| scout *s* Pfadfinderin *f* (*in den USA*). — **G~ Scouts** *s pl* Pfadfinderinnen(bewegung *f*) *pl* (*in den USA*).

girn [gəːrn] *Scot. od. dial.* **I** *v/i* **1.** knurren. – **II** *v/t* **2.** (*Zähne*) fletschen. – **3.** knurren. – **III** *s* **4.** Knurren *n*.

gi·ro ['dʒai(ə)rou] *pl* **-ros** *Kurzform für* autogiro.

Gi·ron·dism [dʒi'rɒndizəm; dʒə-] *s* Giron'dismus *m*. — **Gi'ron·dist I** *s* Giron'dist *m* (*gemäßigter Republikaner in der Franz. Revolution*). – **II** *adj* giron'distisch.

gir·o·sol *cf.* girasol(e).

girsh [girʃ] *s sg u. pl äthiopische Münze* (= 1/16 *Talari*)

girt[1] [gəːrt] **I** *pret u. pp von* gird[1]. – **II** *adj* ~ up *fig.* a) gerüstet, bereit, b) eifrig, bestrebt. – **III** *v/t* → gird[1].

girt[2] [gəːrt] **I** *s* 'Umfang *m*. – **II** *v/t* → girth[1] 8. – **III** *v/i* messen (*an Umfang*).

girth[1] [gəːrθ] **I** *s* **1.** 'Umfang *m*. – **2.** (Sattel-, Pack)Gurt *m*. – **3** Gürtel *m*. – **4.** *print.* (Walzen)Gurt *m*. – **II** *v/t* **5.** (*Pferd*) gürten. – **6.** fest-, an-, aufschnallen. – **7.** um'geben, um'schließen. – **8.** den 'Umfang messen von. – **III** *v/i* **9.** *selten* messen (*an Umfang*).

girth[2] [gəːrθ] *hist. od. obs. für* grith.

girth web *s* Gurtband *n*.

gi·sarme [gi'zɑːrm] *s mil. hist.* (*Art*) Helle'barde *f*.

gist [dʒist] *s* **1.** *jur.* Grundlage *f* (*einer Klage etc*). – **2.** (*das*) Wesentliche, Hauptpunkt *m*, -inhalt *m*, Kern *m*.

git·tern ['gitərn] → cittern.

give [giv] **I** *s* **1.** Nachgeben *n*. – **2.** Elastizi'tät *f*, Biegsamkeit *f*. – **II** *v/t pret* **gave** [geiv] *pp* **giv·en** ['givn] **3.** geben, schenken, über'reichen: he ~s his son a watch (*od.* a watch to his son) er gibt seinem Sohn eine Uhr; he was ~n a book, a book was ~n (to) him ihm wurde ein Buch geschenkt; to ~ s.o. the name of William j-m den Namen Wilhelm geben. – **4.** geben, reichen: to ~ s.o. one's hand j-m die Hand geben *od.* reichen. – **5.** (*Brief etc*) (über)'geben. – **6.** (*als Gegenwert*) geben, (be)zahlen: to ~ the world (*od.* one's ears) for s.th. alles (in der Welt) für etwas (her- *od.* hin)geben; to ~ as good as one gets mit gleicher Münze zurückzahlen. – **7.** (*Rat, Beispiel, Auskunft etc*) geben: to ~ a description of eine Beschreibung geben von. – **8.** (*sein Wort etc*) geben, verpfänden: to ~ one's hono(u)r seine Ehre verpfänden. – **9.** (*j-m Vertrauen etc*) schenken: to ~ s.o. one's heart j-m sein Herz schenken. – **10.** ('hin)geben, opfern, widmen: to ~ one's life for one's country; to ~ one's energies to s.th. seine Kraft einer Sache widmen. – **11.** (*Recht, Macht, Titel, Amt*) geben, verleihen. – **12.** geben, gewähren, gönnen: to ~ s.o. a favo(u)r j-m eine Gunst gewähren; ~ me 5 minutes geben *od.* gewähren Sie mir 5 Minuten; to ~ oneself a rest sich Ruhe *od.* eine

Pause gönnen; ~ me the good old times! da lobe ich mir die gute alte Zeit! it was ~n me to see her once more es war mir vergönnt, sie noch einmal zu sehen; it was not ~n to him to do it es war ihm nicht gegeben, es zu tun. – **13.** (*Erlaubnis, Befehl, Auftrag etc*) geben, erteilen: to ~ s.o. one's blessing j-m seinen Segen geben. – **14.** (*Hilfe*) gewähren, leisten. – **15.** (*Preis*) verteilen, zuerkennen, zusprechen. – **16.** (*Arznei*) (ein)geben, verabreichen. – **17.** (*Sakrament*) spenden, austeilen. – **18.** (*j-m ein Zimmer etc*) geben, zuteilen, zuweisen. – **19.** (*Nachricht etc*) weitergeben an (*acc*), (*j-m*) über'mitteln: ~ him my love bestelle ihm herzliche Grüße von mir. – **20.** (über)'geben, über'liefern, 'einliefern: to ~ s.o. into custody j-n der Polizei übergeben, j-n verhaften *od.* in Haft nehmen lassen. – **21.** (*Schlag etc*) geben, versetzen: I gave him one over the head ich gab ihm eins *od.* einen Schlag auf den Kopf. – **22.** zuwerfen: to ~ s.o. a look j-m einen Blick zuwerfen. – **23.** von sich geben, äußern: to ~ a cry einen Schrei ausstoßen, aufschreien; to ~ a jump (plötzlich) aufspringen *od.* zur Seite springen; to ~ a laugh auflachen; he gave no sign of life er gab kein Lebenszeichen von sich. – **24.** (an)geben, (an)zeigen, mitteilen: ~ me the details teilen Sie mir die Einzelheiten mit; this paragraph ~s the facts dieser Abschnitt gibt die Tatsachen; the thermometer ~s 90° in the shade das Thermometer zeigt 90° F im Schatten (an); to ~ s.th. to the world (*od.* public) etwas veröffentlichen; to ~ a reason einen Grund angeben. – **25.** (*Urteil etc*) fällen: to ~ it against s.o. gegen j-n entscheiden. – **26.** (*Lied etc*) zum besten geben, vortragen. – **27.** (*Konzert, Theaterstück, Ball, Festessen etc*) geben. – **28.** bereiten, verursachen: it ~s me much pleasure es bereitet mir großes Vergnügen, es macht mir viel Spaß; to ~ oneself trouble sich Mühe geben. – **29.** (*Resultat etc*) (er)geben: this lamp ~s a good light. – **30.** über'tragen: to ~ s.o. a disease eine Krankheit auf j-n übertragen, j-n mit einer Krankheit anstecken. – **31.** einen Trinkspruch ausbringen auf (*acc*): I ~ you the ladies ich trinke auf das Wohl der Damen. – **32.** wünschen: to ~ s.o. the time of day j-m seinen Gruß entbieten; (I) ~ you joy! (ich wünsche euch *od.* dir) viel Vergnügen! – **33.** geben, zuschreiben: I ~ him 50 years ich schätze ihn auf 50 Jahre. – **34.** (*Getränk etc*) geben, anbieten, reichen. – **35.** *Am. colloq.* andeuten: what are you giving me? was willst du damit sagen? – **36.** (*j-m zu verstehen, trinken etc*) geben: I was ~n to understand man gab mir zu verstehen. – **37.** (*in Redewendungen meist*) geben: to ~ attention achtgeben (to auf *acc*); ~ it (to) him (hot)! gib's ihm! (*verprügle ihn tüchtig od. sag es ihm gehörig*); to ~ s.o. what for *sl.* es j-m ‚geben' *od.* ‚besorgen'; to ~ a child s.th. to cry for einem Kind Grund zum Weinen geben (*für grundloses Weinen strafen*); to ~ s.o. best *Br. colloq.* j-n als überlegen anerkennen; to ~ way a) zurückweichen, sich zurückziehen, b) Platz machen (müssen), weichen (to *dat*), c) nachgeben (*auch Kurse, Preise*), d) sich hingeben (to despair der Verzweiflung), e) zusammenbrechen (*auch fig.*), f) *mar.* losrudern, -pullen; to ~ ground sich zurückziehen; → account 11 *u.* 12; air[1] 1; battle *b. Redw.*; berth 1; birth 6; boot[1] 15; bridle 2; charge 26; chase[1] 8; credit 1; due 14; ear[1] 3; ell[2]; head *b. Redw.*; lecture 2; lesson 4; lie[1] 3; lift[1] 8 *u.* 9; marriage 2; mind 3; mitten 1; notice 2, 3, 4, 6; offence 3; place 6; point 24; rein[1] 1; right 11; rise 37; Roland; sack[1] 2; slip[1] 3; tongue 3. – **III** *v/i* **38.** spenden (to *dat*). – **39.** nachgeben: to ~ under the pressure of the rocks unter dem Druck der Felsen nachgeben. – **40.** nachlassen (*Widerstandskraft, Frost etc*), schlaff werden, versagen (*Nerven etc*). – **41.** sich anpassen (to *dat*, an *acc*): to ~ to the motion of a horse. – **42.** sich zu'rückziehen. – **43.** führen (into in *acc*, [up]on auf *acc*): the road ~s into a valley. – **44.** (on, upon) gehen (nach), hin'ausgehen (auf *acc*) (*Fenster etc*). – **45.** verblassen (*Farbe*). – **46.** durch Feuchtigkeit verderben. – **47.** sich werfen (*Holz*). – *SYN.* afford, bestow, confer, donate, present[2]. –

Verbindungen mit Adverbien:

give| a·way *v/t* **1.** 'her-, weg-, fortgeben, verschenken. – **2.** (*Preise*) verteilen. – **3.** (*Braut*) dem Bräutigam über'geben. – **4.** *colloq.* (*Geheimnis, j-n, sich*) verraten. – **5.** *colloq.* lächerlich machen, bloßstellen: → show 16. — **~ back** *v/t* **1.** zu'rückgeben. – **2.** zu'rückwerfen. — **~ forth** *v/t* **1.** (*Meinung etc*) äußern. – **2.** (*Feuer etc*) von sich geben. – **3.** her'ausgeben, veröffentlichen, bekanntmachen. — **~ in I** *v/t* **1.** (*Gesuch etc*) einreichen: to ~ one's name seinen Namen angeben, sich eintragen lassen. – **2.** (offizi'ell) erklären: to ~ in to s.o.'s opinion sich j-s Ansicht anschließen. – **3.** da'zugeben, hin'zufügen. – **II** *v/i* **4.** nachgeben (to *dat*), sich geschlagen geben. — **~ off** *v/t* **1.** (*Dampf*) ausströmen lassen. – **2.** ausströmen, -strahlen. – **3.** (*Zweige*) treiben. — **~ out I** *v/t* **1.** ausgeben, verteilen. – **2.** verkünden, bekanntmachen. – **3.** aussenden, (*Geruch*) ausströmen. – **4.** austeilen, verteilen. – **5.** (*Kirchenlied*) angeben. – **II** *v/i* **6.** ausgehen, zu Ende gehen. – **7.** schwach werden, versagen, nicht mehr (weiter) können. — **~ o·ver I** *v/t* **1.** über'geben, -'lassen (to *dat*). – **2.** (*Versuch etc*) aufgeben. – **3.** *reflex* sich ergeben, verfallen (to *dat*): to give oneself over to drinking. – **II** *v/i* **4.** aufhören. — **~ up I** *v/t* **1.** auf-, preisgeben, über'lassen. – **2.** aufgeben: to ~ smoking. – **3.** (*Geist*) aufgeben. – **4.** (*Flüchtling etc*) über'geben, ausliefern: to give oneself up sich freiwillig stellen. – **5.** *reflex* sich über'lassen, sich 'hingeben, sich ergeben: to give oneself up to despair sich der Verzweiflung hingeben. – **6.** (*bes. reflex u. im pp*) widmen: to give oneself up to s.th. sich einer Sache widmen. – **7.** (*Mitschuldige etc*) verraten. – **8.** (*Kranken, Plan, Aufgabe etc*) aufgeben. – **II** *v/i* **9.** (es) aufgeben, sich geschlagen geben.

'give|-and-'take I *s* **1.** (Zu'sammenarbeit *f* durch) Kompro'miß *m, n*, Ausgleich *m*. – **2.** (Meinungs-, Gedanken)Austausch *m*. – **3.** Wortgefecht *n*. – **II** *adj* **4.** Ausgleichs..., Kompromiß... — **'~·a,way** *colloq.* **I** *s* **1.** (ungewollter) Verrat, Ausplaudern *n*. – **2.** Gutschein *m*. – **II** *adj* **3.** Preis... (*zur Bezeichnung eines Fernseh- od. Radioprogramms, bei dem Preise verteilt werden*).

giv·en ['givn] *adj* **1.** gegeben, geschenkt. – **2.** gegeben, bestimmt, festgelegt: at a ~ time zur festgesetzten Zeit; under the ~ conditions unter den gegebenen Bedingungen. – **3.** *nur pred* ergeben, verfallen: ~ to drink dem Trunk ergeben. – **4.** *math. philos.* gegeben, bekannt. – **5.** vor'ausgesetzt: ~ health Gesundheit vorausgesetzt. – **6.** (*auf Dokumenten*) gegeben, ausgefertigt: ~ this 10th day of January gegeben am 10. Januar. — **~ name** *s bes. Am.* Vor-, Taufname *m*.

giv·er ['givər] *s* **1.** Geber(in), Spender(in). – **2.** *econ.* a) Abgeber *m*, Verkäufer *m*, b) Aussteller *m* (*Wechsel*).

giz·zard ['gizərd] *s* **1.** *zo.* a) Muskelmagen *m* (*der Vögel od. gewisser Fische u. Mollusken*), b) Vor-, Kaumagen *m* (*gewisser Insekten*). – **2.** *colloq. humor.* Magen *m*: that sticks in my ~ *fig.* das liegt mir schwer im Magen; to fret one's ~ sich Sorgen machen. — **~ shad** *s zo.* Maifisch *m*, Alse *f* (*Dorosoma cepedianum*).

gla·bel·la [glə'belə] *pl* **-lae** [-liː] *s med.* Gla'bella *f* (*Raum zwischen den Augenbrauen*). — **gla'bel·lar** [-lər] *adj* Glabella... — **gla'bel·lum** [-ləm] *pl* **-la** [-lə] → glabella.

gla·brate ['gleibreit; -brit] *adj* **1.** → glabrous. – **2.** *bot.* kahl werdend. — **'gla·brous** *adj bot. zo.* kahl, unbehaart, glatt.

gla·cé [*Br.* 'glæsei; *Am.* glæ'sei; gla'se] (*Fr.*) **I** *adj* **1.** gefroren (*Speise*). – **2.** gla'ciert, mit Gla'sur *od.* Zuckerguß. – **3.** kan'diert (*Früchte etc*). – **4.** Glacé..., Glanz... (*Leder, Stoff*). – **II** *v/t* **5.** (*Torte etc*) gla'cieren. – **6.** (*Früchte*) kan'dieren.

gla·cial ['gleiʃəl; -ʃiəl; -siəl] *adj* **1.** *geol.* Glazial..., Eis..., *bes.* Gletscher...: ~ detritus Glazialschutt; ~ soil Gletscherboden. – **2.** G~ → Pleistocene II. – **3.** eiszeitlich, Eiszeit...: ~ man Eiszeitmensch. – **4.** *chem.* Eis..., kristalli'siert. – **5.** *fig.* eiskalt. – **6.** *fig.* langsam. — **~ a·ce·tic ac·id** *s chem.* Eisessig(säure *f*) *m*. — **~ boulder** *s geol.* Findling *m*. — **~ ep·och** *s geol.* **1.** Eis-, Glazi'alzeit *f*. – **2.** G~ E~ Di'luvium *n*, quar'täre Eiszeit.

gla·cial·ist ['gleiʃəlist; -ʃiəl-, -siəl-] *s* **1.** Anhänger *m* der 'Gletschertheo,rie. – **2.** → glaciologist.

Gla·cial pe·ri·od *s geol.* Glazi'alperi,ode *f*, Eiszeit(alter *n*) *f*.

gla·ci·ate ['gleiʃi,eit] *v/t* **1.** vereisen. – **2.** *geol.* mit Eis bedecken, vergletschern (*nur im pp*). – **3.** *geol.* glazi'alen Vorgängen unter'werfen. – **4.** *tech.* (*dem Eisen*) ein vereistes *od.* bereiftes Aussehen geben. — **,gla·ci·'a·tion** [-ʃi'eiʃən; -si-] *s* Vereisung *f*, Vergletscherung *f*.

gla·cier ['gleiʃər; *Br. auch* 'glæsiə] *s* Gletscher *m*. — **'gla·ciered** *adj* gletscherbedeckt, vergletschert.

gla·cier| ta·ble *s geol.* Gletschertisch *m*. — **~ the·o·ry** *s* 'Gletschertheo,rie *f*.

gla·ci·o·log·i·cal [,gleiʃiə'lɒdʒikəl; -si-] *adj* glazio'logisch, gletscherkundlich. — **,gla·ci'ol·o·gist** [-'ɒlədʒist] *s* Glazio'loge *m*, Gletscherforscher *m*. — **,gla·ci'ol·o·gy** *s* Glaziolo'gie *f*, Gletscherkunde *f*.

gla·cis ['gleisis; 'glæsis] *s* **1.** flacher Hang. – **2.** *mil.* Gla'cis *n*, Festungsvorfeld *n*.

glad [glæd] **I** *adj comp* **'glad·der** *sup* **'glad·dest 1.** *pred* froh, erfreut (of, at über *acc*): I am ~ (that) he has gone ich bin froh, daß er gegangen ist; to be ~ of (*od.* at) s.th. sich über etwas freuen; I am ~ to hear (to say) zu meiner Freude höre ich (darf ich sagen); es freut mich, zu hören (sagen zu dürfen); I am ~ to go ich bin froh, gehen zu dürfen; ich gehe gern; I shall be ~ to do what I can was ich tun kann, will ich gerne tun; I should be ~ to know ich möchte gern wissen. – **2.** freudig, froh, fröhlich, heiter (*Gesicht, Ereignis etc*): the ~ hand *colloq.* die Hand des Willkomms; → eye 6. – **3.** froh, erfreulich: ~ tidings frohe Nachricht.

– 4. schön, strahlend, herrlich: ~ **rags** *sl.* ‚Sonntagskluft' (*Festtagskleidung*). – *SYN.* **cheerful, happy, joyful, joyous, lighthearted.** – **II** *v/t u. v/i pret u. pp* **'glad·ded 5.** *obs. für* gladden.

glad·den ['glædn] **I** *v/t* erfreuen, froh machen. – **II** *v/i obs.* sich freuen, froh sein. — **'glad·den·er** *s* **1.** Freudenspender *m.* – **2.** (*etwas*) Erfreuliches.

glade [gleid] *s* **1.** Lichtung *f*, Schneise *f* (*im Wald*). – **2.** lichte Stelle (*am bewölkten Himmel*). – **3.** *Am.* grasbewachsene sumpfige Stelle.

'glad-'hand·er *s Am.* leutseliger, auf Populari'tät bedachter Mensch.

glad·i·ate ['gleidiit; -ˌeit; 'glæd-] *adj bot.* schwertförmig.

glad·i·a·tor ['glædiˌeitər] *s* **1.** *antiq.* Gladi'ator *m.* – **2.** *fig.* Kämpfer *m*, Streiter *m*, *bes.* (streitbarer) De'battenredner. — **ˌglad·i·a'to·ri·al** [-diə'tɔːriəl] *adj* **1.** Gladiatoren... – **2.** Kampf(es)..., Streit... – **3.** kämpferisch, streitbar.

glad·i·o·la [ˌglædi'oulə; glə'daiələ] → gladiolus 1.

glad·i·o·lus [ˌglædi'ouləs; glə'daiələs] *pl* **-li** [-lai] *od.* **-lus·es** *s* **1.** *bot.* a) Gladi'ole *f* (*Gattg Gladiolus*), b) Gladi'olenblüte *f.* – **2.** [glə'daiələs] → **mesosternum.**

glad·ly ['glædli] *adv* mit Freuden, gern, freudig. — **'glad·ness** *s* Freude *f*, Fröhlichkeit *f.* — **'glad·some** [-səm] *adj* **1.** erfreulich. – **2.** freudig, fröhlich, heiter. – **3.** erfreut, froh. — **'glad·some·ness** *s* **1.** Erfreulichkeit *f.* – **2.** Freudigkeit *f*, Fröhlichkeit *f*, Freude *f.*

Glad·stone ['glædstən] *s* **1.** *vierrädrige Kutsche mit zwei Innensitzen, Fahrer- u. Rücksitz.* – **2.** → a) ~ **bag**, b) ~ **wine.** — ~ **bag** *s* zweiteilige leichte Reisetasche. — ~ **wine**, *auch* ~ **clar·et** *s Br. humor.* billiger franz. Rotwein.

glaik·et, glaik·it ['gleikit] *adj Scot.* **1.** dumm, albern. – **2.** gedankenlos.

glair [glɛr] **I** *s* **1.** Eiweiß *n.* – **2.** Eiweißleim *m.* – **3.** eiweißartige Sub'stanz. – **II** *v/t* **4.** mit Eiweiß(leim) bestreichen. — **glair·e·ous** ['glɛ(ə)riəs] → glairy. — **'glair·i·ness** *s* Zähflüssigkeit *f*, Klebrigkeit *f.* — **'glair·y** *adj* **1.** Eiweiß... – **2.** eiweißartig. – **3.** zähflüssig, schleimig, klebrig. – **4.** mit Eiweiß(leim) bestrichen.

glaive [gleiv] *s* **1.** *poet. od. obs.* (Breit-)Schwert *n.* – **2.** *hist.* Speer *m*, Lanze *f.* – **3.** *hist. od. obs.* Gleve *f* (*Lanze mit schwertartiger Spitze*).

glam·or *Am. Nebenform von* glamour. — **glam·or·ize** ['glæməˌraiz] *v/t* (mit viel Re'klame) verherrlichen *od.* (an)preisen. — **'glam·or·ous**, *Am. auch* **'glam·our·ous** *adj* bezaubernd (schön).

glam·our, *Am. auch* **glam·or** ['glæmər] **I** *s* **1.** Zauber *m*, bezaubernde Schönheit: ~ **girl** berückend schönes Mädchen, *bes.* Reklameschönheit. – **2.** Zauber *m*, Bann *m*: **to cast a ~ over s.o.** j-n bezaubern, j-n in seinen Bann schlagen. – **3.** Blendwerk *n.* – **II** *v/t* **4.** bezaubern (**by** durch). — **glam·our·ous** *Am. Nebenform von* glamorous. — **'glam·our·y** → glamour I.

glance[1] [*Br.* glɑːns; *Am.* glæ(ː)ns] **I** *v/i* **1.** einen schnellen Blick werfen, (schnell *od.* flüchtig) blicken (**at** auf *acc*): **to ~ over a letter** einen Brief (schnell) überfliegen. – **2.** (auf)blitzen, (auf)leuchten (*Gegenstand*), zucken (*Licht*). – **3.** *oft* ~ **aside**, ~ **off** abgleiten, abprallen, abrutschen. – **4.** (**at**) (*Thema*) flüchtig berühren, streifen, anspielen (auf *acc*). – **5.** abschweifen, abschwenken (**off, from** von *einem Thema*). – **II** *v/t* **6.** flüchtig anblicken, einen Blick erhaschen von. – **7.** (*das Auge*) werfen, flüchtig richten (**at** auf *acc*). – **8.** (*Licht etc*) (zu'rück)werfen, (zu'rück-, aus)strahlen, blitzen lassen. – **9.** *obs.* andeuten. – *SYN. cf.* **flash.** – **III** *s* **10.** (schneller *od.* flüchtiger) Blick (**at** auf *acc*; **into** in *acc*; **over** über *acc* ... hin): **at a ~, at first ~** auf den ersten Blick; **to take a ~ at s.th.** etwas flüchtig ansehen. – **11.** schnelle Bewegung. – **12.** (Auf)-Blitzen *n*, (Auf)Leuchten *n*, Zucken *n.* – **13.** Abprallen *n*, Abgleiten *n.* – **14.** (*Kricket*) Streifschlag *m.* – **15.** (**at**) flüchtige Anspielung (auf *acc*), flüchtiges Berühren, Streifen *n* (*gen*).

glance[2] [*Br.* glɑːns; *Am.* glæ(ː)ns] **I** *s min.* Blende *f*, Glanz *m*: **lead ~** Bleiglanz; ~ **coal** Glanzkohle, *bes.* Anthrazit. – **II** *v/t tech.* glänzend machen, po'lieren.

gland[1] [glænd] *s biol. med.* Drüse *f.*

gland[2] [glænd] *s tech.* **1.** Flansch *m*, Dichtung(sstutzen *m*) *f.* – **2.** Stopfbüchsendeckel *m*, -büchsenbrille *f.*

glan·dered ['glændərd] *adj vet.* rotzkrank. — **'glan·der·ous** *adj* **1.** Rotz... – **2.** rotzkrank, rotzig. — **'glan·ders** *s pl* (*als sg konstruiert*) Rotz(krankheit *f*) *m* (*der Pferde*).

gland·i·form ['glændiˌfɔːrm] *adj* **1.** drüsenförmig. – **2.** *selten* eichelförmig.

glan·du·lar [*Br.* 'glændjulər; *Am.* -dʒə-] *adj biol. med.* drüsig, drüsenartig, Drüsen..., glandu'lär: ~ **fever** Drüsenfieber. — **'glan·du·lous** *adj* **1.** Drüsen..., drüsenartig, glandu'lös. – **2.** aus Drüsen bestehend.

glans [glænz] *pl* **'glan·des** [-diːz] *s* **1.** *med.* Eichel *f*: ~ **clitoridis** Eichel der Klitoris; ~ **penis** Eichel des männlichen Glieds. – **2.** *bot.* Eichel *f.*

glare[1] [glɛr] **I** *v/i* **1.** (blendend) glänzen *od.* funkeln, strahlen, (grell) leuchten *od.* scheinen. – **2.** schreiend *od.* aufdringlich aufgemacht sein. – **3.** grell *od.* schreiend sein (*Farbe*). – **4.** her'vorstechen, auffallen, ins Auge stechen. – **5.** blenden. – **6.** starren, stieren, durch'dringend blicken: **to ~ at** (*od.* **upon**) **s.th.** (**s.o.**) etwas (j-n) anstarren. – **II** *v/t* **7.** (*Haß etc*) durch (starren) Blick ausdrücken: **she ~d defiance** ihre Augen funkelten vor *od.* sprühten Trotz. – *SYN. cf.* **gaze.** – **III** *s* **8.** blendendes Licht, greller Glanz. – **9.** *fig.* (*das*) Schreiende *od.* Grelle, (blendender) Glanz, Aufdringlichkeit *f.* – **10.** wilder *od.* funkelnder Blick. – *SYN. cf.* **blaze.**

glare[2] [glɛr] *Am.* **I** *s* spiegelglatte Fläche: **a ~ of ice.** – **II** *adj* spiegelglatt: ~ **ice** Glatteis.

glar·i·ness ['glɛ(ə)rinis] → **glaringness** 1 *u.* 2.

glar·ing ['glɛ(ə)riŋ] *adj* **1.** grell, blendend. – **2.** *fig.* grell, aufdringlich, schreiend: ~ **colo(u)rs.** – **3.** ekla'tant, offenkundig, schamlos, schreiend. – **4.** funkelnd, wild, durch'dringend, -'bohrend (*Blick*). – *SYN. cf.* **flagrant.** — **'glar·ing·ness** *s* **1.** (*das*) Grelle. – **2.** *fig.* Aufdringlichkeit *f.* – **3.** Offenkundigkeit *f*, Schamlosigkeit *f.* – **4.** Wildheit *f*, Funkeln *n* (*Blick*).

glar·y[1] ['glɛ(ə)ri] → **glaring** 1 *u.* 2.

glar·y[2] ['glɛ(ə)ri] *adj Am.* (spiegel)-glatt, schlüpfrig, glitschig.

glass [*Br.* glɑːs; *Am.* glæ(ː)s] **I** *s* **1.** Glas *n.* – **2.** *collect.* → ~**ware.** – **3.** (Trink)Glas *n.* – **4.** Glas(voll) *n*: **a ~ of milk** ein Glas Milch; **he has had a ~ too much** er hat ein Glas *od.* eins über den Durst getrunken; **to have a ~ together** zusammen ein Glas trinken. – **5.** Glas(scheibe *f*) *n.* – **6.** → **looking ~** 1. – **7.** Stundenglas *n*, Sanduhr *f.* – **8.** (*bes.* Wagen)-Fenster *n.* – **9.** (*Optik*) a) Lupe *f*, Vergrößerungsglas *n*, b) Linse *f*, Augenglas *n*, c) *pl*, *auch* **pair of ~es** Brille *f*, (Augen)Gläser *pl*, d) (Fern-, Opern)Glas *n*, e) Mikro'skop *n.* – **10.** a) Glas(dach) *n*, b) Glas(kasten *m*) *n.* – **11.** Uhrglas *n.* – **12.** Wetterglas *n*, *bes.* Baro'meter *n.* – **13.** Thermo'meter *n.* – **II** *v/t* **14.** ('wider)spiegeln, reflek'tieren: **to ~ oneself in the water** sich im Wasser (wider)spiegeln. – **15.** (*zum Versand*) in Glasbehälter verpacken. – **16.** einwecken, in Gläser einmachen. – **17.** *tech.* (*Leder*) stoßen. – **18.** *selten* verglasen, glasig machen. – **III** *adj* **19.** Glas..., gläsern.

glass| blow·er *s* Glasbläser *m.* — ~ **blow·ing** *s tech.* Glasblasen *n*, ˌGlasbläse'rei *f.* — ~ **case** *s* Glaskasten *m.* — ~ **ce·ment** *s tech.* Glaskitt *m.* — ~ **cloth** *s* **1.** Glastuch *n.* – **2.** *tech.* a) Glasleinen *n*, -leinwand *f*, b) Glas(faser)gewebe *n.* — ~ **crab** *s zo.* Blattkrebs *m* (*durchsichtige Larve*). — ~ **cul·ture** *s* 'Warmhauskulˌtur *f.* — ~ **cut·ter** *s* **1.** Glasschleifer *m*, -schneider *m.* – **2.** *tech.* Glasschneider *m*, 'Glaserdiaˌmant *m.* — ~ **cut·ting** *s tech.* **1.** Glasschneiden *n*, -schleifen *n.* – **2.** *pl* Bruchglas *n.* — ~ **dust** *s tech.* Glasstaub *m* (*zum Polieren etc*). — ~ **eye** *s* **1.** Glasauge *n.* – **2.** *vet. eine Augenkrankheit der Pferde.*

glass·ful [*Br.* 'glɑːsful; *Am.* 'glæ(ː)s-] *s* Glasvoll *n.*

glass| gall *s tech.* Glasgalle *f.* — **'~-ˌglazed** *adj tech.* gla'siert. — ~ **har·mon·i·ca** *s mus.* 'Glasharˌmonika *f.* — **'~ˌhouse** *s* **1.** *tech.* Glashütte *f.* – **2.** Glas-, Treibhaus *n*: **they who live in ~s should not throw stones** wer im Glashaus sitzt, soll nicht mit Steinen werfen. – **3.** (*mit Glas gedecktes*) 'Photoateliˌer. – **4.** *Br. sl.* ‚Bau' *m*, ‚Loch' *n* (*Militärgefängnis*).

glass·i·ly [*Br.* 'glɑːsili; *Am.* 'glæ(ː)s-] *adv zu* glassy.

glass·ine [*Br.* glɑː'siːn; *Am.* glæ(ː)-] *s* Glas'sin *n*, Perga'min *n*, Glashaut *f* (*durchsichtiges Papier*).

glass·i·ness [*Br.* 'glɑːsinis; *Am.* 'glæ(ː)s-] *s* **1.** glasiges Aussehen, glasartige Beschaffenheit. – **2.** *fig.* 'Durchsichtigkeit *f*, Klarheit *f.* – **3.** Glasigkeit *f*, Starrheit *f* (*des Auges*). – **4.** Spiegelglätte *f.*

glass·ing jack [*Br.* 'glɑːsiŋ; *Am.* 'glæ(ː)siŋ] *s* (*Lederzurichtung*) 'Stoßmaˌschine *f.*

'glass|ˌmak·er *s* Glasmacher *m.* — **'~ˌmak·ing** *s tech.* Glasmacherkunst *f*, ˌGlasmache'rei *f.* — **'~·man** [-mən] *s irr* **1.** Glashändler *m.* – **2.** Glaser *m.* – **3.** Glasmacher *m.* — ~ **paint·er** *s* Glasmaler *m.* — ~ **paint·ing** *s* ˌGlasmale'rei *f.* — ~ **pa·per** *s tech.* 'Glaspaˌpier *n.* — **'~-ˌpa·per** *v/t* mit 'Glaspaˌpier abreiben *od.* po'lieren. — ~ **snail** *s zo.* Glasschnecke *f* (*Gattg Vitrina*). — ~ **snake** *s zo.* Glasschleiche *f* (*Ophisaurus ventralis*). — ~ **soap** *s tech.* Glasmacherseife *f*, Braunstein *m.* — ~ **sponge** *s zo.* Glasschwamm *m* (*Gattgen Hyalonema u. Euplectella*). — ~ **tank** *s* (*Glasherstellung*) (*Art*) offener Schmelzflammofen, Wannenofen *m.* — ~ **tear** *s tech.* Glasträne *f.* — **'~ˌware** *s* Glas *n*, Glasgeschirr *n*, -sachen *pl*, -ware(n *pl*) *f.* — ~ **wool** *s tech.* Glaswolle *f.* — **'~ˌwork** *s tech.* **1.** Glas(waren)erzeugung *f.* – **2.** Glase'rei *f*, Glaserhandwerk *n.* – **3.** Glaswaren *pl.* – **4.** 'Glasarbeit *f*, -ornaˌment(e *pl*) *n.* – **5.** *pl* (*oft als sg konstruiert*) 'Glashütte *f*, -faˌbrik *f.* — **'~ˌwort** *s bot.* **1.** Queller *m*, Glaskraut *n* (*Gattg Salicornia*). – **2.** Kali-Salzkraut *n* (*Salsola kali*).

glass·y [*Br.* 'glɑːsi; *Am.* 'glæ(ː)si] *adj* **1.** gläsern, glasig, glasartig. – **2.** glasig, starr (*Auge*). – **3.** 'durchsichtig, klar.

Glas·ton·bur·y thorn [*Br.* ˈglæstənbəri; *Am.* -ˌberi] *s bot.* (*ein*) Weißdorn *m* (*Crataegus oxyacantha var. praecox*).

Glas·we·gian [glæsˈwiːdʒən; -dʒiən] **I** *adj* Glasgower(...), aus Glasgow. – **II** *s* Glasgower(in), Bewohner(in) von Glasgow.

glau·ber·ite [ˈglɔːbəˌrait; ˈglau-] *s min.* Glaubeˈrit *m.*

Glau·ber's salt, *auch* **Glau·ber salt** [ˈglaubər(z); ˈglɔː-] *s* Glaubersalz *n* ($Na_2SO_4 \cdot 10H_2O$).

glau·co·ma [glɔːˈkoumə] *s med.* Glauˈkom *n*, grüner Star. — **glauˈco·ma·tous** [-ˈkoumətəs; -ˈkɒm-] *adj* glaukomaˈtös.

glau·co·nite [ˈglɔːkəˌnait] *s min.* Glaukoˈnit *m.* — **ˈglau·coˌphane** [-ˌfein] *s min.* Glaukoˈphan *m.*

glau·cous [ˈglɔːkəs] *adj* **1.** gelblichgrün. – **2.** *selten* grünblau. – **3.** *bot.* mit weißlichem Schmelz überzogen. — **~ gull** *s zo. Am.* Bürgermeister-, Eismöwe *f* (*Larus hyperboreus*). — **~ wil·low** → pussy willow 1. — **ˈ~-ˌwinged gull** *s zo. Am.* Grauflügelmöwe *f* (*Larus glaucescens*).

glaze [gleiz] **I** *v/t* **1.** verglasen, mit Glas- *od.* Fensterscheiben versehen: to ~ in einglasen. – **2.** poˈlieren, glätten. – **3.** glaˈsieren, mit Glaˈsur überˈziehen. – **4.** (*Fleisch etc*) mit Geˈleeguß überˈziehen. – **5.** (*bes. Malerei*) laˈsieren. – **6.** *tech.* (*Papier*) satiˈnieren. – **7.** (*Augen*) verschleiern, trüben, glasig machen. – **II** *v/i* **8.** eine Glaˈsur *od.* Poliˈtur annehmen. – **9.** gläsern *od.* glasig werden (*Auge*). – **10.** *bot. Am.* (beim Reifwerden) poˈliert erscheinen (*Samen*). – **III** *s* **11.** Poliˈtur *f*, Glätte *f*, Glanz *m*: ~ kiln (*Keramik*) Glattbrennofen. – **12.** Glaˈsur *f.* – **13.** Geˈleeˌüberzug *m.* – **14.** Glaˈsur(masse) *f.* – **15.** (*Malerei*) Laˈsur *f*, Laˈsierung *f.* – **16.** Satiˈnierung *f.* – **17.** Verschleierung *f*, Glasigkeit *f*, Schleier *m* (*Auge*). – **18.** (*Meteorologie*) Glatteis *n.* – **19.** *aer.* glasartige Vereisung. – **20.** *Am.* dünne, glatte Eisschicht.

glazed [gleizd] *adj* **1.** verglast, Glas... – **2.** *tech.* glatt, blank, geglättet, poˈliert, glänzend: ~ cardboard Preßpappe; ~ frost *Br. für* glaze 18; ~ paper satiniertes Papier. – **3.** glaˈsiert. – **4.** laˈsiert. – **5.** satiˈniert. – **6.** glasig, verschleiert (*Auge*). — **ˈglaz·er** *s tech.* **1.** Glaˈsierer *m.* – **2.** Poˈlierer *m.* – **3.** Satiˈnierer *m.* – **4.** Poˈlier-, Schmirgelscheibe *f.*

gla·zier [*Br.* ˈgleiziə; *Am.* -ʒər] *s* Glaser *m*: ~'s diamond *tech.* Glaserdiamant. — **ˈgla·zier·y** *s* **1.** Glaseˈrei *f.* – **2.** Glaserarbeit *f.*

glaz·i·ness [ˈgleizinis] *s* **1.** Glätte *f*, Blankheit *f.* – **2.** Glasigkeit *f*, Trübheit *f* (*Auge*).

glaz·ing [ˈgleiziŋ] *s tech.* **1.** a) Verglasen *n*, b) Glaserarbeit *f*, Glaseˈrei *f.* – **2.** a) Glas(scheibe *f*) *n*, b) *collect.* Fenster *pl.* – **3.** a) Glaˈsur *f*, b) Glaˈsieren *n.* – **4.** a) Poliˈtur *f*, b) Poˈlieren *n*, Glätten *n*, Schmirgeln *n*, c) Satiˈnieren *n.* – **5.** a) Laˈsur *f*, b) Laˈsieren *n.*

glaz·y [ˈgleizi] *adj* **1.** glänzend, glatt, blank. – **2.** glaˈsiert. – **3.** geglättet, poˈliert. – **4.** glasig, trübe (*Auge*).

gleam [gliːm] **I** *s* **1.** schwacher Schein, Schimmer *m.* – **2.** *fig.* Schimmer *m*, Strahl *m*: ~ of hope. – **II** *v/i* **3.** glänzen, leuchten, schimmern, scheinen, funkeln. – **4.** aufleuchten. – *SYN. cf.* flash. — **ˈgleam·y** *adj* schimmernd, glänzend, funkelnd.

glean [gliːn] **I** *v/t* **1.** (*Ähren*) auf-, nachlesen, (ein)sammeln. – **2.** (*Feld*) sauber lesen, leer machen. – **3.** *fig.* (mühsam) sammeln, auflesen, zuˈsammentragen. – **II** *v/i* **4.** Ähren lesen. – **5.** *fig.* kleine Stückchen sammeln *od.* zuˈsammentragen. – **III** *s* **6.** (*etwas*) Aufgelesenes *od.* Zuˈsammengetragenes, Nachlese *f.* — **ˈglean·er** *s* **1.** Ährenleser *m.* – **2.** *agr.* Zugrechen *m* (*zum Ährensammeln etc*). – **3.** *fig.* Sammler *m.* — **ˈglean·ing** *s* **1.** Ährenlesen *n*, -sammeln *n.* – **2.** *fig.* Sammeln *n*, Zuˈsammentragen *n.* – **3.** *pl* a) gesammelte Ähren *pl*, Nachlese *f*, b) *fig.* (*das*) Gesammelte.

glebe [gliːb] *s* **1.** *jur. relig.* Pfarrland *n.* – **2.** *poet.* (Erd)Scholle *f.* – **3.** *obs.* Acker *m*, Feld *n.*

glede [gliːd], *auch* **gled** [gled] *s zo.* Gabelweihe *f*, Roter Milan (*Milvus milvus*).

glee [gliː] *s* **1.** Heiterkeit *f*, Fröhlichkeit *f*, Freude *f.* – **2.** Schadenfreude *f.* – **3.** *mus.* drei- *od.* mehrstimmiges Lied: ~ club Gesangverein. – *SYN. cf.* mirth. — **ˈglee·ful** [-ful; -fəl] *adj* fröhlich, froh, lustig, heiter. — **ˈglee·ful·ness** *s* Fröhlichkeit *f*, Heiterkeit *f.* — **ˈglee·man** *s irr hist.* Spielmann *m*, fahrender Sänger. — **ˈglee·some** [-səm] → gleeful.

gleep [gliːp] *s phys. tech.* (*Art*) Aˈtombatteˌrie *f*, -säule *f* (*aus* graphite low energy experimental pile).

gleet [gliːt] *s* **1.** *med.* a) Nachtripper *m*, ˈpostgonorˌrhoischer Kaˈtarrh, b) Harnröhrenausfluß *m.* – **2.** *vet.* chronische Nasenhöhlenentzündung.

gleg [gleg] *adj dial.* gewandt, aufgeweckt.

glen [glen] *s* enges Tal, Bergschlucht *f.*

glen·do·veer [ˌglendoˈvir] *s* schöner Elf (*der indischen Mythologie*).

Glen·gar·ry [glenˈgæri], **~ bon·net**, **~ cap**, *auch* **g~** *s* schiffchenartige Mütze (*der Hochlandschotten*).

Glen·liv·et [glenˈlivit; -ət] *s ein schottischer Whisky.*

gle·noid [ˈgliːnɔid] *adj med.* glenoˈid, flachschalig. — **~ cav·i·ty** *s med.* Gelenkpfanne *f*, (Schulter)Gelenkgrube *f.*

gley [gliː; glai] *Scot. od. dial.* **I** *v/i* schielen. – **II** *s* Schielen *n.*

gli·a·din [ˈglaiədin] *s biol. chem.* Gliaˈdin *m*, Pflanzenleim *m* (*ein Prolamin*).

glib [ˈglib] *comp* **ˈglib·ber** *sup* **ˈglib·best** *adj* **1.** gewandt, zungen-, schlagfertig. – **2.** leicht, frei, gewandt, ungezwungen. – **3.** glatt, schlüpfrig. – **4.** leichtfertig, oberflächlich. — **ˈglib·ness** *s* **1.** Gewandtheit *f*, Schlag-, Zungenfertigkeit *f.* – **2.** Leichtigkeit *f*, Gewandtheit *f*, Ungezwungenheit *f.* – **3.** Glätte *f*, Schlüpfrigkeit *f.* – **4.** Leichtfertigkeit *f*, Oberflächlichkeit *f.*

glid·der [ˈglidər] **I** *v/t obs. od. dial.* glaˈsieren. – **II** *v/i dial.* schlüpfen.

glide [glaid] **I** *v/i* **1.** (leicht) gleiten (*auch fig.*): to ~ along dahingleiten, -fliegen; to ~ away hinweggleiten, entgleiten. – **2.** schlüpfen, gleiten, leise gehen: to ~ out hinausschlüpfen. – **3.** *aer.* a) gleiten, einen Gleitflug machen, b) segeln (*Flugzeug*). – **4.** *mus.* binden. – **5.** *ling.* gleiten (*Stimme*), mit einem Gleitlaut ˈübergehen. – **II** *v/t* **6.** gleiten lassen. – **III** *s* **7.** Gleiten *n.* – **8.** (Daˈhin)Gleiten *n*, gleitende Bewegung. – **9.** Gleiten *n*, Schlüpfen *n*, leises Gehen. – **10.** *aer.* Gleitflug *m.* – **11.** Schleifschritt *m*, Glisˈsade *f* (*beim Tanzen*). – **12.** (*Fechten*) Gleitstoß *m*, Glisˈsade *f.* – **13.** *mus.* (Ver)Binden *n.* – **14.** *ling.* a) Gleitlaut *m*, b) ˈHalbvoˌkal *m.* — **ˈ~-ˌbomb** *v/t u. v/i mil.* im Gleitflug Bomben werfen (auf *acc*). — **~ path** *s aer.* Gleitweg *m.*

glid·er [ˈglaidər] *s* **1.** (*etwas*) Gleitendes. – **2.** *mar.* Gleitboot *n.* – **3.** *aer.* Segelflugzeug *n.* – **4.** Schaukelbett *n*, Hollywoodschaukel *f.* — **~ bomb** *s mil.* Gleitbombe *f.* — **~ tug** *s aer.* Schleppflugzeug *n* (*für Segelflugzeug*).

glid·ing [ˈglaidiŋ] **I** *adj* **1.** gleitend. – **II** *s* **2.** Gleiten *n.* – **3.** *aer.* Segel-, Gleitflug *m.*

gliff [glif] *s dial.* Augenblick *m.*

glim [glim] *s* **1.** *Scot.* Stückchen *n.* – **2.** *sl.* a) Licht *n*, b) Auge *n.*

glime [glaim] *dial.* **I** *s* schlauer Blick, Seitenblick *m.* – **II** *v/i* scheel *od.* schlau blicken.

glim·mer [ˈglimər] **I** *v/i* **1.** glimmen, (schwach) schimmern. – **2.** flackern, flimmern. – **3.** undeutlich sichtbar sein. – **4.** blinzeln, zwinkern. – **5.** halb geschlossen sein (*Auge*). – *SYN. cf.* flash. – **II** *s* **6.** Glimmen *n*, Schimmer *m.* – **7.** Flackern *n*, Flimmern *n.* – **8.** *fig.* Schimmer *m*, (schwacher) Schein: a ~ of hope ein Hoffnungsschimmer. – **9.** *min.* Glimmer *m.* — **ˈglim·mer·ing I** *adj* **1.** schimmernd. – **2.** flackernd, flimmernd. – **II** *s* **3.** (schwaches) Flackern *od.* Flimmern. – **4.** *fig.* Schimmer *m*, dunkle Ahnung.

glimpse [glimps] **I** *s* **1.** flüchtiger (An)Blick: to catch a ~ of s.th. etwas (nur) flüchtig zu sehen bekommen. – **2.** (of) flüchtiger Eindruck (von), kurzer Einblick (in *acc*): to afford a ~ of s.th. einen (kurzen) Einblick in etwas gewähren. – **3.** kurzes Sichtbarwerden *od.* Auftauchen. – **4.** undeutliches Bild. – **5.** *fig.* Schimmer *m*, schwache Ahnung. – **6.** Aufleuchten *n*, Blitz *m*, (Licht)Strahl *m.* – **II** *v/i* **7.** (at) flüchtig blicken (auf *acc*), einen Blick erhaschen (von). – **8.** *poet.* undeutlich sichtbar werden. – **9.** schimmern. – **III** *v/t* **10.** flüchtig sehen, einen Blick erhaschen von.

glint [glint] **I** *s* **1.** Schimmer *m*, Schein *m.* – **2.** Glanz *m*, Glitzern *n*, Funkeln *n.* – **II** *v/i* **3.** schimmern, strahlen, glänzen, funkeln, glitzern. – **4.** (schnell) (daˈhin)eilen *od.* -schießen. – **III** *v/t* **5.** glitzern *od.* strahlen lassen, leuchten mit. – **6.** werfen, plötzlich wenden. – *SYN. cf.* flash.

gli·o·ma [glaiˈoumə] *pl* **-ma·ta** [-mətə], **-mas** *s med.* Gliˈom *n* (*Geschwulst*). — **gliˈo·ma·tous** [-ˈoumətəs; -ˈɒm-] *adj* glioˈmatisch, Gliom...

gli·rine [ˈglai(ə)rin] *adj zo.* zu den Nagetieren gehörig.

glisk [glisk] *s Scot.* flüchtiger Blick.

glis·sade [gliˈsɑːd; -ˈseid] **I** *s* **1.** Gleiten *n*, Rutschen *n*, ˈRutschparˌtie *f.* – **2.** (*Ballett*) Schleifschritt *m*, Glisˈsade *f.* – **II** *v/i* **3.** gleiten, rutschen. — **glisˈsan·do** [-ˈsɑːndou] *pl* **-di** [-diː] *mus.* **I** *s* Glisˈsando *n* (*Vortragsweise*). – **II** *adj* gleitend. — **glisˈsette** [-ˈset] *s math.* Gleitkurve *f.*

glis·ten [ˈglisn] **I** *v/i* gleißen, funkeln, glitzern, glänzen. – *SYN. cf.* flash. – **II** *s* Gleißen *n*, Funkeln *n*, Glitzern *n*, Glanz *m*, Gefunkel *n.* — **glis·ter** [ˈglistər] *obs. für* glisten.

glit·ter [ˈglitər] **I** *v/i* **1.** glitzern, funkeln, glänzen: all that ~s is not gold es ist nicht alles Gold, was glänzt. – **2.** *fig.* strahlen, glänzen. – *SYN. cf.* flash. – **II** *s* **3.** Glitzern *n*, Geglitzer *n*, Glanz *m*, Funkeln *n*, Gefunkel *n.* – **4.** *fig.* Pracht *f*, Glanz *m.* — **ˈglit·ter·y** *adj* funkelnd, glänzend, glitzernd.

gloam·ing [ˈgloumiŋ] *s* Zwielicht *n*, (Abend)Dämmerung *f.*

gloat [glout] *v/i* **1.** glotzen, stieren (at auf *acc*). – **2.** (over, on, upon) sich hämisch freuen (über *acc*), sich weiden (an *dat*). – *SYN. cf.* gaze. — **ˈgloat·ing·ly** *adv* hämisch, schadenfroh.

glob·al [ˈgloubl] *adj* **1.** kugelförmig, rund. – **2.** gloˈbal, ˈweltumˌfassend, -umˌspannend, Welt... – **3.** umˈfassend, Gesamt... — **ˈglo·bate** [-beit], *auch* **ˈglo·bat·ed** *adj* kugelförmig, -rund.

globe [gloub] **I** *s* **1.** Kugel *f*, kugelförmiger Körper: ~ **of the eye** Augapfel. – **2. the** ~ die Erde, der Erdball, die Erdkugel. – **3.** *geogr.* Globus *m.* – **4.** Pla'net *m*, Himmelskörper *m.* – **5.** *hist.* Reichsapfel *m.* – **II** *v/t* **6.** zu'sammenballen, kugelförmig machen, zu einer Kugel formen. – **III** *v/i* **7.** kugelförmig werden, sich zu einer Kugel formen. — ~ **ar·ti·choke** → artichoke 1. — ~ **crow·foot** → globeflower. — ~ **dai·sy** *s bot.* Kugelblume *f* (*Gattg Globularia*). — '~ˌ**fish** *s zo.* Kugelfisch *m* (*Gattgen Diodon u. Tetrodon*). — '~ˌ**flow·er** *s bot.* Trollblume *f* (*Gattg Trollius, bes. T. europaeus; in Nordamerika: T. laxus*). — ~ **light·ning** *s* Kugelblitz *m.* — ~ **sight** *s* 'Ringviˌsier *n* (*Gewehr*). — ~ **this·tle** *s bot.* Kugeldistel *f* (*Gattg Echinops*). — '~-ˌ**trot·ter** *s colloq.* Weltenbummler(in), Globetrotter(in). — '~-ˌ**trot·ting** *colloq.* **I** *s* Weltenbummeln *n.* – **II** *adj* Weltenbummler..., weltenbummelnd.

glo·big·er·i·na ooze [gloˌbidʒə'rainə] *s geol.* Globige'rinenschlamm *m.*

glo·bin ['gloubin] *s chem.* Glo'bin *n.*

glo·boid ['gloubɔid] **I** *s* Globo'id *n.* – **II** *adj* kugelartig.

glo·bose ['gloubous; glou'bous] *adj* kugelförmig, kugelig. — **glo'bos·i·ty** [-'bɒsiti; -əti] *s* Kugelform *f*, -förmigkeit *f.* — '**glo·bous** → globose.

glob·u·lar ['glɒbjulər; -jə-] *adj* **1.** kugelförmig, rund, Kugel... – **2.** aus Kügelchen bestehend. — '**glob·ule** [-juːl] *s* Kügelchen *n.* — ˌ**glob·u'lif·er·ous** [-ju'lifərəs; -jə-] *adj* Kügelchen tragend *od.* enthaltend. — '**glob·u·lin** [-julin; -jə-] *s chem.* Globu'lin *n.*

glo·chid·i·ate [glo'kidiit; -diˌeit] *adj bot.* mit 'Widerhaken (versehen), 'widerhakig. — **glo'chid·i·um** [-'kidiəm] *pl* **-i·a** [-iə] *s* **1.** *zo.* Glo'chidium *n.* – **2.** *bot.* 'Widerhakenstachel *m.*

glock·en·spiel ['glɒkənˌspiːl] *s mus.* Glockenspiel *n.*

glom·er·ate ['glɒmərit] *adj* (zu'sammen)geballt, geknäuelt, knäuelförmig. — ˌ**glom·er'a·tion** *s* (Zu'sammen)Ballung *f*, Knäuel *m, n.*

glom·er·ule ['glɒməˌruːl] *s* **1.** *bot.* Blütenkopf *m*, -knäuel *m, n.* – **2.** *med.* feiner (feines) Gefäßknäuel. – **3.** Knäuel(form *f*) *m, n.*

glo·mer·u·lus [glo'meruləs; -rə-] *pl* **-li** [-ˌlai] *s med.* Gefäßknäuel *m, n* (*bes. der Nieren*).

glon·o·in ['glɒnoin], *auch* '**glon·o·ine** [-in; -ˌiːn] *s chem.* Glono'in *n*, 'Nitroglyzeˌrin *n.*

gloom [gluːm] **I** *s* **1.** Düsternis *f*, Dunkel(heit *f*) *n.* – **2.** *fig.* a) Schwermut *f*, Trübsinn *m*, Düsterkeit *f*, b) düstere *od.* gedrückte Stimmung, c) finsterer Blick *od.* Gesichtsausdruck. – **3.** *Am. colloq.* ‚Miesepeter' *m*, Schwarzseher *m*, trübsinniger Mensch. – *SYN. cf.* **sadness.** – **II** *v/i* **4.** finster *od.* traurig *od.* verdrießlich blicken. – **5.** (finster) brüten. – **6.** dunkel *od.* düster werden, sich verdüstern. – **7.** finster *od.* trübe aussehen. – **III** *v/t* **8.** verdunkeln, verdüstern, verfinstern, über'schatten. – **9.** *fig.* mit Düsterkeit *od.* Schwermut erfüllen. — '**gloom·i·ness** *s* **1.** Dunkel(heit *f*) *n*, Finsternis *f*, Düsternis *f.* – **2.** *fig.* Schwermut *f*, Trübsinn *m*, Traurigkeit *f.* – **3.** *fig.* Finsterkeit *f*, Düsterkeit *f.* – **4.** *fig.* Hoffnungslosigkeit *f.* — '**gloom·ing** *s* **1.** finsterer Blick, düstere Miene. – **2.** *poet.* Dämmerung *f.* — '**gloom·y** *adj* **1.** dunkel, finster, düster, trübe (*auch fig.*). – **2.** schwermütig, trübsinnig, düster, traurig. – **3.** hoffnungslos, entmutigend. – *SYN. cf.* a) **dark,** b) **sullen.**

glo·ri·a ['glɔːriə] *s* **1.** G~ *relig.* Gloria *n* (*liturgischer Lobgesang*). – **2.** *mus.* Gloria *n* (*Vertonung eines liturgischen Gloria*). – **3.** Glorien-, Heiligenschein *m.* – **4.** Gloriaseide *f*, -stoff *m.*

glo·ri·fi·ca·tion [ˌglɔːrifi'keiʃən; -rəfə-] *s* **1.** Verherrlichung *f*, Glorifi'zierung *f.* – **2.** *relig* a) Verklärung *f*, b) Lobpreisung *f.* – **3.** *colloq.* Fest *n*, Lustbarkeit *f.* – **4.** *colloq.* her'ausgeputztes Exem'plar. — '**glo·riˌfi·er** [-ˌfaiər] *s* Verherrlicher *m*, Verehrer *m*, Lobpreiser *m.* — '**glo·riˌfy** [-ˌfai] *v/t* **1.** preisen, rühmen, verherrlichen. – **2.** *relig.* a) (lob)preisen, verehren, b) verklären. – **3.** erstrahlen lassen, beleuchten. – **4.** (*meist pp*) *colloq.* verschönern, her'ausputzen, ‚aufmöbeln', ‚aufdonnern'.

glo·ri·ole ['glɔːriˌoul] *s* Heiligen-, Glorienschein *m*, Strahlenkrone *f*, Glori'ole *f.*

glo·ri·ous ['glɔːriəs] *adj* **1.** ruhmvoll, -reich, glorreich. – **2.** herrlich, prächtig, wunderbar, strahlend. – **3.** *colloq.* köstlich, wunderbar, großartig. – **4.** (*ironisch*) schön, gehörig: **a** ~ **mess** ein schönes Durcheinander. – **5.** *obs.* großsprecherisch. – *SYN. cf.* **splendid.**

glo·ry ['glɔːri] **I** *s* **1.** Ruhm *m*, Ehre *f.* – **2.** Zier(de) *f*, Stolz *m*, Ehre *f.* – **3.** *relig.* Verehrung *f*, Dank *m*, Ehre *f*, Lobpreisung *f*, Preis *m*: ~ **(be)!** *vulg.* (*überrascht od. erfreut*) Donnerwetter! – **4.** Herrlichkeit *f*, Glanz *m*, Pracht *f*, Glorie *f.* – **5.** Höhe *f* der Macht, Glanz *m*, höchste Blüte: **Spain in her** ~. – **6.** *relig.* a) himmlische Herrlichkeit, ewige Seligkeit, b) Himmel *m*: **to go (send) to** ~ *colloq.* sterben (umbringen). – **7.** Glorie *f*, Nimbus *m*, Heiligen-, Glorienschein *m.* – **II** *v/i* **8.** sich freuen, froh'locken. – **9.** *obs.* (in) prahlen (mit), stolz sein (auf *acc*), sich rühmen (*gen*). — ~ **hole** *s* **1.** *tech.* a) Beobachtungsloch *n* (*Glasofen*), b) Einbrenn-, Auftriebofen *m.* – **2.** *colloq.* Rumpelkammer *f*, Kramlade *f.* — ~ **pea** *s bot.* (*eine*) Prachtwicke (*Clianthus dampieri u. C. puniceus*). — ~ **tree** *s bot.* (*ein*) Losbaum *m* (*Gattg Clerodendron*).

gloss[1] [glɒs; *Am. auch* glɔːs] **I** *s* **1.** Glanz *m*, Schimmer *m.* – **2.** *fig.* äußerer Glanz, täuschender Schein, Anstrich *m*, Firnis *m.* – **II** *v/t* **3.** po'lieren, glänzend machen. – **4.** *meist* ~ **over** *fig.* beschönigen, bemänteln, über'tünchen.

gloss[2] [glɒs; *Am. auch* glɔːs] **I** *s* **1.** (Interline'ar-, Rand)Glosse *f*, Erläuterung *f*, Anmerkung *f*, Erklärung *f.* – **2.** (Interline'ar)Überˌsetzung *f*, wörtliche Über'tragung *od.* Interpretati'on. – **3.** Glos'sar *n*, Verzeichnis *n* von Kommen'taren *od.* Anmerkungen. – **4.** Erklärung *f*, Erläuterung *f*, Kommen'tar *m*, Auslegung *f.* – **5.** (absichtlich) falsche *od.* irreführende Deutung *od.* Erklärung. – **6.** (*Dichtkunst*) Glosse *f* (*vierstrophiges Gedicht mit vorangestelltem Thema*). – **II** *v/t* **7.** (*Text*) glos'sieren, mit Glossen versehen. – **8.** (*bes.* ungünstig) kommen'tieren *od.* auslegen. – **9.** willkürlich *od.* irreführend deuten. – **10.** *oft* ~ **over** (hin)'wegdeuten. – **III** *v/i* **11.** Glossen *od.* Erklärungen schreiben, kommen'tieren. – *SYN. cf.* **annotate.**

gloss- [glɒs; *Am. auch* glɔːs] → glosso-.

glos·sa ['glɒsə; *Am. auch* 'glɔːsə] *pl* **-sae** [-siː] *s zo.* Zunge *f* (*vieler Insekten*). — '**glos·sal** *adj med.* Zungen...

glos·sal·gi·a [glɒ'sældʒiə; -dʒə] *s med.* Glossal'gie *f*, Zungenschmerz *m.* — **glos'san·thrax** [-'sænθræks] *s vet.* brandiges Zungengeschwür.

glos·sar·i·al [glɒ'sɛ(ə)riəl] *adj* Glossar..., glos'sarartig.

glos·sa·rist ['glɒsərist; *Am. auch* 'glɔː-] *s* Glos'sator *m*, Verfasser *m* eines Glos'sars, Kommen'tator *m*, Ausleger *m.* — '**glos·sa·ry** *s* Glos'sar *n*, (Spezi'al)Wörterbuch *n.*

glos·sa·tor [glɒ'seitər] *s* Glos'sator *m.*

glos·sec·to·my [glɒ'sektəmi] *s med.* 'Zungenresektiˌon *f.*

gloss·er[1] ['glɒsər; *Am. auch* 'glɔː-] *s* Glätter *m*, Po'lierer *m.*

gloss·er[2] ['glɒsər; *Am. auch* 'glɔː-] *s* Glos'sator *m*, Verfasser *m* eines Glos'sars.

gloss·i·ness ['glɒsinis; *Am. auch* 'glɔː-] *s* Glanz *m*, Glätte *f*, Schimmer *m.*

glos·si·tis [glɒ'saitis] *s med.* Zungenentzündung *f*, Glos'sitis *f.*

glosso- [glɒso; *Am. auch* glɔːso] *Wortelement mit den Bedeutungen* a) *med. zo.* Zunge, b) Glosse, Glossar, c) *bot. zo.* zungenförmige Bildung.

glos·sog·ra·pher [glɒ'sɒgrəfər] *s* Verfasser *m* eines Glos'sars.

glos·so·log·i·cal [ˌglɒso'lɒdʒikəl; *Am. auch* 'glɔː-] *adj ling. obs.* lingu'istisch. — **glos'sol·o·gist** [-'sɒlədʒist] *s obs.* Lingu'ist(in). — **glos'sol·o·gy** *s obs.* Lingu'istik *f.*

glos·sot·o·my [glɒ'sɒtəmi] *s med.* Zungenschnitt *m.*

gloss·y ['glɒsi; *Am. auch* 'glɔːsi] **I** *adj* **1.** glatt, glänzend, schimmernd. – **2.** blank, po'liert. – **3.** *fig.* glatt, geschmeidig, glaubhaft. – **4.** auf 'Glanzpaˌpier gedruckt. – **II** *s* → ~ **magazine.** — ~ **mag·a·zine** *s colloq.* reichbebildertes 'Frauenmagaˌzin.

glost [glɒst; *Am. auch* glɔːst] *s* (*Keramik*) **1.** Gla'surwaren *pl.* – **2.** 'Bleiglaˌsur *f.*

-glot [glɒt] *Wortelement mit der Bedeutung* sprachenkundig.

glot·tal ['glɒtl] *adj med.* Glottis..., Stimmritzen... — ~ **stop,** *auch* ~ **catch,** ~ **plo·sive** *s ling.* (Kehlkopf)Knacklaut *m*, Kehlkopfverschlußlaut *m*, harter Einsatz.

glot·tic ['glɒtik] *adj* **1.** *med. ling.* Glottis..., Stimmritzen... – **2.** sprachlich, lingu'istisch.

glot·tis ['glɒtis] *s med.* Glottis *f*, Stimmritze *f.*

glotto- [glɒto] *Wortelement mit der Bedeutung* Sprache.

glot·to·log·ic [ˌglɒto'lɒdʒik], ˌ**glot·to'log·i·cal** *etc* → **glossological** *etc.*

Glouces·ter ['glɒstər; *Am. auch* 'glɔː-] *s* Gloucester(käse) *m.*

glove [glʌv] **I** *s* **1.** (Finger)Handschuh *m*: **to fit like a** ~ wie angegossen passen; **to be hand and** (*od.* **in**) ~ **with** eng befreundet *od.* vertraut sein mit; **to take the** ~**s off** ernst machen, keine Umstände machen, unbarmherzig vorgehen; **without** ~**s** entschlossen, energisch, derb, erbarmungslos. – **2.** *sport* Boxhandschuh *m.* – **3.** Fehdehandschuh *m*: **to throw down the** ~ **(to s.o.)** (j-n) herausfordern, (j-m) den Fehdehandschuh hinwerfen; **to take up the** ~ den Fehdehandschuh aufnehmen. – **II** *v/t* **4.** behandschuhen, (wie) mit Handschuhen bekleiden. — '**glov·er** *s* **1.** Handschuhmacher(in). – **2.** Handschuhhändler(in).

glow [glou] **I** *v/i* **1.** glühen. – **2.** *fig.* glühen, leuchten, strahlen. – **3.** *fig.* heiß sein, glühen, brennen (*Gesicht etc*). – **4.** *fig.* (er)glühen, brennen (**with** vor *dat*). – **II** *v/t* **5.** zum Glühen bringen, glühend machen, bis zur Glut erhitzen. – **III** *s* **6.** Glühen *n*, Glut *f*: **in a** ~ glühend. – **7.** *fig.* Glut *f*, Glühen *n*, Leuchten *n.* – **8.** *fig.* Glut *f*, Hitze *f*, Röte *f* (*Gesicht etc*): **in a** ~, **all of a** ~ glühend, ganz gerötet. – **9.** *fig.* Brennen *n*, (Er)Glühen *n*, Heftigkeit *f* (*Gefühl*). – *SYN. cf.* **blaze.** — ~ **dis·charge** *s electr.* Glimmentladung *f.*

glow·er ['glauər] **I** *v/i* **1.** finster *od.* grollend blicken: to ~ at s.o. j-n finster anblicken. – **2.** *Scot.* starren. – *SYN. cf.* frown. – **II** *s* **3.** grollender *od.* finsterer Blick. — '**glow·er·ing** *adj* grollend, finster, funkelnd (*Blick*).

glow·ing ['glouiŋ] *adj* **1.** glühend, leuchtend, brennend. – **2.** glänzend, strahlend (*Farben*). – **3.** *fig.* warm, inbrünstig. – **4.** *fig.* feurig, le'bendig, begeistert: a ~ account.

glow| lamp, ~ **light** *s electr.* Glühlampe *f.* — '~,**worm** *s* **1.** Glühwürmchen *n.* – **2.** *zo.* a) (*ein*) Leuchtkäfer *m* (*Fam. Lampyridae, bes. Gattg Lampyris*), b) (*ein*) Weichkäfer *m* (*Fam. Cantharidae, bes. Gattg Phengodes*).

glox·in·i·a [glɒk'siniə] *s bot.* Glo'xinie *f* (*Gattg Sinningia, bes. S. speciosa*).

gloze[1] [glouz] **I** *v/t* **1.** a) *oft* ~ over wegdenken, vertuschen, b) beschönigen. – **II** *v/i* **2.** *obs.* Glossen machen (on, upon zu). – **3.** *selten* schmeicheln. – **III** *s* **4.** *selten* a) Schmeiche'lei *f,* b) Pomp *m.* – **5.** *obs.* Glosse *f.*

gloze[2] [glouz] *v/i u. v/t* glühen (machen), leuchten *od.* scheinen (lassen).

glu·cic ac·id ['glu:sik] *s chem.* Glu'cinsäure *f* ($C_{12}H_{18}O_9$).

glu·ci·num [glu:'sainəm], *auch* **glu'cin·i·um** [-'siniəm] *s chem.* Be'ryllium *n.*

glu·co·pro·te·in [,glu:ko'proutiin; -ti:n] → glycoprotein.

glu·cose ['glu:kous] *s* **1.** *chem.* Glu'kose *f,* Gly'kose *f,* Dex'trose *f,* Traubenzucker *m* ($C_6H_{12}O_6$). – **2.** (*Art*) Sirup *m.* —**glu'co·sic** *adj* Glukose..., Glykose...

glu·co·side ['glu:ko,said; -kə-], *auch* '**glu·co·sid** [-sid] *s chem.* Glyko'sid *n.* — ,**glu·co'su·ri·a** [-'sju(ə)riə; -'su-] → glycosuria.

glue [glu:] **I** *s* **1.** Leim *m*: vegetable ~ Pflanzenleim. – **2.** Klebstoff *m,* Klebemittel *n.* – **II** *v/t pres p* '**glu·ing** **3.** leimen, kleben (on auf *acc,* to an *acc*). – **4.** (*etwas*) (zu'sammen)kleben. – **5.** mit Leim bestreichen. – **6.** *fig.* (to) heften (auf *acc*), drücken (an *acc,* gegen). — ~ **stock** *s tech.* Leimrohstoff *m* (*Häute, Horn, Fische etc*).

glue·y ['glu:i] *comp* '**glu·i·er** *sup* '**glu·i·est** *adj* **1.** klebrig, zähflüssig (*Masse*). – **2.** klebrig, voller Leim, leimig.

glum [glʌm] *comp* '**glum·mer** *sup* '**glum·mest** *adj* verdrießlich, mürrisch, sauer, finster. – *SYN. cf.* sullen.

glu·ma·ceous [glu:'meiʃəs] *adj bot.* spelzig, spelzförmig, -blütig. — ~ **plants** *s pl bot.* Spelzengewächse *pl,* Glumi'floren *pl.*

glume [glu:m] *s bot.* Spelze *f,* (*bei Gräsern nur*) Hüllspelze *f.* — **glu'mif·er·ous** [-'mifərəs] *adj bot.* spelzentragend.

glum·ness ['glʌmnis] *s* Verdrießlichkeit *f,* Mürrischkeit *f.*

glu·mose ['glu:mous], *auch* '**glu·mous** [-məs] *adj bot.* spelzig, Spelzen...

glump·y ['glʌmpi] *adj colloq.* verdrießlich, mürrisch.

glunch [glunʃ; glʌnʃ] *Scot.* **I** *adj u. s* finster(er Blick). – **II** *v/i* mürrisch sein.

glut [glʌt] **I** *v/t pret u. pp* '**glut·ted** **1.** sättigen. – **2.** (*Hunger etc*) stillen, (*Bedürfnis*) befriedigen. – **3.** über'sättigen, -'laden (*auch fig.*). – **4.** *econ.* (*Markt*) über'füllen, -'schwemmen. – **5.** verstopfen. – **6.** (gierig) verschlingen *od.* verschlucken *od.* trinken. – **II** *v/i* **7.** sich satt essen. – **8.** gierig essen. – *SYN. cf.* satiate. – **III** *s* **9.** Sättigung *f.* – **10.** Stillung *f,* Befriedigung *f.* – **11.** Über'sättigung *f,* -'ladung *f* (*auch fig.*). – **12.** *econ.* 'Überangebot *n,* Über'füllung *f,* Schwemme *f*: a ~ in the market eine Überfüllung des Marktes; ~ of money Geldüberhang. – **13.** 'Überfluß *m* (of an *dat*), 'Übermaß *n.* – **14.** 'übermäßig große Menge (*Menschen etc*).

glu·tam·ic ac·id [glu:'tæmik] *s chem.* Gluta'minsäure *f.*

glu·ta·mine ['glu:tə,mi:n; -min], *auch* '**glu·ta·min** [-min] *s chem.* Gluta'min *n* ($C_5H_{10}N_2O_3$). — **glu·ta·thi·one** [,glu:tə'θaioun; -θai'oun] *s chem.* Glu'tathion *n* ($C_{10}H_{17}N_3O_6S$).

glu·te·al [glu:'ti:əl; 'glu:tiəl] *adj med.* Glutäal..., Gesäß(muskel)...

glu·te·lin ['glu:təlin] *s chem.* Glute'lin *n.*

glu·ten ['glu:tən] *s* **1.** *chem.* Glu'ten *n,* Kleber *m*: ~ bread Kleberbrot; ~ flour Gluten-, Klebermehl. – **2.** klebrige Sub'stanz, Leim *m.* – **3.** *zo.* klebriges Se'kret. — '**glu·te·nous** *adj* **1.** glu'ten-, kleberartig. – **2.** stark kleberhaltig, viel Glu'ten enthaltend.

glu·te·us [glu:'ti:əs] *pl* **-te·i** [-'ti:ai] *s med.* Glu'täus *m,* Gesäßmuskel *m.*

glu·ti·nize ['glu:ti,naiz; -tə-] *v/t* klebrig *od.* leimig machen. — ,**glu·ti'nos·i·ty** [-'nɒsiti; -əti] *s* Klebrigkeit *f.* — '**glu·ti·nous** *adj* **1.** gluti'nös, klebrig, leimartig. – **2.** *bot.* klebrig. — '**glu·ti·nous·ness** → glutinosity.

glu·tose ['glu:tous] *s chem.* Glu'tose *f* ($C_6H_{12}O_6$).

glut·ton ['glʌtn] *s* **1.** Vielfraß *m,* unersättlicher Esser. – **2.** Schlemmer *m,* Schwelger *m.* – **3.** *fig.* unersättlicher Mensch: a ~ for books eine Leseratte; a ~ for work ein arbeitswütiger Mensch. – **4.** *zo.* a) Vielfraß *m* (*Gulo gulo*), b) → wolverine 1. – *SYN. cf.* epicure. — '**glut·ton,ize** *v/t u. v/i* gierig essen, schlingen, ‚fressen'. — '**glut·ton·ous** *adj* **1.** gefräßig, unersättlich, gierig. – **2.** *fig.* gierig (of nach), unersättlich. — '**glut·ton·ous·ness** *s* **1.** Gefräßigkeit *f.* – **2.** *fig.* Unersättlichkeit *f.* — '**glut·ton·y** *s* **1** Gefräßigkeit *f,* Unersättlichkeit *f.* – **2.** Schlemme'rei *f.*

glyc·er·al·de·hyde [,glisə'rældi,haid; -də-] *s chem.* Glyce'rinalde,hyd *m* ($C_3H_6O_3$).

gly·cer·ic [gli'serik; 'glisərik] *adj chem.* Glycerin...: ~ acid Glycerinsäure ($C_3H_6O_4$).

glyc·er·ide ['glisə,raid; -rid], *auch* '**glyc·er·id** [-rid] *s chem.* Glyce'rid *n.*

glyc·er·in ['glisərin] → glycerine. — '**glyc·er·in,ate** [-,neit] → glycerolate. — '**glyc·er·ine** [-rin; -,ri:n], '**glyc·er,ol** [-,roul; -,rɒl] *s chem.* Glyce'rin *n* ($C_3H_5(OH)_3$). — '**glyc·er·ol,ate** [-rə,leit] *v/t med.* mit Glyce'rin versetzen *od.* behandeln. — '**glyc·er·yl** [-ril] *s chem.* dreiwertiges Glyce'rinradi,kal (C_3H_5): ~ trinitrate Glycerintrinitrat, Nitroglycerin.

gly·cine ['glaisi:n; glai'si:n], *auch* '**gly·cin** [-sin] *s chem.* Gly'cin *n,* Glyko'koll *n,* Leimzucker *m,* A'minoessigsäure *f* (NH_2CH_2COOH).

glyco- [glaiko; -kə] *Wortelement mit der Bedeutung* süß, Glyko...

gly·co·coll ['glaiko,kɒl; -kə,k-] → glycine. — '**gly·co·gen** [-dʒen] *s chem.* Glyko'gen *n,* Leberstärke *f* ($C_6H_{10}O_5$). — '**gly·co·gen,ase** [-dʒə-,neis] *s chem.* Glykoge'nase *f* (*ein Leberenzym*). — ,**gly·co'gen·e·sis** [-'dʒenisis; -nə-] *s biol. chem.* Glykoge'nie *f,* Glyko'gen-, Zuckerbildung *f.* — ,**gly·co'gen·ic** *adj biol. chem.* **1.** Glykogen... – **2.** die Zuckerbildung betreffend. — ,**gly·co·gen'ol·y·sis** [-'nɒlisis; -lə-] *s biol. chem.* Glykogeno'lyse *f,* Zuckerspaltung *f.*

gly·col ['glaikɒl; -koul] *s chem.* Gly'kol *n*: a) *Äthylenglykol* [C_2H_4-(OH_2)], b) *zweiwertiger Alkohol.* — **gly'col·ic** [-'kɒlik] *adj chem.* Glykol...: ~ acid Glykolsäure, Oxyessigsäure (CH_2OH·$COOH$).

Gly·con·ic [glai'kɒnik] *adj u. s metr.* glyko'neisch(er Vers).

gly·co·pro·te·in [,glaiko'proutiin; -ti:n; -kə-], *auch* ,**gly·co'pro·te·id** [-tiid; -ti:d] *s biol. chem.* Glykoprote'id *n.* — '**gly·co·side** [-,said; -sid], *auch* '**gly·co·sid** [-sid] *s chem.* Gluco'sid *n,* Glyko'sid *n.* — ,**gly·co'su·ri·a** [-'sju(ə)riə; -'su-] *s med.* Glykosu'rie *f* (*Ausscheidung von Zucker im Urin*).

gly·ox·a·lin [glai'ɒksəlin] → imidazole.

glyph [glif] *s* **1.** *arch.* Glyphe *f,* (verti'kale) Furche *od.* Rinne. – **2.** Skulp'tur *f,* eingeschnitzte *od.* erhabene Fi'gur. – **3.** (*Archäologie*) eingemeißeltes Bild- *od.* Schriftzeichen, Hiero'glyphe *f.* — '**glyph·ic** *adj* glyphisch.

glyph·o·graph ['glifə,græ(:)f; *Br. auch* -,grɑ:f] *s print.* **1.** glypho'graphisch 'hergestellte Kupferdruckplatte. – **2.** glypho'graphisch 'hergestellter Druck. — **gly'phog·ra·pher** [-'fɒgrəfər] *s* Glypho'graph *m.* — ,**glyph·o'graph·ic** [-'græfik] *adj* glypho'graphisch. — **gly'phog·ra·phy** *s* Glyphogra'phie *f* (*galvanoplastische Herstellung von Relief-Druckplatten*).

glyp·tic ['gliptik] **I** *adj* glyptisch, Steinschneide... – **II** *s meist pl* (*als sg konstruiert*) Glyptik *f,* Steinschneidekunst *f.*

glyp·to·dont ['glipto,dɒnt; -tə-] *s zo.* Glyptodon *n* (*Gattg Glyptodon; fossiles Riesengürteltier*).

glyp·tog·ra·pher [glip'tɒgrəfər] *s* Glypto'graph *m.* — ,**glyp·to'graph·ic** [-tə'græfik] *adj* glypto'graphisch. — **glyp'tog·ra·phy** *s* Glyptogra'phie *f*: a) *Steinschneidekunst,* b) *Gemmenkunde.*

G man, 'G-,man *s irr* G-Mann *m* (*Sonderbeamter der amer. Bundessicherheitspolizei*).

gnar [nɑ:r] *pret u. pp* **gnarred** *v/i* knurren (*bes. Hunde*).

gnarl[1] [nɑ:rl] **I** *v/t* **1.** verdrehen, krümmen, biegen. – **2.** knorrig machen. – *SYN. cf.* deform. – **II** *s* **3.** Knorren *m* (*am Baum*). – **4.** (Holz)-Maser *m, f.*

gnarl[2] [nɑ:rl] *v/i obs.* knurren.

gnarled [nɑ:rld], *auch* '**gnarl·y** *adj* **1.** knorrig (*Baum*). – **2.** astig, maserig (*Holz*). – **3.** *fig.* knorrig, streitsüchtig.

gnash [næʃ] **I** *v/i* **1.** (mit den Zähnen) knirschen *od.* klappern. – **2.** knirschen, klappern (*Zähne*). – **II** *v/t* **3.** knirschen mit (*den Zähnen*): to ~ one's teeth. – **4.** mit knirschenden Zähnen beißen. – **III** *s* **5.** Zähneknirschen *n,* -klappern *n.*

gnat [næt] *s* **1.** *zo. Br. für* mosquito 1. – **2.** *zo. Am. eine kleinere Mücke, bes.* Kriebel-, Kribbelmücke *f,* Gnitze *f* (*Fam. Simuliidae*). – **3.** *fig.* lästige Kleinigkeit: → strain[1] 15. — '~,**catch·er** *s zo.* Mückenfänger *m* (*Gattg Polioptila; Vogel*).

gnath·ic ['næθik] *adj med.* Kiefer...: ~ index Kieferindex.

gna·thi·on ['neiθi,ɒn; 'næθ-] *s med.* Kinnspitze *f.* — '**gna·thite** [-θait] *s zo.* Mundanhängsel *n* (*der Gliederfüßer*).

-gnathous [neiθəs; næθəs; nə-] *Wortelement mit der Bedeutung* ...kieferig.

gnaw [nɔ:] *pret* **gnawed** *pp* **gnawed** *od.* **gnawn** [nɔ:n] **I** *v/t* **1.** nagen an (*dat*), abnagen, zernagen. – **2.** zerfressen (*Säure etc*). – **3.** *fig.* quälen, aufreiben, zermürben, zerfressen. – **4.** nagenden Schmerz her'vorrufen in (*dem Magen etc*). – **II** *v/i* **5.** nagen (at, on an *dat*). – **6.** sich einfressen (into in *acc*). – **7.** *fig.* nagen, zermürben. — '**gnaw·er** *s* **1.** Nager *m.* – **2.** *zo.* Nager *m,* Nagetier *n.* — '**gnaw·ing** **I** *adj* **1.** nagend (*auch fig.*). – **II** *s* **2.** Nagen *n.* – **3.** *fig.* Nagen *n*, nagender Schmerz, Qual *f.*

gneiss [nais] *s geol.* Gneis *m.* — ˈ**gneiss·ic** *adj* Gneis..., gneisig. — ˈ**gneiss·oid** *adj* gneisähnlich, -artig.

gnome[1] [noum] *s* Gnom *m*, Troll *m*, Kobold *m*, Zwerg *m.*

gnome[2] [noum; ˈnoumi] *s* Gnome *f*, Sinn-, Denkspruch *m*, Senˈtenz *f*, Aphoˈrismus *m.*

gno·mic [ˈnoumik], *auch* ˈ**gno·mi·cal** [-kəl] *adj* gnomisch, aphoˈristisch. — ˈ**gno·mi·cal·ly** *adv* (*auch zu* gnomic).

gnom·ish [ˈnoumiʃ] *adj* gnomenhaft, koboldartig, zwergenhaft.

gno·mist [ˈnoumist] *s* Gnomiker *m*, Gnomendichter *m.* — **gnoˈmol·o·gy** [-ˈmɒlədʒi] *s* **1.** gnomische Dichtung. – **2.** Gnomen-, Aphoˈrismensammlung *f.*

gno·mon [ˈnoumɒn] *s* Gnomon *m*: a) *astr. Sonnenhöhenzeiger*, b) *Sonnenuhrzeiger*, c) *math. Restparallelogramm.* — **gnoˈmon·ic**, *auch* **gnoˈmon·i·cal** *adj* gnoˈmonisch.

gno·sis [ˈnousis] *s* Gnosis *f*, (*bes.* ˈmystisch-religiˈöse) Erkenntnis.

-gnosis [nousis] *Wortelement mit der Bedeutung* Erkennung, (Er)Kenntnis.

gnos·tic [ˈnɒstik] **I** *adj* **1.** Erkenntnis... – **2.** (esoˈterisches) Wissen habend. – **3.** mystisch, okˈkult. – **4.** G~ gnostisch. – **II** *s* **5.** G~ Gnostiker *m.* — ˈ**gnos·ti·cal** → gnostic I. — ˈ**gnos·ti·cal·ly** *adv* (*auch zu* gnostic I).

Gnos·ti·cism [ˈnɒstiˌsizəm; -tə-] *s* Gnostiˈzismus *m.* — ˈ**Gnos·tiˌcize** **I** *v/i* gnostische Anschauungen vertreten. – **II** *v/t* gnostisch auslegen *od.* erklären.

gnu [nuː; njuː] *pl* **gnus** *od. bes. collect.* **gnu** *s zo.* Gnu *n* (*Gattg Connochaetes*).

go [gou] **I** *s pl* **goes** [gouz] **1.** Gehen *n*: the come and ~ of the years das Kommen u. Gehen der Jahre. – **2.** Gang *m*, (Ver)Lauf *m.* – **3.** *collect.* Schwung *m*, ‚Schmiß' *m*: he's full of ~ ‚er hat Mumm in den Knochen'; this song has no ~ dieses Lied hat keinen Schmiß. – **4.** *colloq.* Mode *f*: it is all the ~ now es ist der letzte Schrei *od.* jetzt große Mode. – **5.** *colloq.* Erfolg *m*: to make a ~ of s.th. etwas zu einem Erfolg machen; no go a) kein Erfolg, b) aussichts-, hoffnungs-, zwecklos; it is no ~ es geht nicht, nichts zu machen. – **6.** *colloq.* ‚Geschäft' *n*, Abmachung *f*: it's a ~! abgemacht! – **7.** *colloq.* Versuch *m*: to have a ~ at s.th. etwas probieren *od.* versuchen. – **8.** *colloq.* unangenehme Geschichte, dumme *od.* lästige Sache: what a ~! wie lästig! so etwas Dummes! it was a near ~ das ging gerade noch gut. – **9.** *colloq.* a) Portiˈon *f* (*Speise*), b) Glas *n* (*Getränk*). – **10.** *Br.* Anfall *m* (*Krankheit*): my third ~ this year. – **11.** (*Cribbage*) Nichtˈkönnen *n.* – **12.** *Br. für* little-go. – **13.** on the ~ *colloq.* a) (ständig) in Bewegung, immer unterˈwegs, b) im Verfall begriffen, im Daˈhinschwinden. –

II *v/i pret* **went** [went] *pp* **gone** [gɒn; gɔːn] *3. sg pres* **goes** [gouz] *u. obs.* **go·eth** [ˈgouiθ] *2. sg pres obs.* **go·est** [ˈgouist] **14.** gehen, fahren, reisen, sich (fort)bewegen: to ~ on foot zu Fuß gehen; to ~ on horseback reiten; to ~ by train mit dem Zug fahren; to ~ by airplane mit dem Flugzeug reisen, fliegen; to ~ straight den geraden Weg gehen; to ~ a journey eine Reise machen; he will ~ far *fig.* er wird es weit bringen; → pace[1] 1; west 7; wrong 8. – **15.** gehen, fortgehen, -fahren, sich fortbegeben, abreisen (to nach): people were coming and ~ing Leute kamen u. gingen; I must ~ now ich muß jetzt gehen; to ~ on one's way sich auf den Weg machen; let me ~! laß mich los! – **16.** abgehen (*Schauspieler*). – **17.** anfangen, loslegen, -gehen: there you ~ again! da fängst du schon wieder an! still one minute to ~ noch eine Minute; just ~ and try! versuch's doch mal! here ~es! nun geht's los! – **18.** *sport* starten: ~! los! – **19.** (to) zugehen (auf *acc*), sich aufmachen (nach): to ~ to Canossa *fig.* nach Canossa gehen; ~ to Jericho (*od. Br.* Bath)! geh zum Teufel! → bar[1] 20; bed 4; blaze[1] 2; devil 1; hell 3; sea *b. Redw.*; stage 3. – **20.** gehen, führen, verlaufen, sich ˈhinziehen: this road ~es to York diese Straße geht *od.* führt nach York. – **21.** sich erstrecken, reichen, gehen (to bis): as far as it ~es bis zu einem gewissen Grade; it ~es a long way es reicht lange (aus); → way[1] 3. – **22.** *fig.* gehen: to ~ so far as to say so weit gehen zu sagen; to ~ to great expense sich in große Unkosten stürzen; to ~ better (*beim Glücksspiel*) höher gehen, den Wetteinsatz erhöhen; to ~ all out sich ganz einsetzen, alles daransetzen, alle Anstrengungen machen; it ~es to my heart es geht mir zu Herzen; → half *b. Redw.*; whole hog; share[1] 2. – **23.** *math.* (into) gehen (in *acc*), enthalten sein (in *dat*): 5 into 10 ~es twice 5 geht in 10 zweimal. – **24.** gehen, passen (into, in in *acc*), fallen (to auf *acc*): it does not ~ into my pocket es geht *od.* paßt nicht in meine Tasche; 12 inches ~ to the foot 12 Zoll gehen auf *od.* bilden einen Fuß. – **25.** gehören (in, into in *acc*, on auf *acc*): the books ~ on the shelf die Bücher gehören *od.* kommen auf das Regal. – **26.** (to) fallen (an *acc*), zufallen (*dat*), ˈübergehen (an *acc*, auf *acc*): the inheritance has gone to him die Erbschaft ist an ihn übergegangen. – **27.** sich rühren, sich bewegen: who ~es there? *mil.* Wer da? (*Postenruf*). – **28.** gehen, laufen, in Gang *od.* Betrieb sein, funktioˈnieren: the engine is ~ing die Maschine läuft; a ~ing firm ein gutgehendes Geschäft; to keep (set) s.th. ~ing etwas in Gang halten (bringen). – **29.** verkehren, fahren (*Fahrzeuge*). – **30.** werden, in einen (*bestimmten*) Zustand geraten: to ~ bad schlecht werden (*Speisen*); to ~ blind erblinden; he went hot and cold ihm wurde heiß u. kalt; to ~ mad rasend *od.* verrückt werden; to ~ native verwildern; to ~ sick *mil.* sich krank melden; to ~ to pieces a) in Stücke gehen, b) *fig.* außer sich geraten, zusammenbrechen, zugrunde gehen. – **31.** (gewöhnlich) sein, (ständig) herˈumlaufen, sich ständig befinden: to ~ in rags ständig in Lumpen herumlaufen *od.* gekleidet sein; to ~ in fear in ständiger Angst leben; to ~ hungry hungern; ~ing sixteen im 16. Lebensjahr. – **32.** *meist* ~ with child schwanger sein: to ~ with young trächtig sein; six months gone with child seit 6 Monaten schwanger, im 6. Monat. – **33.** (with) gehen (mit), sich halten *od.* anschließen (an *acc*): to ~ with the tide (*od.* the times) mit der Zeit gehen, mit dem Strom schwimmen. – **34.** sich halten (by, upon an *acc*), gehen, handeln, sich richten, urteilen (upon, on nach), bestimmt werden (by durch): to have nothing to ~ upon keine Anhaltspunkte haben. – **35.** (eine Bewegung) machen. – **36.** gehen, sich verbreiten, kurˈsieren, im ˈUmlauf sein (*Gerücht etc*): the story ~es es heißt, man erzählt sich. – **37.** angenommen *od.* akzepˈtiert werden, gelten: what he says ~es *colloq.* was er sagt, gilt; it ~es without saying es versteht sich von selbst. – **38.** gehen, laufen, bekannt sein: it ~es by (*od.* under) the name of es läuft unter dem Namen. – **39.** im allgemeinen sein, eben (so) sein, üblicherweise (so) sein: as hotels ~ wie Hotels eben sind; as the times ~ wie die Zeiten nun einmal sind, für die jetzigen Zeiten. – **40.** vergehen, -streichen, -fließen: how time ~es! wie (doch) die Zeit vergeht! – **41.** *econ.* abgehen, abgesetzt *od.* verkauft werden: to ~ cheap billig abgehen; ~ing! ~ing! gone! zum ersten! zum zweiten! zum dritten (u. letzten Mal)! – **42.** (on, in) aufgehen (in *dat*), ausgegeben werden (für). – **43.** dazu beitragen *od.* dienen (to do zu tun), dienen (to zu), verwendet werden (to, towards für, zu): this only ~es to show you the truth dies dient nur dazu, Ihnen die Wahrheit zu zeigen. – **44.** verlaufen, sich entwickeln, sich gestalten, seinen Verlauf nehmen. – **45.** ausgehen, -fallen: the decision went against him die Entscheidung fiel zu seinen Ungunsten aus; it went well es ging gut (aus). – **46.** gelingen, Erfolg haben: to ~ big *sl.* ein Riesenerfolg sein; the play ~es das Stück hat Erfolg; → wrong 8. – **47.** *pol.* wählen, sich (*in bestimmter Weise*) entscheiden: to ~ Conservative die Konservativen wählen; → dry 22. – **48.** (with) gehen (mit), sich vertragen (mit), passen (zu), harmoˈnieren (mit): these two colo(u)rs do not ~ together diese beiden Farben beißen sich. – **49.** ertönen, erklingen, läuten (*Glocke*), schlagen (*Uhr*): the clock went five die Uhr schlug fünf. – **50.** (*Geräusch*) machen, losgehen mit: bang went the gun die Kanone machte bumm. – **51.** lauten (*Worte etc*). – **52.** daˈhinfließen (*Verse etc*). – **53.** (to) gehen (nach), passen (zu): this song ~es to the tune of dieses Lied geht nach der Melodie von. – **54.** (to) sich wenden (an *acc*), greifen (zu): to ~ to court vor Gericht gehen, sich ans Gericht wenden; → country 5; war 1. – **55.** daˈvonkommen: → unpunished. – **56.** bleiben, bewenden (*bes. in*): let it ~ at that! laß es dabei bewenden! – **57.** gehen, verschwinden, abgeschafft werden: he must ~ er muß weg; these laws must ~ diese Gesetze müssen verschwinden. – **58.** (daˈhin)schwinden: his strength is ~ing seine Kraft schwindet. – **59.** versagen, zum Erliegen kommen, zuˈsammenbrechen: trade is ~ing der Handel kommt zum Erliegen. – **60.** zuˈsammenbrechen, -krachen, zerstört werden: to ~ into holes Löcher bekommen. – **61.** sterben (*bes. im pp*): he is (dead and) gone er ist tot. – **62.** in Ohnmacht fallen. – **63.** (*in einer bestimmten Funktion etc*) auftreten, handeln: → bail[1] 1. – **64.** (*im pres p mit inf*) a) *zum Ausdruck einer unmittelbar bevorstehenden Zukunft*, b) *zum Ausdruck des Sollens od. Müssens*: he is ~ing to read it er wird *od.* will es (bald) lesen; he is ~ing to open it er schickt sich an, es zu öffnen; what was ~ing to be done? was sollte nun geschehen? – **65.** (*mit -ing-Form*) *meist* gehen: to ~ swimming schwimmen gehen; you must not ~ telling him du darfst es ihm ja nicht sagen. – **66.** (darˈan)gehen, sich aufmachen, sich anschicken: he went to find him er ging ihn suchen; ~ fetch! bring es! hol es! to ~ and do s.th. *colloq.* so dumm sein, etwas zu tun; I would not ~

(for) to do it *vulg.* ich möchte nicht so blöd sein, es zu tun. – **67.** *obs.* zu Fuß gehen: **he fell from running to ~ing.** –

III *v/t* **68.** *colloq.* aushalten, vertragen. – **69.** *colloq.* sich leisten. – **70.** *colloq.* wetten, setzen: **I'll ~ you a pound** ich setze ein Pfund. – **71.** (*Kartenspiel*) ansagen: → **nap**[3] 1. – **72.** *Am. colloq.* eine Einladung *od.* Wette annehmen von: **I'll ~ you** ich nehme an, Ihr Vorschlag ist mir recht. – **73.** ~ **it** *colloq.* a) mit Schwung drauf'losgehen, e'nergisch auftreten, b) starke Worte gebrauchen, c) ein ausschweifendes Leben führen, d) handeln: → **blind** 32; **he's ~ing it alone** er macht es ganz allein(e); ~ **it!** nur drauf! immer feste! – **74.** ~ **s.o. better** j-n über'trumpfen. – *SYN.* **depart, leave**[1], **quit, retire, withdraw.** –

Verbindungen mit Präpositionen:

go| a·bout *v/t* in Angriff nehmen, sich machen an (*acc*). — ~ **a·gainst** *v/t* wider'streben (*dat*). — ~ **at** *v/t* **1.** losgehen auf (*acc*), angreifen. – **2.** anpacken, (e'nergisch) in Angriff nehmen. — ~ **be·hind** *v/t* die 'Hintergründe unter'suchen von, (*dat*) auf den Grund gehen. — ~ **be·tween** *v/t* vermitteln zwischen (*dat*). — ~ **be·yond** *v/t* über'schreiten, hin'ausgehen über (*acc*). — ~ **by** → **go** 14 *u.* 34. — ~ **for** *v/t* **1.** gehen nach, holen (gehen). – **2.** (*Spaziergang etc*) unter'nehmen. – **3.** gelten als *od.* für, betrachtet werden als. – **4.** streben nach, sich bemühen um, zu erlangen suchen. – **5.** *Am. colloq.* a) schwärmen für, begeistert sein für, b) ‚verknallt' *od.* ‚verschossen' sein in (*acc*). – **6.** *sl.* losgehen auf (*acc*), sich stürzen auf (*acc*). — ~ **in** → **go** 42. — ~ **in·to** *v/t* **1.** hin'eingehen in (*acc*), eintreten in (*acc*). – **2.** (*Beruf*) ergreifen, eintreten in (*ein Geschäft etc*). – **3.** *pol.* einen Sitz einnehmen in (*einem Parlament*). – **4.** häufig besuchen, frequen'tieren. – **5.** teilnehmen an (*dat*). – **6.** geraten in (*acc*), sich 'hingeben (*dat*): **to ~ hysterics** in Hysterie geraten, hysterisch werden. – **7.** (*Kleider etc*) anziehen. – **8.** (genau) unter'suchen, erforschen. – **9.** → **go** 23. — ~ **on** *v/t* zur Last fallen (*dat*). — ~ **o·ver** *v/t* **1.** (über)'prüfen, unter'suchen, besichtigen. – **2.** (nochmals) 'durchgehen, über'arbeiten, ausfeilen. – **3.** proben, wieder'holen. – **4.** 'durchgehen, -lesen, -sehen. – **5.** über'schreiten, -'queren: **to ~ the top** (*od.* **bags**) *mil.* aus dem Schützengraben steigen, angreifen. — ~ **through** *v/t* **1.** 'durchgehen, -sprechen, (ausführlich) erörtern. – **2.** (*Gepäck etc*) durch'suchen. – **3.** (*Zeremonie etc*) 'durchführen, absol'vieren. – **4.** 'durchmachen, erleiden. – **5.** *fig.* erleben: **the book went through five editions** das Buch erlebte 5 Auflagen. – **6.** (*Vermögen*) 'durchbringen. – **7.** *sl.* (*j-n*) ausrauben. — ~ **to** → **go** 53 *u.* 54. — ~ **up** *v/t* hin'aufgehen, -steigen: **to ~ the road** die Straße hinaufgehen; **to ~ the line** *mil.* an die Front gehen. — ~ **with** *v/t* **1.** zu'sammenpassen mit, passen zu. – **2.** über'einstimmen mit. – **3.** → **go** 33. – **4.** verkehren mit. – **5.** *fig.* mitkommen mit, verstehen. — ~ **with·out** *v/t* **1.** auskommen ohne. – **2.** entbehren (*acc*). –

Verbindungen mit Adverbien:

go| a·bout *v/i* **1.** her'um-, um'hergehen, -fahren, -reisen. – **2.** sich bemühen (to do zu tun). – **3.** *mar.* la'vieren, wenden, über Stag gehen. — ~ **a·broad** *v/i* ins Ausland gehen *od.* reisen. — ~ **a·head** *v/i* **1.** vorwärtsgehen, weiterschreiten, -gehen, -machen, fortfahren. – **2.** (erfolgreich) vorwärtskommen. — ~ **a·long** *v/i* **1.** weitergehen. – **2.** *fig.* fortfahren, weitermachen. – **3.** ~ **with** begleiten. – **4.** ~ **with** *fig.* mitkommen mit, (*dat*) folgen, (*acc*) verstehen. — ~ **a·round** *v/i* **1.** → **go about** 1. – **2.** → **go round.** — ~ **a·stern** *v/i mar.* rückwärtsgehen. — ~ **back** *v/i* **1.** zu'rückgehen. – **2.** ~ **on** *colloq.* (*j-n*) im Stich lassen. – **3.** ~ **on** *colloq.* (*Wort etc*) nicht halten, zu'rücknehmen. — ~ **by** *v/i* **1.** vor'bei-, vor'übergehen. – **2.** *fig.* unbemerkt vor'übergehen: **to let s.th. ~** etwas nicht beachten, einer Sache keine Beachtung schenken. — ~ **down** *v/i* **1.** hin'untergehen. – **2.** 'untergehen, sinken. – **3.** *fig.* (hin'ab)reichen (to bis). – **4.** hin'unterrutschen, geschluckt werden. – **5.** *fig.* (with) geschluckt *od.* geglaubt werden (von), Anklang finden, ankommen (bei): **this story won't ~ with him** diese Geschichte kann man ihm nicht aufbinden; **it went down well with him** es kam gut bei ihm an. – **6.** unter'liegen (before *dat*). – **7.** zu Boden gehen. – **8.** *econ.* sinken, fallen (*Preise*). – **9.** aufgeschrieben werden. – **10.** sich niederlegen, sich ins Bett legen. – **11.** *Br.* die Universi'tät verlassen (*am Ende des Semesters od. des Studiums*). – **12.** sich im Niedergang befinden. — ~ **in** *v/i* **1.** hin'eingehen. – **2.** sich (am Kampf) beteiligen: **~ and win!** auf in den Kampf! – **3.** (*Kricket etc*) zum Schlagen drankommen. – **4.** *colloq.* anfangen, beginnen. – **5.** ~ **for** a) sich widmen (*dat*), betreiben (*acc*), b) (*ein Examen*) machen, c) 'hinarbeiten auf (*acc*), anstreben, d) unter'stützen, befürworten. — ~ **off** *v/i* **1.** weg-, fortgehen, -fahren. – **2.** abgehen (*Zug*). – **3.** abgehen (*Schauspieler*). – **4.** sterben. – **5.** losgehen (*Gewehr etc*), explo'dieren, sich entladen. – **6.** losgehen, beginnen. – **7.** nachlassen (*Schmerz etc*). – **8.** bewußtlos werden: → **sleep** 15. – **9.** verfallen, geraten (in, into in *acc*): **to ~ in a fit** einen Anfall bekommen. – **10.** sich verschlechtern. – **11.** zu'nichte werden. – **12.** *econ.* weggehen, Absatz finden. – **13.** gelingen, geraten, Erfolg haben: **it went off well** a) es gelang gut, b) es hatte guten Erfolg. — ~ **on** *v/i* **1.** weitergehen, -fahren. – **2.** *fig.* fortfahren (doing zu tun; with mit): ~ **reading** lies weiter. – **3.** daran anschließend *od.* daraufhin anfangen (to do zu tun): **he went on to insult me** darauf fing er an, mich zu beschimpfen. – **4.** weitergehen, an-, fortdauern. – **5.** sich aufführen, sich benehmen. – **6.** *colloq.* a) dauernd reden *od.* schwatzen, b) schimpfen: **to ~ at s.o.** schimpfen mit j-m *od.* über j-n, herziehen über j-n. – **7.** (*im Imperativ*) ~! *colloq.* hör auf! ach komm! – **8.** auftreten (*auf der Bühne*). – **9.** (*Kricket*) zum Werfen kommen, mit dem Werfen beginnen. – **10.** passen, sich anziehen lassen. – **11.** ~ **for** sich nähern (*dat*), gehen auf (*acc*): **to be going on for 60** sich den Sechzigern nähern. — ~ **out** *v/i* **1.** hin'ausgehen. – **2.** ausgehen, erlöschen. – **3.** ausgehen, in Gesellschaft gehen. – **4.** sich duel'lieren. – **5.** ausscheiden, (ab)gehen, zu'rücktreten (*Minister etc*). – **6.** 'unmo,dern werden, aus der Mode kommen. – **7.** zu Ende gehen (*Jahr etc*). – **8.** *Am.* einstürzen, zu'sammenbrechen (*Brücke etc*). – **9.** verbreitet *od.* bekannt werden (*Nachricht*). – **10.** eine Stellung außer Haus annehmen (*bes. Mädchen*): **to ~ washing** als Wäscherin gehen; **to ~ as governess** eine Stellung als Gouvernante annehmen. – **11.** gehen (to nach). – **12.** streiken. – **13.** ~ **to** sich (in Liebe) zuwenden, entgegenschlagen (*Herz*) (*dat*): **our best wishes ~ to you** unsere besten Wünsche begleiten Sie. — ~ **o·ver** *v/i* **1.** 'übergehen (into in *acc*). – **2.** (*zu einer anderen Partei etc*) 'übertreten, -gehen. – **3.** zu'rückgestellt *od.* vertagt werden. – **4.** *colloq.* Erfolg haben: **to ~ big** ein Bombenerfolg sein. — ~ **round** *v/i* **1.** (zu)reichen, genügen, lang genug sein. – **2.** *fig.* für alle ausreichen. – **3.** ~ **to** vor'beikommen bei, (*j-m*) einen (formlosen) Besuch machen. — ~ **through** *v/i* **1.** 'durchgehen, angenommen werden (*Antrag*). – **2.** 'durchhalten (with mit, in *dat*): **to ~ with s.th.** etwas zu Ende führen. — ~ **to** *obs.* (*nur im Imperativ*): ~! a) geh zu! b) wohlan! — ~ **to·geth·er** *v/i* **1.** sich mitein'ander vertragen, zu'sammen passen (*Farben etc*). – **2.** *colloq.* mitein'ander gehen (*Liebespaar*). — ~ **un·der** *v/i* **1.** 'untergehen. – **2.** *fig.* 'untergehen, zu'grunde gehen, unter'liegen. — ~ **up** *v/i* **1.** hin'aufgehen, -fahren: → **town** 8. – **2.** *econ.* hin'aufgehen, steigen, anziehen (*Preise*). – **3.** steigen, zunehmen. – **4.** (*auf der Bühne*) nach hinten gehen. – **5.** *Am. colloq.* zu'grunde gehen, ‚ka'puttgehen'. – **6.** *Br.* (zum Se'mesteranfang) zur Universi'tät gehen.

go·a ['gouə] *s zo.* 'Tibetga,zelle *f* (*Procapra picticaudata*).

goad [goud] **I** *s* **1.** Stachelstock *m.* – **2.** *fig.* Stachel *m.* – **3.** *fig.* Ansporn *m.* – *SYN. cf.* **motive.** – **II** *v/t* **4.** (*mit dem Stachelstock*) antreiben. – **5.** *oft* ~ **on** *fig.* an-, aufstacheln, (an)treiben, (auf)reizen: **to ~ s.o. to do** (*od.* **into doing**) **it** j-n dazu anstacheln, es zu tun; **to ~ (in)to fury** zur Wut reizen.

'go-a,head *colloq.* **I** *adj* **1.** vor(wärts)gehend, -strebend. – **2.** unter'nehmend, unter'nehmungslustig. – **II** *s Am.* **3.** Draufgänger *m.* – **4.** Fortschritt *m.* – **5.** Unter'nehmungsgeist *m*, Schwung *m.* – **6.** freie Bahn: **to receive the ~ on a project** freie Bahn erhalten für ein Projekt.

goal [goul] *s* **1.** Ziel *n*, Endpunkt *m.* – **2.** Bestimmungsort *m.* – **3.** *fig.* Ziel *n*, (End)Zweck *m.* – **4.** *sport* a) Ziel *n*, b) Zielband *n*, -mal *n*, -pfosten *m*, c) Tor *n*, d) Torschuß *m*: **consolation ~** Ehrentor; **to shoot at the ~** aufs Tor schießen; **to make** (*od.* **score, shoot**) **a ~** ein Tor schießen; **a ~ from the field** (*amer. Fußball, Rugby*) Sprungtreffer aus dem Spielfeld. – **5.** *antiq.* Wendepfosten *m* (*Wagenrennen*). – *SYN. cf.* **intention.**

goal·ie, *auch* **goal·ee** ['gouli] *colloq. für* **goalkeeper.**

'goal|,keep·er *s sport* Tormann *m*, -hüter *m*, -wart *m.* — ~ **line** *s* Torlinie *f.* — ~ **post** *s* Torpfosten *m.* — ~ **tend·er** *Am. für* **goalkeeper.**

Go·a pow·der *s med.* Goapulver *n.*

'go-as-you-'please *adj* ungeregelt, ungebunden, willkürlich, sich an keine Regeln haltend.

goat [gout] *s* **1.** Ziege *f* (*Gattg Capra*): **he-~** Ziegenbock; **to play the (giddy) ~** *fig.* sich närrisch *od.* übermütig benehmen; **to get s.o.'s ~** *sl.* ‚j-n fuchtig machen', ‚j-n auf die Palme bringen'. – **2.** *zo. ein ziegenähnliches Tier, z.B.* Schneeziege *f* (*Oreamnos montanus*). – **3.** **G~** → **Capricorn.** – **4.** *Am. sl.* a) Sündenbock *m*, b) Zielscheibe *f* (*eines Spaßes etc*). – **5.** *fig.* Bock *m*, geiler Mann. – **6.** *Bibl.* Bock *m*: **the sheep and the ~s** die Schafe u. die Böcke, die Guten u. die Bösen. — ~ **an·te·lope** *s zo. ein gemsenartiger Hornträger, bes.* → a) **chamois** 1, b) **goral,** c) **Rocky Mountain goat.** — **'~,beard** → **goatsbeard.**

goat·ee [gou'tiː] *s* Spitzbart *m.*

'goat|ˌfish *s zo.* (*eine*) Meerbarbe (*Fam. Mullidae*). — **~ god** *s* Bocksgottheit *f*, Pan *m.* — **'~ˌherd** *s* Ziegenhirt *m.*

goat·ish ['goutiʃ] *adj* **1.** ziegenartig, bockig. – **2.** *fig.* geil, wollüstig. — **'goat·ish·ness** *s* **1.** Ziegenartigkeit *f.* – **2.** *fig.* Geilheit *f.*

goat·ling ['goutliŋ] *s* Zicklein *n.*

goat| moth *s zo.* Weidenbohrer *m* (*Cossus ligniperda*). — **~ pep·per** *s bot.* Strauchpaprika *m* (*Capsicum frutescens*).

'goatsˌbeard *s bot.* **1.** Bocksbart *m* (*Gattg Tragopogon*). – **2.** Geißbart *m* (*Aruncus silvester*). – **3.** Ziegenbart *m*, Keulenschwamm *m* (*Gattg Clavaria*).

'goatˌskin I *s* **1.** Ziegenfell *n.* – **2.** Ziegenleder *n.* – **3.** Kleidungsstück *n* aus Ziegenleder. – **4.** Ziegenlederflasche *f.* – **II** *adj* **5.** Ziegenfell... – **6.** Ziegenleder..., ziegenledern.

goat's| pep·per → goat pepper. — **'~-ˌrue** *s bot.* **1.** (*in Europa*) Geiß-, Ziegenraute *f* (*Galega officinalis*). – **2.** *Am. für* catgut 4.

'goatˌsuck·er *s zo.* **1.** a) Ziegenmelker *m* (*Fam. Caprimulgidae*), b) Schwalm *m* (*Fam. Podargidae*). – **2.** Ziegenmelker *m*, Nachtschwalbe *f* (*Caprimulgus europaeus*).

goat's wool *s humor.* Mückenfett *n* (*etwas, was es nicht gibt*).

goat wil·low *s bot.* Salweide *f* (*Salix caprea*).

gob[1] [gɒb] *dial. od. vulg.* **I** *s* (Schleim)Klumpen *m.* – **II** *v/i pret u. pp* **gobbed** (aus)spucken.

gob[2] [gɒb] *s mar. Am. sl.* ‚Blaujacke' *f*, Ma'trose *m* (*der amer. Kriegsmarine*).

go·bang [gou'bæŋ] *s* Gobang *n* (*jap. Brettspiel*).

gob·bet ['gɒbit] *s* **1.** Brocken *m*, Stück *n* (*bes. rohes Fleisch*). – **2.** *obs.* Textstelle *f.*

gob·ble[1] ['gɒbl] **I** *v/t* **1.** *meist* ~ up a) (gierig) verschlingen, hin'unterschlingen, b) (*Getränk*) hin'untergießen. – **2.** *Am. colloq.* gierig packen. – **II** *v/i* **3.** schlingen, gierig essen.

gob·ble[2] ['gɒbl] **I** *v/i* kollern (*Truthahn u. fig.*). – **II** *s* Kollern *n* (*Truthahn*).

gob·ble[3] ['gɒbl] *s* (*Golf*) schneller, gerader Schlag ins Loch.

gob·ble·dy·gook ['gɒbldiˌguk] *s Am. sl.* schwülstiger Amtsstil, Kauderwelsch *n.*

gob·bler[1] ['gɒblər] *s* gieriger Esser, Fresser *m.*

gob·bler[2] ['gɒblər] *s* Truthahn *m*, Puter *m.*

Gob·e·lin ['gɒbəlin; 'gou-] **I** *adj* Gobelin... – **II** *s meist* g~ Gobe'lin *m.*

'go-beˌtween *s* **1.** Vermittler *m*, Mittelsmann *m*, 'Unterhändler *m.* – **2.** Makler *m.* – **3.** Kuppler *m.* – **4.** Verbindungsglied *n.*

go·bi·oid ['goubiˌɔid] *zo.* **I** *adj* zu den Meergrundeln gehörig. – **II** *s* → goby.

gob·let ['gɒblit] *s* **1.** Stengelglas *n.* – **2.** *obs. od. poet.* Becher *m*, Po'kal *m.*

gob·lin ['gɒblin] **I** *s* Kobold *m*, Elf *m.* – **II** *adj* Kobold(s)..., koboldartig.

go·bo ['goubou] *s tech.* **1.** Licht-, Linsenschutz *m*, -blende *f*, -schirm *m* (*Fernseh- u. Filmkamera*). – **2.** Schallschirm *m*, -schutz *m* (*an Mikrophonen*).

go·by ['goubi] *s zo.* Meergrundel *f* (*Fam. Gobiidae*).

go-by ['gouˌbai] *s colloq.* achtloses Vor'beigehen, Über'gehen *n*, ‚Schneiden' *n*: to give s.o. the ~ j-n schneiden *od.* ignorieren.

'goˌcart *s* **1.** Laufwagen *m* (*Gehhilfe für Kinder*). – **2.** (*Art*) Kinderwagen *m.* – **3.** (*Art*) leichte Kutsche. – **4.** Sänfte *f.* – **5.** Handwagen *m.*

god [gɒd] **I** *s* **1.** *relig. bes. antiq.* Gott *m*, Gottheit *f*: the ~ of day der Gott des Tages (*die Sonne, Phoebus*); the ~ of fire der Gott des Feuers (*Vulkan*); the ~ of heaven Jupiter; the ~ of hell der Gott der Unterwelt (*Pluto*); the ~ of love, the blind ~ der Liebesgott (*Amor*); the ~ of war der Kriegsgott (*Mars*); the ~ of wine der Gott des Weines (*Bacchus*); the ~ of this world der Fürst dieser Welt (*Satan*); ye ~s! *od.* ye ~s and little fishes! *sl.* heiliger Strohsack! a sight for the ~s (*meist ironisch*) ein Anblick für (die) Götter. – **2.** G~ Gott *m*: the Lord G~ Gott der Herr; Almighty G~, G~ Almighty Gott der Allmächtige; G~ the Father, G~ the Son, and G~ the Holy Ghost Gott Vater, Gott Sohn u. Gott Heiliger Geist; G~'s earth Gottes (ganze) Erde; G~'s truth die reine Wahrheit; oh G~! my G~! good G~! ach du lieber Gott! lieber Himmel! by G~! (*bekräftigend*) bei Gott! G~ bless you! a) Gott segne dich! b) (*zu j-m der niest*) Gesundheit! helf dir Gott! G~ bless me! (*od.* my life! my soul! *od.* you!) (*überrascht*) nein so etwas! du lieber Himmel! G~ damn you! *vulg.* Gott verfluche dich! G~ help him! Gott steh ihm bei! so help me G~! so wahr mir Gott helfe! G~ forbid! da sei Gott vor! Gott bewahre! G~ grant it! Gott gebe es! would to G~ wolle Gott, Gott gebe; G~ willing so Gott will; thank G~! Gott sei Dank! G~ knows if it's true wer weiß, ob es wahr ist; G~ knows we are not rich wir sind, weiß Gott, nicht reich; for G~'s sake um Gottes willen; G~'s image Gottes (Eben)Bild (*der Mensch*); → speed 11. – **3.** Götze(nbild *n*) *m*, I'dol *n*, Abgott *m.* – **4.** *fig.* (Ab)Gott *m.* – **5.** *pl* (*Theater*) (Publikum *n* auf der) Gale'rie *f*: the ~s hissed. – **II** *v/t pret u. pp* **'god·ded** **6.** vergöttern, anbeten, zum Gott machen: to ~ it sich wie ein Gott aufspielen.

ˌGod-'aw·ful *adj sl.* furchtbar, riesig, kolos'sal.

'god|ˌchild *s irr* Patenkind *n.* — **'~ˌdaugh·ter** *s* Patentochter *f.*

god·dess ['gɒdis] *s* **1.** Göttin *f.* – **2.** *fig.* Göttin *f*, angebetete Frau.

go·det [gə'dɛ] (*Fr.*) *s* Zwickel *m.*

'go-ˌdev·il *s tech. Am.* **1.** Sprengvorrichtung *f* für verstopfte Bohrlöcher. – **2.** Rohrreiniger *m*, Schabkratzeisen *n.* – **3.** Geräte-, Materi'alwagen *m* (*Eisenbahn*). – **4.** Holz- *od.* Steinschleife *f.* – **5.** *agr.* (*Art*) Egge *f.*

'god|ˌfa·ther I *s* **1.** Pate(nonkel) *m*, Taufzeuge *m*: to act as (a) ~ to a child bei einem Kind Pate sein *od.* stehen. – **2.** *fig.* Pate *m.* – **II** *v/t* **3.** Pate stehen bei, aus der Taufe heben. – **4.** *fig.* verantwortlich sein *od.* zeichnen für, (*dat*) seinen Namen geben. — **'G~-ˌfear·ing** *adj* gottesfürchtig. — **'~-forˌsak·en** *adj* gottverlassen, elend: what a ~ hole! was für ein gottverlassenes Nest!

God·frey ['gɒdfri] *interj oft* good ~ *Am. sl.* potztausend! Donnerwetter!

'godˌhead *s* **1.** Göttlichkeit *f*, Gottheit *f*, göttliches Wesen. – **2.** G~ a) Gott *m*, göttliche Per'son, b) der dreieinige Gott. – **3.** *selten* Gottheit *f* (*Gott od. Göttin*).

god·hood ['gɒdhud] → godhead 1.

god·less ['gɒdlis] *adj* **1.** gottlos, ohne Gott. – **2.** gottlos, verworfen. — **'god·less·ness** *s* Gottlosigkeit *f.*

'godˌlike *adj* **1.** gottgleich, -ähnlich, göttergleich, göttlich. – **2.** her'vorragend, 'überaus groß. — **'godˌlike·ness** *s* Gottähnlichkeit *f.*

god·li·ly ['gɒdlili] *adv zu* godly. — **'god·li·ness** *s* Frömmigkeit *f*, Gottesfurcht *f*, Rechtschaffenheit *f.*

god·ling ['gɒdliŋ] *s* 'untergeordnete Gottheit, Lo'kalgott(heit *f*) *m.*

god·ly ['gɒdli] *adj* **1.** fromm, gottesfürchtig, rechtschaffen. – **2.** göttlich.

'god|·mamˌma *s colloq.* (*bes. Kindersprache*) (Tauf)Patin *f*, Patentante *f.* — **'G~-ˌman** *s irr relig.* Gottmensch *m* (*Christus*). — **'G~-ˌman·hood** *s* Gottmenschentum *n.* — **'~ˌmoth·er I** *s* (Tauf)Patin *f*, Patentante *f.* – **II** *v/t* Patin sein *od.* stehen bei.

go'down *s Br. Ind.* Warenlager *n.*

'god|·paˌpa *s colloq.* (*bes. Kindersprache*) (Tauf)Pate *m*, Patenonkel *m.* — **'~ˌpar·ent** *s* (Tauf)Pate *m od.* (Tauf)Patin *f.*

go·droon [gə'druːn] → gadroon.

God's| a·cre *s* Gottesacker *m*, Friedhof *m.* — **~ ad·vo·cate** *s relig.* Gottesanwalt *m*, Advo'catus *m* Dei (*bei der Heiligsprechung*). — **~ book** *s* die Bibel.

'godˌsend *s* **1.** Gottesgeschenk *n*, -gabe *f.* – **2.** Glück(sfall *m*) *n*, Segen *m.*

god·ship ['gɒdʃip] *s* Göttlichkeit *f*, Gottestum *n.*

'god|ˌson *s* Patensohn *m.* — **'G~-ˌspeed**, *auch* **'G~-ˌspeed, G~ speed** *s* Erfolg *m*, glückliche Reise. — **G~ tree** → ceiba 1.

God·ward ['gɒdwərd] **I** *adv* **1.** auf Gott zu, zu Gott. – **2.** im 'Hinblick auf Gott. – **II** *adj* **3.** auf Gott gerichtet, nach Gott strebend. — **'God·wards** → Godward I.

god·wit ['gɒdwit] *s zo.* Pfuhlschnepfe *f* (*Gattg Limosa*).

go·er ['gouər] *s* Geher *m*, Läufer *m*: comers and ~s die Kommenden u. Gehenden; he is a good ~ er geht gut (*bes. Pferd*).

goes [gouz] **I** *3. sg pres von* go II *u.* III. – **II** *s pl von* go I.

Goe·thi·an, *auch* **Goe·the·an** ['gøtiən; 'gəː-] **I** *adj* **1.** Goethe..., Goethisch, Goethesch. – **2.** goethisch, goethesch. – **II** *s* **3.** Anhänger(in) Goethes, Goetheverehrer(in).

goe·thite ['gouθait; 'gø-; 'gəː-] *s min.* Goe'thit *m.*

go·fer ['goufər] *s* (*Art*) Waffel *f.*

gof·fer, *auch* **gof·er** ['gɒfər] *tech.* **I** *v/t* **1.** kräuseln, gau'frieren. – **2.** plis'sieren. – **3.** (*Buchschnitt*) deko'rieren. – **II** *s* **4.** Toll-, Glockeisen *n*, Gau'frier-, 'Kräuselmaˌschine *f.* – **5.** Plis'see *n.*

'go-'get·ter *s Am. colloq.* habgieriger Mensch, Scharrer *m*, Raffer *m*, ‚Raffke' *m*, Draufgänger *m.*

gog·gle ['gɒgl] **I** *v/i* **1.** a) die Augen rollen, b) starren, stieren, glotzen. – **2.** her'vorstehen, glotzen, rollen (*Augen*). – **II** *v/t* **3.** (*die Augen*) rollen, verdrehen. – **III** *s* **4.** Augenrollen *n*, Glotzen *n*, glotzender Blick. – **5.** *pl* a) Schutz-, Sonnenbrille *f*, b) *sl.* Augen *pl.* – **6.** *vet.* Drehkrankheit *f* (*der Schafe*). – **IV** *adj* **7.** glotzend, her'vorstehend, rollend (*Augen*): ~ eyes Glotzaugen. — **'~-ˌeyed** *adj* glotzäugig.

gog·gler ['gɒglər] *s zo.* (*eine*) 'Stachelmaˌkrele (*Trachurops crumenophthalmus*).

gog·let ['gɒglit] *s Br. Ind.* po'röser Wasserkrug *od.* -kühler.

Goid·el ['gɔidəl] *s* Goi'dele *m*, Gäle *m.* — **Goid'el·ic** [-'delik] **I** *adj* goi'delisch, gälisch. – **II** *s ling.* das Goi'delische, das Gälische.

go·ing ['gouiŋ] **I** *s* **1.** (Weg)Gehen *n*, Abreise *f*, Abfahrt *f.* – **2.** *meist pl* Lauf *m* der Welt. – **3.** *meist pl* Treiben *n*, Tun *n* u. Lassen *n.* – **4.** Boden-, Straßenzustand *m*, Bahn *f*, Strecke *f*: it was tough ~ *colloq. fig.* es war eine (gehörige) Schinderei. – **II** *adj* **5.** gehend, fahrend, im Gange: to set ~ in Gang bringen. – **6.** in Betrieb, arbeitend:

a ~ concern ein in Betrieb befindliches Unternehmen, *auch fig.* eine gut funktionierende Sache. – 7. vor'handen, exi'stierend: still ~ noch zu haben; ~, ~, gone! (*bei Versteigerungen*) zum ersten, zum zweiten, zum dritten (und letzten Male); one of the best fellows ~ einer der besten Kerle, die es nur gibt. – 8. weggehend, abfahrend, abreisend. — ~ **bar·rel** *s tech.* Federhaus *n* (*der Uhr*). — ~ **o·ver** *s Am.* 1. Rüge *f*, Verweis *m*: to give s.o. a ~ j-n ins Gebet nehmen, j-m einen Verweis erteilen. – 2. Über'holung *f*, -'prüfung *f*.

go·ings on *s pl* (*meist im schlechten Sinn*) Treiben *n*, Vorgänge *pl*.

goi·ter, *bes. Br.* **goi·tre** ['gɔitər] *s med.* Kropf *m*, Struma *f*. — **'goi·tered**, *bes. Br.* **'goi·tred** *adj* mit einem Kropf behaftet. — **'goi·trous** [-trəs] *adj* kropfartig, stru'mös, Kropf...

go-kart ['gouˌkɑːrt] *s* Go-Kart *m* (*Kleinstrennwagen*).

Gol·con·da, *oft* g~ [gɒl'kɒndə] *s fig.* [Goldgrube *f*.]

gold [gould] **I** *s* **1.** Gold *n*: as good as ~ *fig.* sehr brav, musterhaft (*Kind etc*); a heart of ~ *fig.* ein goldenes Herz; she is pure ~ sie ist Gold(es) wert; it is worth its weight in ~ es ist unbezahlbar *od.* unschätzbar; → glitter 1; the age of ~ → golden age. – **2.** Goldmünze(n *pl*) *f*, -geld *n*. – **3.** *fig.* Geld *n*, Reichtum *m*, Gold *n*. – **4.** Goldfarbe *f*, Vergoldungsmasse *f*. – **5.** Goldgelb *n* (*Farbe*). – **6.** (*goldfarbiges*) Scheibenzentrum (*beim Bogenschießen*). – **II** *adj* **7.** aus Gold, golden. – **8.** goldfarben, Gold... — ~ **a·mal·gam** *s chem. min.* 'Goldamalˌgam *n*. — **'~-and-'sil·ver cur·ren·cy** *s econ.* Doppelwährung *f*, Gold- u. Silberwährung *f*. — ~ **ap·ple** → tomato. — ~ **bank** *s econ.* Goldbank *f* (*der USA, gegründet 1870*). — **'~ˌbeat·er** *s tech.* Goldschläger *m*. — **'~ˌbeat·er's skin** *s tech.* Goldschlägerhaut *f*. — **'~ˌbeat·ing**, *auch* ~ **beat·ing** *s tech.* Goldschlagen *n*, -schlagekunst *f*. — ~ **bee·tle** *s zo.* (*ein*) Schildkäfer *m* (*Unterfam. Cassidinae*). — ~ **bond** *s econ.* 'Goldobligatiˌon *f*, auf Gold lautende Schuldverschreibung. — ~ **brick** *s Am. colloq.* 1. falscher Goldbarren. – 2. *fig.* Fälschung *f*, Talmi *n*, (*etwas*) Unechtes: to sell s.o. a ~ ‚j-n anschmieren'. — **'~ˌbrick** *Am. colloq.* **I** *s mil.* 1. Sol'dat *m*, der einen Druckposten hat. – 2. Drückeberger *m*. – **II** *v/i* **3.** sich drücken. – **III** *v/t* **4.** (*j-n*) beschwindeln, betrügen, ‚anschmieren'. — **'~ˌbrick·er** → goldbrick I. — **'~ˌbug** *s* 1. *zo.* → gold beetle. – 2. *pol. Am. sl.* Verfechter *m* des Goldstandards. — ~ **cer·tif·i·cate** *s econ. Am.* 'Goldzertifiˌkat *n* (*des Schatzamtes*). — ~ **coast** *s Am. colloq.* vornehmes Viertel (*einer Stadt*). — **'~ˌcrest** *s zo.* Goldhähnchen *n* (*Gattg Regulus*). — **'~ˌcup** *s bot.* 1. (*ein*) Hahnenfuß *m* (*bes. Ranunculus acris u. R. bulbosus*). – 2. → marsh marigold. — ~ **dig·ger** *s* 1. Goldgräber *m*. – 2. *fig. sl.* Männerausbeuterin *f*, Vamp *m*. — ~ **dig·ging** *s* 1. ˌGoldgräbe'rei *f*. – 2. *pl* Goldfundgebiet *n*. — ~ **dust** *s* Goldstaub *m*. — **'~-ˌdust·er** *s Am. sl.* Rauschgiftsüchtige(r).

gold·en ['gouldən] *adj* **1.** aus Gold, golden, Gold... – **2.** goldhaltig, -reich. – **3.** goldfarben, -gelb. – **4.** *fig.* golden: a) kostbar, wertvoll, b) glücklich, gesegnet. – **5.** *fig.* günstig (*Gelegenheit etc*). — ~ **age** *s* Goldenes Zeitalter. — ~ **as·ter** *s bot.* Goldhaar-Aster *f* (*Gattg Chrysopsis, bes. C. mariana*). — ~ **balls** *s pl* (drei) goldene Bälle *pl* (*als Zeichen eines Pfandhauses*). — **'~-'band·ed lil·y** *s bot.* Goldbandlilie *f* (*Lilium auratum*). — ~ **bell** *s bot.* For'sythie *f*, Goldflieder *m* (*Gattg Forsythia*). — ~ **buck** *s Am.* Welsh Rabbit *n* mit Ei (*Käsetoast*). — ~ **calf** *s* 1. *Bibl.* Goldenes Kalb. – 2. *fig.* Reichtum *m*, Gold *n*, Geld *n*. — ~ **chain** → laburnum. — ~ **club** *s bot.* Goldkeule *f* (*Orontium aquaticum*). — **'~-ˌcup oak** *s bot.* Goldschuppen-Eiche *f* (*Quercus chrysolepis; Kalifornien*). — ~ **cur·rant** *s bot.* Goldtraube *f* (*Ribes aureum; westl. USA*). — ~ **ea·gle** *s zo.* Goldadler *m* (*Aquila chrysaetos*). — **'~ˌeye** *s zo.* 1. Florfliege *f* (*Gattg Chrysopa*). – 2. Schellente *f* (*Bucephala clangula*). — **G~ Fleece** *s antiq.* Goldenes Vlies. — ~ **glow** *s bot.* Goldball *m* (*Rudbeckia laciniata hortensia*). — ~ **goose** *s irr antiq.* goldene Gans (*der griech. Fabel*). — ~ **mean** *s* goldene Mitte. — ~ **nem·a·tode** *s zo.* Goldälchen *n* (*Heterodera rostochiensis*). — ~ **oak** *s bot. Am.* 1. Färber-Eiche *f*, Querci'tron-Eiche *f* (*Quercus velutina; Nordamerika*). – 2. (*ein*) nordamer. Klappertopf *m* (*Aureolaria virginica*). — ~ **o·pin·ions** *s pl* hohe Anerkennung. — ~ **o·ri·ole** *s zo.* Pi'rol *m* (*Oriolus oriolus*). — **'~ˌpert** *s bot.* Gelbes Gnadenkraut (*Gratiola aurea; Nordamerika*). — ~ **pheas·ant** *s zo.* 'Goldfaˌsan *m* (*Chrysolophus pictus; China*). — ~ **plov·er** *s zo.* Goldregenpfeifer *m* (*Gattg Pluvialis*). — ~ **rob·in** → Baltimore oriole. — **'~ˌrod** *s bot.* Goldrute *f* (*Gattg Solidago*). — ~ **rule** *s* 1. *Bibl.* goldene Sittenregel. – 2. *math.* goldene Regel. — ~ **sam·phire** *s bot.* (*ein*) A'lant *m* (*Inula crithmoides*). — ~ **sax·i·frage** *s bot.* Milzkraut *n* (*Gattg Chrysosplenium*). — **'~'seal** *s bot.* Kanad. O'range- *od.* Gelbwurz(el) *f* (*Hydrastis canadensis*). — ~ **sec·tion** *s math.* Goldener Schnitt, stetige Teilung. — ~ **shin·er** *s irr zo.* Gold(e)ner Glanzfisch (*Notemigonus chrysoleucas*). — **G~ State** *s* (*Beiname für*) Kali'fornien *n*. — ~ **this·tle** *s bot.* Golddistel *f* (*Gattg Scolymus*), *bes.* Goldwurzel *f* (*S. hispanicus*). — ~ **war·bler** *s zo.* Gelber Baumwaldsänger (*Dendroica aestiva*). — ~ **wat·tle** *s bot. eine gelb blühende austral. Akazie* (*Acacia pycnantha u. A. longifolia*). — ~ **wed·ding** *s* goldene Hochzeit. — ~ **wil·low** *s bot.* Dotterweide *f* (*Salix alba var. vitellina*).

'gold|-exˌchange stand·ard *s econ.* Pari'tät *f* des Goldstandards, Goldkernwährung *f*. — **'~-ˌeye** *s zo.* Goldaugenhering *m* (*Amphiodon alosoides*). — ~ **fern** *s bot.* Goldfarn *m* (*Gattgen Pityrogramma u. Notholaena*). — ~ **fe·ver** *s* Goldfieber *n*, -rausch *m*. — ~ **field** *s* Goldfeld *n*. — **'~-'filled** *adj tech.* vergoldet (*Schmuck*). — **'~ˌfinch** *s* 1. *zo.* a) Stieglitz *m*, Distelfink *m* (*Carduelis carduelis*), b) Goldammer *f* (*Emberiza citrinella*), c) → golden oriole, d) Amer. Fink *m* (*Gattg Spinus, bes. S. tristis*). – 2. *sl.* Goldstück *n*, -münze *f*. — **'~ˌfin·ny** *s zo.* (*ein*) Felsen-, Lippfisch *m* (*Ctenolabrus rupestris*). — **'~ˌfish** *s zo.* Goldfisch *m* (*Carassius auratus*). — ~ **foil** *s tech.* Goldfolie *f*, Blattgold *n*. — **'~ˌham·mer** *s zo.* Goldammer *f* (*Emberiza citrinella*).

gold·i·locks ['gouldiˌlɒks] *s* 1. *bot.* a) Goldhaariger Hahnenfuß (*Ranunculus auricomus*), b) Goldhaar-Aster *f* (*Aster linosyris*). – 2. *obs.* goldhaariger Mensch.

gold| lace *s* Goldtresse *f*, -spitze *f*. — ~ **leaf** *s irr* Blattgold *n*. — **'~-ˌleaf** *adj* Blattgold... — ~ **mine** *s* 1. Goldgrube *f*, -mine *f*, -bergwerk *n*. – 2. *fig.* Goldgrube *f*. — ~ **note** *s econ. Am.* in Gold zahlbare Banknote. — **'~-of-'pleas·ure** *s bot.* Leindotter *m*, Butterraps *m* (*Gattg Camelina, bes. C. sativa*). — ~ **plate** *s* Tafelgold *n*, Goldgeschirr *n*. — **'~-'plate** *v/t* vergolden. — **'~-'plat·ed** *adj* vergoldet. — ~ **point** *s econ.* Gold-, Me'tallpunkt *m*. — ~ **re·serve** *s econ.* 'Goldreˌserve *f*. — ~ **rush** *s* Goldrausch *m*. — **G~ Set·tle·ment Fund** *s econ.* 'Golddeˌpot *n*, -ausgleichsfonds *m* (*der 12* Federal Reserve Banks *der USA*). — ~ **shell** *s* 1. (*Malerei*) Muschelgold *n*. – 2. *zo.* Sattelmuschel *f* (*Gattg Anomia*). — ~ **size** *s tech.* Goldgrund *m*, -leim *m*. — **'~ˌsmith** *s* Goldschmied *m*. — **'~ˌsmith bee·tle** *s zo.* Rosen-, Goldkäfer *m* (*Cetonia aurata*). — ~ **stand·ard** *s* Goldwährung *f*, -standard *m*. — **G~ Stick** *s mil. Br.* 1. vergoldeter Stab (*der dem Oberst der königlichen Leibgarde od. dem Hauptmann der Leibwache vom König verliehen wird*). – 2. *auch* ~ in waiting Träger *m* des vergoldeten Stabes. — **'~ˌstone** *s min.* (*Art*) Glimmerquarz *m*. — **'~ˌthread** *s bot.* Goldfaden *m* (*Coptis trifolia; Nordamerika*).

Go·lem ['goulem] *s* 1. Golem *m*. – 2. Roboter *m* (*auch fig.*).

golf [gɒlf; *Am. auch* gɔːlf] *sport* **I** *s* Golf(spiel) *n*. – **II** *v/i* Golf spielen. — ~ **club** *s sport* 1. Golfschläger *m*. – 2. 'Golfklub *m*, -verˌein *m*.

golf·er ['gɒlfər; *Am. auch* 'gɔːl-] *s sport* Golfspieler(in).

golf| hose *s* Sport-, Kniestrümpfe *pl*. — ~ **links** *s pl* (*auch als sg konstruiert*) *sport* Golfplatz *m*.

Gol·go·tha ['gɒlgəθə] **I** *npr* 1. *Bibl.* Golgatha *n* (*bei Jerusalem*). – **II** *s* g~ *fig.* 2. Leidensstätte *f*. – 3. Friedhof *m*.

gol·iard ['gouljərd] *s hist.* Goli'arde *m*, Va'gant *m*. — **gol'iar·der·y** [-'jɑːrdəri] *s hist.* Va'gantentum *n*. — **gol'iar·dic** *adj hist.* goli'ardisch.

Go·li·ath [gə'laiəθ] *s* 1. *fig.* Goliath *m*, Riese *m*. – 2. g~ → g~ crane. — **g~ bee·tle** *s zo.* Goliathkäfer *m* (*Gattg Goliathus*). — **g~ crane** *s tech.* Schwerlast-, Riesenkran *m*.

gol·li·wogg, *Br.* **gol·ly·wog**, *auch* **gol·li·wog** ['gɒliˌwɒg] *s* 1. gro'teske schwarze Puppe. – 2. *fig.* Vogelscheuche *f*, Ungetüm *n*.

gol·ly ['gɒli] *interj auch* by ~! *colloq.* Menschenskind! Donnerwetter!

go·losh *cf.* galosh.

go·lop·tious [gə'lɒpʃəs], **go'lup·tious** [-'lʌp-] *adj Br. humor.* wunderbar, herrlich, köstlich.

gom·been [gɒm'biːn] *s Irish* Wucher *m*: ~ man Wucherer.

gom·bo *cf.* gumbo.

gom·broon (ware) [gɒm'bruːn] *s* (*Art*) persisches Porzel'lan.

gom·er·al, gom·er·el, gom·er·il ['gɒmərəl] *s Scot.* Dummkopf *m*.

gom·lah ['gʌmlə] *s Br. Ind.* (irdener) Wasserkrug.

Go·mor·rah, Go·mor·rha [gə'mɒrə; *Am. auch* -'mɔː-] *s fig.* Go'morr(h)a *n*, Sündenpfuhl *m*.

gom·pho·sis [gɒm'fousis] *s med.* Gom'phosis *f*, Einkeilung *f*, Einzapfung *f*.

go·mu·ti [gə'muːti] *s* 1. *auch* ~ palm *bot.* Go'mutipalme *f*, Indische Zuckerpalme (*Arenga saccharifera*). – 2. Go'mutifaser *f*.

-gon [gɒn; gən] *math. Wortelement mit der Bedeutung* Eck: polygon Vieleck.

gon- [gɒn] → gono-.

gon·ad ['gɒnæd] *s biol. med.* Go'nade *f*, Geschlechts-, Keimdrüse *f*. — **'gon·ad·al, go·na·di·al** [go'neidiəl], **go'nad·ic** [-'nædik] *adj* Gonaden..., Geschlechts-, Keimdrüsen...

gon·a·do·trop·ic [ˌgɒnədo'trɒpik; gəˌnæd-], *auch* **ˌgon·a·do'troph·ic** [-fik] *adj biol.* gonado'trop, die Geschlechtsdrüsen anregend.

gon·a·duct ['gɒnəˌdʌkt] *s biol.* Ausführungsgang *m* einer Geschlechtsdrüse.

Gond [gound] *s* **1.** Gond *pl* (*Stamm der indischen Zentralprovinzen*). – **2.** → **Gondi.** — **Gon·di** ['gɒndiː] *s ling.* Gondi *n* (*Sprache der Gond*).

gon·do·la ['gɒndələ] *s* **1.** Gondel *f.* – **2.** *aer.* (Luftschiff)Gondel *f.* – **3.** *Am.* (*Art*) Flußboot *n.* – **4.** *auch* ~ **car** *Am.* offener Güterwagen. — ˌ**gon·do'lier** [-'lir] *s* Gondoli'ere *m.*

gone [gɒn; gɔːn] **I 1.** *pp von* go. – **II** *adj* **2.** (weg)gegangen, fort, weg: **be ~!** geh! – **3.** verloren, nicht mehr da, da'hin. – **4.** hoffnungslos: **a ~ case.** – **5.** besetzt, vergeben. – **6.** tot, gestorben: → **dead** 1. – **7.** schwach, matt: **a ~ feeling** ein Gefühl der Schwäche. – **8.** weit (am Ziel) vor'bei, weit über das Ziel hin'aus (*Pfeil etc*). – **9.** vor'bei, vor'über, vergangen. – **10.** mehr als, älter als, über: **he is ~ twenty-one.** – **11.** *colloq.* verliebt, vernarrt, ‚verknallt' (on, upon in *acc*). – **12.** (*Jazz*) *sl.* verzückt, in Ek'stase. – **13. far ~** a) vorgeschritten, vorgerückt, b) tief (*in einer Sache*), c) sehr ermüdet *od.* erschöpft. — '**gone·ness** *s* Erschöpfung *f*, Ermüdung *f*, Schwäche *f.* — '**gon·er** *s sl.* **1.** verlorener Mann. – **2.** hoffnungsloser Fall.

gon·fa·lon ['gɒnfələn] *s* Banner *n.* — ˌ**gon·fa·lon'ier** [-'nir] *s* **1.** Bannerträger *m.* – **2.** *pol. hist.* Bannerherr *m.*

gon·fa·non ['gɒnfənən] *hist. od. obs. für* gonfalon.

gong [gɒŋ; *Am. auch* gɔːŋ] **I** *s* **1.** Gong *m.* – **2.** (*bes.* elektr.) Klingel *f.* – **II** *v/t* **3.** *Br.* (*Fahrzeug*) durch 'Gongsiˌgnal stoppen (*Polizei*).

gon·go·rism ['gɒŋgəˌrizəm] *s* Gongo'rismus *m* (*in der span. Literatur*).

go·ni·a·tite ['gouniəˌtait] *s geol. zo.* Gonia'tit *m* (*ältester Ammonit*).

go·nid·i·al [go'nidiəl; gə-] *adj bot.* Gonidien... — **go'nid·i·um** [-diəm] *pl* **-i·a** [-iə] *s bot.* Go'nidium *n* (*chlorophyllhaltige Algenzelle im Flechtenthallus*).

gonio- [gounio] *Wortelement mit der Bedeutung* Winkel, Ecke.

go·ni·om·e·ter [ˌgouni'ɒmitər; -mə-] *s* Gonio'meter *n*: a) *math.* Winkelmesser *m*, b) (*Radio*) Peilungswinkelmesser *m.* — **go·ni·o·met·ric** [ˌgounio'metrik], ˌ**go·ni·o'met·ri·cal** *adj* gonio'metrisch. — ˌ**go·ni'om·e·try** [-tri] *s* Goniome'trie *f*, Winkelmessung *f.*

go·ni·on ['gouniˌɒn] *pl* '**go·ni·a** [-niə] *s med.* Gonion *n*, Kinnspitze *f.*

go·ni·tis [go'naitis] *s med.* Kniegelenkentzündung *f*, Go'nitis *f.*

go·ni·um ['gouniəm] *pl* **-ni·a** [-niə] *s biol.* 'undifferenˌzierte primi'tive Keimzelle.

-gonium [gouniəm] *med. Wortelement mit der Bedeutung* Mutterzelle, -organismus.

gono- [gɒno] *Wortelement mit der Bedeutung* geschlechtlich, fruchtbar.

gon·o·cho·rism [ˌgɒno'kɔːrizəm] *s biol.* Gonocho'rismus *m*, Getrenntgeschlechtigkeit *f.*

gon·o·coc·cal [ˌgɒno'kɒkəl, ˌ**gon·o·'coc·cic** [-'kɒksik] *adj* Gonokokken... — ˌ**gon·o'coc·cus** [-kəs] *pl* ˌ**gon·o·'coc·ci** [-ksai] *s med.* Gono'kokkus *m.*

gon·o·cyte ['gɒnoˌsait; -nə-] *s biol.* Keimzelle *f*, Gono'zyte *f.*

gon·of, gon·oph ['gɒnəf] → **ganef.**

gon·o·phore ['gɒnoˌfɔːr; -nə-] *s zo.* Geschlechtstier *n*, Gono'phore *f* (*der Hydrozoen*).

gon·or·rh(o)e·a [ˌgɒnə'riːə] *s med.* Gonor'rhöe *f*, Tripper *m.* — ˌ**gon·or·'rh(o)e·al** *adj* gonor'rhoisch.

-gony [gəni] *Wortelement mit der Bedeutung* Zeugung, Fortpflanzung, (Art der) Entstehung.

goo [guː] *s Am. sl.* Schmiere *f*, klebriges Zeug.

goo·ber (pea) ['guːbər] *Am. dial. für* **peanut** 1.

good [gud] **I** *s* **1.** Nutzen *m*, Wert *m*, Vorteil *m*: **for his own ~** zu seinem eigenen Vorteil; **what ~ will it do? what is the ~ of it? what ~ is it?** was hat es für einen Wert? was nützt es? **it is no (not much) ~ trying** es hat keinen (wenig) Sinn *od.* Zweck, es zu versuchen; **to the ~** a) *bes. econ.* auf die Kreditseite, als Nettogewinn, b) gut, obendrein, extra; **for ~ (and all)** für immer, endgültig, ein für allemal. – **2.** (*das*) Gute, Gutes *n*, Wohl *n*: **to do s.o. ~** a) j-m Gutes tun, b) j-m gut- *od.* wohltun; **much ~ may it do you** (*oft ironisch*) wohl bekomm's! **the common ~** das Gemeinwohl; **to be to the ~,** to come to ~ sich zum Guten wenden, zum Guten ausschlagen; **to be up to no ~** nichts Gutes im Schilde führen. – **3. the ~** *collect.* die Guten *pl*, die Rechtschaffenen *pl.* – **4.** *philos.* Gut *n*, das Gute. – **5.** *pl* bewegliches Vermögen: **~s and chattels** a) Hab u. Gut, bewegliches Vermögen, b) *colloq.* Siebensachen. – **6.** *pl bes. econ.* a) (*Eisenbahn etc*) Güter *pl*, Fracht(gut *n*) *f*, Ladung *f*, b) (Handels)Güter *pl*, (Handels)Ware(n *pl*) *f*: **~s of the first order, ~s for consumption** Verbrauchs-, Konsumgüter; **~s for sale** (ver)käufliche Ware(n); **~s in consignment, ~s on commission** Konsignationsgüter, Kommissionsartikel, -waren; **a piece of ~s** *humor.* eine Person, ein Kerl. – **7.** *pl Am.* Stoffe *pl*, Tex'tilien *pl*: **these ~s wash well.** – **8.** *pl colloq.* Versprochenes *od.* Erwartetes *n*: **to deliver the ~s** das Versprochene *od.* die Erwartungen erfüllen, sich bewähren. – **9.** *pl Am. colloq.* Diebesbeute *f*: **to catch with the ~s** *fig.* auf frischer Tat ertappen. – **10.** *pl Br.* Güterzug *m*: **by ~s** mit dem Güterzug, per Fracht. – **11. the ~s** *sl.* das Richtige, das Wahre: **that's the ~s!** –

II *adv* **12.** *colloq.* gut: **as ~ as** so gut wie, praktisch; **he as ~ as promised me** er hat es mir so gut wie versprochen. –

III *interj* **13.** *oft* **very ~** fein! großartig! ausgezeichnet!: **~ for you!** *colloq.* fein (gemacht)! ich gratuliere! –

IV *adj comp* **bet·ter** ['betər] *sup* **best** [best] **14.** (*moralisch*) gut, redlich, rechtschaffen: **~ men and true** redliche u. treue Männer. – **15.** gut (*Qualität*): **in ~ health** bei guter Gesundheit; **to be in ~ spirits** (bei) guter Laune sein; **is this meat still ~?** ist dieses Fleisch noch gut *od.* frisch? – **16.** gut, lieb, liebenswürdig, gütig, freundlich: **be so ~ as** (*od.* **be ~ enough**) **to fetch it** sei(en Sie) so gut u. hol(en Sie) es; **to be ~ to s.o.** lieb *od.* freundlich zu j-m sein; **the ~ God** der liebe Gott. – **17.** gut, lieb, artig, brav (*Kind*). – **18.** verehrt, lieb: **his ~ lady** (*oft ironisch*) seine liebe Frau. – **19.** gut, lieb: **~ old fellow!** *colloq.* (*anerkennend*) der gute alte Kerl! **my ~ friend** (**man** *etc*) (*oft herablassende od. ironische Anrede*) mein lieber Freund (Mann *etc*). – **20.** gut, ehrbar, anständig, unbescholten, geachtet: **of ~ family** aus guter Familie. – **21.** gut, einwandfrei, kor'rekt (*Benehmen*). – **22.** gut, erfreulich, angenehm: **~ afternoon** (*nachmittags*) guten Tag; **~ morning (evening, day** *etc*) guten Morgen (Abend, Tag *etc*); **to have a ~ time** sich amüsieren; **it is as ~ as play** es macht viel Spaß; **to be ~ eating** angenehm zu essen sein, gut *od.* angenehm schmecken; → **news** 1. – **23.** zuträglich, gut, geeignet, vorteilhaft, günstig: **oil is ~ for burns** Öl ist gut (*heilsam*) für Brandwunden; **is this ~ to eat?** kann man das essen? **wine is not ~ for your health** Wein ist Ihrer Gesundheit nicht zuträglich; **things are in ~ train** die Dinge stehen günstig; **it is a ~ thing that** es ist gut *od.* günstig, daß; **to take s.th. in ~ part** etwas gut aufnehmen *od.* nicht übelnehmen; **to do s.o. a ~ turn** (*od.* **office**) j-m einen guten Dienst erweisen; **to say a ~ word for s.o.** für j-n ein gutes Wort einlegen. – **24.** gut, richtig, recht, angebracht, empfehlenswert, zweckmäßig: **in ~ time** zur rechten Zeit. – **25.** gut, angemessen, ausreichend, zu'friedenstellend. – **26.** gut, voll(gemessen), reichlich: **a ~ measure** ein gutes *od.* reichliches Maß; **a ~ day's journey** eine gute Tagereise. – **27.** gut, ziemlich (weit, groß), beachtlich, beträchtlich, bedeutend, erheblich, ansehnlich: **a ~ way off** ein ziemliches Stück entfernt; **a ~ many** eine beträchtliche Anzahl, ziemlich viele; **a ~ share** ein beträchtlicher Anteil; **a ~ while** ziemlich lange; → **deal**[2] 1. – **28.** ordentlich, tüchtig: **a ~ beating** eine tüchtige Tracht Prügel. – **29.** gesund, vernünftig: **that makes ~ sense** das ist sehr vernünftig *od.* plausibel. – **30.** begründet, berechtigt (*Forderung etc*). – **31.** triftig, gut, gültig, annehmbar (*Grund*). – **32.** stichhaltig (*Argument etc*). – **33.** gut, fähig, bewährt, tüchtig: **he is ~ at arithmetic** er ist gut in Arithmetik. – **34.** gut, zuverlässig, sicher, so'lide: **on ~ authority** aus guter *od.* sicherer Quelle; **a ~ man** *econ. colloq.* ein sicherer Mann (*Kunde etc*); **~ debts** *econ.* sichere Schulden; **to be ~ for (an amount)** *econ.* gut sein für (eine Summe) (*Schuldner*); **~ for** *econ.* (*auf einem Wechsel*) über den Betrag von. – **35.** *econ.* in Ordnung (*Scheck*). – **36.** *econ.* zahlungs-, kre'ditfähig, sicher. – **37.** echt, gültig, unverfälscht, au'thentisch. – **38.** *jur.* a) gültig (*Gesetz*), b) rechtsgültig, -kräftig. – **39.** wirklich, aufrichtig, ehrlich, echt, rein, offen: **in ~ earnest** in vollem Ernst; → **faith** 3. – **40.** gut (ausgefallen), wohlgelungen: → **un.** – **41.** gut, streng, über'zeugt: **~ Republicans.** –

Besondere Redewendungen:

to be as ~ as auf dasselbe hinauslaufen wie; **as ~ as gold** a) kreuzbrav, sehr artig, b) treu wie Gold, durchaus zuverlässig; **to be as ~ as one's word** völlig zuverlässig sein, sein Wort halten; **to be ~ for** fähig *od.* geneigt sein zu; **I am ~ for a walk** ich habe Lust zu einem Spaziergang; **I have a ~ mind to go** am liebsten würde ich gehen; **it will take a ~ long time** *intens* es wird sehr lange dauern; **~ and ...** *colloq. intens* sehr, tüchtig, beachtlich (*z. B.* **~ and tired** hundemüde); **~ God** (du) lieber Gott! **~ heavens!** (du) lieber Himmel! **~ gracious!** (du) liebe Zeit! meine Güte! **to make ~** a) (*Auslagen*) vergüten, ersetzen, bezahlen, b) wiedergutmachen, Ersatz leisten für (*Schaden etc*), c) (*Versprechen*) erfüllen, halten, d) sich halten an (*eine Abmachung etc*), e) (*Zweck*) erreichen, f) (*Stellung*) sichern, behaupten, g) zustande bringen, bewerkstelligen, h) (*Behauptung*) beweisen, belegen, i) (*Anspruch*) geltend machen, rechtfertigen, k) sich bewähren, sich durchsetzen, ans Ziel gelangen; → **hold**[1] 43.

good| book, *oft* **G~ Book** *s* Bibel *f.* — **~ breed·ing** *s* gute Erziehung *f od.* Ma'nieren *pl,* Bildung *f,* feine Lebensart. — **ˌ~-'by(e) I** *s* Lebe'wohl *n.* – **II** *interj* leb(e) wohl! auf 'Wiedersehen! — **~ cheer** *s* **1.** gute Laune: to be of ~ guter Laune *od.* Stimmung sein. – **2.** Lustbarkeit *f,* Amüse'ment *n:* to make ~ sich amüsieren. – **3.** gutes Leben, die Genüsse des Lebens: to be fond of ~. — **G~ Conduct Med·al** *s mil.* Auszeichnung *f* für gute Führung. — **~ fel·low** *s* guter Kame'rad, netter Kerl. — **ˌ~-'fel·lowˌship,** *auch* **ˌ~-'fel·lowˌhood** *s* gute Kame'radschaft, Kame'radschaftlichkeit *f.* — **~ form** *s bes. Br.* gute Form, guter Ton. — **'~-for-'noth·ing,** *auch* **'~-for-'nought I** *adj* unbrauchbar, nichtsnutzig. – **II** *s* Taugenichts *m,* Nichtsnutz *m.* — **'~-for-'noth·ing·ness** *s* Nichtsnutzigkeit *f.* — **~ Fri·day** *s relig.* Kar'freitag *m.* — **ˌ~'heart·ed** *adj* gutherzig, gutmütig. — **ˌ~'heart·ed·ness** *s* Gutherzigkeit *f,* Gutmütigkeit *f.* — **~ hu·mo(u)r** *s* gute Laune. — **ˌ~-'hu·mo(u)red** *adj* **1.** bei guter Laune, gut gestimmt *od.* aufgelegt, aufgeräumt. – **2.** gutmütig. — **ˌ~-'hu·mo(u)red·ness** *s* **1.** gute Laune. – **2.** Gutmütigkeit *f.*

good·ish ['gudiʃ] *adj* **1.** ziemlich gut, annehmbar. – **2.** einigermaßen groß, ziemlich (*Zahl, Ausdehnung etc*).

'Good-'King-'Hen·ry *s bot.* Guter Heinrich (*Chenopodium bonus-henricus*).

good·li·ness ['gudlinis] *s* **1.** Güte *f,* Wert *m.* – **2.** Anmut *f,* Gefälligkeit *f.* – **3.** gutes Aussehen, Stattlichkeit *f,* Schönheit *f.* – **4.** Beträchtlichkeit *f,* Beachtlichkeit *f.*

'good|-'look·ing *adj* gutaussehend, stattlich, hübsch. — **~ looks** *s pl* gutes Aussehen. — **~ luck I** *s* Glück *n.* – **II** *interj* viel Glück!

good·ly ['gudli] *adj* **1.** gut, wertvoll. – **2.** angenehm, gefällig (*Wesen*). – **3.** angenehm, gutaussehend, stattlich, schön, hübsch. – **4.** beträchtlich, beachtlich, bedeutend. – **5.** (*oft ironisch*) großartig, glänzend.

'good|·man [-mən] *s irr obs. od. dial.* **1.** Hausherr *m,* -vater *m,* Ehemann *m.* – **2.** Bauer *m,* Freisasse *m.* — **~ na·ture** *s* freundliches *od.* sonniges Wesen, angenehme *od.* nette (Wesens-)Art. — **ˌ~-'na·tured** *adj* gutmütig, freundlich, gefällig, nett. – *SYN. cf.* amiable. — **ˌ~-'na·tured·ness** *s* Gutmütigkeit *f.* — **~ neigh·bo(u)r·li·ness** *s* gute Nachbarschaft, gutnachbarliches Verhältnis. — **G~ Neigh·bo(u)r Pol·i·cy** *s pol.* Poli'tik *f* der guten Nachbarschaft.

good·ness ['gudnis] *s* **1.** Tugend *f,* Redlichkeit *f,* Rechtschaffenheit *f.* – **2.** Güte *f,* Freundlichkeit *f,* Gefälligkeit *f:* please, have the ~ to come haben Sie bitte die Freundlichkeit *od.* seien Sie bitte so gut zu kommen. – **3.** (*das*) Gute *od.* Wertvolle. – **4.** (Vor)Trefflichkeit *f,* Güte *f.* – **5.** *euphem.* Gott *m:* thank ~! Gott sei Dank! ~ gracious! du meine Güte! du lieber Gott! for ~' sake um Himmels willen; ~ knows Gott weiß; I wish to ~ that Gott gebe, daß.

good peo·ple *s* the ~ *pl* die Feen *pl,* die Heinzelmännchen *pl.*

goods a·gent *s econ.* 'Bahnspediˌteur *m.*

good Sa·mar·i·tan *s fig.* barm'herziger Sama'riter (*Helfer in der Not*).

goods en·gine *s tech. Br.* 'Güterzuglokomoˌtive *f.*

Good| Shep·herd *s Bibl.* Guter Hirte (*Christus*). — **g~ speed** *interj Am.* viel Glück! gute Reise! viel Erfolg!: to bid s.o. ~ j-m Glück wünschen.

goods| sta·tion *s Br.* Güterbahnhof *m.* — **~ train** *s Br.* Güterzug *m.* — **~ wag·on** *s Br.* Güterwagen *m.*

good| tem·per *s* Gutmütigkeit *f,* ausgeglichenes Gemüt. — **ˌ~-'tem·pered** *adj* gutartig, -mütig, ausgeglichen. — **~ use** *s ling.* kor'rekter Sprachgebrauch. — **'~ˌwife** *s irr obs. od. dial.* **1.** Hausherrin *f.* – **2.** Frau *f.* — **~ will,** *auch* **'~'will, '~-'will** *s* **1.** Wohlwollen *n,* Freundlichkeit *f,* Gunst *f.* – **2.** Bereitwilligkeit *f,* Gefälligkeit *f.* – **3.** gute Absicht, guter Wille: ~ cruise *mar.* Fahrt zu Freundschaftsbesuchen. – **4.** *econ.* a) guter Ruf, geschäftliches Ansehen, Geschäfts-, Firmenwert *m,* b) Kundschaft *f,* Kundenkreis *m:* ~ gift Werbegeschenk. – *SYN. cf.* favor.

good·will·y [ˌgud'wili] *adj Scot.* freimütig, nett.

Good·wood ['gudˌwud] *s* Goodwood-Rennen *n* (*jährliches Pferderennen bei Goodwood Park, Sussex*). — **~ cup** *s* 'Goodwood-Poˌkal *m.*

good·y¹ ['gudi] *colloq.* **I** *s* **1.** Bon'bon *m, n,* Nasche'rei *f,* Näsche'rei *f.* – **2.** *pl* Zuckerwerk *n,* Süßigkeiten *pl.* – **3.** *Am.* Tugendbold *m,* affek'tiert tugendhafter Mensch. – **II** *adj* **4.** geziert, zimperlich, prüde, frömmlerisch: to talk ~. – **III** *interj* **5.** herrlich! prima! großartig!

good·y² ['gudi] *s* **1.** *obs.* Mütterchen *n.* – **2.** *Am.* Zimmerfrau *f* (*der Studenten der Harvard-Universität*).

'good·y-'good·y → goody¹ 3-5.

goo·ey ['gu:i] *comp* **'goo·i·er** *sup* **'goo·i·est** *adj sl.* pappig, klebrig, schmierig.

goof [gu:f] *s sl.* Tropf *m,* komische *od.* lächerliche Fi'gur, ‚Pinsel' *m.*

'go-ˌoff *s colloq.* Anfang *m,* Start *m:* at the first ~.

goof·i·ness ['gu:finis] *s sl.* **1.** Blödheit *f.* – **2.** Leichtgläubigkeit *f.* — **'goof·y** *adj sl.* **1.** dumm, blöd, ‚doof'. – **2.** na'iv, leichtgläubig.

goo·gly ['gu:gli] *s* (*Kricket*) gedrehter Ball.

goon [gu:n] *s sl.* **1.** *Am.* gedungener Totschläger *od.* Raufbold *od.* Brandstifter. – **2.** ‚Schafskopf' *m,* Idi'ot *m.* – **3.** *mil. Br.* a) Re'krut *m,* b) deutscher Kriegsgefangener.

goop [gu:p] *s sl.* Tölpel *m,* Lümmel *m,* Flegel *m.*

goos·an·der [gu:'sændər] → merganser.

goose [gu:s] **I** *s pl* **geese** [gi:s], *collect. auch* **goose 1.** *zo.* Gans *f* (*Unterfam. Anserinae*): all his geese are swans er übertreibt immer; to kill the ~ that lays the golden eggs *fig.* die Gans, die die goldenen Eier legt, töten; the ~ hangs high *Am. colloq.* die Sache sieht gut *od.* vielversprechend aus; → bo¹; cook¹ 5; fox 1; gander; shoe 4. – **2.** Gans *f,* Gänsefleisch *n,* -braten *m.* – **3.** *fig.* Esel *m,* Dummkopf *m.* – **4.** (*pl* gooses) Schneiderbügeleisen *n.* – **5.** *obs. ein Brettspiel.* – **II** *v/t* **6.** (mit einem Schneidereisen) bügeln *od.* plätten. – **7.** (*Theater*) *sl.* (*Schauspieler od. Stück*) auspfeifen. – **8.** *Am. sl.* ‚(in den Hintern) pieksen'. — **~ bar·na·cle** *s zo.* Entenmuschel *f* (*Fam. Lepadidae*). — **'~ˌbeak** *s zo.* Del'phin *m* (*Fam. Delphinidae*). — **'~-ˌbeak whale** *s zo.* Schnabelwal *m* (*Ziphius cavirostris*).

goose·ber·ry [*Br.* 'guzbəri; *Am.* 'gu:sberi; 'gu:z-; -bəri] *s* **1.** *bot.* Stachelbeere *f* (*Ribes uva-crispa*). – **2.** → ~ wine. – **3.** *fig.* 'Anstandsperˌson *f,* ‚Anstandswauwau' *m,* 'überflüssige Per'son: to play ~ den Anstandswauwau spielen. – **4.** old ~ *sl. od. dial.* der Teufel: to play old ~ with s.o. j-n arg zurichten *od.* mitnehmen. – **5.** *mil.* Drahtigel *m.* — **~ fool** *s* Stachelbeercreme *f* (*Gericht*). — **~ gourd** → gherkin 2. — **~ wine** *s* Stachelbeerwein *m.*

goose| club *s wohltätiger Verein, der armen Familien Weihnachtsgänse stiftet.* — **~ egg** *s sport sl.* Null *f* (*null Tore etc*). — **~ flesh** *s* Gänsehaut *f.* — **'~ˌfoot,** *pl* **-foots** *s bot.* **1.** Gänsefuß *m* (*Gattg Chenopodium*). – **2.** Gänsefußgewächs *n* (*Fam. Chenopodiaceae*). — **~·gog** ['guzgɒg] *Br. colloq. für* gooseberry 1. — **~ grass** *s bot.* **1.** Labkraut *n* (*Gattg Galium*), *bes.* Klebkraut *n* (*G. aparine*). – **2.** Vogelknöterich *m* (*Polygonum aviculare*). – **3.** → silverweed 1. – **4.** *Am.* (*ein*) Rispengras *n* (*Poa annua*). — **'~ˌherd** *s* Gänsehirte *m,* -hirtin *f.* — **'~ˌneck** *s* **1.** *tech.* a) Schwanenhals *m, bes.* Siphon *m,* Geruchverschluß *m* (*Ausguß etc*), b) Tülle *f,* Schnauze *f* mit Univer'salgelenk. – **2.** *mar.* Schwanen-, Gänsehals *m* (*Art Haken*). — **'~-ˌpim·ples** *s pl* → goose flesh. — **~ quill** *s* Gänsekiel *m* (*bes. zum Schreiben*). — **~ skin** → goose flesh. — **~ step** *s mil.* **1.** Treten *n* auf der Stelle. – **2.** Pa'rade-, Stechschritt *m* (*der deutschen Wehrmacht*). — **'~-ˌstep** *v/i* **1.** auf der Stelle treten. – **2.** im Pa'radeschritt mar'schieren.

goos·ey ['gu:si] **I** *s fig.* Gänschen *n.* – **II** *adj cf.* goosy.

goos·y ['gu:si] *adj* **1.** gänseähnlich. – **2.** *fig.* blöd(e), bor'niert. – **3.** *Am. sl.* a) leicht zu'sammenfahrend, schreckhaft, b) ‚fickerig', ner'vös.

go·pher¹ ['goufər] *s Am.* **1.** *zo.* a) Goffer *m,* Taschenratte *f* (*Fam. Geomyidae*), b) Amer. Ziesel *m* (*Gattg Citellus*), c) (*eine*) Gopherschildkröte (*Gopherus polyphemus*), d) *auch* ~ snake Indigo-, Schildkrötenschlange *f* (*Drymarchon corais couperi*). – **2.** G~ (*Spitzname für einen*) Bewohner von Minne'sota.

go·pher² ['goufər] → goffer.

go·pher³ ['goufər] *s Bibl. Baum, aus dessen Holz Noahs Arche gebaut war.* — **'~ˌwood** *s* **1.** *Bibl. Holz, aus dem Noah die Arche baute.* – **2.** *bot. Am.* Gelbholz *n* (*Cladrastis lutea*).

go·ral ['gɔ:rəl] *s zo.* Goral *m,* 'ZiegenantiˌIope *f* (*Naemorhedus goral*).

gor·bel·lied ['gɔ:rˌbelid] *adj obs.* (dick)bäuchig. — **'gorˌbel·ly** *s obs.* **1.** dicker Bauch. – **2.** Dickwanst *m.*

gor·cock ['gɔ:rˌkɒk] → moor cock 1. — **'gorˌcrow** *Br. für* carrion crow 1.

Gor·di·an ['gɔ:rdiən] *adj* gordisch, schwierig, verwickelt: ~ knot Gordischer Knoten (*auch fig.*); to cut the ~ knot den gordischen Knoten durchhauen.

Gor·don set·ter ['gɔ:rdn] *s* Gordonsetter *m* (*engl. Hunderasse*).

gore¹ [gɔ:r] *s* (*bes.* geronnenes) Blut.

gore² [gɔ:r] **I** *s* **1.** a) Zwickel *m,* Keil(stück *n*) *m,* Gehre *f,* b) (Rock)Bahn *f.* – **2.** a) *dial.* dreieckiges Stück Land, b) *Am.* schmaler Landstreifen. – **II** *v/t* **3.** keilförmig zuschneiden: ~d skirt Bahnenrock. – **4.** einen Zwickel einsetzen in (*acc*).

gore³ [gɔ:r] *v/t* (*mit den Hörnern*) durch'bohren, aufspießen.

gorge [gɔ:rdʒ] **I** *s* **1.** Paß *m,* enge (Fels)Schlucht. – **2.** a) reiches Mahl, b) Hin'unterschlingen *n,* Fressen *n.* – **3.** (*das*) Verschlungene, Mageninhalt *m:* to cast the ~ at s.th. *fig.* etwas mit Widerwillen zurückweisen; my ~ rises at it *fig.* mir wird übel *od.* schlecht davon, es kehrt mir den Magen um. – **4.** *obs. od. rhetorisch* Kehle *f.* – **5.** (An)Stauung *f,* verstopfende Masse. – **6.** *arch.* a) Hohlleiste *f,* b) Glockenleiste *f.* – **7.** *mil.* Kehle *f,* Rückseite *f* (*Bastion*). – **8.** *tech.* Spur *f,* Rille *f* (*Rolle*). – **9.** fester (Fisch)Köder. – **10.** *obs. od.*

dial. (Habicht)Kropf *m.* – **II** *v/i* **11.** fressen, schlingen, sich vollfressen *od.* weiden (on an *dat*). – **III** *v/t* **12.** gierig verschlingen *od.* fressen. – **13.** vollstopfen, -pfropfen, anfüllen: to ~ oneself sich vollstopfen. – **14.** verstopfen. – *SYN. cf.* satiate.

gor·geous [ˈgɔːrdʒəs] *adj* **1.** prächtig, glänzend, prunk-, prachtvoll. – **2.** *colloq.* großartig, ausgezeichnet, wunderbar, blendend. – *SYN. cf.* splendid. — **ˈgor·geous·ness** *s* Glanz *m*, Pracht *f.*

gor·ger·in [ˈgɔːrdʒərin] *s* **1.** *arch.* Säulenhals *m.* – **2.** → gorget 1.

gor·get [ˈgɔːrdʒit] *s* **1.** *hist.* a) *mil.* Halsberge *f*, b) Kragen *m*, c) Hals-, Brusttuch *n.* – **2.** Halsband *n*, -kette *f.* – **3.** *zo.* Kehlfleck *m* (*Vögel*). – **4.** *med.* Gorgeˈret *m* (*bei Steinschnitten gebraucht*). — **~ patch** *s mil.* Kragenspiegel *m.*

Gor·gi·o [ˈgɔːrdʒiou] *s* (*Bezeichnung der Zigeuner für*) ˈNichtziˌgeuner(in).

Gor·gon [ˈgɔːrgən] *s* **1.** *antiq.* (*Mythologie*) Gorgo *f* (*weibliches Ungeheuer*). – **2.** g~ a) → gorgoneum, b) häßliches Weib. — **ˌgor·gonˈesque** [-ˈnesk] *adj fig.* gorˈgonenhaft, Gorgonen..., abstoßend. — **ˌgor·goˈne·um** [-ˈniːəm] *pl* **-ne·a** [-ˈniːə], **ˌgor·goˈne·ion** [-ˈniːjən] *pl* **-ne·ia** [-ˈniːjə; -ˈniːə] *s antiq.* Gorˈgonen-, Meˈdusenhaupt *n* (*in der Kunst*). — **gorˈgo·ni·an** [-ˈgouniən] *adj* **1.** gorˈgonenhaft, Gorgonen... – **2.** schreckenerregend. — **ˈgor·gonˌize** [-gəˌnaiz] *v/t* **1.** versteinern, erstarren lassen. – **2.** mit einem Gorˈgonenblick ansehen.

Gor·gon·zo·la (cheese) [ˌgɔːrgənˈzoulə] *s* Gorgonˈzola(käse) *m.*

gor·hen [ˈgɔːrˌhen] → moorhen 1.

go·ril·la [gəˈrilə] *s* **1.** *zo.* Goˈrilla *m* (*Gorilla gorilla*). – **2.** *sl.* Unmensch *m*, Scheusal *n.* – **3.** *Am. sl.* gewalttätiger Dieb.

gor·i·ness [ˈgɔːrinis] *s* **1.** Blutigkeit *f.* – **2.** *fig.* Blutrünstigkeit *f.*

gor·mand [ˈgɔːrmənd] → gourmand.

gor·mand·ize [ˈgɔːrmənˌdaiz] **I** *v/t* **1.** gierig essen *od.* verschlingen, fressen. – **II** *v/i* **2.** schlemmen, prassen. – **3.** schlingen, fressen. – **III** *s* **4.** Schlemmeˈrei *f.* Prasseˈrei *f.* – **5.** ˌFeinschmeckeˈrei *f.* — **ˈgor·mandˌiz·er** *s* Schlemmer(in), Prasser(in).

gorse [gɔːrs] *s bot. Br.* Stechginster *m* (*Ulex europaeus*).

Gor·sedd [ˈgɔːrseð] *s walisisches Sänger- u. Dichtertreffen* (*bes. am Vortage des* eisteddfod).

gorse duck → corn crake.

gors·y [ˈgɔːrsi] *adj bot.* **1.** stechginsterartig. – **2.** voll (von) Stechginster.

gor·y [ˈgɔːri] *adj* **1.** blutbefleckt, voll Blut. – **2.** *fig.* blutig, blutrünstig, mörderisch.

gosh [gɒʃ] *interj auch* by ~ *colloq.* bei Gott!

gos·hawk [ˈgɒsˌhɔːk] *s zo.* Hühnerhabicht *m* (*Astur palumbarius*).

Go·shen [ˈgouʃən] *s Bibl.* Land *n* des ˈÜberflusses.

gos·ling [ˈgɒzliŋ] *s* **1.** junge Gans, Gänschen *n.* – **2.** *fig.* Grünschnabel *m.*

ˌgo-ˈslow strike *s* Bummelstreik *m.*

gos·pel [ˈgɒspəl] **I** *s* **1.** *relig.* Evanˈgelium *n*: a) christliche Lehre, b) *Lebensbeschreibung Jesu*, c) *vorgelesener Abschnitt aus einem der Evangelien*, d) *meist* G~ *eines der 4 Evangelien.* – **2.** *fig.* Evanˈgelium *n*: to take s.th. for ~ etwas für bare Münze nehmen. – **3.** Prinˈzip *n*, Grundsatz *m*, Lehre *f.* – **II** *adj* **4.** Evangelien... — **ˈgos·pel·(l)er** *s relig.* Vorleser *m od.* Vorsänger *m* des Evanˈgeliums.

gos·pel| oath *s* Eid *m* auf die Bibel. — **~ shop** *s Br. colloq.* ‚Betladen' *m* (*verächtlich für Methodistenkirche*). — **~ side** *s relig.* Evanˈgelienseite *f.* — **~ truth** *s* **1.** *relig.* Wahrheit *f* der Evanˈgelien. – **2.** *fig.* unfehlbare *od.* absoˈlute Wahrheit.

gos·port [ˈgɒspɔːrt] *s aer.* Sprachrohr *n* (*für Anleitungen des Fluglehrers an den Schüler*).

Goss [gɒs] *s ein engl. Porzellan.*

gos·sa·mer [ˈgɒsəmər] **I** *s* **1.** Altˈweibersommer *m*, Maˈriengarn *n*, Sommer-, Maˈrienfäden *pl.* – **2.** feine Gaze. – **3.** a) dünner wasserdichter Stoff, b) leichter Regenmantel. – **4.** *Br.* a) leichter Seidenhut, b) *humor.* Hut *m.* – **5.** (*etwas*) Zerbrechliches *od.* Zartes. – **II** *adj* **6.** leicht u. zart. – **7.** *fig.* unbeständig, wankelmütig, leichtfertig. — **ˈgos·sa·mer·y** *adj* → gossamer II.

gos·san [ˈgɒsən; ˈgɒz-] *s geol.* (*auch Bergbau*) eisenschüssiger ockerhaltiger Letten.

gos·sip [ˈgɒsip; -əp] **I** *s* **1.** Klatsch *m*, Tratsch *m*, Geschwätz *n.* – **2.** Plaudeˈrei *f*, Geplauder *n.* – **3.** Klatschbase *f.* – **4.** *obs.* Pate *m.* – **II** *v/i pret u. pp* **ˈgos·siped 5.** klatschen, tratschen. – **6.** plaudern. – **III** *v/t* **7.** (*Klatsch etc*) verbreiten, herˈumtragen, -erzählen. — **ˈgos·sip·er** *s* Schwätzer(in), Klatschbase *f.* — **ˈgos·sip·ing** *s* **1.** Klatschen *n*, Tratschen *n.* – **2.** *dial.* Taufe *f*, Taufschmaus *m.* – **3.** *obs.* Fest *n.* — **ˈgos·sipˌmon·ger** [-ˌmʌŋgər] → gossip 3. — **ˈgos·sip·red** [-red] *s* **1.** *selten* Klatsch *m*, Geplauder *n.* – **2.** *hist.* Patenschaft *f.* — **ˈgos·sip·ry** [-ri] *s* **1.** Klatsch *m*, Geklatsche *n*, Tratsch *m.* – **2.** *collect.* Klatsch-, Tratschbasen *pl.* — **ˈgos·sip·y** *adj* **1.** geschwätzig, tratschsüchtig. – **2.** flach, allˈtäglich, seicht.

gos·soon [gɒˈsuːn] *s Irish* Bursche *m*, Junge *m.*

got [gɒt] *pret u. pp von* get.

Goth [gɒθ] *s* **1.** Gote *m.* – **2.** Barˈbar *m.*

Go·tham *npr* **1.** [ˈgɒtəm] (*Dorf in England, sprichwörtlich wegen der Torheit seiner Bewohner, deutsch etwa*) Schilda *n*: wise man of ~ Schildbürger, Narr. – **2.** [ˈgouθəm; ˈgɒ-] *Am.* (*Spitzname für*) New York (City). — **Go·tham·ite** *s* **1.** [ˈgɒtəˌmait] Schildbürger *m*, Narr *m.* – **2.** [ˈgouθəˌmait; ˈgɒ-] *humor.* New Yorker(in).

Goth·ic [ˈgɒθik] **I** *adj* **1.** gotisch. – **2.** *auch* g~ a) mittelalterlich, roˈmantisch, b) barˈbarisch, roh, ˈunkultiˌviert. – **3.** *print.* a) *Br.* gotisch, b) *Am.* Grotesk... – **4.** *obs.* gerˈmanisch. – **II** *s* **5.** *ling.* Gotisch *n*, das Gotische. – **6.** *arch.* Gotik *f*, gotischer (Bau)Stil. – **7.** *print.* a) *Br.* Frakˈtur *f*, gotische Schrift, b) *Am.* Steinschrift *f*, Groˈtesk *f.* — **~ arch** *s arch.* gotischer Spitzbogen. — **~ ar·chi·tec·ture** *s arch.* gotische Baukunst.

Goth·i·cism [ˈgɒθiˌsizəm; -θə-] *s* **1.** Gotik *f.* – **2.** *ling.* gotische Spracheigenheit. – **3.** *auch* g~ Roheit *f*, Barbaˈrei *f*, ˈUnkulˌtur *f.* — **ˈGoth·iˌcize** *v/t* **1.** gotisch machen, gotiˈsieren. – **2.** mittelalterlichen Chaˈrakter geben (*dat*).

gö·thite [ˈgøtait; ˈgɜː-] → goethite.

ˈgo-to-ˈmeet·ing *colloq.* **I** *adj* Sonntags..., Ausgeh... (*Kleidung*). – **II** *s* Sonntagskleid *n*, -anzug *m.*

got·ten [ˈgɒtn] *pp von* get.

gouache [gwaʃ] (*Fr.*) *s* **1.** Gouˌache(maleˈrei) *f.* – **2.** Gouˈachefarbe *f.*

Gou·da (cheese) [ˈgaudə] *s* Gouda(käse) *m.*

gouge [gaudʒ] **I** *s* **1.** *tech.* Gutsche *f*, Hohleisen *n*, -meißel *m.* – **2.** *Am. colloq.* a) Aushöhlen *n*, -meißeln *n*, b) (ausgemeißelte) Vertiefung. – **3.** *Am. sl.* a) Betrug *m*, b) Betrüger(in). – **4.** (*Bergbau*) Verwerfungslette *f.* – **II** *v/t* **5.** *auch* ~ out *tech.* (mit dem Hohlmeißel) ausmeißeln *od.* aushöhlen. – **6.** *oft* ~ out (*Gegenstände*) ausschneiden, -stechen. – **7.** (*Auge etc*) herˈausdrücken. – **8.** (*j-m*) ein Auge ausquetschen. – **9.** *Am. colloq.* betrügen, beschwindeln. — **ˈgoug·er** *s* **1.** *tech.* a) Ausstecher(in), b) (Schuh)-Absatzzuschneider(in). – **2.** *mar. Am.* Bugriemen *m.* – **3.** *Am. colloq.* Betrüger(in).

Gou·lard [guːˈlɑːrd] *s med.* Goulardsches Wasser (*Bleiwasser*).

gou·lash [ˈguːlæʃ; -lɑːʃ] *s* **1.** Gulasch *n.* – **2.** (*Kontrakt-Bridge*) Zuˈrückdoppeln *n.*

gou·ra·mi [ˈgu(ə)rəmi] *s zo.* Guˈrami *m* (*Osphromenus goramy; Fisch*).

gourd [gurd; gɔːrd] *s* **1.** *bot.* a) Kürbis *m* (*Gattg Cucurbita*), *bes.* Gartenkürbis *m* (*C. pepo*), b) Flaschenkürbis *m* (*Lagenaria vulgaris*). – **2.** Gurde *f*, Kürbisflasche *f.* – **3.** (enghalsige) Flasche. – **4.** Trinkgefäß *n.* – **5.** *chem.* Brenn-, Destilˈlierkolben *m.*

gourde [guːrd] *s* Gourde *f* (*Peso der Republik Haiti*).

gourd tree → calabash tree.

gour·mand [ˈgurmənd] **I** *s* **1.** starker Esser. – **2.** Feinschmecker *m.* – *SYN. cf.* epicure. – **II** *adj* **3.** gefräßig, gierig. – **4.** feinschmeckerisch, wählerisch. — **gour·man·dise** [gurmɑ̃ˈdiːz] (*Fr.*) → gormandize III. — **gour·mand·ism** [ˈgurmənˌdizəm] *s* **1.** Gefräßigkeit *f.* – **2.** ˌFeinschmeckeˈrei *f.*

gour·met [ˈgurmei] *s* Feinschmecker *m.* – *SYN. cf.* epicure.

gout [gaut] *s* **1.** *med.* Gicht *f*, Zipperlein *n*: poor (rich) man's ~ Gicht infolge Unterernährung (zu guten Essens). – **2.** *agr.* Gicht *f*, Podagra *n* (*Weizenkrankheit*). – **3.** Tropfen *m*, (Blut)Klumpen *m.* — **~ fly** *s zo.* Gelbe Halmfliege (*Chlorops taeniopus*).

gout·ies [ˈgautiz] *s pl* ˈÜberschuhe *pl.* — **ˈgout·i·ness** *s med.* Anlage *f od.* Neigung *f* zur Gicht.

gout| i·vy *s bot.* Gelber Günsel (*Ajuga chamaepitys*). — **ˈ~ˌweed** *s bot.* Giersch *m* (*Aegopodium podagraria*).

gout·y [ˈgauti] *adj med.* **1.** gichtkrank. – **2.** zur Gicht neigend. – **3.** gichtisch, gichtartig, Gicht... – **4.** Gicht verursachend. — **~ con·cre·tion** *s med.* Gichtknoten *m*, Tophus *m.*

gou·ver·nante [guverˈnɑ̃ːt] (*Fr.*) → governess 1.

gov·ern [ˈgʌvərn] **I** *v/t* **1.** reˈgieren, beherrschen. – **2.** leiten, lenken, führen, verwalten. – **3.** *fig.* bestimmen. – **4.** *tech.* regeln, reguˈlieren, steuern, lenken. – **5.** *fig.* zügeln, beherrschen, im Zaume halten, kontrolˈlieren: to ~ one's temper seiner Erregung Herr werden. – **6.** *ling.* reˈgieren, erfordern: to ~ a certain case einen bestimmten Fall regieren. – **7.** *mi-* (*Stadt*) befehligen (*Gouverneur*). *l.* **II** *v/i* **8.** reˈgieren. – **9.** *fig.* die Herrschaft innehaben, die Zügel in der Hand haben. – *SYN.* rule. — **ˈgov·ern·a·ble** *adj* **1.** reˈgier-, leit-, lenkbar. – **2.** *tech.* steuer-, reguˈlierbar. – **3.** *fig.* folg-, lenksam. — **ˈgov·ern·ance** *s* **1.** Reˈgierungsgewalt *f.* – **2.** *fig.* Herrschaft *f*, Gewalt *f*, Konˈtrolle *f* (of über *acc*). – **3.** Reˈgierungsform *f*, Reˈgime *n.*

gov·ern·ess [ˈgʌvərnis] **I** *s* **1.** Gouverˈnante *f*, Erzieherin *f*, Hauslehrerin *f.* – **2.** Statthalterin *f*, (weiblicher) Gouverˈneur. – **3.** *humor.* Gouverˈneursgattin *f.* – **II** *v/t* **4.** erziehen. – **III** *v/i* **5.** Erzieherin sein. — **~ cart** *s leichter zweirädriger Wagen mit einander gegenüberliegenden Seitensitzen.*

gov·ern·ing [ˈgʌvərniŋ] *adj* **1.** leitend, Vorstands...: ~ body Leitung, Vorstand. – **2.** *fig.* leitend, Leit...: ~ **principle** Leitsatz.

gov·ern·ment [ˈgʌvərnmənt] *s* **1.** Reˈgierung *f*, Herrschaft *f*, Konˈtrolle *f* (**of, over** über *acc*). – **2.** Reˈgierung(sform *f*, -syˌstem *n*) *f*: **centralized** ~ Zentralregierung; **parliamentary** ~ Parlamentsregierung. – **3.** (*Br. meist* G~ *u. als pl konstruiert*) Reˈgierung *f*: **to form a** ~ eine Regierung bilden; **the** G~ **do not approve** *Br.* die Regierung ist nicht einverstanden. – **4.** Gouverneˈment *n*, Reˈgierungsbezirk *m* (*eines Gouverneurs*), *bes.* a) *hist.* Gouvernement *n*, Guberˈnija *f* (*Rußland*), b) Statthalterschaft *f*, Proˈvinz *f*. – **5.** Staat *m*, Reˈgierungsbereich *m*. – **6.** Reˈgierungsgewalt *f*, -amt *n*. – **7.** *ling.* Rektiˈon *f*. — ˌ**gov·ernˈmen·tal** [-ˈmentl] *adj* Regierungs..., Staats... — ˌ**gov·ernˈment·alˌize** *v/t* von der Reˈgierung beeinflussen *od.* abhängig machen.

Gov·ern·ment| house *s* Reˈgierungsgebäude *n*. — **g~ pa·per, g~ se·cu·ri·ty** *s econ.* ˈStaatspaˌpier *n*, Staats-, Reˈgierungsanleihe *f*.

gov·er·nor [ˈgʌvərnər] *s* **1.** Gouverˈneur *m*, Statthalter *m*. – **2.** *mil.* Kommanˈdant *m* (*Festung*). – **3.** *hist.* a) ˈOberpräsiˌdent *m* (*einer preußischen Provinz*), b) Landpfleger *m*, Reichsverweser *m*. – **4.** Diˈrektor *m*, Präsiˈdent *m*, Leiter *m*, Vorstand *m*, Vorsitzender *m* (*Bank, Gefängnis etc*): →**board**[1] 6. – **5.** *sl.* (*der*) ‚Alte': a) alter Herr (*Vater, Vormund*), b) Chef *m* (*Vorgesetzter*). – **6.** Erzieher *m*, Hauslehrer *m*. – **7.** Herrscher *m*, Reˈgent *m*. – **8.** *tech.* Regler *m*. – **9.** Gouverˈneur *m* (*künstliche Angelfliege*). — ˈ**~-eˈlect** *s* desiˈgnierter Gouverˈneur (*eines Staates der USA*). — **~ gen·er·al** *pl* **gov·er·nors gen·er·al** *s* Geneˈralgouverˌneur *m* (*bes. eines brit. Dominions*). — ˈ**~-ˈgen·er·alˌship** *s* Geneˈralgouverneˌment *n* (*als Amt*).

gov·er·nor·ship [ˈgʌvərnərˌʃip] *s* Statthalterschaft *f*, Gouverˈneursamt *n*, -würde *f*.

gow·an [ˈgauən] *Scot. od. dial. für* **daisy** 1.

gowd [gaud] *s Scot. od. dial.* Gold *n*.

gowk [gauk] *s Scot. od. dial.* ‚Gauch' *m*: a) Kuckuck *m*, b) *fig.* Einfaltspinsel *m*.

gown [gaun] **I** *s* **1.** (Damen)Kleid *n*. – **2.** *antiq.* a) Toga *f*, b) *poet.* Friedensgewand *n*: **arms and** ~ *fig.* Krieg u. Frieden. – **3.** Taˈlar *m*, Robe *f* (*der Richter, Professoren, Studenten etc*). – **4.** *collect.* Stuˈdenten *pl*, (*die*) Universiˈtät: **town and** ~ Bürgerschaft u. Studentenschaft. – **II** *v/t* **5.** mit einem Taˈlar *etc* bekleiden. – **III** *v/i* **6.** einen Taˈlar *etc* anlegen.

gowns·man [ˈgaunzmən] *s irr* **1.** Robenträger *m*, *bes.* a) Juˈrist *m*, b) Geistlicher *m*, c) Stuˈdent *m*, d) Universiˈtätslehrer *m*. – **2.** *selten* Ziviˈlist *m*.

goy [gɔi] *s* (*jiddisch für*) Nichtjude *m*.

Graaf·i·an| fol·li·cle [ˈgrɑːfiən], **~ ves·i·cle** *s med.* Graafscher Folˈlikel, Graafsches Bläschen, Eibläschen *n*.

Graal *cf.* **Grail**[1].

grab[1] [græb] **I** *v/t pret u. pp* **grabbed** **1.** grapsen, (hastig *od.* gierig) ergreifen, packen, fassen, schnappen. – **2.** *fig.* unrechtmäßig an sich reißen, sich rücksichtslos aneignen, einheimsen. – *SYN. cf.* **take**. – **II** *v/i* **3.** (gierig *od.* hastig) greifen *od.* schnappen (**at** nach). – **III** *s* **4.** Zupacken *n*, Ergreifen *n*, Grapsen *n*. – **5.** plötzlicher *od.* gieriger Griff: **to make a** ~ **at** grapsen nach. – **6.** *fig.* (unrechtmäßiges *od.* gieriges) Ansichreißen. – **7.** *tech.* (Bagger-, Kran)Greifer *m*. – **8.** *ein Kartenspiel für Kinder.*

grab[2] [græb] *s mar. Br. Ind.* (*Art*) zweimastiges Küstenschiff.

grab bag *s Am.* Glücks-, Greifbeutel *m* (*aus dem man gegen Bezahlung kleine Gegenstände ziehen kann*).

grab·ber [ˈgræbər] *s* Habsüchtige(r), Habgierige(r), ‚Raffke' *m*.

grab·ble [ˈgræbl] *v/i* **1.** herˈumtasten, -greifen, tappen (**for** nach). – **2.** (herˈum)krabbeln, (herˈum)kriechen (**for** nach).

grab| crane *s tech.* Greiferkran *m*. — **~ dredge** *s tech.* Greifbagger *m*.

gra·ben [ˈgrɑːbən] *s geol.* Graben(bruch *m*, -senke *f*) *m*.

ˈ**grab|ˌhook** *s tech.* Greifhaken *m*. — **~ i·ron** *s* **1.** (*Eisenbahn*) eiserner Handgriff (*an Güterwagen*). – **2.** *mar.* Brechstange *f*. — **~ line** →**grab rope**. — **~ raid** *s* ˈRaubˌüberfall *m*. — **~ rope** *s mar.* Fang-, Greif-, Hand-, Sicherheitsleine *f*, -tau *n am* (*Rettungsboot*).

grace[1] [greis] **I** *s* **1.** Anmut *f*, Grazie *f*, (Lieb)Reiz *m*, Charme *m*: **the three** G~**s** die drei Grazien. – **2.** Anstand *m*, Schicklichkeit *f*: **you cannot with any** ~ **do that** das können Sie nicht gut tun; **to have the** ~ **to do s.th.** etwas anständigerweise tun. – **3.** Miene *f*: **with a good** ~ mit guter Miene, bereitwillig; **with a bad** ~ ungern, widerwillig. – **4.** gute *od.* anziehende Eigenschaft, Reiz *m*, schöner Zug, Zierde *f*: **airs and** ~**s** überspanntes Benehmen, affektiertes Getue; **to do** ~ **to** a) ehren, (*dat*) Ehre machen, b) zieren, in ein vorteilhaftes Licht rücken. – **5.** *mus.* Verzierung *f*, Maˈnier *f*, Ornaˈment *n*. – **6.** Gunst *f*, Wohlwollen *n*, Huld *f*, Gnade *f*: **to be in s.o.'s good** ~**s** in j-s Gunst stehen; **to be in s.o.'s bad** ~**s** bei j-m in Ungnade sein; **in** ~ **of** zugunsten (*gen*). – **7.** Gnade *f*, Barmˈherzigkeit *f*: **act of** ~ *jur.* Gnadenakt; **by the** ~ **of God** von Gottes Gnaden; **by way of** ~ *jur.* auf dem Gnadenweg. – **8.** *relig.* (göttliche) Gnade: **in the year of** ~ im Jahr des Heils, A.D. – **9.** *relig.* a) *auch* **state of** ~ Zustand *m* der Gnade, b) Tugend *f*. – **10.** G~ Gnaden *pl* (*Titel der Herzöge, Herzoginnen u. Erzbischöfe, früher auch der engl. Könige*): **Your** G~ Euer *od.* Ew. Gnaden. – **11.** *econ. jur.* Aufschub *m*, (Zahlungs)Frist *f*: **days of** ~ Respekttage; **to give s.o. a year's** ~ j-m ein Jahr Aufschub gewähren. – **12.** Tischgebet *n*: **to say** ~ das Tischgebet sprechen. – **13.** (*an brit. Universitäten*) a) Vergünstigung *f*, Befreiung *f*, b) Zulassung *f* zu einer Promotiˈon, c) Erlaß *m*, Beschluß *m*: **by** ~ **of the senate** durch Senatsbeschluß. – **14.** *hist. od. obs.* Vorrecht *n*. – **15.** **the** ~**s** *pl* Fangreifenspiel *n*. – *SYN. cf.* **mercy**. – **II** *v/t* **16.** zieren, schmücken. – **17.** (be)ehren, auszeichnen. – **18.** *mus.* verzieren.

Grace[2] [greis] *s* (*Fernsprechwesen*) *Br.* Diˈrektwählsyˌstem *n* (*aus* **group routing and charging equipment**).

grace cup *s* **1.** (Becher *m* für den) Danksagungstrunk *od.* Toast (*nach dem Tischgebet*). – **2.** Abschiedstrunk *m*.

grace·ful [ˈgreisfəl; -ful] *adj* **1.** anmutig, graziˈös, eleˈgant. – **2.** geziemend, taktvoll. — ˈ**grace·ful·ness** *s* Anmut *f*, Grazie *f*. — ˈ**grace·less** *adj* **1.** ˈungraziˌös, ohne Grazie *od.* Anmut. – **2.** gottlos, verdorben, verworfen, lasterhaft. – **3.** unhöflich, taktlos. – **4.** schamlos. — ˈ**grace·less·ness** *s* **1.** Mangel *m* an Grazie *od.* Anmut. – **2.** Gottlosigkeit *f*, Verworfenheit *f*, Verdorbenheit *f*. – **3.** Unhöflichkeit *f*, Taktlosigkeit *f*. – **4.** Schamlosigkeit *f*.

grace note *s mus.* Verzierung *f*, Maˈnier *f*, Ornaˈment *n*.

grac·ile [ˈgræsil; *Br. auch* -ail] *adj* **1.** zart, graˈzil, zierlich. – **2.** schlank, dünn. — **graˈcil·i·ty** [-ˈsiliti; -əti] *s* **1.** Zierlichkeit *f*, Zartheit *f*. – **2.** Einfachheit *f*, Schlichtheit *f* (*Stil*).

gra·ci·os·i·ty [ˌgreiʃiˈɒsiti; -əti] → **graciousness**.

gra·ci·o·so [ˌgreiʃiˈousou] *s* **1.** Graciˈoso *m*, komische Fiˈgur (*span. Komödie*). – **2.** *obs.* Günstling *m*.

gra·cious [ˈgreiʃəs] **I** *adj* **1.** anmutig, reizend, reizvoll. – **2.** gnädig, huldvoll, herˈablassend. – **3.** *poet.* gütig, freundlich. – **4.** *relig.* gnädig, barmˈherzig. – **5.** *obs.* glücklich. – **II** *interj* **6.** *ellipt. für* ~ **God!** **good** ~! **my** ~! ~ **me!** ~ **goodness!** du meine Güte! lieber Himmel! – *SYN.* **affable, cordial, genial**[1], **sociable**. — ˈ**gra·cious·ness** *s* **1.** Anmut *f*, (Lieb)Reiz *m*. – **2.** Gnade *f*, Huld *f*. – **3.** Güte *f*, Freundlichkeit *f*. – **4.** Gnade *f*, Barmˈherzigkeit *f*.

grack·le [ˈgrækl] *s zo.* **1.** (*ein*) Star *m* (*Fam. Sturnidae; Europa*). – **2.** (*ein*) Stärling *m* (*Fam. Icteridae; Amerika*).

gra·date [*Br.* grəˈdeit; *Am.* ˈgreideit] **I** *v/t* **1.** (*Farben*) (ab)stufen, abtönen, gegeneinˈander absetzen, aufeinˈander abstimmen. – **2.** (ab)stufen. – **3.** stufenweise ˈübergehen lassen (**into** in *acc*). – **II** *v/i* **4.** sich abstufen, stufenweise (ineinˈander) ˈübergehen. – **5.** stufenweise ˈübergehen (**into** in *acc*). — **graˈda·tion** *s* **1.** Abstufung *f*, Abtönung *f*, stufenweise Anordnung, Staffelung *f*, Gradatiˈon *f*. – **2.** Stufengang *m*, -folge *f*, -leiter *f*, Reihenfolge *f*. – **3.** *pl* Stufen *pl*, Grade *pl*, Phasen *pl*. – **4.** Abstufung *f* (*Farben etc*). – **5.** *ling.* Ablaut *m*. — **graˈda·tion·al,** *auch* **graˈda·tive** *adj* **1.** stufenweise, -artig, abgestuft, Stufen... – **2.** stufenweise fortschreitend.

grade [greid] **I** *s* **1.** Grad *m*, Stufe *f*, Rang *m*, Klasse *f*. – **2.** *mil. Am.* (Dienst)Grad *m*. – **3.** Art *f*, Gattung *f*, Sorte *f*. – **4.** Phase *f*, Stufe *f*. – **5.** Qualiˈtät *f*, Güte(grad *m*, -klasse *f*) *f*. – **6.** Steigung *f od.* Gefälle *n*, Neigung *f* (*Gelände*): **at** ~ *Am.* auf gleicher Höhe (*bes. Bahnübergang*); **on the up** ~ aufwärtsgehend, steigend, im Aufstieg; **on the down** ~ abwärtsgehend, fallend, im Abstieg; **to make the** ~ Erfolg haben, sich durchsetzen. – **7.** (*bes. Vieh*) Kreuzung *f*, Mischling *m* (*bes. Halbblut mit Vollblut*). – **8.** *zo.* Abstammungsgrad *m*. – **9.** *ped. Am.* a) (Schul)Stufe *f*, (-)Klasse *f*, b) Note *f*, Zenˈsur *f*: ~ **A** a) beste Note, b) (*adjektivisch*) erstklassig. – **10.** *pl Am.* a) Grund-, Volksschule *f*, b) ˈGrundschul-, Volksschulsyˌstem *n*. – **11.** *ling.* Stufe *f* (*des Ablauts*). – **II** *v/t* **12.** sorˈtieren, einteilen, (an)ordnen. – **13.** den Rang bestimmen von. – **14.** (ab)stufen, gegeneinˈander absetzen. – **15.** *tech.* (*Gelände, Weg*) plaˈnieren, (ein)ebnen. – **16.** (*Vieh*) kreuzen: **to** ~ **up** aufkreuzen. – **17.** *ling.* ablauten (*meist pass*). – **III** *v/i* **18.** ranˈgieren, zu einer (*bestimmten*) Klasse *od.* Qualiˈtät gehören. – **19.** (*stufenweise*) ineinˈander ˈübergehen. – **20.** ˈübergehen (**into** in *acc*).

-grade [greid] *bes. zo. Wortelement mit der Bedeutung* schreitend, gehend.

grade cross·ing *s Am.* schienengleicher (ˈBahn)ˌÜbergang.

grad·ed school [ˈgreidid] → **grade school**.

grade la·bel·(l)ing *s econ.* Güteeinteilung *f* (*von Waren*) durch Aufklebezettel.

grad·er [ˈgreidər] *s* **1.** Sorˈtierer *m*. – **2.** *tech.* Sorˈtiermaˌschine *f*. – **3.** *tech.* a) Plaˈnierer *m*, b) (schwere) Plaˈniermaˌschine, Erd-, Straßen-, Wegehobel *m*. – **4.** *ped. Am.* (*in Zusammen-*

setzungen) ...kläßler *m*: a fourth ~ ein Viertkläßler, ein Schüler der 4. Klasse.

grade school *s Am.* Grund-, Elemen'tar-, Volksschule *f.*

gra·di·ent ['greidiənt] **I** *s* **1.** Neigung(sverhältnis *n*) *f*, Steigung *f od.* Gefälle *n* (*Gelände*). – **2.** schiefe Ebene, geneigte Fläche, Gefällstrecke *f.* – **3.** *math. phys.* Gradi'ent *m*, Gefälle *n.* – **4.** (*Meteorologie*) ('Luftdruck-, Tempera'tur)Gradiˌent *m.* – **II** *adj* **5.** stufenweise steigend *od.* fallend. – **6.** gehend, schreitend. – **7.** *bes. zo.* Geh..., Lauf..., zum Gehen geeignet.

gra·din ['greidin], **gra·dine** [grə'di:n] *s* **1.** (*eine*) Stufe *od.* Sitzreihe (*von mehreren übereinanderliegenden*). – **2.** Al'tarsims *m.*

gra·di·om·e·ter [ˌgreidi'ɒmitər; -mə-], **grad'om·e·ter** [-'dɒm-] *s tech.* Neigungsmesser *m.*

grad·u·al ['grædʒuəl; *Br. auch* -dju-] **I** *adj* **1.** all'mählich, langsam (stufen- *od.* schrittweise) fortschreitend. – **2.** all'mählich *od.* langsam steigend *od.* fallend. – **II** *s* **3.** *relig.* Gradu'ale *n.* — **'grad·u·alˌism** *s* Grundsatz *m* des stufenweisen Fortschreitens. — **'grad·u·al·ly** *adv* **1.** nach u. nach. – **2.** all'mählich. — **'grad·u·al·ness** *s* **1.** All'mählichkeit *f.* – **2.** stufenweises Fortschreiten. – **3.** all'mähliches Steigen *od.* Fallen.

grad·u·al psalms *s pl relig.* Gradu'al-, Stufenpsalmen *pl* (*Ps. 120 – 134*).

grad·u·ate [*Br.* 'grædjuit; *Am.* -dʒuit; -ˌeit] **I** *adj* **1.** gradu'iert, einen aka'demischen Grad habend: a ~ **student.** – **2.** Graduierten..., für Gradu'ierte: a ~ **course.** – **3.** *Am.* ausgebildet, geprüft. – **II** *s* **4.** Gradu'ierte(r), Promo'vierte(r). – **5.** *Am.* Absol'vent(in), Abituri'ent(in) (*Schule od. Institut*). – **6.** *chem.* gradu'iertes Glas, Men'sur *f.* – **III** *v/t* [-ˌeit] **7.** gradu'ieren, promo'vieren, (*j-m*) einen aka'demischen Grad verleihen. – **8.** *tech.* mit einer Maß- *od.* Gewichtseinteilung versehen, gradu'ieren. – **9.** einstufen, festsetzen: to ~ **a tax.** – **10.** in Grade einteilen, abstufen, staffeln, gradu'ieren. – **11.** *chem. tech.* gra'dieren. – **IV** *v/i* **12.** gradu'ieren, promo'vieren, einen aka'demischen Grad erlangen: to ~ **from a school (College)** eine Schule (ein College) absolvieren. – **13.** sich ausbilden (**as** als). – **14.** sich staffeln, sich abstufen. – **15.** sich verlieren, all'mählich 'übergehen (**into** in *acc*). — **'grad·uˌat·ed** *adj* **1.** abgestuft, gestaffelt: ~ **tax** *econ.* abgestufte Steuer, Klassensteuer. – **2.** gradu'iert, mit einer Maßeinteilung (versehen) (*Gefäß*). — **ˌgrad·u'a·tion** *s* **1.** Abstufen *n*, Staffeln *n.* – **2.** Abstufung *f*, Staffelung *f.* – **3.** *tech.* a) Grad-, Teilstrich *m*, b) Gradu'ierung *f*, Gradeinteilung *f* (*Meßgefäß etc*). – **4.** *chem.* Gra'dierung *f.* – **5.** Gradu'ierung *f*, Promoti'on *f*, Erteilung *f* eines aka'demischen Grades. – **6.** *Am.* Absol'vieren *n* (*Schule*). — **'grad·uˌa·tor** [-tər] *s* **1.** Gradu'ierer *m.* – **2.** *tech.* 'Teilmaˌschine *f* (*für Gradeinteilungen*). – **3.** *chem.* Gra'dierappaˌrat *m*, -ofen *m.* – **4.** *electr.* Gradu'ator *m*, Induk'tanzspule *f.*

gra·dus ['greidəs] *s* Gradus *m* ad Par'nassum, Proso'dielexikon *n* (*für lat. od. griech. Verse*).

Grae·ae ['gri:i:] *s pl antiq.* Gräen *pl* (*Schwestern der Gorgonen*; *griech. Mythologie*).

Grae·cism ['gri:ˌsizəm] *s* Grä'zismus *m*: a) griech. Wesen *n*, b) Nachahmung *f* griech. Wesens, c) sprachliche Eigenart des Griechischen. — **'Grae·cise, g~** [-saiz] **I** *v/t* gräzi'sieren, nach griech. Vorbild gestalten. – **II** *v/i* sich nach griech. Vorbildern richten, griech. Art entsprechen.

Graeco- [gri:ko] *Wortelement mit der Bedeutung* griechisch, Griechen, gräko-.

graf·fi·to [grə'fi:tou] *pl* **-ti** [-ti:] *s* (S)Graf'fito *n*, ˌKratzmale'rei *f*, -inschrift *f.*

graft[1] [*Br.* grɑ:ft; *Am.* græ(:)ft] **I** *s* **1.** *bot.* a) Pfropfreis *n*, b) veredelte Pflanze, c) Pfropfstelle *f*: ~ **hybrid** Pfropfbastard, -hybrid. – **2.** *bot.* Pfropfen *n*, Veredeln *n.* – **3.** *fig.* (*das*) Neue *od.* Hin'zugekommene. – **4.** *med.* a) Transplan'tat *n*, verpflanztes Gewebe, b) Transplantati'on *f*, Gewebeverpflanzung *f.* – **5.** *Am. colloq.* a) (*empfangenes*) Schmier-, Bestechungsgeld, b) ergaunertes *od.* erschobenes Gut, c) Korrupti'on *f*, Schiebung *f*, Schwindel *m*, Gaune'rei *f.* – **II** *v/t* **6.** *bot.* a) (*Zweig*) pfropfen, verpflanzen (**in** in *acc*, **on** auf *acc*), b) (*Pflanze*) durch Pfropfen vermehren, c) durch Pfropfen kreuzen *od.* veredeln. – **7.** *med.* (*Gewebe*) verpflanzen, transplan'tieren. – **8.** *fig.* (**in, on, upon**) (*etwas*) auf-, einpfropfen (*dat*), unlöslich verbinden (mit). – **9.** *fig.* (**in, on, upon**) (*Ideen etc*) einimpfen (*dat*), über'tragen (auf *acc*). – **10.** *Am. colloq.* ergaunern, erschieben, erschwindeln. – **III** *v/i* **11.** *bot.* a) (Pflanzen) pfropfen *od.* veredeln, b) gepfropft *od.* veredelt werden (*Pflanze*). – **12.** *med.* Gewebe verpflanzen, eine Transplantati'on vornehmen. – **13.** *Am. colloq.* schieben, gaunern, schwindeln.

graft[2] [*Br.* grɑ:ft; *Am.* græ(:)ft] *s Br.* **1.** (*ein*) Spatenstich *m* Erde, Spatenscholle *f.* – **2.** Drä'nagespaten *m.*

graft·age [*Br.* 'grɑ:ftidʒ; *Am.* 'græ(:)f-] *s bot.* Pfropfen *n*, Veredeln *n.* — **'graft·er** *s* **1.** Pfropfer *m.* – **2.** Pfropf-, Oku'liermesser *n.* – **3.** *Am. colloq.* Schieber *m*, Gauner *m*, Schwindler *m.*

graft·ing [*Br.* 'grɑ:ftiŋ; *Am.* 'græ(:)f-] *s* **1.** *bot.* (Veredelung *f* durch) Pfropfung *f.* – **2.** *mar.* Um'weben *n* mit Garn. – **3.** *tech.* Zu'sammenblatten *n* (*zweier Balken*). – **4.** *med.* Transplantati'on *f.* — ~ **wax** *s* Pfropf-, Baumwachs *n.*

gra·ham ['greiəm] *adj* Graham..., Weizenschrot...: ~ **bread.** — ~ **flour** *s* Grahammehl *n*, Weizenschrot *m*, *n.*

gra·ham·ite ['greiəˌmait] *s min.* Graha'mit *m* (*asphaltähnliches Mineral*).

Gra·iae ['greiji:; 'graii:] → **Graeae.**

Grail[1] [greil] *s relig.* Gral *m.*

grail[2] [greil] → **gradual** 3.

grail[3] [greil] *s* Kammacherfeile *f.*

grain [grein] **I** *s* **1.** *bot.* (Samen-, *bes.* Getreide)Korn *n.* – **2.** *collect.* Getreide *n*, Korn *n* (*Pflanzen od. Frucht*). – **3.** Korn-, Getreideart *f.* – **4.** Körnchen *n*, Korn *n*: **of fine** ~ feinkörnig; → **salt**[1] 1. – **5.** Teilchen *n*, Stückchen *n.* – **6.** *fig.* Spur *f*, (*das*) bißchen: **not a** ~ **of hope** nicht die geringste Hoffnung. – **7.** *econ.* Gran *n*, Grän *n* (*Gewichtseinheit; bei Perlen 50 mg od. 1/4 Karat*). – **8.** *tech.* a) (Längs)Faser *f*, Faserung *f*, b) Maserung *f* (*Holz*), c) Faserrichtung *f*, Strich *m.* – **9.** *tech.* a) *auch* ~ **side** Narben *m*, Haarseite *f* (*Leder*), b) künstliches Narbenmuster. – **10.** *tech.* a) Korn *n*, Narbe *f* (*Papier*), b) Korn *n* (*Metallbruchfläche*). – **11.** *tech.* a) Faden(verlauf) *m*, Strich *m* (*Tuch*), b) Faser *f*: **in** ~ durch u. durch, eingefleischt; → **dye** 4. – **12.** Körnigkeit *f*, körnige Beschaffenheit: **of coarse** ~ grobkörnig. – **13.** *min.* Korn *n*, Gefüge *n* (*Stein*). – **14.** *phot.* a) Korn *n*, b) Körnigkeit *f* (*Film*). – **15.** Kristalli'sierung *f* (*Sirup etc*). – **16.** *pl* (*Brauerei*) Treber *pl*, Trester *pl.* – **17.** *fig.* Wesen *n*, Na'tur *f*, Gemütsart *f*, Schrot *n* und Korn *n*: **it goes against my** ~ es geht mir gegen den Strich, es widerstrebt mir (im Innersten). – **18.** *hist.* a) Kermes *m*, b) Coche'nille *f* (*Farbstoffe*). – **19.** *pl auch* ~**s of Paradise, guinea** ~**s** *bot.* Para'dies-, Gui'neakörner *pl*, Mala'gettapfeffer *m* (*von Aframomum melegueta*). – **II** *v/t* **20.** körnen, granu'lieren. – **21.** *tech.* (*Leder*) a) enthaaren, b) körnen, narben, krispeln. – **22.** *tech.* a) (*Papier*) narben, b) (*Seifenherstellung*) aussalzen, c) (*Textilien*) in der Wolle färben. – **23.** (*künstlich*) masern, ädern, marmo'rieren. – **III** *v/i* **24.** Körner bilden, körnig werden.

grain| al·co·hol *s chem.* Ä'thyl-, Gärungsalkohol *m* (C_2H_5OH). — ~ **bind·er** *s agr.* Garbenbinder *m.* — ~ **drill** *s agr.* (Ge'treide)ˌDrillmaˌschine *f.*

grained [greind] *adj* **1.** *tech.* tief-, echtgefärbt, in der Wolle gefärbt. – **2.** gekörnt, körnig, rauh. – **3.** *tech.* geädert, gemasert (*Holz*). – **4.** marmo'riert, (holz)faserartig angestrichen. – **5.** *bot.* gekörnelt. – **6.** genarbt, gekörnt (*Leder*).

grain el·e·va·tor *s agr.* **1.** Getreideheber *m.* – **2.** → **elevator** 2.

grain·er ['greinər] *s tech.* **1.** a) Marmo'rierer *m*, b) Marmo'rierkamm *m*, -pinsel *m.* – **2.** (*Lederfabrikation*) a) Narbeisen *n*, b) Bad *n*, c) Beize *f.*

grain| leath·er *s tech.* genarbtes Leder. — ~ **moth** *s zo.* **1.** Kornmotte *f* (*Tinea granella*). – **2.** Getreidemotte *f* (*Sitotroga cerealella*).

grains [greinz] *s pl* (*oft als sg konstruiert*) (mehrzackiger) Fischspeer.

'grain|ˌsick *s vet.* krankhafte Aufblähung des Pansen. — ~ **tin** *s* **1.** *min.* Zinnstein *m*, -erz *n*, Kassite'rit *m.* – **2.** *tech.* Feinzinn *n.* — ~ **wee·vil** *s* **1.** (*volkstümlich*) *Insekt, das Kornvorräte befällt.* – **2.** → **granary weevil.**

grain·y ['greini] *adj* **1.** körnig, gekörnt, körnerartig. – **2.** voll von Korn *od.* Körnern. – **3.** gemasert, maserig, gefasert. – **4.** *phot.* (grob)körnig.

gral·la·to·ri·al [ˌgrælə'tɔ:riəl] *adj zo.* stelz-, watbeinig, Stelz(vogel)...

gral·loch ['grælɔx] *hunt.* **I** *s* **1.** Aufbruch *m*, Eingeweide *pl*, *n* (*des Rotwildes*). – **2.** Aufbrechen *n*, Her'ausnehmen *n* der Eingeweide. – **II** *v/t* **3.** (*Rotwild*) aufbrechen.

gram[1] [græm] *s bot.* **1.** → **chick-pea.** – **2.** → **mung bean.** – **3.** Pferdebohne *f* (*Dolichos biflorus*).

gram[2], *bes. Br.* **gramme** [græm] *s* Gramm *n.*

-gram[1] [græm] *Wortelement mit der Bedeutung* Zeichnung, Schrift, Bild.

-gram[2] [græm] *Wortelement mit der Bedeutung* Gramm: **kilo**~.

gra·ma (grass) ['grɑ:mə] *s bot.* Grammagras *n* (*Gattg Bouteloua*).

gram·a·ry(e) ['græməri] *s obs.* Zaube'rei *f*, schwarze Kunst.

gram| at·om, '~-a'tom·ic weight *s phys.* 'GrammaˌtomGewicht) *n.* — ~ **cal·o·rie** *s phys.* 'Grammkaloˌrie *f.*

gra·mer·cy [grə'mə:rsi] *interj obs.* **1.** tausend Dank! – **2.** um Gottes willen!

gram·i·ci·din [ˌgræmi'saidin; grə'misidin; -sə-] *s med.* Gramici'din *n* (*antibakterielles Polypeptid, erzeugt von Bacterium brevis im Boden*).

gram·i·na·ceous [ˌgræmi'neiʃəs; *Br. auch* ˌgrei-], **gra·min·e·ous** [grə'miniəs] *adj bot.* **1.** grasig, grasartig. – **2.** zu den Gräsern gehörig, Gras... — ˌ**gram·i'niv·o·rous** [-'nivərəs] *adj zo.* grasfressend.

gram·ma (grass) ['græmə] *bes. Br. für* **grama (grass).**

gram·ma·logue ['græməˌlɒg; *Am. auch* -ˌlɔ:g] *s* (*Stenographie*) Kürzel *n.*

gram·mar ['græmər] *s* **1.** Gram'matik *f*: a) *als Wissenschaft*, b) Sprachlehrbuch *n*. – **2.** (*richtiger*) Sprachgebrauch, (*korrekte*) Sprache: **he knows his** ~ er beherrscht seine Sprache. – **3.** *fig.* (Werk *n* über die) Grundzüge *pl*, -begriffe *pl*, Anfangsgründe *pl*.

gram·mar·i·an [grə'mε(ə)riən] *s* Gram'matiker(in).

gram·mar school *s* **1.** *Br.* a) *hist.* La'teinschule *f*, b) höhere Schule, Mittelschule *f*. – **2.** *Am.* *Schulstufe zwischen Volksschule u. höherer Schule.*

gram·mat·i·cal [grə'mætikəl] *adj* **1.** gram'matisch. – **2.** gram'matisch *od.* grammati'kalisch richtig: **the construction is not** ~ die Konstruktion ist grammatisch falsch. – **3.** *fig.* richtig, den Regeln entsprechend. — ~ **mean·ing** *s ling.* gram'matische Bedeutung.

gramme *bes. Br. für* **gram**[2].

-gramme *cf.* -gram[2].

gram| mol·e·cule, *auch* ˌ~-**mo'lec·u·lar weight** *s phys.* 'Grammoleˌkül *n*, 'Grammolekuˌlargewicht *n*, Mol *n*.

'**Gram-'neg·a·tive** *adj* (*Bakteriologie*) gramfrei, gramnegativ.

gram·o·phone ['græməˌfoun] **I** *s* Grammo'phon *n*. – **II** *v/t* durch Grammo'phon 'wiedergeben. — ~ **nee·dle** *s* Grammo'phonnadel *f*. — ~ **pick-up** *s electr.* Tonabnehmer *m*. — ~ **rec·ord** *s* Schallplatte *f*.

'**Gram-'pos·i·tive** *adj* (*Bakteriologie*) gramfest, grampositiv.

gram·pus ['græmpəs] *s* **1.** *zo.* a) Rundkopf-, 'Rissosdelˌphin *m* (*Grampus griseus*), b) → **killer whale**. – **2.** *fig.* *Br.* laut Schnaufender, Pruster *m*.

Gram's| meth·od [græmz], *auch* ~ **stain** *s* (*Bakteriologie*) Gramsche Färbung, Gramfärbung *f* (*Bakterienfärbungsmethode*).

gran·a·dil·la [ˌgrænə'dilə] *s* **1.** Grena'dille *f*, Grana'dille *f* (*eßbare Frucht*). – **2.** *bot.* *eine Passionsblume, bes.* a) Flügelstengelige Grana'dille (*Passiflora quadrangularis*), b) Lorbeerblättrige Grena'dille (*P. edulis*). – **3.** *auch* ~ **wood** Grena'dilleholz *n*, Amer. Ebenholz *n* (*von Brya ebenus*).

gran·am *cf.* grannom.

gran·a·ry ['grænəri] *s* **1.** Getreide-, Kornspeicher *m*, -kammer *f*, -boden *m*. – **2.** *fig.* Kornkammer *f*. — ~ **wee·vil** *s zo.* Kornkäfer *m*, -wurm *m* (*Calandra granaria*).

grand [grænd] **I** *adj* **1.** großartig, gewaltig, grandi'os, impo'sant, eindrucksvoll. – **2.** (*geistig etc*) groß, grandi'os, über'ragend: **the G~ Old Man** *Beiname W. E. Gladstones.* – **3.** stattlich, prächtig, impo'sant, maje'stätisch. – **4.** groß, erhaben, würdevoll, sub'lim: ~ **style**. – **5.** (*gesellschaftlich*) groß, hochstehend, promi'nent, vornehm, distin'guiert: **to do the** ~ vornehm tun, sich vornehm aufspielen. – **6.** *colloq.* wunderbar, herrlich, großartig, glänzend: **what a** ~ **idea!** – **7.** groß, bedeutend, bedeutungsschwer, wichtig, wesentlich. – **8.** endgültig, abschließend, gesamt: ~ **total** Gesamt-, Endsumme. – **9.** groß: **the G~ Army** *hist.* die ‚Grande Armée', die ‚Große Armee' (*Napoleons I.*); **the G~ Fleet** *die im 1. Weltkrieg in der Nordsee operierende engl. Flotte.* – **10.** Haupt...: ~ **entrance** Haupteingang; ~ **staircase** Haupttreppe. – **11.** Groß...: ~ **commander** Großkomtur (*eines Ordens*); **G~ Turk** *hist.* Großtürke (*Bezeichnung des türk. Sultans*). – **12.** *mus.* groß (*in Anlage, Besetzung etc*). – *SYN.* **august**[1], **grandiose, imposing, magnificent, majestic, noble, stately.** – **II** *s* **13.** *mus.* Flügel *m*: **concert** ~ Konzertflügel; ~-**action** Flügelmechanik. – **14.** *Am. sl.* tausend Dollar *pl*.

gran·dad, gran·dad·a, gran·dad·dy *cf.* granddad *etc.*

grand air *s* Vornehmheit *f*, Würde *f*.

gran·dam ['grændæm; -dəm] *s* **1.** alte Dame, *bes.* Großmutter *f*. – **2.** Großmutter *f* (*von Tieren*).

gran·dame ['grændeim; -dəm] → grandam 1.

'**grand|'aunt** *s* Großtante *f*. — '~ˌ**child** *s irr* Enkel(in), Enkelkind *n*. — ~ **com·mit·tee** *s pol.* *von 1882 bis 1907 einer der beiden ständigen Ausschüsse des brit. Unterhauses zur Überprüfung von Gesetzes- u. Wirtschaftsvorlagen.* — ~**·dad** ['grænˌdæd], '~ˌ**dad·a** [-də], '~ˌ**dad·dy** [-di] *s* (*Kindersprache od. zärtlich*) 'Großpaˌpa *m*, Opa *m*. — '~ˌ**daugh·ter** *s* Enkelin *f*, Enkeltochter *f*. — ˌ~'**du·cal** *adj* großherzoglich. — ~ **duch·ess** *s* Großherzogin *f*. — ~ **duch·y** *s* Großherzogtum *n*. — ~ **duke** *s* **1.** Großherzog *m*. – **2.** *hist.* (*in Rußland*) Großfürst *m*. – **3.** *zo.* → **eagle owl**.

gran·dee [græn'diː] *s* (*span. od. portug.*) Grande *m*.

gran·deur ['grændʒər] *s* **1.** Größe *f*, Macht *f*. – **2.** Vornehmheit *f*, Adel *m*, Würde *f*. – **3.** Erhabenheit *f*, Großartigkeit *f*. – **4.** Herrlichkeit *f*, Pracht *f*, Pomp *m*.

grand·fa·ther ['grændˌfɑːðər; 'grænˌf-] *s* **1.** Großvater *m*: ~ (*od.* ~'s) **clock** Standuhr. – **2.** Vorfahr *m*, Ahne *m*: ~ **clause** *hist.* *Verfassungsklausel, die Negern, deren Vorfahren nicht vor 1867 gewählt hatten, das Wahlrecht entzog.* — '**grandˌfa·ther·ly** *adj* **1.** großväterlich (*auch fig.*). – **2.** freundlich, wohlwollend.

Grand Gui·gnol [grɑ̃ giː'njɔːl] *s* (The'ater *n* in der Art des) Grand Gui'gnol *n*.

gran·dil·o·quence [græn'diləkwəns] *s* **1.** (Rede)Schwulst *m*, Pathos *n*. – **2.** ˌGroßsprече'rei *f*. — **gran'dil·o·quent** *adj* **1.** schwülstig, hochtrabend. – **2.** großsprecherisch.

grand in·quest *s hist.* **1.** → **grand jury**. – **2.** **G~ I~** *Königliche Kommission, die 1085–1086 das* **Domesday Book** *aufstellte.*

gran·di·ose ['grændiˌous] *adj* **1.** großartig, grandi'os. – **2.** pom'pös, prunkend. – **3.** schwülstig, hochtrabend. – *SYN. cf.* grand. — ˌ**gran·di'os·i·ty** [-'ɒsiti; -əti] *s* **1.** Großartigkeit *f*. – **2.** Pomp(haftigkeit *f*) *m*. – **3.** Schwülstigkeit *f*.

gran·dio·so [gran'djoːso] (*Ital.*) *adj mus.* erhaben.

Gran·di·so·ni·an [ˌgrændi'souniən] *adj* ritterlich, großherzig.

grand| ju·ry [grænd] *s jur.* großes Geschworenengericht. — **G~ La·ma** *s* Dalai-Lama *m*. — ~ **lar·ce·ny** *s jur.* schwerer Diebstahl. — ~ **lodge** *s* (*Freimaurerei*) Großloge *f*. — '~ˌ**ma** ['grænˌmɑː; 'grænd-], '~·**mamˌma** *s* 'Großmaˌma *f*, Oma *f*. — ~ **march** [grænd] *s* (Er'öffnungs)Poloˌnäse *f*. — ~ **mas·ter**, *oft* **G~ Mas·ter** *s* Großmeister *m* (*vieler Orden*). — '~ˌ**moth·er** ['grænˌm-; 'grændˌm-] **I** *s* **1.** Großmutter *f*: → **egg**[1] 1. – **2.** Ahnfrau *f*. – **II** *v/t* **3.** verhätscheln, verwöhnen. – **III** *v/i* **4.** sich großmütterlich benehmen. — '~ˌ**moth·er·ly** *adj* **1.** großmütterlich (*auch fig.*). – **2.** *pol.* kleinlich; wohlmeinend, aber lästig: ~ **legislation**. — **G~ Muf·ti** [grænd] *s hist.* Groß-, Obermufti *m* (*der Mohammedaner*). — **G~ Na·tion·al** *s sport das größte engl. Hindernisrennen des Jahres* (*im März in Aintree*). — '~ˌ**neph·ew** ['græn(d)ˌn-; *Am. auch* 'grænd'n-] *s* Großneffe *m*.

grand·ness ['grændnis] *s* **1.** Großartigkeit *f*, Gewaltigkeit *f*, Eindruckskraft *f*. – **2.** (*geistige etc*) Größe, Erhabenheit *f*. – **3.** Stattlichkeit *f*, Prächtigkeit *f*, (*das*) Maje'stätische. – **4.** Größe *f*, Erhabenheit *f*, Würde *f* (*Stil etc*). – **5.** (*gesellschaftliche*) Promi'nenz, Größe *f*. – **6.** *colloq.* Großartigkeit *f*. – **7.** Größe *f*, Bedeutung *f*, Wichtigkeit *f*.

'**grand|ˌniece** ['græn(d)ˌn-; *Am. auch* 'grænd'n-] *s* Großnichte *f*. — **G~ Old Par·ty** [grænd], *meist* **G.O.P.** *s pol.* *Am.* (*Bezeichnung für die*) Republi'kanische Par'tei (*der USA*). — ~ **op·er·a** *s mus.* große Oper. — '~ˌ**pa** ['grænˌpɑː; 'grænd-], '~·**paˌpa** → granddad. — '~ˌ**par·ent** *s* **1.** Großvater *m od.* -mutter *f*. – **2.** *pl* Großeltern *pl*. — ~ **pi·an·o(·for·te)** [grænd] *s mus.* (Kon'zert)Flügel *m*. — '~ˌ**sir(e)** ['grænˌs-; 'grænd-] *s* **1.** *obs.* a) Ahne *m*, b) Großvater *m*. – **2.** Ahnherr *m*, Großvater *m* (*Tier*). – **3.** *eine Form des Glockenläutens.* — '~ˌ**son** *s* Enkel(sohn) *m*. — '~ˌ**stand** ['grænd-] *s sport* 'Haupttriˌbüne *f*: ~ **finish** packender Endkampf, Entscheidung auf den letzten Metern. — '~ˌ**stand play** *s Am.* **1.** *sport* auf Ef'fekt berechnetes Spiel (*Baseball etc*). – **2.** *fig.* *colloq.* Efˌfekthasche'rei *f*. — ~ **tour** *s hist.* Bildungs-, Kava'liersreise *f*. — '~'**un·cle** *s* Großonkel *m*. — ~ **vi·zier** *s* 'Großweˌsir *m*.

grange [greindʒ] *s* **1.** Farm *f*. – **2.** *hist.* a) Landsitz *m* (*eines Edelmanns*), b) Gutshof *m*. – **3.** a) **G~** *die amer. Farmervereinigung* **Patrons of Husbandry**, b) *eine Loge der* **Patrons of Husbandry**. – **4.** *obs.* Scheune *f*. — '**grang·er** *s* **1.** Farmer *m*, Landwirt *m*. – **2.** *Mitglied* (*einer Loge*) *der amer. Farmervereinigung* **Patrons of Husbandry**.

grang·er·ism[1] ['greindʒəˌrizəm] *s die Politik der amer. Farmervereinigung* **Patrons of Husbandry**.

grang·er·ism[2] ['greindʒəˌrizəm] *s* **1.** Über'laden *n* von Büchern mit Bildern. – **2.** Her'ausschneiden *n* von Bildern aus Büchern (*zum Zweck der Einfügung in andere*).

grang·er·i·za·tion [ˌgreindʒərai'zeiʃən; -ri'z-] → **grangerism**[2]. — '**grang·erˌize** **I** *v/t* **1.** (*Buch*) mit (aus anderen Büchern genommenen) Bildern über'laden. – **2.** Bilder her'ausschneiden aus. – **II** *v/i* **3.** Bilder aus Büchern ausschneiden.

grani- [græni; grəni] *Wortelement mit der Bedeutung* Korn.

gra·nif·er·ous [grə'nifərəs] *adj bot.* Körner tragend. — **gran·i·form** ['græniˌfɔːrm] *adj* kornartig, -förmig.

gran·ite ['grænit] **I** *s* **1.** *min.* Gra'nit *m*. – **2.** *fig.* Härte *f*, Festigkeit *f*, Standhaftigkeit *f*: **to bite on** ~ auf Granit beißen, auf eisernen Widerstand stoßen, sich vergeblich bemühen. – **3.** Gra'nit *m* (*Art Speiseeis*). – **4.** → ~**ware**. – **II** *adj* **5.** Granit... – **6.** *fig.* hart, fest, standhaft. — ~ **pa·per** *s* Gra'nitpaˌpier *n* (*meliert*). — **G~ State** *s* (*Spitzname für*) New Hampshire *n*. — '~ˌ**ware** *s tech.* **1.** weißes, porzel'lanartig gla'siertes Steingut. – **2.** gesprenkelt email'liertes Geschirr.

gra·nit·ic [græ'nitik; grə-] *adj* **1.** gra'nitartig. – **2.** aus Gra'nit, Granit... – **3.** *fig.* hart, unbeugsam.

gran·it·ite ['græniˌtait] *s min.* Grani'tit *m*. — '**gran·itˌoid** → **granitic** 1 *u.* 3.

gran·i·vore ['græniˌvɔːr] *s zo.* Körnerfresser *m*. — **gra'niv·o·rous** [-'nivərəs] *adj* körnerfressend.

gran·je·no [grɑːn'heinou] *s bot.* Zürgelstrauch *m* (*Celtis pallida*).

gran·nie *cf.* granny.

gran·nom ['grænəm] *s* **1.** *zo.* Köcherfliege *f* (*Ordnung Trichoptera*). – **2.** *eine Angelfliege.*

gran·ny ['græni] *s colloq.* **1.** ‚Oma' *f*, Großmutter *f*. – **2.** alte Frau. – **3.** *mar.*

auch ~('s) knot (*od.* bend) Alt'weiberknoten *m.* – **4.** *Am.* a) (Heb)Amme *f*, b) Dummkopf *m*, c) Angstmeier *m*.

grano- [grænо] *Wortelement mit der Bedeutung* Granit, körnig.

gran·o·lith ['grænoliθ; -nə-] *s tech.* Grano'lith *m* (*Mischung von Granit u. Zement*). — ˌ**gran·o'lith·ic** *adj* Granolith...

gran·o·phyre ['grænoˌfair; -nə-] *s min.* Grano'phyr *m.* — ˌ**gran·o'phy·ric** *adj min.* grano'phyrisch.

grant [*Br.* grɑːnt; *Am.* græ(ː)nt] **I** *v/t* **1.** bewilligen, gewähren: to ~ s.o. a credit *econ.* j-m einen Kredit bewilligen; God ~ that gebe Gott, daß; it was not ~ed to her es war ihr nicht vergönnt. – **2.** (*Erlaubnis etc*) geben, erteilen. – **3.** (*Bitte etc*) erfüllen, (*dat*) nachkommen *od.* stattgeben. – **4.** *jur.* (*bes.* for'mell) über'lassen, -'tragen, verleihen: to ~ s.o. a right j-m ein Recht übertragen. – **5.** zugeben, zugestehen, einräumen: I ~ you that ich gebe zu, daß; to ~ s.th. to be true etwas als wahr anerkennen; ~ed that a) zugegeben, daß, b) angenommen, daß; to take for ~ed a) als erwiesen *od.* gegeben annehmen, b) als selbstverständlich betrachten. – *SYN.* accord, award, concede, vouchsafe. – **II** *s* **6.** Bewilligung *f*, Gewährung *f.* – **7.** bewilligte Sache, *bes.* Unter'stützung *f*, Zuschuß *m*, Subventi'on *f.* – **8.** Sti'pendium *n*, Studienbeihilfe *f.* – **9.** *jur.* a) Verleihung *f* (*Recht*), b) (urkundliche) Über'tragung *od.* Über'weisung (to auf *acc*), c) Über'tragungsurkunde *f*: in ~ nur vermittels einer Urkunde zu überweisen. – **10.** *Am.* (*einer Person od. Körperschaft*) zugewiesenes Land (*Maine, New Hampshire u. Vermont*).

grant·a·ble [*Br.* 'grɑːntəbl; *Am.* 'græ(ː)nt-] *adj* **1.** (to) verleihbar (*dat*), über'tragbar (auf *acc*). – **2.** zu bewilligen(d). — **gran'tee** [-'tiː] *s* **1.** Empfänger(in) einer Bewilligung *etc.* – **2.** *jur.* Zessio'nar(in), Konzessio'när(in), Privile'gierte(r). — '**grant·er** *s* **1.** Bewilliger(in). – **2.** → grantor.

Granth [grʌnt] *s relig.* Granth *m* (*heilige Schrift der Sikhs*).

'**grant-in-'aid** *pl* '**grants-in-'aid** *s* Subventi'on *f*, Zuschuß *m*, Beihilfe *f*.

grant·or [*Br.* grɑːn'tɔː; *Am.* 'græ(ː)ntər] *s jur.* Ze'dent(in), Verleiher(in).

gran·u·lar ['grænjulər; -jə-] *adj* **1.** gekörnt, körnig, granu'lär. – **2.** granu'liert. — ˌ**gran·u'lar·i·ty** [-'læriti; -əti] *s* Körnigkeit *f*, körnige Beschaffenheit.

gran·u·late ['grænjuˌleit; -jə-] **I** *v/t* **1.** körnen, granu'lieren. – **2.** rauhen. – **II** *v/i* **3.** sich körnen, körnig werden. – **4.** *med.* Granulati'onsgewebe bilden. — '**gran·uˌlat·ed** *adj* **1.** gekörnt, körnig, granu'liert. – **2.** gerauht. – **3.** *bot.* gekörnelt, mit Körnchen besetzt. – **4.** *med.* granu'liert. — **gran·u·lat·er** *cf.* granulator.

gran·u·la·tion [ˌgrænju'leiʃən; -jə-] *s* **1.** *tech.* Körnen *n*, Granu'lieren *n.* – **2.** Körnigkeit *f.* – **3.** *med.* a) Granulati'on *f*, Wärzchenbildung *f*, b) *pl auch* ~ tissue Granulati'onsgewebe *n.* – **4.** *bot. zo.* a) Rauheit *f* (*durch Knötchen*), b) rauhe, knötchenbesetzte Fläche, c) Knötchen *n.* – **5.** *astr.* a) 'Reiskörnerstrukˌtur *f*, Granulati'on *f* (*der Photosphäre der Sonne*), b) → granule 2. — '**gran·uˌla·tor** [-tər] *s* **1.** Körner *m*, Granu'lierer *m.* – **2.** *tech.* Kornsieb *n*, Granu'lierappaˌrat *m.* — '**gran·ule** [-juːl] *s* **1.** Körnchen *n.* – **2.** *astr.* (*einzelnes*) Korn (*der Sonnengranulation*). – **3.** *med.* Granulum *n.* — '**gran·uˌlite** [-ˌlait] *s min.* Granu'lit *m*, Weißstein *m.* — ˌ**gran·u'lit·ic** [-'litik] *adj* granu'litisch. — ˌ**gran·u'lo·ma** [-'loumə] *pl* **-ma·ta** [-mətə] *od.* **-mas** *s med.* Granu'lom *n*, Granulati'onsgeschwulst *f*.

gran·u·lose[1] ['grænjuˌlous; -jə-] *s chem.* Granu'lose *f*.

gran·u·lose[2] ['grænjuˌlous; -jə-], '**gran·u·lous** [-ləs] → granular.

grape [greip] *s* **1.** Weintraube *f*, -beere *f*: the ~s are sour *fig.* die Trauben sind sauer; the (juice of the) ~ der Saft der Reben (*Wein*); → bunch 1. – **2.** dunkles Blaurot (*Farbe*). – **3.** *pl vet.* a) Mauke *f*, b) *colloq.* 'Rindertuberkuˌlose *f*, Perlsucht *f.* – **4.** (*früher auch pl*) *mil.* Kar'tätsche *f*, Hagelgeschoß *n.* — '**~-ˌber·ry moth** *s zo.* Bekreuzter Traubenwickler (*Polychrosis botrana*). — **~ bran·dy** *s* **1.** Traubenschnaps *m.* – **2.** Kognak *m*, Weinbrand *m.* — **~ cure** *s med.* Traubenkur *f*, Me'raner Kur *f.* — **~ fern** *s bot.* Mondraute *f* (*Gattg Botrychium*). — '**~ˌflow·er** → grape hyacinth. — '**~ˌfruit** *s bot.* Pampel'muse *f* (*Citrus decumana*; *auch als Frucht*). — **~ house** *s* Weintreibhaus *n.* — **~ hy·a·cinth** *s bot.* 'Traubenhyaˌzinthe *f* (*Gattg Muscari*). — **~ juice** *s* Traubensaft *m.* — **~ louse** *s irr* → phylloxera. — **~ mil·dew** *s bot.* **1.** Echter Rebenmehltau (*Uncinula necator*; *Schlauchpilz*). – **2.** Falscher Rebenmehltau (*Plasmopara viticola*; *Oomycet*). — **~ moth** → grape-berry moth. — **~ pear** *s bot.* Kanad. Felsenbirne *f* (*Amelanchier canadensis*).

grap·er·y ['greipəri] *s* **1.** Weintreibhaus *n.* – **2.** Weinberg *m*, -garten *m*.

grape| **scis·sors** *s pl* Traubenschere *f.* — '**~ˌshot** *s mil.* Kar'tätsche *f*, Hagelgeschoß *n.* — '**~ˌstone** *s* (Wein)Traubenkern *m.* — **~ sug·ar** *s* Traubenzucker *m*.

grape·vine ['greipˌvain] *bes. Am. u. Austral.* **I** *s* **1.** *bot.* Weinstock *m* (*Gattg Vitis, bes. V. vinifera*). – **2.** a) *colloq.* ‚Ente' *f*, nichtamtliche Meldung, Gerücht *n*, b) → ~ telegraph. – **3.** *sport eine Eiskunstlauffigur.* – **II** *v/t* **4.** *colloq.* (*Gerücht*) verbreiten, von Mund zu Mund weitersagen. – **III** *v/i* **5.** *colloq.* sich wie ein Lauffeuer verbreiten (*Gerücht*). — **~ swing** *s Am.* Schaukel *f* aus einer wilden Rebe. — **~ tel·e·graph** *s Am. u. Austral. colloq.* lauffeuerartige Verbreitung (*von Gerüchten etc*), ‚'Flüsterpropaˌganda' *f*.

graph [græ(ː)f; *Br. auch* grɑːf] **I** *s* **1.** Dia'gramm *n*, Schaubild *n*, graphische Darstellung. – **2.** *bes. math.* Kurve *f.* – **3.** *colloq. Kurzform für* hectograph I. – **II** *v/t* **4.** graphisch darstellen.

-graph [græ(ː)f; *Br. auch* grɑːf] *Wortelement mit den Bedeutungen* a) Aufzeichnung, b) Schreiber, Sende- *od.* Aufnahmeinstrument.

graph- [græ(ː)f] → grapho.

graph·al·loy ['græfəˌlɔi] *s tech.* Gra'phitleˌgierung *f*, -meˌtall *n*, Gra'phit-Me'tall-Leˌgierung *f*.

-grapher [grəfər] *Wortelement mit der Bedeutung* Schreiber, Aufnehmer.

graph·ic ['græfik] **I** *adj* **1.** anschaulich, le'bendig (geschildert *od.* dargestellt). – **2.** le'bendig *od.* anschaulich schildernd: a ~ writer. – **3.** graphisch, diagram'matisch, zeichnerisch. – **4.** graphisch. – **5.** Schrift..., Schreib...: ~ accent *ling.* a) Akzent(zeichen), b) diakritisches Zeichen; ~ symbol Schriftzeichen. – **6.** *min.* Schrift...: ~ granite Schriftgranit. – *SYN.* pictorial, picturesque, vivid. – **II** *s* **7.** *pl* (*als sg konstruiert*) Graphik *f*, graphische Kunst. – **8.** technisches Zeichnen. – **9.** zeichnerische *od.* graphische Darstellung (*als Fach*).

-graphic [græfik], **-graphical** [-kəl] *Wortelement mit der Bedeutung* gezeichnet, geschrieben, dargestellt, graphisch.

graph·i·cal ['græfikəl] → graphic I. — '**graph·i·cal·ly** *adv* (*auch zu* graphic I).

graph·i·cal stat·ics *s pl* (*oft als sg konstruiert*) → graphostatic.

graph·ic| **arts** *s pl* Graphik *f*, graphische Künste *pl.* — **~ for·mu·la** *s chem.* Konstrukti'ons-, Struk'turformel *f*.

graph·ite ['græfait] **I** *s min.* Gra'phit *m*, Reißblei *n.* – **II** *v/t tech.* graphi'tieren, mit Gra'phit behandeln. — **gra·phit·ic** [grə'fitik] *adj* **1.** gra'phitisch, gra'phitartig, Graphit... – **2.** *min.* gra'phithaltig.

graph·i·ti·za·tion [ˌgræfitai'zeiʃən; -ti-] *s* **1.** Gra'phitbildung *f.* – **2.** *tech.* Graphi'tierung *f.* — '**graph·iˌtize** *v/t* **1.** in Gra'phit verwandeln. – **2.** *tech.* mit Gra'phit über'ziehen, graphi'tieren. — '**graph·iˌtoid**, ˌ**graph·i'toi·dal** *adj* gra'phitartig.

graph·i·ure ['græfijur] *s zo.* Mauschläfer *m* (*Gattg Graphiurus*).

grapho- [græfo] *Wortelement mit der Bedeutung* schreiben(d), Schrift.

graph·o·log·ic [ˌgræfə'lɒdʒik], ˌ**graph·o'log·i·cal** [-kəl] *adj* grapho'logisch. — ˌ**graph·o'log·i·cal·ly** *adv* (*auch zu* graphologic). — **graph·ol·o·gist** [græ'fɒlədʒist] *s* Grapho'loge *m.* — **graph'ol·o·gy** *s* Grapholo'gie *f*, Handschriftendeutung *f*.

graph·o·ma·ni·a [ˌgræfo'meiniə] *s* Schreibwut *f*.

graph·om·e·ter [græ'fɒmitər; -mə-] *s math. tech.* Grapho'meter *m*, Winkelmesser *m.* — **graph·o·met·ric** [ˌgræfo'metrik], ˌ**graph·o'met·ri·cal** *adj* grapho'metrisch.

graph·o·mo·tor [ˌgræfo'moutər] *adj med.* graphomo'torisch, die Schreibbewegungen betreffend. — '**Graph·oˌphone** [-ˌfoun] (*TM*) *s tech.* Grapho'phon *n.* — '**graph·oˌscope** [-ˌskoup] *s phys.* Grapho'skop *n.* — '**graph·oˌspasm** [-ˌspæzəm] *s med.* Schreibkrampf *m.* — ˌ**graph·o'stat·ic** [-'stætik] *s math. phys.* Grapho'statik *f.* — '**graph·oˌtype** [-ˌtaip] *s print.* Graphoty'pie *f*, Kreidedruck *m*.

graph pa·per *s* Milli'meterpaˌpier *n*.

-graphy [grəfi] *Wortelement mit der Bedeutung* Schrift, Darstellung.

grap·nel ['græpnəl], *auch* '**grap·lin(e)** [-lin] *s* **1.** *mar.* a) Dregg-, Quirlanker *m*, b) Enterhaken *m.* – **2.** *arch. tech.* a) Anker(eisen *n*) *m*, b) Greifer *m*, (Greif)Klaue *f*.

grap·ple ['græpl] **I** *s* **1.** *mar.* Enterhaken *m.* – **2.** *tech.* Greifer *m*, Greifzange *f*, -haken *m*, -klaue *f.* – **3.** (Er)Greifen *n*, (Er)Fassen *n.* – **4.** (*Ringen etc*) fester Griff. – **5.** Handgemenge *n*, Ringen *n*, Kampf *m.* – **II** *v/t* **6.** *mar.* a) entern, b) verankern. – **7.** *arch. tech.* verankern, verklammern. – **8.** (fest) ergreifen, packen. – **9.** festhalten an (*dat*). – **10.** handgemein werden mit, ringen *od.* kämpfen mit. – **11.** (to) befestigen, festmachen (an *dat*), heften (an *acc*). – **III** *v/i* **12.** einen (Enter)Haken *od.* Greifer *etc* gebrauchen. – **13.** sich klammern *od.* festhalten (with an *dat*). – **14.** sich (er)greifen *od.* packen. – **15.** handgemein werden, raufen, ringen, kämpfen (*auch fig.*): to ~ with s.th. *fig.* sich mit etwas auseinandersetzen, mit etwas ringen *od.* kämpfen. — '**grap·pler** [-plər] *s* **1.** Raufende(r). – **2.** → grapnel. – **3.** *sport* Ringer *m*.

grap·pling ['græpliŋ], **~ hook ~ i·ron**, → grapnel.

grap·to·lite ['græptəˌlait] *s zo.* Grapto'lith *m* (*versteinertes Urtierchen*).

grap·y ['greipi] *adj* **1.** reben-, traubenartig. – **2.** Trauben..., Reben...

grasp [*Br.* grɑːsp; *Am.* græ(ː)sp] **I** *v/t* **1.** packen, fassen, (er)greifen. – **2.** an sich reißen, Besitz ergreifen von. – **3.** *fig.* verstehen, begreifen, (er)fassen. – *SYN. cf.* take. – **II** *v/i* **4.** (fest) zugreifen *od.* zupacken. – **5.** haschen, greifen (at nach): a **drowning man ~s at a straw** ein Ertrinkender greift selbst nach einem Strohhalm. – **III** *s* **6.** Greifen *n*, Griff *m*. – **7.** a) Reichweite *f*, b) *fig.* Macht *f*, Gewalt *f*, Bereich *m*: **to have s.th. within one's ~** a) etwas in Reichweite haben, b) *fig.* Gewalt über etwas haben. – **8.** *fig.* Besitz *m*, Herrschaft *f*, Gewalt *f*, Kon'trolle *f*. – **9.** *fig.* (geistige) Fassungskraft, Verständnis *n*: **it is beyond his ~** es übersteigt seine Fassungskraft; **to have a good ~ of a subject** ein Fach gut beherrschen. — **'grasp·er** *s* **1.** Greifer *m*. – **2.** Habgieriger *m*, Raffer *m*. — **'grasp·ing** *adj* **1.** greifend, festhaltend. – **2.** *fig.* habgierig, -süchtig, geizig. – *SYN. cf.* covetous. — **'grasp·ing·ness** *s* Habgier *f*, -sucht *f*.

grass [*Br.* grɑːs; *Am.* græ(ː)s] **I** *v/t* **1.** mit Gras *od.* Rasen bedecken. – **2.** (*Vieh*) weiden *od.* grasen lassen, weiden. – **3.** (*Wäsche etc*) auf dem Rasen bleichen. – **4.** *sport* (*Gegner*) niederwerfen. – **5.** *hunt.* (*Vogel*) abschießen. – **6.** (*Fisch*) ans Ufer bringen. – **II** *v/i selten* **7.** grasen, weiden. – **8.** sich mit Gras bedecken. – **III** *s* **9.** *bot.* Gras *n* (*Fam. Gramineae*). – **10.** Gras(land) *n*, Weide(land *n*) *f*. – **11.** Gras *n*, Rasen *m*, Wiese *f*: **keep off the ~!** Betreten des Rasens verboten! **to sit on the ~** im Gras sitzen. – **12.** *pl* Gras(halme *pl*) *n*: **filled with dried ~es** mit getrocknetem Gras gefüllt. – **13.** jährlicher Graswuchs. – **14.** Zeit *f* des Graswuchses, *bes. fig.* Frühling *m*, Frühsommer *m*. – **15.** (*Bergbau*) Erdoberfläche *f* (*oberhalb einer Grube*). – **16.** *collect. sl.* Spargel *pl*. – **17.** → ~ sponge. – *Besondere Redewendungen*: **to be at ~** a) auf der Weide sein, weiden, grasen (*Vieh*), b) *fig.* (*bes.* auf dem Land) Ferien machen, zu'rückgezogen leben; **to go to ~** a) auf die Weide gehen (*Vieh*), b) *fig.* sich von der Arbeit (*bes.* aufs Land) zurückziehen, (aufs Land) in die Ferien gehen, c) *fig. sl. obs.* zu Boden gehen, ‚sich langlegen'; **go to ~!** *sl. obs.* ‚laß dich begraben'! **to hear the ~ grow** *fig.* das Gras wachsen hören; **he does not let ~ grow** (*od.* **~ does not grow**) **under his feet** er macht keine langen Umstände, er geht frisch ans Werk; **to put** (*od.* **turn out, send**) **to ~** a) (*Vieh*) auf die Weide treiben, b) *fig.* (*j-n*) entlassen, ‚abschieben'; **to send to ~** *sl. obs.* niederschlagen, ‚umlegen'.

'grass|,bird → pectoral sandpiper. — **'~,blade** *s* Grashalm *m*. — **~ cloth** *s tech.* Grasleinen *n*, Nesseltuch *n*, -leinen *n*. — **'~,cut·ter** *s* **1.** (*in Indien*) Grasschneider *m* (*Eingeborener, der für die Pferde Gras mäht*). – **2.** *sport* → daisy cutter 2.

grassed [*Br.* grɑːst; *Am.* græ(ː)st] *adj* mit Gras bedeckt. — **'grass·er** *s* (di'rekt von der Weide kommendes) Schlachtrind.

'grass|-,fed *adj Am. colloq.* bäuerisch, verbauert. — **~ finch** *s zo.* **1.** → vesper sparrow. – **2.** → grassquit. – **3.** (*ein*) austral. Webervogel *m* (*bes. Gattg Poephila*). — **'~-'green** *adj* grasgrün. — **~ green** *s* Grasgrün *n* (*Farbe*). — **'~-,grown** *adj* mit Gras bewachsen.

grass·hop·per [*Br.* 'grɑːs,hɒpər; *Am.* 'græ(ː)s-] *s* **1.** *zo.* (Feld)Heuschrecke *f*, Grashüpfer *m* (*Fam. Acridiidae u. Locustidae*). – **2.** *aer. mil.* Leichtflugzeug *n*. – **3.** (*künstliche*) Heuschrecke (*Angelköder*). – **4.** (*Feuerwerk*) Knallfrosch *m*. – **5.** *tech.* a) Trans'portrinne *f*, b) Fülltrichter *m*, Gicht *f* (*an Hochöfen etc*), c) Hammerhebel *m* (*des Klaviers*). – **6.** *antiq.* (*Art*) Haarspange *f*. — **~ beam** *s tech.* einseitig *od.* endseitig gelagerter Hebel *od.* Arm (*einer Maschine*). — **~ lark** → grasshopper warbler. — **~ spar·row** *s zo.* (*ein*) Heupferdspatz *m* (*Gattg Ammodramus*). — **~ war·bler** *s zo.* Feldschwirl *m* (*Locustella naevia*).

grass·i·ness [*Br.* 'grɑːsinis; *Am.* 'græ(ː)s-] *s* Grasreichtum *m*.

'grass|,land *s agr.* Wiese *f*, Weide(land *n*) *f*, Grasland *n*. — **~ moth** *s zo.* Rüsselzünsler *m* (*Gattg Crambus*; *Schmetterling*). — **'~,nut** → peanut 1. — **'~-of-Par'nas·sus** *s bot.* Herzblatt *n* (*Gattg Parnassia*). — **~ par·a·keet** *s zo.* (*ein*) Grassittich *m* (*Gattg Neophema*; *Australien*). — **'~,plot**, *auch* **'~,plat** *s* Rasenplatz *m*. — **'~,quit** *s zo.* (*ein*) Grasfink *m* (*bes. Gattg Tiaris*). — **~ roots** *s pl* **1.** Graswurzeln *pl*. – **2.** *fig.* Wurzel *f*, Quelle *f*. – **3.** *Am.* a) ländliche Gegend, Bauerngegend *f*, b) Landvolk *n*, Bauernschaft *f*. — **'~-,roots** *adj Am. colloq.* volkstümlich, -verbunden: **a ~ political movement**. — **~ snake** *s zo.* **1.** Ringelnatter *f* (*Natrix natrix*). – **2.** *eine nordamer. grüne Natter* (*Liopeltis vernalis*). – **3.** *eine nordamer. Vipernatter* (*bes. Thamnophis sirtalis*). — **~ snipe** → pectoral sandpiper. — **~ sponge** *s zo.* Pferde-, Wabenschwamm *m* (*Hippospongia equina cerebriformis*). — **~ tree** *s bot.* Grasbaum *m*, 'Harzaffo,dill *m* (*Gattg Xanthorrhoea*). — **~ vetch** *s bot.* Blattlose Platterbse (*Lathyrus nissolia*). — **~ war·bler** *s zo.* **1.** (*ein*) Grassänger *m* (*Gattg Cisticola*). – **2.** (*ein*) Heuschreckenschilfrohrsänger *m* (*Gattg Locustella*). — **~ wid·ow** *s* Strohwitwe *f*. — **~ wid·ow·er** *s* Strohwitwer *m*. — **~ wrack** *Br. für* eelgrass 1.

grass·y [*Br.* 'grɑːsi; *Am.* 'græ(ː)si] *adj* **1.** grasbedeckt, -reich, grasig. – **2.** grasartig. – **3.** grasgrün, -farben.

grate[1] [greit] **I** *v/t* **1.** (zer)reiben, (zer)mahlen. – **2.** knirschen mit: **to ~ the teeth**. – **3.** knirschend reiben (on auf *dat*; against gegen). – **4.** *fig.* krächzen, mit heiserer Stimme sagen. – **5.** *fig.* beleidigen, verletzen, (*dat*) weh tun. – **6.** *obs.* abnützen. – **7.** *selten* (*Geräusch*) durch Kratzen erzeugen. – **II** *v/i* **8.** knirschen, kratzen, knarren: **the door ~s on its hinges** die Tür knirscht in den Angeln. – **9.** *fig.* (on, upon) verletzen (*acc*), zu'wider sein, weh tun (*dat*): **to ~ on the ear** dem Ohr weh tun; **to ~ on one's nerves** an den Nerven reißen.

grate[2] [greit] **I** *s* **1.** Gitter *n*. – **2.** (Feuer)Rost *m*. – **3.** Ka'min *m*. – **4.** *tech.* (Kessel)Rost *m*, Rätter *m*. – **5.** *obs.* a) Käfig *m*, b) Gefängnis *n*. – **II** *v/t* **6.** vergittern. – **7.** mit einem Rost versehen.

grate·ful ['greitfəl; -ful] *adj* **1.** dankbar: **to be ~ to s.o.** sich j-m erkenntlich zeigen, j-m dankbar sein. – **2.** Dank(barkeit) ausdrückend, Dank(es)...: **a ~ letter** ein Dankbrief. – **3.** wohltuend, angenehm, will'kommen, erfreulich, zusagend. – *SYN.* a) thankful, b) *cf.* pleasant. — **'grate·ful·ness** *s* **1.** Dankbarkeit *f*. – **2.** Annehmlichkeit *f*, (*das*) Wohltuende.

grat·er ['greitər] *s* **1.** Reibe *f*, Reibeisen *n*, Raspel *f*. – **2.** *agr.* 'Futter-,quetschma,schine *f*.

gra·tic·u·late [grə'tikju,leit; -jə-] *v/t* (*Zeichnung etc*) mit einem Netz versehen. — **gra,tic·u'la·tion** *s tech.* Netz *n* (*zur Vergrößerung etc*). — **grat·i·cule** ['græti,kjuːl] **I** *s tech.* **1.** mit einem Netz versehene Zeichnung. – **2.** Fadenkreuz *n*. – **3.** Netz *n*, Gitter *n*, Koordi'natensy,stem *n*. – **II** *v/t* **4.** in Qua'drate (ein)teilen.

grat·i·fi·ca·tion [,grætifi'keiʃən; -təfə-] *s* **1.** Befriedigung *f*, Zu'friedenstellung *f*. – **2.** Befriedigung *f*, Genugtuung *f* (at über *acc*). – **3.** Freude *f*, Vergnügen *n*, Genuß *m*. – **4.** Gegenstand *m* der Genugtuung *od.* Freude. – **5.** Gratifikati'on *f*, Belohnung *f*. — **'grat·i,fy** [-,fai] *v/t* **1.** erfreuen, ergötzen. – **2.** befriedigen, zu'friedenstellen. – **3.** entgegenkommen (*dat*), gefällig sein (*dat*): **to ~ a friend**. – **4.** *Br.* a) be-, entlohnen, remune'rieren, b) (*j-m*) ein (Geld)Geschenk machen, c) (*j-n*) bestechen. — **'grat·i,fy·ing** *adj* **1.** erfreulich, angenehm, befriedigend (to für). – **2.** ergötzlich, erfreulich. – *SYN. cf.* pleasant.

gra·tin [gra'tɛ̃] (*Fr.*) *s* **1.** Gra'tin *m*, Bratkruste *f*: **au ~** überbacken. – **2.** grati'nierte Speise. — **'grat·i,nate** [-ti,neit; -tə-] *v/t* grati'nieren, über'backen.

grat·ing[1] ['greitiŋ] *adj* **1.** kratzend, knirschend, reibend. – **2.** rauh, 'mißtönend, heiser. – **3.** unangenehm, schmerzlich.

grat·ing[2] ['greitiŋ] *s* **1.** Vergittern *n*, Vergitterung *f*. – **2.** Vergitterung *f*, Gitter(werk) *n*. – **3.** *mar.* Gräting *f*. – **4.** *phys.* (Beugungs)Gitter *n* (*für Spektraluntersuchungen*).

grat·ing spec·trum *s phys.* Gitterspektrum *n*.

gra·tis ['greitis; 'grætis] **I** *adv* gratis, um'sonst, unentgeltlich. – **II** *adj* unentgeltlich, frei, Gratis...

grat·i·tude ['græti,tjuːd; -tə,t-; *Am. auch* -,tuːd] *s* Dankbarkeit *f*: **in ~ for** aus Dankbarkeit für.

grat·toir [grɑ'twɑːr] *s* (*vorgeschichtlicher*) Schaber, Schabstein *m*.

gra·tu·i·tant [grə'tjuːitənt; -'tjuːət-; *Am. auch* -'tuː-] *s* Empfänger(in) einer Zuwendung.

gra·tu·i·tous [grə'tjuːitəs; -'tjuːət-; *Am. auch* -'tuː-] *adj* **1.** unentgeltlich, frei, gratis. – **2.** freiwillig, unaufgefordert, unverlangt. – **3.** grundlos, willkürlich, unbegründet: **a ~ lie** eine grundlose Lüge. – **4.** unverdient: **a ~ insult**. – **5.** *jur.* ohne Gegenleistung. – **6.** na'turgegeben, na'türlich. – *SYN. cf.* supererogatory. — **gra'tu·i·tous·ness** *s* **1.** Unentgeltlichkeit *f*. – **2.** Freiwilligkeit *f*. – **3.** Grundlosigkeit *f*, Willkür *f*. — **gra'tu·i·ty** *s* **1.** (Geld)Geschenk *n*, Zuwendung *f*, Gratifikati'on *f*. – **2.** Trinkgeld *n*. – **3.** Belohnung *f*.

grat·u·lant [*Br.* 'grætjulənt; *Am.* -tʃə-] *adj* **1.** befriedigt, zu'frieden, erfreut. – **2.** gratu'lierend, Gratulations...

grat·u·late [*Br.* 'grætju,leit; *Am.* -tʃə-] *obs.* **I** *v/t* → congratulate. – **II** *v/i* Freude zeigen. – **III** *adj* → gratifying. — **,grat·u'la·tion** *s obs.* **1.** Befriedigung *f*, Freude *f*. – **2.** Beglückwünschung *f*. — **'grat·u·la·to·ry** [*Br.* -,leitəri; *Am.* -lə,tɔːri] *adj Br.* glückwünschend, Glückwunsch...

grau·pel ['graupəl] *s* (*Meteorologie*) Graupel *f*.

gra·va·men [grə'veimən] *pl* **-min·a** [-minə], **-mens** *s* **1.** *jur.* a) Beschwerde(grund *m*) *f*, b) (*das*) Belastende (*einer Anklage*). – **2.** Klage *f*, Beschwerde *f*.

grave[1] [greiv] *s* **1.** Grab *n*, Begräbnisstätte *f*, Gruft *f*: **to turn in one's ~** sich im Grabe umdrehen; **to have one foot in the ~** mit einem Fuß *od.* Bein im Grabe stehen; **s.o. is walking on my ~** mich überläuft (*unerklärlicherweise*) eine Gänsehaut; **as secret**

as the ~ schweigsam wie das Grab. – 2. Grabmal *n*, -hügel *m*. – 3. *fig.* Grab *n*, Tod *m*.

grave[2] [greiv] *pp* '**grav·en, graved** *v/t* 1. (*Figur etc*) schnitzen, schneiden, meißeln. – 2. *fig.* eingraben, -prägen: to ~ s.th. on (*od.* in) s.o.'s mind j-m etwas (ins Gedächtnis) einhämmern. – 3. *obs.* (be)graben.

grave[3] [greiv] **I** *adj* 1. ernst, gesetzt, würdevoll. – 2. ernst, feierlich. – 3. ernst, schwer, tief: ~ **thoughts**. – 4. wichtig, schwer(wiegend), bedeutend. – 5. ernst, bedenklich, kritisch. – 6. *ling.* a) unbetont, b) tieftonig, fallend, c) einen Gravis tragend. – 7. *mus.* tief (*Ton*). – 8. gedämpft, stumpf, trüb (*Farbe*). – *SYN. cf.* **serious**. – **II** *s* → ~ **accent**.

gra·ve[4] ['gra:ve] (*Ital.*) *adj u. adv mus.* ernst, feierlich, gemessen.

grave[5] [greiv] *v/t mar.* (*Schiffsboden*) reinigen, abbrennen u. neu streichen, teeren.

grave| ac·cent [greiv] *s ling.* Gravis *m*, fallender Ak'zent. — '~,**clothes** *s pl* Totengewand *n*. — '~,**dig·ger** *s* 1. Totengräber *m*. – 2. *zo.* → **burying beetle**.

grav·el ['grævəl] **I** *s* 1. Kies *m*. – 2. *geol.* a) Kies *m*, Geröll *n*, Schotter *m*, b) (*bes. goldhaltige*) Kieselschicht. – 3. *med.* Harngrieß *m*, Nierensand *m*. – 4. *obs.* Sand *m*. – **II** *v/t pret u. pp* '**grav·el(l)ed** 5. mit Kies bestreuen. – 6. *fig.* verblüffen, verwirren, in Verlegenheit bringen. – **III** *adj* 7. Kies... — '~-,**blind** *adj med.* sehr schwachsichtig.

grav·el·ly ['grævəli] *adj* 1. kiesig. – 2. *med.* grießig, Grieß...

grav·el| pit *s* Kiesgrube *f*. — '~,**root** *s bot.* Purpur-, Wasserdost *m* (*Eupatorium purpureum*). — '~,**stone** *s* Kieselstein *m*. — '~,**voiced** *adj* heiser.

grav·en ['greivən] **I** 1. *pp von* **grave**[2]. – **II** *adj* 2. geschnitzt, gra'viert: ~ **image** Götzenbild. – 3. *fig.* eingeprägt.

grave·ness ['greivnis] → **gravity** 1 – 5.

Gra·ven·stein ['gra:vən,stain; 'grævən,sti:n] *s* Gravensteiner (Apfel) *m*.

grav·er ['greivər] *s* 1. Gra'veur *m*, Kupfer-, Me'tallstecher *m*. – 2. Bildhauer *m*, -schnitzer *m*. – 3. *tech.* a) Stechmeißel *m*, (Grab-, Dreh-)Stichel *m*, b) Stempelschneider *m*.

Graves [gra:vz; grævz; grav] *s* Graves *m* (*ein Bordeauxwein*).

Graves' dis·ease [greivz] *s med.* Basedowsche Krankheit.

'**grave|,stone** ['greiv-] *s* Grabstein *m*. — '~,**yard** *s* Fried-, Kirchhof *m*. — '~,**yard shift** *s Am. sl.* zweite Nachtschicht.

grav·id ['grævid] *adj* gra'vid, schwanger (*Mensch*), trächtig (*Tier*). — **gra·vid·i·ty** [grə'viditi; -əti], '**grav·id·ness** *s* Schwangerschaft *f*, Trächtigkeit *f*.

gra·vim·e·ter [grə'vimitər; -mə-] *s phys.* 1. Gravi-, Aräo'meter *n*, Dichtigkeits-, Dichtemesser *m*. – 2. Schweremesser *m*.

grav·i·met·ric [,grævi'metrik], *auch* ,**grav·i'met·ri·cal** [-kəl] *adj phys.* gravi'metrisch, Gewichts(messungs)... — ,**grav·i'met·ri·cal·ly** *adv* (*auch zu* **gravimetric**). — **gra·vim·e·try** [grə'vimitri; -mə-] *s* 1. Gewichtsmessung *f*. – 2. Dichtigkeitsmessung *f*.

grav·ing| dock ['greiviŋ] *s mar.* Trockendock *n*. — ~ **tool** *s tech.* (Grab)Stichel *m*.

grav·i·tate ['grævi,teit; -və-] **I** *v/i* 1. gravi'tieren, ('hin)streben (**toward[s]** zu, auf *acc*). – 2. sinken, fallen. – 3. *fig.* (**to, toward[s]**) angezogen werden (von), 'hingezogen werden, ('hin)neigen (zu). – **II** *v/t* 4. gravi'tieren lassen. – 5. (*Diamantwäscherei*) (*den Sand*) schütteln (so daß die schwereren Teile zu Boden sinken). — ,**grav·i'ta·tion** *s* 1. *phys.* Gravitati'on *f*: a) Schwerkraft *f*, b) Gravi'tieren *n*. – 2. Sinken *n*, Fallen *n*. – 3. *fig.* Vorliebe *f*, Neigung *f*, Hang *m*, Ten'denz *f*. — ,**grav·i'ta·tion·al** *adj phys.* Gravitations...: ~ **constant** Gravitationskonstante, Erd-, Fallbeschleunigung; ~ **field** Gravitations-, Schwerefeld. — '**grav·i,ta·tive** [-,teitiv] *adj* 1. *phys.* Gravitations... – 2. gravi'tierend, ('hin)strebend. – 3. Gravitati'on verursachend.

grav·i·ty ['græviti; -və-] **I** *s* 1. Ernst *m*, Feierlichkeit *f*, Würde *f*. – 2. Schwere *f*, Ernst *m*. – 3. Bedeutung *f*, Wichtigkeit *f*. – 4. *mus.* Tiefe *f* (*Ton*). – 5. *obs.* ernste Sache. – 6. *phys.* a) Gravitati'on *f*, Schwerkraft *f*, b) (Erd)Schwere *f*. – **II** *adj* 7. nach dem Gesetz der Schwerkraft arbeitend. — ~ **bat·ter·y** *s electr.* Batte'rie *f* aus Dani'ellschen Ele'menten. — ~ **cell** *s electr.* Dani'ell-Ele,ment *n* ohne Trennwand, Zwei'schichten(,flüssigkeits)ele,ment *n*. — ~ **fault** *s geol.* nor'male Verwerfung, Abgleitung *f*.

gra·vure [grə'vjur; 'greivjər] *s tech.* 1. Gra'vüre *f* (*Kupfer- od. Stahlstich*). – 2. Kli'schee(druck *m*) *n*.

gra·vy ['greivi] *s* 1. Braten-, Fleischsaft *m*. – 2. (Fleisch-, Braten-, Fisch-)Soße *f*. – 3. *sl.* a) leichter *od.* unehrlicher Gewinn, b) Bestechung *f*, Schiebung *f*. — ~ **beef** *s* Saftbraten *m*, -fleisch *n*. — ~ **boat** *s* 1. Sauci'ere *f*, Soßenschüssel *f*. – 2. → **gravy train**. — ~ **train** *s Am. sl.* leichtes u. gewinnreiches Unter'nehmen, sorgloser, üppiger Zustand, Druckposten *m*, *auch pol.* Futterkrippe *f*: to **fall off the** ~ seinen Druckposten verlieren.

gray, *bes. Br.* **grey** [grei] **I** *adj* 1. grau, von grauer Farbe: → **mare**[1]. – 2. trübe, düster, grau: ~ **prospects** *fig.* trübe Aussichten. – 3. *tech.* neu'tral, farblos. – 4. grau(haarig), ergraut. – 5. *fig.* alt, erfahren, gereift. – 6. *fig.* uralt, altersgrau. – 7. in Grau gekleidet, grau (*bes. Mönch*). – 8. *econ.* grau, halb le'gal: **the** ~ **market** der graue Markt. – 9. *sl.* in der Mitte liegend, unbestimmt, Mittel... – **II** *s* 10. Grau *n*, graue Farbe. – 11. graues Tier, *bes.* Grauschimmel *m*. – 12. graue Kleidung, Grau *n*. – 13. graugekleidete Per'son: **the (Scots) G~s** das 2. (schottische) Dragonerregiment. – 14. Grau *n*, trübes Licht. – 15. Ungebleichtheit *f*, Na'turfarbigkeit *f* (*Stoff*): **in the** ~ ungebleicht. – **III** *v/t* 16. grau machen. – 17. *phot.* mat'tieren. – **IV** *v/i* 18. grau werden, ergrauen.

'**gray|,back**, *bes. Br.* '**grey|,back** *s* 1. *zo.* a) → **gray whale**, b) → **knot**[2]. – 2. *Am. colloq.* ,Graurock' *m* (*Soldat der Südstaaten im Bürgerkrieg*). — '~,**beard** *s* 1. Graubart *m*, alter Mann, *bes.* Weiser *m*. – 2. irdener Krug. – 3. *bot.* → **clematis**. — ~ **birch** → **American** ~. — ~ **bod·y** *s phys.* Graustrahler *m*. — '~,**coat** *s* 1. → **grayback** 2. – 2. → **greycoat**. — ~ **co·balt** *s min.* Speiskobalt *m* ($CoAS_2$). — ~ **crow** *s zo.* Nebelkrähe *f* (*Corvus cornix*). — ~ **drake** *s zo. Br.* Gemeine Eintagsfliege (*Ephemera vulgata*). — ~ **duck** → **gadwall**. — ~ **em·i·nence** *s* Graue Emi'nenz (*hinter den Kulissen wirkende Persönlichkeit*). — '~,**fish** *s zo.* (*ein*) Haifisch *m*, *bes.* a) Gemeiner Dornhai (*Squalus acanthias*), b) Marderhai *m* (*Gattg Mustelus*), c) Hundshai *m* (*Galeus canis*). — ~ **fox** *s zo.* Grau-, Grisfuchs *m* (*Urocyon cinereoargenteus*). — **G~ Fri·ar** *s relig.* Franzis'kaner(mönch) *m*. — ~ **goose** *s irr* → **graylag**. — ~ **gum** *s bot.* graues Kino (*von Eucalyptus propinqua u. E. punctata; austral. Myrtaceen*). — '~-,**head·ed** *adj* 1. grauköpfig, -haarig. – 2. *fig.* erfahren, geübt (in in *dat*). — ~ **hen** *s zo.* Birk-, Haselhuhn *n* (*Lyrurus tetrix*). — '~,**hound** *selten für* **greyhound**.

gray·ish, *bes. Br.* **grey·ish** ['greiiʃ] *adj* graulich, Grau...

'**gray,lag**, *bes. Br.* '**grey,lag** *s zo.* Grau-, Wildgans *f* (*Anser anser*).

gray·ling ['greiliŋ] *s zo.* 1. Äsche *f* (*Gattg Thymallus*). – 2. (*ein*) Augenfalter *m* (*Fam. Satyridae*).

gray| man·ga·nese ore, *bes. Br.* **grey| man·ga·nese ore** → **manganite** 1. — ~ **mat·ter** *s* 1. *med.* graue Sub'stanz (*im Zentralnervensystem*). – 2. *colloq.* Verstand *m*, ,Grütze' *f*. — **G~ Monk** *s* Zisterzi'enser(mönch) *m*. — ~ **mul·let** *s zo.* Meeräsche *f* (*Fam. Mugilidae*).

gray·ness, *bes. Br.* **grey·ness** ['greinis] *s* 1. Grau *n*, graue Farbe. – 2. Grau *n*, trübes Licht. – 3. *fig.* Trübheit *f*, Düsterkeit *f*.

gray| oak, *bes. Br.* **grey| oak** *s bot. Am.* 1. Scharlacheiche *f* (*Quercus coccinea*). – 2. (*eine*) amer. Eiche (*Quercus borealis*). — ~ **owl** *s zo.* Waldkauz *m* (*Strix aluco*). — ~ **parrot** *s zo.* 'Graupapa,gei *m* (*Psittacus erithacus*). — ~ **plov·er** → **black-bellied plover**.

Gray's Inn [greiz] *s eines der* Inns of Court.

gray| squir·rel, *bes. Br.* **grey| squirrel** *s zo.* Grauhörnchen *n* (*Sciurus carolinensis*). — ~ **stone** *s geol.* Graustein *m*. — '~,**wacke** *s geol.* Grauwacke *f*. — ~ **whale** *s zo.* Grauwal *m* (*Rhachianectus glaucus*).

graze[1] [greiz] **I** *v/t* 1. (*Vieh*) weiden (lassen). – 2. *oft* ~ **down** (*Gras etc*) fressen (*Vieh*). – 3. abweiden, abgrasen. – 4. (*Vieh*) hüten. – **II** *v/i* 5. weiden, grasen (*Vieh*). – **III** *s* 6. Grasen *n*, Weiden *n*.

graze[2] [greiz] **I** *v/t* 1. streifen, leicht berühren. – 2. (ab)schürfen. – **II** *v/i* 3. streifen. – **III** *s* 4. flüchtige Berührung. – 5. *med.* Abschürfung *f*, Schramme *f*. – 6. *mil.* a) Streifschuß *m*, b) 'Aufschlagdetonati,on *f*: ~ **fuse** empfindlicher Aufschlagzünder.

gra·zier ['greiʒər; *Br. auch* -ziə] *s* Viehzüchter *m*.

graz·ing ['greiziŋ] *s* 1. Weiden *n*, Grasen *n*. – 2. Weide(land *n*) *f*.

grease I *s* [gri:s] 1. (*zerlassenes*) tierisches Fett, Schmalz *n*. – 2. *tech.* Schmiermittel *n*, -fett *n*, Schmiere *f*. – 3. *auch* ~ **wool, wool in the** ~ Schmutz-, Schweißwolle *f*. – 4. Wollfett *n*. – 5. *vet.* → ~-**heels**. – 6. *hunt.* Feist *n*: **in** ~, **in pride** (*od.* **prime**) **of** ~ feist, fett (*Wild*). – **II** *v/t* [gri:s; gri:z] 7. *tech.* (ein)fetten, schmieren, ölen: **to** ~ **the wheels of** *fig.* (*einer Sache*) nachhelfen, (*etwas*) in Schwung bringen (*bes. durch Schmiergelder*); **like** ~**d lightning** *sl.* blitzartig, wie ein geölter Blitz. – 8. *auch* ~ **the palm** (*od.* **hand**) **of** (*j-n*) schmieren, bestechen. – 9. beschmieren. – 10. *vet.* (*Pferd*) mit Schmutzmauke infi'zieren. — ~ **box** *s tech.* Schmierbüchse *f*. — '~,**bush** → **greasewood**. — ~ **gun** *s tech.* 'Schmier-, 'Fettspritze *f*, -presse *f*, -pi,stole *f*. — '~-,**heels** *s vet.* Schmutz-, Flechtenmauke *f* (*der Pferde*). — ~ **mon·key** *s Am. sl.* ('Auto-, 'Flugzeug)Me,chaniker *m*. — ~ **paint** *s* (*Theater*) Bühnenschminke *f*.

greas·er ['gri:sər; -zər] *s* 1. Schmierer *m*. – 2. *tech.* 'Schmierappa,rat *m*, -vorrichtung *f*. – 3. *mar.* a) Schmierer *m* (*Dienstgrad*), b) *sl.* (*Schimpfwort für*) 'Schiffsoffi,zier *m*. – 4. *Am. vulg.* (*Schimpfwort für*) Mexi'kaner *m*.

grease| trap *s tech.* Fettfang *m*, -abschneider *m*. — **'~,wood** *s bot.* Fettholz *n* (*Sarcobatus vermiculatus*).

greas·i·ness ['gri:sinis; -zi-] *s* **1.** Schmierigkeit *f*. – **2.** Fettigkeit *f*, Öligkeit *f*. – **3.** Glitschigkeit *f*, Schlüpfrigkeit *f*. – **4.** *fig.* Aalglätte *f*, Katzenhaftigkeit *f*.

greas·y ['gri:si; -zi] *adj* **1.** schmierig, beschmiert. – **2.** fett(ig), ölig: ~ **stain** Fettfleck. – **3.** glitschig, schlüpfrig. – **4.** ungewaschen (*Wolle*): ~ **wool** → **grease** 3. – **5.** *fig.* aalglatt, (*unangenehm*) geschmeidig, katzenhaft: ~ **manners**. – **6.** *vet.* an Schmutz- *od.* Flechtenmauke erkrankt. — ~ **frit·il·lar·y** *s zo.* Artemis-Scheckenfalter *m* (*Melitaea Artemis*). — ~ **pole** *s sport* eingefettete Kletterstange.

great [greit] **I** *adj* **1.** groß, beträchtlich: **of** ~ **popularity** sehr beliebt; → **happiness** 1. – **2.** groß, beträchtlich (*Anzahl*): **a** ~ **many of them** eine große Anzahl von ihnen; **the** ~ **majority** die große *od.* überwiegende Mehrheit; **in** ~ **detail** in allen Einzelheiten. – **3.** lang (*Zeit*): **a** ~ **while ago**. – **4.** hoch (*Alter*): **to live to a** ~ **age** ein hohes Alter erreichen. – **5.** groß: **what a** ~ **wasp!** was für eine große Wespe! **a** ~ **big lump** *colloq.* ein Mordsklumpen. – **6.** groß (*Buchstabe*): **a** ~ **Z.** – **7.** groß, Groß...: **G~ Britain** Großbritannien. – **8.** groß, her'vorragend, bedeutend, wichtig: ~ **issues** große *od.* wichtige Probleme. – **9.** groß, wichtigst(er, e, es), Haupt...: **the** ~ **attraction** die Hauptattraktion. – **10.** (geistig) groß, über'ragend, berühmt, bedeutend: **the G~ Duke** *Beiname des Herzogs von Wellington* (*1769 – 1852*); **the G~ Elector** der Große Kurfürst; **Frederick the G~** Friedrich der Große; **G~ god! G~ Caesar! G~ Scott!** großer Gott! du liebe Zeit! gerechter Himmel! – **11.** (gesellschaftlich) hoch(stehend), groß: **the** ~ **world** die gute Gesellschaft. – **12.** groß, erhaben: ~ **thoughts**. – **13.** groß, gut, eng, in'tim: ~ **friends**. – **14.** groß, beliebt, oft gebraucht: **it is a** ~ **word with modern artists** es ist ein Schlagwort der modernen Künstler. – **15.** groß (*in hohem Maße*): **a** ~ **landowner** ein Großgrundbesitzer; **a** ~ **scoundrel** ein großer Schuft. – **16.** wertvoll: **it is a** ~ **thing to be healthy** es ist viel wert, gesund zu sein. – **17.** (*in Verwandtschaftsbezeichnungen*) a) Groß..., b) (*vor grand...*) Ur... – **18.** (*nur pred*) *colloq.* gut, sehr geschickt *od.* geübt (at, in in *dat*): **he is** ~ **at chess** er spielt gut Schach. – **19.** (*nur pred*) *colloq.* bewandert (on, in *dat*). – **20.** *colloq.* eifrig: **a** ~ **talker**. – **21.** *colloq.* großartig, herrlich, wunderbar, ausgezeichnet: **we had a** ~ **time** wir amüsierten uns großartig; **wouldn't that be** ~? wäre das nicht herrlich? – **22.** *auch* ~ **with child** *obs.* schwanger. – *SYN. cf.* **large**. –
II *s* **23.** **the** ~ die Großen *pl*, die Promi'nenten *pl*. – **24.** ~ **and small** groß u. klein, die Großen u. die Kleinen. – **25.** (*das*) Große. – **26.** (*das*) Große *od.* Ganze: **to build a ship by the** ~ *mar.* ein Schiff aufwendig bauen. – **27.** *pl* (*in Oxford*) 'Schlußex,amen *n* für den Grad des B.A. (*bes. für honours in den humanistischen Fächern*). – **28.** *pl* → ~ **go**. –
III *adv* **29.** *colloq.* gut, günstig, erfolgreich: **things are going** ~ die Dinge entwickeln sich günstig.

great| al·ba·core → **tunny**. — ~ **assize** *s relig.* Jüngstes Gericht. — ~ **auk** *s zo.* Riesenalk *m* (*Alca impennis*). — **'~-'aunt** *s* Großtante *f*. — **G~ Bear** *s astr.* Großer Bär. — **G~ Bi·ble** *s* Coverdales 'Bibelüber,setzung *f*. — ~ **cal·o·rie** *s phys.* große Kalo'rie, 'Kilokalo,rie *f*. — ~ **cel·an·dine** → **celandine** 1. — **G~ Char·ter** → **Magna Charta**. — ~ **cir·cle** *s math.* Großkreis *m* (*einer Kugel*). — **'~-,cir·cle sail·ing** *s mar.* Großkreissegelung *f*, Schiffahrt *f* auf dem größten Kreis. — **'~,coat** *s* 'Überzieher *m*, (Herren)Mantel *m*. — **'~,coat·ed** *adj* mit einem Mantel bekleidet. — **G~ Com·mon·er** *s Beiname einiger großer Politiker im engl. Unterhaus, bes. W. Pitts d. Ä. u. W. E. Gladstones.* — ~ **cow·slip** → **oxlip** 1. — ~ **Dane** → **Dane** 2. — **G~ Di·vide** *s* **1.** *geogr.* Hauptwasserscheide *f* (*bes. die Rocky Mountains*). – **2.** *fig.* Krise *f*, entscheidende Phase. – **3.** *fig.* Tod *m*: **across the** ~ im *od.* ins Jenseits. — **G~ Dog** *s astr.* Großer Hund (*Sternbild*).

great·en ['greitn] *v/t u. v/i obs.* größer machen *od.* werden, (sich) vergrößern.

great·er| bind·weed ['greitər] *s bot.* Zaun-, Uferwinde *f* (*Convolvulus sepium*). — ~ **tit·mouse** *s irr* → **great titmouse**.

great·est com·mon di·vi·sor ['greitist] *s math.* größter gemeinsamer Teiler.

great| go *s sl.* 'Haupt-, 'Schlußex,amen *n* (*für den B.A. in Cambridge, England*). — **,~-'grand,child** *s irr* Urenkel(in). — **,~-'grand,daugh·ter** *s* Urenkelin *f*. — **,~-'grand,fa·ther** *s* Urgroßvater *m*. — **,~-'grand,moth·er** *s* Urgroßmutter *f*. — **,~-'grand·,par·ents** *s pl* Urgroßeltern *pl*. — **,~-'grand,son** *s* Urenkel *m*. — ~ **gross** *s* zwölf Gros *pl*. — **'~,head** → **goldeneye** 2. — **'~,heart·ed** *adj* **1.** beherzt, furchtlos. – **2.** edel-, großmütig, hochherzig. — **,~'heart·ed·ness** *s* **1.** Furchtlosigkeit *f*. – **2.** Großmut *f*. — ~ **horned owl** *s zo.* Vir'ginischer Uhu (*Bubo virginianus*). — ~ **in·quest** → **grand inquest**. — ~ **lau·rel** *s bot.* Große Alpenrose (*Rhododendron maximum*).

great·ly ['greitli] *adv* **1.** sehr, höchst, überaus, außerordentlich. – **2.** weitaus, bei weitem. – **3.** großmütig, edel.

Great| Mo·gul *s* **1.** Großmogul *m*. – **2.** **g~ m~** *fig.* wichtige Per'sönlichkeit. — **g~ mo·rel** → **belladonna** 1. — **'g~-'neph·ew** *s* Großneffe *m*.

great·ness ['greitnis] *s* **1.** (geistige) Größe, Erhabenheit *f*: ~ **of mind** Großmütigkeit, Weitherzigkeit. – **2.** Bedeutung *f*, Wichtigkeit *f*. – **3.** (gesellschaftlich) hoher Rang, Promi'nenz *f*. – **4.** Ausmaß *n*.

'great|-'niece *s* Großnichte *f*. — ~ **north·ern div·er** *s zo.* Eistaucher *m* (*Gavia immer*). — ~ **or·gan** *s mus.* erstes 'Hauptmanu,al. — **G~ Plains** *s pl Am. Präriegebiete im Westen der USA.* — **G~ Pow·ers** *s pl pol.* Großmächte *pl*. — ~ **prim·er** → **primer**[2] 3. — **G~ Re·bel·lion** *s hist.* **1.** *Am.* Auflehnung *f* der Südstaaten im Bürgerkrieg. – **2.** *Br. der Kampf des Parlaments gegen Karl I.* (*1642 – 49*). — ~ **rho·do·den·dron** → **great laurel**. — **G~ Rus·sian** *s* Großrusse *m*, -russin *f*. — ~ **St.-John's-wort** *s bot.* Großblumiges Jo'hanniskraut, Hartheu *n* (*Hypericum ascyron*). — ~ **seal** *s* **1.** Großsiegel *n*. – **2.** **G~ S~** *Br.* a) Großsiegelbewahrer *m*, b) Amt *n* des Großsiegelbewahrers. — ~ **tit·mouse** *s irr zo.* Kohlmeise *f* (*Parus maior*). — **'~-'un·cle** *s* Großonkel *m*. — **G~ Wall (of Chi·na)** *s* chi'nesische Mauer. — **G~ War** *s* (*erster*) Weltkrieg. — **G~ Week** *s relig.* Karwoche *f*. — **G~ White Fa·ther** *s Am.* ‚großer weißer Vater' (*von Indianern gebrauchter Beiname des Präsidenten der USA*). — ~ **white her·on** *s zo.* Silberreiher *m* (*Casmerodius albus*). — ~ **white tril·li·um** *s bot.* Weiße Wachslilie (*Trillium grandiflorum*). — **G~ White Way** *s Am.* New Yorker The'aterviertel *n* (*am Broadway*). — ~ **wil·low herb** *s bot.* Schmalblättriges Weidenröschen (*Chamaenerium angustifolium*). — ~ **year** → **Platonic year**.

greave [gri:v] *s hist.* Beinschiene *f* (*Teil der Rüstung*).

greaves [gri:vz] *s pl* (Fett-, Talg-)Grieben *pl*.

grebe [gri:b] *s zo.* (See)Taucher *m* (*Fam. Colymbidae*; *Vogel*).

Gre·cian ['gri:ʃən] **I** *adj* **1.** (*bes.* klassisch) griechisch. – **II** *s* **2.** Grieche *m*, Griechin *f*. – **3.** Helle'nist *m*, Grä'zist *m*. – **4.** Schüler *m* der obersten Klasse (*in Christ's Hospital, London*). — ~ **bend** *s affektierte Haltung beim Gehen* (*im 19. Jh.*). — ~ **gift** → **Greek gift**. — ~ **knot** *s* griech. Haarknoten *m*. — ~ **nose** *s* griech. Nase *f*. — ~ **pro·file** *s* griech. Pro'fil *n*.

Gre·cism, Gre·cize, Greco- *cf.* **Graecism** *etc.*

,Gre·co|-'Bud·dhist *adj* (*bes. Bildhauerei*) 'gräko-bud,dhistisch. — **,~-'Ro·man** *adj* griechisch-römisch.

gree[1] [gri:] *s obs.* Gunst *f*.

gree[2] [gri:] *obs. od. dial. für* **agree**.

gree[3] [gri:] *s* **1.** *Scot.* a) Über'legenheit *f*, b) Preis *m*. – **2.** *obs.* Grad *m*.

greed [gri:d] *s* **1.** Gier *f* (of nach). – **2.** Habgier *f*, -sucht *f*. — **'greed·i·ness** *s* **1.** Gier *f*, Gierigkeit *f*, Begierde *f*. – **2.** Gefräßigkeit *f*. – **3.** Habgier *f*, -sucht *f*. — **'greed·y** *adj* **1.** gefräßig, gierig. – **2.** habsüchtig, -gierig. – **3.** (of) (be)gierig (auf *acc*), gierig verlangend (nach): ~ **of fame** nach Ruhm dürstend; **to be** ~ **to do s.th.** begierig sein, etwas zu tun. – *SYN. cf.* **covetous**.

gree·gree *cf.* **grigri**[1].

Greek [gri:k] **I** *s* **1.** Grieche *m*, Griechin *f*: **when** ~ **meets** ~ *fig.* wenn zwei Ebenbürtige sich miteinander messen. – **2.** *ling.* Griechisch *n*, das Griechische. – **3.** (*etwas*) Unverständliches *od.* Unbekanntes, ‚böhmische Dörfer' *pl*: **that's** ~ **to me** das kommt mir spanisch vor. – **4.** *relig.* → ~ **Catholic** I. – **5.** **g~** *sl.* a) Spitzbube *m*, *bes.* Falschspieler *m*, b) Kum'pan *m*. – **6.** *Am. sl.* Mitglied *n* einer (*mit griech. Buchstaben bezeichneten amer.*) Stu'dentenverbindung. – **II** *adj* **7.** griechisch. – **8.** *relig.* → ~ **Catholic** II. — ~ **cal·ends** *s pl* eine Zeit, die nie kommt: **on the** ~ niemals. — ~ **Cath·o·lic** *relig.* **I** *s* **1.** ,Griechisch-Ka'tholische(r), ,Griechisch-U'nierte(r). – **2.** ,Griechisch-Ortho'doxe(r). – **II** *adj* **3.** ,griechisch-ka'tholisch, ,griechisch-u'niert. – **4.** ,griechisch-ortho'dox, ,griechisch-ana'tolisch. — ~ **Church** *s relig.* **1.** Morgenländische Kirche, ,Griechisch-ka'tholische *od.* -ortho'doxe Kirche. – **2.** ortho'doxe Kirche Griechenlands. — ~ **cross** *s* griech. Kreuz *n*. — ~ **Fa·thers** *s pl relig.* griech. Kirchenväter *pl*. — ~ **fire** *s mil. hist.* griech. Feuer *n*, Seefeuer *n*. — ~ **fret** *s* Mä'ander *m* (*Ornament*). — ~ **gift** *s fig.* Danaergeschenk *n*. — ~ **key** → **Greek fret**. — ~ **Or·tho·dox Church** → **Greek Church**. — ~ **rose** → **campion**. — ~ **va·le·ri·an** *s bot.* (*ein*) Sperrkraut *n* (*Gattg Polemonium*), *bes.* Himmels-, Jakobsleiter *f*, Griech. Baldrian *m* (*P. caeruleum*).

green [gri:n] **I** *adj* **1.** grün, von grüner Farbe. – **2.** grün(end): ~ **trees**. – **3.** grün, bewachsen: ~ **fields**. – **4.** grün (*Gemüse*): ~ **food**, ~ **meat** a) Grünfutter, b) Gemüsekost; ~ **vegetables** grünes Gemüse, Blattgemüse (*Gegensatz Wurzelgemüse*). – **5.** grün, schneefrei, mild: **a** ~ **Christmas**. –

6. frisch, le'bendig: ~ memories. – 7. frisch, neu. – 8. grün, unreif (*Früchte*). – 9. *fig.* grün, unerfahren, unreif, jung: ~ in years jung an Jahren. – 10. leichtgläubig, einfältig, na'iv. – 11. voller Lebenskraft, jugendfrisch, rüstig: ~ old age rüstiges Alter; in the ~ tree *fig.* in guten Verhältnissen. – 12. grün, bleich: ~ with fear schreckensbleich. – 13. *fig.* eifersüchtig, neidisch. – 14. roh, frisch (geschlachtet) (*Fleisch*). – 15. grün, frisch: a) ungetrocknet (*Holz*), b) ungeräuchert (*Fisch*). – 16. neu (*Wein*). – 17. grün, ungebrannt, roh (*Kaffee*). – 18. *tech.* naß: ~ sand Naßgußsand. – 19. *tech.* a) grün, feucht (*Ton*), b) unabgebunden (*Beton*), c) ungegerbt (*Fell*), d) ungebrannt (*Töpferwaren*), e) uneingelaufen (*Getriebe etc*). – *SYN. cf.* rude. –

II *s* **20.** Grün *n*, grüne Farbe. – **21.** Grün *n*, grüner Farbstoff. – **22.** Grün *n*, grüne Kleidung. – **23.** (*das*) Grüne, Grünfläche *f*, Anger *m*, Wiese *f*: bowling ~ Kegelwiese; village ~ Dorfanger. – **24.** *pl* Grün *n*, grünes Laub. – **25.** *pl* Grünes *n*, Blattgemüse *n*. – **26.** (*Golf*) a) Golfplatz *m*, b) → putting ~. – **27.** *fig.* (Jugend)Frische *f*, Lebenskraft *f*: in the ~ in voller Frische. –

III *v/t* **28.** grün machen *od.* färben, (*dat*) grüne Farbe geben. – **29.** *sl.* (*j-n*) hinters Licht führen, ,her'einlegen'. –

IV *v/i* **30.** grün werden, grünen: to ~ out ausschlagen, Knospen treiben. – **31.** grün aussehen.

green| al·gae *s pl bot.* Grünalgen *pl* (*Klasse Chlorophyceae*). — **'~,back** *s* **1.** Banknote *f*, 'Staatspa,piergeld *n* (*der USA, mit grüner Rückseite*). – **2.** grünes Tier, *bes.* Laubfrosch *m*. — **'G~,back·er** *s* Mitglied *n od.* Anhänger *m* der Greenback-Bewegung. — **'G~,back par·ty** *s hist.* Greenback-Bewegung *f* (*erreichte 1879 die Gleichstellung der* greenbacks *mit den Noten der Staatsbanken*). — **~ belt** *s* Grüngürtel *m* (*Park- u. Grüngelände um eine Stadt*). — **'~-'blind** *adj med.* grünblind. — **~ blind·ness** *s* Grünblindheit *f*. — **~ book** *s pol.* Grünbuch *n* (*in Italien u. Britisch-Indien*). — **'~,bri·er** *s bot.* Stechwinde *f* (*Gattg Smilax, bes. S. rotundifolia*). — **~ broom** → woodwaxen. — **~ cheese** *s* **1.** unreifer Käse. – **2.** Molken- *od.* Magermilchkäse *m*. – **3.** Kräuterkäse *m*. — **G~ Cloth** *s* **1.** *auch* Board of ~ *jur.* Hofmarschallsgericht *n* (*in England*). – **2.** g~ c~ Spieltisch *m*. — **~ corn** *s agr. Am.* grüner Mais. — **~ crab** *s zo.* Strandkrabbe *f* (*Carcinus maenas*). — **~ crop** *s agr.* Grünfutter *n*. — **~ drag·on** *s bot.* **1.** Drachen- *od.* Schlangenwurz *f* (*Dracunculus vulgaris*). – **2.** Zeichenwurz *f* (*Arisaema dracontium*). — **~ drake** *s zo. Br.* Gemeine Eintagsfliege (*Ephemera vulgata*). — **~ earth** *s min.* Grünerde *f*.

green·er ['gri:nər] *s sl.* Neuling *m*, *bes.* unerfahrener Ausländer. — **'green·er·y** *s* **1.** Grün *n*, Laub *n*. – **2.** Gewächs-, Glashaus *n*.

green| eye *s fig.* Neid *m*, Eifersucht *f*. — **'~-'eyed** *adj* **1.** grünäugig. – **2.** *fig.* eifersüchtig, neidisch. — **~ fat** *s* grünes Fett (*der Schildkröte; Leckerbissen*). — **'~,finch** *s zo.* Grünfink *m*, Grünling *m* (*Chloris chloris*). — **~ fin·gers** *s pl colloq.* geschickte Hand für Gartenarbeit, gärtnerische Begabung: he has ~ bei ihm wächst alles gut. — **'~,fish** *s zo.* **1.** → coalfish 1. – **2.** → bluefish 2. – **3.** O'palauge *n* (*Girella nigricans*). – **4.** Grünling *m* (*Hexagrammos octagrammus*). — **~ fly** *s zo. Br.* grüne Blattlaus. — **~ frog** *s zo.* Schreifrosch *m* (*Rana clamitans*). — **'~'gage** *s* Reine-'claude *f*. — **'~,gill** *s zo.* grüne Auster. — **'~-'gilled** *adj* grünbärtig (*Auster*). — **~ gland** *s zo.* grüne Drüse, An'tennendrüse *f*. — **~ goose** *s irr* junge (Mast)Gans. — **'~,gro·cer** *s* Obst- u. Gemüsehändler *m*. — **'~,gro·cer·y** *s* Obst- u. Gemüsehandlung *f*. — **~ gum** → black sally. — **~ hand** *s colloq.* Neuling *m*. — **'~,heart** *s* **1.** *bot.* → bebeeru. – **2.** Grün(harz)holz *n*. — **~ her·on** *s zo.* Amer. Grünreiher *m* (*Butorides virescens*). — **'~,horn** *s colloq.* **1.** Grünschnabel *m*, Neuling *m*, Unerfahrene(r). – **2.** Gimpel *m*, Einfaltspinsel *m*. — **'~,house** *s* **1.** Gewächs-, Treibhaus *n*. – **2.** *aer. sl.* Vollsichtkanzel *f*.

green·ing ['gri:niŋ] *s* **1.** Grünen *n*, Grünwerden *n*. – **2.** grünschaliger Apfel. — **'green·ish** *adj* grünlich.

Green·land·er ['gri:nləndər] *s* Grönländer(in). — **Green'lan·dic** [-'lændik] **I** *adj* grönländisch. – **II** *s ling.* Grönländisch *n*, das Grönländische.

'Green·land|·man [-mən] *s irr mar.* Grönlandfahrer *m* (*Schiff*). — **~ shark** *s zo.* Grönland-, Eishai *m* (*Somniosus microcephalus*). — **~ whale** → right whale.

green| la·ver *s bot.* 'Meersa,lat *m* (*Gattg Ulva, bes. U. lactuca*). — **~ lead ore** *s min.* Pyromor'phit *m*, Grünbleierz *n*.

green·let ['gri:nlit] → vireo.

green light *s* **1.** grünes Licht (*der Verkehrsampel*). – **2.** *colloq.* ,grünes Licht' (*Erlaubnis zur Durchführung eines bestimmten Projekts*): he gave (got) the ~ er gab (bekam) grünes Licht.

green·ling ['gri:nliŋ] *s zo.* Grünling *m* (*Gattg Hexagrammos; Fisch*).

green| lin·net → greenfinch. — **~ liz·ard** *s zo.* Sma'ragdeidechse *f* (*Lacerta viridis*). — **'~·man** [-mən] *s irr* Platzmeister *m* (*Golfplatz*). — **~ ma·nure** *s agr.* **1.** Grün-, Pflanzendünger *m*. – **2.** frischer Stalldünger. — **~ mon·key** *s zo.* Grüne Meerkatze (*Cercopitecus callitrichus*). — **G~ Moun·tain boy** *s Am.* (*Beiname für*) Einwohner *m* von Vermont. — **G~ Moun·tain State** *s Am.* (*Beiname für*) Vermont *n* (*Staat in USA*).

green·ness ['gri:nnis] *s* **1.** Grün *n*, (*das*) Grüne. – **2.** grüne Farbe. – **3.** *fig.* Frische *f*, Munterkeit *f*, Kraft *f*. – **4.** *fig.* Unreife *f*, Unerfahrenheit *f*.

green·ock·ite ['gri:nə,kait] *s min.* Greenoc'kit *m*, 'Kadmiumsul,fid *n* (CdS).

green| oil *s chem.* Grünöl *n*, Anthra'cenöl *n*. — **~ peak** *Br. für* green woodpecker. — **~ pep·per** *s bot.* unreife Frucht des Ziegenpfeffers (*Capsicum grossum*). — **~ plov·er** → lapwing. — **'~,room** *s* (*Theater*) **1.** Aufenthaltsraum *m* (*der Schauspieler*). – **2.** *fig.* The'aterklatsch *m*. — **'~-,salt·ed** *adj tech.* ungegerbt gesalzen (*Häute*). — **'~,sand** *s geol.* Grünsand *m*. — **'~,sauce** *s bot.* Kleiner Sauerampfer (*Rumex acetosella*). — **'~,shank** *s zo.* Grünschenkel *m* (*Tringa nebularia*). — **'~,sick** *adj* bleichsüchtig. — **'~,sick·ness** *s med.* Bleichsucht *f*. — **~ smalt** *s min.* Kobaltgrün *n*. — **~ snake** *s zo.* (*eine*) Sommernatter (*Cyclophis aestivus u. Liopeltis vernalis*). — **~ soap** *s med.* grüne (Schmier)Seife. — **'~,stick (frac·ture)** *s med.* Grünholz-, Knickbruch *m*. — **'~,stone** *s min.* **1.** Grünstein *m* (*grüner Diorit od. Diabas*). – **2.** Ne'phrit *m*. — **'~,stuff** *s* **1.** Grünfutter *n*. – **2.** grünes Gemüse. — **'~,sward** *s* Rasen *m*. — **~ ta·ble** *s* Spieltisch *m*. — **'~,tail** → menhaden. — **~ tea** *s* grüner Tee.

greenth [gri:nθ] *s selten od. poet.* **1.** Grün *n*, (*das*) Grüne. – **2.** frisches Grün.

green| thumb *s Am.* **1.** → green fingers. – **2.** gärtnerisch Begabte(r). — **~ tur·tle** *s zo.* Suppenschildkröte *f* (*Chelonia mydas*). — **~ vit·ri·ol** *s chem.* 'Eisenvitri,ol *n*, 'Ferrosul,fat *n* ($FeSO_4 7H_2O$). — **'~,weed** → woodwaxen.

Green·wich time ['grinidʒ; 'gren-; -itʃ] *s* Greenwicher (mittlere Sonnen)-Zeit.

'green|,wing, '~-,winged teal *s zo.* Krickente *f* (*Anas crecca*). — **'~,withe** *s bot.* (*eine*) Va'nille (*Vanilla claviculata*). — **'~,wood** *s* **1.** grüner Wald. – **2.** → woodwaxen. — **~ wood·peck·er** *s zo.* Grünspecht *m* (*Picus viridis*).

green·y ['gri:ni] *adj* grünlich.

'green,yard *s* **1.** eingezäunter Rasenplatz. – **2.** *Br.* Pfandstall *m* (*für verirrtes Vieh*).

greet¹ [gri:t] **I** *v/t* **1.** grüßen. – **2.** begrüßen, empfangen. – **3.** sich kundtun (*dat*), begegnen (*dat*). – **II** *v/i* **4.** grüßen. – **5.** sich begrüßen.

greet² [gri:t] *v/i u. v/t Scot. od. dial.* (be)weinen, (be)klagen.

greet·er ['gri:tər] *s* Begrüßende(r). — **'greet·ing** *s* **1.** Gruß *m*, Begrüßung *f*. – **2.** *pl* Grüße *pl*, Empfehlungen *pl*: ~s telegram Glückwunschtelegramm.

gref·fi·er ['grefiər] *s jur.* Regi'strator *m*, Gerichtsschreiber *m*.

greg·a·rine ['gregə,rain; -rin] *zo.* **I** *adj* Gregarinen... – **II** *s* Grega'rine *f* (*Unterklasse Gregarinida; Sporentierchen*).

gre·gar·i·ous [gri'gɛ(ə)riəs] *adj* **1.** gesellig, in Herden *od.* herdenweise lebend. – **2.** Herden..., Gemeinschafts... – **3.** *bot.* trauben- *od.* büschelartig wachsend. — **gre'gar·i·ous·ness** *s* **1.** Zu'sammenleben *n* in Herden. – **2.** Geselligkeit *f*.

grège [greiʒ] *adj* grau-beige.

gre·go ['gri:gou; 'grei-] *pl* **-gos** *s* **1.** kurze grobe Jacke mit Ka'puze. – **2.** *obs.* grober 'Überzieher.

Gre·go·ri·an [gri'gɔ:riən] **I** *adj* **1.** gregori'anisch. – **II** *s* **2.** *relig.* Gregori'aner *m* (*Mitglied eines freimaurerähnlichen Bundes in England im 18. Jh.*). – **3.** → ~ chant. — **~ cal·en·dar** *s* Gregori'anischer Ka'lender. — **~ chant** *s mus.* Gregori'anischer Gesang. — **~ Church** *s relig.* Gregori'anische *od.* Ar'menische Kirche. — **~ ep·och** *s* Zeit *f* seit der Einführung des Gregori'anischen Ka'lenders (*1582*). — **~ mode** *s mus.* Gregori'anische (Kirchen)Tonart. — **~ style** *s* Gregori'anische *od.* neue Zeitrechnung. — **~ tone** *s mus.* Gregori'anischer (Psalm)Ton.

Greg·o·ry('s) pow·der ['gregəri(z)] *s med.* Abführmittel *n*.

greige [greiʒ] *adj u. s tech.* na'turfarben(e Stoffe *pl*).

grei·sen ['graizn] *s min.* Greisen *m*.

gre·mi·al ['gri:miəl] *s relig.* Gremi'ale *n*.

grem·lin ['gremlin] *s aer. sl.* böser Geist, Kobold *m* (*der Maschinenschaden etc verursachen soll*).

gre·nade [gri'neid] *s* **1.** *mil.* a) 'Handgra,nate *f*, b) Ge'wehrgra,nate *f*. – **2.** gläserne Feuerlöschflasche *od.* -kugel.

gren·a·dier [,grenə'dir] *s* **1.** *mil.* Grena'dier *m*: G~s, G~ Guards Grenadiergarde (*am engl. Hof*). – **2.** *zo.* Langschwanz *m* (*Fam. Macrouridae; Knochenfisch*). – **3.** *zo.* (*ein*) Feuerweber *m* (*Pyromelana orix; südafrik. Vogel*).

gren·a·dine¹ [,grenə'di:n; 'grenə,di:n] *s* Gra'natapfel- *od.* Jo'hannisbeersirup *m*.

gren·a·dine[2] [ˌgrenəˈdiːn; ˈgrenəˌdiːn] *s* **1.** Grenaˈdine *f*, Granaˈtine *f* (*leichter Woll- od. Seidenstoff*). – **2.** Grenaˈdine *f* (*rotbrauner Farbstoff*).

gren·a·dine[3] [ˌgrenəˈdiːn; ˈgrenəˌdiːn] *s* Grenaˈdin *m* (*gespickte u. glasierte Fisch- od. Fleischschnitte*).

Gresh·am's| law [ˈgreʃəmz], *auch* ~ **the·o·rem** *s econ.* das Greshamsche Gesetz.

gres·so·ri·al [greˈsɔːriəl], *auch* **gres·ˈso·ri·ous** *adj zo.* **1.** zum Gehen geeignet (*Beine*). – **2.** Schreit..., Stelz...

Gret·na Green mar·riage [ˈgretnə] *s* Heirat *f* ohne elterliche Zustimmung.

grew [gruː] *pret von* grow.

grew·some *cf.* gruesome.

grey [grei] *bes. Br. für* gray. — ˈ~ˌ**coat** *bes. Br.* kumbrischer Freisasse.

grey·cing [ˈgreisiŋ] *s Br. colloq. für* greyhound racing.

ˈ**greyˌhound** *s* **1.** *zo.* Greyhound *m*, Windhund *m*, -spiel *n* (*Hunderasse*). – **2.** *mar. sl.* schnelles Schiff, *bes.* Ozeandampfer *m.* — ~ **rac·ing** *s* Greyhound-, Windhundrennen *n.*

grey·ish, grey·lag, grey·ness, grey·wacke *etc bes. Br. für* grayish *etc.*

grice [grais] *s Scot. od. obs.* Ferkel *n.*

grid [grid] **I** *s* **1.** Gitter *n*, Rost *m.* – **2.** *electr.* a) Bleiplatte *f*, Rost *m*, b) Gitter *n* (*Elektronenröhre*), c) *Br.* ˈÜberland(leitungs)netz *n.* – **3.** *geogr.* Gitter(netz) *n* (*Karten*). – **4.** (Straßen- *etc*) Netz *n.* – **5.** → ~iron 1. – **6.** → ~iron 3. – **II** *adj* **7.** *colloq.* Fußball... — ~ **bi·as** *s electr.* Gittervorspannung *f.* — ~ **cir·cuit** *s electr.* Gitter(strom)kreis *m.* — ~ **con·dens·er** *s electr.* ˈGitterkondenˌsator *m.* — ~ **cur·rent** *s electr.* Gitterstrom *m.*

grid·der [ˈgridər] *s colloq.* Fußballer *m.*

grid·dle [ˈgridl] **I** *s* **1.** rundes Backblech. – **2.** Bratpfanne *f.* – **3.** *tech.* Drahtsieb *n*, Rätter *m* (*Bergbau*). – **II** *v/t* **4.** auf einem (Back)Blech backen. – **5.** *tech.* sieben. — ˈ~ˌ**cake** *s* (*Art*) Pfannkuchen *m.*

gride [graid] **I** *v/i* **1.** kratzen, knirschen, scheuern, reiben. – **II** *v/t* **2.** durchˈbohren. – **3.** knirschend (zer)schneiden. – **III** *s* **4.** Knirschen *n*, Kratzen *n.*

grid·i·ron [ˈgridˌaiərn] *s* **1.** Bratrost *m.* – **2.** Netz(werk) *n* (*Leitungen, Bahnlinien etc*). – **3.** *mar.* Balkenroste *f.* – **4.** Schnürboden *m* (*Theater*). – **5.** *auch* ~ **pendulum** Rost-, Kompensatiˈonspendel *n.* – **6.** *colloq.* Fußballplatz *m.* – **7.** *Am. sl.* Flagge *f* der USA.

grid| leak *s electr.* ˈGitter(ableit)ˌwiderstand *m.* — ~ **ref·er·ence** *s mil.* ˈPlanquaˌdratangabe *f.*

grief [griːf] *s* **1.** Gram *m*, Kummer *m*, Leid *n*, Schmerz *m*: **to my great** ~ zu meinem großen Kummer. – **2.** Unglück *n*, Kataˈstrophe *f*, Fehlschlag *m*: **to bring to** ~ zu Fall bringen, zugrunde richten; **to come to** ~ a) zu Schaden *od.* in Schwierigkeiten kommen, b) fehlschlagen, versagen, ein schlimmes Ende nehmen, c) zu Fall kommen; **my watch has come to** ~ meine Uhr ist kaputtgegangen. – **3.** *obs.* a) Leiden *n*, b) Wunde *f.* – *SYN. cf.* sorrow. — ˈ~-ˌ**strick·en** *adj* kummervoll.

grie·shoch [ˈgriːʃəx] *s Scot. od. Irish* heiße Kohlen *pl*, Glut *f.*

griev·ance [ˈgriːvəns] *s* **1.** Beschwerde *f*, Grund *m* zur Klage, ˈMiß-, Übelstand *m.* – **2.** Ressentiˈment *n*, Groll *m*: **to have a** ~ **against s.o.** einen Groll gegen j-n hegen. – **3.** *obs.* a) Leid *n*, b) Kränkung *f.* – *SYN. cf.* injustice.

grieve[1] [griːv] **I** *v/t* **1.** (*j-n*) kränken, betrüben, bekümmern, (*j-m*) weh tun, (*j-m*) Kummer *od.* Schmerz bereiten. – **2.** sich kränken *od.* grämen über (*acc*): **to** ~ **one's fate** sein Schicksal beklagen. – **3.** *obs.* verletzen. – **II** *v/i* **4.** sich kränken, bekümmert sein, sich grämen, sich härmen (at, about, over über *acc*, wegen; for um).

grieve[2] [griːv] *s Scot.* (Guts)Aufseher *m.*

griev·ous [ˈgriːvəs] *adj* **1.** schmerzlich, bitter. – **2.** schrecklich, schwer, schlimm. – **3.** schmerzhaft, quälend, schmerzend. – **4.** schmerzerfüllt, gequält, Schmerzens... – **5.** *obs.* schwer, drückend. — ˈ**griev·ous·ness** *s* Schmerzlichkeit *f*, Bitterkeit *f.*

griff[1] [grif] *s selten* Klaue *f*, Kralle *f.*

griff[2] [grif] → griffin[2].

griffe[1] [grif] *s Am. dial.* **1.** a) Griffe *m, f* (*Abkömmling eines Negers u. einer Mulattin*), b) Muˈlattin *f*, Muˈlatte *m.* – **2.** Sambo *m, f* (*Mischling von Negern mit Indianern*).

griffe[2] [grif] *s arch.* (Teufels)Klaue *f* (*Ornament am Säulenfuß*).

grif·fin[1] [ˈgrifin] *s* **1.** *antiq. her.* Greif *m.* – **2.** → griffon[1].

grif·fin[2] [ˈgrifin] *s Br. Ind.* Neuling *m*, Neuankömmling *m* (*neuangekommener Weißer in Indien*).

grif·fin·age [ˈgrifinidʒ], ˈ**grif·finˌhood**, ˈ**grif·finˌship** *s Br. Ind.* Unerfahrenheit *f.*

grif·fon[1] [ˈgrifən], *auch* ~ **vul·ture** *s zo.* Weißköpfiger Geier (*Gyps fulvus*).

grif·fon[2] [ˈgrifən] *s* **1.** → griffin[1] 1. – **2.** Griffon *m* (*Vorstehhundrasse*).

grift·er [ˈgriftər] *s Am. sl.* **1.** (Schau)Budenbesitzer *m*, *bes.* Besitzer *m* eines Glücksrades. – **2.** Betrüger *m*, Gauner *m*, Dieb *m.*

grig [grig] *s* **1.** *meist* **merry** ~ Luftikus *m*, fiˈdeler Kerl: **as merry** (*od.* **lively**) **as a** ~ kreuzfidel. – **2.** *dial.* a) Grille *f*, b) Heuschrecke *f*, c) kleiner Aal, Sandaal *m.*

gri·gri[1] [ˈgriːgriː] *Am.* **I** *s pl* **-gris** Amuˈlett *n*, Fetisch *m* (*der afrik. Neger*). – **II** *v/t* bezaubern, behexen.

gri·gri[2] [ˈgriːgriː] → grugru 1.

grill[1] [gril] **I** *s* **1.** Bratrost *m*, Grill *m.* – **2.** Grillen *n*, Rösten *n.* – **3.** Rostbraten *m.* – **4.** → ~room. – **5.** Waffelung *f*, Gauˈfrage *f* (*Briefmarken*). – **II** *v/t* **6.** (*Fleisch etc*) grillen, rösten, (auf dem Rost) braten. – **7.** schmoren lassen (*durch starke Hitze quälen*). – **8.** *fig.* plagen, quälen. – **9.** *Am. fig.* einem strengen (Kreuz)Verhör unterˈziehen. – **10.** (*Briefmarken*) waffeln, gauˈfrieren. – **11.** (*Austern etc*) in einer Kammuschelschale braten. – *SYN. cf.* afflict. – **III** *v/i* **12.** rösten, schmoren, gegrillt werden. – **13.** *Am. fig.* in einem strengen (Kreuz)Verhör stehen.

grill[2] *cf.* grille.

gril·lage [ˈgrilidʒ] *s arch.* Gründungs-, Pfahlrost *m*, ˈUnterbau *m.*

grille [gril] *s* **1.** (*bes. schmiedeeisernes*) Tür-, Fenstergitter *n.* – **2.** Gitterfenster *n*, Sprechgitter *n*, Schalteröffnung *f.* – **3.** *hist.* Gitter *n* (*vor der Damengalerie im Parlament*). – **4.** (*Fischzucht*) Laich-Brutkasten *m.* – **5.** → radiator grid.

grilled [grild] *adj* mit einem Gitter versehen. — ˈ**grill·er** *s* Bratrost *m*, Grillvorrichtung *f.*

ˈ**grill|ˌroom** *s* Grillroom *m.* — ˈ~ˌ**work** *s* Gitterwerk *n.*

grilse [grils] *pl* **grilse** *selten* **gril·ses** *s zo.* junger Lachs.

grim [grim] *comp* ˈ**grim·mer** *sup* ˈ**grim·mest** *adj* **1.** grimmig, wild, schrecklich. – **2.** finster, düster. – **3.** erbarmungslos, unbarmherzig, grausam, hart: **it has a** ~ **truth in it** es enthält eine grausame Wahrheit; ~ **humo(u)r** Galgenhumor; → death 1. – *SYN. cf.* ghastly.

gri·mace [griˈmeis; *Am. auch* ˈgriməs] **I** *s* **1.** Griˈmasse *f*, Fratze *f*: **to make** ~**s** Grimassen schneiden. – **2.** affekˈtiertes Gesicht. – **II** *v/i* **3.** Griˈmassen schneiden. — **griˈmac·er** *s* Griˈmassenschneider(in).

gri·mal·kin [griˈmælkin; -ˈmɔːl-] *s* **1.** (alte) Katze. – **2.** Kratzbürste *f*, böses altes Weib.

grime [graim] **I** *s* (zäher) Schmutz *od.* Ruß. – **II** *v/t* beschmutzen.

Grimes (Gold·en) [graimz] *s ein goldgelber Spätapfel.*

grim·i·ness [ˈgraiminis] *s* Schmutzigkeit *f*, Beschmiertheit *f.*

grim·mer [ˈgrimər] *comp von* grim.

grim·mest [ˈgrimist] *sup von* grim.

Grimm's law [grimz] *s ling.* Lautverschiebung(sgesetz *n*) *f.*

grim·ness [ˈgrimnis] *s* **1.** Grimmigkeit *f*, Wildheit *f*, Schrecklichkeit *f.* – **2.** Düsterkeit *f*, Grimm *m.* – **3.** Unbarmherzigkeit *f*, Grausamkeit *f*, Härte *f.*

grim·y [ˈgraimi] *adj* schmutzig, rußig, voll Schmutz.

grin[1] [grin] **I** *v/i pret u. pp* **grinned** **1.** grinsen: **to** ~ **at s.o.** j-n angrinsen; **to** ~ **and bear it** gute Miene zum bösen Spiel machen; **to** ~ **like a Cheshire cat** übers ganze Gesicht grinsen. – **2.** die Zähne zeigen *od.* fletschen. – **II** *v/t* **3.** grinsen, grinsend *od.* durch Grinsen ausdrücken. – **III** *s* **4.** Grinsen *n*, Gegrinse *n*: **to be on the (broad)** ~ übers ganze Gesicht grinsen.

grin[2] [grin] *s obs. od. dial.* Schlinge *f*, Falle *f.*

grind [graind] **I** *v/t pret u. pp* **ground** [graund] *selten* ˈ**grind·ed** **1.** (*Glas etc*) schleifen. – **2.** (*Messer etc*) schleifen, wetzen, schärfen: → axe[1]. – **3.** *auch* ~ **down** (zer)mahlen, zermalmen, -reiben, -stoßen, -stampfen, -kleinern: **to** ~ **small (into dust)** fein (zu Staub) zermahlen. – **4.** (*Kaffee etc*) mahlen. – **5.** hart aufeinˈander reiben, knirschen mit: **to** ~ **one's teeth** mit den Zähnen knirschen. – **6.** ~ **out** ausstoßen. – **7.** knirschend reiben *od.* bohren. – **8.** *auch* ~ **down** *fig.* (unter)ˈdrücken, schinden, quälen: **to** ~ **the faces of the poor** die Armen aussaugen. – **9.** drehen, betätigen: **to** ~ **a barrel organ** einen Leierkasten drehen. – **10.** *oft* ~ **out** (*auf der Drehorgel*) spielen, (herˈunter)leiern: **to** ~ **(out) a tune.** – **11.** *colloq.* ‚pauken‘, ‚büffeln‘ (*eifrig lernen*): **to** ~ **Latin.** – **12.** *colloq.* (*j-n*) ‚einpauken‘ (*unterrichten*): **to** ~ **s.o. in Latin** ‚j-m Latein einpauken‘. – **II** *v/i* **13.** mahlen, reiben. – **14.** sich mahlen *od.* schleifen lassen: **it** ~**s fine** es läßt sich fein mahlen. – **15.** knirschen, knirschend reiben, scharren, kratzen. – **16.** *colloq.* ‚pauken‘, ‚büffeln‘ (*eifrig lernen*). – **17.** ~ **in** *tech.* einschleifen. – **III** *s* **18.** Mahlen *n.* – **19.** Zermahlen *n*, Zermalmen *n*, Zerreiben *n.* – **20.** Schleifen *n*, Wetzen *n.* – **21.** Knirschen *n*, Scharren *n*, Kratzen *n.* – **22.** *colloq.* Schindeˈrei *f*, Plackeˈrei *f*, ‚Pauken‘ *n*, ‚Büffeln‘ *n.* – **23.** *Am. sl.* Streber(in), ‚Büffler(in)‘. – **24.** *Br. sl.* a) *sport* Hindernisrennen *n*, b) (verordneter) Spaˈziergang (*aus Gesundheitsgründen*). – **25.** (*Cambridge, England*) Fähre *f*, Fährboot *n.* – *SYN. cf.* work.

grin·de·li·a [grinˈdiːliə] *s* **1.** *bot.* Grinˈdelia *f* (*Gattg Grindelia*). – **2.** *med.* Herba Grinˈdelia *f* (*Droge aus* 1).

grind·er [ˈgraindər] *s* **1.** (Scheren-, Messer-, Glas)Schleifer *m.* – **2.** Schleifstein *m.* – **3.** oberer Mühlstein. – **4.** *tech.* a) (*Spinnerei*) Schleiftrommel *f*, b) ˈSchleifmaˌschine *f*, c) Mahlwerk *n*, Mühle *f*, d) Walzenmahl-, Quetschwerk *n.* – **5.** *med.* Moˈlar *m*, Backen-, Mahlzahn *m.* – **6.** *pl sl.* Zähne *pl.* – **7.** *Am.* großes Sandwich (*mit Fleisch, Käse u. Salat*). – **8.** *Br. sl.* ‚Einpauker‘

m. — '**grind·er·y** s 1. Schleife'rei f. – 2. Br. Schusterwerkzeug n. — '**grind·ing I** s 1. Mahlen n: ~ mill a) Mühle, Mahlwerk, b) Schleifbank, -mühle. – 2. (Zer)Reiben n, (Zer)-Mahlen n. – 3. Schleifen n (Glas etc). – 4. Schleifen n, Schärfen n, Wetzen n. – 5. Knirschen n, Kratzen n. – **II** adj 6. mahlend, reibend, schleifend. – 7. knirschend. – 8. fig. a) mühsam, b) bedrückend, zermürbend. — '**grind,stone** s 1. Schleifstein m: to keep (od. hold, put, bring) one's nose to the ~ fig. schwer arbeiten, sich abschinden, ‚sich dahinterklemmen'; to keep (od. hold, put, bring) s.o.'s nose to the ~ fig. j-n schwer arbeiten lassen, j-n dauernd schinden. – 2. Mühlstein m.

grin·go ['griŋgou] pl **-gos** s Gringo m (in Südamerika verächtlich für Ausländer, bes. Angelsachsen).

grin·ner ['grinər] s Grinsende(r).

grip[1] [grip] **I** s 1. Griff m, (An)-Packen n, (Er)Greifen n: to come to ~s with a) handgemein werden mit, b) fig. sich auseinandersetzen mit; to be at ~s with a) im Kampf liegen od. stehen mit, b) fig. sich auseinandersetzen mit. – 2. fig. a) Griff m, Halt m, b) Herrschaft f, Gewalt f, Zugriff m: in the ~ of vice in den Klauen des Lasters; to have a ~ on s.th. etwas in der Gewalt haben; to lose one's ~ of die Herrschaft verlieren über (acc). – 3. fig. Verstehen n, Erfassen n, Begreifen n, Verständnis n. – 4. Stich m, plötzlicher Schmerz-(anfall). – 5. (bestimmter) Händedruck: the masonic ~ der (Freimaurer)Griff. – 6. (Hand)Griff m (Schwert, Koffer etc). – 7. Haarspange f, -klemme f. – 8. tech. Verbindungsstück n, Kuppelung f. – 9. mil. Kolbenhals m (Gewehr). – 10. (Theater) Am. Bühnenarbeiter m, bes. Ku'lissenschieber m. – 11. med. → grippe. – 12. Am. für ~sack. – 13. auch ~ car Am. selten Straßenbahnwagen m. – **II** v/t pret u. pp **gripped, gript** 14. ergreifen, packen, (fest)halten. – 15. fig. fesseln, in der Gewalt haben, in Spannung halten, packen. – 16. fig. begreifen, verstehen, fassen. – 17. tech. festmachen, verbinden. – 18. einen (bestimmten) Händedruck austauschen mit. – **III** v/i 19. Halt finden, fassen. – 20. mar. fassen, sich festhaken. – 21. sich (fest) schließen od. zu'sammenpressen. – 22. fig. packen, fesseln.

grip[2] [grip] s Br. dial. kleiner Graben.

grip brake s tech. Handbremse f.

gripe [graip] **I** v/t 1. ergreifen, packen, fassen. – 2. festhalten. – 3. fig. betrüben, quälen, (be)drücken. – 4. mar. (Boot etc) sichern. – 5. im Bauch drücken od. zwicken, (j-m) Bauchschmerzen verursachen. – **II** v/i 6. zugreifen, zupacken. – 7. mar. luvgierig sein (Schiff). – 8. Bauchschmerzen haben od. verursachen. – 9. Am. sl. ‚meckern', brummen, murren, sich beklagen. – **III** s 10. Ergreifen n, Packen n, Fassen n. – 11. fester Halt od. Griff. – 12. fig. Gewalt f, Macht f, Halt m. – 13. fig. Druck m, Elend n, Qual f, Not f. – 14. meist pl Bauchweh n, -grimmen n: ~ water vet. Kolikarznei. – 15. Griff m, Henkel m. – 16. tech. a) Bremse f, b) Kuppelung f. – 17. mar. a) Greep n, Anlauf m (des Kiels), b) pl Bootsklauer pl. – 18. Am. sl. ‚Mecke'rei' f, Murren n, Beschwerde f. — '**grip·er** s Am. sl. ‚Meckerfritze' m. — '**grip·ing I** s 1. med. Bauchgrimmen n, Ko'lik f. – 2. Am. sl. ‚Meckern' n. – **II** adj 3. drückend, zwickend.

grip·pal ['gripəl] adj med. Grippe..., grip'pös. — **grippe** [grip] s med. Grippe f.

grip·per ['gripər] s tech. Greifer m, Halter m. — '**grip·ping** adj 1. packend, fesselnd, spannend. – 2. tech. greifend, Greif...

grip·ple ['gripl] adj dial. habgierig.

'**grip|,sack** s Am. Reise-, Handtasche f, (Hand)Köfferchen n. — ~ **safe·ty** s Griffsicherung f (Pistole).

Gri·qua ['gri:kwə; 'grik-] s Griqua m, f (südafrik. Mischling).

gri·saille [gri'zeil] s Gri'saille f, Grau in Grau n, ,Grau-in-'Grau-Male,rei f.

gris·e·ous ['grisiəs; 'griz-] adj perl-, bläulichgrau.

gri·sette [gri'zet] s Gri'sette f (franz. Arbeitermädchen).

gris·kin ['griskin] s Br. Rippenstück n, Karbo'nade f (des Schweins).

gris·li·ness ['grizlinis] s 1. Gräßlichkeit f, Schauerlichkeit f, Grausigkeit f. – 2. Furchtbarkeit f, Grimmigkeit f.

gris·ly[1] ['grizli] adj 1. gräßlich, schauerlich, schrecklich, entsetzlich, grausig. – 2. furchtbar, grimmig (Gesicht). – SYN. cf. ghastly.

gris·ly[2] ['grizli] → gristly.

gris·ly[3] cf. grizzly.

gri·son ['graisən; 'grizən] s zo. Grison m (Grison vittatus; Marder).

grist[1] [grist] s 1. Mahlgut n, -korn n: all is ~ that comes to his mill er weiß mit allem etwas anzufangen; to bring ~ to the mill Nutzen bringen, einträglich sein. – 2. (Brauerei) Malzschrot n. – 3. Am. colloq. Menge f.

grist[2] [grist] s Stärke f, Dicke f (von Garn od. Tau).

gris·tle ['grisl] s med. Knorpel m, knorpeliger Teil: in the ~ unentwickelt. — **gris·tli·ness** ['grislinis] s Knorpeligkeit f, knorpelige Beschaffenheit. — '**gris·tly** adj knorpelig.

'**grist,mill** s Getreide-, bes. Kundenmühle f.

grit [grit] **I** s 1. geol. a) (grober) Sand, Kies m, Grus m, b) auch ~stone Grit m, flözleerer Sandstein. – 2. min. Korn n, Struk'tur f (Stein). – 3. fig. Mut m, Entschlossenheit f, (Cha'rakter)Festigkeit f, ‚Mumm' m. – 4. pl a) Haferkorn n, b) Haferschrot n, -grütze f, c) Am. grobes Maismehl. – SYN. cf. fortitude. – **II** v/t pret u. pp '**grit·ted** 5. knirschen mit: to ~ the teeth mit den Zähnen knirschen. – 6. mit Sand od. Kies bestreuen. – **III** v/i 7. knirschen, kratzen.

grith [griθ] s hist. 1. Friede m, Sicherheit f. – 2. A'syl n, Zufluchtsstätte f.

grit·ti·ness ['gritinis] s 1. Sandigkeit f, Kiesigkeit f. – 2. fig. Mut m, Entschlossenheit f. — '**grit·ty** adj 1. sandig, kiesig. – 2. fig. mutig, entschlossen, fest.

griv·et ['grivit] s zo. Grünaffe m, Grüne Meerkatze (Cercopithecus griseoviridis).

griz·zle[1] ['grizl] **I** s 1. graues Haar. – 2. graue Pe'rücke. – 3. Grau n, graue Farbe. – **II** adj 4. grau, farblos. – **III** v/t 5. grau machen. – **IV** v/i 6. grau werden, ergrauen.

griz·zle[2] ['grizl] v/i Br. 1. grinsen. – 2. nörgeln, schmollen, quengeln.

griz·zled ['grizld] adj grau(haarig).

griz·zly ['grizli] **I** adj grau, gräulich, Grau..., grauhaarig. – **II** s → ~ bear. — ~ **bear** s zo. Grizzly(bär) m, Graubär m (Ursus horribilis). — '~-'**bear cac·tus** s bot. Am. Bärenkaktus m (Opuntia erinacea var. ursina). — ~ **king**, ~ **queen** s künstliche Angelfliege.

groan [groun] **I** v/i 1. stöhnen, ächzen. – 2. ächzen, knarren (Tür etc). – 3. seufzen, ächzen, heftig verlangen, sich sehnen (for nach). – 4. knurren, murren. – **II** v/t 5. unter Stöhnen äußern, stöhnen, ächzen. – 6. ~ down (j-n) durch miß'billigendes Knurren zum Schweigen bringen. – **III** s 7. Stöhnen n, Ächzen n. – 8. Murren n, Knurren n. — '**groan·er** s Stöhnende(r), Ächzende(r).

groat [grout] s Grot m (alte engl. Silbermünze).

groats [grouts] s pl (Getreide-, bes. Hafer)Grütze f.

gro·cer ['grousər] s Lebensmittel-, Gemischtwaren-, Koloni'alwarenhändler m. — '**gro·cer·y** s 1. Am. Lebensmittelgeschäft n, Gemischtwaren-, Koloni'alwarenhandlung f. – 2. meist pl Lebensmittel pl, Koloni'alwaren pl. – 3. Koloni'alwarenhandel m. – 4. Am. hist. Schenke f. — ,**gro·ce'te·ri·a** [-'ti(ə)riə] s selten Lebensmittelgeschäft n mit Selbstbedienung.

grog [grɒg] **I** s 1. Grog m: ~ blossom colloq. Schnapsnase. – 2. Grog-Party f. – **II** v/t pret u. pp **grogged** 3. (Spirituosenfaß) mit heißem Wasser füllen. – **III** v/i 4. Grog trinken. — '**grog·ger·y** [-əri] s Am. Wirtshaus n, ‚Schnapsladen' m, ‚Schnapsbude' f.

grog·gi·ness ['grɒginis] s colloq. 1. (Be)Trunkenheit f, ‚Schwips' m. – 2. Taumeligkeit f, Wackeligkeit f. – 3. (Boxen) Zustand m des Angeschlagenseins. — '**grog·gy** adj 1. colloq. a) betrunken, angetrunken, bezecht, b) taumelig, wackelig, torkelig, unsicher od. schwach auf den Beinen, c) sport groggy, angeschlagen, halb betäubt. – 2. steif in den Beinen (Pferd).

grog·ram ['grɒgrəm] s Grogram m (grober Kleiderstoff).

'**grog,shop** s (verächtlich) ‚Schnapsladen' m, ‚Schnapsbude' f.

groin [grɔin] **I** s 1. med. zo. Leiste(ngegend) f. – 2. arch. Grat(bogen) m, Rippe f (Kreuzgewölbe). – 3. tech. Buhne f. – **II** v/t 4. arch. (Gewölbe) sich in Gratbogen schneiden lassen, mit Kreuzgewölbe bauen. – **III** v/i 5. arch. Gratbogen bilden (Gewölbe). — **groined** adj arch. Rippen..., Kreuz...: ~ vault Kreuzgewölbe. — '**groin·ing** s arch. collect. Gratbogen pl (Kreuzgewölbe).

Gro·li·er ['grouliər] adj Grolier... — ~ **bind·ing** s (Buchbinderei) Groli'er-Einband m. — ~ **de·sign** s Groli'erzeichnung f, -verzierung f.

grom·met ['grɒmit] s bes. Am. 1. mar. Taukranz m. – 2. tech. (Me'tall)Öse f. – 3. mil. Geschoßstropp m.

grom·well ['grɒmwəl] s bot. Steinsame m (Gattg Lithospermum), bes. Echter Steinsame (L. officinale).

groom [gru:m; grum] **I** s 1. Pferde-, Reit-, Stallknecht m. – 2. bes. Am. Bräutigam m. – 3. Diener m (Name verschiedener königlicher Beamter): ~ of the (Great) Chamber königlicher Kammerdiener; ~ of the stole Oberkammerherr. – 4. obs. Bursche m. – **II** v/t 5. (Person, Kleidung) pflegen, in Ordnung halten: well-~ed gepflegt. – 6. (Pferde) versorgen, warten, pflegen. – 7. pol. Am. vorbereiten, lan'cieren: to ~ a candidate for office.

groom's cake s Am. (Art) Hochzeitskuchen m.

grooms·man ['gru:mzmən; 'grumz-] s irr Brautführer m.

groove [gru:v] **I** s 1. (ausgetretene od. ausgewaschene) Rinne, Furche f, Graben m: in the ~ fig. a) im richtigen Fahrwasser, b) ansprechend od. zündend gespielt (Jazz) od. spielend (Jazzmusiker), c) mühelos od. überlegen gespielt (Jazz) od. spielend (Jazzmusiker), d) sl. in bester Form. – 2. tech. Rinne f, Furche f, Nut(e) f, Rille f, Hohlkehle f: tongue and ~ Spund u. Nut. – 3. tech. Falz m, Fuge f, Zarge f. – 4. print. Signa'tur f (Druck-

type). – **5.** *tech.* Zug *m* (*in Gewehren etc*). – **6.** *med.* Furche *f*, Rinne *f*. – **7.** *fig.* gewohnter Gang, gewohntes Geleise: to flow (*od.* stay, travel) in the same ~ im gewohnten Geleise bleiben. – **8.** *fig.* Rou'tine *f*, Scha'blone *f*: to fall into a ~ in Routine verfallen. – **II** *v/t* **9.** *tech.* a) (aus)kehlen, rillen, riefeln, falzen, nuten, fugen, b) ziehen, c) in einer Nute befestigen.

groov·er ['gruːvər] *s tech.* **1.** 'Kehl-, 'Nut-, 'Falz(hobel)maˌschine *f*: ~head Kreisfalzsäge, Kreissägenstahl. – **2.** Kehl-, Nut-, Falzstahl *m*, -werkzeug *n*. – **3.** Arbeiter, der eine 'Kehlmaˌschine bedient. — **'groov·y** *adj* **1.** furchen-, rinnenartig. – **2.** *colloq.* scha'blonenhaft, rou'tinemäßig.

grope [group] **I** *v/i* her'umtappen, -tasten, -greifen (for, after nach): to ~ in the dark *bes. fig.* im Dunkeln tappen. – **II** *v/t* tastend suchen: to ~ one's way sich dahintasten. – **III** *s* (Um'her)Tappen *n*, Tasten *n*. — **'grop·ing·ly** *adv* **1.** tastend, tappend. – **2.** *fig.* vorsichtig, suchend, unsicher.

gros·beak ['grousˌbiːk] *s zo. Name verschiedener Finken mit großem u. starkem Schnabel, bes.* Kernbeißer *m* (*Coccothraustes coccothraustes*).

gro·schen ['grouʃən] *s sg u. pl* Groschen *m*.

gros de| Lon·dres [ˌgrou də 'lɔ̃dr], **~ Na·ples** ['nɑpl] *s* (*Art*) schwerer Seidenrips.

gros·grain ['grouˌgrein] *adj u. s* grob gerippt(es Seidentuch *od.* -band).

gross [grous] **I** *adj* **1.** brutto, Brutto..., gesamt, Gesamt..., Roh...: ~ average *mar.* allgemeine Havarie, Havarie grosse; ~ profits Bruttoeinnahmen; ~ sum Gesamtsumme; ~ weight Bruttogewicht. – **2.** ungeheuerlich, schwer, schändlich, schreiend: a ~ error ein schwerer Fehler; a ~ injustice eine schreiende Ungerechtigkeit. – **3.** unfein, ungebildet, derb, grob, roh, vul'gär. – **4.** unanständig, schmutzig, ob'szön. – **5.** *fig.* schwerfällig, stumpf. – **6.** dick, fett, schwerfällig, plump. – **7.** stark, dick, mas'siv, schwer, mächtig. – **8.** üppig, stark, dicht: ~ vegetation. – **9.** dick, dicht, schwer: ~ vapo(u)rs. – **10.** grob(körnig): ~ powder. – **11.** mit dem bloßen Auge sichtbar. – **12.** *obs.* a) kom'pakt, b) klar. – *SYN. cf.* a) coarse, b) flagrant, c) whole. – **II** *s* **13.** Gros *n*, Hauptteil *m*, Gesamtheit *f*, Ganzes *n*, (*das*) Ganze, Masse *f*: in ~ *jur.* an der Person haftend, unabhängig; in the ~ im ganzen, in Bausch u. Bogen, im großen u. ganzen, im allgemeinen. – **14.** *pl* gross Gros *n* (*12 Dutzend*): by the ~ grosweise. – **III** *v/t* **15.** einen Bruttogewinn *od.* -verdienst haben von. — **'gross·ness** *s* **1.** Ungeheuerlichkeit *f*, Schändlichkeit *f*, Schwere *f*. – **2.** Unfeinheit *f*, Grobheit *f*, Roheit *f*, Derbheit *f*. – **3.** Unanständigkeit *f*, Schmutzigkeit *f*. – **4.** Stumpfheit *f*, Schwerfälligkeit *f*. – **5.** Dicke *f*, Plumpheit *f*. – **6.** Stärke *f*, Dicke *f*. – **7.** Üppigkeit *f*, Dichte *f*.

gross| reg·is·ter(ed) ton *s mar.* 'Bruttoreˌgisterˌtonne *f*. — **~ ton** *s econ. eine engl. Gewichtseinheit* (= *1,016 t*). — **~ ton·nage** *s econ.* 'Bruttotonˌnage *f*, -tonnengehalt *m*.

gros·su·lar ['grɒsjulər; -jə-] **I** *adj bot.* stachelbeerartig, Stachelbeer... – **II** *s* → grossularia. — **ˌgros·su'la·ri·a** [-'lɛ(ə)riə], **'gros·su·larˌite** [-ləˌrait] *s min.* Grossu'lar *m*.

grosz [grɔːʃ] *pl* **'grosz·y** [-ʃi] *s* Grosz *m* (*frühere polnische Kupfermünze, 0,01 Zloty*).

grot [grɒt] *s poet.* Grotte *f*.

gro·tesque [gro'tesk] **I** *adj* **1.** (*Kunst*) gro'tesk, über'steigert, verzerrt, phan'tastisch. – **2.** gro'tesk, wunderlich, seltsam, bi'zarr. – **3.** *fig.* gro'tesk, ab'surd, lächerlich. – *SYN. cf.* fantastic. – **II** *s* **4.** (*Kunst*) Gro'teske *f*, gro'teske Dekorati'on. – **5.** the ~ das Gro'teske. – **6.** *print.* Gro'tesk(schrift) *f*. — **gro'tesque·ness** *s* **1.** (*das*) Gro'teske *od.* Bi'zarre *od.* Ab'surde. – **2.** Verzerrtheit *f*, Absurdi'tät *f*, Lächerlichkeit *f*. — **gro'tes·quer·ie,** *auch* **gro'tes·quer·y** [-kəri] *s* **1.** (*etwas*) Gro'teskes *od.* Ab'surdes, groteske Handlung *od.* Ansicht. – **2.** (*das*) Gro'teske, gro'tesker Cha'rakter.

grot·to ['grɒtou] *pl* **-toes** *od.* **-tos** *s* Höhle *f*, Grotte *f*.

grouch [grautʃ] *Am. colloq.* **I** *v/i* **1.** nörgeln, murren, brummen. – **II** *s* **2.** mürrische Stimmung, schlechte Laune, Verdrießlichkeit *f*. – **3.** Griesgram *m*, ‚Miesepeter' *m*. — **'grouch·i·ness** *s Am. colloq.* Verdrossenheit *f*, Quenge'lei *f*, mürrisches Wesen. — **'grouch·y** *adj Am. colloq.* griesgrämig, verdrossen, schlecht gelaunt.

ground[1] [graund] **I** *v/t* **1.** niederlegen, -stellen, -setzen: to ~ arms *mil.* die Waffen strecken. – **2.** (*Angreifer*) niederwerfen, -schlagen. – **3.** *mar.* (*Schiff*) aufsetzen, auf Strand setzen. – **4.** gründen, (er)bauen, errichten. – **5.** *fig.* (on, *im pass auch* in) gründen, stützen (auf *acc*), auf bauen (auf *dat*), begründen (in *dat*). – **6.** verankern, verwurzeln: to be ~ed in verwurzelt sein in (*dat*), wurzeln in (*dat*). – **7.** einführen, -weisen (in in *acc*). – **8.** *electr.* erden, mit Masse verbinden. – **9.** (*Malerei*) grun'dieren, (*dat*) einen ('Hinter)Grund geben. – **10.** *aer.* (*einem Flugzeug od. Flugzeugführer*) Startverbot erteilen: the plane was ~ed by bad weather das Flugzeug wurde wegen schlechten Wetters am Starten verhindert. –
II *v/i* **11.** (in, upon) (be)ruhen, basieren (auf *dat*), sich gründen (auf *acc*), begründet sein, seinen Grund haben (in *dat*). – **12.** *mar.* stranden, auflaufen. – **13.** den Boden berühren. – **14.** zu Boden fallen. –
III *adj* **15.** Grund..., Erd... – **16.** *bot.* Zwerg..., kriechend. –
IV *s* **17.** (Erd)Boden *m*, Erde *f*: to fall to the ~ auf den *od.* zu Boden fallen. – **18.** Gelände *n*, Boden *m*. – **19.** Grund(besitz) *m*, Grund u. Boden *m*. – **20.** *pl* a) Gärten *pl*, Garten-, Parkanlagen *pl*, b) Lände'reien *pl*, Felder *pl*, Äcker *pl*. – **21.** Gebiet *n*, Grund *m*: a hunting ~ ein Jagdgebiet. – **22.** *oft pl sport* Platz *m*: a football ~. – **23.** Erde *f*, Boden *m*, Grund *m*: fertile ~. – **24.** Strecke *f*, Gebiet *n*, Boden *m*, Grund *m* (*auch fig.*): to gain ~ a) (an) Boden gewinnen, b) *fig.* sich durchsetzen, Fuß fassen, um sich greifen; to give (*od.* lose) ~ (an) Boden verlieren. – **25.** a) Standort *m*, -punkt *m*, Stellung *f*, b) *fig.* Standpunkt *m*, Haltung *f*, Ansicht *f*, Meinung *f*, Über'zeugung *f*: to shift one's ~ a) nachgeben, zurückweichen, b) *fig.* umschwenken, seine Meinung ändern; to stand (*od.* keep) one's ~ a) seine Stellung halten, b) *fig.* sich behaupten, sich durchsetzen, c) auf seiner Meinung beharren. – **26.** *fig.* Gebiet *n*, Boden *m*, Grund *m*, Thema *n*. – **27.** Meeresboden *m*, (Meeres)Grund *m*: to strike (*od.* take) ~ *mar.* auflaufen. – **28.** *pl* (Boden)Satz *m*: coffee ~s Kaffeesatz, -grund. – **29.** *auch pl* Grundlage *f*, Basis *f*, Funda'ment *n* (*bes. fig.*). – **30.** (Beweg)Grund *m*, Veranlassung *f*, Ursache *f*: on religious ~s aus religiösen Gründen; on the ~(s) of auf Grund (*gen*); on the ~(s) that mit der Begründung, daß. – **31.** 'Hintergrund *m*, 'Unterlage *f*, -grund *m*. – **32.** (*Kunst*) a) Grundfläche *f* (*Relief*), b) Ätzgrund *m* (*Stich*), c) Grund(farbe *f*) *m*, Grun'dierung *f* (*Malerei*). – **33.** (*Färberei*) Grund(farbe *f*) *m*. – **34.** Grund *m* (*Gewebe etc*). – **35.** (*Bergbau*) a) Grubenfeld *n*, b) (Neben)Gestein *n*, Bergmittel *n*. – **36.** *electr.* Erde *f*, Masse-, Erd(an)schluß *m*. – **37.** *mus.* → ~ bass. – **38.** *mar.* → groundage. – **39.** (*Theater*) Par'terre *n*. – **40.** (*Krikket*) a) ebenes Spielfeld, b) → ~ staff 1. – *SYN. cf.* base[1]. –
Besondere Redewendungen:
above ~ am Leben; → break[1] 44; to cover much ~ *fig.* a) umfassend sein, viel behandeln (*Bericht etc*), b) gut weiterkommen; to cut the ~ from under s.o.'s feet *fig.* j-m den Boden unter den Füßen wegziehen, j-n in die Enge treiben; → down[1] 1; to fall (*od.* to be dashed) to the ~ *fig.* hinfällig werden, scheitern, ins Wasser fallen; from the ~ up *Am. colloq.* von Grund aus, durch u. durch, ganz u. gar; to touch ~ *fig.* zur Sache kommen.

ground[2] [graund] **I** *pret u. pp von* grind I *u.* II. – **II** *adj* **1.** gemahlen: ~ coffee. – **2.** matt(geschliffen) (*Glas*).

ground·age ['graundidʒ] *s mar. Br.* Hafengebühr *f*, Ankergeld *n*.

ground| a·lert *s aer. mil.* Startbereitschaft *f*. — **~ ang·ling** *s* Grundangeln *n*. — **~ ash** *s* (Spa'zierstock *m* aus einem) Eschenheister *m*. — **~ at·tack fight·er** *s aer. mil.* Erdkampfflugzeug *n*. — **~ bait** *s* (*Angelsport*) Grundköder *m*. — **~ ball** *s* (*Baseball*) Bodenroller *m*, -ball *m*. — **~ bass** *s mus.* Grund-, Fundamen'talbaß *m*. — **~ beam** *s tech.* Grundbalken *m*, -schwelle *f*. — **~ bee·tle** *s zo.* Laufkäfer *m* (*Fam. Carabidae*). — **'~ˌbird** → field sparrow. — **~ box** *s bot.* Zwergbuchsbaum *m* (*Buxus sempervirens var. suffruticosa*). — **~ bridge** *s tech.* Knüppelbrücke *f*, -damm *m*. — **~ cher·ry** → strawberry tomato. — **~ clamp** *s electr.* Erd(ungs)schelle *f*. — **~ coat** *s tech.* Grundanstrich *m*. — **~ col·o(u)r** *s* (*Malerei etc*) Grundfarbe *f*, Grun'dierung *f*. — **~ con·nec·tion** *s electr.* Erdung *f*, Erd-, Masseanschluß *m*. — **~ con·trolled ap·proach** *s aer.* GCA-Anflug *m* (*vom Boden geleiteter Radaranflug*). — **~ crew** *s aer.* 'Bodenpersoˌnal *n*. — **~ cuck·oo** *s* **1.** → chaparral cock. – **2.** → coucal. — **~ de·tec·tor** *s electr.* Erd(schluß)prüfer *m*. — **~ dove** *s zo.* Erd-, Sperlingstaube *f* (*Columbigallina passerina*).

ground·ed ['graundid] *adj* **1.** begründet, fun'diert. – **2.** mit guten Kenntnissen: a ~ scholar. – **3.** *electr.* geerdet. – **4.** *aer.* am Aufsteigen verhindert. — **'ground·er** *s* **1.** Grun'dierer(in). – **2.** Bodenball *m*.

ground| finch → chewink. — **~ fir** *s bot.* (*ein*) Bärlapp *m* (*Gattg Lycopodium*). — **~ fish** *s zo.* Grund-, Bodenfisch *m*. — **~ fish·ing** *s* Grundangeln *n*. — **~ flea** → flea beetle. — **~ floor** *s* Erdgeschoß *n*, Par'terre *n*: to get in on the ~ a) *econ. Am.* sich zu den Gründerbedingungen beteiligen, b) von Anfang an mit dabeisein, c) eine günstige Ausgangsposition haben. — **~ fog** *s* Bodennebel *m*. — **~ form** *s* **1.** *math.* Grundform *f*. – **2.** *ling.* a) Stamm-, Grundform *f*, b) Wurzel *f*, c) Stamm *m*, Thema *n*. — **~ game** *s hunt. Br.* Niederwild *n*. — **~ glass** *s* **1.** *tech.* Milch-, Mattglas *n*. – **2.** *phot.* Mattscheibe *f*. — **~ gudg·eon** → loach. — **~ hem·lock** *s bot.* Kanad. Eibe *f* (*Taxus canadensis*). — **~ hit** → ground ball. — **~ hog** *s* **1.** *zo.* a) → woodchuck, b) → aardvark. – 2. (*Bergbau*) Cais'sonarbeiter *m.* — '~-,**hog day** *s Am.* Lichtmeß *f* (*2. Februar*). — ~ **ice** *s geol.* Grundeis *n.*

ground·ing ['graundiŋ] *s* 1. Unter'bauung *f*, Fundamen'tierung *f.* – 2. 'Unterbau *m*, Funda'ment *n.* – 3. Grun'dierung *f*: a) Grun'dieren *n*, b) Grund(farbe *f*) *m.* – 4. *mar.* Stranden *n*, Auflaufen *n.* – 5. 'Anfangs,unterricht *m*, Einführung *f.*

ground| i·vy *s bot.* Gundermann *m*, Gundelrebe *f* (*Glechoma hederacea*). — ~ **keep·er** *s sport Am.* Platzwärter *m*, -meister *m* (*eines Baseball-Platzes*). — ~ **land·lord** *s Br.* Grundeigentümer *m.* — ~ **lau·rel** → arbutus 3.

ground·less ['graundlis] *adj* 1. grundlos. – 2. *fig.* grundlos, unbegründet. — '**ground·less·ness** *s* Grundlosigkeit *f.*

ground| lev·el *s phys.* Bodennähe *f.* — ~ **line** *s math.* Grundlinie *f.*

ground·ling ['graundliŋ] *s* 1. *zo.* Grundfisch *m*, *bes.* a) Steinbeißer *m*, Dorngrundel *f* (*Cobitis taenia*), b) Schmerle *f*, Bartgrundel *f* (*Nemachilus barbatulus*), c) Gründling *m* (*Gobio fluviatilis*). – 2. *bot.* a) kriechende Pflanze, b) Zwergpflanze *f.* – 3. *fig.* ungebildete Per'son. – 4. (*Theater*) *obs.* Gründling *m* (*Zuschauer im Parterre*).

ground| liv·er·wort *s bot.* 1. Brunnen-Lebermoos *n* (*Marchantia polymorpha*). – 2. Hundsflechte *f* (*Peltigera canina*). — ~ **liz·ard** *s zo. eine Eidechse* (*Leiolopisma laterale*). — ~ **loop** *s aer.* Ausbrechen *n* (*beim Landen u. Starten*), ‚Ringelpietz' *m.* — '~·**man** [-mən] *s irr* 1. Erdarbeiter *m.* – 2. *sport* Platzwart *m.* — '~,**mass** *s geol.* Grundmasse *f.* — '~,**nee·dle** → alfilaria. — ~ **note** *s mus.* Grundton *m* (*eines Akkords*). — '~,**nut** *s bot.* 1. Erdnuß *f* (*Arachis hypogaea*). – 2. Erdbirne *f* (*Apios tuberosa*). — ~ **owl** → burrowing owl. — ~ **para·keet** *s zo.* (*ein*) Erdsittich *m* (*Gattgen Pezoporus u. Geopsittacus*). — ~ **pea** → groundnut. — ~ **pine** *s bot.* 1. Gelber Ackergünsel, 'Feldzy,presse *f* (*Ajuga chamaepitys*). – 2. (*ein*) Bärlapp *m* (*Gattg Lycopodium*), *bes.* Kolbenbärlapp *m* (*L. clavatum*). — ~ **pink** *s bot.* 1. → moss pink. – 2. *eine nordamer. Polemoniacee* (*Gilia dianthoides*). — ~ **plan** *s* 1. *arch.* Grundriß *m.* – 2. *fig.* Entwurf *m*, Kon'zept *n.* — ~ **plane** *s tech.* Horizon'talebene *f*, horizon'tale Projekti'onsebene. — ~ **plate** *s* 1. *arch.* Schwelle *f*, Sohle *f*, Grundplatte *f.* – 2. *tech.* 'Unterlags-, Grundplatte *f.* – 3. *electr.* Erdungs-, Erdplatte *f.* — '~,**plot** *s arch.* 1. Grund *m*, Basis *f*, Funda'ment *n.* – 2. Grundriß *m.* — ~ **plum** *s bot.* (*ein*) Tra'gant *m* (*Astragalus crassicarpum u. A. mexicanus; Nordamerika*). — ~ **rat·tler**, *auch* ~ **rat·tle·snake** *s zo.* Zwergklapperschlange *f* (*Sistrurus miliarius*). — ~ **rent** *s econ.* Grundpacht *f*, -zins *m.* — ~ **rob·in** → chewink. — ~ **rule** *s* (*Baseball*) *Am.* (besondere) Platzvorschrift. — ~ **sea** *s mar.* Grundsee *f.*

ground·sel[1] ['graundsl] *s bot.* Kreuzkraut *n* (*Gattg Senecio*), *bes.* Vogel-Kreuzkraut *n* (*S. vulgaris*).

ground·sel[2] ['graundsl] *s arch.* Sohle *f*, Schwelle *f.*

ground·sel| tree, *auch* ~ **bush** *s bot.* (*ein*) Kreuzstrauch *m* (*Baccharis halimifolia*).

ground| shark *s zo.* (*ein*) Grundhai *m* (*Gattg Carcharias*). — ~ **sheet** *s mil. Br.* Zeltbahn *f.* — '~·**sill** → groundsel[2]. — ~ **sloth** *s zo.* (*fossiles*) Riesenfaultier (*Fam. Gravigradidae*).

grounds·man ['graundzmən] *s irr* → groundman.

ground| snake *s zo.* (*eine*) Wurmschlange (*Gattg Carphophis*). — ~ **speed** *s aer.* Geschwindigkeit *f* über Grund. — ~ **squir·rel** *s zo.* 1. (*ein*) Backenhörnchen *n* (*Gattgen Tamias u. Eutamias*). – 2. Afrik. Borstenhörnchen *n* (*Gattg Xerus*). — ~ **staff** *s* 1. (*Kricket*) 'Klub-, 'Platzperso,nal *n.* – 2. *aer.* 'Bodenperso,nal *n.* — ~ **star·ling** → meadow lark. — ~ **swell** *s* 1. *mar.* Grunddünung *f.* – 2. *arch.* Stützpfahl *m.* — ~ **thrush** *s zo.* Prachtdrossel *f* (*Fam. Pittidae*). — ~ **tier** *s* 1. *mar.* unterste Lage, Bodenlage *f.* – 2. (*Theater*) Par'kettlogen(reihe *f*) *pl.* — ~ **tor·pe·do** *s mar. mil.* 'Bodentor,pedo *m.* — ~ **track** *s aer.* Kurs *m* über Grund. — ~ **wa·ter** *s* Grundwasser *n.* — '~-,**wa·ter lev·el** *s geol.* Grundwasserspiegel *m.* — ~ **wave** *s electr. phys.* Bodenwelle *f.* — ~ **ways** *s pl mar.* Ablaufbahn *f* (*für Stapelläufe*). — ~ **wire** *s electr.* Erdleitung *f.* — '~,**work** *s* 1. *arch.* a) Erdarbeit *f*, b) Grundmauern *pl*, -mauerwerk *n*, 'Unterbau *m*, Funda'ment *n.* – 2. *fig.* Grundlage(n *pl*) *f*, Funda'ment *n.* – 3. (*Malerei, Stickerei etc*) Grund *m.* – *SYN. cf.* base[1]. — ~ **ze·ro** *s* Bodennullpunkt *m* (*bei Atombombenexplosion*).

ground·y ['graundi] *adj* voller (Boden-, Kaffee)Satz.

group [gru:p] **I** *s* 1. Gruppe *f*: ~ of trees Baumgruppe. – 2. *fig.* Gruppe *f*, Kreis *m.* – 3. *pol.* a) Gruppe *f* (*Partei mit zuwenig Mitgliedern für eine Fraktion*), b) Gruppe *f* von kleinen Par'teien. – 4. (*Ethnologie*) Völkergruppe *f.* – 5. *chem.* a) Gruppe *f*, Radi'kal *n*, b) Gruppe *f* (*des Periodensystems der chemischen Elemente*). – 6. *ling.* Sprachengruppe *f.* – 7. *geol.* Formati'onsgruppe *f.* – 8. *mil.* a) Gruppe *f*, b) Kampfgruppe *f* (*2 od. mehr Bataillone*), c) (*Artillerie*) Regi'ment *n*, d) (*amer. Luftwaffe*) Gruppe *f*, (*R.A.F.*) Geschwader *n.* – 9. *biol.* Gruppe *f* (*verwandter Pflanzen od. Tiere*). – 10. *math.* Gruppe *f.* – 11. *mus.* a) Instru'mentenod. Stimmgruppe *f*, b) *auch* ~ of notes (mit Balken verbundene) Notengruppe. – 12. (*Kunst*) Gruppe *f*: the Laocoon ~ die Laokoongruppe. – **II** *v/t* 13. grup'pieren, anordnen, klassifi'zieren, in Gruppen einteilen. – 14. (with) in eine Gruppe stellen (mit), in die'selbe Gruppe einordnen (wie). – 15. zu einer Gruppe zu'sammenstellen. – **III** *v/i* 16. eine Gruppe bilden. – 17. sich grup'pieren, sich in Gruppen einteilen. – 18. passen (with zu). — '**group·age** *s* Grup'pierung *f.*

group| cap·tain *s* Oberst *m* (*der* R.A.F.). — ~ **drive** *s tech.* Gruppenantrieb *m.*

group·er ['gru:pər] *s zo.* (*ein*) Barsch *m* (*Gattungen Epinephelus u. Mycteroperca*). — '**group·ing** *s* Grup'pierung *f*, Gruppenbildung *f*, Einteilung *f* in Gruppen, Anordnung *f.*

group| in·sur·ance *s* Gruppen-, Kollek'tivversicherung *f.* — ~ **mar·riage** *s* Gruppen-, Gemeinschaftsehe *f.* — ~ **of·fi·cer** *s* Oberst *m* der brit. Luftwaffenhelferinnen (*W.R.A.F.*)

grouse[1] [graus] *s sg u. pl zo.* 1. Rauhfuß-, Waldhuhn *n* (*Fam. Tetraonidae*). – 2. *volkstümlich bes. für* moorfowl 1.

grouse[2] [graus] *Br. sl.* **I** *v/i* murren, nörgeln. – **II** *s* Nörge'lei *f*, Murren *n.* — '**grous·er** *s Br. sl.* Nörgler(in).

grout[1] [graut] **I** *s* 1. *tech.* a) dünner Mörtel, b) feine Tünche, (Wand)Bewurf *m.* – 2. *meist pl* (Boden)Satz *m.* – 3. Schrotmehl *n*, grobes Mehl. – **II** *v/t* 4. (mit Mörtel) ausfüllen, verstopfen. – 5. mit Mörtel über'ziehen *od.* bewerfen.

grout[2] [graut] *Br.* **I** *v/i* (in der Erde) wühlen (*Schwein*). – **II** *v/t* (*Erde*) mit dem Rüssel aufwerfen, aufwühlen.

grout·y ['grauti] *adj Am. sl.* verärgert, verdrossen, mürrisch.

grove [grouv] *s* Hain *m*, Gehölz *n*, Waldung *f*, Baumgruppe *f.*

grov·el ['grɒvl; 'grʌ-] *pret u. pp* '**grov·eled**, *bes. Br.* '**grov·elled** *v/i* 1. auf dem Bauch liegen, am Boden kriechen. – 2. *fig.* sich erniedrigen, kriechen (before, to vor *dat*). – 3. *fig.* (gern) im Dreck *od.* Schmutz wühlen. — '**grov·el·er**, *bes. Br.* '**grov·el·ler** *s* 1. *fig.* Kriecher *m*, Speichellecker *m.* – 2. *fig.* a) gemeiner Cha'rakter, b) Schmutzfink *m.* — '**grov·el·ing**, *bes. Br.* '**grov·el·ling** *adj* 1. auf dem Boden liegend, im Staub kriechend. – 2. *fig.* kriecherisch, sklavisch, unter'würfig. – 3. *fig.* gemein, niedrig, schmutzig.

grow [grou] *pret* **grew** [gru:] *pp* **grown** [groun] **I** *v/i* 1. wachsen: to ~ into one, to ~ together zusammenwachsen, (miteinander) verwachsen. – 2. wachsen, gedeihen, vorkommen. – 3. wachsen, größer *od.* stärker werden, (an Größe *od.* Stärke) zunehmen. – 4. *fig.* zunehmen (in an *dat*). – 5. wachsen, sich entwickeln, entstehen (from aus). – 6. *fig.* (from) erwachsen, entstehen (aus), folgen, eine Folge sein, kommen (von). – 7. *fig.* (*bes.* langsam *od.* all'mählich) werden: to ~ pale; to ~ into s.th. zu etwas werden, sich zu etwas entwickeln; to ~ into fashion Mode werden; → old 1. – 8. (to) festwachsen (an *dat*), verwachsen (mit) (*auch fig.*). – 9. *mar.* zeigen *od.* arbeiten (on nach) (*Ankerkette*). – **II** *v/t* 10. pflanzen, anbauen, züchten, ziehen, kulti'vieren. – 11. (sich) wachsen lassen: to ~ a beard sich einen Bart wachsen lassen. – 12. *oft* ~ over (*nur pass*) be-, über'wachsen. – 13. *fig.* entwickeln, annehmen: to ~ a taste. –

Verbindungen mit Präpositionen:

grow| on *v/t* 1. wachsen auf (*dat*) *od.* an (*dat*). – 2. Einfluß *od.* Macht gewinnen über (*acc*), in seine Gewalt bekommen: the habit grows on one die Gewohnheit wird immer mächtiger, man gewöhnt sich immer mehr daran. – 3. (*j-m*) lieb werden, (*j-s*) Achtung gewinnen: this scenery grows on s.o. diese Landschaft wächst einem ans Herz. — ~ **out of** *v/t* 1. wachsen aus. – 2. *fig.* entstehen aus, sich entwickeln aus, seinen Ursprung haben in (*dat*). – 3. her'auswachsen aus: to ~ one's clothes aus den Kleidern wachsen. – 4. *fig.* über'winden, abstreifen, verlieren. — ~ **up·on** → grow on. –

Verbindungen mit Adverbien:

grow| down *v/i* 1. nach unten wachsen, hin'unterwachsen. – 2. *Br. dial.* abnehmen. — ~ **up** *v/i* 1. aufwachsen, her'anwachsen, -reifen. – 2. *fig.* sich einbürgern (*Brauch etc*). – 3. sich entwickeln, entstehen, gedeihen.

grow·a·ble ['grouəbl] *adj* kulti'vierbar, ziehbar. — '**grow·er** *s* 1. (*schnell etc*) wachsende Pflanze: a fast ~. – 2. Züchter *m*, Bauer *m*, Produ'zent *m*, Pflanzer *m.*

grow·ing ['grouiŋ] *adj* 1. wachsend. – 2. Wachstums... — ~ **pains** *s pl* 1. *med.* Wachstumsschmerzen *pl.* – 2. *fig.* Anfangsschwierigkeiten *pl.* — ~ **point** *s bot.* Vegetati'onspunkt *m.* — ~ **sea·son** *s bot.* Vegetati'onszeit *f.*

growl [graul] **I** *v/i* 1. knurren (*Hund*), brummen (*Bär*). – 2. (g)rollen (*Donner*). – 3. *fig.* murren, brummen, grollen. – **II** *v/t* 4. (*Worte*) brummen, knurren. – **III** *s* 5. Knurren *n* (*Hund*), Brummen *n*. – 6. Rollen *n*, Grollen *n* (*Donner*). – 7. *fig.* Knurren *n*, Brummen *n*, Murren *n*. — **ˈgrowl·er** *s* 1. knurriger *od.* knurrender Hund. – 2. *fig.* Brummbär *m*. – 3. *zo.* a) (*ein*) Schwarzbarsch *m* (*Micropterus salmoides*; *Nordamerika*), b) → **grunt** 6. – 4. *Br. sl.* vierrädrige Droschke. – 5. *Am. sl.* Bierkrug *m*, -kanne *f*. – 6. *electr.* Prüfspule *f*. — **ˈgrowl·er·y** *s* 1. Geknurre *n*, Gebrumm *n*. – 2. Schmollwinkel *m*.

grown [groun] **I** *pp von* **grow**. – **II** *adj* 1. gewachsen: **full-~** ausgewachsen. – 2. groß, erwachsen: **a ~ man** ein Erwachsener. – 3. bewachsen: **moss-~**. — **ˌ~-ˈup** *adj* 1. erwachsen. – 2. *colloq.* erwachsen (*für od. wie Erwachsene*): **to put on ~ airs** sich wie ein Erwachsener aufführen. — **ˈ~ˌup** *pl* **ˈ~ˌups** *s colloq.* Erwachsene(r).

growth [grouθ] *s* 1. Wachsen *n*, Wuchs *m*, Wachstum *n*. – 2. Wuchs *m*, Größe *f*: **full ~** volle *od.* ausgewachsene Größe. – 3. Zunahme *f*, Anstieg *m*, Vergrößerung *f*, Vermehrung *f*. – 4. *bot.* Zuwachs *m*. – 5. *fig.* Wachsen *n*, Werden *n*, Entwicklung *f*. – 6. ˈHerkunft *f*, Ursprung *f* (*fast nur nach* **of**): **of foreign ~** ausländisch (*Früchte etc*). – 7. Erzeugnis *n*, Proˈdukt *n*, Ertrag *m*. – 8. *med.* Gewächs *n*, Wucherung *f*.

groyne [grɔin] *bes. Br. für* **groin** 3 *u.* 5.

grub [grʌb] **I** *v/i pret u. pp* **grubbed** 1. (*im Boden*) graben, wühlen. – 2. *oft* **~ on, ~ along, ~ away** sich abmühen *od.* abplagen, sich schinden, schwer arbeiten. – 3. stöbern, wühlen, kramen, eifrig forschen. – 4. *sl.* essen. – **II** *v/t* 5. (*Land*) a) ˈumgraben, ˈumstechen, b) roden. – 6. *oft* **~ up** (*Wurzeln*) (aus)roden, -jäten. – 7. *oft* **~ up, ~ out** a) (*mit den Wurzeln*) ausgraben, b) *fig.* aufstöbern, ausgraben, herˈausfinden, (mühsam) ausknobeln. – 8. *sl.* (*j-m*) zu essen geben, (*j-n*) ‚füttern'. – **III** *s* 9. *zo.* Made *f*, Raupe *f* (*bes. von Käfern*). – 10. *fig.* a) Arbeitstier *n*, b) Lohnschreiber *m*, liteˈrarischer Taglöhner. – 11. schlampiger *od.* flegelhafter Kerl, Proˈlet *m*. – 12. *Am.* Baumstumpf *m*, Wurzelstock *m*: **~ ax(e)** Rodeaxt. – 13. (*Kricket*) Bodenball *m*. – 14. *sl.* ‚Fraß' *m* (*Essen*). — **ˈgrub·ber** *s* 1. Gräber *m*. – 2. Arbeitstier *n*. – 3. Rodewerkzeug *n*, *bes.* Rodehaken *m*, -hacke *f*. – 4. *agr. Br.* Grubber *m* (*Kultivator*).

grub·bi·ness [ˈgrʌbinis] *s* Schmutzigkeit *f*, Verwahrlosung *f*, Schlampigkeit *f*. — **ˈgrub·by** *adj* 1. schmutzig, schmierig. – 2. schlampig, verlottert, verwahrlost. – 3. madig.

grub| hoe *s agr.* Rodehacke *f*. — **~ hook** *s agr.* Grubber *m*. — **~ screw** *s tech.* Stiftschraube *f*, Gewindestift *m*. — **ˈ~ˌstake** (*Bergbau*) *Am. colloq.* **I** *s* (*einem Schürfer gegen Gewinnbeteiligung gegebene*) Ausrüstung u. Verpflegung. – **II** *v/t* (*einem Schürfer gegen Gewinnbeteiligung*) Ausrüstung u. Verpflegung geben. — **G~ Street**, *auch* **ˈG~ˌstreet** *s* 1. *hist. die jetzige Milton Street in London, in der schlechte Literaten wohnten.* – 2. *fig.* armselige Liteˈraten *pl*, (Volk *n* der) Schreiberlinge *pl*. — **ˈ~ˌstreet I** *adj* (liteˈrarisch) armselig *od.* minderwertig: **a ~ book.** – **II** *s* → **Grub Street** 2.

grudge [grʌdʒ] **I** *v/t* 1. (*etwas*) neiden, mißˈgönnen: **to ~ s.o. his happiness** j-m sein Glück mißgönnen, j-n um sein Glück beneiden. – 2. **to ~ to do s.th.** etwas ungern *od.* ˈwiderwillig tun. – 3. ungern *od.* ˈwiderwillig erlauben *od.* gewähren. – **II** *v/i obs.* 4. murren. – **III** *s* 5. ˈWiderwille *m*, ˈMißgunst *f*, Groll *m*: **to bear** (*od.* **owe**) **s.o. a ~, to have a ~ against s.o.** j-m grollen *od.* böse sein *od.* übelwollen. – *SYN. cf.* **malice.** — **ˈgrudg·er** *s* Neider *m*. — **ˈgrudg·ing** *adj* 1. neidisch, ˈmißgünstig. – 2. ˈwiderwillig, ungern gegeben *od.* getan.

gru·el [ˈgruːəl] **I** *s* Haferschleim- *od.* Mehlsuppe *f*: **to get** (*od.* **take, have**) **one's ~** *colloq.* ‚sein Fett kriegen', sein(en) Teil bekommen (*bestraft werden od. umkommen*). – **II** *v/t pret u. pp* **ˈgru·eled**, *bes. Br.* **ˈgru·elled** (*j-n*) ‚fertigmachen', (*j-m*) sein(en) Teil geben, (*j-m*) heimzahlen. — **ˈgru·el·ing**, *bes. Br.* **ˈgru·el·ling** *colloq.* **I** *adj* erschöpfend, strapaziˈös, hart, auf die Nerven gehend, anstrengend. – **II** *s* Straˈpaze *f*, starke Beanspruchung.

grue·some [ˈgruːsəm] *adj* 1. grausig, grauenhaft, schauerlich, schrecklich. – 2. abstoßend, scheußlich. – *SYN. cf.* **ghastly.** — **ˈgrue·some·ness** *s* 1. Grausigkeit *f*, Schauerlichkeit *f*. – 2. Scheußlichkeit *f*.

gruff [grʌf] *adj* 1. schroff, barsch, rauh (*Benehmen etc*). – 2. mürrisch, verdrießlich. – 3. heiser, rauh (*Stimme*). – *SYN. cf.* **bluff**[2]. — **ˈgruff·ness**, *auch* **ˈgruff·i·ness** [-finis] *s* 1. Schroffheit *f*, Rauheit *f*, Grobheit *f*. – 2. Mürrischkeit *f*, Verdrießlichkeit *f*. – 3. Heiserkeit *f*, Rauheit *f* (*Stimme*). — **ˈgruff·y** → **gruff**.

gru·gru [ˈgruːgruː] *s* 1. *auch* **~ palm** *bot.* Stachelnuß-, Sternnußpalme *f* (*Acrocomia sclerocarpa*). – 2. *auch* **~ worm** *zo.* Larve *f* des Palmbohrers (*Rhyncophorus ferrugineus*).

grum [grʌm] *comp* **ˈgrum·mer** *sup* **ˈgrum·mest** *adj* mürrisch, verdrießlich, finster, sauer.

grum·ble [ˈgrʌmbl] **I** *v/i* 1. brummen, murren, nörgeln (**at, about, over** über *acc*, wegen). – 2. knurren (*Hund etc*), brummen (*Bär*). – 3. (g)rollen (*Donner*). – **II** *v/t* 4. *oft* **~ out** murrend äußern, brummen. – **III** *s* 5. Murren *n*, Brummen *n*, Nörgeln *n*, Gebrumm *n*, Gemurre *n*. – 6. Knurren *n*, Brummen *n*. – 7. (G)Rollen *n*. — **ˈgrum·bler** [-blər] *s* mürrischer Mensch, Nörgler *m*, Brummbär *m*. — **ˈgrum·bling** *adj* 1. brummig, nörglerisch. – 2. brummend, murrend. — **ˈgrum·bly** *adj colloq.* nörglerisch, ˈunzuˌfrieden.

grume [gruːm] *s* 1. Schleim *m*. – 2. Klümpchen *n* (*Blut etc*).

grum·mer [ˈgrʌmər] *comp von* **grum.**

grum·mest [ˈgrʌmist] *sup von* **grum.**

grum·met [ˈgrʌmit] *bes. Br. für* **grommet.**

gru·mose [ˈgruːmous] *adj bot.* aus groben Körnern (gebildet). — **ˈgru·mous** *adj* 1. geronnen, dick, klumpig (*Blut etc*). – 2. → **grumose.**

grumph·ie [ˈgrʌmfi; ˈgrumpi] *s Scot. od. dial.* Schwein *n*.

grump·i·ness [ˈgrʌmpinis] *s* Verdrießlichkeit *f*, mürrisches Wesen. — **ˈgrump·ish** → **grumpy** I. — **ˈgrump·y I** *adj* mürrisch, verdrießlich, reizbar. – **II** *s* Brummbär *m*, Griesgram *m*.

Grun·dy [ˈgrʌndi] *s* **Mrs. ~** ‚die Leute' *pl* (*die gefürchtete öffentliche Meinung*): **what will Mrs. ~ say?** was werden die Leute sagen? — **ˈGrun·dyˌism** *s* Engstirnigkeit *f*, Prüdeˈrie *f*, überˈtriebene Sittenstrenge. — **ˈGrun·dy·ist, ˈGrun·dyˌite** *s* engstirniger Mensch, Mucker *m*, Sittenrichter *m*.

grun·ion [ˌgruːnˈjoun] *s zo.* Kaliforn. Ähren-Fisch *m* (*Leuresthes tenuis*).

grunt [grʌnt] **I** *v/i* 1. grunzen. – 2. *fig.* murren, brummen (**at** über *acc*). – 3. *obs.* stöhnen. – **II** *v/t* 4. grunzend äußern, brummen. – **III** *s* 5. Grunzen *n*. – 6. *zo.* (*ein*) Knurrfisch *m* (*Gattg Haemulon*). — **ˈgrunt·er** *s* 1. Grunzer *m*, *bes.* Schwein *n*. – 2. Brummer *m*. – 3. *zo.* → **grunt** 6. – 4. *tech.* Tiegelhaken *m*, -klammer *f*.

grush·ie [ˈgrʌʃi; ˈgruːʃi] *adj Scot.* gedeihend.

grutch [grʌtʃ] *obs. od. dial. für* **grudge.**

Gru·yère [gruːˈjɛr; ˈgruːjɛr; griː-], *auch* **g~, ~ cheese** *s* Schweizer *od.* Emmentaler Käse *m*.

gryph·on [ˈgrifən] → **griffin**[1].

grys·bok [ˈgraisbɒk] *s zo.* ˈGraubock *m*, -antiˌlope *f* (*Raphicerus melanotis*).

G string *s* 1. *mus.* G-Saite *f*. – 2. a) (*Art*) Lendenschurz *m* (*der Wilden*), b) ‚letzte Hülle' (*einer Entkleidungskünstlerin*).

G suit *s aer.* G-Anzug *m* (*Schutzanzug für Piloten gegen Erdbeschleunigungskräfte*).

gua·cha·ma·ca [ˌgwɑːtʃəˈmɑːkə] *s bot.* (Rinde *f* einer) südamer. Liˈane *f* (*Malouetia nitida*). — **ˈgua·chaˌro** [-tʃɑːˌrou] *s zo.* Guˈacharo *m*, Öl-, Fettvogel *m* (*Steatornis caripensis*).

gua·co [ˈgwɑːkou] *s bot.* 1. Guˈaco *m*, Schlangenkraut *n* (*Mikania guaco*). – 2. ˈSchlangen-, ˈOsterluˌzei *f* (*Aristolochia maxima*).

guai·ac [ˈgwaiæk] → **guaiacum** 2 *u.* 3.

guai·a·col [ˈgwaiəˌkɒl; -ˌkoul] *s chem.* Guajaˈkol *n* ($C_7H_8O_2$). — **ˈguai·a·cum, ˈguai·o·cum** [-kəm] *s* 1. *bot.* Guaˈjakbaum *m* (*Gattg Guaiacum*). – 2. Guaˈjak-, Pock-, Franˈzosen-, Heiligenholz *n* (*von Guaiacum officinale u. G. sanctum*). – 3. Guaˈjakharz *n*.

guan [gwɑːn] *s zo.* Guˈanhuhn *n*, Hokkovogel *m* (*Fam. Cracidae, bes. Gattg Ortalis*).

gua·na [ˈgwɑːnɑː] *s* 1. → **iguana.** – 2. (*volkstümlich*) große Eidechse.

gua·na·co [gwɑːˈnɑːkou] *s zo.* Guaˈnako *m* (*Lama guanicoë*; *südamer. Kamel*).

gua·nase [ˈgwɑːneis] *s chem.* Guaˈnase *f* (*Enzym, das Guanin in Xanthin überführt*).

guan·i·dine [ˈgwænəˌdiːn; -din; ˈgwɑːn-], *auch* **ˈguan·i·din** [-din] *s chem.* Guaniˈdin *n* ($NH{:}C(NH_2)_2$). — **gua·nine** [ˈgwɑːniːn; ˈguːəˌniːn], *auch* **ˈgua·nin** [-nin] *s chem.* Guaˈnin *n* ($C_5H_5N_5O$; *Purinbase*).

gua·no [ˈgwɑːnou] *s* Guˈano *m* (*Düngemittel*).

gua·ra [gwɑːˈrɑː] *s zo.* Roter Ibis (*Guara rubra*).

Gua·ra·ni [ˌgwɑːrɑːˈniː] *pl* **ˌGua·raˈni, ˌGua·raˈnis** *s* 1. *pl* Guaraˈni *pl* (*südamer. Indianerstamm aus der Gruppe der Tupi*). – 2. Guaraˈni *m* (*Indianer*). – 3. *ling.* das Guaraˈni. – 4. **g~** Guaraˈni *m* (*Währungseinheit Paraguays*).

guar·an·tee [ˌgærənˈtiː] **I** *s* 1. Bürgschaft *f*, Garanˈtie *f*, Sicherheit *f*. – 2. Gewähr(leistung) *f*, Zusicherung *f*, Versicherung *f*. – 3. Kautiˈon *f*, Sicherheit *f*, Pfand *n*. – 4. Bürge *m*, Bürgin *f*, Gaˈrant(in), Gewährsmann *m*. – 5. Sicherheitsempfänger(in), Kautiˈonsnehmer(in). – **II** *v/t* 6. bürgen für, sich verbürgen für, Garanˈtie leisten für. – 7. garanˈtieren, gewährleisten. – 8. (*Recht, Besitz etc*) fest-, sicherstellen, garanˈtieren, sichern, verbürgen. – 9. schützen, sichern (**from, against** vor *dat*, gegen). — **~ fund** *s econ.* Garanˈtiefonds *m*.

guar·an·tor [*Br.* ˌgærənˈtɔː; *Am.* ˈgærənˌtɔːr; -tər] *s bes. jur.* Bürge *m*, Gaˈrant *m*, Gewährsmann *m*.

guar·an·ty [ˈgærənti] **I** *s* 1. Bürgschaft *f*, Sicherheit *f*, Garanˈtie *f* (*auch fig.*). – 2. Gewährleistung *f*, Versicherung *f*, Bürgschaft(stellung) *f*.

– 3. Kauti'on *f*, Sicherheit *f*, Bürgschaft *f*, Pfand-, Sicherheitssumme *f*. – 4. Bürge *m*, Ga'rant *m*, Gewährsmann *m*. – **II** *v/t* → guarantee II.

guard [gɑːrd] **I** *v/t* 1. (*j-n*) (be)hüten, (be-)schützen, bewachen, wachen über (*acc*), decken, bewahren, sichern (against, from gegen, vor *dat*). – 2. bewachen, beaufsichtigen. – 3. beherrschen, im Zaum halten: to ~ one's tongue seine Zunge hüten. – 4. sichern (*gegen Mißverständnisse etc*). – 5. einfassen, mit Borten versehen, besetzen. – 6. mit Schutzvorrichtungen versehen. – **II** *v/i* 7. (against) auf der Hut sein, sich hüten *od.* schützen, sich in acht nehmen (vor *dat*), Vorkehrungen treffen (gegen). – 8. Schutz gewähren *od.* bieten. – 9. wachen, Wache stehen. – *SYN. cf.* defend. – **III** *s* 10. (Be)Schützer *m*, (Be)Hüter *m*, Bewahrer *m*. – 11. Wache *f*, (Wach)Posten *m*, Aufseher *m*, Wärter *m*. – 12. *mil.* Wachmannschaft *f*, Wache *f*: advance ~ Vorhut; rear ~ Nachhut. – 13. Wache *f*, Bewachung *f*, Aufsicht *f*: to keep under close ~ unter strenger Aufsicht halten, scharf bewachen; to mount (relieve, keep) ~ Wache beziehen (ablösen, halten). – 14. Hut *f*, Vorsicht *f*, Wacht *f*, Wachsamkeit *f*: to put s.o. on his ~ j-n warnen; to be on one's ~ auf der Hut sein, sich vorsehen, sich hüten; to be off one's ~ nicht auf der Hut sein, unachtsam sein. – 15. Garde *f*, (Leib)Wache *f*: ~ of hono(u)r Ehrenwache. – 16. G~s *pl* (*in England*) Wache *f*, 'Garde(korps *n*, -regiˌment *n*) *f*. – 17. *Br.* Zugführer *m*, Schaffner *m*. – 18. *Am.* Bahnwärter *m*. – 19. a) (*Fechten, Boxen etc*) Deckung *f*, Abwehrstellung *f*, Pa'rade *f*, b) (*Fußball etc*) Verteidiger *m*, c) (*Kricket*) Verteidigungshaltung *f* des Schlagholzes. – 20. Schutzvorrichtung *f*. – 21. (*Buchbinderei*) Falz *m*. – 22. a) Stichblatt *n* (*am Degen*), b) Bügel *m* (*am Gewehr*). – 23. (Schutz)Gitter *n*, Geländer *n*. – 24. Vorsicht(smaßnahme) *f*.

guard| boat *s mar.* Wachboot *n*. — ~ **book** *s* 1. Sammelbuch *n* mit Falzen. – 2. *mil.* Wachbuch *n*. — ~ **brush** *s electr.* Stromabnehmer *m*. — ~ **cell** *s bot.* Schließzelle *f*. — ~ **chain** *s* Sicherheitskette *f*. — ~ **com·mand·er** *s mil.* Wachhabender *m*. — ~ **du·ty** *s mil.* Wachdienst *m*.

guard·ed ['gɑːrdid] *adj* 1. geschützt, gesichert. – 2. bewacht, beaufsichtigt. – 3. behutsam, vorsichtig: to express s.th. in ~ terms etwas vorsichtig ausdrücken. — '**guard·ed·ness** *s* 1. Geschütztheit *f*. – 2. Behutsamkeit *f*, Vorsicht *f*. — '**guard·er** *s* Wächter *m*, Hüter *m*.

'**guardˌhouse** *s mil.* 1. 'Wachhaus *n*, -loˌkal *n*. – 2. Ar'restloˌkal *n*.

guard·i·an ['gɑːrdiən] **I** *s* 1. Verwahrer *m*, Hüter *m*, Wächter *m*, Wärter *m*, Kustos *m*. – 2. *jur.* a) Vormund *m*, Ku'rator *m*, b) Pfleger *m*: ~ of the poor Armenpfleger. – 3. *relig.* Guardi'an *m* (*eines Klosters*). – **II** *adj* 4. beschützend, behütend, Schutz...: ~ angel Schutzengel. — '**guard·i·anˌship** *s* 1. *jur.* Vormundschaft *f*. – 2. *fig.* Schutz *m*, Obhut *f*. – 3. Wächteramt *n*.

guard| lock *s tech.* 1. Sicherheitsschleuse *f*. – 2. Sicherheitsschloß *n*. — ~ **mount** *s mil.* Aufziehen *n od.* Vergatterung *f* der Wache. — ~ **plate** *s tech.* Schutzblech *n*, -platte *f*. — '~ˌ**rail** *s tech.* 1. Schutzgeländer *n*. – 2. (*Eisenbahn*) Radlenker *m*, Gegen-, Sicherheits-, Leitschiene *f*. — '~ˌ**room** *s mil.* 1. 'Wachstube *f*, -loˌkal *n*. – 2. Ar'restzelle *f*. — ~ **ship** *s mar.* Wachtschiff *n*.

guards·man ['gɑːrdzmən] *s irr* 1. Wache *f*, Wächter *m*. – 2. Wärter *m*, Aufseher *m*. – 3. *mil.* Gar'dist *m*.

Guar·ne·ri·us [gwɑːr'nɛ(ə)riəs] *s mus.* Guar'neri(geige) *f*.

Gua·te·ma·lan [ˌgwɑːti'mɑːlən; -tə-] **I** *adj* guatemal'tekisch. – **II** *s* Guatemal'teke *m*, Guatemal'tekin *f* (*Einwohner von Guatemala*).

gua·va ['gwɑːvə] *s bot.* 1. Gu'ava-, Gu'avenbaum *m* (*Gattg Psidium, bes. P. guajava u. P. cattleyanum*). – 2. Gua'java *f* (*Frucht von* 1).

gua·yu·le [gwɑː'juːle] *s* 1. *bot.* Gua'yulestrauch *m* (*Parthenium argentatum*). – 2. *auch* ~ rubber Gua'yule-Kautschuk *m*.

gu·ber·nac·u·lum [ˌgjuːbər'nækjuləm; -jə-] *pl* **-la** [-lə] *s* 1. *med.* Leitband *n*. – 2. *zo.* Schleppgeißel *f* (*der Infusorien*).

gu·ber·na·to·ri·al [ˌgjuːbərnə'tɔːriəl] *adj* Regierungs..., Gouverneurs...

gudg·eon[1] ['gʌdʒən] **I** *s* 1. *zo.* Gründling *m*, Greßling *m* (*Gobio gobio; Fisch*). – 2. *fig.* Gimpel *m*, Einfaltspinsel *m*. – 3. *fig.* Köder *m*. – 4. leichter *od.* wertloser Fang. – **II** *v/t* 5. betrügen, ‚her'einlegen'.

gudg·eon[2] ['gʌdʒən] *s* 1. *tech.* (Dreh)Zapfen *m*: ~ pin (Kolben)Bolzen, Zapfen. – 2. *arch.* Haken *m*, Bolzen *m*. – 3. *mar.* Ruderöse *f*, -schere *f*.

Gue·bre ['giːbər; 'gei-] *s relig.* Parse *m*.

'**guel·der-ˌrose** ['geldər] *s bot.* Schneeball *m* (*Viburnum opulus*).

Guelf, Guelf·ic *cf.* Guelph(ic).

Guelph [gwelf] *s* Guelfe *m*, Guelfin *f*, Welfe *m*, Welfin *f*. — '**Guelph·ic** *adj* welfisch, Welfen...

gue·non [gə'nɔ̃] *s zo.* Meerkatze *f* (*Gattg Cercopithecus*).

guep·ard(e) ['gepɑːrd; ge'pɑːrd] → cheetah.

guerche [gərʃ] → girsh.

guer·don ['gəːrdən] *poet.* **I** *s* Lohn *m*, Belohnung *f*. – **II** *v/t* belohnen.

guer·e·za ['gerizə] *s zo.* Stummel-, Seidenaffe *m* (*Gattg Colobus*).

gue·ril·la *cf.* guerrilla.

Guern·sey ['gəːrnzi] *s* 1. Guernsey-(rind) *n*. – 2. g~, *auch* g~ coat, g~ shirt, g~ frock Wollhemd *n*, -jacke *f*, -weste *f*. — ~ **lil·y** *s bot.* Guernseylilie *f* (*Nerine sarniensis*).

guer·ril·la [gə'rilə] *s mil.* 1. Gue'rilla-, Bandenkämpfer *m*, Parti'san *m*. – 2. *meist* ~ war Gue'rilla(krieg) *m*, Klein-, Bandenkrieg *m*.

guess [ges] **I** *v/t* 1. (ab)schätzen: to ~ s.o.'s age at 40 j-s Alter *od.* j-n auf 40 schätzen. – 2. (er)raten. – 3. ahnen, sich (*etwas*) denken: I ~ed how it would be ich habe mir gedacht, wie es kommen würde; I can't ~ when he will come ich habe keine Ahnung, wann er kommen wird. – 4. *bes. Am.* meinen, glauben, denken, annehmen: I ~ I cannot come ich glaube, ich kann nicht kommen; he is ill, I ~ er wird wohl krank sein. – **II** *v/i* 5. (at) schätzen (*acc*), eine Schätzung machen über (*acc*): to ~ at a distance eine Entfernung schätzen. – 6. (her'um)raten, (-)rätseln (at, about an *dat*): to keep s.o. ~ing *colloq.* j-m ein Rätsel aufgeben, j-m zu raten geben. – *SYN. cf.* conjecture. – **III** *s* 7. Schätzung *f*, Vermutung *f*, Mutmaßung *f*: anybody's ~ reine Vermutung; that was a good ~ das war gut geraten *od.* geschätzt; by ~ schätzungsweise; to make a ~ raten, schätzen. — '**gues·ser** *s* Rater *m*: he is a good ~ er kann gut schätzen *od.* raten.

'**guess|-ˌrope,** '~-ˌ**warp** → guest rope. — '~ˌ**work** *s* Vermutung(en *pl*) *f*, Mutmaßung(en *pl*) *f*, Rate'rei *f*.

guest [gest] **I** *s* 1. Gast *m*: he was our ~ last week er war letzte Woche bei uns zu Gast. – 2. *bot. zo.* Inqui'line *m*, Einmieter *m*, Kommen'sale *m* (*eine Art Parasit, bes. Insekt*). – 3. *obs.* Fremder *m*. – **II** *v/t* 4. *selten* bewirten, beherbergen, als Gast aufnehmen. – **III** *v/i* 5. *selten* zu Gast sein. — '~ˌ**cham·ber** *s* Gast-, Gäste-, Fremdenzimmer *n*. — '~ˌ**house** *s* Pensi'on *f*, Fremdenheim *n*. — ~ **night** *s* Gästeabend *m*. — ~ **room** → guestchamber. — ~ **rope** *s mar.* 1. Schlepptrosse *f*. – 2. Bootstau *n*. – 3. Vertäuleine *f*.

guff [gʌf] *s Am. sl.* Quatsch *m*, Unsinn *m*.

guf·faw [gʌ'fɔː; gə-] **I** *s* schallendes Gelächter, ‚Gewieher' *n*. – **II** *v/i* schallend lachen, ‚wiehern'.

gug·gle ['gʌgl] **I** *v/i* 1. glucksen, gurgeln: to ~ forth hervorsprudeln. – **II** *s* 2. *colloq.* Glucksen *n*, Gurgeln *n*. – 3. *sl.* Gurgel *f*.

gug·glet ['gʌglit] → goglet.

guhr [gur] *s geol.* Gur *f*.

guib [gwib; giːb] *s zo.* '(T)Schirrantiˌlope *f* (*Tragelaphus scriptus*).

gui·chet [gi'ʃɛ] (*Fr.*) *s* 1. Schalterfensterchen *n*. – 2. Gitter *n*, Geflecht *n*.

guid·a·ble ['gaidəbl] *adj* lenksam, führbar, leitbar, zu führen(d). — '**guid·ance** *s* 1. Leitung *f*, Führung *f*. – 2. Unter'weisung *f*, Belehrung *f*, Anleitung *f*: for your ~ zu Ihrer Orientierung. – 3. *ped.* Beratung *f*, Führung *f*, Lenkung *f*.

guide [gaid] **I** *v/t* 1. (*j-n*) führen, (ge)leiten, (*j-m*) den Weg zeigen. – 2. lenken, leiten. – 3. *fig.* (*Unternehmen etc*) führen, leiten. – 4. (*Ereignisse*) lenken. – 5. (*Handlung, Urteil etc*) bestimmen, das Mo'tiv sein für. – 6. *fig.* belehren, unter'richten, anleiten. – **II** *v/i* 7. als (Berg-, Reise-*etc*)Führer fun'gieren. – *SYN.* engineer, lead[1], pilot, steer[1]. – **III** *s* 8. (Reise-, Berg-, Fremden)Führer *m*. – 9. a) → ~post, b) 'Weg(marˌkierungs)zeichen *n*. – 10. (Reise- *etc*)-Führer *m* (*Buch*): a ~ to London ein Führer durch London; a ~ to a museum ein Museumsführer. – 11. Führer(in), Leiter(in), Lenker (-in). – 12. *fig.* Ratgeber(in), Berater(in). – 13. *fig.* Richtschnur *f*, leitendes Prin'zip. – 14. (to) Leitfaden *m* (*gen*), Einführung *f* (in *acc*), Handbuch *n* (*gen*): a ~ to English literature eine Einführung in die engl. Literatur. – 15. *auch* G~ a) Pfadfinderin *f*, b) *Am. Pfadfinderinnenabteilung für Mädchen zwischen 11 u. 16 Jahren*. – 16. *mil.* Richtungsmann *m*. – 17. *mil.* a) *pl* Spähtrupp *m*, b) Mitglied *n* eines Spähtrupps. – 18. *mar.* Spitzenschiff *n*. – 19. *tech.* Führung(svorrichtung) *f*, *bes.* a) 'Leitschaufel *f*, -rohr *n*, -graben *m*, -kaˌnal *m*, b) Führungsloch *n*, -öse *f*, Leitauge *n*, c) (*Buchbinderei*) Hobelführung *f*, d) (*Bergbau*) Führung *f*, e) (*Spinnerei etc*) Fadenführer *m*. – 20. *med.* Leitungssonde *f*.

guide| beam *s aer.* (Funk)Leitstrahl *m*. — ~ **blade** *s tech.* Leitschaufel *f* (*der Turbine*). — ~ **block** *s tech.* (Gerad)Führungsbacke(n *m*) *f*, Gleitklotz *m*, Führungsschlitten *m*. — '~ˌ**board** *s* Wegweisertafel *f*. — '~ˌ**book** → guide 10.

guid·ed mis·sile ['gaidid] *s mil.* (fern)gelenkter Flugkörper, Fernlenkkörper *m*, ferngelenktes Geschoß.

guide·less ['gaidlis] *adj* führerlos, ohne Führer.

'**guide|ˌline** *s* 1. *aer.* Schlepp-, Leitseil *n*. – 2. *print.* Korrek'turzeichen *n*, -linie *f*. — '~ˌ**post** *s* Wegweiser *m*. — ~ **pul·ley** *s tech.* Leit-, Führungs-, 'Umlenkrolle *f*. — ~ **rail** *s tech.* Führungsschiene *f*. — ~ **rope** *s aer.* Schlepptau *n*, Leitseil *n*. — '~ˌ**way** *s tech.* Führungs-, Laufschiene *f*.

guid·ing [ˈgaidiŋ] *adj* führend, leitend, Lenk... — **~ stick** *s* (*Malerei*) Malerstock *m*.

gui·don [ˈgaidən] *s* **1.** Wimpel *m*, Stanˈdarte *f*. – **2.** Fähnrich *m*, Wimpelträger *m*.

guid·will·ie [gydˈwili] → **goodwilly**.

guild [gild] *s* **1.** Gilde *f*, Zunft *f*, Innung *f*. – **2.** Verein(igung *f*) *m*, Bruder-, Gesellschaft *f*, Bund *m*. – **3.** *bot.* Lebensgemeinschaft *f*.

guil·der [ˈgildər] *s* (*holl.*) Gulden *m*.

ˈguildˈhall *s* **1.** Gilden-, Zunft-, Innungshaus *n*. – **2.** Rathaus *n*, Stadthalle *f*: the **G~** *Rathaus der City von London*. — **ˈguild·ship** *s* Gilde *f*.

guilds·man [ˈgildzmən] *s irr* **1.** Innungsmitglied *n*. – **2.** → **guild socialist**.

guild| so·cial·ism *s pol.* Gilden-, ˈInnungssoziaˌlismus *m*. — **~ so·cial·ist** *s pol.* ˈGildensoziaˌlist *m*. — **ˈ~-ˌso·cial'is·tic** *adj* ˈgildensoziaˌlistisch.

guile [gail] **I** *s* **1.** (Arg)List *f*, Tücke *f*. – **2.** *obs.* Betrug *m*. – **II** *v/t* **3.** *obs.* betrügen. — **ˈguile·ful** [-ful; -fəl] *adj* (arg)listig, (be)trügerisch. — **ˈguile·ful·ly** *adv*. — **ˈguile·ful·ness** → guile 1. — **ˈguile·less** *adj* arglos, offen, aufrichtig, unschuldig. — **ˈguile·less·ness** *s* Arglosigkeit *f*, Aufrichtigkeit *f*.

guil·le·mot [ˈgiliˌmɒt; -lə-] *s zo.* (*eine*) Lumme, (*ein*) Seetaucher *m* (*Gattungen Uria u. Cepphus*).

guil·loche [giˈlouʃ] *s* **1.** *arch.* Schlangenverzierung *f*, Guilloˈchierung *f*. – **2.** Guilˈloche *f*, verschlungene Zierlinie.

guil·lo·tine I *s* [ˈgiləˌtiːn; ˌgiləˈtiːn] **1.** Guilloˈtine *f*, Fallbeil *n*. – **2.** *med.* Guilloˈtine *f*, Tonsilloˈtom *n*. – **3.** *tech.* Paˈpierˌschneidemaˌschine *f*. – **4.** *pol.* (*im brit. Unterhaus*) *Festsetzung bestimmter Zeitpunkte für die Entscheidung über die einzelnen Teile eines Gesetzentwurfs*. – **II** *v/t* [ˌgiləˈtiːn] **5.** guillotiˈnieren, (mit dem Fallbeil) ˈhinrichten.

guilt [gilt] *s* **1.** Schuld *f*. – **2.** *jur.* Strafbarkeit *f*, Straffälligkeit *f*: to incur ~ straffällig werden. – **3.** Missetat *f*, Vergehen *n*. — **guilt·i·ness** [ˈgiltinis] *s* **1.** Schuld(igkeit) *f*. – **2.** Schuldbewußtsein *n*, -gefühl *n*. — **ˈguilt·less** *adj* **1.** schuldlos, unschuldig (of an *dat*). – **2.** (of) unkundig (*gen*), unerfahren, unwissend (in *dat*): ~ of Latin des Lateinischen unkundig. – **3.** *fig.* nichts wissend *od.* unberührt (of von): to be ~ of s.th. etwas nicht kennen. — **ˈguilt·less·ness** *s* **1.** Schuldlosigkeit *f* (of an *dat*). – **2.** Unkundigkeit *f*, Unerfahrenheit *f* (of in *dat*).

guilt·y [ˈgilti] *adj* **1.** *bes. jur.* schuldig (of *gen*): ~ of murder des Mordes schuldig; to find (not) ~ für (un)schuldig erklären; to be found ~ on a charge einer Anklage für schuldig befunden werden; → **plead** 6. – **2.** strafbar, verbrecherisch: ~ intent. – **3.** schuldbewußt, -beladen, -erfüllt: a ~ conscience ein schlechtes Gewissen. – **4.** *obs.* (*einer Strafe*) würdig. – *SYN. cf.* **blameworthy**.

guimpe [gimp; gæmp] *s* Guimpe *f* (*Art Chemisett*).

guin·ea [ˈgini] *s* **1.** Guiˈnee *f* (*engl. Goldmünze 1663 – 1816, jetzt Rechnungsgeld = 21 engl. Schilling*). – **2.** → ~ fowl. — **~ cock** *s zo.* (*bes. männliches*) Perlhuhn (*Gattg Numida*). — **G~ corn** → durra. — **G~ Cur·rent** *s geogr.* Guiˈneastrom *m*. — **~ fowl** *s zo.* Perlhuhn *n* (*Unterfam. Numidinae*), *bes.* Helmperlhuhn *n* (*Numida meleagris*). — **~ goose** *s irr zo.* Schwanengans *f* (*Cygnopsis cygnoides*). — **~ grains** → grain 19. — **~ grass** *s bot.* Guiˈneagras *n* (*Panicum maximum*). — **~ hen** *s zo.* (*bes. weibliches*) Perlhuhn (*Gattg Numida*). — **ˈG~·man** [-mən] *s irr* **1.** *mar.* Guiˈneafahrer *m* (*Schiff u. Kaufmann*). – **2.** Bewohner *m* von Guiˈnea. — **G~ pep·per** *s bot.* Guiˈneapfeffer *m* (*Xylopia aethiopica*). — **~ pig** *s* **1.** *zo.* (*domestiziertes*) Meerschweinchen (*Cavia porcellus*). – **2.** *fig.* ‚Verˈsuchskaˌninchen' *n*. – **3.** *Br. sl. j-d der eine Guinee als Honorar erhält* (*bes. Arzt, Geistlicher etc*). — **G~ worm** *s zo.* Guiˈnea-, Meˈdinawurm *m* (*Dracunculus medinensis*).

Guin·ness [ˈginis] *s* Guinness *n* (*Bier der Guinness-Brauerei in Dublin*).

gui·pure [giˈpjuər; giˈpyːr] *s* Gimpen-, Guiˈpurespitze *f*.

guise [gaiz] **I** *s* **1.** Aufmachung *f*, Form *f*, Gestalt *f*, Aussehen *n*. – **2.** *fig.* Maske *f*, Mantel *m*, Verkleidung *f*. – **3.** *obs.* Kleidung *f*, ‚Aufzug' *m*. – **II** *v/t* **4.** kleiden, richten, ordnen. – **5.** *obs.* verkleiden. – **III** *v/i* **6.** *Scot. od. dial.* vermummt erscheinen.

gui·tar [giˈtɑːr] *mus.* **I** *s* Giˈtarre *f*. – **II** *v/i* Giˈtarre spielen. — **guiˈtar·ˌfish** *s zo.* (*ein*) Sandhai *m* (*Fam. Rhinobatidae*). — **guiˈtar·ist** *s* Giˈtarrenspieler(in).

Gu·ja·ra·ti [ˌgudʒəˈrɑːti] *s ling.* Gudschaˈrati *n* (*neuindische Sprache*).

gu·lan·cha [guːˈlæntʃə] *s bot.* (*ein*) Mondsamengewächs *n* (*Tinospora cordifolia*).

gu·lar [ˈgjuːlər] *zo.* **I** *adj* die Kehle betreffend, Kehl... – **II** *s* Kehlplatte *f*.

gulch [gʌltʃ] *s Am.* (Berg)Schlucht *f*.

gul·den [ˈguldən] *pl* **-den, -dens** *s* Gulden *m*.

gules [gjuːlz] *s her.* Rot *n*.

gulf [gʌlf] **I** *s* **1.** Golf *m*, Meerbusen *m*. – **2.** Abgrund *m*, Schlund *m*, Schlucht *f*. – **3.** *fig.* Kluft *f*, großer ˈUnterschied, weite Trennung. – **4.** Strudel *m*, Wirbel *m* (*auch fig.*). – **5.** *Br. sl.* (*Oxford u. Cambridge*) niedrigstes Prädiˈkat (*der Honours-Prüfung*). – **II** *v/t* **6.** *auch fig.* a) in einen Abgrund stürzen, b) verschlingen. – **7.** *Br. sl.* (*einem Honours-Kandidaten*) das niedrigste Prädiˈkat geben. — **G~ States** *s pl die an den Golf von Mexiko grenzenden Staaten der USA: Florida, Alabama, Mississippi, Louisiana u. Texas*. — **G~ Stream** *s geogr.* Golfstrom *m*. — **ˈ~ˌweed** *s bot.* Beerentang *m*, Golfkraut *n* (*Sargassum bacciferum*).

gulf·y [ˈgʌlfi] *adj* **1.** abgrundtief, wie ein Schlund. – **2.** voller Strudel.

gull[1] [gʌl] *s zo.* Möwe *f* (*Fam. Laridae, bes. Gattg Larus*).

gull[2] [gʌl] **I** *v/t* **1.** überˈtölpeln, hinˈeinlegen, betrügen, prellen. – *SYN. cf.* **dupe**. – **II** *s* **2.** Gimpel *m*, Tölpel *m*. – **3.** *obs.* Betrug *m*, Prelleˈrei *f*.

gull·a·bil·i·ty [ˌgʌləˈbiliti; -əti], **ˈgull·a·ble** → **gullibility** *etc.*

Gul·lah [ˈgʌlə] *s* **1.** Gullah(neger) *m* (*jetzt in USA ansässiger Nachkomme westafrik. Sklaven*). – **2.** *ling.* Gullah *n*.

gul·let [ˈgʌlit] *s* **1.** *med.* Schlund *m*, Speiseröhre *f*. – **2.** Gurgel *f*, Kehle *f*. – **3.** ˈWasserrinne *f*, -kaˌnal *m*, -röhre *f*. – **4.** *tech.* (bogenförmige) (Ein)Schweifung (*der Sägezähne*). – **5.** *tech.* (ˈErd)Transˌport-, ˈFördergraben *m*, -kaˌnal *m*, (ˈDurch-, Ein)Stich *m*. – **6.** Brustblatt *n* (*des Pferdegeschirrs*). – **7.** *selten für* **gully**[1] I.

gul·li·bil·i·ty [ˌgʌliˈbiliti; -ləˈb-; -əti] *s* Tölpelhaftigkeit *f*, Leichtgläubigkeit *f*, Einfältigkeit *f*. — **ˈgul·li·ble** *adj* leichtgläubig, einfältig, leicht zu überˈtölpeln(d) *od.* zu täuschen(d).

gul·ly[1] [ˈgʌli] **I** *s* **1.** tief eingeschnittener Wasserlauf, (Wasser)Rinne *f*, (Wasser)Furche *f*. – **2.** *tech.* a) Gully *m*, Sinkkasten *m*, -loch *n*, Kaˈnaleinlauf *m*, Absturzschacht *m*, b) ˈAbzugskaˌnal *m*. – **3.** *mar.* a) Gully *m*, b) Ablaufrinne *f*. – **II** *v/t* **4.** mit (Wasser)Rinnen durchˈziehen, zerfurchen, aushöhlen. – **5.** *tech.* mit Sinkkästen *od.* ˈAbzugskaˌnälen versehen.

gul·ly[2] [ˈgʌli; ˈguli] *s Scot. od. dial.* großes Messer.

gul·ly| drain [ˈgʌli] *s tech.* Absturzschacht *m*. — **~ hole** *s tech.* Gully *m*, Absturzschacht *m*. — **~ trap** *s tech.* Geruchverschluß *m* (*eines Gullys*).

gu·los·i·ty [gjuˈlɒsiti; -əti] *s selten* Gier(igkeit) *f*, Gefräßigkeit *f*.

gulp [gʌlp] **I** *v/t oft* ~ down **1.** (ver)schlucken, hinˈunterschlucken, -schlingen, -stürzen. – **2.** *fig.* (ver)schlucken, verschlingen. – **3.** *fig.* (*Bemerkung etc*) hinˈunterschlucken, unterˈdrücken: to ~ down a sob ein Schluchzen unterdrücken. – **II** *v/i* **4.** schlucken, würgen. – **III** *s* **5.** Schluck *m*, Zug *m*: he drained it at one ~ er leerte es auf ˈeinen Zug. – **6.** Schluck *m*, Mundvoll *m*. – **7.** Schlucken *n*, Würgen *n*.

gum[1] [gʌm] *s oft pl med.* Zahnfleisch *n*.

gum[2] [gʌm] **I** *s* **1.** *bot. tech.* a) Gummi *n*, b) Gummiharz *n*. – **2.** Gummi *n*, Kautschuk *m*. – **3.** Klebstoff *m*, *bes.* Gummilösung *f*. – **4.** (*Philatelie*) Gumˈmierung *f*: with original ~ mit unbeschädigter Gummierung (*Briefmarke*). – **5.** Appreˈtur(mittel *n*) *f*. – **6.** *Kurzform für* a) chewing ~, b) ~ arabic, c) ~ elastic, d) ~ tree, e) ~wood. – **7.** *bot.* Gummifluß *m*, Gumˈmosis *f* (*Baumkrankheit*). – **8.** *med.* Augenbutter *f*. – **9.** ˈGummibonˌbon *m*, *n*. – **10.** *Am. dial.* Bienenbeute *f*, Gefäß *n*, Trog *m* (*aus einem hohlen Gummibaum-Stamm*). – **11.** *pl Am.* ˈGummigaˌloschen *pl*. – **II** *v/t pret u. pp* **gummed 12.** mit Gummi appreˈtieren *od.* steifen. – **13.** gumˈmieren, mit einer Gumˈmierung versehen. – **14.** kleben, leimen: to ~ down aufkleben; to ~ together zusammenkleben. – **15.** *sl.* hemmen, hindern, (*dat*) hinderlich *od.* lästig sein. – **III** *v/i* **16.** Gummi ausscheiden *od.* bilden (*Baum*). – **17.** *oft* ~ up *sl.* gehemmt *od.* gehindert werden.

Gum[3], *auch* **g~** [gʌm] *s euphem. vulg.* (*in Flüchen*): my ~! by ~! heiliger Strohsack!

gum| ac·id *s chem.* Harzsäure *f* ($C_{20}H_{30}O_2$). — **~ am·mo·ni·ac** *s chem. med.* Ammoniˈakgummi *n*, -harz *n*. — **~ ar·a·bic** *s med. tech.* ˌGummiaˈrabikum *n*. — **~ ben·zoin** *s bot.* Benzoëharz *n*.

gum·bo [ˈgʌmbou] *Am.* **I** *s pl* **-bos 1.** mit Gumboschoten eingedickte Suppe. – **2.** a) *bot.* → **okra** 1, b) Gumboschote *f*. – **3.** *auch* ~ soil Boden *m* aus feinem Schlamm. – **II** *adj* **4.** *bot.* Eibisch..., eibischartig. – **5.** aus feinem Schlamm (*Boden*).

ˈgumˌboil *s med.* kleines Zahngeschwür.

gum·bo·til [ˈgʌmbətil] *s geol. durch vollkommene Verwitterung glazialer Geschiebe entstandener Ton.*

gum| cis·tus *s bot.* (*eine*) ˈZistrose (*Cistus ladaniferus*). — **~ drag·on** → tragacanth. — **ˈ~ˌdrop** *s Am.* ˈGummibonˌbon *m*, *n*. — **~ e·las·tic** *s* ˌGummiˈelastikum *n*, Kautschuk *m*. — **~ el·e·mi** *s* **1.** → elemi. – **2.** *bot.* (*ein*) amer. Balsambaum *m* (*Bursera simaruba*). – **3.** Gomartharz *n*. — **~ guai·ac** → guaiacum 3. — **~ ju·ni·per** *s* Sandarak *m*, Sandarach *m* (*Harz von Tetraclinis articulata*).

gum·lah [ˈgʌmlɑː] *s Br. Ind.* großer irdener Wasserkrug.

gum·ly [ˈgʌmli] *adj Scot. od. obs.* düster, traurig.

gum·ma [ˈgʌmə] *pl* **ˈgum·ma·ta** [-tə] *s med.* Gummi-, Syphilisgeschwulst *f*. — **ˈgum·ma·tous** *adj* gummaˈtös.

gum·mer [ˈgʌmər] *s* **1.** Kautschuk-, Gummisammler *m.* – **2.** Gumˈmierer *m,* Leimer *m.* – **3.** *tech.* a) ˈSäge-ˌschleifmaˌschine *f,* b) Sägefeile *f.* — ˈ**gum·mi·ness** [-inis] *s* **1.** Gummiartigkeit *f,* Zähigkeit *f,* Klebrigkeit *f.* – **2.** Gummigehalt *m,* -reichtum *m.* – **3.** Speckigkeit *f* (*der Gliedmaßen*). — ˈ**gum·ming** *s* **1.** *bot.* a) Gummiabsonderung *f,* b) Gummifluß *m.* – **2.** Verharzen *n,* Verharzung *f.* – **3.** *tech.* Gumˈmieren *n.*

gum·mite [ˈgʌmait] *s min.* Gummierz *n.*

gum·mose [ˈgʌmous] → gummous. — **gumˈmo·sis** [-sis] *s bot.* Gummifluß *m,* Gumˈmosis *f.* — ˈ**gum·mous** *adj* **1.** gummiartig. – **2.** aus Gummi, Gummi... – **3.** klebrig. — ˈ**gum·my** *adj* **1.** gummiartig, zäh(flüssig), klebrig. – **2.** aus Gummi, Gummi... – **3.** gummihaltig, -reich. – **4.** gummiabsondernd, -liefernd. – **5.** mit Gummi überˈzogen. – **6.** speckig (*Beine, bes. Gelenke*). – **7.** *med.* gumˈmös.

gump [gʌmp] *s Am. od. dial.* Schafskopf *m,* ‚Dussel' *m.*

gum plant *s bot.* (*eine*) Gummipflanze (*Gattg Grindelia, bes. G. robusta*).

gump·tion [ˈgʌmpʃən] *s colloq.* **1.** gesunder Menschenverstand, ‚Grütze' *f.* – **2.** Unterˈnehmungsgeist *m,* Initiaˈtive *f,* ‚Mumm' *m.* – **3.** (*Malerei*) Quellstärke *f* – *SYN. cf.* sense.

gum| res·in *s* **1.** *bot.* ˈGummireˌsina *f,* Schleimharz *n.* – **2.** *tech.* (*bei Normaltemperatur*) plastisches *od.* eˈlastisches (Kunst)Harz. — ~ **Sen·e·gal** *s bot. tech.* Senegalgummi *n.* — ˈ~ˌ**shoe** *Am.* **I** *s* **1.** *colloq.* a) Gaˈlosche *f,* ˈGummiˌüberschuh *m,* b) Tennis-, Turnschuh *m.* – **2.** *sl.* a) Poliˈzist *m,* Detekˈtiv *m,* b) Spitzel *m,* Spiˈon *m.* – **II** *v/i* **3.** *sl.* (*auf Gummisohlen*) leise gehen, schleichen. – **III** *adj* **4.** *sl.* geheim, heimlich. — ~ **suc·cor·y** *s bot.* Knorpellattich *m* (*Chondrilla juncea*). — ˈ~-ˌ**top tree** *s bot.* (*ein*) Eukaˈlyptus *m* (*Eucalyptus virgata; Australien*). — ~ **tree** *s bot.* **1.** (*in Amerika*) a) Tuˈpelobaum *m* (*Gattg Nyssa, bes. N. aquatica u. N. silvatica*), b) Amer. Amber- *od.* Storaxbaum *m* (*Liquidambar styraciflua*). – **2.** (*in Australien*) Eukaˈlyptus *m* (*Gattg Eucalyptus*). – **3.** (*in Westindien*) a) (*ein*) Klebebaum *m* (*Sapium laurifolium*), b) *eine Anacardiacee* (*Metopium toxiferum*). – **4.** (*Gummi liefernder*) Gummibaum: up a ~ *sl.* ‚in der Klemme', am Ende seiner Weisheit. — ˈ~ˌ**weed** → gum plant. — ˈ~ˌ**wood** *s* **1.** Eukaˈlyptusholz *n.* – **2.** Holz *n* des Amer. Amberbaums *Liquidambar styraciflua.*

gun [gʌn] **I** *s* **1.** *mil.* (Flachbahn)Geschütz *n,* Kaˈnone *f* (*auch fig.*): to stand (*od.* stick) to one's ~s fest bleiben, aushalten; a great (*od.* big) ~ *sl.* ‚eine große Kanone', ‚ein großes Tier' (*wichtige Person*); to blow great ~s *mar.* heulen (*Sturm*); son of a ~ schlechter Kerl, Teufelskerl. – **2.** *bes. mil.* Feuerwaffe *f,* Gewehr *n,* Büchse *f,* Flinte *f.* – **3.** *Am. colloq.* Piˈstole *f,* Reˈvolver *m.* – **4.** (Kaˈnonen-, Siˈgnal-, Saˈlut)Schuß *m.* – **5.** Schütze *m, bes. Br.* Mitglied *n* einer Jagdgesellschaft. – **6.** *mil.* Kanoˈnier *m.* – **7.** *tech. Kurzform für* grease ~. – **8.** *aer. tech.* a) Drossel(klappe) *f,* b) Drosselhebel *m.* – **II** *v/i pret u. pp* **gunned 9.** (mit dem Gewehr) zur Jagd gehen, jagen. – **10.** schießen. – **11.** (for) suchen, verfolgen (*acc*): to go ~ning for a burglar. – **12.** *bes. Am. fig.* (for) sich bemühen (um), (zu erlangen *od.* erhalten) suchen: to ~ for support sich um Unterstützung bemühen. – **III** *v/t* **13.** *Am. colloq.* erschießen. – **14.** *bes. Am.* schießen auf (*acc*). – **15.** (mit Geschützen *od.* Gewehren) bewaffnen: heavily ~ned schwer bewaffnet. – **16.** *bes. aer. sl.* losschießen *od.* -rasen lassen.

gun| bar·rel *s mil.* **1.** Geschützrohr *n.* – **2.** Gewehrlauf *m.* — ˈ~ˌ**boat** *s mar.* Kaˈnonenboot *n.* — ~ **cam·er·a** *s aer. mil.* M.G.-Kamera *f.* — ~ **captain** *s mar. mil.* Geschützführer *m.* — ~ **car·riage** *s mil.* (ˈFahr)LaˌFette *f.* — ~ **case** *s* **1.** *hunt. sport* Geˈwehrfutteˌral *n.* – **2.** *Br. sl.* (*Art*) Stola *f* (*der Richter*). — ˈ~ˌ**cot·ton** *s chem.* Schieß(baum)wolle *f,* Pyroxyˈlin *n.* — ~ **crew** *s mar. mil.* Geschützbedienung *f.* — ~ **di·rec·tion** *s mil.* Feuerleitung *f.* — ~ **di·rec·tor** *s mil.* Feuerleitgerät *n.* — ~ **dis·place·ment** *s mil.* Stellungswechsel *m.* — ~ **dog** *s* Jagdhund *m.* — ~ **drill** *s mil.* Geˈschützexerˌzieren *n.* — ˈ~ˌ**fire** *s* **1.** *mar. mil.* Kaˈnonenschuß *m.* – **2.** *bes. mil.* Geschütz-, Artilleˈriefeuer *n.* — ˈ~ˌ**flint** *s hist.* Feuerstein *m.* — ~ **har·poon** *s mar.* Geˈschützharˌpune *f.* — ˈ~ˌ**house** *s mar.* Geschützturm *m.* — ~ **li·cence,** *bes. Am.* ~ **li·cense** *s* Waffenschein *m.* — ˈ~ˌ**lock** *s tech.* Gewehrschloß *n.* — ˈ~**man** [-mən] *s irr* **1.** (guter) Schütze. – **2.** bewaffneter Streikposten. – **3.** bewaffneter Banˈdit. – **4.** Büchsenmacher *m.* — ~ **met·al** *s* **1.** *tech.* a) Geˈschützleˌgierung *f,* b) Kaˈnonenmeˌtall *n,* Rotguß *m.* – **2.** *auch* gun-metal gray graublaue Farbe. — ~ **moll** *s Am. sl.* Reˈvolver-, Gangsterbraut *f.* — ~ **mount** *s mil.* (Geˈschütz)-LaˌFette *f.*

gun·nel[1] [ˈgʌnl] *s zo.* Butterfisch *m* (*Pholis gunnellus*).

gun·nel[2] *cf.* gunwale.

gun·ner [ˈgʌnər] *s* **1.** *mil.* a) Kanoˈnier *m,* Artilleˈrist *m,* b) Richtschütze *m* (*Panzer etc*), c) Maˈschinengewehrschütze *m,* MG-Schütze *m.* – **2.** *mar.* erster Geˈschützoffiˌzier. – **3.** *aer.* Bordschütze *m.* – **4.** Jäger *m,* Schütze *m.*

gun·ner·a [ˈgʌnərə; gəˈni(ə)rə] *s bot.* Gunˈnera *f* (*Gattg Gunnera; Meerbeerengewächs*).

gun·ner's daugh·ter *s mar. hist. sl. Kanone, an die ein Matrose zum Auspeitschen gebunden wurde*: to kiss (*od.* marry) the ~ ausgepeitscht werden.

gun·ner·y [ˈgʌnəri] *s mil.* **1.** *collect.* a) Geschütze *pl,* b) Feuerwaffen *pl.* – **2.** Geschützwesen *n,* -lehre *f.* – **3.** a) Schießen *n,* b) Artilleˈrieeinsatz *m.* — ~ **lieu·ten·ant,** *Br. sl. auch* ~ **jack** *s mar.* Artilleˈrieleutnant *m.* — ~ **of·fi·cer** *s mar.* ArtilleˈrieoffiˌZier *m.* — ~ **ship** *s mar.* Artilleˈrieübungsfahrzeug *n.*

gun·ning [ˈgʌniŋ] *s* **1.** *hunt.* Jagen *n,* Jagd *f*: to go ~ auf die Jagd gehen. – **2.** → gunnery.

gun·ny [ˈgʌni] *s* **1.** grobes Sacktuch, Juteleinwand *f.* – **2.** *auch* ~ bag, ~ sack Jutesack *m.*

ˈ**gun|ˌpa·per** *s chem.* ˈSchießpaˌpier *n.* — ~ **pit** *s* **1.** *mil.* Geschützstellung *f,* -loch *n,* -stand *m.* – **2.** *aer. mil.* Kanzel *f.* – **3.** (*Kanonengießerei*) Damm-, Erdgrube *f.* — ˈ~ˌ**play** *s Am. sl.* Schießeˈrei *f.* — ˈ~ˌ**pow·der** *s* **1.** Schießpulver *n.* – **2.** *Sorte grünen Tees.* — ˈ**G**~ˌ**pow·der Plot** *s* Pulververschwörung *f* (*gegen König u. Parlament in London am 5. November 1605*).

gun| room *s mar. mil.* **1.** Kaˈdettenmesse *f* (*bei der brit. Marine*). – **2.** Gewehrraum *m.* — ˈ~ˌ**run·ner** *s* Waffenschmuggler *m.* — ˈ~ˌ**run·ning** *s* Waffenschmuggel *m.* — ˈ~ˌ**shot** *s* **1.** (Kaˈnonen-, Gewehr)Schuß *m.* – **2.** Schußwunde *f.* – **3.** Reich-, Schußweite *f* (*Gewehr od. Geschütz*): in (out of) ~ in (außer) Schußweite (*auch fig.*). — ˈ~-ˌ**shy** *adj hunt.* schußscheu (*Hund*). — ˈ~ˌ**smith** *s* Batteˈrieschlosser *m,* Büchsenmacher *m.* — ˈ~ˌ**stock** *s* Gewehrschaft *m,* -kolben *m.*

gun·ter [ˈgʌntər] *s* **1.** *math.* (Gunterscher) Rechenschieber. – **2.** *auch* ~ **rig** *mar.* Schiebe- *od.* Gleittakelung *f.*

Gun·ter's| chain [ˈgʌntərz] *s phys.* Guntersche Meßkette. — ~ **scale** → gunter 1.

gun tur·ret *s mil.* **1.** Geschützturm *m.* – **2.** Waffendrehstand *m.*

gun·wale [ˈgʌnl] *s mar.* Schan(z)deck *n,* Schandeckel *m.*

gun·yah [ˈgʌnjə] *s Austral.* (*primitive*) Eingeborenenhütte.

gup [gʌp] *s Br. Ind.* Klatsch *m.*

gup·py[1] [ˈgʌpi] *s zo.* Milliˈonenfisch *m,* Guppy *m* (*Lebistes reticulatus*).

gup·py[2] [ˈgʌpi] *s mil. sl.* **1.** *aer.* Flugzeug *n* mit Radargerät. – **2.** *mar.* U-Boot *n* mit Schnorchel.

gurge [gəːrdʒ] **I** *v/i* strudeln, wirbeln. – **II** *v/t* verschlingen, hinˈabreißen. — ˌ**gur·giˈta·tion** [-dʒiˈteiʃən; -dʒə-] *s* (Auf)Wallen *n,* Wirbeln *n,* Strudeln *n.*

gur·gle [ˈgəːrgl] **I** *v/i* **1.** murmelnd fließen, gurgeln (*Wasser*). – **2.** glucksen, gurgeln. – **II** *v/t* **3.** glucksend äußern. – **III** *s* **4.** Glucksen *n,* Gurgeln *n.*

gur·glet [ˈgəːrglit] → goglet.

gur·jun [ˈgəːrdʒən] *s bot.* (*ein*) Zweiflügelfruchtbaum *m* (*Gattg Dipterocarpus*).

Gur·kha [ˈgurkə; ˈgəːrkə] *s* Gurkha *m, f* (*Mitglied eines indischen Stamms in Nepal*).

gur·nard [ˈgəːrnərd], *auch* ˈ**gur·net** [-nit] *s zo.* Seehahn *m* (*Fam. Triglidae*), *bes.* Knurrhahn *m* (*Trigla hirundo*).

gur·rah[1] [ˈgʌrɑː] *s Br. Ind.* (*Art*) grober Musseˈlin.

gur·rah[2] [ˈgʌrɑː] *s* (*afrik.*) Tonkrug *m.*

gur·ry [*Br.* ˈgʌri; *Am.* ˈgəːri] *s bes. Am.* Fischabfall *m,* -abfälle *pl.*

gu·ru [ˈguːruː; guˈruː] *s Br. Ind.* Guru *m,* (*bes.* geistlicher) Lehrer.

gush [gʌʃ] **I** *v/i* **1.** strömen, (herˈvor)brechen, stürzen, sich (heftig) ergießen: to ~ forth (*od.* out) hervor-, herausströmen, -brechen; to ~ from a pipe einem Rohr entströmen. – **2.** *fig.* ausbrechen, ˈüberströmen. – **3.** *fig.* ausbrechen: to ~ into tears in Tränen ausbrechen. – **4.** *colloq.* schwärmen, sich überˈtrieben aufführen. – **II** *v/t* **5.** ausströmen, ˈüberfließen von, herˈvorspeien. – **III** *s* **6.** Strom *m,* (Er)Guß *m,* Schwall *m.* – **7.** *fig.* Erguß *m,* Flut *f,* Schwall *m.* – **8.** *colloq.* ˈÜberschwenglichkeit *f,* Schwärmeˈrei *f,* (Gefühls)Erguß *m.* — ˈ**gush·er** *s* **1.** Schwärmer *m.* – **2.** *Am.* sprudelnde Ölquelle, Ausbruch *m,* Springquelle *f.* — ˈ**gush·i·ness** *s* ˈÜberschwenglichkeit *f.* — ˈ**gush·ing** *adj* **1.** (ˈüber)strömend, (ˈüber)sprudelnd. – **2.** *colloq.* ˈüberschwenglich, schwärmerisch. — ˈ**gush·y** *adj* ˈüberschwenglich, schwärmerisch.

gus·set [ˈgʌsit] **I** *s* **1.** (*Näherei*) Zwickel *m,* Keil *m.* – **2.** *tech.* Winkelstück *n,* Eckblech *n.* – **3.** Keil *m, bes.* a) dreieckiges Stück Land, b) Oberlederstück *n* (*Schuh*). – **4.** *her.* zwickelartiger Ausschnitt. – **5.** Schutzplatte *f,* -stück *n* (*Rüstung*). – **II** *v/t* **6.** mit einem Zwickel *od.* Keil versehen. – **7.** *tech.* mit einem Winkelstück verbinden.

gust[1] [gʌst] *s* **1.** (Wind)Stoß *m,* Bö *f.* – **2.** (plötzlich herˈvorbrechender) Schwall *od.* Strahl. – **3.** *fig.* (Gefühls)Ausbruch *m.*

gust[2] [gʌst] **I** *s obs.* **1.** Geschmack *m*: to have a ~ of s.th. etwas zu schätzen wissen. – **2.** A'roma *n.* – **3.** Genuß *m.* – **II** *v/t Scot. od. obs.* **4.** kosten, genießen. — **'gust·a·ble** *selten* **I** *adj* schmackhaft. – **II** *s* (*etwas*) Schmackhaftes. — **gus'ta·tion** *s* **1.** Geschmack(svermögen *n*) *m*, Geschmackssinn *m.* – **2.** Kosten *n*, Schmecken *n.* — **'gus·ta·tive** [-tətiv] *adj* Geschmacks...

gus·ta·to·ry [*Br.* 'gʌstətəri; *Am.* -ˌtɔːri] *adj* Geschmacks... — **~ bud** *s med.* Geschmacksbecher *m*, -knospe *f.* — **~ cell** *s* Geschmackszelle *f.* — **~ nerve** *s* Geschmacksnerv *m.* — **~ tun·nel** *s* Geschmacksknospe *f.*

gust·i·ness ['gʌstinis] *s* **1.** (*Meteorologie*) Böigkeit *f.* – **2.** *fig.* Ungestüm *n.*

gus·to ['gʌstou] *s* **1.** Gusto *m*, Vorliebe *f*, besondere Neigung (for für). – **2.** Gusto *m*, Genuß *m*, (Wohl)Behagen *n*, Lust *f.* – **3.** (künstlerischer) Stil, Geschmack *m*, Sinn *m.* – *SYN. cf.* taste.

gust·y[1] ['gʌsti] *adj* **1.** böig. – **2.** stürmisch, windig. – **3.** *fig.* ungestüm, erregt.

gust·y[2] ['gʌsti; 'gusti] *adj bes. Scot.* schmackhaft.

gut [gʌt] **I** *s* **1.** *pl* Eingeweide *pl*, Gedärme *pl* (*bes. von Tieren*). – **2.** *med.* a) 'Darm(kaˌnal) *m*, b) (*bestimmter*) Darm: blind ~ Blinddarm, Zökum. – **3.** (*bes. präparierter*) Darm. – **4.** Seidendarm *m* (*für das Vorfach der Angelleine*). – **5.** a) Engpaß *m*, enger 'Durchgang, b) Hohlweg *m*, c) (*Oxford u. Cambridge*) enge Flußschleife (*auf der Rennstrecke*). – **6.** *pl sl.* wahrer Inhalt, innerer Wert, Gehalt *m*: it has no ~s in it es steckt nichts dahinter. – **7.** *pl sl.* Schneid *m*, Cha'rakterstärke *f*, innere Festigkeit, ‚Mumm' *m*: to have the ~s to do s.th. den Schneid haben, etwas zu tun. – **8.** *pl vulg.* a) Bauch *m*, ‚Wanst' *m*, b) *fig.* Gefräßigkeit *f.* – *SYN. cf.* fortitude. – **II** *v/t pret u. pp* **'gut·ted** **9.** (*Fisch etc*) ausweiden, ausnehmen. – **10.** (*Haus etc*) a) ausrauben, -plündern, -räumen, b) das Innere zerstören von, ausbrennen: the fire ~ted the house. – **11.** *fig.* (*Buch*) exzer'pieren, ausziehen, Auszüge machen aus. – **III** *v/i* **12.** *Br. vulg.* ‚(sich voll)fressen'.

gut·ta[1] ['gʌtə] *pl* **'gut·tae** [-tiː] *s* **1.** Tropfen *m.* – **2.** *arch.* Gutta *f*, Tropfen *m* (*Verzierung*).

gut·ta[2] ['gʌtə] *s* **1.** *chem.* Gutta *n* [$(C_{10}H_{16})_n$]. – **2.** *bot. tech.* Gutta'percha *f*, Gut'tan *n.* – **3.** *sport sl.* Golfball *m.*

gut·ta-per·cha ['gʌtə'pəːrtʃə] *s bot. tech.* Gutta'percha *f.*

gut·tate ['gʌteit], *auch* **'gut·tat·ed** [-tid] *adj* **1.** tropfenförmig. – **2.** *bes. bot. zo.* gesprenkelt, punk'tiert.

gut·ter ['gʌtər] **I** *s* **1.** Gosse *f*, (Straßen)Rinne *f*, Rinnstein *m*, Straßengraben *m.* – **2.** *fig.* Gosse *f*, Schmutz *m*: to take s.o. out of the ~ j-n aus der Gosse auflesen. – **3.** (Abfluß-, Wasser)Rinne *f*, Ka'nal *m.* – **4.** Rinne *f*, Rille *f*, Graben *m.* – **5.** Dachrinne *f.* – **6.** *tech.* Rinne *f*, Hohlkehlfuge *f*, Furche *f*, Spur *f.* – **7.** Gasse *f* (*zwischen Briefmarken*). – **8.** *print.* Bundsteg *m.* – **9.** *sport* Kugelfangrinne *f* (*Kegelbahn*). – **II** *v/t* **10.** Rinnen bilden *od.* ziehen in (*dat*), furchen, riefen. – **11.** (*Straße*) mit Rinnsteinen *od.* (*Dach*) mit Dachrinnen versehen. – **III** *v/i* **12.** in Strömen fließen *od.* rinnen, strömen. – **13.** Rinnen *od.* Furchen bilden. – **14.** tropfen (*Kerze*). – **IV** *adj* **15.** schmutzig, Schmutz...: ~ journalism Skandal-, Schmutzjournalismus. — **~ child** *s irr* Gassenkind *n.* — **~ press** *s* Schmutzpresse *f.* — **'~ˌsnipe** *s* **1.** *sl.* a) Straßenjunge *m*, b) Kehrichtsammler *m.* – **2.** *Am.* Straßenmakler *m.* – **3.** *zo. Am.* (*eine*) amer. Sumpfschnepfe (*Capella delicata*).

gut·ter·y ['gʌtəri] *adj* **1.** gefurcht, gerillt. – **2.** *bes. Scot.* schmutzig.

gut·tif·er·ous [gʌ'tifərəs] *adj bot.* **1.** Gummi *od.* Harz ausschwitzend. – **2.** zu den Gutti'feren gehörig.

gut·ti·form ['gʌtiˌfɔːrm] *adj* tropfenförmig.

gut·tle ['gʌtl] *v/t u. v/i* gierig essen, fressen. — **gut·tler** ['gʌtlər] *s* Fresser *m*, ‚Freßsack' *m*, Schlemmer *m.*

gut·tur·al ['gʌtərəl] **I** *adj* **1.** Kehl... – **2.** rauh, heiser. – **3.** *ling.* guttu'ral. – **II** *s* **4.** *ling.* Guttu'ral *m*, Kehllaut *m.* — **ˌgut·tur'al·i·ty** [-'ræliti; -əti] *s ling.* guttu'rale Aussprache. — **ˌgut·tur·al·i'za·tion** *s* guttu'rale Aussprache, *bes.* Velari'sierung *f.* — **'gut·tur·alˌize** *v/t* **1.** guttu'ral aussprechen. – **2.** velari'sieren. — **'gut·tur·al·ness** → gutturality.

gutturo- [gʌtəro] *Wortelement mit der Bedeutung* Kehle, guttural.

gut·tur·o·max·il·lar·y ['gʌtəromæk'siləri; *Am. auch* -'mæksəˌleri] *adj* Kehl- u. Kiefer... — **'gut·tu·ro'na·sal** [-'neizəl] *adj* guttu'ral u. na'sal.

gut·ty ['gʌti] *s* (*Golf*) *sl.* Gutta'perchaball *m.*

guy[1] [gai] **I** *s* **1.** *Am. sl.* Bursche *m*, Kerl *m*: a funny ~ ein komischer Kauz; a wise ~ ein ganz Kluger. – **2.** Popanz *m*, Vogelscheuche *f*, Schreckgespenst *n* (*Person*). – **3.** *Spottfigur des Guy Fawkes (die am* Guy Fawkes Day *öffentlich verbrannt wird).* – **4.** *Br. sl.* Ausreißen *n*, ‚Verduften' *n*: to do a ~ ‚abhauen', ‚türmen'; to give s.o. the ~ j-m entwischen. – **II** *v/t colloq.* **5.** (*j-n*) zum Gespött *od.* lächerlich machen, sich lustig machen über (*acc*): to ~ the life out of s.o. *Am.* mit j-m Schindluder treiben. – **6.** (*j-n*) kari'kieren. – **III** *v/i* **7.** *Br. sl.* ‚abhauen', ‚türmen'.

guy[2] [gai] **I** *s* Halteseil *n*, Führungskette *f*: a) *arch.* Lenk-, Rüstseil *n*, b) *tech.* (Ab)Spannseil *n* (*eines Mastes*), c) Spannschnur *f* (*Zelt*), d) *mar.* Gei(tau *n*) *f*, Backstag *m.* – **II** *v/t* mit einem Tau *etc* sichern *od.* führen.

guy·er ['gaiər] *s colloq.* Spötter *m.*

Guy Fawkes Day ['gai 'fɔːks] *s der Jahrestag des* Gunpowder Plot (*5. November*).

guy·ot [ˌgiː'jou] *s geol.* Guy'ot *m* (*submariner Tafelbergtyp im Pazifik*).

Guy's [gaiz] *Kurzform für* **~ Hos·pi·tal** *s eine Klinik in London.*

guz·zle ['gʌzl] **I** *v/i* **1.** unmäßig trinken, ‚saufen'. – **2.** gierig essen, ‚fressen'. – **II** *v/t* **3.** gierig trinken, ‚saufen'. – **4.** verschlingen, ‚fressen'. – **5.** *oft* ~ away (*Geld*) verprassen, *bes.* ‚versaufen'. — **guz·zler** ['gʌzlər] *s* Schlemmer *m*, Prasser *m*, *bes.* ‚Säufer' *m.*

gwyn·i·ad, *auch* **gwin·i·ad** ['gwiniˌæd] *s zo.* Gwyniadrenk *m* (*Coregonus pennantii; Fisch*).

gy·as·cu·tus [ˌdʒaiəs'kjuːtəs] *s Am.* Untier *n*, Ungetüm *n* (*auch fig.*).

gybe *cf.* jibe[1].

gyle [gail] *s* (*Brauerei*) **1.** Gebräu *n*, Brau *m*, Sud *m* (*auf einmal gebraute Biermenge*). – **2.** Gärbottich *m.* – **3.** (Malz)Würze *f* in einem frühen Gärungsstadium.

gym [dʒim] *sl. Kurzform für* gymnasium *u.* gymnastics.

gym·kha·na [dʒim'kɑːnə] *s bes. Br. Ind.* **1.** sportliche Veranstaltung, Sportfest *n.* – **2.** öffentlicher Sportplatz.

gymn- [dʒimn] → gymno-.

gym·na·si·a [dʒim'neiziə] *pl von* gymnasium. — **gym'na·si·al** *adj* Gymnasial...

gym·na·si·arch [dʒim'neiziˌɑːrk] *s* **1.** *antiq.* a) Gymnasi'arch *m* (*Vorsteher des antiken Gymnasiums*), b) Gym'nast *m.* – **2.** Sportlehrer *m.* — **gym'na·siˌarch·y** *s* Amt *n* eines Gymnasi'archen.

gym·na·si·ast [dʒim'neiziˌæst] *s* **1.** Turner *m.* – **2.** *ped.* Gymnasi'ast *m.*

gym·na·si·um [dʒim'neiziəm] *pl* **-si·ums, -si·a** [-ziə] *s* **1.** *antiq.* Gym'nasium *n.* – **2.** a) Turn-, Sporthalle *f*, b) Gym'nastik-, Sportschule *f.* – **3.** G~ [gim'nɑːzium; gym-] *ped.* Gym'nasium *n* (*bes. in Deutschland*).

gym·nast ['dʒimnæst] *s* **1.** *antiq.* Gym'nast *m.* – **2.** a) Sportlehrer *m*, b) Sportler *m.* — **gym'nas·tic I** *adj* **1.** turnerisch, Turn..., gym'nastisch, Gymnastik... – **2.** *selten* denksportlich. – **II** *s* **3.** *pl* a) (*meist als pl konstruiert*) Gym'nastik *f*, Leibesübungen *pl*, b) (*meist als sg konstruiert*) Gym'nastik *f* (*als Fach*), gym'nastisches Können. – **4.** Denkübung *f.*

gym·nite ['dʒimnait] *s min.* Gym'nit *m.*

gymno- [dʒimno] *Wortelement mit der Bedeutung* nackt, bar, frei, unbedeckt.

gym·no·blas·tic [ˌdʒimno'blæstik] *adj zo.* nacktsprossend (*von Medusen*). — **ˌgym·no'car·pous** [-'kɑːrpəs] *adj bot.* nacktfrüchtig. — **'gym·noˌdont** [-ˌdɒnt] *zo.* **I** *adj* nacktzahnig. – **II** *s* Nacktzähner *m* (*Fisch der Gruppe Gymnodontes*).

gym·nog·e·nous [dʒim'nɒdʒənəs] *adj zo.* nackt aus dem Ei schlüpfend (*Vogel*).

gym·no·plast ['dʒimnoˌplæst] *s biol.* hüllenlose Proto'plasmazelle.

gym·nos·o·phist [dʒim'nɒsəfist] *s* **1.** Gymnoso'phist *m* (*asketischer indischer Philosoph*). – **2.** Nu'dist *m.* — **gym'nos·o·phy** *s* Gymnoso'phie *f.*

gym·no·sperm ['dʒimnoˌspəːrm] *s bot.* Gymno'sperme *f*, nacktsamige Pflanze. — **ˌgym·no'sper·mous** *adj bot.* nacktsamig.

gym·no·spore ['dʒimnoˌspɔːr] *s bot.* schalenlose Spore. — **gym·nos·po·rous** [dʒim'nɒspərəs; ˌdʒimno'spɔːrəs] *adj* nacktsporig.

gym·no·tus [dʒim'noutəs] *s zo.* Kahlrücken *m*, Zitteraal *m* (*Electrophorus electricus*).

gymp *cf.* gimp.

gym shoe *s sl.* Turnschuh *m.*

-gyn [dʒin] *bot. Wortelement mit der Bedeutung* weiblich.

gyn- [dʒain; gain; dʒin], **gynae-** [-ni], **gynaec-** [-nik] → gynaeco-.

gyn·ae·ce·um [ˌdʒaini'siːəm; ˌgain-; ˌdʒin-] *pl* **-ce·a** [-'siːə] *s* **1.** *antiq.* Gynä'zeum *n* (*Frauenräume*). – **2.** *bot.* Gynä'zeum *n*, Gynö'zeum *n* (*weibliche Organe einer Blüte*). — **gy'nae·cic** [-'niːsik] *adj* **1.** weiblich. – **2.** *med.* Frauen..., Frauenkrankheiten betreffend. — **gyn·ae·ci·um** *pl* **-ci·a** *cf.* gynaeceum.

gynaeco- [dʒainiko; gain-; dʒin-] *Wortelement mit der Bedeutung* Frau, weiblich.

gyn·ae·coc·ra·cy [ˌdʒaini'kɒkrəsi; ˌgain-; ˌdʒin-] *s* Frauenherrschaft *f.* — **gy'nae·coˌcrat** [-'niːkoˌkræt; -kəˌk-] *s* Gynäko'krat(in). — **ˌgyn·ae·co'crat·ic** [-niko'krætik], **ˌgyn·ae·co'crat·i·cal** *adj* gynäko'kratisch, Frauenherrschafts...

gyn·ae·co·log·ic [ˌdʒainikə'lɒdʒik; ˌgain-; ˌdʒin-], **ˌgyn·ae·co'log·i·cal** [-kəl] *adj med.* gynäko'logisch. — **ˌgyn·ae'col·o·gist** [-'kɒlədʒist] *s* Gynäko'loge *m*, Frauenarzt *m*, -ärztin *f.* — **ˌgyn·ae'col·o·gy** *s med.* Gynäkolo'gie *f*, Frauenheilkunde *f.*

gyn·ae·co·mas·ti·a [ˌdʒainiko'mæstiə; ˌgain-; ˌdʒin-], *auch* **'gyn·ae·coˌmas-**

ty [-ti] *s med.* Gynäkoma'stie *f* (*Entwicklung einer weiblichen Brust beim Mann*). — ˌ**gyn·ae·co'mor·phous** [-'mɔːrfəs] *adj zo.* weibchenähnlich.
gynaeo- [dʒainio; gain-; dʒin-] *Wortelement mit der Bedeutung* Frau, weiblich.
gy·nan·drous [dʒai'nændrəs; gai-; dʒi-], *auch* **gy'nan·dri·an** [-driən] *adj bot.* gy'nandrisch. — **gy'nan·dry** *s* Gynan'drie *f*, Gynan'drismus *m*. — **gy**ˌ**nan·dro'mor·phism** [-dro'mɔːrfizəm] *s biol.* Gyˌnandromor'phismus *m* (*Scheinzwittrigkeit*).
gyn·arch·y ['dʒainəːrki; 'dʒin-] *s* Frauenherrschaft *f*.
gyne-, gynec-, gy·ne·cic, gy·ne·ci·um, gyneco-, gyn·e·coc·ra·cy, gy·ne·co·crat, gyn·e·co·crat·ic, gyn·e·co·log·ic, gyn·e·col·o·gist, gyn·e·col·o·gy, gyn·e·co·mas·ti·a, gyn·e·co·mas·ty, gyn·e·co·mor·phous, gyneo- *bes. Am. für* gynae- *etc.*
gy·ne·pho·bi·a [ˌdʒaini'foubiə; ˌgain-; ˌdʒin-] *s med.* Weiberscheu *f*, krankhafte Furcht vor Frauen. — ˌ**gyn·i·'at·rics** [-'ætriks] *s* (*meist als sg konstruiert*) *med.* Behandlung *f* von Frauenleiden.
gyno- [dʒaino; gaino; dʒino] → gynaeco-.
gyn·o·base ['dʒainoˌbeis; 'gain-; 'dʒin-] *s bot.* Fruchtknotenwulst *m*. — ˌ**gyn·o'bas·ic** *adj* **1.** auf dem Fruchtknotenwulst stehend. – **2.** gyno'basisch.
gy·noc·ra·cy [dʒai'nɒkrəsi; gai-; dʒi-], ˌ**gyn·o'crat·ic** [-no'krætik] → gynaecocracy, gynaecocratic.
gy·noe·ci·um [dʒai'niːsiəm; gai-; dʒi-] *pl* **gy'noe·ci·a** [-siə] → gynaeceum 2.
gyn·o·gen·ic [ˌdʒaino'dʒenik; ˌgai-; ˌdʒi-] *adj biol.* weibchenbestimmend, verweiblichend. — '**gyn·o**ˌ**phore** [-ˌfɔːr] *s* **1.** *bot.* Gyno'phor *n*, Stempelträger *m*. – **2.** *zo.* Träger *m* weiblicher Sprossen.
-gynous [dʒinəs; dʒə-] *Wortelement mit der Bedeutung* weiblich, Frau.
gyp[1] [dʒip] *s* (*bes. in Cambridge u. Durham*) Stu'dentendiener *m*.
gyp[2] [dʒip] *Am. sl.* **I** *v/t u. v/i pret u. pp* **gypped 1.** (be)schwindeln, (be)trügen. – **II** *s* **2.** Gauner(in), Betrüger(in), Schwindler(in). – **3.** Schwindel *m*, Betrug *m*, Gaune'rei *f*.
gyp[3] [dʒip] *s Br. colloq. od. dial.* to give s.o. (s.th.) ~ j-m (einer Sache) übel mitspielen.
gyp[4] [dʒip] *s Am.* Hündin *f*.
gyp[5] [dʒip] *s Am. colloq.* abgestandenes *od.* fauliges Wasser.
gyp·per ['dʒipər] → gyp[2] 2.
gyps [dʒips] → gypsum I. — '**gyp·se·ous** [-siəs] *adj min.* gipsartig, -haltig, Gips... — **gyp'sif·er·ous** [-'sifərəs] *adj min.* gipshaltig, -führend. — **gyp'sog·ra·phy** [-'sɒgrəfi] *s tech.* **1.** 'Gipsgraˌvierkunst *f*. – **2.** 'Gipsgraˌvieren *n*. — **gyp'soph·i·la** [-'sɒfilə] *s bot.* Gipskraut *n* (*Gattg Gypsophila*). — '**gyp·so**ˌ**plast** [-soˌplæst] *s* Gips(ab)guß *m*. — **gyp·sous** ['dʒipsəs] → gypseous.
gyp·sum ['dʒipsəm] *min.* **I** *s* **1.** Gips *m* ($CaSO_4 \cdot 2H_2O$). – **II** *v/t* **2.** *agr.* (*Boden*) gipsen, mit Gips durch'setzen. – **3.** mit Gips behandeln.
gyp·sy, gyp·sy·dom, gyp·sy·hood *bes. Am. für* gipsy *etc.*
gyr- [dʒair] → gyro-.
gy·ral ['dʒai(ə)rəl] *adj* **1.** sich im Kreis drehend, (her'um)wirbelnd. – **2.** *med.* Gehirnwindungs...
gy·rate I *v/i* [dʒai(ə)'reit; 'dʒai(ə)reit] kreisen, sich drehen, her'umwirbeln. – **II** *adj* ['dʒai(ə)reit; -rit] gewunden, gekrümmt, in Ringen angeordnet. — **gy'ra·tion** *s* **1.** Kreisbewegung *f*, Drehung *f*. – **2.** *med.* (Gehirn)Windung *f*. – **3.** *zo.* Windung *f* (*einer Spiralmuschel*). — '**gy·ra·to·ry** [*Br.* -rətəri; *Am.* -ˌtɔːri] *adj* **1.** sich drehend, wirbelnd. – **2.** sich spi'ralig windend. – **3.** *Br.* Kreis..., Rund... (*Verkehr*).
gyre [dʒair] *poet.* **I** *s* **1.** Kreisbewegung *f*, ('Um)Drehung *f*. – **2.** Windung *f*, Schlängelung *f*. – **3.** Kreis *m*, Ring *m*. – **II** *v/i* **4.** sich drehen, wirbeln. – **III** *v/t* **5.** drehen, im Kreis bewegen, her'umwirbeln.
gyr·fal·con ['dʒəːrˌfɔːlkən; -ˌfɔːk-] *s zo.* Geierfalk *m*, G(i)erfalke *m* (*Untergattg Hierofalco*).
gy·ri ['dʒai(ə)rai] *pl von* gyrus.
gy·ro ['dʒai(ə)rou] *pl* **-ros** *colloq. für* gyroscope, gyrocompass.
gyro- [dʒai(ə)ro] *Wortelement mit der Bedeutung* a) Kreis, Ring, b) (Um)-Drehung, c) Spirale.
gy·ro·com·pass ['dʒai(ə)roˌkʌmpəs] *s mar. phys.* Kreiselkompaß *m*: **master** ~ Mutterkompaß; **repeater** ~ Tochterkompaß. — '**gy·ro**ˌ**graph** [-ˌgræ(ː)f; *Br. auch* -ˌgrɑːf] *s tech.* Touren-, Um'drehungszähler *m*, -schreiber *m*.
gy·ro ho·ri·zon → artificial horizon.
gy·roi·dal [dʒai(ə)'rɔidl] *adj* kreis- *od.* spi'ralförmig angeordnet *od.* wirkend.
gy·ro·ma [dʒai(ə)'roumə] *s* **1.** Drehung *f*. – **2.** *bot.* a) Ring *m*, Annulus *m* (*der Farnkräuter*), b) *nabelförmiger Thallus der Kreisflechten.*
gy·ro·mag·net·ic [ˌdʒai(ə)romæg'netik] *adj phys.* ˌgyroma'gnetisch.
gy·rom·e·ter [dʒai(ə)'rɒmitər; -mə-] *s phys.* Gyro'meter *n*.
gy·ron ['dʒai(ə)rən] *s her.* Ständer *m*, Zwickel *m*. — **gy'ron·ny** [-'rɒni] *adj* geständert.
gy·ro·pi·lot ['dʒai(ə)roˌpailət] *s aer.* Selbststeuergerät *n*, Kurssteuerung *f*. — '**gy·ro**ˌ**plane** [-roˌplein; -rə-] *s aer.* Tragschrauber *m*.
gy·ro·scope ['dʒai(ə)roˌskoup; -rə-] *s* **1.** *phys.* Gyro'skop *n*, Kreisel *m*. – **2.** *mar. mil.* Ge'radlaufappaˌrat *m* (*Torpedo*). — ˌ**gy·ro'scop·ic** [-'skɒpik] *adj* gyro'skopisch: ~ **compass** → gyrocompass. — ˌ**gy·ro'scop·i·cal·ly** *adv.*
gy·rose ['dʒai(ə)rous] *adj bot.* gewunden, gewellt.
gy·ro·sta·bi·liz·er [ˌdʒai(ə)ro'steibilaizər; -bə-] *s aer. mar.* (Stabili'sier-, Lage)Kreisel *m*, 'Kreiselstabiliˌsierung *f*. — '**gy·ro**ˌ**stat** [-ˌstæt; -rə-] *s phys.* Gyro'stat *m*, Kreiselvorrichtung *f*. — ˌ**gy·ro'stat·ic** *adj* gyro'statisch: ~ **compass** → gyrocompass. — ˌ**gy·ro'stat·i·cal·ly** *adv.* — ˌ**gy·ro'stat·ics** [-iks] *s pl* (*meist als sg konstruiert*) *phys.* Gyro'statik *f*.
gy·rus ['dʒai(ə)rəs] *pl* '**gy·ri** [-rai] *s med.* Gyrus *m*, Gehirnwindung *f*.
gyve [dʒaiv] *selten* **I** *s meist pl* Fessel *f*. – **II** *v/t* fesseln.

H

H, h [eitʃ] **I** *s pl* **H's, Hs, h's, hs** ['eitʃiz] **1.** H *n*, h *n* (*8. Buchstabe des engl. Alphabets*): **a capital** (*od.* **large**) **H** ein großes H; **a little** (*od.* **small**) **h** ein kleines H. – **2.** H (*8. angenommene Person bei Beweisführungen*). – **3.** h (*8. angenommener Fall bei Aufzählungen*). – **4.** H H *n*, H-förmiger Gegenstand. – **II** *adj* **5.** acht(er, e, es): **Company H** die 8. Kompanie. – **6.** H H-..., H-förmig.

ha [hɑː] *interj* **1.** ha! ah! – **2.** was? wie?

haaf [hɑːf] *s* ˌTiefseefische'reigrund *m* (*Shetland- u. Orkney-Inseln*).

haar [hɑːr] *s Scot.* (*bes.* kalter) Nebel.

Hab·ak·kuk ['hæbəkək; hə'bækək] *s Bibl.* (das Buch) Habakuk *m*.

ha·ba·ne·ra [ˌɑːbɑː'nɛ(ə)rə] *s mus.* Haba'nera *f* (*kubanischer Tanz*).

ha·be·as cor·pus ['heibiəs 'kɔːrpəs] (*Lat.*) *s jur.* (**writ of** ~) Vorführungsbefehl *m* nebst Anordnung der Haftprüfung: **H~ C~ Act** Habeas Corpus Akte (*1679*).

hab·er·dash·er ['hæbərˌdæʃər] *s* **1.** Weiß- u. Kurzwarenhändler *m*. – **2.** *Am.* Inhaber *m* eines Herrenmodengeschäfts, Herrenausstatter *m*. — **'hab·erˌdash·er·y** *s* **1.** a) Weiß- u. Kurzwarengeschäft *n*, b) Kurzwaren *pl*. – **2.** *Am.* a) Herren(moden)geschäft *n*, b) 'Herrenbeˌkleidungsarˌtikel *pl*.

hab·er·geon ['hæbərdʒən] *s hist.* Halsberge *f*, Panzer(hemd *n*) *m*.

hab·ile ['hæbil] *adj* fähig, erfahren, geschickt.

ha·bil·i·ment [hə'bilimənt; -lə-] *s* **1.** *pl* a) (Amts-, Fest)Kleidung *f*, b) *humor.* Alltagskleider *pl*. – **2.** *obs.* Ausstattung *f*.

ha·bil·i·tate [hə'biliˌteit; -lə-] **I** *v/t* **1.** (*Bergbauunternehmen*) finan'zieren, mit 'Arbeitskapiˌtal versehen. – **2.** *selten* (be)kleiden. – **II** *v/i* **3.** sich (*für ein Amt etc*) qualifi'zieren. – **4.** sich habili'tieren. — **haˌbil·i'ta·tion** *s* **1.** Finan'zierung *f* (*Bergbauunternehmen*). – **2.** Qualifi'zierung *f*. – **3.** Habilitati'on *f*.

hab·it ['hæbit] **I** *s* **1.** (An)Gewohnheit *f*: **from** ~ aus Gewohnheit; **to act from force of** ~ der Macht der Gewohnheit nachgeben; **to get** (*od.* **fall**) **into a** ~ eine Gewohnheit annehmen; **to get into the** ~ **of smoking** sich das Rauchen angewöhnen; **to be in the** ~ **of doing s.th.** die (An)Gewohnheit haben, etwas zu tun; pflegen etwas zu tun; **to break oneself** (**s.o.**) **of a** ~ sich (j-m) etwas abgewöhnen; **it is the** ~ **with him** es ist bei ihm so üblich; **to make a** ~ **of it** es zur Gewohnheit werden lassen. – **2.** *oft* ~ **of mind** Geistesverfassung *f*, -richtung *f*, geistige Beschaffenheit *od.* Dispositi'on. – **3.** *auch* ~ **of body** Habitus *m*, Körperbeschaffenheit *f*, Konstituti'on *f*. – **4.** Verhaltensweise *f*. – **5.** *bot.* Habitus *m*, Tracht *f*, Wachstumsart *f*: **of a climbing** ~ von kletternder Gestalt. – **6.** *zo.* Lebensweise *f*. – **7.** (Amts-, Berufs-, *bes.* Ordens)Kleidung *f*, Tracht *f*, Ha'bit *n*. – **8.** *auch* **riding** ~ 'Reitkoˌstüm *n*, -kleid *n*. – **9.** *pl selten* Beziehungen *pl*. – *SYN.* **custom, habitude, practice, usage, use, wont.** – **II** *v/t* **10.** *selten* (ein)kleiden. – **11.** *obs.* bewohnen.

hab·it·a·bil·i·ty [ˌhæbitə'biliti; -əti] *s* Bewohnbarkeit *f*. — **'hab·it·a·ble** *adj* bewohnbar. — **'hab·it·a·ble·ness** → **habitability.**

ha·bi·tan *cf.* **habitant 2.**

hab·i·tant ['hæbitənt; -bə-] *s* **1.** Einwohner(in), Bewohner(in). – **2.** [abi'tɑ̃] Siedler *m* franz. Abkunft (*in Kanada od. Louisiana*).

hab·i·tat ['hæbiˌtæt; -bə-] *s* **1.** *bot.* Standort *m*. – **2.** *zo.* Lebensraum *m*, Wohngebiet *n*, Ort *m* des Vorkommens. – **3.** Heimat *f*, Fundort *m*. — **ˌhab·i'ta·tion** [-'teiʃən] *s* **1.** Wohnen *n*. – **2.** Wohnung *f*, Aufenthalt *m*, Aufenthalts-, Wohnort *m*. – **3.** *Zweigniederlassung der engl. Primelliga.*

hab·it·ed ['hæbitid] *adj* gekleidet.

ha·bit·u·al [hə'bitʃuəl; *Br. auch* -tju-] *adj* **1.** zur Gewohnheit geworden, üblich. – **2.** gewohnheitsmäßig, Gewohnheits...: ~ **criminal** Gewohnheitsverbrecher. – **3.** gewohnt, ständig, üblich. – *SYN. cf.* **usual.** — **ha'bit·u·al·ness** *s* Gewohnheitsmäßigkeit *f*, Üblichkeit *f*. — **ha'bit·uˌate** [-ˌeit] *v/t* **1.** gewöhnen (**to** an *acc*): **to** ~ **oneself to** sich gewöhnen an. – **2.** *colloq.* frequen'tieren, häufig besuchen. – *SYN. cf.* **frequent.** — **haˌbit·u'a·tion** *s* Gewöhnung *f* (**to** an *acc*).

hab·i·tude ['hæbiˌtjuːd; -bə-; *Am. auch* -ˌtuːd] *s* **1.** Wesen *n*, Art *f*, Neigung *f*, Ten'denz *f*, Veranlagung *f*. – **2.** (An)Gewohnheit *f*. – **3.** *obs.* Vertrautheit *f*. – *SYN. cf.* **habit.**

ha·bit·u·é [hə'bitʃuˌei; *Br. auch* -tju-] *s* Habitu'é *m*, ständiger Besucher, Stammgast *m*.

ha·chure [hæ'ʃur; 'hæʃur] **I** *s* **1.** (*Zeichenkunst*) Schraffe *f*: a) Haar-, Schattenstrich *m*, b) (*auf Landkarten*) Bergstrich *m*. – **2.** *pl* Schraffen *pl*, Schraf'fierung *f*. – **II** *v/t* **3.** schraf'fieren.

ha·cien·da [ˌhæsi'endə] *s* **1.** Hazi'enda *f*, (Land)Gut *n*. – **2.** (Fa'brik-, Bergwerks)Anlage *f*.

hack[1] [hæk] **I** *v/t* **1.** (zer)hacken, her'umhacken an (*dat*): **to** ~ **to pieces** in Stücke hacken. – **2.** *agr.* a) (*Boden*) hacken, b) (*Schollen*) zerschlagen, zerkleinern, c) *Br.* (*Wurzeln etc*) her'aushacken, d) ~ **in** (*Samen*) 'unterhacken. – **3.** *tech.* (*Steine*) behauen. – **4.** a) (*Rugby etc*) ans Schienbein treten, b) (*Basketball*) auf den Arm schlagen. – **II** *v/i* **5.** (**at**) a) hacken (nach), b) her'umhacken (auf *dat*), einhauen (auf *acc*). – **6.** trocken u. stoßweise husten: **~ing cough** trockener Husten, Reizhusten. – **7.** a) (*Rugby*) den Gegner gegen das Schienbein treten, b) (*Basketball*) den Gegner auf den Arm schlagen. – **III** *s* **8.** Hackgerät *n*, *bes.* a) Hacke *f*, b) Haue *f*, Pickel *m*. – **9.** Kerbe *f*, Einschnitt *m*, Einkerbung *f*. – **10.** *Am.* Schalm *m* (*an Bäumen*). – **11.** *sport* a) (*Rugby*) Tritt *m* ans Schienbein, b) Trittwunde *f*, c) (*Basketball*) per'sönlicher Fehler. – **12.** hackender Hieb. – **13.** Stottern *n*, Stocken *n*. – **14.** trockener, stoßweiser Husten.

hack[2] [hæk] **I** *s* **1.** a) Mietpferd *n*, b) Gebrauchspferd *n*, c) Gaul *m*, gewöhnliches Pferd, d) alte (Schind)Mähre. – **2.** *Am.* Droschke *f*, Miet(s)-, Lohnkutsche *f*. – **3.** *Am. colloq.* Taxi *n*. – **4.** Tagelöhner *m*, Gelegenheitsarbeiter *m*, *bes.* Lohnschreiber *m*, Schreiberling *m*, lite'rarischer Tagelöhner. – **II** *v/t* **5.** abdreschen, abnutzen. – **6.** als Lohnschreiber anstellen. – **7.** (*Pferd*) a) als Reitpferd benutzen, b) zur (Schind)Mähre machen. – **8.** (*bes. Pferd*) vermieten. – **III** *v/i* **9.** im Schritt *od.* auf der Landstraße reiten. – **10.** ein Miet(s)pferd reiten. – **11.** im Tagelohn *od.* als Lohnschreiber arbeiten. – **IV** *adj* **12.** Miet(s)..., gemietet. – **13.** bezahlt, Lohn...: ~ **attorney** Winkeladvokat; ~ **writer** Lohnschreiber. – **14.** abgedroschen, abgeschmackt, ba'nal.

hack[3] [hæk] **I** *s* **1.** (*Falknerei*) a) Futterbrett *n*, b) teilweise Freiheit junger Falken. – **2.** a) Trockengestell *n*, b) Futtergestell *n*, (Vieh)Raufe *f*, c) *tech.* Reuse *f*, Schutzgitter *n*. – **II** *v/t* **3.** (*Falken*) in teilweiser Freiheit halten. – **4.** auf einem Gestell trocknen.

hack·a·more ['hækəˌmɔːr] *s Am.* (*Art*) (Pferde)Zaum *m*.

'hack|ˌber·ry *s* **1.** *bot.* Zürgelbaum *m* (*Gattg Celtis*). – **2.** *beerenartige Frucht von* 1. – **3.** Zürgelbaumholz *n*, *bes.* Tri'ester Holz *n* (*von Celtis australis*). — **'~·but** *s mil. hist.* Arke'buse *f*, Hakenbüchse *f*. — **ˌ~·but'eer** [-'tir], **'~·but·ter** *s* Arkebu'sier *m*.

hack·er·y ['hækəri] *s Br. Ind.* Ochsenkarren *m*.

hack ham·mer *s tech.* Schärfhammer *m*.

hack·ing ['hækiŋ] *s tech.* **1.** Über'arbeitung *f*, Aufrauhen *n* (*Schleifsteine etc*). – **2.** Einschnitte *pl*, Furchen *pl*, Rillen *pl*.

hack·le[1] ['hækl] **I** *s* **1.** *tech.* Hechel *f*. – **2.** a) (lange) Hals- *od.* Schwanzfeder, b) *collect.* Halsfedern *pl*, -gefieder *n* (*bes. Hühner*). – **3.** *pl* (aufstellbare) Rücken- u. Halshaare *pl* (*Hund*): **with one's ~s up** *fig.* gereizt, angriffslustig. – **4.** (*Angelsport*) a) Federfüße *pl*, b) → ~ **fly.** – **II** *v/t* **5.** *tech.* (*Flachs etc*) hecheln. – **6.** (*Angelsport*) a) (*künstliche Fliege*) mit Federfüßen versehen, b) (*Angel*) mit einer künstlichen Fliege versehen.

hack·le² ['hækl] *v/t* zerhacken, -stückeln, -reißen, -fleischen.
'hack·le|,back → shovel-nosed sturgeon. — ~ **fly** *s* (*Angelsport*) (künstliche) Angelfliege ohne Federflügel.
hack·ler ['hæklər] *s tech.* Hechler *m.*
hack·ly ['hækli] *adj* zerfetzt, zerrupft, zerhackt.
'hack·man [-mən] *s irr Am.* Miet(s)-wagen-, Droschkenkutscher *m.*
hack·ma·tack ['hækmə,tæk] *s* **1.** *bot.* a) Amer. Lärche *f* (*Larix laricina*), b) Echter Wa'cholder, Ma'chandelbaum *m* (*Juniperus communis*). – **2.** Tamarak *n* (*Holz von* 1a).
hack·ney ['hækni] **I** *s* **1.** (gewöhnliches) Gebrauchspferd. – **2.** Mietpferd *n.* – **3.** H~ Hackney(pferd *n*) *m* (*Rasse*). – **4.** Miet(s)kutsche *f*, Droschke *f*, Fi'aker *m.* – **5.** a) Tagelöhner *m*, b) Mietling *m.* – **II** *adj* **6.** Miet(s)..., Lohn..., zum Mieten, gemietet. – **7.** gemein, gewöhnlich. – **III** *v/t* **8.** abschinden. – **9.** *fig.* a) abdreschen, b) abstumpfen. — ~ **coach** *s* **1.** Miet(s)-kutsche *f*, Droschke *f.* – **2.** zweispännige Kutsche (*für 6 Personen*).
hack·neyed ['hæknid] *adj* **1.** all'täglich, gewöhnlich, gemein. – **2.** abgedroschen, ba'nal. – **3.** (in) gewöhnt (an *acc*), erfahren (in *dat*). – *SYN. cf.* trite.
hack| saw, '~,**saw** *s tech.* Bügel-, Me'tall-, Eisensäge *f*, 'Bügelkaltsägema,schine *f.* — ~ **stand** *s Am.* Droschkenstand *m*, -platz *m.*
had [hæd] **I** *pret u. pp von* have. – **II** *Hilfsverb mit besonderer Bedeutung* **1.** würde, täte (*mit* as well, as lief, rather, better, liefer, best *etc*): I ~ rather go than stay ich möchte lieber gehen als bleiben; you ~ best go du tätest am besten daran zu gehen; he better ~ das wäre das beste (was er tun könnte). – **2.** *obs.* würde haben, hätte.
had·dock ['hædək] *s zo.* **1.** Schellfisch *m* (*Gadus aeglefinus*). – **2.** → rosefish.
hade [heid] *geol.* **I** *s* Neigungswinkel *m* (*einer Schicht od. Verwerfung*). – **II** *v/i* von der Verti'kallinie abweichen.
Ha·des ['heidi:z] *s* **1.** *antiq.* Hades *m*, 'Unterwelt *f.* – **2.** Reich *n* der Toten. – **3.** *auch* h~ *colloq.* Hölle *f.*
hadj [hædʒ] *s relig.* Pilgerfahrt *f*, *bes.* Hadsch *n* (*der Mohammedaner nach Mekka*). — **'hadj·i** [-i] *s relig.* **1.** Hadschi *m* (*Ehrentitel der Mekkapilger*). – **2.** Grieche *od.* Ar'menier, der das Heilige Grab in Je'rusalem besucht hat.
Ha·dri·an's Wall ['heidriənz] *s* Hadrianswall *m*, Piktenwall *m*, -mauer *f.*
hae [hei; hæ] *obs. od. dial. für* have.
haec·ce·i·ty [hek'si:iti; -əti] *s philos.* **1.** Diesheit *f.* – **2.** individu'elles Sein.
haem-, haema- *cf.* hem- *etc.*
hae·mad, hae·mal *etc cf.* hemad *etc.*
haem·a·to·cry·al [,hi:məto'kraiəl; ,hem-] *adj zo.* kaltblütig. — **,haem·a·to'ther·mal** [-'θə:rməl] *adj* warmblütig. — **,hae·ma'tox·y,lin** [-'tɒksi,lin; -sə-] *s* **1.** *bot.* Blauholz-, Kam'pescheholzbaum *m* (*Gattg Haematoxylon*). – **2.** Kam'pecheholz *n.* – **3.** *chem. cf.* hematoxylin 1.
-haemia [hi:miə] → -emia.
haem·or·rhoid *cf.* hemorrhoid.
hae·res *cf.* heres.
haet [heit] *s Scot.* Stückchen *n.*
haf·fet, haf·fit ['hæfit; -ət] *s Scot. od. Irish od. dial.* Wange *f*, Schläfe *f.*
ha·fiz ['hɑ:fiz] *s relig.* Hafis *m.*
haf·ni·um ['hæfniəm; 'hɑ:f-] *s chem.* Hafnium *n* (Hf).
haft¹ [*Br.* hɑ:ft; *Am.* hæ(:)ft] **I** *s* Griff *m*, Heft *n.* – **II** *v/t* mit einem Griff versehen.
haft² [hæft; hɑ:ft] *s Scot. od. dial.* **1.** (Weide)Platz *m.* – **2.** Wohnung *f.*
hag¹ [hæg] *s* **1.** *fig.* häßliches altes Weib. – **2.** Hexe *f.* – **3.** → ~fish.
hag² [hæg; hɑ:g] *pret u. pp* **hagged** *v/t obs.* quälen, erschrecken.
hag³ [hæg; hɑ:g] *s Scot. od. dial.* zum Fällen bestimmter *od.* abgeholzter Wald.
hag⁴ [hæg; hɑ:g] *s Scot. od. dial.* (feste Stelle im) Sumpf *m.*
'hag|,ber·ry → hackberry 1. — '~,**born** *adj* von einer Hexe geboren. — '~,**bush** → chinaberry 1. — '~**but** → hackbut. — '~**don** [-dən] → shearwater. — '~,**fish** *s zo.* Inger *m*, Schleimaal *m* (*Myxine glutinosa*).
hag·ga·da(h) [hə'gɑ:də; -dɑ:] *pl* **hag'ga·doth** [-douθ] *s relig.* Hag'gada *f*: a) Erzählung *f*, Le'gende *f*, Geschichte *f* (*der jüd. rabbinischen Literatur*), b) H~ *collect. nichtgesetzlicher Teil der rabbinischen Literatur*, c) H~ *Exegese od. Erläuterung der hebräischen Schriften.* — **hag·gad·ic** [hə'gædik; -'gɑ:-], **hag'gad·i·cal** *adj* hagga'distisch. — **hag·ga·dist** [hə'gɑ:dist] *s relig.* Hagga'dist *m.* — **hag·ga·dis·tic** [,hægə'distik] *adj* hagga'distisch.
Hag·ga·i ['hægi,ai; 'hægai] *s Bibl.* (das Buch) Hag'gai *m* (*des Alten Testaments*).
hag·gard ['hægərd] **I** *adj* **1.** wild, verstört (*Blick etc*). – **2.** abgehärmt, abgezehrt, mager, hager. – **3.** wild, ungezähmt (*Falke*). – **II** *s* **4.** wilder *od.* ungezähmter Falke. – **5.** *obs.* 'Widerspenstige(r). — **'hag·gard·ness** *s* **1.** Wildheit *f*, Verstörtheit *f.* – **2.** Hager-, Magerkeit *f.*
hagged [hægd; 'hægid] *adj obs. od. dial.* **1.** behext. – **2.** häßlich. – **3.** verstört. – **4.** mager.
hag·gis ['hægis] *s Scot. In Kalbs- od. Hammelmagen gekochtes Gericht aus Herz, Lunge, Leber, Nierenfett u. Hafermehl.*
hag·gish ['hægiʃ] *adj* hexenhaft, häßlich.
hag·gle ['hægl] **I** *v/t* **1.** (about, over) a) streiten, zanken (um), b) feilschen, handeln, schachern (um). – **2.** (her'um)hacken. – **II** *v/t* **3.** her'umzanken *od.* -keifen mit. – **4.** her'umhacken an (*dat*). – **III** *s* **5.** Gezanke *n*, Gekeife *n*, Zänke'rei *f.* – **6.** Gefeilsche *n*, Feilschen *n.* — **hag·gler** ['hæglər] *s* **1.** Zänker(in). – **2.** Feilscher(in).
hagi- [hægi] → hagio-.
hag·i·arch·y ['hægi,ɑ:rki] *s* Priesterherrschaft *f.*
hagio- [hægio] *Wortelement mit der Bedeutung* heilig, geweiht.
hag·i·oc·ra·cy [,hægi'ɒkrəsi] *s* Heiligenherrschaft *f.* — **,Hag·i'og·ra·pha** [-'ɒgrəfə] *s pl Bibl.* Hagio'graphen *pl*, Ketu'bim *pl.* — **,hag·i'og·ra·pher** *s* **1.** *Bibl.* Hagio'graph *m.* – **2.** Darsteller *m* von Heiligenleben. — **,hag·i·o'graph·ic** [-gio'græfik; -giə-], **,hag·i·o'graph·i·cal** *adj* hagio'graphisch, Heiligen(leben)... — **,hag·i'og·ra·phist** → hagiographer. — **,hag·i'og·ra·phy** *s* Hagiogra'phie *f*, Heiligenleben *n*, -geschichte *f.*
hag·i·ol·a·ter [,hægi'ɒlətər] *s relig.* Heiligenverehrer *m.* — **,hag·i'ol·a·trous** *adj* die Heiligen verehrend. — **,hag·i'ol·a·try** [-tri] *s* Heiligenverehrung *f.*
hag·i·o·log·ic [,hægio'lɒdʒik; -giə-], **,hag·i·o'log·i·cal** [-kəl] *adj* hagio'logisch, Heiligenleben... — **,hag·i'ol·o·gist** [-'ɒlədʒist] *s* Hagio'loge *m*, Verfasser *m* von Heiligenleben. — **,hag·i'ol·o·gy** *s* **1.** Hagiolo'gie *f*, Heiligenleben *pl*, 'Heiligen-, Le'gendenlitera,tur *f.* – **2.** Hagio'logion *n*, Heiligenverzeichnis *n.*
hag·i·o·scope ['hægiə,skoup] *s arch.* Hagio'skop *n* (*Öffnung, die einen Blick auf den Altar gewährt*). — **,hag·i·o'scop·ic** [-'skɒpik] *adj* hagio'skopisch.
'hag|,ride ['hæg-] *v/t irr* **1.** quälen, verfolgen, bedrücken. – **2.** zermürben. — '~,**rid·den** *adj* (*bes. vom Alpdruck*) gequält, verfolgt. — '~,**seed** *s* Hexenbrut *f.* — '~,**ta·per** *s bot.* Frauenkerze *f* (*Verbascum thapsus*).
Hague Tri·bu·nal, The [heig] *s pol.* der Haager Schiedshof, der Ständige Schiedshof im Haag.
hah *cf.* ha.
ha-ha¹ ['hɑ:,hɑ:] *s* versenkter Grenzgraben *od.* -zaun.
ha-ha² [hɑ:'hɑ:] **I** *interj* haha! – **II** *s* Haha *n.* – **III** *v/i* ,haha' rufen.
haick [heik] → haik¹.
Hai·da ['haidə] *s pl* **-da, -das** **1.** 'Haida(indi,aner) *m.* – **2.** *pl* Haida *pl.* – **3.** *ling.* Haida *n.*
Hai·duk ['haiduk] *s hist.* **1.** Hai'duck *m*, Hei'duck *m.* – **2.** (*in Frankreich*) Vorreiter *m* (*in ungar. Tracht*).
haik¹ [haik; heik] *s* Haik *m* (*gewickeltes Obergewand der Araber*).
haik² *cf.* hake².
hai·kwan ['hai'kwɑ:n] *s* Seegebühren *pl*, -zoll *m* (*in China*). — ~ **tael** *s* **1.** *chinesisches Gewicht* (= *37,80 g*). – **2.** *chinesische Zoll-Rechnungseinheit.*
hail¹ [heil] **I** *s* **1.** Hagel *m* (*auch fig.*): a ~ of bullets ein Geschoßhagel. – **2.** *selten für* ~storm. – **II** *v/i* **3.** *impers* hageln: it is ~ing es hagelt. – **4.** *fig.* (nieder)hageln, (nieder)prasseln (down upon auf *acc*). – **III** *v/t* **5.** *fig.* (nieder)hageln lassen (down upon auf *acc*).
hail² [heil] **I** *v/t* **1.** (*mit Rufen*) (be)grüßen, (*laut*) bewillkommnen: they ~ed him king sie grüßten ihn als König. – **2.** anrufen, (*j-m*) zu- *od.* nachrufen. – **3.** (her'bei)rufen. – **II** *v/i* **4.** *bes. mar.* rufen, sich melden. – **5.** ('her)stammen, ('her)sein, ('her)-kommen (from von *od.* aus). – **III** *interj* **6.** *bes. poet.* heil! – **IV** *s* **7.** Heil *n*, Gruß *m*, (Zu)Ruf *m.* – **8.** Ruf-, Hörweite *f*: within ~ in Rufweite.
hail³ [heil] *bes. Scot. für* hale².
hail| fel·low, '~-,**fel·low,** ~ **fel·low well met,** '~-'**fel·low-'well-'met I** *s* guter *od.* (sehr) vertrauter Freund. – **II** *adj u. adv* (sehr) vertraut, in'tim, auf (sehr) vertrautem Fuß: to be hail fellow well met with everyone mit jedem auf du u. du stehen. — **H~ Mar·y** → Ave Maria. — '~,**stone** *s* Hagelkorn *n*, (Hagel)Schloße *f.* — '~,**storm** *s* Hagelwetter *n*, -schauer *m.*
hain't [heint] *vulg. für* have not *has* not.
hair [hɛr] *s* **1.** (*einzelnes*) Haar. – **2.** *collect.* Haar *n*, Haare *pl.* – **3.** *bot.* Haar *n*, Tri'chom *n.* – **4.** Härchen *n*, Fäserchen *n.* – **5.** Haar(tuch) *n.* – **6.** *fig.* Haar(esbreite *f*) *n*, Kleinigkeit *f*: by a ~ um Haaresbreite. –
Besondere Redewendungen:
against the ~ *fig.* gegen den Strich; to do one's ~ sich die Haare machen, sich frisieren; to do (*od.* put) up one's ~ sich die Haare hoch- *od.* aufstecken; to put (*od.* turn) up one's ~ *fig.* sich wie eine Dame herrichten (*Mädchen*); to let down one's ~ a) die Haare herunterlassen, b) *fig.* sich gehen lassen, informell sein; to have s.o. in one's ~ *Am. colloq.* j-n nicht ausstehen können; to get in s.o.'s ~ *colloq.* j-n nervös machen; keep your ~ on *sl.* (nur) immer mit der Ruhe! to get s.o. by the short ~s *sl.* ,j-n unter der Fuchtel haben', ,j-n um den kleinen Finger wickeln'; to split ~s *fig.* Haarspalterei treiben; to a ~ aufs Haar, haargenau; not to turn a ~ nicht mit der Wimper zucken; to make one's ~ curl *colloq.* das Blut (in den Adern) erstarren lassen (*vor Schreck*); → dog *b. Redw.*; end *b. Redw.*

'hair|ˌbreadth I *s fig.* Haaresbreite *f*: by a ~ um Haaresbreite. – **II** *adj* äußerst knapp: → escape 11. — **'~ˌbrush** *s* Haar-, Fri'sierbürste *f*. — **~ bulb** *s med.* Haarzwiebel *f*, -keim *m*. — **'~ˌcap (moss)** *s bot.* Haarmützenmoos *n* (*Gattg Polytrichum*). — **'~ˌcloth** *s* Haartuch *n*. — **~ com·pass** *s tech.* Haar(strich)zirkel *m*. — **'~ˌcut** *s* Haarschnitt *m*: to give s.o. a ~ j-m die Haare schneiden. — **'~ˌcut·ter** *s* Fri'seur *m*. — **'~ˌcut·ting I** *s* Haarschneiden *n*. – **II** *adj* Haarschneide... — **~ di·vid·ers** *s pl* → hair compass. — **'~ˌdo** *pl* **-dos** *s colloq.* Fri'sur *f*. — **'~ˌdress·er** *s* Fri'seur *m*, Fri'seuse *f*. — **'~ˌdress·ing I** *s* Fri'sieren *n*. – **II** *adj* Frisier... — **'~-ˌdry·er** *s* Haartrockner *m*, Fön *m*.

haired [hɛrd] *adj* **1.** behaart. – **2.** (*in Zusammensetzungen*) ...haarig: black-~ schwarzhaarig.

hair| fol·li·cle *s med.* 'Haarfolˌlikel *m*, -balg *m*. — **~ grass** *s bot.* **1.** Straußgras *n* (*Agrostis hiemalis*). – **2.** Schmiele *f* (*Gattg Deschampsia*).

hair·i·ness ['hɛ(ə)rinis] *s* **1.** Haarigkeit *f*, Behaartheit *f*. – **2.** Haarartigkeit *f*, -ähnlichkeit *f*.

hair·less ['hɛrlis] *adj* haarlos, unbehaart, ohne Haar(e), kahl, glatt.

'hair|ˌline *s* **1.** Haarstrich *m* (*Buchstabe*). – **2.** a) feiner Streifen (*Stoffmuster*), b) fein gestreifter Stoff. – **3.** Haaransatz *m*, -linie *f*. – **4.** Haarseil *n*. — **~ net** *s* Haarnetz *n*. — **'~ˌpin** *s* Haarnadel *f*. — **'~ˌpin bend** *s* S-Kurve *f*, Haarnadelkurve *f* (*Straße etc*). — **'~-ˌrais·er** *s colloq.* (*etwas*) Schauerliches, *bes.* Schauergeschichte *f*. — **'~-ˌrais·ing** *adj colloq.* **1.** haarsträubend. – **2.** aufregend, schrecklich, schauerlich.

hair's breadth, 'hairsˌbreadth → hairbreadth I.

hair| seal *s* (*Pelzhandel*) Haarseehund *m*. — **~ shirt** *s* härenes Hemd. — **~ sieve** *s* Haarsieb *n*. — **~ slide** *s* Haarspange *f* (*aus Horn, Schildpatt etc*). — **~ space** *s print.* Haarspatium *n*. — **'~ˌsplit·ter** *s fig.* Haarspalter(in), pe'dantischer *od.* spitzfindiger Mensch. — **'~ˌsplit·ting I** *s* ˌHaarspalte'rei *f*. – **II** *adj* haarspalterisch, pe'dantisch, spitzfindig. — **'~ˌspring** *s tech.* Haar-, Unruhfeder *f*. — **'~ˌstreak** *s zo.* (*ein*) Bläuling *m* (*Fam. Lycaenidae, bes. Gattg Thecla*). — **~ stroke** *s* Haarstrich *m* (*Schrift*). — **~ trig·ger** *s tech.* Stecher *m* (*am Gewehr*). — **'~-ˌtrig·ger** *adj colloq.* hochempfindlich. — **'~-ˌtrig·ger flow·er** *s bot.* Säulenblume *f* (*Gattg Stylidium, bes. S. graminifolium*). — **'~-ˌwave** *s* (*künstliche*) Welle (*im Haar*). — **'~ˌworm** *s zo.* Haar-, Fadenwurm *m* (*Gattgen Gordius u. Mermis*).

hair·y ['hɛ(ə)ri] *adj* **1.** haarig, behaart. – **2.** aus Haar, haarig, Haar... – **3.** haarartig, -ähnlich. — **~ crown** *s zo.* Mittlerer Säger (*Mergus serrator*). — **'~-ˌheeled** *adj Br. sl.* flegelhaft. — **~ wood·peck·er** *s zo.* Haarspecht *m* (*Dryobates villosus*).

haj·i, haj·ji *cf.* hadji.

hake[1] [heik] *s zo.* Seehecht *m*, Hechtdorsch *m* (*Gattg Merluccius*), *bes.* a) Gemeiner Hechtdorsch (*M. vulgaris*), b) *auch* silver ~ Amer. Hechtdorsch *m* (*M. bilinearis*).

hake[2] [heik] *s* Trockengestell *n* (*für Fische, Ziegel etc*).

ha·keem [hɑː'kiːm] *s* Ha'kim *m* (*Arzt in Indien u. moham. Ländern*).

ha·kim[1] *cf.* hakeem.

ha·kim[2] ['hɑːkiːm] *s* (*in Indien u. moham. Ländern*) **1.** Ha'kim *m*, Richter *m*. – **2.** Herrscher *m*.

ha·la·kah, ha·la·cha [ˌhɑːlɑː'xɑː; hɑː'lɑːxɑː] *pl* **ˌha·la'koth, ˌha·la'choth** [-'xouθ] *s* **1.** H~ *relig.* Ha'lacha *f* (*Teil der rabbinischen Überlieferung*). – **2.** Brauch *m*, Sitte *f*. – **3.** über'liefertes Gesetz.

ha·la·tion [hæ'leiʃən; hei-] *s phot.* Lichtfleck *m*, Lichthofbildung *f*, Über'strahlung *f*.

hal·berd ['hælbərd] *s mil. hist.* Helle'barde *f*. — **ˌhal·berd'ier** [-'dir] *s* Hellebar'dier *m*.

hal·bert ['hælbərt] → halberd.

hal·cy·on ['hælsiən] **I** *s* **1.** Eisvogel *m* (*der antiken Fabel*). – **2.** *poet. für* kingfisher. – **II** *adj* **3.** *poet.* Eisvogel..., des Eisvogels. – **4.** halky'onisch, ruhig, friedlich. — **~ days** *s pl* halky'onische Tage *pl*, ruhige Schönwettertage *pl*.

hale[1] [heil] *v/t* befördern: to ~ s.o. into court j-n vor Gericht schleppen; to ~ s.o. to prison j-n ins Gefängnis werfen.

hale[2] [heil] *adj* gesund, frisch, kräftig, rüstig: ~ and hearty gesund u. munter. – *SYN. cf.* healthy.

ha·ler ['hɑːlər] *pl* **'ha·lerˌu** [-ˌruː] → heller b.

half [*Br.* hɑːf; *Am.* hæ(ː)f] **I** *adj* **1.** halb: a ~ share ein halber Anteil, eine Hälfte; a ~ hour *Am.* eine halbe Stunde; two pounds and a ~, two and a ~ pounds zweieinhalb Pfund. – **2.** halb, oberflächlich, unvollkommen, Halb...: ~ knowledge Halbwissen. – **3.** *zo. Br.* (*bes. bei Vogel- u. Fischnamen*) klein. – **4.** (*Buchbinderei*) Halb...: ~ leather. – **II** *adv* **5.** halb, zur Hälfte: the bucket is ~ full; ~ as much as I thought halb soviel wie ich dachte; ~ as much (*od.* as many) again um die Hälfte mehr. – **6.** halb(wegs), fast, nahezu: ~ dead halbtot; I ~ wish ich wünsche fast. – **7.** not ~ bei weitem nicht, lange nicht, nicht annähernd: not ~ big enough lange nicht groß genug. – **8.** not ~ *colloq.* (ganz u.) gar nicht, durch'aus nicht: not ~ bad gar nicht übel; not ~ a bad fellow gar kein übler Kerl. – **9.** not ~ *sl.* gar nicht schlecht, gehörig: he didn't ~ swear er fluchte gar nicht schlecht. – **10.** (*in Zeitangaben*) halb: ~ past two zwei Uhr dreißig, halb drei. – **11.** *mar.* ...einhalb: ~ three dreieinhalb (*Faden*); east ~-south 5 5/8° Südost. – **III** *s pl* **halves** [*Br.* hɑːvz; *Am.* hæ(ː)vz] **12.** Hälfte *f*: one ~ of it die eine Hälfte davon. – **13.** Hälfte *f*, Teil *m*. – **14.** *sport* a) Halbzeit *f*, Spielhälfte *f*, b) (*Golf*) Gleichstand *m*. – **15.** *ped. colloq.* Halbjahr *n*, Se'mester *n*. – **16.** *colloq.* a) halbe Meile, b) *Kurzform für* ~ pint (= *0,2841l*), c) Halbjahr *n*. – **17.** *mus.* Halbe *f*, halbe Note. – **18.** *colloq. für* a) ~back, b) ~ boot, c) ~ holiday. –

Besondere Redewendungen:

~ a crown → ~ crown 2; ~ a dozen ein halbes Dutzend; ~ an hour eine halbe Stunde; ~ (of) the profits die Hälfte des Gewinn(e)s; ~ of it is (*aber* ~ of them are) rotten die Hälfte (davon) ist faul; this is ~ the battle *fig.* damit ist die Sache schon halb gewonnen *od.* getan; ~ the amount die halbe Menge *od.* Summe, halb soviel; to cut in(to) halves (*od.* in ~) etwas halbieren, etwas in zwei Hälften teilen; to cut in ~ *colloq.* entzweischneiden; to do s.th. by halves etwas nur halb tun; too clever by ~ viel zu gescheit; to go halves with s.o. in s.th. etwas mit j-m teilen, mit j-m bei etwas halbpart machen; to have ~ a mind to do s.th. fast geneigt sein *od.* (nicht übel) Lust haben, etwas zu tun, etwas fast tun wollen.

'half|-and-'half I *s* Halb-u.-halb-Mischung *f*, *bes.* Mischung *f* (*zu gleichen Teilen*) aus Ale u. Porter. – **II** *adj* halb-u.-halb. – **III** *adv* zu gleichen Teilen, halb u. halb. — **'~-ˌape** → lemur. — **'~ˌback** *s* (*Fuß- u. Handball*) Läufer *m*. — **'~-'baked** *adj* **1.** halb fertig *od.* gebacken, nicht durch, halbgar. – **2.** *colloq.* a) unvollständig (durch'dacht), halbfertig (*Plan etc*), b) unerfahren, halbfertig, ‚grün' (*Person*), c) → half-witted. — **'~ˌbeak** *s zo.* (*ein*) Halbschnäbler *m* (*Fam. Hemirhamphidae, bes. Gattg Hemirhamphus; Fisch*). — **~ bind·ing** *s* Halbband *m*, *bes.* Halbfranz-, Halblederband *m* (*Bücher*). — **~ blood** *s* **1.** Halbbürtigkeit *f* (*von Geschwistern*): brother of the ~ Halbbruder; related by the ~ halbbürtig. – **2.** Halbbruder *m od.* -schwester *f*. – **3.** → half-breed 1 *u.* 3. — **'~-ˌblood** *cf.* half blood 2 *u.* 3. — **'~-ˌblood·ed** *adj* halbblütig, Halbblut... — **~ boot** *s* Stiefel *m*. — **'~-ˌbound** *adj* in Halbband gebunden. — **'~-ˌbred I** *adj* halbblütig, Halbblut... – **II** *s* Halbblut(tier) *n*. — **'~-ˌbreed I** *s* **1.** Mischling *m*, Halbblut *n*. – **2.** *Am.* Me'stize *m*. – **3.** Halbblut *n* (*Tier*). – **4.** Kreuzung *f* (*Pflanze*). – **II** *adj* **5.** halbblütig, Halbblut... — **~ broth·er** *s* Halbbruder *m*. — **~ butt** *s* (*Billard*) zweitlängstes Queue. — **~ ca·dence** *s mus.* Halbschluß *m* (*auf Dominante endend*). — **'~-ˌcalf** *s irr* Halbfranzband *m*. — **'~-ˌcaste I** *s* **1.** Mischling *m*, Halbblut *n*. – **2.** Mischling *m* zwischen Inder u. Euro'päer. – **II** *adj* **3.** halbblütig, Halbblut... — **~ cir·cle** *s* Halbglocke(nrock *m*) *f*. — **~ close** → half cadence. — **~ cloth** *s* (*Buchbinderei*) Halbleinen *n*. — **'~-ˌcloth** *adj* Halbleinen..., in Halbleinen gebunden. — **~ cock** *s* Vorderrast *f*, -ruhe *f* (*des Gewehrhahns*): → cock[1] 8b. — **'~-'cocked** *adj* **1.** in Vorderraststellung (*Gewehrhahn*). – **2.** *fig. Am. colloq.* nicht ganz vorbereitet *od.* fertig. — **~ crown** *s* (*in England*) **1.** Halbkronenstück *n* (*Wert*: *2s.6d.*). – **2.** *meist* half a crown halbe Krone (= *2s.6d.*, *2/6*). — **'~-ˌcrown** *adj* eine halbe Krone wert *od.* kostend: a ~ book. — **~ deck** *s mar.* Halbdeck *n*. — **~ dol·lar** *s* (*in USA*) **1.** halber Dollar (= *50 cents*). – **2.** Halbdollarstück *n*. — **~ ea·gle** *s Am.* Fünfdollar(gold)stück *n*. — **~ gain·er** *s* (*Kunstspringen*) Auerbach(kopfsprung) *m*. — **'~-'har·dy** *adj* (*Gartenbau*) ziemlich winterhart. — **'~'heart·ed** *adj* **1.** verzagt, kleinmütig, ängstlich. – **2.** lau, gleichgültig. — **ˌ~'heart·ed·ness** *s* **1.** Verzagtheit *f*. – **2.** Gleichgültigkeit *f*. — **~ hitch** *s mar.* Halbstich *m*, halber Stek. — **~ hol·i·day** *s* halber Feiertag, freier Nachmittag. — **~ hose** *s* **1.** Halb-, Kniestrümpfe *pl*. – **2.** Socken *pl*. — **~ hour** *s* halbe Stunde. — **'~-ˌhour** *adj* halbstündig. — **'~-'hour·ly I** *adj* halbstündig. – **II** *adv* jede halbe Stunde, halbstündlich. — **~ leath·er** *s* (*Buchbinderei*) Halbleder *n*. — **'~-ˌleath·er** *adj* Halbleder..., in Halbleder gebunden. — **'~-'length I** *adj* in 'Halbfiˌgur (*Porträt*): ~ portrait Brustbild. – **II** *s* Brustbild *n*. — **~ life, '~-ˌlife pe·ri·od** *s chem. phys.* Halbwertzeit *f* (*beim Atomzerfall*). — **'~-ˌlight I** *s* Halblicht *n* (*bes. in der Malerei*). – **II** *adj* im Halblicht, Halblicht... — **'~-ˌlong** *adj bes. ling.* halblang. — **'~-'mast I** *s* **1.** Halbmast *m*: at ~ a) halbmast, auf Halbmast (*Flagge*), b) *mar.* halbstocks. – **II** *v/t* **2.** auf Halbmast setzen. – **3.** *mar.* halbstocks setzen. — **'~-ˌmast high** *adj* halbmast, auf Halbmast. — **~ meas·ure** *s* Halbheit *f*, halbe Sache, Kompro'miß *m*, *n*. — **~-moon I** *s* [*Br.* 'hɑːf'muːn; *Am.* 'hæ(ː)f'muːn] **1.** Halbmond *m*. – **2.** (*etwas*) Halbmondförmiges, *bes.* a) (*Dreherei*) (Halb)Mondstahl *m*, b) (*Bergbau*) halbmondförmiges (Bogen)Gerüst, c) *mar. mil.* halbmondförmige Schanze, Lü'nette *f*, Außenwerk *n*. – **II** *adj* ['-ˌmuːn] **3.** Halbmond... – **4.** halbmondförmig. — **~ mourn·ing** *s* Halbtrauer *f*. — **~ nel·son** *s* (*Ringen*) Halbnelson *m*. — **~ note** *s mus.* halbe Note. — **'~-'or·phan** *s* Halbwaise *f*. — **~ pay** *s* **1.** halbes *od.* her'abgesetztes Gehalt. – **2.** *mil.* Halbsold *m*, Wartegeld *n*: on ~ außer Dienst. — **'~-'pay** *adj* auf halbem Sold (stehend).

half·pen·ny ['heipəni; -pni] **I** *s* **1.** *pl* **half·pence** ['heipəns] halber Penny (*als Geldwert*): three halfpence, a penny ~ eineinhalb Pennies. – **2.** *pl* **'half·pen·nies** Halbpennystück *n*: can you give me four halfpennies? können Sie mir vier Halbpennystücke geben? to turn up again like a bad ~ immer wieder auftauchen. – **3.** *Am.* Ohrmarke *f* (*Haustier*). – **II** *adj* **4.** einen halben Penny wert *od.* kostend: a ~ stamp eine Halbpenny-Briefmarke. — **'~ˌworth** [*oft* 'heipərθ] *s* Wert *m* von einem halben Penny: a ~ of sweets für einen halben Penny Bonbons.

half| prin·ci·pal *s arch.* Halbbinder *m*. — **~ re·lief** *s* 'Halbreliˌef *n*. — **'~ˌseas o·ver** *pred adj* **1.** halb übers Meer. – **2.** *sl.* ‚beschwipst'. — **~ sis·ter** *s* Halbschwester *f*. — **~ snipe** → jacksnipe 1. — **~ sole** *s* Halbsohle *f*. — **'~-ˌsole** *v/t* mit einer Halbsohle versehen. — **~ sov·er·eign** *s hist.* (*in England*) (goldenes) Zehn'schillingstück. — **~ speed** *s mar.* halbe Kraft: ~ ahead halbe Kraft voraus. — **'~-ˌstaff** → half-mast. — **~ step** *s* **1.** *mil. Am.* Kurzschritt *m* (*15 Zoll*). – **2.** *mus.* Halbton(schritt) *m*. — **~ tide** *s mar.* Gezeitenmitte *f*. — **'~-ˌtim·bered** *adj arch.* Fachwerk... — **~ time** *s* **1.** halbe Arbeitszeit. – **2.** *sport* Halbzeit *f*. — **'~-'time** *adj* Halbzeit...: ~ job Halbtagsbeschäftigung. — **'~-'tim·er** *s* **1.** Halbtagsarbeiter *m*. – **2.** (*in England*) Werkschüler *m*. — **~ ti·tle** *s* **1.** Schmutztitel *m* (*eines Buches*). – **2.** Ka'pitelˌüberschrift *f* (*in einem Buch*). — **~ tone** *s* **1.** *mus.* Halbton *m*, halber Ton. – **2.** (*Malerei*) Halbton *m*. – **3.** *cf.* halftone 1. — **'~ˌtone, '~-ˌtone I** *s* **1.** (*Graphik*) a) Halbton *m*, b) Halbtonverfahren *n*, c) Halbtonbild *n*, d) *auch* ~ block Autoty'piekliˌschee *n*. – **2.** *cf.* half tone 2. – **II** *adj* **3.** (*Graphik*) Halbton... — **'~-ˌtrack I** *s auch* halftrack **1.** *tech.* Halbkettenantrieb *m*. – **2.** Halbketten-, Räderraupenfahrzeug *n*. – **3.** *mil.* (Halbketten-)Schützenpanzer(wagen) *m*, SPW *m*. – **II** *adj auch* **halftracked 4.** mit Halbkettenantrieb. — **'~-ˌtruth I** *s* halbe Wahrheit. – **II** *adj* halbwahr. — **~ vol·ley** *s sport* Halbflugball *m*. — **'~-ˌvol·ley** *sport* **I** *v/t* (*Ball*) halbflug nehmen *od.* schlagen. – **II** *v/i* Halbflugbälle spielen *od.* nehmen. — **'~'way I** *adj* **1.** auf halbem Weg *od.* in der Mitte (liegend). – **2.** halb, teilweise: ~ measures halbe Maßnahmen. – **II** *adv* **3.** auf halbem Weg, in der Mitte: he stopped ~ er hielt auf halbem Weg an; it is ~ between here and London es liegt auf halbem Weg *od.* in der Mitte zwischen hier u. London. – **4.** bis zur Hälfte *od.* Mitte: the rope reaches ~. – **5.** teilweise, halb(wegs): he yielded ~ er gab teilweise nach. — **'~'way house** *s* **1.** auf halbem Weg *od.* auf halber Höhe gelegenes Gasthaus. – **2.** *fig.* 'Zwischenstufe *f*, -statiˌon *f*. – **3.** *fig.* Kompro'miß *m*, *n*, Entgegenkommen *n* auf halbem Weg. — **'~-ˌwit** *s* Dumm-, Schwachkopf *m*. — **'~-ˌwit·ted** *adj* dumm, blöd. — **ˌ~-'wit·ted·ness** *s* Dummheit *f*, Blödheit *f*. — **ˌ~-'year·ly I** *adj* halbjährlich. – **II** *adv* halbjährlich, jedes halbe Jahr.

hal·i·but ['hælibət; -lə-] *s zo.* Heilbutt *m* (*Hippoglossus hippoglossus*).

hal·ide ['hælaid; 'hei-], *auch* **'hal·id** [-lid] *chem.* **I** *s* Haloge'nid *n*. – **II** *adj* salzähnlich.

hal·i·dom ['hælidəm], **'hal·iˌdome** [-ˌdoum] *s obs.* Heiligkeit *f*.

hal·i·eu·tic [ˌhæli'juːtik] **I** *adj* Fischerei..., Fischfang(s)..., hali'eutisch. – **II** *s pl* Fische'reiwesen *n*, -kunde *f*, Hali'eutik *f*. — **ˌhal·i'eu·ti·cal** → halieutic I.

hal·ite ['hælait; 'hei-] *s min.* Ha'lit *m*.

hal·i·to·sis [ˌhæli'tousis; -lə-] *s med.* übler Mundgeruch. — **'hal·i·tus** [-təs] *s* **1.** Hauch *m*, Atem *m*. – **2.** Dunst *m*, Dampf *m*.

Hal·iv·er ['hælivər; -lə-] (*TM*) *s* Heilbuttlebertran *m*.

hall [hɔːl] *s* **1.** Halle *f*, Saal *m*. – **2.** (Empfangs-, Vor)Halle *f*, Vesti'bül *n*, Diele *f*, Flur *m*. – **3.** Korridor *m*, Gang *m*. – **4.** (Versammlungs)Halle *f*: town ~ Stadthalle; the H~ of Fame die Ruhmeshalle (*in New York*). – **5.** Innungs-, Gilden-, Zunfthaus *n*. – **6.** *bes. Br.* Herrenhaus *n* (*eines Landbesitzes*). – **7.** (*in Oxford u. Cambridge*) 'Studienhaus *n*, -interˌnat *n*. – **8.** Stu'dentenheim *n*, -haus *n*. – **9.** (*in Colleges etc*) (*gemeinsames* Essen im) Speisesaal *m*. – **10.** (*in USA*) Insti'tut *n*, Kol'legium *n*, wissenschaftliche Vereinigung: Science H~ naturwissenschaftliches Institut. – **11.** *hist.* a) Fürsten-, Königssaal *m* (*der Germanen*), b) Festhalle *f*, -saal *m*.

hal·lan ['hælən; 'hɑː-] *s Scot. od. Irish* (Trenn)Wand *f* zwischen Tür u. Ka'min (*in Bauernhäusern*).

hall| bed·room *s Am.* kleines Schlafzimmer (*mit Zugang von der Diele aus*). — **'~ˌboy** *s Am.* Boy *m*, Laufbursche *m*.

hal·lel [hə'leil; 'hæləl] *s relig.* Hal'lel *n* (*Loblied*).

hal·le·lu·jah, *auch* **hal·le·lu·iah** [ˌhæli'luːjə; -lə'l-] **I** *s* (H)Alle'luja *n*. – **II** *interj* (h)alle'luja!

Hal·ley's com·et ['hæliz] *s astr.* Halleyscher Ko'met.

hal·liard *cf.* halyard.

'hallˌmark I *s auch* hall mark **1.** Feingehaltsstempel *m* (*der Londoner Goldschmiedeinnung*). – **2.** *fig.* Stempel *m*, Gepräge *n*, Kennzeichen *n*, Merkmal *n*. – **II** *v/t auch* hall-mark **3.** (*Gold od. Silber*) stempeln, mit einem Feingehaltsstempel versehen. – **4.** *fig.* kennzeichnen, stempeln, (*dat*) das Gepräge geben.

hal·lo(a) [hə'lou] → hollo.

hal·loo [hə'luː] **I** *interj* **1.** hallo! he! heda! – **II** *s* **2.** Hallo *n*. – **III** *v/i* **3.** (‚hallo') rufen *od.* schreien. – **IV** *v/t* **4.** (*Tier*) durch (Hallo)Rufe antreiben, anspornen. – **5.** (an)rufen. – **6.** schreien, (aus)rufen.

hal·low[1] ['hælou] **I** *v/t* **1.** heiligen, heilig machen, weihen. – **2.** anbeten, als heilig verehren. – *SYN. cf.* devote. – **II** *s* **3.** *obs.* Heiliger.

hal·low[2] ['hælou] → halloo.

hal·lowed ['hæloud] *adj* **1.** geheiligt. – **2.** geweiht, heilig.

Hal·low·een, *auch* **Hal·low·e'en** [ˌhælou'iːn] *s* Abend *m* vor Aller'heiligen. — **'Hal·low·mas** [-ˌmæs; -məs] *s* Aller'heiligen(fest) *n* (*1. Nov.*).

hal·loy·site [hæ'lɔizait] *s min.* Halloy'sit *m*.

hall room → hall bedroom.

Hall·statt| civ·i·li·za·tion ['hɑːlstɑːt] *s* 'Hallstattkulˌtur *f*. — **~ ep·och** *s* Hallstattzeit *f*.

Hall·stat·ti·an [hɑːl'stɑːtiən] *adj* Halstatt...

hall tree *s Am.* Garde'robenständer *m*.

hal·lu·cal ['hæljukəl; -jə-] *adj med. zo.* die große Zehe betreffend.

hal·lu·ci·nate [hə'luːsiˌneit; -sə-] **I** *v/i* **1.** halluzi'nieren, an Halluzinati'onen *od.* Sinnestäuschungen leiden, Sinnestäuschungen haben. – **2.** einer Sinnestäuschung unter'liegen. – **3.** faseln. – **II** *v/t* **4.** in Sinnestäuschungen versetzen. — **halˌlu·ci'na·tion** *s* Halluzinati'on *f*, Sinnestäuschung *f*. – *SYN. cf.* delusion. — **hal'lu·ci·na·to·ry** [*Br.* -nətəri; *Am.* -ˌtɔːri] *adj* auf Sinnestäuschung beruhend, sinnestäuschend, halluzina'torisch. — **halˌlu·ci'no·sis** [-'nousis] *s med.* Halluzi'nose *f*.

hal·lux ['hæləks] *pl* **hal·lu·ces** ['hæljuˌsiːz; -jə-] *s med. zo.* große Zehe.

'hallˌway *s Am.* **1.** (Eingangs)Halle *f*, Diele *f*. – **2.** Gang *m*, Korridor *m*.

halm *cf.* haulm.

hal·ma ['hælmə] *s* **1.** *antiq.* (*Art*) Weitsprung *m*. – **2.** Halma(spiel) *n*.

hal·ma·lille ['hælməlil] *s bot. ein indischer Tiliaceenbaum* (*Berrya ammonilla*).

ha·lo ['heilou] **I** *s pl* **ha·lo(e)s** **1.** Nimbus *m*, Heiligen-, Glorienschein *m* (*auch fig.*). – **2.** *astr.* Halo *m*, Ring *m*, Hof *m*. – **II** *v/t* **3.** *sg* **'ha·loes 3.** mit einem Heiligen- *od.* Lichtschein um'geben. – **III** *v/i* **4.** einen Halo *od.* Heiligenschein bilden.

halo- [hælo; hei-; hə-; -lə] *Wortelement mit der Bedeutung* Salz.

hal·o·gen ['hælədʒən; 'hei-] *s chem.* Halo'gen *n*, Salzbildner *m*. — **ha·log·e·nous** [hə'lɒdʒinəs; -dʒə-] *adj* halo'gen, salzbildend.

hal·o·gen·ate ['hælədʒəˌneit] *v/t chem.* haloge'nieren, mit Halo'gen verbinden. — **ˌhal·o·gen'a·tion** *s chem.* Haloge'nierung *f*.

hal·oid ['hælɔid; 'hei-] *chem.* **I** *adj* salz-, halo'genähnlich. – **II** *s* Halo'gensalz *n*.

ha·lom·e·ter [hə'lɒmitər; -mə-] *s phys.* Halo'meter *n*, Salzwaage *f*, -gehaltmesser *m*, Salino'meter *n*.

hal·o·phyte ['hæloˌfait; -lə-] *s bot.* Salzpflanze *f*, Halo'phyt *m*. — **ˌhal·o'phyt·ic** [-'fitik] *adj* halo'phytisch.

ha·lo·scope ['heiloˌskoup; -lə-] *s phys.* Halo'skop *n*.

ha·lot·ri·chite [hə'lɒtriˌkait] *s min.* Halotri'chit *m*, Haarsalz *n*.

halt[1] [hɔːlt] **I** *s* **1.** Halt *m*, Rast *f*, Stillstand *m*: to call a ~ a) Halt gebieten, halten lassen, b) zum Stillstand kommen, anhalten. – **2.** *Br.* (Bedarfs)Haltestelle *f* (*Eisenbahn*). – **II** *v/t* **3.** haltmachen *od.* anhalten lassen, anhalten, zum (An)Halten bringen. – **III** *v/i* **4.** (an)halten, stehenbleiben, haltmachen.

halt[2] [hɔːlt] **I** *v/i* **1.** *fig.* hinken, nicht ganz stimmen (*Vergleich etc*): a ~ing argument ein hinkendes Argument. – **2.** zögern, zweifeln, (sch)wanken. – **3.** *obs.* hinken. – **II** *adj obs.* **4.** lahm, hinkend. – **III** *s obs.* **5.** Lahmheit *f*, Hinken *n*.

hal·ter[1] ['hɔːltər] **I** *s* **1.** Halfter *f*. – **2.** Schlinge *f*, Strick *m* (*zum Hängen*). – **3.** *fig.* Henkerstod *m*, Galgen *m*. – **4.** rückenfreies Oberteil mit Halsträger. – **II** *v/t* **5.** *oft* ~ up (*Pferd*) (an)halftern. – **6.** mit einem Strick (ein)fangen. – **7.** (*j-n*) aufhängen, erhängen. – **8.** *fig.* zügeln, (be)zähmen, im Zaume halten.

hal·ter[2] ['hæltər] *pl* **hal·te·res** [hæl'ti(ə)riːz] *s zo.* Hal'tere *f*, Schwingkölbchen *n* (*der Fliegen*).

'hal·terˌbreak ['hɔːltər-] *v/t* (*Pferd*) an die Halfter gewöhnen.

halt·ing ['hɔːltiŋ] *adj* **1.** hinkend. – **2.** lahm. – **3.** *fig.* zögernd, schwankend, unschlüssig, unsicher. – **4.** *fig.* stockend, langsam. – **5.** *fig.* hinkend, schleppend (*Verse etc*).

halve [*Br.* hɑːv; *Am.* hæ(ː)v] *v/t* **1.** a) hal'bieren, b) zu gleichen Hälften teilen, c) auf die Hälfte redu'zieren. – **2.** (*Golf*) a) (*ein Loch*) mit der gleichen Anzahl von Schlägen erreichen (**with** wie), b) (*Runde*) mit der gleichen Anzahl von Schlägen spielen (**with** wie): **to ~ a hole with s.o.** – **3.** (*Tischlerei*) abblatten, verblatten.

halves [*Br.* hɑːvz; *Am.* hæ(ː)vz] *pl von* **half.**

hal·yard ['hæljərd] *s mar.* Fall *n*: **to settle ~s** die Falleinen wegfieren.

ham[1] [hæm] **I** *s* **1.** (Schweine)Schinken *m*: **~ and eggs** Ham and Eggs, Schinken mit Ei. – **2.** *med.* a) Kniekehle *f*, b) Gesäß-, 'Hinterbacke *f*, c) 'Hinterschenkel *m*. – **3.** *zo.* Hachse *f* (*von Vierfüßern*). – **4.** (*Theater*) *Am. sl.* a) dilet'tantischer Schauspieler, b) schlechtes *od.* dilet'tantisches Spiel. – **5.** *Am. sl.* (*bes.* 'Radio)Ama,teur *m*. – **II** *adj* **6.** *Am. sl.* schlecht, dilet'tantisch, stümperhaft. – **III** *v/t u. v/i pret u. pp* **hammed 7.** *Am. sl.* schlecht *od.* stümperhaft spielen.

ham[2] [hæm] *s hist.* **1.** Weiler *m*, Dörfchen *n*. – **2.** Stadt *f*.

ham·a·dry·ad [,hæmə'draiæd; -əd] *pl* **-ads, -a,des** [-ə,diːz] *s* **1.** *antiq.* (Hama)Dry'ade *f*, Baumnymphe *f*. – **2.** *zo.* a) → **king cobra**, b) → **sacred baboon.**

ha·mal [hə'mɑːl; -'mɔːl] *s* Ham'mal *m* (*orient. Lastträger*).

ham·a·me·li·da·ceous [,hæmə,miːli'deiʃəs; -,mel-] *adj bot.* zu den Hamamelida'ceen gehörig (*strauchige Pflanzengattung*).

ha·mate ['heimeit] *adj med.* **1.** hakenförmig. – **2.** Haken...

ha·maul [hə'mɔːl] → **hamal.**

Ham·ble·to·ni·an [,hæmbl'touniən] *s* **1.** *edles amer. Traberpferd.* – **2.** *ein jährlich in Goshen, New York, stattfindendes Trabrennen.*

Ham·burg ['hæmbəːrg] *s* **1.** Hamburger Huhn *n* (*Rasse*). – **2.** (*Art*) dunkelblaue Weintraube. – **3. h~** → **hamburger.** — **'ham,burg·er** *s Am.* **1.** Hackfleisch *n*. – **2.** (*Art*) 'Hackfleischpa,stete *f*, Fleischküchlein *n*, ‚deutsches Beefsteak'. – **3.** mit Fleischküchlein belegtes Brötchen.

Ham·burgh ['hæmbəːrg] *Br. für* **Hamburg 1** *u.* **2.**

Ham·burg steak → **hamburger 1** *u.* **2.**

hame [heim] *s* **1.** Kummetfeder *f*, -holz *n*. – **2.** *pl* Kumt-, Kummetbügel *m*.

'ham|-,fist·ed, '~-,hand·ed *adj sl.* ungeschickt.

Ham·ite[1] ['hæmait] *s* Ha'mit(in) (*Mitglied einer afrik. Völkerfamilie*).

ha·mite[2] ['heimait] *s zo.* Ammo'nit *m*, Ammonshorn *n*.

Ham·it·ic [hæ'mitik; hə-] **I** *adj* ha'mitisch. – **II** *s ling.* Ha'mitisch *n*.

ham·let[1] ['hæmlit] *s* **1.** Weiler *m*, Flecken *m*. – **2.** Dörfchen *n*, kleines Dorf (*bes. ohne Kirche*).

ham·let[2] ['hæmlit] *s zo.* Gestreifter Zackenbarsch (*Epinephelus striatus*).

ham·mal *cf.* **hamal.**

ham·mam [hə'mɑːm] *s* Ham'mam *m* (*türk. Bad*).

ham·mer ['hæmər] **I** *s* **1.** Hammer *m*: **knight of the ~** (*Beiname für*) Grob-, Hufschmied; **to come** (*od.* **go**) **under the ~** unter den Hammer kommen, versteigert werden; **~ and tongs** *colloq.* mit aller Gewalt, wild drauflos; **~ and sickle** Hammer u. Sichel. – **2.** a) *mus.* Hammer *m* (*Klavier etc*), b) Klöppel *m*. – **3.** *med.* Hammer *m* (*Gehörknöchelchen*). – **4.** *sport* (Wurf-)Hammer *m*: **throwing the ~** Hammerwerfen. – **5.** *tech.* a) Hammer(werk *n*) *m*, b) Hahn *m*, Spannstück *n* (*Feuerwaffe*), c) Stoß *m* (*Rohrleitung*). – **II** *v/t* **6.** hämmern, (*mit einem Hammer*) schlagen *od.* treiben: **to ~ a nail into the wall** einen Nagel in die Wand schlagen; **to ~ an idea into s.o.'s head** *fig.* j-m eine Idee einhämmern *od.* einbleuen. – **7.** *oft* **~ out** a) hämmern, (durch Hämmern) formen, b) *fig.* (*mühsam*) ausarbeiten, ersinnen, erdenken, ausdenken, klarlegen. – **8.** zu'sammenhämmern, -schmieden, -zimmern. – **9.** *colloq.* a) schlagen, (ver)prügeln, verdreschen, b) vernichtend schlagen. – **10.** (*Börse*) (*j-n durch drei Hammerschläge*) für zahlungsunfähig erklären. – **III** *v/i* **11.** hämmern, schlagen: **to ~ away on the piano** auf dem Klavier herumhämmern. – **12.** (**at**) (her'um)arbeiten (an *dat*), sich abmühen (mit).

ham·mer| beam *s arch.* Stichbalken *m*. — **~ blow** *s* Hammerschlag *m*. — **'~,cloth** *s* Kutschbockdecke *f*. — **'~,dress** *v/t* (mit einem Hammer) behauen. — **~ drill** *s tech.* Bohrhammer *m*.

ham·mered ['hæmərd] *adj tech.* gehämmert, Treib... — **'ham·mer·er** *s* Hämmerer *m*.

'ham·mer|-,hard *adj tech.* hammerhart. — **'~-,hard·en** *v/t tech.* kalthämmern, hartschlagen. — **'~,head** *s zo.* **1.** Hammerhai *m* (*Sphyrna zygaena*). – **2.** → **umbrette.** — **~ head** *s tech.* Hammerkopf *m*.

ham·mer·less ['hæmərlis] *adj* mit verdecktem Schlaghammer (*Schußwaffe*).

ham·mer| lock *s* (*Ringen*) Hammergriff *m*. — **'~·man** [-mən] *s irr* Hammerschmied *m*. — **~ mill** *s tech.* Hammerwerk *n*, -schmiede *f*. — **~ scale** *s tech.* (Eisen)Hammerschlag *m*, Zunder *m*. — **~ sedge** *s bot.* Rauhhaarige Segge (*Carex hirta*). — **~ shell** *s zo.* Hammermuschel *f* (*Gattg Malleus*). — **'~,smith** *s tech.* Hammerschmied *m*. — **'~,toe** *s med.* Hammerzehe *f*.

ham·mock[1] ['hæmək] *s* Hängematte *f*.

ham·mock[2] ['hæmək] *s Am.* humusreiches Laubwaldgebiet (*in den südl. USA, bes. Florida*).

ham·mock| bat·ten *s mar.* Hängemattenlatte *f*. — **~ chair** *s* Liegestuhl *m*.

Ham·mond or·gan ['hæmənd] *s mus.* Hammond-Orgel *f*.

ham·per[1] ['hæmpər] **I** *v/t* **1.** (be)hindern, hemmen. – **2.** festhalten. – **3.** verstricken, verwickeln. – **4.** rui'nieren. – *SYN.* **clog, fetter, manacle, shackle, trammel.** – **II** *s* **5.** Fessel *f*, Hemmnis *n*, Hindernis *n*. – **6.** *mar. collect. notwendige, aber hinderliche Ausrüstungsgegenstände.*

ham·per[2] ['hæmpər] *s* **1.** (Pack-, Trag-, Wäsche)Korb *m* (*meist mit Deckel*). – **2.** Fruchtkorb *m*. – **3.** Geschenkkorb *m*: **a Christmas ~.**

Hamp·shire (Down) ['hæmpʃir; -ʃər] *s* Hampshire-Schaf *n* (*Schafrasse*).

ham·shack·le ['hæm,ʃækl] *v/t* **1.** (*Tier*) fesseln (*durch Seil um Kopf u. Vorderbein*). – **2.** *fig.* zu'rück-, festhalten, binden, zügeln.

ham·ster ['hæmstər] *s zo.* Hamster *m* (*bes. Gattg Cricetus*): **golden ~** Goldhamster (*C. auratus*).

'ham,string I *s* **1.** *med.* Kniesehne *f*, -flechse *f*. – **2.** *zo.* A'chillessehne *f*. – **II** *v/t irr* **3.** (durch Zerschneiden der Kniesehnen) lähmen. – **4.** *fig.* a) lähmen, b) verstümmeln.

ham·u·lar ['hæmjulər; -jə-] *adj med.* hakenförmig. — **'ham·u·lus** [-ləs] *pl* **-li** [-,lai] *s bot. med. zo.* Häkchen *n*, Hakenfortsatz *m*.

han·a·per ['hænəpər] *s hist.* Doku'mentenkörbchen *n*.

hance [hæns; hɑːns] *s* **1.** *arch.* a) Auslauf *m*, Enden *pl* (*von elliptischen Bogen*), b) (Bogen)Schenkel *m*. – **2.** *mar. obs.* Niedergang *m*.

hand [hænd] **I** *s* **1.** Hand *f*: **~s down** mühelos, ohne Anstrengung, mit Leichtigkeit, spielend; **to win ~s down** spielend gewinnen; **~s off!** Hände weg! **~s up!** Hände hoch! **in the turning of a ~** *fig.* im Handumdrehen. – **2.** *zo.* a) Hand *f* (*Affe*), b) Vorderfuß *m* (*Pferd etc*), c) Fuß *m* (*Falke*), d) Schere *f* (*Krebs*). – **3.** Hand *f*, Urheber *m*, Verfasser *m*, Künstler *m*. – **4.** *oft pl* Hand *f*, Macht *f*, Gewalt *f*: **it is in my ~s** es liegt in meiner Hand. – **5.** *pl* Hände *pl*, Obhut *f*. – **6.** *pl* Hände *pl*, Besitz *m*: **to fall into s.o.'s ~s** in j-s Hände fallen. – **7.** Hand *f* (*Handlungs-, bes. Regierungsweise*): **an iron ~** eine eiserne Zucht; **with a high ~** selbstherrlich, hochmütig; **with (a) heavy ~** hart, erbarmungslos, (be)drückend. – **8.** Hand *f*, Quelle *f*: **at first ~** aus erster Quelle. – **9.** Hand *f*, Fügung *f*, Einfluß *m*, Wirken *n*: **the ~ of God** die Hand Gottes. – **10.** Hand *f*, (Verlobungs- *od.* Heirats)Versprechen *n*, Wort *n*: **he asked for her ~** er bat um ihre Hand. – **11.** Hand *f* (*als Symbol für Hilfe*): **a helping ~** hilfreiche Hand. – **12.** Seite *f*, Richtung *f* (*auch fig.*): **on every ~** auf jeder Seite; **on the right ~** rechter Hand; **on the other ~** *fig.* andererseits. – **13.** Zeiger *m* (*Uhr etc*). – **14.** handähnliches Ding: → **banana 2.** – **15.** *bes. print.* Handzeichen *n*. – **16.** Arbeiter *m*. – **17.** Mitglied *n* (*Gruppe*), *bes. mar.* Besatzungsmitglied *n*, Ma'trose *m*: → **deck 1.** – **18.** Erfahrener *m*, Geübter *m*, Fachmann *m*: **an old ~** ein alter Fachmann; **a good ~ at** sehr geschickt *od.* geübt in (*dat*); **I am a poor ~ at playing chess** ich bin ein schlechter Schachspieler. – **19.** (gute) Hand, Geschick *n*, Fingerspitzengefühl *n*, Fähigkeit *f*: **he has a ~ for horses** er hat eine gute Hand für Pferde, er kann mit Pferden umgehen; **my ~ is out** ich bin außer Übung. – **20.** Handschrift *f*: **to write a good ~** eine schöne Handschrift haben. – **21.** 'Unterschrift *f*. – **22.** Hand *f*, Ausführung *f*, Fertigkeit *f*: **it shows a master's ~** es verrät die Hand eines Meisters. – **23.** Ap'plaus *m*, Beifall *m*: **to get a big ~** reichen Beifall ernten. – **24.** Handbreit *f* (= *4 Zoll, 10,16 cm*). – **25.** (*Kartenspiel*) a) Spieler *m*, b) Blatt *n*, Karte *f*, Karten *pl*, c) Spiel *n*, Runde *f*. – **26.** *jur.* Manus *f*. – **27.** (*Reitkunst*) geschickte Zügelführung. – **28.** Bündel *n* (*Tabakblätter etc*). – **29.** fünf Stück (*Orangen etc, die zusammen verkauft werden*). – **30.** *sport* Dransein *n*, Am-'Spiel-Sein *n*, Gang *m*. –

Besondere Redewendungen:

~ and foot a) an Händen u. Füßen (*fesseln*), b) eifrig, ergeben (*dienen*); **~ and** (*od.* **in**) **glove** vertraut, auf vertrautem Fuße stehend, ein Herz u. eine Seele (**with** mit); **~ in ~** Hand in Hand (*auch fig.*); **to go ~ in ~ with s.o.** *fig.* mit j-m Schritt halten; **~ on heart** Hand aufs Herz; **~ over ~** (*od.* **fist**) a) Hand über Hand (*klettern etc*), b) *fig.* Zug um Zug, in rascher Folge, schnell, spielend; **~ to ~** Mann gegen Mann (*Kampf*); **at ~** a) nahe, bei der Hand, b) nahe (bevorstehend), c) zur Hand, bereit; **at the ~(s) of s.o.** von seiten j-s, seitens j-s; **by ~** a) mit der Hand, b) durch Boten, c) mit der Flasche (*ein Kind ernähren*); **by the ~ of** durch; **for one's own ~** auf eigene Rechnung, zum eigenen Vorteil; **from ~ to ~** von Hand zu Hand; **from ~ to mouth** von der Hand in den Mund; **in ~** a) in der Hand, b) zur (freien) Verfügung, c) vorrätig, vorhanden, d) *fig.* in der Hand, unter Kontrolle, in der Gewalt, e) unter den Händen, in Bearbeitung, f) im Gange; to have s.th. in ~ a) etwas in der Hand *od.* Gewalt haben, b) sich mit etwas beschäftigen; → cash[1] 2; to take in ~ in die Hand nehmen; the matter in ~ die vorliegende Angelegenheit; off ~ auf der Stelle, aus dem Stegreif; off one's ~s vom Halse, außerhalb von j-s Verantwortung; to take s.th. off s.o.'s ~s j-m etwas abnehmen, j-m etwas vom Halse schaffen; on ~ a) verfügbar, vorrätig, b) bevorstehend, c) *Am.* zur Stelle; on one's ~s a) auf dem Halse, zur Last, b) zur Verfügung; to be on s.o.'s ~s j-m zur Last fallen; on all ~s a) überall, b) von überall her, von allen Seiten; on either ~ zu beiden Seiten; on the one ~ ... on the other ~ *fig.* einerseits ... andererseits; to have s.th. on ~ etwas im Sinne haben; out of ~ a) unverzüglich, sofort, b) vorbei, erledigt, c) *fig.* aus der Hand, außer Kontrolle; to let one's temper get out of ~ die Selbstbeherrschung verlieren; to ~ zur Hand; to one's ~(s) schon vorbereitet, bereits zur Hand, zum sofortigen Gebrauch bereit; → come *b. Redw.*; your letter to ~ *econ.* im Besitz Ihres werten Schreibens; under ~ a) unter Kontrolle, b) unter der Hand, heimlich; under the ~ and seal of Mr. X. von Mr. X. eigenhändig unterschrieben *od.* geschrieben u. gesiegelt; with one's own ~ eigenhändig; to take gifts with both ~s von beiden Seiten *od.* Parteien Geschenke annehmen; → bear[1] 16; to change ~s in andere Hände *od.* in anderen Besitz übergehen; not to do a ~'s turn keinen Finger rühren, sich kein bißchen anstrengen; to get one's ~ in in Übung *od.* ‚in Schwung' kommen, sich einarbeiten; to have one's ~ in in Übung sein, ‚gut im Schuß sein'; to have a ~ in s.th. seine Hand im Spiel haben bei etwas, an einer Sache beteiligt sein; to have one's ~s full alle Hände voll zu tun haben; to hold one's ~ einhalten, sich nicht einmischen; to join ~s sich die Hände reichen, sich verbünden; to keep one's ~ in in Übung bleiben; to keep a strict ~ on streng im Zaum halten; to lay ~s on a) anfassen, b) ergreifen, fassen; to lay ~s on oneself Hand an sich legen, Selbstmord verüben; to lend s.o. a ~ with j-m helfen bei; to live by one's ~s von seiner Hände Arbeit leben; to play into each other's ~s sich in die Hände spielen; to put one's ~ on *fig.* a) finden, b) sich erinnern an (*acc*); to put (*od.* set) the ~ to a) in Angriff nehmen, b) ergreifen, (an)fassen, c) stehlen; to put the last ~ to letzte Hand legen an (*acc*); to shake ~s sich die Hände schütteln; to shake ~s with s.o., to shake s.o. by the ~ j-m die Hand schütteln *od.* geben; to show one's ~ *fig.* seine Karten aufdecken; to take a ~ at a game an einem Spiel teilnehmen; to take s.o. by the ~ a) j-n bei der Hand nehmen, b) *fig.* j-n in seine Obhut nehmen; to take the law into one's own ~s sich selbst Recht verschaffen; to take one's life in one's ~ sein Leben mutwillig aufs Spiel setzen; to throw up one's ~s verzweifelt die Arme hochwerfen; to try one's ~ at s.th. etwas versuchen; → wash 28. – **II** *v/t* **31.** ein-, aushändigen, über'geben, -'reichen: to ~ s.o. a letter (*od.* a letter to s.o.) j-m einen Brief aushändigen *od.* übergeben; to ~ it to s.o. *Am. sl.* a) es j-m sagen, j-n informieren, b) j-n als überlegen anerkennen; you must ~ it to him das muß man ihm lassen. – **32.** (*j-m*) helfen, (*j-n*) geleiten: to ~ s.o. into (out of) the car j-m ins (aus dem) Auto helfen. – **33.** *mar.* (*Segel*) festmachen, beschlagen, zu'sammenwickeln. – **34.** *obs.* handhaben, ergreifen. –

Verbindungen mit Adverbien:

hand| down *v/t* **1.** her'unterreichen, -langen (from von). – **2.** (*j-n*) hin'untergeleiten, -führen (to zu). – **3.** (*Tradition etc*) über'liefern (to *dat*). – **4.** vererben (to *dat*). – **5.** *jur. Am.* a) (*die Entscheidung eines höheren Gerichts*) einem niederen Gerichtshof über'mitteln, b) (*Urteil*) verkünden. — **~ in** *v/t* **1.** hin'einreichen, einhändigen. – **2.** (*Gesuch etc*) einreichen. – **3.** (*Sendung etc*) aufgeben, einliefern. — **~ off** *v/t* (*Rugby etc*) (*den Gegner*) mit der Hand wegstoßen. — **~ on** *v/t* **1.** weiterreichen, -geben (to *dat*, an *acc*). – **2.** über'liefern (to *dat*). — **~ out** *v/t sl.* austeilen (to an *acc*), ausgeben. — **~ o·ver** *v/t* **1.** über'geben (to *dat*). – **2.** über'lassen (to *dat*). – **3.** 'hergeben, aushändigen. — **~ round** *v/t* her'umreichen. — **~ up** *v/t* hin'aufreichen, -langen (to *dat*).

'hand|ˌbag *s* **1.** (Damen)Handtasche *f.* – **2.** Handtasche *f*, -köfferchen *n*, Tragtasche *f.* — **'~ˌball** *s sport* **1.** Handball *m.* – **2.** amer. Handballspiel *n* (*auf einem von Mauern umgebenen Spielplatz gespielt, wobei die Spieler den Ball mit der Hand gegen die Wand schlagen*). — **'~ˌbar·row** *s* **1.** Trage *f.* – **2.** → handcart. — **~ bell** *s* Tisch-, Handglocke *f.* — **'~ˌbill** *s* Re'klame-, Handzettel *m*, Flugblatt *n.* — **'~ˌbook** *s* **1.** Handbuch *n.* – **2.** Reiseführer *m* (to für). – **3.** Wettbuch *n* (*Buchmacher*). — **~ brake** *s tech.* Handbremse *f.* — **'~ˌbreadth** *s* Handbreit *f.* — **'~-ˌcan·ter** *s* sehr gemächlicher Ga'lopp. — **'~ˌcar** *s tech. Am.* Drai'sine *f* mit Handantrieb. — **'~ˌcart** *s* Handkarre(n *m*) *f.* — **'~ˌcuff I** *s meist pl* Handschellen *pl.* – **II** *v/t* (*dat*) Handschellen anlegen. — **~ drill** *s tech.* 'Handˌbohrmaˌschine *f.*

-handed [hændid] *Wortelement mit der Bedeutung* ...händig, mit ... Händen: double-~ zweihändig, mit beiden Händen.

'hand|ˌfast *s obs.* **1.** fester Griff. – **2.** a) Handschlag *m*, b) (Heirats)-Vertrag *m.* — **'~ˌfast·ing** *s* **1.** *obs.* Verlobung *f.* – **2.** *hist. rechtlich nicht anerkannte Heirat.* — **~ flag** *s mar.* Winkerflagge *f.*

hand·ful ['hændfəl; -ful] *s* **1.** Handvoll *f*: a ~ of soldiers *fig.* eine Handvoll Soldaten. – **2.** *colloq.* lästige Per'son *od.* Sache, Plage *f*, ‚Nervensäge' *f*: to be a ~ for s.o. j-m sehr zu schaffen machen.

'hand|-ˌgal·lop *s* 'Handgaˌlopp *m*, kurzer Ga'lopp. — **~ gen·er·a·tor** *s electr.* 'Kurbelinˌduktor *m.* — **~ glass** *s* **1.** Handspiegel *m.* – **2.** (Lese)Lupe *f.* — **~ gre·nade** *s* **1.** *mil.* 'Handgraˌnate *f.* – **2.** 'Feuerˌlöschgraˌnate *f.* — **'~ˌgrip** *s* **1.** a) Händedruck *m*, b) Griff *m.* – **2.** (Hand)Griff *m* (*Schwert etc*). – **3.** *pl* Handgemenge *n*: they came to ~s sie wurden handgemein. — **'~ˌhold** *s* Halt *m*, Griff *m*, Handhabe *f.*

hand·i·cap ['hændiˌkæp] **I** *s* **1.** *sport* a) Handikap *n*, b) Ausgleichsrennen *n.* – **2.** *fig.* Handikap *n*, (Vor)Belastung *f*, Behinderung *f*, Benachteiligung *f*, Erschwerung *f*, Hindernis *n* (to für). – **II** *v/t pret u. pp* **-ˌcapped 3.** (be)hindern, hemmen, benachteiligen, belasten. – **4.** *sport* mit Handikaps belegen: to ~ the horses durch Vorgaben *od.* Gewichtsbelastung die Chancen der Pferde ausgleichen. — **'hand·iˌcapped** *adj* behindert, benachteiligt (with durch). — **'hand·iˌcap·per** *s sport* **1.** Handikapper *m*, Ausgleicher *m.* – **2.** Teilnehmer *m* an einem Handikap.

hand·i·craft [*Br.* 'hændiˌkrɑːft; *Am.* -ˌkræ(ː)ft] *s* **1.** Handfertigkeit *f*, Geschicklichkeit *f* in Handarbeit. – **2.** (Kunst)Handwerk *n.* – **3.** *obs.* Handwerker *m.* — **'hand·iˌcrafts·man** [-tsmən] *s irr* **1.** Handwerker *m.* – **2.** geschickter Handarbeiter. — **'hand·iˌcrafts·manˌship** *s* Handwerkertum *n.*

hand·ie-talk·ie ['hændiˌtɔːki] *s mil. Am.* Feldfunksprechgerät *n.*

hand·i·ly ['hændili; -də-] *adv* **1.** bequem. – **2.** handlich. – **3.** passend, zur passenden Zeit. – **4.** geschickt, gewandt, behend. — **'hand·i·ness** [-inis] *s* **1.** Geschicktheit *f*, Gewandtheit *f.* – **2.** Handlichkeit *f.* – **3.** Nützlichkeit *f*, Bequemlichkeit *f.* — **'hand·iˌwork** *s* **1.** Handarbeit *f.* – **2.** (per'sönliches) Werk, (eigene) Schöpfung.

hand·ker·chief ['hæŋkərtʃif; -ˌtʃiːf] *s* **1.** *auch* pocket ~ Taschentuch *n*: to throw the ~ to s.o. *fig.* j-m sein Wohlwollen zu erkennen geben. – **2.** *auch* neck ~ Halstuch *n.*

'hand-'knit(·ted) *adj* handgestrickt.

han·dle ['hændl] **I** *s* **1.** a) (Hand)-Griff *m*, b) Stiel *m*, Heft *n*, c) Henkel *m* (*Topf etc*), d) Klinke *f*, Drücker *m* (*Tür*), e) Kurbel *f*, f) Schwengel *m* (*Pumpe*): ~ of the face *humor.* Nase; up to the ~ *Am. colloq.* a) gerade bis zum richtigen Punkt, b) bis zum äußersten; → fly[1] 19. – **2.** *fig.* Handhabe *f*, Anhalts-, Angriffspunkt *m.* – **3.** *fig.* Vorwand *m*, Gelegenheit *f.* – **4.** *colloq.* Titel *m*: he has many ~s to his name er hat viele Titel (vor seinem Namen). – **5.** → mordant 5b. – **II** *v/t* **6.** berühren, befühlen, anfassen. – **7.** (*Werkzeug etc*) handhaben, (geschickt) gebrauchen, (*Waffen, Ruder*) führen. – **8.** (*seine Fäuste etc*) gebrauchen. – **9.** führen, lenken, leiten. – **10.** (*Thema etc*) behandeln. – **11.** (*j-n*) behandeln: to ~ s.o. without gloves j-n nicht mit Glacéhandschuhen anfassen; → velvet glove. – **12.** sich beschäftigen mit. – **13.** (*Güter*) befördern, weiterleiten: ~ with care! glass! Vorsicht Glas! – **14.** (*Angelegenheit*) 'durchführen, erledigen. – **15.** *econ.* Handel treiben mit, handeln mit. – **III** *v/i* **16.** sich handhaben lassen, funktio'nieren: to ~ easily sich leicht handhaben lassen. – **17.** sich anfühlen: to ~ smooth sich glatt anfühlen. – **18.** handeln, die Hände gebrauchen. – *SYN.* manipulate, wield.

han·dle bar *s oft pl* Lenkstange *f* (*Fahrrad etc*).

han·dler ['hændlər] *s* **1.** Handhaber *m.* – **2.** Lenker *m*, Leiter *m.* – **3.** (*Boxen*) Trainer *m.* – **4.** Abrichter *m* (*von Hunden etc*). – **5.** Töpfer *m.*

hand·less ['hændlis] *adj* **1.** handlos, ohne Hand *od.* Hände. – **2.** *obs. od. dial.* ungeschickt.

han·dling ['hændliŋ] *s* **1.** Berührung *f.* – **2.** Handhabung *f*, Gebrauch *m.* – **3.** Führung *f*, Lenkung *f*, Leitung *f.* – **4.** Aus-, 'Durchführung *f.* – **5.** *econ.* Beförderung *f*, Weiterleitung *f.* – **6.** Behandlung *f.* – **7.** (künstlerische) Behandlung, Darstellung *f* (*Thema etc*). – **8.** *sport* Behandlung *f*, Führung *f* (*Ball*). — **~ charg·es** *s pl econ.* 'Umschlagspesen *pl.*

hand| log *s mar.* Handlogge *f.* — **~ loom** *s tech.* Handwebstuhl *m.* — **'~made** *adj* handgemacht, mit der Hand gemacht: ~ paper Büttenpapier. — **'~ˌmaid(·en)** *s obs. od. fig.* Dienerin *f*, Magd *f.* — **'~-me-ˌdown** *Am. colloq.* **I** *adj* **1.** fertig *od.* von der Stange gekauft, Konfektions... – **2.** billig, nicht ele'gant. – **3.** alt, getragen, gebraucht. – **II** *s* **4.** von der Stange gekauftes Kleidungsstück. –

5. billiges Kleidungsstück, 'Massenar,tikel *m*. – 6. altes *od.* getragenes Kleidungsstück. — '~-,**off** *s* (*Rugby etc*) Wegstoßen *n* (*eines Gegners*) mit der Hand. — ~ **of glo·ry** *s* Al'raunamu,lett *n*. — ~ **of writ(e)** *s Scot.* Handschrift *f*. — ~ **or·chis** *s bot. Br.* Geflecktes Knabenkraut (*Orchis maculata*). — ~ **or·gan** *s mus.* Drehorgel *f*. — '~,**out** *s Am. sl.* 1. Almosen *n*, Gabe *f* (*für Bettler*). – 2. Bro'schüre *f*, Pro'spekt *m*, Werbezettel *m*. – 3. (*zur Veröffentlichung*) freigegebenes Materi'al, Erklärung *f* (*für die Presse*). — ~ **pa·per** *s tech.* 'Büttenpa,pier *n*. — '~-,**pick** *v/t* 1. mit der Hand pflücken *od.* auslesen. – 2. *colloq.* sorgsam (*für einen bestimmten Zweck*) auswählen. — ~ **plough**, *Am.* ~ **plow** *s* Gartenpflug *m*. — ~ **press** *s tech.* Handpresse *f*. — '~,**rail** *s* 1. Geländer(stange *f*) *n*. – 2. *mar.* Handlauf *m*, Geländer *n*. — '~,**saw** *s tech.* Handsäge *f*, Fuchsschwanz *m*.

'hand's-,breadth → handbreadth.

hand·sel ['hænsəl; -nd-] **I** *s* 1. Einstands-, Begrüßungsgeschenk *n*. – 2. Neujahrsgeschenk *n*. – 3. Morgengabe *f*. – 4. erste Zahlung. – 5. erste Einnahme (*in einem Geschäft*). – 6. Hand-, Angeld *n*. – 7. *fig.* Vorgeschmack *m*. – **II** *v/t pret u. pp* **-seled**, *bes. Br.* **-selled** 8. (*j-m*) ein Einstands- *od.* Neujahrsgeschenk *od.* Angeld geben. – 9. (festlich) einweihen. – 10. zum ersten Male gebrauchen *od.* versuchen, ‚einweihen'.

'hand|,set *s electr.* 'Handappa,rat *m*, (Mikro'phon)Hörer *m* (*eines Telephons*). — '~-,**sewn** *adj* handgenäht. — '~,**shake** *s* Händedruck *m*, -schütteln *n*. — '~-,**sign** *v/t* handschriftlich *od.* eigenhändig unter'zeichnen: ~ed handsigniert.

hand·some ['hænsəm] *adj* 1. hübsch, schön, stattlich: ~ is as (*od.* that) ~ does schön ist, wer schön handelt. – 2. hübsch, beträchtlich, ansehnlich. – 3. großmütig, -zügig, nobel, freigebig. – 4. *Am. colloq.* a) geschickt, gewandt, b) handlich, bequem. – 5. *Am. dial.* treffend, passend. – *SYN. cf.* beautiful. — **'hand·some·ness** *s* 1. Schönheit *f*, Stattlichkeit *f*. – 2. Beträchtlichkeit *f*. – 3. Großmütigkeit *f*, -zügigkeit *f*, Edelmut *m*.

'hand|,spike *s mar. tech.* Handspake *f*, Hebestange *f*, -baum *m*. — '~,**spring** *s sport* 'Handstand,überschlag *m*. — '~,**stand** *s sport* Handstand *m*. — '~-to-'**hand** *adj* Mann gegen Mann: ~ combat Nahkampf. — '~-to-'**mouth** *adj* von der Hand in den Mund (lebend), unsicher, ungesichert. — ~ **tree** *s bot.* Fingerbaum *m* (*Chiranthodendron pentadactylon*). — '~,**wheel** *s tech.* Hand-, Stellrad *n*. — '~,**work** *s* Handarbeit *f*. — '~,**write** *v/t u. v/i irr* mit der Hand schreiben. — '~,**writ·ing** *s* 1. (Hand)Schrift *f*. – 2. *obs.* Manu'skript *n*.

hand·y ['hændi] *adj* 1. zur Hand, bei der Hand, greifbar, leicht erreichbar: to have s.th. ~ etwas zur Hand haben. – 2. geschickt, gewandt. – 3. handlich, leicht zu handhaben(d). – 4. *mar.* wendig, *bes.* leicht zu steuern(d). – 5. nützlich, bequem: to come in ~ zustatten kommen. – 6. *obs.* mit der Hand ausgeführt. — '~-'**dan·dy** *s ein Kinderratespiel.* — ~ **man** *s irr* 1. Mann *m* für alles, Fak'totum *n*. – 2. Gelegenheitsarbeiter *m*.

hang [hæŋ] **I** *s* 1. Hängen *n*, Fall *m* (*Kleid, Vorhang etc*). – 2. *Am. colloq.* a) Bedeutung *f*, Sinn *m*, b) Anwendungsweise *f*, (richtige) Handhabung: to get the ~ of s.th. etwas herausbekommen, hinter etwas kommen. – 3. Deut *m*: I don't care a ~! ‚das ist mir schnuppe'! – 4. Zögern *n*, Stillstehen *n*, (kurzes) Anhalten. – 5. Abhang *m*, Neigung *f*, Abschüssigkeit *f*, Senkung *f*. – 6. Hang *m*, Neigung *f* (for zu). – **II** *v/t pret u. pp* **hung** [hʌŋ] *od.* (*bes. für* 11–13) **hanged** 7. (from, to, on) aufhängen (an *dat*), hängen (an *acc*): to ~ s.th. on a hook etwas an einen Haken hängen; to be hung to s.th. an etwas (*dat*) aufgehängt sein, an etwas (*dat*) hängen; lamps hung from the ceiling von der Decke herabhängende Lampen. – 8. (*zum Trocknen etc*) aufhängen: to be well hung gut abgehangen sein (*Wildbret*); hung beef gedörrtes Rindfleisch. – 9. *tech.* a) (*Tür etc*) einhängen, b) (*Pendel*) aufhängen, c) (*Fahrzeuggestell*) in die Federn einhängen. – 10. schweben lassen. – 11. (er)hängen, henken: the murderer was hanged der Mörder wurde gehängt *od.* gehenkt; to ~ oneself sich erhängen; I'll be hanged if ‚ich will mich hängen lassen' *od.* ‚einen Besen fressen', wenn; ~! verdammt! ~ it (all)! zum Henker damit! der Teufel soll es holen! ~ you! der Teufel soll dich holen! – 12. *obs.* kreuzigen. – 13. an den Galgen bringen. – 14. (*Kopf etc*) hängenlassen. – 15. behängen. – 16. (*Tapeten*) an der Wand anbringen *od.* ankleben. – 17. (*Vorhänge etc*) anmachen, -hängen. – 18. *Am.* (*Sensenblatt etc*) richtig am Stiel befestigen. – 19. *Am.* (*die Geschworenen*) an der Entscheidung hindern (*durch Nichtzustimmung*). – 20. zu'rückbleiben mit: to ~ fire a) *mil.* nachbrennen, verspätet losgehen, b) *fig.* sich nicht entschließen können, nicht weitermachen, auf sich warten lassen. – **III** *v/i* 21. hängen, hangen (by, on an *dat*): to ~ by a rope an einem Seil hängen. – 22. hängen, ein- *od.* aufgehängt sein, ruhen. – 23. *fig.* hängen, schweben: to ~ by a thread an einem Faden hängen; to ~ in the balance in der Schwebe sein, noch unentschieden sein. – 24. *fig.* hängen: to ~ on s.o.'s lips (words) an j-s Lippen (Worten) hängen. – 25. schweben: to ~ in the air. – 26. hängen, gehängt *od.* gehenkt werden: he will ~ for it dafür wird er hängen; to let s.th. go ~ sich den Teufel um etwas kümmern. – 27. (her'ab)hängen, fallen. – 28. sich vorwärts- *od.* abwärtsneigen. – 29. sich senken, sich neigen, abfallen. – 30. (on) hängen (an *dat*), abhängen (von). – 31. (on) hängen (an *dat*), sich festhalten (an *dat*), sich klammern (an *acc*). – 32. unentschlossen sein, zögern. – 33. nicht abgeschlossen sein. – 34. her'umstehen, sich her'umtreiben. – 35. *Am.* keine Einigung erzielen (*Geschworene*). – 36. (*Tennis etc*) hängenbleiben, unerwartet langsam zu'rückkommen (*Ball*). – 37. vergehen: to ~ heavy langsam vergehen, dahinschleichen (*Zeit*). –

Verbindungen mit Präpositionen:

hang| a·bout *v/t* her'umlungern *od.* sich her'umtreiben in (*dat*) *od.* bei. — ~ **on** *v/t* 1. sich hängen an (*acc*). – 2. → hang 21, 24, 30, 31. — ~ **o·ver** *v/t* 1. hängen *od.* schweben über (*dat*): evils ~ the country Unheil hängt über *od.* droht dem Lande. – 2. sich neigen über (*acc*). – 3. aufragen über (*acc*). — ~ **to** *v/t* (fest)hängen an (*dat*). –

Verbindungen mit Adverbien:

hang| a·bout *v/i* her'umlungern, sich (müßig) her'umtreiben. — ~ **back** *v/i* zaudern, nicht mehr weiterwollen. — ~ **be·hind** *v/i* zu'rückhängen, -bleiben. — ~ **down** *v/i* her'ab-, her'unterhängen (from von). — ~ **off** *v/i* 1. → hang back. – 2. loslassen. — ~ **on** *v/i* 1. (to) sich festklammern (an *dat*), festhalten (*acc*), nicht loslassen *od.* aufgeben (*acc*). – 2. ausharren. – 3. nicht aufhören *od.* nachlassen (*Krankheit etc*). — ~ **out I** *v/t* 1. (her)'aushängen: to ~ a (*od.* one's) shingle *colloq.* ein (*bes.* Rechtsanwalts)Büro aufmachen. – **II** *v/i* 2. her'aushängen, -hangen. – 3. ausgehängt sein. – 4. *sl.* a) wohnen, b) sich her'umtreiben. — ~ **to·geth·er** *v/i* 1. zu'sammenhalten, ein'ander helfen. – 2. Zu'sammenhang haben. — ~ **up I** *v/t* 1. aufhängen. – 2. aufschieben, hin'ausziehen, unentschieden lassen. – **II** *v/i* 3. (den Tele'phonhörer) einhängen, auflegen.

hang·a·ble ['hæŋəbl] *adj* 1. (auf)hängbar. – 2. hängens-, henkenswert.

hang·ar ['hæŋər] *s* 1. (Wagen)Schuppen *m*. – 2. *aer.* Hangar *m*, Flugzeughalle *f*.

'hang|,bird *s zo. ein Hängenest bauender Vogel, bes.* → Baltimore oriole. — '~,**dog I** *s* 1. Schuft *m*, Lump *m*, Galgenvogel *m*. – **II** *adj* 2. gemein, niedrig gesinnt. – 3. hündisch, kriecherisch: a ~ look ein Armesünderblick.

hang·er[1] ['hæŋər] *s* 1. (Auf)Hänger *m*. – 2. ~ paper ~. – 3. → hangman. – 4. Aufhänger *m*, Aufhängevorrichtung *f*, *bes.* a) Kleiderbügel *m*, b) Schlaufe *f*, Aufhänger *m* (*Rock etc*), c) Gehenk *n* (*Degen*), d) (Topf)Haken *m*. – 5. *tech.* a) Hängeeisen *n*, -stange *f*, b) Hängebock *m*, c) 'Unterlitze *f*, d) Tra'versenträger *m*. – 6. a) Hirschfänger *m*, b) kurzer Säbel. – 7. Haken *m*, Kurvenlinie *f* (*bei Schreibversuchen*): → pothook 3.

hang·er[2] ['hæŋər] *s* steiler bewaldeter Abhang.

hang·er| bear·ing *s tech.* Hängelager *n*. — '~-'**on**, *pl* **'hang·ers-'on** *s* 1. Klette *f*, Schma'rotzer *m*, (lästiges) Anhängsel. – 2. (*verächtlich*) Nachläufer *m*. – 3. Besucher *m* mit ‚Sitzfleisch'.

'hang,fire *s mil.* Nachbrennen *n*, -zündung *f*.

hang·ing ['hæŋiŋ] **I** *s* 1. (Auf)Hängen *n*. – 2. Hängen *n*, Hangen *n*. – 3. (Er)Hängen *n*, Henken *n*: execution by ~ Hinrichtung durch den Strang. – 4. *meist pl* Wandbehang *m*, -bekleidung *f*, Ta'pete *f*, Vorhang *m*. – 5. Abhang *m*, Neigung *f*. – **II** *adj* 6. (her'ab)hängend. – 7. hängend, abschüssig, auf einem steilen Abhang gelegen. – 8. den Tod durch Erhängen verdienend: a ~ crime ein Verbrechen, auf das die Todesstrafe durch Erhängen steht; a ~ matter eine Sache, die zum Galgen führt. – 9. schnell die Todesstrafe durch Erhängen aussprechend: a ~ judge. – 10. niedergeschlagen: a ~ face. – 11. Hänge... – 12. Aufhänge..., Halte..., Stütz... — ~ **bear·ing** *s tech.* Hängelager *n*. — ~ **but·tress** *s arch.* hangender Strebepfeiler. — ~ **com·mit·tee** *s* Hängeausschuß *m* (*der über das Bilderaufhängen in Ausstellungen entscheidet*). — ~ **in·den·tion** *s print.* Einzug *m* nach 'überstehender Kopfzeile. — ~ **stile** *s tech.* Hängesäule *f*. — ~ **wall** *s* (*Bergbau*) Hangendes *n*.

'hang|·man [-mən] *s irr* Henker *m*. — '~,**nail** *s med.* Niednagel *m*. — '~,**out** *s Am. sl.* 1. ‚Bude' *f*, Wohnung *f*. – 2. 'Stammlo,kal *n*, Treffpunkt *m*. — '~-,**o·ver** *s* 1. *Am.* 'Überbleibsel *n*, -rest *m*. – 2. *sl.* ‚Katzenjammer' *m*, ‚Kater' *m*.

hank [hæŋk] *s* 1. Strähne *f*, Wickel *m*, Knäuel *m*, *n* (*Garn etc*). – 2. Hank *n* (*ein Garnmaß; für Baumwollgarn = 768,09 m, für Kammgarn = 512,06 m*). – 3. *fig.* Strähne *f* (*Haar etc*). – 4. *mar.* Legel *m*, Sauger *m*.

han·ker ['hæŋkər] *v/i* sich sehnen, sich verzehren, verlangen (after, for nach). – *SYN. cf.* long[2]. — **'han·ker·er** *s* Verlangender *m.* — **'han·ker·ing** *s* (verzehrende) Sehnsucht, Verlangen *n* (after, for nach).

han·ky, *auch* **han·kie** ['hæŋki] *colloq. für* handkerchief.

han·ky-pan·ky ['hæŋki'pæŋki] *s sl.* **1.** Hokus'pokus *m.* – **2.** ˌTaschenspiele'rei *f*, Betrug *m.*

Han·o·ve·ri·an [ˌhæno'vi(ə)riən; -nə-] **I** *adj* **1.** han'nover(i)sch, han'növer(i)sch. – **2.** *pol. hist.* hannove'ranisch. – **II** *s* **3.** Hannove'raner(in). – **4.** *pol. hist.* Hannove'raner *m.*

Hans [hɑːns; hæns] *s* Hans *m* (*Spitzname für einen Deutschen, früher auch für einen Holländer*).

Han·sard ['hænsərd] *s pol.* amtliches brit. Parla'mentsprotoˌkoll. — **'Hansardˌize** *v/t pol. Br.* (*j-m*) frühere (laut Proto'koll) anderslautende Äußerungen entgegenhalten.

hanse [hæns] *s hist.* **1.** Kaufmannsgilde *f.* – **2.** Gildenbeitrag *m*, -geld *n.* – **3.** H~ Hanse *f*, Hansa *f*: H~ town Hansestadt. — **ˌHan·se'at·ic** [-si'ætik] **I** *adj* hansisch, hanse'atisch, Hanse...: the ~ League die Hanse. – **II** *s* Hanse'at *m.*

han·sel ['hænsəl] → **handsel.**

Han·sen's dis·ease ['hɑːnsənz; 'hæn-] *s med.* Lepra *f*, Aussatz *m.*

han·som (cab) ['hænsəm] *s* Hansom *m* (*zweirädrige Droschke*).

han·tle ['hæntl; 'hɑːn-] *s Scot. od. dial.* Menge *f.*

Ha·nuk·ka(h) ['hɑːnuˌkɑː] *s relig.* Chanuk'ka *n* (*achttägiges jüd. Tempelweihefest*).

Han·well ['hænwel; -wəl] *npr ein Londoner Irrenhaus.*

hap[1] [hæp] *obs.* **I** *s* a) Zufall *m*, b) (zufälliges) Ereignis, c) Glück(sfall *m*) *n.* – **II** *v/i pret u. pp* **happed** sich ereignen, geschehen.

hap[2] [hæp] *dial.* **I** *v/t pret u. pp* **happed** bedecken, einhüllen. – **II** *s* Hülle *f.*

ha·pax le·go·me·non ['heipæks li'gɒmiˌnɒn] (*Greek*) *s* ˌHapaxle'gomenon *n* (*nur einmal belegtes Wort*).

hap·haz·ard [ˌhæp'hæzərd] **I** *adj* zufällig, vom Zufall bestimmt. – *SYN. cf.* random. – **II** *adv* zufällig, durch Zufall. – **III** *s* ['hæpˌhæzərd] Zufall *m*: at (*od.* by) ~ aufs Geratewohl. — **ˌhap'haz·ard·ness** *s* Zufälligkeit *f.*

hapl- [hæpl] → haplo-.

hap·less ['hæplis] *adj* unglücklich, glücklos, unselig. — **'hap·less·ness** *s* Unglücklichkeit *f*, Glücklosigkeit *f.*

hap·lite ['hæplait] → aplite.

haplo- [hæplo] *Wortelement mit der Bedeutung* einfach, einzeln, haplo...

hap·log·ra·phy [hæp'lɒgrəfi] *s* Haplogra'phie *f*, Einmalschreibung *f.*

hap·loid ['hæplɔid] **I** *adj* **1.** einfach, einzeln. – **2.** *biol.* haplo'id (*mit einfacher Chromosomenzahl*). – **II** *s* **3.** *biol.* haplo'ide Zelle *od.* Generati'on. — **hap'loi·dic** → haploid I. — **'hap·loid·y** *s biol.* Haploi'die *f.* — **hap'lo·sis** [-'lousis] *s biol.* Ha'plose *f* (*Halbierung der Chromosomenzahl in der Meiosis*).

hap·ly ['hæpli] *adv obs.* **1.** von ungefähr. – **2.** vielleicht.

ha'p'orth ['heipərθ] *Br. colloq. für* halfpennyworth.

hap·pen ['hæpən] *v/i* **1.** geschehen, sich ereignen, vorfallen, pas'sieren: what has ~ed? was ist geschehen? – **2.** zufällig geschehen, sich zufällig ergeben, sich (gerade) treffen: it ~ed that es ergab sich, daß; as it ~s a) wie es sich trifft, b) wie es nun (einmal) so geht. – **3.** *zum Ausdruck eines Zufalls*: we ~ed to hear it wir hörten es zufällig; if you ~ to see it wenn du es zufällig siehst *od.* sehen solltest. – **4.** (to) geschehen (*dat od.* mit), pas'sieren (*dat*), zustoßen (*dat*), werden (aus): what is going to ~ to our plans? was wird aus unseren Plänen? if anything should ~ to me wenn mir etwas zustoßen sollte. – **5.** auftreten, erscheinen. – **6.** zufällig stoßen *od.* treffen (on, upon auf *acc*). – **7.** *Am. colloq.* zufällig kommen *od.* gehen *od.* geraten, ,her'eingeschneit kommen' (in, into in *acc*): I ~ed into a cinema ich geriet zufällig in ein Kino. – **8.** *obs. od. dial.* sich (zufällig) befinden (at, in in *dat*). – *SYN.* chance, occur, transpire.

hap·pen·ing ['hæpəniŋ; 'hæpniŋ] *s meist pl* Ereignis *n*, Vorkommnis *n.*

hap·pi·ly ['hæpili] *adv* **1.** glücklich. – **2.** glücklicherweise, zum Glück. – **3.** treffend, passend. – **4.** *obs. für* haply. — **'hap·pi·ness** *s* **1.** Glück *n*: the greatest ~ of the greatest number das größte Glück der größten Zahl (*Grundsatz des Utilitarismus Benthams*). – **2.** Glück('seligkeit *f*) *n.* – **3.** Glücklichkeit *f*, glückliche Wahl (*Ausdruck etc*), Gewandtheit *f*, Geschicktheit *f*, Trefflichkeit *f.*

hap·py ['hæpi] *adj* **1.** glücklich, Glück empfindend: we are very ~ wir sind sehr glücklich. – **2.** glücklich, voll von Glück, vom Glück begünstigt: (A) H~ New Year! (Ein) Glückliches Neues Jahr! – **3.** glücklich, glückverheißend, Glück ausdrückend. – **4.** glücklich, beglückt (at über *acc*). – **5.** erfreut: I shall be ~ to see you es wird mich freuen, Sie zu sehen. – **6.** (about) glücklich (über *acc*), zu'frieden (mit). – **7.** gut, trefflich (*Idee*). – **8.** richtig, passend, treffend (*Antwort*). – **9.** gewandt, geschickt. – **10.** *colloq.* leicht ,beschwipst', angeheitert. – **11.** *sl.* (*in Zusammensetzungen*) begeistert, verrückt: ski-~ schisportbegeistert; trigger-~ schießfreudig, -wütig. – *SYN. cf.* a) lucky[1], b) fit[1], c) glad. — **~ dis·patch** *euphem. od. humor. für* hara-kiri. — **'~-go-'luck·y I** *adj* unbekümmert, blind dem Glück vertrauend. – **II** *adv* auf gut Glück, unbekümmert. — **~ hunt·ing grounds** *s pl* ewige Jagdgründe *pl* (*der Indianer*).

Haps·burg ['hæpsbəːrg] *s* Habsburger(in).

hap·ten ['hæpten], **'hap·tene** [-tiːn] *s med.* Hap'ten *n*, 'Halbantiˌgen *n.*

har·a-kir·i ['hɑːrə'ki(ə)ri; 'hærə-], *auch irrtümlich* **'har·a-'kar·i** [-'kɑːri; -'kæri] *s* Hara'kiri *n.*

ha·rangue [hə'ræŋ] **I** *s* **1.** Ansprache *f*, Rede *f.* – **2.** leidenschaftliche Rede. – **3.** Ti'rade *f*, Wortererguß *m.* – **II** *v/i* **4.** eine Ansprache halten, ,eine Rede schwingen'. – **III** *v/t* **5.** eine Ansprache halten an (*acc*), eine (bom'bastische) Rede halten vor (*dat*). — **ha'rangu·er** *s* (leidenschaftlicher *od.* lärmender) Redner.

har·as ['hærəs; ɑ'rɑː] *pl* **'har·as** *s* Gestüt *n.*

har·ass ['hærəs; *Am. auch* hə'ræs] *v/t* **1.** ständig belästigen, quälen. – **2.** ermüden, aufreiben. – **3.** *mil.* stören. – **4.** verwüsten. – *SYN. cf.* worry. — **'har·ass·ing** *adj mil.* Störungs... — **'har·ass·ment** *s* **1.** Belästigung *f.* – **2.** Beunruhigung *f.*

har·bin·ger ['hɑːrbindʒər] **I** *s* **1.** Vorläufer *m.* – **2.** *fig.* Vorbote *m.* – **3.** *obs.* Quar'tiermacher *m.* – *SYN. cf.* forerunner. – **II** *v/t* **4.** ankünd(ig)en.

har·bor, *bes. Br.* **har·bour** ['hɑːrbər] **I** *s* **1.** Hafen *m*: ~ dues Hafengebühren. – **2.** Herberge *f*, Zufluchtsort *m.* – **II** *v/t* **3.** beherbergen, (*j-m*) Obdach gewähren, (*Flüchtlinge*) aufnehmen. – **4.** verbergen, verstecken. – **5.** (*Ungeziefer*) beherbergen. – **6.** (*Gedanken etc*) hegen. – **7.** (*einem Schiff*) in einem Hafen Zuflucht gewähren. – **III** *v/i* **8.** *mar.* anlegen, im Hafen ankern. – **9.** *obs.* lagern. — **'har·borage,** *bes. Br.* **'har·bour·age** *s* **1.** Zuflucht *f*, Schutz *m*, Hafen *m.* – **2.** Obdach *n*, 'Unterkunft *f*, Schutz *m*, Herberge *f.* — **'har·bor·er,** *bes. Br.* **'har·bour·er** *s* **1.** Beherberger *m.* – **2.** Herberge *f*, Zufluchtsstätte *f* (of für). — **'har·bor·less,** *bes. Br.* **'harbour·less** *adj* **1.** ohne Hafen, hafenlos. – **2.** obdachlos, ohne Zuflucht.

har·bor| mas·ter, *bes. Br.* **har·bour| mas·ter** *s mar.* 'Hafenmeister *m*, -inˌspektor *m.* — **~ seal** *s zo.* Gemeiner Seehund (*Phoca vitulina*).

har·bour, har·bour·age, har·bourer, har·bour·less *bes. Br. für* harbor *etc.*

hard [hɑːrd] **I** *adj* **1.** hart. – **2.** fest: a ~ knot ein fester Knoten. – **3.** schwierig, mühsam, anstrengend: → row[2] 1. – **4.** schwer: ~ to please schwer zu befriedigen(d); ~ to imagine schwer vorstellbar. – **5.** schwer verständlich, schwierig (zu erklären *od.* zu entscheiden): ~ problems schwierige Probleme. – **6.** schwer zu bewältigen(d), ('über)mächtig, stark. – **7.** hart, zäh, 'widerstandsfähig: the boxer is in ~ condition der Boxer ist fit; → nail *b. Redw.* – **8.** hart, inten'siv, angestrengt, angespannt: ~ study intensives Studium. – **9.** fleißig, tüchtig, hart arbeitend: a ~ worker ein fleißiger Arbeiter; to try one's ~est sich aufs äußerste anstrengen. – **10.** heftig, stark: ~ rain heftiger Regen. – **11.** hart, streng, unfreundlich, rauh (*Klima etc*): a ~ winter ein strenger Winter. – **12.** hart, gefühllos, streng: to be ~ on s.o. a) hart *od.* übertrieben streng sein gegen j-n, b) j-m hart zusetzen. – **13.** kühl, klar (über'legend), 'unsentimenˌtal: he has a ~ head er hat einen nüchternen Sinn. – **14.** hart, drückend: it is ~ on him es ist hart für ihn; → line[1] 25. – **15.** ohne Erleichterungen, mit harten Bedingungen (*Kaufvertrag etc*). – **16.** hart, 'unumˌstößlich: the ~ facts die unumstößlichen *od.* nackten Tatsachen. – **17.** hart, grell, steif, plump: ~ colo(u)rs. – **18.** *colloq.* unverbesserlich, verrufen, übel. – **19.** *bes. dial.* geizig. – **20.** sauer, herb (*Getränk*). – **21.** *Am.* 'hochproˌzentig, stark: ~ drinks starke Getränke. – **22.** hart (*Wasser*). – **23.** Hart(geld)..., in Münzen. – **24.** *agr.* hart (*Weizen*): ~ wheat harter Weizen, Glasweizen. – **25.** *econ.* hoch u. starr (*Preise*). – **26.** (*Phonetik*) a) hart, stimmlos, b) nicht palatali'siert. – **27.** *phys.* hart (*Strahlen*). – **28.** *tech.* abgebunden (*Zement*). – **29.** ~ of hearing schwerhörig. – **30.** ~ up *colloq.* a) in (Geld-)Not, ,auf dem trockenen', b) in Verlegenheit (for um). – *SYN.* a) arduous, difficult, b) *cf.* firm[1]. –

II *adv* **31.** hart, fest: frozen ~ hartgefroren. – **32.** kräftig, e'nergisch: to strive ~ sich kräftig bemühen; to work ~ hart *od.* tüchtig arbeiten; to try ~ mit aller Kraft *od.* mit allen Mitteln versuchen; to hit ~ hart *od.* mit Wucht treffen. – **33.** heftig, stark, inten'siv. – **34.** 'übermäßig: to drink ~. – **35.** fest, scharf, konzen'triert. – **36.** fest: to hold ~ festhalten. – **37.** heftig: ~ pressed schwer *od.* heftig bedrängt; to run s.o. ~ j-n heftig bedrängen *od.* verfolgen. – **38.** schlecht: to be ~ put to it in großen Schwierigkeiten *od.* in großer Verlegenheit sein; it will go ~ with him es wird ihm schlecht ergehen; it shall go ~ but I will help them wenn es irgend möglich ist, werde ich ihnen helfen. – **39.** hart, schwer, schmerzlich: it bore ~ on me es hat mich hart getroffen. – **40.** schwer, mühsam: ~-earned sauer verdient; → die[1] 1. – **41.** nahe, dicht: ~ by ganz in der Nähe, dicht dabei, nahebei; ~ on (*od.* upon) nahe an (*dat*). – **42.** *mar.* hart, ganz: ~ aport hart Backbord. – **III** *s* **43.** *Br.* festes Uferland. – **44.** *sl.* Zwangsarbeit *f*. – **45.** *obs.* Not *f*.

hard| and fast I *adj* abso'lut bindend, strikt, ausnahmslos gültig: a ~ rule. – **II** *adv* fest u. sicher. — '~ˌ**bake** *s Br.* 'Mandelkaraˌmelle *f*, -bonˌbon *m*, *n*. — '~-'**bit·ten** *adj* verbissen, hartnäckig, zäh. — '~ˌ**board** *s* Hartfaserplatte *f*. — '~-'**boiled** *adj* **1.** hart(gekocht): a ~ egg. – **2.** *colloq.* hartgesotten, kaltschnäuzig, stur, starrköpfig. – **3.** *colloq.* grob, rauh. — ~ **case** *s Am.* unverbesserlicher Verbrecher. — ~ **cash** *s econ.* **1.** Hart-, Me'tallgeld *n*. – **2.** 'überall angenommenes Geld, klingende Münze. — ~ **ci·der** *s* Apfelwein *m*. — ~ **coal** *s* Anthra'zit *m*. — ~ **core** *s Br.* Schotterlage *f*, 'Unterfutter *n* (*einer Straße*). — ~ **court** *s* (*Tennis*) Hartplatz *m*. — ~ **cur·ren·cy** *s* harte Währung.

hard·en ['hɑːrdn] **I** *v/t* **1.** härten, hart *od.* härter machen. – **2.** *fig.* hart *od.* gefühllos machen, verhärten. – **3.** bestärken. – **4.** abhärten. – **5.** *tech.* a) (*Stahl etc*) härten, b) (*Zement etc*) erhärten, abbinden. – **II** *v/i* **6.** hart werden, erhärten. – **7.** *fig.* hart *od.* gefühllos werden, sich verhärten. – **8.** *fig.* abgehärtet werden, sich abhärten. – **9.** *econ.* a) anziehen, steigen, b) sich (be)festigen, fest werden. — '**hard·ened** *adj* **1.** hart, verhärtet, gefühllos, erbarmungslos. – **2.** hartnäckig. – **3.** unverbesserlich. — '**hard·en·er** *s* Härtemittel *n*, Härter *m*. — '**hard·en·ing I** *s* **1.** Härten *n*, Härtung *f*. – **2.** *tech.* a) Härtung *f*, b) Härtemittel *n*. – **II** *adj* **3.** Härte...

'**hard|-'fa·vo(u)red(·ness)** → hard-featured(ness). — '~-'**fea·tured** *adj* mit harten *od.* unschönen Gesichtszügen. — ˌ~-'**fea·tured·ness** *s* Häßlichkeit *f*. — '~ˌ**fern** *s bot.* Rippenfarn *m* (*Gattg Blechnum*). — ~ **fin·ish** *s arch.* Feinputz *m*. — '~'**fist·ed** *adj* **1.** *fig.* geizig, knauserig. – **2.** harte Fäuste habend. — ˌ~'**fist·ed·ness** *s* **1.** *fig.* Geiz *m*, Knauserigkeit *f*. – **2.** Härte *f* (*der Fäuste*). — ~ **grass** *s bot.* Hartgras *n* (*bes. Gattg Sclerochloa*). — '~ˌ**hack** *s bot.* Filzige Spierstaude (*Spiraea tomentosa*). — '~'**hand·ed** *adj* **1.** mit harten Händen. – **2.** *fig.* streng, ty'rannisch. — '~ˌ**head** *s* **1.** nüchterner *od.* praktischer Mensch. – **2.** Dummkopf *m*, Trottel *m*. – **3.** *zo.* a) (*ein*) Gurnard *m* (*Gattg Trigla*), *bes.* Grauer Knurrhahn (*Trigla gurnardus*), b) (*eine*) Groppe (*Fam. Cottidae*), c) → menhaden. – **4.** → ~ sponge. — '~'**head·ed** *adj* **1.** praktisch, nüchtern, rea'listisch. – **2.** starr-, dickköpfig, hartnäckig. — ˌ~'**head·ed·ness** *s* **1.** Nüchternheit *f*. – **2.** Starrköpfigkeit *f*. — '~ˌ**head sponge** *s* hartfaseriger Badeschwamm. — '~'**heart·ed** *adj* hart(herzig), gefühllos. — ˌ~'**heart·ed·ness** *s* Hartherzigkeit *f*, Gefühllosigkeit *f*.

har·di·hood ['hɑːrdiˌhud] *s* **1.** Kühnheit *f*, Tapferkeit *f*. – **2.** Unverschämtheit *f*, Frechheit *f*. – *SYN. cf.* temerity. — '**har·di·ly** *adv* kühn, verwegen, mutig, tapfer. — '**har·di·ment** *obs. für* hardihood. — '**har·di·ness** *s* **1.** Ausdauer *f*, 'Widerstandsfähigkeit *f*. – **2.** Kühnheit *f*, Tapferkeit *f*, Mut *m*. – **3.** Verwegenheit *f*, Waghalsigkeit *f*. – **4.** Vermessenheit *f*, Dreistigkeit *f*.

hard| la·bo(u)r *s jur.* Zwangsarbeit *f*. — '~-'**laid** *adj* fest verseilt.

hard·ly ['hɑːrdli] *adv* **1.** kaum, fast nicht: ~ ever fast nie; I can ~ believe it ich kann es kaum glauben. – **2.** schwerlich, kaum, wohl nicht: it will ~ be possible es wird kaum möglich sein. – **3.** mit Mühe, nicht leicht, mühsam, schwer. – **4.** hart, streng, rauh.

hard| ly·ing mon·ey *s mar. mil. Br.* Raumbeschränkungszulage *f*. — ~ **ma·ple** *s bot. Am.* Zucker-Ahorn *m* (*Acer saccharum*). — '~ˌ**met·al** *s tech.* 'Hartmeˌtall *n* (*für Hochleistungsschneidwerkzeuge*). — '~'**mouthed** *adj* **1.** hartmäulig (*Pferd*). – **2.** *fig.* schwierig zu behandeln(d), hartnäckig, 'widerspenstig.

hard·ness ['hɑːrdnis] *s* **1.** Härte *f*, Festigkeit *f*. – **2.** Zähigkeit *f*, Ausdauer *f*, 'Widerstandsfähigkeit *f*. – **3.** rauhe Art, Strenge *f*, Härte *f*. – **4.** Hartherzigkeit *f*, Gefühllosigkeit *f*. – **5.** Unbeugsamkeit *f*, Härte *f*, Hartnäckigkeit *f*. – **6.** Steifheit *f*, 'Unnaˌtürlichkeit *f*, Starrheit *f* (*Stil etc*). – **7.** Herbheit *f*, Säure *f* (*Getränke*). – **8.** Härte *f* (*Wasser*). – **9.** Härte *f*, Not *f*. – **10.** Schwierigkeit *f*, Beschwerlichkeit *f*, Mühsamkeit *f*. – **11.** *mus.* a) Härte *f* (*Töne*), b) Gefühllosigkeit *f* (*Vortrag*), c) Schwere *f* (*Klavieranschlag*). – **12.** *phys.* a) Härte *f*, Stärke *f* (*Röntgenstrahlen*), b) Grad *m* der Evaku'ierung (*bes. einer Röntgenröhre*). – **13.** *min.* Härte *f*.

'**hard|ˌpan** *s Am.* **1.** Ortstein *m* (*verhärteter Untergrund bestimmter Böden*). – **2.** harter, verkrusteter Boden. – **3.** *fig.* Grundlage *f*, Boden *m*, Kern *m*, Basis *f*. – **4.** *fig.* niedrigster Stand. — ~ **pine** *s bot.* Hartholzkiefer *f*, *bes.* Sumpfkiefer *f* (*Pinus palustris*). — ~ **rub·ber** *s* Hartgummi *m*.

hards [hɑːrdz] *s pl* → hurds.

hard| sauce *s* steife Creme (*aus Butter u. Staubzucker, oft mit Rahm u. Gewürzen*). — '~-'**set** *adj* **1.** hart, bedrängt, in schwieriger Lage. – **2.** streng, starr. – **3.** unbeugsam, 'widerspenstig, eigensinnig. – **4.** angebrütet (*Ei*). — '~-ˌ**shell** *adj* **1.** *zo.* hartschalig. – **2.** *Am. colloq.* a) unnachgiebig, kompro'mißlos, b) ortho'dox, streng, konserva'tiv. — '**H~-ˌshell Bap·tist** *s relig. Am.* 'ultrakonservaˌtiver Bap'tist (*Mitglied der Primitive Baptist Church*). — '~-ˌ**shelled** → hard-shell.

hard·ship ['hɑːrdʃip] *s* **1.** Härte *f*, Not *f*, Bedrängnis *f*. – **2.** Mühsal *f*, Beschwerde *f*, Ungemach *n*. – *SYN. cf.* difficulty.

'**hard|-ˌspun** *adj* (*Spinnerei*) fest gezwirnt. — '~ˌ**tack** *s* Schiffszwieback *m*. — '~ˌ**top** *s Limousine mit festem Dach, jedoch ohne feste Mittelstreben zwischen den Seitenfenstern*. — '~ˌ**ware** *s* **1.** Me'tall-, Eisenwaren *pl*. – **2.** *Am. sl.* ‚Schießeisen' *pl*. — '~ˌ**ware·man** [-mən] *s irr* Eisenwarenhändler *m*. — '~ˌ**wood I** *s* **1.** Hartholz *n*, hartes Holz. – **2.** (*Forstwirtschaft*) Laubbaumholz *n*. – **3.** Hartholzbaum *m*. – **II** *adj* **4.** Hartholz...

har·dy[1] ['hɑːrdi] *adj* **1.** abgehärtet, ausdauernd, ro'bust. – **2.** *bot.* winterfest (*Pflanze*). – **3.** strapazi'ös; anstrengend. – **4.** kühn, tapfer, entschlossen. – **5.** verwegen, waghalsig, tollkühn. – **6.** vermessen, anmaßend, dreist, kühn.

har·dy[2] ['hɑːrdi] *s tech.* Setzhammer *m*, Amboßschröter *m*.

har·dy an·nu·al *s* **1.** (*Gartenbau*) 'winterannuˌelle Pflanze. – **2.** *fig.* Frage, die jedes Jahr wieder a'kut wird.

hare [hɛr] *s* **1.** *zo.* Hase *m* (*Gattg Lepus u. Verwandte der Fam. Leporidae*): to run (*od.* hold) with the ~ and hunt (*od.* run) with the hounds es mit beiden Seiten halten; first catch your ~ (then cook him) *fig.* man soll das Fell nicht verkaufen, ehe man den Bären hat; mad as a March ~ *colloq.* total verrückt, toll. – **2.** Hasenfell *n*. – **3.** Hase *m*, Hasenfleisch *n*. – **4.** (*Schnitzeljagd*) Fuchs *m*: ~ and hounds Schnitzeljagd. – **5.** H~ *astr.* Hase *m* (*Sternbild*). — '~ˌ**bell** *s bot.* **1.** Rundblättrige Glockenblume (*Campanula rotundifolia*). – **2.** → wood hyacinth. — '~ˌ**brained** *adj* **1.** unbesonnen, zerfahren, gedankenlos. – **2.** unbeständig, flatterhaft. — '~ˌ**foot** *s irr bot.* **1.** → rabbit-foot clover. – **2.** Balsabaum *m* (*Ochroma lagopus*). — '~'**lip** *s med.* Hasenscharte *f*. — '~'**lipped** *adj* hasenschartig, mit einer Hasenscharte.

ha·rem ['hɛ(ə)rəm] *s* **1.** Harem *m*. – **2.** *relig.* Ha'ram *m* (*geweihter Ort bei den Mohammedanern*). – **3.** *zo.* (Gruppe *f* von) Weibchen *pl* (*eines Männchens*).

hare's|-bane ['hɛrz-] → wolfsbane. — '~-ˌ**beard** *s bot.* Königskerze *f* (*Verbascum thapsus*). — '~-'**cole**ˌ**wort** *s bot.* Kohl-, Gartengänsedistel *f* (*Sonchus oleraceus*). — '~-ˌ**ear** *s bot.* **1.** Hasenöhrchen *n* (*Bupleurum rotundifolium*). – **2.** Ackerkohl *m* (*Conringia orientalis*). — '~-ˌ**foot** *s irr* **1.** → harefoot. – **2.** (*Kosmetik*) Hasenpfote *f* (*zum Schminken etc*). — '~-ˌ**pars·ley** *s bot.* Gemeiner Kerbel (*Anthriscus vulgaris*). — '~-ˌ**tail** *s bot.* **1.** *auch* ~ grass Hasen-, Samtschwanz *m*, -gras *n* (*Lagurus ovatus*). – **2.** *auch* ~ rush → cotton grass.

har·i·cot[1] ['hæriˌkou] *s* (*bes.* 'Hammel)-Raˌgout *n*.

har·i·cot[2] ['hæriˌkou] *s auch* ~ bean *bot.* Garten-, Schminkbohne *f* (*Phaseolus vulgaris*).

ha·ri-ka·ri ['hɑːri'kɑːri] → hara-kiri.

hark [hɑːrk] **I** *v/i* **1.** horchen, hören: ~! ~ ye! *obs.* horch(t)! hör(t). – **2.** ~ back a) *hunt.* zu'rückgehen, um die Fährte neu aufzunehmen (*Hund*), b) *fig.* zu'rückgreifen, -kommen, -gehen (to auf *acc*). – **II** *v/t* **3.** *obs.* lauschen (*dat*). – **4.** *hunt.* (*Hunde*) rufen. – **III** *s* **5.** (Hetz)Ruf *m* (*für Hunde*). [*aus* hark ye.]

hark·ee ['hɑːrkiː] *zusammengezogen aus* hark ye.

hark·en *cf.* hearken.

harl[1] [hɑːrl] *Scot.* **I** *v/t* **1.** ziehen, schleifen. – **2.** (ab)schaben. – **3.** *arch.* (*Mauer*) mit Rohputz bewerfen. – **II** *v/i* **4.** sich (da'hin)schleppen. – **5.** sich lösen (*Haut*). – **III** *s* **6.** Ziehen *n*, Schleifen *n*. – **7.** zu'sammengekratzter Haufen. – **8.** kleine Menge. – **9.** 'Straßenˌreinigungsmaˌschine *f*.

harl[2] [hɑːrl] *s* **1.** (Flachs-, Woll-)Fäden *pl*, Fasern *pl*. – **2.** Herder *m*, Faser *f*. – **3.** → herl.

Har·le·ian ['hɑːrliən; hɑːr'liːən] *adj* harley'anisch (*Robert u. Edward Harley od. deren Bücher- u. Manuskriptsammlung betreffend*).

Har·le·quin ['hɑːrlikwin; -lə-; -kin] **I** *s* **1.** (*Theater*) Harlekin *m*, Hanswurst *m*, Kasperl *m*, *n*. – **2.** h~ *fig.* Hanswurst *m*. – **3.** → harlequin duck. – **II** *adj* **4.** h~ bunt, scheckig. — ˌ**har·le·quin'ade** [-'neid] *s* **1.** (*Theater*) Harleki'nade *f*, Posse *f*, Possenspiel *n*. – **2.** Posse *f*, Spaß *m*, närrischer Streich.

har·le·quin| (cab·bage) bug → calico-back 1. — ~ **duck** *s zo.* Kragen-, Harlekinsente *f* (*Histrionicus histrionicus*).

har·le·quin·esque [ˌhɑːrlikwi'nesk; -lə-; -ki-] *adj* harlekinartig, hanswurstig.

Har·ley Street ['hɑːrli] *s* **1.** *Londoner Straße, in der bekannte Ärzte wohnen.* – **2.** *fig.* ärztliche Fachwelt.

har·lot ['hɑːrlət] **I** *s* **1.** Dirne *f*, Hure *f*, Prostitu'ierte *f*. – **2.** *obs.* a) Gauner *m*,

b) Diener *m*, c) Gaukler *m*. – **II** *adj* **3.** unzüchtig, wollüstig, geil, niedrig, gemein, schmutzig. — **'har·lot·ry** [-ri] *s* **1.** Prostituti'on *f*, Hure'rei *f*. – **2.** Hure *f*, Dirne *f*.

harm [hɑːrm] **I** *s* **1.** Schaden *m*, Verletzung *f*, Nachteil *m*, Leid *n*: **to do ~ to s.o.** j-m schaden, j-m Schaden *od.* Leid zufügen; **he meant no ~** er meinte es nicht böse; **out of ~'s way** in Sicherheit. – **2.** Unrecht *n*, Übel *n*. – **II** *v/t* **3.** schädigen, verletzen, (*dat*) Schaden tun *od.* zufügen, (*dat*) schaden. – *SYN. cf.* **injure.**

har·ma·line ['hɑːrməˌliːn; -lin] *s chem.* Harma'lin *n* ($C_{13}H_{14}N_2O$).

har·mat·tan [hɑːr'mætən; ˌhɑːrmə'tæn] *s* Har'mattan *m* (*trockener, staubbringender Landwind der nordwestafrik. Küste*).

har·mel ['hɑːrməl] *s bot.* Harmelraute *f* (*Peganum harmala*).

harm·ful ['hɑːrmfəl; -ful] *adj* **1.** nachteilig, schädlich. – **2.** verderblich, böse. — **'harm·ful·ness** *s* Schädlichkeit *f*, Nachteiligkeit *f*, Verderblichkeit *f*. — **'harm·less** *adj* **1.** harmlos, ungefährlich, unschädlich. – **2.** harmlos, unschuldig, arglos. – **3.** *selten* unversehrt. — **'harm·less·ness** *s* Harmlosigkeit *f*, Unschädlichkeit *f*.

har·mon·ic [hɑːr'mɒnik] **I** *adj* **1.** *mus.* har'monisch: a) Harmonie..., b) Harmonik..., c) mehrstimmig zu'sammenklingend, d) mehrstimmig-homo'phon: **~ interval** harmonisches Intervall; **~ minor scale** harmonische Molltonleiter; **~ series** Obertonreihe; **~ tone** Oberton. – **2.** *fig.* har'monisch: a) zu'sammenklingend, -stimmend, wohltönend, b) einträchtig, c) ebenmäßig. – **3.** *math. phys.* har'monisch: **~ progression** harmonische Reihe. – **II** *s* **4.** *mus. phys.* Har'monische *f*, 'Unterschwingung *f*, Oberton *m*. – **5.** *mus.* Flageo'lett(ton *m*) *n*. – **6.** *electr.* Har'monische *f*, Oberwelle *f*. – **7.** *pl* (*oft als sg konstruiert*) Har'monik *f*. — **har'mon·i·ca** [-ə] *s mus.* **1.** 'Glasharˌmonika *f*. – **2.** 'Hammerharˌmonika *f*. – **3.** 'Mundharˌmonika *f*. — **har'mon·i·cal·ly** *adv zu* harmonic I.

har·mon·ic| mean *s math.* har'monisches Mittel. — **~ mi·nor** *s mus.* har'monisches Moll, harmonische Molltonleiter. — **~ mo·tion** *s phys. bes. electr.* sinusförmige Bewegung, Wellenbewegung *f*.

har·mon·i·con [hɑːr'mɒnikən] *pl* **-ca** [-kə] *s mus.* **1.** → **harmonica.** – **2.** Or'chestrion *n*.

har·mo·ni·ous [hɑːr'mouniəs] *adj* har'monisch: a) ebenmäßig, sym'metrisch, b) über'einstimmend, zu'sammenstimmend, c) wohlklingend, d) einträchtig. — **har'mo·ni·ous·ness** *s* Harmo'nie *f*: a) Ebenmäßigkeit *f*, Symme'trie *f*, b) Einklang *m*, Über'einstimmung *f*, c) Wohlklang *m*, d) Eintracht *f*.

har·mo·nist ['hɑːrmənist] *s* **1.** *mus.* a) Har'moniker *m* (*Komponist od. Lehrer*), b) Musiker *m*. – **2.** Kol'lator *m* (*von Paralleltexten, bes. der Bibel*). – **3.** Vereinheitlicher *m*. — **ˌhar·mo'nis·tic** *adj* harmo'nistisch.

har·mo·ni·um [hɑːr'mouniəm] *s mus.* Har'monium *n*.

har·mo·ni·za·tion [ˌhɑːrmənai'zeiʃən; -ni-] *s mus.* Harmonisati'on *f*, Harmoni'sierung *f*. — **'har·moˌnize I** *v/i* **1.** harmo'nieren, zu'sammenpassen, -stimmen, in Einklang sein, zuein'ander passen. – **2.** (**with**) harmo'nieren (mit), passen (zu). – **3.** sich einig sein, über'einstimmen. – **4.** *mus.* a) harmo'nieren, b) *colloq.* mehrstimmig singen *od.* spielen. – *SYN. cf.* **agree.** – **II** *v/t* **5.** harmoni'sieren, in Einklang *od.* Über'einstimmung bringen, aufein'ander abstimmen. – **6.** ausgleichen, versöhnen. – **7.** *mus.* harmoni'sieren, mehrstimmig setzen, einen Satz *od.* Begleitstimmen schreiben zu (*einer Melodie*).

har·mo·nom·e·ter [ˌhɑːrmə'nɒmitər; -mət-] *s mus.* Harmono'meter *n*, Harmo'niemesser *m* (*Meßgerät für harmonische Tonbeziehungen*).

har·mo·ny ['hɑːrməni] *s* **1.** Harmo'nie *f*: a) (Wohl)Klang *m*, b) Eben-, Gleichmaß *n*, Ordnung *f*, c) Einklang *m*, Kongru'enz *f*, Über'einstimmung *f*, d) Eintracht *f*, -klang *m*. – **2.** Zu'sammenstellung *f* von Paral'leltexten, (Evan'gelien)Harmoˌnie *f*. – **3.** *mus.* a) Harmo'nie *f*, Har'monik *f*, Zu'sammenklang *m* (*vertikales Element der Musik*), b) (*bestimmte*) Harmo'nie, (Zu'sammen)Klang *m*, Ak'kord *m*, c) Harmo'nie *f*, konso'nanter *od.* schöner Zu'sammenklang, d) Harmo'nielehre *f*, e) (homo'phoner) Satz, Mehrstimmigkeit *f*: **art of ~** Satzkunst; **keyboard ~** Klavier- *od.* Orgelsatz; **open (close) ~** weiter (enger) Satz; **strict ~** strenger Satz; **two-part ~** zweistimmiger Satz; **to sing in ~** mehrstimmig singen.

har·mo·tome ['hɑːrməˌtoum] *s min.* Harmo'tom *m*, Ba'rytkreuzstein *m*.

har·ness ['hɑːrnis] **I** *s* **1.** (Pferde- *etc*) Geschirr *n*. – **2.** *fig.* Ausrüstung *f*: **in ~** in der (täglichen) Arbeit; → **break**[1] 32; **die**[1] 1. – **3.** (*Weberei*) Harnisch *m* (*des Zugstuhls*). – **4.** *obs.* Harnisch *m*. – **II** *v/t* **5.** (*Zugtier*) a) anschirren, b) an-, vorspannen: **to ~ a horse to a cart** ein Pferd vor *od.* an einen Wagen spannen. – **6.** (*Kräfte etc*) nutzbar machen. – **7.** *obs.* (aus)rüsten. — **~ bull, ~ cop** *s Am. sl.* Poli'zist *m* in Uni'form.

har·nessed an·te·lope ['hɑːrnist] *s zo.* (*eine*) 'Waldantiˌlope (*Gattg Tragelaphus*), *bes.* a) → **bushbuck,** b) → **guib.**

har·ness| hitch *s mar.* Notstek *m*. — **~ mak·er** *s* Sattler *m*. — **~ rac·er** *s Am.* Traber(pferd *n*) *m*. — **~ rac·ing** *s Am.* Trabrennen *n*.

harns [hɑːrnz] *s pl Scot.* Gehirn *n*.

harp [hɑːrp] **I** *s* **1.** *mus.* Harfe *f*. – **2.** *tech.* Rost *m* (*einer Schwingmaschine*) – **3.** H~ *astr.* Leier *f*. – **II** *v/t* **4.** (*Musikstück*) auf der Harfe spielen. – **5.** *obs.* aussprechen. – **III** *v/i* **6.** (die) Harfe spielen. – **7.** *fig.* (**on, upon**) her'umreiten (auf *dat*), dauernd reden *od.* sprechen (von), (*etwas*) ständig erwähnen *od.* betonen: → **string** 8. — **'harp·er, 'harp·ist** *s* Harfe'nist(in), Harfner(in).

har·poon [hɑːr'puːn] **I** *s* Har'pune *f*. – **II** *v/t* harpu'nieren. — **har'poon·er** *s* Harpu'nierer *m*.

harp| seal *s zo.* Sattelrobbe *f* (*Phoca groenlandica*). — **~ shell** *s zo.* Harfenschnecke *f* (*Gattg Harpa*).

harp·si·chord ['hɑːrpsiˌkɔːrd] *s mus.* Clavi'cembalo *n*, Spi'nett *n*.

Har·py ['hɑːrpi] *s* **1.** *antiq.* Har'pyie *f*. – **2.** h~ *fig.* gieriger Mensch. – **3.** h~ → h~ eagle. — **h~ ea·gle** *s zo.* Har'pyie *f* (*Harpia harpyja; Vogel*).

har·que·bus(e) ['hɑːrkwibəs], *auch* **'har·que·buss** *s mil. hist.* Hakenbüchse *f*, Arke'buse *f*. — **ˌhar·que·bus'ier** [-'sir] *s* Arkebu'sier *m*.

har·ri·dan ['hæridən; -rə-] *s* alte Dirne *od.* Vettel.

har·ri·er[1] ['hæriər] *s* **1.** Verheerer *m*, Zerstörer *m*, Verwüster *m*. – **2.** Plünderer *m*, Räuber *m*. – **3.** *zo.* Weihe *f* (*Gattg Circus*).

har·ri·er[2] ['hæriər] *s* **1.** *hunt.* a) Hasenhund *m*, Harrier *m*, b) *pl* Harrier-Meute *f* mit Jägern. – **2.** *sport* Wald-, Geländeläufer *m*.

Har·ris tweed ['hæris] *s* Harris-Tweed *m*.

Har·ro·vi·an [hə'rouviən] **I** *s* Harrow-Schüler *m*, Schüler *m* von Harrow. – **II** *adj* Harrow..., von Harrow.

har·row[1] ['hærou] **I** *s* **1.** *agr.* Egge *f*: **under the ~** *fig.* in großer Not. – **2.** diago'nale Formati'on. – **3.** *hist.* Fallgatter *n*. – **II** *v/t* **4.** *agr.* eggen. – **5.** *oft* **~ up** *fig.* a) quälen, foltern, martern, b) (*Gefühl*) verletzen, c) (*Herz*) zerreißen. – **III** *v/i* **6.** *agr.* a) eggen, b) sich eggen (lassen) (*Boden*).

har·row[2] ['hærou] → **harry.**

har·row·ing ['hærouiŋ] *adj* quälend, marternd, herzzerreißend, schmerzlich, schrecklich.

har·ry ['hæri] *v/t* **1.** verheeren, verwüsten. – **2.** (aus)plündern, ausrauben, berauben. – **3.** quälen, verfolgen. – **4.** *Scot.* a) (*Nest*) ausnehmen, b) rauben. – *SYN. cf.* **worry.**

harsh [hɑːrʃ] *adj* **1.** hart, rauh (*anzufühlen*). – **2.** rauh, scharf, 'mißtönend, unangenehm, hart (*Ton*). – **3.** hart, grob, unschön. – **4.** grell, hart (*Farbe*). – **5.** hart, grob, rauh, gefühllos, schroff. – **6.** streng, hart, grausam. – *SYN. cf.* **rough.** — **'harsh·en** *v/t selten* hart *od.* rauh machen. — **'harsh·ness** *s* Härte *f*.

hars·let ['hɑːrslit] → **haslet.**

harst [hɑːrst; hɛrst] *Scot. für* **harvest.**

hart [hɑːrt] *s* Hirsch *m* (*bes. nach dem 5. Jahr*): **a ~ of ten** ein Zehnender.

har·tal ['hɑːrtæl; hɑːr'tæl] *s* (*in Indien*) natio'naler Trauertag (*mit Schließung aller Geschäfte; bes. als politischer Protest*).

hart·beest ['hɑːrtˌbiːst] → **hartebeest.**

hart clo·ver → **melilot.**

har·te·beest ['hɑːrtiˌbiːst; -tə-] *s zo.* **1.** 'Kuhantiˌlope *f* (*Gattg Alcelaphus*), *bes.* Kama *f* (*A. caama*). – **2.** 'Leier-, 'Halbmondantiˌlope *f* (*Gattg Damaliscus*).

'hart's-ˌclo·ver → **melilot.**

'hartsˌhorn *s* **1.** Hirschgeweih *n*, -horn *n*. – **2.** *chem. obs.* Hirschhorngeist *m*, -salz *n*. – **3.** *bot.* Krähenfuß *m* (*Plantago coronopus*).

'hart's-ˌtongue (fern), *auch* **'hartsˌtongue** *s bot.* Hirschzunge *f*, Zungenfarn *m* (*Phyllitis scolopendrium*).

har·um-scar·um ['hɛ(ə)rəm'skɛ(ə)rəm] **I** *adj colloq.* **1.** wild, unbändig. – **2.** zerfahren, fahrig, kopf-, gedankenlos, flatterhaft. – **II** *adv* **3.** Hals über Kopf, in größter Eile, wie ein Wilder. – **III** *s* **4.** zerfahrene Per'son, Irrwisch *m*, Wildfang *m*. – **5.** Flatterhaftigkeit *f*, Kopflosigkeit *f*.

ha·rus·pex [hə'rʌspeks; 'hærəˌspeks] *pl* **ha'rus·piˌces** [-piˌsiːz] *s antiq.* Ha'ruspex *m* (*Wahrsager, bes. aus den Eingeweiden der Opfertiere*). — **ha'rus·pi·cy** *s* Haru'spizium *n* (*Weissagen*).

har·vest ['hɑːrvist] **I** *s* **1.** Ernte(zeit) *f*. – **2.** Ernten *n*, Ernte *f*. – **3.** Ernte *f*, Ertrag *m*. – **4.** *fig.* Gewinn *m*, Ertrag *m*, Erfolg *m*. – **II** *v/t* **5.** ernten, einheimsen. – **6.** (*Felder*) abernten. – **7.** a) aufspeichern, aufsparen, sammeln, zu'rücklegen, b) sparen, haushalten mit. – **III** *v/i* **8.** die Ernte einbringen, ernten. — **~ bell** *s bot.* **1.** Lungenenzian *m*, Blauer Do'rant (*Gentiana pneumonanthe*). – **2.** → **soapwort gentian.** — **~ bug** → **chigger** 1.

har·vest·er ['hɑːrvistər] *s* **1.** Schnitter (-in), Leser(in), Erntearbeiter(in). – **2.** *agr. tech.* 'Mäh-, 'Erntemaˌschine *f*. – **3.** *fig.* Sammler *m*. – **4.** → **chigger** 1. — **~ ant** *s zo.* Ernteameise *f*.

har·vest| fes·ti·val *s* Erntedankfest *n*. — **~ fish** *s zo.* Erntefisch *m* (*Peprilus paru*). — **~ fly** *s zo.* (*eine*) Zi'kade (*Gattg Tibicen*). — **~ home** *s* **1.** Ernte(zeit) *f*. – **2.** Ernte *f*, Ernten *n*. – **3.** Erntefest *n*. – **4.** Erntelied *n*. — **'~·man** [-mən] *s irr* **1.** Schnitter(in),

Erntearbeiter(in). – **2.** *zo.* Kanker *m*, Weberknecht *m* (*Fam. Phalangiidae*). — **~ mite** → **chigger** 1. — **~ moon** *s* Erntemond *m* (*Vollmond um den 23. September*). — **~ mouse** *s irr zo.* Zwergmaus *f* (*Micromys minutus*). — **~ tick** → **chigger** 1.

Har·vey·ize ['hɑːrviˌaiz] *v/t tech.* (*Stahl*) härten.

has [hæz] *3. sg. pres von* **have**. — **'~-ˌbeen** *s colloq.* **1.** über'holte *od.* vergangene Sache. – **2.** 'ausranˌgierte Per'son, Gestrige(r), Vergangene(r).

ha·sen·pfef·fer ['hɑːzənˌ(p)fefər] *s* Hasenpfeffer *m* (*stark gewürztes Gericht aus Hasenklein*).

hash [hæʃ] **I** *v/t* **1.** *auch* **~ up** (*Fleisch*) zerhacken, zerstückeln, zerschneiden, ha'schieren. – **2.** *fig.* verpfuschen, verpatzen. – **II** *s* **3.** (*Kochkunst*) Ha'schee *n.* – **4.** *fig.* (Wieder)'Aufgewärmtes, ‚alter Kohl'. – **5.** *fig.* Mischmasch *m*, Wirrwarr *m*, Durchein'ander *n*: **to make a ~ of s.th.** *colloq.* etwas verpfuschen *od.* verpatzen; **to settle s.o.'s ~** *colloq.* a) j-m alles verderben, j-m einen Strich durch die Rechnung machen, b) j-n ‚erledigen', j-n umbringen. – **6.** *Scot. od. colloq.* Dummkopf *m*, Taugenichts *m*.

hash·eesh *cf.* **hashish**.

hash house *s Am. sl.* billiges Restau'rant, ‚'Bumsloˌkal' *n.*

Hash·im·ite ['hæʃiˌmait] **I** *s* Hasche'mite *m.* – **II** *adj* hasche'mitisch.

hash·ish ['hæʃiːʃ; -iʃ] *s* Haschisch *n* (*orient. Rauschgift aus Hanf*).

hash mark *s mil. Am. sl.* Dienstzeitstreifen *m.*

has·let ['heizlit; 'hæs-] *s* Geschlinge *n*, Inne'reien *pl.*

has·n't ['hæznt] *colloq. für* **has not**.

hasp [*Br.* hɑːsp; *Am.* hæ(ː)sp] **I** *s* **1.** *tech.* a) Haspe *f*, Spange *f*, b) 'Überwurf *m*, Schließband *n.* – **2.** Haspel *f*, Spule *f* (*für Garn*). – **II** *v/t* **3.** mit einer Haspe (*etc*) verschließen, zuhaken.

has·sock ['hæsək] *s* **1.** Knie-, Fußkissen *n od.* -polster *m.* – **2.** Gras- *od.* Binsenbüschel *n.* – **3.** *min. Br.* kentischer Tuff- *od.* Sandstein.

hast [hæst] *obs. 2. sg pres von* **have**.

has·tate ['hæsteit] *adj bot.* spießförmig (*Blatt*).

haste [heist] **I** *s* **1.** Eile *f*, Schnelligkeit *f*, Geschwindigkeit *f.* – **2.** Hast *f*, Eile *f*: **to make ~** sich beeilen; **make ~** and (*od.* to) **come** komme schnell; **~ makes waste** in der Eile geht alles schief; **more ~, less speed** *od.* **make ~ slowly** eile mit Weile; **to be in great ~** in großer Eile sein. – *SYN.* **dispatch** (*od.* **despatch**), **expedition**, **hurry**, **speed**. – **II** *v/t u. v/i dial. od. poet. für* **hasten**.

has·ten ['heisn] **I** *v/t* (*zur Eile*) antreiben, beschleunigen. – **II** *v/i* sich beeilen, eilen.

hast·i·ly ['heistili; -tə-] *adv zu* **hasty**. — **'hast·i·ness** *s* **1.** Eile *f*, Hastigkeit *f*, Über'eilung *f.* – **2.** Eilfertigkeit *f*, Voreiligkeit *f.* – **3.** Ungestüm *n.*

hast·y ['heisti] *adj* **1.** eilig, hastig. – **2.** voreilig, über'eilt, eilfertig, unbesonnen. – **3.** heftig, hitzig, ungestüm. – **4.** geschwind, flink. – **5.** *obs.* ungeduldig. – *SYN. cf.* **fast**[1]. — **~ bridge** *s mil.* Behelfs-, Schnellbrücke *f.* — **~ de·fence**, *Am.* **~ de·fense** *s mil.* Behelfsbefestigung *f.* — **~ ob·sta·cle** *s mil.* Schnellsperre *f.* — **~ pud·ding** *s* **1.** *Br.* Mehlbrei *m.* – **2.** *Am.* Maismehlbrei *m.*

hat [hæt] **I** *v/t pret u. pp* **'hat·ted 1.** mit einem Hut bekleiden *od.* bedecken. – **II** *s* **2.** Hut *m.* – **3.** *relig.* a) Kardi'nalshut *m*, b) *fig.* Kardi'nalswürde *f.* – **4.** (*Gerberei*) Lohschicht *f.* –

Besondere Redewendungen:

my ~! *sl.* na, ich danke! **a bad ~** *Br. sl.* ein ‚übler Kunde' (*ehrlose Person*); **as black as my ~** pechschwarz; **to go round with the ~, to pass** (*od.* **send**) **round the ~** mit dem Hut herumgehen, freiwillige Beiträge sammeln; **to take one's ~ off to s.o.** seinen Hut vor j-m ziehen, j-m den Vorrang zuerkennen; **to talk through one's ~** *colloq.* faseln, ‚Kohl reden'; **to throw one's ~ in the ring** *colloq.* sich zum Kampf stellen, den Kampf ansagen; **under one's ~** *sl.* a) im Kopf, b) geheim, für sich; **to keep s.th. under one's ~** *sl.* etwas für sich behalten; **~ in hand** demütig, unterwürfig; **to hang up one's ~** sich häuslich niederlassen.

hat·a·ble ['heitəbl] *adj bes. Am.* hassenswert, widerlich.

'hat|ˌband *s* **1.** Hutband *n.* – **2.** Trauerflor *m* (*am Hut*). — **~ block** *s tech.* Hut(macher)form *f*, -block *m.* — **'~ˌbox** *s* Hutschachtel *f.*

hatch[1] [hætʃ] *s* **1.** *mar.* a) Lukendeckel *m*, -gatter *n*: **under** (**the**) **~es** a) unter Deck, b) *colloq.* in Schwierigkeiten, ‚in der Klemme', c) *fig.* eingesperrt, d) *sl.* ‚erledigt', ‚abgefertigt' (*tot*). – **2.** *aer. mar.* Luke *f.* – **3.** Luke *f*, Bodentür *f*, -öffnung *f.* – **4.** Halbtür *f.* – **5.** *tech.* (Stau-, Zieh)Schütz *n.*

hatch[2] [hætʃ] **I** *v/t* **1.** (*Eier, Junge*) ausbrüten. – **2.** *fig.* ausbrüten, -hecken. – **3.** erschaffen, erzeugen, her'vorbringen. – **II** *v/i* **4.** Junge ausbrüten. – **5.** (*aus dem Ei*) ausschlüpfen, -kriechen. – **6.** *fig.* sich entwickeln, vor'angehen. – **III** *s* **7.** (Aus)Brüten *n.* – **8.** Brut *f* (*junger Tiere*). – **9.** Ausschlüpfen *n*, -kriechen *n.* – **10.** *fig.* Ergebnis *n*, Erfolg *m.* – **11.** *fig.* Aushecken *n*, Ausbrüten *n.*

hatch[3] [hætʃ] **I** *v/t* schraf'fieren, stricheln, schat'tieren: **~ed mo(u)lding** *arch.* schraffiertes Gesims. – **II** *s* (Schraf'fier)Linie *f*, Schraf'fur *f.*

hatch·el ['hætʃəl] **I** *s* **1.** (Flachs-, Hanf)Hechel *f.* – **II** *v/t pret u. pp* **'hatch·eled**, *bes. Br.* **'hatch·elled 2.** hecheln. – **3.** *fig.* (*j-n*) ‚piesacken', quälen, ‚'durchhecheln'.

hatch·er ['hætʃər] *s* **1.** Bruthenne *f*, brütender Vogel: **a good ~** ein guter Brüter (*Henne*). – **2.** 'Brutappaˌrat *m.* – **3.** *fig.* Planer(in), Ersinner(in), Erfinder(in). — **'hatch·er·y** *s* **1.** Brutplatz *m.* – **2.** *fig.* Brutstätte *f.*

hatch·et ['hætʃit] *s* **1.** Beil *n.* – **2.** Tomahawk *m*, Kriegsbeil *n*: **to bury** (**dig up** *od.* **take up**) **the ~** *fig.* das Kriegsbeil begraben (ausgraben), Frieden (Krieg) machen; **to throw the ~** *fig.* übertreiben, aufschneiden; → **helve** I. — **~ face** *s* Adlergesicht *n*, scharfgeschnittenes Gesicht. — **'~-ˌfaced** *adj* mit scharfgeschnittenem Gesicht.

hatch·ing[1] ['hætʃiŋ] *s* **1.** (Aus)Brüten *n.* – **2.** Ausschlüpfen *n.* – **3.** Brut *f.* – **4.** *fig.* Aushecken *n.*

hatch·ing[2] ['hætʃiŋ] *s* **1.** Schraf'fierung *f*, Schraf'fur *f.* – **2.** Schraf'fieren *n.*

hatch·ment ['hætʃmənt] *s her.* Totenschild *n*, Tafel *f* mit dem Wappenschild eines Verstorbenen.

'hatchˌway *s* **1.** *mar.* Luke *f.* – **2.** (Dachboden-, Keller-, Boden)-Luke *f.*

hate[1] [heit] **I** *v/t* **1.** hassen. – **2.** verabscheuen, nicht ausstehen können. – **3.** nicht wollen, nicht mögen, sehr ungern tun *od.* haben: **I ~ to do it** ich tue es äußerst ungern; **I ~ his being there** ich mag es nicht, daß er dort ist. – **II** *v/i* **4.** hassen. – *SYN.* **abhor**, **abominate**, **detest**, **loathe**. – **III** *s* **5.** *bes. poet. für* **hatred**. – **6.** Gegenstand *m* des Hasses, (*etwas*) Verhaßtes. – **7.** *mil. Br. sl.* 'Feuerˌüberfall *m*, Feindbeschuß *m.*

hate[2] *cf.* **haet**.

hate·a·ble *bes. Br. für* **hatable**.

hate·ful ['heitfəl; -ful] *adj* **1.** hassenswert, ab'scheulich, widerlich, verhaßt. – **2.** *obs.* haßerfüllt. – *SYN.* **abhorrent**, **abominable**, **detestable**, **odious**. — **'hate·ful·ness** *s* Verhaßtheit *f*, Widerlichkeit *f.* — **'hat·er** *s* **1.** Hasser *m.* – **2.** (per'sönlicher) Feind.

hat·ful ['hætful] *s* Hutvoll *m.*

hath [hæθ] *obs. 3. sg. pres von* **have**.

Hath·or ['hæθɔːr] *s relig.* Hathor *f* (*ägyptische Himmels- u. Liebesgöttin*). — **Ha·thor·ic** [hə'θɒrik; *Am. auch* -'θɔːrik] *adj bes. arch.* Hathor...

hat·less ['hætlis] *adj* ohne Hut, barhäuptig.

'hat|ˌpin *s* Hutnadel *f.* — **'~ˌrack** *s* Hutständer *m*, -ablage *f.*

ha·tred ['heitrid] *s* **1.** Haß *m* (of, against, toward[s] gegen, auf *acc*). – **2.** Abscheu *m* (of, against, toward[s] vor *dat*). – **3.** Feindschaft *f*, -seligkeit *f.*

hat stand *s* Hutständer *m.*

hat·ter ['hætər] *s* Hutmacher *m*: **as mad as a ~** a) völlig übergeschnappt, b) fuchsteufelswild.

hat| tree *s bes. Am.* Hutständer *m.* — **~ trick** *s sport* Hattrick *m*: a) (*Kricket*) *dreimaliges Treffen des Dreistabs mit drei unmittelbar aufeinanderfolgenden Würfen*, b) *Schießen von drei Toren hintereinander durch denselben Spieler*, c) *dreimaliger Sieg desselben Wettkämpfers in einer Folge.*

hau·berk ['hɔːbəːrk] *s mil. hist.* Halsberg(e *f*) *m.*

haugh [hɑːx; hɑːf] *s Scot. od. dial.* flaches (Fluß)Uferland, Flußwiese *f.*

haugh·ti·ness ['hɔːtinis] *s* Hochmut *m*, Über'heblichkeit *f*, Stolz *m.* — **'haugh·ty** *adj* **1.** hochmütig, über'heblich, stolz, arro'gant. – **2.** *obs.* edel. – *SYN. cf.* **proud**.

haul [hɔːl] **I** *s* **1.** Ziehen *n*, Zerren *n*, Schleppen *n.* – **2.** kräftiger Zug. – **3.** (Fisch)Zug *m.* – **4.** *fig.* Fischzug *m*, Fang *m*, Fund *m*, Beute *f*: **to make a big ~** einen reichen Fischzug *od.* einen guten Fang machen. – **5.** Einholstelle *f.* – **6.** (Be)Förderung *f*, Trans'port *m.* – **7.** Trans'portweg *m*, -strecke *f.* – **8.** Ladung *f*, Trans'port *m*: **a ~ of coal** eine Ladung Kohlen. – **II** *v/t* **9.** ziehen, zerren, schleppen: → **coal** 4. – **10.** befördern, transpor'tieren. – **11.** (*Bergbau*) fördern. – **12.** her'aufholen, -ziehen, (mit einem Netz) fangen. – **13.** *mar.* a) (*Brassen*) anholen, b) her'umholen, die Schiffsrichtung ändern, *bes.* anluven. – **14. to ~ the wind** a) *mar.* an den Wind gehen, b) *fig.* sich zu'rückziehen. – **15.** → **~ up** 1. – **III** *v/i* **16.** ziehen, zerren (on, at an *dat*). – **17.** mit dem Schleppnetz fischen. – **18.** 'umspringen (*Wind*). – **19.** *fig.* seine Haltung *od.* seinen Kurs ändern. – **20.** *mar.* a) den Kurs ändern, b) → **~ up** 3, c) (*einen Kurs*) segeln. – *SYN. cf.* **pull**. –

Verbindungen mit Adverbien:

haul| down *v/t* (*Flagge etc*) niederholen. — **~ for·ward** *v/i mar.* schralen (*Wind*). — **~ home** *v/t mar.* beiholen. — **~ in** *v/t mar.* (*Tau*) einholen. — **~ off** *v/i mar.* **1.** abdrehen. – **2.** sich zu'rückziehen. – **3.** ausholen (*zu einem Schlag*). — **~ round** → **haul** 18. — **~ up I** *v/t* **1.** zur Verantwortung ziehen, ausschimpfen, tadeln. – **2.** → **haul** 13 b. – **II** *v/i* **3.** *mar.* an den Wind gehen. – **4.** haltmachen.

haul·age ['hɔːlidʒ] *s* **1.** a) Ziehen *n*, Schleppen *n*, b) *mar.* Verholen *n*, c) *mar.* Treideln *n.* – **2.** Zugkraft *f.* – **3.** Beförderung *f*, Trans'port *m.* – **4.** (*Bergbau*) Förderung *f.* – **5.** Trans'portkosten *pl.* — **'haul·er**, *bes. Br.* **'haul·ier** [-jər] *s* **1.** (*bes. Bergbau*) Schlepper *m.* – **2.** Fuhrmann *m*, Frachtführer *m.* — **'haul·ing** *s* **1.** Ziehen *n*, Schleppen *n*: **~ cable** *tech.* Zugseil; **~ line** *mar.* Wurfleine.

– **2.** Beförderung *f*, Trans'port *m*. – **3.** (*bes. Bergbau*) Förderung *f*: ~ **plant** Förderanlage; ~ **rope** Förderseil.
haulm [hɔːm] *s* **1.** Halm *m*, Stengel *m*. – **2.** *collect. Br.* Halme *pl*, Stengel *pl*, Stroh *n*.
haul·yard ['hɔːljərd] → **halyard.**
haunch [hɔːntʃ; hɑːntʃ] *s* **1.** Hüfte *f*, Lende *f*. – **2.** *pl* Gesäß *n*. – **3.** Keule *f* (*Pferd etc*). – **4.** Lendenstück *n*, Lende *f*, Keule *f*: ~ **of beef** Rindslende. – **5.** *arch.* Schenkel *m*: ~ **charge** *mil.* Schenkelladung.
haunt [hɔːnt; hɑːnt] **I** *v/t* **1.** als Geist erscheinen (*dat*), spuken in (*dat*): **this room is ~ed** in diesem Zimmer spukt es; **to ~ a castle** in einem Schloß spuken *od.* umgehen. – **2.** verfolgen, quälen, plagen. – **3.** heimsuchen, ständig belästigen. – **4.** häufig besuchen, immer wieder aufsuchen. – **II** *v/i* **5.** spuken, 'umgehen. – **6.** häufig erscheinen, sich ständig aufhalten. – **7.** ständig zu'sammen sein (**with s.o.** mit j-m). – *SYN. cf.* **frequent.** – **III** *s* **8.** häufig besuchter Ort *od.* Aufenthalt, *bes.* Lieblingsplatz *m*. – **9.** Schlupfwinkel *m*. – **10.** (*Tiere*) a) Lager *n*, Versteck *n*, b) Futterplatz *m*. – **11.** [*auch* hænt] *dial.* Gespenst *n*. — **'haunt·ed** *adj* **1.** von Gespenstern heimgesucht, Geister... – **2.** häufig besucht.
Hau·sa ['hausɑː] *s sg u. pl* **1.** Haussa *m*. – **2.** *pl* Haussa *pl* (*Negermischvolk in Nordafrika*). – **3.** *ling.* Haussa *n*.
hau·sen ['hɔːzn] *s zo.* Hausen *m* (*Acipenser huso*).
haus·mann·ite ['hausməˌnait] *s min.* Hausman'nit *m*, 'Schwarzmanˌganerz *n* (Mn_3O_4).
haus·tel·lum [hɔːs'teləm] *pl* **-la** [-lə] *s zo.* Saugrüssel *m*. — **haus'to·ri·um** [-'tɔːriəm] *pl* **-ri·a** [-riə] *s bot.* Hau'storium *n*, 'Saugorˌgan *n*.
haut·boy ['houbɔi; 'ou-] → **oboe.**
hau·teur [hou'təːr; ou-] *s* Hochmut *m*, Arro'ganz *f*.
Ha·van·a [hə'vænə] *s* Ha'vanna(ziˌgarre) *f*.
have [hæv] **I** *s* **1.** Besitzende(r), Reiche(r): **the ~s and the ~-nots** die Besitzenden u. die Habenichtse, die Reichen u. die Armen. – **2.** *Br. sl.* Schwindel *m*, Betrug *m*. –
II *v/t pret u. pp* **had** [hæd], *2. sg pres obs.* **hast** [hæst], *3. sg pres* a) **has** [hæz], b) *obs.* **hath** [hæθ], *2. sg pret obs.* **hadst** [hædst] **3.** haben, besitzen. – **4.** (*Eigenschaft etc*) haben: ~ **the kindness to post** (*od.* **mail**) **this letter** haben Sie die Freundlichkeit *od.* seien Sie so freundlich, diesen Brief aufzugeben. – **5.** haben, erleben: **we had a fine time** wir hatten viel Spaß, wir hatten es schön *od.* gut. – **6.** haben: **you ~ my word for it** Sie haben mein Wort darauf, ich gebe Ihnen mein Wort darauf; **he had many things against him** ihm stellten sich viele Schwierigkeiten entgegen. – **7.** (*Kind*) bekommen, zur Welt bringen. – **8.** behalten: **to ~ s.o. in hono(u)r** j-n in Ehren halten; ~ **this in mind** behalte dies im Gedächtnis; **may I ~ it?** darf ich es behalten? → **cake** 1. – **9.** (*Gefühle etc*) haben, hegen: **to ~ no doubt** keinen Zweifel haben; **I ~ no doubt of it** ich zweifle nicht daran. – **10.** erhalten, erlangen, bekommen: **we had no news** wir bekamen keine Nachricht; **to be had of all booksellers** bei allen Buchhändlern erhältlich; **to ~ advice** (ärztlichen *etc*) Rat einholen; → **asking** 1. – **11.** (erfahren) haben: **I ~ it from reliable sources** ich habe es aus verläßlicher Quelle (erfahren). – **12.** (*Speisen etc*) zu sich nehmen, einnehmen, essen *od.* trinken *etc*: **we ~ breakfast at 8** wir frühstücken um 8 Uhr; **I had a glass of sherry** ich trank ein Glas Sherry; ~ **another sandwich!** nehmen Sie noch ein Sandwich! **to ~ a cigar** eine Zigarre rauchen. – **13.** haben, ausführen, unter'nehmen, teilnehmen an (*dat*), ausüben: **to ~ the care of s.o.** für j-n Sorge tragen; **to ~ a conference** eine Konferenz abhalten; **to ~ a walk** einen Spaziergang machen; → **look** 1; **try** 1. – **14.** können, beherrschen: **she has no Latin** sie kann nicht Lateinisch; **to ~ s.th. by heart** etwas auswendig können. – **15.** wahrhaben, behaupten: **rumo(u)r has it that** gerüchtweise wird behauptet, daß; es geht das Gerücht, daß; **he will ~ it that** er behauptet fest, daß. – **16.** sagen, (es) ausdrücken: **as Byron has it** wie Byron sagt. – **17.** *colloq.* in der Gewalt haben, erwischt haben: **he had me there** da hatte er mich (an meiner schwachen Stelle) erwischt. – **18.** *Br. sl.* ‚her'einlegen', ‚bemogeln', ‚beschummeln': **you ~ been had** man hat Sie hereingelegt. – **19.** (*vor inf*) müssen: **I ~ to go now** ich muß jetzt gehen; **he will ~ to do it** er wird es tun müssen; **we ~ to obey** wir müssen *od.* haben zu gehorchen; **it has to be done** es muß getan werden; **I ~ much work to do** ich habe viel Arbeit *od.* zu tun. – **20.** (*mit Objekt u. pp*) lassen: **I had a suit made** ich ließ mir einen Anzug machen; **they had him shot** sie ließen ihn erschießen. – **21.** *mit Objekt u. pp zum Ausdruck des Passivs*: **I had my arm broken** ich brach mir den Arm; **he had a son born to him** ihm wurde ein Sohn geboren. – **22.** (*mit Objekt u. inf*) lassen: ~ **them come here at once** laß sie sofort hierherkommen. – **23.** (*mit Objekt u. inf*) es erleben *od.* erfahren, daß: **I had all my friends turn against me** ich erlebte es *od.* ich mußte es erleben, daß sich alle meine Freunde gegen mich wandten. – **24.** (*nach* **will** *od.* **would** *mit acc u. inf*): **I would ~ you to know it** ich möchte, daß Sie es wissen. – **25.** (*bes. nach* **will** *od.* **would**) haben, erlauben, zulassen, gestatten: **I will not ~ it** ich dulde es nicht, ich will es nicht (haben); **I will not ~ you do it** ich will *od.* erlaube nicht, daß du es tust; **I will not ~ it mentioned** ich dulde nicht, daß es erwähnt wird; **I will not ~ you die** ich will nicht, daß du stirbst. –
III *v/i* **26.** eilen, rasch vorgehen: **to ~ after s.o.** j-m nacheilen. – **27.** ~ **at** a) angreifen (*acc*), sich 'hermachen über (*acc*), b) zielen auf (*acc*). – **28.** → **best** 5 *u. b. Redw.*; **better**[1] 6; **had; rather** 2. –
IV *v/auxiliary* **29.** haben: **I ~ seen** ich habe gesehen. – **30.** (*bei v/i*) sein: **I ~ been** ich bin gewesen; **I ~ run** ich bin gelaufen. – *SYN.* **hold, own, possess.** –
Besondere Redewendungen:
to ~ done writing mit dem Schreiben fertig sein; **I ~ done with it** a) ich bin fertig damit, b) ich habe nichts mehr damit zu schaffen; ~ **done!** hör auf! **to ~ it** a) die Oberhand haben, gewonnen haben, b) ‚es kriegen', Schläge (*etc*) bekommen, c) es haben; → **aye**[1] 5; **let him ~ it!** gib's ihm tüchtig! **I ~ it!** ich hab's! (*ich habe die Lösung gefunden*); **to ~ had it** *sl.* a) umkommen, b) Pech haben; **he has had it** *sl.* a) den hat's erwischt, b) er hat Pech gehabt; ~ **it your own way** meinetwegen, (machen Sie es) wie Sie wollen; **to ~ it in for s.o.** *Am. colloq.* j-n nicht leiden können, auf j-n eine Wut haben; **she had it in her** sie hatte es in sich; **we must ~ it out** wir müssen ihn (*den Zahn*) ziehen; **to ~ nothing on s.o.** *Am. colloq.* a) j-m in keiner Weise überlegen sein, b) gegen j-n nicht ankönnen, gegen j-n keine Druckmittel haben; **to ~ s.th. on s.o.** *Am. sl.* gegen j-n belastendes Material haben; **he would ~ nothing to do with it** er wollte damit nichts zu tun haben; **to ~ what it takes** das Zeug dazu haben. –
Verbindungen mit Adverbien:
have| back *v/t* zu'rückbekommen, -erhalten. — **~ in** *v/t* **1.** (*j-n*) her'einbitten. – **2.** her'einholen. — **~ on** *v/t* **1.** a) (*Kleid etc*) anhaben, tragen, b) (*Hut*) aufhaben. – **2.** *colloq.* (*j-n*) zum besten haben: **to have s.o. on.** — **~ out** *v/t* **1.** (zum Du'ell) fordern. – **2. to have it out with s.o.** es mit j-m ausfechten, sich mit j-m ausein'andersetzen. — **~ up** *v/t* **1.** her'aufkommen lassen, her'aufholen. – **2.** vor Gericht bringen (**for** wegen).
have·lock ['hævlɒk] *s Am.* über den Nacken her'abhängender 'Mützenˌüberzug (*Sonnenschutz*).
ha·ven ['heivn] **I** *s* **1.** Hafen *m*. – **2.** *oft* ~ **of rest** *fig.* Zufluchtsort *m*, -stätte *f*, Freistätte *f*, A'syl *n*. – **II** *v/t* **3.** schützen, bergen.
'have-ˌnot *s colloq.* Habenichts *m*.
have·n't ['hævnt] *colloq. für* **have not.**
hav·er[1] ['hɑvər; 'ɑ-] *s dial.* Hafer *m*.
ha·ver[2] ['heivər] *v/i Scot. od. dial.* plappern, schwatzen.
ha·ver·el ['heivərəl; 'eiv-] *s Scot. od. dial.* Schwätzer *m*, Dummkopf *m*.
hav·er·sack ['hævərˌsæk] *s bes. mil.* Brotbeutel *m*, Provi'anttasche *f*: ~ **ration** *Br.* Marschverpflegung.
Ha·ver·sian ca·nal [hə'vəːrʃən; -siən] *s med.* Haversscher Ka'nal.
hav·il·dar ['hævilˌdɑːr] *s mil. hist.* eingeborener Ser'geant (*der Brit.-Indischen Armee*).
hav·ing ['hæviŋ] **I** *s* **1.** Haben *n*, Besitzen *n*. – **2.** *meist pl* Besitz *m*, Habe *f*, Eigentum *n*. – **II** *adj* **3.** habend, besitzend.
hav·ior, *bes. Br.* **hav·iour** ['heivjər] *obs. für* **behavio(u)r.**
hav·oc ['hævək] **I** *s* Verwüstung *f*, Verheerung *f*, Vernichtung *f*, Zerstörung *f*: **to cause ~** schwere Zerstörungen verursachen; **to play ~ with** (*od.* **among**) **s.th., to make ~ of s.th.** etwas verwüsten *od.* verheeren *od.* vernichten; **to cry ~** *fig.* zur Vernichtung aufrufen. – **II** *v/t u. v/i pret u. pp* **'hav·ocked** verwüsten, verheeren, vernichten.
haw[1] [hɔː] *s* **1.** *bot.* Mehlbeere *f* (*Weißdornfrucht*). – **2.** → **hawthorn.** – **3.** *hist.* Hecke *f*.
haw[2] [hɔː] **I** *interj* äh! hm! – **II** *s* Äh *n*, Hm *n*. – **III** *v/i* äh machen, sich räuspern, stockend sprechen: → **hum**[1] 3.
haw[3] [hɔː] **I** *interj* hü(st)! (*Zuruf an Pferde*). – **II** *s* Hü(st) *n*. – **III** *v/t* nach links lenken. – **IV** *v/i* nach links gehen.
haw[4] [hɔː] *s vet.* (entzündete) Nickhaut.
Ha·wai·ian [hə'waijən] **I** *adj* **1.** hawaiisch: ~ **islands** Hawaii-Inseln. – **II** *s* **2.** Ha'waiier(in), Bewohner(in) der Hawaii-Inseln. – **3.** *ling.* Ha'waiisch *n*, das Hawaiische.
'haw|ˌbuck *s dial.* (Bauern)Lümmel *m*. — **'~ˌfinch** *s zo.* Kernbeißer *m* (*Coccothraustes coccothraustes*).
haw-haw[1] ['hɔːˌhɔː] **I** *interj* ha'ha! – **II** *s* Ha'ha *n*, lautes Lachen. – **III** *v/i* laut lachen.
haw-haw[2] ['hɔːˌhɔː] → **ha-ha**[1].
hawk[1] [hɔːk] **I** *s* **1.** *zo.* (*ein*) Falke *m* (*Fam. Falconidae*), *bes.* → **falcon** 1, **buzzard** 1, **harrier**[1] 3, **kite** 2, **caracara**: **to know a ~ from a handsaw** *fig.* zwischen zwei verschiedenen Dingen wohl unterscheiden können. – **2.** → ~ **moth.** – **3.** Halsabschneider *m*, Gauner *m*, Wucherer *m*. – **II** *v/i* **4.** im Flug jagen, wie ein Falke jagen, Jagd machen (**at** auf *acc*). – **5.** Beizjagd betreiben. – **III** *v/t* **6.** jagen.

hawk² [hɔːk] **I** *v/t* feilbieten, verhökern, hau'sieren mit (*auch fig.*). – **II** *v/i* hau'sieren (gehen), hökern.

hawk³ [hɔːk] **I** *v/i* sich räuspern. – **II** *v/t oft* ~ up aushusten. – **III** *s* Räuspern *n*.

hawk⁴ [hɔːk] *s* Mörtelbrett *n*.

'hawk|ˌbill → hawksbill (turtle). — **'~ˌbit** → fall dandelion.

hawk·er¹ ['hɔːkər] → falconer.

hawk·er² ['hɔːkər] *s* **1.** Höker(in), Straßenhändler(in). – **2.** Hau'sierer(in).

'Hawkˌeye *s* Falkenauge *n* (*Spitzname für Bewohner von Iowa*): ~ State (*Spitzname für*) Iowa. — **'hawk-ˌeyed** *adj* falkenäugig, scharfsichtig, mit Falkenaugen.

hawk·ie ['hɔːki] *s Scot. od. dial.* Blesse *f* (*Kuh*).

hawk·ing ['hɔːkiŋ] → falconry. — **'hawk·ish** *adj* falken-, habichtartig.

hawk| moth *s zo.* Schwärmer *m* (*Fam. Sphingidae*). — **~ nose** *s* Adlernase *f*. — **'~-ˌnosed** *adj* mit einer Adlernase. — **~ owl** *s zo.* **1.** Tag-, Sperbereule *f* (*Surnia ulula*). – **2.** Habichtseule *f* (*Ninox scutulata; Indien*). — **~ parrot** *s zo.* 'Fächerpapaˌgei *m* (*Deroptyus accipitrinus*).

'hawk's-ˌbeard ['hɔːks-] *s bot.* Pippau *m* (*Gattg Crepis*).

'hawksˌbill (tur·tle) *s zo.* Echte Ka'rettschildkröte (*Eretmochelys imbricata*).

'hawk's-ˌeye *s blaue Varietät des Tigerauges* (*Schmuckstein*).

'hawk|ˌshaw *s Am.* Detek'tiv *m*. — **~ swal·low** *s zo.* Mauersegler *m* (*Apus apus*). — **'~ˌweed** *s bot.* Habichtskraut *n* (*Gattg Hieracium*).

hawse [hɔːz] *s mar.* **1.** *auch* ~hole Klüse *f*, Ankerrohr *n* im Schiffsbug: ~pipe Klüsenrohr. – **2.** *Raum zwischen Schiff und einem Punkt über den Ankern.* – **3.** Lage *f* der Ankertaue vor den Klüsen.

haw·ser ['hɔːzər] *s mar.* Kabeltau *n*, Trosse *f*.

'haw·thorn *s bot.* Weißdorn *m* (*Gattg Crataegus*), *bes.* Stumpfgelappter Weißdorn, Hage-, Mehl-, Scharlachdorn *m* (*C. oxyacantha*).

hay¹ [hei] **I** *s* **1.** Heu *n*: Burgundian ~ Luzernenheu; to make ~ Heu machen; to make ~ of s.th. *fig.* etwas durcheinanderwerfen; to make ~ while the sun shines *fig.* das Eisen schmieden, solange es heiß ist; → needle 1. – **2.** zum Mähen reifes Gras. – **II** *v/t* **3.** (*Gras*) zu Heu machen. – **4.** mit Heu füttern. – **5.** (*Land*) zur Heuerzeugung verwenden. – **III** *v/i* **6.** heuen, Heu machen.

hay² [hei] *s* (*Art*) ländlicher Rundtanz.

hay³ [hei] *s obs.* Hecke *f*, Hag *m*.

hay| asth·ma → hay fever. — **~ ba·cil·lus** *s med.* 'Heubaˌzillus *m* (*Bacillus subtilis*). — **'~ˌbird** *s zo. ein kleiner Vogel, der Nester aus Heu od. Gras baut, bes.* a) Fliegenschnäpper *m* (*Gattg Muscicapa*), b) → blackcap 2a, c) → garden warbler. — **'~ˌbote** [-ˌbout] *s hist.* **1.** Zaunruten *pl* u. Dornenreisig *n* zum Ausbessern von Zäunen u. Hecken. – **2.** Zaunrecht *n* (*Recht des Pächters, Zaunruten etc vom Grundstück des Lehnsherrn zu nehmen*). — **'~ˌbox** *s Br.* Heu-Kochkiste *f*. — **'~ˌcock** *s* Heuschober *m*, -haufen *m*. — **~ fe·ver** *s med.* Heufieber *n*, -schnupfen *m*. — **'~ˌfork** *s* Heugabel *f*. — **'~ˌlift** *s* Heu-Luftbrücke *f* (*zur Viehversorgung*). — **'~ˌloft** *s* Heuboden *m*. — **'~ˌmak·er** *s* **1.** Heumacher *m*, -arbeiter *m*. – **2.** *agr. tech.* Heuwender *m*. – **3.** (*Boxen*) *sl.* heftiger Schwinger, K.o.-Schlag *m*. — **'~ˌmow** *s* **1.** in der Scheune aufgehäuftes Heu. – **2.** Heuboden *m*. – **3.** → haycock. — **'~ˌrack** *s* **1.** Heuraufe *f*, -leiter *f*. – **2.** Heuschleppe *f*. — **'~ˌrick** → haycock. — **~ ride** *s Am. Ausflugsfahrt in einem großen, teilweise mit Heu gefüllten Wagen.* — **'~ˌseed** *s* **1.** Grassame *m*. – **2.** Heu-, Strohabfälle *pl*. – **3.** *Am. sl.* Bauerntölpel *m*. — **'~ˌstack** → haycock. — **'~ˌward** [-ˌwɔːrd] *s* Zaunaufseher *m*. — **'~ˌwire** *s* **1.** (Haufen *m*) Ballendraht *m* (*für Heu etc*). – **2.** *bes. Am. sl.* hoffnungsloses Durchein'ander, ‚Murks' *m*: to go ~ a) ‚kaputtgehen', b) ‚schiefgehen', c) wild *od.* rabiat werden.

ha·zan *cf.* hazzan.

haz·ard ['hæzərd] **I** *s* **1.** Gefahr *f*, Risiko *n*: at all ~s unter allen Umständen; at the ~ of one's life unter Lebensgefahr, unter Einsatz seines Lebens; to run a ~ etwas riskieren. – **2.** Zufall *m*. – **3.** *pl* Launen *pl* (*Wetter*). – **4.** Risiko *n* (*Glücksspiel*). – **5.** *hist.* (*Art*) Würfelspiel *n*. – **6.** (Wett)Einsatz *m*. – **7.** (*Golf*) Hindernis *n*. – **8.** (*Court Tennis*) a) Fenster *n*, b) *Feld, in das der Ball gespielt wird.* – **9.** (*Billard*) *Br.* a) losing ~ Verläufer *m*, b) winning ~ Treffer *m*. – **10.** *Irish* Taxistandplatz *m*. – **II** *v/t* **11.** ris'kieren, aufs Spiel setzen. – **12.** zu sagen wagen, ris'kieren: to ~ a remark. – **13.** sich aussetzen (*einer Gefahr*). – **14.** wagen. — **'haz·ard·ous** *adj* **1.** gewagt, gefährlich, ris'kant. – **2.** unsicher, vom Zufall abhängig: ~ contract *jur.* aleatorischer Vertrag. – *SYN. cf.* dangerous. — **'haz·ard·ous·ness** *s* Gefährlichkeit *f*, Gewagtheit *f*.

haze¹ [heiz] **I** *s* **1.** Dunst(schleier) *m*, feiner (trockener) Nebel, Höhenrauch *m*. – **2.** Schleier *m*, Trübung *f*. – **3.** *fig.* (leichte) Verwirrtheit. – *SYN.* fog¹, mist. – **II** *v/t* **4.** dunstig *od.* diesig machen. – **III** *v/i* **5.** dunstig sein.

haze² [heiz] *v/t* **1.** *Am.* schika'nieren, belästigen. – **2.** *bes. mar.* schinden, mit 'übermäßiger Arbeit belasten.

ha·zel ['heizl] **I** *s* **1.** *bot.* Haselnuß *f*, Hasel(nuß)strauch *m* (*Gattg Corylus*). – **2.** Haselholz *n*. – **3.** Haselstock *m*, -rute *f*. – **4.** → hazelnut. – **5.** Haselnußbraun *n*. – **II** *adj* **6.** Hasel(nuß)... – **7.** haselnußbraun. — **~ grouse** *s zo.* Haselhuhn *n* (*Tetrastes bonasia*).

ha·zel·ly ['heizli] *adj* **1.** → hazel 7. – **2.** voller Haselsträucher. – **3.** Haselholz...

'ha·zel|ˌnut *s bot.* Haselnuß *f* (*Frucht*). — **~ tree** *s bot.* **1.** → hazel 1. – **2.** Chi'lenische Hasel (*Guevina avellana*). — **'~ˌwort** *s bot.* Haselwurz *f* (*Asarum europaeum*).

ha·zi·ness ['heizinis] *s* **1.** Dunstigkeit *f*, Diesigkeit *f*. – **2.** Unschärfe *f*. – **3.** *fig.* Unklarheit *f*, Verschwommenheit *f*, Nebelhaftigkeit *f*.

haz·ing ['heiziŋ] *s* **1.** *Am.* Schika'nieren *n*. – **2.** *bes. mar.* Schinden *n*.

ha·zy ['heizi] *adj* **1.** dunstig, diesig, leicht nebelig. – **2.** unscharf, verschwommen. – **3.** *fig.* unklar, verschwommen, nebelhaft, verworren. – **4.** *colloq.* ‚benebelt' (*betrunken*).

haz·zan [xɑː'zɑːn; 'xɑːzən] *s* Cha'san *m*: a) *hist. Synagogendiener*, b) *Vorbeter.*

H-bomb ['eitʃˌbɒm] *s mil.* H-Bombe *f* (*Wasserstoffbombe*).

he¹ [hiː; iː; hi; i] **I** *pron* **1.** er. – **2.** (*vor Relativsatz*) derjenige, jeder: ~ who wer; ~ who hesitates is lost wer zögert, ist verloren. – **3.** es: who is this man? ~ is John wer ist dieser Mann? Es ist Hans. – **II** *s* **4.** Mann *m*, männliches Wesen: ~s and shes Männer u. Frauen. – **5.** Männchen *n* (*Tier*). – **III** *adj* (*in Zusammensetzungen*) **6.** männlich, ...männchen *n* (*bes. Tiere*): ~-goat Ziegenbock.

he² [hiː] *interj* hi! he!

head [hed] **I** *v/t* **1.** anführen, an der Spitze stehen *od.* gehen von: to ~ a list an der Spitze einer Liste stehen, als erster auf einer Liste stehen. – **2.** (an)führen, befehligen, leiten. – **3.** über'treffen, -'ragen. – **4.** über'holen, hinter sich lassen. – **5.** lenken, steuern, richten, treiben: to ~ a ship for the harbo(u)r ein Schiff zum Hafen steuern; he ~ed his flock for home er trieb seine Herde nach Hause. – **6.** (*Fluß etc*) (an der Quelle) um'gehen. – **7.** mit einem Kopf (*etc*) versehen: to ~ a nail einen Nagel anköpfen. – **8.** mit einem Titel versehen, betiteln. – **9.** die Spitze bilden von. – **10.** (*dat*) entgegentreten, (*dat*) den Weg verstellen, (*acc*) aufhalten: to ~ back zurückdrängen; to ~ off a) abdrängen, abwehren, b) *fig.* ablenken. – **11.** köpfen. – **12.** (*Baum*) kappen, abwipfeln. – **13.** (*Schößlinge*) zu'rückstutzen. – **14.** *sport* (*Ball*) köpfen, mit dem Kopf stoßen *od.* spielen. – **15.** ~ up a) (*Faß*) ausböden, b) (*Wasser*) aufstauen. –

II *v/i* **16.** (for) sich bewegen (auf *acc* ... zu), lossteuern, -gehen (auf *acc*). – **17.** *mar.* (for) Kurs haben (nach), liegen (auf *acc*): how does she ~? was liegt an? wie liegen wir? – **18.** (mit der Front) liegen *od.* schauen nach: the house ~s south. – **19.** einen Kopf bilden. – **20.** (einen Kopf) ansetzen (*Gemüse etc*). – **21.** sich entwickeln. – **22.** *Am.* entspringen (*Fluß*). –

III *adj* **23.** Kopf... – **24.** Spitzen..., Vorder..., vorn liegend *od.* gehend, an der Spitze stehend: the ~ company die an der Spitze marschierende Kompanie. – **25.** Chef..., Haupt..., Ober..., führend, oberst(er, e, es), erst(er, e, es): ~ cook Chefkoch; ~ office Hauptbüro. – **26.** von vorn kommend: ~ wind Gegenwind. –

IV *s* **27.** Kopf *m*. – **28.** Haupt *n*. – **29.** Kopf *m*, Verstand *m*: he has a (good) ~ for languages er ist für Sprachen sehr begabt; two ~s are better than one zwei Köpfe wissen mehr als einer; to put an old ~ on young shoulders die Jugend Weisheit lehren (wollen). – **30.** Spitze *f*, höchste Stelle, führende Stellung, Kom'mandostelle *f*, Ehrenplatz *m*: at the ~ of the army an der Spitze der Armee. – **31.** a) (An)Führer *m*, Leiter *m*, b) Vorstand *m*, Vorsteher *m*, c) Chef *m*. – **32.** (*an Schulen*) Di'rektor *m*, Direk'torin *f*. – **33.** Kopf(ende *n*) *m*, oberes Ende, oberer Teil *od.* Rand, Spitze *f*, Gipfel *m*, *bes.* a) oberer Absatz (*Treppe*), b) Klinge *f* (*Axt*), c) *mar.* Topp *m* (*Mast*). – **34.** (oberes *od.* unteres) Ende, Kopf *m*: the ~s of a bridge die Brückenköpfe; ~ of a cask Boden eines Fasses. – **35.** Verdeck *n*, Dach *n* (*Kutsche etc*). – **36.** a) Kopf *m*, Spitze *f*, vorderes Ende, Vorderteil *m*, *n*, b) *mar.* Bug *m*. – **37.** Haupt *n*, Kopf *m* (*Person*): crowned ~s gekrönte Häupter. – **38.** Kopf *m*, (einzelne) Per'son: per ~ pro Kopf; one shilling a ~ ein Schilling pro Person. – **39.** (*pl* ~) Stück *n*: 50 ~ of cattle 50 Stück Vieh. – **40.** *Br.* Menge *f*, Anzahl *f*, Herde *f*, Ansammlung *f* (*bes. Wild*). – **41.** Höhepunkt *m*, Krise *f*, Entscheidung *f*. – **42.** (all'mählich gewachsene) Kraft, Macht *f*, Stärke *f*. – **43.** (Kopf-, Haupt)Haar *n*: a beautiful ~ of hair schönes volles Haar. – **44.** *bot.* a) Kopf *m* (*Salat etc*), b) Köpfchen *n* (*kopfig gedrängter Blütenstand*), c) Krone *f*, Wipfel *m* (*Baum*). – **45.** *med.* Kopf *m* (*Knochen od. Muskel*): ~ of femur Femurkopf. – **46.** *med.* 'Durchbruchsstelle *f* (*Geschwür etc*). – **47.** Vorgebirge *n*, Landspitze *f*, Kap *n*. – **48.** Kopf *m* (*auf einer Münze*): ~s or tails Kopf oder Adler, Kopf oder Wappen. – **49.** Kopf(länge *f*) *m*: **taller by a ~** um einen Kopf größer; **to win by a ~** (*Pferderennen*) um eine Kopflänge gewinnen. – **50.** *colloq.* ‚Brummschädel' *m*, ‚Kater' *m*: **to have a ~** ‚Schädelbrummen *od.* einen Brummschädel haben'. – **51.** *hunt.* Geweih *n*: **a deer of the first ~** ein fünfjähriger Hirsch. – **52.** Schaum(krone *f*) *m* (*Bier etc*). – **53.** *Br.* Rahm *m*, Sahne *f*. – **54.** Quelle *f* (*Fluß*). – **55.** a) ˈÜberschrift *f*, Titelkopf *m*, b) Abschnitt *m*, Kaˈpitel *n*, c) (Haupt)Punkt *m* (*Rede etc*): **the ~ and front** das Wesentliche, die Hauptsache. – **56.** Abˈteilung *f*, Ruˈbrik *f*, Kategoˈrie *f*. – **57.** *print.* (Titel)Kopf *m*. – **58.** *ling.* Oberbegriff *m*. – **59.** → **heading.** – **60.** *tech.* Stauwasser *n*. – **61.** *tech.* Staudamm *m*, -mauer *f*. – **62.** *tech.* Gefälle *n*, Fall-, Gefällhöhe *f*. – **63.** *tech.* Druckhöhe *f*. – **64.** *phys. tech.* (Dampf-, Luft-, Gas)Druck *m*. – **65.** *phys. tech.* (*zur Definition od. Messung eines Druckes erforderliche äquivalente*) Säule, Säulenhöhe *f*, -länge *f*: **~ of water** Wassersäule. – **66.** *tech.* Fräs-, Bohrkopf *m*. – **67.** *tech.* Gußzapfen *m*. – **68.** *tech.* Hut *m*, Deckel *m*, Haube *f*. – **69.** *mus.* a) Fell *n* (*Trommel*), b) Kopf *m* (*Note*), c) Kopf *m* (*Violine etc*). – **70.** *mar. sl.* Pissoˈir *n* (*im Bug*). – **71.** Kopf-, Halswolle *f*. – **72.** (*Curling etc*) Spiel *n*, Gang *m*, Parˈtie *f*. – **73.** Kopf *m* (*Golfschläger*). –

Besondere Redewendungen:

(down) by the ~ a) *mar.* vorlastig, b) *fig.* angeheitert; **by the ~ and ears, by ~ and shoulders** an den Haaren (*etwas herbeiziehen*), gewaltsam; **(by) ~ and shoulders** um Haupteslänge (*größer etc*), weitaus, bedeutend; **~ and shoulders above the rest** den andern haushoch überlegen; **by a short ~** *sport* um eine Nasenlänge; **from ~ to foot** von Kopf bis Fuß, von oben bis unten, vom Scheitel bis zur Sohle; **off one's ~** verrückt, ‚übergeschnappt'; **on one's ~** auf dem Kopf stehend; **I can do it on my ~** *sl.* es ist eine Spielerei für mich; **on this ~** in dieser Hinsicht, in diesem Punkt; **out of one's own ~** von sich aus, allein, aus eigener Erfindung, aus eigenem Denken; **out of one's ~** *Am. colloq.* nicht ganz richtig im Kopf; **over ~** oben, droben; **over my ~** a) über meinem Kopf (schwebend) (*Gefahr etc*), b) über mein(em) Begriffsvermögen; **over s.o.'s ~** über j-s Kopf hinweg; → **ear**[1] *b. Redw.*; **~ over heels,** *selten* **heels over ~** Hals über Kopf; **~ first** (*od.* **foremost**) kopfüber (*auch fig.*); **to beat s.o.'s ~ off** ‚es j-m zeigen', j-n bei weitem übertreffen; **to bite** (*od.* **snap** *od.* **take**) **s.o.'s ~ off** *colloq.* j-m den Kopf abbeißen *od.* abreißen, j-n ‚fressen'; **to bring to a ~** zur Entscheidung *od.* ‚zum Klappen' bringen; → **break**[1] 23; **to come to a ~** a) *med.* eitern, aufbrechen (*Geschwür*), b) *fig.* zur Entscheidung *od.* Krise kommen, sich zuspitzen; **it will cost him his ~** es wird ihn seinen *od.* den Kopf kosten; **it entered my ~** es fiel mir ein; **to gather** (*od.* **get**) **~** immer stärker werden, anschwellen, überhandnehmen; **to give a horse his ~** einem Pferd die Zügel schießen *od.* freien Lauf lassen (*auch fig.*); **to go over s.o.'s ~** *fig.* über j-s Kopf hinweggehen; **to go to s.o.'s ~** *fig.* j-m zu Kopfe steigen; **to keep one's ~** nicht den Kopf verlieren, kaltes Blut bewahren; **to keep one's ~ above water** sich über Wasser halten (*auch fig.*); **to keep one's ~ shut** *sl.* ‚den Mund halten'; **to knock s.th. on the ~** *colloq.* etwas vernichten *od.* vereiteln; **to lay** (*od.* **put**) **~s together** die Köpfe zusammenstecken, (dunkle) Pläne schmieden; **to let children have their ~** Kindern ihren Willen lassen; **it lies on my ~** es wird mir zur Last gelegt; **to lose one's ~** a) den Kopf verlieren, b) geköpft werden; **to make ~** vordringen, rasch fortschreiten, weiterkommen; **to make ~ against s.o.** j-m die Stirn bieten; **one cannot make ~ or tail of it** man kann daraus nicht klug werden; **to put s.th. into s.o.'s ~** j-m etwas in den Kopf setzen; **to put s.th. out of one's ~** sich etwas aus dem Kopf schlagen; **to run in s.o.'s ~** j-m im Kopf herumgehen; **to suffer from swelled ~** an Größenwahn leiden; **to take the ~** die Führung übernehmen; **to take s.th. into one's ~** sich etwas in den Kopf setzen; **to talk s.o.'s ~ off** *colloq.* ‚j-m ein Loch in den Bauch reden'.

-head [hed] *selten für* -hood.

ˈhead|ˌache *s* **1.** Kopfschmerz(en *pl*) *m*, -weh *n*: **I have a ~** ich habe Kopfweh. – **2.** *colloq.* a) Kopfzerbrechen *n*, b) schwieriges Problem. — **ˈ~ˌache tree** *s bot. ein indisches Eisenkrautgewächs* (*Premna integrifolia*). — **ˈ~ˌach·y** *adj colloq.* **1.** an Kopfschmerzen leidend. – **2.** Kopfschmerzen verursachend. — **ˈ~ˌband** *s* **1.** Kopf-, Stirnband *n*. – **2.** *arch.* Kopf(zier)leiste *f*. – **3.** (*Buchbinderei*) Kapˈtal-, Kapiˈtalband *n*. — **~ bet·o·ny** *s bot.* Kanad. Läusekraut *n* (*Pedicularis canadensis*). — **~ block** *s tech.* Schemel *m* (*des Zuführungskarrens*). — **ˈ~ˌboard** *s* Kopfbrett *n* (*Bett etc*). — **ˈ~ˌbor·ough** *s hist.* ˈDorfpoliˌzist *m*. — **ˈ~ˌcheese** *s bes. Am.* Preßkopf *m* (*Art Sülzwurst*). — **ˈ~ˌchute** *s mar.* (ˈSchiffs)Kloˌsettˌ Abflußrohr *n*. — **ˈ~ˌdress** *s* **1.** Kopfschmuck *m*, -putz *m*. – **2.** Friˈsur *f*, Haarputz *m*.

-headed [hedid] *Wortelement mit der Bedeutung* ...köpfig.

head·ed [ˈhedid] *adj* **1.** mit einem Kopf *od.* einer Spitze (versehen). – **2.** mit einer ˈÜberschrift (versehen), betitelt, überˈschrieben. – **3.** (an)geführt, geleitet. – **4.** reif, voll: **a ~ cabbage.**

head·er [ˈhedər] *s* **1.** (*Nagelschmiede*) Anköpfer *m*, Kopfmacher *m*. – **2.** (*Böttcherei*) Bodeneinsetzer *m*. – **3.** *agr.* ˈÄhrenköpfmaˌschine *f*. – **4.** *tech.* Rohrverbinder *m*, -abzweiger *m*. – **5.** *arch. tech.* a) Schluß(stein) *m*, b) Binder *m*. – **6.** *colloq.* Kopf-, Hechtsprung *m*: **to take a ~** einen Kopfsprung machen.

head|fast *s mar.* Bugleine *f*. — **~ fire** *s Am.* Lauffeuer *n*. — **ˈ~ˈfirst, ˈ~ˈforemost** *adv* **1.** kopfˈüber, mit dem Kopf vorˈan. – **2.** *fig.* a) Hals über Kopf, ˈunüberˌlegt, ohne zu überˈlegen, b) ungestüm, wild, stürmisch. — **~ gate** *s tech.* Wasser-, Flut-, Schleusentor *n*. — **ˈ~ˌgear** *s* **1.** Kopfbedeckung *f*. – **2.** Kopfgestell *n*, -geschirr *n*, Zaumzeug *n*. – **3.** (*Bergbau*) Kopfgestell *n* (*Fördergöpel*). — **~ hug·ger** *s* (Damen)Strickmütze *f*. — **ˈ~-ˌhunt** *s* Kopfjagd *f*. — **ˈ~-ˌhunt·er** *s* Kopfjäger *m*. — **ˈ~-ˌhunt·ing I** *s* **1.** Kopfjagd *f*, ˌKopfjägeˈrei *f*. – **II** *adj* **2.** Kopfjagd..., Kopfjäger... – **3.** ˌKopfjägeˈrei treibend.

head·i·ness [ˈhedinis] *s* **1.** Unbesonnenheit *f*, ˈUnüberˌlegtheit *f*, Ungestüm *n*. – **2.** berauschende Eigenschaft, Stärke *f* (*Alkohol*). – **3.** *colloq.* ˈUmsicht *f*, Scharfsinn *m*, Berechnung *f*.

head·ing [ˈhediŋ] *s* **1.** Kopfstück *n*, -ende *n*, -teil *n*. – **2.** Vorderende *n*, -stück *n*, -teil *n*. – **3.** ˈÜberschrift *f*, Titel(zeile *f*) *m*, Ruˈbrik *f*. – **4.** Thema *n*, Punkt *m* (*Gespräch*). – **5.** (*Böttcherei*) a) Bodmung *f*, Ausbödung *f*, b) (Faß)Boden *m*, c) Bodenstück *n*, -holz *n*. – **6.** (*Bergbau*) a) Stollen *m*, b) Richtstrecke *f*, Querschlag *m*, c) Orts-, Abbaustoß *m*. – **7.** (*Tunnelbau*) Quertrieb *m*. – **8.** Lohschicht *f*. – **9.** a) *aer.* Steuerkurs *m*, Flugrichtung *f*, b) *mar.* Kompaßkurs *m*. – **10.** (Bewegungs)Richtung *f*, Weg *m*. – **11.** *sport* a) Kopfball *m*, b) Kopf(ball)spiel *n*. — **~ course** *s arch.* Binder-, Kopfschicht *f*. — **~ joint** *s arch.* Kopffuge *f*. — **~ stone** *s arch.* Schlußstein *m* (*Bogen*).

head lamp → **head light.**

head|·land [ˈhedˌlænd] *s* **1.** *agr.* Rain *m*. – **2.** [-lənd] Landspitze *f*, -zunge *f*, Vorgebirge *n*. — **ˈ~ˌledge** *s mar.* Lukenquersüll *n*.

head·less [ˈhedlis] *adj* **1.** kopflos, ohne Kopf. – **2.** *fig.* führerlos. – **3.** dumm, unsinnig, töricht.

ˈhead|ˌlight *s* **1.** Scheinwerfer *m* (*Auto etc*). – **2.** *mar.* Mast-, Topplicht *n*. — **ˈ~ˌline I** *s* **1.** a) (*Zeitung*) Schlagzeile *f*, b) (*Rundfunk*) schlagzeilenartige Meldung: **he makes** (*od.* **hits**) **the ~s** er liefert die Schlagzeilen (*die Zeitungen schreiben viel von ihm*). – **2.** (ˈSeiten)ˌÜberschrift *f*, Kopfzeile *f* (*Buch*). – **3.** *mar.* a) Rahseil *n*, -liek *n*, b) Sperreep *n*. – **4.** Kopfseil *n* (*Kuh etc*). – **II** *v/t* **5.** mit einer Schlagzeile *od.* ˈÜberschrift versehen, überˈschreiben. — **ˈ~ˌlin·er** *s* **1.** Schlagzeilenverfasser(in). – **2.** (*Theater*) Hauptdarsteller(in). — **ˈ~ˌlock** *s* (*Ringen*) Kopfzange *f*. — **ˈ~ˌlong I** *adv* **1.** kopfˈüber, mit dem Kopf vorˈan. – **2.** *fig.* a) Hals über Kopf, ˈunüberˌlegt, unbesonnen, hastig, b) ungestüm, wild, stürmisch. – **II** *adj* **3.** mit dem Kopf vorˈan: **a ~ fall.** – **4.** *fig.* a) überˈstürzt, unbesonnen, ˈunüberˌlegt, b) ungestüm, wild, stürmisch. – *SYN. cf.* **precipitate.** — **ˈ~·man** [-mən] *s irr* **1.** Führer *m*, Haupt *n*, Vorsteher *m*. – **2.** Häuptling *m* (*Stamm*). – **3.** *Br.* Vorarbeiter *m*. – **4.** Henker *m*. — **ˈ~ˈmas·ter** *s* **1.** Diˈrektor *m*, Schulvorstand *m* (*höhere Schule*). – **2.** Rektor *m* (*Volksschule*). — **ˈ~ˈmis·tress** *s* **1.** Direkˈtorin *f*, Vorsteherin *f* (*höhere Schule*). – **2.** Schulleiterin *f* (*Volksschule*). — **~ mold·ing** *s arch.* Fenster-, Türbogenverdachung *f*. — **~ mon·ey** *s* Kopfgeld *n*: a) Kopfsteuer *f*, b) *ausgesetzte Belohnung.* — **ˈ~·most** [-ˌmoust; -məst] *adj* vorderst(er, e, es). — **~ mould·ing** *cf.* **head molding.** — **ˌ~-ˈon** *adj* mit der Vorderseite nach vorn: **~ collision** frontaler Zusammenstoß. — **ˈ~ˌphone** *s electr.* Kopfhörer *m*. — **ˈ~ˌpiece** *s* **1.** Kopfbedeckung *f*. – **2.** *mil. hist.* Helm *m*. – **3.** *colloq.* a) Kopf *m*, Verstand *m*, b) kluger Kopf. – **4.** Oberteil *m*, *n*, oberster Teil, *bes.* a) Türsturz *m*, Oberschwelle *f*, b) Kopfbrett *n* (*Bett*), c) Faßbodenstück *n*, -bodenholz *n*. – **5.** *print.* Kopf-, Zierleiste *f* (*Buch*). – **6.** Kopfstück *n*, Stirnriemen *m* (*Pferdehalfter*). – **7.** → **headphone.** — **~ pin** *s* König *m* (*Kegel*). — **ˈ~ˈquar·ters** *s pl* (*oft als sg konstruiert*) **1.** *mil.* a) ˈHaupt-, ˈStabsquarˌtier *n*, b) Stab *m*, c) Komˈmandostelle *f*, -stand *m*, d) ˈOberkomˌmando *n*, Führungsstab *m*. – **2.** Poliˈzeidirektiˌon *f*. – **3.** ˈFeuerwehrkomˌmando *n*. – **4.** Hauptsitz *m*, -geschäftsstelle *f*, Zenˈtrale *f*. – **5.** (Haupt)Aufenthaltsort *m*. — **ˈ~ˌrace** *s tech.* **1.** Obergraben *m*, -gerinne *n*, ˈSpeisekaˌnal *m*. – **2.** Fallwasser *n*. — **~ re·sist·ance** *s aer.* ˈStirnˌwiderstand *m*. — **ˈ~ˌrest** *s* Kopflehne *f*. — **ˈ~ˌroom** *s* lichte Höhe. — **ˈ~ˌsail** *s mar.* Fockmast-, Vorsegel *n*. — **ˈ~ˌset** *s tech.* Kopfhörer(spange *f*, -halter *m*) *pl*.

head·ship ['hedʃip] *s* oberste Leitung, leitende Stellung, oberste *od.* führende Stelle, Vorsitz *m*, Vorstand *m*.

heads·man ['hedzmən] *s irr* **1.** Scharfrichter *m*. – **2.** (An)Führer *m*, Leiter *m*, Vorstand *m*, -steher *m*. – **3.** (*Bergbau*) *Br.* Schlepper *m*. – **4.** *mar. Br.* Walbootvormann *m*.

head| spin *s sport* Kopfdrehung *f*. — '**~ˌspring** *s* **1.** Hauptquelle *f* (*Fluß*). – **2.** *fig.* Quelle *f*, Ursprung *m*. – **3.** *sport* 'Kopfstandˌüberschlag *m*. — '**~ˌstall** → **headpiece** 6. — '**~ˌstand** *s sport* Kopfstand *m*. — '**~ˌstick** *s* **1.** *mar.* Klüverholz *n*. – **2.** *print.* Kopfsteg *m* (*Druckform*). — '**~ˌstock** *s tech.* **1.** (Werkzeug)Halter *m*, *bes.* Spindelstock *m*, -kasten *m*, Reitstuhl *m*. – **2.** Triebwerkgestell *n*. — '**~ˌstone** *s* **1.** *arch.* a) Eck-, Grundstein *m* (*Haus etc*), b) Schlußstein *m* (*Gewölbe*), c) Kopfstein *m*, Scheinbinder *m*. – **2.** Grabstein *m*. — '**~ˌstream** *s* **1.** Quellfluß *m*. – **2.** Oberlauf *m* (*Fluß*). — '**~ˌstrong** *adj* eigensinnig, dickköpfig, halsstarrig, hartnäckig. – *SYN. cf.* **unruly**. — **~ tax** *s* Kopf-, *bes.* Einwanderungssteuer *f* (*in den USA*). — '**~'wait·er** *s* Oberkellner *m*. — '**~ˌwa·ter** *s meist pl* Oberlauf *m*, Quellgebiet *n* (*Fluß*). — '**~ˌway** *s* **1.** *bes. mar.* a) Fahrt *f*, Geschwindigkeit *f*, b) Fahrt *f* vor'aus. – **2.** *fig.* Fortschritt(e *pl*) *m*: **to make ~** vorankommen, Fortschritte machen. – **3.** *arch.* lichte Höhe. – **4.** (*Bergbau*) *Br.* Hauptstollen *m*, Vortriebstrecke *f*. – **5.** (Zeit)Abstand *m*, Zwischenraum *m* (*zwischen 2 Zügen etc*). — **~ wind** *s mar.* Gegenwind *m*. — '**~ˌwork** *s* **1.** geistige Arbeit, Denk-, Kopfarbeit *f*. – **2.** *arch.* Köpfe *pl*. – **3.** *tech.* a) 'Wasserkonˌtrollˌanlage *f*, b) Wasserschloß *n*, Staubecken *n*. — '**~ˌwork·er** *s* geistiger Arbeiter.

head·y ['hedi] *adj* **1.** unbesonnen, 'unüberˌlegt, jäh, ungestüm, hitzig. – **2.** berauschend, zu Kopfe steigend, stark (*Alkohol*). – **3.** *colloq.* 'umsichtig, scharfsinnig, berechnend.

heal [hiːl] **I** *v/t* **1.** (*j-n*) heilen, ku'rieren (of von), gesund machen. – **2.** heilen (*auch fig.*). – **3.** *fig.* a) (*Gegensätze*) versöhnen, ausgleichen, b) (*Streit*) beilegen, c) reinigen, läutern. – *SYN. cf.* **cure**. – **II** *v/i* **4.** *oft* **~ up**, **~ over** (zu)heilen (*Wunde etc*). – **5.** eine Heilung bewirken. — '**~-ˌall** *s* **1.** All'heilmittel *n*. – **2.** *bot.* a) (*eine*) nordamer. Collin'sonie (*Collinsonia canadensis*), b) Braunwurz *f* (*Gattg Scrophularia*), c) *eine grüne Orchidee* (*Platanthera orbiculata*), d) (*eine*) nordamer. Clin'tonie (*Clintonia borealis*).

heal·er ['hiːlər] *s* **1.** Heil(end)er *m*. – **2.** Heilmittel *n*: **time is a great ~** die Zeit heilt viele Wunden. — '**heal·ing I** *s* **1.** Heilen *n*, Heilung *f*. – **2.** Genesung *f*, Gesundung *f*. – **II** *adj* **3.** heilsam, heilend, Heil(ungs)... (*auch fig.*). – **4.** genesend, gesundend.

health [helθ] *s* **1.** Gesundheit *f*: **Ministry of H~** Gesundheitsministerium. – **2.** Gesundheitszustand *m*: **in the best of ~** bei bester Gesundheit. – **3.** Gesundheit *f*, Wohl *n*: **to drink** (*od.* **pledge**) **s.o.'s ~** auf j-s Wohl trinken; **your ~!** auf Ihr Wohl! **here is to the ~ of the host!** ein Prosit dem Gastgeber! – **4.** Heilkraft *f*. — **~ cer·tif·i·cate** *s* **1.** Gesundheitszeugnis *n*, ärztliches At'test. – **2.** *mar.* Ge'sundheitsatˌtest *n*, -paß *m* (*eines Schiffes*).

health·ful ['helθfəl; -ful] *adj* **1.** gesund, heilsam, gesundheitsfördernd (to für). – **2.** gesund, frisch. — '**health·ful·ness** *s* Gesundheit *f*, Heilsamkeit *f*. — '**health·i·ness** [-inis] *s* Gesundheit *f*.

health| in·sur·ance *s* Krankenversicherung *f*. — **~ of·fi·cer** *s* **1.** Beamter *m* des Gesundheitsamtes. – **2.** *mar.* Hafen-, Quaran'tänearzt *m*. — **~ re·sort** *s* Kurort *m*, Bad *n*.

health·y ['helθi] *adj* **1.** gesund. – **2.** heilsam, gesundheitsfördernd, bekömmlich. – **3.** *colloq.* kräftig, herzhaft. – *SYN.* **hale**[2], **robust**, **sound**[1], **well**, **wholesome**.

heap [hiːp] **I** *s* **1.** Haufe(n) *m*: **in ~s** haufenweise. – **2.** *colloq.* Haufen *m*, Menge *f*: **we still have ~s of time** wir haben noch eine Menge Zeit; **~s of times** unzählige Male, sehr oft; **~s better** sehr viel besser; **to be struck all of a ~** ganz platt *od.* sprachlos sein. – **II** *v/t pret u. pp* **heaped**, *Am. auch* **heapt** [hiːpt] **3.** häufen: **a ~ed spoonful** ein gehäufter Löffelvoll; **to ~ insults upon s.o.** j-n mit Schmähungen überschütten; **to ~ together** zusammenhäufen, auf einen Haufen zusammentragen; → **coal** 4. – **4.** *meist* **~ up** an-, aufhäufen. – **5.** beladen, anfüllen. – **6.** *fig.* über'häufen, -'schütten. – **7.** zum 'Überfließen anfüllen. – **III** *v/i* **8.** sich (auf)häufen.

hear [hir] *pret u. pp* **heard** [həːrd, *obs.* hird] **I** *v/t* **1.** hören: **I ~ him laughing** ich höre ihn lachen; **I ~d him laugh** ich hörte ihn lachen; **he was ~d to laugh** (*od.* **~d laughing**) man hörte ihn lachen; **to make oneself ~d** sich Gehör verschaffen, sich vernehmbar machen. – **2.** hören, erfahren: **to ~ s.th. about** (*od.* **of**) **s.o.** etwas erfahren über j-n. – **3.** (*j-n*) anhören, (*j-m*) zuhören, (*j-m*) Gehör schenken: **to ~ s.o. out** j-n bis zum Ende anhören, j-n ganz ausreden lassen. – **4.** (an)hören: **to ~ a concert** sich ein Konzert anhören; **to ~ mass** die Messe hören. – **5.** (*Bitte etc*) erhören. – **6.** hören auf (*acc*), dem Rat folgen von. – **7.** *jur.* vernehmen, verhören. – **8.** *jur.* (*Fall*) verhandeln. – **9.** (*Schüler od. das Gelernte*) abhören. – **II** *v/i* **10.** hören: **to ~ say** sagen hören; **I have ~d tell of it** *colloq.* ich habe davon sprechen hören; **he would not ~ of it** er wollte nichts davon hören *od.* wissen. – **11.** (zu)hören: **~! ~!** *bes. Br.* hört! hört! – **12.** hören (of von), erfahren, Nachricht(en) erhalten (from von): **so I have ~d** (*od.* **so I ~**) das habe ich gehört; **you will ~ of this!** *colloq.* dafür werden Sie sich zu verantworten haben! — '**hear·a·ble** *adj* hörbar. — '**hear·er** *s* (Zu)Hörer(in).

hear·ing ['hi(ə)riŋ] **I** *s* **1.** Hören *n*. – **2.** Hören *n*, Hörvermögen *n*, Gehör(sinn *m*) *n*: **hard of ~** schwerhörig. – **3.** Anhören *n*. – **4.** Gehör *n*: **to gain** (*od.* **obtain**) **a ~** angehört werden, sich Gehör verschaffen; **to give** (*od.* **grant**) **s.o. a ~** j-n anhören. – **5.** Audi'enz *f*. – **6.** Probesingen *n*. – **7.** *jur.* a) Vernehmung *f*, Verhör *n*, b) 'Vorunterˌsuchung *f*. – **8.** *jur.* Verhandlung *f*, Ter'min *m*: **to fix a ~** eine Verhandlung *od.* einen Termin anberaumen; **adjournment of a ~** Aussetzung eines Termins. – **9.** Hörweite *f*: **within** (**out of** *od.* **beyond**) **~** in (außer) Hörweite; **in s.o.'s ~** in j-s Gegenwart. – **II** *adj* **10.** Hör... — **~ aid** *s* 'Hörappaˌrat *m*, -hilfe *f*, -gerät *n*.

heark·en ['hɑːrkən] **I** *v/i poet.* **1.** hören, horchen (to auf *acc*). – **2.** (to) hören (auf *acc*), Beachtung schenken (*dat*). – **II** *v/t obs.* **3.** (an)hören.

hear·say ['hirˌsei] **I** *s* **1.** Hörensagen *n*: **by ~** vom Hörensagen. – **2.** Gerede *n*, Gerücht *n*: **it is mere ~** es ist bloßes Gerede. – **II** *adj* **3.** auf Hörensagen *od.* Gerede beruhend. — **~ ev·i·dence** *s jur.* Beweis *m od.* Zeugnis *n* vom Hörensagen. — **~ rule** *s jur. Gesetz, das den auf bloßem Hörensagen beruhenden Angaben Beweiskraft abspricht.*

hearse [həːrs] **I** *s* **1.** Leichenwagen *m*. – **2.** Leuchter *m*. – **3.** *hist.* Grabgerüst *n*, Kata'falk *m*. – **4.** *obs.* Bahre *f*. – **II** *v/t* **5.** a) aufbahren, b) einsargen, c) zum Friedhof fahren, d) begraben. — '**~ˌcloth** *s* Leichentuch *n*.

heart [hɑːrt] **I** *v/t* **1.** *obs.* ermutigen. – **2.** *selten* im Herzen verankern. – **3.** *tech.* (*Mauer etc*) mit Schutt ausfüllen. – **II** *v/i* **4.** einen festen Kern bilden (*Gemüse etc*). – **III** *s* **5.** Herz *n*. – **6.** Herzhälfte *f*. – **7.** *fig.* Herz *n*: a) Seele *f*, b) Liebe *f*, Zuneigung *f*, c) (Mit)Gefühl *n*, d) Mut *m*, e) (mo'ralisches) Empfinden, Gewissen *n*: **~ to ~** von Herz zu Herz, offen u. ehrlich; **~ and hand** mit Herz u. Hand; **~ and soul** mit ganzer Seele, mit ganzem Herzen; **~'s desire** Herzenswunsch; **a mother's ~** ein Mutterherz; **a union of ~s** ein Herzensbund; **he has no ~** er hat kein Herz (*er ist mitleidslos*); **to die of a broken ~** an gebrochenem Herzen sterben. – **8.** *fig.* Herz *n*, Brust *f*: **to clasp s.o. to one's ~** j-n an sein Herz drücken. – **9.** Gemüt *n*, Tempera'ment *n*. – **10.** Herz *n*, innerster Teil, Mittelpunkt *m*: **in the ~ of the country**. – **11.** a) Kern *m* (*Baum*), b) Kernholz *n*, c) Herz *n* (*Kopfsalat*), d) Kerngehäuse *n* (*Apfel*): **~ of oak** a) Eichenkernholz, b) *fig.* mannhafter Charakter, Mut, Festigkeit. – **12.** Kern *m*, wesentlicher Teil: **the very ~ of the matter** der eigentliche Kern der Sache, des Pudels Kern. – **13.** Herzchen *n*, Liebling *m*, Schatz *m*. – **14.** (*tapferer etc*) Kerl, Mann *m*: **my ~s!** *bes. mar.* ihr tapferen Kerle! – **15.** *herzförmiger Gegenstand*. – **16.** (*Kartenspiel*) a) Herz(karte *f*) *n*, Cœur *n*, b) *pl* Herz *n*, Cœur *n* (*Farbe*), c) *pl* (*als sg konstruiert*) *ein Kartenspiel, bei dem es darauf ankommt, möglichst wenige Herzen im Stich zu haben*: **queen of ~s** Herz-, Cœurdame, Herzober; **~s are trumps** Herz ist Trumpf. – **17.** Fruchtbarkeit *f*, Kraft *f* (*Boden*). – **18.** Seele *f* (*Tau*). –

Besondere Redewendungen:

after one's own ~ ganz nach Wunsch, wunschgemäß; **a man after my own ~** ein Mann nach meinem Herzen; **at ~** im Grunde (des Herzens), im innersten Wesen, in Wahrheit; **by ~** auswendig; **for one's ~** ums Leben gern; **from one's ~** a) aus ganzem Herzen, von Herzen, b) offen, aufrichtig, ‚frisch von der Leber weg'; **in one's ~** a) insgeheim, dem wahren Wesen nach, b) im Grunde (des Herzens); **in ~** guten Mutes; **in his ~ of ~s** im Grunde seines Herzens; **out of ~** a) mutlos, verzagt, b) unfruchtbar, in schlechtem Zustand (*Land*); **with all my ~**, **with my whole ~** mit *od.* von ganzem Herzen, mit Leib u. Seele; **with a heavy ~** schweren Herzens; **his ~ is in his work** er ist mit dem Herzen bei seiner Arbeit; **to cry one's ~ out** sich die Augen ausweinen; **it does my ~ good** es tut meinem Herzen wohl, es freut mich im Grund meiner Seele; **to eat one's ~ out** sich vor Kummer verzehren; **I cannot find it in my ~** ich kann es nicht über das Herz bringen; **to give one's ~ to s.o.** j-m sein Herz schenken; **to go to s.o.'s ~** j-m zu Herzen gehen; **to have a ~** *colloq.* ein Herz haben, Erbarmen haben; **to have the ~** a) das Herz *od.* den Mut haben, b) es über das Herz bringen, gefühllos genug sein; **to have s.th. at ~** a) etwas auf dem Herzen haben, etwas von Herzen wünschen, b) etwas hegen; to have in one's ~ beabsichtigen, planen; to have one's ~ in one's mouth heftiges Herzklopfen haben, große Angst haben; a ~ of iron (*od.* steel) ein Herz von Stein; to lay to ~ sich ... zu Herzen nehmen, beherzigen; to lose ~ den Mut verlieren; to lose one's ~ to s.o. sein Herz an j-n verlieren; to open one's ~ to s.o. j-m sein Herz ausschütten; to pluck up ~ sich ein Herz fassen; to set s.o.'s ~ at rest j-n beruhigen; to set one's ~ on sein Herz hängen an (*acc*); to take ~ (of grace) Mut fassen, sich ein Herz fassen; to take s.th. to ~ sich etwas zu Herzen nehmen; to wear one's ~ upon one's sleeve das Herz auf der Zunge haben, zu offenherzig sein; to win s.o.'s ~ j-s Herz gewinnen; what the ~ thinketh, the mouth speaketh wes das Herz voll ist, des gehet der Mund über; → bless; boot[1] 1; break[1] 24; content[2] 6; cut[2] 72; place 7.

'heart|,ache *s* **1.** Kummer *m*, Sorge *f*, Herzweh *n*. – **2.** *med.* Herzweh *n*. — **~ at·tack** *s med.* Herzanfall *m*. — **'~,beat** *s* **1.** *med.* Herzschlag *m*. – **2.** *fig.* Gefühlsregung *f*, -aufwallung *f*. — **~ block** *s med.* Herzblock *m*. — **'~,blood** *s* Herzblut *s* (*bes. fig.*). — **~ bond** *s arch.* Streckenverband *m*. — **'~,break** *s* Herzeleid *n*, Herzenskummer *m*. — **'~,break·er** *s* Herzensbrecher *m*. — **'~,break·ing** *adj* herzzerreißend, das Herz brechend. — **'~,bro·ken** *adj* gebrochen, gebrochenen Herzens. — **,~'bro·ken·ness** *s* Untröstlichkeit *f*, tiefstes Leid. — **'~,burn** *s* **1.** *med.* Sodbrennen *n*. – **2.** → heartburning 1. — **'~,burn·ing** *s* **1.** Feindschaft *f*, Groll *m*, Neid *m*, Eifersucht *f*. – **2.** *selten für* heartburn 1. — **~ cam** *s tech.* 'Herzex,zenter *m*. — **~ cher·ry** *s* Herzkirsche *f*. — **~ com·plaint** *s med.* Herzleiden *n*, -fehler *m*. — **~ dis·ease** *s med.* Herzkrankheit *f*, -leiden *n*.

-hearted [hɑːrtid] *Wortelement mit der Bedeutung* ein ... Herz habend, *oft* a) ...herzig, b) ...mütig: hardhearted hartherzig; fainthearted kleinmütig.

heart·en ['hɑːrtn] **I** *v/t* ermutigen, ermuntern, anfeuern. – **II** *v/i oft* ~ up Mut fassen. — **'heart·en·ing** *adj* ermutigend, herzerquickend.

heart| fail·ure *s* **1.** *med.* Herzschlag *m*, -lähmung *f*. – **2.** *fig.* Schwächeanfall *m*. — **'~,felt** *adj* tiefempfunden, -gefühlt, aufrichtig, herzlich, innig. – *SYN. cf.* sincere. — **'~-,free** *adj* frei, ungebunden.

hearth [hɑːrθ] *s* **1.** Herd *m*, Feuerstelle *f*. – **2.** a) Herdplatte *f*, b) Rost *m*. – **3.** *fig.* Heim *n*, Haus *n*. – **4.** *tech.* a) Herd *m*, Hochofengestell *n*, Schmelzraum *m*, b) Schmiedeherd *m*, c) → bloomery 1, d) Lötpfanne *f*, e) (*Glasherstellung*) Streckherd *m*. — **~ mon·ey** *s hist.* Herd-, Ka'minsteuer *f*. — **'~,rug** *s* Ka'minvorleger *m*. — **'~,stone** *s* **1.** Ka'minplatte *f*. – **2.** *fig.* Herd *m*, Heim *n*. – **3.** Scheuerstein *m*.

heart·i·ly ['hɑːrtili; -əli] *adv* **1.** herzlich, von Herzen, innig, aufrichtig. – **2.** herzhaft, kräftig, tüchtig. – **3.** vollkommen, ganz u. gar, herzlich. — **'heart·i·ness** *s* **1.** Herzlichkeit *f*, Wärme *f*, Innigkeit *f*. – **2.** Aufrichtigkeit *f*. – **3.** Herzhaftigkeit *f*, Kräftigkeit *f*, Tüchtigkeit *f*, Ausgiebigkeit *f*. – **4.** Gesundheit *f*, Frische *f*, Kraft *f*. – **5.** Fruchtbarkeit *f* (*Boden*).

'heart,land *s* (*Geopolitik*) Herzland *n*.

heart·less ['hɑːrtlis] *adj* **1.** herzlos, grausam, gefühllos. – **2.** verzagt, mutlos, niedergeschlagen. — **'heart·less·ness** *s* Herz-, Mutlosigkeit *f*.

'heart|,pea → balloon vine. — **~ point** *s her.* Herzstelle *f*. — **'~,quake** *s* Herzklopfen *n*. — **'~-,rend·ing** *adj* herzzerreißend. — **~ rot** *s* Kernfäule *f* (*Baum*). — **~ sac** *s med.* Herzbeutel *m*, Peri'kard *n*.

heart's blood → heartblood.

'heart,scald *s dial.* **1.** → heartburn 1. – **2.** Reue *f*.

'hearts,ease, *auch* **'heart's-,ease** *s* **1.** Seelenfriede *m*, -ruhe *f*. – **2.** → wild pansy. – **3.** → lady's-thumb.

'heart|,seed → balloon vine. — **'~-,shaped** *adj* herzförmig. — **~ shell** *s zo. eine herzförmige Muschel, bes.* Ochsenherz *n* (*Isocardia cor*). — **'~,sick** *adj fig.* gemütskrank, verzweifelt, tief betrübt. — **'~,sick·ness** *s* tiefe Betrübtheit.

heart·some ['hɑːrtsəm] *adj Scot.* belebend, lebhaft.

'heart|,sore *adj* **1.** betrübt. – **2.** kummervoll. — **'~-,strick·en** *adj* tief getroffen. — **'~,strings** *s pl* Herzfasern *pl*, innerste Seele, tiefste Gefühle *pl*: to pull at s.o.'s ~ j-m ans Herz greifen, j-m das Herz zerreißen. — **'~-,struck** → heart-stricken. — **'~,throb** *s* **1.** Herzschlag *m*. – **2.** *fig.* a) Herzensregung *f*, b) Schwarm *m*, Ide'al *n*. — **'~-to-'~** *adj* frei, offen, aufrichtig. — **'~-,whole** *adj* **1.** frei, nicht gebunden. – **2.** aufrichtig, treu. – **3.** unerschrocken. — **'~,wood** *s* Kernholz *n*. — **'~,worm** *s vet. im Herzen von Hunden lebender Fadenwurm.*

heart·y ['hɑːrti] **I** *adj* **1.** herzlich, von Herzen kommend, warm. – **2.** aufrichtig, tiefempfunden. – **3.** herzhaft, kräftig, tüchtig. – **4.** kräftig, nahrhaft (*Speise*). – **5.** gesund, kräftig, stark: ~ timber gesundes Holz. – **6.** fruchtbar (*Boden*). – *SYN. cf.* sincere. – **II** *s* **7.** Kame'rad *m*, tapferer Bursche. – **8.** Ma'trose *m*. – **9.** *Br. sl.* (*an Universitäten*) Sportler *m*.

heat [hiːt] **I** *s* **1.** Hitze *f*, große Wärme. – **2.** *phys.* Wärme *f*: ~ of combustion Verbrennungswärme; ~ of fusion Schmelzwärme; ~ of vaporization Verdampfungswärme. – **3.** (*Meteorologie*) a) Hitze *f*, b) 'Hitzeperi,ode *f*. – **4.** Erhitztheit *f* (*Körper*). – **5.** Hitze(empfindung) *f*, *bes.* Fieberhitze *f*. – **6.** *fig.* Hitze *f*: a) Ungestüm *m*, *n*, b) Zorn *m*, Wut *f*, c) Leidenschaftlichkeit *f*, Erregtheit *f*, d) Eifer *m*: in the ~ of the moment im Eifer *od.* in der Hitze des Gefechts. – **7.** Höhepunkt *m*, größte Intensi'tät. – **8.** einmalige Kraftanstrengung: at one (*od.* a) ~ in einer einmaligen Kraftanstrengung, in 'einem Zug. – **9.** *sport* a) Lauf *m*, Einzelrennen *n*, 'Durchgang *m*, b) Ausscheidungsrennen *n*, Vorlauf *m*: final ~ Schluß-, Endlauf, Entscheidungsrennen. – **10.** Glühen *n*, Erhitzung *f*. – **11.** *tech.* a) Schmelz-, Chargengang *m*, b) Charge *f*, Einsatz *m*. – **12.** (Glüh)Hitze *f*, Glut *f*. – **13.** *zo.* Brunst *f*, *bes.* a) Hitze *f*, Läufigkeit *f* (*Hündin*), b) Rossen *n* (*Stute*), c) Stieren *n* (*Kuh*): in (*od.* on, at) ~ brünstig, in der Brunst. – **14.** *Am. sl.* größte Anstrengung, letzter Einsatz: to turn on the ~ alles aufbieten, die ganze Kraft einsetzen. – **15.** *Am. sl.* a) Zwang *m*, Druck *m*, Einschüchterung *f*, b) Folterung *f* (*zur Erpressung einer Aussage*), c) erbarmungslose Verfolgung (*Verbrecher*). – **16.** Schärfe *f* (*Gewürze etc*). –
II *v/t* **17.** erhitzen, heiß machen. – **18.** heizen. – **19.** (aus)glühen. – **20.** *fig.* erhitzen, heftig erregen: ~ed with erhitzt *od.* erregt von. – **21.** *fig.* entflammen. –
III *v/i* **22.** sich erhitzen, heiß werden. – **23.** *fig.* sich erhitzen.

heat| ap·o·plex·y → sunstroke. — **~ bar·ri·er** *s aer.* 'Hitzebarri,ere *f*, -mauer *f*, -grenze *f*.

heat·ed ['hiːtid] *adj* **1.** erhitzt, heiß geworden *od.* gemacht. – **2.** *fig.* erhitzt, erregt, erzürnt (with von).

heat en·gine *s tech.* 'Wärmekraftma,schine *f*.

heat·er ['hiːtər] *s* **1.** Heizgerät *n*, -körper *m*, (Heiz)Ofen *m*. – **2.** *electr.* Heizfaden *m* (*Elektronenröhre*). – **3.** Heizer *m*, Glüher *m* (*Person*). — **~ plug** *s tech.* Glühkerze *f*.

heat| ex·chang·er *s tech.* Wärmetauscher *m*. — **~ flash** *s* Hitzeblitz *m* (*bei Atombombenexplosion*).

heath [hiːθ] *s* **1.** *bes. Br.* Heide(land *n*) *f*. – **2.** *bot.* a) Erika *f*, (Glocken)Heide *f* (*Gattg Erica*), b) Heidekrautgewächs *n* (*Fam. Ericaceae*). – **3.** → heather 1. — **~ as·ter** *s bot.* Heidekraut-Aster *f* (*Aster ericoides*). — **~ bell** *s bot.* **1.** Erika-, Heideblüte *f*. – **2.** a) → bell heather, b) → harebell 1. — **'~,ber·ry** *s* **1.** → crowberry. – **2.** → bilberry. — **'~,bird** → black grouse. — **~ cock** → blackcock.

hea·then ['hiːðən] **I** *s collect. pl auch* ~ **1.** Heide *m*, Heidin *f*: the ~ die Heiden. – **2.** (Neu)Heide *m*, (Neu)Heidin *f*, religi'onsloser Mensch. – **3.** 'unzivili,sierter Mensch. – **II** *adj* **4.** heidnisch, Heiden... – **5.** heidnisch, religi'onslos. – **6.** 'unzivili,siert, primi'tiv. — **'hea·then·dom** *s* **1.** → heathenism. – **2.** (die) Heiden *pl*. – **3.** die heidnischen Länder. — **'hea·then·ish** *adj* **1.** heidnisch, Heiden... – **2.** *fig.* 'unzivili,siert, bar'barisch. — **'hea·then·ish·ness** *s* **1.** heidnischer Zustand. – **2.** *fig.* Bar'barentum *n*. — **'hea·then,ism** *s* **1.** Heidentum *n*. – **2.** Götzenanbetung *f*. – **3.** Barba'rei *f*. — **'hea·then,ize I** *v/t* heidnisch *od.* zu Heiden machen. – **II** *v/i* heidnisch *od.* zu Heiden werden. — **'hea·then·ry** [-ri] → heathendom.

heath·er ['heðər] **I** *s bot.* **1.** Heidekraut *n* (*Calluna vulgaris*): to take to the ~ *Scot.* Bandit werden, sich durch Flucht der Gerichtsbarkeit entziehen. – **2.** (*eine*) Erika (*Gattg Erica*). – **II** *adj* **3.** gesprenkelt (*Stoff*). — **~ bell** → bell heather. — **~ grass** → heath grass. — **~ mix·ture** *adj u. s* gesprenkelt(er Stoff).

heath·er·y ['heðəri] *adj* **1.** heidekraut-, erikaartig, Heide... – **2.** mit Heidekraut bedeckt.

heath| grass *s bot.* Liegender Dreizahn (*Sieglingia decumbens*). — **~ hen** *s zo.* **1.** → gray hen. – **2.** Prä'riehuhn *n* (*Tympanuchus cupido cupido*). — **'~,wort** *s bot.* Heidekrautgewächs *n* (*Fam. Ericaceae*).

heath·y ['hiːθi] → heathery.

heat·ing ['hiːtiŋ] **I** *s* **1.** Heizung *f*. – **2.** *tech.* a) Beheizung *f*, b) Heißwerden *n*, -laufen *n*. – **3.** *phys.* Erwärmung *f*. – **4.** Erhitzung *f* (*auch fig.*). – **II** *adj* **5.** heizend, erwärmend. – **6.** Heiz... — **~ cush·ion** → heating pad. — **~ fur·nace** *s tech.* Glühofen *m*. — **~ pad** *s* Heizkissen *n*.

heat| light·ning *s* Wetterleuchten *n*. — **'~,proof, '~-re,sist·ing** *adj* hitze-, wärmebeständig. — **~ spot** *s med.* **1.** Hitzebläschen *n*. – **2.** Wärmepunkt *m* (*zur Wärmeempfindung*). — **'~,stroke** *s med.* Hitzschlag *m*. — **'~-,treat** *v/t tech.* **1.** warmbearbeiten. – **2.** (*Stahl*) vergüten. — **~ u·nit** *s phys.* Wärmeeinheit *f*. — **~ wave** *s* Hitzewelle *f*.

heaume [houm] *s mil. hist.* Topfhelm *m*.

heave [hiːv] **I** *s* **1.** (angestrengtes) Heben, Hub *m*. – **2.** Hochziehen *n*, Aufwinden *n*. – **3.** a) Werfen *n*, Schleudern *n*, b) Wurf *m*. – **4.** a) (rhythmisches) Anschwellen, Sich'heben *n*, b) Wogen *n*: ~ of the sea *mar.* Seegang. – **5.** Schwellen *n* (*der Brust*). –

6. schweres Atmen. – 7. *geol.* Verwerfung *f*, (horizon'tale) Verschiebung. – 8. *pl* (*als sg konstruiert*) *vet.* Dämpfigkeit *f*, Engbrüstigkeit *f*. – 9. (*Ringen*) *Br.* Hebegriff *m*. –
II *v/t pret u. pp* **heaved** *od.* (*bes. mar.*) **hove** [houv] 10. (*etwas Schweres*) (hoch-, em'por)heben. – 11. hochheben (u. werfen). – 12. *mar. od. colloq.* werfen, schleudern: to ~ **the lead** (**log**) loten (loggen). – 13. *mar.* (ein)hieven: to ~ **the anchor** den Anker lichten. – 14. her'vorpressen: to ~ **a sigh** tief (auf)seufzen; to ~ **a groan** (auf)stöhnen. – 15. aufschwellen, zum Anschwellen bringen, dehnen. – 16. (*Brust*) weiten, dehnen. – 17. heben u. senken. – 18. *geol.* (horizon'tal) verschieben, verdrängen. – *SYN. cf.* lift[1]. –
III *v/i* 19. sich heben u. senken, wogen: to ~ **and set** *mar.* stampfen (*Schiff*). – 20. schwer atmen, keuchen: to ~ **for breath** nach Atem ringen. – 21. a) sich über'geben, b) Brechreiz empfinden. – 22. sich mühen, sich anstrengen. – 23. sich (er)heben, hochsteigen. – 24. sich werfen (*durch Frost etc*). – 25. *mar.* hieven, ziehen (**at** an *dat*). – 26. *mar.* treiben, getrieben werden: to ~ **in sight** a) *mar.* in Sicht kommen, b) *colloq.* auftauchen, ‚aufkreuzen'. –
Verbindungen mit Adverbien:
heave| a·head *mar.* I *v/t* vorholen, vorwärts winden. – II *v/i* vorwärts auf den Anker treiben. — ~ **a·stern** *mar.* I *v/t* rückwärts winden. – II *v/i* von hinten auf den Anker treiben. — ~ **down** *v/t mar.* 1. (*Schiff*) kielholen. – 2. (*Tau*) fieren, ablaufen lassen. — ~ **in** *v/t mar.* einhieven. — ~ **out** *v/t mar.* (*Segel*) losmachen. — ~ **to** *v/t u. v/i mar.* stoppen, beidrehen.
heave ho *interj mar.* holt auf!
heav·en ['hevn] *s* 1. Himmel(reich *n*) *m*: **in** ~ **and earth** im Himmel u. auf Erden; **to go to** ~ in den Himmel eingehen *od.* kommen; **to move** ~ **and earth** *fig.* Himmel u. Hölle in Bewegung setzen. – 2. Himmelssphäre *f*, -kreis *m*: **the H~ of ~s** der siebte Himmel. – 3. H~ Himmel *m*, Gott *m*, Vorsehung *f*: **the H~s** die himmlischen Mächte. – 4. (*in Ausrufen*) Himmel *m*, Gott *m*: **by** ~! (**good**) **~s**! du lieber Himmel! **for ~'s sake**! um (des) Himmels *od.* um Gottes willen! ~ **forbid**! Gott behüte! **thank** ~! Gott *od.* dem Himmel sei Dank! – 5. *meist pl* Himmel(sgewölbe *n*) *m*, Firma'ment *n*. – 6. Himmel *m*, (Klima)Zone *f*. – 7. *fig.* Himmel *m*, Para'dies *n*: **a** ~ **on earth**. – 8. (Bühnen)Himmel *m*. — '**~-ˌborn** *adj* 1. vom Himmel stammend, himmlisch. – 2. → **heaven-sent**.
heav·en·li·ness ['hevnlinis] *s* 1. göttliches Wesen. – 2. Erhabenheit *f*, Göttlichkeit *f*. – 3. Herrlichkeit *f*, Köstlichkeit *f*.
heav·en·ly ['hevnli] *adj* 1. himmlisch, Himmels... – 2. himmlisch, herrlich, wunderbar. – 3. göttlich, 'überirdisch, erhaben. — **H~ Cit·y** *s* Heilige Stadt, Neues Je'rusalem, Para'dies *n*. — ~ **host** *s* himmlische Heerscharen *pl*. — '**~-'mind·ed** *adj* fromm, gottergeben. — **H~ Twins** → **Gemini** I.
'**heav·en-ˌsent** *adj* vom Himmel gesandt.
heav·en·ward ['hevnwərd] I *adv* himmelwärts, gen Himmel. – II *adj* gen Himmel gerichtet. — '**heav·en·wards** → **heavenward** I.
heav·er ['hiːvər] *s* 1. Heber *m*: **coal** ~ Kohlenlöscher, -trimmer. – 2. *tech.* Heber *m*, Hebebaum *m*, -balken *m*, -zeug *n*, Winde *f*. – 3. *mar.* Drehknüppel *m*.

'**heav·i·er-than-'air** ['heviər-] *adj aer.* schwerer als Luft (*Flugzeug*).
heav·i·ly ['hevili; -əli] *adv* 1. schwer: ~ **loaded** schwerbeladen. – 2. schwer, drückend, lastend: **it weighs** ~ **upon me** es bedrückt mich schwer; **to punish s.o.** ~ j-n schwer bestrafen. – 3. stark, heftig. – 4. dicht, reich: ~ **wooded** dichtbewaldet. – 5. schwerfällig, langsam, träge.
heav·i·ness ['hevinis] *s* 1. Schwere *f*. – 2. Gewicht *n*, Druck *m*, Last *f*. – 3. Massigkeit *f*, Wuchtigkeit *f*. – 4. Stärke *f*, Heftigkeit *f*. – 5. Härte *f*, Schwere *f* (*Schicksal etc*). – 6. Bedrücktheit *f*, Schwermut *f*. – 7. Dicke *f*, Dunstigkeit *f* (*Luft etc*). – 8. Schwerfälligkeit *f*. – 9. Langweiligkeit *f*. – 10. Lustlosigkeit *f*. – 11. Schläfrigkeit *f*, Benommenheit *f*.
Heav·i·side lay·er ['heviˌsaid] *s phys.* Heaviside-Schicht *f* (*ionisierte Schicht der Atmosphäre*).
heav·y ['hevi] I *adj* 1. schwer. – 2. *phys.* schwer, von hohem spe'zifischem Gewicht: ~ **metal** Schwermetall. – 3. ('überˌdurchschnittlich) schwer. – 4. mas'siv, massig, wuchtig. – 5. *mil.* schwer (*Artillerie etc*). – 6. groß, 'umfangreich, stark: ~ **traffic**. – 7. ergiebig, reich (*Ernte etc*). – 8. schwer, heftig, stark: ~ **rain** heftiger Regen; ~ **sea** schwere See. – 9. schwer, drückend, hart: ~ **taxes** drückende *od.* hohe Steuern; **to lie** ~ **on s.o.** j-n bedrücken. – 10. schwer, schwierig, mühsam, beschwerlich. – 11. schwer, ernst, folgenschwer. – 12. ernst, traurig (*Nachricht*). – 13. folgenschwer, bedeutungsvoll, weitreichend: **of** ~ **consequence** mit weitreichenden Folgen. – 14. breit, grob, dick: **a** ~ **scar** eine breite Narbe; ~ **features** grobe Züge. – 15. schwer, 'übermäßig, stark: **a** ~ **buyer** ein Großabnehmer; **a** ~ **drinker** ein starker Trinker. – 16. beladen (**with** mit). – 17. *fig.* bedrückt, niedergeschlagen, betrübt: **with a** ~ **heart** mit schwerem Herzen, schweren Herzens. – 18. a) dick, dunstig (*Luft*), b) schwer (*Wolken*), c) düster (*Himmel*). – 19. dröhnend, laut u. tief (*Geräusch*). – 20. tief, bleiern, drückend (*Stille*). – 21. betäubend (*Geruch*). – 22. lehmig, unwegsam, aufgeweicht. – 23. steil, stark (*Steigung*). – 24. schwer(verdaulich). – 25. nicht aufgegangen, pappig (*Brot*). – 26. schwer, stark (alkoholhaltig): ~ **beer** Starkbier. – 27. schwerfällig, unbeholfen, plump, langsam: **time hangs** ~ die Zeit schleicht träge dahin. – 28. klobig, ungefüge. – 29. stumpf(sinnig), begriffsstutzig, dumm, langweilig: ~ **in** (*od.* **on**) **hand** a) hartmäulig (*Pferd*), b) *fig.* stumpf, langweilig. – 30. schwerfällig (*Stil*). – 31. langweilig, fad (*Buch etc*). – 32. lustlos (*Beifall etc*). – 33. *econ.* flau, schlecht: ~ **sale** schlechter Absatz; ~ **of sale** schwer zu verkaufen. – 34. ernst, düster (*Rolle, Szene*). – 35. schläfrig, benommen (**with** von): ~ **with sleep** schlaftrunken. – 36. trächtig, schwanger. – 37. *chem.* schwer (*Wasser etc*). – *SYN.* **cumbersome, cumbrous, ponderous, weighty**. –
II *s* 38. (*Theater*) a) Schurke *m*, b) würdiger älterer Herr. – 39. *mil.* a) schweres Geschütz, b) *pl* schwere Artille'rie, c) **the Heavies** *pl Br.* die 'Gardedraˌgoner. – 40. *sport colloq.* Schwergewichtler *m*. – 41. *Br. sl.* Starkbier *n*. –
III *adv* 42. schwer (*bes. in Zusammensetzungen*): **~-buying** große Käufe tätigend.
'**heav·y|-'armed** *adj mil.* schwerbewaffnet. — ~ **chem·i·cals** *s pl* 'Grund-, 'Schwerchemiˌkalien *pl*. —

~ **cur·rent** *s electr.* Starkstrom *m*. — ~ **der·rick** *s mar.* Schwergutbaum *m*. — '**~-'du·ty** *adj* 1. *tech.* dauerhaft, Hochleistungs..., Schwer(last)... – 2. hoch besteuert. — ~ **earth** *s min.* Ba'ryt *m*, Schwerspat *m*. — '**~-'hand·ed** *adj* 1. plump, unbeholfen. – 2. drückend. — '**~-'heart·ed** *adj* niedergeschlagen, bedrückt, mutlos. — ~ **hy·dro·gen** *s chem.* 1. schwerer Wasserstoff, Deu'terium *n*. – 2. Tritium *n*. — '**~-'lad·en** *adj* 1. schwerbeladen. – 2. *fig.* belastet, beansprucht. — ~ **lift** *s mar.* Schwergut *n*. — ~ **oil** *s tech.* Schweröl *n*. — ~ **pine** *s bot.* Gelbkiefer *f* (*Pinus ponderosa*). — ~ **spar** *s min.* Schwerspat *m*. — ~ **swell** *s colloq.* 1. Gernegroß *m*, Großtuer *m*. – 2. *Br.* ‚Stutzer' *m*, Dandy *m*. — ~ **type** *s print.* Fettdruck *m*. — ~ **wa·ter** *s chem.* schweres Wasser, Schwerwasser *n*, Deu'teriumoˌxyd *n*. — '**~ˌweight** *s* 1. 'übernorˌmal schwerer Mensch. – 2. *sport* Schwergewichtler *m*. – 3. *Am. colloq.* ‚Promi'nenter' *m*, wichtige *od.* einflußreiche Per'son.
heb·do·mad ['hebdoˌmæd; -də-] *s* 1. Sieben(zahl) *f*. – 2. Woche *f*. — **heb'dom·a·dal** [-'dɒmədl] *adj* wöchentlich, Wochen...: **H~ Council** (*Universität Oxford*) *wöchentlich zusammentretender Rat*. — **heb'dom·a·dar·y** [*Br.* -dəri; *Am.* -ˌderi] → **hebdomadal**.
He·be ['hiːbi] I *npr* 1. (*griech. Mythologie*) Hebe *f* (*Jugendgöttin*). – II *s Br. humor.* 2. Hebe *f*, Schenkmädchen *n*, Kellnerin *f*. – 3. stattliche junge Frau.
he·be·phre·ni·a [ˌhiːbi'friːniə] *s psych.* Hebephre'nie *f*, Jugendirresein *n*. — ˌ**he·be'phren·ic** [-'frenik] *adj* hebe'phrenisch.
heb·e·tate ['hebiˌteit; -bə-] *v/i u. v/t* abstumpfen. — ˌ**heb·e'ta·tion** *s* Abstumpfung *f*.
he·bet·ic [hi'betik] *adj* Pubertäts...
heb·e·tude ['hebiˌtjuːd; -bə-; *Am. auch* -ˌtuːd] *s* (geistige) Stumpfheit, Abgestumpftsein *n*.
He·bra·ic [hi'breiik] *adj* he'bräisch. — **He'bra·i·cal·ly** *adv.*
He·bra·ism ['hiːbreiˌizəm] *s* Hebra'ismus *m*: a) *ling.* he'bräische Spracheigenheit, b) *relig. die ältere hebräische Religion*, c) jüd. *od.* he'bräische Gedankenwelt. — '**He·bra·ist** *s* 1. Hebra'ist *m*. – 2. *relig.* Juda'ist *m*. — ˌ**He·bra'is·tic**, ˌ**He·bra'is·ti·cal** *adj* 1. hebra'istisch. – 2. *relig.* juda'istisch. — ˌ**He·bra·i'za·tion** *s* Hebrai'sierung *f*. — '**He·braˌize**, *auch* **h~** I *v/t* 1. he'bräisch machen. – II *v/i* 2. he'bräisch werden. – 3. he'bräisch sprechen.
He·brew ['hiːbruː] I *s* 1. He'bräer(in), Israe'lit(in), Jude *m*, Jüdin *f*. – 2. *ling.* He'bräisch *n*. – 3. *colloq.* Kauderwelsch *n*. – II *adj* 4. he'bräisch, israe'litisch, jüdisch. — '**He·brew·ˌism**, '**He·brew·ist** → **Hebraism** *etc.* — '**He·brews** [-z] *s pl* (*als sg konstruiert*) *Bibl.* He'bräer(brief *m*) *pl.*
Heb·ri·de·an, *auch* **Heb·ri·di·an** [ˌhebri'diːən; -rə-] I *adj* he'bridisch, Hebriden... – II *s* Bewohner(in) der He'briden.
Hec·a·tae·an *cf.* Hecatean. — **Hec·a·te** ['hekəti] I *npr* (*griech. Mythologie*) Hekate *f*. – II *s* Hexe *f*, Zauberin *f* (*im Mittelalter*). — ˌ**Hec·a'te·an** [-'tiːən] *adj* 1. Hekate betreffend, der Hekate. – 2. magisch, Hexen..., Zauber...
hec·a·tomb ['hekəˌtoum; -ˌtuːm] *s* 1. *antiq.* Heka'tombe *f* (*Opfer von 100 Rindern*). – 2. *fig.* Massenschlachten *n*, -mord *m*, Heka'tombe *f*.
heck[1] [hek] *s Scot. od. dial.* Fischgatter *n*, -gitter *n* (*in Flüssen*).

heck² [hek] *colloq.* (*euphem. für* hell) I *s* Hölle *f*: a ~ of a row ein Heidenspektakel. – II *interj* verflucht!

heck·le ['hekl] I *v/t* 1. (*Flachs etc*) hecheln. – 2. quälen, plagen, belästigen, ‚piesacken'. – 3. (*j-m in einer Versammlung etc*) mit verfänglichen *od.* schweren Fragen zusetzen, (*j-n*) ins Kreuzverhör nehmen. – *SYN. cf.* bait. – II *s* 4. Hechel *f*. — '**heck·ler** *s* (boshafter) Zwischenrufer.

hec·o·gen·in [ˌhekou'dʒenin] *s chem. med.* (syn'thetisch gewonnenes) Cor-[ti'son.]

hect- [hekt] → hecto-.

hec·tare ['hektɛr] *s* Hektar *n, m.*

hec·tic ['hektik] I *adj* 1. *med.* hektisch: a) auszehrend (*Krankheit*), b) schwindsüchtig (*Patient*): ~ fever Schwindsucht; ~ flush hektische Röte. – 2. *colloq.* fieberhaft, rast-, ruhelos, aufgeregt, hektisch: I had a ~ time ich hatte keinen Augenblick Ruhe. – II *s* 3. *med.* a) hektisches Fieber, Schwindsucht *f*, b) Hektiker(in), Schwindsüchtige(r), c) hektische Röte. — '**hec·ti·cal** → hectic I. — '**hec·ti·cal·ly** *adv* (*auch zu* hectic I).

hecto- [hekto] *Wortelement mit der Bedeutung* hundert.

hec·to·cot·y·lus [ˌhekto'kɒtiləs; -tə'k-; -təl-] *pl* **-li** [-ˌlai] *s zo.* Hekto'kotylus *m* (*Begattungsarm eines Kopffüßers*). — '**hec·toˌgram(me)** [-ˌgræm] *s* Hekto'gramm *n.*

hec·to·graph ['hektoˌgræ(ː)f; -tə-; *Br. auch* -ˌgrɑːf] I *s* Hekto'graph *m* (*Vervielfältigungsgerät*). – II *v/t* hektogra'phieren, vervielfältigen. — ˌ**hec·to'graph·ic** [-'græfik] *adj* hekto'graphisch. — **hec'tog·ra·phy** [-'tɒgrəfi] *s* Hektogra'phie *f.*

hec·to·li·ter, *Br.* **hec·to·li·tre** ['hektoˌliːtər; -təˌl-] *s* Hektoliter *n, m.* — '**hec·toˌme·ter**, *Br.* '**hec·toˌme·tre** [-ˌmiːtər] *s* Hektometer *n, m.*

hec·tor ['hektər] I *s* 1. Prahler *m.* – 2. Ty'rann *m.* – II *v/t* 3. tyranni'sieren, einschüchtern. – 4. quälen, belästigen. – III *v/i* 5. prahlen, renom'mieren. – 6. her'umkommanˌdieren. – *SYN. cf.* bait.

he'd [hiːd] *Kurzform für* a) he had, [b) he would.]

hed·dle ['hedl] *tech.* I *s* 1. Litze *f*, Helfe *f* (*zur Lenkung der Kettfäden*). – 2. Einziehhaken *m*, -nadel *f.* – II *v/t* 3. (*Kettfäden*) einziehen.

hedge [hedʒ] I *s* 1. Hecke *f*, *bes.* Heckenzaun *m*: that doesn't grow on every ~ das findet man nicht alle Tage. – 2. *fig.* Mauer *f*, Grenze *f*, Barri'ere *f*: a ~ of police. – 3. *econ.* Gegendeckung *f.* – II *adj* 4. Hecken...: ~ plants. – 5. *fig.* a) schlecht, minderwertig, Winkel..., b) dunkel, zweifelhaft, nicht ganz le'gal: ~ marriage. – III *v/t* 6. *auch* ~ in, ~ off, ~ about einhegen, mit einer Hecke um'geben. – 7. *auch* ~ off (durch eine Hecke) absperren. – 8. *meist* ~ in, ~ up a) schützend um'geben, b) einengen, behindern, c) einsperren. – 9. sich gegen den Verlust (*einer Wette etc*) sichern: to ~ a bet. – IV *v/i* 10. sich verbergen, sich verstecken, ausweichen, sich drücken, ‚kneifen'. – 11. sich (nach allen Seiten) decken *od.* sichern. – 12. sich vorsichtig ausdrücken. – 13. *econ. sport* sich gegen Verlust sichern. – 14. Hecken anlegen.

hedge| ac·cen·tor → hedge sparrow. — ~ **bed·straw** *s bot.* Weißes Labkraut (*Galium mollugo*). — ~ **bells** → hedge bindweed. — '~ˌ**ber·ry** *s bot.* 1. Heckenbeere *f.* – 2. → bird cherry 1. — ~ **bind·weed** *s bot.* Heckenwinde *f* (*Convolvulus sepium*). — ~ **bird** *s fig.* Landstreicher *m*, Vaga'bund *m.* — '~ˌ**bote** → haybote. — ~ **chant·er**, ~ **chat** → hedge sparrow. — ~ **gar·lic** *s bot.* Gemeine Knoblauchsrauke (*Alliaria officinalis*).

hedge·hog ['hedʒˌhɒg; *Am. auch* -ˌhɔːg] *s* 1. *zo.* a) Igel *m* (*Gattg Erinaceus*), b) *Am.* Stachelschwein *n* (*Erethizon dorsatum*). – 2. *bot.* stachlige Frucht *od.* Samenkapsel. – 3. *fig. selten* Griesgram *m.* – 4. *mil.* a) Igelstellung *f*, b) Drahtigel *m.* – 5. *tech.* (*Art*) Naßbagger *m.* – 6. *mar. mil.* Wasserbombenwerfer *m.* — ~ **cac·tus** *s bot.* Igelkaktus *m* (*Gattg Echinocactus*). — ~ **cone·flow·er** *s bot.* Igelkopf *m* (*Echinacea purpurea*). — ~ **grass** *s bot.* 1. → bur grass. – 2. Gelbe Segge (*Carex flava*). — ~ **nut** *s bot.* Stechapfel *m* (*Frucht von Datura stramonium*). — ~ **pars·ley** *s bot.* Haftdolde *f* (*Caucalis daucoides*). — ~ **rat** *s zo.* (*eine*) Stachelratte (*Gattungen Echimys u. Loncheres*). — ~ **this·tle** → hedgehog cactus.

'**hedge|ˌhop** *pret u. pp* -ˌ**hopped** *aer. sl.* I *v/i* heckenspringen (*sehr niedrig fliegen*). – II *v/t* (*Flugzeug*) heckenspringen lassen. — '~ˌ**hop·per** *s aer. sl.* Tiefflieger *m.* — ~ **hys·sop** *s bot.* 1. Gnadenkraut *n* (*Gattg Gratiola*), *bes.* Gottes'gnadenkraut *n*, Heckenysop *m* (*G. officinalis*, *Europa*; *G. aurea*, *Amerika*). – 2. Kleines Helmkraut (*Scutellaria minor*). — ~ **lau·rel** *s bot.* Klebsame *m* (*Gattg Pittosporum*). — '~-ˌ**maids** *s sg u. pl* → ground ivy. — '~-ˌ**mike** → hedge sparrow. — ~ **mush·room** *s bot.* Schaf-Egerling *m* (*Psalliota arvensis*; *Pilz*). — ~ **mus·tard** *s bot.* Wegrauke *f* (*Sisymbrium officinale*). — ~ **net·tle** *s bot.* 1. Waldziest *m* (*Stachys silvatica*). – 2. Sumpfziest *m* (*Stachys palustris*). — ~ **pars·ley** *s bot.* Schafkerbel *m* (*Torilis anthriscus*). — '~ˌ**pig** → hedgehog 1. — ~ **pink** → soapwort. — '~-ˌ**priest** *s Br.* (ungebildeter) Priester von niederem Rang.

hedg·er ['hedʒər] *s* 1. Heckengärtner *m.* – 2. Drückeberger(in). – 3. *j-d der gegensätzliche Spekulationen od. Wetten abschließt.*

hedge|·row ['hedʒˌrou] *s* (Baum-, Rain)Hecke *f.* — '~ˌ**school** *s* 1. *hist.* im Freien gehaltene Schule (*bes. in Irland*). – 2. minderwertige Schule. — ~ **spar·row** *s zo.* 'Heckenbrauˌnelle *f* (*Prunella modularis*). — '~ˌ**ta·per** *s bot.* Königskerze *f* (*Verbascum thapsus*). — ~ **vine** *s bot.* Waldrebe *f* (*Clematis vitalba*). — ~ **vi·o·let** *s bot.* Waldveilchen *n* (*Viola silvatica*). — ~ **war·bler** → hedge sparrow.

hedg·y ['hedʒi] *adj* voller Hecken.

he·don·ic [hiː'dɒnik], *auch* **he'don·i·cal** [-kəl] *adj philos.* he'donisch, hedo'nistisch. — **he'don·i·cal·ly** *adv* (*auch zu* hedonic). — **he'don·ics** *s pl* (*oft als sg konstruiert*) *philos.* He'donik *f* (*Zweig der Ethik u. Psychologie, der vom Lustempfinden handelt*). — **he·don·ism** ['hiːdəˌnizəm] *s philos.* Hedo'nismus *m*: a) *Lehre, daß die Lust der höchste Wert sei*, b) hedo'nistische Lebensweise. — '**he·don·ist** *philos.* I *s* Hedo'nist *m.* – II *adj* hedo'nistisch. — ˌ**he·do'nis·tic** *adj philos.* hedo'nistisch. — ˌ**he·do'nis·ti·cal·ly** *adv.*

-hedral [hiːdrəl; hed-] *Wortelement mit der Bedeutung* eine bestimmte Anzahl von Flächen habend, ...flächig.

-hedron [hiːdrən; hed-] *Wortelement mit der Bedeutung* Figur mit einer bestimmten Anzahl von Flächen, ...flächner.

he·dys·a·rum [hi'disərəm] *s bot.* Süßklee *m*, Hahnenkopf *m* (*Gattg Hedysarum*).

hee·bie jee·bies ['hiːbi 'dʒiːbiz] *s sl.* 1. Anfall *m* von Kribbeligkeit *od.* Nervosi'tät *od.* Depressi'on: to give s.o. the ~ j-m Angst machen. – 2. Säuferwahnsinn *m.*

heed [hiːd] I *v/t* 1. beachten, achten *od.* achtgeben auf (*acc*). – II *v/i* 2. achtgeben, aufpassen. – III *s* 3. Aufmerksamkeit *f*, Sorgfalt *f*, Acht *f*, Hut *f*: to give (*od.* pay) ~ to beachten, achtgeben auf (*acc*); to take ~ achtgeben, aufpassen; she took no ~ of his warnings sie schlug seine Mahnungen in den Wind. – 4. Vorsicht *f*, Behutsamkeit *f.* — '**heed·ful** [-fəl; -ful] *adj* 1. achtsam, aufmerksam (of auf *acc*). – 2. sorgfältig, vorsichtig. — '**heed·ful·ness** *s* Achtsamkeit *f*, Vorsicht *f*, Behutsamkeit *f.* — '**heed·less** *adj* achtlos, unbekümmert, unbesonnen, nachlässig: ~ of s.th. unbekümmert um etwas, ungeachtet einer Sache. — '**heed·less·ness** *s* Unachtsamkeit *f*, Unbesonnenheit *f*, Nachlässigkeit *f.*

hee·haw ['hiːˌhɔː] I *s* 1. Iah *n* (*Eselschrei*). – 2. *fig.* lautes Gelächter, ‚Gewieher' *n.* – II *v/i* 3. i'ahen. – 4. *fig.* laut lachen, ‚wiehern'.

heel¹ [hiːl] I *v/t* 1. (*j-m*) auf den Fersen folgen, sich (*j-m*) an die Fersen heften, (*j-n*) verfolgen. – 2. (*Schuh*) mit einem Absatz versehen. – 3. (*Strumpf*) mit einer Ferse versehen. – 4. (*einen Tanz*) auf den Fersen tanzen. – 5. a) (*Golf*) (*Ball*) mit der Ferse des Golfschlägers treiben, b) (*Rugby*) (*Ball*) mit der Ferse stoßen: to ~ out (*Ball*) mit der Ferse (*aus einem Gedränge*) herausstoßen. – 6. (*Kampfhähne*) mit Sporen bewaffnen. – 7. *Am. sl.* 'ausstafˌfieren, versehen, versorgen. – 8. ~ in *agr.* (*Wurzeln*) einschlagen. – II *v/i* 9. auf den Fersen folgen (*bes. Hund*). – 10. den Boden mit den Fersen berühren. – 11. (*Rugby*) den Ball mit der Ferse stoßen. – III *s* 12. Ferse *f.* – 13. *zo. colloq.* a) hinterer Teil des Hufs, b) *pl* 'Hinterfüße *pl*, c) Fuß *m.* – 14. Absatz *m*, Hacken *m* (*Schuh*): the ~ of Italy *fig.* der Stiefelabsatz Italiens. – 15. Ferse *f* (*Strumpf etc*). – 16. vorspringender Teil, Ende *n*, *bes.* Kanten *m*: a ~ of bread. – 17. *mar.* Hiel *n*, Hieling *f*, Fuß *m.* – 18. Ballen *m* (*Hand*). – 19. Ferse *f* (*Golfschläger*). – 20. *bot.* Achselsteckling *m.* – 21. Rest *m*: in the ~ of the hunt *Irish* in letzter Minute. – 22. *Am. sl.* Schurke *m*, gemeiner Kerl, Verräter *m.* –

Besondere Redewendungen:

at ~, at (*od.* on, upon) one's ~s auf den Fersen, dicht; to follow (*od.* be) at s.o.'s ~s j-m auf den Fersen folgen; back on one's ~s in der Defensive, zurückgedrängt; to be carried with the ~s foremost tot weggetragen werden; → cool 15; down at (the) ~ a) mit heruntergetretenen Absätzen (*Schuh*), b) *fig.* verkommen, verwahrlost, vernachlässigt, schäbig; to have the ~s of s.o. j-n überholen; → head *b. Redw.*; to kick (*od.* cool) one's ~s ‚sich die Beine in den Bauch stehen', müßig warten müssen, wartend herumstehen; to kick up one's ~s a) *colloq.* ‚abkratzen' (*sterben*), b) *Am. sl.* sich amüsieren; lay (*od.* clap) by the ~s einsperren, ins Gefängnis stecken; out at ~s *fig.* heruntergekommen, verwahrlost, zerlumpt; to show a clean pair of ~s, to take to one's ~s die Beine in die Hand nehmen, sich aus dem Staub machen; to ~ a) bei Fuß (*Jagdhund*), b) *fig.* gefügig, gehorsam; to turn on one's ~ sich auf dem Absatz herumdrehen, (auf dem Absatz) kehrtmachen; to turn (*od.* tip) up one's ~s *colloq.* ‚abkratzen' (*sterben*); ~ of Achilles, Achilles' ~ Achillesferse, *fig.* wunder Punkt.

heel² [hiːl] *bes. mar.* I *v/i* sich auf die Seite legen, krängen. – II *v/t* (*Schiff*) auf die Seite legen, krängen. – III *s* Krängung *f*, Neigung *f*: to give a ~ krängen.

'heel|-and-'toe walk *s sport* Geherrennen *n.* — **'~,ball** *s* **1.** Fersenballen *m.* – **2.** Po'lierwachs *n.*
heeled [hi:ld] *adj* **1.** mit einer Ferse *od.* einem Absatz versehen. – **2.** *Am. colloq.* a) mit Geld ausgerüstet, b) bewaffnet. — **'heel·er** *s* **1.** Arbeiter, der Absätze macht *od.* anbringt. – **2.** guter Kampfhahn. – **3.** *Am. colloq.* Handlanger *m*, blind ergebener Anhänger (*eines politischen Bonzen*).
heel·ing| cor·rec·tor ['hi:liŋ] *s mar.* 'Krängungsma,gnet *m.* — **~ er·ror** *s mar.* Krängungsfehler *m.*
'heel|,piece I *s* **1.** Absatz *m.* – **2.** Absatzfleck *m.* – **3.** Fersenstück *n* (*einer Rüstung*). – **4.** *tech.* absatzförmiges Stück. – **5.** *fig.* Schlußteil *m*, Ende *n.* – **II** *v/t* **6.** (*Schuhe*) mit Absätzen versehen. — **'~,plate** *s* **1.** Hufeisen *n* (*Schuhabsatz*). – **2.** *mil.* Kolbenplatte *f* (*am Gewehrkolben*). — **'~,post** *s* Hängesäule *f* (*einer Tür*). — **~ rope** *s mar.* Stengewindreep *n.* — **'~,tap** *s* **1.** Absatzfleck *m.* – **2.** Neige *f*, (Wein-, Bier)Rest *m* (*im Glas*): no ~s! ex (trinken)! — **'~,tree** *s agr.* Eggenschwengel *m.*
heeze [hi:z] *v/t Scot.* em'porheben.
Hef·ner can·dle ['hefnər] *s phys.* Hefnerkerze *f.*
heft [heft] **I** *s* **1.** *Am. od. dial.* a) Gewicht *n*, Schwere *f*, b) *fig.* Einfluß *m*, Bedeutung *f.* – **2.** *obs. od. dial.* (Auf-)Heben *n.* – **3.** *Am. colloq.* größerer Teil, Hauptmasse *f.* – **II** *v/t dial. od. Am. colloq.* **4.** auf-, em'porheben. – **5.** (mit der Hand) abwägen, abschätzen. — **'heft·y** *adj colloq.* **1.** groß u. stark, kräftig (gebaut). – **2.** schwer.
he·gar·i [hi'gɛ(ə)ri; 'hegəri] *s bot.* Negerhirse *f* (*Sorghum vulgare*).
He·ge·li·an [hei'geiliən; hi'dʒi:-] *philos.* **I** *adj* hegeli'anisch, Hegelsch(er, e, es). – **II** *s* Hegeli'aner *m.* — **He'ge·li·an-,ism** *s philos.* Hegelia'nismus *m.*
heg·e·mon·ic [,hedʒi'mɒnik; ,hi:-], *auch* **,heg·e'mon·i·cal** [-kəl] *adj* hege'monisch, vorherrschend. — **he-gem·o·ny** [hi'dʒeməni; *Br.* 'hedʒi-; *Am.* 'hedʒə,mouni] *s* Hegemo'nie *f*, Oberherrschaft *f.*
he·gi·ra ['hedʒirə; hi'dʒai(ə)rə] *s* **1.** *oft* H~ Hedschra *f*, Hidschra *f*: a) *Auswanderung Mohammeds von Mekka nach Medina, 622 n. Chr.*, b) (*Beginn der*) *moham. Zeitrechnung.* – **2.** *fig.* Flucht *f*, Auswanderung *f.*
he·gu·men [hi'gju:men], *auch* **he'gu-me,nos** [-mə,nɒs] *s relig.* He'gumenos *m*, I'gumen(os) *m* (*Abt eines morgenländischen Klosters*).
Hei·del·berg| jaw ['haidəl,bə:rg] *s* 'Unterkiefer *m* von Mauer (*Urmenschen-Unterkiefer, 1907 in Mauer bei Heidelberg gefunden*). — **~ man** *s irr* Heidelbergmensch *m* (*Homo heidelbergensis*).
Hei·duc, Hei·duk *cf.* Haiduk.
heif·er ['hefər] *s* Färse *f*, junge Kuh.
heigh[1] [hei; hai] *interj* hei! he(da)!
heigh[2] [hi:x] *Scot. od. dial. für* **high.**
heigh-ho ['hei'hou; 'hai-] *interj* **1.** (*überrascht*) oh! na'nu! – **2.** (*gelangweilt od. gähnend*) ach jeh!
height [hait] *s* **1.** Höhe *f*: **barometric ~** Barometerhöhe; **~ of fall** Fallhöhe; **~ of projection** Wurfhöhe. – **2.** (Körper)Größe *f.* – **3.** (An)Höhe *f*, Erhebung *f.* – **4.** *fig.* Höhe(punkt *m*) *f*, Gipfel *m*, höchster Grad: **the fever is at its ~** das Fieber hat den Höhepunkt erreicht. – **5.** *arch.* Pfeilhöhe *f*, Bogenstich *m.* – **6.** *obs.* a) hohe Stellung, b) Stolz *m.* – *SYN.* **altitude, elevation, stature.** — **'height·en I** *v/t* **1.** höher machen, erhöhen. – **2.** *fig.* erhöhen, vergrößern, heben, steigern, vermehren. – **3.** verstärken. – **4.** her'vorheben, betonen. – **5.** ausschmücken, über'treiben. – *SYN. cf.* **intensify.** – **II** *v/i* **6.** wachsen, (an)steigen, zunehmen, höher werden, sich erhöhen.
'height-to-'pa·per *s Standardhöhe der Druckschrift (in USA 0.9186 Zoll).*
Hei·ne, *auch* **Hei·nie** ['haini] *s bes. Am.* deutscher Sol'dat (*Spitzname*).
hei·nous ['heinəs] *adj* hassenswert, verrucht, gräßlich, ab'scheulich, fürchterlich. – *SYN. cf.* **outrageous.** — **'hei·nous·ness** *s* Ab'scheulichkeit *f*, Verruchtheit *f.*
heir [ɛr] **I** *s* **1.** Erbe *m*: **~ in tail** *jur.* Vorerbe; **~ of the body** *jur.* leiblicher Erbe; **~ to the throne** Thronerbe; **to appoint an ~** einen Erben einsetzen. – **2.** *jur.* gesetzlicher Erbe von unbeweglichem Vermögen. – **3.** *obs.* Nachkomme *m.* – **II** *v/t* **4.** erben. — **~ ap·par·en·cy** *s jur.* unzweifelhaftes Erbrecht. — **~ ap·par·ent** *pl* **heirs ap·par·ent** *s jur.* gesetzmäßiger (*bes.* Thron)Erbe (*dessen Erbrecht eindeutig feststeht*). — **'~-at-'law** *s jur.* gesetzmäßiger Erbe, Inte'staterbe *m.*
heir·dom ['ɛrdəm] *s* **1.** Erbe *n*, Erbschaft *f.* – **2.** Erbfolge *f.*
heir·ess ['ɛ(ə)ris] *s* (*bes.* reiche) Erbin.
heir| gen·er·al *pl* **heirs gen·er·al** *s jur.* Univer'salerbe *m.* — **'~'loom** *s* **1.** *jur.* Erbstück *n.* – **2.** altererbtes Besitzstück. — **~ male** *s jur.* a'gnatischer Erbe, Erbe *m* nach Mannesstamm. — **~ pre·sump·tive** *pl* **heirs pre·sump·tive** *s jur.* mutmaßlicher Erbe.
heir·ship ['ɛrʃip] *s jur.* **1.** Erbrecht *n.* – **2.** Erbschaft *f.*
he·ji·ra *cf.* hegira.
Hek·a·te *cf.* Hecate.
hek·tare, hekto- *cf.* hectare, hecto-.
Hel [hel] *s relig.* Hel *f* (*Unterwelt od. deren Herrscherin in der altgermanischen Mythologie*).
held [held] *pret u. pp von* hold[1].
Hel·en flow·er ['helin; -ən] *s bot.* Sonnenbraut *f* (*Gattg Helenium*).
hel·e·nin ['helinin] *s chem.* Hele'nin *n*, Alan'tol *n*, A'lantkampfer *m* ($C_{15}H_{20}O_2$).
heli- [hi:li] → helio-.
he·li·a·cal [hi'laiəkəl], *auch* **he·li·ac** ['hi:li,æk] *adj astr.* heli'akisch, helisch.
he·li·an·thin [,hi:li'ænθin], **,he·li'an-thine** [-θi:n; -θin] *s chem.* Helian'thin *n*, Me'thylo,range *n* (*Farbstoff*).
he·li·an·thus [,hi:li'ænθəs] *s bot.* Sonnenblume *f* (*Gattg Helianthus*).
hel·i·bus ['heli,bʌs] *s aer.* Hubschrauber *m* für Per'sonenbeförderung.
helic- [helik] → helico-.
hel·i·cal ['helikəl] *adj* spi'ralen-, schrauben-, schneckenförmig. — **~ blow·er** *s tech.* Pro'pellergebläse *n.* — **~ gear** *s tech.* Schneckenrad *n*, -getriebe *n.*
hel·i·ces ['heli,si:z] *pl von* **helix.**
hel·i·cine ['helisin; -,sain] *adj med. zo.* spi'ral-, schneckenförmig. — **'hel·i-,cline** [-,klain] *s* in Windungen ansteigende Rampe.
helico- [heliko] *Wortelement mit der Bedeutung* Spirale, Schraube.
hel·i·co·gyre ['heliko,dʒair] *s aer.* (*Art*) Hubschrauber *m.*
hel·i·coid ['heli,kɔid] **I** *adj* **1.** *math.* spi'ralig, spi'ralförmig. – **2.** *bot.* schneckenförmig. – **3.** *zo.* schnirkelschneckenartig. – **II** *s* **4.** *math.* Schraubenfläche *f*, Heliko'ide *f.* – **5.** Schraubel *f* (*Blütenstandsform*). — **,hel·i'coi·dal** → **helicoid** I. — **,hel·i-'coi·dal·ly** *adv* (*auch zu* **helicoid** I).
Hel·i·con ['heli,kɒn; -kən] *s* **1.** *fig.* Helikon *n*, Sitz *m* der Musen. – **2.** *fig.* Dichtung *f*, Dichtkunst *f.* – **3.** h~ *mus.* Helikon *n* (*Kontrabaßtuba*). — **,Hel-i'co·ni·an** [-'kouniən] *adj* Musen..., Dichtungs..., Dichter...
hel·i·cop·ter ['heli,kɒptər] *s aer.* Hubschrauber *m*, Heli'kopter *m*: **~ terminal** Hubschrauber-Landeplatz. — **'hel·i,drome** [-,droum] *s* Hubschrauber-Landeplatz *m.*
helio- [hi:lio] *Wortelement mit der Bedeutung* Sonne.
he·li·o ['hi:liou] *colloq. Kurzform für* **heliogram, heliograph.**
he·li·o·cen·tric [,hi:lio'sentrik], *auch* **,he·li·o'cen·tri·cal** [-kəl] *adj astr.* helio'zentrisch. — **,he·li·o·cen'tric-i·ty** [-'trisiti; -əti] *s* ,Heliozentrizi'tät *f.*
he·li·o·chrome ['hi:lio,kroum; -liə-] *s phot.* Heliochro'mie *f*, farbiges Lichtbild. — **,he·li·o'chro·mic** *adj* helio'chromisch. — **'he·li·o,chro·my** *s phot.* Heliochro'mie *f*, 'Farbphotogra,phie *f.*
he·li·o·gram ['hi:lio,græm; -liə-] *s* Helio'gramm *n.* — **'he·li·o,graph** [-,græ(:)f; *Br. auch* -,grɑ:f] **I** *s* **1.** Helio'graph *m*: a) *astr. Instrument zur Herstellung photographischer Sonnenbilder*, b) *tech.* 'Spiegeltele,graph *m.* – **2.** *phot.* Heliogra'phie *f*, Photogra'vüre *f.* – **II** *v/t u. v/i* **3.** helio-gra'phieren: a) mit dem Helio'graphen signali'sieren, b) photogra'vieren. — **,he·li·o'graph·ic** [-'græfik], *auch* **,he·li·o'graph·i·cal** *adj* helio'graphisch. — **,he·li'og·ra-phy** [-'ɒgrəfi] *s* Heliogra'phie *f*: a) Sonnenbeschreibung *f*, -kunde *f*, b) *Anwendung des Heliographen*, c) *phot. Verfahren zur Herstellung von Tiefdruckformen.* — **,he·li·o·gra'vure** [-grə'vjur] *s phot.* Helio-, Photogra'vüre *f*, Kupferlichtdruck *m.*
he·li·ol·a·ter [,hi:li'ɒlətər] *s relig.* Sonnenanbeter *m.* — **,he·li'ol·a·trous** *adj* die Sonne anbetend. — **,he·li'ol-a·try** [-tri] *s* Heliola'trie *f*, Sonnenanbetung *f.*
he·li·ol·o·gy [,hi:li'ɒlədʒi] *s astr.* Lehre *f* von der Sonne.
he·li·om·e·ter [,hi:li'ɒmitər; -mə-] *s astr.* Helio'meter *n* (*Art Mikrometer*). — **,he·li·o'met·ric** [-lio'metrik; -liə-], *auch* **,he·li·o'met·ri·cal** *adj* helio'metrisch. — **,he·li'om·e·try** [-tri] *s* Heliome'trie *f.*
he·li·o·scope ['hi:liə,skoup] *s astr.* Helio'skop *n.*
he·li·o·sis [,hi:li'ousis] *s* Sonnenbrand *m* (*Brennflecke auf Blättern infolge konzentrierter Einwirkung von Sonnenlicht*).
he·li·o·stat ['hi:liə,stæt] *s* Helio'stat *m* (*Gerät zur Fixierung der Sonnenstrahlen*). — **,he·li·o'tax·is** [-'tæksis] *s biol.* Helio'taxis *f*, Sonnenstrebigkeit *f.* — **,he·li·o'ther·a·py** [-'θerəpi] *s med.* Heliothera'pie *f*, (Sonnen-)Lichtbehandlung *f.*
he·li·o·trope ['hi:ljə,troup; -liə-; *Br. auch* 'hel-] *s* **1.** *bot.* a) Helio'trop *n*, Sonnenwende *f* (*Gattg Heliotropium*), *bes.* Va'nillenstrauch *m*, -helio,trop *m* (*H. peruvianum*), b) Baldrian *m* (*Valeriana officinalis*). – **2.** Helio'trop *m*: a) *min. jaspisartiger grüner Quarz mit roten Flecken*, b) Sonnenspiegel *m* (*Erdvermessung*), c) *bläulich-rote Farbe.* – **3.** *mil.* 'Spiegeltele,graph *m.* — **,he·li·o'trop·ic** [-'trɒpik; -'trou-], *auch* **,he·li·o'trop·i·cal** *adj biol.* helio'tropisch. — **,he·li'ot·ro,pism** [-'ɒtrə-,pizəm] *s biol.* Heliotro'pismus *m*, Sonnen-, Lichtwendigkeit *f.*
he·li·o·type ['hi:liə,taip] *phot.* **I** *s* Helioty'pie *f*, Lichtdruck *m* (*Bild*). – **II** *v/t u. v/i* helioty'pieren. — **,he·li·o-'typ·ic** [-'tipik] *adj* helio'typisch. — **,he·li·o·ty'pog·ra·phy** [-tai'pɒgrəfi] *s phot.* ,Heliotypogra'phie *f* (*Lichtdruckverfahren*). — **'he·li·o,typ·y** [-,taipi] *s phot.* Helioty'pie *f* (*Lichtdruckverfahren*).
he·li·o·zo·an [,hi:liə'zouən] *s* Sonnentierchen *n.*

hel·i·pi·lot [ˈheliˌpailət] *s aer.* ˈHubschrauberpiˌlot *m.* — ˈ**hel·iˌport** [-ˌpɔːrt] *s* Hubschrauber-Landeplatz *m.* — ˈ**hel·iˌscoop** [-ˌskuːp] *s* (*vom Hubschrauber herabgelassenes*) Rettungsnetz.

he·li·um [ˈhiːliəm] *s chem.* Helium *n* [(He; *Edelgas*).]

he·lix [ˈhiːliks] *pl meist* **hel·i·ces** [ˈheliˌsiːz] *s* **1.** Spiˈrale *f.* – **2.** *med.* Helix *f,* Ohrleiste *f.* – **3.** *arch.* Schnecke *f.* – **4.** *math.* Schneckenlinie *f.*

hell [hel] *s* **1.** *relig.* Hölle *f.* – **2.** *fig.* Hölle *f*: a ~ on earth eine Hölle auf Erden; to give s.o. ~ *colloq.* ‚j-m tüchtig einheizen', ‚j-m die Hölle heiß machen'; to kick up (*od.* play, raise) ~ *colloq.* ‚einen Mordskrach schlagen'. – **3.** *intens* Teufel *m,* Hölle *f*: to make a ~ of a row *sl.* einen höllischen Lärm machen; to be in a ~ of a temper *sl.* eine Mordswut haben; what the ~ do you want? *sl.* was, zum Teufel, willst du denn? to ride ~-for-leather wie der Teufel reiten; like ~ *colloq.* wie wild, wie der Teufel; go to ~! *colloq.* ‚scher dich zum Teufel!' – **4.** Spielhölle *f.* – **5.** Gefängnis *n,* Kerker *m,* Verlies *n.* – **6.** Platz *m* für die Gefangenen (*Kinderspiele*). – **7.** *print.* Deˈfektenkasten *m,* Zeugkiste *f.* – **8.** Abfallkiste *f* (*Schneider*).

he'll [hiːl; hil] *colloq. für* a) he will, b) he shall.

ˈ**hell|ˌbend·er** *s* **1.** *zo.* Schlammteufel *m,* Hellbender *m* (*Cryptobranchus alleghaniensis*). – **2.** *Am. sl.* wüstes Gelage, Orgie *f.* — ˈ**~-ˌbent** *adj Am. sl.* erpicht, ganz versessen, närrisch (for, on auf *acc*): to be ~ for s.th. ‚wild hinter etwas her sein'. — ˈ**~-ˌbomb** *sl. für* hydrogen bomb. — ˈ**~ˌbox** → hell 7 *u.* 8. — ˈ**~ˌbroth** *s* Hexen-, Zaubertrank *m.* — ˈ**~ˌcat** *s* **1.** Hexe *f.* – **2.** *fig.* Hexe *f,* ‚Drache' *m,* ‚Besen' *m.* — ˈ**~-ˌdiv·er** → dabchick 1.

hel·le·bo·ras·ter [ˌhelibəˈræstər] *s bot.* **1.** Stinkende Nieswurz (*Helleborus foetidus*). – **2.** Frühlings-, Aˈdonisröschen *n* (*Adonis vernalis*).

hel·le·bore [ˈheliˌbɔːr; -lə-] *s* **1.** *bot.* a) Nieswurz *f* (*Gattg Helleborus*), b) Germer *m* (*Gattg Veratrum*). – **2.** *med.* Nieswurz *f.* — ˌ**hel·leˈbo·re·in** [-riin] *s chem.* Helleboreˈin *n* ($C_{37}H_{56}O_{18}$; *Glucosid der Schwarzen Nieswurz*).

hel·leb·o·rin [heˈleborin; -bə-] *s chem. med.* Helleboˈrin *n* ($C_{36}H_{42}O_6$; *starkes Abführmittel*).

hel·le·bo·rine [ˈheliboˌrain; -bə-] *s bot.* **1.** Sumpfwurz *f* (*Gattg Epipactis*). – **2.** Waldvögelein *n* (*Gattg Cephalanthera*).

Hel·lene [ˈheliːn] *s* Helˈlene *m,* Grieche *m.* — **Helˈle·ni·an I** *adj* → Hellenic I. – **II** *s* → Hellene.

Hel·len·ic [heˈliːnik; -ˈlen-] **I** *adj* **1.** helˈlenisch, griechisch. – **II** *s ling.* **2.** helˈlenische Sprachgruppe. – **3.** Griechisch *n.* — **Helˈlen·i·cal·ly** *adv.*

Hel·len·ism [ˈheliˌnizəm; -lə-] *s* Helleˈnismus *m*: a) *griech. Spracheigenheit,* b) *griech. Kultur,* c) *Übernahme griech. Sprache u. Kultur,* d) *griech. Nationalität.* — ˈ**Hel·len·ist** *s* Helleˈnist *m*: a) *Anhänger griech. Sitte,* b) *Bibl. griech. sprechender Jude,* c) *Kenner der griech. Sprache.* — ˌ**Hel·lenˈis·tic,** *auch* ˌ**Hel·lenˈis·ti·cal** *adj hist.* helleˈnistisch. — ˌ**Hel·len·iˈza·tion** *s* Helleniˈsierung *f.* — ˈ**Hel·lenˌize I** *v/t* helleniˈsieren. – **II** *v/i* sich helleniˈsieren.

hel·ler [ˈhelər] *pl* **hel·ler** *s* Heller *m*: a) *alte Scheidemünze in Deutschland,* b) *in Österreich bis 1925*: $^1/_{100}$ *Krone,* c) *in CSR*: $^1/_{100}$ *koruna.*

ˈ**hell-ˈfire** *s* **1.** Höllenfeuer *n.* – **2.** *fig.* brennender Haß.

hell·gram·mite [ˈhelgrəˌmait] *s zo.* Larve *f* der Schlammfliege *Corydalis cornuta* (*oft als Fischköder benutzt*).

ˈ**hell|ˌhag** → hellcat. — ˈ**~ˌhound** *s* **1.** Höllenhund *m.* – **2.** Teufel *m,* Dämon *m.*

hel·lion [ˈheljən] *s* **1.** *Am. colloq.* Range *m,* Bengel *m.* – **2.** Höllenbewohner *m.*

hell·ish [ˈheliʃ] *adj* höllisch, teuflisch, verrucht. — ˈ**hell·ish·ness** *s* Verruchtheit *f.*

ˈ**hell|ˌkite** *s* Unmensch *m,* Teufel *m.* — **~ night** *s Am.* Einführungsabend *m* (*der Neulinge in eine Studentenverbindung*).

hel·lo [heˈlou; ˈhʌlou; ˈhelou] **I** *interj* halˈlo! – **II** *s* Halˈlo *n.* – **III** *v/i pret u. pp* **hel·loed** *colloq.* halˈlo rufen. – **IV** *v/t colloq.* (*j-m*) halˈlo zurufen. — **~ girl** *s Am.* **1.** *colloq.* Teleˈphonfräulein *n* (*in der Zentrale*). – **2.** *mil. sl.* ‚Blitzmädel' *n.*

Hell's kitch·en *s Am. sl.* Verbrecherviertel *n,* ‚heißes Pflaster'.

ˈ**hellˌweed** *s bot.* **1.** Klee-, Flachsseide *f* (*Cuscuta trifolii u. C. epilinum*). – **2.** Heckenwinde *f* (*Convolvulus sepium*).

helm[1] [helm] **I** *s* **1.** *mar.* a) Helm *m,* (Ruder)Pinne *f,* b) Ruder *n,* Steuer *n,* c) Steuerdrehung *f*: ~ a-lee! (*beim Segeln* ~ down) Ruder in Lee! ~ hard a-port! hart Backbord! ~ up Ruder nach Luv! (*beim Segeln*); right the ~! nachgeben! aufkommen! she carries weather (lee) ~ das Schiff ist luvgierig (leegierig). – **2.** *fig.* Ruder *n,* Führung *f,* Herrschaft *f*: to be at the ~ am Ruder sein, herrschen. – **II** *v/t* **3.** steuern, lenken.

helm[2] [helm] **I** *s* **1.** *obs.* Helm *m.* – **2.** *dial.* Wolkenhaube *f* (*eines Berggipfels*). – **II** *v/t* **3.** *obs.* behelmen.

hel·met [ˈhelmit] *s* **1.** *mil.* Helm *m*: a) Stahlhelm *m,* b) *hist.* Sturmhaube *f.* – **2.** (Schutz-, Sturz-, Tropen-, Taucher)Helm *m.* – **3.** *sport* Fechtmaske *f.* – **4.** *bot.* helmförmiger Blütenteil. – **5.** *zo.* a) helmförmige Muschelschale, b) Galea *f* (*Außenteil des Unterkiefers der Insekten*). — **~ bee·tle** → tortoise beetle. — **~ bird** *s zo.* **1.** → touraco. – **2.** Helmwürger *m* (*Euryceros prevosti*). — **~ cock·a·too** *s zo.* Helmkakadu *m* (*Callocephalon galeatus*). — **~ crab** → horseshoe crab. — **~ crest** *s zo.* Haubenkolibri *m* (*Gattg Oxypogon*).

hel·met·ed [ˈhelmitid] *adj* behelmt.

ˈ**hel·met|ˌflow·er** *s bot.* **1.** → monkshood. – **2.** → skullcap 3. – **3.** ˈHelmorchiˌdee *f* (*Gattg Coryanthes*). — **~ quail** *s zo.* Schopfwachtel *f* (*Gattg Lophortyx*). — **~ shell** *s zo.* Sturmhaube *f* (*Gattg Cassis*; *Muschel*).

hel·minth [ˈhelminθ] *s zo.* Wurm *m,* *bes.* Eingeweidewurm *m.* — ˌ**hel·minˈthi·a·sis** [-ˈθaiəsis] *s med.* Wurmkrankheit *f.* — **helˈmin·thic I** *adj* **1.** *zo.* zu den (Eingeweide)Würmern gehörig. – **2.** *med.* wurmtreibend, Wurm... – **II** *s* **3.** *med.* Wurmmittel *n.* — **helˈmin·thoid** *adj zo.* wurmartig, Wurm... — ˌ**hel·minˈthol·o·gist** [-ˈθvlədʒist] *s med. zo.* Helminthoˈloge *m.* — ˌ**hel·minˈthol·o·gy** *s med. zo.* Helmintholoˈgie *f* (*Lehre von den Würmern*).

helm or·der *s mar.* ˈRuderkomˌman- [do *n.*]

helms·man [ˈhelmzmən] *s irr mar.* Rudergänger *m,* -gast *m,* Steuerer *m.*

he·lo·ni·as [hiˈlouniˌæs] *s med. getrocknete Wurzeln des Funkelsterns Chamaelirium luteum.*

Hel·ot [ˈhelət] *s* **1.** *hist.* Heˈlot *m.* – **2.** *oft* h~ *fig.* Sklave *m,* Leibeigener *m.* — ˈ**hel·otˌism** *s* **1.** *hist.* Heloˈtismus *m,* ˌSklavenhalteˈrei *f.* – **2.** Sklaveˈrei *f,* sklavische Abhängigkeit. — ˈ**hel·ot·ry** [-tri] *s* **1.** Heˈlotentum *n,* Sklaveˈrei *f.* – **2.** *collect.* Heˈloten *pl,* Sklaven *pl.*

help [help] **I** *s* **1.** (Ab)Hilfe *f,* Unterˈstützung *f*: by (*od.* with) the ~ of mit Hilfe von; there's no ~ for it da ist nicht zu helfen; she is a great ~ sie ist eine große Hilfe; to give ~ Abhilfe schaffen, Hilfe bringen. – **2.** Hilfe *f,* Stütze *f,* Gehilfe *m,* Gehilfin *f*: mother's ~ Kinderfräulein. – **3.** *collect.* Dienstboten *pl,* ˈDienstpersoˌnal *n.* – **4.** *Am.* Dienstbote *m,* Magd *f,* (Farm)Arbeiter(in). – **5.** Hilfsmittel *n.* – **6.** Portiˈon *f* (*Essen*). – **II** *v/t pret* **helped** [helpt], *obs.* **holp** [houlp], *pp* **helped** *obs.* **hol·pen** [ˈhoulpən] *od.* **holp** **7.** helfen (*dat*), beistehen (*dat*), unterˈstützen: to ~ s.o. (to) do s.th. j-m helfen etwas zu tun; to ~ s.o. in (*od.* with) s.th. j-m bei etwas helfen; to ~ s.o. on (off) with his coat j-m in seinen (aus seinem) Mantel helfen; to ~ s.o. out of a difficulty j-m aus einer Schwierigkeit helfen; → God 2. – **8.** fördern, beitragen zu, (*dat*) nachhelfen: to ~ s.o.'s downfall zu j-s Sturz beitragen. – **9.** lindern, (*dat*) abhelfen, helfen bei: to ~ a cold eine Erkältung lindern (*Arznei*). – **10.** (*j-m*) verhelfen (to s.th. zu etwas), *bes.* (*bei Tisch*) (*j-m*) vorlegen, (*auf den Teller*) geben: to ~ s.o. to potatoes j-m Kartoffeln auftun; to ~ oneself sich bedienen, zugreifen; ~ yourself to a cigar, please! bitte, nehmen Sie (sich) eine Zigarre! – **11.** ~ oneself to s.th. sich etwas nehmen *od.* aneignen. – **12.** (ver)hindern: we cannot ~ his fall. – **13.** abhelfen (*dat*), ändern: I cannot ~ it ich kann es nicht ändern; it cannot be ~ed es ist nicht zu ändern, dem ist nicht abzuhelfen. – **14.** vermeiden, sich enthalten (*gen*): I cannot ~ laughing, I cannot ~ but laugh ich kann nicht umhin zu lachen, ich muß einfach lachen; I cannot ~ myself ich kann nicht anders; don't be longer than you can ~ *colloq.* bleibe nicht länger als nötig. –

III *v/i* **15.** helfen, Hilfe leisten: nothing will ~ now jetzt hilft nichts mehr. – **16.** (*bei Tisch*) austeilen, bedienen. – *SYN.* a) aid, assist, b) *cf.* improve. –

Verbindungen mit Adverbien:

help| down *v/t* **1.** herˈunter-, hinˈunterhelfen (*dat*). – **2.** *fig.* zum ˈUntergang beitragen von. — **~ for·ward** *v/t* weiter-, forthelfen (*dat*), fördern (*acc*). — **~ in** *v/t* hinˈeinhelfen (*dat*). — **~ off** *v/t* **1.** weiter-, forthelfen (*dat*). – **2.** (*Zeit*) vertreiben. — **~ on** *v/t* weiter-, forthelfen (*dat*). — **~ out** *v/t* **1.** herˈaushelfen (*dat*), aus der Not helfen (*dat*). – **2.** aushelfen (*dat*), unterˈstützen (*acc*). — **~ through** *v/t* (hin)ˈdurch-, hinˈweghelfen (*dat*). — **~ up** *v/t* hinˈaufhelfen (*dat*).

help·er [ˈhelpər] *s* **1.** Helfer(in). – **2.** Gehilfe *m,* Gehilfin *f.* – **3.** Hilfe *f.* — ˈ**help·ful** [-fəl; -ful] *adj* **1.** behilflich, hilfreich. – **2.** dienlich, nützlich: to be ~ nützen. — ˈ**help·ful·ness** *s* **1.** Hilfsbereitschaft *f.* – **2.** Dienlichkeit *f,* Nützlichkeit *f.* — ˈ**help·ing I** *adj* **1.** helfend, hilfreich: to lend a ~ hand (*j-m*) unter die Arme greifen, (*j-m*) helfen. – **II** *s* **2.** Helfen *n,* Hilfe *f.* – **3.** Vorlage *f,* Portiˈon *f* (*einer Speise*): do you want a second ~? — ˈ**help·less** *adj* **1.** hilflos, ratlos. – **2.** unpraktisch, unselbständig. – **3.** hilflos, ohne Hilfe. – **4.** *obs.* unnütz. — ˈ**help·less·ness** *s* **1.** Hilflosigkeit *f.* – **2.** Unbeholfenheit *f,* Unselbständigkeit *f.*

ˈ**helpˌmate,** *auch* ˈ**helpˌmeet** *s* **1.** Gehilfe *m,* Gehilfin *f.* – **2.** Gefährte *m,* Gefährtin *f,* *bes.* Gattin *f.*

hel·ter-skel·ter ['heltər'skeltər] **I** *adv* 'holterdie,polter, Hals über Kopf. – **II** *adj* wirr, ungestüm, hastig. – **III** *s* (wirres) Durchein'ander, (wilde) Hast. — **'hel·ter-'skel·ter·i·ness** [-inis] *s* Durchein'ander *n*, Über'stürztheit *f*.
helve [helv] **I** *s* Griff *m*, Stiel *m*: to throw the ~ after the hatchet *fig.* die Flinte ins Korn werfen, nach einem Mißerfolg gleich alles aufgeben. – **II** *v/t* mit einem Stiel versehen. — **~ ham·mer** *s tech.* schwerer Schmiedehammer.
hel·vel·la [hel'velə], *auch* **hel·vell** ['helvel] *s bot.* Lorchel *f* (*Gattg Helvella; Pilz*).
Hel·ve·tian [hel'vi:ʃən] **I** *adj* **1.** hel'vetisch, schweizerisch. – **2.** *geol.* a) *zur 2. Periode des franz. Miozäns gehörig*, b) *zur Riß-Würm-Periode gehörig.* – **II** *s* **3.** Hel'vetier(in), Schweizer(in). – **4.** *geol.* hel'vetische Peri'ode.
Hel·vet·ic [hel'vetik] **I** *adj* hel'vetisch, schweizerisch. – **II** *s relig.* schweizerischer Refor'mierter (*Anhänger Zwinglis*). — **~ Con·fed·er·a·cy** *s* Schweizer Eidgenossenschaft *f*. — **~ Re·pub·lic** *s hist.* Hel'vetische Repu'blik (*1798–1814*).
hel·vite ['helvait], *auch* **'hel·vin(e)** [-vin] *s min.* Hel'vin *m* (*gelber Granat*).
hem[1] [hem] **I** *s* **1.** (Kleider)Saum *m*. – **2.** Rand *m*, Kante *f*. – **3.** *fig.* Saum *m*, Rand *m*, Einfassung *f*. – **4.** *arch.* erhöhter Rand (*einer Volute*). – **II** *v/t pret u. pp* **hemmed** [hemd] **5.** (*Kleid etc*) (um)'säumen. – **6.** *meist* ~ in, ~ about, ~ around *fig.* um'geben, um'schließen, einschließen: ~med in by enemies von Feinden umringt *od.* umzingelt. – **7.** ~ out ausschließen, ausstoßen.
hem[2] [hem; hm] **I** *interj* hm! hem! – **II** *s* H(e)m *n* (*Ausruf, Verlegenheitslaut*). – **III** *v/i pret u. pp* **hemmed** [hemd] ‚hm' machen, sich räuspern, stocken (*im Reden*): to ~ and haw herumstottern, nicht recht mit der Sprache herauswollen.
hem- [hi:m; hem], **hema-** [-mə] *Wortelement mit der Bedeutung* Blut.
hem·a·chate ['hemə,keit] *s min.* 'Bluta,chat *m*.
he·ma·chrome ['hi:mə,kroum; 'hem-] *s biol.* Blutrot *n* (*Farbstoff des Blutes*).
he·ma·cy·tom·e·ter [,hi:məsai'tɒmitər; -mət-; ,hem-] → **hemocytometer.**
he·mad ['hi:mæd] *adv med.* auf die Brust- *od.* Bauchseite (zu).
he·mag·glu·ti·na·tion [,hi:mə,glu:ti'neiʃən; ,hem-] *s med.* Zu'sammenballung *f* der Blutkörperchen. — **'he·ma,gogue** [-,gɒg] *adj u. s med.* mensesfördernd(es Mittel).
he·mal ['hi:məl] *adj* **1.** *med.* Blut(gefäß)... – **2.** *zo.* auf der Brust- *od.* Bauchseite gelegen: ~ cavity Leibeshöhle.
'he-'man *s irr colloq.* ‚richtiger' Mann (*von betont männlicher Art*).
he·ma·poi·e·sis [,hi:məpəi'i:sis; ,hem-] → **hematopoiesis.**
hemat- [hi:mæt; hem-] *Wortelement mit der Bedeutung* Blut.
he·ma·tal ['hi:mətl; 'hem-] → **hemal** 1. — **,he·ma'te·in** [-'ti:in] *s chem.* Hämate'in *n* ($C_{16}H_{12}O_6$; *Farbstoff des Blauholzes*). — **,he·ma'ther·mal** [-'θə:rməl] → **haematothermal.**
he·mat·ic [hi(:)'mætik] **I** *adj* **1.** *med.* a) blutfarbig, -rot, Blutfarbe..., b) Blut..., im Blut enthalten, c) bluterfüllt, d) blutbildend, e) auf das Blut wirkend. – **2.** *chem.* → **hematinic.** – **II** *s* **3.** *med.* a) blutbildendes Mittel, b) Hä'matikum *n*, auf das Blut wirkendes Mittel.
hem·a·tin(e) ['hemətin; 'hi:-] *s* **1.** *med.* Häma'tin *n*, Oxyhä'min *n* (*Teil des Hämoglobins*). – **2.** *chem.* → **hematein.** — **,hem·a·tin·ic** [-'tinik] *med.* **I** *s* **1.** 'Eisenpräpa,rat *n* zur Vermehrung des Blutfarbstoffs. – **II** *adj* **2.** Hämatin... – **3.** → **hematic** 1. — **'hem·a,tite** [-,tait] *s min.* Häma'tit *m*, Rot-, Glanzeisenerz *n* (Fe_2O_3). — **,hem·a'tit·ic** [-'titik] *adj* häma'titartig.
hemato- [hemətə; hi:-] → **hemo-.**
hem·a·to·cele ['hemətə,si:l; 'hi:-] *s med.* Blutbruch *m*, Hämato'zele *f*. — **'hem·a·to,crit** [-,krit] *s med.* 'Blutzentri,fuge *f*. — **hem·a·to·cry·al** *cf.* haematocryal. — **,hem·a·to'gen·e·sis** [-'dʒenisis; -nə-] *s med.* Blutbildung *f*, -entstehung *f*. — **,hem·a'tog·e·nous** [-'tɒdʒənəs] *adj med.* **1.** blutbildend. – **2.** aus dem Blut kommend, hämato'gen. — **'he·ma,toid** *adj med.* blutartig, -ähnlich, hämato'id. — **,hem·a·to'log·i·cal** [-'lɒdʒikəl] *adj* hämato'logisch. — **,hem·a'tol·o·gist** [-'tɒlədʒist] *s med.* Hämato'loge *m*. — **,hem·a'tol·o·gy** *s med.* Lehre *f* vom Blut, Hämatolo'gie *f*. — **,he·ma'to·ma** [-'toumə] *pl* **-'to·ma·ta** [-mətə] *od.* **-'to·mas** *s med.* Blutgeschwulst *f*, -beule *f*, Häma'tom *n*. — **,hem·a·to·poi'e·sis** [-təpəi'i:sis] *s med.* Blutbildung *f*. — **,hem·a·to·poi'et·ic** [-'etik] *adj med.* blutbildend. — **'hem·a,tose** [-,tous] *adj med.* voller Blut, blutig. — **,he·ma'to·sis** [-'tousis] *s med.* **1.** Häma'tose *f*, Blutbildung *f*. – **2.** 'Umwandlung *f* von ve'nösem in arteri'elles Blut (*in der Lunge*).
hem·a·to·ther·mal *cf.* haematothermal.
he·ma·tox·y·lin [,hi:mə'tɒksilin; -sə-; ,hem-] *s* **1.** *chem.* Hämatoxy'lin *n*, (*roter Farbstoff des Kampescheholzes*). – **2.** *cf.* haematoxylin 1 *u.* 2.
hem·a·to·zo·al [,hemətə'zouəl; ,hi:-], **,hem·a·to'zo·ic** [-ik] *adj med. zo.* im Blut lebend, 'blutpara,sitisch. — **,hem·a·to'zo·on** [-ɒn] *pl* **-'zo·a** [-ə] *s med. zo.* 'Blutpara,sit *m*, Hämato'zoon *n*.
hem·a·tu·ri·a [,hemə'tju(ə)riə; ,hi:-] *s med.* Hämatu'rie *f*, Blutharnen *n*.
hem·el·y·tral [he'melitrəl] *adj zo.* hemiely'tral. — **hem'el·y,tron** [-,trɒn], *auch* **hem'el·y·trum** [-trəm] *pl* (*bei beiden Wörtern*) **-tra** [-trə] *s zo.* ,Hemie'lytrum *n* (*Vorderflügel der Hemipteren od. Heteropteren*).
hem·er·a·lo·pi·a [,hemərə'loupiə] *s med.* **1.** Hemeralo'pie *f*, Nachtblindheit *f*, Tagsichtigkeit *f*. – **2.** (*irrtümlich*) Tagblindheit *f*. — **,hem·er·a'lop·ic** [-'lɒpik] *adj med.* **1.** hemera'lop, nachtblind. – **2.** (*irrtümlich*) tagblind.
hem·er·o·cal·lis [,hemərə'kælis] *s bot.* Taglilie *f* (*Gattg Hemerocallis*).
hemi- [hemi] *Wortelement mit der Bedeutung* halb.
-hemia [hi:miə] → **-emia.**
hem·i·al·gi·a [,hemi'ældʒiə; -dʒə] *s med.* Hemial'gie *f*, Einseitenschmerz *m*.
hem·i·an·o·pi·a [,hemiæ'noupiə], **,hem·i·an'op·si·a** [-'nɒpsiə] *s med.* Hemianop'sie *f*, Halbsichtigkeit *f*.
hem·i·branch ['hemi,bræŋk], **,hem·i'bran·chi·ate** [-kiit; -ki,eit] *zo.* **I** *adj* halbkiemig. – **II** *s* Halbkiemer *m*.
he·mic ['hi:mik; 'hemik] *adj* Blut...
hem·i·car·di·a [,hemi'kɑ:rdiə] *s med.* Herzhälfte *f*. — **,hem·i'cel·lu,lose** [-'selju,lous; -ljə-] *s chem.* 'Halbzellu,lose *f* (*der Zellulose ähnliches Polysaccharid*). — **,hem·i'cer·e·brum** [-'seribrəm] *s med.* Ge'hirnhemi,sphäre *f*. — **,hem·i'chor·date** [-'kɔ:rdeit] *adj zo.* zu den ,Hemichor'data gehörend. — **,hem·i'cra·ni·a** [-'kreiniə], *auch* **'hem·i,cra·ny** [-ni] *s med.* Einseitenkopfschmerz *m*, Mi'gräne *f*, Hemikra'nie *f*.
hem·i·cy·cle ['hemi,saikl] *s* **1.** Halbkreis *m*. – **2.** *arch.* a) Bogenrundung, b) halbkreisförmige Mauer, c) halbkreisförmiger Raum. — **,hem·i'cy·clic** [-'saiklik; -'sik-] *adj bot.* ,hemi-, ,spiro'zyklisch.
hem·i·dac·ty·lous [,hemi'dæktiləs] *adj zo.* mit Scheiben an den Zehen.
hem·i·dem·i·sem·i·qua·ver [,hemi,demi'semi,kweivər] *s mus.* Vierundsechzigstelnote *f*.
hem·i·el·y·tral [,hemi'elitrəl] *etc* → hemelytral *etc.*
hem·i·he·dral [,hemi'hi:drəl] *adj math.* hemi'edrisch, halbflächig. — **,hem·i'he·drism** *s math.* Hemie'drie *f*, Halbflächigkeit *f*. — **,hem·i'he·dron** [-drən] *s math.* Hemi'eder *n*.
hem·i·hy·drate [,hemi'haidreit] *s chem.* 'Halbhy,drat *n*.
hem·i·mel·li·tene [,hemi'meli,ti:n], *auch* **,hem·i'mel·li,thene** [-,θi:n] *s chem.* flüssiger Kohlenwasserstoff ($C_6H_3(CH_3)_3$).
hem·i·met·a·bol·ic [,hemi,metə'bɒlik] *adj zo.* hemimeta'bolisch. — **,hem·i·me'tab·o,lism** [-mi'tæbə,lizəm], *auch* **,hem·i·me'tab·o,le** [-,li:] *u.* **,hem·i·me'tab·o·ly** [-li] *pl* **-lies** *s zo.* Hemimetabo'lie *f* (*unvollständige Metamorphose*). — **,hem·i·me'tab·o·lous, hem·i,met·a'mor·phic** [-,metə'mɔ:rfik] → **hemimetabolic.** — **,hem·i·met·a'mor·pho·sis** [-fəsis; -mɔ:r'fousis] → **hemimetabolism.**
hem·i·morph ['hemi,mɔ:rf] *s min.* hemi'morphe Kri'stallform. — **,hem·i'mor·phic** *adj min.* hemi'morph(isch) (*unsymmetrisch an den entgegengesetzten Seiten der Achse*). — **,hem·i'mor·phism**, *auch* **'hem·i,mor·phy** *s min.* Hemimor'phismus *m*, Hemimor'phie *f*. — **,hem·i'mor·phite** *s min.* Hemimor'phit *m*, Gal'mei *m*, Kieselzinkerz *n*.
he·min ['hi:min] *s chem.* Hä'min *n*, 'Chlorhäma,tin *n*.
hem·i·o·pi·a [,hemi'oupiə], *auch* **,hem·i'op·si·a** [-'ɒpsiə] → **hemianopia.**
hem·i·ple·gi·a [,hemi'pli:dʒiə; -dʒə] *s med.* Lähmung *f* einer Seite, Hemiple'gie *f*. — **,hem·i'pleg·ic** [-'pledʒik; -'pli:-] *adj med.* hemi'plegisch, halbseitengelähmt. — **'hem·i,ple·gy** → **hemiplegia.**
hem·i·pode ['hemi,poud] *s zo.* Laufhühnchen *n* (*Gattg Turnix*).
he·mip·ter·al [hi'miptərəl] *adj zo.* zu den Halbflüglern gehörig. — **he'mip·ter,oid** *adj zo.* halbflüglerähnlich. — **he'mip·ter,on** [-,rɒn] *pl* **-ter·a** [-rə] *s zo.* Halbflügler *m*. — **he'mip·ter·ous** → **hemipteral.**
hem·i·sect [,hemi'sekt] → **bisect.**
hem·i·sphere ['hemi,sfir; -mə-] *s* **1.** Halbkugel *f*, Hemi'sphäre *f*. – **2.** *geogr.* a) Hemi'sphäre *f*, (Erd-, Himmels)Halbkugel *f*, b) Plani'glob *m*, halbe Weltkarte. – **3.** *med.* Hemi'sphäre *f* (*des Großhirns*). — **,hem·i'spher·i·cal** [-'sferikəl], *auch* **,hem·i'spher·ic** *adj* hemi'sphärisch, halbkugelig. — **,hem·i'sphe·roid** [-'sfi(ə)roid] *s* halbkugelförmiger Körper.
hem·i·stich ['hemi,stik; -mə-] *s metr.* Hemi'stichion *n*, Halbvers *m*. — **he·mis·ti·chal** [hi'mistikəl; 'hem-] *adj metr.* Halbvers...
hem·i·ter·pene [,hemi'tə:rpi:n] *s chem.* 'Halbter,pen *n* (*Kohlenwasserstoffverbindung mit der Grundformel* C_5H_8).
hem·i·trope ['hemi,troup] *min.* **I** *adj* hemi'tropisch, halb gewendet. – **II** *s* hemi'tropischer Kri'stall, 'Zwillingskri,stall *m*. — **,hem·i'trop·ic** [-'trɒpik] *adj* **1.** → **hemitrope** I. – **2.** *bot.* hemi'trop.
hem·i·type ['hemi,taip] → **hemitypic** II. — **,hem·i'typ·ic** [-'tipik] *zo.* **I** *adj* hemi'typisch (*nicht rein typisch*). – **II** *s* Hemi'typ *m*.
hem·lock ['hemlɒk] *s* **1.** *bot.* a) Gefleckter Schierling (*Conium macula-*

tum), b) Wasserschierling *m* (*Cicuta virosa*). – 2. *fig.* Schierlings-, Giftbecher *m.* – 3. *auch* ~ fir, ~ pine, ~ spruce *bot.* Hemlock-, Schierlingstanne *f*, -fichte *f* (*Gattg Tsuga*). — ~ **cher·vil** → hedge parsley. — ~ **drop·wort** *s bot.* 1. Safranartige Rebendolde (*Oenanthe crocata*). – 2. *eine nordamer. Umbellifere* (*Oxypolis rigidior*). — ~ **pars·ley** *s bot.* Schierlingssilge *f* (*Gattg Conioselinum*). — ~ **pitch** *s med.* kanad. Pech *n*, Kanadabalsam *m.* — ~ **war·bler** *s zo. Am.* Roter Baumwaldsänger (*Dendroica fusca*).

hem·mer [ˈhemər] *s* Säumer *m* (*Person u. Vorrichtung*).

hemo- [hiːmo; hemo] *Wortelement mit der Bedeutung* Blut.

he·mo·cy·tom·e·ter [ˌhiːmosaiˈtɒmitər; -mət-; ˌhem-] *s med.* Hämozytoˈmeter *n* (*Blutkörperchenzähler*). — ˌ**he·moˈflag·el·late** [-ˈflædʒəlit; -ˌleit] *s zo.* Hämoflagelˈlat *m* (*im Blut lebendes Geißeltierchen, bes. Trypanosom*). — ˌ**he·moˈglo·bin** [-ˈgloubin] *s med.* Hämogloˈbin *n*, Blutfarbstoff *m.*

he·moid [ˈhiːmɔid] → hematoid.

he·mo·leu·co·cyte, *auch* **he·mo·leu·ko·cyte** [ˌhiːmoˈljuːkoˌsait; -mə-; -ˈluːkə-; ˌhem-] *s med.* im Blut zirkuˈlierendes weißes Blutkörperchen. — ˌ**he·moˈly·sin** [-ˈlaisin] *s med.* Hämolyˈsin *n* (*Substanz, die Hämoglobin aus den roten Blutkörperchen löst*).

he·mol·y·sis [hiˈmɒlisis; -lə-] *s med.* Hämoˈlyse *f* (*Austritt des Blutfarbstoffs aus den roten Blutkörperchen*).— **he·mo·lyt·ic** [ˌhiːmoˈlitik; -mə-; ˌhem-] *adj med.* hämoˈlytisch.

he·mom·e·ter [hiˈmɒmitər; -mət-] *s med.* 1. Blutdruckmesser *m.* – 2. ˌHämogloˌbinoˈmeter *n.*

he·mo·phile [ˈhiːmoˌfail; -fil; -mə-; ˈhem-] *med.* **I** *s* 1. → hemophiliac. – 2. im Blut gedeihender Orgaˈnismus (*Bakterie etc*). – **II** *adj* → hemophilic. — ˌ**he·moˈphil·i·a** [-ˈfiliə] *s med.* Bluterkrankheit *f*, Hämophiˈlie *f.* — ˌ**he·moˈphil·iˌac** [-liˌæk] *s* Bluter(in), Hämoˈphile(r). — ˌ**he·moˈphil·ic** [-ˈfilik] *adj* 1. *med.* hämoˈphil, an Bluterkrankheit leidend. – 2. *biol.* im Blut gedeihend.

he·mop·ty·sis [hiˈmɒptisis; -tə-; heˈm-] *s med.* Blutspeien *n*, -husten *m.*

hem·or·rhage [ˈheməridʒ] *s med.* Blutung *f*, Blutsturz *m.* — ˌ**hem·orˈrhag·ic** [-ˈrædʒik] *adj med.* hämorˈrhagisch. — ˈ**hem·orˌrhoid** *s med.* Hämorrhoˈide *f.* — ˌ**hem·orˈrhoi·dal** *adj med.* hämorrhoiˈdal. — ˌ**hem·or·rhoidˈec·to·my** [-rɔiˈdektəmi] *s med.* Hämorrhoidektoˈmie *f*, Hämorrhoˈidenentfernung *f.*

he·mo·stat [ˈhiːmoˌstæt; -mə-; ˈhem-] *s med.* 1. (Unterˈbindungs-, Gefäß-, Arˈterien)Klemme *f.* – 2. blutstillendes Mittel. — ˌ**he·moˈstat·ic** *med.* **I** *adj* blutstillend, hämoˈstatisch. – **II** *s* → hemostat. — ˌ**he·moˈtho·rax** [-ˈθɔːræks] *s med.* Hämoˈthorax *m*, Pleurablutung *f.*

hemp [hemp] *s* 1. *bot.* Hanf *m* (*Cannabis sativa*): **female** ~ weiblicher (*grüner*) Hanf; **male** ~ männlicher Hanf, Staubhanf; **summer** ~ tauber Hanf; **to steep** (*od.* **water**) **the** ~ den Hanf rösten. – 2. Hanf(faser *f*) *m.* – 3. *aus Hanf gewonnenes Narkotikum, bes.* Haschisch *n.* – 4. *hanfähnliche Pflanze od. Faser* (*Manilahanf, Jute, Sisal etc*). – 5. *sl.* a) Henkerseil *n*, b) *fig.* Galgenstrick *m*, -vogel *m*, Gauner *m.* — ~ **ag·ri·mo·ny** *s bot.* Gemeiner Wasserdost, Wasserhanf *m* (*Eupatorium cannabinum*). — ~ **comb** *s* Hanfhechel *f.*

hemp·en [ˈhempən] *adj* hänfen, Hanf...

hemp| net·tle *s bot.* Hanfnessel *f* (*Gattg Galeopsis*), *bes.* Gemeine Hanfnessel (*G. tetrahit*). — ~ **palm** *s bot.* 1. Zwergpalme *f* (*Chamaerops humilis*). – 2. (*eine*) Hanfpalme (*Trachycarpus excelsa*). — ˈ~ˌ**seed** *s* 1. Hanfsame *m.* – 2. *fig. sl.* Galgenstrick *m*, -vogel *m*, Gauner *m.* — ˈ~ˌ**string** *s* 1. Hanfseil *n.* – 2. *fig. sl.* Galgenvogel *m.* — ˈ~ˌ**weed** → hemp agrimony. — ˈ~ˌ**wort** *s bot.* Hanf *m* (*Gattg Cannabis*).

hemp·y [ˈhempi] *adj* 1. hänfen, Hanf... – 2. hanfartig. – 3. hanftragend, -liefernd. – 4. *dial.* gaunerhaft.

ˈ**hemˌstitch I** *s* Hohlsaum(stich) *m.* – **II** *v/t* mit Hohlsaum nähen.

hen [hen] *s* 1. *zo.* Henne *f*, Huhn *n.* – 2. *zo. dial.* Weibchen *n*: a) *von Vögeln*, b) *von Krebsen etc.* – 3. *sl.* Frau *f*, ‚altes Weib'. — ~ **and chick·ens**, *auch* ˈ~**-and-**ˈ**chick·ens** *s bot.* Pflanze *f* mit zahlreichen Ablegern u. Sprößlingen, *bes.* a) (*eine*) Hauswurz (*Sempervivum globiferum*), b) → ground ivy, c) Gänseblümchen *n* (*Bellis perennis*). — ˈ~ˌ**bane** *s* 1. *bot.* Bilsenkraut *n* (*Hyoscyamus niger*). – 2. *med.* ˈBilsenkraut(blätter *pl od.* -exˌtrakt *m od.* -samen *pl*) *n.*

hence [hens] **I** *adv* 1. *oft pleonastisch* **from** ~ (*räumlich*) von hier, von hinnen, fort, hinˈweg: **to go** ~ sterben. – 2. (*zeitlich*) von jetzt an, binnen: **a week** ~ in *od.* nach einer Woche; **not many days** ~ in wenigen Tagen. – 3. (*begründend*) folglich, daher, deshalb. – 4. hieraus, daraus, aus dieser Quelle: ~ **it follows that** daraus folgt, daß. – **II** *interj* 5. fort! weg! — ˌ~ˈ**forth**, ˌ~ˈ**for·ward** *adv* von nun an, hinˈfort, künftig.

hench·man [ˈhentʃmən] *s irr* 1. *obs.* Diener *m*, Page *m.* – 2. vertrauter Anhänger. – 3. *pol.* Anhänger *m*, Gefolgsmann *m* (*aus Berechnung*), ‚Konjunkˈturritter' *m*, (poˈlitischer) Opportuˈnist.

hen| clam *s zo.* Gemeine Strandmuschel (*Spisula solida*). — ˈ~ˌ**coop** *s* Hühnerkorb *m*, -stall *m.* — ~ **cur·lew** *s zo. Am.* Langschnäb(e)liger Brachvogel (*Numenius longirostris*).

hen·dec·a·gon [henˈdekəˌgɒn] *s math.* Elfeck *n.* — **hen·de·cag·o·nal** [ˌhendiˈkægənl; -də-] *adj math.* elfeckig.

hen·dec·a·syl·lab·ic [ˌhendekəsiˈlæbik] *adj u. s metr.* elfsilbig(er Vers). — ˌ**hen·dec·aˈsyl·la·ble** [-ˈsiləbl] *s metr.* Elfsilbler *m*, elfsilbiger Vers.

hen·di·a·dys [henˈdaiədis] *s* Hendiaˈdys *n* (*rhetorische Figur*).

hen·e·quen, *auch* **hen·e·quin** [ˈhenikin; -nə-] *s* 1. *bot.* Henequen *m* (*Agave fourcroydes*). – 2. Henequen-(faser *f*) *n.*

ˈ**hen|ˌfish** *s zo.* 1. → pomfret. – 2. weiblicher Fisch, Rog(e)ner *m.* — ~ **fruit** *s pl Am. humor.* Eier *pl.* — ~ **har·ri·er**, *auch* ~ **har·row** *s zo.* Kornweihe *f* (*Circus cyaneus*). — ~ **hawk** *s zo. Am.* (*ein*) Hühnerbussard *m* (*Buteo borealis, B. lineatus, B. platypterus*). — ˈ~ˌ**heart·ed** *adj* feig, verzagt. — ˈ~ˌ**house** *s* Hühnerhaus *n.*

Hen·ley [ˈhenli] *s sport jährliche Regatta in Henley-on-Thames.*

hen·na [ˈhenə] **I** *s* 1. *bot.* Hennastrauch *m* (*Lawsonia inermis*). – 2. (Al)Henna *f*, Hina *f* (*Färbemittel aus* 1). – 3. Hennafarbe *f* (*orangebraun*). – **II** *v/t pret u. pp* ˈ**hen·naed** [-nəd], *pres p* ˈ**hen·na·ing** 4. mit Henna färben.

hen·ner·y [ˈhenəri] *s* Hühnerfarm *f*, -hof *m.* [Hahn).]

hen·ny [ˈheni] *adj u. s* hennenartig(er

hen·o·the·ism [ˈhenoθiːˌizəm; -nə-] *s relig.* Henotheˈismus *m.* — ˈ**hen·oˌthe·ist** *s* Henotheˈist(in). — ˌ**hen·o·theˈis·tic** *adj* henotheˈistisch.

ˈ**hen|-ˌpar·ty** *s colloq.* Damengesellschaft *f*, Kaffeekränzchen *n.* — ˈ~ˌ**peck** *v/t colloq.* (*Ehemann*) unter dem Panˈtoffel haben. — ˈ~ˌ**pecked** *adj colloq.* unter dem Panˈtoffel stehend: a ~ **husband** ein ‚Pantoffelheld'. — ~ **plant** *s bot.* 1. Spitzwegerich *m* (*Plantago lanceolata*). – 2. Großer Wegerich (*Plantago maior*). — ˈ~ˌ**roost** *s* Hühnerstange *f*, -stall *m.*

hen·ry [ˈhenri] *pl* **-rys**, **-ries** *s electr. phys.* Henry *n* (*Einheit der Selbstinduktion*).

ˈ**hen's-ˌfoot** *pl* **-foots** *s bot.* Kletternder Lerchensporn (*Corydalis claviculata*). [ergreifen.]

hent [hent] *pret u. pp* **hent** *v/t obs.*

ˈ**henˌwife** *s irr* Hühnerfrau *f.*

he·or·tol·o·gy [ˌhiːɔːrˈtɒlədʒi] *s* Heortoloˈgie *f* (*Lehre von den* [*Kirchen*]-*Festen*).

hep[1] [hep] *adj Am. sl.* (to) eingeweiht (in *acc*), unterˈrichtet, Bescheid wissend, im Bilde (über *acc*): **he is** ~ **to anything** er versteht alles; **to put s.o.** ~ **to s.th.** j-n in etwas einweihen.

hep[2] [hep] *interj mil.* (*als Kommando beim Marschieren*) *meist* ~! ~! einszwei!

hep·a·rin [ˈhepərin] *s med.* Hepaˈrin *n* (*biochemische Substanz zur Verhinderung der Blutgerinnung*).

hepat- [hepət; hipæt] → hepato-.

he·pat·ic [hiˈpætik] **I** *adj* 1. *med.* heˈpatisch, Leber... – 2. leberfarben. – 3. *bot.* zu den Lebermoosen gehörig. – **II** *s* 4. *med.* Heˈpatikum *n* (*auf die Leber wirkendes Mittel*). – 5. *bot.* Lebermoos *n* (*Klasse Hepaticae*). — **heˈpat·i·ca** [-kə] *pl* **-cas** *od.* **-cae** [-ˌsiː] *s bot.* 1. Leberblümchen *n* (*Gattg Hepatica*). – 2. Lebermoos *n* (*Marchantia polymorpha*).

hepatico- [hipætiko] *Wortelement mit der Bedeutung* Leber.

hep·a·tite [ˈhepəˌtait] *s min.* Leberstein *m.* — ˌ**hep·aˈti·tis** [-ˈtaitis] *s med.* Leberentzündung *f*, Hepaˈtitis *f.* — ˌ**hep·a·tiˈza·tion** *s med.* Hepatisatiˈon *f.* — ˈ**hep·aˌtize** *v/t med.* (*Gewebe, bes. Lunge*) hepatiˈsieren.

hepato- [hepəto] → hepatico-.

hep·a·to·ma [ˌhepəˈtoumə] *pl* **-ˈto·mas** *od.* **-ˈto·ma·ta** [-mətə] *s med.* Lebertumor *m.* — ˌ**hep·aˈtot·o·my** [-ˈtɒtəmi] *s med.* ˈLeberschnitt *m*, -inzisiˌon *f.*

ˈ**hepˌcat** *s Am. sl.* 1. Jazzmusiker *m.* – 2. ˈJazzfaˌnatiker(in).

Hep·ple·white [ˈheplˌ(h)wait] *adj* Hepplewhite... (*im Stil von A. Hepplewhite & Co, einer brit. Möbelfirma*).

hepta- [heptə], *auch* **hept-** *Wortelement mit der Bedeutung* sieben.

hep·ta·chord [ˈheptəˌkɔːrd] *s antiq. mus.* Heptaˈchord *m*, *n*: a) *diatonische Reihe von sieben Tönen*, b) *große Septime*, c) *siebensaitiges Instrument.*

hep·tad [ˈheptæd] **I** *s* 1. Siebenzahl *f.* – 2. *chem.* siebenwertiges Aˈtom *od.* Radiˈkal. – 3. *mus.* aˈkustische Gruppe von 7 Tönen (*die mit einem Zentralton konsonant sind*). – **II** *adj* 4. *chem.* siebenwertig.

hep·ta·gon [ˈheptəˌgɒn] *s math.* Siebeneck *n*, Heptaˈgon *n.* — **hepˈtag·o·nal** [-ˈtægənl] *adj math.* siebeneckig, -seitig, Heptagonal...

hep·ta·he·dral [ˌheptəˈhiːdrəl] *adj math.* siebenflächig. — ˌ**hep·taˈhe·dron** [-drən] *pl* **-drons** *od.* **-dra** [-drə] *s math.* Heptaˈeder *n*, Siebenflach *n.*

hep·tam·er·ous [hepˈtæmərəs] *adj bes. bot.* siebenteilig.

hep·tam·e·ter [hepˈtæmitər; -mə-] *s metr.* Hepˈtameter *m* (*siebenfüßiger Vers*). — ˌ**hep·taˈmet·ri·cal** [-təˈmetrikəl] *adj metr.* heptaˈmetrisch.

hep·tane [ˈheptein] *s chem.* Hepˈtan *n* (C_7H_{16}).

hep·tan·gu·lar [hep'tæŋgjulər; -gjə-] *adj math.* siebenwinklig.

hep·tarch ['heptɑːrk] *s* Hept'arch *m.* — **hep'tar·chic, hep'tar·chi·cal,** *auch* **hep'tar·chal** *adj* hept'archisch. — **'hep·tarch·y** *s* **1.** Heptar'chie *f,* Siebenherrschaft *f.* – **2.** Gruppe *f* von 7 verbündeten Reichen: the Anglo-Saxon ~ *hist. die 7 angelsächsischen Reiche in England (Kent, Sussex, Wessex, Essex, Northumbria, East Anglia, Mercia).*

hep·ta·stich ['heptəˌstik] *s metr.* siebenzeilige Strophe. — **'Hep·ta·ˌteuch** [-ˌtjuːk; *Am. auch* -ˌtuːk] *s Bibl.* Hepta'teuch *m (die ersten 7 Bücher des Alten Testaments).* — **ˌhep·ta'tom·ic** [-'tɒmik] *adj chem.* **1.** 'siebenaˌtomig. – **2.** siebenwertig. — **ˌhep·ta'ton·ic** [-'tɒnik] *adj mus.* siebentönig.

hep·tose ['heptous] *s chem.* Hep'tose *f.* — **hep'tox·ide** [-'tɒksaid; -sid], *auch* **hep'tox·id** [-sid] *s chem.* Hepto'xyd *n.* — **'hep·tyl** [-til] *s chem.* Hep'tyl *n* (C_7H_{15}). — **'hep·tylˌene** [-təˌliːn] *s chem.* Hepty'len *n* (C_7H_{14}).

her [həːr; hər] **I** *personal pron* **1.** sie *(acc von* she). – **2.** ihr *(dat von* she): give ~ the book. – **3.** *colloq.* sie *(nom)*: it's ~, not him sie ist es, nicht er. – **II** *possessive adj* **4.** ihr, ihre. – **III** *reflex pron selten* **5.** sich: she looked about ~ sie sah um sich.

Her·a·cles ['herəˌkliːz] → Hercules.

Her·a·clid ['herəklid] *pl* **ˌHer·a'cli·dae** [-'klaidiː] *s antiq.* Hera'klide *m (Nachkomme des Herkules).* — **ˌHer·a'cli·dan** [-'klaidən] *adj* hera'klidisch. — **Her·a·kles** *cf.* Heracles.

her·ald ['herəld] **I** *s* **1.** *bes. hist.* (Wappen)Herold *m.* – **2.** *fig.* Ausrufer *m,* Verkünder *m.* – **3.** *fig.* (Vor)-Bote *m,* Vorläufer *m.* – *SYN. cf.* forerunner. – **II** *v/t* **4.** verkünden, ankündigen, melden. – **5.** *auch* ~ in feierlich einführen.

he·ral·dic [he'rældik], *auch* **he'ral·di·cal** [-kəl] *adj* **1.** he'raldisch, Wappen... – **2.** Herolds... — **he'ral·di·cal·ly** *adv (auch zu* heraldic).

her·ald·ry ['herəldri] *s* **1.** Amt *n* eines Herolds. – **2.** He'raldik *f,* Wappenkunde *f.* – **3.** a) he'raldisches Sym'bol, b) *collect.* he'raldische Sym'bole *pl.* – **4.** Wappen *n.* – **5.** *poet.* Pomp *m,* feierliche Zeremo'nie.

Her·alds' Col·lege ['herəldz] *s* Heroldsamt *n (königliche Behörde in England, die die Genealogien u. das Recht, Wappen zu führen, überwacht).*

herb [həːrb; *Am. auch* əːrb] *s* **1.** *bot.* Kraut *n (Pflanze mit nichtholzigem Stengel).* – **2.** Kraut *n (bes. wenn medizinisch nutzbar).* – **3.** Gras *n,* Laub *n,* Blatt-, Blätterwerk *n,* Grünzeug *n.* – **4.** Kraut *n (Gegensatz Wurzel).*

her·ba·ceous [həːr'beiʃəs] *adj bot.* **1.** krautig: ~ border Blumenrabatte; ~ layer Krautschicht *(des Waldes)*; ~ stem krautiger Stengel. – **2.** laubblattartig.

herb·age ['həːrbidʒ; *Am. auch* 'əːrb-] *s* **1.** *collect.* Kräuter *pl,* Gras *n,* Laub *n,* Laubwerk *n.* – **2.** *jur.* Weiderecht *n.*

herb·al ['həːrbəl; *Am. auch* 'əːrbəl] **I** *adj* Kräuter..., Pflanzen... – **II** *s hist.* Pflanzenbuch *n.* — **'herb·al·ist** *s* **1.** Bo'taniker(in), Pflanzenkenner (-in). – **2.** Kräutersammler(in), -händler(in). — **'herb·alˌize** *v/i* Kräuter sammeln.

her·bar·i·um [həːr'bɛ(ə)riəm] *p* **-i·ums** *od.* **-i·a** [-iə] *s* Her'barium *n.* — **'herb·a·ry** [-bəri] *s* Kräutergarten *m.*

herb| ben·net *s bot.* Echte Nelkenwurz *(Geum urbanum).* — ~ **Chris·to·pher** *s bot. (ein)* Christophskraut *n (Actaea spicata).* — ~ **doc·tor** *s colloq.* ,Kräuterdoktor' *m.* — ~ **frank·in·cense** *s bot.* Breitblättriges Laserkraut *(Laserpitium latifolium).* — ~ **Ger·ard** ['dʒerɑːrd; -ərd] → goutweed. — ~ **grace** *s bot.* **1.** → rue[1]. – **2.** → hedge hyssop 1. – **3.** Eisenkraut *n (Verbena officinalis).*

her·bif·er·ous [həːr'bifərəs] *adj* Kräuter tragend. — **'her·biˌvore** [-ˌvɔːr] *s zo.* Pflanzenfresser *m.* — **her'biv·o·rous** [-'bivərəs] *adj zo.* pflanzenfressend.

herb| lil·y *s bot.* Inka-Lilie *f (Gattg Alstroemeria).* — ~ **Lou·i·sa** [luː'iːzə] → lemon verbena. — ~ **mas·tic** *s bot.* **1.** *(ein)* Thymian *m (Thymus mastichina).* – **2.** → cat thyme. — ~ **of friend·ship** *s bot.* Kriechende Fetthenne *(Sedum anacampseros).* — ~ **of grace** → rue[1]. — ~ **of the cross** → herb grace 3.

her·bo·rist ['həːrbərist] → herbalist. — **ˌher·bo·ri'za·tion** *s* Pflanzensammeln *n.* — **'her·boˌrize** *v/i* Pflanzen sammeln, botani'sieren.

herb·ous ['həːrbəs; *Am. auch* 'əːrbəs], *auch* **her'bose** [-'bous] → herby.

herb| Par·is *s bot.* Vierblättrige Einbeere *(Paris quadrifolia).* — ~ **Pe·ter** → cowslip 1. — ~ **Rob·ert** ['rɒbərt] *s bot.* Stinkender Storchschnabel, Ruprechtskraut *n (Geranium robertianum).* — ~ **So·phi·a** [so'faiə] *s bot.* So'phienkraut *n,* Besen-Rauke *f (Descurainia sophia).* — ~ **trin·i·ty** *s bot.* **1.** → pansy 1. – **2.** → hepatica 1. — ~ **true·love** → herb Paris. — ~ **two·pence** → moneywort. — **'~ˌwom·an** *s irr* Kräuterfrau *f.*

herb·y ['həːrbi; *Am. auch* 'əːrbi] *adj* **1.** pflanzen-, grasreich. – **2.** kraut-, pflanzenartig.

her·cog·a·my [həːr'kɒgəmi] *s bot.* Herkoga'mie *f,* Unfähigkeit *f* zur Selbstbefruchtung.

Her·cu·le·an [ˌhəːrkju'liːən; -kjə-; həːr'kjuːliən] *adj* **1.** Herkules... – **2.** *oft* h~ *fig.* her'kulisch, Herkules..., 'übermenschlich: a ~ labo(u)r eine Herkulesarbeit; ~ limbs herkulische *(mächtige)* Glieder. — **'Her·cuˌles** [-ˌliːz] *s* **1.** *gen* **'Her·cu·lis** [-lis] *astr.* Herkules *m (Sternbild).* – **2.** *fig.* Herkules *m,* riesenstarker Mann. – **3.** *tech.* 'Rammaˌschine *f.*

Her·cu·les' all·heal *s bot.* Panaxkraut *n (Opopanax chironium).*

Her·cu·les bee·tle *s zo.* Herkuleskäfer *m (Dynastes hercules).*

'Her·cuˌles'-ˌclub *s bot.* **1.** *(ein)* Gelbholz *n (Zanthoxylum clava-herculis).* – **2.** Flaschenkürbis *m (Lagenaria vulgaris).* – **3.** An'gelikabaum *m (Aralia spinosa).*

herd [həːrd] **I** *s* **1.** Herde *f,* Rudel *n (großer Tiere).* – **2.** Trupp *m,* Flug *m,* Schar *f (Vögel).* – **3.** *(verächtlich)* Herde *f,* Masse *f,* großer Haufen *(Menschen)*: the (common *od.* vulgar) ~ der Pöbel. – **4.** Hirt *m.* – **II** *v/i* **5.** *auch* ~ together a) in Herden gehen *od.* leben, sich zu einer Herde sammeln *(Tiere),* b) *fig.* zu'sammenleben, -hausen *(Menschen).* – **6.** (among, with) sich gesellen (zu), sich anschließen (an *acc*), sich vereinigen (mit). – **III** *v/t* **7.** (zu einer Herde) sammeln *od.* vereinigen, zu'sammenpferchen *(auch fig.).* – **8.** *(Vieh)* hüten. — **'~ˌbook** *s agr.* Herd-, Stammbuch *n.* — **'~ˌboy** *s* Hirtenjunge *m,* Viehhirt *m.*

herd·er ['həːrdər] *s bes. Am.* Hirt *m,* Herdenaufseher *m.*

her·dic ['həːrdik] *s Am. niedriger, zwei- od. vierrädriger Wagen mit Seitensitzen u. hinterem Aufstieg.*

herd·ing ['həːrdiŋ] *s* **1.** Viehhüten *n.* – **2.** *Am. u. Austral.* Rinderzucht *f.*

herd in·stinct *s psych.* 'Herdentrieb *m,* -inˌstinkt *m.*

'herd's-ˌgrass *s bot. Am.* **1.** → timothy[2]. – **2.** Fio'ringras *n (Agrostis stolonifera var. major).*

herds|·man ['həːrdzmən] *s irr* **1.** *bes. Br.* Hirt *m.* – **2.** Herdenbesitzer *m.* – **3.** H~ *astr.* → Boötes. — **'~ˌwom·an** *s irr* Hirtin *f.*

here [hir] **I** *pred adj u. adv* **1.** hier: ~ and there a) hier u. da, da u. dort, hierhin u. dorthin, b) hin u. her, c) *(zeitlich)* hin u. wieder, hie u. da; ~ goes! *colloq.* also los! nun mal los! ~'s to you! *(beim Trinken)* auf dein Wohl! ~ you *(od.* we) are! *colloq.* hier! da haben Sie es! neither ~ nor there a) weder hier noch da, b) sinn-, zwecklos, nicht zur Sache gehörig; this man ~ *(sl.* this ~ man) dieser Mann hier; ~! hier! *(beim Aufrufen).* – **2.** (hier)her, hierhin: come ~ komm her; bring it ~ bring es hierher. – **3.** hier, an dieser Stelle, zu diesem Zeitpunkt. – **4.** *oft* ~ below hier, in diesem Leben, hie'nieden. – **II** *s* **5.** Hier *n,* dieser Ort: let's leave ~ *colloq.* gehen wir fort von hier.

'here|·a'bout, *auch* **'~·a'bouts** *adv* hier her'um, in dieser Gegend. — **~'aft·er** **I** *adv* **1.** her'nach, nachher. – **2.** künftig, von jetzt an, in Zukunft. – **II** *adj* **3.** zukünftig. – **III** *s* **4.** Zukunft *f.* – **5.** zukünftiges Leben, Jenseits *n.* — **~'at** *adv obs.* hierüber, dadurch. — **'~·aˌway** *adv Am. od. dial.* in diese(r) Gegend. — **~'by** *adv* **1.** hier-, dadurch. – **2.** *obs.* ganz nahe.

he·red·i·ta·bil·i·ty [hiˌreditə'biliti; -əti] → heritability. — **he'red·i·ta·ble** → heritable.

her·e·dit·a·ment [ˌheri'ditəmənt; -rə-] *s jur.* Erbe *n,* Erbgut *n.*

he·red·i·tar·i·an [hiˌredi'tɛ(ə)riən] *s biol. psych.* Anhänger(in) der Ver'erbungstheoˌrie.

he·red·i·tar·i·ness [*Br.* hi'reditərinis; *Am.* -dəˌterinis] *s* Erblichkeit *f (bes. von Krankheiten).* — **he'red·i·tar·y** [*Br.* -təri; *Am.* -ˌteri] *adj* **1.** erblich, Erb...: ~ portion *jur.* Pflichtteil. – **2.** erblich, heredi'tär, vererbbar, ererbt, angeboren: ~ disease angeborene Krankheit. – **3.** durch Erbschaft *(erlangt od. geworden)*: ~ proprietor Besitzer durch Erbschaft. – **4.** *fig.* Erb...: ~ enemy Erbfeind. – *SYN. cf.* innate.

he·red·i·tism [hi'rediˌtizəm; -də-] *s biol.* Theo'rie *f od.* Prin'zip *n* der Vererbung. — **he'red·i·tist** *s psych.* Anhänger *m* der Auffassung, daß die Persönlichkeit nur durch Vererbung bedingt sei. — **he'red·i·ty** *s biol.* **1.** Vererbung *f.* – **2.** Erblichkeit *f.* – **3.** ererbte Anlagen *pl,* Erbmasse *f.*

Her·e·ford ['herifərd; *Am. auch* 'həːrfərd] *s zo.* Hereford-Rind *n.*

here|'from *adv selten* hieraus. — **~'in** *adv* hierin, -ein. — **~ˌin·a'bove** *adv* vorstehend, oben *(erwähnt).* — **~ˌin'aft·er** *adv* nachstehend, im folgenden *(erwähnt),* unten *(angeführt).* — **~ˌin·be'fore** *adv* vorstehend, oben *(erwähnt).* — **~'in·to** *adv* hier hin'ein. — **~'of** *adv* hiervon. — **~'on** *adv selten* **1.** hierauf, darauf. – **2.** hierüber. — **~'right** *adv dial.* gerade hier.

he·res ['hi(ə)riːz; 'hiː-] *pl* **he·re·des** [hi'riːdiːz] *(Lat.) s jur.* (Univer'sal)-Erbe *m.*

he·re·si·arch [he'riːziˌɑːrk; hi-] *s relig.* Erzketzer *m,* Häresi'arch *m.*

her·e·sy ['herəsi] *s bes. relig.* Ketze'rei *f,* Irrlehre *f,* Häre'sie *f.* — **'her·e·tic** [-tik] *bes. relig.* **I** *s* Ketzer(in), Hä'retiker(in). – **II** *adj* → heretical.

he·ret·i·cal [hi'retikəl; hə-] *adj* ketzerisch, hä'retisch. – *SYN. cf.* heterodox.

here|'to *adv* **1.** hierzu, -her: attached ~ hier angefügt. – **2.** → hereunto 2. — **ˌ~·to'fore I** *adv* vorhin, vordem, ehemals. – **II** *adj* früher. — **~'un·der** *adv* **1.** → hereinafter. – **2.** *jur.* kraft dieses. — **ˌ~·un'to** *adv* **1.** hierzu. – **2.** bis jetzt. — **ˌ~·up'on** *adv* darauf(hin). — **~'with** *adv* hiermit, -durch.

her·i·ot ['heriət] *s jur. hist.* Hauptfall *m* (*bestes Stück der Hinterlassenschaft, das dem Lehensherrn zufiel*). — **'her·i·ot·a·ble** *adj jur. hist.* der Abgabe des Hauptfalls unter'worfen.

her·it·a·bil·i·ty [ˌheritə'biliti; -əti] *s* **1.** Erblichkeit *f*, Vererbbarkeit *f*. – **2.** Erbfähigkeit *f*. — **'her·it·a·ble** *adj* **1.** Erb..., erblich, vererbbar. – **2.** erbfähig.

her·it·age ['heritidʒ; -rə-] *s* **1.** Erbe *n*: a) Erbschaft *f*, Erbgut *n*, b) *ererbtes Recht etc.* – **2.** *Bibl.* a) Volk *n* Gottes, Israel *n*, b) die Kirche. – *SYN.* **birthright, inheritance, patrimony.** — **her·i·tance** ['heritəns; -rə-] *obs. für* a) **heritage**, b) **inheritance**. — **'her·i·tor** [-tər] *s* **1.** Erbe *m*. – **2.** *jur. Scot.* Besitzer *m* eines Erbguts. — **'her·iˌtrix** [-ˌtriks] *pl* **-ˌtri·ces** [-ˌtraisiːz] *od.* **-ˌtrix·es** [-ˌtriksiz] *s* Erbin *f*, Grundbesitzerin *f*.

herl [həːrl] *s* Fahne *f* (*einer Feder; für künstliche Angelfliegen*).

her·ma ['həːrmə] *pl* **'her·mae** [-miː] *od.* **'her·mai** [-mai] *s antiq.* Herme *f* (*Säule mit Hermeskopf*).

her·maph·ro·dite [həːr'mæfrəˌdait] **I** *s* **1.** *biol.* Hermaphro'dit *m*, Zwitter *m*. – **2.** *fig.* Zwitterwesen *n*, -ding *n*. – **3.** *auch* ~ **brig** *mar. hist.* Briggschoner *m*. – **II** *adj* **4.** zwittrig, Zwitter..., zwitterhaft. — **herˌmaph·ro'dit·ic** [-'ditik], *auch* **herˌmaph·ro'dit·i·cal** → hermaphrodite II. — **her'maph·ro·ditˌism** [-daiˌtizəm] *s biol.* Hermaphrodi'tismus *m*: a) Zwittrigkeit *f*, Zwittertum *n*, b) Zwitterbildung *f*.

her·me·neu·tic [ˌhəːrmə'njuːtik; *Am. auch* -'nuː-], *auch* **ˌher·me'neu·ti·cal** [-kəl] *adj* herme'neutisch, erklärend, auslegend. — **ˌher·me'neu·tics** *s pl* (*oft als sg konstruiert*) Herme'neutik *f*, Erklärungskunst *f*.

her·met·ic [həːr'metik], **her'met·i·cal** [-kəl] *adj* **1.** her'metisch, luftdicht. – **2.** *oft* **H~** magisch, alchi'mistisch. – **3.** *meist* **H~** *antiq.* a) Hermes... (*den Gott Hermes betreffend*), b) Hermen... (*die Hermen betreffend*). — **'Her·meˌtism** [-miˌtizəm; -mə-] *s* Geheimwissenschaft *f*.

her·mit ['həːrmit] *s* **1.** *relig.* Ere'mit *m*, Klausner *m*, Einsiedler *m*. – **2.** *fig.* Einsiedler *m*. – **3.** *zo.* (*ein*) Kolibri *m* (*Gattg Phaethornis*). – **4.** (*Art*) Gebäck *n* (*mit Sirup, Rosinen u. Nüssen*). – **5.** *obs.* Betbruder *m*. — **'her·mit·age** *s* **1.** Einsiede'lei *f*, Klause *f*. – **2.** Einsiedlerleben *n*. – **3.** **H~** Hermi'tage *m* (*franz. Wein*).

her·mit crab *s zo.* Einsiedlerkrebs *m* (*Fam. Paguridae*). — **~ crow** → chough 1.

her·mit·ic [həːr'mitik], **her'mit·i·cal** [-kəl] *adj* einsiedlerisch.

her·mit thrush *s zo.* (*eine*) amer. Drossel (*Hylocichla guttata faxoni*). — **~ war·bler** *s zo.* Ere'mitenvogel *m* (*Dendroica occidentalis*).

her·mo·dac·tyl [ˌhəːrmo'dæktil; -mə-] *s bot.* Hermesfinger *m* (*offizinelle Knolle von orient. Herbstzeitlosen, bes. Colchicum luteum*).

hern [həːrn] *Scot. od. dial. für* heron.

her·ni·a ['həːrniə] *pl* **-ni·as, -ni·ae** [-niˌiː] *s med.* (Eingeweide)Bruch *m*, Hernie *f*. — **'her·ni·al** *adj med.* Bruch...: ~ **truss** Bruchband. — **'her·niˌat·ed** [-ˌeitid] *adj med.* **1.** bruchleidend. – **2.** in einen Bruchsack eingeschlossen. — **'her·ni·ar·y** [*Br.* -əri; *Am.* -ˌeri] *s bot.* Bruchkraut *n* (*Gattg Herniaria*).

hernio- [həːrnio] *med. Wortelement mit der Bedeutung* Bruch.

her·ni·or·rha·phy [ˌhəːrni'ɒrəfi; *Am. auch* -'ɔːr-] *s med.* Bruchnaht *f*. — **ˌher·ni'ot·o·my** [-'ɒtəmi] *s med.* Bruchschnitt *m*.

he·ro ['hi(ə)rou] *pl* **-roes** *s* **1.** Held *m*. – **2.** *antiq.* Heros *m*, Halbgott *m*. – **3.** Held *m*, 'Hauptperˌson *f* (*einer Dichtung etc*).

He·ro·di·an [he'roudiən; hi-] *adj* Herodes..., ... des He'rodes.

he·ro·ic [hi'rouik] **I** *adj* **1.** he'roisch, heldenmütig, -haft, kühn, tapfer, Helden...: ~ **action** Heldentat; ~ **age** Heldenzeitalter. – **2.** (*bildende Kunst*) he'roisch. – **3.** a) grandi'os, erhaben, hoch, b) hochtrabend, bom'bastisch (*Sprache, Stil*). – **4.** *med.* he'roisch, kühn, drastisch: ~ **dose** heroische Dosis. – **II** *s* **5.** → ~ **verse**. – **6.** he'roisches Gedicht. – **7.** *pl* Pathos *n*, 'Überschwenglichkeiten *pl*. — **he'ro·i·cal** → heroic I. — **he'ro·i·cal·ly** *adv* (*auch zu* heroic I). — **he'ro·i·cal·ness** *s* (*das*) He'roische, Heldentum *n*, Heldenhaftigkeit *f*.

he·ro·ic cou·plet *s metr.* he'roisches Reimpaar (*in fünfhebigen jambischen Versen*).

he·ro·ic·ness [hi'rouiknis] → **heroicalness**.

he·ro·i·com·ic [hiˌroui'kɒmik], *auch* **heˌro·i'com·i·cal** [-kəl] *adj* he'roischkomisch: ~ **poem** scherzhaftes Heldengedicht.

he·ro·ic verse *s metr.* he'roisches Versmaß: a) *antiq.* He'xameter *m*, b) (*engl. Dichtung*) fünfhebiger jambischer Vers, c) (*franz. Dichtung*) Alexan'driner *m*.

Her·o·in, *auch* **h~** ['herouin] *s chem. med.* Hero'in *n*, Diace'tylmorˌphin *n* ($C_{21}H_{23}NO_5$).

her·o·ine ['herouin] *s* **1.** Heldin *f*. – **2.** Heldin *f* (*Dichtung*). – **3.** *antiq.* Halbgöttin *f*. — **'her·oˌism** *s* Hero'ismus *m*, Heldentum *n*. – *SYN.* **gallantry, prowess, valo(u)r.**

he·ro·ize ['hi(ə)rouˌaiz] **I** *v/t* heroi'sieren, als Helden behandeln *od.* darstellen. – **II** *v/i* den Helden spielen.

her·on ['herən] *pl* **'her·ons**, *auch collect.* **'her·on** *s zo.* Reiher *m* (*Fam. Ardeïdae*). — **'her·on·ry** [-ri] *s zo.* 'Reiherkoloˌnie *f*.

'her·on's-ˌbill *s bot.* Reiherschnabel *m* (*Gattg Erodium*).

her·on·sew(e) ['herənˌsou], **'her·onˌshaw** [-ˌʃɔː] *obs. od. dial. für* heron.

he·ro·ol·o·gy [ˌhi(ə)rou'ɒlədʒi] *s* Heldengeschichte *f*, -beschreibung *f*.

He·ro's foun·tain ['hi(ə)rouz] *s phys.* Heronsbrunnen *m*.

he·ro wor·ship *s* Heldenverehrung *f*, He'roenkult *m*.

her·pes ['həːrpiːz] *s med.* Herpes *m*, Bläschenausschlag *m*. — **~ fa·ci·a·lis** [ˌfeiʃi'eilis], **~ la·bi·a·lis** [ˌleibi'eilis] (*Lat.*) *s med.* Lippenherpes *m*. — **~ zos·ter** ['zɒstər] (*Lat.*) *s med.* Gürtelrose *f*.

her·pet·ic [həːr'petik] *adj med.* her'petisch.

her·pe·to·log·ic [ˌhəːrpito'lɒdʒik; -pə-], **ˌher·pe·to'log·i·cal** [-kəl] *adj zo.* herpeto'logisch. — **ˌher·pe'tol·o·gist** [-'tɒlədʒist] *s* Herpeto'loge *m*, Rep'tilienkenner *m*. — **ˌher·pe'tol·o·gy** *s zo.* Herpetolo'gie *f* (*Beschreibung der Reptilien*).

her·ring ['heriŋ] *s zo.* **1.** Hering *m* (*Clupea harengus*). – **2.** Kaliforn. Hering *m* (*Clupea pallasii*). — **'~ˌbone I** *s* **1.** Fischgrätenmuster *n*, -verzierung *f*. – **2.** fischgrätenartige Anordnung. – **3.** *auch* ~ **stitch** (*Stickerei*) Fischgrätenstich *m*. – **II** *adj* **4.** fischgrätenartig (angeordnet). – **III** *v/t* **5.** mit einem Fischgrätenmuster versehen. – **6.** fischgrätenartig anordnen. – **7.** mit Fischgrätenstichen besticken. – **IV** *v/i* **8.** ein Fischgrätenmuster 'herstellen. – **9.** Fischgrätenstiche machen. – **10.** (*Skilauf*) im Grätschschritt aufwärts steigen. — **~ drift·er** *s mar.* Heringslogger *m*, Treibnetzfischer *m* (*Fahrzeug*). — **~ gull** *s zo.* Silbermöwe *f* (*Larus argentatus*). — **~ king** *s zo.* Falscher Heringskönig (*Regalecus glesne*). — **~ pond** *s humor.* (*bes.* At'lantischer) Ozean. — **~ work** *s arch.* Fischgrätenbau *m*.

her·ry ['heri] *Scot. für* **harry**.

hers [həːrz] *possessive pron* ihr, der (die, das) ihre (*prädikativ u. substantivisch gebraucht*): **this house is** ~ dieses Haus gehört ihr; **a friend of** ~ ein(e) Freund(in) von ihr, ihr(e) Freund(in).

her·schel·ite ['həːrʃəˌlait] *s min.* Her-[sche'lit *m*.]

herse [həːrs] *s* **1.** Fachwerk *n*, Gitter *n*. – **2.** *mil.* Fallgatter *n*.

her·self [hər'self] *pron* **1.** (*zur Betonung*) sie selbst, ihr selbst: **it is she** ~ sie ist es selbst; **she** ~ **said it** *od.* **she said it** ~ sie selbst sagte es; **by** ~ von selbst, allein, ohne Hilfe; **she is not** ~ sie ist nicht gut beisammen; **she is** ~ **again** sie ist wieder die alte. – **2.** (*reflexiv*) sich (selbst): **she has killed** ~ sie hat sich umgebracht.

hertz·i·an ['hertsiən] *adj phys.* Hertzsch(er, e, es): ~ **telegraphy** drahtlose Telegraphie; ~ **wave** elektromagnetische Welle.

he's [hiːz; hiz] *colloq. für* a) **he is**, b) **he has**.

Hesh·van ['heʃvæn], *auch* **'Hesh·wan** [-wæn] *s* (Mar)Cheschwan *m* (*im jüd. Kalender, 2. Monat des bürgerlichen Jahres, 8. Monat des Festjahres*).

hes·i·tan·cy ['hezitənsi; -zət-], *auch* **'hes·i·tance** *s* Unschlüssigkeit *f*, Zaudern *n*. — **'hes·i·tant** *adj* **1.** zaudernd, zögernd, unschlüssig. – **2.** (*beim Sprechen*) stockend. – *SYN. cf.* **disinclined.**

hes·i·tate ['heziˌteit; -zə-] **I** *v/i* **1.** zögern, zaudern, unschlüssig sein, Bedenken tragen: **to make s.o.** ~ j-n stutzig machen; **to** ~ **at a crime** vor einem Verbrechen zurückschrecken. – **2.** (*beim Sprechen*) stocken, stottern, stammeln. – **II** *v/t* **3.** zögernd sagen. – *SYN* **falter, vacillate, waver.** — **'hes·iˌtat·er**, *auch* **'hes·iˌta·tor** [-tər] *s* Zauderer *m*. — **'hes·iˌtat·ing·ly** *adv* zögernd, stockend. — **ˌhes·i'ta·tion** *s* **1.** Zögern *n*, Unschlüssigkeit *f*, Schwanken *n*, Bedenken *n*. – **2.** (*beim Sprechen*) Stocken *n*, Stottern *n*, Stammeln *n*. – **3.** *auch* ~ **waltz** *mus.* (*Art*) Walzer *m*. — **'hes·iˌta·tive** [-ˌteitiv] *adj* zögernd, zaudernd, unschlüssig.

Hes·per ['hespər] → **Hesperus**.

Hes·pe·ri·a [hes'pi(ə)riə] *s antiq. poet.* He'sperien *n*, Abendland *n*. — **Hes'pe·ri·an I** *adj* **1.** westlich, abendländisch, he'sperisch. – **2.** → **Hesperidian**. – **II** *s* **3.** *poet.* Abendländer *m*, He'sperier *m*. – **4.** **h~** *zo.* Dickkopf(falter) *m* (*Fam. Hesperiidae*).

Hes·per·i·des [hes'periˌdiːz; -rə-] *s pl* **1.** *antiq.* (*Mythologie*) Hespe'riden *pl* (*Nymphen*). – **2.** *poet.* Garten *m* der Hespe'riden, glückliche Inseln *pl*. — **Hes·per·id·i·an** [ˌhespə'ridiən] *adj* hespe'ridisch, Hesperiden...

hes·per·i·din [hes'peridin; -rə-] *s chem.* Hesperi'din *n* ($C_{28}H_{34}O_{15}$; *Verbindung mit Vitamin-P-Charakter*).

hes·per·id·i·um [ˌhespə'ridiəm] *pl* **-id·i·a** [-diə] *s bot.* Zitrusfrucht *f*, *bes.* O'range *f*.

Hes·per·us ['hespərəs] *s poet.* Hesperos *m* (*Abendstern*).

Hes·sian [*Br.* 'hesiən; *Am.* 'heʃən] **I** *adj* **1.** hessisch. – **II** *s* **2.** Hesse *m*, Hessin *f*. – **3.** *Am.* Söldling *m*, Mietling *m*, käuflicher Mensch. – **4.** h~ grobes Sackzeug (*aus Hanf od. Jute*). – **5.** *pl* a) → ~ boots, b) → ~ andirons. — ~ **and·i·rons** *s pl* Ka'minböcke *pl* (*mit Figuren hessischer Grenadiere*). — ~ **boots** *s pl* Ku'rier-, Reitstiefel *pl*. — ~ **fly** *s zo.* Hessenfliege *f*, -mücke *f*, Getreidegallmücke *f* (*Phytophaga destructor*).

hess·ite ['hesait] *s min.* Hes'sit *m*, Tel'lursilber *n*. — **'hes·so,nite** [-ə,nait] *s min.* Hesso'nit *m*.

hest [hest] *s obs.* **1.** Geheiß *n*, Befehl *m*. – **2.** Versprechen *n*.

hes·ter·nal [hes'tɜːrnl] *adj* gestrig.

Hes·y·chast ['hesi,kæst; -sə-] *s relig.* Hesy'chast *m* (*Angehöriger einer griech. mystischen Mönchssekte*). — ,**Hes·y'chas·tic** *adj* hesy'chastisch.

het [het] *v/t Am. colloq.* to (get) ~ up sich aufregen, ‚fuchtig werden'.

he·tae·ra [hi'ti(ə)rə] *pl* **-rae** [-riː] *s* **1.** *antiq.* He'täre *f*. – **2.** Freudenmädchen *n*. — **he'tae·ri·a** [-riə] *pl* **-ri·ae** [-ri,iː] *s* Hetai'ria *f*, Hetä'rie *f*: a) *antiq. mil. Gefolgschaft od. politische Genossenschaft der Griechen*, b) *hist. griech. Geheimbund gegen die Türkenherrschaft*. — **he'tae·rism** *s* offenes Konkubi'nat, Prostituti'on *f*. — **he'tae·rist** *s* im Konkubi'nat Lebender *m*. — **He'tae·rist** *s* Hetai'rist *m*, Hetä'rist *m* (*Angehöriger einer Hetairia*).

he·tai·ra [hi'tai(ə)rə] *pl* **-rai** [-rai] → hetaera. — **he'tai·ri·a** [-riə] *pl* **-ri·ae** [-ri,iː] → hetaeria. — **he'tai·rism** → hetaerism.

heter- [hetər] → hetero-.

hetero- [hetəro] *Wortelement mit der Bedeutung* anders, verschieden, fremd.

het·er·o·cer·cal [,hetəro'sɜːrkəl; -rə-] *adj zo.* hetero'cerk (*mit ungleichförmig geteilter Schwanzflosse*; *Fisch*). — ,**het·er·o·chro'mat·ic** [-kro'mætik] *adj* verschiedenfarbig. — ,**het·er·o-'chro·ma·tin** [-'kroumətin] *s biol.* ,Heterochroma'tin *n* (*stärker färbbares Chromatin der Chromosomen*). — '**het·er·o,chrome** [-,kroum] → heterochromatic. — ,**het·er·o'chro·mo-,some** [-'kroumə,soum] *s biol.* Ge'schlechtschromo,som *n*, ,Heterochromo'som *n*. — ,**het·er·o'chro·mous** [-'krouməs] *adj* verschiedenfarbig, hetero'chrom. — ,**het·er-'och·tho·nous** [-'rɒkθənəs] *adj* nicht ursprünglich, fremd, erst später eingebürgert *od.* angesiedelt. — '**het·er·o-,clite** [-,klait] **I** *adj* **1.** außergewöhnlich, ab'norm, sonderbar. – **2.** *ling.* unregelmäßig flek'tiert. – **II** *s* **3.** a) Sonderling *m*, b) sonderbare Sache. – **4.** *ling.* unregelmäßig flek'tiertes Wort. — ,**het·er·o'cy·clic** [-'saiklik; -'sik-] *adj chem.* hetero'zyklisch.

het·er·o·dox ['hetəro,dɒks; -rə-] *adj bes. relig.* hetero'dox, anders-, irrgläubig, anderer Meinung. – *SYN.* heretical. — '**het·er·o,dox·ness** → heterodoxy. — '**het·er·o,dox·y** *s bes. relig.* Heterodo'xie *f*, Andersgläubigkeit *f*, Irrglaube *m*.

het·er·o·dyne ['hetərə,dain] *tech.* **I** *adj* Überlagerungs...: ~ **receiver** Überlagerungsempfänger, Super(het). – **II** *v/t u. v/i* (*Frequenz od. Schwingung mit einer anderen*) über'lagern, superpo'nieren. – **III** *s* Über'lagerer *m*.

het·er·oe·cious [,hetə'riːʃəs] *adj bot.* hete'rözisch: a) wirtswechselnd (*Schmarotzer*), b) verschiedenhäusig (*Moos*). — ,**het·er'oe·cism** [-sizəm] *s bot.* Heterö'zie *f*: a) Wirtswechsel *m* (*mancher Schmarotzer*), b) Verschiedenhäusigkeit *f* (*bei Moosen*).

het·er·o·ga·mete [,hetərogə'miːt; -rə-] *s biol.* 'Heteroga,met *m* (*weist einen geschlechtsbestimmenden Unterschied auf*). — ,**het·er'og·a·mous** [-'rɒgəməs] *adj biol.* mit geno'typisch ungleichen Ga'meten. — ,**het·er'og·a·my** *s* Heteroga'mie *f*.

het·er·o·ge·ne·i·ty [,hetərodʒə'niːiti; -rə-; -əti] *s* **1.** Uneinheitlichkeit, Verschiedenartigkeit *f*. – **2.** Fremdartigkeit *f*. – **3.** *pl* verschiedenartige Stoffe *pl*. — ,**het·er·o'ge·ne·ous** [-'dʒiːniəs] *adj* hetero'gen, ungleichartig, verschiedenartig: ~ **number** *math.* gemischte Zahl. — ,**het·er·o'gen·e·sis** [-'dʒenisis; -nə-] *s* **1.** Erzeugung *f* durch eine äußere Ursache. – **2.** *biol.* a) hetero'gene Zeugung, Urzeugung *f*, b) Hetero'genesis *f* (*Art von Generationswechsel*).

het·er·og·e·nous [,hetə'rɒdʒinəs; -dʒə-] *adj biol.* von fremdem Ursprung, nicht im Körper entstanden. ,**het·er'og·e·ny** *s* **1.** → heterogenesis. – **2.** hetero'gene Masse.

het·er·og·o·nous [,hetə'rɒgənəs] *adj* **1.** *bot.* hetero'styl. – **2.** → heterogynous. — ,**het·er'og·o·ny** *s* **1.** *bot.* Heterosty'lie *f*. – **2.** *biol.* Heterogo'nie *f* (*eine Art des Generationswechsels*).

het·er·o·graph·ic [,hetərə'græfik], ,**het·er·o'graph·i·cal** [-kəl] *adj ling.* hetero'graphisch. — ,**het·er'og·ra·phy** [-'rɒgrəfi] *s ling.* **1.** Heterogra'phie *f* (*von der Norm abweichende Schreibung*). – **2.** Verwendung *f* der'selben Buchstaben mit verschiedenem Lautwert.

het·er·og·y·nous [,hetə'rɒdʒinəs; -dʒə-] *adj zo.* verschiedenartige Weibchen habend (*Bienen etc*).

het·er·ol·o·gous [,hetə'rɒləgəs] *adj* hetero'log, abweichend, nicht über'einstimmend. — ,**het·er'ol·o·gy** [-dʒi] *s* **1.** Verschiedenheit *f*, Ungleichartigkeit *f*. – **2.** *med.* Heterolo'gie *f*, von der Norm abweichende Gewebsbildung.

het·er·ol·y·sis [,hetə'rɒlisis; -lə-] *s chem.* Hetero'lyse *f*: a) *Zerstörung einer Zelle durch ein von außen wirkendes Mittel*, b) *Spaltung einer Bindung unter Zurücklassen des bindenden Elektronenpaars an einem Spaltstück*. — ,**het·er·o'lyt·ic** [-ro'litik; -rə-] *adj* hetero'lytisch.

het·er·om·er·ous [,hetə'rɒmərəs] *adj* hetero'mer: a) *bot.* ungleichzählig, b) *chem.* aus verschiedenartigen Teilen zu'sammengesetzt.

het·er·o·mor·phic [,hetəro'mɔːrfik; -rə-], ,**het·er·o'mor·phous** *adj biol.* hetero'morph, verschiedengestaltig. — ,**het·er·o'mor·phism** *s bes. chem.* Heteromor'phie *f*, Verschiedengestaltigkeit *f*. — ,**het·er·o'mor·phite** [-fait] *s min.* Heteromor'phit *m*, Federerz *n*.

het·er·on·o·mous [,hetə'rɒnəməs] *adj* hetero'nom: a) einem fremden Gesetz unter'worfen, b) *biol.* verschiedenen Wachstumsgesetzen unter'worfen, c) *biol.* in verschiedener Art speziali'siert. — ,**het·er'on·o·my** *s* Heterono'mie *f*.

het·er·o·nym ['hetərə,nim; -ro-] *s ling.* Hetero'nym *n* (*Wort mit gleicher Schreibung, aber mit verschiedener Aussprache u. Bedeutung*).

het·er·on·y·mous [,hetə'rɒniməs; -nə-] *adj* hetero'nym: a) *mit fremdem od. anderem Namen*, b) entgegengesetzt, gegensinnig, c) (*Optik*) *mit dem rechten Auge das linke Bild sehend u. umgekehrt*.

het·er·o·ou·si·a [,hetəro'uːsiə; -'ausiə] *s* Heteru'sie *f*, Anderssein *n*. — ,**Heter·o'ou·si·an** → Arian². — ,**het·er·o-'path·ic** [-'pæθik] *adj* **1.** → allopathic. – **2.** verschieden in der Wirkung. — ,**het·er·o'phyl·lous** [-'filəs] *adj bot.* hetero'phyll (*quantitativ ungleichblättrig*). — '**het·er·o,phyl·ly** *s bot.* Heterophyl'lie *f*. — '**het·er·o,plas·ty** [-,plæsti] *s med.* **1.** → heterology 2. – **2.** Hetero'plastik *f*, 'Fremdtransplantati,on *f*.

het·er·o·pod ['hetəro,pɒd; -rə-] *zo.* **I** *s* Kielfüßer *m* (*Ordng Heteropoda*). – **II** *adj* kielfüßig.

het·er·o·po·lar [,hetəro'poulər; -rə-] *adj chem.* heteropo'lar. — ,**het·er·o-po'lar·i·ty** [-po'læriti; -pə-; -əti] *s chem.* Heteropolari'tät *f*.

het·er·op·ter·ous [,hetə'rɒptərəs] *adj* Wanzen...

het·er·o·sex·u·al [,hetəro'sekʃuəl; -rə-] **I** *adj* **1.** heterosexu'ell. – **2.** von verschiedenem Geschlecht. – **II** *s* **3.** Heterosexu'elle(r). – **4.** heterosexu'elles Wesen. — ,**het·er·o,sex·u-'al·i·ty** [-'æliti; -əti] *s* Heterosexuali'tät *f*.

het·er·o·sis [,hetə'rousis] *s biol.* Hete'rosis *f*, Luxu'rieren *n* (*üppiges Gedeihen bei Bastarden*).

het·er·os·po·rous [,hetə'rɒspərəs] *adj bot.* hetero'spor, verschiedensporig. — ,**het·er'os·po·ry** *s* Verschiedensporigkeit *f*, Heterospo'rie *f*.

het·er·o·tac·tic [,hetəro'tæktik; -rə-] *adj* **1.** *bot.* hetero'taktisch (*aus verschiedenen Blütenständen zusammengesetzt*). – **2.** verlagert. — ,**het·er·o-'tax·i·a** [-'tæksiə] → heterotaxis. — ,**het·er·o'tax·ic** → heterotactic. — ,**het·er·o'tax·is** [-'tæksis], '**het·er·o-,tax·y** *s* **1.** *med.* Heterota'xie *f* (*angeborene Organverlagerung*). – **2.** Verlagerung *f*. — ,**het·er·o'thal·lic** [-'θælik] *adj bot.* hetero'thallisch, haplodi'özisch (*mit verschiedengeschlechtigen Myzelien*; *Pilze*).

het·er·o·to·pi·a [,hetərə'toupiə] *s biol. med.* ab'norme Lage (*eines Organs*). — ,**het·er·o'top·ic** [-'tɒpik], ,**het·er'ot·o·pous** [-'rɒtəpəs] *adj med.* ab'norm gelagert, verlagert (*Organ*). — ,**het·er'ot·o·py** → heterotopia.

het·er·o·troph·ic [,hetəro'trɒfik; -rə-] *adj biol.* hetero'troph (*sich durch Aufnahme organischer Stoffe ernährend*). — ,**het·er'ot·ro·phy** [-'rɒtrəfi] *s biol.* Heterotro'phie *f*.

het·er·o·typ·ic [,hetəro'tipik; -rə-], ,**het·er·o'typ·i·cal** *adj biol.* hetero'typisch, mei'otisch. — ,**het·er·o'zy·gote** [-'zaigout; -'zig-] *s biol.* Hetero-zy'got *m*, heterozy'gotes Indi'viduum (*mit ungleichen Allelen in homologen Chromosomen*). — ,**het·er·o'zy·gous** *adj* heterozy'got, gemischt-, spalterbig.

het·man ['hetmən] *pl* **-mans** *s* Hetman *m* (*militärischer Befehlshaber im ehemaligen Königreich Polen*).

heugh, heuch [hjuːx] *s Scot.* **1.** Klippe *f*. – **2.** Schlucht *f*.

heu·land·ite ['hjuːlən,dait] *s min.* Heulan'dit *m*, Stil'bit *m*.

heu·ris·tic [hju(ə)'ristik] *adj* heu'ristisch: a) *zu neuen Erkenntnissen führend*, b) *zum eigenen Forschen anleitend*. — **heu'ris·ti·cal·ly** *adv*.

Heus·ler's al·loy ['hjuːslərz] *s chem. phys.* Heuslersche Le'gierung.

he·ve·a ['hiːviə] *s bot.* Kautschukbaum *m* (*Gattg Hevea, bes. H. brasiliensis*).

hew [hjuː] *pret* **hewed**, *pp* **hewed** *od.* **hewn** [hjuːn] **I** *v/t* **1.** hauen, hacken: to ~ **a passage** einen Durchgang hauen; to ~ **to pieces** in Stücke hauen. – **2.** (*bes. Bäume*) fällen. – **3.** behauen, zu'rechthauen. – **II** *v/i* **4.** hauen, hacken: to ~ **close to the line** a) dicht an der vorgezogenen Linie bleiben (*beim Holzhacken*), b) *Am. colloq.* sparsam *od.* vorsichtig vorgehen. –

Verbindungen mit Adverbien:

hew| down *v/t* nieder-, 'umhauen, fällen. — ~ **off** *v/t* abhauen. — ~ **out** *v/t* **1.** aushauen. – **2.** *fig.* mühsam schaffen: to ~ **a career for oneself** sich einen Lebensweg bahnen, sich (mühsam) hocharbeiten. — ~ **up** *v/t* zerhauen, zerhacken.

hew·er ['hju:ər] *s* **1.** (Be)Hauer *m*: ~s of wood and drawers of water a) *Bibl.* Holzhauer u. Wasserträger, b) Arbeitssklaven. – **2.** (*Bergbau*) (Schräm)Häuer *m.*

hew·gag ['hju:ˌgæg] *s Am.* 'Lärminstruˌment *n.*

hewn [hju:n] *pp von* hew.

hex [heks] *Am. colloq. od. dial.* **I** *s* a) Hexe *f*, b) Zauber *m*: to put the ~ on s.o. j-n behexen, j-n verzaubern. – **II** *v/t* behexen, verzaubern. – **III** *v/i* hexen, zaubern, Hexe'rei treiben.

hexa- [heksə], **hex-** *Wortelement mit der Bedeutung* sechs.

hex·a·bas·ic [ˌheksə'beisik] *adj chem.* sechsbasisch. — '**hex·aˌchord** [-ˌkɔ:rd] *s antiq. mus.* Hexa'chord *n*: a) *diatonische Reihe von 6 Tönen*, b) *große Sext*, c) *sechssaitiges Instrument.*

hex·ad ['heksæd] *s* Sechszahl *f*, Sechsergruppe *f.* — **hex'ad·ic** *adj* he'xadisch.

hex·a·em·er·on [ˌheksə'eməˌrɒn; -rən] *s Bibl.* Hexa'emeron *n*, (Bericht *m* über das) Sechs'tagewerk. — '**hex·a·gon** [-ˌgɒn; -gən] *s math.* Sechseck *n*, Hexa'gon *n.* — **hex'ag·o·nal** [-'sægənl] *adj* sechseckig, hexago'nal. — '**hex·aˌgram** [-ˌgræm] *s* **1.** Hexa'gramm *n*, Sechsstern *m.* – **2.** *math.* beim Schnitt von 6 Geraden entstehende Fi'gur. — ˌ**hex·a'he·dral** [-'hi:drəl] *adj math.* hexa'edrisch, sechsflächig. — ˌ**hex·a'he·dron** [-'hi:drən] *pl* **-drons** *od.* **-dra** [-drə] *s math.* Hexa'eder *n*, Sechsflach *n*, *bes.* Würfel *m.* — ˌ**hex·a'hem·er·on** [-'heməˌrɒn; -rən] → hexaemeron. — ˌ**hex·a'hy·drate** [-'haidreit] *s chem.* Hexahy'drat *n* (*Verbindung mit 6 Wassermolekülen*). — ˌ**hex·a'hy·dric** *adj chem.* 6 leicht ersetzbare (ak'tive) 'Wasserstoffaˌtome enthaltend.

hex·am·er·ous [hek'sæmərəs] *adj bot. zo.* sechsteilig.

hex·am·e·ter [hek'sæmitər; -mə-] *metr.* **I** *s* He'xameter *m.* – **II** *adj* hexa'metrisch.

hex·a·meth·yl·ene·tet·ra·mine [ˌheksəˌmeθəli:nˌtetrə'mi:n] *s chem.* Hexamethy'lentetraˌmin *n* ($C_6H_{12}N_4$).

hex·am·e·tral [hek'sæmitrəl], **hex·a·met·ric** [ˌheksə'metrik], ˌ**hex·a'met·ri·cal** [-kəl] *adj* hexa'metrisch.

hex·ane ['heksein] *s chem.* He'xan *n* (C_6H_{14}).

hex·an·gu·lar [hek'sæŋgjulər; -gjə-] *adj* sechseckig, sechswinklig.

hex·a·pla ['heksəplə] *s* **1.** Buch *n* mit sechsfachem Text. – **2.** H~ *Bibl.* Hexa'pla *f* (*sechssprachige Bibelausgabe des Origenes*). — '**hex·a·plar** *adj* sechsspaltig.

hex·a·pod ['heksəˌpɒd] *zo.* **I** *adj* sechsfüßig. – **II** *s* Sechsfüßer *m*, *bes.* Hexa'pode *m*, In'sekt *n.* — **hex·ap·o·dal** [hek'sæpədl], **hex'ap·o·dous** *adj* sechsfüßig.

hex·ap·o·dy [hek'sæpədi] *s metr.* sechsfüßiger Vers, Gruppe *f* aus 6 Füßen.

hex·arch·y ['heksɑ:rki] *s* Gruppe *f* von 6 Staaten.

hex·as·ter [hek'sæstər] *s zo.* Sechsstern *m* (*Schwamm*).

hex·a·stich ['heksəstik] *pl* **-stichs,** *auch* **hex·as·ti·chon** [hek'sæstiˌkɒn; -tə-] *pl* **-cha** [-kə] *s metr.* He'xastichon *n* (*sechszeiliges Gedicht*).

hex·a·style ['heksəˌstail] *arch.* **I** *s* Sechssäulenhalle *f.* – **II** *adj* mit 6 Säulen (versehen). — ˌ**hex·a·syl'lab·ic** [-si'læbik] *adj* sechssilbig. — '**Hex·aˌteuch** [-ˌtju:k; *Am. auch* -ˌtu:k] *s Bibl.* Hexa'teuch *m* (*die ersten 6 Bücher des Alten Testaments*). — ˌ**hex·a'tom·ic** [-'tɒmik] *adj chem.* **1.** 'sechsaˌtomig. – **2.** sechswertig.

hex·a·va·lent [ˌheksə'veilənt; -'sævəl-] *adj chem.* sechswertig.

hex·en·be·sen ['heksənˌbeizən] *s bot.* Hexenbesen *m* (*Mißbildung in Baumkronen*).

hex·o·bar·bi·tone so·di·um [ˌhekso'bɑ:rbiˌtoun] → Evipan.

hex·oc·ta·he·dron [hekˌsɒktə'hi:drən] *pl* **-drons** *od.* **-dra** [-drə] *s math.* Hexokta'eder *n*, Achtundvierzigflächner *m.*

hex·one ['heksoun] *s chem.* He'xon *n* (*organisches Keton mit 6 Kohlenstoffatomen im Molekül*). — **hex·o·san** ['heksəˌsæn] *s chem.* Hexo'san *n* (*ein Polysaccharid*). — **hex·ose** ['heksous] *s chem.* He'xose *f* ($C_6H_{12}O_6$; *einfache Zuckerart*).

hex·yl ['heksil] *s chem.* He'xyl *n* (C_6H_{13}). — ˌ**hex·yl·res'or·cin·ol** [-ri'zɔ:rsiˌnɒl; -re'z-; -ˌnoul] *s chem. med.* He'xylresorˌcin *n* ($C_{12}H_{18}O_2$).

hey [hei] *interj* **1.** hei! ei! heisa! – **2.** he! heda!

'**heyˌday**¹ *interj* **1.** heisa! juch'he! hur'ra! – **2.** o'ho!? na'nu!?

'**hey-ˌday**² *s* **1.** Höhe-, Gipfelpunkt *m.* – **2.** Hochgefühl *n*, 'Überschwang *m*, Sturm *m* (*der Leidenschaft*).

Hey·duc(k), *auch* **Hey·duke** *cf.* Haiduk.

hey-ho ['hei'hou] → heigh-ho.

H hour *s mil. Am.* X-Zeit *f*, Zeitpunkt *m* für den Beginn des Angriffs.

hi [hai] *interj* he! heda! ei!

hi·a·tus [hai'eitəs] *pl* **hi·a·tus·es** *od.* **hi·a·tus** *s* **1.** Öffnung *f*, Lücke *f*, Spalt *m*, Kluft *f.* – **2.** *ling.* Hi'atus *m.*

hi·ber·nac·le ['haibərˌnækl] *s* **1.** Winterlager *n.* – **2.** → hibernaculum. — ˌ**hi·ber'nac·u·lum** [-'nækjuləm; -kjə-] *pl* **-u·la** [-lə] *s* **1.** *zo.* a) Winterschutz *m*, -hülle *f*, b) Winterknospe *f* (*der Moostierchen*). – **2.** *bot. selten* Winterknospe *f*, Hiber'nakel *n.*

hi·ber·nal [hai'bɜ:rnl] *adj* winterlich, Winter...

hi·ber·nate ['haibərˌneit] *v/i* **1.** über'wintern, Winterschlaf halten. – **2.** *fig.* abgeschlossen *od.* untätig leben, sich vergraben. — ˌ**hi·ber'na·tion** *s* Winterschlaf *m*, Über'winterung *f.*

Hi·ber·ni·an [hai'bɜ:rniən] **I** *adj* irisch. – **II** *s* Irländer(in). — **Hi'ber·niˌcism** [-ˌsizəm] *s* Hiberni'zismus *m*, irische (Sprach)Eigenheit.

hi·bis·cus [hai'biskəs; hi-] *s bot.* Eibisch *m* (*Gattg Hibiscus*).

hic·a·tee ['hikəˌti:] *s zo.* Westindische Flußschildkröte (*Chrysemys palustris*).

hic·cup, hic·cough ['hikʌp; -əp] **I** *s med.* **1.** Schlucken *m*, Schluckauf *m.* – **2.** *pl* Schluckauf(anfall) *m*: to have the ~s den Schluckauf haben. – **II** *v/i* **3.** den Schluckauf haben, schlucken. – **III** *v/t* **4.** abgebrochen her'vorbringen.

hic ja·cet [hik 'dʒeiset] (*Lat.*) **I** hier ruht. – **II** *s* Grabinschrift *f.*

hick [hik] *Am. sl.* **I** *s* (ungehobelter) Bauer, Lümmel *m*, Tölpel *m.* – **II** *adj* ungehobelt, tölpelhaft, ländlich, provinzi'ell: a ~ town eine Provinzstadt.

hick·ey ['hiki] *s tech. Am.* Mecha'nismus *m*, kleines Gerät, kleine Vorrichtung, *bes.* a) Gewindestück *n* (*zur Befestigung einer Haltevorrichtung an einer Starkstrom-Steckdose*), b) Biegezange *f* für Iso'lierrohre.

hick·o·ry ['hikəri] **I** *s bot.* **1.** Hickory(baum) *m*, Nordamer. Walnußbaum *m* (*Gattg Carya*). – **2.** Hickory(holz) *n.* – **3.** Hickorystock *m*, -rute *f.* – **II** *adj* **4.** *bot.* Hickory... – **5.** *fig.* zäh, kräftig, fest, ro'bust. — ~ **bark bor·er** *s zo.* Hickory-Borkenkäfer *m* (*Eccoptogaster quadrispinosa*). — ~ **pine** *s bot.* **1.** Fuchsschwanzkiefer *f* (*Pinus aristata*). – **2.** Stechkiefer *f* (*Pinus pungens*).

hid [hid] *pret u. pp von* hide¹.

hi·dal·go [hi'dælgou] *pl* **-gos** *s* Hi'dalgo *m* (*niedriger span. Adliger*).

hid·den ['hidn] **I** *pp von* hide¹. – **II** *adj* verborgen, geheim, geheimnisvoll.

hid·den·ite ['hidˌnait] *s min.* Hidde'nit *m* (*grüner Edelstein*).

hide¹ [haid] *pret* **hid** [hid] *pp* **hid·den** ['hidn] *od.* **hid I** *v/t* **1.** (from) a) verbergen (*dat od.* vor *dat*), verstecken (vor *dat*), b) verheimlichen (*dat od.* vor *dat*). – **2.** bedecken, verbergen: clouds ~ the sun Wolken bedecken die Sonne; to ~ s.th. from view etwas dem Blick entziehen; → light¹ 6. – **3.** (*Gesicht etc*) ab-, wegwenden, verbergen. – **4.** *selten* (be)schützen, bergen. – *SYN.* bury, conceal, screen, secrete. – **II** *v/i* **5.** *colloq. auch* ~ out sich verbergen, sich verstecken.

hide² [haid] **I** *s* **1.** Haut *f*, Fell *n.* – **2.** *fig.* ‚Fell' *n*, Haut *f*: to save one's own ~ die eigene Haut retten. – **II** *v/t pret u. pp* '**hid·ed** **3.** abhäuten. – **4.** *colloq.* 'durchbleuen, -prügeln.

hide³ [haid] *s altes engl. Feldmaß* (*etwa 40,469 ha*).

'**hide-and-'seek** *s* Versteckspiel *n*: to play ~ Versteck spielen (*auch fig.*).

'**hide**ˌ**bound** *adj* **1.** mit eng anliegender Haut *od.* Rinde. – **2.** *fig.* engherzig, kleinlich. — ~ **hunt·er** *s Am.* Pelzjäger *m.*

hid·e·ous ['hidiəs] *adj* **1.** häßlich, scheußlich: a ~ monster. – **2.** schrecklich, ab'scheulich: ~ conduct. — '**hid·e·ous·ness** *s* **1.** Häßlichkeit *f*, Scheußlichkeit *f.* – **2.** Ab'scheulichkeit *f.*

'**hide-ˌout** *s colloq.* Versteck(platz *m*) *n.*

hid·ing¹ ['haidiŋ] *s* **1.** Verstecken *n*, Verbergen *n.* – **2.** Verborgenheit *f*, Versteck *n*: to be in ~ sich versteckt halten.

hid·ing² ['haidiŋ] *s sl.* Tracht *f* Prügel.

hi·dro·sis [hi'drousis] *s med.* **1.** Schweiß *m*, Schwitzen *n.* – **2.** Hi'drose *f*, 'übermäßiges Schwitzen. — **hi·drot·ic** [hi'drɒtik] *adj u. s med.* schweißtreibend(es Mittel).

hie [hai] *pret u. pp* **hied,** *pres p* '**hy·ing** *od.* '**hie·ing** *v/i poet.* eilen.

hi·er·a·co·sphinx [ˌhaiə'reikoˌsfiŋks] *s* habichtköpfige Sphinx.

hi·er·arch ['haiəˌrɑ:rk] *s relig.* Hier'arch *m*: a) *antiq.* griech. Tempelpriester *m*, b) *hist.* Oberpriester *m*, c) *Priester höheren Ranges.* — ˌ**hi·er'ar·chal,** ˌ**hi·er'ar·chic,** ˌ**hi·er'ar·chi·cal** *adj* hier'archisch. — ˌ**hi·er'ar·chi·cal·ly** *adv* (*auch zu* hierarchic). — '**hi·erˌar·chism** *s* hier'archische Grundsätze *pl od.* Macht *f.* — '**hi·erˌarch·y** *s* Hierar'chie *f*: a) Priesterherrschaft *f*, b) Priesterschaft *f*, c) Rangordnung *f.*

hi·er·at·ic [ˌhaiə'rætik], *auch* ˌ**hi·er'at·i·cal** [-kəl] *adj* **1.** hie'ratisch (*Stil, Schrift*). – **2.** priesterlich, Priester...

hiero- [haiəro] *Wortelement mit der Bedeutung* heilig.

hi·er·oc·ra·cy [ˌhaiə'rɒkrəsi] *s* Priesterherrschaft *f.* — '**hi·er·oˌdule** [-rəˌdju:l; *Am. auch* -ˌdu:l] *s antiq.* Hiero'dule *m, f* (*griech. Tempelsklave*).

hi·er·o·glyph ['haiərəˌglif; -ro-] → hieroglyphic II. — ˌ**hi·er·o'glyph·ic** **I** *adj* **1.** Hieroglyphen... – **2.** hiero'glyphisch, sinnbildlich, rätselhaft. – **3.** unleserlich. – **II** *s* **4.** Hiero'glyphe *f*: a) *bildliches Schriftzeichen der alten Ägypter*, b) *symbolisches od. geheimnisvolles Zeichen.* – **5.** *pl humor.* ‚Hiero'glyphen' *pl*, unleserliches Gekritzel. — ˌ**hi·er·o'glyph·i·cal** → hieroglyphic I. — ˌ**hi·er'og·ly·phist** [-'rɒglifist; -lə-] *s* Hiero'glyphenkundige(r), -kenner(in).

hi·er·o·gram ['haiərəˌgræm; -ro-], '**hi·er·oˌgraph** [-ˌgræ(:)f; *Br. auch*

-ˌgrɑːf] *s antiq.* Hieroˈgramm *n* (*Schriftzeichen in priesterlicher Geheimschrift*). — ˌ**hi·er'ol·o·gy** [-ˈrɒlədʒi] *s* Hieroloˈgie *f*: a) *Beschreibung heiliger Dinge*, b) *Gesamtheit des religiösen Glaubens*. — ˈ**hi·er·oˌphant** [-rəˌfænt; -ro-] *s antiq. relig.* Hieroˈphant *m*, (Ober)Priester *m*. — ˌ**hi·er·oˈphan·tic** *adj* hieroˈphantisch. — ˌ**Hi·er·oˈsol·yˌmi·tan** [-ˈsɒliˌmaitən] **I** *adj* von Jeˈrusalem. – **II** *s* Bewohner(in) von Jeˈrusalem.

hi·fa·lu·tin *cf.* highfalutin.

hi-fi [ˈhaiˈfai] *Kurzform für* high-fidelity.

hig·gle [ˈhigl] *v/i* **1.** feilschen, handeln. – **2.** hauˈsieren (gehen), hökern.

hig·gle·dy-pig·gle·dy [ˈhigldiˈpigldi] **I** *adv* drunter u. drüber, durcheinˈander. – **II** *adj* (wie Kraut u. Rüben) durcheinˈander, kunterbunt. – **III** *s* ˈDrunter-u.-ˈDrüber *n*, Durcheinˈander *n*.

hig·gler [ˈhiglər] *s* **1.** Feilscher *m*. – **2.** Hauˈsierer(in), Höker(in).

high [hai] **I** *adj* **1.** hoch: ten feet ~ zehn Fuß hoch; → horse 1. – **2.** hoch(gelegen), Hoch...: H~ Asia Hochasien. – **3.** *geogr.* hoch (*nahe den Polen*): ~ latitude hohe Breite. – **4.** hoch (*Grad*): ~ favo(u)r hohe Gunst; ~ speed a) hohe Geschwindigkeit, b) *mar.* hohe Fahrt, äußerste Kraft; ~ temperature hohe Temperatur; → gear 2. – **5.** stark, heftig: ~ passion wilde Leidenschaft; ~ wind starker Wind. – **6.** hoch (*im Rang*), Hoch..., Ober..., Haupt...: a ~ official ein hoher Beamter; ~ commissioner Hoher Kommissar; the Most H~ der Allerhöchste. – **7.** bedeutend, groß, hoch, wichtig: ~ affairs wichtige Angelegenheiten. – **8.** hoch (*Stellung*), vornehm, edel: of ~ birth von hoher Geburt; of ~ standing a) von hohem Stand (*Person*), b) von hohem Niveau *od.* Standard; ~ life vornehmes Leben; ~ and low hoch u. niedrig, vornehm u. gemein. – **9.** hoch, erhaben, edel: ~ merit hohes Verdienst; ~ minds edle Gesinnung; ~ spirit erhabener Geist. – **10.** hoch, Hoch... (*auf dem Höhepunkt stehend*): H~ Middle Ages Hochmittelalter. – **11.** hoch, vorgeschritten (*Zeit*): ~ summer Hochsommer; it is ~ day es ist heller Tag; it is ~ noon es ist hoch am Mittag; it is ~ time es ist höchste Zeit. – **12.** (*zeitlich*) fern, tief: ~ antiquity tiefes Altertum. – **13.** *ling.* a) Hoch... (*Sprache*), b) hoch, mit hoher Zungenstellung gesprochen (*Laut*). – **14.** hoch (*im Kurs*), teuer: land is ~ Land steht hoch im Kurs. – **15.** *auch* ~ and mighty stolz, anmaßend, arroˈgant, hochfahrend: → hand 7. – **16.** exˈtrem, eifrig: a H~ Tory ein extremer Konservativer. – **17.** bös, zornig, scharf (*Worte*). – **18.** a) hoch, hell, b) schrill, laut. – **19.** hell, lebhaft (*Farbe*), *bes.* gerötet (*Gesicht*). – **20.** gehoben, heiter, flott: in ~ spirits (in) gehobener Stimmung. – **21.** *colloq.* beschwipst, angeheitert. – **22.** (*Kochkunst*) angegangen, piˈkant, mit Hautˈgout (*Fleisch, bes. Wild*). – **23.** *mar.* hoch am Wind. – **24.** ~ and dry a) *mar.* hoch u. trocken, (bei Hochwasser) aufgelaufen, auf dem Trockenen, gestrandet, b) *fig.* kaltgestellt, auf dem toten Gleis. – **25.** *Scot.* groß(gewachsen) (*Person*). – **26.** how is that for ~? *sl.* na, was sagen Sie nun? – *SYN.* lofty, tall. –
II *adv* **27.** hoch: to run ~ a) hoch gehen (*See, Wellen*), b) *fig.* heftig sein, toben (*Gefühle*); to fly ~ hoch fliegen. – **28.** in die Höhe, hoch: to lift ~ in die Höhe heben. – **29.** stark, heftig, in hohem Grad *od.* Maß. – **30.** teuer: to pay ~ teuer bezahlen. – **31.** hoch, mit hohem Einsatz: to play ~. – **32.** ~ and low überall. – **33.** üppig: to live ~. – **34.** *mar.* hoch am Wind. –
III *s* **35.** Höhe *f*, hochgelegener Ort: on ~ a) hoch oben, hoch hinauf, b) im *od.* zum Himmel; from on ~ a) von oben, von der Höhe, b) vom Himmel. – **36.** (*Meteorologie*) Hoch(druckgebiet) *n*. – **37.** *tech.* a) ˈhochüberˌsetztes *od.* ˈhochunterˌsetztes Getriebe (*an Fahrzeugen*), *bes.* Geländegang *m*, b) höchster *od.* schnellster Gang: to shift into ~ den höchsten Gang einschalten. – **38.** (*Kartenspiel*) höchste Karte. – **39.** *Am. colloq. für* ~ school 1. – **40.** *Kurzform für* ~ table. – **41.** the H~ *Kurzform für* H~ Street (*Straße in Oxford*).

high| al·tar *s relig.* ˈHochalˌtar *m*. — ˈ~-ˌ**an·gle fire** *s mil.* Steilfeuer *n*. — ˈ~-ˌ**an·gle gun** *s mil.* Steilfeuergeschütz *n*. — ˈ~-ˌ**backed** *adj* mit hoher Lehne (*Stuhl*). — ˈ~ˌ**ball**[1], *auch* ~ **ball** *s Am.* Highball *m* (*Cocktail aus Whisky, Soda u. Eis*). — ˈ~ˌ**ball**[2] *Am.* **I** *s* **1.** Freie-ˈFahrt-Siˌgnal *n* (*Eisenbahn*). – **2.** Schnellzug *m*. – **II** *v/i u. v/t* **3.** mit voller Geschwindigkeit fahren. — ~ˈ**be·li·a** [-ˈbiːljə] *s bot. Am.* Große Loˈbelie (*Lobelia syphilitica*). — ˈ~ˌ**bind·er** *s Am.* **1.** chines. Gangster *m* (*bes. in San Francisco*). – **2.** *sl.* Rowdy *m*, bruˈtaler Kerl. — ~ **blow·er** *s Pferd, das ein flatterndes Geräusch mit den Nüstern erzeugt.* — ˈ~-ˌ**blown** *adj fig.* aufgeblasen, eingebildet. — ˈ~ˌ**born** *adj* hochgeboren, von hoher Geburt. — ˈ~ˌ**boy** *s Am.* hochbeinige Komˈmode. — ˈ~ˌ**bred** *adj* **1.** von edlem Blut. – **2.** vornehm, wohlerzogen. — ˈ~-ˌ**brow** *colloq.* **I** *s* Intellektuˈelle(r), Schöngeist *m* (*bes. j-d der sich übertrieben intellektuell gibt*). – **II** *adj* (betont) intellektuˈell, schöngeistig. — ˈ~-ˌ**browed** → high-brow II. — ˈ~-ˌ**brow·ism** *s colloq.* Schöngeistlertum *n*, intellektuˈeller Hochmut. — ~ **brown** *s Am.* Neger-(in) mit hellem Teint. — **H~ Church** *s relig.* Hochkirche *f* (*orthodoxe Richtung der anglikanischen Kirche*). — ˈ**H~-ˈChurch** *adj* hochkirchlich. — ˌ**H~-ˈChurch·man** *s irr* Anhänger *m* der hochkirchlichen Richtung. — ~ **cock·a·lo·rum** [ˌkɒkəˈlɔːrəm] *s* **1.** a) *Ausruf beim Bockspringen*, b) Bockspringen *n*. – **2.** *Am. sl.* ‚Angeber' *m*, protzige Perˈson. — ˈ~-ˈ**col·o(u)red** *adj* **1.** von lebhafter Farbe, gerötet (*Gesicht*). – **2.** lebhaft. – **3.** überˈtrieben: a ~ description. — ~ **com·e·dy** *s* hohe Koˈmödie (*mit guter Charakterzeichnung u. witzigem Dialog*). — ~ **com·mand** *s mil.* ˈOberkomˌmando *n*. — **H~ Court (of Jus·tice)** *s jur.* Hoher Gerichtshof (*erster u. zweiter Instanz in London, bildet mit dem* Court of Appeal *zusammen den* Supreme Court of Judicature). — ~ **day** *s Bibl.* Feier-, Freuden-, Festtag *m*. — ~ **div·ing** *s* Turmspringen *n*.

high·er [ˈhaiər] *comp von* high **I** *adj bes. biol.* höher(entwickelt): the ~ animals die höheren Tiere. – **II** *adv* höher, mehr: to bid ~. — ~ **crit·i·cism** *s* hiˈstorische Literaˈturkriˌtik, *bes.* ˈBibelkriˌtik *f*. — ~ **ed·u·ca·tion** *s* College-, Hochschul(aus)bildung *f*. — ˈ~-ˈ**up** *s colloq.* ‚hohes Tier' (*hochgestellte Person*).

high·est [ˈhaiist] *sup von* high **I** *adj* **1.** höchst(er, e, es). – **II** *adv* **2.** am höchsten. – **III** *s* **3.** das Höchste: at its ~ auf dem Höhepunkt. – **4.** the H~ *Bibl.* der Höchste (*Gott*).

high| ex·plo·sive *s* ˈhochexploˌsiver Sprengstoff. — ˈ~-**exˈplo·sive** *adj* ˈhochexploˌsiv. — ˌ~-**faˈlu·tin** [-fəˈluːtin], *auch* ˌ~-**faˈlu·ting** [-tiŋ], ˌ~-**faˈlu·ten** [-tən] *s u. adj sl.* hochtrabend(es Geschwätz). — ~ **farm·ing** *s agr.* intenˈsive Bodenbewirtschaftung. — ˈ~-**fiˈdel·i·ty** *electr.* **I** *adj* Hi-Fi, mit sehr getreuer ˈTonˌwiedergabe (*Radio etc*). – **II** *s* sehr getreue ˈTonˌwiedergabe. — ˈ~ˌ**fli·er** *s* **1.** extravaˈgante *od.* überˈspannte Perˈson. – **2.** *pol. relig.* exˈtremer Parˈteigänger (*bes. im 18. Jh.*). — ˈ~-ˈ**flown** *adj fig.* **1.** erhaben, stolz. – **2.** aufgeblasen, hochtrabend, schwülstig. — ˈ~ˌ**fly·er** *cf.* highflier. — ˈ~-ˈ**fly·ing** *adj* überˈtrieben, extravaˈgant. — ˈ~-ˈ**fre·quen·cy** *adj electr.* ˈhochfreˌquent, Hochfrequenz... — ~ **fre·quen·cy** *s* ˈHochfreˌquenz *f*. — **H~ Ger·man** *s ling.* Hochdeutsch *n*. — ˈ~-ˈ**grade** *adj* **1.** hochwertig. – **2.** reinrassig. — ~ **hand** *s* Willkür-, Gewaltherrschaft *f*: with a ~ willkürlich. — ˈ~ˈ**hand·ed** *adj* anmaßend, willkürlich, gewaltsam. — ˌ~ˈ**hand·ed·ness** *s* Anmaßung *f*, Willkür *f*. — ~ **hat** *s* Zyˈlinder *m* (*Hut*). — ˈ~-ˈ**hat** *Am. sl.* **I** *s* Snob *m*, Geck *m*. – **II** *adj* geckenhaft, eitel, hochnäsig. – **III** *v/t pret u. pp* ˈ**high-ˈhat·ted** (*j-n*) von oben herˈab behandeln. – **IV** *v/i* sich geckenhaft aufführen, ‚angeben'. — ˈ~-ˈ**heeled** *adj* mit hohen Absätzen (*Schuhe*). — ˈ~-ˌ**hold·er**, ˈ~ˌ**hole** *Am. dial. für* flicker[2]. — ˈ~ˌ**jack(·er)** *cf.* hijack(er). — ~ **jinks** *s colloq.* ausgelassene Lustigkeit, ‚Bombenstimmung' *f*. — ~ **jump** *s sport* Hochsprung *m*. — ˈ~-**land** [-lənd] **I** *s* Hoch-, Bergland *n*, (Vor)Gebirge *n*: the H~s of Scotland das schott. Hochland. – **II** *adj* hochländisch, Hochland...: ~ fling *lebhafter Tanz der schott. Hochländer.* — ˈ~-**land·er** *s* **1.** Hochländer(in). – **2.** H~ a) schott. Hochländer *m*, b) *Soldat eines schott. Hochländerregiments.* — ˈ~ˌ**light I** *v/t pret u. pp* ˈ~ˌ**light·ed** **1.** *fig.* starkes Licht werfen auf (*acc*), herˈvorheben, betonen. – **2.** (*Malerei*) Lichter aufsetzen (*dat*). – **II** *s* → high light. — ~ **light** *s* **1.** *phot.* Spitz(en)-, Glanzlicht *n*. – **2.** (*Malerei*) Licht *n*. – **3.** *fig.* Höhe-, Glanzpunkt *m*. — ~ **liv·ing** *s* Wohlleben *n*. — ˈ~ˌ**low** *s obs.* Schnürstiefel *m*. — ˈ~-ˈ**low-ˈjack** *s Am. ein Kartenspiel.*

high·ly [ˈhaili] *adv* **1.** hoch, in hohem Grade, sehr, höchlich, höchst: ~ gifted hochbegabt. – **2.** lobend, preisend, anerkennend: to speak ~ of s.o. anerkennend von j-m sprechen; to think ~ of eine hohe Meinung haben von, viel halten von. – **3.** teuer, zu einem hohen Preis: ~ paid teuer bezahlt. – **4.** stolz, anmaßend.

high| mal·low *s bot.* Roßmalve *f* (*Malva sylvestris*). — **H~ Mass** *s* (*röm.-kath. Kirche*) Hochamt *n*. — ˈ~-ˈ**mind·ed** *adj* **1.** hochherzig, -gesinnt, -sinnig. – **2.** *obs.* hochmütig. — ˌ~-ˈ**mind·ed·ness** *s* Hochherzigkeit *f*. — ˈ~-ˌ**muck-a-ˈmuck** *s Am. sl.* einflußreiche u. arroˈgante Perˈson, ‚hohes Tier'. — ˈ~-ˈ**necked** *adj* hochgeschlossen, nicht ausgeschnitten (*Kleid*).

high·ness [ˈhainis] *s* **1.** Höhe *f*. – **2.** Erhabenheit *f*, Vornehmheit *f*, hoher Wert. – **3.** Gewalt *f*, Stärke *f*, Heftigkeit *f*. – **4.** piˈkanter Geschmack, Stich *m*, Hautˈgout *m* (*Wildbret*). – **5.** H~ Hoheit *f* (*Titel*): His Royal H~ Seine Königliche Hoheit.

ˈ**high|-ˈoc·tane gas·o·line** (*Br.* **petrol**) *s chem.* Benˈzin *n* mit hoher Okˈtanzahl, klopffestes Benˈzin. — ˈ~-ˈ**pitched** *adj* **1.** hoch (*Ton etc*). – **2.** steil (*Dach etc*). – **3.** hochgesinnt, erhaben. – **4.** reizbar, nerˈvös. — ~ **place** *s relig.* (*meist erhöht gelegene*) Gebetsstätte. — ~ **pol·y·mer** *s chem.* ˈHochpolyˌmere *n* (*Polymerisat* *mit hohem Molekulargewicht*). — **'~-'pres·sure I** *v/t* **1.** (*Kunden etc*) bearbeiten, ‚beknien' (*zum Kauf nötigen*). – **II** *adj* **2.** *tech.* (*u. Meteorologie*) Hochdruck...: ~ **area** Hoch(druckgebiet); ~ **engine** Hochdruckmaschine. – **3.** *fig.* e'nergisch: ~ **salesmanship** Anwendung besonders intensiver Verkaufsmethoden. — **'~-'priced** *adj* teuer, kostspielig. — ~ **priest** *s* **1.** *relig.* a) Oberpriester *m*, b) (*jüd. Religion*) Hohe(r)-priester *m*. – **2.** *fig.* Hohe(r)priester *m*, Pro'phet *m*. — ~ **priest·hood** *s relig.* Hohe'priestertum *n*. — ~ **pri·o·ri road** [praiˈɔːrai] *s* (*Logik*) Aufstellen *n* einer a-pri'ori-Behauptung an Stelle einer Beweisführung. — ~ **proof,** *auch* **'~-'proof** *adj* **1.** *chem.* in hohem Grade rektifi'ziert, stark alko'holisch: ~ **spirits.** – **2.** stark erprobt, jede Probe aushaltend. — ~ **re·lief** *s* 'Hochreliˌef *n*. — **'~ˌroad** *s* Hauptstraße *f*, breite Straße: **the ~ to success** *fig.* der (sichere) Weg zum Erfolg. — ~ **school** *s* **1.** *Am.* (*Art*) Mittelschule *f* (*bereitet vor zum Eintritt in ein College, zur weiteren Ausbildung im Handel u. Gewerbe etc*). – **2.** (*Pferdedressur*) Hohe Schule. — ~ **sea** *s* hohe See, offenes Meer. — **'~-'sea** *adj* Hochsee... — **'~-'sound·ing** *adj* hochtönend, -trabend, klingend: ~ **titles.** — **'~-'speed** *adj* von großer Geschwindigkeit, Schnell-...: ~ **steel** Schnell(dreh)stahl; ~ **hypnosis** Geschwindigkeitshypnose (*tranceähnlicher Zustand nach langem, eintönigem Fahren*). — **'~-'spir·it·ed** *adj* schneidig, stolz, kühn, feurig. — **ˌ~-'spir·it·ed·ness** *s* Kühnheit *f*, Schneid *m*, Feuer *n*, Mut *m*. — ~ **spot** *s Am.* Hauptpunkt *m*, -sache *f*, wichtigster Punkt: **to hit** (*od.* **touch**) **the ~s** a) eilen, jagen, rasen, b) kurz das Wichtigste erwähnen. — **'~-'step·per** *s* **1.** hochtrabendes Pferd. – **2.** *fig.* affek'tierte *od.* eingebildete Per'son. — **'~-'step·ping** *adj* hochtrabend (*auch fig.*). — ~ **street** *s* Hauptstraße *f*. — **'~-'strung** *adj* reizbar, 'überempfindlich, ner'vös.

hight[1] [hait] *pret u. pp* **hight,** *pp auch* **hote** [hout] *obs.* **I** *v/t* (*meist pp*) nennen. – **II** *v/i* sich nennen.

hight[2] [hait] *dial. für* height.

high| ta·ble *s Br.* erhöhte (Speise-)Tafel (*bes. für die Fellows im College*). — ~ **ta·per** *s bot.* Königskerze *f* (*Verbascum thapsus*). — **'~-'tast·ed** *adj* mit starkem Geschmack, pi'kant. — ~ **tea** *s bes. Br.* Tee *m od.* Abendessen *n*, bei dem Fleisch ser'viert wird. — **'~-'ten·sion** *adj electr.* Hochspannungs..., unter *od.* mit hoher Spannung. — **'~-'test** *adj* **1.** in harter Probe bewährt. – **2.** *chem.* bei niederer Tempera'tur siedend (*Benzin*).

highth [haitθ] → height.

high| tide *s* **1.** Hochwasser *n* (*höchster Flutwasserstand*). – **2.** *fig.* Höhe-, Gipfelpunkt *m*. — ~ **time** *s* **1.** höchste Zeit: **it was ~.** – **2.** *sl.* a) großes Vergnügen, ‚Heidenspaß' *m*, b) Gelage *n*, Zeche'rei *f*. — **'~-'toned** *adj* **1.** *mus.* von hoher Tonlage, hoch (gestimmt). – **2.** *fig.* hochgesinnt, erhaben. – **3.** *Am. colloq.* vornehm, ele'gant (*oft spöttisch*). — ~ **trea·son** *s* Hochverrat *m*.

high·ty-tigh·ty [ˈhaitiˈtaiti] → hoity-toity I *u.* II.

'high|-ˌup *s colloq.* ‚hohes Tier' (*hochgestellte Person*). — ~ **wa·ter** *s* Hochwasser *n*: a) *höchster Punkt der Flutgezeit*, b) *höchster Wasserstand eines Gewässers*. — **'~-'wa·ter** *adj* Hochwasser...: ~ **pants** *Am. sl.* Hochwasserhosen (*mit zu kurzen od. aufgerollten Hosenbeinen*). — **'~-'wa·ter mark** *s* **1.** Hochwasserlinie *f*, -standzeichen *n*. – **2.** *fig.* Höhepunkt *m*. — **'~-'wa·ter stand** *s mar.* Stauwasser *n*. — **'~ˌway** *s* **1.** öffentliche Straße (*jeder Art, auch zur See*): ~ **code** Straßenverkehrsordnung. – **2.** Landstraße *f*, Chaus'see *f*. – **3.** *fig.* üblicher *od.* bester Weg, gerader Weg. — **'~ˌway·man** [-mən] *s irr* (*bes.* berittener) Straßenräuber. — **'~-'wing** *adj aer.* hochdeckig: ~ **aircraft** Hochdecker. — **'~-'wrought** *adj* **1.** fein ausgearbeitet. – **2.** tief *od.* stark bewegt, aufgeregt.

hi·jack [ˈhaiˌdʒæk] *Am. sl.* **I** *v/t* **1.** (*Schmugglerware, bes. Spirituosen*) (auf dem Weg von den Schmugglern) stehlen *od.* rauben. – **2.** (*Schmuggler*) (auf dem Weg) über'fallen u. ihrer Ware berauben. – **II** *v/i* **3.** 'Raubˌüberfälle auf Schmuggler(fahrzeuge) ausüben. – **4.** Straßenraub betreiben. — **'hiˌjack·er** *s* Straßenräuber *m*.

hike [haik] **I** *v/i* **1.** wandern, mar'schieren, reisen. – **2.** → hitch~. – **3.** *dial.* ausreißen. – **4.** *Am. colloq.* steigen (*Preise*). – **II** *v/t* **5.** *colloq.* mar'schieren *od.* wandern lassen. – **6.** *bes. dial.* bewegen. – **III** *s* **7.** Wanderung *f*, Marsch *m*. – **8.** *colloq.* Erhöhung *f*, Anstieg *m*. — **'hik·er** *s* **1.** Wanderer *m*. – **2.** Tramp *m*.

hi·lar·i·ous [hiˈlɛ(ə)riəs; hai-] *adj* heiter, lustig, vergnügt. — **hi'lar·i·ous·ness, hi'lar·i·ty** [-ˈlæriti; -əti] *s* **1.** Heiterkeit *f*, Fröhlichkeit *f*. – **2.** Ausgelassenheit *f*. – *SYN. cf.* mirth.

Hil·a·ry·mas [ˈhilərimәs] *s* Fest *n* des heiligen Hi'larius (*13. Januar*).

Hil·a·ry term *s Br.* **1.** *jur. im Januar beginnender engl. Gerichtstermin.* – **2.** *ped.* 'Frühjahrsseˌmester *n* (*im Januar beginnend*).

hilch [hilʃ] *Scot.* **I** *v/i* humpeln. – **II** *s* Humpeln *n*.

hil·ding [ˈhildiŋ] *adj u. s obs.* schlecht(es Sub'jekt).

hill [hil] **I** *s* **1.** Hügel *m*, Anhöhe *f*, kleiner Berg: **up ~ and down dale** bergauf u. bergab; **as old as the ~s** steinalt; **over the ~** *fig.* ‚auf dem absteigenden Ast'; **the ~s** *Br. Ind.* → ~ **station.** – **2.** (Erd)Haufen *m*: **mole ~** Maulwurfshügel, -haufen. – **3.** *agr.* a) Erdaufhäufelung *f* (*um Pflanzen, bes. Kartoffeln*), b) gehäufelte Pflanzengruppe *od.* -reihe: **a ~ of potatoes.** – **II** *v/t* **4.** *auch* ~ **up** *agr.* (*Pflanzen*) häufeln. – **5.** zu einem Haufen formen, aufhäufen. – **III** *v/i* **6.** einen Hügel bilden, sich hügelartig erheben. – **7.** sich auf Hügeln zum Brüten sammeln (*Vögel*).

'hillˌbil·ly *s Am. colloq.* (*meist verächtlich*) 'Hinterwäldler *m* (*aus den südl. USA*): ~ **music** Hillbilly-Musik.

hill·er [ˈhilər] *s* **1.** *agr.* 'Häufelmaˌschine *f*. – **2.** (*Töpferei*) Gla'surschüssel *f*.

hill| folk *s* **1.** Bergbewohner *pl*. – **2.** *hist. die schott.* **Covenanters** *zur Zeit ihrer Verfolgung*. – **3.** Erdgeister *pl*. — ~ **fox** *s zo.* Hi'malayafuchs *m* (*Vulpes himalaicus*). — ~ **grass bird** *s zo. Am.* Grasläufer *m* (*Tryngites subruficollis*).

hill·i·ness [ˈhilinis] *s* Hügeligkeit *f*, Unebenheit *f*.

'hill|·man [-mən] *s irr* Hügel-, Bergbewohner *m*. — ~ **my·na** *s zo.* Beo *m* (*Eulabes religiosa; Vogel*).

hil·lo(a) [ˈhilou; hiˈlou] *obs. für* hollo I *u.* II.

hill oat *s bot.* Nackthafer *m* (*Avena nuda*).

hill·ock [ˈhilək] *s* Hügelchen *n*, kleiner Hügel. — ~ **tree** *s bot.* (*ein*) Kaja'putbaum *m* (*Melaleuca hypericifolia*).

hill·ock·y [ˈhiləki] *adj* voller Hügelchen.

'hill|ˌside *s* (Berg)Abhang *m*. — **'~ˌsite** *s* erhöhte Lage. — ~ **star** *s zo.* (*ein*) Kolibri *m* (*Gattg Oreotrochilus*). — ~ **sta·tion** *s in Indien ein im Bergland gelegener Erholungsort für Europäer*. — **'~ˌtop** *s* Hügel-, Bergspitze *f*.

hill·y [ˈhili] *adj* **1.** hügelig. – **2.** steil.

hilt [hilt] **I** *s* Heft *n*, Griff *m* (*Schwert, Dolch*): **up to the ~** bis ans Heft, durch u. durch, ganz u. gar; **armed to the ~** bis an die Zähne bewaffnet; **to prove up to the ~** schlagend beweisen. – **II** *v/t* mit einem Heft versehen.

hi·lum [ˈhailəm] *pl* **'hi·la** [-lə] *s* **1.** *bot.* a) Samennabel *m*, b) Kern *m* (*eines Stärkekorns*). – **2.** *med. zo.* Hilus *m*, Pforte *f* (*Eintrittsstelle der Gefäße u. Nerven in ein Organ*).

him [him; im] **I** *personal pron* **1.** *acc von* **he**: a) ihn, b) den(jenigen): **I know ~** ich kenne ihn; **I saw ~ who did it** ich sah den(jenigen), der es tat. – **2.** *dat von* **he**: a) ihm, b) dem(jenigen): **I gave ~ the book.** – **3.** *colloq. für* **he**: **that is ~** das ist er; **I knew it to be ~** ich wußte, daß er es war. – **II** *reflex pron* **4.** sich: **he looks about ~.**

Hi·ma·la·yan [hiˈmɑːləjən; -ljən; ˌhiməˈleiən] *adj* hima'lajisch, Himalaja... — ~ **pine** *s bot.* Tränenkiefer *f* (*Pinus excelsa*).

hi·mat·i·on [hiˈmætiˌɒn] *pl* **-i·a** [-iə] *s antiq.* Hi'mation *n* (*altgriech. mantelartiger Überwurf*).

him·self [himˈself; im-] *pron* **1.** *reflex* sich: **he cut ~; he thought ~ wise** er hielt sich für klug. – **2.** sich selbst: **he needs it for ~.** – **3.** (er *od.* ihn *od.* ihm) selbst: **he ~ said it, he said it ~** er selbst sagte es, er sagte es selbst; **it is for ~** es ist für ihn selbst; **it is by ~** es ist von ihm selbst; **he did it by ~** er tat es allein *od.* ohne Hilfe. – **4.** sein nor'males Selbst: **he is not quite ~** er ist nicht gut beisammen; **he is beside ~** er ist außer sich.

Him·yar·ite [ˈhimjəˌrait] **I** *s* Himja'rite *m*, Him'jare *m* (*Angehöriger od. Nachkomme einer alten südarab. Völkerschaft*). – **II** *adj* himja'ritisch, Himjariten... — **ˌHim·yar'it·ic** [-ˈritik] → Himyarite II.

hin [hin] *s* Hin *n* (*Flüssigkeitsmaß der alten Hebräer, etwa 5,7 l*).

hi·na·u [ˈhiːnɑːuː; ˈhiːnau], *auch* **hi·nou** [ˈhiːnau] *s bot.* (*ein*) neu'seeländischer Ölweidenbaum (*Elaeocarpus dentatus*).

hind[1] [haind] *pl* **hinds,** *collect.* **hind** *s zo.* **1.** Hindin *f*, Hirschkuh *f*. – **2.** (*ein*) Sägebarsch *m* (*Gattg Epinephelus*).

hind[2] [haind] *comp* **'hind·er,** *sup* **'hindˌmost** [-ˌmoust] *od.* **'hind·erˌmost** *adj* hinter(er, e, es), Hinter...: ~ **legs** Hinterbeine.

hind[3] [haind] *s* **1.** *Br.* Bauer *m*, Landbewohner *m*. – **2.** *bes. Scot.* Farm-, Landarbeiter *m*.

'hindˌbrain *s med.* Rauten-, 'Hinterhirn *n*, Rhomben'cephalon *n*.

hin·der[1] [ˈhindər] **I** *v/t* **1.** aufhalten. – **2.** (from) hindern (an *dat*), abhalten (von), zu'rückhalten (vor *dat*): **to ~ s.o. from doing s.th.** j-n daran hindern, etwas zu tun. – **II** *v/i* **3.** hinderlich sein, aufhalten, im Weg sein. – *SYN.* **block, impede, obstruct.**

hind·er[2] [ˈhaindər] *comp von* **hind**[2].

hind·er·most [ˈhaindərˌmoust] *sup von* **hind**[2].

'hind|-ˌgut *s med. zo.* hinterer Teil des Ver'dauungskaˌnals. — **'~ˌhead** *s* 'Hinterkopf *m*.

Hin·di [ˈhindiː] *s* **1.** *ling.* Hindi *n*: a) *Sammelname nordindischer Dialekte*, b) *eine schriftsprachliche Form des Hindostani*. – **2.** Hindi *m* (*eingeborener Inder*).

Hind·ley's screw [ˈhaindliz] *s tech.* Globo'idschneckentrieb *m*.

ˈhind,most *sup von* hind²: hinterst(er, e, es), letzt(er, e, es): → devil 1.
Hin·doo *pl* **-doos, Hin·doo·ism** *cf.* Hindu, Hinduism.
Hin·doo·sta·ni [ˌhinduˈstɑːni; -ˈstæni], **ˌHin·doˈsta·ni** [-do-], *auch* **ˌHin·dooˈsta·nee** [-niː] → Hindustani.
ˈhindˈquar·ter *s* **1.** ˈHinterviertel *n* (*Schlachttier*). – **2.** *oft pl* ˈHinterteil *n*, Gesäß *n*.
hin·drance [ˈhindrəns] *s* **1.** Behinderung *f*. – **2.** Hindernis *n* (to s.o. für j-n, to *od.* of s.th. für etwas).
ˈhind,sight *s humor.* zu späte Einsicht, ‚Nachsicht' *f*: ~ is easier than foresight hinterher ist man klüger als vorher.
Hin·du [ˈhinduː] **I** *s* **1.** *relig.* Hindu *m*. – **2.** *Am.* Inder *m*. – **II** *adj* **3.** Hindu..., indisch. — **ˈHin·du,ism** *s relig.* Hinduˈismus *m*. — **ˈHin·du,ize** *v/t* hinduiˈsieren, zu Hindus machen, dem Hinduˈismus anpassen.
Hin·du·sta·ni [ˌhinduˈstɑːni; -ˈstæni] **I** *adj* hindoˈstanisch, Hindostani... – **II** *s* Hindoˈstani *n* (*Hauptverkehrssprache Indiens*).
hind·ward [ˈhaindwərd] **I** *adv* nach hinten. – **II** *adj* hinter(er, e, es).
hind wheel *s tech.* ˈHinterrad *n*.
hinge [hindʒ] **I** *s* **1.** *tech.* Scharˈnier *n*, Gelenk *n*, (Tür)Angel *f*: off the ~s *fig.* aus den Angeln *od.* Fugen. – **2.** *med. zo.* Scharˈniergelenk *n*. – **3.** *fig.* Angelpunkt *m*, kritischer *od.* springender Punkt. – **4.** *geogr. obs.* Kardiˈnalpunkt *m*. – **5.** (*Philatelie*) Klebefalz *m*. – **II** *v/t* **6.** mit Scharˈnieren versehen: ~d (auf)klappbar. – **7.** (*Tür etc*) einhängen. – **8.** abhängig machen (upon von). – **III** *v/i* **9.** *meist fig.* (on) sich drehen (um), abhängen (von), hängen (an *dat*). — **~ joint** *s* **1.** *tech.* Scharˈnier *n*, Gelenk *n*. – **2.** *med.* Scharˈniergelenk *n*. — **~ tooth** *s irr zo.* Angelzahn *m*.
hin·nie [ˈhini] *Scot. od. dial. für* honey 3.
hin·ny¹ [ˈhini] *s zo.* Maulesel *m*.
hin·ny² [ˈhini] *v/i selten* wiehern.
hin·ny³ [ˈhini] *Scot. od. dial. für* honey 3.
hint [hint] **I** *s* **1.** Wink *m*, Andeutung *f*: to give a ~ einen Wink geben; to take a ~ einen Wink verstehen, es sich gesagt sein lassen; → broad 8. – **2.** Anspielung *f* (at auf *acc*). – **3.** *obs.* (günstige) Gelegenheit. – **II** *v/t* **4.** andeuten, zu verstehen geben, anspielen auf (*acc*). – **III** *v/i* **5.** eine Andeutung machen (at von), anspielen (at auf *acc*). – *SYN. cf.* suggest.
hin·ter·land [ˈhintərˌlænd] *s* ˈHinterland *n*: a) *eines Hafens*, b) *das Binnenland hinter einem Küstengebiet*, c) *wenig erschlossenes Gebiet*.
hip¹ [hip] **I** *s* **1.** Hüfte *f*: to have s.o. on the ~ j-n in der Gewalt haben; to take (*od.* catch) s.o. on the ~ j-n an einer schwachen Stelle angreifen; to smite s.o. ~ and thigh j-n erbarmungslos vernichten. – **2.** → ~ joint. – **3.** *arch.* a) Gratanfall *m*, Anfallspunkt *m* (*Walmdach*), b) Eck-, Grat-, Walmsparren *m*. – **II** *v/t pret u. pp* **hipped 4.** (*j-m*) die Hüfte verrenken *od.* verletzen. – **5.** *arch.* (*Dach*) mit einem Ecksparren versehen.
hip² [hip] *s bot.* Hagebutte *f*, Hiffe *f*.
hip³ [hip] **I** *s meist pl* Trübsinn *m*, Melanchoˈlie *f*. – **II** *v/t pret u. pp* **hipped, hipt** trübsinnig machen, traurig stimmen, bedrücken.
hip⁴ [hip] *interj* hipp!: ~, ~, hurrah! hipp, hipp, hurra!
hip⁵ [hip] → hep¹.
ˈhip|,bath *s* Sitzbad *n*. — **ˈ~ˈbone** *s med.* Hüftbein *n*, -knochen *m*. — **~ boot** *s* Wasserstiefel *m*. — **~ bri·er** → sweetbrier.
hipe [haip] (*Ringen*) **I** *s* Ausheber *m*. – **II** *v/t* mit einem Ausheber zu Boden werfen.
hip| flask *s* ˈTaschenfla,kon *n*, *m*, Reiseflasche *f* (*für Whisky*). — **~ gout** *s med.* Hüftweh *n*. — **~ joint** *s med.* Hüftgelenk *n*.
hipp- [hip] → hippo-.
hip·parch [ˈhipɑːrk] *s antiq.* Hipˈparch *m* (*Befehlshaber der Reiterei*).
hipped¹ [hipt] *adj* **1.** mit (*bestimmten*) Hüften, ...hüftig: full-~ mit vollen Hüften. – **2.** hüftlahm, -verletzt. – **3.** *arch.* Walm...: ~ roof.
hipped² [hipt] *adj colloq.* **1.** *bes. Br.* trübsinnig, be-, gedrückt, melanˈcholisch. – **2.** verärgert, ärgerlich. – **3.** *Am.* versessen, erpicht (on auf *acc*).
hip·pish [ˈhipiʃ] → hipped² 1.
hippo- [hipo] *Wortelement mit der Bedeutung* Pferd.
hip·po [ˈhipou] *pl* **-pos** *s colloq. für* hippopotamus.
hip·po·cam·pal [ˌhipoˈkæmpl; ˌhipə-] *adj med.* Hippokampus... — **ˌhip·poˈcam·pus** [-pəs] *pl* **-ˈcam·pi** [-pai] *s* **1.** (*griech. Mythologie*) Hippoˈkamp *m*, Meerpferd *n*. – **2.** *med.* Ammonshorn *n* (*des Gehirns*). — **ˈhip·po,cras** [-ˌkræs] *s hist.* Hippoˈkras *m* (*Würzwein*).
Hip·po·crat·ic [ˌhipoˈkrætik; -pə-] *adj* hippoˈkratisch: ~ face *med.* hippokratisches Gesicht (*eingefallen*); ~ oath *med.* hippokratischer Eid.
Hip·po·crene [ˈhipoˌkriːn; ˌhipoˈkriːniː; -pə-] *s antiq.* Hippoˈkrene *f* (*Musenquelle am Helikon*).
hip·po·drome [ˈhipəˌdroum] **I** *s* **1.** *antiq.* Hippoˈdrom *n* (*griech. Wagen- u. Pferderennbahn*). – **2.** Zirkus *m*. – **3.** *sport Am. sl. Wettkampf, dessen Ergebnis schon vorher festgelegt wird.* – **4.** H~ Hippoˈdrom *n* (*Varieté etc*). – **II** *v/i* **5.** *sport Am. sl. Wettkämpfe veranstalten, deren Ergebnis schon vorher festgelegt wird.* — **ˈhip·po,griff**, *auch* **ˈhip·po,gryph** [-ˌgrif] *s* Hippoˈgryph *m*.
hip·pol·o·gist [hiˈpɒlədʒist] *s* Pferdekundiger *m*, -kenner *m*. — **hipˈpol·o·gy** *s* Hippoloˈgie *f*, Pferdekunde *f*. — **hipˈpoph·a·gist** [-fədʒist] *s* Pferdefleischesser(in). — **hipˈpoph·a·gous** [-gəs] *adj* Pferdefleisch essend. — **hipˈpoph·a·gy** [-dʒi] *s* Essen *n* von Pferdefleisch.
hip·po·pot·a·mus [ˌhipəˈpɒtəməs] *pl* **-ˈpot·a·mus·es, -ˈpot·a,mi** [-ˌmai] *s zo.* Fluß-, Nilpferd *n* (*Hippopotamus amphibius*).
hip·pu·rate [ˈhipju(ə)ˌreit; hiˈpju(ə)r-] *s chem.* hipˈpursaures Salz.
hip·pu·ric [hiˈpju(ə)rik] *adj chem.* Hippur...: ~ acid Hippursäure ($C_9H_9NO_3$).
hip·pu·rite [ˈhipju(ə)ˌrait; -pjə-] *s geol.* Hippuˈrit *m* (*fossile Pferdeschweifmuschel*). — **ˌhip·puˈrit·ic** [-ˈritik] *adj* Hippuriten...
-hippus [hipəs] *Wortelement mit der Bedeutung* Pferd.
hip| raft·er *s arch.* Gratsparren *m*. — **~ roof** *s arch.* Walmdach *n*. — **~ rose** → dog rose. — **ˈ~,shot** *adj* **1.** mit verrenkter Hüfte. – **2.** *fig.* (lenden)lahm, linkisch.
hip·ster [ˈhipstər] *s* Jazzfan *m*.
hip tree → dog rose.
hir·a·ble [ˈhai(ə)rəbl] *adj* mietbar.
hir·cine [ˈhəːrsain; -sin] *adj* **1.** ziegen-, bockartig (*bes. im Geruch*). – **2.** *fig.* geil.
hir·die-gir·die [ˈhirdiˈgirdi] *adv Scot. od. dial.* durcheinˈander, in heilloser Verwirrung.
hire [hair] **I** *v/t* **1.** mieten. – **2.** (*Gut*) pachten. – **3.** (*Geld*) leihen. – **4.** a) (*j-n*) dingen, mieten, b) *mar.* heuern. – **5.** bestechen, kaufen, mieten. – **6.** *oft* ~ out vermieten: to ~ oneself (out) to sich verdingen bei. – *SYN.* a) *cf.* employ, b) charter, lease¹, let¹, rent¹. – **II** *v/i* **7.** *meist* ~ out *colloq.* sich vermieten, sich verdingen. – **III** *s* **8.** Miete *f*: on ~ a) mietweise, b) zu vermieten; to take (let) a car on ~ ein Auto (ver)mieten; for ~ a) zu vermieten, b) frei (*Taxi*). – **9.** (Arbeits)Lohn *m*. – *SYN. cf.* wage¹.
hired man [haird] *s irr* Lohnarbeiter *m* (*bes. auf Farmen*).
hire·ling [ˈhairliŋ] **I** *s* **1.** Mietling *m*, Söldling *m*. – **II** *adj* (*meist verächtlich*) **2.** käuflich, feil. – **3.** gedungen, gemietet.
hire pur·chase *s econ.* Abzahlungs-, Ratenkauf *m*.
hir·er [ˈhai(ə)rər] *s* **1.** Mieter(in). – **2.** Vermieter(in).
hire sys·tem *s econ.* ˈAbzahlungssy,stem *n*.
hir·ple [ˈhəːrpl] *Scot. od. dial.* **I** *v/i* hinken. – **II** *s* Hinken *n*.
hir·sle [ˈhəːrsl] *v/t u. v/i Scot. od. dial.* weiterrücken.
hir·sute [ˈhəːrsjuːt; *Am. auch* -suːt] *adj* **1.** haarig, zottig, struppig. – **2.** *bot. zo.* steif-, rauhhaarig, borstig. – **3.** haarartig, Haar... – **4.** *obs.* roh. — **ˈhir·sute·ness** *s* Haarigkeit *f*, Zottigkeit *f*.
hir·tel·lous [həːrˈteləs] *adj bot. zo.* steif-, kurzhaarig, borstig.
Hir·u·din·e·a [ˌhiruˈdiniə] *s pl zo.* Blutegel *pl* (*Ordng d. Ringelwürmer*). — **hi·ru·di·noid** [hiˈruːdiˌnɔid] *adj* blutegelähnlich.
hi·run·dine [hiˈrʌndin; -dain] *zo.* **I** *adj* Schwalben... – **II** *s* schwalbenartiger Vogel.
his [hiz; iz] **I** *adj* **1.** sein, seine: ~ family. – **II** *pron* **2.** seiner, seine, seines, der (die, das) seine *od.* seinige: this hat is ~ das ist sein Hut, dieser Hut gehört ihm; a book of ~ eines seiner Bücher. – **3.** dessen: ~ memory will live long who dies for the country dessen Andenken wird lang leben, der für sein Land stirbt.
His·pan·ic [hisˈpænik] *adj* hiˈspanisch, spanisch. — **Hisˈpan·i,cism** [-ˌsizəm] *s ling.* Hispaˈnismus *m*.
his·pa·ni·dad [ˌiːspɑːniˈðɑːð] *s* Hispaniˈtät *f* (*gemeinsames Kulturbewußtsein aller spanischsprechenden Völker*).
His·pan·i·o·lize [hisˈpænioˌlaiz; -niə-] *v/t* spanisch machen, hispaniˈsieren.
his·pid [ˈhispid] *adj* borstig, steifhaarig, rauh. — **hisˈpid·i·ty** *s* Borstigkeit *f*. — **hisˈpid·u·lous** [-djuləs; -djə-] *adj bot. zo.* kurzborstig.
hiss [his] **I** *v/i* **1.** zischen. – **II** *v/t* **2.** auszischen, -pfeifen: he was ~ed off the stage er wurde ausgepfiffen. – **3.** durch Zischen scheuchen *od.* treiben: to ~ away verscheuchen. – **4.** zischen(d aussprechen). – **III** *s* **5.** Zischen *n*, Gezisch(e) *n*. — **ˈhiss·er** *s* Zischer(in). — **ˈhiss·ing** *s* **1.** Zischen *n*, Gezisch *n*. – **2.** *obs.* Gespött *n*.
hist [hist] **I** *interj* [*auch* sːt] sch! st! pst! still! – **II** *v/t* ‚sch' sagen zu.
hist- [hist] → histo-.
his·tam·i·nase [hisˈtæmiˌneis; -mə-] *s med.* Histamiˈnase *f* (*Ferment zum Abbau des Histamins*). — **ˈhis·ta,mine** [-təˌmiːn; -min] *s chem. med.* Histaˈmin *n* ($C_5H_9N_3$). — **ˈhis·ti·din(e)** [-tiˌdiːn; -din; -tə-] *s chem. med.* Histiˈdin *n* ($C_6H_9N_3O_2$).
his·tie [ˈhisti] *adj Scot.* dürr, kahl.
histo- [histo] *Wortelement mit der Bedeutung* Gewebe.
his·to·chem·is·try [ˌhistoˈkemistri] *s med.* Geˈwebeche,mie *f*, Histocheˈmie *f*.
his·to·gen [ˈhistədʒən] *s bot.* Histoˈgen *n* (*Teil des Meristems, der ein bestimmtes Dauergewebe bildet*). — **ˌhis·toˈgen·e·sis** [-toˈdʒenisis; -nə-], **hisˈtog·e·ny** [-ˈtɒdʒəni] *s biol.* Histo-

ge'nese *f*, Histoge'nie *f* (*Entstehung der Gewebe*). — **ˌhis·to'gen·ic** *adj biol.* histo'gen, gewebebildend.

his·to·gram ['histoˌgræm; -tə-] *s* (*Statistik*) Histo'gramm *n*, Staffelbild *n* (*graphische Darstellung der Häufigkeit durch Rechtecke*).

his·to·graph·ic [ˌhisto'græfik; -tə-] *adj biol.* gewebsbeschreibend. — **his'tog·ra·phy** [-'tɒgrəfi] *s biol.* Gewebsbeschreibung *f*.

his·toid ['histɔid] *adj med.* histo'id, gewebsähnlich, -artig.

his·to·log·i·cal [ˌhistə'lɒdʒikəl], *auch* **ˌhis·to'log·ic** *adj med.* histo'logisch, gewebskundlich. — **his'tol·o·gist** [-'tɒlədʒist] *s med.* Histo'loge *m*. — **his'tol·o·gy** *s med.* **1.** Histolo'gie *f*, Gewebelehre *f*. – **2.** Ge'websstrukˌtur *f*.

his·tol·y·sis [his'tɒlisis; -lə-] *s biol.* Histo'lyse *f*, Gewebszerfall *m*, -auflösung *f*. — **ˌhis·to'lyt·ic** [-to'litik; -tə-] *adj* histo'lytisch.

his·tone ['histoun], *auch* **'his·ton** [-tɒn] *s chem. med.* Hi'ston *n*.

his·to·ri·an [his'tɔːriən] *s* Hi'storiker *m*. — **his'to·riˌat·ed** [-ˌeitid] *adj* mit bedeutungsvollen Fi'guren verziert (*Initialen etc*).

his·tor·ic [his'tɒrik; *Am. auch* -'tɔːr-] *adj* **1.** hi'storisch, geschichtlich (berühmt *od.* bedeutend): a ~ spot. – **2.** → historical. — **his'tor·i·cal** *adj* hi'storisch, geschichtlich, Geschichts...: ~ geography Geschichtsgeographie. — **his'tor·i·cal·ly** *adv* (*auch zu* historic).

his·tor·i·cal| meth·od *s* hi'storische Me'thode. — ~ **pres·ent** *s ling.* hi'storisches Präsens. — ~ **school** *s econ.* hi'storische Schule.

his·tor·i·cal·ness [his'tɒrikəlnis; *Am. auch* -'tɔːr-] *s* (*das*) Hi'storische.

his·to·ric·i·ty [ˌhistə'risiti; -əti] *s* Historizi'tät *f*, Geschichtlichkeit *f*.

his·tor·ic pres·ent → historical present.

his·to·ried ['histərid] *adj* geschichtlich berühmt, hi'storisch, mit Geschichte.

his·to·ri·og·ra·pher [hisˌtɔːri'ɒgrəfər] *s* Historio'graph *m*, (*amtlicher*) Geschichtsschreiber. — **hisˌto·ri·o'graph·ic** [-riə'græfik], **hisˌto·ri·o'graph·i·cal** *adj* historio'graphisch. — **hisˌto·ri'og·ra·phy** *s* Historiogra'phie *f*, Geschichtsschreibung *f*.

his·to·ry ['histəri; -tri] *s* **1.** Geschichte *f*: ancient (medieval, modern) ~ alte (mittlere, neuere) Geschichte; ~ of art Kunstgeschichte; ~ of literature Literaturgeschichte. – **2.** Entwicklung *f*, (Entwicklungs)Geschichte *f*, Werdegang *m*. – **3.** Geschichte *f*, Vergangenheit *f*: that is all ~ das ist alles längst vergangen. – **4.** Beschreibung *f*, Schilderung *f*, (*zusammenhängende*) Darstellung: natural ~ Naturgeschichte. – **5.** hi'storisches Drama. — ~ **piece** *s* hi'storisches Gemälde, Geschichtsgemälde *n*.

his·tri·on ['histriˌɒn] *s* (*meist verächtlich*) Schauspieler *m*.

his·tri·on·ic [ˌhistri'ɒnik] **I** *adj* **1.** Schauspiel(er)..., schauspielerisch: ~ art Schauspielkunst. – **2.** thea'tralisch, unecht. – *SYN. cf.* dramatic. – **II** *s* **3.** Schauspieler *m*. – **4.** *pl* (*auch als sg konstruiert*) a) dra'matische *od.* schauspielerische Darstellung, b) *fig.* thea'tralisches Benehmen, Efˌfekthasche'rei *f*. — **ˌhis·tri'on·i·cal** → histrionic I. — **ˌhis·tri'on·i·cal·ly** *adv* (*auch zu* histrionic I). — **ˌhis·tri'on·iˌcism** [-ˌsizəm] *s* **1.** ˌSchauspiele'rei *f*. – **2.** Schauspielkunst *f*. — **'his·tri·oˌnism** [-triəˌnizəm] *s* Schauspielertum *n*.

hit [hit] **I** *s* **1.** Schlag *m*, Stoß *m*, Streich *m*, Hieb *m*. – **2.** (Zu'sammen)Stoß *m*, (Auf-, Zu'sammen)Prall *m*. – **3.** Treffer *m*: to make a ~ einen Treffer erzielen. – **4.** *fig.* glücklicher Treffer, Erfolg *m*. – **5.** Schlager *m* (*erfolgreiches Musikstück, Buch etc*). – **6.** treffende Bemerkung, guter Einfall, *bes.* sar'kastische Bemerkung, Spitze *f*. – **7.** *sport* Treffer *m*. – **8.** (*Puffspiel*) a) Schlagen *n* (*Stein*), b) gewonnenes Spiel. – **9.** *dial.* gute Ernte. –
II *v/t pret u. pp* **hit** *pres p* **'hit·ting** **10.** einen Schlag *od.* Stoß versetzen (*dat*), schlagen. – **11.** treffen: to ~ it, to ~ the (right) nail on the head *fig.* den Nagel auf den Kopf treffen; → belt 1; blot² 1. – **12.** anstoßen, anschlagen (against, upon an *acc*): to ~ one's head against (*od.* upon) s.th. mit dem Kopf gegen etwas stoßen. – **13.** (*Schlag etc*) austeilen, versetzen. – **14.** (*seelisch*) treffen, verletzen: to be ~ hard schwer getroffen sein. – **15.** kommen auf (*acc*), finden, treffen, erraten: to ~ the answer die Antwort finden; to ~ the right road auf die richtige Straße kommen. – **16.** erreichen, erlangen: → stride 10. – **17.** *Am. colloq.* ankommen in (*dat*), erreichen: to ~ town. – **18.** passen (*dat*), zusagen (*dat*): to ~ s.o.'s fancy j-s Geschmack zusagen; to ~ it off with s.o. *colloq.* glänzend mit j-m auskommen, sich prächtig mit j-m vertragen. – **19.** *auch* ~ off richtig treffen, genau 'wiedergeben, über'zeugend darstellen. – **20.** in Gang setzen, anwerfen, anschalten. –
III *v/i* **21.** treffen. – **22.** (zu)schlagen. – **23.** stoßen, treffen (against gegen; on, upon auf *acc*). – **24.** finden, erreichen: (on, upon *acc*): to ~ upon a solution eine Lösung finden. – **25.** *colloq.* (with) passen (zu), sich vertragen (mit). – **26.** *tech. colloq.* laufen (*Verbrennungsmotor*): to ~ on all four cylinders gut laufen (*auch fig.*). – *SYN. cf.* strike. –
Verbindungen mit Adverbien:
hit| off *v/t* **1.** improvi'sieren: to ~ a sonnet. – **2.** ausfindig machen, ausmachen. – **3.** → hit 19. — ~ **out** *v/* um sich schlagen, Schläge austeilen: to ~ at s.o. j-m einen Schlag versetzen. — ~ **up** *v/t* (*Kricket*) (*Läufe*) machen, erzielen.

'hit|-and-'miss *adj* manchmal treffend u. manchmal nicht. — **'~-and-'run** *adj* **1.** (*Baseball*) *ein Spiel bezeichnend, bei dem der* base runner *mit dem Lauf zum nächsten Mal* (base) *beginnt, sobald der Werfer den Ball wirft*. – **2.** flüchtig: ~ driver flüchtiger Fahrer; ~ driving Fahrerflucht; ~ raid *mil.* Stippangriff (*mit anschließendem Rückzug*).

hitch [hitʃ] **I** *s* **1.** Festmachen *n*, -halten *n*. – **2.** *bes. mar.* Stek *m*, Stich *m*, Knoten *m*. – **3.** a) Stockung *f*, Halt *m*, Störung *f*, b) Hindernis *n*, ‚Haken' *m*. – **4.** Ruck *m*, Zug *m*: to give one's trousers a ~ seine Hosen hochziehen. – **5.** Hinken *n*, Hüpfen *n*. – **6.** *tech.* Verbindungshaken *m*, -glied *n*. – **II** *v/t* **7.** ruckartig ziehen *od.* fortbewegen, rücken. – **8.** befestigen, festmachen, -haken, an-, festbinden: → waggon 1. – **9.** *mar.* an-, feststecken. – **10.** hin'ein-, her'einbringen (into in *acc*). – **11.** die Verbindung 'herstellen zwischen (*dat*). – **12.** *Am. sl.* verheiraten. – **13.** ~ up a) hochreißen, -ziehen, b) (*Pferde*) einspannen, anschirren. – **III** *v/i* **14.** rücken, sich ruckweise (fort)bewegen: to ~ along. – **15.** hinken, hüpfen. – **16.** stocken, (*vorübergehend*) gehemmt werden. – **17.** sich festhaken, sich verfangen, hängenbleiben (on an *dat*): to ~ together sich fest aneinanderhängen. – **18.** *colloq.* einig sein, sich vertragen, über'einstimmen. – **19.** *mil. Am. sl.* in den Wehrdienst eintreten. – **20.** ~ up anspannen.

hitch·er ['hitʃər] *s mar.* Bootshaken *m*.

'hitchˌhike *v/i colloq.* ‚per Anhalter' fahren, ‚trampen'.

hitch·ing post ['hitʃiŋ] *s* Ständer *m*, Pfosten *m* (*zum Anbinden von Pferden*).

hith·er ['hiðər] **I** *adv* **1.** 'hierher, 'hierhin: ~ and thither hierhin u. dorthin. – **II** *adj* **2.** diesseitig, näher (gelegen): the ~ side of the hill. – **3.** früher. — **'~ˌmost** *adj* am nächsten gelegen. — **ˌ~'to I** *adv* **1.** bisher, bis jetzt (*zeitlich*). – **2.** *obs.* bis 'hierher (*örtlich*). – **II** *adj* **3.** bisherig. — **'~·ward(s)** [-wərd(z)] *adv obs.* 'hierher.

Hit·ler·ism ['hitləˌrizəm] *s* Hitle'rismus *m*, Natio'nalsoziaˌlismus *m* (*in Deutschland*). — **'Hit·lerˌite I** *s* Hitle'rist(in), Natio'nalsoziaˌlist(in). – **II** *adj* hitle'ristisch, natio'nalsoziaˌlistisch.

'hit|-ˌoff *s sl.* geschickte Darstellung *od.* Nachahmung. — ~ **or miss** *adv* aufs Gerate'wohl, auf gut Glück. — **'~-or-'miss** *adj* leichtsinnig, unbekümmert, sorglos. — ~ **pa·rade** *s* 'Schlagerpaˌrade *f*.

Hit·tite ['hitait] **I** *s* **1.** He'thiter(in). – **2.** *ling.* das He'thitische. – **II** *adj* **3.** he'thitisch.

hive [haiv] **I** *s* **1.** Bienenkorb *m*, -stock *m*, -beute *f*. – **2.** Bienenvolk *n*, -schwarm *m*. – **3.** *fig.* a) Bienenhaus *n*, b) (Menschen)Haufen *m*, Schwarm *m*. – **II** *v/t* **4.** (*Bienen*) einfangen, in einen Stock bringen. – **5.** (*Honig*) im Bienenstock sammeln. – **6.** *fig.* aufspeichern, sammeln, aufbewahren. – **III** *v/i* **7.** in den Stock fliegen (*Bienen*). – **8.** *fig.* zu'sammenwohnen, gemeinsam hausen (with mit). — ~ **bee** → honeybee.

hiv·er ['haivər] *s* Bienenzüchter *m*, Imker *m*.

hives [haivz] *s med.* **1.** Nesselausschlag *m*, -fieber *n*. – **2.** *Br.* Krupp *m*, Halsbräune *f*.

hive vine → partridgeberry 1.

h'm, hm [hm] *interj* hm!

ho¹ [hou] *interj* halt! ho! brr!

ho², *auch* **hoa** [hou] *interj* **1.** (*überrascht*) ha! he! o'ha! na'nu! – **2.** (*erfreut*) ah! oh! – **3.** (*triumphierend*) ha! – **4.** ~ ~! (*verächtlich*) haha! – **5.** hallo! heda! – **6.** auf nach ...: westward ~! auf nach Westen!

ho·ac·tzin [ho'æktsin] → hoatzin.

hoar [hɔːr] **I** *adj* **1.** weiß(grau). – **2.** a) altersgrau, ergraut, b) alt, ehrwürdig. – **3.** (*vom Frost*) weiß, bereift. – **4.** *obs. od. dial.* schimm(e)lig. – **II** *s* **5.** Grau *n* (*des Alters*), Alter *n*. – **6.** Rauhreif *m*.

hoard [hɔːrd] **I** *s* Hort *m*, Schatz *m*, Vorrat *m*. – **II** *v/t auch* ~ up horten, sammeln, aufhäufen, zu'rücklegen, hamstern. – **III** *v/i* hamstern, Vorräte sammeln. — **'hoard·er** *s* Hamsterer *m*.

hoard·ing¹ ['hɔːrdiŋ] *s* **1.** Horten *n*, Sammeln *n*, Hamste'rei *f*. – **2.** gehortete Vorräte *pl*, Hamstergut *n*.

hoard·ing² ['hɔːrdiŋ] *s* **1.** Bau-, Bretterzaun *m*. – **2.** Re'klamewand *f*.

'hoarˌfrost *s* (Rauh)Reif *m*.

hoar·hound *cf.* horehound.

hoar·i·ness ['hɔːrinis] *s* **1.** Weiß *n*, Weißlich-Grau *n* (*bes. der Haare*). – **2.** Ehrwürdigkeit *f* (*des Alters*). – **3.** Grauhaarigkeit *f*.

hoarse [hɔːrs] **I** *adj* **1.** rauh, kratzend, 'mißtönend. – **2.** heiser (*Stimme*). – **II** *v/t u. v/i Am. colloq. für* hoarsen. — **'hoars·en** [-ən] **I** *v/t* heiser machen. – **II** *v/i* heiser werden. — **'hoarse·ness** *s* Heiserkeit *f*, Rauheit *f*.

hoar·y ['hɔːri] *adj* **1.** weiß(lich). – **2.** (*vor Alter*) grau, ergraut, silberhaarig. – **3.** *fig.* altersgrau, ehrwürdig. – **4.** *bot. zo.* mit weißen Härchen be-

deckt. — ~ **mar·mot** *s zo.* Langhaar-Murmeltier *n* (*Marmota pruinosa*). — ~ **wil·low** *s bot.* (*eine*) weißblättrige Weide (*Salix candida; Nordamerika*).
ho·at·zin [ho'ætsin] *s zo.* Ho'azin *m*, Zi'geunerhuhn *n* (*Opisthocomus hoatzin*).
hoax [houks] **I** *s* **1.** Flunke'rei *f*, Falschmeldung *f*, Fälschung *f*, Schwindel *m*, Hokus'pokus *m*. – **2.** Schabernack *m*, Streich *m*, Foppe'rei *f*. – **II** *v/t* **3.** (*j-m*) einen Bären aufbinden, (*j-m*) etwas vorflunkern. – **4.** foppen, anführen, zum Narren halten, zum besten haben. – *SYN. cf.* dupe. — ˌ**hoax'ee** [-'siː] *s* Opfer *n* eines Schabernacks, Gefoppte(r).
hob[1] [hɒb] **I** *s* **1.** Ka'mineinsatz *m*. – **2.** a) Holz-, Eisenpflock *m* (*als Ziel*), b) Wurfspiel *n*. – **3.** → hobnail. – **4.** *tech.* a) Gewindebohrer *m*, b) Gewinde-, Kamm-, Schneckenfräser *m*. – **II** *v/t pret u. pp* **hobbed 5.** *tech.* (*Gewinde*) verzahnen, (ab)wälzen, wälzfräsen.
hob[2] [hɒb] *s* **1.** *obs. od. dial.* Bauer(nlümmel) *m*. – **2.** *dial.* Elf *m*, Kobold *m*. – **3.** *colloq.* Unfug *m*, Unheil *n*: to play ~ with Unfug treiben mit.
'**hob-and-'nob, hob and nob** *adj* mitein'ander vertraut, eng verbunden, in'tim.
hob·ba·de·hoy, hob·be·de·hoy ['hɒbədiˌhɔi] → hobbledehoy.
Hobbes·i·an ['hɒbziən] *adj philos.* von Thomas Hobbes, Hobbessch(er, e, es).
Hob·bism ['hɒbizəm] *s philos.* der Hob'bismus, die Philoso'phie Thomas Hobbes'. — '**Hob·bist** *s* Anhänger(in) des Hob'bismus.
hob·ble ['hɒbl] **I** *v/i* **1.** hinken, humpeln, hoppeln. – **2.** holpern, holprig sein, stolpern, hinken (*Vers, Rede etc*). – **II** *v/t* **3.** (*einem Pferd*) die Vorderbeine fesseln. – **4.** humpeln *od.* hinken lassen. – **5.** aufhalten, hindern, (*dat*) hinderlich sein. – **III** *s* **6.** Hinken *n*, Humpeln *n*. – **7.** Fessel *f*. – **8.** *colloq.* Klemme *f*, ‚Patsche' *f*.
'**hob·bleˌbush** *s bot.* Erlenblättriger Schneeball (*Viburnum alnifolium*).
hob·ble·de·hoy ['hɒbldiˌhɔi] *s colloq.* linkischer junger Kerl, ‚Schlaks' *m*, Tolpatsch *m*.
hob·bler ['hɒblər] *s* Hinkende(r), Humpelnde(r).
hob·ble skirt *s* Humpelrock *m*, enger Damenrock.
hob·by[1] ['hɒbi] *s* **1.** *fig.* Steckenpferd *n*, Hobby *n*, ˌLiebhabe'rei *f*. – **2.** *dial. ein starkes, mittelgroßes Pferd.* – **3.** *hist. eine frühe Form des Fahrrads.*
hob·by[2] ['hɒbi] *s zo.* Lerchen-, Baumfalke *m* (*Falco subbuteo*).
'**hob·byˌhorse** *s* **1.** (*Spielzeug*) a) Steckenpferd *n*, b) Schaukelpferd *n*. – **2.** Karus'sellpferd *n*. – **3.** Pferdekopfmaske *f*. – **4.** *obs.* a) (Hof)Narr *m*, b) Dirne *f*. – **5.** *selten für* **hobby**[1].
'**hobˌgob·lin** *s* **1.** Popanz *m*, Schreckgespenst *n*. – **2.** Kobold *m*, Elf *m*, Geist *m*. – **3.** H~ Puck *m*.
'**hobˌnail** *s* **1.** grober Schuhnagel. – **2.** *fig.* (Bauern)Tölpel *m*. — '**hobˌnailed** *adj* **1.** genagelt, mit groben Nägeln beschlagen. – **2.** *fig.* plump, ungeschickt, tölpelhaft.
hob·nail(ed) liv·er *s med.* Knoten-, Schrumpfleber *f*.
'**hobˌnob I** *adv* **1.** aufs Gerate'wohl, auf gut Glück. – **II** *v/i pret u. pp* '**hobˌnobbed 2.** zu'sammen eins trinken. – **3.** eng befreundet sein. – **III** *s* **4.** gemeinsamer Trunk. – **5.** vertrautes Geplauder.
ho·bo ['houbou] *pl* **-bos, -boes** *s Am.* **1.** Wanderarbeiter *m*. – **2.** Landstreicher *m*, Tippelbruder *m*. — '**ho·boˌism** *s Am.* Landstreichertum *n*.
Hob·son's choice ['hɒbsnz] *s* Nehmenmüssen *n* ohne Wahl.
hock[1] [hɒk] **I** *s* **1.** *zo.* a) Fesselgelenk *n* (*Huftiere*), b) Mittelfußgelenk *n* (*Vögel*). – **2.** (*Schlächterei*) Knie *n*, Hachse *f*. – **II** *v/t* → hamstring 3.
hock[2] [hɒk] *s* weißer Rheinwein, *bes.* Hochheimer *m*.
hock[3] [hɒk] *Am. sl.* **I** *s* Pfand *n*: in ~ a) verschuldet, b) verpfändet, c) im ‚Kittchen'. – **II** *v/t* verpfänden.
hock·ey ['hɒki] *s sport* **1.** Hockey *n*. – **2.** *meist* ~ stick Hockeystock *m*, -schläger *m*.
'**HockˌTide** *s hist. am zweiten Montag u. Dienstag nach Ostern eingehaltene Feiertage.*
ho·cus ['houkəs] *pret u. pp* '**ho·cused** *od. bes. Br.* '**ho·cussed** *v/t* **1.** betrügen, täuschen. – **2.** (*j-n*) berauschen, betäuben. – **3.** (*Getränk*) mischen, fälschen. — '~-'**po·cus** [-'poukəs] **I** *s* **1.** Hokus'pokus *m*: a) Zauberformel *f*, b) Gauklertrick *m*, Gauke'lei *f*. – **2.** Schwindel *m*, Betrug *m*. – **3.** *obs.* Gaukler *m*. – **II** *v/i pret u. pp* **-'po·cused** *od. bes. Br.* **-'po·cussed 4.** *colloq.* Gauke'lei treiben, Hokus'pokus machen. – **III** *v/t* **5.** *colloq.* täuschen, betrügen.
hod [hɒd] *s* **1.** Tragmulde *f*. – **2.** Kohleneimer *m*. – **3.** *Br.* (*Zinngießerei*) (*Art*) Holzkohlenofen *m*. – **4.** Fischkübel *m*. — ~ **car·ri·er** *s* Mörtel-, Ziegelträger *m*.
hod·den ['hɒdn] *s Scot.* grober ungefärbter Wollstoff. — ~ **gray** *s Scot.* **1.** grauer ungefärbter Wollstoff. – **2.** *fig.* Bauernkittel *m*.
Hodge, h~ [hɒdʒ] *s Br.* Bauer *m*, Tölpel *m*.
hodge·podge ['hɒdʒˌpɒdʒ] → hotchpotch 1 *u.* 2.
ho·di·er·nal [ˌhoudi'əːrnl] *adj* heutig.
'**hod·man** [-mən] *s irr* **1.** → hod carrier. – **2.** Handlanger *m*. – **3.** lite'rarischer Tagelöhner.
hod·o·graph ['hɒdəˌgræ(ː)f; *Br. auch* -ˌgrɑːf] *s math.* Hodo'graph *m*, Wegkurve *f*.
ho·dom·e·ter [*Br.* hɒ'dɒmitər; -mə-; *Am.* hou-] *s* Hodo'meter *n*, Wegmesser *m*. — **hod·o·met·ri·cal** [ˌhɒdə'metrikəl] *adj* hodo'metrisch.
hoe [hou] **I** *s* **1.** Haue *f*, Hacke *f*. – **II** *v/t* **2.** (*Boden*) hacken, mit einer Hacke bearbeiten. – **3.** (*Pflanzen*) behacken. – **4.** ~ up her'aushacken. – **5.** ~ down 'um-, niederhacken. – **III** *v/i* **6.** hacken. — '~ˌ**cake** *s Am.* Maiskuchen *m*.
Hoff·mann's drops ['hɒfmənz] *s pl med.* Hoffmannstropfen *pl*.
hog [hɒg; *Am. auch* hɔːg] **I** *s* **1.** (Haus)Schwein *n*: → whole ~. – **2.** *econ.* (marktfähiges) Schlachtschwein (*über 120 Pfund*). – **3.** *colloq.* a) (verfressenes) Schwein, b) Ferkel *n*, Schmutzfink *m*, c) Schweinehund *m*: ~ in armo(u)r Lümmel in feinen Kleidern. – **4.** *dial.* einjähriges (*ungeschorenes*) Schaf. – **5.** *mar.* a) Aufbucht *f*, b) *obs.* span. Besen *m*. – **6.** (*Papierfabrikation*) Rührer *m*, Rührwerk *n*. – **7.** (*Eisschießen*) Fehlschub *m*. – **8.** *sl.* Schilling(stück *n*) *m*. – **9.** → road ~. – **II** *v/t pret u. pp* **hogged 10.** nach oben krümmen: to ~ one's back einen krummen Rücken machen. – **11.** (*Mähne*) kurzscheren. – **12.** *Am. sl.* gierig an sich reißen. – **III** *v/i* **13.** *mar.* sich in der Mitte nach oben krümmen (*Kiel-Längsachse*). – **14.** einen krummen Rücken machen. – **15.** *Am. sl.* gierig zugreifen. – **16.** *colloq.* rücksichtslos fahren.
ho·gan ['hougɔːn] *s* erdbedeckte Balkenhütte (*der Navahoindianer*).
hog| ape → mandrill. — ~ **ap·ple** → May apple. — '~ˌ**back** *s geol.* langer u. scharfer Gebirgskamm. — ~ **bean** → henbane. — '~-ˌ**bed** *s bot.* Flachgedrückter Bärlapp (*Lycopodium complanatum*). — ~ **brace** → hogframe. — ~ **call·er** *s Am. sl.* tragbarer Lautsprecher. — ~ **cat·er·pil·lar** *s zo.* Raupe *f* des Weinschwärmers (*Ampelophaga myron*). — ~ **chol·er·a** *s vet.* Schweinerotlauf *m*, -pest *f*. — ~ **deer** *s zo.* Schweinshirsch *m* (*Cervus porcinus*). — ~ **fen·nel** *s bot.* Saufenchel *m* (*Peucedanum officinale*). — '~ˌ**fish** *s zo.* **1.** (*ein*) nordamer. Lippfisch *m* (*Lachnolaimus maximus*). – **2.** Meersau *f* (*Scorpaena scrofa*). – **3.** → pigfish 1. – **4.** (*ein*) Spritzfisch *m* (*Percina caprodes*). — '~ˌ**frame** *s mar.* (*Art*) Längsverband *m* gegen Kielbucht (*bei Flußdampfern*).
hogged [hɒgd; *Am. auch* hɔːgd] *adj* aufgebuchtet, in der Mitte nach oben gekrümmt, kon'vex. — '**hog·ger** *s* **1.** *Scot. od. dial.* Beinling *m*, fußloser Strumpf. – **2.** *tech.* Schnellstahlfräser *m*, SS-Fräser *m*. — '**hog·ger·y** [-əri] *s* **1.** Schweinestall *m*. – **2.** Schweineherde *f*.
hog·get ['hɒgit; *Am. auch* 'hɔːgit] *s* Jährling *m*: a) *einjähriges Schaf*, b) *dial. einjähriges Füllen.*
hog·gin ['hɒgin; *Am. auch* 'hɔːgin] *s* gesiebter Kies.
hog·gish ['hɒgiʃ; *Am. auch* 'hɔːgiʃ] *adj* **1.** schweinisch, schmutzig. – **2.** gierig, gefräßig. – **3.** gemein. — '**hog·gish·ness** *s* **1.** Schweine'rei *f*, Schmutz *m*. – **2.** Gefräßigkeit *f*. – **3.** Gemeinheit *f*.
hog| haw *s bot.* (*ein*) Weißdorn *m* (*Crataegus brachyacantha*). — ~ **louse** *s irr zo.* Schweinelaus *f* (*Haematopinus suis*).
hog·ma·nay ['hɒgmə'nei] *s Scot.* **1.** Sil'vester *m*, *n*. – **2.** Sil'vestergabe *f*.
hog| mane *s* gestutzte Pferdemähne. — '~ˌ**nose snake**, *auch* '~-ˌ**nosed snake** *s zo.* Hakennatter (*Gattg Heterodon*). — '~ˌ**nut** *s bot.* **1.** a) Hickorynuß *f* (*Frucht von* b), b) Brauner Hickorybaum (*Carya glabra*). – **2.** *Am. für* pignut 2 *u.* 3. – **3.** Europ. Erdnuß *f* (*Conopodium denudatum*). – **4.** U'abe-Baum *m* (*Omphalea triandra*). — ~ **pea·nut** → earthpea. — ~ **plum** *s bot.* Balsampflaume *f* (*Gattg Spondias*), *bes.* Schweinspflaume *f* (*S. lutea*).
'**hog's|-ˌback** [hɒgz; *Am. auch* hɔːgz] → hogback. — '~-ˌ**bean** *s bot.* **1.** → henbane. – **2.** Strand-, Salzaster *f* (*Aster tripolium*). — '~-ˌ**fen·nel** → hog fennel. — '~-ˌ**gar·lic** → ramson.
'**hogsˌhead** *s* **1.** Oxhoft *n* (*altes Flüssigkeitsmaß; für Wein: Am. 238 l, Br. 286 l*). – **2.** Oxhoftfaß *n* (*etwa 300 bis 600 l*). — ~ **cheese** *Am. für* head cheese.
'**hog|ˌskin** *s* Schweinsleder(flasche *f*) *n*. — ~ **snake** → hognose snake.
'**hog's-ˌpud·ding** *s* Schweinswurst *f*.
'**hog|-ˌsty** *s* Schweinestall *m*, -koben *m*. — ~ **suck·er** → stone roller. — '~-ˌ**tie** *pres p* '~-ˌ**ty·ing** *v/t* **1.** (*dat*) alle vier Füße zu'sammenbinden. – **2.** *Am. colloq.* festbinden, anketten: ~d to business. — ~ **wal·low** *s Am.* Schweinepfuhl *m*. — '~ˌ**wash** *s* **1.** Schweinetrank *m*, Spülicht *n*. – **2.** *fig.* Plunder *m*, wertloses Zeug. — '~ˌ**weed** *s bot. ein Unkraut, bes.* a) → knotgrass 1, b) → sow thistle, c) Bärenklau *m* (*Heracleum sphondylium*), d) Schafkerbel *m* (*Torilis anthriscus*). — '~-ˌ**wild** *adj Am. sl.* wildgeworden, tobend.
hoi *cf.* hoy[2] I.
hoick[1] [hɔik] *v/t u. v/i aer.* hochreißen, plötzlich hochziehen.
hoick[2] [hɔik] → hoicks.
hoicks [hɔiks] *hunt.* **I** *interj* hussa! heda! (*Hetzruf an Hunde*). – **II** *v/t* (*Hunde*) durch Hussa-Rufe hetzen, antreiben. – **III** *v/i* ‚hussa' rufen.
hoi·den *cf.* hoyden.
hoi pol·loi [ˌhɔi pə'lɔi] (*Greek*) *s pl* die Masse, der große Haufen, der Pöbel.

hoise [hɔiz] *pret u. pp* **hoised** *od.* **hoist** *obs. od. dial. für* hoist[1] I.

hoist[1] [hɔist] **I** *v/t* **1.** hochziehen, -winden: to ~ out a boat *mar.* ein Boot aussetzen. – **2.** (*Flagge, Segel*) (auf)hissen, heißen: ~ away! *mar.* hißt auf! heiß! Klüver auf! – **II** *v/i* **3.** hochsteigen, hochgezogen werden. – *SYN. cf.* lift[1]. – **III** *s* **4.** Aufziehen *n*, Aufwinden *n*. – **5.** *tech.* (Lasten)Aufzug *m*, 'Hebezeug *n*, -maˌschine *f*. – **6.** *mar.* a) Tiefe *f* (*Flagge*), b) Heiß *m*, Tiefe *f* (*Segel*), c) Heiß *m* (*als Signal gehißte Flaggen*).

hoist[2] [hɔist] *pret u. pp von* hoise: ~ with one's own petard a) von der selbst gelegten Bombe zerrissen, b) *fig.* den eigenen Ränken zum Opfer gefallen.

'hoist·aˌway *s tech. Am. colloq.* Aufzug *m*, Hebezeug *n*.

hoist·er ['hɔistər] *s* **1.** Aufzug *m*. – **2.** Arbeiter *m* an einem Aufzug.

hoist·ing ['hɔistiŋ] *s* **1.** Aufziehen *n*, Hissen *n*. – **2.** (*Bergbau*) Schachtförderung *f*. — **~ en·gine** *s tech.* **1.** Hebewerk *n*, Ladekran *m*. – **2.** (*Bergbau*) 'Fördermaˌschine *f*.

'hoistˌway *s tech.* Aufzugsschacht *m*.

hoi·ty-toi·ty ['hɔiti'tɔiti] **I** *interj* **1.** ei! ei! sieh da! – **II** *adj* **2.** mutwillig, ausgelassen, 'übermütig. – **3.** hochmütig, eingebildet. – **III** *s* **4.** Mutwille *m*, 'Übermut *m*. – **5.** mutwillige *od.* hochmütige Perˌson.

ho·key·po·key ['houki'pouki] *s sl.* **1.** → hocus-pocus. – **2.** (*von Straßenhändlern verkauftes*) Speiseeis.

ho·kum ['houkəm] *s sl.* **1.** billiges The'atermätzchen. – **2.** Unsinn *m*.

hol·arc·tic [hɒ'lɑːrktik; hou-] *adj geogr.* hol'arktisch.

hold[1] [hould] **I** *s* **1.** Halten *n*, Fassen *n*. – **2.** Halt *m*, Griff *m*: to catch (*od.* lay, seize, take) ~ of s.th. etwas ergreifen *od.* (er)fassen; to get ~ of s.th. etwas erlangen; to get ~ of s.o. j-n erwischen; to have ~ of s.th. etwas in Händen haben; to keep ~ of festhalten; to keep a good ~ of the land *mar.* sich nahe am Land legen; to let go (*od.* to quit) one's ~ of s.th. etwas loslassen. – **3.** Griff *m*, Stütze *f*, Anhalt *m*. – **4.** (*Ringen*) Griff *m*. – **5.** (on, over, of) Gewalt *f*, Macht *f* (über *acc*), Einfluß *m* (auf *acc*): to get a ~ on s.o. j-n unter seinen Einfluß *od.* in seine Macht bekommen; to have a (firm) ~ on s.o. j-n in seiner Gewalt haben, j-n beherrschen; to take ~ of s.o. sich j-s bemächtigen. – **6.** Behälter *m*. – **7.** Haft *f*: to put (*od.* lay) in ~ in Haft nehmen. – **8.** Gefängnis *n*. – **9.** Lager *n*, Versteck *n* (*Tier*). – **10.** *mus.* Fer'mate *f*, Aushaltezeichen *n*. – **11.** *obs.* Festung *f*. – **12.** *obs.* Gewahrsam *m*. –

II *v/t pret u. pp* **held** [held], *pp jur. od. obs. auch* **hold·en** ['houldən] **13.** (fest)halten: → baby 1. – **14.** (*in bestimmtem Zustand etc*) halten: to ~ oneself erect sich gerade halten; to ~ one's head high stolz auftreten; to ~ oneself in readiness sich bereit halten; → check 19; suspense 2. – **15.** (zu'rück-, ein)behalten. – **16.** (zu'rück-, ab)halten (from von), an-, aufhalten: there is no ~ing him er läßt sich nicht (zurück)halten; to ~ one's hand sich (von Tätlichkeiten) zurückhalten; to ~ one's tongue (*od.* noise *od.* peace) den Mund halten; to ~ water a) wasserdicht sein, b) *fig.* stichhaltig sein, c) *mar.* die Ruder streichen; → breath 1. – **17.** *sport* (*j-m*) gewachsen sein. – **18.** binden (to an *acc*): to ~ s.o. to his word j-n beim Wort nehmen. – **19.** a) (*Sitzung etc*) abhalten, b) (*Fest etc*) veranstalten. – **20.** (*Unterhaltung*) führen: to ~ a conversation. – **21.** aufrechterhalten, beibehalten, fortsetzen: to ~ an action *jur.* einen Prozeß fortsetzen; to ~ the course *mar.* den Kurs beibehalten; to ~ friends with s.o. Freundschaft halten mit j-m; to ~ its price *econ.* seinen Preis (beibe)halten. – **22.** (*Stellung*) halten, behaupten: to ~ one's own sich halten, standhalten, seine Stellung behaupten; to ~ the stage (*od.* the boards) sich auf der Bühne behaupten (*Theaterstück*). – **23.** besitzen, in Besitz haben: to ~ shares Aktien besitzen; → brief 6; market 9. – **24.** (*Amt*) innehaben, bekleiden. – **25.** fassen, enthalten: the tank ~s ten gallons der Tank faßt 10 Gallonen. – **26.** (*Ansicht etc*) vertreten, haben, behaupten: to ~ no prejudice kein Vorurteil haben. – **27.** halten (für), betrachten (als): I ~ him to be my friend ich halte ihn für meinen Freund; I ~ it good to go ich halte es für gut zu gehen; to ~ s.o. responsible j-n als verantwortlich betrachten. – **28.** halten: to ~ s.o. in contempt j-n verachten; to ~ s.o. in esteem j-n wertschätzen *od.* achten; to ~ s.o. dear j-n liebhaben. – **29.** *bes. jur.* entscheiden, da'fürhalten: the court held that das Gericht entschied, daß. – **30.** fesseln, in Spannung halten. – **31.** (*freche Worte etc*) gebrauchen. – **32.** *mus.* a) (*Ton*) aushalten, b) (*Stimme*) singen *od.* spielen. – **33.** *obs.* ertragen. – **34.** *obs.* wetten. – *SYN. cf.* contain, have. –

III *v/i* **35.** halten, nicht (zer)reißen. – **36.** stand-, aushalten, ausharren. – **37.** sich halten, nicht nachgeben. – **38.** festhalten, nicht loslassen. – **39.** fortfahren, bleiben: to ~ on one's course seinen Kurs weiterverfolgen; to ~ on one's way auf dem Weg bleiben. – **40.** festhalten (by, to an *dat*). – **41.** sich verhalten: to ~ still stillhalten. – **42.** seine (Besitz)Ansprüche 'herleiten, sein Recht ableiten (of, from von). – **43.** gelten, gültig sein: the rule ~s of (*od.* in) all cases die Regel gilt in allen Fällen; to ~ good (*od.* true) gültig bleiben, gelten. – **44.** (an-, fort)dauern. – **45.** stattfinden. – **46.** *tech.* angreifen, fassen. – **47.** *tech.* halten, binden (*Mörtel*). – **48.** einhalten (*bes. im Imperativ*): ~! halt ein! – **49.** es halten, über'einstimmen (with mit): → hare 1. – **50.** (with) einverstanden sein (mit), billigen (*acc*). –

Verbindungen mit Adverbien:

hold| a·loof *v/i* sich abseits halten. — **~ back I** *v/t* **1.** zu'rückhalten. – **2.** annul'lieren. – **3.** (*Wahrheit etc*) verschweigen. – **4.** *mus.* (*Tempo*) zu'rückhalten, verhalten. – **II** *v/i* **5.** sich zu'rück- *od.* fernhalten. — **~ down** *v/t* **1.** niederhalten, unter'drücken. – **2.** *Am. sl.* (*Anstellung etc*) ständig behalten, sich halten in (*dat*). — **~ forth I** *v/t* **1.** 'herzeigen. – **2.** vorschlagen. – **II** *v/i* **3.** ‚eine Rede schwingen'. — **~ hard** *v/i* warten: ~! halt! wart mal! — **~ in I** *v/t* **1.** im Zaum *od.* in Schach halten, zu'rückhalten. – **II** *v/i* **2.** sich zu'rückhalten. – **3.** ~ with s.o. j-s Freundschaft gewinnen u. bewahren. — **~ off I** *v/t* **1.** ab-, fernhalten, abwehren. – **2.** *aer.* abfangen. – **II** *v/i* **3.** sich zu'rück- *od.* fernhalten. – **4.** zögern. – **5.** ausbleiben, nicht ausbrechen (*Sturm etc*). — **~ on** *v/i* **1.** (sich) festhalten: to ~ by one's hands sich mit den Händen festhalten. – **2.** aushalten, weitermachen. – **3.** (*Telephon*) am Appa'rat bleiben. – **4.** *colloq.* aufhören: ~! wart mal! halt! hör auf! — **~ out I** *v/t* **1.** (*Hand etc*) ausstrecken, 'hinhalten, bieten. – **2.** (*Angebot*) machen. – **3.** geben. – **4.** (hin)'aussperren, fernhalten. – **II** *v/i* **5.** aus-, 'durchhalten. – **6.** sich behaupten (against gegen). – **7.** ~ on s.o. *Am. colloq.* a) j-m etwas verheimlichen, b) j-m etwas vorenthalten. — **~ o·ver I** *v/t* **1.** verschieben. – **2.** *econ.* prolon'gieren. – **3.** *mus.* (*Ton*) hin'überhalten. – **4.** (*Amt etc*) (über die festgesetzte Zeit hin'aus) behalten. – **II** *v/i* **5.** über die festgesetzte Zeit hin'aus dauern *od.* (*im Amt etc*) bleiben. — **~ to·geth·er** *v/t u. v/i* zu'sammenhalten. — **~ up I** *v/t* **1.** hochheben: to ~ one's hands die Hände hochheben, sich ergeben; to ~ the hands of s.o. j-n unterstützen. – **2.** hochhalten, aufrecht halten. – **3.** aufrechterhalten. – **4.** ('her)zeigen, aus-, 'hinstellen: to ~ as an example als Muster hinstellen. – **5.** aussetzen, preisgeben: to ~ to derision dem Spott preisgeben. – **6.** an-, aufhalten: to ~ traffic den Verkehr behindern. – **7.** *colloq.* über'fallen (u. ausrauben). – **8.** *econ.* (*den Preis*) halten: coffee holds up its price der Kaffee hält sich im Preis. – **9.** *mus.* (*Bewegung*) aufhalten, verhalten, stauen. – **II** *v/i* **10.** sich aufrecht halten. – **11.** sich behaupten, aushalten. – **12.** (zu regnen) aufhören. – **13.** sich halten, schön bleiben (*Wetter*). – **14.** nicht zu'rückbleiben.

hold[2] [hould] *s mar.* Schiffs-, Laderaum *m*.

'hold|ˌall *s* Reisetasche *f*. — **'~ˌback** *s* **1.** Hindernis *n*. – **2.** *tech.* a) Anhalthaken *m* (*Deichsel*), b) (Tür)Stopper *m*. — **~ beam** *s mar.* Raumbalken *m*.

hold·er[1] ['houldər] *s* **1.** a) Haltende(r), b) Behälter *m*, Halter *m*: cigar ~ Zigarrenhalter, -spitze. – **2.** *tech.* a) Halterung *f*, b) Zwinge *f*, c) (*Uhrmacherei*) Quadra'turstift *m*, d) *electr.* (Lampen)Fassung *f*. – **3.** Grundpächter *m*. – **4.** *econ.* Inhaber(in), Besitzer(in): previous (*od.* prior) ~ Vorbesitzer; ~ in due course gutgläubiger Besitzer; ~ of a bill Wechselinhaber; ~ of a stock Aktieninhaber, Aktionär. – **5.** *sport* (Titel-etc)Inhaber(in), Träger(in).

hold·er[2] ['houldər] *s mar.* Schauermann *m*.

'hold·er-'up, *pl* **'hold·ers-'up** *s tech.* **1.** (Niet)Vor-, Gegenhalter *m*. – **2.** Nietstock *m*, -kloben *m*.

'holdˌfast I *s* **1.** fester Griff *od.* Halt. – **2.** *fig.* Halt *m*, Stütze *f*. – **3.** *tech.* a) Klammer *f*, Zwinge *f*, Klemmhaken *m*, Kloben *m*, b) Bankeisen *n*, Bank-, Schließhaken *m*, c) flachköpfiger Nagel, Klemmbock *m*, -eisen *n*, Feilkloben *m*, Spannkluppe *f*, d) Schraub-, Leimzwinge *f*, e) Fußholz *n*, Klemmklotz *m*. – **4.** *bot.* 'Haftorˌgan *n*, -scheibe *f*. – **II** *adj* **5.** festhaltend, zäh.

hold·ing ['houldiŋ] *s* **1.** (Fest)Halten *n*. – **2.** Pachtung *f*, Pachtgut *n*. – **3.** *oft pl* a) Besitz *m*, Bestand *m* (*an Effekten etc*), b) Vorrat *m*, Lager *n*. – **4.** Meinung *f*, Glaubenssatz *m*. — **~ com·pa·ny** *s econ.* Holding-, Beteiligungs-, Dachgesellschaft *f*. — **~ ground** *s mar.* Ankergrund *m*. — **'~-'up ham·mer** *s tech.* Nietstempel *m*, Vorhalter *m*.

'hold|-ˌout *s* verteidigungsfähiger Schlupfwinkel. — **'~ˌo·ver** *s* **1.** 'Überbleibsel *n*, *bes.* a) sitzengebliebener Schüler, Repe'tent *m*, b) Unverwüstliche(r), j-d der alle andern über'dauert (*in einem Amt etc*). – **2.** *Konzession, die einem andern für den Rest seiner Laufzeit übertragen wird.* – **3.** (*Holzschlägerei*) stehengelassener Baum. – **4.** *sl.* ‚Kater' *m*. — **'~ˌup I** *s* **1.** Aufhalten *n*, Stockung *f*, Verkehrsstauung *f*. – **2.** *Am.* gewaltsames Aufhalten, *bes.* 'Straßenˌüberfall *m*. – **3.** Straßenräuber *m*. – **II** *adj* **4.** gewaltsam, Gewalt..., Raub...

hole [houl] **I** *s* **1.** Loch *n*: to make a ~ in *fig.* ein Loch reißen in (*acc*) (*Vorräte etc*); to pick ~s in s.th. *fig.* etwas bekritteln *od.* zerpflücken; a ~ in one's coat *fig.* ein Makel an j-s Ruf; → peg 1. – **2.** Loch *n*, Grube *f*, Höhlung *f*. – **3.** Höhle *f*, Bau *m* (*Tier*). – **4.** *fig.* Loch *n*, *bes.* a) Gefängnis(zelle *f*) *n*, b) Kerker *m*, c) ˈElendsquarˌtier *n*. – **5.** Schlupfwinkel *m*, Versteck *n*. – **6.** tiefe Stelle (*in einem Gewässer*). – **7.** *sl.* ‚Klemme' *f*, ‚Patsche' *f*: to be in a ~ in der Klemme sitzen; in the ~ *econ.* bankrott, ‚pleite'. – **8.** *Am.* a) kleine Bucht, b) kleiner Hafen. – **9.** (*Golf*) Hole *n*: a) Loch *n*, b) Bahn *f*, c) Punkt *m*. – **10.** *mar.* Gatt *n*. – **II** *v/t* **11.** durchˈlöchern. – **12.** (*Bergbau*) durchˈörten, schrämen. – **13.** (*Tier*) in die Höhle treiben. – **14.** *oft* ~ out *sport* (*Ball*) ins Loch spielen, einlochen. – **III** *v/i* **15.** ein Loch bohren *od.* graben. – **16.** *meist* ~ up sich in eine Höhle verkriechen (*zum Winterschlaf*).

ˈhole|-and-ˈcor·ner *adj* **1.** heimlich, versteckt. – **2.** zweifelhaft, anrüchig, unter der Hand: a ~ business. — **~ board** *s* (*Weberei*) Löcher-, Harnischbrett *n*.

hol·er [ˈhoulər] *s* (*Bergbau*) Schräm-, Schramhauer *m*, Schrämer *m*.

ˈholeˌwort *s bot.* Hohlwurz *f*, Hohler Lerchensporn (*Corydalis cava*).

hole·y [ˈhouli] *adj* durchˈlöchert, löcherig.

hol·i·but [ˈhɒlibət; -lə-] → halibut.

hol·i·day [ˈhɒliˌdei; -lə-] **I** *s* **1.** Feiertag *m*. – **2.** freier Tag, Ruhetag *m*: to take a (*od.* make) ~ feiern, einen freien Tag machen; to have a ~ a) einen freien Tag haben, b) Ferien haben. – **3.** *meist pl* Ferien *pl*, Urlaub *m*: the Easter ~s die Osterferien; to be on ~ in den Ferien sein, Ferien haben; to go on ~ in die Ferien gehen. – **4.** (*beim Anstreichen einer Fläche*) überˈsehene u. freigelassene Stelle. – **II** *adj* **5.** Ferien..., Fest(tags)...: in a ~ mood in Ferienstimmung; ~ clothes Festtags-, Sonntagskleider. – **6.** selten, rar. – **III** *v/i* **7.** Ferien machen. — **~ course** *s* Ferienkurs *m*. — **~ mak·er** *s* Ausflügler(in), Ferienreisende(r), Sommerfrischler(in). — **~ task** *s ped.* Ferienaufgabe *f*.

ho·li·ness [ˈhoulinis] *s* **1.** Heiligkeit *f*. – **2.** Frömmigkeit *f*, Gottesfurcht *f*. – **3.** His H~ Seine Heiligkeit (*Papst*).

hol·ing pick [ˈhouliŋ] *s* (*Bergbau*) Keil-, Schramhaue *f*.

ho·lism [ˈhoulizəm] *s philos.* Hoˈlismus *m* (*Ganzheitstheorie*). — **hoˈlis·tic** *adj* hoˈlistisch, ganzheitlich. — **hoˈlis·ti·cal·ly** *adv*.

hol·la [ˈhɒlə] → hollo.

hol·land [ˈhɒlənd], *auch* **ˈhol·lands** *pl* (*als sg konstruiert*) *s* Leinwand *f*: brown ~ ungebleichte Leinwand.

hol·lan·daise (sauce) [ˌhɒlənˈdeiz] *s* holländische Soße.

Hol·land·er [ˈhɒləndər] *s* **1.** Holländer(in). – **2.** *auch* h~ (*Papierherstellung*) Holländer *m*.

Hol·lands [ˈhɒləndz], *auch* **Hol·land gin** *s* feiner holländischer Gin.

hol·ler [ˈhɒlər] **I** *v/i u. v/t* schreien, brüllen. – **II** *s Am. od. dial.* (Auf)-Schrei *m*, Geschrei *n*, Gebrüll *n*.

hol·lo, *auch* **hol·loa** [ˈhɒlou; həˈlou] **I** *interj* **1.** halˈlo! – **II** *s pl* **hol·los** **2.** Halˈlo(ruf *m*, -geschrei *n*) *n*: to give a ~ hallo schreien. – **III** *v/i pret u. pp* **hol·loed** **3.** halˈlo rufen. – **IV** *v/t* **4.** ausschreien. – **5.** mit ‚Halˈlo' jagen *od.* antreiben. – **6.** (*j-m*) zurufen.

hol·low[1] [ˈhɒlou] **I** *s* **1.** Höhle *f*, (Aus)-Höhlung *f*, Hohlraum *m*. – **2.** Loch *n*, Grube *f*, Einsenkung *f*, Tal *n*, Vertiefung *f*, Mulde *f*. – **3.** *tech.* a) Rinne *f*, Nut *f*, Hohlkehle *f*, b) Gußblase *f*. – **4.** ˈAbzugskaˌnal *m*. – **II** *adj* **5.** hohl, Hohl...: ~ ball Hohlkugel. – **6.** hohl, dumpf (*Ton*). – **7.** *fig.* hohl, leer. – **8.** wert-, sinnlos. – **9.** hohl, eingefallen: a ~ cheek. – **10.** leer, hungrig. – **11.** *colloq.* vollständig, gründlich. – *SYN. cf.* vain. – **III** *v/t oft* ~ out **12.** hohl machen, aushöhlen. – **13.** *tech.* (aus)kehlen, (aus)nuten, ausdrehen, ausstemmen, hohlbohren. – **IV** *v/i oft* ~ out **14.** hohl werden, sich aushöhlen. – **V** *adv* **15.** (*in Zusammensetzungen*) hohl: ~-sounding hohlklingend. – **16.** *colloq.* völlig: to beat s.o. (all) ~ j-n vollständig *od.* mit Leichtigkeit besiegen.

hol·low[2] [ˈhɒlou] → hollo I.

ˈhol·low|-ˈcheeked *adj* hohlwangig. — **ˈ~-ˈeyed** *adj* hohläugig. — **ˈ~-ˈground** *adj tech.* hohlgeschliffen. — **ˈ~ˈheart·ed** *adj fig.* falsch, treulos. — **ˌ~ˈheart·ed·ness** *s* Falschheit *f*, Treulosigkeit *f*.

hol·low·ness [ˈhɒlounis] *s* **1.** Hohlheit *f*. – **2.** Höhlung *f*. – **3.** *fig.* Falschheit *f*, Unredlichkeit *f*.

ˈhol·low|ˌroot *s bot.* **1.** → holewort. – **2.** → moschatel. — **~ stock** *s bot.* Katzenminzblättriges Löwenohr (*Leonotis nepetaefolia*). — **~ tile** *s tech.* Hohl-, Falzziegel *m*. — **~ ware** *s* tiefes Geschirr (*Tassen, Schüsseln etc*).

hol·lus·chick [ˈhɒləsˌtʃik] *pl* **ˈhol·lusˌchick·ie** [-ki] *s zo.* junger männlicher Seehund.

hol·ly [ˈhɒli] *s* **1.** *bot.* Stechpalme *f* (*Gattg Ilex*). – **2.** Stechpalmenzweige *pl od.* -blätter *pl*. – **3.** *bot. Baum mit stechpalmenähnlichen Blättern, bes.* → holm oak. — **~ fern** *s bot.* **1.** Lanzenförmiger Schildfarn (*Polystichum lonchitis*). – **2.** Sichelblättriger Schildfarn (*Polystichum falcatum*).

ˈhol·lyˌhock *s bot.* Stockrose *f* (*Althaea rosea*). — **~ rose** *s bot.* Falsche Jericho-Rose (*Selaginella lepidophylla; ein Moosfarn*). — **~ tree** *s bot.* (*ein*) austral. Eibisch *m* (*Hibiscus splendens*).

hol·ly| lau·rel, *Am. auch* **ˈ~ˌleaf cher·ry** *s bot.* (*ein*) kaliforn. Kirschbaum *m* (*Prunus ilicifolia*). — **~ oak** → holm oak. — **~ rose** *s bot.* Ulmenblättrige Turnera (*Turnera ulmifolia*).

ˈHol·lyˌwood *s fig.* Hollywood *n* (*die amer. Filmindustrie*).

holm[1] [houm] *s* **1.** Holm *m*, Werder *m*. – **2.** flaches, üppiges Uferland.

holm[2] [houm] *s* **1.** → ~ oak. – **2.** *dial. für* holly.

holme *cf.* holm[1].

hol·mic [ˈhoulmik] *adj chem.* Holmium enthaltend, Holmium... — **hol·mi·um** [ˈhoulmiəm] *s* Holmium *n* (Ho).

holm oak *s bot.* Steineiche *f* (*Quercus ilex*).

holo- [hɒlo] *Wortelement mit der Bedeutung* ganz, vollständig.

hol·o·blas·tic [ˌhɒloˈblæstik; -lə-] *adj* (*Embryologie*) holoˈblastisch, mit vollständiger Furchung.

hol·o·caust [ˈhɒloˌkɔːst; -lə-] *s* **1.** Massenvernichtung *f* (*bes. durch Feuer*). – **2.** Brandopfer *n*. — **ˌhol·oˈcaus·tic** *adj* **1.** Massenvernichtungs... – **2.** Brandopfer...

Hol·o·cene [ˈhɒloˌsiːn; -lə-] *geol.* **I** *s* Holoˈzän *n*, Alˈluvium *n* (*geologische Gegenwart*). – **II** *adj* holoˈzänisch, alluviˈal.

hol·o·crine [ˈhɒloˌkrain; -lə-] *adj med.* holoˈkrin, nur sekreˈtorisch (*Drüse*). — **ˌhol·oˈcryp·tic** [-ˈkriptik] *adj* geheim, verschlüsselt (*Schrift*). — **ˌhol·oˈcrys·talˌline** [-ˈkristəˌlain; -lin] *adj geol.* ˈholo-, ˈvollkristalˌlin. — **ˈhol·oˌgraph** [-ˌgræ(ː)f; *Br. auch* -ˌgrɑːf] *adj u. s* ganz eigenhändig geschrieben(es Schriftstück). — **ˌhol·oˈgraph·ic** [-ˈgræfik], **ˌhol·oˈgraph·i·cal** *adj jur.* ganz eigenhändig geschrieben (*Testament*). — **ˌhol·oˈhe·dral** [-ˈhiːdrəl] *adj math.* holoˈedrisch, vollflächig. — **ˌhol·oˌmet·aˈbol·ic** [-ˌmetəˈbɒlik] *adj zo.* holometaˈbolisch, mit vollkommener Verwandlung (*Insekt*). — **ˌhol·o·meˈtab·oˌlism** [-miˈtæbəˌlizəm; -mə-] *s zo.* Holometaboˈlie *f*.

ho·lom·e·ter [hoˈlɒmitər] *s math.* Holoˈmeter *n* (*Art Winkelmesser*).

hol·o·mor·phic [ˌhɒloˈmɔːrfik; -lə-] *adj* **1.** *math.* holoˈmorph (*Funktion*). – **2.** *min.* holoˈmorphisch.

hol·o·pho·tal [ˌhɒloˈfoutl; -lə-] *adj* holoˈphotisch. — **ˈhol·oˌphote** *s tech.* Holoˈphot *m* (*Apparat, der das Licht sammelt u. in eine bestimmte Richtung wirft*).

hol·o·phrase [ˈhɒloˌfreiz; -lə-], **ho·loph·ra·sis** [hoˈlɒfrəsis; hə-] *s* einzelnes Wort, das einen ganzen Geˈdankenkomˌplex ˈwiedergibt. — **ˌhol·oˈphras·tic** [-ˈfræstik] *adj* einen ganzen Geˈdankenkomˌplex ˈwiedergebend (*Wort*).

hol·o·phyt·ic [ˌhɒloˈfitik; -lə-] *adj zo.* holoˈphytisch, rein pflanzlich (*Ernährungsweise*).

hol·o·sym·met·ric [ˌhɒlosiˈmetrik; -lə-], **ˌhol·o·symˈmet·ri·cal** [-kəl] *adj math.* holoˈedrisch, vollflächig.

hol·o·thu·ri·an [ˌhɒloˈθju(ə)riən; *Am. auch* -ˈθu-] *zo.* **I** *adj* zu den Seewalzen gehörig, seewalzenartig. – **II** *s* Holoˈthurie *f*, Seewalze *f*, See-, Meergurke *f* (*Ordng Holothurioidea*).

Hol·o·thu·ri·oi·de·a [ˌhɒloˌθju(ə)riˈɔidiə; *Am. auch* -ˌθu-] *s pl zo.* Seewalzen *pl*, See-, Meergurken *pl* (*Ordng d. Stammes Echinodermata*).

hol·o·type [ˈhɒloˌtaip; -lə-] *s biol.* Holoˈtypus *m* (*Einzelexemplar, auf das sich eine Neubeschreibung gründet*).

holp [houlp] *obs. pret u. pp von* help. — **ˈhol·pen** [-pən] *obs. pp von* help.

Hol·stein [ˈhɒlstain; -stiːn], **ˈ~-ˈFrie·sian** *s agr.* Holsteiner *m*, holsteinisch-friesisches Rind.

hol·ster [ˈhoulstər] *s* Piˈstolenhalfter *f*.

holt[1] [hoult] *s dial.* (Tier-, *bes.* Otter)-Bau *m*.

holt[2] [hoult] *s poet.* **1.** Gehölz *n* – **2.** bewaldeter Hügel.

ho·lus-bo·lus [ˈhouləsˈbouləs] *adv colloq.* **1.** alle(s) auf einmal. – **2.** ˌholterdieˈpolter.

ho·ly [ˈhouli] **I** *adj* heilig: a) geheiligt, b) anbetungswürdig, c) fromm, tugendhaft. – **II** *s* Heiligtum *n*, *bes.* heiliger Ort: the ~ of holies *Bibl.* das Allerheiligste. — **H~ Al·li·ance** *s hist.* Heilige Alliˈanz (*1815–1830*). — **H~ Bi·ble** *s* Heilige Schrift, Bibel *f*. — **~ bread** *s relig.* Abendmahlsbrot *n*, Hostie *f*. — **H~ Cit·y** *s relig.* Heilige Stadt. — **H~ Com·mun·ion** *s relig.* heilige Kommuniˈon, heiliges Abendmahl. — **~ cross** *s relig.* Kreuz *n* Christi. — **ˈH~-ˈCross Day** *s relig.* Fest *n* der Kreuzeserhöhung (*14. Sept.*). — **ˈ~ˌday**, *auch* **~ day** *s relig.* kirchlicher Festtag. — **H~ Fa·ther** *s relig.* Heiliger Vater. — **H~ Ghost** *s relig.* Heiliger Geist. — **H~ Grail** *s* heiliger Gral. — **~ grass** *s bot.* (*ein*) Maˈriengras *n* (*Gattg Hierochloë*). — **~ hay** → lucerne. — **~ herb** *s bot.* **1.** Eisenkraut *n* (*Verbena officinalis*). – **2.** Baˈsilienkraut *n* (*Ocimum basilicum*). — **H~ In·no·cents' Day** *s relig.* Fest *n* der (heiligen) Unschuldigen Kinder (*28. Dezember*). — **H~ Joe** *s mar. sl.* Pfaffe *m*. — **H~ Land** *s relig.* (*das*) Heilige Land (*Palästina*). — **H~ Of·fice** *s relig.* Heiliges Ofˈfizium, Inquisitiˈonsgericht *n*. — **~ or·ders** *s pl relig.* **1.** Priesterweihe *f*. – **2.** Priesteramt *n*, heiliger Stand. – **3.** (*die*) (höheren) Ränge der Priesterschaft. — **H~ Roll·er** *s relig. Mitglied einer nordamer. Sekte, deren Gottesdienst oft zu körperlicher Ekstase führt.* —

H~ Ro·man Em·pire *s hist.* Heiliges Römisches Reich (Deutscher Nati'on). — **H~ Rood** *s relig.* **1.** Kreuz *n* Christi. – **2.** h~ r~ Kruzi'fix *n.* — **H~ Sat·ur·day** *s relig.* Kar'samstag *m.* — **H~ Scrip·ture** *s relig.* Heilige Schrift. — **H~ See** *s relig.* Heiliger Stuhl. — **H~ Sep·ul·cher,** *bes. Br.* **H~ Sep·ul·chre** *s relig.* Heiliges Grab. — **H~ Spir·it** *s relig.* Heiliger Geist. — **'~,stone** *mar.* **I** *s* Scheuerstein *m.* – **II** *v/t u. v/i* mit dem Scheuerstein scheuern. — **H~ Syn·od** *s relig.* Heiliger Syn'od (*ehemals oberste Behörde der russ. Kirche*). — **~ ter·ror** *s colloq.* Quälgeist *m,* ‚Brechmittel' *n.* — **~ this·tle** → **blessed thistle.** — **H~ Thurs·day** *s relig.* **1.** (*röm.-kath.*) Grün'donnerstag *m.* – **2.** (*anglikanische Kirche*) Himmelfahrtstag *m.* — **'~,tide** *s relig.* heilige Zeit, religi'öse Festzeit. — **H~ Trin·i·ty** *s relig.* Heilige Drei'faltigkeit. — **~ wa·ter** *s relig.* Weihwasser *n.* — **H~ Week** *s relig.* Karwoche *f.* — **H~ Writ** *s relig.* Heilige Schrift.

hom [houm] (*Pers.*) *s hist.* Ha'oma *m,* Hom *n*: a) *heil- u. zauberkräftige Pflanze,* b) *daraus bereiteter Rauschtrank.*

hom- [houm] → **homoeo-.**

hom·age ['hɒmidʒ] *s* **1.** Huldigung *f,* Ehrerbietung *f,* Ehrfurcht *f*: to do (*od.* render) ~ huldigen (to *dat*). – **2.** Unter'würfigkeit *f.* – **3.** *jur. hist.* a) Lehenspflicht *f,* b) Treueid *m.* – *SYN. cf.* honor. — **'hom·ag·er** *s hist.* Lehensmann *m,* Va'sall *m.*

hom·a·lo·graph·ic [,hɒmələ'græfik; -lə-] *adj geogr.* homalo'graphisch, iso'graphisch (*Projektion*). — **,hom·a·lo'ster·nal** [-'stəːrnl] *adj zo.* flachbrüstig, mit kiellosem Brustbein.

hom·a·rine ['hɒmə,rain; -rin] *adj zo.* zu den Hummern (*Gattg Homarus*) gehörig, hummerartig.

hom·bre[1] ['ɔmbre] *pl* **-bres** (*Span.*) *s* Mensch *m.*

hom·bre[2] *cf.* omber[2].

Hom·burg (hat) ['hɒmbəːrg] *s* Homburg *m* (*weicher Herrenfilzhut*).

home [houm] **I** *s* **1.** Heim *n,* (Eltern)-Haus *n,* Wohnung *f*: **at ~** a) zu Hause, daheim, b) im Lande, in der Heimat, c) *fig.* zu Hause, in seinem Element, d) zu sprechen; **to be at ~ with** (*od.* on, in) s.th. in einer Sache (*einem Fach etc*) zu Hause sein, mit einer Sache vertraut sein, etwas verstehen; **we are not at ~ to him** wir sind für ihn nicht zu sprechen; **to make oneself at ~** es sich bequem machen, tun als ob man zu Hause wäre; **(away) from ~** nicht zu Hause, abwesend, verreist. – **2.** Zu'hause *n,* Heim *n,* Heimat *f.* – **3.** ständiger Wohnort, Heimat *f,* Vaterland *n.* – **4.** Aufenthaltsort *m,* Ruheplatz *m,* Zufluchtsort *m.* – **5.** *auch* **long** (*od.* **last**) ~ Grab *n.* – **6.** Heim *n,* A'syl *n,* Insti'tut *n*: **~ for the blind** Blindenheim. – **7.** Ziel *n.* – **8.** *sport* a) Ziel *n,* Goal *n,* b) (*Baseball*) Mal *n.* – **9.** (*in den brit. Besitzungen*) das Mutterland, England *n.* –
II *adj* **10.** (ein)heimisch, inner(er, e, es), inländisch, Inlands..., Binnen...: **~ affairs** *pol.* innere Angelegenheiten; **~ market, ~ trade** *econ.* Inlands-, Binnenmarkt. – **11.** Wohn..., Stamm...: **~ farm.** – **12.** tüchtig, wirkungsvoll: **a ~ thrust** ein gut sitzender Stoß. – **13.** treffend (*Wahrheit*), beißend (*Spott*). – **14.** *sport* Ziel...: → **~stretch.** –
III *v/i* **15.** nach Hause gehen *od.* zu'rückkehren. – **16.** wohnen, sein Heim haben. – **17.** *aer.* a) (*mittels Leitstrahl*) das Ziel *od.* den Heimatflughafen anfliegen, b) auto'matisch auf ein Ziel zusteuern (*Rakete*). –
IV *v/t* **18.** heimbringen, -senden. – **19.** (*in einem Heim*) 'unterbringen. – **20.** (*j-m*) ein Heim *od.* eine Heimat geben. –
V *adv* **21.** heim, nach Hause: **to go ~** heimgehen; **to see s.o. ~** j-n nach Hause begleiten; **nothing to write ~ about** *colloq.* nichts Besonderes *od.* Aufregendes; **welcome ~!** willkommen zu Hause! – **22.** zu Hause, daheim: **to be back ~** wieder zu Hause sein. – **23.** *mar.* a) zum Schiff *od.* zum Inneren des Schiffes hin, b) landwärts, zum Land hin. – **24.** *fig.* a) ins Schwarze *od.* im Schwarzen, auf den *od.* dem richtigen Punkt *od.* Fleck, b) soweit wie möglich, ganz. –
Besondere Redewendungen:
to bring (*od.* **drive**) **s.th. ~ to s.o.** j-m etwas klarmachen *od.* vor Augen führen; **to bring a charge ~ to s.o.** j-n überführen; **to drive a nail ~** einen Nagel soweit wie möglich hineinschlagen; **to go ~** *fig.* (an der richtigen Stelle) sitzen, (genau) treffen; **the remark (the thrust) went ~** die Bemerkung (der Stoß) saß *od.* traf; **my advice went ~** mein Rat tat seine Wirkung; → **strike ~.**

home- [houmi; hɒmi] → **homoeo-.**

'home|-and-'home match *s sport Am.* Vor- u. Rückspiel *n.* — **'~,bod·y** *s Am. colloq.* häuslicher Mensch, Stubenhocker(in). — **'~,born** *adj* eingeboren, einheimisch. — **'~,bound** *adj* auf der Heimreise (befindlich). — **'~,bred** *adj* **1.** einheimisch, im Lande *od.* zu Hause ge- *od.* erzogen. – **2.** hausbacken, steif, ungehobelt. — **'~-'brew** *s* zu Hause *od.* im Inland gebrautes Getränk, *bes.* Bier *n.* — **'~-,brewed I** *adj* zu Hause gebraut (*bes. Bier*). – **II** *s* → **home-brew.** — **'~-,com·ing** *s* Heimkehr *f.* — **~ coun·ties, H~ Coun·ties** *s pl die Grafschaften um London* (*Middlesex, Surrey, Kent, Essex, gelegentlich auch Hertfordshire u. Sussex*). — **'~,croft** *s econ.* kleines (Arbeiter)-Eigenheim in Stadtnähe. — **H~ De·part·ment** → **Home Office.** — **~ e·co·nom·ics** *s pl* (*oft als sg konstruiert*) **1.** *Am.* Hauswirtschaft *f.* – **2.** Hauswirtschaftslehre *f.* — **'~,felt** *adj* tief empfunden. — **~ freez·er** → **freezer** 2b. — **H~ Guard** *s mil.* **1.** *Br.* (Sol'dat *m* der) Bürgerwehr *f* (*in Großbritannien seit 1940*). – **2.** h~ g~s *pl* Bürger-, Heimwehr *f.* — **'~,keep·ing I** *adj* häuslich, stubenhockerisch. – **II** *s* ,Stubenhocke'rei *f.* — **'~,land** *s* **1.** Heimat-, Vaterland *n.* – **2.** H~ Mutterland *n,* England *n.*

home·less ['houmlis] *adj* **1.** heimatlos. – **2.** ohne Wohnung, wohnungs-, obdachlos. — **'home·less·ness** *s* **1.** Heimatlosigkeit *f.* – **2.** Obdachlosigkeit *f.*

'home|,like *adj* wie zu Hause, heimisch, gemütlich. — **'~,like·ness** *s* Gemütlichkeit *f.*

home·li·ness ['houmlinis] *s* **1.** Einfachheit *f,* Häuslichkeit *f,* Schlichtheit *f.* – **2.** Hausbackenheit *f,* Steifheit *f.* – **3.** Häßlichkeit *f,* Reizlosigkeit *f.* — **'home·ly** *adj* **1.** einfach, häuslich, schlicht. – **2.** hausbacken, steif, ungehobelt. – **3.** unschön, reizlos, häßlich: **~ features.** – **4.** *obs. od. dial.* a) vertraut, b) freundlich, c) häuslich.

home·lyn ['houmlin] *s zo.* Gefleckter Roche (*Raja maculata*).

'home|'made *adj* **1.** haus-, selbstgemacht, Hausmacher...: **~ bread** hausbackenes Brot. – **2.** inländisch, einheimisch. – **3.** einfach, schlicht. — **'~,mak·er** *s* Hauswirtschaftsleiterin *f.* — **'~,mak·ing** *s* Haushaltsführung *f.* — **~ mis·sion** *s relig.* Innere Missi'on.

homeo- *cf.* homoeo-.

Home Of·fice *s pol. Br.* 'Innenmini,sterium *n.* — **h~ perm** *s colloq.* Heimdauerwelle *f.* — **h~ plate** *s* (*Baseball*) Schlagmal *n.*

hom·er[1] ['houmər] *s* **1.** *colloq. für* home run. – **2.** Brieftaube *f.*

ho·mer[2] ['houmər] *s* Chomer *n* (*altes hebräisches Hohlmaß*).

home rails *s pl econ. Br.* Eisenbahnaktien *pl.*

Ho·mer·ic [ho'merik], *auch* **Ho'mer·i·cal** [-kəl] *adj* ho'merisch. — **Ho'mer·i·cal·ly** *adv* (*auch zu* Homeric). — **Ho·mer·ic laugh·ter** *s* ho'merisches Gelächter.

home| rule, *auch* **H~ R~** *s pol.* 'Selbstre,gierung *f,* Autono'mie *f,* Homerule *f.* — **~ rul·er** *s* Vorkämpfer *m od.* Anhänger *m* einer Autono'mie, *bes.* (*meist* H~ R~) *der irischen Partei, die die Selbstregierung Irlands anstrebte.* — **~ run** *s* (*Baseball*) **1.** *Schlag, der dem Schläger einen Lauf um sämtliche Male in einem Zug ermöglicht.* – **2.** *Lauf um sämtliche Male auf einen Schlag.* — **H~ Sec·re·tar·y** *s pol. Br.* 'Innenmi,nister *m.* — **'~,sick** *adj* heimwehkrank: **to be ~** Heimweh haben. — **'~,sick·ness** *s* Heimweh *n.* — **~ sig·nal** *s* (*Eisenbahn*) 'Einfahrt(s)si,gnal *n.* — **'~,spun I** *adj* **1.** zu Hause gesponnen. – **2.** *fig.* a) schlicht, einfach, b) grob. – **3.** Homespun...: **~ garments.** – **II** *s* **4.** zu Hause gesponnenes Tuch. – **5.** Homespun *n* (*rauhhaariges tweedähnliches Wollgewebe*). – **6.** *obs.* Bauer(nlümmel) *m.* — **~·stead** ['houmsted; -stid] **I** *s* **1.** Haus-, Heimstätte *f,* Gehöft *n.* – **2.** *jur.* (*in USA*) Heimstätte *f*: a) *160* **acres** *große, vom Staat den Siedlern verkaufte Grundparzelle,* b) *gegen den Zugriff von Gläubigern geschützte Heimstätte.* – **II** *v/t* **3.** *jur.* (*in USA*) (*Parzelle*) als Heimstätte erwerben. — **H~·stead Act** *s* erstes Heimstättengesetz (*Kongreßgesetz 1862 über den Verkauf öffentlichen Landes an Siedler*). — **'~,stead·er** *s* **1.** Heimstättenbesitzer(in). – **2.** *jur.* Heimstättner(in) (*in USA*). — **~·stead law** *s jur.* Heimstättengesetz *n* (*bes. in USA*): a) *Gesetz, das die Versteigerung einer Heimstätte untersagt,* b) *Kongreßgesetz über den Verkauf öffentlichen Landes an Siedler.*

home·ster ['houmstər] *s bes. sport* Einheimischer *m.*

'home|'stretch *s sport* Ziel-, Endgerade *f.* — **~ trade** *s* **1.** *econ.* Binnenhandel *m.* – **2.** *mar.* kleine Fahrt.

home·ward ['houmwərd] **I** *adv* heimwärts, nach Hause. – **II** *adj* heimwärts (gerichtet), Heim...: **~ journey** Heimreise. — **'~-'bound** *adj bes. mar.* auf der Heimreise (begriffen).

'home·wards → **homeward I.**

'home|,work *s* **1.** *econ.* Heimarbeit *f.* – **2.** *ped.* Hausaufgabe *f,* -arbeit *f.* — **'~,work·er** *s econ.* Heimarbeiter(in). — **'~,wort** → **houseleek.**

home·y ['houmi] *comp* **'hom·i·er** *sup* **'hom·i·est** *adj colloq.* heimisch, gemütlich, traulich. — **'home·y·ness** *s* Gemütlichkeit *f,* Traulichkeit *f.*

hom·i·cid·al [,hɒmi'saidl; -mə-] *adj* (menschen)mörderisch. — **'hom·i·,cide** *s* **1.** Mord *m,* Totschlag *m.* – **2.** *jur.* Tötung *f*: **~ squad** Mordkommission. – **3.** Mörder(in).

hom·i·let·ic [,hɒmi'letik; -mə-], **,hom·i'let·i·cal** [-kəl] *adj relig.* homi'letisch. — **,hom·i'let·i·cal·ly** *adv* (*auch zu* homiletic). — **,hom·i'let·ics** *s pl* (*oft als sg konstruiert*) *relig.* Homi'letik *f,* Predigtlehre *f.*

ho·mil·i·ar·y [*Br.* ho'miliəri; *Am.* -li,eri] *s relig.* Predigtsammlung *f.*

hom·i·list ['hɒmilist; -mə-] *s relig.* Kanzelredner *m,* Prediger *m.*

hom·i·ly ['hɒmili; -mə-] *s* **1.** *relig.* Homi'lie *f,* Kanzelrede *f,* Predigt *f.* – **2.** *fig.* Mo'ralpredigt *f.*

hom·ing ['houmiŋ] **I** *adj* **1.** nach Hause zu'rückkehrend: ~ **pigeon** Brieftaube. – **2.** Heimat..., Heimkehr..., die Heimat 'wiederfindend: ~ **instinct** *zo.* Heimkehrvermögen. – **II** *s* **3.** *aer.* a) Zielflug *m*, Senderanflug *m*, b) Zielpeilung *f*, c) Rückflug *m*. — ~ **de·vice** *s aer.* Zielfluggerät *n*.

hom·i·nid ['hɒminid; -mə-] *zo.* **I** *adj* Menschen..., zu den Menschen gehörig. – **II** *s* Homi'nid *m*, Mensch *m*. — '**hom·iˌnoid I** *adj zo.* menschenähnlich. – **II** *s* menschenähnliches Tier.

hom·i·ny ['hɒmini; -mə-] *s Am.* **1.** grob gemahlener Mais. – **2.** Maisbrei *m*.

ho·mo ['houmou] *pl* **hom·i·nes** ['hɒmiˌniːz; -mə-] *s* **1.** Mensch *m*. – **2.** H~ *zo.* Mensch *m* (*Gattg Homo*).

homo- [houmo; hɒmo; homɒ] → homoeo-.

ho·mo·cen·tric [ˌhoumo'sentrik; ˌhɒm-; -mə-], *auch* ˌ**ho·mo'cen·tri·cal** [-kəl] *adj* (kon)'zentrisch, mit gemeinsamem Mittelpunkt. — ˌ**ho·mo-'cer·cal** [-'səːrkəl] *adj zo.* homo'cerk: a) *äußerlich symmetrisch* (*Schwanzflosse*), b) *mit homocerker Schwanzflosse* (*Fisch*).

ho·mo·chro·mat·ic [ˌhoumokro'mætik; ˌhɒm-; -məkrə-] *adj* ein-, gleichfarbig, von gleicher Farbe. — ˌ**ho·mo-'chro·maˌtism** [-'krouməˌtizəm] *s* Gleichfarbigkeit *f*. — '**ho·moˌchrome** [-ˌkroum] *adj* gleichfarbig. — ˌ**ho·mo-'chro·mic** *adj bot.* gleichfarbig. — ˌ**ho·mo'chro·mous** *adj* gleich-, einfarbig. — '**ho·moˌchro·my** *s* Gleichfarbigkeit *f*.

ho·mod·ro·mal [ho'mɒdrəməl], **ho·mo·drome** ['houmoˌdroum; 'hɒm-; -mə-], **ho'mod·ro·mous** *adj bot.* gleichlaufend, homo'drom.

homoeo- [houmio; hɒm-] *Wortelement mit der Bedeutung* gleich(artig).

ho·moe·o·mor·phic [ˌhoumio'mɔːrfik; ˌhɒm-; -miə-] *adj* **1.** *min.* homöo'morph. – **2.** *math.* iso'morph. — ˌ**ho·moe·o'mor·phism** *s* **1.** *min.* Homöomor'phie *f*, Isomor'phie *f* (*Ähnlichkeit od. Gleichartigkeit der Kristallform chemisch ungleicher Körper*). – **2.** *math.* topo'logische Transformati'on, Homöomor'phie *f*. — ˌ**ho·moe·o'mor·phous** *adj* **1.** *med. min.* homöo'morph. – **2.** *math.* iso'morph.

ho·moe·o·path ['houmioˌpæθ; 'hɒm-; -miə-] *s med.* Homöo'path(in). — ˌ**ho·moe·o'path·ic** *adj med.* homöo'pathisch. — ˌ**ho·moe·o'path·i·cal·ly** *adv.* — ˌ**ho·moe'op·a·thist** [-'ɒpəθist] → homoeopath. — ˌ**ho·moe'op·a·thy** *s med.* Homöopa'thie *f*.

ho·mo·e·rot·ic [ˌhoumoi'rɒtik; ˌhɒm-] *adj psych.* ˌhomosexu'ell. — ˌ**ho·mo-'er·oˌtism** [-'erəˌtizəm] *s psych.* ˌHomosexuali'tät *f*.

ho·mog·a·mous [ho'mɒgəməs; hɒ'm-] *adj bot.* homo'gam. — **ho'mog·a·my** *s* Homoga'mie *f*: a) *bot. gleichzeitige Reife von Staubbeuteln u. Narbe*, b) *bot. gleichartige Geschlechtsvererbung durch beiderlei Gameten*, c) *biol. Paarung von möglichst gleichartigen Individuen einer Art*.

ho·mo·ge·ne·i·ty [ˌhoumodʒi'niːiti; ˌhɒm-; -mədʒə-; -əti] *s* Homogeni'tät *f*, Gleichartigkeit *f*. — ˌ**ho·mo-'ge·ne·ous** [-'dʒiːniəs] *adj* homo'gen, gleichartig: ~ **reactor** homogener Reaktor, Homogenreaktor. – *SYN. cf.* similar. — ˌ**ho·mo'ge·ne·ous·ness** *s* Homogeni'tät *f*, Gleichartigkeit *f*. — ˌ**ho·mo'gen·e·sis** [-'dʒenisis; -nə-] *s biol.* Homoge'nese *f* (*Fortpflanzung ohne Generationswechsel*). — ˌ**ho·mo·ge'net·ic** [-dʒə'netik], ˌ**ho·mo·ge-'net·i·cal**, ˌ**ho·mo'gen·ic** [-'dʒenik] → homogenous.

ho·mog·e·ni·za·tion [hoˌmɒdʒənai'zeiʃən; -ni'z-; -nə'z-; hɒˌm-] *s* Homogeni'sierung *f*, ˌHomogenisati'on *f*. — **ho'mog·eˌnize** *v/t* homo'gen *od.* gleichartig machen, ˌhomogeni'sieren. — **ho'mog·eˌniz·er** [-ˌnaizər] *s tech.* ˌHomogeni'sierma,schine *f*.

ho·mog·e·nous [ho'mɒdʒənəs; hɒ'm-] *adj biol.* homo'log, gleichartig (*infolge gleicher Abstammung*). — **ho'mog·e·ny** *s biol.* **1.** Homogeni'tät *f*, Einheitlichkeit *f*, Gleichartigkeit *f*. – **2.** gleichartige embryo'logische Entwicklung, Homolo'gie *f*.

ho·mog·o·nous [ho'mɒgənəs; hɒ'm-] *adj bot.* homo'styl (*mit gleichhohen Staubgefäßen u. Stempeln*). — **ho-'mog·o·ny** *s* Homosty'lie *f*.

hom·o·graph ['hɒməˌgræ(ː)f; *Br. auch* -ˌgrɑːf] *s ling.* Homo'graph *n*. — ˌ**hom·o'graph·ic** [-'græfik] *adj ling. math.* homo'graphisch. — **ho·mog·ra·phy** [ho'mɒgrəfi; hɒ'm-] *s ling. math.* Homogra'phie *f*.

homoio- [homɔio; hɒm-] → homoeo-.

ho·moi·o·ther·mic [hoˌmɔio'θəːrmik; hɒˌm-], *auch* **hoˌmoi·o'ther·mal** [-məl], **hoˌmoi·o'ther·mous** [-məs] *adj med. zo.* homöo'therm, warmblütig.

ho·moi·ou·si·a [ˌhoumɔi'uːsiə; -'ausiə; ˌhɒm-] *s relig.* Homoiu'sie *f*, Wesensähnlichkeit *f*. — ˌ**ho·moi'ou·si·an** *relig.* **I** *adj* **1.** homoi'usisch, wesensähnlich. – **2.** H~ homoiusi'anisch. – **II** *s* **3.** H~ Homoiusi'aner *m*. ˌ**Ho·moi'ou·si·anˌism** *s relig.* Homoiusia'nismus *m* (*Lehre von der Wesensähnlichkeit Christi mit Gott*).

ho·mol·o·gate [ho'mɒləˌgeit; hɒ'm-] **I** *v/t* **1.** *jur.* homolo'gieren: a) gutheißen, genehmigen, b) beglaubigen, bestätigen, ratifi'zieren. – **2.** *aer.* (*Abschuß, Fluggeschwindigkeit, Flugzeugtyp etc*) amtlich anerkennen. – **II** *v/i* **3.** in Über'einstimmung mit Vorschriften *od.* Beschlüssen stehen *od.* handeln. — **hoˌmol·o'ga·tion** *s jur.* Homologati'on *f*: a) Gutheißung *f*, Genehmigung *f*, b) Beglaubigung *f*.

ho·mo·log·i·cal [ˌhoumo'lɒdʒikəl; ˌhɒm-; -mə-], *auch* ˌ**ho·mo'log·ic** → homologous.

ho·mol·o·gize [ho'mɒləˌdʒaiz; hɒ'm-] **I** *v/i* **1.** homo'log sein *od.* werden. – **II** *v/t* **2.** homo'log machen. – **3.** *biol.* eine Homolo'gie feststellen zwischen (*Organen etc*). — **ho'mol·o·gous** [-gəs] *adj* homo'log, *bes.* a) *math.* entsprechend, über'einstimmend, b) *biol.* morpho'logisch gleichwertig, c) *chem.* struktu'rell ähnlich: ~ **series** homologe Reihe. — **hom·o·logue** ['hɒməˌlɒg; *Am. auch* -ˌlɔːg] *s* (*etwas*) Homo'loges, homo'loger Teil.

hom·o·lo·graph·ic *cf.* homalographic.

ho·mol·o·gy [ho'mɒlədʒi; hɒ'm-] *s* Homolo'gie *f*, *bes.* a) *math.* Entsprechung *f*, gleiche Lage, Über'einstimmung *f*, b) *biol.* morpho'logische Gleichwertigkeit, c) *chem.* struktu'relle Ähnlichkeit.

ho·mol·o·sine pro·jec·tion [ho'mɒləsin; -ˌsain; hɒ'm-] *s geogr.* homolo'sine Projekti'on.

ho·mom·a(l)·lous [ho'mɒmələs; hɒ'm-] *adj bot.* einseitswendig.

ho·mo·mor·phic [ˌhoumo'mɔːrfik; ˌhɒm-; -mə'm-] *adj* homo'morph(isch), gleichgestaltig. — ˌ**ho·mo'mor·phism** *s* **1.** *biol.* → homomorphy. – **2.** Homomor'phie *f*, Homomor'phismus *m*, *bes.* a) *bot.* Gleichgestaltigkeit *f*, b) *zo.* Hemimetabo'lie *f*. — ˌ**ho·mo'mor·phous** → homomorphic. — '**ho·moˌmor·phy** *s biol.* nur äußerliche Gleichgestaltigkeit.

ho·mon·o·mous [ho'mɒnəməs; hɒ'm-] *adj biol.* homo'nom, gleichartig.

hom·o·nym(e) ['hɒmənim] *s* **1.** Homo'nym *n* (*gleichlautendes Wort mit anderer Bedeutung*). – **2.** → homophone 1. – **3.** → homograph. – **4.** Namensvetter(in). – **5.** *biol.* Homo'nym *n* (*gleichlautende Benennung für verschiedene Gattungen etc*). — **ho·mo·nym·ic** [ˌhoumo'nimik; -mə-; ˌhɒm-] *adj* homo'nym(isch), gleichnamig, -lautend. — **ho·mon·y·mous** [ho'mɒniməs; hɒ'm-] *adj* **1.** → homonymic. – **2.** (*Optik*) wahre (*ungekreuzte*) Bilder zeigend. — **ho'mon·y·my** *s* Homony'mie *f*, Gleichlaut *m* (*von Wörtern mit verschiedener Bedeutung*).

ho·mo·ou·si·a [ˌhoumo'uːsiə; -'aus-; ˌhɒm-] *s relig.* Homou'sie *f*, Wesensgleichheit *f*. — ˌ**ho·mo'ou·si·an** *relig.* **I** *adj* **1.** homo'usisch, wesensgleich. – **2.** H~ homousi'anisch. – **II** *s* **3.** H~ Homousi'aner *m*. — ˌ**Ho·mo'ou·si·anˌism** *s relig.* Homousia'nismus *m* (*Lehre von der Wesensgleichheit Christi mit Gott*).

ho·mo·pet·al·ous [ˌhoumo'petələs; ˌhɒm-; -mə-] *adj bot.* mit gleichen Blumenblättern.

hom·o·phone ['hɒməˌfoun; 'hou-] *s* **1.** *ling.* (verschiedenes) Schriftzeichen für den gleichen Laut, Schriftzeichen *n* mit gleichem Lautwert. – **2.** *ling.* Homo'nym *n*, gleichlautendes Wort (*verschiedener Bedeutung u. meist auch Schreibung*). – **3.** *mus.* gleich gestimmte Saite. — ˌ**hom·o'phon·ic** [-'fɒnik] *adj* **1.** gleichklingend. – **2.** *mus.* homo'phon (*einmelodienhaft*). — **ho·moph·o·nous** [ho'mɒfənəs] *adj* **1.** → homophonic. – **2.** *ling.* a) homo'phon, den'selben Laut bezeichnend (*z. B.* ph *u.* f), b) homo'nym(isch), gleichlautend (*Wort*). — **ho'moph·o·ny** *s* **1.** *ling.* Gleichklang *m*, gleiche Aussprache. – **2.** *mus.* Homopho'nie *f*, Einstimmigkeit *f*, U'nisono *n*. – **3.** *mus.* einstimmiges Mu'sikstück.

ho·mo·plas·tic [ˌhoumo'plæstik; ˌhɒm-; -mə-] *adj* über'einstimmend. — **ho·mop·la·sy** [ho'mɒpləsi; hɒ'm-] *s biol.* Über'einstimmung *f od.* Ähnlichkeit *f* zwischen Or'ganen, Analo'gie *f*.

ho·mo·po·lar [ˌhoumo'poulər; ˌhɒm-; -mə-] *adj chem.* homöopo'lar, 'unpoˌlar, kova'lent. — ˌ**ho·mo·po'lar·i·ty** [-po'læriti; -əti] *s* Homöopolari'tät *f*, Kova'lenz *f*.

ho·mop·ter·an [ho'mɒptərən; hɒ'm-] *zo.* **I** *s* Gleichflügler *m*, Pflanzensauger *m* (*Unterordng Homoptera*). – **II** *adj* gleichflügelig, Gleichflügler... — **ho'mop·ter·ous** → homopteran II.

Ho·mo sa·pi·ens ['houmou 'seipiˌenz] *s biol.* Homo *m* sapiens (*Vernunftmensch od. jüngerer Neumensch als zoologische Art*).

ho·mo·sex·u·al [ˌhoumo'sekʃuəl; ˌhɒm-; -mə-; -sjuəl] *adj* ˌhomosexu'ell. — ˌ**ho·moˌsex·u'al·i·ty** [-'æliti; -əti] *s* ˌHomosexuali'tät *f*.

ho·mos·po·rous [ho'mɒspərəs; hɒ'm-] *adj bot.* mit gleichartigen Sporen. — **ho'mos·po·ry** *s bot.* Gleichsporigkeit *f*.

ho·mo·tax·i·al [ˌhoumo'tæksiəl; ˌhɒm-; -mə-], ˌ**ho·mo'tax·ic** [-ik], *auch* ˌ**ho·mo'tac·tic** [-'tæktik] *adj* gleichartig angeordnet. — ˌ**ho·mo-'tax·is**, '**ho·moˌtax·y** *s bes. geol.* gleichartige Lage *od.* Anordnung. — ˌ**ho·mo'thal·lic** [-'θælik] *adj bot.* homo'thallisch, ˌhaplomo'nöcisch (*mit zwittrigem Myzel*).

ho·mo·typ·al ['houmoˌtaipəl; 'hɒm-; -mə-] → homotypic. — '**hom·oˌtype** [-ˌtaip] *s biol.* (*etwas*) Homo'typisches, Homo'typus *m*. — ˌ**ho·mo'typ·ic** [-'tipik], ˌ**ho·mo'typ·i·cal** *adj biol.* homo'typ(isch), gleichartig, (ein'ander) entsprechend (*Organe*).

ho·mo·zy·go·sis [ˌhoumozai'gousis; -zi'g-; ˌhɒm-], ˌ**ho·mo·zy'gos·i·ty**

[-ˈgɒsiti; -əti] *s biol.* Homozygoˈtie *f*, Erbgleichheit *f.* — ˌ**ho·moˈzy·gote** [-gout] *s biol.* Homozyˈgot *m*, homozyˈgotes Wesen. — ˌ**ho·moˈzy·gous** *adj biol.* homozyˈgot, reinerbig.

ho·mun·cle [hoˈmʌŋkl] → **homuncule.** — **hoˈmun·cu·lar** [-kjulər; -kjə-] *adj* hoˈmunkulusähnlich. — **hoˈmun·cule** [-kjuːl] *s* Hoˈmunkulus *m*, Menschlein *n.* — **hoˈmun·cu·lus** [-kjuləs; -kjə-] *pl* **-cu·li** [-ˌlai] *s* **1.** Hoˈmunkulus *m*: a) *chemisch erzeugter Mensch*, b) Menschlein *n*, Knirps *m.* – **2.** menschlicher Fötus. – **3.** Spermatoˈzoon *n.*

hom·y *cf.* homey.

Hon·du·ras ma·hog·a·ny [hɒnˈdju(ə)rəs; *Am. auch* -dur-] *s bot.* Honˈdurasmahaˌgonibaum *m* (*Swietenia macrophylla*).

hone¹ [houn] *tech.* **I** *s* (feiner) Schleif-, Wetz-, Abzieh-, Ölstein. – **II** *v/t* (*auf dem Schleifstein etc*) abziehen, honen.

hone² [houn] *v/i Am. od. dial.* sich sehnen, jammern.

hon·est [ˈɒnist] *adj* **1.** ehrlich, redlich, rechtschaffen, gerecht, treu: to earn (*od.* turn) an ~ penny ehrlich sein Brot verdienen. – **2.** offen, ehrlich, aufrichtig: an ~ face; → Injun. – **3.** *humor.* ehrenwert. – **4.** echt, rein, unvermischt: ~ goods. – **5.** *obs.* ehrbar, tugendhaft: to make an ~ woman of (durch Heirat) zur ehrbaren Frau machen. – *SYN. cf.* upright. — ˈ**hon·est·ly I** *adv* zu honest. – **II** *interj colloq.* **1.** (*empört od. überrascht*) na, so was! (nein also) wirklich! – **2.** (*beteuernd*) auf mein Wort! ganz bestimmt!: I haven't done it, ~, I haven't!

ˈ**honeˌstone** *s* **1.** feinkörniger Schiefer. – **2.** → hone¹ I.

hon·es·ty [ˈɒnisti] *s* **1.** Ehrlichkeit *f*, Redlichkeit *f*, Rechtschaffenheit *f*, Biederkeit *f*: ~ is the best policy ehrlich währt am längsten. – **2.** Offenheit *f*, Ehrlichkeit *f*, Aufrichtigkeit *f.* – **3.** *obs.* Sittsamkeit *f.* – **4.** *obs.* Freigebigkeit *f.* – **5.** *bot.* ˈMondviˌole *f* (*Gattg Lunaria*), *bes.* Silberblatt *n*, Judassilberling *m* (*L. annua*). – *SYN.* hono(u)r, integrity, probity.

ˈ**honeˌwort** *s bot.* Aˈmömlein *n* (*Sison amomum*).

hon·ey [ˈhʌni] **I** *s* **1.** Honig *m.* – **2.** *fig.* Süßigkeit *f*, Lieblichkeit *f.* – **3.** *fig. bes. Irish od. Am.* Liebling *m*, Schatz *m*, Herzchen *n*, Süße(r). – **II** *adj* **4.** (honig)süß. – **5.** lieb, teuer, kostbar. – **III** *v/t pret u. pp* ˈ**hon·eyed** *od.* ˈ**hon·ied 6.** *Am. od. obs.* versüßen, angenehm machen. – **7.** *Am.* liebkosen, (*dat*) schmeicheln. – **IV** *v/i Am.* **8.** nett *od.* zärtlich sein, schmeicheln. – **9.** kriechen, schweifwedeln. — ~ **ant** *s zo.* Honigtopf-Ameise *f* (*Gattg Myrmecocystus*). — ~ **badg·er** → ratel. — ~ **bag** → honey sac. — ~ **balm** *s bot.* Immenblatt *n* (*Melittis melissophyllum*). — ~ **bear** → kinkajou. — ˈ~ˌ**bee** *s zo.* Honigbiene *f* (*Apis mellifera*). — ˈ~ˌ**ber·ry** *s bot.* **1.** Zürgelbaum *m* (*Celtis australis*). – **2.** Zürgelfrucht *f.* – **3.** Honigbeere *f* (*Melicocca bijuga*). — ~ **bird** *s zo.* **1.** → honey guide. – **2.** → honey eater. — ˈ~ˌ**blob** *s Scot.* Gartenstachelbeere *f.* — ˈ~ˌ**bloom** *s bot.* Fliegenfänger *m* (*Apocynum androsaemifolium*). — ~ **bread** → carob. — ~ **buz·zard** *s zo.* Wespenbussard *m* (*Pernis apivorus*).

hon·ey·comb [ˈhʌniˌkoum] **I** *s* **1.** Honig-, Wachsscheibe *f*, Bienen-, Honigwabe *f.* – **2.** *etwas Wabenförmiges*: a) Waffelmuster *n*, b) Waffeldecke *f*, c) *tech.* Galle *f*, Lunker *m*, (Guß)Blase *f*, d) wurmstichiges Holz. – **3.** *auch* ~ stomach *zo.* Netzmagen *m.* – **4.** *obs.* Liebling *m.* – **II** *v/t* **5.** (wabenartig) durchˈlöchern: a hill ~ed with passages ein von Gängen durchzogener Hügel. – **III** *v/i* **6.** (wabenartig) durchˈlöchert werden. – **IV** *adj* **7.** Waben..., wabenartig. – **8.** *electr.* mit wabenförmiger Wicklung: ~ coil (Honig)Wabenspule. — ˈ**hon·eyˌcombed** [-ˌkoumd] *adj* **1.** durchˈlöchert (*wie eine Wabe*). – **2.** *tech.* löcherig, blasig (*gegossenes Metall*). – **3.** wabenartig gemustert.

hon·ey·comb| moth → bee moth. — ~ **sponge** *s zo.* Pferdeschwamm *m* (*Hippospongia equina*).

hon·ey| creep·er *s zo.* Zuckervogel *m* (*Fam. Coerebidae*). — ~**·dew** [ˈhʌniˌdjuː; *Am. auch* -ˌduː] *s* **1.** *bot.* Honigtau *m*, Blatthonig *m.* – **2.** mit Meˈlasse gesüßter Tabak. — ˈ~ˌ**dew mel·on** *s* sehr süße Meˈlone. — ~ **eat·er** *s zo.* Honigsauger *m*, -fresser *m* (*Fam. Meliphagidae*; *Vogel*).

hon·eyed [ˈhʌnid] *adj* **1.** voller Honig. – **2.** honigsüß. – **3.** *fig.* süß, angenehm.

ˈ**hon·ey|ˌflow·er** *s bot.* Honigbaum *m*, -blume *f* (*Gattg Melianthus*). — ˈ~ˌ**fo·gle** [-ˌfougl], ˈ~ˌ**fu·gle** [-ˌfjuː-; *Am. auch* -ˌfuː-] *v/t Am. sl.* beschwatzen, überˈtölpeln, prellen. — ~ **gar·lic** *s bot.* Honigknoblauch *m* (*Allium dioscoridis*). — ~ **guide** *s zo.* Honiganzeiger *m*, -kuckuck *m* (*Fam. Indicatoridae*). — ~ **lo·cust** *s bot.* (*eine*) Gleˈditschie, (*ein*) Christusdorn *m* (*Gleditsia triacanthos*). — ~ **lo·tus** *s bot.* Bokharaklee *m*, Weißblühender Stein- *od.* Honigklee (*Melilotus albus*). — ~ **mes·quite** → mesquite 1. — ˈ~ˌ**moon I** *s* **1.** Honigmond *m*, Flitterwochen *pl.* – **2.** Hochzeitsreise *f.* – **II** *v/i* **3.** die Flitterwochen verbringen. — ˈ~ˌ**moon·er** *s* Hochzeitsreisende(r). — ~ **moth** → bee moth. — ~ **plant** *s bot.* Honigpflanze *f.* — ˈ~ˌ**pod** → mesquite 1. — ~ **ra·tel** → ratel. — ~ **sac** *s zo.* Honigblase *f*, -magen *m* (*der Bienen*). — ˈ~ˌ**stone** *s min.* Honigstein *m*, Melˈlit *m.* — ˈ~ˌ**suck·er** → honey eater. — ˈ~ˌ**suck·le** *s bot.* **1.** Geißblatt *n*, Heckenkirsche *f* (*Gattg Lonicera*). – **2.** *eine ähnliche Pflanze, bes.* a) → bush ~, b) ˈSumpfazaˌlee *f* (*Azalea viscosa*), c) (*eine*) Banksie (*Banksia integrifolia*), d) (*eine*) Akeˈlei (*Gattg Aquilegia*). — ˈ~ˌ**suck·led** *adj* mit Geißblatt bewachsen. — ˈ~ˌ**sweet** *adj* (honig)süß, lieblich. — ~ **tube** *s zo.* Honigröhre *f* (*der Blattläuse*). — ~ **wea·sel** → ratel. — ˈ~ˌ**wort** *s bot.* **1.** → crosswort 1. – **2.** Wachsblume *f* (*Gattg Cerinthe, bes. C. retorta*).

hong [hɒŋ] *s econ.* **1.** Warenlager *n* (*in China*). – **2.** europ. Handelsniederlassung *f* (*in China od. Japan*).

hon·ied *cf.* honeyed.

ho·ni soit qui mal y pense [əˈni swa ki mal i ˈpɑ̃ːs] (*Fr.*) ehrlos sei, wer Schlechtes dabei denkt (*Wahlspruch des Hosenbandordens*).

Hon·i·ton lace [ˈhɒnitn] *s* Honiton-Spitze *f.*

honk [hɒŋk] **I** *s* **1.** Schrei *m* der Wildgans. – **2.** ˈHorn-, ˈHupensiˌgnal *n.* – **II** *v/i* **3.** schreien (*wie eine Wildgans*). – **4.** hupen. — ˈ**honk·er** *colloq. für* Canada goose.

honk·y-tonk [ˈhɒŋkiˌtɒŋk] *s Am. sl.* Speˈlunke *f*, ,ˈBumsloˌkal' *n.*

hon·or, *bes. Br.* **hon·our** [ˈɒnər] **I** *v/t* **1.** (ver)ehren, in Ehren halten, ehrerbietig behandeln, respekˈtieren, (*dat*) Ehre erweisen. – **2.** beehren (with mit). – **3.** ehren, auszeichnen, verherrlichen. – **4.** höflich beachten: to ~ an invitation einer Einladung Folge leisten. – **5.** *econ.* (*Wechsel*) honoˈrieren, akzepˈtieren, einlösen, bezahlen. – **II** *s* **6.** Ehre *f.* – **7.** Ehrerbietung *f*, Verehrung *f*, Hochachtung *f*, Reˈspekt *m*, Ehrfurcht *f*: to be held in ~ in Ehren gehalten werden. – **8.** Ehrung *f*, Ehre(n *pl*) *f*, Ehrerbietung *f*, Ehrenbezeigung *f*, -titel *m*, -amt *n*, -erweisung *f*, Auszeichnung *f*: in ~ of his father seinem Vater zu Ehren; to s.o.'s ~ zu j-s Ehren; last (*od.* funeral) ~s letzte Ehre; military ~s, ~s of war militärische Ehre; → birthday II. – **9.** Ehre *f*, Ansehen *n*, guter Ruf. – **10.** Ehre *f*, Zierde *f*: he is an ~ to his country er gereicht seinem Land zur Ehre. – **11.** Ehrgefühl *n.* – **12.** *econ.* Honoˈrierung *f* (*Wechsel*). – **13.** (*Golf*) *das Recht, als erster zu schlagen*: it is his ~ er darf als erster schlagen. – **14.** *pl ped.* besondere Auszeichnung. – **15.** (*Kartenspiel*) Bild *n*: a) (*Bridge*) *eine der 4 höchsten Trumpfkarten*, b) (*Whist*) *eine der 5 höchsten Trumpfkarten.* – **16.** *pl* Honˈneurs *pl*: to do the ~s die Honneurs machen. – **17.** *als Ehrentitel*: Your (His) ~ Euer (Seine) Gnaden. – **18.** *obs.* Verbeugung *f.* – *SYN.* a) deference, homage, obeisance, reverence, b) *cf.* honesty. – *Besondere Redewendungen*: affair of ~ Ehrenhandel; to be on one's ~ to do s.th. moralisch verpflichtet sein, etwas zu tun; bound in ~ moralisch verpflichtet; code (*od.* law) of ~ Ehrenkodex; to do ~ to s.o. j-m zur Ehre gereichen; man of ~ Ehrenmann; point of ~ Ehrensache; (up)on my ~, *colloq.* ~ bright! bei meiner Ehre! auf mein Wort! ~ to whom ~ is due Ehre, wem Ehre gebührt; → bed *b. Redw.*; debt 1; Legion of H~; maid of ~; word 7.

hon·or·a·ble, *bes. Br.* **hon·our·a·ble** [ˈɒnərəbl] *adj* **1.** achtbar, ehrenwert. – **2.** ehrenvoll, -haft, rühmlich: an ~ peace treaty. – **3.** angesehen, vornehm, würdig. – **4.** edel(mütig). – **5.** ehrlich, redlich, rechtschaffen: ~ intentions ehrliche Absichten (*bei der Werbung*). – **6.** ehrsam, keusch. – **7.** H~ (*kurz* Hon.) Ehrenwert (*als Titel der jüngeren Söhne der Earls u. aller Kinder der Viscounts u. Barone*; *der Ehrendamen des Hofes*; *der Mitglieder des Unterhauses*; *gewisser höherer Richter*; *der Bürgermeister*; *in USA*: *der Mitglieder des Kongresses, hoher Regierungsbeamter, Richter, Bürgermeister*): Most H~ Höchst Ehrenwert (*Titel eines Marquis, eines Ritters des Bathordens*); Right H~ Sehr Ehrenwert (*Titel von Earls, Viscounts, Baronen*; *gewisser Kinder von Peers*; *der Mitglieder des Privy Council*; *des Lord Mayor von London etc*). – *SYN. cf.* upright. — ˈ**hon·or·a·ble·ness**, *bes. Br.* ˈ**hon·our·a·ble·ness** *s* **1.** Achtbarkeit *f.* – **2.** Ehrlichkeit *f*, Redlichkeit *f.* – **3.** Würde *f.*

hon·o·rar·i·um [ˌɒnəˈrɛ(ə)riəm] *pl* **-rar·i·a** [-riə], **-rar·i·ums** *s* Honoˈrar *n.*

hon·or·ar·y [*Br.* ˈɒnərəri; *Am.* -ˌreri] *adj* **1.** ehrend, zur Ehre gereichend. – **2.** Ehren..., ehrenamtlich: ~ freeman Ehrenbürger; ~ member Ehrenmitglied; ~ president ehrenamtlicher Präsident; ~ title Ehrentitel. – **3.** Ehren...: ~ debt Ehrenschuld.

hon·or·er, *bes. Br.* **hon·our·er** [ˈɒnərər] *s* **1.** Verehrer(in), Ehrende(r). – **2.** *econ.* Honoˈrant(in) (*Wechsel etc*).

hon·or·if·ic [ˌɒnəˈrifik] **I** *adj* **1.** Ehren..., ehrend, Verehrung ausdrückend. – **II** *s* **2.** ehrendes Wort, Titel *m.* – **3.** *ling.* Höflichkeitssilbe *f.* — ˌ**hon·orˈif·i·cal** → honorific I. — ˌ**hon·orˈif·i·cal·ly** *adv* (*auch zu* honorific I).

hon·or point, *bes. Br.* **hon·our point** *s her.* Punkt *m* unmittelbar über der Herzstelle.

hon·ors| de·gree, *bes. Br.* **hon·ours| de·gree** [ˈɒnərz] *s ped. akademischer Grad mit Auszeichnung, verliehen* *für bes. gute Leistungen u. eine spezialisierte Prüfung in einem bestimmten Fach.* — ~ **list** *s ped. Liste bes. guter Studenten, die auf einen akademischen Grad mit Auszeichnung (auf Grund einer Spezialprüfung) hinarbeiten.*

hon·or stu·dent *bes. Am. für* honours man.

hon·or sys·tem, *bes. Br.* **hon·our sys·tem** *s ped. Erziehungsmethode, die nicht Strafen anwendet, sondern an das Ehrgefühl der Zöglinge appelliert.*

hon·our, hon·our·a·ble, hon·our·a·ble·ness, hon·our·er *bes. Br. für* honor *etc.*

hon·ours man *s irr ped. bes. Br. Student, der einen akademischen Grad mit Auszeichnung anstrebt, od. Graduierter, der einen solchen innehat.*

hooch [huːtʃ] *s Am. sl.* (*bes.* geschmuggelter *od.* ille,gal gebrannter) Schnaps, ‚Fusel' *m.* — **hoo·chi·noo** ['huːtʃi,nuː] *s von Alaskaindianern hergestelltes alkoholisches Getränk.*

hood [hud] **I** *s* **1.** Ka'puze *f.* – **2.** a) 'Mönchska,puze *f,* b) ka'puzenartiger 'Überwurf (*am Talar als Abzeichen der akademischen Würde*). – **3.** *bot.* Helm *m.* – **4.** *tech.* a) Motorhaube *f,* b) Plane *f,* Verdeck *n,* Dach *n* (*Auto etc*), c) Haube *f,* Kappe *f,* Deckel *m,* d) Abzug *m,* Abzugskasten *m,* -raum *m,* -schrank *m,* -haube *f.* – **5.** *mar. tech. meist pl* vorderste u. hinterste Außen- u. Innenplanke. – **6.** *zo.* Haube *f,* ka'puzenartiger Schopf. – **7.** Haube *f* (*Jagdfalke*). – **8.** → hoodlum. – **II** *v/t* **9.** mit einer Ka'puze versehen. – **10.** *fig.* bedecken, verhüllen.

-hood [hud] *Wortelement zur Bezeichnung des Zustandes od. der Eigenschaft*: childhood; likelihood.

'hood,cap → hooded seal.

hood·ed ['hudid] *adj* **1.** mit einer Ka'puze bekleidet. – **2.** *bot.* ka'puzen-, helmförmig. – **3.** *zo.* a) mit deutlich verschieden gefärbtem Kopfgefieder, b) mit einer Haube, c) mit ausdehnbarem Hals (*Kobra etc*). — ~ **crow** *s zo.* Nebelkrähe *f* (*Corvus cornix*). — ~ **mer·gan·ser** *s zo.* Haubensäger *m* (*Lophodytes cucullatus*). — ~ **mil·foil** *s bot.* Wasserhelm *m,* -schlauch *m* (*Utricularia purpurea*). — ~ **o·ri·ole** *s zo.* (*ein*) Trupi'al *m* (*Icterus cucullatus*). — ~ **seal** *s zo.* Klappmütze *f,* Mützenrobbe *f* (*Cystophora cristata*). — ~ **snake** → cobra 1. — ~ **wa·ter mil·foil** → hooded milfoil.

hood end → hooding end.

hood·ie (crow) ['hudi] → hooded crow.

hood·ing end ['hudiŋ] *s mar.* Plankenende *n* (*am Vor- od. Hintersteven*).

hood·lum ['huːdləm] *s bes. Am. sl.* (*bes.* jugendlicher) Strolch, Raufbold *m,* Rowdy *m,* Gangster *m.* — **'hood·lum,ism** *s* Rowdy-, Gangstertum *n.*

'hood·man-,blind ['hudmən] *obs. für* blindman's buff.

'hood,mo(u)ld *s arch.* (Tür-, Fenster-) Verdachung *f.*

hoo·doo ['huːduː] *pl* **-doos** *bes. Am.* **I** *s* **1.** → voodoo I. – **2.** *colloq.* a) Unglücksbringer *m,* b) Unglück *n,* Pech *n.* – **3.** *Am. dial.* phan'tastisch geformter Fels. – **II** *v/t pret u. pp* **'hoo·dooed 4.** *colloq.* (*j-m*) Unglück bringen. – **III** *adj* **5.** *colloq.* unheilvoll, Unglücks...

'hood|,shy *adj* haubenscheu (*Falke*). — **'~,wink** *v/t* **1.** (*j-m*) die Augen verbinden. – **2.** verbergen, verhüllen. – **3.** *fig.* blenden, täuschen, hinter'gehen. — **'~,wort** → mad-dog skullcap.

hood·y *cf.* hoodie.

hoo·ey ['huːi] *sl.* **I** *interj* Unsinn! ach was! – **II** *s* Unsinn *m,* Quatsch *m.*

hoof [huːf; *Am. auch* huf] **I** *s pl* **hoofs,** *selten* **hooves** [-vz] **1.** *zo.* a) Huf *m,* b) Fuß *m* (*Huftier*): on the ~ lebend, ungeschlachtet (*Vieh*). – **2.** Pferdefuß *m* (*auch fig.*): to show the (cloven) ~ den Pferdefuß sehen lassen. – **3.** Huf-, *bes.* Herdentier *n.* – **4.** *humor.* (Menschen)Fuß *m*: to beat (*od.* pad) the ~ auf Schusters Rappen reisen; to be under the ~ unterdrückt werden. – **II** *v/t* **5.** (*Weg*) (zu Fuß) gehen. – **6.** mit dem Huf *od.* Fuß treten. – **7.** ~ out *sl.* hin'auswerfen. – **III** *v/i colloq.* **8.** *meist* ~ it zu Fuß gehen. – **9.** tanzen. — **'~,bound** *adj vet.* hufzwängig.

hoofed [huːft; *Am. auch* huft] *adj* **1.** gehuft, mit einem Huf versehen (*Fuß*). – **2.** Huf... (*Tier*). – **3.** hufförmig. — **'hoof·er** *s Am. sl.* Berufstänzer(in), *bes.* Re'vuegirl *n.*

hoof| pad *s* Hufpolster *n.* — **'~,pick** *s* Hufräumer *m.* — **'~,print** *s* Hufabdruck *m,* -spur *f.*

hoo-ha ['huː'hɑː] *s sl.* ‚Tam'tam' *n* (*lautes Getue*).

hook [huk] **I** *s* **1.** Haken *m*: ~ and eye Haken u. Öse; by ~ or by crook unter allen Umständen, mit allen Mitteln, auf Biegen od. Brechen, so oder so; on one's own ~ *sl.* auf eigene Faust, auf eigene Gefahr *od.* Rechnung; to sling (*od.* take) one's ~ *sl.* sich aus dem Staub machen, ‚türmen'; off the ~ von der Stange (*Kleidung*). – **2.** *tech.* a) Klammer-, Drehhaken *m,* Hakenstahl *m,* b) Nase *f* (*am Dachziegel*), c) Türangel *f,* Haspe *f*: ~ and hinge Angel u. Band, Scharnier; off the ~s *colloq.* aus den Angeln, in Unordnung; to drop off the ~s *sl.* ‚abkratzen' (*sterben*). – **3.** Angelhaken *m*: ~, line, and sinker *fig.* mit allem Drum u. Dran, vollständig, komplett. – **4.** *agr.* Sichel *f.* – **5.** *mar.* a) Band *n* (*Verbandstück*), b) Haken *m.* – **6.** *fig.* Schlinge *f,* Falle *f.* – **7.** Haken *m, bes.* a) scharfe Krümmung (*Fluß etc*), b) gekrümmte Landspitze, c) *bes. med.* hakenförmiger Fortsatz, d) *pl sl.* Finger *pl,* Hände *pl.* – **8.** *mus.* Notenfähnchen *n.* – **9.** a) (*Baseball*) Kurvball *m,* b) (*Golf*) Hook *m* (*Schlag, der den Ball stark nach links verzieht*), c) (*Boxen*) Haken *m,* d) (*Kricket*) Schlagen *n* des Balles auf die on side. –

II *v/t* **10.** an-, ein-, fest-, zuhaken. – **11.** fangen, angeln (*auch fig.*). – **12.** *colloq.* (*Ehemann*) angeln. – **13.** *colloq.* stehlen. – **14.** biegen, krümmen. – **15.** (*mit den Hörnern*) aufspießen, durch'bohren. – **16.** tambu'rieren, mit Kettenstich besticken. – **17.** a) (*Boxen*) (*dat*) einen Haken versetzen, b) (*Kricket*) den Ball zur on side schlagen, c) (*Golf*) (*den Ball*) nach links verziehen, d) (*Rugby*) → heel[1] 5 b. –

III *v/i* **18.** sich biegen, sich krümmen. – **19.** sich (zu)haken lassen: a dress that ~s. – **20.** sich festhaken *od.* anhängen (to an *acc*). – **21.** *meist* to ~ it *sl.* sich aus dem Staub machen, ‚abhauen', ‚türmen'. –

Verbindungen mit Adverbien:

hook| in *v/t* **1.** einhaken. – **2.** mit einem Haken her'einziehen. — ~ **on I** *v/t* **1.** mit einem Haken befestigen, ein-, anhaken. – **II** *v/i* **2.** sich festhaken *od.* -hängen (to an *dat od. acc*). – **3.** (sich) einhängen (to bei *j-m*). — ~ **up** *v/t* **1.** mit einem Haken befestigen. – **2.** zuhaken. – **3.** *tech.* a) (*Gerät*) zu'sammenstellen, -bauen, b) anschließen. – **4.** (*Pferde*) anspannen.

hook·a(h) ['hukə] *s* Huka *f* (*orient. Wasserpfeife*).

'hook|-and-'lad·der truck *s Am.* Rettungswagen *m* (*der Feuerwehr*). — **'~-,beaked, '~-,billed** *adj zo.* mit hakenförmigem Schnabel. — ~ **climb·er** *s bot.* Hakenklimmer *m.*

hooked [hukt; -kid] *adj* **1.** krumm, gekrümmt, hakenförmig, gebogen. – **2.** mit (einem) Haken versehen. – **3.** tambu'riert, mit Kettenstich bestickt. — **'hook·ed·ness** [-kidnis] *s* Hakenförmigkeit *f.*

hook·er[1] ['hukər] *s* (*Rugby*) Hooker *m* (*zweiter u. dritter Stürmer, der beim Gedränge in der vorderen Reihe steht*).

hook·er[2] ['hukər] *s mar.* **1.** Huker *m* (*ein Hochseefischereifahrzeug*). – **2.** kleines einmastiges Fischerboot. – **3.** (*verächtlich*) ‚alter Kahn'.

Hooke's| joint, ~ cou·pling [huks] *s tech.* Kar'dan-, Kreuz-, Univer'salgelenk *n.*

hook·ey *cf.* hooky[2].

'hook|,like *adj* hakenartig, -förmig. — **'~,nose** *s* Hakennase *f.* — **'~-,nosed** *adj* hakennasig, mit einer Hakennase. — ~ **pin** *s tech.* Hakenbolzen *m,* -stift *m.* — ~ **span·ner** → hook wrench. — ~ **tool** *s tech.* Hakenstahl *m,* Drehhaken *m* (*Dreherei*).

hook·um ['hukəm] *s Br. Ind.* (amtlicher) Befehl.

'hook,up *s* **1.** *tech.* a) Anordnung *f,* Sy'stem *n,* Schaltung *f,* b) Schaltbild *n,* -schema *n,* c) Blockschaltung *f,* d) Zu'sammen-, Gemeinschaftsschaltung *f* (*Rundfunkstationen*), e) 'Brems(en)über,setzung *f* (*Auto*). – **2.** *bes. pol. colloq.* Zu'sammenschluß *m,* Bündnis *n,* Pakt *m.*

'hook|,worm *s* **1.** *zo* (*ein*) Hakenwurm *m* (*bes Gattgen Ancylostoma u. Necator*). – **2.** *auch* ~ disease *med.* Hakenwurmkrankheit *f.* — ~ **wrench** *s tech.* Hakenschlüssel *m.*

hook·y[1] ['huki] *adj* **1.** voller Haken. – **2.** hakenartig, Haken...

hook·y[2] ['huki] *s* (*nur in der Redensart*): to play ~ *Am. sl.* (*bes.* Schule) schwänzen, sich drücken.

hoo·lee ['huːliː] *s* Holifest *n* (*der Inder*).

hoo·li·gan ['huːligən] *colloq.* **I** *s* (Straßen)Lümmel *m,* Rowdy *m.* – **II** *adj* lümmelhaft. — **'hoo·li·gan,ism** *s* Rowdytum *n.*

hoo·lock ['huːlɒk] *s zo.* Harlan *m,* Hulock *m* (*Hylobates hulock; Gibbon*).

hoo·ly ['huːli] *adj u. adv Scot.* vorsichtig, langsam.

hoo·noo·maun ['huːnu,mɑːn] → en-[tellus.]

hoop[1] [huːp; *Am. auch* hup] **I** *s* **1.** *tech.* a) Band *n,* (Faß)Reif(en) *m,* Ring *m,* b) Hirnring *m,* Zwinge *f,* Schelle *f,* c) Öse *f,* Ring *m,* d) Mantelring *m* (*Lehmform*). – **2.** Reif(en) *m* (*bei Kinderspielen etc*): to go through the ~(s) *fig.* a) etwas Schlimmes über sich ergehen lassen, b) *bes. econ.* sich bankerott erklären, Konkurs anmelden. – **3.** a) Fingerring *m,* b) Reif(en) *m.* – **4.** Reif(en) *m* (*Reifrock*). – **5.** Reifrock *m.* – **6.** (*Krocket*) Tor *n.* – **II** *v/t* **7.** *tech.* (*Faß*) abbinden, Reifenaufschlagen *od.* -ziehen auf (*acc*). – **8.** um'geben, um'fassen. – **III** *v/i* **9.** sich runden, einen Reifen bilden, sich zu einem Reifen formen.

hoop[2] *cf.* whoop[1].

hoop ash *s bot.* **1.** → black ash 1. – **2.** → hackberry 1.

hoop·er[1] ['huːpər; *Am. auch* 'hupər] *s* Küfer *m,* Böttcher *m.*

hoop·er[2] ['huːpər], ~ **swan** → whooping swan.

hoop·ing ['huːpiŋ; *Am. auch* 'hupiŋ] *s tech.* **1.** Binden *n* (*Faß*). – **2.** *collect.* Bereifung *f* (*Faß*). – **3.** 'Reifenmateri,al *n.*

hoop·ing-cough *cf.* whooping-cough.

hoop i·ron *s tech.* Bandeisen *n.*

hoop·la ['huːplɑː; *Am. auch* 'hupl ɑː] *s* **1.** Ringwerfen *n* (*auf Jahrmärkten etc*). – **2.** *Am. sl.* Rummel *m.*

hoo·poe ['huːpuː] *s zo.* Wiedehopf *m* (*Fam. Upupidae*).

hoop| pet·ti·coat *s* 1. Reifrock *m*. – 2. *bot*. 'Reifrock-Nar,zisse *f* (*Narcissus bulbocodium*). — **~ pine** *s bot*. (*eine*) Schuppentanne (*Araucaria Cunninghamii*). — **~ skirt** *s* Bügel-, Reifrock *m*, Krino'line *f*. — **~ snake** *s zo*. (*eine*) amer. Natter (*Abastor erythrogrammus*) — **~ tree** → **chinaberry** 1.

hoo·ray [hu'rei] → **hurrah**.

hoos(e)·gow, *auch* **hoose-gaw** ['huːsgau] *s Am. sl*. ‚Kittchen' *n* (*Gefängnis*).

hoosh [huːʃ] *s sl*. (*Art*) Eintopfgericht *n* (*mit Dörrfleisch etc*).

Hoo·sier ['huːʒər] *s Am*. (*Spitzname für einen*) Bewohner von Indi'ana. — **~ State** *s Am*. (*Spitzname für*) Indi'ana *n*.

hoot[1] [huːt] **I** *v/i* 1. heulen, johlen, schreien: to **~ after s.o.** j-m nachschreien; to **~ at s.o.** j-n verspotten *od*. auslachen. – 2. schreien (*Eule*). – 3. *Br*. a) hupen, tuten (*Auto*), b) pfeifen, gellen (*Dampfpfeife etc*). – **II** *v/t* 4. auszischen, auspfeifen. – 5. **~ out, ~ away, ~ off** durch Gejohle vertreiben. – 6. (*Worte*) johlen, (*Gefühle*) durch Gejohle zum Ausdruck bringen. – **III** *s* 7. (*höhnischer, johlender*) Schrei: **it's not worth a ~** *colloq*. es ist keinen Pfifferling wert; **I don't care a ~** (*od*. **two ~s**) *colloq*. ‚das ist mir völlig piepe'. – 8. Schrei *m* (*Eule*). – 9. *bes. Br*. a) Hupen *n* (*Auto*), b) (*bes*. Fa'brik)-Si,rene *f*.

hoot[2] [huːt] *interj Scot. Irish od. dial*. ach was! dummes Zeug!

hootch·y-kootch·y ['huːtʃi'kuːtʃi] *s Am. sl*. bur'lesker (Zirkus)Tanz.

hoot·er ['huːtər] *s* 1. Johler(in), Schreier(in). – 2 Si'rene *f*, Dampfpfeife *f*. – 3. (Si'gnal)Hupe *f* (*Auto*).

hoot owl *s zo*. Eule *f* mit dumpfem Schrei, *bes*. a) → **barred owl**, b) Waldkauz *m* (*Strix aluco*).

hoots [huːts], **hoot toot** [tuːt] → **hoot**[2].

hoove [huːv; *Am. auch* huv] *s vet*. Blähsucht *f*, Ko'lik *f*.

Hoo·ver ['huːvər] (*TM*) **I** *s* Staubsauger *m*. – **II** *v/t* mit dem Staubsauger reinigen, (ab)saugen.

Hoo·ver·ville ['huːvərvil] *s Am*. Ba'rackensiedlung *f* (*der Arbeitslosen um 1930*).

hooves [huːvz; *Am. auch* huvz] *pl von* **hoof**.

hop[1] [hɒp] **I** *v/i pret u. pp* **hopped** 1. (hoch)hüpfen, hopsen. – 2. *colloq*. tanzen. – 3. hinken, humpeln. – 4. *sl*. gehen, sich (auf)machen. – 5. *meist* **~ off** *aer. colloq*. starten. – 6. *meist* **~ it** *sl*. verschwinden, ‚verduften'. – **II** *v/t* 7. hüpfen *od*. springen über (*acc*): to **~ the twig** (*od*. **stick**) *sl*. a) verschwinden, ‚verduften', b) ‚abkratzen' (*sterben*). – 8. her'unterhüpfen *od*. -springen von. – 9. *Am. colloq*. (auf)springen auf (*acc*): to **~ a train**. – 10. *sl*. über'fliegen, -'queren: to **~ the ocean**. – 11. (*Ball etc*) hüpfen lassen – **III** *s* 12. Hopser *m*, Hüpfer *m*, Sprung *m*: **~, step** (*od*. **skip**), **and jump** *sport* Dreisprung; to **be on the ~** *colloq*. eifrig herumwirtschaften *od*. -rennen. – 13. *colloq*. Tanz *m*, ‚Schwof' *m*. – 14. *aer. colloq*. kurzer Über'landflug.

hop[2] [hɒp] **I** *s* 1. *bot*. Hopfen *m* (*Humulus lupulus*). – 2. *pl* Hopfen(blüten *pl*) *m*: to **pick** (*od*. **gather**) **~s** Hopfen ernten. – 3. *Am. vulg*. Rauschgift *n*, *bes*. Opium *n*. – 4. *pl sl*. Bier *n*. – **II** *v/t pret u. pp* **hopped** 5. (*Bier*) hopfen, mit Hopfen würzen. – **III** *v/i* 6. Hopfen tragen (*Pflanze*). – 7. Hopfen ernten.

hop| back *s* (*Brauerei*) Hopfenseiher *m*. — **'~,bine**, *auch* **'~,bind** *s bot*. Hopfenranke *f*. — **~ clo·ver** *s bot. ein gelbblühender Klee* (*Gattg Trifolium*), *bes*. a) Hopfenklee *m* (*T. agrarium*), b) Gelber Ackerklee (*T. procumbens*). — **~ dri·er** *s agr*. Hopfendarre *f*.

hope [houp] **I** *s* 1. Hoffnung *f* (**of** auf *acc*): **in ~s** in freudiger Erwartung, hoffend; **he is past all ~** er ist ein hoffnungsloser Fall, für ihn gibt es keine Hoffnung mehr; **there is no ~ that** es besteht keine Hoffnung, daß; **in the ~ of doing** in der Hoffnung zu tun. – 2. Hoffnung *f*, Vertrauen *n*, Zuversicht *f*. – 3. Hoffnung *f* (*Person od. Sache*): **she is our only ~**. – 4. → **forlorn ~**. – **II** *v/i* 5. hoffen (**for** auf *acc*): **to ~ against** ~ eine letzte Hoffnung hegen, auf die bloße Möglichkeit hoffen; **to ~ for the best** das Beste hoffen; **I ~ so** hoffentlich, ich hoffe. – 6. *obs*. vertrauen. – *SYN. cf*. **expect**. – **III** *v/t* 7. (*etwas*) hoffen: **it is much to be ~d** es ist sehr zu hoffen; **we ~ (that) you are satisfied** wir hoffen, daß Sie zufrieden sind; **I ~ to meet her soon** ich hoffe, sie bald zu treffen.

hope chest *s Am. colloq*. Aussteuertruhe *f*.

hope·ful ['houpfəl; -ful] **I** *adj* 1. hoffnungs-, erwartungsvoll. – 2. (*auch ironisch*) vielversprechend. – **II** *s* 3. (*meist ironisch od. humor*.) vielversprechender Mensch: **a young ~**. — **'hope·ful·ness** *s* frohe Erwartung *od*. Hoffnung.

hope·less ['houplis] *adj* 1. hoffnungslos, verzweifelt, mutlos. – 2. hoffnungslos, unverbesserlich: **he is a ~ case** er ist ein hoffnungsloser Fall. – *SYN. cf*. **despondent**. — **'hope·less·ness** *s* Hoffnungslosigkeit *f*.

hop| flea bee·tle *s zo*. (*ein*) Blattfloh *m* (*Psylliodes punctulata*). — **~ fly** *s zo*. Hopfenblattlaus *f* (*Aphis humuli*). — **~ froth fly**, *auch* **~ frog fly** *s zo*. (*eine*) 'Schaumzi,kade (*Aphrophora interrupta*). — **~ horn·beam** *s bot*. Hopfenbuche *f* (*Gattg Ostrya*).

Ho·pi ['houpi] *s* Hopi *m, f*, 'Hopi-, 'Moquiindi,aner(in) (*Mitglied eines Stammes der schoschonischen Sprachgruppe in Arizona, USA*).

hop| jack → **hop back**. — **~ kiln** *s agr*. Hopfendarre *f*.

hop·lite ['hɒplait] *s antiq. mil*. Ho'plit *m* (*schwerbewaffneter Fußsoldat*).

hop| louse *s irr Am. für* **hop fly**. — **~ med·ic** *s bot*. Hopfen-Schneckenklee *m* (*Medicago lupulina*). — **~ mer·chant** *s* 1. Hopfenhändler *m*. – 2. *zo*. (*ein*) Kommaschmetterling *m* (*Polygonia comma u. P. interrogationis*). — **~ mil·dew** *s bot*. Hopfenmeltau *m*, -schimmel *m* (*durch den Pilz Sphaerotheca humuli verursacht*). — **~ moth** *s zo*. Hopfeneule *f* (*Hypena humuli*; *Schmetterling*).

hop-o'-my-thumb [*Br*. 'hɒpəmi'θʌm, *Am*. -mai-] *s* Knirps *m*, Zwerg *m*, Drei'käsehoch *m*.

hopped up [hɒpt] *adj Am. sl*. (ganz) ‚aus dem Häuschen', ‚aufgedreht'.

hop·per[1] ['hɒpər] *s* 1. Hüpfende(r), Springende(r). – 2. Tänzer(in). – 3. *zo*. Hüpfer *m*, hüpfendes Tier, *bes*. Käsemade *f*. – 4. *tech*. Trichter *m*: a) Spülkasten *m* (*einer Wasserspülung*), b) (*Müllerei*) Trichter *m*, Rumpf *m*, Kornkasten *m*, c) Gichtverschluß *m*, Trichteraufsatz *m*, Fülltrichter *m* (*bei Hochöfen etc*). – 5. *tech*. Gefäß *n od*. Fahrzeug *n* mit Schnellentladevorrichtung, *bes*. a) *mar*. Baggerprahm *m*, b) *auch* **~(-bottom) car** (*Eisenbahn*) Selbstentladewagen *m*, Fallboden-, Drehbodenfahrzeug *n*.

hop·per[2] ['hɒpər] *s* 1. Hopfenpflücker(in). – 2. *Brauereiarbeiter, der den Hopfen zusetzt*. – 3. (*Brauerei*) a) Hopfenkufe *f*, b) Gosse *f*, Malztrichter *m*.

hop·per clos·et *s tech*. Klo'sett *n* mit Spülkasten.

hop| pick·er *s* Hopfenpflücker *m* (*Mensch od. Maschine*). — **~ pil·low** *s* mit Hopfenblüten gestopftes Kissen (*zum Einschläfern*).

hop·ping (mad) ['hɒpiŋ] *adj Am. od. dial*. bebend vor Zorn, wütend.

hop·ple ['hɒpl] **I** *v/t* 1. (*Tieren*) die (Vorder)Beine fesseln. – 2. *fig*. behindern, aufhalten, hemmen. – **II** *s* 3. Fessel *f*.

hop| pock·et *s* Hopfenballen *m* (*etwa* $1^1/_2$ *Zentner*). — **~pole** *s agr*. Hopfenstange *f*.

hop·py ['hɒpi] *adj* 1. hopfenreich. – 2. hopfig.

hop| sack·ing *s* 1. grobe Sackleinwand. – 2. grober Wollstoff. — **'~,scotch** *s* Himmel-und-Hölle-Spiel *n*, Tempelhüpfen *n* (*ein Hüpfspiel der Kinder*). — **'~,toad** *s Am. colloq*. Kröte *f*. — **~ tree** *s bot*. Hopfen-, Lederstrauch *m*, Kleeulme *f* (*Ptelea trifoliata*). — **~ tre·foil** *s bot*. 1. → **hop clover**. – 2. → **hop medic**. — **'~,vine** *s bot*. 1. Hopfenranke *f*. – 2. Hopfenpflanze *f*. — **'~,yard** *s* Hopfenfeld *n*.

Ho·rae ['hɔːriː] *s pl* (*griech. Mythologie*) Horen *pl*.

ho·ral ['hɔːrəl] *adj* stündlich, Stunden...

ho·ra·ry ['hɔːrəri] *adj* 1. Stunden...: **~ circle** Stundenkreis. – 2. stündlich.

Ho·ra·tian [ho'reiʃiən; hə-; -ʃən] *adj* Ho'razisch, ho'razisch: **~ ode** Horazische Ode.

horde [hɔːrd] **I** *s* 1. Horde *f*, (asiat.) No'madengruppe *f*. – 2. Haufen *m*, Bande *f*. – *SYN. cf*. **crowd**[1]. – **II** *v/i* 3. eine Horde bilden: **to ~ together** in Horden zu'sammenleben.

hor·de·a·ceous [,hɔːrdi'eiʃəs] *adj bot*. gerstenähnlich, -artig.

hor·de·in ['hɔːrdiin] *s chem*. Horde'in *n*, Gerstenkleberstoff *m*.

hore·hound ['hɔːr,haund] *s* 1. *bot*. Weißer Andorn (*Marrubium vulgare*). – 2. 'Hustenbon,bon *m, n*.

ho·ri·zon [ho'raizən; hə-] *s* 1. *astr*. Hori'zont *m*, Gesichtskreis *m*: **apparent** (*od*. **local, sensible, visible**) **~** scheinbarer Horizont; **artificial** (*od*. **false**) **~** *tech*. künstlicher Horizont (*Quecksilberspiegel etc*); **celestial** (*od*. **astronomical, geometrical, rational, true**) **~** wahrer *od*. geozentrischer Horizont; **visual** (*od*. **visible**) **~** *mar*. Seehorizont, Kimm; **dip** (*od*. **depression**) **of the ~** *mar*. Kimmtiefe. – 2. *fig*. (geistiger) Hori'zont, Gesichtskreis *m*. – 3. *geol*. Hori'zont *m*, Zone *f*. – 4. Bodenschicht *f*. – 5. (*Anthropologie*) Hori'zont *m*, Kul'turschicht *f*. – 6. (*Malerei*) Hori'zontlinie *f*. — **~ glass** *s astr. mar*. Kimmspiegel *m*.

hor·i·zon·tal [,hɒri'zɒntl; -rə-; *Am. auch* ,hɔːr-] **I** *adj* 1. horizon'tal: a) *math*. waag(e)recht, b) *tech*. liegend, c) in der Horizon'talebene liegend, d) *mar*. in Kimmlinie liegend: **~ distance**. – 2. *tech*. Seiten... (*bes. Steuerung*). – 3. gleich, auf der gleichen Ebene (*im Können, Alter etc*). – **II** *s* 4. *math*. Horizon'tale *f*, Waag(e)rechte *f*. – 5. horizon'tales Glied (*eines Ganzen*). — **~ bal·ance** *s* (*Bodenturnen*) Standwaage *f*. — **~ bar** *s sport* Reck *n*, Schwebebalken *m* (*Turngerät*). — **~ en·gine** *s tech*. horizon'tal aufgestellte Maschine. — **~ es·cape·ment** *s tech*. Zy'linderhemmung *f* (*Uhr*). — **~ half·stand** → **horizontal balance**.

hor·i·zon·tal·i·ty [,hɒrizɒn'tæliti; -rə-; -əti; *Am. auch* ,hɔːr-], **hor·i·zon·tal·ness** [,hɒri'zɒntlnis; -rə-; *Am. auch* ,hɔːr-] *s* Horizontali'tät *f*, horizon'tale Lage.

hor·i·zon·tal| par·al·lax *s astr.* Horizon'talparalˌlaxe *f.* — **~ plane** *s math.* Horizon'talebene *f.* — **~ pro·jec·tion** *s math.* Horizon'talprojektiˌon *f.* — **~ pro·jec·tion plane** *s math.* Grundrißebene *f.* — **~ rud·der** *s mar.* Horizon'tal(steuer)ruder *n,* Tiefenruder *n.* — **~ sec·tion** *s tech.* Horizon'talschnitt *m,* Grundriß *m.* — **~ un·ion** → craft union.

hor·mic ['hɔːrmik] *adj* zielstrebig.

hor·mo·nal [hɔːr'mounl] *adj* Hormon..., hormo'nal. — **'hor·moˌnate** [-məˌneit] *v/t* mit Hor'monen behandeln. — **'hor·mone** [-moun] *s med.* Hor'mon *n.* — **hor'mon·ic** [-'mɒnik] → hormonal.

horn [hɔːrn] **I** *s* **1.** *zo.* a) Horn *n,* b) *pl* Geweih *n* (*Hirsch*): to come out at the little end of the ~ *fig.* schlecht wegkommen, den kürzeren ziehen; → bull¹ 1; devil 1. – **2.** *hornähnliches Organ, bes.* a) Stoßzahn *m* (*Narwal*), b) Horn *n* (*Nashorn*), c) Ohrbüschel *n* (*Ohreule*), d) Fühler *m,* (Fühl)Horn *n* (*Insekt, Schnecke etc*): to draw (*od.* pull) in one's ~s *fig.* die Hörner einziehen, sich mäßigen. – **3.** *chem.* Horn(stoff *m*) *n,* Kera'tin *n.* – **4.** hornartige Sub'stanz. – **5.** *pl fig.* Hörner *pl* (*als Symbol des betrogenen Ehemanns*). – **6.** Gegenstand *m* aus Horn, *bes.* a) Schuhlöffel *m,* b) Horngefäß *n,* -dose *f* (*bes. für Puder*), c) Hornlöffel *m.* – **7.** Horn *n* (*hornförmiger Gegenstand*): a) *tech. seitlicher Ansatz am Amboß,* b) *hornförmige Bergspitze,* c) Spitze *f* (*Mondsichel*), d) *bot.* hornartiges Anhängsel: dorsal ~ *med.* Hinterhorn (*des Rückenmarks*); ~ of plenty Füllhorn; the H~ (das) Kap Horn. – **8.** (Pulver-, Trink)Horn *n.* – **9.** *Am. fig.* Trunk *m.* – **10.** *mus.* Horn *n*: → English ~; French ~; hunting ~. – **11.** *sl.* Trom'pete *f.* – **12.** Si'gnalhorn *n,* Hupe *f.* – **13.** *aer.* Steuerflächen-, Leitflächenhebel *m*: rudder ~ Rudernase. – **14.** *tech.* Schalltrichter *m.* – **15.** *mar.* Arm *m* (*der Quersaling*). – **16.** Sattelknopf *m.* – **17.** Horn *n* (*des Damensattels*). – **18.** (*Logik*) Horn *n* (*eines Dilemmas*). – **19.** *Bibl.* Horn *n* (*als Symbol der Stärke od. des Stolzes*). – **II** *v/t* **20.** mit den Hörnern stoßen. – **21.** mit Hörnern versehen. – **22.** zu einem Horn krümmen. – **23.** (*Schiffbau*) (*die Spanten*) genau einsetzen. – **24.** *obs.* (*Ehemann*) hörnen, (*dat*) Hörner aufsetzen (*betrügen*). – **III** *v/i* **25.** ein Horn blasen. – **26.** ~ in *Am. sl.* a) sich rücksichtslos vordrängen, b) sich eindrängen (on in *acc*). – **IV** *adj* **27.** Horn..., aus Horn, hornen.

horn| bar *s tech.* Achsgabel-, Querriegel *m* (*eines Waggons*). — **'~ˌbeam** *s bot.* **1.** Hornbaum *m,* Hain-, Weißbuche *f* (*Gattg Carpinus*). – **2.** → hop ~. — **~ beech** → hornbeam. — **'~ˌbill** *s zo.* (Nas)Hornvogel *m* (*Fam. Bucerotidae*). — **'~ˌblende** *s min.* Hornblende *f*: ~ schist Hornblendeschiefer. — **~'blen·dic** *adj* **1.** Hornblende enthaltend. – **2.** hornblendeartig. — **'~ˌblow·er** *s* **1.** Hor'nist *m.* – **2.** → hornworm. — **'~ˌbook** *s ped.* **1.** *hist.* (*Art*) Abc-Buch *n* (*nur aus einer Seite bestehend, die, mit einer durchsichtigen Hornplatte bedeckt, das Abc, die Zahlen von 0 bis 9 u. das Vaterunser enthielt*). – **2.** Fibel *f,* Elemen'tarbuch *n.* — **~ bug** *s zo.* Hirschkäfer *m* (*Fam. Lucanidae*).

horned [hɔːrnd] *adj* **1.** gehörnt, Horn... – **2.** hornförmig, gekrümmt. — **~ frog** *s zo.* Hornfrosch *m* (*Gattg Ceratophrys, bes. C. cornuta*). — **~ grebe** *s zo.* Ohrentaucher *m* (*Colymbus auritus*). — **~ lark** *s zo.* Ohrenlerche *f* (*Otocoris alpestris*). — **~ liz·ard** *Am. für* horned toad. — **~ owl** *s zo.* (*eine*) Ohreule (*Gattg Asio*). — **~ pond·weed** *s bot.* Teichfaden *m* (*Zannichellia palustris*). — **~ pop·py** → horn poppy. — **~ pout** → bullpout. — **~ rat·tle·snake** *s zo.* Seitenwinder *m* (*Crotalus cerastes; Klapperschlange*). — **~ scream·er** *s zo.* (*ein*) Hornwehrvogel *m* (*Anhima cornuta*). — **~ snake** → cerastes. — **~ toad** *s zo.* Krötenechse *f* (*Gattg Phrynosoma*). — **~ vi·per** → cerastes.

hor·net ['hɔːrnit] *s zo.* Hor'nisse *f* (*Vespa crabro*) (*auch fig.*): to arouse a nest of ~s, to bring a ~s' nest about one's ears *fig.* in ein Wespennest stechen (*sich wütenden Angriffen aussetzen*). — **~ fly** → robber fly.

horn fly *s zo. Am.* Hornfliege *f* (*Haematobia serrata*).

Horn·ie ['hɔːrni] *s Scot.* der Teufel.

horn·i·fy ['hɔːrniˌfai; -nə-] *v/t* hornig *od.* hornartig machen.

horn·ist ['hɔːrnist] *s mus.* Hor'nist *m,* Hornbläser *m.*

hor·ni·to [hɔːr'niːtou] *pl* **-tos** *s geol.* Ofen *m,* vul'kanischer Lavakegel (*in Südamerika*).

'horn|-'mad *adj obs.* maßlos wütend, rasend. — **ˌ~-'mad·ness** *s* rasende Wut. — **~ mer·cu·ry** → horn quicksilver. — **~ owl** → horned owl. — **'~ˌpipe** *s mus.* **1.** Hornpfeife *f* (*altes Holzblasinstrument*). – **2.** Hornpipe *f* (*alter engl. Matrosentanz*). — **~ plate** *s tech.* Achs(en)halter *m,* Achsgabelsteg *m* (*eines Waggons*). — **~ pop·py** *s bot.* Gelber Hornmohn (*Glaucium flavum*). — **~ pout** → bullpout. — **~ press** *s tech.* ('Um)Falzmaˌschine *f.* — **~ quick·sil·ver** *s min.* Hornquecksilber *n,* Quecksilberhornerz *n.* — **'~-ˌrimmed** *adj* Horn... (*mit Hornrand od. -gestell*): ~ spectacles Hornbrille. — **~ shav·ings** *s pl agr.* Hornspäne *pl* (*Dünger*). — **~ sil·ver** *s min.* Horn-, Chlorsilber *n,* Hornerz *n.* — **~ snake** *s zo. Am.* Hornnatter *f* (*Farancia abacura*). — **'~ˌstone** *s min.* Hornstein *m* (*Abart des Quarzes*). — **'~ˌswog·gle** [-ˌswɒgl] *v/t Am. sl.* anführen, her'einlegen, ‚beschummeln', ‚bemogeln'. — **'~ˌtail** *s zo.* Holzwespe *f* (*Fam. Siricidae*). — **'~ˌworm** *s zo.* Schwärmerraupe *f* (*Fam. Sphingidae*). — **'~ˌwort** *s bot.* Hornblatt *n* (*Gattg Ceratophyllum*). — **~ wrack** *s zo.* Hornmoostierchen *n* (*Gattg Flustra*).

horn·y ['hɔːrni] *adj* **1.** hornig, schwielig, hart. – **2.** aus Horn. – **3.** 'durchscheinend. – **4.** gehörnt, Horn... — **'~'hand·ed** *adj* mit schwieligen Händen.

ho·rog·ra·phy [ho'rɒgrəfi] *s* Horo(logio)gra'phie *f.*

hor·o·loge ['hɔːrəˌlɒdʒ; 'hɒr-; -ˌloudʒ] *s* Horo'logium *n,* Zeit-, Stundenmesser *m,* (Sonnen-, Mond-, Sand-, Wasser-, Räder)Uhr *f.* — **ho·rol·o·ger** [ho'rɒlədʒər] *s* **1.** Uhrmacher *m.* – **2.** Uhrenhändler *m.* — **hor·o·log·ic** [ˌhɔːrə'lɒdʒik, ˌhɒr-], *auch* **ˌhor·o'log·i·cal** *adj* horo'logisch, Uhr(en)... — **ho'rol·o·gist** → horologer. — **ˌhor·o'lo·gi·um** [-'loudʒiəm] *pl* **-gi·a** [-dʒiə] *s* **1.** → horologe. – **2.** Uhrengehäuse *n,* -halter *m.* – **3.** *relig.* Horo'logion *n,* Stundenbuch *n* (*der griech. Kirche*). – **4.** H~ *gen* -gii [-dʒiˌai] *astr.* Horo'logium *n,* Pendeluhr *f* (*Sternbild*). — **'hor·oˌlogue** [-ˌlɒg; *Am. auch* -ˌlɔːg] → horoscope. — **ho'rol·o·gy** [-dʒi] *s* **1.** Horolo'gie *f,* Lehre *f* von der Zeitmessung. – **2.** Uhrmacherkunst *f.*

hor·o·met·ri·cal [ˌhɒrə'metrikəl; ˌhɔːr-] *adj* horo'metrisch. — **ho·rom·e·try** [ho'rɒmitri; hɒ'r-; -mə-] *s* Horome'trie *f,* Zeit-, Stundenmessung *f.*

ho·rop·ter [ho'rɒptər; hɒ'r-] *s phys.* Ho'ropter *m* (*Punkt, wo die Sehachsen beider Augen zusammentreffen*). — **hor·op·ter·ic** [ˌhɒrɒp'terik; ˌhɔːr-] *adj* Horopter...

hor·o·scope ['hɒrəˌskoup; *Am. auch* 'hɔːr-] *s astr.* **1.** Horo'skop *n*: to cast a ~ ein Horoskop stellen. – **2.** → horoscopy 2. — **'hor·oˌscop·er** → horoscopist. — **ˌhor·o'scop·ic** [-'skɒpik], *auch* **ˌhor·o'scop·i·cal** *adj* horo'skopisch. — **ho·ros·co·pist** [ho'rɒskəpist; hɒ'r-] *s* Horo'skopsteller *m,* Astro'loge *m.* — **ho'ros·co·py** *s astr.* **1.** Horosko'pie *f,* Stellen *n* von Horo'skopen. – **2.** Horo'skop *n.*

hor·ren·dous [hɒ'rendəs; *Am. auch* hɔː'r-] *adj* schrecklich, furchtbar.

hor·rent ['hɒrənt; *Am. auch* 'hɔːr-] *adj bes. poet.* **1.** borstig. – **2.** sich sträubend, zu Berge stehend (*Haare*). – **3.** schaudernd, entsetzt.

hor·ri·ble ['hɒrəbl; *Am. auch* 'hɔːr-] *adj* **1.** schrecklich, grausig, fürchterlich, entsetzlich, gräßlich, schauerlich: a ~ sight. – **2.** *colloq.* schrecklich, unerträglich: ~ weather. – *SYN. cf.* fearful. — **'hor·ri·ble·ness** *s* Schrecklichkeit *f,* Furchtbarkeit *f,* Entsetzlichkeit *f,* Ab'scheulichkeit *f.*

hor·rid ['hɒrid; *Am. auch* 'hɔːr-] *adj* **1.** schrecklich, scheußlich, ab'scheulich, schauerlich, grausig. – **2.** *colloq.* scheußlich, schrecklich. – **3.** *obs.* rauh, borstig. — **'hor·rid·ness** *s* Schrecklichkeit *f,* Scheußlichkeit *f,* Ab'scheulichkeit *f.*

hor·rif·ic [hɒ'rifik; *Am. auch* hɔː'r-] *adj* schreckenerregend, schrecklich, entsetzlich. – *SYN. cf.* fearful. — **hor·ri·fi·ca·tion** [ˌhɒrifi'keiʃən; *Am. auch* ˌhɔːrə-] *s* Erschrecken *n,* Schreck(en) *m,* Entsetzen *n.*

hor·ri·fy ['hɒriˌfai; -rə-; *Am. auch* 'hɔːr-] *v/t* erschrecken, entsetzen. – *SYN. cf.* dismay.

hor·rip·i·late [hɒ'ripiˌleit; -pə-; *Am. auch* hɔː-] **I** *v/t* (*j-n*) erschauern lassen. – **II** *v/i* schauern, eine Gänsehaut haben *od.* bekommen. — **horˌrip·i'la·tion** *s med.* Gänsehaut *f* (*vor Schreck, Kälte etc*).

hor·ror ['hɒrər; *Am. auch* 'hɔːrər] *s* **1.** Schreck(en) *m,* Grausen *n,* Entsetzen *n*: to recoil in ~ in Entsetzen zurückweichen; seized with ~ von Grausen gepackt. – **2.** (of) 'Widerwille *m,* Abneigung *f* (gegen), Abscheu *m* (vor *dat*): to have a ~ of publicity. – **3.** Schrecken *m,* Greuel *m*: the ~s of war; scene of ~ Schreckensszene. – **4.** Grausigkeit *f,* Entsetzlichkeit *f,* Schauerlichkeit *f.* – **5.** *colloq.* Scheusal *n,* scheußliches Ding *od.* Stück: this hat is a ~. – **6.** *med.* Fieberschauer *m.* – **7.** the ~s *pl* a) ein Anfall *m* von Schwermut *od.* Niedergeschlagenheit, b) *colloq.* Schreck(en) *m,* kaltes Grausen: it gave me the ~s es versetzte mich in kaltes Grausen. – **8.** *obs.* Sträuben *n* (*der Haare*). – *SYN. cf.* fear. — **'~-ˌstrick·en, '~-ˌstruck** *adj* von Schrecken *od.* Grauen gepackt.

hors d'oeu·vre [ɔr'dœːvr] *pl* **hors d'oeu·vres** [ɔr'dœːvr] *s* Hors d'œuvre *n* (*Vorspeise*).

horse [hɔːrs] **I** *s* **1.** Pferd *n,* Roß *n,* Gaul *m* (*auch fig.*): hold your ~s *Am. colloq.* immer mit der Ruhe! to mount (*od.* ride) the high ~ *colloq.* sich aufs hohe Roß setzen, großspurig auftreten; to come off the high ~ *colloq.* seine Arroganz aufgeben, klein beigeben, ‚klein u. häßlich werden'; a short ~ is soon curried eine kleine Arbeit ist rasch getan; do not spur a willing ~ *fig.* (ein) willig Pferd soll man nicht spornen; to work (breathe, eat) like a ~ arbeiten (schnaufen, essen) wie ein Pferd; to ~! *mil.* Aufgesessen! a ~ of another

colo(u)r *fig.* eine andere Sache, etwas (ganz) anderes; → cart 1; dark ~; flog 1; gift 9; head *b. Redw.* – 2. Wallach *m*, Hengst *m*. – 3. *zo.* Pferd *n* (*Fam. Equidae, bes. Equus caballus*). – 4. *collect. mil.* Kavalle'rie *f*, Reite'rei *f*: a regiment of ~ ein Kavallerieregiment; a thousand ~ tausend Reiter; ~ and foot a) Kavallerie u. Infanterie, die ganze Armee, b) *fig. obs.* mit aller Kraft. – 5. *tech.* Gestell *n*, Gerüst *n*, Bock *m*, *bes.* a) Sägebock *m*, b) (*Gerberei*) Gerbe-, Streichbaum *m*, c) Schaleneisen *n*, d) *print.* Anlegetisch *m*. – 6. (*Bergbau*) a) Bühne *f*, Ansatz *m*, b) Gebirgskeil *m*. – 7. *mar.* a) Galgen *m*, Giermast *m*, b) Paard *n*, (Rahen)Pferd *n*, c) Jäckslag *m*, *n*, d) Schutzriemen *m* (*für Matrosen bei gefährlicher Arbeit*). – 8. *ped. Am. sl.* a) Pons *m*, Eselsbrücke *f*, b) Schabernack *m*, Streich *m*. – 9. (*Schach*) *colloq.* Pferd *n*. – 10. (*vertraulich*) Bursche *m*: old ~ ‚altes Haus'. –
II *v/t* **11.** mit Pferden versehen: a) (*Truppen etc*) beritten machen, b) (*Wagen*) bespannen. – **12.** auf ein Pferd setzen. – **13.** (*j-n*) auf dem Rücken tragen. – **14.** a) (*j-n zum Auspeitschen*) auf den Rücken eines anderen *od.* auf ein Gestell legen, b) auspeitschen. – **15.** (*j-n*) schinden (*übermäßig anstrengen*). – **16.** *Am. sl.* (*j-n*) ‚durch den Ka'kao ziehen', ‚veräppeln', ‚aufziehen'. – **17.** (*bes. Leder bei der Zurichtung*) auf ein Gestell legen *od.* hängen. – **18.** (*Stute*) decken, beschälen (*Hengst*). – **19.** *mar.* kla'meien, kal'fatern. –
III *v/i* **20.** aufsitzen, aufs Pferd steigen. – **21.** reiten. –
IV *adj* **22.** Pferde... – **23.** beritten.

'horse|-and-'bug·gy *adj* ‚vorsintflutlich', hoffnungslos veraltet. — **~ ant** *s zo. eine große Ameise, bes.* Waldameise *f* (*Formica rufa*). — **~ ar·til·ler·y** *s mil.* reitende Artille'rie: ~ gun leichtes bespanntes Feldgeschütz. — **'~ˌback I** *s* **1.** Pferderücken *m*: on ~ im Reitsitz, zu Pferd; to be (*od.* go, ride) on ~ reiten; → devil 1. – **2.** *geol.* → hogback. – **II** *adv* **3.** zu Pferde: to ride ~ reiten. — **~ balm** → horseweed 2. — **'~ˌbane** *s bot.* Pferdekümmel *m* (*Oenanthe phellandrium*). — **~ bean** *s bot.* Pferdebohne *f* (*Vicia faba*). — **~ blob** → marsh marigold. — **~ block** *s* Aufsteigeblock *m*. — **~ bot** *s zo.* Larve *f* der Pferdebremse. — **~ bot·fly** → botfly. — **~ box** *s* **1.** 'Pferdebox *f*, -transˌportwagen *m*. – **2.** Trans'portkiste *f* (für Pferde). – **3.** *Br. humor.* großer Kirchenstuhl. — **~ bram·ble** → sweetbrier. — **'~ˌbreak·er** *s* Zureiter *m*, Bereiter *m*. — **~ bri·er** → greenbrier. — **~ cane** *s bot.* (*ein*) Am'brosienkraut *n* (*Ambrosia trifida*). — **'~ˌcar** *s Am.* **1.** Pferdebahnwagen *m* (*von Pferden gezogen*). – **2.** 'Pferdetransˌportwagen *m*. — **~ chest·nut** *s bot.* 'Roßkaˌstanie *f* (*Aesculus hippocastanum*). — **'~ˌcloth** *s* Pferdedecke *f*, Scha'bracke *f*. — **~ col·lar** *s* Kum(me)t *n*: to grin through a ~ *fig.* primitive Witze machen. — **~ cop·er** *s* Pferdehändler *m*. — **~ crab** → horseshoe crab. — **~ cre·val·lé** [krə'vælei] *s zo.* (*eine*) 'Bastardmaˌkrele (*Caranx hippos*).

horsed [hɔːrst] *adj* **1.** beritten (*Person*). – **2.** bespannt (*Wagen*).

'horse|-ˌdrawn *adj* von Pferden gezogen, Pferde... — **~ el·der** → elecampane. — **~ em·met** → horse ant. — **'~ˌfish** *s zo.* **1.** Seepferdchen *n* (*Gattg Hippocampus*). – **2.** → moonfish 1. – **3.** → horseshoe crab. — **'~ˌflesh** *s* **1.** Pferdefleisch *n*. – **2.** *collect. colloq.* Pferde *pl*. — **'~ˌflesh ma·hog·a·ny** → sabicu. — **'~ˌflow·er** *s bot.* Wachtelweizen *m* (*Gattg Melampyrum*). — **'~ˌfly** *s zo.* **1.** Bremse *f* (*Fam. Tabanidae*). – **2.** → horse tick. – **3.** → botfly. — **'~ˌfly weed** *s bot.* (*eine*) Färberhülse (*Baptisia tinctoria*). — **'~ˌfoot** *pl* **'~ˌfoots** *s* **1.** → coltsfoot. – **2.** *auch* ~ crab → horseshoe crab. — **'~ˌfoot snipe** *Am. für* turnstone. — **~ gen·tian** *s bot.* Fieberwurz *f* (*Gattg Triosteum, bes. T. perfoliatum*). — **~ gin·seng** → feverroot. — **~ gow·an** → daisy 2. — **H~ Guards** *s pl mil.* **1.** berittene Garde. – **2.** brit. 'GardekavalleˌriebriˌGade *f* (*bes. das 2. Regiment, die Royal* ~). – **3.** a) *Gebäude in Whitehall, London, in dem ehemals die ~ lagen, später Sitz des Oberbefehlshabers der brit. Armee*, b) *fig.* 'Oberkomˌmando *n*, Gene'ralstab *m* (*der brit. Armee*). — **'~ˌhair I** *s* **1.** *sg u. pl* Roß-, Pferdehaar *n*. – **2.** → haircloth. – **II** *adj* **3.** Roßhaar... — **'~ˌhair li·chen** → horsetail lichen. — **'~ˌhair snake** → hairworm. — **'~ˌheal, '~ˌheel** → elecampane. — **'~ˌhide** *s* Pferdehaut *f*, -leder *n*. — **'~ˌjock·ey** *s selten* **1.** Jockei *m*. – **2.** Pferdehändler *m*. — **~ knob, ~ knop** *s bot.* Schwarze Flockenblume (*Centaurea nigra*). — **~ lat·i·tudes** *s pl geogr.* Roßbreiten *pl* (*windstille Zonen im Atlantik, bes. zwischen 23½° u. 30° nördl. u. südl. Breite*). — **'~ˌlaugh** *s* Wiehern *n*, wieherndes Lachen. — **'~ˌleech,** *obs. auch* **'~ˌleach** *s* **1.** *zo.* Unechter Pferdeegel (*Haemopis sanguisuga L.*). – **2.** *fig.* habgieriger Mensch, *bes.* Wucherer *m*. – **3.** *obs.* Tierarzt *m*.

horse·less ['hɔːrslis] *adj* ohne Pferd(e): a ~ carriage.

horse| mack·er·el *s zo.* **1.** Thunfisch *m* (*Thunnus thynnus*). – **2.** 'Roßmaˌkrele *f* (*Trachurus trachurus*). – **3.** Bo'nito *m* (*Sarda chilensis*). — **'~·man** [-mən] *s irr* **1.** (erfahrener) Reiter. – **2.** Pferdekenner *m*. – **3.** Fuhrmann *m*. – **4.** Ken'taur *m*. – **5.** *obs.* Kavalle'rist *m*. – **6.** *zo.* a) Sandkrabbe *f* (*Gattg Ocypoda*), b) *ein westindischer Fisch* (*Equetus lanceolatus*). — **'~·manˌship** *s* Reitkunst *f*. — **~ ma·rine** *s mil.* **1.** *humor.* einer von der ‚reitenden Ge'birgsmaˌrine': tell that to the ~s! machen Sie das einem anderen weis! – **2.** Per'son *f* am falschen Platz. — **~ mas·ter·ship** *s* Reitkunst *f*. — **~ meat** *s* **1.** Pferdefutter *n*. – **2.** Pferdefleisch *n*. — **~ mill** *s* Mühle *f* mit Göpelbetrieb. — **'~ˌmint** *s bot.* **1.** a) Wald- *od.* Pferdeminze *f* (*Mentha silvestris*), b) Roßminze *f* (*M. longifolia*), c) Wasserminze *f* (*M. aquatica*). – **2.** *Am.* (*eine*) Mo'narde (*Gattg Monarda, bes. M. punctata*). — **~ mush·room** *s bot.* Schaf-Egerling *m* (*Psalliota arvensis*). — **~ mus·sel** *s zo.* (*eine*) Miesmuschel (*Modiolus modiolus*). — **~ nail,** *auch* **'~ˌnail** *s* Hufnagel *m*. — **~ net·tle** *s bot.* (*ein*) Nachtschatten *m* (*Solanum carolinense*). — **~ op·er·a** *s colloq.* (minderwertiger) Wild'westfilm. — **~ pars·ley** → alexanders. — **~ pick** → hoofpick. — **~ pis·tol** *s* große 'Sattelpiˌstole. — **'~ˌplay** *s* derber Spaß, (grober) Unfug. — **'~ˌpond** *s* Pferdeschwemme *f*. — **'~ˌpow·er** *s* (*kurz* H.P., HP, h.p., hp) *phys.* Pferdestärke *f*, HP *f* (*in Großbritannien u. USA = 550 Pfund-Fuß pro Sekunde = 1,0139 PS od. metrische Pferdestärken*). — **'~ˌpow·er-'hour** *s phys.* Pferdestärkenstunde *f*, HP-Stunde *f* (*= 1,0139 PS-Stunden*). — **~ race** *s sport* Pferderennen *n*. — **~ rac·er** *s* **1.** Rennstallbesitzer *m*. – **2.** Jockei *m*. – **3.** Anhänger *m* des Pferderennsports. — **~ rac·ing** → horse race. — **'~-'rad·ish** *s bot.* Meerrettich *m* (*Armoracia rusticana*). — **~ rail·road,** *bes. Br.* **~ rail·way** *s* Pferde(eisen)bahn *f*. — **~ rake** *s agr.* Pferderechen *m*. — **~ sense** *s colloq.* gesunder Menschenverstand.

horse·shoe ['hɔːrsˌʃuː; 'hɔːrˌʃuː] **I** *s* **1.** Hufeisen *n*. – **2.** → a) ~ crab, b) ~ vetch. – **3.** *pl* (*als sg konstruiert*) Hufeisenwerfen *n* (*Spiel*). – **II** *v/t* **4.** (*Pferd*) beschlagen. – **5.** hufeisenförmig machen. – **III** *adj* **6.** Hufeisen..., hufeisenförmig. — **~ arch** *s arch.* maurischer Bogen, Hufeisenbogen *m*. — **~ bat** *s zo.* Hufeisennase *f* (*Fam. Rhinolophidae; Fledermaus*). — **~ crab** *s zo.* Pfeil-, Schwertschwanz *m*, Mo'lukkenkrebs *m* (*Klasse Xiphosura*), *bes.* a) Königskrabbe *f* (*Limulus polyphemus*), b) (*ein*) Mo'lukkenkrebs *m* (*L. moluccanus*). — **~ mag·net** *s tech.* 'Hufeisenmaˌgnet *m*. — **~ nail** *s* Hufnagel *m*. — **~ splice** *s mar.* Hufeisen-, Buchtspleiß *m*. — **~ vetch** *s bot.* Hufeisenklee *m* (*Hippocrepis comosa*).

horse| sick·ness *s med.* afrik. Pferdesterbe *f od.* -seuche *f*. — **~ sponge** → honeycomb sponge. — **'~ˌtail** *s* **1.** Pferdeschwanz *m*, Roßschweif *m*. – **2.** *bot.* a) Schaft-, Schachtelhalm *m* (*Gattg Equisetum*), b) Tann(en)wedel *m* (*Hippuris vulgaris*), c) *auch* ~ agaric, ~ fungus, ~ mushroom → shaggy-mane. – **3.** Pferdeschwanz *m* (*Mädchenfrisur*). – **4.** Roßschweif *m* (*türk. Feldzeichen u. Rangabzeichen*). — **'~ˌtail li·chen** *s bot.* (*eine*) Bartflechte (*Gattg Alectoria, bes. A. jubata*). — **'~ˌtail tree** *s bot.* Streitkolben-, Keulen-, Känguruhbaum *m* (*Gattg Casuarina*). — **~ this·tle** *s bot.* Kratzdistel *f* (*Gattg Cirsium*). — **~ tick** *s zo.* Pferdelausfliege *f* (*Hippobosca equina*). — **~ vetch** → horseshoe vetch. — **'~ˌweed** *s bot.* **1.** Kanad. Berufkraut *n* (*Erigeron canadensis*). – **2.** (*eine*) Collin'sonie (*Collinsonia canadensis*). — **'~ˌwhip I** *s* Reitgerte *f*, -peitsche *f*. – **II** *v/t pret u. pp* **'~ˌwhipped** mit der Reitpeitsche schlagen. — **~ wil·low** → horsetail 2 a. — **'~ˌwom·an** *s irr* Reiterin *f*.

hors·i·ness ['hɔːrsinis] *s* **1.** ˌPferdeliebhabe'rei *f*. – **2.** Jockeimäßigkeit *f*. — **'hors·y** *adj* **1.** dem Rennsport ergeben, pferdenärrisch. – **2.** Pferde betreffend: ~ talk Gespräch über Pferde. – **3.** Pferde..., Reit..., Jockei...: ~ dress Reitanzug. – **4.** *sl.* vierschrötig, plump.

hor·ta·to·ry [*Br.* 'hɔːrtətəri; *Am.* -ˌtɔːri], *auch* **'hor·ta·tive** [-tiv] *adj* (er)mahnend, drängend.

hor·ti·cul·tur·al [ˌhɔːrti'kʌltʃərəl] *adj* gartenbaulich, Garten(bau)..., gärtnerisch. — **'hor·tiˌcul·ture** *s* Gartenbau *m*, -baukunst *f*, Gärtne'rei *f*. — **ˌhor·ti'cul·tur·ist** *s* Garten(bau)künstler(in), Gärtner(in).

hor·tus sic·cus ['hɔːrtəs 'sikəs] (*Lat.*) *s* Her'barium *n*, Pflanzensammlung *f*.

ho·san·na [ho'zænə] **I** *interj* hosi'anna! ho'sanna! – **II** *s* Hos(i)'anna *n*, Lobgesang *m*: H~ Sunday Palmsonntag.

hose [houz] **I** *s pl* hose, *obs.* **ho·sen** ['houzn] **1.** langer Strumpf. – **2.** *collect. pl* Strümpfe *pl*. – **3.** *hist.* (Knie)Hose *f*. – **4.** *pl auch* hoses Schlauch *m*: garden ~ Gartenschlauch. – **5.** *bot.* Hülle *f*, Höschen *n*. – **6.** *tech.* Dille *f*, Tülle *f*. – **II** *v/t* **7.** mit einem Schlauch bespritzen, besprengen. – **8.** *selten* mit Strümpfen bekleiden.

Ho·se·a [ho'ziːə] *s Bibl.* (das Buch) Ho'sea *m* (*des Alten Testaments*).

hose| cart, *auch* **~ car, ~ car·riage** *s* Schlauchwagen *m*. — **~ cock** *s tech.* Wasser-, Schlauchhahn *m*. — **'~·man** [-mən] *s irr* Schlauchführer *m* (*Feuerwehr*). — **~ pipe** *s* Schlauchleitung *f*.

ho·sier ['houʒər] *s* **1.** Triko'tagen-, Wirkwaren-, *bes.* Strumpfhändler(in). – **2.** (*bes.* Strumpf)Wirker(in). — **'ho·sier·y** *s econ.* **1.** *collect.* Wirk-, *bes.* Strumpfwaren *pl*, Strümpfe *pl.* – **2.** Strumpfwarenhandlung *f.* – **3.** ˌStrumpfwirke'rei *f*, 'Strumpffaˌbrik *f.*

hos·pice ['hɒspis] *s* Ho'spiz *n*, Her-[berge *f.*]

hos·pi·ta·ble ['hɒspitəbl; *Br. auch* hos'pit-] *adj* **1.** gast(freund)lich. – **2.** (to) aufnahmebereit, empfänglich (für), aufgeschlossen (*dat*): ~ **to new ideas.** — **'hos·pi·ta·ble·ness** *s* Gastlichkeit *f*, Gastfreundschaft *f.*

hos·pi·tal ['hɒspitl] *s* **1.** Krankenhaus *n*, Klinik *f*, Hospi'tal *n.* – **2.** *mil.* Laza'rett *n.* – **3.** Tierklinik *f.* – **4.** *hist.* Spi'tal *n*, *bes.* a) Armenhaus *n*, b) Altersheim *n*, c) Erziehungsheim *n.* – **5.** *hist.* Herberge *f*, Ho'spiz *n.* – **6.** *humor.* Repara'turwerkstätte *f*: **dolls** ~ Puppenklinik. — **'hos·pi·tal·er** [-pitlər] *s* **1.** H~ *hist.* Hospita'liter *m*, Johan'niter *m.* – **2.** Spi'talsbewohner (-in). – **3.** *Br.* Krankenhausgeistlicher *m.* – **4.** *obs.* Mitglied *n* eines Krankenpflegeordens.

hos·pi·tal| fe·ver *s med.* Flecktyphus *m*, -fieber *n.* — ~ **gan·grene** *s med.* Hospi'talbrand *m*, 'Wundbrand *m*, -diphtheˌrie *f.*

hos·pi·tal·ism ['hɒspitˌlizəm] *s* **1.** 'Krankenhausmeˌthode *f*, -haussyˌstem *n.* – **2.** hygi'enische 'Mißstände *pl* (*in einem Krankenhaus*).

hos·pi·tal·i·ty [ˌhɒspi'tæliti; -əti] → **hospitableness.**

hos·pi·tal·i·za·tion [ˌhɒspitlai'zeiʃən; -lə-] *s Am.* **1.** Einlieferung *f* ins Krankenhaus. – **2.** 'Unterbringung *f* in einem Krankenhaus, Krankenhausaufenthalt *m.* – **3.** → ~ **insurance.** — ~ **in·sur·ance** *s Am.* Versicherung *f* bei Krankenhausaufenthalt.

hos·pi·tal·ize ['hɒspitˌlaiz] *v/t* in ein Krankenhaus einliefern, in einem Krankenhaus 'unterbringen.

hos·pi·tal·ler *cf.* **hospitaler.**

Hos·pi·tal| Sat·ur·day *s* **1.** *Am. Samstag, an dem in den Synagogen für die Krankenhäuser gesammelt wird.* – **2.** *Br. Tag der Straßensammlung zugunsten der Krankenhäuser.* — **h~ ship** *s mar.* Laza'rettschiff *n.* — ~ **Sun·day** *s Sonntag, an dem in der Kirche für die Krankenhäuser gesammelt wird.* — **h~ tent** *s mil.* Sani'täts-, Laza'rettzelt *n.* — **h~ train** *s mil.* Laza'rettzug *m.*

hos·pi·ti·um [hɒs'piʃiəm] *pl* **-ti·a** [-ʃiə] *s hist.* Ho'spiz *n.*

hos·po·dar ['hɒspəˌdɑːr] (*Rumanian*) *s* Hospo'dar *m*: a) *Titel der Fürsten der Moldau u. Walachei*, b) *Titel gewisser litauischer u. polnischer Fürsten.*

hoss [hɒs] *dial. für* **horse.**

host[1] [houst] *s* **1.** (Un)Menge *f*, Masse *f*, Schwarm *m*: **a** ~ **of gnats** ein Mückenschwarm; **a** ~ **of questions** eine Menge Fragen; **to be a** ~ **in oneself** eine ganze Schar ersetzen. – **2.** *obs. od. poet.* (Kriegs)Heer *n*: **the** ~ **of heaven** a) die Himmelskörper, b) die himmlischen Heerscharen; **the Lord of** ~**s** *Bibl.* der Herr der Heerscharen.

host[2] [houst] *s* **1.** Gastgeber *m*, Hausherr *m.* – **2.** Herbergsvater *m*, (Gast-) Wirt *m*: **to reckon without one's** ~ *fig.* die Rechnung ohne den Wirt machen. – **3.** *biol.* Wirt *m*, Wirtspflanze *f od.* -tier *n.*

host[3], *oft* **H~** [houst] *s relig.* Hostie *f.*

hos·tage ['hɒstidʒ] *s* **1.** Geisel *m, f*: **to give** ~**s to fortune** sich Verlusten *od.* Gefahren aussetzen. – **2.** Geiselhaft *f*: **held in** ~ als Geisel festgehalten. – **3.** *selten* 'Unterpfand *n.*

hos·tel ['hɒstəl] *s* **1.** Herberge *f.* – **2.** *meist* **youth** ~ Jugendherberge *f.* – **3.** *Br.* Stu'dentenheim *n.* – **4.** *obs.* Wirtshaus *n.* — **'hos·tel·er** *s* **1.** *obs.* Gastwirt *m.* – **2.** *meist* **youth** ~ *Br.* Mitglied *n* des Jugendherbergsverbands, Jugendherbergsbenutzer *m.* — **'hos·tel·ry** [-ri] *s obs. od. poet.* Wirtshaus *n.*

host·ess ['houstis] *s* **1.** Gastgeberin *f*, Hausfrau *f*: ~ **cart** Teewagen. – **2.** (Gast)Wirtin *f.* – **3.** Empfangsdame *f* (*in einem Restaurant etc*). – **4.** bezahlte Tanzpartnerin, Taxigirl *n.* – **5.** *auch* **air** ~ (Luft)Stewardeß *f*, Flugbegleiterin *f.*

hos·tile [*Br.* 'hɒstail; *Am.* -tl; -til] *s adj* **1.** feindlich, Feindes..., gegnerisch. – **2.** feindselig, feindlich gesinnt, böswillig.

hos·til·i·ty [hɒs'tiliti; -əti] *s* **1.** Feindschaft *f*, Feindseligkeit *f*, Feindlichkeit *f*, Gegnerschaft *f* (to, **against** gegen). – **2.** Feindseligkeit *f*, feindselige Handlung. – **3.** *pl mil.* Feindseligkeiten *pl*: **to continue hostilities** die Feindseligkeiten fortsetzen. – *SYN. cf.* **enmity.**

hos·tler ['ɒslər; *Am. meist* 'hɑs-] *s* **1.** Stall-, Pferdeknecht *m.* – **2.** (*Eisenbahn*) *Am.* Lokomo'tivwärter *m.* – **3.** *obs.* Gastwirt *m.*

hot [hɒt] **I** *adj comp* **'hot·ter** *sup* **'hot·test 1.** heiß: **boiling** ~ siedend heiß; **red** ~ rotglühend; **white** ~ weißglühend; → **iron** 1. – **2.** warm, heiß (*Speisen*): ~ **dinner** warmes Essen; ~ **and** ~ ganz heiß, direkt vom Feuer. – **3.** erhitzt, heiß: **I am** ~ mir ist heiß. – **4.** scharf (*Gewürz*), (scharf) gewürzt (*Speisen*). – **5.** heiß, hitzig, heftig, wütend, tobend: **a** ~ **chase** eine wilde Jagd; ~ **and strong** *colloq.* heftig, tüchtig, gründlich. – **6.** leidenschaftlich, feurig: **a** ~ **temper** ein hitziges Temperament. – **7.** brennend, heiß wünschend: **to be** ~ **for reform** auf Reformen brennen. – **8.** a) erregt, ungeduldig, b) zornig, wütend. – **9.** *fig.* a) geil, wollüstig, b) heiß, brünstig (*Tier*). – **10.** nah, dicht: **to be** ~ **on s.o.'s heels** j-m dicht auf den Fersen sein. – **11.** *fig.* heiß (*der gesuchten Sache od. Antwort nahe*). – **12.** ganz neu *od.* frisch, ‚noch warm': **news** ~ **from the press** Nachrichten frisch von der Presse; **a** ~ **trail** *bes. hunt.* eine frische Fährte. – **13.** *colloq.* neu (ausgegeben) (*Banknote*). – **14.** *sl.* sensatio'nell, aufregend, höchst interes'sant. – **15.** (*Jazz*) hot. – **16.** *sl.* mitreißend, ansteckend. – **17.** *colloq.* heiß, ungemütlich, unangenehm, gefährlich: **to make it** ~ **for s.o.** j-m die Hölle heiß machen; **the place became too** ~ **for him** ihm wurde der Boden zu heiß; **to give it s.o.** ~ *colloq.* j-m gründlich einheizen; **to get into** ~ **water** *colloq.* sich in die Nesseln setzen (**with** bei), in des Teufels Küche kommen (**for** wegen) (*in Schwierigkeiten geraten*); **to get into** ~ **water with s.o.** *colloq.* es mit j-m zu tun kriegen; ~ **under the collar** *colloq.* aufgebracht, verärgert. – **18.** *sl.* frisch gestohlen: ~ **goods.** – **19.** *sl.* a) 'illeˌgal, *bes.* geschmuggelt, Schmuggel..., b) 'illeˌgal gepumpt u. verschifft (*Erdöl*). – **20.** *electr.* Spannung *od.* Strom führend, unter Spannung *od.* Strom stehend, ‚heiß': **a** ~ **wire** ein ‚heißer' Draht. – **21.** *phys. sl.* ˌradioak'tiv. – **22.** *sport* a) schwer zu nehmen (*Ball des Gegners*), b) *sl.* hoch favori'siert (*Spieler etc*): **a** ~ **favo(u)rite** ein hoher Favorit. – **23.** *sl.* kolos'sal geschickt *od.* geübt, ‚groß' (on, at in *dat*). – **II** *adv* **24.** heiß: → **blow**[1] 14. – **25.** heftig, hitzig, leidenschaftlich. – **III** *v/t pret u. pp* **'hot·ted 26.** *meist* ~ **up** *colloq.* a) erhitzen, heiß machen, b) (*Motor*) beschleunigen.

hot| air *s* **1.** *tech.* Heißluft *f*, erhitzte Gebläseluft. – **2.** *sl.* a) leeres Geschwätz, ‚blauer Dunst', b) Angebe'rei *f.* — **'~-'air** *adj* Heißluft... — ~ **and both·ered** *adj colloq.* verwirrt, aufgeregt, in Aufregung. — ~ **at·om** *s phys.* heißes *od.* hochangeregtes A'tom. — **'~ˌbed I** *s* **1.** (*Gärtnerei*) Mist-, Frühbeet *n.* – **2.** *fig.* Brutstätte *f*: **a** ~ **of vice.** – **3.** *tech.* Kühlbett *n.* – **II** *v/t* **4.** (*Pflanzen*) im Frühbeet ziehen. — ~ **blast** *s tech.* **1.** Warm- *od.* Heißluftgebläse *n*, Fön *m.* – **2.** heiße Gebläseluft, heißer Wind. — **'~-ˌblast ap·pa·ra·tus, '~-ˌblast stove** *s tech.* Winderhitzer *m.* — **'~-'blood·ed** *adj* **1.** heißblütig, tempera'mentvoll. – **2.** reinrassig (*bes. Pferd*). — **'~ˌbox** *s tech.* heißgelaufene Lagerbüchse. — **'~-ˌbrained** → **hotheaded.** — ~ **bulb** *s tech.* Glühkopf *m.* — ~ **cake** *s* **1.** frischer (noch warmer) Kuchen: **to sell like** ~**s** weggehen wie warme Semmeln. – **2.** *Am.* a) Pfannkuchen *m*, b) Maiskuchen *m.* — ~ **cell** *s phys.* heiße Zelle (*abgeschirmter Raum für hochaktives Material*).

hotch [hɒtʃ] *Scot. od. dial.* **I** *v/t* schütteln. – **II** *v/i* taumeln.

hot| chair → **hot seat** 2. — ~ **chis·el** *s tech.* Warmschrotmeißel *m.*

Hotch·kiss (gun) ['hɒtʃkis] *s mil.* **1.** Re'volverkaˌnone *f.* – **2.** (*Art*) luftgekühltes Ma'schinengewehr (*Gasdrucklader*).

'hotchˌpot *s* **1.** *jur.* Vereinigung *f* der Hinter'lassenschaft zwecks gleicher Verteilung. – **2.** → **hotchpotch** 1 *u.* 2.

'hotchˌpotch [-ˌpɒtʃ] *s* **1.** Eintopfgericht *n*, Hotchpot *m*, *bes.* Gemüsesuppe *f* mit Hammelfleisch. – **2.** Mischmasch *m*, Durchein'ander *n.* – **3.** *jur.* → **hotchpot** 1.

hot| clos·et *s tech.* Wärmekammer *f*, -fach *n.* — ~ **cock·les** *s pl obs.* Schinkenklopfen *n* (*Kinderspiel*). — ~ **cross bun** → **cross bun.** — ~ **dog** *Am.* **I** *s colloq.* heißes Würstchen (in einem aufgeschnittenen Brötchen). – **II** *interj sl.* Donnerwetter! (*überrascht od. anerkennend*).

ho·tel [hou'tel; *Br. auch* ou-] *s* **1.** Ho'tel *n.* – **2.** Gasthof *m*, -haus *n.* – **3.** [ou'tel] (*Fr.*) (*in Frankreich*) Ho'tel *n*: a) *Stadtpalais*, b) *öffentliches Gebäude.*

ho'telˌkeep·er, *auch* **ho·tel·ier** [ˌhoutə'lir] *s* Hoteli'er *m*, Ho'telbesitzer(in), -diˌrektor *m*, -direkˌtorin *f.*

'hot|ˌfoot *colloq.* **I** *adv* schleunigst, schnurstracks. – **II** *adj* eilend, laufend. – **III** *v/i meist* **to** ~ **it** schleunigst eilen *od.* laufen. – **IV** *v/t* (*j-m*) nacheilen, -hetzen. — **'~ˌhead** *s* Heißsporn *m.* — **'~'head·ed** *adj* hitzköpfig, hitzig, ungestüm, leidenschaftlich. — **ˌ~'head·ed·ness** *s* Ungestüm *n*, Tempera'ment *n.* — **'~ˌhouse** *s* **1.** Treib-, Gewächs-, Glashaus *n*: ~ **lamb** im Spätherbst geborenes Lamm. – **2.** Trockenhaus *n*, -raum *m.* – **3.** *obs.* a) Badehaus *n*, b) Bor'dell *n.*

hot·ness ['hɒtnis] *s* **1.** Hitze *f.* – **2.** *fig.* Hitze *f*, Ungestüm *n*, Feuer *n.*

hot| plate *s* **1.** Koch-, Heizplatte *f*, (Gas-, E'lektro)Kocher *m.* – **2.** Wärmeplatte *f.* – **3.** warmes Gericht. — ~ **pot** *s* **1.** 'Hammel- *od.* 'RindsraˌGout *n* mit Kar'toffeln. – **2.** *tech.* → **hot bulb.** — **'~-ˌpress** *tech.* **I** *s* **1.** Warm- *od.* Heißpresse *f.* – **2.** Deka'tierpresse *f.* – **II** *v/t* **3.** warm *od.* heiß pressen. – **4.** (*Tuch*) deka'tieren, krümpen. – **5.** (*Papier*) sati'nieren. — ~ **rod** *s bes. Am. sl.* **1.** fri'sierter Wagen, alter Wagen mit fri'siertem Motor. – **2.** Fahrer *m od.* Besitzer *m* eines fri'sierten Wagens. – **3.** rücksichtsloser Jugendlicher. — ~ **saw** *s* *tech.* Warmsäge *f.* — **~ seat** *s sl.* **1.** *aer.* Schleudersitz *m.* – **2.** *Am.* e'lektrischer Stuhl. — **'~-'short** *adj tech.* rotbrüchig. — **~ spring** *s* heiße Quelle, Ther'malquelle *f.* — **'~ˌspur I** *s* Heißsporn *m*, Draufgänger *m.* – **II** *adj* hitzig, ungestüm. — **'~ˌspurred** → hotspur II. — **~ stuff** *s colloq.* **1.** toller Kerl. – **2.** tolle Sache.

Hot·ten·tot ['hɒtənˌtɒt] **I** *s* **1.** Hotten'totte *m*, Hotten'tottin *f.* – **2.** *ling.* Hotten'tottisch *n.* – **3.** *fig.* Hotten'totte *m*, Wilde(r) (*ungepflegter od. ungebildeter Mensch*). – **II** *adj* **4.** Hottentotten..., hotten'tottisch. — **~ bread** *s bot.* **1.** Schildkrötenpflanze *f* (*Testudinaria elephantipes*). – **2.** Hotten'tottenbrot *n* (*eßbarer Wurzelstock der Schildkrötenpflanze*). — **~ cher·ry** *s bot.* Kapkirsche *f* (*Cassine maurocenia*).

Hot·ten·tot·ic [ˌhɒtən'tɒtik] *adj* hotten'tottisch, Hottentotten... — **'Hot·ten·totˌism** *s* **1.** hotten'tottisches Wesen. – **2.** *med.* Hottento'tismus *m* (*eine Art des Stammelns*).

'Hot·ten·tot's-'bread → Hottentot bread.

hot·ter[1] ['hɒtər] *Scot. od. dial.* **I** *v/i* sich schütteln. – **II** *v/t* schütteln.

hot·ter[2] ['hɒtər] *comp von* hot.

hot·test ['hɒtist] *sup von* hot.

hot| tube → hot bulb. — **~ war** *s* heißer Krieg. — **'~-'wa·ter bag, '~-'wa·ter bot·tle** *s* Wärmflasche *f.* — **'~-'wa·ter heat·ing** *s tech.* Warmwasser- *od.* Heißwasserheizung *f.* — **~ well** → hot spring. — **~ wire** *s electr.* Hitzdraht *m* (*in Meßinstrumenten*).

hou·ba·ra [huː'bɑːrə] *s zo.* Hu'bara *m*, Kragentrappe *f* (*Chlamydotis undulata*).

Hou·dan ['huːdæn] *s zo.* Hou'dan-[huhn *n* (*Hühnerrasse*).]

hough [hɒk; hɒx] *Scot. od. dial.* **I** *s* → hock[1] 2. – **II** *v/t* → hamstring 3.

hound[1] [haund] **I** *s* **1.** Jagdhund *m*: to ride to (*od.* to follow) the ~s an einer Parforcejagd (*bes. Fuchsjagd*) teilnehmen; pack of ~s Meute; → master 17. – **2.** *selten* Hund *m.* – **3.** *sl.* ‚Hund' *m*, Schurke *m.* – **4.** *Am. sl.* Fa'natiker(in), Süchtige(r): movie ~ Kinonarr. – **5.** Verfolger *m* (*Schnitzeljagd*). – **6.** → ~fish. – **II** *v/t* **7.** (*bes. mit Hunden*) jagen, hetzen, verfolgen. – **8.** (*Hunde*) hetzen (at auf *acc*). – **9.** *oft* ~ on (*j-n*) hetzen, (an)treiben, vorwärtsdrängen. – *SYN. cf.* bait.

hound[2] [haund] *s* **1.** *mar.* Mastbacke *f*, -schulter *f.* – **2.** *pl tech.* Seiten-, Diago'nalstreben *pl*, -balken *pl* (*an Fahrzeugen*).

'houndˌfish *s zo.* **1.** → dogfish. – **2.** → needlefish 2.

hound·ing ['haundiŋ] *s mar. Teil des Mastes von den Backen bis zum Deck.*

'houndˌshark → dogfish.

'hound's-ˌtongue *s bot.* Hundszunge *f* (*Gattg Cynoglossum*), *bes.* Echte Hundszunge (*C. officinale*).

hour [aur] *s* **1.** Stunde *f*: by the ~ stundenweise; for ~s stundenlang; per ~ pro Stunde; 15 miles per ~ (*kurz* 15 m.p.h.) 24 Stundenkilometer; a quarter of an ~ eine Viertelstunde; it strikes the ~ (the half-~) es schlägt voll (halb). – **2.** (Tages)Zeit *f*: what's the ~? wieviel Uhr ist es? wie spät ist es? at what ~? um wieviel Uhr? um welche Zeit? at an early ~ früh; to keep early (*od.* good) ~s früh schlafen gehen u. früh aufstehen; to keep late (*od.* bad) ~s spät schlafen gehen u. spät aufstehen; to keep regular ~s regelmäßige Zeiten einhalten; the small ~s die Stunden nach Mitternacht, die frühen Morgenstunden; → eleventh 1. – **3.** Stunde *f* (*bestimmter Zeitpunkt*): the ~ of death die Todesstunde; in a good (an evil) ~ zu einer (un)günstigen Zeit. – **4.** Stunde *f*, Tag *m*, Gegenwart *f*: the man of the ~ der Mann des Tages. – **5.** *pl* Zeit *f*, Stunden *pl*: → office ~s. – **6.** (Weg)Stunde *f*: an ~ from here eine Stunde von hier. – **7.** *ped.* a) (Schul-, 'Unterrichts)Stunde *f*, b) (*Universität*) anrechenbare Stunde. – **8.** *astr. mar.* a) Stunde *f* (*15 Längengrade*), b) → sidereal ~. – **9.** *pl relig.* a) Gebetsstunden *pl*, b) Stundengebete *pl*, Horen *pl*, c) Stundenbuch *n.* – **10.** H~s *pl antiq.* Horen *pl.*

hour| an·gle *s astr.* Zeit-, Stundenwinkel *m.* — **~ bell** *s* Stundenglocke *f.* — **~ cir·cle** *s astr.* Stundenkreis *m.* — **'~ˌglass** *s* Stundenglas *n*, *bes.* Sanduhr *f.* — **~ hand** *s* Stundenzeiger *m.*

hou·ri ['hu(ə)ri; 'hau(ə)ri] *s* **1.** Huri *f* (*Jungfrau im moham. Paradies*). – **2.** *fig.* üppig-schöne Frau.

hour·ly ['aurli] *adv u. adj* **1.** stündlich. – **2.** häufig, fortwährend.

hour| plate *s* Zifferblatt *n* (*Uhr*). — **~ wheel** *s tech.* Stundenrad *n* (*Uhr*).

house[1] **I** *s* [haus] *pl* **hous·es** ['hauziz] **1.** Haus *n* (*auch die darin wohnenden Menschen*): the whole ~ knew it das ganze Haus wußte es; ~ and home Haus u. Hof; to keep the ~ das Haus hüten, nicht ausgehen; like a ~ on fire a) blitzschnell, mit Windeseile, b) heftig, wie wild. – **2.** Haus *n*, Heim *n*, Wohnung *f* (*auch eines Tieres*). – **3.** Haus(halt *m*, -haltung *f*) *n*: to keep ~ a) den Haushalt führen (for s.o. j-m), b) zu'sammenleben (with mit); to keep a good ~ ein gutes Haus führen; to keep open ~ ein offenes *od.* gastfreies Haus führen; to put (*od.* set) one's ~ in order *fig.* seine Angelegenheiten in Ordnung bringen. – **4.** Haus *n*, Geschlecht *n*, Fa'milie *f*, Dyna'stie *f*: the H~ of Hanover das Haus Hannover. – **5.** *econ.* (Handels)Haus *n*, Firma *f.* – **6.** *meist* H~ *pol.* Haus *n*, Kammer *f*: the H~s of Parliament die Parlamentsgebäude (*in London*); to enter the H~ Mitglied des Parlaments werden; there is a H~ es ist Parlamentssitzung; no H~ das Haus ist nicht beschlußfähig; the H~ rose at 5 o'clock die Sitzung endete um 5 Uhr; to make a H~ die zur Beschlußfähigkeit nötige Anzahl von Parlamentsmitgliedern (*im brit. Unterhaus 40*) zusammenbringen. – **7.** Ratsversammlung *f*, Rat *m*: the H~ of Bishops (*anglikanische Kirche*) das Haus der Bischöfe. – **8.** (*Theater*) Haus *n*: a full (small) ~ ein volles (schlecht besetztes) Haus; → bring down 6. – **9.** (The'ater)Vorstellung *f.* – **10.** *ped.* Haus *n*: a) Wohnhaus *n* der Stu'denten (*eines engl. College*), b) College *n*, c) Schlafsaal *m* (*eines College*), d) *collect. die im College wohnenden Studenten.* – **11.** *ped.* Inter'nat *n*, (Wohn-, Pensi'ons)Haus *n.* – **12.** *relig.* Orden(shaus *n*, -sgemeinschaft *f*) *m.* – **13.** the H~ a) → H~ of Commons, b) → H~ of Lords, c) → H~ of Representatives, d) *colloq.* die Londoner Börse, e) Christ Church (*College in Oxford*), f) *euphem.* Armenhaus *n.* – **14.** *colloq.* Wirtshaus *n*: on the ~ auf Kosten des Gastwirts. – **15.** *astr.* a) (Himmels)Haus *n*, b) (*einem Planeten zugeordnetes*) Tierkreiszeichen. – **16.** → keno. – **17.** *obs.* Feld *n* (*des Schachbretts*). – **II** *v/t* [hauz] **18.** (in einem Haus *od.* einer Wohnung) 'unterbringen. – **19.** (*j-m*) Wohnraum zur Verfügung stellen. – **20.** (in ein Haus) aufnehmen. – **21.** unter Dach u. Fach bringen, 'unterbringen, verwahren. – **22.** bedecken, beschützen, um'hüllen. – **23.** *mar.* a) bergen, b) (*die Bramstengen*) streichen, c) in sichere Lage bringen, zurren: ~d gun seefest gezurrtes Geschütz. – **24.** beherbergen, (*dat*) als Behausung dienen: the cave ~s snakes. – **25.** (*Zimmerei*) verzapfen, einzapfen. – **III** *v/i* **26.** hausen, wohnen.

house[2] *hist.* **I** *s* [haus] (Pferde)Decke *f*, Satteldecke *f.* – **II** *v/t* [hauz] bedecken.

house| a·gent *s econ. Br.* Häusermakler *m.* — **'~ˌboat** *s* Haus-, Wohnboot *n.* — **'~ˌbreak·er** *s* **1.** Einbrecher *m.* – **2.** Häuserabreißer *m*, 'Abbruchunterˌnehmer *m*, -arbeiter *m.* — **'~ˌbreak·ing** *s* **1.** Einbruch *m.* – **2.** Abbruch *m*, Abreißen *n.* — **'~ˌbro·ken**, *Am. colloq. auch* **'~ˌbroke** *adj* stubenrein, an das Haus gewöhnt (*Hund etc*). — **'~ˌbug** → bedbug. — **'~ˌcarl** *s hist.* Leibwächter *m* (*eines dänischen od. früh-engl. Königs*). — **~ clean·ing** *s* **1.** Hausputz *m*, Großreinemachen *n.* – **2.** *fig.* 'Räumungs-, 'Säuberungsaktiˌon *f.* — **'~ˌcoat** *s* Hauskleid *n*, Morgenrock *m.* — **~ crick·et** *s zo.* Heimchen *n* (*Gryllus domesticus*). — **~ de·tec·tive** *s* 'Hausdetekˌtiv *m* (*Hotel etc*). — **~ dog** *s* Haushund *m.* — **~ dove** *s zo.* Haustaube *f*, Zahme Taube (*Columba domestica*). — **~ dress** *s* Hauskleid *n.* — **~ du·ty** → house tax. — **~ finch** *s zo. Am.* Rosengimpel *m* (*Carpodacus mexicanus*). — **~ flag** *s mar.* Haus-, Reede'reiflagge *f.* — **'~-ˌflan·nel** *s* grober Fla'nellstoff (*zum Bodenputzen etc*). — **'~ˌfly** *s zo.* Stubenfliege *f* (*Musca domestica*).

house·ful ['hausˌful] *s* Hausvoll *n*: a ~ of guests ein Hausvoll Gäste.

house·hold ['hausˌhould; -ˌould] **I** *s* **1.** Haushalt *m.* – **2.** the H~ die königliche Hofhaltung (*in England*). – **3.** *pl bes. Br.* Wirtschaftsmehl *n* (*Mehl zweiter Güte*). – **II** *adj* **4.** Haushalts..., häuslich. – **5.** all'täglich, Alltags..., vertraut: a ~ word ein geläufiges Wort, ein Alltagswort. — **~ arts** *s pl* Hauswirtschaftslehre *f.* — **H~ Bri·gade** *s* Gardetruppen *pl* (*die* 1st *u.* 2d Life Guards, *die* Royal Horse Guards *u. die* Foot Guards *am brit. Königshof*).

house·hold·er ['hausˌhouldər; -ˌouldər] *s* **1.** Haushaltsvorstand *m.* – **2.** Haus- *od.* Wohnungsinhaber *m.* – **3.** *pol. hist.* (*stimmberechtigter*) Hausstandbesitzer.

house·hold| fran·chise *s pol. hist.* Wahlrecht *n* der Hausstandbesitzer. — **~ gods** *s pl* **1.** *antiq. relig.* Hausgötter *pl* (*Laren u. Penaten*). – **2.** *fig.* liebgewordene Dinge *pl* des Haushalts. — **~ suf·frage** → household franchise. — **~ troops** *s pl mil.* Gardetruppen *pl*, (Leib)Garde *f.*

'house|-ˌhunt·ing *s colloq.* Wohnungssuche *f.* — **'~ˌkeep** *v/i irr colloq.* den Haushalt führen. — **'~ˌkeep·er** *s* **1.** Haushälterin *f*, Wirtschafterin *f.* – **2.** Hausmeister(in). — **'~ˌkeep·ing I** *s* Haushaltung *f*, Haushaltsführung *f*, Hauswirtschaft *f.* – **II** *adj* häuslich, Haushaltungs..., den Haushalt führend.

hou·sel ['hauzl] *relig.* **I** *s obs.* heilige Kommuni'on. – **II** *v/t pret u. pp* **'hou·seled**, *bes. Br.* **'hou·selled** (*j-m*) die Kommuni'on spenden.

'houseˌleek *s bot.* Hauslauch *m*, Dachwurz *f* (*Sempervivum tectorum*). — **~ tree** *s bot.* Baumartiger Hauslauch (*Sempervivum arboreum*).

house·less ['hauslis] *adj* **1.** obdachlos. – **2.** hauslos, unbewohnt: a ~ desert. — **'house·less·ness** *s* **1.** Obdachlosigkeit *f.* – **2.** Unbewohntheit *f.*

'house|ˌline *s mar.* Hüsing *m*, Hussing *m* (*dünne Leine*). — **'~ˌmaid** *s* Hausmädchen *n*, -angestellte *f.* — **'~ˌmaid's knee** *s med.* Knieschleimbeutelentzündung *f.* — **~ mar·tin** → martin[1] 1. — **'~,mas·ter** *s Br.* Hausaufseher *m* (*in einem Internat*). — **'~,mate** *s* Hausgenosse *m*, -genossin *f.* — **'~,mis·tress** *s Br.* Hausaufseherin *f* (*in einem Internat*). — **'~,moth·er** *s* **1.** Haus-, Fa'milienmutter *f.* – **2.** *ped.* Heim-, Hausmutter *f* (*Leiterin eines Studentenheims etc*). — **H~ of As·sem·bly** *s pol.* 'Unterhaus *n* (*des südafrik. Parlaments*). — **H~ of Bur·gess·es** *s pol. hist.* Abgeordnetenhaus *n* (*der Kolonie Virginia*). — **~ of call** *s* (Gesellen)Herberge *f.* — **~ of cards** *s meist fig.* Kartenhaus *n.* — **H~ of Com·mons** *s pol.* 'Unterhaus *n* (*in Großbritannien u. Kanada*). — **~ of cor·rec·tion** *s jur.* Besserungsanstalt *f.* — **H~ of Del·e·gates** *s pol.* 'Unterhaus *n* (*in einigen Staaten der USA, wie Virginia, West Virginia, Maryland*). — **~ of de·ten·tion** *s jur.* Unter'suchungsgefängnis *n.* — **~ of God** *s relig.* Gotteshaus *n.* — **~ of ill fame** *s* Bor'dell *n*, Freudenhaus *n.* — **H~ of Keys** *s pol.* 'Unterhaus *n* (*der Legislative der Insel Man*). — **H~ of Lords** *s pol.* Oberhaus *n* (*in Großbritannien*). — **H~ of Peers** *s pol.* Oberhaus *n* (*in Japan*). — **~ of prayer** → house of God. — **~ of ref·uge** *s* **1.** Heim *n* für Obdachlose *od.* sittlich Gefährdete. – **2.** *Am.* Rettungsstelle *f* des Küstenrettungsdienstes. — **H~ of Rep·re·sent·a·tives** *s pol.* Repräsen'tantenhaus *n*, Abgeordnetenhaus *n* (*Unterhaus des US-Kongresses etc*). — **~ of wor·ship** → house of God. — **~ or·gan** *s econ.* Betriebs-, Werkzeitschrift *f.* — **~ par·ty** *s* **1.** geselliges Bei'sammensein über mehrere Tage (*bes. in einem Landhaus*). – **2.** *collect.* (*die dabei anwesenden*) Gäste *pl.* — **~ phy·si·cian** *s* **1.** Hausarzt *m* (*Hotel etc*). – **2.** Krankenhaus-, Anstaltsarzt *m.* — **~ place** *s dial.* Wohnstube *f* (*in Bauernhäusern*). — **'~-,proud** *adj* über'triebene Sorgfalt auf den Haushalt verwendend (*Hausfrau*). — **'~-,rais·ing** *s Am.* gemeinsamer Hausbau (*durch mehrere Nachbarn; in ländlichen Gegenden*). — **'~,room** *s* Haus-, Wohnraum *m*: **to give s.o. ~** j-n (ins Haus) aufnehmen; **he wouldn't give it ~** er nahm' *od.* nähme es nicht geschenkt. — **~ shrew** *s zo.* Hausspitzmaus *f* (*Crocidura russula*). — **~ spar·row** *s zo.* Haussperling *m* (*Passer domesticus*). — **~ spi·der** *s zo.* Hausspinne *f* (*bes. Tegenaria domestica*). — **~ sur·geon** *s* 'Haus-, 'Anstaltschir,urg *m* (*in der Klinik wohnend*). — **~ swal·low** → martin[1] 1. — **~ tax** *s econ.* Haus-, Gebäudesteuer *f.* — **'~-to-'house** *adj* von Haus zu Haus: **~ advertising** *econ.* Werbung von Haus zu Haus; **~ collection** Haussammlung. — **'~,top** *s* Dach *n*: **to proclaim from the ~s** öffentlich verkünden. — **'~,warm·ing** *s* Einstands-, Einzugsfest *n* (*beim Beziehen eines neuen Hauses*).

house·wife ['haus,waif] **I** *s irr* **1.** Hausfrau *f.* – **2.** ['hʌzif] *bes. Br.* Nähkasten *m*, Nähzeugtasche *f.* – **3.** *obs. für* **hussy** 1 *u.* 2. – **II** *v/t selten* **4.** sparsam verwalten. – **III** *v/i* **5.** geschickt wirtschaften. — **house·wife·li·ness** ['haus,waiflinis] *s* **1.** Hausfraulichkeit *f.* – **2.** Sparsamkeit *f.* — **'house-,wife·ly I** *adj* **1.** Hausfrauen..., hausfraulich. – **2.** haushälterisch, sparsam. – **II** *adv* **3.** häuslich. – **4.** haushälterisch, sparsam. — **house·wif·er·y** [*Br.* 'hauswifəri; -fri; *Am.* -,waif-] *s* **1.** Haushaltung *f*, Haushaltführung *f.* – **2.** Wirtschaftlichkeit *f.* – **3.** Hausfrauenarbeit *f*, -pflichten *pl.* — **house·wive** ['haus,waiv] → housewife II *u.* III.

'house,work *s* Hausarbeit *f*, Haushalts-, Hausfrauenarbeiten *pl.*

hous·ing[1] ['hauziŋ] *s* **1.** Beherbergung *f*, 'Unterbringung *f.* – **2.** Obdach *n*, Wohnung *f*: **~ shortage** Wohnungsnot. – **3.** *collect.* Häuser *pl.* – **4.** Behausung *f*, 'Unterkunft *f.* – **5.** Wohnen *n*, Hausen *n.* – **6.** *econ.* a) Lagerung *f*, b) Lagergeld *n*, -miete *f.* – **7.** Nische *f.* – **8.** *tech.* a) (*Zimmerei*) Nut(e) *f*, b) Gehäuse *n*, c) Gerüst *n*, d) Achshalter *m.* – **9.** *mar.* Hüsing *f*: a) Masteinspannlänge *f* unter Deck, b) *innerer Teil des Bugspriets*, c) *dünne geteerte Leine.*

hous·ing[2] ['hauziŋ] *s* **1.** Satteldecke *f*, Scha'bracke *f.* – **2.** Kum(me)tdeckel *m.* – **3.** ('Stoff),Überzug *m*, Decke *f.*

hous·ing es·tate *s* (geplantes) Wohnviertel.

hous·to·ni·a [huːs'touniə] *s bot.* Engelsauge *n* (*Gattg Houstonia*).

hou·tou ['huːtuː] *s zo.* Mo(t)mot *m*, Hutu *m* (*Momotus momota; Vogel*).

Hou·yhn·hnm ['hwinəm; hu'inəm] *s vernünftiges u. charakterlich edles Wesen in Pferdegestalt* (*in Swifts "Gulliver's Travels"*).

Hov·a ['hʌvə; 'houvə] *s* Hova *m, f* (*Mitglied eines indonesischen Volksstammes auf Madagaskar*).

hove [houv] *pret u. pp von* **heave.**

hov·el ['hɒvəl; 'hʌvəl] **I** *s* **1.** offener (*bes.* Vieh)Schuppen. – **2.** elende Hütte, 'Elendsquar,tier *n*, ‚Loch' *n.* – **3.** *tech.* (kegelförmiger) Backsteinmantel (*für Porzellanöfen*). – **II** *v/t pret u. pp* **'hov·eled,** *bes. Br.* **'hov·elled 4.** (in einem Schuppen) 'unterbringen. – **5.** (*Schornstein*) bekappen.

hov·el·(l)er ['hɒvələr; 'hʌv-] *s mar.* **1.** Berger *m.* – **2.** Bergungsboot *n*, Küstenfahrzeug *n.*

hov·er ['hɒvər; 'hʌvər] **I** *v/i* **1.** schweben, flattern: **~ing accent** *metr.* schwebender Akzent. – **2.** sich her'umtreiben *od.* aufhalten (**about** in der Nähe von). – **3.** zögern, schwanken. – **II** *v/t* **4.** (*die Flügel*) flatternd bewegen. – **5.** bedecken, beschützen. – **III** *s* **6.** Schweben *n.* – **7.** Ungewißheit *f*, Spannung *f.* — **'H~,craft** (*TM*) *s* Schwebeschiff *n*, Luftkissenfahrzeug *n.* — **~ hawk** → **kestrel.** — **'~,plane** *s colloq.* Hubschrauber *m.*

how [hau] **I** *adv* **1.** (*fragend*) wie: **~ are you?** wie geht es Ihnen? → do[1] 37; **~ about a cup of tea?** wie wäre es mit einer Tasse Tee? **how about ...** wie steht's mit ...? **~ come?** *Am. colloq.* wie kommt *od.* kam es (dazu)? warum? **~ do you mean?** wie meinen Sie das? **~ do you know?** woher wissen Sie das? **~ ever do you do it?** wie machen Sie das nur? **~ is it that?** wie kommt es, daß? **~ so?** wieso? wie das? **~'s that?** (*Kricket*) *colloq.* ist der Spieler ‚aus' *od.* nicht? **~ now?** was soll das heißen *od.* bedeuten? **~ much?** *sl.* was? **'he is a gynaecologist.' 'Is a ~ much?'** *sl.* ‚er ist Gynäkologe'. ‚Er ist ein was?' → deuce 4; devil 1; dickens; earth 2; high 26. – **2.** war'um? wie'so? – **3.** (*ausrufend u. relativ*) wie: **~ large it is!** wie groß es ist! **~ he trembles!** wie er zittert! **I know ~ far it is** ich weiß, wie weit es ist; **he knows ~ to ride** er versteht zu reiten, er kann reiten; **I know ~ to do it** ich weiß, wie man es macht; **and ~!** *sl.* und wie! **here's ~!** *colloq.* auf Ihr Wohl! Prosit! – **4.** wie teuer, zu welchem Preis: **~ do you sell your potatoes?** wie (teuer) verkaufen Sie Ihre Kartoffeln? – **5.** *poet. od. obs.* (*bes. Bibl. oft* **~ that**) daß, wie. – **II** *s* **6.** Wie *n*, Art *f* und Weise *f*, (richtige) Me'thode: **the ~ and wherefore** das Wie u. Wozu.

how·be·it [hau'biːit] *obs.* **I** *adv* 'nichtsdesto,weniger. – **II** *conjunction* ob'gleich.

how·dah ['haudə] *s* (*meist gedeckter*) Sitz auf dem Rücken eines Ele'fanten.

how-de-do ['haudi'duː] *colloq. od. dial. für* **how-do-you-do.**

how·die ['haudi] *s Scot. od. dial.* Hebamme *f.*

how-do-you-do ['haudju'duː; -dəjə-; -di'duː], *auch colloq. od. dial.* **how-do-ye** [-dji; -djə] *s* **1.** Gruß *m* (*mit diesen Worten*). – **2.** *colloq.* ‚Bescherung' *f*, Unannehmlichkeit *f*: **this is a nice ~** das ist eine schöne Geschichte, nun sitzen wir aber schön in der Patsche.

how·dy[1] ['haudi] *colloq.* **I** *v/t* begrüßen. – **II** *v/i* grüßen.

how·dy[2] *cf.* **howdie.**

how-d'ye-do ['haudji'duː; -djə-] *colloq. od. dial. für* **how-do-you-do.**

how·e'er [hau'εr] → **however.**

how·el ['hauəl] *tech.* **I** *s* **1.** (*Böttcherei*) Glatt-, Schlichthobel *m.* – **2.** (*Zimmerei*) Dexel *m*, Deißel *m*, Dissel *f*, Zimmerbeil *n.* – **3.** Krummhaue *f*, -hacke *f.* – **II** *v/t pret u. pp* **'how·eled,** *bes. Br.* **'how·elled 4.** (glatt)hobeln.

how·ev·er [hau'evər] **I** *adv* **1.** wie auch (immer), wenn auch noch so: **~ good** wie gut auch immer, wenn auch noch so gut; **~ it (may) be** wie es auch sein möge, wie dem auch sei. – **2.** *colloq.* wie (denn) nur?: **~ did you manage that?** wie haben Sie das nur fertiggebracht? – **3.** jedoch, in'des, aber: **I cannot, ~, approve of it** ich kann es jedoch nicht billigen; **~, he failed to appear** er kam aber *od.* indes nicht. – **II** *conjunction* **4.** *obs.* ob'wohl.

howf(f) [hauf] *Scot.* **I** *s* **1.** häufig besuchter Ort, Lieblingsaufenthalt *m.* – **2.** Wirtshaus *n*, Schenke *f.* – **II** *v/i* **3.** häufig auftauchen, sich häufig aufhalten. – **III** *v/t* **4.** häufig besuchen.

how·itz·er ['hauitsər] *s mil.* Hau'bitze *f.*

howl [haul] **I** *v/i* **1.** heulen, jaulen. – **2.** schreien, wehklagen (**at, over** über *acc*). – **3.** heulen, pfeifen (*Wind etc*). – **II** *v/t* **4.** heulen, brüllen, schreien: **to ~ s.th. out** etwas hinausheulen; **they ~ed the speaker down** sie schrien den Sprecher nieder. – **III** *s* **5.** Heulen *n*, Geheul *n*, Gebrüll *n.* – **6.** heulender Schrei, Heulton *m.* – **7.** (*Radio*) Heulen *n*, Pfeifen *n.* — **'howl·er** *s* **1.** Heuler(in), Heulende(r). – **2.** → **howling monkey.** – **3.** *sl.* ‚Mordsding' *n*, *bes.* grober Schnitzer: **to come a ~** Pech haben, in eine Patsche geraten. – **4.** *tech. sl.* elektr. Summer *m.*

howl·et ['haulit] *s obs. od. dial.* (kleine) Eule.

howl·ing ['hauliŋ] **I** *adj* **1.** heulend, brüllend. – **2.** schaurig, wüst: **a ~ wilderness.** – **3.** *sl.* fürchterlich, e'norm, gewaltig, kolos'sal: **it was a ~ success.** – **II** *s* **4.** Geheul *n*, Heulen *n.* — **~ mon·key** *s zo.* Brüllaffe *m* (*Gattg Alouatta*).

how·so·ev·er [,hauso'evər] *adv* **1.** wie sehr auch immer. – **2.** wie (*auf welche Art*) auch immer.

hoy[1] [hɔi] *s mar* **1.** (*Art*) Leichterschiff *n*, Leichter *m.* – **2.** Lastboot *n* (*zum Ausbringen des Ankers etc*).

hoy[2] [hɔi] **I** *interj* **1.** hoi! holla! – **2.** *mar.* a'hoi! – **II** *s* **3.** Hoi(ruf *m*) *n.* – **III** *v/i* **4.** ‚hoi' rufen. – **IV** *v/t* **5.** antreiben, anfeuern.

hoy·a ['hɔiə] *s bot.* Wachsblume *f* (*Gattg Hoya*).

hoy·den ['hɔidn] **I** *s* wildes Mädchen, Wildfang *m.* – **II** *adj* ausgelassen, wild, mutwillig. – **III** *v/i* sich mutwillig *od.* ungezogen benehmen (*Mädchen*). — **'hoy·den·ish** → hoyden II.

Hoyle [hɔil] *npr*: **according to ~** genau nach den Regeln, nach Vorschrift (*auch fig.*).

'**hoy·man** [-mən] *s irr mar.* Leichterschiffer *m.*

hub[1] [hʌb] *s* **1.** (Rad)Nabe *f*: up to the ~ *Am. fig.* bis zum Hals, ganz u. gar. – **2.** *fig.* Mittel-, Angelpunkt *m*: ~ of the Universe Mittelpunkt der Welt; the H~ *Am.* (*Spitzname für*) Boston. – **3.** *tech.* a) (*Münzenprägung*) Pa'trize *f*, b) Verbindungsstück *n* (*zweier Röhren*), c) Hemmklotz *m*, d) Ka'minvorsprung *m*.

hub[2] [hʌb] *s colloq.* (Ehe)Mann *m*, ‚Männchen' *n*.

hub·ba-hub·ba, *auch* **hub·a hub·a** ['hʌbə 'hʌbə] *interj Am. sl.* bravo! prima! hur'ra!

Hub·bite ['hʌbait] *s Am. colloq.* Bewohner(in) von Boston.

hub·ble-bub·ble ['hʌblˌbʌbl] *s* **1.** Plätschern *n*, Rauschen *n*. – **2.** *fig.* Gemurmel *n*, Stimmengewirr *n*. – **3.** *fig.* Durchein'ander *n*, Wirrwarr *m*. – **4.** orient. Wasserpfeife *f*.

hub·bly ['hʌbli] *adj Am. colloq.* holprig, uneben.

hub·bub ['hʌbʌb] *s* **1.** Stimmengewirr *n*, Geschrei *n*. – **2.** Lärm *m*, Tu'mult *m*, Durchein'ander *n*. – **3.** Aufruhr *m*.

hub·by ['hʌbi] → hub[2].

hu·bris ['hju:bris] (*Greek*) *s* Hybris *f*, Trotz *m*, freche 'Selbstüberˌhebung. — **hu'bris·tic** *adj selten* über'heblich.

hu·chen ['hu:xən], *auch* **huch** [hu:x], **hu·cho** ['hu:kou] *pl* **-choes** *s zo.* Huchen *m*, Huch *m*, Donaulachs *m* (*Hucho hucho*).

huck·a·back ['hʌkəˌbæk], *auch* **huck** *s* Huckaback *m*, Gerstenkornleinen *n*, Drell *m*.

huck·le ['hʌkl] *s* **1.** Hüfte *f*. – **2.** Buckel *m*, Wulst *m*, *f*. – '~ˌ**back** *s* **1.** Bucklige(r). – **2.** Buckel *m*. — '~ˌ**backed** *adj* bucklig.

'**huck·leˌber·ry** *s bot.* **1.** Amer. Heidelbeere *f* (*Gattg Gaylussacia*). – **2.** Heidel-, Blau-, Schwarzbeere *f* (*Vaccinium myrtillus*). — ~ **oak** *s bot. Am.* Heidelbeerblättrige Eiche (*Quercus vaccinifolia*).

'**huck·leˌbone** *s* **1.** Hüftknochen *m*. – **2.** (Fuß)Knöchel *m*.

huck·ster ['hʌkstər] **I** *s* **1.** Höker(in), Hau'sierer(in). – **2.** Straßenverkäufer (-in), -händler(in). – **3.** Lump *m*. – **4.** *Am. sl.* Re'klamefachmann *m* (*bes. für aufdringliche u. billige Reklame*). – **II** *v/i* **5.** hökern, hau'sieren. – **6.** schachern, feilschen. – **III** *v/t* **7.** hau'sieren mit. – **8.** schachern mit, verschachern. – **9.** verfälschen. — '**huck·ster·er** → huckster I. — '**huck·ster·ess** *s* Hökerin *f*, Hau'siererin *f*. — '**huck·ster·y** *s* **1.** Hökerladen *m*. – **2.** Feilsche'rei *f*, Schache'rei *f*.

hud·dle ['hʌdl] **I** *v/t* **1.** *oft* ~ together, ~ up unordentlich durchein'anderwerfen, ungeordnet (zu'sammen)drängen: they were ~d out of the hall sie wurden aus dem Saal gedrängt. – **2.** *oft* ~ up (zu'sammen)pfuschen: they ~d up an agreement sie pfuschten einen Vertrag zusammen. – **3.** *oft* ~ over, ~ through (*Arbeit etc*) flüchtig erledigen, 'hinpfuschen. – **4.** ~ on (*Kleider*) schnell 'überwerfen *od.* anziehen. – **5.** *meist* ~ up zu'sammenkauern: he was ~d up near the fire er saß zusammengekauert nahe dem Feuer. – **6.** *dial.* um'armen. – **II** *v/i* **7.** sich (zu'sammen)drängen. – **8.** *sport Am.* sich um den Mannschaftsführer drängen (*um Spielanweisungen zu bekommen od. zu besprechen*). – **III** *s* **9.** wirrer Haufen, Gewirr *n*, Wirrwarr *m*, Unordnung *f*. – **10.** *sport Am.* Zu'sammendrängen *n* der Spieler (*um den Mannschaftsführer zum Instruktionsempfang etc*). – **11.** *sl.* geheime Besprechung: to go into a ~ with s.o. mit j-m geheime Besprechungen führen.

Hu·di·bras·tic [ˌhju:di'bræstik] *adj* hudi'brastisch (*nach S. Butlers satirischem Epos „Hudibras"*): a) bur'lesk, sa'tirisch, b) knüttelversartig. — ˌ**Hu·di'bras·ti·cal·ly** *adv*.

Hud·son seal ['hʌdsn] *s* Sealbisam *m* (*eine Pelzart*).

hue[1] [hju:] **I** *s* **1.** Farbe *f*. – **2.** (Farb)Ton *m*, Tönung *f*. – **3.** *obs.* Form *f*. – *SYN. cf.* color. – **II** *v/t* **4.** färben. – **III** *v/i* **5.** sich färben.

hue[2] [hju:] *s* Geschrei *n*: ~ and cry a) *jur.* (mit Geschrei verbundene) Verfolgung eines Verbrechers, b) *fig.* großes Geschrei, Zetergeschrei; to raise a ~ and cry against s.o. a) j-n mit lautem Geschrei verfolgen, b) einen Steckbrief gegen j-n erlassen, c) *fig.* ein Zetergeschrei gegen j-n erheben; H~ and Cry *Londoner Polizeibericht mit Steckbriefen etc.*

hued [hju:d] *adj* gefärbt, farbig (*bes. in Zusammensetzungen*): golden-~ goldfarben.

hue·less ['hju:lis] *adj* farblos, grau.

huff [hʌf] **I** *v/t* **1.** ärgern, aufbringen, beleidigen: to be ~ed with aufgebracht sein über (*acc*); easily ~ed leicht übelnehmend, übelnehmerisch. – **2.** grob *od.* unverschämt behandeln, grob anfahren, 'herfahren über (*j-n*). – **3.** tyranni'sieren, her'umkommanˌdieren: to ~ s.o. into s.th. j-m etwas aufzwingen. – **4.** (*Damespiel*) (*feindlichen Stein*) blasen, pusten, wegnehmen (*als Strafe für Nichtschlagen*). – **II** *v/i* **5.** beleidigt sein, sich beleidigt fühlen. – **6.** *obs.* sich aufblähen, (*vor Zorn od. Stolz*) toben (at gegen), schnauben, poltern. – **7.** *obs. od. Br. dial.* a) blasen, pusten, b) aufgehen (*Teig*) – **III** *s* **8.** Aufbrausen *n*, Anfall *m* von Ärger: to be in a ~ aufgebracht sein, toben, schnauben; zögern; to take (a) ~ at s.th. etwas übelnehmen. – **9.** (*beim Damespiel*) Blasen *n*. – *SYN. cf.* offence.

huff-duff ['hʌf'dʌf] *s electr.* Funkpeilgerät *n*, Richtungsweiser *m*.

huff·i·ness ['hʌfinis] *s* **1.** Übelnehmen *n*, Ärgerlichkeit *f*, Gereiztheit *f*. – **2.** *obs.* Prahle'rei *f*. — '**huff·ish** *adj* **1.** übelnehmerisch, gereizt, verärgert. – **2.** *obs.* anmaßend. — '**huff·ish·ness** → huffiness. — '**huff·y** → huffish.

hug [hʌg] **I** *v/t pret u. pp* **hugged** **1.** (innig) um'armen, um'fassen, an sich drücken. – **2.** (zäh) festhalten an (*dat*): to ~ an opinion. – **3.** (*j-n*) liebkosen, hätscheln. – **4.** sich dicht halten an (*acc*): to ~ the coast *mar.* sich nahe an der Küste halten (*Schiff*). – **5.** *reflex* ~ oneself sich beglückwünschen (on zu; for wegen). – **II** *s* **6.** (innige) Um'armung. – **7.** (*Ringen*) fester Griff.

huge [hju:dʒ] *adj* sehr groß, riesig, riesengroß, gewaltig, ungeheuer, e'norm. – *SYN. cf.* enormous. — '**huge·ly** *adv* ungeheuer, ungemein, sehr, gewaltig. — '**huge·ness** *s* ungeheure *od.* gewaltige Größe, Riesenhaftigkeit *f*.

huge·ous ['hju:dʒəs] *colloq. für* huge.

hug·ger-mug·ger ['hʌgərˌmʌgər] **I** *s* **1.** Unordnung *f*, Verwirrung *f*. – **2.** *obs.* Heimlichkeit *f*. – **II** *adj u. adv* **3.** heimlich, verstohlen. – **4.** unordentlich, liederlich. – **III** *v/t* **5.** geheimhalten, verbergen, vertuschen. – **IV** *v/i* **6.** heimlich handeln, Geheimnisse haben.

hug·ger·y ['hʌgəri] *s Br.* ˌPostenjäge'rei *f* (*durch Schmeicheln*).

'**hug-me-ˌtight** *s* enganliegende Strickjacke.

Hu·gue·not ['hju:gəˌnɒt] *s relig. hist.* Huge'notte *m*, Huge'nottin *f*. — ˌ**Hu·gue'not·ic** *adj* huge'nottisch. — '**Hu·gue·notˌism** *s* Hugenot'tismus *m* (*franz. Kalvinismus*).

hu·ia (bird) ['hu:jɑ:] *s zo.* (*ein*) neu'seeländischer Star (*Neomorpha acutirostris*).

hui·sa·che [wi'sɑ:tʃei] *s bot.* Far'nesische A'kazie (*Acacia farnesiana*).

hu·la ['hu:lə] → hula-hula. — '~-ˌ**hoop** *s* Hula-'Hoop *m*, Hula-Reifen *m*. — '~-'**hu·la** *s* Hula *m*, Hula-'Hula *m* (*hawaiischer Mädchentanz*).

hul·dee, hul·di ['hʌldi:] → turmeric 1.

hulk [hʌlk] **I** *s* **1.** *mar.* Hulk *m*, *n*: a) *Rumpf eines abgetakelten Schiffs*, b) *entmastetes Wrack*, c) *nicht seetüchtiges Schiff*: the ~s *pl* Schiffsgefängnis. – **2.** unhandliche Masse, Klotz *m*. – **3.** ungeschlachter Kerl, Ko'loß *m*. – **II** *v/i* **4.** *oft* ~ up sich riesig auftürmen, plump aufragen. — '**hulk·ing**, '**hulk·y** *adj* plump, ungeschlacht.

hull[1] [hʌl] **I** *s* **1.** *bot.* a) Hülse *f*, Schale *f*, Hülle *f*, b) Außenkelch *m*. – **2.** Schale *f*, (Schutz)Hülle *f*. – **II** *v/t* **3.** schälen, enthülsen.

hull[2] [hʌl] **I** *s* **1.** *mar.* Rumpf *m*, Körper *m* (*Schiff*), 'Unterschiff *n*, Schiffskasko *n*: ~ down weit entfernt (*Schiff*). – **2.** *aer.* a) Rumpf *m* (*Flugboot*), b) Rumpf *m*, Hülle *f* (*Starrluftschiff*). – **II** *v/t* **3.** *mar.* (*mit einem Geschoß*) den Rumpf (*eines Schiffes*) treffen *od.* durch'bohren.

hul·la·ba(l)·loo ['hʌləbəˌlu:] *s* Lärm *m*, Tu'mult *m*, Spek'takel *m*.

hull·er ['hʌlər] *s* Schäler *m*, Enthülser *m*, *bes. agr.* 'Schälmaˌschine *f*.

hul·lo, *auch* **hul·loa** ['hʌlou; hə'lou] *interj* **1.** hallo! hal'lo! – **2.** (*überrascht*) he! na'nu!

hum[1] [hʌm] **I** *v/i pret u. pp* **hummed** **1.** summen, brummen: the bees are ~ming die Bienen summen; my head ~s mir brummt der Kopf. – **2.** brummen, murmeln. – **3.** stocken, zögern, ‚hm' sagen: to ~ and ha(w) stottern. – **4.** brausen, summen. – **5.** summen (*mit geschlossenen Lippen singen*). – **6.** *colloq.* in lebhafter Bewegung sein, sich rühren: to make things ~ die Sache in Schwung bringen, Leben in die Bude bringen. – **7.** *sl.* stinken. – **II** *v/t* **8.** summen. – **III** *s* **9.** Summen *n*, Brummen *n*, Gesumm(e) *n*, Gebrumm(e) *n*. – **10.** Sausen *n*, Brausen *n*. – **11.** Gemurmel *n*. – **12.** Hm *n*: ~s and ha(w)'s verlegenes Geräusper. – **13.** *sl.* Gestank *m*. – **IV** *interj* **14.** hm! hem! hum!

hum[2] [hʌm] *obs. od. Am. sl.* **I** *s* Schwindel *m*. – **II** *v/t pret u. pp* **hummed** beschwindeln, hinters Licht führen.

hu·man ['hju:mən] **I** *adj* **1.** menschlich, Menschen...: ~ nature menschliche Natur; the ~ race das Menschengeschlecht. – **2.** menschlich, irdisch (*Gegensatz göttlich*): to err is ~ Irren ist menschlich; more than ~ übermenschlich. – **II** *s colloq. od. humor.* **3.** Mensch *m*.

hu·mane [hju:'mein] *adj* **1.** hu'man, menschlich, menschenfreundlich: ~ killer (*Schlächterei*) Schlachtmaske (*zum schmerzlosen Töten von Schlachtvieh*); H~ Society Gesellschaft zur Rettung Ertrinkender. – **2.** (geistig) bildend, verfeinert, huma'nistisch: ~ learning humanistische Bildung. — **hu'mane·ness** *s* Humani'tät *f*, Menschlichkeit *f*, Menschenfreundlichkeit *f*.

hu·man·ism ['hju:məˌnizəm] *s* **1.** menschliche Na'tur *od.* Wesensart. – **2.** *oft* H~ Huma'nismus *m*. – **3.** Beschäftigung *f* mit menschlichen Dingen. – **4.** H~ Humani'tätsglaube *m*, -lehre *f*. — '**hu·man·ist** **I** *s* **1.** Menschenkenner(in). – **2.** Huma'nist *m*, 'Altphiloˌloge *m*. – **3.** *oft* H~ *hist.* Huma'nist(in). – **4.** *philos.* Huma'nist(in), Anhänger(in) des philo'sophischen Huma'nismus. – **5.** H~

Anhänger(in) des Humani'tätsglaubens. – **II** *adj* → humanistic. — ˌ**hu·man'is·tic,** ˌ**hu·man'is·ti·cal** *adj* **1.** huma'nistisch. – **2.** menschlich, hu'man. — ˌ**hu·man'is·ti·cal·ly** *adv* (*auch zu* humanistic).

hu·man·i·tar·i·an [hjuːˌmæni'tɛ(ə)riən; -nə-] **I** *adj* **1.** humani'tär, menschenfreundlich, Humanitäts... – **2.** *philos. relig.* humani'tarisch. – **II** *s* **3.** Menschenfreund *m.* – **4.** Humani'tarier *m.* – **5.** (*abfällig*) Menschheitsbeglücker *m,* Humani'tätsaˌpostel *m.* — **huˌman·i'tar·i·anˌism** *s* **1.** Nächstenliebe *f,* Menschenfreundlichkeit *f,* humani'täre Einstellung. – **2.** *philos. relig.* Lehre *f* der Humani'tarier.

hu·man·i·ty [hjuː'mæniti; -əti] *s* **1.** Menschheit *f,* Menschengeschlecht *n.* – **2.** Menschsein *n,* menschliche Na'tur. – **3.** Humani'tät *f,* Menschlichkeit *f,* Menschenliebe *f.* – **4.** *pl* a) klassische Litera'tur (*Latein u. Griechisch*), b) huma'nistische Bildung. – **5.** *pl* huma'nistische Wissensgebiete *pl,* Geisteswissenschaften *pl.* **6.** *obs.* feine Bildung.

hu·man·i·za·tion [ˌhjuːmənai'zeiʃən; -ni-; -nə-] *s* **1.** Anpassung *f* an die menschliche Na'tur, Vermenschlichung *f.* – **2.** Humani'sierung *f,* Bildung *f.* — '**hu·manˌize I** *v/t* **1.** humani'sieren, menschlich *od.* gesittet machen, zivili'sieren, bilden. – **2.** vermenschlichen, der menschlichen Na'tur anpassen, (*dat*) menschliche Eigenart verleihen. – **3.** *med.* humani'sieren. – **II** *v/i* **4.** vermenschlichen, gesittet *od.* zivili'siert werden. — '**hu·manˌiz·er** *s* j-d der *od.* etwas was menschlich macht, *bes.* vermenschlichender Einfluß.

hu·man·kind ['hjuːmən'kaind] *s* Menschheit *f,* Menschengeschlecht *n.*

hu·man·ly ['hjuːmənli] *adv* **1.** menschlich, nach menschlicher Weise. – **2.** nach menschlichen Begriffen, nach menschlichem Wissen *od.* Ermessen: ~ possible menschenmöglich; ~ speaking menschlich gesehen. – **3.** hu'man, menschenfreundlich.

hu·mate ['hjuːmeit] *s chem.* Salz *n od.* Ester *m* einer Humussäure.

hum·ble ['hʌmbl; *Am. auch* 'ʌm-] **I** *adj* **1.** bescheiden, demütig: in my ~ opinion nach meiner bescheidenen *od.* unmaßgeblichen Meinung; my ~ self meine Wenigkeit; Your ~ servant Ihr ergebenster *od.* gehorsamster Diener. – **2.** bescheiden, anspruchslos. – **3.** niedrig, gering, dürftig, ärmlich: of ~ birth von niedriger Geburt. – *SYN.* lowly, meek, modest. – **II** *v/t* **4.** demütigen, erniedrigen: → dust 1. – *SYN. cf.* abase.

'**hum·bleˌbee** → bumblebee.

hum·ble·ness ['hʌmblnis; *Am. auch* 'ʌm-] *s* Demut *f,* Bescheidenheit *f,* Unter'würfigkeit *f.*

hum·ble| pie *s obs. Pastete aus den minderen Teilen des Wildbrets:* to eat ~ *fig.* sich demütigen, Abbitte leisten, zu Kreuze kriechen. — ~ **plant** → sensitive plant.

hum·bling·ly ['hʌmbliŋli; *Am. auch* 'ʌm-] *adv* demütigend, auf demütigende Weise.

Hum·boldt Cur·rent ['hʌmboult] *s geogr.* Humboldt-, Pe'rustrom *m.*

hum·bug ['hʌmbʌg] **I** *s* **1.** Schwindel *m,* Schwinde'lei *f,* Täuschung *f,* Betrug *m,* Humbug *m.* – **2.** Unsinn *m,* dummes Zeug, ‚Mumpitz' *m,* Humbug *m.* – **3.** Lügenhaftigkeit *f.* – **4.** Schwindler(in), Aufschneider(in). – **5.** *Br.* (Pfeffer'minz)Bonˌbon *m, n.* – *SYN. cf.* imposture. – **II** *v/t pret u. pp* '**hum·bugged 6.** beschwindeln, prellen, täuschen. – **7.** erschwindeln: he ~ged a lot of money from him. – **III** *v/i* **8.** schwindeln. — '**hum·ˌbug·ger** *s* Schwindler(in). — '**hum·ˌbug·ger·y** [-əri] *s* Schwinde'lei *f.*

hum·ding·er [ˌhʌm'diŋər] *s Am. sl.* **1.** ‚Mordskerl' *m.* – **2.** tolle Sache. – **3.** reibungslos laufender Motor. – **4.** schnelles Fahr- *od.* Flugzeug.

hum·drum ['hʌmˌdrʌm] **I** *adj* **1.** eintönig, langweilig, fade. – **II** *s* **2.** langweiliger Mensch. – **3.** Langweiligkeit *f,* Eintönigkeit *f,* Ödheit *f.* – **III** *v/i pret u. pp* '**humˌdrummed 4.** langweilig da'hinleben.

Hum·e·an ['hjuːmiən] *adj philos.* Humesch(er, e, es) (*David Hume betreffend*).

hu·mer·al ['hjuːmərəl] *adj med. zo.* **1.** hume'ral, Humerus..., Oberarmknochen... – **2.** Schulter...

hu·mer·us ['hjuːmərəs] *pl* '**hu·merˌi** [-ˌrai] *s* **1.** *med.* Humerus *m,* Oberarmknochen *m.* – **2.** *med.* Oberarm *m.* – **3.** *zo.* dem Oberarm entsprechender Knochen.

hu·mic ['hjuːmik] *adj chem.* Humus..., Humin...: ~ acid Huminsäure.

hu·mid ['hjuːmid] *adj* naß, feucht, wasserhaltig: ~ air feuchte Luft. – *SYN. cf.* wet. — **huˌmid·i·fi'ca·tion** [-ifi'keiʃən; -əfə-] *s* Befeuchtung *f,* Anfeuchtung *f.* — **hu'mid·iˌfy** [-iˌfai] *v/t* feucht machen, befeuchten. — **hu'mid·iˌstat** [-iˌstæt] *s tech.* (Luft-) Feuchtigkeitsregler *m.* — **hu'mid·i·ty** *s* Feuchtigkeit(sgehalt *m*) *f.* — '**hu·mid·ness** *s* Feuchtigkeit *f,* Nässe *f.*

hu·mi·dor ['hjuːmiˌdɔːr] *s* **1.** *Behälter, in dem die Luft feucht gehalten wird* (*bes. für Zigarren*). – **2.** *tech.* Luftfeuchtigkeitsregler *m.*

hu·mi·fuse ['hjuːmiˌfjuːs] *adj bot.* am Boden liegend, kriechend.

hu·mil·i·ate [hjuː'miliˌeit] *v/t* erniedrigen, demütigen. – *SYN. cf.* abase. — **hu'mil·iˌat·ing** *adj* erniedrigend, demütigend. — **huˌmil·i·'a·tion** *s* Erniedrigung *f,* Demütigung *f.* — **hu'mil·i·a·to·ry** [*Br.* -ˌeitəri; *Am.* -əˌtɔːri] → humiliating.

hu·mil·i·ty [hjuː'militi; -əti] *s* **1.** Demut *f,* Bescheidenheit *f.* – **2.** Unter'würfigkeit *f.* – **3.** *obs.* Dürftigkeit *f.*

hu·min ['hjuːmin] *s chem.* Hu'min(stoff *m*) *n.*

Hum·ism ['hjuːmizəm] *s philos.* Humesche Philoso'phie, *bes.* Humescher Skepti'zismus.

hum·ite ['hjuːmait] *s min.* Hu'mit *m.*

hum·mel ['hʌml] *adj Scot. od. dial.* hörner-, hornlos (*Tier*).

hum·mer ['hʌmər] *s* **1.** Summer *m,* Brummer *m.* – **2.** *sl.* a) e'nergische Per'son, Betriebmacher *m,* Draufgänger(in), b) ‚tolle Angelegenheit'. – **3.** → hummingbird. – **4.** → hawk moth.

hum·ming ['hʌmiŋ] *adj* **1.** summend, brummend. – **2.** *colloq.* a) lebhaft, schwungvoll, b) ‚toll', c) stark, berauschend (*Bier etc*). — '~ˌ**bird** *s zo.* Kolibri *m* (*Fam. Trochilidae*). — '~ˌ**bird moth** → hawk moth. — '~ˌ**bird sage** *s bot. rote Salbeiart der westl. USA* (*Ramona grandiflora*). — ~ **top** *s* Brummkreisel *m.*

hum·mock ['hʌmək] *s* **1.** Hügel *m.* – **2.** Eishügel *m.* – **3.** → hammock². — '**hum·mock·y** *adj* **1.** hügelig. – **2.** hügelartig.

hum·mum ['hʌmʌm] → hammam.

hu·mor, *bes. Br.* **hu·mour** ['hjuːmər; 'juː-] **I** *s* **1.** (Gemüts)Stimmung *f,* (Gemüts)Verfassung *f,* Laune *f:* to be in a good (a bad *od.* an ill) ~ bei guter (schlechter) Laune sein; to be out of ~ schlecht gelaunt sein; to be in the ~ for s.th. zu etwas aufgelegt sein. – **2.** Komik *f,* (*das*) Komische: the ~ of the situation das Komische der Lage, die Situationskomik; to do s.th. for the ~ of it etwas zum Scherz tun. – **3.** *pl* Verrücktheiten *pl.* – **4.** Hu'mor *m:* sense of ~ (Sinn für) Humor. – **5.** *biol.* Körpersaft *m,* -flüssigkeit *f:* → aqueous 4; vitreous ~. – **6.** *med.* chronischer Hautausschlag. – **7.** *obs.* Feuchtigkeit *f.* – **8.** *med. obs.* Körpersaft *m:* the cardinal ~s die Hauptsäfte des Körpers (*Blut, Schleim, Galle, schwarze Galle*). – *SYN. cf.* a) mood¹, b) wit. – **II** *v/t* **9.** (*j-m*) will'fahren, den Willen tun *od.* lassen, nachgeben. – **10.** sich anpassen (*dat od.* an *acc*). – **11.** in heitere Stimmung versetzen, aufheitern. – *SYN. cf.* indulge. — '**hu·mor·al,** *Am. auch* '**hu·mour·al** *adj med.* humo'ral: ~ pathology Humoralpathologie. — '**hu·mor·alˌism** *s med. hist.* Humo'ralpatholoˌgie *f,* Säftelehre *f.*

hu·mored, *bes. Br.* **hu·moured** ['hjuːmərd; 'juː-] *adj* (*in Zusammensetzungen*) gelaunt: → good-~.

hu·mor·esque [ˌhjuːmə'resk] *s mus.* Humo'reske *f.* — '**hu·morˌism** *s* **1.** → humoralism. – **2.** → humorousness.

hu·mor·ist ['hjuːmərist; 'juː-] *s* **1.** Spaßvogel *m,* drolliger Kerl. – **2.** Humo'rist(in). – **3.** Sonderling *m.* — ˌ**hu·mor'is·tic,** *Am. auch* ˌ**hu·mour'is·tic** *adj* humo'ristisch.

hu·mor·ous, *Am. auch* **hu·mour·ous** ['hjuːmərəs; 'juː-] *adj* **1.** humo'ristisch, spaßhaft, heiter, lustig, hu'morvoll: ~ paper Witzblatt. – **2.** launisch, wunderlich. – **3.** *med. hist. für* humoral. – **4.** *obs.* feucht. – *SYN. cf.* witty — '**hu·mor·ous·ness,** *Am. auch* '**hu·mour·ous·ness** *s* humo'ristische Art, (*das*) Spaßige, Lustigkeit *f.* — '**hu·mor·some,** *bes. Br.* '**hu·mour·some** [-səm] *adj selten* **1.** launisch. – **2.** drollig.

hu·mour, hu·mou·ral, hu·moured, hu·mour·ist, hu·mour·is·tic, hu·mour·ous, hu·mour·ous·ness, hu·mour·some *cf.* humor *etc.*

hu·mous ['hjuːməs] *adj* Humus..., humusreich.

hump [hʌmp] **I** *s* **1.** Buckel *m,* Höcker *m.* – **2.** kleiner Hügel: the H~ *humor.* das Himalajagebirge. – **3.** *Br. sl.* Ärger *m,* üble Laune: that gives me the ~ das geht mir auf die Nerven. – **4.** *fig.* Krise *f:* to be over the ~ über den Berg sein. – **5.** *Austral. sl.* langer Fußmarsch. – **II** *v/t* **6.** *oft* ~ up (zu einem Buckel) krümmen: to ~ one's back einen Buckel machen. – **7.** *Austral. sl.* a) auf die Schulter nehmen, b) tragen: to ~ (one's) bluey sein Bündel tragen, *fig.* durch den Busch wandern, trampen (*bes. auf Arbeitssuche*). – **8.** *Am. sl.* anstrengen, anspannen: to ~ oneself *od.* to ~ it sich anstrengen, ‚sich (d)ranhalten'. – **9.** *Br. sl.* (*j-n*) ärgern. – **III** *v/i* **10.** sich buckelartig erheben. – **11.** *Am. sl.* sich anstrengen. — '~ˌ**back** *s* **1.** Buckel *m,* Höcker *m.* – **2.** Bucklige(r). – **3.** *zo.* Buckelwal *m* (*Gattg Megaptera*). – **4.** → ~ed salmon. — '~ˌ**backed** *adj* bucklig. — '~ˌ**backed sal·mon** *s zo.* (*ein*) Lachs *m* (*Oncorhynchus gorbuscha*).

humped [hʌmpt] *adj* bucklig, höckerig.

humph [(h)mmm; mm; hʌmf] **I** *interj* (*zweifelnd od. tadelnd*) hum! hm! – **II** *v/i* ‚hm' machen.

hump·ty| dump·ty ['hʌmpti 'dʌmpti] *s* **1.** kleine u. dicke Per'son, ‚Stöpsel' *m.* – **2.** H~ D~ *Hauptfigur in einem engl. Kinderrätsel* (*das Ei*). — '~-'**dump·ty** *adj* kugelig, rundlich.

hump·y¹ ['hʌmpi] *adj* **1.** bucklig, holperig. – **2.** *colloq.* verärgert.

hum·py² ['hʌmpi] *s Austral.* (primi'tive) Hütte, Eingeborenenhütte *f.*

hu·mu·lene ['hjuːmjuˌliːn; -mjə-] *s chem.* Humu'len *n* ($C_{15}H_{24}$; *Sesquiterpen im Hopfen*).
hu·mus ['hjuːməs] *s* Humus *m.*
Hun [hʌn] *s* **1.** Hunne *m*, Hunnin *f.* – **2.** *fig.* Wan'dale *m*, Bar'bar *m.* – **3.** (*als Schimpfwort*) Deutscher *m*, *bes.* Preuße *m.*
hunch [hʌntʃ] **I** *s* **1.** Buckel *m*, Höcker *m.* – **2.** dickes Stück, Klumpen *m.* – **3.** *colloq.* (Vor)Ahnung *f*, Verdacht *m.* – **II** *v/t* **4.** krümmen, krumm biegen. – **5.** *obs. od. dial.* stoßen. – **III** *v/i* **6.** rücken: to ~ nearer näher rücken. — '~ˌ**back** *s* **1.** Buckel *m*, Höcker *m.* – **2.** Buckli̲ge(r). — '~ˌ**backed** *adj* bucklig.
hun·dred ['hʌndrəd; -drid] **I** *adj* **1.** hundert: a (*od.* one) ~ (ein)hundert; several ~ men mehrere hundert Mann; not a ~ miles from here *humor.* ganz nah, ganz in der Nähe. – **2.** *oft* a ~ and one sehr viele, eine Menge, hunderterlei: I have a ~ things to do ich habe hunderterlei zu tun. – **II** *s* **3.** Hundert *n*: by the ~ *od.* by ~s hundertweise; several ~ mehrere Hundert; ~s of times hundertemal; a great (*od.* long) ~ hundertzwanzig; a ~ of them hundert von ihnen. – **4.** Hundert *f*, Hunderterzeichen *n* (C, 100 *etc*). – **5.** *Br.* hundert Pfund (*Geld*). – **6.** *sport* Hundert'yardrennen *n*, -'yardlauf *m.* – **7.** *Br. hist.* Hundertschaft *f*, Bezirk *m*, Zent *f* (*Teil einer Grafschaft*). – **8.** *Am. hist.* Bezirk *m*, Kreis *m* (*nur noch in Delaware*). – **9.** ~s and thousands *pl* kleine Zucker- *od.* Schoko'ladekügelchen *pl* (*bes. zur Tortenverzierung*). — '~ˌ**fold** **I** *adj* hundertfach, -fältig. – **II** *adv* hundertfach. – **III** *s* (*das*) Hundertfache: increased a ~ hundertfach angewachsen. — '~-**per'cent** *adj* 'hundertproˌzentig, vollständig, echt. — '~-**per'cent·er** *s pol.* Hur'rapatriˌot *m*, 'Ultranationaˌlist *m.* — '~-**per'cent·ism** *s pol.* Hur'rapatrioˌtismus *m.*
hun·dredth ['hʌndrədθ; -dridθ] **I** *adj* **1.** hundertst(er, e, es). – **II** *s* **2.** Hundertste(r): Old H~ der hundertste Psalm (*Psalmlied, auch Weise der engl. Doxologie*). – **3.** Hundertstel *n.*
'hun·dredˌweight *s* (*etwa*) Zentner *m*: a) *auch* short ~ (*in USA*) *100 lbs.* = *45,36 kg*, b) *auch* long ~ (*in England*) *112 lbs.* = *50,80 kg*, c) metric ~ (*genauer*) Zentner (= *50 kg*).
hung [hʌŋ] *pret u. pp von* hang.
Hun·gar·i·an [hʌŋ'gɛ(ə)riən] **I** *adj* **1.** ungarisch, ma'djarisch. – **2.** *obs. sl.* elend. – **II** *s* **3.** Ungar(in), Ma'djare *m*, Ma'djarin *f.* – **4.** *ling.* Ungarisch *n*, Ma'djarisch *n.* — ~ **grass** *s bot. Am.* Ital. Borstenhirse *f* (*Setaria italica*). — ~ **par·tridge** *s zo. Am.* Feld-, Rebhuhn *n* (*Perdix perdix*).
hun·ger ['hʌŋgər] **I** *s* **1.** Hunger *m*: to die of ~ Hungers *od.* an Hunger sterben; ~ is the best sauce Hunger ist der beste Koch. – **2.** *fig.* Hunger *m*, Begierde *f*, heftiges Verlangen, Durst *m* (for, after nach): ~ for knowledge Wissensdurst. – **II** *v/i* **3.** Hunger haben. – **4.** dürsten, hungern (for, after nach). – *SYN. cf.* long². – **III** *v/t* **5.** hungern lassen, aushungern. — ~ **flow·er** *s bot.* (*ein*) Hungerblümchen *n* (*Gattungen Draba u. Erophila, bes. E. verna*). — ~ **grass** *s bot.* (*ein*) Fuchsschwanzgras *n* (*Alopecurus myosuroides*).
hun·ger·ing·ly ['hʌŋgəriŋli] *adv* hungrig, (be)gierig. — '**hun·ger·ly** *adj obs.* hungrig.
hun·ger| march *s* Hungermarsch *m.* — ~ **march·er** *s* Teilnehmer(in) an einem Hungermarsch. — '~-ˌ**strick·en** *adj* vom Hunger gequält, ausgehungert. — ~ **strike** *s* Hungerstreik *m.* — '~ˌ**weed** *s bot.* **1.** → corn crowfoot. – **2.** → hunger grass.
hun·gri·ness ['hʌŋgrinis] *s* Hunger *m*, Hungrigkeit *f*, Gier *f.*
hun·gry ['hʌŋgri] *adj* **1.** hungrig: to be (*od.* feel) ~ hungrig sein, Hunger haben; ~ as a hunter (*od.* bear) hungrig wie ein Wolf; the H~ Forties *hist.* die Hungerjahre (*1840–46 in England*). – **2.** *fig.* begierig, dürstend, hungrig (for nach). – **3.** *agr.* unfruchtbar, mager (*Boden*). – **4.** appe'titanregend: a ~ air eine Luft, die hungrig macht. – **5.** *obs.* ausgehungert. — ~ **rice** → fundi.
hunk [hʌŋk] *s colloq.* großes Stück, dicker Brocken: a ~ of bread.
hun·ker¹ ['hʌŋkər] *v/i Scot.* hocken, kauern.
Hunk·er² ['hʌŋkər] *s pol. Am. sl.* 'Stockkonservaˌtiver *m*, Reaktio'när *m.* — '**hunk·er·ous** *adj pol. Am. sl.* 'stockkonservaˌtiv, rückschrittlich, reaktio'när.
hun·kers ['hʌŋkərz] *s pl dial.* 'Hinterbacken *pl.*
hunks [hʌŋks] *s sg u. pl* **1.** ekelhafter Kerl. – **2.** Geizhals *m*, ‚Knicker' *m.* – **3.** → hunky².
hunk·y¹ ['hʌŋki] *adj Am. sl.* **1.** vor'züglich, prima, in guter Verfassung. – **2.** in Ordnung, bereinigt, ‚in Butter'.
hunk·y² ['hʌŋki] *s Am. sl.* (*verächtlich*) eingewanderter (Hilfs)Arbeiter (*bes. Ungar od. Südslawe*).
hunk·y·do·ry [ˌhʌŋki'dɔːri] *adj sl.* ausgezeichnet, erstklassig, ‚prima', ‚in Butter'.
Hun·nish ['hʌniʃ], *auch* '**Hun·ni·an** [-iən], '**Hun·nic** [-ik] *adj* **1.** hunnisch. – **2.** *fig.* bar'barisch, bru'tal. — '**Hun·nish·ness** *s* Brutali'tät *f*, Barba'rei *f.*
hunt [hʌnt] **I** *s* **1.** Jagd *f*, Jagen *n.* – **2.** 'Jagd(gebiet *n*, -reˌvier *n*) *f.* – **3.** Jagd *f* (*Jagdgesellschaft mit Hunden u. Pferden*). – **4.** *fig.* Verfolgung *f*, Jagd *f.* – **5.** Jagd *f*, eifrige Suche (for, after nach). – **6.** *tech.* Pendeln *n*, Rütteln *n*, Rattern *n*, Zittern *n* (*Maschine etc*). – **7.** (*Wechselläuten*) regelmäßige 'Umstellung der Reihenfolge. – **II** *v/t* **8.** jagen, Jagd machen auf (*acc*), hetzen: to ~ to death zu Tode hetzen; to ~ down erjagen, niederhetzen; to ~ the hare (*od.* slipper, squirrel) den Pantoffel suchen (*Suchspiel*). – **9.** (*j-n*) verfolgen, hetzen, (*j-m*) nachsetzen, -stellen: to ~ a trail eine Spur verfolgen, einer Fährte nachspüren. – **10.** jagen, treiben: to ~ away (*od.* off) wegjagen, vertreiben; to ~ from the village aus dem Dorf jagen; to ~ out hinausjagen. – **11.** *oft* ~ out, ~ up a) eifrig suchen, (*dat*) eifrig nachspüren, b) aufstöbern, aufspüren, ausfindig machen, her'ausfinden. – **12.** (*Revier*) durch'jagen, -'stöbern, -'suchen (*auch fig.*) (for nach). – **13.** jagen mit (*Pferd etc*). – **14.** (*Wechselläuten*) (*Glocke*) in der Reihenfolge ändern. – **III** *v/i* **15.** jagen, Jagd machen. – **16.** (after, for) a) eifrig suchen (nach), b) *fig.* jagen, streben (nach). – **17.** *tech.* rütteln, rattern (*Maschine*). – **18.** (*Wechselläuten*) die Reihenfolge der Glocken ändern.
hunt·er ['hʌntər] *s* **1.** Jäger *m*: ~'s moon Vollmond nach dem Herbstvollmond. – **2.** *fig.* Jäger *m*: → fortune ~. – **3.** *hunt.* Jagdhund *m*, -pferd *n.* – **4.** Jagduhr *f* (*mit Sprungdeckelgehäuse*). – **5.** *zo.* Jagdspinne *f* (*Gruppe Vagabundae*). – **6.** Jägergrün *n* (*Farbe*).
hunt·ing ['hʌntiŋ] **I** *s* **1.** (Hetz)Jagd *f*, Jagen *n.* – **2.** Verfolgung *f*, Nachstellung *f.* – **3.** Suche *f.* – **4.** *electr.* a) Pendeln *n* (*Maschine*), b) Pendelschwingung *f* (*Radar*), c) Abtastvorrichtung *f* (*Fernsehen*). – **II** *adj* **5.** Jagd... — ~ **box** → hunting lodge. — ~ **case** *s* Sprungdeckelgehäuse *n* (*Uhr*). — ~ **cat** → cheetah. — ~ **cog** *s tech.* Mitnehmer(stift, -nocken) *m.* — ~ **crop** *s* Jagdpeitsche *f.* — ~ **ground** *s* 'Jagdreˌvier *n*, -gebiet *n* (*auch fig.*): → happy ~s. — ~ **horn** *s* **1.** Jagd-, Hifthorn *n.* – **2.** zweiter Knopf (*des Damensattels*). — ~ **knife** *s irr* Jagdmesser *n.* — ~ **leop·ard** → cheetah. — ~ **lodge** *s* Jagdhütte *f.* — ~ **seat** *s* Jagdsitz *m*, -schlößchen *n.* — ~ **watch** → hunter 4.
hunt·ress ['hʌntris] *s* Jägerin *f.*
hunts·man ['hʌntsmən] *s irr* **1.** Jäger *m*, Weidmann *m.* – **2.** Leiter *m* einer Hetzjagd. – **3.** Rüdemann *m* (*Aufseher der Jagdhunde*). — '**hunts·manˌship** *s* Jäge'rei *f*, Weidwerk *n.* '**hunts·man's-ˌcup** *s bot.* Amer. Krugblatt *n* (*Sarracenia purpurea*).
hunt's-up [ˌhʌnts'ʌp] *s* **1.** Aufbruch *m* zur Jagd (*Jagdsignal*). – **2.** Weckruf *m.*
Hu·on pine ['hjuːɒn] *s bot.* Tas'manische Gummitanne (*Dacrydium Franklinii*).
Hu·pa ['huːpɑː] *s* **1.** Hupa *m, f*, 'Hupaindiˌaner(in). – **2.** *ling.* Hupa(sprache *f*) *n.*
hur·dies ['həːrdiz] *s pl Scot. od. dial.* Gesäß *n*, 'Hinterteil *n.*
hur·dle ['həːrdl] **I** *s* **1.** *sport* Hürde *f*: the ~s → ~ race. – **2.** *fig.* Hürde *f*, Hindernis *n*, Schwierigkeit *f.* – **3.** Hürde *f*, (Weiden-, Stahl)Geflecht *n* (*für Zäune etc*). – **4.** *tech.* a) Fa'schine *f*, b) Hurde *f*, c) (*Bergbau*) Gitter *n*, Rätter *m.* – **II** *v/t* **5.** *auch* ~ off mit Hürden um'geben, um'zäunen. – **6.** (*Zaun*) aus Hürden 'herstellen. – **7.** *tech.* mit Fa'schinen belegen. – **8.** *sport* (*Hürde*) nehmen, über'springen. – **9.** *fig.* (*Schwierigkeit, Hindernis*) bezwingen. – **III** *v/i* **10.** Hürden *od.* Hindernisse über'springen. – **11.** *sport* a) an einem Hürdenlauf *od.* -rennen teilnehmen, b) Hürdenlauf *od.* -rennen betreiben. — '**hur·dler** *s* **1.** Hürdenmacher *m.* – **2.** *sport* Hürdenläufer(in).
hur·dle| race *s* **1.** (*Leichtathletik*) Hürdenlauf *m.* – **2.** (*Reitsport*) Hürden-, Hindernisrennen *n.* — ~ **work** *s* Flechtwerk *n.*
hurds [həːrdz] *s pl* Werg *n.*
hur·dy-gur·dy ['həːrdiˌgəːrdi] *s mus.* **1.** Dreh-, Bauern-, Bettlerleier *f.* – **2.** Leierkasten *m*, Drehorgel *f.*
hurl [həːrl] **I** *v/t* **1.** schleudern (*auch fig.*). – **2.** *meist* ~ down stürzen, zu Boden werfen. – **3.** (*Worte*) ausstoßen, schleudern: to ~ invectives Beschimpfungen ausstoßen; to ~ an accusation into s.o.'s face j-m eine Anklage ins Gesicht schleudern. – **II** *v/i* **4.** werfen. – **5.** *sport* Treibball *od.* Hurling spielen. – **6.** (*Baseball*) *sl. für* pitch² 9 a. – **7.** *obs.* stürzen. – *SYN. cf.* throw. – **III** *s* **8.** schleudernder Wurf, Schleudern *n.* – **9.** Stürzen *n*, Wirbeln *n.* – **10.** *sport* Treibstock *m* (*beim Hurling*). — '**hurl·er** *s* **1.** Schleuderer *m*, Werfer *m.* – **2.** (Hurling)Spieler *m.* – **3.** (*Baseball*) *sl. für* pitcher¹ 1. — '**hurl·ey** [-li] *s sport* **1.** → hurling 2. – **2.** Hurlingstock *m*, -ball *m.* — '**hurl·ing** *s* **1.** Schleudern *n*, Werfen *n.* – **2.** *sport* (*Irish*) Hurling(spiel) *n* (*eine Art Hockey*).
hurl·y¹ ['həːrli] → ~-burly I.
hurl·y² *cf.* hurley.
hurl·y-burl·y ['həːrliˌbəːrli] **I** *s* Tu'mult *m*, Aufruhr *m.* – **II** *adj u. adv* wild, verworren.
Hu·ron ['hju(ə)rən] *s* Hu'rone *m*, Hu'ronin *f* (*Indianer der Irokesenfamilie*). — **Hu'ro·ni·an** [-'rouniən] *adj* hu'ronisch.
hur·rah [hu'rɑː; hə-; *Am. auch* hə'rɔː] **I** *interj* hur'ra! – **II** *s* Hur'ra(geschrei *n*,

-ruf *m*) *n*. – **III** *v/t* mit Hur'ra empfangen *od*. begleiten, (*dat*) zujubeln. – **IV** *v/i* Hur'ra rufen.
hur·rah's nest *s Am. sl.* Durchein'ander *n*, Wirrwarr *m*.
hur·ray [hu'rei; hə-] → **hurrah**.
hurr-bur ['həːr,bəːr] *s bot.* Große Klette (*Arctium lappa*).
hur·ri·cane [*Br.* 'hʌrikən; *Am.* 'həːri,kein] *s* **1.** Hurrikan *m*, Or'kan *m*, Wirbelsturm *m*. – **2.** *fig.* Wirbel *m*. — **~ bird** → frigate bird. — **~ deck** *s mar.* Sturm-, Prome'nadendeck *n*. — **~ lamp** *s* 'Sturmla,terne *f*. — **~ roof** *Am. für* **hurricane deck**.
hur·ried [*Br.* 'hʌrid; *Am.* 'həːrid] *adj* **1.** gehetzt. – **2.** eilig, hastig, schnell, über'eilt. — **'hur·ried·ness** *s* Über'eilung *f*, Eile *f*, Hast *f*. — **'hur·ri·er** *s* **1.** Dränger *m*, Antreiber *m*. – **2.** (*Bergbau*) *Br.* Fördermann *m*, Schlepper *m*.
hur·ry [*Br.* 'hʌri; *Am.* 'həːri] **I** *s* **1.** Hast *f*, Eile *f*: in a ~ in großer Eile, eilig, hastig; **he will not do that again in a ~** *colloq.* er wird es nicht so schnell wieder tun; **you will not beat that in a ~** *colloq.* das machst du nicht so schnell *od.* so leicht nach; **to be in a ~** Eile haben, es eilig haben, eilen; **in the ~ of business** im Drang der Geschäfte; **there is no ~** es ist keine Eile nötig, es hat keine Eile. – **2.** Eilen *n*, Hasten *n*. – *SYN. cf.* **haste**. – **II** *v/t* **3.** schnell *od.* eilig befördern *od.* bringen. – **4.** *oft* **~ up** an-, vorwärtstreiben, drängen, beschleunigen. – **5.** treiben, drängen (**into** zu). – **6.** (*etwas*) über'eilen. – **7.** (*Kohlenwagen*) schleppen. – **III** *v/i* **8.** *oft* **~ up** eilen, hasten, sich beeilen: **~ up!** beeilen Sie sich! beeile dich! **to ~ over s.th.** etwas flüchtig *od.* hastig erledigen. – **9.** sich über'eilen. — **~ call** *s* Notruf *m*. — **'~-'scur·ry, '~-'skur·ry** [*Br.* -'skʌri; *Am.* -'skəːri] **I** *s* Hast *f*, Über'stürzung *f*, Verwirrung *f*. – **II** *adj u. adv* über'stürzt, hastig, verwirrt. – **III** *v/t u. v/i* über'stürzt tun *od.* eilen.
hurst [həːrst] *s* **1.** Wäldchen *n*, Hain *m*, Gehölz *n*. – **2.** Sandbank *f*. – **3.** (Sand)-Hügel *m*. – **4.** bewaldeter Hügel. — **~ beech** *s bot.* Weiß-, Hainbuche *f* (*Carpinus betulus*).
hurt[1] [həːrt] **I** *v/t pret u. pp* **hurt** *obs. od. dial.* **'hurt·ed 1.** (*körperlich*) verletzen, verwunden. – **2.** schmerzen, (*dat*) weh tun: **the wound still ~s me.** – **3.** (*seelisch*) verletzen, kränken, (*dat*) weh tun: **it ~s her to think of it** es schmerzt sie, daran zu denken; **to ~ s.o.'s feelings** j-s Gefühle verletzen. – **4.** (*j-m*) schaden, (*j-m*) Schaden zufügen, (*j-n*) schädigen. – **5.** (*etwas*) beschädigen. – *SYN. cf.* **injure**. – **II** *v/i* **6.** (*seelisch od. körperlich*) schmerzen, weh tun: **my finger ~s.** – **7.** Schaden anrichten, schaden: **that won't ~** das schadet nichts. – **8.** *colloq.* Schmerzen *od.* Verletzungen erleiden. – **III** *s* **9.** (*körperlich*) Verletzung *f*, Verwundung *f*, Schmerz *m*. – **10.** (*seelisch*) Verletzung *f*, Kränkung *f*. – **11.** Schaden *m*, Beschädigung *f*, Übel *n*, Unheil *n*.
hurt[2] [həːrt] *s her.* blauer Kreis (*im Schilde*).
hurt·er ['həːrtər] *s tech.* **1.** (Achsen)-Stoßring *m*, Stoßeisen *n*, Achsring *m*, -stoß *m*. – **2.** (Land)Stoßbalken *m*, Stoßschwelle *f* (*bei Brücken*).
hurt·ful ['həːrtfəl; -ful] *adj* schädlich, schädigend, nachteilig (**to** für). — **'hurt·ful·ness** *s* Schädlichkeit *f*.
hur·tle ['həːrtl] **I** *v/i* **1.** (heftig) zu'sammenstoßen, -rennen, -prallen. – **2.** (**against**) anstoßen, anprallen (an *acc*), stoßen, prallen (gegen). – **3.** sausen, wirbeln, stürzen. – **4.** klirren, rasseln, prasseln. – **II** *v/t* **5.** schleudern, wirbeln, werfen. – **6.** stoßen *od.* prallen gegen. – **III** *s poet.* **7.** Zu'sammenprall *m*. – **8.** Klirren *n*, Rasseln *n*.
'hur·tle,ber·ry *s bot.* **1.** Heidelbeere *f* (*Vaccinium myrtillus*). – **2.** → **huckleberry**.
hurt·less ['həːrtlis] *adj* **1.** harmlos, unschädlich. – **2.** unverletzt, unversehrt.
hus·band ['hʌzbənd] **I** *s* **1.** Ehemann *m*, Gatte *m*, Gemahl *m*: **my ~** mein Mann; **~'s tea** *colloq.* schwacher u. kalter Tee. – **2.** *obs.* a) Verwalter *m*, Wirtschafter *m*, b) *auch* **ship's ~** *mar.* 'Schiffsin,spektor *m*. – **II** *v/t* **3.** haushälterisch verwalten, sparsam 'umgehen mit, haushalten mit: **to ~ one's strength** mit seinen Kräften haushalten. – **4.** *selten* a) heiraten, der Gatte werden von, b) als Ehemann handeln gegen. – **5.** *fig.* sich zu eigen machen. – **6.** *poet. od. humor.* mit einem Gatten versorgen. – **7.** *obs.* a) (*Land*) bebauen, b) (*Pflanzen*) anbauen. — **'hus·band·less** *adj* ohne Ehemann, unverheiratet (*Frau*). — **'hus·band·ly I** *adj* **1.** einem (guten) Ehemann geziemend, wie ein Ehemann. – **2.** sparsam, haushälterisch. – **3.** *selten* bäuerlich. – **II** *adv* **4.** sparsam. — **'hus·band·man** [-mən] *s irr* Bauer *m*, Landwirt *m*. — **'hus·band·ry** [-ri] *s* **1.** *agr.* Landwirtschaft *f*, Ackerbau *m*. – **2.** Haushaltung *f*, -wirtschaft *f*. – **3.** Sparsamkeit *f*, Wirtschaftlichkeit *f*. – **4.** Wirtschaftsführung *f*, Verwaltung *f*.
hush [hʌʃ] **I** *interj* **1.** still! pst! scht! – **II** *v/t pret u. pp* **hushed**, *obs.* **husht 2.** zum Schweigen *od.* zur Ruhe bringen. – **3.** *fig.* besänftigen, beruhigen: **to ~ s.o.'s fears** j-s Befürchtungen zerstreuen, j-n beruhigen. – **4.** *meist* **~ up** geheimhalten, vertuschen, totschweigen: **the affair was ~ed up** die Sache wurde vertuscht. – **5.** *sl.* totschlagen, 'umbringen. – **III** *v/i* **6.** still sein *od.* werden. – **IV** *s* **7.** Stille *f*, Ruhe *f*, Schweigen *n* (*bes. nach Lärm*). – **V** *adj obs.* **8.** still.
hush·a·by ['hʌʃə,bai] **I** *interj* eiapo'peia! (*beim Einschläfern eines Kindes*). – **II** *v/t* (*Kind*) einschläfern, in den Schlaf summen, einlullen.
'hush|-,hush *adj* geheim(gehalten), heimlich, Geheim... — **~ mon·ey** *s* Schweigegeld *n*. — **~ pup·py** *s Am. colloq. ein schnell hergestelltes salzloses Brot.* — **~ ship** *s mar.* U-Boot-Falle *f*.
husk [hʌsk] **I** *s* **1.** *bot.* a) Hülse *f*, Schale *f*, Schote *f*, b) *Am. bes.* Maishülse *f*. – **2.** *fig.* Schale *f* (wertlose *od.* grobe) Hülle. – **3.** *pl oft fig.* Spreu *f*, Abfall *m*. – **4.** *tech.* Gerüst *n*, *bes.* Mühl(stein)gerüst *n*. – **5.** *Bibl.* Schote *f* des Jo'hannisbrotbaums. – **II** *v/t* **6.** enthülsen, schälen. — **husked** *adj* **1.** mit einer Hülse *od.* Schale (versehen). – **2.** enthülst, geschält. — **'husk·er** *s* **1.** Enthülser(in). – **2.** *Am.* Teilnehmer(in) an einem husking. – **3.** 'Mais,schälma,schine *f*. – **4.** Schälhandschuh *m*. — **'husk·i·ness** *s* **1.** hülsige Beschaffenheit. – **2.** Heiserkeit *f*, Rauheit *f* (*Stimme*). — **'husk·ing** *s* **1.** Enthülsen *n*, Schälen *n*. – **2.** *auch* **~ bee** *Am.* geselliges Maisschälen.
husk·y[1] ['hʌski] **I** *adj* **1.** hülsig. – **2.** trocken, ausgedörrt. – **3.** belegt, heiser, rauh (*Stimme*). – **4.** *colloq.* stämmig, kräftig. – **II** *s colloq.* **5.** stämmiger Kerl.
Hus·ky[2] ['hʌski] *s* **1.** Eskimo *m*. – **2.** *auch* **h~** Eskimohund *m*. – **3.** Eskimosprache *f*.
hu·so ['hjuːsou; -zou] *s zo.* **1.** Hausen *m* (*Acipenser huso*; *Fisch*). – **2.** → **huchen**.
hus·sar [hu'zɑːr] *s mil.* Hu'sar *m*.
Huss·ite ['hʌsait] *relig. hist.* **I** *s* Hus'sit(in). – **II** *adj* hus'sitisch.
hus·sy ['hʌsi; -zi] *s* **1.** keckes Mädchen, freche Göre, ‚Fratz' *m*. – **2.** ‚leichtes Mädchen', Dirne *f*. – **3.** *humor.* Hexe *f*, ‚Biest' *n*. – **4.** *dial. für* **housewife 2**.
hus·tings ['hʌstiŋs] *s pl* (*meist als sg konstruiert*) **1.** Redner-, Wahlbühne *f*. – **2.** Wahl(vorgänge *pl*) *f*. – **3.** *jur.* lo'kaler Gerichtshof: a) *nur noch selten in der Londoner Guildhall*, b) *in Virginia*.
hus·tle ['hʌsl] **I** *v/t* **1.** stoßen, drängen. – **2.** vorwärtsdrängen, antreiben (**into** zu). – **3.** *colloq.* e'nergisch vor'antreiben. – **II** *v/i* **4.** sich drängen, hastig eilen. – **5.** sich einen Weg bahnen, sich 'durchdrängen. – **6.** *colloq.* unermüdlich *od.* mit Hochdruck arbeiten. – **III** *s* **7.** Gedränge *n*, Getriebe *n*, Stoßen *n*: **~ and bustle** Gedränge u. Gehetze. – **8.** *colloq.* Betriebsamkeit *f*, Schwung *m*, Tempo *n*. — **'hus·tler** *s* **1.** Dränger *m*. – **2.** *colloq.* ‚Arbeitstier' *n*, rühriger Mensch.
hus·wife ['hʌzif] → **housewife 2**.
hut [hʌt] **I** *s* **1.** Hütte *f*. – **2.** *mil.* Ba'racke *f*. – **3.** *Austral.* Arbeiterhaus *n* (*bes. für Schafscherer*). – **II** *v/t pret u. pp* **'hut·ted 4.** in Ba'racken *od.* Hütten 'unterbringen. – **III** *v/i* **5.** in Ba'racken 'untergebracht sein. – **6.** in Hütten hausen.
hutch [hʌtʃ] **I** *s* **1.** Kiste *f*, Kasten *m*, Trog *m*. – **2.** (kleiner) Stall, Verschlag *m*, Hütte *f*, Kasten *m*. – **3.** Hütte *f*. – **4.** (*Bergbau*) a) Schachtfördergefäß *n*, b) Hund *m*, c) Setzfaß *n*. – **5.** (*Müllerei*) Mehlbeutelkasten *m*. – **6.** *altes engl. Hohlmaß, für Kohlen* (= *70,5 cdm*). – **II** *v/t* **7.** aufsparen, horten. – **8.** (*Erz*) in einem Sieb waschen.
Hutch·ins's goose ['hʌtʃinziz] *s irr zo.* Hutchinsgans *f* (*Branta canadensis hutchinsi*).
hut·ment ['hʌtmənt] *s* Hütten-, Ba-['rackenlager *n*.]
Hut·to·ni·an·ism [hʌ'tounia,nizəm] *s geol.* Pluto'nismus *m*, plu'tonische Theo'rie (*von James Hutton, 1726–97*).
Huy·g(h)e·ni·an [hai'giːniən] *adj* Huygenssch(er, e, es): **~ eyepiece** *phys.* Huygenssches Okular.
huz·za [hə'zɑː; hu-] **I** *interj* hussa! juch'he! hur'ra! – **II** *s* Hur'ra(ruf *m*) *n*. – **III** *v/i pret u. pp* **huz'zaed** jauchzen, hur'ra rufen. – **IV** *v/t* (*j-m*) zujauchzen.
hy·a·cinth ['haiəsinθ] *s* **1.** *bot.* a) Hya'zinthe *f* (*Gattg Hyacinthus*), b) hyazinthenartige Pflanze, c) *antiq.* Hyazinthe *f* (*aus dem Blut des Hyakinthos entsprossen*). – **2.** *min.* Hya'zinth *m*, roter Zir'kon (*Edelstein*). – **3.** Hya'zinthrot *n*. – **4.** *her.* Pome'ranzengelb *n*. — **~ bean** *s bot.* Lablab-Bohne *f* (*Dolichos lablab*).
hy·a·cin·thine [,haiə'sinθain; -θin] *adj* **1.** hya'zinthenartig, Hyazinthen... – **2.** hya'zinthenfarbig. – **3.** mit Hya'zinthen geschmückt.
Hy·a·des ['haiə,diːz], **'Hy·ads** [-ædz] *s pl astr.* Hy'aden *pl*, Regensterne *pl*.
hy·ae·na *cf.* **hyena**.
hyal- [haiəl] → **hyalo-**.
hy·a·lin ['haiəlin] → **hyaline 2**.
hy·a·line ['haiə,lain; -lin] **I** *adj* **1.** hya'lin, glasig, gläsern, glasklar, 'durchsichtig. – **II** *s* **2.** [-liːn; -lin] *med.* Hya'lin *n*, hya'line Sub'stanz. – **3.** [-liːn; -lin] *med.* Glashaut *f* (*des Auges*). – **4.** (*etwas*) Glasartiges. – **5.** *poet.* a) Meer *n*, b) klarer Himmel. — **~ car·ti·lage** *s med.* hya'liner Knorpel. — **~ cast** *s med.* hya'liner Zy'linder.
hy·a·lite ['haiə,lait] *s min.* Hya'lit *m*, 'Glaso,pal *m*.
hyalo- [haiəlo] *Wortelement mit der Bedeutung* Glas, glasartig.

hy·al·o·gen [haiˈælodʒen; -ədʒən] *s biol.* Hyaloˈgen *n.*

hy·al·o·graph [haiˈæləˌgræ(ː)f; *Br. auch* -ˌgrɑːf] *s tech.* Hyaloˈgraph *m* (*Instrument zum Glasätzen*). — **hy·a·log·ra·phy** [ˌhaiəˈlɒgrəfi] *s* Hyalograˈphie *f.*

hy·a·loid [ˈhaiəˌlɔid] *med.* **I** *adj* hyaloˈid, glasartig, ˈdurchsichtig. – **II** *s* → ~ membrane. — **~ mem·brane** *s med.* Glashaut *f* (*des Auges*).

hy·a·lo·plasm [ˈhaiəloˌplæzəm] *s biol.* Hyaloˈplasma *n,* ˈdurchsichtiges Plasma. — **ˌhy·a·loˈplas·mic** [-ˈplæzmik] *adj* hyaloˈplasmisch.

hy·a·lu·ron·i·dase [ˌhaiəluˈrɒnideis] *s chem. med.* Hyaluroniˈdase *f* (*Ferment*).

hy·brid [ˈhaibrid] **I** *s* **1.** *biol.* Hyˈbride *f, m,* Bastard *m.* – **2.** Mischling *m,* Bastard *m.* – **3.** *ling.* Mischwort *n.* – **II** *adj* **4.** *biol.* hyˈbrid, mischerbig. – **5.** ungleichartig, gemischt. — **~ bill** *s pol. Br.* gemischte Gesetzesvorlage (*mit Merkmalen einer öffentlichen u. einer privaten Vorlage*). — **~ com·mit·tee** *s pol. Br.* Parlaˈmentsausschuß *m* für gemischte Gesetzesvorlagen.

hy·brid·ism [ˈhaibriˌdizəm] *s* **1.** → hybridity. – **2.** Hyˈbridenerzeugung *f,* Kreuzung *f,* Bastarˈdierung *f.* — **hyˈbrid·i·ty** *s* Hybriˈdismus *m,* Mischbildung *f.* — **ˌhy·brid·iˈza·tion** *s biol.* Hybridatiˈon *f,* Bastarˈdierung *f,* Kreuzung *f.* — **ˈhy·bridˌize** [-ˌdaiz] **I** *v/t* **1.** hybridiˈsieren, bastarˈdieren, kreuzen. – **II** *v/i* **2.** hybridiˈsieren, kreuzen. – **3.** sich kreuzen. — **ˈhy·bridˌiz·er** *s* Hyˈbridenzüchter *m.*

hy·dan·to·in [haiˈdæntoin] *s chem.* Hydantoˈin *n,* Glykoˈlylharnstoff *m* ($C_3H_4N_2O_2$).

hy·da·tid [ˈhaidətid] *med. zo.* **I** *s* **1.** Hydaˈtide *f,* (Hundebandwurm)Finne *f,* Echinoˈcoccus(geschwulst *f*) *m.* – **2.** Blasenwurm *m,* Finne *f.* – **II** *adj* **3.** Hydatiden...

hyd·no·car·pate [ˌhidnoˈkɑːrpeit] *s chem.* Hydnocarˈpat *n.*

hyd·no·car·pic ac·id [ˌhidnoˈkɑːrpik] *s chem.* Hydnoˈcarpussäure *f* (C_5H_7-$(CH_2)_{10}$·COOH).

hyd·noid [ˈhidnɔid] *adj bot.* stachelschwammartig. — **ˈhyd·num** [-nəm] *s bot.* Stachelschwamm *m* (*Gattg Hydnum*).

hydr- [haidr] → hydro-.

Hy·dra [ˈhaidrə] *pl* **-dras** *od.* **-drae** [-driː], *gen* **-drae** *s* **1.** *antiq.* Hydra *f* (*vielköpfige Schlange*). – **2.** h~ *fig.* Hydra *f* (*kaum auszurottendes Übel*). – **3.** *astr.* Hydra *f,* Wasserschlange *f.* – **4.** h~ *zo.* Hydra *f* (*Gattg Hydra*).

hy·drac·id [haiˈdræsid] *s chem.* Wasserstoffsäure *f.*

hy·dra·cryl·ic ac·id [ˌhaidrəˈkrilik] *s chem.* Hydraˈkrylsäure *f* ($C_3H_6O_3$).

hy·dra·gogue [ˈhaidrəˌgɒg; *Am. auch* -ˌgɔːg] *adj u. s med.* wasserabführend(es Mittel).

hy·dran·ge·a [haiˈdreindʒə] *s bot.* Horˈtensie *f* (*Gattg Hydrangea*).

hy·drant [ˈhaidrənt] *s tech.* Hyˈdrant *m.*

hy·dranth [ˈhaidrænθ] *s zo.* Hyˈdranth *m* (*Einzelpolyp eines Hydroidenstocks*).

hy·drar·gy·rism [haiˈdrɑːrdʒiˌrizəm] *s med.* Quecksilbervergiftung *f,* Merkuriaˈlismus *m.* — **hyˈdrar·gy·rum** [-dʒirəm] *s chem.* Quecksilber *n* (Hg). — **ˌhy·drarˈthro·sis** [-ˈθrousis] *s med.* Gelenkwassersucht *f.*

hy·dras·tine [haiˈdræstiːn; -tin], *auch* **hyˈdras·tin** [-tin] *s chem.* Hydraˈstin *n* ($C_{21}H_{21}O_6N$).

hy·dras·tis [haiˈdræstis] *s med.* Kanad. Gelbwurz(el) *f* (*Droge aus Hydrastis canadensis*).

hy·drate [ˈhaidreit] *chem.* **I** *s* Hyˈdrat *n.* – **II** *v/t* hydratiˈsieren, mit Wasser verbinden. — **ˈhy·drat·ed** *adj chem. min.* mit Wasser chemisch verbunden, hyˈdrathaltig. — **hyˈdra·tion** *s chem.* Hydratatiˈon *f,* Verbindung *f* mit Wasser.

hy·drau·lic [haiˈdrɔːlik] *phys. tech.* **I** *adj* **1.** hyˈdraulisch. – **2.** hyˈdraulisch, unter Wasser erhärtend: ~ **cement.** – **II** *s* **3.** hyˈdraulische Vorrichtung. – **4.** (angewandte) hyˈdraulische Kraft. – **III** *v/t pret u. pp* **-licked 5.** a) *Am.* (*goldhaltiges Gestein od. Gold*) durch Wasserstrahl auswaschen, b) druckstrahlbaggern. — **hyˈdrau·li·cal·ly** *adv* hyˈdraulisch.

hy·drau·lic| brake *s tech.* hyˈdraulische Bremse, Flüssigkeits-, *bes.* Öldruckbremse *f.* — **~ dock** *s mar.* Schwimmdock *n.* — **~ el·e·va·tor** *s tech.* hyˈdraulischer Aufzug. — **~ en·gi·neer·ing** *s tech.* Wasserbau *m.*

hy·drau·li·cian [ˌhaidrɔːˈliʃən] *s tech.* ˈWasserbauingeniˌeur *m.* — **ˌhy·drauˈlic·i·ty** [-ˈlisiti; -əti] *s tech.* Fähigkeit *f* (*des Zements*) unter Wasser zu erhärten.

hy·drau·lic| jack *s tech.* hyˈdraulische Winde, hydraulischer Hebebock. — **~ lift** *Br. für* **hydraulic elevator.** — **~ min·ing** *s* (*Bergbau*) Abschlämmen *n* durch Wasserstrahlen. — **~ mor·tar** *s tech.* hyˈdraulischer Mörtel, (Unter)ˈWassermörtel *m.* — **~ or·gan** *s mus.* Wasserorgel *f.* — **~ pow·er** *s tech.* hyˈdraulische Kraft. — **~ press** *s tech.* hyˈdraulische Presse, Wasserdruckpresse *f.* — **~ ram** *s tech.* **1.** hyˈdraulischer Widder. – **2.** Druckwasserpumpe *f.* – **3.** hyˈdraulische Presse, Druckwasserpresse *f.*

hy·drau·lics [haiˈdrɔːliks] *s pl* (*als sg konstruiert*) *phys.* Hyˈdraulik *f* (*Lehre von der Mechanik der flüssigen Körper*). — **hyˈdrau·list** → **hydraulician.**

hy·dra·zine [ˈhaidrəˌziːn; -zin], *auch* **ˈhy·dra·zin** [-zin] *s chem.* Hydraˈzin *n* (NH_2NH_2).

hydrazo- [haidræzo; haidrəzo] *chem. Wortelement, welches das Vorhandensein der Gruppe -HNNH- in Verbindung mit zwei Kohlenwasserstoffradikalen andeutet.* [Hydrazo...]

hy·draz·o [haiˈdræzou] *adj chem.*

hy·dra·zo·ate [ˌhaidrəˈzoueit] *s chem.* Aˈzid *n* (*Salz der Stickstoffwasserstoffsäure*). — **ˌhy·draˈzo·ic** [-ˈzouik] *adj chem.* Stickstoffwasserstoff... — **ˌhy·draˈzo·ic ac·id** *s chem.* Stickstoffwasserstoffsäure *f* (HN_3).

hy·dre·mi·a, *auch* **hy·drae·mi·a** [haiˈdriːmiə] *s med.* Hydräˈmie *f,* Blutverdünnung *f.* — **hyˈdre·mic** [-ˈdriːmik; -ˈdrem-] *adj* hyˈdrämisch.

hy·dric [ˈhaidrik] *adj chem.* Wasserstoff...: ~ **oxide** Wasser.

hy·dride [ˈhaidraid; -drid], *auch* **ˈhy·drid** [-drid] *s chem.* Hyˈdrid *n.*

hy·dri·od·ic ac·id [ˌhaidriˈɒdik] *s chem.* Jodwasserstoffsäure *f* (HJ).

hy·dri·o·dide [haiˈdraiəˌdaid; -did] *s chem.* Hydrojoˈdid *n,* Jodwasserstoffsalz *n.*

hy·dro [ˈhaidrou] *pl* **-dros** *s* **1.** *aer. colloq. für* **hydroplane** 1. – **2.** *med. Br. colloq. für* **hydropathic.** – **3.** *Am. colloq. für* **hydraulic power.**

hydro- [haidro] *Wortelement mit der Bedeutung* a) Wasser, b) Wasserstoff.

hy·dro·air·plane [ˌhaidroˈɛrˌplein] → hydroplane 1. — **ˌhy·droˈbiˌplane** [-ˈbaiˌplein] *s aer.* Doppeldecker-Wasserflugzeug *n.* — **ˈhy·droˌbomb** *s mil.* ˈLuft-, ˈFlugzeugtorˌpedo *m.*

hy·dro·bo·ra·cite [ˌhaidroˈbɔːrəˌsait] *s min.* Hydroboraˈzit *m* ($CaMgB_6$-$O_{11}\cdot 6\,H_2O$). — **ˌhy·droˈbro·mate** [-ˈbroumeit] *s* **1.** → bromide. – **2.** → hydrobromide.

hy·dro·bro·mic ac·id [ˌhaidroˈbroumik] *s chem.* Bromwasserstoffsäure *f* (HBr).

hy·dro·bro·mide [ˌhaidroˈbroumaid; -mid] *s chem.* hydroˈbromsaures Salz. — **ˌhy·droˈcar·bon** [-ˈkɑːrbən] *s chem.* Kohlenwasserstoff *m.* — **ˈhy·droˌcele** [-ˌsiːl] *s med.* Hydroˈcele *f,* (Hoden)Wasserbruch *m.* — **ˌhy·droˈcel·luˌlose** [-ˈseljuˌlous; -ljə-] *s chem.* ˈHydrozelluˌlose *f.*

hy·dro·ce·phal·ic [ˌhaidroseˈfælik; -sə-] *adj med.* hydrozeˈphal, wasserköpfig: a ~ **child** ein Kind mit einem Wasserkopf. — **ˌhy·droˈceph·aˌloid** [-ˈsefəˌlɔid] **I** *adj* wasserkopfartig. – **II** *s* Hydrozephaloˈid *n.* — **ˌhy·droˈceph·a·lous** *adj* mit einem Wasserkopf. — **ˌhy·droˈceph·a·lus** [-ləs], *auch* **ˌhy·droˈceph·a·ly** [-li] *s* Wasserkopf *m,* Gehirnwassersucht *f.*

hy·dro·chlo·rate [ˌhaidroˈklɔːreit] *s* **1.** → chloride. – **2.** → hydrochloride. — **ˌhy·droˈchlo·ric** *adj chem.* salzsauer: ~ **acid** Salzsäure, Chlorwasserstoff (HCl). — **ˌhy·droˈchlo·ride** [-raid; -rid], *auch* **ˌhy·droˈchlo·rid** [-rid] *s chem.* Hydrochloˈrid *n,* ˈChlorhyˌdrat *n.*

hy·dro·cy·an·ic [ˌhaidrosaiˈænik] *adj chem.* cyˈanwasserstoff-, blausauer: ~ **acid** Blausäure (HCN). — **ˌhy·droˈcy·aˌnide** [-ˈsaiəˌnaid; -nid] *s chem.* cyˈanwasserstoffsaures Salz.

hy·dro·dy·nam·ic [ˌhaidrodaiˈnæmik] *adj phys.* hydrodyˈnamisch. — **ˌhy·dro·dyˈnam·ics** *s pl* (*meist als sg konstruiert*) *phys.* Hydrodyˈnamik *f,* ˈStrömungsmeˌchanik *f.*

hy·dro·e·lec·tric [ˌhaidroiˈlektrik] *adj tech.* hydroeˈlektrisch: ~ **generating station** Wasserkraftwerk; ~ **machine** Dampfelektrisiermaschine. — **ˌhy·dro·eˌlecˈtric·i·ty** [-ˈtrisiti; -əti] *s* ˌHydroelektriziˈtät *f.*

hy·dro·ex·trac·tor [ˌhaidroeksˈtræktər] *s tech.* Zentriˈfuge *f,* Zentrifuˈgal-Trockenschleuder *f.*

hy·dro·flu·or·ic [ˌhaidrofluːˈɒrik; *Am. auch* -ˈɔːrik] *adj chem.* flußsauer: ~ **acid** Flußsäure, Fluorwasserstoffsäure (HF).

hy·dro·foil [ˈhaidroˌfɔil] *s mar. tech.* **1.** Trag-, Gleitfläche *f,* Tragflügel *m* (*Tragflächenboot*): ~ **rudder** Stromlinienruder. – **2.** Tragflächen-, Tragflügelboot *n.* — **ˈhy·droˌfuge** [-ˌfjuːdʒ] *adj zo.* kein Wasser annehmend. — **ˈhy·droˌgel** [-ˌdʒel] *s chem.* Hydroˈgel *n.*

hy·dro·gen [ˈhaidrədʒən] *s chem.* Wasserstoff *m* (H). — **ˈhy·dro·genˌate** [-ˌneit] *v/t chem.* **1.** mit Wasserstoff verbinden, hyˈdrieren. – **2.** (*Öle, Fette*) härten. — **ˌhy·dro·genˈa·tion** *s chem.* Hyˈdrierung *f*: ~ **of coal** Kohlehydrierung (*zur Gewinnung von Benzin etc aus Kohle*).

hy·dro·gen| bomb *s mil.* Wasserstoffbombe *f.* — **~ di·ox·ide** → **hydrogen peroxide.** — **~ i·on** *s chem.* (positives) ˈWasserstoffiˌon (H+).

hy·dro·gen·ize [ˈhaidrədʒəˌnaiz] → hydrogenate. — **hyˈdrog·e·nous** [-ˈdrɒdʒənəs] *adj* **1.** *chem.* wasserstoffhaltig, Wasserstoff... – **2.** *geol.* hydroˈgen, aus Wasser gebildet *od.* abgeschieden.

hy·dro·gen| per·ox·ide *s chem.* ˈWasserstoffˌsuperoˌxyd *n* (H_2O_2). — **~ sul·phide** *s chem.* Schwefelwasserstoff *m* (H_2S).

hy·drog·ra·pher [haiˈdrɒgrəfər] *s* **1.** Hydroˈgraph *m.* – **2.** *mar.* Seekartenzeichner *m.* — **hy·dro·graph·ic** [ˌhaidroˈgræfik; -drə-] *adj* hydroˈgraphisch: ~ **map** a) hydrographische Karte, b) *mar.* Seekarte; ~ **office** *mar.* Seewarte, hydrographisches Amt. — **ˌhy·droˈgraph·i·cal** → hydrographic. — **ˌhy·droˈgraph·i·cal·ly** *adv* (*auch zu* **hydrographic**). — **hyˈdrog·ra·phy** *s* **1.** Hydrograˈphie *f* (*Gewässerkunde u. -beschreibung*). – **2.** Gewässer *pl* (*einer Landkarte*).

hy·droid ['haidrɔid] *zo.* **I** *adj* **1.** Hydrozoen... – **2.** Polypen..., po'lypenartig, -förmig. – **II** *s* **3.** Hydro'zoon *n.* – **4.** Hydro'idpo,lyp *m* (*ungeschlechtliche Generation der Hydrozoen*).

hy·dro·ki·net·ic [,haidroki'netik], *auch* ,**hy·dro·ki'net·i·cal** [-kəl] *adj phys.* hydroki'netisch. — ,**hy·dro·ki'net·ics** *s pl* (*als sg konstruiert*) *phys.* Hydroki'netik *f.*

hy·dro·lase ['haidro,leis] *s biol.* Hydro'lase *f* (*ein Enzym*).

hy·dro·log·ic [,haidro'lɒdʒik], ,**hy·dro'log·i·cal** [-kəl] *adj* hydro'logisch. — ,**hy·dro'log·i·cal·ly** *adv* (*auch zu* hydrologic). — **hy'drol·o·gist** [-'drɒlədʒist] *s* Hydro'loge *m.* — **hy'drol·o·gy** *s* Hydrolo'gie *f*, Gewässerkunde *f.*

hy·drol·y·sis [hai'drɒlisis; -lə-] *pl* **-ses** [-,si:z] *s chem.* Hydro'lyse *f.* — '**hy·dro·lyte** [-drə,lait] *s chem.* Hydro'lyt *m.* — ,**hy·dro'lyt·ic** [-'litik] *adj chem.* hydro'lytisch. — '**hy·dro,lyz·a·ble** [-,laizəbl] *adj chem.* hydroli'sierbar. — ,**hy·dro·ly'za·tion** *s chem.* Hydroly'sierung *f.* — '**hy·dro,lyze** *v/t u. v/i chem.* hydroly'sieren.

hy·dro·manc·er ['haidro,mænsər; -drə-] *s* Hydro'mant *m.* — '**hy·dro,man·cy** *s* Hydroman'tie *f* (*Wahrsagen aus dem Wasser*). — ,**hy·dro'man·tic** [-tik] *adj* hydro'mantisch.

hy·dro·me·chan·i·cal [,haidromi'kænikəl) *adj* hydrome'chanisch. — ,**hy·dro·me'chan·ics** *s pl* (*als sg konstruiert*) *phys.* Hydrome'chanik *f.*

hy·dro·me·du·sa [,haidromi'dju:sə; -zə; *Am. auch* -'du:-] *pl* **-sae** [-si:; -zi:] *s zo.* Hydrome'duse *f.*

hy·dro·mel ['haidro,mel; -drə-] *s med.* Honigwasser *n*: **vinous** ~ Met.

hy·dro·met·al·lur·gi·cal [,haidro,metə'lə:rdʒikəl] *adj tech.* hydrometal'lurgisch. — ,**hy·dro'met·al,lur·gy** *s tech.* Naß-, Hydrome,tallur'gie *f.*

hy·dro·me·te·or [,haidro'mi:tiər; -drə-] *s phys.* Hydromete'or *m* (*Ausscheidung des atmosphärischen Wasserdampfes, wie Regen, Hagel etc*). — ,**hy·dro,me·te·or'ol·o·gy** [-'rɒlədʒi] *s phys.* ,Hydrometeorolo'gie *f.*

hy·drom·e·ter [hai'drɒmitər; -mə-] *s phys.* Hydro'meter *n.* — ,**hy·dro'met·ric** [-dro'metrik; -drə-], ,**hy·dro'met·ri·cal** *adj phys.* hydro'metrisch. — **hy'drom·e·try** [-tri] *s phys.* Hydrome'trie *f.*

hy·dro·mon·o·plane [,haidro'mɒnə,plein; -drə-] *s aer.* Eindecker-Wasserflugzeug *n.*

hy·dro·path ['haidro,pæθ; -drə-] → **hydropathist.** — ,**hy·dro'path·ic** *med.* **I** *s Br.* Wasserheilanstalt *f.* – **II** *adj* hydro'pathisch, Wasserbehandlungs... — ,**hy·dro'path·i·cal** → **hydropathic** II. — **hy'drop·a·thist** [-'drɒpəθist] *s med.* **1.** Hydro'path *m*, ,Hydrothera'peut *m*, Wasserarzt *m.* – **2.** Anhänger(in) der 'Wasserheilme,thode. — **hy'drop·a·thy** *s med.* Hydropa'thie *f*, ,Hydrothera'pie *f*, Wasserkur *f*, Kneippkur *f.*

hy·dro·phane ['haidro,fein; -drə-] *s min.* Hydro'phan *m*, 'Wassero,pal *m.* — **hy'droph·a·nous** [-'drɒfənəs] *adj min.* im Wasser 'durchsichtig.

hy·droph·i·lid [hai'drɒfilid] *zo.* **I** *s* Wasserkäfer *m* (*Fam. Hydrophilidae*). – **II** *adj* zu den Wasserkäfern gehörig.

hy·droph·i·lous [hai'drɒfiləs] *adj bot.* **1.** durch Vermittlung des Wassers befruchtet. – **2.** → **hydrophytic.**

hy·dro·phobe ['haidrə,foub] **I** *s med.* **1.** Wasserscheue(r). – **2.** Tollwutkranke(r). – **II** *adj* **3.** *chem.* hydro'phob (*Kolloid*). — ,**hy·dro'pho·bi·a** [-'foubiə] *s med.* **1.** Tollwut *f*, Wutkrankheit *f*, Rabies *f.* – **2.** krankhafte Wasserscheu. — ,**hy·dro'pho·bic,** *auch* ,**hy·dro'pho·bi·cal** *adj med.* **1.** hydro'phob. – **2.** Tollwut verursachend. – **3.** wasserscheu.

hy·dro·phone ['haidrə,foun] *s tech.* Hydro'phon *n*: a) 'Unterwasserschallempfänger *m*, Horchgerät *n*, b) *Gerät zum Überprüfen des Wasserdurchflusses durch Röhren*, c) *Verstärkungsgerät für Auskultation.* — '**hy·dro,phore** [-,fɔ:r] *s* Hydro'phor *m.* — ,**hy·dro·phyl'la·ceous** [-fi'leiʃəs] *adj bot.* zu den Wasserblattgewächsen gehörig. — '**hy·dro,phyte** [-,fait] *s bot.* Hydro'phyt *m*, Wasserpflanze *f.* — ,**hy·dro'phyt·ic** [-'fitik] *adj bot.* hydro'phytisch.

hy·drop·ic [hai'drɒpik], *auch* **hy'drop·i·cal** [-kəl] *adj med.* hy'dropisch, wassersüchtig.

hy·dro·plane ['haidrə,plein] **I** *s* **1.** *aer.* Wasserflugzeug *n.* – **2.** *aer.* Gleitfläche *f* (*eines Wasserflugzeugs*). – **3.** *mar.* Gleitboot *n.* – **4.** *mar.* Tiefenruder *n* (*eines U-Boots*). – **II** *v/i* **5.** über die Wasseroberfläche da'hingleiten. – **6.** in einem Gleitboot fahren.

hy·dro·pneu·mat·ic [,haidronju:'mætik; *Am. auch* -nu:-] *adj tech.* hydropneu'matisch.

hy·dro·pon·ic [,haidrə'pɒnik] *adj* hydro'ponisch. — ,**hy·dro'pon·ics** *s pl* (*als sg konstruiert*) Hydro'ponik *f*, 'Wasserkul,tur *f* (*Anbau ohne Erde in Nährlösungen*). — **hy'drop·o·nist** [-'drɒpənist] *s* 'Wasserkul,tur-Pflanzenzüchter *m.*

hy·dro·pro·pul·sion [,haidroprə'pʌlʃən] *s tech.* Wasserkraftantrieb *m.*

hy·drops ['haidrɒps], '**hy·drop·sy** [-si] *s med.* Hydrops *m*, Hydrop'sie *f*, Wassersucht *f.*

hy·dro·qui·none [,haidrokwi'noun], *auch* ,**hy·dro'quin·ol** [-'kwinoul; -nɒl] *s phot.* Hydrochi'non *n* ($C_6H_4(OH)_2$). — ,**hy·dro'rub·ber** [-'rʌbər] *s chem.* Hydrokautschuk *m* [$(C_5H_{10})x$]. — '**hy·dro,salt** [-,sɔ:lt] *s chem.* **1.** Hydro'gensalz *n*, saures Salz. – **2.** wasserhaltiges Salz.

hy·dro·scope ['haidrə,skoup] *s tech.* 'Unterwasser-Sichtgerät *n.* — ,**hy·dro'scop·ic** [-'skɒpik] *adj* hydro'skopisch.

hy·dro·sol ['haidrə,sɒl; -,soul], '**hy·dro,sole** [-,soul] *s chem.* Hydro'sol *n.* — '**hy·dro,some** [-,soum], *auch* ,**hy·dro'so·ma** [-'soumə] *s zo.* Po'lypenkörper *m.* — '**hy·dro,sphere** [-,sfir] *s geogr.* Hydro'sphäre *f*: a) *Wasserhülle der Erde*, b) *Wasserdampf der Atmosphäre.*

hy·dro·stat ['haidrə,stæt] *s* **1.** *tech.* Hydro'stat *m.* – **2.** *electr.* Wassermelder *m.* — ,**hy·dro'stat·ic,** *auch* ,**hy·dro'stat·i·cal** *adj phys.* hydro'statisch. — ,**hy·dro'stat·i·cal·ly** *adv* (*auch zu* hydrostatic). — ,**hy·dro'stat·ics** [-iks] *s pl* (*als sg konstruiert*) *phys.* Hydro'statik *f.*

hy·dro·sul·fate, hy·dro·sul·fid(e) *etc cf.* **hydrosulphate, hydrosulphid(e)** *etc.*

hy·dro·sul·phate [,haidro'sʌlfeit; -drə-] *s chem.* Hydro'gen-, 'Bisul,fat *n.* — ,**hy·dro'sul·phide** [-faid; -fid], *auch* ,**hy·dro'sul·phid** [-fid] *s chem.* Hydrosul'fid *n.* — ,**hy·dro'sul·phite** [-fait] *s chem.* **1.** Hydrosul'fit *n.* – **2.** 'Natriumhydrosul,fit *n* ($Na_2S_2O_4$). — ,**hy·dro'sul·phu,ret·(t)ed** [-fju(ə),retid] *adj chem.* schwefel'wasserstoffsauer. — ,**hy·dro·sul'phu·rous** [-sʌl'fju(ə)rəs; -'sʌlfjərəs] → **hyposulphurous.**

hy·dro·tac·tic [,haidro'tæktik] *adj biol.* hydro'taktisch. — ,**hy·dro'tax·is** [-'tæksis] *s biol.* Hydro'taxis *f* (*Bewegung wurzelloser Organismen in Richtungsbeziehung zum Wasser*).

hy·dro·tel·lu·ric ac·id [,haidrote'lju(ə)rik] *s chem.* Tel,lur'wasserstoffsäure *f* (H_2Te).

hy·dro·the·ca [,haidro'θi:kə; -drə-] *pl* **-cae** [-si:] *s zo.* Hydro'theca *f* (*becherförmiges Gehäuse um Hydroidpolypen*).

hy·dro·ther·a·peu·tic [,haidro,θerə'pju:tik] *adj med.* ,hydrothera'peutisch. — ,**hy·dro,ther·a'peu·tics** *s pl* (*als sg konstruiert*) *med.* Wasserheilkunde *f.* — ,**hy·dro'ther·a·pist** *s med.* ,Hydrothera'peut *m*, Wasserarzt *m.* — ,**hy·dro'ther·a·py** *s med.* ,Hydrothera'pie *f*, Wasserbehandlung *f.*

hy·dro·ther·mal [,haidro'θə:rməl; -drə-] *adj geol.* hydrother'mal: ~ **metamorphism** hydrothermale Umwandlung.

hy·dro·tho·rac·ic [,haidroθə'ræsik] *adj med.* brustwassersüchtig. — ,**hy·dro'tho·rax** [-'θɔ:ræks] *s med.* Hydro'thorax *m*, Brustwassersucht *f.*

hy·dro·tim·e·ter [,haidrə'timitər; -mə-] *s tech.* Hydroti'meter *n* (*Instrument zur Bestimmung der Wasserhärte*).

hy·dro·trop·ic [,haidro'trɒpik; -drə-] *adj biol.* hydro'tropisch. — **hy'drot·ro,pism** [-'drɒtrə,pizəm] *s bot.* Hydrotro'pismus *m* (*Bewegung von Teilen wurzelnder Pflanzen in Beziehung zum Wasser*).

hy·drous ['haidrəs] *adj bes. chem.* wasserhaltig.

hy·dro·vane ['haidro,vein] → **hydrofoil 1.**

hy·drox·ide [hai'drɒksaid; -sid], *auch* **hy'drox·id** [-sid] *s chem.* Hydro'xyd *n*: ~ **of sodium** Ätznatron (NaOH).

hy·drox·y [hai'drɒksi] *adj chem.* Hydroxyl..., Oxy...: ~ **acid** Hydroxylsäure; ~ **aldehyde** Oxyaldehyd; ~ **fatty acid** Oxyfettsäure. — **hy'drox·yl** [-sil] *s chem.* Hydro'xyl *n* (OH). — **hy,drox·yl·a'mine** [-silə'mi:n], *auch* **hy'drox·yl·a·min** [-min] *s chem.* Hydroxyla'min *n* (NH_2OH).

hy·drox·yl| group, ~ **rad·i·cal** → **hydroxyl.**

hy·dro·zinc·ite [,haidrə'ziŋkait] *s min.* Hydrozin'kit *n*, Zinkblüte *f.* — ,**hy·dro'zo·an** [-'zouən] *zo.* **I** *adj* zu den Hydro'zoen gehörig. – **II** *s* Hydro'zoon *n* (*Klasse Hydrozoa*).

Hy·drus ['haidrəs] *s astr.* Hydrus *m*, Kleine Wasserschlange (*südl. Sternbild*).

hy·dyne ['haidain] *s ein amer. Raketentreibstoff.*

hy·e·na [hai'i:nə] *s* **1.** *zo.* Hy'äne *f* (*Fam. Hyaenidae*): **brown** ~ Schabrackenhyäne, Strandwolf (*Hyaena brunnea*); **spotted** ~ Flecken-, Tüpfelhyäne (*Crocuta crocuta*); **striped** ~ Streifenhyäne (*Hyaena hyaena*). – **2.** → **thylacine.** – **3.** *fig.* Hy'äne *f.* — ~ **dog** *s zo.* Hy'änenhund *m* (*Lycaon pictus*).

hy·en·ic [hai'enik; -'i:nik], *auch* **hy·e·nine** [hai'i:nain; -nin] *adj zo.* hy'änenartig. — **hy'e·noid** *adj zo.* hy'änenähnlich.

hy·e·tal ['haiitl] *adj phys.* **1.** regnerisch. – **2.** Regen...

hyeto- [haiito; -tə; -tɒ] *Wortelement mit der Bedeutung* Regen.

hy·e·to·graph ['haiitə,græ(:)f; *Br. auch* -,grɑ:f] *s* **1.** *geogr.* Regenkarte *f.* – **2.** *phys.* Hyeto'graph *m* (*Art Regenmesser*). — ,**hy·e·to'graph·ic** [-'græfik], *auch* ,**hy·e·to'graph·i·cal** *adj* hyeto'graphisch. — ,**hy·e'tog·ra·phy** [-'tɒgrəfi] *s geogr.* Hyetogra'phie *f* (*Beschreibung der Regenverhältnisse u. -verteilung*). — ,**hy·e'tol·o·gy** [-'tɒlədʒi] *s phys.* Regenkunde *f.* — ,**hy·e'tom·e·ter** [-'tɒmitər; -mə-] *s phys.* Hyeto'meter *n*, Regenmesser *m.*

Hy·ge·ia [hai'dʒi:ə] *s* Hygi'eia *f* (*Göttin der Gesundheit*).

hy·g(i)e·ist ['haidʒiist] → **hygienist.**

hy·giene ['haidʒi:n; -dʒi,i:n] *s med.* Hygi'ene *f*, Gesundheitspflege *f*, -lehre *f*: **food** ~ Nahrungshygiene;

industrial ~ Gewerbehygiene; mental ~ Psychoprophylaxe; sex ~ Geschlechtshygiene; tropical ~ Tropenhygiene. — ˌ**hy·gi·en·ic** [*Br.* -ˈdʒiːnik; *Am.* -dʒiˈenik], ˌ**hy·giˈen·i·cal** *adj med.* hygiˈenisch. — ˌ**hy·giˈen·i·cal·ly** *adv* (*auch zu* hygienic). — ˌ**hy·giˈen·ics** *s pl* (*als sg konstruiert*) *med.* Hygiˈene *f*, Gesundheitslehre *f*. — ˈ**hy·gi·en·ist** [*Br.* -dʒiːnist; *Am.* -dʒiənist] *s med.* Hygiˈeniker(in): dental ~ Spezialist(in) für Zahnhygiene.

hygr- [haigr] → hygro-.

hy·grine [ˈhaigriːn; -grin], *auch* ˈ**hy·grin** [-grin] *s chem.* Hyˈgrin *n* ($C_8H_{15}NO$; *Alkaloid der Kokablätter*).

hygro- [haigro; -grə; -grɒ] *Wortelement mit der Bedeutung* feucht, Feuchtigkeit.

hy·gro·deik [ˈhaigrəˌdaik] *s phys.* (*Art*) Feuchtigkeitsanzeiger *m*. — ˈ**hy·gro·ˌgraph** [-ˌgræ(ː)f; *Br. auch* -ˌgrɑːf] *s phys.* Hygroˈgraph *m*, ˈselbstregiˌstrierender Luftfeuchtigkeitsmesser. — **hyˈgrol·o·gy** [-ˈgrɒlədʒi] *s phys.* Hygroloˈgie *f*.

hy·gro·ma [haiˈgroumə] *pl* **-gro·ma·ta** [-mətə] *od.* **-gro·mas** *s med.* Hyˈgrom *n* (*Schleimgeschwulst*).

hy·grom·e·ter [haiˈgrɒmitər; -mə-] *s phys.* Hygroˈmeter *n*, Luftfeuchtigkeitsmesser *m*. — **hy·gro·met·ric** [ˌhaigrəˈmetrik], *auch* ˌ**hy·groˈmet·ri·cal** *adj* 1. hygroˈmetrisch. – 2. hygroˈskopisch. — ˌ**hy·groˈmet·ri·cal·ly** *adv* (*auch zu* hygrometric). — **hyˈgrom·e·try** [-tri] *s phys.* Hygromeˈtrie *f*, (Luft)Feuchtigkeitsmessung *f*.

hy·gro·phyte [ˈhaigrəˌfait] *s bot.* Hygroˈphyt *m*, Feuchtpflanze *f*. — ˌ**hy·groˈphyt·ic** [-ˈfitik] *adj bot.* hygroˈphytisch.

hy·gro·scope [ˈhaigrəˌskoup] *s phys.* Hygroˈskop *n*, Feuchtigkeitsanzeiger *m*. — ˌ**hy·groˈscop·ic** [-ˈskɒpik], *auch* ˌ**hy·groˈscop·i·cal** *adj chem. phys.* hygroˈskopisch. — ˌ**hy·groˈscop·i·cal·ly** *adv* (*auch zu* hygroscopic). — ˌ**hy·gro·scoˈpic·i·ty** [-ˈpisiti; -əti] *s chem. phys.* Hygroskopiziˈtät *f*. — ˌ**hy·groˈstat·ics** [-ˈstætiks] *s pl* (*als sg konstruiert*) *phys.* Hygroˈstatik *f*.

hy·ing [ˈhaiiŋ] *pres p von* hie.

Hyk·sos [ˈhiksous; -sɒs] *s pl* Hyksos *pl*, Hirtenkönige *pl* (*altägyptische Dynastie*).

hyl- [hail] → hylo-.

hy·la [ˈhailə] → tree toad.

hy·lic [ˈhailik] *adj philos.* körperlich, materiˈell, hylisch.

hylo- [hailo] *Wortelement mit den Bedeutungen* a) Holz, b) Stoff, Materie.

hy·lo·mor·phism [ˌhailoˈmɔːrfizəm; -lə-] *s philos.* Hylomorˈphismus *m*.

hy·lo·the·ism [ˈhailoθiˌizəm] *s philos.* Hylotheˈismus *m* (*Lehre, daß die Materie Gott sei*).

hy·lo·zo·ic [ˌhailoˈzouik; -lə-] *adj philos.* hyloˈzoisch. — ˌ**hy·loˈzo·ism** *s philos.* Hylozoˈismus *m* (*Lehre, daß die Materie belebt sei*). — ˌ**hy·loˈzo·ist** *s* Hylozoˈist *m*. — ˌ**hy·lo·zoˈis·tic** *adj* hylozoˈistisch. — ˌ**hy·lo·zoˈis·ti·cal·ly** *adv*.

hy·men¹ [ˈhaimən] *s med.* Hymen *n*, Jungfernhäutchen *n*.

hy·men² [ˈhaimən] *s* 1. Hochzeit *f*, Ehe *f*. – 2. Hochzeitsgesang *m*, Hymen *m*.

hy·me·ne·al [ˌhaiməˈniːəl] I *adj* hochzeitlich, Hochzeits... – II *s* Hochzeitslied *n*. — ˌ**hy·meˈne·an** → hymeneal I.

hy·me·ni·um [haiˈmiːniəm] *pl* **-ni·a** [-niə] *od.* **-ni·ums** *s bot.* Hyˈmenium *n*, Sporenlager *n* (*der Ständerpilze*).

hymeno- [haimәno; -nə; -nɒ] *Wortelement mit der Bedeutung* Haut, Häutchen, Membran.

hy·men·oid [ˈhaiməˌnɔid] *adj* 1. *bot.* sporenlagerartig. – 2. hautartig, häutig. — ˌ**hy·me·no·myˈcete** [-nomaiˈsiːt] *s bot.* Hautpilz *m*. — ˈ**hy·me·noˌphore** [-nəˌfɔːr] *s bot.* Fruchtschicht-, Sporenlagerträger *m* (*der Ständerpilze*).

hy·me·nop·ter [ˈhaiməˌnɒptər] *pl* **-ter·a** [ˌhaiməˈnɒptərə] → hymenopteron. — ˌ**hy·meˈnop·ter·an** I *adj* zu den Hautflüglern gehörig. – II *s* → hymenopteron. — ˌ**hy·meˈnop·ter·ist** *s* Hymenˌopteroˈloge *m*. — ˌ**hy·meˌnop·terˈol·o·gy** [-ˈrɒlədʒi] *s* Hymenˌopteroloˈgie *f* (*Lehre von den Hautflüglern*). — ˌ**hy·meˈnop·terˌon** [-ˌrɒn; -rən] *pl* **-ter·a** [-tərə] *s* Hautflügler *m*. — ˌ**hy·meˈnop·ter·ous** *adj* zu den Hautflüglern gehörig: ~ insect Hautflügler.

hymn [him] I *s* 1. Hymne *f*, Hymnus *m*, Loblied *n*, -gesang *m*: → angelic¹. – 2. Kirchenlied *n*, geistliches Lied. – II *v/t* 3. (lob)preisen. – III *v/i* 4. Hymnen singen, lobpreisen. — ˈ**hym·nal** [-nəl] I *adj* hymnisch, Hymnen... – II *s* Hymnen-, Gesangbuch *n*, Hymˈnar *n*. — ˈ**hymnˌbook** → hymnal II. — ˈ**hym·nic** [-nik] *adj u. s* hymnenartig(es Muˈsikstück). — ˈ**hym·nist** *s* Kirchenlieder-, Hymnendichter(in).

hym·no·dist [ˈhimnədist] *s* Hymnensänger *m*, -dichter *m*. — ˈ**hym·no·dy** *s* 1. Hymnensingen *n*, -gesang *m*. – 2. Hymnoˈdie *f*, Hymnendichtung *f*. – 3. *collect.* Hymnen *pl*. — **hymˈnog·ra·pher** [-ˈnɒgrəfər] → hymnologist. — ˌ**hym·noˈlog·ic** [-nəˈlɒdʒik], ˌ**hym·noˈlog·i·cal** *adj* hymnoˈlogisch. — **hymˈnol·o·gist** [-ˈnɒlədʒist] *s* 1. ˈHymnendichter *m*, -kompoˌnist *m*. – 2. Hymnoˈloge *m*, Hymnenkenner *m*. — **hymˈnol·o·gy** *s* 1. Hymnoloˈgie *f*, Hymnenkunde *f*. – 2. ˈHymnenkompositiˌon *f*, -dichtung *f*. – 3. *collect.* Hymnen *pl*.

hy·oid [ˈhaiɔid] *med.* I *adj* hyoˈid, Zungenbein...: ~ bone Zungenbein. – II *s* Zungenbein *n*.

hy·os·cine [ˈhaiəˌsiːn; -sin], *auch* ˈ**hy·os·cin** [-sin] *s chem.* Hyoˈscin *n*, Scopolaˈmin *n* ($C_{17}H_{21}NO_4 + H_2O$). — ˌ**hy·osˈcy·aˌmine** [-ˈsaiəˌmiːn; -ˌmain], *auch* ˌ**hy·osˈcy·a·min** [-min] *s chem.* Hyoscyaˈmin *n* ($C_{17}H_{23}NO_3$).

hyp [hip] *colloq. obs.* I *s* Hypochonˈdrie *f*. – II *v/t pret u. pp* **hypped** schwermütig machen.

hyp- [haip; hip] → hypo-.

hyp·a·byss·al [ˌhipəˈbisl] *adj geol.* teilweise kristalˈlin.

hyp·aes·the·sia *etc cf.* hypesthesia *etc.*

hy·pae·thral [hiˈpiːθrəl; hai-] *adj antiq. arch.* dachlos, Hypäthral...: ~ temple Hypäthraltempel.

hyp·al·gi·a [hiˈpældʒiə; hai-] *s med.* Hypalgeˈsie *f* (*verminderte Schmerzempfindlichkeit*).

hy·pal·la·ge [hiˈpæləˌdʒiː; hai-; -ˌgiː] *s* Hypallaˈge *f* (*rhetorischer Ersatz eines Wortes od. Satzteils durch einen anderen*).

hy·pan·thi·um [hiˈpænθiəm; hai-] *pl* **-thi·a** [-θiə] *s bot.* Hyˈpanthium *n*, Blütenbecher *m*.

hyper- [haipər] *Wortelement mit den Bedeutungen*: a) hyper..., Hyper..., über..., b) höher, größer (als normal), c) übermäßig, d) übertrieben, e) *math.* hyper..., *bes.* vierdimensional, f) *chem.* hyper..., per...

hy·per [ˈhaipər] *s* 1. *Am. humor.* ˈübereifriger Mensch. – 2. *Br. humor.* a) ˈüberstrenger Kritiker, b) überstrenger Kalviˈnist.

hy·per·ac·id [ˌhaipərˈæsid] *adj bes. med.* hyperaˈzid, überˈsäuert, zu sauer. — ˌ**hy·per·aˈcid·i·ty** [-əˈsiditi; -əti] *s bes. med.* ˌHyperazidiˈtät *f*, Überˈsäuerung *f*.

hy·per·a·cu·si·a [ˌhaipərəˈkjuːʒiə; -ziə], ˌ**hy·per·aˈcu·sis** [-sis] *s med.* Hyperakuˈsie *f* (*übernormale Hörschärfe*).

hy·per·ae·mi·a, hy·per·aes·the·sia *etc cf.* hyperemia *etc.*

hy·per·al·ge·si·a [ˌhaipərælˈdʒiːziə; -siə] *s med.* ˌHyperalgeˈsie *f*. — ˌ**hy·per·alˈge·sic** *adj med.* schmerzˈüberempfindlich, hyperalˈgetisch. — ˌ**hy·per·alˈge·sis** → hyperalgesia.

hy·per·ba·ton [haiˈpəːrbətɒn] *pl* **-ba·ta** [-bətə] *s metr.* Hyˈperbaton *n* (*außergewöhnliche Wortstellung*).

hy·per·bo·la [haiˈpəːrbələ] *s math.* Hyˈperbel *f* (*Kegelschnitt*). — **hyˈper·bo·le** [-li; -ˌliː] *s* (*Rhetorik*) Hyˈperbel *f*, Überˈtreibung *f*.

hy·per·bol·ic [ˌhaipərˈbɒlik], *auch* ˌ**hy·perˈbol·i·cal** [-kəl] *adj* 1. *math.* hyperˈbolisch, Hyperbel... – 2. hyperˈbolisch, überˈtreibend. — ˌ**hy·perˈbol·i·cal·ly** *adv* (*auch zu* hyperbolic).

hy·per·bo·lism [haiˈpəːrbəˌlizəm] *s* Gebrauch *m* von Überˈtreibungen, überˈtreibende Ausdrucksweise. — **hyˈper·bo·list** *s* in Hyˈperbeln Redende(r), Überˈtreibende(r). — **hyˈper·boˌlize** *v/t u. v/i* überˈtreiben. — **hyˈper·boˌloid** *s math.* Hyperboloˈid *n*: ~ of one sheet einschaliges Hyperboloid; ~ of revolution Rotationshyperboloid.

Hy·per·bo·re·an [ˌhaipərˈbɔːriən] I *s* 1. Hyperboˈreer *m*. – II *adj* 2. *antiq.* hyperboˈreisch. – 3. h~ hyperboˈreisch, arktisch, nördlich. – 4. h~ *fig.* eisig, eiskalt. — ˌ**hy·perˌcat·aˈlec·tic** [-ˌkætəˈlektik] *adj metr.* hyperkataˈlektisch, mit ˈüberzähliger Silbe.

hy·per·crit·ic [ˌhaipərˈkritik] *s* ˈüberstrenger Kritiker, Kritiˈkaster *m*. — ˌ**hy·perˈcrit·i·cal** *adj* 1. ˈübermäßig *od.* allzu kritisch. – 2. ˈübergenau, peinlich genau. – *SYN. cf.* critical. — ˌ**hy·perˈcrit·iˌcism** [-ˌsizəm] *s* 1. allzu scharfe Kriˈtik. – 2. peinliche Genauigkeit, ˌHaarspalteˈrei *f*. — ˌ**hy·perˈcrit·iˌcize** [-ˌsaiz] *v/t u. v/i* allzu streng kritiˈsieren.

hy·per·du·li·a [ˌhaipərdjuˈlaiə; *Am. auch* -du-] *s relig.* Hyperduˈlie *f* (*übertriebener Marienkult*).

hy·per·e·mi·a [ˌhaipəˈriːmiə] *s med.* Hyperäˈmie *f*, ˈBlutüberˌfüllung *f*: active ~ Blutandrang; constriction-~ Biersche Stauung; passive ~ Blutstauung, -stockung. — ˌ**hy·perˈe·mic** [-ˈriːmik; -ˈremik] *adj* hyperˈämisch.

hy·per·es·the·si·a [ˌhaiparesˈθiːʒiə; -ʒiə; -əs-] *s med.* ˌHyperästheˈsie *f*, ˈÜberempfindlichkeit *f*. — ˌ**hy·per·esˈthet·ic** [-ˈθetik] *adj* 1. *med.* an ˌHyperästheˈsie leidend, ˈüberempfindlich. – 2. überˈtrieben äsˈthetisch.

hy·per·eu·tec·tic [ˌhaipərjuˈtektik] *adj tech.* ˈübereuˌtektisch (*Legierung*). — ˌ**hy·per·glyˈc(a)e·mi·a** [-glaiˈsiːmiə] *s med.* ˌHyperglykäˈmie *f*, Blutzuckererhöhung *f*.

hy·per·gol·ic [ˌhaipərˈgɒlik] *adj tech.* hyperˈgol (*von selbst zündend*; *Raketentreibstoffkombination*).

hy·per·ir·ri·ta·bil·i·ty [ˌhaipəˌriritəˈbiliti; -rət-; -əti] *s med.* ˈübermäßige Reizbarkeit. — ˌ**hy·perˈir·ri·ta·ble** *adj* ˈübermäßig reizbar.

hy·per·ki·ne·si·a [ˌhaipərkiˈniːsiə; -ziə], *auch* ˌ**hy·per·kiˈne·sis** [-sis] *s med.* Hyperkiˈnese *f*, ˈübermäßige Muskeltätigkeit. — ˌ**hy·per·kiˈnet·ic** [-ˈnetik] *adj* hyperkiˈnetisch.

hy·per·me·ter [haiˈpəːrmitər] *s* 1. *metr.* a) Hyˈpermeter *m* (*zu langer Vers*), b) Hyˈpermetron *n* (*zu lange Periode*). – 2. außerordentlich großer Mensch. — **hy·per·met·ric** [ˌhaipərˈmetrik], ˌ**hy·perˈmet·ri·cal** *adj metr.* 1. hyper-

ˈmetrisch (*um eine Silbe zu lang*). – 2. ˈüberzählig (*Silbe*).
hy·per·me·tro·pi·a [ˌhaipərmiˈtroupiə], ˌ**hy·perˈmet·ro·py** [-ˈmetrəpi] → hyperopia.
hy·per·nic [ˈhaipərnik] *s bot.* 1. Braˈsilholz *n* (*Caesalpinia echinata*). – 2. Nikaˈragua-Rotholz *n* (*Haematoxylon brasiletto*).
hy·per·on [ˈhaipərɒn] *s phys.* Hyperon *n* (*Elementarteilchen, dessen Masse zwischen der des Protons u. der des Deuterons liegt*).
hy·per·o·pi·a [ˌhaipəˈroupiə] *s med.* Weitsichtigkeit *f*, Hyperoˈpie *f*. — ˌ**hy·perˈop·ic** [-ˈrɒpik] *adj med.* weit-, ˈübersichtig.
hy·per·os·to·sis [ˌhaipərɒsˈtousis] *pl* **-to·ses** [-siːz] *s med.* Hyperoˈstose *f*, ˈKnochenhypertroˌphie *f*. — ˌ**hy·per·osˈtot·ic** [-ˈtɒtik] *adj* hyperoˈstotisch.
hy·per·phys·i·cal [ˌhaipərˈfizikəl] *adj* 1. hyperˈphysisch, ˈübersinnlich, -naˌtürlich. – 2. immateriˈell. — ˌ**hy·perˈphys·ics** *s pl* (*als sg konstruiert*) Hyperphyˈsik *f*, Lehre *f* vom ˈÜbersinnlichen.
hy·per·pi·e·si·a [ˌhaipərpaiˈiːʒiə; -siə], ˌ**hy·per·piˈe·sis** [-sis] *s med.* Bluthochdruck *m*, Hypertoˈnie *f*. — ˌ**hy·per·piˈtu·i·taˌrism** [-piˈtjuːitəˌrizəm; *Am. auch* -ˈtuː-] *s med.* Hyperpiˌtuitaˈrismus *m*, Hypoˈphysenˌüberfunktiˌon *f*. — ˈ**hyperˌplane** [-ˌplein] *s math.* Hyperebene *f*.
hy·per·pla·si·a [ˌhaipərˈpleiʒiə; -ziə] *s med.* Hyperplaˈsie *f* (*abnorme Vermehrung der Gewebselemente*). — ˌ**hy·perˈplas·ic** [-ˈplæsik], ˌ**hy·perˈplas·tic** [-tik] *adj* hyperˈplastisch.
hy·per·ploid [ˈhaipərˌplɔid] *adj biol.* hyperploˈid (*mit höherer als diploider Chromosomenzahl*). — ˈ**hy·perˌploid·y** *s biol.* Hyperploiˈdie *f*.
hy·perp·n(o)e·a [ˌhaipərpˈniːə; -pərˈn-] *s med.* Hyperˈpnoe *f*, vermehrte Atmung.
hy·per·py·ret·ic [ˌhaipərpaiˈretik] *adj med.* hyperpyˈretisch, sehr hoch fiebernd. — ˌ**hy·per·pyˈrex·i·a** [-ˈreksiə] *s med.* Hyperpyreˈxie *f*, abˈnorm hohes Fieber. — ˌ**hy·per·pyˈrex·i·al** *adj* hochfiebrig.
hy·per·sen·si·tive [ˌhaipərˈsensitiv; -sət-] *adj* ˈüberempfindlich (to gegen). — ˌ**hy·perˈsen·si·tive·ness**, ˌ**hy·perˌsen·siˈtiv·i·ty** [-ˈtiviti; -əti] *s* ˈÜberempfindlichkeit *f*.
hy·per·son·ic [ˌhaipərˈsɒnik] *adj phys.* mit fünf- *od.* noch mehrfacher Schallgeschwindigkeit. — ˈ**hy·perˌspace** [-ˌspeis] *s math.* Hyperraum *m*, ˈvierdimensioˌnaler Raum. — ˈ**hy·perˌsphere** [-ˌsfir] *s math.* Hypersphäre *f*.
hy·per·sthene [ˈhaipərˌsθiːn] *s min.* Hyperˈsthen *m*, Pauˈlit *m*. — ˌ**hy·perˈsthen·ic** [-ˈsθenik] *adj min.* Hypersthen..., hyperˈsthenhaltig.
hy·per·sur·face [ˈhaipərˌsəːrfis] *s math.* Hyperfläche *f*.
hy·per·ten·sion [ˌhaipərˈtenʃən] *s med.* Hypertensiˈon *f*, Bluthochdruck *m*, Hypertoˈnie *f*. — ˌ**hy·perˈten·sive** [-siv] *med.* **I** *adj* erhöhten Blutdruck habend. – **II** *s* Hyperˈtoniker(in).
hy·per·therm [ˈhaipərˌθəːrm] *s med.* *Apparat, der durch feuchte Heißluft künstlich Fieber hervorruft.*
hy·per·thy·roid [ˌhaipərˈθairɔid] *s med.* an Hyperthyreˈose Leidende(r). — ˌ**hy·perˈthy·roidˌism** *s med.* Hyperthyreˈose *f*, Hyperˌthyreoiˈdismus *m* (*Überfunktion der Schilddrüse*).
hy·per·to·ni·a [ˌhaipərˈtouniə] *s med.* Hypertoˈnie *f*, hoher Tonus, ˈübermäßige Spannung *od.* Tonižiˈtät. — ˌ**hy·perˈton·ic** [-ˈtɒnik] *adj chem. med.* hyperˈtonisch. — ˌ**hy·per·toˈnic·i·ty** [-toˈnisiti; -əti] *s chem. med.* Hypertoˈnie *f*.
hy·per·troph·ic [ˌhaipərˈtrɒfik], **hy·per·tro·phied** [haiˈpəːrtrəfid] *adj biol. med.* hyperˈtrophisch, ˈüberentwickelt. — **hyˈper·tro·phy** *biol. med.* **I** *s* Hypertroˈphie *f*, ˈÜberentwicklung *f*, ˈübermäßige Vergrößerung (*auch fig.*). – **II** *v/i u. v/t* hypertroˈphieren, ˈübermäßig wachsen *od.* vergrößern.
hy·per·ven·ti·la·tion [ˌhaipərˌventiˈleiʃən; -tə-] *s med.* ˌHyperventilatiˈon *f* (*übermäßige Atmung*). — ˌ**hy·perˌvi·ta·miˈno·sis** [-ˌvaitəmiˈnousis; -ˌvit-] *s med.* ˌHypervitamiˈnose *f* (*Erkrankung durch zu große Vitaminzufuhr*).
hyp·es·the·si·a [hipesˈθiːziə; -ʒiə] *s med.* Hypästheˈsie *f* (*verminderte sinnliche Wahrnehmungskraft*). — ˌ**hyp·esˈthe·sic** [-sik] *adj med.* hypäsˈthetisch.
hy·pe·thral *cf.* hypaethral.
hy·pha [ˈhaifə] *pl* **-phae** [-fiː] *s bot.* Hyphe *f*, Zellfaden *m* (*der Pilze*). — ˈ**hy·phal** *adj* hyphenartig, Hyphen...
hy·phe·ma, *auch* **hy·phae·ma** [haiˈfiːmə], **hyˈphe·mi·a**, *auch* **hyˈphae·mi·a** [-miə] *s med.* 1. Hyˈphäma *n*, Anäˈmie *f*, Blutarmut *f*. – 2. Vorderkammerblutung *f*.
hy·phen [ˈhaifən] **I** *s* 1. Bindestrich *m*, Trennungszeichen *n*. – 2. kurze Sprechpause (*zwischen Silben*). – **II** *v/t* 3. mit einem Bindestrich versehen *od.* schreiben.
hy·phen·ate [ˈhaifəˌneit] **I** *v/t* 1. durch einen Bindestrich verbinden. – 2. mit (einem) Bindestrich schreiben. – **II** [-ˌnit] *adj* 3. mit Bindestrich geschrieben. – **III** *s* → hyphenated American. — ˈ**hy·phenˌat·ed A·mer·i·can** *s* (*meist verächtlich*) ˈHalbameriˌkaner *m*, nicht echter Ameriˈkaner. — ˌ**hy·phenˈa·tion**, ˌ**hy·phen·iˈza·tion** *s* Schreibung *f od.* Verbindung *f* mit Bindestrich. — ˈ**hy·phenˌize** → hyphenate I.
hy·pho·my·cete [ˌhaifomaiˈsiːt] *s bot.* Faden-, Schimmelpilz *m*.
hyp·i·no·sis [ˌhipiˈnousis] *s med.* Hypiˈnose *f* (*Fibrinmangel im Blut*). — ˌ**hyp·iˈnot·ic** [-ˈnɒtik] *adj* an Fiˈbrinmangel leidend.
hypn- [hipn], **hypno-** [hipno; -nə; -nɒ] *Wortelemente mit den Bedeutungen* a) Schlaf, b) Hypnose.
hyp·no·a·nal·y·sis [ˌhipnoəˈnæləsis] *s psych.* Hypnoanaˈlyse *f*, psychoanaˈlytische Behandlung durch Hypˈnose. — ˌ**hyp·noˌan·esˈthe·si·a** *s* hypˈnotischer Schlaf. — ˌ**hyp·noˈgen·e·sis** [-ˈdʒenisis; -nəs-] *s med.* Herˈvorrufung *f* von Hypˈnose. — ˌ**hyp·no·geˈnet·ic** [-dʒəˈnetik] *adj med.* 1. Schlaf erzeugend. – 2. Hypˈnose bewirkend.
hyp·noid [ˈhipnɔid], **hypˈnoi·dal** [-dəl] *adj psych.* 1. hypˈnoseähnlich. – 2. schlafähnlich, hypnoˈid.
hyp·no·log·ic [ˌhipnəˈlɒdʒik], ˌ**hyp·noˈlog·i·cal** [-kəl] *adj* hypnoˈlogisch. — **hypˈnol·o·gist** [-ˈnɒlədʒist] *s* Hypnoˈloge *m* — **hypˈnol·o·gy** *s* Hypnoloˈgie *f*, Lehre *f* vom (hypˈnotischen) Schlaf.
hyp·no·sis [hipˈnousis] *pl* **-ses** [-siːz] *s med.* 1. Hypˈnose *f*, hypˈnotischer Schlaf. – 2. schlafähnlicher Zustand. – 3. Schlaferzeugung *f*. – 4. Hypnoˈtismus *m*.
hyp·no·spore [ˈhipnəˌspɔːr] *s bot.* ruhende Spore. — ˌ**hyp·noˈther·a·py** [-ˈθerəpi] *s med.* Hypˈnosebehandlung *f*.
hyp·not·ic [hipˈnɒtik] *med.* **I** *adj* 1. hypˈnotisch. – 2. für Hypˈnose empfänglich. – 3. hypnotiˈsiert. – 4. schlaf(be)fördernd, schlaferzeugend. – **II** *s* 5. Schlaf-, Betäubungsmittel *n*. – 6. leicht hypnotiˈsierbarer Mensch. – 7. Hypnotiˈsierte(r). — **hypˈnot·i·cal·ly** *adv*.
hyp·no·tism [ˈhipnəˌtizəm] *s med.* 1. Hypˈnotik *f* (*Lehre von der Hypnose*). – 2. Hypnoˈtismus *m*. – 3. Hypˈnose *f*. — ˈ**hyp·no·tist** *s* 1. Hypnotiˈseur *m*. – 2. Anhänger(in) des Hypnoˈtismus. — ˈ**hyp·noˌtiz·a·ble** [-ˌtaizəbl] *adj med.* hypnotiˈsierbar. — ˌ**hyp·no·tiˈza·tion** *s* Hypnotiˈsierung *f*. — ˈ**hyp·noˌtize** **I** *v/t* 1. *med.* hypnotiˈsieren. – 2. *fig.* hypnotiˈsieren, fasziˈnieren. – **II** *v/i* 3. hypnotiˈsieren. — ˈ**hyp·noˌtiz·er** *s med.* Hypnotiˈseur *m*. — ˈ**hyp·noˌtoid** *adj med.* hypˈnoseartig.
hy·po[1] [ˈhaipou] *s chem. phot.* Natriumˈthiosulˌfat *n*, Fiˈxiersalz *n*, ˈunterschwefligsaures Natron ($Na_2S_2O_3$·$5H_2O$) (*Kurzform für* **hyposulphite**).
hy·po[2] [ˈhaipou] *pl* **-pos** *colloq. für* a) hypodermic injection, b) hypodermic syringe.
hy·po[3] [ˈhaipou] *colloq. obs. für* hypochondria 1.
hypo- [haipo; hipo; -pə; -pɒ] *Wortelement mit den Bedeutungen* a) unter-(halb), tiefer, b) geringer, weniger, abnorm gering *od.* schwach, c) Unter..., Hypo..., Sub...
hy·po·a·cid·i·ty [ˌhaipoəˈsiditi; -əti] *s med.* ˌHyp-, ˌSubazidiˈtät *f*, Säuremangel *m*.
hy·po·blast [ˈhaipəˌblæst; ˈhip-] *s med. zo.* Hypo-, Entoˈblast *n*, inneres Keimblatt, untere Keimhaut. — ˌ**hy·poˈblas·tic** *adj* hypoˈblastisch.
hy·po·bran·chi·al [ˌhaipəˈbræŋkiəl; ˌhip-] *adj zo.* unter den Kiemen liegend. — ˌ**hy·poˈbro·mous ac·id** [-ˈbrouməs] *s chem.* ˈunterbromige Säure (HBrO). — ˈ**hyp·oˌcaust** [-ˌkɔːst] *s antiq. arch.* Hypoˈkaustum *n* (*Heizraum*). — ˈ**hyp·o·chil** [-kil], ˌ**hy·poˈchil·i·um** [-ˈkiliəm] *s bot.* unterer Lippenteil (*der Orchideenblüte*).
hy·po·chlor·hy·dri·a [ˌhaipoklɔːrˈhaidriə; ˌhip-] *s med.* ˌHypoˌchlorhyˈdrie *f*, ˌHyp-, ˌSubazidiˈtät *f* (*Magensaft*). — ˌ**hy·poˈchlo·rite** *s chem.* ˈunterchlorigsaures Salz. — ˌ**hy·poˈchlo·rous ac·id** *s chem.* ˈunterchlorige Säure (HClO).
hy·po·chon·dri·a [ˌhaipəˈkɒndriə; ˌhip-] *s med.* 1. Hypochonˈdrie *f*. – 2. *pl von* hypochondrium. — ˌ**hy·poˈchon·driˌac** [-driˌæk] *med.* **I** *adj* 1. hypoˈchondrisch. – 2. Unterrippen..., Rippenbogen... – **II** *s* 3. Hypoˈchonder *m*. — ˌ**hy·po·chonˈdri·a·cal** [-ˈdraiəkəl] → hypochondriac I. — ˌ**hy·po·chonˈdri·a·cal·ly** *adv* (*auch zu* hypochondriac I). — ˌ**hy·po·chonˈdri·a·sis** [-ˈdraiəsis] *s med.* Hypochonˈdrie *f*, Krankheitswahn *m*. — ˌ**hy·poˈchon·driˌast** [-driˌæst] *s med.* Hypoˈchonder *m*. — ˌ**hy·poˈchon·dri·um** [-driəm] *pl* **-dri·a** [-driə] *s med.* Hypoˈchondrium *n*, ˈUnterrippengegend *f*.
hy·po·chro·mi·a [ˌhaipəˈkroumiə; ˌhip-] *s med.* Hypochroˈmie *f* (*mangelhafte Pigmentierung*).
hy·poc·o·rism [haiˈpɒkəˌrizəm; hiˈp-] *s ling.* 1. a) Kosename *m*, b) Spitzname *m*, c) eupheˈmistisches Wort. – 2. Verwendung *f od.* Bildung *f* hypokoˈristischer Wörter. — ˌ**hy·po·coˈris·tic** [-pəkoˈristik], ˌ**hy·po·coˈris·ti·cal** *adj* hypokoˈristisch. — ˌ**hy·po·coˈris·ti·cal·ly** *adv* (*auch zu* hypocoristic).
hy·po·cot·yl [ˌhaipəˈkɒtil; -tl; ˌhip-] *s bot.* Hypokoˈtyl *n*, Wurzelhals *m*, Keimblätterträger *m*. — ˌ**hy·poˈcot·y·lous** *adj* Hypokotyl...
hy·poc·ri·sy [hiˈpɒkrəsi] *s* Heucheˈlei *f*, Scheinheiligkeit *f*, Hypokriˈsie *f*. — **hyp·o·crite** [ˈhipəˌkrit] *s* Heuchler (-in), Scheinheilige(r), Hypoˈkrit *m*. — ˌ**hyp·oˈcrit·i·cal** *adj* heuchlerisch, scheinheilig, hypoˈkritisch.

hy·po·cy·cloid [ˌhaipəˈsaiklɔid; ˌhip-] *s math.* ˌHypozykloˈide *f.* — ˌ**hy·po·cyˈcloi·dal** *adj* ˌhypozykloiˈdal.

hy·po·der·ma [ˌhaipəˈdəːrmə; ˌhip-], *auch* ˈ**hy·poˌderm** *s* **1.** *bot.* Hypoˈderm *n*, ˈUnterhautgewebe *n.* – **2.** → hypodermis 1. — ˌ**hy·poˈder·mal** *adj* **1.** *bot.* a) Hypoderm..., Unterhaut..., b) unter der Epiˈdermis gelegen. – **2.** → hypodermic 2. — ˌ**hy·poˈder·mic I** *adj* **1.** *med.* subkuˈtan, subderˈmal, hypoderˈmatisch. – **2.** *zo.* Hypoderm... – **II** *s med.* **3.** Einspritzung *f* unter die Haut. – **4.** hypoderˈmatische Spritze. – **5.** subkuˈtan angewandtes Mittel. — ˌ**hy·poˈder·mi·cal·ly** *adv med.* subkuˈtan.

hy·po·der·mic| in·jec·tion *s med.* subkuˈtane Injektiˈon. — **~ med·i·ca·tion** *s med.* Verabreichung *f* von Heilmitteln durch subkuˈtane Injektiˈon. — **~ nee·dle** *s med.* **1.** Nadel *f* einer subkuˈtanen Spritze. – **2.** subkuˈtane Spritze. — **~ syr·inge** *s med.* Spritze *f* zur subkuˈtanen Injektiˈon, Pravaz-Spritze *f.*

hy·po·der·mis [ˌhaipəˈdəːrmis; ˌhip-] *s* **1.** *zo.* Hypoˈderm *n.* – **2.** → hypoderma 1.

hy·po·eu·tec·tic [ˌhaipojuˈtektik; ˌhip-] *adj tech.* ˈhypo-, ˈuntereuˌtektisch (*Legierung*). — **hy·po·gae·ous** *cf.* hypogeous.

hy·po·gas·tric [ˌhaipoˈgæstrik; ˌhip-] *adj med.* hypoˈgastrisch, Unterbauch... — ˌ**hy·poˈgas·tri·um**[-triəm] *pl* **-tri·a** [-triə] *s med.* Hypoˈgastrium *n*, ˈUnterbauchgegend *f.*

hy·po·ge·al [ˌhaipəˈdʒiːəl; ˌhip-] *adj* **1.** ˈunterirdisch. – **2.** → hypogeous. — ˌ**hy·poˈge·an** → hypogeous. — ˈ**hyp·oˌgene** [-ˌdʒiːn] *adj geol.* hypoˈgen (*unterirdisch od. plutonisch gebildet*): **~ water** aszendentes Wasser. — **hyˈpog·e·nous** [-ˈpɒdʒənəs] *adj bot.* auf der ˈUnterseite (*von Blättern etc*) wachsend. — ˌ**hy·poˈge·ous** [-ˈdʒiːəs] *adj* **1.** *bot.* hypoˈgäisch, ˈunterirdisch wachsend *od.* reifend. – **2.** *zo.* ˈunterirdisch lebend. – **3.** ˈunterirdisch. — ˌ**hyp·oˈge·um** [-ˈdʒiːəm] *pl* **-ˈge·a** [-ˈdʒiːə] *s antiq. arch.* Hypoˈgäum *n* (*Keller od. Gruft*).

hy·po·glos·sal [ˌhaipəˈglɒsl; ˌhip-] *med. zo.* **I** *adj* unter der Zunge liegend, sublinˈgual, Unterzungen... – **II** *s* ˈUnterzungennerv *m.* — ˌ**hy·poˈglot·tis** [-ˈglɒtis] *s med.* **1.** ˈUnterzungengegend *f.* – **2.** Froschgeschwulst *f*, Ranula *f.*

hy·pog·y·nous [haiˈpɒdʒinəs; -dʒə-; hiˈp-] *adj bot.* hypoˈgyn: a) *unterhalb des Fruchtknotens befindlich* (*Blütenblätter*), b) *oberständig* (*Fruchtknoten*), c) *mit oberständigem Fruchtknoten* (*Blüte*). — **hyˈpog·y·ny** *s bot.* Hypogyˈnie *f.*

hy·po·ma·ni·a [ˌhaipoˈmeiniə; ˌhip-] *s med.* Hypomaˈnie *f*, leichte Maˈnie. — ˌ**hy·poˈma·nic** [-ˈmeinik; -ˈmænik] *adj* hypoˈmanisch.

hy·po·nas·tic [ˌhaipəˈnæstik; ˌhip-] *adj bot.* hypoˈnastisch. — ˌ**hy·poˈnas·ti·cal·ly** *adv.* — ˈ**hy·poˌnas·ty** *s bot.* Hyponaˈstie *f* (*stärkeres Wachstum an der Unterseite*).

hy·po·ni·trite [ˌhaipəˈnaitrait] *s chem.* Hyponiˈtrit *n.* — ˌ**hy·poˈni·trous ac·id** *s chem.* ˈuntersalˌpetrige Säure ($H_2N_2O_2$).

hy·po·phar·ynx [ˌhaipəˈfæriŋks] *pl* **-pha·ryn·ges** [-fəˈrindʒiːz] *od.* **-phar·ynx·es** *s zo.* Hypoˈpharynx *m* (*zungenartige Hautfalte vieler Insekten*).

hy·po·phos·phate [ˌhaipəˈfɒsfeit] *s chem.* ˈHypophosˌphat *n* ($Me_4P_2O_6$). — ˌ**hy·poˈphos·phite** [-fait] *s chem.* Hypophosˈphit *n* (H_2PO_2Me). — ˌ**hy·po·phosˈphor·ic ac·id** [-ˈfɒrik; *Am. auch* -ˈfɔːrik] *s chem.* ˈUnterphosphorsäure *f* ($H_4P_2O_6$). — ˌ**hy·poˈphos·pho·rous ac·id** [-fərəs] *s chem.* ˈunterphosˌphorige Säure (H_3PO_2).

hy·po·phys·e·al, hy·po·phys·i·al [ˌhaipəˈfiziəl; ˌhip-] *adj med.* hypophyˈsär, Hypophysen... — **hyˈpoph·y·sis** [-ˈpɒfisis] *pl* **-y·ses** [-ˌsiːz] *s* Hypoˈphyse *f*: a) *med.* Hirnanhang *m*, b) *bot.* Anschlußzelle *f* (*Keimlingsteil*).

hy·po·pi·tu·i·ta·rism [ˌhaipopiˈtjuːitəˌrizəm; *Am. auch* -ˈtuː-] *s med.* Hypoˌpituitaˈrismus *m* (*Unterfunktion der Hypophyse*).

hy·po·pla·si·a [ˌhaipəˈpleiʒiə; -ziə] *s* **1.** *med.* Hypoplaˈsie *f*, ˈUnterentwicklung *f.* – **2.** *bot.* Entwicklungshemmung *f.* — ˌ**hy·poˈplas·tic** [-ˈplæstik] *adj* hypoˈplastisch.

hy·po·ploid [ˈhaipəˌplɔid] *adj biol.* hypoploˈid (*mit Verlust von Chromosomenstücken*). — ˈ**hy·poˌploid·y** *s* Hypoploiˈdie *f.*

hy·po·po·di·um [ˌhaipəˈpoudiəm] *pl* **-di·a** [-diə] *s bot.* Hypoˈpodium *n* (*Achsenstück unterhalb eines Vorblatts*).

hy·po·py·on [haiˈpoupiˌɒn; hiˈp-] *s med.* Hyˈpopyon *n* (*Eiteransammlung in der Vorderkammer des Auges*).

hy·pos·ta·sis [haiˈpɒstəsis; hiˈp-] *pl* **-ses** [-ˌsiːz] *s* **1.** Grundlage *f*, Subˈstanz *f*, ˈUnterlage *f*, (*das*) Zuˈgrundeliegende. – **2.** *philos. relig.* Hypoˈstase *f.* – **3.** *med.* a) Hypoˈstase *f*, ˈSenkungshyperäˌmie *f*, b) Sediˈment *n*, Bodensatz *m.* – **4.** *biol.* Hypostaˈsie *f.* — **hyˈpos·taˌsize** → hypostatize. — ˌ**hy·poˈstat·ic** [-pəˈstætik] *adj* **1.** zuˈgrunde liegend, wesentlich. – **2.** *relig.* hypoˈstatisch: **~ union** hypostatische Union (*bes. die Vereinigung der göttlichen u. der menschlichen Natur Jesu in einer Person*). – **3.** *philos.* hypoˈstatisch. – **4.** *med.* hypoˈstatisch: **~ congestion** Blutstockung durch Ansammlung von Blut in untenliegenden Körperteilen; **~ pneumonia** hypostatische Pneumonie. – **5.** *biol.* hypoˈstatisch (*Erbfaktor*). — ˌ**hy·poˈstat·i·cal** → hypostatic 1–3. — ˌ**hy·poˈstat·i·cal·ly** *adv* (*auch zu* hypostatic). — **hyˌpos·ta·tiˈza·tion** [-ˌpɒstətaiˈzeiʃən; -tiˈz-] *s* **1.** Hypostaˈsierung *f.* – **2.** (*das*) Hypostaˈsierte. — **hyˈpos·taˌtize** *v/t* hypostaˈsieren, vergegenständlichen, als gesonderte Subˈstanz betrachten.

hyp·o·style [ˈhipəˌstail; ˈhai-] *antiq. arch.* **I** *adj* mit einem auf Säulen ruhenden Dach (versehen). – **II** *s* Hypoˈstylon *n.*

hy·po·sul·phite, *auch* **hy·po·sul·fite** [ˌhaipəˈsʌlfait] *s chem.* **1.** Hyposulˈfit *n*, ˈunterschwefligsaures Salz (SO_2-). – **2.** Hypoˈdisulˌfit *n*, Dithioˈnit *n* (S_2O_4-). – **3.** (*inkorrekt*) ˈThiosulˌfat *n*, *bes. phot.* ˈNatriumthiosulˌfat *n*, Fiˈxiersalz *n* ($Na_2S_2O_3$). — ˌ**hy·po·sul·phu·rous,** *auch* ˌ**hy·po·sul·fu·rous** [-sʌlˈfju(ə)rəs; -ˈsʌlfərəs] *adj chem.* ˈunterschweflig: **~ acid** unterschweflige Säure ($H_2S_2O_4$).

hy·po·tac·tic [ˌhaipəˈtæktik; ˌhip-] *adj ling.* hypoˈtaktisch, ˈunterordnend. — ˌ**hy·poˈtax·is** [-ˈtæksis] *s ling.* Hypoˈtaxe *f*, ˈUnterordnung *f.*

hy·po·ten·sion [ˌhaipəˈtenʃən; ˌhip-] *s med.* Hypotensiˈon *f*, Hypotoˈnie *f*, ˈUnterdruck *m* (*abnorm niederer Blutdruck*). — ˌ**hy·poˈten·sive** [-siv] *adj med.* **1.** hypoˈtonisch. – **2.** blutdrucksenkend.

hy·pot·e·nuse [haiˈpɒtiˌnjuːz; -tə-; -ˌnjuːs; *Am. auch* -ˌnuːs] *s math.* Hypoteˈnuse *f.*

hy·po·tha·lam·ic [ˌhaipəθəˈlæmik; ˌhip-] *adj med.* hypothaˈlamisch. — ˌ**hy·poˈthal·a·mus** [-ˈθæləməs] *pl* **-mi** [-ˌmai] *s med.* Hypoˈthalamus *m* (*Boden des Zwischenhirns*).

hy·poth·ec [haiˈpɒθik; hiˈp-] *s econ. jur.* **1.** Hypoˈthek *f.* – **2.** *Scot. colloq.* Angelegenheit *f*: the whole **~**. — **hyˈpoth·e·car·y** [*Br.* -kəri; *Am.* -ˌkeri] *adj jur.* hypotheˈkarisch, Hypothekar..., Hypotheken...: **~ debts** Hypothekenschulden; **~ value** Beleihungswert. — **hyˈpoth·eˌcate** [-ˌkeit] *v/t* **1.** *jur.* hypotheˈzieren, verpfänden. – **2.** *econ.* als Pfand geben. — **hyˌpoth·eˈca·tion** *s jur.* Hypothekariˈsierung *f.* — **hyˈpoth·eˌca·tor** [-tər] *s jur.* Hypoˈthekenschuldner *m.*

hy·poth·e·nuse [haiˈpɒθiˌnjuːz; -θə-; -ˌnjuːs; *Am. auch* -ˌnuːs] → hypotenuse.

hy·po·ther·mal [ˌhaipəˈθəːrməl; ˌhip-] *adj* **1.** lau(warm). – **2.** temperaˈturherˌabsetzend. — ˌ**hy·poˈther·mi·a** [-miə], ˈ**hy·poˌther·my** *s med.* Hypotherˈmie *f*, ˈUntertemperaˌtur *f.*

hy·poth·e·sis [haiˈpɒθisis; -θə-; hiˈp-], *pl* **-ses** [-ˌsiːz] *s* **1.** Hypoˈthese *f*, Annahme *f*, Vorˈaussetzung *f*: working **~** Arbeitshypothese. – **2.** (bloße) Vermutung. – *SYN.* law[1], theory. — **hyˈpoth·e·sist** *s* Urheber *m* einer Hypoˈthese. — **hyˈpoth·eˌsize I** *v/i* eine Hypoˈthese aufstellen. – **II** *v/t* vorˈaussetzen, annehmen.

hy·po·thet·i·cal [ˌhaipəˈθetikəl], *auch* ˌ**hy·poˈthet·ic** *adj* **1.** hypoˈthetisch, angenommen. – **2.** mutmaßlich, vermutlich. – **3.** vorˈaussetzend. — ˌ**hy·poˈthet·i·cal·ly** *adv* (*auch zu* hypothetic).

hy·po·thy·roid [ˌhaipoˈθairɔid; ˌhip-] *s med.* an Hypothyreˈose Leidende(r). — ˌ**hy·poˈthy·roidˌism** *s med.* Hypothyreˈose *f*, ˈUnterfunktiˌon *f* der Schilddrüse.

hy·po·ton·ic [ˌhaipəˈtɒnik; ˌhip-] *adj biol.* hypoˈtonisch. — ˌ**hy·po·toˈnic·i·ty** [-toˈnisiti; -əti] *s* Tonusmangel *m*, -verminderung *f.*

hy·po·tra·che·li·um [ˌhaipotrəˈkiːliəm; ˌhip-] *pl* **-li·a** [-liə] *s arch.* Hypotraˈchelion *n*, Säulenhals *m.*

hy·pot·ro·phy [haiˈpɒtrəfi; hiˈp-] *s biol.* Hypotroˈphie *f*, ˈUnterentwicklung *f.*

hy·po·xan·thine [ˌhaipəˈzænθiːn; -θin], *auch* ˌ**hy·poˈxan·thin** [-θin] *s chem.* Hypoxanˈthin *n*, Sarˈkin *n* ($C_5H_4N_4O$).

hy·po·zeux·is [ˌhaipəˈzjuːksis] *s ling.* Hypoˈzeuxis *f* (*Aufeinanderfolge von kurzen Sätzen*).

hyps [hips] *s colloq. obs.* Hypochonˈdrie *f*, Schwermut *f.*

hyp·si·ce·phal·ic [ˌhipsiseˈfælik; -səˈf-] *adj med.* turmschädlig. — ˌ**hyp·siˈceph·a·ly** [-ˈsefəli] *s med.* Turmschädel *m*, Spitzköpfigkeit *f.*

hypso- [hipso; -sə; -sɒ] *Wortelement mit der Bedeutung* Höhe.

hyp·so·graph·ic [ˌhipsəˈgræfik], ˌ**hyp·soˈgraph·i·cal** [-kəl] *adj geogr.* hypsoˈgraphisch. — **hypˈsog·ra·phy** [-ˈsɒgrəfi] *s geogr.* **1.** Hypsograˈphie *f*: a) *Höhen-, Gebirgsbeschreibung*, b) *Gebirgsdarstellung.* – **2.** Höhenmessung *f.*

hyp·som·e·ter [hipˈsɒmitər; -mə-] *s* **1.** *phys.* Hypsoˈmeter *n*, ˈSiedethermoˌmeter *n*, Wassersiedemesser *m.* – **2.** (Baum)Höhenmesser *m.* — ˌ**hyp·soˈmet·ri·cal** [-səˈmetrikəl] *adj geogr.* hypsoˈmetrisch. — ˌ**hyp·soˈmet·ri·cal·ly** *adv.* — **hypˈsom·e·try** [-ˈsɒmitri; -mə-] *s geogr.* Hypsomeˈtrie *f*, Höhenmessung *f.*

hy·ra·coid [ˈhai(ə)rəˌkɔid] *adj u. s zo.* klippschlieferartig(es Tier). — ˌ**hy·raˈcoi·de·an** [-diən] → hyracoid.

hy·ra·co·the·ri·um [ˌhai(ə)rəkoˈθi(ə)riəm] *s zo.* Hyracoˈtherium *n*, (*ein*) fosˈsiler Tapir (*vermutlich Urahn des Pferdes*).

hy·rax [ˈhai(ə)ræks] *pl* ˈ**hy·rax·es,** *auch* ˈ**hy·raˌces** [-rəˌsiːz] *s zo.* Klippschliefer *m*, -dachs *m* (*Ordng Hyracoidea*).

Hyr·ca·ni·an [hər'keiniən] *adj geogr.* hyr'kanisch.

hy·son ['haisn] *s econ.* Hyson *m*, Haisan *m* (*Art grüner chines. Tee*): ~ **skin** Ausschußblätter von Hysontee.

hy-spy ['hai,spai] → **I spy.**

hys·sop ['hisəp] *s* **1.** *bot.* Ysop *m* (*Hyssopus officinalis*). – **2.** *Bibl. bot.* (*vermutlich*) Echter Kapernstrauch (*Capparis spinosa*). – **3.** *relig.* Weihwedel *m*, -wasser *n*.

hyster- [histər] → **hystero-.**

hys·ter·al·gi·a [,histə'rældʒiə] *s med.* Hysteral'gie *f*, Gebärmutterschmerz *m*. — **,hys·ter'al·gic** *adj* hyster'algisch. — **,hys·ter'ec·to·my** [-'rektəmi] *s med.* Hysterekto'mie *f*.

hys·ter·e·sis [,histə'ri:sis] *s phys.* Hy'steresis *f*, Hyste'rese *f*: ~ **loop** Hysteresisschleife. — **,hys·ter'et·ic** [-'retik] *adj phys.* hyste'retisch, Hysteresis...: ~ **loss** Hysteresisverlust; ~ **constant** hysteretische Verlustkonstante. — **,hys·ter'et·i·cal·ly** *adv.*

hys·te·ri·a [his'ti(ə)riə] *s* **1.** *med.* Hyste'rie *f*. – **2.** *fig.* Hyste'rie *f*, hy'sterisches Getue. — **hys'ter·ic** [-'terik] *med.* **I** *s* **1.** Hy'steriker(in). – **2.** *pl* Hyste'rie *f*, hy'sterischer Anfall: **to go (off) into ~s** einen hysterischen Anfall bekommen; **laughing ~s** hysterischer Lachkrampf. – **II** *adj* → **hysterical I.** — **hys'ter·i·cal I** *adj* **1.** *med.* hy'sterisch: ~ **crying** Weinkrampf. – **2.** *fig.* hy'sterisch, unbeherrscht, 'übermäßig erregt. – **II** *s* **3.** *med.* Hy'steriker(in). — **hys'ter·i·cal·ly** *adv* (*auch zu* **hysteric II**).

hys·ter·i·form [his'teri,fɔ:rm; -rə-] *adj med.* hyste'rieartig.

hystero- [histəro] *Wortelement mit den Bedeutungen* a) Gebärmutter, b) Hysterie.

hys·ter·o·cat·a·lep·sy [,histəro'kætə,lepsi] *s med.* mit Starrkrampf verbundene Hyste'rie. — **'hys·ter·o,cele** [-,si:l] *s med.* Hystero'zele *f*, Gebärmutterbruch *m*. — **,hys·ter·o'dyn·i·a** [-'diniə] → **hysteralgia.**

hys·ter·o·gen·ic [,histəro'dʒenik] *adj med.* hystero'gen, Hyste'rie her'vorrufend. — **,hys·ter'og·e·ny** [-'rɒdʒəni] *s med.* Her'vorrufung *f* von Hyste'rie. — **'hys·ter,oid,** *auch* **,hys·ter'oi·dal** *adj med.* hystero'id, hyste'rieähnlich.

hys·ter·o·lith ['histəroliθ] *s med.* Hystero'lith *m*, Uterusstein *m*. — **,hys·ter'ol·o·gy** [-'rɒlədʒi] *s med.* Hysterolo'gie *f* (*Lehre von den Gebärmutterkrankheiten*).

hys·ter·o·neu·ras·the·ni·a [,histəro,nju(ə)rəs'θi:niə] *s med.* ,Hystero,neurasthe'nie *f*, Neurasthe'nie *f* mit hy'sterischen Zügen.

hys·ter·on prot·er·on ['histə,rɒn 'prɒtə,rɒn] *s* Hysteron-Proteron *n* (*Umkehrung der logischen Ordnung*).

hys·ter·ot·o·my [,histə'rɒtəmi] *s med.* Hysteroto'mie *f* (*Aufschneiden der Gebärmutter, bes. Kaiserschnitt*).

hys·tri·co·mor·phic [,histriko'mɔ:rfik], **,hys·tri·co'mor·phous** [-fəs] *adj* stachelschweinartig.

hyte [hait] *adj Scot.* verrückt.

hy·zone ['haizoun] *s chem.* 'dreia,tomiger Wasserstoff (H_3).

I

I[1], **i** [ai] **I** *s pl* **I's, Is, i's, is** [aiz] **1.** I *n*, i *n* (*9. Buchstabe des engl. Alphabets*): **a capital** (*od.* **large**) **I** ein großes I; **a little** (*od.* **small**) **i** ein kleines I. – **2.** I (*9. angenommene Person bei Beweisführungen*). – **3.** i (*9. angenommener Fall bei Aufzählungen*). – **4.** i *math.* i (= $\sqrt{-1}$; *imaginäre Einheit*). – **5.** I *ped. Am. Note für einen vorzeitig abgebrochenen Kurs.* – **6.** I (*röm. Zahlzeichen*) I (= *1*). – **7.** I I *n*, I-förmiger Gegenstand. – **II** *adj* **8.** neunt(er, e, es): **Company I** die 9. Kompanie. – **9.** I I-..., I-förmig.

I[2] [ai] **I** *pron* ich: **it is I** ich bin es; **I say** hören Sie mal! sagen Sie mal! – **II** *s pl* **I's** *bes. philos.* Ich *n*.

i- [i] *obs. für* **y-**.

i·amb ['aiæmb] *pl* **i'am·bi** [-bai] *s metr.* Jambus *m*. — **i'am·bic I** *adj* **1.** *metr.* jambisch. – **2.** *antiq.* jambisch, Jamben... (*Poesie*). – **II** *s* **3.** *metr.* a) Jambus *m*, jambischer Versfuß, b) jambischer Vers. – **4.** jambisches (*satirisches*) Gedicht. — **i'am·bi·cal** → **iambic I**. — **i'am·bi·cal·ly** *adv* (*auch zu* **iambic I**). — **i'am·bus** [-bəs] *pl* **-bi** [-bai], **-bus·es** → **iamb**.

I·ap·e·tus [ai'æpitəs] *s astr.* I'apetus *m* (*der 8. Satellit des Saturn*).

I·a·pyg·i·an [ˌaiə'pidʒiən] **I** *adj* ia'pygisch. – **II** *s* Bewohner(in) von Ia'pygien (*südöstl. Unteritalien*).

iar·o·vize *cf.* **jarovize**.

-iasis [aiəsis] *Wortelement mit der Bedeutung* (*bes. med.* krankhafter) Zustand.

i·at·ric [ai'ætrik], *auch* **i'at·ri·cal** *adj med.* **1.** medi'zinisch. – **2.** ärztlich.

-iatrics [iætriks] *Wortelement mit der Bedeutung* ärztliche Behandlung (einer Krankheit).

iatro- [aiætro; -eit-] *Wortelement mit der Bedeutung* medizinisch, ärztlich.

i·at·ro·chem·i·cal [aiˌætro'kemikəl] *adj* iˌatro'chemisch. — **iˌat·ro'chem·ist** *s* Iˌatro'chemiker *m*. — **iˌat·ro'chem·is·try** [-tri] *s* Iˌatroche'mie *f* (*Verbindung von Medizin u. Chemie*).

-iatry [aiətri] *Wortelement mit der Bedeutung* ärztliche Behandlung, Heilung.

I bar, I beam *s tech.* I-Träger *m*, Pro'fileisen *n* mit I-förmigem Querschnitt, Doppel-T-Eisen *n*.

I·be·ri·an [ai'bi(ə)riən] **I** *s* **1.** I'berer (-in): a) *Ureinwohner von Spanien*, b) *Angehöriger der iberischen Rasse*, c) *Ureinwohner von Georgien im Kaukasus*, d) *Spanier od. Portugiese.* – **2.** *ling.* I'berisch *n*, das Iberische (*Sprache der Ureinwohner Spaniens*). – **II** *adj* **3.** i'berisch.

i·ber·ite ['aibəˌrait] *s min.* Ibe'rit *m*.

Ibero- [aibi(ə)ro] *Wortelement mit der Bedeutung* iberisch.

i·bex ['aibeks] *pl* **'i·bex·es** *od.* **i·bi·ces** ['ibiˌsiːz; 'ai-], *auch* (*bes. collect.*) **'i·bex** *s zo.* Steinbock *m* (*Gattg Capra*): **Alpine ~** Alpensteinbock (*C. ibex*).

i·bi·dem [i'baidem] (*Lat.*) *adv* ebenda.

i·bis ['aibis] *pl* **'i·bis·es**, *auch* (*bes. collect.*) **'i·bis** *s zo.* Ibis *m* (*Fam. Threskiornithidae*).

Ib·se·ni·an [ib'siːniən] **I** *adj* Ibsen..., Ibsensch(er, e, es). – **II** *s* Anhänger(in) Ibsens. — **Ib·sen·ism** ['ibsəˌnizəm] *s* Ibse'nismus *m*. — **'Ib·senˌite** *s* **1.** Anhänger *m od.* Bewunderer *m* Ibsens. – **2.** Nachahmer *m* Ibsens.

i·cac·o [i'kækou] → **coco plum**.

I·car·i·an[1] [ai'kɛ(ə)riən; i'k-] *adj* **1.** *antiq.* i'karisch. – **2.** *fig.* i'karisch, allzu hochstrebend, verwegen.

I·car·i·an[2] [ai'kɛ(ə)riən] *adj pol.* i'karisch. — **I'car·i·anˌism** *s pol.* i'karischer Kommu'nismus (*des Etienne Cabet, 1788–1856*).

ice [ais] **I** *s* **1.** Eis(decke *f*, -schicht *f*) *n*: **breaking-up of the ~** Eisgang; **floating** (*od.* **loose, drifting, moving**) **~** Treibeis; **on thin ~** *fig.* in gefährlicher Lage *od.* gewagter Stellung; **to cut no ~** *Am. colloq.* keinen Eindruck machen, ‚nicht ziehen'; **to put on ~** *Am. colloq.* sicherstellen, sich (*etwas*) sichern; **to keep on ~** *Am. colloq.* in Reserve halten, auf Lager haben. – **2.** *Am.* Gefrorenes *n* (*aus Fruchtsaft u. Zuckerwasser*). – **3.** *Br.* (Speise-) Eis *n*, Eiscreme *f*. – **4.** 'Zuckerglaˌsur *f*, -guß *m*. – **5.** *fig.* Eis *n*, Zu'rückhaltung *f*, Reser'viertheit *f*: **to break the ~** das Eis brechen. – **6.** *sl.* Dia'mant(en *pl*) *m*. – **II** *v/t* **7.** mit Eis bedecken *od.* über'ziehen. – **8.** in Eis verwandeln, gefrieren lassen. – **9.** (*Getränke, Luft etc*) mit Eis kühlen. – **10.** mit 'Zuckerglaˌsur über'ziehen, über'zuckern. – **III** *v/i* **11.** gefrieren. – **IV** *adj* **12.** Eis..., aus Eis.

ice| age *s geol.* Eiszeit *f*. — **~ a·pron** *s arch.* Eisbrecher *m* (*an feststehenden Brückenteilen*). — **~ ax(e)** *s* Eispickel *m*. — **~ bag** *s med.* Eisbeutel *m*. — **~ belt** → **ice foot**. — **'~ˌberg** *s* **1.** Eisberg *m*. – **2.** *fig.* Eisberg *m* (*sehr kühler Mensch*). — **~ bird** *s zo.* **1.** Kleiner Krabbentaucher (*Plotus alle*). – **2.** Nachtschwalbe *f* (*Caprimulgus asiaticus*). — **'~ˌblink** → **blink 14**. — **'~ˌboat** *s mar.* **1.** Eissegler *m*, -jacht *f*, Segelschlitten *m*. – **2.** Eisbrecher *m*. — **'~ˌboat·ing** *s sport* Eissegeln *n*, Segelschlittensport *m*. — **'~ˌbound** *adj* eingefroren, eingeeist (*Schiff*), zugefroren (*Hafen*). — **'~ˌbox** *s Am.* Eis-, Kühlschrank *m*. — **~ break** → **icebreaker**. — **'~ˌbreak·er** *s* **1.** *mar.* Eisbrecher *m*. – **2.** *arch.* Eisbrecher *m* (*einer Brücke*). – **3.** *tech.* Eiszerkleinerer *m*, -mühle *f*. – **4.** → **right whale**. — **'~ˌcap** *s* **1.** *geol.* a) Gletscher *m*, b) → **ice sheet**. – **2.** → **ice bag**. — **~ cave** *s geol.* Eishöhle *f*, Gletschertor *n*. — **~ chest** *s tech.* Eisschrank *m*. — **'~-'cold** *adj* eiskalt.

ice cream *s* Eis *n*, Speiseeis *n*, Eiscreme *f*, Gefrorenes *n*.

'ice-'cream| cone *s* Eistüte *f*. — **~ freez·er** *s tech.* Speiseeisbereiter *m*, 'Eismaˌschine *f*. — **~ par·lo(u)r** *s* Eisdiele *f*. — **~ so·da** *s Am.* Sodawasser *n* mit Speiseeis. — **~ sun·dae** *s* Speiseeis *n* mit Fruchtsirup *od.* zerquetschten Früchten.

iced [aist] *adj* **1.** eisbedeckt, mit Eis bedeckt. – **2.** eisgekühlt. – **3.** gefroren. – **4.** über'zuckert, mit 'Zuckerglaˌsur über'zogen.

ice| e·lim·i·nat·ing *s aer.* Enteisung *f*. — **'~ˌfall** *s* Eisfall *m* (*gefrorener Wasserfall*). — **~ feath·ers** *s pl* (*Meteorologie*) rauhreifähnliche Eisbildungen *pl*. — **~ fern** *s* Eisblume *f*. — **~ field** *s* Eisfeld *n*. — **~ floe** *s* (Treib)Eisscholle *f*. — **~ flow·er** → **ice fern**. — **~ foot** *s irr* Eisgürtel *m*, -kante *f* (*an arktischen Küsten*). — **~ fox** *s zo.* Po'lar-, Blau-, Eisfuchs *m* (*Vulpes lagopus*). — **'~-'free** *adj aer. mar.* eis-, vereisungsfrei. — **~ glass** → **crackle glass**. — **~ gull** *s zo.* **1.** → **glaucous gull**. – **2.** → **ivory gull**. — **~ har·bor** *s Am.* eisfreier (Ausweich)-Hafen. — **~ hock·ey** *s sport* Eishockey *n*. — **~ hook** *s* **1.** *tech.* Eishaken *m*. – **2.** *mar.* kleiner Eisanker. — **'~ˌhouse** *s* Eiskeller *m*, -haus *n*.

Ice·land crys·tal ['aislənd] → **Iceland spar**.

Ice·land·er ['aisləndər; -ˌlændər] *s* **1.** Isländer(in). – **2.** → **Iceland falcon**.

Ice·land| fal·con *s zo.* Gier-, Geierfalke *m* (*Hierfalco islandicus*). — **~ gull** *s zo.* Islandmöwe *f* (*Larus leucopterus*).

Ice·lan·dic [ais'lændik] **I** *adj* isländisch. – **II** *s ling.* Isländisch *n*, das Isländische.

Ice·land| moss, *auch* **~ li·chen** *s bot.* Isländische Flechte (*Cetraria islandica*). — **~ pop·py** *s bot.* Island-Mohn *m* (*Papaver nudicaule*). — **~ spar** *s min.* Isländischer Doppelspat.

'ice|ˌleaf *s irr bot.* Königskerze *f* (*Verbascum thapsus*). — **~ ma·chine** *s tech.* 'Eis-, 'Kältemaˌschine *f*, Ge'frierappaˌrat *m*. — **~ mak·ing** *s tech.* 'Eiserzeugung *f*, -ˌherstellung *f*. — **'~ˌman** *s irr* **1.** Eishändler *m*, -verkäufer *m*. – **2.** erfahrener Eisgänger. – **3.** Eisbahnaufseher *m*. — **~ mas·ter** → **ice pilot**. — **~ nee·dle** *s* Eisnadel *f*. — **~ pack** *s* **1.** Packeis *n*. – **2.** *med.* Behälter *m* für Eis. — **~ pa·per** *s tech.* sehr dünnes, 'durchsichtiges Gela'tinepaˌpier. — **I~ Pa·trol** *s mar.* Eismeldedienst *m* (*Internationale Einrichtung im Nordatlantik*). — **~ pick** *s tech.* Eispfriem *m* (*zum Zerkleinern von Eis*). — **~ pi·lot** *s mar.* Eislotse *m*. — **~ plant** *s bot.* Eiskraut *n* (*Mesembryanthemum crystallinum*). — **'~ˌquake** *s* Krachen *n od.* Erschütterung *f* beim Bersten von Eismassen. — **'~-ˌrink** *s* (Kunst)-Eisbahn *f*. — **~ run** *s* Eisstrecke *f*, -bahn *f* (*zum Rodeln*). — **~ safe** *s* *tech.* Eiskasten *m*, -schrank *m*. — '~-ˌ**scoured ar·e·a** *s geogr.* Gebiet *n* mit durch Eis abgeschliffenen Oberflächenformen. — ~ **sheet** *s geol.* Eisdecke *f*, Inlandeis *n*, Kontinen'talgletscher *m*. — ~ **ship** *s mar.* Schiff *n* mit Eisverstärkung. — ~ **skate** *s* **1.** Schlittschuh *m*. – **2.** Eislaufschuh *m*. — '~-ˌ**skate** *v/i* Schlittschuh laufen, eislaufen. — ~ **spar** *s min.* Eisspat *m*, glasiger Feldspat. — ~ **stream** *s* **1.** Gletscher *m*. – **2.** Eisstrom *m*. — ~ **strength·en·ing** *s mar.* Eisverstärkung *f*. — ~ **tongs** *s tech.* Eiszange *f*. — ~ **wa·ter** *s* Eiswasser *n*: a) *eisgekühltes Wasser*, b) *Schmelzwasser*. — ~ **whale** → bowhead. — ~ **wool** → eis wool. — '~ˌ**work** *s* **1.** Arbeit *f* aus Eis. – **2.** *geol.* durch Eis (*bes. Gletschereis*) geleistete Arbeit. — ~ **yacht** *s* Eissegler *m*, Segelschlitten *m*. — ~ **yacht·ing** *s* Eissegeln *n*. — ~ **yachts·man** *s irr* Eissegler *m*.

ich·neu·mon [ik'njuːmən; *Am. auch* -'nuː-] *s zo.* **1.** Ich'neumon *n*, *m*, Mungo *m* (*Gattg Herpestes*), *bes.* Pharaonsratte *f* (*H. ichneumon*). – **2.** → ichneumon fly. — ~ **fly** *s zo.* Schlupfwespe *f* (*Fam. Ichneumonidae*).

ich·neu·mon·id [ik'njuːmənid; *Am. auch* -'nuː-] *s* Schlupfwespe *f*. — ˌ**ich·neu'mon·i·dan** [-nju'mɒnidən; -njə-; *Am. auch* -nə-] **I** *adj* schlupfwespenartig. – **II** *s* Schlupfwespe *f*.

ich·neu·mous [ik'njuːməs; *Am. auch* -'nuː-] *adj zo.* schma'rotzerisch, para'sitisch.

ich·nite ['iknait] *s geol.* fos'sile Fußspur.

ichno- [ikno] *Wortelement mit der Bedeutung* Fußabdruck, Spur.

ich·no·graph·ic [ˌiknə'græfik], ˌ**ich·no'graph·i·cal** [-kəl] *adj* ichno'graphisch, Grundriß... — ˌ**ich·no'graph·i·cal·ly** *adv* (*auch zu* ichnographic). — **ich·nog·ra·phy** [ik'nɒgrəfi] *s* **1.** Grundriß *m* (*Haus*). – **2.** Ichnogra'phie *f*, Zeichnen *n* von Grundrissen.

ich·no·lite ['iknəˌlait] → ichnite. — ˌ**ich·no·li'thol·o·gy** [-li'θɒlədʒi] → ichnology. — ˌ**ich·no'log·i·cal** [-'lɒdʒikəl] *adj* ichno'logisch. — **ich'nol·o·gy** [-'nɒlədʒi] *s geol.* Ichnolo'gie *f* (*Lehre von den fossilen Fußabdrücken*).

i·chor ['aikɔːr] *s* **1.** *antiq.* I'chor *n*, Götterblut *n*. – **2.** *med.* I'chor *n*, Blutwasser *n*, Jauche *f*. — **i·chor·ous** ['aikərəs] *adj med.* icho'rös, jauchig, blutwässerig, eiterähnlich.

ich·thu·lin ['ikθjulin] *s chem.* Ichthu'lin *n* (*Substanz der Eidotterplättchen der Salme*).

ichthy- [ikθi] → ichthyo-.

ich·thy·ic ['ikθiik] *adj zo.* zu den Fischen gehörig, fischartig, Fisch... — '**ich·thyˌism**, ˌ**ich·thy'is·mus** [-'izməs] *s med.* Ichthy'ismus *m*, Fischvergiftung *f*.

ichthyo- [ikθio; -θiə] *Wortelement mit der Bedeutung* Fisch.

ich·thy·o·col ['ikθiəˌkɒl], ˌ**ich·thy·o'col·la** [-'kɒlə] *s* Fischleim *m*, Hausenblase *f*. — ˌ**ich·thy·o'cop·roˌlite** [-'kɒprəˌlait] *s geol.* versteinertes 'Fischexkreˌment. — ˌ**ich·thy·o'graph·ic** [-'græfik] *adj* ichthyo'graphisch. — ˌ**ich·thy'og·ra·phy** [-'ɒgrəfi] *s* Ichthyogra'phie *f* (*Abhandlung über Fische*).

ich·thy·oid ['ikθiˌɔid] *zo.* **I** *adj* fischähnlich, -artig. – **II** *s* fischartiges Wirbeltier. — ˌ**ich·thy'oi·dal** → ichthyoid I.

Ich·thy·ol, *auch* **i~** ['ikθiˌɒl; -ˌoul] (*TM*) *s med.* Ichthy'ol *n*, ichthy'olsulfosaures Am'monium (*ein Antiseptikum*).

ich·thy·ol·a·try [ˌikθi'ɒlətri] *s* Fischanbetung *f*. — '**ich·thy·oˌlite** [-əˌlait] *s geol.* Ichthyo'lith *m*, fos'siler Fisch.

ich·thy·o·log·ic [ˌikθiə'lɒdʒik], ˌ**ich·thy·o'log·i·cal** [-kəl] *adj* ichthyo'logisch. — ˌ**ich·thy·o'log·i·cal·ly** *adv* (*auch zu* ichthyologic). — ˌ**ich·thy'ol·o·gist** [-'ɒlədʒist] *s* Ichthyo'loge *m*, Fischkundiger *m*. — ˌ**ich·thy'ol·o·gy** *s zo.* **1.** Ichthyolo'gie *f*, Fischkunde *f*. – **2.** Abhandlung *f* über Fische.

ich·thy·oph·a·gi [ˌikθi'ɒfəˌdʒai] *s pl* Fischesser *pl*. — ˌ**ich·thy'oph·a·gist** [-dʒist] *s* Ichthyo'phag *m*, Fischesser *m*. — ˌ**ich·thy'oph·a·gous** [-gəs] *adj* fischessend. — ˌ**ich·thy'oph·a·gy** [-dʒi] *s* Fischessen *n*.

ich·thy·or·nis [ˌikθi'ɔːrnis] *s zo.* Ichthy'ornis *m* (*fossiler Vogel*).

ich·thy·o·saur ['ikθiəˌsɔːr] *s zo.* Ichthyo'saurus *m* (*fossile Fischeidechse*). — ˌ**ich·thy·o'sau·ri·an** *zo.* **I** *adj* die Ichthyo'saurier betreffend, Ichthyosaurier... – **II** *s* Ichthyo'saurier *m*. — ˌ**ich·thy·o'sau·rus** [-rəs] *pl* **-ri** [-rai] → ichthyosaur.

ich·thy·o·sis [ˌikθi'ousis] *s med.* Ichthy'osis *f*, Fischschuppenkrankheit *f*. — '**ich·thy·oˌsism** [-əˌsizəm] *s vet.* Fischvergiftung *f*. — ˌ**ich·thy'ot·ic** [-'ɒtik] *adj* **1.** an Ichthy'osis leidend. – **2.** fischschuppenähnlich.

ic·i·ca ['isikə] *s bot.* E'lemibaum *m* (*Gattg Protium*).

i·ci·cle ['aisikl] *s* Eiszapfen *m*. — '**i·ci·cled** *adj* mit Eiszapfen bedeckt.

i·ci·ly ['aisili] *adv* eisig, (eis)kalt, frostig. — '**i·ci·ness** *s* **1.** Eisigkeit *f*, (*das*) Eisige. – **2.** *fig.* Kälte *f*, Frostigkeit *f*, Zu'rückhaltung *f*.

ic·ing ['aisiŋ] *s* **1.** 'Zuckerguß *m*, -glaˌsur *f*. – **2.** Vereisen *n*. – **3.** *tech.* Vereisung *f*. — '~-**maˌchine** *s tech.* 'Eismaˌschine *f*. — ~ **sug·ar** *s Br.* Puder-, Staubzucker *m*.

ick·er ['ikər] *s Scot.* Kornähre *f*.

ick·ie *cf.* icky.

ick·le ['ikl] *adj* (*Kindersprache*) klein.

ick·y ['iki] *s Am. sl.* ‚Möchtegern-Jazzfan' *m*.

i·con ['aikɒn] *pl* '**i·cons, i·co·nes** ['aikəˌniːz] *s* **1.** (Ab)Bild *n*, Statue *f*. – **2.** I'kone *f*. – **3.** (*Logik*) Sym'bol *n*.

icon- [aikɒn; -kən] → icono-.

i·con·ic [ai'kɒnik], *auch* **i'con·i·cal** [-kəl] *adj* **1.** bildlich, porträ'tierend, Porträt..., i'konisch. – **2.** konventio'nell, nach festen Regeln dargestellt.

icono- [aikɒno; -nə; -kɒnɒ] *Wortelement mit der Bedeutung* Bild.

i·con·o·clasm [ai'kɒnoˌklæzəm; -nə-] *s* **1.** *hist.* Ikono'klasmus *m*, Bildersturm *m*. – **2.** *fig.* ˌBilderstürme'rei *f* (*Zerstörung althergebrachter Ideale, Konventionen etc*). — **i'con·oˌclast** [-ˌklæst] *s* Bilderstürmer *m*. — **iˌcon·o'clas·tic** *adj* bilderstürmend. — **iˌcon·o'clas·ti·cal·ly** *adv*.

i·co·nog·ra·pher [ˌaikə'nɒgrəfər] *s* Ikono'graph *m*. — **i·con·o·graph·ic** [aiˌkɒnə'græfik], *auch* **iˌcon·o'graph·i·cal** *adj* **1.** ikono'graphisch. – **2.** bildlich darstellend, durch Bilder beschreibend. — ˌ**i·co'nog·ra·phy** [ˌaikə'nɒgrəfi] *s* Ikonogra'phie *f*: a) *Kenntnis od. Beschreibung bildlicher Darstellungen*, b) *Kunst der bildlichen Darstellung*, c) *bildliche Darstellung, Bildersammlung*.

i·co·nol·a·ter [ˌaikə'nɒlətər] *s* Bilderanbeter *m*. — ˌ**i·co'nol·a·try** [-tri] *s* Bilderanbetung *f*, -verehrung *f*.

i·con·o·log·i·cal [aiˌkɒnə'lɒdʒikəl] *adj* ikono'logisch. — **i·co·nol·o·gist** [ˌaikə'nɒlədʒist] *s* Ikono'loge *m*, Kenner *m* bildlicher Darstellungen. — ˌ**i·co'nol·o·gy** *s* **1.** Ikonolo'gie *f*, Bilderkunde *f*. – **2.** sym'bolische Darstellungen *pl*.

i·co·nom·a·chy [ˌaikə'nɒməki] *s* Bildersturm *m*.

i·co·nom·e·ter [ˌaikə'nɒmitər; -mə-] *s* Ikono'meter *n*: a) *phys. tech. Gerät zur Messung der Entfernung u. Größe entfernter Gegenstände*, b) *phot.* 'Durchblick-, Rahmensucher *m*.

I·con·o·scope, *auch* **i~** [ai'kɒnəˌskoup] (*TM*) *s electr.* Ikono'skop *n*, Bildwandlerröhre *f*.

i·con·o·stas [ai'kɒnəˌstæs], **iˌcon·o'sta·si·on** [-'steisiˌɒn] → iconostasis.

i·co·nos·ta·sis [ˌaikə'nɒstəsis] *pl* **-ses** [-ˌsiːz] *s arch. relig.* Ikono'stas *m*, Ikono'stasis *f*, Bilderwand *f*.

i·co·sa·he·dral [ˌaikosə'hiːdrəl] *adj math.* ikosa'edrisch, zwanzigflächig. — ˌ**i·co·sa'he·dron** [-drən] *pl* **-dra** [-drə], **-drons** *s math.* Ikosa'eder *n*, Zwanzigflach *n*, -flächner *m*. — ˌ**i·co·siˌtet·ra'he·dron** [-siˌtetrə'hiːdrən] *pl* **-dra** [-drə], **-drons** *s math.* Vierundzwanzigflächner *m*.

i·cos·te·id [ai'kɒstiid], **i'cos·te·ine** [-in; -ˌain] *s zo. ein kaliforn. Stachelflosser* (*Gattg Icosteus*).

ic·ter·ic [ik'terik] *med.* **I** *adj* **1.** gelbsüchtig, ik'terisch. – **2.** Gelbsucht vertreibend. – **II** *s* **3.** Mittel *n* gegen Gelbsucht. — **ic'ter·i·cal** → icteric I.

ic·ter·ine ['iktəˌrain; -rin] *adj zo.* **1.** stärlings-, trupi'alartig. – **2.** gelblich.

ic·ter·us ['iktərəs] *s bot. med.* Gelbsucht *f*, Ikterus *m*.

ic·tus ['iktəs] *pl* **ic·tus·es** *od.* **ic·tus** *s* **1.** *metr.* Iktus *m*, Arsis *f*, Verston *m*. – **2.** *med. obs.* a) Anfall *m*, b) Schlag *m*.

i·cy ['aisi] *adj* **1.** eisig: ~ **surface** Eisfläche. – **2.** *fig.* eisig, (eis)kalt, frostig.

id[1] [id] *s* **1.** *psych.* Es *n* (*Gesamtheit der im Unterbewußtsein liegenden Instinkte*). – **2.** *biol.* Id *n* (*Erbeinheit*).

id[2] [id] → ide.

I'd [aid] *colloq. für* a) I **would**, b) I **should**, c) I **had**.

I·dae·an [ai'diːən] *adj* i'däisch.

I·da·ho·an [ˌaidə'houən] **I** *adj* Idaho... – **II** *s* Bewohner(in) von Idaho (*USA*).

ide [aid] *s zo.* Kühling *m*, Aland *m*, Nerfling *m* (*Idus melanotus*; *Fisch*).

i·de·a [ai'diːə; -diə] *s* **1.** I'dee *f*, Vorstellung *f*, Begriff *m*: **to form an** ~ **of** sich (*etwas*) vorstellen, sich einen Begriff machen von; **he has no** ~ **of it** er hat keine Ahnung *od.* keinen Begriff davon; **the** ~ **of such a thing!** denk dir nur! so was! **the** ~! man denke sich! – **2.** Gedanke *m*, Meinung *f*, Ansicht *f*: **it is my** ~ **that** ich bin der Ansicht, daß; **the** ~ **entered my mind** der Gedanke ging mir durch den Kopf. – **3.** Absicht *f*, Plan *m*, Gedanke *m*, I'dee *f*: **that's not a bad** ~ das ist keine schlechte Idee *od.* kein schlechter Plan; **what's the (big)** ~? was soll das (bedeuten)? – **4.** unklare *od.* phan'tastische Vorstellung, unbestimmtes Gefühl: ~ **of reference** *psych.* Beachtungswahn. – **5.** *philos.* I'dee *f*: a) geistige Vorstellung, b) Ide'al(vorstellung *f*) *n*, c) Urbild *n* (*Plato*), d) unmittelbares Ob'jekt des Denkens (*Locke, Descartes*), e) transzenden'taler Vernunftbegriff (*Kant*), f) (*das*) Abso'lute (*Hegel*). – **6.** *bes. mus.* I'dee *f*, Erfindung *f*, Thema *n*. – **7.** *obs.* Erinnerungsbild *n*. – *SYN.* **concept, conception, impression, notion, thought.**

i·de·aed, *auch* **i·de·a'd** [ai'diːəd; -'diəd] *adj* i'deenreich, mit (*bestimmten*) Ideen.

i·de·al [ai'diːəl; -'diəl] **I** *adj* **1.** ide'al, höchst voll'endet, vollkommen, vorbildlich, mustergültig. – **2.** ide'ell, nicht wirklich, eingebildet. – **3.** auf Ide'alen beruhend. – **4.** *math.* uneigentlich, ide'al. – **5.** Ideen..., Gedanken... – **6.** *philos.* a) ide'al, als Urbild exi'stierend (*Plato*), b) ideal, wünschenswert, c) idea'listisch. – **II** *s* **7.** Ide'al *n*, Wunsch-, Vorbild *n*. – **8.** (*das*) Ide'elle, (*etwas*) nur ideell Exi'stierendes. – **9.** *math.* Ide'al *n*. – *SYN. cf.* **model.**

i·de·al·ism [ai'diːəˌlizəm; -'diə-] *s* 1. Idea'lismus *m.* – 2. Ideali'sierung *f.* – 3. ideali'sierte Darstellung. – 4. (*das*) Ide'ale, Ide'alfall *m.* — **i'de·al·ist** *s* Idea'list(in), Anhänger(in) des Idea'lismus. — **iˌde·al'is·tic**, *auch* **iˌde·al'is·ti·cal** *adj* idea'listisch. — **iˌde·al'is·ti·cal·ly** *adv* (*auch zu* idealistic).

i·de·al·i·ty [ˌaidi'æliti; -əti] *s* 1. ide'aler Zustand. – 2. Fähigkeit *f* der Ideali'sierung. – 3. *philos.* Ideali'tät *f.* – 4. Erfindungsgabe *f*, Vorstellungskraft *f.*

i·de·al·i·za·tion [aiˌdiːəlai'zeiʃən; -lə-; -ˌdiə-] *s* 1. Ideali'sierung *f.* – 2. Vergeistigung *f.* – 3. *philos.* I'deenbildung *f.* — **i'de·alˌize I** *v/t* 1. ideali'sieren. – 2. veredeln, vergeistigen. – 3. idea'listisch darstellen. – **II** *v/i* 4. Ide'ale bilden, ideali'sieren.

i·de·al line *s math.* unendliche Gerade.

i·de·al·ly [ai'diːəli; -'diə-] *adv* 1. ide'al, voll'endet, vollkommen. – 2. geistig, ide'ell. – 3. im Geiste.

i·de·al| num·ber *s math.* ide'elle Zahl. — **~ point** *s math.* ide'eller *od.* uneigentlicher Punkt. — **~ re·al·ism** *s philos.* Ide'al-Reaˌlismus *m.*

i·de·ate [ai'diːeit] **I** *v/t* sich vorstellen, denken an (*acc*), sich er'innern an (*acc*). – **II** *v/i* I'deen bilden, denken. – **III** [-it; -eit] *s philos.* Abbild *n* der I'dee in der Erscheinungswelt. — **ˌi·de'a·tion** *s* 1. Vorstellungsfähigkeit *f*, I'deenbildungsfähigkeit *f.* – 2. I'deenbildung *f.* — **ˌi·de'a·tion·al**, *auch* **i·de·a·tive** [ai'diːətiv] *adj* Vorstellungs..., Ideenbildungs...

i·dée fixe [i'de fiks] (*Fr.*) *s* fixe I'dee.

i·dem ['aidəm] *pron od. adj* 1. der-, die-, das'selbe. – 2. oben erwähnt *od.* angeführt.

i·dem·po·tent [ai'dempətənt] *adj math.* 'idempoˌtent.

i·den·tic [ai'dentik] → identical. — **i'den·ti·cal** *adj* 1. i'dentisch, (genau) gleich. – 2. (der-, die-, das)'selbe. – 3. gleichbedeutend. – 4. *math.* a) i'dentisch, b) (*Geometrie*) kongru'ent, deckungsgleich. – *SYN. cf.* same. — **i'den·ti·cal·ly** *adv* (*auch zu* identic). — **i'den·ti·cal·ness** *s* Identi'tät *f*, Über'einstimmung *f.*

i·den·ti·cal| prop·o·si·tion *s* (*Logik*) i'dentischer Satz, identische Behauptung. — **~ twins** *s pl biol.* eineiige Zwillinge *pl.*

i·den·tic note *s pol.* gleichlautende *od.* i'dentische Note.

i·den·ti·fi·a·ble [ai'dentiˌfaiəbl; -tə-] *adj* identifi'zierbar.

i·den·ti·fi·ca·tion [aiˌdentifi'keiʃən; -təfə-] *s* 1. Identifi'zierung *f*, Gleichmachung *f*, -setzung *f.* – 2. Identifi'zierung *f*, Erkennung *f.* – 3. völlige Über'einstimmung. – 4. Legitimati'on *f*, Ausweis *m*: papers of ~ Legitimationspapiere. – 5. (*Funk, Radar*) Kennung *f.* — **~ card** *s* Kennkarte *f*, Perso'nalausweis *m.* — **~ disk**, *Am.* **~ tag** *s mil.* Erkennungsmarke *f.*

i·den·ti·fy [ai'dentiˌfai; -tə-] **I** *v/t* 1. identifi'zieren, gleichmachen, -setzen, als i'dentisch betrachten (with mit): to ~ oneself with a) sich identifizieren *od.* solidarisch erklären mit, b) sich einsetzen für, sich anschließen an (*acc*). – 2. identifi'zieren, erkennen, die Identi'tät feststellen von. – 3. *biol.* die Art feststellen von. – 4. ausweisen, legiti'mieren. – **II** *v/i* 5. i'dentisch werden, genau über'einstimmen. — **i'den·tism** *s philos.* Identi'tätslehre *f.*

i·den·ti·ty [ai'dentiti; -əti] *s* 1. Identi'tät *f*, völlige Gleichheit. – 2. Per'sönlichkeit *f*, Identi'tät *f*, Individuali'tät *f*: to prove one's ~ sich ausweisen, sich legitimieren; to establish s.o.'s ~ j-s Identität feststellen. – 3. *math.* a) Identi'tät *f*, b) 'Eins-, 'Einheitseleˌment *n*, c) i'dentische Gleichung. – 4. *biol.* Artgleichheit *f.* — **~ card** *s* (Perso'nal)Ausweis *m*, Kenn-, Ausweiskarte *f.* — **~ ma·trix** *s math.* Einheitsmatrix *f.*

ideo- [idio; -iə; -iɒ; ai-] *Wortelement mit der Bedeutung* Begriff, Vorstellung. [graph.]

id·e·o·gram ['idiəˌgræm; 'ai-] → idio-|

id·e·o·graph ['idiəˌgræ(ː)f; *Br. auch* -ˌgrɑːf; 'ai-] *s* Ideo'gramm *n*, Begriffszeichen *n*, graphisches Sym'bol. — **ˌid·e·o'graph·ic** [-'græfik], *auch* **ˌid·e·o'graph·i·cal** *adj* ideo'graphisch. — **ˌid·e·o'graph·i·cal·ly** *adv* (*auch zu* ideographic). — **ˌid·e·o'graph·ics** *s pl* (*als sg konstruiert*) Ideogra'phie *f.* — **ˌid·e'og·ra·phy** [-'ɒgrəfi] *s* 1. Ideogra'phie *f* (*Gebrauch von Begriffszeichen*). – 2. steno'graphisches Sy'stem.

id·e·o·log·ic [ˌaidiə'lɒdʒik; ˌid-], **ˌid·e·o'log·i·cal** [-kəl] *adj* 1. ideo'logisch. – 2. schwärmerisch, spekula'tiv. — **ˌid·e·o'log·i·cal·ly** *adv* (*auch zu* ideologic). — **ˌid·e'ol·o·gist** [-'ɒlədʒist] *s* 1. Ideo'loge *m.* – 2. Theo'retiker *m*, Schwärmer *m*, Phan'tast *m*, Träumer *m.* — **'id·e·oˌlogue** [-ˌlɒg] *s* von einer I'dee Besessener. — **ˌid·e'ol·o·gy** *s* 1. Ideolo'gie *f*, Vorstellungswelt *f*, Denkungsart *f*, Denkweise *f*: bourgeois ~. – 2. *philos.* Ideolo'gie *f*, I'deen-, Begriffslehre *f.* – 3. reine Theo'rie, Schwärme'rei *f*, Phantaste'rei *f.*

id·e·o·mo·tion [ˌidiə'mouʃən; ˌai-] *s med.* psychomo'torische Bewegung. — **ˌid·e·o'mo·tor** [-tər] *adj* ideoki'netisch, ideo-, psychomo'torisch.

ides [aidz] *s pl* Iden *pl.*

id est [id est] (*Lat.*) das heißt.

idio- [idio; -iə; -iɒ] *Wortelement mit den Bedeutungen* a) persönlich, eigen-(artig), besonder, b) *biol.* selbstgebildet, -erzeugt.

id·i·o·blast ['idiəˌblæst] *s* 1. *bot.* Idio'blast *m* (*von dem umgebenden Gewebe stark verschiedene Zelle*). – 2. *biol.* Idio'blast *m* (*hypothetische strukturelle Einheit der Zelle*). — **ˌid·i·o'blas·tic** *adj* idio'blastisch.

id·i·oc·ra·sy [ˌidi'ɒkrəsi] *obs. für* idiosyncrasy.

id·i·o·cy ['idiəsi] *s* 1. *med.* Idio'tie *f*, Blödsinn *m*, De'menz *f.* – 2. *colloq.* Torheit *f*, Dummheit *f*, Blödsinn *m.*

id·i·o·e·lec·tric [ˌidioi'lektrik], *auch* **ˌid·i·o·e'lec·tri·cal** [-kəl] *adj phys.* 'idio-, 'selbsteˌlektrisch.

id·i·o·graph ['idiəˌgræ(ː)f; *Br. auch* -ˌgrɑːf] *s* 1. Idi'ographon *n* (*eigenhändige Unterschrift*). – 2. *econ.* Handelsmarke *f.* — **ˌid·i·o'graph·ic** [-'græfik] *adj* 1. idio'graphisch, eigenhändig (*Unterschrift etc*). – 2. *psych.* idio'graphisch, das Individu'elle *od.* Besondere beschreibend.

id·i·ol·a·try [ˌidi'ɒlətri] *s selten* Idiola'trie *f*, Selbstanbetung *f.*

id·i·om ['idiəm] *s ling.* 1. Idi'om *n*, Sondersprache *f*, Mundart *f*, Dia'lekt *m.* – 2. charakte'ristische Sprachform *od.* 'Sprachstrukˌtur. – 3. Spracheigentümlichkeit *f*, idio'matische Redewendung. – 4. charakte'ristische Ausdrucksweise, per'sönlicher Stil (*Komponist etc*). — **ˌid·i·o'mat·ic** [-'mætik], *auch* **ˌid·i·o'mat·i·cal** *adj ling.* 1. idio'matisch, spracheigentümlich. – 2. sprachrichtig, -üblich, kor'rekt. — **ˌid·i·o'mat·i·cal·ly** *adv* (*auch zu* idiomatic). — **ˌid·i·o'mat·i·cal·ness** *s* (*das*) Idio'matische, idio'matische Beschaffenheit.

id·i·o·mor·phic [ˌidiə'mɔːrfik] *adj min.* idio'morph, eigengestaltig. — **ˌid·i·o'mor·phi·cal·ly** *adv.* — **ˌid·i·o'mor·phous** → idiomorphic.

id·i·o·path·ic [ˌidiə'pæθik], *auch* **ˌid·i·o'path·i·cal** [-kəl] *adj med.* idio'pathisch, essenti'ell, genu'in, proto'pathisch. — **ˌid·i·o'path·i·cal·ly** *adv* (*auch zu* idiopathic). — **ˌid·i'op·a·thy** [-'ɒpəθi] *s med.* Idiopa'thie *f.*

id·i·o·plasm ['idiəˌplæzəm] *s biol.* Idio'plasma *n*, Erbplasma *n*, -masse *f.* — **ˌid·i·o·plas'mat·ic** [-'mætik], **ˌid·i·o'plas·mic** [-mik] *adj* das Idio'plasma betreffend, Ideoplasma...

id·i·o·syn·cra·sy [ˌidiə'siŋkrəsi] *s* 1. Idiosynkra'sie *f*, charakte'ristische Eigenart, Exzentrizi'tät *f.* – 2. (*einer Person etc*) eigene Na'turanlage *od.* Neigung. – 3. *med.* Idiosynkra'sie *f*, 'Überempfindlichkeit *f*, Aller'gie *f*, krankhafte Abneigung. – *SYN. cf.* eccentricity. — **ˌid·i·o·syn'crat·ic** [-sin'krætik], *auch* **ˌid·i·o·syn'crat·i·cal** *adj* idiosyn'kratisch. — **ˌid·i·o·syn'crat·i·cal·ly** *adv* (*auch zu* idiosyncratic).

id·i·ot ['idiət] *s* 1. Idi'ot *m*, Dummkopf *m*, Trottel *m.* – 2. *med.* Idi'ot(in), Blöd-, Schwachsinnige(r). – *SYN. cf.* fool. — **~ board** → teleprompter.

id·i·o·ther·mous [ˌidiə'θəːrməs], *auch* **ˌid·i·o'ther·mic** *adj zo.* warmblütig.

id·i·ot·ic [ˌidi'ɒtik], *auch* **ˌid·i'ot·i·cal** *adj* 1. idi'otisch, dumm, blödsinnig, stu'pid. – 2. *med.* idi'otisch, geistesschwach, blödsinnig. — **ˌid·i'ot·i·cal·ly** *adv* (*auch zu* idiotic). — **ˌid·i'ot·iˌcon** [-ˌkɒn] *s* Idi'otikon *n* (*Dialektwörterbuch*).

id·i·ot·ism ['idiəˌtizəm] *s* 1. idi'otisches Benehmen, Verrücktheit *f*, Narre'tei *f.* – 2. *med.* Idio'tismus *m*, Idio'tie *f*, Schwachsinn *m.* – 3. *obs.* Idi'om *n.*

id·i·ot·o·py [ˌidi'ɒtəpi] *s med.* Idioto'pie *f* (*Verhältnis der Lage der Teile eines Organs zueinander*).

id·i·ot stitch → tricot stitch.

i·dle ['aidl] **I** *adj* 1. untätig, unbeschäftigt, müßig. – 2. unausgenützt, müßig, Muße...: ~ hours Mußestunden. – 3. *tech.* a) stillstehend, in Ruhe, außer Betrieb, b) leerlaufend. – 4. *econ.* 'unprodukˌtiv, tot. – 5. faul, arbeitsscheu, träge: ~ fellow Faulenzer. – 6. wertlos, unbedeutend, leer, nichtig, eitel: ~ head Hohlkopf; ~ story müßige Erzählung, Märchen; ~ talk leeres Geschwätz, Gewäsch. – 7. grundlos, unbegründet: ~ fears. – 8. leer, oberflächlich, eitel. – 9. wirkungslos, leer: ~ threats leere Drohungen. – 10. zwecklos, unnütz, vergeblich: it would be ~ to es wäre vergeblich zu. – *SYN. cf.* a) inactive, b) vain. – **II** *v/i* 11. faulenzen, nichts tun: to ~ about umhertrödeln. – 12. *tech.* leerlaufen. – **III** *v/t* 13. *meist* ~ away müßig 'hinbringen, vertändeln. – 14. (*j-n*) zu Müßiggang veranlassen. – 15. *tech.* leerlaufen lassen. — **~ cap·i·tal** *s econ.* totes Kapi'tal, nicht angelegtes Kapital. — **~ cur·rent** *s electr.* 1. Ruhe-, Leerlaufstrom *m.* – 2. Blindstrom *m.* — **~ mo·tion** *s tech.* Leerlauf *m*, -gang *m.*

i·dle·ness ['aidlnis] *s* 1. Untätigkeit *f*, Muße *f*: hours of ~ Mußestunden. – 2. Faul-, Trägheit *f*, Müßiggang *m.* – 3. Nichtigkeit *f*, Bedeutungslosigkeit *f.* – 4. Zwecklosigkeit *f.*

i·dle pul·ley *s tech.* Leerlaufrolle *f*, Spann-, 'Umlenkrolle *f.*

i·dler ['aidlər] *s* 1. untätige Per'son. – 2. Faulenzer(in), Müßiggänger(in). – 3. → a) idle wheel 1, b) idle pulley. – 4. (*Eisenbahn*) leerer Wag'gon. – 5. *mar.* Freiwächter *m.* — **~ ad·just·ing screw** *s tech.* Leerlaufeinstellschraube *f.* — **~ pul·ley** → idle pulley.

i·dlesse ['aidles] *poet. für* idleness.

i·dle wheel *s tech.* 1. Zwischenrad *n.* – 2. → idle pulley.

i·dling ['aidliŋ] **I** *adj* **1.** faulenzend. – **2.** unbeschäftigt, müßig. – **3.** *tech.* leerlaufend: to be ~ leerlaufen. – **II** *s* **4.** Faulenzen *n*, Nichtstun *n*, Müßiggang *m*. – **5.** *tech.* Leerlauf *m*.

I·do ['iːdou] *s ling.* Ido *n* (*vereinfachte Form des Esperanto*).

i·do·crase ['aidəˌkreis] *s min.* Ido'kras *m*, Vesuvi'an *m*.

i·dol ['aidl] *s* **1.** I'dol *n*, Götze(nbild *n*) *m*, Abgott *m*. – **2.** *fig.* I'dol *n*, Abgott *m*: to make an ~ of s.o. j-n abgöttisch verehren. – **3.** Trug-, Scheinbild *n*. – **4.** Trugschluß *m*, irrige Annahme. – **5.** *obs.* a) Bild *n*, b) Betrüger *m*.

i·dol·a·ter [ai'dɒlətər] *s* **1.** Götzendiener *m*, -anbeter *m*. – **2.** *fig.* Anbeter *m*, Verehrer *m*, Vergötterer *m*. — **i'dol·a·tress** [-tris] *s* Götzendienerin *f*. — **i'dol·aˌtrize I** *v/i* **1.** Götzen anbeten. – **II** *v/t* **2.** als Abgott verehren. – **3.** *fig.* abgöttisch lieben, vergöttern, anbeten. — **i'dol·a·trous** *adj* **1.** götzendienerisch, Götzen... – **2.** *fig.* abgöttisch, vergötternd. — **i'dol·a·trous·ness** *s* götzendienerisches Wesen. — **i'dol·a·try** [-tri] *s* **1.** ˌAbgötte'rei *f*, Götzendienst *m*, -anbetung *f*, Idola'trie *f*. – **2.** *fig.* Vergötterung *f*, Anbetung *f*. – **3.** I'dol *n*, Götzenbild *n*.

i·dol·ism ['aidəˌlizəm] *s* **1.** → idolatry 1. – **2.** Trugschluß *m*. — **'i·dol·ist** → idolater. — **ˌi·dol·i'za·tion** *s* **1.** ˌAbgötte'rei *f*, ˌGötzendiene'rei *f*. – **2.** Vergötterung *f*. — **'i·dolˌize I** *v/t* **1.** abgöttisch anbeten. – **2.** *fig.* abgöttisch verehren, vergöttern. – **II** *v/i* **3.** ˌAbgötte'rei treiben. — **'i·dolˌiz·er** *s* Anbeter(in).

i·do·lum [ai'douləm] *pl* **i'do·la** [-lə] *s* **1.** I'dee *f*, Begriff *m*. – **2.** *philos.* Trugschluß *m*, Denkfehler *m*. [passend.]

i·do·ne·ous [ai'douniəs] *adj selten*

id·ri·a·lin ['idriəlin] *s chem.* Idria'lin *n*.

id·ri·a·line ['idriəlin; -ˌliːn] → idrialite. — **'id·ri·aˌlite** [-ˌlait] *s min.* Idria'lit *m*, (Quecksilber)Branderz *n*.

Id·u·m(a)e·an [ˌidju'miːən; ˌai-] **I** *adj* idu'mäisch. – **II** *s* Idu'mäer(in).

i·dyl ['aidil; -dl; 'id-] *s* **1.** I'dyll(e *f*) *n*, i'dyllisches Gedicht, *bes.* Schäfer-, Hirtengedicht *n*. – **2.** I'dyll *n*, i'dyllische Szene. – **3.** *mus.* I'dyll *n*. — **'i·dyl·ist** *s* **1.** I'dyllendichter *m*. – **2.** I'dyllenkompoˌnist *m*. — **i·dyll** *cf.* idyl. — **i·dyl·lic** [ai'dilik; i'd-], *auch* **i'dyl·li·cal** *adj* i'dyllisch. — **i'dyl·li·cal·ly** *adv* (*auch zu* idyllic). — **i·dyll·ist** *cf.* idylist.

if [if] **I** *conjunction* **1.** wenn, falls, im Falle daß: ~ I were you wenn ich du wäre; as ~ als wenn, als ob; even ~ wenn auch, selbst wenn; she's thirty years ~ she's a day (*od.* an hour) sie ist mindestens 30 Jahre alt; ~ not wo *od.* wenn nicht; ~ so gegebenenfalls, in dem *od.* diesem Fall. – **2.** wenn auch, wie'wohl, ob'schon: ~ I am wrong, you are not right wenn ich auch unrecht habe, so hast du doch nicht recht; I will do it, ~ I die for it ich werde es tun, wenn ich auch deshalb sterben sollte; ~ he be ever so rich so reich er auch sein mag. – **3.** (jedesmal *od.* immer) wenn. – **4.** ob (*indirekte Fragen einleitend*): try ~ you can do it! – **5.** *in Ausrufen*: ~ that is not a shame! das ist doch eine Schande! wenn das keine Schande ist! – **II** *s* **6.** Wenn *n*: without ~s or ans ohne Wenn u. Aber.

i·fé [i'fei] *s bot.* Afrik. Bogenhanf *m* (*Sansevieria cylindrica*; *Liliacee*).

if·fy ['ifi] *adj colloq.* unbestimmt, zweifelhaft, unsicher.

ig·loo, *auch* **ig·lu** ['igluː] *pl* **-loos, -lus** *s* **1.** Iglu *m*, Schneehütte *f* (*der Eskimos*). – **2.** igluartige Hütte. – **3.** Schneehöhle *f* (*der Seehunde*).

Ig·na·tian [ig'neiʃən; -ʃiən] *s relig.* Ignati'aner *m*, Jesu'it *m*.

ig·ne·ous ['igniəs] *adj* **1.** *geol.* durch Feuer gebildet, Eruptiv... – **2.** feurig, glühend. — ~ **rock** *s geol.* Erup'tiv-, Erstarrungsgestein *n*.

ig·nes·cent [ig'nesnt] **I** *adj* **1.** feuergebend. – **2.** (auf)flammend. – **II** *s* **3.** feuergebende Sub'stanz.

ig·ni·punc·ture ['igniˌpʌŋktʃər] *s med.* Ignipunk'tur *f*, Brennen *n* mit glühenden Nadeln.

ig·nis fat·u·us ['ignis 'fætjuəs; -tʃu-] *pl* **'ig·nes 'fat·uˌi** [-niːz; -ˌai] *s*, **1.** Irrlicht *n*. – **2.** *fig.* Trugbild *n*, Blendwerk *n*.

ig·nit·a·bil·i·ty [igˌnaitə'biliti; -əti] *cf.* ignitibility. — **ig'nit·a·ble** *cf.* ignitible.

ig·nite [ig'nait] **I** *v/t* **1.** anzünden, entzünden. – **2.** *chem.* bis zur Verbrennung erhitzen. – **II** *v/i* **3.** sich entzünden, Feuer fangen. – **4.** *electr.* zünden. — **ig'nit·er** *s* **1.** Entzünder *m*, Anzünder *m*. – **2.** *tech.* a) Zündvorrichtung *f*, Zünder *m*, b) Zündladung *f*. — **igˌnit·i'bil·i·ty** *s* Entzündbarkeit *f*. — **ig'nit·i·ble** *adj* entzündbar.

ig·ni·tion [ig'niʃən] *s* **1.** Entzünden *n*, Anzünden *n*, Entzündung *f*. – **2.** Verbrennung *f*. – **3.** *electr.* Zündung *f* (*Verbrennungsmotor*). – **4.** Zündstoff *m*, Zünd(ungs)mittel *n*. – **5.** Erhitztsein *n*, Erhitzung *f*. — ~ **bat·ter·y** *s electr.* 'Zündbatteˌrie *f*. — ~ **bolt** *s tech.* Zündbolzen *m*. — ~ **ca·ble** *s electr.* Zündkabel *n*. — ~ **coil** *s electr.* Zündspule *f*. — ~ **de·lay** *s aer.* Zündverzögerung *f* (*in der Raketenbrennkammer*). — ~ **key** *s tech.* Zündschlüssel *m*. — ~ **lock**, ~ **switch** *s tech.* Zündschloß *n*. — ~ **tim·ing ad·just·er** *s tech.* Zündfolgeeinstellung *f* (*Vorrichtung*). — ~ **tube** *s chem.* Glührohr *n*.

ig·ni·tor *cf.* igniter.

ig·ni·tron ['igniˌtrɒn; -nə-] *s phys.* Igni'tron *n*, Quecksilberdampfröhre *f* (*Gleichrichter*).

ig·no·bil·i·ty [ˌigno'biliti; -əti] *s* **1.** Niedrigkeit *f*, Unwürdigkeit *f*. – **2.** Unadligkeit *f*. – **3.** Wertlosigkeit *f*. — **ig·no·ble** [ig'noubl] *adj* **1.** gemein, unedel, unwürdig, niedrig. – **2.** von niedriger Geburt, unadelig. – **3.** gering, schlecht, wertlos. – **4.** *hunt.* unedel (*Falke*). – *SYN. cf.* mean[2]. — **ig'no·ble·ness** → ignobility. — **ig'no·bly** [-bli] *adv* **1.** niedrig, gemein. – **2.** unadlig: ~ born von unedler Geburt.

ig·no·min·i·ous [ˌignə'miniəs] *adj* schändlich, schmählich, schimpflich. — **ˌig·no'min·i·ous·ness** → ignominy.

ig·no·min·y ['ignəˌmini] *s* **1.** Schmach *f*, Schande *f*, Schimpf *m*. – **2.** Schändlichkeit *f*, Gemeinheit *f*, Niederträchtigkeit *f*. – *SYN. cf.* disgrace.

ig·no·ra·mus [ˌignə'reiməs] *pl* **-mus·es** *s* Dummkopf *m*, Igno'rant(in).

ig·no·rance ['ignərəns] *s* **1.** Unwissenheit *f*, Igno'ranz *f*, Unkenntnis *f*: ~ of law Unkenntnis des Gesetzes. – **2.** Dummheit *f*, Einfältigkeit *f*. — **'ig·no·rant I** *adj* **1.** unkundig, nicht kennend *od.* wissend: to be ~ of s.th. etwas nicht wissen *od.* kennen; he is not ~ of what happened er weiß sehr wohl, was sich zutrug. – **2.** unwissend, dumm, einfältig, ungebildet. – **3.** von Unwissen zeugend. – **4.** unwissentlich: an ~ sin. – *SYN.* illiterate, nescient, unlearned, unlettered, untutored. – **II** *s* **5.** Igno'rant(in). — **'ig·no·rant·ly** *adv* unwissentlich. — **ˌIg·no'ran·tine** [-'ræntin] *s relig.* Ignoran'tiner *m*.

ig·no·ra·ti·o e·len·chi [ˌignə'reiʃiou i'leŋkai] (*Lat.*) *s* (*Logik*) *Fehler im Beweis, wobei das Wesentliche ignoriert u. etwas Unwesentliches bewiesen wird.*

ig·nore [ig'nɔːr] *v/t* **1.** igno'rieren, nicht beachten, keine No'tiz nehmen von. – **2.** *jur.* verwerfen: to ~ a bill eine Klage als unbegründet abweisen. – *SYN. cf.* neglect.

I·go·rot [ˌigə'rout; ˌiː-] *pl* **-rot** *od.* **-rots** *s* **1.** Igo'rote *m* (*Angehöriger eines Volksstamms in Nordluzon*). – **2.** *ling.* Igo'rotisch *n*. — **I·gor·ro·te** [ˌiːgɔːr'rɔːte] → Igorot.

i·gua·na [i'gwɑːnə] *s* **1.** *zo.* (*ein*) Legu'an *m*, (*eine*) Kammeidechse (*bes. Gattgen Iguana u. Metopoceros*). – **2.** (*volkstümlich*) *allg.* große Eidechse. — **i'gua·ni·an** *adj zo.* legu'anartig. — **i'gua·nid** [-nid] *adj u. s zo.* legu'anartig(es Tier). — **i'guan·oˌdon** [-nəˌdɒn] *s zo.* Igu'anodon *n* (*fossile Riesenechse*). — **i'gua·noid** → iguanid.

ih·ram [iː'rɑːm] *s* Ih'ram *m* (*Kleid der Mekkapilger*).

I i·ron *s tech.* I-Eisen *n*.

ike [aik] *sl. für* iconoscope.

i·kon *cf.* icon.

il- [il] *assimilierte Form der Vorsilbe* in-.

i·lang-i·lang ['iːlɑːŋ 'iːlɑːŋ] *s* **1.** *bot.* Ilang-Ilang *n* (*Canangium odoratum*). – **2.** Ilang-I'lang-Öl *n*, -Parˌfüm *n*.

ile- [ili] → ileo-.

il·e·ac ['iliˌæk] *adj med.* **1.** Krummdarm... – **2.** Ileus...

il·e·i·tis [ˌili'aitis] *s med.* Ile'itis *f*, Dünndarmentzündung *f*.

ileo- [ilio] *Wortelement mit der Bedeutung* Krummdarm.

il·e·o·cae·cal, *auch* **il·e·o·ce·cal** [ˌilio'siːkəl] *adj med.* Krumm- u. Blinddarm betreffend. — **ˌil·e·o'col·ic** [-'kɒlik] *adj med.* Ileum u. Kolon betreffend. — **ˌil·e·o·co'li·tis** [-ko'laitis; -kə-] *s med.* Ileoco'litis *f*.

il·e·os·to·my [ˌili'ɒstəmi] *s med.* Ileosto'mie *f* (*künstliche Öffnung des Krummdarms*).

il·e·um ['iliəm] *s med. zo.* Ileum *n*, Krummdarm *m*. — **'il·e·us** [-əs] *s med.* Ileus *m*, Darmverschluß *m*.

i·lex ['aileks] *s bot.* **1.** → holm oak. – **2.** Stechpalme *f* (*Gattg Ilex*).

il·i·a ['iliə] *pl von* ilium.

il·i·ac ['iliˌæk] *adj med.* **1.** Darmbein... – **2.** *obs. für* ileac.

i·li·a·cus [i'laiəkəs] *pl* **-ci** [-ˌsai] *s med.* Darmbeinmuskel *m*.

Il·i·ad ['iliəd] *s* **1.** Ilias *f*, Ili'ade *f*. – **2.** *fig.* a) langer Bericht, b) lange Reihe, Kette *f*: an ~ of woes eine Kette von Unglücksfällen. — **ˌIl·i'ad·ic** [-'ædik] *adj* die Ilias betreffend, Ilias... — **'Il·i·an** *adj* tro'janisch.

i·lic·ic [i'lisik] *adj bot.* Stechpalmen..., Ilex... — **il·i·cin** ['ilisin] *s chem.* Ili'cin *n*, Stechpalmenbitter *n*.

ilio- [ilio] *Wortelement mit der Bedeutung* Darmbein.

il·i·o·sa·cral [ˌilio'seikrəl] *adj med.* Darm- u. Kreuzbein betreffend.

il·i·um ['iliəm] *pl* **il·i·a** ['iliə] *s med.* **1.** Darm-, Hüftbein *n*, Os *n* ilium. – **2.** Hüfte *f*, Hüftgegend *f*.

ilk[1] [ilk] **I** *s* Fa'milie *f*, Art *f*, Gattung *f*. – **II** *adj obs.* der'selbe: of that ~ a) derselben Art, b) desselben Namens (Kinloch of that ~ = Kinloch of Kinloch).

ilk[2] [ilk], **il·ka** ['ilkə] *adj u. pron Scot. od. dial.* jeder, jede, jedes.

ill [il] **I** *adj comp* **worse** [wɔːrs] *sup* **worst** [wɔːrst] **1.** schlecht, schlimm, übel, unheilvoll, gefährlich, verderblich, widrig, ungünstig: ~ fortune Unglück, Mißgeschick; ~ humo(u)r schlechte Laune; it's an ~ wind that blows nobody good des einen Unglück ist des andern Glück; → weed[1] 1. – **2.** (*moralisch*) schlecht, übel:

~ repute schlechter Ruf. – 3. 'unvoll,kommen, mangelhaft, unrichtig. – 4. unpassend, unziemlich, grob. – 5. ungeschickt: to be ~ at sich schlecht verstehen auf (*acc*), ungeschickt sein in (*dat*). – 6. bösartig, böse, feindlich, schlimm: ~ **blood** böses Blut, Feindschaft; **to do s.o. an ~ turn** j-m einen bösen Streich spielen. – 7. schlecht, schwach (*Gesundheit*). – 8. *nur pred* krank (of an *dat*), unwohl: **to be taken** (*od.* **to fall**) ~ krank werden. – 9. *obs. od. dial.* a) wütend, b) schwierig, c) sündhaft. – *SYN. cf.* a) **bad**, b) **sick**. – **II** *adv* 10. schlecht, schlimm, übel: ~ **at ease** unruhig, unbehaglich, befangen; **to be ~ off** schlimm *od.* übel daran sein; **to fall out ~** mißglücken; **to go ~ with** übel ergehen (*dat*); → **fare** 6. – 11. schwerlich, kaum, schlecht, nicht gut: **he is ~ able to** er ist kaum imstande zu; **we can ~ afford this expense.** – 12. schlecht, mangelhaft, unbefriedigend, unrichtig. – 13. böse, schlecht, unrecht: ~ **got, ~ spent** wie gewonnen, so zerronnen. – 14. böse, feindselig, übel, schlecht: **to think ~ of s.o.** schlecht von j-m denken. – **III** *s* 15. Übel *n*, Unglück *n*, 'Mißgeschick *n*, Unannehmlichkeit *f*. – 16. Krankheit *f*, Leiden *n*. – 17. (*das*) Böse, Übel *n*.

I'll [ail] *colloq. für* a) I will, b) I shall.

,ill|-a'dapt·ed *adj* schlecht passend, ungeeignet (to für). — **,~-ad'vised** *adj* 1. schlecht beraten. – 2. unbesonnen, unklug, 'unüber,legt. — **,~-ad'vis·ed·ly** [-id-] *adv.* — **,~-af'fect·ed** *adj* übelgesinnt, unfreundlich (to gegen). — **,~-as'sort·ed** *adj* schlecht (zu'sammen)passend, zu'sammengewürfelt.

il·la·tion [i'leiʃən] *s* 1. Schließen *n*, Folgern *n*. – 2. Schluß *m*, Folgerung *f*. — **il·la·tive** ['ilətiv; i'leitiv] **I** *adj* 1. schließend, folgernd, Schluß... – 2. gefolgert. – **II** *s* 3. *ling.* a) 'Schlußpar,tikel *f*, b) Schlußsatz *m*.

il·laud·a·ble [i'lɔːdəbl] *adj* unrühmlich, unlöblich, tadelnswert.

Il·la·war·ra palm [,ilə'wɒrə] *s bot.* Illa'warra-Palme *f* (*Ptychosperma elegans*).

,ill|-be'haved *adj* unartig, ungezogen. — **'~-'be·ing** *s* schlechtes Befinden. — **'~-'bod·ing** *adj* unheil(ver)kündend. — **'~-'bred** *adj* schlecht erzogen, ungebildet, unhöflich. — **~ breed·ing** *s* 1. Ungezogenheit *f*. – 2. schlechte Erziehung. — **'~-con'di·tioned** *adj* 1. schlecht beschaffen. – 2. schlecht, boshaft. – 3. *med.* bösartig. – 4. schadhaft. – 5. *math.* sehr ungleichwinklig (*Dreieck*). — **,~-con'sid·ered** → **ill-advised** 2. — **'~-con'tent** *adj* unzufrieden. — **'~-con'trived** *adj* schlecht geplant *od.* ausgeführt. — **'~-de'fined** *adj* verworren, unklar. — **'~-dis'posed** *adj* 1. übelgesinnt (toward[s], to *dat*). – 2. übelgelaunt. – 3. schlecht geordnet. — **'~-'do·ing I** *adj* übeltuend, sich schlecht benehmend. – **II** *s* Unrechttun *n*.

il·leck ['ilek] → **dragonet** 2.

il·le·gal [i'liːgəl] *adj* 'ille,gal, ungesetzlich, gesetz-, rechtswidrig, unrechtmäßig, 'widerrechtlich, verboten. — **il·le·gal·i·ty** [,ili'gæliti; -əti] *s* 1. Ungesetzlichkeit *f*, Unrechtmäßigkeit *f*, Gesetzwidrigkeit *f*, Illegali'tät *f*. – 2. gesetzwidrige Handlung. — **il·le·gal·ize** [i'liːgə,laiz] *v/t* als gesetzwidrig erklären, verbieten.

il·leg·i·bil·i·ty [i,ledʒi'biliti; -dʒə-; -əti] *s* Unleserlichkeit *f*. — **il'leg·i·ble** *adj* unleserlich. — **il'leg·i·ble·ness** → **illegibility**.

il·le·git·i·ma·cy [,ili'dʒitiməsi; -tə-] *s* 1. Unrechtmäßigkeit *f*, Ungültigkeit *f*. – 2. Unechtheit *f*. – 3. uneheliche Geburt. — **,il·le'git·i·mate I** *adj* [-mit] 1. unrechtmäßig, 'widerrechtlich, rechtswidrig. – 2. un-, außerehelich, illegi'tim: **an ~ child.** – 3. fehlerhaft, 'inkor,rekt: **an ~ word.** – 4. unlogisch, unrichtig. – 5. ab'norm, ungewöhnlich. – **II** *v/t* [-,meit] 6. für ungesetzlich erklären, verbieten. – 7. für unehelich erklären. — **,il·le'git·i·mate·ness** [-mitnis] *s* 1. Unrechtmäßigkeit *f*, Rechtswidrigkeit *f*. – 2. Unehelichkeit *f*, uneheliche Geburt. – 3. Fehlerhaftigkeit *f*. — **,il·le,git·i'ma·tion** *s* 1. Ungültigkeitserklärung *f*, Ungültigmachung *f*. – 2. Unrechtmäßigkeit *f*, Ungültigkeit *f*. – 3. Außerehelichkeit *f*. — **,il·le'git·i·ma,tize** [-mə,taiz], **,il·le'git·i,mize** → **illegitimate** II.

'ill|-'fat·ed *adj* 1. unglücklich, unselig, Unglücks... – 2. unselig, ungünstig. — **'~-'fa·vo(u)red** *adj* 1. ungestalt, häßlich. – 2. gemein. — **,~-'fa·vo(u)red·ness** *s* 1. Häßlichkeit *f*. – 2. Gemeinheit *f*. — **'~-'found·ed** *adj* unbegründet. — **'~-'got** → **ill-gotten**. — **'~-'got·ten** *adj* unrechtmäßig *od.* unehrenhaft erworben. — **'~-'health** *s* Kränklichkeit *f*, Unpäßlichkeit *f*. — **'~-'hu·mo(u)r** *s* üble Laune, schlechte Stimmung. — **'~-'hu·mo(u)red** *adj* übelgelaunt, unfreundlich, verärgert. — **,~-'hu·mo(u)red·ness** → **ill-humo(u)r**.

il·lib·er·al [i'libərəl] *adj* 1. knauserig. – 2. engherzig, -stirnig, beschränkt. – 3. unfein, gewöhnlich, ungebildet. — **il,lib·er'al·i·ty** [-'ræliti; -əti], **il'lib·er·al·ness** *s* 1. Knause'rei *f*. – 2. Engherzigkeit *f*, Engstirnigkeit *f*, Beschränktheit *f*. – 3. Unfeinheit *f*.

il·lic·it [i'lisit] *adj* 1. unerlaubt, unzulässig, verboten, gesetzwidrig. – 2. dem Gesetz zu'widerhandelnd, geheim. — **il'lic·it·ness** *s* Gesetzwidrigkeit *f*, Unzulässigkeit *f*.

il·lic·it| trade *s econ.* Schleich-, Schwarzhandel *m*. — **~ work** *s econ.* Schwarzarbeit *f*.

il·lim·it·a·bil·i·ty [i,limitə'biliti; -əti] *s* Unermeßlichkeit *f*, Grenzenlosigkeit *f*. — **il'lim·it·a·ble** *adj* grenzenlos, unermeßlich, unbegrenzbar. — **il'lim·it·a·ble·ness** → **illimitability**.

il·lin·i·um [i'liniəm] *s chem.* Il'linium *n* (Il).

Il·li·noi·an [,ili'nɔiən; -lə-] → **Illinoisan**. — **,Il·li'nois** [-'nɔi; -'nɔiz] *s* Illi'nois-Indi,aner(in). — **,Il·li'nois·an** [-'nɔiən; -zən], **,Il·li'nois·i·an** [-'nɔijən; -'nɔiziən] **I** *adj* aus Illi'nois, Illinois... – **II** *s* Bewohner(in) von Illi'nois (*in USA*).

Il·li·nois nut → **pecan**.

il·liq·uid [i'likwid] *adj* 1. *econ.* nicht li'quid *od.* flüssig. – 2. *jur.* unerwiesen, unklar.

il·lit·er·a·cy [i'litərəsi] *s* 1. Unwissenheit *f*, Ungebildetheit *f*, Ungelehrtheit *f*. – 2. ,Analpha'betentum *n*. – 3. Schreib-, Druckfehler *m*. — **il'lit·er·ate** [-rit] **I** *adj* 1. unwissend, ungebildet, ungelehrt. – 2. analpha'betisch. – 3. ungebildet, roh, primi'tiv: ~ **style**. – *SYN. cf.* **ignorant**. – **II** *s* 4. Unwissende(r), Ungebildete(r). – 5. Analpha'bet(in). — **il'lit·er·ate·ness** → **illiteracy** 1 *u.* 2.

'ill|-'judged *adj* unvernünftig, unbedacht. — **'~-'look·ing** *adj* 1. 'häßlich. – 2. hausbacken. — **~ luck** *s* Unglück *n*, Pech *n*. — **'~-'man·nered** *adj* von schlechten 'Umgangsformen, unhöflich, ungehobelt, roh. — **,~-'man·nered·ness** *s* Unhöflichkeit *f*, 'Unma,nierlichkeit *f*. — **'~-'matched** *adj* schlecht (zu'sammen)passend. — **~ na·ture** *s* 1. unfreundliche (Gemüts)Art, Grobheit *f*. – 2. Bosheit *f*, Bösartigkeit *f*. — **'~-'na·tured** *adj* 1. unfreundlich, bösartig, boshaft. – 2. verdrießlich, verärgert. — **,~-'na·tured·ness** *s* 1. Unfreundlichkeit *f*, Bösartigkeit *f*. – 2. Verdrießlichkeit *f*.

ill·ness ['ilnis] *s* 1. Krankheit *f*, Leiden *n*. – 2. *obs.* a) Bosheit *f*, b) Schädlichkeit *f*.

il·log·i·cal [i'lɒdʒikəl] *adj* unlogisch. — **il,log·i'cal·i·ty** [-'kæliti; -əti], **il'log·i·cal·ness** *s* (*das*) Unlogische *od.* Vernunftwidrige, Unlogik *f*.

'ill|-'o·mened *adj* von schlechter Vorbedeutung, Unglücks... — **'~-'qual·i·fied** *adj* ungeeignet. — **'~-'set** *adj* schlecht gedruckt (*Buch*). — **'~-'sort·ed** *adj* schlecht zu'sammengefügt *od.* -passend. — **'~-'starred** *adj* 1. unglücklich, unselig. – 2. unheilvoll. — **~ tem·per** *s* üble Laune, Ärger(lichkeit *f*) *m*, Verdrießlichkeit *f*, Reizbarkeit *f*. — **'~-'tem·pered** *adj* schlecht gelaunt, verdrießlich, verärgert, mürrisch, reizbar. — **,~-'tem·pered·ness** *s* schlechte Laune, Verdrießlichkeit *f*. — **'~-'timed** *adj* ungelegen, unpassend. — **,~-'treat** *v/t* miß'handeln. — **,~-'treat·ment** *s* Miß'handlung *f*.

il·lume [i'ljuːm; i'luːm] *v/t poet.* 1. erleuchten, aufhellen, erhellen. – 2. *fig.* aufklären. — **il'lu·mi·nant** [-minənt; -mə-] **I** *adj* (er)leuchtend, aufhellend. – **II** *s* Beleuchtungsmittel *n*, Leuchtkörper *m*.

il·lu·mi·nate [i'ljuːmi,neit; -'luː-; -mə-] **I** *v/t* 1. be-, erleuchten, erhellen. – 2. *bes. Br.* illumi'nieren, festlich beleuchten. – 3. erläutern, erklären. – 4. *fig.* aufklären. – 5. berühmt machen. – 6. kolo'rieren, illumi'nieren, bunt ausmalen. – **II** *v/i* 7. illumi'nieren. – 8. sich erhellen, beleuchtet werden. – 9. sich entzünden (*Licht*). – **III** *adj* [-nit; -,neit] 10. *obs* er-, beleuchtet. – **IV** *s* [-nit; -,neit] 11. Aufgeklärte(r), Erleuchtete(r), Illumi'nat(in). — **il,lu·mi'na·ti** [-'neitai; -'nɑːtiː] *s pl, sg* **-'na·tus** [-təs], **-'na·to** [-tou] 1. *meist ironisch* mit besonderer Erkenntnis Begabte *pl*. – 2. **I~** *relig.* Illumi'naten *pl* (*Name verschiedener Vereinigungen, die sich besonderer Erleuchtung rühmten*).

il·lu·mi·nat·ing [i'ljuːmi,neitiŋ; -'luː-; -mə-] *adj* 1. lichtspendend, Leucht... – 2. *fig.* aufschlußreich, erleuchtend. — **~ gas** *s tech.* Leuchtgas *n*. — **~ pow·er** *s* Leuchtkraft *f*. — **~ val·ue** *s* Leuchtwert *m*.

il·lu·mi·na·tion [i,ljuːmi'neiʃən; -,luː-; -mə-] *s* 1. Be-, Erleuchtung *f*. – 2. *bes. Br.* Illuminati'on *f*, Festbeleuchtung *f*. – 3. *pl* Beleuchtungskörper *pl*, -anlage *f*. – 4. *fig.* Erleuchtung *f*, Aufklärung *f*. – 5. Licht *n u.* Glanz *m*. – 6. Kolo'rierung *f*, Verzierung *f*, Illuminati'on *f* (*von Büchern etc*). – 7. *phys.* a) Beleuchtungsstärke *f*, Helligkeit *f*, b) Aufhellung *f*: **line of equal ~** Isophote. — **il'lu·mi,na·tive** [-,neitiv] *adj* 1. erleuchtend, erhellend. – 2. illumi'nierend, verzierend. – 3. *fig.* aufklärend. — **il,lu·mi'na·to** [-'neitou; -'nɑːtou] *sg von* **illuminati**. — **il'lu·mi,na·tor** [-,neitər] *s* 1. Erhellende(r, -s), Erleuchtende(r, -s). – 2. Erleuchter(in), Aufklärer(in). – 3. Illumi'nator *m*, Kolo'rierer *m*. – 4. (*Optik*) Illumi'nator *m*, Beleuchtungsgerät *n*, -spiegel *m*. — **il,lu·mi'na·tus** [-'neitəs; -'nɑːtəs] *sg von* **illuminati**.

il·lu·mine [i'ljuːmin; -'luː-] *poet.* **I** *v/t* 1. (festlich) beleuchten, erleuchten. – 2. aufklären, erleuchten. – **II** *v/i* 3. beleuchtet sein *od.* werden. — **Il'lu·mi,nism** *s* Illumi'nismus *m* (*Lehre der Illuminaten*).

il·lu·pi ['ilupi] *s bot.* Mahwabaum *m* (*Illipe malabrorum*).

ˈill|-ˈus·age *s* schlechte Behandlung, Mißˈhandlung *f*. — **ˈ~-ˈuse I** *v/t* schlecht behandeln, mißˈhandeln. – **II** *s* → **ill-usage.**

il·lu·sion [iˈluːʒən; -ˈljuː-] *s* **1.** Illusiˈon *f*, falsche Vorstellung, Einbildung *f*. – **2.** Blendwerk *n*, Trugbild *n*. – **3.** Sinnestäuschung *f*: **optical** ~ optische Täuschung. – **4.** Täuschung *f*, Betrug *m*. – **5.** (*Art*) zarter Tüllstoff. – *SYN. cf.* **delusion.** — **ilˈlu·sion·al, ilˈlu·sion·ar·y** [*Br.* -nəri; *Am.* -ˌneri] *adj* illuˈsorisch. — **ilˈlu·sionˌism** *s bes. philos.* Illusioˈnismus *m*. — **ilˈlu·sion·ist** *s* **1.** Schwärmer(in), Träumer(in). – **2.** Zauberer *m*. – **3.** *bes. philos.* Illusioˈnist *m*.

il·lu·sive [iˈluːsiv; -ˈljuː-] *adj* illuˈsorisch, täuschend, trügerisch, nicht wirklich. — **ilˈlu·sive·ness, ilˈlu·so·ri·ness** [-sərinis] *s* **1.** Unwirklichkeit *f*. – **2.** Täuschung *f*. — **ilˈlu·so·ry** → **illusive.** – *SYN. cf.* **apparent.**

il·lus·trate [ˈiləˌstreit; *Am. auch* iˈlʌs-] *v/t* **1.** erläutern, erklären, veranschaulichen. – **2.** illuˈstrieren. – **3.** *obs.* a) *fig.* erleuchten, b) berühmt machen, c) verherrlichen, d) beleuchten.

il·lus·tra·tion [ˌiləˈstreiʃən] *s* **1.** Erläuterung *f*, Erklärung *f*, Veranschaulichung *f*: **in** ~ **of** zur Erläuterung von. – **2.** Beispiel *n*. – **3.** Abbildung *f*, Illustratiˈon *f*, Bild *n*. – **4.** Glanz *m*, Berühmtheit *f*. – **5.** Verherrlichung *f*. – *SYN. cf.* **instance.**

il·lus·tra·tive [iˈlʌstrətiv; ˈiləˌstreitiv] *adj* erläuternd, erklärend, veranschaulichend: **to be** ~ **of** erläutern, veranschaulichen.

il·lus·tra·tor [ˈiləˌstreitər; *Am. auch* iˈlʌs-] *s* **1.** Illuˈstrator *m*. – **2.** Erläuterer *m*, Erklärer *m*. – **3.** (*etwas*) Erläuterndes.

il·lus·tri·ous [iˈlʌstriəs] *adj* **1.** herˈvorragend, ausgezeichnet. – **2.** (*in Titeln*) Erlaucht, Erhaben. – **3.** berühmt, ruhmreich. – **4.** *obs.* glänzend. – *SYN. cf.* **famous.** — **ilˈlus·tri·ous·ness** *s* **1.** Glanz *m*, Erlauchtheit *f*. – **2.** Berühmtheit *f*.

il·lu·vi·al [iˈluːviəl; -ˈljuː-] *adj geol.* illuviˈal. — **ilˈlu·viˌate** [-ˌeit] *v/i* eingespült *od.* eingeschwemmt werden. — **ilˌlu·viˈa·tion** *s* Einspülung *f*.

ill| will *s* Feindseligkeit *f*, Groll *m*, Feindschaft *f*. – *SYN. cf.* **malice.** — **ˈ~-ˈwilled** *adj* **1.** feindselig, bösartig. – **2.** unwillig, unfreundlich. — **ˌ~-ˈwill·er, ˌ~-ˈwish·er** *s* Übelwollende(r), Feind(in).

il·ly [ˈili; ˈilli] *obs. od. dial. od. Am. adv zu* **ill.**

Il·lyr·i·an [iˈli(ə)riən] **I** *adj* **1.** ilˈlyrisch. – **II** *s* **2.** Ilˈlyrier(in). – **3.** *ling.* Ilˈlyrisch *n*, das Illyrische.

il·men·ite [ˈilməˌnait] *s min.* Ilmeˈnit *m* ($FeTiO_3$).

I·lo·ka·no [ˌiːloˈkɑːnou] *pl* **-nos** *s* **1.** Iloˈkano *m* (*Angehöriger eines malaiischen Volks der Philippinen*). – **2.** *ling.* Iloˈkano *n*.

im- [im] → **in-.**

I'm [aim] *colloq. für* **I am.**

im·age [ˈimidʒ] **I** *s* **1.** bildliche Darstellung, Bild(nis) *n*. – **2.** Bildsäule *f*, Statue *f*. – **3.** (*abstrakt*) Bild *n*, Erscheinungsform *f*, Gestalt *f*. – **4.** Ab-, Ebenbild *n*: **he is the very** ~ **of his brother** er ist seinem Bruder wie aus dem Gesicht geschnitten. – **5.** *phys.* (optisches) Bild. – **6.** *math. phys.* (Ab)Bild *n*. – **7.** geistiges Bild, Vorstellung(sbild *n*) *f*, Iˈdee *f*. – **8.** *psych.* ˈWiedererleben *n*. – **9.** Verkörperung *f*. – **10.** symˈbolische Darstellung, Symˈbol *n*. – **11.** sprachliche Darstellung. – **12.** Bild *n*, (*ausgeführte*) Meˈtapher. – **13.** *obs.* Trugbild *n*. – **II** *v/t* **14.** abbilden, bildlich darstellen. – **15.** ˈwiderspiegeln, (*Bild*) zuˈrückwerfen. – **16.** sich vorstellen, ersinnen, sich ausdenken: **to** ~ **s.th. to oneself** sich etwas vorstellen *od.* ausdenken. – **17.** symboliˈsieren, verkörpern. – **18.** (*sprachlich*) anschaulich darstellen. – **19.** ähneln (*dat*). — **ˈim·age·a·ble** *adj* vorstellbar.

im·age dis·sec·tor *s* (*Fernsehen*) Bildzerleger *m*, -zerlegeröhre *f*, Farnsworth-, Sondenröhre *f*.

im·age·less [ˈimidʒlis] *adj* **1.** bilderlos. – **2.** ohne Abbild. – **3.** *psych.* ohne Vorstellungsbild.

im·age·ry [ˈimidʒri; -dʒəri] *s* **1.** *collect.* Bilder *pl*, Bildwerk(e *pl*) *n*. – **2.** *collect.* Vorstellungen *pl*, geistige Bilder *pl*. – **3.** Einbildung *f*, Vorstellung *f*. – **4.** bildliche Darstellung. – **5.** *collect.* (*rhetorische*) Bilder *pl*, Bildersprache *f*.

im·age wor·ship *s* Bilderdienst *m*, -anbetung *f*, Götzendienst *m*.

im·ag·i·na·bil·i·ty [iˌmædʒinəˈbiliti; -dʒə-; -əti] *s* Vorstellbarkeit *f*, Denkbarkeit *f*. — **imˈag·i·na·ble** *adj* erdenklich, denkbar: **the greatest trouble** ~ die denkbar größte Mühe. — **imˈag·i·na·ble·ness** → **imaginability.**

im·ag·i·nal [iˈmædʒinl; -dʒə-] *adj zo.* die Iˈmago betreffend, iˈmagoähnlich.

im·ag·i·nar·i·ly [*Br.* iˈmædʒinərili; -dʒə-; *Am.* -ˌner-] *adv* vorstellungsweise, in der Einbildung. — **imˈag·i·nar·i·ness** *s* Gedachtsein *n*, Nichtwirklichkeit *f*. — **imˈag·i·nar·y I** *adj* **1.** nur in der Einbildung *od.* Vorstellung exiˈstierend, eingebildet, (nur) gedacht, imagiˈnär, Schein..., Phantasie... – **2.** *math.* imagiˈnär. – **3.** *econ.* finˈgiert. – *SYN.* **chimerical, fanciful, fantastic, quixotic, visionary.** – **II** *s* **4.** *math.* imagiˈnäre Größe, imaginärer Ausdruck.

im·ag·i·na·tion [iˌmædʒiˈneiʃən; -dʒə-] *s* **1.** Phantaˈsie *f*, Vorstellungs-, Einbildungs-, Erfindungskraft *f*, Iˈdeenreichtum *m*. – **2.** Vorstellen *n*, Vorstellung *f*: **in** ~ in der Vorstellung, im Geist. – **3.** Vorstellung *f*, Einbildung *f*, Iˈdee *f*, Gedanke *m*, Einfall *m*. – **4.** (*Ästhetik*) Bildungskraft *f* (*nach Coleridge*). – **5.** *obs.* (geheimer) Plan. – *SYN.* **fancy, fantasy.** — **imˌag·iˈna·tion·al** *adj* **1.** Einbildungs... – **2.** vorgestellt, eingebildet, imagiˈnär, Phantasie...

im·ag·i·na·tive [iˈmædʒinətiv; -dʒə-; -ˌneitiv] *adj* **1.** phantaˈsiereich, erfinderisch. – **2.** vorstellend, einbildend, Einbildungs...: ~ **faculty,** ~ **power** Einbildungskraft. – **3.** phantaˈsievoll, phanˈtastisch. — **imˈag·i·na·tive·ness** *s* Phantaˈsiereichtum *m*, Erfindungsgabe *f*.

im·ag·ine [iˈmædʒin] **I** *v/t* **1.** sich vorstellen, ausdenken, sich denken: **it is not to be** ~**d** man kann es sich nicht vorstellen, es ist nicht auszudenken. – **2.** ersinnen, erdenken, denken an (*acc*). – **3.** denken, glauben, sich einbilden: **you just** ~ **it** du bildest dir das nur ein. – **4.** vermuten, sich vorstellen, ahnen: **I cannot** ~ **who he is** ich kann mir nicht vorstellen, wer er ist. – **5.** *obs.* aushecken. – **II** *v/i* **6.** sich Vorstellungen ˈhingeben. – **7.** sich vorstellen, vermuten, glauben, meinen, denken: **just** ~! denken Sie (sich) nur! – *SYN. cf.* **think.**

i·mag·i·nes *pl von* **imago.**

im·ag·ism [ˈimiˌdʒizəm; -mə-] *s* Imaˈgismus *m* (*literarische Bewegung*). — **ˈim·ag·ist I** *s* Imaˈgist *m*. – **II** *adj* imaˈgistisch. — **ˌim·agˈis·tic** → **imagist II.**

i·ma·go [iˈmeigou] *pl* **-goes** *od.* **i·mag·i·nes** [iˈmeidʒiˌniːz; -ˈmædʒ-] *s* **1.** *zo.* Iˈmago *f*, vollentwickeltes Inˈsekt. – **2.** *psych.* Iˈmago *f* (*aus der Kindheit bewahrtes, unbewußtes Idealbild einer Person, bes. eines Elternteils*). – **3.** Bild(säule *f*) *n*, Statue *f*. – **4.** *antiq.* Ahnenmaske *f* (*aus Wachs*).

i·mam [iˈmɑːm] *s* **1.** Iˈmam *m* (*moham. Priester*). – **2.** I~ Iˈmam *m* (*Titel gewisser geistlicher od. weltlicher Würdenträger*). — **iˈmam·ate** [-eit] *s* Imaˈmat *n* (*Amtsbereich od. Würde eines Imam*).

i·ma·ret [iˈmɑːret] *s* Iˈmaret(h) *m*, Rast-, Gasthaus *n* (*für Pilger in der Türkei*).

i·maum [iˈmɑːm; iˈmɔːm] → **imam.**

imb- [imb] → **emb-.**

im·bal·ance [imˈbæləns] *s* **1.** Unausgewogenheit *f*, Unausgeglichenheit *f*. – **2.** *med.* mangelhafte Zuˈsammenarbeit.

im·balm [imˈbɑːm], **imˈbark** [-ˈbɑːrk] → **embalm, embark.**

im·be·cile [ˈimbəsil] **I** *adj* **1.** *med.* geistesschwach, blödsinnig, imbeˈzill. – **2.** dumm, blöd, idiˈotisch. – **3.** *selten* schwach. – **II** *s* **4.** *med.* Schwachsinnige(r), Imbeˈzille(r). – *SYN. cf.* **fool**[1]. — **ˌim·beˈcil·i·ty** *s* **1.** *med.* Schwach-, Blödsinn *m*, Imbezilliˈtät *f*. – **2.** Schwäche *f*. – **3.** Dumm-, Blödheit *f*. – **4.** Un-, Blödsinn *m*, Absurdiˈtät *f*. – **5.** Unfähigkeit *f*.

im·bed [imˈbed] → **embed.**

im·bibe [imˈbaib] **I** *v/t* **1.** ein-, aufsaugen, trinken, schlürfen. – **2.** *fig.* (geistig) aufnehmen, sich zu eigen machen. – **3.** durchˈtränken. – **4.** *obs.* eintauchen. – **II** *v/i* **5.** trinken. – **6.** absorˈbieren, aufsaugen. – *SYN. cf.* **absorb.** — **ˌim·biˈbi·tion** [-biˈbiʃən] *s* **1.** Ein-, Aufsaugen *n*, Absorptiˈon *f*. – **2.** *med.* Durchˈtränkung *f*, Imbibitiˈon *f*.

im·bit·ter [imˈbitər], **imˈbod·y** [-ˈbɒdi], **imˈbold·en** [-ˈbouldən], **imˈbos·om** [-ˈbuzəm], **imˈbow·er** [-ˈbauər] → **embitter** *etc.*

im·bri·cate I *adj* [ˈimbrikit; -ˌkeit; -brə-] **1.** hohlziegelförmig. – **2.** dachziegel- *od.* schuppenartig angeordnet, geschuppt. – **3.** dachziegel- *od.* schuppenförmig verziert: ~ **work** a) Schuppenverzierung, b) Dachziegelverband. – **II** *v/t* [-ˌkeit] **4.** dachziegelartig anordnen. – **5.** *arch.* schuppenartig verzieren. – **III** *v/i* **6.** dachziegelartig übereinˈanderliegen. — **ˈim·briˌcat·ed** → **imbricate I.** — **ˌim·briˈca·tion** *s* **1.** dachziegelartige Anordnung, Schuppung *f*. – **2.** *arch.* dachziegelartige Verzierung. – **3.** *med.* dachziegelartige Überˈlagerung. — **ˈim·briˌca·tive** [-tiv] *adj* dachziegel-, schuppenartig.

im·bro·glio [imˈbrouljou] *pl* **-glios** *s* **1.** Verwicklung *f*, Verwirrung *f*, Komplikatiˈon *f*. – **2.** ernstes ˈMißverständnis, Schwierigkeit *f*. – **3.** *mus.* Imˈbroglio *n*, Taktartmischung *f*. – **4.** *selten* Durcheinˈander *n*.

im·brown [imˈbraun] → **embrown.**

im·brue [imˈbruː] *v/t* **1.** (with, in) baden (in *dat*), färben, tränken, benetzen (mit). – **2.** benetzen, färben, durchˈtränken (*Blut*). — **imˈbrue·ment** *s* Benetzung *f*, Eintauchen *n*.

im·brute [imˈbruːt] **I** *v/t* vertieren, viehisch machen. – **II** *v/i* vertieren, verwildern. — **imˈbrute·ment** *s* Vertierung *f*.

im·bue [imˈbjuː] *v/t* **1.** durchˈtränken, eintauchen, einweichen. – **2.** benetzen. – **3.** tief färben. – **4.** beflecken. – **5.** *fig.* durchˈtränken, -ˈdringen, erfüllen (with mit): ~**d with** erfüllt mit *od.* von. – *SYN. cf.* **infuse.** — **imˈbue·ment** *s* **1.** Durchˈtränkung *f*. – **2.** tiefe Färbung.

im·id [ˈimid] → **imide.**

im·id·az·ol(e) [ˌimiˈdæzoul; -dəˈzoul] *s chem.* Imidaˈzol *n* ($C_3H_4N_2$).

im·ide [ˈimaid; -mid] *s chem.* Iˈmid *n* (NH-*Verbindung*).

i·mi·do [iˈmiːdou; ˈimiˌdou] *adj chem.* Imido...

imido- [iˈmiːdou; imidou; -do; -də] *Wortelement mit der Bedeutung* Imido...

i·mid·o·gen [iˈmidodʒen; iˈmiː-; -də-] *s chem.* NH-Gruppe *f*, Iˈmido- *od.* Iˈminogruppe *f*.

i·mi·no u·re·a [iˈmiːnou; ˈimiˌnou] *s chem.* Iˈmidoharnstoff *m*, Guaniˈdin *n*.

im·i·ta·bil·i·ty [ˌimitəˈbiliti; -əti] *s* Nachahmbarkeit *f*. — **ˈim·i·ta·ble** *adj* nachahmbar.

im·i·tate [ˈimiˌteit; -mə-] *v/t* **1.** nachahmen, -machen, imiˈtieren, koˈpieren: not to be ~d unnachahmlich. – **2.** ähneln (*dat*), ähnlich sein (*dat*). – **3.** *biol.* sich angleichen *od.* anpassen an (*acc*). – *SYN. cf.* copy. — **ˈim·iˌtat·ed** *adj* nachgeahmt, unecht, künstlich, imiˈtiert.

im·i·ta·tion [ˌimiˈteiʃən; -mə-] **I** *s* **1.** Nachahmung *f*, -ahmen *n*: for ~ zur Nachahmung; in ~ of als Nachahmung von, nach dem Muster von. – **2.** Nachbildung *f*, -ahmung *f*, (*das*) Nachgeahmte. – **3.** Imitatiˈon *f*, Nachahmung *f*, Koˈpie *f*, Falsifiˈkat *n*. – **4.** freie Überˈsetzung. – **5.** *biol.* Anpassung *f*, Angleichung *f*, Mimikry *f*. – **6.** *mus.* Nachahmung *f*. – **7.** (*Ästhetik*) Nachbildung *f* der Wirklichkeit. – **8.** *psych.* Nachahmung *f*, Imitatiˈon *f* (*der Handlung eines anderen*). – **II** *adj* **9.** nachgemacht, unecht, künstlich, Kunst..., Imitations...: ~ diamond unechter Diamant, Straß; ~ leather Kunstleder. — **ˌim·iˈta·tion·al** *adj* nachahmend, auf Nachahmung beruhend.

im·i·ta·tive [ˈimiˌteitiv; -tət-; -mə-] *adj* **1.** nachahmend, -bildend: ~ arts bildende Künste; to be ~ of nachahmen. – **2.** zur Nachahmung geneigt, nachahmend. – **3.** nachgemacht, -gebildet, -geahmt (of *dat*). – **4.** *biol.* sich anpassend, sich angleichend. – **5.** *ling.* lautmalerisch, -nachahmend. – **6.** *med.* imitaˈtorisch. — **ˈim·iˌta·tive·ness** *s* Fähigkeit *f* des Nachahmens. — **ˈim·iˌta·tor** [-ˌteitər] *s* Nachahmer *m*, Imiˈtator *m*.

im·mac·u·la·cy [iˈmækjuləsi; -kjə-] *s* Unbeflecktheit *f*. — **imˈmac·u·late** [-lit] *adj* **1.** *fig.* unbefleckt, makellos, rein, lauter: I~ Conception *relig.* Unbefleckte Empfängnis. – **2.** fehlerlos, -frei. – **3.** fleckenlos, sauber. – **4.** *bot. zo.* ungefleckt. — **imˈmac·u·late·ness** *s* Unbeflecktheit *f*, Reinheit *f*, Sauberkeit *f*.

im·mane [iˈmein] *adj obs.* **1.** riesig. – **2.** unmenschlich.

im·ma·nence [ˈimənəns], **ˈim·ma·nen·cy** [-si] *s* **1.** Innewohnen *n*. – **2.** *philos. relig.* Immaˈnenz *f*. — **ˈim·ma·nent** *adj* **1.** innewohnend, anhaftend. – **2.** *philos.* immaˈnent. – **3.** *psych.* immaˈnent, subjekˈtiv.

im·ma·te·ri·al [ˌiməˈti(ə)riəl] *adj* **1.** immateriˈell, unkörperlich, stoff-, körperlos. – **2.** unwesentlich, unbedeutend, nebensächlich, gleichgültig, unwichtig: it's ~ to me es ist mir gleichgültig *od.* einerlei.

im·ma·te·ri·al·ism [ˌiməˈti(ə)riəˌlizəm] *s philos.* **1.** Immateriaˈlismus *m*, Spirituaˈlismus *m*. – **2.** Ideaˈlismus *m*. — **ˌim·maˈte·ri·al·ist** *s* Immateriaˈlist *m*, Spirituaˈlist *m*, Ideaˈlist *m*. — **ˌim·maˌte·riˈal·i·ty** [-ˈæliti; -əti] *s* **1.** *philos.* a) Unkörperlichkeit *f*, Unstofflichkeit *f*, b) immateriˈelles Wesen. – **2.** Unwesentlichkeit *f*. — **ˌim·maˈte·ri·alˌize** *v/t* unkörperlich *od.* unstofflich machen, vergeistigen.

im·ma·te·ri·al·ness [ˌiməˈti(ə)riəlnis] *s* **1.** Körperlosigkeit *f*, Unstofflichkeit *f*. – **2.** Unwesentlichkeit *f*.

im·ma·ture [ˌiməˈtjur; *Am. auch* -ˈtur] *adj* **1.** unreif, unausgereift, roh, unentwickelt (*auch fig.*). – **2.** *geogr.* jung, unentwickelt. – **3.** *obs.* vorzeitig. — **ˌim·maˈture·ness** → immaturity. — **ˌim·maˈtu·ri·ty** *s* Unreife *f*, Unausgereiftheit *f*, Unfertigkeit *f*.

im·meas·ur·a·bil·i·ty [iˌmeʒərəˈbiliti; -əti] *s* Unmeßbarkeit *f*, Unermeßlichkeit *f*. — **imˈmeas·ur·a·ble** *adj* unmeßbar, unermeßlich, grenzenlos. — **imˈmeas·ur·a·ble·ness** → immeasurability.

im·me·di·a·cy [iˈmiːdiəsi] *s* **1.** Unmittelbarkeit *f*, Diˈrektheit *f*. – **2.** Unverzüglichkeit *f*. – **3.** *philos.* a) unmittelbar gegebener Bewußtseinsinhalt, b) unmittelbare Gegenwart *od.* Gegebenheit.

im·me·di·ate [iˈmiːdiit; -djət] *adj* **1.** (*räumlich*) unmittelbar, nächstgelegen, angrenzend, ˈumliegend: in the ~ vicinity in der nächsten Umgebung; ~ constituent *ling.* (größeres) Satzglied, Wortgruppe. – **2.** (*zeitlich*) unmittelbar, unmittelbar bevorstehend, nächst. – **3.** unverzüglich, soˈfortig, augenblicklich: ~ annuity *econ.* sofort fällige Rente; ~ matter *jur.* Sofortsache; ~ steps Sofortmaßnahmen. – **4.** derzeitig, augenblicklich: my ~ plans. – **5.** diˈrekt, unmittelbar, aus erster Hand. – **6.** nächst(er, e, es) (*in der Verwandtschaftslinie*). – **7.** *philos.* intuiˈtiv, diˈrekt, unmittelbar. – **8.** diˈrekt betreffend, unmittelbar berührend. – *SYN. cf.* direct. — **imˈme·di·ate·ly** **I** *adv* **1.** unmittelbar, diˈrekt. – **2.** soˈgleich, soˈfort, unverzüglich. – **II** *conjunction* **3.** *bes. Br.* soˈbald als. — **imˈme·di·ate·ness** *s* Unmittelbarkeit *f*, Unverzüglichkeit *f*. — **imˈme·di·atˌism** *s Am. hist. die Forderung der sofortigen Abschaffung der Sklaverei.*

im·med·i·ca·ble [iˈmedikəbl] *adj* unheilbar.

Im·mel·mann turn [ˈiməlˌmɑːn; -mən] *s aer.* ˈImmelmann-ˌÜberschlag *m*, hochgezogene Kehrtkurve.

im·me·mo·ri·al [ˌimiˈmɔːriəl; ˈimə-] *adj* un(vor)denklich, uralt: from time ~ seit unvordenklichen Zeiten.

im·mense [iˈmens] *adj* **1.** unermeßlich, grenzenlos, ungeheuer. – **2.** riesengroß, riesig. – **3.** *sl.* großartig, ‚prima'. – *SYN. cf.* enormous. — **imˈmense·ness** → immensity. — **imˈmen·si·ty** *s* Unermeßlichkeit *f*, Unendlichkeit *f*, Grenzenlosigkeit *f*.

im·men·su·ra·bil·i·ty [iˌmenʃurəˈbiliti; -əti] *s* Unermeßlichkeit *f*. — **imˈmen·su·ra·ble** *adj* unermeßlich, unermeßbar.

im·merge [iˈməːrdʒ] **I** *v/t* eintauchen. – **II** *v/i* (*durch Eintauchen*) verschwinden. — **imˈmer·gence** *s* Eintauchen *n*.

im·merse [iˈməːrs] *v/t* **1.** ein-, ˈuntertauchen, versenken. – **2.** *relig.* (*bei der Taufe*) ˈuntertauchen. – **3.** einbetten, eingraben. – **4.** *fig.* vertiefen, versenken (in in *acc*). – **5.** *fig.* verwickeln, verstricken: to ~ in debt in Schulden verstricken. — **imˈmersed** [iˈməːrst] *adj* **1.** eingetaucht, versenkt: ~ compass *tech.* Flüssigkeitskompaß. – **2.** *fig.* versunken, vertieft: ~ in a book in ein Buch versunken. – **3.** *relig.* getauft. – **4.** *biol.* in benachbarte Teile eingebettet. – **5.** *bot.* a) ganz unter Wasser wachsend, b) eingesenkt. — **imˈmers·i·ble** *adj* eintauchbar, versenkbar.

im·mer·sion [iˈməːrʃən] *s* **1.** Immersiˈon *f*, Ein-, ˈUntertauchen *n*, Versenken *n*: ~ heater Tauchsieder. – **2.** ˈUntergetauchtsein *n*. – **3.** *fig.* Versenkt-, Vertieftsein *n*, Versenkung *f*, Vertiefung *f*. – **4.** *relig.* Immersiˈonstaufe *f*. – **5.** *astr.* Immersiˈon *f* (*Eintreten eines Gestirns in den Schatten eines anderen*). – **6.** (*Mikroskopie*) Immersiˈon *f*. — **imˈmer·sionˌism** *s relig.* **1.** Immersioˈnismus *m*. – **2.** Immersiˈonstaufe *f*. — **imˈmer·sion·ist** *s* Immersioˈnist *m*.

im·mesh [iˈmeʃ] → enmesh.

im·me·thod·i·cal [ˌimmiˈθɒdikəl; -mə-] *adj* ˈunmeˌthodisch, ˈunsysteˌmatisch.

im·mi·grant [ˈimigrənt; -mə-] **I** *s* Einwanderer *m*, Einwanderin *f*, Immiˈgrant(in). – *SYN. cf.* emigrant. – **II** *adj* einwandernd.

im·mi·grate [ˈimiˌgreit; -mə-] **I** *v/i* einwandern (into in *acc*). – **II** *v/t* ansiedeln, zur Einwanderung veranlassen. — **ˌim·miˈgra·tion** *s* **1.** Einwanderung *f*, Immigratiˈon *f*. – **2.** Einwandererzahl *f*.

im·mi·nence [ˈiminəns; -mə-], **ˈim·mi·nen·cy** [-si] *s* **1.** nahes Bevorstehen. – **2.** drohende Gefahr, bevorstehendes Unheil, Drohen *n*. — **ˈim·mi·nent** *adj* **1.** unmittelbar bevorstehend, drohend. – **2.** ˈüberhängend, vorspringend. – *SYN. cf.* impending.

im·min·gle [imˈmiŋgl] **I** *v/t* vermischen, vermengen. – **II** *v/i* sich vermischen, sich vermengen.

im·mis·ci·bil·i·ty [iˌmisiˈbiliti; -sə-; -əti] *s* Unvermischbarkeit *f*. — **imˈmis·ci·ble** *adj* unvermischbar.

im·mit·i·ga·bil·i·ty [iˌmitigəˈbiliti; -təg-; -əti] *s* **1.** *fig.* Unerweichbarkeit *f*. – **2.** Unstillbarkeit *f*. — **imˈmit·i·ga·ble** *adj* **1.** nicht zu besänftigen(d). – **2.** nicht zu lindern(d), unstillbar.

im·mix [imˈmiks] *selten* **I** *v/t* (in) hinˈeinmischen (in *acc*), mischen (mit). – **II** *v/i* sich vermischen. — **imˈmix·ture** [-tʃər] *s* **1.** Vermischung *f*, Vermischen *n*. – **2.** Mischung *f*. – **3.** *fig.* Verwicklung *f*, Einmengung *f*.

im·mo·bile [*Br.* iˈmoubail; *Am.* -bil; -biːl] *adj* **1.** unbeweglich. – **2.** bewegungslos. — **im·moˈbil·i·ty** [ˌimoˈbiliti; -əti] *s* **1.** Unbeweglichkeit *f*. – **2.** Bewegungslosigkeit *f*.

im·mo·bi·li·za·tion [iˌmoubilaiˈzeiʃən; -bə-; -lə-] *s* **1.** Unbeweglichmachen *n*. – **2.** *econ.* Einziehung *f*. – **3.** *med.* Ruhigstellung *f*, Immobiliˈsierung *f*. — **imˈmo·biˌlize** *v/t* **1.** unbeweglich machen. – **2.** *econ.* (*Geld*) aus dem Verkehr ziehen. – **3.** *med.* ruhigstellen, immobiliˈsieren. – **4.** *mil.* (*Truppen*) immoˈbil machen, fesseln.

im·mod·er·a·cy [iˈmɒdərəsi] *s* ˈÜbermaß *n*, ˈÜber-, Unmäßigkeit *f*. — **imˈmod·er·ate** [-rit] *adj* **1.** ˈüber-, unmäßig, überˈtrieben, exˈtrem. – **2.** *obs.* a) ausschweifend, b) grenzenlos. – *SYN. cf.* excessive. — **imˈmod·er·ate·ness** → immoderacy. — **imˌmod·erˈa·tion** *s* Maßlosigkeit *f*, Unmäßigkeit *f*.

im·mod·est [iˈmɒdist] *adj* **1.** unbescheiden, aufdringlich, frech, unverschämt, anmaßend. – **2.** unanständig, unkeusch, schamlos, unsittlich, obˈszön. — **imˈmod·es·ty** *s* **1.** Unbescheidenheit *f*, Unverschämtheit *f*, Aufdringlichkeit *f*, Frechheit *f*. – **2.** Unanständigkeit *f*, Schamlosigkeit *f*, Unsittlichkeit *f*, Unkeuschheit *f*.

im·mo·late [ˈiməˌleit] *v/t* opfern, als Opfer darbringen *od.* schlachten (*auch fig.*). — **ˌim·moˈla·tion** *s* **1.** Opfern *n*, Opferung *f*. – **2.** Opfer *n*. — **ˈim·moˌla·tor** [-tər] *s* Opfernde(r).

im·mor·al [iˈmɒrəl; *Am. auch* -ˈmɔːr-] *adj* ˈunmoˌralisch, unsittlich, sittenlos, unanständig, ausschweifend. — **im·mo·ral·i·ty** [ˌiməˈræliti; -əti; -mo-] *s* **1.** Unkeuschheit *f*, Unsittlichkeit *f*, Sittenlosigkeit *f*. – **2.** Verderbtheit *f*, Korˈruptheit *f*, Immoraliˈtät *f*.

im·mor·tal [iˈmɔːrtl] **I** *adj* **1.** unsterblich. – **2.** ewig, unvergänglich, unsterblich. – **3.** dauernd, ständig. – **II** *s* **4.** Unsterbliche(r), unsterbliches

Wesen: the ~s *antiq.* die Götter; → forty 7. — ˌ**im·mor'tal·i·ty** [-'tæliti; -əti] *s* 1. Unsterblichkeit *f*, ewiges Leben. – 2. *fig.* Unsterblichkeit *f*, ewiger Ruhm. — **imˌmor·tal·i'za·tion** [-təl-] *s* Unsterblichmachen *n*, Verewigen *n*. — **im'mor·talˌize** *v/t* unsterblich machen, verewigen.

im·mor·telle [ˌimɔːr'tel] *s bot.* Immor'telle *f*, Strohblume *f* (*bes. Xeranthemum annuum u. Heliochrysum bracteatum*).

im·mo·tile [i'moutil; *Br. auch* -tail] *adj* feststehend, unbeweglich.

im·mov·a·bil·i·ty [iˌmuːvə'biliti; -əti] *s* 1. Unbeweglichkeit *f*, Unbewegbarkeit *f*. – 2. *fig.* Unerschütterlichkeit *f*. — **im'mov·a·ble I** *adj* 1. unbeweglich, fest. – 2. unbewegt, bewegungslos. – 3. unabänderlich. – 4. *fig.* fest, unerschütterlich, entschlossen. – 5. (*zeitlich*) unbeweglich, unveränderlich. – 6. *jur.* unbeweglich: ~ **property** unbeweglicher Besitz. – **II** *s* 7. (*das*) Unbewegliche. – 8. *pl jur.* Liegenschaften *pl*, Immo'bilien *pl*, unbewegliches Eigentum. — **im'mov·a·ble·ness** → **immovability.**

im·mune [i'mjuːn] **I** *adj* 1. *med.* (from) im'mun (gegen), unempfänglich (für). – 2. (from, against, to, of) geschützt (gegen), frei (von). – **II** *s* 3. im'mune Per'son. — **im'mu·ni·ty** *s* 1. *med.* Immuni'tät *f*, Resi'stenz *f*, Unempfänglichkeit *f* (from gegen). – 2. *jur.* Immuni'tät *f*, Freiheit *f*, Befreiung *f* (from von): ~ **from punishment** Straflosigkeit; ~ **from taxes** Abgabefreiheit. – 3. *jur.* Privi'leg *n*, Sonderrecht *n*. – 4. *jur. relig.* Gerechtsame *f*, Privi'legium *n*. – 5. Freisein *n* (from von): ~ **from error** Unfehlbarkeit.

im·mu·ni·za·tion [ˌimjunai'zeiʃən; -jənə-] *s med.* Immuni'sierung *f* (against gegen). — **'im·muˌnize** *v/t* immuni'sieren, im'mun *od.* unempfänglich machen.

immuno- [imjuːno] *Wortelement mit der Bedeutung* immun.

im·mu·no·gen [i'mjuːnodʒen] *s med.* Anti'gen *n* (*Immunität bewirkende Substanz*). — **imˌmu·no·ge'net·ics** [-dʒi'netiks; -dʒə-] *s pl* (*als sg konstruiert*) 1. *med. Wissenschaft vom Verhältnis zwischen Immunität u. genetischer Veranlagung des Individuums.* – 2. *biol.* Serolo'gie *f*, Immuni'tätsforschung *f*. — **imˌmu·no'gen·ic** [-'dʒenik] *adj* immuni'sierend, im'mun machend. — **imˌmu·no·gen'ic·i·ty** [-dʒi'nisiti; -dʒə-; -əti] *s* Immuni'sierungsfähigkeit *f*.

im·mu·no·log·ic [iˌmjuːno'lɒdʒik], **imˌmu·no'log·i·cal** [-kəl] *adj med.* immuno'logisch. — **im·mu·nol·o·gist** [ˌimju'nɒlədʒist] **I** *s* Immuni'tätsforscher *m*. – **II** *adj* immuno'logisch. — ˌ**im·mu'nol·o·gy** *s med.* Immuni'tätsforschung *f*, -lehre *f*.

im·mu·no·re·ac·tion [iˌmjuːnori'ækʃən] *s med.* Immuni'sierungsreaktiˌon *f*.

im·mure [i'mjur] *v/t* 1. einsperren, einschließen, einkerkern: to ~ **oneself** sich vergraben, sich abschließen. – 2. vermauern, einmauern. — **im'mure·ment** *s* Einmauerung *f*, Einschließung *f*.

im·mu·si·cal [i'mjuːzikəl] *adj* 'un-[musiˌkalisch.]

im·mu·ta·bil·i·ty [iˌmjuːtə'biliti; -əti] *s* Unveränderlichkeit *f*, Unwandelbarkeit *f*. — **im'mu·ta·ble** *adj* unveränderlich, unwandelbar, beständig. — **im'mu·ta·ble·ness** → **immutability.**

imp [imp] **I** *s* 1. Teufelchen *n*, Kobold *m*. – 2. *humor.* Schelm *m*, Knirps *m*, Racker *m*. – 3. ungezogenes Kind, ‚Fratz' *m*. – 4. *obs.* a) *bot.* Sproß *m*, b) Kind *n*, Sprößling *m*. – **II** *v/t* 5. (*Falknerei*) (*Vogelschwinge*) mit neuen Schwungfedern versehen. – 6. *fig.* beschwingen, beflügeln. – 7. vergrößern. – 8. *obs. bot.* pfropfen. – **III** *v/i* 9. beschwingen. – 10. vergrößern.

im·pact I *s* ['impækt] 1. Stoß *m*, Zu'sammen-, Anprall *m*. – 2. Auftreffen *n*. – 3. *mil.* Auf-, Einschlag *m* (*Geschoß*). – 4. *phys. tech.* a) Stoß *m*, Schlag *m*, b) Wucht *f*. – 5. *fig.* Belastung *f*, Druck *m*: ~ **of tax** *econ.* Steuerbelastung. – 6. *fig.* (Ein)-Wirkung *f*, Einfluß *m*. – **II** *v/t* [im'pækt] 7. zu'sammenpressen, -drücken, einkeilen, einklemmen. — **im'pact·ed** *adj* 1. zu'sammengepreßt, eingekeilt. – 2. *med.* eingeklemmt, impak'tiert. — **im'pac·tion** *s* 1. Zu'sammenpressen *n*, Verkeilen *n*. – 2. Einkeilung *f*. – 3. *med.* a) Impakti'on *f*, b) Ein-, Festklemmung *f*.

im·pair [im'pɛr] **I** *v/t* 1. verschlechtern, verschlimmern. – 2. schädigen, beeinträchtigen, nachteilig beeinflussen, schwächen. – 3. vermindern, schmälern. – *SYN. cf.* **injure.** – **II** *s obs. für* **impairment.** — **im'paired** *adj econ.* geschmälert, vermindert, beeinträchtigt. — **im'pair·ment** *s* 1. Verschlechterung *f*. – 2. Schädigung *f*, Beeinträchtigung *f*, Schwächung *f*. – 3. Schaden *m*. – 4. Verminderung *f*.

im·pa·la [im'pɑːlə] *s zo.* 'Schwarzfersenantiˌlope *f*, (Im)'Pala *f*, *n* (*Aepyceros melampus*).

im·pale [im'peil] *v/t* 1. *fig.* festnageln, -halten, nicht loslassen. – 2. aufspießen, durch'bohren. – 3. *hist.* pfählen. – 4. *her.* (*zwei Wappen auf einem Schild*) pfahlweise getrennt nebenein'ander anbringen. – 5. *obs.* einzäunen. — **im'pale·ment** *s* 1. *hist.* Pfählung *f* (*Folterstrafe*). – 2. Aufspießung *f*, Durch'bohrung *f*. – 3. *her.* Vereinigung *f* zweier pfahlweise getrennter Wappen (*auf einem Schild*).

im·pal·pa·bil·i·ty [imˌpælpə'biliti; -əti] *s* Unfühlbarkeit *f*, äußerste Feinheit, Unmerklichkeit *f*. — **im'pal·pa·ble I** *adj* 1. unfühlbar, ungreifbar. – 2. äußerst fein. – 3. kaum faßlich *od.* feststellbar, unmerklich. – **II** *s* 4. (*etwas*) Ungreifbares *od.* Unfaßliches.

im·pal·u·dism [im'pæljuˌdizəm; -ljə-] *s med.* Ma'lariakacheˌxie *f*.

im·pa·nate [im'peinit; -neit], *auch* **im'pa·nat·ed** [-tid] *adj relig.* im Brot verkörpert. — **im·pa·na·tion** [ˌimpə'neiʃən] *s relig.* Impanati'on *f* (*Verkörperung Christi im Abendmahl ohne Transsubstantiation*).

im·pan·el [im'pænl] *pret u. pp* **im'pan·eled**, *bes. Br.* **im'pan·elled** *v/t* 1. in eine Liste eintragen. – 2. *jur.* in die Geschworenenliste eintragen. – 3. *jur.* (*die Geschworenen*) aus der Liste auswählen, auslosen. — **im'pan·el·ment** *s* Eintragung *f* in eine (*bes.* Geschworenen)Liste.

im·par·a·dise [im'pærəˌdais] *v/t* 1. ins Para'dies versetzen, äußerst glücklich machen. – 2. zum Para'dies machen.

im·par·i·pin·nate [imˌpæri'pineit] *adj bot.* unpaarig gefiedert. — **imˌpar·i·syl'lab·ic** [-si'læbik] *adj u. s ling.* ungleichsilbig(es Wort).

im·par·i·ty [im'pæriti; -əti] *s* Ungleichheit *f*, Verschiedenheit *f*.

im·park [im'pɑːrk] *v/t* 1. einhegen, einschließen. – 2. in einen Park verwandeln. — **im'parked** *adj* in einem Park gelegen.

im·part [im'pɑːrt] *v/t* 1. geben, gewähren, zuteilen, zukommen lassen. – 2. einen Anteil gewähren an (*dat*). – 3. mitteilen, kundtun, deutlich zeigen, enthüllen, erzählen. – 4. *phys.* mitteilen: to ~ **a motion.** – 5. teilhaben an (*dat*). – *SYN. cf.* **communicate.** — **im'part·a·ble** *adj* mitteilbar. — ˌ**im·par'ta·tion** *s* Mitteilung *f*.

im·par·tial [im'pɑːrʃəl] *adj* 'unparˌteiisch, gerecht, unvoreingenommen, unbefangen. – *SYN. cf.* **fair.** — ˌ**im·par·ti'al·i·ty** [-ʃi'æliti; -əti], **im'par·tial·ness** *s* 'Unparˌteilichkeit *f*, Unvoreingenommenheit *f*, Gerechtigkeit *f*.

im·part·i·bil·i·ty [imˌpɑːrti'biliti; -tə'b-; -əti] *s* 1. Unteilbarkeit *f*. – 2. Mitteilbarkeit *f*. — **im'part·i·ble** *adj* 1. unteilbar. – 2. mitteilbar.

im·part·ment [im'pɑːrtmənt] *s* Mitteilung *f*, Weitergabe *f*.

im·pass·a·bil·i·ty [*Br.* imˌpɑːsə'biliti; -əti; *Am.* -ˌpæ(ː)s-] *s* Unwegsamkeit *f*, Ungangbarkeit *f*. — **im'pass·a·ble** *adj* 1. unwegsam, un(be)fahrbar, ungangbar. – 2. 'unüberˌschreitbar, 'undurchˌquerbar. – 3. nicht gängig, nicht 'umlauffähig: an ~ **coin.** — **im'pass·a·ble·ness** → **impassability.**

im·passe [*Br.* im'pɑːs; *Am.* -'pæ(ː)s; 'im-] *s* 1. Sackgasse *f*. – 2. *fig.* Sackgasse *f*, Verlegenheit *f*, ausweglose Situati'on.

im·pas·si·bil·i·ty [imˌpæsi'biliti; -sə-; -əti] *s* (to) Gefühllosigkeit *f* (gegen), Unempfindlichkeit *f* (für). — **im'pas·si·ble** *adj* 1. (to) gefühllos (gegen), empfindungslos, unempfindlich (für). – 2. mitleidlos, hartherzig. – 3. *obs.* leidensunfähig. — **im'pas·si·ble·ness** → **impassibility.**

im·pas·sion [im'pæʃən] *v/t* leidenschaftlich bewegen, aufwühlen.

im·pas·sion·ate[1] [im'pæʃənit] *adj* leidenschaftlich (erregt), heftig erregt.

im·pas·sion·ate[2] [im'pæʃənit] *adj selten* leidenschaftslos, gefühllos.

im·pas·sioned [im'pæʃənd] *adj* leidenschaftlich (erregt), feurig. – *SYN.* **ardent, fervent, fervid, passionate, perfervid.** — **im'pas·sioned·ness** *s* leidenschaftliche Erregung.

im·pas·sive [im'pæsiv] *adj* 1. gefühl-, teilnahms-, leidenschaftslos, ungerührt. – 2. ruhig, ausgeglichen. – 3. bewußtlos. – 4. unempfindlich. – *SYN.* **apathetic, phlegmatic, stoic(al), stolid.** — **im'pas·sive·ness,** ˌ**im·pas'siv·i·ty** *s* Unempfindlichkeit *f*, Gefühl-, Leidenschaftslosigkeit *f*, Ungerührtheit *f*.

im·pas·ta·tion [ˌimpæs'teiʃən] *s* 1. Einteigung *f*, Verteigung *f*. – 2. dickes Auftragen (*Farbe*). – 3. (*Maurerei*) Impa'stierung *f*. — **im·paste** [im'peist] *v/t* 1. einteigen. – 2. zu einem Teig kneten. – 3. impa'stieren, dick auftragend *od.* pa'stos malen.

im·pas·to [im'pæstou; -'pɑːs-] *s* (*Malerei*) Im'pasto *n*: a) dickes Auftragen der Farbe, b) dick aufgetragene Farbe.

im·pa·tience [im'peiʃəns] *s* 1. Ungeduld *f*, (ner'vöse) Unruhe. – 2. ungeduldiges Verlangen (of nach). – 3. (of) Unduldsamkeit *f* (gegen), Unwille *m* (über *acc*), Abneigung *f*, Auflehnung *f* (gegen). – 4. Empfindlichkeit *f* (of gegen).

im·pa·ti·ens [im'peiʃiˌenz] *s bot.* Springkraut *n* (*Gattg Impatiens*).

im·pa·tient [im'peiʃənt] *adj* 1. ungeduldig, unruhig, (ner'vös) erregt (at, of über *acc*). – 2. begierig (for nach; to do zu tun). – 3. (of) unduldsam (gegen), unzufrieden (mit), verärgert, zornig, ungehalten (über *acc*): to be ~ of s.th. etwas nicht ertragen können. – 4. ungeduldig, unwillig: an ~ **answer.** – 5. empfindlich (of gegen). – *SYN.* **fidgety, jittery, nervous.** — **im'pa·tient·ness** → **impatience.**

im·pav·id [im'pævid] *adj selten* furchtlos. — **im·pa·vid·i·ty** [ˌimpə'viditi; -əti] *s selten* Furchtlosigkeit *f*.

im·pawn [im'pɔːn] *v/t* verpfänden.

im·pay·a·ble [im'peiəbl] *adj* unbezahlbar, unschätzbar.

im·peach [im'piːtʃ] **I** *v/t* **1.** *(j-n)* anklagen, beschuldigen (of *gen*), belasten (with mit). – **2.** *jur.* *(Beamten)* wegen Amtsmißbrauchs *od.* Hochverrats *etc* unter Anklage stellen. – **3.** zur Rechenschaft *od.* Verantwortung ziehen. – **4.** *jur.* in Frage stellen, in Zweifel ziehen, anfechten. – **5.** in Zweifel ziehen, einem Vorwurf aussetzen, her'absetzen: to ~ one's motives. – **6.** tadeln, bemängeln. – **II** *s* → impeachment. — **im͵peach·a'bil·i·ty** *s* **1.** *jur.* a) Anklagbarkeit *f*, b) Anfechtbarkeit *f*, Bestreitbarkeit *f*. – **2.** Tadelnswürdigkeit *f*. — **im'peach·a·ble** *adj* **1.** *jur.* anklagbar. – **2.** zur Verantwortung zu ziehen(d). – **3.** *jur.* anfechtbar, bestreitbar. – **4.** tadelnswert. — **im'peach·er** *s* Ankläger *m*.

im·peach·ment [im'piːtʃmənt] *s* **1.** Anklage *f*, Beschuldigung *f*, Verklagung *f*. – **2.** *jur.* öffentliche Anklage *(eines höheren Staatsbeamten wegen Amtsmißbrauchs, Hochverrats etc; in England vom Unterhaus an das Oberhaus, in den USA vom Repräsentantenhaus an den Senat eingebracht)*, Mi'nisteranklage *f*. – **3.** *jur.* Anfechtung *f*, Bestreitung *f* der Glaubwürdigkeit *od.* Gültigkeit: ~ of a witness Zurückweisung eines Zeugen wegen Unglaubwürdigkeit. – **4.** In'fragestellung *f*. – **5.** Her'absetzung *f*, Tadel *m*, Bemängelung *f*. — ~ **of waste** *s jur.* *Rechtsverpflichtung, eine übernommene Pacht in gutem Zustand zu erhalten.*

im·pearl [im'pəːrl] *v/t poet.* **1.** zu Perlen formen. – **2.** mit Perlen schmücken.

im·pec·ca·bil·i·ty [im͵pekə'biliti; -əti] *s* **1.** Unfehlbarkeit *f*. – **2.** Fehlerlosigkeit *f*. — **im'pec·ca·ble I** *adj* **1.** unfehlbar, sünd(en)los. – **2.** tadellos, einwandfrei: ~ manners. – **II** *s* **3.** Unfehlbare(r), Sünd(en)lose(r). — **im'pec·cance, im'pec·can·cy** *s* **1.** Sünd(en)losigkeit *f*. – **2.** Unfehlbarkeit *f*. — **im'pec·cant** *adj* nicht sündigend, sünd(en)los, unfehlbar.

im·pe·cu·ni·ar·y [*Br.* ͵impi'kjuːniəri; *Am.* -͵eri] → impecunious.

im·pe·cu·ni·os·i·ty [͵impi͵kjuːni'ɒsiti; -əti] *s* Geldlosigkeit *f*, -mangel *m*. — **͵im·pe'cu·ni·ous** *adj* ohne Geld, geld-, mittellos, arm. — **͵impe'cu·ni·ous·ness** → impecuniosity.

im·ped·ance [im'piːdəns] *s electr.* Impe'danz *f*, 'Schein͵widerstand *m*: characteristic ~ Wellenwiderstand.

im·pede [im'piːd] *v/t* **1.** *(j-n)* (be)hindern, aufhalten. – **2.** aufhalten, erschweren, verhindern. – *SYN cf.* hinder[1]. — **im'pe·di·ent** [-diənt] **I** *adj* hindernd, hinderlich. – **II** *s* Hindernis *n*.

im·ped·i·ment [im'pedimənt; -də-] *s* **1.** Be-, Verhinderung *f*. – **2.** Hindernis *n*. – **3.** *med.* Funkti'onsstörung *f*, *bes.* or'ganische Sprachstörung: to have an ~ in one's speech einen Sprachfehler haben. – **4.** *jur.* Ehehindernis *n*. – **5.** *pl mil.* Gepäck *n*, Troß *m*. — **im͵ped·i'men·ta** [-'mentə] *s pl* **1.** *mil.* Gepäck *n*, Troß *m*. – **2.** *jur.* Ehehindernisse *pl*. — **im͵ped·i'men·tal, im͵ped·i'men·ta·ry** [-təri], **͵im'ped·i·tive** *adj* hinderlich, hindernd.

im·pel [im'pel] *pret u. pp* **im'pelled** *v/t* **1.** (an-, vorwärts)treiben, drängen. – **2.** zwingen, bewegen (to zu). – *SYN. cf.* move. — **im'pel·lent I** *adj* (an)treibend. – **II** *s* treibende Kraft, Triebkraft *f*, Antrieb *m*. — **im'pel·ler** *s* **1.** Antreibende(r). – **2.** *tech.* a) Schaufel-, Gebläse-, Antriebsrad *n*, Windflügel *m*, b) Kreisel *m* *(Pumpe)*. – **3.** *aer.* Laderlaufrad *n*.

im·pend [im'pend] *v/i* **1.** hängen, schweben (over über *dat*). – **2.** *fig.* drohend schweben, drohen, unmittelbar bevorstehen. — **im'pend·ence, im'pend·en·cy** [-si] *s* **1.** nahes Bevorstehen, drohende Nähe. – **2.** 'Überhangen *n*. — **im'pend·ent, im'pend·ing** *adj* **1.** 'überhangend, schwebend (over, upon über *dat*). – **2.** *fig.* nahe bevorstehend, drohend. – *SYN.* imminent.

im·pen·e·tra·bil·i·ty [im͵penitrə'biliti; -nə-; -əti] *s* **1.** 'Undurch͵dringlichkeit *f*. – **2.** *fig.* Unergründlichkeit *f*, Unerforschlichkeit *f*, Unzugänglichkeit *f*. – **3.** *fig.* Unempfänglichkeit *f*. — **im'pen·e·tra·ble** *adj* **1.** 'undurch͵dringlich (by für). – **2.** *med. phys.* 'undurch͵dringlich, impene'trabel. – **3.** *fig.* unergründlich, unerforschlich: an ~ mystery. – **4.** *fig.* (to, by) unempfänglich, unempfindlich (für), unzugänglich *(dat)*: ~ to new ideas neuen Ideen unzugänglich. — **im'pen·e·tra·ble·ness** → impenetrability. — **im'pen·e͵trate** [-͵treit] *v/t* (ganz) durch'dringen.

im·pen·i·tence [im'penitəns; -nə-], *auch* **im'pen·i·ten·cy** [-si] *s* Unbußfertigkeit *f*, Verstocktheit *f*. — **im'pen·i·tent I** *adj* unbußfertig, verstockt, nicht reumütig. – **II** *s* Unbußfertige(r), Verstockte(r). — **im'pen·i·tent·ness** → impenitence.

im·pen·nate [im'peneit] *zo.* **I** *adj* **1.** feder- *od.* flügellos. – **2.** mit kurzen Flügeln, die mit schuppenartigen Federn bedeckt sind. – **3.** zu den Pingu'inen gehörig. – **II** *s* **4.** Pingu'in *m* *(Ordng Sphenisciformes)*.

im·per·a·ti·val [im͵perə'taivəl] *adj* impera'tivisch.

im·per·a·tive [im'perətiv] **I** *adj* **1.** befehlend, gebieterisch, gebietend, Befehls... – **2.** 'unum͵gänglich, zwingend, dringend, bindend: an ~ necessity eine unumgängliche Notwendigkeit. – **3.** *ling.* Imperativ..., Befehls...: ~ mood Imperativ, Befehlsform. – *SYN. cf.* masterful. – **II** *s* **4.** Befehl *m*, Geheiß *n*, (sittliche) Pflicht, Gebot *n*. – **5.** *ling.* Imperativ *m*, Befehlsform *f*. — **im'per·a·tive·ness** *s* unbedingte *od.* kate'gorische Forderung.

im·pe·ra·tor [͵impə'reitər] *s* **1.** abso'luter Herrscher. – **2.** (röm.) Kaiser *m*. – **3.** Impe'rator *m*. — **im·per·a·to·ri·al** [im͵perə'tɔːriəl] *adj* **1.** kaiserlich, Feldherrn... – **2.** gebieterisch.

im·per·cep·ti·bil·i·ty [͵impər͵septə'biliti; -əti] *s* **1.** Unwahrnehmbarkeit *f*. – **2.** Unmerklichkeit *f*. — **͵im·per'cep·ti·ble** *adj* **1.** nicht wahrnehmbar, unbemerkbar (to für). – **2.** unmerkbar, unmerklich. – **3.** verschwindend klein. — **͵im·per'cep·ti·ble·ness** → imperceptibility. — **͵im·per'cep·tion** *s* Mangel *m* des Wahrnehmungsvermögens. — **͵im·per'cep·tive** *adj* ohne Wahrnehmung, nicht wahrnehmend, wahrnehmungsunfähig. — **͵im·per'cep·tive·ness** → imperceptivity. — **͵im·per·cep'tiv·i·ty** *s* Wahrnehmungslosigkeit *f*, -unfähigkeit *f*.

im·per·cip·i·ence [͵impər'sipiəns] *s* Wahrnehmungslosigkeit *f*. — **͵im·per'cip·i·ent I** *adj* ohne Wahrnehmung, nicht wahrnehmend: to be ~ of nicht wahrnehmen. – **II** *s* nicht wahrnehmende Per'son.

im·per·ence ['impərəns] *s vulg.* Unverschämtheit *f*: ~! unverschämter Mensch!

im·per·fect [im'pəːrfikt] **I** *adj* **1.** unvollkommen, unvollständig, 'unvoll͵endet. – **2.** schwach, mangelhaft. – **3.** *bot.* unvollständig *(Blüte)*. – **4.** *ling.* Imperfekt... – **5.** *jur.* nicht rechtswirksam, nicht 'durchsetzbar. – **6.** *mus.* unvollkommen. – **II** *s* **7.** *ling.* a) Imperfekt(um) *n*, 'unvoll͵endete Vergangenheit, b) *Verbum od. Verbalform zur Bezeichnung des Imperfekts.* — ~ **arch** *s arch.* gedrückter Bogen.

im·per·fect·i·bil·i·ty [͵impər͵fektə'biliti; -əti] *s* Unfähigkeit *f*, vollkommen zu werden. — **͵im·per'fect·i·ble** *adj* nicht zu vervollkommnen(d). — **͵im·per'fec·tion** *s* **1.** Unvollkommenheit *f*, Mangelhaftigkeit *f*, Fehlerhaftigkeit *f*. – **2.** Mangel *m*, Fehler *m*, Schwäche *f*. – **3.** *print.* De'fekt(buchstabe) *m*. — **͵im·per'fec·tive** *adj u. s ling.* imperfek'tivisch(e Form).

im·per·fect·ness [im'pəːrfiktnis] *s* Unvollkommenheit *f*, Unvollständigkeit *f*.

im·per·fect| num·ber *s math.* unvollkommene Zahl. — ~ **tense** *s ling.* Imperfekt(um) *n*, *bes.* 'unvoll͵endete Vergangenheit *(im Englischen* past progressive form*)*.

im·per·fo·rate [im'pəːrfərit; -͵reit] **I** *adj* **1.** 'undurch͵bohrt, 'undurch͵löchert, ohne Öffnung, verschlossen. – **2.** nicht perfo'riert, ungezähnt *(Briefmarken etc)*. – **II** *s* **3.** ungezähnte Briefmarke. — **im'per·fo͵rat·ed** [-͵reitid] → imperforate I. — **im͵per·fo'ra·tion** *s* **1.** 'Undurch͵bohrtheit *f*, Fehlen *n* einer Öffnung. – **2.** *med.* Atre'sie *f*, Imperforati'on *f*.

im·pe·ri·al [im'pi(ə)riəl] **I** *adj* **1.** kaiserlich, Kaiser... – **2.** zu einem Kaiserreich gehörig, Reichs... – **3.** das brit. Weltreich betreffend, Reichs..., Empire...: the ~ interests das Interesse des Brit. Reiches. – **4.** oberherr(schaft)lich, *(bes.* über Kolo'nien*)* gebietend. – **5.** herrschaftlich, gebietend, befehlend, souve'rän. – **6.** großartig, herrlich. – **7.** außerordentlich groß. – **8.** her'vorragend. – **9.** gesetzlich *(Maße u. Gewichte in Großbritannien)*. – **II** *s* **10.** Kaiserlicher *m*: a) Anhänger *m* eines Kaisers, b) kaiserlicher Soldat, c) *bes.* I~ Anhänger *m* des röm.-dt. Kaisers. – **11.** Imperi'al *m* *(russ. Goldmünze im Wert von 10, später 15 Rubel)*. – **12.** Knebel-, Zwickelbart *m*. – **13.** *tech.* Imperi'al(pa͵pier) *n*, 'Großre͵gal(pa͵pier) *n* *(Papierformat: in USA 23 × 31 in., in England 22 × 30 in.)*. – **14.** *(etwas)* außerordentlich Großes *od.* Gutes. – **15.** *selten* a) Imperi'ale *f* *(Verdeck von Postkutschen)*, b) Gepäckkasten *m* *(auf dem Verdeck einer Kutsche)*. – **16.** *selten* Kaiser(in). – **17.** *(Art)* Purpurfarbe *f*. – **18.** Impéri'ale *n* *(ein dem Pikett ähnliches Kartenspiel)*.

im·pe·ri·al| blue *s chem.* in Spiritus lösliches Ani'linblau. — **I~ Cham·ber** *s hist.* Reichs'kammergericht *n*. — ~ **cit·y** *s hist.* **1.** freie Reichsstadt. – **2.** I~ C~ Kaiserstadt *f* *(bes. Rom)*. — **I~ Con·fer·ence** *s pol.* 'Empirekonfe͵renz *f*. — **I~ Di·et** *s pol.* Reichstag *m*. — ~ **dome** *s arch.* Kaiserzwiebeldach *n*, Spitzkuppel *f*. — ~ **ea·gle** *s zo.* Kaiseradler *m* *(Aquila heliaca)*. — **I~ Fed·er·a·tion** *s pol. geplanter Aufbau des brit. Empire auf bundesstaatlicher Grundlage.* — **I~ In·sti·tute** *s econ.* 'Reichsinsti͵tut *n* *(in London; zur Förderung des Handels innerhalb des brit. Weltreichs)*.

im·pe·ri·al·ism [im'pi(ə)riə͵lizəm] *s pol.* **1.** Imperia'lismus *m*, 'Weltmachtpoli͵tik *f*, -streben *n*. – **2.** 'Reichspoli͵tik *f*. – **3.** Kaiserherrschaft *f*, Kaisertum *n*. — **im'pe·ri·al·ist I** *s* **1.** *pol.* Imperia'list *m*, Verfechter *m* imperia'listischer *od.* 'reichspo͵litischer Grundsätze. – **2.** kaiserlich Gesinnte(r), Kaiserliche(r). – **II** *adj* **3.** imperia'listisch. – **4.** kaiserlich, -treu. — **im͵pe·ri·al'is·tic** → imperialist II. — **im͵pe·ri·al'is·ti·cal·ly** *adv* (*auch zu* imperialist II). — **imˈpe·ri·alˌize** *v/t* **1.** kaiserlich machen, mit kaiserlicher Würde ausstatten. – **2.** zu einem Kaiserreich machen.

im·pe·ri·al| moth *s zo.* Kaiserspinner *m* (*Basilona imperialis*). — **~ pref·er·ence** *s econ.* Zollbegünstigung *f*, Vorzugszoll *m* (*für den Handel zwischen Großbritannien u. seinen Dominions*). — **~ roof** → imperial dome. — **I~ Wiz·ard** *s Am. das Oberhaupt des Ku-Klux-Klan.*

im·per·il [imˈperil; -rəl] *pret u. pp* **imˈper·iled**, *bes. Br.* **imˈper·illed** *v/t* gefährden. — **imˈper·il·ment** *s* Gefährdung *f*.

im·pe·ri·ous [imˈpi(ə)riəs] *adj* **1.** gebietend, mächtig. – **2.** herrisch, herrschsüchtig, anmaßend, gebieterisch. – **3.** dringend, zwingend: an ~ necessity. – *SYN. cf.* masterful. — **imˈpe·ri·ous·ness** *s* **1.** Ansehen *n*, Autoriˈtät *f*. – **2.** Herrschsucht *f*, Anmaßung *f*, herrisches Wesen. – **3.** Dringlichkeit *f*.

im·per·ish·a·bil·i·ty [imˌperiʃəˈbiliti; -əti] *s* Unvergänglichkeit *f*, Unzerstörbarkeit *f*. — **imˈper·ish·a·ble** *adj* unvergänglich, unzerstörbar. — **imˈper·ish·a·ble·ness** → imperishability.

im·pe·ri·um [imˈpi(ə)riəm] *pl* **-ri·a** [-riə] *s* **1.** Imˈperium *n*, oberste Gewalt, höchste Macht, absoˈlute Reˈgierungsgewalt. – **2.** *jur.* Rechtsprechungs-, Befehlsgewalt *f*.

im·per·ma·nence [imˈpəːrmənəns], **imˈper·ma·nen·cy** [-si] *s* Unbeständigkeit *f*, Wandelbarkeit *f*. — **imˈper·ma·nent** *adj* unbeständig, nicht dauernd, vorˈübergehend.

im·per·me·a·bil·i·ty [imˌpəːrmiəˈbiliti; -əti] *s* ˈUndurchˌdringlichkeit *f*, ˈUnˌdurchlässigkeit *f*. — **imˈper·me·a·ble** *adj* **1.** ˈundurchˌdringlich, ˈunˌdurchlässig (to für): ~ to water wasserdicht. – **2.** *phys.* ˈunˌdurchlässig, wasserdicht, impermeˈabel. — **imˈper·me·a·ble·ness** → impermeability.

im·per·mis·si·ble [ˌimpərˈmisəbl] *adj* unzulässig, unstatthaft.

im·per·scrip·ti·ble [ˌimpərˈskriptəbl] *adj* nicht niedergeschrieben *od.* aufgezeichnet.

im·per·son·al [imˈpəːrsənl] **I** *adj* **1.** ˈunperˌsönlich, ohne Bezug auf eine bestimmte Perˈson: ~ account *econ.* Sachkonto, totes Konto. – **2.** ˈunperˌsönlich, ohne perˈsönliches Wesen: an ~ deity. – **3.** *ling.* a) ˈunperˌsönlich (*Zeitwort*), b) unbestimmt (*Fürwort*). – **II** *s* **4.** (*das*) ˈUnperˌsönliche. – **5.** *ling.* ˈunperˌsönliches Zeitwort. — **imˌper·sonˈal·i·ty** [-ˈnæliti; -əti] *s* **1.** ˈUnperˌsönlichkeit *f*. – **2.** ˈunperˌsönliche Sache. — **imˈper·son·alˌize** *v/t* ˈunperˌsönlich machen.

im·per·son·ate I *v/t* [imˈpəːrsəˌneit] **1.** personifiˈzieren, verkörpern. – **2.** (*Rolle*) darstellen, verkörpern. – **II** *adj* [-nit; -ˌneit] **3.** personifiˈziert, verkörpert. — **imˌper·sonˈa·tion** *s* **1.** Perˌsonifikatiˈon *f*, Verkörperung *f*. – **2.** Darstellung *f* (*einer Rolle*). — **imˈper·sonˌa·tive** *adj* Darstellungs…, darstellend. — **imˈper·sonˌa·tor** [-tər] *s* **1.** Personifiˈzierende(r), Verkörperer *m*. – **2.** Darsteller(in).

im·per·son·i·fy [ˌimpərˈsɒniˌfai; -nə-] → personify.

im·per·ti·nence [imˈpəːrtinəns; -tə-], *selten* **imˈper·ti·nen·cy** [-si] *s* **1.** Unverschämtheit *f*, Ungehörigkeit *f*, Ungezogenheit *f*. – **2.** Unbescheidenheit *f*, Zudringlichkeit *f*. – **3.** Belanglosigkeit *f*. – **4.** Nebensache *f*, Lapˈpalie *f*. — **imˈper·ti·nent I** *adj* **1.** unverschämt, zudringlich, ungezogen. – **2.** *selten od. jur.* nicht zur Sache gehörig, belanglos. – **3.** nebensächlich, triviˈal. – **4.** ungehörig, ungebührlich, unpassend, unangebracht. – **5.** unsinnig, abˈsurd. – *SYN.* intrusive, meddlesome, obtrusive, officious. – **II** *s* **6.** Unverschämte(r), Zudringliche(r).

im·per·turb·a·bil·i·ty [ˌimpərˌtəːrbəˈbiliti; -əti] *s* Unerschütterlichkeit *f*, Gelassenheit *f*, Gleichmut *m*. — **ˌim·perˈturb·a·ble** *adj* unerschütterlich, gelassen, ruhig. – *SYN. cf.* cool. — **ˌim·perˈturb·a·ble·ness** → imperturbability. — **ˌim·per·turˈba·tion** [-tərˈbeiʃən] *s* Ruhe *f*.

im·per·vi·a·ble [imˈpəːrviəbl] → impervious. — **imˈper·vi·ous** *adj* **1.** ˈundurchˌdringlich (to für), ˈunˌdurchlässig: ~ to water wasserdicht. – **2.** unwegsam, unzugänglich. – **3.** *fig.* unzugänglich (to für *od. dat*): ~ to good advice gutem Rat unzugänglich. — **imˈper·vi·ous·ness** *s* **1.** ˈUndurchˌdringlichkeit *f*, Unwegsamkeit *f*. – **2.** *fig.* Unzugänglichkeit *f*.

im·pe·tig·i·nous [ˌimpiˈtidʒinəs; -pə-; -dʒə-] *adj med.* impetigiˈnös, pustelartig. — **ˌim·peˈti·go** [-ˈtaigou] *s* Impeˈtigo *m* (*pustelartiger Hautausschlag*).

im·pe·trate [ˈimpiˌtreit; -pə-] *v/t* **1.** *bes. relig.* erbitten. – **2.** *selten* erheischen, erflehen. — **ˌim·peˈtra·tion** *s* **1.** *bes. relig.* Erbitten *n*. – **2.** dringende Bitte, Bittschrift *f*. — **ˈim·peˌtra·tive** *adj selten* **1.** erlangbar. – **2.** wirksam (*Bitte*). — **ˈim·peˌtra·tor** [-tər] *s* Bittende(r), Flehende(r).

im·pet·u·os·i·ty [*Br.* imˌpetjuˈɒsiti; *Am.* -tʃu-; -əti] *s* **1.** Heftigkeit *f*, Ungestüm *n*. – **2.** ungestüme Tat. — **imˈpet·u·ous** *adj* **1.** heftig, wild, tobend. – **2.** ungestüm, heftig, hitzig, leidenschaftlich. – *SYN. cf.* precipitate. — **imˈpet·u·ous·ness** → impetuosity.

im·pe·tus [ˈimpitəs; -pə-] *pl* **-tus·es** *s* **1.** *phys.* Stoß-, Triebkraft *f*, Antrieb *m*, Beˈwegungsenerˌgie *f*. – **2.** *fig.* Antrieb *m*, Anstoß *m*, Schwung *m*: to give a fresh ~ to s.th. einer Sache neuen Schwung verleihen. – **3.** (*Artillerie*) Geschwindigkeitshöhe *f*.

Im·pey·an pheas·ant [ˈimpiən] *s zo.* ˈKönigsˌglanzfaˌsan *m*, Monaul *m* (*Lophophorus impeyanus*).

im·phee [ˈimfiː] *s bot.* Afrik. Zuckerrohr *n* (*Sorghum saccharatum*).

im·pi [ˈimpi] *pl* **im·pies** *s* ˈTruppenabˌteilung *f* (*der Kaffern etc*).

im·pi·e·ty [imˈpaiəti] *s* **1.** Gottlosigkeit *f*, Unglaube *m*. – **2.** Ehrfurchts-, Pieˈtätlosigkeit *f*.

im·pig·no·rate [imˈpignəˌreit] *v/t bes. jur. Scot.* verpfänden. — **imˌpig·noˈra·tion** *s* Verpfändung *f*.

im·pinge [imˈpindʒ] **I** *v/i* **1.** (on, upon, against) stoßen (an *acc*, gegen), anstoßen (an *acc*), zuˈsammenstoßen (mit), auftreffen (auf *acc*). – **2.** fallen, einwirken (on, upon auf *acc*): the rays of light ~ on the eye die Lichtstrahlen fallen auf das Auge. – **3.** (ˈwiderrechtlich) eingreifen, eindringen (on, upon in *acc*). – **4.** zuˈsammentreffen, -stoßen. – **II** *v/t* **5.** *obs.* stoßen. — **imˈpinge·ment** *s* **1.** (against) Zuˈsammenstoß *m* (mit), Stoß *m* (gegen). – **2.** Einwirkung *f*, Auftreffen *n* (on, upon auf *acc*). – **3.** ˈÜber-, Eingriff *m* (on in *acc*).

im·pi·ous [ˈimpiəs] *adj* **1.** gottlos, ruchlos, sündig. – **2.** ehrfurchtslos, pieˈtätlos. – **3.** *selten* ungehorsam. — **ˈim·pi·ous·ness** *s* Gott-, Ehrfurchtslosigkeit *f*.

imp·ish [ˈimpiʃ] *adj* schelmisch, boshaft. — **ˈimp·ish·ness** *s* Bosheit *f*, ˌLausbübeˈrei *f*.

im·pit·e·ous [imˈpitiəs] *adj poet.* unbarmherzig.

im·pla·ca·bil·i·ty [imˌplækəˈbiliti; -ˌplei-; -əti] *s* Unversöhnlichkeit *f*, Unerbittlichkeit *f*. — **imˈpla·ca·ble** *adj* unversöhnlich, unerbittlich. — **imˈpla·ca·ble·ness** → implacability.

im·pla·cen·tal [ˌimpləˈsentl] *zo.* **I** *adj* mutterkuchenlos. – **II** *s* plaˈzentaloses Säugetier, Aplazenˈtarier *m* (*Beutel- u. Kloakentiere*). — **ˌim·plaˈcen·tate** [-teit] *adj* plaˈzentalos.

im·plant I *v/t* [*Br.* imˈplɑːnt; *Am.* -ˈplæ(ː)nt] **1.** *fig.* einimpfen, einprägen (in *dat*). – **2.** einpflanzen. – **3.** *selten* bepflanzen. – **4.** *med.* (*Gewebe*) einpflanzen, verpflanzen. – *SYN.* inculcate, infix, inseminate, instill. – **II** *s* [ˈimp-; imˈp-] *med.* **5.** Implanˈtat *n*. – **6.** Radiumträger *m* (*zur Krebsbehandlung*). — **ˌim·planˈta·tion** *s* **1.** *fig.* Einimpfung *f*, Einprägung *f*. – **2.** Einpflanzung *f*. – **3.** *med.* Implantatiˈon *f*, Einpflanzung *f*, Ver-, Überˈpflanzung *f*.

im·plau·si·bil·i·ty [imˌplɔːziˈbiliti; -zə-; -əti] *s* Unwahrscheinlichkeit *f*, Unglaubwürdigkeit *f*. — **imˈplau·si·ble** *adj* unwahrscheinlich, unglaubwürdig. — **imˈplau·si·ble·ness** → implausibility.

im·plead [imˈpliːd] *jur. obs.* **I** *v/t* **1.** anklagen, verklagen. – **2.** → plead II. – **II** *v/i* **3.** anklagen. — **imˈplead·a·ble** *adj* verklagbar. — **imˈplead·er** *s* Kläger(in).

im·pledge [imˈpledʒ] *v/t* verpfänden.

im·ple·ment I *s* [ˈimplimənt; -plə-] **1.** Werkzeug *n*, Arbeitsgerät *n*. – **2.** Gebrauchsgerät *n*. – **3.** *pl* Utenˈsilien *pl*, Gerät *n*, Zubehör *n*, Handwerkszeug *n*. – **4.** Hilfsmittel *n*. – **5.** *jur. Scot.* Ausführung *f*, Erfüllung *f* (*Kontrakt etc*). – *SYN.* appliance, instrument, tool, utensil. – **II** *v/t* [-ˌment] **6.** aus-, ˈdurchführen, vollˈenden. – **7.** ergänzen. – **8.** mit (den nötigen *od.* einschlägigen) Hilfsmitteln versehen. – **9.** *jur. Scot.* (*Vertrag*) ausführen, erfüllen. – *SYN. cf.* enforce. — **ˌim·pleˈmen·tal** [-ˈmentl] *adj* als Hilfsmittel *od.* Werkzeug angewandt, hilfsmittelartig. — **ˌim·ple·menˈta·tion** *s* Erfüllung *f*, Aus-, ˈDurchführung *f*, Vollˈendung *f*.

im·ple·tion [imˈpliːʃən] *s* **1.** Anfüllen *n*, Füllung *f*. – **2.** Vollsein *n*, Angefülltsein *n*. – **3.** (*das*) Füllende, Füllung *f*.

im·pli·cate I *v/t* [ˈimpliˌkeit] **1.** *fig.* verwickeln, hinˈeinziehen (in in *acc*), in Zuˈsammenhang *od.* Verbindung bringen (with mit): ~d in a crime in ein Verbrechen verwickelt. – **2.** *fig.* mit einbegreifen, impliˈzieren, in sich schließen. – **3.** *fig.* mit sich bringen, zur Folge haben. – **4.** verwickeln, zuˈsammenwinden. – **II** *s* [-kit; -ˌkeit] **5.** Folgerung *f*, (*etwas*) Gefolgertes.

im·pli·ca·tion [ˌimpliˈkeiʃən] *s* **1.** Verwicklung *f*. – **2.** Einbegreifen *n*. – **3.** Einbegriffensein *n*. – **4.** (stillschweigende *od.* selbstverständliche) Folgerung: by ~ a) als natürliche Folgerung, b) stillschweigend, ohne weiteres. – **5.** Begleiterscheinung *f*, Folge *f*: a war and all its ~s ein Krieg und alles, was er mit sich bringt. – **6.** enge Verbindung, Verflechtung *f*. – **7.** tieferer Sinn, eigentliche Bedeutung. – **8.** *math.* Implikatiˈon *f*. — **ˌim·pliˈca·tion·al**, **ˈim·pliˌca·tive** [-tiv], **ˈim·pli·ca·to·ry** [*Br.* -ˌkeitəri; *Am.* -kəˌtɔːri] *adj* in sich schließend, impliˈzierend: to be ~ of s.th. etwas in sich schließen, etwas mitenthalten.

im·plic·it [imˈplisit] *adj* **1.** stillschweigend (inbegriffen), mit inbegriffen, mitverstanden: an ~ agreement ein stillschweigendes Übereinkommen. – **2.** *math.* impliˈzit: ~ function implizite *od.* nicht entwickelte Funktion. – **3.** mitenthalten, mit inbegriffen. – **4.** absoˈlut, unbedingt, blind: ~ faith. – **5.** *psych.* im

Inneren vorgehend, nicht von außen feststellbar. – 6. *obs.* verflochten. — **im'plic·it·ly** *adv* 1. im'plizite, stillschweigend, ohne weiteres. – 2. unbedingt. — **im'plic·it·ness** *s* 1. Mit'inbegriffensein *n.* – 2. stillschweigende Folgerung. – 3. Unbedingtheit *f.*

im·plied [im'plaid] *adj* stillschweigend mit inbegriffen *od.* mitgemeint, mitverstanden, impli'ziert: ~ **power** *pol. Am.* implizierte Vollmacht (*in der Verfassung der USA eine ungeschriebene Vollmacht, die aus den schriftlich niedergelegten Vollmachten hervorgeht*). — **im·pli·ed·ly** [im'plaiidli] → implicitly 1.

im·plode [im'ploud] I *v/i* nach innen explo'dieren. – II *v/t ling.* mit Implosi'on aussprechen. — **im'plod·ent** *s ling.* durch Implosi'on her'vorgebrachter Laut.

im·plo·ra·tion [ˌimplo'reiʃən; -plə-] *s* Flehen *n*, dringende Bitte (for um). — **im·plor·a·to·ry** [*Br.* im'plɔːrətəri; *Am.* -əˌtɔːri] *adj* flehend, bittend. — **im·plore** [im'plɔːr] I *v/t* 1. dringend bitten, anflehen, beschwören. – 2. erflehen, erbitten, flehen um. – II *v/i* 3. flehen, bitten (for um). – *SYN. cf.* beg. — **im'plor·ing·ly** *adv* flehentlich bittend, flehend. — **im'plor·ing·ness** *s* Flehentlichkeit *f.*

im·plo·sion [im'plouʒən] *s* 1. Implosi'on *f.* – 2. Lufteinziehen *n*, -einsaugen *n.* – 3. *ling.* Implosi'on *f* (*Bildung des Verschlusses bei Verschlußlauten*). — **im'plo·sive** [-siv] *ling.* I *adj* implo'siv. – II *s* Implosi'onslaut *m.*

im·plu·vi·um [im'pluːviəm] *pl* **-vi·a** [-viə] *s antiq. arch.* Im'pluvium *n.*

im·ply [im'plai] *v/t* 1. impli'zieren, einbegreifen, mitenthalten, in sich schließen. – 2. bedeuten, besagen (*Wort*). – 3. andeuten, 'durchblicken lassen, zu verstehen geben. – 4. mit sich bringen, bedeuten. – 5. *obs.* einhüllen. – *SYN. cf.* a) include, b) suggest.

im·po ['impou] *s ped. Austral. u. New Zeal. colloq.* Strafarbeit *f.*

im·po·fo [im'poufou] → eland.

im·pol·der [im'pouldər] *v/t* eindeichen, trockenlegen.

im·pol·i·cy [im'pɒlisi; -əsi] *s* Unklugheit *f*, unkluges Vorgehen.

im·po·lite [ˌimpo'lait; -pə-] *adj* unhöflich, ungesittet, ungehobelt, roh. — ˌ**im·po'lite·ness** *s* Unhöflichkeit *f.*

im·pol·i·tic [im'pɒlitik; -lə-], *auch* **im·po·lit·i·cal** [ˌimpə'litikəl] *adj* 'unpoˌlitisch, unklug, unvernünftig, 'unüberˌlegt. — ˌ**im·po'lit·i·cal·ly** *adv* (*auch zu* impolitic). — ˌ**im·po'lit·i·cal·ness** *s* Unklugheit *f*, unkluge Poli'tik. — **im'pol·i·tic·ly** *adv.* — **im'pol·i·tic·ness** → impoliticalness.

im·pon·der·a·bil·i·ty [imˌpɒndərə'biliti; -əti] *s* Unwägbarkeit *f.* — **im'pon·der·a·ble** I *adj* 1. unwägbar, gewichtslos. – 2. *fig.* unwägbar. – II *s* 3. *pl* Impondera'bilien *pl*: a) *phys. Ursachen der immateriellen Erscheinungen*, b) *fig. Tatsachen od. Umstände von unbestimmbarer Wirkung.* — **im'pon·der·a·ble·ness** → imponderability.

im·pone [im'poun] *v/t obs.* (*als Wetteinsatz*) hinter'legen. — **im'po·nent** I *adj* (*Steuer etc*) auferlegend. – II *s* j-d der (*etwas*) auferlegt *od.* vorschreibt.

im·port I *v/t* [im'pɔːrt] 1. *econ.* impor'tieren, einführen. – 2. *fig.* (into) einführen (in *acc*), über'tragen (auf *acc*). – 3. bedeuten, besagen, ausdrücken, bezeichnen. – 4. impli'zieren, mitenthalten, einbegreifen. – 5. betreffen, angehen, interes'sieren, von Wichtigkeit sein für: a question that ~s us. – II *v/i* 6. von Wichtigkeit sein, Bedeutung haben: it ~s little. – III *s* ['imp-] 7. *econ.* Einfuhr *f*, Im'port *m.* – 8. *pl econ.* Einfuhrwaren *pl*, Im'portarˌtikel *pl*: bounty on ~s Einfuhrprämie; excess (*od.* surplus) of ~s Einfuhrüberschuß; limitation (*od.* restriction) of ~s Einfuhrbeschränkung; non-quota ~s nicht kontingentierte Einfuhrwaren; scale of ~s Einfuhrquoten. – 9. Bedeutung *f*, Sinn *m.* – 10. Wichtigkeit *f*, Bedeutung *f*, Tragweite *f*, Gewicht *n.* – *SYN. cf.* meaning. — **imˌport·a'bil·i·ty** *s* Einführbarkeit *f.* — **im'port·a·ble** *adj econ.* einführbar, einzuführen(d), impor'tierbar.

im·por·tance [im'pɔːrtəns], *auch obs.* **im'por·tan·cy** [-si] *s* 1. Wichtigkeit *f*, Bedeutsamkeit *f.* – 2. Einfluß *m*, Gewicht *n.* – 3. ˌWichtigtue'rei *f.* – 4. *obs.* a) wichtige Angelegenheit, b) Aufdringlichkeit *f*, c) Sinn *m.* – *SYN.* consequence, moment, significance, weight. — **im'por·tant** *adj* 1. wichtig, bedeutsam, erheblich, bedeutend (to für). – 2. her'vorragend, bedeutend. – 3. einflußreich. – 4. wichtigtuerisch, eingebildet. – 5. *obs.* aufdringlich.

im·por·ta·tion [ˌimpɔːr'teiʃən] *s econ.* 1. Im'port *m*, Einfuhr *f*: articles of ~ Einfuhrwaren, -artikel; duty on ~ Einfuhrzoll. – 2. eingeführte Ware: ~s Einfuhrwaren, -artikel. – 3. *humor.* Eingewanderte(r), Zugezogene(r).

im·port| cer·tif·i·cate *s econ.* Einfuhrschein *m.* — ~ **com·merce** *s* 1. Einfuhrhandel *m.* – 2. Pas'sivhandel *m.* — ~ **cred·it** *s* Im'portkreˌdit *m.* — ~ **du·ty** *s* Einfuhrzoll *m.*

im·port·ed| ar·ti·cle [im'pɔːrtid] *s econ.* Im'portarˌtikel *m.* — ~ **com·mod·i·ties** *s pl econ.* Einfuhrwaren *pl.*

im·port·er [im'pɔːrtər] *s econ.* Impor'teur *m*, Einfuhr-, Im'porthändler *m.*

im·port·ing| coun·try [im'pɔːrtiŋ] *s econ.* Einfuhrland *n.* — ~ **firm** *s econ.* Im'portfirma *f.*

im·port| list *s econ.* Einfuhrliste *f.* — ~ **per·mit** *s* Einfuhrerlaubnis *f.* — ~ **tar·iffs** *s pl* Einfuhrzölle *pl.* — ~ **trade** *s* Einfuhrhandel *m*, Im'portgeschäft *n.*

im·por·tu·na·cy [*Br.* im'pɔːrtjunəsi; *Am.* -tʃə-], **im'por·tu·nance** [-nəns] → importunateness. — **im'por·tu·nate** [-nit] *adj* 1. lästig, belästigend, zu-, aufdringlich, hartnäckig. – 2. *obs.* beschwerlich. — **im'por·tu·nate·ness** *s* Lästigkeit *f*, Zu-, Aufdringlichkeit *f.*

im·por·tune [ˌimpɔːr'tjuːn; -pər-; *Am. auch* -'tuːn; im'pɒrtjuːn; *Am. auch* -tʃən] I *v/t* 1. bedrängen, belästigen, bestürmen. – 2. (*etwas*) dringend erbitten *od.* verlangen, hartnäckig fordern, anhaltend bitten um. – 3. *obs.* a) plagen, b) vorwärtstreiben. – II *v/i* 4. beharrlich fordern, hartnäckig bitten. – *SYN. cf.* beg. – III *adj* → importunate. — ˌ**im·por'tun·er** *s* lästiger Mensch, Dränger (-in). — ˌ**im·por'tu·ni·ty** *s* 1. beharrliches Bitten, Auf-, Zudringlichkeit *f*, Lästigkeit *f.* – 2. beharrliche Bitte.

im·pose [im'pouz] I *v/t* 1. auferlegen, aufbürden (on, upon *dat*): to ~ a tax on s.th. *econ.* etwas besteuern. – 2. beilegen (on, upon *dat*). – 3. aufdrängen (on, upon *dat*). – 4. *econ.* aufdrängen, aufschwindeln, anhängen (on s.o. j-m). – 5. *relig.* (*die Hände*) segnend auflegen. – 6. *print.* (*Kolumnen*) ausschießen: to ~ anew umschießen; to ~ wrong verschießen. – 7. *selten* (*einer Strafe*) unter'werfen. – 8. (*als Pflicht*) vorschreiben, einschärfen. – 9. *obs.* ('hin)stellen. – II *v/i* 10. eindrucksvoll sein, impo'nieren. – 11. (upon) beeindrucken (*acc*), impo'nieren (*dat*): he is not to be ~d upon er läßt sich nichts vormachen. – 12. (über Gebühr) in Anspruch nehmen, zu sehr beanspruchen, miß'brauchen (upon *acc*): to ~ upon s.o.'s good nature j-s Gutmütigkeit ausnützen. – 13. sich aufdrängen (on, upon *dat*). – 14. täuschen, betrügen, hinter'gehen (upon *acc*): he is easily ~d upon er läßt sich leicht täuschen, to ~ upon oneself sich selbst betrügen.

im·pos·ing [im'pouziŋ] *adj* eindrucksvoll, impo'nierend, impo'sant, großartig. – *SYN. cf.* grand. — **im'pos·ing·ness** *s* impo'nierende Wirkung.

im·pos·ing| stone, ~ **ta·ble** *s print.* Schließplatte *f*, Met'teurtisch *m.*

im·po·si·tion [ˌimpə'ziʃən] *s* 1. Auferlegung *f*, Aufbürdung *f* (*Steuern, Pflichten etc*): ~ of taxes *econ.* Besteuerung. – 2. auferlegte Last *od.* Pflicht, Auflage *f*, Steuer *f*, Abgabe *f.* – 3. *ped. Br.* Strafarbeit *f.* – 4. Beilegung *f* (*Name*). – 5. Sich'auf-, Sich'eindrängen *n.* – 6. (große) Zumutung, (schamloses) Ausnützen: it would be an ~ on his good nature das hieße seine Güte mißbrauchen. – 7. Über'vorteilung *f*, Täuschung *f*, Betrug *m*, Schwindel *m.* – 8. *relig.* Auflegung *f* (*der Hände*). – 9. *print.* Ausschießen *n*, For'matmachen *n*, Formeinrichtung *f.*

im·pos·si·bi·list [im'pɒsəbəlist] *s* j-d der nach Unmöglichem strebt. — **imˌpos·si'bil·i·ty** [-'biliti; -əti] *s* 1. Unmöglichkeit *f.* – 2. unmögliche Sache, (*das*) Unmögliche.

im·pos·si·ble [im'pɒsəbl] I *adj* 1. unmöglich, undenkbar, ausgeschlossen. – 2. unaus-, 'undurchˌführbar; ~ of conquest unmöglich zu erobern; it is ~ for him to return es ist unmöglich, daß er zurückkehrt. – 3. unmöglich, unerträglich: an ~ fellow ein unmöglicher Kerl. – II *s* 4. Unmöglichkeit *f*, (*das*) Unmögliche. — **im'pos·si·ble·ness** *s* Unmöglichkeit *f.*

im·post[1] ['impoust] I *s* 1. *econ.* Auflage *f*, Abgabe *f*, Steuer *f*, *bes.* Einfuhrzoll *m.* – 2. *sport sl.* (*von den Pferden im Handikap zu tragendes*) Gewicht. – II *v/t* 3. *econ. Am.* (*Importwaren*) zwecks Zollfestsetzung klassifi'zieren.

im·post[2] ['impoust] *s arch.* Im'post *m*, Kämpfer(gesims *n*) *m.*

im·pos·thume *cf.* impostume.

im·pos·tor [im'pɒstər] *s* Betrüger(in), Schwindler(in), Hochstapler(in). — **im'pos·trous** [-trəs] → imposturous.

im·pos·tume [im'pɒstjuːm; *Am. auch* -tʃuːm] *s med.* Geschwür *n*, Ab'szeß *m.*

im·pos·ture [im'pɒstʃər] *s* Betrug *m*, Betrüge'rei *f*, Schwindel *m*, ˌHochstape'lei *f.* – *SYN.* cheat[1], counterfeit, deceit, deception, fake, fraud, humbug, sham. — **im'pos·tur·ous** *adj* betrügerisch, hochstaplerisch.

im·pot ['impɒt] *s ped. Br. colloq.* Strafarbeit *f.*

im·po·tence ['impətəns], *auch* '**im·po·ten·cy** [-si] *s* 1. Unvermögen *n*, Unfähigkeit *f.* – 2. Schwäche *f*, Kraftlosigkeit *f*, 'Hinfälligkeit *f.* – 3. *med.* Impotenz *f*, Zeugungsunfähigkeit *f.* – 4. *poet.* Unbeherrschtheit *f.* — '**im·po·tent** I *adj* 1. unfähig, außer'stande. – 2. schwach, kraftlos, haltlos. – 3. gebrechlich, 'hinfällig, hilflos. – 4. *med.* a) impotent, zeugungsunfähig, b) *selten* unfruchtbar. – 5. *obs.* unbeherrscht. – *SYN. cf.* sterile. – II *s* 6. schwacher, kraftloser Mensch. – 7. *med.* Impotenter *m*, Zeugungsunfähiger *m.* — '**im·po·tent·ness** → impotence.

im·pound [im'paund] *v/t* 1. (*Vieh*) einsperren, einpferchen. – 2. (*Wasser*) sammeln. – 3. mit Beschlag belegen, in Besitz nehmen, sich aneignen. –

4. *jur.* in gerichtliche Verwahrung nehmen, in Haft halten. — **im'pound·age**, *auch* **im'pound·ment** *s* **1.** gerichtliche Verwahrung, Einsperrung *f.* – **2.** Eindämmung *f,* Sammlung *f.* – **3.** Aneignung *f.*

im·pov·er·ish [im'pɒvəriʃ; -vriʃ] *v/t* **1.** arm machen, an den Bettelstab bringen: to be ~ed verarmen. – **2.** (*Land, Boden etc*) auslaugen, erschöpfen. – **3.** *fig.* leer *od.* reizlos machen. – *SYN. cf.* deplete. — **im'pov·er·ish·ment** *s* **1.** Armmachen *n,* Aussaugung *f,* Erschöpfung *f.* – **2.** Verarmung *f.*

im·pow·er [im'pauər] → empower.

imp-pole ['imp,poul] *s tech.* (Ge)-Rüststange *f.*

im·prac·ti·ca·bil·i·ty [im,præktikə'biliti; -əti] *s* **1.** 'Undurch,führbarkeit *f.* – **2.** Unbrauchbarkeit *f.* – **3.** Unwegsamkeit *f,* Ungangbarkeit *f.* – **4.** Unlenksamkeit *f.* — **im'prac·ti·ca·ble** *adj* **1.** 'undurch,führbar, unausführbar, untunlich. – **2.** unbrauchbar. – **3.** ungangbar, unwegsam (*Straße*). – **4.** unlenksam, 'widerspenstig, hartnäckig (*Person*). — **im'prac·ti·ca·ble·ness** → impracticability.

im·prac·ti·cal [im'præktikəl] *adj* **1.** unpraktisch, theo'retisch. – **2.** unbrauchbar, untunlich, unnütz. — **im,prac·ti'cal·i·ty** [-'kæliti; -əti], **im'prac·ti·cal·ness** *s* **1.** unpraktisches Wesen. – **2.** Unbrauchbarkeit *f.*

im·pre·cate ['impri,keit] **I** *v/t* **1.** (*Unglück etc*) her'ab-, her'beiwünschen (on, upon auf *acc*): to ~ curses on s.o. j-n verfluchen. – **2.** *selten* anflehen. – **3.** *obs.* verfluchen. – **II** *v/i* **4.** Böses her'abwünschen, fluchen. — **,im·pre'ca·tion** *s* Verwünschung *f,* Fluch *m.* — **'im·pre,ca·tor** [-tər] *s* (Ver)Fluchender *m.* — **'im·pre·ca·to·ry** [*Br.* -,keitəri; *Am.* -kə,tɔːri] *adj* verwünschend, verfluchend, Verwünschungs...

im·preg ['impreg] *s Am.* harzbehandeltes Holz.

im·pregn [im'priːn] *poet. für* impregnate.

im·preg·na·bil·i·ty [im,pregnə'biliti; -əti] *s* 'Unüber,windlichkeit *f.*

im·preg·na·ble[1] [im'pregnəbl] *adj* **1.** uneinnehmbar, unbezwinglich, 'unüber,windlich. – **2.** *fig.* 'unüber,windlich, unerschütterlich (to gegenüber).

im·preg·na·ble[2] [im'pregnəbl] *adj biol.* befruchtbar (*Ei*).

im·preg·na·ble·ness [im'pregnəblnis] → impregnability.

im·preg·nate [im'pregneit] **I** *v/t* **1.** *biol.* a) schwängern, schwanger machen, b) befruchten. – **2.** sättigen, durch'dringen, imprä'gnieren. – **3.** *fig.* befruchten, (durch)'tränken, schwängern. – **4.** (*Malerei*) grun'dieren. – **II** *v/i* **5.** geschwängert *od.* befruchtet werden. – *SYN. cf.* soak. – **III** *adj* [-nit; -neit] **6.** *biol.* a) geschwängert, schwanger, b) befruchtet. – **7.** *fig.* (with) voll (von), durch'tränkt (mit). — **,im·preg'na·tion** *s* **1.** *biol.* a) Schwängerung *f,* b) Befruchtung *f,* Fekundati'on *f.* – **2.** *bes. chem.* Imprä'gnierung *f,* (Durch)'Tränkung *f,* Sättigung *f,* Durch'dringung *f.* – **3.** *fig.* Befruchtung *f,* Durch'dringung *f,* Erfüllung *f.* – **4.** *geol.* Mine'ralablagerung *f.* — **im'preg·na·tor** [-tər] *s* **1.** j-d der *od.* etwas was befruchtet *od.* imprä'gniert. – **2.** *tech.* Imprä'gnierer *m.* — **im'preg·na·to·ry** [*Br.* -nətəri; *Am.* -,tɔːri] *adj* **1.** schwängernd, befruchtend. – **2.** durch'tränkend, imprä'gnierend.

im·pre·sa [im'preizɑː; -zə] *s hist.* **1.** Em'blem *n,* Sinnbild *n.* – **2.** De'vise *f,* Wahlspruch *m.*

im·pre·sa·ri·o [,impre'sɑːri,ou] *pl* **-sa·ri·os** *od.* **-sa·ri** [-riː] *s* Impre'sario *m.*

im·pre·scrip·ti·bil·i·ty [,impri,skriptə'biliti; -əti] *s selten* Unveräußerlichkeit *f.* — **,im·pre'scrip·ti·ble** *adj jur.* unveräußerlich.

im·prese [im'priːz] → impresa.

im·press[1] [im'pres] **I** *v/t pret u. pp* **im'pressed,** *auch obs.* **im'prest** **1.** beeindrucken, Eindruck machen auf (*acc*): the sermon did not ~ me die Predigt hat mich nicht beeindruckt; to be favo(u)rably ~ed by s.th. einen guten Eindruck erhalten von etwas. – **2.** (*j-n*) tief berühren, erfüllen, durch'dringen (with mit). – **3.** tief einprägen, einschärfen (on, upon *dat*): to ~ oneself on s.o. j-n beeindrucken. – **4.** (auf)drücken (on auf *acc*), ein-, abdrücken. – **5.** (*Zeichen etc*) aufprägen, -drucken (on auf *acc*). – **6.** *fig.* (*Eigenschaft*) aufdrücken, verleihen (upon *dat*). – **7.** prägen, bezeichnen (with mit). – **8.** (*Kraft*) mitteilen, über'tragen (on, upon auf *acc*). – **9.** *electr.* (*Spannung od. Strom*) aufdrücken, einprägen. – **II** *v/i* **10.** Eindruck machen, einen Eindruck her'vorrufen. – *SYN. cf.* affect[2]. – **III** *s* ['impres] **11.** Prägung *f,* Kennzeichnung *f.* – **12.** Ab-, Eindruck *m,* Stempel *m.* – **13.** *fig.* charakte'ristisches Merkmal, Gepräge *n.*

im·press[2] **I** *v/t* [im'pres] **1.** requi'rieren, beschlagnahmen. – **2.** *bes. mar.* gewaltsam anwerben, (zum Dienst) pressen. – **II** *s* ['impres] → impressment.

im·pressed [im'prest] *adj* **1.** beeindruckt. – **2.** durch'drungen (with von). – **3.** *bot. zo.* eingedrückt. — ~ **source** *s electr.* eingeprägte (Spannungs-, Strom)Quelle. — ~ **volt·age** *s electr.* eingeprägte Spannung.

im·press·i·bil·i·ty [im,presə'biliti; -əti] *s* Empfänglichkeit *f.* — **im'press·i·ble** *adj* (to) beeindruckbar, leicht zu beeindrucken(d) (durch), empfänglich (für). — **im'press·i·ble·ness** → impressibility.

im·pres·sion [im'preʃən] *s* **1.** Eindruck *m,* starke Wirkung: to give s.o. a wrong ~ of s.th. j-m einen falschen Eindruck von etwas vermitteln; to leave an ~ on s.o., to leave s.o. with an ~ einen Eindruck bei j-m zurück- *od.* hinterlassen. – **2.** Einwirkung *f,* Eindruck *m* (on auf *acc*). – **3.** *psych.* a) unmittelbarer Sinneseindruck, Sinneswahrnehmung *f,* b) vermittelter Sinneseindruck, c) sinnlicher Reiz. – **4.** dunkle Erinnerung, Vermutung *f*: to be under the ~ that den Eindruck haben *od.* die Vermutung hegen, daß. – **5.** Ab-, Ein-, Aufdruck *m*: hollow (raised) ~ tiefer (erhabener) Abdruck. – **6.** Vertiefung *f,* Eindellung *f.* – **7.** Gepräge *n,* Stempel *m.* – **8.** *fig.* Gepräge *n,* Stempel *m,* Merkmal *n,* Kennzeichen *n.* – **9.** *med.* (Gebiß)-Abdruck *m.* – **10.** *print.* a) Abzug *m,* (Ab)Druck *m,* b) gedrucktes Exem'plar. – **11.** (*bes.* unveränderte) Auflage (*Buch*). – **12.** *tech.* Holzschnitt *m,* Kupfer-, Stahlstich *m.* – **13.** (*Malerei*) Grun'dierung *f.* – **14.** Ab-, Auf-, Eindrücken *n* (on auf *acc*). – *SYN. cf.* idea. — **im,pres·sion·a'bil·i·ty** *s* Beeindruckbarkeit *f.* — **im'pres·sion·a·ble** *adj* für Eindrücke empfänglich, beeindruckbar, (leicht) zu beeindrucken(d), formbar: an ~ mind. — **im'pres·sion·a·ble·ness** → impressionability. — **im'pres·sion,ism** *s* Impressio'nismus *m.* — **im'pres·sion·ist** **I** *s* Impressio'nist(in). – **II** *adj* impressio'nistisch. — **im,pres·sion'is·tic** *adj* impressio'nistisch. — **im,pres·sion'is·ti·cal·ly** *adv* (*auch zu* impressionist II).

im·pres·sive [im'presiv] *adj* **1.** eindrucksvoll, -stark. – **2.** packend, ergreifend: an ~ scene. – *SYN. cf.* moving. — **im'pres·sive·ness** *s* (*das*) Eindrucksvolle, (*das*) Ergreifende.

im·press·ment [im'presmənt] *s* **1.** Beschlagnahme *f,* Requi'rierung *f.* – **2.** *bes. mar.* Pressen *n* (*zum Dienst*), gewaltsame Dienstverpflichtung.

im·pres·sure [im'preʃər] *obs. für* impression.

im·prest[1] ['imprest] *econ.* **I** *s* öffentlicher Geldvorschuß, Vorschuß *m* aus öffentlichen Mitteln, Spesenvorschuß *m.* – **II** *adj* vorgeschossen, geliehen.

im·prest[2] [im'prest] *obs. pret u. pp von* impress[1] I *u.* II.

im·prest| ac·count ['imprest] *s econ.* Vorschußkonto *n.* — ~ **ac·count·ant** *s econ.* Empfänger *m* von Geldvorschüssen aus einer Staatskasse. — ~ **of·fice** *s mar.* Vorschußamt *n* (*der brit. Admiralität*).

im·pri·ma·tur [,impri'meitər; -prai-] *s* **1.** Impri'matur *n,* Druckerlaubnis *f.* – **2.** *fig.* Zustimmung *f,* Billigung *f.*

im·pri·mis [im'praimis] (*Lat.*) *adv* zu'erst, vor allem.

im·print **I** *s* ['imprint] **1.** Ab-, Eindruck *m.* – **2.** Aufdruck *m,* Stempel *m.* – **3.** *fig.* Stempel *m,* Gepräge *n.* – **4.** *fig.* Eindruck *m.* – **5.** *print.* Im'pressum *n,* Erscheinungs-, Druckvermerk *m.* – **II** *v/t* [im'print] **6.** (on) (auf)drücken, aufprägen (auf *acc*), eindrücken (in *acc*). – **7.** *print.* (auf-, ab)drucken. – **8.** (*Kuß*) aufdrücken. – **9.** (*Gedanken etc*) einprägen: to ~ s.th. on (*od.* in) s.o.'s memory j-m etwas ins Gedächtnis einprägen. – **10.** eindrücken, Eindrücke hinter'lassen in (*dat*).

im·pris·on [im'prizn] *v/t* **1.** einkerkern, -sperren, ins Gefängnis stecken, verhaften. – **2.** *fig.* einsperren, -engen, -schließen, festhalten, beschränken. — **im'pris·on·ment** *s* **1.** Einkerkerung *f,* Haft *f,* Gefangenschaft *f*: ~ before trial *jur.* Untersuchungshaft. – **2.** Verhaftung *f.* – **3.** *fig.* Einsperrung *f,* Festhalten *n.*

im·prob·a·bil·i·ty [im,prɒbə'biliti; -əti] *s* **1.** Unwahrscheinlichkeit *f.* – **2.** Unglaubwürdigkeit *f.* – **3.** (*etwas*) Unwahrscheinliches *od.* Unglaubwürdiges. — **im'prob·a·ble** *adj* **1.** unwahrscheinlich. – **2.** unglaubwürdig. — **im'prob·a·ble·ness** → improbability 1 *u.* 2.

im·pro·bi·ty [im'proubiti; -əti] *s* Unredlichkeit *f,* Unehrlichkeit *f,* Schlechtigkeit *f.*

im·promp·tu [im'prɒmptjuː; *Am. auch* -tuː] **I** *s* **1.** Impromp'tu *n,* Improvisati'on *f,* (*etwas*) Improvi'siertes (*Stegreifgedicht etc*). – **2.** *mus.* Impromp'tu *n,* Improvisati'on *f.* – **II** *adj u. adv* **3.** aus dem Stegreif, improvi'siert, unvorbereitet.

im·prop·er [im'prɒpər] *adj* **1.** ungeeignet, unpassend, untauglich (to für). – **2.** unschicklich, ungehörig, unsittlich: ~ conduct. – **3.** unzulässig: ~ use unzulässiger Gebrauch, Mißbrauch. – **4.** unrichtig, falsch, irrig. – **5.** unregelmäßig, ano'mal. – **6.** *math.* unecht, uneigentlich: ~ fraction unechter Bruch; ~ integral uneigentliches Integral. – *SYN. cf.* indecorous. — **im'prop·er·ness** → impropriety.

im·pro·pri·ate **I** *v/t* [im'proupri,eit] **1.** *jur. relig. Br.* (*Kirchengut*) (an Laien) über'tragen, -'geben. – **2.** *obs.* sich aneignen. – **II** *adj* [-it; -,eit] **3.** *jur. relig. Br.* (einem Laien) über'tragen (*Kirchengut*). — **im,pro·pri'a·tion** *s* a) Über'tragung *f* an Laien, b) an Laien über'tragenes Kirchengut. — **im'pro·pri,a·tor** [-,eitər] *s* Laie *m* im Besitz *od.* in der Verwaltung von Kirchengut, weltlicher Besitzer von Kirchengut.

im·pro·pri·e·ty [ˌimpro'praiəti; -prə'p-] *s* **1.** Ungeeignetheit *f*, Untauglichkeit *f*. – **2.** Unschicklichkeit *f*, Ungehörigkeit *f* (*Benehmen*). – **3.** Unrichtigkeit *f*, Irrigkeit *f*. – **4.** Unechtheit *f*, Unregelmäßigkeit *f*, Ungenauigkeit *f*. – **5.** unpassende *od.* ungehörige Handlung *od.* Bemerkung. – **6.** *ling.* falscher Gebrauch (*Wort*), 'Unkorˌrektheit *f*.

im·prov·a·bil·i·ty [imˌpruːvə'biliti; -əti] *s* **1.** Verbesserungsfähigkeit *f*, Bildsamkeit *f*. – **2.** *agr.* Kulti'vierbarkeit *f*. — **im'prov·a·ble** *adj* **1.** verbesserungsfähig, bildsam. – **2.** *agr.* kulti'vierbar, kul'tur-, anbaufähig (*Land*). — **im'prov·a·ble·ness** → **improvability.**

im·prove [im'pruːv] **I** *v/t* **1.** verbessern. – **2.** *bes. Am.* a) (*Land*) kulti'vieren, melio'rieren, b) (*Land*) erschließen u. wertvoller machen. – **3.** vorteilhaft *od.* nutzbringend verwenden, ausnützen: to ~ **the occasion** die Gelegenheit benutzen. – **4.** verfeinern, veredeln (into zu). – **5.** vermehren, vergrößern, verstärken: to ~ **the value** den Wert erhöhen. – **6.** (*Beziehungen*) verbessern, ausbauen. – **7.** *obs. od. dial.* verwenden. – **8.** ~ **away,** ~ **off,** ~ **out** (durch Verbesserungsversuche) verderben, zerstören, beseitigen, vertreiben. – **II** *v/i* **9.** sich (ver)bessern, besser werden, sich vervollkommnen, Fortschritte machen, sich erholen. – **10.** Verbesserungen vornehmen (on, upon an *dat*): not to be ~d upon unübertrefflich. – **11.** *econ.* steigen, anziehen (*Preise etc*). – **12.** gewinnen, angenehmer werden: **some people** ~ **on acquaintance** manche Menschen gewinnen bei näherer Bekanntschaft. – *SYN.* **ameliorate, better, help.**

im·prove·ment [im'pruːvmənt] *s* **1.** (Ver)Besserung *f*, Vervollkommnung *f*: ~ **in health** Besserung der Gesundheit. – **2.** *agr.* Meliorati'on *f*, Bodenverbesserung *f*. – **3.** Ausnutzung *f*, nutzbringende Verwendung. – **4.** Verfeinerung *f*, Veredelung *f*: ~ **industry** *econ.* Veredelungswirtschaft. – **5.** *econ.* Erhöhung *f*, Vermehrung *f*, Steigen *n*: ~ **in prices** Preisbesserung, Kursaufbesserung; ~ **in value** Werterhöhung. – **6.** Fortschritt *m*, Gewinn *m* (in s.th. in einer Sache; on, upon s.th. gegenüber einer Sache): **this road is an** ~ **on the old one** diese Straße ist ein Fortschritt gegenüber der alten. – **7.** Aufklärung *f*, Belehrung *f*. — ~ **fac·tor** *s econ. vertraglich gesicherte Angleichung des Lohnniveaus an Produktivität u. Lebenshaltungskosten.*

im·prov·er [im'pruːvər] *s* **1.** Verbesserer *m*. – **2.** *econ.* Volon'tär(in). – **3.** *Br. für* **dress** ~. – **4.** Verbesserungs-, Förderungsmittel *n*.

im·prov·i·dence [im'prɒvidəns; -və-] *s* **1.** Unbedachtsamkeit *f*, Sorglosigkeit *f*. – **2.** Unvorsichtigkeit *f*, Leichtsinn *m*. — **im'prov·i·dent** *adj* **1.** unbedacht(sam), nicht 'umsichtig. – **2.** unvorsichtig, achtlos, leichtsinnig, unbekümmert (of um).

im·prov·ing [im'pruːviŋ] *adj* bessernd, wohltätig, heilsam, förderlich, gedeihlich.

im·pro·vi·sa·tion [ˌimprovai'zeiʃən; -prə-; -vi-] *s* **1.** Improvi'sieren *n*. – **2.** Improvisati'on *f*, unvorbereitete Veranstaltung, 'Stegreifkompositiˌon *f*, -rede *f*. — ˌ**im·pro·vi'sa·tion·al** *adj* improvi'siert, unvorbereitet, Stegreif...

im·prov·i·sa·tor [im'prɒviˌzeitər; -və-] *s* Improvi'sator *m*, Stegreifdichter *m*, -musiker *m*, -redner *m*. — **imˌprov·i·sa'to·ri·al** [-zə'tɔːriəl], **im·pro·vi·sa·to·ry** [*Br.* ˌimprə'vaizətəri; *Am.* -ˌtɔːri] *adj* **1.** improvisa'torisch. – **2.** improvi'siert, Stegreif...

im·pro·vise ['improˌvaiz; -prə-] **I** *v/t* **1.** improvi'sieren, extempo'rieren, aus dem Stegreif dichten *od.* kompo'nieren *od.* sprechen *od.* spielen. – **2.** improvi'sieren, rasch 'herstellen, aus dem Boden stampfen. – **II** *v/i* **3.** improvi'sieren. — '**im·proˌvised** *adj* **1.** improvi'siert, unvorbereitet, Stegreif... – **2.** improvi'siert, behelfsmäßig. — '**im·proˌvis·er** *s* Improvi'sator *m*, Improvi'sierende(r).

im·prov·vi·sa·to·re [improvviza'toːre] *pl* **-'to·ri** [-ri] (*Ital.*) → **improvisator.** — ˌ**im·provˌvi·sa'tri·ce** [-'triːtʃe] *pl* **-'tri·ci** [-tʃi] (*Ital.*) *s* Improvisa'torin *f*, Stegreifdichterin *f od.* -sängerin *f*.

im·pru·dence [im'pruːdəns] *s* Unklugheit *f*, Unbedachtsamkeit *f*, Unvorsichtigkeit *f*. — **im'pru·dent** *adj* unklug, unbedachtsam, unvorsichtig, 'unüberˌlegt. — **im'pru·dent·ness** *selten für* **imprudence.**

im·pu·ber·al [im'pjuːbərəl] → **impubic.** — **im'pu·berˌism** *s* Unmannbarkeit *f*. — **im'pu·bic** *adj med.* nicht geschlechtsreif, geschlechtsunreif.

im·pu·dence ['impjudəns; -pjə-], *auch selten* '**im·pu·den·cy** [-si] *s* **1.** Unverschämtheit *f*, Frechheit *f*, Imperti'nenz *f*. – **2.** unverschämtes Benehmen. — '**im·pu·dent** *adj* **1.** unverschämt, schamlos frech, imperti'nent. – **2.** *obs.* unanständig. — '**im·pu·dent·ness** *selten für* **impudence.**

im·pu·dic·i·ty [ˌimpju'disiti; -əti] → **immodesty.**

im·pugn [im'pjuːn] *v/t* bestreiten, anfechten, bekämpfen, angreifen, in Zweifel ziehen. – *SYN. cf.* **deny.** — **im'pugn·a·ble** *adj* bestreitbar, anfechtbar. — **im'pugn·ment,** *auch obs.* **im·pug·na·tion** [ˌimpʌg'neiʃən] *s* Bestreitung *f*, Anfechtung *f*, Wider'legung *f*.

im·pu·is·sance [im'pjuːisəns] *s* Kraftlosigkeit *f*, Schwäche *f*. — **im'pu·is·sant** *adj* kraftlos, schwach.

im·pulse ['impʌls] *s* **1.** Antrieb *m*, Stoß *m*, Triebkraft *f*. – **2.** Antrieb *m*, her'vorgerufene Bewegung. – **3.** *fig.* Antrieb *m*, Trieb(kraft *f*) *m*, Im'puls *m*, Drang *m*. – **4.** *fig.* Im'puls *m*, plötzliche Regung: **to act on** ~ impulsiv handeln; **to act on the** ~ **of the moment** einer augenblicklichen Regung folgen. – **5.** *math. phys.* Im'puls *m*, Bewegungsgröße *f*, line'ares Mo'ment. – **6.** *med.* Im'puls *m*, (An)Reiz *m*. – **7.** *electr.* Im'puls *m*, Spannungs-, Stromstoß *m*. – *SYN. cf.* **motive.**

im·pul·sion [im'pʌlʃən] *s* **1.** Stoß *m*, Antrieb *m*, Im'puls *m*. – **2.** *fig.* Im'puls *m*, Anreiz *m*, Anstoß *m*, Anregung *f*, Antrieb *m*. – **3.** Triebkraft *f*.

im·pul·sive [im'pʌlsiv] *adj* **1.** (an-, vorwärts)treibend, bewegend, Trieb... – **2.** *fig.* impul'siv, leicht erregbar, leidenschaftlich, gefühlsbeherrscht, triebhaft. – **3.** *fig.* anregend, erregend. – **4.** *phys.* plötzlich *od.* momen'tan wirkend. – *SYN. cf.* **spontaneous.** — **im'pul·sive·ness,** ˌ**im·pul'siv·i·ty** *s* Impulsivi'tät *f*, Erregbarkeit *f*, Leidenschaftlichkeit *f*, impul'sives Wesen.

im·pu·ni·ty [im'pjuːniti; -əti] *s* Straflosigkeit *f*: **with** ~ ungestraft.

im·pure [im'pjur] *adj* **1.** unrein, schmutzig, unsauber. – **2.** nicht rein, verfälscht, mit Beimischungen. – **3.** unrein, gemischt, nicht einheitlich (*Stil etc*). – **4.** *relig.* unrein. – **5.** schmutzig, unzüchtig, unanständig. – **6.** unrein, fehlerhaft, ungenau. — **im'pure·ness, im'pu·ri·ty** *s* **1.** Unreinheit *f*, Unsauberkeit *f*. – **2.** Unanständigkeit *f*. – **3.** Ungenauigkeit *f*. – **4.** Schmutz *m*, Verunreinigung *f*: **impurities in drinking water** Verunreinigungen des Trinkwassers.

im·put·a·bil·i·ty [imˌpjuːtə'biliti; -əti] *s* Zuschreibbarkeit *f*, Zurechenbarkeit *f*. — **im'put·a·ble** *adj* zuschreibbar, zuzuschreiben(d), zuzurechnen(d), beizumessen(d). — **im'put·a·ble·ness** → **imputability.**

im·pu·ta·tion [ˌimpju'teiʃən] *s* **1.** Zuschreibung *f*, Zurechnung *f*, Beilegung *f*. – **2.** Beschuldigung *f*, Bezichtigung *f*, Anschuldigung *f*, Vorwurf *m*: **to be under an** ~ bezichtigt werden. – **3.** *relig.* stellvertretende Zurechnung der Sünden *od.* Verdienste. — **im·put·a·tive** [im'pjuːtətiv] *adj* **1.** zuschreibend, zurechnend, beimessend. – **2.** beschuldigend, anschuldigend. – **3.** zuschreibbar. – **4.** zugeschrieben, unter'stellt.

im·pute [im'pjuːt] *v/t* **1.** (*meist etwas Schlechtes*) zuschreiben, zu-, anrechnen, beimessen. – **2.** zuschreiben, zur Last legen: **to** ~ **a crime to s.o.** j-m ein Verbrechen zur Last legen. – **3.** *jur.* anklagen, beschuldigen. – **4.** *relig.* (*die Verdienste od. Sünden anderer Personen*) stellvertretenderweise zurechnen (to s.o. j-m). – *SYN. cf.* **ascribe.**

im·put·ed val·ue [im'pjuːtid] *s econ.* veranschlagter *od.* abgeleiteter Wert.

in [in] **I** *prep* **1.** (*räumlich, auf die Frage: wo?*) in (*dat*), innerhalb (*gen*), an (*dat*), auf (*dat*): ~ **England** in England; ~ **the country (field)** auf dem Land (Feld); **blind** ~ **one eye** auf einem Auge blind; ~ **London** in London (in *steht bei größeren Städten u. bei dem Ort, in dem sich der Sprecher befindet*); ~ **my room** in *od.* auf meinem Zimmer; ~ **the sky** am Himmel; ~ **the street** auf der Straße; ~ **town** in der Stadt, *bes.* in London. – **2.** *fig.* in (*dat*), bei, auf (*dat*), an (*dat*): ~ **the army** bei der Armee; **shares** ~ **a company** *econ.* Aktien einer Gesellschaft; **the tallest boy** ~ **the class** der größte Junge der Klasse; ~ **politics** in der Politik; **professor** ~ **Oxford University** Professor an der Universität Oxford. – **3.** (*bei Schriftstellern*) bei, in (*dat*). – **4.** (*auf die Frage: wohin?; jetzt meist durch* **into** *ersetzt*) in (*acc*): **put it** ~ **my pocket** steck(e) es in meine Tasche; **to break s.th.** ~ **two** etwas entzweibrechen. – **5.** (*Zustand, Beschaffenheit, Art u. Weise*) in (*dat*), auf (*acc*), mit: ~ **arms** in *od.* unter Waffen; **cow** ~ **calf** trächtige Kuh; ~ **any case** auf jeden Fall; ~ **cash** bei Kasse; ~ **doubt** im Zweifel; ~ **dozens** dutzendweise; ~ **English** auf englisch; ~ **good health** bei guter Gesundheit; ~ **groups** gruppenweise; ~ **G major** *mus.* in G-Dur; ~ **liquor** unter Alkohol, betrunken; ~ **this manner** auf diese Weise; ~ **ruins** in Ruinen, zerstört; ~ **short** kurz (gesagt); **to be** ~ **tears** in Tränen aufgelöst sein; ~ **truth** wahrhaftig, in der Tat; ~ **no way** auf keine Weise, durchaus nicht, keineswegs; ~ **a word** mit 'einem Wort; ~ **other words** mit *od.* in anderen Worten; ~ **writing** schriftlich; ~ **years** bei Jahren. – **6.** (*Beteiligung*) in (*dat*), an (*dat*), bei: **he had no hand** ~ **it** er war daran nicht beteiligt; **to be** ~ **it** beteiligt sein, teilnehmen; **not** ~ **it** nicht mit dabei; **there is nothing** ~ **it** a) es ist nichts (Wahres, Gutes) daran, b) es lohnt sich nicht, c) es ist nichts dabei, es ist ganz einfach, d) (*Rennsport*) es ist noch unentschieden; **he took part** ~ **it** er nahm daran teil. – **7.** (*Tätigkeit, Beschäftigung*) in (*dat*), bei, mit, auf (*dat*): ~ **an accident** bei einem Unfall; ~ **building** *obs.* im Bau (begriffen); ~ **crossing the river** beim

Überqueren des Flusses; ~ **search of** auf der Suche nach; ~ **travel(l)ing** beim Reisen, auf Reisen. – **8.** (*im Besitz, in der Macht*) in (*dat*), bei, an (*dat*): **it is not ~ her to** es liegt nicht in ihrer Art zu; **he has not got it ~ him** er hat nicht das Zeug dazu; ~ **my power** in meiner Macht. – **9.** (*zeitlich*) in (*dat*), an (*dat*), bei, binnen, unter (*dat*), während, zu: ~ **the beginning** am Anfang; ~ **the day,** ~ **daytime** bei Tage, während des Tages; ~ **the evening** abends, am Abend; ~ **his flight** auf seiner Flucht; ~ **two hours** a) in *od.* binnen zwei Stunden, b) während zweier Stunden; ~ **ten minutes** in *od.* nach zehn Minuten; ~ **the morning** morgens, am Morgen; ~ **October** im Oktober; ~ **one** zu gleicher Zeit; ~ **rain** bei Regen; ~ **the reign of Henry VIII** unter der Regierung Heinrichs VIII.; ~ **time** a) zur rechten Zeit, rechtzeitig, b) mit der Zeit; ~ **the meantime** inzwischen, unterdessen, mittlerweile; ~ **winter** im Winter; ~ **(the year) 1950** (im Jahre) 1950; **payable ~ 5 years** zahlbar nach 5 Jahren; **the coldest day ~ the last ten years** der kälteste Tag der letzten zehn Jahre. – **10.** (*Richtung*) in (*acc, dat*), auf (*acc*), zu: **the confidence ~ him** das Vertrauen auf ihn; ~ **God we trust** wir vertrauen auf Gott; **to set one's hopes ~ s.o.** seine Hoffnungen auf j-n setzen. – **11.** (*Zweck*) in (*dat*), zu, als: ~ **answer to your questions** in Beantwortung Ihrer Frage; ~ **order to see her** um sie zu sehen; ~ **remembrance of him** zum Andenken an ihn. – **12.** (*Grund*) in (*dat*), aus, wegen, zu: ~ **contempt** aus Verachtung; ~ **his hono(u)r** ihm zu Ehren; ~ **sport** zum Scherz. – **13.** (*Hinsicht, Beziehung*) in (*dat*), an (*dat*), in bezug auf (*acc*): ~ **as** (*od.* **so**) **far as** insoweit als; ~ **that** weil, insofern als; ~ **as much as** *cf.* **inasmuch as**; **well ~ body, but ill ~ mind** gesund am Körper, aber krank im Gemüt; ~ **itself** an sich; **the enemy lost about 400 ~ killed and wounded** der Feind verlor etwa 400 Mann an Toten u. Verwundeten; ~ **number** an Zahl; ~ **size** an Größe; ~ **stature** von Figur; **equal ~ strength** gleich stark; **the latest thing ~ telephones** das Neueste auf dem Gebiet des Fernsprechwesens; **ten feet ~ width** zehn Fuß breit. – **14.** nach, gemäß: ~ **appearance** dem Anschein *od.* dem Äußeren nach; ~ **fashion** in Mode; ~ **my opinion** meiner Meinung nach, meines Erachtens; ~ **all probability** aller Wahrscheinlichkeit nach. – **15.** (*Mittel, Material, Stoff*) in (*dat*), aus, mit, durch: ~ **black boots** in *od.* mit schwarzen Stiefeln; **a statue ~ bronze** eine Statue aus Bronze; **written ~ your hand** von Ihrer Hand geschrieben; **a picture ~ oils** ein Ölgemälde; **dressed ~ white** weißgekleidet. – **16.** (*Zahl, Betrag*) in (*dat*), aus, von, zu: **seven ~ all** im ganzen sieben; **there are 60 minutes ~ an hour** eine Stunde hat 60 Minuten; **five ~ the hundred** 5 von Hundert, 5%; **this room will stand you ~ a pound a week** *Br.* dieses Zimmer wird Sie wöchentlich auf ein Pfund zu stehen kommen; ~ **tens** je zehn u. zehn; **one ~ ten** ein(er, e, es) von *od.* unter zehn. –

II *adv* **17.** innen, drinnen: ~ **among** mitten unter; **to be ~ for s.th.** a) etwas zu erwarten *od.* zu gewärtigen haben, b) teilnehmen an etwas; **to be ~ for it** *sl.* a) sich festgelegt haben, nicht mehr zurück können, b) ‚in der Klemme sitzen'; ~ **for a penny,** ~ **for a pound** wer A sagt, muß auch B sagen; **to be** (*od.* **keep**) ~ **with s.o.** auf vertrautem Fuße mit j-m stehen *od.* bleiben; **the barley is all ~** die Gerste ist ganz herein- *od.* eingebracht; **the fire is ~** das Feuer brennt. – **18.** her'ein: **to come ~** hereinkommen; **show him ~!** führen Sie ihn herein! – **19.** hin'ein: **to walk ~** hineingehen; **to go ~ for s.th.** a) etwas betreiben, b) sich einer Sache unterziehen; ~ **and ~** immer wieder, in demselben Kreis; → **~-and-~**; ~ **and out** a) bald drinnen, bald draußen, b) hin u. her. – **20.** hin'ein, dar'unter. – **21.** da, (an)gekommen: **the train is ~** der Zug ist angekommen. – **22.** zu Hause, im Zimmer *etc*: **Mrs. Brown is not ~** Mrs. Brown ist nicht zu Hause. – **23.** *pol.* am Ruder, an der Macht: **the Conservatives are ~.** – **24.** *sport* am Spiel *od.* am Schlagen: **to be ~** am Schlagen sein, d(a)ran sein. – **25.** in Mode. – **26.** *jur.* im Besitz, im Genuß. – **27.** *mar.* a) im Hafen, b) beschlagen, festgemacht (*Segel*), c) zum Hafen: **on the way ~.** – **28.** am *od.* an den richtigen Platz: **to fall ~ with s.th.** übereinstimmen mit etwas; **to break ~** bändigen, abrichten. – **29.** da'zu, als Zugabe: **to throw ~** als Zugabe geben. – **30.** *Br.* nach London. – **31.** nach innen. –

III *adj* **32.** im Innern *od.* im Hause *od.* am Spiel *od.* an der Macht befindlich, Innen...: ~ **party** *pol.* Regierungspartei; **the ~ side** die schlagende Partei (*bes. Kricket*). – **33.** nach Hause kommend: **the ~ train** der ankommende Zug. –

IV *s* **34.** *pl* Re'gierungsparˌtei *f.* – **35. the ~s** *pl sport* die Par'tei, die am Spiel ist. – **36.** Winkel *m*, Ecke *f*: **the ~s and outs** a) Winkel u. Ecken, b) *fig.* Besonderheiten, Schwierigkeiten, Feinheiten. – **37.** → **incurve** III.

in-[1] [in] *Vorsilbe mit den Bedeutungen* in..., innen, ein..., hinein..., hin...

in-[2] [in] *Vorsilbe mit der Bedeutung* un..., nicht.

-in [in] *Suffix in chemischen Substantiven;* -in *steht im allgemeinen bei neutralen Substanzen wie Glukosiden, Proteinen, Glyzeriden,* -ine *bei basischen Substanzen u. Alkaloiden.*

-ina[1] [iːnə] *feminines Suffix*: czarina.

-ina[2] [ainə] *zo. Suffix zur Bezeichnung gewisser (Unter)Ordnungen.*

in·a·bil·i·ty [ˌinə'biliti; -əti] *s* Unfähigkeit *f*, Unvermögen *n*: ~ **to pay** *econ.* Zahlungsunfähigkeit.

in ab·sen·ti·a [in æb'senʃiə] (*Lat.*) in Abwesenheit.

in·ac·ces·si·bil·i·ty [ˌinækˌsesə'biliti; -əti] *s* **1.** Unzugänglichkeit *f*, Unerreichbarkeit *f.* – **2.** Unnahbarkeit *f.* — **ˌin·ac'ces·si·ble** *adj* **1.** unzugänglich, unerreichbar. – **2.** (*von Personen*) unnahbar, unzugänglich (to für *od. dat*). — **ˌin·ac'ces·si·ble·ness** → **inaccessibility.**

in·ac·cu·ra·cy [in'ækjurəsi; -kjə-] *s* **1.** Ungenauigkeit *f.* – **2.** Fehler *m*, Irrtum *m.* — **in'ac·cu·rate** [-rit] *adj* **1.** ungenau. – **2.** irrig, falsch. — **in'ac·cu·rate·ness** *s* Ungenauigkeit *f.*

in·ac·quaint·ance [ˌinə'kweintəns] *s* mangelnde Bekanntschaft.

in·ac·tion [in'ækʃən] *s* **1.** Untätigkeit *f.* – **2.** Trägheit *f*, Faulheit *f*, Nichtstun *n.* – **3.** Ruhe *f.*

in·ac·ti·vate [in'æktiˌveit; -tə-] *v/t* **1.** untätig machen. – **2.** *bes. med.* inakti'vieren. — **inˌac·ti'va·tion** *s* Inakti'vierung *f.*

in·ac·tive [in'æktiv] *adj* **1.** untätig. – **2.** träge, faul, müßig. – **3.** *econ.* lustlos, flau, unbelebt: ~ **account** umsatzloses Konto. – **4.** *chem.* unwirksam, träge, nicht ak'tiv. – **5.** *chem. phys.* optisch neu'tral (*ohne Wirkung auf polarisiertes Licht*). – **6.** *phys.* träge: **matter is ~.** – **7.** *med.* 'inakˌtiv. – **8.** *mil.* nicht ak'tiv. – *SYN.* idle, inert, passive, supine[2]. — **ˌin·ac'tiv·i·ty,** *auch* **in'ac·tive·ness** *s* **1.** Untätigkeit *f.* – **2.** Trägheit *f*, Faulheit *f.* – **3.** *chem. phys.* Trägheit *f*, Unwirksamkeit *f.* – **4.** *econ.* Lustlosigkeit *f*, Flauheit *f*, Unbelebtheit *f.* – **5.** *med.* ˌInaktivi'tät *f*, Unwirksamkeit *f.*

in·a·dapt·a·bil·i·ty [ˌinəˌdæptə'biliti; -əti] *s* **1.** Mangel *m* an Anpassungsfähigkeit (to an *acc*). – **2.** Unanwendbarkeit *f* (to auf *acc*, für). — **ˌin·a'dapt·a·ble** *adj* **1.** nicht anpassungsfähig (to an *acc*). – **2.** (to) unanwendbar (auf *acc*), untauglich (für). —

in·ad·ap·ta·tion [ˌinædəp'teiʃən] *s* Mangel *m* an Anpassung.

in·ad·e·qua·cy [in'ædikwəsi; -də-] *s* **1.** Unzulänglichkeit *f.* – **2.** Unangemessenheit *f*, 'Mißverhältnis *n.* – **3.** Mangelhaftigkeit *f*, Unvollständigkeit *f*, Unvollkommenheit *f.* — **in'ad·e·quate** [-kwit] *adj* **1.** unzulänglich, ungenügend. – **2.** unangemessen. – **3.** mangelhaft, unvollständig, unzureichend. — **in'ad·e·quate·ness** → **inadequacy.**

in·ad·he·sive [ˌinəd'hiːsiv] *adj* nicht (an)haftend.

in·ad·mis·si·bil·i·ty [ˌinədmisə'biliti; -əti] *s* Unzulässigkeit *f.* — **ˌin·ad'mis·si·ble** *adj* **1.** unzulässig, unstatthaft. – **2.** nicht einzulassen(d).

in·ad·vert·ence [ˌinəd'vəːrtəns], *auch* **ˌin·ad'vert·en·cy** [-si] *s* **1.** Unachtsamkeit *f*, Unaufmerksamkeit *f.* – **2.** Unabsichtlichkeit *f.* – **3.** Versehen *n*, Irrtum *m.* — **ˌin·ad'vert·ent** *adj* **1.** unachtsam, unaufmerksam, unvorsichtig, nachlässig. – **2.** unbeabsichtigt, unabsichtlich. – **3.** versehentlich, irrtümlich. — **ˌin·ad'vert·ent·ly** *adv* aus Versehen, versehentlich, unbeabsichtigt.

in·ad·vis·a·bil·i·ty [ˌinədˌvaizə'biliti; -əti] *s* Unklugheit *f*, Unratsamkeit *f.* — **ˌin·ad'vis·a·ble** *adj* nicht ratsam, nicht empfehlenswert, unratsam.

-inae [ainiː] *zo. pluralisches Suffix zur Bezeichnung der Unterfamilien.*

in·aes·thet·ic [ˌines'θetik; *Br. auch* -iːs-] *adj* 'unäsˌthetisch, geschmacklos.

in·al·ien·a·bil·i·ty [inˌeiljənə'biliti; -liən-; -əti] *s* Unveräußerlichkeit *f.* — **in'al·ien·a·ble** *adj* unveräußerlich, nicht über'tragbar, 'unüberˌtragbar.

in·al·ter·a·bil·i·ty [inˌɔːltərə'biliti; -əti] *s* 'Unabˌänderlichkeit *f.* — **in'al·ter·a·ble** *adj* unveränderlich, 'unabˌänderlich.

in·am·o·ra·ta [inˌæmo'rɑːtə; -mə-] *s* **1.** Liebende *f*, Liebhaberin *f.* – **2.** Geliebte *f.* — **inˌam·o'ra·to** [-tou] *pl* **-tos** *s* **1.** Liebhaber *m*, Liebender *m.* – **2.** Geliebter *m.*

'in-and-'in *adj u. adv* Inzucht...: ~ **breeding** Inzucht; **to breed ~** Inzucht treiben.

'in-and-'out *adj u. adv* **1.** ein u. aus, hin'ein u. hin'aus. – **2.** *mar.* 'durchgehend: ~ **bolt** Durchbolzen. – **3.** *sport* bald siegend u. bald verlierend, einmal gut u. einmal schlecht.

in·ane [i'nein] **I** *adj* **1.** leer. – **2.** *fig.* geistlos, albern, sinnlos. – **3.** *fig.* fade. – *SYN. cf.* insipid. – **II** *s* **4.** Leere *f*, Nichts *n*, *bes.* leerer (Welten)Raum.

in·an·i·mate [in'ænimit] *adj* **1.** leblos, unbelebt. – **2.** unbeseelt, ohne seelisches *od.* tierisches Leben. – **3.** *fig.* schwunglos, langweilig, fade. – **4.** *econ.* flau, unbelebt. – *SYN. cf.* dead. — **in'an·i·mate·ness,** *auch* **inˌan·i'ma·tion** *s* **1.** Leblosigkeit *f*, Unbelebt-, Unbeseeltheit *f.* – **2.** *fig.* Schwung-, Leblosigkeit *f.* – **3.** *econ.* Flauheit *f.*

in·a·ni·tion [ˌinə'niʃən] *s* **1.** *med.* Inaniti'on *f*, Entkräftung *f*, Erschöpfung *f.* – **2.** Leere *f.*

in·an·i·ty [iˈnæniti; -əti] *s* **1.** geistige Leere, Geist-, Sinnlosigkeit *f*, Hohl-, Albernheit *f*. – **2.** Nichtigkeit *f*, Triviaˈlität *f*, Bedeutungslosigkeit *f*: the inanities of the world. – **3.** geistlose *od.* dumme Bemerkung: inanities albernes Geschwätz. – **4.** (*körperliche*) Leere.

in·an·ther·ate [inˈænθərit; -ˌreit] *adj bot.* staubbeutellos.

in·ap·peas·a·ble [ˌinəˈpiːzəbl] *adj* nicht zu beschwichtigen(d), unversöhnlich.

in·ap·pel·la·ble [ˌinəˈpeləbl] *adj jur.* unanfechtbar.

in·ap·pe·tence [inˈæpitəns], *auch* **inˈap·pe·ten·cy** [-si] *s* **1.** *med.* Appeˈtitlosigkeit *f*. – **2.** Unlust *f*. — **inˈap·pe·tent** *adj* **1.** appeˈtitlos. – **2.** lustlos.

in·ap·pli·ca·bil·i·ty [inˌæplikəˈbiliti; -əti] *s* **1.** Unanwendbarkeit *f*. – **2.** Unbrauchbarkeit *f*. — **inˈap·pli·ca·ble** *adj* **1.** unanwendbar, nicht zutreffend (to auf *acc*). – **2.** unbrauchbar, untauglich (to für). — **inˈap·pli·ca·ble·ness** → inapplicability. — **ˌin·ap·pliˈca·tion** *s* **1.** Unanwendbarkeit *f*, Untauglichkeit *f*. – **2.** Nachlässigkeit *f*.

in·ap·po·site [inˈæpəzit] *adj* unangebracht, unpassend.

in·ap·pre·ci·a·ble [ˌinəˈpriːʃiəbl] *adj* **1.** unmerklich, unbedeutend: an ~ difference. – **2.** *selten* unabschätzbar. — **ˌin·apˌpre·ciˈa·tion** *s* Mangel *m* an Würdigung *od.* Anerkennung. — **ˌin·apˈpre·ci·a·tive** [*Br.* -ətiv; *Am.* -ˌeitiv] *adj* **1.** nicht (richtig) würdigend. – **2.** achtlos, gleichgültig (of gegen). — **ˌin·apˈpre·ci·a·tive·ness** *s* Mangel *m* an Wertschätzung, Achtlosigkeit *f*.

in·ap·pre·hen·si·ble [ˌinæpriˈhensəbl] *adj* **1.** unbegreiflich, unverständlich, unfaßbar. – **2.** nicht wahrnehmbar. – **3.** undenkbar. — **ˌin·ap·preˈhen·sion** *s* Verständnislosigkeit *f*, Nichtbegreifen *n*. — **ˌin·ap·preˈhen·sive** [-siv] *adj* **1.** verständnislos, begriffsstutzig. – **2.** furchtlos, unbekümmert.

in·ap·proach·a·bil·i·ty [ˌinəˌproutʃəˈbiliti; -əti] *s* **1.** Unnahbarkeit *f*. – **2.** Konkurˈrenzlosigkeit *f*. — **ˌin·apˈproach·a·ble** *adj* **1.** unzugänglich, unnahbar. – **2.** konkurˈrenzlos, einzig dastehend.

in·ap·pro·pri·ate [ˌinəˈproupriit] *adj* **1.** ungeeignet, unpassend (to, for für). – **2.** ungehörig. – **3.** (to) uneigen (*dat*), nicht passend (zu), unangemessen (*dat*). — **ˌin·apˈpro·pri·ate·ness** *s* **1.** Ungeeignetheit *f*. – **2.** Ungehörigkeit *f*. – **3.** Unangemessenheit *f*.

in·apt [inˈæpt] *adj* **1.** unpassend, ungeeignet, unangemessen. – **2.** ungeschickt, unbegabt, untauglich. – **3.** unfähig, außerˈstande (to do zu tun). — **inˈapt·i·tude** [-tiˌtjuːd; -təˌt-; *Am. auch* -ˌtuːd], *auch* **inˈapt·ness** *s* **1.** Ungeeignetheit *f*, Unangemessenheit *f*. – **2.** Ungeschicklichkeit *f*, Unbegabtheit *f*, Untauglichkeit *f*. – **3.** Unfähigkeit *f*.

in·arch [inˈɑːrtʃ] *v/t bot.* absäugeln, ablakˈtieren. — **inˈarch·ing** *s bot.* Absäugeln *n*, Ablakˈtieren *n* (*Veredelungsmethode durch Annäherung*).

in·arm [inˈɑːrm] *v/t poet.* **1.** umˈarmen. — **2.** umˈgeben.

in·ar·tic·u·late [ˌinɑːrˈtikjulit; -kjə-] *adj* **1.** ˈunartikuˌliert, undeutlich (ausgesprochen), unverständlich: ~ sounds. – **2.** nicht artikuˈlierend, der Sprache unfähig: ~ with rage sprachlos vor Wut. – **3.** *zo.* a) ungegliedert, ohne Gelenke, b) zu den Inarticuˈlata (*Lyopomata*) gehörig. — **ˌin·arˈtic·uˌlat·ed** [-ˌleitid] *adj* **1.** → inarticulate 1. – **2.** *zo.* ungegliedert. — **ˌin·arˈtic·u·late·ness** *s* **1.** ˈUnartikuˌliertheit *f*, Undeutlichkeit *f*, Unverständlichkeit *f*. – **2.** Sprachlosigkeit *f*, Unfähigkeit *f*, deutlich zu sprechen. – **3.** *zo.* Ungegliedertheit *f*.

in·ar·ti·fi·cial [inˌɑːrtiˈfiʃəl; -tə-] *adj* **1.** naˈtürlich, ungekünstelt, einfach. – **2.** unkünstlerisch, kunstlos, plump. — **inˌar·tiˌfi·ciˈal·i·ty** [-ˈæliti; -əti] *s* **1.** Naˈtürlichkeit *f*, Einfachheit *f*. – **2.** Kunstlosigkeit *f*.

in·ar·tis·tic [ˌinɑːrˈtistik], *auch* **ˌin·arˈtis·ti·cal** [-kəl] *adj* **1.** unkünstlerisch, kunstlos. – **2.** kunstfremd, ohne Kunstverständnis. — **ˌin·arˈtis·ti·cal·ly** *adv* (*auch zu* inartistic).

in·as·much as [ˌinəzˈmʌtʃ] *conjunction* **1.** in Anbetracht der Tatsache, daß; da ja, da. – **2.** *obs.* inˈsofern als.

in·at·ten·tion [ˌinəˈtenʃən] *s* **1.** Unaufmerksamkeit *f*, Unachtsamkeit *f* (to gegenüber). – **2.** (to) Gleichgültigkeit *f* (gegen), Nichtbeachtung *f* (von *od. gen*). — **ˌin·atˈten·tive** [-tiv] *adj* **1.** unaufmerksam, unachtsam (to gegenüber). – **2.** gleichgültig (to gegen), nachlässig. — **ˌin·atˈten·tive·ness** *s* Unaufmerksamkeit *f*, Gleichgültigkeit *f*.

in·au·di·bil·i·ty [inˌɔːdəˈbiliti; -əti] *s* Unhörbarkeit *f*. — **inˈau·di·ble** *adj* unhörbar. — **inˈau·di·ble·ness** → inaudibility.

in·au·gu·ral [inˈɔːgjurəl; -gjə-] **I** *adj* Einführungs..., Einweihungs..., Antritts..., Eröffnungs...: ~ speech Antrittsrede. – **II** *s Am.* Antrittsrede *f* (*bes. des Präsidenten bei Amtsübernahme*). — **inˈau·guˌrate** [-ˌreit] *v/t* **1.** (feierlich) (in ein Amt) einführen, einsetzen. – **2.** einweihen, eröffnen. – **3.** (*Denkmal*) enthüllen. – **4.** beginnen, ins Leben rufen, einleiten: to ~ a new policy. – *SYN. cf.* begin. — **inˌau·guˈra·tion** *s* **1.** (feierliche) Amtseinsetzung, Amtseinführung *f*: I~ Day *pol. Am.* Tag des Amtsantritts des Präsidenten (*der 20. Januar, vor 1934 der 4. März des auf ein Wahljahr folgenden Jahres*). – **2.** Einweihung *f*, Eröffnung *f*. – **3.** Beginn *m*, Anfang *m*. — **inˈau·guˌra·tor** [-ˌreitər] *s* Einführer *m*. — **inˈau·gu·ra·to·ry** [*Br.* -ˌreitəri; *Am.* -rəˌtɔːri] → inaugural I.

in·aus·pi·cious [ˌinɔːsˈpiʃəs] *adj* **1.** ungünstig, unheilvoll, -drohend. – **2.** unglücklich (*Anfang*). — **ˌin·ausˈpi·cious·ness** *s* üble Vorbedeutung, Ungünstigkeit *f*, Unglücklichkeit *f*.

in·be·ing [ˈinˌbiːiŋ] *s* **1.** *philos.* Innewohnen *n*, Immaˈnenz *f*, Inhäˈrenz *f*. – **2.** Wesen(heit *f*) *n*.

ˌin-beˈtween I *s* **1.** Vermittler(in), Zwischenhändler(in). – **II** *adj* **2.** vermittelnd. – **3.** daˈzwischenliegend.

in·board [ˈinˌbɔːrd] *adj u. adv* **1.** *mar.* (b)innenbords. – **2.** *mar.* im Schiffsraum (befindlich). – **3.** *tech.* nach innen zu.

in·bond [ˈinˌbɒnd] *adj arch.* der Länge nach quer über die Breite der Mauer gelegt: ~ brick Kopfziegel.

in·born [ˈinˌbɔːrn] *adj* angeboren, von Geburt *od.* Naˈtur aus, naˈtürlich. – *SYN. cf.* innate.

in·bound [ˈinˌbaund] *adj bes. mar.* auf der Heimfahrt befindlich, für den Heimathafen bestimmt: ~ ships.

in·break [ˈinˌbreik] *s selten* Einbruch *m*, Einfall *m*.

in·breathe [inˈbriːð] *v/t* **1.** einatmen. – **2.** einhauchen. – **3.** begeistern, inspiˈrieren.

in·bred *adj* **1.** [ˈinˌbred] angeboren, naˈtürlich, ererbt, tief eingewurzelt. – **2.** [ˈinˈbred] durch Inzucht erzeugt. – *SYN. cf.* innate.

in·breed [inˈbriːd] *v/t irr* **1.** (*Tiere*) durch Inzucht züchten. – **2.** im Innern (*im Herzen*) erzeugen, herˈvorrufen. — **ˈinˌbreed·ing** *s* Inzucht *f*.

in·burst [ˈinˌbəːrst] *s selten* Einbruch *m*, -dringen *n*.

in·by(e) [ˈinˈbai] *Scot. od. dial.* **I** *adv* **1.** hinˈein, herˈein. – **2.** innen. – **3.** nahe. – **4.** (*Bergbau*) nach der Grube hin. – **II** *adj* **5.** nahe (gelegen). – **III** *prep* **6.** nahe, neben.

In·ca [ˈiŋkə] *s* Inka *m*: a) *altindianischer Herrscher von Peru*, b) *Angehöriger der altperuanischen Herrscherkaste*, c) *Indianer des Ketschua-Stammes*. — **~ bone** *s med.* Inkabein *n* (*ein Schädelknochen*). — **~ dove** *s zo.* Inkataube *f* (*Scardafella inca*).

in·cage [inˈkeidʒ] → encage.

in·cal·cu·la·bil·i·ty [inˌkælkjuləˈbiliti; -kjə-; -əti] *s* Unberechenbarkeit *f*, Unbestimmbarkeit *f*. — **inˈcal·cu·la·ble** *adj* **1.** unberechenbar, unbestimmbar, unmeßbar, nicht abzuschätzen(d). – **2.** unberechenbar, unzuverlässig (*Person*). – **3.** ungewiß, unsicher. — **inˈcal·cu·la·ble·ness** → incalculability.

in·ca·les·cence [ˌinkəˈlesns] *s selten* Erwärmung *f*. — **ˌin·caˈles·cent** *adj selten* sich erwärmend.

in-calf [*Br.* ˌinˈkɑːf; *Am.* -ˈkæ(ː)f] *adj Br.* trächtig (*Kuh*).

In·can [ˈiŋkən] **I** *s* ˈInkaindiˌaner(in). – **II** *adj* Inka...

in·can·desce [ˌinkænˈdes; -kən-] **I** *v/i* **1.** weißglühend sein, weißglühen. – **2.** weißglühend werden, erglühen. – **II** *v/t* **3.** weißglühend machen, zur Weißglut erhitzen. — **ˌin·canˈdes·cence**, *auch* **ˌin·canˈdes·cen·cy** [-si] *s* **1.** Weißglühen *n*, -glut *f*. – **2.** Erglühen *n*. – **3.** Erhitzung *f* (*auch fig.*), Erregung *f*. — **ˌin·canˈdes·cent** *adj* **1.** weißglühend. – **2.** *tech.* Glüh...: ~ burner *phys.* Glühlichtbrenner; ~ lamp *electr.* Glühlampe; ~ light a) *phys.* Glühlicht, b) *electr.* Glühlampe; ~ mantle Glühstrumpf. – **3.** *fig.* leuchtend, glühend, strahlend.

in·can·ta·tion [ˌinkænˈteiʃən] *s* **1.** Beschwörung *f*. – **2.** Zauber(formel *f*, -spruch *m*) *m*. – **3.** Zaubeˈrei *f*. — **inˈcant·a·to·ry** [*Br.* -təri; *Am.* -ˌtɔːri] *adj* beschwörend, Zauber...

in·ca·pa·bil·i·ty [inˌkeipəˈbiliti; -əti] *s* Unfähigkeit *f*, Untauglichkeit *f* (of zu). — **inˈca·pa·ble I** *adj* **1.** unfähig, untüchtig. – **2.** (of) untauglich (zu), ungeeignet (für): ~ of holding public office *jur.* unfähig, ein öffentliches Amt zu bekleiden. – **3.** (of) nicht fähig (*gen od.* zu *tun*), nicht imˈstande (zu *tun*): ~ of doing nicht fähig zu tun; to be ~ of a crime eines Verbrechens nicht fähig sein. – **4.** nicht zulassend *od.* gestattend: ~ of improvement nicht verbesserungsfähig; ~ of reparation nicht wiedergutzumachen. – **5.** hilflos. – **6.** *selten* unbegreiflich. – **7.** *obs.* unempfindlich (of für). – **II** *s* **8.** unfähiger Mensch, ‚Nieteʻ *f*. — **inˈca·pa·ble·ness** → incapability.

in·ca·pa·cious [ˌinkəˈpeiʃəs] *adj* **1.** eng. – **2.** *fig.* beschränkt, unfähig. — **ˌin·caˈpa·cious·ness** *s* **1.** Enge *f*. – **2.** *fig.* Beschränktheit *f*.

in·ca·pac·i·tate [ˌinkəˈpæsiˌteit; -sə-] *v/t* **1.** unfähig *od.* untauglich *od.* ungeeignet machen (for s.th. für etwas; for *od.* from doing zu tun): to ~ s.o. for doing s.th. j-n daran hindern *od.* es j-m unmöglich machen, etwas zu tun. – **2.** *jur.* für (rechts-)unfähig erklären, ˌdisqualifiˈzieren (from doing zu tun). — **ˌin·caˌpac·iˈta·tion** *s* **1.** Unfähigmachen *n*. – **2.** Unfähigkeit *f*. – **3.** *jur.* a) Aberkennung *f* der Rechtsfähigkeit, ˌDisqualifikatiˈon *f*, b) → incapacity 2. — **ˌin·caˈpac·i·ty** *s* **1.** Unfähigkeit *f*, Untauglichkeit *f* (of, for zu): ~ of function *med.* Gebrauchsunfähigkeit. – **2.** *jur.* Rechtsunfähigkeit *f*.

in·cap·su·late [in'kæpsju,leit; -sjə-] *v/t* 1. einkapseln. – 2. *ling.* einschachteln. — **in,cap·su'la·tion** *s* 1. Einkapselung *f.* – 2. *ling.* Einschachtelung *f.*

in·car·cer·ate I *v/t* [in'kɑːrsə,reit] 1. einkerkern, einsperren. – 2. *med.* einklemmen: ~d hernia eingeklemmter Bruch. – **II** *adj* [-rit; -,reit] 3. *obs.* eingekerkert. — **in,car·cer'a·tion** *s* 1. Einkerkerung *f,* Einsperrung *f.* – 2. *med.* Einklemmung *f,* Inkarzerati'on *f.* — **in'car·cer,a·tor** [-,reitər] *s* Einkerkerer *m.*

in·car·di·nate [in'kɑːrdi,neit; -də-] *v/t relig.* 1. als Kardi'nal einsetzen. – 2. (*einen Anwärter auf das Priesteramt*) ka'nonisch aufnehmen. – 3. for'mell in eine Diö'zese aufnehmen. — **in,car·di'na·tion** *s* Inkardinati'on *f.*

in·car·na·dine [in'kɑːrnə,dain; -din] **I** *adj* 1. fleischfarben, zartrosa. – 2. rot. – **II** *s* 3. Zartrosa *n.* – 4. Rot *n.* – **III** *v/t* 5. röten, rot färben.

in·car·nate I *v/t* [in'kɑːrneit] 1. mit Fleisch bekleiden, (*j-n*) inkar'nieren: to be ~d *relig.* Fleisch *od.* Mensch werden. – 2. kon'kret darstellen, konkreti'sieren, verwirklichen. – 3. verkörpern, versinnbildlichen, darstellen: he ~s the spirit of revolt. – **II** *adj* [-nit; -neit] 4. inkar'niert, in fleischlicher Gestalt, fleischgeworden: God ~ Gottmensch, Gott in Menschengestalt. – 5. *fig.* leib'haftig: a devil ~ ein Teufel in Menschengestalt. – 6. personifi'ziert, verkörpert: innocence ~ die personifizierte Unschuld. – 7. a) fleischfarben, gelblichrosa, b) (blut)rot. — **,in·car'na·tion** *s* 1. Fleisch-, Menschwerdung *f*: the ~ of God in Christ. – 2. I~ *relig.* Inkarnati'on *f.* – 3. Inbegriff *m,* Inkarnati'on *f,* Verkörperung *f,* Per,sonifikati'on *f*: he is the very ~ of justice. – 4. fleischliche *od.* körperliche Gestalt. – 5. *med.* Fleischbildung *f,* Vernarbung *f* (*von Wunden*).

in·case [in'keis] *v/t* 1. einschließen. – 2. um'schließen, -'geben. — **in'case·ment** *s* 1. Einschließung *f.* – 2. Um'schließung *f,* -'hüllung *f,* Hülle *f.*

in·cau·tion [in'kɔːʃən] *s* Unvorsichtigkeit *f.* — **in'cau·tious** *adj* unvorsichtig, sorglos, unbedacht. — **in'cau·tious·ness** *s* Unvorsichtigkeit *f.*

in·ca·va·tion [,inkə'veiʃən] *s* 1. Aushöhlung *f.* – 2. Höhle *f,* Vertiefung *f.*

in·cen·di·a·rism [in'sendiə,rizəm] *s* 1. Brandstiftung *f.* – 2. *fig.* Aufwiegelung *f,* Aufreizung *f.* – 3. *psych.* Brandstiftungstrieb *m,* Pyroma'nie *f.* — **in'cen·di·ar·y** [*Br.* -əri; *Am.* -,eri] **I** *adj* 1. brandstiftend, Feuer... – 2. *mil.* Brand...: ~ agent Brand-, Zündstoff; ~ bomb Brandbombe. – 3. *jur.* brandstifterisch, Brandstiftungs... – 4. *fig.* aufwiegelnd, aufreizend, aufhetzend. – **II** *s* 5. Brandstifter(in). – 6. *mil.* a) Brandbombe *f,* b) Brandgeschoß *n.* – 7. *fig.* Aufwiegler(in), Hetzer(in), Agi'tator *m.* – 8. *obs.* (*etwas*) Aufreizendes.

in·cen·sa·tion [,insen'seiʃən] *s relig.* Beräucherung *f.*

in·cense¹ ['insens] **I** *s* 1. Weihrauch *m,* Räucherwerk *n.* – 2. Weihrauch(wolke *f,* -duft *m*) *m.* – 3. Wohlgeruch *m,* Duft *m.* – 4. *fig.* Schmeiche'lei *f,* ,Lobhude'lei *f*: to burn (*od.* offer) ~ to s.o. j-n beweihräuchern. – *SYN. cf.* fragrance. – **II** *v/t* 5. (mit Weihrauch) beräuchern. – 6. (*j-m*) Weihrauch opfern. – 7. durch'duften. – 8. *fig.* beweihräuchern, (*j-m*) lobhudeln, (*j-m*) schmeicheln. – **III** *v/i* 9. Weihrauch opfern *od.* verbrennen.

in·cense² [in'sens] *v/t* 1. erzürnen, erregen. – 2. (*Leidenschaft*) erregen, entzünden. – 3. (*j-n*) leidenschaftlich erregen (with durch).

in·cense| boat ['insens] *s relig.* Weihrauchgefäß *n.* — **~ burn·er** *s relig.* Räucherbüchse *f,* -vase *f.* — **~ ce·dar** *s bot.* (*eine*) Fluß-Zeder (*Gattg Libocedrus, bes. L. decurrens*).

in·censed [in'senst] *adj* 1. erregt, wütend, zornig. – 2. *her.* flammend, feurig. — **in'cense·ment** *s* Erzürnung *f,* Erregung *f,* Wut *f.*

in·cense| tree ['insens] *s bot.* 1. (*ein*) Balsambaum *m* (*Gattgen Boswellia u. Commiphora*). – 2. E'lemibaum *m* (*Gattg Protium*). – 3. → coco plum. — **~ wood** *s* 1. *bot.* (*ein*) E'lemibaum *m* (*Protium heptaphyllum u. P. guianense*). – 2. E'lemibaumholz *n.*

in·cen·so·ry [*Br.* 'insensəri; *Am.* -,sɔːri] *s relig.* Weihrauchgefäß *n.*

in·cen·ter, *bes. Br.* **in·cen·tre** ['in,sentər] *s math.* Inkreismittelpunkt *m,* Mittelpunkt *m* des eingeschriebenen Kreises.

in·cen·tive [in'sentiv] **I** *adj* 1. anspornend, antreibend, anregend, aufmunternd, ermutigend (to zu): ~ pay höherer Lohn für höhere Leistung. – 2. *obs.* anzündend. – **II** *s* 3. Ansporn *m,* Antrieb *m,* Anreiz *m* (to zu). – *SYN. cf.* motive.

in·cen·tre *bes. Br. für* incenter.

in·cept [in'sept] **I** *v/t* 1. beginnen, in Angriff nehmen. – 2. *bes. biol.* in sich aufnehmen. – **II** *v/i* 3. (*Universität Cambridge*) a) sich für den Grad eines Master *od.* Doctor qualifi'zieren, Master *od.* Doctor werden, b) sich habili'tieren. – 4. seine Karri'ere beginnen. — **in'cep·tion** *s* 1. Beginn *m,* Anfang *m.* – 2. (*Universität Cambridge*) a) Promoti'on *f* zum Master *od.* Doctor, b) Habilitati'on *f.* – 3. *biol. selten* Aufnahme *f.* – *SYN. cf.* origin. — **in'cep·tive I** *adj* 1. beginnend, anfangend, Anfang ... – 2. anfänglich. – 3. *ling.* den Beginn bezeichnend, inchoa'tiv. – **II** *s* 4. *ling.* a) inchoa'tives Wort, b) inchoativer A'spekt. — **in'cep·tor** [-tər] *s* (*Universität Cambridge*) Promo'vent *m* für den Grad eines Master *od.* Doctor.

in·cer·ti·tude [in'səːrti,tjuːd; -tə,t-; *Am. auch* -,tuːd] *s* 1. Unentschlossenheit *f,* Unschlüssigkeit *f.* – 2. Ungewißheit *f,* Unsicherheit *f,* Unbestimmtheit *f.*

in·ces·san·cy [in'sesənsi] *s* Unablässigkeit *f,* Unaufhörlichkeit *f.* — **in'ces·sant** *adj* unaufhörlich, unablässig, stetig. – *SYN. cf.* continual. — **in'ces·sant·ness** → incessancy.

in·cest ['insest] *s* 1. Blutschande *f,* In'zest *m.* – 2. → spiritual ~. — **in'ces·tu·ous** [*Br.* -tjuəs; *Am.* -tʃuəs] *adj* 1. der Blutschande schuldig. – 2. blutschänderisch: ~ love. — **in'ces·tu·ous·ness** *s* 1. (*das*) Blutschänderische. – 2. Blutschande *f.*

inch¹ [intʃ] **I** *s* 1. Zoll *m* (= 2,54 *cm*; *Symbol*: "): by ~es, ~ by ~ a) Zoll für Zoll, zollweise, b) allmählich, ganz langsam, Schritt für Schritt; by ~ of candle (*Versteigerung etc*) wobei nur so lange geboten werden darf, bis ein Kerzenstück abgebrannt ist; every ~ jeder Zoll, durch u. durch; every ~ a king ein König vom Scheitel bis zur Sohle; → ell². – 2. (*Meteorologie*) Zoll *m*: two ~es of rain zwei Zoll Regen. – 3. → water-~. 4. *fig.* Kleinigkeit *f,* (*das, ein*) bißchen: within an ~ um ein Haar, fast; to be beaten within an ~ of one's life fast zu Tode geprügelt werden. – 5. *pl* Gestalt *f,* Fi'gur *f*: a man of your ~es ein Mann von Ihrer Figur; of ~es hochgewachsen. – **II** *adj* 6. zollbreit, -lang, -dick, ...zöllig: a three-~ rope ein dreizölliges Tau. – **III** *v/t u. v/i* 7. (sich) zollweise *od.* Schritt für Schritt fortbewegen.

inch² [intʃ] *s Scot. od. Irish* (kleine) Insel.

inched [intʃt] *adj* 1. (*in Zusammensetzungen*) ...zöllig: four-~ vierzöllig. – 2. mit Zolleinteilung versehen, Zoll...: ~ staff Zollstock, -stab.

-incher [intʃər] *s in Zusammensetzungen wie* four-incher Gegenstand von 4 Zoll Dicke *od.* Länge.

'inch,meal *adv* Schritt für Schritt, all'mählich, zollweise.

in·cho·ate I *adj* [*Br.* 'inko,eit; *Am.* in'kouit] 1. eben begonnen *od.* angefangen. – 2. beginnend, anfangend, Anfangs... – 3. unvollständig, rudimen'tär, unfertig. – **II** *v/t u. v/i* ['inko,eit] 4. beginnen, anfangen. — **in'cho·ate·ness** *s* 1. Unfertigkeit *f,* Unvollständigkeit *f,* Anfänglichkeit *f.* – 2. Anfangsstadium *n.* — **,in·cho'a·tion** *s* Anfang *m,* Beginn *m,* Beginnen *n.* — **in·cho·a·tive** [in'kouətiv; *Br. auch* 'inko,eitiv] **I** *adj* 1. beginnend, anfangend, Anfangs... – 2. *ling.* inchoa'tiv, ein Beginnen bezeichnend. – 3. *selten* unfertig. – **II** *s* 4. *ling.* Inchoa'tiv-Zeitwort *n,* Inchoa'tivum *n.*

'inch|-'pound *s phys.* Zollpfund *n* (*Arbeit, die geleistet wird, wenn 1 pound einen Zoll gehoben wird*). — **'~,worm** → measuring worm.

in·ci·dence ['insidəns; -sə-] *s* 1. Ein-, Auftreten *n,* Vorkommen *n.* – 2. (upon) Auftreffen *n,* Auffallen *n* (auf *acc*), Berührung *f* (mit). – 3. Wirkungs-, Einflußgebiet *f,* Wirkweite *f.* – 4. Gebiet *n* des Vorkommens, Verbreitung *f,* Ausdehnung *f.* – 5. Richtung *f* des Eintretens, Fallweise *f.* – 6. *econ.* Verteilung *f*: ~ of taxation Verteilung der Steuerlast, Steuerbelastung. – 7. *phys.* a) Einfallswinkel *m,* b) Einfall(en *n*) *m* (*von Strahlen*): → angle¹ 1. – 8. *math.* Inein'anderliegen *n,* parti'elles Zu'sammenfallen.

in·ci·dent ['insidənt; -sə-] **I** *adj* 1. vorkommend, sich (vermutlich) ereignend, zu erwarten(d). – 2. (to) vorkommend (bei *od.* in *dat*), verbunden (mit), gehörend (zu), eigen (*dat*). – 3. *bes. phys.* ein-, auffallend, auftreffend: a ray of light ~ upon a surface ein auf eine Oberfläche auffallender Lichtstrahl. – 4. *jur.* als 'Neben,umstand zugehörig. – 5. *ling.* Neben..., abhängig. – 6. *math.* inein'anderliegend: to be ~ ineinanderliegen. – 7. *selten* zufällig. – *SYN. cf.* liable. – **II** *s* 8. Vorfall *m,* Ereignis *n.* 9. 'Neben,umstand *m,* zufälliges Ereignis. – 10. Epi'sode *f,* Zwischenhandlung *f* (*im Drama*). – 11. *jur.* a) Nebensache *f,* b) (*mit einem Amt etc verbundene*) Verpflichtung, Last *f.* – 12. Nebensache *f,* -sächlichkeit *f.* – 13. *pol.* Zwischenfall *m.* – *SYN. cf.* occurrence.

in·ci·den·tal [,insi'dentl; -sə-] **I** *adj* 1. beiläufig, nebensächlich: ~ music Begleit-, Bühnen-, Filmmusik. – 2. gelegentlich. – 3. zufällig. – 4. (to) gehörig (zu), verbunden (mit): to be ~ to gehören zu; the pleasures and sorrows ~ to life. – 5. *econ.* nebenher entstanden, Neben...: ~ expenses Nebenausgaben. – 6. folgend (upon auf *acc*), nachher auftretend: ~ images *psych.* Nachbilder. – *SYN. cf.* accidental. – **II** *s* 7. 'Neben,umstand *m,* -sächlichkeit *f.* – 8. *pl econ.* Nebenausgaben *pl,* -spesen *pl.* – 9. *mus.* nur zur Verzierung dienender Ton. — **,in·ci'den·tal·ly** *adv* 1. beiläufig, neben'bei, zufällig, gelegentlich. – 2. als Folge davon, neben'her. – 3. neben'bei bemerkt, übrigens, außerdem.

in·cin·er·ate [in'sinə,reit] *v/t u. v/i* einäschern, zu Asche verbrennen. —

in,cin·er'a·tion *s* Einäscherung *f*, Feuerbestattung *f*. — **in'cin·er,a·tor** [-tər] *s* Einäscherer *m*, *bes.* Feuerbestattungs-, Verbrennungsofen *m*.

in·cip·i·ence [in'sipiəns], *auch* **in'cip·i·en·cy** [-si] *s* 1. Beginnen *n*, Beginn *m*, Anfang *m*. – 2. Anfangsstadium *n*. — **in'cip·i·ent** *adj* beginnend, anfangend, einleitend, anfänglich, Anfangs...: ~ stage Anfangsstadium.

in·cir·cle ['in'sə:rkl] *math.* **I** *s* Inkreis *m*, eingeschriebener Kreis. – **II** *v/t* ein(be)schreiben.

in·cise [in'saiz] *v/t* 1. einschneiden in (*acc*), aufschneiden (*auch med.*). – 2. einritzen, 'eingra,vieren, einschnitzen. — **in'cised** *adj* 1. ein-, aufgeschnitten. – 2. Schnitt...: ~ wound Schnittwunde. – 3. 'eingeschnitten, -gra,viert. – 4. *bot. zo.* eingeschnitten.

in·ci·sion [in'siʒən] *s* 1. Einschneiden *n*. – 2. *med.* Schnitt *m*, Inzisi'on *f*. – 3. (Ein)Schnitt *m*. – 4. *bot. zo.* Einschnitt *m*. – 5. *fig.* (schneidende) Schärfe.

in·ci·sive [in'saisiv] *adj* 1. (ein)schneidend. – 2. *fig.* scharf, 'durchdringend. – 3. *fig.* beißend, sar'kastisch. – 4. *med.* zum Schneiden geeignet, Schneide(zahn)...: ~ bone Zwischenkieferknochen; ~ tooth Schneidezahn. – *SYN.* biting, clear-cut, crisp, cutting, trenchant. — **in'ci·sive·ness** *s* Schärfe *f*, (*das*) Schneidende.

in·ci·sor [in'saizər] *med. zo.* **I** *s* Schneidezahn *m*. – **II** *adj* Schneide(zahn)...: ~ tooth Schneidezahn. — **,in·ci'so·ri·al** [-'sɔ:riəl], **in'ci·so·ry** [-səri] *adj* 1. schneidend, Schneide... – 2. *med. zo.* Schneidezahn...

in·cit·ant [in'saitənt] **I** *adj* (an)reizend, anregend. – **II** *s* Reiz-, Anregungsmittel *n*. — **,in·ci'ta·tion** [-sai-; -si-] *s* 1. Anregung *f*. – 2. Anreiz *m*, Ansporn *m*, Antrieb *m*.

in·cite [in'sait] *v/t* 1. anspornen, anregen, anstacheln, antreiben (to zu). – 2. *med.* anregen, stimu'lieren. – 3. aufwiegeln, aufreizen, aufstacheln. – *SYN.* abet, foment, instigate. — **in'cite·ment** *s* 1. Anspornen *n*, Aufreizung *f*. – 2. Beweggrund *m*, Ansporn *m*, Antrieb *m*. — **in'cit·er** *s* 1. Ansporner *m*, Antreiber *m*. – 2. Aufwiegler *m*.

in·ci·vil·i·ty [,insi'viliti; -əti] *s* Unhöflichkeit *f*, Grobheit *f*.

in·ci·vism ['insi,vizəm] *s* Mangel *m* an Bürgers...n *od.* Patrio'tismus.

in·clasp [*Br.* in'klɑ:sp; *Am.* -'klæ(:)sp] → enclasp.

'in-,clear·ing *s econ. Br.* Gesamtbetrag *m* der auf ein Bankhaus laufenden Schecks, Abrechnungsbetrag *m*.

in·clem·en·cy [in'klemənsi] *s* 1. Rauheit *f*, Unfreundlichkeit *f*: inclemencies of the weather Unbilden der Witterung. – 2. Grausamkeit *f*, Unbarmherzigkeit *f*. — **in'clem·ent** *adj* 1. rauh, unfreundlich, streng (*Klima*). – 2. hart, grausam, unbarmherzig (*Charakter*).

in·clin·a·ble [in'klainəbl] *adj* 1. geneigt, ('hin)neigend (to zu). – 2. zugetan, günstig (gesinnt) (to *dat*). – 3. ten'dierend. – 4. beugbar.

in·cli·na·tion [,inkli'neiʃən] *s* 1. *fig.* Neigung *f*, Vorliebe *f*, Hang *m* (to, for zu): ~ to buy *econ.* Kauflust; ~ to sell *econ.* Verkaufsneigung. – 2. *fig.* Zuneigung *f*, Liebe *f* (for zu). – 3. (Gegenstand *m* der) Vorliebe. – 4. Neigen *n*, Beugen *n*, Neigung *f*. – 5. *math. phys.* a) Neigung *f*, Schrägstellung *f*, Schräge *f*, Schiefe *f*, Senkung *f*, b) geneigte Fläche, Abhang *m*, c) Neigungswinkel *m*: the ~ of two planes der Winkel zwischen zwei Ebenen. – 6. *phys.* Inklinati'on *f*: ~ compass → inclinometer 1. – 7. *astr.* Inklinati'on *f*. – 8. *mil.* Krümmung *f* (*Geschoßbahn*). — **,in·cli'na·tion·al** *adj* Neigungs...

in·cli·na·to·ri·um [in,klainə'tɔ:riəm] *pl* **-ri·a** [riə] → inclinometer. — **in'cli·na·to·ry** [*Br.* -təri; *Am.* -,tɔ:ri] *adj* 1. sich neigend. – 2. Neigungs..., Inklinations...: ~ needle → inclinometer.

in·cline [in'klain] **I** *v/i* 1. 'hinneigen, neigen, eine Neigung haben, geneigt sein (to, toward[s], for zu). – 2. sich verbeugen, sich verneigen. – 3. sich neigen (to, toward[s] nach), abfallen, -weichen: the roof ~s sharply das Dach fällt steil ab. – 4. sich neigen, zu Ende gehen (*Tag*). – 5. (to) eine Neigung zeigen (zu), sich nähern (*dat*): to ~ lower *econ.* billiger werden. – 6. (to) geneigt *od.* gewogen sein (*dat*), begünstigen (*acc*). – 7. *mil.* schräg nach vorn mar'schieren. – **II** *v/t* 8. geneigt machen, veranlassen, bewegen (to zu): this ~s me to doubt dies läßt *od.* macht mich zweifeln. – 9. neigen, beugen: to ~ the head den Kopf neigen *od.* senken; to ~ one's ear to s.o. *fig.* j-m sein Ohr leihen. – 10. eine Neigung geben (*dat*), neigen, beugen. – 11. (to, toward[s]) richten (auf *acc*), lenken (nach ... hin). – *SYN.* bias, dispose, predispose. – **III** *s* [*auch* 'inklain] 12. Neigung *f*, Abdachung *f*, Abhang *m*, schiefe Ebene. – 13. *tech.* a) (*Bergbau*) tonnläger Schacht, einfallende Strecke, Bremsberg *m*, b) double ~ (*Eisenbahn*) Ablaufberg *m*, Eselsrücken *m*.

in·clined [in'klaind] *adj* 1. geneigt, aufgelegt (to, for zu): to be ~ geneigt sein, Lust haben. – 2. geneigt, gewogen, wohlgesinnt (to *dat*). – 3. geneigt, schräg, schief, abschüssig: to be ~ sich neigen. – 4. *math.* (*mit einer anderen Linie etc*) einen Winkel einschließend. — **~ plane** *s phys.* schiefe Ebene. — **~ rail·way** *s Am.* Standseilbahn *f*.

in·clin·er [in'klainər] *s* geneigte Sonnenuhr. — **in'clin·ing** *s* 1. (geistige) Neigung. – 2. *obs.* Par'tei *f*.

in·cli·nom·e·ter [,inkli'nɒmitər; -mə-] *s tech.* 1. (*Erdmagnetismus*) Inklinati'onskompaß *m*, -nadel *f*. – 2. *aer.* Neigungsmesser *m* (*bes. zum Anzeigen der Neigung gegen die Horizontale*). – 3. → clinometer.

in·close [in'klouz], **in'clo·sure** [-ʒər] → enclose, enclosure.

in·clud·a·ble [in'klu:dəbl] → includible.

in·clude [in'klu:d] *v/t* 1. einschließen, um'geben: two sides and the ~d angle *math.* zwei Seiten u. der (von ihnen) eingeschlossene Winkel. – 2. in sich einschließen, in sich begreifen, um'fassen, enthalten. – 3. einschließen, einrechnen (in in *acc*), rechnen (among unter *acc*, zu). – 4. *jur.* (*j-n im Testament*) bedenken. – *SYN.* comprehend, embrace, imply, involve.

in·clud·ed [in'klu:did] *adj* 1. um'schlossen, eingeschlossen, um'faßt. – 2. mit inbegriffen, mit eingeschlossen: not ~ nicht mit inbegriffen. – 3. *math.* eingeschlossen. – 4. *bot.* eingeschlossen (*Blumenkrone*). — **in'clud·i·ble** *adj* einschließbar. — **in'clud·ing** *prep* einschließlich (*gen*), mit Einschluß von (*od. gen*): ~ all charges *econ.* einschließlich aller Kosten, alle Kosten eingeschlossen.

in·clu·sion [in'klu:ʒən] *s* 1. Einschließen *n*, Einschließung *f*, Einschluß *m*, Einbeziehen *n*, Einbeziehung *f* (in in *acc*): with the ~ of mit Einschluß von. – 2. Um'schließung *f*, Um'fassung *f*. – 3. Zugehörigkeit *f* (in zu). – 4. (*das*) Eingeschlossene *od.* Um'faßte. – 5. *min.* Einschluß *m*. – 6. *biol.* im Proto'plasma eingeschlossener Körper, Zelleinschluß *m*. – 7. *med.* Einbettung *f*. — **~ bod·y** *s med.* Einschlußkörperchen *n*.

in·clu·sive [in'klu:siv] *adj* 1. um'fassend, um'schließend. – 2. enthaltend, einschließend (of *acc*). – 3. alles einschließend *od.* enthaltend: ~ terms *econ.* Preise, in denen alles eingeschlossen ist. – 4. einschließlich, inklu'sive: from Monday to Saturday ~ von Montag bis Sonnabend einschließlich. — **in'clu·sive·ness** *s* Miteinbegriffensein *n*.

in·co·er·ci·ble [,inko'ə:rsəbl] *adj* 1. unbezwingbar. – 2. *tech.* perma'nent, nicht zu einer Flüssigkeit kompri'mierbar (*Gas*).

in·cog [in'kɒg] *sl. Kurzform für* incognita *od.* incognito.

in·cog·i·ta·bil·i·ty [in,kɒdʒitə'biliti; -dʒə-; -əti] *s* Unvorstellbarkeit *f*. — **in'cog·i·ta·ble** *adj* undenkbar, unvorstellbar. — **in'cog·i·tant** *adj* 1. unbedacht, gedankenlos. – 2. denkunfähig.

in·cog·ni·ta [in'kɒgnitə] **I** *adj* 1. unbekannt, unerkannt, unter fremdem Namen (*Dame*). – **II** *s* 2. Unbekannte *f*. – 3. In'kognito *n* (*einer Dame*). — **in'cog·ni,to** [-,tou] **I** *adj* 1. unbekannt, unerkannt. – **II** *adv* 2. in'kognito, unerkannt, unter fremdem Namen: to travel ~. – **III** *s pl* **-,tos**, *auch selten* **-,ti** [-,ti:] 3. Unbekannter *m*. – 4. In'kognito *n*.

in·cog·ni·za·ble [in'kɒgnizəbl; -nəz-] *adj* 1. nicht erkennbar, unerkennbar. – 2. unkenntlich. — **in'cog·ni·zance** *s* Nichterkennen *n*, Unkenntnis *f*. — **in'cog·ni·zant** *adj* (of) nicht erkennend *od.* wissend (*acc*), nicht bewußt (*gen*): to be ~ of s.th. etwas nicht (er)kennen *od.* wissen.

in·co·her·ence [,inko'hi(ə)rəns], **,in·co'her·en·cy** [-si] *s* 1. Zu'sammenhangslosigkeit *f*. – 2. Unlogik *f*, 'Inkonse,quenz *f*. – 3. Uneinheitlichkeit *f*, ,Nichtüber'einstimmung *f*, Unvereinbarkeit *f*, 'Widerspruch *m*. – 4. *phys.* ,Inkohä'renz *f*. – 5. (*etwas*) 'Unzu,sammenhängendes, zusammenhang(s)lose Sache. — **,in·co'her·ent** *adj* 1. zu'sammenhang(s)los. – 2. 'inkonse,quent, unlogisch. – 3. zu'sammenhang(s)los sprechend *od.* denkend. – 4. uneinheitlich, 'unhar,monisch, nicht über'einstimmend, unvereinbar. – 5. *phys.* 'inkohä'rent, ohne Kohäsi'on. – 6. lose, locker, nicht verbunden.

in·co·he·sive [,inko'hi:siv] *adj* 'unzu,sammenhängend.

in·com·bus·ti·bil·i·ty [,inkəm,bʌstə'biliti; -əti] *s* Unverbrennbarkeit *f*. — **,in·com'bus·ti·ble** *adj u. s* unverbrennbar(e Sub'stanz). — **,in·com'bus·ti·ble·ness** → incombustibility.

in·come ['inkʌm; -kəm] *s* 1. *econ.* Einkommen *n*, Einkünfte *pl* (from aus): additional ~ Nebeneinkünfte; assessable ~ steuerpflichtiges Einkommen; excess of ~ Mehreinkommen; ~ above the living wage freies Einkommen (*über dem Existenzminimum*); ~ exempt from taxes steuerfreies Einkommen. – 2. (*etwas*) Her'ein-, Hin'zukommendes. – 3. *med.* (*dem Körper zugeführte*) Nahrungsmittel *pl*. – 4. Kommen *n*, Beginn *m*. — **~ ac·count** *s econ.* Einnahmekonto *n*. — **~ bond** *s econ.* Schuldverschreibung *f* mit von den Einnahmen der Gesellschaft abhängiger Verzinsung.

in·com·er ['in,kʌmər] *s* 1. Her'einkommende(r), Ankömmling *m*. – 2. Einwanderer *m*, Zugezogene(r). – 3. *econ.* Nachfolger(in), Neueintretende(r). – 4. Eindringling *m*. –

5. *hunt.* auf den Jäger zufliegender Vogel.

in·come| re·turn *s econ. Am.* Ren'dite *f.* — **~ state·ment (sheet)** *s econ.* Einkommensererklärung *f.* — **~ sur·tax** *s econ.* Mehreinkommensteuer *f.* — **~ tax** *s econ.* Einkommensteuer *f*: ~ **return** Einkommensteuererklärung. — **~ val·ue** *s* Ertragswert *m.* — **~ yield** *s* Einkommensertrag *m.*

in·com·ing ['inˌkʌmiŋ] **I** *adj* **1.** her'einkommend: the ~ tide. – **2.** nachfolgend, neu eintretend (*Beamter etc*): ~ tenant neuer Pächter. – **3.** *econ.* a) erwachsend, entstehend (*Nutzen, Gewinn*), b) ankommend, eingehend, einlaufend: ~ stocks Warenzugänge. – **4.** beginnend: the ~ year. – **5.** ein-, zuwandernd. – **II** *s* **6.** Kommen *n*, Eintreffen *n*, Ankunft *f.* – **7.** (*etwas*) Eingehendes *od.* Her'einkommendes. – **8.** *meist pl econ.* Eingänge *pl*, Einkünfte *pl*, Einkommen *n.*

in·com·men·su·ra·bil·i·ty [ˌinkəˌmenʃərə'biliti; -əti] *s* **1.** *math.* ˌInkommensurabili'tät *f.* – **2.** Unvergleichbarkeit *f* (*zweier Dinge*). — ˌ**in·com·'men·su·ra·ble I** *adj* **1.** *math.* ˌinkommensu'rabel, ohne gemeinsamen Teiler, ohne gemeinsames Verhältnis: numbers ~ Primzahlen. – **2.** *math.* irratio'nal. – **3.** nicht mitein'ander meßbar, nicht vergleichbar. – **4.** völlig unverhältnismäßig. – **II** *s* **5.** *math.* ˌinkommensu'rable Größe. – **6.** (*etwas*) nicht Vergleichbares. — ˌ**in·com·'men·su·ra·ble·ness** → incommensurability.

in·com·men·su·rate [ˌinkə'menʃərit] *adj* **1.** unangemessen (to *dat*): our means are ~ to our wants unsere Mittel entsprechen nicht unseren Bedürfnissen. – **2.** → incommensurable I. — ˌ**in·com'men·su·rate·ness** *s* Unangemessenheit *f.*

in·com·mode [ˌinkə'moud] *v/t* **1.** (*j-m*) lästig fallen, Unbequemlichkeiten verursachen, (*j-n*) belästigen. – **2.** behindern. — ˌ**in·com'mo·di·ous** [-diəs] *adj* **1.** unbequem, lästig, beschwerlich (to *dat od.* für). – **2.** beengt. — ˌ**in·com'mo·di·ous·ness** *s* **1.** Unbequemlichkeit *f*, Beschwerlichkeit *f.* – **2.** Beengtheit *f.*

in·com·mod·i·ty [ˌinkə'mɒditi; -əti] *s* Beschwerlichkeit *f*, Unannehmlichkeit *f*, Lästigkeit *f*, Unbequemlichkeit *f.*

in·com·mu·ni·ca·bil·i·ty [ˌinkəˌmjuːnikə'biliti; -əti] *s* Unmitteilbarkeit *f.* — ˌ**in·com'mu·ni·ca·ble** *adj* nicht mitteilbar, unmitteilbar, unsagbar. — ˌ**in·com'mu·ni·ca·ble·ness** → incommunicability. — ˌ**in·comˌmu·ni·'ca·do** [-'kɑːdou] *adj Am.* **1.** ohne Mitteilungsmöglichkeit, vom Verkehr mit anderen abgeschnitten. – **2.** *jur.* in Einzelhaft. — ˌ**in·com'mu·ni·ca·tive** [*Br.* -nikətiv; *Am.* -nəˌkeitiv] *adj* nicht mitteilsam, verschlossen, zu'rückhaltend. — ˌ**in·com'mu·ni·ca·tive·ness** *s* Verschlossenheit *f*, Zu'rückhaltung *f.*

in·com·mut·a·bil·i·ty [ˌinkəˌmjuːtə'biliti; -əti] *s* **1.** Unvertauschbarkeit *f.* – **2.** 'Unabˌänderlichkeit *f.* — ˌ**in·com'mut·a·ble** *adj* **1.** unver-, unaustauschbar. – **2.** unver-, 'unabˌänderlich. — ˌ**in·com'mut·a·ble·ness** → incommutability.

in·com·pact [ˌinkəm'pækt] *adj* lose, locker, nicht kom'pakt. — ˌ**in·com'pact·ness** *s* Lockerheit *f*, Unfestigkeit *f.*

in·com·pa·ra·bil·i·ty [inˌkɒmpərə'biliti; -əti] *s* **1.** Unvergleichlichkeit *f*, Einzigartigkeit *f.* – **2.** Unvergleichbarkeit *f* (to, with mit). — **in'com·pa·ra·ble I** *adj* **1.** unvergleichlich, einzigartig, alles über'ragend. – **2.** nicht vergleichbar, nicht zu vergleichen(d) (with, to mit). – **II** *s* **3.** *zo.* Papstfink *m* (*Passerina ciris*). — **in'com·pa·ra·ble·ness** → incomparability.

in·com·pat·i·bil·i·ty [ˌinkəmˌpætə'biliti; -əti] *s* **1.** Unvereinbarkeit *f*, Unverträglichkeit *f*, 'Widersprüchlichkeit *f*, 'Widerspruch *m.* – **2.** (*charakterliche*) Unverträglichkeit. – **3.** *med.* Unverträglichkeit *f*, Unmischbarkeit *f* (*Blutgruppen etc*). – **4.** (*etwas*) Unvereinbares. — ˌ**in·com'pat·i·ble I** *adj* **1.** unvereinbar: to be ~ kollidieren. – **2.** 'widersprüchlich, ein'ander wider'sprechend. – **3.** unverträglich, nicht zu'sammenpassend. – **4.** unvereinbar, nicht gleichzeitig bekleidbar (*Ämter*). – **5.** (*charakterlich*) unverträglich. – **6.** *med.* unverträglich, ˌinkompa'tibel (*Blutgruppen, Arzneimittel etc*). – **II** *s* **7.** unverträgliche Per'son *od.* Sache. – **8.** *meist pl* (*Logik*) sich wider'sprechende Eigenschaften *pl.* – **9.** *meist pl med.* unverträgliche Stoffe *pl* (*Blutgruppen, Drogen etc*). — ˌ**in·com'pat·i·ble·ness** → incompatibility.

in·com·pe·tence [in'kɒmpitəns; -pə-], *auch* **in'com·pe·ten·cy** [-si] *s* **1.** Unfähigkeit *f*, Untüchtigkeit *f*, Untauglichkeit *f.* – **2.** *jur.* a) Unbefugtheit *f*, Nichtbefugnis *f*, b) Nichtzuständigkeit *f*, 'Inkompeˌtenz *f* (*Richter, Gericht*), c) Ungültigkeit *f*, Unzulässigkeit *f* (*Beweismittel*). – **3.** Unzulänglichkeit *f*, Mangelhaftigkeit *f.* — **in'com·pe·tent I** *adj* **1.** unfähig, untauglich, ungeeignet (to zu). – **2.** *jur.* a) unbefugt, ohne Befugnis, b) unzuständig, 'inkompeˌtent (*Richter, Gericht*), c) unzulässig, nicht zur Sache gehörig (*Beweismittel*). – **3.** unzulänglich, mangelhaft, unzureichend. – **II** *s* **4.** Unfähige(r), Untüchtige(r). – **5.** *jur.* (wegen Geistesschwäche) nicht voll verantwortliche Per'son.

in·com·plete [ˌinkəm'pliːt] *adj* **1.** unvollständig, 'unvollˌendet, unvollkommen, mangelhaft: ~ shadow *math. phys.* Halbschatten. – **2.** *bot.* unvollständig (*Blüte*). — ˌ**in·com'plete·ness**, ˌ**in·com'ple·tion** [-'pliːʃən] *s* Unvollständigkeit *f*, Unvollkommenheit *f.*

in·com·plex [ˌinkəm'pleks] *adj* einfach, 'unkompliˌziert.

in·com·pli·ance [ˌinkəm'plaiəns], ˌ**in·com'pli·an·cy** [-si] *s selten* **1.** Ungefügigkeit *f*, Unnachgiebigkeit *f.* – **2.** Unbiegsamkeit *f.* — ˌ**in·com'pli·ant** *adj selten* **1.** ungefügig, unnachgiebig. – **2.** unbiegsam.

in·com·pre·hen·si·bil·i·ty [ˌinkɒmpriˌhensə'biliti; -əti; inˌkɒm-] *s* Unbegreiflichkeit *f.* — ˌ**in·com·pre'hen·si·ble** *adj* **1.** unbegreiflich, unfaßbar, unverständlich. – **2.** *obs.* unbegrenzt. — ˌ**in·com·pre'hen·si·ble·ness** → incomprehensibility. — ˌ**in·com·pre'hen·sion** *s* Nichtbegreifen *n.* — ˌ**in·com·pre'hen·sive** *adj* nicht um'fassend, beschränkt. — ˌ**in·com·pre'hen·sive·ness** *s* Beschränkt-, Begrenztheit *f.*

in·com·press·i·bil·i·ty [ˌinkəmˌpresə'biliti; -əti] *s* ˌNichtzu'sammendrückbarkeit *f.* — ˌ**in·com'press·i·ble** *adj* **1.** nicht zu'sammendrückbar. – **2.** *med.* ˌinkompres'sibel.

in·com·put·a·ble [ˌinkəm'pjuːtəbl] *adj* unberechenbar, nicht errechenbar.

in·con·ceiv·a·bil·i·ty [ˌinkənˌsiːvə'biliti; -əti] *s* **1.** Unfaßbarkeit *f*, Unbegreiflichkeit *f*, Unvorstellbarkeit *f.* – **2.** (*etwas*) Unfaßbares. — ˌ**in·con'ceiv·a·ble** *adj* **1.** unbegreiflich, unfaßbar. – **2.** undenkbar, unvorstellbar (to für). — ˌ**in·con'ceiv·a·ble·ness** → inconceivability.

in·con·cin·ni·ty [ˌinkən'siniti; -əti] *s* *obs.* Mangel *m* an Über'einstimmung *od.* Harmo'nie, 'Mißverhältnis *n.*

in·con·clu·sive [ˌinkən'kluːsiv] *adj* **1.** nicht über'zeugend, ohne Beweiskraft. – **2.** ergebnislos, erfolglos. — ˌ**in·con'clu·sive·ness** *s* **1.** Mangel *m* an Beweiskraft. – **2.** Ergebnislosigkeit *f.*

in·con·den·sa·bil·i·ty [ˌinkənˌdensə'biliti; -əti] *s* Unverdichtbarkeit *f.* — ˌ**in·con'den·sa·ble**, *auch fälschlich* ˌ**in·con'den·si·ble** *adj* unverdichtbar.

in·con·dite [in'kɒndit] *adj* **1.** schlecht zu'sammengestellt *od.* gemacht. – **2.** roh, ungeformt.

in·con·form·i·ty [ˌinkən'fɔːrmiti; -əti] *s* **1.** 'Nichtüberˌeinstimmung *f* (to, with mit), Unähnlichkeit *f.* – **2.** → nonconformity.

in·con·gru·ence [in'kɒŋgruəns] → incongruity. — **in'con·gru·ent** → incongruous.

in·con·gru·i·ty [ˌinkɒŋ'gruːiti; -əti] *s* **1.** ˌNichtüber'einstimmung *f*, Mangel *m* an Harmo'nie, 'Mißverhältnis *n.* – **2.** ˌNichtüber'einstimmung *f*, Unvereinbarkeit *f.* – **3.** Ungereimtheit *f*, 'Widersinnigkeit *f.* – **4.** Unangemessenheit *f.* – **5.** *math.* 'Inkongruˌenz *f.* – **6.** (*etwas*) ˌNichtüber'einstimmendes *od.* 'Widersinniges. — **in'con·gru·ous** [-gruəs] *adj* **1.** nicht zuein'anderpassend *od.* über'einstimmend. – **2.** nicht über'einstimmend, unvereinbar (with, to mit): conduct ~ with his principles. – **3.** ungereimt, 'widersinnig: an ~ story. – **4.** unangemessen, unpassend, ungehörig. – **5.** *math.* nicht kongru'ent *od.* deckungsgleich, sich nicht deckend. — **in'con·gru·ous·ness** → incongruity.

in·con·nu [ˌinkə'njuː] *s zo.* (*ein*) kanad. Flußlachs *m* (*Stenodus mackenzii*).

in·con·sec·u·tive [ˌinkən'sekjutiv; -kjə-] *adj* **1.** nicht aufein'anderfolgend, 'unzuˌsammenhängend. – **2.** 'inkonseˌquent, folgewidrig. — ˌ**in·con'sec·u·tive·ness** *s* **1.** Zu'sammenhangslosigkeit *f.* – **2.** 'Inkonseˌquenz *f.*

in·con·se·quence [in'kɒnsiˌkwens; -kwəns] *s* **1.** 'Inkonseˌquenz *f*, Folgewidrigkeit *f.* – **2.** Zu'sammenhangslosigkeit *f.* – **3.** Irrele'vanz *f.* – **4.** *selten* Belanglosigkeit *f.* — **in'con·seˌquent** [-ˌkwent; -kwənt] *adj* **1.** 'unkonseˌquent. – **2.** 'inkonseˌquent, folgewidrig, unlogisch. – **3.** 'unzuˌsammenhängend. – **4.** nicht zur Sache gehörig, irrele'vant. – **5.** nicht (da'zu) passend. – **6.** *selten* belanglos, unwichtig.

in·con·se·quen·tial [inˌkɒnsi'kwenʃəl; ˌinkɒn-] *adj* **1.** belanglos, bedeutungslos, unbedeutend, unwichtig. – **2.** → inconsequent 2, 3, 4. — **inˌcon·seˌquen·ti'al·i·ty** [-ʃi'æliti; -əti] *s* **1.** Bedeutungslosigkeit *f.* – **2.** 'Inkonseˌquenz *f.* — **in'con·seˌquent·ness** → inconsequence.

in·con·sid·er·a·ble [ˌinkən'sidərəbl] *adj* **1.** klein, gering(fügig), unbeträchtlich. – **2.** unbedeutend, belanglos, unwichtig. — ˌ**in·con'sid·er·a·ble·ness** *s* **1.** Geringfügigkeit *f.* – **2.** Bedeutungslosigkeit *f*, Unwichtigkeit *f.*

in·con·sid·er·ate [ˌinkən'sidərit] *adj* **1.** (to) rücksichtslos, taktlos (gegen), ohne Rücksicht(nahme) (auf *acc*): it was ~ of you to tell him everything. – **2.** unbedacht, 'unüberˌlegt, leichtsinnig, gedankenlos. — ˌ**in·con'sid·er·ate·ness**, ˌ**in·conˌsid·er'a·tion** *s* **1.** Rücksichts-, Taktlosigkeit *f.* – **2.** Unbedachtsamkeit *f*, 'Unüberˌlegtheit *f*, Unbesonnenheit *f.*

in·con·sist·ence [ˌinkən'sistəns] → inconsistency. — ˌ**in·con'sist·en·cy** *s* **1.** ˌNichtüber'einstimmung *f*, innerer

'Widerspruch, Unvereinbarkeit *f.* – **2.** 'Inkonseˌquenz *f*, Folgewidrigkeit *f.* – **3.** Unbeständigkeit *f*, Wankelmut *m*, Unstetigkeit *f.* — ˌ**in·con'sist·ent** *adj* **1.** ein'ander wider'sprechend, nicht zu'sammenpassend *od.* über'einstimmend, unvereinbar, unverträglich. – **2.** 'inkonseˌquent, folgewidrig, ungereimt. – **3.** unbeständig, wankelmütig, unstet. – **4.** (with) unvereinbar (mit), im Gegensatz stehend (zu). – **5.** (*physisch*) zu'sammenhanglos.

in·con·sol·a·bil·i·ty [ˌinkənˌsoulə'biliti; -əti] *s* Untröstlichkeit *f.* — ˌ**in·con'sol·a·ble** *adj* untröstlich. — ˌ**in·con'sol·a·ble·ness** → **inconsolability**.

in·con·so·nance [in'kɒnsənəns] *s* **1.** ˌNichtüber'einstimmung *f.* – **2.** *mus.* Disso'nanz *f.* — **in'con·so·nant** *adj* (with, to) nicht über'einstimmend, nicht im Einklang (mit), wider'sprechend (*dat*).

in·con·spic·u·ous [ˌinkən'spikjuəs] *adj* **1.** unauffällig, unmerklich, nicht auffallend. – **2.** *bot.* klein, grün (*Blüten*). — ˌ**in·con'spic·u·ous·ness** *s* Unauffälligkeit *f.*

in·con·stan·cy [in'kɒnstənsi] *s* **1.** Unbeständigkeit *f*, Veränderlichkeit *f.* – **2.** Wankelmut *m*, Unstetigkeit *f.* – **3.** Ungleichförmigkeit *f.* — **in'con·stant** *adj* **1.** unbeständig, veränderlich, unstet. – **2.** wankelmütig. – **3.** ungleichförmig. – *SYN.* **capricious, fickle, mercurial, unstable.**

in·con·sum·a·ble [ˌinkən'sjuːməbl; -'suːm-] *adj* **1.** unverzehrbar. – **2.** unzerstörbar. – **3.** unverbrennbar (*Kerze*).

in·con·tam·i·nate [ˌinkən'tæminit; -ˌneit; -mə-] *adj* **1.** unbefleckt, rein. – **2.** unverdorben.

in·con·test·a·bil·i·ty [ˌinkənˌtestə'biliti; -əti] *s* **1.** Unbestreitbarkeit *f.* – **2.** 'Unumˌstößlichkeit *f.* — ˌ**in·con'test·a·ble** *adj* **1.** unbestreitbar, 'unwiderˌsprechlich, unstreitig, unbestritten. – **2.** 'unumˌstößlich, 'unwiderˌleglich: ~ **proof.** — ˌ**in·con'test·a·ble·ness** → **incontestability**.

in·con·ti·nence [in'kɒntinəns; -tə-], *auch obs.* **in'con·ti·nen·cy** [-si] *s* **1.** Zügellosigkeit *f* (*bes. auf sexuellem Gebiet*), Unmäßigkeit *f*, Unenthaltsamkeit *f*, *bes.* Geilheit *f*, Unkeuschheit *f.* – **2.** 'Unaufˌhörlichkeit *f*, 'Ununterˌbrochenheit *f.* – **3.** Nicht(zu'rück)haltenkönnen *n.* – **4.** *med.* 'Inkontiˌnenz *f*: ~ **of urine** Harnfluß.

in·con·ti·nent¹ [in'kɒntinənt; -tə-] **I** *adj* **1.** ausschweifend, zügellos, unmäßig, unenthaltsam, *bes.* geil, unkeusch. – **2.** 'unaufˌhörlich, nicht aufhörend, 'ununterˌbrochen: **an ~ flow of talk.** – **3.** nicht (zu'rück)halten könnend: **to be ~ of a secret** ein Geheimnis nicht bei sich behalten können. – **4.** *med.* 'inkontiˌnent. – **II** *s* **5.** Unkeusche(r).

in·con·ti·nent² [in'kɒntinənt; -tə-], *auch* **in'con·ti·nent·ly** [-li] *adv obs.* so'fort.

in·con·tin·u·ous [ˌinkən'tinjuəs] *adj selten* unter'brochen.

in·con·trol·la·ble [ˌinkən'trouləbl] → **uncontrollable**.

in·con·tro·vert·i·bil·i·ty [ˌinkɒntrəˌvəːrtə'biliti; -əti; inˌkɒn-] *s* Unbestreitbarkeit *f.* — ˌ**in·con·tro'vert·i·ble** *adj* unbestreitbar, unstreitig, unbestritten. — ˌ**in·con·tro'vert·i·ble·ness** → **incontrovertibility**.

in·con·ven·ience [ˌinkən'viːnjəns] **I** *s* **1.** Unbequemlichkeit *f*, Beschwerlichkeit *f.* – **2.** Ungelegenheit *f*, Lästigkeit *f.* – **3.** Unannehmlichkeit *f*, Schwierigkeit *f*: **to put s.o. to great ~** j-m große Unannehmlichkeiten bereiten. – **4.** Unvorteilhaftigkeit *f*, Nachteil *m.* – **II** *v/t* **5.** belästigen, (*j-m*) lästig sein, (*j-m*) zur Last fallen. – **6.** in Verlegenheit bringen, (*j-m*) Unannehmlichkeiten bereiten. — ˌ**in·con'ven·ien·cy** → **inconvenience** I. — ˌ**in·con'ven·ient** *adj* **1.** unbequem, ungünstig. – **2.** ungelegen, lästig, störend, ärgerlich (to für): **at a most ~ time** zu sehr ungelegener Zeit. – **3.** unpassend, unvorteilhaft. – **4.** *obs.* ungehörig.

in·con·vert·i·bil·i·ty [ˌinkənˌvəːrtə'biliti; -əti] *s* **1.** Un(ver)wandelbarkeit *f*, Unveränderlichkeit *f.* – **2.** Unaustauschbarkeit *f.* – **3.** *econ.* a) ˌInkonvertibili'tät *f*, ˌNichtkonver'tierbarkeit *f*, ˌNicht'umwandelbarkeit *f*, b) ˌNicht'einlösbarkeit *f* (*Papiergeld*), c) ˌNicht'umsetzbarkeit *f.* — ˌ**in·con'vert·i·ble** *adj* **1.** un(ver)wandelbar, unveränderlich. – **2.** nicht austauschbar. – **3.** *econ.* a) inkonver'tibel, unkonver'tierbar (*Guthaben etc*), b) nicht einlösbar (*Papiergeld*), c) nicht 'umsetzbar (into in *acc*). — ˌ**in·con'vert·i·ble·ness** → **inconvertibility**.

in·con·vin·ci·bil·i·ty [ˌinkənˌvinsə'biliti; -əti] *s* 'Unüberˌzeugbarkeit *f.* — ˌ**in·con'vin·ci·ble** *adj u. s* 'unüberˌzeugbar(er Mensch).

in-co·or·di·nate, in·co·or·di·nate [ˌinko'ɔːrdənit], ˌ**in-co-'or·diˌnat·ed,** ˌ**in·co'or·diˌnat·ed** [-ˌneitid] *adj* nicht bei- *od.* gleichgeordnet *od.* koordi'niert. — ˌ**in-co-ˌor·di'na·tion,** ˌ**in·coˌor·di'na·tion** *s* **1.** Nichtbeiordnung *f*, Mangel *m* an Gleichordnung. – **2.** *med.* ˌInkoordinati'on *f*, mangelndes Zu'sammenspiel (*bes. der Muskeln*).

in·cor·po·ra·ble [in'kɔːrpərəbl] *adj selten* einverleibbar, aufnehmbar.

in·cor·po·rate¹ [in'kɔːrpəˌreit] **I** *v/t* **1.** vereinigen, verbinden, zu'sammenschließen (with, into, in mit). – **2.** einverleiben (into, in, with *dat*): **to ~ a new state into the union.** – **3.** (zu einem Körper *od.* einer Körperschaft) vereinigen, zu'sammenschließen (into, in zu). – **4.** *econ. jur.* a) zu einer Körperschaft *od.* Korporati'on machen, als Körperschaft amtlich eintragen, regi'strieren, inkorpo'rieren, b) *Am.* als Aktiengesellschaft eintragen. – **5.** (*als Mitglied*) aufnehmen (into in *acc*). – **6.** in sich schließen, enthalten. – **7.** *selten* a) verkörpern, b) körperliche Gestalt geben (*dat*). – **II** *v/i* **8.** sich eng verbinden, sich (zu einem Körper) vereinigen, sich zu'sammenschließen (with mit). – **9.** *econ. jur.* eine Körperschaft bilden *od.* werden. – **III** *adj* [-rit] **10.** (into, in) (eng) verbunden (mit), einverleibt (in *acc*). – **11.** *econ. jur.* a) zu *od.* mit einer Körperschaft verbunden, b) amtlich eingetragen, inkorpo'riert: ~ **body** Körperschaft.

in·cor·po·rate² [in'kɔːrpərit] *adj selten* unkörperlich, ˌimmateri'ell.

in·cor·po·rat·ed [in'kɔːrpəˌreitid] *adj* **1.** *econ. jur.* a) amtlich (als Körperschaft) eingetragen, inkorpo'riert, regi'striert, b) *Am.* als Aktiengesellschaft eingetragen: ~ **society** *Am.* eingetragene Gesellschaft. – **2.** (eng) verbunden, zu'sammengeschlossen (in, into mit). – **3.** einverleibt (in, into *dat*). — **in'cor·poˌrat·ing** *adj ling.* inkorpo'rierend, 'polysynˌthetisch, einverleibend. — **inˌcor·po'ra·tion** *s* **1.** enge Vereinigung, Verbindung *f.* – **2.** Einverleibung *f*, Aufnahme *f* (into in *acc*). – **3.** *econ. jur.* a) Körperschaftsbildung *f*, b) amtliche Eintragung (*als Körperschaft*), Inkorpo'rierung *f*: **certificate of ~** Korporationsurkunde, Eintragungsbescheinigung, c) Körperschaft *f*, Korporati'on *f*: ~ **tax** Körperschaftssteuer. – **4.** *jur.* Eingemeindung *f* (into in *acc*). – **5.** *ling.* Inkorpo'rierung *f.* — **in'cor·po·ra·tive** [*Br.* -rətiv; *Am.* -ˌreitiv] *adj* **1.** einverleibend, vereinigend. – **2.** *econ.* körperschaftlich. — **in'cor·poˌra·tor** [-ˌreitər] *s* **1.** j-d der einverleibt, inkorpo'riert *etc.* – **2.** *econ. bes. Am. ursprüngliches Mitglied einer inkorporierten Gesellschaft.* – **3.** *ped. Br. Mitglied einer Universität, das in einer anderen inkorporiert ist.*

in·cor·po·re·al [ˌinkɔːr'pɔːriəl] *adj* **1.** unkörperlich, unstofflich, ˌimmateri'ell, geistig. – **2.** *jur.* unkörperlich, nicht greifbar: ~ **hereditament** an eine Erbschaft geknüpftes Recht. — ˌ**in·corˌpo·re'al·i·ty** [-ri'æliti; -əti] → **incorporeity**. — **inˌcor·po're·i·ty** [-pə'riːiti; -əti] *s* **1.** Unkörperlichkeit *f*, Körper-, Stofflosigkeit *f.* – **2.** unkörperliches Dasein.

in·cor·rect [ˌinkə'rekt] *adj* **1.** unrichtig, ungenau, fehlerhaft, falsch. – **2.** unschicklich, ungehörig: ~ **conduct.** – **3.** unwahr, falsch, irrig. — ˌ**in·cor'rect·ness** *s* **1.** Unrichtigkeit *f*, Fehlerhaftigkeit *f.* – **2.** Unschicklichkeit *f*, Ungehörigkeit *f.* – **3.** Unwahrheit *f.*

in·cor·ri·gi·bil·i·ty [inˌkɒridʒə'biliti; -əti; *Am. auch* -ˌkɔːr-] *s* **1.** Unverbesserlichkeit *f.* – **2.** Unzähmbarkeit *f.* – **3.** Unausrottbarkeit *f* (*einer schlechten Angewohnheit etc*). — **in'cor·ri·gi·ble I** *adj* **1.** unverbesserlich: **an ~ alcoholic.** – **2.** nicht zu bändigen(d) *od.* meistern(d): **an ~ child.** – **3.** unausrottbar: **an ~ habit.** – **II** *s* **4.** unverbesserlicher Mensch. — **in'cor·ri·gi·ble·ness** → **incorrigibility**.

in·cor·rupt [ˌinkə'rʌpt], *auch* ˌ**in·cor'rupt·ed** [-tid] *adj selten* **1.** unverdorben, unverderbt, rein, redlich, aufrecht (*Charakter*). – **2.** unbestechlich, ehrlich. – **3.** unverdorben, unbeschädigt, frisch, gut erhalten (*von Dingen*). – **4.** rein, unverdorben (*Sprache*). — ˌ**in·cor'rupt·ness** *s* **1.** Unverdorbenheit *f*, Reinheit *f.* – **2.** Unbestechlichkeit *f.* — ˌ**in·cor·ˌrupt·i'bil·i·ty** *s* **1.** Unverderbbarkeit *f*, Unbestechlichkeit *f.* – **2.** Unzerstörbarkeit *f*, Unvergänglichkeit *f.* — ˌ**in·cor'rupt·i·ble** *adj* **1.** unverderbbar, unverführbar, redlich, *bes.* unbestechlich. – **2.** unzerstörbar, unzersetzbar, unverderblich, unverweslich, unvergänglich. — ˌ**in·cor'rupt·i·ble·ness** → **incorruptibility**. — ˌ**in·cor'rup·tion** *s obs.* **1.** *bes. Bibl.* Unverweslichkeit *f.* – **2.** Unverdorbenheit *f*, Unverderbtheit *f.*

in·cras·sate [in'kræseit] **I** *v/t selten* verdicken. – **II** *v/i obs.* dick(er) werden. – **III** *adj* [-it; -eit] *bot. zo.* verdickt, geschwollen. — **in'cras·sat·ed** → **incrassate** III. — ˌ**in·cras'sa·tion** *s* **1.** Verdickung *f.* – **2.** Verdickung *f*, Fettanschwellung *f.*

in·creas·a·ble [in'kriːsəbl] *adj* vergrößerungsfähig, vermehrbar.

in·crease [in'kriːs] **I** *v/i* **1.** zunehmen, sich vergrößern, sich vermehren, sich erhöhen, sich steigern, größer werden, (an)wachsen: **to ~ in size (value)** an Größe (Wert) zunehmen. – **2.** steigen (*Preise*). – **3.** sich (*durch Fortpflanzung*) vermehren. – **4.** *poet.* zunehmen (*Mond*). – **II** *v/t* **5.** vergrößern, verstärken, vermehren, verschlimmern, erhöhen, steigern: **to ~ the fire** *tech.* das Feuer verstärken; **to ~ the front** *mil.* aufmarschieren; **to ~ the value** den Wert erhöhen. – **6.** (*Bewegung*) beschleunigen. – *SYN.* **augment, enlarge, multiply.** – **III** *s* ['inkriːs] **7.** Vergrößerung *f*, Vermehrung *f*, Verstärkung *f*, Erhöhung *f*, Zunehmen *n*, Zunahme *f*, Wachsen *n*, Steigen *n*, Steigerung *f*, Erhöhung *f*: **on the ~** im Zunehmen; **~ in the bank rate** *econ.* Heraufsetzung *od.* Erhöhung des Diskontsatzes; **~ in wages** *econ.* Lohnerhöhung; **~ of capital** *econ.* Kapitalerhöhung; **~ of a function** *math.* Zunahme einer Funktion;

~ of receipts *econ.* Mehreinnahme; ~ of salary *econ.* Gehaltserhöhung; ~ of trade Aufschwung des Handels; ~ twist *tech.* Progressivdrall, zunehmender Drall. – **8.** Beschleunigung *f* (*Bewegung*). – **9.** Vermehrung *f* (*durch Fortpflanzung*). – **10.** Fortschritt *m* (on gegenüber). – **11.** Zunahme *f*, Zuwachs *m* (*eines Betrages*), Mehrbetrag *m.* – **12.** Nutzen *m*, Ertrag *m*, Gewinn *m.* – **13.** *econ.* (Lohn)Zulage *f.* – **14.** Nachkommenschaft *f.* – **15.** *poet.* Nachkomme *m*, Sprößling *m.* – **16.** *agr.* Bodenertrag *m.*

in·creased| de·mand [in'kriːst] *s econ.* Bedarfszunahme *f*, Mehrbedarf *m.* — **~ in·ter·est** *s econ.* erhöhte Zinsen *pl.*

in·creas·er [in'kriːsər] *s* **1.** (*der, die, das*) Vergrößernde *od.* Vermehrende. – **2.** *tech.* Verstärker *m*, Regler *m*: power ~ Leistungsregler; volume ~ Lautstärkeregler.

in·cre·ate [ˌinkri'eit; 'inkriˌeit] *adj* **1.** unerschaffen. – **2.** von selbst exi'stierend.

in·cred·i·bil·i·ty [inˌkredə'biliti; -əti] *s* **1.** Unglaublichkeit *f.* – **2.** Unglaubhaftigkeit *f.* — **in'cred·i·ble** *adj* **1.** unglaublich. – **2.** unglaubhaft, unwahrscheinlich. — **in'cred·i·ble·ness** → incredibility.

in·cre·du·li·ty [ˌinkri'djuːliti; -krə-; -əti; *Am. auch* -'duː-] *s* **1.** Ungläubigkeit *f*, Skepti'zismus *m.* – **2.** *relig.* Unglaube *m.* – *SYN. cf.* unbelief.

in·cred·u·lous [*Br.* in'kredjuləs; *Am.* -dʒə-] *adj* ungläubig, skeptisch. — **in'cred·u·lous·ness** → incredulity.

in·cre·mate ['inkriˌmeit] → cremate.

in·cre·ment ['inkrimənt; 'iŋk-; -krə-] *s* **1.** Zuwachs *m*, Zunahme *f*, (*etwas*) Hin'zugefügtes. – **2.** *econ.* Zuwachs *m*, (Mehr)Ertrag *m*, Gewinn *m*: ~ income tax Gewinnzuwachs-, Mehreinkommensteuer; ~ value (duty) Wertzuwachs(steuer). – **3.** Wachsen *n*, Wachstum *n*, Vermehrung *f.* – **4.** *math.* Inkre'ment *n*, Zunahme *f*, Zuwachs *m*, *bes.* positives Differenti'al. – **5.** *med.* Inkre'ment *n*, Zuwachs *m.* — **ˌin·cre'men·tal** [-'mentl] *adj* Zuwachs...

in·cres·cent [in'kresnt] *adj bes. her.* zunehmend (*Mond*).

in·cre·tion [in'kriːʃən] *s med.* **1.** innere Sekreti'on, Inkreti'on *f.* – **2.** In'kret *n*, Hor'mon *n.* — **in'cre·tion·ar·y** [*Br.* -nəri; *Am.* -ˌneri], **in·cre·to·ry** [*Br.* in'kriːtəri; *Am.* 'inkriˌtɔːri] *adj* inkre'torisch, 'innersekreˌtorisch, endo'krin.

in·crim·i·nate [in'krimiˌneit; -mə-] *v/t* (*eines Verbrechens od. Vergehens*) beschuldigen, anklagen. — **inˌcrim·i'na·tion** *s* Beschuldigung *f*, Anschuldigung *f.* — **in'crim·iˌna·tor** [-tər] *s* Beschuldiger *m.* — **in·crim·i·na·to·ry** [*Br.* in'krimiˌneitəri; -mə-; *Am.* -nəˌtɔːri] *adj* beschuldigend, belastend.

in·crust [in'krʌst] *v/t* **1.** mit einer Kruste über'ziehen *od.* bedecken. – **2.** *tech.* über'sintern. – **3.** zu einer Kruste formen. – **4.** (*Wände etc*) verkleiden, belegen. – **5.** *min.* inkru'stieren. — **in'crus·tate** [-teit] *adj* **1.** verkrustet. – **2.** inkru'stiert. – **3.** *zo.* Krusten... — **ˌin·crus'ta·tion**, *auch* **in'crust·ment** *s* **1.** Inkru'stierung *f*, Krustenbildung *f.* – **2.** *tech.* a) Inkrustati'on *f*, Kruste *f*, b) Kesselstein *m.* – **3.** Belegen *n*, Verkleiden *n* (*Wand*). – **4.** Einlegen *n* (*Verzierung*). – **5.** Verkleidung *f*, Belag *m* (*Wand*). – **6.** eingelegte Verzierung. – **7.** *fig.* Festsetzung *f* (*Gewohnheit etc*). – **8.** *geol. med.* Inkrustati'on *f.*

in·cu·bate ['inkjuˌbeit; -kjə-; 'iŋk-] **I** *v/t* **1.** (*Ei*) ausbrüten (*auch künstlich*). – **2.** (*Embryos, Bakterien etc*) im Brutschrank halten, bei richtiger Tempera'tur erhalten. – **3.** *fig.* ausbrüten, aushecken. – **II** *v/i* **4.** brüten. – **5.** *med.* die Inkubati'onszeit 'durchmachen. — **ˌin·cu'ba·tion** *s* **1.** Ausbrütung *f*, Bebrütung *f*, Brüten *n*: artificial ~ künstliche Ausbrütung; ~ apparatus → incubator 1 *u.* 2. – **2.** *auch* ~ period *med.* Inkubati'on(szeit) *f.* – **3.** Zeitdauer *f* des Eierbrütens. – **4.** *fig.* a) Brüten *n*, b) Verharren *n.* – **5.** *antiq.* Tempelschlaf *m.* — **ˌin·cu'ba·tion·al**, **'in·cuˌba·tive** *adj* **1.** Brüt..., Brut... – **2.** *med.* Inkubations... — **'in·cuˌba·tor** [-tər] *s* **1.** *med.* Brutschrank *m*, -kasten *m* (*für Frühgeburten*). – **2.** 'Brutappaˌrat *m*, -schrank *m* (*für Eier, Bakterienkulturen etc*). – **3.** Brütende(r). — **in·cu·ba·to·ry** [*Br.* 'inkjuˌbeitəri; -kjə-; 'iŋk-; *Am.* -bəˌtɔːri] → incubational.

in·cu·bus ['inkjubəs; -kjə-; 'iŋk-] *pl* **-bi** [-ˌbai] *od.* **-bus·es** *s* **1.** Inkubus *m.* – **2.** *med.* Alpdrücken *n*, Alp *m.* – **3.** *fig.* bedrückende Last *od.* Per'son.

in·cu·dal ['iŋkjudl; -kjə-], *auch* **'in·cu·date** [-dit; -ˌdeit] *adj med.* 1. Amboß... – 2. einen Amboß habend.

in·cu·des [in'kjuːdiːz] *pl von* incus.

in·cul·cate ['inkʌlˌkeit; in'kʌl-] *v/t* einprägen, einschärfen (on, upon, in s.o. j-m). – *SYN. cf.* implant. — **ˌin·cul'ca·tion** *s* Einprägung *f.* — **'in·culˌca·tor** [-tər] *s* Einschärfer *m.*

in·cul·pa·ble [in'kʌlpəbl] *adj selten* untadelig, unschuldig.

in·cul·pate ['inkʌlˌpeit; in'kʌl-] **I** *v/t* **1.** beschuldigen, tadeln. – **2.** *jur.* anklagen, beschuldigen. – **II** *v/i* **3.** tadeln. – **4.** Beschuldigungen erheben, anklagen. — **ˌin·cul'pa·tion** *s* **1.** Beschuldigung *f.* – **2.** Vorwurf *m*, Tadel *m.* — **in'cul·pa·to·ry** [*Br.* -pətəri; *Am.* -ˌtɔːri] *adj* **1.** beschuldigend, anklagend, Anklage... – **2.** tadelnd.

in·cult [in'kʌlt] *adj selten* **1.** unbebaut, wüst (*Land*). – **2.** 'unziviliˌsiert, derb, ungehobelt, ungepflegt. – **3.** roh, grob.

in·cum·ben·cy [in'kʌmbənsi] *s* **1.** Aufliegen *n* (*als Last*), Obliegen *n* (*als Pflicht*). – **2.** Last *f*, lastendes Gewicht. – **3.** Innehaben *n* eines Amtes, Pfründenbesitz *m*, Amtsführung *f.* – **4.** Amtsbereich *m.* – **5.** Amtszeit *f.* – **6.** *selten* Obliegenheit *f.* — **in'cum·bent I** *adj* **1.** obliegend, zufallend: to be ~ on (*od.* upon) s.o. j-m obliegen; I feel it ~ on me ich halte es für meine Pflicht. – **2.** aufliegend, sich stützend, drückend, lastend (on, upon auf *acc*). – **3.** *bot. zo.* aufliegend: ~ spines. – **4.** *geol.* über'lagernd. – **5.** liegend, (sich zu'rück)lehnend. – **6.** *poet.* drohend. – **II** *s* **7.** *selten* Amtsinhaber *m*, öffentlicher Be'amter. – **8.** *relig. Br.* Pfründeninhaber *m*, -besitzer *m.* — **in'cum·ber** → encumber. — **in'cum·brance** [-brəns] → encumbrance.

in·cu·nab·u·la [ˌinkju'næbjulə; -bjə-] *pl von* incunabulum. — **ˌin·cu'nab·u·lar** *adj* Inkunabel... — **ˌin·cu'nab·u·lum** [-ləm] *pl* **-la** [-lə] *s* **1.** Inku'nabel *f*, Wiegen-, Frühdruck *m.* – **2.** *pl* früheste Anfänge *pl*, Beginn *m*, Anfangsstadium *n.* – **3.** *zo.* Ko'kon *m.* – **4.** Brutstätte *f* (*bestimmter Vögel*).

in·cur [in'kəːr] *pret u. pp* **in'curred** *v/t* **1.** sich zuziehen, auf sich laden, geraten in (*acc*): to ~ a fine sich eine Geldstrafe zuziehen; to ~ debts *econ.* Schulden machen; to ~ liabilities *econ.* Verpflichtungen eingehen; to ~ losses *econ.* Verluste erleiden. – **2.** sich (*einer Gefahr etc*) aussetzen: to ~ a danger. – *SYN.* catch, contract.

in·cur·a·bil·i·ty [inˌkju(ə)rə'biliti; -əti] *s* **1.** Unheilbarkeit *f.* – **2.** Unverbesserlichkeit *f.* — **in'cur·a·ble I** *adj* **1.** *med.* unheilbar. – **2.** *fig.* unheilbar, unverbesserlich. – **II** *s* **3.** *med.* unheilbar Kranke(r), Unheilbare(r). – **4.** *fig.* Unverbesserliche(r). — **in'cur·a·ble·ness** → incurability.

in·cu·ri·os·i·ty [inˌkju(ə)ri'ɒsiti; -əti] *s* **1.** Inter'esselosigkeit *f*, Gleichgültigkeit *f.* – **2.** 'Uninteresˌsantheit *f.* — **in'cu·ri·ous** *adj* **1.** 'uninteresˌsiert, unaufmerksam, gleichgültig, inter'esselos. – **2.** 'uninteresˌsant. – *SYN. cf.* indifferent. — **in'cu·ri·ous·ness** → incuriosity.

in·cur·rence [*Br.* in'kʌrəns; *Am.* -'kəːr-] *s* Aufsichladen *n*, Eingehen *n* (*Verpflichtungen etc*): ~ of debt *econ.* Schuldenaufnahme, -machen. — **in'cur·rent** *adj* **1.** nach innen laufend. – **2.** *zo.* Flüssigkeit nach innen leitend.

in·cur·sion [in'kəːrʃən; -ʒən] *s* **1.** (feindlicher) Einfall, Streif-, Raubzug *m.* – **2.** Eindringen *n*: the ~ of sea water. – **3.** *fig.* Einbruch *m*, Eindringen *n*, Ein-, 'Übergriff *m.* — **in'cur·sive** [-siv] *adj* eindringend, angreifend, Angriffs...

in·cur·vate [in'kəːrveit] **I** *v/t* (nach innen) biegen, krümmen. – **II** *v/i obs.* sich krümmen. – **III** *adj* [-vit; -veit] (nach innen) gebogen, gekrümmt. — **ˌin·cur'va·tion** *s* **1.** Biegen *n* (nach innen), Krümmen *n.* – **2.** (Einwärts)-Krümmung *f*, (Ein)Biegung *f.* – **3.** *med.* Verkrümmung *f.* – **4.** Beugung *f* (*Körper*). — **in'cur·va·ture** [-vətʃər] *s selten* **1.** Biegen *n* (nach innen), Krümmen *n.* – **2.** (Einwärts)-Krümmung *f*, (Ein)Biegung *f.*

in·curve [in'kəːrv] **I** *v/t* **1.** (nach innen) krümmen, (ein)biegen. – **II** *v/i* **2.** sich (nach innen) biegen, krümmen. – **III** *s* ['inˌkəːrv] **3.** Ein(wärts)-biegung *f*, Einwärtskrümmung *f.* – **4.** (*Baseball*) sich nach innen (*d.h. zum Schlagenden hin*) drehender Ball. — **'in-ˌcurve, in curve** *cf.* incurve III.

in·cus ['iŋkəs] *pl* **in·cu·des** [in'kjuːdiːz] *s med.* Amboß *m*, Incus *f* (*Gehörknöchelchen*).

in·cuse [in'kjuːz] **I** *adj* **1.** (ein-, auf)geprägt (*bes. von Zeichnungen alter Münzen*). – **II** *s* **2.** (Auf)Prägung *f*, Gepräge *n*, aufgeprägte Zeichnung. – **III** *v/t* **3.** (*Münze*) prägen, mit Prägung versehen. – **4.** (*Zeichnung*) prägen (on auf *acc*).

Ind-[1] [ind] → Indo-[2].

ind-[2] [ind] → indo-[1].

in·da·ba [in'daːbaː] *s S.Afr.* Besprechung *f*, Beratung *f* (*unter od. mit Eingeborenen*).

in·da·gate ['indəˌgeit] *v/t obs.* unter'suchen. — **ˌin·da'ga·tion** *s obs.* Unter'suchung *f.* — **'in·daˌga·tor** [-tər] *s selten* Unter'sucher *m.*

in·da·mine ['indəˌmiːn; -min], *auch* **'in·da·min** [-min] *s chem.* Inda'min *n.*

in·debt [in'det] *v/t* **1.** *selten* in Schulden stürzen. – **2.** (zu Dank) verpflichten. — **in'debt·ed** *adj* **1.** *econ.* verschuldet. – **2.** (zu Dank) verpflichtet, verbunden: I am (much) ~ to you ich bin Ihnen (sehr) zu Dank verpflichtet. — **in'debt·ed·ness** *s* **1.** *econ.* Verschuldetsein *n*, Verschuldung *f*: bank ~ Bankverschuldung; excessive ~ Überschuldung. – **2.** *econ.* Schulden *pl*, Verbindlichkeiten *pl.* – **3.** Dankesschuld *f*, Verpflichtung *f*, Verbundensein *n.*

in·de·cen·cy [in'diːsənsi] *s* **1.** Unanständigkeit *f.* – **2.** Ungehörigkeit *f*, Unschicklichkeit *f.* — **in'de·cent** *adj* **1.** unanständig, anstößig, ob'szön. – **2.** unschicklich, ungehörig. – *SYN. cf.* indecorous.

in·de·cid·u·ate [*Br.* ˌindi'sidjuit; -ˌeit; *Am.* -dʒu-] *adj* **1.** *zo.* ohne De'zidua. – **2.** *Am. für* indeciduous. — **ˌin·de'cid·u·ous** *adj bot.* **1.** immergrün (*Bäume*). – **2.** nicht abfallend (*Blätter*).

in·de·ci·pher·a·bil·i·ty [ˌindiˌsaifərəˈbiliti; -əti] *s* Unentzifferbarkeit *f.* — ˌ**in·deˈci·pher·a·ble** *adj* unentzifferbar, nicht zu entziffern(d).

in·de·ci·sion [ˌindiˈsiʒən] *s* Unentschlossenheit *f*, Unschlüssigkeit *f*, Schwanken *n*.

in·de·ci·sive [ˌindiˈsaisiv] *adj* **1.** nicht entscheidend: an ~ battle. – **2.** unentschlossen, unschlüssig, schwankend. – **3.** unbestimmt, ungewiß, unsicher, zweifelhaft. — ˌ**in·deˈci·sive·ness** *s* **1.** Unentschiedenheit *f.* – **2.** Unentschlossenheit *f.* – **3.** Unbestimmtheit *f.*

in·de·clin·a·ble [ˌindiˈklainəbl] *adj u. s ling.* ˈundekliˌnierbar(es Wort). — ˌ**in·deˈclin·a·ble·ness** *s ling.* ˈUndekliˌnierbarkeit *f.*

in·de·com·pos·a·ble [ˌindiːkəmˈpouzəbl] *adj* unzerlegbar (into in *acc*). — ˌ**in·de·comˈpos·a·ble·ness** *s* Unzerlegbarkeit *f.*

in·dec·o·rous [inˈdekərəs] *adj* unschicklich, unanständig, ungehörig. – *SYN.* improper, indecent, indelicate, unbecoming, unseemly. — **inˈdec·o·rous·ness** *s* Unschicklichkeit *f.*

in·de·co·rum [ˌindiˈkɔːrəm] *s* **1.** Unschicklichkeit *f*, Ungehörigkeit *f*, Unziemlichkeit *f.* – **2.** unschickliche Handlung, Unschicklichkeit *f.*

in·deed [inˈdiːd] **I** *adv* **1.** in der Tat, tatsächlich, wirklich: he is very strong ~ er ist wirklich sehr stark; yes, ~! ja tatsächlich! thank you very much ~! vielen herzlichen Dank! you are right, ~! Sie haben wirklich recht! ~, is it you? bist du es wirklich? who is she, ~! Sie fragen noch, wer sie ist? – **2.** (*fragend*) wirklich? tatsächlich? – **3.** allerˈdings, freilich: there are ~ some difficulties. – **II** *interj* **4.** ach wirklich! was Sie nicht sagen! nicht möglich! — **inˈdeed·y** *Am. humor. für* indeed I.

in·de·fat·i·ga·bil·i·ty [ˌindiˌfætigəˈbiliti; -əti] *s* Unermüdlichkeit *f*, Rastlosigkeit *f.* — ˌ**in·deˈfat·i·ga·ble** *adj* unermüdlich, rastlos. — ˌ**in·deˈfat·i·ga·ble·ness** → indefatigability.

in·de·fea·si·bil·i·ty [ˌindiˌfiːzəˈbiliti; -əti] *s* **1.** Unverletzlichkeit *f*, Unantastbarkeit *f.* – **2.** Unveräußerlichkeit *f.* – **3.** ˈUnwiderˌruflichkeit *f.* — ˌ**in·deˈfea·si·ble** *adj* **1.** *jur.* unverletzbar, unverletzlich, unantastbar (*Rechtstitel*). – **2.** unveräußerlich. – **3.** ˈunwiderˌruflich. — ˌ**in·deˈfea·si·ble·ness** → indefeasibility.

in·de·fect·i·bil·i·ty [ˌindiˌfektəˈbiliti; -əti] *s* **1.** Unvergänglichkeit *f.* – **2.** Fehlerlosigkeit *f.* — ˌ**in·deˈfect·i·ble** *adj* **1.** nicht verfallend, unvergänglich. – **2.** unfehlbar, verläßlich. – **3.** fehlerlos, -frei. — ˌ**in·deˈfec·tive** *adj obs.* fehlerfrei.

in·de·fen·si·bil·i·ty [ˌindiˌfensəˈbiliti; -əti] *s* **1.** Unhaltbarkeit *f.* – **2.** Unentschuldbarkeit *f.* — ˌ**in·deˈfen·si·ble** *adj* **1.** nicht zu verteidigen(d), unhaltbar. – **2.** *fig.* unhaltbar (*Behauptung etc*). – **3.** ungerechtfertigt, unentschuldbar: ~ remark. — ˌ**in·deˈfen·si·ble·ness** → indefensibility.

in·de·fin·a·ble [ˌindiˈfainəbl] **I** *adj* unbestimmbar, ˈundefiˌnierbar, unerklärbar. – **II** *s* (*etwas*) Unbestimmbares. — ˌ**in·deˈfin·a·ble·ness** *s* Unbestimmbarkeit *f*, ˈUndefiˌnierbarkeit *f.*

in·def·i·nite [inˈdefinit; -fə-] **I** *adj* **1.** unbestimmt, ohne genaue Abgrenzung *od.* Definitiˈon. – **2.** unbegrenzt, unbeschränkt. – **3.** unbestimmt, unklar, undeutlich. – **4.** *bot.* unbegrenzt, in unbestimmter Anzahl. – **5.** *ling.* unbestimmt: ~ article unbestimmter Artikel: ~ declension starke Deklination (*im Deutschen u. Altenglischen*). – **II** *s* **6.** (*etwas*) Unbestimmtes. – **7.** *ling.* unbestimmtes (Für)Wort. — **inˈdef·i·nite·ness** *s* **1.** Unbestimmtheit *f.* – **2.** Unbegrenztheit *f.*

in·de·fin·i·tude [ˌindiˈfiniˌtjuːd; -nə-; *Am. auch* -ˌtuːd] *s* **1.** Unbestimmtheit *f.* – **2.** Ungenauigkeit *f.* – **3.** *obs.* Unbegrenztheit *f.*

in·de·his·cence [ˌindiˈhisns] *s bot.* Nichtaufspringen *n* (*bei der Reife*). — ˌ**in·deˈhis·cent** *adj bot.* nicht aufspringend.

in·de·lib·er·ate [ˌindiˈlibərit] *adj* **1.** ˈunüberˌlegt. – **2.** unabsichtlich, unvorsätzlich. — ˌ**in·deˈlib·er·ate·ness** *s* **1.** ˈUnüberˌlegtheit *f.* – **2.** Unabsichtlichkeit *f.*

in·del·i·bil·i·ty [inˌdeliˈbiliti; -ləˈb-; -əti] *s selten* Unauslöschlichkeit *f*, Untilgbarkeit *f.* — **inˈdel·i·ble** *adj* **1.** unauslöschlich, untilgbar, unzerstörbar: ~ ink Kopiertinte; ~ pencil (*Art*) Tintenstift. – **2.** *fig.* unauslöschlich, unvergeßlich: an ~ impression. — **inˈdel·i·ble·ness** → indelibility.

in·del·i·ca·cy [inˈdelikəsi; -lə-] *s* **1.** Taktlosigkeit *f*, Mangel *m* an Zartgefühl. – **2.** Unanständigkeit *f*, Unfeinheit *f.* – **3.** Grobheit *f.* — **inˈdel·i·cate** [-kit] *adj* **1.** taktlos, ohne Zartgefühl. – **2.** unanständig, unfein, unziemlich, unartig. – **3.** grob. – *SYN. cf.* indecorous. — **inˈdel·i·cate·ness** → indelicacy.

in·dem·ni·fi·ca·tion [inˌdemnifiˈkeiʃən; -nəfə-] *s* **1.** *econ.* a) Sicherstellung *f* (*gegen Verlust*), b) Entschädigung *f*, c) Vergütung *f*, d) Ersatzleistung *f*, Abstandsgeld *n.* – **2.** *jur.* Sicherstellung *f* (*gegen Strafe*). — **inˈdem·ni·fiˌca·to·ry** [-təri] *adj selten* **1.** sicherstellend. – **2.** entschädigend.

in·dem·ni·fy [inˈdemniˌfai; -nə-] *v/t* **1.** sicherstellen, sichern (from, against gegen). – **2.** entschädigen, schadlos halten (for für). – **3.** entschädigen für, vergüten, gutmachen: to ~ a loss. – **4.** *jur.* der Verantwortlichkeit entbinden, (*j-m*) Indemniˈtät erteilen (for für). – *SYN. cf.* pay[1]. — **inˌdem·niˈtee** [-ˈtiː] *s Am.* Entschädigungsberechtigte(r), Entschädigte(r). — **inˈdem·ni·tor** [-tər] *s Am.* Entschädiger *m*, Entschädigende(r).

in·dem·ni·ty [inˈdemniti; -nə-] *s* **1.** *econ.* a) Sicherstellung *f* (*gegen Verlust od. Schaden*): letter of ~ Ausfallbürgschaft, b) Entschädigung *f*, Schadloshaltung *f*, c) Entschädigungsbetrag *m*, -summe *f*, Abstandsgeld *n*, Abfindung *f.* – **2.** *jur.* Indemniˈtät *f*, Straflosigkeit *f*, Sicherstellung *f* (*gegen Strafe*). – **3.** *jur. pol.* Indemniˈtät *f*, nachträgliche Billigung (*von Handlungen eines Ministers etc*): act of ~ Indemnitätsbeschluß. — **~ ac·count** *s econ.* Abfindungskonto *n.* — **~ bond** *s econ.* Ausfall-, Schadlosbürgschaft *f.* — **~ loan** *s econ.* Tilgungsschuld *f.*

in·de·mon·stra·bil·i·ty [ˌindiˌmɒnstrəˈbiliti; -əti; inˌdemən-] *s* Unbeweisbarkeit *f.* — ˌ**in·deˈmon·stra·ble** *adj* **1.** unbeweisbar, unerweislich. – **2.** axioˈmatisch, unbeweisbar (*aber von selbst einleuchtend*).

in·dene [ˈindiːn] *s chem.* Inˈden *n* (C_9H_8).

in·dent[1] [inˈdent] **I** *v/t* **1.** einzähnen, (ein-, aus)kerben, auszacken: the sea ~s the coast das Meer bildet tiefe Einschnitte in der Küste. – **2.** (*Balken*) verzahnen, verzapfen (*Zimmerei*). – **3.** *print.* (*Zeile*) einrücken. – **4.** *jur.* a) (*das Duplikat eines Vertrages*) in unregelmäßiger Linie abschneiden (*damit die Identität später genau festgestellt werden kann*), b) (*Vertrag*) in doppelter *od.* mehrfacher Ausfertigung aufzeichnen, c) *obs.* (*Vertrag*) abschließen. – **5.** *econ.* (*Waren*) bestellen. – **II** *v/i* **6.** gezahnt *od.* eingekerbt sein. – **7.** *jur. obs.* einen Vertrag abschließen. – **8.** eine Forderung stellen, eine Order ausschreiben: to ~ upon s.o. *econ.* an j-n eine Forderung stellen, sich auf j-n beziehen; to ~ upon s.o. for s.th. etwas bei j-m verlangen *od.* bestellen; to ~ upon s.th. etwas in Anspruch nehmen. – **9.** *mil. Br.* requiˈrieren, beitreiben. – **III** *s* [*auch* ˈindent] **10.** Kerbe *f*, Einschnitt *m*, Auszackung *f.* – **11.** *print.* Einzug *m*, Einrückung *f* (*Zeile*). – **12.** *jur.* Vertrag(surkunde *f*) *m*, Konˈtrakt *m.* – **13.** *bes. mil. Br.* (amtliche) Requisitiˈon von Vorräten. – **14.** *econ.* Warenbestellung *f* (*aus dem Ausland*), Auslandsauftrag *m.* – **15.** *econ. Am. hist.* Staatsschuldschein *m* (*am Ende der amer. Revolution*). – **16.** *pl arch.* Zahneinschnitte *pl*, -reihe *f.*

in·dent[2] [inˈdent] **I** *v/t* **1.** eindrücken, einprägen (in in *acc*). – **2.** einbeulen, eindrücken. – **II** *s* [*auch* ˈindent] **3.** Einbeulung *f*, Vertiefung *f.*

in·den·ta·tion [ˌindenˈteiʃən] *s* **1.** Einkerben *n*, Auszacken *n.* – **2.** Einschnitt *m*, Kerbe *f*, Einkerbung *f.* – **3.** *arch. tech.* Ein-, Zahnschnitt *m.* – **4.** *print.* a) Einrückung *f*, Einziehung *f*, Einzug *m* (*Zeile*), b) Abschnitt *m*, Absatz *m.* – **5.** Eindrücken *n.* – **6.** (eingedrückte) Vertiefung. — **inˈdent·ed** *adj* **1.** (aus)gezackt, gezahnt. – **2.** *econ.* vertraglich verpflichtet, durch Konˈtrakt gebunden. – **3.** *print.* eingerückt, eingezogen. – **4.** *med.* gekerbt. – **5.** *her.* gezackt. — **inˈden·tion** → indentation 2, 4, 6.

in·den·ture [inˈdentʃər] **I** *s* **1.** *jur.* a) Vertrag *m*, Konˈtrakt *m*, b) Urkunde *f.* – **2.** *econ. jur.* Dienstverpflichtungs-, *bes.* Lehrvertrag *m*, Lehrbrief *m*: to take up one's ~s ausgelernt haben. – **3.** *jur.* amtliche Liste *od.* Bescheinigung. – **4.** *econ.* Vertrag *m* zwischen Schuldner u. Gläubigern. – **5.** Einkerben *n*, Auszacken *n.* – **6.** Einschnitt *m*, Auszackung *f*, Einkerbung *f.* – **7.** Vertiefung *f.* – **II** *v/t* **8.** *econ. jur.* durch (*bes.* Lehr)Vertrag binden, vertraglich verpflichten. – **9.** auszacken, einkerben. — **~ of lease** *s jur.* Pachtvertrag *m.* — **~ of mort·gage** *s jur.* Hypoˈthekenbeˌwilligungsˌurkunde *f.*

in·de·pend·ence [ˌindiˈpendəns] *s* **1.** Unabhängigkeit *f* (on, of von). – **2.** ˈhinreichendes Auskommen. — **I~ Day** *s Am.* Unabhängigkeitstag *m* (*Amer. Nationalfeiertag am 4. Juli zur Erinnerung an die Unabhängigkeitserklärung vom 4. 7. 1776*).

in·de·pend·en·cy [ˌindiˈpendənsi] *s* **1.** → independence. – **2.** *pol.* unabhängiger Staat. – **3.** **I~** *relig.* Independenˈtismus *m.*

in·de·pend·ent [ˌindiˈpendənt] **I** *adj* **1.** unabhängig (of von), ungebunden, selbständig, frei. – **2.** unbeeinflußt: an ~ mind. – **3.** finanziˈell unabhängig: ~ gentleman Privatier, Rentier; to be ~ auf eigenen Füßen stehen. – **4.** finanziˈell unabhängig machend: an ~ fortune. – **5.** selbstverdient, -erworben. – **6.** freiheitsliebend. – **7.** selbstvertrauend, -sicher. – **8.** *pol.* unabhängig, parˈteilos, wild. – **9.** *math.* unabhängig. – **10.** *ling.* unabhängig, Haupt... – **11.** ohne Rücksicht (of auf *acc*). – **12.** **I~** *relig.* indepenˈdent. – *SYN. cf.* free. – **II** *s* **13.** Unabhängige(r). – **14.** unabhängige Sache. – **15.** *pol.* Unabhängige(r), Parˈteilose(r), *bes.* unabhängiger Wähler. – 16. I~s *pl relig.* (*die*) Indepen'denten *pl.* – 17. I~ *pol.* Unabhängige(r), Mitglied *n* einer I~ party. — **~ ax·le** *s tech.* Schwingachse *f.* — **~ bat·tal·ion** *s mil.* selbständiges Battail'lon (*nicht in ein Regiment eingegliedert*). — **~ clause** *s ling.* Hauptsatz *m.* — **~ fire** *s mil.* Einzel-, Schützenfeuer *n.* — **I~ par·ty** → Greenback party. — **~ sus·pen·sion** *s tech.* Einzelaufhängung *f*, -abfederung *f.* — **~ tel·e·vi·sion** *s* kommerzi'elles Fernsehen. — **~ var·i·a·ble** *s math.* unabhängige Veränderliche.

in·de·scrib·a·bil·i·ty [ˌindiˌskraibə'biliti; -əti] *s* Unbeschreiblichkeit *f.* — **ˌin·de'scrib·a·ble I** *adj* 1. unbeschreiblich. – **II** *s* 2. (*etwas*) Unbeschreibliches. – 3. *pl humor.* Hose *f.* — **ˌin·de'scrib·a·ble·ness** → indescribability.

in·de·struct·i·bil·i·ty [ˌindiˌstrʌktə'biliti; -əti] *s* Unzerstörbarkeit *f.* — **ˌin·de'struct·i·ble** *adj* unzerstörbar. — **ˌin·de'struct·i·ble·ness** → indestructibility.

in·de·ter·mi·na·ble [ˌindi'tə:rminəbl] **I** *adj* 1. unbestimmbar. – 2. 'undefiˌnierbar. – 3. nicht zu entscheiden(d). – **II** *s* 4. (*etwas*) Unbestimmbares. — **ˌin·de'ter·mi·na·ble·ness** *s* Unbestimmbarkeit *f.*

in·de·ter·mi·nate [ˌindi'tə:rminit; -mə-] *adj* 1. unbestimmt. – 2. unklar, ungewiß, unsicher: ~ ideas unklare Ideen. – 3. nicht defi'niert, nicht genau festgelegt *od.* bestimmt: ~ sentence *jur.* Rahmenstrafe. – 4. ergebnislos: an ~ debate. – 5. nicht von außen beeinflußt, dem freien Willen folgend. – 6. unentschieden (*Streit etc*). – 7. *bot.* unbegrenzt: ~ inflorescence unbegrenzter Blütenstand. – 8. *math.* unbestimmt: ~ equation unbestimmte Gleichung. – 9. *ling.* unbetont u. von unbestimmter 'Lautqualiˌtät. — **ˌin·de'ter·mi·nate·ness** *s* Unbestimmtheit *f.* — **ˌin·deˌter·mi'na·tion** *s* 1. Unbestimmtheit *f.* – 2. Ungewißheit *f*, Unsicherheit *f*, Unklarheit *f.* – 3. Unentschlossenheit *f*, Unschlüssigkeit *f.*

in·de·ter·mined [ˌindi'tə:rmind] *adj selten* 1. unbestimmt (*auch math.*). – 2. unentschlossen, unschlüssig.

in·de·ter·min·ism [ˌindi'tə:rmiˌnizəm; -mə-] *s philos.* Indetermi'nismus *m.* — **ˌin·de'ter·min·ist I** *s* Indetermi'nist *m.* – **II** *adj* indetermi'nistisch. — **ˌin·deˌter·min'is·tic** *adj* indetermi'nistisch.

in·de·vo·tion [ˌindi'vouʃən] *s* Gottlosigkeit *f.* — **ˌin·de'vout** [-'vaut] *adj* gottlos.

in·dex ['indeks] **I** *s pl* **'in·dex·es, 'in·diˌces** [-diˌsi:z; -də-] 1. Inhaltsverzeichnis *n*, Ta'belle *f*, Re'gister *n*, Index *m.* – 2. Kar'tei *f*: ~ card Karteikarte; ~ file Kartei, Kartothek. – 3. Anzeiger *m*, Nachweiser *m*, (An)Zeichen *n* (of für, von *od. gen*): to be the ~ of anzeigen, nachweisen. – 4. *fig.* (to) Fingerzeig *m* (für), 'Hinweis *m* (auf *acc*). – 5. *econ.* Index *m*: cost of living ~ Lebenshaltungskosten-Index; ~ of general business activity Konjunkturindex; ~ of stocks Aktienindex; ~ of wholesale prices Großhandelsindex. – 6. Vergleichs-, Meßzahl *f*, Meßziffer *f.* – 7. *tech.* (Uhr- *etc*) Zeiger *m.* – 8. *tech.* Zunge *f* (*Waage*). – 9. Arm *m* (*Wegweiser*). – 10. *print.* Hand(zeichen *n*) *f.* – 11. → ~ finger. – 12. *med.* (Schädel)Index *m.* – 13. (*pl nur* indices) *math.* a) Expo'nent *m*, b) Index *m*, Kennziffer *f.* – 14. I~, *auch* Prohibitory I~ *relig.* Index *m* (*der verbotenen Bücher*). – 15. *obs.* Vorwort *n.* – 16. *sl.* Gesicht *n.* – **II** *v/t* 17. mit einem Inhaltsverzeichnis versehen: to ~ a book. – 18. in ein Verzeichnis aufnehmen: to ~ a word. – 19. *relig.* auf den Index setzen. – 20. *auch* ~ out (an)zeigen, 'hinweisen auf (*acc*), nachweisen. – 21. *agr. durch Versuchspflanzungen die verschiedenen Charakteristika von* (*Saatgut, Pflanzen etc*) *feststellen.* — **'in·dex·er** *s* Indexverfasser *m.*

in·dex| er·ror *s tech.* Indexfehler *m.* — **~ fin·ger** *s* Zeigefinger *m.* — **~ fos·sils** *s pl geol.* 'Leitfosˌsilien *pl.* — **~ glass** *s tech.* Spiegel *m*, Ablese-, Meßglas *n* (*am Spiegelsextanten*).

in·dex·i·cal [in'deksikəl] *adj* 1. Index..., Register..., Verzeichnis... – 2. indexartig, -mäßig.

in·dex| let·ter *s* Anfangsbuchstabe *m.* — **~ num·ber** *s* (*Statistik*) Indexziffer *f*, -zahl *f*, Index *m*, Meßziffer *f*: ~ of cost of living *econ.* Lebenshaltungskosten-Index. — **~ of a log·a·rithm** *s math.* Index *m od.* Kennziffer *f od.* Charakte'ristik *f* eines Loga'rithmus. — **~ of re·frac·tion** *s phys.* 'Brechungsindex *m*, -expoˌnent *m.*

In·di·a ['indiə; -djə] *Kurzform für* ~ paper, ~ silk. — **~ chi·na** *s* indisches Porzel'lan. — **~ ink** *s* (chines.) Tusche *f*, Ausziehtusche *f.* — **'~·man** [-mən] *s irr mar.* Ost'indienfahrer *m* (*Schiff*).

In·di·an ['indiən; -djən] **I** *adj* 1. (ost)indisch. – 2. indi'anisch, Indianer... – 3. westindisch. – 4. Mais...: ~ pudding. – **II** *s* 5. Inder(in), Ostinder(in). – 6. *auch* American ~, Red ~ Indi'aner(in). – 7. Euro'päer(in), *bes.* Engländer(in), der (die) in Ostindien lebt *od.* gelebt hat. – 8. *ling.* Indi'anisch *n.* – 9. (*Australasien*) ma'laiisch-poly'nesische(r) Eingeborene(r). – 10. *colloq.* Mais *m.* — **~ a·gen·cy** *s Am.* Amtssitz *m* eines Indian agent. — **~ a·gent** *s* Re'gierungsbeamter, der die Regierung einem Indi'anerstamm gegen'über vertritt. — **~ an·ise** *s bot.* 'Sternaˌnis *m* (*Illicium anisatum*). — **~ ar·row** *s bot.* Wa'hoobaum *m*, Nordamer. Spindel- *od.* Spillbaum *m* (*Evonymus atropurpurea*). — **~ ar·row·wood** *s bot.* 1. Blumenhartriegel *m* (*Cornus florida*). – 2. → Indian arrow. — **~ bark** *s bot.* Großblütige Ma'gnolie (*Magnolia grandiflora*). — **~ bay** *s bot.* Aba'cate *f*, Advo'katenbirne *f* (*Persea indica*). — **~ bean** *s bot. Am.* 1. Sy'ringenblättriger Trom'petenbaum (*Catalpa bignonioides*). – 2. Trom'petenbaum-Frucht *f.* — **~ ber·ry** → cocculus indicus. — **~ bread** *s* 1. → cassava. – 2. Maisbrot *n.* — **~ cane** *s bot.* 1. Indisches Blumenrohr (*Canna indica*). – 2. → bamboo 1. — **~ cher·ry** *s bot. Am.* 1. Kanad. Felsenbirne *f* (*Amelanchier canadensis*). – 2. (*ein*) nordamer. Kreuzdorn *m* (*Rhamnus caroliniana*). — **~ ci·vil·ian** *s pol. Br. hist.* Beamter *m* der indischen Zi'vilverwaltung. — **~ club** *s* (*Gymnastik*) (Schwing)Keule *f.* — **~ corn** *s* 1. *bot.* Pferdemais *m* (*Zea mays*). – 2. Mais *m* (*als Nahrungsmittel*). — **~ cress** *s bot.* Kapu'zinerkresse *f* (*Gattg Tropaeolum*). — **~ cu·cum·ber** *s bot.* Schlingmyrte *f* (*Medeola virginiana*). — **~ cup** *s bot.* Krugblatt *n* (*Gattg Sarracenia*). — **~ cur·rant** *s bot.* 1. (*eine*) Schneebeere (*Symphoricarpos orbiculatus*). – 2. (*eine*) kaliforn. Jo'hannisbeere (*Ribes glutinosum*). — **~ elm** *s bot.* Nordamer. Rot-Ulme *f* (*Ulmus rubra*). — **~ Em·pire** *s pol.* Britisch-Indisches Reich (*bis 1947*). — **~ eye** *s bot.* Federnelke *f* (*Dianthus plumarius*). — **~ file** *s* Gänsemarsch *m.* — **~ gift** *s Am. colloq.* Indi'anergeschenk *n* (*Geschenk in Erwartung eines Gegengeschenks*). — **~ giv·er** *s Am. colloq.* j-d der ein Indi'anergeschenk macht. — **~ grass** *s bot.* Indi'anerhirse *f* (*Sorghastrum mutans*). — **~ hemp** *s bot.* 1. Hanfartiges Hundsgift (*Apocynum cannabinum*; *Nordamerika*). – 2. Hanf *m* (*Cannabis sativa*), *bes.* Ostindischer Hanf (*C. indica*). — **~ hen** *s zo.* (*eine*) amer. Rohrdommel (*Botaurus lentiginosus*).

In·di·an·i·an [ˌindi'æniən] **I** *adj* aus (dem Staat) Indi'ana (*USA*), Indiana... – **II** *s* Bewohner(in) von Indi'ana.

In·di·an ink → India ink.

in·di·an·ite ['indiəˌnait] *s min.* India'nit *m* (*Abart des Anorthits*). — **'in·di·anˌize** *v/t* 1. indisch machen. – 2. indi'anisch machen, indiani'sieren.

In·di·an| lad·der *s Am.* Papa'geileiter *f* (*mit nur einem Holm u. seitlichen Sprossen*). — **~ lake** *s roter indischer Lackfarbenstoff.* — **~ lic·o·rice, ~ liq·uo·rice** *s bot.* Pater'noster-Erbse *f* (*Abrus precatorius*). — **~ lo·tus** *s bot.* Indische Lotusblume (*Nelumbo nucifera*). — **~ mal·low** *s bot.* Samtmalve *f* (*Abutilon theophrasti*). — **~ meal** *s* Maismehl *n.* — **~ mil·let** *s bot.* 1. → Indian grass. – 2. Negerhirse *f* (*Pennisetum glaucum*). – 3. → durra. — **~ nut** *s bot.* Betelnuß *f.* — **~ oak** *s bot.* 1. → teak. – 2. (*eine*) Barring'tonie (*Barringtonia acutangula*). — **~ paint·brush** → painted cup. — **~ pa·per** → India paper. — **~ phys·ic** *s bot.* 1. (*eine*) Dreiblattspiere (*Gillenia trifoliata u. G. stipulata*). – 2. → Indian hemp 1. — **~ pipe** *s bot.* Einblütiger Fichtenspargel (*Manotropa uniflora*). — **~ poke** *s bot.* Grüner Germer (*Veratrum viride*). — **~ pud·ding** *s* Maismehlpudding *m.* — **~ red** *s* Indisch-, Bergrot *n.* — **~ rice** *s bot.* Indi'aner-, Wildreis *m*, Wasserhafer *m* (*Zizania aquatica*). — **~ root** *s bot.* 1. → spikenard 2. – 2. → Indian physic. — **~ saf·fron** → turmeric 1. — **~ sal** *s bot.* Falscher Dammarabaum (*Shorea robusta*). — **~ sat·in·wood** *s* 1. *bot.* Indischer Atlasholzbaum (*Chloroxylon swietenia*). – 2. Ostindisches Atlasholz, Zi'tronenholz *n.* — **~ shoe** *s bot.* Frauenschuh *m* (*Cypripedium parviflorum*). — **~ shot** → Indian cane 1. — **~ sum·mer** *s* Spät-, Alt'weiber-, Nachsommer *m.* — **~ to·bac·co** *s bot.* Amer. Lo'belie *f* (*Lobelia inflata*). — **~ tur·nip** *s bot.* 1. (*ein*) Feuerkolben *m* (*Arisaema atrorubens*). – 2. Wurzel *f* des Feuerkolbens. — **~ weed** *s* Tabak *m.* — **~ yel·low** *s* Indischgelb *n.*

In·di·a| Of·fice *s pol. Br.* Reichsamt *n* für Indien (*bis 1947*). — **~ pa·per** *s* 1. 'Chinapaˌpier *n.* – 2. 'Dünndruck-, 'Bibeldruckpaˌpier *n.* — **~ print** *s* bedruckter Kat'tun. — **~ proof** *s print.* Kupferdruck *m.* — **~ rub·ber, ˌi~'rub·ber** *s* 1. Kautschuk *m*, Gummi *n.* – 2. Gummigegenstand *m*, *bes.* a) Ra'diergummi *m*, b) *obs.* Gummischuh *m.* — **ˌ~-'rub·ber**, *auch* **ˌi~'rub·ber** *adj* Gummi...: ~ ball Gummiball. — **ˌ~-'rub·ber tree, ˌi~'rub·ber tree** *s bot.* Gummibaum *m* (*Ficus elastica*). — **~ shawl** *s* Kaschmirschal *m.* — **~ silk** *s* (*Art*) weiches dünnes Seidengewebe.

In·dic[1] ['indik] *adj* 1. *selten* indisch. – 2. *ling.* indisch (*die indischen Sprachen der indogermanischen Sprachfamilie betreffend*).

in·dic[2] ['indik] *adj chem.* Indium...

in·di·can ['indikən] *s* 1. *chem.* Indi'kan *n* ($C_{14}H_{17}NO_6$). – 2. *biol. chem.* Indi'kan *n* ($C_8H_6NOSO_2OH$ *od.* $C_8H_6O_4$-SK).

in·di·cant ['indikənt] **I** *adj* anzeigend. – **II** *s* Anzeichen *n*, Sym'ptom *n.*

in·di·cate ['indi,keit; -də-] *v/t* **1.** anzeigen, angeben, mar'kieren. – **2.** andeuten, zeigen, verraten: his hesitation ~s guilt. – **3.** kurz andeuten: to ~ one's plans. – **4.** anzeigen, 'hinweisen *od.* 'hindeuten auf (*acc*). – **5.** *med.* a) (*Krankheit*) anzeigen, b) indi'zieren, erfordern, anzeigen: to be ~d indiziert *od.* angezeigt *od.* angebracht sein. – **6.** *tech.* a) anzeigen (*Meß- od. Prüfgeräte*), b) (*mit einem Meß- od. Prüfgerät*) nachweisen. — **,in·di'ca·tion** *s* **1.** Anzeigen *n*, Angeben *n*. – **2.** Anzeige *f*, Angabe *f*: ~ of route Leitvermerk (*auf Briefen*). – **3.** Anzeichen *n*, (Kenn)Zeichen *n* (of für). – **4.** 'Hinweis *m* (of auf *acc*): to give ~ of s.th. etwas (an)zeigen. – **5.** (kurze) Andeutung, (flüchtiger) 'Hinweis. – **6.** *med.* a) Indikati'on *f*, Heilanzeige *f*, b) Sym'ptom *n*. – **7.** *tech.* Grad *m*, Stand *m*, Ablesezahl *f*.

in·dic·a·tive [in'dikətiv] **I** *adj* **1.** anzeigend, andeutend, 'hinweisend: to be ~ of s.th. etwas anzeigen, auf etwas hinweisen. – **2.** *ling.* 'indika,tivisch, Indikativ... – **II** *s* **3.** *ling.* a) 'Indika,tiv *m*, Wirklichkeitsform *f*, b) Zeitwort *n* im Indikativ.

in·di·ca·tor ['indi,keitər; -də-] *s* **1.** Anzeiger *m*. – **2.** *tech.* a) Zeiger *m*, b) Anzeiger *m*, Anzeigevorrichtung *f*, c) Indi'kator *m*, d) Si'gnallampe *f*, Schauzeichen *n*, e) Winker *m* (*Auto*), f) (*Telegraphie*) 'Zeigerappa,rat *m*. – **3.** *chem.* Indi'kator *m*. – **4.** *zo.* → honey guide. — **~ arm** *s tech.* Winkerarm *m* (*Auto*). — **~ card, ~ di·a·gram** *s tech.* Indi'kator-, 'Leistungsdia,gramm *n*. — **~ tel·e·graph** *s tech.* 'Zeigertele,graph *m*.

in·di·ca·to·ry [*Br.* 'indikətəri; *Am.* -,tɔːri] *adj* (of) anzeigend (*acc*), 'hinweisend (auf *acc*), andeutend (*acc*).

in·di·ca·trix [,indi'keitriks; -də-] *s math.* Indi'katrix *f*.

in·di·ces ['indi,siːz; -də-] *pl von* index.

in·di·ci·a [in'diʃiə] *s pl* **1.** *Am.* (*an Stelle von Briefmarken*) aufgedruckte Freimachungsvermerke *pl*. – **2.** *jur.* In'dizien *pl*.

in·di·cial [in'diʃəl] *adj* **1.** anzeigend. – **2.** *med.* Zeigefinger...

in·dic·o·lite [in'dikə,lait] *s min.* Indiko'lit *m*, blauer Turma'lin.

in·dict [in'dait] *v/t* **1.** *jur.* anklagen, verklagen (for, of wegen). – **2.** anklagen, beschuldigen. — **in'dict·a·ble** *adj jur.* anklagbar, verklagbar, der Anklage (durch eine Anklagejury) unter'worfen: ~ offence Kriminalverbrechen; ~ offender Kriminalverbrecher(in). — **,in·dict'ee** [-'tiː] *s* Angeklagte(r). — **in'dict·er**, *Am. auch* **in'dict·or** [-tər] *s* (An)Kläger(in).

in·dic·tion [in'dikʃən] *s* **1.** *hist.* a) E'dikt *n* (*eines röm. Kaisers*) über die Steuerfestsetzung, b) Steuer *f*. – **2.** Indikti'onsperi,ode *f* (*15jährige Steuerperiode*). – **3.** Römerzinszahl *f*, Indikti'on *f*. – **4.** *obs.* Verkündigung *f*.

in·dict·ment [in'daitmənt] *s jur.* **1.** Anklage(schrift, -verfügung) *f*. – **2.** (for'melle) Anklage, Klage *f* (*vor einem Tribunal*): to bring in (*od.* to lay, to find) an ~ against s.o. eine Anklage gegen j-n erheben. – **3.** Anklagebeschluß *m* (*der* grand jury).

in·dict·or *Am. für* indicter.

in·dif·fer·ence [in'difrəns; -fər-] *s* **1.** (to) Gleichgültigkeit *f* (gegen), Unbekümmertheit *f* (um). – **2.** Gleichgültigkeit *f*, Inter'esselosigkeit *f*, Apa'thie *f*. – **3.** Mittelmäßigkeit *f*. – **4.** Bedeutungslosigkeit *f*, Unwichtigkeit *f*. – **5.** Gleichheit *f*. – **6.** 'Unpar,teilichkeit *f*, Neutrali'tät *f*. – **7.** Wirkungslosigkeit *f*. — **in'dif·fer·en·cy** [-si] *selten für* indifference.

in·dif·fer·ent [in'difrənt; -fər-] **I** *adj* **1.** (to) gleichgültig (gegen), unbekümmert (um). – **2.** gleichgültig, inter'esselos. – **3.** 'unpar,teiisch. – **4.** 'durchschnittlich, mittelmäßig. – **5.** (mittel)mäßig, bescheiden, leidlich. – **6.** unwesentlich, unwichtig (to für), nebensächlich. – **7.** *chem. phys.* neu'tral, indiffe'rent: ~ equilibrium *phys.* indifferentes *od.* labiles Gleichgewicht. – **8.** *biol.* nicht differen'ziert *od.* speziali'siert. – **9.** *med.* indiffe'rent, neu'tral. – *SYN.* aloof, detached, disinterested, incurious, unconcerned. – **II** *s* **10.** Neu'trale(r). – **11.** Gleichgültige(r). — **in'dif·fer·ent,ism** *s* **1.** Gleichgültigkeit *f*, Inter'esselosigkeit *f*. – **2.** *relig.* ,Indifferen'tismus *m*. – **3.** Neutrali'tät *f*. — **in'dif·fer·ent·ist** *s* Gleichgültige(r), Indiffe'rente(r).

in·di·gen ['indidʒən; -də-] → indigene.

in·di·gence ['indidʒəns; -dədʒ-] *s* Armut *f*, Bedürftigkeit *f*, Not *f*. – *SYN. cf.* poverty.

in·di·gene ['indi,dʒiːn; -də,dʒ-] *s* **1.** Eingeborene(r), Einheimische(r). – **2.** a) einheimisches Tier, b) einheimische Pflanze.

in·dig·e·nous [in'didʒinəs; -dʒə-] *adj* **1.** *auch bot. zo.* eingeboren, einheimisch (to in *dat*). – **2.** *fig.* angeboren (to *dat*): passions ~ to the human soul. – **3.** Eingeborenen..., Einheimischen... – *SYN. cf.* native. — **in'dig·e·nous·ness** *s* **1.** Eingeborensein *n*. – **2.** *fig.* Angeborensein *n*.

in·di·gent ['indidʒənt; -dədʒ-] *adj* **1.** arm, bedürftig. – **2.** *obs.* ohne (of *acc*).

in·di·gest·ed [,indi'dʒestid; -də'dʒ-; -dai'dʒ-] *adj* **1.** unverdaut. – **2.** *fig.* ungeordnet, wirr. – **3.** *fig.* form-, gestaltlos. – **4.** *fig.* 'undurch,dacht. – **5.** ungekocht. — **,in·di,gest·i'bil·i·ty** [-ə'biliti; -əti] *s* Unverdaulichkeit *f*. — **,in·di'gest·i·ble** *adj* un-, schwerverdaulich (*auch fig.*). — **,in·di'gest·i·ble·ness** → indigestibility. — **,in·di'ges·tion** [-tʃən] *s* **1.** *med.* Verdauungsstörung *f*, -schwäche *f*, Indigesti'on *f*. – **2.** *fig.* a) Unordnung *f*, b) Unreife *f*. — **,in·di'ges·tive** *adj* **1.** an Verdauungsstörungen leidend. – **2.** schwer verdaulich.

in·dign [in'dain] *adj poet.* **1.** unwürdig. – **2.** unverdient.

in·dig·nant [in'dignənt] *adj* entrüstet, ungehalten, empört, aufgebracht (at über *acc*). – *SYN. cf.* angry. — **,in·dig'na·tion** *s* Entrüstung *f*, Unwille *m*, Empörung *f*, Ungehaltenheit *f* (at über *acc*): ~-meeting Protestversammlung. – *SYN. cf.* anger.

in·dig·ni·ty [in'digniti; -nə-] *s* schimpfliche Behandlung, Schmach *f*, Demütigung *f*, Beleidigung *f*. – *SYN. cf.* affront.

in·di·go ['indi,gou] **I** *s pl* **-gos** *od.* **-goes** **1.** Indigo *m* (*Farbstoff*). – **2.** → indigotin. – **3.** → ~ plant. – **4.** → ~ blue 1. – **II** *adj* **5.** Indigo..., indigofarben. — **~ bird** → indigo bunting. — **~ blue** *s* **1.** Indigoblau *n* (*Farbe*). – **2.** → indigotin. — **'~-'blue** *adj* indigoblau. — **~ broom** *s bot.* Nordamer. Färberhülse *f* (*Baptisia tinctoria*). — **~ bun·ting** *s zo.* Indigofink *m* (*Passerina cyanea*). — **~ bush** *s bot. Am.* **1.** Bastard-Indigo *m* (*Amorpha fruticosa*). – **2.** Rauchbaum *m* (*Parosela spinosa*). — **~ car·mine** *s chem.* 'Indigocar,min *n*. — **~ cop·per** *s min.* Kupferindigo *m*, Covel'lin *m*. — **~ finch** → indigo bunting.

in·di·goid ['indi,gɔid] *adj u. s chem.* indigoartig(e Küpenfarbe).

in·di·go| plant *s bot.* Indigopflanze *f* (*Gattg Indigofera, bes. I. tinctoria*). — **~ snake** → gopher[1] 1 d.

in·di·got·ic [,indi'gɒtik] *adj* **1.** Indigo... – **2.** indigofarben.

in·dig·o·tin [in'digətin; ,indi'goutin], *auch* **in·dig·o·tine** [in'digə,tiːn; -tin] *s chem.* Indigo'tin *n*, Indigoblau *n* ($C_{16}H_{10}N_2O_2$).

in·di·go| weed → indigo broom. — **~ white** *s chem.* Indig(o)weiß *n* ($C_{16}H_{12}N_2O_2$).

in·di·rect [,indi'rekt; -də-; -dai-] *adj* **1.** 'indi,rekt, nicht di'rekt, mittelbar, nicht unmittelbar. – **2.** 'indi,rekt, nicht gerade: ~ means Umwege, Umschweife; ~ way indirekter Weg, Umweg. – **3.** *fig.* nicht gerade, krumm, schief, unredlich. – **4.** zweideutig, so'phistisch. – **5.** *ling.* 'indi,rekt. – **6.** *jur.* nicht in di'rekter Linie ererbt. — **~ dis·course** → indirect speech. — **~ ev·i·dence** *s jur.* 'indi,rekter Beweis. — **~ ex·pense** *s econ.* allgemeine Geschäftsunkosten *pl*. — **~ fire** *s mil.* Steilfeuer *n*. — **~ in·i·ti·a·tive** *s pol. Am. von Wählern ausgehender Gesetzesantrag, über den bei Ablehnung durch die gesetzgebende Versammlung ein Volksentscheid herbeigeführt wird.*

in·di·rec·tion [,indi'rekʃən; -də-; -dai-] *s* **1.** 'indi,rektes Vorgehen, indirekte Me'thode. – **2.** *fig.* 'Umweg *m*: by ~ auf Umwegen, indirekt. – **3.** Andeutung *f*, Anspielung *f*. – **4.** Unredlichkeit *f*, Unehrlichkeit *f*, Betrug *m*.

in·di·rect light·ing *s* 'indi,rekte Beleuchtung.

in·di·rect·ness [,indi'rektnis; -də-; -dai-] *s* **1.** *fig.* Unaufrichtigkeit *f*, Unredlichkeit *f*. – **2.** Zweideutigkeit *f*. – **3.** Andeutung *f*, Anspielung *f*. – **4.** *fig.* 'Umweg *m*, 'indi,rekter Weg. – **5.** *ling.* 'Indi,rektheit *f*, Abhängigkeit *f*.

in·di·rect| ob·ject *s ling.* 'indi,rektes Ob'jekt, *bes.* 'Dativob,jekt *n*. — **~ pas·sive** *s ling.* 'indi,rektes Passiv. — **~ ques·tion** *s ling.* 'indi,rekter *od.* abhängiger Fragesatz. — **~ speech** *s ling.* 'indi,rekte Rede. — **~ tax** *s econ.* 'indi,rekte Steuer.

in·di·ru·bin [,indi'ruːbin], *auch* **,in·di'ru·bine** [-bin; -biːn] *s chem.* Indigorot *n*, roter Indigo, Indiru'bin *n* ($C_{16}H_{10}N_2O_2$).

in·dis·cern·i·ble [,indi'səːrnəbl; -'zəːr-] **I** *adj* **1.** nicht wahrnehmbar, unmerklich. – **2.** 'ununter,scheidbar. – **II** *s* **3.** (*etwas*) Nicht'wahrnehmbares. – **4.** *bes. philos.* (*etwas*) 'Ununter,scheidbares. — **,in·dis'cern·i·ble·ness** *s* **1.** Unbemerkbarkeit *f*, Unmerklichkeit *f*. – **2.** 'Ununter,scheidbarkeit *f*.

in·dis·cerp·ti·bil·i·ty [,indi,səːrptə'biliti; -əti] *s* **1.** Un(zer)trennbarkeit *f*. – **2.** Unauflösbarkeit *f*. — **,in·dis'cerp·ti·ble** *adj* **1.** un(zer)trennbar, un(zer)teilbar. – **2.** unauflösbar.

in·dis·ci·pline [in'disiplin; -sə-] *s* Diszi'plinlosigkeit *f*, Mangel *m* an Diszi'plin.

in·dis·cov·er·a·ble [,indis'kʌvərəbl] *adj* unentdeckbar.

in·dis·creet [,indis'kriːt] *adj* **1.** unklug, unbesonnen, unbedacht. – **2.** taktlos, 'indis,kret. — **,in·dis'creet·ness** *s* Unklugheit *f*, Unbesonnenheit *f*.

in·dis·crete [,indis'kriːt] *adj* nicht getrennt, kom'pakt, zu'sammenhängend.

in·dis·cre·tion [,indis'kreʃən] *s* **1.** Unklugheit *f*, Unbesonnenheit *f*, Unbedachtheit *f*, 'Unüber,legtheit *f*, Unvorsichtigkeit *f*. – **2.** 'unüber,legte *od.* unkluge Handlung, Unbesonnenheit *f*. – **3.** ,Indiskreti'on *f*, Vertrauensbruch *m*. – **4.** Taktlosigkeit *f*. — **,in·dis'cre·tion·ar·y** [*Br.* -nəri; *Am.* -,neri] *adj* **1.** 'unüber,legt. – **2.** 'indis,kret.

in·dis·crim·i·nate [,indis'kriminit; -mə-] *adj* **1.** wahllos, blind, keinen 'Unterschied machend, nicht unter-

'scheidend, kri'tiklos: ~ charity. – 2. 'unterschiedslos. – *SYN.* sweeping, wholesale. — ˌ**in·dis'crim·i·nate·ly** *adv* ohne 'Unterschied, 'unterschiedslos, wahllos. — ˌ**in·dis'crim·i·nate·ness** *s* Wahllosigkeit *f*, Blindheit *f*. — ˌ**in·dis'crim·iˌnat·ing** [-ˌneitiŋ] → indiscriminate 1. — ˌ**in·disˌcrim·i'na·tion** *s* **1.** Wahl-, Kri'tiklosigkeit *f*, Mangel *m* an Unter'scheidungsvermögen. – **2.** 'Unterschiedslosigkeit *f*. — **in·dis'crim·i·na·tive** [-nətiv; -ˌneit-] → indiscriminate 1.

in·dis·pen·sa·bil·i·ty [ˌindisˌpensə'biliti; -əti] *s* Unerläßlichkeit *f*, Unentbehrlichkeit *f*. — ˌ**in·dis'pen·sa·ble I** *adj* **1.** unerläßlich, unbedingt notwendig, unentbehrlich (for, to für). – **2.** unbedingt zu erfüllen(d) *od.* einzuhalten(d): an ~ duty. – **II** *s* **3.** unentbehrliche Per'son *od.* Sache. – **4.** *pl humor.* Hose *f*. — ˌ**in·dis'pen·sa·ble·ness** → indispensability.

in·dis·pose [ˌindis'pouz] *v/t* **1.** untauglich machen (for zu). – **2.** unpäßlich *od.* unwohl machen. – **3.** abgeneigt machen (to do zu tun), einnehmen (towards gegen). — ˌ**in·dis'posed** *adj* **1.** unpäßlich, unwohl. – **2.** verstimmt, 'indispoˌniert. – **3.** nicht aufgelegt, abgeneigt: he is ~ to go er will nicht gehen. – **4.** (to, towards, with) eingenommen (gegen), abgeneigt (*dat*). — ˌ**in·dis'pos·ed·ness** [-idnis] *s* **1.** Unpäßlichkeit *f*. – **2.** Verstimmung *f*. – **3.** Abneigung *f*.

in·dis·po·si·tion [ˌindispə'ziʃən] *s* **1.** *med.* Unpäßlichkeit *f*, Unwohlsein *n*, ˌIndispositi'on *f*. – **2.** Verstimmung *f*. – **3.** Abgeneigtheit *f*, Abneigung *f*, 'Widerwille *m* (to, towards gegen).

in·dis·pu·ta·bil·i·ty [ˌindisˌpjuːtə'biliti; -əti] *s* **1.** Unbestreitbarkeit *f*. – **2.** Unstreitigkeit *f*. — ˌ**in·dis'pu·ta·ble** *adj* **1.** unbestreitbar, unbestritten, sicher. – **2.** unstreitig. — ˌ**in·dis'pu·ta·ble·ness** → indisputability.

in·dis·so·lu·bil·i·ty [ˌindiˌsɒlju'biliti; -ljə-; -əti] *s* **1.** Unauflösbarkeit *f*. – **2.** Unzerstörbarkeit *f*. — ˌ**in·dis'so·lu·ble** *adj* **1.** unauflöslich, unauflösbar. – **2.** unzertrennlich. – **3.** unzerstörbar. – **4.** *chem.* unlöslich. — ˌ**in·dis'so·lu·ble·ness** → indissolubility.

in·dis·tinct [ˌindis'tiŋkt] *adj* **1.** undeutlich, nicht genau bestimmbar: an ~ sound. – **2.** unklar, verworren, dunkel, verschwommen: ~ ideas. — ˌ**in·dis'tinc·tive** *adj* ohne besondere Eigenart: ~ features ausdruckslose Züge. — ˌ**in·dis'tinct·ness** *s* **1.** Undeutlichkeit *f*, Unbestimmtheit *f*. – **2.** Unklarheit *f*, Verschwommenheit *f*. — ˌ**in·dis'tinc·tion** *s* **1.** 'Unterschiedslosigkeit *f*. – **2.** Unklarheit *f*. – **3.** 'Nichtunterˌscheidung *f*.

in·dis·tin·guish·a·bil·i·ty [ˌindisˌtiŋgwiʃə'biliti; -əti] *s* **1.** 'Ununterˌscheidbarkeit *f*. – **2.** Unmerklichkeit *f*. — ˌ**in·dis'tin·guish·a·ble** *adj* **1.** 'ununterˌscheidbar, nicht zu unter'scheiden(d). – **2.** nicht wahrnehmbar. — ˌ**in·dis'tin·guish·a·ble·ness** → indistinguishability.

in·dite [in'dait] *v/t* **1.** (*Gedicht etc*) abfassen, (nieder)schreiben. – **2.** in gewähltem Stil ausdrücken. – **3.** *obs.* dik'tieren. — **in'dite·ment** *s selten* Verfassen *n*.

in·di·um ['indiəm] *s chem.* Indium *n* (In).

in·di·vert·i·ble [ˌindi'vəːrtəbl; -də-; -dai-] *adj* unverrückbar, unablenkbar.

in·di·vid·u·al [*Br.* ˌindi'vidjuəl; *Am.* -də'vidʒ-] **I** *adj* **1.** einzeln, individu'ell, Einzel...: ~ banker *econ. Am.* Privatbankier, -bank; ~ case Einzelfall; ~ credit *econ.* Personalkredit; ~ property *econ.* Privatvermögen. – **2.** für eine einzelne Per'son bestimmt, Einzel... – **3.** individu'ell, per'sönlich, eigentümlich, besonders, charakte'ristisch: an ~ style. – **4.** verschieden: five ~ cups. – **5.** *obs.* a) unteilbar, b) unzertrennlich, c) i'dentisch. – *SYN. cf.* a) characteristic, b) special. – **II** *s* **6.** Indi'viduum *n*, 'Einzelmensch *m*, -perˌson *f*. – **7.** (*meist verächtlich*) Indi'viduum *n*, Per'son *f*: I do not know that ~. – **8.** Einzelding *n*. – **9.** Einzelfall *m*. – **10.** untrennbares Ganzes. – **11.** Einzelgruppe *f*. – **12.** *biol.* a) 'Einzelorgaˌnismus *m*, -wesen *n*, b) Einzelteilchen *n* (*einer Kolonie*). – **13.** *chem.* einzelne Sub'stanz. — ˌ**in·di'vid·u·alˌism** *s* **1.** ˌIndividua'lismus *m*. – **2.** Eigenwilligkeit *f*. – **3.** Selbstsucht *f*, Ego'ismus *m*. – **4.** ˌIndividuali'tät *f*, Eigenart *f*, Per'sönlichkeit *f*, per'sönliche Note, Besonderheit *f*, Eigentümlichkeit *f*. — ˌ**in·di'vid·u·al·ist I** *s* **1.** ˌIndividua'list *m*. – **2.** Ego'ist *m*. – **II** *adj* **3.** ˌindividua'listisch. — ˌ**in·diˌvid·u·al'is·tic** *adj* ˌindividua'listisch. — ˌ**in·diˌvid·u·al'is·ti·cal·ly** *adv*.

in·di·vid·u·al·i·ty [*Br.* ˌindiˌvidju'æliti; -əti; *Am.* -dəˌvidʒ-] *s* **1.** ˌIndividuali'tät *f*, per'sönliche Eigenart. – **2.** Einzelwesen *n*, -mensch *m*. – **3.** individu'elle Exi'stenz. – **4.** *obs.* Unteilbarkeit *f*. – *SYN. cf.* disposition.

in·di·vid·u·al·i·za·tion [*Br.* ˌindiˌvidjuəlai'zeiʃən; -li-; *Am.* -də'vidʒ-] *s* **1.** ˌIndividuali'sierung *f*. – **2.** Einzelbetrachtung *f*. — ˌ**in·di'vid·u·alˌize I** *v/t* **1.** ˌindividuali'sieren, individu'ell machen. – **2.** einzeln betrachten *od.* darstellen. – **3.** kennzeichnen, charakteri'sieren. – **II** *v/i* **4.** individu'ell werden. – **5.** im einzelnen betrachten. — ˌ**in·di'vid·u·al·ly** *adv* **1.** einzeln, jed(er, e, es) für sich. – **2.** einzeln betrachtet, für sich genommen. – **3.** per'sönlich: this affects me ~.

in·di·vid·u·ate [*Br.* ˌindi'vidjuˌeit; *Am.* -də'vidʒ-] *v/t* ˌindividuali'sieren, charakteri'sieren. — ˌ**in·diˌvid·u'a·tion** *s* **1.** Ausbildung *f* der individu'ellen Eigenart. – **2.** ˌIndividuali'sierung *f*. – **3.** individu'elle Exi'stenz. – **4.** *philos.* ˌIndividuati'on *f*.

in·di·vis·i·bil·i·ty [ˌindiˌvizə'biliti; -əti] *s* Unteilbarkeit *f*. — ˌ**in·di'vis·i·ble I** *adj* **1.** unteilbar, unzertrennbar. – **II** *s* **2.** (*etwas*) Unteilbares. – **3.** *math.* unteilbare Größe. — ˌ**in·di'vis·i·ble·ness** → indivisibility.

indo-[1] [indo] *chem. Wortelement mit der Bedeutung* Indigo.

Indo-[2] [indo] *Wortelement mit der Bedeutung* indisch, indo-, Indo-.

'In·do|-'Ar·yan I *adj* indisch-arisch. – **II** *s* arischer *od.* 'indogerˌmanischer Inder. — **'~-'Brit·on** *s* 'Indoˌbrite *m*, -ˌbritin *f*. — **'~-Chi'nese I** *adj* 'indochiˌnesisch, 'hinterindisch. – **II** *s ling.* 'Indochiˌnesisch *n*, ˌSinoti'betisch *n*. — **'~-chi'nese** *s* Bewohner(in) von 'Hinterindien, 'Indochiˌnese *m*, -chiˌnesin *f*.

in·doc·ile [*Br.* in'dousail; *Am.* -'dɑsil] *adj* **1.** ungelehrig. – **2.** unlenksam, unbändig. — ˌ**in·do'cil·i·ty** [-do'siliti; -əti] *s* **1.** Ungelehrigkeit *f*. – **2.** Unlenksamkeit *f*.

in·doc·tri·nate [in'dɒktriˌneit] *v/t* **1.** unter'richten, -'weisen (in in *dat*). – **2.** (*j-n etwas*) lehren, (*j-m etwas*) einprägen. – **3.** erfüllen, durch'dringen (with mit). — **inˌdoc·tri'na·tion** *s* **1.** Unter'weisung *f*, Belehrung *f*, 'Unterricht *m*. – **2.** Erfüllung *f*, Durch'dringung *f*. — **in'doc·triˌna·tor** [-tər] *s* Unter'weiser *m*, Lehrer *m*.

'In·do|-ˌEu·ro'pe·an *ling.* **I** *adj* **1.** 'indogerˌmanisch: the ~ languages. – **II** *s* **2.** 'Indogerˌmanisch *n*: a) *Sprachfamilie*, b) *Ursprache dieser Sprachfamilie*. – **3.** 'Indogerˌmane *m*, -gerˌmanin *f*. — **'~-Ger'man·ic** → Indo-European 1 *u.* 2. — **'~-'Hit·tite** *s ling.* ˌIndo-He'thitisch *n*. — **'~-I'ra·ni·an** *ling.* **I** *adj* ˌindo-i'ranisch, arisch. – **II** *s* ˌIndo-I'ranisch *n*, Arisch *n*.

in·dole ['indoul], *auch* **'in·dol** [-dɒl; -doul] *s chem.* In'dol *n* (C_8H_7N).

in·do·lence ['indələns] *s* **1.** Indo'lenz *f*, Trägheit *f*. – **2.** Lässigkeit *f*, Gleichgültigkeit *f*. — **'in·do·lent** *adj* **1.** indo'lent, träge. – **2.** lässig, gleichgültig. – **3.** *med.* schmerzlos, indo'lent. – *SYN. cf.* lazy.

in·dom·i·ta·ble [in'dɒmitəbl; -mə-] *adj* unbezähmbar, unbezwingbar, 'ununterˌdrückbar. — **in'dom·i·ta·ble·ness** *s* Unbezähmbarkeit *f*.

In·do·ne·sian [ˌindo'niːʃən] **I** *s* **1.** Indo'nesier(in): a) *Bewohner Indonesiens*, b) *Angehöriger der vormalaiischen indonesischen Rasse*. – **2.** *ling.* Indo'nesisch *n*. – **II** *adj* **3.** indo'nesisch.

in·door ['indɔːr] **I** *adj* zu *od.* im Hause, für das Haus bestimmt, Haus..., Zimmer...: ~ dress Hauskleidung. – **II** *adv* → indoors. — **~ an·ten·na** *s electr.* 'Zimmer-, 'Innenanˌtenne *f*. — **~ base·ball** *s sport Am.* Hallen-Baseball *n*. — **~ re·lief** *s sociol.* Anstaltspflege *f*.

in·doors ['in'dɔːrz] *adv* **1.** im *od.* zu Hause, im Zimmer. – **2.** ins Haus (hin'ein).

in·door swim·ming pool *s sport* Hallenbad *n*.

in·do·phe·nol [ˌindo'fiːnɒl; -noul] *s chem.* Indophe'nol *n* (*synthetischer blauer Farbstoff*).

in·dorse [in'dɔːrs], **in'dorsed**, **in'dorse·ment** *etc* → endorse *etc*.

in·dox·yl [in'dɒksil] *s chem.* Indo'xyl *n* (C_8H_7NO).

in·draft, *bes. Br.* **in·draught** [*Br.* 'inˌdrɑːft; *Am.* -ˌdræ(ː)ft] *s* **1.** Her'einziehen *n*. – **2.** Einwärtsströmung *f*. – **3.** Zu-, Einströmen *n* (*auch fig.*). – **4.** nach innen ziehende Kraft.

in·drawn ['in'drɔːn] *adj* **1.** (hin)'eingezogen. – **2.** nach innen gerichtet.

in·dri ['indri] *s zo.* Indri *m* (*Indris brevicaudatus*; *Halbaffe*).

in·du·bi·ta·ble [in'djuːbitəbl; *Am. auch* -'duː-] *adj* unzweifelhaft, zweifellos, sicher, gewiß, fraglos. — **in'du·bi·ta·ble·ness** *s* Unzweifelhaftigkeit *f*, Gewißheit *f*.

in·duce [in'djuːs; *Am. auch* -'duːs] *v/t* **1.** veranlassen, bewegen, über'reden: this ~d me to go. – **2.** (künstlich) her'vorrufen, bewirken, her'beiführen, auslösen. – **3.** *electr.* indu'zieren. – **4.** (*Atomphysik*) (*Kernumwandlung*) auslösen, indu'zieren. – **5.** (*Logik*) indu'zieren. – **6.** *obs.* a) einführen, b) bedeuten, c) bedecken. – *SYN.* persuade, prevail (up)on.

in·duced [in'djuːst; *Am. auch* -'duːst] *adj* **1.** bewirkt, veranlaßt. – **2.** *electr.* indu'ziert, sekun'där. — **~ cur·rent** *s electr.* Indukti'onsstrom *m*. — **~ mag·net·ism** *s electr. phys.* **1.** E'lektromagneˌtismus *m*. – **2.** indu'zierter Magne'tismus *m* (*durch magnetische Fremdfelder angeregt*). — **~ trans·for·ma·tion** *s* (*Atomphysik*) künstliche 'Umwandlung.

in·duce·ment [in'djuːsmənt; *Am. auch* -'duːs-] *s* **1.** Anlaß *m*, Beweggrund *m*, Anreiz *m* (to zu). – **2.** Veranlassung *f*. – **3.** *jur.* 'Herleitung *f*, Indukti'on *f*. – *SYN. cf.* motive. — **in'duc·er** *s* **1.** Veranlasser(in). – **2.** *tech.* Vorverdichter *m*. — **in'duc·i·ble** *adj* durch Indukti'on erhältlich.

in·duct [in'dʌkt] *v/t* **1.** (*in ein Amt etc*) einführen, einsetzen. – **2.** einführen, einweihen (to in *acc*). – **3.** führen, geleiten (into in *acc*, to zu). – **4.** *mil. Am.* (*zum Militärdienst*) einziehen, einberufen. — **in'duct·ance** *s electr.* **1.** Induk'tanz *f*, induk'tiver ('Schein)ˌWiderstand. – **2.** 'Selbstinduktiˌon *f*,

Induktivi'tät *f*. — **ˌin·duc'tee** [-'tiː] *s mil. Am.* Einberufener *m*, Re'krut *m*.

in·duc·tile [*Br.* in'dʌktail; *Am.* -til] *adj* 1. un(aus)dehnbar. – 2. unbiegsam (*von Metallen*). — **ˌin·duc'til·i·ty** [-'tiliti; -əti] *s* Un(aus)dehnbarkeit *f*.

in·duc·tion [in'dʌkʃən] *s* 1. *electr. phys.* Indukti'on *f*, Indu'zierung *f*. – 2. *tech.* Einströmen *n*, Ansaugung *f*. – 3. (*Logik*) a) Indukti'on *f*, b) Indukti'onsschluß *m*. – 4. *math.* Indukti'on *f*. – 5. Anführung *f* (*Beweise etc*). – 6. Einsetzen *n*, Einführung *f* (*in ein Amt*). – 7. (künstliche) Her'beiführung, Auslösung *f*: ~ of sleep Einschläferung. – 8. *med.* Einleitung *f*, Beginn *m* (*Narkose*). – 9. *mil. Am.* Einberufung *f* (zum Wehrdienst). – 10. *psych.* Erregung *f* durch 'indiˌrekte Reizung. – 11. *phys.* Sog *m*. – 12. *obs.* a) Vorspiel *n*, b) Vorwort *n*. — **in'duc·tion·al** → inductive.

in·duc·tion| bal·ance *s electr.* elektr. Waage *f*, Indukti'onswaage *f*. — ~ **bridge** *s electr.* Indukti'ons(meß)brücke *f*. — ~ **coil** *s electr.* Indukti'onsspule *f*, -rolle *f*, 'Funkeninˌduktor *m*. — ~ **cur·rent** *s electr.* Indukti'onsstrom *m*. — ~ **or·der** *s mil. Am.* Gestellungs-, Einberufungsbefehl *m*. — ~ **pipe** *s tech.* Einführungs-, Einlaßröhre *f*. — ~ **sta·tion** *s mil. Am.* Einberufungsort *m*.

in·duc·tive [in'dʌktiv] *adj* 1. *electr. phys.* induk'tiv, Induktions...: ~ retardation induktive Verzögerung. – 2. (*Logik*) induk'tiv, 'hergeleitet, gefolgert. – 3. verleitend. – 4. *med.* eine Reakti'on her'vorrufend. – 5. einleitend. — **in'duc·tive·ness**, **ˌin·duc'tiv·i·ty** *s electr.* ˌInduktivi'tät *f*.

in·duc·tor [in'dʌktər] *s* 1. *electr.* In'duktor *m*, Indukti'ons-, Impe'danz-, Drosselspule *f*, Indukti'onsappaˌrat *m*. – 2. (*in ein Amt etc*) Einführende(r), Einsetzende(r). – 3. *biol.* In'duktor *m*, Organi'satorsubˌstanz *f*.

in·due [in'djuː; *Am. auch* -'duː] *v/t* 1. (*Kleider*) anziehen. – 2. bekleiden. – 3. *fig.* versehen, ausstatten: ~d with begabt mit.

in·dulge [in'dʌldʒ] I *v/t* 1. nachsichtig sein gegen, gewähren lassen, (*j-m*) nachgeben: to ~ s.o. in s.th. j-m in etwas willfahren; to ~ oneself in s.th. sich etwas erlauben, in etwas schwelgen. – 2. (*Kinder*) verwöhnen, verzärteln. – 3. (*einer Leidenschaft etc*) nachgeben, frönen, sich ergeben: to ~ a passion. – 4. *econ.* (*j-m*) (Zahlungs)Aufschub *od.* Stundung gewähren: to ~ a debtor einem Schuldner Zahlungsaufschub gewähren. – 5. sich gütlich tun an (*dat*), genießen. – 6. *selten* (*etwas*) gewähren. – 7. (*j-n*) zu'friedenstellen, befriedigen (with mit). – II *v/i* 8. (in) schwelgen (in *dat*), sich 'hingeben (*dat od.* an *acc*): to ~ in s.th. a) sich einer Sache hingeben, einer Sache frönen, b) sich etwas gönnen *od.* zukommen lassen, sich an etwas gütlich tun. – 9. *colloq.* trinken, ein Trinker sein. – *SYN.* baby, humo(u)r, mollycoddle, pamper, spoil.

in·dul·gence [in'dʌldʒəns] I *s* 1. Nachsicht *f*, -sehen *n*, Milde *f* (to, of gegen'über): to ask s.o.'s ~ j-n um Nachsicht bitten. – 2. Gunst(bezeigung) *f*, Vergünstigung *f*, Entgegenkommen *n*. – 3. Verzärtelung *f*, Verziehen *n* (*Kinder*). – 4. Befriedigung *f* (*Leidenschaft etc*). – 5. (in) Frönen *n* (*dat*), Schwelgen *n* (in *dat*). – 6. Genuß-, Wohlleben *n*: given to ~. – 7. Schwäche *f*, Leidenschaft *f* (*der man nachgibt*). – 8. Duldung *f* (of s.th. einer Sache). – 9. *econ.* Stundung *f*, (Zahlungs)Aufschub *m*. – 10. Vorrecht *n*, Privi'leg *n*. – 11. *hist.* Gewährung *f* größerer religi'öser Freiheiten an Dissi'denten u. Katho'liken (*bes. unter Karl II. 1672 u. Jakob II. 1687*). – 12. (*röm.-kath. Kirche*) Ablaß *m*: sale of ~s Ablaßhandel. – II *v/t* 13. *relig.* mit einem Ablaß versehen: an ~d prayer ein Ablaßgebet. — **in'dul·gen·cy** [-si] → indulgence I. — **in'dul·gent** *adj* 1. nachsichtig (to gegen), nachgiebig, mild. – 2. schonend, sanft: ~ criticism. — **in'dulg·ing·ly** *adv* nachsichtig, nachgiebig.

in·du·line ['indjuˌliːn; -ˌlain; -lin], *auch* **'in·du·lin** [-lin] *s chem.* Indu'lin *n*.

in·dult [in'dʌlt] *s relig.* In'dult *m* (*päpstlicher Erlaubnisbrief*).

in·du·men·tum [ˌindju'mentəm] *s* 1. *zo.* Federkleid *n*, Gefieder *n*. – 2. *bot.* Indu'ment *n*, (Haar)Kleid *n*, Flaum *m*.

in·du·na [in'duːnə] *s S.Afr.* Häuptling *m* (*der Zulus*).

in·du·pli·cate [in'djuːplikit; -ˌkeit; -plə-; *Am. auch* -'duː-] *adj bot.* einwärts gefaltet, klappig. — **inˌdu·pli'ca·tion** *s* Einfaltung *f*. — **in'du·pliˌca·tive** [-ˌkeitiv] *adj bot.* eingefaltet.

in·du·rate ['indju(ə)ˌreit; *Am. auch* -du-] I *v/t* 1. härten, hart machen. – 2. *fig.* verhärten, abstumpfen, gefühllos machen. – 3. *fig.* abhärten (against, to gegen). – II *v/i* 4. *bes. med.* fest werden, sich verhärten. – 5. *fig.* abstumpfen, sich verhärten. – 6. *fig.* abgehärtet werden, sich abhärten. – III *adj* [-rit] *selten* 7. verhärtet. — **'in·duˌrat·ed** [-ˌreitid] *adj* 1. hartgeworden, verhärtet. – 2. *med.* verhärtet, hart. – 3. *fig.* abgestumpft, gefühllos. – 4. *fig.* abgehärtet. — **ˌin·du'ra·tion** *s* 1. Hartwerden *n*, (Ver)Härtung *f*. – 2. *fig.* Härte *f*, Gefühllosigkeit *f*. – 3. Verstocktheit *f*. – 4. *med.* Indurati'on *f*, Verhärtung *f*. – 5. hartgewordene Masse. – 6. Schwiele *f*. — **'in·duˌra·tive** [-ˌreitiv] *adj* 1. (ver)härtend (*auch fig.*). – 2. *med.* indura'tiv. – 3. Verhärtungs...

in·du·si·al lime·stone [in'djuːziəl; *Am. auch* -'duː-] *s geol.* In'dusienkalk *m*.

in·du·si·ate [in'djuːziit; *Am. auch* -'duː-] *adj* 1. *bot.* mit einer Fruchtdecke versehen. – 2. *med. zo.* mit einem Schutzhäutchen (*bes. einer Eihaut*) versehen. — **in'du·si·um** [-ziəm] *pl* **-si·a** [-ziə] *s* 1. *bot.* (Spo'rangien)Schleier *m*, Schleierchen *n* (*der Farne*). – 2. *med. zo.* Schutzhülle *f*, -häutchen *n*, *bes.* Amnion *n*, Eihaut *f*.

in·dus·tri·al [in'dʌstriəl] I *adj* 1. industri'ell, gewerblich, Industrie..., Fabrik..., Gewerbe..., Wirtschafts... – 2. ˌindustriali'siert, mit starker Indu'strie, Industrie...: an ~ nation ein Industriestaat. – 3. in der Indu'strie beschäftigt, Industrie...: ~ workers Industriearbeiter. – 4. Betriebs...: ~ medicine Betriebsmedizin. – 5. industri'ell erzeugt: ~ products Industrieprodukte. – 6. nur für industri'ellen Gebrauch bestimmt: ~ alcohol Industriealkohol. – 7. durch Fleiß erworben: ~ wealth. – 8. *econ.* die Arbeiterlebensversicherung betreffend. – II *s* 9. in der Indu'strie Beschäftigte(r), Indu'striearbeiter(in). – 10. Industri'elle(r). – 11. *pl econ.* Indu'striepaˌpiere *pl*. — ~ **ac·ci·dent** *s* Betriebsunfall *m*. — ~ **ad·min·is·tra·tion** *s econ.* Betriebswirtschaft *f*. — ~ **and prov·i·dent so·ci·e·ty** *s econ.* Kon'sumgenossenschaft *f*, -verein *m*. — ~ **as·so·ci·a·tion** *s econ.* Fachverband *m*. — ~ **bank** *s econ.* Indu'striebank *f*. — ~ **bill** *s econ.* Indu'strieakˌzept *n*. — ~ **bonds** *s pl econ.* Indu'striepaˌpiere *pl*, -obligatiˌonen *pl*. — ~ **code** *s econ.* Gewerbeordnung *f*. — ~ **col·o·ny** *s* Arbeitersiedlung *f*. — ~ **con·trol** *s econ.* 'Wirtschaftskonˌtrolle *f*. — ~ **court** *s econ. jur.* Schlichtungsamt *n*. — ~ **de·sign** *s* Indu'strieform *f*, industri'elle Formgebung. — ~ **de·sign·er** *s* Indu'strieformer *m*, -gestalter *m*. — ~ **dis·ease** *s* Berufskrankheit *f*. — ~ **di·vi·sion** *s econ.* Indu'striezweig *m*, Fachgruppe *f*. — ~ **en·gi·neer·ing** *s econ. tech.* Gewerbetechnik *f*. — ~ **es·tate** *s* (geplantes) Indu'strieviertel. — ~ **ex·hi·bi·tion** *s* Indu'strie-, Gewerbeausstellung *f*.

in·dus·tri·al·ism [in'dʌstriəˌlizəm] *s econ.* 1. Industria'lismus *m*. – 2. Indu'striearbeit *f*. – 3. Gewerbetätigkeit *f*, -fleiß *m*. — **in'dus·tri·al·ist** *s econ.* 1. Industri'eller *m*. – 2. in der Indu'strie Beschäftigte(r). — **in'dus·tri·alˌize** *v/t econ.* ˌindustriali'sieren. — **inˌdus·tri·al·i'za·tion** *s* ˌIndustriali'sierung *f*.

in·dus·tri·al| mo·nop·o·ly *s econ.* 'Wirtschaftsmonoˌpol *n*, Kar'tell *n*. — ~ **part·ner·ship** *s econ.* Beteiligung *f* der Arbeiter am Gewinn. — ~ **psy·chol·o·gy** *s* Be'triebspsycholoˌgie *f*. — ~ **re·la·tions** *s pl econ.* Verhältnis *n* zwischen Arbeitgeber u. Arbeitnehmer. — ~ **rev·o·lu·tion** *s hist.* industri'elle Revoluti'on (*bes. in England, etwa 1760–1850*). — ~ **school** *s ped.* 1. Gewerbeschule *f*. – 2. Erziehungsanstalt *f* für verwahrloste Kinder. — ~ **tax** *s econ.* Gewerbesteuer *f*. — ~ **un·ion** *s econ.* allgemeine Indu'striearbeitergeˌwerkschaft. — ~ **u·nits** *s pl econ.* Indu'strieanlagen *pl*. — ~ **work·er** *s econ.* Indu'strie-, Fa'brikarbeiter *m*. — **I~ Work·ers of the World** *s econ. amer. Gewerkschaftsrichtung, entstanden 1905, der Internationalen Arbeiterassoziation angeschlossen.*

in·dus·tri·ous [in'dʌstriəs] *adj* 1. fleißig, arbeitsam, betriebsam. – 2. eifrig, emsig. – 3. gewerblich, industri'ell, Industrie... – 4. *obs.* geschickt. – *SYN. cf.* busy. — **in'dus·tri·ous·ness** *s* Fleiß *m*, Emsigkeit *f*.

in·dus·try ['indəstri] *s* 1. *econ.* Gewerbe *n*, Indu'striezweig *m*. – 2. *econ.* Indu'strie *f*: the steel ~ die Stahlindustrie; branch of ~ Industriezweig, Gewerbe(zweig); promotion of industries Industrieförderung; heavy ~ Schwerindustrie; secondary industries weiterverarbeitende Industrien. – 3. *econ.* Unter'nehmer(schaft *f*) *pl*: labo(u)r and ~. – 4. *econ.* (*systematische*) Arbeit (*als volkswirtschaftlicher Wert*). – 5. Fleiß *m*, Eifer *m*, Betriebsamkeit *f*. – 6. *obs.* Geschicklichkeit *f*. – *SYN. cf.* business.

in·du·vi·ae [in'djuːviˌiː] *s pl bot.* 1. 'Frucht-Umˌhüllung *f*. – 2. Blattmantel *m*, Tunica *f*. — **in'du·vi·al** *adj bot.* zur Um'hüllung gehörend. — **in'du·viˌate** [-ˌeit] *adj bot.* von einem Blattmantel bedeckt.

in·dwell [ˌin'dwel] *irr* I *v/t* 1. bewohnen. – 2. *fig.* innewohnen (*dat*). – II *v/i* 3. wohnen (in in *dat*). – 4. *fig.* innewohnen. — **'inˌdwell·er** *s poet.* Bewohner(in). — **'inˌdwell·ing** *adj* 1. innewohnend: the ~ spirit. – 2. *med.* liegenbleibend: ~ catheter Dauer-, Verweilskatheter.

-ine[1] [ain] *Adjektivsuffix mit der Bedeutung* ...artig, ...ähnlich, gehörig zu, bestehend aus, *z.B.* asinine, canine.

-ine[2] [in] *Substantivsuffix* a) *in Abstrakten, z.B.* discipline, medicine, b) *zur Bezeichnung des weiblichen Geschlechts, z.B.* heroine, c) *häufig ohne besondere Bedeutung.*

-ine[3] [iːn; in] → -in.

in·earth [i'nəːrθ] *v/t poet.* beerdigen.

in·e·bri·ant [i'niːbriənt] *adj u. s* berauschend(es Mittel).

in·e·bri·ate I *v/t* [i'niːbriˌeit] 1. betrunken machen, berauschen. – 2. *fig.*

a) berauschen, trunken machen, b) betäuben. – **II** *s* [-it] 3. Betrunkener *m*, Trunkenbold *m*. – 4. (Gewohnheits)Trinker *m*, Alko'holiker *m*. – **III** *adj* [-it] 5. betrunken, berauscht. – 6. dem Alkohol verfallen. — **in'e·bri,at·ed** [-,eitid] *adj* betrunken, berauscht. – *SYN. cf.* **drunk**. — **in,e·bri'a·tion** *s* 1. Berauschung *f*. – 2. Rausch *m*, Trunkenheit *f* (*auch fig.*). — **in·e·bri·e·ty** [,ini'braiəti] *s* Trunkenheit *f*, Rausch *m*.

in·ed·i·bil·i·ty [in,edi'biliti; -də-] *s* Ungenießbarkeit *f*. — **in'ed·i·ble** *adj* ungenießbar, nicht eßbar.

in·ed·it·ed [in'editid] *adj* 1. nicht her'ausgegeben *od.* veröffentlicht. – 2. ohne Veränderungen her'ausgegeben, nicht redi'giert.

in·ef·fa·bil·i·ty [in,efə'biliti; -əti] *s* Unaussprechlichkeit *f*. – **in'ef·fa·ble** *adj* 1. unaussprechlich, unbeschreiblich, unsäglich: ~ **joy**. – 2. unnennbar: **the** ~ **name of God**. — **in'ef·fa·ble·ness** → **ineffability**.

in·ef·face·a·bil·i·ty [,inifeisə'biliti; -əti] *s* Unauslöschlichkeit *f*. — **,in·ef'face·a·ble** *adj* unauslöschlich.

in·ef·fec·tive [,ini'fektiv] **I** *adj* 1. unwirksam, wirkungslos. – 2. fruchtlos, erfolglos. – 3. unfähig, untauglich. – 4. ohne künstlerische Wirkung. – **II** *s* 5. Unfähige(r), Untaugliche(r). — **,in·ef'fec·tive·ness** *s* 1. Unwirksamkeit *f*, Wirkungslosigkeit *f*. – 2. Erfolglosigkeit *f*.

in·ef·fec·tu·al [,ini'fektʃuəl; *Br. auch* -tju-] *adj* 1. → **ineffective** 1 *u.* 2. – 2. kraftlos, schwach. — **,in·ef,fec·tu'al·i·ty** [-'æliti; -əti], **,in·ef'fec·tu·al·ness** *s* 1. Unwirksamkeit *f*. – 2. Nutzlosigkeit *f*. – 3. Kraftlosigkeit *f*, Schwäche *f*.

in·ef·fi·ca·cious [,inefi'keiʃəs; -fə-] *adj* unwirksam, wirkungslos, erfolglos. — **,in·ef·fi'ca·cious·ness, in'ef·fi·ca·cy** [-kəsi] *s* 1. Unwirksamkeit *f*, Wirkungs-, Erfolglosigkeit *f*. – 2. Unfähigkeit *f*, Unzulänglichkeit *f*.

in·ef·fi·cien·cy [,ini'fiʃənsi] *s* 1. Unwirksamkeit *f*, Wirkungs-, Fruchtlosigkeit *f*. – 2. Unfähigkeit *f*, Untauglichkeit *f*, Unzulänglichkeit *f*. — **,in·ef'fi·cient I** *adj* 1. unwirksam, wirkungslos, fruchtlos, erfolglos. – 2. unfähig, untauglich, unbrauchbar. – 3. unzulänglich. – **II** *s* 4. Unfähige(r), Untaugliche(r).

in·e·las·tic [,ini'læstik] *adj* 1. 'une,lastisch. – 2. *fig.* unbeugsam, unnachgiebig. – 3. *fig.* nicht anpassungsfähig. — **,in·e·las'tic·i·ty** [-'tisiti; -əti] *s* 1. Mangel *m* an E,lastizi'tät. – 2. *fig.* Unbeugsamkeit *f*. – 3. *fig.* Mangel *m* an Anpassungsfähigkeit.

in·el·e·gance [in'eligəns; -lə-], **in'el·e·gan·cy** [-si] *s* 1. 'Unele,ganz *f*, Unfeinheit *f*. – 2. Form-, Geschmacklosigkeit *f*. — **in'el·e·gant** *adj* 1. 'unele,gant, unfein. – 2. form-, geschmacklos.

in·el·i·gi·bil·i·ty [in,elidʒə'biliti; -əti] *s* 1. Untauglichkeit *f*. – 2. Unwählbarkeit *f*. — **in'el·i·gi·ble I** *adj* 1. ungeeignet, untauglich, nicht in Frage kommend. – 2. unwählbar. – 3. *jur.* unfähig: ~ **to hold an office**. – 4. *mil.* untauglich. – 5. unangebracht, unratsam. – **II** *s* 6. ungeeigneter Mensch, *bes.* nicht in Frage kommender Freier.

in·el·o·quence [in'elokwəns; -lə-] *s* Mangel *m* an Beredsamkeit. — **in'el·o·quent** *adj* nicht beredsam.

in·e·luc·ta·bil·i·ty [,ini,lʌktə'biliti; -əti] *s* Unvermeidlichkeit *f*, Unabwendbarkeit *f*. — **,in·e'luc·ta·ble** *adj* unausweichbar, unvermeidlich, unentrinnbar, unabwendbar.

in·e·lud·i·ble [,ini'lu:dəbl; -'lju:-] *adj* 1. unausweichbar, unentrinnbar. – 2. 'unwider,legbar.

in·e·nar·ra·ble [,ini'nærəbl] *adj obs.* 1. unerzählbar. – 2. unbeschreiblich.

in·ept [i'nept] *adj* 1. ungeeignet, unpassend. – 2. ungehörig, unpassend. – 3. unvernünftig, albern, dumm. – 4. *jur.* ungültig. – *SYN. cf.* **awkward**. — **in'ept·i,tude** [-i,tju:d; *Am. auch* -,tu:d], **in'ept·ness** *s* 1. Ungeeignetheit *f* (**for** für). – 2. Ungehörigkeit *f*. – 3. Albernheit *f*, Dummheit *f*, Unsinn *m*. – 4. alberne Bemerkung *od.* Handlung, Albernheit *f*.

in·e·qual·i·ty [,ini'kwɒliti; -əti] *s* 1. Ungleichheit *f*, Verschiedenheit *f*, Verschiedenartigkeit *f*. – 2. Unebenheit *f*. – 3. *sociol.* Ungleichheit *f*. – 4. Unzulänglichkeit *f* (**to** für). – 5. Ungerechtigkeit *f*. – 6. Veränderlichkeit *f*, Unbeständigkeit *f*. – 7. *astr.* Abweichung *f* (*Gestirn*). – 8. *math.* a) Ungleichheit *f*, b) Ungleichung *f*.

in·e·qua·tion [,ini'kweiʃən; -ʒən] *s math.* Ungleichung *f*.

inequi- [ini:kwi; -ni-] *Wortelement mit der Bedeutung* ungleich.

in·e·qui·lat·er·al [,ini:kwi'lætərəl; -kwə-] *adj* 1. ungleichseitig. – 2. 'unsym,metrisch. — **,in·e·qui'lo·bate** [-'loubeit] *adj bot.* ungleichlappig. — **,in·e·qui·po'ten·tial** [-po'tenʃəl; -pə-] *adj* ungleichmäßig wirksam.

in·eq·ui·ta·ble [in'ekwitəbl] *adj* ungerecht, unbillig. — **in'eq·ui·ty** [-witi; -wə-] *s* Ungerechtigkeit *f*, Unbilligkeit *f*.

in·e·quiv·a·lence [,ini'kwivələns] *s math.* 'Inäquiva,lenz *f*. — **,in·e'quiv·a·lent** *adj* 'inäquiva,lent.

in·e·qui·valve(d) [in'i:kwi,vælv(d)], **,in·e·qui'valv·u·lar** [-vjulər; -vjə-] *adj zo.* ungleichklappig (*Muschel*).

in·e·rad·i·ca·ble [,ini'rædikəbl] *adj* unausrottbar, unvertilgbar.

in·e·ras·a·ble [,ini'reisəbl; -z-] *adj* unauslöschbar, unauslöschlich.

in·erm [in'ə:rm], *auch* **in'er·mous** [-məs] *adj bot.* unbewaffnet, stachellos.

in·er·ra·bil·i·ty [in,erə'biliti; -əti] *s* Unfehlbarkeit *f*. — **in'er·ra·ble** *adj* unfehlbar. — **in'er·ra·ble·ness** → **inerrability**.

in·er·ran·cy [in'erənsi] *s* Unfehlbarkeit *f*. — **in'er·rant** *adj* 1. nicht irrend. – 2. unfehlbar.

in·er·rat·ic [,ini'rætik] *adj* nicht wandernd, feststehend.

in·ert [i'nə:rt] *adj* 1. *phys.* träge: ~ **mass** träge Masse. – 2. *chem.* 'inak,tiv, nicht (auf andere Stoffe) einwirkend. – 3. wirkungslos, unwirksam. – 4. *fig.* träge, faul, untätig, schwerfällig. – *SYN. cf.* **inactive**. — ~ **gas** *s chem.* In'ert-, Schutzgas *n*, 'inak,tives Gas, *bes.* Edelgas *n*.

in·er·tia [i'nə:rʃə; -ʃiə] *s* 1. *phys.* Trägheit *f*, Beharrungsvermögen *n*: **axis of** ~ Trägheitsachse; **law of** ~ Trägheitsgesetz; **momentum of** ~ Trägheitsmoment; **radius of** ~ Trägheitsdurchmesser; ~ **ellipsoid** Trägheitsellipsoid; ~**free** trägheitslos. – 2. *chem.* Iner'tie *f*, Reakti'onsträgheit *f*. – 3. *fig.* Trägheit *f*, Faulheit *f*, Untätigkeit *f*.

in·er·tial [i'nə:rʃəl; -ʃiəl] *adj phys.* Trägheits... — ~ **nav·i·ga·tion** *s aer. phys.* 'Trägheitsnavigati,on *f*.

in·er·tion [i'nə:rʃən], *auch* **in·ert·ness** [i'nə:rtnis] *s* Trägheit *f*, Untätigkeit *f*.

in·es·cap·a·ble [,inis'keipəbl] *adj* unvermeidlich, unentrinnbar, unabwendbar.

in·es·cutch·eon [,inis'kʌtʃən] *s her.* Herzschild *m*.

in·es·sen·tial [,ini'senʃəl; ,inə's-] **I** *adj* 1. unwesentlich, unbedeutend, unwichtig. – 2. *selten* wesenlos. – **II** *s* 3. (*etwas*) Unwesentliches, Nebensache *f*. — **,in·es,sen·ti'al·i·ty** [-ʃi'æliti; -əti] *s* 1. Unwesentlichkeit *f*. – 2. Wesenlosigkeit *f*.

in·es·ti·ma·ble [in'estiməbl; -tə-] *adj* unschätzbar.

in·ev·i·ta·bil·i·ty [in,evitə'biliti; -əti] *s* Unvermeidlichkeit *f*. — **in'ev·i·ta·ble I** *adj* 1. unvermeidlich: ~ **accident** *jur.* unvermeidliches Ereignis. – 2. na'turgemäß gehörend (**to** zu). – 3. unentrinnbar: ~ **fate**. – 4. *selten* 'unwider,stehlich. – **II** *s* 5. **the** ~ das Unvermeidliche. — **in'ev·i·ta·ble·ness** → **inevitability**.

in·ex·act [,inig'zækt] *adj* 1. ungenau, 'ine,xakt. – 2. 'unakku,rat. – 3. nachlässig, nicht sorgfältig. — **,in·ex'act·i,tude** [-ti,tju:d; -tə,t-; *Am. auch* -,tu:d], **,in·ex'act·ness** *s* 1. Ungenauigkeit *f*. – 2. Nachlässigkeit *f*.

in·ex·cus·a·bil·i·ty [,iniks,kju:zə'biliti; -əti] *s* Unverzeihlichkeit *f*, Unentschuldbarkeit *f*. — **,in·ex'cus·a·ble** *adj* 1. unverzeihlich, unentschuldbar. – 2. unverantwortlich. — **,in·ex'cus·a·ble·ness** → **inexcusability**.

in·ex·e·cut·a·ble [in'eksi,kju:təbl] *adj* 'undurch,führbar. — **in,ex·e'cu·tion** *s* 'Nichtvoll,ziehung *f*, Nichterfüllung *f*.

in·ex·haust·i·bil·i·ty [,inig,zɔ:stə'biliti; -əti] *s* 1. Unerschöpflichkeit *f*. – 2. Unermüdlichkeit *f*. — **,in·ex'haust·i·ble** *adj* 1. unerschöpflich. – 2. unermüdlich. — **,in·ex'haust·i·ble·ness** → **inexhaustibility**. — **,in·ex'haus·tive** *adj* 1. unerschöpflich. – 2. nicht erschöpfend.

in·ex·ist·ence [,inig'zistəns], **,in·ex'ist·en·cy** [-si] *s* ,Nichtvor'handensein *n*, 'Nichtexi,stenz *f*. — **,in·ex'ist·ent** *adj* nicht vor'handen *od.* exi'stierend.

in·ex·o·ra·bil·i·ty [in,eksərə'biliti; -əti] *s* Unerbittlichkeit *f*. — **in'ex·o·ra·ble** *adj* unerbittlich. – *SYN. cf.* **inflexible**. — **in'ex·o·ra·ble·ness** → **inexorability**.

in·ex·pe·di·en·cy [,iniks'pi:diənsi], *auch selten* **,in·ex'pe·di·ence** *s* 1. Undienlichkeit *f*, Unzweckmäßigkeit *f*. – 2. Unklugheit *f*. — **,in·ex'pe·di·ent** *adj* 1. undienlich, ungeeignet, unzweckmäßig. – 2. nicht ratsam, unklug.

in·ex·pen·sive [,iniks'pensiv] *adj* billig, wohlfeil, nicht teuer. — **,in·ex'pen·sive·ness** *s* Billigkeit *f*.

in·ex·pe·ri·ence [,iniks'pi(ə)riəns] *s* Unerfahrenheit *f*. — **,in·ex'pe·ri·enced** *adj* unerfahren: ~ **sailor** *mar.* unbefahrener Seemann.

in·ex·pert [,iniks'pə:rt; -'eks-] **I** *adj* 1. ungeübt, unerfahren (**in** in *dat*). – 2. ungeschickt, unbeholfen. – **II** *s* 3. Laie *m*, Ungeübte(r). — **,in·ex'pert·ness** *s* Ungeübtheit *f*, Unerfahrenheit *f*.

in·ex·pi·a·ble [in'ekspiəbl] *adj* 1. unsühnbar. – 2. unversöhnlich, unerbittlich. — **in'ex·pi·a·ble·ness** *s* 1. Unsühnbarkeit *f*. – 2. Unversöhnlichkeit *f*.

in·ex·plain·a·ble [,iniks'pleinəbl] *adj selten* unerklärlich.

in·ex·pli·ca·bil·i·ty [in,eksplikə'biliti; -əti] *s* Unerklärbarkeit *f*, Unerklärlichkeit *f*. — **in'ex·pli·ca·ble** *adj* unerklärbar, unerklärlich, unverständlich: **an** ~ **mystery**. — **in'ex·pli·ca·ble·ness** → **inexplicability**.

in·ex·plic·it [,iniks'plisit] *adj* nicht deutlich ausgedrückt, unklar. — **,in·ex'plic·it·ness** *s* Unklarheit *f*, Undeutlichkeit *f*.

in·ex·plor·a·ble [,iniks'plɔ:rəbl] *adj* 1. unerforschlich. – 2. unentdeckbar.

in·ex·plo·sive [,iniks'plousiv] *adj* nicht explo'siv, explosi'onssicher.

in·ex·press·i·bil·i·ty [,iniks,presə'biliti; -əti] *s* Unaussprechlichkeit *f*, Unbeschreiblichkeit *f*. — **,in·ex'press·i·ble I** *adj* unaussprechlich, unsagbar, unsäglich, unbeschreiblich. – **II** *s pl humor.* Hose *f.* — ˌ**in·ex·ˈpress·i·ble·ness** → inexpressibility.

in·ex·pres·sive [ˌiniksˈpresiv] *adj* **1.** ausdruckslos, nichtssagend: an ~ face. – **2.** inhaltslos. – **3.** nicht ausdrückend: to be ~ of s.th. etwas nicht ausdrücken *od.* zum Ausdruck bringen. – **4.** *obs.* ˈunausˌsprechlich. — ˌ**in·exˈpres·sive·ness** *s* **1.** Ausdruckslosigkeit *f.* – **2.** Inhaltslosigkeit *f.*

in·ex·pug·na·bil·i·ty [ˌiniksˌpʌgnəˈbiliti; -əti] *s* ˈUnüberˌwindlichkeit *f*, Unbezwingbarkeit *f.* — ˌ**in·exˈpug·na·ble** *adj* **1.** uneinnehmbar, unbezwingbar (*Festung etc*). – **2.** *fig.* ˈunüberˌwindlich, unbezwinglich. — ˌ**in·exˈpug·na·ble·ness** → inexpugnability.

in·ex·ten·si·bil·i·ty [ˌiniksˌtensəˈbiliti; -əti] *s selten* Unausdehnbarkeit *f.* — ˌ**in·exˈten·si·ble** *adj* unausdehnbar. — ˌ**in·exˈten·sive** *adj* unausgedehnt.

in ex·ten·so [in iksˈtensou] (*Lat.*) *adv* vollständig, ausführlich.

in·ex·tin·guish·a·ble [ˌiniksˈtiŋgwiʃəbl] *adj* **1.** un(aus)löschbar. – **2.** *fig.* unauslöschlich, unzerstörbar.

in·ex·tir·pa·ble [ˌiniksˈtəːrpəbl] *adj* unausrottbar. — ˌ**in·exˈtir·pa·ble·ness** *s* Unausrottbarkeit *f.*

in ex·tre·mis [in iksˈtriːmis] (*Lat.*) *adv* **1.** in äußerster Not. – **2.** im Sterben.

in·ex·tri·ca·bil·i·ty [inˌekstrikəˈbiliti; -əti] *s* **1.** Unentwirrbarkeit *f*, Un(auf)lösbarkeit *f.* – **2.** Verworrenheit *f.* — **inˈex·tri·ca·ble** *adj* **1.** unentwirrbar, un(auf)lösbar: an ~ knot. – **2.** äußerst verwickelt, verworren, verschlungen, kompliˈziert. – **3.** kunstvoll verschlungen: an ~ design. — **inˈex·tri·ca·ble·ness** → inextricability.

in·fal·li·bi·lism [inˈfæləbəˌlizəm] *s relig.* ˈUnfehlbarkeit(sprinˌzip *n*) *f.* — **inˈfal·li·bi·list** *s relig.* Infallibiˈlist(in). — **inˌfal·liˈbil·i·ty** *s* **1.** Unfehlbarkeit *f* (*auch relig.*). – **2.** Zuverlässigkeit *f.* — **inˈfal·li·ble I** *adj* **1.** unfehlbar. – **2.** zuverlässig, verläßlich, sicher, untrüglich. – **3.** sicher wirkend, verläßlich wirksam: an ~ remedy. – **II** *s* **4.** Unfehlbare(r). – **5.** verläßliche Sache. — **inˈfal·li·ble·ness** → infallibility.

in·fa·mize [ˈinfəˌmaiz], *auch obs.* **in·fam·on·ize** [inˈfæməˌnaiz] *v/t* **1.** verunehren, entehren. – **2.** verleumden.

in·fa·mous [ˈinfəməs] *adj* **1.** verrufen, berüchtigt (for wegen). – **2.** schändlich, niederträchtig, abˈscheulich, gemein, inˈfam. – **3.** *jur.* a) ehrlos, der bürgerlichen Ehrenrechte verlustig, b) entehrend: an ~ crime. – **4.** *colloq.* elend, ‚saumäßig': an ~ meal. – *SYN. cf.* vicious. — ˈ**in·fa·mous·ness** *s* Verrufenheit *f*, Niedertracht *f.*

in·fa·my [ˈinfəmi] *s* **1.** Ehrlosigkeit *f*, Schande *f.* – **2.** Verrufenheit *f.* – **3.** Schändlichkeit *f*, Niederträchtigkeit *f.* – **4.** *jur.* Verlust *m* der bürgerlichen Ehrenrechte. – *SYN. cf.* disgrace.

in·fan·cy [ˈinfənsi] *s* **1.** frühe Kindheit, frühes Kindesalter, *bes.* Säuglingsalter *n.* – **2.** *jur.* Minderjährigkeit *f*, Unmündigkeit *f.* – **3.** *fig.* Kindheit *f*, Anfang(sstadium *n*) *m.* – **4.** *collect.* Kleinkinder *pl.*

in·fant [ˈinfənt] **I** *s* **1.** Säugling *m*, Brustkind *n*, Baby *n.* – **2.** Kleinkind *n* (*unter 7 Jahren*). – **3.** *jur.* Unmündige(r), Minderjährige(r) (*unter 21 Jahren*). – **4.** Anfänger(in). – **5.** *fig.* (*etwas*) im Anfangsstadium Befindliches. – **II** *adj* **6.** Säuglings...: ~ mortality Säuglingssterblichkeit; ~ welfare Säuglingsfürsorge. – **7.** noch klein, im Kindesalter (stehend): his ~ son sein kleiner Sohn. – **8.** Kind..., Kinder..., Kindes..., Kindheits... – **9.** *jur.* minderjährig, unmündig, minoˈrenn. – **10.** kindlich, zart, jugendlich, jung, unentwickelt. – **11.** *fig.* im Anfangsstadium befindlich, werdend, jung: an ~ industry.

in·fan·ta [inˈfæntə] *s* Inˈfantin *f.* — **inˈfan·te** [-tei] *s* Inˈfant *m.*

in·fant·hood [ˈinfəntˌhud] *s* **1.** Kindheit *f.* – **2.** Säuglingsalter *n.*

in·fan·ti·cid·al [inˌfæntiˈsaidl; -tə-] *adj* kindesmörderisch. — **inˈfan·tiˌcide** *s* **1.** Kindes-, Kindermord *m.* – **2.** Kind(e)s-, Kindermörder(in).

in·fan·tic·i·pate [ˌinfənˈtisiˌpeit] *v/i Am. sl.* ein Kind erwarten.

in·fan·tile [ˈinfənˌtail; -til] *adj* **1.** infanˈtil, kindisch, zuˈrückgeblieben. – **2.** kindlich. – **3.** Kinder..., Kindes..., Kindheits...: ~ diseases Kinderkrankheiten. – **4.** jugendlich. – **5.** *fig.* jung, im Anfangsstadium befindlich, Anfangs... — ~ **(spi·nal) pa·ral·y·sis** *s med.* (spiˈnale) Kinderlähmung.

in·fan·ti·lism [inˈfæntiˌlizəm; -tə-] *s* **1.** *med.* Infantiˈlismus *m.* – **2.** Infantiliˈtät *f.* – **3.** Kindlichkeit *f.*

in·fan·tine [ˈinfənˌtain; -tin] → infantile.

in·fan·try [ˈinfəntri] *s mil.* Infanteˈrie *f*, Fußtruppen *pl.* — ˈ~**·man** [-mən] *s irr mil.* Infanteˈrist *m*, ˈFußsolˌdat *m.*

in·fant school, in·fants' school *s ped. Br.* Kleinkinderschule *f* (*für Kinder unter 7 Jahren*).

in·farct [inˈfɑːrkt] *s med.* Inˈfarkt *m.* — **inˈfarc·tion** [-kʃən] *s med.* **1.** Inˈfarktbildung *f*, Infarˈzierung *f.* – **2.** Inˈfarkt *m.*

in·fare [ˈinˌfɛr] *s Scot. od. dial. od. Am. dial.* Einzugsfest *n*, -schmaus *m.*

in·fat·u·ate I *v/t* [*Br.* inˈfætjuˌeit; *Am.* -tʃu-] **1.** betören, verblenden (with durch). – **2.** mit ˈübermäßiger *od.* blinder Leidenschaft erfüllen. – **II** *adj* [-it; -ˌeit] *selten für* infatuated. — **inˈfat·uˌat·ed** *adj* **1.** betört, verblendet (with durch). – **2.** vernarrt (with in *acc*). – *SYN. cf.* a) enamored, b) fond[1].

in·fat·u·a·tion [*Br.* inˌfætjuˈeiʃən; *Am.* -tʃu-] *s* **1.** Betörung *f*, Verblendung *f.* – **2.** blinde Leidenschaft. – **3.** Verliebtheit *f*, Vernarrtheit *f* (for in *acc*).

in·fea·si·bil·i·ty [inˌfiːzəˈbiliti; -əti] *s* Unausführbarkeit *f*, Undurchführbarkeit *f.* — **inˈfea·si·ble** *adj selten* unausführbar, undurchführbar. — **inˈfea·si·ble·ness** → infeasibility.

in·fect [inˈfekt] *v/t* **1.** *med.* (*j-n od. etwas*) infiˈzieren, (*j-n*) anstecken (with mit, by durch): to become ~ed sich infizieren, sich anstecken. – **2.** verderben, verpesten: to ~ the air die Luft verpesten. – **3.** (*moralisch*) verderben, (ungünstig) beeinflussen. – **4.** *fig.* anstecken, mitreißen, packen. – **5.** *jur.* a) mit dem Makel der Ungesetzlichkeit behaften, b) einer Strafe aussetzen.

in·fec·tion [inˈfekʃən] *s* **1.** *med.* Infektiˈon *f*, Infiˈzierung *f*, Ansteckung *f*: to catch (*od.* take) an ~ angesteckt werden, sich infizieren. – **2.** *med.* Ansteckungskeim *m*, Infektiˈonsstoff *m*, -träger *m.* – **3.** *med.* Infektiˈonskrankheit *f.* – **4.** *med.* infektiˈöse Erkrankung. – **5.** *bot.* Befall *m.* – **6.** (*moralische*) Vergiftung, schlechter Einfluß. – **7.** *fig.* Ansteckung *f*, äußerer Einfluß, ansteckende Kraft. – **8.** *jur.* Behaftung *f* mit dem Makel der Ungesetzlichkeit. – **9.** *ling.* Infektiˈon *f*, Färbung *f* (*Änderung der Lautqualität eines Vokals durch den Einfluß eines Vokals in einer Nachbarsilbe*). – **10.** *humor. für* affection.

in·fec·tious [inˈfekʃəs] *adj* **1.** *med.* ansteckend, infektiˈös, überˈtragbar. – **2.** *med.* Infektions..., infektiˈös: ~ disease Infektionskrankheit; ~ myxoma *vet. gefährliche Viruskrankheit der Kaninchen.* – **3.** *fig.* ansteckend: ~ enthusiasm. – **4.** *jur.* a) mit dem Makel der Ungesetzlichkeit behaftet, b) der Beschlagnahme ausgesetzt (*bes. Schmuggelware*). – **5.** *obs.* infiˈziert. — **inˈfec·tious·ness** *s* Infektuosiˈtät *f*, Ansteckungsfähigkeit *f*, Überˈtragbarkeit *f.*

in·fec·tive [inˈfektiv] *adj* **1.** *med.* ansteckend, infektiˈös: ~ agent Erreger. – **2.** *fig.* ansteckend. — **inˈfec·tive·ness,** ˌ**in·fecˈtiv·i·ty** *s* ansteckende Eigenschaft, Ansteckungsfähigkeit *f*, Überˈtragbarkeit *f.* — **inˈfec·tor** [-tər] *s* **1.** Ansteckende(r). – **2.** Ansteckungsmittel *n*, ansteckende Subˈstanz.

in·fe·cund [inˈfekənd; -ˈfiː-] *adj* unfruchtbar. — **in·fe·cun·di·ty** [ˌinfiˈkʌnditi; -əti] *s* Unfruchtbarkeit *f.*

in·fe·li·cif·ic [inˌfiːliˈsifik] *adj* nicht glückbringend.

in·fe·lic·i·tous [ˌinfiˈlisitəs; -fə-; -sə-] *adj* **1.** unglücklich. – **2.** *fig.* unangebracht, unglücklich (gewählt), unpassend: an ~ remark. — ˌ**in·feˈlic·i·ty** *s* **1.** Unglücklichkeit *f*, Unglückseligkeit *f.* – **2.** Unglück *n*, Elend *n.* – **3.** unglücklicher ˈUmstand. – **4.** Ungeeignetheit *f*, Unangemessenheit *f.* – **5.** ungeeigneter Ausdruck, unpassende Bemerkung.

in·felt [ˈinˌfelt] *adj* innerlich *od.* tief gefühlt.

in·fer [inˈfəːr] *pret u. pp* **inˈferred I** *v/t* **1.** schließen, folgern, ˈherleiten (from aus). – **2.** schließen lassen auf (*acc*), erkennen lassen, andeuten, zeigen. – **3.** in sich schließen. – **4.** *colloq.* vermuten, annehmen. – **5.** *obs.* mit sich bringen. – **6.** *obs.* vorbringen. – **II** *v/i* **7.** Schlüsse ziehen, schließen, folgern. – *SYN.* conclude, deduce, gather, judge. — **inˈfer·a·ble** *adj* zu schließen(d), zu folgern(d), ableitbar (from aus).

in·fer·ence [ˈinfərəns] *s* **1.** Folgern *n*, Schließen *n.* – **2.** Folgerung *f*, (Rück)Schluß *m*: to make ~s Schlüsse ziehen. – **3.** Annahme *f*, Hypoˈthese *f.*

in·fer·en·tial [ˌinfəˈrenʃəl] *adj* **1.** Schluß..., Folgerungs... – **2.** gefolgert. – **3.** durch einen Schluß zu beweisen(d). – **4.** folgernd, Schlüsse ziehend. — ˌ**in·ferˈen·tial·ly** *adv* durch Folgerung(en) *od.* Schlüsse.

in·fe·ri·or [inˈfi(ə)riər] **I** *adj* **1.** (to) (dem Rang nach) ˈuntergeordnet (*dat*), tieferstehend, niedriger, geringer (als): to be ~ to s.o. j-m untergeordnet sein, j-m nachstehen. – **2.** tieferstehend, geringer, schwächer (to als). – **3.** minderwertig, zweitklassig, mittelmäßig, ziemlich schlecht: ~ goods *econ.* minderwertige Waren; an ~ poet ein mittelmäßiger Dichter. – **4.** (*räumlich*) unter, tiefer, weiter unten gelegen, Unter...: ~ maxilla *med. zo.* Unterkiefer. – **5.** *bot.* a) ˈunterständig: an ~ ovary, b) dem Deckblatt nahegelegen, von der Achse entfernt. – **6.** *astr.* unter: a) *der Sonne näher als die Erde*: an ~ planet, b) *der Erde näher als die Sonne*: an ~ conjunction, c) *unter dem Horizont liegend.* – **7.** *print.* tiefstehend, unter der Schriftlinie. – **8.** *mus.* tiefer (*Ton*). – **II** *s* **9.** (*dem Rang nach*) Tieferstehende(r), ˈUntergeordnete(r), Unterˈgebene(r): his ~s die unter ihm Stehenden, *bes.* seine Untergebenen. – **10.** (*dem Wert, der Leistung nach*) Tieferstehende(r), Geringere(r), Schwächere(r): to be s.o.'s ~ in s.th. j-m in einer Sache nachstehen. – **11.** zweitklassige Sache. – **12.** *print.* unter der Schriftlinie stehendes Zeichen. — ~ **court** *s jur.* ˈUntergericht *n*, niederer Gerichtshof.

in·fe·ri·or·i·ty [inˌfi(ə)riˈɒriti; -əti; *Am. auch* -ˈɔːr-] *s* **1.** ˈUntergeordnetheit *f.* – **2.** Unterˈlegenheit *f.* –

3. Minderwertigkeit *f*, Inferiori'tät *f*. – 4. geringere Zahl *od.* Menge. — **~ com·plex** *s psych.* 'Minderwertigkeitskomˌplex *m*.

in·fer·nal [in'fəːrnl] **I** *adj* **1.** 'unterirdisch, stygisch: the ~ regions die Unterwelt. – **2.** höllisch, infer'nal(isch), Höllen...: ~ machine Höllenmaschine; the ~ fires das höllische Feuer. – **3.** *fig.* unmenschlich, teuflisch: an ~ deed. – **4.** *colloq.* a) furchtbar, schrecklich, b) ekelhaft. – **II** *s* **5.** Bewohner(in) der 'Unterwelt. – **6.** *fig.* teuflischer Mensch. — **ˌin·fer'nal·i·ty** [-'næliti; -əti] *s* **1.** teuflisches Wesen. – **2.** teuflische Handlung.

in·fer·no [in'fəːrnou] *pl* **-nos** *s* In'ferno *n*, Hölle *f* (*auch fig.*).

infero- [infəro] *med. zo. Wortelement mit der Bedeutung* a) auf der Unterseite, b) unten.

in·fe·ro·an·te·ri·or[ˌinfəroæn'ti(ə)riər] *adj med. zo.* unten u. vorn (befindlich). — **ˌin·fe·ro'bran·chi·ate** [-'bræŋkiit; -kiˌeit] *adj zo.* Unterkiemer...

in·fer·ri·ble, *Br. auch* **in·fer·ra·ble** [in'fəːrəbl] → **inferable.**

in·fer·tile [*Br.* in'fəːrtail; *Am.* -til] *adj* **1.** unfruchtbar: ~ soil. – **2.** *med.* unfruchtbar, ste'ril. – *SYN. cf.* sterile. — **ˌin·fer'til·i·ty** [-'tiliti; -əti] *s* Unfruchtbarkeit *f*.

in·fest [in'fest] **I** *v/t* **1.** heimsuchen, verheeren. – **2.** plagen, quälen: to be ~ed with fleas. – **3.** unsicher machen. – **4.** *fig.* über'schwemmen: ~ed with überschwemmt von. – **II** *v/i* **5.** *Am.* lasterhaft werden. — **in'fest·ant** [-tənt] *s* Ungeziefer *n* (*das Kleidung od. Nahrung angreift*). — **ˌin·fes'ta·tion** *s* **1.** Heimsuchung *f*, Verheerung *f*, 'Überfall *m*. – **2.** Plage *f*, Qual *f*, Belästigung *f*. – **3.** verheerender 'Überfall, massenhaftes Eindringen (*von Insekten etc*).

in·feu·da·tion [ˌinfju'deiʃən] *s jur. hist.* **1.** Belehnung *f*. – **2.** Lehensverhältnis *n*. – **3.** Verleihung *f* des Zehents an Laien.

in·fib·u·la·tion [inˌfibju'leiʃən] *s* **1.** Verschließen *n* (*durch ein Vorhängeschloß etc*). – **2.** Infibulati'on *f* (*Verschließen der Geschlechtsorgane*).

in·fi·del ['infidəl; -fə-] **I** *s* Ungläubige(r), *bes. relig.* a) Nichtchrist(in), b) 'Nichtmohammeˌdaner(in). – **II** *adj* ungläubig: a) nicht rechtgläubig, b) religi'onslos, a'gnostisch. – *SYN. cf.* atheist. — **ˌin·fi'del·i·ty** [-'deliti; -əti] *s* **1.** *relig.* Unglaube *m*, Ungläubigkeit *f*. – **2.** Treulosigkeit *f*, (*bes.* eheliche) Untreue, Ehebruch *m*. – **3.** Treubruch *m*.

in·field ['inˌfiːld] *s* **1.** *agr.* a) dem Bauernhaus nahes Feld, b) Ackerland *n*. – **2.** (*Baseball*) a) Innenfeld *n* (*der Raum, dessen 4 Ecken die Male bilden*), b) Spieler *pl* im Innenfeld (*die 3* basemen *u. der* shortstop). – **3.** (*Kricket*) a) *Teil des Spielfelds um den Dreistab*, b) *die dort aufgestellten Fänger*. — **'inˌfield·er** *s sport* im Innenfeld aufgestellter Spieler.

in·fight·ing ['inˌfaitiŋ] *s* (*Boxen*) Nahkampf *m*.

in·fil·trate [in'filtreit] **I** *v/t* **1.** einsickern in (*acc*). – **2.** durch'setzen, -'dringen, -'tränken (with mit). – **3.** eindringen lassen, all'mählich einführen (into in *acc*). – **4.** *mil.* einsickern in (*acc*), 'durchsickern durch: to ~ the enemy lines. – **II** *v/i* **5.** 'durch-, einsickern, all'mählich eindringen (through durch, into in *acc*). – **III** *s* **6.** (*das*) Einsickernde *od.* Eingesickerte. – **7.** *med.* Infil'trat *n*. — **ˌin·fil'tra·tion** *s* **1.** Ein-, 'Durchsickern *n*, (all'mähliches) Eindringen. – **2.** Infiltrati'on *f*, Durch'dringung *f*, -'tränkung *f*. – **3.** *mil.* Einsickern *n*, Einsickerung *f*. – **4.** *med.* a) Infiltrati'on *f*, b) Infil'trat *n*: ~ by aspiration Aspirationsinfiltrat. – **5.** eingedrungener Stoff, Infil'trat *n*. — **in'fil·tra·tive** [-trətiv] *adj selten* ein-, 'durchsickernd, Infiltrations...

in·fin·i·tant [in'finitənt; -'finə-] *adj* (*Logik*) negativ modifi'zierend. — **in'fin·i·tar·y** [*Br.* -təri; *Am.* -ˌteri] *adj math.* infini'tär. — **in'fin·iˌtate** [-ˌteit] *v/t* (*Logik*) negativ modifi'zieren (*durch Vorsetzen von* not- *od.* non-). — **inˌfin·i'ta·tion** *s* (*Logik*) negative Modifikati'on.

in·fi·nite ['infənit; -fi-] **I** *adj* **1.** unendlich, endlos, unbegrenzt, grenzenlos. – **2.** gewaltig, ungeheuer. – **3.** 'allumˌfassend. – **4.** *math.* unendlich: ~ integral unendliches Integral; ~ series unendliche Reihe. – **5.** *mus.* unendlich, sich endlos wieder'holend (*Zirkelkanon etc*). – **6.** *ling.* nicht durch Per'son u. Zahl bestimmt: ~ verb Verbum infinitum. – **7.** (*Logik*) negativ modifi'ziert. – *SYN.* boundless, illimitable, uncircumscribed. – **II** *s* **8.** (*das*) Unendliche, *bes.* a) unendlicher Raum, b) unendliche Dauer, Endlosigkeit *f*. – **9.** the I~ (Being) der Unendliche, Gott *m*. – **10.** *math.* unendliche Größe *od.* Zahl. — **'in·fi·nite·ness** *s* Unendlichkeit *f*, Unbegrenztheit *f*, Unermeßlichkeit *f*.

in·fin·i·tes·i·mal [ˌinfini'tesiməl; -nə-; -sə-] **I** *adj* **1.** äußerst klein, winzig. – **2.** unendlich klein. – **3.** *math.* infinitesi'mal. – **II** *s* **4.** unendlich kleine Menge. – **5.** *math.* infinitesi'male Größe, Infinitesi'male *f*. — **~ cal·cu·lus** *s math.* Infinitesi'malrechnung *f*.

in·fin·i·ti·val [inˌfini'taivəl; -ˌfinə-] *adj ling.* 'infiniˌtivisch, Infinitiv...

in·fin·i·tive [in'finitiv; -'finə-] *ling.* **I** *s* Infinitiv *m*, Nennform *f*. – **II** *adj* 'infiniˌtivisch, Infinitiv...: ~ mood Infinitiv.

in·fin·i·tude [in'finiˌtjuːd; -'finə-] *Am. auch* -ˌtuːd] *s* **1.** Unendlichkeit *f*, Unbegrenztheit *f*, Grenzenlosigkeit *f*. – **2.** unendliche Menge *od.* Zahl *od.* Größe.

in·fin·i·ty [in'finiti; -əti] *s* **1.** Unendlichkeit *f*, Unbegrenztheit *f*, Grenzenlosigkeit *f*, Unermeßlichkeit *f*. – **2.** unendlicher Raum, unendliche Zeit *od.* Größe. – **3.** riesige Zahl, unendlich große Menge: an ~ of people unendlich viele Leute. – **4.** *math.* unendliche Menge *od.* Größe, das Unendliche: to ~ bis ins Unendliche, ad infinitum; to approach ~ sich dem Unendlichen nähern. — **~ plug** *s electr.* **1.** erster *od.* letzter Stöpsel im Rheo'staten. – **2.** Dosenstecker *m*.

in·firm [in'fəːrm] **I** *adj* **1.** *med.* schwach, schwächlich, gebrechlich. – **2.** (cha'rakter)schwach: ~ of purpose unentschlossen, willensschwach. – **3.** schwach: an ~ support. – **4.** schwach, zweifelhaft, 'unfunˌdiert: an ~ argument. – *SYN. cf.* weak. – **II** *v/t selten* **5.** schwächen, entkräften. – **6.** anzweifeln. — **in'fir·ma·ry** [-əri] *s med.* **1.** Krankenhaus *n*. – **2.** 'Krankenreˌvier *n*, Sani'tätswache *f*, Laza'rett *n*. – **3.** Ambu'lanz *f*. – **4.** 'Krankenzimmer *n*, -abˌteilung *f* (*in Internaten etc*). — **in'fir·mi·ty, in'firm·ness** *s* **1.** *med.* Schwäche *f*, Gebrechlichkeit *f*, Kränklichkeit *f*, Krankheit *f*. – **2.** *fig.* Schwachheit *f*, (menschliche) Schwäche, (Cha'rakter)Schwäche *f*.

in·fix [in'fiks] **I** *v/t* **1.** hin'einstoßen, -treiben, befestigen, einrammen. – **2.** *fig.* einpflanzen, einführen: to ~ a habit. – **3.** *fig.* einprägen (in *dat*). – **4.** *ling.* einfügen. – *SYN. cf.* implant. – **II** *v/i* **5.** *ling.* ein In'fix zulassen. – **III** *s* ['inˌfiks] **6.** *ling.* In'fix *n* (*Wortbildungsteil im Wortinnern*).

in·fix·ion [in'fikʃən] *s ling.* Einfügung *f* (*eines Wortbildungsteils in ein Wort*).

in·flame [in'fleim] **I** *v/t* **1.** entzünden. – **2.** *fig.* a) (*Blut*) in Wallung bringen, b) (*Gefühle etc*) entflammen, entfachen, c) (*j-n*) erregen: ~d with love in Liebe entbrannt, d) (*j-n*) in Wut versetzen, reizen: ~d with rage wutentbrannt. – **3.** *med.* entzünden. – **II** *v/i* **4.** sich entzünden, Feuer fangen. – **5.** *fig.* a) entbrennen (with vor *dat*), b) sich erhitzen, in Wut geraten. – **6.** *med.* sich entzünden. — **in'flamed** *adj* **1.** entflammt, -zündet. – **2.** *her.* a) brennend, b) mit Flämmchen verziert.

in·flam·ma·bil·i·ty [inˌflæmə'biliti; -əti] *s* **1.** Brennbarkeit *f*, Entzündlichkeit *f*. – **2.** *fig.* Erregbarkeit *f*, Reizbarkeit *f*. — **in'flam·ma·ble I** *adj* **1.** brennbar, leicht entzündlich: ~ gas. – **2.** feuergefährlich. – **3.** *fig.* reizbar, leicht erregbar, *bes.* jähzornig. – **II** *s* **4.** *pl* Zündwaren *pl*. — **in'flam·ma·ble·ness** → inflammability.

in·flam·ma·tion [ˌinflə'meiʃən] *s* **1.** *med.* Entzündung *f*. – **2.** Aufflammen *n*, Brennen *n*. – **3.** *fig.* Entflammung *f*, Erregung *f*, Aufregung *f*.

in·flam·ma·to·ry [*Br.* in'flæmətəri; *Am.* -ˌtɔːri] *adj* **1.** *med.* entzündlich, Entzündungs... – **2.** *fig.* aufrührerisch, aufhetzend, Hetz...: an ~ speech eine Hetzrede. – **3.** aufregend, erhitzend (*Getränk etc*).

in·flat·a·ble [in'fleitəbl] *adj* aufblasbar, -blähbar: ~ boat Schlauchboot.

in·flate [in'fleit] **I** *v/t* **1.** aufblasen, aufblähen, mit Luft *od.* Gas füllen. – **2.** *tech.* (*Reifen*) aufpumpen. – **3.** *med.* aufblähen, auftreiben. – **4.** ausdehnen, anschwellen lassen. – **5.** *econ.* (*Geldumlauf etc*) in die Höhe treiben, aufblähen, 'übermäßig steigern. – **6.** *fig.* aufgeblasen *od.* stolz machen (with durch): ~d with pride vor Stolz geschwellt; to be ~d sich aufblasen. – **II** *v/i* **7.** aufblasen. – **8.** sich aufblähen, anschwellen. – **9.** sich ausdehnen. – *SYN. cf.* expand. — **in'flat·ed** *adj* **1.** aufgebläht, aufgeblasen. – **2.** *med.* aufgetrieben, aufgedunsen, pa'stös. – **3.** *fig.* a) aufgeblasen, hochmütig, b) schwülstig, bom'bastisch: ~ language. – **4.** *econ.* infla'torisch. – *SYN.* flatulent, tumid, turgid. — **in'flat·ed·ness** *s* Aufgeblasenheit *f*, Aufgedunsenheit *f*. — **in'flat·er** *s* **1.** j-d der aufbläst. – **2.** *tech.* Luftpumpe *f*. – **3.** *econ.* a) Preistreiber *m*, b) Haussi'er *m* (*Hausse-Spekulant*). — **in'fla·tile** [-til] *adj mus.* Blas...: ~ instrument Blasinstrument.

in·fla·tion [in'fleiʃən] *s* **1.** Aufblähung *f*, Aufblasen *n*. – **2.** *econ.* Inflati'on *f*. – **3.** Aufgeblähtheit *f*. – **4.** *fig.* a) Aufgeblasenheit *f*, b) Schwülstigkeit *f*, Schwulst *m*. — **in'fla·tion·ar·y** [*Br.* -nəri; *Am.* -ˌneri] *adj econ.* inflatio'nistisch, infla'torisch, Inflations...: ~ period Inflationszeit. — **in'fla·tionˌism** *s econ.* infla'torische 'Wirtschaftspoliˌtik. — **in'fla·tion·ist** *econ.* **I** *s* Inflatio'nist *m*. – **II** *adj* → inflationary. — **in·fla·tor** *cf.* inflater.

in·flect [in'flekt] **I** *v/t* **1.** beugen, biegen. – **2.** *mus.* a) (*melodisch*) modu'lieren, (*Tonhöhe*) verändern, abwandeln, b) chro'matisch verändern, c) (*Ton*) um eine halbe Stufe erhöhen *od.* erniedrigen. – **3.** *ling.* beugen, flek'tieren, abwandeln. – **4.** *biol.* einbiegen, nach innen biegen. – **II** *v/i* **5.** *ling.* flek'tieren. — **in'flect·ed** *adj* **1.** gebeugt, gebogen. – **2.** *ling.* flek'tiert. – **3.** *bot. zo.* scharf einwärts *od.* abwärts gebogen.

in·flec·tion, *bes. Br.* **in·flex·ion** [in'flekʃən] *s* **1.** Beugung *f*, Biegung *f*, Krümmung *f*. – **2.** *mus.* a) (me'lodische) Modulati'on, Tonveränderung *f*, -abwandlung *f*, b) chro'matische Veränderung. – 3. *ling.* a) Beugung *f*, Biegung *f*, Flexi'on *f*, b) Flexi'onsform *f*, -endung *f*, -zeichen *n*, c) Flexi'onslehre *f*. – 4. *math.* a) Wendung *f*, b) *auch* ~ point Wendepunkt *m* (*Kurve*). – 5. *fig.* (*geistige od. charakterliche*) Änderung. – 6. *phys.* Beugung *f*. — **in'flec·tion·al**, *bes. Br.* **in'flex·ion·al** *adj* 1. Biegungs..., Beugungs... – 2. *ling.* Flexions..., fle'xivisch, flek'tierend: ~ **languages** flektierende Sprachen. — **in'flec·tion·less**, *bes. Br.* **in'flex·ion·less** *adj ling.* flexi'onslos.

in·flec·tive [in'flektiv] *adj* 1. biegend, beugend, Biegungs..., Beugungs... – 2. biegbar, beugbar. – 3. *ling.* flek'tierend, Flexions...

in·flexed [in'flekst] *adj* 1. gebogen, gekrümmt. – 2. *bot. zo.* einwärts gebogen.

in·flex·i·bil·i·ty [inˌfleksə'biliti; -əti] *s* 1. Unbiegsamkeit *f*. – 2. Unbeugsamkeit *f*. — **in'flex·i·ble** *adj* 1. unbiegsam, starr. – 2. *fig.* unbeugsam, fest, unerschütterlich. – 3. *fig.* unerbittlich. – 4. *fig.* 'unabˌänderlich, unwandelbar, nicht beugbar: the law is ~. – *SYN.* a) **adamant, inexorable, obdurate**, b) *cf.* **stiff.** — **in'flex·i·ble·ness** → **inflexibility.**

in·flex·ion *etc bes. Br. für* **inflection** *etc.*

in·flict [in'flikt] *v/t* 1. (*Böses, Wunden etc*) zufügen (on, upon *dat*). – 2. (*Niederlage*) beibringen (on, upon *dat*). – 3. (on, upon) auferlegen (*dat*), verhängen (über *acc*): to ~ **disciplinary punishment on s.o.** j-n disziplinarisch belangen; to ~ **oneself upon s.o.** sich j-m aufbürden. — **in'flic·tion** *s* 1. Zufügung *f*. – 2. Auferlegung *f*, Verhängung *f*. – 3. Plage *f*, Last *f*. – 4. Übel *n*. — **in'flic·tive** *adj* 1. auferlegend, zufügend. – 2. verhängnisvoll.

in·flo·res·cence [ˌinflo'resns] *s* 1. *bot.* a) Blütenstand *m*, b) *collect.* Blüten *pl*. – 2. Aufblühen *n* (*auch fig.*). – 3. *fig.* Blüte *f*. — **ˌin·flo'res·cent** *adj* (auf)blühend.

in·flow ['inˌflou] *s* 1. Einfließen *n*, Ein-, Zuströmen *n*. – 2. Zufluß *m*, Zustrom *m*.

in·flu·ence ['influəns] I *s* 1. Einfluß *m*, Einwirkung *f* (on, upon, over auf *acc*; with bei): **to be under the ~ of s.o.** unter j-s Einfluß stehen; **to exercise** (*od.* **exert**) **a great ~** großen Einfluß ausüben; **to have ~ with** Einfluß haben bei. – 2. Einfluß *m*, Macht *f*: **sphere of ~** *pol.* Interessensphäre, Einflußzone, Machtbereich. – 3. einflußreiche Per'sönlichkeit *od.* Kraft: **he is an ~ in politics.** – 4. *electr.* Indukti'on *f*, Influ'enz *f*. – 5. *astr.* Einfluß *m* der Gestirne. – *SYN.* **authority, credit, prestige, weight.** – II *v/t* 6. beeinflussen, Einfluß ausüben auf (*acc*), einwirken auf (*acc*). – 7. bewegen, bestimmen, 'hinlenken: **to ~ s.o. for good** j-n zum Guten hinlenken. – *SYN. cf.* **affect²**. — **'in·flu·ent** I *adj* 1. (her)'einströmend, -fließend. – II *s* 2. Zustrom *m*, Zufluß *m*. – 3. *geogr.* Nebenfluß *m*. – 4. bestimmender Faktor (*Tier od. Pflanze, die für die Ökologie eines Landes von Bedeutung sind*): **rabbits are important ~s in some areas.**

in·flu·en·tial [ˌinflu'enʃəl] *adj* 1. einflußreich. – 2. von (großem) Einfluß (on auf *acc*; in in *dat*). — **ˌin·fluˌen·ti'al·i·ty** [-ʃi'æliti; -əti] *s* 1. (per'sönliches) Gewicht, Einfluß *m*. – 2. einflußreiche Per'sönlichkeit.

in·flu·en·za [ˌinflu'enzə] *s* 1. *med.* Influ'enza *f*, Grippe *f*. – 2. *vet.* Pferdestaupe *f*. – 3. *fig.* Krankheit *f*, Seuche *f*. — **ˌin·flu'en·zal** *adj* grip'pös.

in·flux ['inˌflʌks] *s* 1. Einströmen *n*, Einfließen *n*, Zustrom *m*, Zufluß *m*. – 2. *econ.* Ein-, Zufuhr *f* (*Waren, Geld*). – 3. *geogr.* Mündung *f* (*Fluß*). – 4. *fig.* Eindringen *n*, Einströmen *n*.

in·fold [in'fould] *Br. obs. od. Am. für* **enfold.**

in·form¹ [in'fɔːrm] I *v/t* 1. (of) benachrichtigen, verständigen, in Kenntnis setzen, unter'richten (von), infor'mieren (über *acc*), (*j-m*) Mitteilung machen (von), (*j-m*) mitteilen, (*j-m*) bekanntgeben: **to ~ oneself of s.th.** sich über etwas informieren; **to ~ s.o. that** j-n davon in Kenntnis setzen, daß. – 2. durch'dringen, erfüllen (with mit). – 3. beleben, beseelen. – 4. Form *od.* Gestalt geben (*dat*), formen, bilden. – 5. *selten* unter'richten. – 6. *obs.* melden. – II *v/i* 7. Anzeige erstatten, eine Denunziati'on vorbringen: **to ~ against s.o.** j-n anzeigen *od.* denunzieren *od.* angeben. – *SYN.* **acquaint, apprise¹, notify.**

in·form² [in'fɔːrm] *adj* 1. form-, gestaltlos. – 2. *obs.* ungestalt.

in·for·mal [in'fɔːrməl] *adj* 1. formlos, -widrig: ~ **test** *ped. psych.* ungeeichter Test. – 2. zwanglos, 'unzeremoniˌell, nicht for'mell: **an ~ visit; ~ conversation.** — **ˌin·for'mal·i·ty** [-'mæliti; -əti] *s* 1. Formlosigkeit *f*, -widrigkeit *f*. – 2. Formfehler *m*, Verstoß *m* gegen die Form. – 3. Zwanglosigkeit *f*, Ungezwungenheit *f*.

in·form·ant [in'fɔːrmənt] *s* 1. Berichterstatter(in), Korrespon'dent(in). – 2. Einsender(in) (*eines Berichts etc*). – 3. *econ.* Gewährsmann *m*. – 4. *ling.* Gewährsmann *m*. – 5. *jur.* Denunzi'ant(in), Angeber(in).

in·for·ma·tion [ˌinfər'meiʃən] *s* 1. Benachrichtigung *f*, Nachricht *f*, Mitteilung *f*, Bescheid *m*, Meldung *f*. – 2. Auskünfte *pl*, Auskunft *f*, Aufschluß *m*: **to give ~** Auskunft geben. – 3. *collect.* Nachrichten *pl*, Informati'onen *pl*: **we have no ~** wir sind nicht unterrichtet (as to über *acc*). – 4. *collect.* Erkundigungen *pl*: **to gather ~** Erkundigungen einholen, sich erkundigen. – 5. Wissen *n*, Kenntnis *f*, Erfahrung *f*. – 6. *collect.* wissenswerte Tatsachen *pl od.* Einzelheiten *pl*. – 7. Unter'weisung *f*, Belehrung *f*. – 8. *jur.* a) Anklage *f* (*durch den Staatsanwalt*), b) eidliche Anklage *od.* Denunziati'on vor dem Friedensrichter: **to lodge ~ against s.o.** Klage erheben gegen j-n, j-n denunzieren. — **ˌin·for'ma·tion·al** *adj* benachrichtigend, infor'mierend, Auskunfts...

in·for·ma·tion| bu·reau, ~ of·fice *s* Informati'ons-, Auskunftsstelle *f*, Auskunf'tei *f*.

in·form·a·tive [in'fɔːrmətiv] *adj* 1. belehrend, lehrreich, instruk'tiv. – 2. mitteilsam. – 3. *jur.* anklagend. — **in'form·a·to·ry** [*Br.* -təri; *Am.* -ˌtɔːri] *adj* belehrend, lehrreich.

in·formed [in'fɔːrmd] *adj* unter'richtet, infor'miert, benachrichtigt: **well-~** gut unterrichtet. — **in'form·er** *s* 1. Angeber(in), Denunzi'ant(in). – 2. *auch* **common ~** Spitzel *m*.

in·for·tune [in'fɔːrtʃən] *s* 1. *astr.* 'Unglücksstern *m*, -plaˌnet *m* (*bes. Saturn u. Mars*). – 2. *obs.* Unglück *n*.

in·fra ['infrə] *adv* 'unterhalb, unten: **vide ~** siehe unten (*in Büchern*).

infra- [infrə] *Wortelement mit der Bedeutung*: a) unter(halb), tiefer (gelegen), b) innerhalb.

ˌin·fra|-'a·nal *adj med.* 'unterhalb des Afters. — **ˌ~'cos·tal** *adj med.* infrako'stal.

in·fract [in'frækt] *v/t bes. Am., meist fig.* (*Gesetz etc*) brechen, verletzen, über'treten. — **in'frac·tion** *s* 1. *meist fig.* Bruch *m*, Verletzung *f*, Über'tretung *f*: ~ **of faith** Treubruch. – 2. *med.* Infrakti'on *f*, Knickbruch *m*. — **in'frac·tor** [-tər] *s* Über'treter(in).

in·fra| dig·ni·ta·tem ['infrə ˌdigni'teitem] (*Lat.*), *bes. Br. colloq. auch* ~ **dig** ['infrə 'dig] *adv u. pred adj* unter der Würde, unwürdig. — **ˌ~'hu·man** *adj* 'untermenschlich.

in·fra·lap·sar·i·an [ˌinfrəlæp'sɛ(ə)riən] *relig. hist.* I *s* Infralap'sarier(in). – II *adj* infralap'sarisch. — **ˌin·fra·lap'sar·i·anˌism** *s* Infralapsaria'nismus *m*.

ˌin·fra|'max·il·lar·y *adj med.* 'unterhalb des Kiefers, inframaxil'lar, submandibu'lar. — **ˌ~'me·di·an** *zo.* I *adj* in einer Meerestiefe zwischen 50 und 100 Faden (*91,5 u. 183 m*). – II *s* Meerestiefenzone *f* zwischen 50 und 100 Faden. — **ˌ~'mun·dane** *adj* 'unterweltlich. — **ˌ~'nat·u·ral** *adj* verdorben.

in·fran·gi·bil·i·ty [inˌfrændʒi'biliti; -dʒə-; -əti] *s* 1. Unzerbrechlichkeit *f*. – 2. Unverletzlichkeit *f*. — **in'fran·gi·ble** *adj* 1. unzerbrechlich. – 2. *fig.* unverletzlich. — **in'fran·gi·ble·ness** → **infrangibility.**

ˌin·fra|'red *adj phys.* infra-, ultrarot. — **ˌ~'re·nal** *adj med.* 'unterhalb der Nieren (gelegen), infrare'nal. — **ˌ~'scap·u·lar** *adj med.* 'unterhalb des Schulterblatts (gelegen), infra-, subscapu'lar. — **ˌ~'son·ic** *adj med.* infrato'nal, unter der Schallgrenze liegend. — **ˌ~'spi·nous** *adj med.* unter der Schultergräte befindlich. — **ˌ~'struc·ture** *s* 1. (innere) Struk'tur. – 2. *mil.* 'Infrastrukˌtur *f* (*Anlagen, Bauten u. ortsfeste Geräte militärischer Verwendung u. Bedeutung, z. B. Flugplätze, Hafen- u. Fernmeldeanlagen*).

in·fre·quence [in'friːkwəns], **in'fre·quen·cy** [-si] *s* 1. Seltenheit *f*. – 2. Spärlichkeit *f*. — **in'fre·quent** *adj* 1. selten: **an ~ visitor.** – 2. wenig, spärlich, dünn gesät. – *SYN.* **rare¹, scarce, sporadic, uncommon.**

in·fringe [in'frindʒ] I *v/t* 1. (*Gesetze, Verträge etc*) brechen, verletzen, über'treten, verstoßen gegen. – 2. *obs.* a) zerstören, b) vereiteln, c) schädigen. – II *v/i* 3. (on, upon) (*Rechte, Verträge etc*) verletzen, eingreifen (in *acc*), 'übergreifen (auf *acc*): **to ~ upon the rights of s.o.** in j-s Rechte eingreifen, j-s Rechte verletzen. – *SYN. cf.* **trespass.** — **in'fringe·ment** *s* 1. Bruch *m*, Verletzung *f* (*Vertrag od. Recht*): ~ **of contract** Vertragsbruch. – 2. Über'tretung *f*, Verletzung *f* (*Gesetz*). – 3. (of) Eingriff *m* (in *acc*), 'Übergriff *m* (auf *acc*).

in·fruc·tu·ous [*Br.* in'frʌktjuəs; *Am.* -tʃu-] *adj selten* 1. unfruchtbar. – 2. *fig.* frucht-, zweck-, nutzlos.

in·fun·dib·u·lar [ˌinfʌn'dibjələr], *auch* **ˌin·fun'dib·uˌlate** [-ˌleit] *adj biol.* 1. trichterförmig. – 2. Trichter... – 3. mit einem trichterförmigen Or'gan (versehen). — **ˌin·fun'dib·u·liˌform** [-liˌfɔːrm] *adj bot. zo.* trichterförmig. — **ˌin·fun'dib·u·lum** [-ləm] *pl* **-la** [-lə] *s biol.* trichterförmiges Or'gan, *bes. med.*: a) trichterförmiger 'Durchgang, b) Trichterfortsatz *m*.

in·fu·ri·ate I *v/t* [in'fju(ə)riˌeit] in Wut versetzen, wütend machen. – II *adj* [-riit] wütend, rasend. — **inˌfu·ri'a·tion** *s* Wut *f*, Verärgerung *f*.

in·fus·cate [in'fʌskeit], *auch* **in'fus·cat·ed** [-tid] *adj zo.* braungewölkt, bräunlich.

in·fuse [in'fjuːz] *v/t* 1. (ein-, hin'ein)gießen (into in *acc*). – 2. *meist fig.* einflößen, einträufeln, eingeben (into *dat od.* in *acc*). – 3. *meist fig.* durch-

ˈtränken, -ˈdringen, erfüllen. – **4.** *bes. med.* (*bes. Kräuter*) einweichen, aufgießen, infunˈdieren. – *SYN.* engrain, imbue, ingrain, inoculate, leaven, suffuse. — **inˌfu·siˈbil·i·ty** *s* Unschmelzbarkeit *f*. — **inˈfu·si·ble** *adj bes. chem.* unschmelzbar, nicht schmelzbar. — **inˈfu·si·ble·ness** → infusibility.

in·fu·sion [inˈfjuːʒən] *s* **1.** Eingießung *f*, Einflößung *f*, Infusiˈon *f*. – **2.** Eingegossenes *n*, Eingeflößtes *n*. – **3.** *fig.* Eingebung *f*, Erleuchtung *f*. – **4.** *med.* a) Aufguß *m*, Infusiˈon *f*, Tee *m*, b) Injektiˈon *f*. – **5.** *relig.* Begießung *f*, Überˈgießung *f* (*bei der Taufe*). – **6.** *fig.* Beimischung *f*. — **inˈfu·sionˌism** *s relig. Lehre, daß die Seele schon vor dem Körper existiert u. diesem bei der Empfängnis oder Geburt eingegeben wird.* — **inˈfu·sion·ist** *s Anhänger(in) des* **infusionism.** — **inˈfu·sive** [-siv] *adj* **1.** belebend, anregend. – **2.** beeinflussend.

In·fu·so·ri·a [ˌinfjuˈsɔːriə] *s pl zo.* (ˈWimper)Infuˌsorien *pl*, Wimpertierchen *pl* (*Klasse Ciliata*). — **ˌin·fuˈso·ri·al** *adj zo.* **1.** infuˈsorienartig, zu den Infuˈsorien gehörig, Infusorien... – **2.** Infuˈsorien enthaltend: ~ **earth** *min.* Infusorienerde, Kieselgur. — **ˌin·fuˈso·ri·an** *zo.* **I** *s* Wimpertierchen *n*, Infuˈsorium *n*. – **II** *adj* → infusorial 1. — **ˌin·fuˈso·ri·um** [-əm] *selten für* **infusorian** I. — **inˈfu·so·ry** [-ˈfjuːsəri] *zo.* **I** *s* Wimpertierchen *n*. – **II** *adj* infuˈsorienartig, Infusorien...

-ing[1] [iŋ] *Wortelement zur Bildung von Substantiven aus Verben u. gelegentlich aus Substantiven u. Adverbien. Es bezeichnet* a) *eine Handlung* (**the art of building**), b) *das Resultat dieser Handlung* (**a fine building**), c) *das Material für etwas* (**sacking, bedding, shirting**).

-ing[2] [iŋ] *Wortelement zur Bildung des Partizip Präsens.*

in·gate [ˈinˌgeit] *s tech.* (Ein)Gußtrichter *m*, vertiˈkaler Trichterlauf (*einer Gußform*).

in·gath·er [inˈgæðər] *v/t u. v/i* einsammeln, *bes.* (ein)ernten: **feast of** ~**ing** *Bibl.* Fest der Einsammlung.

in·gem·i·nate [inˈdʒemiˌneit; -mə-] *v/t* **1.** stets wiederˈholen. – **2.** verdoppeln.

in·gen·er·ate[1] *selten* **I** *v/t* [inˈdʒenəˌreit] *fig.* im Innern (*des Geistes etc*) erzeugen, gebären. – **II** *adj* [-rit] angeboren, ureigen.

in·gen·er·ate[2] [inˈdʒenərit] *adj bes. relig.* nicht erschaffen, durch sich selbst exiˈstierend: **God is** ~.

in·gen·ious [inˈdʒiːnjəs] *adj* **1.** erfinderisch, scharfsinnig, geschickt, klug, begabt. – **2.** sinnreich, klug erdacht, sinn-, kunstvoll. – **3.** *obs.* geniˈal. – *SYN. cf.* **clever.** — **inˈgen·ious·ness** *s* **1.** Erfindungsgabe *f*, Findigkeit *f*, Scharfsinn *m*, Geschicklichkeit *f*, Klugheit *f*. – **2.** sinnvolle Art, sinnreiche Konstruktiˈon, (*das*) Sinnreiche.

in·gé·nue [ɛ̃ʒeˈny] *s* **1.** unschuldiges *od.* naˈives Mädchen, ‚Unschuld' *f*. – **2.** (*Theater*) Naˈive *f*.

in·ge·nu·i·ty [ˌindʒəˈnjuːiti; -əti; *Am. auch* -ˈnuː-] *s* **1.** Erfindungsgabe *f*, Findigkeit *f*, Scharfsinn *m*, Geschicklichkeit *f*, Klugheit *f*. – **2.** (*das*) Sinnreiche, sinnreiche Konstruktiˈon *od.* Meˈthode. – **3.** sinnreiche Erfindung. – **4.** *selten* Offenheit *f*.

in·gen·u·ous [inˈdʒenjuəs] *adj* **1.** offen(herzig), treuherzig, ehrlich, freimütig, unbefangen, aufrichtig. – **2.** schlicht, arglos, unschuldig, naˈiv. – **3.** *hist.* adelig. – **4.** *obs. für* **ingenious.** – *SYN. cf.* **natural.** — **inˈgen·u·ous·ness** *s* **1.** Offenheit *f*, Treuherzigkeit *f*, Ehrlichkeit *f*, Freimut *m*. – **2.** Schlichtheit *f*, Arglosigkeit *f*, Biederkeit *f*, Unschuld *f*. – **3.** *selten* adelige ˈHerkunft.

in·gest [inˈdʒest] *v/t* (*Nahrung etc*) einnehmen, zu sich nehmen. — **inˈges·ta** [-ə] *s pl biol.* aufgenommene Nahrung, Inˈgesta *pl*. — **inˈges·tion** [-tʃən] *s* **1.** *biol.* Nahrungsaufnahme *f*. – **2.** *med.* Einnahme *f* (*von Medikamenten etc*). — **inˈges·tive** *adj biol.* die Nahrungsaufnahme betreffend, zur Nahrungsaufnahme dienend, Einführungs...

Ing·ham·ite [ˈiŋəˌmait] *s relig. hist.* Inghaˈmit *m*.

in·gle [ˈiŋgl] *s* **1.** Herd-, Kaˈminfeuer *n*. – **2.** Kaˈmin *m*, Herd *m*. — **ˈ~ˌnook,** *auch* **~ nook** *s Br.* Kaˈmin-, Herdecke *f*. — **ˈ~ˌside** *s* häuslicher Herd, Kaˈmin *m*.

in·glo·ri·ous [inˈglɔːriəs] *adj* **1.** unrühmlich, schimpflich, schändlich. – **2.** *selten* unbekannt, ruhmlos. — **inˈglo·ri·ous·ness** *s* Unrühmlichkeit *f*, Schimpflichkeit *f*.

in·glu·vi·al [inˈgluːviəl] *adj selten* Kropf... — **inˈglu·viˌes** [-viˌiːz] *s zo.* Kropf *m*.

in·go·ing [ˈinˌgouiŋ] **I** *adj* **1.** hinˈeingehend, eintretend. – **2.** ein Amt antretend. – **3.** *fig.* eingehend, gründlich, sorgfältig. – **II** *s* **4.** Hinˈeingehen *n*, Eintreten *n*. – **5.** Amtsantritt *m*.

in·got [ˈiŋgət] *tech.* **I** *s* Barren *m*, Ingot *m*, Zain *m*, Luppe *f*: ~ **of gold** Goldbarren; ~ **of steel** Stahlblock. – **II** *v/t* in Barren gießen, zu Barren *od.* Blöcken verarbeiten. — **~ i·ron** *s tech.* Flußstahl *m*, Armco-Eisen *n*. — **~ mo(u)ld** *s tech.* Guß-, Gießform *f*, Einguß *m*, Koˈkillengußform *f*. — **~ steel** *s tech.* (härtbarer) Flußstahl, Blockstahl *m*, Flußeisen *n*.

in·graft [*Br.* inˈgrɑːft; *Am.* -ˈgræ(ː)ft] → engraft.

in·grain I *v/t* [inˈgrein] **1.** tief verwurzeln, einwurzeln. – **2.** → engrain. – *SYN. cf.* **infuse.** – **II** *adj* [ˈinˌgrein] **3.** tief verwurzelt, eingewurzelt: **an** ~ **habit.** – **4.** angeboren: **an** ~ **charm.** – **5.** eingefleischt: **an** ~ **sinner.** – **6.** in der Wolle *od.* vor der Verarbeitung gefärbt. – **III** *s* [ˈinˌgrein] **7.** in der Wolle gefärbtes Garn *od.* Zeug. – **8.** *auch* ~ **carpet** *Am.* Teppich *m* aus vor dem Weben gefärbter Wolle (*u. mit durchgewebtem Muster*). – **9.** eingewurzelte Eigenschaft. — **in·grained** [inˈgreind; ˈinˌgreind] *adj fig.* **1.** tief verwurzelt, tief eingewurzelt: **an** ~ **prejudice.** – **2.** angeboren: ~ **grace.** – **3.** eingefleischt: **an** ~ **gambler.** — **inˈgrain·ed·ly** [-idli] *adv.*

in·grate [ˈingreit; inˈgreit] **I** *adj obs.* undankbar. – **II** *s* Undankbare(r).

in·gra·ti·ate [inˈgreiʃiˌeit] *v/t* in Gunst setzen (*meist reflex*): **to** ~ **oneself with s.o.** sich bei j-m beliebt machen *od.* einschmeicheln, sich in j-s Gunst setzen. — **inˈgra·tiˌat·ing** *adj* einnehmend, gewinnend, einschmeichelnd: **an** ~ **smile.** – *SYN. cf.* **disarming.** — **inˌgra·tiˈa·tion** *s* Einschmeich(e)lung *f*, ˌLiebedieneˈrei *f*. — **inˈgra·ti·a·to·ry** [*Br.* -ʃiətəri; *Am.* -ʃiəˌtɔːri] → ingratiating.

in·grat·i·tude [inˈgrætiˌtjuːd; -tə-; *Am. auch* -ˌtuːd] *s* Undank(barkeit *f*) *m*.

in·gra·ves·cence [ˌingrəˈvesns] *s* Verschlimmerung *f*. — **ˌin·graˈves·cent** *adj med.* sich verschlimmernd, ernster werdend.

in·gre·di·ent [inˈgriːdiənt] **I** *s* Bestandteil *m*, Zutat *f*: **primary** ~ Grundbestandteil. – *SYN. cf.* **element.** – **II** *adj obs.* einen Bestandteil bildend.

in·gress [ˈingres] *s* **1.** Eintreten *n*, Eintritt *m* (**into** in *acc*). – **2.** Zutritt *m*, Eintrittsrecht *n* (**into** zu). – **3.** Antritt *m* (*Besitz etc*). – **4.** Eingang(stür *f*) *m*, Zugang *m*. – **5.** *astr.* Eintritt *m*. — **inˈgres·sion** [-ʃən] *s* Eintreten *n*, Eintritt *m*. — **inˈgres·sive** *adj* **1.** eintretend, beginnend. – **2.** *ling.* → inceptive 3.

ˈin-ˌgroup *s sociol.* Eigengruppe *f* (*sich abschließende Gesellschaftsklasse*).

in·grow [ˈinˌgrou] *v/i irr* einwärts *od.* nach innen wachsen. — **ˈinˌgrow·ing** *adj* einwärts wachsend, *bes. med.* einwachsend, eingewachsen: **an** ~ **nail.** — **ˈinˌgrown** *adj* nach innen gewachsen, *bes. med.* eingewachsen. — **ˈinˌgrowth** *s* **1.** Einwachsen *n*. – **2.** nach innen wachsender Teil, Einwuchs *m*.

inguin- [iŋgwin] → inguino-.

in·gui·nal [ˈiŋgwinl] *adj med.* inguiˈnal, Leisten... — **~ ca·nal** *s* ˈLeistenkaˌnal *m*. — **~ gland** *s* Leistendrüse *f*. — **~ her·ni·a** *s* Leistenbruch *m*. — **~ lig·a·ment** *s* Leistenband *n*, Pouˈpartsches Band. — **~ re·gion** *s* Leistengegend *f*.

inguino- [iŋgwino] *med. Wortelement mit der Bedeutung* Leisten.

in·gulf [inˈgʌlf] *obs. für* **engulf.**

in·gur·gi·tate [inˈgəːrdʒiˌteit; -dʒə-] **I** *v/t* **1.** hinˈunterschlingen, verschlingen. – **2.** (*Getränke*) hinˈunterstürzen. – **3.** *fig.* verschlingen. – **II** *v/i* **4.** zechen, unmäßig trinken. — **inˌgur·giˈta·tion** *s* **1.** Hinˈunterschlingen *n*, Verschlingen *n*. – **2.** Völleˈrei *f*, Zecheˈrei *f*.

in·hab·it [inˈhæbit] **I** *v/t* **1.** bewohnen, wohnen in (*dat*), seinen Wohnsitz haben in (*dat*). – **2.** *obs.* a) besiedeln, b) heimisch machen. – **II** *v/i* **3.** *obs.* wohnen. — **inˌhab·it·aˈbil·i·ty** *s* Bewohnbarkeit *f*. — **inˈhab·it·a·ble** *adj* bewohnbar.

in·hab·it·an·cy [inˈhæbitənsi; -bə-] *s* **1.** Wohnen *n*, ständiger Aufenthalt. – **2.** Bewohnen *n*. – **3.** Bewohntsein *n*. – **4.** Wohnrecht *n*. – **5.** *selten* Wohnort *m*. — **inˈhab·it·ant** *s* **1.** Bewohner(in), Einwohner(in): ~ **tax** *econ.* Einwohnersteuer. – **2.** *jur.* Ansässige(r). — **inˌhab·iˈta·tion** *s* **1.** (Be)Wohnen *n*, Bewohnung *f*. – **2.** Bewohntsein *n*. — **inˈhab·iˌta·tive** [-ˌteitiv] *adj* Wohn(ungs)... — **inˈhab·iˌta·tive·ness** *s* Sässigkeitstrieb *m*. — **inˈhab·it·ed** *adj* bewohnt, bevölkert. — **inˈhab·it·er** → **inhabitant.** — **inˈhab·i·tive·ness** → **inhabitativeness.**

in·hal·ant [inˈheilənt] **I** *adj* **1.** einatmend, ein-, aufsaugend. – **2.** zum Einsaugen dienend. – **II** *s* **3.** Einsaugende(r), Einatmende(r), Inhaˈlierende(r). – **4.** *med.* a) → **inhaler** 3a, b) Inhalatiˈonsmittel *n*, -präpaˌrat *n*.

in·ha·la·tion [ˌinhəˈleiʃən] *s* **1.** Einatmung *f*. – **2.** *med.* a) Inhalatiˈonspräpaˌrat *n*, b) Inhalatiˈon *f*. — **ˈin·haˌla·tor** [-tər] → **inhaler** 3a.

in·hale [inˈheil] **I** *v/t med.* einatmen, inhaˈlieren. – **II** *v/i* inhaˈlieren (*bes. beim Rauchen*). — **inˈhal·er** *s* **1.** ˈLuftfilterappaˌrat *m*. – **2.** Einatmende(r). – **3.** *med.* a) Inhalatiˈonsappaˌrat *m*, Inhaˈlator *m*, b) Atmungsansatz *m*.

in·har·mon·ic [ˌinhɑːrˈmɒnik], *auch* **ˌin·harˈmon·i·cal** [-kəl] *adj* ˈunharˌmonisch, ˈmißtönend, dissoˈnant.

in·har·mo·ni·ous [ˌinhɑːrˈmouniəs] *adj* **1.** ˈunharˌmonisch, ˈmißtönend. – **2.** *fig.* ˈunharˌmonisch, nicht überˈeinstimmend. — **ˌin·harˈmo·ni·ous·ness** *s* **1.** ˈMißklang *m*, Disharmoˈnie *f*. – **2.** *fig.* Disharmoˈnie *f*, Uneinigkeit *f*.

in·haul [ˈinˌhɔːl] *auch* **ˈinˌhaul·er** [-lər] *s mar.* Niederholer *m*.

in·here [inˈhir] *v/i* **1.** innewohnen, anhaften (**in s.o.** j-m). – **2.** innewohnen, an-, zugehören, eigen sein (**in s.th.** einer Sache *dat*). – **3.** enthalten sein, stecken (**in** in *dat*).

in·her·ence [in'hi(ə)rəns] *s* **1.** Innewohnen *n*, Anhaften *n*, An-, Zugehören *n*. – **2.** *philos.* Inhä'renz *f*. — **in'her·en·cy** [-si] *s* **1.** → **inherence.** – **2.** anhaftende Eigenschaft, innewohnender Cha'rakterzug.

in·her·ent [in'hi(ə)rənt] *adj* **1.** (in) innewohnend, zugehörend (*dat*), von Na'tur gehörig (zu), angeboren (*dat*), unzertrennlich (von): it is ~ in the blood es liegt im Blut; ~ right angeborenes *od.* unveräußerliches Recht. – **2.** eigen, rechtmäßig gehörend (in *dat*). – **3.** *ling.* vor dem Substantiv stehend. – **4.** eingewurzelt, eingefleischt, verfestigt. – **5.** *philos.* inhä'rierend, inhä'rent. — **in'her·ent·ly** *adv* der inneren Na'tur nach, von Natur aus, innerlich, innig, durch Inhä'renz.

in·her·it [in'herit] **I** *v/t* **1.** *jur.* a) (er)erben (of, from, through von), b) beerben. – **2.** *biol.* erben. – **3.** über'nehmen. – **4.** *bes. Bibl.* erlangen, erringen. – **5.** *obs.* als Erben einsetzen. – **II** *v/i* **6.** *jur.* a) erben, b) erbberechtigt sein. – **7.** *biol.* 'herstammen (from von). — **in,her·it·a'bil·i·ty** *s* **1.** Vererbbarkeit *f*, Erblichkeit *f*. – **2.** Erbfähigkeit *f*. — **in'her·it·a·ble** *adj* **1.** *jur.* a) vererbbar, erblich (*auch fig.*), b) erbfähig, erbberechtigt (to an *dat*). – **2.** *biol.* vererbbar, erblich, Erb... — **in'her·it·a·ble·ness** → **inheritability.**

in·her·it·ance [in'heritəns; -rə-] *s* **1.** *jur.* Erbe *n*, Erbgut *n*, Nachlaß *m*, Hinter'lassenschaft *f*, Erbschaft *f*: ~ tax *Am.* Erbschafts-, Nachlaßsteuer; accrual of an ~ Anfall einer Erbschaft, Erbfall; devolution of an ~ Erbanfall, Rechtsnachfolge durch Erbgang. – **2.** *jur.* Erben *n*, Er-, Vererbung *f*: by ~ erblich, durch Vererbung, im Erbgange; contract of ~ Erbvertrag. – **3.** *jur.* Erbrecht *n*. – **4.** *biol.* Erblichkeit *f*, Vererbung *f*, Heredi'tät *f*: transmission by ~ erbliche Übertragung. – **5.** *biol.* Erbgut *n*. – **6.** *bes. Bibl.* (wertvoller) Besitz, Erbe *n*, Gabe *f*. – **7.** Besitz(recht *n*) *m*. – *SYN. cf.* heritage. — **in'her·it·ed** *adj* **1.** ererbt. – **2.** *ling.* schon im frühesten Stadium der Sprache vor'handen, Erb... — **in'her·i·tor** [-tər] *s* Erbe *m*. — **in'her·i·tress** [-tris] *s* Erbin *f*. — **in'her·i·trix** [-triks] *pl* **in,her·i'tri·ces** [-'traisiːz] *s* Erbin *f*.

in·he·sion [in'hiːʒən] *s* Inhä'renz *f*, Anhaften *n*, Innewohnen *n*.

in·hib·it [in'hibit] *v/t* **1.** hemmen, zu'rückhalten, hindern. – **2.** (from) (*j-n*) zu'rückhalten (von), hindern (an *dat*). – **3.** *obs.* verbieten, unter'sagen (from doing zu tun). – *SYN. cf.* forbid.

in·hi·bi·tion [ˌinhi'biʃən; ˌini'b-] *s* **1.** Hemmung *f*, (Be)Hinderung *f*, Zu'rückhaltung *f*. – **2.** Verbieten *n*, Unter'sagen *n*, -'sagung *f*, Verbot *n*. – **3.** *jur.* Inhibi'torium *n* (*Auftrag an einen Richter, eine Sache nicht weiter zu verfolgen*). – **4.** *psych.* Inhibiti'on *f*, Hemmung *f*. – **5.** *med.* Inhibiti'on *f*, Hemmung *f*, Sperrung *f* (*Reflex etc*).

in·hib·i·tive [in'hibitiv; -bə-] → **inhibitory.** — **in'hib·i·tor** [-tər] *s* **1.** Hemmender *m*. – **2.** Hemmnis *n*. – **3.** *chem. med.* In'hibitor *m*, Hemmstoff *m*. – **4.** *med.* In'hibitor *m*, Hemmungsnerv *m*. – **5.** (*Hüttenwesen*) a) (Oxydati'ons)Kataly,sator *m*, b) Sparbeize *f*. — **in'hib·i·to·ry** [*Br.* -bitəri; *Am.* -bə,tɔːri] *adj* **1.** hemmend, (ver)hindernd, Hemmungs... – **2.** verbietend. – **3.** *jur.* inhi'bierend.

in·hos·pi·ta·ble [in'hɒspitəbl; ˌinhɒs'pit-] *adj* **1.** nicht gastfreundlich, ungastlich, unfreundlich. – **2.** ungastlich, unwirtlich. — **in'hos·pi·ta·ble·ness,** ˌ**in·hos·pi'tal·i·ty** [-pi'tæliti; -pə-; -lə-; inˌhɒs-] *s* **1.** Ungast(freund)lichkeit *f*. – **2.** Ungastlichkeit *f*, Unwirtlichkeit *f*.

in·hu·man [in'hjuːmən] *adj* **1.** unmenschlich, bru'tal, grausam. – **2.** nicht menschlich, menschen'unähnlich. – *SYN. cf.* fierce. — ˌ**in·hu'mane** [-'mein] → **inhuman** 1. — **in'hu·man·ness** *s selten* Unmenschlichkeit *f*. — ˌ**in·hu'man·i·ty** [-'mæniti; -əti] *s* Unmenschlichkeit *f*, Brutali'tät *f*, Grausamkeit *f*.

in·hu·ma·tion [ˌinhjuː'meiʃən] *s* Beerdigung *f*, Begräbnis *n*. — **in·hume** [in'hjuːm] *v/t* beerdigen, begraben.

in·i·al ['iniəl] *adj med.* Hinterhaupthöcker...

in·im·i·cal [i'nimikəl] *adj* **1.** (to) feindselig (gegen), feindlich (*dat*). – **2.** nachteilig, schädlich: ~ to health gesundheitsschädlich. — **in,im·i'cal·i·ty** [-'kæliti; -əti], **in'im·i·cal·ness** *s* **1.** Feindseligkeit *f*, Feindschaft *f*. – **2.** Schädlichkeit *f*.

in·im·i·ta·bil·i·ty [iˌnimitə'biliti; -əti] *s* Unnachahmlichkeit *f*. — **in'im·i·ta·ble** *adj* unnachahmlich, einzigartig. — **in'im·i·ta·ble·ness** → **inimitability.**

in·i·on ['iniən] *s med.* Inion *n*, 'Hinterhaupthöcker *m*.

in·iq·ui·tous [i'nikwitəs; -wə-] *adj* **1.** ungerecht, unbillig, 'widerrechtlich. – **2.** schlecht, bösartig, schändlich. – *SYN. cf.* vicious. — **in'iq·ui·tous·ness** → **iniquity.**

in·iq·ui·ty [i'nikwiti; -wə-] *s* **1.** Ungerechtigkeit *f*, 'Widerrechtlichkeit *f*. – **2.** Schlechtigkeit *f*, Frevelhaftigkeit *f*, Schändlichkeit *f*. – **3.** Schandtat *f*, Frevel *m*. – **4.** Sünde *f*, Laster *n*. – **5.** I~ → **vice**[1] 7.

in·ir·ri·ta·bil·i·ty [inˌiritə'biliti; -əti] *s* Unempfindlichkeit *f*. — **in'ir·ri·ta·ble** *adj* unempfindlich, nicht reizbar.

in·i·tial [i'niʃəl] **I** *adj* **1.** anfänglich, Anfangs..., Ausgangs..., erst(er, e, es): ~ dividend *econ.* Abschlagsdividende; ~ position *mil.* Ausgangsstellung; ~ symptoms erste Symptome, Anfangssymptome. – **2.** *tech.* Null...: ~ adjustment Nulleinstellung. **II** *s* **3.** Initi'ale *f*, Initi'al *n*, Anfangsbuchstabe *m*. – **4.** *pl* Mono'gramm *n*. – **5.** *mus.* Anfangston *m*, -note *f*. – **6.** *bot.* Meri'stemzelle *f*. – **III** *v/t pret u. pp* **in'i·tialed,** *bes. Br.* **in'i·tialled 7.** mit den Initi'alen versehen *od.* unter'zeichnen, para'phieren. – **8.** mit einem Mono'gramm versehen: ~(l)ed paper Monogrammpapier. — **in'i·tial·ly** *adv* am Anfang, zu'erst, anfänglich, ursprünglich.

in·i·ti·ate [i'niʃiˌeit] **I** *v/t* **1.** beginnen, anfangen, einleiten, in Gang setzen: to ~ reforms. – **2.** einführen, einweihen. – **3.** einführen, aufnehmen (*bes. in eine exklusive Gesellschaft*). – **4.** (*j-n*) einarbeiten, anlernen. – **5.** *pol.* als erster beantragen. – **6.** *chem.* (*Reaktion etc*) initi'ieren. – *SYN. cf.* begin. – **II** *v/i* **7.** beginnen, anfangen. – **8.** die Initia'tive ergreifen. – **III** *adj* [-it; -ˌeit] **9.** (eben) begonnen, eingeleitet. – **10.** eingeführt, eingeweiht (in in *acc*). – **11.** noch ungebraucht, neu. – **12.** Neulings..., Anfänger... – **IV** *s* [-it; -ˌeit] **13.** Eingeführte(r), Eingeweihte(r). – **14.** Neuling *m*, Anfänger(in). — **in'i·tiˌat·ed** [-ˌeitid] *adj* eingeweiht, eingeführt: the ~ die Eingeweihten.

in·i·ti·a·tion [iˌniʃi'eiʃən] *s* **1.** Einführung *f*. – **2.** (feierliche) Einführung, Aufnahme *f* (into in *acc*). – **3.** 'Einführungszeremoˌnien *pl*, Aufnahmefeierlichkeiten *pl*. – **4.** Initiati'on *f*, Jünglingsweihe *f*. – **5.** Einleitung *f*, Beginn *m*. — ~ **fee** *s* Aufnahmegebühr *f*.

in·i·ti·a·tive [i'niʃiətiv; *Am. auch* -ˌeitiv] **I** *s* **1.** Initia'tive *f*, erster Schritt, einleitende Handlung: to take the ~ die Initiative ergreifen, den ersten Schritt tun. – **2.** Initia'tive *f*, Anstoß *m*, Anregung *f*: on the ~ of s.o. auf j-s Initiative hin; on one's own ~ aus eigener Initiative. – **3.** Unter'nehmungsgeist *m*, Entschlußkraft *f*, Initia'tive *f*. – **4.** *pol.* a) Ge'setzesinitiaˌtive *f*, Antragsrecht *n*, b) *meist* the ~ Initia'tivrecht *n* des Volkes, 'Volksinitiaˌtive *f*. – **II** *adj* **5.** einführend, Einführungs... – **6.** beginnend, anfänglich. – **7.** einleitend.

in·i·ti·a·tor [i'niʃiˌeitər] *s* **1.** Beginner *m*, Einleiter *m*. – **2.** *mil.* (Initi'al)-Zündladung *f*. — **in'i·ti·a·to·ry** [*Br.* -ətəri; *Am.* -ˌtɔːri] *adj* **1.** einleitend, einführend. – **2.** einführend, einweihend: ~ ceremonies Einweihungszeremonien. — **in'i·tiˌa·tress** [-ˌeitris], **inˌi·ti'a·trix** [-'eitriks] *s* **1.** Einführende *f*, Einweihende *f*. – **2.** Einleiterin *f*, Anregerin *f*.

in·ject [in'dʒekt] *v/t* **1.** *med.* a) inji'zieren, einspritzen, b) (*Gefäße, Wunden etc*) ausspritzen (with mit), c) eine Einspritzung machen *od.* spritzen in (*acc*): to ~ the thigh. – **2.** (*Flüssigkeit*) einspritzen, eingießen. – **3.** *fig.* einflößen, einimpfen (into *dat*): to ~ fear into s.o. j-m Furcht einflößen. – **4.** hin'einwerfen, -schleudern (into in *acc*). – **5.** *fig.* (*etwas Neues etc*) einführen, her'einbringen. – **6.** *fig.* (*Bemerkung*) da'zwischen-, einwerfen. — **in'ject·a·ble** *adj med.* inji'zierbar.

in·jec·tion [in'dʒekʃən] *s* **1.** Einspritzen *n*, -pumpen *n*. – **2.** Hin'einschleudern *n*, -werfen *n*. – **3.** *med.* a) Injekti'on *f*, Einspritzung *f*, b) eingespritztes Medika'ment, Injektion *f*, c) Kli'stier *n*, Einlauf *m*, d) Ausspritzung *f* (*Gefäße, Wunden etc*), e) (Blut)Andrang *m*, Stauung *f*, Kongesti'on *f*. – **4.** *geol.* Eindringen *n* von geschmolzenem Magma. – **5.** *selten* eingeworfene Bemerkung. — ~ **cock** *s tech.* Einspritzhahn *m*. — ~ **mo(u)ld·ing** *s tech.* Spritzgußverfahren *n*. — ~ **noz·zle** *s* Einspritzdüse *f*. — ~ **pipe** *s* Einspritzrohr *n*. — ~ **pres·sure** *s aer.* Einspritz'überdruck *m* (*Differenz zwischen Einspritzdruck u. Druck in der Brennkammer eines Düsentriebwerks*). — ~ **syr·inge** *s med.* **1.** Injekti'onsspritze *f*. – **2.** Kli'stierspritze *f*. — ~ **valve** *s tech.* 'Einspritzvenˌtil *n*.

in·jec·tor [in'dʒektər] *s tech.* In'jektor *m*, Dampfstrahlpumpe *f*.

in·ju·di·cious [ˌindʒuː'diʃəs] *adj* unverständig, unklug, unbesonnen, 'unüberˌlegt. — ˌ**in·ju'di·cious·ness** *s* Unverständigkeit *f*, Unklugheit *f*.

In·jun ['indʒən] *s Am. humor.* Indi'aner(in): honest ~! auf Ehre! (mein) Ehrenwort!

in·junct [in'dʒʌŋkt] *v/t colloq.* (*gerichtlich*) verbieten, verhindern.

in·junc·tion [in'dʒʌŋkʃən] *s* **1.** *jur.* Injunkti'on *f*, gerichtliche Verfügung, *bes.* gerichtliches Verbot, Gebot *n* zur Unter'lassung *od.* Einstellung. – **2.** ausdrücklicher Befehl: to give strict ~s to s.o. j-m dringend einschärfen.

in·junc·tive [in'dʒʌŋktiv] **I** *adj* **1.** auffordernd. – **2.** *ling.* injunk'tivisch. – **II** *s* **3.** *ling.* Injunktiv *m*.

in·jure ['indʒər] *v/t* **1.** verletzen, verwunden: to ~ one's leg sich das Bein verletzen. – **2.** *fig.* (*Gefühle*) kränken, verletzen. – **3.** beschädigen, verletzen. – **4.** schaden (*dat*), schädigen, beeinträchtigen: to ~ one's health seine

Gesundheit schädigen. – 5. (*j-m*) unrecht *od.* weh tun, (*j-n*) verletzen, kränken. – *SYN.* damage, harm, hurt, impair, mar. — **'in·jured** *adj* 1. verletzt, verwundet. – 2. schadhaft, beschädigt. – 3. geschädigt, beeinträchtigt: the ~ party der Geschädigte. – 4. beleidigt, gekränkt, verletzt: with an ~ air mit gekränkter Miene.

in·ju·ri·a [in'dʒu(ə)riə] *pl* **-ri,ae** [-,iː] (*Lat.*) *s jur.* Unrecht *n.*

in·ju·ri·ous [in'dʒu(ə)riəs] *adj* 1. schädlich, verderblich, nachteilig (to für): ~ to health gesundheitsschädlich; to be ~ (to) schaden (*dat*). – 2. boshaft, böse. – 3. schmähend, beleidigend, beschimpfend, Schmäh..., Schimpf...: ~ language. – 4. ungerecht. — **in'ju·ri·ous·ness** *s* 1. Schädlichkeit *f*, Nachteiligkeit *f*. – 2. Ungerechtigkeit *f*. – 3. Bosheit *f*. – 4. (*das*) Verletzende *od.* Beleidigende.

in·ju·ry ['indʒəri] *s* 1. Unrecht *n*, Unbill *f*. – 2. Ungerechtigkeit *f*. – 3. Schaden *m*, Schädigung *f*: ~ done by frost Frostschaden. – 4. Beleidigung *f*, Verletzung *f*, Kränkung *f*: to do an ~ to s.o.'s feelings j-s Gefühle verletzen. – 5. *med.* Verletzung *f*, Wunde *f*, Schädigung *f*: facial ~ Gesichtsverletzung; ~ to the head Kopfverletzung; personal ~ Körperverletzung. – 6. *obs.* Schmährede *f*, Beschimpfung *f*. – *SYN. cf.* injustice.

in·jus·tice [in'dʒʌstis] *s* Unrecht *n*, Ungerechtigkeit *f*: to do s.o. an ~ j-m ein Unrecht zufügen, j-m unrecht tun. – *SYN.* grievance, injury, wrong.

ink [iŋk] **I** *s* 1. Tinte *f*: as black as ~ kohl-, pechschwarz; copying ~ Kopiertinte. – 2. Tusche *f*: Chinese ~, India(n) ~ chines. Tusche. – 3. *auch* printing ~, printer's ~ Druckerschwärze *f*. – 4. *zo.* Tinte *f*, Sepia *f*. – **II** *v/t* 5. mit Tinte schwärzen *od.* beflecken. – 6. *print.* (*Druckwalzen etc*) einfärben. – 7. ~ in tu'schieren. — ~ **bag** → ink sac. — ~ **ball** *s* 1. *print.* Tinten-, Anschwärzballen *m*, Tam'pon *m*. – 2. Eichengallapfel *m* (*zur Tintenbereitung*). — '~,**ber·ry** *s bot.* 1. Kahle Hülse, Kahle Stechpalme (*Ilex glabra*). – 2. → pokeberry. – 3. (*eine*) Randie (*Randia mitis*). — ~ **block** *s print.* Reiber *m*, Reibstein *m*, Farbläufer *m*. — ~ **blot** *s* Tintenklecks *m*. — ~ **dis·ease** *s bot.* Tintenkrankheit *f* (*der Edelkastanie*).

ink·er ['iŋkər] *s* 1. *print.* → inking-roller. – 2. (*Telegraphie*) Farb-, Morseschreiber *m*, Schreibempfänger *m*.

ink| e·ras·er *s* 'Tintenra,diergummi *m*. — '~,**fish** → cuttlefish. — ~ **glass** *s* Tintenfaß *n*. — '~,**hold·er** *s* Tintenbehälter *m*, -faß *n*. — '~,**horn I** *s* tragbares Tintenfaß (*aus Horn*). – **II** *adj obs.* pe'dantisch, schwülstig.

ink·i·ness ['iŋkinis] *s* 1. Schwärze *f*. – 2. Tintenartigkeit *f*. – 3. Tintigkeit *f*.

ink·ing ['iŋkiŋ] *s print.* Einfärben *n*, Einfärbung *f*. — '~-,**pad** *s* Tinten-, Einschwärzballen *m*. — '~-,**roll·er** *s* Auftrag-, Farbwalze *f*. — '~-,**ta·ble** *s tech.* Farbtisch *m*.

ink knife *s irr print.* 'Farbline,al *n*, -messer *n*.

in·kle[1] ['iŋkl] *s selten* 1. Garn-, Zwirnband *n*. – 2. Leinengarn *n*, -faden *m*.

in·kle[2] ['iŋkl] *v/t Br. dial.* dunkel[ahnen.]

ink·ling ['iŋkliŋ] *s* 1. Andeutung *f*, Wink *m*. – 2. dunkle Ahnung: to get an ~ of s.th. etwas merken, ‚Wind von etwas bekommen'; to have an ~ of s. th. etwas dunkel ahnen.

'in-,knee *s* 1. einwärts stehendes Knie. – 2. *pl* X-Beine *pl*. — **'in-,kneed** *adj* X-beinig.

ink| nut *s bot.* Tintennuß *f*, Myroba'lane *f* (*von Terminalia chebula u. T. bellerica*). — ~ **pad** *s* Farb-, Stempelkissen *n*. — ~ **pen·cil** *s* Tinten-, Ko'pierstift *m*. — ~ **plant** *s bot.* 1. Gerberstrauch *m* (*Gattg Coriaria, bes. C. thymifolia*). – 2. *eine indische Kermesbeere* (*Phytolacca icosandra*). — '~,**pot** *s* 1. Tintenfaß *n*, -behälter *m*. – 2. *print.* Farbentopf *m*. — '~,**root** *s bot.* Nordamer. Strandnelke *f* (*Limonium carolinianum*). — ~ **sac** *s zo.* Tintenbeutel *m* (*der Tintenfische*). — '~,**sling·er** *s colloq.* Tintenkleckser *m*, Schreiberling *m*. — '~,**stand** *s* 1. Tintenfaß *n*. – 2. Schreibzeug *n*. — '~,**stone** *s* 1. *min.* Tintenstein *m*, na'türlicher 'Eisenvitri,ol, Melante'rit *m* ($FeSO_4 \cdot 7H_2O$). – 2. *print.* a) Farbstein *m*, b) Farbtisch *m*. — '~,**well** *s* (eingelassenes) Tintenfaß. — '~,**wood** *s bot.* Tintenholzbaum *m* (*Exothea paniculata*). — '~,**writ·er** → inker 2.

ink·y ['iŋki] *adj* 1. tinten-, pechschwarz, dunkel. – 2. tintenartig, -ähnlich. – 3. mit Tinte beschmiert, tintig, Tinten... – 4. mit Tinte geschrieben, Tinten... — ~ **cap** *s bot.* Tintling *m*, Tintenpilz *m* (*Gattg Coprinus*).

in·laid ['in,leid; in'leid] *adj* 1. eingelegt, Einlege..., Mosaik...: ~ work Einlegearbeit. – 2. eingelegt, mit Einlegearbeiten verziert. — ~ **floor** *s* Par'kettfußboden *m*.

in·land I *s* ['in,lænd; -lənd] 1. In-, Binnenland *n*. – 2. (*das*) Landesinnere. – 3. *oft pl* Land *n* in der Nähe der Wohnzentren. – 4. *jur. hist.* Hausacker *m*. – **II** *adj* ['inlənd] 5. binnenländisch, Binnen... – 6. inländisch, einheimisch, Inland..., Landes... – 7. nur für das Inland bestimmt, Inlands... – **III** *adv* ['in,lænd; in'lænd] 8. im Landesinnern, land'einwärts. – 9. ins Innere des Landes, land'einwärts: to go ~. — ~ **bill (of exchange)** ['inlənd] *s econ.* Inlandwechsel *m*. — ~ **com·mod·i·ties** *s pl econ.* einheimische Waren *pl*. — ~ **du·ty** *s econ.* 1. Abgabe *f*, Landessteuer *f*, Ak'zise *f*. – 2. Binnenzoll *m*.

in·land·er ['inləndər] *s* Binnenländer(in), im Landesinnern Lebende(r).

in·land| mail *s Br.* Inlandspost *f*. — ~ **nav·i·ga·tion** *s* Binnenschiffahrt *f*. — ~ **pay·ments** *s pl econ.* Inlandszahlungen *pl*. — ~ **prod·uce** *s econ.* 'Landespro,dukte *pl*. — ~ **rev·e·nue** *s econ. Br.* Steuereinnahmen *pl*, Staatsabgaben *pl*: I~ R~ Office Steueramt, Finanzamt (*für Staatsabgaben*). — ~ **trade** *s econ.* Binnenhandel *m*. — ~ **wa·ters** *s pl jur.* Binnengewässer *pl*. — ~ **wa·ter trans·por·ta·tion** *s econ.* Binnenschiffahrt *f*.

in·law [in'lɔː] *v/t hist.* von der Acht befreien, wieder unter den Schutz der Gesetze stellen.

in-law ['in,lɔː] *s colloq.* angeheiratete(r) Verwandte(r).

in·lay I *v/t irr* [in'lei] 1. aus-, einlegen: to ~ wood with mother-of-pearl. – 2. fur'nieren. – 3. täfeln, auslegen. – 4. einlegen, einbetten (in in *acc*). – 5. (*Buch*) mit eingelegten Illustrati'onen versehen. – 6. (*Gartenbau*) (*Edelreis*) über'tragen, oku'lieren. – **II** *s* ['in,lei] 7. Einlegearbeit *f*, In'tarsie *f*. – 8. Einlegestück *n*, eingelegtes Materi'al. – 9. Fur'nier(holz) *n*. – 10. eingelegtes Muster. – 11. *med.* gegossene (Zahn)Füllung. – 12. Einlegekunst *f*. – 13. *auch* ~ graft (*Gartenbau*) (In)Okulati'on *f*. — **'in,lay·er** *s* innere Schicht. — **in·lay·ing** [in'leiiŋ; 'in,leiiŋ] *s* 1. Aus-, Einlegen *n*, Aus-, Einlegung *f*: ~ of floors Parkettierung; ~-saw Laub-, Schweifsäge. – 2. Einlage *f*, eingelegtes Materi'al. – 3. Getäfel *n*, Lam'bris *m*, *f*, *n*.

in·let I *s* ['inlet] 1. Ein-, Zugang *m*. – 2. Einführungs-, Einlaßöffnung *f*. – 3. Einfahrt *f*. – 4. *med.* Eingang *m*, Öffnung *f*: ~ of larynx Kehlkopfeingang; ~ of thorax obere Thoraxapertur. – 5. schmale Bucht. – 6. *mar.* a) Einfahrt *f* (*Hafen*), b) Meerenge *f*. – 7. eingelegtes Stück *od.* Materi'al. – 8. *selten* Einlassen *n*. – **II** *v/t irr* [in'let] 9. einlegen, einfügen.

in·li·er ['in,laiər] *s geol.* Einschluß *m*, Einlieger *m*.

'in-,line en·gine *s tech.* Reihenmotor *m* (*auch in V- u. Doppel-V-Form*).

'in-,lot *s bes. Am.* 'Landpar,zelle *f*.

in·ly ['inli] *adv u. adj poet.* innerlich, tief, innig.

in·ly·ing ['in,laiiŋ] *adj* innen (*od.* im Innern) liegend, Innen..., inner(er, e, es).

in·mate ['in,meit] *s* 1. Insasse *m*, Insassin *f*. – 2. Hausgenosse *m*, -genossin *f*, Mitbewohner(in). – 3. Bewohner(in) (*auch fig.*).

in·mesh [in'meʃ] → enmesh.

'in-'mi·grant *s* Zugewanderte(r). — **'in-'mi·grate** *v/i* zuwandern. — **'in-mi'gra·tion** *s* Zuwanderung *f*.

in·most ['in,moust; -məst] *adj* 1. innerst(er, e, es). – 2. *fig.* innerst(er, e, es), tiefst(er, e, es), verborgenst(er, e, es), geheimst(er, e, es).

inn [in] **I** *s* 1. Gasthaus *n*, -hof *m*, -stätte *f*. – 2. Wirtshaus *n*. – 3. *Br. obs.* Stu'dentenheim *n*, College *n*. – 4. *obs.* a) Herberge *f*, b) Wohnhaus *n*. – **II** *v/t selten* 5. beherbergen. – **III** *v/i selten* 6. einkehren.

in·nards ['inərdz] *s pl colloq.* (*das*) Innere.

in·nate ['inneit; i'neit] *adj* 1. (in) angeboren, eigen (*dat*): to be ~ in s.o. j-m angeboren sein. – 2. *med.* angeboren, kongeni'tal, konna'tal. – 3. *philos.* aus der na'türlichen geistigen Veranlagung entstanden, nicht durch Erfahrung erworben, angeboren: ~ ideas. – 4. *bot.* a) angewachsen, b) im Innern (*einer Pflanze*) entstanden, endo'gen. – *SYN.* congenital, hereditary, inborn, inbred. — **in'nate·ly** *adv* von Na'tur (aus). — **in'nate·ness** *s* Angeborensein *n*.

in·nav·i·ga·ble [i'nævigəbl; in'n-] *adj mar.* nicht schiffbar (*Fluß*).

in·ner ['inər] **I** *adj* 1. inner, innen befindlich, inwendig, Innen...: an ~ door eine Innentür. – 2. inner(er, e, es). vertraut, enger(er, e, es): the ~ circle of his friends. – 3. geistig, seelisch, innerlich. – 4. verborgen, geheim, dunkel: an ~ meaning ein verborgener Sinn. – 5. *mus.* in der Mitte liegend, Mittel...: ~ voice Mittelstimme. – 6. *chem.* intramoleku'lar, innerhalb eines Mole'küls. – **II** *s* 7. (*das*) Innere. – 8. (Schuß *m* in) die dem Zentrum nächsten Ringe *pl* (*einer Schießscheibe*). — ~ **bot·tom** *s tech.* Innenboden *m*. — ~ **form** *s print.* zweite *od.* innere Form, 'Widerdruckform *f*. — **I~ House** *s Sitzungssäle der 1. u. 2. Abteilung des* Court of Session *in Edinburgh; auch diese Gerichtshöfe selbst.* — ~ **jib** *s mar.* Binnenklüver *m*. — **I~ Light** *s relig.* Inneres Licht, Gegenwart *f* Gottes in der Seele jedes Menschen (*Quäker*). — ~ **man** *s irr* innerer Mensch: a) Seele *f*, Geist *m*, b) *humor.* Magen *m*.

in·ner·most ['inər,moust; -məst] **I** *adj* 1. innerst(er, e, es). – 2. *fig.* innigst(er, e, es), tiefst(er, e, es). – **II** *s* 3. (*das*) Innerste, innerster Teil. — **'in·ner,most·ly** *adv* im Innersten.

in·ner| part *s mus.* Mittelstimme *f*, mittlere Stimme (*Alt u. Tenor*). —

~ plate *s arch.* Innenwand *f* (*eines verschalten Daches*). — **~ post** *s mar.* Binnenachtersteven *m.* — **~ ra·tio** *s math.* inneres Verhältnis. — **~ span** *s arch.* lichte Weite. — **~ square** *s tech.* innerer rechter Winkel (*Winkelmaß*). — **~ sur·face** *s* Innenseite *f*, -fläche *f.* — **I~ Tem·ple** *s Name eines der Gebäude der* Inns of Court. — **~ tube** *s tech.* Schlauch *m* (*eines Reifens*): ~ valve Schlauchventil.

in·ner·vate [iˈnəːrveit; ˈinərˌveit] *v/t med.* **1.** *auch zo.* innerˈvieren, mit Nerven versorgen. – **2.** anregen, beleben. — **ˌin·nerˈva·tion** *s med.* **1.** *auch zo.* a) Innervatiˈon *f*, Versorgung *f* mit Nerven, b) Nervenverteilung *f*, Anordnung *f* der Nerven, ˈNervensyˌstem *n.* – **2.** Anregung *f*, Belebung *f.* – **3.** Weiterleitung *f* eines Nervenreizes. — **in·nerve** [iˈnəːrv] *v/t* (Nerven)Kraft zuführen (*dat*), kräftigen, beleben, anregen.

ˈinnˌhold·er → innkeeper.

in·ning [ˈiniŋ] *s* **1.** *Br. oft pl* (*als sg konstruiert*) (*Kricket, Baseball*) Am-ˈSchlagen-Sein *n*, Am-ˈSpiel-Sein *n*: to have one's ~s a) an der Reihe *od.* am Schlage sein, b) *fig.* an der Macht *od.* am Ruder sein. – **2.** *Br. nur pl fig.* (günstige) Gelegenheit: it is your ~s now jetzt sind Sie dran; jetzt zeigen Sie mal, was Sie können. – **3.** Zuˈrückgewinnung *f* (*überfluteten Landes*). – **4.** *meist pl* dem Meere abgewonnenes Land. – **5.** Umˈzäunung *f*, Einfriedung *f.* – **6.** Einbringung *f* (*der Ernte etc*).

ˈinnˌkeep·er *s* Gastwirt(in), Gasthausbesitzer(in).

in·no·cence [ˈinəsns; -no-] *s* **1.** Unschuld *f*, Reinheit *f.* – **2.** *jur.* Unschuld *f*, Schuldlosigkeit *f* (of an *dat*). – **3.** Harmlosigkeit *f*, Unschädlichkeit *f.* – **4.** Arglosigkeit *f*, Naiviˈtät *f*, Herzenseinfalt *f.* – **5.** Einfalt *f*, Dummheit *f.* – **6.** *jur.* Unverdächtigkeit *f* (*Waren*). – **7.** Unschuldige(r), Naˈive(r). – **8.** *bot.* Blaue Houˈstonie (*Houstonia caerulea*). – **9.** *bot. eine nordamer. Collinsie* (*Collinsia verna u. C. bicolor*). — **ˈin·no·cen·cy** *selten für* innocence 1–7.

in·no·cent [ˈinəsnt; -no-] **I** *adj* **1.** unschuldig, rein, schuldlos. – **2.** *jur.* unschuldig (of an *dat*). – **3.** unbeabsichtigt. – **4.** *fig.* fleckenlos, makellos. – **5.** harmlos, unschädlich. – **6.** ~ of *colloq.* ohne: a man ~ of ideas ein Mann ohne Ideen. – **7.** arglos, naˈiv, unschuldig. – **8.** *dial.* einfältig, dumm. – **9.** *jur.* a) gesetzlich erlaubt, leˈgal, b) unverdächtig, nicht geschmuggelt: ~ goods. – **10.** *med.* gutartig. – **II** *s* **11.** Unschuldige(r), Schuldlose(r), *bes.* unschuldiges Kind: the massacre (*od.* slaughter) of the I~s a) *Bibl.* der bethlehemitische Kindermord, b) *pol. sl.* Überbordwerfen von Vorlagen am Sessionsende. – **12.** naˈiver Mensch. – **13.** Einfältige(r), Dummkopf *m.* – **14.** *meist pl* → innocence 8.

In·no·cents' Day → Holy ~.

in·no·cu·i·ty [ˌinɒˈkjuːiti; -əti] *s* Harmlosigkeit *f*, Unschädlichkeit *f.* — **inˈnoc·u·ous** [-kjuəs] *adj* harmlos, unschädlich, ungefährlich. — **inˈnoc·u·ous·ness** → innocuity.

in·nom·i·nate [iˈnɒminit; -mə-] *adj* unbenannt, namenlos. — **~ ar·ter·y** *s med.* Anˈonyma *f*, Arˈteria *f* anonyma. — **~ bone** *s med.* Hüft-, Beckenknochen *m.* — **~ vein** *s med.* Anˈonyma *f*, Vena *f* anonyma.

in·nom·i·na·tum [iˌnɒmiˈneitəm] *pl* **-ta** [-tə] → innominate bone.

in·no·vate [ˈinoˌveit; -nə-] **I** *v/i* **1.** Neuerungen ein-, ˈdurchführen *od.* vornehmen (in an *dat*, bei, in *dat*). – **II** *v/t obs.* **2.** einführen. – **3.** verändern, ˈumändern.

in·no·va·tion [ˌinoˈveiʃən; -nə-] *s* **1.** Neuerung *f.* – **2.** Erneuerung *f*, Neugestaltung *f*, Einführung *f* von Neuerungen. – **3.** *bot.* Neubildung *f*, Erneuerungssproß *m*, junger Jahrestrieb. — **ˌin·noˈva·tion·ist** *s* Neuerer *m*, Neuerin *f*, ˈUmgestalter(in).

in·no·va·tive [ˈinoˌveitiv; -nə-] → innovatory. — **ˈin·noˌva·tor** [-tər] *s* Neuerer *m*, Neuerin *f*, ˈUmgestalter(in). — **ˈin·noˌva·to·ry** [-təri] *adj* **1.** neuerungssüchtig. – **2.** neuernd, Neuerungs...

in·nox·ious [iˈnɒkʃəs] *adj* unschädlich, harmlos. — **inˈnox·ious·ness** *s* Unschädlichkeit *f*, Harmlosigkeit *f.*

Inns| of Chan·cer·y [inz] *s pl jur. hist.* Innungsgebäude *pl* (*in London, in denen früher Rechtsstudenten wohnten u. studierten; jetzt als Geschäftsräume von Advokaten benützt*). — **~ of Court** *s pl jur.* **1.** *die vier engl. Advokateninnungen bzw. Rechtsschulen* (Inner Temple, Middle Temple, Lincoln's Inn, Gray's Inn), *die allein das Privileg haben,* barristers *auszubilden u. zur Praxis zuzulassen.* – **2.** *die Gebäude dieser Innungen in London.*

in·nu·en·do [ˌinjuˈendou] **I** *s pl* **-does** **1.** (versteckte) Andeutung, Anspielung *f* (at auf *acc*). – **2.** Sticheˈlei *f.* – **3.** Anzüglichkeit *f.* – **4.** Bezichtigung *f*, Unterˈstellung *f.* – **5.** *jur.* a) erklärender Zusatz, Erläuterung *f*, b) Auslegung *f* von (*bes.* angeblich verleumderischen) Ausdrücken. – **II** *v/i pret u. pp* **-doed**, *pres p* **-do·ing** **6.** versteckte (*bes.* boshafte) Anspielungen machen.

In·nu·it [ˈinjuit] *pl* **ˈIn·nu·it, ˈIn·nu·its** *s* ˈIn(n)uit *m* (*Eskimo*).

in·nu·mer·a·bil·i·ty [iˌnjuːmərəˈbiliti; -əti] *s* Unzähligkeit *f*, Zahllosigkeit *f*, Unzählbarkeit *f.* — **inˈnu·mer·a·ble** *adj* unzählig, zahllos, unzählbar. — **inˈnu·mer·a·ble·ness** → innumerability. — **inˈnu·mer·ous** *selten für* innumerable.

in·nu·tri·tion [ˌinjuˈtriʃən; *Am. auch* -nu-] *s* Nahrungsmangel *m.* — **ˌin·nuˈtri·tious** *adj* nicht nahrhaft, ohne Nährwert.

ino- [ino; aino] *Wortelement mit der Bedeutung* Ino..., Fibro..., Faser-(gewebe).

in·o·blast [ˈinoˌblæst; ˈai-] *s med.* junge Bindegewebszelle.

in·ob·serv·ance [ˌinəbˈzəːrvəns], *auch selten* **ˌin·obˈserv·an·cy** [-si] *s* **1.** Unaufmerksamkeit *f*, Unachtsamkeit *f* (of auf *acc*). – **2.** Nichteinhaltung *f*, -beachtung *f* (*Vorschriften etc*). — **ˌin·obˈserv·ant** *adj* **1.** unaufmerksam, unachtsam (of auf *acc*). – **2.** nicht beachtend (of *acc*).

in·oc·cu·pa·tion [ˌinɒkjuˈpeiʃən; -jə-] *s* Beschäftigungslosigkeit *f*, Unbeschäftigtsein *n.*

in·oc·u·la·bil·i·ty [iˌnɒkjuləˈbiliti; -jə-; -əti] *s med.* Überˈimpfbarkeit *f.* — **inˈoc·u·la·ble** *adj med.* **1.** nicht imˈmun. – **2.** überˈimpfbar, einimpfbar, durch Impfung überˈtragbar. — **inˈoc·u·lant** → inoculum.

in·oc·u·lar [iˈnɒkjulər; -jə-] *adj zo.* augenständig.

in·oc·u·late [iˈnɒkjuˌleit; -jə-] **I** *v/t* **1.** *med.* (*Krankheit, Serum etc*) einimpfen (on, into s.o. j-m). – **2.** *med.* (*j-n*) impfen: to ~ s.o. for smallpox j-n gegen die Pocken impfen. – **3.** (*Mikroorganismen*) einführen, einimpfen. – **4.** *fig.* erfüllen, durchˈdringen, impfen: to ~ s.o. with new ideas j-m neue Ideen einimpfen. – **5.** *obs.* okuˈlieren. – **II** *v/i* **6.** *med.* impfen. – *SYN. cf.* infuse. – **III** *s* **7.** *med.* Impfstoff *m.* — **inˌoc·uˈla·tion** *s* **1.** *med.* Impfung *f*: preventive ~ Präventiv-, Schutzimpfung. – **2.** Einimpfung *f* (*Bakterien, Serum etc*). – **3.** (with) *fig.* Einimpfung *f*, Durchˈdringung *f* (mit), Beeinflussung *f* (durch). – **4.** *agr.* a) Überˈtragung *f* von Grasnarbe (*auf zukünftiges Grasland*), b) Einführung *f* von Bakˈterien (*in den Boden*). — **inˈoc·uˌla·tive** *adj med.* Impf..., (Ein)-Impfungs... — **inˈoc·uˌla·tor** [-tər] *s med.* **1.** Impfarzt *m.* – **2.** ˈImpfinstruˌment *n.* — **inˈoc·u·lum** [-ləm] *s* Impfstoff *m.*

in·o·cyte [ˈinoˌsait; ˈai-] *s med.* Fibroˈblast *m*, Bindegewebszelle *f.*

in·o·dor·ous [inˈoudərəs] *adj* geruchlos. — **inˈo·dor·ous·ness** *s* Geruchlosigkeit *f.*

in·of·fen·sive [ˌinəˈfensiv] *adj* harmlos, gutartig, unschädlich. — **ˌin·ofˈfen·sive·ness** *s* Harmlosigkeit *f*, Unschädlichkeit *f.*

in·of·fi·cious [ˌinəˈfiʃəs] *adj* **1.** *jur.* gegen die Pflicht verstoßend: an ~ testament ein unwirksames Testament (*weil es die Pflichterben nicht berücksichtigt*). – **2.** ohne Amt *od.* Funktiˈon, funktiˈonslos. – **3.** ungefällig.

in·op·er·a·ble [inˈɒpərəbl] *adj* **1.** *med.* inopeˈrabel, nicht opeˈrierbar. – **2.** nicht praktiˈzierbar.

in·op·er·a·tive [inˈɒpərətiv; -prə-; *Am. auch* -pəˌreitiv] *adj* **1.** unwirksam, wirkungslos. – **2.** nicht in Betrieb (befindlich), untätig. — **inˈop·er·a·tive·ness** *s* Unwirksamkeit *f*, Wirkungslosigkeit *f.*

in·o·per·cu·late [ˌinoˈpəːrkjulit; -nə-; -jə-; -ˌleit] **I** *adj bot. zo.* deckellos. – **II** *s zo.* deckelloses Tier.

in·op·por·tune [inˌɒpərˈtjuːn; ˈinɒpərˌtjuːn; *Am. auch* -ˈtuːn] *adj* ungelegen, unzeitig, unangemessen, ungebracht. — **inˌop·porˈtune·ness** *s* Ungelegenheit *f*, Unangemessenheit *f.* — **in·op·por·tun·ist** [inˌɒpərˈtjuːnist; *Am. auch* -ˈtuːn-] *s* **1.** j-d der etwas für unangebracht hält. – **2.** *relig.* Gegner *m* der Unfehlbarkeitserklärung. — **inˌop·porˈtu·ni·ty** → inopportuneness.

in·or·di·nate [inˈɔːrdinit; -də-] *adj* **1.** un-, ˈübermäßig. – **2.** unregelmäßig, ungeordnet, regellos, ungeregelt. – **3.** zügellos, unbeherrscht. – *SYN. cf.* excessive. — **inˈor·di·nate·ness** *s* **1.** Un-, ˈÜbermäßigkeit *f.* – **2.** Unregelmäßigkeit *f*, Regellosigkeit *f.* – **3.** Zügellosigkeit *f.*

in·or·gan·ic [ˌinɔːrˈgænik] *adj* **1.** ˈunorˌganisch. – **2.** *chem.* ˈanorˌganisch: ~ chemistry anorganische Chemie. – **3.** fremd, von außen kommend, nicht orˈganisch (entstanden), ˈunorˌganisch. – **4.** unbelebt. — **ˌin·orˈgan·i·cal·ly** *adv.*

in·or·gan·i·za·tion [inˌɔːrgənaiˈzeiʃən; -niˈz-] *s* Mangel *m* an Organisatiˈon, Unordnung *f.*

in·or·nate [ˌinɔːrˈneit; inˈɔːr-] *adj* schmucklos, einfach.

in·os·cu·late [inˈɒskjuˌleit; -jə-] **I** *v/t* **1.** *med.* (*Adern, Gefäße*) verbinden, vereinigen (with mit), einmünden lassen (into in *acc*). – **2.** eng verbinden (*auch fig.*). – **II** *v/i* **3.** *med.* ineinˈander münden, sich vereinigen (*Adern, Gefäße*). – **4.** sich eng verbinden, eng verbunden sein, zuˈsammenhängen, verschmelzen (*auch fig.*). — **inˌos·cuˈla·tion** *s* **1.** *med.* Anastoˈmose *f*, Ineinˈandermündung *f*, Vereinigung *f.* – **2.** Verschmelzung *f*, Ineinˌanderˈübergehen *n*, enge Verbindung (*auch fig.*).

in·os·ic ac·id [iˈnɒsik] → inosinic acid.

in·o·sine [ˈinoˌsiːn; -sin; -nə-; ˈai-] *s chem.* Inoˈsin *n*, Hypoxanthoˈsin *n* ($C_{10}H_{12}O_4N_4$). — **ˌin·oˈsin·ic ac·id** [-ˈsinik] *s chem.* Inoˈsinsäure *f* ($C_{10}H_{13}N_4O_8P$).

in·o·si·tol [iˈnousiˌtɒl; -ˌtoul; -sə-], *auch* **in·o·site** [ˈinoˌsait; -nə-] *s chem.*

Ino'sit *n*, Fleisch-, Muskelzucker *m* ($C_6H_6(OH)_6$).

in·o·trop·ic [ˌino'trɒpik; ˌai-; -nə-] *adj med.* ino'trop.

in·o·wer [in'ouər] *adv u. prep Scot.* nahe.

in·ox·i·dize [in'ɒksiˌdaiz; -sə-] *v/t chem.* gegen Oxydati'on schützen.

in·pa·tient, *Br.* **in-pa·tient** ['inˌpeiʃənt] *s* 'Anstaltspatiˌent(in), statio'närer Pati'ent, stationäre Patientin. — **'inˌpen·sion·er** *s Br.* Insasse *m* eines Inva'lidenhauses.

in| per·so·nam [in pər'sounæm] (*Lat.*) *jur.* **1.** gegen eine bestimmte Per'son gerichtet. – **2.** gegen die Per'son gerichtet. — **~ pet·to** [in 'pɛtto] (*Ital.*) in petto: cardinal ~ *relig.* Kardinal in petto (*dessen Namen der Papst bei der Ernennung für sich behält*).

in·phase, *Br.* **in-phase** ['inˌfeiz] *adj electr. phys.* gleichphasig, von gleicher Phase. — **~ com·po·nent** *s electr.* 'Wirkkompoˌnente *f.*

'in-ˌplant *adj bes. Am.* innerbetrieblich: ~ training innerbetriebliche Schulung.

in·pour [ˌin'pɔːr] **I** *v/i selten* hin'einströmen. – **II** *v/t* hin'eingießen. – **III** *s* ['inˌpɔːr] → inpouring II. — **'inˌpour·ing I** *adj* her'einströmend. – **II** *s* (Her)'Einströmen *n.*

in·put ['inˌput] *s* **1.** (*etwas*) Zugeführtes. – **2.** *tech.* a) eingespeiste Menge (*Brennstoff etc*), b) *electr.* Speisespannung *f*, zugeführte Spannung *od.* Leistung, Aufnahme *f*, 'Eingang *m*, 'Eingangsenerˌgie *f.* – **3.** zugeführte Menge. — **~ am·pli·fi·er** *s electr.* Vorverstärker *m.* — **~ cir·cuit** *s electr.* Pri'mär-, Eingangs(strom)kreis *m.* — **~ im·ped·ance** *s electr.* 'Eingangsimpeˌdanz *f*, -ˌwiderstand *m*, pri'märer 'Scheinˌwiderstand. — **~ ter·mi·nals** *s pl electr.* Eingangsklemmen *pl*, -punkte *pl.*

in·quest ['inkwest] *s* **1.** *jur.* a) gerichtliche Unter'suchung, b) *auch* coroner's ~ Obdukti'on *f*, Leichenschau *f*, c) Jury *f* (*die eine Obduktion durchführt, bes. die* coroner's jury), gerichtliche Unter'suchungskommissiˌon, d) Unter'suchungsergebnis *n*, Befund *m*: ~ of office amtliche Untersuchung. – **2.** Unter'suchung *f*, Nachforschung *f* (of über *acc*).

in·qui·et [in'kwaiət] *adj selten* beunruhigt. — **in'qui·et·ness** *s obs.* Unruhe *f.* — **in'qui·eˌtude** [-ˌtjuːd; *Am. auch* -ˌtuːd] *s* **1.** Unruhe *f*, Beunruhigung *f*, Besorgtheit *f.* – **2.** *pl* beunruhigende Gedanken *pl.* – **3.** Ruhelosigkeit *f.*

in·qui·line ['inkwiˌlain; -lin] *zo.* **I** *s* Inqui'lin *m*, Einmieter *m*, Schma'rotzer *m* (*eine Gallmücke od. Gallwespe, die ihre Eier in fremde Gallen legt*). – **II** *adj* mitbewohnend.

in·quire [in'kwair] **I** *v/t* **1.** sich erkundigen nach, fragen nach, erfragen: to ~ s.o.'s name nach j-s Namen fragen; to ~ one's way sich nach dem Weg erkundigen. – **2.** *obs.* a) suchen, b) (*j-n*) (aus)fragen. – **II** *v/i* **3.** (nach)fragen, sich erkundigen, Erkundigungen einziehen (of s.o. bei j-m; after, for nach; about, after, concerning über *acc*, wegen): to ~ after (*od.* for) s.o. sich nach j-m erkundigen; much ~d after (*od.* for) sehr gesucht, viel gefragt. – **4.** Unter'suchungen anstellen, nachforschen (into über *acc*): to ~ into s.th. etwas untersuchen *od.* prüfen *od.* erforschen. – *SYN. cf.* ask. — **in'quir·er** *s* **1.** (Nach)Fragende(r). – **2.** Unter'suchende(r), Nachforschende(r). — **in'quir·ing** *adj* **1.** suchend, forschend, fragend. – **2.** wißbegierig, forschend, neugierig.

in·qui·ren·do [ˌinkwai(ə)'rendou; -kwi-] *s jur.* Nachfrageermächtigung *f.*

in·quir·y [in'kwai(ə)ri; *Am. auch* 'inkwəri] *s* **1.** Erkundigung *f*, Nachfrage *f*: to make inquiries Erkundigungen einziehen (of s.o. bei j-m; about, after über *acc*, wegen). – **2.** (Nach)Forschung *f*, Unter'suchung *f*, Prüfung *f*, (of s.th. *od.* into s.th. einer Sache): writ of ~ *jur.* Gerichtsbefehl, die Höhe des Schadenersatzes festzustellen. – **3.** *econ.* Nachfrage *f* (for nach). – **4.** Suchen *n*, (Nach)Forschen *n*, (Nach)Fragen *n.* – **5.** (An-, Nach)Frage *f*: by (on) ~ durch (auf) Nachfrage. — **~ of·fice** *s* 'Auskunftsbüˌro *n*, Auskunf'tei *f.*

in·qui·si·tion [ˌinkwi'ziʃən; -kwə-] *s* **1.** (into) Unter'suchung *f* (*gen*), Nachforschung *f* (über *acc*). – **2.** *jur.* a) gerichtliche *od.* amtliche Unter'suchung, b) Gutachten *n*, c) Unter'suchungsprotoˌkoll *n.* – **3.** I~ *relig.* a) *hist.* Inquisiti'on *f*, Ketzer-, Glaubensgericht *n*, b) Kongregati'on *f* des heiligen Of'fiziums. — **ˌin·qui'si·tion·al** *adj* **1.** unter'suchend, nachforschend, Untersuchungs... – **2.** streng unter'suchend, nachforschend, inquisi'torisch. – **3.** *relig.* Inquisitions... — **ˌin·qui'si·tion·ist** → inquisitor.

in·quis·i·tive [in'kwizitiv; -zə-] **I** *adj* **1.** (nach)forschend, wißbegierig: to be ~ about s.th. etwas gern wissen mögen. – **2.** neugierig (after, about, of, into auf *acc*). – *SYN. cf.* curious. – **II** *s* **3.** neugieriger *od.* wißbegieriger Mensch. — **in'quis·i·tive·ness** *s* **1.** Wißbegierde *f*, Forschungsdrang *m*, Wissensdurst *m.* – **2.** Neugier(de) *f.* — **in'quis·i·tor** [-tər] *s* **1.** Unter'sucher *m*, Nachforscher *m.* – **2.** *jur.* Unter'suchungsbeˌamter *m*, -richter *m.* – **3.** (neugieriger) Frager, Neugieriger *m.* – **4.** *auch* I~ *relig.* Inqui'sitor *m*, Inquisiti'onsrichter *m*: Grand I~ Großinquisitor. — **in'quis·i·tress** [-tris] *s* Forscherin *f*, Fragerin *f.* — **inˌquis·i'to·ri·al** [-'tɔːriəl] *adj* **1.** *jur.* Untersuchungs...: ~ trial *Prozeß, bei dem der Richter gleichzeitig staatsanwaltliche Funktionen ausübt, od. Prozeß mit geheimem Verfahren.* – **2.** *relig.* Inquisitions... – **3.** aufdringlich fragend *od.* forschend. – **4.** neugierig.

in| re [in riː] (*Lat.*) **1.** *jur.* in Sachen, betrifft. – **2.** in Wirklichkeit. — **~ rem** [rem] (*Lat.*) *jur.* **1.** gegen eine Sache (gerichtet). – **2.** in bezug auf eine Sache: rights ~.

in·road ['inˌroud] *s* **1.** (feindlicher) Einfall, 'Überfall *m*, Angriff *m* (on, upon auf *acc*). – **2.** *fig.* Eingriff *m* (on, into in *acc*). – **3.** 'Übergriff *m* (on, upon auf *acc*). – **4.** *fig.* 'übermäßige In'anspruchnahme (on s.th. einer Sache). – **5.** *fig.* plötzliches gewaltsames Eindringen.

in·rush ['inˌrʌʃ] *s* **1.** (Her)'Einströmen *n.* – **2.** Flut *f*, (Zu)Strom *m.*

in·sal·i·vate [in'sæliˌveit; -lə-] *v/t med.* einspeicheln. — **inˌsal·i'va·tion** *s med.* Einspeichelung *f*, Insalivati'on *f.*

in·sa·lu·bri·ous [ˌinsə'luːbriəs] *adj* ungesund, gesundheitsschädlich. — **ˌin·sa'lu·bri·ty** [-briti; -brə-] *s* Gesundheitsschädlichkeit *f.*

in·sane [in'sein] *adj* **1.** *med.* geisteskrank, wahn-, irrsinnig, irr. – **2.** Irren...: ~ asylum Irrenanstalt. – **3.** *fig.* verrückt, unsinnig, toll: an ~ idea. — **in'sane·ness** → insanity.

in·san·i·tar·i·ness [*Br.* in'sænitərinis; *Am.* -nəˌteri-] *s* Gesundheitsschädlichkeit *f*, 'unhygiˌenische Beschaffenheit. — **in'san·i·tar·y** *adj* nicht sani'tär, 'unhygiˌenisch, gesundheitsschädlich, ungesund. — **inˌsan·i'ta·tion** *s* 'unhygiˌenischer Zustand, mangelnde Hygi'ene.

in·san·i·ty [in'sæniti; -əti] *s* **1.** *med.* Irrsinn *m*, Irresein *n*, Wahn(sinn) *m*, Geisteskrankheit *f*, Psychopa'thie *f.* – **2.** *jur.* Geisteskrankheit *f.* – **3.** *fig.* Verrücktheit *f*, Unsinnigkeit *f*, Sinnlosigkeit *f.* – *SYN.* dementia, lunacy, mania, psychosis.

in·sa·ti·a·bil·i·ty [inˌseiʃiə'biliti; -əti] *s* Unersättlichkeit *f.* — **in'sa·ti·a·ble** *adj* **1.** unersättlich, nicht zu befriedigen(d). – **2.** *fig.* unersättlich, gierig (of auf *acc*, nach). — **in'sa·ti·a·ble·ness** → insatiability.

in·sa·ti·ate [in'seiʃiit] *adj* **1.** unersättlich, nicht zu befriedigen(d): ~ thirst unstillbarer Durst. – **2.** ungesättigt, ungestillt. — **in'sa·ti·ate·ness** *s* **1.** Unersättlichkeit *f.* – **2.** Ungesättigtheit *f.*

in·scrib·a·ble [in'skraibəbl] *adj* **1.** ein-, aufschreibbar. – **2.** *math.* ein(be)schreibbar. – **3.** beschriftbar. — **in'scribe** *v/t* **1.** (nieder-, ein-, auf)schreiben. – **2.** (*Papier etc*) beschreiben, beschriften. – **3.** (*Denkmal*) mit einer Inschrift versehen. – **4.** (*Gedicht etc*) zueignen, widmen (to s.o. j-m). – **5.** (in) eintragen, einschreiben (in *acc*), regi'strieren (in *dat*). – **6.** *math.* (*Figur*) einbeschreiben, einzeichnen (in in *acc*). – **7.** *fig.* tief einprägen (in *dat*).

in·scribed [in'skraibd] *adj* **1.** niedergeschrieben, aufgeschrieben. – **2.** beschriftet, beschrieben. – **3.** *zo.* gezeichnet. – **4.** *math.* einbeschrieben. – **5.** *econ.* eingeschrieben. – **6.** (tief) eingeprägt. — **~ an·gle** *s math.* einbeschriebener Winkel, Periphe'riewinkel *m.* — **~ cir·cle** *s math.* einbeschriebener Kreis, Inkreis *m.* — **~ stock** *s econ. Br.* Namensaktien *pl* (*nur bei den Emissionsstellen eingetragene Aktien ohne Besitzerzertifikat*).

in·scrip·tion [in'skripʃən] *s* **1.** Einschreibung *f*, Eintragung *f*, Regi'strierung *f.* – **2.** Beschriftung *f*, Beschreibung *f.* – **3.** In-, Aufschrift *f.* – **4.** Zueignung *f*, Widmung *f* (*eines Buches etc*). – **5.** *econ. Br.* a) Ausgabe *f* von Namensaktien, Regi'strierung *f* von Aktien, b) *pl* Namensaktien *pl*, regi'strierte Aktien *pl.* – **6.** *math.* Einbeschreibung *f*, Einzeichnung *f.* – **7.** *selten* 'Überschrift *f.* — **in'scrip·tion·al, in'scrip·tive** [-tiv] *adj* **1.** Inschriften... – **2.** inschriftartig.

in·scroll [in'skroul] *v/t* (in eine Liste) eintragen, aufzeichnen.

in·scru·ta·bil·i·ty [inˌskruːtə'biliti; -əti] *s* Unerforschlichkeit *f*, Unergründlichkeit *f.* — **in'scru·ta·ble** *adj* **1.** unerforschlich, unergründlich, rätselhaft. – **2.** unmeßbar. – *SYN. cf.* mysterious. — **in'scru·ta·ble·ness** → inscrutability.

in·sculp [in'skʌlp] *selten für* engrave.

in·sect ['insekt] **I** *s* **1.** *zo.* In'sekt *n*, Kerbtier *n* (*Klasse Hexapoda*). – **2.** (*verächtlich*) *fig.* ‚Ungeziefer' *n*, lästiger Mensch. – **II** *adj* **3.** Insekten... – **4.** in'sektenartig, -ähnlich. – **5.** *fig.* verächtlich, minderwertig. — **in'sec·tan** *Br. für* insectean. — **ˌin·sec'tar·i·um** [-'tɛ(ə)riəm] *pl* **-i·a** [-iə], *auch* **-i·ums** *s* **1.** Insek'tarium *n* (*Behälter für lebende Insekten*). – **2.** In'sektensammlung *f.* — **'in·sec·tar·y** [*Br.* -təri; *Am.* -ˌteri] → insectarium. — **in'sec·te·an** [-tiən] *adj zo.* **1.** Insekten... – **2.** in'sektenartig, -ähnlich.

in·sec·ti·cid·al [inˌsekti'saidl; -tə-] *adj* in'sektentötend. — **in'sec·tiˌcide** [-ˌsaid] **I** *s* In'sektenvertilgungsmittel *n.* – **II** *adj* in'sektentötend, inˌsekti'zid. — **in'sec·tiˌform** [-ˌfɔːrm] *adj zo.* in'sektenförmig, -artig. — **in'sec·tiˌfuge** [-ˌfjuːdʒ] *s* In'sektenvertreibungsmittel *n.*

in·sec·tile [in'sektil; *Br. auch* -tail] *adj zo.* **1.** → insectean. – **2.** aus In'sekten bestehend.

in·sec·tion [in'sekʃən] *s* Einschnitt *m.*

in·sec·ti·val [ˌinsekˈtaivəl; inˈsektivəl] *adj* 1. inˈsektenartig. – 2. Insekten...
in·sec·ti·vore [inˈsektiˌvɔːr; -tə-] *s* 1. *zo.* Inˈsektenfresser *m*: a) *insektenfressendes Tier*, b) *Säugetier der Ordnung Insectivora*. – 2. *bot.* fleischfressende Pflanze. — **ˌin·sec-ˈtiv·o·rous** [-ˈtivərəs] *adj* 1. *zo.* inˈsektenfressend. – 2. *zo.* zu den Insectiˈvoren gehörend. – 3. *bot.* fleisch-, inˈsektenfressend.
ˈin·sectˌlike *adj* inˈsektenartig.
in·sec·tol·o·gy [ˌinsekˈtɒlədʒi] *s* praktische Inˈsektenkunde.
in·sec·to·ry [inˈsektəri] *s Am.* Inˈsektenzuchtanstalt *f*.
in·sect pow·der *s* Inˈsektenpulver *n*.
in·se·cure [ˌinsiˈkjuər] *adj* 1. unsicher, gefährlich. – 2. ungesichert, nicht fest. – 3. unsicher, ungewiß. — **in·se·cu·ri·ty** [ˌinsiˈkju(ə)riti; -rəti] *s* 1. Unsicherheit *f*, Gefährlichkeit *f*. – 2. Ungewißheit *f*.
in·sem·i·nate [inˈsemiˌneit; -mə-] *v/t* 1. (*Boden*) einsäen. – 2. (*Samen*) (aus)säen. – 3. bepflanzen. – 4. einpflanzen. 5. *biol.* (künstlich) befruchten, besämen, schwängern. – 6. *fig.* einprägen: to ~ s.th. in s.o.'s mind j-m etwas einimpfen. – *SYN. cf.* implant. — **inˌsem·iˈna·tion** *s* 1. (Ein)Säen *n*, (Ein)Pflanzen *n*, Befruchtung *f*. – 2. *fig.* Einprägung *f*, Einimpfung *f*.
in·sen·sate [inˈsenseit; -sit] *adj* 1. empfindungs-, gefühl-, leblos: ~ stone. – 2. gefühllos, hart, bruˈtal. – 3. unsinnig, töricht, unvernünftig. – *SYN. cf.* fond[1]. — **inˈsen·sate·ness** *s* 1. Empfindungs-, Gefühllosigkeit *f*. – 2. Härte *f*. – 3. Sinnlosigkeit *f*.
in·sen·si·bil·i·ty [inˌsensəˈbiliti -əti] *s* 1. Empfindungs-, Gefühllosigkeit *f*, Unempfindlichkeit *f*: ~ to pain Schmerzunempfindlichkeit. – 2. Bewußtlosigkeit *f*. – 3. Gefühllosigkeit *f*, Gleichgültigkeit *f* (to gegen), Unempfänglichkeit *f* (to für). – 4. (seelische *od.* geistige) Unempfänglichkeit, Stumpfheit *f*. – 5. Unmerklichkeit *f*.
in·sen·si·ble [inˈsensəbl] *adj* 1. empfindungslos, unempfindlich, gefühllos: to be ~ to pain keinen Schmerz empfinden; hands ~ from cold vor Kälte gefühllose Hände. – 2. bewußtlos, betäubt: to fall ~ in Ohnmacht fallen. – 3. unempfänglich, unempfindlich, gefühllos (of, to für), gleichgültig (of, to gegen). – 4. (of) sich nicht bewußt (*dat*), sich nicht im klaren (über *acc*): we are not ~ of your kindness wir sind uns Ihrer Freundlichkeit bewußt. – 5. unmerklich, nicht *od.* kaum wahrnehmbar. – 6. *selten* leblos, tot. – 7. *obs.* sinnlos. — **inˈsen·si·bly** [-bli] *adv* unmerklich, allˈmählich.
in·sen·si·tive [inˈsensətiv; -sit-] *adj* 1. unempfindlich, gefühllos: an ~ skin. – 2. (to) unempfänglich (für), unempfindlich (gegen): ~ to light. – 3. (seelisch *od.* geistig) gefühllos, stumpf. — **inˈsen·si·tive·ness, inˌsen·siˈtiv·i·ty** *s* Empfindungslosigkeit *f*, Unempfindlichkeit *f*, Unempfänglichkeit *f*.
in·sen·ti·ence [inˈsenʃiəns; -ʃəns], *auch selten* **inˈsen·ti·en·cy** [-si] *s* 1. Empfindungs-, Gefühllosigkeit *f*. – 2. Leblosigkeit *f*. — **inˈsen·ti·ent** *adj* empfindungs-, gefühllos.
in·sep·a·ra·bil·i·ty [inˌsepərəˈbiliti; -əti] *s* Untrennbarkeit *f*, Unzertrennlichkeit *f*. — **inˈsep·a·ra·ble I** *adj* 1. untrennbar, unzertrennlich (from von). – **II** *s meist pl* 2. (*etwas*) Untrennbares *od.* Unzertrennliches. – 3. *pl* Unzertrennliche *pl*, unzertrennliche Freunde *pl*. — **inˈsep·a·ra·ble·ness** → inseparability.
in·sert I *v/t* [inˈsəːrt] 1. einfügen, einführen, einsetzen, hinˈeinstecken (in, into in *acc*, between zwischen): to ~ a key in a lock einen Schlüssel in ein Schloß stecken; to ~ a graft ein Pfropfreis aufsetzen; to ~ a needle *med.* eine Nadel einstechen. – 2. *electr.* ein-, zwischenschalten. – 3. (*in eine Zeitung*) einrücken (lassen), (*Inserat*) aufgeben. – 4. (*Münze*) einwerfen. – *SYN. cf.* introduce. – **II** *s* [ˈinsəːrt] 5. Einfügung *f*, Einsatz *m*, Einschaltung *f*. – 6. Inseˈrat *n*, Anzeige *f*. – 7. *bes. Am.* Bei-, Einlage *f* (*einer Zeitung od. eines Buches*). — **inˈsert·ed** *adj* 1. eingefügt, eingesetzt. – 2. *electr.* ein-, zwischengeschaltet. – 3. (on) angefügt (an *acc*), aufsitzend (auf *dat*). – 4. *zo.* eingesetzt, sitzend, steckend, entspringend (at an *dat*). – 5. *med.* angefügt, angesetzt, angeheftet.
in·ser·tion [inˈsəːrʃən] *s* 1. Einfügen *n*, Einsetzen *n*, Hinˈeinstecken *n*, Einfügung *f*, Einsetzung *f*. – 2. (*das*) Eingefügte, Einfügung *f*, Ein-, Zusatz *m*. – 3. (Zeitungs)Anzeige *f*, Inseˈrat *n*. – 4. (Zeitungs)Beilage *f*. – 5. Einsatz *m*: an ~ of lace ein Spitzeneinsatz. – 6. *electr.* Ein-, Zwischenschaltung *f*. – 7. *bot. med. zo.* a) Einfügung *f* (*Organ*), b) Ansatz(stelle *f*) *m*: muscular ~ *med.* Muskelansatz. – 8. *med.* Einführung *f* (*Instrument etc*). – 9. Einwurf *m* (*Münze*).
ˈin-ˌserv·ice *adj Am.* während der (Miliˈtär)Dienstzeit vor sich gehend *od.* weiterlaufend: ~ education.
in·ses·so·ri·al [ˌinseˈsɔːriəl] *adj zo.* 1. zum Hocken geeignet (*Fuß*). – 2. (gewohnheitsmäßig) hockend (*Vogel*). – 3. Nesthocker...
in·set I *s* [ˈinˌset] 1. Einfügung *f*, Einschaltung *f*, Einsatz *m*, Einschiebsel *n*. – 2. Eckeinsatz *m*, Nebenbild *n*, -karte *f*. – 3. Bei-, Einlage *f* (*Zeitung*). – 4. Einsetzen *n* (*Flut*), Herˈeinströmen *n*. – 5. Einsetzen *n*, Einsetzung *f*. – **II** *v/t irr* [inˈset] *pret u. pp Br. auch* **inˈset·ted** 6. einfügen, einsetzen, einschalten, einschieben (in in *acc*). – 7. einen Einsatz *od.* eine Einfügung machen in (*acc*).
in·shave [ˈinˌʃeiv] *s tech.* Formhobel *m*.
in·sheathe [inˈʃiːð] *v/t Br. obs. od. Am.* in die *od.* eine Scheide *od.* Hülle stecken.
in·shoot [ˈinˌʃuːt] *s* (*Baseball*) Drall-, Dreh-, Efˈfetball *m*.
in·shore [ˈinˈʃɔːr] **I** *adj* 1. an der Küste (liegend *od.* betrieben), Küsten...: ~ fishing Küstenfischerei; ~ navigation Nahfahrt. – 2. sich auf die Küste zu bewegend: ~ currents. – **II** *adv* 3. zur Küste hin, küstenˈeinwärts. – 4. nahe der Küste. – 5. ~ of näher der Küste als: ~ of a ship zwischen einem Schiff u. der Küste.
in·shrine [inˈʃrain] → enshrine.
in·side [ˈinˈsaid] **I** *s* 1. Innenseite *f*, -fläche *f*, innere Seite. – 2. Inneres *n*, Innenteil *m*, *n*: ~ out das Innere *od.* die Innenseite nach außen gekehrt, verkehrt; to turn s.th. ~ out etwas durcheinanderbringen *od.* umkrempeln; to know s.th. ~ out etwas in- u. auswendig kennen. – 3. *fig.* inneres Wesen, Seele *f*, Innerstes *n*, Wesentliches *n*: to look into the ~ of s.th. etwas gründlich untersuchen. – 4. *oft pl colloq. od. dial.* Eingeweide *pl*, *bes.* Magen *m*. – 5. *pl* innerste Gedanken *pl od.* Gefühle *pl*. – 6. *colloq.* a) ˈInnenpassaˌgier *m*, Fahrgast *m* im Innern (*eines Wagens*), b) Innenplatz *m*, -sitz *m* (*im Wagen*). – 7. Innenseite *f* (*Druckbogen*). – 8. *Br. colloq.* Mitte *f*, mittlerer Teil (*Zeitabschnitt*): the ~ of a week die Mitte der Woche. – 9. *Am. sl.* Informatiˈon *f* aus erster Quelle. – **II** *adj* 10. an *od.* auf der Innenseite (befindlich), im Innern (befindlich), inner, Innen..., inwendig: ~ seat Innensitz. – 11. im Hause beschäftigt *od.* arbeitend. – 12. im Hause getan (*Arbeit*). – 13. *colloq.* inˈtern, genau, diˈrekt: ~ information. – **III** *adv* [ˌinˈsaid] 14. im Innern, drinnen, darˈin. – 15. ins Innere, nach innen. – 16. auf der Innenseite. – 17. *colloq. od. Am.* (*räumlich u. zeitlich*) innerhalb (of von): ~ of five minutes innerhalb von fünf Minuten, in weniger als fünf Minuten. – **IV** *prep* [ˌinˈsaid] 18. innerhalb, im Innern (*gen od.* von): ~ the circle innerhalb des Kreises.
in·side| ball [ˈinˈsaid] *s sport Am.* ‚gekonntes' Baseballspiel. — ~ **bear·ing** *s tech.* Innenlager *n*. — ~ **bro·ker** *s econ.* amtlich zugelassener Makler. — ~ **cal·(l)i·per** *s tech.* Hohl-, Lochzirkel *m*, Lochtaster *m*. — ~ **di·am·e·ter** *s* ˈInnenˌdurchmesser *m*, lichte Weite. — ~ **lap** *s tech.* innere Überˈlappung *od.* Überˈdeckung. — ~ **play** *s sport* Spiel *n* nach einem vorher festgelegten geheimen Plan.
in·sid·er [ˌinˈsaidər] *s* 1. Eingeweihte(r), Wissende(r). – 2. Innenstehende(r), Mitglied *n*. – 3. *colloq.* j-d der im Vorteil ist. – 4. innen Befindliche(r).
in·side| screw [ˈinˈsaid] *s tech.* Schraubenmutter *f*. — ~ **track** *s* 1. *sport* Innenbahn *f* (*Rennstrecke*). – 2. *colloq.* Vorteil *m*: to have the ~ im Vorteil sein.
in·sid·i·ous [inˈsidiəs] *adj* 1. heimtückisch, ˈhinterhältig, -listig, verräterisch. – 2. *med.* (heim)tückisch, insidiˈös, schleichend. — **inˈsid·i·ous·ness** *s* Heimtücke *f*, ˈHinterlist *f*.
in·sight [ˈinˌsait] *s* 1. (into) Einblick *m* (in *acc*), richtige Kenntnis (von). – 2. Scharfblick *m*. – 3. Einsicht *f*, Verständnis *n*. – 4. *psych.* a) plötzliche Einsicht *od.* Erkenntnis, b) Selbsterkenntnis *f*, c) Krankheitseinsicht *f* (*Geisteskranker*). – *SYN. cf.* discernment.
in·sig·ni·a [inˈsigniə] *s pl*, *sg* **inˈsig·ne** [-niː] 1. Inˈsignien *pl*, Amts-, Standes-, Ehrenzeichen *pl*. – 2. *mil.* Abzeichen *pl*, Emˈbleme *pl*. – 3. (Kenn)Zeichen *pl*.
in·sig·nif·i·cance [ˌinsigˈnifikəns; -fə-] *s* 1. Bedeutungslosigkeit *f*, Unwichtigkeit *f*. – 2. Belanglosigkeit *f*, Geringfügigkeit *f*. – 3. Verächtlichkeit *f*, Minderwertigkeit *f*. – 4. Bedeutungs-, Sinnlosigkeit *f*, Hohlheit *f* (*Wort etc*). — **ˌin·sigˈnif·i·can·cy** *s* 1. → insignificance. – 2. (*etwas*) Bedeutungsloses, Lapˈpalie *f*. – 3. unbedeutender *od.* minderwertiger Mensch, ‚Null' *f*.
in·sig·nif·i·cant [ˌinsigˈnifikənt; -fə-] **I** *adj* 1. bedeutungslos, unwichtig, belanglos. – 2. geringfügig, unerheblich: an ~ sum. – 3. unbedeutend, ohne Einfluß: an ~ person. – 4. verächtlich, minderwertig, gemein: an ~ fellow. – 5. ohne Sinn, nichtssagend: ~ words. – **II** *s* 6. Belanglosigkeit *f*, Lapˈpalie *f*, Kleinigkeit *f*. – 7. unbedeutende Perˈson.
in·sin·cere [ˌinsinˈsiər] *adj* 1. unaufrichtig, falsch, heuchlerisch. – 2. täuschend, trügerisch (*Sache*). — **ˌin·sinˈcer·i·ty** [-ˈseriti; -əti] *s* Unaufrichtigkeit *f*, Falschheit *f*, Heucheˈlei *f*.
in·sin·u·ate [inˈsinjuˌeit] **I** *v/t* 1. andeuten, anspielen auf (*acc*), zu verstehen geben: do you mean to ~ anything? soll das eine Anspielung sein? – 2. einflüstern, vorsichtig beibringen. – 3. heimlich herˈeinbringen, einschmuggeln (into in *acc*). – 4. *reflex* a) sich hinˈeinwinden (into

in *acc*), b) sich einstellen (*Sache*), c) sich einschleichen, sich einschmuggeln, unbemerkt eindringen (into in *acc*): to ~ oneself into the favo(u)r of s.o. sich bei j-m einschmeicheln. – **II** *v/i* **5.** Andeutungen *od.* Anspielungen machen. – **6.** *obs.* sich einschmeicheln *od.* einschleichen. – *SYN. cf.* a) introduce, b) suggest. — **in'sin·u,at·ing** *adj* **1.** unbemerkt eindringend. – **2.** *fig.* einschmeichelnd, schmeichlerisch. – **3.** einnehmend, gewinnend. – *SYN. cf.* disarming. — **in'sin·u,at·ing·ly** *adv* **1.** einschmeichelnd. – **2.** *fig.* heimlich, verstohlen.

in·sin·u·a·tion [in,sinju'eiʃən] *s* **1.** Anspielung *f*, versteckte Andeutung, Insinuati'on *f*. – **2.** Einflüsterung *f*. – **3.** Schmeiche'lei *f*. – **4.** Sich-'Einschleichen *n*, Sich-Hin'einstehlen *n*. — **in'sin·u,a·tive** [-,eitiv] *adj* **1.** anspielend, andeutend: an ~ remark. – **2.** einschmeichelnd, schmeichlerisch: an ~ smile. — **in'sin·u,a·tor** [-,eitər] *s* **1.** Anspieler *m*. – **2.** Eindringling *m*. — **in'sin·u·a·to·ry** [*Br.* -,eitəri; *Am.* -ə,tɔːri] → insinuative.

in·sip·id [in'sipid] *adj* **1.** ohne Geschmack, unschmackhaft, fad(e), schal: ~ drink. – **2.** *fig.* fad(e), abgeschmackt, schal: an ~ tale. – *SYN.* banal, flat[1], inane, jejune, vapid. — **,in·si'pid·i·ty, in'sip·id·ness** *s* **1.** Unschmackhaftigkeit *f*, Fadheit *f*. – **2.** Abgeschmacktheit *f*.

in·sip·i·ence [in'sipiəns] *s* Dummheit *f*, Unverstand *m*. — **in'sip·i·ent** *adj* dumm, töricht.

in·sist [in'sist] *v/i* **1.** (on, upon) dringen, bestehen (auf *dat*), verlangen: I ~ on it ich bestehe darauf; it is ~ed that man besteht darauf, daß. – **2.** (on) beharren (auf *dat*, bei), beharrlich beteuern. – **3.** (on, upon) Gewicht legen (auf *acc*), lange verweilen (bei), her'vorheben, betonen: to ~ on a point. – **4.** beharrlich fortfahren (in in *dat*; to do zu tun). — **in'sist·ence,** *auch* **in'sist·en·cy** *s* **1.** Bestehen *n*, Beharren *n* (on, upon auf *dat*). – **2.** beharrliche Beteuerung (on *gen*). – **3.** Her'vorhebung *f*, Betonung *f* (on, upon *gen*). – **4.** Eindringlichkeit *f*, Nachdruck *m*: with great ~ mit eindringlichen Worten. – **5.** Beharrlichkeit *f*, Hartnäckigkeit *f*, Ausdauer *f*. – **6.** *pl* nachdrückliche 'Hinweise *pl* (on auf *acc*). — **in'sist·ent** *adj* **1.** beharrlich, hartnäckig. – **2.** beharrend: to be ~ on s.th. a) auf einer Sache bestehen, b) etwas betonen *od.* hervorheben, c) etwas beharrlich beteuern. – **3.** eindringlich, nachdrücklich. – **4.** dringend (*Bitte etc*). – **5.** aufdringlich: ~ colo(u)rs. – **6.** *zo.* aufstehend (*Hinterzehe*).

in si·tu [in 'saitjuː] (*Lat.*) *adv* **1.** *geol.* in der ursprünglichen, na'türlichen Lage. – **2.** *ling.* im (ursprünglichen) Zu'sammenhang (*Wort etc*).

in·snare [in'snɛr] *obs. für* **ensnare.**

in·so·bri·e·ty [,inso'braiəti; -sə-] *s* **1.** Unmäßigkeit *f*, Völle'rei *f*. – **2.** Trinke'rei *f*.

in·so·cia·bil·i·ty [in,souʃə'biliti; -əti] *s* Ungeselligkeit *f*. — **in'so·cia·ble** *adj* *selten* ungesellig.

,in·so'far, *auch* **in so far** *adv* insoweit, bis zu 'dem Grade, in 'dem Maße: ~ as insoweit als.

in·so·late ['inso,leit] *v/t* den Sonnenstrahlen aussetzen, *bes.* an der Sonne trocknen. — **,in·so'la·tion** *s* **1.** Sonnen *n*. – **2.** Sonnenbestrahlung *f*. – **3.** *med.* a) Heilbehandlung *f* durch Sonnenbäder, b) Sonnenbad *n*, c) Sonnenstich *m*.

in·sole ['in,soul] *s* (*Schuhmacherei*) **1.** Brandsohle *f*. – **2.** Einlegesohle *f*.

in·so·lence ['insələns] *s* **1.** Anmaßung *f*, Über'heblichkeit *f*. – **2.** Unverschämtheit *f*, Frechheit *f*. — **'in·so·lent** *adj* **1.** anmaßend, über'heblich. – **2.** unverschämt, frech, ungebührlich. – *SYN. cf.* proud.

in·sol·u·bil·i·ty [in,sɒlju'biliti; -jə-; -əti] *s* **1.** Un(auf)löslichkeit *f*. – **2.** *fig.* Unlösbarkeit *f*. — **in'sol·u·ble I** *adj* **1.** un(auf)löslich: ~ salts. – **2.** unlösbar, nicht zu lösen(d), unerklärlich: an ~ problem. – **3.** *econ.* nicht begleichbar *od.* bezahlbar: ~ debts. – **II** *s* **4.** unlösbares Pro'blem. – **5.** *chem.* unlösliche Sub'stanz. — **in'sol·u·ble·ness** → insolubility.

in·solv·a·ble [in'sɒlvəbl] *adj* **1.** unlösbar, nicht zu lösen(d). – **2.** un(auf)löslich.

in·sol·ven·cy [in'sɒlvənsi] *s econ. jur.* **1.** Zahlungsunfähigkeit *f*, -einstellung *f*, Insol'venz *f*: to declare one's ~ Konkurs anmelden; in case of ~ im Unvermögensfall. – **2.** Kon'kurs *m*, Bank'rott *m*: petition in ~ Konkursklage. — **in'sol·vent I** *adj econ. jur.* **1.** zahlungsunfähig, insol'vent: to declare oneself ~ sich für zahlungsunfähig erklären. – **2.** bank'rott. – **3.** Insolvenz..., Bankrott..., Konkurs...: ~ estate Konkursmasse; ~ law Bankrottgesetz. – **II** *s* **4.** zahlungsunfähiger Schuldner.

in·som·ni·a [in'sɒmniə] *s med.* Schlaflosigkeit *f*, Insom'nie *f*. — **in'som·ni,ac** [-,æk] *s med.* an Schlaflosigkeit Leidende(r). — **in'som·ni·ous** *adj* *med. selten* an Schlaflosigkeit leidend.

,in·so'much *adv* **1.** so sehr, dermaßen, dergestalt, so (that daß). – **2.** in'sofern (as als).

in·sou·ci·ance [in'suːsiəns] *s* Sorglosigkeit *f*. — **in'sou·ci·ant** *adj* unbekümmert, sorglos.

in·soul [in'soul] → ensoul.

in·span [in'spæn] *v/t u. v/i pret u. pp* **in'spanned** *S.Afr.* (*Zugtiere od. Wagen*) ein-, anspannen.

in·spect [in'spekt] *v/t* **1.** genau betrachten, unter'suchen, prüfen: to ~ a car einen Wagen untersuchen. – **2.** besichtigen, inspi'zieren: to ~ troops. – **3.** beaufsichtigen, die Aussicht haben über (*acc*). – *SYN. cf.* scrutinize.

in·spec·tion [in'spekʃən] *s* **1.** genaue Betrachtung, Unter'suchung *f*, Prüfung *f*: for (your kind) ~ *econ.* zur (gefälligen) Ansicht; subject to ~ prüfungspflichtig. – **2.** 'Durchsicht *f*. – **3.** (offizi'elle) Besichtigung, Inspi'zierung *f*, Inspekti'on *f*: an ~ of the troops eine Truppenbesichtigung. – **4.** Aufsicht *f* (of, over über *acc*): under sanitary ~ unter gesundheitspolizeilicher Aufsicht. – **5.** *obs.* Aufsichtsbezirk *m*. – **6.** Augenmaß *n*: by ~ nach dem Augenmaß, freihändig (*zeichnen etc*). — **in'spec·tion·al** *adj* **1.** Untersuchungs..., Prüfungs..., Inspektions... – **2.** so'fort verständlich *od.* einleuchtend.

in·spec·tive [in'spektiv] *adj* **1.** besichtigend, unter'suchend. – **2.** Besichtigungs..., Untersuchungs...

in·spec·tor [in'spektər] *s* **1.** In'spektor *m*, Aufseher *m*, Prüfer *m*: ~ of schools Schulinspektor. – **2.** Zollaufseher *m*, Zollbeamter *m*. – **3.** Poli'zeiin,spektor *m* (*über dem* sergeant, *unter dem* superintendent). – **4.** *mil.* Inspek'teur *m*. — **in'spec·to·ral** *adj* **1.** Inspektor(en)... – **2.** beaufsichtigend, Aufsichts...: ~ staff Aufsichtspersonal, Inspektionsstab. — **in'spec·tor·ate** [-rit] *s* **1.** Inspekto'rat *n*: a) Aufseheramt *n*, b) Inspekti'ons-, Aufsichtsbezirk *m*. – **2.** Inspekti'on(sbehörde) *f*.

in·spec·tor gen·er·al, *pl* **in·spec·tors gen·er·al** *s* **1.** 'Oberin,spektor *m*. – **2.** I~ G~ *mil. Am.* Gene'ralinspek,teur *m*.

in·spec·to·ri·al [,inspek'tɔːriəl] → **in·spectoral.**

in·spec·tor·ship [in'spektər,ʃip] *s* **1.** Inspekto'rat *n*, In'spektoramt *n*. – **2.** Aufsicht *f*: state ~ Staatsaufsicht (of über *acc*).

in·spec·tro·scope [in'spektrə,skoup] *s Am. Röntgenapparat zur Untersuchung von Gepäckstücken.*

in·sphere [in'sfir] → ensphere.

in·spir·a·ble [in'spai(ə)rəbl] *adj* inspi'rierbar.

in·spi·ra·tion [,inspə'reiʃən] *s* **1.** Inspirati'on *f*, belebender Einfluß. – **2.** *relig.* Inspirati'on *f*, göttliche Eingebung, Erleuchtung *f*. – **3.** Begeisterung *f*. – **4.** Eingebung *f*, plötzlicher Einfall. – **5.** Veranlassung *f*: at the ~ of s.o. auf j-s Veranlassung hin. – **6.** Beeinflussung *f*. – **7.** Begeisterung *f*, Anfeuerung *f*. – **8.** Einatmung *f*, Atemholen *n*. – *SYN.* afflatus, enthusiasm, frenzy, furor(e), fury. — **,in·spi'ra·tion·al** *adj* **1.** eingegeben, inspi'riert. – **2.** Inspirations..., Begeisterungs... — **,in·spi'ra·tion·ist** *s relig. j-d der glaubt, daß die Heilige Schrift unter göttlicher Eingebung geschrieben wurde.*

in·spi·ra·tor ['inspə,reitər] *s med.* Inha'lator *m*. — **in·spir·a·to·ry** [*Br.* in'spai(ə)rətəri; *Am.* -,tɔːri] *adj* (Ein)-Atmungs...

in·spire [in'spair] **I** *v/t* **1.** begeistern, anfeuern, anspornen, ermutigen. – **2.** (*Gefühl*) erwecken, auslösen (in in *dat*): to ~ confidence in s.o. j-m Vertrauen einflößen. – **3.** *fig.* erfüllen, beseelen (with mit). – **4.** (*etwas*) einflößen, eingeben (into s.o. j-m). – **5.** inspi'rieren, erleuchten. – **6.** inspi'rieren, veranlassen, anstiften, anregen. – **7.** (*Luft*) einatmen, inha'lieren. – **8.** *obs.* einhauchen. – **II** *v/i* **9.** inspi'rieren, begeistern. – **10.** einatmen.

in·spir·it [in'spirit] *v/t* beleben, beseelen, anfeuern, ermutigen (to zu; to do zu tun).

in·spis·sate [in'spiseit] **I** *v/t* eindicken, eindampfen. – **II** *v/i* dick *od.* zäh werden. — **,in·spis'sa·tion** *s* Eindickung *f*, *bes.* Eindampfung *f*.

in·sta·bil·i·ty [,instə'biliti; -əti] *s* **1.** Instabili'tät *f*, mangelnde Festigkeit. – **2.** Labili'tät *f*. – **3.** Unbeständigkeit *f*, Wankelmütigkeit *f*. — **in·sta·ble** [in'steibl] *adj* **1.** 'insta,bil, nicht sta'bil, unsicher. – **2.** la'bil. – **3.** unbeständig, wankelmütig.

in·stall [in'stɔːl] *v/t* **1.** *tech.* a) (*Maschine etc*) instal'lieren, aufstellen, b) (*Leitung etc*) einrichten, legen, anbringen. – **2.** (*in ein Amt etc*) einsetzen, einweisen, bestallen. – **3.** (*j-m*) einen Sitz anweisen. — **in'stal·lant I** *adj* einführend. – **II** *s* Einführer *m*.

in·stal·la·tion [,instə'leiʃən] *s* **1.** *tech.* Instal'lierung *f*, Aufstellung *f*, Mon'tage *f*, Einrichtung *f*, Einbau *m*. – **2.** *tech.* instal'lierte Anlage, technische Ausrüstung, Betriebseinrichtung *f*. – **3.** Inven'tar *n*. – **4.** (Amts)Einsetzung *f*, Bestallung *f*, Einführung *f*. – **5.** Dienstantritt *m*.

in·stall·ment[1], *bes. Br.* **in·stal·ment** [in'stɔːlmənt] *s* **1.** *econ.* Rate *f*, Teil-, Ratenzahlung *f*: by ~s in Raten; first ~ Anzahlung. – **2.** (Teil)Lieferung *f*: by ~s in (Teil)Lieferungen. – **3.** Fortsetzung *f*: a novel in (*od.* by) ~s ein Fortsetzungsroman.

in·stall·ment[2], *bes. Br.* **in·stal·ment** [in'stɔːlmənt] *s* **1.** Amtseinsetzung *f*, Einführung *f*, Bestallung *f*. – **2.** Dienstantritt *m*. – **3.** *tech.* Instal'lierung *f*, Mon'tage *f*, Einrichtung *f*, Aufstellung *f*.

in·stall·ment| busi·ness *s econ.* Abzahlungsgeschäft *n.* — ~ **buy·ing** *s* Abzahlungskauf *m*, -wesen *n.* — ~ **con·tract** *s* Abzahlungsvertrag *m*, -geschäft *n.* — ~ **cred·it** *s* 'Abzahlungskreˌdit *m.* — ~ **plan** *s* 'Teilzahlungssysˌstem *n*: to buy on the ~ auf Abzahlung kaufen. — ~ **sys·tem** *s* 'Teilzahlungs-, 'Ratensyˌstem *n.*

in·stal·ment *bes. Br. für* installment.

in·stance ['instəns] **I** *s* **1.** (*besonderer od. einzelner*) Fall: in this ~ in diesem Fall. – **2.** Beispiel *n*: for ~ zum Beispiel; an ~ of s.th. ein Beispiel für etwas. – **3.** dringende Bitte, Ansuchen *n*, Ersuchen *n*: at the ~ of s.o. auf j-s Bitten. – **4.** Veranlassung *f.* – **5.** *jur.* In'stanz *f*: a court of the first ~ ein Gericht erster Instanz; in the last ~ a) in letzter Instanz, b) *fig.* letztlich; in the first ~ a) *fig.* an erster Stelle, in erster Linie, b) das erstemal, zu'erst. – **6.** *obs.* a) Dringlichkeit *f*, b) Beweggrund *m*, c) Zeichen *n*, d) 'Umstand *m.* – *SYN.* case, example, illustration, sample, specimen. – **II** *v/t* **7.** als Beispiel anführen. – **8.** *selten* durch ein Beispiel verdeutlichen. – **III** *v/i* **9.** *selten* ein Beispiel anführen, Beispiele geben. — **'in·stan·cy** *s* **1.** Dringlichkeit *f.* – **2.** Augenblicklichkeit *f.*

in·stant ['instənt] **I** *s* **1.** (kurzer) Augenblick, Mo'ment *m*, Nu *m*: in an ~, on the ~ sofort, augenblicklich, im Nu. – **2.** Zeitpunkt *m*, Mo'ment *m*, Augenblick *m*: at this ~ in diesem Augenblick; this ~ sofort, auf der Stelle; the ~ I saw her in dem Augenblick, da ich sie sah; sobald ich sie sah. – **II** *adj* **3.** so'fortig, unverzüglich, augenblicklich, unmittelbar: ~ coffee Pulverkaffee; ~ relief. – **4.** gegenwärtig, laufend: the 10th inst. *ellipt.* der 10. dieses *od.* des laufenden Monats. – **5.** dringend, drängend. – **III** *adv* **6.** *poet.* so'fort.

in·stan·ta·ne·ous [ˌinstən'teiniəs] *adj* **1.** sehr kurz, blitzschnell, Moment..., Augenblicks...: ~ photograph *phot.* Momentaufnahme. – **2.** so'fortig, unverzüglich, augenblicklich. – **3.** augenblicklich, momen'tan. – **4.** *phys.* momen'tan, Momentan... — **ˌin·stan'ta·ne·ous·ly** *adv* augenblicklich, so'fort, unverzüglich, im Nu. — **ˌin·stan'ta·ne·ous·ness** *s* **1.** Augenblicklichkeit *f*, Augenblicksdauer *f*, Blitzesschnelle *f*: with ~ im Nu, blitzschnell. – **2.** Unverzüglichkeit *f*, Augenblicklichkeit *f.*

in·stan·ter [in'stæntər] *adv* so'fort, unverzüglich, augenblicklich.

in·stant·ly ['instəntli] **I** *adv* **1.** augenblicklich, so'fort, so'gleich, unverzüglich. – **2.** *obs.* dringend. – **II** *conjunction* **3.** so'bald (als).

in·star[1] ['instɑːr] *s zo.* Erscheinungsform *f* (*Insekt*).

in·star[2] [in'stɑːr] *v/t pret u. pp* **-starred** **1.** als Stern setzen (in in *acc*). – **2.** zum Stern machen. – **3.** (wie) mit Sternen schmücken, besternen.

in·state [in'steit] *v/t* **1.** (*in ein Amt etc*) einsetzen. – **2.** (*in eine Lage etc*) versetzen. – **3.** *obs.* a) ausstatten, b) verleihen. — **in'state·ment** *s* **1.** Einsetzung *f.* – **2.** Versetzung *f.*

in·stau·ra·tion [ˌinstɔː'reiʃən] *s* **1.** Wieder'herstellung *f*, Erneuerung *f.* – **2.** Wieder'einsetzung *f.*

in·stead [in'sted] *adv* **1.** ~ of an (der) Stelle von, (an)statt (*gen*): ~ of me statt meiner, an meiner Statt; ~ of going anstatt zu gehen; worse ~ of better schlechter statt besser. – **2.** statt dessen, da'für: she sent the boy ~.

in·step ['inˌstep] *s* **1.** Rist *m*, Spann *m* (*des Fußes*): high in the ~ *dial.* hochmütig. – **2.** *zo.* Spann *m* (*Pferd etc.*).

in·sti·gate ['instiˌgeit; -stə-] *v/t* **1.** antreiben, anstiften, an-, aufreizen, aufhetzen (to zu; to do zu tun). – **2.** anstiften. – *SYN. cf.* incite. — **ˌin·sti'ga·tion** *s* **1.** Anstiftung *f*, Aufhetzung *f*, Aufreizung *f* (to zu): at (*od.* on) the ~ of auf Betreiben von. – **2.** Versuchung *f*, Verführung *f.* – **3.** Ansporn *m*, Antrieb *m*, Stachel *m*, (*etwas*) Aufreizendes. — **'in·stiˌga·tive** *adj* aufreizend, aufhetzend, antreibend. — **'in·stiˌga·tor** [-tər] *s* Anstifter(in), (Auf)Hetzer(in), Verführer(in): ~ of a crime Anstifter eines Verbrechens (*od.* zu einem Verbrechen).

in·still, *auch* **in·stil** [in'stil] *v/t pret u. pp* **-stilled** **1.** einträufeln, langsam einflößen (into *dat*). – **2.** *fig.* einflößen, beibringen, all'mählich einprägen. – *SYN. cf.* implant. — **ˌin·stil'la·tion** *s* **1.** Einträufelung *f*, Einflößung *f.* – **2.** *fig.* Einflößung *f*, Einprägung *f*, Beibringen *n.* – **3.** (*das*) Eingeflößte, Einflößung *f.* — **in'still·ment**, *Br.* **in'stil·ment** → instillation 1 *u.* 2.

in·stinct[1] ['instiŋkt] *s* **1.** In'stinkt *m*, (Na'tur)Trieb *m*: the ~ of self-preservation der Selbsterhaltungstrieb; by ~ instinktiv, von Natur aus; on ~ aus Instinkt, instinktiv, instinktmäßig. – **2.** na'türliche Neigung, angeborene Ten'denz. – **3.** na'türliche Begabung, angeborene Fähigkeit: an ~ for art. – **4.** instink'tives Gefühl (for für), Ahnung *f*: to know s.th. from ~ etwas ahnen.

in·stinct[2] [in'stiŋkt] *adj* **1.** (innerlich) angeregt, belebt, durch'drungen (with von). – **2.** erfüllt, voll (with von).

in·stinc·tive [in'stiŋktiv] *adj* **1.** in'stinkt-, triebmäßig, instink'tiv. – **2.** instink'tiv, unwillkürlich. – **3.** ahnend, instink'tiv, Ahnungs... – *SYN. cf.* spontaneous.

in·stip·u·late [in'stipjulit; -ˌleit; -jə-] → exstipulate.

in·sti·tor ['instiˌtɔːr] *s jur.* A'gent *m*, Makler *m*, Geschäftsführer *m.*

in·sti·tute ['instiˌtjuːt; -stə-; *Am. auch* -ˌtuːt] **I** *v/t* **1.** errichten, einrichten, gründen, ins Leben rufen: to ~ a society. – **2.** einsetzen: to ~ a government. – **3.** einleiten, einführen: to ~ a new course. – **4.** in Gang setzen, einleiten: to ~ bankruptcy proceedings *econ.* das Konkursverfahren eröffnen; to ~ inquiries Nachforschungen anstellen. – **5.** einführen, festsetzen: to ~ laws. – **6.** anordnen, verordnen. – **7.** einführen, einsetzen (into *od.* to an office in ein Amt): to ~ into a benefice *relig.* in eine Pfründe einsetzen. – **8.** *jur.* einsetzen: to ~ as heir zum Erben einsetzen. – **9.** *obs.* erziehen. – **II** *s* **10.** Insti'tut *n*, Anstalt *f*, Akade'mie *f*, Gesellschaft *f*: ~ for business cycle research *econ.* Konjunkturinstitut. – **11.** Insti'tut(sgebäude) *n.* – **12.** *ped.* a) höhere technische Schule, b) Universi'tätsinstiˌtut *n*, c) *auch* teachers' ~ 'Lehrersemiˌnar *n.* – **13.** Einrichtung *f*, Instituti'on *f.* – **14.** (festgesetzte) Ordnung, Grundgesetz *n*, Sta'tut *n.* – **15.** Lebensregel *f*, Grundsatz *m.* – **16.** *pl* a) Grundlehren *pl*, -gesetze *pl*, Sammlung *f* grundlegender Gesetze, b) *jur.* Instituti'onen *pl*, c) Grundlehren *pl* (*einer Wissenschaft*). – **17.** *obs.* Einsetzen *n.* — **in·sti·tut·er** *cf.* institutor.

in·sti·tu·tion [ˌinsti'tjuːʃən; -stə-; *Am. auch* -'tuː-] *s* **1.** Insti'tut *n* (*bes. zur Förderung gemeinnütziger Interessen*), Anstalt *f*, (*öffentliche*) Einrichtung, Stiftung *f*, Gesellschaft *f*: charitable ~ Wohltätigkeitseinrichtung, Versorgungsanstalt; educational ~ Erziehungsanstalt. – **2.** Insti'tut *n*, Anstaltsgebäude *n.* – **3.** *sociol.* Instituti'on *f*, Einrichtung *f*, (über'kommene) Sitte, (Ge)Brauch *m.* – **4.** grundlegendes Gesetz, Satzung *f*, Sta'tut *n*, Verordnung *f.* – **5.** *colloq.* a) eingefleischte Gewohnheit, b) vertrauter Gegenstand, c) bekannte Per'son. – **6.** Errichtung *f*, Einrichtung *f*, Gründung *f.* – **7.** Einführung *f*, (*bes.* Abendmahls)Einsetzung *f.* – **8.** *relig.* Einführung *f* (*bes. in die Pfründe, hierauf folgt die* induction). – **9.** *jur.* Einsetzung *f.*

in·sti·tu·tion·al [ˌinsti'tjuːʃənl; -stə-; *Am. auch* -'tuː-] *adj* **1.** Institutions... – **2.** Instituts..., Anstalts... – **3.** instituti'onsmäßig. – **4.** angeordnet, verordnet, eingesetzt. – **5.** Elementar..., Einführungs... – **6.** *relig.* durch karita'tive Einrichtungen gekennzeichnet. – **7.** *relig.* Einsetzungs... – **8.** *econ.* auf weite Sicht werbend *od.* abgestimmt: ~ advertising Firmen-, Repräsentationswerbung. — **ˌin·sti'tu·tion·alˌism** *s* **1.** *bes. relig.* Aufrechterhaltung *f* über'kommener Einrichtungen u. Gebräuche. – **2.** Institutiona'lismus *m*: a) *Eintreten für starken Ausbau gemeinnütziger Einrichtungen*, b) *auf Einrichtungen, Verordnungen etc beruhendes System.* — **ˌin·sti'tu·tion·alˌize** *v/t* **1.** institutio'nell *od.* instituti'onsartig machen. – **2.** zu einer Instituti'on machen, als Institution behandeln. — **ˌin·sti'tu·tion·ar·y** [*Br.* -nəri; *Am.* -ˌneri] *adj* **1.** Institutions... – **2.** *jur.* Instituti'onen betreffend. – **3.** *relig.* (Amts)Einsetzungs...

in·sti·tu·tive ['instiˌtjuːtiv; -stə-; *Am. auch* -ˌtuː-] *adj* **1.** einrichtend, einsetzend, grundlegend. – **2.** über'kommen, alt'hergebracht. — **'in·stiˌtu·tor** [-tər] *s* **1.** Insti'tutor *m*, Einrichter *m*, Errichter *m*, Gründer *m*, Stifter *m*: ~ of law Gesetzgeber. – **2.** *relig.* Einsetzer *m*, Einführer *m.*

in·strat·i·fied [in'strætiˌfaid; -tə-] *adj geol.* eingeschichtet, eingelagert.

in·stream·ing ['inˌstriːmiŋ] **I** *adj* einströmend. – **II** *s* Einströmen *n.*

in·struct [in'strʌkt] *v/t* **1.** belehren, unter'weisen, -'richten, anleiten, ausbilden (in in *dat*). – **2.** infor'mieren, unter'richten: to ~ oneself sich unterrichten. – **3.** (*j-n*) instru'ieren, anweisen, beauftragen, (*j-m*) Verhaltungsmaßregeln geben: I am ~ed to inform you ich bin beauftragt, Ihnen mitzuteilen. – **4.** *jur.* (*Geschworene*) instru'ieren, über die wesentlichen Rechtsgrundsätze aufklären. – *SYN. cf.* a) command, b) teach.

in·struc·tion [in'strʌkʃən] *s* **1.** Belehrung *f*, Unter'weisung *f*, Ausbildung *f*, 'Unterricht *m*: private ~ Privatunterricht. – **2.** Lehrkursus *m.* – **3.** Lehre *f*, Anleitung *f*, Unter'weisung *f.* – **4.** Anweisung *f*, Beauftragung *f.* – **5.** *meist pl* (An)Weisung *f*, Instrukti'on *f*, Auftrag *m*, Vorschrift *f*, Anordnung *f*, Verhaltungsmaßregel *f*: according to ~s instruktionsgemäß, den Weisungen entsprechend; ~s for use Gebrauchsanweisung. – **6.** *meist pl jur.* Instrukti'on *f.* — **in'struc·tion·al** *adj* **1.** Unterrichts..., Unterweisungs..., Ausbildungs..., Lehr...: ~ film Lehrfilm. – **2.** erzieherisch, zur Ausbildung dienend. – **3.** belehrend, lehrreich. – **4.** anweisend.

in·struc·tive [in'strʌktiv] *adj* instruk'tiv, lehrreich, belehrend. — **in'struc·tive·ness** *s* (*das*) Belehrende. — **in'struc·tor** [-tər] *s* **1.** Lehrer *m*, Erzieher *m.* – **2.** Ausbilder *m*, In'struktor *m.* – **3.** *ped. Am.* Do'zent *m.* — **in'struc·tress** [-tris] *s* Lehrerin *f*, Erzieherin *f.*

in·stru·ment ['instrumənt; -strə-] **I** *s* **1.** Instru'ment *n*, (feines) Werkzeug. – **2.** *pl med.* Besteck *n*. – **3.** Appa'rat *m*, (technische) Vorrichtung, (Meß)Gerät *n*. – **4.** *auch* **musical** ~ *mus.* (Mu'sik)Instruˌment *n*. – **5.** *econ. jur.* Doku'ment *n*, Urkunde *f*, Pa'pier *n*: **to deliver** (*od.* **give out**) **an** ~ *econ.* ein Papier begeben; ~ **payable to bearer** *econ.* Inhaberpapier. – **6.** *fig.* (Hilfs)Mittel *n*, Werkzeug *n*. – **7.** *fig.* (*von Personen*) Werkzeug *n*, Handlanger *m*. – *SYN. cf.* a) **implement**, b) **mean**³. – **II** *v/t* [*auch* ˌinstru'ment; -strə-] **8.** *mus.* instrumen'tieren, für Instru'mente setzen.

in·stru·men·tal [ˌinstru'mentl; -strə-] **I** *adj* **1.** als Mittel *od.* Werkzeug dienend, behilflich, dienlich, förderlich, mitwirkend: **to be** ~ **in doing s.th.** behilflich sein, etwas zu tun; **to be** ~ **to(ward[s]) s.th.** beitragen zu etwas, mitwirken bei etwas. – **2.** *mus.* instrumen'tal, Instrumental... – **3.** *tech.* Instrumenten... – **4.** mit Instru'menten ausgeführt: **an** ~ **operation.** – **5.** durch Instru'mente *od.* Appa'rate bewirkt: **an** ~ **error.** – **6.** *ling.* instrumen'tal: ~ **case** Instrumental(is). – **II** *s* **7.** *ling.* Instrumen'tal(is) *m*. — ˌ**in·stru'men·talˌism** [-təl-] *s philos.* Instrumenta'lismus *m*. — ˌ**in·stru'men·tal·ist I** *s* **1.** *mus.* Instruˌmenta'list *m* (*Spieler eines Instruments*). – **2.** *philos.* Instruˌmenta'list *m* (*Anhänger des Instrumentalismus*). – **II** *adj* **3.** *philos.* instruˌmenta'listisch. — ˌ**in·stru·men'tal·i·ty** [-'tæliti; -əti] *s* **1.** Zweckdienlichkeit *f*, Förderlichkeit *f*, Nützlichkeit *f*. – **2.** Vermittlung *f*: **through his** ~ durch seine Vermittlung. – **3.** Mitwirkung *f*, Mithilfe *f*: **by the** ~ **of** (ver)mittels (*gen*). — ˌ**in·stru'men·tal·ly** *adv* **1.** durch Instru'mente. – **2.** *mus.* mit Instru'menten. – **3.** als Werkzeug *od.* Mittel dienend, zweckentsprechend. — ˌ**in·stru·men'ta·tion** *s* **1.** *mus.* a) Instrumentati'on *f*, Instrumen'tierung *f*, b) Vortrag *m*, Spiel *n*. – **2.** Anwendung *f* von Instru'menten. – **3.** *tech.* a) 'Meßmeˌthode *f*, b) Instrumen'tierung *f*, Meßgerät-, Instru'mentausrüstung *f*. – **4.** → **instrumentality.**

in·stru·ment| board *s* **1.** *tech.* Schalttafel *f*, Arma'turenbrett *n*. – **2.** *aer.* Instru'mentenbrett *n*. — ~ **flight,** ~ **fly·ing** *s aer.* Blind-, Instru'mentenflug *m*. — ~ **land·ing** *s aer.* Blind-, Instru'mentenlandung *f*.

in·sub·or·di·nate [ˌinsə'bɔːrdənit; -di-] **I** *adj* **1.** unbotmäßig, 'widerspenstig, aufsässig, ungehorsam: ~ **conduct** Widersetzlichkeit, Gehorsamsverweigerung. – **2.** nicht niedriger *od.* geringer. – **II** *s* **3.** 'Widerspenstige(r), Aufsässige(r). — ˌ**in·subˌor·di'na·tion** [-'neiʃən] *s* **1.** Unbotmäßigkeit *f*, Wider'setzlichkeit *f*, Ungehorsam *m*. – **2.** Insubordinati'on *f*, Auflehnung *f*, Meute'rei *f*.

in·sub·stan·tial [ˌinsəb'stænʃəl] *adj* **1.** kraftlos, gebrechlich. – **2.** nicht stofflich *od.* körperlich, immateri'ell. – **3.** unwirklich. — ˌ**in·subˌstan·ti'al·i·ty** [-ʃi'æliti; -əti] *s* **1.** Kraftlosigkeit *f*, Gebrechlichkeit *f*. – **2.** Nicht-Stofflichkeit *f*, Unkörperlichkeit *f*. – **3.** Unwirklichkeit *f*.

in·suc·cess [ˌinsək'ses] *s* Erfolglosigkeit *f*, Fehlschlag *m*, 'Mißerfolg *m*.

in·suf·fer·a·ble [in'sʌfərəbl] *adj* unerträglich, unausstehlich. — **in'suf·fer·a·ble·ness** *s* Unerträglichkeit *f*, 'Unausˌstehlichkeit *f*.

in·suf·fi·cien·cy [ˌinsə'fiʃənsi], *selten* ˌ**in·suf'fi·cience** *s* **1.** 'Unzuˌlänglichkeit *f*, Unangemessenheit *f*. – **2.** Untauglichkeit *f*, Unfähigkeit *f*. – **3.** *med.* ˌInsuffizi'enz *f*: ~ **of left coronary artery** Linkskoronarinsuffizienz. – **4.** *econ. jur.* 'Unzuˌlänglichkeit *f*, Ungültigkeit *f*: ~ **of assets** mangelnde Deckung. – **5.** (*etwas*) 'Unzuˌlängliches, 'Unzuˌlänglichkeit *f*. — ˌ**in·suf'fi·cient** *adj* **1.** 'unzuˌlänglich, 'unzuˌreichend, ungenügend, nicht ausreichend: ~ **funds** *econ.* (*Wechselvermerk*) ungenügende Deckung. – **2.** untauglich, unfähig. – **3.** *jur.* rechtsungültig, nichtig.

in·suf·flate [in'sʌfleit; 'insəˌfleit] *v/t* **1.** (ein)blasen. – **2.** *med.* einblasen. – **3.** hin'einblasen in (*acc*), ausblasen: **to** ~ **a room with an insecticide.** – **4.** *relig.* anhauchen. — **in·suf·fla·tion** [ˌinsə'fleiʃən] *s* **1.** *tech.* Einblasung *f*. – **2.** *med.* Einblasung *f*, Insufflati'on *f*. – **3.** Aus-, Aufblasung *f*. – **4.** *relig.* Anhauchung *f*. — '**in·sufˌfla·tor** [-tər] *s* **1.** *tech.* Einblasegerät *n*, (Wind)Gebläse *n*. – **2.** *med.* Einbläser *m*, 'Einblaseappaˌrat *m*.

in·su·lant ['insjulənt; -sjə-] *s electr.* Iso'lierstoff *m*, -materiˌal *n*.

in·su·lar ['insjulər; -sjə-] **I** *adj* **1.** inselartig, -förmig. – **2.** insu'lar, Insel...: **I~ Celtic** *ling.* Inselkeltisch, das Inselkeltische (*Kymrisch u. Goidelisch*). – **3.** **I~** insu'lar, Insel..., britisch (*die brit. Inseln betreffend*). – **4.** Insel..., auf einer Insel gelegen *od.* lebend. – **5.** iso'liert, al'leinstehend, abgesondert. – **6.** engstirnig, -herzig, beschränkt, ‚stur'. – **7.** *med.* a) Reils Insel betreffend, b) insu'lär, in iso'lierten Punkten auftretend, c) Gewebsinseln (*bes. die Langerhansschen Inseln*) betreffend. – **II** *s* **8.** Inselbewohner(in), Insu'laner(in). — '**in·su·larˌism** → **insularity** 2. — ˌ**in·su'lar·i·ty** [-'læriti; -əti] *s* **1.** inselartige Beschaffenheit, insu'lare Lage. – **2.** *fig.* a) iso'lierte Lage, Abgeschlossenheit *f*, b) insu'lare Eigenart, c) Engstirnigkeit *f*, Engherzigkeit *f*, Beschränktheit *f*, beschränkter Hori'zont. – **3.** Beschränkung *f* (*von Tieren etc*) auf eine Insel.

in·su·late ['insjuˌleit; *Am. auch* -sə-] *v/t* **1.** *electr.* (*Draht etc*) iso'lieren, mit Iso'liermateriˌal um'geben. – **2.** absondern, iso'lieren. – **3.** zu einer Insel machen. — '**in·suˌlat·ed** *adj* **1.** *electr. phys.* iso'liert. – **2.** iso'liert, abgesondert. – **3.** vereinzelt, einsam, Einzel...

in·su·lat·ing ['insjuˌleitiŋ; *Am. auch* -sə-] *adj* iso'lierend, nicht leitend, Isolier... — ~ **joint** *s electr.* Iso'lierverbindung *f*, -kupplung *f*. — ~ **paint** *s tech.* Iso'lieranstrich *m*, -lack *m*. — ~ **stool** *s electr.* Iso'lierschemel *m*. — ~ **switch** *s electr.* Trennschalter *m*. — ~ **tape** *s electr.* Iso'lierband *m*.

in·su·la·tion [ˌinsju'leiʃən; *Am. auch* -sə-] *s* **1.** *electr.* a) Iso'lierung *f*, Isolati'on *f*, b) Iso'liermateriˌal *n*, -stoff *m*: ~ **resistance** Isolationswiderstand. – **2.** Iso'lierung *f*, Absonderung *f*, Abtrennung *f*. – **3.** Vereinzelung *f*. – **4.** Einzel-, Sonderstellung *f*. — '**in·suˌla·tor** [-tər] *s* **1.** *electr.* a) Iso'lator *m*, Nichtleiter *m*, Iso'lierstoff *m*, b) Isolator *m* (*Vorrichtung*): ~ **chain** Isolator(en)kette, Eierkette. – **2.** Iso'lierer *m* elektr. Geräte. – **3.** Iso'lierteller *m* (*unter Klavier*).

in·su·lin ['insjulin; *Am. auch* -sə-] *s med.* **1.** Insu'lin *n*. – **2.** **I~** (*TM*) Insu'lin *n*. — ˌ**in·su·lin·i'za·tion** *s* Insu'lintheraˌpie *f*, ˌInsulini'sierung *f*. — '**in·su·linˌize** *v/t* mit Insu'lin behandeln.

in·su·lo·ma [ˌinsju'loumə; -sjə-] *s med.* Insu'lom *n*, 'Inselˌzellenadeˌnom *n*.

in·sult [in'sʌlt] **I** *v/t* **1.** beleidigen, beschimpfen. – **2.** *obs.* (plötzlich) angreifen. – *SYN. cf.* **offend.** – **II** *v/i* **3.** *obs.* a) froh'locken, b) sich unverschämt benehmen. – **III** *s* ['insʌlt] **4.** (to) schwere Beleidigung (für), Ehrenkränkung *f*, Beschimpfung *f* (*gen*), beleidigende Handlung *od.* Bemerkung, Af'front *m* (gegen): **to offer an** ~ **to s.o.** j-n beleidigen; **to put up with an** ~ eine Beleidigung einstecken. – **5.** *obs.* (plötzlicher) Angriff. – *SYN. cf.* **affront.** — ˌ**in·sul'ta·tion** *obs. für* **insult** III. — **in'sult·ing** *adj* **1.** beleidigend, beschimpfend, schmähend, Schmäh... – **2.** unverschämt, frech, anmaßend.

in·su·per·a·bil·i·ty [inˌsjuːpərə'biliti; -ˌsuː-; -əti] *s* 'Unüberˌwindlichkeit *f*. — **in'su·per·a·ble** *adj* **1.** 'unüberˌwindlich. – **2.** *selten* 'unüberˌtrefflich. — **in'su·per·a·ble·ness** → **insuperability.**

in·sup·port·a·ble [ˌinsə'pɔːrtəbl] *adj* **1.** unerträglich, 'unausˌstehlich. – **2.** nicht zu rechtfertigen(d). — ˌ**in·sup'port·a·ble·ness** *s* Unerträglichkeit *f*, 'Unausˌstehlichkeit *f*.

in·sup·press·i·ble [ˌinsə'presəbl] *adj* **1.** 'ununterˌdrückbar, nicht zu unter'drücken(d). – **2.** nicht geheimzuhalten(d).

in·sur·a·bil·i·ty [inˌʃu(ə)rə'biliti; -əti] *s econ.* Versicherbarkeit *f*, Versicherungsfähigkeit *f*. — **in'sur·a·ble** *adj econ.* versicherbar, versicherungsfähig: ~ **interest** versicherbares Interesse; ~ **value** Versicherungswert.

in·sur·ance [in'ʃu(ə)rəns] *s* **1.** *econ.* Versicherung *f*: **to buy** ~ sich versichern lassen; **to effect** (*od.* **make**) **an** ~ eine Versicherung abschließen; **to take out an** ~ eine Versicherungspolice erwerben, eine Versicherung eingehen; **application for** ~ Versicherungsantrag; **cost of** ~ Versicherungsunkosten; **term of** ~ Versicherungsdauer. – **2.** *econ.* a) Ver'sicherungsvertrag *m*, -poˌlice *f*, b) Versicherungssumme *f*, c) Versicherungsprämie *f*. – **3.** Versicherung *f*, Garan'tie *f*. — ~ **a·gainst all risk** *s econ.* Versicherung *f* gegen alle Gefahren. — ~ **a·gainst loss by re·demp·tion** *s* Kursverlustversicherung *f*. — ~ **a·gent** *s* Ver'sicherungsaˌgent *m*, -vertreter *m*. — ~ **ben·e·fit** *s* Versicherungsleistung *f*. — ~ **bro·ker** *s* Versicherungsmakler *m*. — ~ **car·ri·er** *s* Versicherungsträger *m*. — ~ **cer·tif·i·cate** *s* Versicherungsbescheinigung *f*. — ~ **claim ad·just·er** *s* Schadensfestsetzer *m*, Ver'sicherungssachverständiger *m*, -inˌspektor *m*. — ~ **clause** *s* Versicherungsklausel *f*. — ~ **com·pa·ny** *s* Versicherungsgesellschaft *f*. — ~ **con·sum·er** *s* Versicherungsnehmer *m*. — ~ **mon·ey** *s* Versicherungsprämie *f*. — ~ **of·fice** *s* Ver'sicherungsbüˌro *n*, -anstalt *f*, -gesellschaft *f*. — ~ **of·fi·cer** *s* Versicherungsbeamter *m*. — ~ **of val·ue** *s* Wert-, Va'lorenversicherung *f*. — ~ **on hull and ap·pur·te·nanc·es** *s* Kaskoversicherung *f* (*Schiff*). — ~ **on the bod·y** *s* Kaskoversicherung *f*. — ~ **pol·i·cy** *s* Ver'sicherungspoˌlice *f*, -schein *m*: **to take out an** ~ eine Versicherungspolice erwerben, sich versichern lassen. — ~ **pre·mi·um** *s* Versicherungsprämie *f*. — ~ **share** *s* Versicherungsaktie *f*. — ~ **val·ue** *s* Versicherungswert *m*.

in·sur·ant [in'ʃu(ə)rənt] *s econ.* Versicherungsnehmer *m*, Versicherter *m*.

in·sure [in'ʃur] **I** *v/t* **1.** verbürgen, garan'tieren, sicherstellen. – **2.** sichern (**against** gegen). – **3.** *econ.* versichern: **to** ~ **one's life** sein Leben versichern; **to** ~ **against loss** gegen Schaden versichern; **to** ~ **at a low premium** zu einer niedrigen Prämie versichern; **to** ~ **for a larger amount** nachversichern. – **4.** sich (*etwas*) sichern. – **II** *v/i* **5.** Versicherungen abschließen, versichern. – **6.** sich versichern lassen, eine Versicherung abschließen. – *SYN. cf.* **ensure.**

in·sured [in'ʃuərd] *adj econ.* versichert: the ~ party der Versicherungsnehmer.

in·sur·er [in'ʃu(ə)rər] *s* **1.** *econ.* Versicherer *m*: the ~s die Versicherungsgesellschaft. – **2.** Ga'rant *m.*

in·sur·gence [in'sɜːrdʒəns] → insurgency 1. — **in'sur·gen·cy** *s* **1.** Aufruhr *m*, Rebelli'on *f*, Auflehnung *f.* – **2.** *jur. pol.* Re'volte *f* (*deren Teilnehmer nicht als kriegführende Macht anerkannt werden*). — **in'sur·gent I** *adj* **1.** aufrührerisch, aufständisch. – **II** *s* **2.** Aufrührer *m*, Re'bell *m*, Insur'gent *m*, Aufständischer *m.* – **3.** *pol. Am.* Re'bell *m* (*gegen die Parteilinie*), ‚Abweichler' *m.*

in·sur·mount·a·bil·i·ty [ˌinsərˌmauntə'biliti; -əti] *s* 'Unüberˌwindlichkeit *f.* — **ˌin·sur'mount·a·ble** *adj* 'unüberˌsteigbar, 'unüberˌwindlich. — **ˌin·sur'mount·a·ble·ness** → insurmountability.

in·sur·rec·tion [ˌinsə'rekʃən] *s* Aufruhr *m*, Aufstand *m*, Empörung *f*, Re'volte *f*, Rebelli'on *f.* – *SYN. cf.* rebellion. — **ˌin·sur'rec·tion·al** *adj* **1.** aufrührerisch, aufständisch. – **2.** Revolutions... — **ˌin·sur'rec·tion·ar·y** [*Br.* -nəri; *Am.* -ˌneri] **I** *adj* → insurrectional. – **II** *s* → insurrectionist. — **ˌin·sur'rec·tionˌism** *s* **1.** aufrührerische Gesinnung. – **2.** Aufruhr *m*, Aufstand *m.* — **ˌin·sur'rec·tion·ist** *s* Aufrührer *m*, Aufständischer *m*, Re'bell *m.*

in·sus·cep·ti·bil·i·ty [ˌinsəˌseptə'biliti; -əti] *s* **1.** Unempfänglichkeit *f*, 'Unzuˌgänglichkeit *f* (to für). – **2.** Gefühllosigkeit *f.* — **ˌin·sus'cep·ti·ble** *adj* **1.** (of) nicht fähig (zu), ungeeignet (für, zu), nicht zulassend (*acc*). – **2.** (of, to) unempfänglich (für), 'unzuˌgänglich (*dat*): ~ of pity mitleid(s)los; ~ to flattery Schmeicheleien unzugänglich. – **3.** gefühllos.

in·swathe [in'sweið] → enswathe.

in·swept ['inˌswept] *adj tech.* sich gegen die Spitze (*od.* nach vorn) hin verjüngend, vorn schmaler (werdend).

in·tact [in'tækt] *adj* **1.** unberührt, unangerührt. – **2.** unversehrt, unverletzt, in'takt. – *SYN. cf.* perfect. — **in'tact·ness** *s* **1.** Unberührtheit *f.* – **2.** Unversehrtheit *f.*

in·tagl·iat·ed [in'tæljeitid] *adj tech.* **1.** eingeschnitten, in In'taglio gearbeitet, tiefgeätzt. – **2.** mit In'taglioarbeiten verziert.

in·tagl·io [in'tɑːljou; -'tæl-] **I** *s pl* **in'tagl·ios** *od.* **in'tagl·i** [-ljiː] **1.** In'taglio *n*, Gemme *f* mit vertieftem Bild. – **2.** 'eingraˌviertes Bild, eingeschnittene Verzierung. – **3.** In'taglioverfahren *n*, -arbeit *f*, -kunst *f.* – **4.** tiefgeschnittener Druckstempel. – **5.** *auch* ~ printing *print.* In'tagliodruck-, Tiefdruckverfahren *n.* – **II** *v/t* **6.** einschneiden, 'eingraˌvieren.

in·take ['inˌteik] *s* **1.** *tech.* Einlaß(öffnung *f*) *m*: ~ valve Einlaßventil. – **2.** Einnehmen *n*, Ein-, Ansaugen *n*: ~ of breath Atemholen. – **3.** Aufnahme *f*, Zustrom *m*, aufgenommene Menge: the ~ of food Nahrungsaufnahme. – **4.** *tech.* aufgenommene Ener'gie. – **5.** Verengung *f*, Einschnürung *f.* – **6.** (*Bergbau*) a) Einziehstrecke *f*, 'Luftˌzufuhrkaˌnal *m*, b) einziehendes Wetter, Einziehstrom *m.* – **7.** *dial.* eingehegtes (Gemeinde)Land.

in·tan·gi·bil·i·ty [inˌtændʒə'biliti; -əti] *s* Un(be)fühlbarkeit *f*, Nicht'greifbarkeit *f*, Unkörperlichkeit *f.* — **in'tan·gi·ble I** *adj* **1.** unfühlbar, nicht greifbar, immateri'ell, unkörperlich. – **2.** *fig.* unklar, unbestimmt, vage: ~ arguments. – **3.** *econ.* immateri'ell: ~ assets immaterielle Aktiven (*Patente etc*). – **4.** *selten* unantastbar. – **II** *s* **5.** (*etwas*) nicht Greifbares, (*etwas*) Immateri'elles. – **6.** *econ.* immateri'elles Ak'tivum. — **in'tan·gi·ble·ness** → intangibility.

in·tar·si·a [in'tɑːrsiə] *s Am.* In'tarsia *f*, Einlegearbeit *f.* — **in'tar·si·ate** [-it; -ˌeit] *adj* eingelegt. — **in'tar·siˌo** [-ˌou] *Br. selten für* intarsia.

in·te·ger ['intidʒər; -tə-] **I** *s* **1.** *math.* ganze Zahl. – **2.** (*ein*) Ganzes, Ganzheit *f.* – **II** *adj* **3.** *math.* ganz. – **4.** ganz, unversehrt, vollständig.

in·te·gra·bil·i·ty [ˌintigrə'biliti; -təg-; -əti] *s* Inte'grierbarkeit *f.* — **'in·te·gra·ble** *adj math.* inte'grierbar.

in·te·gral ['intigrəl; -tə-] **I** *adj* **1.** ein Ganzes bildend, inte'grierend: an ~ part ein wesentlicher Bestandteil. – **2.** aus inte'grierenden Teilen bestehend, inte'griert. – **3.** ganz, vollständig: an ~ whole ein vollständiges Ganzes. – **4.** unversehrt, unverletzt. – **5.** vollkommen, richtig. – **6.** *math.* a) ganz(zahlig), b) eine ganze Zahl *od.* ein Ganzes betreffend. – **7.** *math.* Integral..., Integrations...: ~ sign Integralzeichen; ~ theorem Integralsatz. – **II** *s* **8.** (*ein*) vollständiges Ganzes, Ganzheit *f.* – **9.** *math.* Inte'gral *n*: indefinite ~ unbestimmtes Integral; ~ with respect to x from a to b Integral nach x von a bis b. — ~ **cal·cu·lus** *s math.* Inte'gralrechnung *f.* — ~ **co·sine** *s* Inte'gralkosinus *m.* — ~ **e·qua·tion** *s* Inte'gralgleichung *f.*

In·te·gral·ist ['intigrəlist; -tə-] *s pol.* Integra'list *m* (*brasil. Faschist*).

in·te·gral·i·ty [ˌinti'græliti; -tə'g-; -əti] *s* **1.** Ganzheit *f*, Vollständigkeit *f.* – **2.** inte'grierende Beschaffenheit. — **'in·teˌgrand** [-ˌgrænd] *s math.* Inte'grand *m.* — **'in·te·grant** [-grənt] **I** *adj* inte'grierend, wesentlich. – **II** *s* inte'grierender (Bestand)Teil.

in·te·grate ['intiˌgreit; -tə-] **I** *v/t* **1.** zu einem Ganzen zu'sammenfassen *od.* machen. – **2.** vervollständigen, ergänzen, vervollkommnen. – **3.** (*in ein Ganzes etc*) einbeziehen, eingliedern. – **4.** die Gesamtsumme *od.* den 'Durchschnittswert berechnen von. – **5.** *math.* inte'grieren. – **6.** die Rassenschranken aufheben zwischen: ~d school Schule ohne Rassentrennung. – **II** *v/i* **7.** sich zu einem Ganzen zu'sammenschließen, inte'griert werden. – **III** *adj* [-grit; -ˌgreit] **8.** vervollständigt, ergänzt, vollständig, ganz. – **9.** einbezogen, eingegliedert, inte'griert.

in·te·grat·ing| an·e·mom·e·ter ['intiˌgreitiŋ; -tə-] *s tech.* inte'grierendes Anemo'meter. — ~ **fac·tor** *s math.* inte'grierender Faktor.

in·te·gra·tion [ˌinti'greiʃən; -tə-] *s* **1.** Integrati'on *f*, Zu'sammenfassung *f* zu einem Ganzen. – **2.** Vervollständigung *f*, Ergänzung *f.* – **3.** Integrati'on *f*, Einbeziehung *f*, Eingliederung *f*, Einordnung *f* (in ein Ganzes). – **4.** *math.* Integrati'on *f*, Inte'grierung *f*: constant of ~ Integrationskonstante; sign of ~ Integralzeichen. – **5.** *psych.* Integrati'on *f*: a) *einheitliches Zusammenwirken der seelischen Grundtätigkeiten, Sinnesempfindungen etc*, b) *harmonische Übereinstimmung von Individuum u. Umgebung.* – **6.** *sociol.* sozi'ale Integrati'on, *bes.* Aufhebung *f* der Rassentrennung.

in·te·gra·tive ['intiˌgreitiv; -tə-; -grə-] *adj* ergänzend, vervollständigend, Ergänzungs... — **'in·teˌgra·tor** [-ˌgreitər] *s* **1.** *Person od. Sache, die integriert, ergänzt, vervollständigt.* – **2.** *phys. tech.* a) Inte'grator *m*, inte'grierendes Instru'ment, b) Sum'mierungsgerät *n.* – **3.** *electr.* inte'grierende Schaltung.

in·teg·ri·ty [in'tegriti; -rə-] *s* **1.** Integri'tät *f*, Rechtschaffenheit *f*, Ehrlichkeit *f*, Unbescholtenheit *f.* – **2.** Ganzheit *f*, Vollständigkeit *f*, Unversehrtheit *f.* – **3.** Unverfälschtheit *f*, Reinheit *f*: ~ of the language Reinheit der Sprache. – **4.** *math.* Ganzheit *f*, -zahligkeit *f*: domain of ~ Integritätsbereich. – *SYN. cf.* a) honesty, b) unity.

in·te·gro·pal·li·al [ˌintigro'pæliəl; -tə-], **ˌin·te·gro'pal·li·ate** [-liit; -ˌeit] *adj zo.* ganzmantelig (*Muscheltier*).

in·teg·u·ment [in'tegjumənt; -jə-] *s* **1.** *zo.* Decke *f*, (Deck)Haut *f*, (äußere) Hülle. – **2.** *bot.* Integu'ment *n.* – **3.** *med.* Haut *f*, Integu'ment *n*: common ~ äußere Körperdecke, Haut. — **inˌteg·u'men·tal** [-'mentl], **inˌteg·u'men·ta·ry** [-təri] *adj* **1.** *med. zo.* a) Hüll..., Deck..., Oberhaut..., b) häutig. – **2.** *bot.* Integument...

in·tel·lect ['intilekt; -tə-] *s* **1.** Intel'lekt *m*, Verstand *m*, Denk-, Erkenntnisvermögen *n*, Urteilskraft *f.* – **2.** kluger Kopf, her'vorragender Geist. – **3.** *collect.* große Geister *pl*, her'vorragende Köpfe *pl*, Intelli'genz *f.* – **4.** Bildung *f*, Geist *m.* — **ˌin·tel'lec·tion** *s* **1.** Verstehen *n*, Begreifen *n.* – **2.** Verstandes-, Denktätigkeit *f*, Denkvorgang *m.* – **3.** Gedanke *m*, I'dee *f.* — **ˌin·tel'lec·tive** *adj* **1.** Verstandes... – **2.** intelli'gent, vernünftig. – **3.** erkennend, denkend.

in·tel·lec·tu·al [ˌinti'lektʃuəl; -tə-; *Br. auch* -tjuəl] **I** *adj* **1.** intellektu'ell, verstandesmäßig, Verstandes...: ~ power Verstandeskraft. – **2.** begabt, klug, vernünftig, intelli'gent: an ~ being ein vernunftbegabtes Wesen. – **3.** intellektu'ell, verstandesmäßig, -betont. – **4.** geistig, Geistes... – **II** *s* **5.** vernunftbegabtes Wesen, vernünftiger Mensch. – **6.** Intellektu'elle(r), Verstandesmensch *m.* – **7.** *pl* a) Intellektu'elle *pl*, Intelli'genz *f*, b) *selten* intellektu'elle Dinge *pl*, c) *obs.* Verstandeskräfte *pl.* — **ˌin·tel'lec·tu·alˌism** *s* Intellektua'lismus *m* (*auch philos.*). — **ˌin·tel'lec·tu·al·ist** *s* **1.** Intellektu'eller *m*, Verstandesmensch *m.* – **2.** *philos.* Intellektua'list *m.* — **ˌin·telˌlec·tu·al'is·tic** *adj* intellektua'listisch. — **ˌin·telˌlec·tu'al·i·ty** [-'æliti; -əti] *s* **1.** Verstandesmäßigkeit *f*, -betontheit *f.* – **2.** Geistigkeit *f.* – **3.** Verstandes-, Geisteskraft *f*, Intelli'genz *f*, Erkenntnisvermögen *n.* — **ˌin·telˌlec·tu·al·i'za·tion** *s* **1.** Intellektuali'sierung *f.* – **2.** Vergeistigung *f.* – **3.** Verständlichmachung *f.* — **ˌin·tel'lec·tu·alˌize I** *v/t* **1.** intellektu'ell machen, verstandesmäßig ausbilden. – **2.** vergeistigen. – **3.** verständlich machen. – **II** *v/i* **4.** intellektu'ell werden. – **5.** denken. — **ˌin·tel'lec·tu·al·ly** *adv* **1.** verstandesgemäß, -mäßig. – **2.** mit dem *od.* durch den Verstand.

in·tel·li·gence [in'telidʒəns; -lə-] *s* **1.** Intelli'genz *f*, Klugheit *f*, Verstand *m*, Erkenntnisvermögen *n.* – **2.** rasche Auffassungsgabe. – **3.** Scharfsinn *m.* – **4.** Einsicht *f*, Verständnis *n.* – **5.** geistige Anpassungsfähigkeit. – **6.** Wissen *n*, Kenntnisse *pl.* – **7.** Nachricht *f*, Mitteilung *f*, Auskunft *f*: we have received no ~ wir haben nichts erfahren; to give ~ Auskunft geben. – **8.** (geheimer) Nachrichtendienst. – **9.** *oft* I~ Geist(eswesen *n*) *m*: the Supreme I~ der höchste Geist. – **10.** (*Christian Science*) die ewige Eigenschaft des unendlichen Geistes. – **11.** *obs.* Nachrichtenaustausch *m.* — ~ **bu·reau** *s mil.* (geheimer) Nachrichtendienst, Nachrichtenamt *n.* — ~ **de·part·ment** *s* **1.** → intelligence bureau. – **2.** *econ.* 'Auskunftsabˌteilung *f.* — ~ **of·fice** *s* **1.** Auskunftsstelle *f.* – **2.** → intelligence bureau. – **3.** *Am. obs.* Arbeitsvermittlungsstelle *f.* — ~ **of·fi·cer** *s mil.* 'Abwehr-, 'Nachrichtenoffiˌzier *m.*

— ~ **quo·tient** *s psych.* Intelli'genzquoti,ent *m.*

in·tel·li·genc·er [in'telidʒənsər; -lə-] *s* **1.** 'Nachrichtenüber,bringer(in), Berichterstatter(in). – **2.** Kundschafter(in), Spi'on(in).

in·tel·li·gence test *s* Intelli'genzprüfung *f.*

in·tel·li·gent [in'telidʒənt; -lə-] *adj* **1.** intelli'gent, klug, gescheit. – **2.** vernünftig, verständnis-, einsichtsvoll. – **3.** verstandesbegabt, vernünftig. – **4.** *selten* (of) kundig (*gen*), erfahren (in *dat*). – *SYN.* **alert, clever, knowing, quick-witted.** — **in,tel·li'gen·tial** [-'dʒenʃəl] *adj* **1.** Intelligenz..., Verstandes..., Geistes..., intellektu'ell. – **2.** mit Verstand begabt, intelli'gent. – **3.** benachrichtigend. — **in,tel·li·'gent·si·a,** *Br. auch* **in,tel·li'gent·zi·a** [-'dʒentsiə; -'gent-] *s* (*als pl konstruiert*) *collect.* Intelli'genz *f,* Intellektu'elle *pl.*

in·tel·li·gi·bil·i·ty [in,telidʒə'biliti; -lə-; -əti] *s* **1.** Verständlichkeit *f,* Faßlichkeit *f,* Deutlichkeit *f.* – **2.** (*etwas*) Verständliches. — **in'tel·li·gi·ble** *adj* **1.** verständlich, faßlich, deutlich, klar (to für *od. dat*). – **2.** *philos.* durch den Verstand erkennbar, intelli'gibel. — **in'tel·li·gi·ble·ness** *s* Verständlichkeit *f,* Deutlichkeit *f.*

in·tem·er·ate [in'temərit] *adj selten* rein, unbefleckt, unversehrt.

in·tem·per·ance [in'tempərəns; -prəns] *s* **1.** Unmäßigkeit *f,* Ausschweifung *f, bes.* Trunksucht *f.* – **2.** Unbeherrschtheit *f.* – **3.** Rauheit *f* (*Klima*). – **4.** ausschweifende Handlung. — **in'tem·per·ate** [-pərit; -prit] *adj* **1.** unmäßig, ausschweifend, zügellos. – **2.** unbeherrscht, ungezügelt. – **3.** trunksüchtig. – **4.** 'übermäßig, über'trieben. – **5.** rauh (*Klima*).

in·tend [in'tend] **I** *v/t* **1.** beabsichtigen, vorhaben, planen (s.th. etwas; to do *od.* doing zu tun; that daß): we ~ **going there** (*od.* **to go there**) wir beabsichtigen, dorthin zu gehen; we ~ **no harm** wir haben nichts Böses im Sinne; **was this** ~**ed?** war das Absicht? – **2.** bedacht sein auf (*acc*), bezwecken, im Sinn haben. – **3.** bestimmen (for für, zu): we ~ **our son for the navy** wir beabsichtigen, unseren Sohn in die Marine eintreten zu lassen. – **4.** sagen wollen, meinen, ausdrücken: **what do you** ~ **by this?** was wollen Sie damit sagen? – **5.** *selten* darstellen, bedeuten, sein sollen. – **6.** wollen, wünschen: we ~ **him to go** wir wünschen, daß er geht. – **7.** *obs.* a) lenken, b) bedeuten (*Wort*), c) (aus)strecken. – **II** *v/i* **8.** eine Absicht haben, Pläne haben. – **9.** *obs.* sich wenden, sich auf den Weg machen.

in·tend·ance [in'tendəns] *s* **1.** Inten'danz *f,* Oberaufsicht *f,* Verwaltung *f.* – **2.** Inten'danz *f,* Intendan'tur *f* (*bes. mil.*). – **3.** Inten'dantenamt *n,* Inten'danz *f,* Aufsichtsamt *n.* — **in'tend·an·cy** *s* **1.** Inten'danz *f,* Inten'dantenamt *n,* Aufsichtsamt *n,* Oberaufsicht *f.* – **2.** *collect.* Inten'danz *f,* Inten'danten *pl.* – **3.** Intendan'tur *f,* Verwaltungsbezirk *m.* — **in'tend·ant** *s* Inten'dant *m,* Oberaufseher *m,* Verwalter *m.*

in·tend·ed [in'tendid] **I** *adj* **1.** beabsichtigt, geplant, gewünscht: **to produce the** ~ **effect.** – **2.** absichtlich. – **3.** bestimmt (for für, zu). – **4.** *colloq.* (zu)künftig: **the** ~ **husband** der ‚Zukünftige'. – **II** *s* **5.** *colloq.* Verlobte(r), Bräutigam *m,* Braut *f:* **her** ~ ihr Bräutigam *od.* ‚Zukünftiger'; **his** ~ seine Braut *od.* ‚Zukünftige'. — **in'tend·ing** *adj* angehend: ~ **buyer** *econ.* Kaufreflektant. — **in'tend·ment** *s* **1.** *jur.* wahre Meinung *od.* Bedeutung: **in the** ~ **of law** im Sinn des Gesetzes. – **2.** *obs.* Absicht *f,* Zweck *m.*

in·ten·er·ate [in'tenə,reit] *v/t selten* erweichen, sanft machen. — **in,ten·er'a·tion** *s selten* Erweichung *f,* Besänftigung *f.*

in·tense [in'tens] *adj* **1.** inten'siv, stark, heftig: ~ **heat** starke Hitze; ~ **longing** heftige Sehnsucht. – **2.** kräftig, tief (*Farbe*). – **3.** inten'siv, angespannt, angestrengt: ~ **study.** – **4.** *phot.* a) inten'siv, stark, hell (*Licht*), b) dicht (*Negativ*). – **5.** von starken Gefühlen bewegt: **an** ~ **face.** – **6.** stark gefühlsbetont, empfindsam. – **7.** sich anstrengend, äußerst tätig (in in *dat*). — **in'tense·ness** *s* **1.** Intensi'tät *f,* Stärke *f,* Heftigkeit *f.* – **2.** Anspannung *f,* Anstrengung *f:* ~ **of study** angestrengtes Studium. – **3.** *phys.* Spannung *f* (*einer Saite etc*). – **4.** *phot.* zu große Dichtigkeit (*Negativ*). – **5.** Gefühlsbetontheit *f,* Empfindsamkeit *f.*

in·ten·si·fi·ca·tion [in,tensifi'keiʃən; -səfə-] *s* **1.** Verstärkung *f,* Intensi'vierung *f,* Steigerung *f.* – **2.** Anspannung *f.* – **3.** *phot.* Intensi'vierung *f,* Verstärkung *f* (*der Negative*). — **in'ten·si,fi·er** [-,faiər] *s* **1.** Verstärker *m.* – **2.** *tech.* Druckverstärker *m,* -erhöher *m.* – **3.** *phot.* a) Verstärker *m,* b) Verstärkungslösung *f,* -bad *n.* — **in'ten·si,fy** [-,fai] **I** *v/t* **1.** intensi'vieren, verstärken, steigern, erhöhen. – **2.** *phot.* (*Negative*) verstärken. – **II** *v/i* **3.** sich verstärken, sich steigern. – *SYN.* **aggravate, enhance, heighten.**

in·ten·sion [in'tenʃən] *s* **1.** Verstärkung *f,* Steigerung *f,* Intensi'vierung *f.* – **2.** Stärke *f,* Intensi'tät *f.* – **3.** Anspannung *f,* Anstrengung *f.* – **4.** (*Logik*) (Begriffs)Inhalt *m.* – **5.** *selten* Spannung *f.* – **6.** → **intensional meaning.** — **in'ten·sion·al mean·ing** *s ling.* Bedeutungsinhalt *m* (*eines Wortes*).

in·ten·si·ty [in'tensiti; -əti] *s* **1.** Intensi'tät *f,* (hoher) Grad, Stärke *f,* Heftigkeit *f:* ~ **of heat** Intensität der Hitze. – **2.** Tiefe *f* (*Gefühl*). – **3.** *electr.* Intensi'tät *f,* Stärke *f, bes.* a) Stromstärke *f,* b) Höhe *f* (*Spannung*), c) Feldstärke *f,* Feldliniendichte *f* (*Kraftfelder*). – **4.** *phys.* Kraft *f,* Leistungsvermögen *n:* **calorific** ~ Heizkraft, -wert. – **5.** *phys.* Intensi'tät *f,* Stärke *f,* Härte *f,* Dichte *f* (*Strahlung*). – **6.** *phot.* Dichtigkeit *f* (*Negativ*). – **7.** Anstrengung *f,* Anspannung *f,* Eifer *m.*

in·ten·sive [in'tensiv] **I** *adj* **1.** inten'siv, stark, heftig, lebhaft. – **2.** verstärkend, steigernd. – **3.** sich verstärkend, sich steigernd. – **4.** *med.* stark wirkend. – **5.** *agr. econ.* inten'siv, ertragsteigernd, -fördernd, die Produktivi'tät steigernd: ~ **cultivation of land** intensive Bodenbewirtschaftung. – **6.** *ling.* verstärkend, betonend, Verstärkungs...: ~ **word** Verstärkungswort. – **II** *s* **7.** (*das*) Verstärkende, Verstärkungsmittel *n.* – **8.** *ling.* verstärkendes Ele'ment. — ~ **mar·gin** *s econ.* Intensi'tätsgrenze *f.* — ~ **pro·noun** *s ling.* verstärkendes Fürwort (**myself** *etc*).

in·tent[1] [in'tent] *s* **1.** Absicht *f,* Vorhaben *n,* Vorsatz *m:* **criminal** ~ *jur.* verbrecherische Absicht; **to all** ~**s and purposes** a) in jeder Hinsicht, durchaus, ganz u. gar, b) im Grunde, eigentlich, in Wirklichkeit, c) praktisch (genommen). – **2.** Ziel *n,* Zweck *m,* Plan *m.* – **3.** *jur.* a) wahre Bedeutung, Sinn *m* (*Gesetz*), b) verbrecherische Absicht. – **4.** *obs.* Bedeutung *f.* – *SYN. cf.* **intention.**

in·tent[2] [in'tent] *adj* **1.** erpicht, versessen (on, upon auf *acc*). – **2.** (on, upon) eifrig bedacht (auf *acc*), ernstlich beschäftigt (mit). – **3.** aufmerksam, gespannt, unverwandt. – **4.** ernsthaft, gründlich. – *SYN.* **absorbed, engrossed, rapt.**

in·ten·tion [in'tenʃən] *s* **1.** Absicht *f,* Vorhaben *n,* Vorsatz *m,* Plan *m* (to do *od.* of doing zu tun): **with good** ~**s** in guter Absicht; **with the** ~ **of going** in der Absicht zu gehen. – **2.** Zweck *m,* Ziel *n.* – **3.** *pl colloq.* Heiratsabsichten *pl:* **serious** ~**s.** – **4.** *philos.* Intenti'on *f.* – **5.** *med.* Heilvorgang *m,* 'Heilpro,zeß *m:* (**healing by**) **first** ~ eiterlose Heilung; (**healing by**) **second** ~ Heilung mit Eiterung. – **6.** *relig.* a) Bestimmung *f,* Zweck *m* (*eines Gebetes etc*), b) Gegenstand *m* (*für den gebetet wird*). – **7.** *obs.* a) Bedeutung *f,* b) Angespanntheit *f.* – *SYN.* **aim, design, end, goal, intent**[1], **object, objective, purpose.** — **in'ten·tion·al I** *adj* **1.** absichtlich, vorsätzlich. – **2.** zweckbestimmt. – **3.** beabsichtigt. – **4.** *philos.* Vorstellungs..., Erscheinungs...: ~ **being** nur in der Vorstellung existierendes Objekt, Vorstellung, Begriff. – *SYN. cf.* **voluntary.** – **II** *s* **5.** *philos.* Vorstellung *f,* Erscheinung(sbild *n*) *f.* — **in,ten·tion'al·i·ty** [-'næliti; -əti] *s* **1.** Absichtlichkeit *f,* Vorsätzlichkeit *f.* – **2.** *philos.* Intentionali'tät *f.* — **in'ten·tioned** *adj* **1.** eine Absicht habend. – **2.** (*bes. in Zusammensetzungen*) ...gesinnt: **well-**~ gutgesinnt, mit guten Absichten.

in·tent·ness [in'tentnis] *s* **1.** gespannte Aufmerksamkeit. – **2.** Eifer *m:* ~ **of purpose** Zielstrebigkeit. – **3.** Erpichtheit *f.* – **4.** Ernsthaftigkeit *f,* Gründlichkeit *f.*

in·ter[1] [in'tə:r] *pret u. pp* **in'terred** *v/t* beerdigen, begraben.

in·ter[2] ['intər] (*Lat.*) *prep* zwischen, unter.

inter- [intər] *Wortelement mit der Bedeutung* a) (da)zwischen, Zwischen..., b) (dar)unter, c) gegenseitig, wechselseitig, einander, Wechsel...

,in·ter'act[1] *v/i* aufein'ander wirken, sich gegenseitig beeinflussen.

,in·ter'act[2] *s* **1.** Zwischenakt *m.* – **2.** *mus.* 'Zwischenaktmu,sik *f.*

,in·ter'ac·tion *s* **1.** Wechselwirkung *f,* gegenseitige Beeinflussung. – **2.** (*Vererbung*) Fak'toren-Ersatz *m.* — **,in·ter'ac·tive** *adj* aufein'ander einwirkend, wechselwirkend.

,in·ter'a·gen·cy *s* Vermittlung *f.* — **,in·ter'a·gent** *s* Vermittler(in), Mittelsmann *m.*

,in·ter'al·lied *adj mil. pol.* 'interalli,iert.

,in·ter-A'mer·i·can *adj* 'interameri[,kanisch.]

,in·ter'am·ni·an [-'æmniən] *adj* zwischen Flüssen (gelegen).

,in·ter·a'tom·ic *adj phys.* zwischen den A'tomen befindlich *od.* wirkend, interato'mar.

,in·ter'ax·il·lar·y *adj bot.* zwischen den Blattachseln (befindlich).

,in·ter'ax·is *pl* **-'ax·es** *s arch.* Zwischenachse *f,* -achslinie *f.*

'in·ter,bank clear·ing *s econ.* Lo'kal,umschreibung *f,* Orts-Clearing *n.*

,in·ter'bed *v/t* da'zwischenlagern, -betten.

,in·ter'blend *irr* **I** *v/t* mitein'ander mischen, (innig) vermischen. – **II** *v/i* sich (innig) vermischen.

'in·ter,bor·ough *adj* zwischen Stadtteilen (verkehrend), in mehreren Stadtteilen gelegen.

'in·ter,bourse *adj econ.* von Börse zu Börse (gehandelt *od.* bestehend *etc*): ~ **securities** international gehandelte Effekten.

'in·ter,brain *s med.* Zwischenhirn *n,* Dien'cephalon *n.*

,in·ter'breed *irr biol.* **I** *v/t* **1.** durch Kreuzung züchten, kreuzen. – **II** *v/i*

2. sich kreuzen. – 3. Kreuzzucht treiben. — **ˌin·terˈbreed·ing** *s* Kreuzung *f.*

in·ter·ca·la·re [inˌtəːrkəˈlɛ(ə)riː] *pl* **-ri·a** [-riə] *s zo.* Schaltknochen *m.*

in·ter·ca·lar·y [*Br.* inˈtəːrkələri; *Am.* -ˌleri] *adj* **1.** eingeschaltet, eingeschoben. – **2.** Schalt...: ~ **day** Schalttag; ~ **year** Schaltjahr. — **inˈter·caˌlate** [-ˌleit] *v/t* **1.** einschieben, einschalten, einfügen. – **2.** einlagern. – **3.** *geol.* einschließen, zwischenlagern. – *SYN. cf.* **introduce.** — **inˌter·caˈla·tion** *s* **1.** Einschiebung *f*, Einschaltung *f.* – **2.** Einlage *f.* – **3.** *geol.* Einlagerung *f*, Einschließung *f.* — **inˈter·ca·la·tive** [-ˌleitiv; -lətiv] *adj* einschaltend, einfügend, Schalt...

ˌin·ter·caˈnal *s zo.* ˈZwischenkaˌnal *m.*

ˌin·ter·caˈrot·id, *auch* **ˌin·ter·caˈrot·ic** *adj med.* zwischen den beiden Halsschlagadern.

in·ter·cede [ˌintərˈsiːd] *v/i* **1.** sich verwenden, vermitteln, Fürsprache einlegen, bitten (**with** bei, **for** für). – **2.** *antiq.* ein Veto einlegen. – *SYN. cf.* **interpose.** — **ˌin·terˈced·er** *s* Fürsprecher(in), Vermittler(in).

ˌin·terˈcel·lu·lar *adj biol.* interzelluˈlär, zwischenzellig, Zwischenzell(en)...

ˌin·terˈcen·trum *pl* **-tra** *s med. zo.* Zwischenzentrum *n*, Mittel(nerven)-zentrum *n.*

in·ter·cept I *v/t* [ˌintərˈsept] **1.** (*Brief*) ab-, auffangen. – **2.** (*Meldung*) abhören. – **3.** aufhalten, hemmen, (be)hindern: to ~ **trade** *econ.* den Handel behindern. – **4.** unterˈbrechen, abschneiden. – **5.** (*Sicht*) versperren. – **6.** die Verbindung abschneiden mit, den Weg abschneiden zu. – **7.** *math.* a) abschneiden, b) einschließen, begrenzen (**between** zwischen *dat*). – **8.** (*Telephon*) sperren. – **II** *s* [ˈintərˌsept] **9.** (*das*) Abgeschnittene *od.* Eingeschlossene. – **10.** *math.* Abschnitt *m*: ~ **on an axis of coordinates** Achsenabschnitt. – **11.** Aufhalten *n*, Unterˈbrechung *f.* – **12.** aufgefangene Funkmeldung. — **ˌin·terˈcept·er** *cf.* **interceptor.**

in·ter·cep·tion [ˌintərˈsepʃən] *s* **1.** Ab-, Auffangen *n* (*Briefe etc*). – **2.** Abhören *n* (*Telephon*). – **3.** a) Aufhalten *n*, Hemmung *f*, Hinderung *f*, b) *aer.* Stellen *n*, Abfangen *n* (*Feindflugzeuge*). – **4.** Unterˈbrechung *f*, Abschneiden *n* (*Weg etc*), Versperrung *f.* – **5.** *math.* a) Abschneidung *f*, b) Einschließung *f.* – **6.** (*das*) Abgeschnittene, Abschnitt *m.* — **ˌin·terˈcep·tive** *adj* **1.** abfangend, aufhaltend. – **2.** hemmend, hindernd, abschneidend, (ver)sperrend. — **ˌin·terˈcep·tor** [-tər] *s* **1.** Auffänger *m.* – **2.** *auch* ~ **plane** *aer.* Abfang-, Verteidigungsjäger *m*, Interˈzeptor *m.* – **3.** *tech.* a) ˈDampfsepaˌrator *m*, b) ˈAuffangkaˌnal *m*, -kloˌake *f*, Sammler *m.*

ˌin·terˈcer·e·bral *adj med.* zwischen den Hemiˈsphären liegend.

in·ter·ces·sion [ˌintərˈseʃən] *s* **1.** Fürbitte *f*, Fürsprache *f*, Vermittlung *f*, Interventiˈon *f* (**for s.o.** zu j-s Gunsten): **to make** ~ **to s.o. for** bei j-m Fürsprache einlegen für, sich bei j-m verwenden für; **through his** ~ auf seine Fürbitte hin. – **2.** *antiq. jur.* Interzessiˈon *f.* — **ˌin·terˈces·sion·al** *adj* eine Fürbitte enthaltend *od.* einlegend, vermittelnd, Vermittlungs... — **ˌin·terˈces·sor** [-sər] *s* **1.** Fürsprecher(in), Fürbitter(in) (**with** bei). – **2.** Vermittler(in). – **3.** *relig.* Bistumsverweser *m.* — **ˌin·terˈces·so·ry** [-səri] *adj* fürsprechend, Fürsprech..., vermittelnd.

in·ter·change [ˌintərˈtʃeindʒ] **I** *v/t* **1.** (*etwas*) mit- *od.* untereinˈander austauschen, auswechseln. – **2.** austauschen, auswechseln (**with** mit). – **3.** vertauschen, auswechseln. – **4.** einˈander abwechseln lassen: **to** ~ **cares with pleasures.** – **5.** *econ.* Tauschhandel treiben mit (*etwas*). – **II** *v/i* **6.** abwechseln (**with** mit), aufeinˈanderfolgen. – **7.** gegenseitig die Plätze tauschen. – **III** *s* [ˈintərˌtʃeindʒ] **8.** Vertauschung *f*, Auswechslung *f.* – **9.** Austausch *m*: ~ **of civilities** Austausch von Höflichkeiten. – **10.** Abwechslung *f*, Wechsel *m*, Aufeinˈanderfolge *f.* – **11.** *econ.* Tauschhandel *m.* — **ˌin·terˌchange·aˈbil·i·ty** *s* Austauschbarkeit *f*, Vertauschbarkeit *f*, Auswechselbarkeit *f* (*auch econ.*). — **ˌin·terˈchange·a·ble** *adj* **1.** austauschbar, vertauschbar. – **2.** auswechselbar. – **3.** (miteinˈander) abwechselnd. – **4.** *econ.* auswechselbar: ~ **bonds** in Inhaberobligationen auswechselbare Namensschuldverschreibungen. — **ˌin·terˈchange·a·ble·ness** → **interchangeability.** — **ˌin·terˈchang·er** *s* **1.** Austauscher(in), -wechsler(in). – **2.** *tech.* Auswechsler *m*, -tauscher *m*: **air** ~ Luftaustauscher; **heat** ~ Wärme(aus)tauscher.

ˈin·terˌchap·ter *s* eingeschobenes Kapitel.

ˌin·terˈcil·i·um → **glabella.**

ˌin·terˈcit·i·zenˌship *s jur. pol.* gleichzeitiges Bürgerrecht, doppelte *od.* mehrfache Staatsbürgerschaft.

ˌin·terˈclav·i·cle *s zo.* Zwischenschlüsselbein *n.* — **ˌin·ter·claˈvic·u·lar** *adj* **1.** *med.* zwischen den Schlüsselbeinen befindlich. – **2.** *zo.* Zwischenschlüsselbein...

ˌin·ter·cocˈcyg·e·al, *auch* **ˌin·ter·cocˈcyg·e·an** *adj med.* zwischen Teilen des Steißbeins (befindlich).

ˌin·ter·colˈle·gi·ate *adj* **1.** zwischen verschiedenen Colleges *od.* Universiˈtäten bestehend *od.* stattfindend. – **2.** mehrere Colleges *od.* Universiˈtäten repräsenˈtierend *od.* vertretend.

ˌin·ter·coˈlo·ni·al *adj* interkoloniˈal, zwischen Koloˈnien.

ˌin·ter·coˈlum·nar *adj* zwischen Säulen (befindlich). — **ˌin·ter·coˌlum·niˈa·tion** *s arch.* **1.** Säulenabstand *m.* – **2.** Syˈstem *n* des Säulenabstands.

in·ter·com [ˈintərˌkɒm] *s* **1.** *aer. mar.* Eigen-, Bordverständigung *f.* – **2.** Querverbindung *f*, Gegen-, Wechselsprechanlage *f.*

ˌin·terˈcom·mon *v/i jur. Br.* gemeinsame Weide haben. — **ˌin·terˈcom·mon·age** *s* gemeinsames Weiderecht.

ˌin·ter·comˈmu·ni·ca·ble *adj* gegenseitig mitteilbar. — **ˌin·ter·comˈmu·niˌcate I** *v/t* **1.** miteinˈander in Verbindung bringen. – **2.** einˈander mitteilen. – **II** *v/i* **3.** miteinˈander in Verbindung stehen *od.* verkehren. — **ˌin·ter·comˌmu·niˈca·tion** *s* gegenseitige Verbindung, gegenseitiger Verkehr: ~ **system** → **intercom.**

ˌin·ter·comˈmun·ion *s* Gemeinschaft *f* untereinˈander, wechselseitiger *od.* vertrauter Verkehr. — **ˌin·ter·comˈmu·ni·ty** *s* **1.** Gemeinsamkeit *f* des Besitzes *od.* des Gebrauchs. – **2.** harˈmonisches Zuˈsammenleben. – **3.** wechselseitige Mitteilung.

ˌin·ter·conˈnect I *v/t* mit- *od.* untereinˈander verbinden. – **II** *v/i* sich untereinˈander verbinden, miteinˈander verbunden werden *od.* sein. — **ˌin·ter·conˈnect·ed** *adj* **1.** miteinˈander verbunden. – **2.** *electr.* vermascht. — **ˌin·ter·conˈnec·tion** *s* gegenseitige Verbindung.

ˈin·terˌcon·tiˈnen·tal *adj* interkontinenˈtal, zwischen Kontiˈnenten (bestehend *od.* ˈdurchgeführt).

ˌin·ter·conˈvert·i·ble *adj* ineinˈander ˈumwandelbar, miteinˈander vertauschbar.

ˌin·terˈcos·mic, *auch* **ˌin·terˈcos·mi·cal** *adj* zwischen den Gestirnen.

ˌin·terˈcos·tal I *adj* **1.** *med.* interkoˈstal, Zwischenrippen... – **2.** *bot.* zwischen den Blattrippen *od.* -adern. **3.** *mar. tech.* zwischen den Schiffsrippen. – **II** *s* **4.** *med.* Interkoˈstal-, Zwischenrippenmuskel *m od.* -raum *m.* – **5.** *tech.* Zwischenblech *n*, -platte *f*, Einschiebsel *n.* – **6.** *mar.* Interkoˈstalteil *m.*

ˈin·terˌcourse *s* **1.** ˈUmgang *m*, Verkehr *m* (**with** mit), Verbindung *f* (**between** zwischen *dat*). – **2.** *econ.* (Geschäfts)Verkehr *m*, Handelsverbindung *f.* – **3.** *auch* **sexual** ~ Geschlechtsverkehr *m.*

ˌin·terˈcrop *pret u. pp* **-ˈcropped** *agr.* **I** *v/t* mit einer zweiten (Feld)Frucht bepflanzen: **to** ~ **an orchard.** – **II** *v/i* gleichzeitig zwei verschiedene Erntefruchtarten auf demˈselben Feld anpflanzen.

ˌin·terˈcross I *v/t* **1.** einˈander kreuzen lassen. – **2.** *bot. zo.* miteinˈander kreuzen, sich kreuzen lassen. – **II** *v/i* **3.** sich *od.* einˈander kreuzen. – **4.** *bot. zo.* sich kreuzen. – **III** *s* **5.** *bot. zo.* a) Kreuzung *f*, b) ˈKreuzungsproˌdukt *n.*

ˌin·terˈcur·rence *s* **1.** Daˈzwischenkunft *f*, -treten *n.* – **2.** *med.* Hinˈzutreten *n.* — **ˌin·terˈcur·rent** *adj* **1.** daˈzwischenkommend. – **2.** *med.* a) hinˈzutretend, interkurˈrent, nebenˈherlaufend (*Krankheit*), b) schwankend (*Puls*).

ˈin·ter·deˌnom·i·naˈtion·al *adj* verschiedenen Gruppen gemeinsam, *bes.* interkonfessioˈnell.

ˌin·terˈden·tal *adj* **1.** *med.* interdenˈtal, zwischen den Zähnen. – **2.** *ling.* interdenˈtal (*Laut*).

ˌin·ter·deˈpend *v/i* voneinˈander abhängen. — **ˌin·ter·deˈpend·ence, ˌin·ter·deˈpend·en·cy** *s* gegenseitige Abhängigkeit. — **ˌin·ter·deˈpend·ent** *adj* voneinˈander abhängig, eng zuˈsammenhängend, ineinˈandergreifend.

in·ter·dict I *s* [ˈintərˌdikt] **1.** Verbot *n*: **to put an** ~ **upon s.th.** etwas verbieten. – **2.** *jur.* a) *antiq.* (*Rom*) Interˈdikt *n*, b) *Scot.* gerichtliches Verbot. – **3.** *relig.* Interˈdikt *n*, Kirchensperre *f*: **to lay** (*od.* **put**) **under an** ~ mit dem Interdikt belegen. – **II** *v/t* [ˌintərˈdikt] **4.** (*etwas*) (amtlich) unterˈsagen, verbieten (**to s.o.** j-m). – **5.** (*j-n*) ausschließen: **to** ~ **s.o. from s.th., to** ~ **s.o. a thing** j-n von etwas ausschließen, j-n einer Sache verlustig erklären; **he was** ~**ed water** ihm wurde das Wasser entzogen; **to** ~ **s.o. from doing s.th.** j-m verbieten, etwas zu tun. – **6.** *relig.* mit dem Interˈdikt belegen. – *SYN. cf.* **forbid.** — **ˌin·terˈdic·tion** *s* **1.** Unterˈsagen *n*, Verbieten *n.* – **2.** Unterˈsagung *f*, Verbot *n.* – **3.** *jur.* Entmündigung *f.* – **4.** *relig.* Interˈdikt *n.* — **ˌin·terˈdic·tive** *adj* unterˈsagend, verbietend, ausschließend. — **ˌin·terˈdic·tor** [-tər] *s* Unterˈsager(in), Verbietende(r). — **ˌin·terˈdic·to·ry** [-təri] *adj* **1.** → **interdictive.** – **2.** Untersagungs..., Verbots...

ˌin·terˈdig·i·tal *adj med. zo.* zwischen den Fingern *od.* Zehen (befindlich). — **ˌin·terˈdig·iˌtate** [-ˌteit] **I** *v/i* **1.** verflochten sein, verwoben sein (**with** mit). – **2.** ineinˈandergreifen. – **II** *v/t* **3.** miteinˈander verflechten, ineinˈanderflechten. — **ˈin·terˌdig·iˈta·tion** *s* enge Verflechtung, Ineinˈandergreifen *n.*

ˈin·terˌe·quiˈnoc·tial *astr.* **I** *adj* zwischen den Tagundˈnachtgleichen (eintretend). – **II** *s* Sonnenwende *f.*

in·ter·est [ˈintərist; -trist] **I** *s* **1.** (in) Interˈesse *n* (an *dat*, für), (An)Teilnahme *f* (an *dat*): **to lose** ~ das Interesse verlieren; **to take an** ~ **in**

s.th. sich für etwas interessieren. – 2. Anziehungskraft *f*, Reiz *m*, Inter'esse *n*: to be of ~ reizvoll sein (to für). – 3. Wichtigkeit *f*, Bedeutung *f*, Inter'esse *n*: a matter of great ~ eine Angelegenheit von großer Wichtigkeit; to be of little ~ von geringer Bedeutung sein; of general ~ von allgemeinem Interesse. – 4. *bes. econ.* Beteiligung *f*, Anteil *m* (in an *dat*): to have an ~ in s.th. an *od.* bei einer Sache beteiligt sein; ~ in a vessel Schiffsanteil; to secure ~s Beteiligungen erwerben. – 5. *meist pl bes. econ.* Geschäfte *pl*, Inter'essen *pl*, Belange *pl*: shipping ~(s) Reedereigeschäfte, -betrieb. – 6. *econ.* Interes'senten *pl*, Inter'essengemeinschaft *f*, (*die*) beteiligten Kreise: the banking ~ die Bankkreise; the shipping ~ die Reeder; the ~s die Interessenten, *bes.* die Geldgeber. – 7. Vorteil *m*, Nutzen *m*, Gewinn *m*, Inter'esse *n*: to be in (*od.* to) s.o.'s ~ in j-s Interesse liegen; in your ~ zu Ihrem Vorteil; to study the ~ of s.o. j-s Vorteil im Auge haben; the common ~ das allgemeine Beste. – 8. Eigennutz *m*, Selbstsucht *f*. – 9. Einfluß *m*, Macht *f* (with bei): to obtain s.o.'s ~ j-n für sich gewinnen; he has ~ at court er hat Einfluß bei Hofe; to use one's ~ for s.o. sich für j-n verwenden (with bei). – 10. *jur.* (An)Recht *n* (in auf *acc*): vested in ~ dem Anrechte nach übertragen; vested ~ sicher begründetes Anrecht. – 11. (*nie pl*) *econ.* Zins *m*, Zinsen *pl*: ~ from capital Zins vom Kapital; compound ~ Zinseszinsen; ~ charged franko Zinsen; as ~ zinsweise; ex ~ ohne Zinsen; free of ~ zinslos; to bear (*od.* carry, pay, yield) ~ Zinsen tragen, sich verzinsen, verzinslich sein; arrears of ~ Zinsrückstände; ~ for default (*od.* delay), ~ on arrears Verzugszinsen; ~ on capital outlay Verzinsung der Anschaffungskosten; ~ on debit balances Debet-, Sollzinsen; ~ on deposit Depositenzinsen; ~ on loan capital Bank-, Darlehenszinsen; ~ on shares Stückzinsen; to invest money at ~ Geld verzinslich anlegen. – 12. *econ.* Zinsfuß *m*, -satz *m*: to raise the ~ den Zinsfuß erhöhen. –
II *v/t* 13. interes'sieren (in für), (*j-s*) Inter'esse *od.* Teilnahme erwecken (in s.th. an einer Sache; for s.o. für j-n): to ~ oneself in sich interessieren für, Anteil nehmen an (*dat*), sich (*etwas*) angelegen sein lassen. – 14. angehen, betreffen: every citizen is ~ed in this law dieses Gesetz geht jeden Bürger an. – 15. anziehen, reizen. – 16. *bes. econ.* a) beteiligen, zum Teilhaber machen (in an *dat*), b) (in) zur Beteiligung veranlassen (an *dat*), gewinnen (für).

in·ter·est| ac·count *s econ.* 1. Zinsrechnung *f*: equated ~ Staffelrechnung. – 2. Zinsenkonto *n*. — **~ cer·tif·i·cate** *s econ.* Zinsvergütungsschein *m*. — **~ charge** *s econ.* Zinsenbelastung *f*: excessive ~ Wucherzinsforderung. — **~ com·pu·ta·tion** *s econ.* Zinsberechnung *f*. — **~ cou·pon** *s econ.* Zinsabschnitt *m*, 'Zinsschein *m*, -couˌpon *m*. — **~ due** *s econ.* fällige Zinsen *pl*, Pas'siv-, Schuldzinsen *pl*.

in·ter·est·ed ['intəristid; -tris-; -təˌrestid] *adj* 1. interes'siert, Anteil nehmend (in an *dat*): an ~ listener ein aufmerksamer Zuhörer; to be ~ in s.th. sich für etwas interessieren; I was ~ to know es interessierte mich zu wissen. – 2. *bes. econ.* beteiligt (in an *dat*, bei): the parties ~ die Beteiligten, die Interessenten. – 3. beeinflußt, voreingenommen: an ~ witness. – 4. eigennützig. — **'in·ter·est·ed·ly** *adv* 1. mit Inter'esse, aufmerksam. – 2. in interes'santer Weise. — **'in·ter·est·ed·ness** *s* 1. Interes'siertheit *f*. – 2. Beteiligtsein *n*. – 3. Voreingenommenheit *f*. – 4. Eigennutz *m*.

in·ter·est ex·pend·i·tures *s pl econ.* Zinsaufwendungen *pl*, Zinsendienst *m*.

in·ter·est·ing ['intəristiŋ; -tris-; -təˌrestiŋ] *adj* 1. interes'sant, (das) Inter'esse erweckend: to be in an ~ condition in anderen Umständen *od.* schwanger sein; ~ event Geburt. – 2. interes'sant, anziehend, fesselnd. — **'in·ter·est·ing·ness** *s* Interes'santheit *f*, (*das*) Interes'sante *od.* Fesselnde.

in·ter·est| in·stal(l)·ment *s econ.* Zinsrate *f*. — **~ lot·ter·y** *s econ.* 'Prämienlotteˌrie *f*. — **~ pro and con·tra** *s econ.* Soll- u. Habenzinsen *pl*. — **~ rate** *s econ.* Zinssatz *m*, -fuß *m*. — **~ state·ment** *s econ.* Zinsenaufstellung *f*. — **~ ta·ble** *s econ.* 'Zinstaˌbelle *f*. — **~ tick·et, ~ war·rant** *s econ.* 'Zinsschein *m*, -couˌpon *m*, -abschnitt *m*.

'in·terˌface *s math.* 1. Zwischenfläche *f*. – 2. *auch phys.* Grenzfläche *f*, -ebene *f* (*zweier Körper etc*). — **ˌin·ter'fa·cial** *adj* 1. *math.* zwischen zwei Flächen, (Zwischen)Flächen...: ~ angle Flächenwinkel. – 2. *auch phys.* Grenzflächen...

ˌin·ter·fas'cic·u·lar *adj bot.* zwischen den Leitbündeln (liegend).

in·ter·fere [ˌintər'fir] *v/i* 1. ein'ander wider'streiten, sich wider'sprechen, in Kon'flikt geraten (with mit). – 2. (with) störend einwirken (auf *acc*), störend beeinflussen, behindern, stören, beeinträchtigen (*acc*). – 3. sich ins Mittel legen, eingreifen, da'zwischentreten, interve'nieren. – 4. sich einmischen (with in *acc*). – 5. sich befassen, sich abgeben (with mit). – 6. da'zwischenkommen. – 7. zu'sammenstoßen. – 8. *jur. Am.* gleichzeitig ein Pa'tent für die'selbe Erfindung beantragen (with mit *einem anderen*). – 9. (*beim Gehen*) die Füße *od.* Beine gegenein'ander schlagen (*bes. Pferd*). – 10. *electr.* stören, interfe'rieren, (sich) über'lagern. – 11. *sport* einen Gegner regelwidrig behindern. – *SYN. cf.* interpose.

in·ter·fer·ence [ˌintər'fi(ə)rəns] *s* 1. Zu'sammenstoßen *n*, Aufein'andertreffen *n*. – 2. 'Widerstreit *m*, Kon'flikt *m*. – 3. störende Beeinflussung, Beeinträchtigung *f*. – 4. Da'zwischentreten *n*, Interventi'on *f*, Vermittlung *f*. – 5. Einmischung *f* (in in *acc*). – 6. Eingriff *m*, Eingreifen *n* (with in *acc*). – 7. Gegenein'anderschlagen *n* der Füße *od.* Beine. – 8. *electr.* a) Interfe'renz *f*, Über'lagerung *f*, b) (*Radio*) Störung *f*. – 9. (*amer. Fußball*) a) Spieler, der den ballführenden Stürmer vor Angriffen zu schützen hat, b) Freihalten *n* des Weges für den balltragenden Stürmer: to run ~ die angreifenden Gegenspieler vom balltragenden Stürmer abwehren. — **~ col·o(u)r** *s phys.* Interfe'renzfarbe *f*. — **~ drag** *s aer.* 'Wechselˌwirkungsˌwiderstand *m*. — **~ fig·ure** *s phys.* Interfe'renzbild *n*, -fiˌgur *f*, *bes.* Lissa'jousche Fi'gur. — **~ fringe** *s phys.* Interfe'renzstreifen *m*.

in·ter·fe·ren·tial [ˌintərfə'renʃəl] *adj phys.* Interferenz...

in·ter·fer·ing [ˌintər'fi(ə)riŋ] *adj* 1. störend, lästig. – 2. sich einmischend, da'zwischentretend. – 3. vermittelnd, interve'nierend. – 4. *electr.* störend, interfe'rierend, (sich) über'lagernd.

ˌin·ter·fer'om·e·ter [-fi(ə)'rɒmitər; -mə-] *s phys.* Interfero'meter *n* (*Meßgerät*). — **ˌin·ter·fer'om·e·try** [-tri] *s* Interferome'trie *f*.

'in·terˌfil·a'men·tar [-ˌfilə'mentər] *adj* zwischen Fasern (befindlich).

in·ter·flow I *s* ['intərˌflou] Inein'anderfließen *n*, Sichver'mischen *n*. – **II** *v/i irr* [ˌintər'flou] inein'ander-, zu'sammenfließen, sich vermischen.

in·ter·flu·ent [in'tə:rfluənt; ˌintər'flu:ənt], *auch* **in'ter·flu·ous** [-əs] *adj* inein'ander-, zu'sammenfließend, sich vermischend.

in·ter·fluve ['intərˌflu:v] *s geogr. selten* Zwischenstromland *n*.

ˌin·ter'fold *v/t* zu'sammenfalten.

'in·terˌfo·li'a·ceous *adj bot.* zwischenblattständig.

ˌin·ter'fret·ted *adj her.* inein'ander verschlungen.

ˌin·ter'fron·tal *adj med.* zwischen den Stirnknochen (befindlich).

ˌin·ter'fuse I *v/t* 1. hin'ein-, da'zwischengießen. – 2. durch'dringen. – 3. (ver)mischen, durch'setzen (with mit). – 4. (eng) verbinden. – **II** *v/i* 5. sich (mitein'ander) vermischen. — **ˌin·ter'fu·sion** *s* 1. Hin'eingießen *n*. – 2. Durch'dringung *f* (with mit). – 3. Vermischung *f*, Durch'setzung *f*. – 4. (enge) Verbindung.

ˌin·terˌgan·gli'on·ic *adj med. zo.* zwischen den Nervenknoten (befindlich).

ˌin·ter'gla·cial *adj geol.* zwischeneiszeitlich, interglazi'al.

ˌin·ter·gra'da·tion *s* all'mähliches Ineinˌander'übergehen. — **in·ter·grade I** *v/i* [ˌintər'greid] *bes. biol.* all'mählich inein'ander 'übergehen, sich stufenweise ein'ander angleichen. – **II** *s* ['intərˌgreid] Zwischenstufe *f*, 'Übergangsform *f*. — **ˌin·ter'gra·di·ent** *adj* all'mählich inein'ander 'übergehend.

'in·terˌgrowth *s* 1. Inein'ander-, Zu'sammenwachsen *n*, Zu'sammenwuchs *m*. – 2. *geol.* Durch'wachsung *f*, Verwachsung *f*.

ˌin·ter'hae·mal, ˌin·ter'he·mal *zo.* **I** *adj* zwischen den Hä'malbögen (*der Wirbel*). – **II** *s* Flossenträger *m*.

in·ter·im ['intərim] **I** *s* 1. Zwischenzeit *f*: in the ~, ad ~ *bes. jur.* in der Zwischenzeit, einstweilig, vorläufig, bis auf weiteres; dividend ad ~, ~ dividend *econ.* Zwischen-, Abschlagsdividende; receipt of ~, ~ receipt *econ.* Zwischen-, Interimsschein *od.* -quittung. – 2. einstweilige Regelung. – 3. I~ *hist.* Interim *n*: the Ratisbon I~ das Regensburger Interim (*1541*). – **II** *adj* 4. interi'mistisch, einstweilig, vorläufig, Interims..., Zwischen... – **III** *adv selten* 5. mittlerweile. — **~ bal·ance** *s econ.* 'Zwischenbiˌlanz *f*, -abschluß *m*. — **~ cer·tif·i·cate** *s bes. econ.* Zwischen-, Interimsschein *m*. — **~ cred·it** *s econ.* 'Zwischenkreˌdit *m*.

in·ter·im·is·tic [ˌintəri'mistik] *adj* interi'mistisch, einstweilig, Interims... — **ˌin·ter·im'is·ti·cal·ly** *adv*.

in·te·ri·or [in'ti(ə)riər] **I** *adj* 1. inner(er, e, es), innengelegen, Innen...: ~ wall Innenwand. – 2. *geogr.* binnenländisch, Binnen...: ~ town Binnenstadt. – 3. inländisch, Inlands... – 4. inner(er, e, es), pri'vat, in'tern. – 5. inner(er, e, es), verborgen, geheim. – 6. innerlich, geistig. – 7. *math.* inner(er, e, es), Innen... – **II** *s* 8. *oft pl* (*das*) Innere (*Raum*). – 9. (*Malerei*) Interi'eur *n*. – 10. *phot.* Innenaufnahme *f*. – 11. *geogr.* Binnenland *n*, (*das*) Innere: the ~ of Africa das Innere Afrikas. – 12. *pol.* innere Angelegenheiten *pl*, (*das*) Innere: Department of the I~ *Am. od. Canad.* Innenministerium. – 13. inneres Wesen, innere Na'tur. – 14. *math.* (*das*) Innere. – 15. Innenseite *f*. – 16. Innenraum *m*. — **~ an·gle** *s math.*

Innenwinkel *m.* — ~ **dec·o·ra·tor** *s* 'Innenarchiˌtekt *m.* — ~ **drain·age** *s geogr.* Binnenentwässerung *f.*

in·te·ri·or·i·ty [inˌti(ə)ri'ɒriti; -əti; *Am. auch* -'ɔːr-] *s* **1.** Innensein *n*, innere Lage, Lage *f* im Innern. – **2.** inneres Wesen, Innerlichkeit *f.*

in·te·ri·or| plan·et *s astr.* innerer Pla'net. — ~ **point** *s math.* innerer Punkt. — ~ **sur·face** *s math.* Innenfläche *f.*

in·ter·ja·cence [ˌintər'dʒeisəns], ˌ**in·ter'ja·cen·cy** [-si] *s* Da'zwischenliegen *n.* — ˌ**in·ter'ja·cent** *adj* da'zwischenliegend.

in·ter·jac·u·late [ˌintər'dʒækjuˌleit; -jə-] *v/t* (*Bemerkung*) da'zwischenwerfen. — ˌ**in·ter'jac·u·la·to·ry** [*Br.* -lətəri; *Am.* -ləˌtɔːri] *adj* da'zwischengeworfen.

in·ter·ject [ˌintər'dʒekt] **I** *v/t* **1.** (*Bemerkung*) da'zwischen-, einwerfen. – **2.** einschieben, einschalten. – **II** *v/i obs.* **3.** da'zwischenkommen. – **4.** vermitteln. – *SYN. cf.* **introduce.** — ˌ**in·ter'jec·tion** *s* **1.** Da'zwischenwerfen *n*, Einwurf *m* (*von Bemerkungen etc*). – **2.** Ausruf *m.* – **3.** *ling.* Interjekti'on *f.* — ˌ**in·ter'jec·tion·al** *adj* **1.** da'zwischengeworfen, eingeschoben, eingefügt: an ~ **remark.** – **2.** ausrufartig, Ausruf... – **3.** *ling.* interjekti'onsartig, Interjektions... — ˌ**in·ter'jec·tion·ar·y** [*Br.* -ʃənəri; *Am.* -ˌneri], ˌ**in·ter'jec·to·ry** [-'dʒektəri] *adj* **1.** da'zwischengeworfen, eingeschaltet, eingefügt. – **2.** ausrufartig, Ausruf... – **3.** mit Unter'brechungen (stattfindend).

'**in·terˌjoist** *s* (*Zimmerei*) Balkenweite *f*, -fach *n.*

ˌ**in·ter'knit** *irr* **I** *v/t* (mitein'ander) verflechten. – **II** *v/i* sich verflechten.

ˌ**in·ter'la·bi·al** *adj med.* interlabi'al, zwischen den Lippen.

ˌ**in·ter'lace I** *v/t* **1.** (mitein'ander) verflechten, verweben, verschlingen. – **2.** (ver)mischen, vermengen (**with** mit). – **3.** durch'flechten, -'weben (*auch fig.*). – **4.** einflechten, einweben. – **II** *v/i* **5.** sich verflechten, sich kreuzen: **interlacing boughs** verschlungene Zweige.

ˌ**in·ter'laced scan·ning** *s* (*Fernsehen*) Zeilensprungverfahren *n*, Sprungabtastung *f.*

ˌ**in·ter'lace·ment** *s* **1.** Verflechtung *f*, Verschlingung *f.* – **2.** Verflochtenheit *f.* – **3.** Vermischung *f.*

'**in·terˌlac·ing arch·es** *s pl arch.* verschränkte Bogen *pl.*

ˌ**in·ter·la'mel·lar** *adj med. zo.* zwischen La'mellen (befindlich).

ˌ**in·ter'lam·i·nar** *adj* **1.** *tech.* zwischen (dünnen) Schichten (eingeschlossen). – **2.** *med.* zwischen Laminae gelegen. — ˌ**in·ter'lam·iˌnate** *v/t bes. tech.* **1.** zwischen (dünne) Schichten einfügen. – **2.** in 'unterschiedlichen Schichten anordnen. — ˌ**in·ter'lam·iˌnat·ed** → **interlaminar.**

ˌ**in·ter'lap** *pret u. pp* -'**lapped** *v/i* überein'andergreifen.

ˌ**in·ter'lard** *v/t* **1.** *fig.* spicken, durch'setzen: **to** ~ **one's speech with oaths.** – **2.** einschieben, einfügen, einflechten (**into** in *acc*). – **3.** *obs.* (*Fleisch*) spicken. — ˌ**in·ter'lard·ment** *s* **1.** Spicken *n.* – **2.** Gespicktsein *n.* – **3.** Beimischung *f.*

ˌ**in·ter'lay** *v/t irr* **1.** da'zwischenlegen, -tun. – **2.** eine Zwischenschicht einlegen in (*acc*).

'**in·terˌleaf** *s irr* 'Durchschußblatt *n* (*in Büchern*). — ˌ**in·ter'leave** *v/t* (*Bücher*) durch'schießen.

ˌ**in·ter'li·brar·y loan** *s* (*Bibliothekswesen*) **1.** auswärtiger Leihverkehr. – **2.** auswärtige Ausleihe.

in·ter·line¹ [ˌintər'lain] **I** *v/t* **1.** (*Text*) zwischenzeilig schreiben, zwischen die Zeilen setzen, einfügen. – **2.** (*Schriftstücke*) interlini'ieren: ~**d manuscript** Interlinearmanuskript. – **3.** *print.* (*Zeilen, Schrift*) zwischensetzen, durch'schießen. – **II** *v/i* **4.** Text zwischen die Zeilen einfügen. – **III** *s* ['intərˌlain] **5.** Zwischenlinie *f*, -zeile *f.* – **6.** *print.* 'Durchschuß(linie *f*) *m.* – **7.** (*Gravieren*) Zwischenstrich *m.*

ˌ**in·ter'line²** *v/t* (*Kleidungsstück*) mit einem Zwischenfutter versehen.

ˌ**in·ter'lin·e·al** *adj* **1.** → **interlinear** I. – **2.** in abwechselnden Zeilen (angeordnet). — ˌ**in·ter'lin·e·ar I** *adj* **1.** zwischengeschrieben, zwischenzeilig (geschrieben), interline'ar: ~ **translation,** ~ **version** *ling.* Interlinearübersetzung, -version. – **2.** *print.* blank: ~ **space** Durchschuß. – **II** *s* **3.** *ling. selten* Interline'arüberˌsetzung *f.* — ˌ**in·ter'lin·e·ar·y** [*Br.* -əri; *Am.* -ˌeri] **I** *adj* interline'ar. – **II** *s* Interline'arbuch *n*, -überˌsetzung *f.* — ˌ**in·ter'lin·eˌate** *selten für* **interline¹** I *u.* II. — ˌ**in·terˌlin·e'a·tion** *s* Interlineati'on *f*, interline'arer Text.

ˌ**in·ter·lin'guis·tics** *s pl* (*als sg konstruiert*) Interlin'guistik *f.*

'**in·terˌlin·ing¹** → **interlineation.**

'**in·terˌlin·ing²** *s* Zwischenfutter(stoff *m*) *n.*

in·ter·link I *v/t* [ˌintər'liŋk] zu'sammenketten, verketten, eng verbinden (*auch fig.*). – **II** *s* ['intərˌliŋk] Binde-, Zwischenglied *n.*

ˌ**in·ter'linked| cur·rent** *s electr.* verketteter Strom. — ~ **volt·age** *s electr.* verkettete Spannung.

ˌ**in·ter'lob·u·lar** *adj bes. med.* zwischen Läppchen gelegen, interlobu'lär.

ˌ**in·ter'lock I** *v/i* **1.** sich inein'anderschließen, inein'andergreifen. – **2.** *fig.* sich gegenseitig durch'dringen. – **3.** (*Eisenbahn*) verriegelt *od.* verblockt sein: ~**ing signals** verriegelte Signale. – **II** *v/t* **4.** eng zu'sammenschließen, inein'anderschachteln, verschränken: **to become** ~**ed** eng zusammengeschlossen werden. – **5.** inein'anderhaken, (mitein'ander) verzahnen. – **6.** (*Eisenbahnsignale*) verriegeln, verblocken.

ˌ**in·ter'lock·ing I** *s* **1.** Verkettung *f*, Verschachtelung *f.* – **2.** (*Eisenbahn*) Verriegelung *f*, Verblockung *f* (*Signale, Weichen*). – **II** *adj* **3.** (mitein'ander) verkettet, verschachtelt. – **4.** (*Eisenbahn*) verriegelt, verblockt (*Signale, Weichen*). — ~ **di·rec·to·rates** *s pl econ.* Schachtelaufsichtsrat *m* (*bei Aktiengesellschaften*).

ˌ**in·ter'loc·u·lar** *adj geol.* zu den Zwischenfächern gehörig.

in·ter·lo·cu·tion [ˌintərlo'kjuːʃən] *s* Gespräch *n*, Unter'redung *f*, Konversati'on *f.* — ˌ**in·ter'loc·u·tor** [-'lɒkjutər; -jə-] *s* **1.** Gesprächspartner(in), -teilnehmer(in): **my** ~ die Person, mit der ich spreche. – **2.** Sprecher *m* (*Schauspielergruppe etc*). — ˌ**in·ter'loc·u·to·ry** [*Br.* -təri; *Am.* -ˌtɔːri] *adj* **1.** gesprächsweise, in Gesprächsform. – **2.** ins Gespräch eingeflochten. – **3.** Gesprächs..., Unterhaltungs... – **4.** *jur.* vorläufig, Zwischen...: ~ **decision** Zwischenentscheidung; ~ **hearings** Zwischenverhöre. — ˌ**in·ter'loc·u·tress** [-tris], ˌ**in·ter'loc·u·trice** [-tris], ˌ**in·ter'loc·u·trix** [-triks] *s* Gesprächsteilnehmerin *f*, -partnerin *f.*

ˌ**in·ter'lope** *v/i* **1.** sich (unbefugt) eindrängen, sich einmischen. – **2.** *econ.* wilden Handel treiben, den Markt aufkaufen. – *SYN. cf.* **intrude.** — '**in·terˌlop·er** *s* **1.** Eindringling *m.* – **2.** Schädiger *m.* – **3.** *econ.* a) Schleich-, Schwarzhändler *m*, b) Auf-, Vorkäufer *m*, c) Winkelmakler *m.*

in·ter·lude ['intərˌluːd; -ˌljuːd] *s* **1.** Inter'ludium *n.* – **2.** Posse *f*, Ko'mödie *f.* – **3.** Zwischenspiel *n* (*auch fig.*). – **4.** Pause *f.* – **5.** Zwischenzeit *f.* – **6.** *mus.* Zwischenspiel *n*, Inter'mezzo *n.* — '**in·terˌlud·ed** *adj* **1.** als Zwischenspiel *od.* -stück eingefügt. – **2.** mit Zwischenspielen (versehen).

ˌ**in·ter'lu·nar** *adj astr.* die Zeit des Neumonds betreffend. — ˌ**in·ter·lu'na·tion** *s* Zeit *f* des Neumonds, Inter'lunium *n.*

ˌ**in·ter'mar·riage** *s* **1.** Heirat *f* zwischen Angehörigen verschiedener Stämme *od.* Fa'milien. – **2.** Heirat *f* innerhalb der Fa'milie *od.* unter nahen Verwandten, Inzucht *f.* – **3.** Verheiratung *f.* — ˌ**in·ter'mar·ry I** *v/i* **1.** unterein'ander heiraten (*Stämme etc*). – **2.** innerhalb der Fa'milie heiraten. – **3.** heiraten. – **II** *v/t* **4.** mitein'ander verheiraten.

ˌ**in·ter'max·il·lar·y** *med. zo.* **I** *adj* intermaxil'lar, zwischen den Kiefern liegend: ~ **bone** Zwischenkiefer; ~ **teeth** obere Schneidezähne. – **II** *s* Zwischenkiefer(bein *n*) *m.*

ˌ**in·ter'med·dle I** *v/i* sich einmischen, sich (zudringlich) einmengen (**with, in** in *acc*). – **II** *v/t obs.* vermischen.

ˌ**in·ter'me·di·a·cy** → **intermediateness.**

ˌ**in·ter'me·di·ar·y** [*Br.* -'miːdiəri; *Am.* -ˌeri] **I** *adj* **1.** da'zwischenliegend, da'zwischen befindlich, Zwischen... – **2.** vermittelnd. – **3.** verbindend, Verbindungs..., Mittel(s)...: ~ **bearer** Zwischenträger(in). – **4.** *med.* intermedi'är. – **II** *s* **5.** Vermittler(in). – **6.** *econ.* Zwischenhändler *m.* – **7.** Vermittlung *f.* – **8.** (Hilfs)Mittel *n.* – **9.** Zwischenform *f*, -stadium *n.* – **10.** Zwischenergebnis *n.*

in·ter·me·di·ate¹ [ˌintər'miːdiit] **I** *adj* **1.** da'zwischenliegend, da'zwischen befindlich, Zwischen..., Mittel...: ~ **between** liegend zwischen. – **2.** vermittelnd, Verbindungs..., Zwischen..., Mittel(s)... – **3.** mittelbar, 'indiˌrekt: ~ **witness** mittelbarer Zeuge. – **II** *s* **4.** Zwischenglied *n*, -gruppe *f*, -form *f.* – **5.** *chem.* 'Zwischenproˌdukt *n*, -mittel *n.* – **6.** Vermittler *m*, Verbindungsmann *m.* – **7.** *jur.* Zwischenprüfung *f* (*eines* **attorney**).

in·ter·me·di·ate² [ˌintər'miːdiˌeit] *v/i* **1.** da'zwischentreten, interve'nieren. – **2.** vermitteln.

in·ter·me·di·ate| col·o(u)r [-diit] *s* Mittel-, Zwischenfarbe *f.* — ~ **cred·it** *s econ.* 'Zwischenkreˌdit *m.* — ~ **ex·am·i·na·tion** *s ped.* Zwischenprüfung *f.* — ~ **fre·quen·cy** *s* (*Radio*) 'Zwischenfreˌquenz *f.* — ~ **group** *s math.* Zwischengruppe *f.*

ˌ**in·ter'me·di·ate·ness** *s* **1.** Da'zwischensein *n*, -liegen *n.* – **2.** Da'zwischenkunft *f.* – **3.** Vermittlung *f.*

in·ter·me·di·ate| re·ac·tor [-diit] *s tech.* mittelschneller Re'aktor. — ~ **school** *s ped. Am.* Mittelschule *f.* — ~ **terms** *s pl math.* innere Glieder *pl*, Mittelglieder *pl.* — ~ **trade** *s econ.* Zwischenhandel *m.* — ~ **val·ue** *s math.* Zwischenwert *m.*

'**in·terˌme·di'a·tion** *s* **1.** Vermittlung *f.* – **2.** Da'zwischentreten *n*, -kommen *n.* – **3.** Da'zwischenschieben *n*, Einfügen *n.* — ˌ**in·ter'me·diˌa·tor** [-tər] *s* Vermittler *m.*

in·ter·me·din [ˌintər'miːdin] *s med.* Interme'din *n*, 'Zwischenlappen-, Pig'menthorˌmon *n* (*der Hypophyse*).

in·ter·mem·bral [ˌintər'membrəl] *adj med. zo.* zwischen den Gliedern (befindlich). — ˌ**in·ter·me'nin·ge·al** *adj med.* ˌintermeninge'al, zwischen den Hirnhäuten liegend. — ˌ**in·ter'men·stru·al** *adj med.* intermenstru'al, zwischen zwei Menstruati'onen.

in·ter·ment [in'təːrmənt] *s* Beerdigung *f*, Bestattung *f*, Beisetzung *f.*

'**in·terˌmes·en'ter·ic** *adj zo.* zwischen dem Gekröse (gelegen).

in·ter·mez·zo [ˌintər'metsou; -'medz-] *pl* **-'mez·zi** [-tsiː; -dziː] *od.* **-'mez·zos** *s* Inter'mezzo *n*, Zwischenspiel *n*.

ˌin·ter·mi'gra·tion *s* Austausch *m* wandernder Bevölkerung.

in·ter·mi·na·ble [in'təːrminəbl] *adj* **1.** grenzenlos, endlos, unendlich. – **2.** langwierig. — **in'ter·mi·na·ble·ness** *s* Grenzenlosigkeit *f*.

ˌin·ter'min·gle I *v/t* vermischen. – **II** *v/i* sich vermischen.

ˌin·ter'mis·sion *s* **1.** Unter'brechung *f*. – **2.** Pause *f*, Zwischenzeit *f*. – **3.** Unter'brechen *n*, Aussetzen *n*: without ~ ohne Unterlaß, fortwährend. – **4.** *med.* Intermissi'on *f*, zeitweiliges Aussetzen. — **ˌin·ter'mis·sive** *adj* mit Unter'brechungen, zeitweise aussetzend.

in·ter·mit [ˌintər'mit] *pret u. pp* **-'mit·ted I** *v/t* **1.** (zeitweilig) unter'brechen, einstellen, aussetzen mit. – **2.** zeitweilig aussetzen lassen. – **II** *v/i* **3.** (zeitweilig) aussetzen, vor'übergehend aufhören: the fever ~s das Fieber setzt aus. – *SYN. cf.* defer. — **ˌin·ter'mit·tence, ˌin·ter'mit·ten·cy** [-si] *s* **1.** (zeitweiliges) Aussetzen. – **2.** Versagen *n*. – **3.** Unter'brechung *f*. – **4.** *med.* Intermissi'on *f*.

in·ter·mit·tent [ˌintər'mitənt] **I** *adj* **1.** mit Unter'brechungen, intermit'tierend. – **2.** *med.* intermit'tierend, aussetzend. – *SYN.* alternate, periodic[1], recurrent. – **II** *s* **3.** *med.* Wechselfieber *n*. — ~ **arc** *s electr.* intermit'tierender Lichtbogen. — ~ **cur·rent** *s electr.* intermit'tierender *od.* pul'sierender Strom. — ~ **fe·ver** *s med.* Wechselfieber *n*. — ~ **light** *s mar.* unter'brochenes Feuer, Blinklicht *n* (*Leuchtturm*). — ~ **move·ment** *s tech.* intermit'tierende *od.* ruckweise Bewegung, peri'odisch unter'brochene Bewegung.

ˌin·ter'mix *irr* **I** *v/t* ver-, unter'mischen (with mit). – **II** *v/i* sich vermischen. — **ˌin·ter'mix·ture** *s* **1.** (Ver)Mischen *n*, Vermischung *f*. – **2.** Mischung *f*, Gemisch *n*. – **3.** Beimischung *f*, Zusatz *m*.

ˌin·ter·mo'lec·u·lar *adj phys.* intermoleku'lar.

ˌin·ter'mon·tane *adj* zwischen Bergen liegend.

ˌin·ter'mun·dane *adj* zwischen Himmelskörpern *od.* Welten (liegend).

ˌin·ter'mus·cu·lar *adj med. zo.* intermusku'lär.

in·tern[1] **I** *v/t* [in'təːrn] inter'nieren. – **II** *s* ['intəːrn] *Am.* Inter'nierte(r).

in·tern[2] ['intəːrn] *med. Am.* **I** *s* **1.** im Krankenhaus wohnender Arzt, *bes.* 'Pflichtassiˌstent *m*. – **2.** Krankenhausinsasse *m*. – **II** *v/i* **3.** als Prakti'kant *od.* Assi'stenzarzt (an einer Klinik) tätig sein.

in·tern[3] [in'təːrn] *v/t econ. Am.* (*Waren*) ins Landesinnere senden.

in·tern[4] [in'təːrn] **I** *adj obs.* innerlich. – **II** *s poet.* innere Na'tur.

in·ter·nal [in'təːrnl] **I** *adj* **1.** inner(er, e, es), inwendig, innen befindlich: ~ organs innere Organe; ~ tangency *math.* innere Berührung. – **2.** *med.* a) nach innen zu gelegen, inner(er, e, es), Mittel..., b) inner(lich), in'tern: ~ injury innere Verletzung. – **3.** innerlich anzuwendend: an ~ remedy. – **4.** inner(lich), geistig: the ~ law das innere Gesetz. – **5.** einheimisch, in-, binnenländisch, Inlands..., Innen..., Binnen...: ~ affairs *pol.* innere Angelegenheiten; ~ loan *econ.* Inlandsanleihe. – **6.** *pol.* inner(er, e, es), Innen... – **7.** inner(er, e, es), zur Sache gehörig, inhä'rent: ~ evidence innerer Beweis. – **8.** *psych.* inner(er, e, es), innerlich entstanden *od.* entstehend: an ~ stimulus. – **9.** *ped.* in'tern, im College *od.* Inter'nat wohnend. – **II** *s* **10.** *pl med.* innere Or'gane *pl*. – **11.** innere Na'tur, wesentliche Eigenschaft. — ~ **an·gle** *s math.* Innenwinkel *m*. — ~ **bonds** *s pl econ.* Inlandsschuldverschreibungen *pl*.

in'ter·nal-com'bus·tion *adj tech.* durch Verbrennung im Innern betrieben, Verbrennungs...: ~ engine Verbrennungsmotor, -kraftmaschine.

in·ter·nal ear *s med.* Innenohr *n*.

in·ter·nal·i·ty [ˌintər'næliti; -əti] *s* **1.** Innensein *n*. – **2.** *med. zo.* innere Lage. – **3.** inneres Wesen, Innerlichkeit *f*.

in·ter·nal| med·i·cine *s med.* innere Medi'zin. — ~ **nav·i·ga·tion** *s mar.* Binnenschiffahrt *f*. — ~ **rev·e·nue** *s econ.* Staatseinkünfte *pl*. — ~ **rhyme** *s metr.* Binnenreim *m*. — ~ **sense** *s* innerer Sinn. — ~ **spe·cial·ist** *s med.* Inter'nist *m*, Facharzt *m* für innere Krankheiten. — ~ **tax·es** *s pl econ.* Landesabgaben *pl*. — ~ **thread** *s tech.* Innengewinde *n*. — ~ **trade** *s econ.* Binnenhandel *m*.

ˌin·ter'na·sal *adj med. zo.* Zwischennasen...

in·tern·a·tion [ˌintər'neiʃən] *s Am.* [Inter'nierung *f*.]

in·ter·na·tion·al [ˌintər'næʃənl] **I** *adj* **1.** ˌinternatio'nal, zwischenstaatlich, Welt...: ~ exhibition Weltausstellung. – **2.** ˌinternatio'nal, Völker...: ~ law. – **3.** I~ *pol.* eine ˌInternatio'nale betreffend. – **4.** I~ *mar.* dem ˌinternatio'nalen Si'gnalcode entsprechend. – **II** *s* **5.** *bes. sport* ˌInternatio'nale(r) (*Teilnehmer an internationalen Wettkämpfen*). – **6.** *sport* ˌinternatio'naler Vergleichskampf. – **7.** I~ *pol.* (Mitglied *n* einer) ˌInternatio'nale. – **8.** I~ ˌInternatio'nale *f* (*kommunistisches Kampflied*). – **9.** *pl econ.* ˌinternatio'nal gehandelte 'Wertpaˌpiere *pl*. — ~ **air law** *s aer.* ˌinternatio'nales Luftrecht. — ~ **can·dle** *s phys.* ˌinternatio'nale *od.* Neue Kerze (*Einheit der Lichtstärke*). — ~ **cop·y·right** *s econ.* ˌinternatio'nales Urheber- *od.* Verlagsrecht. — ~ **date line** *s geogr.* ˌinternatio'nale Datumsgrenze.

In·ter·na·tio·nale[*Br.* ˌintənæʃə'nɑːl; *Am.* ɛ̃tɛrnasjɔ'nal] (*Fr.*) *s pol.* ˌInternatio'nale *f*.

ˌin·ter'na·tion·alˌism *s* **1.** ˌInternationa'lismus *m*. – **2.** ˌinternatio'nales Wesen. – **3.** ˌinternatio'nale Zu'sammenarbeit. – **4.** I~ *pol.* Grundsätze *pl od.* Bestrebungen *pl* einer 'Arbeiterˌinternatioˌnale. — **ˌin·ter'na·tion·al·ist** *s* **1.** ˌInternationa'list *m*, Anhänger *m* des ˌInternationa'lismus. – **2.** I~ *pol.* Mitglied *n* einer 'Arbeiterˌinternatioˌnale. – **3.** *jur.* Spezia'list *m* für ˌinternatio'nales Recht, Völkerrechtler *m*. – **4.** *sport* ˌInternatio'naler *m* (*der sein Land in internationalen Wettkämpfen vertritt*). — **ˌin·terˌna·tion'al·i·ty** *s* ˌInternationali'tät *f*, ˌinternatio'naler Cha'rakter.

ˌin·terˌna·tion·al·i'za·tion *s* ˌInternationali'sierung *f*. — **ˌin·ter'na·tion·alˌize** *v/t* **1.** ˌinternatio'nal machen, ˌinternationali'sieren. – **2.** ˌinternatio'naler Kon'trolle unter'werfen.

In·ter·na·tion·al| La·bo(u)r Of·fice *s pol.* ˌInternatio'nales Arbeitsamt (*seit 1919*). — **i~ law** *s jur.* **1.** Völkerrecht *n*. – **2.** ˌinternatio'nales Recht. — **i~ mar·ket** *s econ.* Markt *m* für ˌinternatio'nal gehandelte 'Wertpaˌpiere. — ~ **Mon·e·tar·y Fund** *s econ.* ˌInternatio'naler Währungsfonds (*seit 1945*). — **i~ mon·ey or·der** *s econ.* Auslandspostanweisung *f*. — **i~ nau·ti·cal mile** *s mar.* ˌinternatio'nale Seemeile (*1852 m*). — ~ **Work·ing·men's As·so·ci·a·tion** *s pol.* Erste ('Arbeiter)ˌInternatioˌnale (*1864–1876*).

in·terne ['intəːrn] → intern[2] I *u.* [4].

in·ter·ne·cine [ˌintər'niːsain; -sin] *adj* **1.** gegenseitige Tötung bewirkend: an ~ duel. – **2.** mörderisch, vernichtend, Vernichtungs...

in·tern·ee [ˌintəːr'niː] *s* Inter'nierte(r).

ˌin·ter'neu·ral *adj u. s med. zo.* zwischen den Neu'ralbögen gelegen(er Teil).

in·ter·nist [in'təːrnist] *s med.* Inter'nist *m*.

in·tern·ment [in'təːrnmənt] *s* Inter'nierung *f*: ~ camp Internierungslager.

in·ter·nod·al [ˌintər'noudl] *adj bot. med. zo.* zwischenknotig. — **'in·terˌnode** [-ˌnoud], *auch* **ˌin·ter'no·di·um** [-diəm] *pl* **-di·a** [-diə] *s* **1.** *bot.* Sproß-, Stengel-, Achsenglied *n*, Inter'nodium *n*. – **2.** *med. zo.* Knochenteil *m* zwischen zwei Gelenken.

ˌin·ter'nu·cle·ar *adj biol.* zwischen (Zell)Kernen gelegen.

in·ter·nun·cial [ˌintər'nʌnʃəl] *adj* **1.** *med.* Sinneseindrücke vermittelnd *od.* über'tragend, Nervenfasern verbindend. – **2.** *pol. relig. Am.* einen Inter'nuntius betreffend. — **ˌin·ter'nun·ci·o** *pl* **-os** *s* **1.** *pol. relig.* Inter'nuntius *m* (*päpstlicher Gesandter 2. Ranges*). – **2.** *obs.* Gesandter *m*.

ˌin·terˌo·ce'an·ic *adj* ˌinteroze'anisch, zwischen Weltmeeren (gelegen), (zwei) Weltmeere verbindend.

in·ter·o·cep·tive [ˌintəro'septiv] *adj med.* propriocep'tiv, propriocep'torisch. — **ˌin·ter·o'cep·tor** [-tər] *s med.* Proprio'ceptor *m* (*Nervenendigung, die aus dem Körperinnern kommende Reize wahrnimmt*).

ˌin·ter'oc·u·lar *adj* zwischen den Augen (befindlich): ~ distance Augenabstand.

in·ter·o·per·cle [ˌintəro'pəːrkl], **ˌin·ter·o'per·cu·lum** [-kjuləm; -kjə-] *pl* **-cu·la** [-lə] *s zo.* Zwischenkiemendeckel *m*.

ˌin·ter'os·cuˌlate *v/i* **1.** inein'ander 'übergehen. – **2.** sich gegenseitig durch'dringen, sich vermischen. – **3.** *bes. biol.* ein Verbindungsglied bilden. — **ˌin·terˌos·cu'la·tion** *s* Ineinˌander'übergehen *n*.

ˌin·ter'os·se·ous, *auch* **ˌin·ter'os·se·al** *adj med.* zwischen Knochen befindlich.

ˌin·ter'page *v/t* zwischen die Blattseiten einschieben.

ˌin·ter·pa'ri·e·tal *adj med. zo.* interparie'tal, zwischen den Scheitelbeinen (gelegen): ~ bone Zwischenscheitelbein, Inkaknochen.

in·ter·pel·lant [ˌintər'pelənt] **I** *adj* **1.** unter'brechend. – **2.** interpel'lierend. – **II** *s* **3.** Interpel'lant *m*.

in·ter·pel·late [ˌintər'peleit; in'təːrpəˌleit] *v/t pol.* eine Anfrage richten an (*acc*). — **ˌin·ter·pel'la·tion** [ˌintər-; in'təːr-] *s* **1.** *pol.* Interpellati'on *f*, Anfrage *f*. – **2.** Unter'brechung *f*. – **3.** Einspruch *m*, Einrede *f*. — **in·ter·pel·la·tor** [ˌintərpə'leitər; in'təːr-] *s* Interpel'lator *m*.

ˌin·ter'pen·eˌtrate I *v/t* **1.** (vollständig) durch'dringen. – **2.** wechselseitig durch'dringen. – **II** *v/i* **3.** ein-, 'durchdringen. – **4.** sich gegenseitig durch'dringen. — **'in·terˌpen·e'tra·tion** *s* gegenseitige Durch'dringung. — **ˌin·ter'pen·eˌtra·tive** *adj* sich gegenseitig durch'dringend.

ˌin·ter'pet·al·oid *adj zo.* zwischen den Fühlergängen (*von Stachelhäutern*) befindlich.

in·ter·phone ['intərˌfoun] *s* **1.** Haussprechanlage *f*, in'ternes Tele'phonsyˌstem. – **2.** *bes. mil.* Bordsprechanlage *f*, Eigenverständigung *f* (*in Flugzeug und Panzer*).

ˌin·ter·pi'las·ter *s arch.* Pi'lasterabstand *m*.

ˌin·terˈplan·e·tar·y *adj* interplaneˈtarisch, zwischen den Plaˈneten (befindlich): ~ **aviation** *aer.* interplanetare Raumfahrt.

in·ter·play I *s* [ˈintərˌplei] Wechselwirkung *f*, Zuˈsammen-, Wechselspiel *n* (**between** zwischen *dat*), gegenseitige Beeinflussung: **the ~ of forces** das wechselseitige Spiel der Kräfte. – **II** *v/i* [ˌintərˈplei] sich wechselseitig beeinflussen.

ˌin·terˈplead *v/i jur.* miteinˈander proˈzesˈsieren. — **ˌin·terˈplead·er** *s jur.* **1.** Streitverkündung(sverfahren *n*) *f*: **applicant of ~** streitverkündende Partei, Streitverkünder; ~ **proceedings** Streitverkündungs-, Nebeninterventionsverfahren. – **2.** streitverkündende Parˈtei.

In·ter·pol [ˈintərˌpɒl] *s* Interpol *f* (*Internationale kriminalpolizeiliche Kommission*).

in·ter·po·la·ble [inˈtəːrpələbl] *adj* einschaltbar.

ˌin·terˈpo·lar *adj bes. electr.* die Pole verbindend, zwischen den Polen (gelegen).

in·ter·po·lar·y [*Br.* inˈtəːrpələri; *Am.* -ˌleri] *adj math.* Interpolations...

in·ter·po·late [inˈtəːrpəˌleit] **I** *v/t* **1.** interpoˈlieren, einschalten, einfügen. – **2.** (*Text*) interpoˈlieren, durch Einschiebungen ändern, *bes.* verfälschen. – **3.** *math.* interpoˈlieren. – **4.** *geol.* einlagern. – **II** *v/i* **5.** interpoˈlieren, Einfügungen vornehmen. – *SYN. cf.* **introduce.** — **inˈter·poˌlat·er** *cf.* **interpolator.** — **inˌter·poˈla·tion** *s* **1.** Interpolatiˈon *f*, Einschaltung *f*, Einschiebung *f* (*in einen Text*). – **2.** Interpoˈlieren *n*, Einschalten *n*, Einschieben *n*. – **3.** *math.* Interpolatiˈon *f*: **calculus of ~** Interpolationsrechnung. – **4.** *med.* ˈGewebeüberˌtragung *f*, Zwischenpflanzung *f*. — **inˈter·poˌla·tive** *adj selten* interpolatiˈonsartig, eingeschaltet, eingefügt. — **inˈter·poˌla·tor** [-tər] *s* Interpoˈlator *m*, Einschalter *m*, Einfüger *m*.

ˈin·terˌpole *s electr.* Zwischen-, Wendepol *m*.

in·ter·pos·al [ˌintərˈpouzl] *s* **1.** Eingreifen *n*, Daˈzwischentreten *n*. – **2.** Vermittlung *f*.

in·ter·pose [ˌintərˈpouz] **I** *v/t* **1.** daˈzwischenstellen, -legen, -bringen. – **2.** (*Hindernis*) in den Weg legen. – **3.** (*Einfluß*) geltend machen. – **4.** (*Bemerkung*) einwerfen, einflechten. – **5.** (*Einwand*) vorbringen. – **6.** *geol.* einlagern. – **7.** *tech.* zwischen-, einschalten. – **8.** *med.* zwischenpflanzen. – **II** *v/i* **9.** daˈzwischenkommen, -treten. – **10.** sich ins Mittel legen, vermitteln, ˌinterveˈnieren. – **11.** (sich) unterˈbrechen. – *SYN.* a) **intercede, interfere, intervene, mediate,** b) *cf.* **introduce.** — **ˌin·terˈpos·er** *s* Vermittler(in). — **ˌin·ter·poˈsi·tion** [-pəˈziʃən] *s* **1.** Eingreifen *n*, Daˈzwischentreten *n*. – **2.** Vermittlung *f*. – **3.** Daˈzwischenliegen *n*. – **4.** Einfügung *f*. – **5.** (*etwas*) Daˈzwischengestelltes. – **6.** *tech.* Zwischen-, Einschaltung *f*.

in·ter·pret [inˈtəːrprit] **I** *v/t* **1.** auslegen, erklären, deuten, ˌinterpreˈtieren. – **2.** verdolmetschen. – **3.** (*Rolle, Musikstück etc*) ˌinterpreˈtieren, (ˈwieder)geben. – **II** *v/i* **4.** dolmetschen, als Dolmetscher funˈgieren. – **5.** ˌinterpreˈtieren. – *SYN. cf.* **explain.** — **inˌter·pret·aˈbil·i·ty** *s* **1.** Erklärbarkeit *f*. – **2.** Überˈsetzbarkeit *f*. — **inˈter·pret·a·ble** *adj* **1.** erklärbar. – **2.** überˈsetzbar. — **inˌter·preˈta·tion** *s* **1.** Erklärung *f*, Auslegung *f*, Deutung *f*, ˌInterpretatiˈon *f*. – **2.** Verdolmetschung *f*, (mündliche) Überˈsetzung. – **3.** Auffassung *f*, Darstellung *f*, ˈWiedergabe *f*, ˌInterpretatiˈon *f* (*Rolle etc*). — **inˈter·preˌta·tive** [-ˌteitiv] *adj* **1.** erklärend, erläuternd, deutend, auslegend: **to be ~ of s.th.** etwas auslegen *od.* deuten. – **2.** gefolgert. — **inˈter·pret·er** *s* **1.** Erklärer(in), Ausleger(in), Interˈpret(in). – **2.** Dolmetscher(in). — **inˈter·pre·tive** → **interpretative.**

ˌin·terˈpu·bic *adj med.* zwischen den Schambeinen (befindlich), interˈpubisch.

in·ter·punc·tion [ˌintərˈpʌŋkʃən] *s ling.* Zeichensetzung *f*, Interpunktiˈon *f*.

in·terˈra·cial *adj* **1.** zwischen verschiedenen Rassen (vorkommend *od.* bestehend). – **2.** für verschiedene Rassen: **an ~ school.** – **3.** verschiedenen Rassen gemein(sam), interˈrassisch.

ˌin·terˈra·di·al *adj zo.* zwischen den Radien *od.* in den Interˈradien gelegen.

in·ter·ra·mal [ˌintərˈreiməl] *adj med.* zwischen den ˈUnterkieferknochen (befindlich): ~ **space** Kinnwinkel.

in·ter·reg·num [ˌintərˈregnəm] *pl* **-na** [-nə], **-nums** *s* **1.** Interˈregnum *n*, herrscherlose Zeit. – **2.** ˈZwischen-, ˈÜbergangsreˌgierung *f*. – **3.** Unterˈbrechung *f*.

ˌin·ter·reˈlate I *v/t* in gegenseitige Beziehung bringen. – **II** *v/i* in gegenseitiger Beziehung stehen. — **ˌin·ter·reˈlat·ed** *adj* untereinˈander zuˈsammenhängend, in gegenseitiger Beziehung stehend. — **ˌin·ter·reˈla·tion** *s* gegenseitige Beziehung, Wechselbeziehung *f*. — **ˌin·ter·reˈla·tionˌship** *s* gegenseitige Beziehung *od.* Verwandtschaft.

in·ter·re·nal·ism [ˌintərˈriːnəˌlizəm] *s med.* genitosuprareˈnales Synˈdrom, ˌInterrenaˈlismus *m*.

in·ter·rer [inˈtəːrər] *s* Totengräber *m*.

in·ter·ro·gate [inˈterəˌgeit; -ro-] **I** *v/t* **1.** (be)fragen. – **2.** ausfragen, verhören. – **II** *v/i* **3.** Fragen stellen, fragen. – *SYN. cf.* **ask.** — **inˌter·ro·gaˈtee** [-ˈtiː] *s* Befragte(r), Verhörte(r). — **inˌter·roˈga·tion** *s* **1.** Befragen *n*, Befragung *f*, Frage *f*. – **2.** Ausfragen *n*, Verhör *n*. – **3.** *ling.* Frage(satz *m*) *f*: **note** (*od.* **mark, point**) **of ~, ~ mark, ~ point** Fragezeichen. – **4.** *ling.* Fragezeichen *n*. — **inˌter·roˈga·tion·al** *adj* Frage..., (be)fragend.

in·ter·rog·a·tive [ˌintəˈrɒgətiv] **I** *adj* **1.** fragend, Frage... – **2.** *ling.* ˌinterrogaˈtiv, Frage...: ~ **pronoun** Interrogativpronomen, Fragefürwort; ~ **sentence** Fragesatz. – **II** *s* **3.** *ling.* Fragewort *n*, ˌInterrogaˈtiv(um) *n*. – **4.** Frage *f*.

in·ter·ro·ga·tor [inˈterəˌgeitər; -ro-] *s* **1.** Frager(in), Fragesteller(in). – **2.** *pol.* Interpelˈlant *m*. — **in·ter·rog·a·to·ry** [*Br.* ˌintəˈrɒgətəri; *Am.* -ˌtɔːri] **I** *adj* **1.** fragend, Frage... – **II** *s* **2.** Frage *f*. – **3.** *jur.* ˌInterrogaˈtorium *n*, gerichtliche Frage.

in·ter·rupt [ˌintəˈrʌpt] **I** *v/t* **1.** unterˈbrechen. – **2.** aufhalten, stören, hemmen. – **3.** (*Bergbau*) verschieben. – **II** *v/i* **4.** unterˈbrechen, stören: **please, don't ~!** — **ˌin·terˈrupt·ed** *adj* **1.** unterˈbrochen, mit Unterˈbrechungen. – **2.** *bot.* unterˈbrochen: **~ly pinnate.** – **3.** *electr. tech.* ˌdiskontinuˈierlich, unterˈbrochen: ~ **screw** Schraube mit unterbrochenem Gewinde. — **ˌin·terˈrupt·er** *s* **1.** Unterˈbrecher(in), Störer(in). – **2.** (*etwas*) Unterˈbrechendes. – **3.** *electr.* a) Ausschalter *m*, Unterˈbrecher *m*, *bes.* Wagnerscher Hammer. — **ˌin·terˈrup·tion** *s* **1.** Unterˈbrechung *f*, Stockung *f*: **without ~** ununterbrochen. – **2.** Störung *f*, Hemmung *f*. – **3.** *electr.* (*bes.* periˈodische) Unterˈbrechung. – **4.** *tech.* Betriebsstörung *f* (*Maschine etc*). – **5.** Pause *f*, (vorˈübergehende) Einstellung. — **ˌin·terˈrup·tive** *adj* unterˈbrechend, hemmend, störend. — **ˌin·terˈrup·tor** *cf.* **interrupter.**

ˌin·terˈscap·u·lar I *adj med. zo.* zwischen den Schulterblättern (liegend). – **II** *s zo.* zwischen den Schulterblättern befindliche Feder.

ˌin·ter·schoˈlas·tic *ped. Am.* **I** *adj* zwischen Schulen (bestehend *od.* vorkommend *od.* ausgetragen). – **II** *s* Wettkampf *m* zwischen Schulen.

in·ter·sect [ˌintərˈsekt] **I** *v/t* schneiden, kreuzen, durchˈschneiden, -ˈstoßen. – **II** *v/i* sich (durch-, über-, ver)ˈschneiden, sich kreuzen (*auch math.*).

in·ter·sect·ing| line [ˌintərˈsektiŋ] *s math.* Schnitt-, Verschneidungs-, Durchˈdringungslinie *f*. — **~ plane** *s* Schnittebene *f*. — **~ point** *s* Schnittpunkt *m*.

in·ter·sec·tion [ˌintərˈsekʃən] *s* **1.** Durchˈschneiden *n*, (ˈDurch)Schnitt *m*. – **2.** Schnitt-, Kreuzungspunkt *m*. – **3.** *math.* a) (ˈDurch)Schnitt *m*, Durchˈdringung *f*, Verschneidung *f*, b) Schnittpunkt *m*, -linie *f*, -fläche *f*: **angle of ~** Schnittwinkel; **line of ~** Schnittlinie; **surface of ~** Schnittfläche; ~ **at a very small angle** Schnitt unter sehr kleinem Winkel, schleifender Schnitt; ~ **of the axes** Nullpunkt eines Koordinatensystems. – **4.** *bes. Am.* (Straßen- *etc*)Kreuzung *f*. – **5.** *arch.* Vierung *f*, Kreuzung *f* (*bes. der Kirchenschiffe*), Kreuzfeld *n*. – **6.** (*Bergbau*) Durchˈörterung *f*, ˈDurchschlag *m*. — **ˌin·terˈsec·tion·al** *adj* **1.** zwischen Sektiˈonen (stattfindend). – **2.** aus verschiedenen Sektiˈonen (stammend *od.* bestehend). – **3.** Schnitt..., Durchschnitts...

ˌin·terˈsep·tal *adj biol.* zwischen Scheidewänden (liegend).

ˈin·terˌsex *s biol.* Interˈsex *n* (*geschlechtliche Zwischenform*). — **ˌin·terˈsex·u·al** *adj* zwischengeschlechtlich, intersexuˈell. — **ˈin·terˌsex·uˈal·i·ty** *s* ˌIntersexualiˈtät *f*.

ˌin·ter·siˈde·re·al → **interstellar.**

in·ter·space I *s* [ˈintərˌspeis] **1.** Zwischenraum *m*. – **2.** Zwischenzeit *f*. – **II** *v/t* [ˌintərˈspeis] **3.** Raum lassen zwischen (*dat*). – **4.** den Raum ausfüllen *od.* einnehmen zwischen (*dat*). — **ˌin·terˈspa·tial** [-ʃəl] *adj* Zwischenraum..., im Zwischenraum (gelegen).

ˌin·ter·speˈcif·ic *adj zo.* zwischen den Arten: ~ **hybridization** Artkreuzung.

in·ter·sperse [ˌintərˈspəːrs] *v/t* **1.** einstreuen, hier u. da einfügen, einmengen (**among** zwischen *acc*). – **2.** durchˈsetzen, vermischen. — **ˌin·terˈspers·ed·ly** [-idli] *adv* vereinzelt eingestreut. — **ˌin·terˈsper·sion** *s* Einstreuung *f*, (vereinzelte) Einfügung.

ˌin·terˈspi·nal, ˌin·terˈspi·nous *adj med. zo.* zwischen zwei Wirbelkörpern (liegend), interspiˈnal: ~ **muscle** Zwischendornmuskel.

ˈin·terˌstate *adj* **1.** zwischenstaatlich. – **2.** *Am.* zwischen den einzelnen Bundesstaaten (bestehend).

ˌin·terˈstel·lar *adj* interstelˈlar, zwischen den Sternen (befindlich).

in·ter·stice [inˈtəːrstis] *s* **1.** Zwischenraum *m*. – **2.** Lücke *f*, Spalt(e *f*) *m*, Ritze *f*. – **3.** *med.* Zwischenraum *m*, Interˈstitium *n*. – **4.** *relig.* (*Ordensrecht*) gesetzliche Frist zwischen den Rangerhöhungen. – *SYN. cf.* **aperture.** — **ˌin·terˈsti·tial** [-ˈstiʃəl] *adj* **1.** zwischenräumlich. – **2.** einen Zwischenraum bildend: ~ **spaces** Zwischenräume. – **3.** in Zwischenräumen gelegen. – **4.** *med.* interstitiˈell.

ˌin·terˌstrat·i·fiˈca·tion *s geol.* Zwischenlagerung *f*. — **ˌin·terˈstrat·iˌfied** *adj geol.* zwischengelagert: ~

with durchzogen von. — **ˌin·ter'strat·iˌfy** I *v/t* **1.** da'zwischenlagern. – **2.** in abwechselnden Schichten anordnen. – **II** *v/i* **3.** zwischenlagern, zwischen anderen Schichten liegen. – **4.** in abwechselnden Schichten lagern.

ˌin·ter'tan·gle *v/t* **1.** verflechten. – **2.** verwirren.

ˌin·ter·ten'tac·u·lar *adj zo.* zwischen den Fühlhörnern (gelegen).

ˌin·terˌter·ri'to·ri·al *adj* ˌinterterrito-ri'al.

ˌin·ter'tex·ture *s* **1.** Einweben *n*, Verweben *n*. – **2.** Verwobensein *n*. – **3.** Verwebung *f*, Gewebe *n*.

ˌin·ter'tid·al *adj* **1.** zwischen Flut u. Ebbe. – **2.** *zo.* in der Gezeitenzone lebend.

'in·terˌtie *s arch.* Binde-, Querholz *n*, Wandriegel *m*, Sparren *m*.

ˌin·ter·trans'verse *adj med.* zwischen den Querfortsätzen (*der Rückenwirbel*) (gelegen).

ˌin·ter'trib·al *adj* zwischen verschiedenen Stämmen (vorkommend *od.* bestehend *etc*).

in·ter·trig·i·nous [ˌintər'tridʒinəs; -dʒə-] *adj* ˌintertrigi'nös. — **ˌin·ter'tri·go** [-'traigou] *s med.* Inter'trigo *m* (*Wundsein der Haut*).

ˌin·ter'trop·i·cal *adj geogr.* **1.** zwischen den Wendekreisen (gelegen). – **2.** tropisch.

ˌin·ter'twine I *v/t* verflechten, verschlingen: **to be ~d** sich ineinanderschlingen. – **II** *v/i* sich verflechten, sich verschlingen, verflochten sein. — **ˌin·ter'twine·ment** *s* Verflechtung *f*, Verschlingung *f*.

ˌin·ter'twist → **intertwine.**

ˌin·ter'ur·ban I *adj* zwischen Städten (verkehrend), Städte verbindend: **~ bus** Überlandomnibus. – **II** *s* zwischen Städten verkehrendes Fahrzeug.

in·ter·val ['intərvəl] *s* **1.** Zwischenraum *m*, -zeit *f*, Abstand *m*: **at ~s** dann u. wann, ab u. zu; **at ~s of fifty feet** in Abständen von 50 Fuß. – **2.** Pause *f*, Unter'brechung *f*: **~ signal** (*Radio*) Pausenzeichen. – **3.** (*Theater*) a) Pause *f*, b) Zwischenakt *m*. – **4.** *fig.* Spanne *f*, Zwischenraum *m*. – **5.** *med.* Zwischenzeit *f*, Inter'vall *n*: **lucid ~** *psych.* lichter Augenblick. – **6.** *math.* Inter'vall *n*: **closed (fixed) ~** abgeschlossenes (festes) Intervall. – **7.** *mus.* Inter'vall *n*, Tonabstand *m*. – **8.** Strecke *f*. – **9.** Spann(weite *f*) *m*. – **10.** (*Bergbau*) Getriebsfeld *n*, Fach *n*, Verzug *m*. – **11.** *auch* **~ land** → **intervale.**

in·ter·vale ['intərˌveil] *s Am. od. Canad.* (Fluß)Tal *n*, Niederung *f* zwischen Hügeln.

in·ter·val·lic [ˌintər'vælik] *adj* Intervall..., in Inter'vallen (stattfindend).

ˌin·ter'veined *adj* geädert.

in·ter·vene [ˌintər'viːn] *v/i* **1.** ˌinterve'nieren, vermitteln, sich ins Mittel legen: **to ~ in case of need** *econ.* (*Wechselverkehr*) als Notadressat intervenieren. – **2.** *med.* ˌinterve'nieren, ope'rieren, eingreifen. – **3.** sich einmischen (in in *acc*). – **4.** da'zwischenliegen, -kommen, -treten: **the intervening pages** die dazwischenliegenden Seiten. – **5.** sich in der Zwischenzeit ereignen: **nothing interesting has ~d.** – **6.** (plötzlich) da'zwischenkommen, sich (unerwarteterweise) ereignen, plötzlich eintreten: **if nothing ~s** wenn nichts dazwischenkommt. – *SYN. cf.* **interpose.** — **ˌin·ter'ven·er** *s* **1.** Vermittler *m*. – **2.** *jur.* Interveni'ent *m*. — **ˌin·ter'ven·ient** [-'viːnjənt] *adj* **1.** da'zwischenliegend, -tretend, -kommend. – **2.** da'zwischenkommend, (plötzlich) eintretend. — **ˌin·ter've·ni·um** [-'viːniəm] *pl* **-ni·a** [-niə] *s bot.* Zwischenraum *m* zwischen den Blattadern. — **in·ter·ve·nor** *cf.* **intervener** 2.

in·ter·ven·tion [ˌintər'venʃən] *s* **1.** Interventi'on *f*, Vermittlung *f*: **charges for ~** *econ.* Vermittlungsspesen; **commission for ~** *econ.* Vermittlungsprovision; **protest of ~** *econ.* Interventionsprotest. – **2.** *med.* Eingriff *m*, Interventi'on *f*. – **3.** *pol.* Interventi'on *f*, Einmischung *f*, Eingreifen *n* (in in *acc*): **armed ~, ~ by arms** bewaffnete Intervention. – **4.** Da'zwischenliegen *n*, -treten *n*, -kommen *n*. — **ˌin·ter'ven·tion·al** *adj* **1.** vermittelnd, ˌinterve'nierend. – **2.** eingreifend. – **3.** da'zwischenkommend, -liegend. — **ˌin·ter'ven·tionˌism** *s pol.* ˌInterventio'nismus *m*. — **ˌin·ter'ven·tion·ist** I *s* **1.** *pol.* Befürworter *m* einer Interventi'on, Interventio'nist, *m*. – **2.** ˌInterve'nierender *m*, Eingreifender *m*. – **II** *adj* **3.** ˌinterventio'nistisch, eine Interventi'on befürwortend.

in·ter·ven·tor [ˌintər'ventər] *s* **1.** Vermittler *m*. – **2.** 'Bergwerksinˌspektor *m*. – **3.** → **intercessor** 3.

ˌin·ter'ver·te·bral *adj med.* interverte'bral, Zwischenwirbel...

in·ter·view ['intərˌvjuː] I *s* **1.** Inter'view *n*. – **2.** Zu'sammenkunft *f*, Unter'redung *f*, Konfe'renz *f*. – **II** *v/t* **3.** (*j-n*) inter'viewen, befragen, ein Inter'view haben mit. – **4.** eine Zu'sammenkunft haben mit. – **III** *v/i* **5.** inter'viewen, Inter'views halten. — **ˌin·ter·view'ee** [-'iː] *s* Inter'viewte(r), Befragte(r). — **'in·terˌview·er** *s* Inter'viewer *m*, Befrager *m*.

ˌin·ter·vo'cal·ic *adj ling.* 'inter-, 'zwischenvoˌkalisch.

in·ter·vo·lu·tion [ˌintərvo'ljuːʃən; -'luː-] *s* Verschlingung *f*. — **ˌin·ter'volve** [-'vɒlv] I *v/t* verschlingen, verwickeln. – **II** *v/i* sich verschlingen, sich verwickeln.

ˌin·ter'weave *irr* I *v/t* **1.** (mitein'ander) verweben, verflechten. – **2.** mischen, vermengen. – **3.** durch'weben, -'flechten, verweben: **to ~ truth with fiction.** – **II** *v/i* **4.** sich verweben, sich verflechten. — **ˌin·ter'weave·ment** *s* Verwebung *f*, Verflechtung *f*. — **ˌin·ter'weav·er** *s* Verweber *m*, Verflechter *m*.

in·ter·wind [ˌintər'waind] *irr* I *v/t* verflechten, inein'anderwinden. – **II** *v/i* sich verflechten, sich inein'anderwinden.

ˌin·ter'wo·ven *adj* verflochten.

ˌin·ter'wreathe → **intertwine.**

ˌin·ter'zon·al *adj* interzo'nal, Interzonen...

in·tes·ta·cy [in'testəsi] *s jur.* Fehlen *n* eines Testa'ments: **succession on ~** gesetzliche Erbfolge, Intestaterbfolge. — **in'tes·tate** [-teit; -tit] *jur.* I *adj* **1.** ohne Testa'ment: **to die ~.** – **2.** nicht testamen'tarisch vermacht *od.* festgelegt, Intestat...: **~ succession** Intestaterbfolge. – **II** *s* **3.** Erblasser, der ohne Testa'ment verstirbt.

in·tes·ti·nal [in'testinl; *Br. auch* ˌintes'tainəl] *adj* **1.** *med. zo.* Darm..., Eingeweide..., intesti'nal: **~ worms** Eingeweidewürmer. – **2.** *zo.* mit einem 'Darmkaˌnal (versehen).

in·tes·tine [in'testin] I *s med.* Darm *m*, Inte'stinum *n*: **~s** Gedärme, Eingeweide; **large ~** Dickdarm; **small ~** Dünndarm. – **II** *adj* inner(er, e, es), einheimisch: **~ strife** innere Streitigkeiten; **~ war** Bürgerkrieg.

in·thral(l) [in'θrɔːl], **in'throne** [-'θroun] → **enthrall, enthrone.**

in·ti·ma ['intimə] *pl* **-mae** [-ˌmiː] *s med. zo.* In'tima *f*, innerste Schicht (*bes. eines Blut- od. Lymphgefäßes*).

in·ti·ma·cy ['intiməsi; -tə-] *s* **1.** Intimi'tät *f*, Vertrautheit *f*, vertrauter 'Umgang, Vertraulichkeit *f*: **to be on terms of ~** auf vertrautem Fuße stehen. – **2.** unerlaubter Geschlechtsverkehr.

in·ti·mate¹ ['intimit; -tə-] I *adj* **1.** vertraut, innig, in'tim: **on ~ terms** auf vertrautem Fuß. – **2.** eng, nah, vertraulich. – **3.** per'sönlich, pri'vat. – **4.** in'tim, in geschlechtlichen Beziehungen stehend (**with** mit). – **5.** gründlich, genau: **an ~ knowledge.** – **6.** innerst(er, e, es), wesentlich. – **7.** aus dem Innersten kommend. – *SYN. cf.* **familiar.** – **II** *s* **8.** Vertraute(r), vertrauter Freund, Busenfreund *m*.

in·ti·mate² ['intiˌmeit; -tə-] *v/t* **1.** andeuten, zu verstehen geben. – **2.** nahelegen. – **3.** ankündigen, kundtun, mitteilen. – *SYN. cf.* **suggest.**

in·ti·mate·ness ['intimitnis; -tə-] → **intimacy.**

in·ti·ma·tion [ˌinti'meiʃən; -tə-] *s* **1.** Andeutung *f*, Wink *m*. – **2.** Andeuten *n*. – **3.** Nahelegung *f*. – **4.** Ankündigung *f*, Mitteilung *f*. – **5.** Anzeichen *n*. – **6.** Bezeigung *f*: **~ of gratitude** Dankesbezeigung.

in·tim·i·date [in'timiˌdeit; -mə-] *v/t* einschüchtern, abschrecken, bange machen. — **inˌtim·i'da·tion** *s* Einschüchterung *f*, Bangemachen *n*. — **in'tim·iˌda·tor** [-tər] *s* Einschüchterer *m*. — **in'tim·iˌda·to·ry** [-təri] *adj* einschüchternd, erschreckend.

in·tim·i·ty [in'timiti; -mə-] *s* Vertraulichkeit *f*, Intimi'tät *f*.

in·tinc·tion [in'tiŋkʃən] *s relig.* Eintauchen *n* der Hostie in den Wein.

in·ti·tle [in'taitl] → **entitle.**

in·tit·ule [in'titjuːl] *v/t obs.* **1.** *jur.* berechtigen. – **2.** betiteln.

in·to ['intu; -tə; -tuː] *prep* **1.** in (*acc*), in (*acc*) ... hin'ein, zu, nach. – **2.** *math.* a) in (*acc*): **7 ~ 49 gives 7** 7 in 49 ist 7; **4 ~ 20 goes five times** 4 geht in 20 fünfmal. – **3.** *Scot. od. dial.* in (*dat*). – **4.** *obs. für* **among, to, toward(s), until, upon.** –

Besondere Redewendungen:

he came ~ his inheritance er kam zu seinem Erbe; **to develop ~ a butterfly** zu einem Schmetterling werden; **to divide ~ ten parts** in 10 Teile teilen; **to flatter s.o. ~ s.th.** j-n durch Schmeichelei zu etwas bewegen; **to get ~ debt** in Schulden geraten; **the house looks ~ my garden** das Haus hat Aussicht auf meinen Garten; **to marry ~ a rich family** in eine reiche Familie einheiraten; **to translate ~ English** ins Englische übersetzen; → **bargain** *b. Redw.*; **far ~ the night** tief in die Nacht hinein; **a journey ~ Germany** eine Reise nach Deutschland.

in·toed ['inˌtoud] *adj* mit einwärts gekehrten Fußspitzen.

in·tol·er·a·bil·i·ty [inˌtɒlərə'biliti; -əti] *s* Unerträglichkeit *f*, Unausstehlichkeit *f*. — **in'tol·er·a·ble** I *adj* unerträglich, unausstehlich. – **II** *adv* → **intolerably.** — **in'tol·er·a·ble·ness** → **intolerability.** — **in'tol·er·a·bly** [-bli] *adv* unerträglich, in unerträglicher Weise.

in·tol·er·ance [in'tɒlərəns] *s* **1.** Unduldsamkeit *f*, Intoleranz *f* (of gegen). – **2.** 'Überempˌfindlichkeit *f* (of gegen): **~ of heat.** — **in'tol·er·ant** I *adj* **1.** unduldsam, intolerant (of gegen). – **2.** unfähig zu ertragen (of *acc*): **~ of cold** unfähig, Kälte zu ertragen. – **II** *s* **3.** unduldsamer Mensch. — **inˌtol·er'a·tion** *s selten* Intoleranz *f*.

in·tomb [in'tuːm] → **entomb.**

in·to·nate ['intoˌneit] *v/t* **1.** → **intone.** – **2.** (*Phonetik*) stimmhaft aussprechen. — **ˌin·to'na·tion** *s* **1.** *ling.* Intonati'on *f*, Tonfall *m*, (me'lodische) Modulati'on, 'Sprach-, 'Satzmelo,die *f*. – 2. *mus*. Intonati'on *f*: a) Anstimmen *n*, b) (*einzeln angestimmter*) Anfang, c) li'turgisches Singen, Psalmo'dieren *n*, d) Klanggebung *f*, -bildung *f*, e) (Ton)-Ansatz *m*, Ansprache *f*, f) Tongebung *f*, -bildung *f*: **an instrument of fixed (free)** ~ ein Instrument mit festgelegten Tönen (mit freier Tongebung). — **'in·to,na·tor** [-tər] *s mus*. Mono'chord *n*.

in·tone [in'toun] **I** *v/t* **1.** (mit besonderem Tonfall) aussprechen, modu'lieren. – **2.** anstimmen, into'nieren. – **3.** (*musikalisch*) rezi'tieren, psalmo'dieren, li'turgisch singen. – **4.** (*Töne*) bilden, treffen. – **II** *v/i* **5.** (*mit besonderem Tonfall*) sprechen. – **6.** (*musikalisch*) rezi'tieren, psalmo'dieren. – **7.** *mus*. a) Töne bilden, b) into'nieren, anstimmen.

in·tor·sion [in'tɔːrʃən] *s* Drehung *f*, Windung *f*. — **in·tort** [in'tɔːrt] *v/t selten* (nach innen) drehen, winden.

in to·to [in 'toutou] (*Lat*.) *adv* **1.** im ganzen, im gesamten. – **2.** vollständig.

in·tox·i·cant [in'tɒksikənt; -sə-] **I** *adj* berauschend. – **II** *s* Rauschmittel *n*, -gift *n*, *bes*. berauschendes Getränk.

in·tox·i·cate [in'tɒksi,keit; -sə-] **I** *v/t* **1.** berauschen, betrunken machen. – **2.** *fig*. berauschen, trunken machen, betören. – **3.** *obs*. vergiften. – **II** *v/i* **4.** berauschen, berauschend wirken: **intoxicating drinks** berauschende Getränke. – **III** *adj* [-kit; -,keit] **5.** *obs*. berauscht. — **in'tox·i,cat·ed** *adj* **1.** berauscht, betrunken. – **2.** (**with, by**) *fig*. berauscht, trunken (von), erregt (von, durch): ~ **with love** liebe(s)trunken. – *SYN. cf.* **drunk**. — **in,tox·i'ca·tion** *s* **1.** Rausch *m*, (Be)Trunkenheit *f* (*auch fig*.). – **2.** *med*. Vergiftung *f*, Intoxikati'on *f*. – **3.** Berauschung *f* (*auch fig*.). — **in'tox·i,ca·tive** *adj* berauschend, Rausch... — **in'tox·i,ca·tor** [-tər] *s* Berauschende(r).

intra- [intrə] *Wortelement mit der Bedeutung*: a) innerhalb, b) *selten* hinein.

,in·tra-ab'dom·i·nal *adj med*. innerhalb des 'Unterleibs (befindlich).

,in·tra-ar'te·ri·al *adj med*. ,intraarteri'ell.

,in·tra-a'tom·ic *adj phys*. innerhalb des A'toms, 'innerato,mar.

,in·tra'car·di,ac *adj med*. ,intrakardi'al, im Herzinnern (gelegen).

,in·tra'cel·lu·lar *adj biol*. ,intrazellu'lär, innerhalb einer Zelle (gelegen).

,in·tra·col'le·gi·ate *adj* innerhalb eines College *od*. einer Universi'tät.

,in·tra'cra·ni·al *adj med*. ,intrakrani'ell, im Schädelinnern.

in·trac·ta·bil·i·ty [in,træktə'biliti; -əti] *s* Unlenksamkeit *f*, 'Widerspenstigkeit *f*. — **in'trac·ta·ble** *adj* **1.** unlenksam, unbändig, halsstarrig, störrisch, eigensinnig. – **2.** schwer zu bearbeiten(d) *od*. zu handhaben(d). – *SYN. cf.* **unruly**. — **in'trac·ta·ble·ness** → **intractability**.

in·trac·tile [in'træktil; *Br. auch* -,tail] *adj selten* nicht dehnbar *od*. ausziehbar.

,in·tra·cu'ta·ne·ous *adj med*. intra-[ku'tan, -der'mal.]

,in·tra'der·mal, ,in·tra'der·mic *adj med*. intrader'mal, -ku'tan.

in·tra·dos [in'treidɒs] *s arch*. Leibung *f*, innere Wölbungsfläche.

,in·tra,fo·li'a·ceous *adj bot*. zwischenblattständig.

,in·tra'mar·gi·nal *adj* innerhalb eines Randes befindlich (*auch fig*.).

,in·tra·mer'cu·ri·al *adj astr*. innerhalb der Mer'kurbahn gelegen.

,in·tra·mo'lec·u·lar *adj phys*. ,intramoleku'lar, innerhalb eines Mole'küls (befindlich).

,in·tra'mun·dane *adj* intramun'dan, innerhalb der (materi'ellen) Welt befindlich.

,in·tra'mu·ral *adj* **1.** innerhalb der Mauern (*einer Stadt, eines Hauses etc*) befindlich *od*. vorkommend. – **2.** *ped*. auf 'eine Universi'tät *od*. deren Stu'denten beschränkt, innerhalb einer Universität: ~ **games**. – **3.** *med*. intramu'ral, innerhalb der Wandungen: ~ **gland** Zwischenwanddrüse.

in·tra mu·ros ['intrə 'mju(ə)rous] (*Lat*.) *adv* **1.** innerhalb der Mauern (*bes. einer Stadt od. Universität*). – **2.** nicht öffentlich.

,in·tra'mus·cu·lar *adj med. zo*. ,intramusku'lär.

,in·tra'na·tion·al *adj* innerhalb einer Nati'on, natio'nal.

in·trans·fer·a·ble [,intræns'fəːrəbl] *adj* nicht über'tragbar, nicht zu über'tragen(d).

in·tran·si·gence [in'trænsidʒəns; -sə-], **in'tran·si·gen·cy** [-si] *s* Unversöhnlichkeit *f*, Unnachgiebigkeit *f*, Radika'lismus *m*, Kompro'mißlosigkeit *f*. — **in'tran·si,gent** *bes. pol*. **I** *adj* **1.** unnachgiebig, starr. – **2.** unversöhnlich, radi'kal, kompro'mißlos. – **II** *s* **3.** Unversöhnliche(r), Radi'kale(r), Intransi'gent(in).

in·tran·si·tive [in'trænsitiv; -sə-; *Br. auch* -'trɑːn-] **I** *adj* **1.** *ling*. 'intransi,tiv, nichtzielend. – **2.** *math*. 'intransi,tiv. – **3.** nicht weiter- *od*. 'übergehend. – **II** *s* **4.** *ling*. 'Intransi,tiv(um) *n*, 'intransi,tives Zeitwort. — **in'tran·si·tive·ness, in,transi'tiv·i·ty** *s* ,Intransitivi'tät *f*.

in·trans·mut·a·bil·i·ty [,intrænz,mjuːtə'biliti; -træns-; -əti] *s* Unverwandelbarkeit *f*. — **,in·trans'mut·a·ble** *adj* unverwandelbar.

in·trant ['intrənt] *s bes. Scot*. Neueintretende(r), neues Mitglied, (*ein Amt*) Antretende(r).

,in·tra'oc·u·lar *adj med*. ,intraoku'lär, im Innern des Auges *od*. Augapfels.

,in·tra'pet·i·o·lar *adj bot*. **1.** zwischen Blattstiel u. Stamm stehend. – **2.** vom unteren Ende des Blattstiels um'schlossen.

,in·tra'psy·chic *adj psych*. intra'psychisch, in der Seele befindlich.

,in·tra'state *adj* **1.** innerstaatlich. – **2.** *Am*. innerhalb eines Bundesstaates.

,in·tra·tho'rac·ic *adj med*. ,intrathora'kal, im Brustkorb gelegen.

,in·tra'trop·i·cal *adj geogr*. innerhalb der Wendekreise.

,in·tra-'u·ter·ine *adj med*. ,intraute'rin, innerhalb der Gebärmutter.

in·trav·a·sa·tion [in,trævə'seiʃən] *s med*. Eintritt *m* (*von Flüssigkeiten etc*) in die Gefäße.

,in·tra've·nous *adj med*. intra-, endove'nös.

,in·tra'vi·tal, ,in·tra-'vi·tam [-'vaitæm] *adj biol*. intravi'tal, während des Lebens, am Lebenden.

in·treat [in'triːt] → **entreat**.

in·trench [in'trentʃ] **I** *v/t* **1.** *mil*. mit Gräben um'geben, verschanzen, eingraben. – **2.** *fig*. schützen, verschanzen. – **3.** einschneiden, furchen. – **II** *v/i* **4.** eingreifen (**on, upon** in *acc*). – **5.** beeinträchtigen, antasten (**on, upon** *acc*). – *SYN cf.* **trespass**. — **in'trench·ment** *s* **1.** *mil*. Verschanzung *f*, (Feld)Schanze *f*, Feldbefestigung *f*. – **2.** *fig*. Schutz(wehr *f*) *m*. – **3.** (**upon**) Eingriff *m* (in *acc*), Beeinträchtigung *f* (*gen*).

in·trep·id [in'trepid] *adj* unerschrokken, beherzt, furchtlos. – *SYN*. **brave, courageous, dauntless, valiant**. — **in·tre·pid·i·ty** [,intri'piditi; -trə-; -əti] *s* Unerschrockenheit *f*, Beherztheit *f*.

in·tri·ca·cy ['intrikəsi; -trə-] *s* **1.** Kompli'ziertheit *f*. – **2.** Feinheit *f*, Kniff(e)ligkeit *f*. – **3.** Verworrenheit *f*, Verwirrung *f*. – **4.** Verwicklung *f*, Komplikati'on *f*, Schwierigkeit *f*. — **'in·tri·cate** [-kit] *adj* **1.** verwickelt, kompli'ziert. – **2.** ausgeklügelt, kniff(e)lig. – **3.** verworren, schwierig. – **4.** verzweigt, verschlungen. – *SYN. cf.* **complex**. – **'in·tri·cate·ness** → **intricacy**.

in·tri·gant ['intrigənt; -trə-] *s* Intri'gant *m*. — **,in·tri'gante** [-'gɑːnt; -'gænt] *s* Intri'gantin *f*. — **in·tri·guant(e)** *cf.* **intrigant(e)**.

in·trigue [in'triːg] **I** *v/t* **1.** (*j-n*) fesseln, faszi'nieren, interes'sieren, gefangennehmen. – **2.** verlocken, verführen (**into doing** zu tun). – **3.** verwirren, verblüffen. – **4.** durch Ränke erreichen. – **5.** *selten* verwickeln. – **II** *v/i* **6.** intri'gieren, Ränke schmieden. – **7.** eine Liebschaft haben (**with mit**). – **8.** geheimen Einfluß ausüben (**with** auf *acc*). – **III** *s* [*auch* 'intriːg] **9.** In'trige *f*, Ränkespiel *n*, Machenschaft *f*: ~**s** Ränke, Machenschaften. – **10.** (geheimes) Liebesverhältnis. – **11.** In'trige *f*, Verwicklung *f* (*Drama*). – *SYN. cf.* **plot**. — **in'tri·guer** *s* Intri'gant(in), Ränkeschmied *m*. — **in'tri·guing** *adj* **1.** fesselnd, interes'sant, spannend, faszi'nierend. – **2.** intri'gierend, ränkevoll.

in·trin·sic [in'trinsik], *auch selten* **in·trin·si·cal** [-kəl] *adj* **1.** wirklich, wahr, eigentlich: ~ **value** Eigenart, spezifischer *od*. wirklicher Wert. – **2.** wesentlich. – **3.** inner(lich). – **4.** *med*. innerhalb eines Or'gans (*etc*) gelegen. – **5.** vertraut, pri'vat, geheim, per'sönlich. – **6.** *math. phys*. spe'zifisch. — **in,trin·si'cal·i·ty** [-'kæliti; -əti] *s* **1.** Wirklichkeit *f*, Eigentlichkeit *f*. – **2.** Wesentlichkeit *f*. — **in'trin·si·cal·ly** *adv* **1.** wirklich, eigentlich. – **2.** innerlich.

intro- [intro] *Wortelement mit der Bedeutung* hinein, nach innen.

in·tro·con·ver·sion [,introkən'vəːrʃən] *s chem*. gegenseitige 'Umwandlung. — **,in·tro·con,vert·i'bil·i·ty** *s chem*. gegenseitige 'Umwandelbarkeit. — **,in·tro·con'vert·i·ble** *adj chem*. gegenseitig 'umwandelbar.

in·tro·duce [,intrə'djuːs; *Am. auch* -'duːs] *v/t* **1.** einführen: **to** ~ **a new fashion** eine neue Mode einführen *od*. aufbringen. – **2.** (**to**) bekannt machen (mit), vorstellen (*dat*): **he** ~**d his brother to us** er stellte uns seinen Bruder vor; **she was** ~**d at court** sie wurde bei Hofe vorgestellt. – **3.** (*Thema*) anschneiden, zur Sprache bringen: **to** ~ **a new subject**. – **4.** einleiten, eröffnen. – **5.** (**to**) (*j-n*) einführen (in *acc*), bekannt machen (mit): **to** ~ **s.o. to poetry**. – **6.** anfangen, einleiten: **to** ~ **a business** *econ*. ein Geschäft einleiten *od*. anbahnen. – **7.** (*Krankheit*) einschleppen (**into** in *acc*). – **8.** *pol*. (*Gesetzesantrag*) einbringen (**into** in *acc*). – **9.** (**into**) einfügen (in *acc*), neu hin'zufügen (zu). – **10.** her'ein-, hin'einbringen. – **11.** hin'einstecken, einführen: **to** ~ **a probe** eine Sonde einführen. – **12.** hin'einführen, -geleiten. – *SYN*. **insert, insinuate, intercalate, interject, interpolate, interpose**. — **,in·tro'duc·er** *s* **1.** Einführer(in). – **2.** Vorstellende(r). – **3.** *med*. Intu'bator *m*, 'Einführungsinstru,ment *n*. — **,in·tro'duc·i·ble** *adj* einführbar.

in·tro·duc·tion [,intrə'dʌkʃən] *s* **1.** Einführung *f*. – **2.** Einschleppung *f* (*Krankheit*). – **3.** Bekanntmachen *n*, Vorstellen *n*, Vorstellung *f*. – **4.** Empfehlung *f*, Einführung *f*: **letter of** ~ Einführungsbrief, Empfehlungsschreiben. – **5.** Einleitung *f*, Vorrede *f*,

Vorwort *n.* – **6.** *mus.* Introdukti'on *f.* – **7.** Leitfaden *m*, (in die Anfangsgründe einführendes) Lehrbuch: an ~ to botany ein Leitfaden der Botanik. – **8.** *econ.* a) Einleitung *f*, Anbahnung *f* (*Geschäft*), b) Einführung *f* (*Effekten*). – **9.** *pol.* Einbringung *f* (*Gesetzesantrag*). – **10.** Ein-, Hin'zufügung *f.* – **11.** *tech.* Einströmung *f* (*an der Dampfmaschine*). – **12.** (*das*) Eingeführte. — ˌ**in·tro'duc·tive** *adj* einleitend: ~ of s.th. etwas einleitend. — ˌ**in·tro'duc·to·ry** [-təri] *adj* einleitend, Einleitungs...

in·tro·flex·ion [ˌintrə'flekʃən] *s* Einwärtsbiegung *f.*

in·tro·it [in'trouit; *Br. auch* 'intrɔit] *s relig.* **1.** *auch* I~ In'troitus *m*, Eingangslied *n* (*der Messe*). – **2.** In'troitus *m* (*Psalm od. Hymne zu Beginn der Kommunion im anglikanischen Gottesdienst*).

in·tro·jec·tion [ˌintrə'dʒekʃən] *s philos. psych.* Introjekti'on *f.*

in·tro·mis·sion [ˌintrə'miʃən; -tro-] *s* **1.** Einführung *f.* – **2.** Zu-, Einlassung *f* (into in *acc*). – **3.** *jur. Scot.* unerlaubte Einmischung.

in·tro·mit [ˌintrə'mit; -tro-] *pret u. pp* -'**mit·ted I** *v/t* **1.** einfügen (into in *acc*). – **2.** (into) (hin)'einlassen (in *acc*), 'zulassen (zu). – **3.** hin'einschicken. – **II** *v/i* **4.** *jur. Scot.* sich unerlaubt einmischen. — ˌ**in·tro'mit·tent** *adj* **1.** zulassend. – **2.** einführend. – **3.** *zo.* Kopulations...: ~ organ männliches Begattungsorgan.

in·trorse [in'trɔːrs] *adj bot.* **1.** in'trors, einwärts gekehrt (*Staubbeutel*). – **2.** nach innen aufspringend (*Fruchtkapsel*).

in·tro·spect [ˌintrə'spekt; -tro-] **I** *v/i* **1.** sich selbst beobachten *od.* prüfen. – **II** *v/t* **2.** hin'einblicken in (*acc*). – **3.** unter'suchen, prüfen. — ˌ**in·tro'spec·tion** *s* **1.** Introspekti'on *f*, Selbstbeobachtung *f*, -prüfung *f.* – **2.** sympathetic ~ *sociol. Untersuchung menschlichen Verhaltens durch persönliche Einfühlung in die entsprechenden Bedingungen.* – **3.** Hin'einsehen *n*, -blicken *n.* — ˌ**in·tro'spec·tion·ist** *s psych.* **1.** Anhänger *m* der introspek'tiven Me'thode. – **2.** j-d der Selbstbeobachtung treibt. — ˌ**in·tro'spec·tive** *adj* **1.** introspek'tiv, nach innen schauend *od.* gerichtet. – **2.** der inneren Beschauung dienend, selbstprüfend. – **3.** auf Selbstbeobachtung gegründet.

in·tro·sus·cep·tion [ˌintrosə'sepʃən] → intussusception.

in·tro·ver·si·ble [ˌintrə'vəːrsəbl; -tro-] *adj* einstülpbar.

in·tro·ver·sion [ˌintrə'vəːrʃən; -tro-] *s* **1.** Einwärtskehren *n*, -kehrung *f.* – **2.** Nach'innenrichten *n* (*Gedanken*). – **3.** Nach'innengekehrtsein *n*, -gerichtetsein *n.* – **4.** *psych.* Introversi'on *f*, Introver'tiertheit *f.* — ˌ**in·tro'ver·sive** [-siv] *adj* einwärtsgekehrt, nach innen gerichtet.

in·tro·vert I *s* ['intrəˌvəːrt; -tro-] **1.** *psych.* introver'tierter Mensch. – **2.** *bes. zo.* Or'gan, das eingestülpt ist *od.* werden kann. – **II** *adj* **3.** introver'tiert, nach innen gerichtet. – **III** *v/t* [ˌintrə'vəːrt; -tro-] **4.** introver'tieren, nach innen richten, einwärtskehren. – **5.** (*Gedanken etc*) nach innen richten. – **6.** *bes. zo.* (*Körperteil*) einstülpen, einziehen. – **IV** *v/i* **7.** nach innen gekehrt sein, auf das Innenleben eingestellt sein. — ˌ**in·tro'ver·tive** → introversive.

in·trude [in'truːd] **I** *v/t* **1.** eindrängen, -zwängen (into in *acc*). – **2.** aufdrängen: to ~ s.th. upon s.o. j-m etwas aufdrängen; to ~ oneself upon s.o. sich j-m aufdrängen. – **3.** *geol.* a) gewaltsam eindringen in (*acc*), b) gewaltsam einzwängen (into in *acc*). – **II** *v/i* **4.** sich eindrängen (into in *acc*), sich aufdrängen (on, upon *dat*). – **5.** stören, lästig fallen: to ~ (up)on s.o. j-m lästig fallen, j-n stören; am I intruding? störe ich? – **6.** (on, upon) eindringen (in *acc*), sich bemächtigen (*gen*). – *SYN.* interlope, obtrude. — **in'trud·er** *s* **1.** Eindringling *m.* – **2.** Auf-, Zudringliche(r), ungebetener Gast, Störenfried *m.* – **3.** *aer.* eingedrungenes Feindflugzeug. — **in'trud·ing** *adj* **1.** eindringend. – **2.** zu-, aufdringlich. – **3.** lästig, störend.

in·tru·sion [in'truːʒən] *s* **1.** Eindrängen *n*, Einzwängen *n.* – **2.** Aufdrängen *n.* – **3.** unberufene Einmischung, Zu-, Aufdringlichkeit *f.* – **4.** *jur.* Besitzstörung *f*, gesetzwidrige Besitznahme (*Gut, Amt etc*). – **5.** *geol.* a) Intrusi'on *f*, Eindringen *n*, b) Intru'sivgestein *n.* – **6.** ungebührliche In'anspruchnahme (upon *gen*): ~ upon s.o.'s time. – **7.** *relig. Scot. hist.* Anstellung *f* eines Predigers gegen den Willen der Gemeinde.

in·tru·sive [in'truːsiv] *adj* **1.** sich eindrängend *od.* aufdrängend, auf-, zudringlich. – **2.** eingedrungen: ~ growth *bot.* Interpositionswachstum. – **3.** *geol.* a) intru'siv, eingedrungen, b) plu'tonisch. – **4.** *ling.* 'unetymoˌlogisch (eingedrungen): an ~ sound. – *SYN. cf.* impertinent. — **in'tru·sive·ness** *s* Auf-, Zudringlichkeit *f.*

in·trust [in'trʌst] → entrust.

in·tu·bate ['intjuˌbeit] *v/t med.* **1.** intu'bieren, eine Röhre *od.* Ka'nüle einführen in (*acc*). – **2.** durch Intubati'on behandeln. — ˌ**in·tu'ba·tion** *s* Intubati'on *f*: ~ of the larynx Einführung einer Röhre in den Kehlkopf. — '**in·tuˌba·tor** [-tər] *s* Intu'bator *m*, Intubati'onsinstruˌment *n.*

in·tu·it ['intjuit; in'tjuːit; *Am. auch* -tu-; -'tuː-] **I** *v/t* intui'tiv erkennen. – **II** *v/i* intui'tiv wissen.

in·tu·i·tion [ˌintju'iʃən; *Am. auch* -tu-] *s* **1.** Intuiti'on *f*, unmittelbare Erkenntnis *od.* Anschauung. – **2.** Intuiti'on *f*, plötzliche Eingebung *od.* Erkenntnis. – **3.** intui'tives Wissen.

ˌ**in·tu'i·tion·al** *adj* **1.** intui'tiv, auf unmittelbarer Erkenntnis beruhend, durch Intuiti'on erkannt, Intuitions... – **2.** mit unmittelbarer Erkenntnisfähigkeit begabt. — ˌ**in·tu'i·tion·alˌism**, ˌ**in·tu'i·tion·al·ist** → intuitionism, intuitionist. — ˌ**in·tu'i·tionˌism** *s philos.* Intuitio'nismus *m*: a) *Lehre, daß ethische Werte intuitiv erkannt werden können,* b) *Lehre, daß alles Wissen auf intuitiver Erkenntnis beruht.* — ˌ**in·tu'i·tion·ist** *philos.* **I** *s* Intuitio'nist *m.* – **II** *adj* intuitio'nistisch.

in·tu·i·tive [in'tjuːitiv; -ət-; *Am. auch* -'tuː-] *adj* **1.** intui'tiv *od.* unmittelbar erkennend. – **2.** intui'tiv, durch unmittelbare Erkenntnis gewonnen. – **3.** intui'tiv, mit unmittelbarer Erkenntnisfähigkeit begabt. – **4.** Intuitions..., Anschauungs... – **5.** unmittelbar anschauend: ~ vision of God unmittelbares Schauen Gottes. – **6.** intui'tiv erkennbar. — **in'tu·i·tive·ness** *s* unmittelbare Erkenntnisfähigkeit, Intuiti'on *f.* — **in'tu·i·tivˌism** *s* **1.** *philos.* (ethischer) Intuitio'nismus. – **2.** intui'tive Erkenntnis, unmittelbares Erkennen. – **3.** Intuiti'onsgabe *f*, unmittelbare Erkenntnisfähigkeit. – **4.** intui'tives Wesen.

in·tu·mesce [ˌintju'mes; *Am. auch* -tu-] *v/i* **1.** sich aufblähen, sich ausdehnen. – **2.** aufwallen, aufschäumen. — ˌ**in·tu'mes·cence** *s* **1.** Anschwellen *n*, Aufblähung *f.* – **2.** Aufwallen *n.* – **3.** *med.* Intumes'zenz *f*, Anschwellung *f*, Geschwulst *f.* – **4.** Geschwollensein *n.* – **5.** *fig.* Schwulst *m*, Schwülstigkeit *f.* — ˌ**in·tu'mes·cent** *adj* anschwellend.

in·turn ['inˌtəːrn] *s* Einwärtsdrehung *f*, -biegung *f.*

in·tus·sus·cept [ˌintəssə'sept] *v/t biol.* in das Innere aufnehmen, nach innen kehren, stülpen. — ˌ**in·tus·sus'cep·tion** *s* **1.** Aufnahme *f* in das Innere. – **2.** *med.* Einstülpung *f*, Invaginati'on *f*, ˌIntussuszepti'on *f*: ~ of intestine Darminvagination. – **3.** *biol.* Aufnahme *f u.* innige Aneignung von Nährstoffen im Orga'nismus, ˌIntussuszepti'on *f.* – **4.** Einschiebung *f*, Einstülpung *f.* — ˌ**in·tus·sus'cep·tive** *adj.* durch ˌIntussuszepti'on (gekennzeichnet).

in·twine [in'twain], **in'twist** [-'twist] → entwine, entwist.

in·u·lase ['injuˌleis; -jə-] *s biol. chem.* Inu'lase *f* (*Enzym, das Inulin spaltet*). — '**in·u·lin** [-lin] *s chem.* Inu'lin *n* ($C_6H_{10}O_5$).

in·unc·tion [in'ʌŋkʃən] *s* **1.** Salbung *f*, Einsalben *n.* – **2.** *med.* a) Einsalbung *f*, b) Einreibung *f.* – **3.** Salbe *f.*

in·un·dant [in'ʌndənt] *adj poet.* 'überfließend. — '**in·unˌdate** [-ˌdeit] *v/t* **1.** über'schwemmen, -'fluten (*auch fig.*). – **2.** (*Wasserbau*) fluten. — ˌ**in·un'da·tion** *s* **1.** Über'schwemmung *f*, -'flutung *f* (*auch fig.*). – **2.** Flut *f* (*auch fig.*). – **3.** *fig.* 'Überfluß *m.* — '**in·unˌda·tor** [-ˌdeitər] *s* Über'schwemmer(in). — **in'un·da·to·ry** [*Br.* -dətəri; *Am.* -ˌtɔːri] *adj* über'schwemmend, Überschwemmungs...

in·ur·bane [ˌinəːr'bein] *adj* unhöflich, ungehobelt. — ˌ**in·ur'ban·i·ty** [-'bæniti; -əti] *s* Unhöflichkeit *f.*

in·ure [in'jur] **I** *v/t* **1.** abhärten (to gegen), gewöhnen (to an *acc*; to do zu tun): to be ~d to heat gegen Hitze abgehärtet sein. – **II** *v/i* **2.** *bes. jur.* wirksam *od.* gültig werden *od.* sein. – **3.** nutzen, dienen, zu'gute kommen (to *dat*). – **4.** angewendet werden, in Gebrauch kommen. — **in'ure·ment** *s* (to) Abhärtung *f* (gegen), Gewöhnung *f* (an *acc*).

in·urn [in'əːrn] *v/t* **1.** in eine Urne tun. – **2.** bestatten.

in·u·tile [in'juːtil] *adj* nutzlos, zwecklos. — **in·u·til·i·ty** [ˌinju'tiliti; -əti] *s* **1.** Nutz-, Zwecklosigkeit *f.* – **2.** unnütze Sache *od.* Per'son.

in va·cu·o [in 'vækjuˌou] (*Lat.*) *adv* im (luft)leeren Raum, im Leeren.

in·vade [in'veid] **I** *v/t* **1.** einfallen *od.* eindringen in (*acc*). – **2.** über'fallen, angreifen. – **3.** sich ausbreiten über (*acc*), befallen: to be ~d by fear von Furcht ergriffen sein. – **4.** (*Besitz*) an sich reißen, (*Recht*) verletzen, antasten. – **5.** eindringen *od.* sich eindrängen in (*acc*). – **6.** *fig.* über'laufen, -'schwemmen: the village was ~d by tourists. – **II** *v/i* **7.** einfallen, eindringen (on in *acc*). – *SYN. cf.* trespass. — **in'vad·er** *s* **1.** Eindringling *m*, Angreifer(in). – **2.** Verletzer(in) (*von Rechten*).

in·vag·i·na·ble [in'vædʒinəbl; -dʒə-] *adj selten* einstülpbar, einziehbar. — **in'vag·iˌnate** [-ˌneit] *biol.* **I** *v/t* **1.** (wie) in eine Scheide stecken. – **2.** nach innen kehren, einstülpen. – **II** *v/i* **3.** sich einstülpen. – **4.** eingestülpt sein. – **III** *adj* [-nit; -ˌneit] *selten* **5.** eingestülpt. — **inˌvag·i'na·tion** *s* **1.** *biol.* Invaginati'on *f*, Einstülpung *f.* – **2.** *med.* ('Darm)Invaginatiˌon *f.* – **3.** *biol. med.* eingestülpter Teil.

in·va·lid[1] ['invəlid; *Br. auch* -ˌliːd] **I** *adj* **1.** kränklich, krank, leidend. – **2.** *mil.* dienstunfähig. – **3.** Kranken...: ~ chair Rollstuhl; ~ diet Krankenkost. – **II** *s* **4.** Kranke(r), Gebrechliche(r). – **5.** Inva'lide *m*: asylum for ~s Invalidenheim. – **III** *v/t* [*auch* ˌinvə'liːd] **6.** zum Inva'liden machen, versehren. – 7. *bes. mil.* a) dienstuntauglich erklären, b) als dienstuntauglich entlassen: to be ~ed out of the army als Invalide aus dem Heer entlassen werden. – **IV** *v/i* **8.** inva'lid werden. – **9.** *mar. mil.* wegen Invalidi'tät aus dem Dienst ausscheiden.

in·val·id² [in'vælid] *adj* **1.** (rechts)ungültig, null u. nichtig, gegenstandslos: to make ~ invalidieren, ungültig machen. – **2.** schwach, nicht über'zeugend: ~ arguments.

in·val·i·date [in'væli,deit; -lə-] *v/t* **1.** invali'dieren, ungültig erklären, außer Kraft setzen. – **2.** (*Argumente etc*) entkräften. – *SYN. cf.* nullify. — **in,val·i'da·tion** *s* **1.** Invalidati'on *f*, Ungültigsprechung *f*. – **2.** Entkräftung *f*. — **in'val·i,da·tor** [-tər] *s* Ungültigmacher(in).

in·va·lid·ism ['invəli,dizəm; *Br. auch* -liː,d-] *s med.* Invalidi'tät *f*.

in·va·lid·i·ty¹ [,invə'liditi; -əti] *s* Invalidi'tät *f*, Arbeits-, Dienstunfähigkeit *f*.

in·va·lid·i·ty² [,invə'liditi; -əti] *s bes. jur.* Ungültigkeit *f*, Nichtigkeit *f*.

in·val·u·a·ble [in'væljuəbl] *adj* unschätzbar, unbezahlbar. – *SYN. cf.* costly.

In·var, *auch* **i~** [in'vɑːr] (*TM*) *s tech.* In'var *n* (*eine Nickel-Stahllegierung*).

in·var·i·a·bil·i·ty [in,vɛ(ə)riə'biliti; -əti] *s* Unveränderlichkeit *f*. — **in'var·i·a·ble I** *adj* **1.** unveränderlich, (stets) gleichbleibend, unwandelbar. – **2.** *math.* invari'abel, unveränderlich. – **II** *s* **3.** (*etwas*) Unveränderliches. – **4.** *math.* Kon'stante *f*, invari'able Größe. — **in'var·i·a·ble·ness** → invariability. — **in'var·i·a·bly** [-bli] *adv* beständig, unveränderlich.

in·var·i·ance [in'vɛ(ə)riəns] *s math.* Invari'anz *f*. — **in'var·i·ant I** *adj* **1.** unveränderlich, gleichbleibend. – **2.** *math.* unveränderlich. – **II** *s* **3.** *math.* Invari'ante *f*, Unveränderliche *f*.

in·va·sion [in'veiʒən] *s* **1.** *mil.* (of) Invasi'on *f* (*gen*), (feindliches) Eindringen (in *acc od. dat*, nach). – **2.** Eindringen *n*, Einbruch *m* (*Kaltluft etc*). – **3.** Her'einbrechen *n*, plötzliches Auftreten. – **4.** *fig.* Invasi'on *f*: an ~ of tourists eine Fremdeninvasion. – **5.** Eingriff *m* (of in *acc*). — **in'va·sive** [-siv] *adj* **1.** (gewaltsam) eindringend. – **2.** *mil.* Invasions..., Angriffs..., offen'siv, angreifend: ~ war Angriffskrieg. – **3.** aufdringlich. – **4.** (gewaltsam) eingreifend (of in *acc*).

in·vec·tive [in'vektiv] **I** *s* **1.** Schmähung *f*, Schmähr̈ede *f*, Ausfall *m*: to bombard s.o. with ~s j-n mit Schmähungen überhäufen. – **2.** Schmähgedicht *n*, -schrift *f*. – *SYN. cf.* abuse. – **II** *adj* **3.** schmähend, schimpfend (against über *acc*), ausfallend, scharf tadelnd. – **4.** Schmäh... — **in'vec·tive·ness** *s* Ausfälligkeit *f*.

in·veigh [in'vei] *v/i* (against) schimpfen (über, auf *acc*), schmähen (*acc*), 'herziehen (über *acc*). — **in'veigh·er** *s* Schimpfende(r), Tadler(in).

in·vei·gle [in'viːgl; -'vei-] *v/t* **1.** verlocken, verleiten, verführen (into zu): to ~ s.o. into gambling j-n zum Spielen verleiten. – **2.** locken, um'garnen. – *SYN. cf.* lure. — **in'vei·gle·ment** *s* Verlockung *f*, Verleitung *f*.

in·vent [in'vent] **I** *v/t* **1.** erfinden. – **2.** ersinnen. – **3.** (*etwas Unwahres*) erfinden, erdichten. – **4.** *obs.* (auf)finden. – **II** *v/i* **5.** erfinden, Erfindungen machen. – *SYN.* create, discover. — **in'vent·er** *s* Erfinder *m*. — **in'vent·i·ble** *adj selten* zu erfinden(d).

in·ven·tion [in'venʃən] *s* **1.** Erfindung *f*, Erfinden *n*: → necessity 5. – **2.** Erfindung *f*: the newest ~s die neuesten Erfindungen. – **3.** Erfindungsgabe *f*, -kraft *f*. – **4.** Erfindung *f*, Erdichtung *f*, Fikti'on *f*, Märchen *n*: it is pure ~ es ist reine Erfindung. – **5.** (*Rhetorik*) Stoffsammlung *f*. – **6.** *mus.* Inventi'on *f* (*Musikstück*). – **7.** I~ of the Cross *relig.* Kreuzauffindung *f*. — **in'ven·tion·al** *adj* Erfindungs...

in·ven·tive [in'ventiv] *adj* **1.** erfinderisch (of in *dat*). – **2.** schöpferisch, origi'nell, einfallsreich. – **3.** Erfindungs...: ~ faculty Erfindungsgabe. — **in'ven·tive·ness** *s* Erfindungsgabe *f*. — **in'ven·tor** [-tər] *s* Erfinder *m*: ~'s royalty Lizenz-, Patentgebühr.

in·ven·to·ri·al [,invən'tɔːriəl] *adj* **1.** Inventar(s)... – **2.** inven'tarmäßig.

in·ven·to·ry [*Br.* 'invəntri; *Am.* -,tɔːri] **I** *s* **1.** Bestandsverzeichnis *n*, Liste *f* der Vermögensgegenstände: ~ of property *jur. bes.* (Konkurs)Masseverzeichnis. – **2.** *econ.* Inven'tar *n*, Lager(bestands)verzeichnis *n*, Bestandsliste *f*: to take ~ Inventur machen, inventarisieren. – **3.** *bes. econ.* Inven'tar *n*, (Waren)Bestand *m*. – **4.** *econ.* Inven'tur *f*, Bestandsaufnahme *f*. – **5.** (*Atomphysik*) Einsatz *m*, Einbringung *f*. – **II** *v/t* **6.** inventari'sieren: a) ein Inven'tar machen von, b) in einem Inven'tar verzeichnen. — **~ sheet** *s econ.* Inven'tarverzeichnis *n*. — **~ val·ue** *s econ.* Inven'tarwert *m*.

in·ve·rac·i·ty [,invə'ræsiti; -əti] *s* **1.** Unwahrheit *f*. – **2.** Lüge *f*.

In·ver·ness [,invər'nes], *auch* **~ cape, ~ cloak, ~ coat** *s* Mantel *m* mit abnehmbarem Cape.

in·verse [in'vəːrs; 'invəːrs] **I** *adj* **1.** 'umgekehrt, entgegengesetzt. – **2.** 'umgedreht. – **3.** *math.* in'vers, rezi'prok, 'umgekehrt, entgegengesetzt: ~ function inverse *od.* reziproke Funktion, Umkehrfunktion; ~ value Umkehrwert. – **4.** *math.* Arkus...: ~ sine Arkussinus, arcus sinus. – **II** *s* **5.** 'Umkehrung *f*, Gegenteil *n*. – **6.** *math.* In'verse *f*, (*das*) 'Umgekehrte, (*das*) Rezi'proke. – **III** *v/t* [in'vəːrs] *selten* **7.** 'umkehren, 'umdrehen. — **~ cur·rent** *s electr.* Gegenstrom *m*. — **~ feed·back** *s electr.* Gegenkopplung *f*, negative Rückkopplung. — **~ hy·per·bol·ic** *adj math.* in'vers hyper'bolisch, inversi'onshyper,bolisch: ~ function inverse Hyperbelfunktion; ~ sine arcus sinus hyperbolicus.

in·ver·sion [in'vəːrʃən; -ʒən] *s* **1.** 'Umkehrung *f*, 'Umdrehung *f*, 'Umstellung *f*. – **2.** *ling.* Inversi'on *f* (*Umkehrung der normalen Satzstellung*). – **3.** *chem. math.* Inversi'on *f*. – **4.** *med.* 'Umstülpung *f*. – **5.** *psych.* a) Inversi'on *f* (*Umkehrung einer Triebrichtung etc*) b) ,Homosexuali'tät *f*. – **6.** *mus.* 'Umkehrung *f*. – **7.** (*Meteorologie*) Inversi'on *f*, Tempera'tur,umkehr *f*. – **8.** (*Phonetik*) Heben *n* u. Zu'rückbiegen *n* der Zungenspitze. – **9.** *geol.* Über'faltung *f*. — **in'ver·sive** [-siv] *adj* 'umgekehrt, 'umgedreht.

in·vert I *v/t* [in'vəːrt] **1.** 'umkehren, 'umdrehen. – **2.** 'umwenden, 'umstülpen. – **3.** (*Satz etc*) 'umstellen. – **4.** *mus.* 'umkehren. – **5.** *chem.* einer Inversi'on unter'ziehen. – **6.** (*Phonetik*) mit gehobener nach rückwärts gebogener Zungenspitze aussprechen. – *SYN. cf.* reverse. – **II** *adj* ['invəːrt] **7.** *chem.* durch Inversi'on 'umgewandelt. – **III** *s* ['invəːrt] **8.** (*etwas*) 'Umgekehrtes. – **9.** *psych.* ,Homosexu'elle(r). – **10.** *tech.* Sohle *f* (*Stollen, Schleuse etc*).

in·vert·ase [in'vəːrteis] *s biol. chem.* Inver'tase *f*.

in·ver·te·bra·cy [in'vəːrtibrəsi; -tə-] *s* **1.** *zo.* Wirbellosigkeit *f*. – **2.** *fig.* Rückgratlosigkeit *f*. — **in'ver·te·brate** [-brit; -,breit] **I** *adj* **1.** *zo.* wirbellos. – **2.** *fig.* ohne Rückgrat, haltlos, ener'gielos. – **II** *s* **3.** *zo.* wirbelloses Tier. – **4.** *fig.* haltloser Mensch. — **in'ver·te·brate·ness** → invertebracy.

in·vert·ed [in'vəːrtid] *adj* **1.** *geol.* über'kippt. – **2.** *psych.* inver'tiert, ,homosexu'ell. – **3.** *tech.* hängend: ~ engine Hängemotor. – **4.** *ling.* 'umgekehrt, mit Inversi'on. — **~ com·mas** *s pl* Anführungszeichen *pl*. — **~ cyl·in·der** *s tech.* hängender Zy'linder. — **~ flight** *s aer.* Rückenflug *m*. — **~ im·age** *s phys.* 'umgekehrtes Bild, Kehrbild *n*. — **~ loop** *s aer.* Looping *m* aus der Rückenlage. — **~ mor·dent** *s mus.* Pralltriller *m*. — **~ spin** *s aer.* Rückentrudeln *n*. — **~ turn** *s mus.* mit der unteren Nebennote beginnender Doppelschlag.

in·vert·er [in'vəːrtər] *s* **1.** 'Umkehrer *m*. – **2.** *electr.* Wechselrichter *m*. – **3.** *electr.* (Fre'quenz)In,verter *m*, 'Sprachin,verter *m*, -verzerrer *m*. — **in'vert·i·ble** *adj* **1.** 'umkehrbar. – **2.** *chem. math.* inver'tierbar. – **3.** *mus.* 'umkehrbar, versetzbar. — **in·ver·tor** *cf.* inverter 2.

in·vert| soap *s chem.* In'vertseife *f*, kati'onenak,tive Seife, I'onenseife *f*, syn'thetisches Waschmittel. — **~ sug·ar** *s chem.* In'vertzucker *m*.

in·vest [in'vest] **I** *v/t* **1.** *econ.* (*Kapital*) inve'stieren, anlegen (in in *dat*): → capital 3. – **2.** ausgeben (in für). – **3.** kleiden (in in *acc*), bekleiden (*auch fig.*). – **4.** um'hüllen, um'geben. – **5.** schmücken, zieren (*auch fig.*). – **6.** *fig.* einkleiden (with in *acc*). – **7.** *mil.* belagern, einschließen. – **8.** ausstatten: to ~ s.o. with full power j-n mit Vollmacht ausstatten, j-m Vollmacht erteilen. – **9.** mit den Zeichen der Amtswürde bekleiden *od.* ausstatten. – **10.** (feierlich) ins Amt einsetzen. – **11.** *selten* (*Macht etc*) verleihen, gewähren. – **12.** *selten* anziehen. – **II** *v/i* **13.** *econ.* inve'stieren, Kapi'tal anlegen (in in *dat*). – **14.** *colloq.* Geld ausgeben (in für).

in·ves·ti·ga·ble [in'vestigəbl; -tə-] *adj* erforschbar.

in·ves·ti·gate [in'vesti,geit; -tə-] **I** *v/t* unter'suchen. – **II** *v/i* Unter'suchungen anstellen, nachforschen. — **in,ves·ti'ga·tion** *s* Unter'suchung *f* (of *od.* into s.th. einer Sache), Nachforschung *f*: to conduct an ~ eine Untersuchung anstellen; upon ~ bei näherer Untersuchung. — **in'ves·ti,ga·tive** *adj* unter'suchend, erforschend, Untersuchungs... — **in'ves·ti,ga·tor** [-tər] *s* Unter'sucher(in), (Nach)Forscher(in). — **in·ves·ti·ga·to·ry** [*Br.* in'vesti,geitəri; *Am.* -təgə,tɔːri] → investigative.

in·ves·ti·tive [in'vestitiv; -tət-] *adj* **1.** Bestallungs... – **2.** Verleihungs... — **in'ves·ti·ture** [-tʃər] *s* **1.** Investi'tur *f*, (feierliche) Amtseinsetzung, Bestallung *f*. – **2.** Bestallungsrecht *n*. – **3.** Belehnung *f*. – **4.** Ausstattung *f*. – **5.** Bekleidung *f*.

in·vest·ment [in'vestmənt] *s* **1.** *econ.* Inve'stierung *f*, Anlage *f*: terms of ~ Anlagebedingungen. – **2.** *econ.* Investiti'on *f*, (Kapi'tals)Anlage *f*: foreign ~ Auslandsanlage; gilt-edged ~ mündelsichere Kapitalsanlage. – **3.** Bekleidung *f*, Um'hüllung *f*. – **4.** Kleid *n*, Hülle *f*. – **5.** *biol.* (Außen-, Schutz)Haut *f*, äußere Hülle. – **6.** Ausstattung *f*. – **7.** Belehnung *f*, Ausstattung *f* (*mit einem Recht etc*). – **8.** *mil.* Belagerung *f*, Einschließung *f*, Bloc'kade *f*.

in·vest·ment| ac·count *s econ.* Einlagekonto *n*. — **~ bank** *s* Anlagebank *f*, Ef'fektenemissi,onsbank *f*. —

~ **bonds** *s pl* festverzinsliche 'Anlagepa,piere *pl.* — ~ **cred·it** *s* Investiti'onskre,dit *m*, langfristiger 'Anlagekre,dit. — ~ **fail·ure** *s* 'Fehlinvesti-ti,on *f.* — ~ **loss** *s* Anlageverlust *m.* — ~ **mar·ket** *s* Markt *m* für Anlagewerte. — ~ **se·cu·ri·ties** *s pl* 'Anlagepa,piere *pl*, -werte *pl.* — ~ **stocks** *s pl* Anlageaktien *pl.* — ~ **trust** *s* In'vestment-Trust *m*, -gesellschaft *f*, (Ef'fekten)Finan,zierungsgesellschaft *f.* — ~ **val·ue** *s* Anlagewert *m.*

in·ves·tor [in'vestər] *s econ.* Geld-, Kapi'talanleger *m.*

in·vet·er·a·cy [in'vetərəsi] *s* **1.** Eingewurzeltsein *n*, Unausrottbarkeit *f.* – **2.** *med.* Hartnäckigkeit *f.* — **in'vet·er·ate** [-rit] *adj* **1.** eingewurzelt, unausrottbar. – **2.** *med.* hartnäckig, chronisch. – **3.** eingefleischt, passio'niert: ~ smoker Gewohnheitsraucher. – *SYN.* chronic, confirmed, deep-rooted, deep-seated. — **in'vet·er·ate·ness** → inveteracy.

in·vid·i·ous [in'vidiəs] *adj* **1.** Ärgernis *od.* Neid erregend. – **2.** gehässig, boshaft. – **3.** abfällig, abschätzig. – **4.** *selten* neidisch. – *SYN. cf.* repugnant. — **in'vid·i·ous·ness** *s* **1.** Ärgerlichkeit *f.* – **2.** Gehässigkeit *f.* – **3.** Abfälligkeit *f.*

in·vig·i·late [in'vidʒi,leit; -dʒə-] *v/i* **1.** *Br.* (*bei schriftlichen Prüfungen*) die Aufsicht führen. – **2.** *obs.* wachen. — **in,vig·i'la·tion** *s* **1.** *Br.* Aufsichtsführung *f.* – **2.** Wachsamkeit *f.* — **in'vig·i,la·tor** [-tər] *s Br.* Aufsichtsführende(r).

in·vig·or·ant [in'vigərənt] *s med.* Kräftigungsmittel *n.* — **in'vig·or,ate** [-,reit] *v/t* stärken, kräftigen, beleben. — **in,vig·or'a·tion** *s* Stärkung *f*, Kräftigung *f*, Belebung *f.* — **in'vig·or,a·tive** *adj* stärkend, kräftigend, belebend. — **in'vig·or,a·tor** [-tər] *s* **1.** Stärker(in). – **2.** Stärkungsmittel *n.*

in·vin·ci·bil·i·ty [in,vinsi'biliti; -sə-; -əti] *s* **1.** Unbesiegbarkeit *f.* – **2.** 'Unüber,windlichkeit *f.* — **in'vin·ci·ble** *adj* **1.** unbesiegbar. – **2.** 'unüber,windlich: ~ difficulties. — **in'vin·ci·ble·ness** → invincibility.

in·vi·o·la·bil·i·ty [in,vaiələ'biliti; -əti] *s* Unverletzlichkeit *f.* — **in'vi·o·la·ble** *adj* **1.** unverletzlich, heilig. – **2.** unzerstörbar. — **in'vi·o·la·ble·ness** → inviolability.

in·vi·o·la·cy [in'vaiələsi] *s* **1.** Unverletztheit *f*, Unversehrtheit *f.* – **2.** Unberührtheit *f.* — **in'vi·o·late** [-lit; -,leit] *adj* **1.** unverletzt, nicht verletzt *od.* gebrochen (*Gesetz etc*). – **2.** nicht entheiligt *od.* entweiht, unberührt. – **3.** unversehrt. — **in'vi·o·late·ness** → inviolacy.

in·vis·i·bil·i·ty [in,vizə'biliti; -əti] *s* Unsichtbarkeit *f.* — **in'vis·i·ble I** *adj* **1.** unsichtbar (to für). – **2.** nicht zu sehen: he was ~ er war nicht zu sehen, er ließ sich nicht sehen. – **3.** *fig.* unsichtbar: ~ exports *econ.* unsichtbare Exporte (*Dienstleistungen etc*); the I~ Empire der Ku-Klux-Klan. – **4.** unmerklich: ~ differences. – **5.** kaum sichtbar, sehr undeutlich. – **II** *s* **6.** unsichtbares Wesen *od.* Ding. – **7.** the ~ das Unsichtbare, die nicht sichtbare Welt – **8.** the I~ der Unsichtbare, Gott *m.* — **in'vis·i·ble·ness** → invisibility.

in·vi·ta·tion [,invi'teiʃən; -və-] *s* **1.** Einladung *f* (to s.o. an j-n): ~ to tea Einladung zum Tee; at the ~ of auf Einladung von; to accept (decline) an ~ eine Einladung annehmen (ablehnen). – **2.** Aufforderung *f.* – **3.** Anziehung *f*, Anlockung *f*, Verlockung *f.* – **4.** *econ.* Ausschreibung *f*: ~ of tenders Konkurrenzausschreibung. — ~ **card** *s* Einladungskarte *f.* — ~ **per·form·ance** *s* Pri'vatvorstellung *f.*

in·vi·ta·to·ry [*Br.* in'vaitətəri; *Am.* -,tɔːri] *adj* **1.** einladend, Einladungs... – **2.** auffordernd.

in·vite [in'vait] **I** *v/t* **1.** einladen: to ~ s.o. to tea j-n zum Tee einladen; to ~ s.o. in j-n hereinbitten. – **2.** einladen, höflich *od.* freundlich auffordern (to do zu tun). – **3.** höflich bitten um. – **4.** (*Fragen*) erbitten. – **5.** (*Kritik, Gefahr etc*) her'ausfordern. – **6.** *econ.* ausschreiben: to ~ public competition einen öffentlichen Wettbewerb ausschreiben; to ~ subscription for a loan eine Anleihe auflegen. – **7.** (ver)locken (to do zu tun). – **8.** einladen zu, verführen zu. – **II** *v/i* **9.** einladen. – *SYN.* court, solicit. – **III** *s* ['invait] **10.** *colloq.* Einladung *f.* — **in'vit·ing** *adj* einladend, verlockend, anziehend. — **in'vit·ing·ness** *s* (*das*) Verlockende, Anziehungskraft *f.*

in| vi·tro [in 'vaitrou] (*Lat.*) *biol. med.* in vitro, im (Versuchs)Glas. — ~ **vi·vo** ['vaivou] (*Lat.*) *biol.* in vivo, im *od.* am lebenden Orga'nismus.

in·vo·cate ['invo,keit; -və-] *selten* **I** *v/t* anrufen. – **II** *v/i* flehen. — **in·voc·a·tive** [in'vɒkətiv] → invocatory.

in·vo·ca·tion [,invo'keiʃən; -və-] *s* **1.** Anrufung *f.* – **2.** *relig.* Invokati'on *f.* – **3.** Anrufung *f* der Muse *od.* der Götter. – **4.** a) Beschwörung *f*, b) Beschwörungsformel *f.* – **5.** *jur.* (*bes.* gerichtliche) Anforderung. — **in·vo·ca·tor** ['invo,keitər; -və-] *s* Anrufer(in). — **in·voc·a·to·ry** [*Br.* in'vɒkətəri; *Am.* -,tɔːri] *adj* anrufend, anflehend, Bitt...: ~ prayer Bittgebet.

in·voice ['invɔis] *econ.* **I** *s* **1.** Fak'tura *f*, (Waren)Rechnung *f*: as per ~ laut Faktura; on examining (*od.* checking) your ~ bei Durchsicht Ihrer Faktura; consular ~ Konsulatsfaktura. – **2.** Sendung *f*, Lieferung *f.* – **II** *v/t* **3.** faktu'rieren, in Rechnung stellen: as ~d wie fakturiert, laut Faktura; ~d price fakturierter Preis. — ~ **clerk** *s econ.* Faktu'rist *m.*

in·voke [in'vouk] *v/t* **1.** flehen um, erflehen. – **2.** (*Gott etc*) anrufen. – **3.** *fig.* anflehen, dringend bitten, appel'lieren an (*acc*). – **4.** *fig.* (*als Autorität*) zu Hilfe rufen, (*zur Bestätigung*) anführen *od.* zi'tieren. – **5.** (*Geist*) beschwören, zi'tieren.

in·vol·u·cel [in'vɒlju,sel; -jə-] *s bot.* Hüllchen *n* (*der Umbelliferen-Dolden*).

in·vo·lu·cral [,invə'luːkrəl; -'ljuː-] *adj bot.* Involucral... — **,in·vo'lu·crate** [-krit; -kreit] *adj bot.* ein Invo'lucrum habend. — **'in·vo,lu·cre** [-kər], *auch* **,in·vo'lu·crum** [-krəm] *pl* **-cra** [-krə] *s* **1.** *bot.* Invo'lucrum *n*, Hüll-, Außenkelch *m.* – **2.** *med. zo.* Hülle *f.*

in·vol·un·tar·i·ness [*Br.* in'vɒləntərinis; *Am.* -,terə-] *s* **1.** Unfreiwilligkeit *f.* – **2.** Unwillkürlichkeit *f.* — **in'vol·un·tar·y** *adj* **1.** unfreiwillig, unabsichtlich, ungern: ~ bankrupt Zwangsgemeinschuldner. – **2.** *med.* unwillkürlich, auto'nom: ~ nervous system vegetatives Nervensystem.

in·vo·lute ['invə,luːt; -,ljuːt] **I** *adj* **1.** verwickelt, verworren. – **2.** *bot.* eingerollt, -gewickelt (*Blatt*). – **3.** *zo.* mit engen Windungen (*Muschel*). – **II** *s* **4.** (*etwas*) Verwickeltes *od.* Gewundenes. – **5.** *math.* Evol'vente *f*, Invo'lute *f*, Abwick(e)lungskurve *f*: ~ gear Evolventenrad.

in·vo·lu·tion [,invə'luːʃən; -'ljuː-] *s* **1.** Einwickeln *n*, -hüllen *n*, Einwick(e)lung *f*, -hüllung *f.* – **2.** *fig.* Verwick(e)lung *f*, Verwirrung *f.* – **3.** *fig.* tieferer Sinn. – **4.** *bot.* Einrollen *n*, -rollung *f* (*Blatt*). – **5.** *biol. med.* Involuti'on *f*, rückläufige Entwick(e)lung, Rückbildung *f*, Einschrumpfung *f*, Regressi'on *f*: senile ~ Altersrückbildung. – **6.** *ling.* Einschiebung *f* (*eines Satzteils etc*). – **7.** *math.* Involuti'on *f*, Poten'zierung *f.* — **,in·vo'lu·tion·al, ,in·vo'lu·tion·ar·y** [*Br.* -nəri; *Am.* -,neri] *adj math.* Involutions...

in·volve [in'vɒlv] *v/t* **1.** einbegreifen, einbeziehen, einschließen, in sich schließen, nach sich ziehen, mit sich bringen, (mit) enthalten, um'fassen, zur Folge haben: this ~s hard thinking dazu gehört scharfes Nachdenken; involving a loss verlustbringend. – **2.** einwickeln, -rollen, -hüllen (in in *acc*). – **3.** *fig.* verwickeln, hin'einziehen (in in *acc*): to get ~d in a conspiracy in eine Verschwörung verwickelt werden. – **4.** verwirren, kompli'zieren. – **5.** *math.* poten'zieren. – **6.** *meist pp* (in) sich eifrig beschäftigen (mit), interes'siert sein (an *dat*). – *SYN. cf.* include. — **in'volved** *adj* **1.** verwickelt (in in *acc*): to be ~ in huge debts tief in Schulden stecken. – **2.** *fig.* kompli'ziert, verworren: an ~ sentence. – **3.** einbegriffen: to be ~ a) auf dem Spiel stehen, b) in Frage kommen. – **4.** → involute 3. – *SYN. cf.* complex. — **in'volve·ment** *s* **1.** Verwick(e)lung *f.* – **2.** verwickelte Angelegenheit, Schwierigkeit *f*, (Geld)-Verlegenheit *f.*

in·vul·ner·a·bil·i·ty [in,vʌlnərə'biliti; -əti; 'invʌl-] *s* **1.** Unverwundbarkeit *f.* – **2.** *fig.* Unanfechtbarkeit *f.* — **in'vul·ner·a·ble** *adj* **1.** unverwundbar. – **2.** *fig.* unanfechtbar. — **in'vul·ner·a·ble·ness** → invulnerability.

in·wall I *s* ['in,wɔːl] *bes. tech.* Innenmauer *f*, -wand *f* (*Hochofen*). – **II** *v/t* [in'wɔːl] um'mauern, einschließen.

in·ward ['inwərd] **I** *adv* **1.** einwärts, nach innen, in das Innere. – **2.** *obs.* im Inner(e)n. – **II** *adj* **3.** inner(er, e, es), nach innen gehend, innerlich, Innen...: ~ convulsions innere Krämpfe. – **4.** *fig.* seelisch, geistig: the ~ peace der innere Friede. – **5.** *fig.* inner(er, e, es), eigentlich: the ~ meaning die eigentliche Bedeutung. – **6.** *econ.* binnen-, inländisch: ~ bound nach der Heimat bestimmt; ~ trade *Br.* Einfuhrhandel; ~ duty *Br.* Eingangszoll. – **7.** *geogr.* Inner...: ~ Africa Innerafrika. – **8.** undeutlich, unklar (*Stimme*). – **9.** *obs.* a) häuslich, b) in'tim, c) heimlich. – **III** *s* **10.** (*das*) Innere (*auch fig.*). – **11.** ['inərdz] *pl colloq.* Eingeweide *pl.* – **12.** *econ. Br. colloq.* Einfuhr(zölle *pl*) *f.* — **'in·ward·ly** *adv* **1.** innerlich, im Innern (*auch fig.*): to bleed ~. – **2.** *fig.* im stillen, unbemerkt: to laugh ~. – **3.** leise, gedämpft, für sich. – **4.** einwärts, nach innen. — **'in·ward·ness** *s* **1.** Innerlichkeit *f.* – **2.** innere Na'tur, (innere) Bedeutung, Tiefe *f.* – **3.** Aufrichtigkeit *f.* – **4.** *obs.* Vertrautheit *f.* — **'in·wards** [-wərdz] → inward I.

in·weave [in'wiːv] *v/t irr* **1.** einweben (into, in in *acc*). – **2.** *auch fig.* einflechten, einfügen (into, in in *acc*), verflechten (with mit).

in·wick ['in,wik] *s* (*Curling*) *Wurf, bei dem der Spieler seinen Stein an dem des Gegners abprallen läßt.*

in·wind [in'waind] *v/t irr* um'wickeln, um'winden, einhüllen (*auch fig.*).

in·wo·ven [in'wouvən] *adj* **1.** eingewebt. – **2.** eingeflochten (*auch fig.*).

in·wrap [in'ræp], **in'wreathe** [-'riːð] → enwrap, enwreathe.

in·wrought [in'rɔːt; 'in-] *adj* **1.** (ein)gewirkt, eingewoben, (hin)'eingearbeitet (in, into in *acc*). – **2.** gemustert, geschmückt, verziert (with mit). – **3.** *fig.* (eng) verflochten.

in·ya·la [in'jɑːlə] *s zo.* Ny'ala-Anti,lope *f* (*Strepsiceros angasi*).

I·o ['aiou] *pl* **I·os** → Io moth.

iod- [aiəd] → iodo-.

i·o·date ['aiəˌdeit] **I** *s chem.* Jo'dat *n*, jodsaures Salz (JO_3-). – **II** *v/t* mit Jod behandeln, jo'dieren.

i·od·ic [ai'ɒdik] *adj chem.* jodhaltig, Jod(o)...: ~ **acid** Jodsäure (HJO_3).

i·o·dide ['aiəˌdaid; -did], *auch* **'i·o·did** [-did] *s chem.* Jo'did *n*: ~ **of nitrogen** Jodstickstoff (NJ_3); ~ **of potassium** Kaliumjodid (KJ); ~ **of silver** Silberjodid (AgJ); ~ **of sodium** Natriumjodid (NaJ).

i·o·dim·e·try [ˌaiə'dimitri; -ətri] → iodometry. — **i·o·di·nate** ['aiədiˌneit] *v/t chem.* jo'dieren.

i·o·dine ['aiədain; -din; -ˌdiːn], *auch* **'i·o·din** [-din] *s chem.* Jod *n* (J): **tincture of** ~ Jodtinktur. — **'i·oˌdism** *s med.* Jo'dismus *m*, Jodvergiftung *f*. — **'i·oˌdize** *v/t* **1.** *med.* mit Jod behandeln, jo'dieren. – **2.** *phot.* jo'dieren, mit Jod präpa'rieren *od.* bearbeiten.

iodo- [aioudo; aiədo; -də; -dɒ] *chem. Wortelement mit der Bedeutung* Jod, Jodo...: ~**chloride** Jodidchlorid.

i·o·do·form [ai'oudoˌfɔːrm; -də-; 'aiəd-] *chem. med.* **I** *s* Jodo'form *n* (CHJ_3). – **II** *v/t* mit Jodo'form behandeln. — **i·o·dol** ['aiəˌdoul; -ˌdɒl] *s chem.* Jo'dol *n*, 'Tetrajod-pyrˌrol *n* (C_4J_4NH).

i·o·dom·e·try [ˌaio'dɒmitri; -mət-] *s chem.* Iodome'trie *f* (*volumetrische Analysenmethode*).

i·o·dous [ai'oudəs; -'ɒd-] *adj chem.* Jod enthaltend, jodig: ~ **acid** (*hypothetische*) jodige Säure (HJO_2).

i·o·lite ['aiəˌlait] *s min.* Io'lith *m*, Wassersaphir *m*.

I·o moth *s zo.* Jospinner *m* (*Automeris io; amer. Schmetterling*).

i·on ['aiən; 'aiɒn] *s phys.* I'on *n*. — ~ **ac·cel·er·a·tor** *s phys.* I'onenbeschleuniger *m*. — ~ **ex·change** *s phys.* I'onenaustausch *m*: ~ **resin** Ionenaustauschstoff auf Kunstharzbasis.

I·o·ni·an [ai'ouniən] **I** *adj* i'onisch: ~ **Islands** Ionische Inseln; ~ **philosophy** ionische Philosophie. – **II** *s* I'onier(in).

I·on·ic[1] [ai'ɒnik] **I** *adj* **1.** *bes. arch.* i'onisch: ~ **capital** ionisches Kapitell; ~ **school** ionische Philosophenschule. – **II** *s* **2.** i'onischer Dia'lekt. – **3.** i'onischer Versfuß, I'onikus *m*: **greater (smaller)** ~ sinkender (steigender) Ionikus. – **4.** *print.* Egypti'enne *f* (*Schriftart*).

i·on·ic[2] [ai'ɒnik] *adj phys.* i'onisch, Ionen...: ~ **bond** Ionenbindung.

i·on·ic| at·mos·phere *s phys.* I'onenwolke *f*. — ~ **cen·tri·fuge** *s phys.* I'onenschleuder *f*, -zentriˌfuge *f*. — ~ **cur·rent** *s phys.* Ionisati'ons-, Elek'tronen-, I'onenˌleitungsˌstrom *m*. — ~ **mi·gra·tion** *s phys.* I'onenwanderung *f*. — ~ **valve** *s phys.* I'onen-, Elek'tronenröhre *f*, -venˌtil *n*.

i·o·ni·um [ai'ouniəm] *s chem.* I'onium *n* (Io; *radioaktiver Grundstoff*).

i·on·i·za·tion [ˌaiənai'zeiʃən; -ni'z-; -nə'z-] *s phys.* Ioni'sierung *f*, Ionisati'on *f* (*Abspaltung von Elektronen*): ~ **chamber** Ionisationskammer; ~ **by collision** Stoßionisation; ~ **gauge** Ionisationsmanometer; ~ **potential** Ionisations-, Ionisierungsspannung. — **'i·onˌize** *phys.* **I** *v/t* ioni'sieren. – **II** *v/i* in I'onen zerfallen. — **'i·onˌiz·er** *s phys.* Ioni'sator *m*.

i·on jet *s* I'onenstrahlantrieb *m*.

i·o·nom·e·ter [ˌaiə'nɒmitər; -mə-] *s* **1.** *phys.* I'onoˌmeter *n*. – **2.** *med.* Röntgenstrahlendosenbestimmer *m*, Ionisati'onsdosiˌmeter *n*.

i·o·none ['aiəˌnoun] *s chem.* Io'non *n*, Veilchenketon *n* $(C_{13}H_{20}O)$.

i·on·o·sphere [ai'ɒnəˌsfir] *s phys.* Iono'sphäre *f* (*zwischen 50 u. 500 km Höhe*).

i·o·no·ther·a·py [ˌaiəno'θerəpi] *s med.* Ionto-, Eˌlektropho'rese *f*.

i·o·ta [ai'outə] *s* I'ota *n*: a) *ling. griech. Buchstabe*, b) *fig.* Tüttelchen *n*, Kleinigkeit *f*. — **i'o·taˌcism** [-ˌsizəm] *s ling.* Iota'zismus *m*.

I O U ['aiˌou'juː] *s* Schuldschein *m* (= **I owe you**).

I·o·wan ['aiəwən] **I** *s* Io'waner(in), Einwohner(in) von Iowa. – **II** *adj* io'wanisch, Iowa..., von Iowa.

ip·e·cac ['ipiˌkæk], **ˌip·eˌcac·u'an·ha** [-kju'ænə] *s bot. med.* Ipecacu'anha *f*, Brechwurz(el) *f* (*Cephaelis Ipicacuanha; brasil. Rubiacee*): ~ **tablets** Brech(wurzel)tabletten.

ip·o·moe·a [ˌipo'miːə; -pə-; ˌai-] *s* **1.** *bot.* Prunkwinde *f* (*Gattg Ipomoea*). – **2.** *med.* Ja'lape(nwurzel) *f* (*von Ipomoea orizabensis; Wurm- u. Abführmittel*).

ip·se dix·it ['ipsi 'diksit] (*Lat.*) *s* (*bloße*) Behauptung.

ip·so| fac·to ['ipsou 'fæktou] (*Lat.*) al'lein durch diese Tatsache, gerade dadurch, eo ipso: **he is condemned** ~ gerade durch diese Tatsache wird er verurteilt. — ~ **ju·re** ['dʒu(ə)riː] (*Lat.*) von Rechts wegen, ohne weiteres.

i·ra·cund ['ai(ə)rəˌkʌnd] *adj* reizbar, erregbar.

i·ra·de [i'rɑːde] *s* I'rade *m, f, n*, Erlaß *m* (*eines moham. Herrschers*).

I·ra·ni·an [ai(ə)'reiniən; -njən; i'r-] **I** *adj* **1.** i'ranisch, aus I'ran, persisch. – **II** *s* **2.** I'ranier(in), Perser(in). – **3.** *ling.* a) I'ranisch *n*, das Iranische (*Untergruppe der indo-europ. Sprachenfamilie*), b) Persisch *n*, das Persische.

I·ra·qi [i'rɑːki; iː'r-] **I** *s* **1.** I'raker(in), Einwohner(in) des I'rak. – **2.** I'rakisch *n*, das Irakische (*arab. Dialekt*). – **II** *adj* **3.** i'rakisch, Irak... — **I'ra·qi·an** → Iraqi II.

i·ras·ci·bil·i·ty [iˌræsi'biliti; -əti; aiˌr-] *s* Jähzorn *m*, Reizbarkeit *f*. — **i'ras·ci·ble** *adj* jähzornig, reizbar. – *SYN.* **choleric, cranky, cross, splenetic, techy, testy, touchy.** — **i'ras·ci·ble·ness** → irascibility.

i·rate [ai'reit; 'ai(ə)reit] *adj* zornig, wütend, gereizt. – *SYN. cf.* **angry.**

ire [air] *s poet.* Zorn *m*, Wut *f*. – *SYN. cf.* **anger.** — **'ire·ful** [-fəl; -ful] *adj poet.* zornig.

i·ren·ic [ai'renik; -'riː-], *auch* **i'ren·i·cal** [-kəl] *adj relig.* friedlich, vermittelnd. — **i'ren·ics** *s pl* (*als sg konstruiert*) *relig.* I'renik *f*, i'renische *od.* friedfertige Theolo'gie (*welche die Vereinigung aller Christen anstrebt*).

irid- [irid; ai-] → irido-.

i·ri·da·ceous [ˌai(ə)ri'deiʃəs; ˌiri-] *adj bot.* schwertlilienartig.

ir·i·dec·to·my [ˌai(ə)ri'dektəmi] *s med.* Iridekto'mie *f*, Irisentfernung *f*.

ir·i·des·cence [ˌiri'desns; -rə-] *s* Schillern *n* (*in den Regenbogenfarben*), Iri(di)'sieren *n*. — **ˌir·i'des·cent** *adj* (*in den Regenbogenfarben*) schillernd, iri'sierend: ~ **colo(u)r** Schillerfarbe.

i·rid·ic[1] [ai'ridik; i'r-] *adj med.* zur Iris gehörig, Iris...

i·rid·ic[2] [ai'ridik; i'r-] *adj chem.* I'ridium betreffend, Iridium...

i·rid·i·um [ai'ridiəm; i'r-] *s chem.* I'ridium *n* (Ir; *ein Platinmetall*).

ir·i·di·za·tion [ˌiridai'zeiʃən; -di'z-; -rə-] *s med.* Auftreten *n* des ‚farbigen Halo' bei Glau'komkranken.

i·ri·dize[1] ['iriˌdaiz; 'ai(ə)-; -rə-] *v/t tech.* mit I'ridium über'ziehen.

ir·i·dize[2] ['iriˌdaiz; 'ai(ə)-; -rə-] *v/t* (*in den Regenbogenfarben*) zum Schillern bringen.

irido- [irido; ai-] *med. Wortelement mit der Bedeutung* Iris, Regenbogenhaut: **iridotomy** Irisdurchschneidung.

ir·i·dos·mine [ˌiri'dɒzmin; -'dɒs-; ˌai(ə)r-], *auch* **ˌir·i'dos·mi·um** [-miəm] *s min.* Iridos'minium *n* (*Legierung*).

ir·i·dous ['iridəs; -rə-; 'ai(ə)r-] *adj chem.* Iridium... (*dreiwertiges Iridium enthaltend*).

i·ris ['ai(ə)ris] *pl* **'i·ris·es** [-risiz] *od.* **ir·i·des** ['iriˌdiːz] *s* **1.** *phys.* Regenbogen *m*, Regenbogenglanz *m*, -farben *pl*. – **2.** *med.* Iris *f*, Regenbogenhaut *f* (*des Auges*). – **3.** *bot.* Schwertlilie *f* (*Gattg Iris*). – **4.** *min.* Regenbogenquarz *m*. — ~ **di·a·phragm** *s med. phot. phys.* Irisblende *f*.

I·rish ['ai(ə)riʃ] **I** *s pl* **I·rish** **1.** *pl* a) Iren *pl*, Irländer *pl*, b) irische Kelten *pl*. – **2.** a) Irisch *n*, das Irische (*die keltische Sprache der Iren*), b) (Anglo-)Irisch *n*, Irisch-Englisch *n* (*die irische Aussprache des Englischen*). – **II** *adj* **3.** irisch, irländisch: **the** ~ **Free State** der Irische Freistaat. — ~ **bull** *s* unlogische, sich selbst wider'sprechende Behauptung, Gefasel *n*, Unsinn *m*. — ~ **dai·sy** → dandelion. — ~ **Eng·lish** → Irish 2 b.

I·rish·ism ['ai(ə)riˌʃizəm] *s* irische (Sprach)Eigentümlichkeit. — **'I·rishˌize** *v/t* irisch machen.

I·rish|·man ['ai(ə)riʃmən] *s irr* Ire *m*, Irländer *m*. — ~ **moss** → carrag(h)een. — ~ **Pale** *s hist. östl. Teil Irlands, der unter engl. Gerichtsbarkeit stand.* — ~ **po·ta·to** *pl* **-toes** *s* (*weiße*) Kar'toffel.

I·rish·ry ['ai(ə)riʃri] *s* **1.** Irentum *n*. – **2.** irische Eigenart.

I·rish| set·ter *s* Irischer Setter (*Jagdhund*). — ~ **stew** *s* Irish-Stew *n*, Eintopfgericht *n* (*gedämpftes Hammelfleisch mit Kartoffeln, Zwiebeln etc*). — ~ **ter·ri·er** *s* Irischer Terrier. — ~ **wolf·hound** *s* Irischer Wolfshund. — **'~ˌwom·an** *s irr* Irin *f*, Irländerin *f*.

i·ri·tis [ai'raitis] *s med.* I'ritis *f*, Regenbogenhautentzündung *f*.

irk [əːrk] *v/t* ermüden, ärgern, verdrießen, langweilen: **it** ~**s me** es ärgert *od.* stört mich (**that** daß); **to be** ~**ed** verärgert *od.* ärgerlich sein. – *SYN. cf.* **annoy.**

irk·some ['əːrksəm] *adj* **1.** ärgerlich, verdrießlich, lästig. – **2.** beschwerlich, ermüdend, langweilig. – **3.** *obs.* quälend. — **'irk·some·ness** *s* Ärgerlichkeit *f*, Verdrießlichkeit *f*.

i·ron ['aiərn] **I** *s* **1.** Eisen *n* (Fe): **bulb** ~ Wulsteisen; **crude** ~ Roheisen; **fag(g)ot** ~ Paketierschrott; **soft** ~ Weich-, Reineisen; **as hard as** ~ hart wie Eisen; **to have (too) many** ~**s in the fire** a) (zu) viele Dinge gleichzeitig unternehmen, b) viele Eisen im Feuer haben; **to rule with a rod of** ~ mit eiserner Hand regieren; **to strike while the** ~ **is hot** das Eisen schmieden, solange es heiß ist; **a man of** ~ ein erbarmungsloser *od.* unnachgiebiger *od.* harter Mann; **he is made of** ~ er hat eine eiserne Gesundheit; **a will of** ~ ein eiserner Wille; **in(to)** ~**s** *mar.* im Wind, nicht wendefähig (*Schiff*); → **heart** *b. Redw.* – **2.** *Gegenstand aus Eisen, bes.*: a) Brandeisen *n*, -stempel *m*, Brenneisen *n* (*zum Einbrennen von Brandmalen*), b) (Bügel)Eisen *n*, c) Har'pune *f*, d) Steigbügel *m*, e) → **curling** ~, f) → **grappling** ~. – **3.** Eisen *n* (*Schneide eines Werkzeugs, bes. des Hobels*). – **4.** (*Golf*) Eisen *n* (*Golfschläger mit eisernem Kopf*). – **5.** a) *auch* **shooting** ~ *sl.* ‚Schießeisen' *n* (*Pistole etc*), b) *obs.* Schwert *n*. – **6.** *med.* 'Eisen(präpaˌrat) *n*: **to take** ~ Eisen einnehmen. – **7.** *pl* Hand-, Fußschellen *pl*, Eisen *pl*: **he was put in** ~**s** es wurden ihm Hand- *od.* Fußschellen angelegt, er wurde in Eisen gelegt; **the** ~ **entered into his soul** *Bibl.* Pein und Trübsal beschlichen seine Seele. – **8.** *pl med.* Beinschiene *f* (*zum Ausgleich von Mißbildungen*): to put s.o.'s leg in ~s j-m das Bein schienen. – 9. → ~ gray. – **II** *adj* **10.** eisern, Eisen..., aus Eisen: an ~ bar. – **11.** eisenfarben, -farbig. – **12.** *fig.* eisern, hart, ro'bust, 'widerstandsfähig: an ~ constitution eine eiserne Gesundheit. – **13.** *fig.* eisern: a) unerbittlich, grausam, kalt, hart, b) unnachgiebig, unbeugsam, unerschütterlich: the I~ Chancellor der Eiserne Kanzler (*Bismarck*); the I~ Duke der Eiserne Herzog (*Wellington*); an ~ will ein eiserner Wille. – **14.** (*Archäologie*) eisenzeitlich, Eisenzeit..., aus *od.* in der Eisenzeit. – **15.** (*Mythologie*) a) eisern (*das eiserne Zeitalter betreffend*), b) *fig.* verderbt, gemein: ~ times verderbte Zeiten. – **III** *v/t* **16.** (*Kleider etc*) bügeln, plätten. – **17.** ~ out a) glätten, glattwalzen, b) *meist fig.* (*Unebenheiten*) ausbügeln, ausgleichen, (*Schwierigkeiten*) beseitigen: to ~ out a road with a steam roller eine Straße mit der Dampfwalze glattwalzen. – **18.** (*Tür etc*) mit Eisen beschlagen. – **19.** (*j-n*) fesseln, in Eisen legen, (*j-m*) Hand- *od.* Fußschellen anlegen. – **IV** *v/i* **20.** bügeln.

I·ron Age *s* **1.** (*Archäologie*) Eisenzeit *f.* – **2.** i~ a~ (*Mythologie*) eisernes Zeitalter (*letztes, entartetes Zeitalter*).

'i·ron|,bark (tree) *s bot.* (*ein*) Eisenrinden-, Euka'lyptusbaum *m* (*Gattg Eucalyptus*). — **'~,bound** *adj* **1.** in Eisen gefaßt, eisenbeschlagen. – **2.** *fig.* zackig, zerklüftet, felsig: an ~ coast. – **3.** *fig.* starr, unnachgiebig: ~ traditions erstarrte Überlieferungen. — **~ cast·ing** *s tech.* Eisenguß(stück *n*) *m.* — **~ ce·ment** *s tech.* Eisenkitt *m.* — **'~,clad I** *adj* **1.** gepanzert (*Schiff*), eisenverkleidet, -bewehrt, gußgekapselt (*Elektromotor*): ~ motor geschlossener Motor, Panzermotor. – **2.** *fig. bes. Am.* geharnischt, starr, streng, festgefügt (*Gesetz, Vertrag etc*): an ~ rule eine unumstößliche Regel. – **II** *s* **3.** *mar. hist.* gepanzertes Schiff, Panzerschiff *n.* — **~ con·crete** *s tech.* 'Eisenbe,ton *m.* — **I~ Cross** *s mil.* Eisernes Kreuz (*dt. militärische Auszeichnung*). — **~ cur·tain** *s pol.* ‚eiserner Vorhang'. — **~ dross** *s tech.* Hochofenschlacke *f.*

i·rone [ai'roun; 'ai(ə)roun] *s chem.* I'ron *n* ($C_{14}H_{22}O$; *der Geruchsträger des Irisöls*).

i·ron·er ['aiərnər] *s* Bügler(in), Plätter(in).

i·ron| found·ry *s tech.* ,Eisengieße'rei *f.* — **~ gar·ters** *s pl sl.* Fesseln *pl*, Ketten *pl.* — **~ gird·er** *s tech.* (genieteter) Eisenträger. — **~ glance** → hematite. — **~ grass** *s bot.* **1.** Frühlings-Segge *f* (*Carex caryophyllea*). – **2.** Vogelknöterich *m* (*Polygonum aviculare*). — **~ gray,** *bes. Br.* **~ grey** *s* Eisengrau *n.* — **'~-'gray,** *bes. Br.* **'~-'grey** *adj* eisengrau. — **I~ Guard** *s pol.* Eiserne Garde (*ehemalige faschistische Partei Rumäniens*). — **'~'hand·ed** *adj* mit eiserner Hand, streng, unerbittlich. — **'~,head** *s* **1.** *zo.* → goldeneye 2. – **2.** *bot.* → knapweed. — **'~'heart·ed** *adj fig.* hartherzig. — **~ horse** *s colloq.* **1.** ‚Dampfroß' *n* (*Lokomotive*). – **2.** ‚Stahlroß' *n* (*Fahrrad*).

i·ron·i·cal [ai'rɒnikəl], *auch* **i'ron·ic** *adj* i'ronisch, spöttisch. — **i'ron·i·cal·ly** *adv* (*auch zu* ironic). — **i'ron·i·cal·ness** *s* Iro'nie *f.*

i·ron·ing board ['aiərniŋ] *s* Bügel-, Plättbrett *n.*

i·ron| law of wag·es *s econ.* ehernes Lohngesetz. — **~ liq·uor** *s* (*Färberei*) Schwarz-, Eisenbeize *f.* — **~ lung** *s med.* eiserne Lunge. — **~ man** *s irr Am. sl.* **1.** Dollar *m.* – **2.** *sport bes. ausdauernder Ballwerfer.* — **'~,mas·ter** *s bes. Br.* Eisenhüttenbesitzer *m*, 'Eisenfabri,kant *m.* — **~ mold,** *bes. Br.* **~ mould** *s* Eisen-, Rostfleck *m*, alter Tintenfleck. — **'~-,mold,** *bes. Br.* **'~-,mould I** *v/t* rost- *od.* eisenfleckig machen. – **II** *v/i* Rost- *od.* Eisenflecken bekommen, rost- *od.* eisenfleckig werden. — **'~,mon·ger** *s bes. Br.* Eisenwaren-, Me'tallwarenhändler(in). — **'~,mon·ger·y** *s bes. Br.* **1.** Eisen-, Me'tallwaren *pl.* – **2.** Eisen(waren)-, Me'tallwarenhandlung *f.* — **~ mould,** **'~-,mould** *bes. Br. für* iron mold *etc.* — **~ ore** *s min.* Eisenerz *n.* — **~ ox·ide** *s chem.* 'Eiseno,xyd *n* (Fe_2O_3). — **~ py·ri·tes** *s min.* **1.** Eisen-, Schwefelkies *m*, Py'rit *m*, Katzengold *n*, Marka'sit *m* (FeS_2). – **2.** Pyrrho'tin *n*, Ma'gnetkies *m* (FeS). — **~ ra·tion** *s mil.* eiserne Rati'on. — **'~'red** *adj* eisenrot, rostfarbig. — **~ sand** *s* **1.** *min.* eisenhaltiger Sand. – **2.** Eisenfeilspäne *pl.* — **~ scale** *s chem. tech.* (Eisen)Hammerschlag *m* (Fe_3O_4). — **~ scrap** *s tech.* Eisenabfall *m*, Schrott *m.* — **'~,side** *s* **1.** Mann *m* von großer per'sönlicher Tapferkeit. – **2.** I~s *pl* (*als sg konstruiert*) *hist. Beiname von* a) Oliver Cromwell, b) Edmund II. von England. – **3.** I~s *pl hist.* Eisenseiten *pl* (*Cromwells geharnischte Reiterei*). – **4.** *pl* (*als sg konstruiert*) → ironclad 3. — **'~,smith** *s* **1.** Eisenarbeiter *m*, (Grob)Schmied *m.* – **2.** *zo.* (*ein*) Bartvogel *m* (*mit hammerschlagähnlichem Ruf*), *bes.* Grünbart *m* (*Megalaema faber*). — **~ sow** *s tech.* Eisen-, Hochofensau *f.* — **'~,stone** *s min.* Eisenstein *m* (*ein Eisenerz*). — **'~,stone chi·na** *s* Hartsteingut *n.* — **~ sul·phate** *s chem.* 'Eisenvitri,ol *n*, 'Ferrosul,fat *n* ($FeSO_4 \cdot 7H_2O$). — **~ sul·phide** *s chem.* 'Eisensul,fid *n* (FeS). — **'~,ware** *s* Eisen-, Me'tallwaren *pl.* — **'~,weed** *s bot.* **1.** → knapweed. – **2.** Nordamer. Eisenkraut *n* (*Vernonia noveboracensis*). — **'~,wood** *s* **1.** *bot.* Eisenbaum *m* (*Baum mit sehr hartem Holz, bes. Gattgen Sideroxylon, Diospyros u. Millettia*). – **2.** Eisenholz *n.* — **'~,work** *s tech.* **1.** 'Eisenarbeit *f*, -beschlag *m*, -konstrukti,on *f*: ornamental ~ Eisenverzierung; ~ of doors and windows eiserne Tür- u. Fensterbeschläge. – **2.** *pl* (*auch als sg konstruiert*) Eisenhütte *f*, -werk *n.* — **'~,work·er** *s tech.* **1.** Eisen-, Hüttenarbeiter *m.* – **2.** ('Stahlbau)Mon,teur *m.* — **'~,wort** *s bot.* **1.** Gliedkraut *n* (*Gattg Sideritis*). – **2.** → hemp nettle.

i·ron·y¹ ['aiərni] *adj* **1.** eisern. – **2.** eisenhaltig (*Erde*). – **3.** eisenartig.

i·ro·ny² ['ai(ə)rəni] *s* **1.** Iro'nie *f*: the ~ of fate die Ironie des Schicksals; Socratic ~ *philos.* sokratische Ironie (*vorgebliche Unwissenheit*). – **2.** i'ronische Bemerkung, Spötte'lei *f.* – **3.** Iro'nie *f* (*im Drama*): tragic ~. – *SYN. cf.* wit¹.

Ir·o·quoi·an [,irə'kwɔiən] *adj* iro'kesisch. — **Ir·o·quois** ['irə,kwɔi; -z] **I** *s sg u. pl* Iro'kese *m*, Iro'kesin *f*, Iro'kesen *pl.* – **II** *adj* iro'kesisch.

ir·ra·di·ance [i'reidiəns], *auch* **ir'ra·di·an·cy** [-si] *s* **1.** (An)Strahlen *n*, Bestrahlen *n.* – **2.** Strahlenglanz *m.* — **ir'ra·di·ant** *adj auch fig.* ausstrahlend, strahlend (with vor *dat*).

ir·ra·di·ate [i'reidi,eit] **I** *v/t* **1.** bestrahlen, bescheinen, belichten, erleuchten, anstrahlen. – **2.** (*Licht etc*) ausstrahlen, -gießen, entsenden, verbreiten. – **3.** *fig.* (*Gesicht etc*) aufheitern, verklären. – **4.** *fig.* a) (*j-n*) erleuchten, aufklären, zur Einsicht bringen, b) (*etwas*) erhellen, Licht werfen auf (*acc*). – **5.** *phys.* (*mit Strahlungsenergie*) heizen. – **6.** *med.* (*mit ultraviolettem Licht etc*) bestrahlen. – **II** *v/i* **7.** scheinen, leuchten, strahlen. – **8.** strahlend werden.

ir·ra·di·a·tion [i,reidi'eiʃən] *s* **1.** (Aus)-Strahlen *n*, Scheinen *n*, Leuchten *n.* – **2.** (Licht)Strahl *m.* – **3.** Lichthofbildung *f.* – **4.** *fig.* Erleuchtung *f* (*Verstand*), Aufklärung *f.* – **5.** *phys.* a) 'Strahlungsintensi,tät *f*, b) spe'zifische 'Strahlungsener,gie, c) Größererscheinen *n.* – **6.** *phot.* Irradiati'on *f*, Belichtung *f.* – **7.** *med.* Irradiati'on *f*: a) Bestrahlung *f*, Durch'leuchtung *f*, b) Schmerzausstrahlung *f.*

ir·ra·tion·al [i'ræʃənl] **I** *adj* **1.** vernunftlos, unvernünftig. – **2.** gegen jede Vernunft, vernunftwidrig, unlogisch, unsinnig, sinnlos. – **3.** *math. philos.* irratio'nal (*Zahl, Funktion etc*). – **4.** *metr.* unregelmäßig: an ~ foot unregelmäßiger (Vers)Fuß. – *SYN.* unreasonable. – **II** *s* **5.** *math.* Irratio'nalzahl *f.* — **ir'ra·tion·al,ism** *s philos.* Irrationa'lismus *m.* — **ir,ra·tion'al·i·ty** [-'næliti; -əti] *s* **1.** Unvernünftigkeit *f*, Vernunftlosigkeit *f.* – **2.** Vernunftwidrigkeit *f*, Unvernunft *f*, vernunftwidrige *od.* 'widersinnige Handlung *od.* I'dee. – **3.** *math. philos.* Irrationali'tät *f.*

ir·re·al·i·ty [,iri'æliti; -əti] *s* Irreali'tät *f*, Unwirklichkeit *f.* — **ir·re·al·iz·a·ble** [i'riːə,laizəbl] *adj* nicht zu verwirklichen(d).

ir·re·but·ta·ble [,iri'bʌtəbl] *adj* 'unab,weisbar, 'unwider,legbar.

ir·re·claim·a·ble [,iri'kleiməbl] *adj* **1.** unverbesserlich, nicht zu bekehren(d). – **2.** nicht kul'turfähig, unbebaubar. – **3.** unzähmbar. – **4.** 'unwieder,bringlich.

ir·rec·og·niz·a·ble [i'rekəg,naizəbl] *adj* nicht 'wiederzuer,kennen(d), nicht ('wieder)er,kennbar.

ir·rec·on·cil·a·bil·i·ty [i,rekən,sailə'biliti; -əti] *s* **1.** Unvereinbarkeit *f* (to, with mit). – **2.** Unversöhnlichkeit *f.* — **ir'rec·on,cil·a·ble I** *adj* **1.** unvereinbar (to, with mit), gegensätzlich, 'unüber,brückbar: two ~ statements zwei widerstreitende Angaben. – **2.** unversöhnlich: ~ enemies. – **II** *s* **3.** unversöhnlicher (*politischer*) Gegner, Oppo'nent *m.* — **ir'rec·on,cil·a·ble·ness** → irreconcilability.

ir·re·cov·er·a·ble [,iri'kʌvərəbl] *adj* **1.** *econ.* 'unwieder,bringlich, uneinbringlich, unersetzlich: an ~ debt eine uneintreibbare (Schuld)Forderung. – **2.** unheilbar, hoffnungslos (*Krankheit etc*): an ~ sorrow ein untröstlicher Kummer. – **3.** nicht wieder'gutzumachen(d), nicht zu bereinigen(d), nicht zu berichtigen(d): an ~ injury eine tödliche Beleidigung. — **,ir·re'cov·er·a·ble·ness** *s* **1.** Unersetzlichkeit *f.* – **2.** Unheilbarkeit *f.*

ir·re·cu·sa·ble [,iri'kjuːzəbl] *adj* unabweisbar, unablehnbar.

ir·re·deem·a·ble [,iri'diːməbl] *adj* **1.** nicht rückkaufbar. – **2.** *econ.* nicht einlösbar: ~ paper money nicht (in Gold) einlösbares Papiergeld. – **3.** *econ.* a) untilgbar (*Anleihen etc*), b) unlösbar, unkündbar: ~ bonds (*vor dem Fälligkeitstermin*) unkündbare Obligationen *od.* Schuldverschreibungen. – **4.** *fig.* unverbesserlich, unheilbar, unersetzlich, hoffnungslos.

ir·re·den·ta [,iri'dentə] *s pol.* Irre'denta *f* (*völkische Minderheit, die zum Stammland zurückstrebt od. vom Stammland beansprucht wird*). — **,Ir·re'den·tism,** *auch* **i~** *s pol.* Irreden'tismus *m.* — **,Ir·re'den·tist,** *auch* **i~** *pol.* **I** *s* Irreden'tist *m.* – **II** *adj* irreden'tistisch.

ir·re·duc·i·bil·i·ty [,iri,djuːsə'biliti; -əti; *Am. auch* -,duː-] *s* **1.** 'Unredu,zierbarkeit *f.* – **2.** Unfähigkeit *f* vereinfacht zu werden. — **,ir·re'duc·i·ble** *adj* **1.** nicht zu'rückführbar (to auf *acc*), nicht zu vereinfachen(d): to be ~ to a simpler form sich nicht vereinfachen lassen. – 2. *chem. math.* irredu'zibel, nicht redu'zierbar. – 3. *med.* irrepo'nibel (*Eingeweidebruch*). – 4. nicht zu verwandeln(d), nicht verwandelbar (into, to in *acc*). – 5. nicht redu'zierbar, nicht zu vermindern(d): the ~ minimum das absolute Minimum, das Mindestmaß (of an *dat*). — ˌ**ir·re'duc·i·ble·ness** → irreducibility.

ir·re·form·a·ble [ˌiri'fɔːrməbl] *adj* 1. unverbesserlich. – 2. 'unumˌstößlich, 'unabˌänderlich.

ir·ref·ra·ga·bil·i·ty [iˌrefrəgə'biliti; -əti] *s* 1. 'Unwiderˌlegbarkeit *f*. – 2. Unzerstörbarkeit *f*. — **ir'ref·ra·ga·ble** *adj* 1. 'unwiderˌlegbar. – 2. unzerbrechlich, unzerstörbar.

ir·re·fran·gi·ble [ˌiri'frændʒəbl] *adj* 1. unverletzlich, 'unüberˌtretbar, 'unumˌstößlich (*Gesetz etc*). – 2. *phys.* nicht brechbar, unbrechbar (*Strahlen*).

ir·ref·u·ta·bil·i·ty [iˌrefjutə'biliti; -əti; ˌiriˌfjuːt-] *s* 'Unwiderˌlegbarkeit *f*. — **ir'ref·u·ta·ble** *adj* 'unwiderˌlegbar, 'unwiderˌleglich.

ir·re·gard·less [ˌiri'gɑːrdlis] *adj Am. colloq. humor. od. unrichtig für* regardless: he acted quite ~ of his father's admonitions er handelte, ohne sich viel aus den Ermahnungen seines Vaters zu machen.

ir·reg·u·lar [i'regjulər; -jə-] **I** *adj* 1. unregelmäßig: a) regellos, b) ungleichmäßig, -förmig, c) uneinheitlich, d) ungeordnet, 'unmeˌthodisch: at ~ intervals in unregelmäßigen Abständen. – 2. uneben (*Boden*). – 3. regelwidrig. – 4. unregelmäßig, unpünktlich. – 5. a) ungeregelt, unstet, unordentlich (*Lebenswandel etc*), b) ungehörig, ungebührlich, unehrlich (*Handlungen*). – 6. ein ungeregeltes Leben führend. – 7. 'irreguˌlär, nicht voll gültig *od.* anerkannt *od.* ausgebildet: ~ physician Kurpfuscher. – 8. *bot.* unregelmäßig, ungleichförmig. – 9. *ling.* unregelmäßig (*Zeitwort etc*). – 10. *mil.* 'irreguˌlär. – 11. *econ.* unregelmäßig, uneinheitlich, schwankend. – *SYN.* anomalous, unnatural. – **II** *s* 12. Außerordentliche(r), 'irreguˌlär Beschäftigte(r) *od.* Teilnehmende(r). – 13. 'irreguˌlärer Sol'dat, Freischärler *m*, Parti'san *m*. — **irˌreg·u'lar·i·ty** [-'læriti; -əti] *s* 1. Unregelmäßigkeit *f*: a) Regellosigkeit *f*, b) Ungleichmäßigkeit *f*, Ungleichförmigkeit *f*. – 2. Regelwidrigkeit *f*. – 3. ab'normer Zustand, ungewöhnliches Aussehen. – 4. Unregelmäßigkeit *f*, Verstoß *m*, Vergehen *n*. – 5. Ungehörigkeit *f*, Anstößigkeit *f*. – 6. Unordnung *f*. – 7. Unebenheit *f*. – 8. unregelmäßiges Stück. – 9. (*röm.-kath. Kirche*) ka'nonisches Hindernis.

ir·rel·a·tive [i'relətiv] **I** *adj* 1. (to) in keinem Zu'sammenhang stehend (mit), ohne Beziehung (auf *acc*, zu). – 2. unverbunden, beziehungslos, abso'lut, al'leinstehend. – 3. → irrelevant. – 4. *mus.* nicht verwandt, entfernt (*Tonart etc*). – **II** *s* 5. (*etwas*) Beziehungsloses.

ir·rel·e·vance [i'relivəns; -lə-], **ir'rel·e·van·cy** [-si] *s* 1. 'Irreleˌvanz *f*, Unerheblichkeit *f*, Belang-, Bedeutungslosigkeit *f*. – 2. Unanwendbarkeit *f* (to auf *acc*). — **ir'rel·e·vant** *adj* 1. 'irreleˌvant, nicht zur Sache gehörig, nicht gehörig (to zu). – 2. unerheblich, belanglos, nebensächlich (to für). – 3. unanwendbar (to auf *acc*).

ir·re·liev·a·ble [ˌiri'liːvəbl] *adj* 1. nicht zu entlasten(d), nicht abzulösen(d). – 2. nicht abzuhelfen(d), nicht abzustellen(d): this situation is ~ diesem Zustand ist nicht abzuhelfen, dieser Zustand ist nicht abzustellen.

ir·re·li·gion [ˌiri'lidʒən] *s* 1. Religi'onslosigkeit *f*, Unglaube *m*. – 2. Religi'onsfeindlichkeit *f*, Gottlosigkeit *f*. – 3. Irrglaube *m*, Abgötte'rei *f*. — ˌ**ir·re'li·gion·ist** *s* 1. religi'onsloser Mensch. – 2. Religi'onsverächter(in). — ˌ**ir·re'li·gious** [-dʒəs] *adj* 1. religi'onslos, irreligiös. – 2. gottlos, -vergessen. – 3. religi'onsfeindlich. — ˌ**ir·re'li·gious·ness** *s* 1. Religi'onslosigkeit *f*, Irreligiosi'tät *f*. – 2. Religi'onsfeindlichkeit *f*.

ir·rem·e·a·ble [i'remiəbl; -'riː-] *adj poet.* ohne 'Wiederkehr.

ir·re·me·di·a·ble [ˌiri'miːdiəbl] *adj* 1. unheilbar. – 2. nicht wieder'gutzumachen(d). – 3. 'unabˌänderlich. — ˌ**ir·re'me·di·a·ble·ness** *s* Unheilbarkeit *f*, 'Unabˌänderlichkeit *f*.

ir·re·mis·si·bil·i·ty [ˌiriˌmisə'biliti; -əti] *s* 1. Unverzeihlichkeit *f*. – 2. Unerläßlichkeit *f*. — ˌ**ir·re'mis·si·ble** *adj* 1. unverzeihlich (*Vergehen*). – 2. unerläßlich (*Pflicht*). — ˌ**ir·re'mis·sible·ness** → irremissibility.

ir·re·mov·a·bil·i·ty [ˌiriˌmuːvə'biliti; -əti] *s* 1. Unbewegbarkeit *f*. – 2. Unkündbarkeit *f*, Unabsetzbarkeit *f*. — ˌ**ir·re'mov·a·ble** *adj* 1. nicht zu entfernen(d), nicht entfernbar, unbewegbar. – 2. unabsetzbar, unkündbar (*Beamter etc*). – 3. unbeweglich, fest.

ir·rep·a·ra·bil·i·ty [iˌrepərə'biliti; -əti] *s* 1. ˌIrreparabili'tät *f*. – 2. Unersetzlichkeit *f*. — **ir'rep·a·ra·ble** *adj* 1. irrepa'rabel, nicht wieder'gutzumachen(d), nicht wieder'herstellbar. – 2. unersetzlich, 'unwiederˌbringlich. — **ir'rep·a·ra·ble·ness** → irreparability.

ir·re·peal·a·ble [ˌiri'piːləbl] *adj* 'unwiderˌruflich.

ir·re·place·a·ble [ˌiri'pleisəbl] *adj* unersetzlich, unersetzbar.

ir·re·plev·i·a·ble [ˌiri'pleviəbl], ˌ**ir·re'plev·i·sa·ble** [-visəbl] *adj jur.* unauslösbar, uneinlösbar.

ir·re·press·i·bil·i·ty [ˌiriˌpresə'biliti; -əti] *s* 1. 'Ununterˌdrückbarkeit *f*. – 2. Unbezähmbarkeit *f*. — ˌ**ir·re'press·i·ble** *adj* 1. 'ununterˌdrückbar, nicht zu unter'drücken(d): ~ laughter nicht zu unterdrückendes Lachen; the ~ conflict *Am. hist.* a) der Widerstreit zwischen Sklaverei u. freier Arbeit, b) (*später*) der amer. Bürgerkrieg (*1861–65*). – 2. un(be)zähmbar, unbändig (*Person*). — ˌ**ir·re'press·i·ble·ness** → irrepressibility.

ir·re·proach·a·ble [ˌiri'proutʃəbl] *adj* untadelig, einwandfrei (*Benehmen etc*). — ˌ**ir·re'proach·a·ble·ness** *s* Untadeligkeit *f*.

ir·re·sist·i·bil·i·ty [ˌiriˌzistə'biliti; -əti] *s* 'Unwiderˌstehlichkeit *f*. — ˌ**ir·re'sist·i·ble** *adj* 'unwiderˌstehlich. — ˌ**ir·re'sist·i·ble·ness** → irresistibility.

ir·res·o·lu·ble [i'rezəljubl; -jə-] *adj* 1. un(auf)lösbar. – 2. nicht zu beseitigen(d).

ir·res·o·lute [i'rezəˌluːt; -ˌljuːt] *adj* unentschlossen, unschlüssig, schwankend. — **ir'res·o·lute·ness, irˌres·o'lu·tion** *s* Unentschlossenheit *f*, Unschlüssigkeit *f*, Schwanken *n*.

ir·re·solv·a·ble [ˌiri'zɒlvəbl] *adj* 1. un(auf)löslich, un(auf)lösbar. – 2. nicht analy'sierbar. – 3. unlösbar (*Problem*).

ir·re·spec·tive [ˌiri'spektiv] *adj* unbeeinflußt, 'unvorˌeingenommen, 'unparˌteiisch: ~ of ohne Rücksicht auf (*acc*), ungeachtet (*gen*), ohne zu achten auf (*acc*), unabhängig von.

ir·re·spir·a·ble [ˌiri'spai(ə)rəbl; i'respir-] *adj* nicht atembar (*Gas*).

ir·re·spon·si·bil·i·ty [ˌiriˌspɒnsə'biliti; -əti] *s* 1. Unverantwortlichkeit *f*. – 2. Verantwortungslosigkeit *f*. – 3. Unzurechnungsfähigkeit *f*. — ˌ**ir·re'spon·si·ble I** *adj* 1. nicht verantwortlich (zu machend) (for für). – 2. unverantwortlich, verantwortungslos (*Handlung*). – 3. verantwortungslos (*Person*). – 4. unzurechnungsfähig. – **II** *s* 5. Unverantwortliche(r), Verantwortungslose(r). – 6. Unzurechnungsfähige(r). — ˌ**ir·re'spon·si·ble·ness** → irresponsibility.

ir·re·spon·sive [ˌiri'spɒnsiv] *adj* 1. teilnahmslos, verständnislos, gleichgültig (to gegenüber): to be ~ to s.th. auf etwas nicht reagieren. – 2. unempfänglich (to für). – 3. wortkarg, nicht *od.* kaum antwortend. — ˌ**ir·re'spon·sive·ness** *s* 1. Teilnahmslosigkeit *f*, Gleichgültigkeit *f*, 'Nichtreaˌgieren *n*. – 2. Unempfänglichkeit *f*.

ir·re·ten·tion [ˌiri'tenʃən] *s* Nicht(be)'haltenkönnen *n*. — ˌ**ir·re'ten·tive** [-tiv] *adj* 1. nicht (zu'rück)behaltend. – 2. unfähig (*etwas*) zu behalten *od.* zu'rückzuhalten. – 3. schwach (*Gedächtnis*).

ir·re·trace·a·ble [ˌiri'treisəbl] *adj* 1. nicht rückgängig zu machen(d). – 2. nicht zu'rückzuverfolgen(d).

ir·re·triev·a·bil·i·ty [ˌiriˌtriːvə'biliti; -əti] *s* 1. 'Unwiederˌbringlichkeit *f*. – 2. Unersetzbarkeit *f*. — ˌ**ir·re'triev·a·ble** *adj* 1. 'unwiederˌbringlich. – 2. unersetzlich, unersetzbar. – 3. nicht wieder'gutzumachen(d). — ˌ**ir·re'triev·a·ble·ness** → irretrievability.

ir·rev·er·ence [i'revərəns] *s* 1. Re'spektlosigkeit *f*, Unehrerbietigkeit *f*. – 2. Geringschätzung *f*, 'Mißachtung *f*: to be held in ~ nicht geachtet werden *od.* sein. — **ir'rev·er·ent, irˌrev·er'en·tial** [-'renʃəl] *adj* unehrerbietig, re'spektlos, ehrfurchtslos (towards gegenüber).

ir·re·vers·i·bil·i·ty [ˌiriˌvəːrsə'biliti; -əti] *s* 1. *chem. math. phys.* ˌIrreversibili'tät *f*. – 2. Nicht'umkehrbarkeit *f*. – 3. 'Unwiderˌruflichkeit *f*. — ˌ**ir·re'vers·i·ble** *adj* 1. *chem. math. phys.* irrever'sibel. – 2. nicht 'umkehrbar *od.* 'umdrehbar. – 3. *tech.* nicht fähig, rückwärts zu gehen *od.* zu laufen. – 4. *electr.* selbstsperrend. – 5. 'unwiderˌruflich, 'unumˌstößlich.

ir·rev·o·ca·bil·i·ty [iˌrevəkə'biliti; -əti] *s* 'Unwiderˌruflichkeit *f*. — **ir'rev·o·ca·ble** *adj* 'unwiderˌruflich, 'unabˌänderlich, 'unumˌstößlich: ~ letter of credit *econ.* unwiderrufliches Akkreditiv. — **ir'rev·o·ca·ble·ness** → irrevocability.

ir·ri·ga·ble ['irigəbl] *adj* bewässerbar.

ir·ri·gate ['iriˌgeit; -rə-] *v/t* 1. *agr.* (künstlich) bewässern, berieseln: ~d fields Rieselfelder. – 2. *med.* (*Wunde*) spülen. – 3. *fig.* erfrischen, beleben. – 4. *selten* befeuchten. — ˌ**ir·ri'ga·tion** *s* 1. *agr.* (künstliche) Bewässerung *od.* Berieselung: ~ canal (*od.* channel) Bewässerungskanal, -graben. – 2. *med.* Irrigati'on *f*, Spülung *f*, Berieselung *f*: colonic ~ Einlauf, Darmspülung; continuous ~ Dauerberieselung; gastric ~ Magenspülung. — ˌ**ir·ri'ga·tion·al,** '**ir·riˌga·tive** *adj* Bewässerungs..., Berieselungs..., Riesel...: ~ works Bewässerungsanlagen. — '**ir·riˌga·tor** [-tər] *s* 1. Bewässernde(r). – 2. Bewässerungsgerät *n*. – 3. *med.* Irri'gator *m*, 'Spülappaˌrat *m*.

ir·rig·u·ous [i'rigjuəs] *adj selten* 1. gut bewässert. – 2. Bewässerungs...

ir·ri·sor [i'raisər] *s zo.* Baumhopf *m* (*Gattg Phoeniculus*).

ir·ri·ta·bil·i·ty [ˌiritə'biliti; -rə-; -əti] *s* 1. Reizbarkeit *f*. – 2. *med.* a) Reizbarkeit *f*, b) Gereiztheit *f*, krankhafte Erregbarkeit, c) krankhafte Empfindlichkeit. – 3. *biol. med.* Reiz-, Reakti'onsfähigkeit *f*. — '**ir·ri·ta·ble** *adj* 1. reizbar, leicht erregbar. – 2. *med.*

a) gereizt, ner'vös, b) Reiz..., c) leicht entzündlich, d) empfindlich, schmerzhaft (*Wunde etc*): ~ **cough** Reizhusten; ~ **heart** nervöses Herz, Herzneurose. – 3. *biol. med.* reizfähig, auf Reize rea'gierend. – *SYN.* fretful, peevish, querulous. — **'ir·ri·ta·ble·ness** → irritability.

ir·ri·tan·cy[1] ['iritənsi; -rə-] *s* Ärgerlichkeit *f*, (*das*) Ärgerliche, (*das*) Aufreizende.

ir·ri·tan·cy[2] ['iritənsi; -rə-] *s* (*röm. u. schott. Recht*) 1. Nichtig-, Ungültigmachung *f*. – 2. Nichtigkeitsklausel *f*.

ir·ri·tant[1] ['iritənt; -rə-] I *adj* 1. Reiz...: ~ **agent** Reizmittel; ~ **smoke** Reizrauch. – 2. *obs.* aufreizend. – II *s* 3. Reizmittel *n* (*auch fig.*). – 4. *mil.* Reiz(kampf)stoff *m*.

ir·ri·tant[2] ['iritənt; -rə-] *adj* (*röm. u. schott. Recht*) ungültig machend, annul'lierend.

ir·ri·tate[1] ['iri,teit; -rə-] *v/t* 1. reizen, erzürnen, (ver)ärgern, irri'tieren: ~**d at** (*od.* **by, with**) **s.th.** verärgert *od.* erzürnt über eine Sache. – 2. *biol. med.* (*Muskeln, Nerven*) reizen. – 3. *med.* (*Organ*) reizen, entzünden. – *SYN.* exasperate, nettle[1], peeve, provoke, roil.

ir·ri·tate[2] ['iri,teit; -rə-] *v/t jur.* für null u. nichtig erklären.

ir·ri·tat·ing ['iri,teitiŋ; -rə-] *adj* 1. aufreizend, provo'zierend. – 2. lästig, ärgerlich. – 3. *med.* Reiz... — **'ir·ri,tat·ing·ly** *adv* aufreizend.

ir·ri·ta·tion [,iri'teiʃən; -rə-] *s* 1. Verärgerung *f*, Reizung *f*. – 2. Ärger *m* (**at** über *acc*). – 3. *biol. med.* Reizung *f*, Reiz *m*. – 4. *med.* Reizung *f*, Reizzustand *m*: ~ **of the kidney** Nierenreizung; **intestinal** ~ Darmreizung. — **'ir·ri,ta·tive** [-tiv] *adj* 1. Reiz..., reizend. – 2. *med.* Reiz... : ~ **fever** Reizfieber.

ir·ro·ta·tion·al [,iro'teiʃənl; -rə-] *adj math. phys.* wirbel-, drallfrei: ~ **flow** drallfreie Strömung.

ir·rup·tion [i'rʌpʃən] *s* 1. (gewaltsames) Eindringen, Einbruch *m*, (plötzliches) Her'einbrechen, Her'einstürzen *n*: ~ **of water** Wassereinbruch. – 2. Einfall *m*, Einbruch *m*. — **ir'rup·tive** [-tiv] *adj* 1. her'einbrechend, -stürzend. – 2. *geol.* intru'siv, Intrusiv...

Ir·ving·ism ['əːrviŋ,izəm] *s relig.* Irvingia'nismus *m* (*Lehre des Edward Irving, 1792–1834*). — **'Ir·ving,ite** [-,ait] *s* Irvingi'aner(in).

is [iz; z] *Hilfszeitwort* 1. (*3. sg pres ind von* **be**) ist: **he** ~ **a man** er ist ein Mann. – 2. *dial. in allen Personen des pres ind gebraucht*: **I** ~, **you** ~ *etc.*

is- [ais] → iso-.

I·saac ['aizək] *npr Bibl.* Isaak *m*.

Is·a·bel·la [,izə'belə], *auch* **'Is·a,bel** I *s* 1. Isa'bellfarbe *f* (*schmutziges Gelb*). – 2. *auch* ~ **grape** *bot.* Fuchsrebe *f* (*Vitis labrusca*). – II *adj* → isabelline. — **,is·a'bel·line** [-lin; -lain] *adj* isa'bellfarben, schmutziggrau.

is·a·cous·tic [,aisə'kuːstik; -'kaus-] *adj* von gleicher Lautstärke: ~ **lines** Is(o)akusten.

i·sa·go·ge [,aisə'goudʒi] *s* Isa'goge *f*, Einleitung *f*, Einführung *f*. — **,i·sa'gog·ic** [-'gɒdʒik] *bes. relig.* I *adj* einleitend, einführend, Einführungs... – II *s pl* (*oft als sg konstruiert*) Isa'gogik *f*, Einführungswissenschaft *f*.

I·sa·iah [ai'zaiə; -'zeiə], *auch* **I'sa·ias** [-əs] *Bibl.* I *npr* I'saias *od.* Je'saia(s) *m* (*Prophet*). – II *s* Buch *n* Je'saia(s) (*des Alten Testaments*).

i·sal·lo·bar [ai'sælə,bɑːr] *s* (*Meteorologie*) Isallo'bare *f* (*Verbindungslinie von Orten mit gleichem Luftdruckwechsel in derselben Zeit*). — **is·a·nom·al** [,aisə'nɒməl] *s* (*Meteorologie*) Isano'male *f* (*Linie gleicher Abweichung von Normalwerten*).

i·sa·tin ['aisətin; -zə-], *auch* **'i·sa·tine** [-tin; -,tiːn] *s chem.* Isa'tin *n* ($C_8H_5O_2N$; *geläuterter Indigo*).

is·ba [iz'bɑː; 'izbɑː] (*Russ.*) *s* Isba *f* (*russ. Blockhaus*).

Is·car·i·ot [is'kæriət] I *npr Bibl.* Is'chariot *m*. – II *s fig.* Verräter *m*, Betrüger *m*.

is·che·mi·a, *auch* **is'chae·mi·a** [is'kiːmiə] *s med.* Ischä'mie *f*, örtliche Blutleere. — **is'che·mic,** *auch* **is'chae·mic** [-'kiːmik; -'kem-] *adj med.* is'chämisch, örtlich blutleer.

is·chi·ad·ic [,iski'ædik], *auch* **is·chi·al** ['iskiəl], *auch* **,is·chi'at·ic** [-'ætik] *adj med.* das Hüft- *od.* Sitzbein betreffend, ischi'atisch: **ischial tuberosity** Gesäßknorren.

is·chi·um ['iskiəm] *pl* **-chi·a** [-ə] *s* 1. *med.* Sitz-, Gesäßbein *n*. – 2. *zo.* drittes Fußglied (*der Krebse*).

is·chu·ret·ic [,iskju'retik] *med.* I *adj* 1. is'churisch, ischu'retisch. – II *s* 2. harnverhaltendes Mittel. – 3. harntreibendes Mittel. — **is'chu·ri·a** [-'kju(ə)riə] *s med.* Ischu'rie *f*, Harnverhaltung *f*.

Ish·ma·el ['iʃmiəl; *Br. auch* -meil] I *npr Bibl.* Ismael *m*. – II *s fig.* Verstoßene(r), Paria *m*. — **'Ish·ma·el,ite** *s* 1. Ismae'lit *m* (*Angehöriger gewisser arab. Stämme*). – 2. Verstoßene(r), Ausgestoßene(r), Geächtete(r).

Ish·tar ['iʃtɑːr] *npr antiq.* Ishtar *f* (*babylonisch-assyrische Göttin*).

i·sin·glass [*Br.* 'aiziŋ,glɑːs; *Am.* -,glæ(ː)s] *s* 1. Hausenblase *f*, Fischleim *m*. – 2. Glimmer *m*, Ma'rienglas *n*.

I·sis ['aisis] *npr* Isis *f* (*ägyptische Göttin*).

Is·lam ['islɑːm; -ləm; 'iz-; is'lɑːm] *s relig.* Is'lam *m*. — **Is'lam·ic** [-'læmik; -'lɑː-] *adj* is'lamisch, isla'mitisch, mohamme'danisch, Islam... — **'Is·lam,ism** [-lə,mizəm] *s* Isla'mismus *m*. — **'Is·lam,ite** *s* Isla'mit(in), Mohamme'daner(in). — **,Is·lam'it·ic** [-'mitik] → Islamic.

is·land ['ailənd] I *s* 1. Insel *f*: ~ **arc** *geogr.* Inselbogen; **I**~**s of the Blessed** Inseln der Seligen. – 2. inselähnliches Gebilde: **floating** ~ (**of ice**) schwimmende Eisinsel, Eisberg. – 3. Hain *m*, Baumgruppe *f*. – 4. einzelne Bodenerhebung, Hügel *m*, Inselberg *m*. – 5. Verkehrsinsel *f*. – 6. *med.* Zellhaufen *m*, -insel *f*: ~**s of Langerhans** → **islets of Langerhans**. – 7. *mar.* Insel *f*, Aufbau *m* (*bes. auf Flugzeugträgern, mit Kommandobrücke etc*): **three-**~ **ship** Dreiinselschiff. – II *v/t* 8. als Insel *od.* inselartig gestalten. – 9. punk'tieren, mit Inseln versehen *od.* bedecken. – 10. (*auf einer Insel*) aussetzen, iso'lieren. — **'is·land·er** *s* Inselbewohner(in), Insu'laner(in). — **'is·land·less** *adj* insellos, ohne Inseln. **'is·land|,like** *adj* inselähnlich. — ~ **u·ni·verse** *s astr.* 'Milch,straßensy,stem *n*.

isle [ail] I *s poet. od. obs.* kleine Insel, Eiland *n*: **the I**~ **of Wight**. – II *v/t* → island 8 *u.* 10. – III *v/i* auf einer Insel wohnen *od.* leben.

is·let ['ailit] *s* 1. kleine Insel, Inselchen *n*. – 2. Punkt *m*.

is·lets of Lan·ger·hans ['laŋərhans] *s pl med.* Langerhanssche Inseln *pl* (*des Pankreas*).

ism ['izəm] *s* Ismus *m* (*bloße Theorie*).

Is·ma·il·i·an [,ismei'iliən; -'iːl-] *s* Ismai'lide *m* (*Angehöriger einer moham. Sekte*).

is·n't ['iznt] *colloq. für* **is not**.

iso- [aiso; -sə; -sɒ] *Wortelement mit der Bedeutung* gleich, iso..., Iso... (*bes. bei isomeren chemischen Zusammensetzungen*): **isobutane** Isobutan.

i·so·ag·glu·ti·na·tion [,aisoə,gluːti'neiʃən; -tə-] *s med.* ,Isoagglutinati'on *f* (*Agglutination beim Mischen menschlicher Blutarten verschiedener Blutgruppen*). — **,i·so·ag'glu·ti·nin** [-nin] *s chem.* ,Isoaggluti'nin *n*.

i·so·bar ['aiso,bɑːr; -sə-] *s* 1. (*Meteorologie*) Iso'bare *f* (*Linie gleichen Luftdrucks*). – 2. *phys.* Iso'bar *n* (*Elemente gleicher Massezahl bei unterschiedlicher Kernladung*): **nuclear** ~ Kernisobar. — **,i·so'bar·ic** [-'bærik] *adj* 1. (*Meteorologie*) iso'bar(isch), von gleichem Luftdruck: ~ **slope** Druckgefälle. – 2. *phys.* iso'bar.

i·so·base ['aiso,beis; -sə-] *s geol.* Iso'base *f* (*Linie gleicher Erhebung*). — **'i·so,bath** [-,bæθ] *s geogr.* Iso'bathe *f*, Tiefenlinie *f* (*Linie gleicher Wassertiefe*).

i·so·car·pic [,aiso'kɑːrpik; -sə-], *auch* **,i·so'car·pous** [-pəs] *adj bot.* mit gleichzähligen Fruchtblättern, mit iso'merem Fruchtknoten.

i·so·chasm ['aiso,kæzəm; -sə,k-] *s geogr.* Iso'chasme *f* (*Verbindungslinie gleicher Polarlichthäufigkeit*). — **'i·so,cheim,** *auch* **'i·so,chime** [-,kaim] *s* (*Meteorologie*) Isochi'mene *f* (*Verbindungslinie von Orten gleicher mittlerer Wintertemperatur*).

i·so·chor(e) ['aiso,kɔːr; -sə-] *s phys.* Iso'chore *f*.

i·so·chro·mat·ic [,aisokro'mætik] *adj* 1. *phys.* isochro'matisch, iso'chrom, gleichfarbig. – 2. *phys. gemischte Strahlung verschiedener Strahlentypen, aber gleicher Frequenz betreffend.* – 3. *phot.* orthochro'matisch.

i·so·chron ['aiso,krɒn; -sə-] *s phys.* Iso'chrone *f* (*Linie gleicher Zeitdauer od. gleichzeitiger Erscheinungen*). — **i·soch·ro·nal** [ai'sɒkrənl] *adj* iso'chron: a) gleich lange Zeit dauernd, b) in gleichen Zeitabständen eintretend. — **'i·so,chrone** [-,kroun] → isochron. — **i'soch·ro,nism** *s phys.* Isochro'nismus *m* (*gleiche Schwingungsdauer von Pendeln etc*). — **i'soch·ro,nize** *v/t* iso'chron machen, isochroni'sieren. — **i'soch·ro·nous** → isochronal.

i·soch·ro·ous [ai'sɒkroəs] *adj* gleich-[mäßig gefärbt.]

i·so·cli·nal [,aiso'klainl; -sə-] I *adj* 1. *phys.* iso'klin(isch), von gleicher Inklinati'on (*der Magnetnadel*): ~ **line** Isokline. – 2. *geol.* iso'klin, mit gleicher Neigung (*Schichten*), gleichgeschichtet, Isoklinal...: ~ **fold** Isoklinalfalte. – II *s* 3. *phys.* Iso'kline *f*, iso'klinische Linie. — **'i·so,cline** [-,klain] *s geol.* Isokli'nalfalte *f*. — **,i·so'clin·ic** [-'klinik] → isoclinal.

i·so·cosm ['aiso,kɒzəm; -sə,k-] *s phys.* Linie *f* gleicher kosmischer 'Strahlungsintensi,tät.

i·soc·ra·cy [ai'sɒkrəsi] *s pol.* Isokra'tie *f* (*Regierungssystem mit gleichmäßig verteilten Machtbefugnissen*). — **i·so·crat·ic** [,aisə'krætik] *adj* iso'kratisch.

i·so·cryme ['aiso,kraim; -sə-] *s* (*Meteorologie*) Iso'kryme *f* (*Verbindungslinie von Orten gleicher mittlerer Kälte*).

i·so·cy·a·nine [,aiso'saiə,niːn; -,nain; -nin; -sə's-] *s chem. phot.* Isocya'nin *n* (*Farbstoff*).

i·so·di·a·met·ric [,aiso,daiə'metrik] *adj* 1. von gleichem 'Durchmesser. – 2. *bot.* isodia'metrisch, in allen Richtungen gleich lang (*Zelle*). – 3. *min.* isodia'metrisch (*Kristall*).

i·so·di·mor·phism [,aisodai'mɔːrfizəm] *s min.* ,Isodimor'phismus *m* (*von Kristallen*). — **,i·so·di'mor·phous** *adj min.* isodi'morph.

i·so·dy·nam·ic [,aisodai'næmik; -di'n-], *auch* **,i·so·dy'nam·i·cal** [-kəl] *adj* 1. *chem.* isody'nam, ener'getisch gleichwertig. – 2. *phys.* isody'namisch, von gleicher ma'gnetischer Feldstärke.

i·so·dy·nam·ic line *s phys.* Isody'name *f* (*Verbindungslinie von Orten gleicher Stärke des Erdmagnetismus*).

i·so·e·lec·tric [ˌaisoiˈlektrik] *adj electr.* isoeˈlektrisch (*von gleichem elektr. Potential*): ~ **point** isoelektr. Punkt.

i·so·ga·mete [ˌaisogəˈmiːt] *s biol.* Isogaˈmet *m.*

i·sog·a·mous [aiˈsɒgəməs], *auch* **i·so·gam·ic** [ˌaisoˈgæmik; -sə-] *adj biol.* isoˈgam. — **iˈsog·a·my** *s biol.* Isogaˈmie *f* (*Verschmelzung gleichgestalteter Geschlechtszellen*).

i·sog·e·nous [aiˈsɒdʒinəs; -dʒə-] *adj biol.* a) *von gleichem od. ähnlichem Ursprung od. Erbbild,* b) *aus dem gleichen Zellgewebe.* — **iˈsog·e·ny** *s* Isogeˈnie *f,* Ursprungs-, Stoffgleichheit *f,* -ähnlichkeit *f.*

i·so·ge·o·therm [ˌaisoˈdʒiːoˌθəːrm] *s geol. phys.* Isogeoˈtherme *f* (*Verbindungslinie von Orten gleicher Bodenwärme*).

i·so·gloss [ˈaisoˌglɒs; -sə-; *Am. auch* -ˌglɔːs] *s ling.* Isoˈglosse *f* (*Linie, die bestimmte Eigentümlichkeiten eines Sprachgebiets umgrenzt*).

i·sog·o·nal [aiˈsɒgənl] → **isogonic** I. — **i·so·gon·ic** [ˌaisoˈgɒnik; -sə-] **I** *adj* **1.** *math.* isogoˈnal, gleichwinklig. – **2.** winkeltreu. – **3.** *phys.* von gleicher maˈgnetischer Deklinatiˈon. – **II** *s* **4.** *meist* ~ **line** Isoˈgone *f.*

i·so·gram [ˈaisoˌgræm; -sə-] *s geol.* (*Meteorologie*) Isoˈgramm *n* (*Verbindungslinie von Orten mit gleichen geologischen od. klimatischen Bedingungen*).

i·so·hel [ˈaisoˌhel; -sə-] *s* (*Meteorologie*) Isoheˈlie *f* (*Verbindungslinie von Orten mit gleicher Sonneneinstrahlung*). — ˌ**i·soˈhy·et** [-ˈhaiit] *s* Isohyˈete *f* (*Verbindungslinie von Orten gleicher Niederschlagsmenge*).

i·so·late [ˈaisəˌleit] *v/t* **1.** isoˈlieren, absondern (from von): **isolating languages** isolierende Sprachen (*ohne Formenbildung*). – **2.** *med.* (*Patienten wegen ansteckender Krankheit*) isoˈlieren. – **3.** *electr. phys.* isoˈlieren. – **4.** *chem.* (*Verbindung*) isoˈlieren, rein darstellen. – **5.** abschließen, abdichten. — **ˈi·soˌlat·ed** *adj* **1.** isoˈliert, (ab)gesondert, vereinzelt (*auch fig.*), Einzel...: an ~ **case** ein Einzelfall. – **2.** einsam, abgeschieden. – **3.** *electr. med. phys.* isoˈliert. – **4.** *chem.* isoˈliert, rein dargestellt.

i·so·la·tion [ˌaisəˈleiʃən] *s* **1.** Isoˈlieren *n.* – **2.** Isolatiˈon *f,* Isoˈlierung *f.* – **3.** *med.* Isoˈlierung *f,* Absonderung *f*: ~ **hospital** Klinik für ansteckende Krankheiten, *mil.* Seuchenlazarett. – **4.** *pol.* Isoˈlierung *f,* Abschließung *f* (*eines Staates gegenüber dem Ausland*). – *SYN. cf.* **solitude.** — ˌ**i·soˈla·tionˌism** *s pol.* Isolatioˈnismus *m.* — ˌ**i·soˈla·tion·ist** *s pol.* Isolatioˈnist *m.*

i·sol·o·gous [aiˈsɒləgəs] *adj chem.* isoˈlog. — **i·so·logue** [ˈaisoˌlɒg; -sə-; *Am. auch* -ˌlɔːg] *s chem.* Isoˈlog *n.*

i·so·mag·net·ic [ˌaisomægˈnetik] *adj geogr.* isomaˈgnetisch: ~ **line** isomagnetische Kurve (*Linie gleicher erdmagnetischer Werte*).

i·so·mer [ˈaisomər; -sə-] *s chem.* Isoˈmer *n,* isoˈmere Verbindung. — ˌ**i·soˈmer·ic** [-ˈmerik], ˌ**i·soˈmer·i·cal** *adj chem. phys.* isoˈmer (*von gleichartiger Zusammensetzung, aber verschiedener Verhaltensweise*). — **i·som·er·ism** [aiˈsɒməˌrizəm] *s chem. phys.* Isomeˈrie *f.* — **iˈsom·erˌize** *v/t* isomeriˈsieren. — **iˈsom·er·ous** *adj* **1.** von gleicher Anzahl, gleichteilig. – **2.** *bot.* isoˈmer, gleichzählig (*Blüte*).

i·so·met·ric [ˌaisoˈmetrik; -sə-] **I** *adj* **1.** isoˈmetrisch. – **2.** *math.* reguˈlär, maßgleich. – **3.** *min.* isoˈmetrisch: **the** ~ **system** das isometrische, reguläre, kubische *od.* Tesseralsystem. – **4.** *metr.* gleichfüßig. – **II** *s* **5.** *meist* ~ **line** isoˈmetrische Linie, Linie *f* konˈstanten Wertes (*der Bezugsgröße*). — ˌ**i·soˈmet·ri·cal** [-kəl] → **isometric** I.

i·so·me·tro·pi·a [ˌaisomiˈtroupiə; -mə-] *s med.* Isometroˈpie *f* (*gleiche Refraktionsverhältnisse beider Augen*).

i·som·e·try [aiˈsɒmitri; -mə-] *s* **1.** *math.* Isomeˈtrie *f,* Maßgleichheit *f,* Entfernungs-, Streckentreue *f.* – **2.** *geogr.* Höhengleichheit *f.*

i·so·morph [ˈaisoˌmɔːrf; -sə-] *s* **1.** *biol.* isoˈmorpher Orgaˈnismus. – **2.** *chem.* isoˈmorphe Subˈstanz. – **3.** *ling.* Isoˈmorphe *f* (*Grenzlinie eines Sprachgebiets, in dem bestimmte grammatische Formen vorherrschen*). — ˌ**i·soˈmor·phic** *adj* **1.** *biol.* isoˈmorph, gleichgestaltig. – **2.** *min.* isoˈmorph. — ˌ**i·soˈmor·phism** *s* **1.** *biol. chem. math.* Isomorˈphismus *m,* Gleichgestaltigkeit *f,* Strukˈturgleichheit *f.* – **2.** *min.* Isomorˈphie *f.* — ˌ**i·soˈmor·phous** → **isomorphic.**

i·so·neph [ˈaisoˌnef; -sə-] *s* (*Meteorologie*) Isoˈnephe *f* (*Verbindungslinie von Orten gleicher Bewölkung*).

i·so·ni·a·zide [ˌaisoˈnaiəˌzaid] *s chem. med.* Isoniaˈzid *n* (*Tuberkulosemittel*).

i·son·o·my [aiˈsɒnəmi] *s jur.* Rechts-, Gesetzesgleichheit *f.*

i·so·oc·tane [ˌaisoˈɒktein] *s chem.* ˌIsookˈtan *n* (C_8H_{20}).

i·so·per·i·met·ric [ˌaisoˌperiˈmetrik; -sə-], *auch* ˌ**i·soˌper·iˈmet·ri·cal** [-kəl] *adj* isoperiˈmetrisch, von gleichem ˈUmfang.

i·so·pi·es·tic [ˌaisopaiˈestik] **I** *adj* → **isobaric.** – **II** *s* → **isobar.**

i·so·pleth [ˈaisoˌpleθ; -sə-] *s math. phys.* Isoˈplethe *f* (*Linie gleicher Zahlenwerte verschiedener Größen*).

i·so·pod [ˈaisoˌpɒd; -sə-] *zo.* **I** *adj* gleichfüßig, zu den Asseln gehörig. – **II** *s* Isoˈpode *m,* Gleichfüßer *m,* Assel *f* (*Ordng Isopoda*).

i·so·prene [ˈaisoˌpriːn; -sə-] *s chem.* Isoˈpren *n* (C_5H_8; *ein flüssiger Kohlenwasserstoff*). — ˌ**i·soˈpro·pyl** [-ˈproupil] *s chem.* Isoproˈpyl *n* [$(CH_3)_2CH$–]: ~ **alcohol** Isopropylalkohol (C_3H_8O); ~ **ether** Isopropyläther [$(C_3H_7)_2O$].

i·sos·ce·les [aiˈsɒsiˌliːz; -səˌl-] *adj* gleichschenk(e)lig (*Dreieck*).

i·so·seis·mal [ˌaisoˈsaizməl; -səˈs-; -ˈsais-], ˌ**i·soˈseis·mic** *geol.* **I** *adj* isoˈseismisch. – **II** *s* Isoseˈiste *f* (*Verbindungslinie von Orten gleicher Erdbebenerschütterung*).

i·sos·ta·sy [aiˈsɒstəsi] *s geol.* Isostaˈsie *f* (*Gleichgewichtszustand der Erdkruste*). — **i·so·stat·ic** [ˌaisoˈstætik; -səˈs-] *adj geol.* isoˈstatisch, in hydroˈstatischem Gleichgewicht.

i·soth·er·al [aiˈsɒθərəl] (*Klimatologie*) **I** *adj* isotheˈral. – **II** *s* Isoˈthere *f* (*Verbindungslinie von Orten gleicher mittlerer Sommerwärme*). — **i·so·there** [ˈaisoˌθir; -sə-] → **isotheral** II.

i·so·therm [ˈaisoˌθəːrm; -sə-] *s* **1.** (*Klimatologie*) Isoˈtherme *f* (*Verbindungslinie von Orten gleicher Temperatur*). – **2.** *chem. phys.* → **isothermal line** 1.

i·so·ther·mal [ˌaisoˈθəːrməl; -sə-] **I** *adj chem. phys.* (*u. Klimatologie*) isoˈtherm(isch), von gleicher Temperaˈtur. – **II** *s* → ~ **line.** — ~ **an·neal·ing** *s tech.* Perlitiˈsieren *n.* — ~ **line,** *auch* ~ **curve** *s* **1.** *chem. phys.* Isoˈtherme *f* (*Zustandsdiagramm eines Gases*). – **2.** (*Klimatologie*) → **isotherm** 1. — ~ **proc·ess** *s* (*Meteorologie*) isoˈthermischer Vorgang.

i·so·tone [ˈaisoˌtoun] *s phys.* Isoˈton *n.*

i·so·ton·ic [ˌaisoˈtɒnik; -sə-] *adj* **1.** *biol.* isoˈtonisch, isosˈmotisch, von gleichem osˈmotischem Druck. – **2.** *med.* isoˈtonisch, von gleicher Spannung (*Muskel etc*). – **3.** *mus.* gleichtönend.

i·so·tope [ˈaisoˌtoup; -sə-] *s chem. phys.* Isoˈtop *n*: ~ **separation** Isotopentrennung; **stable** ~ stabiles Isotop. — ˌ**i·soˈtop·ic** [-ˈtɒpik] *adj chem. phys.* isoˈtopisch: ~ **number** Neutronenüberschuß. — **i·sot·o·py** [aiˈsɒtəpi] *s chem. phys.* Isotoˈpie *f* (*gleiche Verhaltensweise bei verschiedenem Atomgewicht*).

i·so·tron [ˈaisoˌtrɒn] *s phys.* Isoˈtron *n* (*elektromagnetisches Isotopentrenngerät.*)

i·so·trop·ic [ˌaisoˈtrɒpik; -ˈtrou-; -sə-], **i·sot·ro·pous** [aiˈsɒtrəpəs] *adj* **1.** *phys.* isoˈtrop (*von gleichen Molekularverhältnissen, nach allen Richtungen gleichmäßig leitend*). – **2.** *biol.* isoˈtrop(isch), ohne festgelegte Achse (*bei gewissen Eiern*). — **iˈsot·ro·py** *s biol. phys.* Isotroˈpie *f.*

i·so·type [ˈaisoˌtaip] *s* (*Statistik*) Schaubild *n.*

I spy *s Br.* (*Art*) Versteckspiel *n.*

Is·ra·el [ˈizriəl; *Br. auch* -reiəl] *s* **1.** *Bibl.* (das Volk) Israel *n* (*von Israel od. Jakob abstammend*). – **2.** *relig.* die christliche Kirche.

Is·rae·li [izˈreili] **I** *adj* den Staat Israel betreffend. – **II** *s* Israˈeli *m,* Bewohner(in) des Staates Israel.

Is·ra·el·ite [ˈizriəˌlait] **I** *s* Israeˈlit(in), Jude *m,* Jüdin *f.* – **II** *adj* israeˈlitisch, jüdisch. — **ˈIs·ra·elˌit·ish,** *auch* ˌ**Is·ra·elˈit·ic** [-ˈlitik] *adj* israeˈlitisch.

Is·sa·char [ˈisəˌkaːr] *s Bibl.* Issachar *m* (*einer der 12 Stämme Israels*).

Is·sei [ˈiːsˈsei] *pl* **ˈIsˈsei** *s jap.* *Einwanderer in den USA* (*ohne Anrecht auf Staatsangehörigkeit*).

is·su·a·ble [ˈiʃuəbl; *Br. auch* ˈisju-] *adj* **1.** auszugeben(d), zu erlassen(d). – **2.** *jur.* zu veröffentlichen(d), zu erlassen(d).

is·su·ance [ˈiʃuəns; *Br. auch* ˈisju-] *s* **1.** Ausgabe *f,* Austeilung *f,* Verteilung *f*: ~ **of orders** *mil.* Befehlsausgabe, -erteilung; ~ **of a policy** *econ.* Ausgabe einer Police, Abschluß einer Versicherung. – **2.** *econ.* Emissiˈon *f* (*Aktien etc*). — **ˈis·su·ant** *adj* **1.** ausgebend, erlassend. – **2.** *her.* herˈvorragend (*von Tieren, deren obere Hälfte allein sichtbar ist*).

is·sue [ˈiʃuː; *Br. auch* ˈisjuː] **I** *s* **1.** Ausgeben *n,* Erlassen *n,* Erlaß *m,* Erteilen *n* (*Befehle etc*). – **2.** *econ.* Ausgabe *f,* Emissiˈon *f* (*Geld, Wertpapier*), Auflegung *f* (*Anleihe*), Ausstellung *f* (*Wechsel*): ~ **of securities** Emission (von Wertpapieren), Effektenemission; ~ **of shares** Aktienausgabe. – **3.** *print.* a) Herˈaus-, Ausgabe *f,* Veröffentlichung *f,* (Neu)Auflage *f,* b) Ausgabe *f* (*Marken*). – **4.** *bes. jur.* Streitfall *m,* -frage *f,* -punkt *m,* Meinungsverschiedenheit *f*: **at** ~ strittig, streitig; **point at** ~ umstrittener Punkt; **to be at** ~ **with s.o.** mit j-m im Streit liegen *od.* uneinig sein; **to take** ~ **with s.o.** anderer Meinung sein als j-d; **to join** ~ **with s.o.** a) sich mit j-m auf einen Streit einlassen, b) mit j-m gemeinsam einen Streitfall vorbringen *od.* unterbreiten. – **5.** *bes. pol.* Kernfrage *f,* (aˈkutes) Proˈblem, Angelpunkt *m*: **this question raises the whole** ~ diese Frage schneidet den ganzen Sachverhalt an; **the real** ~ **is** das eigentliche Problem ist. – **6.** Ausgang *m,* Ergebnis *n,* Resulˈtat *n,* Schluß *m*: **in the** ~ schließlich; **to force an** ~ eine Entscheidung erzwingen; **to bring a case to an** ~ *jur.* einen Rechtsfall zu einer Entscheidung bringen. – **7.** *mil.* Ausgabe *f,* Verteilung *f,* Fassen *n* (*Essen, Munition etc*). – **8.** Nachkommen(schaft *f*) *pl,* (Leibes)Erben *pl,* Abkömmlinge *pl*: **to die without** ~ ohne direkte Erben sterben. – **9.** Abfluß *m,* Abzug *m,* Ausgang *m,* Öffnung *f,* Mündung *f.* – **10.** *med.* a) Ausfluß *m,* Abgang *m* (*Eiter, Blut etc*), b) eiterndes Geschwür. – **11.** *econ.*

Erlös *m*, Ertrag *m*, Einkünfte *pl* (*aus Landbesitz etc*). – **12.** Her'ausgehen *n*, -kommen *n*: free ~ and entry freies Kommen u. Gehen. – *SYN. cf.* effect. –
II *v/t* **13.** (*Befehle etc*) ausgeben, erlassen, erteilen. – **14.** *econ.* (*Geld, Wertpapiere etc*) ausgeben, in 'Umlauf setzen, emit'tieren, (*Anleihen*) auflegen, (*Wechsel, Scheck*) ausstellen, -fertigen: **~d capital** effektiv ausgegebenes Kapital. – **15.** *print.* her'ausgeben, veröffentlichen, auflegen, publi'zieren. – **16.** *mil.* (*Essen, Munition etc*) ausgeben, verteilen: **the soldiers were ~d additional rations** die Soldaten faßten zusätzliche Rationen. – **17.** aussenden, -liefern. –
III *v/i* **18.** her'aus-, her'vorgehen, her'vorkommen. – **19.** her'vorstürzen, -brechen: **to ~ forth to battle** zum Kampf ausschwärmen. – **20.** her'ausfließen, -strömen. – **21.** *bes. jur.* entspringen, 'herkommen, -rühren, abstammen (from von). – **22.** (zu)fließen (*Einkünfte etc*). – **23.** her'auskommen, her'ausgegeben werden (*Schriften etc*). – **24.** (in) zu einem Ende *od.* Ergebnis kommen, resul'tieren, endigen (in *dat*), auslaufen (in *acc*). – *SYN. cf.* spring.

is·sue| bank *s econ.* Noten-, Emissi'onsbank *f.* — **~ de·part·ment** *s econ.* Emissi'onsabˌteilung *f*, Notenausgabestelle *f.*

is·sue·less ['iʃuːlis; *Br. auch* 'isjuː-] *adj* **1.** ohne Nachkommen. – **2.** ergebnislos. — **'is·su·er** *s econ.* Emit'tent(in), Aussteller(in), Ausgeber(in).

isth·mi·an ['ismiən; 'isθ-] **I** *adj* **1.** isthmisch. – **2.** **I~** den Isthmus von Ko'rinth *od.* Panama *od.* Suez betreffend: **I~ games** Isthmische Spiele (*von Korinth*). – **II** *s* **3.** Bewohner(in) eines Isthmus. — **'isth·mus** [-məs] *pl* **-mus·es,** *auch* **-mi** [-mai] *s* **1.** *geogr.* Isthmus *m*, Landenge *f.* – **2.** **the I~** der Isthmus (*von Korinth od. Panama od. Suez*). – **3.** *med.* Isthmus *m*, Vereng(er)ung *f*, enge Stelle: **~ of the fauces** Rachenenge. – **4.** *biol.* Gewebsbrücke.

is·tle ['istle; -li] *s bot.* **1.** Ananasfaser *f* (*von Bromelia silvestris*). – **2.** A'gavefaser *f.*

it [it] **I** *pron* **1.** es (*nom od. acc*): **what is it?** was ist es? **do you understand it?** verstehen Sie es? – **2.** (*wenn auf schon Genanntes bezogen*) es, er, ihn, sie: **(pencil) ... it writes well** (Bleistift) ... er schreibt gut. – **3.** (*als Subjekt bei unpersönlichen Verben u. Konstruktionen*) es: **it rains; it is cold; what time is it?** wieviel Uhr ist es? **how is it with your promise?** wie steht es mit Ihrem Versprechen? **it is 6 miles to** es sind 6 Meilen nach; **it says in the Bible** es heißt in der Bibel; **it follows** (*od.* **it is clear**) **from what you have told me that** aus Ihren Worten folgt *od.* wird klar, daß; **it is pointed out** es wird darauf hingewiesen. – **4.** (*als grammatisches Subjekt*) es: **who is it? It is I** wer ist es? Ich bin's; **oh, it was you** oh, Sie waren es. – **5.** (*verstärkend*) es: **it is to him that you should turn** 'er ist es, an den du dich wenden solltest. – **6.** (*als unbestimmtes Objekt*) es: **to go it** es wagen *od.* anpacken; **to foot it** zu Fuß gehen; **to cab it** mit einem Taxi fahren; **to lord it over s.o.** den Herren spielen bei j-m; **to face it out** es ausbaden *od.* durchmachen; **we had a fine time of it** wir hatten unseren Spaß; **I take it that** ich nehme an, daß; **give it (to) him!** *colloq.* gib's ihm! **damn it!** *vulg.* verflucht! **hang** (*od.* **confound**) **it** *sl.* zum Henker *od.* Teufel damit! – **7.** *nach Präpositionen*: **at it** daran, dazu, darüber; **by it** dadurch, dabei; **for it** dafür, deswegen; **in it** darin; **of it** davon, darüber: **little was left of it** wenig blieb davon übrig. – **8.** *reflex* sich: **the development brought with it** die Entwicklung brachte (es) mit sich. –
II *s* **9.** *Am. colloq.* ‚die Höhe‘, ‚der Gipfel‘, ‚das Nonplus'ultra‘ (*die höchste Vollendung*): **for barefaced lying you are really it** dein schamloses Lügen überbietet wirklich alles. – **10.** *Am. sl.* (*etwas*) Anziehendes, (so) ein gewisses Etwas, *bes.* Sex-Appeal *m.* – **11.** Spieler *m* (*in bestimmten Spielen*): **now you are it** jetzt bist du dran.

i·tab·i·rite [i'tæbiˌrait; -bə-] *s min.* Itabi'rit *m* (*ein Quarzit*).

i·ta·cism ['iːtəˌsizəm] *s ling.* Ita'zismus *m* (*die neugriech. Aussprache altgriech. Vokale als i*).

it·a·col·u·mite [ˌitə'kɒljuˌmait; -jə-] *s min.* ˌItakolu'mit *m*, Gelenkquarz *m.*

it·a·con·ic [ˌitə'kɒnik; -'kou-] *adj chem.* Itakon...: **~ acid** Itakonsäure ($C_5H_6O_4$).

I·tal·ian [i'tæljən] **I** *adj* **1.** itali'enisch, von *od.* aus I'talien (stammend): **~ sonnet** ital. Sonett. – **II** *s* **2.** Itali'ener(in). – **3.** *ling.* Itali'enisch *n*, das Italienische. — **I'tal·ian·ate I** *adj* [-ˌneit; -nit] italieni'siert. – **II** *v/t* [-ˌneit] italieni'sieren.

I·tal·ian| cloth *s econ.* (*Art*) geköperter Halbleinenstoff. — **~ hand(·writ·ing)** *s* lat. Schreibschrift *f.* — **~ i·ron** *s tech.* Kräuseleisen *n.*

I·tal·ian·ism [i'tæljəˌnizəm] *s* **1.** Italia'nismus *m*, ital. (Sprach- *etc*)Eigenheit *f.* – **2.** Vorliebe *f* für ital. Eigenheiten. — **I'tal·ianˌize I** *v/i* ital. Art *od.* Sitten annehmen, den Itali'ener spielen, ital. sprechen. – **II** *v/t* italiani'sieren, itali'enisch machen, (*dat*) einen ital. Anstrich geben.

I·tal·ian ware·house *s Br.* Südfrüchtehandlung *f.*

i·tal·ic [i'tælik] **I** *adj* **1.** *print.* kur'siv: **~ type** Kursivschrift. – **2.** **I~** *ling.* i'talisch. – **II** *s* **3.** *print.* Kur'siv-, Schrägschrift *f*: **in ~s** in Schrägdruck, kursiv (gedruckt). – **4.** *ling* **I~** I'talisch *n*, das Italische (*Zweig der indogermanischen Sprachenfamilie*). — **I'tal·i·ˌcism** [-ˌsizəm] → Italianism 1. — **i'tal·iˌcize** [-ˌsaiz] *print.* **I** *v/t* **1.** in Kur'sivschrift *od.* kur'siv drucken. – **2.** durch Kur'sivschrift her'vorheben. – **II** *v/i* **3.** kur'siv drucken.

itch [itʃ] **I** *s* **1.** (Haut)Jucken *n*, Kribbeln *n.* – **2.** *med.* Krätze *f.* – **3.** *fig.* brennendes Verlangen, Gelüst *n*, Sucht *f*: **an ~ for praise** Ehr-, Ruhmsucht. – **II** *v/i* **4.** jucken, kribbeln: **I ~ all over** es juckt mich überall; **my hand ~es** meine Hand juckt (mich). – **5.** *fig.* dürsten, gelüsten (for, after nach): **to ~ after hono(u)r** nach Ruhm dürsten; **my fingers ~ to do it** es juckt mir in den Fingern *od.* ich brenne darauf, es zu tun. — **itch·i·ness** ['itʃinis] *s* **1.** Juckreiz *m.* – **2.** heftiges Jucken. — **'itch·ing I** *adj* **1.** *med.* juckend, Juck... – **2.** *fig.* begierig, lüstern: **to have an ~ palm** eine offene Hand haben (*für Schmier- od. Trinkgelder*). – **II** *s* **3.** *med.* Jucken *n.* – **4.** *fig.* Begierde *f*, Gelüst *n.* — **'itch·less** *adj obs.* **1.** nicht juckend. – **2.** *fig.* unbestechlich.

itch mite *s med. zo.* (*eine*) Krätzmilbe (*Sarcoptes scabiei*).

itch·y ['itʃi] *adj Br. colloq. od. Am.* **1.** juckend, kribbelnd, prickelnd. – **2.** *med.* krätzig. – **3.** *fig.* lüstern, süchtig.

-ite [ait] *Wortelement mit der Bedeutung* Stein.

i·tem ['aitem; -təm] **I** *s* **1.** Punkt *m*, (Einzel)Gegenstand *m*, (Rechnungs)-Posten *m*, Ar'tikel *m*: **an important ~** ein wesentlicher Punkt; **~ of a bill** *econ.* Rechnungsposten. – **2.** 'Zeitungsnoˌtiz *f*, kurzer Ar'tikel, Abschnitt *m.* – **3.** *obs. od. dial.* Warnung *f*, Wink *m.* – *SYN.* **detail, particular.** – **II** *v/t* **4.** (*einzeln*) eintragen, verzeichnen, angeben. – **5.** vermerken, no'tieren. – **III** *adv obs.* **6.** des'gleichen, ebenso. — **ˌi·tem·i'za·tion** *s bes. Am.* Spezifikati'on *f*, Einzelaufzählung *f.* — **'i·temˌize** *v/t bes. Am.* (einzeln) verzeichnen, detail'lieren, aufführen, spezifi'zieren: **to ~ an account** die einzelnen Posten einer Rechnung angeben.

i·tem man *s irr Am.* (Zeitungs)-Berichterstatter *m*, No'tizenschreiber *m.*

it·er·ance ['itərəns] → iteration. — **'it·er·ant** *adj* sich wieder'holend. — **'it·erˌate** [-ˌreit] *v/t* wieder'holen. – *SYN. cf.* repeat. — **ˌit·er'a·tion** *s* **1.** Wieder'holung *f.* – **2.** *math.* Iterati'on *f.* — **'it·er·a·tive** [-ˌreitiv; *Br. auch* -rə-] *adj* **1.** (sich) wieder'holend, itera'tiv. – **2.** *ling.* itera'tiv: **~ verb** iteratives Verb, Iterativum.

ith·er ['iðər] *adj u. pron Scot. od. dial. für* **other** *u.* **either.**

I·thun(n) ['iːðuːn] *npr* Ithun *f* (*germanische Göttin, Hüterin der goldenen Äpfel der Jugend*).

I'thu·ri·el's-'spear [i'θju(ə)riəlz] *s* **1.** *untrügliches Mittel zur Prüfung der Echtheit einer Sache* (*nach Miltons "Paradise Lost"*). – **2.** *bot.* Kaliforn. Brodi'äe *f* (*Brodiaea laxa*).

ith·y·phal·lic [ˌiθi'fælik] **I** *adj* **1.** *antiq.* den Ithy'phallos betreffend. – **2.** (grob) anstößig, unzüchtig. – **3.** *metr.* ithy'phallisch (*in den Versmaßen der bacchischen Hymnen geschrieben*). – **II** *s* **4.** Ithy'phallikus *m* (*Versmaß*). – **5.** unflätiges Gedicht.

i·tin·er·an·cy [ai'tinərənsi; i't-], *auch* **i'tin·er·a·cy** [-rəsi] *s* **1.** Um'herreisen *n*, -wandern *n*, -ziehen *n.* – **2.** (amtliche) Reisegesellschaft *od.* Kommissi'on, Beamte *pl od.* Geschäftsleute *pl* auf einer Dienstreise. – **3.** *relig.* festgelegtes Wechseln von Pfarrstellen (*bes. der Methodisten*). — **i'tin·er·ant I** *adj* reisend, um'herziehend, Reise..., Wander...: **~ preacher** Wanderprediger; **~ trade** *econ.* Wandergewerbe, Hausiererhandel; **~ trophy** *sport* Wanderpreis. – **II** *s* Reisende(r) (*Prediger, Richter etc*). — **i'tin·er·ar·y** [*Br.* -rəri; *Am.* -ˌreri] **I** *s* **1.** Reiseweg *m*, -route *f.* – **2.** Reisebericht *m*, -beschreibung *f.* – **3.** Reiseführer *m* (*Buch*). – **4.** Reiseplan *m.* – **II** *adj* **5.** Reise..., eine Reiseroute betreffend. – **6.** → itinerant I. — **i'tin·erˌate** [-ˌreit] *v/i* (um'her)reisen, -ziehen. — **iˌtin·er'a·tion** *s* (Berufs-, Geschäfts)Reise *f.*

-itis [aitis] *med. Endsilbe mit der Bedeutung* Entzündung: **bronchitis.**

-itol [itɒl; itoul] *chem. Endsilbe zur Bezeichnung von Alkoholen mit mehr als einer Hydroxylgruppe.*

its [its] *pron* sein, ihr, dessen, deren.

it's [its] *colloq. für* **it is.**

it·self [it'self] *pron* **1.** *reflex* sich (selbst): **the animal hides ~** das Tier verbirgt sich; **the house stands by ~** das Haus steht für sich (allein); **in ~** an sich. – **2.** (*verstärkend*) selbst: **like innocence ~** wie die Unschuld selbst.

I've [aiv] *colloq. für* **I have.**

i·vied ['aivid] *adj* 'efeuumˌrankt, mit Efeu bewachsen: **an ~ wall.**

i·vo·ried ['aivərid] *adj* **1.** elfenbeinähnlich, -artig, -farben. – **2.** *humor.* mit ... Zähnen: **well-~.**

i·vo·ry [ˈaivəri] **I** *s* **1.** Elfenbein *n*: black ~ *sl.* ‚schwarzes Elfenbein' (*Negersklaven*). – **2.** Stoßzahn *m* (*bes. des Elefanten*). – **3.** Zahnbein *n*, Denˈtin *n*. – **4.** *sg u. pl sl.* a) (guter) Zahn, Zähne *pl*, b) Gegenstände *pl* aus Elfenbein, *bes.* Würfel *pl*, Billardkugeln *pl*, (Klaˈvier- *etc*)Tasten *pl*. – **5.** → **vegetable** ~. – **6.** Elfenbeinfarbe *f*, -weiß *n*. – **II** *adj* **7.** elfenbeinern, Elfenbein... – **8.** elfenbeinfarben. — ~ **bill,** *auch* ˈ~-ˌ**billed wood·peck·er** *s zo.* Elfenbeinschnabel *m*, Kaiserspecht *m*, Spechtkönig *m* (*Campephilus principalis*). — ~ **black** *s* **1.** Elfenbeinschwarz *n* (*Farbstoff*). – **2.** *med.* Tier-, Knochenkohle *f*. — ~ **gull** *s zo.* Elfenbeinmöwe *f* (*Pagophila eburnea*). — ~ **nut** *s bot.* Elfenbein-, Steinnuß *f* (*Frucht der* ivory palm). — ~ **palm** *s bot.* Elfenbeinpalme *f* (*Phytelephas macrocarpa*). — ~ **pa·per** *s* ˈElfenbeinpaˌpier *n*. — ~ **shell** *s zo.* Elfenbeinschnecke *f* (*Gattg Eburna*). — ~ **tow·er** *s fig.* elfenbeinerner Turm (*Weltabgeschiedenheit*). — ~ **white** *s* (altes) elfenbeinweißes (chines.) Porzelˈlan. — ˈ~ˌ**wood** *s bot. ein austral. Celastraceenbaum* (*Siphonodon australis*). — ˈ~ˈ**yel·low** *adj* elfenbeinfarben.

i·vy [ˈaivi] *s bot.* **1.** *auch* English ~ (Gemeiner) Efeu (*Hedera helix*). – **2.** *eine* (*efeuähnliche*) *Kletter- od. Schlingpflanze*: American ~ Wilder Wein, Jungfernrebe (*Parthenocissus quinquefolia*); → **ground** ~. — ~ **ber·ry** *s bot.* **1.** Efeufrucht *f*. – **2.** *Am.* Rebhuhnbeere *f* (*Gaultheria procumbens*). — ~ **bind·weed** → black bindweed 2. — ~ **bush** *s* **1.** *bot.* Efeubusch *m* (*aufrechte Wuchsform des Efeus*). – **2.** *fig.* Zufluchtsort *m*. — ˈ~-ˌ**leaved** *adj* efeublättrig. — ~ **owl** → barn owl. — ~ **vine** *s bot.* Herzblättriger Wildwein, Herzblättrige Doldenrebe (*Ampelopsis cordata*).

i·wis [iˈwis] *adv obs.* gewiß, sicherlich.

ix·i·a [ˈiksiə] *s bot.* Ixie *f* (*Gattg Ixia*; *südafrik. Zwiebelgewächs*).

Ix·i·on [ikˈsaiən] *npr antiq.* Iˈxion *m* (*König der Lapithen, von Zeus wegen seiner Liebe zu Hera bestraft*).

ix·tle [ˈikstle; -tli; ˈis-] → **istle.**

I(y)·yar [ˈiːjaːr] *s* Ijar *m* (*8. Monat des jüd. Kalenders*).

iz·ar [ˈizər] *s Mantel der ärmeren moham. Frauen.*

iz·ard [ˈizərd] *s zo.* (Pyreˈnäen)Gemse *f* (*Rupicapra rupicapra*).

iz·ba *cf.* isba.

iz·zard [ˈizərd] *s* Z *n*, z *n* (*Buchstabe*), *obs. od. dial. außer in:* from A to ~ von A bis Z, vollkommen, durch u. durch.

iz·zat [ˈizət] *s Br. Ind.* Ansehen *n*, Ehre *f*, Ruf *m*.

J

J, j [dʒei] **I** *s pl* **J's, Js, j's, js** [dʒeiz] **1.** J *n*, j *n*, Jot *n* (*10. Buchstabe des engl. Alphabets*): **a capital** (*od.* **large**) **J** ein großes J; **a little** (*od.* **small**) **j** ein kleines J. – **2.** J (*10. angenommene Person bei Beweisführungen*). – **3.** j (*10. angenommener Fall bei Aufzählungen*). – **4.** J J *n*, J-förmiger Gegenstand. – **II** *adj* **5.** zehnt(er, e, es): **Company J** die 10. Kompanie. – **6.** J J-..., J-förmig.

ja·al goat ['dʒeiəl; 'dʒɑːəl] *s zo.* Nubischer Steinbock (*Capra ibex nubiana*).

jab [dʒæb] **I** *v/t pret u. pp* **jabbed** **1.** (*etwas*) (hin'ein)stechen, (-)stoßen (**into** in *acc*). – **II** *v/i* **2.** stechen, stoßen (**with** mit). – **III** *s* **3.** Stich *m*, Stoß *m*. – **4.** *sport* Stoß *m*, (Box)Hieb *m*, gerade Linke. – **5.** *mil.* Nachstoß *m* (*mit dem Bajonett*).

jab·ber ['dʒæbər] **I** *v/t* (*etwas*) her'vorstoßen, plappern. – **II** *v/i* schnattern, tratschen, quasseln, schwatzen. – **III** *s* Geplapper *n*, Geschnatter *n*, Gewäsch *n*. — **'jab·ber·ing I** *adj* schwätzend, plappernd. – **II** *s* → jabber III.

jab·i·ru ['dʒæbi͵ruː; -bə-] *s zo.* Ja'biru *m*, Riesenstorch *m* (*Mycteria americana*).

jab·o·ran·di [͵dʒæbə'rændi] *s bot. med.* **1.** Jabo'randiblätter *pl* (*getrocknete Blätter von Pilocarpus jaborandi, Alkaloide der Pilocarpinreihe enthaltend*). – **2.** Jabo'randi *n* (*Wurzel der brasil. Pflanze Piper jaborandi*).

jab·o·rine ['dʒæbə͵riːn; -rin], *auch* **'jab·o·rin** [-rin] *s chem.* Jabo'rin *n* (*ein Gemisch der Pilocarpin-Alkaloide*).

ja·bot [*Br.* 'ʒæbou; *Am.* ʒæ'bou] *s* Ja'bot *n*, Brustkrause *f*, Rüsche *f*.

ja·cal [hɑː'kɑːl] *s* mexik. Hütte *f*, Indi'anerhütte *f*.

jac·a·mar ['dʒækə͵mɑːr] *s zo.* Jaka'mar *m*, (*ein*) Glanzvogel *m* (*Fam. Galbulidae*).

ja·ça·na [͵ʒɑːsə'nɑː] *s zo.* Ja'cana *m*, Blatthühnchen *n* (*Fam. Jacanidae, bes. Gattg Jacana*).

jac·a·ran·da [͵dʒækə'rændə] *s* **1.** *bot.* Jaka'randabaum *m* (*Gattg Jacaranda*). – **2.** Jaka'randaholz *n*.

jac·a·re ['dʒækə͵rei] → **cayman**.

jac·chus ['dʒækəs] *s zo.* Weißpinseläffchen *n*, Sagu'in *m* (*Callithrix jacchus*).

ja·cinth ['dʒæsinθ; 'dʒei-] *s min.* Hya'zinth *m* (ZrO_2; *Varietät des Zirkons*).

jack[1] [dʒæk] **I** *s* **1.** J~ *colloq. für* John: **before one can say J~ Robinson** im Handumdrehen, im Nu, ehe man sich's versieht. – **2.** (einfacher) Mann, Bursche *m*, Kerl *m*: **every man ~** jedermann. – **3.** Gelegenheitsarbeiter *m*, Handlanger *m*, Tagelöhner *m*. – **4.** Diener *m*, Johann *m*. – **5.** *auch* **J~** Ma'trose *m*, Seemann *m*. – **6.** Bube *m* (*Kartenspiel*). – **7.** a) *auch* **lifting ~** *tech.* Hebevorrichtung *f*, Bock *m*, Gestell *n*, *bes.* (Hebe)Winde *f*, Flaschenzug *m*, b) *auch* **car ~** Wagenheber *m*. – **8.** *auch* **roasting ~** Bratenwender *m*. – **9.** Anschlaghämmerchen *n* (*Uhr*). – **10.** → **~stone**. – **11.** *Br.* (kleine weiße) Mar'kierungskugel (*beim Bowls-Spiel*). – **12.** *mar.* Gösch *f*, (kleine) Flagge (*zu Signalzwecken od. zur Angabe der Nationalität*): **pilot's ~** Lotsenflagge. – **13.** *electr.* Klinke *f*, Steckdose *f*, Buchse *f*. – **14.** *mar.* Oberbramsaling *f*. – **15.** → **~ light**. – **16.** *zo.* Männchen *n* (*gewisser Tiere*). – **17.** *zo.* Grashecht *m* (*Esox niger*). – **18.** *Am.* Kohlen-, Pechpfanne *f* (*zum nächtlichen Jagen u. Fischen*). – **19.** *sl.* Geld *n*. – **II** *v/t* **20.** mit einer Hebevorrichtung heben: **to ~ up** hochheben, aufwinden, -wuchten. – **21.** *Am. colloq.* hoch-, antreiben: **to ~ up prices** Preise in die Höhe treiben; **to ~ up s.o.** j-n auf Touren bringen, j-n antreiben. – **22.** *hunt. Am.* mit einer Fackel fischen *od.* jagen.

jack[2] [dʒæk] *s* **1.** *bot.* Jackbaum *m* (*Artocarpus integrifolia; ostindischer Brotfruchtbaum*). – **2.** *bot.* Jackbaumfrucht *f*. – **3.** Jackbaumholz *n*.

jack[3] [dʒæk] *s* **1.** *mil. hist.* (ledernes) Koller. – **2.** *obs.* (lederner) Krug.

͵jack-a-'dan·dy *s* kleiner Geck *od.* Dandy, Frechdachs *m*.

jack·al ['dʒækɔːl] **I** *s* **1.** *zo.* Scha'kal *m*, *bes.* 'Goldscha͵kal *m* (*Canis aureus*). – **2.** (schmutziger) Handlanger, Helfershelfer *m*. – **II** *v/i pret u. pp* **-aled**, *bes. Br.* **-alled** **3.** Handlangerdienste leisten (**for** für). — **~ buz·zard** *s zo.* Scha'kalbussard *m* (*Buteo rufofuscus*).

jack·a·napes ['dʒækə͵neips] *s* **1.** Geck *m*, Stutzer *m*, Laffe *m*. – **2.** Naseweis *m*, vorlautes Kind. – **3.** *obs.* Affe *m*.

Jack and Gill *npr* Hans u. Grete *pl*, Junge u. Mädel *pl*.

jack·a·roo [͵dʒækə'ruː] *s Austral. colloq.* Neuling *m*, Grünhorn *n* (*bes. auf einer Schaf-Farm*).

jack·ass ['dʒæk͵æs] *s* **1.** (männlicher) Esel. – **2.** *fig.* Esel *m*, Dummkopf *m*, Tölpel *m*, ‚Idi'ot' *m*. — **~ pen·guin** *s zo.* 'Brillenpingu͵in *m* (*Spheniscus demersus*).

jack| boot, '~͵boot *s* **1.** *mil. hist.* Reiter-, Ka'nonenstiefel *m*. – **2.** hoher Wasserstiefel. — **~ cross·tree** → jack[1] 14. — **~ cur·lew** *s zo.* **1.** Regenbrachvogel *m* (*Numenius phaeopus*). – **2.** Hudsonbrachvogel *m* (*Phaeopus hudsonicus*). — **'~͵daw** *s* **1.** *zo.* Dohle *f* (*Corvus monedula*). – **2.** *zo. Am.* (*ein*) mexik. Stärling *m* (*Cassidix mexicanus*). – **3.** *fig.* Nörgler(in), Meckerer *m*. — **~ eas·y** *adj colloq.* gleichgültig.

jack·et ['dʒækit] **I** *s* **1.** Jacke *f*, Jac'kett *n*: **he wore no ~** er trug keine Jacke; → **dust** 14. – **2.** *tech.* a) Mantel *m*, Um'hüllung *f*, Um'wicklung *f*, b) (Kessel-, Zy'linder)Mantel *m*, c) Wärmeschutz *m*, ('Wärme)Iso͵lierung *f*, d) Mantel-, Luftkühler *m*, e) Dampfraum *m* (*zwischen Innen- und Außenwand*), f) Hülle *f*, Hülse *f* (*des spaltbaren Materials im Reaktor*). – **3.** *mil.* Mantel *m* (*Geschützrohr od. Geschoß*). – **4.** 'Schutz͵umschlag *m*. – **5.** *Am.* 'Umschlag *m* (*einer amtlichen Urkunde*). – **6.** na'türliche Schutzhülle, *bes.* a) *zo.* Fell *n*, Pelz *m*, b) *zo.* Haut *f*, c) Schale *f*: **potatoes (boiled) in their ~s** Pellkartoffeln. – **II** *v/t* **7.** mit einer Jacke bekleiden. – **8.** *tech.* mit einem Mantel (*etc*) um'geben: **~ed barrel** *mil.* Mantelrohr. – **9.** *colloq.* 'durchprügeln. — **~ crown** *s med.* Jacketkrone *f* (*Zahnersatz*).

jack·et·ing ['dʒækitiŋ] *s* **1.** *tech.* 'Mantel-, Um'hüllungs-, Ver'kleidungsmateri͵al *n*. – **2.** → jacket 6. – **3.** *colloq.* Tracht *f* Prügel.

jack·et| pipe, ~ tube *s tech.* Mantelrohr *n*.

jack| flag *s mar.* Gösch *f*. — **~ frame** *s tech.* 'Feinspulma͵schine *f*, Spindelbank *f*. — **J~ Frost** *s* der (Herr) Winter (*personifiziert*). — **~ fruit** → jack[2] 2. — **'~͵head pit** *s* (*Bergbau*) blinder Schacht. — **'~-͵hunt·ing** *s Am.* Jagen *n* bei Nacht mit einer brennenden Pechpfanne *etc* (*die Wild anlockt*). — **'~-in-a-'box** *s* **1.** *bot.* Her'nandie *f* (*Hernandia sonora*). – **2.** → jack-in-the-box. — **'J~-in-'of·fice** *s* wichtigtuender Beamter, Büro'krat *m*, Para'graphenreiter *m*. — **'~-in-the-'box** *pl* **'~-in-the-'box·es** *s* **1.** Schachtelmännchen *n* (*Kasten, aus dem beim Öffnen eine Figur herausspringt*). – **2.** (*Art*) Feuerwerkskörper *m*. — **'J~-in~the-'green** *s* Mann in einem mit Maiengrün bedeckten Lattengerüst (*bei Maifeiern in England*). — **'~-in-the-'pul·pit** *pl* **'~-in-the-'pul·pits** *s bot.* Dreiblättrige Zeichenwurz (*Arisaema triphyllum*). — **J~ Ketch** [ketʃ] *s Br.* Henker *m*. — **'~͵knife I** *s irr* **1.** großes Taschenmesser. – **2.** (*Kunstspringen*) gehechteter Kopfsprung. – **II** *v/i* **3.** (*wie ein Klappmesser*) zu'sammenklappen, sich zu'sammenfalten. — **~ lad·der** → Jacob's ladder 2. — **~ light** *s Am.* Fackel *f*, La'terne *f*, Pechpfanne *f* (*beim nächtlichen Jagen od. Fischen*). — **͵J~-of-'all-͵trades** *s* Aller'weltskerl *m*, Alleskönner *m*, Fak'totum *n*. — **'~-o'-͵lan·tern**, *pl* **'~-o'-͵lan·terns** *s* **1.** Irrlicht *n* (*auch fig.*). – **2.** Elmsfeuer *n*. – **3.** 'Kürbiskopfla͵terne *f*. — **~ pan·el** *s electr.* Klinkenfeld *n*. — **~ pine** *s bot.* Banks-, Strauchkiefer *f* (*Pinus banksiana*). — **~ plane** *s tech.* Schrupp-, Rauhhobel *m*. — **~ pot** *s* (*Poker*) Jackpot *m* (*Einsatz, der sich so lange erhöht, bis ein Spieler mit einem Bubenpärchen od. einer besseren Karte das Wetten beginnen kann*): **to hit the ~** *colloq.* a) den Jackpot gewinnen, b) großen ‚Dusel' haben; **~ winner** *colloq.* Kassenschlager. — **'~͵pud-**

ding *s obs.* Hanswurst *m*, Possenreißer *m*. — **~ rab·bit** *s zo.* (*ein*) Eselhase *m* (*Gattg Lepus*): white-tailed ~ Weißschwanz-Eselhase (*L. townsendii*). — **~ raft·er** *s arch.* 1. *Br.* kurzer Dachsparren (*bei Walmdächern*). – 2. *Am.* kleinerer Dachbalken. — **'~ˌscrew** *s tech.* Schraubenwinde *f*, Hebespindel *f*, -schraube *f*. — **'~ˌshaft** *s tech.* Deckenvorgelegewelle *f*, Blindwelle *f*. — **'~ˌsnipe** *s zo.* 1. Zwergschnepfe *f* (*Limnocryptes gallinula*). – 2. → pectoral sandpiper. – 3. Wilsonschnepfe *f*, Gemeine Amer. Schnepfe (*Capella delicata*).

Jack·son Day ['dʒæksn] *s* Jacksontag *m* (*8. Januar; von der Demokratischen Partei in USA gefeiert*).

Jack·so·ni·an [dʒæk'souniən] **I** *s* Anhänger(in) von Andrew Jackson (*Präsident der USA, 1829–37*). – **II** *adj* Jacksonsch(er e, es), des *od.* von Andrew Jackson.

'jack|-ˌspan·iard *s zo.* (*in Westindien*) *eine trop. soziale Wespe, bes. der Gattg Polistes.* — **~ staff** *s mar.* Göschstock *m*, Bugflaggenstock *m*. — **'~ˌstay** *s mar.* Jackstag *m*. — **'~ˌstone** *s* 1. Spielsteinchen *n*, -knöchel *m* (*oft aus Metall*). – 2. *pl* (*als sg konstruiert*) Knöchelspiel *n*. — **'~ˌstraw** *s* 1. Strohpuppe *f* (*auch fig.*). – 2. a) *pl* (*als sg konstruiert*) (*Art*) Mi'kadospiel *n*, b) Stäbchen *n* (*für* a). — **~ switch** *s electr.* Knebelschalter *m*. — **'~-'tar,** *auch* **~ tar, J~ Tar** *s mar. colloq.* Teerjacke *f* (*Spitzname für einen Matrosen*). — **~ tow·el** → roller towel. — **~ tree** → jack² 1.

jack·y ['dʒæki] *s* 1. *auch* J~ ,Wasserratte' *f* (*abfällige Bezeichnung für einen Seemann*). – 2. *Br. sl.* Gin *m*.

jack yard *s mar.* Schotrah *f*.

Ja·cob ['dʒeikəb] **I** *npr Bibl.* Jakob *m*. – **II** *s sl.* Einfaltspinsel *m*, ,Jäckel' *m*.

jac·o·bae·a [ˌdʒækə'biːə] *s bot.* Jakobskreuzkraut *n* (*Senecio jacobaea*).

jac·o·bae·an lil·y [ˌdʒækə'biːən] *s bot.* Jakobslilie *f* (*Sprekelia formosissima*).

Jac·o·be·an [ˌdʒækə'biːən] **I** *adj* 1. Jakob I. *od.* die Re'gierungszeit Jakobs I. (*1603–25*) betreffend: ~ architecture Bauweise der Zeit Jakobs I. – 2. von Ja'kobus dem Jüngeren. – 3. dunkel eichenfarbig (*Möbelstück*). – **II** *s* 4. Dichter *m od.* Staatsmann *m* zur Zeit Jakobs I.

Jac·o·bin ['dʒækəbin] *s* 1. *hist.* Jako'biner *m* (*während der Franz. Revolution*). – 2. *pol.* Jako'biner *m*, radi'kaler 'Umstürzler, revolutio'närer Dema'goge. – 3. Jako'biner *m* (*Dominikaner in Frankreich*). – 4. j~ *zo.* Jako'binertaube *f* (*Haustaubenrasse*). — **ˌJac·o'bin·ic, ˌJac·o'bin·i·cal** *adj* 1. *hist.* jako'binisch. – 2. *pol.* jako'binisch, radi'kal revolutio'när. — **ˌJac·o'bin·i·cal·ly** *adv* (*auch zu* Jacobinic). — **'Jac·o·binˌism** *s* 1. *hist.* Jakobi'nismus *m*, Jako'binertum *n*. – 2. *pol.* Jako'binertum *n*, revolutio'närer Radika'lismus. – 3. jako'binischer Plan *od.* Gedanke. — **'Jac·o·binˌize** *v/t* mit jako'binischen Grundsätzen durch'dringen, radikali'sieren.

Jac·o·bite ['dʒækəˌbait] *s* 1. *hist.* Jako'bit *m* (*Anhänger Jakobs II. od. seiner Nachkommen*). – 2. *relig.* Jako'bit *m* (*syrischer Monophysit*). — **ˌJac·o'bit·ic** [-'bitik], **ˌJac·o'bit·i·cal** *adj hist.* jako'bitisch. — **'Jac·oˌbit·ism** [-ˌbaitizəm] *s hist.* Jakobi'tismus *m*.

Ja·cob's| lad·der ['dʒeikəbz] *s* 1. *Bibl.* Jakobs-, Himmelsleiter *f*. – 2. *mar.* Jakobsleiter *f*, Lotsentreppe *f* (*Strickleiter mit Holz- od. Eisensprossen*). — **'~-'lad·der** *s bot.* 1. Himmels-, Jakobsleiter *f* (*Polemonium caeruleum*). – 2. Salomonssiegel *n* (*Polygonatum multiflorum*). — **~ staff** *s tech.* Jakobstab *m*, Gradstock *m*. — **'~-'staff** *s bot.* 1. Echte Königskerze (*Verbascum thapsus*). – 2. Kerzenstrauch *m* (*Gattg Fouquieria; südl. Nordamerika*). — **'~-'sword** *s bot.* Sumpfschwertlilie *f* (*Iris pseudacorus*).

ja·co·bus [dʒə'koubəs] *s* Ja'kobus *m* (*engl. Goldmünze zur Zeit Jakobs I.*).

jac·o·net ['dʒækənit] *s* Jaco'net *m*, Jako'nett *m* (*glänzender Baumwollfutterstoff*).

Jac·quard loom [dʒə'kaːrd; *Br. auch* 'dʒækəd] *s tech.* Jac'quardwebstuhl *m*.

Jacque·mi·not ['dʒækmiˌnou] *s bot.* Jacquemi'notrose *f* (*tiefrote Rosensorte*).

Jac·que·rie [ʒɑ'kri] (*Fr.*) *s* 1. Jacque'rie *f* (*franz. Bauernaufstand, 1358*). – 2. Bauernaufstand *m*.

jac·ta·tion [dʒæk'teiʃən] *s* 1. Prahlen *n*, Prahle'rei *f*. – 2. *med.* Jaktati'on *f*, Sichˌhinund'herwerfen *n* (*bes. der Fiebernden*).

jac·ti·ta·tion [ˌdʒækti'teiʃən] *s* 1. *jur.* fälschliches Vorgeben *od.* Versichern, falsche Behauptung: ~ of marriage fälschliches Vorgeben einer Verehelichung. – 2. *med.* → jactation 2.

jac·u·late ['dʒækjuˌleit; -jə-] *selten* **I** *v/t* werfen, schleudern. – **II** *v/i* hin'aus-, her'vorschießen. — **ˌjac·u'la·tion** *s* Werfen *n*, Schleudern *n*, Wurf *m*.

jade¹ [dʒeid] *s* 1. Jade *m* (*Schmuckstein*): true ~ Jadeit. – 2. → ~ green.

jade² [dʒeid] **I** *s* 1. (Schind)Mähre *f*, Klepper *m*. – 2. Weibsbild *n*, -stück *n*: the lying ~ das Gerücht (*personifiziert*). – 3. Dirne *f*. – **II** *v/t* 4. abschinden, abhetzen. – 5. über'lasten, -'sättigen, erschöpfen. – **III** *v/i* 6. ermatten, ermüden. – *SYN. cf.* tire¹.

jad·ed ['dʒeidid] *adj* 1. erschöpft, ermattet. – 2. abgestumpft, über'sättigt.

jade| green *s* Jadegrün *n*. — **'~-'green** *adj* jadegrün.

jade·ite ['dʒeidait] *s min.* Jade'it *m* (*Varietät der Pyroxengruppe*).

'jadeˌlike *adj* jadeartig, -ähnlich.

jad·ish ['dʒeidiʃ] *adj* 1. abgehetzt, ermattet. – 2. störrisch, bösartig (*Pferd*). – 3. liederlich, verrufen (*Frau*).

jae·ger¹ ['jeigər] *s* 1. [*auch* 'dʒeigər] *zo.* (*eine*) Raubmöwe (*Fam. Stercorariidae*). – 2. *cf.* jäger 1 *u.* 2.

Jae·ger² ['jeigər] *s* Jägerwollware *f* (*ohne pflanzliche Fasern*).

jag¹ [dʒæg] **I** *s* 1. Zacke(n *m*) *f*, Zahn *m*. – 2. Auszackung *f*, Zacke *f* (*am Kleidsaum*). – 3. Schlitz *m* (*im Kleid*). – **II** *v/t pret u. pp* **jagged** 4. (aus)zacken, mit Zacken versehen. – 5. (ein)kerben. – 6. zackig schneiden *od.* reißen. – 7. *mar.* (*Tau*) in Buchten legen. – 8. *dial.* stechen.

jag² [dʒæg] *s* 1. *dial.* kleine Ladung. – 2. *Am. sl.* a) gehöriges Quantum (*Alkohol*), b) Rausch *m*, Schwips *m*: to have a ~ on ,einen sitzen haben'.

Jag·an·nath ['dʒʌgəˌnaːt], **ˌJag·an'na·tha** [-'naːthə] *s* (*Hinduismus*) Dschagannath *m*, Jagan'natha *m* (*Form des Krischna*).

jä·ger ['jeigər] *s* 1. *hunt.* Jäger *m*, Weidmann *m*. – 2. *auch* J~ *mil.* Jäger *m* (*im deutschen u. österr. Heer*). – 3. [*auch* 'dʒeigər] → jaeger¹ 1.

jagg *cf.* a) jag¹ I, b) jag².

jag·ged ['dʒægid] *adj* 1. gezackt, gezahnt. – 2. ausgezackt. – 3. zackig, schroff, zerklüftet (*Felsen*). – 4. rauh, grob, schroff (*Worte etc*). — **'jag·ged·ness** *s* 1. Gezacktheit *f*, Gekerbtheit *f*. – 2. Schroffheit *f*, Zackigkeit *f*. – 3. *fig.* Rauheit *f*, Grobheit *f*.

jag·ger·y ['dʒægəri] *s* 1. Jagrezucker *m* (*grober brauner ostindischer Zucker aus Palmensaft*). – 2. grober Zucker. — **~ palm** *s bot.* Brennpalme *f* (*Caryota urens*).

jag·gy ['dʒægi] *adj* 1. (aus)gezackt. – 2. gekerbt. – 3. zackig.

ja·gir, *auch* **ja·ghir(e)** [dʒɑː'gir] *s Br. Ind. Übertragung von öffentlichen Einkünften an eine Person od. Körperschaft mit der Berechtigung, diese einzutreiben.* — **ja'gir'dar,** *auch* **ja'ghir(e)'dar** [-'dɑːr] *s Br. Ind. Besitzer von öffentlichen Einkünften.*

jag·uar ['dʒægjuɑːr; -juər; -wɑːr] *s zo.* Jaguar *m* (*Panthera onca*).

Jah [dʒɑː] *s* Je'hova *m*. — **Jah·ve(h)** *cf.* Yahweh.

jai a·lai [xai a'lai] (*Span.*) *s ein dem Racket ähnliches span. Ballspiel.*

jail [dʒeil] **I** *s* Gefängnis *n*. – **II** *v/t* ins Gefängnis bringen *od.* werfen, gefangensetzen. — **'~ˌbird** *s colloq.* 1. ,Knastschieber' *m*, Strafgefangener *m*. – 2. Gewohnheitsverbrecher *m*. — **~ de·liv·er·y** *s* 1. (gewaltsame) Gefangenenbefreiung. – 2. *jur. Br.* Gefängnisleerung *f* (*durch Aburteilung der Untersuchungsgefangenen*).

jail·er ['dʒeilər] *s* Gefängnisaufseher *m*, Gefangenenwärter *m*.

jail fe·ver *s med.* (Fleck)Typhus *m*.

jail·or *cf.* jailer.

Jain [dʒain; dʒein], **'Jai·na** [-nə] **I** *s* Dschaina *m* (*Anhänger des Dschainismus*). – **II** *adj* dschai'nistisch. — **'Jain·ism** *s* Dschai'nismus *m* (*indische Religion*). — **'Jain·ist** → Jain I.

jake¹ [dʒeik] *s Am. colloq.* Bauernlümmel *m*.

jake² [dʒeik] *adj bes. Am. sl.* 1. ehrlich, anständig. – 2. prima, erstklassig.

jake³ [dʒeik], **'jake·y** [-ki] *s Am. sl.* Ingwerschnaps *m*.

jal·ap ['dʒæləp] *s* 1. *med.* a) Ja'lapenwurzel *f* (*Abführ- u. Wurmmittel*), b) Ja'lapenharz *n*. – 2. *bot. eine Jalapenharz liefernde Pflanze, bes.* Ja'lape *f*, Pur'gierwinde *f* (*Exogonium purga*): false ~ Wunderblume (*Mirabilis jalapa*); male ~ Falsche Jalape, Stengeljalape (*Ipomoea orizabensis*). — **'jal·a·pin** [-pin] *s chem.* Jala'pin *n*, Oriza'bin *n* (*Glukosid aus der Jalapewurzel*).

ja·lop·(p)y [dʒə'lɒpi] *s bes. Am. colloq.* 1. ,Klapperkiste' *f*, ,alte Kiste' (*klapperiges altes Auto*). – 2. ,alte Mühle' (*altes Flugzeug*).

jal·ou·sie [*Br.* 'ʒæluˌziː; *Am.* ˌʒælu'ziː] *s* Jalou'sie *f*.

jam¹ [dʒæm] **I** *v/t pret u. pp* **jammed** 1. (*etwas*) (hin'ein)drücken, (-)pressen, (-)zwängen (between zwischen *acc*). – 2. zerdrücken, (zu'sammen)quetschen, (zer)quetschen: to ~ a finger in the door (sich) einen Finger in der Tür quetschen; to get one's hand ~med in a machine sich die Hand in einer Maschine quetschen. – 3. (heftig) drücken, pressen, stoßen (against gegen; into in *acc*): to ~ one's brakes on (plötzlich) auf die Bremsen treten *od.* drücken. – 4. *fig. colloq.* 'durchdrücken: to ~ a bill through a legislature *Am.* eine Gesetzesvorlage in einer gesetzgebenden Körperschaft durchdrücken. – 5. verstopfen, bloc'kieren, versperren. – 6. (*Maschine etc*) (ver)klemmen, bloc'kieren. – 7. (*Radiosendungen*) stören, (durch Störsender) unverständlich machen. – **II** *v/i* 8. festsitzen, eingeklemmt sein. – 9. (sich) drängen, (sich) drücken, (sich) stoßen, sich (hin'ein)quetschen. – 10. *tech.* klemmen, sich verklemmen, sich festfressen, stocken. – 11. *mil.* Ladehemmung haben. – 12. (*Jazz*) *colloq.* frei improvi'sieren. – **III** *s* 13. Pressen *n*, Drücken *n*, Quetschen *n*, Klemmen *n*. – 14. Gedrängtheit *f*, Zu'sammengezwängtsein *n*. – 15. Gedränge *n*, Gewühl *n*. – 16. Verstopfung *f*, Stauung *f*, Stockung *f*:

traffic ~ Verkehrsstockung. – 17. *tech.* Klemmen *n*, Bloc'kieren *n*, Verklemmtsein *n*. – 18. *mil.* Ladehemmung *f*. – 19. *colloq.* ‚Klemme' *f*, mißliche Lage. – 20. *colloq.* Quetschwunde *f*. – *SYN. cf.* **predicament.**

jam² [dʒæm] **I** *s* **1.** Marme'lade *f*: real ~ *Br. sl.* ‚Heiden-, Mordsspaß'. – **II** *v/t pret u. pp* **jammed 2.** zu Marme'lade verarbeiten. – **3.** *colloq.* mit Marme'lade bestreichen.

Ja·mai·ca [dʒə'meikə] → ~ rum. — ~ **bark** *s bot.* Fieberrinde *f* (*Rinde von Exostema brachycarpum; Westindien*).

Ja·mai·can [dʒə'meikən] **I** *adj* jamai'kanisch, Jamaika... – **II** *s* Jamai'kaner(in).

Ja·mai·ca| pep·per → **allspice.** — ~ **rum** *s* Ja'maika-Rum *m*.

jamb¹ [dʒæm] *cf.* **jam¹** 1–11 *u.* 13–20.

jamb² [dʒæm] *s* **1.** (Tür-, Fenster-)Pfosten *m*. – **2.** seitlicher Einfassungsteil (*einer Öffnung, bes. eines Kamins*). – **3.** *hist.* Beinschiene *f* (*der Ritterrüstung*).

jam·ba·la·ya [ˌdʒæmbə'lɑːjə] *s Am. Reis-Eintopfgericht mit Fleischstücken, Austern, Krabben, Garnelen etc.*

jambe *cf.* **jamb².**

jam·beau ['dʒæmbou] *pl* **-beaux** [-bouz] → **jamb²** 3.

jam·bo·lan ['dʒæmbələn], ˌ**jam·bo'la·na** [-'lɑːnə] *s bot.* Kirschmyrte *f* (*Eugenia jambolana*).

jam·bo·ree [ˌdʒæmbə'riː] *s* **1.** Jambo'ree *n*, Pfadfindertreffen *n*, -tagung *f*. – **2.** *sl.* Saufgelage *n*, Kneipe'rei *f*.

James [dʒeimz] **I** *npr* Jakob *m*: → **St. James's.** – **II** *s auch* **the Epistle of** ~ *Bibl.* der Ja'kobusbrief.

jam·ming ['dʒæmiŋ] *s tech.* **1.** (Ver-)Klemmung *f*. – **2.** (*Radio*) Stören *n*, Störung *f* (*durch Störsender*): ~ **transmitter** Störsender.

jam·my ['dʒæmi] *adj* **1.** klebrig. – **2.** *sl.* ‚prima', ‚toll', erstklassig.

jam| nut *s tech.* Gegen-, Stell-, Kontermutter *f*. — '~-ˌ**packed** *adj* gequetscht voll, vollgestopft. — ~ **session** *s mus.* Jam Session *f* (*Jazzimprovisieren in freiem Zusammenspiel*). — ~ **stroke** *s phys.* Pendelschlag *m*.

Jane·ite ['dʒeinait] *s Br.* Bewunderer *m od.* Bewunderin *f* Jane Austens.

jan·gle ['dʒæŋgl] **I** *v/i* **1.** häßlich *od.* 'mißtönend (er)klingen, kreischen, schrillen: **jangling noise** schrilles Geräusch. – **2.** zanken, keifen, streiten. – **3.** schwatzen, schnattern, plappern, tratschen. – **II** *v/t* **4.** schrill *od.* 'mißtönend erklingen lassen. – **5.** (*Worte etc*) kreischen, krächzen. – **III** *s* **6.** Kreischen *n*, Schrillen *n*. – **7.** Gezänk *n*, Gekeife *n*, Streit *m*. – **8.** Stimmengewirr *n*, Lärm *m*.

Jan·is·sar·y, j~ [*Br.* 'dʒænisəri; *Am.* -ˌseri] → **Janizary.**

Jan·ite *cf.* **Janeite.**

jan·i·tor ['dʒænitər; -nə-] *s* **1.** Pförtner *m*. – **2.** *Am.* Hausmeister *m*, Haus-, Gebäudeverwalter *m*. — ˌ**jan·i'to·ri·al** [-'tɔːriəl] *adj* Pförtner..., Hausmeister... — '**jan·i·tress** [-tris] *s* **1.** Pförtnerin *f*. – **2.** *Am.* Hausmeisterin *f*.

Jan·i·zar·y, j~ [*Br.* 'dʒænizəri; *Am.* -nəˌzeri] *s* **1.** Jani'tschar *m*. – **2.** türk. Sol'dat *m*. – **3.** *fig.* Werkzeug *n od.* Handlanger *m* der Tyran'nei.

jan·nock ['dʒænək] *adj dial.* offen, aufrichtig, ehrlich.

Jan·sen·ism ['dʒænsəˌnizəm] *s relig. hist.* Janse'nismus *m*. — '**Jan·sen·ist** *s* Janse'nist(in), Anhänger(in) des Janse'nismus. — ˌ**Jan·sen'is·tic**, ˌ**Jan·sen'is·ti·cal** *adj* janse'nistisch, den Janse'nismus betreffend.

Jan·u·ar·y [*Br.* 'dʒænjuəri; *Am.* -ˌeri] *s* Januar *m*: in ~ im Januar.

Ja·nus ['dʒeinəs] *s relig.* Janus *m* (*röm. Gott der Türen u. Tore u. des Anfangs*). — '~-'**faced** *adj* **1.** trügerisch. – **2.** janusgesichtig, -häuptig, mit doppeltem Gesicht.

Jap [dʒæp] *colloq.* **I** *s* **1.** ‚Japs' *m* (*Japaner*). – **2.** → **Japanese** 2. – **II** *adj* **3.** ja'panisch.

ja·pan [dʒə'pæn] **I** *s* **1.** Japanlack *m* (*harter Lack*). – **2.** ˌLackmale'rei *f*, lac'kierte Arbeit (*in jap. Art*). – **II** *adj* **3.** J~ ja'panisch, Japan... – **4.** lac'kiert, Lack... – **III** *v/t pret u. pp* **ja'panned 5.** (*auf jap. Weise*) lac'kieren. – **6.** (*Leder etc*) po'lieren, wichsen, glänzend machen. — **J~ all·spice** *s bot. ein jap. Gewürzstrauch* (*Meratia praecox*). — **J~ clo·ver** *s bot.* Jap. Klee *m* (*Lespedeza striata*). — **J~ Cur·rent** *s* Ku'ro Schio *m* (*Warmwasserströmung von Formosa zum Nordpazifik*).

Jap·a·nese [ˌdʒæpə'niːz] **I** *s sg u. pl* **1.** Ja'paner(in). – **2.** *ling.* Ja'panisch *n*, das Ja'panische. – **II** *adj* **3.** ja'panisch. — ~ **bee·tle** *s zo.* Japankäfer *m* (*Popilla japonica*). — ~ **cy·press** *s bot.* (*eine*) 'Scheinzyˌpresse (*Gattg Chamaecyparis*), *bes.* 'Feuerzyˌpresse *f* (*C. obtusa*). — ~ **deer** *s zo.* Sika *m* (*Cervus nippon; Hirsch*). — ~ **i·vy** *s bot.* (*ein*) wilder Wein, (*eine*) Jungfernrebe (*Parthenocissus tricuspidata*). — ~ **lan·tern** → **Chinese lantern.** — ~ **per·sim·mon** *s bot.* Dattel-, Kakipflaume *f* (*Diospyros kaki*). — ~ **quince** *s bot.* Jap. Quitte *f* (*Chaenomeles lagenaria*): **dwarf** ~ Mauleiquitte (*C. japonica*). — ~ **riv·er fe·ver** *s med.* jap. Flußfieber *n*. — ~ **yew** *s bot.* Jap. Eibe *f* (*Taxus cuspidata*).

Jap·a·nesque [ˌdʒæpə'nesk] **I** *adj* in jap. Art (*gearbeitet etc*). – **II** *s* Arbeit *f* in jap. Art.

Ja·pan lil·y *s bot.* (*eine*) jap. Lilie (*bes. Lilium japonicum, L. auratum, L. speciosum*).

ja·pan·ner [dʒə'pænər] *s* Lac'kierer *m*.

jape [dʒeip] **I** *v/t* **1.** zum Narren halten, zum besten haben, foppen. – **II** *v/i* **2.** scherzen, spaßen. – **III** *s* **3.** Scherz *m*, Spaß *m*. – **4.** Spott *m*. — '**jap·er** *s* **1.** Spaßvogel *m*. – **2.** Spötter(in). — '**jap·er·y** [-əri] *s* Gespött *n*, Spötte'lei *f*.

Ja·pheth ['dʒeifiθ; -fit] *npr Bibl.* Japhet *m*. — **Ja·phet·ic** [dʒə'fetik] *adj* **1.** *Bibl.* ja'phethisch, des Japhet. – **2.** *obs.* japhe'titisch, 'indoeuroˌpäisch.

Ja·pon·ic [dʒə'pɒnik] *adj* ja'panisch, Japon...: ~ **acid** *chem.* Japonsäure, Katechuminsäure; ~ **earth** Katechu. — **ja'pon·i·ca** [-kə] *s bot.* **1.** Ka'mel(l)ie *f* (*Camellia japonica*). – **2.** → **Japanese quince.**

jar¹ [dʒɑːr] *s* **1.** (*irdenes od. gläsernes*) Gefäß, Kanne *f*, Krug *m*, Topf *m*, Kruke *f*. – **2.** (Marme'lade-, Einmach-)Glas *n*. – **3.** → **jarful.**

jar² [dʒɑːr] **I** *v/i pret u. pp* **jarred 1.** kreischen, quietschen, knarren, kratzen. – **2.** klirren, klirrend schwingen *od.* vi'brieren. – **3.** *mus.* 'mißtönen, disso'nieren. – **4.** zittern, (er)beben. – **5.** (on, upon) (*Ohr, Gefühl*) beleidigen, verletzen, (*dat*) weh tun: **to ~ on the ear** das Ohr beleidigen (*Mißton etc*); **to ~ on the nerves** auf die Nerven gehen. – **6.** nicht harmo'nieren, sich beißen (*Farben*): **the colo(u)rs ~ sadly** die Farben beißen sich sehr. – **7.** (with) in 'Widerspruch *od.* Gegensatz stehen (zu), nicht über'einstimmen (mit). – **8.** sich wider'sprechen, mitein'ander in 'Widerspruch stehen: **~ring opinions** widerstreitende Meinungen. – **9.** streiten, zanken. – **II** *v/t* **10.** zum Klirren *od.* Kreischen bringen, knarren *od.* kratzen lassen. – **11.** erschüttern, rütteln, (er)zittern machen *od.* lassen. – **12.** *mus.* 'mißtönend machen. – **13.** *sl.* (*Gefühl, Ohr*) beleidigen, verletzen: **to ~ the nerves** auf die Nerven gehen. – **III** *s* **14.** Knarren *n*, Quietschen *n*, Kratzen *n*, Kreischen *n*, Knirschen *n*. – **15.** Klirren *n*, Rasseln *n*. – **16.** Rütteln *n*, Zittern *n*, Erschütterung *f*. – **17.** *mus.* 'Mißton *m*, Disso'nanz *f*. – **18.** 'Widerstreit *m*, Uneinigkeit *f*. – **19.** Streit *m*, Zank *m*. – **20.** *bes. fig.* Schlag *m*, Schock *m*, Stoß *m*, Stich *m*.

jar³ [dʒɑːr] *s* Drehung *f* (*nur in*): **on the ~, on a ~, on ~** halboffen, angelehnt.

ja·ra·ra·ca [ˌʒɑːrə'rɑːkə] *s zo.* Schara'raka *f* (*Bothrops jararaca; südamer. Giftschlange*).

jar·di·nière [ˌʒɑːrdi'njɛr], *Am.* **jar·di·niere** [ˌdʒɑːrdə'nir] *s* Jardini'ere *f*: a) Blumentisch *m*, -ständer *m*, b) Blumenschale *f*.

'**jarˌfly** → **cicada.**

jar·ful ['dʒɑːrˌful] *s* Krug(voll) *m*.

jar·gon¹ ['dʒɑːrgən] **I** *s* **1.** Jar'gon *m*: a) Kauderwelsch *n*, Geschwätz *n*, b) Fach-, Zunft-, Standes-, Berufssprache *f*, c) (*vereinfachte*) Verkehrs-, Einheitssprache, d) Mischsprache *f*, e) verderbte Mundart, verkommener Dia'lekt. – **2.** hochtrabende Sprache, Schwulst *m*. – *SYN. cf.* **dialect.** – **II** *v/i* **3.** kauderwelschen, unverständlich *od.* unsinnig da'herreden. – **4.** einen Jar'gon sprechen.

jar·gon² ['dʒɑːrgɒn] *s min.* Jar'gon *m* (*Abart des Zirkon*).

jar·go·nel(le) [ˌdʒɑːrgə'nel] *s bot.* Jargo'nelle *f* (*frühreife Birnensorte*).

jar·gon·ize ['dʒɑːrgəˌnaiz] **I** *v/i* **1.** im Jar'gon sprechen. – **2.** kauderwelschen. – **II** *v/t* **3.** (*etwas*) im Jar'gon aussprechen *od.* sagen. – **4.** in Jar'gon über'tragen.

jar·goon [dʒɑːr'guːn] → **jargon².**

jarl [jɑːrl] *s hist.* Jarl *m*, Kleinkönig *m* (*im skandinav. Mittelalter*).

ja·rool [dʒə'ruːl] *s bot.* (*eine*) Lagerstroemie (*Lagerstroemia flos Reginae*).

jar·o·site ['dʒærəˌsait; dʒə'rousait] *s min.* Jaro'sit *m*.

jar·o·vi·za·tion [ˌjɑːrəvai'zeiʃən; -vi-; -və-], '**jar·oˌvize** → **vernalization** *etc.*

jar·rah ['dʒɑːrə] *s* **1.** *bot.* Dscharrahbaum *m* (*Eucalyptus marginata*). – **2.** Dscharrah-Holz *n*, austral. Maha'goni *n*.

jar·ring ['dʒɑːriŋ] *adj* **1.** 'mißtönend, schrill, unangenehm: **a ~ note** ein Mißton. – **2.** kreischend, quietschend, knarrend, kratzend. – **3.** wider'streitend. – **4.** (nerven)aufreibend.

jar·vey ['dʒɑːrvi] *s Br. colloq.* **1.** Miets-, Droschkenkutscher *m*. – **2.** *obs.* Mietsdroschke *f*.

ja·sey ['dʒeizi] *s Br. colloq.* (wollene) Pe'rücke.

jas·min(e) ['dʒæsmin; 'dʒæz-] *s bot.* **1.** (Echter) Jas'min (*Gattg Jasminum*). – **2.** Dufttrichter *m*, Jas'minwurzel *f* (*Gelsemium sempervirens*).

jas·per ['dʒæspər; *Br. auch* 'dʒɑːs-] *s min.* Jaspis *m* (*Abart des Chalcedons*).

Jat [dʒɑːt; dʒɔːt] *s* Dschat *m* (*Angehöriger einer nordwestindischen Stämmekaste*).

ja·to u·nit ['dʒeitou] *s aer.* 'Startraˌkete *f*, Düsenstarthilfe *f* (*aus jet-assisted take-off*).

jauk [dʒɑːk; dʒɔːk] *v/i Scot.* tändeln, scherzen.

jaun·dice ['dʒɔːndis; 'dʒɑːn-] **I** *s* **1.** *med.* Gelbsucht *f*, Ikterus *m*. – **2.** Voreingenommenheit *f*, (*bes.* durch Neid) getrübte Urteilskraft. – **II** *v/t* **3.** gelbsüchtig machen. – **4.** voreingenommen machen, mit Neid *od.* Vorurteil erfüllen.

jaunt [dʒɔːnt; dʒɑːnt] **I** *v/i* **1.** eine Spritztour *od.* kleine Vergnügungsreise machen, einen Ausflug machen. – **2.** lustwandeln, bummeln, um'herstreifen. – **3.** *obs.* sich fortschleppen.

– **II** *s* **4.** Ausflug *m*, Spritztour *f*, kleine Vergnügungsfahrt. – **5.** *selten* beschwerliche Reise.
jaun·tie *cf.* jaunty II.
jaun·ti·ness [ˈdʒɔːntinis; ˈdʒɑːn-] *s* **1.** Eleˈganz *f*, Feschheit *f*, flottes Wesen. – **2.** Lebhaftigkeit *f*, Munterkeit *f*.
jaunt·ing car [ˈdʒɔːntiŋ; ˈdʒɑːn-] *s* *leichter, zweirädriger Karren mit Längssitzen.*
jaun·ty [ˈdʒɔːnti; ˈdʒɑːnti] **I** *adj* **1.** eleˈgant, fesch, flott. – **2.** prunkhaft, glänzend. – **3.** lebhaft, munter, spritzig, keck, sorglos. – **4.** *obs.* fein, vornehm. – **II** *s* **5.** *mar. Br. sl.* Maˈrinepoliˌzei-, Exerˈziermeister *m*.
jaup [dʒɑːp; dʒɔːp] *Scot. od. dial.* **I** *v/i* spritzen. – **II** *v/t* bespritzen. – **III** *s* Spritzen *n*.
Ja·va [ˈdʒɑːvə] *s* **1.** Javakaffee *m*. – **2.** *Am. sl.* Kaffee *m*. — **~ man** *s* (*Anthropologie*) Jaˈvanthropus *m* (*primitiver Mensch, dessen Reste auf Java gefunden wurden*).
Jav·a·nese [*Br.* ˌdʒɑːvəˈniːz; *Am.* ˌdʒæv-] **I** *s sg u. pl* **1.** Jaˈvaner(in). – **2.** *ling.* Jaˈvanisch *n*, das Jaˈvanische. – **II** *adj* **3.** jaˈvanisch.
Ja·va spar·row *s zo.* Nonnenwebervogel *m* (*Munia oryzivora*).
jave·lin [ˈdʒævlin] **I** *s* **1.** Wurfspieß *m*. – **2.** *sport* Speer *m* (*zum Werfen*): **throwing the ~** Speerwerfen. – **II** *v/t* **3.** durchˈbohren, mit dem Wurfspieß treffen. — **~ bat** *s zo.* Langnasenfledermaus *f*, Falscher Vampir (*Phyllostoma hastatum*; *Südamerika*).
Ja·vel(le) wa·ter [ʒəˈvel] *s chem.* Eau de Jaˈvelle *n* (*ein Bleichmittel*).
jaw¹ [dʒɔː] **I** *s* **1.** *med. zo.* Kiefer *m*, Kinnbacken *m*, -lade *f*: **lower ~** Unterkiefer; **upper ~** Oberkiefer. – **2.** *med.* Kiefer(knochen) *m*, Kiefergerüst *n*, Kinnbackenknochen *m*. – **3.** *meist pl* Mund *m*, Maul *n*: a) Mundhöhle *f*, -öffnung *f*, b) Mundmuskeln *pl*, c) Schlund *m*, Rachen *m* (*bei Wirbeltieren*): **hold your ~** *colloq.* halt's Maul! – **4.** Mundöffnung *f*, Mund-, Kauwerkzeuge *pl* (*bei Wirbellosen*). – **5.** *bes. pl fig.* Mund *m*: a) Eingang *m*, b) Rachen *m*, Schlund *m*: **~s of death** Rachen des Todes; **~s of a gorge** Rachen einer Schlucht. – **6.** *tech.* a) (Klemm)Backe *f*, Backen *m*, b) Maul *n*: **~s of a vice** Backen eines Schraubstocks. – **7.** *mar.* Gaffelklaue *f*. – **8.** *sl.* a) Geschwätz *n*, Tratsch *m*, Plaudeˈrei *f*, b) Geschimpfe *n*, Schelten *n*, c) ‚Standpauke' *f*, Strafpredigt *f*, d) Streit *m*, Zank *m*: **none of your ~** laß das Geschwätz, halt den Mund. – **II** *v/i sl.* **9.** schwatzen, tratschen. – **10.** schelten, schimpfen. – **III** *v/t* **11.** *sl.* ‚anschnauzen', ‚anranzen', ‚abkanzeln' (*beschimpfen*).
jaw² [dʒɔː] *Scot. od. dial.* **I** *s* Welle *f*, Woge *f*. – **II** *v/t u. v/i* spritzen.
ˈ**jaw|ˈbone** *s med. zo.* Kiefer(knochen) *m*, Kinnbacken(knochen) *m*, Kinnlade *f*. — ˈ**~ˌbreak·er** *s* **1.** *tech.* Zerˈkleinerungsmaˌschine *f* (*für Stein u. Erz*), Backenbrecher *m*. – **2.** *colloq.* schwer auszusprechendes Wort. – **3.** *colloq.* (*Art*) steinharter Bonˈbon. — ˈ**~ˌbreak·ing** *adj colloq.* schwer auszusprechen(d), zungenbrecherisch. — **~ chuck** *s tech.* Backenfutter *n*. — **~ clutch,** *auch* **~ cou·pling** *s tech.* Klauenkupplung *f*. — **~ crush·er** → **jawbreaker** 1.
jawed [dʒɔːd] *adj* (*meist in Zusammensetzungen*) mit ... (Kinn)Backen: **heavy-~.** — ˈ**jaw·ing** *s sl.* Quatschen *n*, Plappern *n*, Schwätzen *n*, Geschwätz *n*.
jaw| jerk *s med.* Kinnladenkrampf *m*. — ˈ**~ˌlocked** *adj med.* unfähig, die Kinnbacken zu öffnen; mit Maulsperre (behaftet). — ˈ**~ˌsmith** *s Am. colloq.* Maulheld *m* (*bes. großmäuliger Volksredner*).
jay¹ [dʒei] **I** *s* **1.** *auch* **common ~** *zo.* Eichel-, Holzhäher *m* (*Garrulus glandarius*). – **2.** Lästermaul *n*, Klatschbase *f*. – **3.** *sl.* Einfaltspinsel *m*, Tölpel *m*, Dummkopf *m*. – **II** *adj Am.* **4.** blöd, beschränkt. – **5.** minderwertig.
jay² [dʒei] *s* Jot *n* (*Buchstabe*).
ˈ**jay|ˌhawk·er** *s Am.* **1.** J**~** (*Spitzname für einen*) Bewohner von Kansas. – **2.** *sl. hist. Mitglied einer Bande in Kansas während des amer. Bürgerkrieges.* – **3.** *sl.* Freischärler *m*, Partiˈsan *m*. – **4.** *dial.* große Spinne, Taˈrantel *f*, Vogelspinne *f*. — ˈ**~ˌwalk** *v/i colloq.* unvorsichtig *od.* verkehrswidrig über die Straße gehen. — ˈ**~ˌwalk·er** *s colloq.* unvorsichtiger Fußgänger (*im Straßenverkehr*), Verkehrssünder *m*. — ˈ**~ˌwalk·ing** *s colloq.* unvorsichtige *od.* verkehrswidrige ˈStraßenüberˌquerung (*von Fußgängern*).
jazz [dʒæz] **I** *s* **1.** *mus.* ˈJazz(muˌsik *f*) *m*: **~ band** Jazzkapelle. – **2.** ˈJazzmaˌnier *f*, -eleˌment *n* (*bes. im Stil einer Literatur*). – **3.** *sl.* ‚Aniˈmiertheit' *f*, ‚Schmiß' *m*, Schwung *m*. – **II** *adj* **4.** grell, schreiend, groˈtesk. – **5.** aniˈmalisch, aufreizend. – **6.** ˈunharˌmonisch, ˈmißtönend. – **III** *v/t* **7.** *mus.* als ˈJazzmuˌsik einrichten, jazzmäßig bearbeiten *od.* ˈherrichten, verjazzen: **to ~ the classics.** – **8.** *oft* **~ up** *sl.* Leben hinˈeinbringen in (*acc*), ‚aufpulvern', ‚aufmöbeln'. – **IV** *v/i* **9.** Jazz spielen *od.* tanzen. – **10.** sich groˈtesk aufführen. – **11.** *Am. sl.* ‚sich ins Zeug legen'. — ˈ**jazz·er** *s mus. sl.* **1.** ˈJazzkompoˌnist *m*. – **2.** Jazzmusiker *m*. — ˈ**jazz·y** *adj sl.* **1.** jazzartig, -mäßig, Jazz... – **2.** ‚wild'.
jeal·ous [ˈdʒeləs] *adj* **1.** eifersüchtig (**of** auf *acc*): **a ~ husband.** – **2.** (**of**) neidisch (auf *acc*), neiderfüllt, ˈmißgünstig (gegen): **to be ~ of a victor** auf einen Sieger neidisch sein. – **3.** (ängstlich) besorgt (**of** um), wachsam, aufmerksam (**of** auf *acc*), ˈumsichtig. – **4.** genau, streng, aufmerksam (beobachtend). – **5.** *Bibl.* eifernd, fordernd (*Gott*). – **6.** *dial.* argwöhnisch, ˈmißtrauisch. – **7.** *obs. od. dial.* eifrig, ergeben. – *SYN. cf.* **envious.** — ˈ**jeal·ous·ness** *selten für* **jealousy.**
jeal·ous·y [ˈdʒeləsi] *s* **1.** Eifersucht *f* (**of** auf *acc*): **jealousies** Eifersüchteleien. – **2.** (**of**) Neid *m* (auf *acc*), ˈMißgunst *f* (gegen): **~ of rank** Standesneid. – **3.** *dial.* Argwohn *m*, ˈMißtrauen *n*. – **4.** *obs.* Besorgnis *f*.
jean [dʒiːn; dʒein] *s* **1.** geköperter Baumwollstoff. – **2.** *pl* Jeans *pl*, Farmer-, Niethose *f*, Arbeitsanzug *m*. — **~ cher·ry** [dʒiːn] → **gean.**
jeb·el [ˈdʒebəl] (*Arab.*) *s* Dschebel *m*, Berg *m*, Gebirge *n*.
jeep [dʒiːp] *s* **1.** *mil. Am.* Jeep *m* (*geländegängiger, leichter* ¹/₄*-Tonnen-Mehrzweckkraftwagen*), (*Art*) Kübel-, Geländewagen *m*. – **2.** *mil. Am.* Reˈkrut *m*. – **3.** *mil. Am.* kleiner Amˈphibien-, Schwimmlastwagen. – **4.** *aer. Am.* kleines Nahaufklärungs- *od.* Verbindungsflugzeug. – **5.** *mar. Am. sl.* Geleitflugzeugträger *m*. – **6.** *colloq.* Mehrzweckkraftwagen *m*. — ˈ**jeep·a·ble** *adj* mit Jeep befahrbar.
jeer¹ [dʒir] **I** *v/i* **1.** spotten, sich lustig machen (**at** über *acc*). – **II** *v/t* **2.** verspotten, necken, lächerlich machen. – **3.** durch Spott vertreiben. – **III** *s* **4.** Spott *m*, Hohn *m*, Sticheˈlei *f*. – *SYN. cf.* **scoff¹.**
jeer² [dʒir] *s meist pl mar.* Rahtakel *f*, Fall-, Schwerttakel *f*.
jeer·ing [ˈdʒi(ə)riŋ] **I** *s* Verhöhnung *f*, Verspottung *f*. – **II** *adj* höhnisch, spöttisch, verächtlich.
je·fe [ˈxefe] (*Span.*) *s* Chef *m*, Führer *m*, (miliˈtärischer) Kommanˈdant.
Jef·fer·so·ni·an [ˌdʒefərˈsouniən] **I** *adj* von Thomas Jefferson, Jefferson... – **II** *s* Anhänger(in) Jeffersons (*des 3. Präsidenten der USA, 1743–1826*). — ˌ**Jef·ferˈso·ni·anˌism** *s* **1.** poˈlitisches Proˈgramm von Th. Jefferson. – **2.** Republiˈkanertum *n* der Jeffersonschen Richtung.
je·had *cf.* **jihad.**
Je·hosh·a·phat [dʒiˈhɒʃəˌfæt] *npr Bibl.* Josaphat *m* (*König von Juda*).
Je·ho·vah [dʒiˈhouvə] *s Bibl.* **1.** Jeˈhovah *m* (*Name Gottes im Alten Testament*). – **2.** (*der christliche*) Gott.
Je·ho·vah's Wit·ness·es *s pl* Zeugen *pl* Jeˈhovas (*christliche Bibelforschersekte*).
Je·ho·vist [dʒiˈhouvist] **I** *s* Jehoˈvist *m*: a) *Verfasser gewisser das Wort Jehova enthaltender Teile des Alten Testaments*, b) *hist. j-d der die Vokalpunkte des Wortes Jehova im Hebräischen als die richtigen Vokale ansieht.* – **II** *adj* → **Jehovistic.** — **Je·ho·vis·tic** [ˌdʒiːhoˈvistik] *adj* jehoˈvistisch.
Je·hu [ˈdʒiːhjuː] **I** *npr Bibl.* **1.** Jehu *m* (*König von Jerusalem*). – **II** *s* **j~** *humor.* **2.** ‚Raser' *m*, Schnellfahrer *m*. – **3.** Kutscher *m*.
jejun- [dʒidʒuːn] → **jejuno-.**
je·ju·nal [dʒiˈdʒuːnl] *adj med.* den Leerdarm betreffend.
je·june [dʒiˈdʒuːn] *adj* **1.** mager, ohne Nährwert (*Nahrung*). – **2.** *fig.* fade, geistlos, nüchtern. – **3.** trocken, unfruchtbar (*Land*). – *SYN. cf.* **insipid.** — **jeˈjune·ness, jeˈju·ni·ty** *s* **1.** Magerkeit *f*. – **2.** *fig.* Fadheit *f*, Nüchternheit *f*. – **3.** *obs.* Trockenheit *f*, Unfruchtbarkeit *f*.
jejuno- [dʒidʒuːno] *med. Wortelement mit der Bedeutung* Leerdarm.
je·ju·num [dʒiˈdʒuːnəm] *s med.* Jeˈjunum *n*, Leerdarm *m*.
jell [dʒel] *Am. colloq.* **I** *s* → **jelly** I. – **II** *v/i* fest werden, sich festigen, kristalliˈsieren, sich verdichten: **public opinion has ~ed** die öffentliche Meinung hat sich (heraus)kristallisiert. – **III** *v/t* fest machen, kristalliˈsieren, verdichten.
jel·lied [ˈdʒelid] *adj* **1.** gallertartig, geronnen, dick, verdickt, eingedickt (*Obst etc*). – **2.** mit Geˈlee bedeckt *od.* überˈzogen, in Gelee: **~ tongue.**
jel·li·fi·ca·tion [ˌdʒelifiˈkeiʃən; -ləfə-] *s* Gallerˈtierung *f*, Geˈlierung *f*, Eindickung *f*. — ˈ**jel·liˌfy** [-ˌfai] **I** *v/t* zu Gallert(e) machen, eindicken. – **II** *v/i* gallertartig werden, geˈlieren.
jel·ly [ˈdʒeli] **I** *s* **1.** Galˈlerte *f*, Gallert *n*, Sülze *f*. – **2.** eingedickter (Frucht)Saft, Geˈlee. – **3.** (*etwas*) Gallert-, Geˈleeartiges: **to beat s.o. into a ~** *colloq.* ‚j-n zu Mus hauen'. – **II** *v/i* **4.** geˈlieren, Geˈlee bilden. – **5.** sich verdicken, erstarren. – **III** *v/t* **6.** zum Geˈlieren *od.* Erstarren bringen, erstarren lassen. – **7.** in Sülze *etc* legen. — **~ bag** *s* Seihtuch *n* (*für Gelee*). — ˈ**~ˌfish** *s* **1.** *zo.* (*eine*) Meˈduse, (*eine*) Qualle, (*eine*) Seenessel (*Klassen Hydrozoa u. Scyphozoa*). – **2.** *fig.* enerˈgieloser Mensch, ‚Waschlappen' *m*. — ˈ**~ˌgraph** *s tech.* (*Art*) Vervielfältigungsgerät *n*. — **~ li·chen** *s bot.* Gallertflechte *f* (*Gattg Collema*). — **~ plant** *s bot.* Gallerttang *m* (*Eucheuma speciosum*; *Rotalge*).
jem·a·dar [ˈdʒeməˌdɑːr] *s Br. Ind.* **1.** Reˈgierungsbeˌamter *m*. – **2.** Poliˈzeioffiˌzier *m*. – **3.** Hofmeister *m*, erster Diener. – **4.** *mil.* eingeborener Leutnant (*in einem Sepoyregiment*). – **5.** *colloq.* (Kehr)Bursche *m*.
je·mi·ma [dʒiˈmaimə] *s Br. colloq.* **1.** fertig gebundener Schlips. – **2.** *pl*

a) e'lastische Stiefel *pl*, Zugstiefel *pl*, b) 'Stoff,überstiefel *pl*.

jem·my ['dʒemi] *s* **1.** Brecheisen *n*, kurze Brechstange. – **2.** *obs.* (*Art*) Reitstiefel *m*. – **3.** *obs. Br. sl.* gekochter Hammelkopf.

jen·net ['dʒenit] *s* (spanisches) Pony, kleines Pferd.

jen·net·ing ['dʒenitiŋ] *s eine früh reifende Apfelsorte.*

jen·ny ['dʒeni] *s* **1.** → **spinning** ~. – **2.** *zo.* Weibchen *n*: ~ **ass** Eselin, weiblicher Esel; ~ **wren** (weiblicher) Zaunkönig. – **3.** *tech.* beweglicher Kran, Laufkran *m*. – **4.** *Br. ein besonderer Billardstoß.*

jeop·ard ['dʒepərd] → **jeopardize.** — '**jeop·ard,ize** *v/t* gefährden, aufs Spiel setzen. — '**jeop·ard·ous** *adj obs.* gefährlich, gewagt. – *SYN. cf.* **dangerous.** — '**jeop·ard·y** *s* **1.** Gefahr *f*, Wagnis *n*, Risiko *n*. – **2.** *jur. die Gefahr, der ein Angeklagter vor dem Strafgericht ausgesetzt ist.*

je·quir·i·ty (bean) [dʒi'kwiriti; dʒə-; -əti] *s bot.* Pater'noster,erbse *f* (*Abrus precatorius; indische Leguminose*).

jer·bo·a [dʒər'bouə] *s zo.* Wüstenspringmaus *f* (*Gattg Jaculus*), *bes.* Jer'boa *m*, Ä'gyptische Wüstenspringmaus (*J. jaculus od. Dipus aegypticus*).

je·reed [dʒe'ri:d] *s* Dsche'rid *m* (*stumpfer Speer der Moslem*).

jer·e·mi·ad [,dʒeri'maiəd; -rə-; -æd] *s* Jeremi'ade *f*, Klagelied *n*, Wehklage *f*.

Jer·e·mi·ah [,dʒeri'maiə; -rə-], *auch* **,Jer·e'mi·as** [-əs] *npr Bibl.* (*der Prophet*) Jere'mia(s) *m*.

je·rez [he'reθ; -'res] *s* Jerez *m*, Sherry *m* (*span. Wein*).

Jer·i·cho ['dʒeri,kou; -rə-] **I** *npr Bibl.* Jericho *n*. – **II** *s colloq.* sehr entfernter *od.* schlimmer Ort: **go to** ~! geh zum Teufel! **to wish s.o. to** ~ j-n dorthin wünschen, wo der Pfeffer wächst.

je·rid *cf.* **jereed.**

jerk[1] [dʒə:rk] **I** *s* **1.** plötzlicher Stoß: a) Schlag *m*, Hieb *m*, b) Ruck *m*, Zug *m*, c) Satz *m*, Sprung *m*, d) Wurf *m*, Schwung *m*: **by** ~**s** sprung-, ruckweise; **at one** ~ auf einmal; **with a** ~ plötzlich, mit einem Ruck; **to give s.th. a** ~ etwas (*dat*) einen Ruck geben, ruckweise an etwas ziehen; **to put a** ~ **in it** *sl.* energisch anpacken, mit Schwung drangehen. – **2.** *med.* Re'flexbe,wegung *f*, Zuckung *f*, Krampf *m*. – **3. the** ~**s** *relig. Am.* Verzückungen *pl*, krampfhafte Zukkungen *pl*. – **4.** → **soda** ~. – **5.** *pl Br. sl.* Leibesübungen *pl*, Gym'nastik *f*: **physical** ~**s.** – **6.** *Am. sl.* schlechter Kerl. – **II** *v/t* **7.** (*plötzlich*) stoßen, ziehen (an *dat*), reißen (an *dat*), rücken, ruckweise ziehen (an *dat*) *od.* bewegen. – **8.** werfen, schleudern, stoßen. – **9.** *auch* ~ **out** (*Worte*) her'vorstoßen, 'hinwerfen. – **10.** *Am.* (*Mineralwasser*) ausschenken. – **III** *v/i* **11.** stoßen, reißen. – **12.** sich ruckweise bewegen: a) (zu'sammen)zucken, b) auffahren. – **13.** abgehackt sprechen.

jerk[2] [dʒə:rk] **I** *v/t* (*Fleisch*) in Streifen schneiden u. an der Sonne trocknen. – **II** *s* Charque *f* (*an der Luft getrocknetes Fleisch*).

jerk·er ['dʒə:rkər] → **soda jerk.**

jer·kin[1] ['dʒə:rkin] *s* Wams *n*, Koller *n*.

jer·kin[2] ['dʒə:rkin] *s zo.* männlicher Gerfalke (*Falco gyrfalco*).

jerk·i·ness ['dʒə:rkinis] *s* Sprunghaftigkeit *f*, Zu'sammenhangslosigkeit *f*. — '**jerk·ing·ly** *adv* ruckweise, krampfhaft.

'**jerk,wa·ter** *Am. colloq.* **I** *s* **1.** Nebenbahn *f*, Zubringerzug *m*. – **II** *adj* **2.** Nebenbahn..., auf einer Nebenlinie (gelegen). – **3.** *fig.* nebensächlich, unbedeutend.

jerk·y[1] ['dʒə:rki] *adj* **1.** stoß-, ruck-, sprungartig (sich fortbewegend), stoß-, ruckweise, sprunghaft: ~ **style.** – **2.** krampfhaft.

jerk·y[2] ['dʒə:rki] *s Am. dial.* Wagen *m* (*ohne Federn*), Rumpelkarren *m*.

jerk·y[3] ['dʒə:rki] → **jerk**[2] II.

jer·o·bo·am [,dʒerə'bouəm] *s Br.* 'Riesenweinflasche *f*, -glas *n*, -po,kal *m*.

jerque [dʒə:rk] *v/t Br.* (*Schiffspapiere, Waren*) zollamtlich über'prüfen, unter'suchen.

jer·reed, jer·rid *cf.* **jereed.**

jer·ry ['dʒeri] **I** *s* **1.** *sl.* a) Deutsche(r), *bes.* deutscher Sol'dat, b) die Deutschen *pl*. – **2.** *Br. sl.* a) ‚Spe'lunke' *f*, Kneipe *f*, b) Nachtgeschirr *n*. – **3.** → ~-**builder.** – **II** *adj* → ~-**built.** — '~-,**build** *v/t irr Br. colloq.* schlecht bauen. — '~-,**build·er** *s Br. colloq.* Erbauer *m* von minderwertigen Häusern. — '~-,**built** *adj Br. colloq.* 'unso,lid gebaut: ~ **house** ‚Bruchbude'. — ~ **can** *s Br. colloq.* Ben'zinka,nister *m*. — ~ **shop** *obs. für* **jerry** 2 a.

jer·sey ['dʒə:rzi] *s* **1.** (*eng anliegende*) wollene Strickjacke, Frauenjacke *f*. – **2.** 'Unterjacke *f*, Weste *f*. – **3. J**~ Jerseyrind *n*. – **4.** → **J**~ **cloth.** — **J**~ **cloth** *s* Jersey *m* (*wollener Trikotstoff od. -seide*). — **J**~ **cud·weed** *s bot.* Blaßgelbes Ruhrkraut (*Gnaphalium luteo-album*). — **J**~ **light·ning** *s Am. sl.* **1.** Apfelbranntwein *m*, 'Ciderli,kör *m*. – **2.** minderwertiger Whisky, ‚Fusel' *m*. — **J**~ **pine** *s bot.* Jerseykiefer *f* (*Pinus virginiana*).

Je·ru·sa·lem| ar·ti·choke [dʒə'ru:sələm; dʒi-] *s bot.* ,Topinam'bur *m*, Erdbirne *f* (*Helianthus tuberosus*). — ~ **cow·slip** → **lungwort** 1. — ~ **oak** *s bot.* Klebriger Gänsefuß (*Chenopodium botrys*). — ~ **po·ny** *s colloq.* Esel *m*. — ~ **sage** *s bot.* (*ein*) Brandkraut *n* (*Phlomis tuberosa*). — ~ **star** → **salsify.** — ~ **thorn** *s bot.* Stachelige Parkin'sonie (*Parkinsonia aculeata; trop.-amer. Leguminose*).

jess [dʒes] *hunt.* **I** *s meist pl* Fußband *n*, Riemen *m* (*eines Jagdfalken*). – **II** *v/t* (*Falken*) mit Fußriemen fesseln.

jes·sa·mine ['dʒesəmin] → **jasmin(e).**

jes·sant ['dʒesənt] *adj her.* **1.** aufschießend. – **2.** her'vorspringend. – **3.** (*über einem Teil des Wappenschildes*) liegend.

Jes·se win·dow ['dʒesi] *s gemaltes Fenster mit dem Stammbaum Christi.*

jest [dʒest] **I** *s* **1.** Witz *m*, Scherz *m*, Spaß *m*: **in** ~ im Spaß, scherzweise; **full of** ~ voll witziger Einfälle; ~**book** Witzbuch; **to make a** ~ **of** scherzen über (*acc*); **to take a** ~ (einen) Spaß vertragen *od.* verstehen. – **2.** spöttische *od.* neckische Bemerkungen *pl*, Spott *m*, Necke'rei *f*. – **3.** Spaß *m*, Vergnügen *n*, Fröhlichkeit *f*. – **4.** Gegenstand *m od.* Zielscheibe *f* des Spaßes *od.* Scherzes *od.* Gelächters: **standing** ~ Zielscheibe ständigen Gelächters. – **5.** *obs.* a) Heldentat *f*, b) (Helden)Geschichte *f*. – *SYN.* a) **joke, quip, wisecrack, witticism,** b) *cf.* **fun.** – **II** *v/i* **6.** scherzen, spaßen, Scherz treiben, Witze machen. – **7.** *selten* spotten, spötteln, höhnen. – **III** *v/t* **8.** verspotten. – **9.** necken. — '**jest·er** *s* **1.** Spaßmacher *m*, -vogel *m*, Witzbold *m*. – **2.** Spötter *m*, Stichler *m*. – **3.** Possenreißer *m*, Hanswurst *m*, (Hof)Narr *m*. — '**jest·ing I** *adj* **1.** scherzend, heiter, ausgelassen. – **2.** scherz-, spaßhaft. – **3.** lächerlich, unbedeutend: **no** ~ **matter** keine Sache zum Spaßen. – **II** *s* **4.** Scherz(en *n*) *m*, Spaß(machen *n*) *m*, Witz *m*.

Je·su ['dʒi:zju:; *Am. auch* -zu:] *npr poet.* Jesus *m*.

Jes·u·it ['dʒezjuit; -zu-; *Am. auch* -ʒu-] *s* **1.** *relig.* Jesu'it *m* (*Mitglied des Jesuitenordens*). – **2.** *fig.* Jesu'it *m*: a) Heuchler *m*, b) schlauer Fuchs, c) Wortklauber *m*, -verdreher *m*. — **,Jes·u'it·ic, ,Jes·u'it·i·cal** *adj* **1.** *relig.* jesu'itisch, Jesuiten... – **2.** *fig.* jesu'itisch: a) verschlagen, falsch, b) listig, schlau, c) spitzfindig, haarspalterisch. — **,Jes·u'it·i·cal·ly** *adv* (*auch zu* Jesuitic). — '**Jes·u·it,ism** *s* **1.** Jesui'tismus *m*, Jesu'itenlehre *f*. – **2.** *fig.* a) Jesuite'rei *f*, (jesu'itische) Kasu'istik, b) j~ Spitzfindigkeit *f*, ,Haarspalte'rei *f*. — '**Jes·u·it,ize I** *v/t* jesu'itisch machen. – **II** *v/i* jesu'itisch sein: a) falsch sein, b) spitzfindig sein. — '**Jes·u·it·ry** [-ri] → **Jesuitism** 2.

Jes·u·its'| bark → **cinchona** 2. — ~ **nut** → **water chestnut.**

Je·sus ['dʒi:zəs] *npr Bibl.* **1.** Jesus (Christus) *m*. – **2.** Jesus Sirach *m* (*Verfasser des Ecclesiasticus*).

jet[1] [dʒet] **I** *s* **1.** (Wasser-, Dampf-, Gas- *etc*)Strahl *m*, Strom *m*, Fluß *m*. – **2.** Her'vorschießen *n*, Her'ausströmen *n*. – **3.** Feuerstrahl *m*. – **4.** *tech.* Düse *f*, Strahlrohr *n*. – **5.** → a) ~ **engine,** b) ~ **plane.** – **II** *v/i pret u. pp* '**jet·ted** **6.** her'vorschießen, (her)'ausströmen. – **III** *v/t* **7.** ausstrahlen, -stoßen, -spritzen, her'vorschleudern.

jet[2] [dʒet] **I** *s* **1.** *min.* Ga'gat *m*, Pechkohle *f*, Jett *m*. – **2.** Tief-, Pech-, Kohlschwarz *n*. – **3.** *obs.* schwarzer Marmor. – **II** *adj* **4.** aus Ga'gat *od.* Pechkohle (bestehend). – **5.** tief-, pech-, kohlschwarz.

jet| air·lin·er *s aer.* Düsenverkehrsflugzeug *n*. — '~-'**black** → **jet**[2] 5. — ~ **bomb·er** *s aer.* Düsenbomber *m*. — ~ **car·bu·re(t)·tor** *s tech.* Einspritz-, Düsenvergaser *m*. — ~ **drive** *s tech.* Düsen-, Strahlantrieb *m*. — ~ **en·gine** *s tech.* Düsen-, Strahltriebwerk *n*. — ~ **fight·er** *s aer.* Düsen-, Strahl(trieb)-, Turbojäger *m*. — ~ **flame** *s tech.* Stichflamme *f*. — ~ **jock·ey** *s aer. Am. sl.* 'Düsenpi,lot *m*. — ~ **lin·er** *s aer.* Düsenverkehrsflugzeug *n*. — ~ **mo·tor** → **jet engine.** — ~ **nee·dle** *s tech.* Düsennadel *f*. — ~ **plane** *s aer.* Düsenflugzeug *n*. — '~-**pro,pelled** *adj aer.* düsengetrieben, mit Düsen- *od.* Strahlantrieb (versehen), Düsen..., Strahl(trieb)... — ~ **pro·pel·ler** *s aer.* 'Turbopro,peller *m*, durch 'Strahltur,bine angetriebener Pro'peller. — ~ **pro·pul·sion** *tech.* **I** *s* Düsen-, Reakti'ons-, Rückstoß-, Strahlantrieb *m*. – **II** *adj* mit Düsenantrieb, Reaktions..., Düsen..., Strahl(trieb)... — ~ **pump** *s tech.* Strahlpumpe *f*.

jet·sam ['dʒetsəm] *s mar.* **1.** Seewurfgut *n* (*in Seenot über Bord geworfene Ladung*). – **2.** Strandgut *n*, -trift *f*.

jet stream *s* (*Meteorologie*) Strahlströmung *f* (*Luftstrom, der die Erde in 8–10 km Höhe in mäandrierender Form umzieht*).

jet·ti·son ['dʒetisn; -zn; -tə-] **I** *s* **1.** *mar.* Über'bordwerfen *n* (*Ladung*), Seewurf *m*. – **2.** → **jetsam.** – **II** *v/t* **3.** *mar.* seewerfen, über Bord werfen. – **4.** *fig.* ab-, wegwerfen, sich (*einer Sache*) entledigen. – **5.** *aer.* (*Kabinen, Bombenaußenträger, Treibstofftanks*) abwerfen *od.* absprengen, (*Kraftstoff*) schnell ablassen. — '**jet·ti·son·a·ble** *adj* über Bord zu werfen(d), weg-, abwerfbar.

jet·ton ['dʒetn] *s* Je'ton *m*: a) Zahl-, Rechenpfennig *m*, b) Spielmarke *f*.

jet·ty[1] ['dʒeti] *s mar.* **1.** Hafendamm *m*, Mole *f*, Außenpier *m*. – **2.** Landungsplatz *m*, Anlegestelle *f*. – **3.** Strombrecher *m*, Leitdamm *m*, Strömungsschutz *m* (*an Landungsbrücken*).

jet·ty[2] ['dʒeti] → **jet**[2] II.

jeune fille [ʒœn 'fi:j] (*Fr.*) *s* junges Mädchen, Fräulein *n*.

jeune pre·mier [ʒœn prəm'je] (*Fr.*) *s* (*Theater*) jugendlicher Held.

jeu·nesse do·rée [ʒœ'nɛs dɔ're] (*Fr.*) *s* Jeu'nesse do'rée *f* (*junge Lebewelt*).
Jew [dʒuː] **I** *s* **1.** Jude *m*, Jüdin *f*: **unbelieving** ~ Ungläubiger, Heide; **tell that to the** ~**s** *obs.* das kannst du deiner Großmama erzählen. – **2.** *fig. colloq.* (gerissener) Geschäftemacher, Pro'fitjäger *m*, Wucherer *m*. – **II** *v/t* **j**~ **3.** *colloq.* ,übers Ohr hauen', betrügen, prellen, über'vorteilen. – **4.** *auch* **j**~ **down** *Am. sl.* (*Preis*) drücken. – **III** *adj* → **Jewish** I. — '~-ˌ**bait·er** *s* Judenhetzer *m*, -verfolger *m*, Antise'mit *m*. — '~-ˌ**bait·ing** *s* Judenverfolgung *f*, -hetze *f*, ˌAntisemi'tismus *m*. — '**j**~ˌ**bush** *s bot.* (*ein*) Pedi'lanthus *m* (*Pedilanthus tithymaloides u. P. padifolius*).
jew·el ['dʒuːəl] **I** *s* **1.** Ju'wel *m, n*, Edelstein *m*: the ~-house die Schatzkammer (*Raum im Tower mit den brit. Kronjuwelen*). – **2.** Geschmeide *n*, Schmuck(stück *n*) *m*. – **3.** *fig.* Ju'wel *m, n*, Schatz *m*, Kleinod *n*, Perle *f*. – **4.** *tech.* Stein *m* (*einer Uhr*). – **5.** Buckel *m*, Verzierungsknopf *m* (*in farbigem Glas*). – **II** *v/t pret u. pp* '**jew·eled**, *bes. Br.* '**jew·elled 6.** mit Ju'welen schmücken *od.* besetzen. – **7.** *tech.* (*Uhr*) auf Steinen lagern, mit Steinen versehen. — '**jew·el·er**, *bes. Br.* '**jew·el·ler** *s* Juwe'lier *m*, Goldschmied *m*, Schmuckhändler *m*.
'**jew·el**ˌ**fish** *s zo.* Zweifleckenbuntbarsch *m* (*Hemichromis bimaculatus*).
jew·el·ler ['dʒuːələr], '**jew·el·ler·y** [-əlri], '**jew·el·ly** *bes. Br. für* **jeweler, jewelry, jewely.**
jew·el·ry, *bes. Br.* **jew·el·ler·y** ['dʒuːəlri] *s* **1.** Ju'welen *pl*, Edelsteine *pl*. – **2.** Schmuck(sachen *pl*) *m*, Geschmeide *n*.
'**jew·el**ˌ**weed** *s bot.* (*ein*) nordamer. Springkraut *n* (*Impatiens biflora u. I. pallida*). — ~ **fam·i·ly** *s bot.* Balsa'minengewächse *pl* (*Fam. Balsaminaceae*).
jew·el·y, *bes. Br.* **jew·el·ly** ['dʒuːəli] *adj* **1.** ju'welenbesetzt, -geschmückt. – **2.** ju'welenartig, glänzend (*auch fig.*).
Jew·ess ['dʒuːis] *s* Jüdin *f*.
'**Jew**ˌ**fish** *s zo.* Judenfisch *m* (*Fam. Serranidae, bes. Promicrops lanceolata*). [(*bei Haustauben*).]
jew·ing ['dʒuːiŋ] *s zo.* Kehllappen *m*
Jew·ish ['dʒuːiʃ] **I** *adj* **1.** jüdisch, Juden..., he'bräisch, israe'litisch. – **2.** *fig.* wucherisch. – **II** *s* → **Yiddish** I.
Jew·ry ['dʒu(ə)ri] *s* **1.** Judentum *n*, -schaft *f*. – **2.** *hist.* Judenviertel *n*, Getto *n*.
'**Jews'**-ˌ**ap·ple** ['dʒuːz] → **egg-plant.**
'**Jew's**|-ˌ**ear** *s bot.* **1.** Judasohr *n*, Ho'lunderschwamm *m* (*Auricularia auricula-judae*). – **2.** Becherling *m* (*Gattg Peziza*). — '**j**~-ˌ**harp**, '**jews'**-ˌ**harp** *s* **1.** *mus.* Maultrommel *f*, Brummeisen *n*. – **2.** *bot.* Nickende Wachslilie (*Trillium cernuum*). — ~ **mal·low, Jews' mal·low** *s bot.* Jutepflanze *f*, Indischer Flachs (*Corchorus olitorius*). — ~ **myr·tle, Jews' myr·tle** *s bot.* **1.** Echte Myrte (*Myrtus communis*). – **2.** → **butcher's broom.** — ~ **pitch, Jews' pitch** *s* As'phalt *m*.
Jews' thorn *s bot.* Christusdorn *m* (*Paliurus spinachristi*).
je·zail [dʒə'zail] *s Br. Ind.* (lange af'ghanische) Mus'kete.
Jez·e·bel ['dʒezəbl] **I** *npr* Isebel *f*, Jezabel *f* (*jüd. Königin, Gemahlin des Ahab*). – **II** *s* Dirne *f*, Verworfene *f*.
jib[1] [dʒib] **I** *s* **1.** *mar.* Klüver *m* (*vorderstes dreieckiges Stagsegel*): **flying** (*od.* **outer**) ~ Außenklüver; **inner** ~ Innenklüver. – **2.** *dial.* Gesicht *n*, Fratze *f*: **the cut of his** ~ *colloq.* sein Aussehen, seine äußere Erscheinung. – **II** *v/i u. v/t pret u. pp* **jibbed** → **jibe**[1] I *u.* II.
jib[2] [dʒib] **I** *v/i pret u. pp* **jibbed 1.** scheuen, bocken, störrisch sein (*Pferd*). – **2.** *Br. fig.* a) scheuen, innehalten, b) ausweichen, c) ablehnen, d) wider'streben, abgeneigt sein (at *dat*). – **II** *s* → **jibber.**
jib[3] [dʒib] *s tech.* Kranbalken *m*, Ausleger *m*.
jib·ba(h) ['dʒibə] *s* Dschibbah *f* (*hemdartiges, weites Kleid der moham. Frauen u. Kinder*).
jib·ber ['dʒibər] *s* störrisches *od.* scheues Tier.
jib| **boom**, '~'**boom** *s* **1.** *mar.* Klüverbaum *m*. – **2.** *tech.* Ausleger *m* (*eines Krans etc*). — ~ **door** *s* Geheim-, Ta'petentür *f*.
jibe[1] [dʒaib] *mar.* **I** *v/i* **1.** giepen, sich drehen, sich 'umlegen (*Segel*). – **2.** drehen, den Kurs ändern. – **II** *v/t* **3.** (*Segel*) 'übergehen lassen (*beim Segeln vor dem Wind*). – **4.** (*Segel*) 'durchkaien. – **III** *s* **5.** Drehen *n*, 'Umlegen *n*, 'Durchkaien *n* (*des Segels*).
jibe[2] [dʒaib] *v/i Am. colloq.* über'einˌstimmen, sich entsprechen, miteinˌ'ander im Einklang stehen: **his words and actions do not** ~.
jibe[3] *cf.* **gibe**[1].
jif·fy ['dʒifi], *auch* **jiff** *s colloq.* Augenblick *m*, Mo'ment *m*: **in a** ~ im Nu; (**wait**) **half a** ~ (warte) einen (ganz kleinen) Augenblick.
jig[1] [dʒig] **I** *s* **1.** *tech.* a) (Auf-, Ein)-Spannvorrichtung *f*, (Bohr)Vorrichtung *f* (*an Werkzeugmaschinen*), b) Scha'blone *f* (*für Reihenfertigung*). – **2.** (*Angeln*) Heintzblinker *m*, Tor'pedospinner *m*. – **3.** (*Bergbau*) a) Kohlenwippe *f*, b) 'Setzmaˌschine *f*, -kasten *m*. – **II** *v/t* **4.** *tech.* mit einer Einstellvorrichtung *od.* einer Scha'blone 'herstellen. – **5.** (*Bergbau*) (*Erze*) setzen, sepa'rieren, waschen, scheiden. – **6.** (*Fisch*) mit der (Heintzblinker)Angel fangen. – **III** *v/i* **7.** *tech.* mit einer Einspannvorrichtung *od.* Scha'blone arbeiten. – **8.** mit dem Heintzblinker fischen. – **9.** (*Bergbau*) mit einer Kohlenwippe *od.* einem Setzkasten arbeiten.
jig[2] [dʒig] **I** *s* **1.** *mus.* Gigue *f* (*Tanz*). – **2.** *sl.* Streich *m*, Possen *m*: **the** ~ **is up** das Spiel ist aus, nun wird abgerechnet. – **II** *v/t pret u. pp* **jigged 3.** (*eine Gigue*) tanzen. – **4.** (hin u. her) werfen, schütteln, rütteln, ruckweise bewegen. – **III** *v/i* **5.** Gigue tanzen *od.* spielen. – **6.** hüpfen, hopsen.
jig·ger[1] ['dʒigər] *s* **1.** Giguetänzer *m*. – **2.** Drahtzieher *m* (*von Marionetten*). – **3.** *mar.* a) Be'san *m* (*kleines Hecksegel*), b) *auch* ~ **mast** Besanmast *m*, c) Jigger *m*, Handtalje *f*, d) Jollentau *n*, e) kleines Boot mit Jollentakelung. – **4.** *tech.* Erzscheider *m*, Siebsetzer *m*. – **5.** *tech.* 'Rüttelmaˌschine *f*, -vorrichtung *f*: a) (*Bergbau*) Setzsieb *n*, 'Siebˌsetzmaˌschine *f*, b) 'Filzmaˌschine *f*, c) 'Schleifmaˌschine *f* (*für lithographische Steine*), d) Dreh-, Töpferscheibe *f*, e) Speicherkran *m*, f) *electr.* Kopplungsspule *f*, g) (*Bergbau*) Kuppelhaken *m* (*für Förderwagen*). – **6.** Heintzblinker *m* (*besondere Angel*). – **7.** Trunk *m*, Schluck *m*, kleine Menge (*einer Flüssigkeit*). – **8.** Mischbecher *m*. – **9.** (*Golf*) Jigger *m* (*eiserner Schläger*). – **10.** (*Billard*) (Holz)Bock *m*, Brücke *f* (*für das Queue*). – **11.** *colloq.* Ding *n*, Zeug *n*, Gerät *n*: **that little** ~ **on the pistol.** – **12.** *sl.* ,alte Kiste' (*Fahrrad etc*). – **13.** *sl.* ,Loch' *n* (*Gefängnis*). – **14.** *sl.* Tür *f*.
jig·ger[2] ['dʒigər] *s* **1.** *auch* ~ **flea** → **chigoe.** – **2.** → **chigger** 1.
jig·ger[3] ['dʒigər] *v/i colloq.* zappeln (*Fisch*).
jig·gered ['dʒigərd] *adj* verdammt: I'm ~ if verdammt will ich sein, wenn *od.* hol mich der Teufel, wenn.
jig·ger·y-pok·er·y ['dʒigəri 'poukəri] *s Br. colloq.* Hokus'pokus *m*, Humbug *m*.
jig·gle ['dʒigl] **I** *v/t* rücken, stoßen, rütteln. – **II** *v/i* schwanken, schaukeln, hüpfen. — **III** *s* Rütteln *n*, ruckweise Bewegung, Wackeln *n*.
jig| **saw** *s tech.* **1.** Laubsäge *f*. – **2.** Rahmen-, Spalt-, Wippsäge *f*. — '~ˌ**saw puz·zle** *s* Zu'sammensetzspiel *n*, Puzzlespiel *n*.
ji·had [dʒi'hɑːd] *s* **1.** Dschi'had *m* (*heiliger Krieg der Mohammedaner gegen die Ungläubigen*). – **2.** *fig.* Verteidigung *f*, Verfechtung *f* (*eines Glaubens*), Kreuzzug *m*. ['kette *f*.]
jill·et ['dʒilit] *s Scot. od. dial.* Ko-
jilt [dʒilt] **I** *v/t* **1.** sitzenlassen, den Laufpaß geben (*dat*). – **II** *s* **2.** untreues Mädchen, Ko'kette *f*, Mädchen, das seinem Liebhaber den Laufpaß gibt. – **3.** *selten* untreuer Mann; Mann, der seine Geliebte sitzenläßt. — '**jilt·er** → **jilt** II.
Jim| **Crow** [dʒim 'krou] *s Am. sl.* **1.** (*verächtlich*) ,Nigger' *m*, Neger *m*. – **2.** Rassentrennung *f*. — '~-ˌ**Crow**, '**j**~-ˌ**crow** *Am.* **I** *adj sl.* Neger..., ... für Neger. – **II** *s tech.* (*Art*) Spindelstreckvorrichtung *f* (*zum Strecken von Eisenschienen etc*). — ~ **Crow car** *s Am. colloq.* Eisenbahnwagen *m* für Neger. — ~ **Crow·ism** *s Am. sl.* 'Rassentrennung *f*, -diskrimiˌnierung *f*.
jim·i·ny ['dʒimini] → **Gemini** II.
jim·jams ['dʒimˌdʒæmz] *s pl sl.* **1.** Säuferwahnsinn *m*, De'lirium *n* tremens. – **2.** Gruseln *n*, Schauder *m*, Kribbeln *n*.
jim·my ['dʒimi] **I** *s* → **jemmy** 1. – **II** *v/t* mit dem Brecheisen aufbrechen *od.* öffnen.
jimp [dʒimp] *adj Scot. od. dial.* **1.** schlank, hübsch, schmuck. – **2.** knapp.
Jim·son| **weed**, *auch* **j**~ **weed** ['dʒimsn] *s bot.* Gewöhnlicher Stechapfel (*Datura stramonium*).
jin·gal ['dʒingɔːl; -gəl] *s Br. Ind.* große Mus'kete, einfache Ka'none (*der indischen Eingeborenen*).
jing·ko ['dʒiŋkou] → **ginkgo.**
jin·gle ['dʒiŋgl] **I** *v/i* **1.** klimpern (*Münzen*), klirren (*Schlüssel*), klingeln (*Schellen*), rasseln (*Ketten*). – **2.** klingeln (*Vers, Reim*): **jingling ballad** Ballade mit Versgeklingel; **jingling rhymes** Reimgeklingel. – **3.** sich reimen, staben, gleichklingen. – **II** *v/t* **4.** klinge(l)n lassen, klimpern *od.* klirren mit. – **III** *s* **5.** Geklingel *n*, Gebimmel *n* (*Schellen*), Geklirr *n*, Klimpe'rei *f* (*Münzen, Schlüssel*), Gerassel *n* (*Ketten*). – **6.** Klingel *f*, Knarre *f*, Schelle *f*, Bimmel *f*. – **7.** Reim-, Wortgeklingel *n*. – **8.** (Gedicht *n* mit) Versgeklingel *n*. – **9.** (zweirädriger, bedeckter) Karren *od.* Wagen (*in Irland u. Australien*). — '**jin·gly** [-gli] *adj* klingend, klirrend, klimpernd.
jin·go ['dʒiŋgou] **I** *s pl* **-goes** Jingo *m*, Chauvi'nist *m*, kriegerischer Nationa'list, Hur'rapatriˌot *m*, Säbelraßler *m*. – **II** *adj* Jingo..., chauvi'nistisch. – **III** *interj* **by** ~! alle Wetter! so wahr ich hier stehe! — '**jin·go**ˌ**ism** *s pol.* Chauvi'nismus *m*, Hur'rapatrioˌtismus *m*. — '**jin·go·ist** → **jingo** I. — ˌ**jin·go'is·tic** *adj* chauvi'nistisch.
jink [dʒiŋk] **I** *s* **1.** *bes. Scot.* Ausweichen *n*. – **2.** *bes. pl* lärmendes Vergnügen, Ausgelassenheit *f*: **high** ~**s** Übermütigkeit, übermütige Laune, Streiche. – **II** *v/i* **3.** entschlüpfen, entweichen. – **4.** *mil. sl.* ausweichen (*Luftkampf*). – **III** *v/t* **5.** um'gehen, vermeiden, ausweichen (*dat*). – **6.** *aer. sl.* (*im Luftkampf*) ausweichen (*dat*).

jinn [dʒin] *s* **1.** *pl von* jinnee. – **2.** *pl* (*fälschlich* ~s) Dschin *m*.

jin·nee, *Am. auch* **jin·ni** [dʒiˈniː] *pl* **jinn** *s* Dschin *m*.

jin·rik·i·sha [dʒinˈrikʃə; -ʃɔː], *auch* **jinˈrick·sha** *s* Rikscha *f*.

jinx [dʒiŋks] *Am. sl.* **I** *s* **1.** Unglücksrabe *m*, Pechvogel *m*. – **2.** Unglücksbringer *m*, -stein *m*. – **II** *v/t* **3.** Unglück bringen (*dat*).

ji·pi·ja·pa [ˌhiːpiˈhɑːpɑː] *s* **1.** *bot.* Panamahutpalme *f* (*Carludovica palmata*). – **2.** Panamahut *m*.

jir·ga [ˈdʒəːrgə] *s* Versammlung *f* afˈghanischer Stammeshäuptlinge.

jit·ney [ˈdʒitni] *Am. sl.* **I** *s* **1.** billiger Autobus, billiges Verkehrsmittel. – **2.** Fünfˈcentstück *n*, Nickelmünze *f*. – **II** *v/t* **3.** in einem billigen Autobus befördern. – **III** *v/i* **4.** mit einem billigen Autobus fahren.

jit·ter [ˈdʒitər] *sl.* **I** *s pl* ‚Zappeligkeit' *f* (*Nervosität*): to have the ~s eine Heidenangst haben, ‚die Hose voll haben'. – **II** *v/i* ‚fahrig *od.* zappelig sein', nerˈvös sein *od.* handeln.

jit·ter·bug [ˈdʒitərˌbʌg] *Br. sl. od. Am.* **I** *s* **1.** ˈSwingenthusiˌast *m*, -tänzer(in). – **2.** *fig.* Nervenbündel *n*, Zappelphilipp *m*. – **II** *v/i* **3.** zur Swingmusik tanzen, Swing tanzen, Jitterbug tanzen.

jit·ter·y [ˈdʒitəri] *adj sl.* ‚ˈdurchgedreht', ‚verdattert', ‚zappelig' (*nervös, aufgeregt*).

jiu·jit·su [dʒuːˈdʒitsuː], **jiuˈjut·su** [-ˈdʒut-] → jujitsu.

jive [dʒaiv] **I** *s* **1.** a) *mus.* ˈSwingmuˌsik *f*, b) Swingschritt *m*. – **2.** *Am.* ˈSwing-, ˈJazzjarˌgon *m*. – **3.** *Am. sl.* a) Kauderwelsch *n*, b) Tratsch *m*, Quatsch *m*, leeres Gewäsch. – **II** *v/i Am.* **4.** ˈSwingmuˌsik spielen – **5.** Jitterbug tanzen.

jo [dʒou] *pl* **joes** *s Scot.* Liebchen *n*.

jo·an·nes [dʒoˈæniːz; -iz] → johannes.

job¹ [dʒɒb] **I** *s* **1.** (Stück)Arbeit *f*, Beschäftigung *f*: odd ~s Gelegenheitsarbeiten; out of a ~ arbeits-, stellungslos. – **2.** *colloq.* Beruf *m*, Handwerk *n*, Beschäftigung *f*, Stelle *f*, Posten *m*: ~ evaluation Arbeitsbewertung; ~s for the boys Ämter für die Anhänger (*einer siegreichen politischen Partei*). – **3.** Geschäft *n*, Auftrag *m*: to know one's ~ sein Handwerk *od.* seine Sache verstehen (*auch fig.*). – **4.** Aufgabe *f*, Pflicht *f*: to be on the ~ *sl.* auf dem Posten *od.* wachsam *od.* rührig sein. – **5.** Ergebnis *n*, Werk *n*, Proˈdukt *n*: by the ~ um eine bestimmte Summe, im Akkord. – **6.** Proˈfitgeschäft *n*, Schacher *m*, Schiebung *f*. – **7.** *colloq.* Angelegenheit *f*, Sache *f*: a good ~! ein Glück! a good ~ that he came gut, daß er (gerade) kam; Gott sei Dank kam er gerade; to make a good ~ of it es ordentlich erledigen *od.* machen; to make the best of a bad ~ retten, was zu retten ist; bad ~ a) Fehlschlag, Pfuscherei, b) üble Lage, schlechter Zustand. – **8.** *sl.* ‚schräges Ding', ‚krumme Sache' (*Straftat*): to do s.o.'s ~ j-n zugrunde richten, j-n ‚erledigen', j-n umbringen. – *SYN. cf.* a) position, b) task. – **II** *v/i pret u. pp* **jobbed** [dʒɒbd] **9.** Gelegenheitsarbeiten machen, Aufträge ausführen. – **10.** (im) Akˈkord arbeiten. – **11.** in die eigene Tasche wirtschaften, ‚schieben', eine Veruntreuung *od.* Unterˈschlagung begehen. – **12.** makeln, Vermittler- *od.* Zwischenhändlergeschäfte machen. – **13.** mit Aktien handeln. – **III** *v/t* **14.** im Zwischenhandel verkaufen. – **15.** *Br. auch* ~ out (*Arbeit*) verteilen, (weiter)vergeben: to ~ a contract einen Liefervertrag an andere Lieferanten weitervergeben. – **16.** veruntreuen, unterˈschlagen. – **17.** schachern mit, schieben mit. – **18.** (*Pferd, Wagen*) a) mieten, b) vermieten. – **IV** *adj* **19.** Arbeits..., zur *od.* für Arbeit. – **20.** Akkord..., im Akˈkord. – **21.** zuˈsammengekauft, -gewürfelt, Ramsch... – **22.** Miet..., (ver)mietbar, verkäuflich.

job² [dʒɒb] **I** *v/t pret u. pp* **jobbed** *Br.* (*Am. selten*) **1.** (hinˈein)stechen, (-)stoßen, picken. – **2.** (*Pferd*) verletzen, reißen (*mit dem Gebiß*). – **II** *v/i* **3.** stoßen *od.* stechen (at nach). – **III** *s* **4.** Stich *m*, Stoß *m*. – **5.** Reißen *n* (*am Pferdegebiß*).

Job³ [dʒoub] *npr Bibl.* Hiob *m*, Job *m*: Book of ~ Buch Hiob *od.* Job (*im Alten Testament*); that would try the patience of ~ dazu braucht man eine Engelsgeduld; ~'s news Hiobsbotschaft.

jo·ba·tion [dʒoˈbeiʃən] *s colloq.* ‚Standpauke' *f*, Strafpredigt *f*.

job·ber [ˈdʒɒbər] *s* **1.** Zwischenhändler *m*, Deˈtailverkäufer *m*. – **2.** ‚Schieber' *m*, Veruntreuer *m*. – **3.** Akˈkordarbeiter *m*. – **4.** Tagelöhner *m*, Handlanger *m*, Gelegenheitsarbeiter *m*. – **5.** *Br.* Aktienhändler *m*, ˈBörsenmakler *m*, -spekuˌlant *m*. – **6.** *obs.* Trödler *m*.

job·ber·nowl [ˈdʒɒbərˌnoul] *s Br. colloq.* Dummkopf *m*, Tölpel *m*.

job·ber·y [ˈdʒɒbəri] *s* **1.** Unterˈschlagung *f*, ‚Schiebung' *f*, Veruntreuung *f*, ˈAmtsˌmißbrauch *m*. – **2.** ˈMißwirtschaft *f*, Korruptiˈon *f*. – **3.** *econ.* (ˌBörsen)Makleˈrei *f*.

job·bing [ˈdʒɒbiŋ] **I** *adj* **1.** auf Stück *od.* im Akˈkord arbeitend. – **2.** kleine gelegentliche Arbeiten verrichtend: ~ man Gelegenheitsarbeiter, Tagelöhner; ~ tailor Flickschneider; ~ work *print.* Akzidenzarbeit. – **II** *s* **3.** Annehmen *n* u. Ausführen *n* von Stückarbeiten, Akˈkordarbeit *f*. – **4.** *econ.* Maklergeschäft *n*, Efˈfektenhandel *m*. – **5.** Schiebung *f*, Wucher *m*, Spekulatiˈonsgeschäfte *pl*. – **6.** Vermieten *n* (*Wagen, Pferde etc*).

ˈjob|ˌhold·er *s* **1.** Festangestellter *m*. – **2.** *Am.* Staatsangestellter *m*, -beamter *m*. — **~ hunt·er** *s* Stellenjäger *m*. — **~ lot** *s econ.* **1.** Spekulatiˈons-, Gelegenheitskauf *m*. – **2.** Ramschware *f*: to sell as a ~ im Ramsch verkaufen. — **ˈ~ˌmas·ter** *s Br.* Wagen- u. Pferdeverleiher *m*. — **~ print·er** *s print.* Akziˈdenzdrucker *m*. — **~ print·ing** *s* Akziˈdenzdruck *m*.

Job's| com·fort·er [dʒoubz] *s* ‚Hiobströster' *m*, schlechter Tröster. — **ˈ~-ˈtears** *s pl bot.* **1.** Hiobstränen *pl* (*Früchte von* 2). – **2.** (*als sg konstruiert*) Hiobsträne *f*, Tränengras *n* (*Coix lacrima-Jobi*).

job work [dʒɒb] *s* **1.** *print.* Akziˈdenzdruckarbeit *f*. – **2.** Akˈkordarbeit *f*.

Jock¹ [dʒɒk] *s* **1.** *colloq. humor.* Schotte *m*. – **2.** *sl.* schott. Solˈdat *m*. – **3.** *colloq.* (*Nordengland*) Maˈtrose *m* (*bes. auf Kohlenschiffen*).

jock² [dʒɒk] → jockey 1.

jock³ [dʒɒk] → ~ strap.

jock·ey [ˈdʒɒki] **I** *s* **1.** Jockei *m* (*Berufsrennreiter*). – **2.** *Br.* a) Bursche *m*, b) Handlanger *m*, ˈUntergeordneter *m*. – **II** *v/t* **3.** (*Pferd*) als Jockei reiten. – **4.** zuˈwege bringen, fertigbringen, ‚deichseln': to ~ s.o. away j-n geschickt wegleiten, j-n ‚weglotsen'. – **5.** betrügen, überˈlisten: to ~ s.o. out of his money j-n um sein Geld betrügen. – **III** *v/i* **6.** (unehrlichen) Vorteil suchen. – **7.** betrügen. — **~ club** *s* Jockeiklub *m*.

jock·ey·dom [ˈdʒɒkidəm] *s* Jockeistand *m*.

jock·ey| gear *s tech.* Gezeug *n*, Triebwerk *n* (*mit Spannrollen, um Unterseekabel zu legen*). — **~ pul·ley** *s tech.* Spann-, Leitrolle *f*.

jock·ey·ship [ˈdʒɒkiˌʃip] *s* Jockei-, Reitkunst *f*.

jock·ey wheel → jockey pulley.

jock·o [ˈdʒɒkou] *pl* **-os** *s zo.* **1.** → chimpanzee. – **2.** *auch* J~ *colloq.* Affe *m*.

Jock| Scott [ˈdʒɒk ˈskɒt] *s* (*Angelsport*) *eine künstliche Fliege für Forellen- u. Lachsfang*. — **j~ strap** *s* ˈSportsuspenˌsorium *n*.

jock·te·leg [ˈdʒɒktəˌleg] *s Scot. od. dial.* großes Taschenmesser.

jo·cose [dʒoˈkous] *adj* **1.** spaß-, scherz-, schalkhaft, komisch. – **2.** heiter, ausgelassen. – *SYN. cf.* witty. — **joˈcos·i·ty** [-ˈkɒsiti; -əti], *auch* **joˈcose·ness** [-ˈkousnis] *s* **1.** Spaß-, Scherzhaftigkeit *f*. – **2.** Heiterkeit *f*, Ausgelassenheit *f*. – **3.** Spaß *m*, Scherz *m*.

joc·u·lar [ˈdʒɒkjulər; -jə-] *adj* **1.** scherz-, spaßhaft, witzig. – **2.** lustig, heiter. – *SYN. cf.* witty. — **ˌjoc·uˈlar·i·ty** [-ˈlæriti; -əti] *s* **1.** Scherzhaftigkeit *f*. – **2.** Heiterkeit *f*, Lustigkeit *f*. – **3.** Scherz *m*, Spaß *m*.

joc·und [ˈdʒɒkənd; ˈdʒou-] *adj* lustig, fröhlich, heiter. – *SYN. cf.* merry. — **jo·cun·di·ty** [dʒoˈkʌnditi; -əti] *s* **1.** Lustigkeit *f*, Munterkeit *f*. – **2.** Scherz *m*, Spaß *m*.

jodh·pur breech·es [ˈdʒɒdpur; -pə(ː)r], **ˈjodh·purs** *s pl* Reithose *f*.

Joe¹ [dʒou] *s* **1.** → GI Joe. – **2.** not for ~ *obs. Br. sl.* um keinen Preis.

joe² *cf.* jo.

Jo·el [ˈdʒouel; -əl] *Bibl.* **I** *npr* Joel *m* (*Prophet*). – **II** *s* Buch *n* Joel (*des Alten Testaments*).

Joe Mil·ler [dʒou ˈmilər] *s* alter Witz, Kalauer *m*.

ˌjoe|-ˈpye weed *s bot.* (*ein*) amer. purpurfarbiger Wasserdost (*Eupatorium maculatum u. E. purpureum*). — **J~ Soap** *s aer. sl.* ‚Dussel' *m* (*j-d, der sich unangenehme Arbeiten aufhalsen läßt*). — **ˈ~ˌwood** *s bot.* Armbandbaum *m* (*Jacquinia keyensis*).

jo·ey [ˈdʒoui] *s Austral.* **1.** junges Känguruh. – **2.** Junges *n*, (*das*) Junge (*eines Tieres*). – **3.** (kleines) Kind.

jog¹ [dʒɒg] **I** *v/t pret u. pp* **jogged** **1.** (an)stoßen, schubsen. – **2.** (auf)rütteln, schütteln. – **3.** (leise) anstoßen, antippen. – **4.** anregen, erinnern: to ~ s.o.'s memory j-s Gedächtnis (*acc*) auffrischen, j-s Gedächtnis (*dat*) nachhelfen. – **5.** *print.* (*Papierbogen*) auf-, glatt-, geradestoßen, gleich-, ausrichten. – **II** *v/i* **6.** holpern, vorwärtsstolpern, sich ruckweise bewegen. – **7.** *auch* ~ on, ~ along sich fortschleppen, mühsam gehen. – **8.** (daˈhin)trotten, trapsen, stiefeln. – **9.** sich aufmachen, aufbrechen: we must be ~ging laßt uns aufbrechen. – **10.** *fig.* weitergehen, ab-, fortlaufen, fortschreiten: we must ~ on somehow irgendwie müssen wir weiterkommen; matters ~ along die Dinge nehmen ihren Lauf. – **III** *s* **11.** Stoß *m*. – **12.** Rütteln *n*, Schütteln *n*. – **13.** Anstoßen *n*, Antippen *n*. – **14.** Trott *m*.

jog² [dʒɒg] *s bes. Am.* Unregelmäßigkeit *f* (*einer Fläche*): a) Vorsprung *m*, b) Einbuchtung *f*, Kerbe *f*.

jog·gle [ˈdʒɒgl] **I** *v/t* **1.** schütteln, hin u. her stoßen *od.* werfen, erschüttern, rütteln. – **2.** *tech.* verschränken, verbinden, kröpfen, verzahnen, zuˈsammenfügen, (*Bergbau*) verzehren. – **II** *v/i* **3.** sich schütteln, wanken, wackeln. – **4.** holpern, vorwärtsstolpern, zuckeln. – **III** *s* **5.** Schütteln *n*, Erzittern *n*. – **6.** Holpern *n*, Hopsen *n*. – **7.** → jog trot I. – **8.** *tech.* Verzahnung *f*, Schwalbenschwanz *m*. – **9.** *tech.* a) Auskerbung *f*, Kerbe *f*, Schlitz *m*, b) Zinken *m*, Zapfen *m*, c) (Verbindungs)Pflock *m*,

Vorstecker *m*, d) Falz *m*, Nut *f*. — ~ **beam** *s tech.* verzahnter Balken. — ~ **post** *s arch.* **1.** Ständer *m* (*mit Ächselungen zur Aufnahme der Streben*). – **2.** Ständer *m* aus zwei verzahnten Balken. — 'ˌ~ˌ**work** *s tech.* Mauerwerk *n* mit verzahnten Fugen.

jog trot I *s* **1.** (leichter) Trab, Trott *m*. – **2.** *fig.* Schlendrian *m*, Trott *m*, Tretmühle *f*, Alltag *m*. – **II** *adj* **3.** (behaglich) schlendernd. – **4.** *fig.* eintönig, einförmig.

jo·han·nes [dʒo'hæniːz; -iz] *s hist.* Joã *m* (*portug. Goldmünze*).

Jo·han·nine [dʒo'hænain; -nin] *adj* johan'neisch, den A'postel Jo'hannes betreffend.

Jo·han·nis·ber·ger [dʒo'hænisˌbəːrgər; jo-] *s* Jo'hannisberger *m* (*weißer Rheinwein*).

John [dʒɒn] *npr Bibl.* Jo'hannes *m*. — ~ **Bar·ley·corn** → **Barleycorn** 1. — ~ **Bull** *s* John Bull: a) *England*, b) *der* (*typische*) *Engländer*. — ~ **Chi·na·man** *s* der (typische) Chi'nese. — ~ **Com·pa·ny** *s Br. hist. colloq.* Ostindische Kompa'nie. — ~ **Doe** [dou] *s* **1.** *jur. colloq.* fik'tiver *od.* fin'gierter Kläger (*bei Besitzentziehungsklagen*). – **2.** *Am. colloq. fingierte Person bei gesetzlichen, finanziellen etc Handlungen.* — ~ **Do·ry**, *auch* ~ **Do·ree** ['dɔːriː] *s zo.* Petersfisch *m*, Heringskönig *m* (*in Europa Zeus faber, in Australien Z. australis*).

John·e's dis·ease ['jounəz] *s vet.* Johnesche Krankheit (*paratuberkulöse Darmentzündung*).

John Han·cock ['hænkɒk] *s Am. colloq.* eigenhändige 'Unterschrift.

john·ny ['dʒɒni] *s* **1.** *Br.* a) Stutzer *m*, Bummler *m*, b) Kerl *m*, Bursche *m*. – **2.** J~ *zo.* a) (*eine*) Groppe (*Oligocottus maculosus*), b) Streifenpinguin *m* (*Pygoscelis papua*). — **J~ Arm·strong** *s mar. sl.* ,Saft' *m*, ,Schmalz' *n* (*Muskelkraft*). — '~ˌ**cake** *s* **1.** *Am.* (*Art*) Maiskuchen *m*. – **2.** *Austral.* (*Art*) Weizenmehlkuchen *m*. — **J~ cocks** *s bot.* Männliches Knabenkraut (*Orchis mascula*). — '**J~-'jump-ˌup**, *auch* **J~ jump·er** *s bot. Am.* Wildes Stiefmütterchen (*Viola tricolor u. Verwandte*). — **J~ on the spot** *Am. colloq.* **I** *s* Hans *m* Dampf in allen Gassen. – **II** *adj* immer bei der Hand. — **J~ Raw** *s obs. sl.* Neuling *m*, Anfänger *m*, Grünschnabel *m*.

'**John-o'-'Groat's**(**-House**) [-ə'grouts] *s* (*Ort an der*) Nordspitze Schottlands: from Land's End to ~ (quer) durch ganz England, von einem Ende Englands zum anderen.

John·son·ese [ˌdʒɒnsə'niːz] *s* **1.** Stil *m* von Samuel Johnson. – **2.** pom'pöser Stil.

John·son grass ['dʒɒnsən] *s bot.* A'leppo-ˌHirse *f*, Wilde Negerhirse, Su'dangras *n* (*Sorghum halepense*).

John·so·ni·an [dʒɒn'souniən; -njən] **I** *adj* **1.** Johnsonsch(er, e, es) (*Samuel Johnson od. seinen Stil betreffend*). – **2.** pom'pös, hochtrabend, schwülstig. – **II** *s* **3.** Verehrer(in) von Samuel Johnson.

joie de vi·vre [ʒwa də 'viːvr] (*Fr.*) *s* Lebensfreude *f*, -genuß *m*.

join [dʒɔin] **I** *v/t* **1.** (*etwas*) verbinden, vereinigen, zu'sammenfügen (to mit): to ~ hands a) die Hände falten, b) sich die Hand *od.* die Hände reichen, c) *fig.* gemeinsame Sache machen, zusammengehen. – **2.** (*Personen*) vereinigen, verbinden, zu'sammengesellen, -bringen (with, to mit): to ~ in marriage verheiraten; to ~ in friendship freundschaftlich verbinden, Freundschaft stiften zwischen (*dat*). – **3.** *fig.* verbinden, vereinigen, vereinen: to ~ prayers gemeinsam beten; to ~ forces a) sich zusammenschließen, b) *mil.* Streitkräfte vereinigen *od.* zusammenführen. – **4.** sich (wieder) anschließen an (*acc*), sich gesellen zu, beitreten (*dat*), eintreten in (*acc*): I'll ~ you later ich werde mich euch später anschließen; to ~ a party einer Partei beitreten; to ~ one's regiment zu seinem Regiment stoßen; to ~ one's ship an Bord seines Schiffs gehen; to ~ the majority a) sich der Mehrheit anschließen, b) sich zu seinen Vätern versammeln, sterben. – **5.** (*Kampf*) aufnehmen, sich beteiligen an (*dat*), sich einlassen auf (*acc*), geraten in (*acc*): to ~ battle den Kampf aufnehmen, die Schlacht beginnen; → **issue** 4. – **6.** sich vereinigen mit, zu'sammenkommen mit: the brook ~s the river der Bach mündet in den Fluß. – **7.** *math.* (*Punkte*) verbinden. – **8.** *colloq.* angrenzen an (*acc*), liegen an (*dat*) *od.* bei: his land ~s mine sein Feld grenzt an meines. – **II** *v/i* **9.** sich vereinigen, sich verbinden, zu'sammenkommen (with mit). – **10.** in Verbindung stehen. – **11.** (in) teilnehmen (an *dat*), mitmachen (bei). – **12.** angrenzen, sich berühren. – **13.** *auch* ~ up *mil.* sich anwerben lassen, Sol'dat werden. – *SYN.* associate, combine, connect, link[1], relate, unite[1]. – **III** *s* **14.** Verbindung *f*, Vereinigung *f*. – **15.** Verbindungsstelle *f*, -linie *f*, Naht *f*, Fuge *f*, Bindeglied *n*.

join·der ['dʒɔindər] *s* **1.** Verbindung *f*, Zu'sammenfügung *f*. – **2.** *jur.* a) *auch* ~ of actions (objek'tive) Klagehäufung, -verbindung, b) Streitgenossenschaft *f*, c) ~ of issue Einlassung *f* zur Hauptsache, Einlassung *f* (auf die Klage).

joined [dʒɔind] *adj* **1.** verbunden, vereinigt. – **2.** *tech.* a) gefugt, fugendicht, b) gefalzt, zu'sammengestoßen: ~ by bevels schräggefugt; ~ masonry verbundenes Mauerwerk.

join·er ['dʒɔinər] *s* **1.** a) Tischler *m*, Schreiner *m*, b) Zimmermann *m*: ~'s bench Hobelbank; ~'s clamp Leim-, Schraubzwinge; ~ work *od. bes. Br.* ~'s work Tischlerarbeit. – **2.** *j-d der vereinigt od. zusammenfügt*: film ~ (Film)Kleber(in). – **3.** 'Holzbearbeitungs-, 'Schreinermaˌschine *f*. – **4.** *Am. colloq.* Vereinsmeier *m*, -mensch *m*. — '**join·er·y** [-əri], *auch* '**join·er·ing** *s* **1.** Tischlerhandwerk *n*, Schreine'rei *f*. – **2.** Tischlerarbeit *f*.

join·ing ['dʒɔiniŋ] *s* **1.** Verbindung *f*, Zu'sammenfügung *f*. – **2.** (Zu-'sammen)Treffen *n*. – **3.** Tischler-, Schreinerarbeit *f*. – **4.** Treffpunkt *m*. – **5.** verbindendes Mittel, Bindemittel *n*. – **6.** Gelenk *n*. – **7.** *tech.* a) Verband *m*, Verbindung *f*, b) Fuge *f*, c) Verzahnung *f*, d) Anschluß *m*: ~ piece Ansatzstück; ~ pipe Anschlußrohr. – **8.** Klebestelle *f* (*im Filmstreifen*).

joint [dʒɔint] **I** *s* **1.** Verbindung(sstelle) *f*, *bes.* a) (*Tischlerei etc*) Fuge *f*, Stoß *m*, b) (*Eisenbahn*) Schienenstoß *m*, c) (*bes. Klempnerei*) (Löt-) Naht *f*, Nahtstelle *f*, d) (*Maurerei*) Fuge *f*, e) *biol. med. tech.* Gelenk *n*: ball-and-socket ~ Kugelgelenk; universal ~ Kardangelenk; out of ~ ausgerenkt, verrenkt, *bes. fig.* aus den Fugen; ~ coupling Gelenkkupplung; → **nose** *b. Redw.* – **2.** Glied *n* (*zwischen zwei Gelenken*). – **3.** *bot.* a) (Sproß-) Glied *n*, b) (Blatt)Gelenk *n*, c) Gelenk(knoten *m*) *n*. – **4.** Verbindungsstück *n*, Bindeglied *n*. – **5.** Verbindungsart *f*, Verband *m*. – **6.** Hauptstück *n* (*eines geschlachteten Tiers*). – **7.** (*Buchbinderei*) Falz *m* (*der Buchdecke*). – **8.** *geol.* Spalte *f*, Kluft *f*. – **9.** *sl.* ,Bude' *f*, ,Loch' *n*, ,Laden' *m*, ,'Bumsloˌkal' *n*. – **II** *adj* **10.** *bes. jur.* gemeinsam, gemeinschaftlich, gesamtschuldnerisch: ~ action gemeinsames Vorgehen; on (*od.* for) ~ account auf *od.* für gemeinsame Rechnung. – **11.** vereint, verbunden, zu'sammenhängend: ~ influences zusammenhängende Einflüsse; for their ~ lives *jur.* solange sie beide *od.* alle leben. – **12.** *bes. jur.* Mit..., Neben...: ~ heir Miterbe; ~ plaintiff Mit-, Nebenkläger. – **13.** soli'darisch: we promise ~ly and severally wir versprechen solidarisch (*od.* gemeinsam *od.* zur gesamten Hand) u. jeder für sich; ~ and several bond Gesamtverbindlichkeit des einzelnen Schuldners; ~ and several liability gesamtschuldnerische Haftung; ~ and several note *econ.* gesamtschuldnerisches Zahlungsversprechen; ~ and several obligation *econ.* Gesamtverpflichtung, -verbindlichkeit; ~ and several responsibility *econ.* solidarische Verbindlichkeit *od.* Verantwortlichkeit. – **14.** *pol.* beider Legisla'tivgruppen. – **III** *v/t* **15.** verbinden, zu'sammenfügen. – **16.** *tech.* a) fugen, stoßen, verbinden, verzapfen, b) (*Fugen eines Mauerwerks*) verstreichen, c) (*Brett*) an den Kanten glatthobeln.

joint| ac·count *s econ.* Gemeinschafts-, Konsorti'al-, ˌPartizipati'ons-, Beteiligungs-, Metakonto *n*, gemeinschaftliches Konto. — ~ **al·li·ance** *s jur.* Gesellschaft *f* bürgerlichen Rechts, Arbeitsgemeinschaft *f*. — ~ **busi·ness** *s econ.* Kompa'nie-, Meta-, Partizipati'onsgeschäft *n*, gemeinsames Geschäft. — ~ **cap·i·tal** *s econ.* Ge'samt-, Ge'sellschaftskapiˌtal *n*. — ~ **cred·it** *s econ.* Konsorti'alkreˌdit *m*.

joint·ed ['dʒɔintid] *adj* **1.** verbunden. – **2.** gegliedert, mit Gelenken versehen: ~ doll Gliederpuppe. – **3.** *biol.* knotig gegliedert. — '**joint·er** *s tech.* **1.** Schlichthobel *m*. – **2.** Fügebank *f*. – **3.** (*Maurerei*) Fugkelle *f*, -eisen *n*. – **4.** *agr.* Düngereinleger *m*. – **5.** Löter *m*, Verbinder *m*.

joint| e·vil *s vet.* Lähme *f* (*der Jungtiere*). — ~ **fam·i·ly** *s* 'Großfaˌmilie *f* (*zu der auch die entfernteren Verwandten gehören*). — ~ **ill** → joint evil.

joint·ing ['dʒɔintiŋ] *s* **1.** Zu'sammenfügung *f*, Verbindung *f*. – **2.** *geol.* Klüftung *f*.

joint li·a·bil·i·ty *s econ.* Gesamt-, Soli'darhaftung *f*, gemeinsame Haftung.

joint·ly ['dʒɔintli] *adv* gemeinschaftlich: to be ~ and severally liable *econ.* gesamtschuldnerisch haften.

joint| own·er *s econ.* Teilhaber *m*. — ~ **own·er·ship** *s* **1.** *econ.* Miteigentum *n*. – **2.** *mar.* ˌMit-, ˌPartnerreede'rei *f*. — ~ **res·o·lu·tion** *s pol.* Gemeinschaftsbeschluß *m* (*zweier Legislativgruppen*).

joint·ress ['dʒɔintris] *s jur.* Besitzerin *f* eines Leibgedinges.

joint| stock *s econ.* Ge'sellschafts-, 'Aktienkapiˌtal *n*. — '~-'**stock bank** *s econ.* Genossenschafts-, Aktienbank *f*. — '~-'**stock com·pa·ny** *s econ.* **1.** *Br.* Aktiengesellschaft *f*: collateral ~ Nebenaktiengesellschaft, – **2.** *Am.* offene Handelsgesellschaft auf Aktien. — '~-'**stock cor·po·ra·tion** *s econ. Am.* Aktiengesellschaft *f*. — ~ **stool** *s* geschreinerter Stuhl. — ~ **ten·an·cy** *s econ.* Mitbesitz *m*, -pacht *f*. — ~ **ten·ant** *s econ.* Mitpächter *m*, -besitzer *m*. — ~ **un·der·tak·ing** *s econ.* gemeinsames Unter'nehmen, ˌPartizipati'onsgeschäft *n*.

join·ture ['dʒɔintʃər] **I** *s* **1.** *jur.* Wittum *n*, Witwenleibgedinge *n*: to settle a ~ on (*od.* to provide a ~ for) one's wife seiner Frau ein Wittum aussetzen. – 2. *jur. obs.* gemeinsame Innehabung (*eines Besitzes*). – 3. *obs.* Verbindung *f.* – **II** *v/t* 4. (*der Ehefrau*) ein Witwenleibgedinge aussetzen. — **'join·tur·ess** [-ris] → jointress.

'joint|,weed *s bot.* Amer. Gliederknöterich *m* (*Polygonella articulata*). — **'~,worm** *s zo.* Knotenwurm *m* (*Larve bestimmter Erzwespen, Überfam. Chalcidoidea*).

joist [dʒɔist] *arch.* **I** *s* 1. (kleiner) (Quer)Balken, Streck-, Dielenbalken *m.* – 2. *Am.* kleiner Balken (*Querschnitt etwa 3 × 4 Zoll*). – 3. (Quer)-Träger *m* (*Brücke etc*). – 4. *pl* Gebälk *n.* – **II** *v/t* 5. mit (Quer)Trägern belegen.

jo·jo·ba [ho'houbɑː] *s bot. eine nordamer. Buxacee* (*Simmondsia californica*).

joke [dʒouk] **I** *s* 1. Witz *m*: a practical ~ ein Schabernack, ein Streich; to crack ~s Witze reißen; to play a practical ~ on s.o. j-m einen Streich spielen. – 2. Scherz *m*, Spaß *m*: to do s.th. in ~ etwas zum Scherz tun; he cannot take (*od.* see) a ~ er versteht keinen Spaß. – 3. Witz *m* (*lächerliche Person od. Sache*): he is a ~ er ist ein Witz, er ist Gegenstand des Gelächters. – 4. Kleinigkeit *f*, Spaß *m*: the climb was no ~ die Kletterei war keine Kleinigkeit. – *SYN. cf.* jest. – **II** *v/i* 5. scherzen: you must be joking Sie scherzen wohl. – 6. Witze machen. – **III** *v/t* 7. (*j-n*) hänseln, necken, sich lustig machen über (*acc*). — **'jok·er** *s* 1. Spaßmacher *m*, Spaßvogel *m*, Witzbold *m.* – 2. *sl.* Kerl *m*, Bursche *m.* – 3. Joker *m* (*Spielkarte*). – 4. *Am. sl. meist pol.* ,'Hintertürklausel' *f* (*die mehrere Auslegungen eines Dokumentes zuläßt*), *bes.* (*versteckte*) Annul'lierungsklausel.

jo·kul ['joukul], **'jö·kul** ['jœ-] *s* Jökull *m*, Gletscher *m* (*auf Island*).

jok·y ['dʒouki] *adj* spaß-, scherzhaft.

jole [dʒoul] → jowl.

jol·lier ['dʒɒliər] *s Am. colloq.* 1. Spaßmacher *m*, Witzbold *m.* – 2. Schäker *m.*

jol·li·fi·ca·tion [,dʒɒlifi'keiʃən; -ləfə-] *s colloq.* Lustbarkeit *f*, Festlichkeit *f*, (feucht)fröhliches Fest. — **'jol·li,fy** [-,fai] *colloq.* **I** *v/t* 1. lustig machen, in fröhliche Stimmung versetzen. – 2. beschwipst machen, anheitern. – **II** *v/i* 3. lustig sein, feiern. — **'jol·li·ty** [-ti], *auch* **'jol·li·ness** *s* 1. Lustigkeit *f*, Fröhlichkeit *f.* – 2. Fest *n.*

jol·ly[1] ['dʒɒli] **I** *adj* 1. lustig, fi'del, vergnügt: the ~ god der heitere Gott (*Bacchus*). – 2. jovi'al, leutselig, nett. – 3. *Br. colloq.* (*ironisch*) ,schön', ,nett', ,hübsch': he must be a ~ fool er muß ein schöner Schafskopf sein. – 4. froh, erfreut (over über *acc*). – 5. angeheitert, beschwipst. – 6. *Br. colloq.* a) reizend, nett, hübsch, b) fa'mos, glänzend, großartig, herrlich: ~ weather. – *SYN. cf.* merry. – **II** *adv* 7. *Br. colloq.* ,ganz schön', sehr: you'll ~ well have to Sie werden gar nicht anders können (als). – **III** *v/t colloq.* 8. *meist* ~ along (*j-m*) um den Bart gehen, (*j-m*) schmeicheln *od.* schöntun. – 9. (*j-n*) gutmütig hänseln *od.* necken, ,aufziehen', ,hochnehmen'. – **IV** *v/i* 10. lustig sein, scherzen. – 11. *colloq.* schmeicheln, schöntun. – 12. *colloq.* sich auf gutmütige Weise lustig machen. – **V** *s* 13. *colloq.* ,Schönrede'rei *f*, -tue'rei *f.* – 14. *Br. sl.* Ma'rinesol,dat *m.* – 15. *Br. sl.* fröhliches Gelage *od.* Bei'sammensein. – 16. *sl.* Schabernack *m*, gutmütige Hänse'lei.

jol·ly[2] ['dʒɒli], **~ boat** *s mar.* Jolle *f.*

Jol·ly Rog·er → Roger[1] 1.

jolt [dʒoult] **I** *v/t* 1. (auf)rütteln, (auf)-schütteln, stoßen. – 2. *tech.* (*Metallstäbe*) stauchen. – **II** *v/i* 3. rütteln, holpern, rattern (*bes. Fahrzeug*): to ~ along dahinholpern. – **III** *s* 4. Ruck *m*, Stoß *m.* – 5. Rütteln *n*, Schütteln *n*, Holpern *n.*

jolt·er·head ['dʒoultər,hed], *auch* **'jolt,head** *s* Dumm-, Schafskopf *m.*

jolt·y ['dʒoulti] *adj colloq.* 1. holperig. – 2. ruckartig.

Jo·nah ['dʒounə], **'Jo·nas** [-nəs] **I** *npr* 1. *Bibl.* Jonas *m* (*israelitischer Prophet*). – **II** *s* 2. *Bibl.* (das Buch) Jonas *m.* – 3. *fig.* Unglücksbringer *m*, -rabe *m.*

Jon·a·than ['dʒɒnəθən] **I** *npr* 1. *Bibl.* Jonathan *m.* – **II** *s* 2. Jonathan *m* (*ein Tafelapfel*). – 3. → Brother ~.

jon·gleur [*Br.* ʒɔ̃ː(ŋ)'gləː; *Am.* 'dʒɑŋglər; ʒɔ̃g'lœːr] *s hist.* fahrender Sänger, Spielmann *m.*

jon·quil ['dʒɒŋkwil] *s* 1. *bot.* a) Jon'quille *f* (*Narcissus jonquilla*), b) Jon'quillenzwiebel *f.* – 2. *auch* ~ yellow helles Rötlichgelb.

jook joint *cf.* juke joint.

jor·dan ['dʒɔːrdn] *s obs. od. dial.* Nachttopf *m.*

Jor·dan al·mond *s* Malaga-, Va'lenciamandel *f* (*für Konfekt*).

jor·na·da [xər'naða] (*Span.*) *s* 1. Tag(e)werk *n.* – 2. Tagereise *f.* – 3. (*südwestl. USA u. Mexiko*) langer Wüstenstrich.

jo·rum ['dʒɔːrəm] *s* großer Humpen, Trinkkrug *m.*

Jo·seph ['dʒouzif; -zəf] *s* 1. *fig.* Joseph *m* (*keuscher Mann*). – 2. j~ langer (Reit)Mantel mit Cape (*bes. der Damen im 18. Jh.*).

josh [dʒɒʃ] *sl.* **I** *v/t* (*j-n*) hänseln, ,veräppeln', ,hochnehmen', ,auf den Arm nehmen'. – **II** *v/i* hänseln, andere Leute ,veräppeln'. – **III** *s* ,Veräppelung' *f*, ,Verulkung' *f.* — **'josh·er** *s Am. sl.* j-d der andere ,veräppelt', ,Hänsler' *m.*

Josh·u·a ['dʒɒʃjuə; -ʃuə] *s Bibl.* (das Buch) Josua *m.* — **~ tree** *s bot.* Josuabaum *m* (*Yucca brevifolia*; *Kalifornien*).

jos·kin ['dʒɒskin] *s sl.* Tölpel *m*, Bauernlümmel *m.*

joss [dʒɒs] *s* (*Pidgin English*) chines. (Haus)Götze *m.*

joss·er ['dʒɒsər] *s sl.* 1. Kerl *m*, Bursche *m.* – 2. Schafskopf *m*, ,Depp' *m.*

joss| house *s* (*Pidgin English*) chines. Tempel *m.* — **~ stick** *s* Räucherstock *m*, -stab *m* (*im chines. Gottesdienst*).

jos·tle ['dʒɒsl] **I** *v/t* 1. anrempeln, stoßen *od.* rempeln an (*acc*) *od.* gegen, puffen, stoßen: to ~ s.o. away j-n zur Seite stoßen *od.* drängen, wegstoßen; to ~ each other gegeneinanderstoßen. – **II** *v/i* 2. rempeln, stoßen, puffen (against gegen). – 3. zu'sammenstoßen (with mit). – 4. sich dränge(l)n: to ~ with s.o. for s.th. sich mit j-m um etwas drängeln. – **III** *s* 5. Zu'sammenprall *m*, -stoß *m* (*auch fig.*). – 6. Dränge'lei *f*, Gedränge *n.* — **'jos·tle·ment** *s* Gedränge *n.*

Jos·u·e ['dʒɒsju,iː] → Joshua.

jot [dʒɒt] **I** *s* Jota *n*, Deut *m*, (*das*) bißchen: not a ~ kein Jota, nicht ein bißchen. – **II** *v/t pret u. pp* **'jot·ted** *meist* ~ down a) flüchtig niederschreiben, schnell 'aufno,tieren, b) (*Zeichnung etc*) schnell 'hinwerfen. — **'jot·ter** *s* No'tizbuch *n.* — **'jot·ting** *s* 1. (kurze) No'tiz, (kurzer) Vermerk. – 2. schnelles 'Aufno,tieren.

Jo·tun ['jɔːtun] *s* Jötun *m* (*dämonisches Wesen der nordischen Mythologie*). — **'Jo·tun,heim** [-,heim] *s* Jötunheim *n* (*das Riesenheim der nordischen Mythologie*). — **Jo·tunn, Jo·tunn·heim** *cf.* Jotun, Jotunheim. — **Jö·tunn,** ['jœtun], **'Jö·tunn,heim** [-,heim] → Jotun, Jotunheim.

jouk [dʒuːk] *Scot. od. dial.* **I** *v/i* 1. sich drücken. – 2. sich ducken, ausweichen. – 3. knicksen. – **II** *v/t* 4. ausweichen (*dat*).

joule [dʒuːl; dʒaul] *s electr.* Joule *n* (= *1 Wattsekunde*; *Einheit der elektr. Arbeit*). — **'~,me·ter** *s electr. phys. in Joule geeichtes Meßgerät für die elektr. Arbeit.*

jounce [dʒauns] **I** *v/t* 1. ('durch)-rütteln, ('durch)schütteln, 'durchbeuteln. – **II** *v/i* 2. rattern, holpern. – 3. geschüttelt *od.* gerüttelt werden. – **III** *s* 4. Stoß *m*, Ruck *m.*

jour·nal ['dʒəːrnl] *s* 1. Tagebuch *n.* – 2. (*Buchhaltung*) Tagebuch *n*, Jour'nal *n*, Memori'al *n*, Prima'nota *f.* – 3. Jour'nal *n* (*einer Körperschaft*). – 4. the J~s *pl pol.* das Proto'kollbuch (*des brit. Parlaments*). – 5. Zeitschrift *f*, Zeitung *f*, Jour'nal *n*, *bes.* a) Tageszeitung *f*, Tageblatt *n*, b) Fachzeitschrift *f.* – 6. *mar.* Logbuch *n.* – 7. *tech.* (Lager-, Wellen)-Zapfen *m*, Achsschenkel *m*: ~ bearing Achs-, Zapfenlager; ~ box Zapfenlager, Achs-, Lagerbüchse. — **,jour·nal'ese** [-nə'liːz] *s colloq.* Zeitungs-, Journa'listenstil *m* (*oberflächlicher u. sensationell aufgebauschter Stil*). — **'jour·nal,ism** *s* Zeitungswesen *n*, Journa'lismus *m.* — **'jour·nal·ist** *s* 1. Journa'list(in): a) Zeitungsschriftsteller(in), Mitarbeiter(in) einer Zeitung, b) Schriftleiter(in) (*Zeitung*). – 2. Tagebuchschreiber(in). — **,jour·nal'is·tic** *adj* journa'listisch, Zeitungs..., Journalisten... — **'jour·nal,ize** **I** *v/t* 1. in ein Tagebuch eintragen. – 2. *econ.* in das Jour'nal eintragen. – 3. (*im Tagebuchstil od. als Bericht*) aufzeichnen. – **II** *v/i* 4. ein Tagebuch führen. – 5. *econ.* ein Jour'nal führen. – 6. Journa'list sein.

jour·ney ['dʒəːrni] **I** *s* 1. Reise *f* (*bes. zu Lande*): a three days' ~ eine dreitägige Reise; to go on a ~ verreisen; to take (*od.* perform, undertake) a ~ eine Reise machen *od.* unternehmen. – 2. Reise *f*, Entfernung *f*, Weg *m*: it's a two days' ~ to X nach X sind es zwei Tagereisen. – 3. Route *f* (*eines öffentlichen Verkehrsmittels*). – 4. *obs.* Tagereise *f.* – **II** *v/i* 5. reisen. – 6. wandern. – **III** *adj* 7. Reise... — **~ cake** → johnnycake.

jour·ney·er ['dʒəːrniər] *s* Reisende(r).

'jour·ney|·man [-mən] *s irr* 1. (Handwerks)Geselle *m*, Gehilfe *m*: ~ tailor Schneidergeselle. – 2. *fig.* Handlanger *m*, Mietling *m.* – 3. *auch* ~ clock *astr.* Hilfs-, Kon'trolluhr *f* (*einer Sternwarte*). — **'~,work** *s* 1. Gesellen-, Gehilfenarbeit *f.* – 2. Rou'tinearbeit *f*, me'chanische *od.* 'untergeordnete Arbeit. – 3. *fig.* Tagelöhnerarbeit *f*, (*bes.* schlecht bezahlte) niedrige Arbeit.

joust [dʒaust; dʒuːst; dʒʌst] *hist.* **I** *v/i* 1. tur'nieren. – **II** *s* 2. Tjost *f* (*Zweikampf zu Pferde mit Lanzen*) – 3. *pl* Tur'nier(spiel) *n.* — **'joust·er** *s hist.* Tur'nierkämpfer *m.*

Jove [dʒouv] **I** *npr* Jupiter *m*: by ~! Donnerwetter! – **II** *s astr. poet.* Jupiter *m* (*Planet*).

jo·vi·al ['dʒouvjəl; -viəl] *adj* 1. aufgeräumt, heiter, vergnügt. – 2. lustig, heiter: a ~ story. – 3. J~ → Jovian. – *SYN. cf.* merry. — **,jo·vi'al·i·ty** [-'æliti; -əti], **'jo·vi·al·ness** *s* 1. Joviali'tät *f*, Heiterkeit *f.* – 2. Lustigkeit *f.*

Jo·vi·an ['dʒouviən] *adj* 1. *astr.* des Jupiter, Jupiter... – 2. a) des Jupiter (*Zeus*), b) jupitergleich.

jow [dʒau; dʒou] *v/t u. v/i Scot.* läuten.

jowl¹ [dʒaul] *s* **1.** (ˈUnter)Kiefer *m.* – **2.** Wange *f*, Backe *f*: → cheek 1.

jowl² [dʒaul] *s* **1.** ˈUnterkinn *n.* – **2.** *zo.* Wamme *f.* – **3.** *zo.* Kehllappen *m* (*bei Vögeln*).

jowl³ [dʒaul] *s* ˈKopf(parˌtie *f*) *m* (*eines Fisches*).

joy [dʒɔi] **I** *s* **1.** Freude *f* (at über *acc*, in an *dat*): ~ **bells** Freudenglocken; **to leap for** ~ vor Freude hüpfen; **tears of** ~ Freudentränen; **this gives me great** ~ das bereitet mir große Freude; **the** ~ **of being successful** die Freude darüber, daß man Erfolg hat *od.* die Freude am Erfolg; **no** ~ **without annoy** keine Rose ohne Dornen. – **2.** Glück(lichkeit *f*) *n*, Glückseligkeit *f*, Wonne *f.* – *SYN. cf.* pleasure. – **II** *v/i* **3.** sich freuen (in über *acc*). – **III** *v/t* **4.** erfreuen. – **5.** *obs.* genießen. — ˈ**joyance** *s poet.* Freude *f*, Ergötzen *n.*

joy·ful [ˈdʒɔifəl; -ful] *adj* **1.** freudig, erfreut: **to be** ~ sich freuen, erfreut sein. – **2.** erfreulich, froh, freudig: ~ **tidings** frohe Nachricht. – *SYN. cf.* glad. — ˈ**joy·ful·ness** *s* Freudigkeit *f*, Fröhlichkeit *f.* — ˈ**joy·less** *adj* **1.** freudlos. – **2.** unerfreulich. — ˈ**joy·less·ness** *s* **1.** Freudlosigkeit *f.* – **2.** Unerfreulichkeit *f.* — ˈ**joy·ous-(ness)** → joyful(ness).

joy| ride *s colloq.* **1.** (ˈübermütige) Vergnügungsfahrt. – **2.** (wilde) Schwarzfahrt (*mit einem Auto*). — ~ **stick** *s colloq.* Steuerknüppel *m* (*Flugzeug*).

ju·ba [ˈdʒuːbə] *s ein lebhafter Tanz der Neger in den Südstaaten der USA.*

jub·bah [ˈdʒubbə] *s* Dschubbe(h) *f*, Dschubba *f* (*kaftanartiges Gewand der Mohammedaner*).

ju·be [ˈdʒuːbiː] *s* **1.** Lettner *m.* – **2.** ˈLettneremˌpore *f.*

ju·bi·lance [ˈdʒuːbiləns; -bə-], *auch* ˈ**ju·bi·lan·cy** [-si] *s* Jubel *m*, Entzücken *n.* — ˈ**ju·bi·lant** *adj* **1.** jubelnd, frohˈlockend. – **2.** Jubel erweckend.

ju·bi·late¹ [ˈdʒuːbiˌleit; -bə-] *v/i* **1.** jubeln, jauchzen. – **2.** ein Jubiˈläum begehen.

Ju·bi·la·te² [ˌdʒuːbiˈleiti; -bə-; -ˈlaːti] *s relig.* **1.** (Sonntag *m*) Jubiˈlate *m* (*3. Sonntag nach Ostern*). – **2.** Jubiˈlatepsalm *m* (*Psalm 100*).

ju·bi·la·tion [ˌdʒuːbiˈleiʃən; -bə-] *s* **1.** Jubel *m*, Frohˈlocken *n.* – **2.** (Freuden)Fest *n.*

ju·bi·lee [ˈdʒuːbiˌliː; -bə-] **I** *s* **1.** Jubiˈläum *n*: **silver** ~ fünfundzwanzigjähriges Jubiläum; **the Diamond J**~ *das sechzigjährige Regierungsjubiläum der Königin Viktoria* – **2.** fünfzigjähriges Jubiˈläum. – **3.** (*röm.-kath. Kirche*) Jubel-, Ablaßjahr *n*, Heiliges Jahr. – **4.** Halljahr *n* (*der alten Juden*). – **5.** a) Jubel-, Freudenfest *n*, b) Festzeit *f.* – **6.** Jubel *m*, (laute) Freude. – **II** *adj* **7.** Jubiläums...: ~ stamp.

Ju·da *cf.* Judah.

Ju·dae·an *cf.* Judean.

Ju·dah [ˈdʒuːdə] *Bibl.* **I** *npr* Juda *m.* – **II** *s* (Stamm *m*) Juda *n.*

Ju·da·ic [dʒuːˈdeiik], *auch* **Juˈda·i·cal** *adj* jüdisch.

Ju·da·ism [ˈdʒuːdəˌizəm] *s* Judaˈismus *m* (*jüd. Religion u. Sitten*). — ˈ**Ju·da·ist I** *s* **1.** Anhänger(in) des Judaˈismus. – **2.** Judenchrist(in). – **II** *adj* **3.** judaˈistisch. — ˌ**Ju·daˈis·tic** *adj* judaˈistisch. — ˈ**Ju·daˌize I** *v/i* judaiˈsieren, dem Judaˈismus anhängen, für den Judaismus eintreten. – **II** *v/t* zum Judaˈismus bekehren, jüdisch machen.

Ju·das [ˈdʒuːdəs] **I** *npr Bibl.* **1.** Judas *m.* – **2.** → Jude I. – **II** *s* **3.** Judas *m*, gemeiner Verräter. – **4.** Guckloch *n.* — ˈ~-ˌ**col·o(u)red**, ˈ~-ˌ**haired** *adj* rothaarig. — ~ **kiss** *s* Judaskuß *m.* — ~ **tree** *s bot.* Judasbaum *m* (*Gattg Cercis, bes. C. siliquastrum*).

jud·der [ˈdʒʌdər] *s* **1.** *mus.* Viˈbrato *n.* – **2.** *aer.* Viˈbrieren *n* (*des Flugzeugs*).

Jude [dʒuːd] *Bibl.* **I** *npr* Judas *m* (*Verfasser des Judasbriefs*). – **II** *s* Judasbrief *m.*

Ju·de·an [dʒuːˈdiːən; -ˈdiən] **I** *adj* **1.** juˈdäisch. – **2.** jüdisch. – **II** *s* **3.** Juˈdäer *m*, Bewohner *m* Juˈdäas. – **4.** Jude *m.*

judge [dʒʌdʒ] **I** *s* **1.** *jur.* Richter *m*: **associate** ~ Beisitzer (*Gerichtshof*); **chief** ~ Gerichtspräsident; **circuit** ~ Reiserichter; **lay** ~ Laienrichter; ~ **in lunacy** Entmündigungsrichter; ~ **of the juvenile court** Jugendrichter; **as God's my** ~! so wahr mir Gott helfe! – **2.** *fig.* Richter *m* (of über *acc*). – **3.** Schiedsrichter *m.* – **4.** Kenner *m*, Sachverständiger *m*: **a** ~ **of wine** ein Weinkenner; **I am no** ~ **of it** ich kann es nicht beurteilen. – **5.** *hist.* Richter *m* (*der alten Hebräer*). – **6.** J~s *pl* (*als sg konstruiert*) *Bibl.* Buch *n* der Richter. – **II** *v/t* **7.** *jur.* ein Urteil fällen über (*acc*), Recht sprechen über (*acc*). – **8.** *jur.* entscheiden: **to** ~ **that** entscheiden, daß. – **9.** (*Frage etc*) entscheiden. – **10.** beurteilen, einschätzen (by nach). – **11.** betrachten (als), halten (für): **we** ~ **them (to be) good soldiers** wir halten sie für gute Soldaten. – **12.** *Bibl.* richten, reˈgieren. – **III** *v/i* **13.** *jur.* urteilen, Recht sprechen. – **14.** *fig.* richten, zu Gericht sitzen. – **15.** urteilen, sich ein Urteil bilden (by, from nach; of über *acc*): ~ **for yourself** urteilen Sie selbst; **judging by his words** seinen Worten nach zu urteilen. – **16.** schließen, folgern (from, by aus). – **17.** vermuten, annehmen: **I** ~ **it will do.** – *SYN. cf.* infer.

judge| ad·vo·cate *pl* ~ **ad·vo·cates** *s mar. mil.* ˈRechtsoffiˌzier *m*: a) *Am.* Ankläger *m* (*beim Kriegsgericht*), Miliˈtäranwalt *m*, b) *Br.* Kriegsgerichtsrat *m.* — **J**~ **Ad·vo·cate Gen·er·al** *pl* **J**~ **Ad·vo·cate Gen·er·als** *s jur. mil.* Chef *m* des Miliˈtärjuˌstizwesens. — ˈ~-ˌ**made** *adj jur.* auf richterlicher Entscheidung beruhend.

judge·mat·ic, judge·mat·i·cal(·ly), judge·ment *cf.* judgmatic, judgmatical(ly), judgment.

judg·er [ˈdʒʌdʒər] *s* **1.** Beurteilende(r), Richter(in). – **2.** Kenner(in). — ˈ**judge·ship** *s jur.* Richteramt *n*, -würde *f.*

judg·mat·ic [dʒʌdʒˈmætik], **judgˈmat·i·cal** [-kəl] *adj colloq.* gescheit, vernünftig, schlau. — **judgˈmat·i·cal·ly** *adv* (*auch zu* judgmatic).

judg·ment [ˈdʒʌdʒmənt] *s* **1.** Urteilen *n.* – **2.** Urteil *n*, Beurteilung *f.* – **3.** *jur.* Urteil *n*, gerichtliche Entscheidung *od.* Verfügung, Urteilsspruch *m* (*in Zivilsachen*): **error of** ~ Ermessensirrtum; ~ **by default** Versäumnisurteil; **to give** (*od.* **pronounce, render**) ~ (on) ein Urteil sprechen (über *acc*); **to pass** ~ (on) ein Urteil fällen (über *acc*); **to sit in** ~ (up)on **s.o.** über j-n zu Gericht sitzen. – **4.** *jur.* Urteil(surkunde *f*) *n.* – **5.** *jur.* durch Urteil festgesetzte Verpflichtung, Urteilsschuld *f.* – **6.** Urteilsvermögen *n*, -kraft *f*, Verstand *m*, Verständnis *n*: **a man of sound** ~ ein sehr urteilsfähiger Mensch; **he acted with** ~ er handelte mit Verständnis; **use your best** ~ handeln Sie nach Ihrem besten Ermessen. – **7.** Urteilsbildung *f.* – **8.** Meinung *f*, Ansicht *f*, Urteil *n* (on über *acc*): **to form one's** ~ (*od.* **to make a** ~) (up)on **s.th.** sich ein Urteil über etwas bilden; **to give one's** ~ (up)on seine Meinung äußern *od.* sein Urteil abgeben über (*acc*); **in** (*od.* **according to**) **my** ~ meines Erachtens, nach meinem Dafürhalten. – **9.** (*Logik*) Urteil *n*: ~ **of experience** empirisches Urteil. – **10.** Strafe *f* Gottes: **it is a** ~ **on him** es ist eine Strafe Gottes für ihn. – **11.** göttliches Gericht: **the Last J**~, **the Day of J**~ das Jüngste Gericht. – **12.** göttlicher Ratschluß. – **13.** Glaube *m*: **the Calvinist** ~ der kalvinische Glaube. – **14.** *obs.* Gerechtigkeit *f.* – *SYN. cf.* sense.

judg·ment| cred·i·tor *s jur.* Urteilsgläubiger *m.* — ~ **day** *s relig.* Tag *m* des Gerichts, Jüngster Tag. — ~ **debt** *s jur.* Urteilsschuld *f*, vollˈstreckbare Forderung. — ~ **debt·or** *s jur.* Urteilsschuldner *m.* — ~ **note** *s econ. jur.* Schuldanerkenntnisschein *m.* — ~ **seat** *s* Richterstuhl *m.* — ~ **sum·mons** *s jur. Br.* gerichtliche Vorladung wegen Nichtzahlung der Urteilsschuld.

ju·di·ca·ble [ˈdʒuːdikəbl] *adj jur.* **1.** gerichtsfähig: a) verhandlungsfähig (*Fall*), b) rechtsfähig (*Person*). – **2.** der Gerichtsbarkeit unterˈworfen. — ˈ**ju·di·ca·tive** [*Br.* -kətiv; *Am.* -ˌkei-] *adj* zum Urteilen befähigt, urteilend, Urteils...: ~ **faculty**, ~ **power** Urteilskraft. — ˈ**ju·diˌca·tor** [-ˌkeitər] *s* Richter *m*, Rechtsprecher *m.* — ˈ**ju·di·ca·to·ry** [*Br.* -kətəri; *Am.* -ˌtɔːri] *jur.* **I** *adj* **1.** richterlich, gerichtlich, Gerichts...: ~ **power** richterliche Gewalt; ~ **tribunal** Gerichtshof. – **II** *s* **2.** Gerichtshof *m.* – **3.** Rechtsprechung *f*, Rechtspflege *f*, Juˈstizverwaltung *f.*

ju·di·ca·ture [ˈdʒuːdikətʃər] *s jur.* **1.** Rechtsprechung *f*, Rechtspflege *f*: **Supreme Court of J**~ Oberster Gerichtshof (*für England u. Wales, bestehend aus* **High Court of Justice** *u.* **Court of Appeal**). – **2.** Richteramt *n.* – **3.** richterliche Gewalt. – **4.** ˈAmtsperiˌode *f* (*Richter*). – **5.** *collect.* Richter *pl.* – **6.** Gerichtshof *m.*

ju·di·ci·a·ble [dʒuːˈdiʃiəbl] → judicable.

ju·di·cial [dʒuːˈdiʃəl] *adj* **1.** *jur.* gerichtlich, Gerichts...: ~ **circuit**, ~ **district** *Am.* Gerichtsbezirk mit verschiedenen Gerichtsorten; ~ **court** Gerichtshof; ~ **error** Justizirrtum; ~ **proceedings** Gerichtsverfahren, gerichtliches Verfahren. – **2.** *jur.* richterlich. – **3.** *jur.* gerichtlich (angeordnet *od.* gebilligt): ~ **sale** gerichtliche Veräußerung. – **4.** *jur.* Richter...: ~ **bench** Richterbank; ~ **ermine** Hermelinpelz des Richters, Richterpelz. – **5.** scharf urteilend, kritisch. – **6.** ˈunparˌteiisch. – **7.** als göttliche Strafe verhängt: ~ **blindness** blinde Leidenschaft. — **juˈdi·cial·ly** *adv* **1.** *jur.* gerichtlich, richterlich. – **2.** kritisch. – **3.** ˈunparˌteiisch.

ju·di·cial| mur·der *s jur.* Juˈstizmord *m.* — ~ **sep·a·ra·tion** *s jur.* Trennung *f* von Tisch u. Bett.

ju·di·ci·ar·y [*Br.* dʒuːˈdiʃiəri; *Am.* -ˌeri] *jur.* **I** *adj* **1.** gerichtlich, richterlich, Gerichts... – **II** *s* **2.** richterliche Gewalt, Juˈstizgewalt *f.* – **3.** Geˈrichtssyˌstem *n*, -wesen *n.* – **4.** *collect.* Richter(schaft *f*) *pl.*

ju·di·cious [dʒuːˈdiʃəs] *adj* **1.** vernünftig, klug, weise. – **2.** ˈwohlüberˌlegt, verständnisvoll. – *SYN. cf.* wise. — **juˈdi·cious·ness** *s* Vernünftigkeit *f*, Klugheit *f*, Einsicht *f*, Wohlabgewogenheit *f.*

Ju·dith [ˈdʒuːdiθ] *Bibl.* **I** *npr* Judith *f.* – **II** *s* (das Buch) Judith *f.*

ju·do [ˈdʒuːdou] *s sport* Judo *n.*

Ju·dy [ˈdʒuːdi] *s Frau des Punch im Puppenspiel.*

jug[1] [dʒʌg] **I** *s* **1.** a) Krug *m*, b) Kanne *f*, c) Humpen *m*: an ale ~ ein Bierkrug; a ~ of ale ein Krug Bier. – **2.** *bes. Am.* große Kruke. – **3.** *sl.* ‚Kittchen' *n*, ‚Loch' *n* (*Gefängnis*): to be in ~ im Kittchen sitzen, eingelocht sein. – **II** *v/t pret u. pp* **jugged 4.** in einen Krug *od.* in Krüge füllen. – **5.** (*Hasen*) in einem Topf schmoren *od.* dämpfen. – **6.** *sl.* ins ‚Kittchen' stecken, ‚einlochen'.

jug[2] [dʒʌg] **I** *v/i pret u. pp* **jugged** schlagen (*Nachtigall*). – **II** *s* Nachtigallenschlag *m*.

ju·gal ['dʒuːgəl] *med. zo.* **I** *adj* Jochbein...: ~ bone Jochbein. – **II** *s* Jochbein *n*.

ju·gate ['dʒuːgeit] *adj* **1.** *biol.* paarig, gepaart. – **2.** *bot.* ...paarig (*nur mit Vorsilben*): bi-~ zweipaarig (gefiedert).

jug·ful ['dʒʌgful] *s* Krug(voll) *m*.

Jug·ger·naut ['dʒʌgərˌnɔːt] *s* **1.** → Jagannath. – **2.** *oft* j~ a) Moloch *m*, (blutrünstiger) Götze, b) *auch* j~ car Moloch *m* (*Idee etc, der rücksichtslos Menschen geopfert werden*).

jug·gins ['dʒʌginz] *s sl.* Tropf *m*, Trottel *m*.

jug·gle ['dʒʌgl] **I** *v/t* **1.** jon'glieren mit, Kunststücke machen mit: to ~ balls. – **2.** schwindelhaft manipu'lieren mit, ‚fri'sieren': to ~ the accounts. – **3.** (*j-n*) a) beschwindeln, her'einlegen, b) betrügen (out of um). – **4.** verzaubern *od.* verwandeln: to ~ s.th. away etwas fortzaubern. – **II** *v/i* **5.** jon'glieren, Taschenspielertricks vorführen. – **6.** in schwindelhafter Weise manipu'lieren: to ~ with facts Tatsachen verfälschen. – **7.** (arglistig) spielen, täuschen, irreführen: to ~ with words mit Worten spielen. – **8.** falsches Spiel treiben: to ~ with s.o. – **III** *s* **9.** ˌTaschenspiele'rei *f*, Taschenspielertrick *m*. – **10.** Gauke'lei *f*, Hokus'pokus *m*, Schwindel *m*. — '**jug·gler** *s* **1.** a) Jon'gleur *m*, b) Taschenspieler *m*, c) Zauberkünstler *m*. – **2.** Gaukler *m*. – **3.** Schwindler *m*, Betrüger *m*. — '**jug·gler·y** [-ləri] *s* **1.** Jon'glieren *n*. – **2.** → juggle III. — '**jug·gling I** *s* → juggle III. – **II** *adj* betrügerisch, schwindelhaft.

ju·glan·da·ceous [ˌdʒuːglæn'deiʃəs] *adj bot.* zu den Walnußpflanzen (*Fam. Juglandaceae*) gehörig.

Ju·go·slav, Ju·go·slav·ic *cf.* Yugoslav *etc.*

jug·u·lar ['dʒʌgjulər; -jə-; 'dʒuː-] **I** *adj* **1.** *med.* Jugular..., Kehl..., Gurgel..., Drossel... – **2.** *zo.* kehlständig (*Fischflossen*). – **II** *s* **3.** *auch* ~ vein *med.* Jugu'larvene *f*, Hals-, Drosselader *f*. – **4.** *zo.* Kehlflosser *m* (*Fisch*).

ju·gu·late ['dʒuːgjuˌleit; -gjə-] *v/t fig.* gewaltsam unter'drücken, erdrosseln, abwürgen. — ˌ**ju·gu'la·tion** *s fig.* Erdrosselung *f*.

ju·gu·lum ['dʒuːgjuləm; -gjə-] *pl* **-la** [-lə] *s zo.* **1.** Drossel-, Kehlgrube *f* (*der Vögel*). – **2.** → jugum 2.

ju·gum ['dʒuːgəm] *pl* **-ga** [-gə] *s* **1.** *bot.* Jugum *n*, Joch *n* (*Leiste an der Umbelliferenfrucht*). – **2.** *zo.* Jugum *n*, Joch *n* (*bei Insektenflügeln*).

juice [dʒuːs] *s* **1.** (Fleisch-, Gemüse-, Obst)Saft *m*: the ~s die Körpersäfte; gastric ~ Magensaft; let him stew in his own ~ *colloq.* er soll im eigenen Saft schmoren *od.* die Sache (*od.* es) selbst ausbaden. – **2.** *sl.* a) *electr.* Strom *m*, b) Sprit *m* (*Benzin*): to step on the ~ Gas geben. – **3.** *fig.* (*das*) Wesentliche, Inhalt *m*, Gehalt *m*. — '**juice·less** *adj* **1.** saftlos. – **2.** *fig.* fad(e).

juic·i·ness ['dʒuːsinis] *s* **1.** Saftigkeit *f*, Saft *m* (*auch fig.*). – **2.** Würzigkeit *f*. – **3.** *colloq.* Nässe *f*. — '**juic·y** *adj* **1.** saftig (*auch fig.*). – **2.** *colloq.* verregnet, feucht (*Wetter*). – **3.** *colloq.* (sehr) interes'sant, spannend. – **4.** *colloq.* pi'kant, würzig, rassig. – **5.** *sl.* a) farbenfroh, b) (*Malerei*) saftig.

ju·jit·su [dʒuː'dʒitsuː] *s sport* Jiu-Jitsu *n*, Dschiu-Dschitsu *n*.

ju·ju ['dʒuːdʒuː] *s* Juju *n*, Yuyu *n*: a) *Fetisch*, b) *Zauber*, c) *Bann*: to put a ~ on s.th. etwas für tabu erklären.

ju·jube ['dʒuːdʒuːb] *s* **1.** *bot.* Ju'jube *f*, Indische Brustbeere. – **2.** *bot.* Ju'jubendorn *m*, Brustbeerenbaum *m* (*Gattg Zizyphus*). – **3.** *med.* 'Brustbeerenˌpaste *f*, -geˌlee *n*, -taˌblette *f*.

ju·ju·ism ['dʒuːdʒuˌizəm] *s* Zauberglaube *m*, Feti'schismus *m*.

ju·jut·su [dʒuː'dʒutsuː] → ju-jitsu.

juke| box [dʒuːk; dʒuk] *s sl.* Mu'sikautoˌmat *m*. — **~ joint** *s Am. sl.* 'Tanz-, 'Trinkloˌkal *n*, Spe'lunke *f* (mit Mu'sikautoˌmat).

ju·lep ['dʒuːlip] *s* **1.** (*Art*) süßliches Getränk (*meist als Arzneimittelbeigabe*). – **2.** *auch* mint ~ *Am.* Würzwhisky *m*, Julep *m* (*alkoholisches Eisgetränk*). – **3.** Kühltrank *m*.

Jul·ian ['dʒuːljən] *adj* juli'anisch: the ~ calendar der Julianische Kalender.

ju·li·enne [ˌdʒuːli'en] **I** *s* Juli'ennesuppe *f* (*mit feingeschnittenem Gemüse*). – **II** *adj* feingeschnitten (*Gemüse*).

Ju·ly [dʒuː'lai] *s* (*Monat*) Juli *m*: in ~ im Juli.

Ju'lyˌflow·er *s bot.* **1.** → clove pink 1. – **2.** 'Winterlevˌkoje *f* (*Matthiola incana*). — **~ grass** → carnation grass.

Ju·ma·da [dʒu'mɑːdɑː] *s* Ju'mada *m* (*5. u. 6. Monat des moham. Kalenders*).

jum·bal *cf.* jumble 7.

jum·ble ['dʒʌmbl] **I** *v/t* **1.** *auch* ~ together, ~ up durchein'anderbringen, -werfen, in Unordnung bringen, (wahllos) vermischen, vermengen. – **2.** (geistig) verwirren. – **II** *v/i* **3.** *auch* ~ together, ~ up durchein'andergeraten, -gerüttelt werden, in Unordnung *od.* durchein'ander gebracht werden *od.* sein. – **III** *s* **4.** Durchein'ander *n*, Mischmasch *m*, Wirrwarr *m*. – **5.** Verwirrung *f*, Unordnung *f*. – **6.** (Durchein'ander)Rütteln *n*. – **7.** *Br. obs. od. Am.* (*Art*) Zuckerkringel *m*. – **8.** Ramsch *m*, Trödel *m*: ~ sale *Br.* Ramschverkauf; ~ shop Ramsch-, Trödelladen. — '**jum·bly** [-bli] *adj* durchein'ander(geworfen), wirr.

jum·bo ['dʒʌmbou] **I** *s pl* **-bos 1.** Ko'loß *m*: a) ‚Ele'fantenküken' *n* (*plumper Backfisch*), b) plumpes Ding, c) Trampel *m, n*, plumper Mensch, d) ungeschlachter Kerl. – **2.** *sl.* ‚Ka'none' *f*, ‚Leuchte' *f* (*Mensch mit überdurchschnittlichem Erfolg*). – **3.** *colloq.* Ele'fant *m*. – **4.** *mar. Am.* Stagfock *f* (*eines Schoners*). – **II** *adj* **5.** *Am. colloq.* riesengroß, riesig, kolos'sal: ~ size.

jump [dʒʌmp] **I** *s* **1.** Sprung *m*, Satz *m*: to make (*od.* take) a ~ einen Sprung machen; on the ~ *colloq.* a) sprunghaft, zerfahren, nervös, b) dauernd im Gange, immer tätig, ruhelos. – **2.** Hindernis *n*: to be for the high ~ *sl.* sich auf etwas Schlimmes gefaßt machen müssen, etwas Unangenehmes vor sich haben; to take the ~ das Hindernis nehmen *od.* überspringen. – **3.** sprunghaftes Anwachsen, Em'porschnellen *n*. – **4.** (plötzlicher) Ruck *od.* Stoß. – **5.** *pl* Rütteln *n*, Schütteln *n*. – **6.** Über'springen *n*, -'gehen *n* (*auch fig.*). – **7.** (*Damespiel*) Schlagen *n*. – **8.** *sport* Springen *n*: high ~ Hochsprung; long (*od.* broad) ~ Weitsprung. – **9.** *sport* Sprunghöhe *f*, -länge *f*, -weite *f*. – **10.** (*Film*) Sprung *m* (*Umstellung von Nah- auf Fernaufnahme od. umgekehrt*). – **11.** Auffahren *n*, (ner'vöses) Zucken *od.* Zu'sammenfahren: you gave me a ~ *colloq.* Sie haben mich aber erschreckt; the ~s *sl.* a) Veitstanz, b) Säuferwahnsinn, Delirium tremens. – **12.** *colloq.* Sprung *m* (*ununterbrochene Strecke einer Reise*). – **13.** *Br. sl.* ‚Ding' *n* (*Einbruchsdiebstahl*). – **14.** (Fallschirm)Absprung *m*. – **15.** *Am. colloq.* Vorsprung *m*, -gabe *f*, -teil *m*: to get the ~ on s.o. j-m zuvorkommen, j-m den Rang ablaufen. – **16.** *mil.* Abgangsfehler *m* (*beim Schießen*). –

II *v/i* **17.** springen: to ~ clear of s.th. von etwas wegspringen; to ~ down s.o.'s throat *colloq.* j-n ‚anfahren', j-m ‚über den Mund fahren'; to ~ off abspringen, (mit einem Sprung) starten; to ~ on a horse (auf ein Pferd) aufsitzen; to ~ (up)on s.o. *colloq.* j-n ‚anfahren', ‚anschnauzen' *od.* heruntermachen; to ~ out of one's skin aus der Haut fahren; → cat *b. Redw.* – **18.** hüpfen, hopsen: to ~ about herum-, umherhüpfen; to ~ for joy vor Freude hüpfen; to ~ from one thing to another Gedankensprünge machen; ~ing Jupiter! *colloq.* zum Henker! – **19.** a) rütteln, stoßen (*Wagen etc*), b) gerüttelt *od.* geschüttelt werden. – **20.** (*Damespiel*) schlagen. – **21.** sprunghaft (an)steigen *od.* (an)wachsen (*Preise etc*). – **22.** *tech.* springen (*Filmstreifen, Schreibmaschine*). – **23.** (*Bridge*) unvermittelt (*od.* unnötig) hoch reizen. – **24.** *fig.* (at, to) sich stürzen (auf *acc*), mit beiden Händen greifen (nach): he will ~ at the opportunity; they ~ed to it *sl.* sie nahmen es mit Schwung in Angriff; ~ to it! *sl.* schnell (d)ran! → conclusion 3. – **25.** höher schlagen (*Herz*). – **26.** *selten* (with) über'einstimmen (mit) (*in der Meinung*), passen (zu). – **27.** *tech.* stauchen. –

III *v/t* **28.** (hin'weg)springen über (*acc*), über'springen. – **29.** *fig.* über'springen, auslassen: to ~ channels *Am.* den amtlichen Weg *od.* Instanzenweg nicht einhalten; to ~ the queue sich vordränge(l)n (*beim Schlangestehen*); to ~ the gun a) *sport* zu früh starten (*beim Lauf*), b) *fig.* sich einen unfairen Vorteil verschaffen. – **30.** springen lassen: he ~ed his horse across the ditch er sprang mit dem Pferd über den Graben. – **31.** (*Damespiel*) schlagen. – **32.** (*Bridge*) zu stark (*od.* unvermittelt) über'reizen. – **33.** *sl.* ‚abhauen von': to ~ bail die Kaution verfallen lassen u. verschwinden. – **34.** 'widerrechtlich in Besitz nehmen, sich einnisten in (*fremdes Besitztum etc*): to ~ a claim. – **35.** (*Menschen od. Wild*) aufschrecken, (*Wild*) aufscheuchen. – **36.** her'unterspringen von: to ~ the rails entgleisen. – **37.** *Am. colloq.* a) aufspringen auf (*acc*), b) abspringen von (*einem fahrenden Verkehrsmittel*). – **38.** (*mit einem Meißelbohrer*) ein Loch bohren in (*acc*). – **39.** (*Bratkartoffeln etc*) braten u. von Zeit zu Zeit schütteln: ~ed potatoes. – **40.** *sl.* rauben, durch Einbruch bekommen. –

IV *adj* **41.** schnell gespielt (*Melodie*).

jump·a·ble ['dʒʌmpəbl] *adj* über'springbar, zu über'springen(d) (*Hindernis*).

jump| ar·e·a *s aer.* (Ab)Sprunggebiet *n*. — **~ ball** *s* (*Korbball*) Schiedsrichterball *m*.

'**jumped-'up** ['dʒʌmpt-] *adj colloq.* **1.** (parve'nühaft) hochnäsig, ‚hochgestochen'. – **2.** improvi'siert. – **3.** *obs.* verärgert.

jump·er[1] ['dʒʌmpər] *s* **1.** *tech.* a) Stoß-, Steinbohrer *m*, b) Bohrmeißel *m*, c) Stauchhammer *m*. – **2.** *electr.* Kurzschlußbrücke *f*. – **3.** *hüpfendes Insekt, bes.* Floh *m*. – **4.** *relig. hist.* (ekˈstatisch verzückter) Methoˈdist. – **5.** *Am.* (*Art*) Schlitten *m*. – **6.** *j-d der sich in fremdem Besitztum einnistet.* – **7.** Steinbohrer *m* (*Arbeiter*). – **8.** *mar.* Preˈventer *m*.

jump·er² [ˈdʒʌmpər] *s* **1.** a) Jumper *m* (*Kleidungsstück*), Schlupfbluse *f*, b) Trägerrock *m*, -kleid *n*. – **2.** a) Arbeitsbluse *f*, b) ˈÜberjacke *f*. – **3.** *meist pl* Spielhose *f* (*für kleine Kinder*). – **4.** (weiter) Pullˈover.

jump·i·ness [ˈdʒʌmpinis] *s* Nervosiˈtät *f*, Zerfahrenheit *f*, Fahrigkeit *f*.

jump·ing [ˈdʒʌmpiŋ] **I** *s* **1.** Springen *n*, Hüpfen *n*. – **2.** (*Skisport*) Sprunglauf *m*, Springen *n*. – **II** *adj* **3.** Spring..., Sprung...: ~ **pole** Sprungstange; ~ **test** Jagdspringen. — ~ **bean** *s bot.* Springende Bohne (*Teilfrucht von Sebastiana pavoniana*). — ~ **deer** → **mule deer**. — ~ **hare** *s zo.* Südafrik. Springhase *m* (*Pedetes cafer*). — ~ **jack** *s* Hampelmann *m* (*Spielzeug*). — ~ **mouse** *s irr zo.* (*eine*) nordamer. Hüpfmaus (*Unterfam. Zapodinae*). — ˈ~-ˈ**off-**ˌ**place** *s* **1.** ˈEndstatiˌon *f*. – **2.** *Am. colloq.* Ende *n* der Welt; Ort *m*, an dem die Welt mit Brettern vernagelt ist. — ˈ~-ˈ**off point** *s aer.* Absprungs-, Abflugpunkt *m*. — ~ **rat** *s zo.* **1.** Springmaus (*Fam. Dipodidae*). – **2.** → **kangaroo rat** 2. — ˈ~-ˌ**rope** *s Am.* Spring-, Sprungseil *n* (*Kinderspielzeug*). — ~ **shrew** → **elephant shrew**. — ~ **spi·der** *s zo.* Springspinne *f* (*Fam. Attidae*).

jump| mas·ter *s aer.* Absetzer *m* (*einer Fallschirmtruppe*). — ~ **ring** *s tech.* ungelöster Ring. — ˈ~ˌ**rock** *s zo.* Springfisch *m* (*Scartomyzon rupiscartes*). — ~ **seat** *s Am.* **1.** beweglicher Sitz. – **2.** Klappsitz *m* (*im Wagen*). — ~ **spark** *s* elektr. ˈÜberschlag- *od.* ˈDurchschlagsfunken *m*.

jump·y [ˈdʒʌmpi] *adj* **1.** sprunghaft. – **2.** nerˈvös, zerfahren.

jun·ca·ceous [dʒʌŋˈkeiʃəs] *adj bot.* binsenartig (*zur Fam. Juncaceae gehörig*). — **jun·ci·form** [ˈdʒʌnsiˌfɔːrm] *adj bot.* binsenförmig, stielrund.

jun·co [ˈdʒʌŋkou] *pl* **-co**, *auch* **-coes** *s zo.* Nordamer. Schneefink *m* (*Junco hiemalis*).

jun·cous [ˈdʒʌŋkəs] *adj bot. selten* **1.** voll Binsen. – **2.** binsenähnlich, -artig.

junc·tion [ˈdʒʌŋkʃən] **I** *s* **1.** Verbindung *f*, Vereinigung *f*, Zuˈsammenfügung *f*. – **2.** (*Eisenbahn*) a) Knotenpunkt *m*, b) ˈAnschlußstatiˌon *f*, c) Anschlußgleis *n*. – **3.** (Weg)Kreuzung *f*. – **4.** Verbindungspunkt *m*. – **5.** Treffpunkt *m*, Zuˈsammenkunftsort *m*. – **6.** *math.* Berührung(spunkt *m*) *f*. – **7.** (*Bergbau*) ˈDurchschlag *m*. – **8.** Fuge *f*. – **9.** Lötstelle *f*. – **10.** *tech.* Anschluß *m*. – **II** *adj* **11.** Verbindungs... — ˈ**junc·tion·al** *adj* Verbindungs...

junc·tion box *s electr.* Abzweig-, Kabelkasten *m*, Anschluß-, Verbindungsdose *f*.

junc·ture [ˈdʒʌŋktʃər] *s* **1.** (*kritischer*) Augenblick *od.* Zeitpunkt: **at this** ~ in diesem Augenblick, an dieser Stelle. – **2.** *fig.* Lage *f od.* Stand *m* der Dinge. – **3.** Krisis *f*, Krisenzeit *f*. – **4.** Verbindungspunkt *m*, -stelle *f*. – **5.** Zuˈsammentreffen *n* (*Ereignisse*). – **6.** Fuge *f*. – **7.** Naht *f*. – **8.** Verbindung *f*. – **9.** Verbindungsstück *n*, -glied *n*, Gelenk *n*. – **10.** *ling.* Silbengrenze *f*. – *SYN.* **contingency, crisis, emergency, exigency, pass², pinch, strait, straits.**

jun·dy, *auch* **jun·die** [ˈdʒʌndi] *v/t u. v/i Scot.* rempeln, drängeln, schubsen, stoßen.

June [dʒuːn] *s* (*Monat*) Juni *m*: **in** ~ im Juni. — ~ **bee·tle** *s zo.* **1.** (*ein*) nordamer. Mai- *od.* Junikäfer *m* (*Gattg Phyllophaga*). – **2.** → **figeater**. — ˈ~ˌ**ber·ry** *s bot. Am.* Nordamer. Felsenbirne *f* (*Gattg Amelanchier, bes. A. canadensis*). — ~ **bug** → **June beetle**. — ~ **grass** *s bot.* Rispengras *n* (*Poa pratensis*).

jun·gle [ˈdʒʌŋgl] *s* **1.** Dschungel *m*, *f*, *n*. – **2.** dichter Sumpfwald, Sumpfdickicht *n*. – **3.** (ˈundurchˌdringliches) Dickicht (*auch fig.*). – **4.** Schilfmoor *n*. – **5.** *Am. sl.* Landstreicherlager *n*, -camp *n*. – **6.** **the** ~ (**market**) *econ. Br. sl.* der Markt für westafrik. Bergwerksaktien. – **7.** *fig.* verworrene Masse. — ~ **bear** → **sloth bear**. — ~ **cat** *s zo.* Sumpfluchs *m* (*Felis chaus*).

jun·gled [ˈdʒʌŋgld] *adj* mit Dschungel(n) bedeckt.

jun·gle| fe·ver *s med.* Dschungelfieber *n* (*indische Malaria*). — ~ **fowl** *s zo.* **1.** *ein asiat. Wildhuhn, bes.* Banˈkivahuhn *n* (*Gallus gallus bankiva*). – **2.** Austral. Großfußhuhn *n* (*Megapodius tumulus*). — ~ **mar·ket** → **jungle** 6.

jun·gly [ˈdʒʌŋgli] *adj* **1.** dschungelartig. – **2.** verdschungelt, Dschungel...

jun·ior [ˈdʒuːnjər] **I** *adj* **1.** junior (*meist nach Familiennamen u. abgekürzt zu Jr., jr., jun., Jun. od. junr*): **George Smith jr.** – **2.** jünger *od.* Nachfolger im Amt, ˈuntergeordnet, zweiter: ~ **clerk** zweiter Buchhalter; ~ **partner** jüngerer (*zweiter od. dritter*) Teilhaber. – **3.** später, jünger, nachfolgend: ~ **forms** *Br.* (*die*) ersten vier Klassen (*auf größeren Schulen*). – **4.** *jur.* rangjünger. – **5.** *sport* Junioren...: ~ **championship** Junioren- *od.* Jugendmeisterschaft. – **II** *s* **6.** jüngere Perˈson: **he is my** ~ **by 2 years** (*od.* **he is 2 years my** ~) er ist (um) 2 Jahre jünger als ich; **my** ~**s** Leute, die jünger sind als ich. – **7.** *ped. bes. Am. Bezeichnung für einen Studenten im vorletzten Jahr vor seiner Graduierung.* – **8.** a) Junior *m* (*Sohn mit dem Vornamen des Vaters, in den USA auch gebräuchlich nach dem Tod des Vaters*), b) Sohn *m* (*verallgemeinert*). – **9.** (im Amt) Jüngere(r), ˈUntergeordnete(r): **he is my** ~ **in this office** a) er untersteht mir in diesem Amt, b) er ist in dieses Amt nach mir eingetreten. – **10.** (*Bridge*) Junior *m* (*Spieler, der rechts vom Alleinspieler sitzt*). – **11.** *Am. colloq.* Kleiner *m*.

jun·ior·ate [ˈdʒuːnjəˌreit; -rit] *s relig.* Junioˈrat *n* (*zweijähriger Vorbereitungskurs der Jesuiten für die Priesterweihe*).

jun·ior| bond·hold·er *s econ.* Neubesitzer *m od.* -inhaber *m* (*von Schuldverschreibungen*). — ~ **col·lege** *s Am.* Juniˈorencollege *n* (*umfaßt die untersten Hochschuljahrgänge, etwa 16–18-jährige Studenten*). — ~ **high school** *s Am.* (*Art*) Mittelschule *f* (*dritt- u. viertletzte Klasse im öffentlichen Schulwesen der USA*). — ~ **is·sue** *s econ.* **1.** Neuausgabe *f* (*Aktien*). – **2.** *pl Am.* Stammaktien *pl* (*im Gegensatz zu Vorzugsaktien*).

jun·ior·i·ty [dʒuːnˈjɒriti; -əti; *Am. auch* -ˈjɔːr-] *s* **1.** geringeres Alter, Jüngersein *n*. – **2.** ˈuntergeordnete *od.* niedrigere Stellung.

jun·ior| law·yer *s* Geˈrichtsreferenˌdar *m*, ˈRechtsprakti̩kant *m*. — ~ **school** *s ped. Br.* Grundschule *f*.

ju·ni·per [ˈdʒuːnipər; -nə-] *s bot.* **1.** Waˈcholder(busch *od.* -baum) *m* (*Juniperus communis*): **gum** ~ Wacholderharz. – **2.** *Am.* ˈZederzyˌpresse *f* (*Chamaecyparis thyoides*). – **3.** Amer. Lärche *f* (*Larix americana*). – **4.** *Bibl.* Ginster *m* (*Retama raetam*).

junk¹ [dʒʌŋk] **I** *s* **1.** Ausschuß(ware *f*) *m*, wertloses Zeug, Trödel *m*, Kram *m*: ~ **shop** Ramsch-, Trödelladen. – **2.** a) ˈAltmateriˌal *n*, Altwaren *pl*, b) Plunder *m*, Gerümpel *n*, Abfall *m*. – **3.** Schund *m*, Kitsch *m*. – **4.** *mar.* altes zerkleinertes Tauwerk. – **5.** *mar.* zähes Pökelfleisch. – **6.** dickes (*klotziges*) Stück, Klumpen *m*. – **7.** *zo.* Walrat *m*, *n* (*Zellgewebsmasse in der Kopfhöhle des Wals*). – **II** *v/t* **8.** *sl.* zum alten Eisen werfen, als nutzlos beiˈseite werfen. – **9.** *selten* zerstückeln. – *SYN. cf.* **discard.**

junk² [dʒʌŋk] *s* Dschunke *f*, Dschonke *f* (*chines. Segelschiff*).

junk bot·tle *s Am.* dicke dunkelfarbene Flasche (*Porterflasche*).

Jun·ker, j~ [ˈjuŋkər] (*Ger.*) *s* Junker *m* (*manchmal fig. für eine eingebildete Person*). — ˈ**Jun·ker·dom, j**~, *auch* ˈ**Jun·kerˌism, j**~ *s* Junkertum *n*.

jun·ket [ˈdʒʌŋkit] **I** *s* **1.** Quark *m*, Rahm *m*, dicke Milch. – **2.** Sahnenquark *m*, weißer Rahmkäse mit Sahne. – **3.** Fest *n*, Schmauseˈrei *f*. – **4.** Vergnügungsfahrt *f*, Picknick *n*, ˈLandparˌtie *f*. – **5.** *Am.* sogenannte Dienstreise, Vergnügungsreise *f* auf öffentliche Kosten. – **II** *v/i* **6.** feiern, es sich gut gehen lassen. – **7.** *Am.* eine sogenannte Dienstreise machen, auf Kosten der Öffentlichkeit fahren. – **8.** picknicken: ~**ing party** *Am.* Landpartie, Picknick.

ˈ**junk|ˌman** *s irr* **1.** Trödler *m*. – **2.** Altwarenhändler *m*. — ~ **ring** *s tech.* Dichtungsring *m*.

Ju·no [ˈdʒuːnou] *s* **1.** *astr.* Juno *f* (*Asteroid*). – **2.** Juno *f* (*stattliche Frau*). — ˌ**Ju·noˈesque** [-ˈesk] → **Junonian** 2. — **Juˈno·ni·an** [-niən] *adj* **1.** juˈnonisch. – **2.** *fig.* majeˈstätisch.

Ju·no's tears *s pl bot.* Verˈbene *f* (*Verbena officinalis*).

jun·ta [ˈdʒʌntə] *s* **1.** Rat(sversammlung *f*) *m*. – **2.** (span.) Junta *f*. – **3.** → **junto**.

jun·to [ˈdʒʌntou] *pl* **-tos** *s* Clique *f*, Klüngel *m*, *bes. pol.* Interˈessenkreis *m*.

ju·pa·ti [ˈdʒuːpəti], *auch* ~ **palm** *s bot.* Brasil. Bambuspalme *f* (*Raphia taedigera*).

jupe [dʒuːp] *s* **1.** *Scot. od. dial.* a) Joppe *f*, b) Herrenhemd *n*. – **2.** *Scot.* a) Mieder *n*, b) (Frauen)Rock *m*.

Ju·pi·ter [ˈdʒuːpitər; -pə-] *s astr.* Jupiter *m* (*Planet*).

ˈ**Ju·pi·ter's-ˈbeard** *s bot.* Jupiters Bart *m* (*Anthyllis barba-jovis*).

ju·pon [ˈʒuːpɒn; ʒuːˈpɒn] *s mil. hist.* anliegendes Wams.

Ju·ra [ˈdʒu(ə)rə] *s geol.* Jura *m*: ~ **limestone** Jurakalk.

ju·ral [ˈdʒu(ə)rəl] *adj* **1.** juˈristisch. – **2.** rechtlich, Rechts...

ju·ra·men·ta·do [ˌhuːrɑːmenˈtɑːðou] *pl* **-dos** *s moham. Maure, der gelobt hat, im Kampf gegen die Christen zu sterben*: **to go** ~ *Am. colloq.* Amok laufen.

ju·rant [ˈdʒu(ə)rənt] **I** *adj* schwörend. – **II** *s* Schwörende(r).

Ju·ras·sic [dʒu(ə)ˈræsik] *geol.* **I** *adj* Jura..., juˈrassisch: ~ **period**. – **II** *s* ˈJuraformatiˌon *f*.

ju·rat [ˈdʒu(ə)ræt] *s jur.* **1.** unterˈschriebene eidliche Zeugenaussage bei eidesstattlichen Erklärungen (*aus der hervorgeht, von wem u.* [*in England auch*] *wo sie abgegeben wurde*). – **2.** Juˈrat *m*, Schöffe *m*, (vereidetes) Mitglied einer ständigen Jury (*bes. Titel in den* **Cinque Ports**). – **3.** ehrenamtlicher Richter (*auf den Kanalinseln*).

ju·ra·to·ry [*Br.* ˈdʒu(ə)rətəri; *Am.* -ˌtɔːri] *adj* eidlich.

ju·rel [huːˈrel] *s zo. Am.* ˈStachelmaˌkrele *f* (*Fam. Carangidae, bes. Caranx chrysos u. Paratractus caballus*).

ju·rid·i·cal [dʒu(ə)ˈridikəl], *auch* **ju·ˈrid·ic** *adj* **1.** juˈridisch, gerichtlich, Gerichts...: ~ **days** Gerichtstage. – **2.** juˈristisch, Rechts...

ju·ris·con·sult [ˌdʒu(ə)riskənˈsʌlt; -ˈkɒnsʌlt] *s* **1.** Rechtsgelehrter *m*, ˌJuriskonˈsultus *m*. – **2.** Juˈrist *m* (*bes. im Zivilrecht*).

ju·ris·dic·tion [ˌdʒu(ə)risˈdikʃən] *s* **1.** Rechtsprechung *f*, Jurisdiktiˈon *f*. – **2.** Gerichtsbarkeit *f*, (Gerichts)-Gewalt *f*, Oberaufsicht *f*. – **3.** Zuständigkeit *f*: **to come under the** ~ **of** unter die Zuständigkeit fallen von; **to confer** ~ **on a court** die Zuständigkeit eines Gerichts(hofes) begründen; **supervisory** ~ Aufsichtsinstanz. – **4.** Gerichtshoheit *f*. – **5.** Gerichts-, Verwaltungsbezirk *m*. – *SYN. cf.* **power.** — **ˌju·risˈdic·tion·al** *adj* gerichtlich, Jurisdiktions..., Gerichtsbarkeits...

ju·ris·pru·dence [ˌdʒu(ə)risˈpruːdəns] *s* **1.** Rechtswissenschaft *f*, -kunde *f*, ˌJurispruˈdenz *f*: **medical** ~ Gerichtsmedizin. – **2.** Rechtsgelehrsamkeit *f*. – **3.** ˈRechtssyˌstem *n*. — **ˌju·risˈpru·dent I** *s* Rechtsgelehrter *m*, -kundiger *m*, Juˈrist *m*. – **II** *adj* rechtskundig. — **ˌju·ris·pruˈden·tial** [-ˈdenʃəl] *adj* rechtswissenschaftlich. — **ju·rist** [ˈdʒu(ə)rist] *s* **1.** Rechtskundiger *m*, -gelehrter *m*, Juˈrist *m*. – **2.** *Br.* ˈRechtsstuˌdent *m*, Stuˈdent *m* der Rechte. – **3.** *bes. Am.* Rechtsanwalt *m*. — **juˈris·tic** *adj* juˈristisch, rechtlich: ~ **act** Rechtsgeschäft, -handlung; ~ **person** juristische Person. — **juˈris·ti·cal** → **juristic.** — **juˈris·ti·cal·ly** *adv* (*auch zu* **juristic**).

ju·ror [ˈdʒu(ə)rər] *s* **1.** *jur.* Geschworene(r). – **2.** (*vereidigter*) Preisrichter. – **3.** *hist.* Vereidigte(r).

ju·ry[1] [ˈdʒu(ə)ri] *s* **1.** Ausschuß *m* vereidigter Sachverständiger, Sachverständigenausschuß *m*. – **2.** *jur.* (*die*) Geschworenen *pl*, Schöffen *pl*, Jury *f*, Geschworenenausschuß *m*: **to sit on the** ~ Geschworener sein; **foreman of the** ~ Geschworenenobmann. – **3.** Jury *f*, Preisrichter(ausschuß *m*) *pl*.

ju·ry[2] [ˈdʒu(ə)ri] *adj mar.* Ersatz..., Hilfs..., Not...

ju·ry| box *s jur.* Geschworenenbank *f*. — ˈ~-ˌ**fix·er** *s Am. colloq.* j-d der Geschworene besticht *od.* einschüchtert. — ~ **fix·ing** *s Am. colloq.* Geschworenenbestechung *f*. — ~ **list** *s jur.* Geschworenenliste *f*. — ˈ~**·man** [-mən] *s irr jur.* Geschworener *m*, Schöffe *m*. — ~ **mast** *s mar.* Notmast *m*. — ~ **pan·el** → **jury list.** — ˈ~-ˌ**rigged** *adj mar.* behelfsmäßig getakelt, mit ˈNottakeˌlage (ausgerüstet). — ~ **rud·der** *s mar.* Notruder *n*.

jus[1] [ʒy] (*Fr.*) *s* Jus *f*, (Fleisch)Saft *m*.

jus[2] [dʒʌs] *pl* **ju·ra** [ˈdʒu(ə)rə] (*Lat.*) *s jur.* Recht *n*.

jus| ca·no·ni·cum [dʒʌs kəˈnɒnikəm] (*Lat.*) *s jur.* kaˈnonisches Recht, Kirchenrecht *n*. — ~ **ci·vi·le** [siˈvaili] (*Lat.*) *s jur.* (röm.) Ziˈvilrecht *n*. — ~ **di·vi·num** [diˈvainəm] (*Lat.*) *s* göttliches Recht. — ~ **gen·ti·um** [ˈdʒenʃiəm] (*Lat.*) *s* Völkerrecht *n*. — ~ **na·tu·ra·le** [ˌnætjuˈreili] (*Lat.*) *s* Naˈturrecht *n*.

jus·sive [ˈdʒʌsiv] *ling.* **I** *adj* (*in milder Form*) befehlend, Befehls... – **II** *s* (milde) Befehlsform (*in den semitischen Sprachen*).

just[1] [dʒʌst] **I** *adj* **1.** gerecht (to gegen): **to be** ~ **to s.o.** j-n gerecht behandeln. – **2.** gerecht, angemessen, gehörig, recht, (wohl)verdient. – **3.** rechtmäßig (begründet), wohlbegründet: **a** ~ **title** ein rechtmäßiger Anspruch. – **4.** berechtigt, gerechtfertigt, (wohl)begründet: ~ **indignation** berechtigte Empörung. – **5.** richtig, gehörig: **to cut s.th. down to the** ~ **proportions** etwas auf das richtige Maß zurückbringen. – **6.** genau, korˈrekt. – **7.** wahr, richtig: **a** ~ **statement** eine wahre Feststellung. – **8.** *Bibl.* gerecht, rechtschaffen. – **9.** *mus.* a) (naˈtürlich) rein, b) (ton)-rein, sauber. – *SYN. cf.* a) **fair,** b) **upright.** –
II *adv* **10.** gerade, eben: **they have** ~ **gone** sie sind gerade (fort)gegangen; ~ **now** eben erst, soeben. – **11.** gerade, genau, eben: ~ **there** eben dort; ~ **then** a) gerade damals, b) gerade in diesem Augenblick; ~ **now** a) jetzt gerade, gerade jetzt, b) jetzt gleich; ~ **five o'clock** genau fünf Uhr; ~ **as** a) ebenso wie, b) (*zeitlich*) gerade als; ~ **as well** genau so gut; ~ **so!** genau so (ist es)! ganz recht! **that is** ~ **it** das ist es (ja) gerade *od.* eben; **that is** ~ **the point** darauf kommt es gerade an; ~ **the thing** gerade das Richtige; **that is** ~ **enough** das reicht gerade hin; **that is** ~ **like you!** das sieht dir (ganz) ähnlich! – **12.** gerade (noch), ganz knapp: **we** ~ **managed** wir brachten es gerade noch zuwege; **the bullet** ~ **missed him** die Kugel ging ganz knapp an ihm vorbei; ~ **too late** ganz knapp zu spät. – **13.** nur, lediglich, bloß: ~ **for the fun of it** nur zum Spaß; ~ **a moment, please!** nur einen Augenblick bitte! ~ **an ordinary man** nur ein Mann wie alle anderen. – **14.** (*vor Imperativen*) a) doch, mal, b) nur: ~ **tell me** a) sag mir mal, b) sag mir nur. – **15.** *colloq.* einfach: ~ **glorious** einfach herrlich. – **16.** eigentlich: ~ **how many there are** wie viele eigentlich dort sind. – **17.** *sl.* (*zur Betonung*): **Did he swear? Didn't he,** ~! Hat er geflucht? Na [und ob!]

just[2] [dʒʌst] → **joust.**

juste-mi·lieu [ʒystmiˈljø] (*Fr.*) *s* (*der*) goldene Mittelweg.

jus·tice [ˈdʒʌstis] *s* **1.** Gerechtigkeit *f*. – **2.** gerechtes Verhalten (to gegen, gegenüber), Rechtlichkeit *f*. – **3.** Rechtmäßigkeit *f*, Berechtigung *f*: **the** ~ **of a claim.** – **4.** Berechtigung *f*, Recht *n*: **to complain with** ~ sich mit Recht beschweren. – **5.** Gerechtigkeit *f*, Recht *n*, gerechter Lohn: **to do** ~ **to** a) (*j-m od. einer Sache*) Gerechtigkeit widerfahren lassen, b) (*etwas*) recht zu würdigen wissen; **to do** ~ **to the wine** dem Wein tüchtig zusprechen; **to do** ~ **to oneself, to do oneself** ~ sein wahres Können zeigen, sich selbst gerecht werden; **in** ~ **to him** um ihm gerecht zu werden. – **6.** *jur.* Gerechtigkeit *f*, Recht *n*: **to administer** ~ Recht sprechen; ~ **was done** der Gerechtigkeit wurde Genüge getan; **in** ~ von Rechts wegen. – **7.** Rechtsprechung *f*, Rechtspflege *f*, Juˈstiz *f*: **court of** ~ Gerichtshof; **to bring to** ~ vor den Richter bringen. – **8.** Richter *m* (*in England bes. des* **Supreme Court of Judicature,** *in den USA bes. eines höheren Gerichtshofes; aber auch Bezeichnung für Friedens- od. Polizeirichter*): **Mr. J~ X.** *als Anrede in England*; ~ **of the peace** Friedensrichter (*Laienrichter für geringe Straf- u. Zivilsachen*); (**Lord**) **J~ Clerk** Vizepräsident des obersten schott. Kriminalgerichts; (**Lord**) **J~ General** Präsident des obersten schott. Kriminalgerichts. – **9.** *obs.* Gericht(shof *m*) *n*. — ˈ**jus·tic·er** *s obs.* Richter *m*. — ˈ**jus·ticeˌship** *s* Richteramt *n*, -würde *f*.

jus·ti·ci·a·ble [dʒʌsˈtiʃiəbl] **I** *adj* gerichtlicher Entscheidung unterˈworfen. – **II** *s* j-d der einer (fremden) Gerichtsbarkeit unterˈworfen ist.

jus·ti·ci·ar [dʒʌsˈtiʃiər] *s Br. hist.* Justitiˈar(ius) *m*: a) *höchster Gerichts- u. Regierungsbeamter in der Zeit von Wilhelm I. bis Heinrich III.*, b) *hoher königlicher Gerichtsbeamter.* — **jusˈti·ci·ar·y** [*Br.* -əri; *Am.* -ˌeri] **I** *s* **1.** Justitiˈar *m*, Gerichtsverwalter *m*, Richter *m*. – **2.** → **justiciar.** – **3.** *Scot.* Rechtsprechung *f*, Gerichtsbarkeit *f*. – **II** *adj* **4.** Rechtsprechungs..., Gerichts..., gerichtlich.

jus·ti·fi·a·bil·i·ty [ˌdʒʌstiˌfaiəˈbiliti; -təˌf-; -əti] *s* Rechtmäßigkeit *f*, Entschuldbarkeit *f*. — ˈ**jus·tiˌfi·a·ble** *adj* zu rechtfertigen(d), berechtigt, entschuldbar: ~ **defence** (*Am.* **defense**) *jur.* Notwehr. — ˈ**jus·tiˌfi·a·ble·ness** → **justifiability.** — ˈ**jus·tiˌfi·a·bly** [-bli] *adv* in zu rechtfertigender Weise.

jus·ti·fi·ca·tion [ˌdʒʌstifiˈkeiʃən; -təfə-] *s* **1.** Rechtfertigung *f*: **in** ~ **of** zur Rechtfertigung von (*od. gen*). – **2.** Berechtigung *f*, (guter) Grund: **with** ~ mit voller Berechtigung, berechtigterweise. – **3.** *relig.* Rechtfertigung *f*: ~ **by faith** Rechtfertigung durch den Glauben. – **4.** *jur.* Rechtfertigung *f*: ~ **and privilege** Wahrnehmung berechtigter Interessen. – **5.** *print.* Juˈstierung *f*, Ausschluß *m*. — ˈ**jus·ti·fiˌca·to·ry** [-təri; *Am. auch* dʒʌsˈtifəkəˌtɔːri], *auch* ˈ**jus·ti·fiˌca·tive** *adj* rechtfertigend, Rechtfertigungs...

jus·ti·fi·er [ˈdʒʌstiˌfaiər; -tə-] *s* **1.** Rechtfertiger *m*. – **2.** Rechtfertigung *f*. – **3.** *relig.* Lossprecher *m* (*von Sünden*). – **4.** *print.* Juˈstierer *m*, Zurichter *m*.

jus·ti·fy [ˈdʒʌstiˌfai; -tə-] **I** *v/t* **1.** rechtfertigen (**before** *od.* **to s.o.** vor j-m *od.* j-m gegenüber): **to be justified in doing s.th.** mit gutem Recht etwas tun; → **end**[1] 18. – **2.** a) gutheißen, b) entschuldigen. – **3.** *relig.* rechtfertigen, von Sündenschuld freisprechen. – **4.** *jur.* (von Schuld) freisprechen. – **5.** *reflex jur.* sich als Bürge qualifiˈzieren. – **6.** *tech.* richtigstellen, richten. – **7.** (*Waage etc*) juˈstieren. – **8.** *print.* juˈstieren, ausschließen. – **9.** *electr.* abgleichen. – *SYN. cf.* **maintain.** – **II** *v/i* **10.** *jur.* sich rechtfertigen (können). – **11.** *jur.* sich als Bürge qualifiˈzieren. – **12.** *print.* ausgeschlossen *od.* juˈstiert sein.

Jus·tin·i·an Code [dʒʌsˈtiniən] *bes. Am. für* **Justinianian Code.**

Jus·tin·i·a·ni·an [dʒʌsˌtiniˈeiniən] *adj* justiniˈanisch (*von Kaiser Justinian I. stammend etc*). — ~ **Code,** *bes. Am.* **Jus·tin·i·an Code** *s jur.* justiniˈanischer Gesetzeskodex.

jus·tle [ˈdʒʌsl] → **jostle.**

just·ly [ˈdʒʌstli] *adv* **1.** richtig, einwandfrei. – **2.** mit Recht: ~ **indignant.** – **3.** gerechterweise, verdientermaßen. – **4.** ehrlich, rechtschaffen.

just·ness [ˈdʒʌstnis] *s* **1.** Gerechtigkeit *f*, Billigkeit *f*. – **2.** Rechtmäßigkeit *f*. – **3.** Richtigkeit *f*, Korˈrektheit *f*. – **4.** Genauigkeit *f*.

jut [dʒʌt] **I** *v/i pret u. pp* ˈ**jut·ted,** *auch* ~ **out,** ~ **forth** vorspringen, herˈausragen, herˈvorstehen: **to** ~ **into s.th.** in etwas hineinragen. – **II** *s* Vorsprung *m*.

jute[1] [dʒuːt] **I** *s* **1.** Jute(faser) *f*. – **2.** *bot.* Jutepflanze *f* (*Gattg Corchorus, bes. C. capsularis u. C. olitorius*). – **II** *adj* **3.** Jute...

Jute[2] [dʒuːt] *s* Jüte *m*.

Jut·ish [ˈdʒuːtiʃ] *adj* jütisch.

Jut·land [ˈdʒʌtlənd] *npr* Jütland *n*: **the Battle of** ~ die Skagerrakschlacht (*1916*). — ˈ**Jut·land·er** *s* Jüte *m* (*Bewohner Jütlands*).

jut·ty [ˈdʒʌti] *obs.* **I** *s* **1.** *arch.* Vorsprung *m*. – **2.** Mole *f*, Pier *m*. – **II** *v/i u. v/t* **3.** vorspringen (über [*acc*]).

ju·ve·nal [ˈdʒuːvənl] *adj obs.* jugendlich: ~ **plumage** *zo.* (*nicht obs.*) Gefieder junger Vögel (*beim Flüggewerden*).

ju·ve·nes·cence [ˌdʒuːviˈnesns; -və-] *s* **1.** Verjüngung *f*, Jungwerden *n*: the well of ~ der Jungbrunnen. – **2.** Jugend(alter *n*) *f*. — ˌ**ju·veˈnes·cent** *adj* **1.** sich verjüngend, (wieder) jung werdend. – **2.** jugendlich.

ju·ve·nile [ˈdʒuːviˌnail; -və-; *Am. auch* -nl; -nil] **I** *adj* **1.** jugendlich, jung. – **2.** Jugend...: ~ **books** Jugendbücher; ~ **court** Jugendgericht; ~ **delinquency** Jugendkriminalität. – **3.** noch unentwickelt, jugendlich unreif, Entwicklungs...: ~ **stage** Entwicklungsstadium. – **II** *s* **4.** Jugendliche(r). – **5.** (*Theater*) jugendlicher Liebhaber. – **6.** (*Buchhandel*) Jugend-, Kinderbuch *n*. – **7.** *zo.* eben flügge gewordener Vogel. — ˈ**ju·ve·nile·ness** *s* **1.** Jugendlichkeit *f*. – **2.** jugendliche Unreife.

ju·ve·ni·li·a [ˌdʒuːviˈniliə; -və-] (*Lat.*) *s pl* Jugendwerke *pl*.

ju·ve·nil·i·ty [ˌdʒuːviˈniliti; -və-] *s* **1.** Jugendlichkeit *f*. – **2.** *pl* Jugendtorheiten *pl*. – **3.** *collect.* (*die*) Jugendlichen *pl*, (*die*) Jugend.

juxta- [dʒʌkstə] *Wortelement mit der Bedeutung* (da)neben, nahe bei, nah.

ˌ**jux·taˈpose** *v/t* **1.** (dicht) nebeneinˈanderstellen: ~**d** to angrenzend an (*acc*). – **2.** *electr.* gegeneinˈanderschalten. — ˌ**jux·ta·poˈsi·tion** *s* **1.** Nebeneinˈanderstellung *f*. – **2.** Nebeneinˈanderliegen *n*. — ˌ**jux·ta·poˈsi·tion·al** *adj* **1.** nebeneinˈanderstellend. – **2.** vergleichend. — ˌ**jux·taˈspi·nal** *adj med. zo.* neben der Wirbelsäule gelegen.

K

K, k [kei] **I** *s pl* **K's, Ks, k's, ks** [keiz] **1.** K *n*, k *n* (*11. Buchstabe des engl. Alphabets*): a capital (*od.* large) K ein großes K; a little (*od.* small) k ein kleines K. – **2.** K (*11. angenommene Person bei Beweisführungen*). – **3.** k (*11. angenommener Fall bei Aufzählungen*). – **4.** K K *n*, K-förmiger Gegenstand. – **II** *adj* **5.** elft(er, e, es): Company K die 11. Kompanie. – **6.** K K-..., K-förmig: a K frame.

ka [kɑː] *s* (*altägyptische Religion*) Ka *n* (*eine Art zweites Ich*).

Kaa·ba [ˈkɑːbə; ˈkɑːəbə], *auch* **ˈKaa·beh** [-be] *s* Kaaba *f* (*heiliger Schrein in Mekka*).

kaa·ma [ˈkɑːmə] → hartebeest.

kab *cf.* cab².

kab·(b)a·la [ˈkæbələ; kəˈbɑːlə] → cabala.

ka·bob *cf.* cabob.

Ka·byle [kəˈbail] *s* **1.** Kaˈbyle *m*, Kaˈbylin *f* (*Angehörige[r] eines afrik. Volksstammes*). – **2.** *ling.* Kaˈbylisch *n*, kaˈbylischer Diaˈlekt.

Kad·dish [ˈkɑːdiʃ] *s relig.* Kadˈdisch *m* (*Doxologie in der jüd. Liturgie*).

ka·di *cf.* cadi.

Kad·iak bear [ˈkɑːdjæk] *s zo.* Kodiak-, Riesenbär *m* (*Ursus middendorffi*).

Kaf·fir [ˈkæfər] *s* **1.** Kaffer(in) (*Angehörige[r] eines Bantuvolkes*). – **2.** *ling.* Kafferisch *n*, Kaffernsprache *f*. – **3.** k~ *cf.* kafir². – **4.** *pl econ. Br.* südafrik. Bergwerksaktien *pl*. – **5.** *cf.* Kafir¹ 1.

Kaf·ir¹ [ˈkæfər] *s* **1.** Kafir *m* (*Angehöriger eines indoarischen Volkes im Hindukusch*). – **2.** → Kaffir 1–4.

kaf·ir² [ˈkæfər], *auch* ~ **corn** *s bot.* (*eine Varietät der*) Mohrenhirse *f* (*Sorghum vulgare*).

kaf·tan *cf.* caftan.

ka·go [ˈkɑːgou] *s* Ka(n)go *f* (*jap. Sänfte mit Hängesitz*).

ka·gu [ˈkɑːguː] *s zo.* Kagu *m*, Rallenkranich *m* (*Rhinochetus jubatus*).

kai·ak *cf.* kayak.

kaif [kaif] → kef.

kail, kail·yard *cf.* kale, kaleyard.

kain *cf.* kane.

ka·i·nite [ˈkeiəˌnait; ˈkainait], *auch* **ˈka·i·nit** [-nit] *s min.* Kaiˈnit *m* (*Verbindung von Kalium- u. Magnesiumsulfat etc*).

Kai·ser [ˈkaizər] *s hist.* **1.** Kaiser *m* (*von Deutschland, 1871–1918*). – **2.** k~ Kaiser *m*: a) *von Österreich 1804–1918*, b) *des Heiligen Röm. Reiches*. — **ˈkai·serˌism** *s pol.* autoˈkratische Willkürherrschaft. — **ˈkai·serˌship** *s hist.* Kaiserwürde *f*.

Ka·jar [kɑːˈdʒɑːr] *s* Kaˈdschare *m* (*Angehöriger des 1794–1925 regierenden pers. Herrscherhauses*).

ka·ja·wah [kəˈdʒɑːwə] *s* (*Art*) Kaˈmelsänfte *f* (*für Frauen*).

kaj·e·put *cf.* cajuput.

ka·ka [ˈkɑːkə] *s zo.* Kaka *m*, Neuˈseeländischer ˈNestorpapaˌgei (*Nestor meridionalis*).

ka·ka·po [ˌkɑːkɑːˈpou] *pl* **-pos** *s zo.* Kakapo *m*, ˈEulen-, ˈNachtpapaˌgei *m* (*Strigops habroptilus*).

ka·ke·mo·no [ˌkɑːkiˈmounou; ˌkæ-] *pl* **-nos** (*Japanese*) *s* Kakeˈmono *n* (*zum Aufhängen bestimmtes Rollbild*).

ka·ki [ˈkɑːkiː] *s bot.* **1.** Kaki-, Dattelpflaumenbaum *m* (*Diospyros kaki*). – **2.** Kakipflaume *f*.

ka·la a·zar [ˈkɑːlɑː ɑːˈzɑːr] *s med.* ˈKala-Aˈzar *f*, schwarze Krankheit, Dum-Dum-Fieber *n* (*fieberhafte trop. Splenomegalie*).

kale [keil] *s* **1.** *bot.* (*ein*) Kohl *m*, *bes.* a) Blatt-, Staudenwinter-, Stengel-, Grünkohl *m* (*Brassica oleracea var. acephala*), b) Rapskohl *m* (*B. napus*). – **2.** *Scot.* a) Kohl *m* (*Gattg Brassica*), b) Gemüse *n*. – **3.** Kohl-, Gemüsesuppe *f*. – **4.** *Am. sl.* ‚Pinkepinke' *f* (*Geld*).

ka·lei·do·scope [kəˈlaidəˌskoup] *s* Kaleidoˈskop *n* (*auch fig.*). — **kaˌlei·do'scop·ic** [-ˈskɒpik], **kaˌlei·do'scop·i·cal** *adj* kaleidoˈskopisch, ständig wechselnd. — **kaˌlei·do'scop·i·cal·ly** *adv* (*auch zu* kaleidoscopic).

kal·en·dar *cf.* calendar.

kal·ends *cf.* calends.

Ka·le·va·la [ˈkɑːleiˌvɑːlɑː] *s* Kaleˈwala *f* (*das finnische Nationalepos*).

kale| worm → cabbage worm. — **ˈ~ˌyard I** *s Scot.* Gemüsegarten *m*. – **II** *adj* im Stile der Kaleyard School. — **ˈ~ˌyard school** *s* Kaleyard School *f* (*schott. Heimatdichtung, vertreten bes. durch J. M. Barrie*).

kal·i [ˈkæli; ˈkeili] → glasswort 2.

kal·ian [kɑːlˈjɑːn] *s* Kaliˈan *m* (*pers. Wasserpfeife*).

ka·lif *cf.* caliph.

ka·lig·e·nous [kəˈlidʒinəs; -dʒə-] *adj chem.* Alˈkalien bildend.

kal·ioun [kɑːlˈjuːn] → kalian.

ka·liph *cf.* caliph.

kal·mi·a [ˈkælmiə] *s bot.* Lorbeerrose *f* (*Gattg Kalmia*).

Kal·muck, *auch* **Kal·muk** [ˈkælmʌk], **ˈKal·myk** [-mik] **I** *s* **1.** Kalˈmück(e) *m*, Kalˈmückin *f*. – **2.** *ling.* Kalˈmückisch *n*. – **3.** k~ Kalˈmuck *m* (*rauhes Streichgarn- od. Baumwollgewebe*). – **II** *adj* **4.** kalˈmückisch, Kalmücken...

ka·long [ˈkɑːlɒŋ] *s zo.* Kalong *m*, Fliegender Hund (*Pteropus vampyrus*).

Kal·pa [ˈkʌlpə] *s* Kalpa *m* (*ein Tag u. eine Nacht Brahmas, das sind 4320 Millionen Jahre*).

kal·pak *cf.* calpac.

ka·ma·la [kəˈmeilə; ˈkæmələ] *s* **1.** *chem.* Kamala *f* (*Bandwurmmittel u. Seidenfärbstoff*). – **2.** *bot.* Kamalabaum *m* (*Mallotus philippinensis*).

kame [keim] *s* **1.** *geogr.* (langgestreckter) Geschiebehügel. – **2.** *Scot. od. dial. für* comb¹.

ka·mi [ˈkɑːmi] (*Japanese*) *s* Kami *m*: a) *Name der schintoistischen Gottheiten*, b) *Titel von Statthaltern etc.*

ka·mi·ka·ze [ˌkɑːmiˈkɑːziː] *s mil.* **1.** Kamiˈkazeflieger *m* (*jap. Selbstmordflieger*). – **2.** Kamiˈkazeflugzeug *n*.

kam·pong [kɑːmˈpɒŋ; ˈkɑːmpɒŋ] *s* Kampong *m* (*kleines Dorf in Malaia*).

kamp·tu·li·con [kæmpˈtjuːlikən] *s* Kampˈtulikon *m* (*linoleumähnlicher Fußbodenbelag*).

kam·seen [kæmˈsiːn], **ˈkam·sin** [-sin] → khamsin.

ka·na [ˈkɑːnɑː] *s* Kana *n* (*jap. Silbenschrift*).

Kan·a·ka [ˈkænəkə; kəˈnækə] *s* Kaˈnake *m* (*eingeborener Südseeinsulaner*).

Ka·na·rese [ˌkɑːnəˈriːz; ˌkæ-] **I** *s* **1.** *sg u. pl* Kanaˈrese *m*, Kanaˈresin *f*, Kanaˈresen *pl*. – **2.** *ling.* Kanaˈresisch *n* (*drawidische Sprache*). – **II** *adj* **3.** kanaˈresisch.

kane [kein] *s Scot.* als Pachtgeld gegebener Ernteertrag.

kan·ga·roo [ˌkæŋgəˈruː] *pl* **-roos**, *auch, bes. collect.*, **-roo** *s* **1.** *zo.* Känguruh *n* (*Fam. Macropodidae*). – **2.** *Br. colloq.* Auˈstralier(in). – **3.** *pl econ. Br. sl.* a) westaustral. Bergwerksaktien *pl*, b) Händler *pl* von westaustral. Bergwerksaktien. – **4.** → ~ closure. — ~ **bi·cy·cle** *s tech.* Kangaˈroorad *n* (*frühe Form des Fahrrads mit niederem Vorder- u. hohem Hinterrad*). — ~ **clo·sure** *s pol. Br. Verkürzung einer Debatte dadurch, daß nur bestimmte Punkte einer Vorlage zur Diskussion gestellt werden.* — ~ **court** *s Am. sl.* Scheingericht(shof *m*) *n*, ˈilleˌgales Gericht. — ~ **rat** *s zo.* **1.** → rat kangaroo. – **2.** Taschenmaus *f* (*Fam. Heteromyidae*), *bes.* Känguruhratte *f* (*Gattg Dipodomys*). – **3.** *Austral.* Wüstenspringer *m* (*Gattg Notomys*).

kan·ga·roo·ster [kæŋgəˈruːstər] *s Austral.* Känguruhjäger *m*.

Kant·i·an [ˈkæntiən] *philos.* **I** *adj* kantisch. – **II** *s* Kantiˈaner *m*, Anhänger(in) Kants. — **ˈKant·i·anˌism**, *auch* **ˈKant·ism** *s* Kantiaˈnismus *m*, kantische Philosoˈphie.

ka·o·li·ang [ˌkɑːoliˈæŋ] *s* **1.** *bot.* Chines. Zuckerrohr *n* (*Varietät von Sorghum vulgare*). – **2.** *Branntwein aus* 1.

ka·o·lin, *auch* **ka·o·line** [ˈkeiəlin] *s min.* Kaoˈlin *n*, Porzelˈlanerde *f*. — **ˌka·oˈlin·ic** *adj* Kaolin... — **ˈka·o·linˌite** *s* reiner Kaoliˈnit ($Al_2Si_2O_5(OH)_4$). — **ˈka·o·linˌize** *v/t* in Kaoˈlin verwandeln.

ka·pok [ˈkeipɒk; ˈkæpək] *s* Kapok *m* (*baumwollartiges Polstermaterial*). — ~ **oil** *s* Kapoköl *n*. — ~ **tree** *s bot.* Kapokbaum *m* (*Ceiba pentandra*).

kap·pa [ˈkæpə] *s* Kappa *n* (*10. Buchstabe des griech. Alphabets*).

ka·put [kɑːˈput; kæ-; kəˈpuːt] *adj bes. mil. sl.* kaˈputt, ‚erledigt'.

Ka·ra·ite [ˈkɛ(ə)rəˌait] *s relig.* Kaˈräer *m* (*jüd. Sekte*).

kar·a·kul, *auch* **kar·a·kule** [ˈkærəkul; -kəl] *s* **1.** Karaˈkul *n*, Breitschwanz-

schaf *n* (*Hausschafrasse*). – **2.** Kara'kulfell *n*, -pelz *m*.
kar·at *cf.* carat.
ka·ra·tas [kə'reitəs] *s bot.* West'indische Ananas (*Gattg Karatas*).
Ka·ren [kə'rein] *s* **1.** Ka'rene *m* (*Bewohner Birmas*). – **2.** *ling.* Ka'ren *n*, das Ka'renische.
kar·ma ['kɑːrmə] *s* **1.** (*Hinduismus u. Buddhismus*) Karma *n*. – **2.** *allg.* Schicksal *n*. — '**kar·mic** *adj* Karma...
ka·roo *cf.* karroo.
ka·ross [kə'rɒs] *s* Fellmantel *m od.* -tuch *n* (*der Eingeborenen Südafrikas*).
kar·ri ['kæri] *s bot.* Karri *m*, Blauer Gummibaum (*Eucalyptus diversicolor*).
kar·roo [kə'ruː] *pl* **-roos** *s* Kar'ru *f* (*Trockensteppe der südl. Randabdachung Südafrikas*).
Karst [kɑːrst] *geol.* **I** *s* **1.** 'Karst(pla,teau *n*) *m*. – **2.** k~ karstartiges *od.* verkarstetes Gebiet. – **II** *adj* **3.** Karst... — '**karst·ic** → Karst II.
kar·tel ['kɑːrtl] *s* Holzpritsche *f* (*eines afrik. Ochsenkarrens*).
kar·tell [kɑːr'tel] → cartel.
karyo- [kærio] *Wortelement mit der Bedeutung* (Zell)Kern.
kar·y·og·a·my [,kæri'ɒgəmi] *s biol. med.* Karyoga'mie *f*, 'Kernfusi,on *f*. — **kar·y·o·ki·ne·sis** [,kærioki'niːsis; -kai'n-] *s* **1.** ,Karyoki'nese *f*, Mi'tose *f* (*indirekte Kernteilung*). – **2.** Zellkernspaltung *f*. — ,**kar·y·o·ki'net·ic** [-'netik] *adj* ,karyoki'netisch. — '**kar·y·o,lymph** [-,limf] *s* Kernsaft *m*, Karyo'lymphe *f*. — ,**kar·y'ol·y·sis** [-'ɒlisis; -lə-] *s* Karyo'lyse *f*, Kernauflösung *f*. — '**kar·y·o,mere** [-o-,miər] *s* Karyo'mer *n*, Chromo'mer *n*. — ,**kar·y'om·i,tome** [-'ɒmi,toum; -mə-] *s* (Zell)Kerngerüst *n* (*aus Chromatin*).—'**kar·y·o,plasm** [-o,plæzəm], *auch* ,**kar·y·o'plas·ma** [-mə] *s* Karyo'plasma *n*, 'Kernproto,plasma *n*. — ,**kar·y·o'plas·mic**, *auch* ,**kar·y·o·plas'mat·ic** [-'mætik] *adj* ,karyoplas'matisch, zum Kernplasma gehörig. — ,**kar·y·or'rhex·is** [-ə'reksis] *s* Karyor'rhexis *f*, Kernzerfall *m*. — '**kar·y·o,some** [-o,soum] *s* **1.** Karyo'som *n*. – **2.** Zellkern *m*. – **3.** Chromo'som *n*. — ,**kar·y'o·tin** [-'outin] *s* Chroma'tin *n*.
ka·sher ['kɑːʃər] *v/t* koscher machen, für rein erklären.
kash·mir *cf.* cashmere.
Kash·mi·ri [kæʃ'mi(ə)ri] *s ling.* Kasch'miri *n*, das Kasch'mirische. — **Kash'mir·i·an I** *adj* kasch'mirisch. – **II** *s* Einwohner(in) Kaschmirs.
Kash·mir rug *s* Kaschmirteppich *m*.
kat[1] [kɑːt] *s bot.* Kathstrauch *m*, Arab. Teestrauch *m* (*Catha edulis*).
kat[2] [kæt; kɑːt] *s altägyptische Gewichtseinheit* (= *9,46 g*).
kata- *cf.* cata-.
ka·tab·a·sis [kə'tæbəsis] *pl* **-ses** [-,siːz] *s* **1.** *hist.* Ka'tabasis *f*. – **2.** *fig.* Rückzug *m*.
kat·a·bat·ic [,kætə'bætik] *adj* (*Meteorologie*) abwärtsströmend, fallend (*Wind*): ~ **wind** Fallwind.
ka·tab·o·lism *cf.* catabolism.
kat·a·ther·mom·e·ter [,kætəθər'mɒmitər; -mət-] *s* ,Katathermo'meter *n* (*Alkoholthermometer zur Messung der Kühlstärke der Luft*).
ka·thar·sis, ka·thar·tic *cf.* catharsis, cathartic.
kath·ode, ka·thod·ic *cf.* cathode, cathodic.
kat·i·on *cf.* cation.
ka·ty·did ['keitidid] *Am.* **I** *s* **1.** *zo.* (*eine*) amer. Laubheuschrecke (*Gattgen Microcentrum u. Amblycorypha*). – **2.** *tech.* Rollwagen *m* der Holzfäller (*zum Befördern von Baumstämmen*). – **II** *v/i* **3.** (wie eine Laubheuschrecke) zirpen.
kau·ri ['kauri] *s* **1.** *bot.* Kauri-, Dam'marafichte *f* (*Agathis australis*). – **2.** Kauri-, Dam'maraholz *n*. – **3.** Dammarharz *n*. — ~ **co·pal**, ~ **gum**, ~ **res·in** → kauri 3.
kau·ry *cf.* kauri.
ka·va ['kɑːvə], *auch* ,**ka·va'ka·va** *s* **1.** *bot.* Kavapfeffer *m* (*Piper methysticum u. P. excelsum*). – **2.** Kavabier *n*.
ka·vass [kə'væs] *s* Ka'waß *m* (*türk. Polizist od. Gendarm; Konsulatswächter im Orient*).
ka·wa·ka [kɑː'wɑːkə] *s bot.* **1.** Neu'seeländische Flußzeder (*Libocedrus plumosa*). – **2.** → kava.
kay·ak ['kaiæk] *s* Kajak *n, m*, Eskimoboot *n* (*auch sport*).
kay·o ['kei'ou] *sl. für* **knock out** *od.* **knockout**.
kayle [keil] *s* **1.** *selten* Kegel *m*. – **2.** *pl obs. od. dial.* Kegelspiel *n*.
ka·zoo [kə'zuː] *s Rohr mit einer Darmsaite, die durch Summen zum Schwingen gebracht wird* (*Musikinstrument u. Spielzeug*).
ke·a ['keiə] *s zo.* 'Keapapa,gei *m* (*Nestor notabilis*).
keat [kiːt] *s zo. Am.* junges Perlhuhn.
keb [keb] *Scot. od. dial.* **I** *s* **1.** Mutterschaf, das zu früh geworfen *od.* sein Lamm verloren hat. – **2.** *zo.* → **ked**. – **II** *v/i* **3.** zu früh werfen *od.* das Lamm verlieren (*Schaf*).
keb·bie ['kebi] *s Scot. od. dial.* **1.** Keule *f*, Knüppel *m*. – **2.** schwerer Spa'zierstock.
keb·buck, *auch* **keb·bock** ['kebək] *s dial.* (großer) Käse.
keb·by *cf.* kebbie.
keck [kek] *v/i* **1.** würgen, (sich) erbrechen (müssen). – **2.** *fig.* sich ekeln (at vor *dat*).
keck·le[1] ['kekl] *v/t mar.* (*Taue*) schladden, mit altem Tauwerk (*gegen das Schamfilen*) bewickeln *od.* bekleiden.
keck·le[2] ['kekl] *v/i Scot. od. dial.* kichern.
keck·ling ['kekliŋ] *s mar.* Schladding *f* (*altes Tauwerk zum Umwickeln von Tauen u. Trossen*).
ked [ked] *s zo.* Schaflausfliege *f* (*Melophagus ovinus*).
ked·dah ['kedə] *s* Ele'fantenfalle *f* (*in Indien*).
kedge[1] [kedʒ] *mar.* **I** *v/t* (*Schiff*) warpen (*mit Hilfe eines Warpankers flußaufwärts ziehen*), verholen. – **II** *v/i* sich verwarpen. – **III** *s auch* ~ **anchor** Wurf-, Warpanker *m*.
kedge[2] [kedʒ] *adj dial.* munter, lebhaft.
kedg·er·ee [,kedʒə'riː; 'kedʒə,riː] *s Br. Ind.* Kedge'ree *n*, Kedie'rie *n* (*Reisgericht mit Fisch, Erbsen, Zwiebeln, Eiern, Butter u. Gewürzen*).
ked·lock ['kedlək] *s bot. dial.* **1.** → charlock. – **2.** Weißer Senf (*Sinapis alba*).
keech [kiːtʃ] *s obs. od. dial.* (Fett)-Klumpen *m*.
ke·ef [ki'ef] → kef.
keek [kiːk] *Scot. od. dial.* **I** *v/i* gucken, kieken. – **II** *s* Kieken *n*, kurzer Blick: **to take a ~ at s.th.** etwas angucken. — '**keek·er** *s Scot. od. dial.* **1.** Aufseher *m*. – **2.** Gucker *m*. – **3.** *pl colloq.* Augen *pl*.
keel[1] [kiːl] **I** *s* **1.** *mar.* Kiel *m*: **on an even ~** a) auf ebenem Kiel, b) *fig.* gleichmäßig, ausgeglichen, ruhig; **to lay down the ~** den Kiel legen *od.* strecken. – **2.** *poet.* Schiff *n*. – **3.** *aer.* Kiel *m*, Längsträger *m*. – **4.** *bot.* Kiel *m*, Längsrippe *f* (*Blatt*). – **5.** *zo.* Kiel *m*, scharfkantige Erhebung. – **6.** L(e)ichter *m*, Schute *f*. – **7.** a) flaches Kohlenschiff, b) Ladung *f* Kohle (*einer Schute*). – **II** *v/t* **8.** ~ **over**, ~ **up** (*Boot etc*) kiel'obenlegen, 'umkippen, 'umwerfen. – **III** *v/i* ~ **over**, ~ **up** **9.** 'umschlagen, kentern. – **10.** kiel'obenliegen. – **11.** *colloq.* 'umstürzen, kopf'über stürzen.
keel[2] [kiːl] *s vet. eine tödliche Krankheit der Hausenten.*
keel[3] [kiːl] *v/t obs. od. dial.* **1.** (ab)-kühlen. – **2.** (*durch Abschöpfen etc*) am 'Überkochen hindern. – **3.** *fig.* beruhigen, besänftigen.
keel[4] [kiːl] *s Br. ein Kohlenmaß* (= *21,54 Tonnen*).
keel[5] [kiːl] *Scot.* **I** *s* Rötel *m* (*zum Zeichnen der Schafe*). – **II** *v/t* (*Schafe*) mit Rötel zeichnen.
keel[6] [kiːl] *s Am. dial.* Perlhuhn *n*.
keel·age ['kiːlidʒ] *s mar. selten Br.* Kielgeld *n*, Hafengebühren *pl*.
'**keel,block** *s mar.* Kielpalle *f*, -block *m*. — '~,**boat** *s Am.* Kielboot *n* (*Art Leichter*). — '~-,**bul·ly** *s Br. sl.* L(e)ichterführer *m*, Führer *m* eines Kohlenboots (*auf Tyne u. Humber*).
keeled [kiːld] *adj bot. zo.* **1.** gekielt. – **2.** kielförmig.
keel·er[1] ['kiːlər] *selten für* **keel-bully**.
keel·er[2] ['kiːlər] *s obs. od. dial.* **1.** flaches Wasch- *od.* Spülgefäß. – **2.** *mar.* Kal'faterfaß *n*. – **3.** flaches Holzgefäß (*zum Aufnehmen von Makrelen*).
'**keel,haul**, *auch* '~,**hale** *v/t* **1.** (*j-n*) kielholen (lassen). – **2.** *fig.* abkanzeln, her'untermachen.
keel·less ['kiːllis] *adj bot. zo.* kiellos.
kee·lie ['kiːli] *Scot. od. dial. für* **kestrel**.
kee·ling ['kiːliŋ] *Scot. od. dial. für* **codfish**.
kee·li·vine ['kiːli,vain] *s Scot. od. dial.* Blei-, Rotstift *m*.
keel pet·al *s bot.* Schiffchen *n* (*der Schmetterlingsblüte*).
keel·son ['kelsn; 'kiːl-] *s mar.* Kielschwein *n*, Binnenkiel *m*.
'**keel,vat** *s* (*Brauerei*) Kühlfaß *n*.
keen[1] [kiːn] **I** *adj* **1.** scharf (geschliffen): **a ~ razor blade** eine scharfe Rasierklinge. – **2.** schneidend (*Kälte*), scharf (*Wind*). – **3.** beißend (*Spott*). – **4.** a) scharf (*Augen*), b) fein (*Gehör*): **to be ~-eyed** (**~-eared**) scharfe Augen (ein feines Gehör) haben. – **5.** scharfsinnig: **to have a ~ mind, to be ~-witted** scharfsinnig sein. – **6.** durch'dringend, stechend (*Blick, Geruch*). – **7.** grell (*Licht*), schrill (*Ton*). – **8.** scharfgeschnitten (*Gesichtszüge*). – **9.** scharf, heftig (*Konkurrenzkampf*). – **10.** heiß, heftig (*Wunsch*). – **11.** heftig: a) bitter (*Schmerz*), b) stark, groß (*Gefühl, Hunger*). – **12.** fein, scharf (*Unterscheidungsvermögen*). – **13.** *Am. sl.* gut aussehend, schick, ‚geschniegelt'. – **14.** begeistert, lebhaft, rührig, eifrig: **a ~ sportsman** ein begeisterter *od.* leidenschaftlicher Jäger. – **15.** erpicht (about, for auf *acc*), ‚scharf' ([up]on auf *acc*): ~ **on doing** (*od.* **to do**) **s.th.** *colloq.* erpicht *od.* darauf aus, etwas zu tun; **as ~ as mustard** *colloq.* scharf, begeistert, Feuer u. Flamme. – **16.** (lebhaft *od.* sehr) interes'siert (on an *dat*): ~ **on music**. – **17.** (*Golf*) kurz geschnitten u. trocken (*Rasen des Greens*). – **II** *v/t* **18.** *obs.* scharf machen, schärfen. – *SYN. cf.* a) eager[1], b) sharp.
keen[2] [kiːn] *Irish* **I** *s* Totenklage *f*. – **II** *v/i* wehklagen. – **III** *v/t* wehklagen um, beklagen.
kee·na ['kiːnə] *s bot.* Schönblattbaum *m* (*Calophyllum tomentosum*). — ~ **nuts** *s pl bot.* Früchte *pl* des Schönblattbaums.
'**keen-,edged** *adj* **1.** mit scharfer Schneide. – **2.** scharfkantig.
keen·er ['kiːnər] *s Irish* Wehklagende(r), Klageweib *n*.

keen·ly ['ki:nli] *adv* **1.** scharf. – **2.** heftig. – **3.** sehr.

keen·ness ['ki:nnis] *s* **1.** Schärfe *f.* – **2.** Heftigkeit *f.* – **3.** Eifer *m.* – **4.** Scharfsinn *m.* – **5.** Feinheit *f.* – **6.** Bitterkeit *f* (*Hohn, Satire*).

'**keen-**,**set** *adj fig.* hungrig, erpicht (for auf *acc*).

keep [ki:p] **I** *s* **1.** ('Lebens),Unterhalt *m.* – **2.** Verpflegung *f.* – **3.** Kost *f* u. Wohnung *f.* – **4.** a) Bergfried *m*, Hauptturm *m* (*einer Burg*), b) Burgverlies *n.* – **5.** 'Unterhaltskosten *pl*: the ~ of a horse die Unterhaltskosten eines Pferdes. – **6.** *pl* Recht *n*, den Gewinn zu behalten (*beim Spiel*). – **7.** for ~s *Am. colloq. od. Br.* a) auf *od.* für immer, endgültig, b) ganz u. gar: to play for ~s mit zurückbehaltenem Gewinn spielen. – **8.** *selten* Obhut *f*, Verwahrung *f.* – **9.** *obs.* Bewachung *f*, Wache *f.* – **10.** *obs.* Speiseschrank *m*, Behälter *m.* –

II *v/t pret u. pp* **kept** [kept] **11.** halten: to ~ a door closed eine Tür geschlossen halten; to ~ s.th. dry etwas trocken halten *od.* aufbewahren; to ~ money with (*od.* in) a bank auf einer Bank Geld liegen haben; to ~ s.o. from doing s.th. j-n davon abhalten, etwas zu tun; to ~ s.o. out of s.th. j-n aus etwas heraushalten *od.* vor (*dat*) etwas bewahren; to ~ s.th. from s.o. j-m etwas vorenthalten; to ~ s.th. to oneself etwas für sich behalten. – **12.** *fig.* (er)halten, (be)wahren: to ~ one's balance das *od.* sein Gleichgewicht (be)halten *od.* wahren; to ~ one's distance Abstand halten *od.* bewahren; to ~ a stiff upper lip *colloq.* a) das Kinn *od.* die Ohren steif halten, sich nichts anmerken lassen, b) unnachgiebig sein, sich nicht erweichen lassen; → head *b. Redw.*; hold[1] 2; look-out 1; peace 2; silence 1; view 14 *u. b. Redw.* – **13.** (zu'rück)behalten: ~ the change! behalten Sie den Rest! (*zu Kellnern etc*); ~ your seat! bleiben Sie (doch) sitzen! to ~ s.th. to oneself etwas für sich behalten; → counsel 4; mind 8; temper 4. – **14.** *fig.* halten, sich halten *od.* behaupten in *od.* auf (*dat*): to ~ the field das (Schlacht)Feld behaupten; to ~ the stage sich auf der Bühne behaupten; → ground[1] 25. – **15.** (fest)halten (*bes. unter Aufsicht*), bewachen: to ~ s.o. (a) prisoner (*od.* in prison) j-n gefangen *od.* hinter Schloß u. Riegel halten; she ~s him here sie hält ihn hier fest, er bleibt ihretwegen hier; to ~ (the) goal das Tor hüten. – **16.** aufheben, (auf)bewahren: to ~ a secret ein Geheimnis bewahren; to ~ for a later date für später *od.* für einen späteren Zeitpunkt aufheben. – **17.** (aufrechter)halten, unter'halten: to ~ an eye on s.o. j-n im Auge behalten; to ~ (a) guard over s.o. über j-n wachen *od.* Wache halten; to ~ good relations with s.o. mit j-m gute Beziehungen unterhalten; we ~ terms with him *Am.* wir verkehren mit ihm. – **18.** pflegen, (er)halten: to ~ in (good) repair in gutem Zustand erhalten; a well-kept garden ein gutgepflegter Garten. – **19.** (*j-n od. etwas*) lassen, erhalten (*in einem gewissen Zustand*): to ~ s.o. advised j-n (immer wieder) beraten, j-n regelmäßig benachrichtigen; to ~ s.o. informed (*od.* posted) j-n auf dem laufenden halten; to ~ s.o. short of money j-m wenig Geld geben; to ~ s.o. waiting j-n warten lassen; to ~ s.th. going etwas in Gang *od.* in Betrieb halten; → ball *b. Redw.*; boil 5; suspense 2. – **20.** (*Ware*) führen, auf Lager haben: we don't ~ this article diesen Artikel führen wir nicht. – **21.** (*Schriftstücke*) führen, halten: to ~ a diary ein Tagebuch führen; to ~ a record of s.th. über (*acc*) etwas Buch führen *od.* Aufzeichnungen machen. – **22.** (*Geschäft etc*) führen, verwalten, vorstehen (*dat*): to ~ a shop ein (Laden)Geschäft führen; → house[1] 3. – **23.** (*Amt etc*) innehaben: to ~ a post. – **24.** *Am.* (ab)halten (*stattfinden lassen*): to ~ an assembly eine Versammlung abhalten; to ~ school Schule halten. – **25.** (*Versprechen etc*) (ein)halten, einlösen: to ~ a promise; → word 7. – **26.** (*Abmachung etc*) (ein)halten: → appointment 4. – **27.** (*Bett, Zimmer*) hüten, bleiben in (*dat*): → house[1] 1. – **28.** (*Richtung, Zeit*) beibehalten, fortsetzen, verfolgen: to ~ pace with s.th. mit etwas Schritt halten; → hour 2. – **29.** (*Vorschriften etc*) be(ob)achten, (ein)halten, befolgen: to ~ Sundays (a fast) die Sonntage (einen Fastentag) einhalten. – **30.** (*Fest*) begehen, feiern: to ~ Christmas. – **31.** ernähren, beköstigen, unter'halten: to have a family to ~. – **32.** (*bei sich*) haben, halten, beherbergen: to ~ boarders. – **33.** sich halten *od.* sich zulegen: a) (*Bedienstete*) halten, haben, b) (*Geliebte*) sich halten, haben, c) (*Haustiere etc*) aufziehen. – **34.** (be)schützen, bewahren, wachen über (*acc od. dat*): God ~ you! – **35.** *obs.* a) sich richten nach, sich halten an (*acc*), b) (*Kirche etc*) regelmäßig besuchen. – **36.** *reflex obs.* sich benehmen. –

III *v/i* **37.** bleiben (*verweilen, weiterhin sein in, auf etc*): to ~ away fort-, wegbleiben; to ~ back sich zurückhalten, zurückbleiben; to ~ clear of s.o. sich von j-m fernhalten, j-n meiden; to ~ in sight in Sicht(weite) bleiben; to ~ off the beaten track ausgetretene Pfade meiden, von der Regel abweichen, seinen eigenen Weg gehen; ~ off the grass! der Rasen darf nicht betreten werden! Betreten des Rasens verboten! to ~ out draußen bleiben, sich absondern; to ~ out of danger sich außer Gefahr halten; to ~ to the right (side) sich rechts halten. – **38.** bleiben (*Eigenschaft, Zustand beibehalten*): to ~ cool kühl bleiben, sich kühl halten (*Getränk*); to ~ friends (weiterhin) Freunde bleiben; to ~ in good health gesund bleiben. – **39.** weiter... (*Handlung beibehalten*): to ~ going a) weitergehen, b) weitermachen, -leben; to ~ (on) laughing weiterlachen, nicht aufhören zu lachen; ~ smiling! immer nur lächeln! laß (doch) den Mut nicht sinken! es wird schon gehen! to ~ straight on geradeaus weitergehen. – **40.** sich halten (*in einem gewissen Zustand*): the milk (weather) will ~ die Milch (das Wetter) wird sich halten. – **41.** (*an einem Ort*) verweilen, bleiben: to ~ in(doors) zu Hause bleiben, das Haus nicht verlassen. – **42.** *bes. Am. u. Cambridge colloq.* wohnen, lo'gieren: where do you ~? wo hast du deine Bude? – **43.** seinen Wert *etc* behalten: this matter will ~ diese Angelegenheit hat Zeit *od.* eilt nicht. – *SYN.* celebrate, commemorate, detain, observe, reserve, retain, withhold. –

Besondere Redewendungen:

to ~ body and soul together Leib u. Seele zusammenhalten (*gesund erhalten*); to ~ cave *ped. Br. sl.* ‚Schmiere stehen'; → company 1 *u.* 3; to ~ s.th. dark (*od.* close) etwas geheimhalten, über etwas Stillschweigen bewahren; to ~ in harness a) bei der Arbeit *od.* rüstig bleiben, b) zur Arbeit anhalten; to ~ in with s.o. sich mit j-m gut stellen, es mit j-m gut halten, mit j-m gut Freund bleiben; → eye 3; to ~ one's hand in in Übung bleiben; to ~ s.o. in money j-n mit Geld versehen, j-m immerfort Geld zukommen lassen; to ~ tab(s) on s.o. j-n kontrollieren *od.* überwachen; to ~ time a) die Zeit messen, b) richtig gehen (*Uhr*), c) den Takt schlagen, d) Takt halten; → track[1] 11. –

Verbindungen mit Präpositionen:

keep| at *v/t* festhalten an (*dat*), verweilen bei. — ~ **on** *v/t* leben *od.* sich (er)nähren von. — ~ **to** *v/t* **1.** bleiben bei, festhalten an (*dat*): to ~ a rule an einer Regel festhalten. – **2.** bleiben in (*dat*) *od.* bei *etc*: to ~ one's bed im Bett bleiben, das Bett hüten. –

Verbindungen mit Adverbien:

keep| a·breast *v/i* Schritt halten (of, with mit): to ~ of the times mit der Zeit Schritt halten; to ~ with progress. — ~ **a·loof** *v/i* sich abseits halten (from von). — ~ **a·sun·der** *v/t* getrennt halten. — ~ **a·way I** *v/t* am Kommen hindern, fernhalten. – **II** *v/i* wegbleiben, sich fernhalten (from von). — ~ **back I** *v/t* weghalten (from von). – **II** *v/i* im 'Hintergrund bleiben. — ~ **down I** *v/t* unter'drücken, nicht hoch- *od.* aufkommen lassen: to ~ prices die Preise drücken. – **II** *v/i* sich geduckt halten. — ~ **in** *v/t* innen lassen, drinlassen: to ~ a pupil einen Schüler nachsitzen lassen; to ~ one's breath den Atem anhalten. — ~ **off I** *v/t* fern-, weghalten, abweisen, nicht näherkommen lassen. – **II** *v/i* weg-, fernbleiben, sich abseits halten. — ~ **on I** *v/t* anlassen: to keep one's clothes on, to ~ one's clothes die Kleider anbehalten; to keep the light on das Licht anlassen *od.* brennen lassen. – **II** *v/i* weitermachen, fortfahren: he kept on searching er suchte unaufhörlich; to ~ at s.o. *colloq.* an j-m dauernd herumnörgeln, j-n beständig drängen. — ~ **out I** *v/t* draußen halten *od.* lassen, nicht her'einlassen. – **II** *v/i* (of) sich her'aushalten (aus), sich freihalten (von *Schulden etc*). — ~ **un·der** *v/t* unter'jochen, -drücken. — ~ **up I** *v/t* **1.** aufrechterhalten, (*Feuer etc*) unter'halten, nicht aufhören *od.* sinken lassen: to ~ one's spirits den Mut nicht sinken lassen; ~ your English! lassen Sie Ihr Englisch nicht (ein)rosten! keep it up! Nicht aufgeben! Laß den Mut nicht sinken! Nicht schlappmachen! how long did you keep it up last night? wie lange habt ihr es gestern (*z.B. beim Tanzen*) ausgehalten? → appearance 11. – **II** *v/i* **2.** aufbleiben (*abends*). – **3.** sich aufrechterhalten, hoch bleiben: prices are keeping up die Preise behaupten sich; to ~ with the Jones's mit den Nachbarn Schritt halten, hinter den anderen nicht zurückbleiben.

keep·er ['ki:pər] *s* **1.** Wächter *m*, Aufseher *m*, Kustos *m* (*einer Bibliothek*), (Gefangenen-, Irren-, Tier)Wärter *m*: am I my brother's ~? *Bibl.* soll ich meines Bruders Hüter sein? (*auch fig.*). – **2.** Be-, Verwahrer *m* (*als Titel*), Verwalter *m*: the Lord K~ of Manuscripts Direktor der Handschriftenabteilung; K~ of the Archives Archivar. – **3.** (*meist in Zusammensetzungen*) Inhaber *m*, Besitzer *m*: → inn~; shop~. – **4.** Erhalter *m*, Unter'halter *m.* – **5.** j-d der etwas besorgt, betreut, verteidigt, in Ordnung hält *od.* führt: bee~ Imker; box~ Logenschließer; goal~ *sport* Torwart, -mann. – **6.** *tech.* Halter *m*, *bes.* a) Schutzring *m*, b) (*Art*) Verschluß *m* (*Handschuh etc*), c) Sperr-, Vorsteckriemen *m* (*am Pferdegeschirr*), d) Schiebekopf *m*, Schieber *m*,

Schlaufe *f* (*Sattel*), e) Schließblech *n* (*Türschloß*), f) Konter-, Gegenmutter *f*, g) Sperrung *f* (*Haken*), h) Ma'gnetanker *m*. – **7.** Schutzring *m* (*der den Verlust eines wichtigeren Rings, bes. des Eherings verhüten soll*). – **8.** etwas was sich (gut) aufbewahren läßt *od.* sich (gut) hält (*Obst, Fisch etc*): **this apple is a good** ~ dieser Apfel hält sich gut. – **9.** Fisch *m* nor'maler Größe (*den der Angler nicht zurückwirft*). – **10.** *sport Kurzform für* **wicket**~. — **'keep·er·less** *adj* **1.** ohne Schutz, ohne (einen) Beschützer *od.* Bewahrer *od.* Verwalter. – **2.** unbewacht (*Schranke*). – **3.** ungehegt (*Wald*).

keep·ing ['kiːpiŋ] **I** *s* **1.** Verwahrung *f*, Aufsicht *f*, Pflege *f*, Obhut *f*, Hütung *f*: **to be in safe** ~ in guter Obhut *od.* sicherer Hut sein; **to have s.th. in one's** ~ a) etwas in Verwahrung *od.* in Händen haben, b) etwas unterhalten. – **2.** Gewahrsam *m*, Haft *f*. – **3.** 'Unterhalt *m*, Nahrung *f*, Futter *n*: **the animals have good** ~. – **4.** Über'einstimmung *f*, Einklang *m*: **to be in (out of)** ~ **with s.th.** mit etwas (nicht) in Einklang stehen *od.* (nicht) übereinstimmen. – **5.** (*Malerei*) Haltung *f*, Harmo'nie *f* (*der Teile*). – **6.** *tech.* Lagern *n*. – **II** *adj* **7.** haltbar, dauerhaft: ~ **apples** Winter-, Daueräpfel. — ~ **room** *s Am. od. dial.* Wohn-, Fa'milienzimmer *n*.

keep·sake ['kiːpˌseik] **I** *s* **1.** (*Geschenk zum*) Andenken *n*: **by way of** ~, **as a** ~ als *od.* zum Andenken. – **2.** K~ *hist.* Geschenk-, Jahrbuch *n*, Musenalmanach *m* (*im 19. Jh. in England sehr beliebt*). – **II** *adj* **3.** süßlichgeziert, leicht kitschig, im Gartenlaubenstil. — **'keepˌsak·y** → **keepsake** II.

kees·hond ['keisˌhɒnd; 'kiːs-] *s zo. eine holl. Haushundrasse* (*dem Chow-Chow ähnlich*).

keeve [kiːv] **I** *s* **1.** *tech.* Kufe *f*, Braufaß *n*, Maischbottich *m*. – **2.** (*Bergbau*) Faß *n*, Bottich *m*. – **II** *v/t* **3.** (*Brauerei*) (*Würze*) aus dem Maischbottich in den Würzbottich 'umfüllen.

kef [keif] *s* **1.** (*Art*) (Haschisch-)Rausch *m*, (angenehmer) Rausch(zustand). – **2.** wohliges Faulenzen, süßes Nichtstun. – **3.** Rauschmittel *n*, *bes.* indischer Hanf.

kef·fi·yeh [ke'fiːje] *s* Kef'fieh *f* (*Kopftuch der Araber*).

kef·ir ['kefər] *s* Kefir *m* (*Getränk aus gegorener Milch*).

keg [keg] *s* **1.** kleines Faß, Fäßchen *n* (*bis zu 10 Gallonen*). – **2.** *Am.* Keg *n* (*Gewichtseinheit für Nägel = 45,36 kg*).

keg·ler ['keglər] *s Am. colloq.* Kegler *m*, Kegelspieler *m*.

keif *cf.* kef.

keir *cf.* kier.

keis·ter ['kistər] *s Am.* Kiste *f*, Koffer *m*.

keit·lo·a ['kaitlouə; 'keit-] *s zo.* Keit'loa *n*, Spitz(maul)nashorn *n*, Schwarzes Nashorn (*Rhinoceros keitloa*).

Ke·ku·le's for·mu·la ['keikuːˌleiz] *s chem.* Kekulésche Ben'zolformel, Benzolring *m*.

keld [keld] *s dial.* Quelle *f*.

Kel·logg oak ['kelɒg; *Am. auch* -ɔːg; -əg] *s bot. Am.* Kaliforn. Eiche *f* (*Quercus californica*).

kel·ly ['keli] (*Ziegelherstellung*) *Am.* **I** *s* Dammerde *f*. – **II** *v/t* mit Dammerde bedecken.

ke·loid ['kiːlɔid] *med.* **I** *s* Kelo'id *n*: **cicatricial** ~ Narbenkeloid. – **II** *adj* kelo'idähnlich, Keloid...

kelp [kelp] *s* **1.** Kelp *n*, Varek *m*, Riementangasche *f*. – **2.** *bot.* (*ein*) Riementang *m*, *bes.* a) **giant** ~ Birntang *m* (*Macrocystis pyrifera*), b) Blattang *m* (*Laminaria digitata*). – **3.** Masse *f* Seetang.

kel·pie ['kelpi] *s Scot.* Nix *m*, Wassergeist *m* in Pferdegestalt (*der vor dem Ertrinken warnt od. dazu verlockt*).

kelp pi·geon *s zo.* Scheidenschnabel *m* (*Chionis alba*).

kel·son ['kelsn] → **keelson**.

kelt[1] [kelt] → **celt**[1].

kelt[2] [kelt] *s zo. Scot.* 'Lachs(foˌrelle *f*) *m* (*nach der Laichzeit*).

kelt[3] [kelt] *s Scot. od. dial.* (*Art*) ungefärbter Wollfries (*aus gemischter schwarzer u. weißer Wolle*).

kel·ter ['keltər] → **kilter**.

Kelt·ic ['keltik] → **Celtic**.

Kel·vin scale ['kelvin] *s chem. phys.* Kel'vinsche Skala (*absolute Skala mit Nullpunkt bei – 273° C.*).

kemp [kemp] *Scot. od. dial.* **I** *s* **1.** Held *m*, Kämpfer *m*. – **2.** Wettstreit *m* (*bes. der Mäher*). – **II** *v/i* **3.** kämpfen. – **4.** um die Wette arbeiten (*Schnitter, Mäher*).

kemps [kemps] *s pl* rauhes *od.* grobes (Woll)Haar.

kemp·y ['kempi] *adj* rauh, grob (*Stoff*).

ken[1] [ken] **I** *s* **1.** Sicht(weite) *f*, Gesichtskreis *m*: (**with**)**in** (**beyond, out of**) **one's** ~. – **2.** Wissen(sbereich *m*) *n*. – **3.** *fig.* Hori'zont *m*. – **II** *v/t pret u. pp* **kenned** **4.** *bes. Scot.* kennen, verstehen, wissen. – **5.** *obs. od. dial.* erkennen, unter'scheiden. – **6.** *obs.* anerkennen. – **7.** *jur. Scot. od. obs.* als Erben anerkennen. – **III** *v/i* **8.** *Scot. od. dial.* wissen (**of, about** um, von).

ken[2] [ken] *s Br. sl.* Diebeshöhle *f*.

ke·naf [kə'næf] → **ambary**.

kench [kentʃ] *Am.* **I** *s* Behälter *m od.* Raum *m* zum (Ein)Salzen von Fischen *od.* Häuten. – **II** *v/t* (*Fische, Häute*) trocken einsalzen.

Ken·dal (green) ['kendl] *s* **1.** *obs.* Kendal *n* (*grobes grünes Wolltuch*). – **2.** Kendalgrün *n*.

ken·nel[1] ['kenl] **I** *s* **1.** Hundehütte *f*. – **2.** *oft pl* Hundezwinger *m*. – **3.** *auch fig.* Meute *f*, Koppel *f*, Pack *n* (*Hunde*). – **4.** *fig.* Loch *n*, armselige Behausung. – **II** *v/t pret u. pp* '**ken·neled**, *bes. Br.* '**ken·nelled** **5.** in eine Hundehütte einsperren *od.* stecken. – **6.** in einer Hundehütte halten *od.* 'unterbringen. – **III** *v/i* **7.** in einer Hundehütte liegen *od.* sich aufhalten. – **8.** *fig.* in einer elenden Behausung leben, (in einem ‚Loch') hausen.

ken·nel[2] ['kenl] *s* Gosse *f*, Rinnstein *m*.

ken·ning ['keniŋ] *s* **1.** Kenning *f*, um'schreibende po'etische Bezeichnung, bildhafter Ausdruck (*in der altgermanischen, bes. nordischen Literatur*). – **2.** *Scot. od. dial.* Erkennen *n*. – **3.** *Scot. od. dial.* (*das*) bißchen, Stückchen *n*.

Ken·ny| meth·od ['keni], ~ **treat·ment** *s med.* Kennyverfahren *n* (*zur Behandlung der spinalen Kinderlähmung*). [spiel *n*.]

ke·no ['kiːnou] *s Am.* (*Art*) Lotto-

ke·no·gen·e·sis [ˌkiːno'dʒenisis; -nəsis], **ke·no·ge'net·ic** [-dʒi'netik; -dʒə-] → **cenogenesis** *etc.*

ke·no·sis [ki'nousis] *s relig.* Ke'nose *f*, Selbstentäußerung *f* Christi (*durch seine Menschwerdung*). — **ke'not·ic** [-'nɒtik] *adj* ke'notisch.

ken·speck·le ['kenˌspekl] *adj Scot. od. dial.* **1.** stark gekennzeichnet, leicht erkenntlich. – **2.** auffallend.

kent [kent] *Scot. od. dial.* **I** *s* (Schäfer-)Stab *m*. – **II** *v/t* (*Boot*) staken, mit einer Stange fortbewegen. – **III** *v/i* staken (*Boot mit Stange fortbewegen*).

Kent·ish ['kentiʃ] *adj* kentisch, aus *od.* von (*der engl. Grafschaft*) Kent. — ~ **cous·in** *s Br. colloq.* entfernte(r) Verwandte(r). — ~ **crow** *Br. dial. für* **chough**. — ~ **fire** *s Br.* lärmende Beifalls- *od.* 'Mißfallenskundgebung(en *pl*). — ~ **glo·ry** *s zo.* Birkenspinner *m* (*Endromis versicolora*). — '~**·man** [-mən] *s irr Br.* j-d aus dem Teil (*od.* Einwohner *m* des Teils) von Kent westl. des Medway. — ~ **night·in·gale** *s zo.* Mönchs-Grasmücke *f*, Schwarzplättchen *n*, Plattmönch *m* (*Sylvia atracapilla*). — ~ **rag** *s geol.* dunkelgrauer Kiesel-Sandstein (*wie er in Kent vorkommt*).

kent·ledge ['kentlidʒ] *s mar.* Ballasteisen *n*.

Ken·tuck·i·an [ken'tʌkiən; kən-] **I** *adj* (*den Staat*) Ken'tucky betreffend, ken'tuckisch. – **II** *s* Ken'tuckier(in).

Ken·tuck·y| blue·grass [ken'tʌki; kən-] *s bot.* Wiesenrispengras *n* (*Poa pratensis*). — ~ **cof·fee tree** *s bot.* Schusserbaum *m* (*Gymnocladus dioica*). — ~ **colo·nel** *s Am.* Oberst *m* (*ein Höflichkeitstitel, der Mitgliedern des Stabes des Gouverneurs verliehen werden kann*). — ~ **Der·by** *s sport* Ken'tucky-Derby *n* (*wichtigstes amer. Pferderennen*).

kep [kep] *Scot. od. dial.* **I** *v/t u. v/i* **1.** zu'sammentreffen (mit), begegnen (*dat*). – **2.** auffangen. – **II** *s* **3.** Fang *m*, (Fisch)Zug *m*, Beute *f*.

kep·i ['kepi] *s* Käppi *n* (*Militärmütze*).

Kep·le·ri·an [kep'li(ə)riən] *adj* keplerisch (*den Astronomen Kepler betreffend*): ~ **telescope**. — **Kep·ler's laws** ['keplərz] *s pl astr.* die Keplerschen Gesetze *pl* (*über die Planetenbahnen*).

kept [kept] *pret u. pp von* **keep** II *u.* III.

ke·ram·ic [ki'ræmik], **ke'ram·ics** → **ceramic, ceramics**.

ker·a·sin ['kerəsin] *s chem.* Kera'sin *n* ($C_{48}H_{93}O_7N$).

kerat- [kerət] → **kerato-**.

ker·a·tin ['kerətin] *s chem.* Kera'tin *n*, Hornstoff *m* (*Gerüsteiweiß in Haaren, Nägeln u. anderen Hornsubstanzen*). — **ˌker·a·tin·i'za·tion** *s biol. med.* Ver'hornungsproˌzeß *m*. — '**ker·a·tinˌize** *v/i* verhornen, hornig werden. — **ke'rat·i·nous** [-'rætinəs] *adj* hornig. — **ˌker·a'ti·tis** [-rə'taitis] *s med.* Kera'titis *f*, Hornhautentzündung *f*.

kerato- [kerəto] *med. Wortelement mit den Bedeutungen*: a) Horn, b) Hornhaut.

ker·a·tode ['kerəˌtoud] → **keratose** I. — '**ker·aˌtoid** [-ˌtɔid] *adj med.* hornähnlich, -artig.

ker·a·tol ['kerəˌtoul; -ˌtɒl] *s ein lederartiger wasserdichter Kunststoff*.

ker·a·to·plas·ty ['keratoˌplæsti] *s med.* **1.** Hornhaut-, Kerato'plastik *f*. – **2.** 'Hornhautüberˌtragung *f*.

ker·a·tose ['kerəˌtous] *biol.* **I** *s* Kera'tose *f*, Hornbildung *f*, Verhornung *f*. – **II** *adj* hornig.

kerb [kəːrb] *bes. Br. für* **curb** 3, 4 *u.* 12. — ~ **mar·ket**, *Am.* **curb mar·ket** *s econ.* Freibörse *f*, Börsenfreiverkehr *m*, Nachbörse *f*. — ~ **pric·es**, *Am.* **curb pric·es** *s pl econ.* Freiverkehrskurse *pl*. — '~ˌ**stone** *bes. Br. für* **curbstone**.

ker·chief ['kəːrtʃif] *s* **1.** (Hals-, Kopf-)Tuch *n*. – **2.** *meist poet.* Taschentuch *n*. — '**ker·chiefed**, '**ker·chieft** *adj* mit (einem) Kopf- *od.* Halstuch (bekleidet).

kerf [kəːrf] *s* **1.** Kerbe *f*, Einschnitt *m*. – **2.** (Ein)Kerben *n*. – **3.** (*mit einem Schnitt*) abgeschnittene Menge, Schnitt *m* (*beim Scheren etc*).

Ker·man·shah [kərˌmaːn'ʃaː] *s* Kermanteppich *m* (*ein Perserteppich*).

ker·mes ['kəːrmiːz] *s* **1.** (roter) Kermesfarbstoff. – **2.** *zo.* a) Kermes(schildlaus *f*) *m*, b) Kermeskörner *pl* (*getrocknete Weibchen der Laus*). – **3.** *auch* ~ **oak** *bot.* Kermeseiche *f*

(*Quercus coccifera*). – **4.** *auch* ~ mineral *min.* Kerme'sit *m*, Rotspießglanz(erz *n*) *m.*

ker·mis ['kəːrmis], *auch* **'ker·mess** [-mes] *s* **1.** Kirmes *f*, Kirchweih *f.* – **2.** *Am.* (*Art*) Wohltätigkeitsfest *n.*

kern[1] [kəːrn] *print.* **I** *s* 'überhangendes Bild (*bei unterschnittenen Buchstaben*). – **II** *v/t* unter'schneiden.

kern[2], *auch* **kerne** [kəːrn] *s* **1.** *hist.* Kern *m* (*leichtbewaffneter irischer od. schott. Fußsoldat im Mittelalter*). – **2.** *selten* a) (*bes. irischer*) Bauer, b) Bauernlümmel *m.*

ker·nel ['kəːrnl] **I** *s* **1.** Kern *m* (*bes. eßbarer Fruchtkern*): he that will eat the ~ must crack the nut wer den Kern essen will, muß die Nuß knacken. – **2.** (Hafer-, Mais- *etc*)-Korn *n.* – **3.** *fig.* Kern *m*, Innerstes *n*, Hauptsache *f*, Wesen *n.* – **4.** *tech.* (Guß- *etc*)Kern *m.* – **II** *v/i pret u. pp* **'ker·neled**, *bes. Br.* **'ker·nelled 5.** Körner ansetzen, Kerne bekommen. – **III** *v/t* **6.** (wie einen Kern) um'schließen, einkapseln. — **'ker·neled**, *bes. Br.* **'ker·nelled** *adj* einen Kern besitzend. — **'ker·nel·ly** *adj* voll(er) Kerne, kernig, kernähnlich.

kern·ite ['kəːrnait] *s min.* Ker'nit *m* ($Na_2B_4O_7 \cdot 4H_2O$).

ker·o·sene ['kerəˌsiːn; ˌkerə'siːn], *auch tech.* **ker·o·sine** [-ˌsiːn; -'siːn] *s chem.* Kero'sin *n* (*Leuchtölanteile im Erdöl*).

ker·ril ['keril] *s zo.* (*eine*) Seeschlange (*Kerilia jerdoni*).

Ker·ry ['keri] *s zo. eine irische Hausrindrasse.* — ~ **blue ter·ri·er** *s zo.* irischer Terrier (*Haushundrasse*).

ker·sen·neh [kər'senə], *auch* **ker'san·né** [-'sænei] *s bot. Am.* (*eine*) Wickenpflanze.

ker·sey ['kəːrzi] *selten* **I** *s* **1.** Kersey *m*, Kersei *m* (*Art grobes Wollzeug*). – **2.** Kerseyware *f* (*aus Kersey gemachte Kleidungsstücke*). – **3.** *mar. hist.* Pfortlaken *n* (*grober Stoff zum Ausfüllen der Stückpforten*). – **II** *adj* **4.** aus Kersey (gemacht). — **'ker·seyˌmere** [-ˌmir] *s* Kaschmir *m* (*glatter Kersen*): ~s Kaschmirhose.

kes·trel ['kestrəl] *s zo.* Turmfalke *m* (*Falco tinnunculus*).

ket- [kiːt; kit] → keto-.

ke·ta ['kiːtə] *s zo.* Ketalachs *m* (*Oncorhynchus keta*).

ketch [ketʃ] *s mar.* Be'sankutter *m*, Ketsch *f* (*anderthalbmastiger Küstensegler*).

ketch·up ['ketʃəp] *s* Ketschup *m*, pi'kante Soße (*aus Tomaten, Pilzen etc*).

ke·tene ['kiːtiːn], *auch* **'ke·ten** [-ten] *s chem.* Ke'ten *n* (H_2C: CO *od. Ketone mit ähnlicher Typenformel*).

keto- [kiːto] *chem. med. Wortelement mit der Bedeutung* Keton, Keto-Gruppe enthaltend.

ke·to| ac·id ['kiːtou] *s chem.* Ketosäure *f.* — ~ **form** *s* Keto-Form *f.*

ke·tone ['kiːtoun] *s chem.* Ke'ton *n* (R_2CO). — **ke·ton·ic** [ki'tɒnik] *adj* ke'tonisch, ke'tonartig, Keton... — **ke·tose** ['kiːtous] *s chem.* Ketozucker *m*, Ke'tose *f.* — **ke·to·sis** [ki'tousis] *s med.* Ketonä'mie *f*, Acetonä'mie *f.*

ket·tle ['ketl] *s* **1.** (*metallener*) Kessel: the ~ is boiling der Kessel kocht; a pretty (*od.* nice) ~ of fish *colloq.* eine schöne Bescherung. – **2.** Kesselvoll *m.* – **3.** *geol.* a) Gletschertopf *m*, -mühle *f*, b) Soll *n.* – **4.** *Kurzform für* ~drum. – **5.** (*Bergbau*) (kleiner) Schachtaufzug. — **'~ˌdrum** *s* **1.** *mus.* Kesselpauke *f.* – **2.** *colloq. obs.* große Teegesellschaft. — **'~ˌdrum·mer** *s* Kesselpauker *m.* — **'~-ˌhold·er** *s* Topf-, Kessellappen *m* (*zum Anfassen des Kessels*). — ~ **hole** → kettle 3. — ~ **stitch** *s* (*Buchbinderei*) (*Art*) Kettenstich *m.*

ke·tu·pa [ki'tuːpə] *s zo.* Fischeule *f* (*Gattg Ketupa*). [(*Triasformation*).]

Keu·per ['kɔipər] *s geol.* Keuper *m*

kev·el[1] ['kevl] *s mar.* **1.** große Belegklampe. – **2.** *pl* Kreuz-, Hornklampe *f.*

kev·el[2] ['kevl] *s Scot. od. dial.* Steinhammer *m.*

kev·el[3] ['kevl] *s* (*Bergbau*) Gangart *f* (*auf Bleierzgängen*).

'kev·elˌhead *s mar. hist.* Kreuzpoller *m.*

kew·pie ['kjuːpi] *s bes. Am.* **1.** *pausbäckiger Engel mit hohem Haarknoten.* – **2.** *auch* ~ doll *Puppe dieser Art.*

kex [keks] *s dial.* **1.** *bot.* hohler (dürrer) Pflanzenstengel. – **2.** *bot.* Schierling *m* (*Conium maculatum*). – **3.** *zo.* Ex'uvie *f* (*dürre Hülle einer Schmetterlingspuppe*).

key[1] [kiː] **I** *s* **1.** Schlüssel *m*: to have (*od.* get) the ~ of the street ausgesperrt sein *od.* werden; to keep under lock and ~ hinter Schloß u. Riegel halten; to turn the ~ abschließen. – **2.** *fig.* Schlüssel *m* (*zu einer Schwierigkeit od. einem Geheimnis*), Lösung *f* (to zu). – **3.** *fig.* Schlüssel *m* (*Buch mit Lösungen mathematischer etc Aufgaben, Übersetzungsschlüssel*). – **4.** *tech.* a) Keil *m*, Splint *m*, Bolzen *m*, b) Schraubenschlüssel *m*, c) Taste *f* (*Schreibmaschine etc*). – **5.** *electr.* Taste *f*, 'Druckknopf *m*, -konˌtakt *m.* – **6.** *print.* Setz-, Schließkeil *m.* – **7.** (*Eisenbahn*) Schienenkeil *m.* – **8.** (*Tischlerei*) Dübel *m*, Band *n* (*Holz, welches die Sparren verbindet*), Balkenschlüssel *m.* – **9.** *arch.* Schlußstein *m*, Keil *m*, Span *m*, Zwicker *m*, 'Unterlage *f.* – **10.** *mus.* a) Taste *f* (*bei Tasteninstrumenten*): black (upper, *auch* chromatic) ~ schwarze (Ober)Taste; white (lower, *auch* natural) ~ weiße (Unter)-Taste, b) Klappe *f* (*bei Blasinstrumenten*): closed ~ Klappe zum Öffnen (*des Loches*); open ~ Klappe zum Schließen. – **11.** *mus.* Tonart *f*: ~ of C (major) C-Dur; ~ of C minor c-Moll; out-of-~-notes tonartfremde Töne; principal ~ Haupttonart (*eines Musikstücks*). – **12.** *obs. für* ~ tone. – **13.** → ~ signature. – **14.** *mus.* Tonali'tät *f*: sense (*od.* feeling) of ~ Tonalitätssinn, -gefühl, -bewußtsein. – **15.** *fig.* Ton(art *f*) *m*: all in the same ~ alles im gleichen Ton, monoton; to speak in a sharp (high) ~ in scharfem (hohem) Ton sprechen. – **16.** Chiffre *f*, Kennwort *n*, -ziffer *f* (*bei Zeitungsinseraten*). – **17.** Zeichenerklärung *f*, -schlüssel *m* (*bei Landkarten etc*). – **18.** *fig.* Einklang *m*: to be in ~ with s.th. mit etwas übereinstimmen. – **19.** *fig.* Schlüssel *m*, Gewalt *f*: the power of the ~s (*röm.-kath. Kirche*) Schlüsselgewalt; St. Peter's K~s *die gekreuzten Schlüssel des päpstlichen Wappens.* – **20.** *mil.* Schlüsselstellung *f*, beherrschende Stellung, Macht *f* (to über *acc*): Gibraltar is the ~ to the Mediterranean. – **21.** *fig.* Mittel *n* zum Zweck: golden ~, silver ~ Bestechungsgeld. – **22.** *bot. zo.* (Klassifikati'ons)TaˌbelIe *f.* – **23.** → ~ fruit. –
II *v/t* **24.** *auch* ~ in, ~ on befestigen, verkeilen, (fest)keilen, verklinken: to ~ off von den Keilen abtreiben; to ~ on auftreiben. – **25.** *print.* füttern, unter'legen. – **26.** *mus.* stimmen: to ~ the strings. – **27.** anpassen (to an *acc*). – **28.** ~ up anfeuern (to zu): to be all ~ed up hochgespannt *od.* erregt sein. – **29.** ~ up (*Angebot, Forderung etc*) erhöhen, heben, verbessern. – **30.** (*Zeitungsinserate*) mit einem Schlüsselwort versehen. –
III *adj* **31.** Schlüssel...: ~ position Schlüsselstellung.

key[2] [kiː] → cay.

key| bit *s tech.* Schlüsselbart *m.* — **'~ˌboard I** *s* **1.** Klavia'tur *f*, Tasta'tur *f* (*Klavier*): ~ instrument Tasteninstrument; ~ music Musik für Tasteninstrumente. – **2.** Tastenfeld *n* (*Schreibmaschine*). – **3.** Manu'al *n* (*Orgel*). – **II** *v/t u. v/i* **4.** mit Mono- *od.* Linotype setzen. — ~ **bolt** *s tech.* Schloß-, Schließriegel *m* (*am Türschloß*). — ~ **bu·gle** *s mus.* Klappenhorn *n.* — ~ **chord** *s mus.* Grunddreiklang *m* (*einer Tonart*). — **'~-ˌcold** *adj Scot. od. dial.* **1.** eiskalt, leblos. – **2.** inter'esselos, gleichgültig. — ~ **desk** *s mus.* Orgelpult *n* (*mit Manualen u. Registern*).

keyed [kiːd] *adj* **1.** *mus.* a) mit Tasten versehen, Tasten..., b) mit Klappen versehen: ~ bugle, ~ horn Klappenhorn; ~ instrument Tasteninstrument; six-~ flute Flöte mit 6 Klappen. – **2.** *mus.* a) in einer (*bestimmten*) Tonart gesetzt, b) gestimmt: ~ to a tone auf einen Ton gestimmt. – **3.** *tech.* a) versplintet, b) festgekeilt. – **4.** durch einen Schlußstein verstärkt. – **5.** mit Kennziffer *od.* Schlüssel versehen, chif'friert (*Anzeige etc*).

key| fruit *s bot.* Flügelfrucht *f.* — ~ **harp** *s mus.* Tastenharfe *f.* — **'~ˌhole** *s* **1.** Schlüsselloch *n*: to peep through the ~ durch das Schlüsselloch gucken. – **2.** *tech.* Dübelloch *n.* — **'~ˌhole saw** *s tech.* Stich-, Lochsäge *f.* — ~ **in·dus·try** *s econ.* 'Schlüsselinduˌstrie *f.* — ~ **man**, *auch* **'~ˌman** *s irr* **1.** 'Hauptperˌson *f* (*bei der alle Fäden zusammenlaufen*), Verbindungsmann *m* (*einer Organisation*). – **2.** unentbehrliche Arbeitskraft. — ~ **map** *s* 'Übersichtskarte *f.* — **'~ˌmove** *s* (*Schach*) Schlüsselzug *m.* — **'~ˌnote I** *s* **1.** *mus.* Grundton *m*, Tonika *f.* – **2.** *fig.* Grundton *m*, Grund-, Hauptgedanke *m*: to strike the ~ of s.th. das Wesentliche einer Sache berühren *od.* treffen. – **3.** *Am.* (*verkündete*) Par'teilinie. – **II** *v/t* **4.** auf einen Grundton stimmen. – **5.** *Am.* die Par'teilinie verkündigen von. — **'~ˌnote ad·dress** *s Am.* programm'matische Rede. — **'~'not·er** *s Am.* Verkünder *m* der Par'teilinie, (po'litischer) Pro'grammredner. — **'~ˌnote speech** → keynote address. — ~ **pipe** *s tech.* Schlüsselrohr *n.* — ~ **punch** *s* Locher *m* (*für Lochkarten, zwecks Buchführung, Sortieren etc*). — ~ **ring** *s* Schlüsselring *m.*

Keys, the [kiːz] *s pl die 24 Mitglieder des* House of Keys (*Unterhaus der Insel Man*).

key| sig·na·ture *s mus.* (Tonart)Vorzeichnung *f*, Vorzeichen *pl.* — ~ **sta·tion** *s* (*Radio*) *Am.* Hauptsender *m.* — **'~ˌstone** *s* **1.** *arch.* Keil-, Mittel-, Schlußstein *m*, Gewölbescheitel *m* (*auch fig.*). – **2.** *fig.* (Haupt)Stütze *f.* – **3.** *tech.* (gußeiserner) Verschlußblock (*Schmelzofen*). – **4.** *tech.* Keil-, Füllsplitt *m* (*bei asphaltierten Straßen*). – **5.** (*Baseball*) zweites Mal. — **'K~ˌstone State** *s* (*Spitzname für*) Pennsyl'vanien *n.* — ~ **tone** *s mus.* Grundton *m.* — **'~ˌway** *s tech.* **1.** Keilweg *m*, -nute *f.* – **2.** Schlüsselschlitz *m* (*Öffnung für flache Schlüssel*). — ~ **word** *s* Schlüssel-, Stichwort *n.*

khad·dar ['kʌdər; 'kæd-], *auch* **kha·di** ['kɑːdiː] *s Br. Ind. heimgewebter indischer Baumwollstoff.*

khair [kair] *s bot.* Indische 'Katechuaˌkazie (*Acacia catechu*).

kha·kan [kɑː'kɑːn] → khan[1].

kha·ki ['kɑːki; *Am. auch* 'kæki] **I** *s* **1.** Khaki *n.* – **2.** a) Khakistoff *m*, b) 'Khakiuniˌform *f.* – **II** *adj* **3.** khaki, staubfarben. — ~ **e·lec·tion** *s Br. hist. Wahl, bei der Stimmenmehrheit durch Ausnützung von Kriegsbegeisterung erreicht wurde.*

kha·lee·fate [ˈkɑːliˌfeit; ˈkæl-] → caliphate. — **kha·lif** [ˈkeilif; ˈkæl-], **kha·li·fa** [kəˈliːfə] → caliph. — **kha·li·fat** [ˈkæliˌfæt; ˈkɑː-], **ˈkha·li·ˌfate** [-ˌfeit] → caliphate. — **kha·liff** *cf.* caliph.

khal·sa, *auch* **khal·sah** [ˈkɑːlsə] *s Br. Ind.* **1.** Schatzamt *n*. – **2.** Sikh-Bevölkerung *f* (*Indiens*).

kham·sin [ˈkæmsin] *s* Chamˈsin *m*, Kamˈsin *m* (*trockenheißer Wüstenwind in Ägypten*).

khan[1] [kɑːn; kæn] *s* Khan *m* (*ostasiat., bes. mongolischer Herrschertitel*).

khan[2] [kɑːn; kæn] → caravansary.

khan·ate [ˈkɑːneit; ˈkæn-] *s* Khaˈnat *n* (*Herrschaftsbereich eines Khans*).

khed·a(h) *cf.* keddah.

khe·di·val [kiˈdiːvəl; kə-] *adj* Khediven... — **kheˈdive** [-ˈdiːv] *s* Kheˈdive *m* (*früherer türk. Titel*). — **kheˈdi·vi·al** → khedival. — **kheˈdi·vi·ate** [-it; -ˌeit] *s* Kheˈdivenamt *n*, -würde *f*.

khi [kai] *s* Chi *n* (*griech. Buchstabe*).

khid·mat·gar, khid·mut·gar [ˈkidmətˌgɑːr] *s Br. Ind.* Kellner *m*, Diener *m*.

khi·la·fat [ˈkiːləˌfæt] → caliphate.

Khmer [kmer] *s* **1.** Khmer(in), Kamboˈdschaner(in). – **2.** *ling.* Khmer *n*, das Khmerische.

khub·ber [ˈkʌbər] *s Br. Ind.* Nachricht *f*.

ki·ang [kiˈæŋ; kjæŋ] *s zo.* Kiang *m*, Tibeˈtanischer Wildesel (*Equus kiang*).

kiaugh [kjɑːx] *s Scot.* **1.** Mühe *f*, Sorge *f*, Kummer *m*, Angst *f*. – **2.** Aufregung *f*.

kib·ble[1] [ˈkibl] *s* (*Bergbau*) *Br.* Förderkorb *m*, -kübel *m*.

kib·ble[2] [ˈkibl] *v/t Br.* **1.** schroten, grob mahlen. – **2.** roh behauen.

kibe [kaib] *s* aufgesprungene (Frost)Beule (*bes. an der Ferse*): **to tread on s.o.'s ~** *fig.* j-n *od.* j-s Gefühle verletzen, ‚j-m auf die Zehen treten'.

ki·bei [ˈkiːˈbei] *pl* **-bei** *od.* **-beis** *s Am. von jap. Eltern abstammende, in USA geborene Person mit jap. Erziehung.*

ki·bit·ka [kiˈbitkə] (*Russ.*) *s* Kiˈbitka *f*: a) Kirˈgisenzelt *n*, b) *russ. Reisefuhrwerk auf Kufen od. Rädern.*

kib·itz [ˈkibits] *v/i colloq.* kiebitzen. — **ˈkib·itz·er** *s colloq.* **1.** Kiebitz *m* (*Zuschauer bei Kartenspielen*). – **2.** ungebetener Ratgeber. – **3.** aufdringlicher Kerl, j-d der sich in alles einmischt.

kib·lah [ˈkiblɑː] *s* Kibla *f* (*Richtung, welche die Mohammedaner beim Gebet einnehmen*).

ki·bosh [ˈkaibɒʃ; ˈkib-] *s sl.* Mumpitz *m*, Quatsch *m*, Unsinn *m*: **to put the ~ on s.o.** ‚j-n erledigen' *od.* ‚fertigmachen'; **to put the ~ on s.th.** einer Sache den Garaus machen.

kick [kik] **I** *s* **1.** (Fuß)Tritt *m* (*auch fig.*), Stoß *m* mit dem Fuß: **to get more ~s than halfpence** mehr Prügel als Lob ernten; **to get the ~** *Br. colloq.* ‚(raus)fliegen', ‚den Laufpaß bekommen'. – **2.** Rückstoß *m* (*beim Gewehr etc*). – **3.** Kraft *f od.* Veranlagung *f* zu treten *od.* einen Rückstoß zu geben. – **4.** *colloq.* Nerven-, Gefühlskitzel *m*: **to get a ~ out of s.th.** an etwas Spaß haben, etwas höchst interessant finden. – **5.** *sl.* a) Abfuhr *f*, Einwand *m*, ˈWiderstand *m*, b) *Am.* Grund *m* zur Beschwerde. – **6.** *sl.* Kicken *n* (*beim Brennstoff*). – **7.** *bes. Am. sl.* a) (berauschende) Wirkung, ‚Feuer' *n*, b) Schwips *m*, ‚Affe' *m*: **he's got a ~** ‚er hat einen sitzen'. – **8.** *colloq.* (Stoß)Kraft *f*, ‚Mumm' *m* (*Vitalität*), Enerˈgie *f*, Lebensgeister *pl*: **he has no ~ left** es ist aus mit ihm. – **9.** (*Fußball*) a) Schuß *m* (*auch Schußrecht*), b) → **kicker** 2. – **10.** *mar.* Ausscheren *n* (*Abweichen des Schiffs von der Fahrtrichtung*). – **11.** *sl.* Hohlboden *m* (*Flasche*), ‚Betrüger' *m*. – **12.** *Br. sl.* Tasche *f*. – **13.** *Br. sl.* Sechspencestück *n*, Sechser *m*: **it costs ten and a ~** es kostet zehn Schillinge u. sechs Pence. – **14.** *Br. obs. sl.* (*der*) neu(e)ste Modefimmel, (*der*) ‚letzte Schrei', (*das*) Allerˈneu(e)ste. –

II *v/t* **15.** (mit dem Fuß) stoßen *od.* treten: **to ~ s.o.'s shin** j-n gegen das Schienbein treten; **to ~ s.o. downstairs** j-n die Treppe hinunterwerfen. – **16.** (*Fußball*) schießen: **to ~ a goal** ein Tor schießen. – **17.** zuˈrückprallen *od.* -stoßen gegen *od.* auf (*acc*). – **18.** *Am. sl.* in hohem Bogen weiterbefördern, (kurz) abfertigen, hinˈauswerfen. – **19.** *sl.* (*Geld*) ‚pumpen' (*borgen*). –

III *v/i* **20.** (mit dem Fuß) treten. – **21.** (*gewohnheitsmäßig*) nach hinten ausschlagen, treten (*Pferd etc*). – **22.** *colloq.* nörgeln, bocken, sich (mit Händen und Füßen) wehren: **to ~ against** (*od.* **at**) **partiality** sich gegen eine parteiische Behandlung wehren. – **23.** zuˈrückprallen, -stoßen, einen Rückstoß geben, stoßen (*Gewehr etc*). – **24.** hochfliegen, springen (*Ball*). – **25.** *auch* (*bes. Am.*) **~ in** *sl.* ‚abkratzen' (*sterben*). – *SYN. cf.* object. –

Besondere Redewendungen:

to ~ the beam gewogen u. zu leicht befunden werden; **to ~ up a dust** *colloq.* (viel) Staub aufwirbeln; **to ~ up a row** (*od.* **shindy**) Krach machen, Lärm schlagen; → **bucket** 1; **heel** *b. Redw.*; **prick** 9; **trace**[2] 1. –

Verbindungen mit Adverbien:

kick| a·bout *v/i* **1.** planlos (in der Gegend) umˈhergehen. – **2.** (in der Gegend) verstreut sein. — **~ back** *v/i* **1.** rückwärts starten. – **2.** urplötzlich zuˈrückkommen *od.* -prallen. – **3.** *Am. sl.* (*bes. zuviel Bezahltes*) zuˈrückgeben. – **4.** heimzahlen. — **~ in** *v/i Am. sl.* sein Scherflein beitragen, sein Teil hinˈzutun, auch in die Tasche greifen. — **~ off I** *v/i* **1.** *sl.* ‚abkratzen', ‚dran glauben müssen' (*sterben*). – **2.** (*Fußball*) anstoßen, den Anstoß ausführen. – **II** *v/t* **3.** (*Schuh etc mit einer schnellen Fußbewegung*) wegschleudern. — **~ out** *v/t* **1.** (*Fußball*) ins Aus schießen. – **2.** *sl.* ‚rausschmeißen'. — **~ up** *v/t* hochschleudern: → **heel**[1] *b. Redw.* — **~ upstairs** *v/t humor.* durch Beförderung kaltstellen, *bes. Br.* (ins Oberhaus) befördern (*um j-n loszuwerden*).

Kick·a·poo [ˈkikəˌpuː] *s nordamer. Indianerstamm der Algonkin-Gruppe u. dessen Sprache.*

ˈkickˌback *s* **1.** *colloq.* a) ˈBlitzreaktiˌon *f*, b) (heftige) schnelle Antwort. – **2.** *Am. sl.* a) (*freiwillige od. erzwungene*) Geldrückzahlung, b) Geldvorenthaltung *f* (*durch Vorgesetzte*), c) Rückgabe *f* von gestohlenem Gut (*durch den Dieb*).

kick·er [ˈkikər] *s* **1.** (Aus)Schläger *m*, (aus)schlagendes Pferd. – **2.** *Br.* Fußballspieler *m*: **a good** (**bad**) **~**. – **3.** *Am. colloq.* Nörgler *m*, Meckerer *m*, Quertreiber *m*. – **4.** *mar. sl.* Hilfsmotor *m*. – **5.** (*Poker*) dritte Karte zu einem Paar. – **6.** (*Kricket*) gefälschter Ball.

kick·ing strap [ˈkikiŋ] *s* Lang-, Sprungriemen *m* (*Pferdegeschirr*).

ˈkickˌoff *s* **1.** *sport* Anstoß *m*. – **2.** *colloq.* Start *m* (*Anfang*).

kick·shaw [ˈkikˌʃɔː], **ˈkickˌshaws** [-ˌʃɔːz] *s* **1.** Beigericht *n*, Delikaˈtesse *f*, Schleckeˈrei *f*. – **2.** *obs. od. dial.* sonderbarer Kauz. – **3.** Kinkerlitzchen *pl*, Lapˈpalie *f*.

kick| start·er *s tech.* Kickstarter *m* (*Motorrad etc*). — **~ turn** (*Skisport*) **I** *s* Tretwende *f*, Spitzkehre *f*. – **II** *v/i* (*mit Spitzkehre*) wenden. — **ˈ~ˌup** *s* **1.** *sl.* Aufruhr *m*, Krach *m*, Spekˈtakel *m*. – **2.** → **kick** 11. – **3.** *Am. sl.* Dampfer *m* mit Heckschaufelrad. – **4.** *zo.* → **water thrush** 1.

kid[1] [kid] **I** *s* **1.** *zo.* Zicklein *n*, junge Ziege, Kitze *f*, Böcklein *n*. – **2.** Fleisch *n* der jungen Ziege. – **3.** Ziegenleder *n*, Kid *n*, Glaˈcéleder *n*: **~s** *colloq.* Glacéhandschuhe. – **4.** *obs.* junges Reh, Kitz *n*. – **5.** *sl.* (kleines) Kind, Gör *n*, Bengel *m*. – **6.** the **K~** *astr.* das Kind (*kleiner Stern im Fuhrmann*). – **II** *adj* **7.** aus Ziegenleder, Glacé... – **III** *v/i pret u. pp* **ˈkid·ded 8.** Junge werfen, zickeln (*von Ziegen*).

kid[2] [kid] *sl.* **I** *v/t pret u. pp* **ˈkid·ded 1.** foppen, aufziehen, ‚verkohlen': **stop ~ding** hör mal mit dem Unsinn auf, reden wir einmal ernst. – **2.** ‚lackmeiern', ‚anpflaumen'. – **II** *v/i* **3.** Ulk treiben, foppen, die Leute hinters Licht führen. – **III** *s* **4.** Foppen *n*, Ulk *m*, Aufziehen *n*.

kid[3] [kid] *s* **1.** Fäßchen *n*, Bütte *f*. – **2.** *mar.* flache Eßschüssel.

Kid·der·min·ster [ˈkidərˌminstər], *auch* **~ car·pet** *s* Kidderminsterteppich *m*.

kid·dle [ˈkidl] *s* Fischreuse *f*, -wehr *n*.

kid·dy [ˈkidi] **I** *s* **1.** kleines Kind, kleiner Junge, junger Bursche. – **2.** Zicklein *n*. – **3.** *sl.* (ˈhocheleˌgant gekleideter) Dieb. – **II** *v/t* **4.** *sl.* hänseln.

kid| glove *s* Glaˈcéhandschuh *m*. — **ˈ~-ˈglove** *adj fig.* **1.** wählerisch, schwer zu befriedigen(d). – **2.** heikel, grober Arbeit aus dem Wege gehend, zimperlich. – **3.** sanft, zart, rohe Gewalt vermeidend. – **4.** Salon..., Amateur...

kid·ling [ˈkidliŋ] *s zo.* Zicklein *n*, junge Ziege.

kid·nap [ˈkidnæp] *v/t pret u. pp* **-naped**, *bes. Br.* **-napped** (*Kinder, Menschen*) rauben, stehlen, gewaltsam entführen. — **ˈkid·nap·er**, *bes. Br.* **ˈkid·nap·per** *s* Kindes-, Menschenräuber *m*, -entführer *m*, Kidnapper *m*.

kid·ney [ˈkidni] *s* **1.** *med. zo.* Niere *f*. – **2.** Niere *f* (*Speise*): **grilled ~s** geröstete Nieren. – **3.** Art *f*, Sorte *f*, Schlag *m*: **a man of that ~** ein Mann dieser Art; **he is of the right ~** er ist vom richtigen Schlag. – **4.** → **~ potato**. — **~ bean** *s bot.* **1.** *Br.* Weiße Bohne (*Phaseolus vulgaris*). – **2.** Feuerbohne *f* (*Phaseolus coccineus*). — **ˈ~-ˈbean tree** *s bot.* Karoˈlinischer Bohnenbaum, Karolinische Glyˈzine (*Wistaria frutescens*). — **~ ore** *s min.* nierenförmiger Hämaˈtit, roter Glaskopf. — **~ po·ta·to** *pl* **-toes** *s agr.* längliche Saˈlat- *od.* ˈNierenkarˌtoffel, ‚Mäuschen(kartoffelˈ *f*)' *n*. — **ˈ~ˌshaped** *adj* nierenförmig. — **~ stone** *s* **1.** *min.* Neˈphrit *m*. – **2.** *med.* Nierenstein *m*. — **~ vetch** *s bot.* Tannenklee *m* (*Anthyllis vulneraria*). — **~ worm** *s zo.* **1.** Nierenwurm *m* (*Stephanurus dentatus*). – **2.** Paliˈsadenwurm *m* (*Dioctophyme renale*). — **ˈ~ˌwort** *s bot.* **1.** Venusnabelkraut *n* (*Cotyledon umbilicus*). – **2.** Eismyrte *f* (*Saxifraga hirsuta*).

ˈkidˌskin I *s* Ziegenfell *n*, -leder *n*. – **II** *adj* Ziegenleder...

kief [kiːf] → kef.

Kief·fer [ˈkiːfər] *s eine amer. Birnensorte.*

ki·e·ki·e [ˈkiːeiˌkiːei; ˈkiːkiː] *s bot. eine neuseeländische Pandanacee* (*Freycinetia banksii*).

kier [kir] *s tech.* Bleichfaß *n*, -kessel *m*.

kie·sel·guhr, kie·sel·gur [ˈkiːzəlˌgur] *s min.* Kieselgur *f*.

kie·ser·ite [ˈkiːzəˌrait] *s min.* Kieseˈrit *m* ($MgSO_4 \cdot H_2O$).

ki·kar [ˈkiːkər; ˈkik-] *s bot.* Arab. Aˈkazie *f* (*Acacia arabica*).

kike [kaik] *s Am. sl.* Jude *m (abfällig als Schimpfwort).*

Ki·ku·yu [kiˈkuːjuː] *s Br.* **1.** *Kontroverse innerhalb der anglikanischen Kirche um die Erteilung des Abendmahls an Nichtanglikaner.* – **2.** *Anglikanische Kirchenkonferenz, die diesen Streit auslöste.*

kil·dee [ˈkildiː] *Am. dial. für* **killdeer.**

kil·der·kin [ˈkildərkin] *s* **1.** Fäßchen n, kleines Faß. – **2.** *altes engl. Flüssigkeitsmaß von 18 Gallonen = 82 l.*

kil·erg [ˈkilˌəːrg] *s phys.* Kiloerg *n (Arbeitseinheit = 1000 Erg).*

Kil·ken·ny cats [kilˈkeni] *s pl in der Redensart:* to fight like ~ sich mörderisch *od.* bis aufs Blut bekämpfen.

kill¹ [kil] **I** *v/t* **1.** töten, erschlagen, ˈumbringen: to ~ by inches langsam töten *(durch Folter, auch fig.)*; to ~ off (durch Tod) beseitigen, abschlachten, ausrotten, vertilgen, ‚abmurksen'; to ~ oneself sich umbringen; to ~ two birds with one stone zwei Fliegen mit einer Klappe schlagen; to be ~ed in action *mil.* (im Kampf *od.* in der Schlacht) fallen. – **2.** *(Tiere)* schlachten: to ~ beef Rinder schlachten; to ~ the fatted calf *fig.* einen Willkommensschmaus veranstalten. – **3.** töten, *(j-s)* Tod verursachen: the cold will ~ him die Kälte wird ihm das Leben kosten. – **4.** *fig. (Knospen)* vernichten, zerstören, *(Pflanze)* zum Absterben bringen. – **5.** *fig.* widerˈrufen, storˈnieren, ungültig machen, für ungültig erklären: to ~ a wire *colloq.* ein Telegramm widerrufen. – **6.** *fig.* a) *(Gefühl)* vernichten, töten, ersticken, unterˈdrücken, b) *(j-n durch Gefühle)* überˈwältigen, (fast) ˈumbringen: to ~ with kindness. – **7.** *fig. (Farben)* unwirksam machen, aufheben, neutraliˈsieren, ausgleichen. – **8.** *fig. (Geräusch)* verschlucken, unhörbar machen: a thick carpet ~s the sound of footsteps. – **9.** *fig.* (aus)streichen: to ~ a story einen Zeitungsartikel streichen. – **10.** *fig. (Gesetz)* zu Fall bringen. – **11.** *aer. mar. mil.* abschießen, versenken, zerstören. – **12.** *fig. (Theaterstück)* durch Kriˈtik vernichten, totmachen. – **13.** a) *(Tennis) (Ball)* (ab)töten *(so daß er nicht zurückgespielt werden kann)*, b) *(Fußball)* stoppen. – **14.** *(Zeit)* totschlagen: to ~ time. – **15.** *tech. (Maschine, Motor etc)* abstellen, anhalten, ‚abwürgen'. – **16.** *electr.* abschalten, *(Leitung)* spannungslos machen. – **17.** *print.* zu Streichsatz erklären, einschmelzen lassen. –
II *v/i* **18.** töten, den Tod verursachen *od.* herˈbeiführen. – **19.** sich schlachten lassen *(Vieh)*: pigs do not ~ well at that age Schweine lassen sich in diesem Alter nicht gut schlachten *od.* geben in diesem Alter nicht viel Fleisch. – **20.** *sport* den Ball (ab)töten *od.* stoppen. – **21.** *colloq.* ˈunwiderˌstehlich sein, einen tollen Eindruck machen: she is dressed *(od.* got up) to ~ sie ist todschick angezogen. – *SYN.* assassinate, despatch, dispatch, execute, murder, slay¹. –
III *s* **22.** Tötung *f.* – **23.** *hunt.* a) Tötung *f* eines Wildes, b) Jagdbeute *f*, erlegtes Wild, Strecke *f.* – **24.** *aer. mar. mil.* Abschuß *m*, Versenkung *f*, Zerstörung *f*, Vernichtung *f.* – **25.** *sport* (Ab)Töten *n (Ball).*

kill² [kil] *s Am. dial.* Kaˈnal *m*, Bach *m*, Fluß *m*, Strom *m.*

kill·a·ble [ˈkiləbl] *adj* **1.** vernichtbar. – **2.** schlachtreif *(Tier).* – **3.** *sport* (ab)tötbar *(Ball).*

kil·la·dar [ˈkiləˌdaːr] *s Br. Ind.* ˈFestungskommanˌdant *m.*

kil·las [ˈkiləs] *s min. dial.* Tonschiefer *m.*

ˈkill|ˌdeer, *auch* **ˈ~ˌdee** [-ˌdiː] *s zo. (ein)* amer. Regenpfeifer *m (Oxyechus vociferus).* — **ˈ~-ˌdev·il** *s (Angelsport) ein künstlicher Köder.*

kil·leen [kiˈliːn] → carrag(h)een.

kill·er [ˈkilər] *s* **1.** Mörder *m*, Totschläger *m.* – **2.** *fig.* Schlächter *m*, Metzger *m.* – **3.** *chem.* neutraliˈsierendes Mittel. – **4.** a) Keule *f (zum Totschlagen von Fischen)*, b) wirksamer Köder. – **5.** → ~ whale. — **~ whale** *s zo.* Großer Mörder, Schwertwal *m (Orcinus orca).*

kil·lick [ˈkilik] *s mar.* **1.** (kleiner) Bootsanker. – **2.** Senkel *m*, Anker-, Muringstein *m.*

kil·lick·in·nic [ˌkilikiˈnik] → kinnikinnick.

kil·li·fish [ˈkiliˌfiʃ] *s zo. (ein)* Kärpfling *m (bes. Gattg Fundulus).*

kil·li·ki·nick [ˌkilikiˈnik] → kinnikinnick.

kill·ing [ˈkiliŋ] **I** *s* **1.** Tötung *f*, Mord *m.* – **2.** *hunt.* (Jagd)Beute *f*, Strecke *f.* – **3.** *econ. colloq.* Spekulatiˈonserfolg *m.* – **II** *adj* **4.** tödlich, vernichtend, mörderisch. – **5.** *fig.* mörderisch, anstrengend: a ~ pace ein mörderisches Tempo. – **6.** *colloq.* überˈwältigend, ˈunwiderˌstehlich, reizend: to look ~ bezaubernd aussehen. – **7.** *colloq.* höchst komisch. — **~ time** *s* **1.** Schlachtzeit *f*, Zeit *f* des Schweineschlachtens. – **2.** K~ T~ *Br. hist. Zeit der Verfolgung der* Covenanters *(1679–88).*

kil·lin·ite [ˈkiliˌnait] *s min.* Killiˈnit *m.*

ˈkill-ˌjoy I *s* Spaß-, Spielverderber *m*, Störenfried *m.* – **II** *adj* spielverderberisch.

kil·lock [ˈkilək] → killick.

ˈkill-ˌtime I *s* Zeitvertreib *m.* – **II** *adj* als Zeitvertreib dienend: a ~ occupation.

kiln [kil; kiln] **I** *s* **1.** Brenn-, Schacht-, Röst-, Darrofen *m*, Darre *f*: cement ~ Zementofen. – **2.** *mar.* Dampfkasten *m.* – **3.** *(Glasfabrik)* Kühl-, Glasofen *m.* – **II** *v/t* → ~-dry. — **ˈ~-ˌdried** *adj* im Ofen gedörrt *od.* gebrannt *od.* geröstet. — **ˈ~-ˌdry** *v/t* im Ofen dörren *od.* darren *od.* brennen *od.* rösten.

ki·lo [ˈkiːlou; ˈkilou] *Kurzform für* a) kilogram, b) *selten* kilometer.

kilo- [kilo] *Wortelement mit der Bedeutung* tausend, kilo...

kil·o·am·pere [ˈkiloˌæmpɛr; ˈkilə-; *Am.* -pir] *s electr.* ˈKiloamˌpere *n (1000 Ampere).* — **ˈkil·oˌcal·o·rie** *s phys.* ˈKilokaloˌrie *f*, große Kaloˈrie. — **ˈkil·oˌcu·rie** *s phys.* ˈKilocuˌrie *n.* — **ˈkil·oˌcy·cle** *s electr. phys.* Kiloˈzykel *n*, Kiloˈhertz *n.* — **ˈkil·oˌdyne** *s phys.* Kiloˈdyn *n (1000 Dyn).* — **ˈkil·o-eˌlec·tron-ˌvolt** *s phys.* ˈKiloelekˌtronenvolt *n.* — **ˈkil·oˌgauss** *s phys.* Kiloˈgauß *n.* — **ˈkil·oˌgram, ˈkil·oˌgramme** *s* Kiloˈgramm *n (1000 Gramm).* — **ˈkil·oˌgram-ˈme·ter,** *bes. Br.* **ˈkil·oˌgram-ˈme·tre** *s* ˈMeterkiloˌgramm *n (Kraft, die 1 Kilogramm in 1 Sekunde 1 m hoch hebt).* — **ˈkil·oˌjoule** *s* Kiloˈjoule *n.* — **ˈkil·oˌli·ter,** *bes. Br.* **ˈkil·oˌli·tre** *s* Kiloˈliter *n (1000 Liter).* — **kil·o·me·ter,** *bes. Br.* **kil·o·me·tre** [ˈkiloˌmiːtər; ˈkilə-; kiˈlɒmitər; -mə-] *s* Kiloˈmeter *n (1000 m).* — **ˌkil·oˈmet·ric** [-ˈmetrik], **ˌkil·oˈmet·ri·cal** *adj* kiloˈmetrisch. — **ˈkil·oˌton** *s* **1.** 1000 Tonnen *pl.* – **2.** *Sprengkraft, die 1000 Tonnen TNT entspricht.* — **ˈkil·oˌvolt** *s electr.* Kiloˈvolt *n (1000 Volt).* — **ˈkil·oˌwatt** *s electr.* Kiloˈwatt *n (1000 Watt)*: ~ hour Kilowattstunde.

kilt [kilt] **I** *s* **1.** Kilt *m*, kurzer Faltenrock *(bes. der Bergschotten).* – **II** *v/t* **2.** aufschürzen. – **3.** in Falten legen, fälteln. — **ˈkilt·ed** *adj* **1.** mit einem Kilt (bekleidet). – **2.** *(senkrecht)* gefaltet, plisˈsiert.

kilt·er [ˈkiltər] *s colloq. od. dial.* Ordnung *f*, geregelter Gang: out of ~ nicht in Ordnung, nicht ganz richtig, reparaturbedürftig.

kilt·ie [ˈkilti] *s colloq.* Kiltträger *m (bes. Soldat der schott. Hochländerregimenter).*

kilt·ing [ˈkiltiŋ] *s* Plisˈsee *n (enge Fältelung).*

kilt·y *cf.* kiltie.

kim·mer [ˈkimər] → cummer.

ki·mo·no [kiˈmounou; kə-; -nə] *pl* **-nos** *s* Kiˈmono *m*: a) *jap. weitärmeliges Kleidungsstück*, b) (Damen)-Morgenrock *m (im Kimonoschnitt).*

kin [kin] **I** *s* **1.** (Geschlechts)Stamm *m*, Sippe *f*, Geschlecht *n*, Faˈmilie *f*: to be of good ~ aus guter Familie stammen. – **2.** *selten* Geschlechts-, Stammesgenosse *m.* – **3.** *collect. (als pl konstruiert)* (Bluts)Verwandtschaft *f (auch durch Heirat)*, *(die)* Verwandten *pl*: → kith 1; his next of ~ seine nächsten Verwandten *(auch sg)*; to be of ~ to s.o. mit j-m verwandt sein; of the same ~ as von derselben Art wie; near of ~ nahe verwandt *(auch fig.).* – **II** *adj* **4.** verwandt (to mit): we are ~ wir sind (miteinander) verwandt. – **5.** (to) verwandt (mit), ähnlich *(dat)*, gleichartig (mit *od. dat).*

-kin [kin] *Endsilbe mit der Bedeutung* ...lein, ...chen: mannikin Männlein.

kin·aes·the·si·a [*Br.* ˌkainisˈθiːziə; *Am.* ˌkin-; -ʒə], **ˌkin·aesˈthe·sis** [-sis], **ˌkin·aesˈthet·ic** [-ˈθetik] → kinesthesia *etc.*

ki·nase [ˈkaineis; ˈkin-] *s chem.* Kiˈnase *f (Fellsubstanz, die die Bildung von Enzymen hervorruft).*

kin·chin [ˈkintʃin] *s (Gaunersprache)* Kindchen *n*: ~ lay Beraubung von Kindern *(die zum Einkaufen unterwegs sind).* — **ˈ~ˌmort** [-ˌmɔːrt] *s (Gaunersprache)* **1.** von einer Bettlerin *(auf dem Rücken)* getragenes Kind. – **2.** zum Stehlen angeleitetes junges Mädchen.

kin·cob [ˈkiŋkɒb] *s Br. Ind. (Art)* ˈGoldbroˌkatstoff *m.*

kind [kaind] **I** *s* **1.** Art *f*, Sorte *f*, Gattung *f*: all ~(s) of alle möglichen, alle Arten von; nothing of the ~ a) nichts dergleichen, b) mitnichten; of what ~ is it? von welcher Sorte ist es? s.th. of a different ~ etwas anderes, etwas von anderer Art; s.th. of the ~ etwas Derartiges; the literary ~ die Leute, die sich mit Literatur befassen. – **2.** Geschlecht *n*, Klasse *f*, Art *f*: → human~; what ~ of tree is this? was für ein Baum ist das? – **3.** *fig.* Sache *f*, Gegenstand *m*: difference in degree rather than in ~ mehr ein Unterschied des Grades als der Sache. – **4.** Art *f (Beschaffenheit)*: a ~ of eine Art von; he felt a ~ of compunction er empfand so etwas wie Reue; we had coffee of a ~ *(ironisch)* wir tranken etwas, was Kaffee sein sollte; these ~ of men *colloq.* diese Art Menschen; he is ~ of queer *colloq.* er ist etwas wunderlich; the room was ~ of dark *colloq.* das Zimmer war etwas dunkel; I ~ of expected it *colloq.* ich hatte es so gut wie erwartet; I ~ of promised it *colloq.* ich versprach es so halb u. halb. – **5.** *relig.* Gestalt *f (von Brot u. Wein beim Abendmahl).* – **6.** Natuˈralien *pl*, Waren *pl*: to pay in ~ a) in Naturalien zahlen, b) *fig.* mit gleicher Münze zurückzahlen. – **7.** *obs.* Naˈtur *f*, Art *f*: the law of ~ das Naturgesetz; they act after their ~ sie handeln gemäß ihrer Natur. – *SYN. cf.* type. –
II *adj* **8.** gütig, freundlich, wohlwollend, gut: a ~ act eine gute Tat; ~ words freundliche Worte; to be ~ to animals tierlieb sein; to be ~ to

s.o. zu j-m *od.* j-m gegenüber gütig *od.* freundlich sein; **it is so ~ of you!** sehr freundlich von Ihnen! **will you be so ~ as to haben** *od.* hätten Sie die Güte zu, seien *od.* wären Sie so freundlich zu; **with ~ regards** (*Briefschluß*) mit freundlichen Grüßen. – **9.** passend, günstig. – **10.** *tech. od. dial.* leicht zu bearbeiten(d). – **11.** gutartig, fromm, ruhig (*Pferd*): **~ in harness** fromm im Geschirr. – **12.** *obs.* a) na'türlich, ursprünglich, b) angemessen, rechtmäßig. – **13.** *dial.* liebevoll, zärtlich. – *SYN.* **benign, benignant, kindly.** – **III** *adv* **14.** *obs. od. dial.* freundlich.

kin·der·gar·ten ['kindər,gɑːrtn] *s* Kindergarten *m.* — **'kin·der,gart·ner** [-nər], *auch* **'kin·der,gar·ten·er** *s* **1.** Kindergärtnerin *f.* – **2.** *Am.* Kind, das einen Kindergarten besucht.

'kind'heart·ed *adj* gütig, wohlwollend, gutherzig. — **,kind'heart·ed·ness** *s* Gutherzigkeit *f,* Wohlwollen *n,* Herzensgüte *f.*

kin·dle[1] ['kindl] **I** *v/t* **1.** anzünden, entzünden, in Flammen setzen: **to ~ a fire** ein Feuer entzünden *od.* anmachen. – **2.** *fig.* entflammen, anfeuern, anreizen (**to** zu, **to do** zu tun). – **3.** erleuchten, erhellen, hell machen. – **II** *v/i* **4.** sich entzünden, Feuer fangen, aufflammen. – **5.** hell werden. – **6.** *fig.* a) entbrennen, -flammen, sich erregen *od.* erhitzen (**at** über *acc*), b) Feuer fangen, sich begeistern (**at** an *dat*). – **7.** *fig.* (er)glühen, sprühen: **his eyes ~d with eagerness** seine Augen sprühten vor Eifer.

kin·dle[2] ['kindl] *obs. od. dial.* **I** *v/t* gebären (*bei Tieren*). – **II** *v/i* jungen, Junge werfen (*bes. von Hasen u. Kaninchen*).

kin·dler ['kindlər] *s* **1.** Feueranzünder *m.* – **2.** *fig.* Brand-, Unheilstifter *m.*

kind·less ['kaindlis] *adj* **1.** *selten* herzlos, unfreundlich. – **2.** *obs.* 'unna,türlich.

kind·li·ness ['kaindlinis] *s* **1.** Güte *f,* Wohlwollen *n,* Freundlichkeit *f.* – **2.** Wohltat *f,* Freundlichkeit *f* (*Tat*).

kin·dling ['kindliŋ] *s* **1.** 'Anzündmateri,al *n,* Anmachholz *n,* Kien(späne *pl*) *m.* – **2.** Anbrennen *n,* Anfachen *n,* Entzünden *n.* – **3.** *fig.* Anfeuern *n,* Anreizen *n.*

kind·ly ['kaindli] **I** *adj* **1.** gütig, freundlich, liebenswürdig: **~ people** freundliche Leute. – **2.** milde, gnädig (*Regierung*). – **3.** angenehm, günstig: **a ~ climate** ein angenehmes Klima; **a ~ soil** ein fruchtbarer Boden. – **4.** *obs.* der Abstammung nach, geboren. – *SYN. cf.* **kind.** – **II** *adv* **5.** gütig, freundlich. – **6.** *colloq.* (*als Höflichkeitsphrase*) freundlich(st), gütig(st): **~ tell me** sagen Sie mir bitte; **to take ~ to s.th.** sich mit etwas befreunden, sich hingezogen fühlen zu, (*dat*) geneigt sein; **I would take it ~ if you would come** es wäre sehr freundlich, wenn Sie kämen; **would you ~ come to me?** a) würden Sie freundlicherweise zu mir kommen? b) (*ironisch u. einem Befehl gleichend*) wollen Sie gefälligst zu mir kommen? **we thank you ~** wir danken Ihnen herzlich. – **7.** *obs.* a) na'türlich, instink'tiv, b) passend, günstig.

kind·ness ['kaindnis] *s* **1.** Güte *f,* Freundlichkeit *f,* Wohlwollen *n.* – **2.** Wohltat *f,* Gefälligkeit *f,* Freundlichkeit *f*: **his many ~es to me** die vielen Wohltaten, die er mir erwies; **to do s.o. a ~** j-m einen Gefallen erweisen. – **3.** Zuneigung *f,* Zärtlichkeit *f.*

kin·dred ['kindrid] **I** *s* **1.** (Bluts-)Verwandtschaft *f.* – **2.** *fig.* Verwandtschaft *f,* Ähnlichkeit *f,* Gleichartigkeit *f.* – **3.** *collect.* (*als pl konstruiert*) Verwandte *pl,* Verwandtschaft *f.* – **4.** Stamm *m,* Rasse *f,* Fa'milie *f.* – **II** *adj* **5.** (bluts)verwandt: **of ~ blood** blutsverwandt; **~ tribes** verwandte Volksstämme. – **6.** *fig.* verwandt, ähnlich, gleichartig: **~ languages** verwandte Sprachen; **thunderstorms and ~ phenomena** Gewitter u. (gewitter)ähnliche Erscheinungen.

kine [kain] *s pl obs. od. dial.* (*außer in Zusammensetzungen*) **1.** Kühe *pl.* – **2.** Rindvieh *n.*

kin·e·ma ['kinimə; -nə-] → **cinema.**

kin·e·mat·ic [,kini'mætik; -nə-; *Br. auch* ,kai-], **,kin·e'mat·i·cal** [-kəl] *adj phys.* kine'matisch. — **,kin·e'mat·ics** *s pl* (*als sg konstruiert*) *phys.* Kine'matik *f,* Bewegungslehre *f.*

kin·e·mat·o·graph [,kinə'mætə,græ(ː)f; *Br. auch* ,kai- *u.* -,grɑːf], **,kin·e,mat·o'graph·ic** [-'græfik], **,kin·e·ma'tog·ra·phy** [-mə'tɒgrəfi] → **cinematograph** *etc.*

ki·nem·ics [ki'nemiks] *s pl* (*als sg konstruiert*) *ling.* Studium *n* der Gebärdensprache.

kin·e·plas·ty ['kini,plæsti; 'kai-] *s med.* Kine'plastik *f.*

kin·e·sal·gi·a [,kini'sældʒiə; ,kai-] *s med.* Kinesial'gie *f* (*Muskelschmerz bei Bewegungen*).

Kin·e·scope, k~ ['kini,skoup; -nə-] (*TM*) *s* **1.** (*Fernsehen*) *Am.* Bild-, 'Wiedergabe-, Fernsehempfangsröhre *f.* – **2.** *med.* Kine'skop *n* (*zur Refraktionsprüfung des Auges*).

ki·ne·si·at·rics [ki,niːsi'ætriks; kai-] *s pl* (*als sg konstruiert*) *med.* Be'wegungsthera,pie *f,* 'Heilgym,nastik *f.*

kin·es·the·si·a [,kinis'θiːʒə; -ziə; *Br.* ,kai-], **,kin·es'the·sis** [-sis] *s med.* Kinästhe'sie *f,* Bewegungsempfindung *f,* Muskelsinn *m.* — **,kin·es'thet·ic** [-'θetik] *adj* kinäs'thetisch.

ki·net·ic [ki'netik; kai-] *adj* **1.** *phys.* ki'netisch: **~ energy** kinetische Energie; **~ pressure** Staudruck; **~ theory of gases** kinetische Gastheorie; **~ theory of matter** kinetische Theorie der Stoffe. – **2.** *fig.* e'nergisch, lebhaft. — **ki'net·ics** *s pl* (*als sg konstruiert*) *phys.* Ki'netik *f,* Dy'namik *f,* Bewegungslehre *f.*

ki·ne·to·graph [ki'niːto,græ(ː)f; -tə-; *Br. auch* kai- *u.* -,grɑːf] **I** *s phot. tech.* Kineto'graph *m* (*Apparat zur Aufnahme verschiedener Bewegungsphasen*). – **II** *v/t* mittels Kineto'graph aufnehmen. — **ki,ne·to'graph·ic** [-'græfik] *adj* kineto'graphisch.

'kin,folk, 'kin,folks → **kinsfolk.**

king [kiŋ] **I** *s* **1.** König *m,* Mon'arch *m*: **K~ Log (Stork)** *besonders nachlässiger (tyrannischer) König*; **~ of beasts** König der Tiere (*Löwe*); **~ of birds** König der Vögel (*Adler*); → **color** 16; **evidence** 2; **terror** 3. – **2.** *relig.* a) **K~, K~ of K~s, K~ of Glory, K~ of heaven** (Himmels)König *m,* Gott *m,* Christus *m,* b) **Book of K~s** *Bibl.* (Buch *n* der) Könige *pl.* – **3.** (*Schach*) König *m*: **~'s bishop (~'s knight, ~'s rook)** Königsläufer (-springer, -turm). – **4.** (*Damespiel*) Dame *f.* – **5.** (*Kartenspiel*) König *m.* – **6.** *fig.* König *m,* Ma'gnat *m*: **oil ~** Ölkönig; **railroad ~** *Am.* Eisenbahnkönig. – **7.** *zo.* zeugungsfähige männliche Ameise *od.* Ter'mite. – **8.** a) *bot.* Festschalige Manda'rine (*Citrus nobilis*), b) → **K~ apple.** – **II** *adj* **9.** Königs..., Haupt... – **III** *v/i* **10.** *meist* **~ it** re'gieren, König sein. – **IV** *v/t* **11.** zum König machen, zur Königswürde erheben.

King| ap·ple *s obs.* Königsapfel *m* (*rotgestreifte Wintersorte*). — **~ Ar·thur** *npr* König Artus (*sagenhafter engl. König des 6. Jh.*).

'king|,bird *s zo.* Ty'rann *m* (*Gattg Tyrannus*), *bes.* Königsvogel *m* (*T. tyrannus*). — **'~,bolt** *s tech.* Haupt-, Drehbolzen *m,* Dreh-, Achszapfen *m.* — **K~ Charles span·iel** *s* King-Charles-Spaniel *m* (*ein Zwergspaniel*). — **~ co·bra** *s zo.* Königskobra *f,* -hutschlange *f* (*Naja hannah*). — **~ crab** *s zo.* **1.** → **horseshoe crab.** – **2.** Teufelskrabbe *f,* Meerspinne *f* (*Maia squinado*). — **'~,craft** *s* Herrscherkunst *f,* -geschick *n,* königliche Staats- *od.* Re'gierungskunst. — **~ crow** *s zo.* 'Krähenpara,diesvogel *m* (*Manucodia atra*). — **'~,cup** *s bot.* **1.** (*ein*) Hahnenfuß *m* (*Gattg Ranunculus*), *bes.* a) Knolliger Hahnenfuß (*R. bulbosus*), b) Kriechender Hahnenfuß (*R. repens*), c) Scharfer Hahnenfuß (*R. acer*). – **2.** *Br. für* **marsh marigold.** — **~ dev·il** *s bot.* Hohes Habichtskraut (*Hieracium praealtum*).

king·dom ['kiŋdəm] *s* **1.** Königreich *n*: **United K~** Vereinigtes Königreich (*Großbritannien u. Nordirland*). – **2.** *fig.* Reich *n,* Gebiet *n*: **~ of thought** Reich der Gedanken. – **3.** *relig.* Reich *n*: **the ~ of heaven** Reich Gottes, Himmelreich; **thy ~ come** (*im Vaterunser*) dein Reich komme; **~ come** *sl.* Jenseits. – **4.** (Na'tur-)Reich *n*: **animal ~** Tierreich; **mineral ~** Mineralreich; **vegetable ~** Pflanzenreich. – **5.** *obs.* Königtum *n.*

king| duck, *auch* **~ ei·der** *s zo.* Königseiderente *f* (*Somateria spectabilis*). — **K~ Em·per·or** *s hist.* König *m* u. Kaiser *m* (*Titel des Herrschers über das Vereinigte Königreich u. Indien*). — **~ fern** *s bot.* Königsfarn *m* (*Osmunda regalis*). — **'~,fish** *s* **1.** *zo.* a) Königsdorsch *m* (*Gattg Menticirrhus, bes. M. saxatilis*), b) Opah *m,* Getupfter Sonnenfisch (*Lampris guttatus*), c) 'Königsma,krele *f* (*Scomberomerus regalis*). – **2.** *Am. colloq.* 'Hauptper,son *f,* beherrschender Geist. — **'~,fish·er** *s zo.* Eisvogel *m* (*Fam. Alcedinidae*), *bes.* a) Europ. Eisvogel *m* (*Alcedo ispida*), b) → **belted ~.**

king·hood ['kiŋhud] → **kingship.**

King| James Bi·ble, ~ James Ver·sion *s autorisierte engl. Bibelübersetzung.* — **~ John** *s* König Jo'hann *m* (*Titel u. Hauptheld eines historischen Dramas von Shakespeare*). — **~ Lear** [lir] *s* König Lear *m* (*Titel u. Held einer Tragödie von Shakespeare*).

king·let ['kiŋlit] *s* **1.** Schattenkönig *m,* unbedeutender *od.* schwacher König. – **2.** *zo.* (*ein*) Goldhähnchen *n* (*Gattg Regulus*).

'king,like → **kingly.**

king·li·ness ['kiŋlinis] *s* königliches Wesen, (*das*) Maje'stätische *od.* Königliche.

king·ly ['kiŋli] **I** *adj* königlich, fürstlich, maje'stätisch, nobel, Königs...: **with a ~ air** in majestätischer Haltung. – **II** *adv* königlich, auf königliche Art, maje'stätisch.

'king|,ma·ker *s* Königsmacher *m* (*Beiname bes. von Richard Neville, Earl of Warwick, gestorben 1471*). — **,~-of-'arms, ,K~-of-'Arms,** *pl* **,~s-of-'arms** *s her.* Wappenkönig *m.* — **'~,pin** *s* **1.** (*Kegelspiel*) König *m.* – **2.** *colloq.* a) 'Hauptper,son *f,* beherrschende Per'sönlichkeit, b) 'Hauptele,ment *n,* -sache *f.* – **3.** *tech.* → **kingbolt.** — **~ post** *s arch.* Dachstuhl-, Giebel-, First-, Hängesäule *f,* Dreieckträger *m.* — **~ rail** *s zo.* Königsralle *f* (*Rallus elegans*). — **~ salm·on** *s zo.* Chinook- *od.* Königslachs *m* (*Oncorhynchus tschawytscha*).

king's| e·vil *s med.* Skrofu'lose *f.* — **'~,flow·er** *s bot.* Königs-, Schopflilie *f* (*Eucomis regia*). — **~ high·way** *s* öffentliche Landstraße.

king·ship ['kiŋʃip] *s* **1.** Königtum *n,* Königsamt *n,* -würde *f.* – **2.** königliche Re'gierung. – **3.** 'Herrscher-

ta,lent *n*, Eignung *f* zum König. – 4. Maje'stät *f*: his ~ Seine Majestät.
'king-,size *adj Am. colloq.* 'über-,durchschnittlich groß.
king snake *s zo.* (*eine*) Milchschlange (*Gattg Lampropeltis, bes. L. getulus*).
king's| peg *s Mischgetränk aus Branntwein u. Sekt.* — **K~ Roll** *s Br. Verzeichnis von Unternehmern, die sich verpflichtet haben, eine bestimmte Mindestzahl ehemaliger Soldaten anzustellen.* — **'~,-spear** → asphodel.
king| truss *s arch.* einsäuliger Hängebock (*Dachstuhl*). — **~ vul·ture** *s zo.* Königsgeier *m* (*Sarcorhamphus papa*). — **'~,wood** *s* 1. (*ein*) Pali'sanderholz *n* (*von* 2). – 2. *bot. eine südamer. Dalbergie* (*Dalbergia cearensis*).
kink [kiŋk] **I** *s* 1. *bes. mar.* Kink *f* (*schlingenförmiger Knick in einem Tau etc*). – 2. *med.* Steifheit *f*, Krampf *m* (*bes. im Rücken od. Genick*). – 3. *fig.* Schrulle *f*, Tick *m*, Spleen *m* (*verrückte Eigenart*). – 4. Trick *m*, Kniff *m*, Dreh *m*. – **II** *v/i* 5. eine Kink *od.* einen Knick haben (*Tau etc*). – **III** *v/t* 6. eine Kink machen in (*acc*).
kin·kaid·er [kin'keidər] *s Am. dial. einer der Siedler in Nebraska, die 1904 unter der Kinkaid-Act billiges Land erhielten.*
kin·ka·jou ['kiŋkə,dʒuː] *s zo.* Kin'kaju *m*, Wickelbär *m* (*Potos flavus*).
kin·kle ['kiŋkl] *s* 1. kleiner Knick, kleine Kink. – 2. → kink 4.
kink·y ['kiŋki], *auch* **'kin·kled** [-kld] *adj* 1. voller Kinken *od.* Knicke, verdreht (*Tau etc*). – 2. verfilzt (*Haar*), verworren. – 3. *colloq.* schrullenhaft, über'spannt.
kin·ni·kin·nick, *auch* **kin·ni·ki·nic** [,kiniki'nik] *s* 1. Kinniki'nick *n* (*Blätter- u. Rindengemisch, das von Indianern u. Siedlern des amer. Westens geraucht wurde*). – 2. *bot.* a) Bärentraube *f* (*Arctostaphylos uva-ursi*), b) (*ein*) Sumach *m* (*Rhus vivens od. R. microphyla*), c) Amer. Kor'nelkirsche *f* (*Cornus amomum od. C. stolonifera*).
ki·no ['kiːnou], *auch* **~ gum** *s* Kinoharz *n*, -gummi *n* (*Sammelname mehrerer technisch verwendbarer od. offizineller Pflanzensäfte im erstarrten Zustand*).
kin·o·plasm ['kino,plæzəm; -nə-; 'kai-] *s biol.* Kino'plasma *n*, forma'tives Cyto'plasma.
kins·folk ['kinz,fouk] *s pl* Verwandtschaft *f*, (*die*) Verwandten *pl*.
kin·ship ['kinʃip] *s* 1. (Bluts)Verwandtschaft *f*, Verwandtschaftsverhältnis *n*. – 2. *fig.* Verwandtschaft *f*: ~ of ideas Ideenverwandtschaft.
kins·man ['kinzmən] *s irr* 1. (Bluts)-Verwandter *m*, Angehöriger *m*. – 2. Rassengenosse *m*. — **'kins,wom·an** *s irr* 1. (Bluts)Verwandte *f*, Angehörige *f*. – 2. Rassengenossin *f*.
kin·tal ['kintl] *obs. für* quintal.
ki·osk [ki'ɒsk] *s* Ki'osk *m*: a) (*oft auf Säulen stehender*) Pavillon, Sommerhaus *n* (*in der Türkei etc*), b) Verkaufspavillon *m*, -stand *m*, c) Mu'sikpavillon *m*.
kip¹ [kip] *s* 1. (*ungegerbtes*) Fell, Haut *f* (*bes. eines jungen od. kleinen Tieres*). – 2. Bündel *n* Felle.
kip² [kip] *sl.* **I** *s* 1. ,Penne' *f* (*einfache Herberge od. Schlafstelle*). – 2. ,Falle' *f*, ,Klappe' *f* (*Bett*). – 3. *obs.* Bor'dell *n*. – **II** *v/i* 4. ,pennen' (*schlafen*).
kip³ [kip] *sport Am.* **I** *s* Kippe *f* (*Geräteturnübung*). – **II** *v/i* die Kippe ausführen.
kip⁴ [kip] *s Am.* tausend engl. Pfund *pl* (= 453,59 *kg*).
Kipp ap·pa·ra·tus → Kipp generator.
kip·per ['kipər] **I** *s* 1. Kipper *m* (*vor dem Räuchern ausgenommener, gesalzener u. oft mit anderen Gewürzen behandelter Hering od. Lachs*). – 2. Räuchern *n* (*vorher gesalzener Fische*). – 3. männlicher Lachs, Hakenlachs *m* (*während od. nach der Laichzeit*). – 4. *Br. sl.* Kerl *m*, Bursche *m*, Junge *m*. – **II** *v/t* 5. (*Fische, bes. Heringe od. Lachse*) einsalzen u. räuchern: ~ed herring gesalzener Räucherhering.
Kipp gen·er·a·tor [kip] *s chem.* Kippscher Appa'rat (*zur Entwicklung von Gasen im Laboratorium*).
Kir·ghiz [kir'giːz] *pl* **Kir'ghiz** *od.* **Kir·ghiz·es I** *s* 1. Kir'gise *m*, Kir'gisin *f*. – 2. *ling.* Kir'gisisch *n*, das Kir'gisische. – **II** *adj* 3. kir'gisisch.
kirk [kəːrk] *s* 1. *Scot. od. dial.* Kirche *f*. – 2. the K~ (of Scotland) die Schott. Natio'nalkirche (*in England so genannt*). — **'~·man** [-mən] *s irr* 1. Mitglied *n od.* Anhänger(in) der Schott. Natio'nalkirche. – 2. *Scot.* Geistlicher *m*. — **~ ses·sion** *s* 'Kirchenpresby,terium *n*, Kol'legium *n* der Kirchenältesten u. Geistlichen (*in der Schott. Nationalkirche und anderen presbyterianischen Kirchen*).
Kir·man [kir'mɑːn] *s* Kerman *m*, Kirman *m* (*ein Perserteppich*).
kir·mess *cf.* kermis.
kirn¹ [kəːrn] *Scot. od. dial. für* churn.
kirn² [kəːrn] *s Scot.* 1. Erntefest *n*. – 2. letztes Garbenbündel (*einer Ernte*).
kir·sen, *auch* **kir·sten** ['kəːrsn] *dial. für* christen.
kir·tle ['kəːrtl] *s Br. obs.* 1. äußerer 'Unterrock. – 2. Tunika *f*, 'Unterkleid *n*. – 3. Rock *m*, Jacke *f*, Kittel *m*.
kish [kiʃ] *s min.* Gra'phit *m*. — **'kish·y** *adj* gra'phitisch, schwarzgebrannt.
Kis·lev ['kislef] *s* Kislew *m* (*3. Jahresmonat des jüd. Kalenders*).
kis·met ['kizmet; 'kis-] *s* Kismet *n*, Schicksal *n*, Geschick *n*.
kiss [kis] **I** *s* 1. Kuß *m*: treacherous ~ Judaskuß; ~ of pardon Kuß der Vergebung; → blow¹ 28. – 2. leichte Berührung (*z. B. zweier Billardbälle*). – 3. *Am.* Bai'ser *n* (*Zuckergebäck aus geschlagenem Eiweißschnee*). – 4. Zukkerplätzchen *n*, Stück *n* Kon'fekt. – **II** *v/t* 5. küssen: to ~ away s.o.'s tears j-s Tränen wegküssen; to ~ s.o. good night j-m einen Gutenachtkuß geben; to ~ the Book die Bibel küssen (*beim Eid*); to ~ the cup nippen, trinken; to ~ the ground a) unterliegen, eine Niederlage *od.* Erniedrigung erleiden, b) sich demütig ergeben; to ~ one's hand to s.o. j-m eine Kußhand zuwerfen; to ~ s.o.'s hands (*od.* hand) j-m die Hand küssen; to ~ the rod sich einer Strafe demütig beugen. – 6. *fig.* leicht berühren. – **III** *v/i* 7. sich *od.* ein'ander küssen: ~ and be friends küßt euch und vertragt euch. – 8. *fig.* sich leicht berühren (*Billardbälle etc*). — **'kiss·a·ble** *adj* küssenswert, zum Küssen.
kiss·ing ['kisiŋ] *s* Küssen *n*. — **~ bug** *s zo. eine blutsaugende Wanze, die oft in die Lippen sticht, bes.* a) Amer. Große Bettwanze (*Conorhinus sanguisuga*), b) Schwarzwanze *f* (*Melanolestes picipes*). — **~ crust** *s colloq.* weiche Krustenstelle (*Stelle, an der sich Brote beim Backen berühren*). — **~ gate** *s* Schwingtörchen *n*, -gatter *n* (*das Personen nur einzeln durchläßt, bes. in Zäunen u. Hecken*).
'kiss|-in-the-'ring *s ein Gesellschaftsspiel für junge Leute, bei dem einer den andern fangen u. küssen muß.* — **'~-,me** *s bot. dial.* Wildes Stiefmütterchen (*Viola tricolor*). — **'~-me-'quick** *s* 1. (*früher von Damen getragenes*) Häubchen. – 2. Schmachtlocke *f* (*bes. an den Schläfen*). – 3. → kiss-me. — **'~,proof** *adj* kußecht.
kist¹ [kist] *s Scot. od. dial.* 1. Kiste *f*, Kasten *m*, Truhe *f*. – 2. Sarg *m*. – 3. *humor.* Theke *f*, Ladentisch *m*.
kist² [kist] → cist.
kit¹ [kit] **I** *s* 1. Ausrüstung *f*, Ausstattung *f* (*für einen bestimmten Zweck wie Jagd, Reise etc*). – 2. (*bes.* Sol'daten)Gepäck *n*. – 3. a) (Hand)-Werkzeug *n*, Werkzeuge *pl*, b) Werkzeugtasche *f od.* -kasten *m*. – 4. a) Bütte *f*, Zuber *m*, Wanne *f*, b) Eimer *m*. – 5. *colloq.* a) Zeug *n*, Kram *m*, Sammel'surium *n*, b) Gesellschaft *f*, ,Verein' *m*, Sippschaft *f*: the whole ~. – 6. (*Zeitungswesen*) Pressemappe *f*. – **II** *v/t* 7. *oft* ~ up ausrüsten, 'ausstaf,fieren. – **III** *v/i* 8. *oft* ~ up sich ausrüsten.
kit² [kit] *s mus. hist.* kleine dreisaitige Tanzmeistergeige.
kit³ [kit] → kitten.
kit bag *s* 1. *mil.* Kleider-, Seesack *m*. – 2. Reisetasche *f*.
'Kit-,cat *s* 1. *meist* ~ Club Kit-cat Club *m* (*in London von den Whigs gegründeter Politiker- u. Gelehrtenklub, 1703–1720*). – 2. Mitglied *n* des Kit-cat Clubs. – 3. *auch* ~ portrait, k~ portrait *ein Porträt von etwas weniger als der Länge eines Brustbildes, jedoch mit Darstellung der Hände.*
kitch·en ['kitʃin; -ən] **I** *s* 1. Küche *f*. – 2. 'Küchenab,teilung *f* (*eines größeren Haushalts*). – 3. *chem. tech.* Dampfraum *m* (*für die Metallbearbeitung mit Arsenikdämpfen*). – 4. *Scot. od. dial.* Zu-, Beikost *f*. – **II** *v/t* 5. *Scot.* würzen, schmackhaft machen. — **~ cab·i·net** *s* 1. Küchenschrank *m*. – 2. *Am. colloq.* Gruppe *f* pri'vater Ratgeber (*eines Präsidenten od. Gouverneurs*).
kitch·en·er ['kitʃinər; -ən-] *s* 1. Küchenmeister *m* (*in Klöstern*). – 2. *Br.* Küchenherd *m*.
kitch·en·et(te) [,kitʃi'net; -ə'n-] *s* Kleinküche *f*, Kochnische *f*.
kitch·en| gar·den *s* Küchen-, Gemüsegarten *m*. — **~ gar·den·er** *s* Gemüsegärtner(in). — **~ ground,** *auch* **~ garth** → kitchen garden. — **'~,maid** *s* Küchenmädchen *n*. — **~ mid·den** *s* (*Archäologie*) Kjökkenmöddinger *pl*, Muschelhaufen *m* (*vorgeschichtliche Speiseabfallhaufen*). — **~ phys·ic** *s humor.* gute u. reichliche Kost. — **~ plot** → kitchen garden. — **~ po·lice** *s mil.* Küchendienst *m* (*die Ausübenden od. der Dienst selbst*). — **~ stuff** *s* 1. Küchenbedarf *m* (*bes. Gemüse*). – 2. Küchenabfall *m*, -abfälle *pl*. – 3. abgetropftes Bratenfett. — **~ u·nit** *s* Einbauküche *f*. — **'~,ware** *s* Küchengeschirr *n*.
kite [kait] **I** *s* 1. (Pa'pier-, Stoff)-Drache(n) *m*: to fly a ~ a) einen Drachen steigen lassen, b) *fig.* einen Versuchsballon loslassen, c) *econ.* auf Gefälligkeitswechsel borgen; go and fly a ~! *sl.* geh (zum Teufel) u. laß mich in Ruh! – 2. *zo.* (*ein*) Falke *m* (*Fam. Falconidae*), *bes.* Gabelweihe *f*, Roter Milan (*Milvus milvus*). – 3. *fig.* a) Gauner *m*, Ha'lunke *m*, b) habgieriger Mensch, Geizhals *m*. – 4. *mar.* a) hohes, leichtes Segel, b) (*Art*) Gewicht *n* an Schleppseilen (*zum Minensuchen*). – 5. *aer. sl.* ,Kiste' *f*, ,Mühle' *f* (*Flugzeug*). – 6. *econ. colloq.* Reit-, Keller-, Gefälligkeitswechsel *m*: to fly a ~ Wechselreiterei betreiben, mit Hilfe eines ungedeckten Wechsels Geld auftreiben. – **II** *v/i* 7. *colloq. od. dial.* (*wie ein Drachen*) steigen *od.* (da'hin)gleiten *od.* fliegen. – 8. *econ. colloq.* sich durch ,Wechselreite'rei Geld *od.* Kre'dit beschaffen, Wechsel reiten. – **III** *v/t* 9. (*wie einen Drachen*) steigen *od.* (da'hin)gleiten *od.* fliegen lassen. – 10. *econ. colloq.* in einen Gefälligkeitswechsel 'umändern, (*Wechsel*) fälschen.
kite| bal·loon *s aer.* 'Fessel-, 'Drachenbal,lon *m*. — **~ fal·con** *s zo.* (*ein*) Falke

m (*Gattg Aviceda*). — **~ fish** *s zo.* Glattbutt *m* (*Rhombus laevis*). — **~ fli·er** *s* **1.** *j-d der Drachen steigen läßt.* – **2.** *econ. colloq.* Wechselreiter *m.* — **'~ˌfly·ing** *s* **1.** Steigenlassen *n* eines Drachens. – **2.** *fig.* Loslassen *n* eines Ver'suchsbalˌlons. – **3.** *econ. colloq.* ˌWechselreite'rei *f.* — **'~-ˌmark** *s drachenförmiges Zeichen auf brit. Waren zur Angabe, daß deren Qualität, Größe etc den Bestimmungen der British Standards Institution entspricht.*

kit fox *s zo.* Kit-, Prä'riefuchs *m* (*Vulpes velox u. V. macrotis*).

kith [kiθ] *s* **1. ~ and kin** Bekanntschaft u. Verwandtschaft *f*, Freunde u. Verwandte *pl.* – **2.** *obs.* Freunde *pl*, Bekannte *pl*, Nachbarn *pl.* – **3.** *obs. collect.* Verwandtschaft *f.*

kith·a·ra ['kiθərə] *s antiq. mus.* Kithara *f* (*altgriech. Saiteninstrument*).

kithe [kaið] *Scot. od. dial.* **I** *v/t* bekanntmachen, verkünden, zeigen. – **II** *v/i* bekanntwerden, erscheinen.

kit·ling ['kitliŋ] *Scot. od. dial. für* kitten 1.

kit·ten ['kitn] **I** *s* **1.** Kätzchen *n*, junge Katze. – **2.** Junges *n* (*von Kaninchen od. anderen kleinen Tieren*). – **3.** *fig.* Kätzchen *n*, (kindlich) verspieltes *od.* 'übermütiges Mädchen. – **II** *v/t* **4.** (*Junge*) werfen (*Katze etc*). – **III** *v/i* **5.** jungen, Junge werfen. — **'kit·ten·ish** *adj* **1.** kätzchenartig. – **2.** (kindlich) verspielt, spielerisch.

kit·ter·een [ˌkitə'riːn] *s* (*Art*) leichter Einspänner (*in Westindien*).

kit·ti·wake ['kitiˌweik] *s zo.* (*eine*) Drei'zehenmöwe (*Gattg Rissa*).

kit·tle ['kitl] **I** *v/t Scot. od. dial.* **1.** kitzeln. – **2.** ermuntern, (an)reizen. – **3.** verwirren. – **II** *adj* **4.** kitzlig, heikel, schwierig (zu behandeln *od.* handhaben) (*auch fig.*): **~-cattle** heikel, schwierig zu behandeln(d) *od.* handhaben(d) (*Sache od. Person*); **~ questions** heikle Fragen; **~ walking** unsicheres *od.* gefährliches Gehen.

kit·tul [ki'tuːl] *s bot.* **1.** Asiat. Brennpalme *f* (*Caryota urens*). – **2.** Glattstielfaser *f* (*von* 1).

kit·ty[1] ['kiti] *s* junge Katze, Kätzchen *n* (*bes. als Kosename*).

kit·ty[2] ['kiti] *s* (*Kartenspiel*) **1.** (Sammel)Kasse *f*, gemeinsame Kasse, ‚Pinke' *f* (*in die jeder Spieler einen Einsatz zahlt*). – **2.** Ta'lon *m* (*Spielkartenrest beim Geben*).

kit·ty[3] ['kiti] *Kurzform für* kittiwake.

'kit·ty|-ˌcor·nered *Am. für* catercornered. — **~ witch** *Br. für* kittiwake. — **~ wren** *s zo. Br.* Zaunschlüpfer *m*, -könig *m* (*Troglodytes troglodytes*).

kit vi·o·lin → kit[2].

ki·va ['kiːvə] *s* Zere'monienbau *m*, -raum *m* (*der südamer. Puebloindianer*).

Ki·wa·ni·an [ki'wɑːniən] *s Am.* Kiwani'aner *m* (*Mitglied eines Kiwanisklubs*). — **Ki'wa·nis Club** [-nis] *s Am.* Ki'wanisklub *m* (*in USA u. Kanada weitverzweigte Organisation mit ethischen Zielen*).

ki·wi ['kiːwi] *s* **1.** *zo.* Kiwi *m*, Schnepfenstrauß *m* (*Gattg Apteryx*). – **2.** *aer. sl.* a) nicht zum fliegenden Perso'nal gehöriger 'Luftwaffenoffiˌzier, b) Flugschüler *m*, c) zaghafter *od.* schlechter Flieger. – **3.** *Austral. colloq.* Neu'seeländer *m.*

Klam·ath weed ['klæməθ] *s bot.* Jo'hanniskraut *n* (*Hypericum perforatum*).

Klan [klæn] *s* Ku Klux Klan *m*: **~s-man, ~swoman** Mitglied des Ku Klux Klan.

klap·ro·tho·lite [klæp'routəˌlait] *s min.* Wismutkupfererz *n* ($3Cu_2S \cdot Bi_2S_3$).

Klax·on, k~ ['klæksn] (*TM*) *s* Horn *n*, (Auto)Hupe *f.*

Klebs-Löf·fler ba·cil·lus ['kleipsˈlœflər] *s med.* Diphthe'riebaˌzillus *m* (*Corynebacterium diphtheriae*).

kleene·boc ['kliːnˌbɒk; 'kleinə-] → royal antelope.

Kleen·ex, k~ ['kliːneks] (*TM*) *s* **1.** *bes. Am.* Zellstoff-, Pa'piertaschentuch *n.* – **2.** *weicher, seidenpapierartiger Zellstoff für Papiertaschentücher etc.*

kleig light *cf.* klieg light.

klepht [kleft] *s hist.* Klephte *m* (*griech. od. albanischer Räuber od. Freischärler*).

klep·tic ['kleptik] *adj selten* diebisch.

klep·to·ma·ni·a [ˌklepto'meiniə; -nj; -tə-] *s med.* Kleptoma'nie *f*, (krankhafter) Stehltrieb, Stehlsucht *f.* — **ˌklep·to'ma·niˌac** [-ˌæk] **I** *s* Klepto'mane *m*, Klepto'manin *f.* – **II** *adj* klepto'manisch.

klieg| eyes [kliːg] *s pl* **1.** entzündete *od.* tränende Augen *pl* (*durch Einwirkung grellen Scheinwerferlichts*). – **2.** (*durch grelles Scheinwerferlicht hervorgerufene*) Augenentzündung. — **~ light** *s tech.* (Klieg)Scheinwerfer *m*, Bogenlampe *f*, Aufheller *m* (*bes. bei Filmaufnahmen*).

klip·spring·er ['klipˌspriŋər] *s zo.* Klippspringer *m*, Sassa *m* (*Oreotragus oreotragus; Antilopenart*).

klis·ter ['klistər] *s sport* Klister *m* (*Schiwachs für Firn u. Harsch*).

kloof [kluːf] *s S.Afr.* (Berg)Schlucht *f*, Kluft *f*, enges Tal.

klys·tron ['klistrɒn] *s electr.* Klystron *n* (*Höchstfrequenzverstärkerröhre*).

knack[1] [næk] **I** *s* **1.** Knacken *n*, Schnappen *n*, Schnalzen *n* (*mit den Fingern*), Krach *m.* – **II** *v/t dial.* **2.** knacken *od.* schnappen *od.* schnalzen mit (*den Fingern*), knirschen mit (*den Zähnen*). – **III** *v/i dial.* **3.** schnalzen, knacken, klappern, schnappen. – **4.** geziert sprechen.

knack[2] [næk] *s* **1.** Kunstgriff *m*, Kniff *m*, Trick *m.* – **2.** Fertigkeit *f*, Geschicklichkeit *f*, Gewandtheit *f*: **to have the ~ of s.th.** etwas weg- *od.* loshaben *od.* gut verstehen; **he has a ~ with children** er versteht sich auf Kinder. – **3.** Gewohnheit *f*, Art *f.* – **4.** praktische Vorrichtung *od.* Erfindung. – **5.** *obs.* Zier-, Schmuckgegenstand *m.* – *SYN. cf.* **gift.**

knack·er[1] ['nækər] *s* **1.** *Br.* Abdecker *m*, Roß-, Pferdeschlächter *m.* – **2.** 'Abbruchunterˌnehmer *m*, (Auf-)Käufer *m* alter Häuser, Schiffe *etc* auf Abbruch.

knack·er[2] ['nækər] *s meist pl mus.* Kasta'gnette *f*, (Hand)Klapper *f.*

knack·er·y ['nækəri] *s Br.* Abdecke'rei *f*, ˌRoß-, ˌPferdeschlächte'rei *f.*

knack·y ['næki] *adj* geschickt, klug, i'deenreich.

knag[1] [næg] *s* **1.** Knorren *m od.* Knoten *m od.* Ast *m* (*im Holz*). – **2.** Aststumpf *m.* – **3.** *selten* (hölzerner) Kleiderpflock.

knag[2] [næg] *s Scot.* Fäßchen *n*, kleines Faß.

knag·ged ['nægid] *selten für* knaggy.

knag·gy ['nægi] *adj* **1.** knorrig, knotig. – **2.** höckerig, rauh.

knap[1] [næp] *s* **1.** Kuppe *f od.* Kamm *m od.* Gipfel *m* (*eines Hügels*). – **2.** kleiner Hügel, Bodenerhebung *f.*

knap[2] [næp] **I** *v/t pret u. pp* **knapped** [næpt] **1.** *dial.* (zer)schlagen, (auf-)brechen. – **2.** (*Steine*) behauen, her'ausschlagen. – **3.** (be)nagen, (be)knabbern. – **II** *v/i* **4.** schlagen, brechen. – **5.** nagen, knabbern. – **III** *s obs. od. dial.* **6.** heftiger *od.* plötzlicher Schlag.

knap·per ['næpər] *s* **1.** Steinschläger *m* (*bes. j-d der Feuersteine zurechtschlägt*). – **2.** *tech.* Hammer *m* des Steinschlägers.

'knapˌsack **I** *s* **1.** *mil.* Tor'nister *m.* – **2.** Rucksack *m*, Ranzen *m*, Ränzel *n.* – **II** *v/i* **3.** *Am. colloq.* eine längere Fußtour machen u. von im Rucksack mitgeführten Lebensmitteln leben.

'knapˌweed *s bot.* Flockenblume *f* (*Gattg Centaurea*), *bes.* Schwarze Flockenblume (*C. nigra*).

knar [nɑːr] *s* **1.** Knorren *m*, Höcker *m*, Knoten *m* (*an Baumstamm od. -wurzel*). – **2.** *obs. od. dial.* Fels *m*, Klippe *f.* — **knarred,** *auch* **'knar·ry** *adj* knorrig, knotig.

knave [neiv] *s* **1.** Schurke *m*, Schuft *m*, Bube *m*, cha'rakterloser Kerl. – **2.** *obs.* Bursche *m*, Diener *m*, Page *m*, Knappe *m.* – **3.** (*Kartenspiel*) Bube *m.* — **'knav·er·y** [-əri] *s* **1.** Schurke'rei *f*, Bübe'rei *f*, Buben-, Schurkenstreich *m.* – **2.** Gaune'rei *f*, Betrug *m.* — **'knav·ish** *adj* **1.** (spitz)bübisch, schurkisch, schuftig. – **2.** *obs.* lose, schalkhaft, schelmisch. — **'knav·ish·ness** → knavery.

knaw·el ['nɔːel] *s bot.* Einjähriger Knäuel (*Scleranthus annuus*).

knead [niːd] *v/t* **1.** (*Teig*) 'durchkneten, (*Zutaten*) verkneten: **to ~ together** miteinander verkneten. – **2.** *fig.* a) zu'sammenschweißen, vermischen, b) formen, bilden. – **3.** (*Muskeln*) ('durch)kneten, mas'sieren. — **'knead·a·ble** *adj* knetbar. — **'knead·er** *s* **1.** Kneter(in). – **2.** 'KnetmaˌSchine *f.* — **'knead·ing** *s* Kneten *n*: **~ trough** Backtrog, Teigmulde.

knee [niː] **I** *s* **1.** Knie *n*: **on one's bended ~s** kniefällig; **on the ~s of the gods** im Schoße der Götter; **to bring s.o. to his ~s** j-n auf *od.* in die Knie zwingen; **to give a ~ to s.o.** j-n unterstützen, j-m sekundieren; **to go on one's ~s to** a) auf die Knie sinken *od.* niederknien vor (*dat*), b) *fig.* (*j-n*) kniefällig bitten. – **2.** *zo.* a) Vorderknie *n*, Vorderfußwurzelgelenk *n*, b) Fußwurzelgelenk *n* (*der Vögel*). – **3.** *tech.* Knie(stück) *n*, Winkel *m*: **~ iron** eiserner Winkel(haken); **~ lever** Winkelhebel. – **4.** *tech.* a) Knierohr *n*, Rohrknie *n*, (Rohr)Krümmer *m*, b) Winkeltisch *m*, c) Kröpfung *f*, Kurbel *f.* – **5.** *mar.* Knie(stück) *n*, Knierohr *n*, Winkel *m*: **hanging ~** Hängeknie. – **6.** *bot.* Knoten *m*, Knick *m.* – **7.** Knie(stück) *n* (*eines Kleidungsstücks*). – **II** *v/t* **8.** mit dem Knie stoßen *od.* berühren. – **9.** *tech.* mit einem Knie(stück) befestigen, durch ein Knie *od.* Winkelstück verbinden *od.* verstärken. – **10.** *colloq.* (*Hose an den Knien*) ausbeulen. – **III** *v/i* **11.** *obs.* (nieder)knien, sich verbeugen.

knee| ac·tion (sus·pen·sion) *s tech.* Kniegelenkfederung *f* (*an den Vorderrädern von Autos*). — **~ bend·ing** *s* Kniebeuge *f.* — **~ bone** *s med.* Kniescheibe *f.* — **~ breech·es** *s pl* Kniehose *f*, -hosen *pl.* — **~ cap** *s* **1.** *med.* Kniescheibe *f.* – **2.** Knieleder *n*, -schützer *m.* — **'~-ˌcrook·ing** *adj* kniebeugend, sklavisch.

kneed [niːd] *adj* **1.** (*meist in Zusammensetzungen*) mit ... Knien (versehen): **knock-~** X-beinig. – **2.** gebeugt, geknickt, knieartig geformt. – **3.** an den Knien ausgebeult (*Hosen*).

'knee|-'deep *adj* knietief: **the snow lay ~** der Schnee lag knietief; **they were ~ in water** sie standen bis an die Knie im Wasser. — **~ guard** → knee cap 2. — **'~-'high** *adj* kniehoch, bis zu den Knien *od.* an die Knie reichend: **~ to a grasshopper** *Am. colloq.* drei Käse hoch. — **'~ˌhole** *s* freier Raum für die Knie (*bes. unter einem Schreibtisch*): **a ~ desk** Schreibtisch mit Öffnung für die Knie. — **~ jerk** *s med.* Patel'larreˌflex *m*, 'Knie(ˌsehnen)reˌflex *m.* — **~ joint** *s* Kniegelenk *n* (*auch tech.*).

kneel [niːl] **I** *v/i pret u. pp* **knelt** [nelt] *od.* **kneeled 1.** 'hin- *od.* niederknien, das Knie beugen: to ~ **down** niederknien; to ~ **to s.o.** vor j-m das Knie beugen. – **2.** a) knien, auf den Knien liegen, b) *mil.* (*im Anschlag*) knien. – **II** *s* **3.** Knien *n.* — '**kneel·er** *s* **1.** Kniende(r). – **2.** Kniestuhl *m*, -kissen *n.*

'**knee**|ˌ**pad** *s* **1.** Knieschützer *m.* – **2.** Verstärkung *f* der 'Kniepar,tie (*bei Strümpfen etc*). — '~ˌ**pan** → **knee cap** 1. — '~ˌ**piece** *s* **1.** *mil. hist.* Kniestück *n od.* -buckel *m* (*einer Rüstung*). – **2.** *tech.* Kniestück *n*, (Rohr)Krümmer *m.* – **3.** *mar.* Krummholz *n.* — ~ **pine** *s bot.* Legföhre *f*, Zwerg-, Krummholzkiefer *f*, Knieholz *n* (*Pinus mugho pumilio*). — ~ **raft·er** *s arch.* Kniesparren *m.* — '~-ˌ**sprung** *adj vet.* mit nach vorn gebeugten Knien (*durch krankhafte Sehnenverkürzung bei Pferden*). — ~ **stop**, ~ **swell** *s mus.* Knieschweller *m* (*am Harmonium*). — ~ **tim·ber** *s* Knie-, Krummholz *n.*

knell [nel] **I** *s* **1.** Grab-, Totengeläut *n.* – **2.** *fig.* Grabgeläut *n*, Todeswarnung *f*, -ankündigung *f.* – **3.** Vorbote *m*, Ankündigung *f* (*von Untergang od. Zerstörung*). – **4.** trauriger *od.* düsterer Klang. – **II** *v/i* **5.** läuten, (er)klingen, tönen (*bes. Totenglocke*). – **6.** als Warnung *od.* böses Omen ertönen. – **III** *v/t* **7.** (*wie durch Läuten*) a) bekanntmachen, verkünden, b) zu'sammenrufen. – **8.** *obs.* eine (Toten)-Glocke läuten.

knelt [nelt] *pret u. pp von* **kneel** I.

knew [njuː; *Am. auch* nuː] *pret von* **know.**

Knick·er·bock·er ['nikərˌbɒkər] *s* **1.** Knickerbocker *m* (*Spitzname für den New Yorker*). – **2.** k~s *pl* Knickerbocker *pl* (*unter dem Knie abschließende Bundhose*). — '**knick·er**ˌ**bock·ered** *adj* mit Knickerbocker(hosen) bekleidet.

knick·ers ['nikərz] *s pl* **1.** *Kurzform für* **knickerbocker** 2. – **2.** Damenschlüpfer *m*, Schlupfhose *f*: **a pair of** ~.

knick·knack ['nikˌnæk] *s* **1.** Spielzeug *n*, Schnickschnack *m*, Tand *m*, Kleinigkeit *f.* – **2.** Nippsache *f*, Nippes *pl.* – **3.** Drum u. Dran *n*, kleiner Leckerbissen (*zu Speisen*). – **4.** Drum u. Dran *n*, kleine Verzierung (*an Kleidungsstücken*). — '**knick**ˌ**knack·er·y** [-əri] *s* Tand *m*, Trödelkram *m*, Nippes *pl.* — '**knick**ˌ**knack·ish** *adj* voll von Krimskrams, mit zuviel Drum u. Dran über'laden, Nipp...

knick·point ['nikˌpɔint] *s geol.* Gefällsbruch *m*, -stufe *f*, Knick(punkt) *m.*

knife [naif] **I** *s pl* **knives** [naivz] **1.** Messer *n*: **before you can say** ~ bevor man sich's versieht, im Handumdrehen; → **war** 2; **to get one's** ~ **into s.o.** j-m übelwollen, j-n ,gefressen haben'; **to play a good** ~ **and fork** gern u. reichlich essen. – **2.** *med.* (Se'zier-, Operati'ons)Messer *n*: **amputating** ~ Amputationsmesser; **cataract** ~ Starmesser; **to go under the** ~ sich einer Operation unterziehen. – **3.** Dolch *m*, kurzes Schwert. – **4.** *tech.* Messer *n* (*in Maschinen u. Werkzeugen*). – **II** *v/t* **5.** (be)schneiden, mit einem Messer bearbeiten, (*Pflanzen*) ausputzen, (*Leder*) beschneiden, (*Farbe*) mit dem Messer auftragen. – **6.** erdolchen, erstechen. – **7.** *Am. sl.* (*j-m*) in den Rücken fallen, (*j-m*) einen Dolchstoß versetzen, (*j-n*) ,abschießen', (*durch geheime Machenschaften*) zur Strecke bringen (*bes. in der Politik*).

knife| **and fork I** *s* **1.** Messer *n* u. Gabel *f*, Eßbesteck *n*: **a good (poor)** ~ *fig.* ein starker (schwacher) Esser. – **2.** *bot.* a) → **herb Robert**, b) Kolben-, Keulenbärlappmoos *n* (*Lycopodium clavatum*). – **II** *adj Br.* **3.** mit Messer u. Gabel zu essen(d) (*im Gegensatz zu leichtem Imbiß*): **a** ~ **tea.** — '~ˌ**board** *s* **1.** Messerputzbrett *n.* – **2.** *Br.* Doppelsitzbank *f* (*Rücken an Rücken auf dem Deck eines Omnibusses*). — '~ˌ**boy** *s* Messerputzer *m* (*Person*). — '~-ˌ**edge** *s* **1.** Messerschneide *f.* – **2.** *tech.* Waageschneide *f.* – **3.** *fig.* Grat(schneide *f*) *m* (*Berg*). — '~-ˌ**edged** *adj* messerscharf, mit scharfer Schneide *od.* Kante. — ~ **grind·er** *s* **1.** Scheren-, Messerschleifer *m.* – **2.** Schleifstein *m*, Schmirgelrad *n.* – **3.** *zo.* → **goatsucker** 2. — '~-ˌ**han·dle** *s* Messergriff *m*, -heft *n.*

knife·less ['naiflis] *adj* messerlos.

'**knife**|ˌ**like** *adj* messerartig, (messer)-scharf (*auch fig.*). — '~-**ma**ˌ**chine** *s* 'Messerˌputzmaˌschine *f.* — ~ **rest** *s* **1.** Messerbänkchen *n* (*bei Tisch*). – **2.** *mil.* → **cheval-de-frise.** — ~ **switch** *s electr.* Messerschalter *m*, Hebelschalter *m* mit 'Messerkonˌtakten. — ~ **tool** *s tech.* Messerzeiger *m*, Flachstichel *m*, platter Grabstichel.

knight [nait] **I** *s* **1.** *hist.* Ritter *m*, berittener Edelmann, Tur'nierkämpfer *m.* – **2.** Ritter *m* (*unterste u. nicht erbliche Stufe des engl. Adels mit dem Titel* Sir *vor dem Vornamen*): **he was made a** ~ **in 1950** im Jahre 1950 wurde er zum Ritter geschlagen. – **3.** *antiq.* Ritter *m od.* Reiter *m* (*lat. eques od. griech. hippeus*). – **4.** ~ **of the shire** *Br. hist.* Vertreter *m* einer Grafschaft im Parla'ment. – **5.** *fig. od. poet.* Ritter *m*, Kava'lier *m*, Beschützer *m.* – **6.** Ritter *m* (*Mitglied eines Ritterordens*): **K**~ **of the Garter** Ritter des Hosenbandordens; **K**~ **of St. John of Jerusalem** → **Hospitaler** 1. – **7.** (*Schach*) Springer *m*, Pferd *n.* – **8.** *colloq. od. humor.* (*in Umschreibungen*) Ritter *m*: ~ **of the brush** *obs.* Maler; ~ **of the pestle** *obs.* Apotheker; ~ **of the road** a) Straßenräuber, b) Handelsreisender, Reisevertreter; ~ **of the thimble** *obs.* Schneider. – **9.** *mar.* Mastknecht *m*, -poller *m.* – **II** *v/t* **10.** (*j-n*) zum Ritter schlagen: **Mr. Smith was** ~**ed at Buckingham Palace.** – **11.** (*j-n*) mit Sir (*u. Vornamen*) anreden. — '**knight·age** *s* **1.** *collect.* Ritterschaft *f.* – **2.** Ritterstand *m.* – **3.** Ritterliste *f* (*Verzeichnis aller Ritter*).

knight| **bach·e·lor**, *pl* **knights bach·e·lors** *s Br.* Ritter *m* (*Mitglied des niedersten engl. Ritterordens*). — ~ **ban·ner·et**, *pl* **knights ban·ner·ets** → **banneret**[1] a *u.* b. — ~ **com·mand·er**, *pl* **knights com·mand·ers** *s* Kom'tur *m* (*Ritterorden*). — ~ **com·pan·ion** → **companion**[1] 7. — '~-'**er·rant**, *pl* '**knights-'er·rant** *s* fahrender Ritter (*auch fig.*). — '~-'**er·rant·ry** [-ri] *s* **1.** fahrendes Rittertum. – **2.** *fig.* ständige Suche nach neuen Abenteuern, unstetes Leben. – **3.** qui'chotisches Benehmen. — '~ˌ**head** *s mar.* Ohrholz *n*, Judasohr *n* (*Stütze des Bugspriets*).

knight·hood ['naithud] *s* **1.** Rittertum *n*, -würde *f.* – **2.** Ritter(stand *m*) *pl*: **order of** ~ Ritterorden. – **3.** *collect.* Ritterschaft *f.* – **4.** Ritterlichkeit *f*, ritterlicher Cha'rakter.

Knight Hos·pi·tal·(l)er → **Hospitaler** 1.

knight·ing ['naitiŋ] *s* Ritterschlag *m*, Erhebung *f* zum Ritter *od.* in den Ritterstand.

'**knight**ˌ**like** *adj u. adv* ritterlich.

knight·li·ness ['naitlinis] *s* Ritterlichkeit *f.* — '**knight·ly** *adj u. adv* ritterlich.

knight| **of the post** *s jur.* Zeuge, der gegen Entgelt falsche Aussagen (*vor Gericht*) macht. — ~ **serv·ice** *s* **1.** *hist.* (Ritter)Lehen *n*, Ritterdienst *m.* – **2.** *fig.* Ritterdienst *m*, ritterliche Tat.

Knights| **of Co·lum·bus** [kə'lʌmbəs] *s pl Am.* Ko'lumbusritter *pl* (*eine röm.-kath. Vereinigung zu religiösen u. wohltätigen Zwecken, seit 1882*). — ~ **of La·bor** *s pl Am. hist.* *geheimer Gewerkschaftsbund in USA* (*vor AFL u. CIO*). — ~ **of Pyth·i·as** ['piθiəs] *s pl Am. eine geschlossene Vereinigung zu sozialen u. wohltätigen Zwecken* (*seit 1864*).

Knight Tem·plar, *pl* **Knights Templars** → **Templar** 1 *u.* 2.

knit [nit] **I** *v/t pret u. pp* **knit** *od.* '**knit·ted 1.** a) stricken, b) *tech.* wirken: **to** ~ **stockings** Strümpfe stricken *od.* wirken. – **2.** zu'sammenfügen, verbinden, vereinigen: **to** ~ **the hands** die Hände falten; **to** ~ **the parts of a fractured bone** die Teile eines gebrochenen Knochens zusammenfügen; **a well-**~ **frame** ein gut gebauter *od.* wohl gegliederter Körper. – **3.** *fig.* zu'sammenfügen, verbinden, anknüpfen, verknüpfen: **to** ~ **together by marriage** durch Ehe verbinden; **to** ~ **up** a) fest verbinden, b) abschließen, beschließen. – **4.** zu'sammenziehen, runzeln: → **brow**[1] 2. – **5.** *obs.* verknüpfen, -knoten. – **II** *v/i* **6.** a) stricken, b) *tech.* wirken. – **7.** sich vereinigen, sich (eng) verbinden, zu'sammenwachsen (*gebrochene Knochen etc*). – **8.** *fig.* sich (eng) zu'sammenfügen, sich verbinden. – **9.** sich zu'sammenziehen, runzeln: **his brows** ~ er runzelt die Stirn. – **III** *s* **10.** Gestricktes *n*, Stricke'rei *f*, Strickarbeit *f*, -zeug *n.*

'**knit**|ˌ**back** *s bot.* Gebräuchlicher Beinwell, Schwarzwurz *f* (*Symphytum officinale*). — ~ **goods** *s pl* **1.** Wirkwaren *pl*, *bes.* Triko'tagen *pl*, Tri'kotwaren *pl.* – **2.** Strickwaren *pl.*

knit·ter ['nitər] *s* **1.** Stricker(in). – **2.** *tech.* 'Strick-, 'Wirkmaˌschine *f.*

knit·ting ['nitiŋ] *s* **1.** Stricken *n.* – **2.** *tech.* Wirken *n.* – **3.** Strickarbeit *f*, -zeug *n*, Stricke'rei *f.* — ~ **bee** *s Am.* Strickkränzchen *n* (*bes. zu wohltätigen Zwecken*). — ~ **ma·chine** *s tech.* 'Strickmaˌschine *f.* — ~ **nee·dle** *s* Stricknadel *f.*

knit·tle ['nitl] *s mar.* Knüttel *m* (*dünne Leine aus zwei od. mehr Kabelgarnen*).

'**knit**ˌ**wear** *s* Strick-, Wirkwaren *pl.*

knives [naivz] *pl von* **knife** I.

knob [nɒb] **I** *s* **1.** (*runder*) Griff, Knopf *m*, Knauf *m*: **door**~ Türknauf, -griff; **with** ~**s on** *sl.* allerdings! und wie! und ob! – **2.** her'vorstehende Stelle, Buckel *m*, Knopf *m*, Unebenheit *f.* – **3.** Knoten *m*, Verdickung *f.* – **4.** Knorren *m*, Ast *m* (*im Holz*). – **5.** Stück(chen) *n*, kleiner Klumpen. – **6.** Buckel *m*, (*bes. alleinstehender*) runder Hügel *od.* Berg. – **7.** *arch.* Knauf *m* (*an Rippendurchschnitten u. Kapitellen*). – **8.** *sl.* ,Birne' *f*, ,Kürbis' *m* (*Kopf*). – **II** *v/t pret u. pp* **knobbed 9.** mit Knöpfen *od.* Knäufen versehen. – **III** *v/i* **10.** Knoten ansetzen, knorrig wachsen. — **knobbed** *adj* **1.** mit einem Knauf *od.* Griff versehen. – **2.** voller Knoten *od.* Unebenheiten. – **3.** knorrig.

knob·bi·ness ['nɒbinis] *s* Knotigkeit *f*, Knorrigkeit *f.*

knob·ble ['nɒbl] *s* kleiner Knopf, Knötchen *n.*

knob·by ['nɒbi] *adj* **1.** knotig, knorrig, wulstig. – **2.** knotenartig, knopfähnlich.

knob·ker·rie ['nɒbˌkeri] *s* Knüppel *m* mit Knauf (*Waffe afrik. Eingeborener*).

'**knob**|ˌ**like** → **knobby** 2. — '~ˌ**stick** *s* **1.** Stock *m* mit Knauf. – **2.** *Br.* Streikbrecher *m.* — '~ˌ**wood** *s bot.* Südafrik. Gelbholz *n* (*Xanthoxylum capense*).

knock [nɒk] **I** *s* **1.** Schlag *m*, Stoß *m*: **to take the** ~ *sl.* einen schweren (*bes.*

finanziellen) Schlag abkriegen. – 2. Klopfen *n*, Pochen *n*: there is a ~ es klopft (*an der Tür*). – 3. *tech.* Klopfen *n* (*Motor*). – 4. *Am. sl.* beißende *od.* spitzfindige Kri'tik. – 5. *sport* Am'spielsein *n*, ,Dransein' *n* (*beim Kricket*). – **II** *v/t* 6. schlagen, stoßen: to ~ cold umhauen (*auch fig.*); to ~ s.o. senseless j-n bewußtlos schlagen; to ~ on the head a) betäuben, bewußtlos schlagen, b) totschlagen, ,erledigen', c) *fig.* (*einer Sache*) ein Ende machen; to ~ one's head against *fig.* zusammenstoßen mit, in Konflikt geraten mit; to ~ head *colloq.* (*China*) sich ehrerbietig *od.* unterwürfig verneigen; to ~ s.o. into the middle of next week *colloq.* j-m eins versetzen, daß ihm Hören u. Sehen vergeht; j-n völlig fertigmachen (*auch fig.*); to ~ the bottom out of *fig.* (*einer Sache, bes. einem Argument*) den Grund *od.* Boden entziehen. – 7. schlagen, klopfen. – 8. *meist* ~ out durch Schlagen her'vorrufen, her'ausschlagen, -hämmern: to ~ out a tune on the piano eine Melodie auf dem Klavier hämmern. – 9. *Am. sl.* spitzfindig kriti'sieren, her'untermachen, verreißen. – 10. *Br. sl.* stark beeindrucken, (*vor Staunen od. Bewunderung*) sprachlos machen, (*dat*) den Atem nehmen: what ~s me is his impudence was mich perplex macht, ist seine Unverschämtheit. – **III** *v/i* 11. schlagen, pochen, klopfen: to ~ at the door an die Tür klopfen. – 12. schlagen, prallen, stoßen (against gegen *od.* auf *acc*). – 13. zufällig treffen *od.* stoßen (against auf *acc*). – 14. *tech.* a) rattern, rütteln (*Maschine*), b) klopfen (*Motor*). – 15. *Am. sl.* nörgeln, spitzfindig kriti'sieren. –

Verbindungen mit Adverbien:

knock| a·bout I *v/t* 1. um'herstoßen. – 2. böse mitnehmen, unsanft behandeln. – **II** *v/i* 3. *colloq.* her'umstreifen, -bummeln, sich her'umtreiben. – 4. *colloq.* ein unstetes Leben führen, her'umzi,geunern. — **~ down** *v/t* 1. niederschlagen, zu Boden schlagen (*auch fig.*). – 2. besiegen, über'wältigen. – 3. (*bes. Pfahl*) (hin)'eintreiben, (*Niet, Nagel etc*) einschlagen, -treiben. – 4. *econ.* (*bei Auktionen*) (*etwas*) zuschlagen, zusprechen (to s.o. j-m): to knock s.th. down to s.o. – 5. *econ. colloq.* (*Preise*) senken. – 6. (*bes. Maschinen zwecks leichteren Transports*) zerlegen, ausein'andernehmen. – 7. *Br. colloq.* aufrufen, auffordern: to ~ s.o. for a song j-n (*z.B. bei einem Gelage*) zum Singen auffordern. – 8. *Am. colloq.* (*Fahrgeld*) veruntreuen *od.* unter'schlagen (*bes. Schaffner*). — **~ in** *v/i Br. sl.* nach Torschluß Einlaß (*ins College*) erbitten. — **~ off I** *v/t* 1. abschlagen, weghauen: to knock s.o.'s head off *fig.* j-n mühelos übertreffen. – 2. beenden, beschließen, aufhören mit: to ~ work die Arbeit einstellen. – 3. *colloq.* a) (*Arbeit etc*) schnell erledigen *od.* abwickeln, b) schnell 'hinwerfen, aus dem Ärmel schütteln, schnell erfinden. – 4. *econ.* abziehen, abrechnen: to ~ 5 dollars from a bill von einer Rechnung 5 Dollar abziehen. – 5. *sl.* ,fertigmachen', völlig erledigen (*vernichtend schlagen*). – 6. *Br. sl.* ,mitgehen heißen', stehlen. – **II** *v/i* 7. die Arbeit einstellen, Feierabend machen. — **~ out** *v/t* 1. (her)'ausschlagen, -klopfen: to knock one's pipe out seine Pfeife ausklopfen; to knock the dust out den Staub herausklopfen. – 2. *sport* a) *auch* ~ of time (*Boxen*) k.o. schlagen, entscheidend besiegen, b) *auch* ~ of the box (*Baseball*) zum Abtreten vom Wurfplatz zwingen. – 3. *fig.* besiegen, schlagen. – 4. *colloq.* (*Plan etc*) schnell machen *od.* entwerfen. — **~ side·ways** *v/t* aus der Bahn werfen. — **~ to·geth·er** *v/t* rasch zu'rechtmachen, schnell ,zu'sammenhauen'. — **~ un·der** *v/i* sich geschlagen geben, klein beigeben, nachgeben. — **~ up I** *v/t* 1. (*durch Klopfen*) wecken. – 2. hochschlagen, in die Höhe schlagen. – 3. hastig ,zu'sammenbauen', schnell improvi'sieren: to ~ a match. – 4. (*Kricket*) (*Läufe*) machen. – 5. *Br. colloq.* erschöpfen, ermüden, ,fertigmachen'. – **II** *v/i* 6. ermüden, ,fertig sein'.

'knock|·a,bout I *adj* 1. lärmend, laut. – 2. unstet, unruhig, zi'geunerhaft. – 3. Arbeits..., Alltags..., strapa'zierfähig, fest (*Kleider, Wagen*). – **II** *s* 4. *mar. Am.* kleine Segeljacht *od.* kleines Fische'reifahrzeug (*ohne Bugspriet*). – 5. *Am.* wilde Raufe'rei. – 6. *Austral.* für handy man. — **'~,down I** *adj* 1. betäubend, niederschmetternd: a ~ blow. – 2. zerlegbar, zu'sammenlegbar: ~ furniture zerlegbare Möbel. – 3. *econ.* mindest(er, e, es), äußerst(er, e, es), niedrigst(er, e, es): ~ price Mindestpreis (*bei Auktionen*). – 4. *tech.* kopfgenietet. – **II** *s* 5. niederschmetternder *od.* betäubender Schlag. – 6. Balge'rei *f*, Raufe'rei *f*. – 7. zerlegbarer Gegenstand. – 8. *sl.* ,'Umschmeißer' *m* (*etwas was einen umwirft, wie starker Alkohol etc*). – 9. *colloq.* zerlegbares Möbelstück *od.* Gerät.

knock·er ['nɒkər] *s* 1. Klopfer(in), Klopfende(r). – 2. (Tür)Klopfer *m*: up to the ~ *sl.* bis aufs I-Tüpfelchen, bis in die letzten Feinheiten. – 3. *Br.* Klopfgeist *m* (*der reiche Erzadern durch Klopfen anzeigen soll*). – 4. *Am. sl.* spitzfindiger Nörgler, Kriti'kaster *m*.

'knock|-,kneed *adj* X-beinig. — **'~-,knees** *s pl* X-Beine *pl*. — **'~,out I** *s* 1. (*Boxen*) Knockout *m*, K.o. *m*. – 2. *fig.* Knockout *m*, vernichtende Niederlage. – 3. *econ. Br.* (*bei Versteigerungen*) a) Angehöriger *m* eines Käuferrings, b) Ringbildung *f*, c) Ringkauf *m*. – 4. *sl.* großartige *od.* ,tolle' Sache *od.* Per'son. – **II** *adj* 5. (*Boxen*) K.o.-..., niederschlagend, entscheidend, k.o.: ~ blow K.o.-Schlag; ~ system Ausscheidungssystem. – 6. *fig.* a) vernichtend, zerstörend, b) vernichtet, geschlagen. — **'~,proof** *adj tech.* klopffest (*Treibstoff*). — **'~,up** *s sport* Trainingsspiel *n*.

knoll¹ [noul] *obs. od. dial.* **I** *v/t* 1. ausläuten, durch Glocken verkünden. – 2. (*Stunden*) schlagen, läuten. – 3. (*Glocke*) läuten, anschlagen. – 4. zu'sammenläuten, (*durch Glocken*) zu'sammenrufen. – **II** *v/i* 5. läuten, (er)klingen (*Glocke, bes. bei Begräbnissen*). – 6. ein Grabgeläute erklingen lassen. – 7. die Glocke(n) läuten. – 8. die Stunden schlagen. – **III** *s* 9. (*bes.* Grab)-Geläute *n*.

knoll² [noul] *s* (runder) Hügel, Kuppe *f*.

knop [nɒp] *s* 1. Noppe *f* (*an Noppengarnen*): ~ yarn Noppengarn. – 2. *arch.* Kreuzblume *f od.* -knauf *m* (*bes. an Fialen*). – 3. *obs.* a) (Zier)-Knauf *m*, Knopf *m*, Buckel *m*, b) (Blüten)Knospe *f*.

knop·per ['nɒpər] *s bot.* Knoppergalle *f* (*an Eichelbechern; durch eine Gallwespe erzeugt*).

knosp [nɒsp] *s selten* 1. (Zier)Knauf *m*. – 2. → knop 2.

knot¹ [nɒt] **I** *s* 1. Knoten *m*: to make (*od.* tie) a ~ einen Knoten machen. – 2. knotenartig geschlungene Verzierung, *bes.* a) Achselstück *n*, Epau'lette *f*, b) Ko'karde *f*. – 3. (Handarbeits)Knoten *m* (*zur Herstellung von Mustern*). – 4. a) Knoten *m* (*beim Teppichknüpfen*), b) Knüpfung *f*, Knüpfart *f* (*von Teppichen*). – 5. Knotenpunkt *m* (*mehrerer Stränge, Linien etc*). – 6. *mar.* Knoten *m*: a) Stek *m*, Stich *m* (*im Tau*), b) *Marke an der Logleine*, c) Seemeile *f*, d) *als Einheit der Fahrtgeschwindigkeit eines Schiffs* (= *1 Seemeile/Std*). – 7. *fig.* a) Knoten *m*, Pro'blem *n*, Schwierigkeit *f*, b) Verwicklung *f*, c) Kern(punkt) *m* (*eines Problems*), d) Verbindung *f*, Band *n*: marriage ~ Band der Ehe. – 8. *bot.* a) Knoten *m* (*Blattansatzstelle*), b) Astknorren *m*, c) Knoten *m*, Knötchen *n*, knoten- *od.* knötchenartiger Auswuchs, d) Kropf *m* (*als Pflanzenkrankheit*). – 9. Ast(knoten) *m* (*im Holz*). – 10. *med.* Knoten *m* (*bei Gicht etc*). – 11. *tech.* Knoten *m*, Krebs *m* (*ungerösteter Erzkern*). – 12. Gruppe *f*, Knäuel *m, n*, Haufen *m*, Traube *f* (*Menschen etc*). – 13. *meist* porter's ~ *Br.* Schulterkissen *n* (*für Gepäckträger etc*). – 14. *obs. od. dial.* kunstvoll angelegter Blumengarten. – **II** *v/t pret u. pp* **'knot·ted** 15. (ver)knoten, knüpfen, zu einem Knoten schlingen. – 16. anknoten, anknüpfen, mit einem Knoten befestigen: to ~ together zusammenknoten, miteinander verknüpfen. – 17. knotig machen. – 18. verwickeln, verheddern, verwirren. – 19. (*Fransen*) knüpfen. – 20. (*Brauen*) zu'sammenziehen, (*Stirn*) runzeln. – **III** *v/i* 21. (einen) Knoten bilden, sich zu (einem) Knoten schlingen *od.* schürzen. – 22. sich knoten *od.* knüpfen lassen. – 23. knotig werden, Knoten bekommen. – 24. sich verwickeln *od.* verheddern. – 25. Fransen knoten.

knot² [nɒt] *s zo.* Knutt *m*, Isländischer Strandläufer (*Calidris canutus*).

'knot|,ber·ry → cloudberry. — **'~,grass** *s bot.* 1. (*ein*) Knöterich *m* (*Gattg Polygonum*), *bes.* Vogelknöterich *m* (*P. aviculare*). – 2. *ein knotiges Gras, bes.* Amer. Pfauengras *n* (*Paspalum distichum*). — **'~,hole** *s* Astloch *n* (*im Holz*). — **~ stitch** *s* (*Stickerei*) Knoten-, Knötchenstich *m*.

knot·ted ['nɒtid] *adj* 1. ver-, geknotet, geknüpft. – 2. → knotty.

knot·ter ['nɒtər] *s* 1. Knotende(r). – 2. *tech.* 'Knüpf-, 'Knotma,schine *f*. – 3. Knotenentferner(in), Entknoter(in).

knot·ti·ness ['nɒtinis] *s* 1. Knotigkeit *f*, knotige Beschaffenheit. – 2. Knorrigkeit *f*. – 3. *fig.* Schwierigkeit *f*, Verzwickt-, Kompli'ziertheit *f*.

knot·ty ['nɒti] *adj* 1. ge-, verknotet. – 2. knotig, voller Knoten *od.* Knötchen. – 3. knorrig, astig (*Holz*). – 4. verwirrt, verheddert. – 5. *fig.* verwickelt, schwierig, kompli'ziert: a ~ problem. – *SYN. cf.* complex. — **~ rhat·a·ny** → rhatany 1a.

'knot|,weed *s bot.* 1. → knapweed. – 2. → knotgrass 1. — **'~,work** *s* Knüpf-, Flechtarbeit *f*. — **'~,wort** *s bot.* 1. Vogelknöterich *m* (*Polygonum aviculare*). – 2. → knawel.

knout [naut] **I** *s* Knute *f*. – **II** *v/t* knuten, mit der Knute schlagen, (*dat*) die Knute geben.

know [nou] **I** *v/t pret* **knew** [nju:; *Am. auch* nu:] *pp* **known** [noun] 1. wissen, sich bewußt sein (*gen*): to ~ all the answers überall Bescheid wissen (wollen); to ~ by heart auswendig wissen *od.* können; to come to ~ erfahren, zu wissen bekommen; to ~ on which side one's bread is buttered auf seinen Vorteil bedacht sein; he wouldn't ~ er weiß das nicht (*er ist dafür nicht zuständig*). – 2. fähig sein, verstehen (how to do zu tun): he ~s how to treat children er versteht mit Kindern umzugehen; do you ~ how to drive a car? können Sie Auto fahren? – 3. kennen, vertraut sein mit (*Person, Örtlichkeit, Sache etc*): I have ~n him for two years ich kenne ihn (schon) seit 2 Jahren; to ~ by name dem Namen nach kennen; to ~ one's mind sich (über sich) im klaren sein; wissen, was man will; to ~ one's onions *sl.* wissen, wo Barthel den Most holt (*sich auskennen*); to ~ a thing or two *colloq.* in der Welt Bescheid wissen, sich auskennen; to ~ one's way about sich zurechtfinden, sich auskennen; to ~ the ropes a) *mar.* das Seemannshandwerk verstehen (*sich in den Tauen der Takelage auskennen*), b) *fig. colloq.* (gut) Bescheid wissen, genau eingeweiht sein. – 4. erfahren, erleben: he has ~n better days er hat bessere Tage gesehen; he has never ~n trouble er hat nie Schwierigkeiten gehabt. – 5. (ˈwieder)erkennen, unterˈscheiden: before you ~ where you are im Handumdrehen, ehe man sich's versieht; he ~s a good horse when he sees one er weiß, was ein gutes Pferd ist, wenn er eins vor sich hat; I don't ~ him from Adam *sl.* ich habe keine Ahnung, wer er ist; I don't ~ whether I shall ~ him again ich weiß nicht, ob ich ihn wiedererkennen werde. – 6. *Bibl.* (*geschlechtlich*) erkennen. – **II** *v/i* 7. wissen (of von, um), im Bilde sein (about über *acc*): I ~ better! ich bin nicht so dumm! he ought to ~ better than to go swimming after a big meal er sollte so viel Verstand haben zu wissen, daß man nach einem reichlichen Mahl nicht baden geht; not that I ~ of *colloq.* nicht daß ich wüßte; do (*od.* don't) you ~? nicht wahr? you ~ hör(en Sie) mal! (*einleitenderweise*) *od.* ja, doch (*in der Mitte u. am Ende eines Satzes*). – **III** *s* 8. Wissen *n* (*nur in der Wendung*): to be in the ~ Bescheid wissen, gut orientiert sein, eingeweiht sein.

know·a·bil·i·ty [ˌnouəˈbiliti; -əti] *s* Erkennbarkeit *f.* — **ˈknow·a·ble I** *adj* erkennbar, kenntlich. – **II** *s* (*etwas*) Erkennbares. — **ˈknow·a·ble·ness** → knowability.

ˈknow|-ˌall *s* Alleswisser *m*, ‚Schlaumeier' *m*, ‚Neunmalklug' *m.* — **ˈ~-ˌhow** *s Am.* Geschicklichkeit *f*, Sachkenntnis *f*, Vertrautheit *f*, praktisches Wissen (*mit Bezug auf eine bestimmte Aufgabe*).

know·ing [ˈnouiŋ] **I** *adj* **1.** intelliˈgent, scharfsinnig, einsichtig, klug, geschickt. – **2.** schlau, durchˈtrieben, verschmitzt: a ~ dog; a ~ one ein Schlauberger. – **3.** verständnisvoll, wissend, eingeweiht: a ~ glance ein bedeutsamer Blick. – **4.** auffassungsfähig, Erkenntnis...: ~ faculties Erkenntniskräfte. – **5.** *Am. sl.* eleˈgant, modisch, ‚schick', ‚fesch'. – **6.** absichtlich, bewußt. – *SYN. cf.* intelligent. – **II** *s* 7. Wissen *n*, Kenntnis *f*: there is no ~ man kann nicht wissen. — **ˈknow·ing·ly** *adv* wissentlich, absichtlich. — **ˈknow·ing·ness** *s* Klugheit *f*, Schlauheit *f.*

knowl·edge [ˈnɒlidʒ] *s* **1.** Kenntnis *f*, Kunde *f*, Bekanntschaft *f*, Erfahrung *f*: it has come to my ~ es ist mir zur Kenntnis *od.* zu Ohren gekommen; it is common (*od.* public) ~ es ist allgemein bekannt; to (the best of) my ~ meines Wissens, soviel ich weiß; to the best of my ~ and belief *jur.* nach bestem Wissen u. Gewissen; my ~ of Mr. X is not very great ich kenne Herrn X nicht sehr gut *od.* nur flüchtig; ~ of life Lebenserfahrung; → carnal 2. – **2.** Erkennen *n*, Erkenntnisvermögen *n*: → tree 1. – **3.** Wissen *n*, Kenntnisse *pl*, Wissenschaft *f*: general ~ Allgemeinbildung; his ~ of American history seine Kenntnisse in amer. Geschichte; working ~ praktisch verwertbare Kenntnisse (*bes. einer Sprache*). — **ˈknowl·edge·a·ble** *adj* **1.** verständig, klug, intelliˈgent. – **2.** (gut) unterˈrichtet. – **3.** kenntnisreich.

known [noun] **I** *pp von* know I *u.* II. – **II** *adj* bekannt: well-~ (wohl)bekannt (for durch, as als).

ˈknow-ˌnoth·ing I *s* **1.** Nicht(s)wisser(in), Unwissende(r). – **2.** Aˈgnostiker(in). – **3.** K~-N~ *pol. hist. Mitglied der American Party* (*bes. 1853–56 tätig; wollte politische Rechte auf geborene Amerikaner beschränken*). – **II** *adj* **4.** unwissend. – **5.** aˈgnostisch.

known quan·ti·ty *s math.* bekannte Größe.

knub [nʌb] *s* **1.** *obs. od. dial.* Knorren *m*, Knubben *m.* – **2.** *tech.* Flockseide *f* (*Abfall von Seidenkokons*).

knuck·le [ˈnʌkl] **I** *s* **1.** Knöchel *m*, Gelenk *n* (*der Finger*): near the ~ *colloq.* bis nahe an die Grenze des Anständigen; a rap on (*od.* over) the ~s *Am. colloq. od. Br.* ein Verweis. – **2.** Knie- *od.* Bugstück *n* (*vom Kalb, Schwein etc*): pig('s) ~s Schweinsknöchel; ~ of ham Eisbein. – **3.** *tech.* Gelenk *n* (*eines Scharniers*), Gelenkstück *n.* – **4.** *mar.* Bucht *f* (*eines Innenholzes*). – **5.** *pl* → ~-duster 1. – **II** *v/i* **6.** *auch* ~ down die Knöchel dicht am Boden halten (*beim Murmelspiel*): to ~ at the taw. – **7.** *meist* ~ down sich eifrig *od.* ernsthaft machen (to an *acc*). – **8.** *oft* ~ down, ~ under nachgeben, sich unterˈwerfen. – **III** *v/t* **9.** mit den Knöcheln bearbeiten *od.* schlagen *od.* pressen.

knuck·le| ball *s* (*Baseball*) *Am. langsamer Ballwurf, bei dem der Pitcher den Ball so faßt, daß die Knöchel seiner drei Mittelfinger fest auf ihn drücken.* — **ˈ~ˌbone** *s* **1.** *med. zo.* Knöchelbein *n.* – **2.** *pl* Knöchelspiel *n.* — **~ bow** *s* Schutzbogen *m* (*am Schwertgriff*).

knuck·led [ˈnʌkld] *adj* **1.** mit großen Knöcheln (versehen), knöchern (*Finger, Hand*). – **2.** vorstehend (*wie ein Knöchel*).

ˈknuck·le|-ˈdeep *adj* **1.** knöcheltief. – **2.** *fig.* eindringlich, tief(schürfend). — **ˈ~ˌdust·er I** *s* **1.** Schlagring *m.* – **2.** *Am.* Steinwerkzeug *n* (*des prähistorischen Menschen zu unbekanntem Zweck*). – **II** *v/t* **3.** mit einem Schlagring schlagen. — **~ guard** → knuckle bow. — **~ joint** *s* **1.** *med.* Knöchel-, Fingergelenk *n.* – **2.** *tech.* Gelenk *n.* — **ˈ~-ˌjoint** *v/t tech.* mittels Gelenk verbinden.

knuck·ler [ˈnʌklər] *s* **1.** Murmel *f.* – **2.** *obs. sl.* Taschendieb *m.*

knuck·le tim·ber *s mar.* Ohrspant *m.*

knuck·ly [ˈnʌkli] *adj* **1.** mit starken Knöcheln, knochig (*Finger*). – **2.** knöchelförmig.

knur, *Br. auch* **knurr** [nəːr] *s* **1.** Knorren *m*, Knoten *m.* – **2.** Holzball *m* (*im Spiel* knur and spell *od. beim Hockey*). — **~ and spell** *s ein Ballspiel* (*im Norden Englands*).

knurl [nəːrl] **I** *s* **1.** Knoten *m*, Zacken *m*, Buckel *m.* – **2.** *tech.* Rändelrad *n.* – **II** *v/t* **3.** kerben, zacken, rändeln, kordeln, riffeln. — **knurled** [nəːrld] *adj* **1.** knorrig. – **2.** geriffelt, gezackt: ~ screw Rändelschraube. — **ˈknur·ly** [-li] *adj* knorrig.

knurr *Br. für* knur.

knut [nʌt; knʌt] *Br. humor. für* nut 6b.

ko·a [ˈkouə] *s bot.* ˈKoaaˌkazie *f* (*Acacia koa; Hawaii*).

ko·a·la [koˈɑːlə] *s zo.* Koˈala *m*, Austral. Beutelbär *m* (*Phascolarctos cinereus*).

kob [kɒb; koub], **ko·ba** [ˈkoubə] *s zo.* Wasserbock *m* (*Gattg Adenota*).

ko·bel·lite [ˈkoubəˌlait] *s min.* Kobelˈlit *m* ($2PbS(Bi,Sb)_2S_3$).

ko·bold [ˈkoubɒld; -bould] *s* Kobold *m.*

Ko·dak [ˈkoudæk] (*TM*) **I** *s* **1.** *phot.* a) Kodak(-Kamera *f*) *m*, b) k~ *colloq. allg.* Kamera *f.* – **II** *v/t* k~ **2.** *phot.* mit einer Kodak-Kamera aufnehmen. – **3.** *fig.* kurz beschreiben.

ko·el [ˈkouəl] *s zo.* Koel *m* (*Gattg Eudynamis; Kuckuck*).

koft [kɒft] → koftgari. — **ˈkoft·gar** [-gɑːr] *s Br. Ind.* Verfertiger *m* von goldeingelegten Stahlwaren. — **ˌkoft·gaˈri** [-gəˈriː], **koft work** *s Br. Ind.* feine, mit Gold eingelegte Stahlarbeit.

Koh·i·noor, *auch* **k~** [ˈkouiˌnur] *s* **1.** Kohinoor *m* (*berühmter großer Diamant, 109 Karat*). – **2.** k~ *fig.* (*das*) Köstlichste (*seiner Art*).

kohl [koul] *s* **1.** Antiˈmonpulver *n*, Schwärze *f* (*zum Dunkelfärben der Augenlidränder*). – **2.** K~ *Am.* echter Araber (*Pferderasse*).

kohl·ra·bi [ˈkoulˈrɑːbi] *s bot.* Kohlˈrabi *m* (*Brassica oleracea var. gongylodes*).

Koi·ne [ˈkɔini; -niː; kɔiˈnei] *s* Koiˈne *f*: a) *griech. Sprache zur Zeit des Hellenismus,* b) k~ *jede durch Mischung u. Ausgleich entstandene Hochsprache.*

ko·koon [koˈkuːn] *s zo.* Streifengnu *n* (*Connochaetes taurinus*).

kok-sa·gyz [ˈkouksəˈgiːz] *s bot.* Koksagyz *m* (*Taraxacum kok-saghyz; kautschukliefernder Löwenzahn*).

ko·la [ˈkoulə] *s* **1.** → ~ nut. – **2.** ˈKolanuß-Exˌtrakt *m.* – **3.** *bot.* Kolabaum *m* (*Gattg Cola*). — **~ nut** *s* Kolanuß *f* (*bes. von Cola nitida u. C. acuminata*).

kol·hoz *cf.* kolkhoz.

ko·lin·sky [koˈlinski; kəˈl-] (*Russ.*) *s* **1.** *zo.* Koˈlinski *m* (*Lutreola sibirica; Nerz*). – **2.** Koˈlinskifell *n*, -pelz *m.*

kol·khoz, *auch* **kol·khos** [kɒlˈxɔːz] (*Russ.*) *s* Kolchos *m*, *n*, Kolˈchose *f*, Kollekˈtivwirtschaft *f*, -gut *n.*

kol·la nut [ˈkɒlə] → kola nut.

Kom·in·tern *cf.* Comintern.

ko·mi·ta·(d)ji *cf.* comita(d)ji.

kon·ta·ki·on [kənˈtɑːkiˌɒn] *s* (*griech.-orthodoxe Kirche*) **1.** Konˈtakion *n*, Lobeshymne *f* (*auf einen Heiligen*). – **2.** (kleines) Gebetbuch (*des Priesters für bestimmte Gottesdienste*).

koo·doo *cf.* kudu.

kook·a·bur·ra [*Br.* ˈkukəˌbʌrə; *Am.* -ˌbəːrə] → laughing jackass.

koo·lah [ˈkuːlə] → koala.

koo·lo·kam·ba [ˌkuːloˈkæmbə] *s zo.* Kooloˈkamba *m* (*Troglodytes koolokamba; ein Schimpanse*).

koo·ra·jong [ˈkuːrəˌdʒɒŋ] → kurrajong.

koor·bash *cf.* kurbash.

kop [kɒp] *s S. Afr.* Hügel *m*, Berg *m.*

ko·peck, *auch* **ko·pek** [ˈkoupek] *s* Koˈpeke *f* (*russ. Währungseinheit*).

kop·je [ˈkɒpi] *s S. Afr.* kleiner Hügel, Anhöhe *f.*

kopp·ite [ˈkɒpait] *s min.* Kopˈpit *m.*

Ko·rah [ˈkɔːrə] *npr Bibl.* Korah *m*: the company of ~ die Rotte Korah.

Ko·ran [kɔːˈrɑːn] *s relig.* Koˈran *m.* — **Koˈran·ic** [-ˈrænik] *adj* koˈranisch.

Kor·do·fan gum [ˌkɔːrdoˈfɑːn] *s* Gummiaˈrabikum *n* (*benannt nach Kordufan im Sudan*).

Ko·re·an [koˈriːən; kə-] **I** *s* **1.** Koreˈaner(in). – **2.** *ling.* Koreˈanisch *n*, das Koreanische. – **II** *adj* **3.** koreˈanisch.

korf·ball [ˈkɔːrfˌbɔːl] *s sport* (*Art*) Korbball *m.*

ko·rin [ˈkɔːrin] *s zo.* (*eine*) Gaˈzelle (*Gazella rufifrons*).

kor·ri·gum [ˈkɒrigəm] *s. zo.* ˈLeieranti̩ˌlope *f* (*Damaliscus corrigum*).

ko·ru·na [ˈkɔːrunɑ] *s* Koˈruna *f*, Tschechenkrone *f* (*Münzeinheit*).

kos [kous] *pl* **kos** *s indisches Längenmaß (zwischen 2½ u. 5 km).*
ko·sher ['kouʃər] **I** *adj* **1.** *relig.* koscher, rein *(bes. Fleischspeisen, deren Genuß nach den Vorschriften der jüd. Religion erlaubt ist).* – **2.** gesetzlich erlaubt. – **3.** *Am. sl.* echt. – **II** *s* **4.** koschere Speise, koscherer Laden. – **III** *v/t* → **kasher.**
ko·to ['koutou] *s* Koto *n (jap. Saiteninstrument).*
ko·tow [kou'tau] → **kowtow.**
kot·wal ['kɒtwɑːl] *s Br. Ind.* hoher Poli'zeibeˌamter, Friedensrichter *m.*
kou·lan ['kuːlən] *s zo* Ku'lan *m,* Pferdeesel *m (Equus hemionus).*
kou·mis(s), kou·myss *cf.* kumiss.
kour·bash *cf.* kurbash.
kow·tow ['kau'tau; 'kou-] **I** *v/i* **1.** Ko'tau machen *(durch Berühren des Bodens mit der Stirn; in China).* – **2.** *fig.* sich 'unterwürfig benehmen, kriechen. – **II** *s* **3.** Ko'tau *m,* unter'würfige Ehrenerweisung.
kraal [krɑːl] *S. Afr.* **I** *s* Kral *m:* a) *Eingeborenendorf, Lagerplatz,* b) *umzäunter Viehhof.* – **II** *v/t (Vieh in Kral od. Pferch)* einschließen.
kraft [*Br.* krɑːft; *Am.* kræ(ː)ft], *auch* **~ pa·per** *s Am.* braunes 'PackpaˌPier.
krait [krait] *s zo* Krait *m,* Paraguda *f (Gattg Bungarus, bes. B. caeruleus; Giftnatter).*
kra·ken ['krɑːkən; 'krei-] *s* Krake(n) *m (sagenhaftes Ungeheuer an der norwegischen Küste).*
kra·ma ['kreimə] *s relig.* Mischung *f* von Wasser u. Wein *(zur Feier der Eucharistie in der griech.-orthodoxen Kirche).*
kran [krɑːn] *s* Kran *m (pers. Münzeinheit).*
krans [kræns; krɑːns], *auch* **krantz** [-ts] *s S. Afr.* steile Klippe.
kra·ter *cf.* crater[2].
K ra·tion *s mil. Am. (hochkonzentrierte)* Einsatz-, Stützpunktverpflegung *(in Dauerpackung; etwa 2 Pfund pro Ration).*
krau·ro·sis [krɔː'rousis] *s med.* Krau'rosis *f,* Austrocknung *f.*
Krem·lin ['kremlin] **I** *npr* Kreml *m (in Moskau; auch fig. für die russ. Regierung).* – **II** *s* k~ Burg *f,* Festung *f,* Zita'delle *f (bes. in russ. Städten).*
Krem·nitz white ['kremnits] *s* Kremser *od.* Kremnitzer Weiß *n.*
kreut·zer, kreu·zer ['krɔitsər] *s* Kreuzer *m (ehemalige österr. u. süddeutsche Münze).*
krieg·spiel ['kriːgˌspiːl] *s mil.* Kriegs-, Planspiel *n.*
krim·mer ['krimər] *s* Krimmer *m (Pelz aus Fellen junger Schafe).*
kris [kriːs; kris] → **creese.**
Krish·na ['kriʃnə] *npr (Hinduismus)* Krischna *m (Gott).* — **'Krish·naˌism** [-ˌizəm] *s* Krischna'ismus *m,* Krischnaverehrung *f.*
Kriss Krin·gle ['kris 'kriŋgl] *s Am.* Sankt Nikolaus *m.*
krit·arch·y ['kritɑːrki] *s* Herrschaft *f* der Richter *(über Israel).*
kro·na ['krounə] *pl* **-nor** [-nɔːr] *s* Krone *f (Münzeinheit u. Silbermünze in Schweden).*
kro·ne[1] ['kroune; -nə] *pl* **-ner** [-ner; -nər] *s* Krone *f (Münzeinheit u. Silbermünze in Dänemark u. Norwegen).*
kro·ne[2] ['krounə] *pl* **-nen** [-nən] *s* Krone *f (ehemalige Münze in Österreich u. Deutschland).*
Kro·nos ['krounɒs] → **Cronus.**
Kroo, Krou, Kru [kruː] **I** *adj* Kru... – **II** *auch* **~ boy, ~ man** *s* Kru(neger) *m (an der Küste von Liberia).*
krul·ler *cf.* cruller.
Krupp gun [krʌp; krup] *s* Kruppsches Stahlgeschütz.
kryo- *cf.* cryo-.
kryp·ton ['kriptɒn] *s chem.* Kryp'ton *n (Kr; ein Edelgas).*
ku·chen ['kuːxən] *s Am.* Hefekuchen *m.*
ku·dos ['kjuːdɒs] *colloq.* **I** *s* Ruhm *m,* Preis *m,* Ehre *f.* – **II** *v/t* in den Himmel heben, preisen, rühmen.
ku·du ['kuːduː] *s zo.* Kudu *m,* 'Schraubenantiˌlope *f (Strepsiceros strepsiceros).*
Ku·fic ['kjuːfik] *adj* kufisch, 'altaˌrabisch *(Alphabet).*
ku·ge ['kuːŋe] *s* jap. Hofadliger *m.*
kuich·ua ['kwitʃwə] *s zo.* Langschwanzkatze *f (Felis macrura).*
Ku Klux, *auch* **Ku-klux, Ku·klux** ['kjuːˌklʌks; 'kuː-] *pol. Am.* **I** *s* **1.** Ku-Klux-Klan *m:* a) *Geheimbund im Süden der USA, nach dem Bürgerkrieg gegründet, um mit Gewaltmitteln die politische Herrschaft der Weißen wiederherzustellen,* b) *1915 neu gegründet, bes. 1920–25 tätig, angeblich die politischen Interessen des weißen, einheimischen Protestantismus vertretend.* – **II** *v/t selten* **2.** miß'handeln, verfolgen. – **3.** für die Lehre des Ku-Klux-Klan gewinnen. — **Ku Klux Klan** [klæn] → Ku Klux I. — **Ku Klux Klan·ner** *s* Mitglied *n* des Ku-Klux-Klan.
kuk·ri ['kukri] *s* krummer Dolch *(der Gurkhas).*
ku·lak [kuː'lɑːk; 'kuːlæk] *(Russ.) s* Ku'lak *m:* a) rücksichtsloser Dorfwucherer *(in Rußland vor der Revolution),* b) *pol. (neuerdings) (kollektivierungsfeindlicher, ‚kapitalistischer')* Mittel- *od.* Großbauer.
Kul·tur [kul'tuːr] *(Ger.) s* Kul'tur *f.* — **Kul'turˌkampf** [-ˌkampf] *(Ger.) s hist.* Kul'turkampf *m (Kampf zwischen der röm.-kath. Kirche u. der preußischen Regierung wegen Religions- u. Erziehungsfragen).*
ku·mis(s) ['kuːmis] *s* Kumyß *m:* a) *gegorene Stuten- od. Kamelsmilch,* b) *ähnlich zubereitete Kuhmilch (für Heilzwecke).*
küm·mel ['kiməl] *s* Kümmel *m (Schnapssorte).*
kum·mer·bund *cf.* cummerbund.
kum·quat ['kʌmkwɒt] *s bot.* Kleinfrüchtige 'GoldoˌRange, Jap. Orange *f (Gattg Fortunella).*
kun·kur ['kʌŋkər] *s* grober indischer Kalkstein.
kunz·ite ['kuntsait] *s min.* Kun'zit *m.*
Kuo·min·tang ['gwɔːmin'dɑːŋ; ˌkuːoumin'tæŋ] *s* Kuomin'tang *f (chines. Einheitsbewegung).*
kur·bash ['kurbæʃ] **I** *s* Kar'batsche *f.* – **II** *v/t* auspeitschen.
Kurd [kɔːrd] *s* Kurde *m,* Kurdin *(iranisches Volk Vorderasiens).* — **'Kurd·ish I** *adj* kurdisch. – **II** *s ling.* Kurdisch *n,* das Kurdische.
kur·ra·jong ['kʌrəˌdʒɒŋ] *s bot.* Kuradschongmalve *f (Gattg Sterculia).*
Kur·saal ['kuːrzaːl] *(Ger.) s* Kursaal *m.*
kur·to·sis [kɔːr'tousis] *s (Statistik)* Häufungs-, Häufigkeitsgrad *m.*
ku·ruş [ku'ruːʃ] *s* Kurusch *m (türk. Münzeinheit).*
ku·si·man·se(l) [ˌkuːsi'mænse(l); -'mɑːn-] *s zo.* Kusi'manse *f,* 'RüsselmanˌGuste *f (Crossarchus obscurus; eine Schleichkatze).*
kus·ti [kus'tiː] *s* heiliger Gürtel *(der Parsen; aus 72 Wollfäden bestehend).*
kvas(s) [kvɑːs; kvæs] *s* Kwaß *m (Art Bier).*
ky·ack ['kaiæk] *s Am. (Pferde)Packtaschen in Form von 2 hohlen Behältern.*
ky·a·nite ['kaiəˌnait] → **cyanite.**
ky·an·ize ['kaiəˌnaiz] *v/t tech. (Holz)* kyani'sieren *(mit Quecksilberchlorid gegen Fäulnis tränken).*
kyle [kail] *s Scot.* Meerenge *f,* Sund *m.*
ky·lin ['kiːˌlin] *s ein Fabeltier auf chines. u. jap. Tongeschirr.*
ky·lix ['kailiks] *pl* **kyl·i·kes** ['kiliˌkiːz] → **cylix.**
ky·loe ['kailo] *s Scot. kleine langhornige Rindviehrasse.*
ky·mo·graph ['kaiməˌgræ(ː)f; *Br. auch* -ˌgrɑːf] *s* **1.** *tech.* Kymo'graph *m (elektromagnetisches Schwingungsregistriergerät).* – **2.** *aer. mar.* Wendezeiger *m.* — **ˌky·mo'graph·ic** [-'græfik] *adj* kymo'graphisch.
Kym·ri, kym·ry, kym·ric *cf.* **Cymry, Cymric.**
ky·pho·sis [kai'fousis] *s med.* Ky'phose *f,* Rückgratverkrümmung *f.*
Kyr·i·e ['kiriˌiː], **~ e·le·i·son** [i'leiiˌsɒn; -əsən] *s relig.* Kyrie (e'leison) *n.*
kyte [kait] *s Scot. od. dial.* Magen *m,* Bauch *m.*
kythe *cf.* kithe.

L

L, l [el] **I** *s pl* **L's, Ls, l's, ls** [elz] **1.** L *n*, l *n* (*12. Buchstabe des engl. Alphabets*): a capital (*od.* large) L ein großes L; a little (*od.* small) l ein kleines L. – **2.** L (*12. angenommene Person bei Beweisführungen*). – **3.** l (*12. angenommener Fall bei Aufzählungen*). – **4.** *phys.* L (*Selbstinduktionskoeffizient*). – **5.** L (*röm. Zahlzeichen*) L (= *50*): L̄ L̄ (= *50000*). – **6.** L (Seiten)Flügel *m* (*meist rechtwinklig zum Hauptgebäude*). – **7.** L *cf.* el 2. – **8.** £ £ (*Pfund Sterling*): £ 5 (*od.* 5 l.) 5 £. – **9.** L L *n*, L-förmiger Gegenstand, *bes. tech.* Rohrbogen *m*. – **II** *adj* **10.** zwölft(er, e, es): Company L die 12. Kompanie. – **11.** L L-..., L-förmig: L iron *tech.* Winkeleisen. – **12.** L *Am. colloq.* Hoch(bahn)...: an L train ein Hochbahnzug.

la[1] [lɑː] *s mus.* **1.** la *n* (*6. Silbe der Solmisation*). – **2.** A *n*, a *n* (*im ital. u. franz. System*).

la[2] [lɑː; lɔː] *interj obs. od. dial.* ach! Donnerwetter! (*Ausruf der Überraschung*).

laa·ger ['lɑːgər] *S. Afr.* **I** *s* **1.** (befestigtes) Lager, *bes.* Wagenburg *f*. – **2.** *mil.* Parkplatz *m* für gepanzerte Fahrzeuge. – **II** *v/i* **3.** sich (in einer Wagenburg) lagern. – **III** *v/t* **4.** (*Wagen*) zu einer Wagenburg zu'sammenschließen. – **5.** in einem Lager *od.* einer Wagenburg 'unterbringen.

lab [læb] *s colloq.* La'bor *n*, Labora'torium *n*.

La·ban ['leibən] *npr Bibl.* Laban *m* (*Sohn des Bethuel*).

lab·a·rum ['læbərəm] *pl* **-ra** [-rə] *s* **1.** Labarum *n*, Kreuzbanner *n*, -fahne *f* (*kaiserliche Reichsfahne der spätröm. Zeit*). – **2.** *relig.* Prozessi'onsfahne *f* (*in der kath. Kirche*).

lab·dan·um ['læbdənəm] *s* Ladanum *n* (*wohlriechendes Cistusharz*).

lab·da·cism ['læbdəˌsizəm] → lambdacism.

lab·e·fac·tion [ˌlæbi'fækʃən], *auch* **ˌlab·e·fac'ta·tion** [-'teiʃən] *s selten* **1.** Schwächung *f*, Erschütterung *f*, Schädigung *f*. – **2.** Sturz *m*, Fall *m*, 'Untergang *m*. — **'lab·eˌfy** [-ˌfai] *v/t obs.* schwächen, erschüttern.

la·bel ['leibl] **I** *s* **1.** Eti'kette *f*, Aufschrift *f*, (Aufklebe)Zettel *m*, (Aufklebe- *od.* Anhänge)Schildchen *n*. – **2.** *fig.* (*kurze, kategorische*) Bezeichnung, Benennung *f*, Name *m*. – **3.** kleiner Streifen, schmales Stückchen. – **4.** Aufklebemarke *f*. – **5.** Bändchen *n od.* Perga'mentstreifen *m* (*zum Befestigen eines Siegels am Dokument*). – **6.** Band *n*, Schnur *f*. – **7.** Zipfel *m*, Quaste *f*. – **8.** *arch.* Kranzleiste *f*. – **II** *v/t pret u. pp* **'la·beled**, *bes. Br.* **'la·belled 9.** mit einem Zettel *od.* einer Aufschrift versehen, beschriften, etiket'tieren: the bottle was ~(l)ed 'poison' die Flasche trug die Aufschrift ‚Gift'. – **10.** *fig.* (be)nennen, bezeichnen, (*dat*) einen Namen geben: to be ~(l)ed a criminal zum Verbrecher gestempelt werden.

la·bel·lum [lə'beləm] *pl* **la'bel·la** [-'belə] *s bot.* Lippe *f* (*einer Blüte, bes. einer Orchidee*).

la·bi·a ['leibiə] *pl von* labium.

la·bi·al ['leibiəl] **I** *adj* **1.** Lippen..., die Lippen betreffend. – **2.** (*Phonetik*) a) Lippen..., labi'al (*mit den Lippen artikuliert*; *Konsonant*), b) labiali'siert, gerundet (*Vokal*). – **3.** *mus.* Lippen..., Labial...: ~ pipe Lippen-, Labialpfeife (*der Orgel*). – **II** *s* **4.** *mus.* Lippen-, Labi'alpfeife *f* (*der Orgel*). – **5.** (*Phonetik*) Labi'al *m*, Lippenlaut *m*. — **'la·bi·alˌism, ˌla·bi·al·i'za·tion** *s* (*Phonetik*) Labiali'sierung *f*, labi'ale *od.* labiali'sierte Aussprache (*eines Lautes*), Rundung *f* (*eines Vokals*). — **'la·bi·alˌize** *v/t* (*Phonetik*) labiali'sieren.

la·bi·ate ['leibiˌeit; -biit] **I** *adj* **1.** lippenförmig, lippig. – **2.** *bot.* a) lippenblütig, b) zu den Lippenblütern gehörig. – **II** *s* **3.** *bot.* Lippenblüter *m*. — **'la·biˌat·ed** → labiate I.

la·bile ['leibil] *adj* **1.** la'bil, unsicher, unbeständig. – **2.** la'bil (*Gleichgewicht*). – **3.** *chem.* unbeständig, zersetzlich. – **4.** (*Elektrotherapie*) gleitend: ~ application gleitende Anwendung (*einer Elektrode auf eine Körperstelle*). — **la·bil·i·ty** [lə'biliti; -əti] *s* Labili'tät *f*.

labio- [leibio] *Wortelement mit der Bedeutung* Lippe(n).

ˌla·bi·o'den·tal (*Phonetik*) **I** *adj* ˌlabioden'tal. – **II** *s* ˌLabioden'tal *m*. — **ˌla·bi·o'na·sal I** *adj* ˌlabiona'sal. – **II** *s* ˌLabiona'sal *m*. — **ˌla·bi·o've·lar I** *adj* ˌlabiove'lar. – **II** *s* ˌLabiove'lar *m*.

la·bi·um ['leibiəm] *pl* **'la·bi·a** [-biə] *s* **1.** Labium *n*, Lippe *f*, *bes.* a) *med.* (Scham)Lippe *f*, b) *zo.* 'Unterlippe *f* (*der Insekten, Crustaceen etc*). – **2.** *bot.* 'Unterlippe *f* (*der Lippenblüter*).

lab·lab ['læblæb] *s bot.* Lablab-, Helmbohne *f* (*Dolichos lablab*).

la·bor, *bes. Br.* **la·bour** ['leibər] **I** *s* **1.** (schwere) Arbeit: ~ of Hercules Herkulesarbeit (*schwere Aufgabe*); a ~ of love eine gern getane Arbeit. – **2.** Mühe *f*, Arbeit *f*, Plage *f*: lost ~ vergebliche Mühe. – **3.** körperliche Arbeit (*im Gegensatz zur geistigen*). – **4.** *econ.* a) Arbeiter(klasse *f*) *pl*, Arbeiterschaft *f*, b) Arbeiter *pl*, Arbeitskräfte *pl*: shortage of ~ Mangel an Arbeitskräften; → skilled 2. – **5.** Labour (*ohne Artikel*) *pol.* die Labour Party (*Großbritanniens*). – **6.** *med.* Wehen *pl*: to be in ~ in den Wehen liegen. – **7.** *mar.* Arbeiten *n*, Schlingern *n*, Stampfen *n* (*des Schiffs bei schwerem Seegang*). – *SYN. cf.* work. – **II** *v/i* **8.** (schwer) arbeiten, sich abmühen, sich bemühen, sich anstrengen: to ~ for s.th. sich um etwas abmühen; to ~ to understand s.th. sich bemühen, etwas zu verstehen; the wheels were ~ing through the sand die Räder arbeiteten sich schwer durch den Sand. – **9.** (under) zu leiden haben (unter *dat*), zu kämpfen haben (mit): to ~ under difficulties mit Schwierigkeiten zu kämpfen haben; → misapprehension. – **10.** gequält *od.* geplagt sein. – **11.** *med.* in den Wehen liegen. – **12.** *mar.* arbeiten, schlingern, stampfen (*Schiff bei schwerem Seegang*). – **III** *v/t* **13.** ausführlich *od.* 'umständlich behandeln, bis ins einzelne ausarbeiten *od.* ausführen: to ~ an argument ein Argument ausführlich darlegen; to ~ a point auf einen (strittigen) Punkt ausführlich eingehen. – **14.** *obs. od. poet.* (*Boden*) bearbeiten, bebauen. – **15.** *obs.* mühsam fertigbringen *od.* ausführen.

lab·o·ra·to·ry [*Br.* lə'bɒrətəri; 'læbə-; *Am.* 'læbrəˌtɔːri; -bərə-] **I** *s* **1.** Labora'torium *n*, La'bor *n*, Versuchsraum *m*. – **2.** *fig.* Werkstätte *f*, -statt *f*: the ~ of the mind die Werkstätte des Geistes. – **II** *adj* **3.** Laboratoriums..., Labor...: ~ assistant Laborant(in).

La·bor Day, *bes. Br.* **La·bour Day** *s* Tag *m* der Arbeit (*der 1. Mai in einigen europ. Ländern u. auf den Philippinen, der 1. Montag im September in den USA*).

la·bored, *bes. Br.* **la·boured** ['leibərd] *adj* **1.** schwerfällig, steif, gezwungen, for'ciert: a ~ style. – **2.** mühsam, schwer: ~ breathing.

la·bor·er, *bes. Br.* **la·bour·er** ['leibərər] *s* **1.** (*bes. ungelernter*) Arbeiter. – **2.** j-d der schwer *od.* viel arbeitet.

la·bor ex·change, *bes. Br.* **la·bour ex·change** *s* Arbeitsamt *n*.

la·bor·ing, *bes. Br.* **la·bour·ing** ['leibəriŋ] *adj* **1.** arbeitend: ~ classes Arbeiterbevölkerung; ~ man Arbeiter. – **2.** mühsam, schwer: ~ breath.

la·bo·ri·ous [lə'bɔːriəs] *adj* **1.** mühsam, mühselig, schwer, schwierig: a ~ undertaking. – **2.** schwer(fällig), schleppend: a ~ style. – **3.** arbeitsam, fleißig. — **la'bo·ri·ous·ness** *s* **1.** Mühseligkeit *f*, Mühsal *f* (*einer Arbeit etc*). – **2.** Schwerfälligkeit *f* (*des Stils etc*). – **3.** Arbeitsamkeit *f*, Fleiß *m*.

la·bor·ite, *bes. Br.* **la·bour·ite** ['leibəˌrait], *auch* **'la·bor·ist**, *bes. Br.* **'la·bour·ist** [-rist] *s* **1.** Anhänger(in) der Arbeiterbewegung. – **2.** *oft* L~ Mitglied *n* der Labour Party.

la·bor| lead·er, *bes. Br.* **la·bour| lead·er** *s* Arbeiter-, Gewerkschaftsführer *m*. — **~ mar·ket** *s* Arbeitsmarkt *m*. — **'~ˌsav·ing I** *adj* arbeitsparend: ~ device arbeitsparende Vorrichtung. – **II** *s* Arbeitsersparnis *f*. — **~ un·ion** *s pol.* Arbeiterverband *m*, Gewerkschaft *f*.

la·bour, la·boured, la·bour·er *etc bes. Br. für* labor, labored, laborer *etc*.

La·bour Par·ty *s pol.* Labour Party *f* (*die brit. Arbeiterpartei u. ihre Vertreter im Unterhaus*).

Lab·ra·dor dog ['læbrəˌdɔːr] *s* Labra'dorhund *m*, Neu'fundländer *m* (*Hunderasse*).
lab·ra·dor·ite ['læbrədɔːˌrait; ˌlæbrə'dɔːrait], *auch* **Lab·ra·dor feld·spar** *s min.* Labrado'rit *m*, Labra'dorfeldspat *m*.
Lab·ra·dor tea *s bot.* Labra'dortee *m* (*Ledum groenlandicum*).
la·bret ['leibret] *s* Lippenpflock *m* (*als Schmuck bei primitiven Völkern*).
lab·roid ['læbrɔid] *zo.* **I** *adj* lippfischartig, zu den Lippfischen gehörig. – **II** *s* Lippfisch *m* (*Fam. Labridae*).
la·brose ['leibrous] *adj* dicklippig.
la·brum ['leibrəm] *pl* '**la·bra** [-brə] *s* **1.** Lippe *f*, Rand *m*, Kante *f*. – **2.** *zo.* a) Labrum *n*, Oberlippe *f* (*der Insekten*), b) Außenrand *m* (*einer Schneckenschale*).
la·bur·num [lə'bəːrnəm] *s bot.* Goldregen *m*, Bohnenbaum *m* (*Gattg Laburnum*).
lab·y·rinth ['læbəˌrinθ] *s* **1.** Laby'rinth *n*, Irrgang *m*, Irrgarten *m*: a ~ of corridors. – **2.** *fig.* Verwick(e)lung *f*, Verwirrung *f*, Wirrwarr *m*. – **3.** *med.* Laby'rinth *n*, inneres Ohr. — ˌ**lab·y'rin·thine** [*Br.* -θain; *Am.* -θin; -θiːn], *auch* ˌ**lab·y'rin·thal**, ˌ**lab·y'rin·thi·an**, ˌ**lab·y'rin·thic** *adj* laby'rinthisch.
lab·y·rin·tho·dont [ˌlæbə'rinθoˌdɒnt] *zo.* **I** *adj* zu den Laby'rinthzähnern gehörig. – **II** *s* Wickel-, Laby'rinthzähner *m*, Labyrintho'dont *n* (*fossil*).
lac¹ [læk] *s* Gummilack *m*, Lackharz *n* (*Rohstoff des Schellacks*).
lac² [læk] *s Br. Ind.* **1.** Lak *n* (*ostindischer Wertbegriff für eine Geldsumme von 100000 Rupien*). – **2.** *fig.* unendlich große Zahl.
lac·co·lith ['lækəliθ], *auch* '**lac·coˌlite** [-ˌlait] *s geol.* Lakko'lith *m* (*vulkanische Intrusivmasse*). — ˌ**lac·co'lith·ic** [-'liθik], ˌ**lac·co'lit·ic** [-'litik] *adj* lakko'lithisch.
lac dye *s tech.* Lacdye *f*, roter Färbelack.
lace [leis] **I** *s* **1.** Spitze *f* (*durchbrochene Handarbeit*). – **2.** (Gold- *od.* Silber)Litze *f* (*an Uniformen etc*). – **3.** Schnürband *n*, -litze *f*, -senkel *m*: shoe~s Schuhbänder, Schnürsenkel. – **4.** Schuß *m* Branntwein (*als Zusatz zu Getränken*). – **II** *v/t* **5.** (zu-, zu'sammen)schnüren. – **6.** (*j-n od. j-s Taille durch ein Schnürkorsett*) (zu'sammen-, ein)schnüren: her waist was ~d tight. – **7.** (*Schnürband in Ösen od. Haken*) ein-, 'durchfädeln, ein-, 'durchziehen: to ~ through an eyelet in eine Öse einziehen, durch eine Öse fädeln *od.* ziehen. – **8.** (*Kleid, Handarbeit etc*) mit Spitzen besetzen, mit durch'brochener Arbeit verzieren. – **9.** (*mit Litzen*) besetzen, verbrämen, einfassen. – **10.** verflechten, verschlingen. – **11.** mit einem Netz- *od.* Streifenmuster verzieren. – **12.** schlagen, peitschen, prügeln. – **13.** (*Getränk*) mit einem Schuß Branntwein versetzen. – **III** *v/i* **14.** sich schnüren lassen, zum Schnüren eingerichtet sein (*Schuh etc*). – **15.** sich schnüren, ein 'Schnürkorˌsett tragen. — '~ˌ**bark** *s bot.* **1.** Leinwandbaum *m* (*Lagetta lintearia*). – **2.** Ahornblättriger Stinkbaum (*Sterculia acerifolia*).
laced [leist] *adj* **1.** geschnürt, Schnür...: ~ boot Schnürstiefel. – **2.** bunt gestreift. – **3.** *zo.* andersfarbig gerändert (*Feder*). – **4.** mit einem Schuß Branntwein (versetzt): ~ coffee.
Lac·e·dae·mo·ni·an [ˌlæsidi'mouniən; -sə-] **I** *adj* lazedä'monisch (*spartanisch*). – **II** *s* Lazedä'monier(in).
lace| fern *s bot.* Lippenfarn *m* (*Gattg Cheilanthes*). — ~ **fly** → lacewing. — ~ **glass** *s* Venezi'anisches Fadenglas. — '~ˌ**leaf** *s irr* → lattice plant. — ~ **liz·ard** *s zo.* **1.** 'Buntwaˌran *m* (*Varanus varius; Australien*). – **2.** 'Riesenwaˌran *m* (*Varanus giganteus; Australien*). — '~ˌ**mak·ing** *s* 'Spitzenˌherstellung *f*. — ~ **pa·per** *s* Pa'pierspitzen *pl*, 'Spitzenpaˌpier *n*. — ~ **pil·low** *s* Klöppelkissen *n*.
lac·er·a·ble ['læsərəbl] *adj* zerreißbar.
lac·er·ate I *v/t* ['læsəˌreit] **1.** zerfetzen, zerfleischen, zerreißen. – **2.** verletzen, miß'handeln, quälen: to ~ s.o.'s feelings j-s Gefühle verletzen. – **II** *adj* [-rit; -ˌreit] → lacerated. — '**lac·erˌat·ed** *adj* **1.** zerfleischt, zerfetzt. – **2.** *bot. zo.* (*ungleichmäßig*) geschlitzt, gefranst. — ˌ**lac·er'a·tion** *s* **1.** Zerreißung *f*, Zerreißen *n*, Zerfleischen *n*, Riß *m*. – **2.** *med.* Zerreißung *f*, Riß *m*: ~ of intestine Darmriß. – **3.** *med.* Fleischwunde *f*.
lac·er·til·i·an [ˌlæsər'tiliən], *auch* **la'cer·ti·an** [-'səːrʃiən], **la'cer·tine** [-tain; -tin] *adj zo.* zu den Eidechsen (*Unterordnung Lacertilia*) gehörend, Eidechsen..., eidechsenartig.
lace stitch *s* Steg *m* (*in Spitzenmustern*).
lac·et [lei'set] *s Spitze aus mit Stegen verbundenen Bändern od. Litzen.*
lace| tree → lacebark 2. — '~ˌ**wing** *s zo.* (*ein*) Netzflügler *m* (*Ordng Neuroptera*), *bes.* Florfliege *f*, Gold-, Perlenauge *n* (*Fam. Chrysopidae*). — '~ˌ**work** *s* **1.** Spitzenarbeit *f*, -muster *n*. – **2.** *fig.* Fili'gran(muster) *n*, fein durch'brochenes Muster.
lach·es ['lætʃiz] *s* **1.** Laxheit *f*, Schlaffheit *f*, Trägheit *f*, (Nach)Lässigkeit *f*. – **2.** *jur.* fahrlässige Versäumnis, Verzug *m*.
Lach·e·sis ['lækisis; -kə-] *npr* Lachesis *f* (*eine der Parzen der griech. Mythologie*).
lachrym- [lækrim] *Wortelement mit der Bedeutung* Tränen.
Lach·ry·ma Chris·ti ['lækrimə 'kristi; -tai] *s* Lacrimae *pl* Christi (*ein ital. Dessertwein*).
lach·ry·mal ['lækriməl; -rə-] **I** *adj* **1.** Tränen...: ~ vase Tränenkrug. – **2.** tränenreich. – **3.** *med. zo.* Tränen...: ~ duct Tränengang; ~ gland Tränendrüse; ~ sac Tränensack. – **II** *s* **4.** *pl med. zo.* 'Tränenappaˌrat *m*. – **5.** → lachrymatory 2.
lach·ry·ma·tion [ˌlækri'meiʃən; -rə-] *s* Tränenfluß *m*, -vergießen *n*.
lach·ry·ma·tor ['lækriˌmeitər; -rə-] *s chem. mil.* Tränengas *n*, Augenreizstoff *m*.
lach·ry·ma·to·ry [*Br.* 'lækrimətəri; *Am.* -rəməˌtɔːri] **I** *adj* **1.** Tränen her'vorrufend, augenreizend, Tränen...: ~ bomb Tränengasbombe; ~ gas Tränengas. – **II** *s* **2.** (*bes. Archäologie*) Tränenkrug *m*, -vase *f*. – **3.** → lachrymator.
lach·ry·mose ['lækriˌmous; -rə-] *adj* **1.** tränenreich, weinerlich. – **2.** traurig.
lac·ing ['leisiŋ] *s* **1.** (Ver)Schnüren *n*. – **2.** Schnürriemen *m*, -band *n*, -senkel *m*, Litze *f*. – **3.** *tech.* Riemenverbinder *m*. – **4.** Litzen *pl*, Tressen *pl*, Borten *pl* (*einer Uniform*). – **5.** Tracht *f* Prügel. – **6.** → lace 4.
la·cin·i·a [lə'siniə] *pl* **-i·ae** [-iˌiː] *od.* **-i·as** *s* **1.** *bot.* (schmalzipflige) Schlitzung, Franse *f*. – **2.** *zo.* Innenlade *f*, innere Kaulade (*von Insekten*). — **la'cin·iˌate** [-ˌeit; -it], **la'cin·iˌat·ed** *adj bes. bot.* geschlitzt, gefranst, zackig, tief eingeschnitten.
lac in·sect *s zo.* Lackschildlaus *f* (*Tachardia lacca*).
lack [læk] **I** *s* **1.** (of) Mangel *m* (an *dat*), Knappheit *f* (an *dat*), Fehlen *n* (von), Ermangelung *f* (von): for ~ of time aus Zeitmangel; no ~ of kein Mangel an (*dat*); ~ of money Geldmangel. – **2.** Mangelware *f*, fehlende *od.* dringend benötigte Sache: water is the chief ~ hauptsächlich fehlt es an Wasser. – **II** *v/t* **3.** nicht haben, nicht besitzen: we ~ coal es fehlt uns (an) Kohle. – **4.** (dringend) benötigen, brauchen. – **III** *v/i* **5.** (*nur im pres p verwendet*) fehlen: wine was not ~ing (an) Wein fehlte (es) nicht. – **6.** Mangel leiden (of, in an *dat*): he is ~ing in courage ihm fehlt der Mut. – *SYN.* need, require, want.
lack·a·dai·si·cal [ˌlækə'deizikəl] *adj* **1.** schmachtend, über'spannt, affek'tiert. – **2.** gleichgültig, indifferent, ener'gielos. — ˌ**lack·a'dai·si·cal·ness** *s* **1.** schmachtende Über'spanntheit, über'spanntes Getue, Affek'tiertheit *f*. – **2.** Gleichgültigkeit *f*, Indifferenz *f*.
lack·a·dai·sy ['lækəˌdeizi], '**lack·aˌday** [-ˌdei] *obs. für* alack.
'**lack-ˌall** *s* armer Teufel, Habenichts *m*.
lack·er, lack·er·er *cf.* lacquer, lacquerer.
lack·ey ['læki] **I** *s pl* **-eys, -ies** **1.** La'kai *m*, (li'vrierter) Bedienter. – **2.** *fig.* La'kai *m*: a) Kriecher *m*, Schmeichler *m*, Speichellecker *m*, b) Schma'rotzer *m*, Nassauer *m*. – **II** *v/t* **3.** (*j-m*) aufwarten, (*j-n*) bedienen. – **4.** (*j-m*) unter'würfig folgen. – **III** *v/i* **5.** *obs.* unter'würfig dienen, kriechen.
'**lack|ˌland I** *adj* landlos, besitzlos. – **II** *s* Land-, Besitzlose(r): John L~ Johann ohne Land (*engl. König, 1167–1216*). — '~ˌ**lus·ter**, *bes. Br.* '~ˌ**lus·tre I** *adj* glanzlos, matt. – **II** *s* Glanz-, Farblosigkeit *f*. — '~ˌ**wit I** *adj* dumm, geistlos. – **II** *s* Dummkopf *m*.
lac·moid ['lækmɔid] *s chem.* La(c)kmo'id *n*, Resor'cinblau *n*.
lac·mus ['lækməs] → litmus.
La·co·ni·an [lə'kouniən] **I** *s* La'konier(in). – **II** *adj* la'konisch (*Lakonien od. die Lakonier betreffend*).
la·con·ic [lə'kɒnik] **I** *adj* **1.** la'konisch, einsilbig, kurz u. bündig, gedrängt: a ~ style. – **2.** wortkarg, zu'rückhaltend, reser'viert. – *SYN. cf.* concise. – **II** *s* **3.** Lako'nismus *m*, gedrängte Ausdrucksweise, Sparsamkeit *f* des Ausdrucks, Wortkargheit *f*. – **4.** *obs.* la'konischer *od.* wortkarger Mensch. — **lac·o·nism** ['lækəˌnizəm] → laconic 3. — '**lac·oˌnize** [-ˌnaiz] *v/i* **1.** la'konisch sprechen, sich kurz u. bündig ausdrücken. – **2.** einfach *od.* spar'tanisch leben.
lac·quer ['lækər] **I** *s* **1.** *tech.* a) Lack(firnis) *m*, Firnis *m*, b) Lackfarbe *f*, Gummi-, Schellack *m*. – **2.** a) Lackarbeit *f*, b) *collect.* Lackarbeiten *pl*, -waren *pl* (*bes. aus Japan od. China*). – **II** *v/t* **3.** lac'kieren. — '**lac·quer·er** *s* **1.** Lac'kierer(in). – **2.** Lackarbeiter *m*, -künstler *m*. — '**lac·quer·ing** *s* **1.** Lac'kieren *n*, Lac'kierung *f*. – **2.** 'Lackˌüberzug *m*. – **3.** Lackkunst *f*.
lac·quer| tree *s bot.* Jap. Lackbaum *m*, Firnis-Sumach *m* (*Rhus vernicifiua*). — ~ **ware**, *auch* ~ **work** → lacquer 2.
lac·quey *cf.* lackey.
lacrim- *cf.* lachrym-.
lac·ri·mal *etc cf.* lachrymal *etc.*
la·cri·mo·so [lakri'moːso] (*Ital.*), *auch* ˌ**la·cri'man·do** [-'mando] (*Ital.*) *adj mus.* klagend, schmerzlich (*Vortragsbezeichnung*).
la·crosse [lə'krɒs; *Am. auch* -'krɔːs] *s sport* La'crosse *n* (*ein Ballspiel, bei dem ein Netzschläger mit langem Griff zum Auffangen u. Werfen des Balles dient*). — ~ **stick** *s* La'crosseschläger *m*.
lacrym- *cf.* lachrym-.
lac·ry·mal *etc cf.* lachrymal *etc.*
lact- [lækt] → lacto-.

lac·tam ['læktæm] *s chem.* Lak'tam *n.*
lac·tam·ide [læk'tæmid; -aid; 'læktə-] *s chem.* Lacta'mid *n* ($CH_3CH(OH)$-$CONH_2$; *Amid der Milchsäure*).
lac·ta·rene, *auch* **lac·ta·rine** ['læktə-ˌriːn; -rin] *s chem.* Lakta'rin *n* (*Kaseinpräparat*).
lac·ta·ry ['læktəri] *adj* Milch...
lac·tase ['lækteis] *s chem.* Lak'tase *f* (*Milchzucker spaltendes Enzym*).
lac·tate ['lækteit] **I** *v/i* **1.** Milch absondern. – **2.** Junge säugen. – **II** *s* **3.** *chem.* Lac'tat *n*, Salz *n* der Milchsäure. — **lac'ta·tion** *s* **1.** Milchbildung *f*, -absonderung *f*, Laktati'on *f*. – **2.** Säugen *n*, Stillen *n*.
lac·te·al ['læktiəl] **I** *adj* **1.** Milch..., milchähnlich, milchig: ~ fluid Milchflüssigkeit. – **2.** *med.* Lymph... – **II** *s* **3.** Lymphgefäß *n*. — ~ **fe·ver** *s med.* Milchfieber *n*. — ~ **gland** *s med.* Milchdrüse *f*.
lac·te·ous ['læktiəs] *adj* **1.** milchig, milchweiß, -artig. – **2.** → lacteal 2.
lac·tes·cence [læk'tesns], *auch* **lac'tes·cen·cy** [-si] *s* **1.** Milchartigkeit *f*, Milchigkeit *f*. – **2.** Milchigwerden *n*. – **3.** *bot.* Milchsaft *m* (*der Pflanzen*). — **lac'tes·cent** *adj* **1.** milchartig, milchig. – **2.** *zo.* Milch absondernd. – **3.** *bot.* reich an Milchsaft.
lac·tic ['læktik] *adj chem. med.* Milch... — ~ **ac·id** *s chem.* Milchsäure *f* ($CH_3CH(OH)CO_2H$). — ~ **fer·men·ta·tion** *s* Milchsäuregärung *f*.
lac·tif·er·ous [læk'tifərəs] *adj* **1.** *med.* milchführend. – **2.** *bot.* Milchsaft führend.
lacto- [lækto] *Wortelement mit den Bedeutungen*: a) Milch, b) Laktat.
lac·to·ba·cil·lus [ˌlæktobə'siləs] *s med.* 'Milchsäureba,zillus *m*.
lac·to·bu·ty·rom·e·ter [ˌlæktoˌbjuːti'rɒmitər; -mə-] *s* ˌLaktobutyro'meter *n*, Milchfettmesser *m*.
lac·to·fla·vin [ˌlækto'fleivin] *s chem.* Laktofla'vin *n* (*Vitamin B_2*).
lac·tom·e·ter [læk'tɒmitər; -mə-] *s* Lakto'meter *n*, ˌLaktodensi'meter *n* (*Aräometer zur Feststellung des spezifischen Gewichts der Milch*).
lac·tone ['læktoun] *s chem.* Lac'ton *n* (*durch innermolekulare Veresterung von Oxysäuren entstehende Ringverbindung*).
lac·to·pro·te·in [ˌlækto'proutiːin; -tiːn], *auch* ˌ**lac·to'pro·te·id** [-tiːid; -tiːd] *s chem.* ˌLactoprote'in *n*, Milcheiweiß *n*.
lac·to·scope ['læktəˌskoup] *s* Lakto'skop *n* (*Milchprüfgerät*).
lac·tose ['læktous] *s chem.* Lak'tose *f*, Milchzucker *m* ($C_{12}H_{22}O_{11}$).
lac·to·su·ri·a [ˌlækto'sju(ə)riə] *s med.* Laktosu'rie *f* (*Auftreten von Milchzucker im Harn*).
la·cu·na [lə'kjuːnə] *pl* **-nae** [-niː] *od.* **-nas** *s* La'kune *f*: a) Grube *f*, Vertiefung *f*, b) *bes. bot. med. zo.* Spalt *m*, c) Lücke *f* (*in einem Text*). — **la'cu·nal** → lacunary.
la·cu·nar [lə'kjuːnər] **I** *s pl* **-nars,** *auch* **-na·ri·a** [ˌlækju'nɛ(ə)riə] *arch.* **1.** Kas'sette *f*, Feld *n* (*einer Kassettendecke*). – **2.** Kas'settendecke *f*. – **II** *adj* → lacunary.
lac·u·nar·y [*Br.* lə'kjuːnəri; *Am.* 'lækjuˌneri] *adj* Lakunen..., laku'när, lückenhaft.
la·cu·nose [lə'kjuːnous] *adj* voller Lücken *od.* Vertiefungen, gefurcht, grubig.
la·cus·tral [lə'kʌstrəl] → lacustrine.
la·cus·tri·an [lə'kʌstriən] **I** *s* Pfahlbaubewohner *m*. – **II** *adj* → lacustrine.
la·cus·trine [lə'kʌstrin] *adj* (Binnen-)See...: a) *bes. geol.* einen See betreffend, b) *bot. zo.* in *od.* an Seen wachsend *od.* lebend: ~ deposits *geol.* Binnenseeablagerungen; ~ plants *bot.* Seepflanzen. — ~ **age** *s* (Zeit *f* der) 'Pfahlbaukulˌtur *f*. — ~ **dwell·ings** *s pl* Pfahlbauten *pl*. — ~ **pe·ri·od** → lacustrine age.
lac·y ['leisi] *adj* spitzenartig, Spitzen...
lad [læd] *s* **1.** junger Kerl *od.* Bursche. – **2.** Bursche *m*, Junge *m*, Knabe *m* (*scherzhaft für Männer jeden Alters*). – **3.** *Scot.* Geliebter *m*, Schatz *m*.
lad·a·num ['lædənəm] → labdanum.
lad·der ['lædər] **I** *s* **1.** Leiter *f* (*auch fig.*): to see through a ~ *fig.* das Offensichtliche erkennen; he can't see a hole in a ~ er ist total betrunken; the ~ of success die Leiter des Erfolges; to kick down the ~ sich undankbar erweisen gegen die Helfer beim eigenen Aufstieg. – **2.** Laufmasche *f* (*in Wirkwaren*). – **II** *v/i* **3.** Laufmaschen bekommen (*Strumpf etc*). – **III** *v/t* **4.** Laufmaschen machen in (*acc*): don't ~ your stockings. — '~-ˌ**back** *adj* mit leiterförmiger Rückenlehne (*Stuhl etc*). — ~ **bee·tle** *s zo. ein amer. Blattkäfer* (*Calligrapha scalaris*). — ~ **chain** *s tech.* Hakenkette *f*. — ~ **dredge** *s tech.* Eimerkette(nbagger *m*) *f*. — '~-ˌ**proof** *adj* (lauf)maschenfest (*Strumpf*). — ~ **stitch** *s* (*Stickerei*) Leiterstich *m*. — '~ˌ**way** *s* (*Bergbau*) Fahrschacht *m*.
lad·die ['lædi] *s bes. Scot.* Bürschchen *n*, Kleiner *m*.
lade [leid] *pret* '**lad·ed** *pp* '**lad·en** *od.* '**lad·ed I** *v/t* **1.** beladen, befrachten: to ~ a vessel. – **2.** verladen, verfrachten: to ~ goods on a vessel. – **3.** reich *od.* schwer beladen (*meist pp*): trees ~n with fruit; ~n tables. – **4.** *fig.* beladen, belasten, bedrücken (*meist pp*): ~n with responsibilities mit Verantwortung beladen; ~n with sorrow von Sorgen bedrückt. – **5.** *tech. od. dial.* schöpfen: to ~ water out of a tub. – **II** *v/i* **6.** sich beladen, beladen werden, Ladung *od.* Fracht nehmen. – **7.** *tech. od. dial.* schöpfen.
lad·en[1] ['leidn] *pp von* lade.
lad·en[2] ['leidn] *selten für* lade.
la-di-da [ˌlɑːdiː'dɑː] *sl.* **I** *s* **1.** Geck *m*, Vornehmtuer *m*, affek'tierter Dandy. – **2.** ˌVornehmtue'rei *f*, Affek'tiertheit *f* (*bes. im Benehmen u. in der Aussprache*). – **II** *adj* **3.** affek'tiert, vornehmtuerisch, geckenhaft, geziert.
La·dies'| Aid *s Am. kirchlicher Frauenverein zu wohltätigen Zwecken.* — **L~ chain** *s* (*Tanz*) Damenkette *f* (*Quadrillenfigur*). — **L~ choice** *s* Damenwahl *f* (*beim Tanzen*). — **L~ day** *s Am. Tag, an dem Frauen besondere Ehren erwiesen werden.* — ~ **gal·ler·y** *s* 'Damengaleˌrie *f* (*im brit. Unterhaus*). — **L~ man** *s irr* Frauenheld *m*.
la·di·fy *cf.* ladyfy.
La·din [lə'diːn] *s ling.* **1.** La'dinisch *n*, das La'dinische. – **2.** → Romansh I. – **3.** La'diner(in).
lad·ing ['leidiŋ] *s* **1.** Laden *n*, Befrachten *n*. – **2.** Ladung *f*, Fracht *f*: → bill[2] 8.
La·di·no [lɑː'diːnou] *pl* **-nos** *s* **1.** *ling.* La'dino *n* (*jüd.-span. Dialekt in den Küstenländern des Mittelmeers*). – **2.** La'dino *m*: a) spanischsprechender Mischling (*in Südamerika u. den span. Kolonien*), b) Me'stize *m*. – **3.** → Ladin 3. – **4.** *Am. dial.* bösartigtückisches Pferd.
lad·kin ['lædkin] *s* Bürschchen *n*.
la·dle ['leidl] **I** *s* **1.** Schöpflöffel *m*, -kelle *f*. – **2.** *tech.* a) Gieß-, Schöpfkelle *f*, Gießlöffel *m*, -pfanne *f*, b) (*Glasfabrikation*) Einsetzlöffel *m*, c) Schaufel *f* (*am Wasserrad*). – **II** *v/t* **3.** schöpfen.
la·drone [lə'droun] *s* Dieb *m od.* Räuber *m* (*in spanischsprechenden Gegenden*). — **la'dron·ism** *s* (*bes. Philippinen*) Räube'rei *f*, Räuberwesen *n*, ˌBuschkleppe'rei *f*.
la·dy ['leidi] **I** *s* **1.** Dame *f* (*allg. für Frau von Bildung*): fine ~ feine Dame; a perfect ~ eine vollkommene Dame; who is this young ~? wer ist diese junge Dame? ~-in-waiting diensttuende Hofdame. – **2.** Dame *f* (*ohne Zusatz als Anrede für Frauen im allgemeinen nur im pl üblich, im sg poet. od. vulg.*): ladies meine Damen! ladies and gentlemen meine Damen u. Herren! my dear (*od.* good) ~ (verehrte) gnädige Frau. – **3.** **L~** Lady *f* (*als Titel*): a) (*als weibliches Gegenstück zu* Lord) *für die Gattin eines Peers unter dem Duke*, b) *für die Peeress im eigenen Recht unter der Duchess*, c) (*vor dem Vornamen*) *für die Tochter eines Duke, Marquis od. Earl*, d) (*vor dem Familiennamen*) *als Höflichkeitstitel für die Frau eines Baronet od. Knight*, e) (*vor dem Vornamen des Ehemannes*) *für die Frau eines Inhabers des Höflichkeitstitels* Lord: L~ Mayoress *Titel der Frau des Lord Mayor*; my L~ gnädige Frau (*bes. von Dienstboten gebrauchte Anrede für eine Trägerin des Titels* Lady). – **4.** Herrin *f*, Gebieterin *f* (*poet. außer in*): ~ of the manor Grundherrin (*unter dem Feudalsystem*); our sovereign ~ *Bezeichnung der Königin*. – **5.** Herrin *f*, Frau *f*: ~ of the house Hausherrin, Dame *od.* Frau des Hauses. – **6.** *obs.* Hausherrin *f*, -frau *f*. – **7.** *colloq.* Freundin *f* (*eines Mannes*), Liebste *f*: his young ~ seine Freundin. – **8.** *hist.* (*im Minnedienst*) Herrin *f*, Geliebte *f* (*eines Ritters*). – **9.** *obs. od. vulg.* (*außer wenn auf eine Inhaberin des Titels* Lady *angewandt*) Gattin *f*, Frau *f*, Gemahlin *f*: your good ~ Ihre Frau Gemahlin. – **10.** the L~, *meist* Our L~ Unsere Liebe Frau, die Muttergottes. – **11.** Ladies *pl* (*als sg konstruiert*) 'Damentoiˌlette *f*, ‚Damen' *n*. – **12.** *zo.* Magenmühle *f* (*der Schalenkrebse*). – *SYN. cf.* female. –
II *adj* **13.** weiblich (*attributiv vor Berufsbezeichnungen, humor. auch für Tiere*): ~ doctor Ärztin; ~ president Präsidentin; ~ dog *humor.* Hündin. – **14.** *Br. vor Bezeichnungen von Dienstboten, die beanspruchen, als Dame behandelt zu werden*: ~ cook. – **15.** damenhaft, Damen... –
III *v/i* **16.** ~ it die Lady spielen, sich als Lady aufführen. –
IV *v/t* **17.** *obs.* eine Lady machen aus, zur Lady erheben.
La·dy| al·tar *s* Ma'rienalˌtar *m*. — **L~ bee·tle** → ladybird. — ~ **bell** *s relig.* **1.** Angelusglocke *f*. – **2.** Angelusläuten *n*. — '**L~ˌbird** *s zo.* Ma'rien-, Sonnen-, Herrgottskäfer *m* (*Fam. Coccinellidae*). — ~ **Boun·ti·ful** *s* gute Fee (*wohltätige Dame*). — '**L~ˌbug** *dial. od. Am. für* ladybird. — **L~ chair** *s* Vierhändesitz *m* (*Tragesitz für Verletzte, durch die verschlungenen Hände zweier Personen gebildet*). — ~ **Chap·el** *s* Ma'rien-, 'Scheitelkaˌpelle *f* (*den Chor engl. gotischer Kathedralen im Osten abschließende, der Jungfrau Maria geweihte Kapelle*). — **L~ clock, L~ cow** → ladybird. — **L~ crab** *s zo.* **1.** *eine amer. Schwimmkrabbe* (*Ovalipes ocellatus*). – **2.** Schwimmkrabbe *f* (*Portunus puber*). — ~ **Day** *s* **1.** *relig.* Ma'rienfeiertag *m*, -fest *n*, Frauentag *m*, *bes.* Ma'riä Verkündigung *f* (*25. März*). – **2.** *Br. auch für* quarter day. — **L~ fern** *s bot.* Weiblicher Streifenfarn (*Athyrium filix-femina*).
la·dy·fied ['leidiˌfaid] *adj colloq.* damenhaft.
'**la·dy|ˌfin·ger** *s* **1.** Löffelbiskuit *m, n*, kleiner länglicher Biskuitkuchen. –

2. → lady's-finger 1. — '~ˌ**fish** *s zo.* Frauenfisch *m* (*bes. Albula vulpes u. Bodianus rufus*). — '~ˌ**fly** → ladybird.

la·dy·fy ['leidiˌfai] *v/t* **1.** zur Lady machen. – **2.** ‚Lady' nennen.

la·dy| help *s Br.* Stütze *f* der Hausfrau, Haustochter *f.* — '~-ˌ**kill·er** *s colloq.* Weiberheld *m*, Herzensbrecher *m*, Schürzenjäger *m.* — '~-ˌ**kill·ing** *colloq.* **I** *s* ˌSchürzenjäge'rei *f*, ˌHerzensbreche'rei *f.* – **II** *adj* herzensbrecherisch, herzenbrechend.

la·dy·kin ['leidikin] *s* kleine Dame, Dämchen *n.*

'**la·dy|ˌlike** *adj* **1.** damenhaft, vornehm, fein: ~ **manners.** – **2.** fraulich, zart, sanft. – **3.** (*verächtlich*) weibisch (*Mann*). – *SYN. cf.* **female.** — '~ˌ**love,** '~-ˌ**love** *s* Geliebte *f.* — ~ **of pleas·ure,** *auch* ~ **of eas·y vir·tue** *s* Kurti'sane *f*, Freudenmädchen *n*, Dirne *f.* — ~ **of the bed·cham·ber** *s* königliche Hofdame (*der brit. Königin*).

'**la·dy's|-'bedˌstraw** ['leidiz] *s bot.* Echtes Labkraut (*Galium verum*). — '~-'**bow·er** *s bot.* (*eine*) kletternde Waldrebe (*Clematis vitalba u. C. virginiana*). — '~-'**comb** *s bot.* Nadelkerbel *m*, Hechel-, Venuskamm *m*, Ackerstrehl *m*, Hirtennadel *f* (*Scandix pecten-veneris*). — ~ **com·pan·ion** *s* Reise-Nähzeug *n*, Nähzeug *n* für die Handtasche. — '~-'**cush·ion** *s bot.* Moossteinbrech *m* (*Saxifraga hypnoides*). — '~-**de'light** *s bot.* Wildes Stiefmütterchen (*Viola tricolor*). — '~-'**earˌdrop(s)** *s bot.* **1.** *Am.* (*eine*) Fuchsie (*Fuchsia coccinea*). – **2.** *Am. dial.* Geflecktes Springkraut, Rührmichnichtan *n* (*Impatiens biflora*). — '~-ˌ**fin·ger** *s* **1.** *bot.* Gemeiner Wundklee (*Anthillis vulneraria*). – **2.** → ladyfinger 1. — '~-'**glass** *s bot.* Frauen-, Venusspiegel *m* (*Gattg Specularia, bes. S. speculum-veneris*). — '~-'**hair** *s bot.* **1.** Zittergras *n* (*Briza media*). – **2.** Frauen-, Venushaar *n* (*Adiantum capillus-veneris*).

la·dy·ship ['leidiˌʃip] *s* Ladyschaft *f* (*Stand u. Anredetitel einer Lady*): **her** (**your**) ~ ihre (Eure) Ladyschaft.

'**la·dy's-'lac·es** *s bot.* Band-, Ma'riengras *n* (*Phalaris picta*).

'**la·dy-ˌslip·per** → lady's-slipper.

la·dy's| maid *s* Kammerzofe *f.* — ~ **man** *cf.* ladies' man. — '~-'**man·tle** *s bot.* Wiesen-Frauenmantel *m* (*Alchemilla pratensis*).

la·dy smock → cuckooflower 1.

'**la·dy's|-'nightˌcap** *s bot.* **1.** Buschwindröschen *n* (*Anemone nemorosa*). – **2.** Zaunwinde *f* (*Convolvulus sepium*). – **3.** Ma'rien-, Gartenglockenblume *f* (*Campanula medium*). — '~-ˌ**slip·per** *s bot.* **1.** Frauenschuh *m* (*Gattg Cypripedium*). – **2.** *Am.* 'Gartenbalsaˌmine *f* (*Impatiens balsamina*). — '~-'**smock** → cuckooflower 1. — '~-'**thumb** *s bot. Am.* Flohknöterich *m* (*Polygonum persicaria*). — '~-ˌ**tress·es,** *auch* '~-ˌ**trac·es** *s pl bot.* Drehwurz *f*, Wendelorche *f* (*Gattg Spiranthes*).

lae·mod·i·pod [li'mɒdiˌpɒd], **lae·mo·dip·o·dan** [ˌliːmo'dipədən] *zo.* **I** *s* Kehlfüßer *m* (*Unterordng Laemodipoda; Flohkrebs*). – **II** *adj* zu den Kehlfüßern gehörig.

lae·o·trop·ic [ˌliːo'trɒpik], *auch* **lae·ot·ro·pous** [li'ɒtrəpəs] *adj zo.* laevo'trop, linksseitig, -gewunden (*Schneckenschale*).

Lae·ta·re Sun·day [li'tɛ(ə)ri] *s* Sonntag *m* Lä'tare (*4. Fastensonntag*).

lag[1] [læg] **I** *v/i pret u. pp* **lagged** **1.** *meist* ~ **behind** zu'rückbleiben, nicht mitkommen, hinten'nachhängen: **to** ~ **behind s.o.** hinter j-m zurückbleiben. – **2.** *meist* ~ **behind** a) sich verzögern, b) langsam gehen, zögern, zaudern, c) *electr.* nacheilen (*Strom*): **the current** ~**s behind the voltage** der Strom eilt der Spannung nach. – **3.** (*beim Murmelspiel*) *die Murmeln möglichst nahe an eine festgelegte Linie werfen* (*um die Spielfolge festzulegen*). – **4.** (*Billard*) *zur Festlegung der Spielfolge den Ball möglichst nahe an die Bande heranstoßen.* – *SYN. cf.* **delay.** – **II** *s* **5.** Zu'rückbleiben *n*, Verzögerung *f*, Rückstand *m*, Hinten'nachhängen *n.* – **6.** *phys. tech.* a) Verzögerung *f*, Verzugszeit *f*, b) Laufzeit *f* (*der Bewegung, z.B. bei Erdbebenmessungen*), c) *electr.* negative Phasenverschiebung, (Phasen)Nacheilung *f.* – **7.** *aer.* Rücktrift *f.* – **8.** (*Murmelspiel, Billard*) Festlegen *n* der Spielfolge (*durch möglichst große Annäherung der Murmel bzw. der Kugel an eine bestimmte Linie*). – **9.** *selten* (*der, die, das*) Letzte, *bes.* letzter Rest. – **10.** *obs.* unterste Klasse.

lag[2] [læg] *sl.* **I** *v/t pret u. pp* **lagged** **1.** (*j-n*) ‚schnappen' (*verhaften*). – **2.** depor'tieren, in die Zwangsjacke stecken. – **II** *s* **3.** Galgenvogel *m*, Sträfling *m*, Zuchthäusler *m.* – **4.** Strafzeit *f.*

lag[3] [læg] **I** *s* **1.** (Faß)Daube *f.* – **2.** *tech.* Schalbrett *n.* – **II** *v/t pret u. pp* **lagged** **3.** mit Dauben versehen. – **4.** *tech.* verschalen.

lag·an ['lægən] *s jur. mar.* Lagan *n*, Ligan *n*, (*freiwillig*) versenktes Gut, Seewurf *m.*

la·ge·na [lə'dʒiːnə] *pl* **-nae** [-niː] *s zo.* La'gena *f* (*eine Ausstülpung im Labyrinth des inneren Ohrs bei Fischen, Vögeln etc*).

la·ger[1] *cf.* laager.

la·ger[2] ['lɑːgər], *auch* ~ **beer** *s* Lagerbier *n.*

lag·gard ['lægərd] **I** *adj* langsam, saumselig, lässig, träge. – **II** *s* träger *od.* saumseliger Mensch, Trödler(in), Bummler(in). — '**lag·gard·ness** *s* Trägheit *f*, Saumseligkeit *f.*

lag·ger[1] ['lægər] *s* **1.** → laggard II. – **2.** Nachzügler(in).

lag·ger[2] ['lægər] → lag[2] 3.

lag·ging[1] ['lægiŋ] *s* Zu'rückbleiben *n*, Zögern *n*, Verzögerung *f.*

lag·ging[2] ['lægiŋ] *s* **1.** *tech.* Verkleiden *n* (*bes. mit Holz*). – **2.** Verkleidung *f.* – **3.** *arch.* Blendboden *m.* – **4.** (*Bergbau*) Ausbau *m*, Verkleidung *f*, Verschalung *f.*

lag·o·morph ['lægoˌmɔːrf; -gə-] *s zo.* hasenartiges Tier (*Ordng Lagomorpha*). — ˌ**lag·o'mor·phic,** ˌ**lag·o'mor·phous** *adj* hasenartig, zu den Hasenartigen gehörend, lago'morph.

la·goon [lə'guːn] *s* **1.** La'gune *f.* – **2.** toter Arm *od.* Ausläufer (*eines Flusses od. Sees*). — **la'goon·al** *adj* Lagunen...

lag·oph·thal·mi·a [ˌlægɒf'θælmiə] → lagophthalmus. — ˌ**lag·oph'thal·mic** *adj med.* lagoph'thalmisch (*das Hasenauge betreffend*). — ˌ**lag·oph'thal·mus** [-məs], *auch* ˌ**lag·oph'thal·mos** [-məs], ˌ**lag·oph'thal·my** [-mi] *s* Hasenauge *n* (*wegen Kürze eines Augenlides nicht schließbar*).

la·gos·to·ma [lə'gɒstəmə] *s med.* Hasenscharte *f.*

La·gran·gi·an [lə'grændʒiən] *adj* La'grangesch(er, e, es) (*den Mathematiker Joseph Louis Lagrange betreffend*): ~ **equations** *phys.* Lagrangesche Gleichungen.

lag screw *s tech.* Holz- *od.* Blechgewindeschraube *f* mit Vier- *od.* Sechskantkopf, *z.B.* Sechskantholzschraube *f.*

Lag·thing ['lɑːgˌtiŋ] *s* Lagting *n* (*das von der Volksvertretung alljährlich gewählte Oberhaus in Norwegen*).

la·ic ['leiik] **I** *adj* weltlich, Laien... – **II** *s* Laie *m* (*im Gegensatz zum Priester*). — '**la·i·cal** → laic I. — ˌ**la·i'cal·i·ty** [-'kæliti; -əti] *s* Weltlichkeit *f.*

la·i·cism ['leiiˌsizəm; 'leiə-] *s* Lai'zismus *m*, ˌAntiklerika'lismus *m.*

la·i·ci·za·tion [ˌleiisai'zeiʃən; ˌleiəsə-] *s* Verweltlichung *f*, Säkulari'sierung *f.* — '**la·iˌcize** *v/t* verweltlichen, säkulari'sieren.

laid [leid] *pret u. pp von* lay[1]. — ~ **pa·per** *s* geripptes Pa'pier. — ~ **up** *adj colloq.* bettlägerig (*with* infolge von).

laigh [leix] *Scot.* **I** *adj u. adv* **1.** tief, niedrig, nieder. – **II** *s* **2.** Niederung *f.* – **3.** Vertiefung *f*, Einsenkung *f.*

lain [lein] *pp von* lie[2].

lair[1] [lɛr] **I** *s* **1.** Lager *n* (*des Wildes*). – **2.** *allg.* Lager(statt *f*, -stätte *f*) *n.* – **3.** 'Viehhürde *f od.* -ˌunterstand *m* (*für Vieh auf dem Weg zum Markt*). – **4.** *agr.* Bodenbeschaffenheit *f.* – **II** *v/i* **5.** sich lagern, sein Lager bereiten. – **6.** lagern, ruhen. – **III** *v/t* **7.** lagern, in einem Lager 'unterbringen. – **8.** (*Vieh*) in eine Hürde *od.* in einen 'Unterstand bringen. – **9.** (*dat*) als Lager dienen.

lair[2] [lɛr] *v/i bes. Scot.* (*beim Durchwaten im Schlamm*) einsinken, stekkenbleiben.

lair[3] [lɛr] *dial. für* lore[2].

lair[4] [lɛr] *s Austral. sl.* Dandy *m*, Geck *m.*

laird [lɛrd] *s Scot.* Guts-, Grundherr *m.* — '**laird·ship** *s Titel eines schott. Grundherrn.*

lais·ser|-al·ler, ~ **al·ler** [lɛsea'le] (*Fr.*) *s* Laisser-al'ler *n.* — ~ **faire,** ~**-faire** (*Fr.*) *cf.* **laissez faire, laissez-faire.**

lais·sez| faire [lɛse'fɛːr; *bes. Br.* 'leisei'fɛə] (*Fr.*) *s* Laissez-'faire *n*: a) *econ.* wirtschaftlicher Libera'lismus, b) *allg.* 'übermäßige Tole'ranz, Gleichgültigkeit *f.* — ˌ~-'**faire** (*Fr.*) *adj* **1.** gleichgültig, 'übermäßig tole'rant. – **2.** individua'listisch.

la·i·ty ['leiiti; -əti] *s* **1.** Laienstand *m*, Laien *pl* (*im Gegensatz zu den Geistlichen*). – **2.** Laien *pl*, Nichtfachleute *pl* (*im Gegensatz zu den Fachleuten*).

lake[1] [leik] *s* (Binnen)See *m*; **the Great L**~ der große Teich (*der Atlantische Ozean*); **the Great L**~**s** die großen Seen (*an der Grenze zwischen den USA u. Kanada*); **the L**~**s** die Seen des Lake District.

lake[2] [leik] *s* **1.** Pig'mentfarbe *f.* – **2.** Kokkusrot *n.*

Lake| Dis·trict, *auch* ~ **Coun·try** *s* Seengebiet *n* (*im Nordwesten Englands*).

lake| dwell·er *s* Pfahlbaubewohner *m.* — ~ **dwell·ing** *s* Pfahlbau *m.* — ~ **fly** *s zo.* **1.** (*eine*) Büschelmücke (*Gattg Chironomus*). – **2.** *Am.* Eintagsfliege *f* (*Ephemera simulans*). — ~ **her·ring** *s zo. eine amer. Maräne* (*Leucichthys artedi*). — '~ˌ**land** *s* Seengebiet *n*, seenreiches Gebiet, *bes.* L~ → Lake District.

lake·let ['leiklit] *s* kleiner See.

Lake| po·et *s* Lakist *m*, Seendichter *m* (*einer der 3 Dichter der engl. Hochromantik, Southey, Coleridge u. Wordsworth*). — ~ **po·et·ry** *s* Dichtung *f* der Lakisten, Seendichtung *f.* — **L**~ **port** *s Am.* Binnenseehafen *m* (*bes. an einem der 5 großen Seen Nordamerikas*).

lak·er ['leikər] *s* **1.** L~ → Lake poet. – **2.** *Am.* Binnenschiffer *m.* – **3.** *Am.* Binnenseedampfer *m.* – **4.** *Am.* Binnenseebewohner(in). – **5.** *zo. Am. dial.* in Binnenseen lebender Fisch, *bes.* → lake trout.

lake| salm·on → namaycush. — **L**~ **school** *s* Seeschule *f* (*Dichtergruppe der engl. Hochromantik: Southey, Coleridge u. Wordsworth*). — ~ **stur·geon** *s zo.* Süßwasserstör *m* (*Acipenser rubicundus*). — ~ **trout** *s* *zo.* **1.** 'Seefo₍relle *f* (*Salmo trutta forma lacustris*). – **2.** → namaycush. — '~₍**weed** *s bot.* Wasserpfeffer *m* (*Polygonum hydropiper*). — ~ **white·fish,** *auch* ~ **whit·ing** *s zo.* Gemeiner Weißfisch (*Coregonus clupeaformis*).

lakh *cf.* lac².

lak·ist ['leikist] → Lake poet.

lak·y¹ ['leiki] *adj* **1.** (Binnen)See... – **2.** (binnen)seeartig.

lak·y² ['leiki] *adj* **1.** pig'mentfarbenartig. – **2.** aus Pig'mentfarbe. – **3.** kokkusrot.

lall [læl] *v/i* **1.** das r wie l aussprechen. – **2.** r u. l unrichtig aussprechen. – **3.** *fig.* lallen, kindisch sprechen.

Lal·lan ['lælən] *Scot.* **I** *adj* Tieflands... (*das schott. Tiefland betreffend*). – **II** *s ling.* Tieflandschottisch *n*, das Tieflandschottische.

lal·la·tion [læ'leiʃən] *s* **1.** Lallen *n*. – **2.** Lallati'on *f* (*unrichtige Aussprache des r wie l*).

la·lo ['lɑːlou] *s getrocknete u. zerriebene Blätter des Affenbrotbaums* (*in Afrika als Suppenzutat verwendet*).

la·lop·a·thy [læ'lɒpəθi] *s med.* Sprachstörung *f*, Lalopa'thie *f*.

lam¹ [læm] *pret u. pp* **lammed** *sl.* **I** *v/t* verbleuen, ‚vermöbeln'. – **II** *v/i* drauf'losschlagen, -prügeln (into auf *acc*).

lam² [læm] *Am. sl.* **I** *s* eiliges Auskneifen, schleuniges ‚Verduften': on the ~ im ‚Abhauen' begriffen, beim Ausreißen; to take it on the ~ sich schleunigst aus dem Staub machen, schleunigst ‚türmen'. – **II** *v/i pret u. pp* **lammed** sich aus dem Staub machen, ‚abhauen', ‚verduften'.

la·ma ['lɑːmə] *s relig.* Lama *m*.

la·ma·ic [lə'meiik] → Lamaist II.

La·ma·ism ['lɑːmə₍izəm] *s relig.* Lama'ismus *m* (*eine Abart des Buddhismus*). — '**La·ma·ist I** *s* Lama'ist(in) (*Mitglied od. Anhänger des Lamaismus*). – **II** *adj* lama'istisch. — ₍**La·ma'is·tic** → Lamaist II. — '**La·ma₍ite** *s* Lama'ist(in).

la·man·tin [lə'mæntin] → manatee.

La·marck·i·an [lə'mɑːrkiən] *biol.* **I** *s* **1.** Lamar'ckist(in) (*Anhänger[in] des Lamarckismus*). – **II** *adj* **2.** La'marcksch(er, e, es) (*den franz. Naturforscher J. Lamarck od. seine Abstammungslehre betreffend*). – **3.** lamar'ckistisch (*den Lamarckismus betreffend*). — **La'marck·ism** *s* Lamar'ckismus *m*.

la·ma·ser·y [*Br.* 'lɑːməsəri; *Am.*-₍seri] *s* Lamakloster *n*.

lamb [læm] **I** *s* **1.** Lamm *n*, junges Schaf: to be in ~ trächtig sein (*Schaf*); like a ~ (sanft) wie ein Lamm; a wolf (*od.* fox) in ~'s skin *fig.* ein Wolf im Schafspelz. – **2.** Lamm *n*: a) Lammfleisch *n*, b) → lambskin. – **3.** *fig.* Lamm *n* (*unschuldiger, unerfahrener od. geduldiger, sanfter Mensch*). – **4.** *sl.* (*Börsensprache*) unerfahrener Speku'lant. – **5.** Angeführte(r), Betrogene(r). – **6.** *fig.* Schäflein *n* (*junges Mitglied einer geistlichen Gemeinde*). – **7.** the L~ (of God) das Lamm (Gottes) (*Christus*). – **II** *v/i* **8.** (ab)lammen (*Schaf*). – **III** *v/t* **9.** (*Junge od. ein Junges*) werfen: to be ~ed geboren werden (*Lamm*). – **10.** ~ down *Austral. sl.* (*j-n*) ‚rupfen' (*ihm Geld abnehmen*).

lam·baste [læm'beist] *v/t sl.* **1.** ‚vermöbeln', ‚verdreschen' (*verprügeln*). – **2.** *fig.* ‚her'unterputzen', ‚zu'sammenstauchen' (*gehörig ausschelten*).

lamb·da ['læmdə] *s* Lambda *n* (*11. Buchstabe des griech. Alphabets*).

lamb·da·cism ['læmdə₍sizəm], *auch* ₍**lamb·da'cis·mus** [-məs] *s* **1.** Lambda'zismus *m* (*fehlerhafte Aussprache des r als l*). – **2.** zu häufige Verwendung von Wörtern mit l.

lamb·doid ['læmdɔid], *auch* **lamb·'doi·dal** [-dl] *adj* lambdaförmig: ~ suture *med.* Lambdanaht (*des Schädeldaches*).

lam·ben·cy ['læmbənsi] *s* **1.** Tanzen *n*, Züngeln *n*, flackerndes Schweben (*Flamme etc*). – **2.** geistreiches Funkeln, Leichtigkeit *f* (*Witz, Stil etc*). — '**lam·bent** *adj* **1.** tanzend, züngelnd, flackernd, spielend: ~ flames tanzende Flammen. – **2.** sanft strahlend *od.* leuchtend. – **3.** geistreich funkelnd *od.* blitzend, leicht (*Witz, Stil etc*).

lam·bert ['læmbərt] *s* (*Photometrie*) Lambert *n* (*Maßeinheit der Helligkeit*).

Lam·bert pine ['læmbərt] *s bot.* Kaliforn. Zuckerkiefer *f* (*Pinus lambertiana*).

Lam·beth ['læmbəθ], *s* **1.** *der Amtssitz des Erzbischofs von Canterbury im Süden von London.* – **2.** *fig.* der Erzbischof von Canterbury (*als Vertreter der anglikanischen Kirche*). — ~ **de·gree** *s eine vom Erzbischof von Canterbury verliehene Würde.* — ~ **Pal·ace** → Lambeth.

lamb·kill ['læm₍kil] *Am. für* sheep laurel.

lamb·kin ['læmkin] *s* **1.** Lämmchen *n*, Schäfchen *n*. – **2.** *fig.* Häschen *n* (*als Kosename für kleine zarte Person*).

'**lamb₍like** *adj* lämmergleich, lammfromm, sanft (wie ein Lamm).

lam·boys ['læmbɔiz] *s hist.* Panzerrock *m* (*von der Taille zu den Knien, an den Rüstungen des 15. u. 16. Jhs.*).

lam·bre·quin ['læmbərkin; -brə-] *s* **1.** *Am.* Lambre'quin *m*, (*kurze, meist ausgezackte*) 'Übergar₍dine. – **2.** *hist.* Helmdecke *f*.

lamb's fry *s* Schafshode *f* (*als Gericht*).

'**lamb₍skin** *s* **1.** Lammfell *n*. – **2.** Schafleder *n*. – **3.** Perga'ment *n* (*aus Schafhaut*).

'**lamb's|-₍let·tuce** *s bot.* Ra'pünzchen *n*, 'Feldsa₍lat *m* (*Valerianella locusta*). — '~-₍**quar·ters** *s bot.* **1.** Weißer Gänsefuß (*Chenopodium album*). – **2.** Melde *f* (*Atriplex hastata*). — '~-₍**tails** *s pl bot.* **1.** *Br.* Haselkätzchen *pl* (*von Corylus avellana*). – **2.** *Am.* Weidenkätzchen *pl* (*von Salix discolor*). — '~-₍**tongue** *s* **1.** *bot.* a) Mittlerer Wegerich (*Plantago media*), b) → lamb's-quarters 1, c) Ackerminze *f* (*Mentha arvensis*), d) Königskerze *f* (*Verbascum thapsus*), e) Gelbe Hundszahnlilie (*Erythronium americanum*). – **2.** *tech.* Falzhobel *m*. — ~ **wool** *s* Lammwolle *f*.

lame¹ [leim] **I** *adj* **1.** lahm, hinkend: ~ of (*od.* in) a leg auf einem Bein lahm. – **2.** *fig.* mangelhaft, schlecht, lahm: ~ endeavo(u)rs lahme Bemühungen; a ~ excuse eine faule Ausrede. – **3.** hinkend (*Verse*). – **II** *v/t* **4.** lahm machen, lähmen (*auch fig.*). – **III** *v/i* **5.** lahm gehen, lahmen. – **6.** lahm werden.

lame² [leim] *s* **1.** *hist.* Schuppe *f* (*eines Schuppenpanzers*). – **2.** Lame *f*, dünnes Me'tallplättchen.

la·mé [lɑː'mei] *s* La'mé *m* (*prunkvoller, mit Gold- od. Silberfäden durchwirkter Stoff für Abendkleider etc*).

La·mech ['leimek] *npr Bibl.* Lamech *m*.

lame duck *s* **1.** ‚lahme Ente', Versager *m*, Niete *f* (*erfolgloser od. gescheiterter Mensch*). – **2.** Niete *f*, ‚Fehlgeburt' *f* (*mißlungene Sache*). – **3.** *econ.* (*Börsensprache*) rui'nierter Speku'lant. – **4.** *pol. Am.* ‚lahme Ente' (*nicht wiedergewählter Amtsinhaber, bes. Kongreßmitglied, gegen Ende seiner Amtszeit*): Lame Duck Session *Sitzungsperiode des amer. Kongresses nach den Wahlen.*

la·mel·la [lə'melə] *pl* **-lae** [-liː] *od.* **-las** *s* **1.** La'melle *f*, (dünnes) Blättchen, Scheibchen *n*. – **2.** *zo.* a) Kiemenblättchen *n*, b) 'Knochenla₍melle *f*. – **3.** *bot.* La'melle *f* (*eines Blätterpilzes od. auf den Blättern mancher Laubmoose*). — **la'mel·lar** *adj* **1.** Lamellen... – **2.** → lamellate. — **lam·el·late** ['læmə₍leit; -lit], '**lam·el₍lat·ed** *adj* **1.** La'mellen tragend *od.* habend. – **2.** lamel'lär: a) aus La'mellen bestehend, b) la'mellenartig angeordnet, c) flach, plättchenartig.

la·mel·li·branch [lə'meli₍bræŋk; -lə₍b-], **la₍mel·li'bran·chi₍ate** [-₍eit; -it] *zo.* **I** *adj* zu den Muscheln gehörend. – **II** *s* Muschel *f* (*Klasse Lamellibranchiata*).

la·mel·li·corn [lə'meli₍kɔːrn] *zo.* **I** *s* **1.** Blatthornkäfer *m* (*Gruppe Lamellicornia*). – **II** *adj* **2.** mit blattartig erweiterten Gliedern (*Fühler*). – **3.** mit blattartig erweiterten Fühlergliedern, Blatthorn... (*Käfer*).

la·mel·li·ros·tral [lə₍meli'rɒstrəl], *auch* **la₍mel·li'ros·trate** [-treit] *adj zo.* zu den Gänsevögeln gehörend.

la·mel·lose [lə'melous] → lamellate.

lame·ness ['leimnis] *s* **1.** Lahmheit *f*. – **2.** *fig.* Mangelhaftigkeit *f*, Lahmheit *f*. – **3.** Hinken *n* (*von Versen*).

la·ment [lə'ment] **I** *v/i* **1.** jammern, (weh)klagen (for *od.* over um). – **2.** trauern. – **II** *v/t* **3.** bejammern, beklagen. – **4.** beklagen, betrauern (*meist im pass*). – *SYN. cf.* deplore. – **III** *s* **5.** Jammer *m*, (Weh)Klage *f*. – **6.** Klage-, Trauerlied *n*.

lam·en·ta·ble ['læməntəbl] *adj* **1.** beklagenswert, bedauerlich: a ~ occurrence. – **2.** (*verächtlich*) elend, erbärmlich, kläglich. – **3.** *obs.* traurig, klagend, schmerzlich. — '**lam·en·ta·ble·ness** *s* **1.** Bedauerlichkeit *f*. – **2.** (*verächtlich*) Erbärmlichkeit *f*, Kläglichkeit *f*.

lam·en·ta·tion [₍læmən'teiʃən] *s* **1.** (Weh)Klage *f*. – **2.** L~s *pl od.* the L~s of Jeremiah *pl* (*als sg konstruiert*) *Bibl.* die Klagelieder *pl* Jere'miae.

la·ment·ed [lə'mentid] *adj* betrauert: the late ~ der *od.* die Betrauerte; his late ~ father sein verstorbener *od.* seliger Vater.

la·mi·a ['leimiə] *pl* **-mi·ae** [-mi₍iː] *od.* **-mi·as** *s* **1.** Lamia *f* (*blutsaugendes Fabelwesen der antiken Mythologie*). – **2.** Vampir *m*. – **3.** Hexe *f*, Zauberin *f*.

la·mi·a·ceous [₍leimi'eiʃəs] *adj bot.* zu den Lippenblütern gehörig, Lippenblüter...

lam·i·na ['læminə; -mənə] *pl* **-nae** [-₍niː] *od.* **-nas** *s* **1.** Plättchen *n*, Schüppchen *n*, Blättchen *n*. – **2.** (dünne) Schicht. – **3.** 'Überzug *m*. – **4.** *bot.* Blattfläche *f*, -spreite *f*. – **5.** *zo.* blattförmiges Or'gan.

lam·i·na·ble ['læminəbl; -mə-] *adj tech.* streckbar, (aus)walzbar.

lam·i·nal ['læminl; -mə-] → laminar.

lam·i·nar ['læminər; -mə-] *adj* **1.** aus dünnen Platten bestehend, blätterig. – **2.** blättchenartig angeordnet. — ~ **flow** *s* (*Strömungsmechanik*) Lami'narströmung *f*.

lam·i·na·ri·a [₍læmi'nɛ(ə)riə; -mə-] *s bot.* Blatt-, Riementang *m* (*Gattg Laminaria*). — ₍**lam·i₍nar·i'a·ceous** [-ri'eiʃəs] *adj bot.* zu den Braunalgen (*Fam. Laminariaceae*) gehörig.

lam·i·nate ['læmi₍neit; -mə-] **I** *v/t* **1.** *tech.* a) (*Metall*) lamel'lieren, lami'nieren, b) (aus)walzen, strecken, c) in dünne Blättchen aufspalten, d) schichten. – **2.** mit dünnen Plättchen über'ziehen. – **II** *v/i* **3.** sich in dünne Schichten *od.* Plättchen spalten. – **III** *s* [-nit; -₍neit] **4.** *tech.* Plastik-, Kunststoff-Folie *f*. – **IV** *adj* [-nit; -₍neit] **5.** *bes. tech.* a) lami'nar, lamel'lar, blätt(e)rig, b) lamel'liert, geschichtet. – **6.** la'mellenförmig angeordnet. – **7.** *bot.* La'mellen tragend, Lamellen... — '**lam·i₍nat·ed** → laminate IV.

₍**lam·i'na·tion** *s* **1.** *tech.* a) Lami'nierung *f*, Lamel'lierung *f*, b) Streckung *f*, Strecken *n*, c) Schichtung *f*. –

2. blättrige *od.* blätterartige Beschaffenheit. – **3.** → lamina.

lam·i·ni·tis [ˌlæmiˈnaitis] *s vet.* Rehe *f*, Verschlag *m* (*Entzündung der Huflederhaut beim Pferd*).

lam·i·nose [ˈlæmiˌnous; -mə-], **ˈlam·i·nous** [-nəs] → laminate IV.

lam·ish [ˈleimiʃ] *adj* etwas lahm, leicht hinkend.

Lam·mas [ˈlæməs] *s* **1.** *relig.* Petri Kettenfeier *f*: at latter ~ *humor.* am Nimmerleinstag. – **2.** *hist.* Erntefest *n* am 1. Auˈgust (*früher in England gefeiert*). — ~ **Day** *s* der 1. Auˈgust (*an dem früher in England* Lammas *gefeiert wurde*). — ~ **shoot** *s bot.* Joˈhannistrieb *m* (*sommerlicher Austrieb nächstjähriger Knospen*). — ˈ~ˌ**tide** *s* die Zeit um den 1. Auˈgust.

lam·mer·gei·er, lam·mer·gey·er [ˈlæmərˌgaiər], *auch* **ˈlam·merˌgeir** [-ˌgair] *s zo.* Lämmergeier *m* (*Gypaetus barbatus*).

lamp [læmp] **I** *s* **1.** Lampe *f*: to smell of the ~ mühsame Arbeit verraten, sorgsam ausgefeilt sein (*Stil etc*). – **2.** *fig.* Leuchte *f*, Licht *n*: to pass (*od.* hand) on the ~ *fig.* die Fackel (*des Fortschritts etc*) weitergeben. – **3.** *poet.* a) Fackel *f*, b) Gestirn *n*, Himmelskörper *m* (*Sonne, Mond etc*). – **4.** *pl sl.* Augen *pl*. – **II** *v/t* **5.** mit Lampen versehen, beleuchten. – **6.** *Am. sl.* ansehen. – **III** *v/i* **7.** leuchten (*auch fig.*).

lam·pad [ˈlæmpæd] *s poet.* **1.** Lampe *f*. – **2.** Kerzenhalter *m*, Leuchter *m*.

lam·pa·da·ry [*Br.* ˈlæmpədəri; *Am.* -ˌderi] *s* Lampaˈdarium *n* (*ein antiker Kandelaber*).

lam·pa·ded·ro·my [ˌlæmpəˈdedrəmi] *s antiq.* ˌLampadedroˈmia *f* (*Fackellauf*).

lam·pas[1] [ˈlæmpəs] *s* Lamˈpas *m* (*Möbelstoff aus Seiden- od. Halbseidengewebe*).

lam·pas[2] [ˈlæmpəs] *s vet.* Frosch *m* (*Gaumenschwellung bei Pferden*).

ˈlamp|ˌblack I *s* Lampenruß *m*, -schwarz *n*. – **II** *v/t* mit Lampenruß schwärzen. — ~ **chim·ney** *s* ˈLampenzyˌlinder *m*.

lam·per eel [ˈlæmpər] *s zo.* **1.** → lamprey. – **2.** *Am. für* eelpout 1.

lam·pern [ˈlæmpərn] *s zo.* Flußneunauge *n*, Pricke *f* (*Lampreta fluviatilis*).

ˈlamp|ˌflow·er *s bot.* Lichtnelke *f* (*Gattg Lychnis*). — ˈ~ˌ**fly** → firefly. — ~ **hold·er** *s electr.* Glühlampenfassung *f*.

lam·pi·on [ˈlæmpiən] *s* (*meist* bunte) [ˈGlasaˌterne.]

ˈlamp|ˌlight *s* Lampenlicht *n*. — ˈ~ˌ**light·er** *s* **1.** Laˈternen-, Lampenanzünder *m*: like a ~ wie der Wind, im Nu. – **2.** *Am.* Fidibus *m*. — ~ **oil** *s* **1.** Lampenöl *n*. – **2.** *fig.* Nachtarbeit *f*, nächtliches Studium.

lam·poon [læmˈpuːn] **I** *s* Schmähschrift *f*, Pamˈphlet *n*. – **II** *v/t* eine Schmähschrift richten gegen, verunglimpfen. — **lamˈpoon·er** *s* Verfasser(in) einer Schmähschrift. — **lamˈpoon·er·y** [-əri] *s* **1.** (*schriftliche*) Verunglimpfung, Schmähung *f*. – **2.** schmähender Chaˈrakter (*einer Schrift etc*). — **lamˈpoon·ist** → lampooner.

ˈlampˌpost *s* Laˈternenpfahl *m*: between you and me and the ~ *colloq.* unter uns *od.* vertraulich (gesagt).

lam·prey [ˈlæmpri] *s zo.* Neunauge *n* (*Unterordng Petromyzontes*).

lamp| shade *s* Lampenschirm *m*. — ~ **shell** *s zo.* (*ein*) Armfüßer *m* (*bes. Gattg Terebratula*). — ˈ~ˌ**wick** *s* **1.** Lampendocht *m*. – **2.** *bot.* Brandkraut *n* (*Phlomis lychnitis*).

la·na·i [lɑːˈnɑːi] (*Hawaiian*) *s* Veˈranda *f*, Balˈkon *m*.

la·nate [ˈleineit] *adj* wollig, Woll..., mit Wolle *od.* wolligen Haaren bedeckt.

Lan·cas·te·ri·an meth·od [ˌlæŋkæsˈti(ə)riən] *s ped.* ˈLancastermeˌthode *f* (*Unterrichtsmethode, welche die Unterweisung von Anfängern durch fortgeschrittene Schüler vorsieht; nach dem engl. Schulmann Joseph Lancaster, 1778–1836*).

Lan·cas·tri·an [læŋˈkæstriən] **I** *adj* **1.** Lancaster...: a) aus (*der engl. Stadt od. Grafschaft*) Lancaster, b) *das engl. Herrscherhaus Lancaster od. seine Anhänger betreffend.* – **II** *s* **2.** Bewohner(in) der Stadt *od.* Grafschaft Lancaster. – **3.** Angehörige(r) *od.* Anhänger(in) des Hauses Lancaster.

lance[1] [*Br.* lɑːns; *Am.* læ(ː)ns] **I** *s* **1.** Lanze *f*, Speer *m*: to couch a ~ eine Lanze einlegen. – **2.** Fischspeer *m*. – **3.** *mil.* Lanzenträger *m*, lanzentragender Solˈdat, *bes.* Kavalleˈrist *m*. – **4.** → lancet 1. – **II** *v/t* **5.** aufspießen, *bes.* mit einer Lanze durchˈbohren. – **6.** *med.* mit einer Lanˈzette öffnen: to ~ a vein.

lance[2] [*Br.* lɑːns; *Am.* læ(ː)ns] → sand launce.

lance| buck·et *s mil. hist.* Lanzenschuh *m*. — ~ **cor·po·ral** *s mil. Br.* Gefreiter *m*. — ~ **fish** *s zo.* (*ein*) Sandaal *m*, Toˈbiasfisch *m* (*Gattg Ammodytes*). — ~ **jack** *colloq. für* lance corporal.

lance·let [*Br.* ˈlɑːnslit; *Am.* ˈlæ(ː)ns-] *s zo.* (*ein*) Lanˈzettfischchen *n* (*bes. Gattg Branchiostoma*).

ˈlance-ˈlin·e·ar *adj bot.* schmallanˈzettförmig, lineˈalisch-lanˈzettlich.

lan·ce·o·late [*Br.* ˈlɑːnsiəlit; -ˌleit; *Am.* ˈlæ(ː)n-] *adj bes. bot.* lanˈzettlich. — ˌ**lan·ce·oˈla·tion** *s* Lanˈzettlichkeit *f*, Lanˈzettförmigkeit *f*.

ˈlance-ˈo·val *adj bot.* ˈeiförmig-lanˈzettlich.

lanc·er [*Br.* ˈlɑːnsə; *Am.* ˈlæ(ː)nsər] *s* **1.** *mil.* a) *hist.* Lanzenträger *m*, b) (*ursprünglich lanzentragender*) leichter Kavalleˈrist, c) *Soldat eines brit. Lancer-Regiments* (*jetzt leichte Panzerverbände*). – **2.** *pl* Lanciˈers *pl* (*Bezeichnung der Quadrille à la cour*).

lance| rest *s mil. hist.* Stechtasche *f* (*zum Einlegen der Lanze*). — ~ **ser·geant** *s Br.* Gefreiter *m* in der Dienststellung eines ˈUnteroffiˌziers. — ~ **snake** → fer-de-lance.

lan·cet [*Br.* ˈlɑːnsit; *Am.* ˈlæ(ː)n-] *s* **1.** *med.* Lanˈzette *f* (*chirurgisches Instrument*). – **2.** *arch.* a) → ~ arch, b) → ~ window — ~ **arch** *s arch.* Spitzbogen *m*.

lan·cet·ed [*Br.* ˈlɑːnsitid; *Am.* ˈlæ(ː)n-] *adj arch.* **1.** spitzbogig (*Fenster*). – **2.** mit Spitzbogenfenstern.

lan·cet| fish *s zo.* **1.** Stachelschwanzfisch *m* (*Fam. Acanthuridae*). – **2.** Lanzenfisch *m*, Golpim *m* (*Alepisaurus ferox*). — ~ **win·dow** *s arch.* Spitzbogenfenster *n*.

ˈlanceˌwood *s* Speerholz *n*: a) *eine zähe elastische Holzart*, b) *ein solches Holz liefernder Baum* (*bes. Oxandra lanceolata*).

lan·ci·nate [*Br.* ˈlɑːnsiˌneit; *Am.* ˈlæ(ː)n-] *v/t selten* durchˈbohren, -ˈstechen: lancinating pain stechender Schmerz.

land [lænd] **I** *s* **1.** (Fest)Land *n* (*im Gegensatz zur See*): by ~ zu Land(e), auf dem Landweg(e); to know (*od.* see) how the ~ lies *fig.* wissen, wie der Hase läuft *od.* woher der Wind weht; to make ~ *mar.* Land sichten *od.* erreichen; to settle ~ *mar.* (vom Land) abhalten. – **2.** Land *n*, Boden *m*: forest ~ Waldland; wet ~ nasser Boden. – **3.** *jur.* a) Land-, Grundbesitz *m*, b) *pl* Ländeˈreien *pl*, Güter *pl*. – **4.** Land *n* (*als politische Einheit*), Gebiet *n*. – **5.** Volk *n*, Natiˈon *f*. – **6.** *econ.* naˈtürliche Reichtümer *pl* (*eines Landes*). – **7.** *fig.* Land *n*, Gebiet *n*, Reich *n*: the ~ of the living das Reich der Lebenden, das Diesseits; → behest 2; covenant 7; leal; nod 11. – **8.** (*in Südafrika*) eingezäuntes Ackerland. – **9.** *agr.* Streifen *m* ungepflügten Landes. – **10.** *tech.* a) Feld *n* (*zwischen den Zügen des Gewehrlaufs*), b) Rücken *m* (*zwischen den Rillen des Mühlsteins*). – **II** *v/i* **11.** landen, anlegen (*Schiff*). – **12.** landen, an Land gehen, sich ausschiffen (at in *dat*). – **13.** *aer.* landen (*Flugzeug*). – **14.** landen, ankommen: he ~ed in a ditch er landete in einem Graben. – **15.** *sport colloq.* durchs Ziel gehen (*Pferd*): to ~ second als zweiter durchs Ziel gehen, an zweiter Stelle landen. – **III** *v/t* **16.** (*Personen, Güter etc*) landen, ausschiffen, an Land bringen: to ~ goods Güter löschen. – **17.** (*Fisch etc*) fangen u. an Land bringen. – **18.** ab-, niedersetzen: the cab ~ed him at the station die Droschke setzte ihn am Bahnhof ab; he was ~ed in the mud er landete im Schlamm. – **19.** (*in eine bestimmte Lage*) bringen, versetzen, verwickeln: to ~ s.o. in difficulties j-n in Schwierigkeiten bringen; to ~ s.o. with s.th. j-m etwas aufhalsen *od.* einbrocken; to be ~ed in s.th. in etwas hineingeraten. – **20.** *sl.* (*j-m etwas*) versetzen, ‚verpassen', (*Schlag etc*) landen, anbringen: he ~ed him one in the face er versetzte ihm eins ins Gesicht. – **21.** *colloq.* (*j-n*) ‚kriegen', fangen, erwischen, ‚schnappen' (*bes. durch List*): the detective ~ed the criminal. – **22.** *colloq.* erringen, sich ‚holen': to ~ a prize sich einen Preis ‚holen'. – **23.** *sl.* (*j-m etwas*) einbringen, besorgen: to ~ s.o. a job j-m eine Stellung besorgen. – **24.** *sport colloq.* (*Pferd*) ins Ziel reiten (*Jockey*): to ~ a horse second ein Pferd an zweiter Stelle ins Ziel reiten.

land a·gent *s* **1.** Grundstück-, Gütermakler *m*. – **2.** *Br.* Gutsverwalter *m*.

lan·dau [ˈlændɔː] *s* **1.** Landauer *m* (*schwere viersitzige Kutsche*). – **2.** Landauˈlet *n*, Halblandauer *m* (*ein Kraftwagen*).

lan·dau·let(te) [ˌlændɔːˈlet] *s* Landauˈlet *n*, Halblandauer *m*.

land| bank *s* **1.** ˈGrundkreˌdit-, Hypoˈthekenbank *f*. – **2.** *Am.* (staatliche) Landwirtschaftsbank. — ˈ~ˌ**blink** *s* Landblink *m* (*gelblicher, Land anzeigender Schein am Horizont im Eismeer*). — ~ **breeze** *s* Landbrise *f*, -wind *m*. — ~ **car·riage** *s* ˈLandtransˌport *m*, -fracht *f*. — ~ **claim** *s* **1.** Anspruch *m* auf Land. – **2.** *econ. jur. Am.* a) Rechtsanspruch *m* auf staatlichen Grundbesitz, b) *staatlicher Grundbesitz, auf den ein Rechtsanspruch besteht.* — ~ **com·pa·ny** *s Am. hist.* Gesellschaft *f* zum An- u. Verkauf von Grundbesitz. — ~ **crab** *s zo.* Landkrabbe *f* (*Fam. Gecarcinidae*).

ˈlandˌdrost [-ˌdroust] *s hist.* Landdrost *m* (*Magistrat in Südafrika*).

land·ed [ˈlændid] *adj* Land..., Grund...: a) grundbesitzend, b) aus Grundbesitz bestehend: the ~ interest *collect.* der Grundbesitz, die Grundbesitzer (*als Klasse*); ~ property, ~ estate Grundbesitz, -eigentum; ~ proprietor Grundbesitzer.

ˈland|ˌfall *s* **1.** *mar.* Landkennung *f* (*Sichten von Land*): good (bad) ~ Sichten des Landes nach (ohne) Berechnung. – **2.** *aer.* Landen *n*, Landung *f*. – **3.** *jur.* unerwartete Erbschaft von Landbesitz. – **4.** Erdrutsch *m*. — ~ **force** *s mil.* Landstreitkräfte *pl*. — ~ **girl** *s* Landarbeiterin *f* (*bes. im Kriegseinsatz*). — ˈ~ˌ**grab·ber** *s* ‚Landraffer' *m* (*j-d der* *auf unehrliche od. unanständige Weise Land in Besitz nimmt; in Irland, bes. j-d der Land pachtet, dessen Pächter exmittiert ist).* — **~ grant** *s Am.* staatliche Landzuteilung *(an Eisenbahnen, Landwirtschaftsschulen etc).* — **'~-ˌgrant u·ni·ver·si·ty** *s Am. durch staatliche (ursprünglich aus Land bestehende) Subventionen unterstützte Hochschule.* — **'~ˌgrave** *s hist.* (deutscher) Landgraf. — **ˌ~'gra·viˌate** [-'greiviˌeit; -it] *s* Landgrafschaft *f (Gebiet od. Würde eines Landgrafen).* — **'~·graˌvine** [-grəˌviːn] *s* Landgräfin *f.* — **'~ˌhold·er** *s* **1.** Grundpächter *m.* – **2.** Grundbesitzer *m,* -eigentümer *m.* — **~ hun·ger** *s* Landhunger *m,* Gier *f* nach Landbesitz. — **'~-ˌhun·gry** *adj* landhungrig, nach Landbesitz strebend.

land·ing ['lændiŋ] *s* **1.** *mar.* Landen *n,* Landung *f:* a) Anlegen *n (Schiff),* b) Ausschiffung *f (Passagiere, Truppen etc),* c) Ausladen *n,* Löschen *n (Waren).* – **2.** *aer.* Landung *f:* **forced ~** Notlandung. – **3.** *mar.* Lande-, Anlegeplatz *m.* – **4.** Ab-, Ausladestelle *f.* – **5.** Po'dest *m, n,* Absatz *m (einer Treppe).* – **6.** *tech.* a) Gichtbühne *f (eines Hochofens),* b) *(Bergbau)* Füllort *m.* – **7.** *(Flößerei) Am.* Lagerplatz *m* für Baumstämme. — **~ an·gle** *s aer.* Ausrollwinkel *m.* — **~ beam** *s aer.* Lande-, Gleitstrahl *m.* — **~ craft** *s mar. mil.* Landungsboot *n.* — **~ field** *s aer.* Landeplatz *m,* -feld *n.* — **~ gear** *s aer.* **1.** Fahrgestell *n,* -werk *n.* – **2.** Schwimmer *pl (an Wasserflugzeugen).* — **~ ground** → **landing field.** — **~ net** *s* Hamen *m,* Ketscher *m (Beutelfischnetz).* — **~ par·ty** *s mil. bes. Br.* 'Landungsabˌteilung *f,* -trupp *m,* -komˌmando *n.* — **~ place** → **landing** 3 *u.* 4. — **~ stage** *s mar.* Landungsbrücke *f,* -steg *m.* — **~ strip** → **airstrip.**

land| job·ber *s* 'Grundbesitzspekuˌlant *m.* — **'~ˌla·dy** *s* **1.** (Haus-, Gast-, Pensi'ons)Wirtin *f.* – **2.** Grundeigentümerin *f.* – **3.** Hausherrin *f,* -eigentümerin *f,* -besitzerin *f.* — **~ law** *s jur.* Bodenrecht *n.* — **L~ League** *s hist.* Landliga *f (die 1879–81 in Irland die Enteignung der engl. Grundherren etc verlangte).* — **~ leech** *s zo.* Landblutegel *m (bes. Gattg Haemadipsa; Ceylon).*

land·less ['lændlis] *adj* **1.** ohne Grundbesitz, grundbesitzlos. – **2.** uferlos *(Meer).*

'land|ˌlocked *adj* **1.** 'landumˌschlossen *(vom Land ganz od. fast eingeschlossen).* – **2.** in Binnengewässern eingeschlossen *(Fisch, der nach dem Laichen ins Meer zurückkehren will).* — **'~ˌlocked salm·on** *s* im Süßwasser verbleibender Lachs, *bes.* Amer. Süßwasserlachs *m (Salmo sebago).* — **'~ˌlop·er** → **landlouper.** — **'~ˌlord** *s* **1.** Grundeigentümer *m,* -besitzer *m.* – **2.** Hausherr *m,* -eigentümer *m,* -besitzer *m.* – **3.** Hauswirt *m.* – **4.** Gastwirt *m.* — **'~·lordˌism** *s* Grundherrentum *n.* — **'~ˌloup·er** *s bes. Scot.* Landstreicher *m,* Vaga'bund *m.* — **'~ˌlub·ber** *s mar.* Landratte *f (Nichtseemann).* — **'~·man** [-mən] *s irr* **1.** Landbewohner *m,* -ratte *f.* – **2.** *obs.* a) Landsmann *m,* b) Landmann *m,* Bauer *m,* c) Landbesitzer *m,* Grundeigentümer *m.* — **'~ˌmark I** *s* **1.** Grenzstein *m,* -pfahl *m,* -zeichen *n.* – **2.** *mar.* Landmarke *f,* Seezeichen *n (Navigationszeichen für Schiffe).* – **3.** *fig.* Markstein *m,* Wendepunkt *m:* a ~ in **history.** – **4.** Wahrzeichen *n.* – **II** *v/t* **5.** kennzeichnen, mar'kieren. — **~ meas·ure** *s engl. Flächenmaßsystem (30 1/4* **square yards** = *1* **square rod;** *160* **square rods** = *1* **acre;** *640* **acres** = *1* **square mile).** — **~ mine** *s mil.* Landmine *f.*

land·oc·ra·cy [læn'dɒkrəsi] *s humor.* 'Landaristokraˌtie *f,* Grundbesitzerklasse *f.* — **land·o·crat** ['lændəˌkræt] *s humor.* 'Landaristoˌkrat *m,* Grundbesitzer *m.*

Land| of Beu·lah ['bjuːlə] *s* Land *n* des (Seelen)Friedens *(in Bunyans "Pilgrim's Progress").* — **~ of Cakes** *s (Spitzname für)* Schottland *n.*

land| of·fice *s Am.* Grundbuchamt *n.* — **'~-ˌof·fice busi·ness** *s Am. colloq.* ‚Bombengeschäft' *n.* — **~ of Nod** *s* Land *n* der Träume, Schlaf *m,* Schlummer *m.* — **L~ of Prom·ise** *s Bibl.* Land *n* der Verheißung *(Kanaan).* — **'~ˌown·er** *s* Land-, Grundbesitzer(in). — **'~ˌown·erˌship** *s* Land-, Grundbesitz *m.* — **'~ˌown·ing** *adj* land-, grundbesitzend, Land-, Grundbesitzer... — **'~ˌplane** *s aer.* Landflugzeug *n.* — **'~-'poor** *adj* über 'unrenˌtablen Grundbesitz verfügend. — **~ pow·er** *s* **1.** Landmacht *f (im Gegensatz zur Seemacht).* – **2.** *mil.* Landstreitkräfte *pl.* — **~ rail** → **corn crake.** — **~ rec·la·ma·tion** *s* **1.** Landgewinnung *f.* – **2.** Urbarmachung *f* von Land *(durch künstliche Bewässerung).* — **~ re·form** *s* 'Bodenreˌform *f.* — **~ re·form·er** *s* 'Bodenreˌformer *m.* — **reg·is·ter** *s* Grundbuch *n.* — **'~-ˌrov·er** *s Br. kleiner geländegängiger Kraftwagen.*

land·scape ['lænskeip; 'lænd-] **I** *s* **1.** Landschaft *f.* – **2.** Landschaft *f,* Landschaftsbild *n:* **to paint ~s.** – **3.** ˌLandschaftsmale'rei *f.* – **II** *v/t* **4.** *(Park etc)* landschaftlich verschönern. – **5.** *(Landschaft)* zeichnen *od.* malen. – **III** *v/i* **6.** ˌLandschaftsgärtne'rei betreiben. — **~ ar·chi·tect** *s* 'Landschaftsarchiˌtekt *m.* — **~ ar·chi·tec·ture** *s arch.* 'Landschaftsarchitekˌtur *f (künstlerische Umgestaltung der Naturlandschaft).* — **~ gar·den·er** *s* Landschaftsgärtner *m.* — **~ gar·den·ing** *s* ˌLandschaftsgärtne'rei *f.* — **~ mar·ble** *s* landschaftartig gezeichneter Marmor. — **~ paint·er** *s* Landschaftsmaler(in). — **~ paint·ing** *s* ˌLandschaftsmale'rei *f.*

land·scap·ist ['lænskeipist; 'lænd-] *s* Landschaftsmaler(in).

land scrip *s Am.* Landzuweisungsschein *m (Urkunde, die j-n für eine Landzuweisung vormerkt).*

Land's End *s die äußerste Westecke von Cornwall.*

land| serv·ice *s mil.* Dienst *m* zu Lande. — **~ shark** *s* **1.** *Betrüger, der Matrosen an Land ausbeutet.* – **2.** → **land grabber.** — **'~ˌsick** *adj mar.* wegen Landnähe schwer manö'vrierbar *(Schiff).* — **'~ˌside** *s agr.* Pflugsohle *f.* — **'~ˌslide** *s* **1.** Erdrutsch *m.* – **2.** *pol. fig.* ‚Erdrutsch' *m (überwältigender Wahlsieg).* – **3.** trium'phaler Sieg. — **'~ˌslip** *bes. Br. für* **landslide 1.**

lands·man ['lændzmən] *s irr* **1.** Landratte *f,* -bewohner *m.* – **2.** *mar.* a) ‚Quiddje' *m,* unerfahrener Ma'trose, b) *obs.* Ma'trose *m* auf seiner ersten Fahrt.

land snail *s zo.* Landschnecke *f (an Land lebende Schnecke).*

Lands·ting, *auch* **Lands·thing** ['lɑːnsˌtiŋ] *s* Landsting *n (das Oberhaus des dänischen Reichstags).*

land| sur·vey·or *s* Landvermesser *m.* — **~ swell** *s mar.* Landschwell *f,* einlaufende Dünung. — **L~·tag** ['lantˌtaːk] *(Ger.) s* Landtag *m (gesetzgebende Körperschaft in den deutschen u. österr. Bundesländern).* — **~ tax** [lænd] *s* Grundsteuer *f.* — **~ tie** *s arch.* Mauerstütze *f.* — **~ tor·toise,** **~ tur·tle** *s zo.* Landschildkröte *f (Unterfam. Testudinidae).* — **~ ur·chin** *s zo.* **1.** Europ. Igel *m (Erinaceus europaeus).* – **2.** *Am. (ein)* Stachelschwein *n (Hystrix cristata u. Erethizon dorsatum).*

land·ward ['lændwərd] **I** *adj* land(ein)wärts gelegen. – **II** *adv* land(ein)wärts, (nach) dem Lande zu. — **'land·wards** → **landward II.**

land| war·rant *s econ. jur. Am.* **1.** *Auftrag an den Feldmesser, dem Inhaber eines Anspruchs eine Parzelle aus öffentlichem Grundbesitz zuzuweisen.* – **2.** Beschreibung *f* der *(gemäß 1)* zuzuweisenden Par'zelle. — **'~ˌwash** *s* **1.** Flut-, Brecherlinie *f.* – **2.** Spülen *n* der See an die Küste. — **~ wind** *s* Landwind *m,* -brise *f.*

lane[1] [lein] *s* **1.** (Feld)Weg *m,* Pfad *m (bes. zwischen Zäunen, Hecken od. Bäumen):* **it is a long ~ that has no turning** alles muß sich einmal ändern. – **2.** Gäßchen *n,* Gasse *f.* – **3.** 'Durchgang *m,* Gasse *f (zwischen Menschenreihen).* – **4.** *mar. (zur Vermeidung von Zusammenstößen)* festgelegter Kurs, (Fahrt)Route *f,* (Dampfer)Weg *m (für Ozeandampfer).* – **5.** *aer.* Flugschneise *f.* – **6.** Fahrbahn *f,* Spur *f.* – **7.** *sport* (einzelne) Bahn *(einer Rennbahn, eines Schwimmbeckens etc).* – **8.** *meist* **red ~** *sl.* Gurgel *f.* – **9. the L~** *Kurzform für* **Drury Lane Theatre** *(in London).*

lane[2] [lein] *adj Scot. für* **lone: one's lane** [~ allein.]

lane route → **lane**[1] 4.

lang|·lauf ['laŋˌlauf] *(Ger.) (Skilauf)* Langlauf *m.* — **'~ˌläu·fer** [-ˌlɔifər] *(Ger.) s* Langläufer(in).

Lan·go·bard ['læŋgəˌbɑːrd], **ˌLan·go'bar·dic** → **Lombard, Lombardic.**

lan·grage ['læŋgridʒ], *auch* **'lan·grel** [-grəl], **'lan·gridge** [-gridʒ] *s mar. hist.* Kar'tätschengeschoß *n (zum Zerreißen der Takelage eines feindlichen Schiffs).*

Lang·shan ['læŋʃæn] *s zo.* Langschan(huhn) *n.*

lang·spiel ['læŋspiːl] *s mus.* Langspiel *n (Art Harfe auf den Shetlandinseln).*

lang syne, lang·syne [ˌlæŋ'sain] *Scot.* **I** *adv* einst, in längst vergangener Zeit, in der alten Zeit. – **II** *adj* längst vergangen. – **III** *s* längst vergangene Zeit.

lan·guage ['læŋgwidʒ] *s* **1.** Sprache *f:* **derivative ~** Tochtersprache; **living ~** lebende Sprache; **to speak the same ~** dieselbe Sprache sprechen *(auch fig.).* – **2.** Sprach-, Sprechfähigkeit *f.* – **3.** Sprache *f,* Sprech-, Ausdrucksweise *f,* Worte *pl:* **bad ~** Schimpfworte, ordinäre Ausdrucksweise; **flowery ~** blumige Sprache; **strong ~** kräftige *od.* derbe Sprache, Kraftausdrücke. – **4.** Sprache *f,* Stil *m,* Dikti'on *f.* – **5.** (Fach)Sprache *f,* Terminolo'gie *f,* Phraseolo'gie *f:* **in medical ~** in der medizinischen Fachsprache. – **6.** a) Sprachwissenschaft *f,* b) 'Sprachˌunterricht *m:* **~ master** *Br.* Sprachlehrer. – **7.** *sl.* ordi'näre Sprache. — **'lan·guaged** *adj* **1.** *(in Zusammensetzungen)* ...sprachig: **many~** viel-, mehrsprachig. – **2.** sprachkundig, -gewandt. – **3.** formu'liert.

langued [læŋd] *adj her.* mit her'ausgestreckter Zunge *(Wappentier).*

lan·guet(te) ['læŋgwet] *s* **1.** Zunge *f,* Zünglein *n,* zungenähnlicher Gegenstand. – **2.** Landzunge *f.* – **3.** *(Orgelbau)* Zunge *f (der Zungenpfeifen).*

lan·guid ['læŋgwid] *adj* **1.** schwach, matt, erschöpft, schlaff. – **2.** langweilig, schleppend, träge, flau. – **3.** *fig.* lau, inter'esselos, gleichgültig. — **'lan·guid·ness** *s* **1.** Mattigkeit *f,* Schlaffheit *f,* Schwäche *f,* Erschöpfung *f.* – **2.** Trägheit *f,* Flauheit *f.* – **3.** Lauheit *f,* Gleichgültigkeit *f,* Inter'esselosigkeit *f.*

lan·guish ['læŋgwiʃ] **I** *v/i* **1.** schwach *od.* matt werden, ermatten, erschlaffen, erlahmen. – **2.** (ver)schmachten, leiden, da'hinsiechen: to ~ in a dungeon in einem Kerker schmachten; to ~ under s.th. unter etwas leiden *od.* schmachten. – **3.** schmachtend *od.* sehnsuchtsvoll blicken. – **4.** schmachten, sich sehnen (for nach). – **5.** sich härmen (for nach, um). – **6.** dar'niederliegen (*Handel etc*). – **II** *s* **7.** Ermatten *n*, Erschlaffen *n*, Erlahmen *n*. – **8.** schmachtender Blick. – **9.** Sehnen *n*, Schmachten *n*. — **'lan·guish·ing** *adj* **1.** ermattend, erschlaffend: ~ interest erlahmendes Interesse. – **2.** (da'hin)siechend, (ver)schmachtend, leidend. – **3.** sehnsüchtig, sehnsuchtsvoll, schmachtend: a ~ look ein schmachtender Blick. – **4.** inter'esselos, langweilig. – **5.** langsam, zögernd: a ~ death ein langes Sterben, ein langsamer Tod; a ~ illness eine schleichende Krankheit. — **'lan·guish·ment** *s* **1.** Ermatten *n*, Erschlaffen *n*, Erlahmen *n*. – **2.** Mattigkeit *f*, Schlaffheit *f*. – **3.** Schmachten *n*, Leiden *n*. – **4.** (*das*) Schmachtende, schmachtender Ausdruck.

lan·guor ['læŋgər] *s* **1.** Schwäche *f*, Mattigkeit *f*, Abgespanntheit *f*, Schlaffheit *f*, Ermüdung *f*, Müdigkeit *f*. – **2.** Trägheit *f*, Untätigkeit *f*, Schlaffheit *f*. – **3.** Stumpfheit *f*, Gleichgültigkeit *f*, Lauheit *f*. – **4.** Sehnsucht *f*, Sehnen *n*, Schmachten *n*. – **5.** Stille *f*, Bangigkeit *f*, Schwüle *f*. – *SYN. cf.* lethargy. — **'lan·guor·ous** *adj* **1.** schwach, matt, schlaff. – **2.** träge, schlaff, flau. – **3.** stumpf, gleichgültig, lau. – **4.** sehnsüchtig, sehnend, schmachtend. – **5.** schwül.

lan·gur [lʌŋ'guːr] *s zo.* (*ein*) Schlankaffe *m* (*Gattg Presbytis*), *bes.* Hulman *m*, Langur *m* (*P. entellus*).

lani- [leini; læni; ləni; lənai] *Wortelement mit der Bedeutung* Wolle.

lan·iard *cf.* lanyard.

la·ni·ar·y [*Br.* 'læniəri; *Am.* 'leiniˌeri; 'læn-] *med. zo.* **I** *s* Eck-, Reißzahn *m*. – **II** *adj* Eck..., Reiß...: ~ tooth.

la·nif·er·ous [lei'nifərəs; lə-], **la'nig·er·ous** [-'nidʒərəs] *adj* wollig, Wolle tragend.

la'ni·iˌform [lə'naiiˌfɔːrm] *adj zo.* würgerartig.

lan·i·tal ['læniˌtæl; -nə-] *s chem.* Lani'tal *n* (*Kunstfaser aus Casein*).

lank [læŋk] *adj* **1.** lang u. dünn, schlank, mager. – **2.** hoch aufgeschossen (*Pflanze*). – **3.** *obs.* schlaff, mager. – **4.** glatt, schlicht (*Haar*). – *SYN. cf.* lean[2].

lank·i·ness ['læŋkinis] *s* Schlankheit *f*, Schlaksigkeit *f*.

lank·ness ['læŋknis] *s* Schlankheit *f*, Magerkeit *f*.

lank·y ['læŋki] *adj* schlank, schlaksig, lang u. dünn (*Person*). – *SYN. cf.* lean[2].

lan·ner ['lænər] *s* **1.** *zo.* Feldeggsfalke *m* (*Falco biarmicus feldeggi*). – **2.** (*Falknerei*) weiblicher Feldeggsfalke. — **'lan·nerˌet** [-ˌret] *s* (*Falknerei*) männlicher Feldeggsfalke.

lan·o·lin ['lænəlin], *auch* **'lan·o·line** [-lin; -ˌliːn] *s chem.* Lano'lin *n*, Wollfett *n*.

la·nose ['leinous] *adj* wollähnlich, wollig.

lans·downe ['lænzdaun] *s ein feiner dichtgewebter Kleiderstoff aus Seide u. Wolle.*

lans·que·net ['lænskəˌnet] *s* **1.** *hist.* Landsknecht *m*. – **2.** Landsknecht *m*, Lansque'net *m* (*ein Glücksspiel*).

lant [lænt] → lance fish.

lan·ta·na [læn'teinə; -'tɑːnə] *s bot.* Wandelröschen *n* (*Gattg Lantana*).

lan·tern ['læntərn] **I** *s* **1.** La'terne *f*: street ~ Straßenlaterne. – **2.** *Kurzform für* magic ~. – **3.** *mar.* a) Leuchtkammer *f*, Scheinwerferraum *m* (*eines Leuchtturms*), b) *obs.* Leuchtturm *m*. – **4.** *arch.* La'terne *f* (*Aufsatz einer Kuppel od. eines Daches*). – **5.** *tech.* a) → ~ pinion, b) (*Gießerei*) 'Kernskeˌlett *n*. – **6.** *phys.* Glasgehäuse *n* eines Qua'drantenelektroˌmeters. – **7.** *meist* Aristotle's ~ *zo.* La'terne *f* des Ari'stoteles (*Kauapparat der Seeigel*). – **8.** *fig.* Leuchte *f*, Licht *n*: he was a ~ of science. – **II** *v/t* **9.** mit einer La'terne ausstatten. – **10.** an einer ('Straßen)Laˌterne aufhängen.— ~ **bel·lows** *s tech.* Blasebalg *m* (*in der Form eines Lampions*). — ~ **car·ri·er** → lantern fly. — ~ **fish** *s zo.* 'Tiefsee-ˌLeuchtsarˌdine *f* (*Fam. Scopelidae*). — ~ **fly** *s zo.* La'ternenträger *m*, Leuchtzirpe *f* (*Fam. Fulgoridae*).

lan·tern·ist ['læntərnist] *s* Lichtbildervorführer *m*.

lan·tern| jack *s* Irrlicht *n*. — **'~-ˌjawed** *adj* hohlwangig, mit eingefallenen Wangen. — ~ **jaws** *s pl* eingefallene Wangen *pl*. — ~ **lec·ture** *s* Lichtbildervortrag *m*. — ~ **light** *s* **1.** La'ternenlicht *n*. – **2.** 'durchscheinende Scheibe (*einer Laterne*). – **3.** *arch.* Oberlichtfenster *n*. — ~ **pin·ion** *s tech.* Drehling *m*, Drilling *m*, Stockgetriebe *n*. — ~ **slide** *s phot.* Dia(posi'tiv) *n*, Lichtbild *n*: ~ lecture Lichtbildervortrag. — ~ **wheel** → lantern pinion.

lan·tha·num ['lænθənəm] *s chem.* Lan'than *n* (Ln).

la·nu·gi·nous [lə'njuːdʒinəs; *Am. auch* -'nuː-], *auch* **la'nu·giˌnose** [-ˌnous] *adj* lanugi'nös, weichhaarig.

la·nu·go [lə'njuːgou; *Am. auch* -'nuː-] *s med. zo.* La'nugo *f*, Wollhaar *n*.

lan·yard ['lænjərd] *s* **1.** *mar.* Taljereep *n*. – **2.** Abzugsleine *f* (*zum Abfeuern einer Kanone*).

La·od·i·ce·an [leiˌɒdi'siːən] **I** *adj* lau, gleichgültig (*im Glauben, in der Politik etc*). – **II** *s* Laue(r), Gleichgültige(r). — **Laˌod·i'ce·anˌism** *s* (*bes. religiöse od. politische*) Lauheit.

lap[1] [læp] *s* **1.** Schoß *m* (*eines Kleidungsstücks*). – **2.** Schoß *m* (*Teil des Körpers*; *auch fig.*): in Fortune's ~ im Schoß des Glücks; in the ~ of luxury im Schoß des Überflusses. – **3.** her'abhängender Teil, Zipfel *m*, *bes.* a) Läppchen *n* (*des Ohres*), b) Seitenblatt *n* (*des Sattels*). – **4.** hochgeschürzter vorderer Teil (*eines Rockes etc, um Holz etc hineinzulegen*). – **5.** Einsenkung *f* (*zwischen Hügeln etc*).

lap[2] [læp] **I** *v/t pret u. pp* **lapped** **1.** wickeln, hüllen, falten (about, round um). – **2.** einhüllen, einschlagen, einwickeln (in in *acc*). – **3.** *fig.* einhüllen, um'hüllen, (liebevoll *od.* sorgend) um'geben: ~ped in luxury in Luxus eingehüllt, von Luxus umgeben. – **4.** *fig.* hegen, (sorgsam) pflegen. – **5.** a) sich über'lappend legen über (*acc*), b) sich über'lappen lassen, über'lappt anordnen: to ~ tiles. – **6.** hin'ausragen *od.* vorstehen über (*etwas Darunterliegendes etc*). – **7.** (*Zimmerei*) über'lappen, durch Über'lappung verbinden. – **8.** po'lieren, schleifen. – **9.** *sport* über'runden. – **II** *v/i* **10.** sich winden, sich (her'um)legen (round um). – **11.** vor-, 'überstehen, hin'ausragen: to ~ over s.th. über eine Sache hinausragen; to ~ over into s.th. in eine Sache hineinragen. – **12.** sich über'lappen, teilweise überein'ander *od.* nebenein'anderliegen. – **13.** *fig.* hin'ausragen. – **III** *s* **14.** (Um)'Wick(e)lung *f*. – **15.** (einzelne) Windung, Lage *f*, Wick(e)lung *f* (*Spule etc*). – **16.** Über'lappung *f*, teilweises Überein'anderliegen. – **17.** 'übergreifende Kante, 'überstehender Teil, *bes.* a) Vorstoß *m*, b) (*Buchbinderei*) Falz *m*. – **18.** 'Überstand *m*, Über'lappungsbreite *f od.* -länge *f*. – **19.** *tech.* a) Po'lier-, Schleifscheibe *f*, b) 'Schieber(über)ˌdeckung *f* (*Dampfventil*). – **20.** *sport* Runde *f* (*der Rennbahn*).

lap[3] [læp] **I** *v/t pret u. pp* **lapped** **1.** plätschern gegen *od.* an (*acc*): the waves ~ the shore die Wellen schlagen plätschernd ans Ufer. – **2.** (auf)lecken. – **3.** *meist* ~ up, ~ down gierig (hin'unter)schlürfen, ‚saufen'. – **4.** *sl.* gierig packen. – **II** *v/i* **5.** plätschern (on, against an *acc*, gegen). – **6.** lecken. – **7.** schlürfen, schlappern. – **III** *s* **8.** Lecken *n*. – **9.** Plätschern *n*. – **10.** aufgeleckte Menge. – **11.** flüssiges Futter, *z.B.* Hundesuppe *f*. – **12.** *sl.* ‚Gesöff' *n* (*bes. ein minderwertiges Getränk*).

lap[4] [læp] *pret u. pp* **lapped** *v/i Am.* sich durch Her'abreißen von Baumästen Früchte *od.* Nüsse verschaffen (*Bär*).

lapar- [læpər] → laparo-.

lap·a·rec·to·my [ˌlæpə'rektəmi] *s med.* Laparekto'mie *f* (*chirurgische Entfernung eines Teils der Bauchwand*).

laparo- [læpəro] *Wortelement mit der Bedeutung* Bauchwand.

lap·a·ro·cele ['læpəroˌsiːl] *s med.* Bauchwandbruch *m*.

lap·a·rot·o·my [ˌlæpə'rɒtəmi] *s med.* Laparoto'mie *f*, Bauchschnitt *m*.

'lap|ˌboard *s tech.* Schoßbrett *n* (*bes. für Näh- u. Schuhmacherarbeiten*). — ~ **dog** *s* Schoßhund *m*. — ~ **dove·tail** *s* (*Tischlerei*) gedeckte Zinke, gedeckter Schwalbenschwanz.

la·pel [lə'pel] *s* Rockaufschlag *m*, Re'vers *m*. — **la'pelled** *adj* **1.** mit Aufschlägen *od.* einem Aufschlag versehen. – **2.** auf-, 'umgeschlagen.

lap·ful ['læpˌful] *s* Schoßvoll *m*.

lap·i·cide ['læpiˌsaid; -pə-] *s* Steinschneider *m*, -metz *m*.

lap·i·dar·i·an [ˌlæpi'dɛ(ə)riən; -pə-] *adj selten* **1.** Stein... – **2.** auf Stein geschrieben: ~ records.

lap·i·dar·y [*Br.* 'læpidəri; *Am.* -pəˌderi] **I** *s* **1.** Edelsteinschneider *m*. – **2.** *hist.* Buch *n* über Edelsteine. – **3.** *obs.* Edelsteinkenner *m*. – **II** *adj* **4.** Stein..., Lapidar... – **5.** Steinschleiferei..., zur Steinschneidekunst gehörig. – **6.** (Stein)Inschriften..., Inschriften auf Stein betreffend. – **7.** in Stein gehauen. – **8.** *fig.* lapi'dar, wuchtig, monumen'tal, gedrungen: ~ style Lapidarstil. — ~ **bee** *s zo.* Steinhummel *f* (*Bombus lapidarius*).

lap·i·date ['læpiˌdeit; -pə-] *v/t* steinigen. — **ˌlap·i'da·tion** *s* Steinigung *f*. — **'lap·iˌda·tor** [-tər] *s* Steiniger *m*.

la·pid·e·on [lə'pidiən] *s mus.* (*Art*) Steinspiel *n* (*aus Kieselsteinen*).

la·pid·i·fi·ca·tion [ləˌpidifi'keiʃən; -dəfə-] *s* Versteinerung *f*. — **la'pid·iˌfy** [-ˌfai] **I** *v/t* zu Stein machen, in Stein verwandeln, versteinern. – **II** *v/i obs.* zu Stein werden, versteinern.

la·pil·lus [lə'piləs] *pl* **-li** [-lai] *s* **1.** La'pill *m* (*etwa nußgroßer vulkanischer Auswurfstein*). – **2.** *allg.* Steinchen *n*, kleiner Stein. – **3.** *med.* Otho'lith *m* (*Steinchen im Gleichgewichtsorgan*).

la·pin [la'pɛ̃; 'læpin] (*Fr.*) *s* **1.** Ka'ninchen *n*. – **2.** Ka'ninchenpelz *m*.

la·pis ['leipis; 'læ-] *pl* **lap·i·des** ['læpiˌdiːz] (*Lat.*) *s* Stein *m*.

lap·is laz·u·li ['læpis 'læzjuˌlai; -jə-; -li] *s* **1.** *min.* La'surstein *m*, Lapis'lazuli *m*. – **2.** A'zur(blau *n*) *m*.

lap| joint *s tech.* Über'lappung(sverbindung, -snietung) *f*. — **'~-ˌjoint** *v/t* über'lappen, mit Über'lappung verbinden.

Lap·land·er ['læpˌlændər; -lənd-] → Lapp 1.

Lapp [læp] **I** *s* **1.** Lappe *m*, Lappländer(in). – **2.** *ling.* Lappisch *n*, das Lappische. – **II** *adj* **3.** lappisch.

lap·pet ['læpit] *s* **1.** her'abhängender *od.* 'überstehender Teil, *bes.* a) Zipfel *m*, b) Schoß *m* (*eines Rockes*), c) her'abhängendes Band, Schleife *f*, d) → lapel. – **2.** *med. zo.* (Fleisch-, Haut)Lappen *m*, *bes.* a) Ohrläppchen *n*, b) Hautlappen *m* (*am Hals mancher Vögel*). – **3.** Schlüssellochschildchen *n*.

Lap·pic ['læpik], **'Lapp·ish** [-iʃ], **Lap·'po·ni·an** [-'pouniən] → Lapp 2 *u.* 3.

lapp owl *s zo.* Lapplandskauz *m* (*Scotiaptex nebulosa lapponica*).

lap| riv·et·ing *s tech.* Über'lappungsnietung *f*. — **~ robe** *s Am.* Reisedecke *f* (*zum Schutz des Unterleibs u. der Beine*).

laps·a·ble ['læpsəbl] *adj* einem Abgleiten *od.* Rückfall unter'worfen.

lap·sa·tion [læp'seiʃən] *s Am.* **1.** → lapse 5. – **2.** Abgleiten *n*, Absinken *n*. – **3.** Verfall(en *n*) *m*.

lapse [læps] **I** *s* **1.** Lapsus *m*, Versehen *n*, Entgleisung *f*, kleiner Fehler *od.* Irrtum: ~ **of justice** Justizirrtum; a ~ **of the pen** ein Schreibfehler. – **2.** Versäumnis *f*: ~ **of duty** Pflichtversäumnis. – **3.** (mo'ralische) Entgleisung, Vergehen *n*: a ~ **from virtue** ein Abweichen von der Tugend, eine moralische Entgleisung. – **4.** *relig.* a) Sündenfall *m*, b) Glaubensabfall *m*: a ~ **from faith** ein Abfall vom Glauben; a ~ **into heresy** ein Verfallen in die Ketzerei. – **5.** Da'hin-, *bes.* Hin'abgleiten *n*. – **6.** Vergehen *n*, Verlauf *m* (*Zeit*). – **7.** Zeitspanne *f*: a ~ **of two years.** – **8.** (Ab)Sinken *n*, Verfallen *n*, Niedergang *m*, Fall *m*. – **9.** *jur.* a) Verfall *m* (*von Rechten*), b) Heimfall *m* (*von Erbteilen etc*). – **10.** Verfall *m*, Verschwinden *n*, Aussterben *n*. – **11.** (*Meteorologie*) verti'kaler (Tempera'tur)Gradi,ent. – *SYN. cf.* error. – **II** *v/i* **12.** da'hin-, *bes.* hin'abgleiten. – **13.** *oft* ~ **away** verstreichen (*Zeit*). – **14.** absinken, abgleiten, verfallen: **to** ~ **into barbarism** in Barbarei verfallen. – **15.** abfallen (**from** von). – **16.** (mo'ralisch) entgleisen, einen Fehltritt tun, vom rechten Weg abweichen. – **17.** *jur.* a) verfallen, erlöschen, b) heimfallen (**to** an *acc*). – **18.** verfallen, zu'grunde gehen. — **~ rate** → lapse 11.

lap| shav·er *s* (*Gerberei*) Schaber *m*. — '~,**stone** *s* (*Schusterhandwerk*) Klopfstein *m*. — '~,**streak I** *adj* klinkergebaut. – **II** *s* klinkergebautes Boot. — '~,**streak·er** *s Am.* Benützer *m* eines klinkergebauten Boots.

lap·sus ['læpsəs] (*Lat.*) → lapse 1. — **~ ca·la·mi** ['kælə,mai] (*Lat.*) *s* Schreibfehler *m*, Verschreiben *n*. — **~ lin·guae** ['liŋgwiː; *Br. auch* -gwai] (*Lat.*) *s* Sprechfehler *m*, Versprechen *n*: **it was only a** ~ ich habe mich nur versprochen.

lap ta·ble → lapboard.

La·pu·tan [lə'pjuːtən] **I** *s* **1.** La'puter(in) (*Bewohner der fliegenden Insel Laputa in Swifts „Gulliver's Travels"*). – **2.** *fig.* Schwärmer(in), Visio'när(in), Phan'tast(in). – **II** *adj* **3.** phan'tastisch, gro'tesk, ab'surd.

'lap|-,weld *v/t tech.* über'lapptschweißen. — **~ weld** *s tech.* Über'lappungs-, Über'lapptschweißung *f*. — '~,**wing** *s zo.* Kiebitz *m* (*Vanellus vanellus*).

lar [lɑːr] *s* **1.** *sg von* lares. – **2.** *zo.* Weißhandgibbon *m*, Lar *m* (*Hylobates lar*).

lar·board ['lɑːrbərd; -,bɔːrd] *mar. obs.* **I** *s* Backbord *n*. – **II** *adj* Backbord...

lar·ce·ner ['lɑːrsənər], *auch* **'lar·ce·nist** [-nist] *s* Dieb *m*. — **'lar·ce·nous** *adj* diebisch. — **'lar·ce·ny** [-ni] *s jur.* Diebstahl *m*.

larch [lɑːrtʃ] *s* **1.** *bot.* Lärche *f* (*Gattg Larix*). – **2.** Lärchenholz *n*. — **'larch·en** *adj* **1.** Lärchenholz..., aus Lärchenholz. – **2.** Lärchen..., aus Lärchen bestehend.

lard [lɑːrd] **I** *s* **1.** Schweinefett *n*, -schmalz *n*. – **II** *v/t* **2.** *selten* einfetten. – **3.** (*Fleisch*) spicken. – **4.** *fig.* spicken, schmücken: **a speech** ~**ed with metaphors** eine bilderreiche Rede. – **5.** *obs.* mästen, fett machen.

lar·da·ceous [lɑːr'deiʃəs] *adj* fettartig, fettig. — **~ de·gen·er·a·tion** *s med.* Amylo'id-, Speckentartung *f*, 'Wachsdegenerati,on *f*.

lard·er ['lɑːrdər] **I** *s* Speisekammer *f od.* -schrank *m*. – **II** *v/t* (in einer Speisekammer) aufbewahren, aufspeichern. — **~ bee·tle** *s zo.* Speckkäfer *m* (*Dermestes lardarius*).

lard·ing| nee·dle, **~ pin** ['lɑːrdiŋ] *s* Spicknadel *f*.

lard oil *s* Lard-, Schmalzöl *n*.

lar·don ['lɑːrdən], *auch* **lar'doon** [-'duːn] *s* Speckstreifen *m* (*zum Spicken von Fleisch*).

lard stone *s min.* Speckstein *m*, Stea'tit *m*.

lard·y ['lɑːrdi] *adj* speckhaltig, -artig.

lar·dy-dar·dy ['lɑːrdi'dɑːrdi] *adj sl.* bla'siert, affek'tiert, geziert.

la·res ['lɛ(ə)riːz; *Am. auch* 'lei-] (*Lat.*) *s pl relig.* Laren *pl* (*altröm. Schutzgeister der Familie u. der Felder*): ~ **and penates** *fig.* häuslicher Herd, Heim.

lar·ga·men·te [larga'mente] (*Ital.*) *adv mus.* larga'mente, breit (*Zeitmaßbezeichnung*).

large [lɑːrdʒ] **I** *adj* **1.** groß: **a** ~ **income** ein großes *od.* hohes Einkommen; ~ **of limb** großgliedrig, mit großen Gliedern. – **2.** reichlich: **a** ~ **meal.** – **3.** voll, tönend (*Klang etc*). – **4.** um'fassend, weitgehend, ausgedehnt: ~ **powers** umfassende Vollmachten. – **5.** kühn, schwungvoll (*Stil etc*). – **6.** Groß...: ~ **farmer** Großbauer; ~ **producer** Großerzeuger. – **7.** *colloq.* großspurig, pomphaft, protzig. – **8.** großzügig, -mütig, hoch-, weitherzig, vorurteilsfrei (*fast obs. außer in gewissen Wendungen*): **a** ~ **attitude** eine vorurteilsfreie Stellungnahme; ~ **charity** hochherzige Mildtätigkeit; ~ **tolerance** großmütige Duldung; ~ **views** weitherzige Ansichten. – **9.** *mar.* raum (*Wind*). – **10.** *obs.* reichlich. – **11.** *obs.* zügellos, locker, unzüchtig. – **12.** *obs.* wortreich, weitschweifig. – **13.** *obs.* breit. – *SYN.* big[1], great. – **II** *s* **14.** Freiheit *f*, Ungebundenheit *f* (*obs. außer in*): **at** ~ a) in Freiheit, auf freiem Fuße, b) weitschweifig, sehr ausführlich, c) im allgemeinen, im ganzen, in der Gesamtheit, d) ziellos, planlos, aufs Geratewohl, e) *Am.* einen gesamten Staat *etc* vertretend (*u. nicht nur einen bestimmten Wahlbezirk*); **he is still at** ~ er ist noch auf freiem Fuße; **gentleman at** ~ a) Hofdienst leistender Herr ohne bestimmtes Hofamt, b) Herr ohne Beruf, Privatier; **the nation at** ~ die Nation in ihrer Gesamtheit, die ganze Nation; **to talk at** ~ in den Tag hineinreden. – **15.** in (the) ~ im großen, in großem Maßstabe, im ganzen. – **III** *adv* **16.** *mar.* mit raumem Winde. – **17.** *colloq.* großspurig, -sprecherisch, pom'pös. – **18.** im großen: → **by**[1] 17. – **19.** *obs.* freigebig, großzügig, reichlich.

large| cal·o·rie *s phys.* 'Kilokalo,rie *f*, große Kalo'rie. — '~-'**hand·ed** *adj* **1.** mit großen Händen. – **2.** *fig.* freigebig. — '~'**heart·ed** *adj* großmütig, -zügig, freigebig. — ,~'**heart·ed·ness** *s* Großmütigkeit *f*, Freigebigkeit *f*. — **~ in·tes·tine** *s med. zo.* Dickdarm *m*.

large·ly ['lɑːrdʒli] *adv* **1.** in hohem Maße *od.* Grade, hauptsächlich, größtenteils. – **2.** in großem 'Umfange, weitgehend. – **3.** reichlich. – **4.** allgemein, im allgemeinen, im großen (und) ganzen.

'large|-'mind·ed *adj* vorurteilslos, aufgeschlossen, tole'rant, weitherzig. — ,~-'**mind·ed·ness** *s* Vorurteilslosigkeit *f*, Weitherzigkeit *f*.

larg·en ['lɑːrdʒən] *poet. od. dial. für* enlarge.

large·ness ['lɑːrdʒnis] *s* **1.** Größe *f*. – **2.** Reichlichkeit *f*. – **3.** Ausgedehntheit *f*, Weite *f*, 'Umfang *m*. – **4.** Großzügigkeit *f*, Freigebigkeit *f*. – **5.** Großmütigkeit *f*. – **6.** Großspurigkeit *f*, Pomphaftigkeit *f*. – **7.** *obs.* Weitschweifigkeit *f*.

'large|-'scale *adj* **1.** groß(angelegt), 'umfangreich, ausgedehnt, Groß..., Massen...: ~ **manufacture** Massenherstellung. – **2.** in großem Maßstab (gezeichnet *etc*): **a** ~ **map** eine Karte in großem Maßstab (*höchstens 1 : 20000*). — '~-'**sized** *adj* groß, großen For'mats, 'großfor,matig, Groß...

lar·gess(e) ['lɑːrdʒis; -dʒes] *s* **1.** Freigebigkeit *f*. – **2.** Gabe *f*, reiches Geschenk, Schenkung *f*. – **3.** *obs.* Großmütigkeit *f*.

lar·ghet·to [lɑːr'getou] *mus.* **I** *adj u. adv* lar'ghetto, ziemlich langsam. – **II** *s pl* **-tos** Lar'ghetto *n*.

larg·ish ['lɑːrdʒiʃ] *adj* ziemlich groß.

lar·go ['lɑːrgou] *mus.* **I** *adj u. adv* largo, breit, sehr langsam. – **II** *s pl* **-gos** Largo *n*.

lar·i·at ['læriət] *bes. Am.* **I** *s* **1.** Lasso *m*, *n*. – **2.** (Halte)Seil *n* (*für grasende Tiere*). – **II** *v/t* **3.** mit einem Lasso fangen *od.* anbinden.

lar·id ['lærid] *s zo.* Möwe *f* (*Fam. Laridae*). — **'lar·i·dine** [-din; -,dain] *adj* möwenartig, zu den Möwen gehörig.

lar·ine ['lærin] *adj zo.* **1.** möwenartig, -ähnlich. – **2.** zu den Möwen im engeren Sinne (*Unterfam. Larinae*) gehörig.

la·rith·mics [lə'riðmiks] *s pl* (*als sg konstruiert*) Be'völkerungssta,tistik *f*, -lehre *f*.

lark[1] [lɑːrk] *s zo.* **1.** Lerche *f* (*Fam. Alaudidae*), *bes.* → sky~ I: **to rise with the** ~ mit den Hühnern aufstehen; → sky 2. – **2.** *ein lerchenähnlicher Vogel*, *bes.* → a) **meadow** ~, b) tit~.

lark[2] [lɑːrk] *colloq.* **I** *s* **1.** Jux *m*, Ulk *m*, Spaß *m*, lustiger Streich: **to have a** ~ seinen Spaß haben; **what a** ~! was für ein Spaß! wie lustig! – **II** *v/i* **2.** Possen treiben, spaßen, tollen. – **3.** über Land reiten. – **III** *v/t* **4.** necken, foppen. – **5.** (*mit dem Pferd*) setzen *od.* springen über (*acc*): **to** ~ **a hedge** über eine Hecke setzen.

lark bun·ting *s zo.* Spornammer *f* (*Calamospiza melanocorys*).

lark·er[1] ['lɑːrkər] *s* Lerchenfänger *m*.

lark·er[2] ['lɑːrkər] *s colloq.* Spaßmacher(in), -vogel *m*.

'lark-,heel *s bot.* **1.** → larkspur. – **2.** Kapu'zinerkresse *f* (*Gattg Tropaeolum*).

lark·some ['lɑːrksəm] *adj colloq.* ausgelassen, lustig, zum Spaßen aufgelegt.

lark| spar·row *s zo.* Lerchensperling *m* (*Chondestes grammacus*). — '~,**spur** *s bot.* Rittersporn *m* (*Gattg Delphinium*).

lar·oid ['lærɔid] → laridine.

lar·ri·gan ['lærigən; -rə-] *s Am. od. Canad.* Mokas'sin *m* mit bis über die Knie reichendem Schaft.

lar·ri·kin ['lærikin; -rə-] *bes. Austral.* **I** *s* (jugendlicher) Rowdy, Strolch *m*, Straßenlümmel *m*, frecher Kra'keeler, ‚Halbstarker' *m*. – **II** *adj* rowdyhaft, roh u. frech.

lar·rup ['lærəp] *colloq.* **I** *v/t* ‚verdreschen', ‚vermöbeln', verprügeln. – **II** *s* Schlag *m*, Hieb *m*.

lar·um ['lærəm] *Kurzform für* alarum.

lar·va ['lɑːrvə] *pl* **-vae** [-viː] *s* **1.** *zo.* Larve *f*. – **2.** *antiq.* (*Rom*) Larve *f* (*als Gespenst umgehende Seele eines Verstorbenen*). — **'lar·val** *adj* **1.** *zo.* lar'val, Larven... – **2.** *med.* lar'viert, versteckt. — **'lar·vate** [-veit] *adj* **1.** mas'kiert, versteckt. – **2.** → larval 2. — **lar·vi·cid·al** [ˌlɑːrvi'saidl] *adj* larven-, *bes.* raupenvertilgend. — **'lar·viˌcide** *s* Larven-, *bes.* Raupenvertilgungsmittel *n*. — **'lar·viˌform** [-ˌfɔːrm] *adj zo.* larvenförmig, Larven... — **lar·vip·a·rous** [lɑːr'vipərəs] *adj zo.* Larven erzeugend.

laryng- [ləriŋ] → laryngo-.

la·ryn·gal [lə'riŋgəl] *adj* Kehlkopf..., im Kehlkopf erzeugt (*Laut*). — **la'ryn·ge·al** [-'rindʒiəl] **I** *adj* **1.** *med.* Kehlkopf..., larynge'al: ~ mirror Kehlkopfspiegel. – **II** *s* **2.** *med.* a) 'Kehlkopfarˌterie *f*, b) Kehlkopfnerv *m*. – **3.** (*Phonetik*) Laryn'gal *m*, Kehl(kopf)laut *m*. — **lar·yn·gis·mus** [ˌlærin'dʒizməs] *s med.* Stimmritzenkrampf *m*. — **ˌlar·yn'gi·tis** [-'dʒaitis] *s med.* Laryn'gitis *f*, Kehlkopfentzündung *f*.

laryngo- [ləriŋgo; læriŋgə] *Wortelement mit der Bedeutung* Kehlkopf.

la·ryn·go·log·i·cal [ləˌriŋgo'lɒdʒikəl] *adj med.* laryngo'logisch. — **lar·yn·gol·o·gist** [ˌlæriŋ'gɒlədʒist] *s med.* Laryngo'loge *m*, 'Kehlkopfspeziaˌlist *m*. — **ˌlar·yn'gol·o·gy** [-dʒi] *s med.* Laryngolo'gie *f*, Kehlkopfkunde *f*.

la·ryn·go·pha·ryn·ge·al [ləˌriŋgofə'rindʒiəl] *adj med.* laˌryngophaˌrynge'al (*Kehlkopf u. Rachen betreffend*).

la·ryn·go·phone [lə'riŋgəˌfoun] *s electr.* 'Kehlkopfmikroˌphon *n*.

la·ryn·go·scope [lə'riŋgəˌskoup] *s med.* Laryngo'skop *n*, Kehlkopfspiegel *m*. — **laˌryn·go'scop·ic** [-'skɒpik], **laˌryn·go'scop·i·cal** *adj* laryngo'skopisch. — **lar·yn·gos·co·pist** [ˌlæriŋ'gɒskəpist] *s selten* 'Kehlkopfspeziaˌlist *m*. — **ˌlar·yn'gos·co·py** *s* Laryngosko'pie *f*, Kehlkopfspiegeln *n*.

lar·yn·got·o·my [ˌlæriŋ'gɒtəmi] *s med.* Kehlkopferöffnung *f*, -schnitt *m*.

lar·ynx ['læriŋks] *pl* **la·ryn·ges** [lə'rindʒiːz] *od.* **'lar·ynx·es** *s med. zo.* Kehlkopf *m*, Larynx *m*.

las·car ['læskər] *s mar.* Laskar *m* (*ostindischer Matrose*).

las·civ·i·ous [lə'siviəs] *adj* **1.** geil, wollüstig, lüstern. – **2.** las'ziv, schlüpfrig, zur Wollust reizend. — **las'civ·i·ous·ness** *s* **1.** Geilheit *f*. – **2.** Schlüpfrigkeit *f*, Laszivi'tät *f*.

lash[1] [læʃ] **I** *s* **1.** Peitschenschnur *f*, -riemen *m*. – **2.** a) Peitsche *f*, b) Rute *f*. – **3.** Peitschen-, Rutenhieb *m*. – **4.** the ~ die Prügelstrafe. – **5.** *fig.* (Peitschen)Hieb *m*: a ~ at s.o.'s arrogance ein Hieb gegen j-s Anmaßung. – **6.** peitschende Bewegung, Peitschen *n*: the ~ of the lion's tail. – **7.** *fig.* Peitschen *n* (*Wellen, Regen etc*). – **8.** *fig.* aufpeitschender *od.* aufstachelnder Einfluß. – **9.** (Augen)Wimper *f*. – **II** *v/t* **10.** peitschen, geißeln. – **11.** peitschen: the storm ~es the sea. – **12.** peitschen (an *acc*), peitschend schlagen an (*acc*): the waves ~ the rocks. – **13.** peitschen mit, peitschend bewegen: to ~ the tail mit dem Schwanz peitschen. – **14.** *fig.* (*wie mit der Peitsche*) (an)treiben: to ~ oneself into a fury sich in Wut hineinsteigern. – **15.** plötzlich werfen *od.* schleudern. – **16.** *fig.* geißeln: to ~ vice. – **III** *v/i* **17.** eine peitschende Bewegung machen. – **18.** strömen (*Regen, Tränen*), her'abstürzen, her'vorschießen. – **19.** (at) heftig schlagen (nach). – **20.** (at) *fig.* heftig angreifen (*acc*), geißeln (*acc*). – *Verbindungen mit Adverbien*:

lash| down *v/i* niederprasseln, her'abströmen (*Regen*). — **~ out** *v/i* **1.** wild um sich schlagen. – **2.** ausschlagen (*Pferd*). – **3.** *fig.* ausbrechen (into in *acc*).

lash[2] [læʃ] *v/t* **1.** (fest)binden: to ~ s.th. to a pole etwas an einer Stange festbinden. – **2.** *mar.* (fest)zurren.

lashed [læʃt] *adj* bewimpert.

lash·er[1] ['læʃər] *s* **1.** j-d der peitscht *od.* geißelt. – **2.** *dial.* a) durch ein Wehr fließendes Wasser, b) Wehr *n*, c) Becken *n* 'unterhalb des Wehrs.

lash·er[2] ['læʃər] *s* **1.** j-d der festbindet. – **2.** Leine *f*.

lash·ing[1] ['læʃiŋ] *s* **1.** Peitschen *n*. – **2.** Auspeitschung *f*, Züchtigung *f*. – **3.** *fig.* Geißelung *f*. – **4.** *pl Br. colloq* große Menge, Masse *f*, ‚Haufen' *m*: ~s of whisky Ströme von Whisky.

lash·ing[2] ['læʃiŋ] *s* **1.** Anbinden *n*, Festmachen *n*. – **2.** Leine *f*, Schnur *f*. – **3.** *mar.* Lasching *f*, Tau *n*, Bändsel *n*, Zurring *f*.

lash·kar ['læʃkɑːr] *s Br. Ind.* Verband *m* bewaffneter indischer Stammeskrieger.

lash·less ['læʃlis] *adj* wimpernlos, unbewimpert.

las·pring ['læspriŋ] *s zo. Br.* Jährling *m*, junger Lachs.

lasque [*Br.* lɑːsk; *Am.* læ(ː)sk] *s* dünner flacher Dia'mant.

lass [læs] *s* **1.** Mädchen *n*. – **2.** Liebste *f*. – **3.** *Scot. od. dial.* Dienstmädchen *n*.

'las·ses ['læsiz] *Am. vulg. für* molasses.

las·sie ['læsi] *s bes. Scot.* Mädel *n*, kleines Mädchen.

las·si·tude ['læsiˌtjuːd; -sə-; *Am. auch* -ˌtuːd] *s* Mattigkeit *f*, Mattheit *f*, Schlaffheit *f*. – *SYN. cf.* lethargy.

las·so ['læsou; læ'suː] **I** *s pl* **-sos** *od.* **-soes** Lasso *m, n*. – **II** *v/t pret u. pp* **-soed** mit einem Lasso fangen.

last[1] [*Br.* lɑːst; *Am.* læ(ː)st] **I** *adj* **1.** letzt(er, e, es): the ~ two die beiden letzten; ~ but one vorletzt(er, e, es); for the ~ time zum letzten Male; to the ~ man bis auf den letzten Mann; the ~ day *relig.* der Jüngste Tag; the four ~ things *relig.* die vier Letzten Dinge; → ditch 1; leg *b. Redw.* – **2.** letzt(er, e, es), letzt vergangen, vorig(er, e, es): ~ Monday, Monday ~ (am) letzten *od.* vorigen Montag; ~ night gestern abend; ~ week in der letzten *od.* vorigen Woche. – **3.** neuest(er, e, es): the ~ news die neuesten Nachrichten; the ~ thing in jazz music das Neueste auf dem Gebiet der Jazzmusik. – **4.** letzt(er, e, es), al'lein noch übrigbleibend: this is my ~ shilling. – **5.** letzt(er, e, es), endgültig, entscheidend: the ~ word on this matter das letzte Wort in dieser Sache. – **6.** höchst(er, e, es), äußerst(er, e, es): of the ~ importance von höchster Bedeutung. – **7.** letzt(er, e, es), geringst(er, e, es), mindest(er, e, es): the ~ prize. – **8.** letzt(er, e, es), am wenigsten erwartet *od.* geeignet: he is the ~ person I expect to see am wenigsten rechne ich damit, ihn zu sehen; this is the ~ thing to happen es ist sehr unwahrscheinlich, daß dies geschehen wird. – **9.** *relig.* Sterbe... (*Sakrament*). – *SYN.* eventual, final, terminal, ultimate. –

II *adv* **10.** zu'letzt, als letzt(er, e, es), an letzter Stelle: he came ~ er kam als letzter; ~ (but) not least nicht zuletzt, nicht zu vergessen; ~ of all ganz zuletzt. – **11.** zu'letzt, zum letzten Male: I saw her ~ in Berlin ich traf sie zuletzt in Berlin. – **12.** schließlich, endlich. – **13.** (*in Zusammensetzungen*) letzt...: ~-mentioned letztgenannt. –

III *s* **14.** (*der, die, das*) Letzte: the ~ of the Mohicans der letzte Mohikaner; he would be the ~ to say such a thing er wäre der Letzte, der so etwas sagen würde. – **15.** Letzt(er, e, es), Letztgenannt(er, e, es): these ~ diese Letzten. – **16.** *ellipt. colloq. für* ~ baby, ~ joke, ~ letter *etc*: I wrote in my ~ ich schrieb in meinem letzten Brief; have you heard Tom's ~? kennst du schon Toms neuesten Witz? this is our ~ das ist unser Jüngstes. – **17.** *colloq.* a) letzte Erwähnung, b) letztmaliger Anblick. – **18.** *poet. od. Am.* Ende *n*. – **19.** *bes. poet.* Tod *m*. –

Besondere Redewendungen:

at ~, *auch* at the ~, at long ~ a) endlich, b) schließlich, zuletzt; to the ~ a) bis zum äußersten, b) bis zum Ende *od.* Schluß, c) bis zum Tode; to breathe one's ~ seinen letzten Atemzug tun; to hear the ~ of s.th. a) zum letzten Male von etwas hören, b) nichts mehr von etwas hören; to look one's ~ on zum letzten Male blicken auf (*acc*); when did you see the ~ of her? *colloq.* wann hast du sie zum letzten Male gesehen? when shall I see the ~ of that idiot? *colloq.* wann werde ich diesen Trottel endlich nicht mehr sehen?

last[2] [*Br.* lɑːst; *Am.* læ(ː)st] **I** *v/i* **1.** (an-, fort)dauern, währen. – **2.** bestehen: as long as the world ~s solange die Welt besteht. – **3.** 'durch-, aus-, standhalten. – **4.** (sich) halten. – **5.** (aus)reichen, genügen: while the money ~s solange das Geld reicht; it will ~ us a week es wird uns eine Woche lang reichen. – *SYN. cf.* continue. – **II** *v/t* **6.** so lange dauern *od.* leben wie. – **7.** ~ out a) über'dauern, -'leben, b) es mindestens ebensolange aushalten wie. – **III** *s* **8.** 'Widerstandskraft *f*, Ausdauer *f*.

last[3] [*Br.* lɑːst; *Am.* læ(ː)st] **I** *s* Leisten *m* (*des Schuhmachers*): to put s.th. on the ~ etwas über den Leisten schlagen; to stick to one's ~ *fig.* bei seinem Leisten bleiben. – **II** *v/t* leisten, auf den Leisten aufziehen.

last[4] [*Br.* lɑːst; *Am.* læ(ː)st] *s* Last *f* (*Gewicht od. Hohlmaß, verschieden nach Ware u. Ort, meist etwa 4000 engl. Pfund od. 30 hl*): a ~ of grain eine Last Getreide (= *80 Scheffel od. 29 hl*); a ~ of wool eine Last Wolle (= *12 Säcke od. 4368 lb.*).

Las·tex ['læsteks] (*TM*) *s* Lastex *n* (*Warenname für einen mit Baumwoll- od. Seidenfäden umsponnenen Latexfaden*).

last·ing [*Br.* 'lɑːstiŋ; *Am.* 'læ(ː)st-] **I** *adj* **1.** ausdauernd, dauerhaft, beständig, haltbar. – **2.** nachhaltig. – *SYN.* durable, permanent, stable[2]. – **II** *s* **3.** Lasting *n*, 'Wollsaˌtin *m*, Pru'nell *m* (*Gewebe aus Hartkammgarn*). – **4.** Dauer(haftigkeit) *f*. — **'last·ing·ness** *s* **1.** Dauerhaftigkeit *f*, Beständigkeit *f*, Haltbarkeit *f*. – **2.** Nachhaltigkeit *f*.

Last Judg(e)·ment *s relig.* Jüngstes *od.* Letztes Gericht.

last·ly [*Br.* 'lɑːstli; *Am.* 'læ(ː)st-] *adv* zu'letzt, am Ende.

Last Sup·per *s Bibl.* (Letztes) Abendmahl (Jesu).

lat [lɑːt] *pl* **lats** *od.* **la·tu** ['lɑːtu] *s* Lat *m* (*lettische Währungseinheit*).

Lat·a·ki·a [ˌlætə'kiːə] *s* Lata'kia-Tabak *m* (*nach der türk. Stadt Latakia*).

latch [lætʃ] **I** *s* **1.** Klinke *f*, Schnäpper *m*, Falle *f*, Feder-, Schnappriegel *m*: on the ~ (nur) eingeklinkt (*Tür*). – **2.** Druck-, Schnappschloß *n*. – **II** *v/t* **3.** ein-, zuklinken. – **III** *v/i* **4.** (sich) einklinken, einschnappen. — ~ **bolt** *s* Falle *f* (*eines Schnappschlosses*), Schnäpper *m*. [riemen *m*.]

latch·et ['lætʃit] *s obs. od. dial.* Schuh-

'latch|,key *s* **1.** Schlüssel *m* für ein Schnappschloß. – **2.** Hausschlüssel *m*: ~ kids Schlüsselkinder. — **'~,key vote** *s hist.* Wahlrecht *n* der 'Untermieter (*die einen eigenen Schlüssel besaßen; vor der Erweiterung des Wahlrechts in England, 1918*). — **'~,string** *s* Schnur *f* zum Aufziehen der (Schloß)Falle von außen: **their ~ was always out to strangers** *Am. fig.* Fremde fanden allezeit bei ihnen eine offene Tür.

late [leit] *comp* **'lat·er**, *auch* (*in besonderen Fällen*) **lat·ter** ['lætər], *sup* **'lat·est**, *auch* **last** [*Br.* lɑːst; *Am.* læ(ː)st] **I** *adj* **1.** spät: **at a ~ hour** spät, zu später Stunde (*auch fig.*); → hour 2; **on Monday at the ~st** spätestens am Montag. – **2.** vorgerückt, spät, Spät...: ~ **summer** Spätsommer; **the ~ 18th century** das späte 18. Jh. – **3.** verspätet, zu spät: **to be ~** a) zu spät kommen, spät dran sein, b) Verspätung haben (*Zug etc*); **to be ~ for dinner** zu spät zu Tisch kommen; **it is too ~** es ist zu spät. – **4.** letzt(er, e, es), jüngst(er, e, es), neu: **the ~ floods** die letzten Überschwemmungen; **the ~st fashions** die neuesten Moden; **the ~st news** die neuesten Nachrichten; **of ~ years** in den letzten Jahren. – **5.** a) letzt(er, e, es), früher, ehemalig, vormalig, b) verstorben: **the ~ prime minister** der letzte *od.* der verstorbene Premierminister; **the ~ government** die letzte Regierung; **my ~ residence** meine ehemalige Wohnung. – *SYN. cf.* dead. – **II** *adv* **6.** spät: **as ~ as last year** erst *od.* noch letztes Jahr; **better ~ than never** lieber spät als gar nicht; **~r on** später(hin); **sooner or ~r**, *auch* **early or ~, soon or ~** früher od. später, über kurz od. lang; **to sit up ~** bis spät in die Nacht aufbleiben; **~ in the day** *colloq.* reichlich spät, ,ein bißchen' spät. – **7.** zu spät: **to come ~** zu spät kommen. – **8.** *selten* zu'vor, vorher, früher. – **9.** *poet.* neulich. – **10. of ~** in letzter Zeit, kürzlich.

'late-,com·er *s* Zu'spätkommende(r) *od.* Zu'spätgekommene(r), Nachzügler(in).

lat·ed ['leitid] *adj poet.* verspätet.

la·teen [lə'tiːn] *mar.* **I** *adj* **1.** Latein... – **II** *s* **2.** La'teinsegel *n*. – **3.** La'teinsegelboot *n*. — **la'teen·er** → lateen 3.

la'teen|-,rigged *adj mar.* La'teinsegel führend. — ~ **sail** *s* La'teinsegel *n*. — ~ **yard** *s* La'teinrah *f*.

late| fee *s* **1.** *Am.* Strafgebühr *f* für Verspätung (*beim Anmelden, Registrieren etc*). – **2.** (*Post*) *Br.* Spät(einlieferungs)gebühr *f*. — **L~ Greek** *s* Spätgriechisch *n*. — **L~ Lat·in** *s* 'Spätla,teinisch *n*.

late·ly ['leitli] **I** *adv* **1.** vor kurzem, kürzlich, neulich. – **2.** *obs.* langsam, verspätet. – **II** *adj obs.* **3.** kürzlich, neulich.

la·ten·cy ['leitənsi] *s* La'tenz *f*, Verborgenheit *f*. — ~ **pe·ri·od** *s psych.* La'tenzperi,ode *f* (*der Sexualität des Kindes vom 4. od. 5. Lebensjahr bis zur Pubertät*).

La Tène [la'tɛːn] *adj* (*Archäologie*) Latène... (*die Latènezeit betreffend*).

late·ness ['leitnis] *s* **1.** späte Zeit, spätes Stadium. – **2.** Verspätung *f*.

la·tent ['leitənt] *adj* **1.** la'tent, verborgen, gebunden, versteckt, schlafend: ~ **abilities** latente Fähigkeiten. – **2.** *med. phys. psych.* la'tent: ~ **infection**. – **3.** *bot.* unentwickelt, schlafend: ~ **buds**. – *SYN.* abeyant, dormant, potential, quiescent. — ~ **heat** *s phys.* la'tente Wärme, 'Umwandlungswärme *f*. — ~ **pe·ri·od** *s med.* **1.** La'tenzstadium *n*, -zeit *f*, Inkubati'on(szeit) *f*. – **2.** (*Physiologie*) La'tenzzeit *f* (*zwischen Reizmoment u. Reaktion*).

lat·er·al ['lætərəl] **I** *adj* **1.** seitlich, Seiten...: ~ **branch** Seitenlinie (*eines Stammbaums*); **a ~ deviation** eine seitliche Abweichung; ~ **view** Seitenansicht. – **2.** (*Phonetik*) late'ral (*Laut*). – **3.** *bot. zo.* late'ral, seitenständig, seitlich (gelegen). – **II** *s* **4.** Seitenteil *m, n*, -stück *n*. – **5.** *bot.* Seitenzweig *m*. – **6.** (*Bergbau*) Nebenstollen *m*. – **7.** (*Phonetik*) Late'ral *m*. – **8.** *sport* seitliche Abgabe des Balls. — ~ **fin** *s zo.* Seitenflosse *f* (*der Fische*). — ~ **line** *s zo.* Seitenlinie *f* (*Strömungssinnesorgan der Fische*).

lat·er·al·ly ['lætərəli] *adv* **1.** seitlich, seitwärts. – **2.** von der Seite.

lat·er·al| pass *s* (*Fußball*) Querpaß *m*. — ~ **sta·bil·i·ty** *s tech.* 'Querstabili,tät *f*.

Lat·er·an ['lætərən] **I** *s* **1.** Late'ran *m* (*Palast des Papstes in Rom*). – **2.** Late'rankirche *f*. – **II** *adj* **3.** late'ranisch, latera'nensisch, Lateran... — ~ **Coun·cils** *s pl* Late'ranische Kon'zile *pl*. — ~ **Pact**, ~ **Trea·ty** *s* Late'ranverträge *pl* (*zwischen der päpstlichen Kurie u. der ital. Regierung, 1929*).

lateri- [lætəri] *Wortelement mit der Bedeutung* seitlich, Seite.

lat·er·ite ['lætə,rait] *s geol.* Late'rit *m* (*eine Bodenart*). — **,lat·er'it·ic** [-'ritik] *adj* Laterit...

la·tes·cence [lei'tesns] *s* Undeutlichwerden *n*. — **la'tes·cent** *adj* undeutlich werdend, sich verbergend.

late wood *s bot.* Spätholz *n* (*des Jahresringes*).

la·tex ['leiteks] *pl* **lat·i·ces** ['læti,siːz; -tə-] *od.* **'la·tex·es** *s bot.* Milchsaft *m*, Latex *m* (*verschiedener Pflanzen*).

lath [*Br.* lɑːθ; *Am.* læ(ː)θ] *pl* **laths** [-θs; -ðz] **I** *s* **1.** Latte *f*, Leiste *f*: **as thin as a ~** spindel-, lattendürr (*Person*). – **2.** *collect.* Latten *pl*, Leisten *pl*. – **3.** a) Lattenwerk *n*, b) Putzträger *m*: ~ **and plaster** *arch. tech.* Putzträger und Putz. – **4.** Maschendraht *m etc* als Putzträger. – **5.** (*Bergbau*) (Getriebe)Pfahl *m*. – **II** *v/t* **6.** mit Latten *od.* Leisten verschalen *od.* einfassen.

lathe[1] [leið] *tech.* **I** *s* **1.** Drehbank *f*. – **2.** Töpferscheibe *f*. – **II** *v/t* **3.** drechseln, auf der Drehbank bearbeiten.

lathe[2] [leið] *s* Grafschaftsbezirk *m* (*jetzt nur noch in Kent*).

lathe[3] [leið] *s tech.* Lade *f*, Schlag *m* (*am Webstuhl*).

lathe| bear·er *s tech.* (Ein)Spannvorrichtung *f* (*an der Drehbank*), Futter *n*, Planscheibe *f*. — ~ **bed** *s tech.* Drehbankbett *n*. — ~ **car·riage** *s tech.* 'Drehbanksup,port *m*. — ~ **dog** *s tech.* Drehbankherz *n*. — ~ **hand** *s* Dreher *m*.

lath·er[1] ['læðər; *Br. auch* 'lɑː-] **I** *s* **1.** (Seifen)Schaum *m*. – **2.** schäumender Schweiß (*bes. eines Pferdes*). – **II** *v/t* **3.** [einseifen. – **4.** *colloq.* ,verbleuen', verprügeln. – **III** *v/i* **5.** schäumen.

lath·er[2] ['leiðər] *s tech.* Dreher *m*.

lath·er·ing ['læðəriŋ; *Br. auch* 'lɑː-] *s* **1.** Einseifen *n*. – **2.** Schäumen *n*. – **3.** *colloq.* ,Senge' *f*, Tracht *f* Prügel. — **'lath·er·y** *adj* schäumend, schaumig, mit Schaum bedeckt.

la·thi ['lɑːti] *s* langer eisenbeschlagener Knüppel (*der Polizei in Indien*).

lath·ing [*Br.* 'lɑːθiŋ; *Am.* 'læ(ː)θiŋ] *s* **1.** Lattenwerk *n*, *bes.* -verschalung *f*. – **2.** Belattung *f*, Verschalung *f od.* Einfassung *f* mit Latten. — ~ **hammer**, ~ **hatch·et** *s tech.* Lattenhammer *m*.

'lath,work → lathing.

lath·y [*Br.* 'lɑːθi; *Am.* 'læ(ː)θi] *adj* lang u. dünn.

lath·y·rus ['læθirəs] *s bot.* Platterbse *f* (*Gattg Lathyrus*).

lat·i·ces ['læti,siːz; -tə-] *pl von* **latex**.

lat·i·cif·er·ous [,læti'sifərəs] *adj bot.* Milchsaft führend.

lat·i·cos·tate [,læti'kɒsteit] *adj bot.* breitrippig, mit breiter Mittelrippe.

lat·i·den·tate [,læti'denteit] *adj bot. zo.* breit gezähnt.

lat·i·fun·di·um [,læti'fʌndiəm; ,lei-] *pl* **-di·a** [-diə] *s* Lati'fundium *n*, Lati'fundienbesitz *m* (*sehr großer Grundbesitz*).

la·ti·go ['lɑːti,gou], *auch* ~ **strap** *s Am.* starker Lederriemen (*der das Ende des Sattelgurts am Sattel befestigt*).

Lat·in ['lætin; -tn] **I** *s* **1.** *ling.* a) La'tein(isch) *n*, das Lateinische, b) La'tinisch *n*, das Latinische: **thieves' ~** *fig.* Gaunersprache. – **2.** Ro'manisch *n*, das Romanische. – **3.** *antiq.* a) La'tiner *m*, b) Römer *m*. – **4.** Ro'mane *m*. **II** *adj* **5.** *ling.* la'teinisch, Latein... – **6.** ro'manisch. – **7.** *relig.* 'römisch-ka'tholisch. – **8.** la'tinisch. — **'~-A'mer·i·can I** *adj* la'teinameri,kanisch. – **II** *s* La'teinameri,kaner(in). — ~ **Church** *s relig.* 'römisch-ka'tholische Kirche. — ~ **cross** *s relig.* lat. Kreuz *n*.

La·ti·ne [lə'tainiː] (*Lat.*) *adv* la'teinisch, auf la'tein(isch), in lat. Sprache.

Lat·in·er ['lætinər; -ən-] *s colloq.* La'teingelehrte(r), ,La'teiner' *m*.

La·tin·i·an [lə'tiniən] → Latin 5 *u.* 8.

Lat·in·ism ['læti,nizəm; -ə,n-], *auch* **l~** *s* Lati'nismus *m*, lat. Spracheigentümlichkeit *f* (*bes. wenn in einer anderen Sprache verwendet*).

Lat·in·ist ['lætinist; -ən-] *s ling.* Lati'nist(in). — **,Lat·in'is·tic**, *auch* **,Lat·in'is·ti·cal** *adj* lati'nistisch.

La·tin·i·ty [lə'tiniti; -əti] *s* Latini'tät *f*: a) *der Gebrauch der lat. Sprache*, b) *die besondere sprachliche Ausdrucksform der lat. Schriftsteller*, c) Lat. Recht *n*, La'tinerrecht *n* (*im röm. Reich eine Mittelstufe zwischen dem vollen Bürgerrecht u. dem Fremdenrecht*).

Lat·in·i·za·tion [,lætinai'zeiʃən; -təni-] *s* Latini'sierung *f* (*einer Sprache etc*).

Lat·in·ize ['læti,naiz; -ə,n-], *auch* **l~** **I** *v/t* **1.** (*Sprache etc*) latini'sieren. – **2.** ins La'teinische über'tragen. – **3.** *relig.* der röm.-kath. Kirche annähern *od.* ihrem Einfluß öffnen: **to ~ the Church of England**. – **II** *v/i* **4.** Lati'nismen verwenden. – **5.** sich latini'sieren. – **6.** *relig.* sich der röm.-kath. Kirche annähern.

Lat·in·less ['lætinlis; -ən-] *adj* ohne La'teinkenntnisse.

Lat·in| Quar·ter *s* Quar'tier La'tin *n* (*in Paris*). — ~ **Rite** → Latin Church. — ~ **school** *s ped. Am.* (*jetzt meist hist.*) La'teinschule *f*.

lat·i·pen·nate [,læti'peneit], *auch* **,lat·i'pen·nine** [-nain; -nin] *adj zo.* breitflügelig.

lat·i·ros·tral [,læti'rɒstrəl], *auch* **,lat·i'ros·trate** [-treit] *adj zo.* breitschnäbelig.

lat·ish ['leitiʃ] *adj* etwas spät.

lat·i·tude ['læti,tjuːd; -tə-; *Am. auch* -,tuːd] *s* **1.** *astr. geogr.* Breite *f*: **degrees of ~** Breitengrade; **wheat does not grow in these ~s** Weizen wächst in diesen Breiten nicht; **high (low) ~s** hohe (niedere) Breiten. – **2.** (*Geodäsie*) Breite *f*. – **3.** *fig.* Spielraum *m*, (Bewegungs)Freiheit *f*: **to allow s.o. great ~** j-m große Freiheit gewähren. – **4.** *phot.* Belichtungsspielraum *m*. – **5.** *selten* a) (Reich)Weite *f*, 'Umfang *m*, Ausdehnung *f*, b) Breite *f*. — **,lat·i'tu·di·nal** [-dinl; -də-] *adj geogr.* latitudi'nal, Breiten...

lat·i·tu·di·nar·i·an [ˌlætiˌtjuːdiˈnɛ(ə)riən; -təˌt-; -də-; *Am. auch* -ˌtuː-] **I** *adj* **1.** weitherzig. – **2.** *bes. relig.* freisinnig, freidenkerisch. – **II** *s* **3.** *bes. relig.* Freigeist *m*, Freidenker(in). – **4.** *relig.* Latitudiˈnarier(in) (*Anhänger einer toleranten theologischen Richtung des 17. Jh. in England*). — ˌ**lat·iˌtu·diˈnar·i·anˌism** *s relig.* Duldsamkeit *f*, Toleˈranz *f*.

lat·i·tu·di·nous [ˌlætiˈtjuːdinəs; -təˈt-; -də-; *Am. auch* -ˈtuː-] *adj* **1.** weit, ausgedehnt, breit. – **2.** *fig.* weitherzig, frei(sinnig), großzügig.

la·tri·a [ləˈtraiə] *s relig.* Laˈtrie *f* (*Anbetung Gottes allein*).

la·trine [ləˈtriːn] *s* **1.** Laˈtrine *f*. – **2.** Abort *m*, Kloˈsett *n*.

lat·ro·cin·i·um [ˌlætroˈsiniəm; -rə-] *s* **1.** *jur.* Straßenraub *m*. – **2.** *relig. hist.* ˈRäubersynˌode *f* (*Konzil von Ephesus 449, zur Rehabilitierung des Monophysiten Eutyches*).

la·tron [ˈleitrən] *s* Räuber *m*, Banˈdit *m*.

-latry [lətri] *Wortelement mit der Bedeutung* Anbetung, Verehrung.

lat·ten [ˈlætn] *s* **1.** *auch* ~ **brass** *obs.* Messingblech *n od.* Blech *n* aus einer messingähnlichen Leˈgierung. – **2.** *dial.* Blech *n*, *bes.* Zinnblech *n od.* verzinntes Eisenblech.

lat·ter [ˈlætər] *adj* (*comp von* late) **1.** letzter(er, e, es): **go through the window instead of the door, because the ~ is locked ...**, weil die letztere verschlossen ist. – **2.** neuer, jünger, moˈdern: **in these ~ days** in der jüngsten Zeit. – **3.** letzt(er, e, es), später: **the ~ years of one's life** die letzten *od.* späteren Lebensjahre; **the ~ end** der Tod. – **4.** *poet.* letzt(er, e, es), abschließend, Schluß... – **5.** *obs.* später, zweit(er, e, es): ~ **grass** zweite (Heu)Mahd, zweites Heu. — ˈ**~-ˈday** *adj* jüngst(er, e, es), der jüngsten Zeit angehörend. — ˈ**L~-ˈday Saint** *s relig.* Heilige(r) der letzten Tage, Morˈmone *m*, Morˈmonin *f*.

lat·ter·ly [ˈlætərli] *adv* **1.** in letzter Zeit, neuerdings, kürzlich. – **2.** am Ende, zum (Ab)Schluß.

lat·ter·most [ˈlætərˌmoust; -məst] *adj* letzt(er, e, es).

lat·tice [ˈlætis] **I** *s* **1.** Gitter(werk) *n*. – **2.** Gitterfenster *n od.* -tür *f*. – **II** *v/t* **3.** vergittern. – **4.** ein gitterartiges Aussehen verleihen (*dat*), gitterförmig machen. — ~ **bridge** *s tech.* Gitterbrücke *f*. — ~ **frame**, ~ **gird·er** *s tech.* Gitter-, Fachwerkträger *m*. — ˈ**~ˌleaf** *s irr* → lattice plant. — ~ **plant** *s bot.* Wasserähre *f* (*Gattg Aponogeton*), *bes.* Gitterpflanze *f* (*A. fenestralis*). — ˈ**~ˌwork** → lattice 1.

lat·tic·ing [ˈlætisiŋ] *s* Vergitterung *f*.

lat·ti·ci·nio [ˌlɑːtiˈtʃiːnjoː] *s* Netzglas *n*, gestricktes Glas (*eine Form des Kunstglases*).

la·tu [ˈlɑːtu] *pl von* lat.

Lat·vi·an [ˈlætviən] **I** *adj* **1.** lettisch. – **II** *s* **2.** Lette *m*, Lettin *f*. – **3.** *ling.* Lettisch *n*, das Lettische.

laud [lɔːd] **I** *s* **1.** Lobeshymne *f*, Lob-, Preislied *n*. – **2.** Lob *n*, Preis *m*. – **3.** *pl relig.* Laudes *pl* (*ein Abschnitt des röm. Breviers*). – **II** *v/t* **4.** loben, preisen, rühmen. — ˌ**laud·aˈbil·i·ty** *s* Löblichkeit *f*. — ˈ**laud·a·ble** *adj* löblich, lobenswert. — ˈ**laud·a·ble·ness** → laudability.

lau·da·num [*Br.* ˈlɔdnəm; *Am.* ˈlɔːd-; -də-] *s med.* Laudanum *n*, ˈOpiumpräpaˌrat *n*.

lau·da·tion [lɔːˈdeiʃən] *s* Lob *n*, Belobigung *f*. — **laud·a·tive** [ˈlɔːdətiv] → laudatory I. — ˈ**laud·a·to·ry** [*Br.* -təri; *Am.* -ˌtɔːri] **I** *adj* lobend, preisend. – **II** *s selten* Loblied *n*.

laud·er [ˈlɔːdər] *s* Lobpreiser(in), Lobende(r).

laugh [*Br.* lɑːf; *Am.* læ(ː)f] **I** *s* **1.** Lachen *n*, Gelächter *n*: **to get the ~ of one's life** lachen wie nie zuvor (im Leben); **to have a good ~ at s.th.** tüchtig über eine Sache lachen; **to have** (*od.* **get**) **the ~ of s.o.** j-n auslachen können; **to have the ~ on one's side** die Lacher auf seiner Seite haben; **to join in the ~** in das Gelächter einstimmen, mitlachen; **the ~ is against him** er hat die Lacher nicht auf seiner Seite; → **raise** 11. – **2.** Lachen *n*, Lache *f*: **a vicious ~** eine böse Lache. – **II** *v/i* **3.** lachen: **to ~ at s.o.** j-n auslachen, sich über j-n lustig machen; **to ~ at s.th.** über eine Sache lachen, sich über eine Sache lustig machen, etwas belachen; **to ~ in s.o.'s face** j-m ins Gesicht lachen; **to ~ on the wrong side of one's mouth, to ~ out of the other corner of one's mouth** *colloq.* vom Lachen ins Weinen *od.* in Zorn verfallen; **he ~s best who ~s last** wer zuletzt lacht, lacht am besten. – **4.** lustig sein. – **5.** *fig.* lachen, lächeln, strahlen (*Himmel, Flur etc*). – **III** *v/t* **6.** lachend äußern: **he ~ed his thanks** er dankte lachend. – **7.** (*ein Lachen*) lachen. – **8.** lachen, durch (Ver)Lachen (*von etwas*) (ab)bringen *od.* (weg)treiben: **to ~ s.o. out of a habit** j-n durch (Ver)Lachen von einer Gewohnheit abbringen; → death 1; scorn 2. –

Verbindungen mit Adverbien:

laugh| a·way I *v/t* **1.** hinˈweglachen, durch Lachen vertreiben: **to ~ one's sorrows**. – **2.** (*Zeit*) mit Lachen *od.* Scherzen verbringen. – **II** *v/i* **3.** draufˈloslachen: **~!** lache nur (zu)! — ~ **down** *v/t* **1.** (*Redner*) durch Verlachen zum Schweigen bringen. – **2.** (*Plan etc*) durch Verlachen vereiteln *od.* unmöglich machen. — ~ **off** *v/t* sich durch Lachen *od.* Scherze befreien von, durch Lachen verscheuchen, sich lachend hinˈwegsetzen über (*acc*).

laugh·a·ble [*Br.* ˈlɑːfəbl; *Am.* ˈlæ(ː)f-] *adj* **1.** zum Lachen reizend *od.* anregend, komisch, erheiternd. – **2.** lachhaft, lächerlich. – *SYN.* **comic, comical, droll, farcical, funny**[1], **ludicrous, ridiculous, risible**. — ˈ**laugh·a·ble·ness** *s* **1.** Komik *f*. – **2.** Lächerlichkeit *f*.

laugh·er [*Br.* ˈlɑːfə; *Am.* ˈlæ(ː)fər] *s* **1.** Lacher(in), Lachende(r). – **2.** *zo.* Lachtaube *f* (*Turtur risorius*).

laugh·ing [*Br.* ˈlɑːfiŋ; *Am.* ˈlæ(ː)fiŋ] **I** *s* **1.** Lachen *n*, Gelächter *n*. – **II** *adj* **2.** lachend. – **3.** zum Lachen (geeignet): **no ~ matter** nichts zum Lachen, eine ernste Angelegenheit. – **4.** *fig.* lachend, lächelnd, strahlend (*Landschaft etc*). — ~ **gas** *s chem.* Lachgas *n*, ˈStickstoffoxyˌdul *n* (N_2O). — ~ **gull** *s zo.* Lachmöwe *f* (*Larus ridibundus*). — ~ **hy·e·na** *s zo.* ˈTüpfel-, ˈFleckenhyˌäne *f* (*Crocuta crocuta*). — ~ **jack·ass** *s zo.* Lachender Hans, Rieseneisvogel *m* (*Dacelo gigas*). — ~ **mus·cle** *s med.* Lachmuskel *m*, Riˈsorius *m*. — ˈ**~ˌstock** *s* Gegenstand *m* des Gelächters, Zielscheibe *f* des Spottes.

laugh·ter [*Br.* ˈlɑːftər; *Am.* ˈlæ(ː)f-] *s* **1.** Lachen *n*, Gelächter *n*. – **2.** Lachen *n*, lachender *od.* heiterer Gesichtsausdruck. – **3.** Gegenstand *m* des Gelächters.

lau·mont·ite [ˈlɔːmənˌtait], *auch* ˈ**lau·mon·ite** [-məˌnait] *s min.* Laumonˈtit *m*, Schaumspat *m*.

launce [*Br.* lɑːns; *Am.* læ(ː)ns] → sand launce.

launch[1] [lɔːntʃ; lɑːntʃ] **I** *v/t* **1.** (*Boot*) aussetzen, ins Wasser lassen. – **2.** (*Schiff*) vom Stapel (laufen) lassen: **to be ~ed** vom Stapel laufen. – **3.** (*Flugzeug etc*) (mit Kataˈpult) starten, katapulˈtieren, abschießen. – **4.** (*Torpedo*) abschießen, lanˈcieren. – **5.** (*Geschoß*) a) schleudern, b) abschießen. – **6.** (*j-n*) lanˈcieren, (*j-m*) einen Start geben, (*j-n*) gut einführen. – **7.** a) (*Rede etc*) vom Stapel lassen, loslassen, b) (*Drohungen*) ausstoßen, c) (*Gesetz*) erlassen. – **8.** (*etwas*) in Gang setzen, starten, beginnen: **to ~ an offensive** eine Offensive beginnen. – **II** *v/i* **9.** *oft* ~ **out** *fig.* sich stürzen: **to ~ into a discussion** sich in eine Unterhaltung stürzen; **to ~ into eulogy** in eine Lobrede ausbrechen, Lobreden vom Stapel lassen. – **10.** *auch* ~ **out** a) ausschweifen (**into** in *acc*), b) großzügig Geld ausgeben, c) viele Worte machen, einen Wortschwall von sich geben. – **11.** *oft* ~ **out**, ~ **forth** a) hinˈausfahren, -segeln, b) *fig.* losfahren, sich hinˈauswagen, aufbrechen: **to ~ out into the sea** in See gehen; **to ~ out on a voyage of discovery** auf eine Entdeckungsreise gehen. – **III** *s* **12.** Stapellauf *m* (*auch fig.*). – **13.** Abschuß *m*, Start *m*.

launch[2] [lɔːntʃ; lɑːntʃ] *s mar.* Barˈkasse *f*: a) *größtes Beiboot von Kriegsschiffen*, b) *offenes Dampf- od. Motorboot für Vergnügungsfahrten etc.*

launch·er [ˈlɔːntʃər; ˈlɑːntʃər] *s* **1.** Abschießer *m*, Schleuderer *m*. – **2.** j-d der (*etwas*) von Stapel läßt *od.* in Gang setzt. – **3.** *mil.* Geˈwehrgraˌnatgerät *n*, Schießbecher *m*. – **4.** a) *bes. mil.* (Raˈketen)Werfer *m*, b) *mil.* Abschußvorrichtung *f* (*Fernlenkgeschosse*). – **5.** *aer.* Kataˈpult *m*, *n*, Flugzeug-, Startschleuder *f*.

launch·ing [ˈlɔːntʃiŋ; ˈlɑːntʃiŋ] **I** *s* **1.** *mar.* Stapellauf *m*. – **2.** Abschuß *m*, Abschießen *n*. – **3.** Starten *n*, InˈGang-Setzen *n*. – **II** *adj* **4.** Start..., Schleuder..., Abschuß...: ~ **pad**, ~ **platform** Abschußrampe (*für Raketen*). — ~ **rail** *s tech.* Schleuderschiene *f* (*zum Raketenstart*). — ~ **rope** *s aer.* Startseil *n*. — ~ **site** *s* Abschußbasis *f* (*für Raketen*). — ~ **tube** *s mar. mil.* Torˈpedo(ausstoß)rohr *n*.

laun·der [ˈlɔːndər; ˈlɑːndər] **I** *v/t* **1.** (*Wäsche*) waschen (u. bügeln). – **II** *v/i* **2.** Wäsche waschen (u. bügeln). – **3.** sich waschen (lassen): **to ~ well**. – **III** *s* **4.** Trog *m*. – **5.** *tech.* Gerinne *n* der Pochtrübe, Mehlführung *f*.

laun·der·ette [ˌlɔːndəˈret; ˌlɑːn-] *s* ˌSchnellwäscheˈrei *f*.

laun·dress [ˈlɔːndris; ˈlɑːn-] *s* **1.** Wäscherin *f*, Waschfrau *f* (*die wäscht u. bügelt*). – **2.** *Br.* Aufwärterin *f* (*in den* Inns of Court).

laun·dry [ˈlɔːndri; ˈlɑːn-] *s* **1.** Wäsche *f*. – **2.** Wäscheˈrei *f*, Waschanstalt *f*. – **3.** Waschhaus *n*, -küche *f*. – **4.** Waschen *n* u. Bügeln *n*. — ~ **chute** *s* Wäscheschacht *m* (*eines Wohnhochhauses*). — ˈ**~man** [-mən] *s irr* Wäscheˈreiangestellter *m*, -arbeiter *m*. — ˈ**~ˌwom·an** *s irr* Wäscheˈreiangestellte *f*, -arbeiterin *f*, Wäscherin *f* (u. Büglerin *f*).

lau·ra·ceous [lɔːˈreiʃəs] *adj bot.* zu den Lorbeergewächsen gehörig.

lau·re·ate [ˈlɔːriit; -riˌeit] **I** *adj* **1.** lorbeergekrönt, -bekränzt, -geschmückt. – **2.** herˈvorragend, ausgezeichnet, des Lorbeers würdig (*bes. Dichter*). – **3.** Lorbeer...: ~ **wreath**. – **II** *s* **4.** Lorbeergekrönte(r). – **5.** Laureˈat *m*, Hofdichter *m*. – **III** *v/t* [-riˌeit] *obs.* **6.** mit Lorbeer krönen. – **7.** zum Hofdichter ernennen. — ˈ**lau·re·ateˌship** *s* Hofdichteramt *n*, -würde *f*. — ˌ**lau·reˈa·tion** *s* (Be)Krönung *f* mit Lorbeer (*z. B. bei Verleihung eines akademischen Grades*).

lau·rel [ˈlɒrəl; *Am. auch* ˈlɔːrəl] **I** *s* **1.** *bot.* Lorbeerbaum *m* (*Gattg Laurus*), *bes.*, *auch* **true** ~, Edler Lorbeer

(*L. nobilis*). – **2.** *bot. Am. eine lorbeerähnliche Pflanze, bes.* a) Kalmie *f* (*Gattg Kalmia*), b) Rhodo'dendron *n* (*Gattg Rhododendron*): **great ~** Große Amer. Alpenrose (*R. maximum*). – **3.** Lorbeer(laub *n*) *m* (*als Ehrenzeichen*). – **4.** a) Lorbeerkranz *m*, -krone *f*, b) Lorbeerzweig *m*. – **5.** *pl fig.* Lorbeeren *pl*, Ehren *pl*, Ruhm *m*: **to look to one's ~s** eifersüchtig auf seinen Ruhm bedacht sein; **to reap** (*od.* **win**) **~s** Lorbeeren ernten; **to rest on one's ~s** auf seinen Lorbeeren ausruhen. – **II** *v/t pret u. pp* **-reled**, *bes. Br.* **-relled 6.** mit Lorbeer bekränzen *od.* krönen. – **7.** mit Ehrenzeichen schmücken. — **~ bot·tle** *s* Lorbeerflasche *f* (*mit Lorbeerblättern gefüllte Flasche als Insektenvernichtungsmittel*). — **~ oak** *s bot.* **1.** Lorbeereiche *f* (*Quercus laurifolia*). – **2.** Schindel-, Glanzeiche *f* (*Quercus imbricaria*). — **~ oil** *s* Lorbeeröl *n*, Loröl *n*.

Lau·ren·ti·an [lɒ'renʃiən; *Am. auch* lɔː-] **I** *adj* **1.** St. Lorenz..., den St. Lorenzstrom betreffend. – **2.** *geol.* lau'rentisch. – **II** *s* **3.** *geol.* lau'rentische Formati'on, Lau'rentium *n*.

lau·ric ac·id ['lɔːrik] *s chem.* Lau'rinsäure *f* ($CH_3(CH_2)_{10}COOH$).

lau·rite ['lɔːrait] *s min.* Lau'rit *m* (RuS_2).

lau·rus·ti·nus [ˌlɒrə'stainəs; *Am. auch* ˌlɔːr-], *auch* **'lau·rusˌtine** [-ˌstain] *s bot.* Lauru'stin *m*, Lorbeerartiger Schneeball (*Viburnum tinus*).

Lau·wine, l~ ['lɔːwin] → **Lawine.**

la·va ['lɑːvə; *Am. auch* 'læ(ː)və] **I** *s* **1.** Lava *f*. – **2.** Lava(art) *f*. – **3.** Lavabett *n*. – **II** *adj* **4.** Lava..., lavaartig.

la·va·bo [lə'veibou] *pl* **-boes** *s* **1.** *relig.* La'vabo *n*: a) *Handwaschung des Priesters*, b) *bei der Handwaschung verwendetes Becken*. – **2.** *oft* **L~** *relig.* a) La'vabo *n* (*Psalm 25, 6–12*), b) La'vabo-Handtuch *n*. – **3.** großes steinernes Wasserbecken (*in Klöstern*). – **4.** Waschbecken *n*. – **5.** *pl* Waschraum *m*.

lav·age ['lævidʒ] *s* **1.** Waschung *f*, Waschen *n*. – **2.** *med.* (Aus)Spülung *f* (*bes. des Magens*).

la·va-la·va ['lɑːvɑ 'lɑːvɑ] *s Lendentuch aus bedrucktem Kattun der Eingeborenen von Samoa und Tonga.*

lav·a·lier(e) [ˌlævə'lir], *auch* **la·val·lière** [lava'ljɛːr] *s* (*Art*) Ju'welengehänge *n* (*bes.* an *einem Kettchen getragen*).

lav·a·ret ['lævərit] *s zo.* Kleine Ma'räne (*Coregonus lavaretus; Felchen*).

la·va·tion [læ'veiʃən] *s* Waschung *f*, Spülung *f*, Reinigung *f*.

lav·a·to·ry [*Br.* 'lævətəri; *Am.* -ˌtɔːri] *s* **1.** Waschraum *m*. – **2.** Toi'lette *f*, Klo'sett *n*: **public ~** Bedürfnisanstalt. – **3.** Waschbecken *n*. – **4.** *selten* Wäsche'rei *f*. – **5.** *relig.* Handwaschung *f* (*des Priesters*).

lave[1] [leiv] *poet.* **I** *v/t* **1.** waschen, baden. – **2.** bespülen (*Meer etc*). – **II** *v/i* **3.** sich baden. – **4.** spülen (**against** an *acc*).

lave[2] [leiv] *s obs. od. dial.* Rest *m*.

la·veer [lə'vir] *v/i mar. obs.* la'vieren.

lave·ment ['leivmənt] *s* **1.** Waschung *f*. – **2.** *med.* Lave'ment *n*, Kli'stier *n*, Einlauf *m*.

lav·en·der ['lævəndər] **I** *s* **1.** *bot.* La'vendel *m* (*Gattg Lavandula, bes. L. officinalis*): **oil of ~** Lavendelöl. – **2.** La'vendel *m* (*getrocknete Blüten u. Blätter der Pflanze*): **to lay up in ~** *fig.* für die Zukunft beiseite legen. – **3.** La'vendelfarbe *f*, Blaßlila *n*. – **II** *adj* **4.** la'vendelfarben, blaßlila. – **III** *v/t* **5.** mit La'vendel besprengen *od.* parfü'mieren. – **6.** La'vendel legen zwischen (*die Wäsche*). — **~ cot·ton** *s bot.* Heiligen-, Zy'pressenkraut *n* (*Santolina chamaecyparissus*). — **~ oil** *s* La'vendelöl *n*. — **~ wa·ter** *s* La'vendel(wasser *n*) *m* (*Parfüm*).

la·ver[1] ['leivər] *s* **1.** *poet.* Waschbecken *n*, -gefäß *n*. – **2.** *poet.* Wasserschale *f*. – **3.** *Bibl.* Waschbecken *n* (*im jüd. Heiligtum*). – **4.** *relig.* a) Taufbecken *n*, b) Taufwasser *n*. – **5.** *fig.* Läuterungsmittel *n*.

la·ver[2] ['leivər] *s bot.* **1.** *auch* **red ~** (*ein*) Purpurtang *m*, Purpurblatt-Rotalge *f* (*Gattg Porphyra*). – **2.** *auch* **green ~** → **sea lettuce.** [Lerche *f*.]

lav·er·ock ['lævərək] *s zo. Scot.*

lav·ish ['læviʃ] **I** *adj* **1.** sehr freigebig, großzügig, verschwenderisch (**of** mit): **~ of one's money** sehr freigebig mit seinem Geld; **~ in giving praise** freigebig im Spenden von Lob. – **2.** verschwenderisch, ('über)reichlich: **~ hospitality.** – *SYN. cf.* **profuse.** – **II** *v/t* **3.** verschwenden, vergeuden, verschwenderisch ausgeben: **to ~ one's affection on s.o.** j-n mit Liebe überhäufen. — **'lav·ish·ment** *s* Verschwendung *f*. — **'lav·ish·ness** *s* ('Über)Reichlichkeit *f*, verschwenderische Freigebigkeit.

lav·rock ['lævrək] → **laverock.**

law[1] [lɔː] **I** *s* **1.** Gesetz *n*, Gesetze *pl*, Recht *n*: **according to ~** dem Gesetz entsprechend, von Rechts wegen; **by ~** von Rechts wegen, gesetzlich; **under the ~** auf Grund des Gesetzes, nach dem Gesetz; **under German ~** nach deutschem Recht *od.* Gesetz; **the ~ forbids** das Gesetz verbietet; **the ~ of the land** das Landesrecht, die Gesetze des Landes; **the ~ of the Medes and Persians** *fig.* unabänderliches Recht; **it is not ~** es ist nicht (das) Gesetz, es stimmt nicht mit dem Gesetz überein; → **common ~**; **statute ~**. – **2.** (*einzelnes*) Gesetz: **the bill has become ~** die Gesetzesvorlage ist (zum) Gesetz geworden. – **3.** Recht *n*, rechtmäßige Zustände *pl*, Ordnung *f*: **~ and order** Recht und Ordnung. – **4.** 'Rechtssyˌstem *n*. – **5.** Rechtswissenschaft *f*, Jura *pl*: **to read** (*od.* **study**) **~** Jura studieren; **learned in the ~** rechtsgelehrt; **Doctor of L~s** (*abgekürzt* LL. D.) Doktor der Rechte (*in USA fast nur honoris causa verliehen*). – **6.** Ju'ristenberuf *m*, ju'ristische Laufbahn: **to be in the ~** Jurist sein; **bred to the ~** für die juristische Laufbahn erzogen. – **7.** Recht *n* (*bestimmter Zweig des gesamten Rechts*): **commercial ~** Handelsrecht. – **8.** Gericht *n*, Rechtsmittel *pl*, -weg *m*: **at ~** vor Gericht, gerichtlich; **to go to ~** zu Gericht gehen, den Rechtsweg beschreiten; **to go to ~ with s.o., to have** (*od.* **take**) **the ~ of** (*od.* **on**) **s.o.** j-n verklagen, j-n belangen; → **hand** *b. Redw.* – **9.** *allg.* Gesetz *n*, Vorschrift *f*, Gebot *n*, Befehl *m*: **to be a ~ unto oneself** sich über jegliche Konvention hinwegsetzen; → **lay down** 9; **necessity** 5. – **10.** a) Gesetz *n*, Grundsatz *m*, Regel *f*, b) (Spiel)Regel *f*: **the ~s of the game** die Spielregeln. – **11.** a) (Na'tur)Gesetz *n*, b) (wissenschaftliches) Gesetz, c) (Lehr)Satz *m*: **~ of causality** Kausalgesetz; **~ of inertia** Trägheitsgesetz; **~ of mass action** Massenwirkungsgesetz; **~s of motion** Bewegungsgesetze; **~ of sines** Sinussatz. – **12.** Gesetzmäßigkeit *f*, Ordnung *f* (*in der Natur*): **not chance, but ~** nicht Zufall, sondern Gesetzmäßigkeit. – **13.** *relig.* a) (göttliches) Gesetz *od.* Gebot, b) *oft* **L~** *collect.* (göttliches) Gesetz, Gebote *pl* Gottes. – **14.** *relig.* a) **the L~** das Gesetz (des Moses), b) Hexa'teuch *m*, c) Altes Testa'ment, d) Gebote *pl*, Gesetz *n* (*im Gegensatz zu den Verheißungen*): **the ~ of Christ** die Gebote Christi. – **15.** *hunt. sport* Vorgabe *f* (*die einem schwächeren Wettkämpfer od. einem gejagten Tier gegeben wird*). – **16.** *fig.* (Gnaden)Frist *f*. – **17.** Gnade *f*, Nachsicht *f*. – **18.** *Am. sl.* a) Hüter *m* des Gesetzes, Poli'zist *m*, b) Poli'zei *f*. – *SYN.* a) **canon**[1], **ordinance**, **precept**, **regulation**, **rule**, **statute**, b) *cf.* **hypothesis.** – **II** *v/i* **19.** *colloq.* vor Gericht gehen, streiten, prozes'sieren.

law[2] [lɔː] *interj vulg.* ach! Mensch! du lieber Himmel! (*Ausdruck der Überraschung*).

'law|-aˌbid·ing *adj* **1.** die Gesetze einhaltend. – **2.** gehorsam, friedlich: **~ citizens.** — **'~-aˌbid·ing·ness** *s* Gehorsam *m*, Einhaltung *f* der Gesetze. — **'~ˌbreak·er** *s* Gesetzesbrecher(in). — **'~ˌbreak·ing I** *s* Gesetzesbruch *m*. – **II** *adj* die Gesetze brechend *od.* über'tretend. — **~ calf** *s* helles feines Kalbsleder (*als Bucheinband für juristische Werke*). — **~ court** *s* Gerichtshof *m*. — **~ French** *s* Ju'ristenfranˌzösisch *n* (*die anglonormannischen Ausdrücke der Juristensprache*).

law·ful ['lɔːfəl; -ful] *adj* **1.** gesetzlich, gesetzmäßig, le'gal. – **2.** rechtmäßig, legi'tim: **~ ruler** rechtmäßiger Herrscher; **~ son** ehelicher *od.* legitimer Sohn. – **3.** gesetzlich gültig *od.* anerkannt: **~ marriage** gültige Heirat. – *SYN.* **legal, legitimate, licit.** — **~ age** *s* gesetzliches Mindestalter, Majorenni'tät *f*. — **~ mon·ey** *s* gesetzliches Zahlungsmittel.

law·ful·ness ['lɔːfəlnis; -ful-] *s* Gesetzmäßigkeit *f*, Legali'tät *f*.

'law|ˌgiv·er *s* Gesetzgeber *m*. — **'~ˌgiv·ing I** *s* Gesetzgebung *f*. – **II** *adj* gesetzgebend. — **'~-ˌhand** *s Br.* in Rechtsurkunden verwendete besondere Handschrift.

La·wi·ne, *auch* **l~** [la'viːnə; 'lɔːwin] *pl* **-nen** [-nən] (*Ger.*) *s* La'wine *f*.

law·ing[1] ['lɔːiŋ] *s* Prozes'sieren *n*.

law·ing[2] ['lɔːiŋ] *s Scot.* Wirtshausrechnung *f*.

lawk [lɔːk], **lawks** [-s] *interj vulg.* ach! herr'je! du lieber Himmel!: **lawk-a-mussy!** ach du lieber Gott!

law Lat·in *s* Ju'ristenlaˌtein *n*.

law·less ['lɔːlis] *adj* **1.** gesetzlos (*Land od. Person*). – **2.** gesetzwidrig, unrechtmäßig. – **3.** zügellos: **~ passions.** — **'law·less·ness** *s* **1.** Gesetzlosigkeit *f*. – **2.** Gesetzwidrigkeit *f*. – **3.** Zügellosigkeit *f*. – *SYN. cf.* **anarchy.**

law| lord *s* Mitglied *n* des brit. Oberhauses mit richterlicher Funkti'on. — **'~ˌmak·er, '~ˌmak·ing** → **lawgiver, lawgiving.** — **~ mer·chant** *s jur.* Handelsrecht *n*. [Lichtung *f*.]

lawn[1] [lɔːn] *s* **1.** Rasen *m*. – **2.** *obs.*

lawn[2] [lɔːn] *s* Li'non *m*, Ba'tist *m*.

lawn| mow·er *s* 'Rasenˌmähmaˌschine *f*. — **~ sieve** *s* Haarsieb *n*, sehr feines Sieb (*mit Seidengaze etc als Siebfläche*). — **~ sleeves** *s pl* **1.** Ba'tistärmel *pl* (*des anglikanischen Bischofsgewandes*). – **2.** Bischofsamt *n*, -würde *f*. – **3.** a) Bischof *m*, b) Bischöfe *pl*. — **~ sprink·ler** *s* Rasensprenger *m*. — **~ ten·nis** *s sport* Lawn-Tennis *n*, (Rasen)Tennis *n*.

lawn·y[1] ['lɔːni] *adj* mit Rasen bedeckt, Rasen...

lawn·y[2] ['lɔːni] *adj* **1.** Batist... – **2.** Bischofs...

law| of con·tra·dic·tion *s philos.* Gesetz *n* vom 'Widerspruch. — **~ of·fi·cer** *s jur.* **1.** Ju'stizbeamter *m*. – **2.** *Br.* *für* a) **attorney general**, b) **solicitor general.** — **~ of grav·i·ta·tion** *s phys.* Gravitati'ons-, Schweregesetz *n*. — **L~ of Mo·ses** *s relig.* Penta'teuch *m* (*die fünf Bücher Mosis*). — **~ of na·tions** *s jur.* **1.** Völkerrecht *n*. – **2.** internatio'nales Recht. — **~ of na·ture** *s* **1.** *biol. phys.* Na'turgesetz *n*. – **2.** *jur.*

Na'turrecht *n.* — **L~ of Rea·son** *s jur.* Vernunftrecht *n.*
laws [lɔːz] → **law**².
law| school *s* ju'ristische Fakul'tät. — **~ sta·tion·er** *s obs. Schreibwarenhändler, der bes. Schreibwaren für Juristen führt u. auch Abschriften von Dokumenten besorgt.* — **'~,suit** *s jur.* **1.** Klage *f.* – **2.** Pro'zeß *m.* — **~ term** *s* **1.** ju'ristischer Ausdruck, Ausdruck *m* der Rechtssprache. – **2.** Ge'richtsperi,ode *f* (*während der Sitzungen der Gerichtshöfe stattfinden*). — **~ writ·er** *s* **1.** 'Rechtsschriftsteller *m*, -kommen,tator *m.* – **2.** *Br.* j-d der Abschriften von Doku'menten anfertigt.
law·yer ['lɔːjər] *s* **1.** Rechtsanwalt *m.* – **2.** Ju'rist *m*, Rechtsgelehrter *m.* – **3.** *Bibl.* Schriftgelehrter *m.* – **4.** *zo.* (*ein*) Stelzenläufer *m* (*Himantopus mexicanus*). – **5.** → **bowfin.** – **6.** → **burbot** 2. – **7.** *dial.* dorniger Stamm der Heckenrose *od.* Brombeere *etc.* – *SYN.* attorney, barrister, counsel, counselor, solicitor.
lax¹ [læks] *adj* **1.** lax, locker, (nach)lässig: ~ **morals** lockere Sitten. – **2.** unklar, vag(e): ~ **ideas.** – **3.** schlaff, lose, locker: a ~ **rope** ein schlaffes Seil; a ~ **tissue** ein lockeres Gewebe. – **4.** *med.* a) sich leicht entleerend (*Därme*), b) an 'Durchfall leidend: **his bowels are** ~ er hat Durchfall. – **5.** *bot.* locker, offen: ~ **panicle** lockere Rispe. – **6.** (*Phonetik*) schlaff artiku'liert, offen (*Vokal*). – *SYN. cf.* negligent.
lax² [læks] *s obs.* Lachs *m* (*aus Schweden od. Norwegen*).
lax·a·tion [læk'seiʃən] *s* **1.** Lockerung *f*, Entspannung *f.* – **2.** Lockerheit *f*, Entspanntheit *f.* – **3.** → **laxative** I.
lax·a·tive ['læksətiv] **I** *s* **1.** *med.* Abführmittel *n.* – **II** *adj* **2.** *med.* a) (leicht) abführend, stuhl(gang)fördernd, b) sich zu leicht entleerend (*Därme*), c) von 'Durchfall begleitet (*Krankheit*). – **3.** *selten* lose (*Mundwerk etc*).
lax·i·flo·rous [,læksi'flɔːrəs] *adj bot.* lockerblütig.
lax·i·ty ['læksiti; -əti], **'lax·ness** [-nis] *s* **1.** Laxheit *f*, Lässigkeit *f.* – **2.** Ungenauigkeit *f*, Unklarheit *f.* – **3.** Lockerheit *f.* – **4.** mangelnde Festigkeit.
lay¹ [lei] **I** *s* **1.** (*bes.* geo'graphische) Lage. – **2.** Schlag *m* (*beim Tauwerk*). – **3.** a) Gewinnanteil *m* (*bes. für Besatzungsmitglieder eines Walfangschiffs*), b) Anstellung *f* mit Gewinnbeteiligung. – **4.** *sl.* Job *m*, Branche *f*, Beschäftigung *f*, Betätigungsfeld *n.* – **5.** *Am.* Preis *m*, (Verkaufs)Bedingungen *pl*: at a good ~ zu günstigen Bedingungen. –
II *v/t pret u. pp* **laid** [leid] **6.** legen: to ~ **s.o. in the grave** j-n ins Grab legen; to ~ **s.th. on the table** etwas auf den Tisch legen; to ~ **to sleep** (*od.* **rest**) zur Ruhe legen; to ~ **eyes on** sehen, erblicken; → **bare**¹ 7; **blame** 5; **cloth** 3; **door** *b. Redw.*; **hand** *b. Redw.*; **head** *b. Redw.*; **heart** *b. Redw.*; **heel** *b. Redw.*; **hold**¹ 2; **siege** 1; **wait** 4. – **7.** (*Eier*) legen. – **8.** wetten, (ein)setzen: to ~ **one's head** seinen Kopf wetten; to ~ **a wager** eine Wette machen. – **9.** niederwerfen, zu Boden strecken, niederstrecken. – **10.** (*Getreide etc*) zu Boden drücken, niederpressen: **the wind ~s the corn.** – **11.** (*Wind, See*) beruhigen, besänftigen: **the wind is laid** der Wind hat sich gelegt. – **12.** (*Zweifel etc*) unter'drücken, zerstreuen. – **13.** (*Staub*) löschen. – **14.** (*Geist*) bannen. – **15.** (*Stoff etc*) glätten, glattpressen. – **16.** legen, setzen, stellen (*auch fig.*): to ~ **an ambush** einen Hinterhalt legen: to ~ **a trap** eine Falle stellen; to ~ **one's hopes on** seine Hoffnungen setzen auf (*acc*); to ~ **stress on** Nachdruck legen auf (*acc*); to ~ **the ax(e) to a tree** die Axt an einen Baum legen; to ~ **land fallow** Land brachlegen; to ~ **s.o. under the necessity** j-n vor die Notwendigkeit stellen, j-n nötigen; to ~ **s.th. under water** etwas unter Wasser setzen. – **17.** (*Ort der Handlung*) legen: **the scene of the comedy is laid in Italy** die Komödie spielt in Italien. – **18.** legen: to ~ **bricks** Backsteine legen; to ~ **a bridge** eine Brücke schlagen; to ~ **a cable** ein Kabel (ver)legen; to ~ **the foundation** das Fundament legen. – **19.** richtig anordnen: to ~ **the fire** das Feuer anlegen (*das Brennmaterial aufschichten*); to ~ **the table** den Tisch decken. – **20.** (*mit einem Belag etc*) belegen, bedecken: to ~ **the floor with linoleum.** – **21.** (*Farbe etc*) auftragen. – **22.** (**before**) vorlegen (*dat*), vorbringen (vor *dat*), bringen (vor *acc*): **he ~s his case before the commission** er legt seinen Fall der Kommission vor; **the minister will ~ papers** *pol. Br.* der Minister wird das Unterhaus informieren; to ~ **on the table** *pol.* vorlegen. – **23.** geltend machen, erheben, vorbringen: to ~ **claim to s.th.** Anspruch erheben auf eine Sache, etwas beanspruchen. – **24.** (*Schaden etc*) festsetzen (**at** auf *acc*). – **25.** zuschreiben, zur Last legen (**to** *dat*): to ~ **a mistake to s.o.** (*od.* **to s.o.'s charge**) j-m einen Fehler zur Last legen. – **26.** (*Krankheit etc*) zu'rückführen (**on** auf *acc*). – **27.** a) (*Steuer, Strafe etc*) auferlegen (**on, upon** *dat*), b) (*Strafe, Embargo etc*) verhängen (**on** über *acc*). – **28.** (*als Züchtigungsmittel*) anwenden: to ~ **a whip on s.o.'s back** j-n auspeitschen. – **29.** (*Plan, Komplott*) schmieden, planen, ersinnen. – **30.** (*Seil, Litze*) drehen, schlagen. – **31.** *mar.* (*Ziel*) ansteuern: to ~ **the land** Land ansteuern. – **32.** *mar.* (in di'rekter Richtung) wegsteuern von. – **33.** *mil.* (*Geschütz*) richten. – **34.** *obs.* verpfänden, als Pfand hinter'legen. –
III *v/i* **35.** (Eier) legen: **these hens ~ well** diese Hennen legen gut. – **36.** wetten. – **37.** schlagen, Schläge austeilen. – **38.** ~ **to** (*etwas*) e'nergisch anpacken, sich eifrig machen an (*acc*): to ~ **to one's oars** sich in die Riemen legen. – **39.** *colloq. od. dial.* Pläne schmieden, Vorbereitungen treffen. – **40.** *mar.* sich begeben, gehen (*nur in Verbindung mit Adverbien*): ~ **aft!** alle Mann nach achtern! ~ **forward!** alle Mann nach vorn! – **41.** *vulg. od. mar.* liegen. –
Verbindungen mit Präpositionen:
lay| a·bout *v/t* **1.** ~ **one** um sich schlagen: **he laid about him** er schlug um sich. – **2.** lebhafte Tätigkeit entwickeln. — **~ at** *v/t* schlagen nach, losgehen auf (*acc*), angreifen. — **~ for** *v/t colloq.* lauern auf (*acc*), auflauern (*dat*). — **~ in·to** *v/t sl.* ‚verdreschen', ‚drauf'loshauen' auf (*acc*). — **~ to** → **lay**¹ 38. –
Verbindungen mit Adverbien:
lay| a·board *v/t mar.* sich längsseits legen von: to ~ **a ship** sich längsseits eines Schiffes legen. — **~ a·bout** *v/i* **1.** heftig um sich schlagen. – **2.** e'nergisch handeln. — **~ a·side, ~ by** *v/t* **1.** bei'seite legen. – **2.** ablegen, aufgeben, nicht mehr benützen, weglegen. – **3.** (*für die Zukunft*) bei'seite legen, zu'rücklegen, sparen. — **~ down** *v/t* **1.** niederlegen: to ~ **one's arms** die Waffen niederlegen; to ~ **an office** ein Amt niederlegen; to ~ **one's tools** streiken. – **2.** 'hinlegen. – **3.** (*Hoffnungen*) aufgeben. – **4.** (*Geld etc*) a) 'hinlegen, b) hinter'legen, einsetzen. – **5.** (*Leben*) 'hingeben, opfern. – **6.** a) die Grundlagen legen für, zu bauen beginnen, b) bauen, c) (*Schiff*) auf Stapel legen. – **7.** entwerfen. – **8.** aufzeichnen. – **9.** (*Regeln etc*) festlegen, aufstellen, vorschreiben: to ~ **the law** den Ton angeben, gebieterisch auftreten; **to lay it down that** behaupten, daß. – **10.** (*Wein etc*) einlagern, (*Eier*) einlegen. – **11.** (*Feld*) besäen, bepflanzen (**in, to, under, with** mit). – **12.** niederwerfen, -stürzen. — **~ fast** *v/t* festnehmen, -setzen, einsperren. — **~ in I** *v/t* **1.** sich eindecken mit, einlagern: → **coal** 4. – **2.** *Br.* (*Kohlengrube*) schließen, auflassen. – **II** *v/i* **3.** *colloq.* Schläge austeilen, wild drauf'losschlagen. — **~ low** *v/t* **1.** zu Boden schleudern, fällen, stürzen. – **2.** demütigen. — **~ off** *v/t* **1.** ablegen, bei'seite legen. – **2.** (*Arbeiter*) (vor'übergehend) entlassen. – **3.** (*Arbeit*) einstellen. – **4.** (*Land etc*) ausmessen, abstecken. – **5.** *Am. sl.* in Ruhe lassen, nicht länger belästigen. — **~ on I** *v/t* **1.** (*Steuer etc*) auferlegen. – **2.** (*Schläge*) austeilen, versetzen. – **3.** (*Peitsche etc*) schwingen, gebrauchen. – **4.** (*Farbe etc*) auftragen: **to lay it on** *fig.* übertreiben, zu viel des Guten tun; → **thick** 23; **trowel** 1. – **5.** (*Fleisch, Fett*) ansetzen. – **6.** (*Wasser, Gas etc*) durch Rohre *etc* verteilen: to ~ **gas to a house** ein Haus ans Gasversorgungsnetz anschließen. – **7.** (*Hunde*) auf die Fährte setzen. – **II** *v/i* **8.** zuschlagen, angreifen. — **~ o·pen** *v/t* **1.** bloßlegen. – **2.** offen darlegen. – **3.** schrammen, aufreißen: to ~ **one's cheek** sich die Wange aufschürfen. — **~ out I** *v/t* **1.** ausbreiten. – **2.** ausstellen, zur Schau stellen. – **3.** (*Leichnam*) aufbahren. – **4.** (*Geld*) ausgeben. – **5.** (*Garten etc*) (planmäßig) anlegen. – **6.** (*Plan*) entwerfen, (*Zeichnung*) aufreißen. – **7.** *colloq.* (*Spieler etc*) vor'übergehend ausschließen. – **8.** *sl.* a) zu'sammenschlagen, k.o. schlagen, b) totschlagen, 'umbringen. – **9.** *reflex colloq.* sich sehr anstrengen, sich große Mühe geben, sich sehr bemühen: **they laid themselves out to please us.** – **10.** *print.* aufmachen, gestalten. – **II** *v/i* **11.** planen, beabsichtigen. – **12.** *obs.* (**for**) sich bemühen (um), streben (nach): to ~ **for human praise.** — **~ o·ver** *v/t* **1.** über'ziehen. – **2.** verschieben. – **3.** *sl.* über'treffen. — **~ to** *mar.* **I** *v/t* **1.** beidrehen mit (*dem Schiff*). – **2.** (*in einen Hafen, ein Dock etc*) einbringen. – **II** *v/i* → **lie to.** — **~ up I** *v/t* **1.** aufspeichern, zu'rücklegen, aufbewahren, aufsparen. – **2.** *mar.* (*Schiff*) auflegen, aus der Fahrt ziehen. – **3.** ans Bett fesseln, ans Zimmer binden (*meist im Passiv gebraucht*): **to be laid up with (the) flu** an Grippe darniederliegen, wegen Grippe das Bett hüten müssen. – **II** *v/i* **4.** sparen, Vorräte zu'rücklegen. – **5.** *mar.* (**for**) Kurs nehmen (auf *acc*), auf Kurs gehen (nach). — **~ waste** *v/t* verwüsten.
lay² [lei] *pret von* **lie**².
lay³ [lei] *adj* **1.** Laien..., weltlich. – **2.** laienhaft, nicht fachmännisch.
lay⁴ [lei] *s* **1.** *poet. hist.* (*bes.* erzählendes) Lied: **heroic** ~ Heldenlied. – **2.** Melo'die *f.*
'lay|-a,bout *s colloq.* Lungerer *m*, Faulenzer *m*, Tagedieb *m.* — **~ broth·er** *s relig.* Laienbruder *m.* — **'~-,by** *s* Park- und Rastplatz *m.* — **~ clerk** *s* (*Church of England*) **1.** Mitglied *n* des Kirchenchors (*in Kathedralen u. Colleges*). – **2.** Küster *m*, Kantor *m.* — **~ com·mu·ni·on** *s relig.* **1.** Laiengemeinschaft *f* (*mit der*

Kirche). – 2. 'Laienkommuni,on *f*. — ~ **day** *s mar.* 1. Liegetag *m*. – 2. *pl* Liegetage *pl*, -zeit *f*. — ~ **dea·con** *s* (*Church of England*) 'Laiendia,kon *m*. — '~-,**down** *adj colloq.* Umlege...: ~ **collar** Umlegekragen.

lay·er ['leiər] **I** *s* **1.** Schicht *f*, Lage *f*: in ~s lagen-, schichtweise. – **2.** *geol.* Schicht *f*, Lager *n*, Flöz *n*. – **3.** *med. zo.* Schicht *f*: ~ **of fat** Fettschicht. – **4.** j-d der *od.* etwas was legt, Leger *m*, (*in Zusammensetzungen*) ...leger *m*: **pipe**~ Rohrleger. – **5.** Leg(e)henne *f*: **this hen is a good** ~ diese Henne legt gut. – **6.** (*Gartenbau*) Ableger *m*, Absenker *m*. – **7.** (künstliche) Austernbank. – **8.** (*Rennsport*) j-d der gegen bestimmte Pferde wettet. – **9.** *pl* Lager *pl* (*von umgesunkenem Getreide*). – **II** *v/t* **10.** (*Pflanze*) durch Ableger vermehren. – **11.** über'lagern. – **III** *v/i* **12.** (*Gartenbau*) ablegen, absenken. – **13.** sich lagern, 'umgesunken sein. — '**lay·er·age** *s* (*Gartenbau*) Ablegen *n*, Absenken *n*.

lay·er| cake *s* Schichttorte *f*. — '~-'**on** *s* **1.** *tech.* Zubringer *m*. – **2.** *print. Br.* Anleger(in). — ~ **stool** *s* (*Gartenbau*) Mutterstock *m* (*für Ableger*).

lay·ette [lei'et] *s* Babyausstattung *f*.

lay fig·ure *s* **1.** Gliederpuppe *f* (*für Maler od. Bildhauer*). – **2.** Schaufensterpuppe *f*. – **3.** *fig.* Mario'nette *f*, Strohpuppe *f*, Null *f*.

lay·ing ['leiiŋ] *s* **1.** Legen *n*: ~ **on of hands** *bes. relig.* Handauflegung. – **2.** Legen *n* (*von Eiern*): **a hen past** ~ eine Henne, die nicht mehr legt. – **3.** Gelege *n* (*Eier*). – **4.** *arch.* Bewurf *m*, Putz *m*. – **5.** Lage *f*, Schicht *f*. — ~ **top** *s* (*Seilerei*) Leitholz *n*, Hoofd *n*, Lehre *f*.

lay| lord *s Br. Mitglied des Oberhauses, das nicht ein* **law lord** *ist.* — '~**man** [-mən] *s irr* **1.** Laie *m* (*im Gegensatz zum Kleriker*). – **2.** Laie *m*, Nichtfachmann *m*. — '~,**off** *s* **1.** (vor'übergehende) Entlassung. – **2.** Arbeitseinstellung *f*. – **3.** (vor'übergehende) Arbeitslosigkeit. — '~,**out** *s* **1.** Ausbreiten *n*, Auslegen *n*. – **2.** Planung *f*, Anordnung *f*. – **3.** Plan *m*, Entwurf *m*. – **4.** Layout *n*, Gestaltungs(skizze) *f*, Satzspiegel *m* (*einer Druckseite etc*). – **5.** Aufmachung *f* (*einer Zeitschrift etc*). – **6.** Skizze *f*, Arbeitsschema *n*, -anweisungen *pl*. – **7.** Ausrüstung *f*, Ausstattung *f*, Gerät *n*. – **8.** *sl.* feine Sache, prunkvolle Zur'schaustellung. — '~,**o·ver** *s* (kurzer) Aufenthalt, 'Fahrtunter,brechung *f*. — ~ **read·er** *s relig. Laie der anglikanischen Kirche, der die Erlaubnis hat, Gottesdienst zu halten.* — ~ **shaft** → **countershaft.** — ~ **sis·ter** *s* Laienschwester *f*. — '~,**stall** *s Br.* Müllablagerungsstelle *f*. — '~,**wom·an** *s irr* (weiblicher) Laie, Laiin *f*.

la·zar ['leizər; 'læz-] *s obs.* **1.** Mensch *m*, *bes.* Bettler *m* mit ekelerregender Krankheit. – **2.** Aussätzige(r).

laz·a·ret(te) [,læzə'ret], ,**laz·a'ret·to** [-tou] *pl* **-tos** *s* **1.** Infekti'onshaus *n* (*für Arme*), *bes.* 'Aussätzigenspi,tal *n*. – **2.** Quaran'tänehaus *n*, -schiff *n*. – **3.** *mar. obs.* Provi'ant-, Heckstoreraum *m*.

la·zar house → **lazaret(te).**

Laz·a·rus ['læzərəs] **I** *npr Bibl.* Lazarus *m*. – **II** *s auch* l~ kranker (*bes.* aussätziger) Bettler: **Dives and** ~ der Reiche u. der arme Lazarus.

laze [leiz] **I** *v/i* faulenzen. – **II** *v/t* ~ **away** verbummeln, vertändeln, mit Nichtstun verbringen: **to** ~ **away whole days.** – **III** *s colloq.* Nichtstun *n*, Ruhe *f*: **a good** ~.

la·zi·ness ['leizinis] *s* **1.** Faulheit *f*, Trägheit *f*. – **2.** Langsamkeit *f*.

laz·u·li ['læzju,lai; -jə-; -li] → **lapis** ~.

laz·u·lite ['læzju,lait; -jə-] *s min.* Lazu'lith *m*, Blauspat *m*.

laz·u·rite ['læzju,rait; -jə-] *s min.* Lasu'rit *m* $(Na_5Al_3Si_3O_{12}S_3)$.

la·zy ['leizi] **I** *adj* **1.** faul, träg(e). – **2.** träg(e), langsam, sich langsam bewegend: **a** ~ **river** ein träg dahinfließender Fluß. – **3.** Müdigkeit bewirkend, müde machend. – **4.** liegend (*Brandzeichen*). – *SYN.* **indolent, slothful.** – **II** *v/t u. v/i* → **laze I** *u.* II. — '~-,**bed** *s Br. Kartoffelbeet, in dem die Kartoffeln obenauf gelegt u. mit Erde überschüttet werden.* — '~,**bones** *s colloq.* Faulpelz *m*. — ~ **pin·ion** *s tech.* Zwischenrad *n* (*im Zahnradgetriebe*). — **L**~ **Su·san** *s Am.* **1.** drehbares Ta'blett (*für Zuspeisen, Gewürze etc*). – **2.** dreistufiger Teetisch (*für belegte Brötchen, Torten etc*). — ~ **tongs** *s pl* Scherenspreizer *m*, ausdehnbare Gelenkzange.

laz·za·ro·ne [,læzə'rounei] *pl* **-ni** [-ni] *s* Lazza'rone *m* (*Bettler in Neapel*).

L bar, L beam *s tech.* L-Stange *f*, L-förmiger Träger.

'ld [d] *colloq. für* **would** *od.* **should.**

lea[1] [li:] *s poet.* Flur *f*, Aue *f*, Wiese *f*.

lea[2] [li:] *s* Lea *n* (*ein Garnmaß; für Wolle meist 80 Yard, Baumwolle u. Seide 120 Yard, Leinen 300 Yard*).

leach [li:tʃ] **I** *v/t* **1.** (*Flüssigkeit durch etwas*) 'durchsickern lassen. – **2.** (aus)laugen, Lauge 'durchsickern lassen durch: **to** ~ **ashes.** – **3.** *meist* ~ **out** (her)'auslaugen, extra'hieren: **to** ~ **out alkali from ashes.** – **II** *v/i* **4.** ausgelaugt werden (*Asche etc*). – **5.** 'durchsickern. – **III** *s* **6.** Auslaugung *f*. – **7.** Lauge *f*. – **8.** Laugefaß *n*. — '**leach·y** *adj* ('wasser),durchlässig, po'rös.

lead[1] [li:d] **I** *s* **1.** Führung *f*, führende Stelle: **to have the** ~ die Führung innehaben; **to take the** ~ a) die Führung übernehmen, sich an die Spitze setzen, b) vorangehen, neue Wege weisen. – **2.** Führung *f*, Leitung *f*: **under s.o.'s** ~. – **3.** *bes. sport* a) Führung *f*, b) Vorsprung *m*: **a** ~ **of a second** ein Vorsprung von einer Sekunde. – **4.** Vorbild *n*, Beispiel *n*: **to follow s.o.'s** ~ j-s Beispiel folgen; **to give s.o. a** ~ j-m ein gutes Beispiel geben, j-m vorangehen, j-n ermutigen. – **5.** *hunt.* Vor'angehen *n*: **to give a** ~ als erster vorangehen. – **6.** 'Hinweis *m*, Fingerzeig *m*, Anhaltspunkt *m*. – **7.** ('Mühl)Ka,nal *m*. – **8.** Wasserrinne *f* (*in einem Eisfeld*). – **9.** (Hunde-)Leine *f*: **on the** ~ an der Leine. – **10.** (*Theater*) a) führende Rolle, Hauptrolle *f*, b) Haupt(rollen)darsteller(in). – **11.** (*Kartenspiel*) a) Vorhand *f*, b) erste ausgespielte Karte *od.* Farbe. – **12.** Recht *n* als erster zu ziehen (*bei Brettspielen etc*). – **13.** (*Boxen*) a) 'Übergang *m* zum Angriff, b) Angriffsschlag *m*. – **14.** (kurz zu'sammenfassende) Einleitung (*zu einem Zeitungsartikel*). – **15.** *tech.* Steigung *f*, Ganghöhe *f* (*Gewinde*). – **16.** *electr.* a) (Zu-)Leitung *f*, b) Leiter *m*, Leitungsdraht *m*, -kabel *n*, -schnur *f*. – **17.** *auch* ~**in** *electr.* Nieder-, Einführung *f* (*einer Außenantenne*). – **18.** *electr.* Voreilung *f*. – **19.** *mar.* Voreilung *f* (*bei Segelfahrzeugen die Entfernung zwischen dem Kraftzentrum und dem Zentrum des Seitenwiderstandes*). – **20.** (*Bergbau*) a) Ader *f*, Gang *m*, b) goldhaltige Ablagerung (*in einem alten Flußbett*). – **21.** *hunt. mil.* Vorhalten *n*. –

II *adj* **22.** Leit..., Führungs... –

III *v/t pret u. pp* **led** [led] **23.** führen, leiten, (*dat*) den Weg zeigen: **to** ~ **s.o. by the hand** j-n an der Hand führen; **to** ~ **s.o. by the nose** j-n an der Kandare haben, j-n am Gängelband führen: **to** ~ **a girl to the altar**; **to** ~ **s.o. captive** j-n (gefangen) abführen; **to** ~ **the way** vorangehen, den richtigen Weg zeigen; → **garden** 1. – **24.** führen, bringen: **this road will** ~ **you to town**; → **temptation** 1. – **25.** lenken, führen, leiten: **he is easier led than driven** mit Güte erreicht man bei ihm mehr als mit Strenge. – **26.** bewegen, verleiten, verführen (**to** zu), dahin bringen, veranlassen (**to do** zu tun): **this led me to believe** dies veranlaßte mich zu glauben; **to** ~ **into a mistake** zu einem Fehler verleiten. – **27.** (*Wasser etc*) leiten, lenken, führen. – **28.** (an)führen, leiten, an der Spitze stehen von, befehligen: **to** ~ **an army** eine Armee führen *od.* befehligen; **to** ~ **the dance** den Tanz anführen; **to** ~ **the fashion** die Mode bestimmen; **to** ~ **the field** *sport* das Feld anführen, an der Spitze des Feldes liegen; **to** ~ **a list** eine Liste anführen; **he** ~**s all competitors** er übertrifft alle Konkurrenten; **he** ~**s the party** er ist der Führer der Partei – **29.** (*Orchester*) leiten, diri'gieren. – **30.** (*Leben*) führen. – **31.** (*j-m etwas*) bereiten: **to** ~ **s.o. a (dog's) life** j-m das Leben zur Hölle machen; → **dance** 7. – **32.** (*Zeugen*) durch Sugge'stivfragen lenken. – **33.** (*Karte, Farbe etc*) aus-, anspielen. – **34.** *hunt. mil.* vorhalten auf (*ein sich bewegendes Ziel*). – **35.** (*Boxen*) (*Schlag*) führen. – *SYN. cf.* **guide.** –

IV *v/i* **36.** führen, vor'angehen, den Weg ,weisen (*auch fig.*). – **37.** führen, die erste *od.* leitende Stelle einnehmen, die Leitung innehaben. – **38.** *jur.* die Verhandlung führen. – **39.** *sport* führen. – **40.** führen (*Straße, Gang etc*): **all roads** ~ **to Rome** alle Wege führen nach Rom; **to** ~ **to** *fig.* führen zu, ergeben, hervorbringen, bewirken. – **41.** sich führen lassen (*Tier etc*). – **42.** (*Boxen*) zum Angriff 'übergehen, zu schlagen beginnen. – **43.** (*Kartenspiele etc*) die Vorhand haben, ausspielen. –

Verbindungen mit Adverbien:

lead| a·way *v/t* verleiten (*meist im Passiv gebraucht*): **to be led away** sich verleiten lassen, sich dazu bewegen lassen. — ~ **in** *v/t* her'ein-, hin'einführen. — ~ **off I** *v/t* eröffnen, beginnen: **to** ~ **the dance** den Tanz eröffnen. – **II** *v/i* beginnen, anfangen. — ~ **on I** *v/t* zum Weitergehen *etc* bewegen *od.* verlocken. – **II** *v/i* weiterführen (**to** zu). — ~ **out** *v/t* **1.** (*Dame*) zum Tanz führen. – **2.** → **lead off** I. — ~ **up** *v/i* (**to**) (all'mählich) führen (zu), 'überleiten (zu), 'hinführen (auf *acc*), einleiten (*acc*).

lead[2] [led] **I** *s* **1.** *chem.* Blei *n* (Pb). – **2.** *mar.* Senkblei *n*, Lot *n*: **to arm the** ~ das Lot speisen (*mit Talg ausgießen, um die Beschaffenheit des Meeresbodens festzustellen*); **to cast** (*od.* **heave**) **the** ~ das Lot auswerfen, loten; **to swing the** ~ *mar. mil. Br. sl.* sich drücken, *bes.* krank spielen. – **3.** Blei *n*, Kugeln *pl*, Geschosse *pl*: **shower of** ~ Kugelregen. – **4.** *chem.* Gra'phit *m*, Reißblei *n*. – **5.** (Bleistift-)Mine *f*. – **6.** *print.* 'Durchschuß *m*. – **7.** Fensterblei *n*, Bleifassung *f*. – **8.** *pl Br.* a) bleierne Dachplatten *pl*, b) (flaches) Bleidach. – **9.** → **white** ~. – **II** *adj* **10.** Blei... – **III** *v/t* **11.** verbleien: a) mit Blei über'ziehen *od.* ausgießen, b) mit Blei behandeln *od.* mischen. – **12.** mit Blei beschweren. – **13.** (*Fensterglas*) in Blei fassen. – **14.** mit 'Bleigla,sur über'ziehen. – **15.** *print.* durch'schießen. – **IV** *v/i* **16.** *mar.* loten. – **17.** (sich) verbleien (*Gewehrlauf etc*).

lead| ac·e·tate [led] *s chem.* 'Bleiace,tat *n*, -zucker *m* $(Pb(C_2H_3O_2)_2\cdot$

$3H_2O$). — ~ **arm·ing** *s mar.* Lotspeise *f.* — ~ **ar·se·nate** *s chem.* 'Bleiarseniˌat *n* ($Pb_3(AsO_4)_2$; *Insektenvertilgungsmittel*). — ~ **ash,** ~ **ash·es** → litharge. — ~ **cham·ber** *s chem. tech.* Bleikammer *f.* — '~-ˌ**cham·ber proc·ess** *s chem.* Bleikammerverfahren *n* (*zur Herstellung von Schwefelsäure*). — ~ **col·ic** *s med.* Bleikolik *f.* — ~ **comb** *s* Bleikamm *m.* — ~ **cov·er·ing** *s tech.* Bleimantel *m,* -hülle *f.* — ~ **di·ox·ide** *s chem.* 'Bleidioˌxyd *n* (PbO_2).

lead·en ['ledn] *adj* **1.** bleiern, Blei..., aus Blei: ~ **seal** Plombe. – **2.** *fig.* bleiern, schwer (zu bewegend): ~ **limbs** bleierne Glieder; ~ **sleep** bleierner Schlaf. – **3.** bleiern, bleigrau: ~ **sky** bleierner Himmel. – **4.** drückend, schwül. – **5.** schleppend, müde. – **6.** träg(e), schwerfällig. – **7.** stumpf, gefühllos. – **8.** trüb, düster, lustlos. – **9.** wertlos, billig. — '**lead·en·ness** *s* **1.** bleierne Schwere. – **2.** bleiernes Grau. – **3.** bleierne Schwüle. – **4.** Trägheit *f,* Stumpfheit *f,* Schwerfälligkeit *f.*

lead·er ['liːdər] *s* **1.** Führer(in), Vor'angehende(r), Erste(r), an der Spitze Gehende(r): ~ **of the dance** Vortänzer; **follow my** ~ *Spiel, bei dem jeder das tun muß, was der erste tut.* – **2.** (An)Führer *m,* Befehlshaber *m.* – **3.** Führer *m*: **the** ~ **of the party** der Parteiführer; **L**~ **of the House of Commons** Führer des Unterhauses. – **4.** *mus.* Leiter *m,* Diri'gent *m.* – **5.** *mus.* wichtigster Spieler *od.* Sänger, *bes.* a) Kon'zertmeister *m,* b) erster So'pran. – **6.** *jur. Br.* a) erster Anwalt, b) Kronanwalt *m.* – **7.** Leit-, Vorderpferd *n.* – **8.** 'Leitarˌtikel *m.* – **9.** *econ.* angepriesener (u. billiger) Ar'tikel, 'Lockarˌtikel *m.* – **10.** Leitungsrohr *n, bes.* Fallrohr *n* (*für Regenwasser*). – **11.** *mar.* a) Leitblock *m* (*für Tauwerk*), b) Klarläufer *m* (*im Tauwerk*). – **12.** (*Angeln*) a) Leitschnur *f* (*einer Angel*), b) Leitnetz *n,* -garn *n,* -wehr *n.* – **13.** *pl print.* Leit-, Ta'bellenpunkte *pl.* – **14.** *bot.* Leit-, Haupttrieb *m.* – **15.** *med. colloq.* Sehne *f.* – **16.** Sugge'stivfrage *f.* – **17.** Startband *n* (*eines Films*).

lead·er·ette [ˌliːdə'ret] *s Br.* kurzer 'Leitarˌtikel.

lead·er·less ['liːdərlis] *adj* führerlos.

lead·er prin·ci·ple *s* 'Führerprinˌzip *n.*

lead·er·ship ['liːdərˌʃip] *s* **1.** Führung *f,* Leitung *f.* – **2.** Führerschaft *f.*

lead·er writ·er *s* 'Leitarˌtikler *m.*

lead glass [led] *s* Bleiglas *n.*

'**lead|-ˌin** ['liːd-] *adj electr.* Zuleitungs..., Einführungs..., Durchführungs... — '~ˌ**in** *s* **1.** Zuleitung *f,* Ein-, 'Durchführung *f.* – **2.** An'tennenzuleitung *f,* -einführung *f,* Niederführung *f.*

lead·ing[1] ['liːdiŋ] **I** *s* **1.** Leitung *f,* Führung *f,* Lenkung *f.* – **2.** Fingerzeig *m,* Wink *m,* 'Hinweis *m.* – **3.** *relig.* Inspirati'on *f* (*in der Gebetsversammlung der Quäker*). – **II** *adj* **4.** Leit..., leitend, führend, wegweisend. – **5.** Haupt..., führend, erst(er, e, es), vorderst(er, e, es). – **6.** herrschend, tonangebend: ~ **fashion** herrschende Mode. – **7.** *electr. tech.* voreilend.

lead·ing[2] ['lediŋ] *s* **1.** Bleiwaren *pl.* – **2.** Verbleiung *f.* – **3.** a) 'Bleiˌüberzug *m,* b) Bleifassung *f.* – **4.** → **lead**[2] 6.

lead·ing| ar·ti·cle ['liːdiŋ] → **leader** 8 *u.* 9. — ~ **ax·le** *s* (*Eisenbahn*) Leit-, Lenk-, Vorderachse *f.* — ~ **block** → **leader** 11a. — ~ **busi·ness** *s* Hauptrollen *pl* (*Theaterstück*). — ~ **case** *s jur.* Präze'denzfall *m.* — ~ **edge** *s aer.* **1.** Leitkante *f,* (Tragflächenpro'fil)Vorder-, Flügeleintrittskante *f,* Flügelnase *f.* – **2.** Blattvorderkante *f* (*Luftschraube*), Blattnase *f* (*Rotor*). — ~ **la·dy** *s* Haupt(rollen)darstellerin *f.* — ~ **light** *s* **1.** *mar.* Leit-, Kurs-, Richtfeuer *n.* – **2.** *sl.* Leuchte *f,* Star *m* (*hervorragendes Mitglied einer Gemeinschaft*). — ~ **man** *s irr* Haupt(rollen)darsteller *m.* — ~ **mark** *s mar.* Einseglungs-, Leit-, Richtungsmarke *f.* — ~ **mo·tive** *s* **1.** 'Hauptmoˌtiv *n.* – **2.** *mus.* 'Leitmoˌtiv *n.* — ~ **note** → **leading tone.** — ~ **ques·tion** *s jur.* Sugge'stivfrage *f.* — ~ **rein** *s* Leitzügel *m.* — ~ **staff** *s* Bullenführstab *m.* — ~ **strings** *s pl* Gängelband *n* (*auch fig.*): **to conduct in** ~ *fig.* am Gängelband führen; **in** ~ *fig.* a) in den Kinderschuhen, b) am Gängelband. — ~ **tone** *s mus.* Leitton *m.* — ~ **wheel** *s* vorderes Laufrad (*einer Lokomotive*). — ~ **wire** *s electr.* Leitungsdraht *m.*

lead line [led] *s* **1.** *mar.* Lotleine *f.* – **2.** *med.* Bleisaum *m* (*dunkle Linie am Zahnfleisch bei Bleivergiftung*).

'**lead|-ˌoff** ['liːd-] *adj* Anfangs..., Eröffnungs..., beginnend, erst(er, e, es). — '~ˌ**off** *s* **1.** Beginn *m,* Anfang *m,* Eröffnung *f,* Einleitung *f.* – **2.** *sport* Anspieler *m.*

lead| pen·cil [led] *s* Bleistift *m.* — '~-ˌ**pipe cinch** *s Am. sl.* todsichere Sache. — ~ **plant** *s bot.* (*ein*) Bastard-Indigo *m* (*Gattg Amorpha, bes. A. canescens*). — ~ **poi·son·ing** *s med.* Bleivergiftung *f.*

leads·man ['ledzmən] *s irr mar.* Handloter *m.*

lead| soap [led] *s chem.* Bleiseife *f.* — ~ **sul·phate** *s chem.* 'Bleisulˌfat *n* ($PbSO_4$). — ~ **sul·phide** *s chem.* 'Bleisulˌfid *n,* Schwefelblei *n* (PbS). — ~ **tree** *s* **1.** *bot.* Bleibaum *m* (*Leucaena glauca*). – **2.** *chem.* Bleibaum *m* (*Blei in Form verästelter Kristallnadeln*). — ~ **wash,** ~ **wa·ter** *s med.* Bleiwasser *n.* — ~ **wool** *s chem. tech.* Bleiwolle *f.* — '~ˌ**work** *s* **1.** Bleiarbeit *f.* – **2.** *pl* (*oft als sg konstruiert*) Bleihütte *f.* — '~ˌ**wort** *s bot.* **1.** Bleiwurz *f* (*Gattg Plumbago*). – **2.** → **lead plant.**

lead·y ['ledi] *adj* **1.** bleiern, bleiartig. – **2.** bleihaltig.

leaf[1] [liːf] **I** *s pl* **leaves** [liːvz] **1.** *bot.* Blatt *n.* – **2.** *bot.* (Blumen)Blatt *n*: **rose** ~ Rosenblatt. – **3.** Laub *n*: **in** ~ belaubt; **to come into** ~ ausschlagen, Blätter entwickeln; **fall of the** ~ Herbst. – **4.** *collect.* a) Teeblätter *pl,* b) Tabakblätter *pl.* – **5.** Blatt *n* (*Buch*): **to take a** ~ **out of s.o.'s book** sich j-n zum Muster nehmen, j-m nacheifern; **to turn over a** ~ umblättern, ein Blatt umschlagen; **to turn over a new** ~ *fig.* ein neues Leben anfangen, sich bessern; **to turn over the leaves of a book** ein Buch durchblättern. – **6.** *tech.* a) Flügel *m* (*Tür, Fenster etc*), b) Klappe *f* (*Tisch*), c) Einlegbrett *n* (*Ausziehtisch*), d) Aufziehklappe *f* (*Klappbrücke*), e) → ~ **sight.** – **7.** *tech.* Blatt *n,* (dünne) Folie, ganz dünne Platte, La'melle *f*: **gold** ~ Blattgold. – **8.** *tech.* Blatt *n* (*Feder*). – **9.** *tech.* Zahn *m* (*Triebrad*). – **10.** Fettschicht *f* (*bes. des Nierenfetts des Schweins*). – **II** *adj* **11.** Blatt..., Blätter... – **III** *v/i* **12.** Blätter treiben. – **IV** *v/t* **13.** *auch* ~ **through** *Am.* 'durchblättern.

leaf[2] [liːf] *s mar. mil. Br. sl.* Ausgang *m,* Urlaub *m.*

leaf·age ['liːfidʒ] *s collect.* Laub *n,* Blätter *pl.*

leaf| bee·tle *s zo.* Blattkäfer *m* (*Fam. Chrysomelidae*). — ~ **blade** *s bot.* Blattspreite *f.* — ~ **brass** *s tech.* Messingfolie *f.* — ~ **bridge** → **bascule bridge.** — '~-ˌ**cut·ting ant** *s zo.* Blattschneiderameise *f* (*Gattg Atta*). — '~-ˌ**cut·ting bee** *s zo.* Blattschneiderbiene *f* (*Gattg Megachile*).

leafed [liːft] *adj* **1.** beblättert, belaubt. – **2.** (*in Zusammensetzungen*) ...blättrig: **broad-**~ breitblättrig.

leaf| fat *s* Nierenfett *n,* Blume *f,* Flaum *m* (*des Schweins*). — '~-ˌ**foot·ed** *adj zo.* blattfüßig. — ~ **green** *s* **1.** *bot. chem.* Blattgrün *n,* Chloro'phyll *n.* – **2.** Blatt-, Gelbgrün *n* (*Farbe*). — ~ **hop·per** *s zo.* 'Singzirpe *f,* -ziˌkade *f* (*Fam. Cicadellidae*).

leaf·i·ness ['liːfinis] *s* **1.** Belaubtheit *f.* – **2.** Blattartigkeit *f.*

leaf| in·sect *s zo.* Wandelndes Blatt (*Gattg Phyllium; Gespenstheuschrecke*). — ~ **lard** *s* Flaumlard *m* (*aus dem Nierenfett des Schweins*).

leaf·less ['liːflis] *adj* blattlos, entblättert, kahl: ~ **in winter** winterkahl. — '**leaf·less·ness** *s* Kahlheit *f.*

leaf·let ['liːflit] *s* **1.** *bot.* Blättchen *n*: a) *Teil eines zusammengesetzten Blattes,* b) *kleines Blatt.* – **2.** Flugblatt *n.* – **3.** Pro'spekt *m,* Bro'schüre *f.*

leaf| louse *s irr* → **aphid.** — ~ **met·al** *s tech.* 'Blattmeˌtall *n.* — ~ **min·er** *s zo.* **1.** (*eine*) Mi'niermotte (*Fam. Lithocolletidae*). – **2.** (*eine*) Mi'nierfliege (*Unterfam. Agromyzinae*). — ~ **mo(u)ld** *s* (*Gartenbau*) Lauberde *f.* — '~-ˌ**nosed** *adj zo.* Blattnasen..., blattnasig (*Fledermaus*). — ~ **roll·er** *s zo.* **1.** (*eine*) Wicklerlarve (*Fam. Tortricidae*). – **2.** (*eine*) Triebstecherlarve (*Gattg Rhynchites*). — ~ **sight** *s* 'Klappviˌsier *n* (*des Gewehrs*). — ~ **spring** *s tech.* Blattfeder *f.* — '~ˌ**stalk** *s bot.* Blattstiel *m.* — ~ **to·bac·co** *s* **1.** Rohtabak *m.* – **2.** Blättertabak *m.* — '~ˌ**work** *s* (*Kunst*) Blatt-, Laubwerk *n.*

leaf·y ['liːfi] *adj* **1.** belaubt, laubreich. – **2.** Laub... – **3.** blattartig, Blatt...

league[1] [liːg] **I** *s* **1.** Liga *f,* Bund *m*: **the Catholic L**~ *hist.* die Katholische Liga (*1609*); **L**~ **of Nations** Völkerbund (*1920–46*). – **2.** Bündnis *n,* Bund *m*: **in** ~ **with** im Bunde mit, verbündet mit. – **3.** (*Fußball*) *Br.* Liga *f*: ~ **football** Ligameisterschaft. – **II** *v/t pres p* '**lea·guing 4.** zu einem Bund zu'sammenschließen, verbünden: ~**d with** verbündet mit. – **III** *v/i* **5.** sich verbünden.

league[2] [liːg] *s* **1.** Meile *f* (*uneinheitliches Längenmaß, 3,9 bis 7,4 km; in englischsprechenden Ländern, meist nur mehr poet. gebraucht, ist* **land** ~ *= 4,83 km,* **marine** ~ *= 5,56 km*). – **2.** Qua'dratmeile *f* (*meist 5760 acres od., als span. Maß, 1796 ha*).

lea·guer[1] ['liːgər] **I** *v/t* **1.** belagern. – **II** *s* **2.** *selten* Belagerung *f.* – **3.** *obs.* (Feld)Lager *n.*

lea·guer[2] ['liːgər] *s* Li'gist *m,* Verbündeter *m.*

lea·guer[3] ['liːgər] → **laager.**

leak [liːk] **I** *s* **1.** *mar.* Leck *n.* – **2.** Loch *n,* undichte *od.* 'wasserˌdurchlässige Stelle: **to spring a** ~ ein Loch bekommen. – **3.** *fig.* Loch *n,* undichte Stelle. – **4.** a) Eindringen *n,* b) Auslaufen *n,* 'Durchsickern *n* (*auch fig.*). – **5.** *electr.* a) Verluststrom *m,* Ableitung *f,* Streuung(sverluste *pl*) *f,* b) Fehlerstelle *f* (*wo durch Ableitung Verluste auftreten*). – **II** *v/i* **6.** lecken, leck sein, undichte Stellen haben. – **7.** 'durchsickern, ein-, ausströmen. – **8.** ~ **out** a) (durch eine undichte Stelle) auslaufen, -strömen, -treten, b) entweichen (*Gas*), c) *fig.* 'durchsickern. – **III** *v/t* **9.** 'durchlassen, 'durchlässig sein für: **to** ~ **water** wasserdurchlässig sein.

leak·age ['liːkidʒ] *s* **1.** → **leak** 4 *u.* 5. – **2.** *fig.* a) 'Durchsickern *n* (*Tatsachen etc*), b) Versickern *n,* unerklärtes Verschwinden (*Gelder etc*). – **3.** a) 'durchgesickerte *od.* eingeströmte Menge, b) ausgeströmte Menge, Verlust *m.* –

4. Lec'kage *f*: a) *mar.* Leckwerden *n*, b) *mar.* durch das Leck eingeströmtes Wasser, c) *econ.* Gewichtsverlust *m* durch Ausströmen *etc*, d) *econ.* Vergütung *f* für Schwund durch Ausströmen *etc.* – 5. *fig.* Schwund *m.* — ~ **con·duct·ance** *s electr.* Ableitung *f.* — ~ **cur·rent** *s electr.* Leck-, Ableit-, Verluststrom *m.* — ~ **flux** *s electr.* Streufluß *m.* — ~ **re·sist·ance** *s electr.* 'Streu-, 'Ableit,widerstand *m.*

leak·i·ness ['li:kinis] *s* 1. Undichtheit *f*, 'Durchlässigkeit *f.* – 2. *fig.* Geschwätzigkeit *f*, Schwatzhaftigkeit *f.* — '**leak·y** *adj* 1. leck, undicht, 'durchlässig. – 2. *fig.* geschwätzig, schwatzhaft. – 3. *med.* an 'Harninkonti,nenz leidend.

leal [li:l] *adj Scot. od. poet.* treu: the Land of the L~ *Scot.* das Land der Seligen, der Himmel.

lean¹ [li:n] I *v/i pret u. pp* **leaned** [li:nd] *od.* **leant** [lent] 1. sich neigen: a ~ing column eine geneigte Säule. – 2. sich neigen, sich lehnen, sich beugen: to ~ back sich zurücklehnen; to ~ forward sich vornüber neigen; to ~ out sich hinauslehnen; to ~ out of a window sich aus einem Fenster beugen; to ~ over backward(s) *colloq.* sich gegen seine Neigung alle (erdenkliche) Mühe geben. – 3. sich lehnen (against gegen), sich stützen (on auf *acc*): he ~s on his stick er stützt sich auf seinen Spazierstock; to ~ upon *mil.* sich (an)lehnen an (*acc*). – 4. lehnen (against an *dat*): the ladder ~s against the wall. – 5. (to, toward[s]) neigen (zu), eine Vorliebe zeigen (für): to ~ to s.th. a) zu etwas (hin)neigen, einer Sache zuneigen, b) etwas bevorzugen. – 6. sich verlassen (on, upon auf *acc*): to ~ on others for support auf fremde Hilfe bauen. – II *v/t* 7. neigen, beugen. – 8. lehnen (against gegen, an *acc*), stützen (on, upon auf *acc*). – III *s* 9. Neigung *f* (to nach).

lean² [li:n] I *adj* 1. mager (*Person, Tier*). – 2. hager, mager (*Gesicht*). – 3. mager (*Fleisch*). – 4. mager, dürr, dürftig, arm: a ~ crop eine magere Ernte; ~ years magere Jahre. – 5. mager, schlecht, wenig ergiebig: ~ wages magerer Lohn. – 6. *tech.* mager, arm, Mager..., Arm..., Spar...: ~ coal magere Kohle, Magerkohle; ~ concrete Mager-, Sparbeton; ~ mixture Spargemisch. – *SYN.* gaunt, lank, lanky, rawboned, scrawny, skinny, spare. – II *s* 7. (*das*) Magere (*bes. des Fleisches*). — '~-,**faced** *adj* hager (im Gesicht), schmalgesichtig.

lean·ing ['li:niŋ] I *adj* 1. sich neigend, geneigt, schief: a ~ tower ein schiefer Turm. – II *s* 2. Neigung *f.* – 3. *fig.* (toward[s]) Neigung *f* (zu), Vorliebe *f* (für), Ten'denz *f* (zu): literary ~s literarische Neigungen. – *SYN.* flair, penchant, proclivity, propensity. — ~ **note** *s mus.* Vorschlag *m.*

lean·ness ['li:nnis] *s* Magerkeit *f* (*auch fig.*).

leant [lent] *bes. Br. pret u. pp von* lean¹ I *u.* II.

'**lean-,to** I *s pl* -,**tos** 1. Anbau *m od.* Flügel *m* mit Pultdach. – 2. Schuppen *m od.* Hütte *f* mit (*einem an Bäume etc gelehnten*) Pultdach. – 3. Pultdach *n.* – II *adj* 4. sich an ein anderes Bauwerk anlehnend: ~ roof Pultdach, einseitig schräges Dach.

leap [li:p] I *v/i pret u. pp* **leaped** [li:pt; lept] *od.* **leapt** [lept; li:pt] 1. springen: to ~ aside auf die Seite springen; to ~ over the fence; → look 6. – 2. hüpfen, heftig schlagen (*Herz*): my heart ~s for joy das Herz hüpft mir vor Freude. – 3. *fig.* sich sprung- *od.* ruckweise bewegen, (sich) stürzen, *bes.* a) aufwallen (*Blut*), b) auf-, em'porlodern (*Flammen*), c) hoch-, em'porschießen: to ~ at s.th. sich auf eine Sache stürzen; to ~ into fame mit 'einem Schlag berühmt werden; to ~ to a conclusion voreilig einen Schluß ziehen; to ~ to the eye ins Auge springen. – 4. *fig.* springen, sprunghaft 'übergehen: to ~ from one topic to another von einem Thema zum anderen springen. – II *v/t* 5. über'springen, springen über (*acc*): to ~ a brook über einen Bach springen. – 6. *fig.* über'springen. – 7. (*Pferd etc*) springen lassen. – 8. (*weibliches Tier*) bespringen, decken. – III *s* 9. Sprung *m*: to take a ~ einen Sprung machen; a ~ in the dark *fig.* ein Sprung ins Ungewisse; a ~ of 8 yards ein Sprung von 8 Yards; by ~s *fig.* sprunghaft; by ~s and bounds *fig.* sprunghaft, außerordentlich rasch. – 10. *fig.* Sprung *m.* – 11. Deckung *f* (*eines weiblichen Tiers*). — ~ **day** *s* Schalttag *m.* — '~,**frog** I *s* 1. Bockspringen *n* (*über gebückte Personen*). – II *v/i pret u. pp* '**leap,frogged** 2. bockspringen. – III *v/t* 3. bockspringen über (*acc*). – 4. *mil.* (*zwei Einheiten*) im über'schlagenden Einsatz vorgehen lassen (*unter Feuerschutz durch die jeweils zurückbleibende Einheit*).

leapt [lept; li:pt] *pret u. pp von* leap I *u.* II.

leap| year *s* Schaltjahr *n.* — '~-,**year pro·pos·al** *s* Heiratsantrag *m* einer Dame an einen Herrn.

lear¹ [lir] *s Scot.* 1. Lehre *f.* – 2. Wissen *n*, Kenntnis *f.*

lear² *cf.* leer³.

learn [lə:rn] *pret u. pp* **learned** [-nd; -nt] *od.* **learnt** [-nt] I *v/t* 1. (er)lernen: to ~ dancing tanzen lernen; to ~ English Englisch lernen; to ~ a language eine Sprache erlernen; to ~ the piano Klavier spielen lernen; to ~ to swim schwimmen lernen; to ~ how to do s.th. lernen, wie man etwas macht. – 2. (auswendig) lernen: to ~ a poem ein Gedicht lernen; to ~ by heart auswendig lernen. – 3. erfahren (from von): to ~ the truth die Wahrheit erfahren; I am (*od.* have) yet to ~ that es ist mir nicht bekannt, daß; it was ~ed yesterday gestern erfuhr man, gestern wurde bekannt. – 4. ersehen (from aus): we ~ from your letter that. – 5. *obs. od. vulg.* ‚lernen' (*falsch für*: lehren). – *SYN. cf.* discover. – II *v/i* 6. lernen: he ~s rapidly er lernt rasch. – 7. hören, erfahren (of von): to ~ of s.o.'s death. — '**learn·a·ble** *adj* erlernbar.

learn·ed ['lə:rnid] *adj* 1. gelehrt: a ~ man ein Gelehrter; a ~ treatise eine gelehrte Abhandlung; my ~ friend *Br.* mein gelehrter Herr Kollege (*im Unterhaus u. in Gerichtshöfen als Höflichkeitsanrede für Juristen gebraucht*). – 2. Gelehrten..., gelehrt: the ~ professions die gelehrten Berufe (*Theologie, Rechtswissenschaft u. Medizin*). – 3. erfahren, gründlich bewandert (in in *dat*). — '**learn·ed·ness** *s* Gelehrtheit *f.*

learn·er ['lə:rnər] *s* 1. Anfänger(in). – 2. Lehrling *m*, Schüler(in).

learn·ing ['lə:rniŋ] *s* 1. Gelehrsamkeit *f*, Gelehrtheit *f*, gelehrtes Wissen: a man of great ~ ein Mann von großer Gelehrtheit, ein bedeutender Gelehrter; the new ~ die neue Gelehrsamkeit, der Humanismus. – 2. (Er)Lernen *n*: the ~ of languages das Sprachenlernen. – 3. *psych.* Lernen *n.*

lease¹ [li:s] I *s* 1. Pacht-, Mietvertrag *m.* – 2. Verpachtung *f* (to an *acc*), Vermietung *f*, Pacht *f*, Miete *f*: ~ of life Pacht auf Lebenszeit; ~ of time Zeitpacht; to put out to (*od.* to let out on) ~ verpachten, vermieten; to take s.th. on ~, to take a ~ of s.th. etwas in Pacht nehmen, etwas pachten *od.* mieten; by (*od.* on) ~ auf Pacht. – 3. Pachtbesitz *m*, -gegenstand *m*, *bes.* Pachtgrundstück *n.* – 4. Pacht-, Mietzeit *f*: put out to a ~ of 5 years auf 5 Jahre verpachtet. – 5. Frist *f*, Spanne *f*: ~ of life Lebensfrist; a new ~ of life neue Lebenszuversicht. – II *v/t* 6. *auch* ~ out verpachten, vermieten (to an *acc*). – 7. pachten, mieten. – *SYN. cf.* hire.

lease² [li:s] *s* (*Weberei*) 1. (Faden)-Kreuz *n*, Schrank *m.* – 2. → leash 5.

'**lease|,hold** I *s* 1. Pacht(ung) *f.* – 2. Pachtbesitz *m*, -grundstück *n.* – II *adj* 3. Pacht..., gepachtet: ~ estate Pachtgut. — '~,**hold·er** *s* Pächter(in). — '~-'**lend** → lend-lease.

leas·er ['li:sər] *s* Pächter *m*, Mieter *m.*

lease rod *s* (*Weberei*) Kreuzstange *f*, -rute *f.*

leash [li:ʃ] I *s* 1. Koppelleine *f*, -riemen *m*: to hold in ~ a) an der Leine führen, b) *fig.* im Zaume halten. – 2. Falkenriemen *m.* – 3. *hunt. sport* Koppel *f*, drei (Stück) (*Hunde, Füchse etc*). – 4. Dreiergruppe *f*: a ~ of drei. – 5. (*Weberei*) Latze *f.* – II *v/t* 6. zu'sammenkoppeln. – 7. an der Leine halten *od.* führen.

leas·ing ['li:siŋ] *s obs. od. dial.* 1. Lügen *n.* – 2. a) Lüge *f*, b) Lügen *pl.*

least [li:st] I *adj* (*sup von* little) 1. kleinst(er, e, es). – 2. geringst(er, e, es), wenigst(er, e, es), mindest(er, e, es): → resistance 1. – 3. geringst(er, e, es), unbedeutendst(er, e, es). – 4. *bot. zo.* Zwerg... – II *s* 5. (*das*) Kleinste, (*das*) Mindeste, (*das*) Geringste, (*das*) Wenigste: at ~ a) zumindest, wenigstens, b) mindestens, wenigstens, zum mindesten; at the ~ mindestens, wenigstens; at the very ~ allermindestens; not in the ~ nicht im geringsten *od.* mindesten; to say the ~ (of it) gelinde gesagt, milde gesprochen; → mend 3. – III *adv* 6. am wenigsten: he worked ~ er arbeitete am wenigsten; ~ of all am allerwenigsten. — ~ **com·mon mul·ti·ple** *s math.* kleinstes gemeinsames Vielfaches. — ~ **fly·catch·er** *s zo.* Amer. Zwergfliegenschnäpper *m* (*Empidonax minimus*). — ~ **sand·pip·er** *s zo.* Amer. Zwergstrandläufer *m* (*Pisobia minutilla*). — ~ **squares (meth·od)** *s math.* Me'thode *f* der kleinsten Qua'drate. — ~ **tern** *s zo.* Zwergseeschwalbe *f* (*Sterna antillarum*).

'**least,ways** *adv dial. od. vulg.* mindestens, wenigstens.

'**least,wise** *adv colloq.* wenigstens, mindestens.

leat [li:t] *s bes. dial.* ('Mühl)Ka,nal *m*, (Mühl)Graben *m.*

leath·er ['leðər] I *s* 1. Leder *n*: American ~ *Br.* (*Art*) Wachstuch; there is nothing like ~ die eigene Ware ist für alle Zwecke am besten geeignet, das eigene ist immer das beste; ~ and prunella nur ein rein äußerlicher Unterschied; → hell 3. – 2. Ledergegenstand *m*, *bes.* a) Lederball *m*, b) Lederriemen *m*, c) Lederlappen *m.* – 3. *sport sl.* ‚Leder' *n* (*Fuß- od. Kricketball*). – 4. *pl* a) Lederhose *f*, b) 'Lederga,maschen *pl.* – 5. *hunt.* Behang *m*, Hängeohr *n* (*eines Hundes*). – 6. *humor.* ‚Leder' *n*, Haut *f*: to lose ~ sich wund reiben. – II *v/t* 7. mit Leder über'ziehen. – 8. *colloq.* ‚verledern', (mit einer Peitsche) ‚versohlen'. – III *v/i* 9. *colloq.* ‚schuften', schwer arbeiten (at an *dat*). — '~,**back** *s zo.* Lederschildkröte *f* (*Dermochelys coriacea*). — ~ **bee·tle** *s zo.* Dornspeckkäfer *m* (*Dermestes vulpinus*). — '~,**board** *s* Lederpappe *f.* — '~-,**bound** *adj* ledergebunden. — '~,**flow·er** *s bot.*

Lederblume *f* (*Clematis viorna*). — '~ˌ**head** *s sl.* Idi'ot *m*, Trottel *m*, Dummkopf *m*. — '~ˌ**jack·et** *s zo.* **1.** (*ein*) Drückerfisch *m* (*Fam. Balistidae*), *bes.* Schweinsfisch *m* (*Balistes capriscus*). – **2.** *Br.* Schnakenlarve *f* (*Fam. Tipulidae*). — '~ˌ**leaf** *s irr bot.* Torfgränke *f*, Zwerglorbeer *m* (*Chamaedaphne calyculata*).

leath·ern ['leðərn] *adj* **1.** ledern, Leder... – **2.** led(e)rig, lederartig.

'leath·erˌneck *s mil. sl.* Ma'rineinfanteˌrist *m* (*des U.S. Marine Corps*).

Leath·er·oid ['leðəˌrɔid] *s* (*Art*) Kunstleder *n*, 'Lederimitatiˌon *f*.

'Leath·erˌstock·ing *s* Lederstrumpf *m*: the ~ Tales die Lederstrumpf-Erzählungen (*von J. F. Cooper*).

leath·er| tur·tle → leatherback. — '~ˌ**ware** *s* Lederwaren *pl*. — '~ˌ**wood** *s bot.* Blei-, Lederholz *n* (*Dirca palustris*). — '~ˌ**work** *s* Lederarbeit *f*.

leath·er·y ['leðəri] *adj* lederartig, zäh.

leave[1] [liːv] *pret u. pp* **left** [left] **I** *v/t* **1.** verlassen, weggehen *od.* abreisen von: **I must** ~ **you** ich muß dich verlassen; **we left London for Oxford** wir reisten von London nach Oxford ab; **he left school at fourteen** er ging mit 14 Jahren von der Schule ab. – **2.** im Stich lassen, aufgeben: **we have left all** wir haben alles im Stich gelassen; **to get left** *colloq.* im Stich gelassen werden, hereingelegt werden; → **lurch**[2]. – **3.** lassen: **it** ~**s me cold** *colloq.* es läßt mich kalt; ~ **it at that** *colloq.* laß es dabei bleiben; **to** ~ **things as they are** die Dinge so lassen, wie sie sind; **to** ~ **go** *vulg.* loslassen. – **4.** (übrig)lassen: **he left nothing undone that** er ließ nichts ungeschehen, was; **6 from 8 leaves 2** 8 minus 6 ist 2; **to be left** übrigbleiben *od.* übrig sein; **there is plenty of wine left** es ist noch viel Wein übrig; **there's nothing left for us but to go** uns bleibt nichts übrig, als zu gehen; **to be left till called for** a) bis zum Abholen liegen bleiben, b) postlagernd; → **desire** 1; **stone** *b. Redw.*; **undone** 1. – **5.** zu'rücklassen, hinter'lassen: **the wound left a scar** die Wunde ließ eine Narbe zurück; **to** ~ **word** Nachricht hinterlassen; **to** ~ **s.o. wondering whether** j-n im Zweifel darüber lassen, ob; **we are left with the impression** es hinterläßt bei uns den Eindruck. – **6.** zu'rücklassen, stehen *od.* liegen lassen: **I left my hat in the bus.** – **7.** über'lassen, an'heimstellen: **I** ~ **it to you** ich überlasse es Ihnen, es steht in Ihrem Ermessen; **to** ~ **nothing to accident** nichts dem Zufall überlassen. – **8.** (*nach dem Tode*) hinter'lassen, zu'rücklassen: **he** ~**s a widow and five children** er hinterläßt eine Witwe u. 5 Kinder; **to be well left** in gesicherten Verhältnissen zurückgelassen werden. – **9.** vermachen, vererben: **to** ~ **s.o. a house** j-m ein Haus vermachen. – **10.** (liegen) lassen: ~ **the mill on the left** lassen Sie die Mühle links (liegen). – **11.** aufhören mit, einstellen, (unter)'lassen. – **II** *v/i* **12.** fortgehen, abreisen, abfahren: **we** ~ **for Spain today** wir reisen heute nach Spanien ab; **the train** ~**s at six** der Zug fährt um 6 (Uhr) ab. – **13.** (fort)gehen, die Stellung aufgeben: **our cook threatened to** ~ unsere Köchin drohte zu gehen. – **14.** aufhören. – *SYN. cf.* **go**. –

Verbindungen mit Adverbien:

leave| a·bout *v/t* her'umliegen lassen. — ~ **a·lone** *v/t* **1.** al'lein lassen. – **2.** (*inkorrekt*) in Ruhe lassen, ungestört lassen. — ~ **be·hind** *v/t* **1.** zu'rücklassen. – **2.** (*Spur etc*) hinter'lassen, zu'rücklassen. – **3.** (*Gegner etc*) hinter sich lassen. – **4.** liegen *od.* stehen lassen. — ~ **in** *v/t* (*Bridge*) (*j-n*) mit seinem Gebot sitzenlassen. — ~ **off I** *v/t* **1.** einstellen, aufhören mit: **to** ~ **work** die Arbeit einstellen; **to** ~ **crying** zu weinen aufhören. – **2.** (*Gewohnheit etc*) aufgeben. – **3.** ablegen, nicht mehr tragen *od.* verwenden. – **II** *v/i* **4.** aufhören. — ~ **on** *v/t* **1.** (*Kleidungsstück*) anbehalten. – **2.** dar'auf *od.* oben lassen: **to leave the lid on** den Deckel darauf lassen. — ~ **out** *v/t* **1.** aus-, weglassen. – **2.** über'sehen, vergessen. — ~ **o·ver** *v/t* (*als Rest*) übriglassen.

leave[2] [liːv] *s* **1.** Erlaubnis *f*, Bewilligung *f*: **to ask** ~ **of s.o.** j-n um Erlaubnis bitten; **to take** ~ **to say** sich zu sagen erlauben; **by your** ~! gestatten (Sie)! mit Verlaub! (*bes. als Aufforderung der Gepäckträger zum Platzmachen*); **without a 'with** (*od.* **by**) **your** ~' *colloq.* ohne auch nur zu fragen. – **2.** Urlaub *m*: **to go on** ~ auf Urlaub gehen; **a man on** ~ ein Urlauber; **a three weeks'** ~ ein dreiwöchiger Urlaub. – **3.** Abschied *m*: **to take** ~ (**of s.o.**) (von j-m) Abschied nehmen; **to take one's** ~ Abschied nehmen; **to take** ~ **of one's senses** wahnsinnig werden.

leave[3] [liːv] *v/i* ausschlagen, Blätter treiben.

leave break·er *s* j-d der den Urlaub über'schreitet.

leaved [liːvd] *adj* (*bes. in Zusammensetzungen*) **1.** *bot.* ...blättrig: **broad-**~ breitblättrig. – **2.** ...flügelig, mit Flügeln *od.* Klappen *etc*: **two-**~ **door** Flügeltür. – **3.** *selten* belaubt.

leav·en ['levn] **I** *s* **1.** a) Sauerteig *m*, b) Hefe *f*, c) *allg.* Treibmittel *n*. – **2.** Gärmittel *n*, Fer'ment *n*. – **3.** *fig.* Sauerteig *m*, Gärstoff *m*: **the old** ~ der alte Sauerteig. – **II** *v/t* **4.** (*Teig*) a) säuern, b) (auf)gehen lassen. – **5.** *fig.* durch'setzen, -'dringen, 'umformen, 'umgestalten. – *SYN. cf.* **infuse**. — **'leav·en·ing** *s* **1.** Gär-, Treibmittel *n*, Gär(ungs)stoff *m*. – **2.** Säuern *n*.

leaves [liːvz] *pl von* leaf[1] I.

'leave|-ˌtak·ing *s* Abschied(nehmen *n*) *m*. — ~ **train** *s* Urlauberzug *m*.

leav·ing ['liːviŋ] *s* **1.** *meist pl* 'Überbleibsel *pl*, Reste *pl*. – **2.** *pl* Abfall *m*. — ~ **cer·tif·i·cate** *s Br.* Abgangszeugnis *n*.

leav·y ['liːvi] *poet. für* leafy.

Leb·a·nese [ˌlebə'niːz] **I** *adj* liba'nesisch. – **II** *s sg u. pl* Liba'nese *m*, Liba'nesin *f*.

Le·bens·raum ['leːbənsˌraum] (*Ger.*) *s* Lebensraum *m*.

Leb·ku·chen ['leːpˌkuːxən] *pl* **-chen** (*Ger.*) *s* Lebkuchen *m*.

lech·er ['letʃər] *s* Wüstling *m*, Wollüstling *m*. — **'lech·er·ous** *adj* **1.** wollüstig, geil. – **2.** Wollust erregend. — **'lech·er·ous·ness** *s* Geilheit *f*, Wollust *f*.

lech·er wires *s pl electr.* Lecherleitung *f*, Paral'leldrahtleitung *f*.

lech·er·y ['letʃəri] *s* Wollust *f*, Geilheit *f*, Unzüchtigkeit *f*.

lec·i·thin ['lesiθin] *s chem.* Lezi'thin *n*.

Le·conte's spar·row [lə'kɒnts] *s zo.* Heuschreckenspatz *m* (*Passerherbulus caudacutus*).

lec·tern ['lektərn] *s* Lese-, Chorpult *n*.

lec·tion ['lekʃən] *s* **1.** *relig.* Lesung *f*, Lekti'on *f*. – **2.** Lesart *f*, Vari'ante *f*. — **'lec·tion·ar·y** [*Br.* -nəri; *Am.* -ˌneri] *s relig.* Lektio'nar *n* (*Buch, das die Lesungen enthält*).

lec·tor ['lektɔːr; -tər] *s* **1.** *relig.* a) Vorleser *m*, b) (*röm.-kath. Kirche*) Lektor *m*. – **2.** *bes. Am., Br. selten* Lektor *m* (*an Universitäten*).

lec·ture ['lektʃər] **I** *s* **1.** Vortrag *m* (on über *acc*). – **2.** (*an Universitäten*) Vorlesung *f* (on über *acc*): **to attend** (*od.* **hear**) ~**s** Vorlesungen besuchen *od.* hören; **to give a** ~ eine Vorlesung halten. – **3.** ('Unterrichts-)Lektiˌon *f*. – **4.** Strafpredigt *f*: **to read s.o. a** ~ j-m eine Strafpredigt halten, j-m die Leviten lesen. – **II** *v/i* **5.** vortragen, einen Vortrag *od.* Vorträge halten: **to** ~ **to s.o. on s.th.** (vor) j-m über eine Sache einen Vortrag halten. – **6.** (*an Universitäten*) lesen, eine Vorlesung *od.* Vorlesungen halten (on über *acc*): **Prof. N.** ~**s on Shakespeare** Prof. N. liest über Shakespeare. – **III** *v/t* **7.** (*j-m*) einen Vortrag halten, eine Vorlesung halten vor (*dat*) *od.* für. – **8.** (*j-m*) eine Strafpredigt halten, (*j-m*) eine Lekti'on erteilen.

lec·tur·er ['lektʃərər] *s* **1.** Vortragende(r): **he is an excellent** ~ er trägt ausgezeichnet vor. – **2.** (*an Hochschulen*) Do'zent *m*. – **3.** (*Church of England*) Hilfsprediger *m*.

lec·ture room *s* **1.** Vortragssaal *m*. – **2.** (*in Hochschulen*) Hörsaal *m*.

lec·ture·ship ['lektʃərˌʃip] *s* **1.** Dozen'tur *f*. – **2.** Vorlesung(sreihe) *f*. – **3.** *relig.* Hilfspredigeramt *n*.

lec·yth ['lesiθ; 'liː-] *s bot.* Topffruchtgewächs *n* (*Fam. Lecythidaceae*).

led [led] *pret u. pp von* lead[1] III *u.* IV.

led cap·tain *s* ser'viler Gefolgsmann, Speichellecker *m*.

ledge [ledʒ] *s* **1.** Sims *m, n*, Leiste *f*, vorstehender Rand, vorspringendes Band. – **2.** (schmales) Band, Gesims *n* (*in einer Felswand etc*). – **3.** Felsbank *f*, Riff *n*. – **4.** (*Bergbau*) a) Lager *n*, b) Ader *f*. — **ledged** *adj* mit Leisten *od.* einer Leiste versehen.

ledg·er[1] ['ledʒər] *s* **1.** *econ.* Hauptbuch *n*. – **2.** *arch.* Querbalken *m*, Sturz *m* (*eines Gerüsts*). – **3.** große Steinplatte, *bes.* (liegende) Grabplatte. – **4.** *Kurzform für* a) ~ **bait**, b) ~ **line**, c) ~ **tackle**.

ledg·er[2] ['ledʒər] *adj* (*nur in bestimmten Ausdrücken*) fest(liegend), statio'när.

ledg·er| bait *s* festliegender Köder. — ~ **blade** *s tech.* (feste) Scherklinge (*einer Tuchschermaschine*). — ~ **board** *s* Handleiste *f* (*eines Geländers, Zaunes etc*). — ~ **keep·er** *s econ.* Hauptbuchführer *m*. — ~ **line** *s* **1.** Angelleine *f* mit festliegendem Köder. – **2.** *mus.* Hilfslinie *f* (*über od. unter den 5 Notenlinien*). — ~ **pa·per** *s* gutes 'Schreibpaˌpier (*für Hauptbücher*). — ~ **tack·le** *s* Grundangel *f*.

ledg·y ['ledʒi] *adj* **1.** voller Felsenriffe. – **2.** aus einem Riff bestehend, Riff...

lee[1] [liː] **I** *s* **1.** Schutz *m*: **under the** ~ **of** im Schutz von. – **2.** (wind)geschützte Stelle. – **3.** Leeseite *f*, Windschattenseite *f*, windgeschützte Seite. – **4.** *mar.* Lee(seite) *f*. – **II** *adj* **5.** *mar.* Lee...

lee[2] [liː] *sg von* **lees**.

'leeˌboard *s mar.* (Seiten)Schwert *n* (*bei flachen Fahrzeugen gegen die Abtrift*).

leech[1] [liːtʃ] **I** *s* **1.** *zo.* Blutegel *m* (*Ordng Hirudinea*): **medicinal** ~ Echter *od.* Deutscher Blutegel (*Hirudo medicinalis*); **to stick like a** ~ wie eine Klette festhängen, nicht loslassen. – **2.** *med.* künstlicher Blutegel. – **3.** *fig.* Blutsauger *m*, Para'sit *m*. – **4.** *obs. od. humor.* Arzt *m*. – **II** *v/t* **5.** (*j-m*) Blutegel setzen. – **6.** *obs.* a) heilen, b) ärztlich behandeln.

leech[2] [liːtʃ] *s mar.* Leick *n*, Liek *n* (*stehende Kante eines Segels*).

'leech|ˌcraft *s obs.* Heilkunde *f*, -kunst *f*. — ~ **line** *s mar.* Gording *f*. — ~ **rope** *s mar.* stehendes Liek.

Lee-En·field ri·fle ['li:'enfi:ld] *s mil. brit.* Ar'meegewehr *n* Mo'dell 1902 (*1904 eingeführt*).

leek [li:k] *s* **1.** *bot.* (Breit)Lauch *m*, Porree *m* (*Allium porrum*): to eat the ~ eine Beleidigung einstecken müssen. – **2.** Lauch *m* (*Emblem von Wales*). — **~ green** *s* Lauchgrün *n* (*Farbe*). — '**~-ˌgreen** *adj* lauchgrün.

leer[1] [liər] **I** *s* (lüsterner *od.* gehässiger *od.* tückischer) Seitenblick. – **II** *v/i* (lüstern *od.* gehässig *od.* tückisch) schielen (at nach).

leer[2] *cf.* lehr.

leer[3] [liər] *adj obs. od. dial.* leer.

leer·ing·ly ['li(ə)riŋli] *adv* mit einem lüsternen *od.* tückischen Seitenblick.

leer·y[1] ['li(ə)ri] *adj sl.* **1.** schlau, gerieben, gerissen. – **2.** argwöhnisch, 'mißtrauisch.

leer·y[2] ['li(ə)ri] *adj obs. od. dial.* **1.** leer. – **2.** halbverhungert.

lees [li:z] *s pl* (*auch als sg konstruiert*) **1.** Bodensatz *m*, Hefe *f* (*bes. des Weins*): to drink (*od.* drain) to the ~ *bes. fig.* bis zur Neige leeren. – **2.** *fig.* Hefe *f*, Abhub *m*.

lee| shore *s mar.* Leeküste *f*: on a ~ *fig.* in Schwierigkeiten, in Gefahr. — **~ side** *s mar.* Leeseite *f*.

leet[1] [li:t] *s hist.* **1.** → court-leet. – **2.** Bezirk *m* des Lehngerichts. – **3.** Gerichtstag *m* (*an dem das Lehngericht zusammentritt*).

leet[2] [li:t] *s Scot.* (Bewerber-, Kandi'daten)Liste *f*: short ~ Liste der zur engeren Wahl Stehenden.

lee tide *s* Leetide *f* (*Flut in Richtung des Windes*).

lee·ward ['li:wərd; 'lu:ərd] *bes. mar.* **I** *adj* Lee..., leewärts gelegen, nach Lee zu liegend *od.* sich bewegend: L~ Islands Inseln unter dem Winde. – **II** *s* Lee(seite) *f*: to ~ leewärts; to drive to ~ abtreiben; to fall to ~ abfallen. – **III** *adv* leewärts, nach Lee. — '**leeward·ly** *adj mar.* leegierig (*Schiff*).

'**leeˌway** *s* **1.** *mar.* Leeweg *m*, Abtrift *f*: to make ~ (*durch Wind od. Strom vom Kurs*) abtreiben. – **2.** *aer.* Abtrift *f*. – **3.** *fig.* Rückstand *m*, Rückständigkeit *f*, Zu'rückbleiben *n*: to make up ~ (Rückstand) aufholen. – **4.** *colloq.* Bewegungsmöglichkeit *f*, Spielraum *m*, noch verfügbare Menge von Zeit *od.* Geld *etc*: you have an hour's ~ Sie haben noch eine Stunde Zeit.

leeze me (on) [li:z] *Scot.* ich liebe, ich habe gern.

left[1] [left] **I** *adj* **1.** link(er, e, es): the ~ hand die linke Hand; on the ~ hand of linker Hand von; to marry with the ~ hand eine Ehe zur linken Hand schließen; a wife of the ~ hand eine morganatische Gattin; over the ~ (shoulder) *sl.* im gegenteiligen Sinne aufzufassen; praise over the ~ *sl.* das Gegenteil von Lob. – **II** *s* **2.** Linke *f*, linke Seite: on (*od.* to) the ~ (of) links (von), auf der linken Seite (von), linker Hand (von); to go out on the ~ (*von der Bühne*) nach links abgehen; on our ~ zu unserer Linken, uns zur Linken; to the ~ nach links; the second turn to the ~ die zweite Querstraße links; to keep to the ~ a) sich links halten, b) (*Verkehrsvorschrift*) links fahren. – **3.** (*Boxen*) Linke *f* (*linke Hand od. Schlag mit der linken Hand*). – **4.** *sport* a) linke Seite (*des Spielfelds od. der Mannschaft*), b) Linker *m*. auf der linken Seite Spielender. – **5.** linker Flügel (*Armee etc*). – **6.** the ~, *auch* the L~ *pol.* die Linke. – **7.** the ~ der fortschrittliche *od.* linke Flügel. – **III** *adv* **8.** links: ~ of links von. – **9.** (nach) links.

left[2] [left] *pret u. pp von* leave[1].

left| field *s* (*Baseball*) linkes Außenfeld. — **~ field·er** *s* (*Baseball*) Spieler *m* im linken Außenfeld.

'**left-'hand** *adj* **1.** link(er, e, es), linksseitig: the ~ drawer die linke Schublade; the ~ man der linke Nebenmann. – **2.** → left-handed 1–4. — **~ ac·tion** *s tech.* Linksgang *m*.

'**left-'hand·ed I** *adj* **1.** linkshändig: a ~ person ein Linkshänder. – **2.** linkshändig, mit der linken Hand *od.* für die linke Hand: a ~ blow ein Schlag mit der linken Hand. – **3.** link(er, e, es), linksseitig. – **4.** *bes. tech.* linksgängig, -läufig, sich nach links drehend. – **5.** zweifelhaft, fragwürdig: ~ compliments zweifelhafte Komplimente. – **6.** linkisch, ungeschickt. – **7.** morga'natisch, zur linken Hand (*Ehe*). – **8.** *obs.* unheilkündend, -voll. – **II** *adv* → left-handedly. — ˌ**left-'hand·ed·ly** *adv* **1.** linkshändig, mit der linken Hand. – **2.** ungeschickt, linkisch. — ˌ**left-'hand·ed·ness** *s* **1.** Linkshändigkeit *f*. – **2.** Linksseitigkeit *f*. – **3.** Zweifelhaftigkeit *f*. – **4.** Ungeschicktheit *f*, Unbeholfenheit *f*.

'**left-'hand·ed| ro·ta·tion** *s phys. tech.* Linksdrehung *f*. — **~ screw** *s tech.* linksgängige Schraube.

'**left-'hand en·gine** *s tech.* linksläufiger Motor.

'**left-'hand·er** *s* **1.** Linkshänder(in). – **2.** Linke *f*, Schlag *m* mit der linken Hand.

'**left-'hand| rope** *s* linksgeschlagenes Tau. — **~ thread** *s tech.* Linksgewinde *n*.

left·ism ['leftizəm] *s pol.* 'Linkspoliˌtik *f*, -orienˌtierung *f*. — '**left·ist** *pol.* **I** *s* 'Linkspoˌlitiker *m*, Angehörige(r) einer 'LinksparˌteI. – **II** *adj* linksgerichtet, *bes.* sozia'listisch.

'**left-'lug·gage of·fice** *s Br.* Gepäckaufbewahrungsstelle *f*.

left·most ['leftˌmoust; -məst] *adj* am weitesten links liegend *od.* gelegen.

'**left|-ˌoff** *adj* abgelegt, nicht mehr getragen *od.* gebraucht. — '**~ˌo·ver I** *adj* **1.** übriggeblieben. – **II** *s* **2.** ('Über)Rest *m*, 'Überbleibsel *n*. – **3.** Speiserest *m*.

left turn *s* Linkswendung *f* (*um 90°*).

left·ward ['leftwərd] **I** *adj* **1.** linksseitig, link(er, e, es), links gelegen. – **2.** nach links gerichtet. – **II** *adv* **3.** (nach) links. — '**left·wards** → leftward II.

left wing *s* **1.** *oft* L~ W~ *pol.* linker Flügel (*Partei etc*). – **2.** *sport* linker Flügel, Links'außen *m*. — '**leftˌwing** *adj pol.* dem linken Flügel angehörend, Links...

leg [leg] **I** *v/i pret u. pp* **legged** **1.** *meist* ~ it die Beine gebrauchen, (rasch) gehen *od.* laufen. – **II** *v/t* **2.** (*bes. Boot*) mit Hilfe der Beine vorwärts stoßen. – **III** *s* **3.** Bein *n*: she has slender ~s sie hat schlanke Beine. – **4.** 'Unterschenkel *m*. – **5.** (*Kochkunst*) Keule *f*: ~ of mutton Hammelkeule. – **6.** a) Bein *n* (*Hose, Strumpf*), b) Schaft *m* (*Stiefel*). – **7.** a) Bein *n* (*Tisch etc*), b) Stütze *f*, Stützpfosten *m*, c) Schenkel *m* (*Zirkel etc*). – **8.** *math.* Ka'thete *f*, Schenkel *m* (*Dreieck*). – **9.** E'tappe *f*, Abschnitt *m*, Teil *m* (*Fahrt*). – **10.** *mar.* a) Schlag *m* (*Strecke, die ein kreuzendes Schiff zurücklegt, ohne zu wenden*), b) Abschnitt *m*, Teilstrecke *f* (*bes. beim Rennsegeln*). – **11.** *aer.* a) (Teil)Strecke *f* (*Langstreckenflug*), b) Federbein *n* (*Fahrwerk*). – **12.** *sport* erster gewonnener 'Durchgang *od.* Lauf. – **13.** (*Kricket*) a) *Seite des Spielfelds, die links vom Schläger* (*u. rechts vom Werfer*) *liegt*, b) *Kurzform für* long ~, short ~. – **14.** *obs.* Kratzfuß *m* (*Verbeugung*): to make a ~ einen Kratzfuß machen. – **15.** *Br. sl. obs.* Schwindler *m* (*beim Wetten*). –

Besondere Redewendungen:

on one's ~s a) stehend (*bes. um eine Rede zu halten*), b) auf den Beinen (*im Gegensatz zu bettlägerig*), c) gut situiert; ~ before wicket (*Kricket*) unerlaubtes Stoppen eines direkten Balls mit dem Bein; to be all ~s nur aus Beinen bestehen, schlaksig sein; to be on one's last ~s auf dem letzten Loch pfeifen; to fall on one's ~s auf die Füße fallen, gut davonkommen; to get on one's ~s sich erheben (*bes. um zu sprechen*); to get on one's hind ~s *colloq.* a) sich erheben, b) sich auf die Hinterbeine stellen, sich zur Wehr setzen, wütend werden; to give s.o. a ~ up j-m hinaufhelfen, j-m beistehen (*auch fig.*); to have ~s *colloq.* sehr schnell sein (*bes. Schiff*); to have the ~s of s.o. schneller laufen können als j-d; to have not a ~ to stand on jeglicher Grundlage entbehren; to keep one's ~s sich auf den Beinen halten (können); to pull s.o.'s ~ *colloq.* j-n zum Narren halten, j-n ‚auf den Arm nehmen'; to put one's best ~ foremost sich beeilen; to shake a ~ a) das Tanzbein schwingen, b) *sl.* den vierten Gang einschalten, sich beeilen; to show a ~ aufstehen, aus dem Bett steigen; to stand on one's own ~s auf eigenen Füßen stehen; to stretch one's ~s sich die Beine vertreten, einen Spaziergang machen; to take to one's ~s Fersengeld geben; → bone[1]; boot[1]; walk off 3.

leg·a·cy ['legəsi] *s* **1.** *jur.* Le'gat *n*, Vermächtnis *n*. – **2.** *fig.* Vermächtnis *n*, von den Ahnen ererbtes Gut: a ~ of hatred Erbhaß, überkommener Haß. — **~ du·ty** *s* Erbanteils-, Erbschaftssteuer *f*. — **~ hunt·er** *s* Erbschleicher *m*.

le·gal ['li:gəl] **I** *adj* **1.** gesetzlich, rechtlich. – **2.** le'gal, gesetzmäßig, rechtsgültig, dem Gesetz entsprechend. – **3.** dem Buchstaben des Gesetzes entsprechend, *bes.* dem statute law u. dem common law entsprechend. – **4.** Rechts..., ju'ristisch: ~ adviser Rechtsberater; ~ aid Rechtshilfe; the ~ profession der Juristenberuf; ~ system Rechtssystem. – **5.** gerichtlich: a ~ decision. – **6.** streng rechtlich denkend: a ~ mind. – **7.** *relig.* a) dem Gesetz des Moses entsprechend, b) auf die seligmachende Kraft der guten Werke (*u. nicht der Gnade*) bauend. – *SYN. cf.* lawful. – **II** *s* **8.** *pl econ.* mündelsichere 'Wertpaˌpiere *pl*. — **~ cap** *s Am. Schreibpapier für Juristen, aus schmalen einmal gefalteten Bogen* (*13 × 16 inches*). — **~ claim** *s* Rechtsanspruch *m*, rechtmäßiger Anspruch. — **~ force** *s* Rechtskraft *f*, -wirksamkeit *f*. — **~ hol·i·day** *s* gesetzlicher Feiertag.

le·gal·ism ['li:gəˌlizəm] *s* **1.** strikte Einhaltung des Gesetzes. – **2.** Paraˌgraphenrei'rei *f*, Amtsschimmel *m*. – **3.** *relig.* starke Betonung der (äußerlichen) Gesetzesvorschriften. — '**le·gal·ist** *s* **1.** j-d der sich streng an den Buchstaben des Gesetzes hält. – **2.** Para'graphenreiter *m*. — ˌ**le·gal-'is·tic** *adj* sich streng an den Buchstaben des Gesetzes haltend.

le·gal·i·ty [li'gæliti; -əti] *s* **1.** Legali'tät *f*, Gesetzlichkeit *f*, Gesetz-, Rechtmäßigkeit *f*. – **2.** strenge Einhaltung der Gesetze. – **3.** *relig.* (äußere) Werkgerechtigkeit, Haften *n* am Buchstaben des Gesetzes.

le·gal·i·za·tion [ˌli:gəlai'zeiʃən; -lə-] *s* Legalisati'on *f*, Legali'sierung *f*. — '**le·galˌize** *v/t* legali'sieren, rechts-

kräftig machen, *bes.* amtlich beglaubigen *od.* bestätigen.
le·gal| re·serve *s* (*Bankwesen*) gesetzliche Re'serve. — **~ sep·a·ra·tion** *s jur.* Ehetrennung *f.* — **~ ten·der** *s jur.* gesetzliches Zahlungsmittel.
leg·ate¹ ['legit] *s* **1.** (päpstlicher) Le'gat: ~ a latere Legatus a latere. – **2.** *antiq.* (*Rom*) Le'gat *m.* – **3.** *obs.* (Ab)Gesandter *m*, Botschafter *m.*
le·gate² [li'geit] *v/t* (testamen'tarisch) ver machen.
leg·a·tee [ˌlegə'tiː] *s jur.* Lega'tar(in), Erbe *m*, Erbin *f.*
leg·ate·ship ['legitˌʃip] *s* Le'gatenamt *n.*
leg·a·tine ['legətin; -ˌtain] *adj* Legaten...
le·ga·tion [li'geiʃən] *s* **1.** Gesandtschaft *f*: a) *der Gesandte u. seine Mitarbeiter,* b) *Gesandtschaftsgebäude od. -räume.* – **2.** a) Entsendung *f* (*eines bevollmächtigten Vertreters*), b) Auftrag *m*, Missi'on *f* (*eines Vertreters*). – **3.** Delegati'on *f*, (*die*) Dele'gierten *pl.* – **4.** Le'gaten-, Gesandtenamt *n.*
le·ga·to [li'gɑːtou] *mus.* **I** *adj u. adv* le'gato, gebunden. – **II** *s* Le'gato *n.*
le·ga·tor [li'geitər; ˌlegə'tɔːr] *s jur.* Vermächtnisgeber(in), Te'stator *m*, Testa'torin *f*, Erblasser(in). — **leg·a·to·ri·al** [ˌlegə'tɔːriəl] *adj* erblasserisch.
leg| bail *s sl.* Fersengeld *n* (*nur in*): to give ~ Fersengeld geben, sich aus dem Staube machen. — **~ boot** *s* **1.** Stiefel *m* (*eines Pferdes*). – **2.** Schaftstiefel *m.* — **~ bye** *s* (*Kricket*) **1.** *geworfener Ball, der vom Körper des Schlagmanns abprallt u. am Torwächter vorbeigeht.* – **2.** *für einen derartigen Ball erworbener Punkt.*
leg·end ['ledʒənd] *s* **1.** Sage *f.* – **2.** *collect.* Sage *f*, Sagen(schatz *m*) *pl*: in ~ in der Sage. – **3.** Le'gende *f*: a) *erläuternder Text zu Karten, Bildern etc,* b) *Inschrift auf Münzen, Bildwerken etc.* – **4.** ('Heiligen-)Leˌgende *f.* – **5.** *hist.* Le'gende(nsammlung) *f*: the (Golden) L~ die Goldene Legende. – **6.** *hist.* Lebensbeschreibung *f*, Anek'dotensammlung *f.*
leg·end·ar·y [*Br.* 'ledʒəndəri; *Am.* -ˌderi] **I** *adj* **1.** sagenhaft, legen'där, Sagen...: a ~ hero ein Sagenheld. – **2.** le'gendenartig, Legenden... – *SYN. cf.* fictitious. – **II** *s* **3.** Sagen-, Le'gendensammlung *f.* – **4.** Sagen-, Le'gendendichtung *f.*
leg·end·ry ['ledʒəndri] *s collect.* **1.** Sagen *pl.* – **2.** Le'genden *pl.*
leg·er *s* **1.** *cf.* ledger¹ 4. – **2.** *cf.* ledger².
leg·er·de·main [ˌledʒərdə'mein] *s* **1.** → sleight of hand. – **2.** Schwinde'lei *f*, Schwindel *m.* – **3.** Kniff *m*, Trick *m.* — ˌ**leg·er·de'main·ist** *s* Taschenspieler *m*, Gaukler *m.*
le·ger·i·ty [li'dʒeriti; -əti] *s selten* Leichtheit *f*, Flinkheit *f*, Behendigkeit *f.* – *SYN. cf.* celerity.
le·ges ['liːdʒiːz] (*Lat.*) *pl von* lex.
legged [legd; *bes. Am.* 'legid] *adj* (*bes. in Zusammensetzungen*) mit Beinen versehen, Beine habend, ...beinig: ~ like a man mit Beinen wie ein Mensch; → bowlegged; two-~ zweibeinig.
leg·ging ['legiŋ] *s* (*meist nur im pl gebraucht*) hohe Ga'masche (*gewöhnlich vom Knöchel bis zum Knie*).
leg guard *s* (*Kricket*) Beinschützer *m.*
leg·gy ['legi] *adj* **1.** allzu langbeinig, zu lange Beine habend. – **2.** *sl.* freigebig Beine zur Schau stellend: a ~ burlesque.
leg hit *s* (*Kricket*) Schlag *m* nach der linken Seite des Spielfelds (*vom Schlagmann aus betrachtet*).
leg·horn ['legˌhɔːrn; *Br. auch* lə'gɔːn] *s* **1.** (*Art*) feines Strohgeflecht (*für Hüte*). – **2.** feiner ital. Strohhut. – **3.** L~ [*Am. auch* 'legərn] Leghorn *n* (*Hühnerrasse*).
leg·i·bil·i·ty [ˌledʒə'biliti; -əti] *s* Leserlichkeit *f*, Lesbarkeit *f.* — '**leg·i·ble** *adj* **1.** (gut) leserlich, (gut) lesbar. – **2.** erkennbar, deutlich, kenntlich. — '**leg·i·ble·ness** → legibility.
le·gion ['liːdʒən] *s* **1.** *antiq. mil.* Legi'on *f.* – **2.** Legi'on *f* (*verschiedenartige Verbände od. Gemeinschaften*): the American L~ der Amer. Frontkämpferverband (*gegründet 1919*); the British L~ der Brit. Frontkämpferverband (*gegründet 1921*); the L~ a) → the American L~, b) die (franz.) Fremdenlegion. – **3.** *fig.* Legi'on *f*, Heer *n.* – **4.** *fig.* Legi'on *f*, gewaltige Menge, Unzahl *f*: their name is ~ ihre Zahl ist Legion.
le·gion·ar·y [*Br.* 'liːdʒənəri; *Am.* -ˌneri] **I** *adj* **1.** Legions... – **2.** aus Legi'onen bestehend (*auch fig.*). – **II** *s* **3.** *antiq. mil.* Legio'när *m*, Legi'onssolˌdat *m.* – **4.** Legio'när *m* (*Angehöriger einer Legion*). – **5.** *Br.* Angehöriger *m* des Brit. Frontkämpferverbands. — **~ ant** → driver ant.
le·gioned ['liːdʒənd] *adj poet.* in Legi'onen.
le·gion·naire [ˌliːdʒə'nɛr] *s* **1.** Legio'när *m.* – **2.** *oft* L~ *Am.* Angehöriger *m* des Amer. Frontkämpferverbands.
Le·gion| of Hon·o(u)r *s* 'Ehrenlegiˌon *f* (*franz. Verdienstorden*). — **~ of Mer·it** *s mil.* Ver'dienstlegiˌon *f* (*amer. Militärverdienstorden*).
leg·is·late ['ledʒisˌleit] **I** *v/i* Gesetze geben. – **II** *v/t* durch Gesetzgebung bewirken *od.* bringen: to ~ a corporation into existence durch Gesetzgebung eine Korporation ins Leben rufen; to ~ a person out of office durch gesetzmäßige Aufhebung des Amtes j-n um seine Stellung bringen.
leg·is·la·tion [ˌledʒis'leiʃən] *s* **1.** Gesetzgebung *f.* – **2.** gegebene Gesetze *pl*, gegebenes Gesetz.
leg·is·la·tive [*Br.* 'ledʒislətiv; *Am.* -ˌleitiv] **I** *adj* **1.** gesetzgebend, legisla'tiv: ~ body gesetzgebende Körperschaft. – **2.** Legislatur..., Gesetzgebungs... – **3.** legisla'torisch. – **4.** gesetzlich, durch die Gesetzgebung festgelegt. – **II** *s* **5.** Legisla'tive *f*: a) gesetzgebende Gewalt, b) gesetzgebende Körperschaft.
leg·is·la·tor ['ledʒisˌleitər] *s* Gesetzgeber *m.* — ˌ**leg·is·la'to·ri·al** [-lə'tɔːriəl] *adj* gesetzgeberisch, legisla'torisch.
leg·is·la·tress ['ledʒisˌleitris], *auch* ˌ**leg·is'la·trix** [-triks] *s* Gesetzgeberin *f.*
leg·is·la·ture ['ledʒisˌleitʃər] *s* **1.** gesetzgebende Körperschaft, Legisla'tive *f.* – **2.** Legisla'tur *f*, Gesetzgebung *f.*
le·gist ['liːdʒist] *s* Rechtskundiger *m*, Ju'rist *m*, Le'gist *m.*
le·git [le'dʒit; lə-] *sl.* **I** *adj* echt, richtig, wahr. – **II** *s Kurzform für* legitimate drama. [teil *m*, *n*.]
leg·i·tim ['ledʒitim] *s jur.* Pflicht-
le·git·i·ma·cy [li'dʒitiməsi; -tə-] *s* **1.** Legitimi'tät *f*: a) Gesetz-, Rechtmäßigkeit *f*, b) Ehelichkeit *f*, c) Rechtfertigung *f* durch höhere Grundsätze (*bes. durch Erbrecht*). – **2.** Richtigkeit *f*, Echtheit *f*, Gültigkeit *f.* – **3.** Folgerichtigkeit *f.*
le·git·i·mate [li'dʒitimit; -təm-] **I** *adj* **1.** legi'tim, gesetzmäßig, gesetzlich. – **2.** legi'tim, rechtmäßig, berechtigt: ~ claims berechtigte Ansprüche; the ~ ruler der legitime Herrscher. – **3.** legi'tim, ehelich: ~ birth; ~ son ehelicher Sohn. – **4.** richtig, kor'rekt, den Regeln entsprechend, regelrecht. – **5.** einwandfrei, folgerichtig, logisch. – **6.** echt. – **II** *s* **7.** the ~ *sl. für* ~ drama. – *SYN. cf.* lawful. – **III** *v/t* [-ˌmeit] **8.** legiti'mieren: a) gesetzmäßig machen, für gesetzmäßig erklären, b) ehelich machen. – **9.** als (rechts)gültig anerkennen, sanktio'nieren. – **10.** rechtfertigen. — **~ dra·ma** *s* **1.** lite'rarisch wertvolles Drama (*bes. die Werke Shakespeares*). – **2.** echtes Drama, auf der Bühne dargestelltes Drama (*im Gegensatz zu Film, Revue etc*).
le·git·i·mate·ness [li'dʒitimitnis; -təmət-] *s* **1.** Legitimi'tät *f*, Gesetzmäßigkeit *f*, Rechtmäßigkeit *f.* – **2.** Echtheit *f*, Richtigkeit *f.*
le·git·i·ma·tion [liˌdʒiti'meiʃən; -tə-] *s* **1.** Legitimati'on *f*, Legiti'mierung *f.* – **2.** Sanktio'nierung *f.* — **le'git·i·maˌtize** [-məˌtaiz] → legitimate III.
le·git·i·mism [li'dʒitiˌmizəm; -tə-] *s pol.* Legiti'mismus *m.* — **le'git·i·mist** **I** *s* Legiti'mist(in). – **II** *adj* legiti'mistisch. — **leˌgit·i'mis·tic** *adj* legiti'mistisch.
le·git·i·mi·za·tion [liˌdʒitimai'zeiʃən; -təmə-] → legitimation. — **le'git·iˌmize** → legitimate III.
leg·len ['leglən] *s Scot.* Milcheimer *m.*
leg·less ['leglis] *adj* ohne Beine, beinlos.
leg man *s irr Am. colloq.* j-d der in Ausübung seines Berufs viel zu Fuß geht.
ˌ**leg-of-'mut·ton** *adj* wie eine Hammelkeule geformt, keulenförmig, Keulen...: ~ sail *mar.* Schafschenkel, -schinken, Fledermaus-, Schratsegel; ~ sleeves Keulenärmel, Gigots.
'**legˌpull(·ing)** *s colloq.* Foppe'rei *f*, Necke'rei *f.*
Le·gree [li'griː] → Simon ~.
leg| rest *s* Beinstütze *f* (*für einen sitzenden Invaliden*). — '**~-ˌshow** *s colloq.* ‚Bein-', ‚Fleischschau' *f* (*Revue*). — **~ stump** *s* (*Kricket*) (*vom* bowler *aus gesehen*) der rechte der drei Torstäbe.
leg·ume ['legjuːm; li'gjuːm] *s* **1.** *bot.* Legumi'nose *f*, Hülsenfrucht *f* (*Ordng Leguminosae*). – **2.** *bot.* Le'gumen *n*, Hülse *f* (*Frucht der Leguminosen*). – **3.** *meist pl* (*auf Speisekarten etc*) a) Hülsenfrüchte *pl* (*als Gemüse*), b) Gemüse *n.* — **le·gu·men** [li'gjuːmen] *pl* **-mi·na** [-minə] *od.* **-mens** → legume 2. — **le'gu·min** [-min] *s chem.* Legu'min *n*, 'Pflanzenkaseˌin *n.* — **leg·u·min·i·form** [ˌlegju'miniˌfɔːrm] *adj* hülsenförmig. — **le·gu·mi·nous** [li'gjuːminəs] *adj* **1.** a) Hülsen..., b) hülsenartig, c) hülsentragend. – **2.** erbsen- *od.* bohnenartig. – **3.** *bot.* zu den Hülsenfrüchten gehörig.
leg work *s Am. colloq.* Beinarbeit *f* (*Arbeit, die sehr viel Gehen erfordert*).
lehr [lir] *s* (*Glasherstellung*) (Aus)Glüh-, Kühlofen *m.*
le·hu·a [lei'huːɑː] *s* **1.** *bot.* (*ein*) Eisenholzbaum *m* (*Metrosideros polymorpha*). – **2.** *Blüte dieses Baums* (*Emblem von Hawaii*).
le·i¹ ['leii; lei] (*Hawaiian*) *s* Blumen-, Blütenkranz *m* (*als Kopf- od. Halsschmuck*).
lei² [lei] *s pl* Lei *pl* (*rumän. Münzeinheit u. Münze*).
Leib·ni(t)z·i·an [laib'nitsiən] **I** *adj* leibnizisch, Leibnizsch(er, e, es). – **II** *s* Leibnizi'aner *m.* — **Leib'ni(t)z·i·anˌism** *s* Leibnizische Philoso'phie.
Leices·ter ['lestər] *s* Leicester-Schaf *n* (*langwolliges engl. Schaf*).
lei·o·my·o·ma [ˌlaiomai'oumə] *pl* **-ma·ta** [-mətə] *od.* **-mas** *s med.* Leiomy'om *n* (*Tumor aus ungestreiftem Muskelgewebe*).
lei·po·a [lai'pouə] *s zo.* Laubenwallnister *m* (*Leipoa ocellata*).

leis·ter ['li:stər] **I** *s* mehrzackiger Fischspeer. – **II** *v/t* mit dem Fischspeer aufspießen.

lei·sure ['leʒər; *Am. auch* 'li:ʒər] **I** *s* **1.** Muße *f*, freie Zeit, frei verfügbare Zeit, Freizeit *f*: at ~ a) mit Muße, ohne Hast, b) mit beliebiger Freizeit, c) frei, unbeschäftigt; at your ~ wenn Sie Zeit haben, wenn es Ihnen gerade paßt; to enjoy a life of ~ ein Leben der Muße führen. – **II** *adj* **2.** Muße..., frei: ~ hours Mußestunden, freie Stunden; ~ time Freizeit. – **3.** → leisured. — '**lei·sured** *adj* frei, nicht zum Arbeiten genötigt, müßig: the ~ classes die begüterten Klassen. — '**lei·sure·li·ness** *s* Gemächlichkeit *f*, Ruhe *f*. — '**lei·sure·ly I** *adj* gemächlich, ruhig, über'legt. – **II** *adv* gemächlich, mit Muße, ohne Hast.

leit·mo·tiv, *auch* **leit·mo·tif** ['laitmo(u)ˌti:f] *s bes. mus.* 'Leitmoˌtiv *n*.

lem·an ['lemən] *s obs.* **1.** Liebste(r). – **2.** Geliebte *f*, Mä'tresse *f*.

le·mit·a [lə'mi:tə] *s bot. Am. ein Sumach, dessen Früchte für Erfrischungsgetränke verwendet werden, bes.* Dreiblättriger Sumach (*Rhus trilobata*).

lem·ma[1] ['lemə] *pl* **-mas** *od.* **-ma·ta** [-mətə] *s* Lemma *n*: a) Hilfssatz *m* (*bei einem Beweis*), b) (*lexikographisches*) Stichwort, c) 'Überschrift *f*, Motto *n*, d) als 'Überschrift vor'angestelltes Thema.

lem·ma[2] ['lemə] *pl* **-mas** *s bot.* Deckspelze *f* (*der Gräser*).

lem·ming ['lemiŋ] *s zo.* Lemming *m* (*Wühlmausgattgen Lemmus u. Dicrostonyx*).

Lem·ni·an ['lemniən] **I** *adj* lemnisch, von *od.* aus Lemnos. – **II** *s* Bewohner(in) von Lemnos.

lem·nis·cate [lem'niskeit] *s math.* Lemnis'kate *f*, Schleifenlinie *f*.

lem·nis·cus [lem'niskəs] *pl* **-nis·ci** [-kai] *s med.* Lem'niscus *m*, (Nerven)-Faserschleife *f*.

lem·on[1] ['lemən] **I** *s* **1.** Zi'trone *f*: oil of ~ Zitronenöl. – **2.** *bot.* Li'mone *f*, Zi'tronenbaum *m* (*Citrus limonia*). – **3.** Zi'tronengelb *n*. – **4.** *sl.* a) Versager *m*, ‚Niete' *f*, Enttäuschung *f*, b) lästige *od.* wertlose Sache, c) Spiel-, Spaßverderber(in), d) reizloses Mädchen, ‚Mädchen *n* zum Abgewöhnen'. – **II** *adj* **5.** zi'tronengelb.

lem·on[2] ['lemən] *s* **1.** → smear dab. – **2.** → ~ sole.

lem·on·ade [ˌlemə'neid] *s* Zi'tronenlimoˌnade *f*: a) *mit Wasser*, b) *Br. mit Soda*.

lem·on| balm *s bot.* Zi'tronen-, 'Gartenmeˌlisse *f* (*Melissa officinalis*). — **~ dab** → smear dab. — **~ drop** *s* Zi'tronenbonˌbon *m, n*. — **~ ge·ra·ni·um** *s bot.* 'Duftpelarˌgonie *f* (*Pelargonium limoneum*). — **~ juice** *s* Zi'tronensaft *m*. — **~ kal·i** *s Br.* 'Brauselimoˌnade *f*. — **~ peel** *s* Zi'tronenschale *f*. — **~ plant** → lemon verbena. — '**~-ˌscent·ed** *adj* zi'tronenduftend. — **~ sole** *s zo.* **1.** Franz. Seezunge *f* (*Solea lascaris*). – **2.** *ein seezungenartiger Fisch.* — **~ squash** *s Br.* Zi'tronensaft *m* mit Soda, Zi'tronenwasser *n*. — **~ squeez·er** *s* Zi'tronenpresse *f*. — **~ ver·be·na** *s bot.* Zi'tronen-, Punschkraut *n* (*Lippia citriodora*). — **~ yel·low** *s* Zi'tronengelb *n*. — '**~-'yel·low** *adj* zi'tronengelb.

lem·pi·ra [lem'pi:rɑ:] *s* Lem'pira *f* (*Währungseinheit von Honduras*).

le·mur ['li:mər] *s zo.* Halbaffe *m* (*Unterordng Lemuroidea*), *bes.* a) → maki, b) Gemeiner Le'mure (*Gattg Lemur*).

lem·u·res ['lemjəˌri:z] *s pl* (*röm. Mythologie*) Le'muren *pl* (*als Gespenster umherirrende Geister der Toten*).

lem·u·roid ['lemjəˌrɔid] *zo.* **I** *adj* halbaffenartig. – **II** *s* Halbaffe *m*, Lemu'ride *m* (*Unterordng Lemuroidea*).

lend [lend] *pret u. pp* **lent** [lent] **I** *v/t* **1.** (*gegen Zinsen etc*) leihen, ausleihen, verleihen: to ~ s.o. money (*od.* money to s.o.) j-m Geld leihen, an j-n Geld verleihen. – **2.** (*ohne Entgelt*) leihen: to ~ s.o. a book (*od.* a book to s.o.) j-m ein Buch leihen. – **3.** verleihen: to ~ dignity to s.th. einer Sache Würde verleihen. – **4.** *fig.* leihen, gewähren, schenken: to ~ one's aid to s.th. einer Sache Unterstützung gewähren; to ~ one's soul to one's work mit ganzer Seele bei der Arbeit sein; → ear[1] 3; hand *b. Redw.* – **5.** *reflex* a) sich 'hergeben (to zu), b) sich 'hingeben (to *dat*): he ~s himself to illusions er gibt sich Illusionen hin. – **6.** *reflex* sich eignen (to zu, für): the soil ~s itself to cultivation der Boden eignet sich zur Bestellung. – **II** *v/i* **7.** ausleihen, Ausleihungen machen, Anleihen vergeben. — '**lend·a·ble** *adj* verleihbar. — '**lend·er** *s* Verleiher(in), Ausleiher(in): ~ of capital Geldgeber.

lend·ing ['lendiŋ] *s* Ausleihen *n*, Verleihen *n*. — **~ li·brar·y** *s* ˌLeihbüche'rei *f*.

'**Lend-'Lease I** *adj auch* l~-l~ Leih-Pacht... – **II** *v/t* l~-l~ auf Grund *od.* nach Art des Leih-Pacht-Gesetzes verleihen u. verpachten. — **~ Act** *s* Leih-Pacht-Gesetz *n* (*vom 11. 3. 1941*). — **~ Ad·min·is·tra·tion** *s* Leih-Pacht-Verwaltung *f* (*am 28. 10. 1941 gebildetes Amt zur Durchführung des Leih-Pacht-Gesetzes*).

length [leŋθ; leŋkθ] *s* **1.** Länge *f*: ~ and breadth Länge u. Breite; two feet in ~ 2 Fuß lang. – **2.** Länge *f*, Strecke *f*: a ~ of three feet eine Strecke von 3 Fuß. – **3.** Länge *f*, 'Umfang *m* (*Buch, Liste etc*). – **4.** (zeitliche) Länge, Dauer *f*: an hour's ~ die Dauer einer Stunde. – **5.** Länge *f* (*als Maß*): an arm's ~ eine Armlänge. – **6.** Länge *f*, lange Strecke, Weite *f*. – **7.** Länge *f*, lange Dauer. – **8.** *sport* Länge *f*: the horse won by a ~ das Pferd gewann mit einer Länge Vorsprung. – **9.** (*Kricket*) richtige Weite (*des geworfenen Balles*): the bowler keeps a good ~ der Werfer wirft den Ball richtig weit (*d.h. so weit, daß es dem Schläger schwerfällt, den Ball richtig zu treffen*). – **10.** *metr.* Quanti'tät *f*. – **11.** (*Phonetik*) Dauer *f* (*eines Lautes*). – **12.** (*Theater*) Abschnitt *m* von 42 Versen. – *Besondere Redewendungen:*
at ~ a) in der ganzen Länge, ungekürzt, b) ausführlich, in allen Einzelheiten, c) endlich, schließlich; at full ~ a) → at ~ a *u.* b, b) ganz ausgestreckt, in voller Länge (daliegend); at great ~ sehr ausführlich; at some ~ ziemlich ausführlich; to go to great ~s a) sehr weit gehen, b) sich sehr bemühen; he went (to) the ~ of asserting er ging so weit zu behaupten, er ließ sich zu der Behauptung hinreißen; to go to all ~s aufs Ganze gehen; to go any ~ for s.o. alles tun für j-n; I cannot go that ~ with you darin kann ich mit Ihnen nicht übereinstimmen, darin gehen Sie mir zu weit; to know the ~ of s.o.'s foot j-s Schwächen *od.* Grenzen kennen; → arm[1] *b. Redw.*

length·en ['leŋθən; 'leŋkθən] **I** *v/t* **1.** verlängern: to ~ life das Leben verlängern; to ~ a skirt einen Rock verlängern *od.* länger machen. – **2.** ausdehnen. – **3.** *metr.* lang machen. – **4.** (*Wein etc*) strecken, verdünnen. – **II** *v/i* **5.** sich verlängern, länger werden: the shadows ~ a) die Schatten werden länger, es wird Abend, b) *fig.* man wird älter. – **6.** ~ out sich in die Länge ziehen (*Weg etc*). – *SYN. cf.* extend. — '**length·en·ing I** *s* Verlängerung *f*. – **II** *adj* Verlängerungs...

length·i·ness ['leŋθinis; 'leŋkθ-] *s* Langatmigkeit *f*, Weitschweifigkeit *f*.

'**lengthˌways** → lengthwise I. — '**lengthˌwise I** *adv* der Länge nach, längs. – **II** *adj* Längs..., längs liegend *od.* sich bewegend.

length·y ['leŋθi; 'leŋkθi] *adj* **1.** sehr lang. – **2.** 'übermäßig *od.* ermüdend lang, weitschweifig, langatmig. – **3.** *colloq.* ‚lang', hochgewachsen: a ~ fellow ein langer Bursche.

le·ni·en·cy ['li:niənsi], *auch* '**le·ni·ence** *s* **1.** Nachsicht *f*, Milde *f*. – **2.** *obs.* besänftigender Einfluß. — '**le·ni·ent** *adj* **1.** nachsichtig, milde, sanft, schonend: to be ~ to(ward[s]) s.o. j-m gegenüber nachsichtig sein. – **2.** *obs.* besänftigend, lindernd, mildernd. – *SYN. cf.* soft.

Len·i-Len·a·pe [ˌleni'lenəˌpi:] *s pl* Leni Lenape *pl*, Dela'waren *pl* (*Indianerstamm*).

Len·in·ism ['leniˌnizəm] *s pol.* Leni'nismus *m*. — '**Len·in·ist**, '**Len·inˌite I** *s* Leni'nist(in). – **II** *adj* leni'nistisch.

le·nis ['li:nis] (*Phonetik*) **I** *s pl* **-nes** [-ni:z] Lenis *f* (*mit geringer Muskelspannung u. geringem Atemdruck gesprochener Konsonant*). – **II** *adj* le'niert, als Lenis gesprochen.

le·ni·tion [li'niʃən] *s* (*Phonetik*) Le'nierung *f*, Konso'nantenschwächung *f*.

len·i·tive ['lenitiv; -ət-] **I** *adj* **1.** *bes. med.* lindernd, besänftigend. – **2.** *med.* leicht abführend. – **II** *s* **3.** *med.* (Schmerz)Linderungsmittel *n*. – **4.** *med.* lindes Abführmittel. – **5.** Linderungs-, Beruhigungsmittel *n*.

len·i·ty ['leniti; -əti] *s* **1.** Nachsicht *f*, Milde *f*. – **2.** Nachsichtigkeit *f*, nachsichtige Handlung. – *SYN. cf.* mercy.

le·no ['li:nou] **I** *s pl* **-nos** Li'non *m* (*Baumwollgewebe*). – **II** *adj* Linon...

lens [lenz] *s* **1.** *phot. phys.* Linse *f*: supplementary ~ Vorsatzlinse. – **2.** *phot. phys.* optisches Sy'stem, 'Linsensyˌstem *n*, Objek'tiv *n*. – **3.** *med. zo.* Linse *f*, Kri'stallinse *f*. – **4.** *zo.* Sehkeil *m* (*eines Facettenauges*). – **5.** *pl med. phys.* Gläser *pl*: → contact ~. — **~ bar·rel** *s phot.* Objek'tivˌtubus *m*.

lensed [lenzd] *adj* mit Linsen *od.* einer Linse versehen.

lens| hood → lens screen. — '**~-ˌmount** *s phot.* Objek'tivfassung *f*, -halter *m*, Optiktubus *m*. — **~ pit** *s med.* Linsengrübchen *n*. — **~ screen** *s phot.* Gegenlichtblende *f*. — **~ tur·ret** *s phot.* Objek'tivreˌvolver *m*.

lent[1] [lent] *pret u. pp von* lend.

Lent[2] [lent] *s* **1.** Fastenzeit *f* (*vom Aschermittwoch bis Karsamstag*). – **2.** (*im Mittelalter: jede*) Fastenzeit, Fasten *pl*: St. Martin's ~ Martinsfasten (*vom 11. November bis Weihnachten*). – **3.** *pl* Frühjahrsbootrennen *pl* (*der Universität Cambridge*).

len·ta·men·te [lenta'mente] (*Ital.*) *adv mus.* lenta'mente, langsam.

len·tan·do [len'tando] (*Ital.*) *adj u. adv mus.* len'tando, langsamer werdend.

Lent·en, l~ ['lentən] *adj* **1.** Fasten...: the ~ season die Fastenzeit. – **2.** Fasten..., fastenmäßig, karg, spärlich, mager. – **3.** düster, ernst, trübselig. – **4.** fleischlos: ~ fare fleischlose Kost.

len·ti·cel ['lentiˌsel] *s bot.* Lenti'celle *f*, Rindenpore *f*, Korkwarze *f*.

len·tic·u·lar [len'tikjulər; -jə-] *adj* **1.** lentiku'lar, linsenförmig. – **2.** *phys.* bikon'vex. – **3.** *bes. med.* Linsen...: ~ nucleus Linsenkern.

len·ti·form ['lentiˌfɔ:rm] *adj* linsenförmig.

len·tig·er·ous [len'tidʒərəs] *adj zo.* eine Kri'stallinse habend.
len·tig·i·nous [len'tidʒinəs; -dʒə-] *adj med.* linsenfleckartig, sommersprossig.
len·ti·go [len'taigou] *pl* **-'tig·i,nes** [-'tidʒi,ni:z] *s med.* Linsen-, Leberfleck *m*, Sommersprosse *f*, Len'tigo *f*.
len·til ['lentil; -tl] *s* **1.** *bot.* Linse *f* (*Lens esculenta; Pflanze u. Samen*). – **2.** *geol.* (Gesteins)Linse *f* (*linsenförmige Einschaltung*).
len·tis·cus [len'tiskəs], **'len·tisk** → mastic 2.
len·tis·si·mo [len'tissimo] (*Ital.*) *adv u. adj mus.* len'tissimo, sehr langsam.
len·ti·tude ['lenti,tju:d; -tə-; *Am. auch* -,tu:d] *s* Langsamkeit *f*, Trägheit *f*.
Lent lil·y *Br. für* daffodil 1.
len·to ['lentou] *adv u. adj mus.* lento, langsam.
len·toid ['lentɔid] *adj* linsenförmig.
Lent| rose *Br. für* daffodil 1. — **~ term** *s Br.* 'Frühjahrstri,mester *n* (*von Neujahr bis Ostern*).
l'en·voi, *auch* **l'en·voy** ['lenvɔi; len'vɔi] → envoy[2].
Le·o ['li:ou] *gen* **Le'o·nis** [-nis] *s astr.* Löwe *m*.
Le·o·nar·desque [,li:ənɑ:r'desk] *adj* leonar'desk, im Stil von Leo'nardo (da Vinci).
Le·o·nese [,li:ə'ni:z] **I** *adj* **1.** le'onisch, aus Le'ón (*in Spanien*). – **II** *s sg u. pl* **2.** Leo'nese *m*, Leo'nesin *f*. – **3.** Le'onisch *n* (*der span. Dialekt von León*).
Le·o·nid ['li:ənid] *pl* **-nids** *od.* **Le·on·i·des** [li'ɒni,di:z] *s astr.* Leo'niden-Sternschnuppe *f*: the ~s die Leoniden.
le·o·nine[1] ['li:ə,nain] *adj* **1.** Löwen... – **2.** löwenartig, -mäßig. – **3.** *jur.* leo'ninisch: ~ **partnership** leoninischer Vertrag (*nach dem der eine Teilhaber alle Vorteile, der andere alle Nachteile hat*).
Le·o·nine[2] ['li:ə,nain] **I** *adj* leo'ninisch (*von einer Persönlichkeit namens Leo begründet etc*). – **II** *s* → ~ verse.
Le·o·nine| cit·y *s* Leostadt *f* (*Teil von Rom, in dem sich der Vatikan befindet*). — **~ verse** *s metr.* leo'ninischer Vers (*Vers, meist Hexameter, mit Binnenreim*).
leop·ard ['lepərd] *s* **1.** *zo.* Leo'pard *m*, Panther *m* (*Panthera pardus*): **black ~** Schwarzer Panther; **American ~** → **jaguar; can the ~ change his spots?** *fig.* kann man denn aus seiner Haut heraus? – **2.** Leo'pardenfell *n*, -pelz *m*. – **3.** *her.* Leo'pard *m* (*schreitender Löwe, das volle Gesicht zeigend*). — **~ cat** *s zo.* **1.** Ben'galkatze *f* (*Felis bengalensis*). – **2.** → ocelot.
leop·ard·ess ['lepərdis] *s zo.* Leo'pardenweibchen *n*.
leop·ard| frog *s zo.* Leo'pardfrosch *m* (*Rana pipiens*). — **~ lil·y** → **panther lily**.
'leop·ard's-,bane *s bot.* **1.** Gemswurz *f* (*Gattg Doronicum*). – **2.** Bergwohlverleih *m* (*Arnica montana*).
leop·ard seal → sea leopard.
le·o·tard ['li:ə,tɑ:rd] *s* (*Art*) ärmelloser Tri'kot (*für Akrobaten etc*).
lep·a·doid ['lepə,dɔid] *adj zo.* entenmuschelartig.
Lep·cha ['leptʃə] *s* Leptscha *m* (*Angehöriger eines mongolischen Volks in Sikkim*).
lep·er ['lepər] *s* Aussätzige(r), Leprakranke(r). — **~ house** *s* Lepraheim *n*, Le'prosenhaus *n*.
lepid- [lepid] → lepido-.
lep·i·dine ['lepidi:n; -din], *auch* **'lep·i·din** [-din] *s chem.* Lepi'din *n* [$C_9H_6N(CH_3)$].
lepido- [lepido; -də; -dɒ] *Wortelement mit der Bedeutung* Schuppe.
lep·i·do·den·dron [,lepido'dendrən; -də'd-] *s bot.* Schuppenbaum *m* (*Gattg Lepidodendron; fossiler Bärlapp*).
le·pid·o·lite [li'pidə,lait; 'lepid-] *s min.* Lepido'lith *m*, Lithiumglimmer *m*.
lep·i·dop·ter·al [,lepi'dɒptərəl; -pə-] → lepidopterous. — **,lep·i'dop·ter·an I** *adj* → lepidopterous. – **II** *s* → lepidopteron. — **,lep·i'dop·ter·ist** *s* Schmetterlingskenner(in), -forscher (-in). — **,lep·i·'dop·ter·on** [-rən] *pl* **-ter·a** [-rə] *s zo.* Lepido'ptere *f*, Schmetterling *m*. — **,lep·i'dop·ter·ous** *adj* zu den Schmetterlingen gehörig, Schmetterlings...
lep·i·do·si·ren [,lepido'sai(ə)rən] *s zo.* Schuppenmolch *m* (*Lepidosiren paradoxa; brasil. Lungenfisch*).
lep·i·dote ['lepi,dout; -pə-] *adj bot.* schuppig.
lep·o·rid ['lepərid] *zo.* **I** *s* Hase *m* (*Fam. Leporidae*). – **II** *adj* zu den Hasen gehörig.
lep·o·rine ['lepə,rain; -rin] *adj zo.* **1.** Hasen... – **2.** hasenartig.
lep·re·chaun ['leprə,kɔ:n] *s* Kobold *m*, Gnom *m* (*im irischen Volksaberglauben*).
lep·ro·sar·i·um [,leprə'sɛ(ə)riəm] *s* Lepro'sorium *n*, Lepraheim *n*.
lep·rose ['leprous] *adj bes. bot.* schuppig, schorfig, grindig.
lep·ro·sied ['leprəsid] *adj med.* le'pros, aussätzig.
lep·ro·sy ['leprəsi] *s med.* Lepra *f*, Aussatz *m*. — **'lep·rous** *adj* **1.** *med.* leprakrank, aussätzig. – **2.** *med.* le'prös, Lepra... – **3.** → leprose.
-lepsy [lepsi], *auch* **-lepsia** [-siə] *Wortelement mit der Bedeutung* (heftiger) Anfall.
lepto- [lepto] *Wortelement mit der Bedeutung* schmal, dünn, schwach.
lep·to·ce·phal·ic [,leptosi'fælik; -sə-], **,lep·to'ceph·a·lous** [-'sefələs] *adj med.* leptoce'phal, schmalköpfig.
lep·to·dac·ty·lous [,lepto'dæktiləs] *adj zo.* schmalzehig.
lep·ton[1] ['leptɒn] *pl* **-ta** [-tə] *s* Lep'ton *n* (*griech. Münze, 1/100 Drachme*).
lep·ton[2] ['leptɒn] *s phys.* Lep'ton *n* (*Sammelname für Elektronen, Positronen, Neutrinos u.* μ*-Mesonen*).
lep·to·phyl·lous [,lepto'filəs] *adj bot.* **1.** dünnblättrig. – **2.** schmalblättrig.
lep·tor·rhine ['leptərin] *adj* (*Anthropologie*) schmalnasig.
lep·tus ['leptəs] → chigger.
Le·pus ['li:pəs] *s astr.* Hase *m* (*Sternbild*).
Ler·nae·an [lə:r'ni:ən] *adj* Ler'näisch: the ~ hydra die Lernäische Schlange.
le roy le veult [lə rwa lə 'vø] (*Old Fr.*) der König will es (*Formel der Zustimmung des engl. Königs zu Gesetzesanträgen des Parlaments*).
Les·bi·an ['lezbiən] **I** *adj* **1.** lesbisch, von *od.* aus Lesbos. – **2.** e'rotisch, schwül: ~ novels. – **3.** lesbisch: ~ love, ~ vice lesbische Liebe, Tribadie. – **II** *s* **4.** Lesbier(in) (*Bewohner von Lesbos*). – **5.** *auch* l~ Lesbierin *f*, Tri'bade *f*. — **'Les·bi·an,ism** *s* lesbische Liebe, Triba'die *f*, weibliche ,Homosexuali'tät.
lese maj·es·ty ['li:z 'mædʒisti], *auch* (*Fr.*) **lèse-ma·jes·té** [lɛ:zmaʒɛs'te] *s* **1.** Maje'stätsbeleidigung *f*. – **2.** Hochverrat *m*.
le·sion ['li:ʒən] *s* **1.** *med.* Verletzung *f*, Wunde *f*. – **2.** *bot. med.* krankhafte Veränderung (*eines Organs*). – **3.** *jur.* Schädigung *f*.
less [les] **I** *adv* (*comp von* little) **1.** weniger, in geringerem Maße *od.* Grade: ~ **beautiful** weniger schön; a ~ **known** (*od.* ~-known) **author** ein weniger bekannter Verfasser; **more or ~** mehr od. weniger; **none the ~** nichtsdestoweniger; ~ **and ~** immer weniger; **this does not make the situation any the ~ difficult** das macht die Lage keineswegs weniger schwierig; **still** (*od.* **much**) ~ noch viel weniger, geschweige denn; **the ~ so as** (dies) um so weniger, als; **we expected nothing ~ than** wir erwarteten alles eher als, nichts erwarteten wir weniger als. – **II** *adj* (*comp von* little) **2.** geringer, kleiner, weniger: ~ **speed** geringere Geschwindigkeit; **in a ~ degree** in geringerem Grade; **of ~ value** von geringerem Wert; **he has ~ money** er hat weniger Geld; **in ~ time** in kürzerer Zeit; → **evil** 5. – **3.** (*im Rang etc*) geringer (*obs. außer in Wendungen wie*): **no ~ a person than** kein Geringerer als. – **4.** jünger (*obs. außer in*): **James the L~** *Bibl.* Jakobus der Jüngere. – **III** *s* **5.** weniger, eine kleinere Menge *od.* Zahl, ein geringeres (Aus)-Maß: **it was ~ than five dollars** es kostete weniger als 5 Dollar; **in ~ than no time** im Nu, im Handumdrehen; **to do with ~** mit weniger auskommen; **for ~** billiger; **little ~ than robbery** nicht viel weniger als Raub, so gut wie Raub; **he expected nothing ~ than a box on the ear** er erwartete zumindest eine Ohrfeige. – **6.** (*der, die, das*) Geringere *od.* Kleinere. – **IV** *prep* **7.** weniger, minus, abzüglich: **five ~ two** fünf minus zwei; ~ **interest** abzüglich (der) Zinsen.
-less [lis] *Wortelement mit der Bedeutung* **1.** ...los, ohne: **childless** kinderlos. – **2.** nicht zu ...: **countless** unzählbar.
les·see [le'si:] *s jur.* Pächter(in), Mieter(in). — **les'see·ship** *s* Stellung *f* eines Pächters.
less·en ['lesn] **I** *v/i* **1.** sich vermindern, abnehmen, geringer *od.* kleiner werden. – **II** *v/t* **2.** vermindern, verkleinern, her'absetzen: **to ~ one's speed** seine Geschwindigkeit vermindern *od.* herabsetzen. – **3.** her'absetzen, -würdigen, schmälern. – *SYN. cf.* **decrease**.
less·er ['lesər] *adj* (*nur attributiv gebraucht*) **1.** kleiner, geringer: **the ~ evil** das kleinere Übel. – **2.** unbedeutender (*von zweien*), klein. — **L~ Bear** *s astr.* Kleiner Bär. — **L~ Dog** *s astr.* Kleiner Hund.
les·son ['lesn] **I** *s* **1.** Lekti'on *f*, Übungsstück *n*. – **2.** (Haus)Aufgabe *f*. – **3.** (Lehr-, 'Unterrichts)Stunde *f*: **an English ~** eine Englischstunde. – **4.** *pl* 'Unterricht *m*, Stunden *pl*: **to give ~s** Unterricht erteilen; **to take ~s from s.o.** Stunden *od.* Unterricht bei j-m nehmen; **~s in French** Französischunterricht. – **5.** *fig.* Lehre *f*: **this was a ~ to me** das war mir eine Lehre; **take this ~ to heart!** nimm dir diese Lehre zu Herzen! – **6.** *fig.* Lekti'on *f*, Denkzettel *m*, Strafe *f*, strenger Verweis (*zur Warnung od. Belehrung*). – **7.** *relig.* Lesung *f*, Lekti'on *f*. – **II** *v/t* **8.** (*j-m*) 'Unterricht erteilen. – **9.** *fig.* (*j-m*) eine Lekti'on erteilen, (*j-m*) Vorhaltungen machen, (*j-n*) tadeln, (*j-n*) bestrafen.
les·sor [le'sɔ:r; 'lesɔ:r] *s jur.* Verpächter(in), Vermieter(in).
lest [lest] *conjunction* **1.** (*meist mit folgendem* **should** *konstruiert*) daß nicht; da'mit nicht; aus Furcht, daß: **he ran away ~ he should be seen** er lief davon, damit er nicht gesehen werde *od.* um nicht gesehen zu werden. – **2.** (*nach Ausdrücken des Befürchtens*) daß: **there is danger ~ the plan become known** es besteht Gefahr, daß der Plan bekannt wird.
let[1] [let] **I** *s* **1.** *Br. colloq.* Vermieten *n*, Vermietung *f*: **I cannot get a ~ for my house** ich kann keinen Mieter für mein Haus finden. –
II *v/t pret u. pp* **let** **2.** lassen, erlauben: ~ **him talk** laß ihn reden;

~ me help you lassen Sie mich Ihnen helfen; ~ me see! (gestatten Sie) einen Augenblick! he ~ himself be deceived er ließ sich täuschen; I was ~ (to) see her mir wurde erlaubt, sie zu sehen. – 3. (eintreten *od.* 'durchgehen *od.* fortgehen) lassen, ein-, 'durch-, fortlassen: to ~ s.o. through the door j-n durch die Tür hereinod. hinauslassen; to ~ s.o. into the house j-n in das Haus (ein)lassen; to ~ s.o. off a penalty j-m eine Strafe erlassen, j-n von einer Strafe befreien; to ~ s.o. out of a room j-n aus einem Zimmer (heraus)lassen; → cat *b. Redw.*; secret 6. – 4. einsetzen, einfügen (into in *acc*): to ~ a piece of cloth into a dress ein Stück Stoff in ein Kleid einsetzen. – 5. vermieten, verpachten (to an *acc*): to ~ a house for a year ein Haus auf ein Jahr vermieten; rooms to ~ Zimmer zu vermieten. – 6. (*Arbeit etc*) vergeben, über'tragen: we shall ~ this work to a painter wir werden diese Arbeit an einen Maler vergeben. – 7. *selten* lassen, veranlassen: to ~ s.o. know j-n wissen lassen; he ~ a house build *obs.* er ließ ein Haus bauen. – 8. (*Flüssigkeit etc*) her'auslassen, her'ausströmen lassen (*obs. od. dial. außer in*): to ~ blood zur Ader lassen; he was ~ blood er wurde zur Ader gelassen. – 9. *obs.* a) verlassen, stehen *od.* gehen lassen, b) über'lassen. – *SYN.* a) allow, permit[1], b) *cf.* hire. –

III *Hilfszeitwort* **10.** lassen, mögen, sollen (*zur Umschreibung des Imperativs der 1. u. 3. Person, von Befehlen etc*): ~ us go! Yes, ~'s! gehen wir! Ja, gehen wir! (*od.* Ja, einverstanden!); ~ us pray lasset uns beten; ~ him go there at once! er soll sofort hingehen! if they want to catch me, ~ them try wenn sie mich erwischen wollen, so mögen sie es nur versuchen; ~ A be equal to B nehmen wir an, A ist gleich B; ~ come what may es komme, was wolle; ~ those people be told that diese Leute mögen sich gesagt sein lassen, daß. –

IV *v/i* **11.** vermietet *od.* verpachtet werden, zu vermieten *od.* verpachten sein: the house ~s for £200 a year das Haus wird für 200 Pfund im Jahr vermietet. – **12.** sich vermieten *od.* verpachten lassen: the house ~s well das Haus läßt sich gut vermieten. – **13.** ~ into (handgreiflich *od.* mit Worten) angreifen: to ~ into s.o. j-n angreifen, auf j-n losgehen. –

Besondere Redewendungen:

to ~ alone a) (*j-n*) in Ruhe lassen, nicht belästigen, b) (*etwas*) unberührt lassen, stehenlassen, sich nicht beschäftigen mit (*einer Sache*); ~ him alone to do it! verlaß dich darauf, daß er es tut! ~ alone geschweige denn, ganz zu schweigen von; to ~ loose loslassen; (*mit folgendem inf*) to ~ be a) (*etwas*) sein lassen, in Ruhe *od.* unberührt lassen, b) (*j-n*) in Ruhe *od.* Frieden lassen; to ~ drive at s.o. a) auf j-n ein- *od.* losschlagen, b) auf j-n schießen *od.* nach j-m werfen; to ~ fall a) fallen lassen (*auch fig.*), b) *math.* (*eine Senkrechte*) fällen (on, upon auf *acc*): he ~ fall a remark *fig.* er ließ eine Bemerkung fallen; to ~ fly a) (*etwas*) abschießen, b) *fig.* (*etwas*) loslassen, von sich geben, c) schießen (at auf *acc*), d) *fig.* grob werden, grobe Worte gebrauchen (at gegen); to ~ go a) loslassen, fahren lassen, b) (ab)laufen lassen, c) (*Sorgen etc*) fahrenlassen, d) (*etwas*) seinen Lauf nehmen lassen, e) loslegen: he ~ go her hand er ließ ihre Hand los; to ~ oneself go sich gehen lassen; to ~ go of s.th. etwas loslassen; ~ it go at that laß es dabei bewenden; then he ~ go with his gun dann schoß er mit seiner Pistole (wild) drauflos; to ~ slip a) (*Gelegenheit etc*) entschlüpfen *od.* sich entgehen lassen, b) (*Hunde*) loslassen; → slide 7; well[1] 19. –

Verbindungen mit Adverbien:

let| down *v/t* **1.** her'ab-, her'unterlassen. – **2.** (*j-n*) im Stich lassen. – **3.** zu'rücksetzen, demütigen: to let s.o. down gently j-n auf eine Zurücksetzung schonend vorbereiten. – **4.** betrügen, bringen (by um): to let s.o. down by £50 j-n um 50 Pfund bringen. — **~ in** *v/t* **1.** (her)'einlassen: to let s.o. in j-n einlassen; to ~ light Licht hereinlassen; it would ~ all sorts of evils es würde allen möglichen Übeln Tür u. Tor öffnen. – **2.** (*ein Stück in ein größeres etc*) einlassen, einsetzen, einfügen. – **3.** (on) aufklären (über *acc*), einweihen (in *acc*), (im Vertrauen) wissen lassen. – **4.** betrügen, her'einlegen: they let me in for £10 sie betrogen mich um 10 Pfund. – **5.** in Schwierigkeiten bringen: to let s.o. in for s.th. j-m etwas aufhalsen *od.* einbrocken; to let oneself in for s.th. sich etwas aufhalsen lassen *od.* einbrocken, sich auf etwas einlassen. — **~ off** *v/t* **1.** abfeuern, abschießen. – **2.** (*Rede etc*) vom Stapel lassen. – **3.** laufen lassen, da'vonkommen lassen: to let s.o. off with a fine j-n mit einer Geldstrafe davonkommen lassen. – **4.** *bes. sport* entkommen lassen, nicht angreifen. – **5.** (*Gase etc*) ablassen: → steam 4. — **~ on I** *v/i* **1.** *sl.* ‚schwatzen', ‚plaudern' (*ein Geheimnis verraten*). – **2.** *colloq. od. dial.* vorgeben: he ~ to be ill er tat so, als ob er krank wäre. – **II** *v/t* **3.** *colloq.* zugeben. — **~ out I** *v/t* **1.** her'auslassen. – **2.** entwischen lassen. – **3.** (*Geheimnis*) ausplaudern. – **4.** (*Kleid etc*) her'auslassen, länger *od.* weiter machen. – **5.** → let[1] 5. – **6.** → let[1] 6. – **7.** (*Zorn*) auslassen (on an *dat*). – **8.** *Am.* (*j-n*) von weiterer Verantwortung befreien. – **II** *v/i* **9.** (um sich) schlagen, Hiebe *od.* Stöße austeilen: to ~ at s.o. nach j-m schlagen *od.* stoßen. – **10.** schimpfen, grobe Worte gebrauchen: to ~ at s.o. j-n beschimpfen. – **11.** *Am. colloq.* enden, aufhören: school ~ at twelve die Schule war um 12 (Uhr) aus. — **~ up** *v/i colloq.* **1.** a) nachlassen, b) aufhören: the rain is letting up. – **2.** *Am.* ablassen (on von).

let[2] [let] **I** *s* **1.** (*Tennis etc*) Let *n*, ungültiger Ball. – **2.** Hindernis *n*, Behinderung *f* (*obs. außer in*): without ~ or hindrance völlig unbehindert. – **II** *v/t pret u. pp* **'let·ted** ['letid] *od.* **let 3.** *obs.* (be)hindern.

'let|-a'lone *adj* in Ruhe lassend, (die Dinge) laufen lassend: the ~ principle *econ.* das Prinzip des Laissez-faire. — **'~,down** *s* **1.** Abnahme *f*, Rückgang *m*, Nachlassen *n*: a ~ in sales ein Rückgang des Absatzes. – **2.** Ernüchterung *f*, Enttäuschung *f*. – **3.** Erniedrigung *f*, Demütigung *f*.

le·thal ['li:θəl] **I** *adj* **1.** le'tal, tödlich, todbringend. – **2.** Todes... – *SYN. cf.* deadly. – **II** *s* → ~ factor. — **~ chamber** *s* Todeskammer *f* (*für schmerzlose Tötung von Tieren*). — **~ fac·tor**, **~ gene** *s biol.* Le'talfaktor *m*.

le·thar·gic [li'θɑ:rdʒik], *auch* **le'thar·gi·cal** [-kəl] *adj* **1.** le'thargisch, teilnahmslos, träg(e). – **2.** *med.* le'thargisch. – **3.** Lethar'gie bewirkend. — **le'thar·gi·cal·ly** *adv* (*auch zu* lethargic). — **leth·ar·gize** ['leθər,dʒaiz] *v/t* le'thargisch machen. — **'leth·ar·gy** [-dʒi] *s* **1.** Lethar'gie *f*, Teilnahms-, Inter'esselosigkeit *f*, Stumpfheit *f*. – **2.** *med.* Lethar'gie *f*, Schlafsucht *f*. – *SYN.* languor, lassitude, stupor, torpidity, torpor.

Le·the ['li:θi; -θi:] *s* **1.** Lethe *f* (*Fluß des Vergessens im Hades*). – **2.** *poet.* Vergessen(heit *f*) *n*.

Le·the·an [li'θi:ən] *adj poet.* Vergessenheit bringend.

le·thif·er·ous [li'θifərəs] *adj* tödlich, [todbringend.]

'let,off *s* **1.** *tech.* Auslaß *m*. – **2.** Vom'stapellassen *n* (*Witz etc*). – **3.** *colloq.* a) Ausgelassenheit *f*, b) Festlichkeit *f*. – **4.** Laufen-, Los-, Entwischenlassen *n*: a) Erlassen *n* einer Strafe, ungestraftes Da'vonkommen, b) versäumte Gelegenheit (*zum Abschießen eines Spielers etc*).

let's [lets] *colloq. für* let us.

Lett [let] *s* **1.** Lette *m*, Lettin *f*. – **2.** *ling.* Lettisch *n*, das Lettische.

let·ter[1] ['letər] **I** *s* **1.** Buchstabe *m*: capital ~ Großbuchstabe; small ~ Kleinbuchstabe; to the ~ buchstäblich, in der buchstäblichen Bedeutung, sich genau an den Wortlaut haltend; the ~ of the law der Buchstabe des Gesetzes; in ~ and in spirit dem Buchstaben u. dem Sinne nach. – **2.** Brief *m*, Schreiben *n* (to an *acc*): business ~ Geschäftsbrief; by ~ brieflich, schriftlich; an open ~ ein offener Brief (*der zur Veröffentlichung bestimmt ist*); stamped (*od.* prepaid) ~ frankierter Brief; unpaid ~ unfrankierter Brief; ~ to be called for postlagernder Brief; your ~ of May 5 Ihr Brief vom 5. Mai; ~ of acceptance *econ.* Akzept, Annahmeerklärung; → advice 3; attorney 3; condolence; consignment 1; credit 11; recommendation 2. – **3.** *pl* (amtlicher) Brief, Schreiben *n*, Urkunde *f*: ~s of administration *jur.* Testamentsvollstrecker-Zeugnis; ~s of business (*Church of England*) königliche Vollmacht an die convocation (*wodurch dieser erlaubt wird, einen bestimmten Gegenstand zu behandeln*); ~s (*od.* ~) of credence, ~s credential *pol.* Beglaubigungsschreiben; ~s patent *jur.* (*als sg od. pl konstruiert*) Patenturkunde, -brief, -schrift; ~s testamentary *jur.* Vollmacht zur Testamentsvollstreckung; → marque 1. – **4.** *print.* a) Letter *f*, Type *f*, b) *collect.* Lettern *pl*, Typen *pl*, c) Schrift(art) *f*. – **5.** *obs.* Beschriftung *f*: → proof 15. – **6.** *pl* a) (schöne) Litera'tur, b) Bildung *f*, c) Gelehrsamkeit *f*, Wissen *n*: man of ~s a) Schriftsteller, b) Gelehrter; the commonwealth (*od.* republic) of ~s a) die literarische Welt, b) die (wissenschaftlich) Gebildeten, die gebildete Welt, c) die gelehrte Welt; the profession of ~s der Schriftstellerberuf. – **7.** *ein Papierformat* (*10 × 16 inches*). – **8.** *Am. Anfangsbuchstabe einer Schule etc, der als Auszeichnung für besondere (sportliche) Leistungen auf dem Pullover etc getragen werden darf*: ~s will be awarded at the end of the season. –

II *v/t* **9.** beschriften. – **10.** mit Buchstaben bezeichnen. – **11.** (*Buch*) a) (mit der Hand) betiteln, b) am Rand mit den Buchstaben (*des Alphabets als Daumenindex*) versehen.

let·ter[2] ['letər] *s* **1.** Lassende(r), Erlaubende(r). – **2.** Vermieter(in).

let·ter| bag *s* Briefbeutel *m*, -sack *m*. — **~ bal·ance** *s Br.* Briefwaage *f*. — **~ book** *s* 'Briefko,pierbuch *n*, Briefordner *m* (*für kopierte Briefe*). — **'~-,bound** *adj* am Buchstaben (*eines Gesetzes etc*) klebend. — **~ box** *s bes. Br.* Briefkasten *m*. — **~ card** *s Br.* Kartenbrief *m*. — **~ car·rier** *s* **1.** *Am.* Briefträger *m*. – **2.** *Br.* 'Briefsor,tierer *m* (*in Bahnpostämtern*). — **~ case** *s* **1.** Brieftasche *f* (*für Briefe*), Briefmappe *f*. – **2.** *print.* Setzkasten *m*.

let·tered ['letərd] *adj* **1.** gelehrt, stu'diert, wissenschaftlich gebildet. –

2. wissenschaftlich, gelehrt. – 3. lite'rarisch. – 4. (*mit Buchstaben*) beschriftet, bedruckt.

let·ter| file *s* Briefordner *m*. — **~ found·er** *s print*. Schriftgießer *m*. — **~ found·ing** *s print*. Schriftguß *m*. — **~ found·ry** *s* ˌSchriftgieße'rei *f*.

let·ter·gram ['letərˌgræm] *s* 'Brieftele,gramm *n*.

let·ter head *s* 1. (gedruckter) Briefkopf. – 2. Briefbogen *m* mit gedrucktem Kopf.

let·ter·ing ['letəriŋ] *s* 1. Beschriften *n*, Aufdrucken *n* (*von Buchstaben*). – 2. Aufdruck *m*, Aufschrift *f*, Beschriftung *f*. – 3. Buchstaben *pl*.

'let·ter|ˌleaf *s irr bot*. Schrift-, Buchstabenblatt *n* (*Grammatophyllum speciosum; eine Orchidee*). — **'~-ˌlearn·ed** *adj* buchgelehrt. — **~ learn·ing** *s* Buchgelehrsamkeit *f*. — **~ li·chen** *s bot*. Schriftflechte *f* (*bes. Gattg Graphis*). — **~ lock** *s* Buchstabenschloß *n*. — **~ man** *s irr Am. Schüler od. Student, der als Auszeichnung für sportliche Leistungen die Anfangsbuchstaben seiner Schule, seines College etc tragen darf*. — **~ name** *s mus*. alpha'betische Bezeichnung (*eines Tones*). — **~ pa·per** *s* 'Briefpaˌpier *n* (*im Format 10 × 16 Zoll*). — **'~-'per·fect** *adj* 1. (*Theater*) rollenfest, seine Rolle aufs Wort beherrschend: to be ~ rollenfest sein (*Schauspieler*). – 2. *allg*. auf den Buchstaben genau, äußerst kor'rekt. — **~ plant** → letterleaf. — **~ press** *s* 1. 'Briefkoˌpierpresse *f*. – 2. Briefbeschwerer *m*. — **'~ˌpress** *print*. **I** *s* 1. Text *m* (*oft im Gegensatz zu Illustrationen etc*). – 2. Hoch-, Buchdruck *m*. – **II** *adj* 3. Hochdruck..., Buchdruck... — **'~ˌweight** *s* 1. → letter balance. – 2. Briefbeschwerer *m*. — **'~ˌwinged kite** *s zo*. Gleitaar *m* (*Elanus scriptus; Australien*). — **~ wood** *s Br*. Buchstabenholz *n* (*von der südamer. Moracee Brosimum aubletii*). — **~ wor·ship** *s* Buchstabengläubigkeit *f*. — **~ writ·er** *s* 1. Briefschreiber *m*. – 2. Briefsteller *m*.

Let·tic ['letik] **I** *adj* 1. baltisch (*die Balten, bes. die baltischen Sprachen Lettisch, Litauisch u. Altpreußisch betreffend*). – 2. → Lettish I. – **II** *s* 3. *ling*. Baltisch *n*, das Baltische. – 4. → Lettish II.

Let·tish ['letiʃ] **I** *adj* lettisch. – **II** *s ling*. Lettisch *n*, das Lettische.

let·tuce ['letis] *s bot*. Lattich *m* (*Gattg Lactuca*), *bes*. Gartenlattich *m*, 'Kopfsaˌlat *m* (*L. sativa*). — **~ bird** *s zo. Am*. Goldzeisig *m* (*Spinus tristis*).

'letˌup *s colloq*. Nachlassen *n*, Aufhören *n*, Unter'brechung *f*, Pause *f*.

le·u ['leu] *pl* **lei** [lei] *s* Leu *m* (*rumän. Münzeinheit u. Münze*).

leuc- [lju:k; lu:k] → leuco-.

leu·can·i·line [lju:'kæniˌli:n; -lin; lu:-], *auch* **leu'can·i·lin** [-lin] *s chem*. Leukani'lin *n* ($C_{20}H_{21}N_3$).

leu·ce·mi·a [lju:'si:miə; lu:-] → leuk(a)emia.

leu·cine ['lju:si:n; -sin; 'lu:-], *auch* **'leu·cin** [-sin] *s chem*. Leu'cin *n* ($C_6H_{13}NO_2$).

leu·cite ['lju:sait; 'lu:-] *s min*. Leu'cit *m*. — **leu'cit·ic** [-'sitik] *adj* Leucit..., leu'cithaltig.

leuco- [lju:ko; lu:-] *Wortelement mit der Bedeutung* weiß.

leu·co base ['lju:kou; 'lu:-] *s chem*. Leukobase *f*, -verbindung *f*.

leu·co·car·pous [ˌlju:ko'ka:rpəs; ˌlu:-] *adj bot*. weißfrüchtig.

leu·co·crat·ic [ˌlju:ko'krætik; ˌlu:-] *adj geol*. leuko'krat, hellsteinig.

leu·co·cyte ['lju:koˌsait; 'lu:-] *s med*. Leuko'zyte *f*, weißes Blutkörperchen.

leu·co·cy·th(a)e·mi·a [ˌlju:kosai'θi:miə; ˌlu:-] → leuk(a)emia.

leu·co·cyt·ic [ˌlju:ko'sitik; ˌlu:-] *adj med*. 1. Leukozyten..., die weißen Blutkörperchen betreffend. – 2. leuko'zytisch, weißblütig.

leu·co·cy·to·sis [ˌlju:kosai'tousis; ˌlu:-] *s med*. Leukozy'tose *f*, Vermehrung *f od*. Vorherrschen *n* der weißen Blutkörperchen. — **ˌleu·co·cy'tot·ic** [-'tɒtik] *adj* leukozy'totisch.

leu·co·der·ma [ˌlju:ko'də:rmə; ˌlu:-], *auch* **ˌleu·co'der·mi·a** [-miə] *s med*. Leuko'derma *n*, Leukoder'mie *f* (*Fehlen des Hautfarbstoffs*).

leu·co·ma [lju:'koumə; lu:-] *s med*. Leu'kom *n* (*weiße Narbentrübung der Hornhaut des Auges*).

leu·co·ma·ine [lju:'kouməˌi:n; -in; lu:-] *s biol*. Leukoma'in *n* (*ein Fleischfäulnisgift, meist Harnsäurederivate*).

leu·co·mel·a·nous [ˌlju:ko'melənəs; ˌlu:-], *auch* **ˌleu·co·me'lan·ic** [-mi'lænik] *adj* mit heller Haut u. dunklen Haaren (u. Augen).

leu·cop·a·thy [lju:'kɒpəθi; lu:-] *s med*. Leukopa'thie *f*, Albi'nismus *m*.

leu·co·pe·ni·a [ˌlju:ko'pi:niə; ˌlu:-] *s med*. Leukope'nie *f*, her'abgesetzte Leuko'zytenzahl.

leu·co·pla·ki·a [ˌlju:ko'pleikiə; ˌlu:-] *s med*. Leukopla'kie *f*, Weißschwielenkrankheit *f*.

leu·co·plast ['lju:koˌplæst; 'lu:-], *auch* **ˌleu·co'plas·tid** [-tid] *s bot*. Leuko'plast *m*, Stärkebildner *m* (*farblose Plastide der Pflanzenzellen*).

leu·co·poi·e·sis [ˌlju:kopɔi'i:sis; ˌlu:-] *s med*. Leukopo'ese *f*, Leuko'zytenbildung *f*.

leu·cop·y·rite [lju:'kɒpiˌrait; -pə-; lu:-] *s min*. (*Art*) Ar'senkies *m* (Fe_3As_4).

leu·cor·rh(o)e·a [ˌlju:kə'ri:ə; ˌlu:-] *s med*. Leukor'rhöe *f*, Weißfluß *m*. — **ˌleu·cor'rh(o)e·al** *adj* leukor'rhöisch.

leu·co·sis [lju:'kousis; lu:-] *s* 1. *med*. Leukä'mie *f*. – 2. *vet*. Ge'flügelleukäˌmie *f*. — **leu'cot·ic** [-'kɒtik] *adj* leu'kotisch, leu'kämisch.

leu·co·sper·mous [ˌlju:ko'spə:rməs; ˌlu:-] *adj bot*. mit weißem Samen.

leu·cous ['lju:kəs; 'lu:-] *adj* weiß- *od*. hellfarben (*bes. Albino*).

leu·co·tome ['lju:koˌtoum; 'lu:-] *s med*. Leuko'tom *n* (*Messer zur Ausführung der Leukotomie*). — **leu'cot·o·my** [-'kɒtəmi] *s* Leukoto'mie *f*, Loboto'mie *f* (*in der Psychochirurgie angewandte Gehirnoperation*).

leud [lju:d; lu:d] *s hist*. Lehnsmann *m*, Va'sall *m*.

leuk- [lju:k; lu:k] → leuco-.

leu·k(a)e·mi·a [lju:'ki:miə; lu:-] *s med*. Leukä'mie *f*, Weißblütigkeit *f*.

leuko- *cf*. leuco-.

lev [lef] *pl* **lev·a** ['levə] *s* Lew *m*, Lev *m* (*bulgarische Münzeinheit*).

Le·vant[1] [li'vænt] *s* 1. Le'vante *f* (*die Länder um das östl. Mittelmeer*). – 2. *obs*. Morgenland *n*, Orient *m*. – 3. l~ → Levanter[1] 3. – 4. l~ → ~ morocco.

le·vant[2] [li'vænt] *v/i Br*. 'durchbrennen, sich aus dem Staub machen (*ohne die Schulden zu bezahlen*).

Le·vant dol·lar *s hist*. Maˌria-the'resientaler *m* (*österr. Münze*).

Le·vant·er[1] [li'væntər] *s* 1. Levan'tiner(in). – 2. *mar. selten* Le'vantefahrer *m*. – 3. *meist* l~ starker Süd'ostwind (*im Mittelmeer*).

le·vant·er[2] [li'væntər] *s Br*. flüchtiger Schuldner (*j-d der durchbrennt, ohne seine Schulden, bes. Wettschulden, zu bezahlen*).

Le·van·tine [li'væntin; -tain; 'levən-] **I** *s* 1. Levan'tiner(in). – 2. l~ Levan'tine *f*, Seidenserge *f*. – **II** *adj* 3. levan'tinisch, le'vantisch.

Le·vant| mo·roc·co *s* feines Saffianleder (*als Bucheinband*). — **~ tha·ler** → Levant dollar.

le·va·tor [li'veitər; -tɔ:r] *pl* **lev·a·to·res** [ˌlevə'tɔ:ri:z] *s med*. 1. *auch* ~ muscle Le'vator *m*, Hebemuskel *m*. – 2. Eleva'torium *n* (*Instrument zur Hebung eines eingedrückten Schädelteils*).

lev·ee[1] ['levi] *Am*. **I** *s* 1. (Ufer-, Schutz)Damm *m*, Deich *m* (*Fluß*). – 2. *agr*. Damm *m* (*der ein zu bewässerndes Feld umgibt*). – 3. Lande-, Anlegeplatz *m*. – 4. Laster-, Vergnügungsviertel *n* (*bes. in Chicago*). – **II** *v/t* 5. eindämmen, mit Dämmen *od*. einem Damm um'geben.

lev·ee[2], *auch* **lev·ée** ['levi; le'vi:] *s* 1. *hist*. Le'ver *n*, Morgenempfang *m* (*von einem Fürsten im Schlafzimmer gegeben*). – 2. Le'vee *n*: a) (*in England*) *Audienz am Hof am frühen Nachmittag, bei der nur Männer empfangen werden*, b) (*in USA*) *Empfang beim Präsidenten*. – 3. *allg*. Gesellschaft *f*, Empfang *m*.

lev·el ['levl] **I** *s* 1. *tech*. Li'belle *f*, Wasserwaage *f*. – 2. *tech*. Nivel'lierinstruˌment *n*, *bes*. (*Geodäsie*) Li'belleninstruˌment *n*. – 3. Höhen-, Ni'veaumessung *f* (*mit einem Nivellierinstrument*). – 4. Horizon'talebene *f*, Horizon'tale *f*, Waag(e)rechte *f*, waag(e)rechte Linie *od*. Fläche: on the ~ *Am. colloq*. ehrlich, offen; → true ~. – 5. gleiche Höhe: on a ~ with auf gleicher Höhe mit. – 6. *geogr*. Höhe *f*: sea ~ Seehöhe, Meeresspiegel. – 7. *geogr*. Ebene *f*, ebenes Land. – 8. ebene Fläche, Ebene *f*. – 9. Ebenheit *f*. – 10. Höhe *f*: on the same ~ auf gleicher Höhe. – 11. *med*. Spiegel *m*: blood-calcium ~ Blutkalkspiegel. – 12. *fig*. Ni'veau *n*, Ebene *f*, Höhe *f*: a conference on the highest ~ eine Konferenz auf höchster Ebene; on the same ~ a) auf gleichem Niveau, b) auf gleichem Fuße; the ~ of prices *econ*. das Preisniveau, der Stand der Preise; s.o. of his own ~ j-d seinesgleichen; to be up to the ~ an das Niveau heranreichen. – 13. *fig*. Standard *m*, Stufe *f*, Stellung *f*: to find one's ~ den Platz einnehmen, der einem zukommt. – 14. (*Bergbau*) a) Sohle *f*, b) Sohlenstrecke *f*. –
II *adj* 15. eben: a ~ road eine ebene Straße. – 16. waag(e)recht, horizon'tal. – 17. gleich (*auch fig*.): to make ~ with the ground dem Erdboden gleichmachen; ~ with auf gleicher Höhe *od*. Stufe mit; to draw ~ with s.o. auf gleiche Höhe kommen mit j-m, j-n einholen; ~ to s.o. passend *od*. angemessen für j-n. – 18. gleichmäßig, ausgeglichen: a ~ race ein ausgeglichenes Rennen, ein Kopf-an-Kopf-Rennen; to do one's ~ best sein möglichstes tun. – 19. gleichbleibend, in gleicher Höhe *od*. Stärke bleibend. – 20. vernünftig, verständig. – 21. *phys*. äquipotenti'al (*zu allen Kraftlinien eines Kraftfeldes senkrecht*). – *SYN*. even[2], flat[1], plane[2], smooth. –
III *adv* 22. gerade, in gerader Linie, di'rekt. –
IV *v/t pret u. pp* **'lev·eled**, *bes. Br*. **'lev·elled** 23. ebnen, pla'nieren, eben machen. – 24. einebnen, dem Erdboden gleichmachen: to ~ a city eine Stadt dem Erdboden gleichmachen. – 25. (*j-n*) zu Boden schlagen. – 26. gleichmachen: to ~ to (*od*. with) the ground dem Erdboden gleichmachen. – 27. *fig*. gleichmachen, nivel'lieren, auf den gleichen Stand bringen, auf die gleiche Stufe stellen: to ~ all men alle Menschen gleichmachen. – 28. (*Unterschiede*) aufheben, beseitigen. – 29. gleichmäßig machen, ausgleichen. – 30. in horizon'tale Lage bringen, (aus)richten. – 31. a) (*Waffe, Blicke etc*) richten (at, against auf *acc*), b) (*Kritik*) richten

(at, against gegen). – **32.** (*Geodäsie*) nivel'lieren. –
V *v/i* **33.** die Waffe richten, zielen (at auf *acc*). – **34.** abzielen (at auf *acc*). – **35.** nivel'lieren, ˌGleichmache'rei betreiben. – **36.** ausgleichen. – **37.** (*Geodäsie*) nivel'lieren, einwägen. –
Verbindungen mit Adverbien:
lev·el| down *v/t* **1.** nach unten ausgleichen. – **2.** auf ein tieferes Ni'veau her'abdrücken. – **3.** (*Preise, Löhne*) (her'ab)drücken, her'absetzen. — ~ **off I** *v/t* ebnen, eben *od.* flach machen, pla'nieren. – **II** *v/i aer.* (vor dem Aufsetzen) abfangen. — ~ **up** *v/t* **1.** nach oben ausgleichen. – **2.** auf ein höheres Ni'veau heben. – **3.** (*Preise, Löhne*) hin'aufschrauben, erhöhen.
lev·el cross·ing *s Br.* schienengleicher 'Übergang, höhengleiche Kreuzung.
lev·el·er, *bes. Br.* **lev·el·ler** ['levlər] *s* **1.** Pla'nierer *m*, (Ein)Ebner *m*. – **2.** *pol.* Gleichmacher *m* (*j-d, der soziale Unterschiede ausgleichen will*), *bes.* a) **L~** *hist.* Leveller *m* (*Angehöriger einer radikalen demokratischen Gruppe der Cromwellzeit*), b) → **Whiteboy.**
'**lev·el'head·ed** *adj* vernünftig, nüchtern, klar. — ˌ**lev·el'head·ed·ness** *s* Vernunft *f*, Nüchternheit *f*, gesunder Menschenverstand.
lev·el·ing, *bes. Br.* **lev·el·ling** ['levliŋ] *s* **1.** Pla'nieren *n*. – **2.** (*Geodäsie*) Nivel'lierung *f*, Einwägung *f*. – **3.** *ling.* Analo'gie(bildung) *f*, Angleichung *f* (*eines Wortes od. einer Wortform*). — ~ **in·stru·ment** *s* (*Geodäsie*) Nivel'lierinstruˌment *n*. — ~ **rod**, *auch* ~ **pole** *s tech.* Nivel'lierlatte *f*, -stab *m*, Zielstange *f*. — ~ **screw** *s tech.* (Ein)-Stell-, Nivel'lierschraube *f*. — ~ **staff** → **level(l)ing rod.**
lev·el·ler, lev·el·ling *bes. Br. für* **leveler** *etc.*
lev·el·ness ['levlnis] *s* **1.** Ebenheit *f*, horizon'tale Lage. – **2.** Gleichheit *f*. – **3.** *fig.* Ausgeglichenheit *f*, Ausgewogenheit *f*.
lev·el stress *s* (*Phonetik*) schwebende Betonung.
le·ver ['liːvər; *Am. auch* 'levər] **I** *s* **1.** *phys. tech.* Hebel *m*: ~ **of the first order** (*od.* **kind**) zweiarmiger Hebel; ~ **of the second order** (*od.* **kind**) einarmiger Hebel; ~ **of the third order** (*od.* **kind**) einarmiger Hebel (*wobei die Kraft zwischen Drehpunkt u. Gewicht ansetzt*); **brake** ~ Bremshebel. – **2.** *tech.* a) Hebebaum *m*, Brechstange *f*, -eisen *n*, b) Schwengel *m* (*einer Pumpe etc*), c) Anker *m* (*einer Uhr*), d) (Kammer)Stengel *m* (*eines Gewehrschlosses*), e) → ~ **tumbler.** – **3.** → ~ **watch.** – **4.** *fig.* Hebel *m*, (*bes.* mo'ralisches Druck)Mittel. – **II** *v/t* **5.** hebeln, mit einem Hebel bewegen. – **6.** als Hebel *od.* wie einen Hebel verwenden. – **III** *v/i* **7.** einen Hebel *od.* Hebebaum gebrauchen.
le·ver·age ['liːvəridʒ; *Am. auch* 'lev-] *s* **1.** *tech.* a) 'Hebelüberˌsetzung *f*, -wirkung *f*, -anwendung *f*, -anordnung *f*, -verhältnis *n*, b) Hebelkraft *f*. – **2.** *fig.* Macht *f*, Einfluß *m*, Hebel *m*, (Druck)Mittel *n*.
le·ver es·cape·ment *s tech.* Ankerhemmung *f* (*einer Uhr*).
lev·er·et ['levərit] *s* junger Hase (*im ersten Jahr*), Häschen *n*.
le·ver| tum·bler *s* (*Schlosserei*) Zuhaltung *f*. — ~ **watch** *s* Ankeruhr *f*. — '~ˌ**wood** *s bot.* **1.** Amer. Hopfenbuche *f* (*Ostrya virginiana*). – **2.** Europ. Hopfenbuche *f* (*Ostrya carpinifolia*).
lev·i·a·ble ['leviəbl] *adj* **1.** erhebbar (*Steuer, Zoll etc*). – **2.** steuer- *od.* zollpflichtig.
le·vi·a·than [li'vaiəθən] *s* **1.** *Bibl.* Levi'athan *m* (*der Chaosdrache im Alten Testament*). – **2.** (See)Ungeheuer *n*, Ungetüm *n*. – **3.** *fig.* Ungetüm *n*, Ko'loß *m*, Riese *m* (*etwas außergewöhnlich Großes, bes. riesiges Schiff*). – **4.** Riese *m* (*Mensch von ungeheurer geistiger, politischer od. finanzieller Macht*). — ~ **can·vas** *s* grober Kanevas (*für Stickerei*).
lev·i·er ['leviər] *s* (Steuer-, Zoll)Einnehmer *m*.
lev·i·gate I *v/t* ['leviˌgeit; -və-] **1.** zerreiben, pulveri'sieren. – **2.** (*mit Flüssigkeit*) zu einer Paste verreiben. – **3.** *chem.* (*Flüssigkeiten, Kolloide od. Gele*) homogeni'sieren, vollkommen mischen. – **4.** *obs.* glätten, po'lieren. – **II** *adj* [-git; -ˌgeit] **5.** *bot.* glatt, blank (*Blatt*). – **6.** *obs.* glatt, po'liert. — ˌ**lev·i'ga·tion** *s* Zerreibung *f*, Pulveri'sierung *f*.
lev·in ['levin] *s obs.* Blitz(strahl) *m*.
le·vir ['liːvər] *s* Schwager *m* (*Bruder des Ehemanns*).
lev·i·rate ['levərit; -ˌreit; 'liː-] **I** *s* Levi'rat *n*, Levi'ratsehe *f* (*im Alten Testament die gesetzlich vorgeschriebene Ehe eines Israeliten mit der Witwe seines kinderlos verstorbenen Bruders*). – **II** *adj* Levirats..., levi'ratisch. — ˌ**lev·i'rat·i·cal** [-'rætikəl] → **levirate II.** — ˌ**lev·i'ra·tion** [-'reiʃən] → **levirate I.**
Le·vi's, *auch* **Le·vis** ['liːvaiz] *s pl Am.* Arbeitshose *f* (*meist aus blauem Monteurköper*) ohne Brustlatz.
lev·i·tate ['leviˌteit; -və-] (*bes. Spiritismus*) **I** *v/t* der Schwerkraft berauben, in der Luft schweben lassen, zum Schweben in der Luft befähigen. – **II** *v/i* frei schweben. — ˌ**lev·i'ta·tion** *s* Levitati'on *f*, Schweben *n*.
Le·vite ['liːvait] *s* Le'vit(e) *m*: a) *Bibl. Angehöriger des israelitischen Stammes Levi*, b) *Bibl. alttestamentarischer Priester*, c) *obs. Diakon u. Subdiakon in der kath. Liturgie.* — **Le·vit·i·cal** [li'vitikəl], *auch* **Le'vit·ic** *adj Bibl.* le'vitisch: a) *die Leviten betreffend*, b) *den Levitikus* (*das 3. Buch Mose*) *betreffend*: **Levitical law** levitisches Gesetz.
Le·vit·i·cism [li'vitiˌsizəm] → **Levitism.**
Le·vit·i·cus [li'vitikəs] *s Bibl.* Le'vitikus *m* (*3. Buch Mose*).
Le·vit·ism ['liːvaiˌtizəm] *s relig.* Le'vitentum *n*.
lev·i·ty ['leviti; -və-] *s* **1.** Leichtsinn *m*, -fertigkeit *f*, Gedanken-, Sorglosigkeit *f*, Oberflächlichkeit *f*. – **2.** Flatterhaftigkeit *f*, Wankelmut *m*, Unzuverlässigkeit *f*, Unbeständigkeit *f*. – **3.** *selten* Leichtigkeit *f*, Leichtheit *f* (*Gewicht*). – *SYN. cf.* **lightness**[2].
levo- [liːvo] *Wortelement mit der Bedeutung* links, nach links gerichtet, *bes. chem.* nach links drehend.
le·vo ['liːvou] *adj chem.* Links..., die Polarisati'onsebene des Lichts nach links drehend. — ˌ~-'**com·pound** *s chem.* l-Verbindung *f* (*die die Ebene des polarisierten Lichts nach links dreht*).
le·vo·glu·cose [ˌliːvo'gluːkous] → **levulose.**
le·vo·gy·rate [ˌliːvo'dʒai(ə)reit], ˌ**le·vo'gy·rous** → **levorotatory.**
le·vo·ro·ta·tion [ˌliːvoro'teiʃən] *s chem.* Linksdrehung *f* (*bes. der Polarisationsebene*). — **le·vo·ro·ta·to·ry** [*Br.* ˌliːvoro'teitəri; *Am.* -'routəˌtɔːri] *adj chem.* linksdrehend, (*die Polarisationsebene*) nach links drehend.
lev·u·lin ['levjulin; -jə-] *s chem.* Levu'lin *n* ($C_6H_{10}O_5$; *hochmolekulares Kohlehydrat*).
lev·u·lin·ic ac·id [ˌlevju'linik; -jə-] *s chem.* Lävu'linsäure *f* (CH_3COCH_2-CH_2COOH).
lev·u·lose ['levjuˌlous; -jə-] *s chem.* Lävu'lose *f*, Fruchtzucker *m*, Fruc'tose *f* ($C_6H_{12}O_6$).
lev·y ['levi] **I** *s* **1.** *econ.* Erhebung *f* (*Steuern, Zölle, Beiträge etc*): **to make a ~ on capital** Vermögenssteuer erheben. – **2.** *econ.* Steuer *f*, Abgabe *f*. – **3.** Beitrag *m*, 'Umlage *f*. – **4.** *jur.* Beschlagnahme *f*, Exekuti'onsvollˌzug *m*. – **5.** *mil.* Aushebung *f* (*von Truppen*): ~ **in mass** Einberufung aller Wehrfähigen. – **6.** *auch pl mil.* ausgehobene Truppen *pl*, Aufgebot *n*, Aushebung *f*. – **II** *v/t* **7.** (*Steuern, Beiträge etc*) erheben: **to ~ taxes on capital** Vermögenssteuer erheben. – **8.** (*Steuern, Zölle etc*) legen (on auf *acc*), auferlegen (on *dat*). – **9.** *jur.* a) beschlagnahmen, mit Beschlag belegen, b) (*Beschlagnahme*) 'durchführen, vornehmen, voll'ziehen. – **10.** (*Geld etc*) erpressen: **to ~ blackmail** erpressen. – **11.** *mil.* a) (*Truppen*) ausheben, b) (*Krieg*) beginnen, eröffnen *od.* führen (on, upon gegen). – **12. to ~ a fine** *jur.* (*bei einem Vergleich in einem Prozeß um Grundbesitz*) eine Abschlagssumme festsetzen. – **III** *v/i* **13.** Steuern erheben: **to ~ on land** Landbesitz besteuern. – **14.** Beschlagnahmungen vornehmen.
lev·y en masse *s* Massen-, Volksaufgebot *n*.
lewd [luːd; ljuːd] *adj* **1.** wollüstig, geil, lüstern. – **2.** unkeusch, unzüchtig, schlüpfrig, ob'szön. – **3.** *Bibl.* wertlos, schlecht, sündhaft, verrucht, gottlos, böse. – **4.** *obs.* ungeschickt, ungewandt, ungebildet, roh. — '**lewd·ness** *s* **1.** Wollust *f*, Geilheit *f*, Lüsternheit *f*. – **2.** Unzüchtigkeit *f*, Schlüpfrigkeit *f*.
lew·is ['luːis; 'ljuːis] *s* **1.** Zwingkeil *m* (*eiserner Keil zum Heben schwerer Steine*). – **2.** Sohn *m* eines Freimaurers.
lew·is·ite ['luːiˌsait; 'ljuː-] *s chem. mil.* Lewi'sit *n* ($C_2H_2AsCl_3$; *ein Gaskampfstoff*).
Lew·is ma·chine gun *s mil.* 'Lewis-Ma'schinengewehr *n*, leichtes Maschinengewehr Mo'dell Lewis.
lew·is·son ['luːisn; 'ljuː-] → **lewis 1.**
lex [lex] *pl* **le·ges** ['liːdʒiːz] (*Lat.*) *s* Gesetz *n*, Lex *f*.
lex·i·cal ['leksikəl] *adj* **1.** lexiko'logisch, Wort..., Wortschatz... – **2.** lexi'kal(isch), Lexikon... – **3.** lexiko'graphisch. — ~ **mean·ing** *s ling.* Stammbedeutung *f* (*eines Wortes*).
lex·i·cog·ra·pher [ˌleksi'kɒgrəfər; -sə-] *s* Lexiko'graph(in), Verfasser (-in) eines Lexikons *od.* Wörterbuchs. — ˌ**lex·i·co'graph·ic** [-ko'græfik], ˌ**lex·i·co'graph·i·cal** [-kəl] *adj* lexiko'graphisch. — ˌ**lex·i'cog·ra·phy** [-'kɒgrəfi] *s* Lexikogra'phie *f*.
lex·i·co·log·ic [ˌleksiko'lɒdʒik], ˌ**lex·i·co'log·i·cal** [-kəl] *adj ling.* lexiko'logisch. — ˌ**lex·i'col·o·gist** [-'kɒlədʒist] Lexiko'loge *m*, Wortforscher *m*. — ˌ**lex·i'col·o·gy** *s* Lexikolo'gie *f*, Wort(schatz)kunde *f*.
lex·i·con ['leksikən] *s* Lexikon *n*, Wörterbuch *n*.
lex·i·graph·ic [ˌleksi'græfik], ˌ**lex·i'graph·i·cal** [-kəl] *adj* lexi'graphisch, worterklärend, Worterklärungs... — **lex·ig·ra·phy** [lek'sigrəfi] *s* **1.** Worterklärung *f*, Lexigra'phie *f*. – **2.** Wortschrift *f* (*z.B. die chines. Schrift*).
lex·i·phan·ic [ˌleksi'fænik] *adj* schwülstig, bom'bastisch (*Stil, Redeweise*). — ˌ**lex·i'phan·iˌcism** [-ˌsizəm] *s* Schwulst *m*, Bom'bast *m*.
lex| lo·ci [leks 'lousai] (*Lat.*) *s jur.* das ortsübliche Recht. — ~ **non scrip·ta** [nɒn 'skriptə] (*Lat.*) *s jur.* ungeschriebenes Recht, Gewohnheitsrecht *n*. — ~ **scrip·ta** (*Lat.*) *s jur.* geschriebenes Recht, kodifi'ziertes Recht. — ~ **ta·li·o·nis** [ˌtæli'ounis] (*Lat.*) *s jur.* Gesetz *n* der Vergeltung.
ley[1] [lei] → **leu.**

ley² [lei; liː] *s* **1.** Brachland *n.* – **2.** *Br.* Lager *n* (*infolge von Regen od. Hagel niederliegendes Getreide*).

ley de fu·ga [lɛi ðe 'fuga] (*Span.*) *s jur.* Fluchtgesetz *n* (*in Lateinamerika, das Recht der Polizei, einen Gefangenen auf der Flucht zu töten*).

Ley·den| jar, *auch* ~ **bot·tle,** ~ **phi·al,** ~ **vi·al** ['laidn] *s phys.* Leidener Flasche *f.*

leze maj·es·ty *cf.* lese majesty.

'L-ˌhead en·gine *s tech.* Motor *m* mit stehenden Ven'tilen, seitengesteuerter Motor.

li [liː] *pl* **li** *s* Li *n*: a) *chines. Wegemaß* (= *644,4 m*), b) *chines. Gold- u. Silbergewicht* (= *37,8 mg*).

li·a·bil·i·ty [ˌlaiə'biliti; -əti] *s* **1.** *econ. jur.* a) Verpflichtung *f,* Verbindlichkeit *f,* Obligati'on *f,* Schuld *f,* b) Haftung *f,* Haftpflicht *f,* Haftbarkeit *f,* c) *pl* Schuldenmasse *f* (*des Konkursschuldners*). – **2.** *econ.* (*in der Bilanz*) Pas'sivum *n,* Pas'siv-, Schuldposten *m* (*meist im pl*): → asset 4. – **3.** *allg.* Verantwortung *f,* Verantwortlichkeit *f.* – **4.** Ausgesetztsein *n,* Unter'worfensein *n* (to s.th. einer Sache): ~ to penalty Strafbarkeit. – **5.** Hang *m,* Neigung *f*: ~ to disease Anfälligkeit (für Krankheit). – **6.** Nachteil *m,* Beeinträchtigung *f.* — ~ **in·sur·ance** *s econ.* Haftpflichtversicherung *f.*

li·a·ble ['laiəbl] *adj* **1.** *econ. jur.* verantwortlich (for für), haftbar, -pflichtig: to be ~ for s.o.'s debts für j-s Schulden haften. – **2.** verpflichtet (for zu): ~ for military service wehrpflichtig; ~ to taxation steuerpflichtig. – **3.** (to) neigend (zu), ausgesetzt (*dat*), unter'worfen (*dat*): to be ~ to s.th. einer Sache ausgesetzt sein *od.* unterliegen; ~ to penalty strafbar; difficulties are ~ to occur Schwierigkeiten treten leicht auf, mit Schwierigkeiten muß gerechnet werden. – *SYN.* a) exposed, incident, open, prone, sensitive, subject, susceptible, b) *cf.* responsible.

li·aise [li'eiz] *v/i* **1.** eine Verbindung aufnehmen *od.* 'herstellen *od.* aufrechterhalten (with mit). – **2.** ein Liebesverhältnis eingehen *od.* haben (with mit).

li·ai·son [*Br.* li'eizɔ̃; *Am.* ˌliːei'zɔ̃] *s* **1.** Zu'sammenarbeit *f,* Verbindung *f* (*bes. zwischen zivilen od. militärischen Dienststellen od. zwischen militärischen Einheiten*). – **2.** Liai'son *f,* (Liebes-)Verhältnis *n,* Liebschaft *f.* – **3.** *ling.* Liai'son *f,* Bindung *f* (*das Hörbarwerden eines sonst stummen Auslauts vor dem anlautenden Vokal des folgenden Wortes*). – **4.** (*Kochkunst*) Bindemittel *n,* Bindung *f* (*für Soßen und Suppen*). — ~ **of·fi·cer** *s mil.* Ver'bindungsoffiˌzier *m.*

li·a·na [li'ɑːnə; -'ænə], **li'ane** [-'ɑːn] *s bot.* Li'ane *f,* Kletterpflanze *f.*

liang [ljɑːŋ] *pl* **liang** *s* Liang *n,* Tael *n*: a) *asiat. Handels-, Gold- u. Silbergewicht* (= *100 g*), b) *Geldeinheit verschiedenen Wertes.*

li·ar ['laiər] *s* Lügner(in).

liard [ljɑːr] *s* Li'ard *m* (*alte franz. Silber-, später Kupfermünze*).

Li·as ['laiəs] *s geol.* Lias *m, f,* schwarzer Jura. — **Li·as·sic** [lai'æsik] *adj geol.* li'assisch, Lias...

li·ba·tion [lai'beiʃən] *s* **1.** *relig.* (*im alten Rom*) Libati'on *f*: a) Ausgießen *n* (*eines Trankopfers*), b) Trankopfer *n,* -spende *f.* – **2.** *humor.* Zeche'rei *f.*

li·bec·cio [li'bettʃo] (*Ital.*), *fälschlich auch* **li·bec·chio** *s* Süd'westwind *m.*

li·bel ['laibəl] **I** *s* **1.** *jur.* a) (schriftliche *od.* bildliche) Verleumdung *od.* Verunglimpfung, *bes.* Schmähschrift *f,* b) Klageschrift *f.* – **2.** *allg.* Verleumdung *f* (*auch mündlich*), Hohn *m,* Verzerrung *f,* Verunglimpfung *f,* Beleidigung *f*: the greater the truth, the greater the ~ eine Verunglimpfung ruft desto mehr Empörung hervor, je mehr Wahrheit dahintersteckt; the portrait is a ~ on him das Bild ist eine Beleidigung für ihn (*es wird ihm nicht gerecht*); the play is a ~ on human nature das Stück ist eine Entstellung *od.* Verzerrung der menschlichen Natur. – **3.** *hist. od. obs.* Schmähschrift *f,* Li'bell *n,* Pam'phlet *n.* – **II** *v/t pret u. pp* **'li·beled,** *bes. Br.* **'li·belled 4.** *jur.* a) (schriftlich *od.* bildlich) verleumden, eine Verleumdung veröffentlichen gegen, b) eine Klageschrift einreichen gegen. – **5.** *allg.* verleumden, verunglimpfen, beleidigen, entstellen, verzerren.

li·bel·ant, *bes. Br.* **li·bel·lant** ['laibələnt] *s jur.* Kläger *m.* — ˌ**li·bel'ee,** *bes. Br.* ˌ**li·bel'lee** [-'liː] *s jur.* Beklagter *m.* — **'li·bel·er,** *bes. Br.* **'li·bel·ler** *s* Urheber(in) einer (schriftlichen *od.* bildlichen) Verleumdung, Verleumder(in), Verfasser(in) einer Schmähschrift. — **'li·bel·ist,** *bes. Br.* **'li·bel·list** → libeler.

li·bel·lant, li·bel·lee, li·bel·ler, li·bel·list *bes. Br. für* libelant *etc.*

li·bel·lous, *bes. Am.* **li·bel·ous** ['laibələs] *adj* verleumderisch, Verleumdungs..., Schmäh...

li·ber¹ ['laibər] *s bot.* **1.** Bast *m.* – **2.** *obs.* Weichbast *m.*

li·ber² ['laibər] (*Lat.*) *s* Buch *n* (*bes. für Urkunden etc*).

lib·er·al ['libərəl] **I** *adj* **1.** libe'ral, frei(sinnig), vorurteilslos, aufgeschlossen, freiheitlich, fortschrittlich (*bes. in politischen, wirtschaftlichen u. religiösen Dingen*): a ~ thinker ein freiheitlicher Denker. – **2.** *oft* L~ *pol.* libe'ral: the L~ Party die liberale Partei. – **3.** großzügig, freigebig (of mit): a ~ donor ein großzügiger Spender. – **4.** großzügig, reichlich, ansehnlich: a ~ gift ein großzügiges Geschenk; a ~ meal ein reichliches Mahl. – **5.** großzügig, frei, weitherzig, nicht am Buchstaben klebend: ~ interpretation weitherzige Auslegung. – **6.** großzügig, freimütig, allgemein(bildend), nicht spezi'ell *od.* berufstechnisch (*selten außer in*): ~ education allgemeinbildende Erziehung; ~ manner ungezwungenes *od.* unbefangenes Auftreten; ~ profession freier Beruf. – **7.** *obs.* zügellos. – *SYN.* bountiful, generous, munificent. – **II** *s* **8.** libe'ral denkender Mensch, Fortschrittliche(r), Freisinnige(r). – **9.** *oft* L~ *pol.* Libe'raler. — ~ **arts** *s pl* **1.** Fächer *pl* der philo'sophischen Fakul'tät (*einschließlich Mathematik, Naturwissenschaften u. Soziologie*). – **2.** *hist.* freie Künste *pl,* Artes libe'rales *pl.* — **L~ Con·serv·a·tive** *s pol.* libe'raler Konserva'tiver, Konserva'tiver *m* mit libe'ralen Ten'denzen.

lib·er·al·ism ['libərəˌlizəm] *s* **1.** Libera'lismus *m,* Aufgeklärtheit *f,* Freisinn *m.* – **2.** *meist* L~ *pol.* Libera'lismus *m.* — **'lib·er·al·ist I** *s* unbedingte(r) Libe'rale(r). – **II** *adj* → liberalistic. — ˌ**lib·er·al'is·tic** *adj* libera'listisch, unbedingt libe'ral.

lib·er·al·i·ty [ˌlibə'ræliti; -əti] *s* **1.** Freigebigkeit *f,* Großzügigkeit *f.* – **2.** reiches Geschenk. – **3.** Aufgeschlossenheit *f,* Unvoreingenommenheit *f,* Vorurteilslosigkeit *f.* – **4.** Libera'lismus *m.*

lib·er·al·i·za·tion [ˌlibərəlai'zeiʃən; -lə'z-] *s* **1.** Liberali'sierung *f,* Bekehrung *f od.* 'Hinführung *f* zum Libera'lismus. – **2.** *econ.* Liberali'sierung *f.* — **'lib·er·alˌize I** *v/t* **1.** liberali'sieren, von Vorurteilen befreien, libe'ral machen. – **2.** *pol.* zum Libera'lismus bekehren. – **3.** *econ.* (*Einfuhren etc*) liberali'sieren. – **II** *v/i* **4.** libe'ral werden *od.* sein.

Lib·er·al| Par·ty *s pol.* Libe'rale Par'tei (*in Großbritannien*). — ~ **Un·ion·ists** *s pl pol.* Libe'rale Unio'nisten *pl* (*1886 von der Liberalen Partei abgefallene Gruppe, die Gladstones Irland-Politik ablehnte*).

lib·er·ate ['libəˌreit] *v/t* **1.** befreien (from von). – **2.** (*Gefangene etc*) freilassen. – **3.** *chem.* frei machen. – *SYN. cf.* free.

lib·er·a·tion [ˌlibə'reiʃən] *s* **1.** Befreiung *f.* – **2.** Freilassung *f.* – **3.** *chem.* Freimachen *n,* -werden *n.* — ˌ**lib·er'a·tionˌism** *s* Liberatio'nismus *m* (*Befürwortung der Trennung von Kirche u. Staat*). — ˌ**lib·er'a·tion·ist** *s* Liberatio'nist *m* (*Befürworter der Trennung von Kirche u. Staat*).

Lib·er·a·tion So·ci·e·ty *s Br. Gesellschaft zur Erwirkung der Trennung von Kirche u. Staat.*

lib·er·a·tor ['libəˌreitər] *s* Befreier *m.* — **'lib·erˌa·tress** [-tris] *s* Befreierin *f.*

Li·be·ri·an [lai'bi(ə)riən] **I** *s* Li'berier(in) (*Bewohner der Republik Liberia*). – **II** *adj* li'berisch.

lib·er·tar·i·an [ˌlibər'tɛ(ə)riən] **I** *s* **1.** j-d der für die Freiheit des einzelnen eintritt. – **2.** *philos.* Indetermi'nist *m.* – **II** *adj* **3.** für individu'elle Freiheit eintretend. – **4.** *philos.* indetermi'nistisch. — ˌ**lib·er'tar·i·anˌism** *s* **1.** Eintreten *n* für individu'elle Freiheit. – **2.** *philos.* Indetermi'nismus *m.*

li·ber·ti·cid·al [liˌbəːrti'saidl; -tə-] *adj* die Freiheit vernichtend. — **li'ber·tiˌcide I** *s* **1.** Vernichter *m* der Freiheit. – **2.** Vernichtung *f* der Freiheit. – **II** *adj* → liberticidal.

lib·er·tin·age ['libərtinidʒ] → libertinism.

lib·er·tine ['libərˌtiːn; -tin] **I** *s* **1.** zügelloser Mensch. – **2.** Wüstling *m.* – **3.** (*verächtlich*) Freigeist *m.* – **4.** *antiq.* (*Rom*) Freigelassener *m.* – **II** *adj* **5.** zügellos, ausschweifend, sittenlos, liederlich. – **6.** (*verächtlich*) freidenkerisch. – **7.** *selten* unbeherrscht. — **'lib·er·tinˌism** *s* **1.** Sittenlosigkeit *f,* Liederlichkeit *f,* Liberti'nismus *m.* – **2.** ˌFreigeiste'rei *f,* Freidenkertum *n.*

lib·er·ty ['libərti] *s* **1.** Freiheit *f*: civil ~ bürgerliche Freiheit; natural ~ natürliche Freiheit (*von keinerlei Gesetzen eingeschränkter ursprünglicher Zustand*); religious ~ Religionsfreiheit; ~ of conscience Gewissensfreiheit; ~ of the press Pressefreiheit. – **2.** Freiheit *f,* freie Wahl, Erlaubnis *f*: large ~ of action weitgehende Handlungsfreiheit; ~ to come and go Freiheit *od.* Erlaubnis, zu kommen u. zu gehen. – **3.** *philos.* (Willens)Freiheit *f.* – **4.** (*meist im pl gebraucht*) Freiheit *f,* Privi'leg *n,* (Vor)Recht *n,* Sonderrecht *n*: the liberties of a commercial city die Freiheiten einer Handelsstadt. – **5.** Freiheit *f,* Ungehörigkeit *f,* Unziemlichkeit *f.* – **6.** *mar.* (kurzer) Landurlaub. – **7.** a) beschränkte Bewegungsfreiheit (*für Gefangene etc*), b) Teil *m* (*eines Gefängnisses etc*), in dem die Gefangenen sich frei bewegen dürfen. – **8.** Freibezirk *m* (*einer Stadt*). – *SYN. cf.* freedom. –

Besondere Redewendungen:

at ~ a) in Freiheit, frei, b) berechtigt, c) unbeschäftigt, d) unbenützt, e) *sl.* arbeitslos; to be at ~ to do s.th. die Erlaubnis haben, etwas zu tun; you are at ~ to go es steht Ihnen frei zu gehen; you are not at ~ to do it du darfst es nicht tun; to set at ~ in Freiheit setzen, befreien; to take the ~ to do (*od.* of doing) s.th. sich die Freiheit (heraus)nehmen, etwas zu tun; to take liberties with s.o. sich Freiheiten gegen j-n herausnehmen; to take liberties with the facts mit den Tatsachen (etwas) willkürlich umgehen; I must take the ~ of differing from you gestatten Sie mir, anderer Meinung zu sein als Sie.

lib·er·ty| cap *s* Freiheitsmütze *f.* — **~ hall** *s* Haus *n* (*etc*), in dem man alles tun kann, was man will. — **~ man** *s irr mar.* Ma'trose *m* auf Landurlaub. — **~ pole** *s* Freiheitsbaum *m.* — **L~ Ship** *s mar.* Liberty-Schiff *n* (*während des 2. Weltkriegs in Reihenfertigung hergestelltes amer. Handelsschiff von etwa 10000 BRT*). — **~ tree** *s* Freiheitsbaum *m.*

li·bi·di·nal [li'bidinl; -də-] *adj* Libido..., triebmäßig. — **li'bid·i·nous** *adj* libidi'nös, wollüstig, geil, lüstern, unzüchtig. — **li'bid·i·nous·ness** *s* Geilheit *f,* Lüsternheit *f.*

li·bi·do [li'baidou; -'biː-] *s bes. psych.* Li'bido *f,* (Geschlechts)Trieb *m.*

li·bra[1] ['laibrə] *pl* **-brae** [-briː] *s antiq.* (*Rom*) Libra *f,* Pfund *n* (*Gewicht*).

li·bra[2] *pl* **-bras** *s* **1.** ['laibrə] Libra *f,* Pfund *n* (*Gewichtseinheit in Spanien, Portugal etc*). – **2.** ['liːbrɑː] Libra *f* (*frühere peruanische Goldmünze im Wert von 10 Sol*).

Li·bra[3] ['laibrə] *gen* **-brae** [-briː] *s astr.* Waage *f* (*Sternbild*).

li·brar·i·an [lai'brɛ(ə)riən] *s* **1.** Bibliothe'kar(in). – **2.** Biblio'theksvorstand *m,* -di,rektor *m.* — **li'brar·i·an,ship** *s* Bibliothe'karsamt *n,* -beruf *m.*

li·brar·y [*Br.* 'laibrəri; *Am.* -,breri] *s* **1.** Biblio'thek *f,* Büche'rei *f:* circulating ~, lending ~ Leihbibliothek; free ~ der Öffentlichkeit unentgeltlich zur Verfügung stehende Bibliothek; reference ~ Präsenz- *od.* Nachschlagebibliothek. – **2.** Biblio'thek *f* (*einer Privatwohnung*). – **3.** Biblio'thek *f* (*die gesammelten Bücher etc*): a walking ~ ein Gelehrter, ein Mensch von reichem Wissen. – **4.** Biblio'thek *f,* Buchreihe *f:* Everyman's L~. – **5.** *Br.* Kartenverkaufsstelle *f* (*zum Verkauf von Theater-, Konzertkarten etc*). — **~ e·di·tion** *s* (einheitliche Gesamt)-Ausgabe in guter Ausstattung. — **~ sci·ence** *s* Biblio'thekswissenschaft *f.*

li·brate ['laibreit] *v/i* (um eine Ruhelage) schwanken, pendeln. — **li'bra·tion** *s* **1.** Schwanken *n,* Pendeln *n.* – **2.** *astr.* Librati'on *f* (*bes. des Mondes*). — **li·bra·to·ry** [*Br.* 'laibrətəri; *Am.* -,tɔːri] *adj* (um eine Ruhelage) schwankend, pendelnd, schwingend.

li·bret·tist [li'bretist] *s* Libret'tist *m,* Textdichter *m.* — **li'bret·to** [-tou] *pl* **-tos, -ti** [-tiː] *s* Li'bretto *n:* a) Textbuch *n,* b) Text *m* (*Opern etc*).

li·bri·form ['laibri,fɔːrm; -brə-] *adj bot.* bastfaserartig, Libriform...: ~ fiber (*Br.* fibre) Libriformfaser.

Lib·y·an ['libiən] **I** *adj* **1.** libysch. – **2.** *poet.* afri'kanisch. – **II** *s* **3.** Libyer(in). – **4.** *ling.* Libysch *n,* das Libysche (*eine hamitische Sprache*).

lice [lais] *pl von* louse.

li·cence, *Am.* **li·cense** ['laisəns] **I** *s* **1.** Genehmigung *f,* Erlaubnis *f.* – **2.** Li'zenz *f,* Konzessi'on *f,* behördliche Genehmigung: to take out a ~ sich eine Lizenz beschaffen. – **3.** amtlicher Erlaubnis- *od.* Zulassungsschein: dog ~ Erlaubnisschein zum Halten eines Hundes; driver's (*od.* driving) ~ Führerschein; hunting ~ Jagdschein. – **4.** Eheerlaubnis *f:* → special ~. – **5.** Befähigungszeugnis *n,* -nachweis *m* (*von einer Universität ausgestellt*). – **6.** (Handlungs)Freiheit *f:* to allow considerable ~ to a general in the field. – **7.** Freiheit *f* (*der künstlerischen Gestaltung*): poetic ~ dichterische Freiheit. – **8.** Zügellosigkeit *f,* Ausschweifung *f.* – *SYN. cf.* freedom. – **II** *v/t cf.* license I.

li·cenced, li·cen·cee *cf.* licensed *etc.*

li·cence plate, *Am.* **li·cense plate** *s* Zulassungs-, *bes.* Nummernschild *n* (*Kraftfahrzeug*).

li·cenc·er *cf.* licenser.

li·cense ['laisəns] **I** *v/t* **1.** (*j-m*) eine behördliche Genehmigung erteilen. – **2.** konzessio'nieren, amtlich genehmigen *od.* zulassen, (zum Gebrauch) freigeben. – **3.** (*Buch*) zur Veröffentlichung *od.* (*Theaterstück*) zur Aufführung freigeben. – **4.** (*j-n*) ermächtigen. – **5.** *selten* (*j-m*) erlauben, (*j-m*) gestatten. – **II** *s Am. für* licence I.

li·censed ['laisənst] *adj* **1.** konzessio'niert, lizen'ziert, amtlich zugelassen: a ~ house ein Lokal mit Konzession zum Ausschank alkoholischer Getränke; → victual(l)er 1 b. – **2.** Lizenz...: ~ construction Lizenzbau. – **3.** privile'giert: ~ satirist privilegierter Spötter.

li·cen·see [,laisən'siː] *s* Li'zenznehmer *m,* Konzessi'onsinhaber *m,* -träger *m.*

li·cense plate *Am. für* licence plate.

li·cens·er, *jur.* **li·cen·sor** ['laisənsər] *s* **1.** Li'zenzgeber *m,* Konzessi'onserteiler *m.* – **2.** Zensor *m.*

li·cen·ti·ate [lai'senʃiit; -,eit] *s* **1.** Inhaber(in) eines Befähigungszeugnisses (*das zur Ausübung eines Berufs, bes. eines akademischen, berechtigt*). – **2.** *ped.* Lizenti'at *m* (*akademischer Grad od. dessen Inhaber*). – **3.** *relig.* zugelassener (*aber noch nicht endgültig ernannter*) Prediger.

li·cen·tious [lai'senʃəs] *adj* **1.** unzüchtig, wollüstig, geil. – **2.** zügel-, zucht-, sittenlos, unsittlich. – **3.** ungehörig, ungebührlich, allzu frei. – **4.** *selten* die Regeln nicht beachtend, unregelmäßig, 'unkor,rekt, schlampig. — **li'cen·tious·ness** *s* **1.** Unzüchtigkeit *f.* – **2.** Zügel-, Zuchtlosigkeit *f.* – **3.** Ungehörigkeit *f.*

lich [litʃ] *s obs. od. Scot. od. dial.* Leichnam *m.*

li·chee *cf.* litchi.

li·chen ['laikən] **I** *s* **1.** *bot.* Flechte *f* (*Klasse Lichenes*). – **2.** *med.* Flechte *f,* Knötchenausschlag *m.* – **II** *v/t* **3.** *bot.* mit Flechten bedecken: ~ed mit Flechten bewachsen. — **~ fun·gus** *s bot.* Flechtenpilz *m.*

li·chen·ic [lai'kenik] *adj* Flechten...

li·chen·in ['laikənin] *s chem.* Liche'nin *n* ($C_6H_{10}O_5$; *eine Flechtenstärke*).

li·chen·oid ['laikə,nɔid] *adj bot. med.* licheno'id, flechtenartig, -ähnlich.

li·chen·ol·o·gist [,laikə'nɒlədʒist] *s* Licheno'loge *m.* — **,li·chen'ol·o·gy** *s bot.* Lichenolo'gie *f,* Flechtenkunde *f.*

li·chen·ose ['laikə,nous], **'li·chen·ous** [-nəs] *adj* **1.** *bot.* a) Flechten..., b) flechtenartig, c) flechtenbewachsen. – **2.** *med.* a) Flechten..., b) liche'nös, flechtenartig.

lich| gate [litʃ] *s* (*überdachtes*) Friedhofstor (*unter dem der Sarg abgesetzt wird, um das Kommen des Geistlichen zu erwarten*). — **'~-,house** *s* Leichenhalle *f.*

li·chi *cf.* litchi.

lich| owl *dial. für* barn owl. — **~ stone** *s Stein zum Abstellen des Sarges am Friedhofstor.*

licht [lixt], **'licht·ly** [-li] *Scot. für* light², lightly.

'lich,wake *s obs. od. dial.* nächtliche Totenwache.

lic·it ['lisit] *adj* le'gal, gesetzlich, erlaubt. – *SYN. cf.* lawful. — **'lic·it·ly** *adv* le'gal, erlaubterweise.

lick [lik] **I** *v/t* **1.** lecken, ablecken, belecken: the dog ~ed my hand der Hund leckte meine Hand (ab), der Hund leckte mir die Hand; to ~ clean sauber lecken; to ~ off ablecken; he ~ed his chops (*od.* lips) *fig.* er leckte sich die Lippen, das Wasser lief ihm im Munde zusammen; to ~ s.o.'s shoes *fig.* j-m den Staub von den Schuhen lecken, vor j-m kriechen; to ~ into shape in die richtige Form bringen, zurechtbiegen, -richten; → dust 1. – **2.** *fig.* lecken an (*dat*): the flames ~ed the roof die Flammen leckten *od.* züngelten am Dach empor; the waves are ~ing the beach die Wellen bespülen *od.* belecken das Ufer. – **3.** *sl.* verprügeln, ‚verdreschen', ‚verhauen': to ~ s.o. j-n verdreschen; to ~ s.th. out of s.o. j-m etwas durch Prügel austreiben. – **4.** *colloq.* a) über'treffen, hinter sich lassen: that ~s creation das übertrifft alles, b) besiegen, schlagen: they ~ed the enemy. – **5.** *sl.* über die Begriffe gehen von: this ~s me das geht über meine Begriffe, da komme ich nicht mehr mit. – **6.** ~ up a) auflecken, b) verzehren (*Flammen*). – *SYN. cf.* conquer. – **II** *v/i* **7.** (her'aus)züngeln, (her'aus)schießen. – **8.** *sl.* ‚flitzen', eilen: to go as hard as one can ~ mit größtmöglicher Geschwindigkeit dahinflitzen. – **9.** *sl.* gewinnen, siegen. – **III** *s* **10.** Lecken *n:* a ~ and a promise *colloq.* eine schlampige Arbeit, *bes.* eine Katzenwäsche. – **11.** kleine Menge, Spur *f,* (*das*) bißchen. – **12.** Schuß *m,* Spritzer *m,* Spur *f.* – **13.** → salt ~. – **14.** Hieb *m,* Schlag *m.* – **15.** *Am. od. Austral. colloq.* a) (kurzer) Kraftaufwand, (kurze) Kraftanspannung, b) ‚Tempo' *n,* Geschwindigkeit *f:* (at) full ~, at a great ~ mit größtem Tempo, mit voller Geschwindigkeit. – **16.** (*Swing*) *sl.* (eingeschobene) Fi'gur *od.* Phrase.

lick·er ['likər] *s* **1.** Lecker *m.* – **2.** *sl.* Schläger *m.* – **3.** *tech.* (Tropf)Öler *m.*

lick·er·ish ['likəriʃ] *adj* **1.** naschhaft, leckerig, ‚verschleckt'. – **2.** gierig, verlangend. – **3.** geil, lüstern. – **4.** *obs.* lecker, appe'titlich.

'lick·e·ty|-'brin·dle ['likəti], **'~-'cut, '~-'split** *adv Am. colloq.* wie der Wind *od.* Blitz *od.* Teufel, sehr schnell.

lick·ing ['likiŋ] *s* **1.** Lecken *n.* – **2.** *colloq.* Prügel *pl,* ‚Dresche' *pl:* to get a good ~ gehörig Prügel bekommen. – **3.** *colloq.* Niederlage *f.*

'lick,spit·tle, *auch* **'lick,spit** *s* Speichellecker *m.*

lic·o·rice ['likəris] *s* **1.** *bot.* Süßholz *n* (*Gattg Glycyrrhiza*), *bes.* La'kritze *f,* (Gemeines) Süßholz (*G. glabra*). – **2.** a) La'kritzen-, Süßholzwurzel *f,* b) La'kritze(nsaft *m*) *f.* — **~ vetch** *s bot.* Bärenschote *f,* Süßer Tra'gant (*Astragalus glyciphyllos*).

lic·or·ous ['likərəs] → lickerish.

lic·tor ['liktər] *s antiq.* (*Rom*) Lictor *m.*

lid [lid] *s* **1.** Deckel *m:* to put the ~ on s.th. *Br. sl.* einer Sache die Krone aufsetzen, der Gipfel einer Sache sein; with the ~ off unter Aufdeckung aller Scheußlichkeiten. – **2.** (Augen)-Lid *n.* – **3.** *bot.* a) Deckel *m,* b) Deckelkapsel *f.* – **4.** *Am. colloq.* Einschränkung *f,* Zügelung *f:* the ~ is on (*od.* down) es wird scharf durchgegriffen; to raise the ~ nicht scharf durchgreifen; the ~ is on prostitution gegen die Prostitution wird scharf vorgegangen. – **5.** *sl.* ‚Deckel' *m* (*Hut*). — **'lid·ded** [-id] *adj* **1.** mit einem Deckel verschlossen *od.* versehen. – **2.** (Augen)-Lider habend: heavy-~ mit schweren Lidern. — **'lid·less** *adj* **1.** deckellos, ohne Deckel. – **2.** lidlos. – **3.** *poet.* wachsam.

Li·do ['liːdou] *s Br.* Frei-, Strandbad *n.*

lie[1] [lai] **I** *s* **1.** Lüge *f:* to tell a ~ lügen; to act a ~ durch Handlungen (*u. nicht durch Worte*) bewußt irreführen; white ~ Notlüge; ~s have short wings Lügen haben kurze Beine. – 2. Lüge *f*, (bewußte) Täuschung, Schwindel *m*: this life is a ~. – 3. Beschuldigung *f*, gelogen zu haben (*nur in gewissen Wendungen*): to give s.o. the ~ j-n Lügen strafen; to give the ~ to. s.th. etwas als falsch *od.* unwahr erweisen; to take the ~ from none sich von niemandem einen Lügner heißen lassen. – **II** *v/i pret u. pp* **lied**, *pres p* **ly·ing** ['laiiŋ] 4. lügen: to ~ like a book lügen wie gedruckt; to ~ to s.o. a) j-n belügen, j-n anlügen, b) j-m vorlügen (that daß); you ~ in your throat (*od.* teeth)! *obs. od. humor.* du lügst ja das Blaue vom Himmel herunter! – 5. lügen, trügen, täuschen, irreführen, einen falschen Eindruck geben: these numbers ~ diese Zahlen trügen. – **III** *v/t* 6. lügen: to ~ oneself out of sich herauslügen aus; to ~ away s.o.'s reputation j-s Ruf durch Lügen untergraben. – *SYN.* equivocate, fib[1], palter, prevaricate.

lie[2] [lai] **I** *s* **1.** Lage *f* (*auch fig.*): the ~ of the land *Br. fig.* die Lage der Dinge, die Sachlage. – **2.** Lager *n*, Versteck *n* (*von Tieren*). – **3.** (*Golf*) Lage *f* (*des Balles*). –
II *v/i pret* **lay** [lei], *pp* **lain** [lein] *obs.* **li·en** ['laiən], *pres p* **ly·ing** ['laiiŋ] **4.** liegen: to ~ in ambush im Hinterhalt liegen; to ~ in bed im Bett liegen. – **5.** (da)liegen: to ~ asleep im Schlaf liegen, schlafen; to ~ dead tot daliegen; to ~ dying im Sterben liegen; to ~ in ruins in Trümmern liegen; → mercy 4; waste 2. – **6.** sich legen: to ~ back sich zurücklegen. – **7.** (im Grabe) liegen, ruhen: here ~s hier ruht; he ~s in the cathedral er liegt in der Kathedrale begraben. – **8.** liegen, lasten, drücken: it ~s upon my mind es bedrückt mich. – **9.** abhängen (on, upon von). – **10.** liegen, gelegen sein: the city ~s on a river; the land is lying high das Land liegt hoch *od.* ist hochgelegen; the meadows ~ along the river die Wiesen erstrecken sich dem Fluß entlang. – **11.** führen, verlaufen: the road ~s through a forest die Straße führt durch einen Wald. – **12.** *mar.* a) vor Anker liegen, b) beidrehen. – **13.** (aufgestapelt) liegen, lagern: his money is lying at the bank er hat sein Geld auf der Bank (liegen). – **14.** liegen, zu finden *od.* zu suchen sein, gelegen sein: the mistake ~s here; he knows where his interest ~s er weiß, wo sein Vorteil liegt. – **15.** sich verhalten: how do they ~ to each other? – **16.** *jur.* zulässig *od.* tragbar sein: objection will not ~ Einspruch kann nicht erhoben werden. – **17.** liegen (*Truppen, Flotte etc*). – **18.** *obs.* sich (vor'übergehend) aufhalten. – **19.** *obs. od. Bibl.* schlafen, den Beischlaf ausüben: to ~ with s.o. j-m beischlafen. – **20.** *hunt.* liegenbleiben, nicht auffliegen (*Federwild*). –
Besondere Redewendungen:
to ~ along the shore *mar.* in Sichtweite des Landes der Küste entlangsegeln; his acquaintance ~s among the artists of the town er hat seine Bekannten unter den Künstlern der Stadt; to ~ at s.o.'s heart j-m am Herzen liegen; the choice ~s between death and shame es gibt nur die Wahl zwischen Tod u. Schande; he had the book lying by him er hatte das Buch neben sich liegen; as far as in me ~s soweit es an mir liegt, soweit es in meinen Kräften steht; his greatness ~s in his courage seine Größe liegt in seinem Mut (begründet); the remedy ~s in perfect rest dem kann durch absolute Ruhe abgeholfen werden; to ~ in s.o.'s way a) j-m zur Hand sein, b) j-m möglich sein, c) in j-s Fach schlagen, d) j-m im Wege stehen; his talents do not ~ that way dafür ist er nicht begabt, dazu hat er kein Talent; to ~ on s.o. *jur.* j-m obliegen; it ~s heavy on my conscience es lastet schwer auf meinem Gewissen; it ~s heavy on my stomach es liegt mir schwer im Magen; the responsibility ~s on you die Verantwortung liegt bei dir, du bist verantwortlich; to ~ on s.o.'s hands unbenutzt *od.* unverkauft bei j-m liegenbleiben; to ~ to s.th. alle Kraft setzen an eine Sache; to ~ to the gun *hunt.* sich drücken (*liegenbleiben, bis der Jäger herankommt*); to ~ to the oars sich (mit aller Kraft) in die Riemen legen; to ~ open to s.th. einer Sache ausgesetzt sein; to ~ to the north *mar.* Nord anliegen; to ~ under an obligation eine Verpflichtung haben; to ~ under the suspicion of murder unter Mordverdacht stehen; to ~ under the suspicion of stealing unter dem Verdacht stehen, gestohlen zu haben; to ~ under a sentence of death zum Tode verurteilt (worden) sein; it ~s with you to do it es liegt an dir *od.* es ist deine Sache, es zu tun; → bed *b. Redw.*; dog *b. Redw.*; doggo; door *b. Redw.*; land 1; perdu(e); prison 1; state 13; wait 4. –
Verbindungen mit Adverbien:
lie| a·long *v/i mar.* krängen, schiefliegen. — **~ by** *v/i* **1.** rasten, pau'sieren, ruhen. – **2.** unbenutzt bleiben *od.* liegen, stilliegen. — **~ down** *v/i* **1.** sich 'hinlegen, sich niederlegen. – **2.** (*bes. im pres p gebraucht*) sich feig geschlagen geben, keinen 'Widerstand leisten: to take it lying down keinen Widerstand leisten, klein beigeben; you cannot take it lying down das darfst du dir keineswegs gefallen lassen. — **~ in** *v/i* in die Wochen kommen, in den Wochen sein, im Wochenbett liegen. — **~ low** *v/i* **1.** a) dar'niederliegen, b) tot sein. – **2.** *fig.* im Staube liegen, niedergestreckt sein. – **3.** *colloq.* a) sich versteckt halten, b) ganz unauffällig leben. – **4.** *sl.* a) seine Absichten geheimhalten, b) auf die günstigste Gelegenheit warten. — **~ off** *v/i* **1.** *mar.* vom Lande *od.* von einem anderen Schiff abhalten *od.* abliegen. – **2.** eine Ruhepause einschalten. — **~ o·ver** *v/i* **1.** nicht rechtzeitig bezahlt werden. – **2.** liegenbleiben, aufgeschoben werden. — **~ to** *v/i mar.* beiliegen, beigedreht liegen. — **~ up** *v/i* **1.** (von der Arbeit) ausruhen, rasten. – **2.** a) sich zu'rückziehen, in Pensi'on gehen, b) zu'rückgezogen leben. – **3.** das Bett *od.* das Zimmer hüten (müssen). – **4.** *mar.* aufliegen, außer Dienst sein.

'lie-a,bed *s* Langschläfer(in).

Lie·big ['li:big], **Lie·big's ex·tract of beef** *s* Liebigs 'Fleischex,trakt *m.*

lied [li:d] *pl* **lie·der** ['li:dər] *s mus.* (*deutsches*) (Kunst)Lied.

Lie·der·kranz[1] ['li:dər,krants] *pl* **-,krän·ze** [-,krɛntsə] (*Ger.*) *s mus.* **1.** Liederkranz *m*, -zyklus *m.* – **2.** deutscher Männergesangverein.

lie·der·kranz[2] ['li:dər,krɑ:nts] *s* Liederkranzkäse *m* (*Käsesorte*).

lie de·tec·tor *s* 'Lügende,tektor *m.*

lief [li:f] *obs.* **I** *adj* **1.** geneigt, willens. – **2.** lieb, teuer. – **II** *adv* **3.** gern (*nur noch in bestimmten Wendungen*): I had (*od.* would) as ~ go as not ich ginge ebenso gern wie nicht; I would (*od.* had) as ~ die as betray a friend ich würde eher sterben als einen Freund verraten; I would (*od.* had) ~er read than go for a walk ich würde lieber lesen als spazierengehen.

liege [li:dʒ] **I** *s* **1.** Leh(e)nsherr *m.* – **2.** Leh(e)nsmann *m*, Va'sall *m.* – **II** *adj* **3.** Leh(e)ns...: ~ lord Leh(e)nsherr. – **4.** (ge)treu, ergeben. — **'~·man, ~ man** *s irr* **1.** → liege 2. – **2.** ergebener Anhänger, treuer Gefolgsmann.

li·en[1] [li:n; 'li:ən] *s jur.* Pfandrecht *n*, Zu'rückbehaltungsrecht *n*: to lay a ~ on s.th. das Pfandrecht auf eine Sache geltend machen.

li·en[2] ['laiən] *obs. pp von* **lie**[2] II.

li·e·nal [lai'i:nl] *adj med.* lie'nal, Milz...

lieno- [laii:no] *Wortelement mit der Bedeutung* Milz.

li·en·or ['li:ənər; -nɔ:r; 'li:n-] *s jur.* Pfandrechtsinhaber *m*, Pfandgläubiger *m.*

li·en·ter·y [*Br.* 'laiəntəri; *Am.* -,teri] *s med.* Liente'rie *f*, Speiseruhr *f.*

li·er ['laiər] *s* **1.** Liegende(r). – **2.** j-d der sich verborgen hält.

li·erne [li'ə:rn] *s arch.* Li'erne *f*, Neben-, Zwischenrippe *f.*

lieu [lju:; lu:] *s* Stelle *f*, Statt *f* (*nur in*): in ~ of an Stelle von (*od. gen*), anstatt (*gen*); in ~ *selten* statt dessen, dafür.

lieu·ten·an·cy [*Br.* lef'tenənsi; *mar.* le't-; *Am.* lu:'t-] *s* **1.** *mar. mil.* Leutnantsrang *m*, -stelle *f.* – **2.** *mar. mil.* Leutnants *pl.* – **3.** Statthalterschaft *f.* – **4.** Stellvertretung *f.*

lieu·ten·ant [*Br.* lef'tenənt; *mar.* le't-; *Am.* lu:'t-] *s* **1.** Stellvertreter *m.* – **2.** Statthalter *m*, Gouver'neur *m*: L~ of the Tower *Titel des befehlshabenden Kommandanten des* Tower of London. – **3.** *mar. mil.* Leutnant *m* (*allgemein*). – **4.** *mil. Br.* Oberleutnant *m*: second ~ Leutnant. – **5.** *mil. Am.* a) first ~ Oberleutnant *m*, b) second ~ Leutnant *m.* – **6.** *mar. Br.* Kapi'tänleutnant *m.* – **7.** *mar. Am.* a) *auch* ~ senior grade Kapi'tänleutnant *m*, b) ~ junior grade Oberleutnant *m* zur See. — **~ colo·nel** *s mil.* Oberst'leutnant *m.* — **~ com·mand·er** *s mar.* Kor'vettenkapi,tän *m.* — **~ gen·er·al** *s mil.* Gene,ral'leutnant *m* (*entspricht dem Rang eines Generals d. Infanterie etc der früheren dt. Wehrmacht*). — **~ gov·er·nor** *s* 'Vizegouver,neur *m*, 'Unterstatthalter *m*: a) *in USA der Stellvertreter des Gouverneurs*, b) *im brit. Commonwealth der einem Generalgouverneur unterstellte tatsächliche Gouverneur eines Distrikts.*

lieve [li:v] *obs. od. dial. für* lief.

life [laif] *pl* **lives** [laivz] *s* **1.** (or'ganisches) Leben: how did ~ begin? wie ist das Leben entstanden? – **2.** Leben(skraft *f*) *n*, lebenspendende Kraft. – **3.** Leben *n*: a) Lebenserscheinungen *pl*, b) Lebewesen *pl*: there is no ~ on the moon auf dem Mond gibt es kein Leben; animal ~ Tierleben, -welt; marine ~ das Leben im Meer, die Lebenserscheinungen im Meer. – **4.** (Menschen)Leben *n*: they lost their lives sie verloren ihr Leben; three lives were lost drei Menschenleben sind zu beklagen; with great sacrifice of ~ mit schweren Verlusten an Menschenleben; to have no regard for human ~ rücksichtslos über Menschenleben hinweggehen. – **5.** Leben *n* (*eines Einzelwesens*): to be in danger of one's ~ sich in Lebensgefahr befinden; to risk one's ~ sein Leben aufs Spiel setzen; a matter of ~ and death eine Sache auf Leben u. Tod, eine Sache von entscheidender Bedeutung; for the first time in their lives zum ersten Male in ihrem Leben; early in ~

in jungen Jahren; my early ~ meine Jugend; → time 13. – **6.** Leben *n* (*der Seele*): eternal ~ ewiges Leben; this ~ dieses Leben, das irdische Leben. – **7.** Leben *n*, Lebenszeit *f*, -dauer *f*: all his ~ sein ganzes Leben lang; expectation of ~ (*bes. im Versicherungswesen*) Lebenserwartung, mutmaßliche Lebensdauer; a lease for three lives *Br. jur.* eine Verpachtung auf 3 Lebenszeiten (*die erlischt, wenn die letzte von 3 genannten Personen gestorben ist*); the ~ of a bond die Gültigkeitsdauer eines Wertpapiers; the ~ of a machine die Lebensdauer einer Maschine. – **8.** nochmalige Chance (*zum Überleben od. bes. zum Gewinnen*): he was given a ~ es wurde ihm nochmals eine Chance gegeben. – **9.** Leben *n*, Lebensweise *f*, -führung *f*, -art *f*, -wandel *m*: married ~ Eheleben; to lead a good ~ ein braves Leben führen; to lead (*od.* live) the ~ of Riley *Am. colloq.* ein sorgenfreies Leben führen. – **10.** Lebensbeschreibung *f*, Biogra'phie *f*. – **11.** Leben *n*, menschliches Tun u. Treiben, Welt *f*: acceptance of ~ Lebensbejahung; to see ~ das Leben kennenlernen, (seine) Erfahrungen machen, *bes.* die Genüsse des Lebens kennenlernen. – **12.** Leben *n*, Le'bendigkeit *f*, Tempera'ment *n*: a novel full of ~ ein Roman voller Leben; to give ~ to s.th., to put ~ into s.th. einer Sache Leben geben, eine Sache beleben. – **13.** a) belebender Einfluß, b) *fig.* Seele *f*: he was the ~ and soul of the performance. – **14.** Schäumen *n* (*Wein etc*). – **15.** scharfer *od.* starker Geschmack. – **16.** (*Kunst*) Leben *n*, lebendes Mo'dell, lebende Gestalt, Na'tur *f*: as large as ~ a) in Lebensgröße, lebensgroß, b) *humor.* in voller Lebensgröße. – **17.** *relig.* a) Leben *n*, Erlösung *f*, b) Gott *m*. – **18.** (*Versicherungswesen*) auf Lebenszeit Versicherte(r) (*im Hinblick auf die Lebenserwartung*): a good ~ ein Versicherter, der vermutlich überdurchschnittlich alt werden wird. –

Besondere Redewendungen:

for ~ a) fürs Leben, für den Rest des Lebens, b) lebenslänglich, auf Lebenszeit, c) ums Leben, um das Leben zu retten; imprisonment for ~ lebenslängliche Freiheitsstrafe; to ride for ~ ums Leben reiten; for (*od.* on) one's ~, for dear ~ ums (liebe) Leben; not for the ~ of me *colloq.* nicht um alles in der Welt, nicht wenn meine Seligkeit davon abhinge, absolut nicht; from the ~ nach dem Leben, nach der Natur, nach dem lebenden Modell; nothing in ~ nichts in der Welt; to the ~ nach dem Leben, lebensecht, naturgetreu; upon (*od.* 'pon) my ~! so wahr ich lebe! to bring to ~ (*nach einer Ohnmacht etc*) wieder zum Bewußtsein bringen, aufwecken; his ~ hangs upon a thread sein Leben hängt an einem Faden; to lay down one's ~ for s.o. sein Leben für j-n hingeben; to seek s.o.'s ~ j-m nach dem Leben trachten; to take s.o.'s ~ j-m das Leben nehmen, j-n umbringen; to take one's own ~ sich (selbst) das Leben nehmen; to take one's ~ in one's hands sein Leben (bewußt) aufs Spiel setzen; → come 18 *u. b. Redw.*; dog *b. Redw.*; limb[1] 1; sell[1] 2.

'life-and-'death *adj* auf Leben u. Tod: a ~ struggle ein Kampf auf Leben u. Tod.

life| an·nu·i·ty *s* Leib-, Lebensrente *f*. — **~ as·sur·ance** → life insurance. — **~ belt** *s mar.* Rettungsgürtel *m*. — **'~ˌblood** *s* **1.** Lebens-, Herzblut *n* (*auch fig.*). – **2.** unwillkürliches Zucken der Lippe *od.* des Augenlids. — **'~ˌboat** *s mar.* Rettungsboot *n*. — **~ breath** *s* Lebensatem *m*. — **~ buoy** *s mar.* Rettungsboje *f*. — **~ car** *s mar.* Rettungswagen *m* (*wasserdichtes Boot od. wasserdichter Behälter, der an einem Tau zwischen Schiff u. Land läuft*). — **~ cy·cle** *s biol.* **1.** Lebenszyklus *m*. – **2.** → life history 1. — **~ es·tate** *s jur.* Landbesitz *m* auf Lebenszeit (*wobei alle Rechte mit dem Tode erlöschen*). — **~ ex·pect·an·cy** *s* Lebenserwartung *f*, mutmaßliche Lebensdauer.

life·ful ['laifful; -fəl] *adj selten* lebensvoll, voller Leben, vi'tal.

'life|-ˌgiv·ing *adj* lebengebend, -spendend, belebend. — **~ guard** *s mil.* Leibgarde *f*. — **'~ˌguard** *s Am.* Rettungsschwimmer *m*. — **L~ Guards** *s pl mil.* Leibgarde *f* (zu Pferde), 'Gardekavalleˌrie *f* (*jüngeres der beiden Gardekavallerieregimenter der brit. Armee*). — **'~-ˌguards·man** [-mən] *s irr mil.* 'Leibgarˌdist *m*. — **~ his·to·ry** *s biol.* **1.** Lebensgeschichte *f* (*von der Entstehung bis zum Tode*). – **2.** → life cycle 1. — **~ in·sur·ance** *s* Lebensversicherung *f*: ~ policy Lebensversicherungspolice. — **~ in·ter·est** *s jur.* lebenslänglicher Nießbrauch. — **~ jack·et** *s mar.* Schwimmweste *f*. — **~ land** *s jur.* auf Lebenszeit gepachtetes Land.

life·less ['laiflis] *adj* **1.** leblos: his ~ body. – **2.** tot. – **3.** leblos, unbelebt: ~ matter. – **4.** unbelebt, ohne Leben: a ~ planet. – **5.** *fig.* ohne Leben, schwunglos, tempera'mentlos, fad. – **6.** *econ.* lustlos (*Börse etc*). – *SYN. cf.* dead. — **'life·less·ness** *s* **1.** Leblosigkeit *f*. – **2.** Unbelebtheit *f*. – **3.** *fig.* Schwunglosigkeit *f*.

'lifeˌlike *adj* lebenswahr, na'turgetreu. — **'lifeˌlike·ness** *s* Lebenswahrheit *f*, Na'turtreue *f*.

life| line *s* **1.** *mar.* Rettungsleine *f*. – **2.** Halteleine *f* (*für Brandungsschwimmer etc*). – **3.** Si'gnalleine *f* (*für Taucher*). – **4.** *fig.* Rettungsanker *m*. – **5.** *fig.* Lebensader *f* (*wichtige Verkehrslinie*). – **6.** (*Chiromantie*) Lebenslinie *f*. — **'~ˌlong** *adj* lebenslänglich, das ganze Leben während *od.* andauernd.

life·man·ship ['laifmənʃip] *s humor.* erfolgssicheres Auftreten; die Kunst, die eigene Über'legenheit fühlen zu lassen.

life| net *s* Sprungtuch *n*, -netz *n* (*der Feuerwehr*). — **~ of·fice** *s* 'Lebensversicherungsbüˌro *n*. — **~ peer** *s* Pair *m* auf Lebenszeit (*dessen Titel nicht erblich ist*). — **~ plant** *s bot.* Brutblatt *n* (*Gattg Bryophyllum*). — **~ pre·serv·er** *s* **1.** *mar.* a) Schwimmweste *f*, b) Rettungsgürtel *m*. – **2.** Totschläger *m* (*Stock mit Bleiknopf*).

lif·er ['laifər] *s sl.* **1.** ‚Lebenslängliche(r)', zu lebenslänglicher Zuchthausstrafe Verurteilte(r). – **2.** lebenslängliche Zuchthausstrafe.

life| raft *s mar.* Rettungsfloß *n*. — **'~ˌrent** *s jur. Scot.* Nießbrauch *m* auf Lebenszeit. — **~ rock·et** *s mar.* 'Rettungs-, 'Leinenwurfraˌkete *f*. — **'~ˌroot** *s bot.* Goldgelbes Kreuzkraut (*Senecio aureus*). — **'~ˌsav·er** *s* **1.** Lebensretter *m*. – **2.** Rettungsschwimmer *m*. – **3.** *sl.* a) ‚rettender Engel', b) Rettung *f*: this was my ~. — **'~ˌsav·ing I** *s* Lebensrettung *f*. – **II** *adj* lebensrettend, Rettungs... — **'L~ˌsav·ing Serv·ice** *s* Rettungsdienst *m*, 'Rettungsschwimmerorganisatiˌon *f*. — **~ sig·nal** *s mar.* 'Rettungsbojensiˌgnal *n*. — **'~-ˌsize, '~-ˌsized** *adj* lebensgroß, in Lebensgröße: a ~ statue ein Standbild in Lebensgröße. — **~ span** *s* Lebensdauer *f*. — **'~ˌspring** *s* Lebensquell *m*. — **~ strings** *s pl poet.* Lebensfaden *m*: his ~ are cut sein Lebensfaden ist zerschnitten. — **~ ta·ble** *s* 'Sterblichkeitstaˌbelle *f*. — **'~ˌtime I** *s* Lebenszeit *f*, -dauer *f*, Leben *n*: once in a ~ sehr selten, 'einmal im Leben. – **II** *adj* auf Lebenszeit, lebenslänglich. — **'~'work** *s* Lebenswerk *n*.

lift[1] [lift] **I** *s* **1.** Heben *n*, Hoch-, Aufheben *n*: a dead ~ *fig.* eine vergebliche Anstrengung. – **2.** (Hoch)Steigen *n*, Sich'heben *n*. – **3.** Hochhalten *n*, aufrechte *od.* stolze Haltung: the proud ~ of her head das stolze Hochhalten ihres Kopfes. – **4.** a) Hub(höhe *f*) *m*, b) Förderhöhe *f*, c) Steighöhe *f*. – **5.** a) hochhebende Kraft, b) *fig. Am.* Erhebung *f*, Aufschwung *m* (*Geist etc*). – **6.** *aer. phys.* Auftrieb *m*. – **7.** Last *f*: a heavy ~. – **8.** Beistand *m*, Unter'stützung *f*, Hilfe *f*: to give s.o. a ~ j-m Hilfe gewähren. – **9.** Mitfahrgelegenheit *f* (*für einen Fußgänger*): to give s.o. a ~ j-n mitfahren lassen, j-n (im Auto) mitnehmen. – **10.** Aufstieg *m*, Höhersteigen *n*, Aufschwung *m*. – **11.** Steigen *n* (*Preise etc*). – **12.** (Boden)Erhebung *f*. – **13.** Hebe-, Fördergerät *n*, -werk *n*. – **14.** *bes. Br.* Lift *m*, Aufzug *m*. – **15.** (*Bergbau*) a) Pumpensatz *m*, b) Abschlag *m*, Abbauhöhe *f*. – **16.** a) Falltür *f*, -gitter *n*, b) Schleusenfall *m*, -einsatz *m*. – **17.** (*Schuhmacherei*) Lage *f* Absatzleder. –

II *v/t* **18.** *auch* ~ up hoch-, em'por-, aufheben. – **19.** *auch* ~ up (*Hand, Augen, Stimme etc*) erheben. – **20.** heben: to ~ s.th. down etwas herunterheben; to ~ s.o. over a fence j-n über einen Zaun heben. – **21.** erheben, em'porragen lassen: the mountain ~s its peak. – **22.** *fig.* a) (*geistig od. sittlich*) heben, b) em'porheben, (auf eine höhere Ebene) heben, c) befördern, erhöhen, erheben: to ~ s.o. out of poverty j-n aus der Armut emporheben. – **23.** *auch* ~ up a) (mit Zuversicht *od.* Freude) erfüllen, ermuntern, begeistern, b) *Bibl.* über'heblich machen, aufblasen: ~ed up with pride aufgeblasen vor Stolz, stolzgeschwellt. – **24.** (*Bergbau*) fördern. – **25.** (*Preise*) erhöhen, hochschrauben. – **26.** *colloq.* a) (*bes. Vieh*) stehlen, b) ‚stehlen', plagi'ieren. – **27.** (*Zelt, Lager*) abbrechen. – **28.** her'aus-, fortnehmen, *bes.* a) (*Kartoffeln*) ausmachen, b) (*Schatz*) heben. – **29.** *Am.* (*Hypothek etc*) löschen, tilgen. – **30.** (*Gesicht*) straffen: to have one's face ~ed sich die Falten im Gesicht entfernen lassen. – **31.** a) (*Kricket*) (*Ball*) hoch in die Luft schlagen, b) (*Golf*) (*Ball*) aufheben, -nehmen. – **32.** *dial.* (*Geld etc*) 'einkasˌsieren. –

III *v/i* **33.** sich (hoch)heben *od.* hochschieben lassen: the lid won't ~. – **34.** heben, Hebeversuche machen (at an *dat*). – **35.** hochsteigen, sich heben (*Schiff etc*). – **36.** sich heben, aufsteigen u. sich auflösen: the fog ~s der Nebel hebt sich *od.* steigt. – **37.** (über den Hori'zont) em'porsteigen. – sich werfen (*Boden*). – *SYN.* boost, elevate, heave, hoist[1], raise, rear[2]. –

Besondere Redewendungen:

to ~ up a cry ein Geschrei erheben; to ~ (up) the eyes die Augen emporrichten, aufblicken; to ~ (up) one's (*od.* the) hand die Hand zum Schwur erheben, schwören; to ~ (up) the hand against *Bibl.* die Hand erheben gegen, Gewalt anwenden gegen; he never ~ed a hand to help me er hat nie einen Finger gerührt, um mir zu helfen; to ~ up one's head *fig.* sein Haupt erheben; to ~ up the head of s.o. *Bibl.* j-n aufrichten, j-n mit neuer

Kraft *od.* mit Freude erfüllen; to ~ up the heel against s.o. *Bibl.* j-n treten; to ~ up one's horn *poet.* überheblich sein, stolz auftreten.

lift² [lift] *s obs. od. Scot. od. poet.* Himmel *m.*

lift bridge *s tech.* Hubbrücke *f.*

lift·er ['liftər] *s* **1.** j-d der (hoch)hebt, Heber(in). – **2.** *sport* (Gewicht)-Heber *m.* – **3.** *tech.* Heber *m,* Hebegerät *n, z.B.* a) Hebewerk *n,* b) Hebebaum *m,* c) E'jektor *m,* d) Nocken *m,* e) Stößel *m.* – **4.** *sl.* ‚Langfinger' *m,* Dieb *m.*

lift·ing ['liftiŋ] **I** *s* **1.** Heben *n.* – **II** *adj* **2.** Hebe..., Hub... – **3.** Auftriebs... — ~ **bridge** → lift bridge. — ~ **force** *s aer. phys. tech.* Auftriebs-, Hub-, Tragkraft *f.* — ~ **jack** *s tech.* Hebewinde *f.* — ~ **pow·er** *s* **1.** *tech.* Hebe-, Tragkraft *f.* – **2.** *aer. phys.* Auftrieb(s-kraft *f*) *m.* — ~ **pump** → lift pump. — ~ **set** *s* (*Bergbau*) Hubsatz *m* (*in einem Pumpenschacht*).

lift| pump *s tech.* Hebpumpe *f.* — ~ **valve** *s tech.* 'Druckven,til *n.* — ~ **wall** *s* (*Wasserbau*) Fallmauer *f* (*einer Schleuse*).

lig·a·ment ['ligəmənt] *pl* **-ments** *od.* ,**lig·a'men·ta** [-'mentə] *s* **1.** *med. zo.* Liga'ment *n,* Band *n.* – **2.** Band *n.* — ,**lig·a'men·tous** [-'mentəs], *auch* ,**lig·a'men·ta·ry** [-təri] *adj* **1.** Band... – **2.** ligamen'tös, bandartig, -förmig. — ,**lig·a'men·tum** [-təm] *pl* **-ta** [-tə] → ligament.

li·gan ['laigən] *obs. für* lagan.

li·gate ['laigeit] *v/t bes. med.* **1.** abbinden, abschnüren. – **2.** verbinden, banda'gieren. — **li'ga·tion** *s* **1.** *med.* a) Liga'tur *f,* Abbindung *f,* Abbinden *n,* b) Verbinden *n.* – **2.** (Ver)-Bindung *f.* – **3.** Band *n.*

lig·a·ture ['ligə,tʃur] **I** *s* **1.** (Zu'sammen)Binden *n,* (Ver)Bindung *f.* – **2.** Binde *f,* Band *n.* – **3.** *fig.* Band *n.* – **4.** *print.* Liga'tur *f*: a) *Verschmelzung von zwei od. mehreren Schriftzeichen,* b) *verbindender Strich, Bindungsbogen.* – **5.** *mus.* Liga'tur *f.* – **6.** *med.* Abbindungsschnur *f,* -draht *m.* – **II** *v/t* **7.** verbinden. – **8.** *med.* abbinden, abschnüren.

li·geance ['laidʒəns; 'li:-] *s* **1.** *jur.* a) Gerichtsbarkeit *f* des Lehnsherrn, b) landesherrliche Gerichtsbarkeit. – **2.** *obs.* Lehnspflicht *f.*

li·ger ['laigər] *s Kreuzung zwischen Löwe u. Tigerin.*

light¹ [lait] **I** *s* **1.** Licht *n,* Helligkeit *f*: let there be ~! *Bibl.* es werde Licht! to give ~ Licht geben *od.* spenden, Helligkeit verbreiten. – **2.** *phys.* a) Licht *n,* b) Lichtstrom *m.* – **3.** Licht(zutritt *m*) *n*: to stand in s.o.'s ~ a) j-m im Licht stehen, b) *fig.* j-m im Wege stehen; to stand in one's own ~ a) sich selbst im Licht stehen, b) *fig.* sich selbst schaden; get out of the ~! a) geh aus dem Licht! b) störe nicht! – **4.** Licht *n,* Beleuchtung *f*: in a good ~ in hellem Licht, gut beleuchtet; in subdued ~ bei gedämpftem Licht. – **5.** Licht *n,* Schein *m*: by the ~ of a candle beim Licht *od.* Schein einer Kerze. – **6.** Licht(quelle *f*) *n* (*Sonne, Lampe, Kerze etc*): the ~ of my eyes *fig.* das Licht meiner Augen, mein geliebtestes Wesen; to hide one's ~ under a bushel sein Licht unter den Scheffel stellen. – **7.** *mar.* a) Leuchtfeuer *n,* b) Leuchtturm *m.* – **8.** Sonnen-, Tageslicht *n*: to see the ~ das Licht der Welt erblicken, geboren werden. – **9.** a) Tag *m,* b) Tagesanbruch *m,* Morgengrauen *n.* – **10.** *fig.* Licht *n,* Tag *m,* Tageslicht *n*: to bring s.th. to ~ etwas ans Licht *od.* an den Tag bringen; to come to ~ ans Licht *od.* an den Tag kommen; to see the ~ (of day) das Tageslicht erblicken, bekannt *od.* veröffentlicht werden. – **11.** *fig.* Licht *n,* Beleuchtung *f,* A'spekt *m*: to place s.th. in a good ~ etwas in ein günstiges Licht stellen; to put s.th. in its true ~ etwas ins rechte Licht rücken; to appear in the ~ of a rogue als Schurke erscheinen, den Eindruck eines Schurken erwecken; in a favo(u)rable ~ in günstigem Licht; in various ~s in wechselnder Beleuchtung. – **12.** *fig.* Licht *n,* Erleuchtung *f,* Aufklärung *f*: to throw (*od.* shed) ~ on s.th. Licht auf eine Sache werfen; I see the ~ mir geht ein Licht auf; by the ~ of nature mit den natürlichen Verstandeskräften. – **13.** *fig.* Licht *n*: in the ~ of these facts im Lichte dieser Tatsachen. – **14.** *pl* Erkenntnisse *pl,* Informati'onen *pl*: we have new ~s upon it since then wir haben seitdem neue Erkenntnisse darüber gewonnen. – **15.** *pl* Wissen *n,* Verstand *m,* geistige Fähigkeiten *pl,* Einsicht *f*: according to his ~s nach dem (beschränkten) Maß seiner Einsicht, so gut er es eben versteht. – **16.** (*Malerei*) a) Licht *n,* sehr heller Teil (*eines Gemäldes*), b) Aufhellung *f.* – **17.** Licht *n,* Feuer *n,* Glanz *m,* Funkeln *n* (*Auge*). – **18.** freundliches *od.* wohlwollendes Aussehen: the ~ of his countenance *fig.* seine Gunst, sein Wohlwollen, seine Zustimmung. – **19.** Feuer *n,* Funke *m* (*zum Anzünden*): could you give me a ~, please? können Sie mir bitte Feuer geben? to strike a ~ Feuer schlagen (*mit einem Feuerzeug etc*). – **20.** Gerät *n* zum Anzünden, *bes.* Streichholz *n.* – **21.** Lichtöffnung *f,* -einlaß *m, bes.* Fenster-(scheibe *f*) *n.* – **22.** *fig.* Leuchte *f,* Licht *n* (*Person*): he is a shining ~ er ist eine Leuchte *od.* ein großes Licht. – **23.** *jur.* a) Licht(zutritt *m*) *n,* b) Recht *n* auf unbehinderten Lichtzutritt: ancient ~s *Fenster, die mindestens 20 Jahre lang unbehinderten Lichtzutritt hatten u. deren Lichtzutritt in keiner Weise abgesperrt werden darf.* – **24.** *relig.* a) Licht *n,* b) Erleuchtung *f.* – **25.** *poet.* (Augen)Licht *n,* Sehvermögen *n,* Sehkraft *f*: the ~ of my eyes is gone mein Augenlicht ist erloschen. – **26.** *pl sl.* Augen *pl.* – **27.** Schlüsselwort *n* (*eines Akrostichons*). –

II *adj* **28.** hell, licht: a ~ room ein helles Zimmer; to wake before it is ~ aufwachen, bevor es hell ist; ~ hair helles Haar. – **29.** weißlich, blaß. – **30.** hell: a ~ green ein helles Grün; ~-red hellrot. –

III *v/t pret u. pp* **'light·ed** *od.* **lit** [lit] **31.** *auch* ~ up anzünden, entzünden: to ~ a fire (a lamp, a pipe) ein Feuer (eine Lampe, eine Pfeife) anzünden. – **32.** beleuchten, erleuchten: ~ed by electricity elektrisch beleuchtet. – **33.** ~ up hell beleuchten. – **34.** erhellen. – **35.** *meist* ~ up aufleuchten lassen, aufhellen, beleben: joy ~ed up her eyes Freude ließ ihre Augen aufleuchten. – **36.** (*j-m*) leuchten: he ~ed him to his room er leuchtete ihm zu seinem Zimmer. –

IV *v/i* **37.** zu brennen beginnen, sich entzünden. – **38.** *meist* ~ up sich erhellen, hell werden. – **39.** *meist* ~ up *fig.* aufleuchten (*Augen etc*). – **40.** ~ up a) (sich) die Pfeife *etc* anzünden, zu rauchen beginnen, b) Licht machen, die Beleuchtung einschalten. – **41.** *obs.* leuchten, scheinen.

light² [lait] **I** *adj* **1.** leicht, von geringem Gewicht: ~ clothing leichte Kleidung; a ~ load eine leichte Last. – **2.** (spe'zifisch) leicht, von geringem spe'zifischem Gewicht. – **3.** zu leicht: ~ coin Münze mit zu geringem Edelmetallgehalt; ~ weights zu leichte Gewichte. – **4.** leicht (zu ertragen *od.* auszuführen): ~ punishment leichte *od.* milde Strafe; ~ work leichte Arbeit. – **5.** leicht, nicht tief: ~ sleep leichter Schlaf. – **6.** leicht, Unterhaltungs..., nur der Unter'haltung dienend: ~ literature Unterhaltungsliteratur; ~ music leichte Musik. – **7.** gering, unbedeutend, leicht: a ~ error ein leichter Fehler; held in ~ esteem geringgeachtet; no ~ matter keine Kleinigkeit; to make ~ of s.th. sich nichts machen aus etwas. – **8.** leicht (verdaulich): a ~ meal eine leichte Mahlzeit. – **9.** leicht, von geringem Alkoholgehalt: ~ wine leichter Wein. – **10.** locker (*Brot, Erde, Schnee*). – **11.** leicht, zart, grazi'ös, zierlich, ele'gant. – **12.** leicht, flink, behend, flott: ~ fingers flinke *od.* ‚lange' Finger (*zum Stehlen*); ~ of foot (*od.* heel) leichtfüßig. – **13.** leicht, leise, sanft: a ~ hand a) eine leichte Hand, b) *fig.* ein verständnisvolles *od.* taktvolles Vorgehen; a ~ step ein leichter Schritt; a ~ touch eine leichte *od.* leise Berührung. – **14.** leicht, sorgenfrei, sorglos: with a ~ heart leichten Herzens. – **15.** fröhlich, lustig: a ~ laugh. – **16.** leichtfertig, -sinnig, oberflächlich, gedankenlos. – **17.** leicht, locker, 'unmo,ralisch: a ~ girl ein leichtes Mädchen. – **18.** unbeständig, flatterhaft, wankelmütig. – **19.** a) schwind(e)lig, b) wirr: ~ in the head wirr im Kopf. – **20.** *mar. mil.* leicht: ~ artillery leichte Artillerie; ~ cruiser leichter Kreuzer; in ~ marching order mit leichtem Marschgepäck. – **21.** a) leicht beladen, b) unbeladen: the ship returned ~ das Schiff kehrte ohne Ladung zurück; a ~ engine eine alleinfahrende Lokomotive; → water line 1. – **22.** leicht(gebaut), für leichte Lasten bestimmt: ~ cart leichter Wagen; ~ railway Klein-, Neben-, Seitenbahn. – **23.** (*Meteorologie*) leicht: ~ rain leichter Regen; ~ wind leichter Wind (*mit einer Geschwindigkeit von nicht mehr als 7 Meilen pro Stunde*). – **24.** (*Phonetik*) a) unbetont, schwachbetont, Schwachton... (*Silbe, Vokal*), b) schwach (*Betonung*), c) hell, vorn im Munde artiku'liert (*l-Laut*): a ~ l ein helles L. – *SYN. cf.* easy. –

II *adv* **25.** leicht, nicht schwer: to sleep ~ leicht *od.* nicht fest schlafen; to tread ~ leicht *od.* leise auftreten; ~-earned leichtverdient; ~ come ~ go wie gewonnen, so zerronnen.

light³ [lait] *pret u. pp* **'light·ed** *od.* **lit** [lit] **I** *v/i* **1.** (ab)steigen, her'ab-, her'untersteigen (from, off von): to ~ from a horse von einem Pferd steigen. – **2.** fallen (on auf *acc*): a cat always ~s on its feet eine Katze fällt immer auf die Füße. – **3.** (on) sich setzen (auf *acc*), sich niederlassen (auf *dat*): the butterfly ~ed on a flower. – **4.** (zufällig) stoßen (on auf *acc*): to ~ on s.o. auf j-n stoßen, j-n zufällig treffen. – **5.** *fig.* fallen: the choice ~ed on him die Wahl fiel auf ihn, die Wahl traf ihn. – **6.** *Am. sl.* losgehen, loshauen: to ~ into s.o. auf j-n losgehen, j-n anspringen. – **7.** ~ out *Am. sl.* sich schnell da'vonmachen, ‚verduften'. – **II** *v/t* **8.** erleichtern. – **9.** entlasten. – **10.** *mar.* a) (*Tau*) heben, b) (*Anker*) lichten.

light| air *s* leiser Zug (*Windstärke 1 der Beaufortskala*). — **'~-'armed** *adj mil.* leichtbewaffnet. — ~ **ball** *s* Leuchtball *m.* — ~ **bea·con** *s aer. mar.* Leuchtfeuer *n,* -bake *f.* — ~ **bob** *s mil. Br. sl.* ‚Landser' *m,* leichter Infante'rist. — ~ **bread** *s Am.* Weizenbrot *n* (aus Hefeteig). — ~ **breeze** *s* leichte Brise (*Windstärke 2 der Beaufortskala*). — ~ **dues** *s pl,*

~ **du·ty** *s mar.* (Leucht)Feuergebühren *pl*, -geld *n*.

light·en[1] ['laitn] **I** *v/i* **1.** sich aufhellen, heller *od.* hell werden. – **2.** glänzen, leuchten, scheinen. – **3.** blitzen, Blitze aussenden: it ~s es blitzt. – **II** *v/t* **4.** erhellen, beleuchten. – **5.** *fig.* erleuchten. – **6.** blitzartig erleuchten *od.* erhellen.

light·en[2] ['laitn] **I** *v/t* **1.** leichter machen. – **2.** (*Schiff*) (teilweise) entladen, (ab)leichtern, erleichtern. – **3.** *fig.* erleichtern: to ~ one's conscience. – **4.** *fig.* erleichtern, leichter tragbar machen. – **5.** aufheitern, erfreuen, ermuntern. – *SYN. cf.* **relieve.** – **II** *v/i* **6.** leichter werden. – **7.** *mar.* (teilweise) entladen werden. – **8.** *fig.* sich erleichtert fühlen, leichter werden (*Herz etc*).

light·er[1] ['laitər] *s* **1.** Anzünder *m*: a ~ of lamps ein Lampenanzünder. – **2.** (Taschen)Feuerzeug *n*. – **3.** Anzünder *m* (*Gerät*). – **4.** Fidibus *m*.

light·er[2] ['laitər] *mar.* **I** *s* Leichter(schiff *n*) *m*, Prahm *m*. – **II** *v/t* in einem Leichter befördern.

light·er·age ['laitəridʒ] *s mar.* **1.** Leichtergeld *n*, -lohn *m*. – **2.** 'Leichter-, 'Schutentrans,port *m* (*zum Entladen etc*).

'**light·er·man** [-mən] *s irr mar.* Leichterschiffer *m*, Ewerführer *m*.

'**light·er-than-'air** *adj aer.* leichter als Luft, aero'statisch: ~ **craft** Luftfahrzeug leichter als Luft, Aerostat, Gasluftfahrzeug.

'**light|,face** *print.* **I** *s* magere Schrift. – **II** *adj* mager. — '~-,**faced** → **light-face** II. — '~,**fast** *adj* lichtecht. — '~-'**fin·gered** *adj* **1.** leicht, geschickt. – **2.** langfingerig, diebisch. — '~-'**foot·ed**, *auch poet.* '~-,**foot** *adj* leicht-, schnellfüßig, flink. — ,~-'**foot·ed·ness** *s* Leichtfüßigkeit *f*. — '~-'**hand·ed** *adj* **1.** geschickt. – **2.** wenig belastet, unbeschwert, (fast) ohne Gepäck. – **3.** *mar.* leicht bemannt, nicht voll bemannt. — '~,**head** *s* **1.** Wirrkopf *m*, (leicht) Geistesgestörte(r). – **2.** leichtfertiger Mensch. — '~'**head·ed** *adj* **1.** leichtsinnig, gedankenlos, wankelmütig. – **2.** a) wirr, leicht verrückt, b) benommen, schwind(e)lig. — ,~'**head·ed·ness** *s* **1.** Gedankenlosigkeit *f*, Wankelmut *m*. – **2.** a) Wirrheit *f*, b) Benommenheit *f*. — '~'**heart·ed** *adj* fröhlich, heiter, sorglos, wohlgemut. – *SYN. cf.* **glad.** — ,~'**heart·ed·ly** *adv* leichten Herzens. — ,~'**heart·ed·ness** *s* Frohsinn *m*, Sorglosigkeit *f*. — ~ **heav·y-weight** *s* (*Boxen*) Halbschwergewichtler *m* (*zwischen 161 und 175 engl. Pfund*). — '~-'**heeled** *adj* schnellfüßig, flink. — '~-,**horse·man** [-mən] *s irr mil.* leichter Kavalle'rist. — '~,**house** *s* Leuchtturm *m*. — '~,**house·man** [-mən] *s irr* Leuchtturmwärter *m*.

light·ing ['laitiŋ] **I** *s* **1.** Beleuchtung *f*: **indirect** ~ indirekte Beleuchtung. – **2.** Beleuchtung(sanlage) *f*. – **3.** Entzünden *n*, Anzünden *n*. – **4.** (*Malerei etc*) Beleuchtung *f*, Lichtverteilung *f*. – **II** *adj* **5.** Licht...: ~ **effects** Lichteffekte. — '~-'**up time** *s* Zeit *f* des Einschaltens der Straßenbeleuchtung.

light·ish ['laitiʃ] *adj* **1.** etwas *od.* ziemlich hell. – **2.** etwas *od.* ziemlich leicht.

light·less ['laitlis] *adj* **1.** lichtlos, dunkel. – **2.** kein Licht gebend.

light·ly ['laitli] **I** *adv* **1.** leicht. – **2.** wenig: to eat ~. – **3.** leicht, mühelos: ~ **come** ~ **go** wie gewonnen, so zerronnen. – **4.** gelassen, unverzagt: to **bear** s.th. ~. – **5.** leichtfertig. – **6.** leichthin, unbesonnen: s.th. **not** ~ **to be ignored** etwas was man nicht leichthin ignorieren darf. – **7.** locker, unsittlich, liederlich. – **8.** geringschätzig: **to think** ~ **of** s.th. etwas geringschätzen. – **9.** behend, flink. – **II** *v/t bes. Scot.* **10.** geringschätzen.

light| met·al *s* 'Leichtme,tall *n*. — '~-'**mind·ed** *adj* **1.** leichtfertig, gedankenlos. – **2.** flatterhaft, wankelmütig. — ,~-'**mind·ed·ness** *s* **1.** Leichtfertigkeit *f*. – **2.** Wankelmütigkeit *f*.

light·ness[1] ['laitnis] *s* Helligkeit *f*.

light·ness[2] ['laitnis] *s* **1.** Leichtheit *f*, Leichtigkeit *f*, geringes Gewicht. – **2.** Leichtverdaulichkeit *f*. – **3.** Milde *f*, leichte Erträglichkeit. – **4.** Behendigkeit *f*, Flinkheit *f*, Gewandtheit *f*. – **5.** Leichtigkeit *f*, Anmut *f*, Zierlichkeit *f*, Grazie *f*. – **6.** Heiterkeit *f*, Fröhlichkeit *f*, Zuversicht *f*. – **7.** Leichtfertigkeit *f*, Leichtsinn *m*, Oberflächlichkeit *f*. – **8.** Flatterhaftigkeit *f*, Wankelmut *m*. – **9.** Lockerheit *f*, Unsittlichkeit *f*. – *SYN.* **flightiness, flippancy, frivolity, levity, volatility.**

light·ning ['laitniŋ] *s* Blitz *m*: **ball** (*od.* **globular**) ~ Kugelblitz; **chain** (*od.* **forked**) ~ Linienblitz; **struck by** ~ vom Blitz getroffen; ~ **struck a house** der Blitz schlug in ein Haus (ein); **like** ~ *fig.* wie der Blitz; **with** ~ **speed** mit Blitzesschnelle. — ~ **ar·rest·er** *s electr.* Blitzableiter *m* (*für elektr. Geräte*). — ~ **bee·tle**, ~ **bug** *Am.* für **firefly.** — ~ **con·duc·tor**, ~ **rod** *s electr.* Blitzableiter *m*. — ~ **strike** *s* Blitz-, Über'raschungsstreik *m*.

light| oil *s chem. tech.* Leichtöl *n*. — '~-**o'-,love** *s* leichtes Mädchen, ‚Flittchen' *n*. — ~ **plant** *s electr.* Lichtanlage *f*. — '~'**proof** *adj* 'lichtdicht, -,undurchlässig. — ~ **quan·tum** *s phys.* Lichtquantum *n*, Photon *n*.

lights [laits] *s pl* (Tier)Lunge *f* (*bes. als Hunde- od. Katzenfutter*).

'**light|,ship** *s mar.* Feuer-, Leuchtschiff *n*. — '~-,**skirts** *s* leichtes Mädchen, Dirne *f*.

light·some[1] ['laitsəm] *adj* **1.** leicht, zierlich, anmutig. – **2.** leicht, behend, flink. – **3.** wohlgemut, fröhlich, heiter. – **4.** leichtfertig, oberflächlich. – **5.** wankelmütig, flatterhaft.

light·some[2] ['laitsəm] *adj* **1.** leuchtend. – **2.** licht, hell.

'**light|-,struck** *adj phot.* durch Lichteinwirkung verschleiert (*Aufnahme od. Negativmaterial*). — ~ **trans·mis·sion** *s phys.* Lichtfortpflanzung *f*. — ~ **trap** *s Insektenvernichtungsgerät* (*aus einer Lichtquelle u. einem Behälter bestehend*). — ~ **ves·sel** → **lightship.** — '~,**weight I** *adj* **1.** leicht(wiegend). – **II** *s* **2.** Per'son *f od.* Tier *n* mit 'unter,durchschnittlichem Gewicht. – **3.** *colloq.* a) geistig ‚Minderbemittelte(r)', b) unbedeutender Mensch. – **4.** (*Boxen*) Leichtgewichtler *m* (*zwischen 127 u. 135 engl. Pfund*). — '~,**wood** *s* **1.** Anfeuerholz *n*. – **2.** *Am.* harzreiches Kiefernholz, Kienholz *n*. — '~-,**year** *s astr.* Lichtjahr *n*.

lign·al·oes [,lain'ælouz; lig'n-] *s* **1.** Aloeholz *n* (*von Aquilaria agallocha od. Bursera aloexylon*). – **2.** (*Pharmakologie*) Aloe *f*.

lig·ne·ous ['ligniəs] *adj* holzig, holzartig, Holz...

ligni- [ligni; -nə] → **ligno-.**

lig·nif·er·ous [lig'nifərəs] *adj bot.* holzerzeugend, Holz...

lig·ni·fi·ca·tion [,lignifi'keiʃən; -nəfə-] *s bot.* Holzbildung *f*, Verholzung *f*.

lig·ni·form ['ligni,fɔːrm] *adj* holzartig, -ähnlich, Holz...: ~ **asbestos** Holzasbest.

lig·ni·fy ['ligni,fai; -nə-] **I** *v/t* in Holz verwandeln. – **II** *v/i* verholzen.

lig·nin ['lignin] *s bot. chem.* Li'gnin *n*, Holzstoff *m*.

lig·nite ['lignait] *s* Braunkohle *f*, *bes.* Li'gnit *m*. — **lig'nit·ic** [-'nitik] *adj* braunkohlenhaltig. — '**lig·ni,tize** [-ni,taiz; -nə-] *v/t* in Braunkohle verwandeln.

lig·niv·o·rous [lig'nivərəs] *adj zo.* holzfressend.

ligno- [ligno; -nɒ] *Wortelement mit der Bedeutung* Holz.

lig·no·cel·lu·lose [,ligno'selju,lous; -jə-] *s chem.* ,Lignocellu'lose *f* (*Verbindung aus Lignin u. Cellulose*).

lig·nog·ra·phy [lig'nɒgrəfi] *s* Holzschneidekunst *f*.

lig·nose ['lignous] *s chem.* **1.** Li'gnin *n*. – **2.** Li'gnose *f* (*Dynamit aus Nitroglycerin u. Holzfaser*).

lig·num vi·tae ['lignəm 'vaitiː] *s* **1.** *bot.* (*ein*) Gua'jak-, Pockholzbaum *m* (*Guaiacum officinale u. G. sanctum*). – **2.** Gua'jak-, Pockholz *n*. – **3.** *bot.* (*in Australien*) *ein Hartholzbaum*.

lig·ro·in(e) ['ligroin] *s chem.* Ligro'in *n*, 'Lack-, 'Testben,zin *n*.

lig·u·la ['ligjulə; -jə-] *pl* **-lae** [-,liː] *od.* **-las** *s* **1.** → **ligule.** – **2.** *zo.* Ligula *f* (*verwachsene Zunge u. Nebenzunge von Insekten*). — '**lig·u,late** [-lit; -,leit], *auch* '**lig·u·lar** [-lər] *adj* **1.** *bot. zo.* zungen-, bandförmig. – **2.** *bot.* mit Zungenblütchen (*Korbblüter*). — '**lig·ule** [-juːl] *s bot.* **1.** Ligula *f*, Blatthäutchen *n* (*bes. an Gräsern*). – **2.** Zungen-, Strahlenblütchen *n* (*an Korbblütern*). — ,**lig·u·li'flo·rous** [-li'flɔːrəs] *adj bot.* zungenblütig.

Li·guo·ri·an [li'gwɔːriən] *s relig.* Liguori'aner *m*, Redempto'rist *m*.

lig·ure ['ligjur] *s Bibl.* Lyn'kurer *m* (*eine Art Edelstein*).

Li·gu·ri·an [li'gju(ə)riən] **I** *adj* **1.** li'gurisch: ~ **Sea** Ligurisches Meer. – **II** *s* **2.** Li'gurier(in), Bewohner(in) der ital. Landschaft Li'gurien. – **3.** *antiq.* Li'gurer *m*. – **4.** *ling.* Li'gurisch *n*, das Ligurische.

lik·a·ble ['laikəbl] *adj* liebenswert, -würdig, angenehm, reizend. — '**lik·a·ble·ness** *s* Liebenswürdigkeit *f*.

like[1] [laik] **I** *adj comp* **more** ~, *selten od. poet.* '**lik·er**, *sup* **most** ~, *selten od. poet.* '**lik·est** **1.** gleich (*dat*), wie: **she is just** ~ **her sister** sie ist gerade so wie ihre Schwester; **a man** ~ **you** ein Mann wie du, ein Mann gleich dir; **what is he** ~? wie sieht er aus? wie ist er? **he is** ~ **that** er ist nun einmal so; **he was not** ~ **that before** so war er doch früher nicht; **what does it look** ~? wie sieht es aus? **a fool** ~ **that** ein derartiger Dummkopf; **he felt** ~ **a criminal** er kam sich wie ein Verbrecher vor; **there is nothing** ~ es geht nichts über (*acc*); **it is nothing** (*od.* **not anything**) ~ **as bad as that** es ist bei weitem nicht so schlimm; **something** ~ **100 tons** ungefähr *od.* fast 100 Tonnen; **something** ~ **a day** ein herrlicher *od.* glorreicher Tag; **this is something** ~! *colloq.* das läßt sich hören! das ist das Richtige! – **2.** ähnlich (*dat*), bezeichnend für: **that is just** ~ **him!** das sieht ihm ähnlich! **that is** ~ **your thoughtlessness!** das ist (wieder einmal) bezeichnend für deine Gedankenlosigkeit! **it was** ~ **him to offer help** es paßte zu ihm, daß er Hilfe anbot. – **3.** *in bes. Verbindungen mit folgendem Substantiv od. Gerundium*: **it looks** ~ **rain** es sieht nach Regen aus; **it looks** ~ **lasting** es sieht so aus, als ob es (an)halten wollte; **it looks** ~ **snakes here** es sieht aus, als ob es hier Schlangen gäbe; **I feel** ~ **going to bed** ich würde (jetzt) gern zu Bett gehen; **I feel** ~ **a hot bath** *colloq.* ein heißes Bad wäre mir jetzt gerade recht; **I don't feel** ~ **working** ich bin nicht zum Arbeiten aufgelegt, ich habe keine Lust zum Arbeiten; **it is** ~ **having children** es ist (so), als ob man Kinder hätte. – **4.** gleich: **a** ~ **amount** ein gleicher Betrag; **in** ~

manner a) auf gleiche Weise, b) gleichermaßen; ~ **quantities** *math.* gleiche Größen; ~ **signs** *math.* gleiche Vorzeichen; ~ **terms** *math.* gleichnamige Glieder; **beings of ~ passions with us** Wesen mit gleichen Leidenschaften wie wir; ~ **as we lie** (*Golf*) wir haben die gleiche Zahl Schläge; *selten mit* **to**, *obs. auch* **unto, of, with,** *gebraucht*: **a face ~ (to) an angel's** ein Gesicht gleich dem eines Engels, ein engelhaftes Gesicht; **~r to God than man** eher Gott als den Menschen gleichend; ~ **unto his brethren** *Bibl.* seinen Brüdern gleich. – **5.** ähnlich: **the portrait is not ~** das Porträt ist nicht ähnlich; **the two signs are very ~** die zwei Zeichen sind sehr ähnlich; **as ~ as two eggs** ähnlich wie ein Ei dem anderen; → **pea** 1. – **6.** ähnlich, gleich-, derartig: ... **and other ~ problems** ... und andere derartige Probleme. – **7. like ... like** wie ... so: ~ **master,** ~ **man** wie der Herr, so der Knecht. – **8.** *colloq. od. obs.* wahr'scheinlich: **he is ~ to pass his exam** er wird sein Examen wahrscheinlich bestehen; **he had ~ to have died** er wäre beinahe gestorben. – **9.** *obs. od. dial.* wahr'scheinlich (*ohne folgenden inf*). –

II *prep* (*siehe auch adj u. adv, die oft gleich einer prep gebraucht werden*) **10.** wie: **to sing ~ a nightingale** wie eine Nachtigall singen; ~ **the devil** wie der Teufel, verteufelt; ~ **mad,** ~ **anything** wie verrückt, wie besessen; **do not shout ~ that** schrei nicht so; **a thing ~ that** so etwas; **I hate it ~ poison** ich hasse es wie die Pest; **his reactions are ~ mine** seine Reaktionen sind wie die meinen, er reagiert so wie ich; **a hat ~ mine** ein Hut wie der meine. –

III *adv* (*siehe auch prep*) **11.** (so) wie, (in der Art) wie, (in gleichem Maße *od.* Grade) wie: ~ **every teacher he has** so wie jeder Lehrer hat auch er; **I cannot play ~ you** ich kann nicht (so gut) spielen wie du. – **12.** *colloq.* wahr'scheinlich: **~enough** höchstwahrscheinlich; **very ~** sehr wahrscheinlich; **as ~ as not** mit großer Wahrscheinlichkeit; **you'll ~r find him there** *selten* du wirst ihn eher dort finden. – **13.** *vulg.* irgendwie, gewissermaßen, sozusagen: **he looked stupid ~** er schaute irgendwie dumm aus; **by way of stealing ~** gewissermaßen durch Diebstahl. – **14.** *obs.* so: ~ **as** so wie. –

IV *conjunction* **15.** *vulg.* (*wenn ein vollständiger Satz folgt*) *od. colloq.* wie, so wie, ebenso wie: **I cannot do it ~ you do** *vulg.* ich kann es nicht so machen wie du; **snow is falling ~ in January** *colloq.* es schneit wie im Januar. – **16.** *dial.* als ob: **he trembled ~ he was afraid** er zitterte, als ob er Angst hätte. –

V *s* **17.** (*der, die, das*) gleiche, (*etwas*) Gleiches: **his ~** seinesgleichen; **mix with your ~s** haltet euch zu euresgleichen; **did you ever see the ~ (***od.* **~s) of that girl?** hast du jemals so etwas wie dieses Mädchen gesehen? **the ~s of me** *colloq.* meinesgleichen, unsereiner, einfache Leute wie ich; **the ~s of you** *colloq.* Leute Ihresgleichen, (so bedeutende) Leute wie Sie; ~ **attracts ~** gleich und gleich gesellt sich gern; **the ~, such ~** dergleichen; **peas, beans, and the ~** Erbsen, Bohnen und dergleichen; **cocoa or the ~** Kakao oder so etwas (Ähnliches); **he will never do the ~ again** so etwas wird er nie wieder tun. – **18.** (*Golf*) Ausgleichsschlag *m* (*nach dessen Vollzug beide Partner gleich oft geschlagen haben*).

like² [laik] **I** *v/t* **1.** gern haben, (gern) mögen, (gut) leiden können, lieben: **I ~ it** ich habe es gern, ich mag es gern, es gefällt mir; **I ~ him** ich mag ihn gern, ich kann ihn gut leiden; **how do you ~ it?** wie gefällt es dir? wie findest du es? **it is not at all as I ~ it** es ist ganz und gar nicht nach meinem Geschmack; „**As You L~ It**" „Wie es euch gefällt" (*Lustspiel von Shakespeare*); **I ~ that!** (*ironisch*) so was hab' ich gern! das ist ja gut! **I ~ books** ich liebe Bücher, ich bin ein Bücherfreund; **do you ~ oysters?** mögen Sie Austern (gern)? **you will ~ my room** mein Zimmer wird dir gefallen; **I ~ skiing** ich laufe gern Schi; **I ~ to hear her voice** ich höre ihre Stimme gern; **I do not ~ to come** ich komme nicht gern, ich komme nur ungern; **I should much ~ to come** ich würde sehr gern kommen; **what do you ~ better?** was hast du lieber? was gefällt dir besser? **I do not ~ such things discussed** ich habe nicht gern, daß solche Dinge erörtert werden; **I should ~ the questions answered** ich hätte die Fragen gern beantwortet; **I should ~ to see** (*ironisch*) das möchte ich gern sehen; **I should ~ you to be here** ich hätte gern, daß du hier wär(e)st; **I ~ children to play** ich habe es gern, wenn Kinder spielen; **I should ~ time to consider it** ich hätte gern etwas Zeit, darüber nachzudenken. – **2.** *colloq.* (*j-m*) guttun, (*j-m*) bekommen: **I ~ steak, but it does not ~ me** ich esse Beefsteak gern, aber es bekommt mir nicht. –

II *v/i* **3.** wollen: **just as you ~** ganz wie du willst, ganz nach Belieben; **do as you ~** tu, wie du willst; **if you ~** wenn du willst; **I am stupid if you ~ but** du kannst mich dumm nennen, aber; ich bin vielleicht dumm, aber. – **4.** *obs.* gefallen, zusagen, passen. – **5.** gedeihen (*obs. außer in*): (**fat and**) **well-liking** gut gedeihend. –

III *s* **6.** Neigung *f*, Vorliebe *f*: **she knew his ~s and dislikes** sie kannte seine Neigungen u. Abneigungen; sie wußte, was er gern hat u. was nicht.

-like [laik] *Wortelement mit der Bedeutung* nach Art von, wie, ...artig, ...ähnlich, ...mäßig: **tigerlike** tigerartig; **thunderlike** donnerartig.

like·a·ble *cf.* **likable.** — **like·a·ble·ness** *cf.* **likableness.**

liked [laikt] *adj* beliebt: **the least ~ of all his works** das unbeliebteste aller seiner Werke.

like·li·hood ['laikli,hud] *s* **1.** Wahr'scheinlichkeit *f*: **in all ~** aller Wahrscheinlichkeit nach; **there is a strong ~ of his succeeding** es ist sehr wahrscheinlich, daß er Erfolg haben wird. – **2.** (deutliches) Anzeichen (**of** für). – **3.** *obs.* Verheißung *f*, vielversprechender Zustand. — **'like·li·ness** → **likelihood.**

like·ly ['laikli] **I** *adj* **1.** wahr'scheinlich, vor'aussichtlich: **it is not ~ (that) he will come** es ist unwahrscheinlich, daß er kommt; **which is his most ~ route?** welchen Weg wird er wahrscheinlich einschlagen? **to be ~ to do s.th.** etwas wahrscheinlich *od.* voraussichtlich tun; **this is not ~ to happen** das wird wahrscheinlich nicht geschehen. – **2.** wahr'scheinlich, glaubhaft: **a ~ story** (*oft ironisch*) eine glaubhafte Geschichte. – **3.** in Frage kommend, geeignet: **to knock at every ~ door** an jeder in Frage kommenden Tür klopfen. – **4.** *auch* **~-looking** geeignet (erscheinend), aussichtsreich, vielversprechend: **a ~ young man** ein geeignet erscheinender junger Mann. – *SYN. cf.* **probable.** – **II** *adv* **5.** wahr'scheinlich: **she will most ~ be here** sie wird höchstwahrscheinlich kommen; **as ~ as not** wahrscheinlich.

'like-'mind·ed *adj* gleichgesinnt: **to be ~ with s.o.** mit j-m übereinstimmen *od.* derselben Meinung sein. — **'like-,mind·ed·ness** *s* Gleichgesinntheit *f*.

lik·en ['laikən] *v/t* **1.** vergleichen (**to** mit). – **2.** *selten* gleich *od.* ähnlich machen (**to** *dat*), (*dat*) Ähnlichkeit geben (**to** mit).

like·ness ['laiknis] *s* **1.** Gleichheit *f*, Ähnlichkeit *f*: **I cannot see much ~ between them** ich kann nicht viel Ähnlichkeit zwischen ihnen feststellen; **the picture shows no ~ to him** das Bild hat keine Ähnlichkeit mit ihm. – **2.** Aussehen *n*, Anschein *m*, Gestalt *f*, Form *f*: **an enemy in the ~ of a friend** ein Feind mit dem Anschein eines Freundes. – **3.** Bild *n*, Por'trät *n*: **to have one's ~ taken** sich malen *od.* photographieren lassen. – **4.** Abbild *n*: **he is the exact ~ of his father.** – *SYN.* **affinity, analogy, resemblance, similarity, similitude.**

'like,wise *adv u. conjunction* **1.** auch, eben-, gleichfalls des'gleichen. – **2.** des'gleichen, ebenso: **go and do ~** geh und tue desgleichen.

li·kin [liː'kiːn] *s* Likin-Abgaben *pl* (*Binnenzölle in China, bis 1930*).

lik·ing ['laikiŋ] *s* **1.** Zuneigung *f*: **to have (take) a ~ for** (*od.* **to**) **s.o.** zu j-m eine Zuneigung haben (fassen), an j-m Gefallen haben (finden); **they immediately took a ~ to each other** sie waren sich sofort sympathisch. – **2.** Gefallen *n*, Neigung *f*, Vorliebe *f*, Geschmack *m*: **to be greatly to s.o.'s ~** j-m sehr zusagen; **this is not to my ~** das ist nicht nach meinem Geschmack; **it is too old-fashioned for my ~** es ist mir zu altmodisch.

lil [lil] *Am. dial. für* **little.**

li·lac ['lailək] **I** *s* **1.** *bot.* Blauer *od.* **Span.** Flieder *m* (*Syringa vulgaris*). – **2.** Lila *n* (*Farbe*). – **II** *adj* **3.** lila(farben).

li·la·ceous [lai'leiʃəs] *adj* **1.** lilaartig (*Farbe*). – **2.** lila(farben).

li·lac| gray *s* Lilagrau *n* (*Farbe*). — **~ mil·dew** *s bot.* Fliedermeltau *m*, -pilz *m* (*Microsphaera alni u. Friesii*). — **'~,throat** *s zo.* Lilakehlchen *n* (*Gattg Phaiolaima*; *Kolibri*).

lil·i·a·ceous [,lili'eiʃəs] *adj bot.* zu den Liliengewächsen (*Liliaceae*) gehörig, Lilien..., lilienartig.

lil·ied ['lilid] *adj* **1.** voll(er) Lilien, mit Lilien bewachsen *od.* bestanden *od.* geschmückt. – **2.** lilienhaft, lilienhaft zart *od.* weiß, lilienartig.

lil·i·form ['lili,fɔːrm] *adj* lilienförmig.

lil·li·bul·le·ro [,lilibə'li(ə)rou] *s* Lillibul'lero *m* (*Teil des Kehrreims eines Liedes zur Verspottung der irischen Katholiken* [*um 1688*]; *auch das Lied selbst*).

Lil·li·put ['lilipʌt; -pət] *s* Liliput *n* (*Zwergenland in Swifts „Gulliver's Travels"*). — **,Lil·li'pu·tian** [-'pjuːʃən] *adj* **1.** Liliput..., aus Liliput. – **2.** winzig, klein, zwergenhaft. – **II** *s* **3.** Lilipu'taner(in). – **4.** Zwerg *m* (*auch fig.*).

lilt [lilt] **I** *s* **1.** *bes. Scot.* fröhliche Weise, fröhliches Lied. – **2.** rhythmischer Schwung, Fluß *m*, Fall *m*: **the ~ of the verse.** – **3.** federnde Bewegung: **the ~ of her step** das Federn ihres Schritts. – **II** *v/t u. v/i* **4.** fröhlich singen, trällern.

lil·y ['lili] **I** *s* **1.** *bot.* Lilie *f* (*Gattg Lilium*). – **2.** *eine lilienartige Pflanze* (*Fam. Liliaceae, Amaryllidaceae, Iridaceae*). – **3.** *her.* Lilie *f* (*bes. als Wappen der franz. Könige seit 1179*): **the lilies** die Lilien von Frankreich, *fig.* das Haus Bourbon. – **4.** *fig.* Lilie *f*, (*reine Person od. Sache, bes. bleich od.*

ätherisch aussehende Frau etc). – **II** *adj* 5. lilienweiß: **a ~ hand** eine lilienweiße Hand. – 6. lilienhaft, zart, ä'therisch. – 7. rein, unberührt, unbefleckt. – 8. bleich, blaß. — **~ i·ron** *s* Lilieneisen *n*, Fischspeer *m* (*Art Harpune*). — **'~-'liv·ered** *adj* feig. — **~ of the In·cas** *s bot.* Inkalilie *f* (*Alstroemeria pelegrina*). — **~ of the Nile** *s bot.* Schmucklilie *f* (*Agapanthus umbellatus*). — **~ of the val·ley** *s bot.* Maiglöckchen *n* (*Convallaria majalis*). — **~ pad** *s Am.* (schwimmendes) Seerosenblatt. — **~ thorn** → **prickly apple** 2.

Li·ma bean ['laimə] *s bot.* Limabohne *f* (*Phaseolus limensis*).

lim·a·cine ['limə,sain; -sin; 'lai-] *adj zo.* schneckenartig, zu den Schnecken gehörig, Schnecken...

Li·ma wood ['li:mə; 'lai-] *s* Limaholz *n* (*von Haematoxylon brasiletto u. Caesalpinia tinctoria; Farbholzarten*).

limb[1] [lim] **I** *s* 1. Glied *n* (*Körper*): **to escape with life and ~** mit einem blauen Auge davonkommen; **out on a ~** *colloq.* a) sehr im Nachteil, b) in einer gefährlichen Lage. – 2. *pl* Gliedmaßen *pl.* – 3. Hauptast *m* (*Baum*). – 4. Arm *m* (*eines Kreuzes*). – 5. Arm *m* (*Gewässer*). – 6. Ausläufer *m* (*Gebirge*). – 7. *ling.* Glied *n* (*Satzgefüge*). – 8. Glied *n*, Teil *m* (*eines Ganzen*). – 9. Arm *m*, Werkzeug *n*: **~ of the law** Arm des Gesetzes (*Jurist, Polizist etc*). – 10. *colloq.* a) *dial. auch* **~ of the devil, ~ of Satan** *colloq.* Balg *m*, Range *m, f* (*unartiges Kind*), b) Schelm *m*, Spitzbube *m.* – *SYN. cf.* **shoot.** – **II** *v/t* 11. verstümmeln, eines Gliedes *od.* der Glieder berauben. – 12. (*gefällte Bäume*) abästen.

limb[2] [lim] *s* 1. *bot.* a) Limbus *m*, (Kelch)Saum *m* (*einer Blumenkrone*), b) Blattrand *m* (*bei Moosen*). – 2. *astr.* a) Rand *m* (*eines Himmelskörpers*), b) *math.* Limbus *m*, Gradkreis *m*, -bogen *m*, Teilkreis *m* (*an Winkelmeßinstrumenten*).

lim·bate ['limbeit] *adj bot. zo.* (*andersfarbig*) gerandet, gesäumt.

lim·bec ['limbek] → **alembic.**

limbed [limd] *adj* 1. mit Gliedern. – 2. (*in Zusammensetzungen*) ...gliedrig: **strong-~** starkgliedrig.

lim·ber[1] ['limbər] **I** *adj* 1. bieg-, schmiegsam, geschmeidig, e'lastisch. – 2. wendig, gelenkig, geschmeidig (*menschlicher Körper*). – 3. *fig.* nachgiebig, gefügig. – **II** *v/t* 4. *meist* **~ up** biegsam *od.* nachgiebig machen. – **III** *v/i* 5. **~ up** sich biegsam *od.* gelenkig machen.

lim·ber[2] ['limbər] **I** *s* 1. *mil.* Protze *f.* – 2. *pl mar.* Pumpensod *m*, Wasserlauf *m.* – **II** *v/t u. v/i* 3. *meist* **~ up** aufprotzen.

lim·ber chest *s mil.* Protzkasten *m.*

lim·ber·ness ['limbərnis] *s* 1. Bieg-, Schmiegsamkeit *f*, Geschmeidigkeit *f*, Elastizi'tät *f.* – 2. Wendigkeit *f*, Gelenkigkeit *f.* – 3. *fig.* Nachgiebigkeit *f*, Gefügigkeit *f.* [Zirbe *f* (*Pinus flexilis*).]

lim·ber pine *s bot. Am.* Ne'vada-

lim·bic ['limbik] *adj bot. med. zo.* Rand..., am Rand befindlich *od.* einen Rand bildend.

lim·bo ['limbou] *s* 1. *oft* **L~** *relig.* a) Limbus *m*, Vorhölle *f*, b) *obs.* Hölle *f.* – 2. Verwahrlosung *f*, Vernachlässigung *f*, Vergessenheit *f.* – 3. *bes. fig.* Rumpelkammer *f.* – 4. Gefangenschaft *f*, Haft *f*, Gefängnis *n.*

Lim·burg·er ['lim,bə:rgər], *auch* **'Lim·burg cheese** *s* Limburger (Käse) *m.*

lim·bus ['limbəs] *pl* **-bi** [-bai] *s* 1. *oft* **L~** → **limbo.** – 2. *bot. zo.* (*andersgefärbter*) Rand.

lime[1] [laim] **I** *s* 1. *chem.* Kalk *m* (CaO): **hydrated ~** gelöschter Kalk; **unslaked** (*od.* **live**) **~** → **quicklime.** – 2. *agr.* Kalkdünger *m.* – 3. Vogelleim *m.* – **II** *v/t* 4. (*bes. Boden*) kalken, mit Kalk behandeln. – 5. (*Lederherstellung*) kälken, äschern, (ein)schwöden. – 6. (*Zweige etc*) mit Vogelleim bestreichen. – 7. mit Vogelleim fangen. – 8. *fig.* (*mit List*) fangen, um'garnen.

lime[2] [laim] *s bot.* Linde *f* (*Gattg Tilia*).

lime[3] [laim] *s bot.* Limo'nelle *f*, Zitro'nelle *f*, Saure Li'mette (*Citrus aurantifolia*).

lime| burn·er *s* Kalkbrenner *m.* — **~ cast** *s* Kalkverputz *m*, -bewurf *m* (*für Mauern etc*). — **~ feld·spar** *s min.* Kalkfeldspat *m.* — **~ juice** *s* Li'metta *f*, Limo'nellen-, Zitro'nellen-, Li'mettensaft *m.* — **'~-,juic·er** *s mar. Am. sl.* 1. brit. Ma'trose *m.* – 2. brit. Schiff *n* (*da dort das Trinken von Zitronellensaft zur Skorbutverhütung vorgeschrieben war*). — **'~,kiln** *s* Kalkofen *m.* — **'~,light** *s* 1. *tech.* (Drummondsches) Kalklicht. – 2. *Br.* Scheinwerfer *m.* – 3. (*Theater*) Scheinwerferlicht *n.* – 4. *fig.* Rampenlicht *n*, Licht *n* der Öffentlichkeit, Mittelpunkt *m* des Inter'esses: **politicians in the ~.**

li·men ['laimen] *pl* **li·mens** *od.* **lim·i·na** ['liminə] → **threshold** 3.

lime| pit *s* 1. Kalkbruch *m.* – 2. Kalkgrube *f.* – 3. (*Gerberei*) Äscher *m*, Kälk-, Schwödgrube *f.* — **~ plant** *Br.* *für* **May apple.**

Lim·er·ick, *auch* **l~** ['limərik] *s* Limerick *m* (*ein 5zeiliges groteskkomisches Nonsens-Gedicht*).

li·mes ['laimi:z] *pl* **lim·i·tes** ['limi,ti:z] *s* 1. *antiq.* a) Grenze *f*, Grenzlinie *f*, b) Limes *m* (*befestigte Grenzlinie der Römer, bes. gegen die Germanen*). – 2. **the L~** *mil.* der Westwall (*deutsche Grenzbefestigung im 2. Weltkrieg*).

'lime|,stone *s min.* Kalkstein *m.* — **~ tree** *s bot.* 1. Linde *f* (*Gattg Tilia*). – 2. (*ein*) Tu'pelobaum *m* (*Nyssa ogeche*). — **~ twig** *s* 1. Leimrute *f.* – 2. *fig.* Falle *f*, Schlinge *f.* — **'~,wash I** *v/t* kalken, (*mit Kalktünche*) weißen, tünchen. – **II** *s* Kalktünche *f.* — **'~,wa·ter** *s chem.* 1. Kalkmilch *f*, -lösung *f* (*aus gelöschtem Kalk*). – 2. kalkhaltiges Wasser, Kalkwasser *n.* — **'~,wort** *Br. dial. für* **brooklime.**

lim·ey ['laimi] *s Am. sl.* 1. *mar.* → **lime-juicer.** – 2. ‚Tommy' *m* (*brit. Soldat*).

li·mic·o·line [lai'mikə,lain; -lin] *adj zo.* 1. den Strand bewohnend, Strand... – 2. zu den Schnepfenvögeln (*Unterordng Limicolae*) gehörend.

li·mic·o·lous [lai'mikələs] *adj zo.* im Schlamm lebend, Schlamm...

lim·i·nal ['liminl; -mə-; 'lai-] *adj psych.* Schwellen... (*die Bewußtseins- od. Reizschwelle betreffend*).

lim·it ['limit] **I** *s* 1. *fig.* Grenze *f*, Schranke *f*: **within ~s** in Grenzen, mit Maß, maßvoll; **without ~** ohne Grenzen *od.* Schranken, schrankenlos; **there is a ~ to everything** alles hat seine Grenzen; **superior ~** a) spätestmöglicher Zeitpunkt, b) obere Grenze, Höchstgrenze; **inferior ~** a) frühestmöglicher Zeitpunkt, b) untere Grenze; **in (off) ~s** *Am.* Zutritt gestattet (verboten) (to für); **that's the ~!** *colloq.* das ist (doch) die Höhe! **to go to the ~** *Am. colloq.* bis zum Äußersten gehen. – 2. Grenze *f*, Grenzlinie *f.* – 3. *obs.* um'grenztes Gebiet, Bezirk *m*, Bereich *m.* – 4. *math.* Grenze *f*, Grenzwert *m*, Limes *m.* – 5. *econ.* a) (*Börse*) Höchst-, Maxi'malbetrag *m*, b) Limit *n*, Preisgrenze *f.* – **II** *v/t* 6. beschränken, einschränken, begrenzen (to auf *acc*): **to ~ s.th. to a specified amount; to ~ expenditure** Ausgaben einschränken. – 7. *econ.* (*Preise*) limi'tieren. – 8. *jur. od. obs.* genau bestimmen *od.* festsetzen. – *SYN.* **circumscribe, confine, restrict.**

lim·i·tar·i·an [,limi'tɛ(ə)riən] *relig.* **I** *s* Limi'tarier *m* (*j-d der glaubt, daß nur ein Teil der Menschen selig wird*). – **II** *adj* limita'ristisch.

lim·i·tar·y [*Br.* 'limitəri; *Am.* -,teri] *adj* 1. begrenzend, beschränkend, einschränkend: **~ of a thing** etwas einschränkend *od.* beschränkend. – 2. *obs.* beschränkt, begrenzt.

lim·i·tate ['limi,teit; -tit] *adj* scharf begrenzt.

lim·i·ta·tion [,limi'teiʃən] *s* 1. *fig.* Grenze *f*: **to know one's ~s** seine Grenzen kennen. – 2. Begrenzung *f*, Beschränkung *f*, Einschränkung *f.* – 3. *jur.* a) Begrenzung *f* eines Besitzrechts, b) Verjährung(sfrist) *f.*

lim·i·ta·tive [*Br.* 'limitətiv; *Am.* -,teitiv] *adj* einschränkend, beschränkend, limita'tiv.

lim·it·ed ['limitid] **I** *adj* 1. beschränkt, begrenzt, eingeschränkt, bemessen: **~ space.** – 2. (*Eisenbahn etc*) mit beschränkter Platzzahl. – 3. *pol.* konstitutio'nell: **~ government** konstitutionelle Regierung. – 4. *econ. bes. Br.* mit beschränkter Haftung *od.* Haftpflicht. – **II** *s* 5. *Am.* Zug *m od.* Bus *m* mit beschränkter Platzzahl. — **~ com·pa·ny** *s econ.* Gesellschaft *f* mit beschränkter Haftung. — **~ e·di·tion** *s* begrenzte Auflage. — **~ li·a·bil·i·ty** *s econ.* beschränkte Haftung. — **'~-,li·a'bil·i·ty com·pa·ny** → **limited company.** — **~ mon·arch·y** *s* konstitutio'nelle Monar'chie. — **~ part·ner·ship** *s econ.* Komman'ditgesellschaft *f.* — **~ pay·ment in·sur·ance** *s econ.* *Lebensversicherung mit erhöhter Prämie für eine bestimmte Zeit zwecks Auszahlung der Versicherungssumme vor der Fälligkeit.* — **~ pol·i·cy** *s econ.* Po'lice *f* mit beschränktem Risiko.

lim·it·er ['limitər] *s electr.* (Ampli'tuden)Begrenzer *m.*

lim·it·ing ['limitiŋ] *adj* einschränkend, begrenzend. — **~ ad·jec·tive** *s ling.* einschränkendes Adjektiv.

lim·it·less ['limitlis] *adj* grenzen-, schrankenlos.

lim·it man *s irr sport* Wettkämpfer *m* mit größter Vorgabe.

lim·i·trophe ['limi,trouf] *adj* grenzend (to an *acc*), Grenz...

lim·it switch *s electr.* Begrenzungsschalter *m*, 'End(,um)schalter *m.*

lim·mer ['limər] *s Scot. od. dial.* 1. Dirne *f.* – 2. Schurke *m*, Schelm *m.*

limn [lim] *v/t obs. od. poet.* 1. malen, zeichnen, abbilden. – 2. *fig.* anschaulich schildern, beschreiben. — **'lim·ner** [-nər] *s* (Por'trät)Maler *m.*

lim·net·ic [lim'netik] *adj* Süßwasser..., im Süßwasser lebend, limnisch.

lim·nite ['limnait] *s min.* Raseneisen-, Sumpferz *n* (*Art Brauneisenerz*).

lim·nol·o·gy [lim'nɒlədʒi] *s* Limnolo'gie *f*, Süßwasser-, Seenkunde *f.*

Li·moges [li'mouʒ] *s* 1. Limo'siner E'mail *n.* – 2. Limo'siner Porzel'lan *n.*

lim·o·nene ['limə,ni:n] *s chem.* d-Limo'nen *n* ($C_{10}H_{16}$; *ein Terpenkohlenwasserstoff*).

li·mo·nite ['laimə,nait] *s min.* Limo'nit *m*, Brauneisenerz *n* ($2Fe_2O_3 \cdot 3H_2O$).

lim·ou·sine ['limə,zi:n; ,limə'zi:n] *s tech.* Limou'sine *f.*

limp[1] [limp] **I** *v/i* 1. hinken, humpeln. – 2. sich mühsam vorwärtsbewegen (*beschädigtes Schiff etc*). – 3. *fig.* hinken (*Vers*). – **II** *s* 4. Hinken *n*: **to walk with a ~** hinken, humpeln.

limp[2] [limp] *adj* **1.** schlaff, schlapp. – **2.** biegsam. – **3.** *fig.* schlapp, kraftlos, schwach. – *SYN.* flabby, flaccid, flimsy, loppy[1], sleazy.
limp·er ['limpər] *s* Hinkende(r).
lim·pet ['limpit] *s* **1.** *zo.* (*eine*) Napfschnecke (*Fam. Patellidae u. Acmaeidae*). – **2.** *humor.* *j-d der sein Amt nicht abgeben will.* — ~ **mine** *s mar.* Haftmine *f.*
lim·pid ['limpid] *adj* **1.** 'durchsichtig, klar, hell, rein. – **2.** *fig.* klar (*Stil etc*). – *SYN. cf.* clear. — **lim'pid·i·ty, 'lim·pid·ness** *s* 'Durchsichtigkeit *f*, Klarheit *f*.
limp·kin ['limpkin] *s zo.* Braunsichler *m* (*Plegadis guarauna; Ibis*).
limp·ness ['limpnis] *s* Schlaffheit *f*, Schlappheit *f*.
limp·sy ['limpsi] *adj Am. od. dial.* **1.** schlaff. – **2.** biegsam. – **3.** schwach, dünn.
'limp,wort *Br. für* brooklime.
lim·sy ['limsi] → limpsy.
lim·u·loid ['limju,lɔid; -jə-] *zo.* **I** *adj* zu den Schwertschwanzkrebsen gehörig, schwertschwanzartig. – **II** *s* → king crab.
lim·u·lus ['limjuləs; -jə-] *pl* **-li** [-,lai] → king crab.
lim·y ['laimi] *adj* **1.** Kalk..., kalkig: a) kalkhaltig, b) kalkartig. – **2.** gekalkt. – **3.** mit Vogelleim beschmiert. – **4.** leimig, klebrig, zäh.
li·na·ceous [lai'neiʃəs] *adj bot.* zu den Leingewächsen gehörig.
lin·age ['lainidʒ] *s* **1.** → alignment. – **2.** Zeilenzahl *f*. – **3.** 'Zeilenhono,rar *n*.
li·na·lo·a [li'nɑːlo,ɑː], *auch* **li'na·lo,e** [-lo,ei] *s* Lin'aloeholz *n* (*parfümhaltiges Holz von Bursera aloexylon*).
lin·al·o·ol [li'nælo,oul; -,ɒl] *s chem.* Linalo'ol *n* ($C_{10}H_{17}OH$).
li·na·rite ['lainə,rait] *s min.* Lina'rit *m* ($PbCuSO_4(OH)_2$).
linch·pin ['lintʃ,pin] *s tech.* Lünse *f*, Vorstecker *m*, Achsnagel *m*.
Lin·coln ['liŋkən] *s* Lincoln(schaf) *n*. — ~ **green** *s* **1.** Lincolngrün *n* (*Tuchfarbe, nach der engl. Stadt Lincoln*). – **2.** Lincolner Tuch *n*.
Lin·coln's| Inn *s eines der* Inns of Court. — ~ **spar·row** *s zo.* Lincoln-Singsperling *m* (*Melospiza lincolni*).
lin·den ['lindən] *s* **1.** *bot.* → lime[2]. – **2.** Lindenholz *n*.
line[1] [lain] **I** *s* **1.** Linie *f*, Strich *m*. – **2.** a) Linie *f* (*in der Hand etc*), b) Falte *f*, Runzel *f*, c) Zug *m* (*im Gesicht*): ~ of fortune Glückslinie; ~ of life Lebenslinie; ~s of care Sorgenfalten. – **3.** *math.* Linie *f*, Kurve *f*, *bes.* Gerade *f*. – **4.** *geogr.* a) Längenkreis *m*, Meridi'an *m*, b) Breitenkreis *m*, c) the L~ der Ä'quator. – **5.** (gerade) Linie, Bahn *f*, Richtung *f*: ~ of fire Schuß-, Feuerlinie; ~ of force *phys.* Kraftlinie; ~ of sight a) Sehlinie, Blickrichtung, b) *auch* ~ of vision Gesichtslinie, -achse; as straight as a ~ schnurgerade; in a curved ~ in gekrümmter Bahn; hung on the ~ in Augenhöhe aufgehängt; → march[1] 8. – **6.** *pl* Linien *pl*, 'Umriß *m*, Kon'tur *f*, Form *f*: this ship has fine ~s dieses Schiff zeigt gefällige Linien. – **7.** *pl* Plan *m* (*bes. eines Schiffs im Querschnitt etc*), Riß *m*, Entwurf *m*. – **8.** *pl* Grundsätze *pl*, Prin'zipien *pl*: on the ~s laid down by Mr. X. nach den von Herrn X. gegebenen Richtlinien; along these ~s nach diesen Grundsätzen; the ~s of his policy die Grundlinien seiner Politik. – **9.** Art *f* u. Weise *f*, Me'thode *f*, Verfahren *n*: ~ of conduct Lebensführung; to take one's own ~ nach eig(e)ner Methode vorgehen; to take a strong ~ energisch vorgehen; in the ~ of nach Art von. – **10.** Grenze *f*, Grenzlinie *f* (*auch fig.*): to overstep the ~ of good taste; on the ~ *fig.* auf der Grenze; the ~s of an estate *jur.* die Grenzen eines Gutes; → draw 47. – **11.** (*als Maß*) Linie *f* (= 1/12 *Zoll*). – **12.** Reihe *f*, Zeile *f*: a ~ of poplars eine Pappelreihe. – **13.** *fig.* Reihe *f*, Über'einstimmung *f*, Einklang *m*: in ~ with in Übereinstimmung *od.* im Einklang mit; to be in ~ with übereinstimmen mit; to bring into ~ with in Einklang bringen mit; to come (*od.* fall) into ~ sich einordnen, sich in eine Reihe stellen. – **14.** (vorgeschriebene) Linie: → party ~ 4; toe 13. – **15.** a) (Abstammungs)Linie *f*, b) Reihe *f*, c) Haus *n*, Fa'milie *f*, Stamm *m*: the male ~ die männliche Linie; in the direct ~ in direkter Linie; a long ~ of great kings eine lange Reihe großer Könige; of a good ~ aus einem guten Hause. – **16.** Zeile *f*: to read between the ~s zwischen den Zeilen lesen. – **17.** (*Annoncenwesen*) Zeile *f* in Pa'riser Schrift. – **18.** Zeile *f*, kurze Nachricht: to drop s.o. a ~ j-m ein paar Zeilen schreiben. – **19.** Vers *m*. – **20.** *pl* Verse *pl*, Gedicht *n* (upon s.th. über eine Sache; to s.o. an j-n). – **21.** *pl Br.* (lat.) Verse *pl* (*als Strafarbeit abzuschreiben*): he had to write 100 ~s. – **22.** *pl* Verse *pl*, Rolle *f*: to study one's ~s seine Rolle (ein)studieren; the heroine forgot her ~s die Heldin blieb stecken. – **23.** *pl colloq.* Trauschein *m*. – **24.** *colloq.* Informati'on *f*, Aufklärung *f* (*bes. in*): to get a ~ on s.th. eine Information erhalten über eine Sache. – **25.** *pl* Los *n*, Geschick *n*: hard ~s *colloq.* Pech, Unglück; my ~s have fallen in pleasant places *Bibl.* das Los ist mir gefallen aufs Liebliche. – **26.** Fach *n*, Gebiet *n*, Branche *f*, Tätigkeitsfeld *n*, Inter'essengebiet *n*: in the banking ~ im Bankfach, in der Bankbranche; that's s.th. out of (*od.* not in my) ~ das schlägt nicht in mein Fach. – **27.** (Verkehrs)Linie *f*, *bes.* (Eisenbahn)Linie *f*, Strecke *f*: the Southern ~ die Südbahn; up ~ in Richtung zur Endstation, *bes. Br.* nach London; down ~ in Richtung von der Endstation, *bes. Br.* von London; to go down the ~ for s.o. *Am. colloq.* für j-n durchs Feuer gehen; air ~ Luftverkehrslinie; bus ~ Autobuslinie. – **28.** (Eisenbahn-, Luftverkehrs-, Autobus)Gesellschaft *f*. – **29.** *electr.* Leitung *f*, *bes.* Tele'phon- *od.* Tele'graphenleitung *f*: the ~ is engaged (*od. Am.* busy) die Leitung ist besetzt; to hold the ~ am Apparat bleiben; three ~s 3 Anschlüsse. – **30.** *tech.* Leitung *f*: oil ~ Ölleitung. – **31.** (*Fernsehen*) (Abtast-, Bild)Zeile *f*. – **32.** (*Kunst*) a) Linie *f*, b) Linienführung *f*, Zeichnung *f*: ~ of beauty Schönheitslinie (*ähnlich einem großen S*); to translate life into ~ and colo(u)r das Leben mit Stift und Farbe einfangen; purity of ~ Reinheit der Linienführung. – **33.** *sport* a) Linie *f* (*die das Spielfeld begrenzt od. unterteilt*), *bes.* Torlinie *f*, b) (*amer. Fußball*) Sturm *m*. – **34.** *econ.* a) Katego'rie *f*, Sorte *f*, b) Posten *m*, Par'tie *f*, c) Sorti'ment *n*, Lager *n*, d) (einem A'genten gegebener) Auftrag, Bestellung *f*. – **35.** *mil.* Linie *f*: behind the enemy's ~s hinter den feindlichen Linien; ~ of battle vorderste Linie, Kampflinie. – **36.** *mil.* Front *f*: to go up the ~ nach vorn gehen, an die Front gehen; all along the ~ a) an der ganzen Front, b) *fig.* auf der ganzen Linie. – **37.** *mil.* a) (Schützen)Graben *m*, b) (Verteidigungs)Wall *m*. – **38.** *mar.* Linie *f*: ~ abreast Dwarslinie; ~ ahead Kiellinie. – **39.** *mil.* Linie *f* zu zwei Gliedern: to draw up in (*od.* form *od.* wheel into) ~ in Linie antreten. – **40.** *mil.* Linie *f* (*Aufstellung, bei der die Soldaten od. Einheiten nebeneinander stehen*). – **41.** *mil. Br.* Zelt-, Ba'rackenreihe *f*. – **42.** *mil.* Front-, Kampftruppen *pl*. – **43.** the ~ *mil.* die Linie, die 'Linienregi,menter *pl* (*die regulären Truppen, im Gegensatz zur Garde, Miliz etc*). – **44.** *mar. Am.* Ge'fechtsoffi,ziere *pl*. – **45.** (*Bridge*) Strich *m*: below the ~ unter dem Strich. – **46.** (*Notenschrift*) Linie *f*. – **47.** Bahn *f*, Spur *f* (*bei der Parforcejagd*): to keep to one's own ~ nicht von seiner Bahn abweichen (*auch fig.*); that is not my ~ of country *fig.* das ist nicht mein Gebiet *od.* Fach. – **48.** Leine *f*, (starke) Schnur, Seil *n*, Tau *n*. – **49.** a) Maßband *n*, b) Lotleine *f*: by (rule and) ~ *fig.* ganz genau, sehr sorgfältig. – **50.** *mar.* a) Tau *n*, b) Rohr *n*, c) Schlauch *m*. – **51.** (*Telephon etc*) a) Draht *m*, b) Kabel *n*. – **52.** Angelschnur *f*: to give s.o. ~ enough *fig.* j-n gewähren lassen, um ihn dann desto sicherer zu erwischen; → hook 3. – **53.** Wäscheleine *f*. – **54.** Vorschrift *f*, (Verhaltens)Regel *f* (*obs. außer in der Wendung*): ~ upon ~ langsam, aber regelmäßig fortschreitend. – **55.** *Am. sl.* zungenfertiges Gerede. –
II *v/i* **56.** eine Linie bilden. –
III *v/t* **57.** li'nieren, lini'ieren, mit Linien bedecken: to ~ paper Papier liniieren. – **58.** (*Truppen etc*) in Linie *od.* in einer Reihe aufstellen. – **59.** in Über'einstimmung bringen, *bes.* (zu einheitlichem Handeln) zu'sammenschließen. – **60.** zeichnen. – **61.** skiz'zieren. – **62.** (durch)'furchen: a face ~d with pain ein schmerzdurchfurchtes Gesicht. – **63.** einfassen, (ein)säumen: ~d with trees von Bäumen eingefaßt; thousands of people ~d the streets Tausende von Menschen säumten die Straßen; soldiers ~d the street Soldaten bildeten an der Straße Spalier. – **64.** Sol'daten aufstellen entlang (*dat*). – **65.** mit dem Maßband *od.* mit dem Lot messen. – *SYN.* align, array, range. –
Verbindungen mit Adverbien:
line| in *v/t* einzeichnen. — ~ **off** *v/t* abgrenzen. — ~ **through** *v/t* aus-, 'durchstreichen. — ~ **up I** *v/i* **1.** sich in einer Reihe aufstellen. – **2.** *fig.* sich zu'sammenschließen. – **II** *v/t* → line[1] 58 *u.* 59.
line[2] [lain] *v/t* **1.** (auf der Innenseite) über'ziehen *od.* bedecken. – **2.** (*Kleid*) füttern. – **3.** *tech.* (auf der Innenseite) über'ziehen *od.* belegen, ausfüttern, -gießen, -kleiden, -schlagen: to ~ with metal metallisieren, mit Metall belegen. – **4.** (*Schachtel etc*) ausschlagen, -legen, füttern. – **5.** als Futter *od.* 'Überzug *od.* Behang dienen für. – **6.** (an)füllen: to ~ one's pockets sich die Taschen füllen; to ~ one's stomach sich den Bauch ‚vollschlagen'. – **7.** (*Bücher*) durch Ankleben von Leder *od.* Pa'pier *etc* auf dem Rücken verstärken.
line[3] [lain] *s* **1.** Lein *m*, Flachs *m*, *bes. Br.* lang- u. feinfaseriger Spinnflachs. – **2.** *selten* Linnen *n*.
line[4] [lain] *v/t* (*Hündin*) decken.
lin·e·age[1] ['liniidʒ] *s* **1.** geradlinige Abstammung. – **2.** Stammbaum *m*. – **3.** Geschlecht *n*, Fa'milie *f*. – *SYN. cf.* ancestry.
line·age[2] *cf.* linage.
lin·e·al ['liniəl] *adj* **1.** geradlinig, in di'rekter Linie, di'rekt: ~ descendant direkter Nachkomme; ~ descent geradlinige Abstammung. – **2.** von den di'rekten Vorfahren über'nommen *od.* ererbt, Ahnen..., Erb..., Ge-

schlechter...: ~ feud Erbfehde. – 3. → linear.

lin·e·a·ment ['liniəmənt] *s* **1.** (Gesichts)Zug *m*. – **2.** (charakte'ristische) Linie (*des Körpers*). – **3.** *fig.* Zug *m*, Eigenart *f*.

line and line *adj tech.* (mit) Kante (genau) gegen Kante.

lin·e·ar ['liniər] *adj* **1.** line'ar, Linien..., geradlinig. – **2.** *math. phys. tech.* line'ar, Linear...: ~ **function** *math.* lineare Funktion, Linearfunktion. – **3.** Längen...: ~ **dimension** Längendimension. – **4.** Linien..., Strich..., in Strichen ausgeführt. – **5.** linien-, strich-, fadenförmig. – **6.** *bot.* line'alisch, sehr lang u. schmal (*Blatt*). — ~ **ac·cel·er·a·tor** *s phys.* Line'arbeschleuniger *m*. — '~-**a'cute** *adj bot.* line'alisch-spitz. — '~-'**en·sate** *adj bot.* line'alisch-schwertförmig. — ~ **e·qua·tion** *s math.* line'are Gleichung, Gleichung *f* ersten Grades. — ~ **meas·ure** *s* **1.** Längenmaß *n*. – **2.** 'Längenmaßsy,stem *n*. — ~ **per·spec·tive** *s* line'are Perspek'tive, Line'arperspek,tive *f*.

lin·e·ate ['liniit; -,eit], *auch* '**lin·e,at·ed** [-,eitid] *adj* **1.** (längs)gestrichelt, mit (paral'lelen) Linien versehen. – **2.** *bot.* gestreift, gerippt.

lin·e·a·tion [,lini'eiʃən] *s* **1.** Zeichnung *f*, Skiz'zierung *f*. – **2.** ('Umriß)-Linie *f*. – **3.** Striche *pl*, Linien *pl*. – **4.** Anordnung *f* in Linien *od.* Zeilen.

'**line|-,breed** *v/t* reinzüchten, innerhalb der'selben Abstammungslinie weiterzüchten. — ~ **breed·ing** *s* Reinzucht *f*, Fa'milienzucht *f* (*mildere Form der Inzucht*). — ~ **con·trol** *s* (*Fernsehen*) Zeilensteuerung *f*. — ~ **draw·ing** *s* Stift- *od.* Kray'on- *od.* Federzeichnung *f*. — ~ **drop** *s electr.* Leitungsverlust *m*, Spannungsabfall *m* auf *od.* längs der Leitung. — ~ **en·grav·ing** *s* (*Kupferstechkunst*) **1.** 'Linienma,nier *f*. – **2.** Stich *m* in 'Linienma,nier. — ~ **e·qua·tion** *s math.* Gleichung *f* einer ebenen Kurve. — ~ **fill·ing** *s* Zeilenausfüllung *f*. — ~ **fir·ing** *s mil.* Schießen *n* aus der (*od.* in) Schützenkette. — ~ **fish·ing** *s* ,Angelfische'rei *f*. — ~ **fly·back** *s* (*Fernsehen*) Zeilenrücklauf *m*. — ~ **fre·quen·cy** *s* (*Fernsehen*) 'Zeilenfre,quenz *f*. — ~ **in·te·gral** *s math.* 'Linieninte,gral *n*. — '~**man** [-mən] *s irr* **1.** Leitungsmann *m* (*an Telephonleitungen etc*), *bes.* Störungssucher *m*. – **2.** Streckenarbeiter *m*. – **3.** *Am.* Träger *m* der Vermessungsschnur. – **4.** (*amer. Fußball*) Stürmer *m*.

lin·en ['linin; -ən] **I** *s* **1.** Leinen *n*, Leinwand *f*, Linnen *n*. – **2.** Wäsche *f* (*bes. Hemden, Bettwäsche, Tischtücher etc*): → **dirty** 1. – **3.** a) Leinengarn *n*, b) Leinenfaden *m*. – **4.** → ~ **paper**. – **II** *adj* **5.** leinen. – **6.** Leinwand... — ~ **drap·er** *s Br.* Tuch-, *bes.* Weißwarenhändler *m*. — ~ **fold** *s arch.* Faltenfüllung *f*, -verzierung *f*. — ~ **pa·per** *s* 'Leinenpa,pier *n*.

'**line|-of-'bat·tle ship** → **ship of the line**. — ~ **of·fi·cer** *s* **1.** *mil.* 'Truppenoffi,zier *m* (*Leutnant bis Hauptmann*). – **2.** *mar. Am.* Ge'fechtsoffi,zier *m*.

lin·e·o·late ['liniolit; -,leit; -niə-], *auch* '**lin·e·o,lat·ed** [-,leitid] *adj bot. zo.* feingestreift, mit feinen Linien versehen.

'**line|-,out** *s* (*Rugby*) ,Gasse' *f* (*Aufstellung der Spieler beim Gedränge*). — ~ **play** *s sport* Linienspiel *n*.

lin·er[1] ['lainər] *s* **1.** Abfütterer *m* (*j-d der das Futter in Kleider, Schuhe etc einsetzt*). – **2.** *tech.* Futter *n*, Ausfütterung *f*, Einlegstück *n*, Büchse *f* (*eines Lagers, Zylinders etc*). – **3.** Einsatz(stück *n*) *m*: **helmet** ~ *mil. Am.* Helmeinsatz (*zum amer. Stahlhelm*), Übungshelm (*auch allein getragen*).

lin·er[2] ['lainər] *s* **1.** *mar.* a) (*regelmäßig verkehrender*) Passa'gier-, 'Überseedampfer, Linienschiff *n*, b) *selten für* **ship of the line**. – **2.** *aer.* → **air** ~. – **3.** Linienzieher *m* (*Person od. Gerät*). – **4.** (*Baseball*) dicht am Boden entlangfliegender Ball. – **5.** *Kurzform für* **penny-a-**~. – **6.** *colloq. Bild, das in einer Ausstellung in Augenhöhe der Zuschauer* (*also in der günstigsten Höhe*) *hängt.*

'**line-,shoot·er** *s sl.* ,Angeber' *m*, ,Aufschneider' *m*.

lines·man ['lainzmən] *s irr* **1.** → **lineman** 1 *u.* 2. – **2.** *sport* Linienrichter *m*.

line| spec·trum *s phys.* Linienspektrum *n*. — ~ **squall** *s* (*Meteorologie*) Linien-, Reihenbö *f*, Regen- u. Hagelbö *f*. — ~ **thun·der·storm** *s* (*Meteorologie*) Reihengewitter *n*. — '~-,**up**, '~,**up** *s* Aufstellung *f*, Anordnung *f*: **the** ~ **of players** *sport* die Aufstellung der Spieler.

line·y *cf.* **liny**.

ling[1] [liŋ] *pl* **lings** *od. collect.* **ling** *s zo.* **1.** Leng(fisch) *m* (*Molva molva*). – **2.** Quappe *f*, Rutte *f* (*Lota maculosa*; *Ontariosee*). – **3.** Meer-, Seehecht *m*, Hechtdorsch *m* (*Gattg Urophycis*).

ling[2] [liŋ] *s bot.* Besenheide *f*, Heidekraut *n* (*Calluna vulgaris*).

lin·gam ['liŋgəm], *auch* '**lin·ga** [-gə] *s* **1.** *relig.* Linga *n*, Lingam *n* (*Phallus als Symbol des Gottes Schiwa u. der Zeugungskraft der Natur*). – **2.** Maskulinum *n*, männliches Geschlecht (*im Sanskrit*).

lin·ger ['liŋgər] **I** *v/i* **1.** (noch) (ver)weilen, (noch) bleiben, sich aufhalten: **to** ~ **around the house** sich in der Nähe des Hauses aufhalten; **to** ~ **over** (*od.* **upon**) **a subject** bei einem Gegenstand verweilen; **a** ~**ing hope** eine noch verbleibende Hoffnung. – **2.** sich 'hinziehen, sich in die Länge ziehen: **a** ~**ing disease** eine schleichende Krankheit; **a** ~**ing sound** ein nachklingender Ton; **winter** ~**s this year** der Winter zieht sich dieses Jahr in die Länge. – **3.** *oft* ~ **on** noch (fort)leben, noch le'bendig sein: **some old customs** ~ **on here**. – **4.** da'hinsiechen (*Kranker*). – **5.** bummeln, trödeln, zögern, zaudern. – **6.** schlendern, langsam gehen. – **7.** *obs.* sich sehnen, verlangen (**after** nach). – *SYN. cf.* **stay**[1]. – **II** *v/t* **8.** in die Länge ziehen, 'hinziehen. – **9.** ~ **away** (*Zeit*) vertrödeln, verbummeln. – **10.** ~ **out** (*Zeit*) 'hinschleppen, verbringen, zubringen.

lin·ge·rie ['lænʒə,riː; 'lɛ̃ːʒə-] *s* **1.** 'Damen,unterwäsche *f*. – **2.** Leinenwaren *pl*.

lin·go[1] ['liŋgou] *pl* **-goes** *s* **1.** Kauderwelsch *n* (*verächtlich für fremde, unverständliche Sprache*). – **2.** Fachsprache *f*, ('Fach)Jar,gon *m*. – *SYN. cf.* **dialect**.

lin·go[2] ['liŋgou] *pl* **-gos** *s bot.* Bur'mesischer Rosenholzbaum (*Pterocarpus indicus*).

lin·go·a wood [liŋ'gouə] *s* Bur'mesisches Rosenholz (*Holz von Pterocarpus indicus*).

ling pink → **ling**[2].

lin·gua ['liŋgwə] *pl* **-guae** [-gwiː] *s* **1.** *zo.* a) Rüssel *m* (*der Schmetterlinge*), b) → **glossa**. – **2.** Sprache *f*. – **3.** Fachsprache *f*, Jar'gon *m*. — ~ **fran·ca** ['fræŋkə] *s* **1.** Lingua *f* franca (*verdorbenes Italienisch, Verkehrssprache in der Levante*). – **2.** Misch-, Verkehrs-, Hilfssprache *f*.

lin·gual ['liŋgwəl] **I** *adj* **1.** (*bes. Phonetik*) Zungen..., lin'gual, Lingual...: ~ **sound** Zungenlaut. – **2.** Sprach..., Sprachen..., lin'guistisch. – **II** *s* **3.** (*Phonetik*) Lin'gual *m*, Zungenlaut *m*. — '**lin·gual,ize** *v/t* (*Phonetik*) lin'gual aussprechen, zu einem Zungenlaut machen.

lin·guet ['liŋgwet] → **languet(te)**.

lin·gui·form ['liŋgwi,fɔːrm] *adj* zungenförmig.

lin·guist ['liŋgwist] *s* **1.** Sprachforscher(in), Lin'guist(in). – **2.** Sprachenkundige(r).

lin·guis·tic [liŋ'gwistik], *auch* **lin'guis·ti·cal** [-kəl] *adj* **1.** sprachwissenschaftlich, lin'guistisch. – **2.** Sprach..., Sprachen..., sprachlich.

lin·guis·tic| at·las *s ling.* Sprachatlas *m*. — ~ **form** *s ling.* bedeutungstragender Sprachbestandteil (*Wort, Phrase, Satz*). — ~ **ge·og·ra·phy** *s ling.* 'Sprachgeogra,phie *f*.

lin·guis·tics [liŋ'gwistiks] *s pl* (*meist als sg konstruiert*) Sprachwissenschaft *f*, Lin'guistik *f*.

lin·guis·tic| sci·ence → **linguistics**. — ~ **stock** *s ling.* 'Sprachfa,milie *f*.

lin·gu·late ['liŋgjə,leit] *adj* zungenförmig.

linguo- [liŋgwo] *Wortelement mit der Bedeutung* Zunge.

'**ling,wort** → **American hellebore**.

ling·y ['liŋi] *adj* **1.** mit Heidekraut bewachsen. – **2.** heidekrautähnlich, wie Heidekraut.

lin·hay ['lini] *s dial.* Feldscheune *f*, Schuppen *m*.

lin·i·ment ['linimənt; -nə-] *s med.* Lini'ment *n*, Einreibemittel *n*.

li·nin ['lainin] *s* **1.** *chem. med.* Li'nin *n* (*abführender Bitterstoff aus dem Purgierflachs Linum catharticum*). – **2.** *biol. obs.* Li'nin *n* (*Stoff, aus dem das ,Kerngerüst' im Zellkern besteht*).

lin·ing ['lainiŋ] *s* **1.** Futter(stoff *m*) *n*, (Aus)Fütterung *f* (*von Kleidern etc*). – **2.** Füttern *n*, (Aus)Fütterung *f*. – **3.** Verkleidung *f*, Auskleidung *f*. – **4.** *fig.* Inhalt *m*. – **5.** (*Buchbinderei*) Kapi'talband *n*. – **6.** *electr.* Isolati'on(sschicht) *f*, Iso'lierung *f*.

link[1] [liŋk] **I** *s* **1.** (Ketten)Glied *n*, Ring *m*, Schake *f*, Schäkel *m*. – **2.** *fig.* a) Glied *n* (*in einer Kette von Ereignissen, Beweisen etc*), b) Bindeglied *n*, Verbindung *f*: → **missing** 1. – **3.** Ring *m*, Schlinge *f*: **a** ~ **of hair** eine Ringellocke. – **4.** Masche *f*, Schlinge *f* (*beim Stricken*). – **5.** einzelnes Würstchen (*aus einer Wurstkette*). – **6.** (*Geodäsie*) Meßkettenglied *n* (*auch als Längenmaß*, = 7,92 *Zoll*). – **7.** → **sleeve link**. – **8.** *chem.* → **bond**[1] 12. – **9.** *electr.* Schmelzeinsatz *m*, Sicherungsdraht *m* (*schmelzbarer Teil der Sicherung*). – **10.** *tech.* Zwischen-, Gelenkstück *n*. – **II** *v/t* **11.** (**to, with**) verbinden (mit), anschließen (an *acc*). – **12.** *oft* ~ **together** (mitein'ander) verbinden, (anein'ander) anschließen. – **13.** *oft* ~ **up** verketten. – **14.** (*Hände*) fassen, drücken. – **15.** (*Arm*) einhaken, einhängen (**in, through** in *acc*). – **III** *v/i* **16.** *auch* ~ **up** (**to, with**) sich verbinden (mit), sich anschließen (an *acc*). – *SYN. cf.* **join**.

link[2] [liŋk] *s* **1.** *Scot.* a) Flußwindung *f*, b) fruchtbare Niederung (*an einer Flußwindung*), c) *pl* sandiger, leicht welliger Küstenstrich, Dünen *pl*, Sandhügel *pl*. – **2.** *oft pl* (*auch als sg konstruiert*) Golfplatz *m*: **golf** ~**s**.

link[3] [liŋk] *v/i Scot. od. dial.* **1.** flink gehen. – **2.** sich sputen, sich tummeln.

link[4] [liŋk] *s hist.* Facke *f* (*aus Werg u. Pech*).

link·age ['liŋkidʒ] *s* **1.** Verbindung *f*, Verkettung *f*, Verknüpfung *f*. – **2.** Kette *f*, Reihe *f*. – **3.** *biol.* Kopp(e)lung *f* (*von Genen*). – **4.** Paral'lelführung *f* (*einer Zeichenmaschine*). – **5.** *electr.* Kopplung *f*. — ~ **group** *s biol.* Kopplungsgruppe *f* (*von Genen*).

link block *s tech.* Gleitklotz *m* (*der Kulissensteuerung*).

'link,boy *s hist.* Fackelträger *m.*

linked ['liŋkt] *adj* **1.** verbunden, verkettet: ~ **battalions** *mil. Br.* zwei zu einem Regimentsverband zusammengeschlossene Bataillone. – **2.** *biol.* gekoppelt (*Gene*).

link·ing verb ['liŋkiŋ] → **link verb.**

'link·man [-mən] *s irr* → **linkboy.**

link| mo·tion *s* **1.** *tech.* Ku'lissensteuerung *f.* – **2.** *math.* Ge'lenksy,stem *n* (*zum Zeichnen bestimmter Kurven*). — **L~ train·er** *s aer.* Linktrainer *m* (*Instrumentenflug-Übungsgerät*). — **~ verb** *s ling.* **1.** Kopula *f.* – **2.** Hilfszeitwort *n.* — **'~,work** *s* **1.** Kette *f.* – **2.** *tech.* Gelenk-, 'Hebelsy,stem *n.*

linn [lin] *s bes. Scot.* **1.** Tümpel *m,* Teich *m* (*bes. unterhalb eines Wasserfalls*). – **2.** Wasserfall *m.* – **3.** steile Schlucht.

Lin·nae·an [li'ni:ən] *adj* Lin'nésch(er, e, es) (*den schwed. Naturforscher Carl v. Linné betreffend*): ~ **system** *bot.* Linnésches System (*zur Einteilung der Pflanzen*).

lin·nae·ite [li'ni:ait] *s min.* Linne'it *m,* Kobaltkies *m* (CO_3S_4).

Lin·ne·an *cf.* **Linnaean.**

lin·net ['linit] *s zo.* Hänfling *m* (*Carduelis cannabina*). — **~ hole** *s tech.* Fuchs *m* (*am Glasschmelzofen*).

linn·(e)y *cf.* **linhay.**

li·no ['lainou] *Kurzform für* **linoleum.** — **'~,cut** *s* Lin'olschnitt *m.*

lin·o·le·ic ac·id [,lino'li:ik] *s chem.* Lin'olsäure *f* ($C_{17}H_{31}COOH$).

li·no·le·um [li'nouliəm] *s* **1.** *tech.* Lino'xyn *n* (*zur Linoleumherstellung oxydiertes Leinöl*). – **2.** Lin'oleum *n.*

lin·on ['linɒn] *s* Li'non *m* (*Baumwollgewebe mit Leinencharakter*).

lin·o·type ['laino,taip; -nə-] *s print.* **1.** *auch* **L~** (*TM*) Linotype *f* (*Zeilengießmaschine*). – **2.** ('Setzma,schinen)-Zeile *f.*

lin·sang ['linsæŋ] *s zo.* Linsang *m* (*Gattgen Prionodon u. Poiana*).

lin·seed ['lin,si:d] *s bot.* Leinsamen *m.* — **~ cake** *s* Leinkuchen *m.* — **~ meal** *s* Leinsamenmehl *n.* — **~ oil** *s* Leinöl *n.* — **~ poul·tice** *s med.* Leinsamenbreipackung *f.*

lin·sey ['linzi] → **linsey-woolsey.**

lin·sey-wool·sey ['linzi'wulzi] **I** *s pl* **-wool·seys 1.** grober Halbwollstoff (*aus Leinen u. Wolle od. Baumwolle u. Wolle*). – **2.** billiges Zeug, Schund *m.* – **3.** *fig. obs.* Gewäsch *n,* Unsinn *m.* – **II** *adj* **4.** halbwollen, -leinen. – **5.** *fig.* ungereimt, wahllos zu'sammengewürfelt. – **6.** *fig.* 'undefi,nierbar.

lin·stock ['lin,stɒk] *s hist.* Luntenstock *m,* Zündrute *f.*

lint [lint] *s* **1.** *med.* Schar'pie *f,* Zupflinnen *n.* – **2.** Lint *n,* Lint(baum)-wolle *f.* – **3.** Fussel *f,* kleines Fädchen. – **4.** *Scot. od. obs.* Flachs *m.*

lin·tel ['lintl] *s arch.* Oberschwelle *f,* -balken *m,* Sturz *m* (*einer Tür, eines Fensters*).

lin·ter ['lintər] *s* **1.** *tech. Am.* 'Sägegre,nierma,schine *f* (*zum Entkörnen kurzstapeliger Baumwolle*). – **2.** *pl* Linters *pl* (*beim Egrenieren am Samen hängengebliebene kurze Baumwollfasern*).

lint|·seed ['lint,si:d] *s* Leinsamen *m.* — **'~,white** → **linnet.** — **'~-,white** *adj bes. Scot.* flachsfarben, -blond.

lint·y ['linti] *adj* **1.** flaumig, faserig. – **2.** voller Fusseln *od.* Fädchen, fusselig.

lin·y ['laini] *adj* **1.** linien-, strichartig, -förmig. – **2.** voll Linien, mit zuviel Linien (*Zeichnung, Skizze etc*). – **3.** faltig, furchig, runz(e)lig.

li·on ['laiən] *s* **1.** *zo.* Löwe *m* (*Felis leo*): **a ~ in the way** (*od.* **path**) eine (*bes.* eingebildete) Gefahr *od.* Schwierigkeit; **to put one's head into the ~'s mouth, to go into the ~'s den** sich in die Höhle des Löwen wagen; **the ~'s skin** der falsche Anschein des Mutes; **the ~'s share** der Löwenanteil (*der weitaus größte Anteil*); **the ~ and the unicorn** der Löwe u. das Einhorn (*die Schildhalter des Wappens von Großbritannien*); **the British L~** der brit. Löwe (*als Wappentier od. als Personifikation Großbritanniens od. des brit. Volkes*); **to twist the ~'s tail** dem Löwen auf den Schwanz treten, über die Briten herziehen (*ausländische, bes. amer. Journalisten od. Redner*). – **2.** Löwe *m,* Held *m* (*sehr starker od. mutiger Mann*). – **3.** ‚Größe' *f,* Berühmtheit *f,* Promi'nenter *m*: **a literary ~** eine Größe in der Literatur. – **4.** *pl* Sehenswürdigkeiten *pl* (*eines Ortes*): **to show s.o. the ~s.** – **5. L~** *astr.* Löwe *m* (*Tierkreiszeichen od. Sternbild*). — **~ ant** → **ant lion.**

li·on·cel ['laiən,sel] *s her.* kleiner *od.* junger Löwe.

li·on·ess ['laiənis] *s* Löwin *f.*

li·on·et ['laiənit; -net] *s* junger Löwe.

'li·on|,heart *s* **1.** mutiger Mensch, Held *m.* – **2. L~** Löwenherz (*Beiname König Richards I. von England; 1157–1199*). – **3.** *bot.* → **dragonhead.** — **'~,heart·ed** *adj* löwenherzig (*tapfer u. großmütig*). — **,~'heart·ed·ness** *s* Tapferkeit *f* u. Edelmut *m.* — **~ hunt·er** *s* **1.** Löwenjäger *m.* – **2.** *Br. fig.* Promi'nentenjäger *m.*

li·on·ize ['laiə,naiz] **I** *v/t* **1.** a) (*j-n*) ‚her'umreichen', feiern, als Berühmtheit bewundern, b) (*j-n*) in der Gesellschaft groß her'ausstellen, zum Helden des Tages machen. – **2.** (*j-m*) die Sehenswürdigkeiten (*eines Ortes*) zeigen. – **3.** die Sehenswürdigkeiten besuchen von: **to ~ London.** – **II** *v/i* **4.** den Helden des Tages spielen, sich feiern lassen. – **5.** die Sehenswürdigkeiten besuchen u. bestaunen.

li·on| liz·ard → **basilisk** 2. — **~ mon·key** *s zo.* Kleines Löwenäffchen (*Leontocebus leoninus*).

'lion's|-,ear ['laiənz] *s bot.* Löwenohr *n* (*Gattg Leonotis, bes. L. leonurus*). — **'~-,foot** *s irr bot.* **1.** Edelweiß *n* (*Leontopodium alpinum*). – **2.** Frauenmantel *m* (*Alchemilla vulgaris*). – **3.** (*ein*) amer. Hasenlattich *m* (*Gattg Prenanthes, bes. P. serpentaria*). — **'~-,heart** → **dragonhead.** — **'~-,leaf** *s irr bot.* Löwenblatt *n,* -trapp *m* (*Leontice leontopetalum*). — **'~-,mouth** *s bot.* **1.** Großes Löwenmaul (*Antirrhinum maius*). – **2.** → **foxglove.** – **3.** Leinkraut *n* (*Linaria vulgaris*). – **4.** → **ground ivy.** — **'~-,tail** *s bot.* **1.** → **lion's-ear.** – **2.** Herzgespann *n* (*Leonurus cardiaca*). — **'~-,tooth,** *auch* **'~-,teeth** *s bot.* **1.** Löwenzahn *m* (*Leontodon autumnalis*). – **2.** Kuhblume *f,* Löwenzahn *m* (*Taraxacum officinale*). — **'~-,tur·nip** *s bot.* Wurzel *f* des Löwenblatts (*Leontice leontopetalum*).

lip [lip] **I** *s* **1.** Lippe *f* (*auch zo. u. bot.*): **lower ~** Unterlippe; **upper ~** Oberlippe; **to bite one's ~** sich auf die Lippen beißen; **to curl one's ~** (verächtlich) die Lippen kräuseln; **to hang one's ~** die Lippen hängenlassen; **to lick** (*od.* **smack**) **one's ~s** sich die Lippen lecken; → **keep** 12. – **2.** *pl* Lippen *pl,* Mund *m*: **to hang on s.o.'s ~s** an j-s Lippen hängen, j-m gespannt lauschen; **it never passed my ~s** es kam nie über meine Lippen; **we heard it from his own ~s** wir hörten es aus seinem eigenen Munde. – **3.** *sl.* Unverschämtheit *f* (*der Widerrede*): **none of your ~!** keine Unverschämtheiten! – **4.** *mus.* a) → **embouchure** 3, b) Lippe *f* (*der Orgelpfeife*). – **5.** Rand *m* (*Wunde, Schale, Krater etc*). – **6.** Ausguß *m,* Tülle *f,* Schnauze *f* (*Krug etc*). – **7.** *tech.* Schneide *f,* Messer *n* (*eines Stirnfräsers etc*). – **II** *adj* **8.** Lippen... – **9.** (*Phonetik*) Lippen..., labi'al. – **10.** Lippen..., unaufrichtig, nur äußerlich, geheuchelt: **~ Christian** Lippenchrist; **~ devotion** geheuchelte Ergebenheit. – **III** *v/t pret u. pp* **lipped 11.** mit den Lippen berühren. – **12.** *poet.* küssen. – **13.** murmeln. – **14.** leicht spülen an (*das Ufer*), bespülen. – **15. to ~ the hole** (*Golf*) a) den Ball unmittelbar an den Rand des Loches spielen, b) unmittelbar an den Rand des Loches rollen (*ohne aber hineinzufallen*) (*Ball*). – **IV** *v/i* **16.** die Lippen gebrauchen (*bes. zum Blasen eines Instruments*): **he ~s well** *mus.* er hat einen guten Ansatz.

lip- [lip] → **lipo-.**

lip·a·roid ['lipə,rɔid] *adj med.* fettähnlich, fettig.

li·pase ['laipeis; 'lip-] *s biol. chem.* Li'pase *f* (*ein fettspaltendes Ferment*).

'lip-'deep *adj* unaufrichtig, seicht.

lip·ec·to·my [li'pektəmi] *s med.* chir'urgische Entfernung von 'überflüssigem Fett.

lip·ide ['lipaid; -pid; 'lai-], *auch* **'lip·id** [-pid] *s biol. chem.* Lipo'id *n.*

lip lan·guage *s* Lautsprache *f* (*der Taubstummen*).

lipo- [lipo] *Wortelement mit der Bedeutung* Fett.

lip·o·ca·ic [,lipo'keiik] *s med.* Lipoca'in *n* (*Bauchspeicheldrüsenpräparat zur Verbesserung des Fettstoffwechsels*).

lip·o·chrome ['lipo,kroum] *s* Lipo'chrom *n* (*fettlöslicher natürlicher Farbstoff*).

lip·o·cyte ['lipo,sait] *s biol. chem.* Fettzelle *f.*

li·pog·e·nous [li'pɒdʒənəs] *adj biol.* fettbildend.

li·pog·ra·phy [li'pɒgrəfi] *s* Auslassen *n* eines Buchstaben *od.* einer Silbe (*beim Schreiben*).

lip·oid ['lipɔid; 'lai-] *biol. chem.* **I** *adj* lipo'id, fettartig, -ähnlich. – **II** *s* Lipo'id *n* (*Fette, Wachse u. komplexe Lipoide wie Phospholipoide etc*).

li·pol·y·sis [li'pɒlisis; -lə-] *s biol. chem.* Lipo'lyse *f,* Fettspaltung *f.* — **lip·o·lyt·ic** [,lipo'litik] *adj* lipo'lytisch, fettspaltend.

li·po·ma [li'poumə] *pl* **-ma·ta** [-mətə] *od.* **-mas** *s med.* Li'pom *n,* Fettgeschwulst *f.*

li·po·ma·to·sis [li,poumə'tousis] *s med.* Lipoma'tose *f,* Fettsucht *f,* Fettleibigkeit *f.*

li·pom·a·tous [li'pɒmətəs; -'pou-] *adj med.* lipoma'tös.

lip·o·pro·te·in [,lipo'prouti:in; -ti:n] *s biol. chem.* Lipoprote'in *n* (*Protein mit Fett od. fettartigen Gruppen im Molekül*).

li·poth·y·my [li'pɒθimi] *s med.* Ohnmacht *f.*

lip·o·trop·ic [,lipo'trɒpik] *adj biol. chem.* lipo'trop, die Verwertung von Fett fördernd.

lipped [lipt] *adj* **1.** (*in Zusammensetzungen*) ...lippig, mit ... Lippen: **two-~** *bot.* zweilippig. – **2.** Lippen *od.* eine Lippe habend, mit Lippen (versehen). – **3.** a) einen Rand habend, gerandet, b) einen Ausguß habend, mit einem Ausguß (versehen), c) (*in Zusammensetzungen*) ...randig.

lip·pen ['lipən] *Scot.* **I** *v/t* **1.** anvertrauen. – **2.** betrauen (with mit). – **3.** (zuversichtlich) erwarten. – **II** *v/i* **4.** sich verlassen, vertrauen (on, to auf *acc*).

lip·per ['lipər] *s mar. od. dial.* **1.** Kräuseln *n* (*der See*). – **2.** Sprühwasser *n* (*kleiner Wellen*).

lip·pi·tude ['lipi,tju:d; -pə-; *Am. auch* -,tu:d] *s med.* Triefäugigkeit *f.*

lip·py ['lipi] *adj colloq.* frech, unverschämt (*in Bemerkungen*).

'lip|-,read *v/t u. v/i irr* von den Lippen ablesen. — **~ read·ing** *s* Lippenlesen *n*, Ablesen *n* der Worte von den Lippen (*bes. durch Taube*). — **'~-,round·ing** *s* (*Phonetik*) Lippenrundung *f*. — **~ salve** *s* **1.** 'Lippenpo,made *f*. – **2.** *fig.* Schmeiche'lei *f*, Schmeichelrede *f*. — **~ serv·ice** *s* Lippendienst *m*, geheuchelte Ergebenheit. — **'~-,spread·ing** *s* (*Phonetik*) Lippendehnung *f*. — **'~,stick** *s* Lippenstift *m*. — **~ wor·ship** *s* Lippendienst *m*, -frömmigkeit *f*.

li·quate ['laikweit] *v/t tech.* **1.** seigern, (*Kupfer*) darren. – **2.** *oft* ~ out aus-, abseigern. — **li'qua·tion** *s tech.* (Aus)Seigerung *f*: ~ furnace Seigerofen; ~ hearth Seigerherd.

liq·ue·fa·cient [,likwi'feiʃənt] **I** *s* Verflüssigungsmittel *n*. – **II** *adj* verflüssigend, (auf)lösend. — **,liq·ue'fac·tion** [-'fækʃən] *s* **1.** Verflüssigung *f*: coal ~ Kohleverflüssigung. – **2.** Schmelzung *f*. — **,liq·ue'fac·tive** [-tiv] *adj* verflüssigend, Verflüssigungs...

liq·ue·fi·a·ble ['likwi,faiəbl; -wə-] *adj* zu verflüssigen(d), *bes.* schmelzbar. — **'liq·ue,fi·er** *s* j-d der *od.* etwas was verflüssigt, *bes.* Ver'flüssigungsappa,rat *m*. — **'liq·ue,fy I** *v/t* **1.** verflüssigen: liquefied gas verflüssigtes Gas, Flüssiggas. – **2.** schmelzen. – **II** *v/i* **3.** sich verflüssigen. – **4.** schmelzen.

li·ques·cent [li'kwesnt] *adj* **1.** sich verflüssigend, schmelzend. – **2.** zur Verflüssigung neigend.

li·queur [*Br.* li'kjuə; *Am.* li'kəːr] **I** *s* Li'kör *m*: a) *süßer Trinkbranntwein*, b) *aus Kandiszucker u. Wein bestehender Zusatz zum Sekt*. – **II** *v/t* (*dem Sekt*) Li'kör zusetzen.

liq·uid ['likwid] **I** *adj* **1.** flüssig (*wie Wasser*), tropfbar. – **2.** Flüssigkeits...: ~ barometer Flüssigkeitsbarometer. – **3.** klar, 'durchsichtig, hell u. glänzend: ~ eyes klare Augen. – **4.** feucht, voll Tränen. – **5.** sanft da'hinströmend, leicht fließend, wohltönend, -klingend, rein. – **6.** (*Phonetik*) a) li'quid, fließend, b) pala'tal, palatali'siert (*bes. span. ll u. ñ*): ~ sounds Liquidae, Liquidlaute. – **7.** *econ.* li'quid, flüssig, so'fort reali'sierbar: ~ assets liquide Guthaben; ~ securities sofort realisierbare Wertpapiere. – **8.** unbeständig, schwankend, häufig wechselnd. – **II** *s* **9.** Flüssigkeit *f*. – **10.** (*Phonetik*) Liquida *f*, Li'quidlaut *m*. – *SYN.* fluid. — **~ air** *s* flüssige Luft.

liq·uid·am·bar, liq·uid·am·ber ['likwid,æmbaːr; -bər] → copalm.

liq·ui·date ['likwi,deit] **I** *v/t* **1.** (*Schulden etc*) tilgen, abtragen, löschen, begleichen, bezahlen. – **2.** (*Schuldbetrag etc*) feststellen, -setzen: ~d damages festgesetzte Schadenssumme. – **3.** (*Konten*) abrechnen, sal'dieren. – **4.** (*Unternehmen*) liqui'dieren. – **5.** (*Wertpapiere etc*) flüssig machen, gegen bar verkaufen. – **6.** *fig.* beseitigen, ausrotten, zum Verschwinden bringen. – **7.** *euphem.* liqui'dieren, beseitigen, 'umbringen (*ermorden*). – **II** *v/i* **8.** abrechnen, sal'dieren. – **9.** die Schulden bezahlen. – **10.** in Liquidati'on treten.

liq·ui·da·tion [,likwi'deiʃən] *s* **1.** Liquidati'on *f*: to go into ~ in Liquidation treten. – **2.** Tilgung *f*, Bezahlung *f* (*von Schulden*). – **3.** Festsetzung *f* (*eines Schuldbetrags etc*). – **4.** Abrechnung *f*. – **5.** Flüssigmachen *n*, Abverkauf *m* gegen bar. – **6.** *fig.* Liqui'dierung *f*, Beseitigung *f*. — **'liq·ui,da·tor** [-tər] *s econ.* Liqui'dator *m*, Abwickler *m*.

liq·uid| crys·tal *s phys.* flüssiger Kri'stall (*optisch anisotrope Flüssigkeit*). — **'~-'drop mod·el** *s phys.* 'Tropfen-, 'Tröpfchenmo,dell *n*. — **~ fire** *s mil.* flüssiges Feuer, *bes.* brennendes Flammöl, Flammenwerfer-Feuerstrahl *m*. — **~ glass** → water glass 4.

li·quid·i·ty [li'kwiditi; -əti] *s* **1.** flüssiger Zustand. – **2.** Klarheit *f*, 'Durchsichtigkeit *f*. – **3.** Wässerigkeit *f*. – **4.** sanftes Da'hinströmen, Wohlklang *m*. – **5.** *econ.* Liquidi'tät *f*, (Geld)Flüssigkeit *f*.

liq·uid meas·ure *s* 'Flüssigkeits,maß(sy,stem) *n*.

liq·uid·ness ['likwidnis] → liquidity 1 - 4.

liq·uid·o·gen·ic [,likwido'dʒenik], **,liq·uid'og·e·nous** [-'ɒdʒinəs; -dʒə-] *adj* flüssigkeitsbildend, Flüssigkeit erzeugend.

liq·uor ['likər] **I** *s* **1.** geistiges Getränk (*bes. Branntwein u. Whisky*): in ~, the worse for ~ betrunken; → disguise 4. – **2.** a) Getränk *n*, b) alko'holisches Getränk: → spirituous 1. – **3.** Flüssigkeit *f*, Saft *m*. – **4.** (*Kochkunst*) Brühe *f*. – **5.** [*Br. auch* 'laikwɔː; 'lik-] *med.* Liquor *m*, Arz'neilösung *f*. – **6.** a) Lauge *f*, b) Flotte *f* (*Färbebad*). – **7.** Brauwasser *n*. – **II** *v/t* **8.** *auch* ~ up *sl.* mit alko'holischen Getränken trak'tieren *od.* versorgen. – **9.** einweichen, mit einer Flüssigkeit *od.* Lösung behandeln. – **10.** (*Leder etc*) einfetten, schmieren, ölen. – **III** *v/i* **11.** *oft* ~ up *sl.* ‚einen heben', ‚süffeln'.

liq·uo·rice¹ *cf.* licorice.

liq·uo·rice² ['likəris] *obs. für* lickerish.

liq·uor·ish¹ *cf.* lickerish.

liq·uor·ish² ['likəriʃ] *dial. für* licorice.

li·ra ['li(ə)rə; 'liːrɑː] *pl* **-re** [-riː; -re] *od.* **-ras** *s* **1.** Lira *f* (*ital. Währungseinheit*). – **2.** türk. Pfund *n* (*türk. Währungseinheit*).

lir·i·o·den·dron [,lirio'dendrən] *pl* **-dra** [-drə] *od.* **-drons** *s bot.* Tulpenbaum *m* (*Gattg Liriodendron*).

lir·i·pipe ['liri,paip], **'lir·i,poop** [-,puːp] *s hist.* Liri'pipium *n*: a) *von einem Hut etc lang herabhängendes Band*, b) *Kragen*, c) *Schal*, d) *Kapuze*.

lisle [lail] (*Textilwesen*) **I** *s* **1.** Flor (-ware *f*) *m* (*Handschuhe, Strümpfe etc aus zweifädigem Baumwollzwirn*). – **2.** → Lisle thread. – **II** *adj* **3.** Flor..., aus Flor(garn). — **Lisle thread** *s* Florgarn *n*.

lisp [lisp] **I** *s* **1.** Lispeln *n*, Anstoßen *n* (mit der Zunge). – **2.** Stammeln *n*. – **3.** *fig.* Lispeln *n* (*von Blättern, Wellen etc*). – **II** *v/i* **4.** lispeln, mit der Zunge anstoßen. – **5.** stammeln. – **III** *v/t* **6.** lispeln. – **7.** stammeln.

lis pen·dens [lis 'pendenz] (*Lat.*) *s jur.* schwebendes Verfahren, Rechtshängigkeit *f*.

lis·some, *auch* **lis·som** ['lisəm] *adj* **1.** geschmeidig, biegsam. – **2.** gewandt, a'gil. — **'lis·some·ness** *s* **1.** Geschmeidigkeit *f*. – **2.** Gewandtheit *f*.

lis·sot·ri·chous [li'sɒtrikəs] *adj* (*Anthropologie*) glatthaarig.

list¹ [list] **I** *s* **1.** Liste *f*, Verzeichnis *n*: on the ~ auf der Liste; to make (*od.* draw up) a ~ eine Liste aufstellen; active ~ *mil.* erste Reserve der Offiziere; ~ of the crew *mar.* Musterrolle; ~ of foreign exchange *econ.* Devisenkurszettel. – **2.** the ~ *econ.* die Liste der börsenfähigen 'Wertpa,piere. – **II** *v/t* **3.** (in einer Liste) verzeichnen, aufzeichnen, regi'strieren. – **4.** in eine Liste eintragen. – **5.** → enlist 1. – **6.** *econ.* (*Wertpapiere*) an der Börse einführen: ~ed securities börsenfähige *od.* an der Börse zugelassene Wertpapiere. – **III** *v/i* → enlist 4.

list² [list] **I** *s* **1.** Saum *m*, Rand *m* (*bes. eines Stoffs*). – **2.** → selvage 1. – **3.** (abgerissene) Salleisten *pl*: to line the edges of a door with ~ die Türkanten mit Salleisten beschlagen (*gegen Luftzug*). – **4.** (Stoff)Streifen *m*. – **5.** Farbstreifen *m*. – **6.** Scheitel- *od.* Bartseite *f*. – **7.** a) Grenze *f*, b) Um'zäunung *f*. – **8.** *pl* a) Schranken *pl* (*eines Turnierplatzes*), b) Tur'nier-, Kampfplatz *m*, c) *allg.* A'rena *f*, Kampfplatz *m*: to enter the ~s *fig.* in die Schranken treten, in den Kampf eingreifen. – **9.** *agr. Am.* Balken *m* (*vom Pflug aufgeworfener Erdstreifen*). – **10.** → listel. – **11.** (*Zimmerei*) Leiste *f*, Latte *f*. – **II** *adj* **12.** aus Stoffstreifen (*bes.* aus Salleisten) 'hergestellt: ~ slippers. – **III** *v/t* **13.** (ein)säumen. – **14.** mit Stoffstreifen (*bes.* mit Salleisten) belegen *od.* beschlagen: to ~ a door. – **15.** in Streifen anordnen. – **16.** *agr. Am.* a) (*südl. USA*) (*Land*) in abwechselnde Beete und Furchen pflügen, b) (*Land*) mit dem Häufelpflug aufpflügen (u. mit Mais besäen). – **17.** (*Bretter*) abkanten. – **18.** (*Pfosten etc*) grob zuhauen.

list³ [list] **I** *s* **1.** Neigung *f*, 'Überhängen *n* (*fast nur von Schiffen*). – **2.** *mar.* Schlagseite *f*: ~ to port Backbordschlagseite. – **II** *v/i* **3.** *mar.* Schlagseite haben, krängen. – **III** *v/t* **4.** *mar.* 'überlegen, krängen.

list⁴ [list] *obs.* **I** *v/t pret* **'list·ed** *od.* **list,** *pp* **'list·ed,** *3. sg pres* **list** *od.* **'list·eth** [-iθ] **1.** (*j-n*) gelüsten, (*j-m*) belieben, (*j-m*) gefallen: he did as him ~ er handelte, wie es ihm beliebte. – **2.** wollen, wünschen (to do zu tun). – **II** *v/i* **3.** wollen, wünschen: where he ~eth wo er will, wo es ihm beliebt. – **III** *s* **4.** Lust *f*, Neigung *f*.

list⁵ [list] *obs. od. poet.* **I** *v/i* hören, horchen (to auf *acc*). – **II** *v/t* hören auf (*acc*), (*dat*) zuhören.

lis·tel ['listl] *s arch.* Leiste *f*, Leistchen *n*.

lis·ten ['lisn] **I** *v/i* **1.** horchen, hören, lauschen (to auf *acc*): to ~ to s.o. j-m zuhören, j-n anhören; ~! hör mal! – **2.** hören, horchen (to auf *acc*): to ~ to s.o. auf j-n hören, j-m Gehör schenken, j-s Rat folgen; to ~ to advice Ratschläge beachten; to ~ to temptation der Versuchung nachgeben; → reason 3. – **3.** ~ in a) Radio hören, b) (*am Telephon*) mithören, ein Tele'phongespräch (*etc*) abhören: to ~ in to a concert im Radio *od.* Rundfunk ein Konzert hören. – **II** *v/t* **4.** *obs.* anhören, (*dat*) zuhören, hören auf (*acc*). – **III** *s* **5.** *selten* Horchen *n*, Hören *n*, Lauschen *n*: on the ~ horchend. — **'lis·ten·er** *s* **1.** Horcher(in). – **2.** Zuhörer(in): a good ~ ein guter Zuhörer. – **3.** Radio-, Rundfunkhörer(in), Hörer(in). – **4.** Hörvorrichtung *f*. – **5.** *mil.* 'Horchgale,rie *f*, -gang *m*. — **'lis·ten·er-'in** *pl* **'lis·ten·ers-'in** *s* **1.** → listener 3. – **2.** Mithörer(in) (*am Telephon*).

lis·ten·ing| post ['lisniŋ] *s mil.* Horchposten *m* (*auch fig.*). — **~ serv·ice** *s mil.* Abhördienst *m*.

list·er ['listər] *s agr. Am.* **1.** *auch* ~ plow Mittelbrechpflug *m* (*Art Häufelpflug*). – **2.** *auch* ~ drill mit einer 'Säma,schine kombi'nierter Mittelbrechpflug.

Lis·ter·ine ['listə,riːn] (*TM*) *s chem. med.* Liste'rin *n* (*ein Antiseptikum nach Lord Lister*). — **'Lis·ter,ism** *s med.* Listersche anti'septische Wundbehandlung. — **'Lis·ter,ize** *v/t med.* nach Listerscher Me'thode anti'septisch behandeln.

list·less ['listlis] *adj* lust-, inter'esse-, schwung-, teilnahmslos, träg(e), schlaff. — **'list·less·ness** *s* Lustlosigkeit *f*, Teilnahmslosigkeit *f*, Schlaffheit *f*.

list price *s econ.* Listen-, Kata'logpreis *m.*

lists [lists] → **list**[2] 8.

list sys·tem *s pol.* 'Listen,wahlsy,stem *n.*

lit[1] [lit] **I** *pret u. pp von* **light**[1] *u.* **light**[3]. – **II** *meist* ~ **up** *adj sl.* ‚benebelt', beschwipst.

lit[2] [lit] *pl* **lits** → **litas.**

lit·a·ny ['litəni] *s relig.* **1.** Lita'nei *f*: **L~ of All Saints** Allerheiligen-Litanei; **L~ of the Holy Name** Namen-Jesu-Litanei. – **2. the L~** die Lita'nei (*des* **Book of Common Prayer**). — ~ **desk,** ~ **stool** *s relig.* Lita'nei-, Betpult *n.*

li·tas ['liːtɑːs] *pl* **-tai** [-tei] *od.* **-tu** [-tuː] *s* Litas *m* (*ehemalige Währungseinheit Litauens*).

li·tchi ['liː'tʃiː] *s bot.* **1.** Litschi(baum) *m* (*Litchi chinensis*). – **2.** Litschipflaume *f.* — ~ **nut** *s* getrocknete Litschipflaume, chines. Haselnuß *f.*

lit de jus·tice [li də ʒys'tis] (*Fr.*) *s hist.* Lit *n* de ju'stice: a) *Thronsitz des franz. Königs während einer Ständeversammlung,* b) *Sitzung der franz. Ständeversammlung.*

-lite [lait] *geol. min. Wortelement mit der Bedeutung* Stein, Mineral.

li·ter, *bes. Br.* **li·tre** ['liːtər] *s* Liter *n* (*Hohlmaß*).

lit·er·a·cy ['litərəsi] *s* **1.** Fähigkeit *f* zu lesen u. zu schreiben. – **2.** (geistige) Bildung, Gebildetsein *n.* — ~ **test** *s* Prüfung *f* der Lese- u. Schreibkenntnisse (*als Voraussetzung für das Wahlrecht*).

lit·er·al ['litərəl] **I** *adj* **1.** wörtlich, wortgetreu: ~ **translation** wörtliche Übersetzung. – **2.** nüchtern, pe'dantisch, pro'saisch (*Person*). – **3.** wörtlich, buchstäblich, eigentlich: **the ~ meaning of a word.** – **4.** wahrheitsgetreu, nicht über'trieben. – **5.** buchstäblich: **the ~ annihilation** die buchstäbliche Vernichtung. – **6.** Buchstaben..., in Buchstaben ausgedrückt, Buchstaben betreffend: ~ **equation** *math.* Buchstabengleichung, algebraische Gleichung; ~ **notation** Buchstabenbezeichnung. – **7.** (*inkorrekt*) wahr: **a ~ flood** eine wahre Flut. – **II** *s* **8.** Druckfehler *m.* — **'lit·er·al,ism** *s* **1.** Festhalten *n* am Buchstaben, *bes.* streng wörtliche Über'setzung *od.* Auslegung, Buchstabenglaube *m.* – **2.** allzu wörtliche Über'setzung: **this is a ~.** – **3.** (*Kunst*) ganz wirklichkeitsgetreue Darstellung *od.* 'Wiedergabe. — **'lit·er·al·ist** *s* **1.** Buchstabengläubiger *m.* – **2.** (*Kunst*) getreuer Abbildner der Wirklichkeit. — **,lit·er·al'is·tic** *adj* **1.** buchstabengläubig, streng wörtlich. – **2.** (*Kunst*) die Wirklichkeit genau abbildend. — **,lit·er'al·i·ty** [-'ræliti; -əti] *s* **1.** Buchstäblichkeit *f,* Wörtlichkeit *f.* – **2.** wörtliche Bedeutung. – **3.** wörtliche Auslegung. — **'lit·er·al,ize** [-rə,laiz] *v/t* **1.** wörtlich 'wiedergeben. – **2.** buchstäblich auslegen. — **'lit·er·al·ly** *adv* **1.** wörtlich, Wort für Wort: **to translate ~.** – **2.** wörtlich, in wörtlicher Bedeutung. – **3.** buchstäblich: ~ **famished.**

lit·er·ar·y [*Br.* 'litərəri; *Am.* -,reri] *adj* **1.** lite'rarisch, Literatur...: ~ **historian** Literarhistoriker; ~ **history** Literaturgeschichte; **the ~ history of a legend** die Geschichte der literarischen Behandlung einer Sage. – **2.** schriftstellerisch: ~ **capacity** schriftstellerische Befähigung; **a ~ man** ein Literat. – **3.** in der Litera'tur beschlagen, lite'rarisch gebildet. – **4.** dichterisch, gewählt, gesucht: **a ~ expression** ein gewählter Ausdruck.

lit·er·ate ['litərit] **I** *adj* **1.** des Lesens u. Schreibens kundig. – **2.** (lite'rarisch) gebildet. – **3.** lite'rarisch. – **II** *s* **4.** des Lesens u. Schreibens Kundige(r). – **5.** (lite'rarisch) Gebildete(r), Gelehrte(r). – **6.** (*Church of England*) Geistlicher *m* ohne Universi'tätsgrad.

lit·e·ra·ti [,litə'reitai; -'rɑːtiː] *s pl* **1.** Schriftsteller *pl.* – **2.** (*die*) Gebildeten *pl,* (*die*) Gelehrten *pl.*

lit·e·ra·tim [,litə'reitim; -'rɑː-] (*Lat.*) *adv* Buchstabe um Buchstabe, buchstäblich, wörtlich.

lit·er·a·tor ['litə,reitər] *s* Lite'rat *m, bes.* Kritiker *m.*

lit·er·a·ture ['litərətʃər; -,tʃur] *s* **1.** Litera'tur *f,* Schrifttum *n*: **the English ~ of the nineteenth century** die englische Literatur des 19. Jahrhunderts; **the ~ of medicine** die medizinische (Fach)Literatur; **the ~ of the piano** *mus.* die Klavierliteratur. – **2.** *colloq.* Druckschriften *pl,* -erzeugnisse *pl* (*jeder Art*). – **3.** ,Schriftstelle'rei *f*: **he is engaged in ~** er schreibt, er ist Schriftsteller. – **4.** die lite'rarische Welt: ~ **was represented by Mr. X.** – **5.** *obs.* (lite'rarische) Bildung, Gelehrsamkeit *f.*

lith [liθ] *s obs. od. dial.* Glied *n.*

lith-, -lith [liθ] *Wortelement mit der Bedeutung* Stein.

li·thae·mi·a *cf.* **lithemia.**

lith·arge ['liθɑːrdʒ] *s chem.* **1.** Bleiglätte *f.* – **2.** (*in weiterem Sinn*) 'Bleio,xyd *n* (PbO).

lithe [laið] *adj* geschmeidig, wendig, biegsam.

li·the·mi·a [li'θiːmiə] *s med.* 'Überschuß *m* an Harnsäure im Blut.

lithe·ness ['laiðnis] *s* Geschmeidigkeit *f,* Wendigkeit *f,* Biegsamkeit *f.*

lithe·some ['laiðsəm] → **lithe.**

lith·i·a ['liθiə] *s chem.* 'Lithiumo,xyd *n* (Li_2O).

li·thi·a·sis [li'θaiəsis] *s* **1.** *med.* Li'thiasis *f,* Steinleiden *n.* – **2.** *bot.* verstärkte Bildung von Steinzellgruppen.

lith·i·a wa·ter ['liθiə] *s chem.* Lithiumwasser *n,* lithiumhaltiges Mine'ralwasser.

lith·ic[1] ['liθik] *adj chem.* Lithium...

lith·ic[2] ['liθik] *adj* Stein...

-lithic [liθik] *Wortelement mit der Bedeutung* ...lithisch.

lith·i·fy ['liθi,fai; -θə-] *v/t u. v/i geol.* versteinern.

lith·i·um ['liθiəm] *s chem.* Lithium *n* (Li).

litho- [liθo; -θə] *Wortelement mit der Bedeutung* Stein.

lith·o·chro·mat·ic [,liθəkrə'mætik] *adj* Farbendruck..., Buntdruck... — **,lith·o·chro'mat·ics** *s pl* (*als sg konstruiert*) ,Chromo,lithogra'phie *f,* Farbendruck *m.*

lith·o·clast ['liθə,klæst] → **lithotrite.**

lith·o·gen·e·sis [,liθə'dʒenisis; -nə-] *s* **1.** *med.* Steinbildung *f.* – **2.** *geol.* Steinbildungslehre *f.* — **li'thog·e·nous** [-'θɒdʒənəs] *adj* steinbildend.

lith·o·glyp·tics [,liθə'gliptiks] *s pl* (*oft als sg konstruiert*) Steinschneidekunst *f.*

lith·o·graph ['liθə,græ(ː)f; *Br. auch* -,grɑːf] **I** *s* Lithogra'phie *f,* Steindruck *m.* – **II** *v/t u. v/i* lithogra'phieren. — **li'thog·ra·pher** [-'θɒgrəfər] *s* Litho'graph *m.* — **,lith·o'graph·ic, ,lith·o'graph·i·cal** *adj* **1.** litho'graphisch: **lithographic stone** lithographischer Stein. – **2.** Steindruck... — **,lith·o'graph·i·cal·ly** *adv* (*auch zu* **lithographic**). — **li'thog·ra·phy** *s* Lithogra'phie *f,* Steindruck(verfahren *n*) *m.*

lith·oid ['liθɔid], *auch* **li'thoi·dal** [-dl] *adj* steinartig.

lith·o·log·ic [,liθə'lɒdʒik], **,lith·o'log·i·cal** [-kəl] *adj* litho'logisch. — **li'thol·o·gist** [-'θɒlədʒist] *s* Litho'loge *m.* — **li'thol·o·gy** *s* Litholo'gie *f*: a) Gesteinskunde *f,* b) *med.* Steinkunde *f.*

lith·o·marge ['liθə,mɑːrdʒ] *s min.* Steinmark *n* (*Erscheinungsform des Kaolins*).

lith·on·trip·tic [,liθɒn'triptik] *med.* **I** *adj* litho'lytisch, steinlösend. – **II** *s* steinlösendes Mittel.

lith·o·p(a)e·di·on [,liθə'piːdi,ɒn] *s med.* Litho'pädion *n,* Steinkind *n.*

li·thoph·a·gous [li'θɒfəgəs] *adj zo.* **1.** steinfressend. – **2.** litho'phag (*sich in Gestein einbohrend*).

lith·o·pho·tog·ra·phy [,liθəfə'tɒgrəfi] *s phot.* ,Photo,lithogra'phie *f,* Steinlichtdruck *m.*

lith·o·phyte ['liθə,fait] *s* Litho'phyt *m*: a) *bot.* Steinpflanze *f,* auf Felsen wachsende Pflanze, b) *zo. selten* Po'lyp *m* mit hartem Ske'lett.

lith·o·pone ['liθə,poun] *s chem. tech.* Litho'pon(e *f*) *n,* ('Zink)Sul,fidweiß *n.*

lith·o·print ['liθə,print] **I** *v/t* lithogra'phieren. – **II** *s* im Steindruckverfahren 'hergestelltes Buch. — **'lith·o,print·er** *s* Steindrucker *m.*

lith·o·sphere ['liθə,sfir] *s geol.* Litho'sphäre *f,* Gesteinsmantel *m* (*der Erde*).

lith·o·tome ['liθə,toum] *s med.* Steinschnittmesser *n.* — **,lith·o'tom·ic** [-'tɒmik], **,lith·o'tom·i·cal** *adj* Steinschnitt... — **li'thot·o·mist** [-'θɒtəmist] *s* Steinschneider *m.* — **li'thot·o·my** *s med.* Lithoto'mie *f,* (Blasen)Steinschnitt *m.*

lith·o·trite ['liθə,trait] *s med.* Litho'tripter *m,* Litho'klast *m,* Steinzertrümmerer *m* (*zum Zertrümmern von Blasensteinen*). — **li'thot·ri·ty** [-'θɒtriti; -rəti] *s med.* Lithotri'psie *f,* Steinzertrümmerung *f.*

lith·o·type ['liθə,taip] *s print.* litho'typische Platte (*Art Stereotypplatte*).

li·thox·yl(e) [li'θɒksil] *s* versteinertes Holz.

Lith·u·a·ni·an [,liθju'einiən; *Am. auch* ,liθu-] **I** *s* **1.** Litauer(in). – **2.** *ling.* Litauisch *n,* das Litauische. – **II** *adj* **3.** litauisch.

li·thu·ri·a [li'θju(ə)riə] *s med.* 'übermäßiger Harnsäure- *od.* U'ratgehalt des U'rins.

lit·i·ga·ble ['litigəbl] *adj jur.* bestreitbar, streitig. — **'lit·i·gant** *jur.* **I** *s* **1.** Liti'gant *m,* Pro'zeßführende(r), streitende Par'tei. – **II** *adj* **2.** streitend, pro'zeßführend. – **3.** pro'zeßsüchtig.

lit·i·gate ['liti,geit; -tə-] **I** *v/t* **1.** *jur.* prozes'sieren um, streiten um, zum Gegenstand eines Pro'zesses machen. – **2.** *jur.* bestreiten, anfechten. – **3.** *fig.* streiten um. – **II** *v/i* **4.** *jur.* liti'gieren, prozes'sieren, streiten. — **,lit·i'ga·tion** *s* **1.** *jur.* Litigati'on *f,* Rechtsstreit *m,* Pro'zeß *m.* – **2.** *fig.* Streit *m,* Zank *m.* — **'lit·i,ga·tor** [-tər] *s jur.* Par'tei *f.*

li·ti·gious [li'tidʒəs] *adj* **1.** *jur.* Prozeß... – **2.** *jur.* strittig, streitig. – **3.** pro'zeßsüchtig: ~ **person** Querulant. – *SYN. cf.* **belligerent.** — **li'ti·gious·ness** *s* **1.** *jur.* Strittigkeit *f.* – **2.** Pro'zeßsüchtigkeit *f.*

lit·mus ['litməs] *s chem.* Lackmus *n.* — ~ **pa·per** *s* 'Lackmuspa,pier *n.*

lit·o·ral *cf.* **littoral.**

li·to·tes ['laito,tiːz; 'lit-] *s* (*Rhetorik*) Li'totes *f,* Unter'treibung *f.*

li·tre *bes. Br. für* **liter.**

lit·ten ['litn] *pp poet. von* **light**[1].

lit·ter ['litər] **I** *s* **1.** Sänfte *f.* – **2.** Tragbahre *f.* – **3.** Streu *f od.* Heu *n* (*als Lager für Tiere, als Frostschutz für Pflanzen etc*). – **4.** *agr.* Stallmist *m.* – **5.** her'umliegende Stücke *pl, bes.* her'umliegender Abfall. – **6.** Durchein'ander *n,* Unordnung *f.* – **7.** *Am.* Waldstreu *f* (*oberste, noch wenig zersetzte Schicht des Waldbodens*). – **8.** *zo.* Wurf *m*: **a ~ of pigs** ein Wurf Ferkel. – **II** *v/t* **9.** *oft* ~ **down** Streu legen für, (*Tieren*) einstreuen: **to ~ down the horses** den Pferden einstreuen. – **10.** *oft* ~ **down** (*Stall, Boden*) einstreuen, mit Streu *od.* Stroh bedecken. – **11.** (*Pflanzen etc*) mit Streu *od.* Stroh *od.* Heu bedecken. – **12.** verunreinigen, unordentlich bestreuen, mit Abfällen *od.* Resten bedecken. – **13.** *oft* ~ **up** unordentlich her'umliegen in (*dat*) *od.* auf (*dat*): **papers ~ed (up) the floor.** – **14.** her'umliegen lassen, unordentlich verstreuen. – **15.** (*Heu etc*) als Streu verwenden. – **16.** *zo.* (*Junge*) werfen. – **III** *v/i* **17.** *zo.* Junge werfen.

lit·te·rae hu·ma·ni·o·res ['litəˌriː hjuːˌmeini'ɔːriːz; -ˌmæn-] (*Lat.*) *s pl* huma'nistische Wissenschaften *pl*, *bes.* (*an den Universitäten Oxford u. Cambridge*) Ab'teilung *f* für klassische Philolo'gie u. Altertumskunde.

lit·te·ra·rum doc·tor [ˌlitə'rɛ(ə)rəm 'dɒktɔːr] (*Lat.*) *s* Doktor *m* der Litera'turwissenschaft.

lit·té·ra·teur [litɛra'tœːr], **lit·ter·a·teur** [ˌlitərə'təːr] *s* Lite'rat *m*, Schriftsteller *m*.

lit·te·ra·tim *obs. für* literatim.

'lit·terˌbug *s j-d der Straßen u. Plätze mit Abfällen od. Papier verschandelt.*

lit·ter·y ['litəri] *adj* **1.** mit Streu bedeckt. – **2.** mit her'umliegenden Dingen bestreut. – **3.** unordentlich.

lit·tle ['litl] **I** *adj comp* **less** [les] *od.* (*in gewissen Fällen*) **less·er** ['lesər], *auch* **small·er** ['smɔːlər], *sup* **least** [liːst], *auch* **small·est** ['smɔːlist], *dial. od. colloq. comp* **'lit·tler**, *sup* **'lit·tlest** **1.** klein (*oft gefühlsbetont*): **a ~ child** ein kleines Kind; **a nice ~ house** ein nettes kleines Haus; **the ~ finger** der kleine *od.* fünfte Finger; **our ~ ones** unsere Kleinen, unsere Kinder; **the ~ Browns** die kleinen Browns, die Kinder der Familie Brown; ~ **man** kleiner Mann (*Junge*). – **2.** klein(gewachsen): **a ~ man** ein kleiner Mann; **the ~ people** die Elfen. – **3.** klein (*an Zahl*): **a ~ army.** – **4.** kurz: **a ~ way** eine kurze Strecke Weges; **a ~ while** ein Weilchen, eine kleine Weile. – **5.** wenig: ~ **hope** wenig Hoffnung; **a ~ honey** ein wenig *od.* ein bißchen Honig, etwas Honig; **no ~ pains** nicht wenig Mühe, viel Mühe; ~ **or no help** wenig od. gar keine Hilfe; **but ~** nur wenig. – **6.** Klein...: ~ **farmers** Kleinbauern. – **7.** schwach: **a ~ voice.** – **8.** klein, gering(fügig), unbedeutend: ~ **discomforts**; ~ **things** Nebensächlichkeiten. – **9.** klein(lich), beschränkt, engstirnig: ~ **minds** kleine Geister. – **10.** verächtlich, gemein, lächerlich, erbärmlich, armselig: **with the ~ cunning of ~ minds** mit der erbärmlichen Schlauheit kleiner Geister. – **11.** (*ironisch*) klein: **her poor ~ efforts** ihre rührenden kleinen Bemühungen; **I know his ~ ways** ich kenne seine kleinen Schliche; **her ~ schemes** ihre kleinen Intrigen. – *SYN. cf.* **small.** –

II *adv comp* **less**, *sup* **least** **12.** wenig, kaum: **I like it ~** ich liebe es wenig; ~ **improved** wenig verbessert; ~**-known** wenig bekannt; **he is ~ better than a thief** er ist nicht viel besser als ein Dieb; ~ **does one expect** man erwartet kaum. – **13.** nicht im geringsten, über'haupt nicht: **he ~ knows** (*od.* **little does he know**) **what awaits him** er hat keine Ahnung, was ihm bevorsteht. – **14.** wenig, selten: **I see him very ~** ich sehe ihn sehr wenig. – **15.** *obs.* (nur) kurze Zeit. –

III *s* **16.** Kleinigkeit *f*, (*das*) Wenige, (*das*) bißchen: **every ~ helps** jede Kleinigkeit hilft; **he did what ~ he could** er tat das Wenige, das er tun konnte; **he got ~ out of it** es brachte ihm nur wenig Nutzen; **please wait a ~!** bitte warte ein wenig *od.* ein bißchen! **after a ~** nach einem Weilchen, nach kurzer Zeit; **he went on a ~** er ging ein Stückchen *od.* ein wenig weiter; **not a ~** nicht wenig; **a ~ of everything** ein wenig von allem; **a ~** ein wenig, ein bißchen, etwas; **a ~ rash** ein bißchen voreilig; ~ **or nothing** wenig od. nichts; ~ **by ~, by ~ and ~** (ganz) allmählich, nach und nach. – **17.** das Kleine, kleiner Maßstab: **in ~** im Kleinen, in kleinem Maßstab. – **18. the ~** a) die Kleinen *pl*, die kleinen Leute *pl*, b) das Kleine, c) das Wenige.

lit·tle| auk → dovekie 1. — **L~ Bear** *s astr.* Kleiner Bär (*Sternbild*). — **L~ Dip·per** → dipper 5b. — **L~ Dog** *s astr.* Kleiner Hund (*Sternbild*). — **'~-ˌease** *s hist.* **1.** enge Kerkerzelle. – **2.** Pranger *m.* — **L~ Eng·land·er** *s pol.* Kleinengländer *m*, Gegner *m* der imperia'listischen Poli'tik Englands. — **L~ Eng·land·ism** *s pol.* Kleinengländertum *n.* — **L~ En·tente** *s hist.* Kleine En'tente (*Tschechoslowakei, Jugoslawien u. Rumänien*). — **L~ Fox** *s astr.* Fuchs *m* (*Sternbild*). — **~ go** *s colloq.* (*Universität Cambridge*) 'Vorеˌxamen *n*, Zulassungsprüfung *f* (*erste Prüfung für den Grad eines B.A.*). — **~ hours** *s pl* (*röm.-kath. Kirche*) kleine Gebetsstunden *pl* (*Prim, Terz, Sext, Non, manchmal auch noch Vesper u. Completorium*). — **~ Mar·y** *s Br. colloq.* Magen *m.* — **L~ Mas·ters** *s pl* Kleinmeister *pl* (*Gruppe deutscher Kupferstecher des 16. Jh.*). — **'~-ˌmind·ed** *adj* kleinlich, engstirnig. — **'~ˌneck (clam)** *s zo.* junge Venusmuschel (*Venus mercenaria*).

lit·tle·ness ['litlnis] *s* **1.** Kleinheit *f*. – **2.** Kürze *f*. – **3.** Geringfügigkeit *f*, Bedeutungslosigkeit *f*. – **4.** Kleinheit *f*, Kleinlichkeit *f*, Engstirnigkeit *f*.

lit·tle| of·fice *s* (*röm.-kath. Kirche*) mari'anische Tagzeiten *pl* (*Gebete zu Ehren der Jungfrau Maria*). — **L~ Red Rid·ing·hood** *s* Rotkäppchen *n.* — **L~ Rhod·y** ['roudi] *s* (*Spitzname für*) Rhode Island *n.* — **L~ Rus·sian** *s* **1.** Kleinrusse *m*, -russin *f*, Ukra'iner(in). – **2.** *ling.* Kleinrussisch *n*, Ukra'inisch *n*, das Ukra'inische. — **~ the·a·ter**, *bes. Br.* **~ the·a·tre** *s* **1.** Kleinbühne *f*, Kammerspiele *pl*. – **2.** Kammerspiele *pl* (*dramatische Werke für ein kleines Theater mit intimer Wirkung*). – **3.** Liebhaber-, *bes.* Experimen'tierbühne *f*.

lit·to·ral ['litərəl] **I** *adj* **1.** lito'ral, Küsten..., Ufer..., Strand...: ~ **zone** *bot. zo.* Litoral, Gezeitenzone. – **II** *s* **2.** Lito'ral *n*, Gezeitenzone *f*. – **3.** Lito'rale *n*, Küstenland *n*.

li·tu ['liːtuː] *pl von* **litas.**

lit·u·rate ['litjuˌreit; -tʃə-; -rit] *adj bot. zo.* unregelmäßig gefleckt.

li·tur·gi·cal [li'təːrdʒikəl], *auch* **li'tur·gic** *adj* li'turgisch.

Li·tur·gi·cal Lat·in *s* das La'tein der Litur'gie der westlichen Kirchen.

li·tur·gi·cal·ly [li'təːrdʒikəli] *adv* (*auch zu* **liturgic**) li'turgisch.

li·tur·gics [li'təːrdʒiks] *s pl* (*oft als sg konstruiert*) *relig.* Li'turgik *f*, Litur'giewissenschaft *f*.

lit·ur·gist ['litərdʒist] *s* **1.** Litur'giekenner *m*, Fachmann *m* auf dem Gebiet der Li'turgik. – **2.** Festsetzer *m* einer Litur'gie. – **3.** Anhänger *m* einer Litur'gie. – **4.** Li'turg *m* (*Leiter der gottesdienstlichen Zeremonien*).

lit·ur·gy ['litərdʒi] *s* **1.** *relig.* Litur'gie *f* (*Ordnung des Kultus*): **the Roman ~** die röm.-kath. Liturgie. – **2.** *relig.* (*bes. Ostkirche*) eucha'ristische Feier. – **3. the ~** → **Book of Common Prayer.** – **4.** *antiq.* (*Athen*) Litur'gie *f* (*unentgeltliche Dienstleistung für das Gemeinwesen*).

lit·u·us ['litjuəs; -tʃu-] *pl* **-u·i** [-uˌai] *s* **1.** *antiq.* (*Rom*) Lituus *m*: a) *Stab der Auguren*, b) *Trompete der Reiterei.* – **2.** *math.* Lituus *m*, Kurve *f*, Krummstab *m* (*Spirale mit der Polargleichung* $r^2\varphi = const.$).

liv·a·ble ['livəbl] *adj* **1.** wohnlich, bewohnbar, zum Wohnen geeignet. – **2.** 'umgänglich, gesellig. – **3.** lebenswert, erträglich (*Leben etc*). — **'liv·a·ble·ness** *s* **1.** Wohnlichkeit *f*, Bewohnbarkeit *f*. – **2.** 'Umgänglichkeit *f*. – **3.** Erträglichkeit *f*.

live[1] [liv] **I** *v/i* **1.** leben, (or'ganisches) Leben haben. – **2.** leben, am Leben bleiben: **to ~ long**; **the patient cannot ~** der Patient wird nicht am Leben bleiben; **to ~ through s.th** a) etwas durchleben *od.* durchmachen, b) etwas durchstehen; **to ~ to be old** alt werden; **to ~ to a great age** ein hohes Alter erreichen; **~ and learn!** man lernt nie aus. – **3.** *oft* ~ **on** weiter-, fortleben: **the dead ~ on in our hearts** die Toten leben in unserem Herzen weiter; **these ideas still ~** diese Ideen leben noch fort. – **4.** aushalten, sich halten, nicht 'untergehen (*bes. Schiffe*): **no ship could ~ in such a storm** in einem solchen Sturm konnte sich kein Schiff halten. – **5.** leben (on, upon von), den 'Lebensˌunterhalt bestreiten (**by** mit, durch), sich (er)nähren (**on, upon** von; **by** von, durch): **to ~ on one's capital** von seinem Kapital leben *od.* zehren; **he ~s on his wife** er lebt auf Kosten *od.* von den Einkünften seiner Frau; **he ~s on his name** er lebt *od.* zehrt von seinem guten Namen; **to ~ on bread and water** von Brot u. Wasser leben; **to ~ by painting** vom Malen leben, sich durch Malen den Lebensunterhalt verdienen; → **hand** *b. Redw.* – **6.** (*in bestimmter Weise*) leben, ein (*bestimmtes*) Leben führen: **to ~ honestly** ehrlich leben, ein ehrliches Leben führen; **to ~ well** üppig leben, gut leben (*bes. in Hinsicht auf Ernährung*); **to ~ in a small way** in kleinen Verhältnissen leben, sehr bescheiden leben; **to ~ to oneself** nur für sich leben; **to ~ within oneself** sich nur mit sich selbst beschäftigen; **she ~d there a widow** sie lebte dort als Witwe; → **clover**; **fast**[1] 7; **high** 33; **rack**[1] 1. – 7. a) leben, b) wohnen: **to ~ in the country** auf dem Lande leben; **he ~s in Paul Street** er wohnt in der Paulstraße; **this house can be ~d in** in diesem Haus kann man wohnen; → **glasshouse** 2. – **8.** leben, das Leben genießen: **~ and let ~** leben und leben lassen. –

II *v/t* **9.** leben, führen: **to ~ a double life** ein Doppelleben führen. – **10.** durch'leben. – **11.** leben, vorleben, im Leben verwirklichen *od.* zum Ausdruck bringen: **he ~s his faith** er lebt seinen Glauben. –

Verbindungen mit Adverbien:

live| down *v/t* durch tadellosen Lebenswandel in Vergessenheit geraten lassen *od.* über'winden: **to ~ a prejudice.** — **~ in** *v/i* am Arbeitsplatz wohnen. — **~ out I** *v/t* über'leben, leben bis zum Ende von: **he will not ~ the night** er wird die Nacht nicht überleben. – **II** *v/i* nicht am Arbeitsplatz wohnen. — **~ up** *v/i* leben (**to** gemäß *dat*): **to ~ to one's principles** seinen Grundsätzen gemäß leben; **to ~ to one's reputation** sich seines (guten) Rufs würdig erweisen, seinem (guten) Ruf(e) gerecht werden.

live[2] [laiv] *adj* (*nur attributiv*) **1.** lebend, le'bendig: ~ **animals.** – **2.** *humor.* wirklich, richtig: **a real ~ steam engine** eine wirkliche regelrechte Dampfmaschine. – **3.** lebend: ~ **fence** lebender Zaun; ~ **hair** Haar von lebenden Wesen; ~ **rock** lebender *od.*

gewachsener Fels. – 4. belebt, von Lebewesen bevölkert. – 5. *colloq.* leˈbendig, lebhaft, rührig, tätig, eˈnergisch, kraftvoll: a ~ debate eine lebhafte Debatte; a ~ man ein rühriger Mann. – 6. *colloq.* ‚hell', ‚auf Draht': he is a ~ man er ist auf Draht. – 7. aktuˈell, erregend, wichtig: a ~ question. – 8. glühend, brennend (*auch fig.*): ~ coals glühende Kohlen; ~ hatred glühender Haß. – 9. scharf (*Granate etc*): ~ ammo *Am. mil. sl.* scharfe Munition. – 10. nicht abgebrannt (*Streichholz etc*). – 11. *electr.* spannung-, stromführend, unter Spannung *od.* Strom stehend, eingeschaltet. – 12. (*Rundfunk, Fernsehen*) diˈrekt, unmittelbar überˈtragen, Direkt..., Original...: ~ broadcast Originalsendung, Direktübertragung. – 13. lebhaft, frisch (*Farbe*). – 14. frei fließend *od.* strömend (*Wasser etc*). – 15. frisch (*Luft*). – 16. *tech.* a) Trieb..., antreibend, b) angetrieben: ~ wheel a) Triebrad, b) angetriebenes Rad. – 17. *print.* gebrauchs-, druckfertig: ~ matter druckfertiger Satz, Stehsatz.

live·a·ble *cf.* livable.

live| ax·le [laiv] *s tech.* Trieb-, Differentiˈalachse *f.* — ˈ~ˌ**bear·er** *s zo.* lebendgebärender Zahnkarpfen (*Fam. Poeciliidae*). — ~ **cen·ter**, *bes. Br.* ~ **cen·tre** *s tech.* Antriebs-, Arbeitsspindel *f*, ˈumlaufende Körnerspitze.

lived [laivd] *adj* leˈbendig, lebend.

-lived [laivd; livd] *Wortelement mit der Bedeutung* ...lebig: short-~ kurzlebig.

ˈlive-forˌev·er [ˈliv-] *s bot.* (*eine*) Fetthenne (*Gattg Sedum, bes. S. telephium*).

live·li·hood [ˈlaivliˌhud] *s* ˈLebensˌunterhalt *m*, Auskommen *n*: to pick up a scanty ~ sein knappes Auskommen haben; to earn (*od.* make *od.* gain) a (*od.* one's) ~ sein Brot *od.* seinen Lebensunterhalt verdienen.

live·li·ly [ˈlaivlili] → lively II.

live·li·ness [ˈlaivlinis] *s* 1. Lebhaftigkeit *f*, Munterkeit *f*: a certain ~ *sl.* ‚ein ziemlicher Feuerzauber' (*schwerer Artilleriebeschuß*). – 2. Leˈbendigkeit *f.* – 3. belebender *od.* erfrischender Chaˈrakter.

live load [laiv] *s tech.* Nutz-, Verkehrslast *f*, bewegliche Belastung *od.* Last.

ˈliveˌlong [ˈliv-] *adj poet.* ganz, lang: the ~ day den lieben langen Tag.

live·ly [ˈlaivli] **I** *adj* 1. lebhaft, munter, flott, voller Leben: a ~ discussion; ~ interest. – 2. kräftig, viˈtal. – 3. aufregend: we had a ~ time es waren aufregende Zeiten für uns; they are making things ~ for him sie heizen ihm tüchtig ein, sie machen ihm die Hölle heiß. – 4. lebhaft, deutlich: a ~ recollection. – 5. leˈbendig, lebhaft, lebensvoll: a ~ description eine lebendige Beschreibung; a ~ idea of eine lebhafte *od.* lebendige Vorstellung von. – 6. lebhaft, frisch, kräftig (*Farben etc*). – 7. prickelnd, schäumend (*Getränk*). – 8. prickelnd, belebend, erfrischend (*Luft*). – 9. belebt: ~ with belebt durch *od.* von. – 10. federnd, eˈlastisch (*Ball etc*). – 11. *mar.* flott schwimmend, gut schwimmfähig. – *SYN.* animated, gay, sprightly, vivacious. – **II** *adv* 12. lebhaft, leˈbendig, munter, kräftig.

liv·en [ˈlaivn] *colloq.* **I** *v/t oft* ~ up beleben, mit Leben erfüllen, aufmuntern, leˈbendig machen. – **II** *v/i meist* ~ up leˈbendig *od.* munter werden, sich beleben.

live oak [laiv] *s bot. eine immergrüne Eiche, bes.* Immergrüne Virˈginische Eiche (*Quercus virginiana*).

liv·er¹ [ˈlivər] *s* 1. *med. zo.* Leber *f.* – 2. Leber *f* (*als Sitz der Leidenschaften etc*): hot ~ leidenschaftliches Temperament; white ~, lily ~ Feigheit. – 3. → ~ complaint. – 4. → ~ brown.

liv·er² [ˈlivər] *s* 1. Lebende(r): fast ~ Lebemann; good ~ a) tugendhafter Mensch, b) Schlemmer; loose ~ liederlicher Mensch. – 2. *Am. selten* Ansässige(r), Wohnende(r): a ~ in Newark ein in Newark Wohnender.

liv·er| brown *s* Leberbraun *n*, dunkles Rotbraun. — ~ **com·plaint** *s* Leberleiden *n.* — ~ **ex·tract** *s med.* ˈLeberexˌtrakt *m.* — ~ **fluke** *s zo.* Leberegel *m* (*Gattg Fasciola*).

liv·er·ied [ˈlivərid] *adj* liˈvriert, in Liˈvree.

liv·er·ish [ˈlivəriʃ] *adj colloq.* 1. leberleidend. – 2. reizbar, verdrießlich, mürrisch.

liv·er line *s* (*Handlesekunst*) Leberlinie *f.*

Liv·er·pud·li·an [ˌlivərˈpʌdliən] **I** *adj* aus *od.* von Liverpool, Liverpooler(...). – **II** *s* Liverpooler(in), Einwohner(in) von Liverpool.

liv·er| rot *s med. vet.* Leberfäule *f*, Leberegelkrankheit *f.* — ~ **shark** → basking shark. — ~ **spot** *s* Leberfleck *m.* — ~ **wing** *s Br.* 1. (*Kochkunst*) rechter Flügel (*eines zubereiteten Vogels*). – 2. *humor.* rechter Arm. — ˈ~ˌ**wort** *s bot.* 1. Lebermoos *n* (*Klasse Hepaticae*). – 2. Leberblümchen *n* (*Gattg Hepatica*). — ˈ~ˌ**wurst** [-ˌwəːrst; -ˌwurst] *s Am.* Leberwurst *f.*

liv·er·y¹ [ˈlivəri] *s* 1. Liˈvree *f*: a) *Bedienstetentracht*, b) *hist. Vasallentracht*: in ~ in Livree, livriert; out of ~ in gewöhnlicher Kleidung. – 2. Tracht *f*, *bes.* a) Amtstracht *f*, b) Gildentracht *f.* – 3. → ~ company. – 4. Mitgliedschaft *f* einer Liˈvreegesellschaft (*Zunft der City von London*): to take up one's ~ Mitglied einer Livreegesellschaft werden. – 5. *collect.* a) Dienerschaft *f*, b) *hist.* Gefolgsleute *pl*, Gefolge *n.* – 6. *fig.* Kleid *n*, Tracht *f*: animals in their winter ~ Tiere im Winterkleid. – 7. Pflege *f* u. ˈUnterbringung *f* (*von Pferden*) gegen Bezahlung: at ~ in Futter, in Verpflegung. – 8. Pferde- *od.* Fahrzeugvermietung *f.* – 9. *Am.* Mietstallung *f.* – 10. *jur.* a) ˈÜbergabe *f*, Überˈtragung *f* (*von Besitz*), b) *Br.* ˈÜbergabe *f* von vom Vormundschaftsgericht freigegebenem Besitz, c) Überˈtragungsurkunde *f*: to sue one's ~ *Br.* beim Vormundschaftsgericht um Übertragung des Besitzrechts an einem Erbgut nachsuchen; to receive in ~ in Besitz übernehmen. – 11. *hist.* Zuteilung *f* von Nahrungsmitteln, Kleidern *etc* (*an die Gefolgschaft*). – 12. *selten* Zuteilung *f*, Ratiˈon *f* (*bes. von Nahrungsmitteln od. Futter*).

liv·er·y² [ˈlivəri] *adj* 1. leberartig, *bes.* leberfarben. – 2. → liverish. – 3. *Br. dial.* klebrig, zäh (*Boden*).

liv·er·y| com·pa·ny *s* Liˈvreegesellschaft *f* (*Zunft der City von London*). — ~ **fine** *s* Gebühr *f* für die Aufnahme in eine Liˈvreegesellschaft (*der City von London*). — ~ **horse** *s* Mietpferd *n.* — ˈ~**·man** [-mən] *s irr* 1. Mitglied *n* einer Liˈvreegesellschaft (*der City von London*). – 2. a) Pferdeverleiher *m*, b) Arbeiter *m* in einer Mietstallung. – 3. *obs.* liˈvrierter Bedienter. — ~ **serv·ant** *s* liˈvrierter Diener. — ~ **sta·ble** *s* Mietstallung *f*, Pferde- u. Fahrzeugvermietung *f.*

lives [laivz] *pl von* life.

live| steam [laiv] *s* Frischdampf *m*, diˈrekter Dampf. — ˈ~ˌ**stock** *s* Vieh(bestand *m*) *n*, lebendes Invenˈtar: ~ insurance Viehversicherung. — ~ **weight** *s* Lebendgewicht *n.* — ~ **wire** *s* 1. unter Spannung stehende elektr. Leitung, stromführender Draht. – 2. *colloq.* enerˈgiegeladener Mensch.

liv·id [ˈlivid] *adj* 1. blau, bläulich (verfärbt). – 2. bleifarben, graublau. – 3. fahl, aschgrau, bleich, leichenblaß (with vor *dat*). – 4. *Br. colloq.* wütend. — **liˈvid·i·ty, ˈliv·id·ness** *s* 1. bläuliche (Ver)Färbung. – 2. Bleifarbigkeit *f.* – 3. Fahlheit *f*, Leichenblässe *f.*

liv·ing [ˈliviŋ] **I** *adj* 1. lebend: a ~ being ein lebendes Wesen, ein Lebewesen; ~ languages lebende Sprachen; no man ~ kein Sterblicher; the ~ die Lebenden; while ~ bei Lebzeiten. – 2. leˈbendig: ~ faith; ~ ideas; the ~ God. – 3. lebend, zeitgenössisch: the greatest of ~ statesmen der größte lebende Staatsmann. – 4. ständig fließend (*Quelle etc*). – 5. glühend, brennend. – 6. gewachsen, lebend, nicht bearbeitet (*Fels*). – 7. (naˈtur)getreu, lebensecht: the ~ image das getreue Abbild. – 8. lebhaft. – 9. belebend, erquickend. – 10. Lebewesen betreffend, ... der Lebenden: within ~ memory seit Menschengedenken. – 11. Lebens...: ~ conditions Lebensbedingungen. – *SYN.* alive, animate, animated, quick, vital. – **II** *s* 12. (das) Leben: ~ is very expensive these days; there is no ~ without it man kann ohne es nicht leben; → cost 1. – 13. Leben *n*, Lebensweise *f*, -führung *f*: good ~ üppiges Leben (*bes. im Hinblick auf Ernährung*); plain ~ and high thinking einfache und philosophische Lebensführung; → standard¹ 6. – 14. ˈLebensˌunterhalt *m*: to earn one's ~, to work for one's ~ seinen Lebensunterhalt verdienen; to make a ~ out of seinen Lebensunterhalt verdienen durch, sich ernähren von. – 15. a) Leben *n*, b) Wohnen *n.* – 16. *relig. Br.* Pfründe *f.* – 17. *obs.* Besitz *m*, Gut *n*, Vermögen *n.* — ~ **death** *s* Tod *m* im Leben, trostloses Leben.

liv·ing·ly [ˈliviŋli] *adv* lebensecht, naˈturgetreu.

liv·ing| pic·ture *s* lebendes Bild. — ~ **room** *s* Wohnzimmer *n.* — ~ **space** *s pol.* Lebensraum *m.* — ~ **wage** *s econ.* Exiˈstenzminimum *n* (*zum Leben unbedingt nötiger Lohn*).

Li·vo·ni·an [liˈvouniən] **I** *adj* 1. livländisch. – **II** *s* 2. Livländer(in). – 3. *ling.* Livisch *n*, das Livische.

li·vre [liːvr; ˈliːvər] *s* Livre *m, n* (*alte franz. Rechnungsmünze*).

lix·iv·i·ate [likˈsiviˌeit] *v/t* 1. auslaugen. – 2. mit Lauge behandeln. — **lixˌiv·iˈa·tion** *s* Auslaugung *f.*

lix·iv·i·um [likˈsiviəm] *pl* **-i·ums** *od.* **-i·a** [-iə] *s chem.* Lauge *f*, Exˈtrakt *m* (*durch Auslaugen entstandene Lösung*).

liz·ard [ˈlizərd] *s* 1. *zo.* Eidechse *f* (*Unterordng Lacertilia*): common ~ Berg-, Waldeidechse (*Lacerta vivipara*). – 2. Lizard *m* (*Varietät des Kanarienvogels*). – 3. → lounge ~ 1. – 4. The L~ Kap Lizard (*südlichster Punkt Englands*). — ~ **fish** *s zo.* 1. Eidechsenfisch *m* (*Fam. Synodontidae*). – 2. → saury.

ˈliz·ard's-ˌtail *s bot.* Eidechsen-, Molchschwanz *m* (*Saururus cernuus*).

Liz·zie [ˈlizi] *s sl.* (billiges) Auto, *bes.* (billiger) Ford.

'll [l; əl] *colloq. für* will *od.* shall: I'll.

lla·ma [ˈlɑːmə] *s* 1. *zo.* Lama *n* (*Gattg Lama*). – 2. Lamawolle *f.*

lla·ne·ro [ʎaˈnero] *pl* **-ros** (*Span.*) *s* Llaˈnero *m* (*Bewohner der Llanos*).

lla·no [ˈlɑːnou] *s* Llano *m* (*Hochgrassteppe, bes. in Südamerika*).

Lloyd's [lɔidz] *s* Lloyd's *pl*: a) *brit. Korporation von Seeversicherern, Reedern, Händlern etc*, b) *brit. Ge-*

sellschaft, die Lloyd's Register herausgibt: A 1 at ~ *mar. od. fig.* erstklassig. — **~ List** *s mar.* Lloyds Liste *f (ein von Lloyd's herausgegebenes Schiffahrtsnachrichtenblatt).* — **~ Reg·is·ter** *s mar.* Lloyds Register *n (jährlich veröffentlichtes alphabetisches Verzeichnis aller Schiffe von mehr als 100 Tonnen).*

lo[1] [lou] *interj* siehe! schau! seh(e)t!: ~ and behold! *(oft scherzhaft)* sieh(e) da!

Lo[2] [lou] *s humor.* (nordamer.) Indi'aner *m.*

lo·a ['louə] *s zo.* Loawurm *m,* Westafrik. Augenwurm *m (Filaria loa).*

loach [loutʃ] *s zo.* Schmerle *f (Fam. Cobitidae; Fisch).*

load [loud] **I** *s* **1.** Last *f.* – **2.** Ladung *f:* a ~ of hay eine Heuladung, ein Fuder Heu; get a ~ of this *Am. sl.* paß mal auf, hör mal gut zu. – **3.** Load *n (engl. Zählmaß, verschieden je nach Art der Ware).* – **4.** Last *f,* (*auf einer Stütze etc ruhendes*) Gewicht, Druck *m.* – **5.** *fig.* Last *f,* Bürde *f:* a ~ of care eine Sorgenlast; to take a ~ off s.o.'s mind j-m einen Stein vom Herzen nehmen. – **6.** Ladung *f (einer Feuerwaffe).* – **7.** *pl colloq.* Massen *pl,* Mengen *pl,* eine Unmasse, eine Unmenge: ~s of tourists Massen von Ferienreisenden. – **8.** (Arbeits)Pensum *n.* – **9.** *electr. tech.* a) Last *f,* Belastung *f,* b) Leistung *f:* inductive ~ induktive Belastung; the ~ on a motor die Belastung eines Motors; → peak[1] 14. – **10.** *electr.* 'Bürde(kapazi,tät) *f* (von *Schwingquarzen).* – **11.** *dial. od. Am. sl.* ‚Ladung' *f (tüchtige Menge Alkohol).* – **II** *v/t* **12.** beladen: to ~ a cart (ship *etc*); to ~ s.o. with s.th. j-n mit etwas beladen. – **13.** (auf)laden: the ship must ~ coal; to ~ hay Heu (auf)laden. – **14.** *fig.* über'lasten, -'laden: to ~ s.o. with work j-n mit Arbeit überlasten. – **15.** *fig.* belasten, bedrücken, niederdrücken, (*mit Sorgen etc*) beladen, beschweren. – **16.** *fig.* über'schütten, -'häufen: to ~ s.o. with gifts. – **17.** beschweren, (*durch Zusätze etc*) schwerer machen (*oft in betrügerischer Absicht*): to ~ a cane einen Stock mit Blei beschweren; to ~ dice Würfel beschweren *od.* fälschen; to ~ sugar das Gewicht des Zuckers betrügerisch erhöhen. – **18.** (*Wein etc*) verfälschen. – **19.** (*Feuerwaffe*) laden: are you ~ed? hast du geladen? – **20.** den Film *od.* die Platte einlegen in (*den Photoapparat*). – **21.** *electr.* pupini'sieren. – **22.** (*Versicherungsprämie*) durch Zuschläge erhöhen. – **III** *v/i* **23.** aufladen. – **24.** (ein)laden, Ladung über'nehmen: to ~ for Liverpool Ladung nach Liverpool übernehmen. – **25.** (Gewehr *etc*) laden: ~ and lock! laden u. sichern! – **26.** (*an der Börse*) große Einkäufe tätigen, stark kaufen. –

Verbindungen mit Adverbien:

load| in *v/t* einladen. — **~ out** *v/t* ausladen. — **~ up I** *v/t* auf-, einladen: loaded up with a) vollgeladen mit, b) *econ.* mit einem reichlichen Vorrat an ... (*dat*) versehen. – **II** *v/i* sich häufen.

load| ca·pac·i·ty *s* **1.** *tech.* a) Ladefähigkeit *f,* b) Tragfähigkeit *f.* – **2.** *electr. tech.* Belastbarkeit *f,* Leistungsaufnahme *f.* — **~ dis·place·ment** *s mar.* Wasserverdrängung *f* des beladenen Schiffs, Ladeverdrängung *f.* — **~ draft,** *bes. Br.* **~ draught** *s mar.* Tiefgang *m* des beladenen Schiffs, Ladetiefgang *m.*

load·ed ['loudid] *adj* **1.** beladen, belastet. – **2.** beschwert: ~ cane mit Blei(kopf) beschwerter Stock, Totschläger; ~ dice falsche Würfel. – **3.** verfälscht, verschnitten (*Wein*). – **4.** *med.* a) belegt (*Zunge*), b) über'laden, -'lastet (*Eingeweide*).

load·er ['loudər] *s* **1.** (Ver)Lader *m,* Auflader *m.* – **2.** Verladevorrichtung *f.* – **3.** *hunt.* Lader *m (der die Gewehre lädt u. bereithält).* – **4.** (*in Verbindungen*) ...lader *m:* → muzzle-~.

load fac·tor *s electr.* Belastungsfaktor *m.*

load·ing ['loudiŋ] *s* **1.** Beladen *n,* Belasten *n.* – **2.** *econ.* (Auf)Laden *n:* ~ and unloading Laden u. Löschen. – **3.** Ladung *f,* Last *f.* – **4.** *electr. tech.* Belastung *f.* – **5.** *electr.* Pupini'sierung *f.* – **6.** *aer.* Belastung *f.* – **7.** (*Lebensversicherung*) Prämienzuschlag *m, bes.* Verwaltungskostenanteil *m (der Prämie).* — **~ bridge** *s* Verladebrücke *f.* — **~ coil** *s electr.* Pu'pin-, Belastungsspule *f.* — **~ plat·form** *s* Laderampe *f,* -bühne *f.* — **~ test** → load test.

load| line *s mar.* Lade(wasser)linie *f,* Lademarke *f.* — **~ re·sist·ance** *s electr.* Be'lastungs-, 'Arbeits-, 'Außen,widerstand *m.* — '**~,star** *cf.* lodestar. — '**~,stone** *s* **1.** *min.* stark ma'gnetischer Magne'tit (Fe_3O_4). – **2.** na'türlicher Ma'gnet. – **3.** *fig.* Ma'gnet *m.* — **~ test** *s electr. tech.* Belastungsprobe *f.* — **~ wa·ter line** → load line.

loaf[1] [louf] **I** *s pl* **loaves** [louvz] **1.** Laib *m (Brot):* a brown ~ ein Laib Schwarzbrot (*aus wenig ausgemahlenem Mehl*); a white ~ ein Laib Weißbrot; half a ~ is better than no bread etwas ist besser als gar nichts; loaves and fishes *fig.* Brot u. Fische (*persönliche Vorteile als Motiv religiösen Bekenntnisses od. öffentlicher Tätigkeit*); the ~ das (tägliche) Brot. – **2.** → sugar ~. – **3.** Frika'delle *f,* Hackbraten *m.* – **4.** *Br.* Kopf *m* (*Kohl od. Salat*). – **5.** *obs. od. dial.* Brot *n.* – **II** *v/i* **6.** *Br.* einen Kopf bilden (*Kohl etc*).

loaf[2] [louf] **I** *v/i* **1.** her'umlungern, bummeln. – **2.** faulenzen, müßiggehen: to ~ on s.o. *colloq.* auf j-s Kosten faulenzen. – **II** *v/t* **3.** ~ away verbummeln, vertrödeln. – **III** *s colloq.* **4.** Bummeln *n,* Faulenzen *n:* to be on the ~ bummeln, faulenzen.

loaf·er ['loufər] *s* **1.** (müßiger) Bummler. – **2.** Müßiggänger *m,* Faulenzer *m.* – **3.** mokas'sinartiger Schuh.

loaf sug·ar *s* Hutzucker *m.*

loam [loum] **I** *s* **1.** Lehm *m.* – **2.** *agr.* Lehm(boden) *m.* – **3.** *obs.* Erde *f.* – **4.** *obs.* Ton *m.* – **II** *v/t* **5.** mit Lehm verschmieren *od.* ausfüllen. — **~ board** *s* (*Gießerei*) Formbrett *n.* — **~ cast·ing** *s* (*Gießerei*) Lehmguß *m.*

loam·y ['loumi] *adj* **1.** lehmig. – **2.** Lehm..., lehmhaltig: ~ soil Lehmboden.

loan[1] [loun] **I** *s* **1.** (Ver)Leihen *n,* Aus-, Darleihung *f:* on ~ leihweise; a book on ~ ein geliehenes Buch; to ask for the ~ of s.th. etwas leihweise erbitten. – **2.** Anleihe *f:* to take up a ~ on s.th. eine Anleihe auf eine Sache aufnehmen; government ~ Staatsanleihe. – **3.** Darlehen *n:* to grant a ~ to s.o. j-m ein Darlehen gewähren; ~ on interest verzinsliches Darlehen; ~ on securities Lombarddarlehen. – **4.** Entlehnung *f, bes.* Lehnwort *n.* – **II** *v/t* **5.** verleihen. – **6.** *bes. Am.* (*Geld*) gegen Zinsen verleihen *od.* als Darlehen geben. – **III** *v/i* **7.** *bes. Am.* ausleihen, *bes.* Darlehen gewähren.

loan[2] [loun] *s Scot. od. dial.* **1.** Melkstelle *f.* – **2.** Gasse *f.*

loan·a·ble ['lounəbl] *adj* verleihbar.

loan| bank *s* Darlehensbank *f,* -kasse *f,* Kre'ditbank *f,* -anstalt *f.* — **~ busi·ness** *s* Leih-, Lom'bardgeschäft *n.* — **~ col·lec·tion** *s* Leihgaben(sammlung *f*) *pl (Kunstwerke).*

loan·er ['lounər] *s* Verleiher *m,* Darlehensgeber *m.*

loan| god *s* aus einer fremden Religi'on über'nommener Gott. — **~ hold·er** *s econ.* (Anleihe)Gläubiger *m, bes.* Hypo'thekengläubiger *m.*

loan·in ['lounin] → loan[2].

loan| of·fice *s* **1.** Leih-, Darlehenskasse *f.* – **2.** Pfandleihgeschäft *n.* – **3.** Stelle, bei der Staatsanleihen gezeichnet werden können. — **~ shark** *s Am. colloq.* Zinswucherer *m.* — **~ so·ci·e·ty** *s Br.* Darlehensgesellschaft *f,* -verein *m,* Vorschußverein *m.* — **~ trans·la·tion** *s ling.* 'Lehnüber,setzung *f.* — **~ val·ue** *s econ.* Beleihungswert *m.* — '**~,word, ~ word** *s ling.* Lehnwort *n.*

loath [louθ] *adj (nur prädikativ)* **1.** abgeneigt, nicht willens: I am ~ to go ich habe keine Lust zu gehen; to be ~ for s.o. to do s.th. dagegen sein, daß j-d etwas tut; I am ~ that he takes part ich bin dagegen, daß er teilnimmt; to be nothing ~ durchaus nicht abgeneigt sein. – **2.** *obs.* verhaßt, abstoßend, 'widerwärtig. – *SYN. cf.* disinclined.

loathe [louð] *v/t* **1.** verabscheuen, hassen, nicht leiden können. – **2.** sich ekeln vor (*dat*): I ~ it mir *od.* mich ekelt davor, es ist mir (in der Seele) verhaßt. – *SYN. cf.* hate[1]. — '**loath·ful** [-ful; -fəl] → loathsome. — '**loath·ing** *s* **1.** Abscheu *m,* heftiger 'Widerwille. – **2.** Ekel *m* (at vor *dat*). — '**loath·ing·ly** *adv* mit 'Widerwillen, mit Abscheu, mit Ekel. — '**loath·ly I** *adj* → loathsome. – **II** *adv* 'widerwillig. — '**loath·some** [-səm] *adj* **1.** widerlich, ekelhaft, verhaßt. – **2.** ekelerregend, eklig, ekelhaft. — '**loath·some·ness** *s* Widerlichkeit *f,* Ekelhaftigkeit *f.*

loave [louv] → loaf[1] II.

loaves [louvz] *pl von* loaf[1] I.

lob[1] [lɒb] **I** *s* **1.** (*Tennis*) Lob(ball *m*) *n (über den vorgelaufenen Gegner hoch hinweggeschlagener Ball).* – **2.** (*Kricket*) Grundball *m,* von unten hoch in die Luft geworfener Ball. – **II** *v/t pret u. pp* **lobbed 3.** (*Tennisball*) hoch über den vorgelaufenen Gegner hin'wegspielen. – **4.** (*Kricketball*) von unten her hochwerfen. – **5.** langsam *od.* schwerfällig werfen. – **III** *v/i* **6.** (*Tennis*) lobben, einen Lobball schlagen. – **7.** sich schwerfällig fortbewegen, *bes.* schwerfällig gehen *od.* laufen.

lob[2] [lɒb] *s* **1.** → lobworm. – **2.** *obs. od. dial.* Tölpel *m.*

lo·bar ['loubər] *adj* lo'bär, Lobär..., Lappen...: ~ pneumonia *med.* Lobärpneumonie.

lo·bate ['loubeit], *auch* '**lo·bat·ed** [-tid] *adj bes. bot. zo.* lappig, gelappt. — **lo'ba·tion** *s bes. bot. zo.* **1.** Gelapptheit *f,* Gelapptsein *n.* – **2.** Lappenbildung *f.* – **3.** a) Lappen *m,* b) Läppchen *n.*

lob·ber ['lɒbər] *s* j-d der (*beim Tennis*) einen Ball hoch zu'rückschlägt.

lob·by ['lɒbi] **I** *s* **1.** a) Vorhalle *f,* Vesti'bül *n,* b) breiter Korridor, Wandelgang *m,* c) Foy'er *n (Theater).* – **2.** a) Wandelhalle *f,* -gang *m,* Cou'loir *m (eines Parlamentsgebäudes),* b) *auch* division ~ *ein Wandelgang im brit. Unterhaus, in den sich die Abgeordneten bei der Abstimmung begeben.* – **3.** *pol. bes. Am.* Lobbies *pl (Vertreter außerparlamentarischer Interessen[ten]gruppen, die in der Wandelhalle eines Parlaments Abgeordnete zu beeinflussen suchen).* – **II** *v/i bes. Am.* **4.** (in der Wandelhalle) die Abgeordneten beeinflussen *od.* zu beeinflussen suchen. – **III** *v/t bes. Am.*

5. *auch* ~ through (*Gesetzesantrag*) durch Beeinflussung der Abgeordneten 'durchbringen. – 6. (*Abgeordnete*) (in der Wandelhalle) bearbeiten *od.* beeinflussen. — '**lob·by,ism** *s bes. Am.* Lobby'ismus *m* (*Praktik, die Abgeordneten* [*in der Wandelhalle des Parlaments*] *zu beeinflussen*). — '**lob·by·ist** *s pol. bes. Am.* Lobby'ist *m* (*bezahlter od. unbezahlter Agent einer außerparlamentarischen Interessen*[*ten*]*gruppe zur Beeinflussung von Abgeordneten*).

lobe [loub] *s* **1.** *bes. bot. zo.* Lappen *m.* – **2.** *med.* Lappen *m*: ~ of the ear Ohrläppchen; ~ of the lung, pulmonary ~ Lungenlappen. – **3.** *med.* Ohrläppchen *n.* – **4.** (*Radar*) Keule *f*, Zipfel *m*, Schleife *f.* — **lobed** *adj* **1.** gelappt, lappig. – **2.** *bes. bot.* gelappt.

lo·be·li·a [lo'biːljə] *s bot.* Lo'belie *f* (*Gattg Lobelia*).

lo·be·line ['loubə,liːn; -lin; lo'biː-] *s chem. med.* Lobe'lin *n* ($C_{22}H_{27}NO_2$).

lob·lol·ly ['lɒb,lɒli] *s* **1.** dicker (Hafer-)Brei. – **2.** *bot. Am.* a) Weihrauchkiefer *f* (*Pinus taeda*), b) Ka'ribische Kiefer (*P. caribaea*), c) *eine amer. Kiefer* (*P. serotina*). — ~ **boy,** ~ **man** *s irr mar.* Gehilfe *m* des Schiffsarztes. — ~ **pine** → loblolly 2.

lo·bo ['loubou] *pl* **-bos** *Am. dial. für* timber wolf.

lo·bot·o·my [lo'bɒtəmi] → leucotomy.

lob·scouse ['lɒb,skaus], *auch* '**lob,scourse** [-,skɔːrs] *s mar. od. dial.* Labskaus *n* (*Gericht aus Fleisch, Kartoffeln, Zwiebeln etc*).

lob·ster ['lɒbstər] *s* **1.** *zo.* Hummer *m* (*Gattg Homarus*): American ~ Amer. Hummer (*H. americanus*); European ~ (Gemeiner) Hummer (*H. vulgaris*); hen ~ weiblicher Hummer; as red as a ~ *fig.* krebsrot. – **2.** → spiny ~. – **3.** *zo. ein hummerähnlicher Krebs.* – **4.** *sl.* a) ‚Gimpel' *m*, b) ‚Pfuscher' *m*, Stümper *m*, c) rotgesichtiger Mensch, Rotgesicht *n.* – **5.** *Br. sl.* (*verächtlich*) Rotrock *m* (*brit. Soldat*). — '~-,**eyed** *adj* stieläugig.

lob·ster·ing ['lɒbstəriŋ] *s* Hummerfang *m.*

lob·ster| moth *s zo.* Buchenspinner *m* (*Stauropus fagi*). — ~ **pot** *s* Hummerkorb *m*, -falle *f.* — ~ **ther·mi·dor** *s* (*Kochkunst*) *Gericht aus Hummerfleisch, Pilzen u. Rahmsoße, in einer Hummerschale serviert.*

'**lob,tail** *v/i* mit dem Schwanz flach aufschlagen (*Wal*).

lob·u·lar ['lɒbjulər; -jə-] *adj* lobu'lär, kleinlappig, Lobulär...: → pneumonia. — '**lob·u·late** [-lit; -,leit], '**lob·u,lat·ed** [-,leitid] *adj* kleingelappt, -lappig. — **lob·ule** ['lɒbjuːl] *s bot. med. zo.* Läppchen *n*: the ~ of the ear das Ohrläppchen.

'**lob,worm** *s zo.* **1.** großer Regenwurm (*als Fischköder*). – **2.** → lugworm.

lo·ca ['loukə] *pl von* locus.

lo·cal[1] ['loukəl] **I** *adj* **1.** lo'kal, örtlich, Lokal..., Orts...: ~ news Lokalnachrichten; ~ situation örtliche Lage; ~ traffic Lokal-, Orts-, Nahverkehr. – **2.** Orts..., ortsansässig, hiesig; the ~ doctor der ortsansässige Arzt. – **3.** lo'kal, örtlich (beschränkt), Lokal...: ~ an(a)esthesia *med.* Lokalanästhesie, örtliche Betäubung; a ~ custom ein ortsüblicher Brauch; a ~ expression ein ortsgebundener Ausdruck; a ~ inflammation eine örtliche Entzündung; to be ~ nicht weit verbreitet sein, nur in einem bestimmten Gebiet vorkommen. – **4.** lo'kal(patri,otisch): from a ~ point of view von einem rein lokalen Gesichtspunkt aus. – **5.** *math.* Orts..., einen geo'metrischen Ort betreffend. – **6.** *Br.* (*als Postvermerk*) Ortsdienst! – **II** *s* **7.** → ~ train. – **8.** Orts-, Lo'kalnachricht *f.* – **9.** Ortsgruppe *f* (*Verein etc*). – **10.** Ortsansässige(r), Einheimische(r). – **11.** ortsansässiger Arzt *od.* Anwalt *od.* Pfarrer. – **12.** → ~ preacher. – **13.** Lo'kalpostmarke *f.* – **14.** *Br. colloq.* Ortsgasthaus *n.* – **15.** *Br. colloq. für* ~ examination.

lo·cal[2] *cf.* locale.

lo·cal| ad·verb *s ling.* 'Ortsad,verb *n*, 'Umstandswort *n* des Ortes. — ~ **aid post** *s mil. Am.* Truppenverbandsplatz *m.* — ~ **at·trac·tion** *s phys.* lo'kale Anziehung (*die eine Ablenkung der Kompaßnadel od. des Lots bewirkt*). — ~ **bat·ter·y** *s electr.* 'Ortsbatte,rie *f.* — ~ **bill** *s econ.* Platzwechsel *m.* — ~ **bo·nus** *s econ.* Ortszulage *f.* — ~ **call** *s* (*Telephon*) Ortsgespräch *n.* — ~ **col·o(u)r** *s* **1.** (*Literatur*) Lo'kalkolo,rit *n.* – **2.** (*Malerei*) Lo'kalfarbe *f.*

lo·cale [lo'kɑːl; *Am. auch* -'kæl] *s* Schauplatz *m*, Ort *m* (*Ereignis etc*).

lo·cal| ex·am·i·na·tion *s Br. von einer Universitäts-Prüfungskommission abgehaltene Prüfung an einer höheren Schule.* — ~ **gov·ern·ment** *s* **1.** Gemeinde-, Kommu'nalverwaltung *f.* – **2.** lo'kale Selbstverwaltung. — **L**~ **Gov·ern·ment Board** *s ehemalige engl. Zentralbehörde zur Kontrolle des Gesundheitswesens, der Durchführung der Armengesetze etc; seit 1919 im Gesundheitsministerium aufgegangen.*

lo·cal·ism ['loukə,lizəm] *s* **1.** *ling.* örtliche Spracheigentümlichkeit, Provinzia'lismus *m.* – **2.** Ortsbrauch *m*, nur örtlich verbreitete Sitte. – **3.** Vorliebe *f* für einen (bestimmten) Ort. – **4.** Lo'kalpatrio,tismus *m.* – **5.** Beschränktheit *f* des Hori'zonts, Spießbürgertum *n*, Bor'niertheit *f.*

lo·cal·i·ty [lo'kæliti; -əti] *s* **1.** Örtlichkeit *f*, Ort *m.* – **2.** Fundort *m* (*Mineral etc*). – **3.** Schauplatz *m*, Ort *m* (*Ereignis etc*). – **4.** örtliche Lage. – **5.** (*abstrakt*) Örtlichkeit *f.* – **6.** Orien'tierung(svermögen *n*) *f*: a good sense of ~ ein guter Ortssinn; → bump[1] 8.

lo·cal·iz·a·ble ['loukə,laizəbl] *adj* lokali'sierbar. — ,**lo·cal·i'za·tion** *s* **1.** Lokalisati'on *f*, örtliche Festlegung *od.* Beschränkung. – **2.** Dezentrali'sierung *f.* – **3.** Ausstattung *f* mit lo'kalen Besonderheiten. — '**lo·cal,ize** *v/t* **1.** lokali'sieren, örtlich festlegen. – **2.** lokali'sieren, örtlich beschränken (to auf *acc*). – **3.** (*Aufmerksamkeit etc*) konzen'trieren (upon auf *acc*). – **4.** dezentrali'sieren. – **5.** lo'kal färben, mit lo'kalen Besonderheiten ausstatten. — '**lo·cal,iz·er** *s* **1.** j-d der *od.* etwas was lokali'siert. – **2.** *aer. electr.* Landekurssender *m*, ILS(*Instrumenten-Landesystem*)-'Hauptbake *f*, Leitstrahlbake *f*, Landeführungsgerät *n.*

lo·cal·ly ['loukəli] *adv* lo'kal, örtlich.

lo·cal| op·tion *s* lo'kaler Entscheid durch Volksabstimmung (*bes. über Alkoholausschank*). — ~ **preach·er** *s* metho'distischer Laien-Wanderprediger. — ~ **serv·ice** *s* Nahverkehr *m.* — ~ **tax** *s* Gemeindesteuer *f.* — ~ **time** *s* Ortszeit *f.* — ~ **train** *s* **1.** Nahverkehrszug *m.* – **2.** Per'sonenzug *m.*

Lo·car·no Pact [lo'kɑːrnou] *s pol. hist.* Lo'carno-Pakt *m* (*vom 16. 10. 1925, zwischen Deutschland, Frankreich, Belgien u. anderen Mächten zur Sicherung des Friedens*).

lo·cate ['loukeit; lo'keit] **I** *v/t* **1.** lokali'sieren, ausfindig machen, orten, (auf)finden, die örtliche Lage feststellen von. – **2.** (*feindliche Stellung etc*) ausmachen. – **3.** lokali'sieren, örtlich festlegen. – **4.** *Am.* errichten, aufschlagen, einrichten: to ~ a new office in X. ein neues Büro in X. errichten. – **5.** to be ~d *Am.* gelegen sein, liegen. – **6.** *Am.* a) den Ort *od.* die Grenzen festsetzen für, b) (*Land etc*) abstecken, abgrenzen. – **7.** (*dat*) einen bestimmten Platz zuweisen, (*acc*) einordnen: to ~ the reign of a king die Regierungszeit eines Königs zeitlich festlegen. – **8.** (*an einen bestimmten Ort*) verlegen: to ~ the garden of Eden in Babylonia den Garten Eden nach Babylonien verlegen. – **II** *v/i* **9.** *Am. colloq.* sich niederlassen.

lo·cat·ing de·vice [lo'keitiŋ] *s aer. mar.* Ortungsgerät *n.*

lo·ca·tion [lo'keiʃən] *s* **1.** Stelle *f*, Lage *f*, Platz *m*: in a fine ~ in schöner Lage. – **2.** Lage *f*, Standort *m*: a good ~ for a factory. – **3.** abgestecktes Stück Land, angewiesenes Land, *bes.* a) *Am.* zugewiesenes Schürffeld, b) *Austral.* Farm *f.* – **4.** (*Filmwesen*) Ort *m* für Außenaufnahmen: on ~ auf Außenaufnahme, außerhalb des Studios. – **5.** Lokali'sierung *f*, örtliche Festlegung. – **6.** (Auf)Finden *n.* – **7.** *Am.* Abstecken *n* (*von Land*). – **8.** *Am.* Errichtung *f.* – **9.** Niederlassung *f*, Siedlung *f.* – **10.** *jur.* Verpachtung *f*, Vermietung *f.*

loc·a·tive ['lɒkətiv] *ling.* **I** *adj* Lokativ..., Orts...: ~ case Lokativ. – **II** *s* Lokativ *m*, Lo'kalis *m*, Ortsfall *m.*

lo·ca·tor [lo'keitər; 'lou-] *s* **1.** *jur.* Lo'kator *m*, Vermieter *m*, Verpächter *m.* – **2.** *Am.* Grenzfestsetzer *m*, j-d der die Grenzen von Landzuweisungen festlegt. – **3.** *electr.* → radiolocator.

loch [lɒx; lɒk] *s Scot.* Loch *m*: a) See *m*, b) (enger) Meeresarm, (fast ganz von Land um'schlossene) Bucht.

lo·chi·a ['loukiə; 'lɒk-] *s med. vet.* Lochien *pl*, Lochi'alse,kret *n*, Wochenfluß *m.* — '**lo·chi·al** *adj* Lochial...

lo·ci ['lousai] *pl von* locus.

lock[1] [lɒk] **I** *s* **1.** Schloß *n* (*an Türen etc*): under ~ and key hinter Schloß u. Riegel, unter Verschluß. – **2.** Verschluß *m*, Schließ-, Haltevorrichtung *f.* – **3.** Sperrvorrichtung *f*, Sicherung *f.* – **4.** Bremsvorrichtung *f*, Hemmkette *f*, -schuh *m.* – **5.** Schloß *n*, Verschluß *m* (*bei Feuerwaffen*): ~, stock, and barrel *fig.* a) alles zusammen, mit allem Drum u. Dran, b) ganz u. gar. – **6.** Schleuse(nkammer) *f* (*eines Kanals etc*). – **7.** Luft-, Druckschleuse *f*, (Luft)Druckverschluß *m.* – **8.** Einschlag *m* (*der Vorderräder*): angle of ~ Einschlagwinkel. – **9.** Zu'sammenschließen *n*, -schluß *m.* – **10.** Inein'andergreifen *n.* – **11.** Stauung *f*, Verstopfung *f*, Stockung *f*, Gedränge *n* (*von Fahrzeugen etc*). – **12.** (*Ringen*) Fessel(ung) *f.* – **13.** *Br.* Krankenhaus *n* für Geschlechtskranke. – **14.** *sl.* a) Hehler *m*, b) Versteck *n* für gestohlenes Gut. – **15.** *sl.* Schleusenwärter *m.* –

II *v/t* **16.** zuschließen, verschließen, versperren: to ~ the door against s.o. j-m die Tür verschließen; to ~ the stable door after the horse has been stolen den Brunnen zudecken, wenn das Kind ertrunken ist. – **17.** einschließen, (ein)sperren (in, into in *acc*): to ~ s.o. in a room j-n in ein Zimmer sperren. – **18.** um'schließen, um'fassen, schließen (in in *acc*), verschließen (in in *dat*): to ~ s.o. in one's arms j-n in die Arme schließen; his senses were ~ed in sleep seine Sinne wurden vom Schlaf umfangen, der Schlaf hielt seine Sinne gefangen; to be ~ed in a) fest verschlossen sein in (*dat*), b) *fig.* eng verbunden sein mit; ~ed eng umschlungen (*im Kampf od. in Liebe*). – **19.** um'schließen, um'geben (*meist nur im Passiv gebraucht*): ~ed by mountains von Bergen umschlossen. – **20.** inein-

ˈanderlegen, -schlingen, -schließen, (*Arme*) verschränken. – **21.** festmachen, fiˈxieren. – **22.** (*Rad*) sperren, hemmen. – **23.** (*beim Ringen*) umˈschlingen, (um)ˈfassen. – **24.** (*Schiff*) (ˈdurch)schleusen. – **25.** (*Kanal etc*) mit Schleusen ausstatten. – **III** *v/i* **26.** sich schließen (lassen), sich versperren lassen. – **27.** ineinˈandergreifen. – **28.** fiˈxiert werden *od.* sein, gehemmt *od.* blocˈkiert werden. – **29.** a) sich einschlagen lassen (*Räder*), b) sich durch Einschlag der Vorderräder lenken lassen (*Fahrzeug*). – **30.** geschleust werden. – **31.** Schleusen bauen. – **32.** dicht aufschließen (*Marschglied*). –
Verbindungen mit Adverbien:
lock| a·way *v/t* wegschließen. — ~ **down** *v/t* (*Schiff*) hinˈabschleusen. — ~ **in** *v/t* einschließen, einsperren. — ~ **off** *v/t* durch eine Schleuse abteilen. — ~ **out** *v/t* **1.** (hin)ˈaussperren. – **2.** (*Arbeiter*) aussperren. — ~ **through** *v/t* (*Schiff*) ˈdurchschleusen. — ~ **up** *v/t* **1.** verschließen, ab-, zuschließen, versperren, zusperren. – **2.** verschließen, ein-, wegschließen. – **3.** (*j-n*) einsperren, einschließen: to ~ prisoners Gefangene einsperren; to lock oneself up sich einschließen. – **4.** → lock 21. – **5.** *print.* (*Satz*) schließen, im Formkasten festmachen. – **6.** (*Kapital*) festlegen, fest anlegen, engaˈgieren. – **7.** (*Schiff*) hinˈaufschleusen.

lock[2] [lɒk] *s* **1.** (Haar)Locke *f.* – **2.** *pl* Locken *pl*, Haar *n.* – **3.** (Woll)Flocke *f.* – **4.** Strähne *f*, Büschel *n* (*Fasern, Haare etc*).

lock·age [ˈlɒkidʒ] *s* **1.** (ˈDurch)Schleusen *n* (*Schiff*). – **2.** ˈSchleusen(anlage *f*, -syˌstem *n*) *pl.* – **3.** Schleusengeld *n*, -gebühr *f.* – **4.** Schleusengefälle *n*, -höhe *f.*

ˈ**lock|ˌbox** *s* verschließbare Kasˈsette. — ~ **chain** *s tech.* Lenkkette *f.*

locked| jaw [lɒkt] → lockjaw. — ˈ~-ˌ**wire rope** *s tech.* geschlossenes Drahtseil.

lock·er [ˈlɒkər] *s* **1.** Schließer(in). – **2.** Schließfach *n.* – **3.** a) verschließbarer Kasten *od.* Schrank, b) Spind *m, n*: not a shot in the ~ *colloq.* keinen Pfennig im Beutel; to be laid in the ~s sterben; to go to Davy Jones's ~ *mar. sl.* (*im Meer*) ertrinken; ~ room Umkleideraum.

lock·et [ˈlɒkit] *s* **1.** Medailˈlon *n.* – **2.** *mil.* Ortband *n* (*einer Säbelscheide*).

ˈ**lock|ˌfast** *bes. Scot.* **I** *adj* fest verschlossen. – **II** *s* fest verschlossener Raum *od.* Behälter. — ~ **gate** *s tech.* Schleusentor *n.* — **L**~ **Hos·pi·tal** → lock[1] 13.

Lock·i·an [ˈlɒkiən] *philos.* **I** *s* Anhänger(in) John Lockes (*des engl. Philosophen; 1632–1704*). – **II** *adj* Lockesch(er, e, es) (*John Locke betreffend*). — ˈ**Lock·i·anˌism** *s philos.* die Lehre John Lockes.

lock·ing| plate [ˈlɒkiŋ] *s tech.* **1.** → count wheel. – **2.** Federscheibe *f*, Sprengring *m* (*zur Sicherung von Schrauben, Muttern etc*). — ~ **wheel** *s tech.* Sperrad *n* (*an der Uhr etc*).

Lock·ist [ˈlɒkist] → Lockian.

ˈ**lock|ˌjaw** *s med.* Kieferklemme *f*, Trismus *m.* — ~ **keep·er** *s* Schleusenwärter *m.* — ˈ~**·man** [-mən] *s irr* (*auf der Insel Man*) Gerichtsbote *m*, -diener *m*, Bote *m* des Coroners. — ~ **nut**, *auch* ˈ~ˌ**nut** *s tech.* **1.** Gegen-, Klemm-, Konter-, Verschlußmutter *f.* – **2.** Sprengmutter *f*, Mutter *f* mit Sprengring. – **3.** ˈÜberwurfmutter *f* (*um zwei Rohrstücke zu verbinden*). — ˈ~ˌ**out** *s* Aussperrung *f* (*von Arbeitern seitens des Arbeitgebers*). — ~ **plate** *s* Schloßblech *n*, -blatt *n.* — ~ **rail** *s* (*Tischlerei*) Querholz *n*, -stück *n* (*in Tür- u. Fensterflügeln*). — ~ **saw** *s tech.* Loch-, Stich-, Spitzsäge *f.*

locks·man [ˈlɒksmən] *s irr* Schleusenwärter *m.*

ˈ**lock|ˌsmith** *s* Schlosser *m.* — ˈ~ˌ**smith·er·y**, ˈ~ˌ**smith·ing** *s* Schlosseˈrei *f* (*als Tätigkeit*). — ˈ~ˌ**spit** *Br.* **I** *s* Marˈkierungsfurche *f.* – **II** *v/t pret u. pp* -ˌ**spit·ted** (*mit einem Spaten od. Pflug*) eine Marˈkierungsfurche ziehen für. — ~ **step** *s mil.* Marˈschieren *n* in dicht geschlossenen Gliedern. — ~ **stitch** *s* Kettenstich *m* (*beim Nähen*). — ˈ~ˌ**up I** *s* **1.** Gefängnis *n.* – **2.** Haft *f*, Gewahrsam *m.* – **3.** Verschließen *n*, Verschluß *m.* – **4.** Verschlossensein *n*, verschlossener Zustand. – **5.** Tor(es)schluß *m.* – **6.** *econ.* a) feste (*zinslose*) Anlage (*von Kapital*), b) eingefrorenes Kapiˈtal. – **7.** *print.* Metˈteur *m.* – **8.** ˈEinzelgaˌrage *f*, Box *f* (*für Kraftwagen*). – **II** *adj* **9.** verschließbar, abschließbar. — ~ **wash·er** *s tech.* Federring *m*, -scheibe *f.*

lo·co[1] [ˈloukou] *Am.* **I** *s pl* **-cos 1.** → ~weed. – **2.** → ~ disease. – **II** *v/t pret u. pp* ˈ**lo·coed 3.** mit Narrenkraut vergiften. – **4.** *colloq.* verrückt machen. – **III** *adj* **5.** *sl.* verrückt, ˈübergeschnappt.

lo·co[2] [ˈloukou] *s* Lok *f* (*Lokomotive*).

lo·co[3] [ˈloukou] *econ.* **I** *adj* loco, am Ort (*hauptsächlich in Verbindung mit Preisangaben*). – **II** *prep* ab: ~ factory ab Fabrik, ab Werk.

lo·co ci·ta·to [ˈloukou saiˈteitou] (*Lat.*) am angeführten Ort.

lo·co dis·ease *s vet. Am. durch Genuß von Narrenkraut hervorgerufene Gehirnerkrankung bei Rindern, Schafen u. Pferden.*

lo·coed [ˈloukoud] *Am. sl. für* loco[1] 5.

lo·co·fo·co [ˌloukouˈfoukou] *s Am.* **1. L**~ *pol. hist.* Locoˈfoco *m*: a) (*Spitzname der Whigs für*) Demoˈkrat *m*, b) (*um 1835*) *Mitglied des monopolfeindlichen Demokratenflügels in New York City.* – **2.** *obs.* Streichholz *n.*

lo·co·mote [ˌloukəˈmout] *v/i biol.* umˈherziehen, wandern.

lo·co·mo·tion [ˌloukəˈmouʃən] *s* **1.** Ortsveränderung *f*, Fortbewegung *f*, Lokomotiˈon *f.* – **2.** Fortbewegungsfähigkeit *f*, Fähigkeit *f* der Ortsveränderung. – **3.** Reisen *n*, Wandern *n.*

lo·co·mo·tive [ˈloukəˌmoutiv; ˌloukəˈm-] **I** *adj* **1.** sich fortbewegend, fortbewegungsfähig, sponˈtaner *od.* freier Fortbewegung fähig: a ~ animal ein sich frei bewegendes Tier. – **2.** lokomoˈbil, lokomoˈtiv, lokomoˈtorisch, (Fort)Bewegungs...: ~ engine Lokomotive; ~ organs Fortbewegungsorgane; ~power Fortbewegungsfähigkeit. – **3.** *humor.* Reise..., reise-, wanderlustig; in these ~ days in der heutigen reiselustigen Zeit. – **II** *s* **4.** Lokomoˈtive *f.* – **5.** Fahrzeug *n* mit Eigenantrieb. – **6.** *pl obs. sl.* Beine *pl*: use your ~s.

lo·co·mo·tor [ˌloukoˈmoutər; *Br. auch* ˈloukəˌm-] **I** *adj* **1.** (Fort)Bewegungs..., lokomoˈtorisch: ~ ataxia *med.* lokomotorische Ataxie. – **II** *s* **2.** j-d *od.* etwas was sich frei fortbewegt. – **3.** *tech.* bewegliche Maˈschine, beweglicher Motor. — ˌ**lo·coˈmo·to·ry** [-təri] → locomotive I.

ˈ**lo·coˌweed, lo·co weed** *s bot. Am.* Narrenkraut *n* (*in den westl. USA eine Giftpflanze d. Gattgen Astragalus u. Oxytropis, die bei Tieren Gehirnerkrankungen hervorruft*).

Lo·cri·an [ˈloukriən; ˈlɒk-] **I** *adj* lokrisch. – **II** *s* Lokrer(in) (*Einwohner von Lokris im alten Griechenland*).

loc·u·lar [ˈlɒkjulər; -kjə-] *adj* **1.** *bot.* fächerig, in Fächer eingeteilt, aus Fächern bestehend. – **2.** *zo.* gekammert, in Kammern eingeteilt, aus Kammern bestehend.

loc·u·late [ˈlɒkjuˌleit; -lit; -kjə-], *auch* ˈ**loc·uˌlat·ed** [-tid] *adj biol.* Fächer *od.* Kammern habend, in Fächer *od.* Kammern geteilt.

loc·ule [ˈlɒkjuːl] → loculus.

loc·u·li·cid·al [ˌlɒkjuliˈsaidl; -kjə-] *adj bot.* fachspaltig (*Fruchtkapsel*).

loc·u·lus [ˈlɒkjuləs; -kjə-] *pl* **-li** [-ˌlai] *s* **1.** *bes. bot. zo.* Kammer *f*, Zelle *f.* – **2.** *bot.* a) Pollenfach-Hälfte *f* (*des Staubbeutels*), b) Fruchtknotenfach *n.*

lo·cum [ˈloukəm] *colloq. für* locum tenens. — ~ **te·nen·cy** [ˈtiːnənsi] *s* (Stell)Vertretung *f.* — ~ **te·nens** [ˈtiːnenz] *pl* ~ **te·nen·tes** [tiˈnentiːz] *s* Stellvertreter(in) (*bes. eines Arztes od. Geistlichen*).

lo·cus [ˈloukəs] *pl* **lo·ci** [ˈlousai] *od.* ˈ**lo·ca** [-kə] *s* **1.** Ort *m*, Stelle *f.* – **2.** *math.* geoˈmetrischer Ort. – **3.** *biol.* Genort *m*, Platz *m* (*eines Gens im Chromosom*). – **4.** → ~ classicus. — ~ **clas·si·cus** [ˈklæsikəs] *pl* ˈ**lo·ci** ˈ**clas·siˌci** [-ˌsai] (*Lat.*) *s* Locus *m* classicus (*Haupt- od. Beweisstelle aus einem Buch*). — ~ **poe·ni·ten·ti·ae** [ˌpeniˈtenʃiˌiː] (*Lat.*) *s jur.* Gelegenheit *f* zum ˈWiderruf. — ~ **si·gil·li** [siˈdʒilai] (*Lat.*) *s* (*in Abschriften*) Siegelstelle *f* (*Stelle, wo sich im Original das Siegel befindet*). — ~ **stan·di** [ˈstændai] (*Lat.*) *s jur.* Recht *n*, (*als Zeuge etc*) gehört zu werden.

lo·cust [ˈloukəst] *s* **1.** *zo.* (*eine*) Wander-, Zugheuschrecke (*Fam. Acridiidae*), *bes.* a) (Europ.) Wanderheuschrecke *f* (*Locusta migratoria*), b) Äˈgyptische Wanderheuschrecke (*Schistocerca gregaria*), c) Felsengebirgsheuschrecke *f* (*Melanoplus spretus; Nordamerika*). – **2.** *zo.* a) Feldheuschrecke *f* (*Fam. Acridiidae*), b) → cicada. – **3.** *bot. ein fieberblättriger Leguminosenbaum, bes.* a) Roˈbinie *f*, ˈScheinaˌkazie *f* (*Robinia pseudacacia*), b) Gleˈditschie *f* (*Gleditsia triacanthos*), c) Joˈhannisbrotbaum *m* (*Ceratonia siliqua*), d) Heuschreckenbaum *m* (*Hymenaea courbaril; Westindien*). – **4.** *bot.* a) Joˈhannisbrot *n*, Kaˈrobe *f* (*Frucht des Johannisbrotbaums*), b) Kassiaschote *f* (*Frucht der Röhrenkassie Cassia fistula*). – **5.** *fig.* gieriger, *bes.* gefräßiger Mensch, Schmaˈrotzer *m.*

lo·cus·ta [loˈkʌstə] *pl* **-tae** [-tiː] → spikelet.

lo·cust| bean → locust 4a. — ~ **bee·tle** *s zo.* Roˈbinienkäfer *m* (*Cyllene robiniae*). — ~ **bird** *s zo.* **1.** Rosenstar *m* (*Pastor roseus*). – **2.** (*eine*) Brachschwalbe (*Glareola nordmanni*). — ~ **bor·er** → locust beetle. — ~ **eat·er** → locust bird 1.

lo·cus·tel·le [ˌloukəsˈteliː] → grasshopper warbler.

lo·cust| shrimp → squilla. — ~ **tree** → locust 3a, b, c, d.

lo·cu·tion [loˈkjuːʃən] *s* **1.** Redestil *m*, -weise *f*, Idiˈom *n.* – **2.** Redewendung *f*, Redensart *f*, Ausdruck *m*, Phrase *f.*

loc·u·to·ry [*Br.* ˈlɒkjutəri; *Am.* -kjəˌtɔːri] *s* **1.** Sprechzimmer *n* (*eines Klosters*). – **2.** Sprechgitter *n* (*durch das die Klosterinsassen mit Fremden sprechen*).

lode [loud] *s* **1.** (*Bergbau*) a) Gang *m*, Ader *f*, b) Lager *n*, c) Flöz *n.* – **2.** *Br.* a) Wasserlauf, -weg *m*, b) Abzugs-, Entwässerungsgraben *m.* – **3.** *obs. od. dial.* Weg *m*, Pfad *m.* – **4.** → loadstone. — ˈ~ˌ**star** *s* Leitstern *m* (*auch fig.*), *bes.* Poˈlarstern *m.* — ~**stone** *cf.* loadstone.

lodge [lɒdʒ] **I** *s* **1.** a) Sommer-Garten-, Wochenendhaus *n*, -häuschen *n*, b) Jagdhütte *f*, -haus *n.* –

2. Pförtner-, Parkwächter-, Wildhüterhaus *n* (*auf großen Gütern etc*). – **3.** Porti'er-, Pförtnerloge *f* (*am Eingang von Heimen, Fabriken, Colleges etc*). – **4.** (Geheimbund-, *bes.* Freimaurer)Loge *f*. – **5.** Bau *m* (*eines Tieres*). – **6.** a) Wigwam *m*, Zelt *n*, Hütte *f* (*von Indianern*), b) Indi'anerfaˌmilie *f* (*durchschnittlich auf 4 bis 6 Personen gezählt*): **a tribe of 200 ∼s.** – **7.** (*bes.* vor'übergehende) Wohnung, Bleibe *f*, Lo'gis *n*. – **8.** *obs.* Hütte *f*, ärmliche Behausung. – **II** *v/i* **9.** lo'gieren, (*bes.* vor'übergehend *od.* in 'Untermiete) wohnen. – **10.** (fest)sitzen, (-)stecken, sitzen-, steckenbleiben: **the bullet ∼d in his shoulder** die Kugel stak *od.* steckte in seiner Schulter. – **III** *v/t* **11.** 'unterbringen, 'einquarˌtieren, aufnehmen, (*dat*) 'Unterkunft *od.* Quar'tier bieten: **to be well (ill) ∼d** gut (schlecht) untergebracht sein. – **12.** in Lo'gis *od.* 'Untermiete nehmen. – **13.** aufnehmen, (*dat*) als Wohnung dienen, Raum haben für. – **14.** *reflex* sich 'einquarˌtieren, sich festsetzen: **to ∼ oneself in the enemy's trenches** sich in den Gräben des Feindes festsetzen. – **15.** 'unterbringen, einlagern. – **16.** (*Geld*) depo'nieren, hinter'legen, einzahlen. – **17.** (*Macht, Befugnisse etc*) über'tragen (**in, with, in the hands of** *dat. od.* auf *acc*): **to ∼ administrative powers in s.o. (with a board)** j-m (einer Behörde) Verwaltungsvollmachten übertragen. – **18.** (*Antrag, Beschwerde etc*) einreichen, einbringen: **to ∼ information against s.o.** j-n anzeigen; **to ∼ a protest** Protest einlegen. – **19.** a) hin'eintreiben, -stoßen, -rammen, b) (*Geschoß*) ans Ziel bringen: **to ∼ a bullet in s.o.'s arm** j-m eine Kugel in den Arm jagen; **to ∼ a knife in s.o.'s heart** j-m ein Messer ins Herz stoßen. – **20.** ablagern, hinter'lassen: **the tide ∼s mud in the cavities.** – **21.** (*Getreide etc*) 'umlegen, niederdrücken (*Wind*). – **22.** (*Wild*) in ein Dickicht jagen.

lodged [lɒdʒd] *adj her.* gelagert (*Tier*).

lodge·ment *bes. Br. für* **lodgment.**

'lodgeˌpole *s* Zeltstange *f* (*der Indianer*). — **∼ pine** *s bot.* **1.** *Am.* Murrays Kiefer *f* (*Pinus murrayana*). – **2.** Drehkiefer *f* (*Pinus contorta var. murrayana*).

lodg·er ['lɒdʒər] *s* ('Unter)Mieter(in). — **∼ fran·chise** *s das bis 1918 nur von einer bestimmten Klasse von Untermietern innegehabte Wahlrecht.*

lodg·ing ['lɒdʒiŋ] *s* **1.** Wohnung *f*, Lo'gis *n*, 'Unterkunft *f*: **night's ∼** Nachtquartier; → **board**[1] 3. – **2.** (*bes.* vor'übergehender) Wohnsitz. – **3.** Lo'gieren *n*, Wohnen *n*. – **4.** *pl* a) (*bes.* mö'bliertes) Zimmer, b) Mietwohnung *f*, c) *Br.* Amtswohnung *f* (*bes. des Leiters einiger Colleges in Oxford*). — **'∼ˌhouse** *s* Lo'gierhaus *n*, Pensi'on *f*: **common ∼** Herberge. — **∼ knee** *s* (*Schiffbau*) liegendes Knie. — **∼ turn** *s* (*Eisenbahn*) *Arbeitsschicht, die mit Übernachtung außer Hause verbunden ist.*

lodg·ment ['lɒdʒmənt] *s* **1.** *jur.* a) Einreichung *f*, Einreichen *n* (*Klage, Antrag etc*), b) Erhebung *f* (*Beschwerde, Protest etc*), c) Einlegung *f* (*Berufung*), d) Hinter'legung *f*, Depo'nierung *f*. – **2.** *mil.* Verschanzung *f*, Festsetzung *f*. – **3.** → **lodging** 4a *u.* b. – **4.** Festsetzen *n*, Sitzen- *od.* Hängenbleiben *n*, Sich'niederlassen *n*, Zur'ruhekommen *n*. – **5.** Ansammlung *f*, Ablagerung *f*, Anhäufung *f*.

lod·i·cule ['lɒdiˌkjuːl], *auch* **lo·dic·u·la** [lo'dikjulə; -jələ] *s bot.* Lo'dicula *f*, Saftschüppchen *n* (*der Grasblüten*).

lo·ess ['louis; lœs] *s geol.* Löß *m*.

loft [lɒft; lɔːft] **I** *s* **1.** Dachboden *m* (*Gebäude*). – **2.** Boden *m*, Speicher *m*. – **3.** Heuboden *m*. – **4.** *Am.* a) oberes Stockwerk (*eines Lagerhauses, einer Fabrik, bes. wenn nicht in kleinere Räume abgeteilt*), b) Lagerhaus *n* aus unabgeteilten Stockwerken. – **5.** Em'pore *f*, Bal'kon *m*, Gale'rie *f* (*in Kirchen, Hallen etc*). – **6.** Taubenschlag *m*, -haus *n*, b) Flug *m* (*Tauben*). – **7.** (*Golf*) a) *ein Spezialschlag für Hochbälle*, b) Hochschlagen *n* des Balls, c) Hochschlag *m*. – **II** *v/t* **8.** im Dachboden *od.* auf dem Speicher aufbewahren. – **9.** (*Tauben*) in einem Taubenschlag halten. – **10.** (*Gebäude*) mit einem Dachboden versehen. – **11.** (*Golf*) a) (*das Schlagholz*) in Hochschlaghaltung bringen, b) (*Ball*) hochschlagen, c) (*Hindernis*) durch Hochschlag über'winden. – **III** *v/i* **12.** (*Golf*) einen Hochschlag ausführen.

loft·er ['lɒftər; 'lɔːft-] *s* (*Golf*) Schläger *m* für Hochbälle.

loft·i·ness ['lɒftinis; 'lɔːft-] *s* **1.** Höhe *f* (*Berg etc*). – **2.** Erhabenheit *f*, Adel *m*, Vornehmheit *f*. – **3.** Erhabenheit *f*, Über'legenheit *f*. – **4.** (*das*) Hochfliegende *od.* Hochtrabende. – **5.** Stolz *m*, Hochmut *m*.

loft·ing i·ron ['lɒftiŋ; 'lɔːft-] → **lofter.**

loft·y ['lɒfti; 'lɔːfti] *adj* **1.** hoch(ragend), sich auftürmend, himmelanstrebend: **∼ mountains.** – **2.** erhaben, edel, vornehm. – **3.** erhaben, über'legen: **∼ good humo(u)r.** – **4.** hochfliegend, -trabend. – **5.** stolz, hochmütig. – *SYN. cf.* **high.**

log [lɒg; *Am. auch* lɔːg] **I** *s* **1.** (Holz)Klotz *m*, (-)Block *m*, (*gefällter*) Baumstamm, unbehauener Stamm *od.* Ast: **in the ∼** unbehauen; **like a ∼** (hilflos *od.* schwer) wie ein Klotz; **roll my ∼ and I'll roll yours** eine Hand wäscht die andere; **to roll a ∼ for s.o.** *Am.* j-m helfen, j-m einen Dienst erweisen; **as easy as rolling** (*od.* **falling**) **off a ∼** *Am.* kinderleicht; **to sit like a bump on a ∼** *Am.* stumm u. dumm dasitzen. – **2.** *fig.* Klotz *m* (*etwas Schweres, Plumpes od. Träges*): → **king** 1. – **3.** *mar.* Log *n*, Logge *f*: **to heave** (*od.* **throw**) **the ∼** loggen; **to sail by the ∼** nach dem Log segeln (*Schiffspositionen nach den Logergebnissen errechnen*). – **4.** *mar.* Logbuch *n*. – **5.** *aer.* Log *n*, (Betriebs)Tagebuch *n*. – **6.** *tech.* a) Bohrbericht *m* (*beim Erbohren von Öl, Erdproben etc*), b) fortlaufender Bericht (*bes. über die regelmäßige Überprüfung von Motoren, Dampfkesseln etc*). – **7.** *Br.* Arbeits-Stundenplan *m* (*eines Schneidergesellen*). – **8.** *pl Austral.* Gefängnis *n*. – **II** *v/t pret u. pp* **logged 9.** (*Baum*) fällen u. abästen. – **10.** (*gefällte Bäume*) in Klötze schneiden. – **11.** (*Wald*) abholzen. – **12.** *mar.* loggen: a) (*Entfernung*) zu'rücklegen, b) (*Beobachtung, Geschwindigkeit etc*) in das Logbuch eintragen, c) (*straffälligen Matrosen*) ins Logbuch eintragen, d) (*einem Missetäter*) eine Geldstrafe auferlegen. – **III** *v/i* **13.** als Holzarbeiter arbeiten.

log- [lɒg; *Am. auch* lɔːg] → **logo-.**

log·an ['lɒgən] → **logan stone.**

lo·gan·ber·ry ['lougənˌberi; *Br. auch* -bəri] *s bot.* Logan-Beere *f* (*Rubus loganobaccus; Kreuzung zwischen Bärenbrombeere u. Himbeere*).

lo·gan·i·a·ceous [loˌgeini'eiʃəs] *adj bot.* zu den Logangewächsen gehörig.

log·an stone ['lɒgən] *s geol. Br.* Wagstein *m* (*auf einem anderen Felsen liegender beweglicher Fels*).

log·a·oe·dic [ˌlɒgə'iːdik; *Am. auch* ˌlɔːg-] *metr.* **I** *adj* loga'ödisch. – **II** *s* loga'ödischer Vers (*Vers, in dem der daktylische Rhythmus in den trochäischen übergeht*).

log·a·rithm ['lɒgəˌriθəm; -ˌriðəm; *Am. auch* 'lɔːg-] *s math.* Loga'rithmus *m*: **Briggsian** (*od.* **common**) **∼s** Briggsche (*od.* gemeine) Logarithmen (*zur Basis 10*); **natural** (*od.* **Napier's**) **∼** natürlicher Logarithmus (*zur Basis e = 2,71828...*). — **ˌlog·a'rith·mic** [-mik], *auch* **ˌlog·a'rith·mi·cal** *adj math.* loga'rithmisch.

'log|ˌboard *s mar. Br.* Wach-, Logtafel *f*. — **'∼ˌbook** *s* **1.** *mar.* Logbuch *n*, Schiffstagebuch *n*. – **2.** *aer.* a) *auch* **journey ∼** Log-, Bordbuch *n*, b) Flug(tage)buch *n* (*für fliegendes Personal*). – **3.** Reisetagebuch *n*. – **4.** Fahrtenbuch *n* (*des Autofahrers*). — **∼ cab·in** *s* Blockhaus *n*, -hütte *f*. — **∼ chip** *s mar.* Logbrett *n*, -scheit *n*, -schiffchen *n*. — **'∼ˌcock** *s zo.* **1.** → **pileated woodpecker.** – **2.** → **ivory bill.** — **∼ col·lege** *s Am.* Blockhausschule *f*.

loge [louʒ] *s* (The'ater)Loge *f*.

log frame *s tech.* ('Brett)ˌSägemaˌschine *f*.

log·gan stone *cf.* **logan stone.**

logged [lɒgd; *Am. auch* lɔːgd] *adj* **1.** abgeholzt (*Land*). – **2.** schwerfällig, träge. – **3.** mit Wasser vollgesogen. – **4.** sta'gnierend (*Wasser*).

log·ger ['lɒgər; *Am. auch* 'lɔːg-] *s Am.* **1.** Holzarbeiter *m*, -hauer *m*. – **2.** *tech.* Blockwinde *f* (*zum Schleppen u. Verladen von Baumstämmen*). – **3.** *mar.* (Herings)Logger *m*. — **'∼ˌhead** *s* **1.** Dumm-, Schafskopf *m*: **to be at** (**to fall to** *od.* **to go to**) **∼s** sich in den Haaren liegen, sich in die Haare kriegen. – **2.** *auch* **∼ turtle** *zo.* Unechte Ka'rettschildkröte (*Gattg Caretta, bes. C. caretta*). – **3.** *auch* **∼ shrike** *zo.* Schafskopfwürger *m* (*Lanius ludovicianus*). – **4.** *pl bot. Br. dial.* Flockenblume *f* (*Gattg Centaurea*), *bes.* Schwarze Flockenblume (*C. nigra*). – **5.** *tech. Art primitiver (nichtelektr.) Tauchsieder, vor dem Eintauchen durch Feuer erhitzt.* – **6.** *mar.* Poller *m* (*aufrechter Pfosten im Heck alter Walfangboote, zum Darumlegen einer zu schnell auslaufenden Harpunenleine*).

log·gia ['lɒdʒə; -dʒiə; *Am. auch* 'lɔː-; 'lɔːddʒɑː] *pl* **-gias** *od.* **-gie** [-dʒe] *s arch.* Loggia *f*.

log·ging ['lɒgiŋ; *Am. auch* 'lɔːg-] *s* 'Holzfällung *f*, -aufarbeitung *f u.* -transˌport *m*.

log| glass *s mar.* Logglas *n* (*eine Sanduhr*). — **∼ hut** *s* Blockhütte *f*.

log·i·a ['lɒgiə] *pl von* **logion** *s relig.* **1.** (Aus)Sprüche *pl* (*eines Religionsstifters*). – **2.** L∼ Logia *pl* Jesu (*Sprüche Christi*).

log·ic ['lɒdʒik] **I** *s* **1.** *philos.* Logik *f*: a) Denklehre *f*, b) *die Fähigkeit, richtig zu denken.* – **2.** Argumentati'on *f*, Erörterung *f*: → **chop**[2] 4. – **3.** Folgerichtigkeit *f* (*des Denkens, einer Entwicklung etc*). – **4.** *fig.* zwingende *od.* über'zeugende Sprache, Über'zeugungskraft *f*: **the irresistible ∼ of facts** die unwiderstehliche Überzeugungskraft der Tatsachen. – **II** *adj* → **logical.**

log·i·cal ['lɒdʒikəl] *adj* **1.** logisch: **∼ positivism** *philos.* logischer Positivismus. – **2.** folgerichtig, konse'quent. – **3.** notwendig, na'türlich: **the ∼ consequence** die notwendige Folge. — **∼ de·sign·er** *s tech.* Konstruk'teur *m* von Elek'tronen-'Rechenautoˌmaten.

log·i·cal·i·ty [ˌlɒdʒi'kæliti; -əti], **'log·i·cal·ness** *s* Logik *f*, (*das*) Logische.

lo·gi·cian [lo'dʒiʃən] *s* Logiker *m*.

lo·gie ['lougi] *s* (*Theater*) Ju'welenimitatiˌon *f*.

log·i·on ['lɒgiˌɒn] *sg zu* **logia.**

lo·gis·tic [lo'dʒistik] **I** *adj* **1.** lo'gistisch: a) *die Logistik od. das Logikkalkül betreffend*, b) *philos. den Logismus betreffend.* – **2.** logisch (*die Logik betreffend*). – **3.** *mil.* lo'gistisch (*das Nachschub-, Transport- u. Verpflegungswesen betreffend*). – **II** *s* **4.** *philos.* Lo'gistik *f*, 'Logikkal,kül *n*, sym'bolische Logik. – **5.** *pl* (*meist als sg konstruiert*) *mil.* Lo'gistik *f* (*Produktion, Beschaffung, Lagerung, Transport- und Verkehrswesen, Verteilung, Wartung einschließlich der erforderlichen Einrichtungen*). — **lo'gis·ti·cal** → **logistic I.**

log| line *s mar.* Logleine *f.* — **~ measure** *s* (*Sägewerk*) Brettmaßstock *m* (*für Stämme*).

logo- [lɒgo; *Am. auch* lɔːgo] *Wortelement mit der Bedeutung* Wort, Denken, Rede.

log·o·gram ['lɒgə,græm; *Am. auch* 'lɔːg-] *s* Logo'gramm *n*, Wortzeichen *n* (*in Kurzschrift, phonetischer Umschrift etc*). — **,log·o·gram'mat·ic** [-grə'mætik] *adj* logogram'matisch.

log·o·graph ['lɒgə,græ(ː)f; -,grɑːf; *Am. auch* 'lɔːg-] *s* **1.** *selten für* **logogram.** – **2.** → **logotype.**

lo·gog·ra·pher [lo'gɒgrəfər] *s antiq.* Logo'graph *m*: a) *ältester Typ der griech. Prosaiker, Vorgänger der ersten Geschichtsschreiber*, b) *berufsmäßiger Verfasser von Reden im alten Athen.*

log·o·graph·ic [,lɒgə'græfik; *Am. auch* ,lɔːg-], **,log·o'graph·i·cal** [-kəl] *adj* logo'graphisch.

lo·gog·ra·phy [lo'gɒgrəfi] *s* **1.** *print.* Logo'typendruck *m* (*bei dem kurze Wörter u. Silben aus einer Type bestehen*). – **2.** *Mitschreiben einer Rede in Langschrift durch Verteilen der Sätze an mehrere Schreiber.*

log·o·griph ['lɒgəgrif; *Am. auch* 'lɔːg-] *s* **1.** Logo'griph *m* (*ein Wort- od. Buchstabenrätsel*). – **2.** → **anagram I.**

lo·gom·a·chist [lo'gɒməkist] *s* **1.** Wortklauber(in), Silbenstecher(in). – **2.** Teilnehmer(in) an einem Wortstreit. — **lo'gom·a·chy** *s* **1.** Logoma'chie *f*: a) ,Wortklaube'rei *f*, ,Silbensteche'rei *f*, b) Wortgefecht *n*, -streit *m.* – **2.** *Am.* 'Wortzu,sammensetzspiel *n* (*mit Karten, deren jede mit einem Buchstaben bezeichnet ist*).

log·or·rhe·a [,lɒgə'riːə; *Am. auch* ,lɔːg-] *s psych.* Logor'rhöe *f* (*krankhafte Geschwätzigkeit*).

log·os ['lɒgɒs] *s* **1.** L~ *relig.* Logos *m*, Wort *n* (*neutestamentliche Bezeichnung für Jesus Christus*). – **2.** *oft* L~ *philos.* Logos *m* (*in der antiken Philosophie*).

log·o·type ['lɒgə,taip; *Am. auch* 'lɔːg-] *s print.* Logo'type *f.* — **'log·o,typ·y** → **logography 1.**

log| reel *s mar.* Logrolle *f.* — **'~,roll** *pol.* **I** *v/t* (*Gesetz*) durch gegenseitiges In-die-'Hände-Spielen 'durchbringen (*Parteien*). – **II** *v/i* sich gegenseitig in die Hände arbeiten (*Parteien*). — **'~,roll·ing** *s* **1.** Weiterrollen *n* gefällter Baumstämme. – **2.** *pol.* ,Kuhhandel' *m*, gegenseitiges In-die-'Hände-Spielen (*zwischen Parteien*). – **3.** *fig.* gegenseitige Re'klame (*von Autoren in Buchbesprechungen etc*). – **4.** *sport Treten von im Wasser schwimmenden u. sich rasch drehenden Baumstämmen u. der Versuch, sich gegenseitig von den Stämmen ins Wasser zu werfen.* — **~ ship** → **log chip.** — **~ slate** *s mar.* Logtafel *f.* — **'~,way** → **gangway.** — **'~,wood** *s bot.* Kam'pesche-, Blauholz *n* (*Haematoxylon campechianum*).

lo·gy ['lougi] *adj Am.* schwerfällig, plump, träge, langweilig.

loin [lɔin] *s* **1.** *meist pl med.* Lende *f*: **to gird up one's ~s** *fig.* sich rüsten, sich gürten (*zur Reise, zum Kampf etc*). – **2.** *pl Bibl. u. poet.* Lenden *pl* (*als Sitz der Zeugungskraft*): **a child of his ~s** ein Kind seiner Lenden. – **3.** (*Kochkunst*) Lende(nstück *n*) *f.* — **'~,cloth** *s* Lendentuch *n.*

loir [lɔir; lwɑːr] *s zo.* Siebenschläfer *m*, Schlafmaus *f*, Bilch *m* (*Glis glis*).

loi·ter ['lɔitər] **I** *v/i* **1.** schlendern, bummeln: **to ~ along** dahinschlendern. – **2.** bummeln, trödeln, säumig sein (*bei der Arbeit*). – **3.** sich her'umtreiben, her'umlungern. – **II** *v/t* **4. ~ away** (*Zeit*) vergeuden, vertrödeln, verbummeln. – *SYN. cf.* delay. — **'loi·ter·er** *s* Bummler(in), Faulenzer(in), Nichtstuer(in).

lo·ka·o [lo'keiou] *s* Chi'nesischgrün *n.*

lo·li·go [lo'laigou] *pl* **-gos** *s zo.* Kal'mar *m* (*Gattg Loligo; Tintenfisch*).

loll [lɒl] **I** *v/i* **1.** lässig liegen, sich nachlässig lehnen, sich rekeln: **to ~ on a sofa** sich auf einem Sofa rekeln. – **2.** *meist* **~ out** (*von Tieren*) die Zunge her'aushängen lassen. – **3.** *obs.* lose hängen, baumeln: **the dog's tongue ~ed out** die Zunge des Hundes hing heraus. – **II** *v/t* **4.** (*seine Glieder*) lässig 'hin- *od.* ausstrecken, rekeln, müde *od.* lässig lehnen *od.* legen. – **5.** (*Zunge*) her'aushängen lassen. – **III** *s* **6.** (Her'ab-, Her'aus)Hängen *n*, Baumeln *n.* – **7.** Liegen *n*, Sich'rekeln *n*, Reke'lei *f.* – **8.** her'abhängendes *od.* -baumelndes Ende. – **9.** Rekler(in), j-d der sich faul *od.* lässig her'umrekelt.

Lol·lard ['lɒlərd] *s* Loll(h)arde *m* (*Anhänger Wycliffes in England u. Schottland im 14. u. 15. Jh.*).

Lol·lar·di·an [lɒ'lɑːrdiən] *adj* Loll(h)arden...

lol·li·pop ['lɒli,pɒp] *s colloq.* **1.** 'Lutschbon,bon *m, n* (*an einem Stäbchen od. in Form eines Stäbchens*). – **2.** *pl* Süßigkeiten *pl*, Bon'bons *pl.*

lol·lop ['lɒləp] *v/i colloq.* **1.** her'umlungern. – **2.** unbeholfen gehen *od.* laufen, latschen, watscheln, trotteln. – **3.** schwerfällig hüpfen *od.* springen.

lol·ly ['lɒli] *s* **1.** *dial.* 'Lutschbon,bon *m, n.* – **2.** *pl Austral.* Zuckerwerk *n*, Süßigkeiten *pl.* – **3.** *Br. sl.* ,Kies' *m* (*Geld*).

Lom·bard ['lɒmbərd; -bɑːrd; 'lʌm-] **I** *s* **1.** Lango'barde *m*, Lango'bardin *f* (*Angehöriger eines germanischen Volksstamms*). – **2.** Lom'barde *m*, Lom'bardin *f* (*Bewohner der Lombardei*). – **3.** *auch* l~ Lom'barde *m*, Geldwechsler *m*, Pfandleiher *m.* – **II** *adj* **4.** lango'bardisch. – **5.** lom'bardisch. — **Lom'bar·dic** [-,bɑːrdik] → **Lombard II.**

Lom·bard Street *s fig.* Londoner Geldmarkt *m* (*nach einer Londoner Straße, dem Sitz großer Bankinstitute in London*): **~ to a china orange** eine todsichere Sache, hundert zu eins.

Lom·bard·y pop·lar ['lɒmbərdi; 'lʌm-] *s bot.* Pyra'midenpappel *f* (*Populus nigra var. italica*).

Lom·bro·si·an School [lɒm'brouziən] *s* Lom'brososche Schule (*der Kriminologie; nach Cesare Lombroso*).

lo·ment ['loument] *s bot.* Gliederfrucht *f*, -hülse *f.* — **,lo·men'ta·ceous** [-mən'teiʃəs] *adj* gliederhülsig. — **lo'men·tum** [-'mentəm] *pl* **-ta** [-tə] → **loment.**

Lon·don clay ['lʌndən] *s geol.* Londonton *m* (*Formation des Untereozäns*).

Lon·don·er ['lʌndənər] *s* Londoner(in).

Lon·don·ese [,lʌndə'niːz] **I** *adj* **1.** Londoner, londonisch. – **2.** Cockney... – **II** *s* **3.** Londoner Mundart *f*, *bes.* Cockney *n.*

Lon·don·ism ['lʌndə,nizəm] *s* Londoner (Sprach)Eigentümlichkeit *f*, Londo'nismus *m.*

Lon·don| i·vy *s colloq.* Londoner Nebel *m od.* Rauch *m.* — **~ par·tic·u·lar** *s colloq.* typischer Londoner Nebel. — **~ pride** *s bot.* **1.** Porzel'lan-, Je'hovablümchen *n*, Schattensteinbrech *m* (*Saxifraga umbrosa*). – **2.** *dial.* Bartnelke *f* (*Dianthus barbatus*). – **3.** *dial.* Brennende Liebe (*Lychnis chalcedonica*). — **~ rock·et** *s bot.* Glanzrauke *f* (*Sisymbrium irio*). — **~ smoke** *s colloq.* gelbliches Grau (*Farbe*).

lone [loun] *adj* **1.** einzeln: **~ hand** (*Kartenspiel*) Einzelspieler(in). – **2.** *poet.* einsam, verlassen. – **3.** abgelegen, weltabgeschieden, verlassen (*Gegend, Dorf etc*). – **4.** *humor.* a) ledig, unverheiratet, b) verwitwet. – *SYN. cf.* alone.

lone·li·ness ['lounlinis] *s* **1.** Einsamkeit *f*, Verlassenheit *f.* – **2.** (Welt)-Abgeschiedenheit *f*, Abgelegenheit *f.*

lone·ly ['lounli] *adj* **1.** al'lein, einzeln. – **2.** einsam, verlassen. – **3.** abgelegen, (welt)abgeschieden, verlassen. – *SYN. cf.* alone.

lone·some ['lounsəm] *adj* **1.** al'lein, einsam, verlassen: **on** (*od.* **by**) **one's ~** allein. – **2.** verlassen, abgeschieden. – *SYN. cf.* alone. — **'lone·some·ness** → **loneliness.**

'Lone|-'Star State *s* (*Spitzname für*) Texas *n.* — **l~ wolf** *s irr* Einzelgänger *m.*

long[1] [lɒŋ; *Am. auch* lɔːŋ] **I** *adj* **1.** lang: **a ~ distance** eine lange *od.* weite Strecke; **~ ears** a) lange Ohren, b) *fig.* Dummheit; **a ~ journey** eine weite Reise; **a ~ list** eine lange Liste; **two miles (weeks) ~** zwei Meilen (Wochen) lang; **the law has a ~ arm** *fig.* das Gesetz hat einen langen Arm, der Arm des Gesetzes reicht weit; **in the ~ run** auf die Dauer, letztlich, im Endergebnis, schließlich; **a ~ way round** ein großer Umweg; **they have been out of use for a ~ time** sie sind schon lange außer Gebrauch; **for a ~ while** seit langem, (schon) lange; **two ~ miles** zwei gute Meilen, mehr als zwei Meilen; → **arm**[1] *b. Redw.*; **broad** 1; **chalk** 4; **lane**[1] 1; **nose** *b. Redw.*; **pitcher**[2]; **standing** 2; **tongue** 5; **wind**[1] 10. – **2.** ('übermäßig) lang, (allzu) lang, ermüdend. – **3.** lang(gestreckt), länglich. – **4.** Längs...: **~ side** Längsseite. – **5.** lang, hoch(gewachsen), groß: **a ~ fellow** ein langer Kerl. – **6.** groß, hoch, zahlreich: **a ~ family** eine große *od.* zahlreiche Familie; **a ~ figure** eine vielstellige Zahl; **a ~ price** ein hoher Preis. – **7.** 'übergroß, die Norm über'schreitend, Groß...: → **~ hundred** 3. – **8.** weitreichend: **to take a ~ view** weit vorausblicken; **a ~ memory** ein weitreichendes Gedächtnis. – **9.** unsicher, ungenau, beiläufig: **a ~ guess** eine unsichere *od.* beiläufige Schätzung. – **10.** alt('hergebracht), seit langem bestehend: **a ~ custom** ein alter Brauch. – **11.** *bes. econ.* langfristig, mit langer Laufzeit, auf lange Sicht. – **12.** (*zeitlich*) fern, weit in der Zukunft liegend: **a ~ date** ein Wechsel auf lange Sicht. – **13.** *econ.* a) eingedeckt (**of** mit), b) auf Preissteigerung wartend *od.* vertrauend: **~ of wool** mit Wolle eingedeckt; **to be** (*od.* **go**) **~ of the market, to be on the ~ side of the market** Waren *od.* Wertpapiere in Erwartung einer Preissteigerung zurückhalten. – **14.** reich, einen hohen Gehalt habend (in an *dat*): **~ in oil** reich an Öl, mit hohem Ölgehalt. – **15.** in einem großen Glas *od.* in reichlicher Menge ser'viert *od.* zu ser'vierend (*Getränk*): **a ~ drink.** – **16.** (*Phonetik*) lang (*Laut, bes. Vokal*). – **17.** *metr.* a) lang, b) (*fälschlich*) betont. – **18.** (*Wetten*) a) außerordentlich ungleich (*Wetteinsätze*), b) höher, durch den höheren Einsatz gekennzeichnet: **to give ~ odds of 30 to 1.** –

II *s* **19.** (*substantivisches adj*) (eine) lange Zeit: at (the) ~est längstens; before ~ bald, binnen kurzem; for ~ lange, lange Zeit; it is ~ since I saw her es ist lange her, daß ich sie gesehen habe; to take ~ lange brauchen. – **20.** lange Erzählung (*nur in*): the ~ and the short das Wesentliche, das Entscheidende, der Kern. – **21.** (*Phonetik*) Länge *f*, langer Laut. – **22.** *metr.* lange Silbe. – **23.** *arch.* langer Block: ~s and shorts abwechselnd gelegte lange u. kurze Blöcke. – **24.** *econ.* Haussi'er *m*, j-d der in Erwartung von Preissteigerungen Waren *od.* Ef'fekten aufkauft *od.* hortet. – **25.** *Br. Kurzform für* ~ vacation. – **III** *adv* **26.** lange, lang: ~ dead schon lange verstorben; as ~ as he lives solange er lebt; as (*od.* so) ~ as a) solange wie, b) vorausgesetzt daß, falls; how ~ have you been here? wie lange bist du schon hier? ~ after lange danach; ~ ago vor langer Zeit; not ~ ago kürzlich, vor kurzem, vor nicht langer Zeit, unlängst; as ~ ago as 1900 schon 1900; ~ before Christmas lange vor Weihnachten; ~ before (schon) lange vorher; ~ since (schon) vor langer Zeit; his life ~ sein Leben lang; all day ~ den ganzen Tag (lang); so ~! *colloq.* bis dann! auf Wiedersehen! – **27.** lange (*in elliptischen Wendungen*): don't be ~! mach schnell! to be ~ (in) doing s.th. lange brauchen, um etwas zu tun; he was ~ cleaning it er brauchte lange dazu, es zu säubern; he is not ~ for this world (*od.* life) er wird nicht lange leben; it was not ~ before he came es dauerte nicht lange, bis er kam. – **28.** (*in Steigerungsformen*): to hold out ~er länger aushalten; no ~er nicht mehr; I cannot wait any ~er ich kann nicht (mehr) länger warten; he stayed ~est er blieb am längsten.

long² [lɒŋ; *Am. auch* lɔːŋ] *v/i* verlangen, sich sehnen (for nach): we were ~ing for rest wir sehnten uns nach Ruhe; I ~ed to see him ich sehnte mich danach *od.* mich verlangte (danach), ihn zu sehen; the ~ed-for rest die ersehnte Ruhe. – *SYN.* hanker, hunger, pine², thirst, yearn.

long³ [lɒŋ; *Am. auch* lɔːŋ] *v/i obs.* **1.** passen, geeignet sein, sich schicken. – **2.** gehören (to *dat*).

long⁴ [lɒŋ; *Am. auch* lɔːŋ] *adv obs. od. dial. für* along¹.

lon·gae·val *cf.* longeval.

'long-a'go I *adj* lang *od.* längst vergangen, alt. – **II** *s* (ferne) Vergangenheit.

lon·gan ['lɒŋgən] *s bot.* **1.** Lon'gane *f*, Linkang *m*, Drachenaugenbaum *m* (*Euphoria longana*). – **2.** Linkangfrucht *f*.

lon·ga·nim·i·ty [ˌlɒŋgə'nimiti; -mə-] *s selten* Langmut *f*, Geduld *f*, Ausharren *n*. — **lon'gan·i·mous** [-'gæniməs; -nə-] *adj selten* langmütig, geduldig.

'long|ˌbeak → dowitcher. — **'~ˌbeard** → long moss. — **'~ˌbill** *s zo. ein langschnäbeliger Vogel, bes.* Schnepfe *f* (*Fam. Scolopacidae*). — **~ bill** *s econ.* langfristiger Wechsel, Wechsel *m* auf lange Sicht. — **'~ˌboat** *s mar.* Großboot *n*, großes Beiboot (*eines Segelschiffs*), Bar'kasse *f*, Pi'nasse *f*. — **'~ˌbow** [-ˌbou] *s* Langbogen *m* (*Waffe im mittelalterlichen England*): to draw (*od.* pull, use) the ~ *colloq.* übertreiben, aufschneiden, angeben. — **~ butt** *s* (*Billard*) langes Queue. — **~ clam** *s zo.* **1.** Klaff-, Sandmuschel *f* (*Mya arenaria*). – **2.** Schwertmuschel *f* (*Ensis americana*). — **~ clay** *s* lange Tonpfeife. — **'~ˌcloth** *s* feiner Kat'tun (*in langen Stücken*). — **'~-ˌclothes** *s pl Br.* (*Art*) Tragkleid *n* (*für Kleinkind*). — **'~-'dis·tance I** *adj* **1.** *aer. tech.* (*Telephon*) *Am.* Fern..., Weit... – **2.** *sport* Langstrecken... – **II** *s* **3.** (*Telephon*) *Am.* Fernamt *n*. — **'~-'dis·tance call** *s* (*Telephon*) *Am.* Ferngespräch *n*. — **'~-'dis·tance flight** *s aer.* Langstreckenflug *m*. — **~ doz·en** *s* (*Anzahl von*) 13 Stück. — **'~-'drawn, '~-ˌdrawn-'out** *adj* **1.** langgezogen. – **2.** *fig.* langatmig, lang hin('aus)gezogen, ausgedehnt.

longe [lʌndʒ] **I** *s* **1.** Longe *f*, Laufleine *f* (*für Pferde*). – **2.** Lon'gieren *n* (*Trainieren an der Laufleine*). – **II** *v/t* **3.** (*Pferd*) lon'gieren, an der Laufleine trai'nieren.

'long-ˌeared *adj* langohrig. — **~ bat** *s zo.* **1.** Langohrfledermaus *f* (*Plecotus auritus*). – **2.** (*eine*) amer. Großohrfledermaus (*Gattg Corynorhinus*). — **~ owl** *s zo.* **1.** Waldohreule *f* (*Asio otus*). – **2.** Amer. Waldohreule *f* (*Asio wilsonianus*). — **~ sun·fish** *s zo.* Langohr-Sonnenbarsch *m* (*Lepomis megalotis; südl. Nordamerika*).

lon·ge·ron ['lɒndʒəˌrɒn; -rən] *s aer.* Rumpf(längs)holm *m*.

lon·ge·val [lɒn'dʒiːvəl] *adj* langlebig. — **lon·gev·i·ty** [lɒn'dʒeviti; -əti] *s* Langlebigkeit *f*, langes Leben. — **lon'ge·vous** [-'dʒiːvəs] *adj selten* langlebig.

long| face *s colloq.* ‚langes Gesicht' (*enttäuschte Miene*). — **~ field** *s* (*Kricket*) Langfeld *n* (*der hinter dem Werfer befindliche Teil des Spielfelds*). — **~ field off** *s* (*Kricket*) **1.** Stellung *f* weit rechts vom Werfer. – **2.** → long-off. — **~ field on** *s* (*Kricket*) **1.** Stellung *f* weit links vom Werfer. – **2.** → long-on. — **~ fin·ger** *s* Mittelfinger *m*. — **~ firm** *s econ. Br.* Schwindelfirma *f*. — **~ green** *s Am. sl.* Pa'piergeld *n*. — **'~ˌhair** *Am. colloq.* **I** *s* **1.** Kompo'nist *m od.* Inter'pret *m od.* Liebhaber *m* ernster Mu'sik. – **2.** Idea'list *m*. – **3.** Intellektu'eller *m*, Schöngeist *m*. – **II** *adj* **4.** (rein) aka'demisch, theo'retisch. – **5.** (betont) intellektu'ell: ~ fiction betont intellektuelle Romanliteratur. – **6.** nur für ernste Mu'sik (zu haben). — **'~ˌhand** *s* Langschrift *f* (*im Gegensatz zur Kurzschrift*): in ~ *Am.* mit der Hand geschrieben. — **'~ˌhead** *s* (*Anthropologie*) Langkopf *m od.* -schädel *m* (*langer Kopf od. langköpfiger Mensch*). — **~ head** *s* **1.** *colloq.* 'Umsicht *f*, weise Vor'aussicht. – **2.** → longhead. — **'~'head·ed** *adj* **1.** langköpfig *od.* -schädelig, dolichoke'phal. – **2.** 'umsichtig, von weiser Vor'aussicht, klug. — **~ hop** *s* (*Kricket*) *Ball, der nach kurzem Aufsatz in weitem Bogen auf den Dreistab zufliegt.* — **'~ˌhorn** *s* **1.** langhörniges Tier. – **2.** langhörniges Rind, *bes.*, *oft* Texas ~, *Am.* Texas-Langhorn *n*. – **3.** L~ Longhorn *n* (*jetzt seltene schwere engl. Rinderrasse*). — **~ horse** *s sport* Langpferd *n* (*Turngerät*). — **~ house** *s* **1.** Langhaus *n* (*viereckiges langes Giebeldachhaus der Irokesen*). – **2.** L~ H~ Iro'kesenbund *m* (*Bund der 5 Irokesenstämme*). — **~ hun·dred** *s* Großhundert *n* (= *120 Stück*). — **~ hun·dred·weight** *s* engl. Zentner *m* (= *50,8 kg*).

longi- [lɒndʒi; -dʒə] *Wortelement mit der Bedeutung* lang.

lon·gi·cau·dal [ˌlɒndʒi'kɔːdl; -dʒə-], **ˌlon·gi'cau·date** [-deit] *adj zo.* langschwänzig.

lon·gi·cone ['lɒndʒiˌkoun; -dʒə-] *adj zo.* langkeg(e)lig (*Muschel*).

lon·gi·corn ['lɒndʒiˌkɔːrn; -dʒə-] *zo.* **I** *adj* **1.** mit langen Fühlern (*Käfer*). – **2.** zu den Bockkäfern gehörig. – **II** *s* **3.** Bockkäfer *m* (*Fam. Cerambycidae*).

long·ing ['lɒŋiŋ; *Am. auch* 'lɔːŋ-] **I** *adj* sehnsüchtig, verlangend (for nach): a ~ look. – **II** *s* Sehnsucht *f*, Verlangen *n* (for nach). — **'long·ing·ly** *adv* sehnsüchtig.

lon·gi·pen·nate [ˌlɒndʒi'peneit; -dʒə-] *adj zo.* mit langen Flügeln (*Schwimmvögel*).

lon·gi·ros·tral [ˌlɒndʒi'rɒstrəl; -dʒə-], **ˌlon·gi'ros·trate** [-treit] *adj zo.* langschnäb(e)lig.

long·ish ['lɒŋiʃ; *Am. auch* 'lɔːŋiʃ] *adj* ziemlich lang.

lon·gi·tude ['lɒndʒiˌtjuːd; -dʒə-; *Am. auch* -ˌtuːd] *s* **1.** *astr. geogr.* Länge *f*. – **2.** *humor.* Länge *f*. — **ˌlon·gi'tu·di·nal** [-dinl; -də-] **I** *adj* **1.** longitudi'nal, Longitudinal...: a) *astr. geogr.* Längen..., b) Längs..., längs verlaufend: ~ section Längsschnitt; ~ wave *phys.* Longitudinalwelle. – **II** *s* **2.** *aer.* → longeron. – **3.** *mar.* Längsspant *m*. — **ˌlon·gi'tu·di·nal·ly** [-nəli] *adv* längs, der Länge nach.

long| jump → broad jump. — **~ knife** *s irr* ‚langes Messer' (*früher von den amer. Indianern gebrauchte Bezeichnung für einen weißen Mann*). — **'~ˌleaf, '~-ˌleaf** (*irr*), *auch* **'~ˌleaf (yel·low) pine, '~-ˌleaved pine** → Georgia pine. — **~ leg** (*Kricket*) Schräganstehender *m*. — **'~-ˌlegged sand·pip·er** *s zo. Am.* Stelzensandpfeifer *m* (*Micropalama himantopus*). — **'~ˌlegs** *s zo.* **1.** langbeiniger Vogel, *bes.* a) Stelzenläufer *m* (*Gattg Himantopus*), b) Schlammstelzer *m* (*Gattg Cladorhynchus*). – **2.** → daddy ~. — **'~-'lived** [-'laivd; *Br. auch* -'livd] *adj* langlebig. — **~ meas·ure** *s* Längenmaß *n*. — **~ me·ter,** *bes. Br.* **~ me·tre** *s* (*Hymnendichtung*) Strophe *f* aus vier achtsilbigen Versen. — **~ moss** *s bot.* Louisi'anamoos *n* (*Tillandsia usneoides*).

Lon·go·bard ['lɒŋgoˌbɑːrd] *pl* **'Lon·goˌbards** *od.* **ˌLon·go'bar·di** [-dai] → Lombard. — **ˌLon·go'bar·dic** [-dik] → Lombardic.

'long|-ˌoff *s* (*Kricket*) Spieler *m* weit zu'rück u. rechts vom Werfer. — **'~-ˌon** *s* (*Kricket*) Spieler *m* weit zu'rück u. links vom Werfer. — **L~ Par·lia·ment** *s hist.* Langes Parla'ment (*von 1640–53 u. 1659–60*). — **~ pig** *s* Menschenfleisch *n* (*als Nahrung bei den Kannibalen*). — **'~-'play·ing rec·ord** *s* Langspielplatte *f*. — **~ prim·er** *s print.* Korpus *f* (*Schriftgrad: 10 Punkt*). — **~ pull** *s Br.* reichliches Maß (*beim Ausschank von Getränken in Gasthäusern, um Gäste anzulocken*). — **~ pur·ples** *s bot.* Blutweiderich *m* (*Lythrum salicaria*). — **'~-ˌrange** *adj* **1.** *mil.* weittragend, Fernkampf... (*Geschütz etc*). – **2.** *aer.* Langstrecken...: ~ bomber Langstreckenbomber. – **3.** *electr.* (*bes. Funkverkehr etc*) weitreichend, Weit...: ~ communication Weitverkehr. – **4.** *allg.* auf weite Sicht (geplant). — **~ robe** → robe 1. — **~ serv·ice** *s Br.* lange *od.* langjährige Dienstzeit (*bes. 12 Jahre*). — **'~ˌshanks** *s* **1.** → longlegs 1. – **2.** L~ *Beiname Eduards I. von England* (*wegen seiner langen Beine*). — **~ ship** *s mar. hist.* Langschiff *n* (*der Wikinger*). — **'~ˌshore** *adj* **1.** Küsten... (*an der Küste befindlich, zur Küste gehörig*). – **2.** Hafen... (*zum Hafen gehörig*). — **'~ˌshore·man** [-mən] *s irr* Kai-, Hafenarbeiter *m*, Schauermann *m*. — **~ sight** *s* **1.** weites Sehvermögen, Weitsicht *f*. – **2.** *fig.* Weitblick *m*. — **'~-'sight·ed** *adj* **1.** *med.* weit-, fernsichtig. – **2.** weitsehend. – **3.** *fig.* weitblickend, 'um-, scharfsichtig.

long·some ['lɒŋsəm; *Am. auch* 'lɔːŋ-] *adj obs.* **1.** in die Länge gezogen, ausgedehnt. – **2.** sich langweilig 'hinziehend.

'**long|,spur** *s zo.* (*eine*) Spornammer (*bes. Gattg Calcarius*). — '**~-'stand·ing** *adj* alt'hergebracht, seit langer Zeit bestehend, alt: a ~ **feud** eine alte Fehde. — **~ stop** *s* (*Kricket*) Spieler *m od.* Stellung *f* hinter dem Stabhüter. — '**~-,stop I** *v/i* die Stellung hinter dem Stabhüter einnehmen. – **II** *v/t* stehen hinter, die Stellung einnehmen hinter (*dem Stabhüter*). — '**~-,straw pine** → Georgia pine. — '**~-'suf·fer·ance** *obs. für* long-suffering I. — '**~-'suf·fer·ing I** *s* Langmut *f*, Geduld *f*. – **II** *adj* langmütig, geduldig. — '**~-,term** *adj* auf lange Sicht, langfristig: ~ bond, ~ note *econ.* langfristige Schuldverschreibung. — **L~ Tom** *s* **1.** *mar.* (*Art*) lange 'Deckka,none. – **2.** *mil.* Ferngeschütz *n*, weittragendes Geschütz. – **3.** l~ t~ *Am.* (*Art*) Goldwäschertrog *m*. — **~ ton** → ton[1] 1a.

longue ha·leine [lɔ̃:g a'lɛn] (*Fr.*) *s* Ausdauer *f*: a work of (*od.* de) ~ eine mühselige Arbeit, eine Ausdauer erfordernde Arbeit.

lon·gueur [lɔ̃'gœ:r] (*Fr.*) *s oft im pl* Länge *f*, langweilige Stelle (*in einem Roman, Film, Drama etc*).

long| va·ca·tion *s* große Ferien *pl* (*Sommerferien der Gerichtshöfe, Universitäten etc*). — **~ wave** *s electr.* Langwelle *f* (*von 800 m od. mehr*). — '**~,ways** → longwise. — '**~-'wind·ed** *adj* langatmig, langweilig, ermüdend. — **,~-'wind·ed·ness** *s* Langatmigkeit *f*, Langweiligkeit *f*. — '**~,wise** *adv* der Länge nach. — '**~,wool** *s* langwolliges Schaf. — '**~-'wooled** *adj* langwollig.

loo[1] [lu:] **I** *s pl* **loos 1.** Lu(spiel) *n* (*ein Kartenspiel, bei dem Einsätze in eine Kasse gezahlt werden*): unlimited ~ *Spielweise beim Lu, bei der der Verlierer den Gesamtbetrag der Kasse verdoppeln muß*. – **2.** Einsatz *m* (*beim Luspiel*). – **II** *v/t pres p* '**loo·ing** *pret u. pp* **looed 3.** (*beim Luspiel*) schlagen, zum Einzahlen in die Kasse bringen: to be looed keinen Stich bekommen.

loo[2] [lu:] *interj* hal'lo!

loo·by ['lu:bi] *s dial.* Tölpel *m*, Tolpatsch *m*.

loof[1] [lu:f] *s Scot.* Handfläche *f*.

loof[2] [lu:f] → luff[1].

loof[3] [lu:f], '**loo·fa(h)** [-fɑ:; -fə] → luffa.

look [luk] **I** *s* **1.** Blick *m* (at auf *acc*): to cast (*od.* throw) a ~ at einen Blick werfen auf (*acc*); to give s.th. a second ~ etwas nochmals *od.* genauer ansehen; to have a ~ at s.th. (sich) etwas ansehen. – **2.** suchender *od.* prüfender Blick: let's have a ~ round schauen wir uns hier mal etwas um. – **3.** Miene *f*, Gesichtsausdruck *m*: a hanging ~ eine Galgenmiene; a proud ~ eine stolze Miene; to take on a severe ~ eine strenge Miene aufsetzen. – **4.** Aussehen *n*: new ~ a) geändertes Aussehen, b) New Look (*Mode von 1947*); the city has an American ~ die Stadt hat ein amerikanisches Aussehen; to wear the ~ of aussehen wie; I do not like the ~ of it die Sache gefällt mir nicht. – **5.** *pl* Aussehen *n*: I like the ~s of the place mir gefällt der Ort, der Ort macht auf mich einen guten Eindruck. –

II *v/i* **6.** schauen, blicken, ('hin)sehen, gucken: just ~ at it! sieh dir das nur an! ~ before you leap! erst besinn's, dann beginn's! don't ~ like that! schau nicht so (drein)! ~ before you! sieh vor dich! – **7.** *colloq.* Augen machen, schauen, staunen: you should have seen them ~! du hättest sehen sollen, wie sie geschaut haben *od.* was die für Augen machten! – **8.** schauen, nachschauen, -sehen: ~ who is coming! schau, wer da kommt! ~ and see! überzeugen Sie sich (selbst)! have you ~ed in the kitchen? hast du in der Küche (schon) nachgesehen? – **9.** aussehen: to ~ well gut *od.* gesund aussehen; it ~s promising es sieht vielversprechend aus; things ~ bad for him es sieht schlimm für ihn aus; he ~s it! er sieht ganz danach aus! so sieht er (auch) aus! to ~ an idiot wie ein Idiot aussehen; she does not ~ her age man sieht ihr ihr Alter nicht an; to ~ one's best sich in bester Verfassung zeigen; to ~ oneself again wieder sein normales Aussehen haben, wieder wohlauf sein; to ~ small a) klein aussehen, b) als minderwertig *od.* gemein *etc* entlarvt werden; it ~s as if es sieht (so) aus, als ob; to ~ like a) aussehen wie, b) aussehen nach; he ~s like my brother er sieht wie mein Bruder aus; it ~s like snow es sieht nach Schnee aus; he ~s like winning es sieht so aus, als ob er gewinnen sollte; → alive 10; black 6; blue 4. – **10.** 'hindeuten (to, toward[s] auf *acc*). – **11.** *fig.* blicken, sehen, den Blick *od.* die Aufmerksamkeit richten (at auf *acc*): when one ~s deeper wenn man tiefer blickt. – **12.** achten, aufpassen, bedacht sein, sehen (to auf *acc*): ~ you! paß mal auf! to ~ sharp a) *obs.* gut aufpassen, b) *colloq.* sich beeilen, schnell machen. – **13.** dafür sorgen, Sorge tragen (that daß). – **14.** *selten* erwarten, hoffen, erwartungs- *od.* hoffnungsvoll ausblicken (to do zu tun): I ~ to live many years here ich hoffe, viele Jahre hier zu leben. – **15.** gerichtet sein, sehen, liegen, gehen (toward[s], to nach): the room ~s to(ward[s]) the east das Zimmer liegt nach Osten; the window ~s upon the street das Fenster geht auf die Straße. – **16.** *selten* sehen, Sehvermögen haben: it is the eye that ~s. – *SYN. cf.* a) see[1], b) expect. –

III *v/t* **17.** (*j-m in die Augen etc*) sehen *od.* schauen *od.* blicken: to ~ s.o. in the eyes j-m in die Augen sehen; to ~ death in the face dem Tod ins Angesicht sehen; → gift 9. – **18.** (*Blick*) werfen: to ~ one's last at s.o. j-n zum letztenmal ansehen. – **19.** durch Blicke ausdrücken: to ~ love to s.o. j-n liebevoll anblicken; to ~ compassion mitleidig blicken; → dagger 1. – **20.** durch Blicke (*in einen bestimmten Zustand*) bringen: to ~ s.o. out of countenance j-n durch Blicke aus der Fassung bringen. – **21.** *obs. od. dial.* (prüfend) betrachten. – **22.** *obs.* a) suchen, b) erwarten. –

Verbindungen mit Präpositionen:

look| a·bout *v/t* 'umsehen (*im Engl. mit Personal-, im Dt. mit Reflexivpronomen*): to ~ one a) sich umsehen, um sich sehen, umhersehen, b) sich vorsehen. — **~ aft·er** *v/t* **1.** (*j-m*) nachblicken. – **2.** suchen nach. – **3.** sehen nach, aufpassen auf (*acc*), sich kümmern um, sich annehmen (*gen*): to ~ the household nach dem Haushalt sehen, den Haushalt besorgen. — **~ at** *v/t* **1.** ansehen, anblicken, anschauen: to ~ s.o. j-n ansehen; ~ that now! sieh dir das mal an! pretty to ~ hübsch anzusehen; to ~ him wenn man ihn ansieht, dem Ausschauen nach. – **2.** betrachten, beachten, ins Auge fassen, (*dat*) Beachtung schenken: to ~ the facts die Tatsachen betrachten; he will not ~ it er will nichts davon wissen. — **~ down** *v/t* hin'unterblicken (entlang): to ~ the road; → nose *b. Redw.* — **~ for** *v/t* **1.** suchen (nach), sich 'umsehen nach, Ausschau halten nach: what are you looking for? was suchst du? → trouble 10. – **2.** erwarten, (*dat*) ent'gegensehen: to ~ good news gute Nachricht erwarten; not looked-for unerwartet; to be looked for erwartet werden. — **~ in·to** *v/t* **1.** blicken in (*acc*), (hin'ein)sehen in (*acc*): to ~ the mirror in den Spiegel blicken. – **2.** unter'suchen, prüfen: I shall ~ the matter ich werde die Sache untersuchen. — **~ on** *v/t* **1.** betrachten, ansehen: to ~ s.o. as a great poet j-n als großen Dichter betrachten, j-n für einen großen Dichter halten; to ~ s.th. with distrust etwas mit Mißtrauen betrachten. – **2.** schätzen, achten. — **~ o·ver** *v/t* **1.** schauen *od.* blicken über (*acc*). – **2.** 'durchsehen, (über)'prüfen. – **3.** (absichtlich) über'sehen, hin'wegsehen über (*acc*). — **~ through** *v/t* **1.** blicken durch: to ~ the window durch das Fenster blicken. – **2.** (hin)'durchsehen durch: I could not ~ the veil. – **3.** *fig.* (*j-n od. etwas*) durch'schauen. – **4.** (*hochmütig*) hin'wegsehen über (*acc*), igno'rieren: to ~ s.o. j-n ignorieren, j-n wie Luft behandeln. – **5.** sich zeigen in (*dat*), schauen aus: his greed looks through his eyes seine Habgier schaut ihm aus den Augen. – **6.** 'durchsehen, -lesen: to ~ a book. — **~ to** *v/t* **1.** 'hinblicken zu, anblicken, -schauen, -sehen. – **2.** achten *od.* achthaben auf (*acc*), aufpassen auf (*acc*), bedacht sein auf (*acc*), sich kümmern um: ~ it that achte darauf, daß; sorge dafür, daß; sieh zu, daß; ~ your manners! paß auf, daß du dich gut benimmst! – **3.** zählen auf (*acc*), sich verlassen auf (*acc*): I ~ you to help me *od.* for help ich erwarte Hilfe von dir. – **4.** sich wenden an (*acc*): I shall ~ you for payment ich werde mich wegen der Bezahlung an Sie wenden. – **5.** erwarten, (sich) erhoffen, rechnen mit: we ~ profit wir erhoffen uns Gewinn, wir rechnen mit Gewinn. – **6.** liegen nach, gerichtet sein nach: the house looks to the east das Haus liegt nach Osten. – **7.** 'hindeuten auf (*acc*), erwarten lassen: the evidence looks to acquittal. — **~ to·ward(s)** *v/t* **1.** → look to 6 *u.* 7. – **2.** *colloq.* anstoßen *od.* trinken auf (*acc*). — **~ up·on** *v/t* **1.** betrachten (as als, with mit): to ~ s.th. favo(u)rably etwas wohlwollend betrachten, einer Sache wohlwollend gegenüberstehen. – **2.** (hin'aus)gehen auf (*acc*): the window looks upon the street. – **3.** erblicken, sehen: you shall not ~ his like again ihr werdet nimmer seinesgleichen sehen. –

Verbindungen mit Adverbien:

look| a·bout *v/i* **1.** sich 'umsehen (for nach), um'hersehen. – **2.** sich vorsehen. — **~ a·head** *v/i* nach vorne sehen *od.* schauen: ~! schau nach vorn! — **~ back** *v/i* **1.** sich 'umsehen. – **2.** zu'rückblicken (upon auf *acc*, to nach, zu). – **3.** *fig.* (*in einem begonnenen Unternehmen*) unsicher werden, zögern, einhalten. — **~ down I** *v/i* **1.** her'ab-, her'untersehen: to ~ on (*od.* upon) s.o. auf j-n herabsehen, sich besser dünken als j-d. – **2.** *bes. econ.* fallen, (im Preis) sinken, sich verschlechtern. – **II** *v/t* **3.** mit einem Blick *od.* durch Blicke einschüchtern *od.* bändigen. — **~ for·ward** *v/i* in die Zukunft blicken: to ~ to s.th. sich auf eine Sache freuen, einer Sache erwartungsvoll entgegensehen. — **~ in** *v/i* **1.** a) hin'einsehen, -schauen, b) fernsehen. – **2.** kurz vorsprechen, einen kurzen Besuch machen (upon bei). — **~ on** *v/i* **1.** zusehen, zuschauen, (nur) Zuschauer sein (at bei). – **2.** to ~ with s.o. bei j-m einsehen, mit j-m mitlesen. — **~ out I** *v/i* **1.** hin'aussehen, -schauen, her'ausschauen: to ~ at (*od.* of) the window, *Am. auch* to ~ the window zum *od.* aus dem Fenster hinaussehen. – **2.** aufpassen, sich vorsehen: ~! paß auf! Vorsicht! – **3.** Ausschau halten, ausschauen (for nach). – **4.** (for) gefaßt sein (auf *acc*), sich gefaßt machen (auf *acc*), auf der Hut sein (vor *dat*). – **5.** Ausblick gewähren, (hin'aus)gehen (on auf *acc*): **the window looks out on the sea** das Fenster geht aufs Meer hinaus. – **II** *v/t* **6.** auswählen, aussuchen. – **7.** *Br.* suchen, nachsehen: **I shall look it out in our book.** — **~ o·ver** *v/t* **1.** (sorgfältig) 'durchsehen, 'durchgehen, (über)'prüfen. – **2.** (*j-n*) mustern, prüfend betrachten. — **~ round** *v/i* **1.** sich 'umsehen. – **2.** über'legen: **~ first!** überlege zuerst! — **~ through** *v/t* **1.** prüfend mustern: **he looked him through.** – **2.** 'durchsehen, (über)'prüfen: **I shall look it through** ich werde es durchsehen. — **~ up I** *v/i* **1.** hin'aufblicken, -schauen, aufblicken, -schauen, -sehen: **to ~ to s.o.** zu j-m aufblicken, j-n verehren. – **2.** *colloq.* (im Preis *od.* Wert) steigen, sich bessern, besser werden: **prices are looking up** die Preise steigen. – **II** *v/t* **3.** nachschlagen, -suchen: **to look a word up in a dictionary** ein Wort in einem Wörterbuch nachschlagen. – **4.** aufsuchen, (kurz) besuchen. — **~ up and down** *v/t* (*j-n*) von oben bis unten mustern.

look·er ['lukər] *s* **1.** Schauende(r), Beschauer(in). – **2.** (*in Zusammensetzungen*) *colloq.* *j-d der* (*irgendwie*) *aussieht*: **a good-~** eine gut aussehende Frau. – **3.** *colloq.* j-d der gut aussieht, fescher Kerl: **she is not much of a ~** sie sieht nicht besonders gut aus. — **,~-'in** *pl* **,look·ers-'in** *s* Fernsehteilnehmer *m.* — **,~-'on** *pl* **,look·ers-'on** *s* Zuschauer(in) (at bei).

'look-,in *s* **1.** kurzer Besuch. – **2.** *sl.* (Erfolgs-, Gewinn)Chance *f*, Aussicht *f*: **they will have a ~** sie haben eine Chance zu gewinnen.

look·ing ['lukiŋ] *adj* aussehend (*bes. in Zusammensetzungen*): **young-~** jung aussehend.

look·ing glass *s* **1.** Spiegel *m.* – **2.** Spiegelglas *n.*

'look,out I *s* **1.** wachsames Ausschauen, Ausschau *f*, Wacht *f*: **to be on the ~ for s.th.** nach etwas Ausschau halten; **to keep a good ~ (for)** auf der Hut sein (vor *dat*). – **2.** Wache *f*, Beobachtungsposten *m*, Wächter *m.* – **3.** Ausguck *m*, Beobachtungsstand *m*, -stelle *f*, Aussichtspunkt *m.* – **4.** *mar.* Ausguck *m*, Krähennest *n.* – **5.** Aussicht *f*, Ausblick *m* (over über *acc*). – **6.** *fig.* Aussicht(en *pl*) *f*: **a bad ~** schlechte Aussichten. – **7.** *colloq.* Angelegenheit *f*, Sache *f*: **that's his ~** das ist seine Sache, darum muß er sich selbst kümmern. – **II** *adj* **8.** Aussichts..., Beobachtungs...: **~ point** Aussichtspunkt. – **9.** Wach..., Beobachtungs...: **~ man** Beobachtungsposten.

'look-,see *s Br. sl.* Sich'umsehen *n*: **to have a ~** sich mal umsehen, sich die Sache mal ansehen.

loom¹ [lu:m] **I** *s* **1.** 'Webstuhl *m*, -ma,schine *f.* – **2.** Weben *n*, Webe'rei *f.* – **3.** *mar.* Riemenschaft *m*, -stange *f* (*zwischen Blatt u. Griff*). – **4.** *mar.* innerhalb der Dollen befindlicher Teil des Riemenschaftes. – **II** *v/t* **5.** *selten* weben.

loom² [lu:m] **I** *v/i* **1.** undeutlich (u. in vergrößerter Form) sichtbar werden, undeutlich erscheinen *od.* auftauchen. – **2.** (drohend) aufragen, sich auftürmen (*auch fig.*): **to ~ large** sich drohend erheben *od.* auftürmen. – **II** *s* **3.** undeutliches Sichtbarwerden. – **4.** (drohendes) Aufragen. – **5.** undeutlich aufragender Schatten.

loom³ [lu:m] *s zo.* **1.** → loon¹. – **2.** → a) **auk**, b) **guillemot**, c) **puffin.**

loom·ing ['lu:miŋ] *s* **1.** undeutliches Sichtbarwerden. – **2.** Luftspiegelung *f* nach oben.

loon¹ [lu:n] *s zo.* Seetaucher *m* (*Gattg Gavia*): **black-throated ~** Polar-, Prachttaucher (*G. arctica*); **common ~** Eistaucher, Imbergans (*G. immer*); **red-throated ~** Sterntaucher (*G. stellata*); **yellow-billed ~** Gelbschnabel-Eistaucher (*G. adamsii*).

loon² [lu:n] *s* **1.** Lümmel *m*, Taugenichts *m.* – **2.** *bes. Scot.* a) Bursche *m*, Junge *m*, b) Dirne *f*, Hure *f.* – **3.** *obs.* Knecht *m*: **lord and ~** Herr u. Knecht.

loon·er·y ['lu:nəri] *s* Seetaucher-Brutplatz *m.*

loon·y ['lu:ni] *vulg.* **I** *adj* ,'übergeschnappt', ,plem'plem', verrückt. – **II** *s* ,'Übergeschnappte(r)', Verrückte(r). — **'~-,bin** *s Br. vulg.* ,Klapsmühle' *f*, Irrenhaus *n.*

loop¹ [lu:p] **I** *s* **1.** Schlinge *f*, Schleife *f.* – **2.** Schleife *f*, Windung *f* (*Fluß etc*). – **3.** a) Schlaufe *f*, b) Öse *f*, c) Aufhänger *m* (*an Kleidern*), d) Klammer *f*, e) Krampe *f*, f) Henkel *m*, g) Ring *m.* – **4.** (*Eislauf*) Schleife *f.* – **5.** *aer.* Looping *m, n* (*Flugfigur*): **outside ~** Looping abwärts. – **6.** Looping *m, n* (*mit einem Motorrad etc ausgeführte Schleife in der Vertikalebene*). – **7.** Schleife(nabzweigung) *f* (*wieder in die Hauptlinie mündende Abzweigung einer Bahnlinie etc*). – **8.** Masche *f* (*bei Nadelarbeiten*). – **9.** *phys.* a) (Schwingungs)Bauch *m*, b) Punkt *m* der größten Ampli'tude. – **10.** *electr.* a) Schleife *f*, geschlossener Stromkreis, b) geschlossenes ma'gnetisches Feld. – **11.** → **~ antenna.** – **II** *v/t* **12.** in eine Schleife *od.* in Schleifen legen, schlingen. – **13.** eine Schlinge machen in (*acc*). – **14.** um'winden, um'schlingen: **to ~ s.th. with thread.** – **15.** mit Schleifen *od.* Schlaufen festmachen, festbinden. – **16.** mit Schleifen *od.* Schlaufen versehen. – **17.** *bes. aer.* (*einen Looping*) drehen, ausführen: **to ~ the ~** einen Looping drehen. – **18.** *electr.* zu einem geschlossenen Stromkreis zu'sammenschalten. – **III** *v/i* **19.** eine Schlinge bilden. – **20.** eine Schleife *od.* Schleifen machen, sich winden. – **21.** spannmessen, wie eine Spannerraupe kriechen. – **22.** *aer.* einen Looping drehen. –

Verbindungen mit Adverbien:

loop| back *v/t* zu'rückbinden. — **~ in** *v/t electr.* in den Stromkreis einschalten. — **~ up** *v/t* **1.** (*Haar*) aufbinden, -stecken. – **2.** (*Kleid*) aufschürzen.

loop² [lu:p] *s tech.* Luppe *f*, Deul *m.*

loop³ [lu:p] *obs. für* **loophole.**

loop an·ten·na *s electr.* 'Rahmenan,tenne *f.*

loop·er ['lu:pər] *s* **1.** j-d der *od.* etwas was Schleifen macht. – **2.** → **measuring worm.** – **3.** *tech.* Schlaufenfadenführer *m* (*einer Nähmaschine*). – **4.** *bes. aer.* j-d der einen Looping dreht.

'loop|,hole I *s* **1.** (Guck-, Licht)Loch *n*, (Seh)Schlitz *m* (*in einer Mauer*). – **2.** *mil.* a) Sehschlitz *m*, b) Schießscharte *f.* – **3.** Öffnung *f.* – **4.** *bes. fig.* Schlupfloch *n*, 'Hintertürchen *n*, Ausweg *m*: **a ~ in the law** eine Gesetzeslücke. – **II** *v/t* **5.** mit (Seh)Schlitzen *od.* Schießscharten *etc* versehen. — **~ knot** *s* einfacher Knoten. — **~ line** → loop¹ 7. — **~ stitch** → **railway stitch.** — **~ tun·nel** *s* Kehrtunnel *m.*

loop·y *adj* **1.** mit (vielen) Schlingen *od.* Windungen, gewunden. – **2.** *Scot.* verschlagen, gerissen. – **3.** *Br. sl.* ,'übergeschnappt', verrückt.

loose [lu:s] **I** *adj* **1.** los(e), frei: **to come** (*od.* **get**) **~** a) abgehen (*Knöpfe*), b) sich ablösen (*Farbe etc*), c) loskommen, sich losmachen; **to get one's hand ~** seine Hand freimachen; **to let ~** a) loslassen, b) (*seinem Ärger etc*) Luft machen; → **break ~**; **fast²** 5. – **2.** frei, befreit (of, from von), unbehindert: **a ~ criminal** ein Verbrecher auf freiem Fuß; **~ of his vow** befreit von seinem Gelübde. – **3.** lose (hängend): **a ~ end** ein loses Ende; **to be at a ~ end** *colloq.* a) ohne geregelte Tätigkeit sein, b) nicht wissen, was man tun soll; **at ~ ends** *colloq.* in Unordnung, im ungewissen; **~ hair** lose hängendes Haar. – **4.** locker, nicht straff (gespannt), schlaff: **a ~ belt** ein lockerer Gürtel; **to have ~ bowels** leicht Durchfall bekommen; **~ collar** weicher Kragen; → **rein¹** 1. – **5.** locker, lose, nicht festsitzend: **a ~ tooth** ein lockerer Zahn; **to work ~** sich lockern (*Schrauben etc*); **~ connection** *electr.* lockere Verbindung, Wackelkontakt; **~ screw.** – **6.** *chem.* frei, ungebunden. – **7.** lose, nicht zu'sammengebunden, nicht verpackt, offen: **~ change** kleines Geld; **~ figs** lose *od.* nicht verpackte Feigen; **~ jam** offene Marmelade; **~ leaves** lose Blätter. – **8.** *colloq.* frei (verfügbar), nicht gebunden *od.* festgelegt, ohne bestimmte Beschäftigung: **~ capital** brachliegendes Kapital; **a ~ hour** eine freie Stunde. – **9.** weit, lose, locker (*Kleider*). – **10.** schlaksig (*Gestalt*). – **11.** locker, lose, nicht kom'pakt: **~ fabric** lockeres Gewebe; **~ soil** lockerer Boden; **in ~ order** *mil.* in lockerer Marschordnung. – **12.** einzeln, verstreut, zu'sammenhanglos: **~ pieces of information.** – **13.** a) ungenau, unklar, vag, b) unlogisch, wirr, unklar (*Denken od. Denker*), c) frei (*Übersetzung*), d) 'ungram,matisch, fehlerhaft. – **14.** lose (*Zunge*). – **15.** locker, lose, liederlich, zuchtlos: **a ~ fish** *colloq.* ein lockerer Vogel; **a ~ life** ein lockeres *od.* liederliches Leben; **a ~ woman** ein ,lockeres Mädchen'. – **16.** schlüpfrig (*Roman etc*). – **17.** *sport* a) *Br.* offen (*Spielweise*), b) schlampig, ungenau, nachlässig.

II *adv* **18.** lose, locker, nicht fest (*oft in Zusammensetzungen*): **his crimes sit ~ on his conscience** seine Verbrechen belasten sein Gewissen nicht; **~-fitting** lose sitzend, weit; **~-living** einen lockeren Lebenswandel führend. –

III *v/t* **19.** los-, freilassen. – **20.** (*Zunge*) lösen: **wine ~d his tongue.** – **21.** lösen, befreien, freimachen (from von). – **22.** *bes. mar.* losmachen: **to ~ a boat** ein Boot losmachen (from von); **to ~ sails** Segel losmachen; **to ~ the anchor** *obs.* den Anker lichten. – **23.** (*Knoten etc*) lösen, aufbinden, -machen. – **24.** (*Boden etc*) (auf)lockern. – **25.** abschießen, (*Feuerwaffen*) abfeuern. – **26.** lockern: **to ~ one's hold of s.th.** etwas loslassen. –

IV *v/i* **27.** lösen. – **28.** loslassen. – **29.** *mar.* den Anker lichten. – **30.** schießen (at auf *acc*). – **31.** lose *od.* locker werden, sich lösen. –

V *s* **32.** Ausweg *m*, freier Lauf: **to give (a) ~ to one's feelings** *obs.* seinen Gefühlen freien Lauf lassen. – **33.** Lockerheit *f*, Zuchtlosigkeit *f*, Ausschweifung *f*: **to go on the ~** *sl.* ,sumpfen'. – **34.** Abschuß *m* (*des Pfeils*). – **35.** *sport Br.* offene Spielweise.

loose| ends *s pl* (noch zu erledigende) Kleinigkeiten *pl.* — **'~-'joint·ed** *adj* **1.** außerordentlich gelenkig. – **2.** schlaksig. — **'~-,leaf** *adj* in *od.* mit losen Blättern: **~ binder** Schnellhefter; **~ ledger** Loseblatthauptbuch; **~ notebook** Loseblattbuch.

loose·ly ['lu:sli] *adv* **1.** lose, locker. – **2.** ungenau, 'unex,akt.

loos·en ['lu:sn] **I** *v/t* **1.** (*Knoten, Fesseln etc*) lösen, aufbinden. – **2.** lockern: to ~ discipline die Disziplin lockern; to ~ one's grasp seinen Griff lockern; to ~ one's hold of s.th. etwas loslassen; to ~ a screw eine Schraube lockern. – **3.** (*Boden etc*) auflockern. – **4.** loslassen, -machen, freilassen, freimachen, befreien. – **5.** (*Zunge*) lösen. – **6.** *med.* a) (*Husten*) lösen, b) abführend wirken auf (*Därme*). – **II** *v/i* **7.** sich lockern, locker werden.

loose·ness ['lu:snis] *s* **1.** Lockerheit *f*. – **2.** Losesein *n*. – **3.** Schlaffheit *f*. – **4.** leichte Entleerbarkeit (*der Därme*): ~ of the bowels Durchfall. – **5.** Ungenauigkeit *f*, Unklarheit *f*. – **6.** Lockerheit *f*, Liederlichkeit *f*. – **7.** Schlüpfrigkeit *f*.

loose sen·tence *s* locker gebauter Satz, Satz *m* mit entbehrlichen Zusätzen.

'loose,strife *s bot.* **1.** Felberich *m*, Gilbweiderich *m* (*Gattg Lysimachia*): creeping ~ Pfennigkraut (*L. nummularia*); whorled ~ *ein nordamer. Gilbweiderich* (*L. quadrifolia*); yellow ~ Gewöhnlicher Gilbweiderich (*L. vulgaris*). – **2.** Weiderich *m* (*Gattg Lythrum*): purple ~ Blutweiderich (*L. salicaria*).

loot[1] [lu:t] **I** *s* **1.** (Kriegs)Beute *f*. – **2.** (Diebs)Beute *f*, unehrlich erworbenes Gut. – **3.** Plünderung *f*. – *SYN. cf.* spoil. – **II** *v/t* **4.** erbeuten, als Beute mitnehmen. – **5.** plündern: to ~ a city. – **6.** (*j-n*) berauben, begaunern, ausplündern. – **III** *v/i* **7.** plündern.

loot[2] [lu:t] *Scot. pret von* let[1].

loot·er ['lu:tər] *s* Plünderer *m*.

lop[1] [lɒp] **I** *v/t pret u. pp* **lopped** **1.** (*Baum etc*) beschneiden, (zu)stutzen. – **2.** a) köpfen, b) (*dat*) die Glieder abhauen. – **3.** *oft* ~ off, ~ away (*Äste*) abhauen. – **4.** (*Kopf etc*) abhauen. – **II** *v/i* **5.** beschneiden, stutzen: to ~ at s.th. etwas beschneiden. – **6.** Äste *etc* abhauen. – **III** *s* **7.** (abgehauene) kleine Äste *pl*: ~ and top (*od.* crop) abgehauenes Astwerk. – **8.** abgehauene Teile *pl od.* abgehauener Teil.

lop[2] [lɒp] **I** *v/i pret u. pp* **lopped** **1.** schlaff (her'unter)hängen. – **2.** sich schlaff bewegen. – **3.** schwerfällig gehen, latschen. – **4.** mit kurzen Sprüngen hüpfen. – **5.** her'umlungern. – **II** *v/t* **6.** schlaff (her'unter)hängen lassen. – **III** *adj* **7.** schlaff (her'unter)hängend: ~ ears. – **IV** *s* **8.** Ka'ninchen *n* mit Hängeohren.

lop[3] [lɒp] *mar.* **I** *s* Seegang *m* mit kurzen leichten Wellen. – **II** *v/i pret u. pp* **lopped** kleine Wellen werfen.

lope [loup] **I** *v/i* **1.** in leichten Sprüngen laufen *od.* trotten (*Tier*). – **2.** mit großen leichten Schritten gehen. – **3.** mit leichten Schritten kantern (*Pferd*). – **II** *v/t* **4.** mit leichten Schritten kantern lassen. – **III** *s* **5.** leichtes Da'hinspringen. – **6.** leichter Kanter (*des Pferdes*). – **7.** großer leichter Schritt.

'lop|-,ear *s* **1.** → lop[2] 8. – **2.** *pl* Schlapp-, Hängeohren *pl*. — **'~-,eared** *adj* mit Hängeohren.

lopho- [loufo; lɒfo] *Wortelement mit der Bedeutung*: a) Kamm, b) Büschel.

lo·pho·branch ['loufo,bræŋk; -fə-; 'lɒf-], **,lo·pho'bran·chi·ate** [-kiit; -ki,eit] *zo.* **I** *s* Büschelkiemer *m* (*Gruppe Lophobranchii*). – **II** *adj* zu den Büschelkiemern gehörig.

lo·pho·dont ['loufo,dɒnt; -fə-; 'lɒf-] *zo.* **I** *adj* lopho'dont, querjochkronig. – **II** *s* Tier *n* mit lopho'donten Zähnen.

lop·per[1] ['lɒpər] *s* Beschneider *m* (*von Bäumen*).

lop·per[2] ['lɒpər] **I** *v/t u. v/i dial. für* curdle. – **II** *s* → clabber I.

lop·pings ['lɒpiŋz] *s pl* abgehauene Zweige *pl*.

lop·py[1] ['lɒpi] *adj* **1.** schlaff (her'ab)hängend. – **2.** schlaff. – *SYN. cf.* limp[2].

lop·py[2] ['lɒpi] → choppy.

'lop'sid·ed *adj* **1.** schief, nach einer Seite hängend. – **2.** *mar.* mit Schlagseite. – **3.** 'unsym,metrisch, gekrängt. – **4.** einseitig (*auch fig.*). — **,lop'sid·ed·ness** *s* Schiefheit *f*, Einseitigkeit *f*.

lo·qua·cious [lo'kweiʃəs] *adj* **1.** geschwätzig, schwatzhaft, redselig. – **2.** schwatzend, geschwätzig (*Vögel, Bach etc*). – *SYN. cf.* talkative. — **lo'qua·cious·ness**, **lo'quac·i·ty** [-'kwæsiti; -əti] *s* **1.** Geschwätzigkeit *f*, Schwatzhaftigkeit *f*, Redseligkeit *f*. – **2.** Geschwätz *n*.

lo·quat ['loukwɒt; -kwæt] *s bot.* Jap. Mispel *f* (*Eriobotrya japonica*).

lo·qui·tur ['lɒkwitər; -kwə-] (*Lat.*) er (sie, es) spricht (*meist Bühnenanweisung*).

lor', lor [lɔ:r] *interj Br. vulg.* ach herr'je! du mein Gott!

lo·ral ['lɔ:rəl] *adj zo.* **1.** (*bei Vögeln u. Reptilien*) Zügel..., den Zügel (*Raum zwischen Auge u. Nasenlöchern*) betreffend. – **2.** (*bei Insekten*) Mundleisten...

lo·ran ['lɔ:rən] *s aer. mar.* 'Loran(-Sy,stem) *n*, 'Fern(bereichs)-Navigati,onssy,stem *n*, Im'puls-Hy,perbelverfahren *n*, Funkortungsverfahren *n* (*aus* long-range navigation).

lo·rate ['lɔ:reit] *adj bot.* riemenförmig.

lor·cha ['lɔ:rʃə; 'lɔ:rtʃə] *s mar.* Lorcha *f* (*ostasiat. Segelschiff mit europ. Rumpf u. chines. Takelung*).

lord [lɔ:rd] **I** *s* **1.** Herr *m*, Gebieter *m*: our sovereign ~ the King unser Herr u. König; the ~s of creation die Herren der Schöpfung: a) die Menschen, b) *humor.* die Männer. – **2.** *poet.* Herr *m*, Besitzer *m*: ~ of many acres Herr über viele Morgen (Landes). – **3.** *fig.* Ma'gnat *m*, Ba'ron *m*: → cotton ~. – **4.** Lehensherr *m*: → manor 2. – **5.** *poet. od. humor.* (Ehe)Herr *m*, Gebieter *m*: her ~ and master ihr Herr u. Gebieter. – **6.** L~, *meist* (*außer im Vokativ*) the L~, *auch* L~ God Gott *m*, Gott der Herr: L~ knows where weiß Gott wo, weiß der Himmel wo; L~ have mercy! L~ bless me (*od.* my soul)! du lieber Gott! du lieber Himmel! L~ love you! du lieber Himmel! – **7.** our L~, the L~ der Herr, Christus *m*: in the year of our L~ im Jahre des Herrn, Anno Domini. – **8.** Lord *m*: a) *Angehöriger des hohen brit. Adels* (*vom Baron bis zum Herzog*), b) *j-d dem auf Grund seines Amts od. aus Höflichkeit der Titel Lord zusteht*: to live like a ~ wie ein Fürst leben; → drunk 1; swear 4; treat 7. – **9.** L~ Lord *m*: a) *Titel eines Barons, wobei der Vorname, falls er gegeben wird, vor dem Titel steht*, b) *weniger förmlicher Titel eines Marquis, Earl od. Viscount, wobei ein allenfalls im vollen Titel vorkommendes* of *ausfällt, z.B.* L~ Derby *anstatt* the Earl of Derby, c) *Höflichkeitstitel für den ältesten Sohn eines Peers*, d) *Höflichkeitstitel für jüngere Söhne eines Herzogs od. Marquis, in Verbindung mit dem Vor- u. Familiennamen, z.B.* L~ Peter Wimsey, e) *Titel eines Bischofs*, f) *Titel gewisser, bes. richterlicher Würdenträger*. – **10.** the L~s die Lords, das Oberhaus (*des brit. Parlaments*). – **11.** my L~ [mi'lɔ:rd; *Br. Anwälte beim Anreden des Richters* mi'lʌd] My'lord (*Anrede an alle, die den Titel ‚Lord' führen; siehe* lord 9). – **12.** (*Astrologie*) re'gierender Pla'net. – **13.** *Br.* (*scherzhaft*) Buckliger *m*. – **II** *interj* **14.** L~! ach Gott! du lieber Gott! du lieber Himmel! – **III** *v/i* **15.** *oft* ~ it sich als Herr aufspielen (over über *acc*, gegen'über), gebieterisch auftreten: to ~ it over s.o. sich j-m gegenüber als Herr aufspielen; I will not be ~ed over ich lasse mich nicht herumkommandieren. – **IV** *v/t* **16.** zum Lord erheben. – **17.** gebieten über (*acc*).

Lord| Ad·vo·cate *s jur.* Gene'ral(staats)anwalt *m* (*in Schottland*). — **~ Al·mon·er** → Lord High Almoner of England. — **~ Cham·ber·lain (of the House·hold)** *s* Haushofmeister *m* (*dem auch die königlichen Theater unterstehen*). — **~ Chan·cel·lor** *s* Lordkanzler *m* (*Präsident des Oberhauses, Präsident der* Chancery Division *des* Supreme Court of Judicature *sowie des* Court of Appeal, *Kabinettsmitglied, Bewahrer des Großsiegels*). — **L~ Chief Jus·tice of Eng·land** *s jur.* Lord'oberrichter *m* (*Vorsitzender der* King's Bench Division *des* High Court of Justice). — **~ Com·mis·sion·er** *s Mitglied einer ein hohes Regierungsamt verwaltenden Körperschaft* (*bes. der Admiralität od. des Schatzamts*). — **~ High Al·mon·er of Eng·land** *s* Lord-'Großalmose,nier *m* von England. — **~ High Chan·cel·lor (of Great Brit·ain)** → Lord Chancellor. — **~ High Com·mis·sion·er** *s Vertreter der Krone bei der Generalversammlung der Schott. Kirche*. — **~ High Con·sta·ble** *s* 'Großkonne,tabel *m* von England (*jetzt noch bei Krönungen als Ehrenwürde*). — **~ High Stew·ard of Eng·land** *s* Großhofmeister *m* von England (*hoher Staatsbeamter, dem die Organisation von Krönungen u. der Vorsitz bei Prozessen gegen Peers obliegt*). — **L~ High Treas·ur·er of Eng·land** *s hist.* erster Lord der Schatzkammer (*seine Amtsfunktion wird jetzt vom Schatzamt wahrgenommen*).

lord·ing ['lɔ:rdiŋ] *s* **1.** *obs.* Lord *m*, Herr *m* (*bes. als Anrede*): ~s! meine Herren! – **2.** → lordling.

lord in wait·ing *s* königlicher Kammerherr (*wenn eine Königin regiert*).

Lord Jus·tice *pl* **Lords Jus·tic·es** *s Br.* Lordrichter *m* (*Richter des* Court of Appeal). — **~ Clerk** *s Vizepräsident des* Court of Justiciary. — **~ Gen·er·al** *s Präsident des* Court of Justiciary.

Lord Keep·er (of the Great Seal) → Lord Chancellor.

lord·less ['lɔ:rdlis] *adj* **1.** herrenlos. – **2.** ohne Ehemann.

lord lieu·ten·ant *pl* **lords lieu·ten·ant** *s* **1.** *Vertreter des Königs in den engl. Grafschaften (bis 1871 mit ausgedehnten militärischen Vollmachten; jetzt oberster Exekutivbeamter, der auch die Friedensrichter ernennt)*. – **2.** L~ L~ (of Ireland) Vizekönig *m* von Irland (*bis 1922*).

lord·li·ness ['lɔ:rdlinis] *s* **1.** Großzügigkeit *f*. – **2.** Vornehmheit *f*, Würde *f*, Hoheit *f*. – **3.** Pracht *f*, Glanz *m*. – **4.** Hochmut *m*. – **5.** Anmaßung *f*.

lord·ling ['lɔ:rdliŋ] *s* (*verächtlich*) kleiner Lord, Herrchen *n*.

lord·ly ['lɔ:rdli] *adj u. adv* **1.** lordmäßig, einem Lord geziemend *od.* gemäß. – **2.** großzügig. – **3.** vornehm, edel. – **4.** großartig, prächtig. – **5.** stolz, hochmütig, herrisch, gebieterisch, anmaßend. – *SYN. cf.* proud.

Lord May·or *pl* **Lord May·ors** *s Br.* Oberbürgermeister *m* (*von London, York, Dublin, Liverpool, Manchester od. Belfast; Anschrift*: The Right-Honourable the Lord Mayor of ...).

Lord May·or's| Day *s Tag des Amtsantritts des Oberbürgermeisters von London (9. November).* — ~ **Show** *s Festzug des Oberbürgermeisters von London am 9. November.*

Lord| of Ap·peal in Or·di·nar·y *s ein von der Krone ernanntes Mitglied des brit. Oberhauses, das das Haus in Appellationsfällen unterstützen soll.* — ~ **of Coun·cil and Ses·sion** *s Richter am* Court of Session. — ~ **of hosts** *s Bibl.* Herr *m* der Heerscharen. — ~ **of Mis·rule** *s hist. Leiter der (Weihnachts)Belustigungen.* — ~ **of Ses·sion** → Lord of Council and Session. — ~ **of the Bed·cham·ber** *s* 1. königlicher Kammerherr (*wenn ein König regiert*). – 2. Kammerherr *m* im Haushalt des Prinzen von Wales.

lord·ol·a·try [lɔːrˈdɒlətri] *s* Adelsanbetung *f*, überˈtriebene Verehrung der Lords *od.* eines Lords.

lor·do·sis [lɔːrˈdousis] *s med.* Lorˈdose *f* (*Verkrümmung des Rückgrats nach vorn*). — **lorˈdot·ic** [-ˈdɒtik] *adj* lorˈdotisch.

Lord| Pres·i·dent (of the Coun·cil) *s* Präsiˈdent *m* des Geheimen Staatsrats (*ein Mitglied des brit. Kabinetts*). — ~ **Priv·y Seal** *s* Lordsiegelbewahrer *m* (*ein Mitglied des brit. Kabinetts*). — ~ **Pro·tec·tor** *s hist.* ˈLordproˌtektor *m*: a) Reichsverweser *m*, b) *Titel Oliver Cromwells (1653–58) u. Richard Cromwells (1658–59).* — ~ **Prov·ost** *pl* **Lord Prov·osts** *s* Oberbürgermeister *m* (*mehrerer großer schott. Städte*). — ~ **Rec·tor** *s* Lord-Rektor *m* (*bestimmter schott. Universitäten*).

Lord's [lɔːrdz] *s* Lord's Kricketplatz *m* in London (*Hauptsitz des engl. Kricketsports*).

ˈlords-and-ˈla·dies *s* 1. *bot.* a) → cuckoopint, b) → jack-in-the-pulpit. – 2. *zo.* → harlequin duck.

Lord's day *s* Tag *m* des Herrn.

lord·ship [ˈlɔːrdʃip] *s* 1. Lordschaft *f*: your (his) ~ Euer (seine) Lordschaft (*Anrede- bzw. Bezugsform für alle, die den Titel Lord führen, jedoch nicht für einen Duke od. Erzbischof*). – 2. Würde *f od.* Rang *m* eines Lords. – 3. *hist.* Gerichts- *od.* Herrschaftsgebiet *n* eines Lords. – 4. Herrschaft *f*, Macht *f*, Autoriˈtät *f*.

lord spir·it·u·al *pl* **lords spir·it·u·al** *s* geistliches Mitglied des brit. Oberhauses.

Lord's| Prayer *s relig.* Vaterunser *n*. — ~ **Sup·per** *s* 1. *Bibl.* (*das*) letzte Abendmahl (*Christi mit seinen Jüngern am Vorabend seiner Kreuzigung*). – 2. *relig.* heilige Kommuniˈon, Abendmahl *n*. — ~ **ta·ble** *s relig.* 1. Alˈtar *m*. – 2. Tisch *m* des Herrn: a) Kommuniˈon *f*, Abendmahl *n*, b) Abendmahlstisch *m*.

Lord| Stew·ard (of the House·hold) *s* königlicher Oberhofmeister. — **l**~ **tem·po·ral** *pl* **lords tem·po·ral** *s* weltliches Mitglied des brit. Oberhauses. — ~ **Treas·ur·er** → Lord High Treasurer of England.

ˈlordˌwood *s bot.* Storaxbaum *m* (*Liquidambar orientalis*).

lore[1] [lɔːr] *s zo.* 1. Zügel *m* (*Teil zwischen Auge u. Schnabel bei Vögeln*). – 2. Mundleiste *f* (*bei Insekten*). – 3. *Raum zwischen Auge u. Nasenlöchern (bei Reptilien).*

lore[2] [lɔːr] *s* 1. Wissen *n* (*auf bestimmtem Gebiet*), Kunde *f*: animal ~ Tierkunde. – 2. überˈlieferte Kunde, überˈliefertes Wissen (*einer bestimmten Klasse*): gipsy ~ überliefertes Sagen- u. Märchengut der Zigeuner. – 3. *poet. od. obs.* Lehre *f*: the ~ of Christ die Lehre Christi.

Lor·e·lei [ˈlɔːrəˌlai] *s* Loreˈlei *f* (*Rheinnixe der deutschen Sage u. Felsen am rechten Rheinufer*).

Lo·ret·tine [ˌlɔːrəˈtiːn; loˈretain] *s relig.* Schwester *f* von Loˈretto (*Nonne des 1812 in Loretto [Kentucky] gegründeten röm.-kath. Ordens zum Zwecke der Unterrichtung u. Erziehung von Waisen*).

Lo·ret·ton·i·an [ˌlɒriˈtouniən] **I** *s* Mitglied *n* der Loˈrettoschule (*in Schottland*). – **II** *adj* zur Loˈrettoschule (*in Schottland*) gehörig, Loretto...

lor·gnette [lɔːrˈnjet] *s* 1. Lorˈgnette *f*, Stielbrille *f*. – 2. Opernglas *n*.

lor·gnon [lɔrˈɲɔ̃] (*Fr.*) *s* 1. Lorˈgnon *n*, Stieleinglas *n*. – 2. Stielbrille *f*. – 3. Klemmer *m*, Kneifer *m*, Zwicker *m*. – 4. Opernglas *n*.

lo·ri·ca [loˈraikə; lɒ-] *pl* **-cae** [-siː] *s* 1. *zo.* harte Schutzhülle, Panzer *m* (*bes. gewisser Infusorien*). – 2. *bot. obs.* a) Kieselschale *f* (*der Kieselalgen*), b) Integuˈment *n* (*der Samenanlage*). – 3. *mil. hist.* Lorika *f*, (*bes.* Leder)Küraß *m*, Brustharnisch *m*. — **lor·i·cate** [ˈlɒriˌkeit; *Am. auch* ˈlɔːr-], *auch* ˈ**lor·iˌcat·ed** [-tid] *adj zo.* 1. gepanzert, mit Schuppenpanzer, mit Schutzhülle. – 2. panzerähnlich. — ˈ**lor·iˌcoid** *adj bot. zo.* panzerähnlich.

lor·i·keet [ˈlɒriˌkiːt; ˌlɒriˈkiːt; *Am. auch* lɔːr-] *s zo.* (*ein*) kleiner Lori (*Unterfam. Loriinae; Papagei*).

lor·i·mer [ˈlɒrimər; -rə-; *Am. auch* ˈlɔːr-], ˈ**lor·i·ner** [-nər] *s* Gürtler *m*, Sattler *m* (*obs. außer im Titel einer Gilde in London*).

lor·i·ot [ˈlɒriət; *Am. auch* ˈlɔːr-] → golden oriole.

lo·ris [ˈlɔːris] *s zo.* 1. *auch* slender ~ Schlanklori *m* (*Loris gracilis*). – 2. *auch* slow ~ Plumplori *m* (*Bradicebus tardigradus*).

lorn [lɔːrn] *adj obs. od. poet.* 1. *oft* lone ~ verlassen, einsam, vereinsamt, verwaist. – 2. a) verloren, b) zerstört.

Lor·raine cross [ləˈrein] *s* lothringisches Kreuz (*Verbindung von griech. Kreuz u. Andreaskreuz*).

Lor·rain·er [ləˈreinər] *s* Lothringer(in).

Lor·rain·ese [ˌlɒrəˈniːz] *adj* lothringisch.

lor·ry [ˈlɒri; *Am. auch* ˈlɔːri] *s* 1. *Br.* Last(kraft)wagen *m*, Lastauto *n*. – 2. Lore *f*, Lori *f*: a) *offener Güterwagen, bes. in Fabriken etc*, b) (*Bergbau*) Förderwagen *m*, Hund *m*. – 3. langer, flacher Transˈportwagen für Pferdegespann.

lo·ry [ˈlɔːri] *s zo.* Lori *m*, Pinselzüngler *m* (*Unterfam. Loriinae; Papagei*).

los·a·ble [ˈluːzəbl] *adj* verlierbar.

lose [luːz] *pret u. pp* **lost** [lɒst; lɔːst] **I** *v/t* 1. verlieren (*durch Zufall, Schuld etc*): to ~ one's hair das Haar verlieren; to ~ the number of one's mess *mar. mil. sl.* ‚ins Gras beißen', ‚sich von der Verpflegung abmelden' (*sterben*). – 2. (*Vermögen, Stellung*) verlieren, einbüßen, kommen um. – 3. verlieren (*durch Tod, Trennung etc*): she lost a son in the war sie verlor einen Sohn im Krieg; to ~ a patient a) einen Patienten (*an einen anderen Arzt*) verlieren, b) einen Patienten nicht retten können; the victors lost more men than the vanquished die Sieger erlitten schwerere Verluste als die Besiegten; → life 4. – 4. verlieren: to ~ interest a) das Interesse verlieren (*Person*), b) uninteressant werden (*Sache*); → balance 3; caste 3; color 3; face 8; ground[1] 24; head *b. Redw.*; heart *b. Redw.*; mind 2; patience 1; sense 2; temper 4; voice 8. – 5. verlieren, ablegen: to ~ one's faith seinen Glauben verlieren; to ~ all fear alle Furcht ablegen. – 6. (*Vorrecht etc*) verlieren, (*gen*) verlustig gehen. – 7. (*Schlacht, Spiel*) verlieren: → day 6. – 8. (*Siegespreis etc*) nicht gewinnen, nicht erringen. – 9. (*Gesetzesantrag*) nicht ˈdurchbringen. – 10. (*Chance etc*) versäumen, sich entgehen lassen. – 11. (*Zug etc*) versäumen, verpassen. – 12. nicht mitbekommen, nicht hören *od.* sehen (können): I lost the end of his speech ich bekam das Ende seiner Rede nicht mit, mir entging das Ende seiner Rede. – 13. aus den Augen *od.* aus dem Gedächtnis verlieren: to ~ s.o.'s face in a crowd j-n in der Menge aus den Augen verlieren; → sight 2; thread 6; track[1] 11. – 14. vergessen: I have lost my Greek. – 15. (*Weg etc*) verlieren: → bearing 11; way[1] *b. Redw.* – 16. (*Verfolger etc*) hinter sich lassen. – 17. (*Zeit etc*) verlieren, verschwenden, vergeuden: to ~ no time keine Zeit verlieren; we lost a whole day wir verloren einen ganzen Tag. – 18. nicht finden können, verlegt haben: he lost his glasses. – 19. nachgehen, zuˈrückbleiben (*Uhr*): my watch ~s two minutes a day meine Uhr geht täglich zwei Minuten nach. – 20. (*Krankheit*) loswerden. – 21. kosten, verlieren lassen: this will ~ you your position das wird dich deine Stellung kosten, das wird dich um deine Stellung bringen. – 22. *reflex* sich verirren: he lost himself in the maze. – 23. *reflex* sich verlieren: to ~ oneself in thought sich in Gedanken verlieren; the path ~s itself in the rocks der Pfad verliert sich in den Felsen. – 24. *selten* zerstören, vernichten, dem ˈUntergang weihen. – **II** *v/i* 25. Verluste erleiden (by durch, on bei): he lost by this transaction er erlitt durch dieses Geschäft Verluste; they lost heavily sie erlitten schwere Verluste. – 26. verlieren (in an *dat*): to ~ in weight an Gewicht verlieren; the story does not ~ in the telling die Geschichte ist vermutlich übertrieben. – 27. verlieren, geschlagen werden: to ~ to another team gegen eine andere Mannschaft verlieren, einer anderen Mannschaft unterliegen. – 28. (*bei Wettkämpfen etc*) zuˈrückfallen, -bleiben. – 29. an Kraft (*etc*) verlieren, nachlassen. – 30. ~ out *Am. colloq.* a) verlieren, unterˈliegen, b) versagen.

lo·sel [ˈlouzl; ˈluːzl] *obs. od. dial.* **I** *s* Taugenichts *m*, Nichtsnutz *m*. – **II** *adj* nichtsnutzig.

los·er [ˈluːzər] *s* 1. Verlierer(in): to be a ~ by Schaden *od.* Verlust erleiden durch; to be a good (bad) ~ ein guter (schlechter) Verlierer sein, mit (ohne) Humor (zu) verlieren (wissen). – 2. (*Billard*) → losing hazard.

los·ing [ˈluːziŋ] **I** *adj* 1. verlierend. – 2. verlustbringend. – 3. verloren, aussichtslos: a ~ battle eine verlorene Schlacht. – **II** *s* 4. Verlieren *n*. – 5. *pl* (Spiel)Verluste *pl*. — ~ **game** *s* aussichtsloses Spiel: he cannot play a ~ er kann nicht (anständig) verlieren. — ~ **haz·ard** *s* (*Billard*) Verläufer *m* (*Stoß, der den eigenen Ball einlocht*).

loss [lɒs; lɔːs] *s* 1. Verlust *m*, Einbuße *f*, Ausfall *m* (in an *dat*; von *od. gen*): a business ~ ein Geschäftsverlust; ~ of interest Zinsverlust; dead ~ totaler Verlust. – 2. Verlust *m*, Nachteil *m*, Schaden *m*: it is no great ~ es ist kein großer Verlust *od.* Schaden; to cut a (*od.* the) ~ einen Verlust verhüten (*indem man eine Fehlspekulation rechtzeitig aufgibt*). – 3. Verlust *m* (*verlorene Sache od. Person*): he is a great ~ to his firm. – 4. Verlust *m*, Verschwinden *n*, Verlieren *n*: to discover the ~ of a document den Verlust eines Dokuments entdecken. – **5.** Verlust *m* (*Schlacht, Wette, Spiel etc*). – **6.** Verlust *m*, Nachlassen *n*, Abnahme *f*, Schwund *m*: ~ **in weight** Gewichtsverlust, -abnahme. – **7.** *oft pl mil.* Verluste *pl*, Ausfälle *pl*. – **8.** Verderben *n*, ˈUntergang *m*. – **9.** *electr. tech.* (Enerˈgie)Verlust(e *pl*) *m*: **friction** ~ Reibungsverlust(e); **plate** ~ Anodenverlust(leistung); ~ **of heat** Wärmeverlust(e). – **10.** *tech.* (Materiˈal)Verlust *m*, *bes.* Abbrand *m* (*von Metall*). – **11.** (*Versicherungswesen*) Schadensfall *m*. – **12. at a** ~ a) *econ.* mit Verlust, b) in Verlegenheit, verwirrt, unsicher: **to be at a** ~ **for words** keine Worte finden können, um Worte verlegen sein; **to be at a** ~ **to understand s.th.** etwas nicht verstehen (können).

löss [lœs] → loess.

loss| lead·er *s Am.* (*unter dem Selbstkostenpreis verkaufter*) ˈLock-, ˈAnreiz-, ˈZugarˌtikel (*um Kunden zu werben*). — ~ **ra·tio** *s* (*Versicherungswesen*) *Verhältnis zwischen eingezahlten Prämien u. Versicherungsleistungen in einer gegebenen Zeit.*

lost [lɒst; lɔːst] **I** *pret u. pp von* **lose**. – **II** *adj* **1.** verloren: ~ **articles**; **a** ~ **battle**; ~ **friends**. – **2.** verloren(gegangen), zerstört, vernichtet, zuˈgrunde gegangen: **to be** ~ a) verlorengehen (**to** an *acc*), b) zuˈgrunde gehen, ˈuntergehen, zerstört werden, c) ˈumkommen, den Tod finden, d) verschwinden, e) fallen (*Gesetzesantrag*); **the ship and all hands were** ~ das Schiff ging mit der ganzen Besatzung verloren; **to give up for** (*od.* **as**) ~ verloren geben; **a** ~ **soul** eine verlorene *od.* verdammte Seele. – **3.** vergessen, nicht mehr (aus)geübt: **a** ~ **art**. – **4.** verirrt: ~ **in the wood(s)** im Wald verirrt; **to be** ~ sich verirrt haben, sich nicht mehr zurechtfinden (*auch fig.*). – **5.** verschwunden, nicht mehr sichtbar: ~ **in the fog** im Nebel verschwunden; **she was** ~ **in the crowd** sie war in der Menge nicht mehr zu sehen. – **6.** verloren, verschwendet, vergeudet: ~ **time** verlorene Zeit; **to be** ~ **upon s.o.** keinen Eindruck machen auf j-n, keine Wirkung ausüben auf j-n, j-n gleichgültig lassen; **this won't be** ~ **upon me** das werde ich mir merken. – **7.** versäumt (*Gelegenheit*). – **8.** versunken, vertieft (**in** in *acc*): ~ **in thought** in Gedanken vertieft. – **9.** ~ **to** a) verloren für, b) versagt (*dat*), nicht vergönnt (*dat*), c) nicht mehr empfänglich für, ohne Empfinden für: **it was** ~ **to him** es war für ihn verloren; **the victory was** ~ **to them** der Sieg wurde ihnen versagt; ~ **to decency** ohne Empfinden für Anständigkeit; **to be** ~ **to all sense of shame** allen Schamgefühls bar sein.

lost| cause *s* verlorene *od.* aussichtslose Sache. — ~ **heat** *s tech.* Abwärme *f*. — **mo·tion** *s tech.* toter Gang. — **L~ Ple·iad** *s astr.* fehlende Pleˈjade. — ~ **prop·er·ty of·fice** *s* ˈFundamt *n*, -büˌro *n*. — ~ **tribes** *s pl die nach der Einnahme von Samaria durch Sargon II. (772 v. Chr.) verschleppten jüd. Stämme.*

lot[1] [lɒt] **I** *s* **1.** Los *n*: **to cast** (*od.* **draw**) ~**s** losen, Lose ziehen (**for** um); **to cast** (*od.* **throw**) **in one's** ~ **with s.o.** das Los mit j-m teilen, sich auf Gedeih u. Verderb mit j-m verbinden; **to choose by** ~ durch das Los wählen; **the** ~ **fell on me** das Los fiel auf mich. – **2.** (*durch das Los zugefallener*) Anteil: **to have no part nor** ~ **in s.th.** keinerlei Anteil an einer Sache haben. – **3.** Los *n*, Geschick *n*, Schicksal *n*: **to be content with one's** ~ mit seinem Los zufrieden sein; **the** ~ **falls to me** (*od.* **it falls to my** ~, **it falls to me as my** ~) **to do** es ist mein Los *od.* es fällt mir (das Los) zu, zu tun. – *SYN. cf.* **fate**. – **4.** fest umˈgrenztes Stück Land, *bes.* Parˈzelle *f*. – **5.** ˈFriedhofsparˌzelle *f*. – **6.** (*Filmwesen*) Drehort *m*, Filmgelände *n*, *bes.* Studio *n*. – **7.** *econ.* a) Arˈtikel *m*, b) Parˈtie *f*, Posten *m* (*von Waren*): **in** ~**s** partienweise. – **8.** Gruppe *f*, Gemeinschaft *f*, Gesellschaft *f*, Menge *f* (*ähnlicher Personen od. Dinge*): **the whole** ~ die ganze Gesellschaft. – **9. the** ~ alles, das Ganze: **take the** ~! nimm alles! **that's the** ~ das ist alles; **he has eaten the (whole)** ~ er hat alles aufgegessen. – **10.** *colloq.* Menge *f*, Haufen *m*: **a** ~ **of** viel, eine Menge; **a** ~ **of time** viel Zeit, eine Menge Zeit; **a** ~ **of money**, ~**s of money** viel Geld, eine Menge *od.* ein Haufen Geld, Geld wie Heu; ~**s and** ~**s of people** eine Masse Menschen; **there is** ~**s of fun to be had** es gibt viel Spaß; **such a** ~ so viel, eine solche Menge. – **11.** *colloq.* a) Kerl *m*, Perˈson *f*, b) Ding *n*: **a bad** ~ eine üble Person, ein übler Kerl. – **12.** *bes. Br.* Abgabe *f*, Steuer *f*: → **scot and** ~. – **II** *adv* **13. a** ~ viel, beträchtlich: **a** ~ **better** viel besser; **a** ~ **more** viel mehr. – **III** *v/t pret u. pp* ˈ**lot·ted 14.** losen um. – **15.** durch das Los (ver)teilen. – **16.** zuteilen, zuweisen. – **17.** a) *oft* ~ **out** (*Land*) in Parˈzellen teilen, parzelˈlieren, b) (*Ware*) in Einzelposten *od.* Parˈtien aufteilen. – **IV** *v/i* **18.** losen.

Lot[2] [lɒt] *npr Bibl.* Lot *m* (*Neffe Abrahams*).

lo·ta(h) [ˈloutə] *s kleines kugelförmiges Wassergefäß aus Messing od. Kupfer (in Indien).*

lote [lout] *obs. für* **lotus**.

loth *cf.* **loath**.

Lo·tha·rin·gi·an [ˌlouθəˈrindʒiən] **I** *s* Lothringer(in). – **II** *adj* lothringisch.

Lo·thar·i·o [loˈθɛ(ə)riˌou] *pl* **-i·os** *s* Wüstling *m*, Don Juan *m*, Verführer *m*.

lo·tion [ˈlouʃən] *s* **1.** (*Pharmakologie*) Waschmittel *n*. – **2.** Hautwasser *n*: **hair** ~ Haarwasser; **shaving** ~ Rasierwasser. – **3.** *obs.* Waschung *f*.

lot jump·er *s Am. j-d der sich das einem anderen zugeteilte Stück Land aneignet.*

Lo·toph·a·gi [loˈtɒfəˌdʒai] *s pl* LotoˈPhagen *pl*, Lotosesser *pl* (*Volk in der Odyssee*).

lo·tos, lo·tos-eat·er *cf.* **lotus, lotus-eater**.

lot·ter·y [ˈlɒtəri] *s* **1.** Lotteˈrie *f*: **number** ~ Zahlenlotterie; **to take part in a** ~ in einer Lotterie spielen. – **2.** *fig.* Glückssache *f*, Lotteˈriespiel *n*: **life is a** ~ das Leben ist ein Lotteriespiel; **marriage is a** ~ Heiraten ist eine Glückssache. — ~ **loan** *s econ.* Prämienanleihe *f*. — ~ **tick·et** *s* Lotteˈrielos *n*. — ~ **wheel** *s* Glücksrad *n*.

lot·to [ˈlɒtou] *s* Lotto *n*: a) *ein lotterieähnliches Gesellschaftsspiel*, b) *Zahlenlotto, genuesisches Lotto.*

lo·tus [ˈloutəs] *s* **1.** (*in griech. Sagen*) a) Lotos *m* (*eine wohlige Schlaffheit bewirkende Frucht*), b) → ~ **tree 1**. – **2.** *bot.* Lotos(blume *f*) *m* (*eine Seerose*), *bes.* a) → **Indian** ~, b) → **water chinquapin**, c) Weiße Äˈgyptische Lotosblume (*Nymphaea lotus*), d) Blaue Afrik. Lotosblume (*Nymphaea coerulea*). – **3.** ˈLotosblumenornaˌment *n*. – **4.** *bot.* Honigklee *m* (*Gattg Melilotus*). — ˈ~-ˌ**eat·er** *s* **1.** (*in der Odyssee*) Lotosesser *m*. – **2.** Träumer *m*, tatenloser Genußmensch. — ˈ~-ˌ**land** *s* Land *n* des süßen Nichtstuns. — ~ **tree** *s bot.* **1.** Lotos *m* (*Pflanze, von deren Frucht sich nach der Sage die Lotophagen ernährten, vermutlich*): a) Eßbarer Judendorn (*Zizyphus lotus*), b) Zürgelbaum *m* (*Celtis australis*), c) Damuch *m* (*Nitraria tridentata*). – **2.** a) Lotospflaume *f* (*Diospyros lotus*), b) Virˈginische Dattelpflaume (*D. virginiana*).

loud [laud] **I** *adj* **1.** laut: **a** ~ **report** ein lauter Knall. – **2.** laut, lärmend, geräuschvoll: ~ **streets** lärmende Straßen. – **3.** laut, offen, betont, nachdrücklich, heftig, stark: ~ **admiration** laute Bewunderung; ~ **criticism** heftige Kritik. – **4.** offensichtlich, schreiend: **a** ~ **lie** eine offensichtliche Lüge; **a** ~ **offence** (*Am.* **offense**) eine schreiende Missetat. – **5.** schreiend, auffallend, grell, aufdringlich: ~ **colo(u)rs** schreiende Farben; ~ **dress** auffallende Kleidung; **a** ~ **pattern** ein aufdringliches Muster. – **6.** unfein, unangenehm auffallend, aufdringlich: ~ **manners**. – **7.** *Am.* peneˈtrant riechend, von ˈdurchdringendem Geruch. – **II** *adv* **8.** laut: **don't talk so** ~.

loud·en [ˈlaudn] **I** *v/t* laut *od.* lauter machen. – **II** *v/i selten* laut *od.* lauter werden.

loud·ish [ˈlaudiʃ] *adj* **1.** ziemlich laut. – **2.** ziemlich auffallend *od.* schreiend (*Kleidung, Farben etc*).

ˈ**loudˌmouthed** *adj* **1.** laut, mit lauter Stimme. – **2.** schreiend, lärmend.

loud·ness [ˈlaudnis] *s* **1.** Lautheit *f*, (*das*) Laute. – **2.** *phys.* Lautstärke *f*. – **3.** Geschrei *n*, Lärm *m*. – **4.** (*das*) Auffallende *od.* Schreiende *od.* Grelle.

ˈ**loud|-ˈspeak·er**, *auch* ˈ~ˈ**speak·er** *s electr.* Lautsprecher *m*. — ˈ~-ˌ**spok·en** *adj* mit lauter Stimme, laut sprechend.

lough [lɒx] *s Irish* **1.** See *m*. – **2.** Meeresarm *m*.

lou·is [ˈluːi] *pl* **lou·is**, ~ **d'or** [ˌluːiˈdɔːr] *pl* **louis d'or** *s* Louisˈdor *m* (*alte franz. Goldmünze*).

Lou·i·si·an·a her·on [luːˌiːziˈænə; ˌluːizi-] *s zo.* Louisiˈana-Reiher *m* (*Hydranassa tricolor*).

Lou·i·si·an·i·an [luːˌiːziˈæniən; ˌluːizi-], *auch* **Louˌiˈsiˈan·an** [-nən] **I** *adj* louisiˈanisch. – **II** *s* Louisiˈaner(in).

Lou·i·si·an·a| Pur·chase *s das 1803 durch die USA von Frankreich gekaufte riesige Gebiet zwischen dem Mississippi u. den Rocky Mountains.* — ~ **wa·ter thrush** *s zo.* Amer. Wasserschmätzer *m* (*Seiurus motacilla*).

Lou·is| Qua·torze [ˌluːikæˈtɔːrz; -kə-] *adj* Louis-quatorze-... (*den klassisch gemäßigten Barockstil der franz. Kunst während der Regierungszeit Ludwigs XIV. betreffend*). — ~ **Quinze** [ˌluːiˈkɛ̃z] *adj* Louis-quinze-... (*den Rokokostil der franz. Kunst während der Regierungszeit Ludwigs XV. betreffend*). — ~ **Seize** [ˌluːiˈsɛz] *adj* Louis-seize-... (*die Stilrichtung der franz. Kunst während der Regierungszeit Ludwigs XVI. betreffend*). — ~ **Treize** [ˌluːiˈtrɛz] *adj* Louis-treize-... (*die Stilrichtung der franz. Kunst während der Regierungszeit Ludwigs XIII. betreffend*).

loun·der [ˈluːndər] *bes. Scot.* **I** *s* heftiger Schlag. – **II** *v/t* heftig schlagen.

lounge [laundʒ] **I** *s* **1.** Sofa *n*, ChaiseˈIongue *f*. – **2.** Klubsessel *m*. – **3.** Halle *f*, Diele *f*, Gesellschaftsraum *m* (*eines Hotels*). – **4.** Wohndiele *f*, -zimmer *n*. – **5.** Foyˈer *n* (*eines Theaters*). – **6.** Bummeln *n*, Faulenzen *n*. – **7.** Bummel *m*, gemütlicher kleiner Spaˈziergang. – **8.** schlendernder Gang, Schlendergang *m*. – **9.** → ~ **suit**. – **II** *v/i* **10.** träge *od.* faul liegen, sich rekeln. – **11.** müßig sein, müßig gehen, faulenzen, lungern. – **12.** schlendern. – **III** *v/t* **13.** ~ **away**, ~ **out** (*Zeit*) vertrödeln, verbummeln, müßig verbringen. — ~ **chair** *s* Klubsessel *m.* — ~ **liz·ard** *s colloq.* **1.** Sa'lonlöwe *m.* – **2.** Eintänzer *m,* Gigolo *m.*

loung·er ['laundʒər] *s* **1.** Faulenzer(in), Müßiggänger(in). – **2.** Bummler(in), gemütlicher Spa'ziergänger.

lounge suit *s Br.* Straßenanzug *m.*

loup[1] [laup; loup; luːp] *Scot.* **I** *v/i* **1.** springen. – **2.** fliehen. – **II** *s* **3.** Sprung *m,* Satz *m.*

loup[2] [lu] *(Fr.) s* (seidene) Halbmaske.

loup|-cer·vier [ˌluːˌser'vjei] *s zo.* Kanad. Luchs *m (Lynx canadensis).* — ~**-ga·rou** [luga'ru] *pl* **loups-ga·rous** [luga'ru] *(Fr.) s* Werwolf *m.*

loup·ing ill ['laupiŋ; 'lou-] *s vet.* Springkrankheit *f (eine Wurmkrankheit von Schafen u. anderen Haustieren).*

lour [lauər], **lour·ing** ['lau(ə)riŋ], '**lour·y** → lower[1] *etc.*

louse [laus] **I** *s pl* **lice** [lais] **1.** *zo.* Laus *f (Ordng Anoplura), bes.* a) Kopflaus *f (Pediculus capitis),* b) → body ~, c) → crab ~. – **2.** → bird ~. – **3.** *zo.* Echte Blattlaus *(Fam. Aphididae).* – **4.** a) → wood ~, b) → book ~. – **5.** wolkiger Webfehler *(in Seide).* – **II** *v/t* **6.** lausen. – **III** *v/i* **7.** von Läusen wimmeln. — '~ˌ**ber·ry** *s bot.* Pfaffenhütchen *n,* Spindelbaum *m (Evonymus europaeus).* — ~ **bur** → cocklebur 1. — ~ **fly** *s zo.* Lausfliege *f (Fam. Hippoboscidae), bes.* Schaflausfliege *f (Melophagus ovinus).* — '~ˌ**wort** *s bot.* **1.** Läusekraut *n (Gattg Pedicularis).* – **2.** Stephans-Rittersporn *m (Delphinium staphisagria).* – **3.** Gelber Klappertopf *(Rhinanthus crista-galli).* – **4.** *obs.* Stinkende Nieswurz *(Helleborus foetidus).*

lous·i·ness ['lauzinis] *s* Verlaustheit *f,* verlauster Zustand. — '**lous·y** *adj* **1.** verlaust, voller Läuse. – **2.** *sl.* 'überreichlich versorgt (with mit): he is ~ with money er schwimmt im Geld. – **3.** *sl.* a) widerlich, ekelhaft, dreckig, b) gemein, niederträchtig, lausig.

lout[1] [laut] **I** *s* Tölpel *m,* Tolpatsch *m,* täppischer Kerl. – **II** *v/t obs.* (*j-n*) verulken, verspotten, zum Gespött machen.

lout[2] [laut] *obs. od. dial.* **I** *v/i* sich (ver)neigen, sich (ver)beugen. – **II** *v/t* niederbeugen, demütigen.

lout·ish ['lautiʃ] *adj* **1.** linkisch, ungeschickt, unbeholfen, plump, tölpelhaft, täppisch. – **2.** flegel-, lümmelhaft, roh. – *SYN. cf.* boorish. — '**lout·ish·ness** *s* Ungeschicklichkeit *f,* Unbeholfenheit *f,* Tölpelhaftigkeit *f.*

lou·ver, *Br. auch* **lou·vre** ['luːvər] *s* **1.** *arch.* Dachtürmchen *n,* La'terne *f,* Turmaufsatz *m (auf mittelalterlichen Gebäuden als Rauchabzug u. Licht- u. Luftzufuhr).* – **2.** *arch.* a) *auch* ~ board Schirm-, Schallbrett *n (eines Abatvent),* b) *pl* Abat-vent *n,* Schirm-, Schallbretter *pl (des Schallfensters an Glockenstuben).* – **3.** ('Glas) Jalouˌsie *f (auch an Wagenfenstern).* – **4.** *tech.* Jalou'sie *f,* jalou'sieartig angeordnete Luft- *od.* Kühlschlitze *pl (in Blechteilen, Gehäusen, Motorhauben etc).* – **5.** *mar.* Lüftungs-, Ventilati'onsschlitz *m,* -schieber *m (im Ventilatorkopf, Schott, Maschinenraum etc).* — ~ **boards** *s pl, auch* ~ **board·ing** → louver 2 b.

lou·vered ['luːvərd] *adj* **1.** schräggestellt *(wie die Bretter eines Schallfensters).* – **2.** mit Schallbrettern *od.* Schallfenstern versehen. – **3.** mit einem Dachtürmchen versehen.

Lou·vre ['luːvr] *s* Louvre *m (altes Königsschloß in Paris, jetzt Museum).*

lov·a·bil·i·ty [ˌlʌvə'biliti; -əti] → lovableness. — '**lov·a·ble** *adj* gewinnend, einnehmend, anziehend, liebenswürdig, -wert. – *SYN.* amiable. — '**lov·a·ble·ness** *s* Liebenswürdigkeit *f.*

lov·age ['lʌvidʒ] *s bot.* **1.** Liebstöckel *n,* Großer Eppich, Badekraut *n (Levisticum officinale).* – **2.** Mutterwurz *f,* Liebstock *m,* Liebstöckel *n (Gattg Ligusticum).*

love [lʌv] **I** *s* **1.** *(sinnliche od. geistige)* Liebe (of, for, to, toward[s] s.o. zu j-m; of, for, to s. th. zu einer Sache): to fall in ~ with sich verlieben in *(acc)*; all's fair in ~ and war in der Liebe u. im Krieg ist alles erlaubt; for ~ a) zum Spaß, zum Vergnügen, b) gratis, umsonst, aus Freude an der Sache; to play for ~ um die Ehre *(also nicht um Geld)* spielen; for the ~ of um ... willen *(bes. in beschwörenden Ausrufen)*; for the ~ of God um Gottes willen; not for ~ or money nicht für Geld u. gute Worte; give my ~ to her grüße sie herzlich von mir; to send one's ~ to s.o. j-n grüßen lassen; in ~ verliebt (with in *acc*); to make ~ to *(j-n)* hofieren, umwerben, lieben, *(j-m)* den Hof machen; there is no ~ lost between them sie können einander nicht ausstehen; ~ in a cottage Liebesheirat ohne finanzielle Grundlagen; „L~'s Labour's Lost“ „Verlorene Liebesmüh“ *(Lustspiel von Shakespeare)*; ~ of country Vaterlandsliebe; ~ of learning Liebe zur Wissenschaft; → labor 1. – **2.** L~ die Liebe *(personifiziert, bes. als Gottheit).* – **3.** *pl, auch* L~s Amo'retten *pl (geflügelte Kindergestalten in der bildenden Kunst).* – **4.** Liebling *m,* Liebchen *n,* Schatz *m (bes. Mädchen od. Frau)*: my ~ Liebling *(als Anrede, bes. zwischen Eheleuten).* – **5.** Liebe *f,* Liebschaft *f,* 'Liebesafˌfäre *f*: the ~s of the gods. – **6.** *colloq.* lieber Kerl: he is an old ~ er ist ein lieber alter Kerl; isn't she a ~? ist sie nicht ein lieber Kerl? – **7.** *colloq.* reizendes *od.* entzückendes Ding, ‚Gedicht‘ *n*: what ~s of teacups! was für reizende Teetassen! – **8.** *sport* nichts, null: ~ all null zu null. – **9.** *bot.* Waldrebe *f (Clematis vitalba).* –
II *v/t* **10.** *(j-n)* lieben, liebhaben. – **11.** *(etwas)* lieben, gern haben *od.* mögen: I ~ books ich liebe Bücher; roses ~ sunlight Rosen lieben das Sonnenlicht; to ~ one's ~ with an A (with a B *etc*) *Einlöseformel bei Pfänderspielen, wobei ein zu dem gegebenen Buchstaben passendes Wort zu nennen ist*; → lord 6. –
III *v/i* **12.** lieben, Liebe fühlen, *bes.* verliebt sein. – **13.** to ~ to do s.th. *colloq.* etwas schrecklich gern tun: will you come? I should ~ to wollen Sie kommen? Ich möchte schrecklich gern.

love·a·bil·i·ty, love·a·ble *etc cf.* lovability *etc.*

love| af·fair *s* Liebschaft *f,* Liebesabenteuer *n,* -verhältnis *n.* — ~ **ap·ple** *s bot.* Liebesapfel *m,* To'mate *f (Solanum lycopersicum).* — '~-**be·'got·ten** *adj* unehelich *(Kind).* — '~ˌ**bird** *s zo.* **1.** Unzertrennlicher *m,* Unzertrennlicher 'Sperlingspapaˌgei, Insépa'rable *m (Gattg Agapornis), bes.* a) Unzertrennlicher *m (A. pullaria),* b) 'Rosenpapaˌgei *m (A. roseicollis),* c) Grauköpfchen *n (A. cana).* – **2.** Edelsittich *m (Gattg Psittacula; Südamerika).* — '~-ˌ**child** *s irr Br.* uneheliches Kind, Kind *n* der Liebe. — ~ **dart** → dart 3b. — ~ **feast** *s* **1.** *relig.* Liebesmahl *n.* – **2.** Freundschaftsmahl *n.* — '~ˌ**flow·er** *s bot.* Liebesblume *f,* Blaue Tube'rose *(Agapanthus umbellatus).* — ~ **game** *s (Tennis) Spiel, bei dem der Verlierer nicht einen einzigen Punkt gemacht hat.* — ~ **god** *s* Liebesgott *m.* — ~ **grass** *s bot.* Liebesgras *n (Gattg Eragrostis).* — '~-**in-a-'mist** *s bot.* **1.** Jungfer *f* im Grünen, Gretel *f* im Busch *(Nigella damascena).* – **2.** Stinkende Passi'onsblume *(Passiflora foetida; trop. Amerika).* – **3.** Filziges Hornkraut *(Cerastium tomentosum).* — '~-**in-a-'puff** *Am. für* balloon vine. — '~-**in-a-'puz·zle** → love-in-a-mist 1. — '~-**in-'i·dle·ness** → wild pansy. — ~ **knot** *s* Liebesknoten *m,* -schleife *f.*

Love·lace ['lʌvleis] *s* Wüstling *m,* zügelloser Mensch *(nach der Gestalt in Richardsons Roman „Clarissa“).*

love·less ['lʌvlis] *adj* **1.** lieblos. – **2.** ungeliebt.

love| let·ter *s* Liebesbrief *m.* — '~-**lies-'bleed·ing** *s bot.* **1.** Gartenfuchsschwanz *m,* Roter Fuchsschwanz *(Amaranthus caudatus).* – **2.** Flammendes Herz *(Dicentra spectabilis).* – **3.** Blutströpfchen *n (Adonis autumnalis).* — '~ˌ**lock** *s* Schmachtlocke *f.* — '~ˌ**lorn** *adj* **1.** vom Geliebten *od.* von der Geliebten verlassen. – **2.** sich in Liebeskummer *od.* in Liebe verzehrend.

love·li·ness ['lʌvlinis] *s* **1.** Lieblichkeit *f,* Schönheit *f,* Reiz *m.* – **2.** *colloq.* Köstlichkeit *f,* Herrlichkeit *f.*

love·ly ['lʌvli] **I** *adj* **1.** lieblich, wunderschön, aller'liebst, hold, entzückend, reizend: a ~ flower eine herrliche *od.* wunderschöne Blume. – **2.** *(geistig)* schön: a ~ character ein schöner Charakter. – **3.** *colloq.* köstlich, herrlich: what a ~ joke! was für ein köstlicher Witz! – **4.** *obs.* a) liebenswürdig, -wert, b) liebend, zärtlich. – *SYN. cf.* beautiful. – **II** *s* **5.** Schöne *f,* Schönheit *f (schöne Frau, bes. vom Theater).*

'**love|-ˌmak·ing** *s* **1.** Lieben *n.* – **2.** Ho'fieren *n,* Liebeswerben *n.* — '~ˌ**man** *pl* -ˌ**mans** *s bot.* Klebkraut *n,* Kletterndes Labkraut *(Galium aparine).* — ~ **match** *s* Liebesheirat *f.* — ~ **par·a·keet,** ~ **par·rot** → lovebird. — ~ **phil·ter,** *bes. Br.* ~ **phil·tre** *s* Liebestrank *m.*

lov·er ['lʌvər] *s* **1.** a) Liebhaber *m,* Geliebter *m,* Liebster *m,* b) *selten* Geliebte *f*: to have a ~ eine Liebschaft haben. – **2.** *pl* Liebende *pl,* Liebespaar *n.* – **3.** Liebhaber(in), Freund(in): a ~ of music ein(e) Musikfreund(in); a dog ~ ein(e) Hundeliebhaber(in).

lov·er·ly ['lʌvərli] **I** *adj* Liebes..., zärtlich-ga'lant, typisch für einen Liebhaber. – **II** *adv* wie ein Liebhaber, zärtlich-ga'lant.

lov·er's| knot ['lʌvərz] → love knot. — ~ **lane** *s Am.* ‚Seufzergäßchen‘ *n (einsames, von Liebespaaren bevorzugtes Gäßchen).*

love| seat *s* kleines Sofa für zwei. — ~ **set** *s (Tennis)* 'Nullparˌtie *f,* Blanksatz *m* (0:6). — '~ˌ**sick** *adj* liebeskrank. — '~ˌ**sick·ness** *s* Liebeskrankheit *f.*

love·some ['lʌvsəm] *adj obs. od. dial.* **1.** liebend, verliebt, zärtlich. – **2.** lieblich, liebenswert. – **3.** freundlich, angenehm.

love| song *s* Liebeslied *n.* — ~ **sto·ry** *s* Liebesgeschichte *f.* — ~ **to·ken** *s* Liebespfand *n,* -zeichen *n.* — ~ **tree** *s bot.* Judasbaum *m (Cercis siliquastrum).* — ~ **vine** → dodder[2]. — '~ˌ**wor·thi·ness** *s* Liebenswürdigkeit *f.* — '~ˌ**wor·thy** *adj* liebenswürdig, -wert.

lov·ing ['lʌviŋ] *adj* **1.** liebend, Liebes...: ~ words Liebesworte. – **2.** liebend, verliebt, zärtlich. – **3.** liebend, zugetan, treu (ergeben): your ~ father *(als Briefschluß)* Dein Dich liebender Vater; our ~ subjects unsere treuen Untertanen. — ~ **cup** *s* Liebes-, Freundschafts-, 'Umtrunkbecher *m.* — '~-**kind·ness** *s* **1.** *Bibl.* göttliche Gnade *od.* Güte. – **2.** Barmherzigkeit *f,*

Erbarmung *f*, Herzensgüte *f*. – 3. liebende Sorge, Fürsorge *f*. – 4. Wohlwollen *n*.

low[1] [lou] **I** *adj* **1.** nieder, niedrig: a ~ **building**; a ~ **forehead**. – **2.** tiefgelegen: ~ **ground**. – **3.** Nieder... – **4.** niedrigstehend: **the water is** ~ das Wasser steht niedrig. – **5.** tiefstehend, nahe dem Hori'zont: **the sun is** ~ die Sonne steht tief. – **6.** tief: a ~ **bow** eine tiefe Verbeugung. – **7.** → ~-**necked**. – **8.** (*nur prädikativ*) tot, nieder-, 'hingestreckt. – **9.** seicht (*Bach etc*). – **10.** a) fast leer (*Gefäß*), b) fast erschöpft, knapp (*Vorrat etc*): **to run** ~ knapp werden; **I am** ~ **in funds** ich bin nicht gut bei Kasse; → **sand** 3. – **11.** schwach, kraftlos, matt: ~ **pulse** schwacher Puls. – **12.** a) minderwertig, wenig nahrhaft, knapp, kraftlos, b) einfach, fru'gal. – **13.** gedrückt, niedergeschlagen: ~ **spirits** gedrückte Stimmung, Niedergeschlagenheit. – **14.** niedrig, nieder, gering: ~ **fever** leichtes Fieber; a ~ **number** eine niedere Zahl; ~ **speed** geringe Geschwindigkeit; ~ **wages** niedriger Lohn; **prices are** ~ die Preise sind niedrig; **at the** ~**est** wenigstens, mindestens. – **15.** nieder (*geographische Breite*): **in the** ~ **latitudes**. – **16.** (*zeitlich*) verhältnismäßig neu *od.* jung: **of** ~ **date** (verhältnismäßig) neuen Datums; **of a** ~**er date** jüngeren Datums. – **17.** gering(schätzig): **to have a** ~ **opinion of s.o.** eine geringe Meinung von j-m haben; **a** ~ **estimate** eine niedrige (Ein)Schätzung. – **18.** minderwertig. – **19.** (*sozial*) unter(er, e, es), nieder, niedrig: **of** ~ **birth** von niedriger Abkunft; **high and** ~ hoch u. niedrig (*jedermann*); → **class** 6. – **20.** gewöhnlich, niedrig (*denkend od. gesinnt*): ~ **thinking** niedrige Denkungsart. – **21.** roh, ordi'när, vul'gär, ungebildet, gemein: a ~ **expression** ein ordinärer Ausdruck; a ~ **fellow** ein ordinärer Kerl. – **22.** erbärmlich, gemein, niederträchtig: a ~ **trick** ein gemeiner Gaunerstreich. – **23.** nieder, primi'tiv, wenig entwickelt, tiefstehend: ~ **forms of life** niedere Lebensformen; ~ **race** primitive Rasse. – **24.** tief (*Ton etc*). – **25.** leise (*Ton, Stimme etc*). – **26.** (*Phonetik*) offen, mit (verhältnismäßig) tiefer Zungenstellung ausgesprochen. – **27.** *bes. Br. für* **low-church** 2. – **28.** *tech.* erst(er, e, es), niedrigst(er, e, es), mit kleinster Über'setzung (*Gang*). – **29.** → **bring** 1; **burn** 6; **lay** ~; **lie** ~. – *SYN. cf.* **base**[2]. –
II *adv* **30.** niedrig: **it hangs** ~ es hängt niedrig; **to aim** ~**er** niedriger zielen. – **31.** tief: **to bow** ~ sich tief verbeugen; **to collar s.o.** ~ (*Rugby etc*) j-n in Hüfthöhe *od.* tiefer festhalten. – **32.** *fig.* tief: **sunk thus** ~ so tief gesunken. – **33.** in schlechten Verhältnissen, äußerst bescheiden. – **34.** kärglich, dürftig: **to live** ~. – **35.** billig: **to sell s.th.** ~. – **36.** niedrig, mit geringem Einsatz: **to play** ~ niedrig spielen. – **37.** tief(klingend): **to sing** ~ tief singen. – **38.** leise. – **39.** (*zeitlich*) spät: **as** ~ **as the fifteenth century** noch im 15. Jahrhundert, bis ins 15. Jahrhundert. – **40.** *astr.* a) nahe dem Hori'zont, b) nahe dem Ä'quator. –
III *s* **41.** (*etwas*) Niedriges *od.* Tiefes. – **42.** *tech.* erster Gang (*Kraftfahrzeug*). – **43.** (*Meteorologie*) Tief(druckgebiet) *n*. – **44.** niederster Trumpf. – **45.** niederste Punkte- *od.* Trefferzahl. – **46.** *fig.* Tiefstand *m*.

low[2] [lou] **I** *v/i u. v/t* brüllen, muhen (*Rind*). – **II** *s* Brüllen *n*, Muhen *n*.

low[3] [lou] *obs. od. dial.* **I** *v/i* **1.** lohen, lodern, flammen. – **2.** leuchten, scheinen, glühen. – **II** *s* **3.** Lohe *f*, Flamme *f*. – **4.** Glut *f*, Glanz *m*.

low| a·re·a *s* (*Meteorologie*) Tief(druckgebiet) *n*. — '~ˌ**born** *adj* aus niederem Stande, von niedriger Geburt. — '~ˌ**boy** *s Am.* niedrige Kom'mode. — '~ˌ**bred** *adj* ungebildet, unfein, roh, ordi'när, gewöhnlich. — '~-ˌ**brow** *colloq.* **I** *s* geistig Anspruchsloser, Mensch *m* ohne geistige Inter'essen. – **II** *adj* geistig anspruchslos, nicht geistig. — '~-ˌ**browed** *adj Br.* **1.** mit niederer Stirn. – **2.** tief 'überhängend (*Felsen*). – **3.** mit niederem Eingang, düster, dunkel (*Gebäude*). — '~-ˌ**ceil·inged** *adj* niedrig (*Raum*), mit niedriger Decke. — ~ **cel·e·bra·tion** *s relig.* stille Messe. — **L~ Church** *s relig.* Low Church *f* (*protestantisch-pietistische Sektion der anglikanischen Kirche*). — '~-ˌ**church**, *auch* '**L~**-ˌ**Church** *adj* **1.** Low-Church-..., der Low Church. – **2.** die Lehren der Low Church vertretend, prote'stantisch-pie'tistisch (gesinnt). — ˌ**L~-'Church·ism** → Low-Churchmanship. — ˌ**L~-'Church·ist**, ˌ**L~-'Church·man** *s irr relig.* Anhänger *m* der Low Church. — ˌ**L~-'Church·manˌship** *s* Zugehörigkeit *f* zur Low Church. — '~-ˌ**class** *adj* von geringer Quali'tät, minderwertig. — ~ **co·me·di·an** *s* Schwank-Schauspieler(in). — ~ **com·e·dy** *s* Schwank *m*, derbe Ko'mödie. — ~ **coun·try** *s geogr.* Tiefland *n*. — **L~ Coun·tries** *s pl* (*die*) *Niederlande, Belgien u. Luxemburg*. — ~ **down** *adj* **1.** weit unten, tief unten. – **2.** → low-down[1]. — '~-'**down**[1] *adj sl.* niederträchtig, gemein. — 'ˌ~-ˌ**down**[2] *s sl.* reine Wahrheit, genaue Tatsachen *pl*: **to get the** ~ **on s.th.** über etwas die unverblümte Wahrheit erfahren. — ˌ~-'**down·er** *s Am. colloq.* her'untergekommener Weißer (*in den Südstaaten*).

lowe *cf.* low[3].

low·er[1] ['lauər] **I** *v/i* **1.** finster *od.* drohend blicken, die Stirn drohend runzeln. – **2.** finster drohen (*Himmel, Wolken etc*). – *SYN. cf.* **frown**. – **II** *s* **3.** finsterer *od.* drohender Blick, finsteres Stirnrunzeln. – **4.** finsteres Drohen (*der Wolken etc*).

low·er[2] ['louər] **I** *v/t* **1.** niedriger machen: **to** ~ **a wall**. – **2.** (*Preis, Kosten, Zahl etc*) senken, ermäßigen, redu'zieren, her'absetzen. – **3.** (*Stimme*) senken. – **4.** erniedrigen, demütigen: **to** ~ **oneself** a) sich demütigen, b) sich herablassen. – **5.** (*Blick, Gewehrlauf etc*) senken. – **6.** verringern, her'absetzen, abschwächen, mäßigen: **to** ~ **one's hopes** seine Hoffnungen herabsetzen. – **7.** (*Temperatur, Wasserspiegel etc*) senken. – **8.** her'unter-, her'ab-, niederlassen: **to** ~ **a bucket into a well**. – **9.** (*Fahne, Segel*) niederholen, streichen: → **color** 16. – **10.** *mus.* (*im Ton*) erniedrigen. – **11.** abnehmen lassen: **a** ~**ing diet** eine zehrende Diät. – **II** *v/i* **12.** niedriger werden. – **13.** sich senken, sinken, her'untergehen, fallen (*Preis, Kosten, Temperatur etc*). – **14.** sich senken (*Stimme, Blick, Gewehrlauf etc*). – **15.** sich verringern, sich vermindern, sich mäßigen, abnehmen, sinken. – **16.** her'unter-, her'ab-, niedergelassen werden. – **17.** sich senken, abfallen, sich neigen (*Boden*).

low·er[3] ['louər] *adj* (*comp von* **low**[1] **I**) **1.** tiefer, niedriger: **a** ~ **estimate** eine niedrigere Schätzung. – **2.** unter(er, e, es), Unter...: **the** ~ **berth** die untere Koje; **the L~ Devonian** *geol.* das Untere Devon; ~ **jaw** Unterkiefer. – **3.** *geogr.* Unter..., Nieder...: **L~ Austria** Niederösterreich; **L~ Egypt** Unterägypten. – **4.** neuer, jünger (*Datum*). – **5.** *biol.* nieder(er, e, es): **the** ~ **plants** die niederen Pflanzen.

low·er| boy *s Br.* 'Unterstufenschüler *m* (*einer* Public School). — '~-'**brack·et** *adj* zur unteren Gruppe gehörend. — ~ **case** *s print.* **1.** 'Unterkasten *m*. – **2.** Kleinbuchstaben *pl*. — '~-'**case** *print.* **I** *adj* **1.** klein (*Buchstabe*). – **2.** Kleinbuchstaben... – **II** *v/t* **3.** in kleinen Buchstaben drucken. — **L~ Chalk** *s geol.* untere Oberkreide (*in England*). — **L~ Cham·ber**, *oft* **L~ cham·ber** → Lower House. — '~'**class·man** *s irr Am.* Neuling *m*, Stu'dent *m* im ersten *od.* zweiten Jahr, ‚jüngeres Se'mester'. — ~ **crit·ic** *s* Textkritiker *m*. — ~ **crit·i·cism** *s* 'Textkriˌtik *f* (*besonders an der Bibel*). — ~ **deck** *s mar.* **1.** 'Unterdeck *n*. – **2.** the ~ *Br. collect.* die 'Unteroffiˌziere u. Mannschaftsgrade *pl*. — ~ **Em·pire** *s hist.* Oström. Kaiserreich *n* (*ab Konstantin I.*). — **L~ House**, *oft* **L~ house** *s* 'Unter-, Abgeordnetenhaus *n* (*eines Parlaments*).

low·er·ing ['lauəriŋ] *adj* finster, düster, drohend.

low·er·most ['louərˌmoust; -məst] **I** *adj* tiefst(er, e, es), unterst(er, e, es), niedrigst(er, e, es). – **II** *adv* am niedrigsten, zu'unterst.

low·er| school *s* 'Unter- u. Mittelstufe *f* (*der höheren Schulen*). — **L~ Si·lu·ri·an** *s geol.* unteres Si'lur. — ~ **world** *s* **1.** Erde *f*. – **2.** Hölle *f*, 'Unterwelt *f*.

low·er·y ['lauəri] *adj* finster, düster, drohend.

low·est com·mon mul·ti·ple ['louist] *s math.* kleinstes gemeinsames Vielfaches.

low| ex·plo·sive *s chem.* Sprengstoff *m* geringer Bri'sanz. — ~ **fre·quen·cy** *s electr. phys.* 'Nieder-, *bes.* 'Tonfreˌquenz *f*. — ~ **gear** *s tech.* niedriger Gang, hohe Unter'setzung (*bei Kraftfahrzeugen*). — **L~ Ger·man** *s ling.* **1.** Niederdeutsch *n*, das Niederdeutsche. – **2.** Plattdeutsch *n*, das Plattdeutsche. — '~-ˌ**heeled** *adj* mit niedrigen Absätzen. — '~**land** [-lənd] **I** *s* **1.** *oft pl* Tiefland *n*, Niederung *f*: **the L~s** a) das (*schott.*) Tiefland, b) der (*schott.*) Tieflanddialekt. – **II** *adj* **2.** Tiefland(s)..., Niederungs... – **3.** **L~** Tiefland... (*das schott. Tiefland betreffend*): **L~ Scotch** (*od.* **Scots**) *ling.* Tieflandschottisch, das Tieflandschottische. — '~**land·er** [-ləndər] *s* **1.** Tieflands-, Niederungsbewohner (-in). – **2.** **L~** (*schott.*) Tiefländer *m*. — **L~ Lat·in** *s ling.* nichtklassisches La'tein (*wie Spät-, Vulgär-, Mittellatein*). — ~ **life** *s* (*das*) Leben der unteren Schichten. — '~-'**lived** [-'laivd] *adj* **1.** einfach *od.* bescheiden lebend. – **2.** einfach, gering, bescheiden.

low·li·ness ['loulinis], *obs.* '**low·li·ˌhead** [-ˌhed] *s* **1.** Niedrigkeit *f*, Bescheidenheit *f*, Einfachheit *f*. – **2.** Demut *f*, Sanftheit *f*, Bescheidenheit *f*.

low·ly ['louli] **I** *adj* **1.** niedrig, einfach, gering, bescheiden: **a** ~ **cottage** ein bescheidenes Häuschen. – **2.** unentwickelt, primi'tiv, tiefstehend, niedrig. – **3.** demütig, bescheiden, sanft. – *SYN. cf.* **humble**. – **II** *adv* **4.** niedrig, gering, bescheiden. – **5.** demütig, bescheiden.

Low| Mass *s relig.* Stille Messe. — '**L~-'mind·ed** *adj* niedrig (gesinnt), gemein (denkend). — ˌ**L~-'mind·ed·ness** *s* niedrige Gesinnung, gemeines Denken.

lown[1] [laun] *dial.* **I** *adj* **1.** ruhig, still. – **II** *s* **2.** Ruhe *f*, Stille *f*. – **3.** stiller *od.* ruhiger Platz. – **III** *v/t* **4.** beruhigen. – **IV** *v/i* **5.** sich beruhigen, ruhig werden.

lown[2] [lu:n] *dial. od. Scot. od. obs. für* **loon**[2].

low| neck *s* tiefer Ausschnitt (*eines Kleides*). — **'~-'necked** *adj* tief ausgeschnitten (*Kleid*).
low·ness ['lounis] *s* **1.** Niedrigkeit *f*. – **2.** Tiefe *f* (*Verbeugung, Ton etc*). – **3.** Knappheit *f*. – **4.** Seichtheit *f*. – **5.** Kraftlosigkeit *f*. – **6.** Gedrücktheit *f*: ~ of spirits Niedergeschlagenheit. – **7.** Minderwertigkeit *f*. – **8.** Niedrigkeit *f* (*Denken, Stellung etc*). – **9.** Vulgari'tät *f*. – **10.** Gemeinheit *f*. – **11.** Primitivi'tät *f*. – **12.** geringe Lautstärke.
'low|-'pitched *adj* **1.** *mus.* tief. – **2.** von geringer Steigung, nur schwach geneigt (*Dach*). — **~ pres·sure** *s* **1.** *tech.* Nieder-, 'Unterdruck *m*. – **2.** (*Meteorologie*) Tiefdruck *m*. — **'~-'pres·sure** *adj* Niederdruck..., Tiefdruck... — **'~-'pres·sure cham·ber** *s aer. tech.* 'Unterdruckkammer *f*. — **~ re·lief** *s* 'Bas-, 'Flachreli,ef *n*. — **'~-'rev·ving** *adj tech.* mit niedriger Um'drehungszahl.
lowse [lous; -z] *Scot. od. dial. für* loose.
low| shoe *s* Halbschuh *m*. — **'~-'spir·it·ed** *adj* niedergeschlagen, mutlos, verzagt, gedrückt. — **,~-'spir·it·ed·ness** *s* Niedergeschlagenheit *f*, Mutlosigkeit *f*, Verzagtheit *f*, Gedrücktheit *f*. — **L~ Sun·day** *s* Weißer Sonntag (*erster Sonntag nach Ostern*). — **~ ten·sion** *s electr.* Niederspannung *f*, niedrige Spannung. — **'~-'ten·sion** *adj electr.* Niederspannungs...: ~ line Niederspannungsleitung. — **'~-'test** *adj chem.* mit hohem Siedepunkt, zu hoch siedend, drittklassig (*Benzin, Gasolin etc*). — **~ tide** *s mar.* Niedrigwasser *n* (*tiefster Wasserstand der Gezeiten*). — **'~-,toned** *adj Am.* gewöhnlich, minderwertig. — **~ volt·age** *s electr.* **1.** Niederspannung *f*, niedrige Spannung. – **2.** Schwachstrom *m*. — **'~-'volt·age** *adj electr.* **1.** Niederspannungs... – **2.** Schwachstrom... — **'~-'warp** *adj* (*Weberei*) tiefschäftig. — **~ wa·ter** *s mar.* Niedrigwasser *n*, tiefster Gezeitenstand: to be in ~ *fig.* schlecht bei Kasse sein. — **'~-'wa·ter** *adj mar.* Niedrigwasser... — **'~-'wa·ter mark** *s* **1.** *mar.* Niedrigwassermarke *f*. – **2.** *fig.* Tiefpunkt *m*, -stand *m*. — **L~ Week** *s* Woche *f* nach dem Weißen Sonntag. — **'~-'wing** *adj aer.* mit tiefliegenden Tragflächen: ~ aircraft Tiefdecker.
lox [lɒks] *s tech.* Flüssigsauerstoff *m* (*in der Raketentechnik als Oxydator verwendet*).
lox- [lɒks], **loxo-** [lɒkso; -sə] *Wortelemente mit der Bedeutung* schief.
lox·o·drome ['lɒkso,droum; -sə-] *s* **1.** *math.* Loxo'drome *f* (*Kurve auf einer Rotationsfläche, die alle Meridiane unter gleichem Winkel schneidet*). – **2.** *aer. mar.* → rhumb line. — **,lox·o'drom·ic** [-'drɒmik] *math.* **I** *adj* loxo'dromisch: ~ line Loxodrome. – **II** *s* → loxodrome. — **,lox·o'drom·i·cal** → loxodromic I. — **,lox·o·'drom·i·cal·ly** *adv* (*auch zu* loxodromic I). — **,lox·o'drom·ics** *s pl* (*oft als sg konstruiert*) *mar.* Loxodro'mie *f* (*die Wissenschaft der loxodromischen Navigation*).
lox·y·gen ['lɒksidʒən; -ksə-] → lox.
loy·al ['lɔiəl] *adj* **1.** loy'al, (*der Regierung, dem König etc*) treu (ergeben): a ~ subject ein treuer Untertan. – **2.** (ge)treu (to *dat*): ~ to his vow seinem Gelübde getreu. – **3.** zuverlässig, treu, beständig: a ~ friend ein treuer Freund. – **4.** aufrecht, rechtschaffen, bieder, redlich. – **5.** *obs.* gesetzlich, le'gal, legi'tim. – *SYN. cf.* faithful. — **'loy·al,ism** *s* Loya'lismus *m*, Treue *f* zur (*alten*) Obrigkeit. — **'loy·al·ist I** *s* Loya'list(in): a) *allg.* Treugesinnte(r), b) *auch* L~ *hist.* Königstreue(r) (*während des nordamer. Unabhängigkeitskriegs*), c) L~ *hist.* Anhänger(in) *der Republik während des span. Bürgerkriegs*. – **II** *adj* loya'listisch.
loy·al·ty ['lɔiəlti] *s* **1.** Loyali'tät *f*, Treue *f* (to zu, gegen). – **2.** Rechtschaffenheit *f*, Redlichkeit *f*. – *SYN. cf.* fidelity.
loz·enge ['lɒzindʒ] **I** *s* **1.** *her. math.* Raute *f*, Rhombus *m*. – **2.** *her.* rautenförmiges Wappenschild (*von Witwen od. unverheirateten Frauen*). – **3.** (*bes.* 'Pfefferminz-, 'Husten-, 'Brust)Pa,stille *f*. – **4.** rautenförmiges Feld (*eines Fensters, eines Ornaments etc*). – **5.** → ~ mo(u)lding. – **6.** Raute *f*, rautenförmige Fa'cette (*eines geschliffenen Edelsteins*). – **II** *adj* → lozenged 2. — **'loz·enged** *adj* **1.** rautenförmig. – **2.** gerautet, in rautenförmige Felder eingeteilt.
loz·enge mo(u)ld·ing *s arch.* Rautenstab *m*.
loz·en·gy ['lɒzindʒi] *adj her.* gerautet (*Wappen*).
L.S.D., £.s.d. [,eles'di:] *s* (*Kurzform für das lat. librae, solidi, denarii = pounds, shillings, pence*) Geld *n*: it's a matter of ~ es ist eine Geldfrage. — **,L.S'De·ism** *s humor.* Geldanbetung *f*, Verehrung *f* des Mammon.
'lt [lt] *Kurzform für* wilt: thou'lt = thou wilt[1].
lub·ber ['lʌbər] **I** *s* **1.** a) Lümmel *m*, Flegel *m*, b) Tölpel *m*, Tolpatsch *m*, Trottel *m*. – **2.** *mar.* unbefahrener Seemann, Landratte *f*. – **II** *adj* **3.** → lubberly I. – **III** *v/i* **4.** sich ungeschickt anstellen (*bes. auf einem Boot*). — **'L~,land** *s* Schla'raffenland *n*.
lub·ber·li·ness ['lʌbərlinis] *s* Ungeschick *n*, Tölpelhaftigkeit *f*, Tolpatschigkeit *f*.
lub·ber line → lubber's line.
lub·ber·ly ['lʌbərli] **I** *adj* ungeschickt, tolpatschig, tölpelhaft. – **II** *adv* tolpatschig, wie ein Trottel.
lub·ber's| hole ['lʌbərz] *s mar. obs.* Sol'datengatt *n*. — **~ line**, *auch* **~ point** *s mar.* Steuerstrich *m* (*im Kompaßgehäuse*).
lube [lu:b; lju:b], *auch* **~ oil** (*Kurzform für* lubricating oil) *s tech.* Schmieröl *n*.
lu·bra ['lu:brə] *s Austral.* (weibliche) Eingeborene, Eingeborenenmädchen *n*, -frau *f*.
lu·bric ['lu:brik; 'lju:-], **'lu·bri·cal** [-kəl] *obs. für* lubricous.
lu·bri·cant ['lu:brikənt; 'lju:-] **I** *adj* gleitfähig *od.* schlüpfrig machend, schmierend. – **II** *s tech.* Gleit-, Schmiermittel *n*. — **'lu·bri,cate** [-,keit] **I** *v/t* **1.** gleitfähig *od.* schlüpfrig machen. – **2.** *tech. u. fig.* schmieren, ölen. – **II** *v/i* **3.** schmieren, als Schmiermittel wirken. — **,lu·bri'ca·tion** *s tech. u. fig.* Schmieren *n*, Schmierung *f*, Ölen *n*. — **,lu·bri'ca·tion·al, 'lu·bri,ca·tive** [-tiv] *adj* schmierend, ölend. — **'lu·bri,ca·tor** [-tər] *s tech.* **1.** Gleit-, Schmiermittel *n*. – **2.** Öler *m*, Schmiervorrichtung *f*, -büchse *f*. – **3.** (*Eisenbahn*) Schmierkapsel *f*.
lu·bri·cious [lu:'briʃəs; lju:-] *selten für* lubricous.
lu·bric·i·ty [lu:'brisiti; -əti; lju:-] *s* **1.** Glätte *f*, Gleitfähigkeit *f*, Schlüpfrigkeit *f*. – **2.** *tech.* Schmierfähigkeit *f*. – **3.** *fig.* Unbeständigkeit *f*, Wankelmut *m*. – **4.** *fig.* Lüsternheit *f*, Geilheit *f*. — **'lu·bri·cous** [-kəs] *adj* **1.** glatt, schlüpfrig. – **2.** *fig.* unbeständig, wankelmütig. – **3.** ausweichend, schwer zu fassen(d). – **4.** schlau, listig, gerissen. – **5.** *selten* lüstern, geil.
Lu·can ['lu:kən; 'lju:-] *adj Bibl.* Lukas..., des Lukas.
lu·carne [lu:'ka:rn; lju:-] → dormer window.
Luc·ca oil ['lu:kə; 'lʌkə] *s* feines O'livenöl.
Luc·chese [lu'ki:z; lə-] **I** *adj* Luc'cheser(...), aus Lucca, Lucca betreffend. – **II** *s sg u. pl* Luc'cheser(in) (*Bewohner von Lucca*).
luce [lju:s; lu:s] *s* (ausgewachsener) Hecht.
lu·cence ['lju:sns; 'lu:-], **'lu·cen·cy** [-si] *s* **1.** Glanz *m*, (*das*) Strahlende *od.* Leuchtende. – **2.** 'Durchsichtigkeit *f*, Transpa'renz *f*, Klarheit *f*. — **'lu·cent** *adj* **1.** glänzend, strahlend. – **2.** 'durchsichtig, transpa'rent, klar.
lu·cern *cf.* lucerne.
lu·cer·nal [lu(:)'sə:rnl; lju(:)-] *adj* Lampen... — **~ mi·cro·scope** *s tech.* 'Lampenmikro,skop *n*.
lu·cer·nar·i·an [,lju:sər'nɛ(ə)riən; ,lu:-] *zo.* **I** *s* Becherqualle *f* (*Gattg Lucernaria*). – **II** *adj* Becherquallen...
lu·cerne [lu(:)'sə:rn; lju(:)-] *s bot.* Lu'zerne *f* (*Medicago sativa*).
lu·ces ['lju:si:z; 'lu:-] *pl von* lux.
Lu·ci·an·ic [,lu:si'ænik] *adj* luki'anisch, 'witzig-sa'tirisch (*nach dem griech. Schriftsteller Lukian*).
lu·cid ['lu:sid; 'lju:-] *adj* **1.** *fig.* klar, deutlich: a ~ explanation; a ~ style ein klarer Stil. – **2.** *fig.* klar, hell, licht (*Geist, Gedanken etc*): ~ interval *psych.* lichter Augenblick (*bei Geisteskranken*). – **3.** hell, klar, 'durchsichtig. – **4.** hell, glänzend, leuchtend, licht. – **5.** *bot. zo.* glatt u. glänzend. – *SYN. cf.* clear. — **lu'cid·i·ty** *s* **1.** *fig.* Klarheit *f*, Verständlichkeit *f*, Deutlichkeit *f*. – **2.** *fig.* Klarheit *f*, Helligkeit *f* (*Geist etc*). – **3.** Klarheit *f*, 'Durchsichtigkeit *f*. – **4.** Helligkeit *f*, Helle *f*, Glanz *m*.
Lu·ci·fer ['lu:sifər; -sə-; 'lju:-] *s* **1.** *Bibl.* Luzifer *m*: as proud as ~ sündhaft überheblich. – **2.** *astr. poet.* Luzifer *m* (*der Planet Venus als Morgenstern*). – **3.** l~ (*Art*) Streichholz *n*.
lu·cif·er·ase [lu(:)'sifə,reis; lju(:)-] *s chem. zo.* Lucife'rase *f* (*Enzym, das die Oxydation des Leuchtstoffs in leuchtenden Organismen hervorruft*).
Lu·ci·fe·ri·an [,lu:si'fi(ə)riən; -sə-; ,lju:-] *adj* luzi'ferisch, sa'tanisch, teuflisch.
lu·cif·er·in [lu(:)'sifərin; lju(:)-] *s chem. zo.* Lucife'rin *n* (*Leuchtstoff in den Zellen leuchtender Organismen*).
lu·ci·fer match → Lucifer 3.
lu·cif·er·ous [lu(:)'sifərəs; lju(:)-] *adj* **1.** Licht gebend, lichtspendend, leuchtend. – **2.** *fig.* lichtvoll, aufklärend, erhellend.
lu·cif·u·gous [lu(:)'sifjugəs; lju(:)-] *adj* lichtscheu.
lu·cim·e·ter [lu(:)'simitər; -mə-; lju(:)-] *s phys.* Photo'meter *n*, Lichtmesser *m*.
Lu·ci·na [lu(:)'sainə; lju(:)-] **I** *npr* (*röm. Mythologie*) Lu'cina *f* (*Beiname der Juno od. der Diana als geburtshelfender Gottheit*). – **II** *s* Hebamme *f*.
luck [lʌk] *s* **1.** (*glückliche od. unglückliche*) (Schicksals)Fügung, Schicksal *n*, Geschick *n*, Zufall *m*: as ~ would have it wie es der Zufall *od.* das Schicksal wollte, (un)glücklicherweise; bad (*od.* hard, ill) ~ Unglück, Pech; bad ~ to him! ich wünsch' ihm alles Schlechte! worse ~ (*meist als Einschaltung*) unglücklicherweise, leider; worst ~ Pech; to be down on one's ~ vom Pech verfolgt sein, an seinem Glück verzagen; just my ~! so geht es mir immer. – **2.** Glück *n*: for ~ als Glückbringer; keep this penny for ~; to have the ~ to das Glück haben zu; I had the ~ to succeed glücklicherweise gelang es mir; to be in ~ Glück haben; to be out of ~ Unglück haben; a great piece of ~ großes Glück; to try one's ~ sein

Glück versuchen (*bes. beim Spiel*); with ~ you will find it wenn Sie Glück haben, finden Sie es; to wish s.o. ~ j-m Glück wünschen.
luck·ie *cf.* lucky².
luck·i·ly ['lʌkili; -əli] *adv* zum Glück, glücklicherweise: ~ for me zu meinem Glück. — **'luck·i·ness** *s* Glück *n.*
luck·less ['lʌklis] *adj* **1.** unglücklich. – **2.** glück-, erfolglos. — **'luck·less·ly** *adv* **1.** unglücklicherweise. – **2.** ohne Glück *od.* Erfolg. — **'luck·less·ness** *s* **1.** Unglück *n.* – **2.** Glück-, Erfolglosigkeit *f.*
luck| pen·ny, *auch* ~ **mon·ey** *s* **1.** Glückspfennig *m.* – **2.** Glücksgeld *n* (*Nachlaß im Preis beim Viehkauf in Schottland u. Irland*).
luck·y¹ ['lʌki] **I** *adj* **1.** Glücks..., glücklich, erfolgreich: a ~ day ein Glückstag; ~ hit Glückstreffer, Zufallstreffer; → beggar 3; dog 7. – **2.** glückverheißend, -bringend. – *SYN.* fortunate, happy, providential. – **II** *adv* **3.** *Scot.* höchst, zu (sehr): ~ long zu lang. – **III** *s* **4.** *colloq.* (*etwas*) Glückliches *od.* Glückbringendes: to cut (*od.* make) one's ~ *sl.* entkommen, entwischen.
luck·y² ['lʌki] *s Scot.* Mütterchen *n*, Gevatterin *f*, Großmutter *f* (*meist vor Namen*).
luck·y bag *s* Glücksbeutel *m*, -topf *m* (*Art einfache Lotterie auf Jahrmärkten*).
lu·cra·tive ['lu:krətiv; 'lju:-] *adj* einträglich, gewinnbringend, lukra'tiv, ren'tabel. — **'lu·cra·tive·ness** *s* Einträglichkeit *f*, ˌRentabili'tät *f.*
lu·cre ['lu:kər; 'lju:-] *s* (*verächtlich*) **1.** Gewinn *m*, Vorteil *m*, Pro'fit *m.* – **2.** Gewinnsucht *f*, Pro'fitgier *f*, Habsucht *f*: filthy ~ gemeine Profitgier; for ~ aus Gewinnsucht.
Lu·cre·ti·a [lu:'kri:ʃə; -ʃiə; lju:-] *s fig.* Lu'cretia *f* (*Frau, die ihre Ehre höher schätzt als ihr Leben*).
lu·cu·brate ['lu:kjuˌbreit; 'lju:-] **I** *v/i* **1.** bei Nacht arbeiten. – **2.** lange und gelehrte Ar'tikel schreiben. – **II** *v/t* **3.** mühsam ausarbeiten. — **ˌlu·cu·'bra·tion** *s* **1.** mühsames (*bes.* Nacht)-Studium, mühsame wissenschaftliche Arbeit. – **2.** (*oft* pe'dantische) wissenschaftliche *od.* gelehrte Abhandlung. – **3.** lite'rarische Arbeit *od.* Produkti'on. — **'lu·cuˌbrat·or** [-tər] *s* emsiger Schreiber gelehrter Abhandlungen.
lu·cu·lent ['lu:kjulənt; 'lju:-] *adj* **1.** *fig.* klar, deutlich, über'zeugend, zwingend: ~ explanation einleuchtende Erklärung; ~ proof überzeugender Beweis. – **2.** *selten* hell, glänzend, leuchtend, 'durchscheinend, -sichtig.
Lu·cul·lan [lu(:)'kʌlən; lju(:)-], **Lu·'cul·li·an** [-liən], *auch* **Lu·cul·le·an** [ˌlu:kə'li:ən; ˌlju:-] *adj* lu'kullisch, üppig, schwelgerisch.
lu·cul·lite [lu(:)'kʌlait; lju(:)-] *s min.* (*Art*) schwarzer Marmor (*aus Ägypten*).
Lu·cy's war·bler ['lu:siz; 'lju:-] *s zo. Am.* Luciasänger *m* (*Vermivora luciae*).
lud [lʌd] *s Br. Wiedergabe der bei Anwälten geläufigen Aussprache des Wortes* lord *beim Anreden des Richters*: → lord 11.
Lud·dite ['lʌdait] *s* Lud'dit *m* (*Anhänger des engl. Arbeiters Ned Lud, der 1811–16 das Los der Arbeiter durch die Zerstörung der Maschinen in den Fabriken bessern wollte*).
ludicro- [lu:dikro; lju:-] *Wortelement mit der Bedeutung* komisch, lächerlich.
lu·di·crous ['lu:dikrəs; 'lju:-] *adj* **1.** lächerlich, albern, ab'surd, komisch. – **2.** spaßhaft, spaßig, lustig, pos'sierlich, drollig. – *SYN cf.* laughable. — **'lu·di·crous·ness** *s* **1.** Lächerlichkeit *f*, Albernheit *f.* – **2.** Spaßhaftigkeit *f*, Spaßigkeit *f*, Drolligkeit *f.*
lu·do ['lu:dou; 'lju:-] *pl* **-dos** *s* Mensch, ärgere dich nicht *n* (*ein Würfelspiel*).
Lu·dol·phi·an [lu(:)'dɒlfiən; lju(:)-] *adj math.* Ludolphsch(er, e, es) (*nach dem Mathematiker Ludolph van Ceulen*): ~ number Ludolphsche Zahl (*Verhältnis von Kreisumfang zu -durchmesser*; π = *3,1418...*).
lu·es ['lu:i:z; 'lju:-] *s* **1.** *med.* Syphilis *f*, Lues *f.* – **2.** *allg.* ansteckende Krankheit, Seuche *f.* — ~ **Bos·well·i·a·na** [bɒzˌweli'ɑ:nə; -'ænə] *s fig.* Boswellsche Krankheit (*Neigung des Biographen zur Verherrlichung der von ihm behandelten Person*). — ~ **ve·ne·re·a** [vi'ni(ə)riə; və-] (*Lat.*) → lues 1.
lu·et·ic [lu(:)'etik; lju(:)-] *adj med.* lu'etisch, luisch, syphi'litisch.
luff¹ [lʌf] *mar.* **I** *s* **1.** Luven *n.* – **2.** Luv(seite) *f*, Windseite *f.* – **3.** loses Takel, Haken-, Handtalje *f.* – **4.** Vorlick *n* (*bei Schratsegeln*). – **5.** Backe *f* (*des Bugs*). – **II** *v/t* **6.** *auch* ~ up an-, aufluven, an den Wind bringen. – **7.** *auch* ~ away über'loppen, (*einem Boot*) den Wind wegfangen (*bei einer Segelregatta*). – **III** *v/i* **8.** *auch* ~ up an-, aufluven.
luff² [lʌf] *s mar. Br. colloq.* Leutnant *m.*
luf·fa ['lʌfə] *s* **1.** *bot.* Luffa *f* (*Gattg Luffa*). – **2.** Luffa *f*, Loofah *f* (*zu Badeschwämmen, Einlegesohlen etc verarbeitetes Fruchtfasernetz von Luffa cylindrica*).
luff·ing match ['lʌfiŋ] *s* (*Sportsegeln*) Luvkampf *m.*
lug¹ [lʌg] **I** *v/t pret u. pp* **lugged** **1.** (gewaltsam *od.* mühsam) zerren, schleppen, schleifen. – **2.** *fig.* (*mit Gewalt*) her'ein-, hin'einbringen, -ziehen: to ~ in a story eine Geschichte gewaltsam einflechten *od.* hineinbringen (*in eine Unterhaltung*) *od.* an den Haaren herbeiziehen. – **II** *v/i* **3.** *obs. od. dial.* zerren, ziehen (at an *dat*). – **III** *s* **4.** Ziehen *n*, Zerren *n*, schwerer Ruck. – **5.** *colloq.* (*zu ziehende*) Last *od.* Ladung: a heavy ~ eine schwere Ladung. – **6.** *Am.* a) vernünftige Ladung (*für eine Person*; *etwa 12 kg*), b) (*etwa*) 12-Kilo-Korb *m od.* -Kiste *f* (*zum Obsttransport*). – **7.** *pl Am. colloq.* a) Affek'tiertheit *f*, Geziertheit *f*, b) auffällige Kleidung: to put on ~s. – **8.** *mar.* → lugsail.
lug² [lʌg] *s* **1.** *dial. od. Br. sl.* Ohr *n.* – **2.** Lederschlaufe *f* (*am Kumt zum Befestigen der Deichsel*). – **3.** *electr.* (Anschluß)Fahne *f* (*an Sammlern etc*). – **4.** *tech. dial.* a) Henkel *m*, Öhr *n*, Öse *f*, b) Knagge *f*, Zinke *f*, c) Ansatz *m*, Halter *m.* – **5.** *sl.* a) Lümmel *m*, Flegel *m*, b) Schafs-, Dummkopf *m.*
lug³ [lʌg] → lugworm.
luge [lu:ʒ] **I** *s* (*Art*) Rodelschlitten *m* (*in der Schweiz*). – **II** *v/i* rodeln.
lug fore·sail *s mar.* Luggerfock *f.*
lug·gage ['lʌgidʒ] *bes. Br. für* baggage 1. — ~ **car·ri·er** *s bes. Br.* Gepäckträger *m* (*am Fahrrad*). — ~ **grid** *s bes. Br.* Kofferbrücke *f* (*am Auto*). — ~ **in·sur·ance** *s bes. Br.* Reisegepäckversicherung *f.* — ~ **lock·er** *s bes. Br.* Gepäckschließfach *n* (*auf Bahnhöfen*). — ~ **of·fice** *s bes. Br.* Gepäckschalter *m*, -abfertigung *f.* — ~ **rack** *s bes. Br.* Gepäcknetz *n* (*im Eisenbahnwagen*). — ~ **tick·et** *s bes. Br.* Gepäckschein *m.* — ~ **van** *bes. Br. für* baggage car.
lug·ger ['lʌgər] *s mar.* Lugger *m*, Logger *m* (*kleines zwei- od. dreimastiges Fahrzeug mit Luggersegeln*).
lug·gie ['lʌgi; 'lugi] *s Scot.* kleine hölzerne Henkelschüssel.
'lugˌsail *s mar.* Lugger-, Logger-, Sturmsegel *n*, Breitfock *f.*
lu·gu·bri·ous [lu:'gju:briəs; -'gu:-] *adj* **1.** traurig, kummervoll, klagend, Trauer... – **2.** kläglich, erbärmlich. — **lu'gu·bri·ous·ness** *s* (*das*) Traurige *od.* Klagende.
'lugˌworm *s zo.* Köderwurm *m* (*Gattg Arenicola, bes. A. marina*).
Luke [lu:k; lju:k] *Bibl.* **I** *npr* Lukas *m.* – **II** *s* (das Buch) Lukas *m.*
luke·warm ['lu:kˌwɔ:rm; 'lju:k-] **I** *adj* **1.** lau(warm). – **2.** *fig.* lau, teilnahmslos, gleichgültig. – **II** *s* **3.** lauer *od.* teilnahmsloser Mensch. — **'lukeˌwarm·ness** *s* **1.** Lauheit *f*, Lauwärme *f.* – **2.** *fig.* Lauheit *f*, Teilnahmslosigkeit *f*, Gleichgültigkeit *f.*
lull [lʌl] **I** *v/t* **1.** einschläfern, einlullen. – **2.** *fig.* (*bes. durch Täuschung*) beruhigen, beschwichtigen: to ~ a person's fears j-s Befürchtungen beschwichtigen, j-m seine Furcht ausreden; to ~ s.o.'s suspicions j-s Argwohn zerstreuen. – **3.** (*meist im pass gebraucht*) sich legen, sich beruhigen: the sea was ~ed die See beruhigte sich. – **II** *v/i* **4.** sich legen, sich beruhigen, nachlassen: the storm ~ed der Sturm ließ nach. – **III** *s* **5.** Ruhepause *f*, vor'übergehendes Abklingen *od.* Nachlassen: a ~ in the wind eine Flaute, eine kurze Windstille; a ~ in conversation eine Gesprächspause. – **6.** einschläferndes Geräusch: the ~ of the falling waters das einschläfernde Plätschern der fallenden Wasser.
lull·a·by ['lʌləˌbai] **I** *s* ˌEiapo'peia *n*, Wiegen-, Schlaf-, Schlummerlied *n.* – **II** *v/t* in den Schlaf singen, einschläfern.
lum¹ [lʌm; lum] *s dial.* Schornstein *m.*
lum² [lʌm; lum] *s dial.* **1.** Teich *m*, Weiher *m*, Tümpel *m*, Kolk *m.* – **2.** weiche Strecke in einem Kohlenflöz.
lu·ma·chel ['lu:məkəl; 'lju:-], **ˌlu·ma·'chel·la** [-'kelə], **ˌlu·ma'chelle** [-'ʃel] *s min.* Luma'chellmarmor *m.*
lumb *cf.* lum².
lumb- [lʌmb] → lumbo-.
lum·bag·i·nous [lʌm'bædʒinəs; -ən-; -'beidʒ-] *adj* lumbagi'nös, Hexenschuß... — **lum'ba·go** [-'beigou] *s med.* Hexenschuß *m*, Lum'bago *f.*
lum·bar ['lʌmbər] *med.* **I** *adj* **1.** Lenden..., lum'bal. – **II** *s* **2.** Lendenwirbel *m.* – **3.** Lendennerv *m.* – **4.** Lum'balvene *f od.* -arˌterie *f.* — ~ **re·gion** *s med.* Lenden-, Lum'balgegend *f.*
lum·ber¹ ['lʌmbər] **I** *s* **1.** *bes. Am. u. Canad.* (*gesägtes od. roh behauenes*) Bau-, Nutzholz. – **2.** Gerümpel *n*, Plunder *m*, (Trödel)Kram *m.* – **3.** 'überflüssiger Ballast, hinderliches Zeug. – **4.** 'überflüssiges Fett (*am Körper*). – **II** *v/i* **5.** *bes. Am. u. Canad.* Holz aufarbeiten *od.* aufbereiten. – **III** *v/t* **6.** unordentlich aufstapeln, planlos aufhäufen. – **7.** *auch* ~ up (sinnlos) vollstopfen *od.* über'laden: to ~ a room with furniture ein Zimmer mit Möbeln vollstopfen; to ~ up a story with details eine Erzählung mit Einzelheiten überladen. – **8.** (*Land*) abholzen.
lum·ber² ['lʌmbər] **I** *v/i* **1.** sich 'hinschleppen, sich schwerfällig fortbewegen. – **2.** rumpeln, poltern: the heavy cart ~ed along der schwere Wagen rumpelte dahin. – **II** *s* **3.** Gerumpel *n*, Gepolter *n.*
lum·ber car·ri·er *s* 'Holztransˌportschiff *n.*
lum·ber·dar [ˌlʌmbər'dɑ:r] *s* Dorfoberhaupt *n* (*in Ostindien*).
lum·ber·er ['lʌmbərər] *s* **1.** *bes. Am. u. Canad.* Holzfäller *m*, -arbeiter *m.* – **2.** *sl.* Pfandleiher *m.* – **3.** *sl.* Schwindler *m*, Betrüger *m.*

lum·ber·ing[1] [ˈlʌmbəriŋ] *s bes. Am. u. Canad.* Holzaufarbeitung *f*, -aufbereitung *f*.

lum·ber·ing[2] [ˈlʌmbəriŋ] *adj* **1.** schwerfällig, plump. – **2.** rumpelnd, polternd.

ˈ**lum·ber**|ˌ**jack** *s Am. u. Canad.* **1.** Holzfäller *m*, -arbeiter *m*. – **2.** → **lumber jacket.** — **~ jack·et** *s Am.* Lumberjack *m* (*windblusenartige Sportweste, bes. aus Leder*). — **~ kiln** *s Am.* Bauholztrockenraum *m*.

lum·ber·ly [ˈlʌmbərli] *adj* schwerfällig, plump, schleppend, holpernd.

ˈ**lum·ber**|·**man** [-mən] *s irr Am. u. Canad.* Holzfäller *m*, -arbeiter *m*. — **~ mill** *s bes. Am. u. Canad.* Sägewerk *n*, -mühle *f*. — **~ room** *s* Rumpel-, Polterkammer *f*. — **~ scal·er** *s bes. Am. u. Canad.* Holzvermesser *m*.

lum·ber·some [ˈlʌmbərsəm] *adj selten* plump, schwerfällig.

lum·ber| **trade** *s bes. Am. u. Canad.* (Bau)Holzhandel *m*. — ˈ**~**ˌ**yard** *s bes. Am. u. Canad.* Holz-, Zimmerplatz *m*.

lumbo- [lʌmbo] *Wortelement mit der Bedeutung* Lende, Hüfte.

lum·bo·ab·dom·i·nal [ˌlʌmboæbˈdɒminl; -mə-] *adj med.* Lenden- u. Bauch... (*zur Lenden- und Bauchgegend gehörig*).

lum·bri·cal [ˈlʌmbrikəl] *med.* **I** *adj* wurmförmig, Wurm...: **~ muscle** → **lumbricalis.** – **II** *s* → **lumbricalis.**

lum·bri·ca·lis [ˌlʌmbriˈkeilis] *pl* **-les** [-liːz] *s med.* Wurmmuskel *m* (*der Finger u. Zehen*).

lum·bri·ci·form [lʌmˈbrisiˌfɔːrm] *adj zo.* wurmartig, -förmig.

lum·bri·cine [ˈlʌmbrisin; -ˌsain] *adj zo.* die Regenwürmer betreffend, Regenwurm...

lum·bri·coid [ˈlʌmbriˌkɔid] *zo.* **I** *adj* **1.** → **lumbriciform.** – **2.** Spulwurm... – **II** *s* **3.** Gemeiner Spulwurm, Menschenspulwurm *m* (*Ascaris lumbricoides*).

lu·men [ˈluːmin; ˈljuː-; -mən] *pl* **-mi·na** [-minə], **-mens** *s* **1.** *phys.* Lumen *n* (*Einheit des Lichtstroms*). – **2.** *med. zo.* Röhre *f*, Hohlraum *m* (*verschiedener röhrenförmiger Organe, wie z. B. der Drüsen*).

Lum·ière [lyˈmjɛːr; ˈluːmiɛr] *adj phot.* Lumière... (*nach den Brüdern Lumière*). — **~ plate** *s* Lumiˈèreplatte *f* (*für Farbphotographie*). — **~ proc·ess** *s* Lumiˈèreverfahren *n*.

Lu·mi·nal [ˈluːminəl; ˈljuː-; -mə-] *s chem. med.* Lumiˈnal *n* (*Schlaf- u. Beruhigungsmittel*).

lu·mi·nant [ˈluːminənt; ˈljuː-; -mə-] **I** *adj* leuchtend, glänzend. – **II** *s* Beleuchtungsmittel *n*, Leuchtkörper *m*, -stoff *m*.

lu·mi·nar·ist [*Br.* ˈluːminərist; ˈljuː-; *Am.* -məˈnɛr-] *s* (*Malerei*) Meister *m* in der Darstellung von Licht u. Schatten.

lu·mi·nar·y [*Br.* ˈluːminəri; ˈljuː-; *Am.* -məˌneri] **I** *s* **1.** leuchtender Körper, Leuchtkörper *m*. – **2.** *astr.* Himmelskörper *m*. – **3.** *fig.* Lumen *n*, Leuchte *f* (*Person*). – **II** *adj* **4.** Licht..., Leucht...

lu·mine [ˈluːmin; ˈljuː-] *obs. für* **illumine.**

lu·mi·nesce [ˌluːmiˈnes; ˌljuː-; -mə-] *v/i phys.* luminesˈzieren. — ˌ**lu·mi·**ˈ**nes·cence** *s* Luminesˈzenz *f*. — ˌ**lu·mi**ˈ**nes·cent** *adj* Lumineszenz..., luminesˈzierend, luminesˈzent.

lu·mi·nif·er·ous [ˌluːmiˈnifərəs; ˌljuː-; -mə-] *adj* **1.** *phys.* a) lichterzeugend, b) lichtfortpflanzend. – **2.** lichtspendend, leuchtend.

lu·mi·nist [ˈluːminist; ˈljuː-; -mə-] *s* (*Malerei*) Meister *m* in der Darstellung von ˈLichteffekten.

lu·mi·nos·i·ty [ˌluːmiˈnɒsiti; ˌljuː-; -mə-; -əti] *s* **1.** Leuchten *n*, Glanz *m*, Helle *f*. – **2.** leuchtender *od.* glänzender Gegenstand. – **3.** *astr. phys.* Lichtstärke *f*, Helligkeit *f* (*Farbe, Stern etc*).

lu·mi·nous [ˈluːminəs; ˈljuː-; -mə-] *adj* **1.** glänzend, leuchtend, scheinend, strahlend, Leucht... – **2.** hell erleuchtet (*Zimmer, Saal etc*). – **3.** *fig.* klug, intelliˈgent, brilˈlant, aufgeklärt. – **4.** *fig.* klar, einleuchtend, leichtverständlich. – *SYN. cf.* **bright.** — **~ di·al** *s* Leuchtzifferblatt *n* (*der Uhr*). — **~ en·er·gy** *s phys.* **1.** ˈLicht-, ˈStrahlungsenerˌgie *f*. – **2.** Leuchtkraft *f*. — **~ flux** *s phys.* Lichtstrom *m*. — **~ in·ten·si·ty** *s phys.* Lichtstärke *f*.

lu·mi·nous·ness [ˈluːminəsnis; ˈljuː-; -mə-] → **luminosity 1.**

lu·mi·nous paint *s* Leuchtfarbe *f*.

lum·me [ˈlʌmi] *interj Br. vulg.* **1.** Donnerwetter! (*überrascht*). – **2.** bei Gott! (*bekräftigend*).

lum·mox [ˈlʌməks] *s Am. colloq.* **1.** Tolpatsch *m*, Tölpel *m*. – **2.** Stümper *m*, Pfuscher *m*. – **3.** Schafskopf *m*, Blödian *m*.

lum·my [ˈlʌmi] *adj Br. vulg.* faˈmos, ‚pfundig', ‚toll'.

lump[1] [lʌmp] **I** *s* **1.** Klumpen *m*, Brocken *m*: **to have a ~ in one's throat** einen Kloß im Hals haben (*vor Erregung nicht sprechen können*); **he is a ~ of selfishness** er ist die pure Selbstsucht. – **2.** Schwellung *f*, Knoten *m*, Beule *f*, Höcker *m*: **a ~ on the head.** – **3.** Haufen *m*, unförmige Masse. – **4.** Stück *n*: **two ~s of sugar** zwei Stück Zucker. – – **5.** (*Metallurgie*) Luppe *f*, Deul *m*, Klumpen *m*. – **6.** Gesamtheit *f*, Masse *f*: **all of** (*od.* **in**) **a ~** alles auf einmal; **in the ~** a) in Bausch u. Bogen, im ganzen, b) im großen, en masse. – **7.** *auch pl colloq. od. dial.* Haufen *m*, große Menge, Unmenge *f*: **~s of money** eine Unmenge Geld. – **8.** *colloq.* a) ‚Nachtwächter' *m*, ‚Leimsieder' *m* (*langweilige od. faule Person*), b) ‚Brocken' *m*, stämmiger Kerl: **a ~ of a boy.** –
II *adj* **9.** in Brocken *od.* Stücken: **~ sugar** Würfelzucker. – **10.** gesamt, Pauschal...: **a ~ sum** eine Pauschalsumme. –
III *v/t* **11.** *auch* **~ together** zuˈsammenballen, zu (einem) Klumpen formen. – **12.** *oft* **~ together** *fig.* zuˈsammenwerfen, in einen Topf werfen, auf einen Haufen werfen: **to ~ (together** *od.* **in) with s.th.** mit etwas zusammenwerfen; **to ~ many items under one heading** viele Punkte unter einer Überschrift zusammenfassen; **one cannot ~ them all together** man kann sie nicht alle über einen Kamm scheren. – **13.** (*gesamte Summe*) wetten, setzen (**on** auf *acc*). – **14.** mit Klumpen *od.* Knoten bedecken. –
IV *v/i* **15.** Klumpen bilden, sich zuˈsammenklumpen *od.* -ballen, klumpig werden. – **16.** (schwerfällig) plumpsen: **to ~ down** schwer niederplumpsen. – **17.** schwerfällig gehen.

lump[2] [lʌmp] *sl.* **I** *v/t* ˈhinnehmen, sich wohl oder übel abfinden mit: **if you don't like it you may** (*od.* **can**) **~ it** Sie werden in den sauren Apfel beißen müssen. – **II** *v/i dial.* mürrisch *od.* verdrießlich dreinschauen.

lump[3] [lʌmp] → **~fish.**

lump[4] [lʌmp] *v/t dial.* verdreschen, verprügeln, verbleuen.

lump coal *s* (*Bergbau*) Stückkohle *f*.

lump·er[1] [ˈlʌmpər] *s* **1.** *mar.* Hafen-, Löscharbeiter *m*, Schauermann *m*. – **2.** *j-d der beim Klassifizieren keine feinen Unterschiede macht, j-d der beim Klassifizieren großzügig verfährt.* – **3.** *econ. Br. sl.* Unterˈnehmer *m*, Verleger *m* (*bei der Heimindustrie*).

lump·er[2] [ˈlʌmpər] *v/i dial.* stolpern.

ˈ**lump**|ˌ**fish** *s zo.* See-, Meerhase *m*, Lump(fisch) *m*, Scheibenbauch *m* (*Cyclopterus lumpus*). — **~ freight** *s mar.* Pauˈschalfracht *f* (*Fracht für das gesamte Schiff, nicht für die Tonne berechnet*).

lump·i·ness [ˈlʌmpinis] *s* Klumpigkeit *f*, klumpige Beschaffenheit.

lump·ing [ˈlʌmpiŋ] *adj colloq.* **1.** massig, schwer. – **2.** reichlich, gut: **~ weight** gutes Gewicht. – **3.** plump, schwerfällig (*Bewegung*).

lump·ish [ˈlʌmpiʃ] *adj* **1.** klumpig, klotzig. – **2.** massig, schwer. – **3.** schwerfällig, unbeholfen, plump. – **4.** träge, stumpf, ‚stur'. — ˈ**lump·ish·ness** *s* **1.** Klumpigkeit *f*, Klotzigkeit *f*. – **2.** Massigkeit *f*. – **3.** Schwerfälligkeit *f*, Unbeholfenheit *f*, Plumpheit *f*. – **4.** Trägheit *f*, Stumpfheit *f*, Sturheit *f*.

ˈ**lump**ˌ**suck·er** → **lumpfish.**

lump·y [ˈlʌmpi] *adj* **1.** klumpig, voller Klumpen. – **2.** schwer, massig. – **3.** *mar.* unruhig, mit kurzen heftigen Wellen (*See*). – **4.** *Br. sl.* ‚beschwipst'. — **~ jaw** *s vet.* Aktinomyˈkose *f* des ˈUnterkiefers (*bei Tieren*).

Lu·na [ˈluːnə; ˈljuːnə] **I** *npr* Luna *f* (*die röm. Mondgöttin*). – **II** *s* (*Alchimie*) Luna *f* (*Silber*).

lu·na·cy [ˈluːnəsi; ˈljuː-] *s* **1.** *med.* a) Wahn-, Irrsinn *m*, Geistesstörung *f*, Irresein *n*, b) *jur.* geistige Unzurechnungsfähigkeit: **commission of ~** Aufsichtskommission für Heil- u. Pflegeanstalten; **commissioner in ~** Mitglied einer Aufsichtskommission für Heil- u. Pflegeanstalten; **master in ~** Vormundschaftsrichter für Geisteskranke. – **2.** *colloq.* Verrücktheit *f*, Verdrehtheit *f*, Blödsinn *m*, Idioˈtie *f*. – **3.** *obs.* Mondsüchtigkeit *f*. – *SYN. cf.* **insanity.**

Lu·na moth *s zo. ein großer amer. Schmetterling* (*Actias selene*).

lu·nar [ˈluːnər; ˈljuː-] **I** *adj* **1.** Mond..., Lunar..., luˈnar: → **~ month; ~ orbit** Mondbahn. – **2.** mondförmig, *bes.* halbmond-, sichelförmig. – **3.** bleich, schwach, ungewiß (*Licht*). – **4.** Silber..., silberhaltig. – **II** *s Kurzform für* a) **~ bone,** b) **~ distance,** c) **~ observation.** — **~ bone** *s med.* Mondbein *n* (*ein Handwurzelknochen*). — **~ caus·tic** *s chem. med.* Höllenstein *m* ($AgNO_3$). — **~ cy·cle** *s astr.* Mondzyklus *m* (*Zeitraum von 19 Jahren, nach welchem die Mondphasen auf das gleiche Datum treffen*). — **~ day** *s astr.* Mondtag *m*: a) *Dauer einer Umdrehung des Mondes um seine Achse,* b) *Dauer der Sonneneinstrahlung an einem bestimmten Punkt.* — **~ dis·tance** *s astr. mar.* ˈMondentfernung *f*, -diˌstanz *f* (*Abstand zwischen dem Mond u. einem Stern od. Planeten*).

lu·na·re [luːˈnɛ(ə)ri; ljuː-] *pl* **-ri·a** [-riə] → **lunar bone.**

lu·nar e·clipse *s astr.* Mondfinsternis *f*.

lu·na·ri·a [luːˈnɛ(ə)riə; ljuː-] *s bot.* ˈMondviˌole *f*, Silberblatt *n* (*Gattg Lunaria*).

lu·nar·i·an [luːˈnɛ(ə)riən; ljuː-] **I** *s* **1.** Mondbewohner. – **2.** → **selenographer.** – **II** *adj* **3.** Mond..., Lunar... – **4.** auf dem Mond (lebend).

lu·nar·i·um [luːˈnɛ(ə)riəm; ljuː-] *pl* **-i·a** [-iə] *s astr.* Luˈnarium *n* (*Gerät zur Veranschaulichung der Mondbewegung*).

lu·nar| **meth·od** *s astr. mar. Verfahren zur Bestimmung der geographischen Länge auf Grund der Monddistanz.* — **~ month** *s* **1.** *astr.* Mond-, Luˈnarmonat *m* (*voller Phasen-*

ablauf des Mondes = 29½ Tage). – **2.** *allg.* Zeitraum *m* von 4 Wochen. — **~ node** *s astr.* Mondknotenpunkt *m* (*Schnittpunkt der Mondbahn mit der Ekliptik).* — **~ ob·ser·va·tion** *s mar.* 'Monddiˌstanzbeˌobachtung *f.* — **~ pol·i·tics** *s pl* (*auch als sg konstruiert*) **1.** sinnlose Fragen *pl.* – **2.** I'dee *f* ohne jede praktische Bedeutung. — **~ rain·bow** *s* Mondregenbogen *m.* — **~ star** *s mar. Stern, dessen geozentrische Entfernung vom Mond für bestimmte Stunden im nautischen Almanach gegeben ist.* — **~ ta·bles** *s pl astr.* Mondtafeln *pl* (*Tafeln, aus denen für jeden Zeitpunkt der Ort des Mondes berechnet werden kann*).

lu·na·ry ['luːnəri; 'ljuː-] *s bot.* **1.** → lunaria. – **2.** Mondraute *f* (*Botrychium lunaria*).

lu·nar year *s astr.* Mondjahr *n.*

lu·nate ['luːneit; -nit; 'ljuː-], *auch* '**lu·nat·ed** [-tid] *adj* halbmond-, sichelförmig.

lu·na·tic ['luːnətik; 'ljuː-] **I** *adj* **1.** geistesgestört, -krank, wahn-, irrsinnig. – **2.** *fig.* verrückt, idi'otisch, blödsinnig (*Rede, Handlung, Person etc*). – **II** *s* **3.** Wahn-, Irrsinnige(r), Geistesgestörte(r). — **~ a·sy·lum** *s* Irrenanstalt *f*, -haus *n.*

lu·nat·i·cal [luː'nætikəl; ljuː-; -tə-] → lunatic I.

lu·na·tic fringe *s colloq.* (*die*) 'Übereifrigen *pl*, (*die*) Hundert'fünfzigproˌzentigen *pl*, Extre'misten *pl.*

lu·na·tion [luː'neiʃən; ljuː-] *s astr.* Lunati'on *f*, syn'odischer Monat (*Zeit, innerhalb derer die Mondphasen durchlaufen werden*).

lunch [lʌntʃ] **I** *s* Lunch *m*, Luncheon *m*: a) (*wenn die Hauptmahlzeit abends eingenommen wird*) Mittagessen *n*, b) (*wenn die Hauptmahlzeit mittags eingenommen wird*) zweites Frühstück, leichtes Gabelfrühstück (*zwischen Frühstück u. Mittagessen*). – **II** *v/i colloq.* (den) Lunch einnehmen, lunchen. – **III** *v/t* (*j-m*) Lunch geben. — **~ count·er** *s* (*in Restaurants*) *Tisch, an dem die Gäste, meist auf hohen Schemeln sitzend, eine leichte Mahlzeit einnehmen.*

lunch·eon ['lʌntʃən] **I** *s* **1.** *formell für* lunch I. – **2.** Imbiß *m* (*zwischen den Mahlzeiten*). – **II** *v/i* **3.** einen Luncheon *od.* Imbiß einnehmen. — '**lunch·eon·er** → luncher.

lunch·er ['lʌntʃər] *s* Speisende(r) (*beim Lunch*).

lunch·eon·ette [ˌlʌntʃə'net] *s Am.* **1.** leichter Lunch, Imbiß *m.* – **2.** Imbißstube *f*, Schnellgaststätte *f.*

'**lunchˌroom** → luncheonette 2.

lune¹ [luːn; ljuːn] *s* **1.** *math.* (*von zwei exzentrischen Kreisbogen gebildete*) sichelförmige Fi'gur, (Kreis-, Kugel-) Zweieck *n.* – **2.** *selten* Sichel *f*, Halbmond *m* (*sichel- od. halbmondförmiger Gegenstand*).

lune² [luːn; ljuːn] *s hunt.* Falkenleine *f.*

lunes [luːnz; ljuːnz] *s pl* Irrsinnsanfälle *pl*, Anwandlungen *pl* von Wahnsinn.

lu·nette [luː'net; ljuː-] *s* **1.** Lü'nette *f*: a) *arch.* Halbkreis-, Bogenfeld *n* (*unter einer Stichkappe, über Fenstern, Türen etc*), b) *Malerei in einem Halbkreisfeld,* c) (*halb*)*runde Öffnung in einem Gewölbe,* d) (*Festungsbau*) Wallbrille *f*, Brillschanze *f.* – **2.** *mil.* a) Zug-, Schleppöse *f*, b) Protzöse *f.* – **3.** Sichel *f*, Halbmond *m* (*sichelförmiger Gegenstand*). – **4.** Scheuleder *n*, -klappe *f*, Lü'nette *f* (*Pferd*). – **5.** flaches Uhrglas. – **6.** Loch *n* für den Hals des Verurteilten (*an der Guillotine*).

lung [lʌŋ] *s* **1.** *med. zo.* Lunge(nflügel *m*) *f*: the ~s *pl* die Lunge (*als Organ*); left (right) ~ linke (rechte) Lunge; he has good ~s er hat eine kräftige Stimme; the ~s of a city *fig.* die Lungen einer Großstadt (*Parks, Grünanlagen etc*); → iron ~. – **2.** *zo.* Lunge *f* (*Atmungsorgan verschiedener wirbelloser Tiere*).

lun·gan ['lʌŋgən] → longan.

lunge¹ [lʌndʒ] **I** *s* **1.** *sport* a) (*Fechten*) Ausfall *m*, Stoß *m*, b) (*Gymnastik*) Ausfall *m.* – **2.** Sprung *m od.* Satz *m* vorwärts. – **II** *v/i* **3.** *sport* a) (*Fechten*) *auch* ~ out ausfallen, einen Ausfall machen (at gegen), b) (*Boxen*) aus der Schulter schlagen. – **4.** losschießen, -stürzen, -fahren, -rasen (at auf *acc*), einen Sprung *od.* Satz vorwärts machen. – **5.** ~ out ausschlagen (*Pferd*). – **III** *v/t* **6.** (*Waffe etc*) stoßen, stoßen mit, einen Stoß führen mit. – **7.** losstürzen *od.* losschießen lassen, einen Sprung *od.* Satz vorwärts machen lassen.

lunge² [lʌndʒ] **I** *s* **1.** Laufleine *f*, Longe *f.* – **2.** Ma'nege *f*, Reitbahn *f.* – **II** *v/t* **3.** (*Pferd*) lon'gieren, an der Longe laufen lassen.

lunge³ [lʌndʒ] *Am. für* namaycush.

lunged [lʌŋd] *adj* Lungen..., mit Lungen, (*bes. in Zusammensetzungen*) ...lungig: double-~ doppellungig.

lun·gee *cf.* lungi.

lun·geous ['lʌndʒəs] *adj dial.* grob, ausfällig (*bes. beim Spiel*).

lung·er ['lʌŋər] *s colloq.* Lungenkranke(r).

lung| fe·ver → pneumonia. — '**~ˌfish** *s zo.* Lungenfisch *m* (*Ordng Dipnoi*). — '**~ˌflow·er** → marsh gentian.

lun·gi ['luŋgiː] *s* langer Schal (*in Indien als Lendentuch, Turban etc getragen*).

lung| li·chen, ~ moss → lungwort 3. — **~ pow·er** *s Br.* Stimmkraft *f*, -stärke *f.* — **~ sac** *s zo.* Atem-, Mantelhöhle *f* (*von Weichtieren*).

lungs of oak → lungwort.

'**lung|ˌworm** *s zo.* Lungenwurm *m* (*Ordng Nematodes; Schmarotzer bei Rindern, Schafen, Schweinen etc*). — '**~ˌwort** *s bot.* **1.** Lungenkraut *n* (*Pulmonaria officinalis*). – **2.** Mer'tensie *f* (*Mertensia virginica*). – **3.** Lungenflechte *f* (*Lobaria pulmonaria*).

luni- [luːni; ljuː-] *Wortelement mit der Bedeutung* Mond.

lu·ni·form ['luːniˌfɔːrm; 'ljuː-] *adj* (halb)mondförmig.

lu·ni·so·lar [ˌluːni'soulər; ˌljuː-] *adj astr.* luniso'lar (*Sonne u. Mond betreffend*). — **~ pe·ri·od** *s astr.* Luniso'larperiˌode *f* (*Periode von 532 Jahren, nach der die Mondphasen u. Mond- u. Sonnenfinsternisse an den gleichen Wochen-, Monats- u. Jahrestagen wiederkehren*). — **~ pre·ces·sion** *s astr.* Luniso'larpräzesiˌon *f*, Präzessi'on *f* der Nachtgleichen (*Fortrücken der Äquinoktialpunkte von Osten nach Westen*). — **~ year** *s astr.* Luniso'larjahr *n* (*gebundenes Mondjahr*).

lu·ni·stice ['luːnistis; 'ljuː-] *s astr.* Mondwende *f.* — ˌ**lu·ni'sti·tial** [-'stiʃəl] *adj astr.* Mondwende...

lu·ni·tid·al [ˌluːni'taidl; ˌljuː-] *adj astr.* Mondflut... (*die vom Mond bewirkte Flutbewegung betreffend*). — **~ in·ter·val** *s astr. mar.* 'Mondˌflutinterˌvall *n* (*zeitlicher Abstand zwischen dem Monddurchgang an einem Meridian u. der Zeit der Flut an irgendeinem Ort*).

lunk·ah ['lʌŋkə] *s* (*Art*) starke indische Zi'garre.

lunk·head ['lʌŋkˌhed] *s Am. colloq.* Dumm-, Schafskopf *m*, Trottel *m.*

lunt [lʌnt] *Scot.* **I** *s* **1.** Kienspan *m.* – **2.** (Pech)Fackel *f.* – **3.** Rauch *m.* – **II** *v/t* **4.** entzünden, anzünden. – **5.** rauchen. – **III** *v/i* **6.** sich entzünden. – **7.** rauchen.

lu·nu·la ['luːnjulə; -njə-; 'ljuː-] → lunule. — '**lu·nuˌlate** [-ˌleit], *auch* '**lu·nu·lar,** '**lu·nuˌlat·ed** *adj bot. zo.* **1.** halbmond-, sichelförmig. – **2.** mit sichel- *od.* halbmondförmigen Flecken. — '**lu·nule** [-njuːl] *s* Lunula *f*: a) *halbmondförmiger goldener Halskragen aus der älteren Bronzezeit,* b) Nagelmöndchen *n.* — '**lu·nu·let** [-lit] *s zo.* kleiner sichel- *od.* halbmondförmiger Fleck.

lun·y ['luːni; 'ljuː-] → loony.

Lu·per·ca·li·a [ˌluːpər'keiliə; ˌljuː-] *s pl*, *auch* '**Lu·per·cal** [-kəl; -ˌkæl] *s antiq.* Luper'kalien(fest *n*) *pl* (*der alten Römer, zu Ehren des Gottes Luperkus*). — ˌ**Lu·per'ca·li·an** *adj* Luperkalien... — **Lu·per·ci** [luː'pəːrsai; ljuː-] *s pl antiq.* Lu'perci *pl* (*die Priester beim Luperkalienfest*).

lu·pi·form ['luːpiˌfɔːrm; 'ljuː-] *adj med.* lupus-, wolfartig (*Geschwür*).

lu·pin·as·ter [ˌluːpi'næstər; ˌljuː-] *s bot.* Lu'pinenklee *m* (*Trifolium lupinaster*).

lu·pine¹ ['luːpin; 'ljuː-] *s bot.* Lu'pine *f*, Feig-, Wolfsbohne *f* (*Gattg Lupinus*).

lu·pine² ['luːpain; 'ljuː-] *adj* **1.** Wolfs..., wolfartig, wölfisch. – **2.** gefräßig, (raub)gierig.

lu·pin·in ['luːpinin; 'ljuː-] *s chem.* **1.** Lupi'nin *n* ($C_{29}H_{32}O_{16}$; *kristallines Glucosid in Lupinen*). – **2.** → lupinine.

lu·pin·ine ['luːpiniːn; 'ljuː-; -nin] *s chem.* Lupi'nin *n* ($C_{10}H_{19}NO$; *kristallines Alkaloid in den Samen von Lupinus luteus*).

lu·poid ['luːpɔid; 'ljuː-] *adj med.* lupusähnlich.

lu·pous ['luːpəs; 'ljuː-] *adj med.* **1.** Lupus... – **2.** vom Lupus befallen, an Lupus erkrankt.

lu·pu·lin ['luːpjulin; -pjə-; 'ljuː-] *s bot.* Lupu'lin *n*, Hopfenbitter *n*, -mehl *n*, -drüsen *pl* (*feine Drüsen von weiblichen Blütenständen des Hopfens Humulus lupulus*). — '**lu·puˌline** [-ˌlain; -lin] *adj bot.* hopfenähnlich, -artig. — ˌ**lu·pu'lin·ic** [-'linik] *adj* **1.** *bot.* Hopfen... – **2.** *bot. chem.* Lupulin..., lupu'linsauer: ~ acid Lupulinsäure ($C_{25}H_{36}O_5$).

lu·pu·lus ['luːpjuləs; -pjə-; 'ljuː-] *s bot.* Hopfen *m* (*Humulus lupulus*).

lu·pus¹ ['luːpəs; 'ljuː-] *s med.* Lupus *m* (*Hautkrankheit*).

Lu·pus² ['luːpəs; 'ljuː-] *gen* '**Lu·pi** [-pai] *s astr.* Lupus *m*, Wolf *m* (*Sternbild*).

lu·pus| er·y·them·a·to·sus [ˌeriˌθemə'tousəs] *s med.* Schmetterlingsflechte *f.* — **~ vul·ga·ris** [vʌl'gɛ(ə)ris] *s med.* Lupus *m* vul'garis, fressende Flechte, Schwindflechte *f.*

lurch¹ [ləːrtʃ] **I** *s* **1.** Taumeln *n*, Torkeln *n*, Wanken *n*, Schwanken *n.* – **2.** *mar.* plötzliches Schlingern, 'Überholen *n*, Rollen *n.* – **3.** Ruck *m.* – **4.** *Am.* Hang *m*, Neigung *f.* – **II** *v/i* **5.** *mar.* schlingern, rollen, pendeln. – **6.** taumeln, torkeln, (sch)wanken.

lurch² [ləːrtʃ] *s* Matsch *m* (*Spielausgang mit völligem Verlust für den einen und hohem Gewinn für den anderen Spieler*): to leave in the ~ *fig.* im Stich(e) lassen.

lurch³ [ləːrtʃ] **I** *v/t obs.* **1.** (*j-m*) den besseren Happen wegschnappen, (*j-m*) zu'vorkommen. – **2.** betrügen, berauben. – **3.** stehlen, ‚mausen', ‚sti'bitzen'. – **II** *v/i obs. od. dial.* **4.** sich versteckt halten, auf der Lauer liegen, lauern.

lurch·er ['ləːrtʃər] *s* **1.** Lau(e)rer *m*, Späher *m*, Kundschafter *m*, Spi'on *m.* – **2.** Dieb *m.* – **3.** Schwindler *m.* – **4.** *hunt.* (*Art*) Jagd-, Spürhund *m* (*Kreuzung zwischen schott. Schäferhund u. Windhund*).

'**lurchˌline** *s* Zugschnur *f* (*am Vogelfangnetz*).

lur·dan(e) [ˈləːrdn] *obs.* **I** *s* dummer Faulpelz, fauler Dummkopf. – **II** *adj* faul u. dumm.

lure [ljur; lur] **I** *s* **1.** Lockmittel *n*, Köder *m*. – **2.** *bes. fig.* Lockvogel *m*. – **3.** Lockung *f*, Zauber *m*, Reiz *m*, lockende Kraft. – **4.** (*Angelsport*) (*bes.* künstlicher) Köder. – **5.** *hunt.* Federspiel *n*, Luder *n* (*bei der Falkenjagd*). – **6.** *zo.* Angel *f* (*Fortsatz am Kopf der Anglerfische*). – **II** *v/t* **7.** (an)locken, ködern: **to ~ away** fortlocken; **to ~ into s.th.** in etwas hineinlocken. – **8.** verlocken, verführen (**into** zu). – **9.** *hunt.* (*den Falken*) mit dem Federspiel zu'rückrufen. – **III** *v/i* **10.** (ver)locken, reizen. – *SYN.* **decoy, entice, inveigle, seduce, tempt.**

lu·rid [ˈlu(ə)rid; ˈlju-] *adj* **1.** fahl, unheimlich, gespenstisch (*Beleuchtung etc*): **a ~ sky** ein gespenstisch beleuchteter Himmel. – **2.** düsterrot, schmutzigrot (*Flamme*). – **3.** geisterhaft blaß, bleich, fahl. – **4.** *bes. fig.* düster, finster, unheimlich: **it casts a ~ light on his character** das zeigt seinen Charakter in einem unheimlichen Licht. – **5.** wild, fürchterlich, entsetzlich (*Geschehnis, Erzählung etc*). – **6.** *bot. zo.* schmutziggelb, -braun. – *SYN. cf.* **ghastly.** — **ˈlu·rid·ness** *s* **1.** Fahlheit *f* (*des Lichtes etc*). – **2.** düstere *od.* schmutzige Röte. – **3.** geisterhafte Blässe, Fahlheit *f*. – **4.** *bes. fig.* Düsterkeit *f*, Finsterkeit *f*, Unheimlichkeit *f*. – **5.** Wildheit *f*, Fürchterlichkeit *f*, Entsetzlichkeit *f*.

lurk [ləːrk] **I** *v/i* **1** sich versteckt halten, auf der Lauer liegen, lauern: **to ~ in the dark** im Dunkel lauern. – **2.** *fig.* verborgen liegen, versteckt sein, schlummern. – **3.** *selten* (her'um)schleichen, sich her'umdrücken: **to ~ away** sich wegstehlen, sich fortschleichen. – *SYN.* **couch, skulk, slink, sneak.** – **II** *s* **4.** Lauer(n *n*) *f*, (Her'um)Schleichen *n*: **on the ~** auf der Lauer. – **5.** Versteck *n*, Schlupfwinkel *m*. – **6.** *Br. sl.* Kniff *m*, Trick *m*, Schlich *m*. — **ˈlurk·er** *s* Lauernde(r), Schleicher(in).

lurk·ing [ˈləːrkiŋ] **I** *adj* **1.** schlummernd, la'tent: **a ~ passion** eine schlummernde Leidenschaft. – **2.** lauernd, auf der Lauer liegend, versteckt. – **II** *s* **3.** Lauer(n *n*) *f*, (Her'um)Schleichen *n*. — **ˈ~ˌplace** *s* Versteck *n*, Schlupfwinkel *m*, ˈHinterhalt *m*.

lur·ry¹ [*Br.* ˈlʌri; *Am.* ˈləːri] *dial.* **I** *s* **1.** wirres Gedränge, Gewirr *n*, Wirrwarr *m*, Durchein'ander *n*. – **2.** Stimmengewirr *n*, Tu'mult *m*, Getöse *n*. – **3.** gedankenlose Phrase, Geplapper *n*. – **II** *v/t* **4.** zerren, ziehen. – **5.** plagen, ärgern, beunruhigen. – **6.** antreiben, beschleunigen, ˈüberˈstürzen. – **III** *v/i* **7.** sich beunruhigen. – **8.** sich beeilen.

lur·ry² [*Br.* ˈlʌri; *Am.* ˈləːri] → **lorry.**

Lu·sa·tian [luːˈseiʃən; ljuː-] **I** *s* Lausitzer(in). – **II** *adj* lausitzisch.

lus·cious [ˈlʌʃəs] *adj* **1.** köstlich (*im Geschmack*), lecker, deli'kat, *bes.* süß. – **2.** *auch fig.* ˈübersüß, widerlich süß. – **3.** üppig, über'laden, ˈüberreich (*Stil etc*). – **4.** schmeichelnd, wonnig, sinnlich, süß: **~ sounds.** – **5.** *obs.* lüstern, geil. — **ˈlus·cious·ness** *s* **1.** Köstlichkeit *f*, Leckerheit *f* (*Geschmack*). – **2.** Süßigkeit *f*, *bes.* ˈÜbersüßigkeit *f*. – **3.** Üppigkeit *f*, Über'ladenheit *f*. – **4.** (*das*) Schmeichelnde *od.* Wonnige, Sinnlichkeit *f*.

lush¹ [lʌʃ] *adj* **1.** üppig, saftig (*Vegetation*). – **2.** üppig, über'laden, ˈüberreich: **~ with ornament** überreich an Verzierungen, mit Zierat überladen. – **3.** üppig gedeihend. – *SYN. cf.* **profuse.**

lush² [lʌʃ] *sl.* **I** *s* **1.** ‚Stoff' *m*, ‚Sprit' *m* (*berauschendes Getränk*). – **2.** ‚Besoffene(r)'. – **II** *v/t* **3.** (*j-n*) ‚vollaufen lassen'. – **4.** (*Alkoholika*) ‚hinter die Binde gießen'. – **III** *v/i* **5.** ‚saufen', ‚einen heben', ‚sich vollaufen lassen'.

lush·ness [ˈlʌʃnis] *s* **1.** Üppigkeit *f*, Saftigkeit *f* (*Vegetation*). – **2.** Üppigkeit *f*, Über'ladenheit *f*. – **3.** üppiges Gedeihen.

lush·y [ˈlʌʃi] *adj sl.* ‚besoffen', ‚voll', ‚blau' (*betrunken*).

Lu·si·ta·ni·an [ˌluːsiˈteiniən; ˌljuː-; -sə-] **I** *s* Lusi'tanier(in) (*Angehöriger eines iberischen Volksstamms*). – **II** *adj* lusi'tanisch.

lust [lʌst] **I** *s* **1.** sinnliche Begierde, Wollust *f*, Sinnlichkeit *f*. – **2.** Hang *m*, Sucht *f*, Gier *f*, Gelüst(e) *n*, leidenschaftliches Verlangen: **~ of power** Machtgier. – **3.** *obs.* Genuß *m*, Vergnügen *n*. – **II** *v/i* **4.** Gelüst(e) *od.* starkes Verlangen haben: **they ~ for** (*od.* **after**) **power** es gelüstet sie nach Macht.

lus·ter¹, *bes. Br.* **lus·tre** [ˈlʌstər] **I** *s* **1.** Glanz *m*, Schein *m*, Schimmer *m*. – **2.** *fig.* Glanz *m*: **to add ~ to a name** einem Namen Glanz verleihen. – **3.** glänzender ˈÜberzug, Poli'tur *f*, Schmelz *m*. – **4.** a) Lüster *n*, Kronleuchter *m*, b) Kri'stallˌanhänger *m* (*eines Kristalleuchters*). – **5.** Lüster *m*, Lustre *n* (*ein Halbwollgewebe*). – **6.** *auch* **metallic ~** Lüster *m* (*schillernder Überzug auf Porzellan, Glas etc*). – **7.** *min.* Glanz *m*. – **8.** a) glänzende Wolle, b) Glanz *m* (*langhaariger, grober Wolle*). – **II** *v/t* **9.** glänzend machen. – **10.** (*dat*) Glanz verleihen. – **11.** (*Porzellan etc*) mit Lüster über'ziehen. – **III** *v/i* **12.** glänzen, schimmern, scheinen.

lus·ter² [ˈlʌstər] → **lustrum.**

lus·tered, *bes. Br.* **lus·tred** [ˈlʌstərd] *adj* glänzend, schimmernd, scheinend.

lus·ter·less, *bes. Br.* **lus·tre·less** [ˈlʌstərlis] *adj* glanzlos, matt, stumpf.

ˈlus·terˌware, *bes. Br.* **ˈlus·treˌware** *s* Glas-, Ton- *od.* Porzel'langeschirr *n* mit Lüster.

lust·ful [ˈlʌstfəl; -ful] *adj* wollüstig, geil, lüstern, unkeusch. — **ˈlust·ful·ness** *s* Wollüstigkeit *f*, Geilheit *f*, Lüsternheit *f*, Unkeuschheit *f*.

lust·i·hood [ˈlʌstiˌhud], *auch* **ˈlust·i·head** [-ˌhed] *obs. für* **lustiness.**

lust·i·ness [ˈlʌstinis] *s* **1.** Rüstigkeit *f*, Frische *f*, Ener'gie *f*. – **2.** Lebhaftigkeit *f*.

lus·tral [ˈlʌstrəl] *adj antiq.* Lustral...: a) Reinigungs..., Weih... (*im alten Rom, eine religiöse Reinigung betreffend*), b) fünfjährig, fünfjährlich (*ein Lustrum od. Jahrfünft betreffend*).

lus·trate [ˈlʌstreit] *v/t* lu'strieren: a) *relig.* reinigen, weihen, b) *obs.* mustern, betrachten. — **lus'tra·tion** *s* **1.** *relig.* Lustrati'on *f*, Reinigung *f*, Weihe *f* (*bes. im alten Rom*). – **2.** *humor.* Wäsche *f*, Waschen *n*, Reinigen *n*. – **3.** *selten* Besichtigung *f*, Musterung *f*, Prüfung *f*, Inspekti'on *f*. – **4.** *selten* Jahr'fünft *n*.

lus·tre¹ *Br. für* **luster¹.**

lus·tre² [ˈlʌstər] → **lustrum.**

lus·tred, lus·tre·less, lus·tre·ware *Br. für* **lustered** *etc.*

lus·trine [ˈlʌstrin], *Br. obs. od. Am.* **ˈlus·tring** [-triŋ] *s* Lu'strin *m*, Glanztaft *m*.

lus·trous [ˈlʌstrəs] *adj* **1.** glänzend, strahlend, leuchtend. – **2.** *fig.* erstklassig, ausgezeichnet. – **3.** erlaucht, erhaben. – *SYN. cf.* **bright.** — **ˈlus·trous·ness** *s* **1.** Glanz *m*, Strahlen *n*, Leuchten *n*. – **2.** Erstklassigkeit *f*. – **3.** Erlauchtheit *f*, Erhabenheit *f*.

lus·trum [ˈlʌstrəm] *pl* **-trums, -tra** [-trə] *s* **1.** *antiq.* a) *relig.* Lustrum *n* (*das alle 5 Jahre nach Beendigung des Zensus durchgeführte Sühne- u. Reinigungsopfer der Römer*), b) Zensus *m*. – **2.** Lustrum *n*, Jahr'fünft *n*.

lust·y [ˈlʌsti] *adj* **1.** kräftig, rüstig, stark u. gesund, derb. – **2.** e'nergisch, (tat)kräftig, lebhaft, frisch. – **3.** schwer, massig. – **4.** korpu'lent, fett (*Person*). – **5.** *obs. od. dial.* lustig, fröhlich. – **6.** *obs.* a) angenehm, erfreulich, b) lüstern, (be)gierig, c) mutig, tapfer. – *SYN. cf.* **vigorous.**

lu·ta·nist [ˈluːtənist; ˈljuː-] *s* **1.** Lautenspieler *m*. – **2.** *fig.* Dichter *m*, Po'et *m*, Sänger *m*.

lute¹ [luːt; ljuːt] **I** *s* Laute *f* (*Saiteninstrument*): → **rift** 2. – **II** *v/t selten* (*Stück etc*) auf der Laute spielen. – **III** *v/i selten* (die) Laute spielen.

lute² [luːt; ljuːt] **I** *s* **1.** *tech.* Kitt *m* (*zum Dichten von Rohrfugen, porösen Gefäßen etc*). – **2.** Gummiring *m* (*für Flaschen, Einweckgläser etc*). – **II** *v/t* **3.** (ver)kitten.

lu·te·al [ˈluːtiəl; ˈljuː-] *adj med.* lute'al (*das Corpus luteum betreffend*).

lu·te·ci·um *cf.* **lutetium.**

lu·te·in [ˈluːtiin; ˈljuː-] *s chem. med.* **1.** → **xanthophyll.** – **2.** Lute'in *n* (*gelber Farbstoff des Eidotters*).

lu·te·o [ˈluːtiou; ˈljuː-] *adj* o'range-, bräunlichgelb.

luteo- [luːtio; ljuː-] *Wortelement mit der Bedeutung* orange- *od.* bräunlichgelb.

lu·te·o·lin [ˈluːtiolin; ˈljuː-] *s chem.* Waugelb *n*, Luteo'lin *n* (*Farbstoff des Färberwaus Reseda luteola*).

lu·te·o·lous [luˈtiːələs; lju-] *adj bot. zo.* gelblich.

lu·te·ous [ˈluːtiəs; ˈljuː-] *adj* **1.** gelblich. – **2.** ˈtiefoˌrangegelb.

lu·ter [ˈluːtər; ˈljuː-] *s* Lautenspieler *m*.

lu·tes·cent [luˈtesnt; lju-] *adj* gelblich.

ˈluteˌstring *s* Glanztaft *m*.

Lu·te·ti·an [luːˈtiːʃən; ljuː-] **I** *adj* **1.** pa'risisch. – **2.** *geol.* lu'tetisch (*das Lutétien betreffend*). – **II** *s* **3.** *geol.* Lutéti'en *n* (*mittlere Stufe des Eozäns*).

lu·te·ti·um [luˈtiːʃiəm; lju-; -siəm] *s chem.* Lu'tetium *n* (Lu), Cassio'peium *n* (Cp).

Lu·ther·an [ˈluːθərən; ˈljuː-] **I** *s relig.* Luthe'raner(in). – **II** *adj* lu'therisch, luthe'ranisch. — **ˈLu·ther·anˌism** *s* Luthertum *n*. — **ˈLu·ther·anˌize I** *v/t* luthe'ranisch machen, zum Luthertum bekehren. – **II** *v/i* luthe'ranisch werden, zum Luthertum ˈübertreten.

lu·thern [ˈluːθərn; ˈljuː-] *s arch.* Dachgaupen-, Man'sardenfenster *n*.

Lu·tine bell [luːˈtiːn] *s mar. die Glocke des 1799 gesunkenen engl. Kriegsschiffs ‚Lutine', die geborgen wurde u. in den Räumen der Londoner Schiffsversicherungsgesellschaft Lloyd's vor der Bekanntgabe von Schiffsverlust- od. Überfälligkeitsmeldungen geläutet wird.*

lut·ing [ˈluːtiŋ; ˈljuː-] → **lute²** 1.

lu·tist [ˈluːtist; ˈljuː-] *s mus.* Lautenspieler(in).

lu·trine [ˈluːtrain; ˈljuː-; -trin] *adj zo.* fischotterartig.

lux [lʌks] *pl* **lux·es** [ˈlʌksiz], **lu·ces** [ˈluːsiːz; ˈljuː-] *s phys.* Lux *n* (*Einheit der Beleuchtungsstärke*).

lux·ate [ˈlʌkseit] *v/t med.* ausrenken, verrenken, lu'xieren. — **lux'a·tion** *s* Ausrenkung *f*, Verrenkung *f*, Luxati'on *f*.

luxe [luks; lʌks] *s* Pracht *f*, Ele'ganz *f*, Luxus *m*: **articles de ~** Luxusartikel; **édition de ~** Luxus-, Prachtausgabe (*Buch*); **train de ~** Luxuszug.

lux·u·ri·ance [lʌgˈʒu(ə)riəns; -ˈʒju-; lʌkˈʃu-], **lux'u·ri·an·cy** [-si] *s* **1.** Üppigkeit *f*, üppiger Wuchs. – **2.** Fruchtbarkeit *f*, Produktivi'tät *f*. – **3.** Fülle *f*, Reichtum *m*, ˈÜberfluß *m*. — **lux'u·ri-**

ant *adj* **1.** üppig, üppig gedeihend *od.* wuchernd (*Vegetation*; *auch fig.*): ~ **foliage** üppiger Blattwuchs. – **2.** *fig.* fruchtbar, (ertrag)reich, produk'tiv: a ~ **imagination** eine blühende Phantasie. – **3.** blumenreich, schwülstig, verschnörkelt, 'überschwenglich (*Rede, Stil etc*). – **4.** reich verziert, dekora'tiv (*Baustil*). – *SYN. cf.* **profuse.**

lux·u·ri·ate [lʌg'ʒu(ə)riˌeit; -'ʒju-; lʌk'ʃu-] *v/i* **1.** schwelgen, sich ergehen (in in *dat*): to ~ **in details** in Einzelheiten schwelgen. – **2.** (on, in) schwelgen (in *dat*), üppig leben (von). – **3.** üppig wachsen *od.* gedeihen, wuchern. — **luxˌu·ri'a·tion** *s* Schwelgen *n*, Schwelge'rei *f*.

lux·u·ri·ous [lʌg'ʒu(ə)riəs; -'ʒju-; lʌk'ʃu-] *adj* **1.** Luxus..., luxuri'ös, üppig: ~ **life** Luxusleben, luxuriöses Leben. – **2.** schwelgerisch, verschwenderisch, genußsüchtig (*Person*). – *SYN.* a) **opulent, sumptuous,** b) *cf.* **sensuous.** — **lux'u·ri·ous·ness** → **luxury** 1–3.

lux·u·ry ['lʌkʃəri] *s* **1.** Luxus *m*, Wohlleben *n*, 'Überfluß *m*: **to live in** ~ im Überfluß leben. – **2.** Luxus *m*, (Hoch)Genuß *m*: **the** ~ **of idle hours** der Luxus müßiger Stunden. – **3.** Luxus *m*, Aufwand *m*, Pracht *f*. – **4.** 'Luxusˌgegenstand *m*, -arˌtikel *m*.

'ly·am-ˌhound ['laiəm-] *s hist.* Blut-, Schweißhund *m*.

ly·ard ['laiərd], **'ly·art** [-ərt] *adj dial.* **1.** grau. – **2.** grau gestreift.

ly·can·thrope ['laikənˌθroup; lai'kæn-] *s* **1.** Werwolf *m* (*im Volksglauben ein Mann, der sich in einen Wolf verwandeln kann*). – **2.** *psych.* Lykan'throp (-in), an Lykanthro'pie Leidende(r). — **ˌly·can'throp·ic** [-'θrɒpik] *adj psych.* lykan'thropisch. — **ly'can·thro·py** [-'kænθrəpi] *s* **1.** (*Volksglaube*) die Fähigkeit, sich in einen Wolf zu verwandeln. – **2.** *psych.* Lykanthro'pie *f* (*Wahnsinn, bei dem man sich für einen Wolf od. ein anderes reißendes Tier hält*).

ly·cée [li'se] (*Fr.*) *s* Ly'cée *n* (*staatliche höhere Schule in Frankreich*).

ly·ce·um [lai'siːəm] *s* **1.** 'Unterrichts-, Schulgebäude *n*, Vortrags-, Vorlesungssaal *m*. – **2.** *Am.* (*Art*) Volkshochschule *f*, Volksbildungsverein *m*. – **3.** → **lycée.** – **4.** L~ *antiq.* Ly'keion *n*, Ly'ceum *n* (*Garten in Athen, in dessen Laubengängen Aristoteles lehrte*). – **5.** L~ Philoso'phie *f* des Ari'stoteles.

lych, ~ **gate** *cf.* **lich, lich gate.**

lych·nis ['liknis] *s bot.* Lichtnelke *f* (*Gattg Lychnis*).

Lyc·i·an ['liʃiən; 'lis-] **I** *s* **1.** *ling.* Lykisch *n*, das Lykische. – **2.** Lykier(in). – **II** *adj* **3.** lykisch.

ly·co·pod ['laikoˌpɒd; -kə-] *s bot.* Bärlapp *m* (*Gattg Lycopodium*). — **ˌly·coˌpo·di'a·ceous** [-ˌpoudi'eiʃəs] *adj bot.* bärlappartig.

ly·co·po·di·um [ˌlaiko'poudiəm; -kə-] *s* **1.** → **lycopod.** – **2.** → ~ **powder.** — ~ **pow·der** *s* Hexenmehl *n*, Bärlappsporen *pl* (*in der Medizin als Streupulver, technisch bei der Herstellung von Feuerwerkskörpern verwendet*).

lydd·ite ['lidait] *s chem.* Lyd'dit *m*, Meli'nit *m* (*Sprengstoff aus Pikrinsäure*).

Lyd·i·an ['lidiən] **I** *s* **1.** Lyd(i)er(in). – **2.** *ling.* Lydisch *n*, das Lydische. – **II** *adj* **3.** lydisch. – **4.** *fig.* weich, sinnlich, üppig (*bes. Musik*). — ~ **mode** *s mus.* lydische Tonart, lydischer Ton. — ~ **stone** *s min.* Ly'dit *m*, lydischer Stein, schwarzer Kieselschiefer (*Probierstein*).

lye [lai] *chem.* **I** *s* Lauge *f*. – **II** *v/t* mit Lauge behandeln.

ly·ing[1] ['laiiŋ] **I** *pres p von* **lie**[1]. – **II** *adj* lügend, lügnerisch, verlogen. – *SYN. cf.* **dishonest.** – **III** *s* Lügen *n*, Lügen *pl*, Unwahrheiten *pl*.

ly·ing[2] ['laiiŋ] **I** *pres p von* **lie**[2]. – **II** *adj* liegend, horizon'tal: ~ **shaft** *tech.* horizontale Welle. – **III** *s* Liegeplatz *m*, -möglichkeit *f*.

'ly·ing-'in *s med.* **1.** Entbindung *f*, Geburt *f*. – **2.** Kind-, Wochenbett *n*. — ~ **hos·pi·tal** *s* Entbindungsheim *n*, -anstalt *f*.

lyke·wake ['laikˌweik] *s Br.* Leichen-, Totenwache *f*.

lyme grass [laim] *s bot.* **1.** Haargras *n* (*Gattg Elymus*). – **2.** Fächer-Rispengras *n* (*Poa flabellata*).

'lyme-ˌhound ['laim-] → **lyam-hound.**

lymph [limf] *s* **1.** *med.* Lymphe *f*, Blutwasser *n*. – **2.** *auch* **vaccine** ~ *med.* Lymphe *f*, Impfstoff *m*. – **3.** *poet.* a) Wasserquelle *f*, b) klares Quellwasser. – **4.** *bot. obs.* (Pflanzen)Saft *m*.

lymph- [limf] *Wortelement mit der Bedeutung* Lymphe.

lym·phad ['limfæd] *s mar.* einmastige (*u. meist mit einer Rah versehene*) Ga'leere.

lym·phad·e·ni·tis [limˌfædi'naitis; ˌlimfəd-; -də-] *s med.* Lymphade'nitis *f*, Lymphknotenentzündung *f*.

lym·phad·e·noid [lim'fædiˌnɔid; -də-] *adj med.* lymphadeno'id.

lym·phan·gi·al [lim'fændʒiəl] *adj med.* Lymphgefäß...

lymphangi- [limfændʒi] → **lymphangio-.**

lym·phan·gi·ec·ta·sis [limˌfændʒi'ektəsis] *s med.* Lymphgefäßerweiterung *f*.

lymphangio- [limfændʒio] *Wortelement mit der Bedeutung* Lymphgefäß.

lym·phan·gi·tis [ˌlimfæn'dʒaitis] *s med.* Lymphan'gitis *f*, Lymphgefäßentzündung *f*.

lym·phat·ic [lim'fætik] *med.* **I** *adj* **1.** lym'phatisch, Lymph... – **2.** *fig.* schlaff, träge, bleich u. kraftlos. – **II** *s* **3.** Lymphgefäß *n*, Saugader *f*. — ~ **gland** → **lymph gland.** — ~ **system** *s med.* 'Lymphgefäßsyˌstem *n*. — ~ **ves·sel** *s med.* Lymphgefäß *n*.

lymphato- [limfəto] *Wortelement mit der Bedeutung* lymphatisch.

lymph cell, ~ **cor·pus·cle** → **lymphocyte.** — ~ **gland** *s med.* Lymphknoten *m*. — ~ **heart** *s zo.* Lymphherz *n* (*pulsierendes Lymphgefäß bei niederen Wirbeltieren*). — ~ **node** → **lymph gland.**

lympho- [limfo] *Wortelement mit der Bedeutung* Lymphe.

lym·pho·blast ['limfoˌblæst; -fə-] *s med.* Lympho'blast *n*, Lympho'zytenstammzelle *f*. — **ˌlym·pho'blas·tic** *adj* lympho'blastisch.

lym·pho·cyte ['limfoˌsait; -fə-] *s med.* Lymphkörperchen *n*, Lympho'zyte *f*.

lym·pho·cy·to·sis [ˌlimfosai'tousis] *s med.* Lymphozy'tose *f*, Lymphozythä'mie *f* (*krankhafte Vermehrung der Lymphozyten im Blut*). — **ˌlym·pho·cy'tot·ic** [-'tɒtik] *adj* Lymphozytose..., lymphozyt'hämisch.

lym·pho·gran·u·lo·ma [ˌlimfoˌgrænju'loumə; -jə-] *s med.* Lymphogranu'lom *n*, Hodgkinsche Krankheit (*eine Geschlechtskrankheit*).

lymph·oid ['limfɔid] *adj med.* lympho'id, lymphartig, Lymph... — ~ **cell** *s med.* Lymphkörperchen *n*, -zelle *f*, Lympho'zyt *m*.

lym·pho·ma [lim'foumə] *s med.* Lym'phom *n* (*von Lymphknoten ausgehende Geschwulst*).

lymph·ous ['limfəs] *adj* Lymph...

lyn·ce·an [lin'siːən] *adj* **1.** *zo.* Luchs..., luchsartig. – **2.** *fig.* luchsäugig, scharfsichtig, mit scharfen Augen.

lynch [lintʃ] **I** *v/t* lynchen (*eigenmächtig bestrafen, bes. hinrichten*). – **II** *s* → ~ **law:** **Judge L~** Richter Lynch (*Personifikation der Lynchjustiz*). — **'lynch·er** *s* Lyncher *m* (*der an einem Lynchverfahren teilnimmt*).

lynch law, *auch* **Lynch's law** *s* 'Lynchjuˌstiz *f* (*gewalttätige, ungesetzliche Volksjustiz*).

lynx [liŋks] *s* **1.** *zo.* Luchs *m* (*Gattg Lynx*), *bes.* a) *auch* **common** ~ (Gemeiner) Luchs (*L. lynx*), b) *auch* **bay** ~ Rotluchs *m* (*L. rufus*), c) Po'larluchs *m*, Kanad. Luchs *m* (*L. canadensis*). – **2.** Luchs(pelz) *m*. — **'~-ˌeyed** *adj fig.* luchsäugig, scharfsichtig, mit scharfen Augen.

Ly·on ['laiən], *auch* ~ **King-of-Arms** *s* Kron-Wappenherold *m* (*in Schottland*).

Ly·on·ese [ˌlaiə'niːz] **I** *s* Ly'oner(in), Lyo'neser(in) (*Einwohner der franz. Stadt Lyon*). – **II** *adj* Lyoner(...), lyo'nesisch.

ly·on·naise [ˌlaiə'neiz] *adj* mit Zwiebeln zubereitet (*bes. Bratkartoffeln*).

ly·o·phil·ic [ˌlaio'filik; ˌlaiə-] *adj chem.* lyo'phil (*Kolloid*).

ly·o·pho·bic [ˌlaio'foubik; ˌlaiə-] *adj chem.* lyo'phob (*Kolloid*).

Ly·ra ['lai(ə)rə] *gen* **-rae** [-riː] *s astr.* Leier *f* (*nördl. Sternbild*). — **'Ly·ra·ids** [-reiidz] *s pl* Lyra'iden *pl* (*Meteorregen aus dem Sternbild der Leier um den 20. April*).

ly·rate ['lai(ə)reit; -rit], *auch* **'ly·rat·ed** [-tid] *adj bot. zo.* leierförmig.

lyre [lair] *s* **1.** *mus.* Leier *f*, Lyra *f* (*Saiteninstrument des Altertums*). – **2.** L~ → **Lyra.** — ~ **bat** *s zo.* Leiernase *f* (*Megaderma lyra*; *Fledermaus*). — **'~ˌbird** *s zo.* (*ein*) Leierschwanz *m* (*Menura superba u. M. novaehollandiae*). — ~ **pheas·ant,** **'~ˌtail** → **lyrebird.** — **'~-ˌtailed night·jar** *s zo.* Leiernachtschwalbe *f* (*Hydropsalis torquata u. H. forcipatus*). — ~ **tur·tle** → **leatherback.**

lyr·ic ['lirik] **I** *adj* **1.** lyrisch: ~ **poetry** lyrische Dichtung. – **2.** *fig.* lyrisch, gefühlvoll. – **3.** Musik..., musi'kalisch: ~ **drama, the** ~ **stage** das Musikdrama, die Oper. – **4.** *mus.* lyrisch: **a** ~ **voice** eine lyrische Stimme. – **5.** *antiq.* lyrisch, zur Lyra gesungen (*Lied*): ~ **odes** lyrische Oden. – **II** *s* **6.** lyrisches Gedicht, lyrisches Werk. – **7.** *pl* Lyrik *f*. – **8.** *colloq.* Text *m* (*eines Liedes*). — **'lyr·i·cal** → **lyric I.** — **'lyr·i·cal·ly** *adv* (*auch zu* **lyric I**).

lyr·i·cism ['liriˌsizəm; -rə-] *s* **1.** Lyrik *f*, lyrischer Cha'rakter *od.* Stil. – **2.** Gefühlsausbruch *m*.

lyrico- [liriko] *Wortelement mit der Bedeutung* lyrisch: ~**-dramatic** lyrisch-dramatisch; ~**-epic** lyrisch-episch.

Ly·rids ['lai(ə)ridz] → **Lyraids.**

lyr·i·form ['lai(ə)riˌfɔːrm; -rə-] *adj* leierförmig.

lyr·ism ['lai(ə)rizəm] *s* **1.** Leierspiel *n*. – **2.** → **lyricism.**

lyr·ist ['lirist] *s* **1.** lyrischer Dichter. – **2.** Sänger(in) *od.* Vortragende(r) lyrischer Dichtung. – **3.** ['lai(ə)rist] Leierspieler(in).

lys- [lais; lis] → **lysi-.**

lyse [lais] *chem. med.* **I** *v/t* auflösen, Lysis erzeugen bei. – **II** *v/i* sich auflösen.

-lyse *cf.* **-lyze.**

ly·ser·gic ac·id [lai'səːrdʒik] *s chem. med.* Ly'sergsäure *f*.

lysi- [laisi; lisi] *Wortelement mit der Bedeutung* Lösung, lösend.

ly·sim·e·ter [lai'simitər; -mə-] *s* Lysi'meter *n* (*Instrument zur Messung der Regendurchsickerung in gegebene Bodentiefen*).

ly·sin[1] ['laisin] *s chem. med.* Ly'sin *n* (*ein Stoff des Blutserums, der auf körperfremde Stoffe auflösend wirkt*).

ly·sin² ['laisin] → lysine.

ly·sine ['laisi:n; -sin] *s chem. med.* Ly'sin *n*, α-, ε-Dia'minokapˌronsäure *f* ($C_6H_{14}N_2O_2$).

ly·sis ['laisis] *s* **1.** *med.* Lysis *f*, all'mähliche Besserung (*Krankheit*). – **2.** *chem. med.* Zerstörung *f*, Zerfall *m*, Auflösung *f* (*Zellen, Gewebe etc*).

-lysis [lisis] *Wortelement mit der Bedeutung* Lösung.

ly·sol ['laisɒl; -soul] *s chem. med.* Ly'sol *n* (*Desinfektionsmittel*).

ly·so·zyme ['laisoˌzaim; -zim; -sə-] *s* Lyso'zym *n* (*bakterolytisches Enzym im Eiweiß*).

lys·sa ['lisə] *s med.* Tollwut *f*, Rabies *f*, Lyssa *f*.

lys·so·pho·bi·a [ˌliso'foubiə; -sə-] *s med.* Lyssopho'bie *f* (*krankhafte Furcht vor der Tollwut*).

-lyte *cf.* -lite.

ly·te·ri·an [lai'ti(ə)riən] *adj med.* ly'terisch (*das günstige Ende einer gefährlichen Krankheit anzeigend*).

lyth·ra·ceous [liθ'reiʃəs] *adj bot.* Weiderich..., zu den Weiderichgewächsen gehörig.

lyt·ic ['litik] *adj chem. med.* lytisch (*Lysis od. ein Lysin betreffend*).

-lytic [litik] *Wortelement mit der Bedeutung* (auf)lösend.

lyt·ta ['litə] *pl* **-tae** [-ti:] *s zo.* Lyssa *f*, Tollwurm *m* (*Strang im Zungenseptum des Hundes u. anderer Raubtiere*).

-lyze [laiz] *Wortelement mit der Bedeutung* (auf)lösen.

M

M, m [em] **I** *s pl* **M's, Ms, m's, ms** [emz] **1.** M *n*, m *n* (*13. Buchstabe des engl. Alphabets*): a capital (*od.* large) M ein großes M; a little (*od.* small) m ein kleines M. – **2.** M (*13. angenommene Person bei Beweisführungen*). – **3.** m (*13. angenommener Fall bei Aufzählungen*). – **4.** *print. cf.* em 3. – **5.** M (*röm. Zahlzeichen*) M (= *1000*): M M (= *1000000*). – **6.** M M *n*, M-förmiger Gegenstand. – **II** *adj* **7.** dreizehnt(er, e, es): Company M die 13. Kompanie. – **8.** M M-..., M-förmig.

ma [mɑː] *s colloq.* (*Kindersprache*) Mama *f*.

ma'am [mæm; məm; m] *s* **1.** *colloq. für* madam. – **2.** [mæm; mɑːm] *Anrede für Königin u. Prinzessinnen am brit. Hof.*

mac¹ [mæk] *Br. colloq. für* a) mackintosh, b) macadam.

Mac² [mæk] *s* Mac *m od. f* (*j-d mit der Vorsilbe Mac- im Familiennamen*): he is one of the ~s er ist ein Mac (*er ist schott. od. irischer Abkunft*).

Mac- [mə; mi; mək; mik; mæk] *Wortelement in irischen u. schott. Eigennamen mit der Bedeutung* Sohn des: MacDonald, Macdonald.

ma·ca·bre [məˈkɑːbr; -bər], *auch* **maˈca·ber** [-bər] *adj* **1.** gruselig, grausig, grauenhaft, schrecklich. – **2.** maˈkaber, Toten..., totenähnlich. – *SYN. cf.* ghastly.

ma·ca·co [məˈkeikou] *s zo.* **1.** (*ein*) Maki *m* (*Fam. Lemuridae*), *bes.* a) Mohrenmaki *m* (*Lemur macaco*), b) Katta *m* (*L. catta*). – **2.** *obs. für* macaque.

mac·ad·am [məˈkædəm] (*Straßenbau*) **I** *s* **1.** Makaˈdam-, Schotterdecke *f*. – **2.** Makaˈdam-, Schotterstraße *f*. – **3.** Schotter *m*. – **II** *v/t* **4.** → macadamize. – **III** *adj* **5.** Makadam..., Schotter... — **macˌad·am·iˈza·tion** *s* Makadamiˈsierung *f*. — **macˈad·amˌize** *v/t* makadamiˈsieren, beschottern.

ma·ca·o [məˈkau; -ˈkɑːo] *s* Maˈkao *n* (*Glücksspiel mit Würfeln od. Karten*).

ma·caque [məˈkɑːk] *s zo.* Maˈkak *m* (*Gattg Macaca; Affe*).

mac·a·ro·ni [ˌmækəˈrouni] *s sg u. pl* **1.** Makkaˈroni *pl*. – **2.** *pl meist* -nies a) *hist. ausländische Sitten nachahmender Stutzer* (*18. Jahrhundert*), b) *dial.* Stutzer *m*, Geck *m*. – **3.** *auch* ~ penguin *zo.* → rock hopper.

mac·a·ron·ic [ˌmækəˈrɒnik] **I** *adj* **1.** makkaˈronisch: a) *eine Mischsprache od. gemischtsprachige Dichtung, bes. mit lat. Elementen, betreffend*, b) gemischtsprachig: ~ poetry makkaronische Dichtung. – **2.** kunterbunt, durcheinˈander. – **II** *s* **3.** makkaˈronische Dichtung. – **4.** *pl* makkaˈronische Verse. — **ˌmac·aˈron·i·cal** → macaronic I.

mac·a·roon [ˌmækəˈruːn] *s* Maˈkrone *f*.

Ma·cart·ney, m~ [məˈkɑːrtni] *s zo.* ˈGlanzfaˌsan *m* (*Gattg Lophura*).

Ma·cas·sar [məˈkæsər], **~ oil** *s* Maˈkassaröl *n* (*ein Haaröl*).

ma·caw¹ [məˈkɔː] *s zo.* (*ein*) Ara *m*, (*ein*) Keilschwanzsittich *m* (*Gattg Ara; Papagei*).

ma·caw² [məˈkɔː], **~ palm, ~ tree** *s bot.* Macawbaum *m*, Macaˈhubapalme *f* (*Gattg Acrocomia*).

mac·ca·baw [ˈmækəˌbɔː] → maccaboy.

Mac·ca·be·an [ˌmækəˈbiːən] *adj Bibl.* makkaˈbäisch. — **Mac·ca·bees** [ˈmækəˌbiːz] *s pl Bibl.* **1.** Makkaˈbäer *pl* (*Führer einer religiösen Erhebung der Juden gegen Antiochus IV.; 175–164 vor Christus*). – **2.** (*als sg konstruiert*) Buch *n* der Makkaˈbäer.

mac·ca·boy [ˈmækəˌbɔi] *s* Maˈkuba *m* (*feiner Schnupftabak aus Martinique*).

mac·ca·ro·ni *cf.* macaroni.

mac·ca·ron·ic *cf.* macaronic.

mac·co·boy *cf.* maccaboy.

mace¹ [meis] **I** *s* **1.** *mil. hist.* (Schlag)-Keule *f*, Streitkolben *m*. – **2.** Knüppel *m* (*der Polizei etc*). – **3.** Amtsstab *m* (*der als Amtssymbol gewissen Würdenträgern vorangetragen od. von ihnen getragen wird. Im brit. Unterhaus liegt er vor dem Sprecher*). – **4.** Träger *m* des Amtsstabs. – **5.** *tech.* hölzerner Schlegel (*zum Zurichten von Leder*). – **6.** *hist.* (*Art*) Billardstock *m* mit flachem Holzkopf. – **II** *v/t* **7.** *selten* mit einer Keule schlagen.

mace² [meis] *s* Musˈkatblüte *f* (*als Gewürz*).

mace³ [meis] *s* Mas *n*, Mes *n* (*ostasiat. Maß-, Gewichts- u. Geldeinheit*).

mace⁴ [meis] *sl.* **I** *s* Schwindel *m*: on ~ ‚auf Pump'. – **II** *v/t* beschwindeln. – **III** *v/i* schwindeln.

ˈmace-ˌbear·er *s* **1.** Träger *m* des Amtsstabs. – **2.** (*im engl. Unterhaus*) → sergeant at arms.

mac·é·doine [ˌmæsiˈdwɑːn] *s* **1.** Macéˈdoine *f*: a) *Gemisch von kleingeschnittenen u. in Gelee servierten Früchten od. Gemüsen*, b) *ein Gemüsesalat*. – **2.** *fig.* kunterbuntes Durcheinˈander.

Mac·e·do·ni·an [ˌmæsiˈdouniən; -sə-] **I** *s* Mazeˈdonier(in). – **II** *adj* mazeˈdonisch.

mac·er [ˈmeisər] → mace-bearer.

mac·er·ate [ˈmæsəˌreit] **I** *v/t* **1.** ein-, aufweichen, aufquellen u. erweichen, mazeˈrieren. – **2.** *biol.* (*Nahrungsmittel*) aufschließen. – **3.** ausmergeln, entkräften, abzehren. – **4.** kaˈsteien, kurzhalten. – **II** *v/i* **5.** aufweichen, aufquellen u. erweichen, weich werden. – **6.** sich abzehren, ausgemergelt werden. — **ˈmac·erˌat·er** *s tech.* Stoffmühle *f*. — **ˌmac·erˈa·tion** *s* **1.** Einweichung *f*, Aufquellen *n* u. Erweichen *n*, Mazeratiˈon *f*. – **2.** *biol.* Aufschließen *n* (*von Nahrungsmitteln bei der Verdauung*). – **3.** Ausmergelung *f*, Entkräftung *f*, Abzehrung *f*. – **4.** Kaˈsteiung *f*. — **mac·er·a·tor** *cf.* macerater.

Mach → Mach number.

Mach·a·bees *cf.* Maccabees 2.

ma·chan [məˈtʃɑːn] *s hunt. Br. Ind.* Hochsitz *m* (*bei der Tigerjagd*).

ma·che·te [mɑːˈtʃeitei; məˈʃet] *s* Maˈchete *m* (*breites schwertartiges Messer; in Mittel- u. Südamerika als Buschmesser u. zum Zuckerrohrschneiden verwendet*).

Mach·e u·nit [ˈmɑːxə] *s phys.* Mache-Einheit *f* (*veraltete Einheit für die Stärke der Radioaktivität*).

Mach·i·a·vel [ˈmækiəˌvel] → Machiavellian II. — **Mach·i·a·vel·i·an, Mach·i·a·vel·i·an·ism** *cf.* Machiavellian, Machiavellianism.

Mach·i·a·vel·li·an [ˌmækiəˈveliən] **I** *adj* **1.** Machiaˈvellisch(er, e, es), des Machiaˈvelli (*den ital. Staatsmann u. -theoretiker Niccolo Machiavelli betreffend*). – **2.** *pol.* machiaˈvellisch, machiavelˈlistisch (*völlig skrupellos in Dingen der Staatsräson u. der Machterlangung u. -erhaltung im Staate*). – **3.** schlau, tückisch, ˈhinterlistig, ränkevoll. – **II** *s* **4.** *pol.* Machiavelˈlist *m*. – **5.** skrupelloser Intriˈgant, Ränkeschmied *m*. — **ˌMach·i·aˈvel·li·anˌism** *s pol.* Machiavelˈlismus *m*. — **ˌMach·i·aˈvel·lic** → Machiavellian I. — **ˌMach·i·aˈvel·lism** → Machiavellianism. — **ˌMach·i·aˈvel·list** → Machiavellian. — **ˌMach·i·a·velˈlis·tic** → Machiavellian 2 *u.* 3.

ma·chic·o·late [məˈtʃikəˌleit] *v/t mil. hist.* maschikuˈlieren, (*Festung, Mauer etc*) mit Pechnasen *od.* Gußlöchern versehen. — **maˈchic·oˌlat·ed** *adj* maschikuˈliert, mit Pechnasen versehen *od.* bewehrt. — **maˌchic·oˈla·tion** *s* **1.** Pechnase *f*, Gußerker *m*. – **2.** Maˈschikulis *pl*, Gußlochreihe *f*.

ma·chi·cou·lis [ˌmɑːʃiˈkuːli] → machicolation.

ma·chi·nal [məˈʃiːnl] *adj* maschiˈnell, Maschinen..., maˈschinenmäßig.

mach·i·nate [ˈmækiˌneit; -kə-] **I** *v/i* Ränke schmieden, intriˈgieren, Böses anzetteln. – **II** *v/t* (*Böses*) anstiften, anzetteln, aushecken, im Schilde führen. — **ˌmach·iˈna·tion** *s* **1.** (tückischer) Anschlag, Inˈtrige *f*, Machenschaft *f*, Machinatiˈon *f*: political ~s politische Ränke *od.* Umtriebe. – **2.** Anstiftung *f*, Anzettelung *f*, Aushecken *n*. – *SYN. cf.* plot. — **ˈmach·iˌna·tor** [-tər] *s* Ränkeschmied *m*, Intriˈgant *m*.

ma·chine [məˈʃiːn] **I** *s* **1.** *phys. tech.* Maˈschine *f*. – **2.** Appaˈrat *m*, Vorrichtung *f*, Mechaˈnismus *m*. – **3.** Getriebe *n*, Triebwerk *n*. – **4.** a) Maˈschine *f* (*Flugzeug, Fahr-, Kraftrad*), b) Fahrzeug *n* (*wie Automobil, Schiff etc; früher Kutsche od. Karren*): → bathing ~. – **5.** (*Theater*) *bes. antiq.* Maˈschine *f*, ˈBühnenmechaˈnismus *m*, technisches Bühnenhilfsmittel. – **6.** (*in der Literatur*) Kunstgriff *m* (*zur Erzielung drama-*

tischer Wirkungen). – 7. *fig.* ‚Ma'schine' *f* (*Mensch, der unermüdlich od. stur arbeitet*). – 8. *bes. pol.* (*verächtlich*) a) Funktio'näre *pl*, Führungsgremium *n*, b) Appa'rat *m* (*maschinenmäßig funktionierende Organisation*): party ~, political ~ Parteiapparat, -maschine; the ~ of government der Regierungsapparat. – 9. *hist.* 'Kriegsma,schine *f*. – 10. *obs.* Schöpfung *f*, Werk *n* (*einer göttlichen Macht*), *bes.* (menschlicher) Körper. – **II** *v/t* **11.** maschi'nell 'herstellen *od.* bearbeiten, *bes.* maschi'nell drucken. – **12.** *fig.* stereo'typ *od.* einheitlich machen, normen. – **III** *v/i* **13.** maschi'nell arbeiten. – **IV** *adj* **14.** Maschinen...: ~ age Maschinenzeitalter; ~ parts Maschinenteile; ~ products Maschinenerzeugnisse. – **15.** stereo'typ, genormt.

ma·chine bolt *s tech.* Ma'schinenschraube *f*.

ma·chine gun *s mil.* Ma'schinengewehr *n*. — **ma'chine-,gun** *v/t* mit dem Ma'schinengewehr beschießen, mit Maschinengewehrfeuer belegen *od.* bestreichen. — **ma'chine-,made** *adj* **1.** maschi'nell 'hergestellt, Fabrik..., Maschinen... – **2.** *fig.* vereinheitlicht, stereo'typ, genormt. — **ma'chine·man** [-mən] *s irr* **1.** Maschi'nist *m*. – **2.** *Br. für* pressman.

ma·chin·er [mə'ʃiːnər] *s* Maschi'nist *m*.

ma·chine rul·er *s* Li'nierma,schine *f*.

ma·chin·er·y [mə'ʃiːnəri] *s* **1.** Maschine'rie *f*, Ma'schinen(park *m*) *pl*. – **2.** Mecha'nismus *m*, Getriebe *n*, Antrieb *m*, (Trieb)Werk *n*: the ~ of a watch das Werk einer Taschenuhr. – **3.** *fig.* Maschine'rie *f*, Ma'schine *f*, Räderwerk *n*: the ~ of government der Regierungsapparat. – **4.** The'atermaschine,rie *f*. – **5.** dra'matische Kunstmittel *pl* (*zur Entwicklung der Handlung in Drama, Gedicht etc*).

ma·chine| shop *s tech.* Ma'schinenwerkstatt *f*. — **~ tool** *s tech.* 'Werkzeugma,schine *f*. — **~ twist** *s* ('Näh)-Ma,schinenseide *f*. — **~ work** *s* **1.** dichterische *od.* dra'matische Kunstmittel *pl*. – **2.** Ma'schinenarbeit *f*. – **3.** *tech.* a) Getriebe *n*, b) Antrieb *m*, Triebwerk *n*.

ma·chin·ist [mə'ʃiːnist] *s* **1.** *tech.* a) Ma'schinenbauer *m*, -ingeni,eur *m*, b) Ma'schinenschlosser *m*, c) Maschi'nist *m*, Ma'schinenmeister *m*, d) Facharbeiter *m* für 'Werkzeugma,schinen. – **2.** (*Theater*) a) Maschi'nist *m*, b) Konstruk'teur *m* (*der Maschinerie*). – **3.** *mar.* 'Deckoffi,zier *m* (*als Assistent des Maschinenoffiziers*).

mach·me·ter ['mɑːk,miːtər] → machometer.

Mach num·ber [mɑːk] *s aer. phys.* Machsche Zahl, Machzahl *f* (*Kennziffer für Verhältnis der Flugzeug- zur Schallgeschwindigkeit; nach E. Mach*).

ma·chom·e·ter [mə'kɒmitər; -mət-] *s phys.* Machmeter *n*, Macho'meter *n* (*Instrument zur Messung von Geschwindigkeiten nahe der Schallgeschwindigkeit*).

ma·chree [mə'kriː; mə'kriː] *s Irish* mein Herz (*Kosewort*).

-machy [məki] *Wortelement mit der Bedeutung* Kampf.

mac·in·tosh *cf.* mackintosh.

mack [mæk] *colloq. für* mackintosh.

mack·a·baw ['mækə,bɔː] → maccaboy.

mack·er·el ['mækərəl] *pl* **-el**, *auch* (*mit Bezug auf verschiedene Makrelenarten*) **-els** *s zo.* **1.** Ma'krele *f* (*Scomber scombrus*). – **2.** (*ein*) ma'krelenartiger Fisch (*Unterordng Scombroidea*), *bes.* a) → frigate ~, b) → horse ~, c) → Spanish ~. — **~ bird** *s zo. Br.* **1.** → wryneck 3. – **2.** junge Stummelmöwe (*Rissa tridactyla*). — **~ breeze** *s mar.* Ma'krelenbrise *f*, -wind *m* (*der für den Makrelenfang günstig ist*).

mack·er·el·er ['mækərələr; -krəl-] *s mar.* Ma'krelenfänger *m* (*Fischer od. Boot*).

mack·er·el| gale → mackerel breeze. — **~ shark** *s zo.* (*ein*) Heringshai *m* (*Gattgen Lamna od. Isurus*), *bes.* Spitzschnauziger Heringshai (*Lamna cornubica*). — **~ sky** *s* (*Meteorologie*) (Himmel *m* mit) Schäfchenwolken *pl*, Schäfchenhimmel *m*, Zirro'kumuli *pl*.

Mack·i·naw ['mæki,nɔː; -kə-] **I** *adj* **1.** Mackinaw-... (*die Mackinawstraße od. die Insel u. Stadt Mackinaw im Huronsee betreffend*). – **II** *s* **2.** *Kurzform für* a) ~ blanket, b) ~ boat, c) ~ coat. – **3.** m~ *schwerer doppelseitiger Wollstoff für Mäntel*. — **~ blan·ket** *s* Mackinaw-Decke *f* (*dicke Wolldecke, früher allgemein verbreitet in den westl. USA*). — **~ boat** *s mar.* Mackinaw-Boot *n* (*flachgehendes Boot auf den oberen Großen Seen in USA*). — **~ coat** *s Am.* kurzer schwerer Plaidmantel. — **~ trout** → namaycush.

mack·in·tosh ['mækin,tɒʃ] *s* Mackintosh *m*: a) *durch eine Gummischicht wasserdicht gemachter Stoff*, b) Regenmantel *m* (*bes. aus solchem Stoff*).

mack·le ['mækl] **I** *s* **1.** (Schand-, Schmutz)Fleck *m*, Makel *m* (*auch fig.*). – **2.** *print.* Schmitz *m*, verwischter Druck, Doppeldruck *m*. – **II** *v/t* **3.** *print.* (*Schriftstelle etc*) schmitzen, verdoppeln, doppelt drucken, du'plieren. – **III** *v/i* **4.** *print.* schmitzen, einen Schmitz machen.

ma·cle ['mækl] *s min.* **1.** 'Zwillingskri,stall *m*. – **2.** dunkler Fleck (*in einem Mineral*). — **'ma·cled** *adj min.* **1.** Zwillings... – **2.** dunkel gefleckt.

ma·clu·rin [mə'klu(ə)rin] *s chem.* Mo'ringerbsäure *f*.

ma·con·o·chie [mə'kɒnəki] *s mil. Br.* Fleisch- u. Gemüse-Eintopf *m* in Büchsen (*als Proviant*).

macr- [mækr] → macro-.

mac·ra·mé [*Br.* mə'krɑːmi; *Am.* 'mækrə,mei], *auch* **~ lace** *s* Makra'mee *n*, Macra'mé *n* (*eine Knüpfarbeit*).

mac·ren·ce·phal·ic [,mækrensi'fælik; -sə-], **,mac·ren'ceph·a·lous** [-'sefələs] *adj zo.* mit langem *od.* großem Gehirnschädel.

macro- [mækro] *Wortelement mit der Bedeutung* lang, groß.

mac·ro·bi·o·sis [,mækrobai'ousis; -rə-] *s med.* langes Leben, Langlebigkeit *f*. — **,mac·ro'bi·ote** [-out] *s med.* Langlebige(r). — **,mac·ro·bi'ot·ic** [-'ɒtik] *adj* langlebig. — **,mac·ro·bi'ot·ics** *s pl* (*oft als sg konstruiert*) Makrobi'otik *f* (*die Kunst, lange zu leben*).

mac·ro·car·pous [,mækro'kɑːrpəs; -rə-] *adj bot.* lange Früchte tragend.

mac·ro·ce·phal·ic [,mækrosi'fælik; -rə-; -sə-] **,mac·ro'ceph·a·lous** [-'sefələs] *adj med.* großköpfig, makroze'phal. — **,mac·ro'ceph·a·ly** *s med.* Großköpfigkeit *f*, Makrozepha'lie *f*.

mac·ro·chem·i·cal [,mækro'kemikəl; -rə-] *adj chem.* makrochemisch.

mac·ro·cli·mate ['mækro,klaimit] *s* (*Meteorologie*) Großklima *n*. — **,mac·ro·cli'mat·ic** [-klai'mætik] *adj* 'großkli,matisch.

mac·ro·cosm ['mækro,kɒzəm; -rə-] *s* Makro'kosmos *m* (*das Weltall im Gegensatz zum Mikrokosmos*). — **,mac·ro'cos·mic** [-'kɒzmik] *adj* makro'kosmisch.

mac·ro·cyst ['mækro,sist; -rə-] *s biol.* Makro'zyste *f* (*Plasmodium von Myxomyceten im Ruhezustand*).

mac·ro·cyte ['mækro,sait; -rə-] *s med.* Makro'zyte *f* (*übermäßig großes rotes Blutkörperchen*). — **,mac·ro'cyt·ic** [-'sitik] *adj* makro'zytisch: ~ an(a)emia Makrozytenanämie.

mac·ro·di·ag·o·nal [,mækrodai'ægənl; -rə-] *min.* **I** *s* Makrodiago'nale *f*, längere Diago'nale (*eines Kristalls*). – **II** *adj* makrodiago'nal.

mac·ro·domes ['mækro,doumz; -rə-] *s pl min.* Makro'domen *pl*.

mac·ro·ga·mete [,mækrogə'miːt; -rə-] *s bot. zo.* Makroga'met *m*.

ma·crog·ra·phy [mə'krɒgrəfi] *s med.* Megalogra'phie *f*, 'übergroße Handschrift (*Anzeichen nervöser Störungen*).

ma·crol·o·gy [mə'krɒlədʒi] *s* **1.** Pleo'nasmus *m*. – **2.** Weitschweifigkeit *f*, Makrolo'gie *f*.

ma·crom·e·ter [mə'krɒmitər; -mət-] *s phys. tech.* Makro'meter *n* (*Art Sextant*).

ma·cron ['meikrɒn; 'mæk-] *s ling.* Längestrich *m* (*über Vokalen*).

mac·ro·phys·ics [,mækro'fiziks; -rə-] *s pl* (*oft als sg konstruiert*) *phys.* 'Makro-, 'Grobphy,sik *f*.

ma·crop·ter·ous [mə'krɒptərəs] *adj zo.* **1.** langflüg(e)lig (*Vögel, Insekten*). – **2.** langflossig (*Fische*).

mac·ro·scop·ic [,mækro'skɒpik; -rə-], **,mac·ro'scop·i·cal** [-kəl] *adj* makro'skopisch, mit bloßem Auge wahrnehmbar.

mac·ro·spore ['mækro,spɔːr; -rə-] → megaspore.

mac·ro·sty·lous [,mækro'stailəs; -rə-], *auch* **'mac·ro,style** *adj bot.* langgriff(e)lig.

mac·ro·tome ['mækro,toum; -rə-] *s med.* 'Schnittappa,rat *m* für grobe Schnitte (*in der Mikroskopie*).

ma·cru·ral [mə'kru(ə)rəl] *adj zo.* zu den Langschwänzen gehörig. — **ma'cru·ran** *zo.* **I** *s* Langschwanzkrebs *m* (*Unterordng Macrura*). – **II** *adj* → macrural. — **ma'cru·rous** → macrural.

mac·u·la ['mækjulə; -jə-] *pl* **-lae** [-,liː] *s* **1.** (Schmutz)Fleck *m*, Klecks *m*. – **2.** *med.* (*bes.* Haut)Fleck *m*. – **3.** *astr.* Sonnenfleck *m*. – **4.** *min.* dunkler Fleck. — **'mac·u·lar** *adj* **1.** gefleckt, fleckig, maku'lös. – **2.** Flecken..., maku'lär. — **'mac·u,late I** *v/t* [-,leit] **1.** beflecken, beschmutzen (*auch fig.*). – **II** *adj* [-lit] **2.** befleckt, schmutzig. – **3.** *fig.* besudelt, entweiht. — **,mac·u'la·tion** *s* **1.** Beschmutzung *f*, Befleckung *f*. – **2.** Fleck(en) *m*, Makel *m*. – **3.** *bot. zo.* Musterung *f*, Zeichnung *f* (*Blatt, Tier*).

mac·ule ['mækjuːl] **I** *s* **1.** *print.* → mackle 2. – **2.** *obs.* a) (Schmutz)-Fleck *m*, b) Makel *m*. – **II** *v/t* **3.** *print.* → mackle 3. – **4.** *obs.* verschmieren. — **'mac·u,lose** [-ju,lous; -jə-] *adj* gefleckt, fleckig.

mad [mæd] **I** *adj comp* **'mad·der** *sup* **'mad·dest** **1.** wahnsinnig, verrückt, toll, irr(e) (*oft fig.*): to go (*od.* run) ~ verrückt werden; to drive (*od.* send) s.o. ~ j-n verrückt *od.* wahnsinnig machen; it's enough to drive one ~ es ist zum Verrücktwerden; he ran like ~ er rannte wie toll *od.* wie verrückt. – **2.** unsinnig, verrückt, sinnlos: what a ~ thing to do! wie kann man so etwas Unsinniges tun! a ~ plan ein verrücktes Vorhaben; → hare 1; hatter. – **3.** (after, about, for, on) versessen, erpicht, verrückt (auf *acc*), vernarrt (in *acc*): she is ~ about music sie ist auf Musik versessen. – **4.** *colloq.* außer sich, verrückt, rasend, wahnsinnig: ~ with joy außer sich vor Freude; ~ with pain rasend vor Schmerz. – **5.** *colloq.* verärgert, wütend, böse, zornig (at, about über *acc*, auf *acc*): he was quite ~ at missing his train er war recht wütend darüber, daß er seinen Zug verpaßt hatte. – **6.** toll, ausgelassen, wild, närrisch, 'übermütig: they are having a ~ time bei denen geht's toll zu. – **7.** rasend, wild (geworden): a ~ bull ein wilder Stier. – **8.** *vet.* tollwütig (*Hund*). – **9.** heftig, wild, wütend: a ~ wind. – **II** *v/t pret u. pp* **'mad·ded**

10. *selten* verrückt machen. – **11.** *bes. Am. colloq.* wütend machen. – **III** *v/i* **12.** *selten* wahnsinnig *od.* toll sein.

Mad·a·gas·can [ˌmædəˈgæskən] **I** *s* Madeˈgasse *m*, Madeˈgassin *f*. – **II** *adj* madeˈgassisch, aus Madaˈgaskar.

mad·am [ˈmædəm] *pl* **mes·dames** [meiˈdɑːm] *od.* ˈ**mad·ams** *s* **1.** (*im pl wird meist* ladies *gebraucht*) gnädige Frau *od.* gnädiges Fräulein (*als Anrede*). – **2.** *pl* mesdames Frau *f* (*als Titel*): the cakes were provided by Mesdames X and Z. – **3.** *pl* madams Borˈdellmutter *f*.

mad·ame [ˈmædəm; maˈdam] *pl* **mes·dames** [meiˈdɑːm; mɛˈdam] *s* **1.** gnädige Frau (*als Anrede*). – **2.** Frau *f* (*als Titel verheirateter Frauen; abgekürzt* Mme., *pl* Mmes.).

mad·a·pol·lam, *auch* **mad·a·pol·am** [ˌmædəˈpɒləm] *s* Madapoˈlam *m*, *n* (*Art ostindischer Baumwollstoff*).

mad ap·ple *s* **1.** → eggplant. – **2.** → thorn apple.

mad·a·ro·sis [ˌmædəˈrousis] *s med.* Madaˈrose *f* (*Ausfall der Wimpern u. Augenbrauenhaare*).

ˈ**madˌcap I** *s* Wildfang *m*. – **II** *adj* wild, ausgelassen, toll, ˈübermütig.

mad·den [ˈmædn] **I** *v/t* **1.** verrückt *od.* toll machen. – **2.** wütend *od.* rasend machen. – **II** *v/i* **3.** verrückt *od.* toll werden. – **4.** wütend *od.* rasend werden. — ˈ**mad·den·ing** *adj* aufreizend, zum Wahnsinn reizend, verrückt machend: it is ~ es ist zum Verrücktwerden; he was ~ly calm er war aufreizend ruhig.

mad·der[1] [ˈmædər] *comp von* mad.

mad·der[2] [ˈmædər] **I** *s* **1.** *bot.* a) Krappflanze *f* (*Gattg Rubia*), *bes.* Färberröte *f* (*R. tinctorum*), b) Krapp *m*, Färberwurzel *f* (*Wurzel der Färberöte*). – **2.** Krapp(rot *n*) *m*. – **II** *v/t* **3.** mit Krapp färben.

mad·der| lake *s* Krapprosa *n*. — ~ **or·ange** → orange madder. — ~ **pink** → madder lake. — ~ **rose** → rose madder. — ˈ~ˌ**wort** *s bot.* Röte-, Krappgewächs *n* (*Fam. Rubiaceae*).

mad·dest [ˈmædist] *sup von* mad.

mad·ding [ˈmædiŋ] *adj poet.* **1.** toll, rasend, tobend: the ~ crowd die tobende Menge. – **2.** verrückt machend, zum Wahnsinn treibend.

mad·dish [ˈmædiʃ] *adj* leicht verrückt, halb verrückt.

ˈ**mad|-ˌdoc·tor** *s* Irrenarzt *m*, Psychiˈater *m*. — ˈ~-ˌ**dog skull·cap**, ˈ~-ˌ**dog weed** *s bot.* Seitenblütiges Helmkraut (*Scutellaria lateriflora*).

made [meid] **I** *pret u. pp von* make. – **II** *adj* **1.** (künstlich) ˈhergestellt *od.* ˈhergerichtet: ~ dish aus mehreren Zutaten zusammengestelltes Gericht; ~ gravy künstliche Bratensoße; ~ ground aufgeschütteter *od.* aufgetragener Boden; ~ in Germany in Deutschland hergestellt; ~ mast aus mehreren Teilen zusammengesetzter Mast; ~ to measure nach Maß (gemacht); it is ~ of wood es ist *od.* besteht aus Holz. – **2.** erfunden (*Erzählung etc*). – **3.** neu(gebildet) (*Wort*). – **4.** gemacht, arriˈviert: a ~ man ein gemachter Mann. – **5.** voll ausgebildet (*Soldat*). – **6.** gut abgerichtet (*Hund, Pferd etc*). – **7.** gebaut (*Person*): a stoutly-~ man ein kräftig gebauter Mann. – **8.** *colloq.* bestimmt, gedacht, gemacht: it's ~ for this purpose es ist für diesen Zweck gedacht.

Ma·dei·ra, *auch* **m~** [məˈdi(ə)rə] *s* Maˈdeira(wein) *m* (*ein Dessertwein*).

Ma·dei·ran [məˈdi(ə)rən] **I** *s* Bewohner(in) der Insel Maˈdeira. – **II** *adj* aus Maˈdeira, Madeira...

Ma·dei·ra| vine *s bot.* Baˈsellkarˌtoffel *f* (*Boussingaultia baselloides*). — ~ **wood** *s* Maˈdeira-, Mahaˈgoniholz *n*. — ~ **work** *s* Maˌdeirastickeˈrei *f* (*Art Lochstickerei*).

ma·de·moi·selle [ˌmædməˈzel; -mwə-; madmwaˈzɛl] *pl* ˌ**mes·de·moiˈselles** [ˌmeid-; med-] *s* Fräulein *n* (*höfliche Anrede u. Titel für eine unverheiratete Dame; abgekürzt* Mlle., *pl* Mlles.).

ˈ**made-ˈup** *adj* **1.** erfunden, erdichtet: a ~ story eine erfundene Geschichte. – **2.** künstlich, unecht, geschminkt: a ~ complexion ein geschminktes Gesicht. – **3.** fertig, Fertig..., Konfektions..., Fabrik...: ~ clothes Konfektionskleidung.

ˈ**mad|-ˈhead·ed** *adj* tollköpfig, wahnsinnig. — ˈ~ˌ**house** *s* **1.** Irrenhaus *n*, -anstalt *f*. – **2.** *fig.* Narren-, Tollhaus *n*.

ma·di·a oil [ˈmeidiə] *s* Madienöl *n* (*aus den Samen von Madia sativa*).

Mad·i·son·ese [ˌmædisˈniːz] ˈWerbejarˌgon *m*.

mad·ly [ˈmædli] *adv* **1.** wie verrückt, wie wild: they worked ~ all night. – **2.** *colloq.* ‚schrecklich', ‚blödsinnig' (*sehr*): he is ~ in love with her er ist ganz ‚verknallt' in sie. – **3.** dumm, töricht, auf eine dumme *od.* verrückte Art.

ˈ**mad|·man** [-mən] *s irr* Verrückter *m*, Wahnsinniger *m*, Toller *m*, Irrer *m*. — ~ **min·ute** *s mil.* Schnellfeuerzeit *f* (*beim Mannschaftsschießen*).

mad·ness [ˈmædnis] *s* **1.** Wahnsinn *m*. – **2.** Narrheit *f*, Dummheit *f*, Tollheit *f*, Verrücktheit *f*. – **3.** Zorn *m*, Wut *f*, Raseˈrei *f*.

Ma·don·na [məˈdɒnə] *s* **1.** the ~ die Maˈdonna (*die Jungfrau Maria*). – **2.** *auch* **m~** (*Kunst*) Maˈdonna *f*, Maˈdonnenbild *n od.* -statue *f*. — ~ **lil·y** *s bot.* Maˈdonnenlilie *f*, Weiße Lilie (*Lilium candidum*).

mad·o·qua [ˈmædəkwə] → royal antelope.

ma·dras [məˈdræs; -ˈdrɑːs] **I** *s* **1.** Madras *m*: a) *Halbbaumwollgewebe für Hemden u. Kleider*, b) *Vorhangstoff*. – **2.** Madrashalstuch *n* (*aus Seide od. Baumwolle, bes. für Turbane*). – **II** *adj* **3.** Madras..., aus (*dem Stoff*) Madras: a ~ shirt. – **4.** **M~** Madras..., aus (*der Stadt*) Madras.

ma·dras·ah [məˈdræsə], *auch* **maˈdras·a, maˈdras·sah, maˈdras·seh** [-se] *s* **1.** (*moham.*) Moˈscheeschule *f*. – **2.** (*in Indien*) a) moham. Universiˈtät *f*, b) moham. College *n*.

ma·dre [ˈmadre] (*Span.*) *s* Mutter *f*.

mad·re·po·rar·i·an [ˌmædripoˈrɛ(ə)riən; -pə-] *s zo.* ˈStein-, ˈRiffkoˌralle *f* (*Ordng Madreporaria*). — ˈ**mad·reˌpore** [-ˌpɔːr] *s zo.* Madreˈpore *f*, ˈLöcherkoˌralle *f* (*Gattg Madrepora*). — ˌ**mad·reˈpor·ic** [-ˈpɒrik; *Am. auch* -ˈpɔːrik] *adj* Madreporen... — ˌ**mad·reˈpo·riˌform** [-ˈpɔːriˌfɔːrm] *adj* madreˈporenförmig, -artig.

mad·ri·gal [ˈmædrigəl] *s* **1.** Madriˈgal *n* (*zur Vertonung geeignetes kurzes Gedicht, bes. Liebesgedicht*). – **2.** *mus.* a) Madriˈgal *n*, mehrstimmiges (*bes. fünfstimmiges*) Lied, b) Lied *n*. — ˌ**mad·riˈga·li·an** [-ˈgeiliən] *adj* Madrigal... — ˈ**mad·ri·gal·ist** [-gəlist] *s* **1.** Madriˈgaldichter *m*. – **2.** *mus.* Madrigaˈlist *m*: a) *Komponist von Madrigalen*, b) *Madrigalsänger*.

Mad·ri·le·ni·an [ˌmædriˈliːniən] **I** *s* Maˈdrider(in). – **II** *adj* aus *od.* von Maˈdrid, Madrider(...).

ma·dro·ña [məˈdrounjə] *s bot.* **1.** Menzieserdbeerbaum *m* (*Arbutus menziesii*). – **2.** *auch* Mexican ~ Jaˈlapa-Erdbeerbaum *m* (*Arbutus xalapensis*). — ~ **ap·ple** *s bot.* Frucht *f* des Kaliforn. Erdbeerbaums.

ma·dro·ño [məˈdrounjou] *pl* **-ños** → madroña.

Ma·du·ra| foot [məˈdurə; -ˈdʒurə], *auch* ~ **dis·ease** *s med.* Maˈdurafuß *m* (*chronische Fußerkrankung durch Pilze*).

ma·du·ro [məˈdurou] **I** *s* starke, dunkle Ziˈgarre. – **II** *adj* stark u. dunkel (*Zigarre*).

ˈ**mad|ˌwom·an** *s irr* Wahnsinnige *f*, Verrückte *f*. — ˈ~ˌ**wort** *s bot.* **1.** Lappenblume *f* (*Gattg Lobularia*). – **2.** Leindotter *m* (*Camelina sativa*). – **3.** Schlangenäuglein *n* (*Asperugo procumbens*).

Mae·ce·nas [mi(ː)ˈsiːnæs; -nəs] *s* Mäˈzen *m* (*Förderer der Künste u. Wissenschaften*).

Mael·strom [ˈmeilstrəm] *s* **1.** Ma(h)lstrom *m*: a) *Name eines Strudels vor der norwegischen Westküste*, b) *allg.* Strudel *m*, Sog *m*. – **2.** **m~** *fig.* Strudel *m*, Sog *m*, Wirbel *m*: the ~ of war der Moloch Krieg *od.* des Krieges.

mae·nad [ˈmiːnæd] *s* Mäˈnade *f*: a) *antiq.* Bacˈchantin *f* (*Priesterin des Bacchus*), b) *fig.* rasendes Weib. — **maeˈnad·ic** *adj* mäˈnadisch, bacˈchantisch, rasend.

ma·es·to·so [maesˈtoːso] (*Ital.*) *mus.* **I** *adj u. adv* maeˈstoso, majeˈstätisch, würdevoll (*Vortragsbezeichnung*). – **II** *s* Maeˈstoso *n*.

ma·e·stro [ˈmaestro] *pl* **-stros, -stri** [-stri] (*Ital.*) *s* Maˈestro *m*, Meister *m*.

Mae West [ˈmei ˈwest] *s sl.* **1.** *aer.* aufblasbare Schwimmweste (*für fliegendes Personal; nach der amer. Schauspielerin Mae West*). – **2.** *mil. Am.* Panzer *m* mit Zwillingsturm.

maf·fi·a [ˈmɑːfiˌɑː] *s* Mafia *f*: a) *feindliche Haltung gegen die Gesetze auf Sizilien*, b) *ein Geheimbund auf Sizilien*, c) *jede sich in Gewalttaten kundtuende Organisation von Siziliern u. Italienern in anderen Ländern*.

maf·fick [ˈmæfik] *v/i Br. colloq.* ein großes ‚Gaudi' veranstalten (*lärmende Freudenfeste feiern*).

ma·fi·a *cf.* maffia.

mag[1] [mæg] *s Br. sl.* Halfpennystück *n*.

mag[2] [mæg] *colloq.* **I** *s* **1.** Klatsch *m*, Tratsch *m*. – **2.** Plaudeˈrei *f*, Geplauder *n*. – **3.** Klatschbase *f*. – **II** *v/i* **4.** tratschen, klatschen.

mag[3] [mæg] *tech. sl. Kurzform für* magneto (*bes. in Zusammensetzungen*): ~-generator Magnetodynamo.

mag·a·zine [ˌmægəˈziːn; ˈmægəˌziːn] **I** *s* **1.** *mil.* Magaˈzin *n*: a) Munitiˈonslager *n*, -deˌpot *n*, -kammer *f*, *bes.* ˈPulvermagaˌzin *n*, b) Nachschub-, Versorgungslager *n*, c) Kasten *m* (*Patronenbehälter in Mehrladewaffen*). – **2.** *tech.* Magaˈzin *n*, Vorratsbehälter *m*. – **3.** *selten* Magaˈzin *n*, Speicher *m*, Warenlager *n*, Lagerhaus *n*. – **4.** *fig.* Vorrats-, Kornkammer *f* (*fruchtbares Gebiet eines Landes*). – **5.** Magaˈzin *n*, (*oft* illuˈstrierte) Zeitschrift. – **II** *v/t selten* **6.** aufspeichern. — ~ **gun** *s mil.* Magaˈzin-, Mehrlade-, Schnellfeuergewehr *n*. — ~ **pis·tol** *s mil.* Magaˈzin-, ˈMehrlade-, ˈSchnellfeuerpiˌstole *f*. — ~ **ri·fle** → magazine gun. — ~ **stove** *s tech.* Füllofen *m*.

mag·a·zin·ist [ˌmægəˈziːnist] *s* Magaˈzinschreiber(in), Mitarbeiter(in) an einem Magaˈzin.

Mag·da·len [ˈmægdəlin] *s* **1.** the ~ *Bibl.* Maˈria Magdaˈlena. – **2.** **m~** *fig.* Magdaˈlene *f*, Büßerin *f*, reuige Sünderin, *bes.* reuige Prostituˈierte. – **3.** **m~** Magdaˈlenenhaus *n* (*Besserungsanstalt für Prostituierte*). — ~ **Col·lege** [ˈmɔːdlin] *s ein College in Oxford*.

Mag·da·lene [ˈmægdəˌliːn; ˌmægdəˈliːniː] → Magdalen. — ~ **Col·lege** [ˈmɔːdlin] *s ein College in Cambridge*.

Mag·da·le·ni·an [ˌmægdəˈliːniən] (*Archäologie*) **I** *adj* Magdalénien..., ... des

Magdaléni'en. – **II** *s* → Magdalenian period. — **~ pe·ri·od** *s* Magdaléni'en *n* (*Kulturstufe der Altsteinzeit*).
mage [meidʒ] *s obs.* **1.** Magier *m.* – **2.** Weiser *m,* Gelehrter *m.*
Mag·el·lan·ic [*Br.* ˌmægəˈlænik; *Am.* ˌmædʒ-] *adj* magel'lansch(er, e, es), magel'lanisch (*nach dem Seefahrer Magalhães*). — **~ Cloud** *s astr.* Magel'lansche Wolke (*eine von 2 Sternwolken außerhalb der südl. Milchstraße*).
ma·gen·ta [məˈdʒentə] *chem.* **I** *s* Ma'genta(rot) *n,* Fuch'sin *n* (*Teerfarbstoff*). – **II** *adj* ma'gentarot.
mag·got [ˈmægət] *s* **1.** *zo.* Made *f,* Larve *f.* – **2.** *fig.* Schrulle *f,* Grille *f,* launischer Einfall. — **ˈmag·got·y** *adj* **1.** voller Maden, madig. – **2.** *fig.* schrullig, grillenhaft.
Ma·gi [ˈmeidʒai] *s pl* **1.** the (three) ~ (*auch* m~) die (drei) Weisen aus dem Morgenland, die Heiligen Drei Könige. – **2.** *pl von* magus 1. — **ˈMa·gi·an** [-dʒiən] **I** *s* **1.** *sg von* Magi 1. – **2.** m~ Zauberer *m.* – **3.** → magus 1. – **II** *adj* **4.** m~ magisch. – **5.** (Zauber)-Priester..., Magier...
mag·ic [ˈmædʒik] **I** *s* **1.** Ma'gie *f*: white (black) ~. – **2.** Zauber(kraft *f*) *m,* magische *od.* wunderbare Kraft (*auch fig.*): the ~ of a great name. – **3.** *fig.* Wunder *n*: it happened like ~ es geschah wie ein Wunder. – **4.** Zaube'rei *f.* – **5.** ˌTaschenspiele'rei *f.* – **II** *adj* **6.** magisch, wunderbar, Wunder..., Zauber...: ~ carpet fliegender Teppich; ~ lamp Wunderlampe; ~ square magisches Quadrat. – **7.** zauberhaft, bezaubernd, märchenhaft: ~ beauty. — **ˈmag·i·cal** → magic II. — **ˈmag·i·cal·ly** *adv* (*auch zu* magic II).
mag·ic eye *s electr.* magisches Auge, Abstimmanzeigeröhre *f.*
ma·gi·cian [məˈdʒiʃən] *s* **1.** Magier *m,* Zauberer *m,* Schwarzkünstler *m.* – **2.** Taschenspieler *m,* Zauberkünstler *m.*
mag·ic lan·tern *s* La'terna *f* magica (*Art Projektionsapparat*).
ma·gilp [məˈgilp], **maˈgilph** [-ˈgilf] → megilp.
Ma·gi·not| line [ˈmæʒiˌnou; -ʒə-] *s mil.* Magi'notlinie *f.* — **ˈ~-ˈmind·ed** *adj* 'übermäßig auf die Defen'sive bedacht.
mag·is·te·ri·al [ˌmædʒisˈti(ə)riəl] *adj* **1.** obrigkeitlich, amtlich, behördlich, ˌautorita'tiv: a ~ pronouncement. – **2.** gebieterisch, herrisch, dikta'torisch, anmaßend. – *SYN. cf.* dictatorial. — **ˌmag·isˈte·ri·al·ness** *s* anmaßendes *od.* herrisches Wesen.
mag·is·ter·y [*Br.* ˈmædʒistəri; *Am.* -ˌteri] *s* (*Alchimie*) All'heilmittel *n,* Stein *m* der Weisen.
mag·is·tra·cy [ˈmædʒistrəsi] *s* **1.** (Friedens-, Poli'zei)Richteramt *n,* richterliches Amt. – **2.** Würde *f od.* Stand *m* eines (Friedens-, Poli'zei)Richters *od.* (Staats)Beamten, Magistra'tur *f.* – **3.** Magi'strat *m.* – **4.** Amtsbezirk *m* eines (Friedens-, Poli'zei)Richters.
mag·is·tral [ˈmædʒistrəl] **I** *s* **1.** (*Festungsbau*) Magi'strale *f,* Gürtellinie *f.* – **II** *adj* **2.** *med.* nicht offizi'nell, eigens verschrieben. – **3.** (*Festungsbau*) Grund..., Haupt...: ~ line → magistral 1. – **4.** *selten für* magisterial. – **5.** *selten* Lehrer..., Meister...
mag·is·trate [ˈmædʒisˌtreit; -trit] *s* **1.** (obrigkeitlicher *od.* richterlicher) Beamter: a) *auch* police ~ Poli'zeirichter *m,* b) Friedensrichter *m.* – **2.** chief ~, first ~ a) Präsi'dent *m,* b) Gouver'neur *m* (*eines Staats der USA etc*), c) König *m.* — **ˈmag·is·trateˌship** *s* **1.** → magistracy 1 *u.* 2. – **2.** 'Amtsperiˌode *f* (*eines Magistratsmitglieds*). — **ˈmag·is·tra·ture** [*Br.* -trətjuə; *Am.* -ˌtreitʃər] *s* **1.** → magistracy 1 – 3. – **2.** → magistrateship 2.
Mag·le·mo·sian, *auch* **Mag·le·mo·sean** [ˌmægləˈmouʒən; -ʃən] *adj* (*Ethnologie*) magle'mosisch, Maglemose...
mag·ma [ˈmægmə] *pl* **-ma·ta** [-mətə] *s* **1.** dünn(flüssig)er Brei, knetbare Masse. – **2.** Magma *n*: a) *geol.* Glutbrei *m,* Gesteinsschmelzfluß *m* des Erdinnern, b) *chem. med.* Brei *m,* Emulsi'on *f*: magnesia ~ Magnesiummilch. — **magˈmat·ic** [-ˈmætik] *adj* Magma...
Mag·na C(h)ar·ta [ˈmægnə ˈkɑːrtə] *s* **1.** *hist.* Magna Charta *f* (*der große Freibrief der engl. Verfassung, 1215*). – **2.** Grundgesetz *n,* Freibrief *m.*
mag·na cum lau·de [ˈmægnə kʌm ˈlɔːdi; ˈmɑːgna kum ˈlaude] (*Lat.*) *ped.* magna cum laude (*mit großem Lob; zweitbeste Note bei der Doktor-Promotion od. anderen Prüfungen*).
mag·nal·i·um [mægˈneiliəm] *s chem.* Ma'gnalium *n* (*Magnesium-Aluminiumlegierung*).
mag·na·nim·i·ty [ˌmægnəˈnimiti; -əti] *s* Großmut *f,* Edelmut *m,* Groß-, Edelmütigkeit *f.* — **magˈnan·i·mous** [-ˈnæniməs; -nəm-] *adj* großmütig, hochherzig, edel(mütig). — **magˈnan·i·mous·ness** *selten für* magnanimity.
mag·nate [ˈmægneit] *s* **1.** Ma'gnat *m*: an oil ~. – **2.** Größe *f* (*Person von Rang od. Bedeutung*), hochgestellte *od.* einflußreiche Per'sönlichkeit. – **3.** *pol. hist.* Ma'gnat *m* (*Adliger im ungar. od. polnischen Landtag*).
mag·ne·sia [mægˈniːʃə; -ʒə] *s chem.* **1.** Ma'gnesia *f,* Ma'gnesiumoˌxyd *n*: sulphate of ~ Bittersalz. – **2.** *med.* gebrannte Ma'gnesia (*Abführmittel*). — **magˈne·sian** *adj* **1.** Magnesia... – **2.** Magnesium... — **magˈne·sic** [-sik] *adj* ma'gnesiumhaltig, Magnesium...
mag·ne·site [ˈmægniˌsait] *s min.* Magne'sit *m,* Ma'gnesiumkarboˌnat *n* ($MgCO_3$).
mag·ne·si·um [mægˈniːʃiəm; -ʒiəm; *Br. auch* -ziəm] *s chem.* Ma'gnesium *n* (Mg): ~ light Magnesiumlicht.
mag·net [ˈmægnit] *s* **1.** Ma'gnet *m.* – **2.** Ma'gneteisenstein *m.* – **3.** *fig.* Ma'gnet *m* (*anziehende Person od. Sache*). — **magˈnet·ic** [-ˈnetik] *adj* **1.** ma'gnetisch, Magnet...: ~ attraction *phys. od. fig.* magnetische Anziehung(skraft). – **2.** magneti'sierbar. – **3.** *fig.* anziehend, faszi'nierend, fesselnd: a ~ personality. – **4.** bioma'gnetisch, mesmerisch hyp'notisch: ~ sleep. — **magˈnet·i·cal** → magnetic. — **magˈnet·i·cal·ly** *adv* (*auch zu* magnetic).
mag·net·ic| com·pass *s phys.* Ma'gnetkompaß *m.* — **~ dec·li·na·tion** → declination 6. — **~ dip** *s geogr. phys.* ma'gnetische Inklinati'on, 'Mißweisung *f,* Inklinati'onswinkel *m* (*der Magnetnadel*). — **~ e·qua·tor** *s geogr.* ma'gnetischer Ä'quator. — **~ field** *s phys.* Ma'gnetfeld *n,* ma'gnetisches Feld. — **~ fig·ure** *s phys.* Kraftlinienbild *n.* — **~ flux** *s phys.* Ma'gnetfluß *m,* ma'gnetischer (Kraft)Fluß. — **~ in·duc·tion** *s phys.* ma'gnetische Indukti'on. — **~ i·ron (ore)** → magnetite. — **~ mine** *s* ma'gnetische Seemine. — **~ mo·ment** *s phys.* ma'gnetisches Mo'ment. — **~ nee·dle** *s phys.* Ma'gnetnadel *f.* — **~ north** *s phys.* ma'gnetisch Nord (*Kurs*). — **~ pole** *s geogr.* ma'gnetischer (Erd)-Pol: North M~ P~ magnetischer Nordpol. — **~ py·ri·tes** → pyrrhotite. — **~ re·cord·er** → magnetophone.
mag·net·ics [mægˈnetiks] *s pl* (*meist als sg konstruiert*) Wissenschaft *f* vom Magne'tismus.
mag·net·ic| storm *s phys.* ma'gnetischer Sturm. — **~ tape** *s electr.* Ma'gnettonband *n.*
mag·net·ism [ˈmægniˌtizəm; -nə-] *s* **1.** *phys.* Magne'tismus *m,* ma'gnetische Kraft. – **2.** → magnetics. – **3.** → mesmerism. – **4.** *fig.* Anziehungskraft *f.*
mag·net·ite [ˈmægniˌtait; -nə-] *s min.* Magne'tit *m,* Ma'gneteisenerz *n,* Ma'gneteisenstein *m* (Fe_3O_4).
mag·net·iz·a·bil·i·ty [ˌmægniˌtaizəˈbiliti; -nə-; -əti] *s phys.* Magneti'sierbarkeit *f.* — **ˈmag·netˌiz·a·ble** *adj* magneti'sierbar. — **ˌmag·net·iˈza·tion** *s* Magneti'sierung *f.* — **ˈmag·netˌize** *v/t* **1.** magneti'sieren. – **2.** *fig.* anziehen, fesseln. — **ˈmag·netˌiz·er** *s med.* Magneti'seur *m.*
mag·ne·to [mægˈniːtou] *pl* **-tos** *s electr.* **1.** (Maˌgnet)'Zündappaˌrat *m,* Ma'gnetappaˌrat *m,* -zünder *m,* 'Zündmaˌgnet *m,* ma'gneteˌlektrische Ma'schine. – **2.** → ~ alternator.
magneto- [mægni(ː)to] *Wortelement mit der Bedeutung* (elektro)magnetisch.
mag·ne·to al·ter·na·tor *s electr.* (*bes.* 'Wechselstrom)GeneˌratoR *m* mit 'DauermaˌgneT, 'Zündappaˌrat *m.* — **magˌne·toˈdy·na·mo** *pl* **-mos** *s electr.* Dy'namo *m od.* Gene'rator *m* mit Perma'nentmaˌgnet. — **magˌne·to·eˈlec·tric** *adj* ma'gnetoeˌlektrisch. — **magˌne·to·eˌlecˈtric·i·ty** *s electr. phys.* Ma'gnetelektriziˌtät *f.* — **magˌne·toˈgen·erˌa·tor** *s electr.* **1.** 'Kurbelinˌduktor *m.* – **2.** → magneto. — **magˈne·toˌgram** *s phys. tech.* Magneto'gramm *n.* — **magˈne·toˌgraph** *s phys. tech.* **1.** Magneto'graph *m* (*Apparat zur Herstellung eines Magnetogramms*). – **2.** → magnetogram. — **mag·ne·tom·e·ter** [ˌmægniˈtɒmitər; -nə-; -mət-] *s phys.* Magneto'meter *n.* — **ˌmag·neˈtom·e·try** [-tri] *s phys.* Magnetome'trie *f.* — **magˌne·toˈmo·tive** *adj phys.* maˌgnetomo'torisch: ~ force.
mag·ne·ton [ˈmægniˌtɒn; -nə-] *s phys.* Magne'ton *n* (*Elementarquantum des atomaren magnetischen Moments*).
magˌne·toˈop·tics *s pl* (*meist als sg konstruiert*) *phys.* Ma'gnetˌoptik *f.* — **magˈne·toˌphone** *s electr.* Magneto'phon *n,* Ma'gnettongerät *n.* — **magˈne·toˌscope** *s* Magneto'skop *n.*
mag·ne·tron [ˈmægniˌtrɒn; -nə-] *s electr.* Magne'tron *n.*
magni- [mægni] *Wortelement mit der Bedeutung* groß.
mag·nif·ic [mægˈnifik], **magˈnif·i·cal** [-kəl] *adj obs.* **1.** großartig, herrlich. – **2.** erhaben, hochtrabend. — **magˈnif·i·cal·ly** *adv* (*auch zu* magnific).
Mag·nif·i·cat [mægˈnifiˌkæt; -fə-], *auch* **m~** *s relig.* Ma'gnifikat *n* (*Lobgesang Mariens*).
mag·ni·fi·ca·tion [ˌmægnifiˈkeiʃən; -nəfə-] *s* **1.** Vergrößern *n.* – **2.** Vergrößerung *f.* – **3.** *phys.* Vergrößerungsstärke *f.* – **4.** *electr.* Verstärkung *f.* – **5.** Verherrlichung *f,* Lobpreisung *f,* -lied *n.*
mag·nif·i·cence [mægˈnifisns; -fə-] *s* **1.** Großartigkeit *f,* Pracht *f,* Herrlichkeit *f.* – **2.** Erhabenheit *f* (*Stil etc*). – **3.** *obs.* Großzügigkeit *f,* Freigebigkeit *f.* – **4.** Magnifi'zenz *f* (*Titel hoher* [*akademischer*] *Würdenträger, bes. des Rektors einer dt. Universität*).
mag·nif·i·cent [mægˈnifisnt; -fə-] *adj* **1.** großartig, prächtig, prachtvoll, herrlich. – **2.** groß(artig), erhaben (*Idee, Stil etc*), hochfliegend (*Pläne*). – **3.** *colloq.* ‚prima', großartig, glänzend, fabelhaft: a ~ opportunity. – **4.** *selten* großzügig, verschwenderisch (*Fest etc*). – **5.** *nur noch in Titeln gewisser historischer Gestalten*: Lorenzo (de' Medici) the M~ Lorenzo der Prächtige. – *SYN. cf.* grand.

mag·nif·i·co [mæg'nifiˌkou; -fə-] *pl* **-coes** *s* **1.** (*bes.* venezi'anischer) Grande, Hochadeliger *m.* – **2.** hoher Würdenträger, hochgestellte Per'sönlichkeit.

mag·ni·fi·er ['mægniˌfaiər; -nə-] *s* **1.** Vergrößerungsglas *n,* Lupe *f.* – **2.** *electr.* Verstärker *m.* – **3.** Vergrößerer *m.*

mag·ni·fy ['mægniˌfai; -nə-] **I** *v/t* **1.** (*bes. optisch*) vergrößern: this microscope magnifies an object 100 diameters dieses Mikroskop hat 100fache Vergrößerung. – **2.** über'treiben: to ~ a difficulty. – **3.** *electr.* verstärken. – **4.** *obs.* verherrlichen, (lob)preisen. – **II** *v/i* **5.** vergrößern (*Linse*).

mag·ni·fy·ing glass ['mægniˌfaiiŋ; -nə-] *s phys.* Vergrößerungsglas *n,* Lupe *f.*

mag·nil·o·quence [mæg'nilokwəns; -lə-] *s* **1.** ˌGroßspreche'rei *f.* – **2.** Schwulst *m,* Bom'bast *m* (*Rede, Stil etc*). — **mag'nil·o·quent** *adj* **1.** großsprecherisch, prahlerisch, ruhmredig. – **2.** hochtrabend, schwülstig, bom'bastisch.

mag·ni·tude ['mægniˌtjuːd; -nə-; *Am. auch* -ˌtuːd] *s* **1.** Größe *f* (*auch astr. u. math.*): a star of the first ~ ein Stern erster Größe. – **2.** *fig.* Größe *f,* Schwere *f*: the ~ of the loss. – **3.** *fig.* Ausdehnung *f,* 'Umfang *m,* Größe *f*: the ~ of the catastrophe. – **4.** *fig.* Wichtigkeit *f,* Bedeutung *f*: this is of the first ~. – **5.** *obs.* (Seelen-)Größe *f,* Vornehmheit *f* (*Charakter*). – **6.** *electr.* Stärke *f.*

mag·no·li·a [mæg'nouliə] *s bot.* Ma'gnolie *f* (*Gattg Magnolia*): evergreen ~ Lorbeer-Magnolie (*M. grandiflora*). — **magˌno·li'a·ceous** [-li'eiʃəs] *adj bot.* zu den Ma'gnoliengewächsen gehörig, Magnolien...

Mag·no·li·a| State *s* (*Spitzname für*) Missis'sippi *n* (*Staat der USA*). — **m~ war·bler** *s zo.* Ma'gnoliensänger *m* (*Dendroica magnolia*).

mag·num ['mægnəm] *s* Zweiquartflasche *f* (*etwa 2 l enthaltend*).

mag·num bo·num ['mægnəm 'bounəm] (*Lat.*) *s econ.* große u. gute Sorte: a) *in England*: *Sorte großer gelber Pflaumen,* b) *Kartoffelsorte.*

mag·nus hitch ['mægnəs] *s mar.* Roll-, Kneif-, Stopperstek *m* (*ein Knoten*).

mag·pie ['mægˌpai] *s* **1.** *zo.* Elster *f* (*Gattg Pica*): black-billed ~ (Gemeine) Elster (*P. pica*); yellow-billed ~ Kaliforn. Elster (*P. nuttalli*). – **2.** *zo. ein elsterähnlicher Vogel.* – **3.** *zo. eine Haustaubenrasse.* – **4.** *fig.* a) Schwätzer(in), Plappermaul *n,* b) Keifer(in). – **5.** (*Scheibenschießen*) *sl.* a) zweiter Ring von außen, b) Schuß *m* in den zweiten Außenring.

mag·uey ['mægwei] *s* **1.** *bot.* (*eine*) 'Faser-Aˌgave (*Gattgen Agave u. Furcraea*), *bes.* a) Mexik. A'gave *f* (*A. atrovirens*), b) Amer. Agave *f* (*A. americana*). – **2.** Magueyfaser *f.*

ma·gus ['meigəs] *pl* **-gi** [-dʒai] *s* **1.** M~ *antiq.* (Zauber)Priester *m,* Weiser *m* (*Persien etc*). – **2.** Magus *m,* Zauberer *m.* – **3.** *auch* M~ *sg von* Magi 1.

Mag·yar ['mægjaːr; 'mɒdjɒr] **I** *s* **1.** Ma'djar *m,* Ungar *m.* – **2.** *ling.* Ma'djarisch *n,* Ungarisch *n.* – **II** *adj* **3.** ma'djarisch, ungarisch.

ma·ha·ra·ja(h), *auch* **M~** [ˌmaːhə'raːdʒə] *s* Maha'radscha *m* (*indischer Großfürst*).

ma·ha·ra·nee, ma·ha·ra·ni, *auch* **M~** [ˌmaːhə'raːniː] *s* Maha'rani *f*: a) *die Gemahlin des Maharadschas,* b) *indische Herrscherin.*

ma·hat·ma, *auch* **M~** [mə'hætmə; -'haːt-] *s* Ma'hatma *m*: a) (*buddhistischer*) *Weiser,* b) *Heiliger mit übernatürlichen Kräften,* c) *edler Mensch.*

Mah·di ['maːdiː] *s relig.* Mahdi *m* (*von den Mohammedanern erwarteter letzter Imam*). — **'Mah·dist** *s* Mah'dist *m.* — **'Mah·diˌism, 'Mah·dism** *s* Mah'dismus *m.*

Ma·hi·can [mə'hiːkən] *s* Al'gonkinindiˌaner(in): a) Mohi'kaner(in), b) Mohe'ganer(in).

mah-jong(g), mah·jong ['maː'dʒɒŋ; *Am. auch* -'dʒɔːŋ] *s* Mah-'Jongg *n* (*chines. Gesellschaftsspiel*).

mahl·stick *cf.* maulstick.

ma·hog·a·ny [mə'hɒgəni] **I** *s* **1.** *bot.* Maha'gonibaum *m* (*Gattg Swietenia, bes. S. mahagoni, S. macrophylla*). – **2.** Maha'goni(holz) *n.* – **3.** *ein Baum mit mahagoniähnlichem Holz.* – **4.** Maha'goni(farbe *f*) *n.* – **5.** *meist* the (*od.* s.o.'s) ~ *colloq.* der (*od.* j-s) Eßtisch: to have (*od.* put) one's knees (*od.* feet) under s.o.'s ~ bei j-m zu Tisch sein, j-s Gastfreundschaft genießen. – **II** *adj* **6.** aus Maha'goni, Mahagoni... – **7.** maha'gonifarben.

Ma·hom·et·an [mə'hɒmitən; -mət-] → Mohammedan. — **Ma'hom·et·anˌism** → Mohammedanism.

ma·ho·ni·a [mə'houniə] *s bot.* Ma'honie *f* (*Gattg Mahonia*).

ma·hout [mə'haut] *s Br. Ind.* Ele'fantentreiber *m.*

Mah·rat·ta [mə'rætə] → Maratha. — **Mah'rat·ti** [-ti] → Marathi.

mah·seer, mah·sir ['maːsir] *s zo.* (*eine*) indische Barbe (*Barbus mosal*).

ma·hua, *Br.* **ma·hwa** ['maːhwaː] *s* **1.** *bot.* Mahwabaum *m* (*Gattg Illipe, bes. I. latifolia*). – **2.** *berauschendes Getränk aus den Blüten des Mahwabaums.* — **~ but·ter** *s* Mahwabutter *f* (*Fett aus den Samen des Mahwabaums*).

mah·zor [maːx'zɔːr] *s jüd. Gebetbuch mit religiösen Riten.*

Ma·ia ['maiə; 'meiə] **I** *npr* (*griech. Mythologie*) Maia *f* (*Mutter des Hermes*). – **II** *s astr.* Maja *f* (*Stern in den Plejaden*).

maid [meid] *s* **1.** (junges) Mädchen. – **2.** (junge) unverheiratete Frau, Junggesellin *f.* – **3.** *auch* ~servant (Dienst)Mädchen *n,* Hausangestellte *f,* (Dienst)Magd *f.* – **4.** *poet.* Jungfrau *f,* Maid *f.* – **5.** the M~ (of Orléans) die Jungfrau von Or'leans.

mai·dan [mai'daːn] *s Br. Ind.* (freier) Platz: a) Marktplatz *m,* b) Espla'nade *f.*

maid·en ['meidn] **I** *adj* **1.** mädchenhaft, Mädchen... – **2.** jungfräulich, unberührt (*auch fig.*): ~ soil. – **3.** unverheiratet: a ~ lady. – **4.** Jungfern..., Erstlings..., Antritts...: ~ race (*Rennsport*) Jungfernrennen; ~ speech Jungfernrede (*eines Abgeordneten*); ~ voyage *mar.* Jungfernfahrt. – **5.** noch nie gedeckt *od.* belegt (*Tier*). – **6.** aus dem Samen gezogen (*Pflanze*). – **7.** unerprobt, (noch) ungebraucht (*Sachen*), unerfahren (*Person*). – **II** *s* **8.** → maid 1 *u.* 2. – **9.** *auch* the M~ *Scot. hist.* (*Art*) Guillo'tine *f.* – **10.** → ~ over. – **11.** (*Rennsport*) a) Maiden *n* (*Pferd, das noch keinen Sieg errungen hat*), b) Rennen *n* für Maidens. — **~ as·size** *s jur.* Gerichtssitzung *f* ohne (einen) Krimi'nalfall. — **~ cane** *s bot.* (*eine*) nordamer. Sumpfhirse (*Panicum hemitomon*). — **'~ˌhair (fern)** *s bot.* Frauenhaar(farn *m*) *n* (*Gattg Adiantum*), *bes.* Venushaar *n* (*A. capillus-veneris*). — **'~ˌhair tree** → ginkgo.

maid·en·head ['meidnˌhed] *s* **1.** Jungfräulichkeit *f,* Reinheit *f,* Unberührtheit *f.* – **2.** *med.* Hymen *n,* Jungfernhäutchen *n.*

maid·en·hood ['meidnˌhud] *s* **1.** a) Jungfräulichkeit *f,* b) Jungfernschaft *f,* c) Unberührtheit *f.* – **2.** Frische *f,* Unverfälschtheit *f.*

'maid·enˌlike → maidenly. — **maid·en·li·ness** ['meidnlinis] *s* mädchenhaftes *od.* jungfräuliches Wesen. — **'maid·en·ly** *adj* **1.** mädchenhaft, Mädchen... – **2.** jungfräulich, sittsam, züchtig.

maid·en| name *s* Mädchenname *m* (*einer verheirateten Frau*). — **~ o·ver** *s* (*Kricket*) Serie *f* von 6 Bällen ohne Läufe. — **~ pink** *s bot.* Heide-, Delta-Nelke *f,* Blutströpfchen *n* (*Dianthus deltoides*). — **~ plum** *s bot.* **1.** Tintenspille *f* (*Comocladia integrifolia*). – **2.** → coco plum.

'maid·en's-'blush *s bot.* **1.** *eine zarte, blaßrote Rose.* – **2.** *eine austral. Elaeocarpacee* (*Echinocarpus australis*). – **3.** *eine austral. Anacardiacee* (*Euroschinus falcatus*). – **4.** *Am. eine Apfelsorte.*

maid·hood ['meidhud] → maiden-[hood.]

Maid| Mar·i·an I *s hist.* Maikönigin *f* (*bei engl. Maifeiern*). – **II** *npr Geliebte Robin Hoods.* — **m~ of all work** *s* Mädchen *n* für alles (*auch fig.*), Al'leinmädchen *n.* — **~ of hon·o(u)r** *s* **1.** Hof-, Ehrendame *f* (*unverheiratet*). – **2.** *Am.* Brautjungfer *f,* -führerin *f.* – **3.** *Br.* (*Art*) Käsekuchen *m.* — **'~ˌserv·ant** → maid 3.

ma·ieu·tic [mei'juːtik] *s philos.* mä'eutisch, (auf so'kratische Weise) ausfragend (*einem Menschen durch Fragen seine latenten Ideen zum Bewußtsein bringend*).

mai·gre ['meigər] **I** *adj* **1.** mager (*Fleisch*). – **2.** Fast(en)...: ~ day Fasttag. – **II** *s* **3.** *zo.* Adlerfisch *m* (*Sciaena aquila*).

mai·hem ['meihem] → mayhem.

mail[1] [meil] **I** *s* **1.** Post(sendung) *f,* -sachen *pl, bes.* Brief- *od.* Pa'ketpost *f*: the ~ is not in yet die Post ist noch nicht da; → return 33. – **2.** Post-, Briefbeutel *m,* -sack *m.* – **3.** a) Post(dienst *m,* -wesen *n*) *f,* b) Postversand *m.* – **4.** Postauto *n,* -boot *n,* -bote *m,* -flugzeug *n,* -zug *m.* – **5.** *Am. od. Scot.* (Reise)Tasche *f,* Mantelsack *m,* Felleisen *n.* – **II** *adj* **6.** Post...: ~ boat Post-, Paketboot. – **III** *v/t* **7.** *Am.* (mit der Post) (ab)schicken *od.* (ab)senden, aufgeben, verschicken, (*Brief*) einwerfen.

mail[2] [meil] **I** *s* **1.** Kettenpanzer *m*: coat of ~ Panzerhemd, Harnisch. – **2.** (Ritter)Rüstung *f.* – **3.** *zo.* (Haut-)Panzer *m* (*Schildkröte, Krebs*). – **II** *v/t* **4.** panzern.

mail[3] [meil] *s Scot. od. obs.* Pacht(zins *m*) *f,* Steuer(zahlungen *pl*) *f.*

mail·a·ble ['meiləbl] *adj Am.* postversandfähig.

'mail|ˌbag *s* Post-, Briefbeutel *m.* — **'~ˌbox** *s Am.* **1.** Brief-, Postkasten *m.* – **2.** Briefkasten *m* (*im Hause*). — **'~ˌcart** *s Br.* **1.** Post(hand)wagen *m,* Handwagen *m* eines Postboten. – **2.** (leichter) Handwagen. — **~ catch·er** *s Am. Vorrichtung zum Auffangen der Postbeutel* (*von fahrenden Eisenbahnpostwagen*). — **'~-ˌcheeked** *adj zo.* Panzerwangen... (*die Fischfamilie Scleroparei betreffend*). — **'~ˌclad** *adj* gepanzert, panzergekleidet. — **'~-ˌcoach** *s Br.* **1.** Postwagen *m.* – **2.** *hist.* Postkutsche *f.*

mailed [meild] *adj* **1.** gepanzert: the ~ fist *fig.* Gewaltanwendung, -androhung. – **2.** *zo.* gepanzert, mit Schuppen *etc* versehen. – **3.** *zo.* mit (*panzerähnlichen*) Brustfedern, getüpfelt (*Vogel*).

mail·er ['meilər] *s Am.* **1.** a) Adres'sierma,schine *f,* b) Fran'kierautoˌmat *m,* -maˌschine *f.* – **2.** A'dressenschreiber *m.*

'mailˌguard *s Br. Begleitperson für Posttransporte* (*als Wache*).

mail·ing| list ['meiliŋ] *s* A'dressenkarˌtei *f.* — **~ ma·chine** → mailer 1. — **~ tube** *s* Papprolle *f* (*zum Versand von Bildern etc*).

maill *cf.* mail³.
mail·lot [ma'jo] (*Fr.*) *s* **1.** (*bes.* einteiliger) Badeanzug. – **2.** Mail'lot *n, m* (*enger Trikot für Akrobaten etc*).
'mail|ˌman *s irr Am.* Postbote *m,* Briefträger *m.* — **~ or·der** *s* Bestellung *f* (*von Waren*) durch die Post. — **'~-ˌor·der** *adj* Postversand...: **~ house, ~ firm** (Post)Versandgeschäft, -haus. — **~ train** *s* Postzug *m.*
maim [meim] **I** *v/t* **1.** verstümmeln, zum Krüppel machen: **~ed** verstümmelt, verkrüppelt. – **2.** *fig.* (*Text*) verstümmeln, entstellen. – **II** *s* → mayhem.
Mai·mon·i·de·an [maiˌmɒni'diːən] *adj philos.* maimoni'däisch (*den Philosophen Moses Maimonides, 1135 bis 1204, betreffend*).
main¹ [mein] **I** *adj* (*nur attributiv gebraucht*) **1.** Haupt..., größt(er, e, es), wichtigst(er, e, es), vorwiegend, hauptsächlich: the **~ body of an army** das Gros einer Armee; the **~ office** das Hauptbüro, die Zentrale. – **2.** *mar.* groß, Groß...: **~-top-gallant** Großbramstenge. – **3.** *poet.* (weit) offen: the **~ sea** die offene *od.* hohe See. – **4.** (*gibt nur noch in bestimmten Wendungen einen hohen Grad an Kraft an*) äußerst(er, e, es), ganz, voll: **by ~ force** (*od.* **strength**). – **5.** *ling.* a) Haupt..., b) des Hauptsatzes. – **6.** *obs.* a) gewaltig, b) wichtig. – **7.** *mar.* Hauptmast... – **II** *s* **8.** *meist pl* a) Haupt(strom-, -gas)leitung *f,* b) (Strom)Netz *n*: **operating on the ~s** mit Netzanschluß; **~s receiving set** Netzempfänger; **~s voltage** Netzspannung. – **9.** Hauptleitung *f*: a) Hauptrohr *n,* b) Hauptkabel *n.* – **10.** *Am.* Haupt(eisenbahn)linie *f.* – **11.** Kraft *f,* Gewalt *f* (*nur noch in*): **with might and ~** mit aller *od.* ganzer Kraft *od.* Gewalt. – **12.** Hauptsache *f,* -teil *m,* -punkt *m,* (*das*) Wichtigste: **in** (*Am. auch* **for**) **the ~** hauptsächlich, größtenteils, in der Hauptsache. – **13.** *poet.* (*das*) weite Meer, (*die*) hohe See. – **14.** *selten* Festland *n.* – **15. M~** *Kurzform für* **Spanish M~.**
main² [mein] *s* **1.** *in einem alten Würfelspiel* (*Schanze*) *die vom Spieler vor dem Wurf angesagte Zahl.* – **2.** *fig.* a) Würfelspiel *n,* b) Einsatz *m.* – **3.** Hahnenkampf *m.*
main| brace *s mar.* Großbrasse *f*: **to splice the ~** *sl.* a) Extraration Rum an die Mannschaft austeilen, b) ‚saufen', trinken. — **~ chance** *s* beste Gelegenheit *od.* Möglichkeit (zu profi'tieren): **to have an eye to the ~** seinen eigenen Vorteil im Auge behalten. — **~ clause** *s ling.* Hauptsatz *m* (*in einem Satzgefüge*). — **~ cou·ple** *s arch.* Hauptdachbalken *m.* — **~ course** → **mainsail.** — **~ deck** *s mar.* **1.** Hauptdeck *n.* – **2.** Batte'riedeck *n.* — **~ drain** *s* **1.** 'Hauptrohr *n,* -kaˌnal *m* (*für Abwässer*). – **2.** *mar.* Hauptlenzleitung *f* (*im Doppelboden eines Schiffs*). — **~ hatch** *s mar.* Großluke *f.* — **'~land** [-lənd; -ˌlænd] *s* Festland *n.* — **~ line** *s* Hauptlinie *f* (*Eisenbahn etc, auch mil.*): **~ of resistance** Hauptkampflinie, -widerstandslinie.
main·ly ['meinli] *adv* **1.** hauptsächlich, größtenteils, besonders. – **2.** *obs. od. dial.* sehr, viel. – **3.** *obs.* im 'Überfluß.
main|·mast ['meinˌmɑːst; -ˌmæst; -məst] *s mar.* Großmast *m.* — **~ piece** *s mar.* Hauptspant *m,* Hauptteil *m* (*verschiedener Schiffsteile*), Ruderherz *n.* — **'~ˌpin** *s* Schluß-, Spannagel *m* (*am Wagen*). — **~sail** ['meinˌseil; -sl] *s mar.* Großsegel *n.* — **'~ˌsheet** *s mar.* Großschot(e *f*) *m.* — **'~ˌspring** *s* **1.** Hauptfeder *f* (*einer Uhr etc*). – **2.** Schlagbolzenfeder *f* (*am Gewehr*). – **3.** *fig.* (Haupt)Triebfeder *f,* treibende Kraft. — **'~ˌstay** *s* **1.** *mar.* Großstag *n.* – **2.** Hauptstütze *f.* — **~ stem** *s Am.* Haupt(verkehrs)linie *f.* — **M~ Street** *s* **1.** Hauptstraße *f* (*in vielen amer. Städten der Name für die wichtigste Straße*). – **2.** *fig.* materia'listisches Pro'vinzbürgertum (*in Anspielung auf den Roman „Main Street" von S. Lewis*).
main·tain [mein'tein; mən-] *v/t* **1.** (*Zustand*) (aufrecht)erhalten, beibehalten, (be)wahren: **to ~ an attitude** eine Haltung beibehalten; **to ~ good relations** gute Beziehungen aufrechterhalten; **to ~ one's reputation** seinen guten Ruf wahren. – **2.** in'stand halten, erhalten: **to ~ a cathedral.** – **3.** (*Briefwechsel etc*) unter'halten, fortsetzen, weiterführen. – **4.** (*in einem bestimmten Zustand*) lassen, bewahren: **to ~ s.th. in (an) excellent condition.** – **5.** (*Familie etc*) unter'halten, -'stützen, betreuen, versorgen, (*j-s*) 'Lebensˌunterhalt bestreiten. – **6.** behaupten (**that** daß, **to** zu): **he ~ed (that) he had a right to it.** – **7.** (*Meinung, Recht etc*) verfechten, verteidigen. – **8.** (*j-n*) unter'stützen, (*j-m*) beipflichten. – **9.** (*Forderung*) behaupten, bestehen auf (*dat*). – **10.** nicht aufgeben, behaupten: **to ~ one's ground** *bes. fig.* sich (in seiner Stellung) behaupten *od.* halten. – **11.** (sich) (be)halten: **to ~ reserves.** – **12.** *econ.* (sich) (in einem gewissen Kurs) halten. – *SYN.* **assert, defend, justify, vindicate.** — **main'tain·a·ble** *adj* zu halten(d), verfechtbar, haltbar. — **main'tain·er** *s* Unter'stützer: a) Verfechter *m* (*Meinung etc*), b) Betreuer *m,* Erhalter *m.* — **main'tain·or** [-nər] *s jur.* außenstehender Pro'zeßtreiber (*j-d der einer Partei durch Geld etc hilft*).
main·te·nance ['meintənəns; -ti-] *s* **1.** In'standhaltung *f,* Erhaltung *f.* – **2.** *tech.* Wartung *f* (*Maschinen etc*): **~ man** Wartungsmonteur. – **3.** 'Unterhalt(smittel *pl*) *m*: **~ grant** Unterhaltszuschuß. – **4.** Aufrechterhaltung *f,* Beibehalten *n*: **~ of membership** *Vereinbarung zwischen Gewerkschaft u. Arbeitgeber, wonach der Gewerkschaft bereits angehörende od. später beigetretene Arbeitnehmer Gewerkschaftsmitglieder bleiben müssen od. entlassen werden.* – **5.** Betreuung *f*: **cap of ~** *hist.* Schirmhaube. – **6.** Behauptung *f,* Verfechtung *f* (*Standpunkt etc*). – **7.** *jur.* 'illeˌgale Unter'stützung einer pro'zeßführenden Par'tei (*durch Geld etc*).
main| thing *s* Hauptsache *f.* — **'~ˌtop** *s mar.* Großmars *m.* — **ˌ~-'top·mast** *s mar.* große Stenge, Großstenge *f.* — **ˌ~-'top·sail** *s mar.* Großbram-, Großmars-, Großtoppsegel *n.* — **'~ˌ-trav·el(l)ed** *adj* vielbefahren (*Straße*). — **~ work** *s mil.* Haupt-, Kernwerk *n.* — **~ yard** *s mar.* Großrah(e) *f.*
ma·iol·i·ca *cf.* majolica.
mai·so(n)·nette [ˌmeizə'net] *s* **1.** kleines Haus, 'Einfaˌmilienhaus *n.* – **2.** vermieteter Hausteil (*Etagenwohnung*).
maî·tre d'hô·tel [mɛːtr do'tɛl] (*Fr.*) *s* **1.** a) Haushofmeister *m,* b) Major'domus *m* (*bes. früher in Adelshäusern*). – **2.** Oberkellner *m.* – **3.** Ho'telbesitzer *m.* – **4.** erster Diener (des Hauses). – **5.** *meist* **~ butter, ~ sauce** Kräuterbutter *f* (*Art Buttersoße mit Pfeffer, Petersilie, Essig etc*).
maize [meiz] *s bes. Br.* **1.** *bot.* (Pferde)Mais *m,* Welschkorn *n,* Kukuruz *m* (*Zea mays*). – **2.** Maiskorn *n.* – **3.** Maisgelb *n.* — **'~ˌbird** → **red-winged blackbird.**
mai·ze·na [mei'ziːnə] *s* Mai'zena *n,* Maisstärkemehl *n.*
ma·jes·tic [mə'dʒestik], *auch* **ma'jes·ti·cal** [-kəl] *adj* maje'stätisch, erhaben, würdevoll. – *SYN. cf.* **grand.** — **ma'jes·ti·cal·ly** *adv* (*auch zu* **majestic**).
maj·es·ty ['mædʒisti; -dʒəsti] *s* **1.** Maje'stät *f,* königliche Hoheit (*bes. Titel*): **His (Her) M~** Seine (Ihre) Majestät *od.* Königliche Hoheit; **Your M~** Eure Majestät; **in her ~** *her.* mit Krone u. Zepter (*Adler*). – **2.** Maje'stät *f,* maje'stätisches Aussehen, Erhabenheit *f,* Hoheit *f,* königliche Würde. – **3.** (*Kunst*) (*die*) Herrlichkeit Gottes (*in symbolischer Darstellung*).
Maj·lis [mædʒ'lis] *s* Med'schlis *n* (*das pers. Parlament*).
ma·jol·i·ca [mə'dʒɒlikə; -'jɒl-] *s* Ma'jolika *f* (*mit Schmelzfarben bemalte Tonwaren, Art Fayence*).
ma·jor ['meidʒər] **I** *s* **1.** *mil.* Ma'jor *m.* – **2.** *ped. Am.* a) Hauptfach *n,* b) Stu'dent *m* mit Hauptfach. – **3.** *jur.* Volljährige(r), Mündige(r). – **4.** Höhergestellter *m*: → **trumpet ~.** – **5.** *mus.* a) Dur *n,* b) 'Durakˌkord *m,* c) Durtonart *f,* d) *Wechselgeläut mit 8 Glocken.* – **6.** (*Logik*) a) *auch* **~ term** Oberbegriff, b) *auch* **~ premise** Obersatz. – **II** *adj* (*nur attributiv*) **7.** größer(er, e, es) (*bes. an Ausmaß*): **the ~ part of the town.** – **8.** größer(er, e, es) (*an Bedeutung, Rang etc*): **~ issues.** – **9.** Mehrheits...: **~ vote** die von der Mehrheit abgegebenen Stimmen. – **10.** *jur.* volljährig, majo'renn, mündig. – **11.** *mus.* a) groß (*Terz etc*), b) Dur...: **~ seventh chord** Durseptakkord, großer Septakkord; **C ~** C-Dur. – **12.** *Am.* Hauptfach... – **13.** der ältere *od.* erste: **Cato M~** der ältere Cato; **Brown ~** der erste Brown, ‚Brown (Nr.) 1' (*in Schulen etc*). – **III** *v/t* **14.** *Am.* als Hauptfach stu'dieren *od.* nehmen. – **IV** *v/i* **15. ~ in** *Am. colloq.* im Hauptfach stu'dieren: **he is ~ing in German** er studiert Deutsch im *od.* als Hauptfach.
ma·jo·rat [maʒɔ'ra] (*Fr.*) *s jur.* Majo'rat *n*: a) *Ältestenrecht,* b) *nach dem Ältestenrecht zu vererbendes Gut.*
ma·jor·ate ['meidʒərit] *s mil. Am.* Ma'jorsrang *m.*
ma·jor ax·is *s math.* Hauptachse *f,* große Achse *od.* Halbachse (*einer Ellipse od. eines Ellipsoids*).
Ma·jor·can [mə'dʒɔːrkən] **I** *s* Bewohner(in) von Mal'lorka. – **II** *adj* mal'lorkisch.
ma·jor-do·mo ['meidʒər'doumou] *pl* **-mos** *s* **1.** Haushofmeister *m,* Major'domus *m.* – **2.** *hist.* Hausmeier *m.* – **3.** *humor.* ‚Haushofmeister' *m* (*erster Diener*).
ma·jor·ette [ˌmeidʒə'ret] → **drum ~.**
ma·jor| gen·er·al *pl* **~ gen·er·als** *s mil.* Gene'ralmaˌjor *m.* — **ˌ~-'gen·er·al·cy, ˌ~-'gen·er·alˌship** *s* Rang *m* eines Gene'ralmaˌjors, Stellung *f* als Generalmajor.
ma·jor·i·ty [mə'dʒɒriti; -əti-; *Am. auch* -'dʒɔːr-] *s* **1.** Mehrheit *f*: **~ of votes** (Stimmen)Mehrheit, Majorität. – **2.** größere (An)Zahl, größerer Teil, Mehr-, 'Überzahl *f*: **in the ~ of cases** in der Mehrzahl der Fälle; **to go over to** (*od.* **to join**) **the (great) ~** zu den Vätern versammelt werden (*sterben*). – **3.** 'Mehrheitsparˌtei *f.* – **4.** *jur.* Voll-, Großjährigkeit *f,* Mündigkeit *f.* – **5.** *mil.* Ma'jorsrang *m,* -würde *f.*
ma·jor| key *s mus.* Dur(tonart *f*) *n.* — **~ league** *s sport Am.* Oberliga *f* (*eine der beiden ersten Berufsbaseballklassen der USA*). — **~ mode** *s mus.* Dur(geschlecht) *n.* — **~ or·ders** *s pl relig.* höhere kirchliche Würden *pl.* — **M~ Proph·ets** *s pl Bibl.* (*die*) großen Pro'pheten *pl.* — **~ scale** *s mus.* Durtonleiter *f.* — **~ suit** *s* (*Bridge*) höhere Farbe (*Herz od. Pik*).
ma·jus·cu·lar [mə'dʒʌskjulər; -kjə-] *adj* **1.** groß (*Buchstaben*). – **2.** in Ma'juskeln *od.* Ver'salien (geschrieben *od.* gedruckt). — **ma'jus·cule** [-kjuːl] **I** *s* Großbuchstabe *m,* Ma'jus-

kel *f*, großer Anfangsbuchstabe. – **II** *adj* → majuscular.

Ma·kas·sar [mə'kæsər] *s* **1.** Makas'sare *m* (*Angehöriger eines jungmalaiischen Stamms*). – **2.** *ling.* Makas'sarisch *n*, das Makassarische.

make [meik] **I** *s* **1.** a) Machart *f*, Ausführung *f*, -fertigung *f*, b) Erzeugnis *n*, Pro'dukt *n*, Fabri'kat *n*: **our own ~** (unser) eigenes Fabrikat; **of best English ~** beste engl. Qualität *od.* Ware; **I like the ~ of this car** mir gefällt die Ausführung *od.* Form dieses Wagens; **is this your own ~?** haben Sie das (selbst) gemacht? – **2.** (*Mode*) Schnitt *m*, Fas'son *f*. – **3.** (*Auto, Waren*) Marke *f*. – **4.** (*Maschinen etc*) Typ *m*, Bau(art *f*) *m*. – **5.** Beschaffenheit *f*, Zustand *m*, Verfassung *f*. – **6.** Anfertigung *f*, 'Herstellung *f*, Fabrikati'on *f*, Produkti'on *f*. – **7.** Produkti'on(smenge) *f*, Ausstoß *m*. – **8.** Veranlagung *f*, Na'tur *f*, Art *f*. – **9.** Bau *m*, Gefüge *n*. – **10.** Fassung *f*, Stil *m* (*eines literarischen Werkes etc*). – **11.** *electr.* Schließen *n* (*Stromkreis*): **to be at ~** geschlossen sein. – **12.** (*Kartenspiel*) a) Trumpfbestimmung *f*, b) (*Bridge*) endgültiges Trumpfgebot. – **13. on the ~** *sl.* auf Pro'fit aus *od.* hinter dem Geld(erwerb) her. – **14. ~ and mend** *mar. Br.* Putz- u. Flickstunde *f*, freie Zeit für häusliche Arbeiten. –

II *v/t pret u. pp* **made** [meid] **15.** machen: **to ~ an attempt** einen Versuch machen *od.* anstellen; **to ~ a ... face** ein ... Gesicht machen; **to ~ an end of s.th.** einer Sache ein Ende machen *od.* bereiten; **to ~ a fire** Feuer machen; **to ~ the acquaintance of s.o.** die Bekanntschaft von j-m machen, mit j-m bekannt werden, j-n kennenlernen; **to ~ payment** Zahlung leisten; **to ~ an additional payment** nach(be)zahlen; **to ~ purchases** einkaufen, Einkäufe machen; **to ~ an emergency landing** *aer.* notlanden; → **allowance** 3 *u.* 6; **effort** 1; **headway** 2; **inquiry** 1. – **16.** verfertigen, anfertigen, fertig-, 'herstellen, erzeugen, fabri'zieren, machen (**from, of, out of** von, aus): **this machine ~s paper; to ~ bricks out of clay** aus Ton Ziegel machen *od.* herstellen. – **17.** verarbeiten, bilden, formen, machen (**to, into** in *acc*, zu): **to ~ clay into bricks** Ton zu Ziegeln verarbeiten. – **18.** *fig.* über'setzen, -'tragen (**into** in *acc*). **to ~ Vergil into English.** – **19.** errichten, anlegen, bauen: **to ~ a garden (camp)** einen Garten (ein Lager) anlegen; **to ~ a building.** – **20.** einrichten: **to ~ a kitchenette.** – **21.** (er)schaffen: **God made Man** Gott schuf den Menschen; **you are made for this job** Sie sind für diese Arbeit wie geschaffen. – **22.** zu'sammenfügen, -tragen, -machen: **to ~ a bundle of hay.** – **23.** bilden, her'vorbringen, entstehen lassen: **many brooks ~ a river; citizens ~ a state** ein Staat wird von Bürgern gebildet; **oxygen and hydrogen ~ water** Sauerstoff u. Wasserstoff bilden Wasser; **to be made of** sich zusammensetzen aus. – **24.** zu'stande bringen, begründen: **to ~ a new organization** eine neue Organisation ins Leben rufen. – **25.** (er)geben, den Stoff abgeben *od.* liefern zu, dienen als (*Sachen*): **this ~s a good article** das gibt einen guten Artikel; **this affair ~s good gossip** diese Geschichte gibt (einen) guten Stoff zum Klatschen ab; **this book ~s good reading** dieses Buch ist guter Lesestoff *od.* gute Lektüre; **wool ~s warm clothing** Wollstoffe halten warm; **porridge for breakfast ~s a change** Haferbrei zum Frühstück ist eine Abwechslung. – **26.** sich erweisen als, abgeben (*Personen*): **he will ~ a successful businessman; he made a good partner; she will ~ a wonderful wife.** – **27.** bilden, (aus)machen, sein: **this ~s the tenth time** dies ist das zehnte Mal; **he made the thirteenth at our table** er war der dreizehnte an unserem Tisch; **this ~s a difference** das ist etwas anderes; **this ~s no difference** das macht nichts *od.* das ist gleich(gültig); **to ~ one of** teilnehmen an (*dat*), mitmachen bei; **will you ~ one of the party?** machen Sie mit? – **28.** (mit sich) bringen, bewirken, her'beiführen: **prosperity ~s contentment** Wohlstand bringt Zufriedenheit. – **29.** (*mit adj, pp etc*) machen: **to ~ angry (fast, ready** *etc*); **to ~ known** bekanntmachen, -geben; **to ~ oneself understood** sich verständlich machen; **her influence made itself felt** ihr Einfluß machte sich fühlbar; **to ~ flush (with)** *tech.* bündig machen; **to ~ uniform** *tech.* normen. – **30.** (*mit folgendem Substantiv*) machen zu, ernennen zu: **they made him bishop** sie ernannten ihn zum Bischof; **he made himself a martyr** er machte sich zum Märtyrer; → **business** 9; **rule** 1. – **31.** (*mit folgendem inf*; *act*: *ohne* **to**, *pass*: *mit* **to**) veranlassen, lassen, bringen zu: **to ~ s.o. wait** j-n warten lassen *od.* hinhalten; **we made him talk** wir brachten ihn zum Sprechen; **to ~ s.o. laugh (weep)** j-n zum Lachen (Weinen) bringen; **to ~ s.o. smart** j-n büßen *od.* Schmerzensgeld zahlen lassen; **to ~ s.th. read differently** etwas anders formulieren, etwas in andere Worte fassen; **this author ~s Richard die in 1026** dieser Autor läßt Richard 1026 sterben; **they made him repeat it, he was made to repeat it** man ließ es ihn wiederholen; **to ~ s.th. last** sich etwas einteilen (*so daß man länger damit auskommt*). – **32.** (*Tiere*) abrichten, dres'sieren, schulen: **she ~s her dog sit up** sie bringt ihrem Hund bei, Männchen zu machen. – **33.** *fig.* machen: **to ~ little** *od.* **light (much) of s.th.** sich wenig (viel) aus etwas machen, wenig (viel) von etwas halten; **to ~ the worst of s.th.** a) etwas für sehr schlecht halten, b) etwas als ganz schlecht hinstellen *od.* gänzlich heruntermachen; **to ~ a bad job of s.th.** etwas schlecht (-er) machen *od.* ‚verpatzen'; **to ~ a fool of oneself** sich zum Narren machen, ‚sich blamieren'; → **best** *b. Redw.*; **most** 4; **nothing** *b. Redw.* – **34.** sich eine Vorstellung machen von, (etwas) halten (**of** von): **what am I to ~ of your behavio(u)r?** was soll ich von Ihrem Benehmen halten? **what do you ~ of it?** was halten Sie davon? – **35.** *colloq.* halten für: **I ~ him a newcomer** ich halte ihn für einen Neuling. – **36.** schätzen: **I ~ the distance about 10 miles** ich schätze die Entfernung auf etwa 10 Meilen; → **head** *b. Redw.* – **37.** (*persönlich*) feststellen, bemerken: **I ~ it a quarter to five** bei mir *od.* nach meiner Uhr ist es dreiviertel fünf. – **38.** mit Erfolg unter'nehmen *od.* machen: **to ~ one's escape** einen erfolgreichen Fluchtversuch machen. – **39.** (*j-m*) über (die) Schwierigkeiten hin'weghelfen, zum Erfolg verhelfen, (*j-n*) zu Ansehen bringen: **to ~ s.o.** j-s Glück machen; **victories made Napoleon** Napoleon wurde durch Siege groß. – **40.** ausreichen für: **this cloth will ~ a suit.** – **41.** zu'rücklegen, ‚machen' (*auch tech.*): **to ~ 60 mph.** – **42.** *Am.* besichtigen, sich 'umsehen in (*dat*): **to ~ London.** – **43.** *colloq.* (*durch Anstrengung*) erreichen, bekommen, erlangen: **to ~ a train** einen Zug erwischen; **to ~ a degree** einen (akademischen) Grad erlangen. – **44.** *Am. colloq.* sich einen Platz erringen in (*dat*): **to ~ the team.** – **45.** erreichen, ankommen in (*dat*): **to ~ port** *mar.* in den Hafen einlaufen. – **46.** *mar.* sichten, erkennen, ausmachen: **to ~ land.** – **47.** verfassen: **to ~ a poem.** – **48.** halten: **to ~ a speech** eine Rede halten. – **49.** *Br.* essen, einnehmen: **to ~ a good breakfast.** – **50.** (ab)schließen, machen: **to ~ peace; to ~ a contract.** – **51.** einbringen: **to ~ a full crop of grain; to ~ a bag** *hunt.* eine Jagdbeute heimbringen. – **52.** (zu)bereiten: **to ~ tea (a salad, a cake).** – **53.** machen, in Ordnung bringen: **to ~ the beds.** – **54.** (ver)machen, geben, stiften: **to ~ s.o. a present of s.th.** j-m etwas als Geschenk geben. – **55.** verursachen: **to ~ trouble** a) Unfrieden stiften, b) Schwierigkeiten bereiten; **to ~ work (a noise)** Mühe (ein Geräusch) machen. – **56.** sich (*dat*) bilden: **I ~ a judg(e)ment** ich bilde mir ein Urteil. – **57.** vorbringen: **to ~ excuses (objections** *etc*). – **58.** veranstalten: **to ~ an exhibition (a feast** *etc*). – **59.** sich erwerben: **to ~ money (a fortune, a living** *etc*); **he made himself a name, he made a name for himself** er hat sich einen Namen gemacht. – **60.** *ped.* erlangen (*als Auszeichnung*): **to ~ first honors** *Am.* die ersten Ehrungen *od.* Auszeichnungen erlangen. – **61.** machen, unter'nehmen: **to ~ a journey (an expedition).** – **62.** aufsetzen, ausfertigen: **to ~ a will.** – **63.** machen, entwerfen, schmieden: **to ~ plans (intrigues)** Pläne (Ränke) schmieden. – **64.** an-, festsetzen, bestimmen: **to ~ a price.** – **65.** aufstellen: **to ~ a rule (law, table of statistics).** – **66.** (*Kartenspiel*) a) (*Trumpf*) bestimmen, b) beim Reizen erhöhen, c) mischen, d) (*Stich*) machen: **to ~ a trick.** – **67.** *electr.* (*Stromkreis*) schließen. – **68.** *ling.* bilden, werden zu: **this noun ~s no plural** dieses Hauptwort bildet keinen Plural; **'find' ~s 'found' in the past tense** in der Vergangenheit wird ‚find' zu ‚found'. – **69.** ergeben, machen, sich belaufen auf (*acc*): **two and two ~ four** zwei u. zwei ergibt *od.* macht *od.* ist vier. – **70.** *sport* (*Punkte etc*) erringen, machen. – **71.** *obs.* tun, machen: **what ~ you here?** – *SYN.* **fabricate, fashion, forge**[1], **form, manufacture, shape.** –

III *v/i* **72.** sich anschicken, den Versuch machen (*etwas zu tun*): **he made to go** er wollte gehen. – **73.** eine (bestimmte) Richtung nehmen (**to** nach): a) sich begeben, sich wenden, b) führen, gehen (*Weg etc*), c) fließen: **this road ~s toward(s) R.** dieser Weg führt nach R.; **the ship ~s into port** das Schiff läuft in den Hafen ein. – **74.** (an)steigen (*Flut etc*), einsetzen, -treten (*Ebbe, Flut*): **the flood ~s fast** die Überschwemmung steigt schnell an; **the forest ~s up the mountain nearly to the snow line** der Wald erstreckt sich *od.* steigt den Berg hinauf bis fast an die Schneegrenze. – **75.** *selten* (*statt pass*) gemacht *od.* verfertigt werden: **bolts are making in this workshop.** – **76.** (*Kartenspiel*) einen Stich machen: **my ace made** mein As hat einen Stich gemacht. –

Besondere Redewendungen:

to ~ as if (*od.* **as though**) (so) tun, als ob *od.* als wenn; **to ~ believe (that** daß *od.* **to** *mit folgendem Infinitiv*) a) vorgeben, b) sich einbilden, c) glauben machen; **to ~ heavy weather** *mar.* in schwerer See treiben; **to ~ it** *colloq.* ‚es schaffen'; **we have made it** *colloq.* wir haben's (noch) geschafft (*bestimmte Wegstrecke, zeitliche Frist, Ziel etc*); to ~ **time** *colloq.* rasch vorwärtskommen; to ~ **sternway** *mar.* a) nach achtern treiben, b) Fahrt achteraus machen, achteraus *od.* über Steuer laufen; → amends 1; bold 2; bone[1] 1; end[1] *b. Redw.*; example 3; friend 1; fun I; habit 1; hair *b. Redw.*; hash 5; haste 2; hay[1] 1; house[1] 6; love 1; mar 2; mind 4; mountain 3; night *b. Redw.*; point 21, 22, 23; purse 4; room 1; swallow[2] 1; use 13, 18; virtue 4; water 8, 25, *b. Redw.*; way[1] 8, *b. Redw.*; weather 1. – *Verbindungen mit Präpositionen*:

make| aft·er *v/t obs.* **1.** (*j-m*) folgen. – **2.** (*j-n*) verfolgen. — ~ **a·gainst** *v/t* **1.** ungünstig sein für. – **2.** sprechen gegen (*auch von Umständen*). – **3.** (*dat*) schaden. — ~ **at** *v/t obs.* **1.** zugehen auf (*acc*). – **2.** loslegen *od.* sich stürzen auf (*acc*). — ~ **for** *v/t* **1.** a) sich begeben *od.* eilen nach, zustürzen auf (*acc*), sich aufmachen nach, b) *mar.* Kurs haben auf (*acc*), c) sich stürzen auf (*acc*), anrennen gegen. – **2.** sich günstig auswirken *od.* dienlich sein für, beitragen zu, her'beiführen, fördern: **it makes for his advantage** es wirkt sich für ihn günstig aus; **the aerial makes for better reception** die Antenne verbessert den Empfang. — ~ **from** *v/t* **1.** sich fortmachen *od.* fliehen von. – **2.** *mar.* abtreiben von (*der Küste*). — ~ **to·ward(s)** *v/t* zugehen auf (*acc*), sich bewegen *od.* seinen Lauf nehmen nach, sich nähern (*dat*). – *Verbindungen mit Adverbien*:

make| a·way *v/i* sich da'vonmachen, ‚sich aus dem Staub(e) machen': to ~ **with** a) (*etwas*) weg-, mitnehmen, sich davonmachen mit (*Geld etc*), b) (*etwas od. j-n*) beseitigen, aus dem Weg(e) räumen, aus der Welt schaffen, c) (*Geld etc*) vergeuden, durchbringen, d) sich entledigen (*gen*). — ~ **off** *v/i* sich auf u. da'von machen, ‚sich aus dem Staub(e) machen', ausreißen: to ~ **with the money** mit dem Geld durchgehen *od.* durchbrennen. — ~ **out I** *v/t* **1.** (*Scheck etc*) ausstellen. – **2.** (*Dokument etc*) ausfertigen. – **3.** (*Liste etc*) aufstellen, anfertigen. – **4.** (*Gegenstand etc*) ausmachen, erkennen: to ~ **a figure at a distance**. – **5.** (*Sachverhalt etc*) feststellen, her'ausbekommen. – **6.** a) (*j-n*) ausfindig machen, b) (*j-n*) verstehen: **I cannot make him out** a) ich kann ihn nicht finden *od.* ausfindig machen, b) ich werde aus ihm nicht klug. – **7.** (*Handschrift etc*) entziffern. – **8.** a) glaubhaft machen, b) beweisen: **the plaintiff was unable to ~ his case; to make s.o. out a liar** j-n als Lügner hinstellen. – **9.** *Am.* (*bes. mühsam*) zu'stande bringen, machen: **these few articles hardly ~ a volume**. – **10.** leisten, erreichen. – **11.** a) vervollkommnen, b) (*Einzelheiten*) ausarbeiten (*in der Kunst*), c) (*Summe*) voll machen. – **12.** halten für, ansehen als: **to make s.o. out to be a hypocrite**. – **II** *v/i* **13.** *bes. Am. colloq.* Erfolg haben: **how did you ~?** wie haben Sie abgeschnitten? – **14.** *bes. Am.* (*mit j-m*) auskommen: to ~ **together badly** miteinander schlecht auskommen. – **15.** vorgeben, sich stellen als ob: **they ~ to be well informed**. – **16.** sich erstrecken (**to** bis an *acc*). – **17.** ~ **with!** *Am. colloq.* greifen Sie (doch) zu! (*beim Essen*). — ~ **o·ver I** *v/t* **1.** (*als Eigentum*) über'tragen, -'eignen, vermachen. – **2.** *Am.* (*Anzug etc*) 'umarbeiten, ändern, (*einem Haus etc*) ein neues Aussehen geben. – **II** *v/i* **3.** hin'übergehen, sich hin'überbegeben. — ~ **up I** *v/t* **1.** bilden, zu'sammensetzen: **to be made up of** bestehen *od.* sich zu'sammensetzen aus. – **2.** (*Arznei, Warenproben, Bericht, Wagenpark etc*) zu'sammenstellen. – **3.** (*für eine Rolle etc*) zu'rechtmachen, 'herrichten. – **4.** a) her'ausputzen, b) schminken, c) 'ausstaf,fieren (*bes. für eine Rolle*), d) kos'metisch behandeln. – **5.** (*Schriftstück etc*) abfassen, verfassen, aufsetzen, (*Liste*) anfertigen, (*Tabelle*) aufstellen, (*Rede etc*) ausarbeiten. – **6.** (*Geschichte etc*) sich ausdenken, erfinden: **the story is made up**. – **7.** (*Paket etc*) (ver)packen, (ver)schnüren: to ~ **parcels**. – **8.** (*Feuer*) schüren. – **9.** (*Anzug etc*) anfertigen, nähen. – **10.** Vorkehrungen treffen für (*Heirat, Vertragsabschluß etc*). – **11.** 'wiedergewinnen: to ~ **lost ground**. – **12.** ersetzen, vergüten. – **13.** (*verlorenen Schlaf etc*) nachholen. – **14.** (*Rechnung etc*) ausgleichen: to ~ **one's accounts with s.o.** mit j-m abrechnen; to ~ **leeway** a) *mar.* abtreiben, Abtrift haben, Lee machen, b) *fig. Br.* Versäumtes nachholen. – **15.** (*Streit etc*) beilegen, (*Mißstand etc*) abstellen. – **16.** voll'enden, zum (Ab)Schluß bringen, vervollständigen, (*fehlende Summe etc*) ergänzen, (*Betrag, Gesellschaft etc*) voll machen. – **17.** darstellen, sich verkleiden als, personifi'zieren. – **18. to make it up** a) wieder'gutmachen, b) sich wieder versöhnen. – **19.** *print.* um'brechen. – **20.** *econ.* a) (*Bilanz*) ziehen, b) (*Konten etc*) an-, ausgleichen. – **II** *v/i* **21.** sich (auf)putzen, sich zu'rechtmachen, *bes.* sich pudern *od.* schminken. – **22.** sich entschließen. – **23.** (*im Unterricht*) nachholen, 'Nachhilfe,unterricht *od.* einen Sonderkurs nehmen. – **24.** (**for**) Ersatz leisten, als Ersatz dienen (für *etwas*), vergüten (*acc*). – **25.** (**for**) ausgleichen, aufholen (*acc*), (*Verlust*) wieder'gutmachen *od.* wettmachen, Ersatz leisten (für): to ~ **for lost time** den Zeitverlust wieder wettzumachen suchen, die verlorene Zeit wieder einzuholen suchen. – **26.** *Am.* (**to**) sich nähern (*dat*), zugehen (auf *acc*): **the beggar made up to** (*od.* **toward[s]**) **us**. – **27.** *colloq.* (**to**) a) (*j-m*) den Hof machen, b) (*j-m*) liebedienern, schöntun, schar'wenzeln um (*j-n*), c) sich her'anmachen an (*j-n*). – **28.** sich versöhnen *od.* wieder vertragen (**with** mit).

make| and break *tech.* **I** *s* Unter'brecher *m.* – **II** *adj* zeitweilig unter'brochen: ~ **current**; ~ **ignition** Abreißzündung. — ~ **and mend** → make 14. — '~,**bate** *s obs.* Störenfried *m*, Unruhestifter *m.* — '~-**be,lieve I** *s* **1.** a) Verstellung *f*, b) Heuche'lei *f.* – **2.** Vorwand *m.* – **3.** (*falscher*) (An)Schein: **this fight is only ~** dieser Kampf ist nur Spiegelfechterei. – **4.** a) Heuchler *m*, b) *fig.* Schauspieler *m.* – **II** *adj* **5.** nur äußerlich, dem Anschein nach, scheinbar, falsch, nicht echt. – **6.** geheuchelt, unaufrichtig. – **7.** angeblich. — '~,**fast** *s mar.* **1.** Vertaupfahl *m.* – **2.** Poller *m.* – **3.** Festmacheboje *f.* — ~ **hawk** *s* alter Falke (*zum Abrichten junger*). — '~-,**peace** *s selten* Friedensstifter *m.*

mak·er ['meikər] *s* **1.** a) Macher *m*, b) 'Hersteller *m*, Erzeuger *m*, Produ'zent *m*, Fabri'kant *m.* – **2. the M~** *relig.* der Schöpfer (*Gott*). – **3.** *auch jur.* Aussteller *m* (*eines Schuldscheins etc*). – **4.** *obs.* Dichter *m*, Sänger *m.* – **5.** (*bes. Bridge*) (Al'lein)Spieler *m* (*reizt als erster das erfolgreiche Gebot*).

'**make|-,read·y** *s print.* Zurichtung *f.* — '~,**shift I** *s* **1.** Notbehelf *m*, Aushilfe *f.* – **2.** (*zeitweiliger*) Lückenbüßer. – **II** *adj* **3.** behelfsmäßig, Behelfs..., Not...: ~ **construction**. – **4.** provi'sorisch, interi'mistisch. – *SYN. cf.* **resource**. — '~,**shift·y** → makeshift II.

'**make-,up** *s* **1.** Aufmachung *f*: a) (*Film etc*) 'Ausstattung *f*, -staf,fierung *f*, Kostü'mierung *f*, b) (Ver)Packung *f.* – **2.** a) (Auf)Putz *m*, b) Schönheitsmittel *n*, kos'metisches Mittel, Schminke *f*, Puder *m.* – **3.** Make-up *n*, Schönmachen *n*: a) Schminken *n*, b) Pudern *n.* – **4.** *fig. humor.* Verkleidung *f.* – **5.** *fig.* Rüstzeug *n*, Ausrüstung *f.* – **6.** *fig.* (*theatralische Haltung*) Pose *f*, Posi'tur *f.* – **7.** Zu'sammensetzung *f*, -stellung *f*: **the ~ of a team** die Aufstellung einer Mannschaft. – **8.** körperliche Verfassung, Körperbau *m*, Sta'tur *f*, Fi'gur *f.* – **9.** (geistige) Verfassung, Veranlagung *f*, Na'tur *f.* – **10.** *fig. humor. Am.* erfundene Geschichte, Erfindung *f* (*Geschichte*). – **11.** *Am. colloq.* a) nachgeholter (Übungs)Kurs, b) nachgeholte Prüfung. – **12.** *print.* a) 'Umbruch *m*, b) Zu'sammenstellen *n* (*Seite etc*).

'**make,weight** *s* **1.** (Gewichts)Zugabe *f*, Zusatz *m* (*bes. zum vollen Gewicht*). – **2.** Gegengewicht *n* (*auch fig.*), Ausgleich *m.* – **3.** *fig.* a) unwesentliches ('Zusatz)Argu,ment, b) Lückenbüßer *m* (*Person*), c) (kleiner) Notbehelf.

mak·i ['mæki; 'meiki] *s zo.* Maki *m* (*Unterfam. Lemurinae, Halbaffe*).

ma·ki·mo·no [‚mɑːki'mouno] *s* Maki'mono *n* (*jap. od. chines. Bilderrolle*).

mak·ing ['meikiŋ] *s* **1.** Machen *n.* – **2.** a) Schöpfung *f*, b) Werk *n*: **this is of my own ~** das habe ich selbst gemacht, dies ist mein eigenes Werk. – **3.** Erzeugung *f*, 'Herstellung *f*, Fabrikati'on *f*: **to be in the ~** a) im Werden *od.* in der Entwicklung sein, b) noch nicht fertig(gestellt) sein. – **4.** Pro'dukt *n* (*eines Arbeitsgangs*): **a ~ of bread** ein Schub Brot. – **5.** a) Zu'sammensetzung *f*, b) Verfassung *f*, c) Bau(art *f*) *m*, Aufbau *m*, d) Aufmachung *f.* – **6.** Glück *n*, Chance *f*: **this will be the ~ of him** dies wird sein Glück sein *od.* machen; **misfortune was the ~ of him** sein Unglück machte ihn groß. – **7.** Schulung *f*: **ponies that require ~** Ponys, die (noch) geschult werden müssen. – **8.** *oft pl* Fähigkeit *f*, Anlagen *pl*, ‚Zeug' *n*: **he has the ~s of** er hat das Zeug *od.* die Anlagen zu. – **9.** *pl* ('Roh)Materi,al *n* (*auch fig.*). – **10.** *pl* Pro'fit *m*, Verdienst *m.* – **11.** *pl colloq.* (*die*) nötigen Zutaten *pl* (*zum Drehen einer Zigarette, zum Brauen eines Punsches, zum Backen etc*). – **12.** *pl* (*Bergbau*) Kohlengrus *m.* — ~ **i·ron** *s mar.* Ra'bat-, Kal'fatereisen *n.*

mak·luk ['mækluk] *s zo. eine große Robbe, bes.* Bartrobbe *f* (*Erignathus barbatus*).

mal- [mæl] *Wortelement mit der Bedeutung* a) schlecht, b) mangelhaft, c) übel, d) Miß..., un...

Mal·a·bar| night·shade ['mælə,bɑːr] *s bot.* Beerblume *f*, Klimm-Melde *f* (*Basella rubra*). — ~ **nut** *s bot.* Mala'barnuß *f* (*Justicia adhatoda*). — ~ **plum** *s bot.* Rosenapfelbaum *m*, Kirschmyrte *f*, Apri'kosenjam,buse *f* (*Eugenia jambos*).

Ma·lac·ca (cane) [mə'lækə] *s* Ma'lakkaröhrchen *n*, -spa,zierstock *m* (*von der Palme Calamus rotang*).

ma·la·ceous [mə'leiʃəs] *adj bot.* apfelartig.

Mal·a·chi ['mælə,kai], *auch* ‚**Mal·a·'chi·as** [-əs] *relig.* **I** *npr* Male'achi *m* (*Prophet im Alten Testament*). – **II** *s* (Buch *n*) Male'achi *m.*

mal·a·chite ['mælə,kait] *s min.* Mala'chit *m*, Kupferspat *m* ($CuCO_3 \cdot Cu(OH)_2$). — ~ **green** *s* Mala'chit-, Berggrün *n.*

malaco- [mæləko] *Wortelement mit den Bedeutungen* a) Weichtier, Molluske, b) weich.
mal·a·co·derm [ˈmæləkoˌdəːrm] *s zo.* Weichhäuter *m.*
mal·a·co·lite [ˈmæləkoˌlait] *s min.* Malakoˈlith *m,* grüner Auˈgit.
mal·a·col·o·gist [ˌmæləˈkɒlədʒist] *s* Malakoˈloge *m,* Weichtierkenner *m.* — ˌ**mal·aˈcol·o·gy** *s* Malakoloˈgie *f,* Weichtierlehre *f,* -kunde *f.*
mal·a·cop·ter·yg·i·an [ˌmæləˌkɒptəˈridʒiən] *zo.* **I** *s* Weichflosser *m.* – **II** *adj* weichflossig, Weichflosser... — ˌ**mal·aˌcop·terˈyg·i·ous** → malacopterygian II.
mal·a·cos·tra·can [ˌmæləˈkɒstrəkən] *zo.* **I** *s* Schalenkrebs *m,* Höherer Krebs (*Unterklasse Malacostraca*). – **II** *adj* Schalenkrebs... — ˌ**mal·aˌcos·traˈcol·o·gy** [-ˈkɒlədʒi] *s* Krustentierkunde *f.* — ˌ**mal·aˈcos·tra·cous** → malacostracan II.
mal·ad·ap·ta·tion [ˌmælədæpˈteiʃən] *s* ungenügende *od.* schlechte Anpassung.
mal·ad·dress [ˌmæləˈdres] *s* Taktlosigkeit *f,* ungeschicktes Benehmen.
mal·ad·just·ed [ˌmæləˈdʒʌstid] *adj* **1.** schlecht *od.* unzureichend angepaßt *od.* angeglichen, unausgeglichen. – **2.** *psych.* (seiner ˈUmwelt) entfremdet (*wegen unerfüllter Erwartungen vom Leben*), miˈlieugeˌstört. — ˌ**mal·adˈjust·ment** *s* **1.** schlechte *od.* unzureichende Anpassung *od.* Angleichung. – **2.** ˈMißverhältnis *n.*
mal·ad·min·is·ter [ˌmælədˈministər; -nəs-] *v/t* schlecht verwalten. — ˌ**mal·adˌmin·isˈtra·tion** [-ˈtreiʃən] *s* **1.** schlechte Verwaltung. – **2.** *pol.* ˈMißwirtschaft *f.*
mal·a·droit [ˌmæləˈdrɔit] *adj* **1.** ungeschickt. – **2.** taktlos. – **3.** schwerfällig. – *SYN. cf.* **awkward.** — ˌ**mal·aˈdroit·ness** *s* **1.** Ungeschick *n.* – **2.** Taktlosigkeit *f.* – **3.** Schwerfälligkeit *f.*
mal·a·dy [ˈmælədi] *s* **1.** (*bes.* chronische *od.* schleichende) Krankheit, Gebrechen *n,* Krebsschaden *m* (*auch fig.*). – **2.** (sittlicher *od.* geistiger) Ruˈin, Zerrüttung *f.*
ma·la fi·de [ˈmeilə ˈfaidi] (*Lat.*) *adj u. adv* falsch(herzig), arglistig, unredlich. — ˈ**ma·la ˈfi·des** [-diːz] (*Lat.*) *s* Falschheit *f,* Arglist *f,* Unredlichkeit *f.*
Mal·a·ga [ˈmæləgə] *s* **1.** Malaga(wein) *m.* – **2.** Malagatraube *f.*
Mal·a·gas·y [ˌmæləˈgæsi] **I** *s* **1.** a) Madaˈgasse *m,* Madaˈgassin *f,* b) Madaˈgassen *pl.* – **2.** Malagasy *n* (*indonesische Dialekte der Bewohner Madagaskars*). – **II** *adj* **3.** madaˈgassisch.
ma·laise [mæˈleiz] *s* **1.** Unwohlsein *n,* Kränklichkeit *f.* – **2.** Unbehagen *n.* – **3.** Abgespanntheit *f.*
Ma·la·mute, m~ [ˈmɑːləˌmjuːt] *s* Eskimohund *m.*
mal·an·ders [ˈmæləndərz] *s pl vet.* Mauke *f* (*Pferdekrankheit*).
mal·a·pert [ˈmæləˌpəːrt] *obs.* **I** *adj* unverschämt, vermessen. – **II** *s* unverschämte *od.* vermessene Perˈson.
mal·a·prop [ˈmæləˌprɒp] → malapropism. — ˌ**mal·aˈprop·i·an** *adj* wortentstellend, -verdrehend, lächerlich in der Wortwahl. — ˈ**mal·a·propˌism** *s* **1.** (lächerliche *od.* peinliche) Wortverwechslung, falsche Wortwahl, ˈMißgriff *m* (*bes. bei Fremdwörtern*) (*nach Mrs. Malaprop in Sheridans „The Rivals"*). – **2.** Angewohnheit *f,* (Fremd)Wörter falsch zu gebrauchen.
mal·ap·ro·pos [ˌmælæprəˈpou] **I** *adj* **1.** unangebracht, unzeitgemäß. – **2.** unschicklich. – **II** *adv* **3.** a) zur unrechten Zeit, b) im falschen Augenblick. – **4.** unschicklich. – **III** *s* **5.** a) (*etwas*) Unangebrachtes, b) (*etwas*) Unschickliches.
ma·lar [ˈmeilər] *med.* **I** *adj* maˈlar, Backen..., Jochbein... – **II** *s* Backenknochen *m,* Jochbein *n.*
ma·lar·i·a [məˈlɛ(ə)riə] *s med.* **1.** Maˈlaria *f,* Sumpffieber *n.* – **2.** *obs.* ungesunde fieberbringende Sumpfluft. — **maˈlar·i·al, maˈlar·i·an, maˈlar·i·ous** *adj* Malaria... — **ma·lar·i·a par·a·site** *s med. zo.* Maˈlariaerreger *m* (*Gattg Plasmodium; Sporentierchen*).
ma·lar·k(e)y [məˈlɑːrki] *s Am. sl.* ‚Laˈtrinenpaˌrole' *f,* ‚Quatsch' *m,* Unsinn *m.*
mal·as·sim·i·la·tion [ˌmæləˌsimiˈleiʃən; -məˈl-] *s med.* schlechte Assimilatiˈon, Assimilatiˈonsstörung *f.*
mal·ate [ˈmeileit; -lit; ˈmæl-] *s chem.* **1.** äpfelsaures Salz ($Me_2C_4H_4O_5$). – **2.** äpfelsaurer Ester.
mal·ax·age [ˈmæləksidʒ] *s* Kneten *n,* Bearbeiten *n* (*des ungebrannten Töpfertons*). — ˈ**mal·axˌate** [-ˌseit] *v/t med.* erweichen, weich kneten. — ˌ**mal·axˈa·tion** *s med.* Erweichen *n* (*durch Kneten*), ˈDurchkneten *n* (*von Mischteilen zu Pillen, Pflastern etc*). — ˈ**mal·axˌa·tor** [-tər] *s* Mischmühle *f.*
Ma·lay [məˈlei; ˈmeilei] **I** *s* **1.** Maˈlaie *m,* Maˈlaiin *f.* – **2.** Eingeborene(r) von Maˈlakka. – **3.** *ling.* Maˈlaiisch *n,* das Malaiische. – **4.** *auch* ~ **fowl** *zo.* Maˈlaie *m* (*Hühnerrasse; speziell für Hahnenkämpfe gezüchtet*). – **II** *adj* **5.** maˈlaiisch. – **6.** aus *od.* von (der Halbinsel) Maˈlakka.
Mal·a·ya·lam [ˌmæləˈjɑːləm] *s* Malaˈyalam *n* (*malabarische Sprache*).
Ma·lay·an [məˈleiən] → **Malay II.**
Malayo- [məleio] *Wortelement mit der Bedeutung* malaiisch.
Ma·lay·o-Pol·y·ne·sian [məˈleioˌpɒliˈniːʒən; -ʒiən] *adj* maˈlaiisch-polyˈnesisch.
Ma·lay·sian [məˈleiʒən] **I** *s* **1.** Eingeborene(r) des Maˈlaiischen Archiˈpels, Maˈlaie *m,* Maˈlaiin *f.* – **2.** Indoˈnesier(in). – **3.** Eingeborene(r) von Maˈlakka. – **II** *adj* **4.** maˈlaiisch.
mal·brouck [ˈmælbruk] *s zo.* Malbruck-Meerkatze *f* (*Cercopithecus cynosurus*).
Mal·chus [ˈmælkəs] **I** *npr Bibl.* Malchus *m.* – **II** *s* m~ *hist.* kurzes einschneidiges Schwert.
mal·con·for·ma·tion [mælˌkɒnfɔːrˈmeiʃən; -fər-] *s* **1.** ˈMißverhältnis *n.* – **2.** ˈMißbildung *f.*
mal·con·tent [ˈmælkənˌtent] **I** *adj* **1.** unzufrieden, verstimmt. – **2.** *pol.* (mit der Reˈgierung *etc*) unzufrieden, reˈbellisch, aufrührerisch. – **II** *s* **3.** Unzufriedene(r) (*auch pol.*), ˈMißvergnügte(r). – **4.** (poˈlitischer) Agiˈtator, Reˈbell *m.*
male [meil] **I** *adj* **1.** männlich (*Geschlechtsbezeichnung*): ~ **cat** Kater; ~ **child** Knabe; ~ **cousin** Vetter, Cousin; **without** ~ **issue** ohne männliche(n) Nachkommen. – **2.** männlich (*im weiteren Sinne*): a) mannhaft, b) stark, kräftig (*in der Farbe etc*), c) Männer...: a ~ **choir** ein Männerchor. – **3.** *biol.* männlich (*Samenzelle etc*). – **4.** *tech.* männlich, Spindel..., Dorn..., Stecker... – *SYN.* **manful, manlike, manly, mannish, masculine, virile.** – **II** *s* **5.** a) Mann *m,* b) Knabe *m,* Junge *m.* – **6.** männliches Lebewesen. – **7.** *bot.* männliche Pflanze.
male- [mæli] *Wortelement mit der Bedeutung* schlecht, übel, böse.
ma·le·ate [məˈliːit] *s chem.* Maleˈat *n* ($C_4H_4O_4$; *Salz od. Ester der Maleinsäure*).
mal·e·dict [ˈmælidikt; -lə-] *adj obs.* verflucht, verwünscht. — ˌ**mal·eˈdic·tion** *s* **1.** Fluch *m,* Verwünschung *f.* – **2.** Fluchen *n.* – **3.** üble Nachrede. — ˌ**mal·eˈdic·to·ry** [-təri] *adj* verwünschend, fluchend, Verwünschungs..., Fluch...
mal·e·fac·tion [ˌmæliˈfækʃən; -lə-] *s* Missetat *f,* Verbrechen *n.* — ˈ**mal·eˌfac·tor** [-tər] *s* **1.** Misse-, Übeltäter *m.* – **2.** Verbrecher *m.* — ˈ**mal·eˌfac·tress** [-tris] *s* **1.** Missetäterin *f.* – **2.** Verbrecherin *f.*
male fern *s bot.* Wurmfarn *m* (*Dryopteris filix-mas*).
ma·le·ic ac·id [məˈliːik] *s chem.* bösartig, schädlich. – **2.** *astr.* ungünstig, unheilvoll (*Konstellation, Gestirn etc*). – **II** *s* **3.** *astr.* ungünstiger Stern. — **maˈlef·i·cal·ly** *adv.* — **maˈlef·i·cence** [-sns] *s* **1.** Übeltun *n,* -tat *f,* Verbrechen *n.* – **2.** Übelwollen *n,* Bösartigkeit *f.* – **3.** Schädlichkeit *f.* — **maˈlef·i·cent** *adj* **1.** bösartig, boshaft. – **2.** schädlich, nachteilig (to für *od. dat*). – **3.** verbrecherisch.
ma·le·ic ac·id [məˈliːik] *adj chem.* Maleˈinsäure *f* ($C_2H_2(CO_2H)_2$).
Ma·le·mute, m~ [ˈmɑːləˌmjuːt] *s* Eskimohund *m.*
mal·en·ten·du [malɑ̃tɑ̃ˈdy] (*Fr.*) *s* ˈMißverständnis *n.*
mal·e·o [ˈmæliou] *pl* **-e·os** *s zo.* Hammerhuhn *n* (*Megacephalon maleo; Großfußhuhn*).
male| rhyme *s metr.* männlicher Reim. — ~ **screw** *s tech.* Schraubenspindel *f,* -gewinde *n.*
ma·lev·o·lence [məˈlevələns] *s* ˈMißgunst *f,* Bosheit *f,* Feindseligkeit *f,* feindselige Gesinnung *od.* Einstellung (to gegen), Böswilligkeit *f.* – *SYN. cf.* malice. — **maˈlev·o·lent** *adj* **1.** ˈmißgünstig, feindselig, widrig (*Umstände etc*). – **2.** feindselig *od.* feindlich gesinnt *od.* eingestellt (to gegen) (*Person*).
mal·fea·sance [mælˈfiːzəns] *s jur.* Geˈsetzesüberˌtretung *f,* strafbare Handlung, Missetat *f.* — **malˈfea·sant I** *adj* gesetzwidrig, krimiˈnell. – **II** *s* Missetäter(in), j-d der sich einer Übertretung *od.* unerlaubten Handlung schuldig macht.
mal·for·ma·tion [ˌmælfɔːrˈmeiʃən] *s* ˈMißbildung *f, bes. med.* Deformiˈtät *f.* — **malˈformed** *adj* ˈmißgebildet, -gestaltet, verunstaltet.
mal·gré [malˈgre] (*Fr.*) *prep* trotz.
mal·ic [ˈmælik; ˈmei-] *adj chem.* Apfel... — ~ **ac·id** *s chem.* Äpfelsäure *f* ($C_2H_3OH(COOH)_2$).
mal·ice [ˈmælis] *s* **1.** Böswilligkeit *f,* Gehässigkeit *f,* Bosheit *f.* – **2.** Groll *m,* (gärender) Haß: **to bear** ~ **to s.o., to bear s.o.** ~ a) sich an j-m rächen wollen, b) j-m grollen. – **3.** Arglist *f,* (Heim)Tücke *f.* – **4.** Ungunst *f* (*des Schicksals etc*). – **5.** Schalkhaftigkeit *f,* Schalkheit *f,* schelmisches Wesen. – **6.** *jur.* böse Absicht, böser Vorsatz, dolus *m* malus. – *SYN.* **grudge, ill will, malevolence, malignity, spite, spleen.** — ~ **a·fore·thought** *s jur.* böser Vorbedacht.
ma·li·cious [məˈliʃəs] *adj* **1.** böswillig, boshaft. – **2.** arglistig, (heim)tückisch. – **3.** gehässig. – **4.** hämisch, schadenfroh. – **5.** *jur.* bös-, mutwillig, vorsätzlich: ~ **damage** böswillige Beschädigung. — **maˈli·cious·ness** *s* **1.** Böswilligkeit *f,* Gehässigkeit *f.* – **2.** Arglist *f,* (Heim)Tücke *f.* – **3.** Groll *m.*
mal·i·co·ri·um [ˌmæliˈkɔːriəm] *s obs.* Graˈnatapfelˌschale *f.*
mal·i·den·ti·fi·ca·tion [ˌmælaiˌdentifiˈkeiʃən; -təfə-] *s* falsche Feststellung *od.* Bestimmung, ˈFehlidentifiˌzierung *f,* -identifikatiˌon *f.*
ma·lign [məˈlain] **I** *adj* **1.** verderblich, schädlich. – **2.** verderben-, unheildrohend, -bringend, unheilvoll. – **3.** *selten* übelwollend. – **4.** → **malignant** 1, 2, 3, 4, 5. – **5.** *med.* →

malignant 7. – *SYN. cf.* sinister. – **II** *v/t* 6. verlästern, verleumden, beschimpfen, ,'herziehen über' (*j-n*). – *SYN.* asperse, calumniate, defame, slander, traduce, vilify. — **ma·lig·nan·cy** [mə'lignənsi], *auch* **ma'lig·nance** *s* **1.** Böswilligkeit *f*, -artigkeit *f*, Feindseligkeit *f*. – **2.** Schadenfreude *f*, böswilliges *od.* hämisches Wesen. – **3.** Arglist *f*. – **4.** Schädlichkeit *f*, Verderblichkeit *f*. – **5.** → **malignity** 1, 2, 4. – **6.** Ungunst *f* (*des Schicksals etc*). – **7.** *med.* Bösartigkeit *f*, Maligni'tät *f*. — **ma'lig·nant I** *adj* **1.** böswillig, -artig. – **2.** feindselig. – **3.** arglistig, (heim)tückisch. – **4.** hämisch, schadenfroh. – **5.** gehässig. – **6.** sehr verfeindet, spinnefeind. – **7.** *med.* bösartig, ma'ligne (*Tumor etc*). – **8.** → **malign** 1, 2. – **9.** → **malcontent** 2. – **II** *s* **10.** *Br. hist.* Königstreuer *m*, Roya'list *m* (*bes. Anhänger von Charles I*). – **11.** → **malcontent** 3. — **ma·lign·er** [mə'lainər] *s* **1.** Lästerer *m*, Verleumder(in). – **2.** hämischer Feind. — **ma·lig·ni·ty** [mə'ligniti; -nəti] *s* **1.** heftige *od.* erbitterte Feindschaft, tiefer Haß. – **2.** böser Wille, Boshaftigkeit *f*. – **3.** → **malignancy** 1, 2, 3. – **4.** *pl* a) Haßgefühle *pl*, b) böswillige Handlungen *pl*, c) unheilvolle Ereignisse *pl*. – **5.** *obs.* Verabscheuungswürdigkeit *f*, Verruchtheit *f*. – *SYN. cf.* malice.

ma·lines [mə'li:n] *s* **1.** *auch* **maline** (*früher* handgewebtes) tüllartiges Maschenwerk (*für Bekleidungsstücke*). – **2.** Mecheler Spitzen *pl*.

ma·lin·ger [mə'liŋgər] *v/i* sich krank stellen, simu'lieren, ,sich drücken' (*durch Vortäuschen einer Krankheit*). — **ma'lin·ger·er** *s* **1.** Simu'lant *m*. – **2.** Drückeberger *m* (*der eine Krankheit vortäuscht*).

ma·lism ['meilizəm] *s Lehre, daß die Welt als Ganzes schlecht ist.*

mal·i·son ['mælisn; -zn; -lə-] *s obs. od. dial.* Verwünschung *f*, Fluch *m*.

mal·kin ['mɔ:kin] *s obs. od. dial.* **1.** Schlampe *f*. – **2.** Vogelscheuche *f*.

mall[1] [mɔ:l] *s* **1.** schattiger Prome'nadenweg, 'Laubenprome,nade *f*. – **2.** *hist.* a) Mail(spiel) *n*, b) Mailschlegel *m*, c) Mailbahn *f*, -platz *m*. – **3.** The (*od.* the) Mall [mæl] *eine Allee am St. James-Park, London.*

mall[2] [mɔ:l; mɑ:l] *s zo.* Sturmmöwe *f* (*Larus canus*).

mall[3] *cf.* maul.

mal·lard ['mælərd] *pl* **-lards**, *collect.* **-lard** *s* **1.** *zo.* (Gemeine) Wildente *f*, Stockente *f* (*Anas platyrhynchos*). – **2.** wilder Enterich. – **3.** Wildente(nfleisch *n*) *f*.

mal·le·a·bil·i·ty [,mæliə'biliti; -əti] *s* **1.** *tech.* a) (Kalt)Schmied-, (Kalt)Hämmerbarkeit *f*, b) Dehn-, Streckbarkeit *f*, c) Verformbarkeit *f*. – **2.** *fig.* Gefügigkeit *f*, Geschmeidigkeit *f*.

mal·le·a·ble ['mæliəbl] *adj* **1.** *tech.* a) (*kalt*) schmied-, hämmerbar, b) dehn-, streckbar, c) verformbar. – **2.** *fig.* ('um)formbar, gefügig, geschmeidig, schmiegsam. – *SYN. cf.* plastic. — **~ cast i·ron** *s tech.* **1.** Tempereisen *n*. – **2.** Temperguß *m*. — **~ i·ron** *s tech.* **1.** a) Schmiede-, Schweißeisen *n*, b) schmiedbarer Guß. – **2.** → **malleable cast iron.**

mal·le·a·ble·ize ['mæliə,blaiz] *v/t tech.* **1.** hämmerbar machen. – **2.** tempern, glühfrischen.

mal·le·al ['mæliəl] *adj med.* den (Ohr)Hammer betreffend, (Ohr)Hammer...

mal·le·ate ['mæli,eit] *v/t selten* strekken, dehnen. — **,mal·le'a·tion** *s* **1.** *selten* Hämmern *n*, Strecken *n* (*von Metallen*). – **2.** Hämmerung *f*, Narbung *f* (*durch Hämmern*).

mal·lee[1] ['mæli] *s bot.* **1.** (*ein*) austral. Zwerggummibaum *m od.* Euka'lyptusbusch *m* (*bes. Eucalyptus dumosa, E. oleosa*). – **2.** *bes.* **~ scrub** Euka'lyptusgebüsch *n*, Mallee *n* (*in Australien*).

mal·lee[2] ['mɑ:li] *s Br. Ind.* (eingeborener) Gärtner.

mal·lee| bird ['mæli], **~ fowl**, **~ hen** *s zo.* Laubenwallnister *m* (*Leipoa ocellata*).

mal·le·i·form [mə'li:i,fɔ:rm; 'mæli-] *adj zo.* hammerförmig.

mal·le·ma·ro·king [,mælimə'roukiŋ] *s mar.* Zechgelage *n* (*der im Packeis gefangenen Walfänger auf einem ihrer Schiffe*).

mal·le·muck ['mæli,mʌk] *s zo. ein Seevogel, bes.* a) Sturmvogel *m*, b) Eismöwe *f*, c) Fulmar *m*.

mal·le·o·lar [mə'li:ələr] *adj med.* malleo'lar, Knöchel... — **mal'le·o·lus** [-ləs] *pl* **-li** [-,lai] *s med.* Mal'leolus *m*, Knöchel *m* (*am Ende des Schien- u. Wadenbeins*).

mal·let ['mælit] *s* **1.** Holzhammer *m*, Schlegel *m*. – **2.** (*Bergbau*) (Hand)Fäustel *m*, Schlägel *m*. – **3.** *sport* Schlagholz *n*, (Krocket- *od.* Polo)Schläger *m*.

mal·le·us ['mæliəs] *pl* **-le·i** [-li,ai] *s med.* Hammer *m* (*Gehörknöchelchen*), Malleus *m*.

mal·loph·a·gan [mə'lɒfəgən] *zo.* **I** *s* Pelzfresser *m* (*Unterordng Mallophaga*). – **II** *adj* → **mallophagous.** — **mal'loph·a·gous** *adj zo.* **1.** von Haaren, Federn *od.* trockener Haut sich ernährend. – **2.** Pelzfresser...

mal·low ['mælou] *s bot.* **1.** Malve *f*, Käsepappel *f* (*Gattg Malva*). – **2.** Malvengewächs *n* (*Fam. Malvaceae*). — **~ rose** → **rose mallow.** — **'~,wort** → **mallow** 2.

malm [mɑ:m] *s* **1.** *geol.* Malm *m*, (*kalkhaltiger*) weicher bröckliger Lehm. – **2.** *dial.* Mergelboden *m* (*bes. im südöstl. England*).

Mal·mai·son [mæl'meizən] *s bot.* **1.** Malmaison-Nelke *f* (*aus der Gruppe der Remontant-Nelken*). – **2.** Malmaison-Rose *f* (*aus der Gruppe der Bourbon-Rosen*).

malm·sey ['mɑ:mzi] *s* Malva'sier *m* (*Süßweinsorte*).

mal·nu·tri·tion [,mælnju:'triʃən; *Am. auch* -nu:-] *s* 'Unterer,nährung *f*, schlechte Ernährung.

mal·oc·clu·sion [,mælə'klu:ʒən] *s* (*Zahnheilkunde*) fehlerhafter Gebißschluß, Ge'bißanoma,lie *f*.

mal·o·dor, *bes. Br.* **mal·o·dour** [mæ'loudər] *s* Gestank *m*, übler Geruch. — **mal'o·dor·ous** *adj* übelriechend, stinkend. – *SYN.* fetid, fusty, musty, noisome, putrid, rank, stinking. — **mal'o·dor·ous·ness** → **malodo(u)r.**

mal·o·dour *bes. Br. für* malodor.

mal·o·nate ['mælə,neit; -nit] *s chem.* **1.** ma'lonsaures Salz ($Me_2C_3H_2O_4$). – **2.** Ester *m* der Ma'lonsäure.

ma·lo·nic [mə'lounik; -'lɒn-] *adj chem.* ma'lonsauer, Malon... — **~ ac·id** *s* Ma'lonsäure *f* ($CH_2(CO_2H)_2$). — **~ es·ter** *s* Ma'lonester *m* ($CH_2(CO_2C_2H_5)_2$).

mal·pigh·i·a·ceous [mæl,pigi'eiʃəs] *adj bot.* mal'pighienartig, zur Fa'milie der ,Malpighia'ceen gehörig.

Mal·pigh·i·an [mæl'pigiən] *adj bot. med. zo.* mal'pighisch (*nach dem ital. Anatom Malpighi*). — **~ bod·y**, **~ cor·pus·cle** *s meist pl med.* Mal'pighisches Körperchen. — **~ tubes**, **~ ves·sels** *s pl zo.* Mal'pighische Gefäße *pl* (*Ausscheidungsdrüsen der Insekten*).

mal·po·si·tion [,mælpə'ziʃən] *s med.* schlechte Stellung, 'Stellungs-, 'Lageanoma,lie *f* (*bes. von Körperteilen u. Fötus*).

mal·prac·tice [,mæl'præktis] *s* **1.** a) gewissenloses Prakti'zieren, b) sträfliche Unfähigkeit im Amt *od.* Beruf. – **2.** falsche *od.* schlechte (ärztliche) Behandlung, Pfusche'rei *f*. – **3.** Amtsvergehen *n*, (eigennütziger) 'Mißbrauch eines Amts *od.* einer Vertrauensstellung. – **4.** Übeltat *f*, strafbare Handlung, ungehöriges Verhalten.

mal·pres·en·ta·tion [mæl,prezən'teiʃən] *s med.* anomale Kindslage.

malt [mɔ:lt] **I** *s* **1.** Malz *n*: **green ~** Grünmalz. – **2.** *colloq.* (*gegorener*) Gerstensaft, (Malz)Bier *n*. – **II** *v/t* **3.** mälzen, malzen. – **4.** unter Zusatz von Malz 'herstellen. – **III** *v/i* **5.** zu Malz werden. – **6.** malzen, Malz erzeugen *od.* 'herstellen. – **IV** *adj* **7.** Malz...

Mal·ta fe·ver ['mɔ:ltə] *s med.* Maltafieber *n*, Bruzel'lose *f*.

malt·ase ['mɔ:lteis] *s biol. chem.* Mal'tase *f*, Dia'stase *f* (*Ferment*).

malt·ed milk ['mɔ:ltid] *s* **1.** (*lösliches*) Malzpulver. – **2.** Malzmilch *f* (*bes. Art Eisgetränk*).

Mal·tese [mɔ:l'ti:z] **I** *s sg u. pl* **1.** a) Mal'teser(in), b) Mal'teser *pl*. – **2.** *ling.* Mal'tesisch *n*, das Maltesische. – **II** *adj* **3.** mal'tesisch, Malteser... — **~ cat** *s zo. eine blaugraue Hauskatzenrasse.* — **~ cross** *s* **1.** Mal'teserkreuz *n* (*achtspitziges Kreuz*). – **2.** *bot.* → **scarlet lychnis.** – **3.** *tech.* Mal'teserkreuz(getriebe) *n* (*eine Schaltwerkart*). [(*Krankenkost*).]

malt ex·tract *s* 'Malzex,trakt *m*

mal·tha ['mælθə] *s* **1.** *min.* Bergpech *n*, -teer *m*. – **2.** (*verschiedene Arten von*) Mörtel *m od.* Ze'ment *m*. – **3.** *min.* Ozoke'rit *m*, Erdwachs *n*.

'malt,house *s* Mälze'rei *f*.

Mal·thu·sian [mæl'θju:ziən; -'θu:-] **I** *s* Malthusi'aner(in). – **II** *adj* mal'thusisch, Malthus... — **Mal'thu·si·an,ism** *s* Malthusia'nismus *m*.

malt·ine ['mɔ:lti:n] *s chem. Br.* Mal'tin *n*, 'Malzdia,stase *f*.

malt·ing ['mɔ:ltiŋ] *s* **1.** Malzen *n*, Mälzen *n*. – **2.** Mälze'rei *f*.

malt| liq·uor *s* gegorener Malztrank, Malzbier *n*. — **'~-,mill** *s tech.* Malzbrecher *m*, -mühle *f*, Schrotmühle *f*.

malt·ose ['mɔ:ltous] *s chem.* Mal'tose *f*, Malzzucker *m* ($C_{12}H_{22}O_{11}$).

mal·treat [mæl'tri:t] *v/t* **1.** schlecht *od.* unfreundlich behandeln, malträ'tieren, grob 'umgehen mit. – **2.** miß'handeln. — **mal'treat·ment** *s* **1.** schlechte, unfreundliche *od.* grobe Behandlung. – **2.** Miß'handlung *f*.

malt·ster ['mɔ:ltstər] *s* Mälzer *m*.

malt| sug·ar *s* → **maltose.** — **'~,worm** *s fig.* Trinker *m*, ,Süffel' *m*.

malt·y ['mɔ:lti] *adj* **1.** malzig, malzhaltig, Malz... – **2.** *humor.* dem Bier (*u. anderen Getränken*) ergeben. – **3.** *obs. sl.* ,voll' (*betrunken*).

mal·va ['mælvə] *s bot.* Malve *f* (*Gattg Malva*). — **mal'va·ceous** [-'veiʃəs] *adj bot.* zu den Malvengewächsen gehörig.

mal·va·si·a [,mælvə'zi:ə; -'si:ə] *s* Malva'sier(wein) *m*.

mal·ver·sa·tion [,mælvər'seiʃən] *s jur.* **1.** Veruntreuung *f*, 'Unterschleif *m*, schlechte Verwaltung (*von Geldern etc*). – **2.** 'Amts,mißbrauch *m*, -vergehen *n*.

mal·voi·sie ['mælvoizi] → **malvasia.**

ma·ma [mə'mɑ:; *Am. auch* 'mɑ:mə] → **mamma**[1].

mam·ba ['mæmbə; 'mɑ:m-] *s zo.* Mamba *f* (*Gattg Dendraspis; Giftnatter*).

mam·bo ['mɑ:mbou; 'mæm-] *s* Mambo *m*: a) *Tanz*, b) *Musik*.

mam·e·lon ['mæmələn] *s* kleine runde Erhebung.

mam·e·lu·co [,mæmə'lu:kou] *pl* **-cos** *s* Me'stize *m*, Mama'luko *m* (*in Brasilien; Mischling von Weißen u. Indianern*).

Mam·e·luke ['mæməˌlu:k; -ˌlju:k] *s hist.* **1.** Mame'luck *m* (*Angehöriger der ehemaligen türk. Soldatendynastie in Ägypten*). – **2.** m~ Sklave *m* (*in moham. Ländern*). – **3.** m~ Kriegersklave *m.*
ma·mey [mɑ:'mei; -'mi:] → mammee.
ma·mil·la, *bes. Am.* **mam·mil·la** [mæ'milə] *pl* **-lae** [-li:] *s* **1.** *med.* Ma'mille *f*, Brustwarze *f*. – **2.** Zitze *f*. – **3.** (brust)warzenförmiges Gebilde. — **mam·il·lar·y,** *bes. Am.* **mam·mil·lar·y** [*Br.* 'mæmiləri; *Am.* -əˌleri] *adj* **1.** *med.* Brustwarzen... – **2.** brustwarzenförmig. – **3.** *min.* mit warzenförmigen Erhöhungen. — '**mam·il·ˌlate,** *bes. Am.* '**mam·milˌlate** [-ˌleit], '**mam·ilˌlat·ed,** *bes. Am.* '**mam·milˌlat·ed** *adj* **1.** mit Ma'millen *od.* Brustwarzen besetzt. – **2.** mit (brust)warzenförmigen Erhöhungen. — ˌ**mam·il'la·tion,** *bes. Am.* ˌ**mam·mil'la·tion** *s* **1.** brustwarzenförmiges Gebilde. – **2.** Höckerigkeit *f.* — **ma·mil·li·form,** *bes. Am.* **mam·mil·li·form** [mə'miliˌfɔ:rm; -lə-] *adj* ma'millen-, (brust)warzenförmig.
mam·ma[1] [mə'mɑ:; *Am. auch* 'mæmə] *s* Ma'ma *f*, Mutter *f.*
mam·ma[2] ['mæmə] *pl* **-mae** [-mi:] *s* **1.** *med.* Mamma *f*, (weibliche) Brust, Brustdrüse *f*. – **2.** *zo.* Zitze *f*, Euter *n.*
mam·mal ['mæməl] *s zo.* Säugetier *n*, Säuger *m.*
Mam·ma·li·a [mæ'meiliə] *s pl zo.* Säugetiere *pl* (*Klasse des Unterstamms Craniota*). — **mam'ma·li·an** *zo.* **I** *s* Säugetier *n*. – **II** *adj* Säugetier..., zu den Säugetieren gehörig. — **mam·ma·lif·er·ous** [ˌmæmə'lifərəs] *adj geol.* (*fossile*) Säugetierreste enthaltend. — ˌ**mam·ma'log·i·cal** [-'lɒdʒikəl] *adj* zur Säugetierkunde gehörig. — **mam·mal·o·gist** [mæ'mælədʒist] *s* Säugetierkundiger *m.* — **mam'mal·o·gy** *s* Säugetierkunde *f.*
mam·ma·ry ['mæməri] *adj* **1.** *med.* Brust(warzen)..., Milch...: ~ gland Brust-, Milchdrüse. – **2** *zo.* Euter...
mam·ma·to-cu·mu·lus [mæˌmeito'kju:mjuləs; -mjə-] *s* (*Meteorologie*) Mamˌmato'kumulus *m* (*Wolkenkumulus mit sackartigen Ausbuchtungen*).
mam·mee ['mæmi:; 'mɑ:mei] *s bot.* **1.** a) Mamm(e)ibaum *m* (*Mammea americana*), b) *auch* ~ apple Mamm(e)iapfel *m* (*Frucht von a*). – **2.** → sapodilla. – **3.** → marmalade tree. — ~ **sa·po·ta,** *auch* ~ **col·o·ra·do** *s bot.* Marme'ladenpflaume *f* (*Frucht der Mamey-Sapote Calocarpum sapota*).
mam·mi·fer ['mæmifər] *s zo. selten* Säugetier *n.* — **mam·mif·er·ous** [mæ'mifərəs] *adj* säugend, mit Brustwarzen (versehen). — '**mam·miˌform** [-ˌfɔ:rm] *adj* **1.** brust(warzen)förmig. – **2.** zitzen-, euterförmig.
mam·mil·la, mam·mil·lar·y, mam·mil·late, mam·mil·lat·ed, mam·mil·la·tion, mam·mil·li·form *bes. Am. für* mamilla *etc.*
mam·mock ['mæmək] *bes. dial.* **I** *s* Bruchstück *n*, Brocken *m*. – **II** *v/t* (in Stücke) (zer)brechen.
mam·mon ['mæmən] *s* **1.** Mammon *m*, Reichtum *m*, irdisches Gut, Geld *n*: **the ~ of unrighteousness** *Bibl.* der ungerechte Mammon. – **2.** M~ Mammon *m* (*Dämon des Geldes od. der Besitzgier*): to serve (*od.* worship) ~ dem Mammon dienen. — '**mam·mon·ish** *adj* dem Mammon ergeben, geldgierig. — '**mam·monˌism** *s* Mammo'nismus *m*, Mammonsdienst *m*, Geldgier *f.* — '**mam·mon·ist** *s* Mammonsdiener *m.* — ˌ**mam·mon'is·tic** → mammonish. — '**mam·monˌite** → mammonist.
mam·moth ['mæməθ] **I** *s zo.* Mammut *n* (*Elephas primigenius*): imperial ~ Amer. Riesenmammut (*E. imperator*). – **II** *adj* Mammut..., riesig, Riesen..., ungeheuer: ~ enterprise Mammutunternehmen. – *SYN. cf.* enormous. — ~ **tree** *s bot.* Mammutbaum *m* (*Sequoiadendron giganteum*).
mam·my ['mæmi] *s* **1.** (*bes. Kindersprache*) Ma'ma *f*, Mami *f*. – **2.** *Am.* schwarzes Kindermädchen, schwarze Amme.
man [mæn] **I** *v/t pret u. pp* **manned** [mænd] **1.** *bes. mar.* bemannen. – **2.** *mar. mil.* (*Stellung etc*) besetzen: to ~ **the side** (the yards) *mar.* a) am Fallreep (auf den Rahen) paradieren, b) auslegen; to ~ a fort. – **3.** *fig.* (*j-n*) aufrichten, stärken: to ~ **oneself** Mut fassen, sich ermannen. – **4.** (*Vögel etc*) an Menschen gewöhnen, zähmen. – **5.** (*Arbeitsplatz etc*) einnehmen, besetzen. –
II *adj* **6.** männlich: ~ **cook** Koch. –
III *s pl* **men** [men] **7.** Mensch *m* (*Gattg Homo*). – **8.** *auch* M~ (*meist ohne* the) der Mensch, die Menschen *pl*, das Menschengeschlecht: **the rights of** ~ die Menschenrechte; → fall 15. – **9.** Mensch *m*, Mann *m*, Per'son *f*: a ~ man, jemand; as a ~ als Mensch (*schlechthin*); **to elect a new** ~ einen neuen Mann wählen; any ~ irgend jemand, jedermann; **every** ~ jeder(mann); **few men** nur wenige (Menschen); **no** ~ niemand; **5 sh. per** ~ 5 Schilling pro Person *od.* Mann; **the** ~ **in** (*Am. auch* on) **the street** der Mann auf der Straße, der gemeine Mann, der Durchschnittsmensch. – **10.** jemand, man: **what can a** ~ **do in such a case?** was kann man da *od.* in einem solchen Fall tun? **to give a** ~ **a chance** einem *od.* j-m eine Chance *od.* Gelegenheit geben (*sich zu bewähren*). – **11.** Mann *m*: ~ **by** ~, ~ **for** ~ Mann für Mann; **between** ~ **and** ~ von Mann zu Mann; → own 8; **little** ~ (mein) kleiner Mann. – **12.** (Ehe)Mann *m* (*meist dial. außer in*): ~ **and wife** Mann u. Frau; **my (old)** ~ *colloq.* mein Mann, mein ‚Alter'. – **13.** (*der*) (richtige) Mann, (*der*) Richtige: **if you want a guide he is your** ~; **he is not the** ~ **to do it** er ist nicht der richtige Mann dafür; **he is the** ~ **for me** er ist für mich der Richtige. – **14.** (wahrer, echter *od.* ‚richtiger') Mann: **be a** ~! sei ein Mann! reiß dich zusammen! **to play the** ~ sich als Mann *od.* mutig zeigen. – **15.** die Männer, der Mann, das Männergeschlecht. – **16.** a) Diener *m*, b) Angestellter *m*, c) Arbeiter *m*: **the men are on strike.** – **17.** *mil.* a) Sol'dat *m*, Gemeiner *m*, b) Ma'trose *m*. – **18.** *pl mil.* Mannschaft *f*. – **19.** (*als interj*) Mensch! (*verächtlich*) Kerl!: **hurry up,** ~! Mensch, beeil dich! – **20.** (*Brettspiele*) Stein *m*, (*Schach*) Fi'gur *f*. – **21.** *hist.* Lehensmann *m*, 'Untertan *m*. – **22.** *bes. jur.* (*meist in Verbindungen wie*): **the** ~ **Smith** (bewußter *od.* besagter) Smith. – **23.** *obs.* Mannhaftigkeit *f*, Mannesmut *m*. –
Besondere Redewendungen:
an Oxford ~ ein Oxforder (Akademiker), einer der in Oxford studiert *od.* studiert hat; **I'm your** ~ ich gehe auf Ihr Angebot ein; **I have known him** ~ **and boy** ich habe ihn schon als Jungen gekannt; **a** ~ **and a brother** *Br. colloq.* ein patenter Kerl; ~ **and brother** Mensch u. Bruder (*Schlagwort der Antisklavereibewegung*); **as one** ~ alle wie einer, wie 'ein Mann; **to a** ~ alle, bis auf den letzten Mann; **my good** ~! (*herablassend*) mein sehr verehrter Herr! **the** ~ **of men** der Herrlichste von allen; → alive 4; best ~; inner ~; mark[1] 22; new 9; old ~; outer 1; world *b. Redw.*
ma·na ['mɑ:nɑ:] *s* Mana *n*: a) *magische Elementarkraft*, b) *übernatürliche Macht(stellung), Geltung.*
man a·bout town *s* Lebemann *m*, Stadtbummler *m*, Klubbesucher *m*, Sa'lonheld *m.*
man·a·cle ['mænəkl] **I** *s meist pl* **1.** Handfessel *f* (*auch fig.*). – **2.** Hindernis *n* (*für die Bewegungsfreiheit*). – **II** *v/t* **3.** (*j-m*) Handfesseln *od.* -schellen anlegen (*auch fig.*). – **4.** (be)hindern. – *SYN. cf.* hamper[1].
ma·na·da [ma'naða] (*Span.*) *s* Herde *f* (*bes. Pferde*).
man·age ['mænidʒ] **I** *v/t* **1.** (*Geschäft, Angelegenheiten etc*) führen, verwalten. – **2.** (*Betrieb etc*) leiten, vorstehen (*dat*). – **3.** (*Gut etc*) bewirtschaften: to ~ **an estate.** – **4.** beaufsichtigen, diri'gieren. – **5.** zu'stande bringen, bewerkstelligen. – **6.** es einrichten *od.* (geschickt) fertigbringen: **he** ~**d to see the general himself** es gelang ihm, den General selbst zu sehen. – **7.** ‚deichseln', ‚einfädeln': to ~ **matters** ‚die Sache deichseln'. – **8.** (*Werkzeug etc*) a) handhaben, 'umgehen mit, b) bedienen: **can you** ~ **a yacht?** verstehen Sie mit einer Jacht umzugehen? – **9.** a) mit (*j-m*) 'umzugehen *od.* (*j-n*) zu behandeln *od.* zu ‚nehmen' wissen, b) (*j-n*) für sich gewinnen *od.* gefügig machen, fertig werden mit (*j-m*): **she doesn't know how to** ~ **him** sie versteht nicht mit ihm umzugehen; **to** ~ **a naughty child** mit einem ungezogenen Kind fertig werden. – **10.** (*Zirkuspferde etc*) abrichten, dres'sieren, zureiten. – **11.** in der *od.* seiner Gewalt haben. – **12.** (*Land*) bearbeiten. – **13.** regu'lieren. – **14.** *colloq.* (*durch Schwierigkeiten*) (hin)'durchbringen, -laˌvieren. – **15.** *colloq.* (*mit* can *od.* be able) a) (*Essen, Trinken etc*) bewältigen, her'unterbekommen, vertragen, schaffen. – **16.** *obs.* sparsam *od.* sorgfältig 'umgehen mit. – *SYN. cf.* conduct[1]. –
II *v/i* **17.** wirtschaften. – **18.** das Geschäft *od.* den Betrieb *etc* führen. – **19.** auskommen (with mit). – **20.** *colloq.* a) ‚es schaffen', 'durchkommen, sein Ziel erreichen, b) möglich machen *od.* ermöglichen: **can you come this evening? I'm afraid, I can't** ~ (it) können Sie heute abend kommen? Es geht leider nicht *od.* es ist mir leider nicht möglich. –
III *s obs.* **21.** Reitschule *f*, Ma'nege *f*. – **22.** a) Dres'sur *f* (*Pferd*), b) Dres'surübungen *pl*. – **23.** → management.
man·age·a·bil·i·ty [ˌmænidʒə'biliti; -əti] → manageableness. — '**man·age·a·ble** *adj* **1.** lenksam, fügsam, folgsam, willfährig. – **2.** gelehrig. – **3.** dres'sierbar. – **4.** handlich, leicht zu handhaben(d), handgerecht. — '**man·age·a·ble·ness** *s* **1.** Fügsamkeit *f*. – **2.** Gelehrigkeit *f*. – **3.** Handlichkeit *f.*
man·aged| cur·ren·cy ['mænidʒd] *s econ.* regu'lierte *od.* (staatlich) gelenkte Währung. — ~ **e·con·o·my** *s econ.* Planwirtschaft *f.*
man·age·ment ['mænidʒmənt] *s* **1.** *bes. econ.* Verwaltung *f*, Betrieb *m*: **industrial** ~ Betriebswirtschaft. – **2.** *econ.* (Geschäfts)Vorstand *m*, Geschäftsleitung *f*, Direkti'on *f*: **conflicts between labo(u)r and** ~ Unstimmigkeiten zwischen (den) Arbeitern u. (der) Geschäftsleitung. – **3.** *agr.* Bewirtschaftung *f* (*Gut etc*). – **4.** a) Kunst *f* der Betriebs- *od.* Menschenführung, b) ˌOrganisati'onstaˌlent *n*. – **5.** Geschicklichkeit *f*, geschickte Wahl der Mittel, (kluge) Taktik, Manipulati'on *f*. – **6.** a) Kunstgriff *m*, Trick *m*, ‚Dreh' *m*, b) unlautere Handlungsweise, Winkelzug *m*. – **7.** Handhabung *f*, Behandlung *f.*

man·ag·er ['mænidʒər] *s* **1.** *bes. econ.* Verwalter *m.* – **2.** *econ.* Geschäftsführer *m*, (Betriebs)Leiter *m*, Di'rektor *m*, Vorsteher *m*: ~ **of a branch office** Filialleiter, -vorsteher; **board of** ~**s** Direktorium; **general** ~ Generaldirektor; **hotel** ~ Hoteldirektor. – **3.** *agr.* Bewirtschafter *m* (*Gut etc*). – **4.** (per'sönlicher) Sachwalter, Manager *m* (*von Filmstars etc*). – **5.** (*Theater, Film, Rundfunk*) Inten'dant *m*, Regis'seur *m*, Impre'sario *m*, Manager *m.* – **6.** Haushalter *m*, Wirtschafter *m.* – **7.** *econ.* Faktor *m* (*Leiter einer Handelsniederlassung*). – **8.** *econ.* (*bevollmächtigter*) Proku'rist, Dispo'nent *m.* – **9.** (*Brit. Parlament*) *Mitglied eines Ausschusses für Angelegenheiten beider Häuser.* – **10.** *jur. Br.* (*meist*) *vom Kanzleigericht eingesetzter Anwalt, der einen Fall zugunsten von Gläubigern zu verwalten hat.* – **11.** j-d der (*etwas*) geschickt anstellt *od.* behandelt, Schlaukopf *m*, ‚fixer Junge'. — '**man·ag·er·ess** *s* **1.** *bes. econ.* Verwalterin *f.* – **2.** Geschäftsführerin *f*, (Betriebs)Leiterin *f*, Direk'torin *f*, Vorsteherin *f.* – **3.** Haushälterin *f.* — ˌ**man·a'ger·i·al** [-'dʒi(ə)riəl] *adj* **1.** *bes. econ.* Verwaltungs... – **2.** *econ.* direktori'al, Direktoren..., Direktions..., (Betriebs)Leitungs...: ~ **duties.** – **3.** managerhaft. – **4.** (*meist geringschätzig*) bevormundend, herrisch, herrschsüchtig: **a** ~ **young lady.** — '**man·ager·ˌship** *s* **1.** Amt *n od.* Stellung *f* eines Verwalters *od.* Geschäftsführers *od.* Di'rektors *etc.* – **2.** Amt *n od.* Stellung *f* eines Managers *od.* Inten'danten *od.* Impre'sarios *etc.*

man·ag·ing ['mænidʒiŋ] **I** *adj* **1.** *bes. econ.* verwaltend, Betriebs... – **2.** *econ.* geschäftsführend, leitend. – **3.** wirtschaftlich, sparsam. – **4.** bevormundend. – **II** *s* **5.** *bes. econ.* Verwaltung *f.* – **6.** *econ.* Geschäftsführung *f*, (Betriebs)Leitung *f.* – **7.** Handhabung *f.* — ~ **board** *s econ.* Direk'torium *n.* — ~ **clerk** *s econ.* Geschäftsführer *m*, Proku'rist *m*, Bevollmächtigter *m*, ('Handels)Dispoˌnent *m.* — ~ **com·mit·tee** *s econ.* geschäftsführender Ausschuß, Vorstand *m.* — ~ **di·rec·tor** *s econ.* **1.** Gene'ral-, Fa'brikdiˌrektor *m*, geschäftsführendes Vorstandsmitglied. – **2.** *pl* geschäftsführender Vorstand, Verwaltungsrat *m*, Direk'torium *n.* — ~ **part·ner** *s econ.* geschäftsführender Gesellschafter *od.* Teilhaber.

man·a·kin ['mænəkin] *s* **1.** *zo.* Manakin *m*, Pipra *m*, Mono *m*, Schnurrenvogel *m* (*Fam. Pipridae*). – **2.** → **manikin.**

ma·ña·na [ma'ɲana] (*Span.*) **I** *s* **1.** der morgige Tag. – **2.** das Morgen, die (unbestimmte) Zukunft. – **II** *adv* **3.** morgen, in Kürze, bald.

ma·nar·vel [mə'nɑːrvəl] → **manavel.**

Ma·nas·seh [mə'næsi; -sə], *auch* **Ma'nas·ses** [-siːz] **I** *npr Bibl.* Ma'nasse *m*: a) *Sohn des Patriarchen Joseph*, b) *König von Juda.* – **II** *s* Ma'nasse *m* (*einer der 10 Stämme Israels*).

'**man-at-'arms** *pl* '**men-at-'arms** *s* **1.** bewaffneter Krieger. – **2.** schwerbewaffneter Reiter.

man·a·tee [ˌmænə'tiː] *s zo.* Laman'tin *m*, Ma'nati *f*, Rundschwanz-Seekuh *f* (*Gattg Trichechus*). — '**man·a·tine** [-ˌtain; -tin] *adj* **1.** laman'tinähnlich. – **2.** zu den Laman'tinen gehörig. — '**man·aˌtoid** [-ˌtɔid] *adj u. s* laman'tinähnlich(es Tier).

ma·nav·el [mə'nævəl] *v/t u. v/i sl.* (*Kleinigkeiten, bes. Eßwaren etc*) stehlen, ‚sti'bitzen', ‚klauen'. — **ma'nav·el·ins** [-əlinz], **ma'nav·il·ins** [-ilinz] *s pl sl.* **1.** zusätzliche Kost (*die über das Nötigste hinausgeht*), Zukost *f.* – **2.** kleine Restbeträge *pl* (*in der Kasse nach Kassenschluß*). – **3.** *fig.* Reste *pl*, Abfälle *pl.*

man·bot(e) ['mænˌbout] *s jur. hist.* Wer-, Manngeld *n.*

manche [mɑːnʃ] *s her. od. obs.* Ärmel *m.*

Man·ches·ter| goods ['mæntʃistər; *Am. auch* -ˌtʃes-] *s pl* Baumwollwaren *pl.* — ~ **school** *s* Manchestertum *n* (*liberalistische volkswirtschaftliche Richtung*).

man·chet ['mæntʃit] *s* **1.** *her.* runder Kuchen (*Abbild*). – **2.** *Br. obs. od. dial.* feines Weißbrötchen.

man·chi·neel [ˌmæntʃi'niːl] *s bot.* Manzi'nellabaum *m* (*Hippomane mancinella*).

Man·chu [mæn'tʃuː] **I** *s* **1.** Mandschu *m* (*Eingeborener der Mandschurei*). – **2.** *ling.* Mandschu *n*, das Man'dschurische. – **II** *adj* **3.** Mandschu..., man'dschurisch. — **Man'chu·ri·an** [-'tʃu(ə)riən] → **Manchu** 1 *u.* 3.

man·ci·pa·tion [ˌmænsi'peiʃən; -sə-] *s antiq. jur.* Manzipati'on *f* (*feierlicher Eigentumsübertragungsakt*).

man·ci·ple ['mænsipl; -sə-] *s* Verwalter *m*, Wirtschafter *m* (*bes. eines engl. College etc*).

man·co·no [mɑːŋ'kounou] *s bot. eine philippinische Myrtacee* (*Xanthostemon verdugonianus*).

Man·cu·ni·an [mæŋ'kjuːniən] **I** *s* **1.** Einwohner(in) von Manchester. – **2.** Absol'vent *m* der Grammar School Manchesters. – **II** *adj* **3.** Manchester... – **4.** aus *od.* von der Grammar School Manchesters.

-mancy [mænsi] *Wortelement mit der Bedeutung* Wahrsagung.

Man·dae·an [mæn'diːən] **I** *s* **1.** *relig.* Man'däer *m* (*Mitglied einer alten Sekte in Mesopotamien*). – **2.** *ling.* Man'däisch *n*, das Mandäische (*ostaramäischer Dialekt*).

man·da·mus [mæn'deiməs] *jur.* **I** *s* **1.** Man'damus *n*, Man'dat *n*: a) *Br. ursprünglich vom König, später von der* **King's Bench Division** *erlassener Befehl an ein untergeordnetes Gericht, jetzt durch den* **order of mandamus** *ersetzt, der vom jeweiligen Gericht erlassen wird*, b) *Am. Verordnung eines höheren Gerichts an ein untergeordnetes.* – **II** *v/t colloq.* **2.** (*j-m*) ein Man'damus zusenden. – **3.** durch die Zusendung eines Man'damus einschüchtern.

Man·dan ['mændæn] *s ling.* Mandan *n* (*eine der Sioux-Sprachen*).

man·da·rin[1] ['mændərin] **I** *s* **1.** Manda'rin *m* (*Angehöriger des Amtsadels in China unter dem Kaiserreich*). – **2.** *colloq.* hoher Beamter. – **3.** *Br. sl.* rückständiger Par'teiführer. – **4.** *nikkende chines. Puppe.* – **5.** Manda'rinporzelˌlan *n.* – **6.** M~ *ling.* Manda'rinisch *n*, das Mandarinische (*Sprache der Gebildeten in China*). – **II** *adj* **7.** manda'rinisch.

man·da·rin[2] ['mændərin; -ˌriːn] **I** *s* **1.** *bot.* Manda'rine *f*, 'Zwergapfelˌsine *f* (*Citrus nobilis var. deliciosa*). – **2.** Manda'rinenliˌkör *m.* – **3.** Manda'ringelb *n.* – **II** *v/t* **4.** o'rangegelb färben.

man·da·rin·ate ['mændəriˌneit] *s* **1.** *collect.* (die) Manda'rine *pl* (*als Stand*). – **2.** Amt *n od.* Würde *f* eines Manda'rins. – **3.** *Regel, nach der die Mandarine leben.*

man·da·rin duck *s zo.* Manda'rinenente *f* (*Aix galericulata*).

man·da·rine ['mɑːndərin; -ˌriːn] → **mandarin**[2].

man·da·rin·ess ['mændərines; -nis] *s* Manda'rinin *f.* — ˌ**man·da'rin·ic** *adj* manda'rinisch, Mandarinen... — '**man·da·rinˌism** *s* **1.** Manda'rinenherrschaft *f.* – **2.** Manda'rinentum *n.*

man·da·rin por·ce·lain → **mandarin**[1] 5.

man·da·tar·y [*Br.* 'mændətəri; *Am.* -ˌteri] *s jur.* Manda'tar *m*: a) (Pro'zeß)Bevollmächtigter *m*, Sachwalter *m*, b) Manda'tarstaat *m.*

man·date I *s* ['mændeit; -dit] **1.** *jur.* Man'dat *n*, (Vertretungs)Auftrag *m*, (Pro'zeß)Vollmacht *f*, Bevollmächtigung *f.* – **2.** *jur.* ('Völkerbunds)Manˌdat *n* (*völkerrechtlicher Schutzherrschaftsauftrag*). – **3.** Man'dat(sgebiet) *n.* – **4.** *meist poet.* Befehl *m*, Geheiß *n.* – **5.** *jur.* Verordnung *f*, Verfügung *f*, Erlaß *m*, Auftrag *m*, Befehl *m* (*eines höheren Gerichts etc*). – **6.** *jur.* Geschäftsbesorgungs-, Konsensu'alvertrag *m* (*über unentgeltliche Erledigung eines Geschäfts*). – **7.** *pol.* Auftrag *m*, Man'dat *n.* – **8.** *relig.* päpstlicher Entscheid (*bes., j-n bei einer Amtsbelehnung vorzuziehen*). – **II** *v/t* [-deit] **9.** einem Man'dat unter'stellen, dem Manda'tar über'geben: ~**d territory** Mandatsgebiet. – **10.** unter einem Man'dat verwalten. — **man'da·tor** [-tər] *s jur.* Man'dant *m*, Auftrag-, Vollmachtgeber *m.* — **man·da·to·ry** [*Br.* 'mændətəri; *Am.* -ˌtɔːri] **I** *adj* **1.** *jur.* vorschreibend, befehlend: **to make s.th.** ~ **upon s.o.** j-m etwas vorschreiben. – **2.** *bes. Am.* verpflichtend, obliga'torisch, pflichtgemäß, verbindlich: ~ **removal** zwangsweise Entlassung. – **3.** bevollmächtigend. – **4.** (Völkerbunds)Mandats..., Mandatar...: ~ **state.** – **5.** *jur.* 'unumˌgänglich, Pflicht...: ~ **clause.** – **II** *s* → **mandatary.**

man·di·ble ['mændibl; -də-] *s* **1.** *med.* Kiefer *m*, Kinnbacken *m*, -lade *f.* – **2.** *med.* 'Unterkieferˌknochen *m.* – **3.** *zo.* Man'dibel *f*, 'Unterkiefer *m.* – **4.** *zo.* a) *pl* Schnabel *m*, b) (*der*) untere Teil des Schnabels, c) Ober-, Vorderkiefer *m* (*bei Vögeln*).

man·dib·u·lar [mæn'dibjulər; -jə-] **I** *adj zo.* mandibu'lar: a) *den Unterkiefer(knochen)* (*von Wirbeltieren*), b) *den Ober- od. Vorderkiefer* (*von Gliederfüßern*), c) *den Schnabel* (*von Vögeln*) *betreffend.* – **II** *s* → **mandible.** — ~ **ca·nal** *s zo.* 'Unterˌkieferkaˌnal *m.* — ~ **palp** *s zo.* Oberkiefertaster *m.*

man·dib·u·late [mæn'dibjulit; -jə-; -ˌleit] *zo.* **I** *adj* **1.** (*bei Wirbeltieren*) mit 'Unterkiefer(knochen) versehen. – **2.** (*bei Gliederfüßern*) mit Ober- *od.* Vorderkiefer (versehen). – **II** *s* **3.** In'sekt *n* mit Kinnladen. — **man'dib·u·liˌform** [-liˌfɔːrm] *adj zo.* **1.** 'unterkieferförmig. – **2.** ober- *od.* vorderkieferförmig.

mandibulo- [mændibjulo; -jə-] *Wortelement mit der Bedeutung* Unter- *od.* Ober- *od.* Vorderkiefer.

man·dil ['mændil] *s* (*im Orient*) (*Art*) Kopf-, Schleiertuch *n*, Turban *m.*

Man·din·go [mæn'diŋgou] **I** *s pl* **-gos, -goes 1.** Man'dingo *m* (*Neger aus dem westl. Sudan*). – **2.** *ling.* Man'dingo(sprache *f*) *n.* – **II** *adj* **3.** Mandingo...

man·do·la [mæn'doulə] *s mus.* Man'dola *f*, Man'dora *f* (*Art Laute mit 4 Saiten*).

man·do·lin(e) ['mændəˌlin] *s mus.* Mando'line *f.* — '**man·doˌlin·ist** *s* Mando'linenspieler *m.*

man·do·ra [mæn'dɔːrə] → **mandola.**

man·dor·la ['mandorla] (*Ital.*) *s* (*Malerei*) Mandorla *f* (*mandelförmige Gloriole*).

man·drag·o·ra [mæn'drægərə] *s bot.* Man'dragora *f*, Al'raun(wurzel *f*) *m.*

man·drake ['mændreik; -drik] *s bot.* **1.** Al'raun(e *f*) *m* (*Mandragora offici-*

narum). – 2. Al'raunwurzel *f*. – 3. *Am*. Maiapfel *m* (*Podophyllum peltatum*). – 4. Schmerwurz *f* (*Tamus communis*).

man·drel ['mændrəl], *auch* '**man·dril** [-dril; -drəl] *s tech*. 1. Dorn *m*, Docke *f*. – 2. Spindel *f*, Welle *f*.

man·drill ['mændril] *s zo*. Man'drill *m*, Backenfurchenpavian *m* (*Mandrillus sphinx*).

man·drin ['mændrin] *s med*. Man'drin *m*, Führungsstab *m*.

man·du·cate [*Br*. 'mændjuˌkeit; *Am*. -dʒu-] *v/t* kauen, essen. — ˌ**man·du'ca·tion** *s* Kauen *n*, Essen *n*, Kauvorgang *m*. — '**man·du·ca·to·ry** [*Br*. -kətəri; *Am*. -kəˌtɔːri] *adj* zum Kauen dienen(d), Kau...: ~ **organs** Kauwerkzeuge.

mane [mein] *s* 1. Mähne *f*. – 2. 'überlanges Haar, Haarschopf *m*, ‚Mähne' *f* (*eines Menschen*).

'**man-ˌeat·er** *s* 1. Menschenfresser *m*, Kanni'bale *m*. – 2. menschenfressendes Tier (*Tiger, Hai etc*). – 3. *zo*. Menschenhai *m* (*Carcharodon carcharias*). – 4. → **hellbender** 1.

maned [meind] *adj* gemähnt, mit einer Mähne. — ~ **wolf** *s irr zo*. Mähnenwolf *m* (*Chrysocyon jubatus*).

ma·nège, *auch* **ma·nege** [mæ'neʒ; -'neiʒ] *s* 1. Ma'nege *f*: a) Reitschule *f*, b) Reitbahn *f* (*bes. im Zirkus*), c) Dres'sier-, Reitkunst *f*. – 2. Gang *m*, Schule *f*, Schritte *pl*. – 3. Schul-, Zureiten *n*.

ma·nes ['meiniːz] *s pl relig*. Manen *pl*: a) *auch* M~ *antiq*. *die vergötterten Geister der Toten*, b) *Geister verstorbener Vorfahren*.

'**maneˌsheet** *s* Mähnen-, Kopfdecke *f* [(*Pferd*).]

Ma·net·ti [mə'neti] *s bot*. Ma'netti-Rose *f* (*Rosa chinensis var. manetti*).

ma·neu·ver, *bes. Br*. **ma·nœu·vre** [mə'nuːvər] **I** *s* 1. *mar. mil*. (taktisches *od*. seemännisches) Ma'növer: a) Truppenbewegung *f*, b) Flottenbewegung *f*: **pivoting** ~, **wheeling** ~ Schwenkung. – 2. *auch pl mil*. Ma'növer *n*, *pl*: a) (größere) Gefechts- *od*. Truppenübung, b) Flottenübung *f*, c) 'Luftmaˌnöver *n*, *pl*. – 3. *fig*. a) Ma'növer *n*, Schachzug *m*, Kunstgriff *m*, b) (Kriegs)List *f*, Finte *f*. – 4. *fig*. listiges *od*. schlaues Vorgehen *od*. Planen, Manipu'lieren *n*. – *SYN. cf*. **trick**. – **II** *v/i* 5. *mar. mil*. manö'vrieren. – 6. *fig*. gewandt *od*. listig verfahren *od*. ans Werk gehen, manipu'lieren. – 7. hin u. her ziehen *od*. fliegen. – **III** *v/t* 8. manö'vrieren, gewandt *od*. listig verfahren mit *od*. handhaben: **to** ~ **s.o. out of s.th.** j-n aus etwas herausmanövrieren. — **maˌneu·ver·a'bil·i·ty**, *bes. Br*. **maˌnœu·vra'bil·i·ty** [-vrə-] *s* 1. Manö'vrierbarkeit *f*, -fähigkeit *f*. – 2. *tech*. Lenkbarkeit *f*, Steuerbarkeit *f*. – 3. *fig*. Wendigkeit *f*, Beweglichkeit *f*. — **ma'neu·ver·a·ble**, *bes. Br*. **ma'nœu·vra·ble** *adj* 1. *mil*. manö'vrierbar, -fähig. – 2. *tech*. lenk-, steuerbar. – 3. *fig*. wendig, beweglich. — **ma'neu·ver·er**, *bes. Br*. **ma'nœu·vrer** *s* 1. *fig*. j-d der gewandt *od*. schlau vorgeht *od*. verfährt, Taktiker *m*, ‚Schlaumeier' *m*. – 2. *fig*. Ränkeschmied *m*, Intri'gant *m*.

ma·neu·vra·bil·i·ty, **ma·neu·vra·ble** *cf*. **maneuverability** *etc*.

man Fri·day *s* (treu) ergebener Diener, (treuer) Knecht (*nach der Romangestalt in D. Defoes „Robinson Crusoe"*).

man·ful ['mænful; -fəl] *adj* 1. mannhaft. – 2. tapfer, mutig. – 3. entschlossen, beherzt. – *SYN. cf*. **male**. — '**man·ful·ness** *s* 1. Mannhaftigkeit *f*. – 2. Tapferkeit *f*, Mut *m*. – 3. Entschlossenheit *f*, Beherztheit *f*.

man·ga·bey ['mæŋgəˌbei; -bi] *s zo*. Man'gabe *m*, Mohrenaffe *m* (*Gattg Cercocebus*).

man·ga·nate ['mæŋgəˌneit] *s chem*. man'gansaures Salz, Manga'nat *n* (Me_2MnO_4).

man·ga·nese ['mæŋgəˌniːz; -ˌniːs] *s* 1. *chem*. Man'gan *n* (Mn). – 2. *auch* ~ **dioxide** Braunstein *m*, Man'gandioˌxyd *n* (MnO_2). — ~ **spar** *s min*. Man'ganspat *m* ($MnCO_3$). — ~ **steel** *s chem*. Man'ganstahl *m*.

man·ga·ne·sian [ˌmæŋgə'niːziən; -ʒən] *adj* 1. *chem*. man'ganhaltig, Mangan... – 2. *min*. braunsteinartig. — ˌ**man·ga'net·ic** [-'netik] *adj* man'ganhaltig.

man·gan·ic [mæn'gænik] *adj* man'ganhaltig, Mangan... (*mit Mangan von höherer Wertigkeitsstufe als 2*). — ~ **ac·id** *s chem*. Man'gansäure *f* (H_2MnO_4). — ~ **ox·ide** *s chem*. Man'ganoˌxyd *n* (Mn_2O_3).

man·ga·nif·er·ous [ˌmæŋgə'nifərəs] *adj chem. min*. man'ganhaltig.

man·ga·nite ['mæŋgəˌnait] *s chem*. 1. *min*. Graubraunstein *m*, Man'ganoxyˌdulhyˌdrat *n* [MnO(OH)]. – 2. Manga'nit *m* (*Salz des 4wertigen Manganhydroxyds*).

man·ga·ni·um [mæŋ'geiniəm] *selten für* **manganese**.

man·ga·nous ['mæŋgənəs] *adj chem*. man'ganig, Mangan... (*mit 2wertigem Mangan*). — ~ **ox·ide** *s chem*. Man'ganoxyˌdul *n* (MnO).

mange [meindʒ] *s vet*. Räude *f*.

'**man·gel-ˌwur·zel** ['mæŋgəlˌwəːrtsəl], *auch* **man·gel** *s bot. bes. Br*. Mangold *m* (*Beta vulgaris var. cicla*).

mange mite *s zo*. 1. Balgmilbe *f* (*Gattg Demodex*). – 2. Krätzmilbe *f* (*Gattg Dermatophagus*).

man·ger ['meindʒər] *s* 1. Krippe *f*, Futtertrog *m*: **dog in the** ~ Neidhammel. – 2. M~ *astr*. Krippe *f* (*Sternhaufen Praesepe im Krebs*). – 3. *auch* ~ **board** *mar*. Wasserschott *n*, Waschbord *n*.

man·gle[1] ['mæŋgl] *v/t* 1. zerfleischen, -reißen, -fetzen, -stückeln: ~**d beyond recognition** bis zur Unkenntlichkeit verstümmelt. – 2. *fig*. entstellen, verstümmeln, verderben: **to** ~ **a text**.

man·gle[2] ['mæŋgl] **I** *s* Wäscherolle *f*, Mange(l) *f*. – **II** *v/t* mangeln, rollen.

man·gler[1] ['mæŋglər] *s* 1. Zerstück(e)ler *m*. – 2. *fig*. Verstümmler *m*. – 3. *tech*. 'Hack-, 'Fleischmaˌschine *f*.

man·gler[2] ['mæŋglər] *s* 1. Mangler(in). – 2. *tech*. 'Mangel(maˌschine) *f*.

man·go ['mæŋgou] *pl* **-goes, -gos** *s* 1. Mangopflaume *f*. – 2. *bot*. Mangobaum *m* (*Mangifera indica*). – 3. *bot*. *eine westafrik. Simaroubacee* (*Irvingia barteri*). – 4. *bot*. O'rangen-Meˌlone *f* (*Cucumis melo var. chito*). – 5. eingemachte Me'lone. — ~ **bird** *s zo*. (*ein*) indischer Pi'rol (*Oriolus kundoo*). — ~ **fish** *s zo*. (*ein*) Fadenfisch *m* (*Fam. Polynemidae*).

man·gold, '~-ˌ**wur·zel** ['mæŋgəld-ˌwəːrtsəl] *Br. für* **mangel-wurzel**.

man·go·nel ['mæŋgəˌnel], *auch* '**man·go·na** [-nə] *s hist*. (*Art*) 'Steinˌschleudermaˌschine *f*.

man·go·steen ['mæŋgoˌstiːn; -gə-] *s bot*. Mango'stane *f*: a) Mango'stanbaum *m* (*Garcinia mangostana*), b) Mango'stin *m* (*Mangostanenfrucht*).

man·go trick *s* indischer (Mango)-Baumtrick (*der scheinbar einen Baum in wenigen Minuten wachsen u. Frucht tragen läßt*).

man·grove ['mæŋgrouv] *s bot*. 1. Man'grove(nbaum *m*) *f* (*Gattg Rhizophora, bes. R. mangle*). – 2. *ein mangrovenähnlicher Baum* (*bes. Gattg Avicennia*).

mangue [mæŋ] → **kusimanse(1)**.

man·gy ['meindʒi] *adj* 1. *med*. krätzig, räudig (*Tiere*). – 2. *fig*. dreckig, eklig. – 3. *fig*. ‚lausig', schäbig, nichtswürdig.

'**manˌhan·dle** *v/t* 1. *colloq*. derb *od*. grob behandeln *od*. anfassen. – 2. mit Hilfe von Menschenkraft bewegen *od*. ausrichten *od*. meistern.

Man·hat·tan (**cock·tail**) [mæn'hætən] *s* Man'hattan(cocktail) *m* (*aus Whisky, Wermut etc*). — ~ **Dis·trict** *s Deckname für das Projekt zur Herstellung von Atombomben in den USA während des 2. Weltkriegs*.

'**manˌhole** *s tech*. 1. Einsteigeloch *n*, -öffnung *f*, Luke *f*, Mannloch *n*: ~ **cover** (Straßen)Schachtdeckel. – 2. (*Bergbau*) Fahrloch *n*. – 3. Kabelbrunnen *m*. – 4. kleine (Mauer)-Nische.

man·hood ['mænhud] *s* 1. Menschsein *n*, Menschentum *n*, menschliche Na'tur. – 2. Mannesalter *n*. – 3. männliche Na'tur, Männlichkeit *f*. – 4. Mannhaftigkeit *f*, Mannesmut *m*. – 5. *collect*. die Männer *pl*. — ~ **suf·frage** *s* Männerstimmrecht *n*, -wahlrecht *n*.

'**man-'hour** *s* Arbeitsstunde *f* pro Mann.

ma·ni·a ['meiniə] *s* 1. *med*. Ma'nie *f*, Wahn(sinn) *m*, Wut *f*, Rase'rei *f*, Besessensein *n*, Tollheit *f*: → **persecution** 1; **puerperal** ~ Kindbettpsychose; **religious** ~ religiöses Irresein. – 2. *fig*. (**for**) Verrücktheit *f* (auf *acc*), Sucht *f* (nach), Leidenschaft *f* (für), Ma'nie *f*, ‚Fimmel' *m*: **doubting** ~ Zweifelsucht; **sport** ~ ‚Sportfimmel'; **he has a** ~ **for going to the movies** (*Br*. **cinema**) er ist wie verrückt aufs Kino. – *SYN. cf*. **insanity**.

-mania [meiniə] *Wortelement mit der Bedeutung* Manie, Sucht.

ma·ni·ac ['meiniˌæk] **I** *s* Wahnsinniger *m*, Rasender *m*, Verrückter *m*, Irrer *m*. – **II** *adj* wahnsinnig, rasend, verrückt, irr(e), manisch.

-maniac [meiniæk] *Wortelement mit der Bedeutung*: a) verrückt *od*. versessen auf, ...süchtig, ...manisch, b) ...süchtiger, ...mane.

ma·ni·a·cal [mə'naiəkəl] → **maniac II**.

ma·nic ['meinik; 'mænik] → **maniac II**.

man·i·cate ['mæniˌkeit] *adj bot*. mit dichter Behaarung.

'**ma·nic-de'pres·sive** *med. psych*. **I** *adj* 'manisch-depres'siv: ~ **insanity** manisch-depressives Irresein. – **II** *s* 'Manisch-Depres'sive(r).

Man·i·chae·an [ˌmæni'kiːən; -nə-] *relig*. **I** *s* Mani'chäer *m*. – **II** *adj* mani'chäisch. — '**Man·iˌchae·ism** *s* Manichä'ismus *m*, Lehre *f* der Mani'chäer. — **Man·i·che·an** *cf*. Manichaean. — **Man·i·chee** ['mæniˌkiː; ˌmæni'kiː; -nə-] *s relig*. Mani'chäer *m*. — **Man·i·che·ism** *cf*. Manichaeism.

man·i·cure ['mæniˌkjur] **I** *s* 1. Mani'küre *f*, Hand-, Nagelpflege *f*. – 2. Mani'küre *f*, Hand-, Nagelpflegerin *f*. – **II** *v/t u. v/i* 3. mani'küren. — '**man·iˌcur·ist** → **manicure** 2.

man·i·fest ['mæniˌfest; -nə-] **I** *adj* 1. offenbar, -kundig, augenscheinlich, handgreiflich, deutlich, klar, mani'fest. – 2. *psych*. mani'fest (*Trauminhalte etc*). – *SYN. cf*. **evident**. – **II** *v/t* 3. offen'baren, bekunden, kundtun, verkünden, (an)zeigen, manife'stieren: **he** ~**ed his faith in us**. – 4. be-, erweisen. – 5. *mar*. im Ladungsverzeichnis aufführen. – *SYN. cf*. **show**. – **III** *v/i* 6. *pol*. Kundgebungen veranstalten. – 7. sich erklären (**for** für, **against** gegen). – 8. erscheinen, sich zeigen, sich offen'baren (*Geister*). – **IV** *s* 9. *mar*. Lade-, Ladungsverzeichnis *n*. – 10. *econ*. Lade-, Warenverzeichnis *n*, ('Ladungs-, 'Schiffs)-ManiˌFest *n*, Frachtliste *f*, -brief *m*. – 11. Enthüllung *f*. – 12. *obs*. Mani'fest *n*, Kundgebung *f*. — ˌ**maniˈfes·tant** *s* Manifeˈstant *m* (*j-d der an einer öffentlichen Kundgebung teilnimmt od. sie veranstaltet*). — ˌ**man·i·fesˈta·tion** *s* **1.** Offenˈbarung *f*, Äußerung *f*, Kundgebung *f*, Bekanntmachung *f*, -geben *n*. – **2.** deutlicher Beweis, ˈHinweis *m*, Anzeichen *n*, Symˈptom *n*: ~ **of life** Lebensäußerung. – **3.** (poˈlitische) Kundgebung, Demonstratiˈon *f*. – **4.** (*Spiritismus*) Materialisatiˈon *f* (*Erscheinen eines Geistes*). — ˌ**man·iˈfes·ta·tive** [-tətiv] *adj* klarlegend, verdeutlichend, offenkundig (machend). — ˈ**man·iˌfest·ness** *s* Offenkundigkeit *f*, Augenscheinlichkeit *f*, Deutlichkeit *f*.

man·i·fes·to [ˌmæniˈfestou; -nə-] **I** *s pl* **-toes**, *auch* **-tos** **1.** Maniˈfest *n*, öffentliche Erklärung (*Regierung, Partei etc*). – **2.** Bekanntmachung *f*, Kundgebung *f*. – **II** *v/i* **3.** *selten* ein Maniˈfest erlassen.

man·i·fold [ˈmæniˌfould; -nə-] **I** *adj* **1.** mannigfaltig, -fach, mehrfach, vielfach, -fältig, vielerlei: ~ **duties**. – **2.** verschiedenartig, vielförmig, diffeˈrenˈziert. – **3.** mehrfach, in vieler *od.* mehr als ˈeiner Hinsicht: **a** ~ **traitor**. – **4.** (*zur gleichen Zeit*) vielseitig (verwendbar). – **5.** *tech.* a) Mehr-, Vielfach..., Mehr-, Vielzweck..., b) Kombinations..., kombi... – **II** *s* **6.** a) (*etwas*) Vielfältiges, (*das*) Mannigfaltige, b) Mannigfaltigkeit *f*, Vielfältigkeit *f*: **out of the** ~ **comes the simple** aus der Vielfalt *od.* Vielgestaltigkeit leitet sich das Einfache ab. – **7.** *tech.* Verteilerstück *n* (*Rohrleitung etc*). – **8.** *tech.* Sammelleitung *f*. – **9.** (vervielfältigte) Koˈpie, (hektoˈgraphischer) Abzug, ˈDurchschlag *m*. – **III** *v/t* **10.** (*Dokumente etc*) vervielfältigen, hektograˈphieren. – **11.** vervielfachen. — ˈ**man·iˌfold·er** *s* **1.** Vervielfältiger *m*, Verˈvielfältigungsappaˌrat *m*, Hektoˈgraph *m*. – **2.** j-d der vervielfältigt. — ˈ**man·iˌfold·ness** *s* **1.** Mannigfaltigkeit *f*, Vielfältigkeit *f*. – **2.** Vielgestaltigkeit *f*. – **3.** Verschiedenartigkeit *f*. – **4.** Vielseitigkeit *f*.

man·i·fold| **pa·per** *s* ˈManifold-Paˌpier *n* (*ein sehr festes Durchschlagpapier*). — ~ **plug** *s electr.* Vielfachstecker *m*. — ˈ~-ˌ**writ·er** *s tech.* Hektoˈgraph *m*, Verˈvielfältigungsappaˌrat *m*.

man·i·form [ˈmæniˌfɔːrm] *adj* handförmig.

man·i·kin [ˈmænikin; -nə-] **I** *s* **1.** kleiner Mann, Männchen *n*, Zwerg *m*, Knirps *m* (*oft verächtlich*). – **2.** Glieder-, Schneiderpuppe *f*, (ˈAnproˌbier)-Moˌdell *n*. – **3.** *med.* anaˈtomisches Moˈdell, Phanˈtom *n*. – **4.** → **mannequin** 1. – **II** *adj* **5.** zwergenhaft, Zwerg...

Ma·nil·a [məˈnilə] *Kurzform für* a) ~ **cheroot**, b) ~ **hemp**, c) ~ **paper**. — ~ **che·root**, ~ **ci·gar** *s* Maˈnilaziˌgarre *f*. — ~ **hemp** *s* Maˈnilahanf *m*. — ~ **pa·per** *s* Maˈnilapaˌpier *n* (*festes Papier, meist zum Packen*). — ~ **rope** *s* Seil *n* aus Maˈnilahanf.

Ma·nil·la[1], **m**~ *cf.* **Manila**.

ma·nil·la[2] [məˈnilə] *s* Maˈnilla *f*, Armring *m* (*als Geld von westafrik. Negerstämmen gebraucht*).

ma·nil·la[3] [məˈnilə], *auch* **maˈnille** [-ˈnil] *s* Maˈnille *f* (*zweithöchster Trumpf im Lomberspiel*).

man in the moon *s* (*der*) Mann im Mond.

man·i·oc [ˈmæniˌɒk; ˈmei-] → **cassava**.

man·i·ple [ˈmænipl] *s* **1.** *mil. hist.* Maˈnipel *m* (*Unterabteilung der röm. Legion*). – **2.** *relig.* Maˈnipel *f* (*Armstreifen des Meßgewandes*).

ma·nip·u·lar [məˈnipjulər; -jə-] **I** *adj* **1.** *mil. hist.* zu einem Maˈnipel gehörig. – **2.** → **manipulatory**. – **II** *s* **3.** *mil. hist.* Manipuˈlar *m* (*Soldat eines Manipels*).

ma·nip·u·late [məˈnipjuˌleit; -jə-] **I** *v/t* **1.** manipuˈlieren, (künstlich) beeinflussen *od.* gestalten: **to** ~ **prices**. – **2.** geschickt *od.* fingerfertig ˈumgehen mit *od.* handhaben. – **3.** (*bes. Personen*) geschickt behandeln. – **4.** (*oft mit bedenklichen Mitteln*) verwalten, ˈdurchführen, ‚deichseln', ‚schieben'. – **5.** zuˈrechtmachen, -stutzen, ‚friˈsieren'. – **II** *v/i* **6.** manipuˈlieren. – *SYN. cf.* **handle**. — **maˌnip·uˈla·tion** *s* **1.** Manipulatiˈon *f*, (künstliche) Gestaltung: ~ **of currency** Währungsmanipulation. – **2.** geschickter (Hand)-Griff, Kniff *m*, Verfahren *n*. – **3.** Machenschaft *f*, Manipulatiˈon *f*, ‚Maˈnöver' *n* (*oft mit bedenklichen Mitteln*). – **4.** Zuˈrechtmachen *n*, ‚Friˈsieren' *n*. — **maˈnip·uˌla·tive** → **manipulatory**. — **maˈnip·uˌla·tor** [-tər] *s* **1.** (geschickter) Handhaber. – **2.** j-d der etwas (künstlich) beeinflußt *od.* gestaltet (*oft mit bedenklichen Mitteln*). — **maˈnip·u·la·to·ry** [*Br.* -lətəri; *Am.* -ˌtɔːri] *adj* **1.** durch Manipulatiˈon *od.* geschickte Handhabung herˈbeigeführt. – **2.** manipuˈlierend. – **3.** Manipulations..., Handhabungs...

ma·nis [ˈmeinis] *s zo.* Panˈgolin *m* (*Manis pentadactyla; Schuppentier*).

man·i·to [ˈmæniˌtou; -nə-], ˈ**man·i·ˌtou** [-ˌtuː], ˈ**man·iˌtu** [-ˌtuː] *s* Manitu *m* (*bes. bei den Algonkinindianern die allen Dingen u. Naturerscheinungen innewohnende Macht*).

ˈ**man-ˌkill·er** *s* Totschläger *m*, Mörder *m*.

man·kind [ˌmænˈkaind] *s* **1.** Menschheit *f*, Menschengeschlecht *n*. – **2.** *collect.* die Menschen *pl*, der Mensch. – **3.** [ˈmænˌkaind] *collect.* die Männer *pl*, die Männerwelt.

man·less [ˈmænlis] *adj* **1.** unbewohnt. – **2.** *mar.* unbemannt.

ˈ**manˌlike** *adj* **1.** menschenähnlich. – **2.** wie ein Mann, männlich. – **3.** unweiblich (*Frau*). – *SYN. cf.* **male**.

man·li·ness [ˈmænlinis] *s* **1.** Männlichkeit *f*. – **2.** Mannhaftigkeit *f*. — ˈ**man·ly I** *adj* **1.** männlich. – **2.** mannhaft. – **3.** Mannes..., Männer...: ~ **sports** Männersport. – *SYN. cf.* **male**. – **II** *adv obs.* **4.** auf männliche *od.* mannhafte Weise.

ˈ**man-ˈmade** *adj* künstlich.

man·na [ˈmænə] *s* **1.** *Bibl.* Manna *n, f*. – **2.** *fig.* Manna *n*, Himmelsbrot *n*, -kost *f*. – **3.** → ~ **lichen**. – **4.** *bot. med.* Manna *n*: a) *zuckerhaltige Ausschwitzung der Manna-Esche u. anderer Gehölze*, b) *leichtes Abführmittel daraus*: **flaky** ~ feine Manna; ~ **in sorts** gemeine Manna. — ~ **ash** *s bot.* Manna-Esche *f* (*Fraxinus ornus*). — ~ **croup** *s* **1.** grobkörnige Weizengrütze. – **2.** Mannagrütze *f*. — ~ **grass** *s bot.* Manna-, Flutgras *n* (*Gattg Glyceria, bes. G. striata*). — ~ **groats** → **manna croup**. — ~ **gum** *s bot.* Zuckergummibaum *m* (*Eucalyptus viminalis*). — ~ **in·sect** *s zo.* ˈMannaziˌkade *f* (*Gossyparia mannifera*). — ~ **li·chen** *s bot.* Mannaflechte *f* (*Gattg Lecanora, bes. L. esculenta*). — ~ **seeds** *s pl bot.* ˈMannagrasˌsamen *m* (*von Glyceria fluitans u. striata*). — ~ **sug·ar** → **mannitol**.

man·ne·quin [ˈmænikin; -nə-; *Br. auch* -kwin] *s* **1.** Mannequin *n, m*, Vorführdame *f*: ~ **parade** Modenschau. – **2.** → **manikin** 2.

man·ner [ˈmænər] *s* **1.** Art *f*, Weise *f*, Art u. Weise (*etwas zu tun*): **after** (*od.* **in**) **the** ~ **of** (so) wie, nach (der) Art von; **after** (*od.* **in**) **this** ~ auf diese Art *od.* Weise, so; **in such a** ~ (**that**) so *od.* derart (daß); **in what** ~? wie? **adverb of** ~ *ling.* Umstandswort der Art u. Weise; **in a** ~ **of speaking** sozusagen, wenn ich *od.* man so sagen darf; (*wird oft mit dem Adverb übersetzt*) **in a gentle** ~ sacht. – **2.** Art *f* (*sich zu geben*), Betragen *n*, Auftreten *n*, (gewöhnliches) Verhalten (**to** zu): **he has an awkward** ~ er hat eine linkische Art sich zu geben. – **3.** *pl* Benehmen *n*, (gute) ˈUmgangsformen *pl*, Sitten *pl*, Maˈnieren *pl*: **bad** (**good**) ~**s**; **he has no** ~**s** er hat keine Maˈnieren; **we shall teach them** ~**s** wir werden ihnen zeigen, wie man sich benimmt, ‚wir werden sie Mores lehren'; **it is bad** ~**s** (**to**) es gehört *od.* schickt sich nicht (zu); **to make one's** ~**s** a) sich verbeugen, b) einen Knicks machen. – **4.** *pl* Sitten *pl* (u. Gebräuche *pl*): **other times other** ~**s** andere Zeiten, andere Sitten; **this novel is a study in** ~**s** es handelt sich um einen Sittenroman. – **5.** würdevolles Auftreten *od.* Benehmen: **he had quite a** ~ er hatte eine distinguierte Art (des Auftretens); **the grand** ~ das altmodisch würdevolle Benehmen *od.* Gehabe. – **6.** Stil(art *f*) *m*, Maˈnier *f* (*eines Kunstwerks etc*). – **7.** Manieˈriertheit *f*, Gespreiztheit *f*. – **8.** *obs.* Art *f*, Sorte *f*, Beschaffenheit *f*, (bestimmte) Lebensart *f od.* Verhältnisse *pl*: **all** ~ **of things** alles mögliche; **in a** ~ a) in gewisser Hinsicht, b) auf (eine) gewisse Art, c) gewissermaßen; **what** ~ **of man is he?** was für ein Mensch ist er (eigentlich)? → **mean**[3] 10; **to the** ~ **born** (*nicht obs.*) a) hineingeboren in (*bestimmte Verhältnisse*), (*durch Geburt*) für ein (*bestimmtes*) Leben bestimmt, b) von Kind auf (*mit etwas*) vertraut, c) *colloq.* natürlicherweise geeignet für (*eine Aufgabe*); **those who are not to the** ~ **born** diejenigen, welche keine natürliche Anlage (*zu einer Sache*) haben. – *SYN. cf.* a) **bearing**, b) **method**. — ˈ**man·nered** [-nərd] *adj* **1.** (*bes. in Zusammensetzungen*) gesittet, geartet: **ill-**~ von schlechtem Benehmen, mit schlechten Umgangsformen, ungezogen, ungeraten (*Kind*); **well-**~ gut erzogen, brav. – **2.** gekünstelt, manieˈriert.

man·ner·ism [ˈmænəˌrizəm] *s* **1.** (*Kunst, Stil etc*) Manieˈrismus *m*, (überˈtriebene) Gewähltheit, Gespreiztheit *f*, Künsteˈlei *f*, Verschrobenheit *f*. – **2.** (*Benehmen*) Manieˈriertheit *f*, ˈUnnaˌtürlichkeit *f*, geziertes Auftreten, Gehabe *n*, Gespreiztheit *f*. – **3.** eigenartige Wendung (*in der Rede etc*). – *SYN. cf.* **pose**. — ˈ**man·ner·ist I** *s* **1.** manieˈrierter Künstler *od.* Schriftsteller. – **2.** Manieˈrist *m* (*Künstler*). – **3.** j-d der eine bestimmte Maˈnier hat. – **II** *adj* **4.** manieˈriert. – **5.** manieˈristisch. — ˌ**man·nerˈis·tic**, ˌ**man·nerˈis·ti·cal** *adj* **1.** manieˈriert. – **2.** manieˈristisch. — ˌ**man·nerˈis·ti·cal·ly** *adv* (*auch zu* **manneristic**).

man·ner·less [ˈmænərlis] *adj* ˈunmaˌnierlich, ohne Maˈnieren, ungezogen (*Kind*). — ˈ**man·ner·li·ness** [-linis] *s* gute ˈUmgangsformen *pl*, gute Kinderstube, gutes Benehmen, Höflichkeit *f*, Maˈnierlichkeit *f*. — ˈ**man·ner·ly** *adj* höflich, maˈnierlich, sittsam.

Mann·heim gold [ˈmænhaim] *s tech.* Neugold *n*, Mannheimer Gold *n*.

man·nif·er·ous [məˈnifərəs] *adj* **1.** *bot.* Manna erzeugend (*Baum*). – **2.** *zo.* Mannaausfluß herˈvorrufend (*Insekt*).

man·ni·kin *cf.* **manikin**.

man·ning [ˈmæniŋ] *s* **1.** *mar.* Bemannung *f*, Besetzung *f* (*Schiff, Pumpe etc*). – **2.** Zähmen *n*, Abrichten *n* (*Falke*).

man·nish [ˈmæniʃ] *adj* **1.** männlich, wie ein Mann, Manns... – **2.** männerhaft, männisch, (*Frau*) unfraulich, unweiblich. – 3. *obs.* menschlich. – *SYN. cf.* male. — 'man·nish·ness *s* 1. männliche Art. – 2. unfrauliche *od.* unweibliche Art.

man·nite ['mænait], *auch* ~ **sug·ar** → mannitol. — **man·nit·ic** [mə'nitik] *adj chem.* Man'nit enthaltend. — **man·ni·tol** ['mæniˌtɒl; -ˌtoul; -nə-] *s chem.* Man'nit *m*, Mannazucker *m* ($C_6H_8(OH)_6$). — '**man·niˌtose** [-ˌtous] *s chem.* Man'nose *f* ($C_6H_{12}O_6$).

man·no·hep·ti·tol [ˌmæno'heptiˌtɒl; -ˌtoul], *auch* ˌ**man·no'hep·tite** [-tait] *s chem.* Mannohep'tit *n* ($C_7H_9(OH)_7$).

man·nose ['mænous] *s chem.* Man'nose *f* ($C_6H_{12}O_6$).

ma·nœu·vra·bil·i·ty, ma·nœu·vra·ble, ma·nœu·vre, ma·nœu·vrer *bes. Br. für* maneuverability *etc.*

man| of all work *s irr* Fak'totum *n*, Hans Dampf *m* in allen Gassen, Aller'weltskerl *m.* — ~ **of God** *s* 1. Heiliger *m.* – 2. Pro'phet *m.* – 3. Geistlicher *m.* — ~ **of let·ters** *s* Lite'rat *m*, Schriftsteller *m.* — ~ **of sin** *s relig.* 1. Antichrist *m.* – 2. Teufel *m.* – 3. (*bei den Puritanern*) Papst *m.* — **M~ of Sor·rows** *s relig.* Schmerzensmann *m* (*der leidende Christus*). — '~**-of-the-**'**earth** → manroot. — ~ **of the world** *s* Weltmann *m.*

ˌ**man-of-'war** *pl* ˌ**men-of-'war** *s* 1. *mar.* Kriegsschiff *n.* – 2. → frigate bird. — ~ **bird**, ~ **hawk** → frigate bird.

ma·nom·e·ter [mə'nɒmitər; -mət-] *s tech.* Mano'meter *n*, (Dampf- *etc*)Druckmesser *m*, Druckanzeiger *m.* — **man·o·met·ric** [ˌmænə'metrik], ˌ**man·o'met·ri·cal** *adj* mano'metrisch, Manometer...: manometric lift manometrische Förderhöhe. — ˌ**man·o'met·ri·cal·ly** *adv* (*auch zu* manometric).

man on horse·back *s irr mil. Am. militärischer Führer, dessen Einfluß auf das Volk die bestehende Regierung bedroht.*

man·or ['mænər] *s hist.* 1. *Br.* Lehnsgut *n* (*eines Adligen*), Rittergut *n.* – 2. großes (*herrschaftliches*) Landgut: lord of the ~ Gutsherr (*auch juristische Person*). – 3. *Am.* Pachtland *n* (*mit festem Pachtzins*).

'**man-ˌor·chis** *s bot.* 1. Männliches Knabenkraut (*Orchis mascula*). – 2. Ohnhorn *n* (*Aceras anthropophora*).

man·or house *s* Herren-, Herrschaftshaus *n*, Herrensitz *m*, herrschaftlicher Wohnsitz.

ma·no·ri·al [mə'nɔːriəl] *adj* herrschaftlich, ... des Grundherrn *od.* Ritterguts, Herrschafts...: ~ court.

man pow·er, *auch* '**manˌpow·er** *s* 1. menschliche Arbeitskraft *od.* -leistung, Menschenkraft *f.* – 2. *tech. Einheit der mechanischen Arbeit, die ein Mensch dauernd zu leisten imstande ist* (*ungebräuchlich*). – 3. *meist* manpower a) Kriegsstärke *f* (*eines Volkes*), b) verfügbare Arbeitskräfte *pl od.* Menschenmassen *pl*, Menschen-, Perso'nalbestand *m.*

man·qué *m*, **man·quée** *f* [mɑ̃'ke] (*Fr.*) *adj* verfehlt, 'unvollˌendet: he is a poet manqué an ihm ist ein Dichter verlorengegangen.

'**man|ˌroot** *s bot.* (*eine*) nordamer. Trichterwinde (*Ipomoea pandurata u. I. leptophylla*). — '~ˌ**rope** *s mar.* Mann-, Zepter-, Leittau *n.*

man·sard ['mænsɑːrd] *s* 1. *auch* ~ roof Man'sardendach *n*, gebrochenes Dach. – 2. Man'sarde *f.*

manse [mæns] *s* 1. Pfarrhaus *n* (*eines freikirchlichen Pfarrers in England u. den USA od. eines Pfarrers der presbyterianischen Kirche in Schottland*). – 2. *obs.* Bauern-, Meierhof *m.*

'**manˌserv·ant** *pl* '**menˌserv·ants** *s* Diener *m.*

man·sion ['mænʃən] *s* 1. stattliches Wohnhaus, Villa *f.* – 2. *meist pl bes. Br.* (großes) Miet(s)haus. – 3. *obs.* Herrenhaus *n*, herrschaftlicher (Wohn)Sitz. – 4. *obs.* Bleibe *f*, Wohnung *f.* – 5. *astr. hist.* a) Haus *n*, b) *Tagesabschnitt der Mondbahn auf der Ekliptik.* — '~-ˌ**house** *s Br.* 1. Herrenhaus *n*, -sitz *m.* – 2. Amtssitz *m*: the M~ *Amtssitz des* Lord Mayor *von London.*

'**man|ˌslaugh·ter** *s jur.* 1. (provo'zierter) Totschlag. – 2. vorsätzliche Körperverletzung mit tödlichem Ausgang. – 3. fahrlässige Tötung. — '~ˌ**slay·er** *s* Totschläger(in). — '~ˌ**slay·ing** *s* Totschlag *m.*

man·sue·tude ['mænswiˌtjuːd; *Am. auch* -ˌtuːd] *s obs.* 1. Zahmheit *f.* – 2. Milde *f.*

man·ta ['mæntə] *s bes. Am.* 1. Pferde-, Reisedecke *f.* – 2. 'Umhang *m*, 'Überwurf *m* (*Frauenkleidung; bes. in Südamerika*). – 3. Satteldecke *f.* – 4. grober ungebleichter Baumwollstoff. – 5. → mantlet 2. – 6. → devilfish 1. — ~ **ray** → devilfish 1.

man·teau ['mæntou] *pl* **-teaus** [-touz], **-teaux** [-tou] *s* loser 'Überwurf, 'Umhang *m*, Man'teau *m* (*für Frauen*).

man·tel ['mæntl] *Kurzform für* a) ~piece, b) ~shelf.

man·tel·et ['mæntəˌlet; 'mæntlit] *s* 1. kurzer Mantel, 'Überwurf *m*, Mäntelchen *n.* – 2. → mantlet 1 *u.* 2.

man·tel·let·ta [ˌmæntə'letə] *s relig.* (*röm.-kath.*) Mantel'letta *f* (*kurzer Seidenmantel der höheren Prälaten*).

'**man·tel|ˌpiece** *s arch.* 1. Ka'mineinfassung *f*, -mantel *m.* – 2. Ka'minsims *m*, -gesims *n.* — '~ˌ**shelf** *s irr* Ka'minsims *m*, -gesims *n.* — '~ˌ**tree** *s* 1. *Querbalken an der Kaminöffnung.* – 2. → mantelpiece 1.

man·tic ['mæntik] *adj* seherisch, pro'phetisch.

man·til·la [mæn'tilə] *s* Man'tille *f*: a) langes Spitzen- *od.* Schleiertuch, Man'tilla *f* (*span. u. ital. Frauenfesttracht*), b) leichter 'Umhang, kurzer Mantel (*Frauenkleidung im 18. Jh.*).

man·tis ['mæntis] *pl* **-tis·es** *od.* **-tes** [-tiːz] *s zo.* Fang(heu)schrecke *f*, Gottesanbeterin *f* (*Fam. Mantidae, bes. Gattg Mantis*). — ~ **crab** *s zo.* Gemeiner Heuschreckenkrebs (*Squilla mantis*).

man·tis·pid [mæn'tispid] *zo.* I *s* Florschrecke *f* (*Gattg Mantispa*). – II *adj* florschreckenähnlich.

man·tis·sa [mæn'tisə] *s math.* Man'tisse *f.*

man·tis shrimp → mantis crab.

man·tle[1] ['mæntl] I *s* 1. ärmelloser 'Umhang, 'Überwurf *m.* – 2. *fig.* (Schutz-, Deck)Mantel *m*, Hülle *f*, Um'hüllung *f.* – 3. *tech.* Mantel *m*, (Glüh)Strumpf *m*: incandescent ~ Glühstrumpf. – 4. *tech.* Rauchmantel *m*, -fang *m* (*eines Hochofens*). – 5. *tech.* a) Formmantel *m*, 'Überform *f*, b) Schurz *m.* – 6. *zo.* Mantel *m*: a) *bei Mollusken*, b) *bei Tunicaten*, c) *Rückengefieder der Vögel.* – II *v/i* 7. sich über'ziehen (*wie mit einer Decke*), bedeckt werden (*Flüssigkeiten etc*). – 8. sich wie eine Decke ausbreiten. – 9. die Flügel spreiten (*Vögel*). – 10. erröten, sich röten: her face ~d sie wurde rot im Gesicht. – III *v/t* 11. über'ziehen, bedecken. – 12. einhüllen. – 13. verhüllen, verbergen (*auch fig.*). – 14. röten.

man·tle[2] *cf.* mantel.

man·tle| cav·i·ty *s biol.* Mantel-, Kiemenhöhle *f.* — ~ **fi·bers**, *bes. Br.* ~ **fi·bres** *s pl biol.* Zugfasern *pl.* — '~-ˌ**rock** *s geol.* 'Unterboden *m.*

mant·let ['mæntlit] *s* 1. *mil.* a) Schutzwehr *f*, -wall *m* (*der Anzeigerdeckung auf einem Schießstand*), b) tragbarer kugelsicherer Schutzschild. – 2. *mil. hist.* (bewegliches) Sturmdach, Blendung *f.* – 3. → mantelet 1.

Man·toux test ['mæntuː] *s med.* Man'toux-Probe *f*, 'Stichreaktiˌon *f.*

'**manˌtrap** *s* 1. Fußangel *f.* – 2. *fig.* Falle *f.*

man·tu·a ['mæntjuə; -tʃuə] *s hist.* 1. Mantuaseide *f.* – 2. Man'teau *m*, loser ('Damen)ˌÜberwurf (*um 1700*).

man·u·al ['mænjuəl] I *adj* 1. mit der Hand *od.* den Händen gemacht, Hand..., manu'ell: ~ alphabet Fingeralphabet; ~ aptitude manuelle Begabung *od.* Eignung *od.* Geschicklichkeit; ~ operation Handbedienung; ~ press Handpresse. – 2. Leitfaden..., Handbuch... – II *s* 3. a) (kurzgefaßtes) Handbuch, Leitfaden *m*, Manu'al *n*, b) *mil.* Dienst-, Druckvorschrift *f.* – 4. *mil.* Griff(übung *f*) *m*: ~ of a rifle Griffübung(en) am Gewehr. – 5. *mus.* Manu'al *n* (*einer Orgel*). – 6. *relig. hist.* Manu'al *n* (*mittelalterliches Ritualbuch*). — ~ **ex·er·cise** *s mil.* Gewehr-, Griffübung *f*, ‚Griffeklopfen' *n.* — ~ **la·bo(u)r** *s* Handarbeit *f*, körperliche Arbeit. — ~ **la·bo(u)r·er** *s* Handarbeiter *m.*

man·u·al·ly ['mænjuəli] *adv* von Hand, mit der Hand *od.* mit den Händen, manu'ell.

man·u·al train·ing *s* 'Werkˌunterricht *m.*

ma·nu·bri·al [mə'njuːbriəl; *Am. auch* -'nuː-] *adj zo.* grifförmig. — **ma'nu·bri·um** [-briəm] *pl* **-bri·a** [-briə], **-bri·ums** *s bes. zo.* grifförmiger Fortsatz: a) vorderer Fortsatz des Brustbeins, b) Griff *m* des Hammerknöchelchens (*im Ohr*).

man·u·code ['mænjuˌkoud; -jə-] *s zo.* Para'diesvogel *m* (*Gattg Manucodia*).

man·u·fac·to·ry [ˌmænju'fæktəri; -jə-] *s* 1. *obs.* Fa'brik(gebäude *n*) *f.* – 2. Werkstatt *f.*

man·u·fac·tur·al [ˌmænju'fæktʃərəl; -jə-] *adj* Fabrikations..., Fabrik..., Manufaktur...

man·u·fac·ture [ˌmænju'fæktʃər; -jə-] I *s* 1. (Ver)Fertigung *f*, Erzeugung *f*, fa'brikmäßige *od.* maschi'nelle 'Herstellung, Fabrikati'on *f*, Ausstoß *m*: of English ~. – 2. Erzeugnis *n*, ('hergestellter) Ar'tikel, (Fertig)Ware *f*, Fabri'kat *n*, Indu'strieproˌdukt *n.* – 3. Indu'strie-, Fabrikati'onszweig *m*: the linen ~ die Leinenindustrie. – 4. *allg.* 'Herstellen *n*, Erzeugen *n*: the organs concerned in the ~ of blood. – 5. (*meist verächtlich*) Fabri'zieren *n.* – 6. *obs.* Verfertigung *f* mit der Hand. – II *v/t* 7. anfertigen, verfertigen, erzeugen, fa'brikmäßig *od.* maschi'nell 'herstellen, fabri'zieren: ~d goods (*od.* articles) Fabrik-, Fertig-, Manufakturwaren. – 8. verarbeiten (into zu): to ~ wool into yarn Wolle zu Garn verarbeiten. – 9. (*meist verächtlich*) fabri'zieren, me'chanisch produ'zieren. – 10. erdichten, (sich *dat*) zu'sammenreimen, aushecken: to ~ an excuse. – *SYN. cf.* make. — ˌ**man·u'fac·tur·er** *s* 1. 'Hersteller *m*, Erzeuger *m.* – 2. Fabri'kant *m*, Fa'brikbesitzer *m*, Industri'eller *m.* — ˌ**man·u'fac·tur·ing** I *adj* 1. Herstellungs..., Fabrikations..., Produktions...: ~ efficiency Produktionsleistung; ~ loss Betriebsverlust; ~ process Herstellungsverfahren. – 2. Industrie..., Fabrik...: ~ branch Industriezweig; ~ town Industriestadt. – 3. gewerbetreibend. – II *s* 4. Erzeugung *f*, 'Herstellung *f*, Fabrikati'on *f.*

ma·nul ['mɑːnul] *s zo.* Ma'nul *m*, Steppenkatze *f* (*Felis manul*).

man·u·mis·sion [ˌmænjuˈmiʃən; -jə-] *s hist.* **1.** Freilassung *f* (aus der Knechtschaft *od.* Sklaveˈrei). – **2.** Freigelassensein *n.* — ˌ**man·uˈmit** [-ˈmit] *v/t* (*Sklaven*) freilassen. – *SYN. cf.* free.

ma·nure [məˈnjur] **I** *s* **1.** Düngemittel *n*, Dünger *m*: **saline** ~ Düngesalz. – **2.** Mist *m*, Dung *m*: **liquid** ~ (Dung)Jauche. – **II** *v/t* **3.** düngen. — **maˈnu·ri·al** [-ˈnju(ə)riəl] *adj* Dünger..., Dung...: ~ **quality** Düngewert.

ma·nus [ˈmeinəs] *pl* **-nus** *s* **1.** *med. zo.* Hand *f*, handähnliches Glied. – **2.** *zo.* Schere *f* (*Krebs*). – **3.** (*röm. Recht*) Manus *f* (*Vollgewalt des Ehemanns über seine Frau*).

man·u·script [ˈmænjuˌskript; -jə-] **I** *s* **1.** Manuˈskript *n*: a) Handschrift *f* (*alte Urkunde etc*), b) Auˈtorenmanuˌskript *n*, Urschrift *f*, c) *print.* Satzvorlage *f.* – **2.** (Hand)Schrift *f.* – **II** *adj* **3.** Manuskript..., hand-, *auch* maˈschinegeschrieben. — ˈ**man·uˌscript·al** → manuscript II.

man·u·stu·pra·tion [ˌmænjustjuˈpreiʃən] → masturbation.

man·ward [ˈmænwərd] *adj u. adv* auf den Menschen gerichtet, sich auf den Menschen beziehend.

ˈ**manˌwise** *adj* nach Menschenart, wie ein Mensch.

Manx [mæŋks] **I** *s* **1.** Bewohner *pl* der Insel Man. – **2.** *ling.* Manx *n* (*deren keltische Mundart*). – **II** *adj* **3.** die Insel Man betreffend. – **4.** *ling.* das Manx betreffend. — ~ **cat** *s zo.* Mankatze *f* (*stummelschwänzige Hauskatzenrasse auf der Insel Man*). — ˈ~**man** [-mən] *s irr* Bewohner *m* der Insel Man. — ~ **shear·wa·ter** *s zo.* Nordischer Sturmtaucher (*Puffinus puffinus*).

man·y [ˈmeni] **I** *adj comp* **more** [mɔːr], *sup* **most** [moust] **1.** viel(e): ~ **times** oft; **they are not** ~ viel(e) sind es nicht; **his reasons were** ~ **and good** er hatte viele gute Gründe; **in** ~ **respects** in vieler Hinsicht. – **2.** (*nach* as, how, so, too *etc*) viel(e): **as** ~ **as forty** (nicht weniger als) vierzig; **as** ~ **as you like** so viele Sie sich wünschen; **ten mistakes in as** ~ **lines** zehn Fehler in zehn Zeilen; **as** ~ **more** (*od.* **twice as** ~) noch einmal so viel; **they behaved like so** ~ **children** sie benahmen sich wie (die) Kinder; **too** ~ **by half** um die Hälfte zuviel; **one too** ~ einer zu viel (*im Wege etc*); **he was (one) too** ~ **for them** ‚er hat sie in den Sack gesteckt'. – **3.** (*vor folgendem* a, an *u. sg*) manch(er, e, es), manch ein(er, e, es): **I have seen him do it** ~ **a time** das habe ich ihn schon des öfteren tun sehen; ~ **a person** manch einer; ~ **another** manch anderer; ~ **an Englishman** mancher Engländer; ~ **(and** ~**) a time** zu wiederholten Malen, (sehr) oft, (so *od.* gar) manches Mal; ~**'s the story he has told us** er hat uns schon manche Geschichte erzählt. – **II** *s* **4.** viele: **the** ~ (*als pl konstruiert*) die (große) Menge; ~ **of us** viele von uns; ~ **knew him** viele kannten ihn. –

Besondere Redewendungen:

a good ~ ziemlich viel(e); **a great** ~ sehr viele; **in so** ~ **words** ausdrücklich; ~ **fewer** viel weniger (an Zahl); ~ **hands make light work** viele Hände machen (der Arbeit) bald ein Ende.

ˈ**man·y|ˌber·ry** → hackberry 1. — ˈ~-ˌ**col·o(u)red** *adj* vielfarbig, bunt. — ˈ~-ˌ**head·ed beast**, ˈ~-ˌ**head·ed monster** *s fig.* (*das*) vielköpfige Ungeheuer, (*die*) große Menge. — ˈ~-ˌ**one** *adj math.* (*u. Logik*) mehreindeutig, nicht ˈumkehrbar eindeutig (gerichtet). — ˈ~ˌ**plies** [-ˌplaiz] *s zo. dial.* Blättermagen *m* (*der Wiederkäuer*), Psalter *m*, Psalˈterium *n.* — ˈ~ˌ**root** *s bot.* (*eine*) Ruˈellie (*Ruellia tuberosa*). — ˈ~-ˈ**sid·ed** *adj* vielseitig (*auch fig.*). – *SYN. cf.* versatile. — ˌ~-ˈ**sid·ed·ness** *s* Vielseitigkeit *f.* — ˈ~-ˈ**tint·ed** *adj* farbenprächtig.

man·za·nil·la [ˌmænzəˈnilə] *s* **1.** → manchineel. – **2.** Manzaˈnilla(wein) *m* (*span. Weinsorte*).

man·za·ni·ta [ˌmænzəˈniːtə] *s bot.* **1.** (*eine*) amer. Bärentraube (*Gattg Arctostaphylos, bes. A. pungens u. A. tomentosa*). – **2.** → madroña.

Ma·o·ri [ˈmauri; ˈmɑːri] **I** *s* **1.** Maˈori *m* (*Eingeborener Neuseelands*). – **2.** *ling.* Maˈori *n.* – **II** *adj* **3.** die *od.* das Maˈori betreffend, Maori... — ˈ~ˌ**land** *s colloq.* Neuˈseeland *n.*

map [mæp] **I** *s* **1.** Karte *f*, *bes.* Land-, *auch* See-, Himmelskarte *f.* – **2.** Meßtischblatt *n*, Geländekarte *f.* – **3.** Plan *m*: **a** ~ **of the city** ein Stadtplan. – **4.** *fig.* (Land)Karte *f*: **whole cities were wiped off the** ~ es wurden ganze Städte ausradiert *od.* dem Erdboden gleichgemacht; **off the** ~ *colloq.* a) abgelegen, unzugänglich, b) *fig.* bedeutungslos, c) abgetan, veraltet, erledigt, d) so gut wie nicht vorhanden; **on the** ~ *colloq.* a) in Rechnung zu stellen, b) von Bedeutung, beachtenswert, c) (noch) da *od.* vorhanden; **to put on the** ~ zur Geltung bringen, (*dat*) Geltung verschaffen. – **5.** kartenartige Darstellung. – **6.** *sl.* ‚Fresse' *f*, ‚Viˈsage' *f* (*Gesicht*). – **II** *v/t pret u. pp* **mapped 7.** eine Karte machen von, kartoˈgraphisch *od.* in Form einer Karte darstellen. – **8.** (*Gebiet*) kartoˈgraphisch aufnehmen *od.* vermessen. – **9.** auf einer Karte eintragen. – **10.** *meist* ~ **out** *fig.* (bis in die Einzelheiten) (vorˈaus)planen, entwerfen, ausarbeiten: **to** ~ **out a new career**; **to** ~ **out one's time** sich seine Zeit einteilen. – **11.** *fig.* (wie auf einer Karte) (ver)zeichnen *od.* abbilden. – **12.** *math.* abbilden: **to** ~ **a circle on a plane.** – **III** *adj* **13.** kartoˈgraphisch, Karten...: ~ **projection.**

ma·pach [mɑːˈpɑːtʃ], **maˈpa·che** [-tʃei] → raccoon 1.

map| case *s* Kartenbehälter *m.* — ~ **con·duct of fire** *s mil.* Planschießen *n*, -feuer *n*, Schießen *n od.* Zielanweisung *f* nach der Karte. — ~ **cov·er** *s* ˈKartenfutteˌral *n*, -schutzhülle *f.* — ~ **ex·er·cise** *s mil.* Planspiel *n.* — ~ **fire** *s mil.* Planschießen *n*, Schießen *n* mit Karte. — ~ **grid** *s geogr. math.* Karten-, Grad-, Koordiˈnatennetz *n.*

ma·ple [ˈmeipl] **I** *s* **1.** *bot.* Ahorn *m* (*Gattg Acer*): **broad-leaved** ~ Großblättriger Ahorn (*A. macrophyllum*); **sugar** ~, **rock** ~ Zuckerahorn (*A. saccharum*). – **2.** Ahornholz *n.* – **II** *adj* **3.** aus Ahorn(holz), Ahorn... — ~ **bor·er** *s zo.* **1.** Ahornglasflügler *m* (*Sesia aceris*). – **2.** Plattkopfbohrer *m* (*Chrysobothris femorata*). – **3.** Gabelbohrer *m* (*Dicerca divaricata*). – **4.** Ahornbock(käfer) *m* (*Glycobius speciosus*). — ~ **leaf** *s irr* Ahornblatt *n* (*Sinnbild Kanadas*). — ~ **sir·up** *bes. Am. für* maple syrup. — ~ **sug·ar** *s bot. chem.* Ahornzucker *m.* — ~ **syr·up** *s bot. chem.* Ahornsirup *m.*

map| li·chen *s bot.* Landkartenflechte *f* (*Rhizocarpon geographicum*). — ~ **mak·er** → mapper. — ~ **mak·ing** *s* Kartograˈphie *f*: ~ **from aerial photos** Photogrammetrie, Luftbildvermessung.

map·per [ˈmæpər] *s* Kartoˈgraph *m*, Kartenzeichner *m.* — ˈ**map·ping** *s* Kartenzeichnen *n*, -aufnahme *f*, Kartograˈphie *f.*

map| read·ing *s* Kartenlesen *n.* — ~ **scale** *s geogr. math.* Kartenmaßstab *m.* — ~ **tur·tle** *s zo.* Landkartenschildkröte *f* (*Graptemys geographica*).

ma·qui[1] [ˈmɑːki] *s bot.* Chiˈlenischer Jasˈmin (*Aristotelia maqui*).

ma·qui[2] [ˈmɑːki] *s bot.* Maˈquis *m*, Macchia *f*, Macchie *f* (*immergrüner Hartlaub-Buschwald der westl. Mittelmeerländer*).

ma·quis [mɑˈkiː] *pl* **-quis** [-ˈkiː] *s* **1.** a) Maˈquis *m*, franz. ˈWiderstands-, ˈUntergrundbewegung *f* (*im 2. Weltkrieg*), b) Maquiˈsard *m*, Angehöriger *m* des Maˈquis, (franz.) ˈWiderstandskämpfer *m.* – **2.** (*auf Korsika*) Banˈdit *m*, Geächtete(r).

mar [mɑːr] *v/t pret u. pp* **marred 1.** (be)schädigen, (*j-m*) von Nachteil sein. – **2.** verderben, zuˈgrunde richten, ruiˈnieren: **this will make or** ~ **us** dies wird unser Glück oder Verderben sein. – **3.** verunstalten, entstellen, verstümmeln. – **4.** *fig.* (*Pläne etc*) stören, beeinträchtigen, vereiteln, zuˈnichte machen. – *SYN. cf.* injure.

mar·a·bou[1] [ˈmærəˌbuː] *s* **1.** *zo.* Marabu *m*, Kropfstorch *m* (*Leptoptilus crumeniferus, L. dubius u. L. javanicus*). – **2.** Marabufedern *pl* (*als Putz od. Besatz*). – **3.** Marabuseide *f* (*Art Rohseide*).

mar·a·bou[2] [ˈmærəˌbuː] *s amer. Mischling mit fünf Achtel Negerblut.*

mar·a·bout[1] [ˈmærəˌbuːt] → marabou[1].

Mar·a·bout[2] [ˈmærəˌbuːt] *s* Maraˈbut *m*: a) *moham. Einsiedler od. Heiliger in Nordwestafrika*, b) *dessen* (*heilige*) *Grabstätte.*

ma·ra·ca [mɑːˈrɑːkɑː] *s mus.* Maraˈca *f*, Rumbakugel *f.*

mar·a·can [ˈmærəˌkæn] → macaw[1].

ma·ran·ta [məˈræntə] *s bot.* Pfeilwurz *f* (*Gattg Maranta*).

ma·ran·tic [məˈræntik] → marasmic.

ma·ras·ca [məˈræskə] *s bot.* Maˈraskakirsche *f* (*Prunus cerasus var. marasca*).

mar·a·schi·no [ˌmærəˈskiːnou] *s* Marasˈchino(liˌkör) *m.* — ~ **cher·ries** *s pl* Marasˈchinokirschen *pl.*

ma·ras·mic [məˈræzmik] *adj med.* maˈrantisch, maˈrastisch, an Maˈrasmus leidend, entkräftet. — **maˈras·mus** [-məs] *s med.* Maˈrasmus *m*, Kräfteverfall *m*, Abzehrung *f*, Entkräftung *f*, (Alters)Schwäche *f.*

Ma·ra·tha [məˈrɑːtə] *s* Maˈrathe *m*, Mahˈratte *m* (*Angehöriger eines vorderindischen Volksstamms*). — **Maˈra·thi** [-tiː] *s ling.* Maˈrathi *n* (*neuindische Sprache der Marathen*).

mar·a·thon [ˈmærəˌθɒn; -θən] **I** *s sport* **1.** Marathonlauf *m* (*über 42,2 km*). – **2.** Langstreckenlauf *m* (*beim Eis-, Skilaufen etc*). – **3.** *fig.* Dauerwettkampf *m* (*Schwimmen etc*): **dance** ~ Dauertanzen. – **II** *adj* **4.** Marathon... – **5.** Langstrecken..., Dauer... – **III** *v/i* **6.** an einem Marathonlauf (*Langstreckenlauf, Dauerwettkampf etc*) teilnehmen. — ˈ**mar·aˌthon·er** *s sport* **1.** Marathon-, Langstreckenläufer *m.* – **2.** j-d der an einem Dauerwettkampf teilnimmt. — ˌ**Mar·aˈtho·ni·an** [-ˈθouniən] **I** *adj* Marathon..., maraˈthonisch. – **II** *s* Einwohner(in) der (*griech.*) Stadt Marathon.

mar·a·thon race → marathon 1 *u.* 2.

ma·raud [məˈrɔːd] *mil.* **I** *v/i* maroˈdieren, plündern, rauben. – **II** *v/t* verheeren, (aus)plündern. – **III** *s* Maroˈdieren *n*, Plündern *n*, Rauben *n.* — **maˈraud·er** *s* Plünderer *m*, Räuber *m*, Maroˈdeur *m.*

mar·ble [ˈmɑːrbl] **I** *s* **1.** *min.* Marmor *m*: **artificial** ~ Gipsmarmor, Stuck; **fibrous** ~ rissiger Marmor; **saccharoidal (statuary)** ~ grobkörniger (feinkörniger) Statuenmarmor. – **2.** Bild- *od.* Kunstwerk *n* aus Marmor (*Marmorplatte, -tafel etc*): **the Elgin** ~**s** *Br. Statuen des Parthenon im Britischen Museum,*

1801 von Lord Elgin nach London gebracht. – **3.** Marmo'rierung *f.* – **4.** *fig.* Stein *m*: **she was ~** sie war kalt *od.* hart wie eine Marmorstatue (*schön, aber gefühllos*). – **5.** Murmel(kugel) *f*, Spielkugel *f.* – **6.** *pl* (*als sg konstruiert*) Murmelspiel *n*: **to play ~s** (mit) Murmeln spielen. – **7.** (*Buchbinderei*) marmo'rierter Buchschnitt. – **II** *adj* **8.** marmorn, aus Marmor: **M~ Arch** *Br.* Eingangstor zum Hyde Park (*London*). – **9.** marmo'riert, gesprenkelt. – **10.** *fig.* steinern, gefühllos, hart(herzig). – **III** *v/t* **11.** marmo'rieren, sprenkeln, ädern: **to ~ book edges** Bücherschnitte marmorieren. – **12.** marmorgleich machen. — **'~-'breast·ed** *adj poet.* gefühllos, hartherzig. — **~ cake** *s* Marmorkuchen *m.*

mar·bled ['mɑːrbld] *adj* **1.** marmo'riert, geädert, gesprenkelt: **a ~ cat** eine gesprenkelte Katze. – **2.** marmorn, aus Marmor, mit Marmor belegt. – **3.** durch'wachsen (*Fleisch*).

'mar·ble|-'faced *adj* mit marmornem Antlitz, mit unbewegtem *od.* starrem *od.* steinernem Gesicht. — **'~'heart·ed** *adj poet.* hartherzig, gefühllos.

mar·ble·ize ['mɑːrˌblaiz] *v/t Am.* marmo'rieren, sprenkeln, ädern.

mar·bler ['mɑːrblər] *s* **1.** Marmorarbeiter *m*, -schneider *m*, -schleifer *m.* – **2.** Marmo'rierer *m* (*von Papier, Holz etc*).

'mar·bleˌwood *s bot.* **1.** Anda'manen-Ebenholzbaum *m* (*Diospyros kurzii*). – **2.** Austral. Ölbaum *m* (*Olea paniculata*). – **3.** Al'bizzië *f* (*Gattg Albizzia*).

mar·bling ['mɑːrbliŋ] *s* **1.** Marmo'rieren *n.* – **2.** Marmo'rierung *f* (*auch bei Büchern*). – **3.** Durch'wachsensein *n* (*von Fleisch*) (mit Fett). — **'mar·bly** *adj* **1.** marmorn, marmorartig (*auch fig.*). – **2.** *fig.* hart(herzig), kalt, gefühllos, steinern.

marc [mɑːrk] *s* **1.** Treber *pl*, Trester *pl* (*bes. beim Keltern*). – **2.** unlöslicher Rückstand, Satz *m.* – **3.** Traubentresterbranntwein *m.*

mar·ca·site ['mɑːrkəˌsait] *s min.* **1.** Marka'sit *m* (FeS_2; *rhombischer Eisenkies*). – **2.** aus Py'rit geschliffener Schmuckstein. – **3.** *obs.* weißer 'Eisenpyˌrit. — **ˌmar·ca'sit·i·cal** [-'sitikəl] *adj* Markasit...

mar·cel [mɑːr'sel] **I** *v/t pret u. pp* **mar'celled** (*Haar*) wellen, locken (*nach Art des franz. Friseurs Marcel*). – **II** *s* → **~ wave.**

mar·cel·line ['mɑːrsəlin; -ˌliːn] *s* Marzel'lin *m* (*Art dünner Seidenstoff für Kleiderfutter*).

Mar·cel·li·an [mɑːr'seliən] *relig.* **I** *adj* marcelli'anisch (*den Bischof Marcellus von Ankyra u. seine Lehre von der Dreifaltigkeit betreffend*). – **II** *s* Marcelli'aner *m* (*Anhänger des Bischofs Marcellus*). — **Mar'cel·li·anˌism** *s* Lehre *f* des Bischofs Mar'cellus (*über die Dreifaltigkeit*).

mar·cel wave *s* Welle *f*, Locke *f* (*nach Art des franz. Friseurs Marcel*).

mar·ces·cence [mɑːr'sesns] *s bot.* verwelkter Zustand, Vertrocknung *f*, Einschrumpfung *f.* — **mar'ces·cent** *adj* **1.** *bot.* (ver)welkend, trocken werdend (*ohne abzufallen*). – **2.** *zo.* runz(e)lig, eingeschrumpft.

march¹ [mɑːrtʃ] **I** *v/i* **1.** *mil.* mar'schieren, ziehen (*Truppenteile*): **to ~ off** abrücken; **to ~ past (s.o.)** (an j-m) vorbeiziehen *od.* -marschieren, defilieren. – **2.** *fig.* fort-, vorwärts-, schreiten: **time ~es on** die Zeit schreitet fort. – **3.** schreiten. – **4.** *fig.* Fortschritte machen. – **II** *v/t* **5.** mar'schieren, im Marsch zu'rücklegen: **to ~ ten miles.** – **6.** mar'schieren lassen, (ab)führen: **to ~ off prisoners** Gefangene abführen. – **III** *s* **7.** *mil.* Marsch *m*: **slow ~** langsamer Parademarsch; **~ in file** Rottenmarsch; **~ in line** Frontmarsch; **~ order** *Am.* Marschbefehl. – **8.** Marsch *m* (*auch Entfernung*): **an hour's ~** ein Marsch von einer Stunde; **line of ~** *mil.* Marschroute, -linie. – **9.** Vormarsch *m* (on auf *acc*). – **10.** Tagesmarsch *m.* – **11.** *mus.* Marsch *m*: **military (processional) ~** schneller (feierlicher) Marsch. – **12.** *fig.* (Ab-)Lauf *m*: **the ~ of events** der Lauf der Dinge, der (Fort)Gang der Ereignisse. – **13.** *fig.* Fortschritt *m*, (*fortschrittliche*) Entwicklung: **the ~ of progress** die fortschrittliche Entwicklung. – **14.** *fig.* mühevoller Weg *od.* Marsch. – **15.** *fig.* (*abgemessenes*) (Vorwärts-)Schreiten. – **16.** Gang(art *f*) *m.* – *Besondere Redewendungen*: **~ at ease!** *mil.* ohne Tritt (marsch)! **quick ~!** *mil.* Abteilung marsch! **~ order!** *mil.* in Marschordnung angetreten! **to steal a ~ (up)on s.o.** j-m ein Schnippchen schlagen, j-n überrunden, j-m den Rang ablaufen.

march² [mɑːrtʃ] **I** *s* **1.** *hist.* Mark *f.* – **2.** a) (*auch* um'strittenes) Grenzgebiet, -land, b) Grenze *f.* – **3.** *pl* Marken *pl* (*bes. das Grenzgebiet zwischen England einerseits u. Schottland bzw. Wales andererseits*). – **II** *v/i* **4.** grenzen (upon an *acc*). – **5.** eine gemeinsame Grenze haben (with mit).

March³ [mɑːrtʃ] *s* März *m*: **in ~** im [März.]

March brown *s* **1.** (*Angelsport*) Märzfliege *f.* – **2.** *zo.* (*eine*) Eintagsfliege (*Ecdyurus venosus*).

Mär·chen ['mɛːrçən] (*Ger.*) *s* Märchen *n.*

march·er¹ ['mɑːrtʃər] *s* j-d der gut zu Fuß ist.

march·er² ['mɑːrtʃər] *s hist.* **1.** Bewohner(in) einer Mark *od.* eines Grenzlands. – **2.** *auch* **Lord M~** Markgraf *m*, Grenzherr *m.*

mar·che·sa [mar'keːza] *pl* **-'che·se** [-ze] (*Ital.*) *s* Mar'chesa *f* (*ital. Markgräfin*). — **mar'che·se** [-ze] *pl* **-'che·si** [-zi] (*Ital.*) *s* Mar'chese *m* (*ital. Marquis*).

March| fly *s zo.* Märzfliege *f*, Haarmücke *f* (*Fam. Bibionidae, bes. Gattg Bibio*). — **~ hare** *s* (*liebestoller*) Märzhase: **as mad as a ~** *colloq.* total verrückt.

march·ing ['mɑːrtʃiŋ] **I** *adj* **1.** *mil.* Marsch..., mar'schierend: **~ order** a) Marschausrüstung, b) Marschordnung; **in heavy ~ order** feldmarschmäßig; **~ orders** *Br.* Marschbefehl. – **2.** Reise...: **~ money** Marschgebührnisse (*für Militär*). – **II** *s* **3.** (Auf-, Vor'bei)Marsch *m.*

mar·chion·ess ['mɑːrʃənis] *s* **1.** Mar'quise *f*, Markgräfin *f.* – **2.** *colloq.* Mädchen *n* für alles. – **3.** *tech.* (*ein*) Dachschiefer *m* (*Größe 22 × 11 Zoll od. 20 × 12 Zoll*).

march·pane ['mɑːrtʃˌpein] *s* Marzi'pan *n, m.*

march vi·o·let *s bot. Br.* Märzveilchen *n* (*Viola odorata*).

mar·cid ['mɑːrsid] *adj obs.* 'hinsiechend, -welkend, verfallend.

Mar·co·ni [mɑːr'kouni] **I** *adj* Marconi... (*nach Guglielmo Marconi, ital. Physiker*). – **II** *s* **m~** 'Funkteleˌgramm *n.* – **III** *v/t* **m~** ein 'Funkteleˌgramm senden an (*acc*). – **IV** *v/i* **m~** 'Funkteleˌgramm(e) senden. — **mar'co·niˌgram** [-ˌgræm] *s hist.* 'Funkteleˌgramm *n*, -spruch *m.* — **mar'co·niˌgraph** [-ˌgræ(ː)f; *Br. auch* -ˌgrɑːf] *electr. hist.* **I** *s* 'Funkappaˌrat *m.* – **II** *v/t u. v/i* funken. — **mar'co·niˌgraph·y** *s* 'Funktelegraˌphie *f.*

Mar·co·ni rig *s mar.* Mar'conitakelung *f* (*angebogener Mast mit kleiner Rah unterhalb der Mastbiegung*).

Mar·di gras ['mɑːrdi 'grɑː] *s* Fastnacht(sdienstag *m*) *f.*

mare¹ [mɛr] *s* Stute *f*: **the grey ~ is the better horse** die Frau ist der Herr im Hause *od.* führt das Regiment *od.* hat die Hosen an; **money makes the ~ go** *colloq.* wer gut schmeert (*schmiert*), der gut fährt; Geld regiert die Welt; → **ride** *b. Redw.*

mare² [mɛr] *s obs.* (Nacht)Mahr *m*, Inkubus *m.*

ma·re³ ['mɛ(ə)ri] *pl* **-ri·a** [-riə] (*Lat.*) *s* **1.** *jur. pol.* Meer *n*: **~ clausum** mare clausum, (*für fremdländische Schiffe*) geschlossenes Meer; **~ liberum** mare liberum, freies Meer; **~ nostrum** unser Meer (*Bezeichnung der Römer für das Mittelmeer*). – **2.** **M~** *astr.* Mare *n* (*dunkle, ebene Flächen auf dem Mond u. dem Mars*): **M~ Crisium; M~ Serenitatis.**

Ma·ré·chal Niel ['mɑːrʃəl 'niːl] *s bot.* Marschall-'Niel-Rose *f* (*bekannteste Teerose*).

ma·rem·ma [mə'remə] *pl* **-'rem·me** [-mei; -miː] *s* **1.** Ma'remme *f* (*sumpfige Küstengegend*). – **2.** Pesthauch *m*, Mi'asma *n* (*der Maremme*).

'mare's|-ˌnest [mɛrz] *s fig.* Gemsenei(er *pl*) *n* (*unsinnige Entdeckung*), ungereimtes Zeug, (*in der Presse*) (Zeitungs)Ente *f.* — **'~-ˌtail** *s* **1.** (*Meteorologie*) langgestreckte Federwolken *pl*, Zirrusschirm *m*, *mar.* Windbaum *m.* – **2.** *bot.* a) Tann(en)wedel *m* (*Hippuris vulgaris*), b) → **horsetail** 2 a.

mar·ga·rate ['mɑːrgəˌreit] *s chem.* Salz *n od.* Ester *m* der Marga'rinsäure. — **mar·gar·ic** [mɑːr'gærik; -'gɑː-] *adj chem.* Margarin...: **~ acid** Margarinsäure ($C_{17}H_{34}O_2$).

mar·ga·rine [*Br.* ˌmɑːdʒə'riːn; 'mɑː-gəˌriːn; *Am.* 'mɑːrdʒəˌriːn], *auch* **'mar·ga·rin** [-rin] *s* Marga'rine *f.*

mar·ga·ri·ta·ceous [ˌmɑːrgəri'teiʃəs] *adj* **1.** perlenförmig, -artig. – **2.** perlmutterartig.

mar·ga·rite ['mɑːrgəˌrait] *s* **1.** *min.* Perlglimmer *m.* – **2.** *obs.* Perle *f.* — **ˌmar·ga·ri'tif·er·ous** [-ri'tifərəs] *adj zo.* perlenhaltig, -führend.

mar·gay ['mɑːrgei] *s zo.* Zwergtigerkatze *f*, Marguay *m* (*Felis tigrina*).

marge¹ [mɑːrdʒ] *s poet.* Rand *m*, Saum *m.*

marge² [mɑːrdʒ] *s bes. Br. sl.* Marga- ['rine *f.*]

mar·gent ['mɑːrdʒənt] *s obs.* Rand *m*, Saum *m.*

mar·gin ['mɑːrdʒin] **I** *s* **1.** Rand *m* (*auch fig.*): **the ~ of consciousness** die Bewußtseinsschwelle; **to go near the ~** ein gefährliches Spiel treiben. – **2.** *auch pl* (Seiten)Rand *m* (*bei Büchern etc*): **as by** (*od.* **per**) **~** *econ.* wie nebenstehend; **named in the ~** am Rande *od.* nebenstehend erwähnt *od.* vermerkt; **bled ~** bis in die Schrift hinein beschnittener Rand; **cropped ~** zu stark beschnittener Rand; **opened ~** aufgeschnittener Rand. – **3.** Grenze *f* (*auch fig.*): **~ of income** Einkommensgrenze. – **4.** Spielraum *m.* – **5.** *fig.* 'Überschuß *m*, (*ein*) Mehr *n* (*an Zeit, Geld etc*): **the ~ of safety** der Sicherheitsfaktor; **he escaped death by a narrow ~** er entging mit knapper Not dem Tode. – **6.** *meist* **profit ~** *econ.* (Gewinn-, Verdienst)Spanne *f*, Marge *f*, Handelsspanne *f* (*Unterschied* a) *zwischen Ein- u. Verkaufspreis,* b) *zwischen Selbstkosten u. Verkaufspreis,* c) *zwischen Tages- u. Emissionskurs*). – **7.** *econ.* Sicherheits-, Hinter'legungssumme *f*, Deckung *f* (*von Kursschwankungen*), (Bar)Einschußzahlung *f*, Marge *f*: **~ requirements** (*Börse*) *Am.* (Höhe der) Ein- *od.* Vorschüsse (*des Käufers an die Bank*) bei Effektenkäufen; **~ system** (*Börse*) *Am.* *Art Effektenkäufe mit Einschüssen als Sicherheitsleistung.* – **8.** *econ.* Rentabili'tätsgrenze *f.* – **9.** *econ.* 'Überschuß *m.* – **10.** *sport* Abstand *m*, Vorsprung *m*: **by a ~ of four seconds** im Abstand von 4 Sekunden. – *SYN. cf.* **border.** – **II** *v/t* **11.** mit einem Rand versehen. – **12.** a) um'randen, b) säumen: **bog plants ~ed the shore.** – **13.** mit Randbemerkungen versehen. – **14.** an den Rand schreiben. – **15.** *econ.* decken (*durch Hinterlegung*), eine Einschußzahlung machen für.

mar·gin·al ['mɑːrdʒinl; -dʒə-] *adj* **1.** am *od.* auf dem Rande, auf den Rand gedruckt *etc*, Rand...: **~ inscriptions** Umschrift (*an Rändern von Münzen*); **~ note** Randbemerkung. – **2.** am Rande, Grenz... (*auch fig.*): **~ sensations** Wahrnehmungen am Rande des Bewußtseins; **~ tribes** Grenzstämme. – **3.** *fig.* Mindest...: **~ capacity.** – **4.** *econ.* a) zum Selbstkostenpreis, b) knapp über der Rentabili'tätsgrenze, gerade noch ren'tabel, Grenz...: **~ cost** Grenz-, Mindestkosten; **~ net product** Nettogrenzprodukt; **~ profits** Gewinnminimum, Rentabilitätsgrenze; **~ sales** Verkäufe zum Selbstkostenpreis; **theory of ~ utility** Grenznutzentheorie. – **5.** *med.* margi'nal, randständig. – **6.** *sociol.* am Rande einer Gesellschaft (stehend), gesellschaftlich nicht voll akzep'tiert, als Außenseiter geltend. — **~ dis·u·til·i·ty** *s Am.* Grenze *f* der Arbeitswilligkeit (bei niedrigem Lohn).

mar·gi·na·li·a [ˌmɑːrdʒi'neiliə; -dʒə-] *s pl* Margi'nalien *pl*, Randbemerkungen *pl.* — **ˌmar·gi'nal·i·ty** [-'næliti; -əti] *s* Stellung *f od.* Lage *f* am Rande, Randständigkeit *f.*

mar·gin·al·ize ['mɑːrdʒinəˌlaiz; -dʒə-] **I** *v/t* mit Randbemerkungen versehen. – **II** *v/i* Randbemerkungen machen.

mar·gi·nal| land *s econ.* Land *n*, dessen Bebauung sich gerade noch lohnt. — **~ man** *s irr sociol.* 'Randperˌsönlichkeit *f.*

mar·gin·ate I *v/t* ['mɑːrdʒiˌneit; -dʒə-] um'randen, mit einem Rand versehen. – **II** *adj* [-nit; -ˌneit] mit einem Rand versehen, um'randet. — **'mar·ginˌat·ed** → marginate II. — **ˌmar·gin'a·tion** *s* Um'randung *f*, Einfassung *f*, Ränderung *f.*

mar·gin| busi·ness *s econ. Am.* Ef'fektendiffeˌrenz-, Einschußgeschäft *n.* — **~ draft** *s tech.* (*glatt gemeißelte*) Randfläche (*eines rohbehauenen Quadersteins*).

mar·gi·nel·li·form [ˌmɑːrdʒi'neliˌfɔːrm; -dʒə-; -lə-] *adj zo.* randschneckenförmig.

mar·gin·ing ['mɑːrdʒiniŋ] *s* Be-, Um-['randung *f.*]

mar·gi·ni·ros·tral [ˌmɑːrdʒini'rɒstrəl; -dʒə-] *adj zo.* den Schnabel (*eines Vogels*) um'säumend.

mar·go·sa [mɑːr'gousə] *s bot.* Indischer Zedrach, Pater'nosterbaum *m* (*Melia azadirachta*).

mar·gra·vate ['mɑːrgrəvit] → margraviate. — **'mar·grave** [-greiv] *s hist.* Markgraf *m.* — **mar'gra·viˌate** [-viˌeit; -it] *s* Markgrafschaft *f.* — **'mar·graˌvine** [-grəˌviːn] *s* Markgräfin *f.*

mar·gue·rite [ˌmɑːrgə'riːt] *s bot.* **1.** Gänseblümchen *n*, Maßliebchen *n* Tausendschön(chen) *n* (*Bellis perennis*). – **2.** 'Strauch-Margueˌrite *f* (*Chrysanthemum frutescens*). – **3.** Weiße Wucherblume, Margue'rite *f* (*Chrysanthemum leucanthemum*).

Mar·i·an ['mɛ(ə)riən; 'mær-] **I** *adj* **1.** mari'anisch, Marien..., die Jungfrau Ma'ria betreffend. – **2.** mari'anisch, die Königin Ma'ria betreffend (*bes. Maria Stuart von Schottland, 1542–87, u. Maria, Königin von England, 1553–58*). – **II** *s* **3.** *relig.* Ma'rienverehrer(in). – **4.** *hist.* Anhänger(in) der Königin Ma'ria (Stuart).

Ma·ri·a The·re·sa| dol·lar [mə'riːə tə'riːzə; mə'raiə; -sə], **~ tha·ler** *s* MaˌriatheˈresienˌtaIer *m.*

ma·ric·o·lous [mə'rikələs] *adj zo.* im Meer lebend, Meeres... — **ma·rig·e·nous** [mə'ridʒinəs; -dʒə-] *adj* im *od.* vom Meer erzeugt.

mar·i·gold ['mæriˌgould; -rə-] *s bot.* **1.** Ringelblume *f* (*Calendula officinalis*). – **2.** a) *auch* **African ~** Samtblume *f* (*Tagetes erecta*), b) *auch* **French ~** Stu'dentenblume *f* (*Tagetes patula*).

mar·i·graph ['mæriˌgræ(ː)f; *Br. auch* -ˌgrɑːf] *s* Mareo'graph *m* (*selbsttätiger Flutmesser*). — **ˌmar·i'graph·ic** [-'græfik] *adj* Flutmesser..., Flutmessungs...

mar·i·jua·na, *auch* **mar·i·hua·na** [ˌmɑːri'hwɑːnə] *s* **1.** *bot.* Marihu'anahanf *m* (*Cannabis sativa*). – **2.** Marihu'ana *n* (*mexik. Rauschgift; Haschisch*).

mar·i·ki·na [ˌmæri'kiːnə] *s zo.* Löwenäffchen *n* (*Leontocebus rosalia*).

ma·rim·ba [mə'rimbə] *s mus.* Ma'rimba *f*, 'Neger-, 'HolzklaˌVier *n* (*Art Xylophon*).

mar·i·mon·da [ˌmæri'mɒndə] *s zo.* Mari'monda *m* (*Ateles belzebuth; Klammeraffe*).

mar·i·nade I *s* [ˌmæri'neid; -rə-] **1.** Mari'nade *f* (*Art Essigsoße*). – **2.** mari'niertes Fleisch, marinierter Fisch. – **II** *v/t* ['mæriˌneid; -rə-] → marinate. — **'mar·iˌnate** [-ˌneit] *v/t* **1.** mari'nieren. – **2.** sauer einlegen.

ma·rine [mə'riːn] **I** *adj* **1.** See...: **~ chart; ~ warfare.** – **2.** Meeres...: **~ flora and fauna** die Tier- u. Pflanzenwelt des Meeres; **~ phosphorescence** Meeresleuchten. – **3.** Schiffs...: **~ engineering** Schiffsmaschinenbau. – **4.** Marine... – **5.** *zur See(fahrt) gehörig*: **~ store** *Br.* Trödelladen (*ursprünglich Laden für den Verkauf von wertlosen Schiffsgegenständen*); **~ stores** wertloses Schiffsmaterial. – **II** *s* **6.** Ma'rine *f*: **mercantile ~** Handelsmarine. – **7.** *mar. mil.* Ma'rineinfant(e)rist *m*, 'SeesolˌDat *m.* – **8.** *mar. mil. Am.* Angehöriger *m* des amer. Marine Corps. – **9.** *mar. sl.* Landratte *f*: **tell that to the ~s!** *colloq.* das kannst du mir nicht weismachen! diesen Bären kannst du einem anderen aufbinden! – **10.** Seegemälde *n*, -stück *n.* – **11.** *auch* **dead ~** *sl.* leere Flasche. – **12.** Ma'rineminiˌsterium *n* (*z.B. in Frankreich*).

ma·rine| belt *s mar.* Hoheitsgewässer *pl.* — **~ blue** *s* Ma'rineblau *n* (*Farbe*). — **M~ Corps** *s mar. mil. Am.* Ma'rineinfanteˌriekorps *n.* — **~ court** *s jur. Am.* Seegericht *n* (*bundesstaatliches Bezirksgericht für Seesachen*). — **~ in·sur·ance** *s econ.* 'Seeversicherung *f*, -assekuˌranz *f.* — **~ map** *s* Seekarte *f.* — **~ rail·way** *s mar.* (Auf)Schlepphelling *f*, (Pa'tent)-Schlipp *m.*

mar·i·ner ['mærinər; -rə-] *s* Seemann *m*, Ma'trose *m* (*bes. der Kriegsmarine*): **master ~** Kapitän eines Handelsschiffs.

mar·i·ner's com·pass *s* (See)Kompaß *m.*

Ma·rin·ism [mə'riːnizəm] *s* Mari'nismus *m* (*affektierter Stil des 17. Jhs., nach dem ital. Dichter Marini*). — **Ma'rin·ist** *s* Mari'nist *m.*

Mar·i·ol·a·ter [ˌmɛ(ə)ri'ɒlətər] *s relig.* (*abschätzig*) Ma'rienvergötterer *m.* — **ˌMar·i'ol·a·trous** *adj* die (Jungfrau) Maria vergötternd *od.* abgöttisch verehrend. — **ˌMar·i'ol·a·try** [-tri] *s* Ma'rienkult *m*, -vergötterung *f*, Ma'donnenkult *m.*

mar·i·o·nette [ˌmæriə'net] *s* Mario'nette *f* (*auch fig.*): **~-play** Puppenspiel.

Mar·i·po·sa lil·y [ˌmæri'pousə; -zə] *s bot.* Mor'monentulpe *f*, Mor'monen-, Mari'posaˌlilie *f* (*Gattg Calochortus*).

mar·ish ['mæriʃ] *poet.* **I** *s* Moor *n*, Sumpf *m*, Mo'rast *m.* – **II** *adj* sumpfig, mo'rastig.

Mar·ist ['mɛ(ə)rist] *s relig.* Ma'rist *m* (*Mitglied der röm.-kath. Gesellschaft Mariä*).

mar·i·tal ['mæritl; -rə-; *Br. auch* mə'raitl] *adj* ehelich, Ehe..., Gatten...: **~ partners** Ehegatten; **~ rights** Gattenrechte; **~ status** *jur.* Familienstand. – *SYN. cf.* **matrimonial.**

mar·i·time ['mæriˌtaim; -rə-] *adj* **1.** See...: **~ commerce** Seehandel; **~ court** Seeamt; **~ insurance** Seeversicherung; **~ law** Seerecht. – **2.** Schiffahrts...: **~ affairs** Schiffahrtsangelegenheiten, Seewesen. – **3.** Marine...: **~ service** See-, Marinedienst. – **4.** Seemanns...: **~ life.** – **5.** a) seefahrend, b) Seehandel (be)treibend. – **6.** Küsten...: **~ provinces.** – **7.** *zo.* an der Küste lebend, Strand... – **8.** Meer(es)... — **M~ Com·mis·sion** *s Am. Oberste Handelsschiffahrtsbehörde der USA.* — **~ dec·la·ra·tion** *s mar.* Verklarung *f* (*beeidigte Erklärung des Kapitäns vor Notar od. Behörde über Sondervorkommnisse auf der Reise*). — **M~ La·bor Board** *s Am. Oberste Schlichtungsbehörde zwischen Reedern u. Seemannsvertretungen in USA.* — **~ lien** *s jur. mar.* Seepfandrecht *n*, Seerückbehaltungsrecht *n.* — **M~ Serv·ice** *s Am. nichtmilitärische freiwillige Vorbereitungsdienstorganisation der USA für den Handelsmarinedienst.* — **~ ter·ri·to·ry** *s jur.* Seehoheitsgebiet *n* (*Küstengebiet, das dem internationalen Seeverkehr dient, aber nationaler Gesetzgebung unterliegt*).

mar·i·um ['mɛ(ə)riəm] *s astr.* Mare *n*, Meer *n* (*des Mondes*).

mar·jo·ram ['mɑːrdʒərəm] *s bot.* **1.** Majo'ran *m*, Meiran *m*, Dost(en) *m* (*Gattgen Majorana u. Origanum*). – **2.** *auch* **sweet ~, true ~** Echter Majo'ran (*Majorana hortensis*). – **3.** *auch* **common ~, wild ~** Felddost(en) *m*, Brauner Dost(en) (*Origanum vulgare*).

mark[1] [mɑːrk] **I** *s* **1.** Mar'kierung *f*, Bezeichnung *f*, Mal *n*: **boundary ~** Grenzmal, -zeichen. – **2.** *fig.* Zeichen *n*: **~ of confidence** Vertrauensbeweis; **~ of favo(u)r** Gunstbezeigung; **~ of respect** Zeichen der Hochachtung; **God bless** (*od.* **save**) **the ~** *colloq.* a) mit Verlaub zu sagen, b) du meine Güte! – **3.** (Kenn)Zeichen *n*, (Merk)-Mal *n*: **distinctive ~** Unterscheidungs-, Kennzeichen. – **4.** charakte'ristisches Merkmal, Cha'rakter(zug) *m*, ˌCharakte'ristikum *n* (*in der Logik etc*). – **5.** Sym'ptom *n.* – **6.** (Merk)-Zeichen *n*, Marke *f* (*Arbeitshilfe, Teilstrich, Zahl etc*): **adjusting ~** Einstellmarke; **to make a ~ in the calendar** sich einen Tag rot anstreichen. – **7.** (Schrift-, Satz)Zeichen *n*: **question ~** Fragezeichen. – **8.** Leit-, Orien'tierungs-, Richtungszeichen *n*: **a ~ for pilots.** – **9.** (An)Zeichen *n*: **a ~ of great carelessness.** – **10.** Abzeichen *n* (*Vereinszeichen etc*). – **11.** (Eigentums)Zeichen *n.* – **12.** Brandmal *n.* – **13.** Strieme *f*, Schwiele *f.* – **14.** Narbe *f* (*auch tech.*). – **15.** Kerbe *f*, Einschnitt *m.* – **16.** (Hand-, Namens)-Zeichen *n*, Kreuz *n* (*eines Analphabeten*). – **17.** Ziel(scheibe *f*) *n* (*auch fig.*): **wide of** (*od.* **beside**) **the ~** *fig.* fehl am Platz, unangebracht, nicht zur Sache gehörig; **you are quite off** (*od.* **wide of**) **the ~** *fig.* Sie irren sich gewaltig, ,Sie hauen arg daneben'; **to hit the ~** (genau *od.* ins Schwarze) treffen; **to miss the ~** a) fehl-, vorbeischießen, b) sein Ziel *od.* seinen Zweck verfehlen, ,danebenhauen'. – **18.** *fig.*

allgemeine *od.* gewünschte Norm: below the ~ a) hinter dem Ziel zurück, b) unterdurchschnittlich; to be below the ~ sich nicht auf der Höhe fühlen; up to the ~ a) einer Sache *od.* den Aufgaben gewachsen, b) den Erwartungen entsprechend, c) auf der Höhe; within the ~ innerhalb der erlaubten Grenzen; to overshoot the ~ a) über die Stränge schlagen, b) über das Ziel (hinaus)-schießen. – **19.** Eindruck *m* (with bei). – **20.** (aufgeprägter) Stempel, Gepräge *n.* – **21.** Spur *f,* Fußspur *f* (*fig.*): to make a (*od.* one's) ~ Eindruck *od.* sich einen Namen machen (upon bei), Vorzügliches leisten, es zu etwas bringen. – **22.** *fig.* Bedeutung *f,* Rang *m,* Wichtigkeit *f,* (*etwas*) Her'vorragendes: of ~ beachtenswert; a man of ~ eine markante Persönlichkeit, ein Mann von Bedeutung. – **23.** Marke *f,* Sorte *f,* Quali'tät *f*: ~ of quality Qualitätsmarke. – **24.** *econ.* a) (Fa'brik-, Waren)Zeichen *n,* (Waren)Auszeichnung *f,* b) Preisangabe *f,* c) Schutzmarke *f,* (Handels)Marke *f*: ~ of origin Herkunftskennzeichen. – **25.** *mar.* a) (abgemarkte) Fadenlänge (*der Lotleine*), b) Landmarke *f,* c) Bake *f,* Leitzeichen *n,* d) Mark *n,* Ladungsbezeichnung *f,* e) Marke *f*: water ~ Wasserstandsmarke; → Plimsoll ~. – **26.** *mil. tech. Br.* Mo'dell *n,* Type *f*: a ~ V tank ein Tank der Type V. – **27.** *ped.* Note *f,* Zen'sur *f,* Punkt *m*: to obtain full ~s in allen Fragen *od.* Punkten voll bestehen; he gained 20 ~s for Greek im Griechischen bekam er 20 Punkte; bad ~ Note für schlechtes Benehmen; late ~ Note wegen Zuspätkommens. – **28.** *pl ped.* Zeugnis *n*: he brought home bad ~s er brachte ein schlechtes Zeugnis nach Hause. – **29.** *sl.* (*das*) Richtige: not my ~ nicht mein Geschmack, nicht das Richtige für mich. – **30.** *meist* easy ~ *sl.* ‚leichter Kauf' *od.* leichte Beute, Gimpel *m*: to be an easy ~ ‚leicht reinzulegen sein'; he is too easy a ~ er ist nicht raffiniert genug, er ist zu naiv. – **31.** *sport* a) (*Boxen*) *sl.* Magengrube *f,* -spitze *f,* So'larplexus *m,* b) (*Kegeln*) Zielkugel *f,* c) (*Fußball, Rugby*) (Ab)Schußmarke *f* (*für Freistoß*), d) (*Laufen*) Startlinie *f*: to get off the ~ starten. – **32.** *meist* ~ of mouth Bohne *f,* Kennung *f* (*Alterszeichen an Pferdezähnen*). – **33.** *hist.* a) Mark *f,* Grenzgebiet *n,* Grenze *f,* b) Gemeindemark *f,* All'mende *f*: ~ moot Gemeindeversammlung. – *SYN. cf.* sign. –

II *v/t* **34.** mar'kieren: a) (*Wege, Gegenstände etc*) kennzeichnen, b) (*Stellen auf einer Karte*) bezeichnen, mit einem Merkzeichen versehen, (*provisorisch*) andeuten: to ~ by a broken (dotted, full) line durch eine gebrochene (punktierte, ausgezogene) Linie kennzeichnen; to ~ time a) *mil.* auf der Stelle treten (*auch fig.*), b) *fig.* nicht von der Stelle kommen, c) abwarten, d) den Takt schlagen. – **35.** Zeichen hinter'lassen auf (*dat*): his hobnails ~ed the floor; to ~ with a hot iron brandmarken. – **36.** kennzeichnen, kennzeichnend *od.* charakte'ristisch sein für: to ~ an era; the day was ~ed by heavy fighting der Tag stand im Zeichen schwerer Kämpfe. – **37.** (*unter mehreren*) kennzeichnen: courage ~s him for a leader sein Mut ist ein Zeichen dafür, daß er sich zu einem Führer eignet. – **38.** kennzeichnend unter'scheiden: stunted trees ~ the higher peaks verkrüppelte Bäume sind für die höheren Berge kennzeichnend; no triumph ~s her manner es ist nicht ihre Art auftrumpfen. – **39.** (*Barometerstand etc*) anzeigen. – **40.** (*Wäschestücke namentlich*) (kenn)zeichnen. – **41.** *auch* ~ out (*aus mehreren*) bestimmen, (aus)wählen (for für). – **42.** her'vorheben: to ~ the occasion zur Feier des Tages, aus diesem Anlaß. – **43.** zum Ausdruck bringen, zeigen: to ~ one's displeasure by hissing. – **44.** (*Arbeiten, Aufgaben etc*) bewerten, zen'sieren. – **45.** no'tieren, vermerken, aufzeichnen. – **46.** sich (*dat*) merken: ~ my words! – **47.** bemerken, sehen, beachten, seine Aufmerksamkeit lenken *od.* achtgeben auf (*acc*). – **48.** *econ.* a) (*Waren*) auszeichnen, b) *Br.* (*öffentlich*) no'tieren (lassen), c) (*Preis*) festsetzen: → ~ down. – **49.** *auch* ~ down *hunt.* (*Lager eines Tieres od. Ort seines Verschwindens*) sich merken. – **50.** *ling.* (*Akzent*) setzen, (*Längen*) bezeichnen. – **51.** *mil.* mar'kieren. – **52.** *sport* a) (*seinen Gegner*) decken, b) (*Punkte, Tore etc*) mar'kieren, an-, aufschreiben, no'tieren: to ~ the game die Punkte *etc* aufod. mitschreiben. –

III *v/i* **53.** achtgeben, aufpassen. – **54.** ein Merkzeichen (*Strich, Kerbe etc*) machen, mar'kieren. – **55.** sich etwas merken: this measure, ~ you, is only a temporary one diese Maßnahme ist, wohlgemerkt, nur für gewisse Zeit (vorgesehen). – **56.** (*bei Spielen*) (die) Punkte *etc* mit- *od.* aufschreiben. – **57.** schreiben (*Bleistift, Feder etc*). –

Verbindungen mit Adverbien:

mark| down *v/t* **1.** *econ.* (*im Preis etc*) her'unter-, her'absetzen: to mark a book down to half the price den Preis eines Buches auf die Hälfte redu'zieren. – **2.** bestimmen, bezeichnen: to mark s.o. down as one's successor. – **3.** no'tieren, vermerken, -zeichnen: to be marked down for bestimmt *od.* vorgemerkt sein für. – **4.** → mark 49. — **~ off** *v/t* **1.** abgrenzen, (*mit Pfählen etc*) abstecken. – **2.** *fig.* absondern, ausscheiden. – **3.** *fig.* trennen, (unter)'scheiden. – **4.** *math.* (*Strecke*) ab-, auftragen: to ~ equal distances along a line auf einer Linie gleiche Abstände abtragen. – **5.** *tech.* vor-, anreißen, vorzeichnen. — **~ out** *v/t* **1.** bestimmen, bezeichnen, aussersehen (for für, zu): to mark s.o. out for promotion. – **2.** abgrenzen, (*durch Striche etc*) bezeichnen. – **3.** 'durchstreichen, unkenntlich machen. – **4.** *fig.* (*Weg etc*) planen. – **5.** → mark off 4. — **~ up** *v/t econ.* **1.** (*im Preis etc*) hin'auf-, her'aufsetzen. – **2.** (*Diskontsatz etc*) erhöhen.

mark[2] [mɑːrk] *s econ.* **1.** (deutsche) Mark: blocked ~ Sperrmark. – **2.** *hist.* Mark *f*: a) *ehemalige schott. Silbermünze im Werte von 13s.4d.,* b) *ehemaliges Gold- u. Silbergewicht von etwa 8 Unzen.* – **3.** → markka.

Mark[3] [mɑːrk] **I** *npr* **1.** *Bibl.* Markus *m* (*Evangelist*). – **2.** (König) Marke *m* (*in der Tristansage*). – **II** *s* **3.** *Bibl.* (Evan'gelium *n* des) Markus *m.*

'mark,down *s econ.* **1.** a) niedrigere Auszeichnung (*einer Ware*), b) Preisermäßigung *f.* – **2.** *Am.* im Preis her'abgesetzte Ware.

marked [mɑːrkt] *adj* **1.** mar'kiert, mar'kant: to be ~ a) kenntlich gemacht sein, b) erkennbar sein. – **2.** ge(kenn)zeichnet: a ~ check (*Br.* cheque) a) *Am.* ein gekennzeichneter Scheck, b) *Br.* ein bestätigter Scheck. – **3.** gezeichnet (*bes. von Natur aus*): a face ~ with smallpox ein pockennarbiges Gesicht; feathers ~ with black spots Federn mit schwarzen Punkten. – **4.** *fig.* deutlich, merklich, ausgeprägt: this tendency is strongly ~ diese Tendenz ist deutlich zu spüren; with ~ attention mit gespannter Aufmerksamkeit. – **5.** auffällig: with ~ composure mit zur Schau getragener Ruhe. – **6.** gebrandmarkt, verrufen: a ~ man ein Gebrandmarkter *od.* Gezeichneter. — **'mark·ed·ly** [-id-] *adv* ausgesprochen: ~ wrong ausgesprochen falsch. — **'mark·ed·ness** *s* **1.** Deutlichkeit *f,* Ausgeprägtheit *f.* – **2.** Auffälligkeit *f.*

mark·er[1] ['mɑːrkər] *s* **1.** Bezeichnende(r): ~ of goods Warenauszeichner. – **2.** An-, Aufschreiber *m,* Anmerker *m,* No'tierer *m,* (*bes. Billard*) Mar'kör *m.* – **3.** (*bes.* aufmerksamer *etc*) Beobachter. – **4.** *mil.* a) Anzeiger *m* (*beim Schießstand*), b) Flügelmann *m.* – **5.** a) Kennzeichen *n,* b) Mar'kierstein *m.* – **6.** Merk-, Lesezeichen *n.* – **7.** (Spiel)-Marke *f.* – **8.** *Am.* Straßen-, Verkehrsschild *n.* – **9.** *Am.* Gedenkzeichen *n,* -stein *m,* -tafel *f.* – **10.** *aer. mil.* a) Sichtzeichen *n,* b) Leuchtbombe *f,* c) Beleuchter *m* (*Flugzeug, das die ‚Christbäume' setzt*). – **11.** *agr.* Furchenzieher *m* (*Gerät*). – **12.** *bes. sport* a) Mar'kierer *m* (*Mann*), b) Mar'kiergerät *n* (*bes. Linienzieher auf Tennisplätzen*). – **13.** (*Wasserbau*) Pegel *m.* – **14.** Faltenleger *m* (*bei der Nähmaschine*). – **15.** *sport* Deckungsspieler *m,* ‚Schatten' *m.*

marker[2] ['mɑːrkər] *v/i*: to ~ out *Am. sport* beim Sturz aus einer Sicherheits-Skibindung herauskommen.

mar·ket ['mɑːrkit] *econ.* **I** *s* **1.** Markt *m* (*Handel*): to be in the ~ for kaufen wollen, Bedarf haben an; to be on (*od.* in) the ~ (zum Verkauf) angeboten werden; to come into the ~ auf den Markt kommen; to place (*od.* put) on the ~ auf den Markt bringen; sale in the open ~ freihändiger Verkauf; ~ for future delivery Terminmarkt, Markt für Termingeschäfte. – **2.** Markt *m* (*Handelszweig*): ~ for cattle Viehmarkt. – **3.** (*Börse*) Markt *m*: railway (*Am.* railroad) ~ Markt für Eisenbahnwerte. – **4.** Markt *m,* Börse *f,* Handelsverkehr *m,* Wirtschaftslage *f*: active (*od.* cheerful) ~ lebhafter Markt; dull (*od.* lifeless) ~ lustloser Markt; the ~ is flat der Markt ist *od.* liegt flau; outside (*od.* unofficial) ~ Freiverkehr; → curb 8; standard ~ tonangebende Börse. – **5.** a) Marktpreis *m,* -wert *m,* b) Marktpreise *pl*: the ~ is low (rising); at the ~ a) zum Marktpreis, b) (*Börse*) zum ‚Bestens'-Preis. – **6.** Markt(platz) *m,* Handelsplatz *m*: in the ~ auf dem Markt; covered ~ Markthalle; settled ~ Stapelplatz. – **7.** Markthalle *f.* – **8.** (Jahr)Markt *m,* Messe *f*: to bring one's eggs (*od.* hogs, goods) to a bad (*od.* the wrong) ~ *fig.* ein schlechtes Geschäft machen, seine Pläne ins Wasser fallen sehen. – **9.** Markt *m* (*Absatzgebiet, Handelsbereich*): to glut the ~ den Markt überschwemmen; to hold the ~ a) den Markt beherrschen, b) durch Kauf *od.* Verkauf die Preise halten; home ~ inländischer Markt. – **10.** Absatz *m,* Verkauf *m,* Markt *m*: to meet with a ready ~ schnellen *od.* guten Absatz finden. – **11.** (for) Nachfrage *f* (nach), Bedarf *m* (an *dat*): an unprecedented ~ for leather. – **12.** *Am.* Laden *m,* Geschäft *n*: meat ~. – **13.** Handelssitz *m.* – **14.** the ~ (*Börse*) a) der Standort der Makler, b) *collect.* die Makler *pl.* – **15.** Marktbesuch *m,* -verkehr *m.* – **16.** Geldmarkt *m*: to boom (*od.* rig) the ~ die Kurse in die Höhe treiben; to make a ~ durch Kaufmanöver die Nachfrage nach Aktien künstlich erzeugen; to play the ~ an der Börse spekulieren. – **17.** *selten* Geschäft *n,* Handel *m*: to make a ~ of s.th. etwas losschlagen *od.* verschachern. –

II *v/t* **18.** auf den Markt bringen. – **19.** (auf dem Markt) verkaufen. – **III** *v/i* **20.** Handel treiben, (ein)kaufen u. verkaufen. – **21.** a) auf dem Markt handeln, b) Märkte besuchen. – **IV** *adj* **22.** Markt...: **~-day.** – **23.** Börsen...: **~ quotation** Börsennotierung; **~ rate** Tageskurs. – **24.** Kurs...: **~ profit** Kursgewinn.

mar·ket·a·bil·i·ty [ˌmɑːrkitəˈbiliti; -əti] *s econ* Marktfähigkeit *f.* — **ˈmar·ket·a·ble** *adj econ.* **1.** a) marktfähig, -gängig, verkäuflich, b) gefragt: **furs are not ~ in that country.** – **2.** noˈtiert, börsenfähig (*Wertpapier*): **~ securities (stocks)** börsenfähige Wertpapiere (Aktien). — **ˈmar·ket·a·ble·ness** → **marketability.**

mar·ket con·di·tion *s econ.* Marktlage *f*, Konjunkˈtur *f.*

mar·ket·eer [ˌmɑːrkiˈtiːr; -kə-] *s* Verkäufer *m od.* Händler *m* (*auf einem Markt*). — **ˈmar·ket·er** [-tər] *s Am.* **1.** Markthändler(in). – **2.** Marktbesucher(in).

mar·ket| fish *s zo. Am.* Knurrfisch *m* (*Haemulon album*). — **~ fluc·tu·a·tion** *s econ.* **1.** Konjunkˈturbeˌwegung *f.* – **2.** *pl* Konjunkˈturschwankungen *pl.* — **~ gar·den** *s* Handelsgarten *m* (*Gemüsegarten*), ˌHandelsgärtneˈrei *f.* — **~ gar·den·ing** *s* (Betreiben *n* einer) ˌHandelsgärtneˈrei *f.*

mar·ket·ing [ˈmɑːrkitiŋ] **I** *s* **1.** Marketing *n*, Marktversorgung *f*, ˈAbsatzpoliˌtik *f*, Wirtschaften *n*: **~ of securities** Effekteneinführung. – **2.** Marktbesuch *m*, Einkaufen *n* (*auf dem Markt*): **to do one's ~** seine Einkäufe machen. – **3.** Marktware *f.* – **II** *adj* **4.** Markt...: **~ association** Marktverband; **~ expert** Marktsachverständiger; **~ organization** Marktvereinigung, Absatzorganisation.

mar·ket| in·quir·y *s econ.* ˈMarktanaˌlyse *f*, -unterˌsuchung *f.* — **~ in·ves·ti·ga·tion** *s* Marktbeobachtung *f.* — **~ lead·ers** *s pl* führende Börsenwerte *pl.* — **~ let·ter** *s Am.* Markt-, Börsenbericht *m.* — **ˈ~·man** [-mən] *s irr* **1.** Verkäufer *m.* – **2.** Marktbesucher *m*, Käufer *m.* — **~ or·der** *s* **1.** Marktanweisung *f.* – **2.** (*Börse*) *Am.* Bestensorder *f*, Bestauftrag *m.* — **~ place** *s* Marktplatz *m.* — **~ price** *s* **1.** Marktpreis *m.* – **2.** (*Börse*) Kurs(wert) *m.* — **~ quo·ta·tion** *s* ˈBörsennoˌtierung *f*, Marktkurs *m*: **list of ~s** Markt-, Börsenzettel. — **~ rate** → **market price.** — **~ re·port** *s* **1.** Markt-, Preis-, Handelsbericht *m.* – **2.** Börsenbericht *m*: **money ~** Geldmarktbericht. — **~ rig·ging** *s* ˌKurstreibeˈrei *f*, ˈBörsenmaˌnöver *n.* — **~ swing** *s Am.* Konjunkˈturperiˌode *f.* — **~ town** *s bes. Br.* Marktflecken *m*, -stadt *f.* — **~ val·ue** *s* Markt-, Kurs-, Verkehrswert *m*: **fair ~** gemeiner Wert.

mar·khor [ˈmɑːrkɔːr], *auch* **ˈmar·khoor** [-kur] *s zo.* Schrauben(horn)ziege *f*, Markhor *f* (*Capra falconeri*).

mark·ing [ˈmɑːrkiŋ] **I** *s* **1.** Kennzeichnung *f*, Marˈkierung *f.* – **2.** *zo.* (Haut-, Feder)Musterung *f*, Zeichnung *f.* – **3.** *auch mus.* Bezeichnung *f*: **tempo ~.** – **II** *adj* **4.** marˈkierend: **~ awl** Reißahle; **~ hammer** Anschlaghammer; **~ ink** (unauslöschliche) Zeichentinte, Wäschetinte; **~ iron** Brand-, Brenneisen; **~ thread** a) Zeichengarn, b) Schlagschnur, -leine (*der Maler*); **~ tool** Anreißwerkzeug, Reißnadel. — **~ nut** *s bot.* Maˈlakka-, Aˈcajounuß *f*, Indische Eleˈfantenlaus (*Frucht von Semecarpus anacardium*).

mark·ka [ˈmɑːrkɑː] *pl* **ˈmark·kaa** [-kɑː] *s* (finnische) Mark.

marks·man [ˈmɑːrksmən] *s irr* **1.** guter Schütze, Meister-, Scharfschütze *m.* – **2.** *sport* Torschütze *m.* – **3.** *mil. Am. niedrigste Leistungsstufe bei Schießübungen.* – **4.** *jur.* Analphaˈbet *m*, ‚Kreuzlschreiber' *m* (*der statt der Unterschrift Kreuze anbringt*). — **ˈmarks·manˌship** *s* **1.** Schießkunst *f.* – **2.** Treffsicherheit *f* im Schießen.

Mark Tap·ley [mɑːrk ˈtæpli] *s unentwegt heiterer Mensch* (*nach einer Romangestalt von Charles Dickens*).

mark| tooth *s irr* Kennzahn *m* (*eines Pferdes*). — **ˈ~ˌup** *s econ.* **1.** a) höhere Auszeichnung (*einer Ware*), b) Preiserhöhung *f.* – **2.** Kalkulatiˈonsaufschlag *m*: **~ on selling price** Handelsspanne. – **3.** *Am.* im Preis erhöhte Ware. — **ˈ~ˌwor·thy** *adj selten* bemerkenswert.

marl¹ [mɑːrl] **I** *s* **1.** *geol.* Mergel *m*: **argillaceous ~, clay ~** Tonmergel; **red ~** bunter Mergel. – **2.** *poet.* Erde *f.* – **II** *v/t* **3.** mergeln, mit Mergel düngen.

marl² [mɑːrl] *v/t mar.* (*Tau*) marlen, bekleiden (*umwickeln, um das Scheuern zu verhindern*).

marl³ [mɑːrl] *s* Pfauenfederfaser *f* (*zur Herstellung künstlicher Angelfliegen*).

mar·la·ceous [mɑːrˈleiʃəs] *adj geol. min.* **1.** mergelhaltig. – **2.** mergelartig.

ˈmarlˌber·ry *s bot. Am.* (*eine*) Spitz(en)blume (*Ardisia paniculata, A. Pickeringiae*).

Marl·bor·ough House [*Br.* ˈmɔːlbrə; *Am.* ˈmɑːrlbəˌrou; -rə] *s Br. ein königliches Schloß in London.*

Marl·bur·ian [*Br.* mɔːlˈbju(ə)riən; *Am.* mɑːrl-] *s Br. Mitglied des Marlborough College.*

marled [mɑːrld] *adj bes. Scot.* **1.** bunt(scheckig). – **2.** marmoˈriert.

marl grass *s bot. Br.* **1.** → **red clover.** – **2.** Zickzackklee *m* (*Trifolium medium*).

mar·lin¹ [ˈmɑːrlin] *s zo.* (*ein*) Speerfisch *m* (*Gattgen Makaira u. Tetrapturus*).

mar·lin² [ˈmɑːrlin] *Am. dial. für* a) **godwit,** b) **curlew.**

mar·line [ˈmɑːrlin] *s mar.* Marlleine *f*, Marling *f.* — **ˈ~ˌspike** *s* **1.** *mar.* Marlpfriem *m*, -spieker *m*, Splißeisen *n.* – **2.** *zo.* Raubmöwe *f* (*Gattg Stercorarius*).

mar·ling [ˈmɑːrliŋ] → **marline.** — **ˈmar·lingˌspike, ˈmar·linˌspike** → **marlinespike.**

marl·ite [ˈmɑːrlait] *s min.* Marˈlit *m* (*Art Kalkmergel*). — **marˈlit·ic** [-ˈlitik] *adj* marˈlitartig.

mar·lock [ˈmɑːrlək] *dial.* **I** *v/i* spaßen, scherzen. – **II** *s* Scherz *m*, Streich *m.*

ˈmarlˌpit *s* Mergelgrube *f.*

marl·y [ˈmɑːrli] *adj* merg(e)lig.

marm [mɑːrm] *dial. für* madam.

mar·ma·lade [ˈmɑːrməˌleid] *s* **1.** Marmeˈlade *f* (*bes. aus Apfelsinen od. Pampelmusen*). – **2.** *bot.* → **mammee 1** *u.* **2.** — **~ box** → **genipap 1.** — **~ fruit, ~ plum** → **mammee sapota.** — **~ tree** *s bot.* Große Saˈpote, ˈMamey-Saˌpote *f*, Marmeˈladenpflaume *f* (*Calocarpum sapota*).

mar·ma·ro·sis [ˌmɑːrməˈrousis] *s geol.* ˈUmwandlung *f* von Kalkstein in Marmor.

mar·ma·tite [ˈmɑːrməˌtait] *s min.* Eisenzinkblende *f*, Marmaˈtit *m.*

mar·mite [mɑːrˈmiːt] *s* **1.** *mil. Am.* a) (*Art alte*) Bombe (*suppenkesselförmig*), b) *sl.* deutsches Schrapˈnell (*im 1. Weltkrieg*). – **2.** [ˈmɑːrmait] *Br. Art Extrakt aus frischer Brauhefe.*

mar·mo·lite [ˈmɑːrməˌlait] *s min.* Marmoˈlith *m* (*blätteriger Serpentin*).

mar·mo·ra·ceous [ˌmɑːrməˈreiʃəs] *adj* marmorartig, -ähnlich, Marmor... — **ˈmar·mo·rate** [-rit; -ˌreit] *adj* marmoˈriert, geädert. — **ˌmar·moˈra·tion** *s* **1.** Marmorbelag *m.* – **2.** Marmoˈrierung *f*, Äderung *f.* — **marˈmo·re·al** [-ˈmɔːriəl] *auch* **marˈmo·re·an** *adj* **1.** marmorn, Marmor... – **2.** marmorartig.

mar·mose [ˈmɑːrmous] *s zo.* Beutelratte *f* (*Gattg Marmosa*).

mar·mo·set [ˈmɑːrməzet] *s zo.* (*ein*) Krallenaffe *m* (*Fam. Callithrichidae*).

mar·mot [ˈmɑːrmət] *s* **1.** *zo.* Murmeltier *n* (*Gattg Arctomys*). – **2.** *zo.* Präˈriehund *m* (*Cynomys ludovicianus*). – **3.** → **~ squirrel.** – **4.** *Br.* (*Art*) Badekappe *f.* — **~ squir·rel** *s zo.* Ziesel *m* (*Spermophilus citellus*).

mar·o·cain [*Br.* ˈmærəˌkein; *Am.* ˌmærəˈkein] *s* Maroˈcain *n, m* (*Art Kreppgewebe*).

Mar·o·nite [ˈmærəˌnait] *s relig.* Maroˈnit(in) (*Angehöriger der monotheletischen röm.-kath. Religionsgemeinschaft im Libanon*).

ma·roon¹ [məˈruːn] **I** *v/t* **1.** (*auf einer einsamen Insel etc*) aussetzen. – **2.** *fig.* a) einsam u. hilflos (ver)lassen, b) von der Außenwelt abschneiden. – **II** *v/i* **3.** *Br.* herˈumlungern. – **III** *s* **4.** Busch-, Maˈronneger *m* (*Westindien u. Holl.-Guayana*). – **5.** Ausgesetzter *m.*

ma·roon² [məˈruːn] **I** *s* **1.** Kaˈstanienbraun *n.* – **2.** Kaˈnonenschlag *m* (*Feuerwerk*). – **3.** → **marron.** – **II** *adj* **4.** kaˈstanienbraun.

ma·roon·er [məˈruːnər] *s* Seeräuber *m*, Freibeuter *m*, Piˈrat *m.*

mar·plot [ˈmɑːrˌplɒt] *s* **1.** Quertreiber *m.* – **2.** Spielverderber *m.* – **3.** Unheilstifter *m.*

marque [mɑːrk] *s mar. hist.* **1.** Kapern *n*: **letter(s) of ~ (and reprisal)** Kaperbrief (*offizielle Erlaubnis zu kapern*). – **2.** Kaperschiff *n* (*dessen Kapitän einen Kaperbrief hat*).

mar·quee [mɑːrˈkiː] *s* **1.** *bes. Br.* großes Zelt (*für Zirkus u. andere Vergnügungen; auch mil.*). – **2.** (*ausgespanntes*) Schirmdach (*über einem Hoteleingang etc*). – **3.** dachartiger Vorsprung (*über einer Haustür*).

mar·quess *cf.* **marquis.** — **mar·quess·ate** *cf.* **marquisate.**

mar·que·try, *auch* **mar·que·te·rie** [ˈmɑːrkətri] *s* Marketeˈrie *f*, Inˈtarsia *f*, Holzeinlegearbeit *f.*

mar·quis [ˈmɑːrkwis] *s* Marˈquis *m* (*engl. Adelstitel zwischen* **Duke** *u.* **Earl**; *Anrede*: **My Lord,** *Anschrift*: **To the Most Hon. the ~ of ...**). — **ˈmar·quis·ate** [-it] *s* Marquiˈsat *n* (*Würde u. Besitztum eines Marquis*).

mar·quise [mɑːrˈkiːz] *s* **1.** Marˈquise *f* (*für brit. Trägerinnen dieses Titels wird nur* **marchioness** *gebraucht*). – **2.** *auch* **~ ring** Marˈquise *f* (*Ring mit Edelsteinen in lanzettförmiger Fassung*). – **3.** → **marquee.**

mar·qui·sette [ˌmɑːrkiˈzet; -kwi-] *s* Marquiˈsette *f*, Gitterstoff *m.*

mar·quois| scale [ˈmɑːrkwɔiz], **~ tri·an·gle** *s* (*Vermessungskunst*) *Gerät zum Ziehen von parallelen Linien.*

mar·ram, ~ grass [ˈmærəm] → **beach grass.**

mar·ri·a·ble [ˈmæriəbl] *adj selten* [heiratsfähig.]

mar·riage [ˈmæridʒ] *s* **1.** Heirat *f*, Vermählung *f*, Hochzeit *f* (**to** mit). – **2.** Ehe *f*: **by ~** angeheiratet; **his niece by ~** die Frau seines Neffen; **related by ~** verschwägert; **of his first ~** aus seiner ersten Ehe; **communal ~** Gruppenehe; **left-handed ~, morganatic ~** Ehe zur linken Hand, morganatische Ehe; **plural ~** Mehrehe, Polygamie; **to ask for s.o.'s hand in ~** um j-n anhalten; **to contract a ~** die Ehe eingehen; **to give s.o. in ~** j-n verheiraten; **to take s.o. in ~** j-n heiraten. – **3.** Ehestand *m*: **~ loan** Ehestandsdarlehen. – **4.** *fig.* Vermählung *f*, enge *od.* innige Verbindung. – **5.** (*Kartenspiel*) Mariˈage *f*: a) *König u. Dame gleicher Farbe im Blatt,* b) *ein Kartenspiel.* — **ˌmar·riage·aˈbil·i·ty** *s* **1.** Heiratsfähigkeit *f.* – **2.** Mannbarkeit *f.* — **ˈmar·riage·a·ble** *s* **1.** heiratsfähig: **~ age** Ehemündigkeit. – **2.** mannbar. — **ˈmar·riage·a·ble·ness** → **marriageability.**

mar·riage| ar·ti·cles *s pl jur.* Ehevertrag *m.* — **~ bed** *s* **1.** Ehebett *n.* – **2.** ehelicher Verkehr. — **~ bro·kage** *s jur.* **1.** Heiratsvermittlung *f.* – **2.** Gebühr *f* eines Heiratsvermittlers. — **~ bro·ker** *s* Heiratsvermittler *m.* — **~ bro·ker·age** → marriage brokage. — **~ cer·e·mo·ny** *s* Trauung *f.* — **~ cer·tif·i·cate** *s* Trauschein *m.* — **~ con·tract** *s jur.* 'Ehevertrag *m,* -konˌtrakt *m.* — **~ flight** *s* (*Bienenzucht*) Hochzeitsflug *m.* — **~ li·cence,** *Am.* **~ li·cense** *s jur.* amtliche Eheerlaubnis, standesamtliche Ehegenehmigung. — **~ lines** *s pl Br. colloq.* Trauschein *m.* — **~ of con·ven·ience** *s* Geld-, Zweck-, Vernunftheirat *f od.* -ehe *f.* — **~ por·tion** *s jur.* Heiratsgut *n,* Mitgift *f.* — **~ rites** *s pl* 'Hochzeitszeremoniˌell *n,* -bräuche *pl.* — **~ serv·ice** *s relig.* kirchliche Trauung, 'Trauungsliturˌgie *f.* — **~ set·tle·ment** *s jur.* **1.** Ehevertrag *m.* – **2.** Ver'mögensüberˌtragung *f* durch Ehevertrag. – **3.** durch Ehevertrag über'eignetes Vermögen (*zugunsten der Ehefrau od. der Kinder*). — **~ vow** *s* Ehegelöbnis *n.*

mar·ried ['mærid] *adj* **1.** verheiratet, vermählt, Ehe..., ehelich: newly ~ couple jungvermähltes Ehepaar; ~ life Eheleben; ~ man Ehemann; ~ people Eheleute; ~ state Ehestand. – **2.** *fig.* eng *od.* innig (mitein'ander) verbunden.

mar·ron ['mærən] *s* Ma'rone *f* (*Edelkastanie*).

mar·row¹ ['mærou] *s* **1.** *med.* (Knochen)Mark *n*: yellow ~ Fettmark. – **2.** *fig.* Mark *n,* Kern *m,* (*das*) Innerste *od.* Wesentlichste: to the ~ (of one's bones) bis aufs Mark, bis ins Innerste; → pith 4. – **3.** *fig.* Lebenskraft *f,* -mut *m.* – **4.** *fig.* Kraftnahrung *f.*

mar·row² ['mærou] *s Am. meist* ~ squash, *Br. auch* vegetable ~ *bot.* Eier-, Markkürbis *m* (*in Nordamerika eine Form von Cucurbita maxima, in Europa von C. pepo*).

mar·row³ ['mærou] *s dial.* **1.** Genosse *m,* Genossin *f.* – **2.** Gatte *m,* Gattin *f.* – **3.** Ebenbürtiger *m* (*in Wettkämpfen*). – **4.** *fig.* getreues Abbild.

'mar·row|ˌbone *s* **1.** Markknochen *m.* – **2.** *pl humor.* Knie *pl.* – **3.** *pl* Totenkopfknochen *pl* (*zwei übereinander gekreuzte Knochen*). – **4.** *pl sl.* Fäuste *pl.* — **'~ˌfat,** *auch* **'~ˌfat pea** *s bot.* Markerbse *f* (*Pisum sativum var. quadratum*).

mar·row·less ['mæroulis] *adj fig.* mark-, kraftlos.

mar·row pea → marrowfat.

mar·row·sky [mə'rauski] *colloq.* **I** *s schüttelreimartige Wortspielerei durch Vertauschung der Anfangsbuchstaben* (*z.B. für* Fanny King *wird gesetzt* Kanny Fing). – **II** *v/i* Schüttelreime machen.

mar·row squash *Am. für* marrow².

mar·row·y ['mæroi] *adj* markig, kernig, kräftig (*auch fig.*).

mar·ry¹ ['mæri] **I** *v/t* **1.** heiraten, sich vermählen *od.* verheiraten mit, zum Mann (zur Frau) nehmen: to be married to verheiratet sein mit; to get married to sich verheiraten mit; she has got married at last sie ist endlich unter die Haube gekommen. – **2.** (*Sohn, Tochter*) verheiraten (to an *acc,* mit): to ~ off verheiraten, unter die Haube bringen. – **3.** (*ein Paar*) trauen, vermählen (*Geistlicher*). – **4.** *fig.* eng verbinden *od.* zu'sammenfügen: this problem is married to another dieses Problem ist mit einem anderen eng verknüpft. – **5.** *mar.* spleißen, splissen, bändseln. – **II** *v/i* **6.** heiraten, sich verheiraten: ~ in haste and repent at leisure schnell gefreit, lang bereut. – **7.** eine enge *od.* innige Verbindung eingehen.

mar·ry² ['mæri] *interj obs. od. dial.* für'wahr!: ~ come up! na, hör schon auf!

mar·ry·ing ['mæriiŋ] *adj colloq.* heiratslustig, auf Freiersfüßen: ~ man Ehe- *od.* Heiratskandidat.

Mars¹ [mɑːrz] **I** *npr* **1.** Mars *m* (*Kriegsgott der alten Römer*). – **II** *s* **2.** *poet.* der Kriegsgott, Mars *m* (*Krieg*). – **3.** *astr.* Mars *m.* – **4.** (*Alchimie*) Mars *m* (*Bezeichnung für Eisen*).

mars² *cf.* marse.

Mar·sa·la, *auch* **Mar·sal·la** [mɑːr'sɑːlɑː] *s* Mar'sala *m* (*sizilischer Weißwein*).

Mars brown *s chem.* brauner Eisenocker (*Farbstoff*).

marse [mɑːrs] *s Am. dial. od. hist.* (*in der Sprache der Negersklaven*) Herr *m,* Gebieter *m.*

Mar·seil·laise [ˌmɑːrsə'leiz] *s* Marseil'laise *f* (*franz. Nationalhymne*).

mar·seilles [mɑːr'seilz] *s pikeeartiger steifer Baumwollstoff.*

marsh [mɑːrʃ] **I** *s* Sumpf(land *n*) *m,* (Flach)Moor *n,* Mo'rast *m.* – **II** *adj* sumpfig, moorig, Sumpf...

mar·shal ['mɑːrʃəl] **I** *s* **1.** *mil.* (*meist* [ˌGeneral]'Feld)Marschall *m* (*oberster Generalsrang einiger Staaten*). – **2.** *Am. jur.* a) (*vom Bundesgericht eingesetzter*) Sheriff (*Zivilbeamter*) *od.* Be'zirkspoliˌzeichef *m,* b) (*Art*) Voll'zugsbeˌamter *m.* – **3.** *auch* city ~ *Am.* Poli'zeidiˌrektor *m* (*mancher Städte*). – **4.** *Am.* Feuerwehrhauptmann *m* (*mancher Städte*). – **5.** Zere'monienmeister *m,* Festordner *m,* -führer *m.* – **6.** *hist.* (Hof)Marschall *m* (*hoher Würdenträger mit richterlichen Vollmachten*): knight ~ *Br.* königlicher Hofmarschall. – **7.** *Br. hist.* Ober'hofmarschall *m,* königlicher Zere'monienmeister (*jetzt* Earl M~). – **8.** *jur. Br.* Urkundenbeamte(r), Gerichtsschreiber *m* (*eines reisenden Richters*). – **9.** *Br.* (*an Universitäten*) Begleiter *m* eines Proktors. – **10.** → provost ~. – **II** *v/t pret u. pp* **'mar·shaled,** *bes. Br.* **'mar·shalled 11.** ordnungsgemäß aufstellen. – **12.** (*methodisch*) (an)ordnen, arran'gieren (*bei Festlichkeiten etc*). – **13.** (*Eisenbahnzüge*) zu'sammenstellen. – **14.** *mil.* in Schlachtordnung aufstellen. – **15.** (*bes. feierlich*) (hin'ein)geleiten (into in *acc*). – *SYN. cf.* order. – **III** *v/i* **16.** sich ordnen *od.* (ordnungsgemäß) aufstellen.

mar·shal·cy ['mɑːrʃəlsi] → marshalship.

mar·shal·ing yard, *bes. Br.* **mar·shal·ling yard** ['mɑːrʃəliŋ] *s* Ran'gier-, Verschiebebahnhof *m.*

Mar·shall Plan ['mɑːrʃəl] *s pol.* Marshallplan *m* (*amer. Wirtschaftshilfe für die westeurop. Staaten*).

Mar·shal·sea ['mɑːrʃəlˌsiː] *s jur. Br. hist.* **1.** *auch* m~, court of ~ Hofmarschallgericht *n.* – **2.** Hofmarschallgefängnis *n.*

mar·shal·ship ['mɑːrʃəlˌʃip] *s* Marschallamt *n,* -würde *f.*

marsh| as·pho·del → bog asphodel. — **~ bell·flow·er** *s bot.* Sumpfglockenblume *f* (*Campanula aparinoides*). — **~ bent (grass)** *s bot.* Fio'rin-, Straußgras *n* (*Agrostis alba u. A. vulgaris*). — **'~ˌber·ry** → cranberry a. — **~ black·bird** → blackbird 1 b. — **'~ˌbred** *adj* im Sumpf erzeugt. — **~ cinque·foil** *s bot.* Sumpffingerkraut *n,* Blutauge *n* (*Comarum palustre*). — **~ cress** *s bot.* Sumpf(wasser)kresse *f* (*Rorippa palustris*). — **~ croc·o·dile** → mugger. — **~ deer** *s zo.* Sumpfhirsch *m* (*Odocoileus paludosus; Südamerika*). — **~ div·er** *s zo.* Wasserralle *f* (*Rallus aquaticus*). — **~ el·der** *s bot.* **1.** → guelder-rose. – **2.** *Am.* 'Sumpfhoˌlunder *m* (*Gattg Iva*). — **~ fern** *s bot.* **1.** Sumpf(schild)farn *m* (*Dryopteris thelypteris*). – **2.** Gesägter Rippenfarn (*Blechnum serrulatum*). — **~ fe·ver** *s med.* Ma'laria *f,* Sumpf-, Wechselfieber *n.* — **'~ˌfire** *s* Irrlicht *n.* — **~ five-fin·ger** → marsh cinquefoil. — **'~ˌflow·er** → floating heart. — **~ gas** → methane. — **~ gen·tian** *s bot.* Lungenenzian *m* (*Gentiana pneumonanthe*). — **~ goose** *s irr* **1.** *Br. dial. für* graylag. – **2.** *Am. dial. für* Hutchins's goose. — **~ grass** *s bot.* (*ein*) Spartgras *n* (*Gattg Spartina, bes. S. patens*). — **~ ground·sel** *s bot.* Sumpf-Kreuzkraut *n* (*Senecio paluster*). — **~ har·ri·er** *s zo.* Sumpf-, Rohrweihe *f* (*Circus aeruginosus*). — **~ hawk** *s zo.* (*eine*) Kornweihe (*Circus hudsonius u. C. cyaneus*). — **~ hen** *s zo.* **1.** *Am.* (*eine*) Ralle, (*ein*) Sumpfhuhn *n* (*Fam. Rallidae*). – **2.** *Am. für* bittern¹ 2.

marsh·i·ness ['mɑːrʃinis] *s* sumpfige Beschaffenheit, Sumpfigkeit *f.*

'marsh|ˌland *s* Sumpf-, Moor-, Bruchland *n.* — **'~ˌland·er** *s* Moorbewohner(in). — **~ lau·rel** *s bot.* Immergrüne Gor'donie (*Gordonia lasianthus*). — **~ mal·low** *s bot.* Gebräuchliche Stockrose, Samtpappel *f,* Echter Eibisch, Al'thee *f* (*Althaea officinalis*). — **'~ˌmal·low** *s* **1.** Eibisch-, Al'theenpasta *f.* – **2.** *Art türk. Honig od. Lederzucker.* — **~ mar·i·gold** *s bot.* Sumpfdotter-, Kuhblume *f* (*Caltha palustris*). — **~ nut** → marking nut. — **~ pars·ley** *s bot.* **1.** Wasserschraube *f* (*Vallisneria spiralis*). – **2.** Sumpf-Haarstrang *m* (*Peucedanum palustre*). — **~ peep** → least sandpiper. — **~ pen·ny·wort** *s bot.* Wassernabel *m* (*Gattgen Hydrocotyle u. Centella*). — **~ quail** *Am. dial. für* meadow lark. — **~ rob·in** *Am. dial. für* chewink. — **~ rose·mar·y** *s* **1.** → sea lavender. – **2.** → moorwort. – **3.** → marsh tea. — **~ sam·phire** *s bot.* Glaskraut *n,* Queller *m* (*Salicornia herbacea*). — **~ snipe** *s zo. Am.* Wilsonschnepfe *f* (*Gallinago delicata*). — **~ tea** *s bot.* Sumpfporst *m,* Wilder Rosmarin (*Ledum palustre*). — **~ tit·mouse** *s irr zo.* Sumpf-, Nonnenmeise *f* (*Parus palustris*). — **~ tre·foil** → buck bean. — **~ wa·ter·cress** → marsh cress. — **'~ˌwort** *s bot.* **1.** → cranberry a. – **2.** Knotenblütiger Sumpfschirm (*Apium nodiflorum*). — **~ wren** *s zo.* (*ein*) Sumpfzaunkönig *m* (*Gattgen Cistothorus u. Telmatodytes*).

marsh·y ['mɑːrʃi] *adj* sumpfig, mo'rastig, Sumpf...: ~ ground.

Mar·si·an ['mɑːrsiən] *s ling.* Sa'bellisch *n,* das Sa'bellische (*Dialekt der Marsen in Latium*).

mar·si·po·branch ['mɑːrsipoˌbræŋk] *s zo.* Rundmaul *n* (*ältere Bezeichnung für die Fischordng Cyclostomata*).

mar·soon [mɑːr'suːn] *Canad. für* beluga.

mar·su·pi·al [mɑːr'sjuːpiəl; -'suː-] *zo.* **I** *adj* **1.** zu den Beuteltieren gehörig, Beuteltier... – **2.** a) beutelartig, b) Beutel..., Brut...: ~ bone Beutelknochen; ~ pouch Brutsack. – **II** *s* **3.** Beuteltier *n* (*Ordng Marsupialia*). — **marˌsu·pi·al·i'za·tion** *s med.* Marsupialisati'on *f,* Zysteneinnähung *f.* — **mar'su·pi·alˌize** *v/t* marsupiali'sieren.

mar·su·pi·um [mɑːr'sjuːpiəm; -'suː-] *pl* **-pi·a** [-piə] *s* **1.** *zo.* Bauchfalte *f,* -tasche *f* (*der Beuteltiere*). – **2.** *zo.* Brut-, Eierbeutel *m* (*bei niederen Tieren*). – **3.** *bot.* Fruchtbeutel *m* (*bei einigen Lebermoosen*).

mart¹ [mɑːrt] *s* **1.** Markt *m,* Handelszentrum *n.* – **2.** Aukti'onsraum *m.* – **3.** *obs. od. poet.* a) Markt(platz) *m,* (Jahr)Markt *m,* b) Handeln *n,* Handel *m,* Geschäft *n.*

mart² [mɑːrt] *dial. für* marten.

mar·tel [ˈmɑːrtəl] *s mil. hist.* Streitaxt *f*, -hammer *m*.

mar·te·line [ˈmɑːrtəlin] *s* Spitzhammer *m* (*Bildhauerwerkzeug*).

mar·tel·lo [mɑːrˈtelou] *pl* **-los, M~ tow·er** *s mil.* Lärm-, Marˈtelloturm *m* (*rundes Küstenfort*).

mar·ten [ˈmɑːrtin; -tən] *s* **1.** *zo.* Marder *m* (*Gattg Martes*). – **2.** Marder(fell *n*) *m*.

mar·tens·ite [ˈmɑːrtenˌzait; -tən-] *s chem. tech.* Martenˈsit *m* (*Gefügebestandteil abgeschreckter Stahlsorten*).

mar·tial [ˈmɑːrʃəl] *adj* **1.** kriegerisch, streitbar, kampfesfreudig: ~ **spirit** Kampfesmut. – **2.** miliˈtärisch, solˈdatisch: ~ **music** Militärmusik; ~ **stride** soldatischer Schritt. – **3.** *selten* Kriegs..., Militär... – **4.** (*Alchimie*) Eisen..., eisen(salz)haltig *od.* -artig, Mars... – **5.** M~ *astr.* unter dem Einfluß des Mars stehend. – **6.** M~ → Martian 2 *u.* 3. – *SYN.* military, warlike. — ~ **law** *s* **1.** Kriegsrecht *n*: state of ~ Belagerungszustand; to try by ~ vor ein Kriegsgericht stellen. – **2.** Standrecht *n*.

mar·tial·ness [ˈmɑːrʃəlnis] *s* kriegerisches Aussehen *od.* Wesen.

Mar·ti·an [ˈmɑːrʃiən] **I** *s* **1.** Marsmensch *m*, -bewohner(in). – **II** *adj* **2.** Mars..., kriegerisch. – **3.** Mars..., den Plaˈneten Mars betreffend. – **4.** Marsmenschen...

mar·tin [ˈmɑːrtin] *s zo.* **1.** *auch* **house** ~ Haus-, Mehlschwalbe *f* (*Delichon urbica*). – **2.** Baumschwalbe *f* (*Gattg Progne*), *bes.* → **purple** ~.

mar·ti·net¹ [ˌmɑːrtiˈnet; -tə-] *s mil. od. fig.* Leuteschinder *m*, Zuchtmeister *m*, strenger *od.* kleinlicher Vorgesetzter.

mar·ti·net² [ˈmɑːrtiˌnet; -tə-] → martineta.

mar·ti·ne·ta [ˌmɑːrtiˈneitə; -ˈniːtə] *s zo.* Perlsteißhuhn *n* (*Calopezus elegans*).

mar·ti·net·ish [ˌmɑːrtiˈnetiʃ] *adj* zuchtmeisterlich, streng *u.* kleinlich (in Anforderungen). — ˌ**mar·tiˈnet·ism** *s* peˈdantische *u.* strenge Einstellung Unterˈgebenen gegenˈüber, zuchtmeisterliches Benehmen.

mar·tin·gale [ˈmɑːrtinˌgeil; -tən-; -tiŋ-], *auch* ˈ**mar·tinˌgal** [-ˌgæl] *s* **1.** Martingal *m* (*zwischen den Vorderbeinen des Pferdes durchlaufender Sprungriemen*). – **2.** *mar. hist.* a) Stampfstag *m*, b) Stampfstock *m*. – **3.** *ein System beim Hasardspielen, bei dem nach einem Verlust der Einsatz verdoppelt wird.*

mar·ti·ni¹ [mɑːrˈtiːni] *Br. Kurzform für* Martini-Henry rifle

mar·ti·ni² [mɑːrˈtiːni] *s* Marˈtini *m* (*Cocktail aus Gin, Wermut etc*).

Mar·ti·ni-Hen·ry ri·fle [mɑːrˈtiːni ˈhenri] *s mil. hist.* Marˌtini-ˈHenry-Gewehr *n* (*Hinterlader; im engl. Heer bis 1886 verwendet*).

Mar·tin·mas [ˈmɑːrtinməs] *s* Martinstag *m* (*11. November*).

Mar·tin proc·ess [ˈmɑːrtin] *s tech.* (Siemens-)ˈMartin-Proˌzeß *m* (*Hüttenverfahren*).

mar·tite [ˈmɑːrtait] *s min.* Marˈtit *m* (Fe_2O_3).

mart·let [ˈmɑːrtlit] *s* **1.** → **black martin.** – **2.** *her.* Vogel *m* (*als Beizeichen im Wappen eines 4. Sohnes*).

mar·tyr [ˈmɑːrtər] **I** *s* **1.** Märtyrer(in), Glaubensheld(in), Blutzeuge *m*. – **2.** *fig.* Märtyrer(in), Opfer *n*: to make a ~ of oneself sich für etwas aufopfern *od.* zum Märtyrer machen (*auch ironisch*); to die a ~ to (*od.* in the cause of) science sein Leben im Dienst der Wissenschaft opfern, ein Opfer der Wissenschaft sein. – **3.** *colloq.* armer geplagter Mensch: to be a ~ to gout von Gicht ständig geplagt werden. – **II** *v/t* **4.** zum Märtyrer machen. – **5.** den Martertod erleiden lassen, zu Tode martern. – **6.** martern, peinigen, quälen. — ˈ**mar·tyr·dom** *s* **1.** Marˈtyrium *n*, Märtyrertod *m*. – **2.** Marterqualen *pl*. – **3.** *fig.* heftige Schmerzen *pl*, schweres Leiden. — ˌ**mar·tyr·iˈza·tion** *s* **1.** Auferlegung *f* von Marterqualen *od.* des Marter- *od.* Märtyrertodes. – **2.** *fig.* Marterung *f*. — ˈ**mar·tyrˌize** *v/t* **1.** (*j-n od. sich*) zum Märtyrer machen (*auch fig.*). – **2.** martern, foltern, peinigen, quälen.

mar·tyr·ol·a·try [ˌmɑːrtəˈrɒlətri] *s* (*abschätzig*) Märtyrerkult *m*, (überˈtriebene) Märtyrerverehrung.

mar·tyr·o·log·i·cal [ˌmɑːrtərəˈlɒdʒikəl] *adj* martyroˈlogisch. — ˌ**mar·tyrˈol·o·gist** [-ˈrɒlədʒist] *s* Martyroˈloge *m*: a) *Kenner der Märtyrergeschichte*, b) *Verfasser eines Märtyrerverzeichnisses.* — ˌ**mar·tyrˈol·o·gy** [-dʒi] *s* **1.** Martyroloˈgie *f* (*Wissenszweig, der sich mit dem Leben der Märtyrer befaßt*). – **2.** Martyroˈlogium *n*: a) Geschichte *f* der Märtyrer, b) Märtyrererzählung *f*, c) Märtyrerbuch *n* (*Verzeichnis der Märtyrer*). – **3.** Martyroˈlogien *pl*, Märtyrergeschichten *pl*.

mar·tyr·y [ˈmɑːrtəri] *s* **1.** ˈMärtyrerkaˌpelle *f*. – **2.** Märtyrerschrein *m*.

mar·vel [ˈmɑːrvəl] **I** *s* **1.** Wunder(ding) *n*, (*etwas*) Wunderbares: a ~ of technical science ein Wunder der Technik; it is a ~ to me how es ist ein Wunder für mich, wie; she is a ~ of speed at typewriting sie schreibt unglaublich schnell auf der Maschine. – **2.** Muster *n* (of an *dat*): he is a ~ of patience er ist die Geduld selber; he is a perfect ~ *colloq.* er ist ein unglaublicher Mensch. – **3.** *obs.* Verwunderung *f*, (Er)Staunen *n*. – **II** *v/i pret u. pp* ˈ**mar·veled**, *bes. Br.* ˈ**mar·velled** **4.** sich (ver)wundern, staunen (at über *acc*): I ~ at it es erscheint mir wunderbar, ich muß darüber staunen. – **5.** sich verwundert fragen, sich wundern (that daß, how wie, why warum).

mar·vel·lous, *bes. Am.* **mar·vel·ous** [ˈmɑːrvələs] *adj* **1.** erstaunlich, wunderbar. – **2.** unfaßbar, unglaublich, unwahrscheinlich. – **3.** außergewöhnlich, -ordentlich. – **4.** *colloq.* fabelhaft, prächtig, phanˈtastisch. — ˈ**mar·vel·lous·ness,** *bes. Am.* ˈ**mar·vel·ous·ness** *s* **1.** (*das*) Wunderbare, (*das*) Erstaunliche. – **2.** (*das*) Unfaßliche, (*das*) Unglaubliche, (*das*) Unwahrscheinliche.

ˈ**mar·vel-of-Peˈru** *s bot.* Wunderblume *f* (*Mirabilis jalapa*).

mar·vel·ous, mar·vel·ous·ness *bes. Am. für* marvellous *etc.*

mar·ver [ˈmɑːrvər] (*Glasherstellung*) **I** *s* Marbel(tisch) *m*. – **II** *v/t* marbeln.

Marx·i·an [ˈmɑːrksiən] → Marxist.

Marx·ism [ˈmɑːrksizəm], *auch* ˈ**Marx·i·anˌism** [-siəˌnizəm] *s* Marˈxismus *m*. — ˈ**Marx·ist I** *s* Marˈxist *m*. – **II** *adj* marˈxistisch.

Mar·y [ˈmɛ(ə)ri] *npr Bibl.* **1.** Maˈria *f* (*Mutter Jesu*). – **2.** Maˈria *f* (*Schwester von Lazarus u. Martha*).

Mar·y·land·er [ˈmɛ(ə)riləndər; -rə-; *Am. auch* ˈmer-] *s* **1.** Maryländer(in) (*Bewohner von Maryland, USA*). – **2.** *Am. Specksorte aus Maryland.*

Mar·y·land yel·low·throat [ˈmɛ(ə)rilənd; -rə-; *Am. auch* ˈmer-] *s zo.* Maryland-Gelbkehlchen *n* (*Geothlypis trichas*).

Mar·y Mag·da·lene *npr Bibl.* Maˈria Magdaˈlena *f*.

Mar·y·mass [ˈmɛ(ə)riməs; -rə-] *s* **1.** Maˈriä Verkündigung *f* (*25. März*). – **2.** *hist.* Maˈriä Lichtmeß *f* (*2. Februar*). – **3.** Maˈriä Geburt *f* (*8. September*). – **4.** *Scot.* Maˈriä Himmelfahrt *f* (*15. August*).

mar·zi·pan [ˈmɑːrziˌpæn; -zə-; ˌmɑːrziˈpæn] *s* Marzipan *n, m*.

-mas [mæs; məs] *Wortelement mit der Bedeutung* Fest, Festtag.

mas·cagn·ite [mæsˈkænjait], *auch* **masˈcagn·ine** [-njin] *s min.* Mascaˈgnin *n*, Amˈmoniumsulˌfat *n* [$(NH_4)_2SO_4$].

mas·car·a [*Br.* mæsˈkɑːrə; *Am.* -ˈkærə] *s* (*Art*) Wimpern-, (Augen)Brauentusche *f*.

mas·cle [*Br.* ˈmɑːskl; *Am.* ˈmæs-] *s her.* offene Raute. — ˈ**mas·cled** *adj mil. hist.* aus (Stahl)Rauten gemacht *od.* bestehend: ~ **armo(u)r** Schuppenpanzer.

mas·cot, *auch* **mas·cotte** [ˈmæskət; -kɒt] *s* **1.** (*angeblich*) glückbringende Perˈson. – **2.** Masˈkottchen *n*, Talisman *m*: **radiator** ~ Kühlerfigur (*am Auto*).

mas·cu·line [ˈmæskjulin; -kjə-; *Br. meist* ˈmɑːs-] **I** *adj* **1.** Männer..., Herren...: ~ **attire** Männerkleidung; a ~ **voice** eine Männerstimme. – **2.** mannhaft, männlich, tapfer. – **3.** kräftig, stark. – **4.** *selten* männlich (*männlichen Geschlechts*): the ~ element of society. – **5.** unweiblich, maskuˈlin (wirkend) (*Frau*). – **6.** *ling.* männlich (*Wort, Endung*). – **7.** stumpf, männlich (*Reim*): ~ **rhyme.** – *SYN. cf.* male. – **II** *s* **8.** Mann *m*. – **9.** *ling.* Maskulinum *n*. – **10.** männliches Geschlecht.

mas·cu·lin·i·ty [ˌmæskjuˈliniti; -kjə-; -əti], *auch* ˈ**mas·cu·line·ness** [-nis] *s* **1.** Männlichkeit *f*. – **2.** Mannhaftigkeit *f*.

mas·cu·ly [*Br.* ˈmɑːskjuli; -kjə-; *Am.* ˈmæs-] *adj her.* mit Rauten versehen.

mash¹ [mæʃ] **I** *s* **1.** (*Brauerei*) Maische *f* (*mit Wasser angesetztes Darrmalz*). – **2.** Mengfutter *n*, Tränke *f* (*für Pferde u. Rinder*). – **3.** dickflüssige *od.* breiige Masse, Brei *m*, ‚Mansch' *m*. – **4.** breiiger Zustand, Breiigkeit *f*. – **5.** *Br. sl.* Karˈtoffelbrei *m*, ˈQuetschkarˌtoffeln *pl*. – **6.** *fig.* Gemisch *n*, Mischmasch *m*, wirres Durcheinˈander. – **II** *v/t* **7.** (ein)maischen. – **8.** (*zu Brei etc*) (zer)stampfen, zerquetschen: ~**ed potatoes** Kartoffelbrei, -püree. – **9.** zermalmen, -drücken, -stoßen: ~**ed through a sieve** durchgeseiht, -gesiebt. – **10.** pressen, drücken, quetschen. – **11.** *dial.* (*Tee*) aufgießen *od.* machen.

mash² [mæʃ] *obs. sl.* **I** *v/t* **1.** (*j-m*) den Kopf verdrehen. – **2.** flirten mit. – **II** *v/i* **3.** flirten, liebäugeln. – **4.** ‚verschossen sein'. – **III** *s* **5.** Verliebtheit *f*, ‚Verschossensein' *n*. – **6.** Herzensbrecher *m*, Casaˈnova *m*. – **7.** ‚Flamme' *f*. – **8.** Liebeskranke(r).

mash·er¹ [ˈmæʃər] *s* **1.** Stampfer *m*, Quetsche *f* (*Küchengerät*). – **2.** (*Brauerei*) ˈMaischappaˌrat *m*.

mash·er² [ˈmæʃər] *s obs. sl.* Weiberheld *m*, Herzensbrecher *m*.

mash·ie [ˈmæʃi] *s* (*Golf*) Mashie *m* (*ein Golfschläger für kürzere Schläge*): ~ **iron** Golfschläger für weite Treibschläge; ~ **niblick** Löffler (*Golfschläger für Spezialschläge*).

mash·ing tub [ˈmæʃiŋ] *s* Maischbottich *m*.

mash·y¹ [ˈmæʃi] *adj* **1.** (*zu Brei*) zerstampft, zerrieben, zerquetscht. – **2.** breiig, matschig, Brei...

mash·y² *cf.* mashie.

mas·jid [ˈmʌsdʒid] (*Arab.*) *s* Moˈschee *f*.

mask [*Br.* mɑːsk; *Am.* mæ(ː)sk] **I** *s* **1.** Maske *f* (*als Nachbildung des Gesichts*). – **2.** (Schutz-, Gesichts-)Maske *f*: **fencing** ~ Fechtmaske. – **3.** *med.* Gesichtsbinde *f*, -maske *f*:

oxygen ~ Sauerstoffmaske. – 4. Gesichtsabguß m, (Kopf)Maske f: death ~ Totenmaske. – 5. Gasmaske f. – 6. Maske f (maskierte od. verkleidete Person). – 7. 'Maskenkoˌstüm n, Mas'kierung f, Verkleidung f, Maske'rade f. – 8. fig. Maske f, Verkleidung f, -kappung f, Vorwand m, Schein m: to throw off the ~ die Maske fallen lassen. – 9. Verhüllung f, Hülle f, Schirm m, Deckmantel m: under the ~ of night im Schutze der Nacht. – 10. cf. masque. – 11. arch. Maska'ron m (Fratzenskulptur), Maske f. – 12. Tierkopf m. – 13. mil. Tarnung f, Blende f, Mas'kierung f: ~ of brushwood Strauchwerkblende. – 14. zo. Fangmaske f (der Libellen). – 15. phot. Vorsatzscheibe f. – II v/t 16. (j-n) mas'kieren, verkleiden, vermummen, (j-m) ein 'Maskenkoˌstüm anziehen. – 17. fig. verschleiern, -hüllen, -decken, -bergen, tarnen: to ~ a ship under a neutral flag ein Schiff unter einer falschen neutralen Flagge laufen lassen. – 18. mil. tarnen, (Truppenstärke etc) verbergen. – 19. mil. decken, in Deckung bringen. – 20. mil. (feindliche Streitmacht) binden, fesseln. – 21. mil. (eigene Truppe) behindern (indem man in ihre Feuerlinie gerät). – 22. auch ~ out tech. korri'gieren, retu'schieren: to ~ out a stencil. – III v/i 23. eine Maske tragen (auch fig.). – 24. sich verkleiden od. verstellen. – 25. als Maske dienen. – SYN. cf. disguise.

mas·ka·longe ['mæskəˌlɒndʒ], **'mas·kaˌnonge** [-ˌnɒndʒ] → muskellunge.

masked [Br. mɑːskt; Am. mæ(ː)skt] adj 1. mas'kiert, Masken...: ~ ball Maskenball. – 2. verdeckt, -borgen, -hüllt, -mummt. – 3. econ. mar. mit falschen Pa'pieren gedeckt. – 4. mil. getarnt. – 5. med. lar'viert (nicht an den normalen Symptomen erkennbar). – 6. bot. mas'kiert, verlarvt, geschlossen (Blüte). – 7. zo. die 'Umrisse einer späteren Form zeigend (Insekt). – 8. zo. mit maskenartiger Kopfbildung (Vogel). — ~ **crab** s zo. Maskenkrabbe f (Corystes cassivelaunus). — ~ **duck** s zo. Maskenente f (Nomonyx dominicus). — ~ **pig** s zo. jap. Maskenschwein n (Hausschweinrasse).

mask·er [Br. 'mɑːskər; Am. 'mæ(ː)sk-] s Maske f, Maskentänzer m, Teilnehmer(in) an einem Maskenspiel.

mask·ette [Br. mɑːs'ket; Am. mæ(ː)s-] s kleiner maskenartiger Schmuck (für Kopf od. Schulter; bei den Pueblo-Indianern).

'maskˌflow·er s bot. Nesselblatt n (Gattg Alonsoa).

mask·ing tape [Br. 'mɑːskiŋ; Am. 'mæ(ː)sk-] s tech. Krepp-, Abdeckband n.

mask·oid [Br. 'mɑːskɔid; Am. 'mæ(ː)sk-] s Maske f (aus Stein od. Holz; an Gebäuden im alten Mexiko u. Peru).

mas·och·ism ['mæzəˌkizəm] s med. psych. Maso'chismus m (wollüstiges Erleiden von Peinigungen). — **'mas·och·ist** s Maso'chist m. — **ˌmas·och'is·tic** adj maso'chistisch.

ma·son ['meisn] I s 1. Steinmetz m, -hauer m: ~'s level Setzwaage. – 2. Maurer m. – 3. oft M~ Freimaurer m. – II v/t 4. aus Stein errichten. – 5. mauern. — **M~ and Dix·on's line** ['meisn ən 'diksnz] → Mason-Dixon line. — ~ **bee** s zo. Mörtel-, Maurerbiene f (bes. Chalicodoma muraria). — **M~-Dix·on line** ['meisn'diksn] s Grenze zwischen Pennsylvanien u. Maryland, früher Grenzlinie zwischen Staaten mit u. ohne Sklaverei.

ma·son·ic [mə'sɒnik] adj 1. Maurer... – 2. meist M~ freimaurerisch, Freimaurer...

ma·son·ite[1] ['meisˌnait] s Am. (Art) Holzfaserplatte f.

ma·son·ite[2] ['meisˌnait] s min. (Art) Chlorito'id n ($H_2(Fe,Mg)Al_2SiO_7$).

Ma·son jar ['meisn] s Am. (Art) Einmachtopf m.

ma·son·ry ['meisnri] s 1. Steinmetzarbeit f. – 2. Mauerwerk n: bound ~ Quaderwerk. – 3. Maurerhandwerk n, Maure'rei f. – 4. Maurerarbeit f. – 5. oft M~ Freimaure'rei f.

ma·son| spi·der s zo. Mi'nier-, Maurerspinne f (Unterfam. Ctenizinae). — ~ **wasp** s zo. Mauerwespe f, bes. a) Glockenwespe f (Gattg Eumenes), b) Grabwespe f (Gattg Sceliphron). — ~ **work** s 1. Maurerarbeit f, Mauerung f. – 2. Gemäuer n, Mauerwerk n.

ma·soo·la [mə'suːlə], ~ **boat** s mar. (großes, sehr starkes) Landungsboot (für Passagiere u. Waren; Koromandelküste).

Ma·so·ra(h) [mə'sɔːrə] s relig. Ma'sora f (altjüd. traditionelle Textauslegung des Alten Testaments). — **Mas·o·rete** ['mæsəˌriːt] s Maso'ret m (Kenner, Sammler od. ein Autor der Masora). — **ˌMas·o'ret·ic** [-'retik], **ˌMas·o'ret·i·cal** adj maso'retisch, die Ma'sora betreffend. — **'Mas·oˌrite** [-ˌrait] → Masorete.

masque [Br. mɑːsk; Am. mæ(ː)sk] s 1. hist. Maskenspiel n (Art dramatische Aufführung u. die dazugehörige Musik). – 2. Maske'rade f. — **mas·quer** cf. masker.

mas·quer·ade [ˌmæskə'reid] I s 1. Maske'rade f, Maskenfest n, -zug m, -ball m. – 2. Maske'rade f, Mas'kierung f, 'Maskenkoˌstüm n, Vermummung f. – 3. fig. The'ater n, ˌSchauspiele'rei f, Verstellung f. – 4. fig. Maske'rade f, Maske f, Verkleidung f. – II v/i 5. an einer Maske'rade teilnehmen. – 6. mas'kiert od. verkleidet um'hergehen, eine Maske tragen. – 7. sich mas'kieren od. verkleiden (auch fig.). – 8. fig. The'ater spielen, sich verstellen. – 9. fig. sich aufspielen od. ausgeben (as als). — **ˌmas·quer'ad·er** s 1. Teilnehmer(in) an einem Maskenzug od. -ball. – 2. Mas'kierer m. – 3. fig. Schauspieler m (j-d der andern etwas vormacht), Blender m.

mass[1] [mæs] I s 1. Masse f, (feste od. lose) Anhäufung od. Ansammlung: a ~ of troops eine Truppenansammlung. – 2. Masse f (formloser Stoff): a ~ of blood ein Klumpen Blut. – 3. Masse f, (Roh)Stoff m. – 4. (große) Anhäufung, (große od. beträchtliche) Menge od. (An)Zahl: a ~ of bruises eine Unzahl von Quetschwunden; a ~ of errors eine (Un)Menge Fehler. – 5. econ. (Kon'kurs)Masse f. – 6. Ganz-, Gesamtheit f, Aggre'gat n: in the ~ im großen u. ganzen. – 7. Haupt(bestand)teil m: the ~ of imports der überwiegende od. größere Teil der Einfuhr. – 8. (Malerei etc) größere einfarbige Fläche. – 9. the ~ die Masse, die Allge'meinheit. – 10. the ~es pl der Pöbel, die (breite) Masse. – 11. phys. Masse f (Quotient aus Gewicht u. Beschleunigung). – 12. math. Vo'lumen n, Inhalt m, Größe f. – 13. mil. geschlossene Formati'on. – 14. med. Pillenmasse f. – SYN. cf. bulk[1]. – II v/i 15. sich (an)sammeln od. (an)häufen, sich stauen. – 16. sich zu'sammenballen, -ziehen od. auftürmen (Wolken etc). – 17. mil. sich mas'sieren od. konzen'trieren. – III v/t 18. (an)häufen, (an)sammeln, zu'sammenstellen, -tragen. – 19. (Truppen etc) mas'sieren, zu'sammenziehen, konzen'trieren. – IV adj 20. Massen...: ~ acceleration phys. Massenbeschleunigung.

Mass[2] [mæs] I s relig. 1. (die heilige) Messe. – 2. oft m~ Messe f, Meßfeier f: ~ was said die Messe wurde gelesen; to attend (the) ~, to go to ~ zur Messe gehen; to hear ~ die Messe hören; morning ~ Frühmesse, -mette; ~ for the dead Toten-, Seelenmesse. – 3. Messe f, 'Meßliturˌgie f. – 4. mus. Messe f. – II v/i selten 5. die Messe hören od. feiern.

mas·sa ['mæsə] s Am. Massa m, Herr m (von Negern als Anrede gebraucht).

mas·sa·cre ['mæsəkər] I s 1. Gemetzel n, Mas'saker n, Blutbad n, Massenmord m. – 2. Niedermetzeln n, ('Hin)Schlachten n. – II v/t 3. niedermetzeln, massa'krieren, massenhaft 'umbringen, 'hinschlachten, ein Blutbad anrichten unter (dat). — **'mas·sa·crer** [-kərər; -krər] s Massa'krierer m, Niedermetzler m, Schlächter m.

mas·sage [Br. 'mæsɑːʒ; Am. mə'sɑːʒ] I s Mas'sage f, Mas'sieren n: auditory ~, aural ~ Trommelfellmassage. – II v/t mas'sieren. — **mas·sag·er** [mə'sɑːʒər] s Am. Mas'seur m. — **mas·sa·geuse** [ˌmæsə'ʒəːz] s Am. Mas'seuse f. — **mas·sa·gist** [mə'sɑːʒist] s Am. Mas'seur m.

Mas·sa·li·an [mə'seiliən] relig. I s Messali'aner m, Massali'aner m, Eu'chit m, Euphe'mit m (kleinasiat. od. armenischer Sektierer des 4. Jhs.). – II adj messali'anisch.

mas·sa·sau·ga [ˌmæsə'sɔːgə] s zo. Zwergklapperschlange f, Kettenklapperschlange f (Sistrurus catenatus; südl. USA).

Mass| bell s relig. Sanktusglocke f. — ~ **book** s relig. Meßbuch n, Mis'sale n (der kath. Kirche). — **m~ de·fect** s chem. phys. 'Massendeˌfekt m (Unterschied zwischen dem Atomgewicht eines Atomkerns u. der Summe der Atomgewichte seiner Nukleonen).

mas·sé [Br. 'mæsei; Am. mæ'sei] s (Billard) Kopf-, Mas'séstoß m.

Mas·se·na par·tridge [mə'siːnə] s zo. Monte'zuma-Wachtel f (Cyrtonyx montezumae).

'mass|-'en·er·gy e·qua·tion s phys. ˌMasse-Ener'gie-Gleichung f. — ~ **en·er·gy e·quiv·a·lence** s ˌMasse-Ener'gie-ˌÄquivaˌlenz f.

mas·ser ['mæsər] s selten Mas'seur m.

mas·se·ter [mæ'siːtər] s med. Kaumuskel m, Mas'seter m. — **mas·se·ter·ic** [ˌmæsi'terik] adj masse'terisch, den (großen) Kaumuskel betreffend.

mas·seur [mæ'səːr] s 1. Mas'seur m. – 2. Mas'sageappaˌrat m, Mas'siergeˌrät n. — **mas'seuse** [-'səːz] s Mas'seuse f.

mas·si·cot ['mæsiˌkɒt] s chem. Massicot n, gelbes 'Bleioˌxyd (PbO): native ~ Arsenikblei, Bleiblüte, Flokkenerz.

mas·sif ['mæsif; -iːf] s geol. 1. Ge'birgsmasˌsiv n, -stock m. – 2. Scholle f (der Erdrinde).

Mas·sil·i·an [mə'siliən] relig. I s 1. Massili'aner m, 'Semipelagiˌaner m. – 2. → Massalian I. – II adj 3. massili'anisch, 'semipelagiˌanisch.

mas·sive ['mæsiv] adj 1. mas'siv, groß u. schwer, massig. – 2. fest, gediegen (Gold etc). – 3. fig. mas'siv, wuchtig, klobig, ‚klotzig'. – 4. fest(gefügt), 'undurchˌdringlich. – 5. eindrucksvoll, derb, kräftig. – 6. geol. mas'siv. – 7. med. fortgeschritten (Krankheit). – 8. min. dicht. – 9. psych. stark, anhaltend (Sinneseindruck). — **'mas·sive·ness** s 1. Mächtigkeit f, Gewaltigkeit f, Massivi'tät f, großes od. mächtiges Ausmaß. – 2. Dichte f. – 3. Gediegenheit f. – 4. fig. Wucht f, Derbheit f. – 5. Schwere f.

mass| jump s aer. mil. Massenabsprung m (von Truppen mit dem Fallschirm). — ~ **meet·ing** s Massenversammlung f. — ~ **num·ber** s phys. Massenzahl f (Anzahl der Nukleonen *eines Atomkerns, gleich seinem ganzzahlig abgerundeten Atomgewicht*). — **~ ob·ser·va·tion** *s Br.* Massenbeobachtung *f*, Meinungserforschung *f* der gesamten Bevölkerung. — **~ of ma·nœu·vre** *s mil. Br.* straˈtegische Reˈserve.

Mas·so·ra(h) *cf.* Masora(h).

Mas·so·rete [ˈmæsəˌriːt], **ˈMas·so·ˌrite** [-ˌrait] → Masorete.

mas·so·ther·a·py [ˌmæsoˈθerəpi] *s med.* Masˈsagetheraˌpie *f*, -behandlung *f*.

mass| par·ti·cle *s math. phys.* Masse(n)teilchen *n*. — **M~ pen·ny** *s relig.* Opfergeld *n*. — **M~ priest** *s* (*abschätzig*) röm.-kath. Priester *m*. — **ˈ~-proˈduce** *v/t* faˈbrik- *od.* serienmäßig ˈherstellen: **~d articles** Massen-, Serienartikel. — **~ pro·duc·er** *s econ.* Massenhersteller *m*. — **~ pro·duc·tion** *s econ.* Massenerzeugung *f*, ˈMassen-, ˈSerienproduktiˌon *f*, serienmäßige ˈHerstellung: **standardized ~** Fließarbeit, Herstellung am laufenden Band. — **~ re·duc·tion** *s phys.* ˈMassenkontraktiˌon *f*, -schrumpfung *f*. — **~ spec·tro·graph** *s phys.* ˈMassenspektroˌgraph *m*. — **~ spec·trom·e·ter** *s phys.* ˈMassenspektroˌmeter *n*. — **~ spec·trum** *s phys.* Massenspektrum *n*. — **~ u·nit** *s phys.* Masseneinheit *f*.

mass·y [ˈmæsi] *adj* **1.** masˈsiv, schwer. – **2.** ‚klotzig', klobig, groß, dick. – **3.** schwer, wuchtig. – **4.** dicht, fest, gediegen.

mast[1] [*Br.* mɑːst; *Am.* mæ(ː)st] **I** *s* **1.** *mar.* (Schiffs)Mast *m*: **built-up ~, made ~** gebauter *od.* zusammengesetzter Mast; **lower ~** Untermast; **pole ~** Pfahlmast; **topgallant ~** Bramstenge; **to sail before the ~** Matrose sein, im Mannschaftsrang zur See fahren. – **2.** *mar.* Mast *m* (*stangen- od. turmartiger Aufbau*): **fighting ~** Gefechtsmars; **at (the) ~** auf dem Hauptdeck. – **3.** *electr.* Mast *m*, Anˈtennenmast *m*, -turm *m*, Leitungs-, Teleˈgraphenmast *m*: **electric ~** Laternenmast, -pfahl, Kandelaber. – **4.** *aer.* Ankermast *m* (*für Luftschiffe*). – **5.** *tech.* Kranbaum *m*. – **6.** *tech. Br.* Stamm *m*, Bauholz *n* (*von über 8 Zoll Durchmesser*). – **II** *v/t* **7.** bemasten, (*Schiff*) mit Masten versehen.

mast[2] [*Br.* mɑːst; *Am.* mæ(ː)st] *s* Mast(futter *n*) *f* (*Eicheln, Bucheckern etc als Futter für Schweine etc*).

mast- [mæst] → masto-.

mas·ta·ba [ˈmæstəbə] *s* Mastaba *f* (*altägyptischer Grabbau mit rechteckigem Grundriß u. schräg ansteigenden Seiten*).

mas·tax [ˈmæstæks] *s zo.* **1.** Knebel *m*, Zügel *m* (*der Vögel zwischen Augen u. Schnabelwurzel*). – **2.** Schlund *m* (*eines Rädertiers*).

mas·tec·to·my [mæsˈtektəmi] *s med.* ˈBrustamputatiˌon *f*, -absetzung *f*.

mast·ed [*Br.* ˈmɑːstid; *Am.* ˈmæ(ː)st-] *adj mar.* **1.** bemastet. – **2.** (*in Zusammensetzungen*) ...mastig: **three-~** dreimastig.

mas·ter [*Br.* ˈmɑːstər; *Am.* ˈmæ(ː)s-] **I** *s* **1.** Meister *m*, Herr *m*, Gebieter *m*, Herrscher *m*: **the M~** *relig.* der Herr (*Christus*); **to be ~ of s.th.** etwas beherrschen; **to be ~ of oneself** sich in der Gewalt haben, sich beherrschen; **to be ~ of the situation** Herr der Lage sein; **to be ~ of several languages** mehrere Sprachen beherrschen; **to be one's own ~** sein eigener Herr sein; **to be ~ in one's own house** der Herr im Hause sein; **to be ~ of one's time** über seine Zeit (nach Belieben) verfügen können. – **2.** Besitzer *m*, Eigentümer *m*, Herr *m*: **to make oneself ~ of s.th.** etwas erwerben, etwas in seinen Besitz bringen; **who is the ~ of this dog?** wem gehört dieser Hund? – **3.** Hausherr *m*. – **4.** Meister *m*, Sieger *m*. – **5.** *econ.* Lehrherr *m*, Meister *m*, Prinziˈpal *m*. – **6.** *econ.* (Handwerks)Meister *m*: **~ tailor** Schneidermeister. – **7.** *econ.* Arbeitgeber *m*, Dienstherr *m*, Chef *m*: **like ~ like man** wie der Herr so der Knecht; **~ and men** *econ.* Arbeitgeber u. Arbeitnehmer. – **8.** Werk-, Betriebsmeister *m*. – **9.** Vorsteher *m*, Diˈrektor *m*, Leiter *m* (*Unternehmen, Korporation, Innung*). – **10.** *auch* **~ mariner** *mar.* Kapiˈtän *m* (*Handelsschiff*). – **11.** *fig.* (Lehr)Meister *m*, Führer *m*, Vorbild *n*. – **12.** *bes. Br.* Lehrer *m* (*bes. an höheren Schulen*): **~ in English** Englischlehrer; **mathematics ~** Mathematiklehrer. – **13.** *Br.* Rektor *m* (*Titel des Leiters einiger Colleges*). – **14.** (*Kunst*) Meister *m*, großer Künstler. – **15.** Maˈgister *m* (*Grad an Universitäten der englisch sprechenden Welt*). – **16.** junger Herr (*auch als Anrede für Knaben der höheren Schichten bis zu 16 Jahren u. als Titel in Briefanschriften an alle Knaben unter 16 Jahren*). – **17.** *Br.* (*in Titeln, meist für ehrenamtliche Funktionen*) Leiter *m*, Aufseher *m* (*am königlichen Hof etc*): **M~ of (the) Hounds** (*od.* **Foxhounds**) *Br.* oberster Jagdleiter. – **18.** Meister *m* (*ehrender Titel, bes. für hervorragende Künstler*). – **19.** *jur.* protoˈkollführender Gerichtsbeamter: **M~ of the Rolls** Oberarchivar (*Leiter der Archive des* **High Court of Chancery**). – **20.** *Scot.* (gesetzmäßiger) Erbe (*eines Adligen vom Range eines* **Baron** *od. eines* **Viscount**). – **21.** (ˈSchall)Plattenmaˌtrize *f*. – **II** *v/t* **22.** Herr sein *od.* werden über (*acc*) (*auch fig.*). – **23.** a) (*Völker etc*) beherrschen, herrschen über (*acc*), b) sich zum Herrn machen über (*acc*), besiegen, unterˈwerfen. – **24.** Macht *od.* Gewalt haben über (*acc*). – **25.** (*Tier*) zähmen, (*Leidenschaft etc*) (be)zähmen, bändigen. – **26.** leiten, lenken (*in führender Stellung*), führen. – **27.** (*Sprache, Wissenschaft etc*) beherrschen, mächtig sein (*einer Sprache*): **to ~ six languages; to ~ a science** eine Wissenschaft vollkommen beherrschen. – **28.** Meister sein *od.* werden in (*dat*), die Meisterschaft erlangen in (*dat*), (*Kunst, Schwierigkeit etc*) meistern. – **29.** (*Kunstfertigkeit*) (vollkommen) erlernen. – **III** *adj* **30.** Meister..., meisterhaft, -lich. – **31.** Herren..., Meister..., Vorgesetzten... – **32.** Haupt..., hauptsächlich, wichtigst(er, e, es): **~ bedroom** *Am.* Elternschlafzimmer (*eines Hauses od. einer Wohnung*); **~-string** Hauptsaite. – **33.** leitend, führend (*auch fig.*). – **34.** vorherrschend, überˈwiegend.

ˈmas·ter|-at-ˈarms *pl* **ˈmas·ters-at-ˈarms** *s mar.* ˈSchiffsproˌfos *m*, Stabswachtmeister *m* (*Hauptpolizeibeamter eines Schiffs*). — **~ build·er** *s* **1.** Baumeister *m*. – **2.** ˈBauunterˌnehmer *m*. — **~ car·pen·ter** *s* Zimmermeister *m*. — **~ chord** *s mus.* Domiˈnantdreiklang *m*. — **~ clock** *s* Konˈtrolluhr *f*. — **~ cop·y** *s* **1.** Origiˈnalkoˌpie *f* (*von Dokumenten, auch Filmen u. Platten*). – **2.** ˈHandexemˌplar *n* (*eines literarischen od. wissenschaftlichen Werks*).

mas·ter·dom [*Br.* ˈmɑːstərdəm; *Am.* ˈmæ(ː)s-] *s selten* Herrschaft *f*, Macht *f*. — **ˈmas·ter·ful** [-ful; -fəl] *adj* **1.** herrisch, herrschsüchtig, gebieterisch. – **2.** eigenmächtig, -willig, willkürlich. – **3.** gewaltsam, -tätig, tyˈrannisch, desˈpotisch. – **4.** meisterhaft, -lich, Meisterschaft beweisend. – *SYN.* domineering, imperative, imperious, peremptory. — **ˈmas·ter·ful·ness** *s* **1.** herrisches Wesen, Herrschsucht *f*. – **2.** Meisterlichkeit *f*.

mas·ter| gen·er·al of the Ord·nance *s mil. Br.* GeneˌralˈfeldzeugˌmeisterARG *m*. — **~ gun·ner** *s mil.* **1.** ˈFeldwebelˌleutnant *m* (*in der brit. Armee*). – **2.** ˈOberkanoˌnier *m* (*der Küstenartillerie in USA*). — **~ hand** *s* **1.** Meister *m*, Fachmann *m*, Speziaˈlist *m*. – **2.** *fig.* Meisterhand *f* (*reifes Können*). – **3.** Geschicklichkeit *f*, Erfahrenheit *f*, Gewandtheit *f* (*eines Meisters*).

mas·ter·hood [*Br.* ˈmɑːstərˌhud; *Am.* ˈmæ(ː)s-] → **mastership**.

mas·ter| in chan·cer·y *s jur. hist.* beisitzender Refeˈrent im Kanzˈleigericht. — **~ key** *s* Hauptschlüssel *m* (*auch fig.*).

mas·ter·less [*Br.* ˈmɑːstərlis; *Am.* ˈmæ(ː)s-] *adj* **1.** herrenlos. – **2.** *obs.* unbändig, zügellos. — **ˈmas·ter·less·ness** *s* Herrenlosigkeit *f*.

mas·ter·li·ness [*Br.* ˈmɑːstərlinis; *Am.* ˈmæ(ː)s-] *s* **1.** meisterhafte Ausführung, Meisterhaftigkeit *f*, -schaft *f*. – **2.** (*das*) Meisterhafte *od.* -liche. — **ˈmas·ter·ly I** *adj* meisterhaft, -lich, Meister...: **~ performance** meisterhafte Leistung, Meisterwerk. – **II** *adv* meisterhaft, -lich.

mas·ter| ma·son *s* **1.** Maurermeister *m*. – **2.** Meister *m* (*Freimaurer im 3. Grad*). — **~ me·chan·ic** *s* erster Meˈchaniker, Vorarbeiter *m*. — **ˈ~ˌmind I** *s* **1.** überˈlegener Geist *od.* Kopf, führender Geist. – **2.** *bes. Am.* Kapaziˈtät *f*, ‚Kaˈnone' *f*, ‚Köpfchen' *n*. – **II** *v/t Am.* **3.** (*Projekt, Feldzug etc*) geschickt lenken *od.* leiten (*bes. aus dem Verborgenen*). — **M~ of Arts** *s* Maˈgister *m* der freien Künste. — **~ of cer·e·mo·nies** *s* **1.** *Am.* Conférenciˈer *m*. – **2.** Zereˈmonienmeister *m*. — **M~ of Sci·ence** *s* Maˈgister *m* der Naˈturwissenschaften (*akademischer Grad in englisch sprechenden Ländern*). — **M~ of the Horse** *s* Oberstallmeister *m* (*am engl. Königshof*). — **~ pas·sion** *s* vorherrschende Leidenschaft. — **ˈ~ˌpiece** *s* Meisterstück *n*, -werk *n*.

mas·ter's cer·tif·i·cate *s mar.* Kapiˈtänspaˌtent *n*.

mas·ter ser·geant *s mil.* Haupt-, Stabsfeldwebel *m* (*höchster Unteroffiziersdienstgrad in USA*).

mas·ter·ship [*Br.* ˈmɑːstərˌʃip; *Am.* ˈmæ(ː)s-] *s* **1.** meisterhafte *od.* vollkommene Beherrschung (**of** *gen*), Meisterschaft *f*: **to attain a ~ in** es zur Meisterschaft bringen in (*dat*). – **2.** Herrschaft *f*, Macht *f*, Gewalt *f* (**over** über *acc*). – **3.** Vorsteheramt *n*. – **4.** Lehramt *n*. – **5.** Stellung *f* als Leiter *od.* Vorsteher.

mas·ter| sin·ew *s zo.* Hauptsehne *f* (*am Bein der Vierfüßer*). — **ˈ~ˌsing·er** *s hist.* Meistersinger *m*. — **~ spring** *s tech.* Trieb-, Antriebsfeder *f*. — **~ stroke** *s* Meisterzug *m*, -stück *n*, -leistung *f*, Braˈvour-, Glanzstück *n*: **a ~ of diplomacy** ein meisterhafter diplomatischer Schachzug. — **~ tap** *s tech.* Gewinde-, Backen-, Origiˈnalbohrer *m*, Handbackengewindebohrer *m*. — **~ tooth** *s irr* Eck-, Fangzahn *m*. — **~ touch** *s* **1.** Meisterhaftigkeit *f*, -lichkeit *f*, -schaft *f*. – **2.** Meisterzug *m*. – **3.** *mus.* meisterhafter Anschlag. – **4.** *tech.* Fertigbearbeitung *f*, letzter Schliff. — **~ wheel** *s tech.* Trieb-, Antriebs-, Hauptrad *n*. — **ˈ~ˌwork** *s* **1.** Haupt-, Meisterwerk *n*. – **2.** Meisterstück *n* (*auch fig.*). — **~ work·man** *s irr* **1.** (Handwerks)Meister *m*. – **2.** Werkmeister *m*, -führer *m*, Vorarbeiter *m*. — **ˈ~ˌwort** *s bot.* **1.** Meisterwurz *f* (*Imperatoria ostruthium*). – **2.** Wolliger Bärenklau (*Heracleum lanatum*). – **3.** Engelwurz *f* (*Gatt Angelica*). – **4.** Sterndolde *f* (*Astrantia maior*).

mas·ter·y [*Br.* ˈmɑːstəri; *Am.* ˈmæ(ː)s-] *s* **1.** Herrschaft *f*, Gewalt *f*, Macht *f* (of, over über *acc*). – **2.** Überˈlegenheit *f*, Oberhand *f*: to gain the ~ over s.o. über j-n die Oberhand gewinnen. – **3.** Meisterung *f*, Beherrschung *f* (*Sprache, Spielregeln etc*). – **4.** Beherrschung *f*, Bändigung *f*, Bezähmung *f* (*Leidenschaften etc*). – **5.** (meisterliche) Geschicklichkeit, Sachkenntnis *f*, Meisterhaftigkeit *f*, Meisterschaft *f*: to gain the ~ in (*od.* of) es (bis) zur Meisterschaft bringen in (*dat*).

ˈmast|ˌhead I *s* **1.** *mar.* Masttopp *m*, -korb *m*, Mars *m*: ~ angle Masttoppwinkel. – **2.** *mar.* Mann *m* im Topp. – **3.** *print.* Druckvermerk *m*, Imˈpressum *n* (*einer Zeitung*). – **II** *v/t mar.* **4.** (*Flagge, Laterne etc*) zur Mastspitze aufholen, vollmast hissen. – **5.** (*Matrosen etc*) zum Sitzen im Topp verurteilen, zur Strafe in die Saling schicken. — **~ hoop** *s mar.* Mastband *n*, -ring *m*.

mas·tic [ˈmæstik] *s* **1.** Mastix(harz *n*) *m* (*Art Balsamharz*). – **2.** *bot.* ˈMastixbaum *m*, -strauch *m*, -piˌstazie *f* (*Pistacia lentiscus*). – **3.** Mastik *m*, ˈMastixzeˌment *m*, (Stein)Kitt *m*. – **4.** blasses Gelb. – **5.** Mastixbranntwein *m*.

mas·ti·ca·bil·i·ty [ˌmæstikəˈbiliti; -əti] *s* (Zer)Kaubarkeit *f*. — **ˈmas·ti·ca·ble** *adj* kaubar. — **ˈmas·tiˌcate** [-ˌkeit] *v/t* **1.** (zer)kauen. – **2.** zerkleinern, -stoßen, -kneten, -quetschen. — **ˌmas·tiˈca·tion** *s* **1.** (Zer)Kauen *n*. – **2.** Zerkleinern *n*, -stoßen *n*, -quetschen *n*, -kneten *n*, -kleinerung *f*. — **ˈmas·tiˌca·tor** [-tər] *s* **1.** Kauende(r). – **2.** ˈFleischwolf *m*, -ˌhackmaˌschine *f*. – **3.** *tech.* ˈMahlmaˌschine *f*. – **4.** *tech.* ˈKnetmaˌschine *f*, Mastiˈkator *m*. — **ˈmas·ti·ca·to·ry** [*Br.* -kətəri; *auch* -ˌkei-; *Am.* -kəˌtɔːri] **I** *adj* Kau..., Freß...: ~ organs. – **II** *s med.* Mastikaˈtorium *n*, Kaumittel *n* (*zur Erhöhung der Speichelsekretion*).

mas·tic| bul·ly *s bot. ein Sapotaceenbaum* (*Sideroxylon mastichodendron; Holz zum Schiffsbau verwendet*). — **~ herb** → herb mastic 1.

mas·tic·ic [mæsˈtisik] *adj* Mastix...

mas·tic| plant *Br. für* cat thyme. — **~ shrub**, **~ tree** → mastic 2.

mas·ti·cu·rous [ˌmæstiˈkju(ə)rəs] *adj zo.* geißel-, peitschenschwänzig (*Rochen*).

mas·tiff [ˈmæstif; *Br. auch* ˈmɑːs-] *s* Mastiff *m*, Bulldogge *f*, Bullenbeißer *m*, engl. Dogge *f*.

mastig- [mæstig], **mastigo-** [mæstigo, -gɒ] *Wortelement mit der Bedeutung* Geißel, Peitsche.

mas·ti·goph·o·ran [ˌmæstiˈgɒfərən] *zo.* **I** *s* Geißeltierchen *n* (*Klasse Mastigophora*). – **II** *adj* zu den Geißeltierchen gehörig. — **ˌmas·ti·goˈphor·ic** [-goˈfɒrik] *adj* geißeltragend. — **ˌmas·ti·goph·o·rous** [-ˈgɒfərəs] *adj* **1.** geißeltragend. – **2.** → mastigophoran II.

mas·ti·go·pod [ˈmæstigoˌpɒd] *zo.* **I** *s* Geißeltierchen *n*, Infuˈsorium *n*. – **II** *adj* geißel-, wimperfüßig. — **ˌmas·tiˈgop·o·dous** [-ˈgɒpədəs] → mastigopod II.

mas·ti·gure [ˈmæstiˌgjuːr] *s zo.* Dornschwanzeidechse *f* (*Gattg Uromastix*).

mast·ing [*Br.* ˈmɑːstiŋ; *Am.* ˈmæ(ː)st-] *s mar. collect.* (*die*) Masten *pl* (*eines Schiffs*), Bemastung *f*, Mastwerk *n*.

mas·ti·tis [mæsˈtaitis] *s* **1.** *med.* Maˈstitis *f*, Brust(drüsen)entzündung *f*. – **2.** *vet.* Entzündung *f* des Euters.

ˈmast·man [-mən] *s irr mar. Am.* (Mast)Gast *m*.

masto- [mæsto; -tə; -tɒ] *Wortelement mit der Bedeutung* Brust, Warze, Zitze.

mas·to·car·ci·no·ma [ˌmæstoˌkɑːrsiˈnoumə; -səˈn-] *s med.* ˈMammakarziˌnom *n*, Brustkrebs *m*.

mas·to·don [ˈmæstəˌdɒn] *s zo.* Mastodon *n* (*Fam. Mastodontidae, bes. Gattg Mammut; Urelefant*). — **ˌmas·toˈdon·tic** [-tik] *adj zo.* mastodon-, mammutartig.

mas·toid [ˈmæstɔid] *med.* **I** *adj* **1.** mastoˈid, brust(warzen)förmig, -ähnlich. – **2.** Warzenfortsatz... – **II** *s* **3.** Warzenfortsatz *m* (*des Schläfenbeins*). – **4.** *colloq. für* mastoiditis. — **ˌmas·toidˈi·tis** [-ˈdaitis] *s med.* Mastoiˈditis *f*, Warzenfortsatzentzündung *f*.

mas·toid proc·ess → mastoid 3.

mas·tot·o·my [mæsˈtɒtəmi] *s med.* ˈBrustoperatiˌon *f*, tiefer Einschnitt in die Brust.

mast tree *s bot.* **1.** → cork oak. – **2.** Guatˈterie *f* (*Polyalthia longifolia*). – **3.** *allg. Baum, dessen Früchte Mastfutter liefern.*

mas·tur·bate [ˈmæstərˌbeit] *v/i* masturˈbieren, onaˈnieren. — **ˌmas·turˈba·tion** *s* Masturbatiˈon *f*, Onaˈnie *f*, geschlechtliche Selbstbefriedigung, Selbstbefleckung *f*. — **ˌmas·turˈba·tion·al** *adj* Masturbations..., Onanie..., Selbstbefleckungs... — **ˈmas·turˌba·tor** [-tər] *s* Onaˈnist *m*. — **ˈmas·tur·ba·to·ry** [*Br.* -ˌbeitəri; *Am.* -bəˌtɔːri] → masturbational.

mas·ty [ˈmæsti] *dial. für* mastiff.

ma·su·ri·um [məˈsju(ə)riəm; -ˈsu-] *s chem.* Maˈsurium *n* (Ma; *als Element nicht anerkannt*).

mat¹ [mæt] **I** *s* **1.** Matte *f*: to be on the ~ *sl.* etwas ‚ausbaden' müssen, in der ‚Klemme' sein, zur Rechenschaft gezogen werden. – **2.** ˈUntersetzer *m*, -satz *m* (*aus Stroh, Pappdeckel etc*): beer ~ Bierdeckel. – **3.** (Zier)Deckchen *n* (*unter Tassen, Vasen etc*). – **4.** *sport* (Boden)Matte *f*: to be on the ~ ringen, auf der Matte sein. – **5.** *mar.* Matte *f*: rope ~ Taumatte. – **6.** Vorleger *m*, Abtreter *m*. – **7.** a) grober Sack (*zur Verpackung von Kaffee, Zucker etc*), b) *ein Handelsgewicht für Kaffee.* – **8.** verworrene *od.* verfilzte Masse (*Haar, Unkraut*). – **9.** Gewirr *n*, Geflecht *n*, Gestrüpp *n*. – **10.** (*Spitzenweberei*) dichter Spitzengrund. – **11.** *print.* a) Maˈtrize *f* (*aus Papiermaché*), b) Gießform *f* einer Letter. – **12.** Wechselrahmen *m*, Passepaˈtout *n*. – **II** *v/t pret u. pp* **ˈmat·ted 13.** mit Matten be- *od.* verdecken *od.* verkleiden. – **14.** *fig.* (wie mit einer Matte) bedecken, abschirmen. – **15.** mattenartig verflechten. – **16.** verfilzen, (dicht mit- *od.* ineinˈander) verflechten: ~ted hair verfilztes *od.* wirres Haar. – **III** *v/i* **17.** sich verfilzen *od.* verflechten. – **18.** *meist* ~ together dicht *od.* wirr (in- *od.* miteinˈander) verwachsen.

mat² [mæt] **I** *adj* **1.** matt, glanzlos, matˈtiert. – **II** *s* **2.** Matˈtierung *f*, matte *od.* glanzlose Fläche. – **3.** matˈtierte Farbschicht (*auf Glas*). – **4.** matˈtierter (*meist* Gold)Rand eines Bilderrahmens, Mattgold-Rand *m*. – **5.** *tech.* a) Mattpunze *f*, b) Mattfeile *f*. – **III** *v/t pret u. pp* **ˈmat·ted 6.** matˈtieren, entglänzen, matt machen. – **7.** *tech.* mattschleifen, -feilen, matt grunˈdieren, rauh matˈtieren.

mat³ *cf.* matte.

Mat·a·be·le [ˌmætəˈbiːli] *pl* **-le** *od.* **-les** *s* Mataˈbele *m, f* (*Angehörige[r] eines südafrik. Kaffernstamms*).

mat·a·co [ˈmætəˌkou] → apar.

mat·a·dor [ˈmætəˌdɔːr] *s* Mataˈdor *m*: a) *Stiertöter im Stierkampf*, b) *Haupttrumpf in einigen Kartenspielen.*

ma·ta·i [ˈmɑːtɑːi] *s bot. New Zeal.* (*eine*) Stein-Eibe (*Podocarpus spicata*).

ma·ta·ma·ta [ˌmɑːtəˈmɑːtə] *s zo.* Mataˈmata(-Schildkröte) *f*, Fransenschildkröte *f* (*Chelys fimbriata*).

mat·a·pi [ˈmætəˌpiː] *s* Mataˈpi *m*, biegsamer Korb (*zum Auspressen der Maniokwurzeln*).

match¹ [mætʃ] **I** *s* **1.** (*der, die, das*) (einem anderen) gleiche *od.* Ebenbürtige: his ~ a) seinesgleichen, b) sein Ebenbild, c) j-d der es mit ihm aufnehmen kann, d) seine Lebensgefährtin; to find (*od.* meet) one's ~ seinen Mann finden; to be a ~ for s.o. j-m gewachsen sein; to be more than a ~ for s.o. j-m überlegen sein. – **2.** (zu einer anderen) passende Sache *od.* Perˈson, Gegenstück *n*. – **3.** (zuˈsammenpassendes) Paar, Gespann *n* (zusammenpassender Tiere): they are an excellent ~ sie sind ein ausgezeichnetes Paar, sie passen ausgezeichnet zueinander. – **4.** *econ.* Arˈtikel *m od.* Ware *f* gleicher Qualiˈtät. – **5.** (Wett)Kampf *m*, Wettspiel *n*, Parˈtie *f*, Treffen *n*, Match *m, n*: boxing ~ Boxkampf; cricket ~ Kricketwettspiel, -partie; singing ~ Wettsingen; wrestling ~ Ringkampf. – **6.** Heirat *f*: to make a ~ eine Heirat vermitteln; to make a ~ of it eine Heirat zustande bringen. – **7.** Parˈtie *f* (*für eine Heirat in Betracht kommende Person*): she is a good ~ sie ist eine gute Partie. – **8.** *obs.* a) Gleichaltrige(r), Altersgenosse *m*, -genossin *f*, b) Gleichgestellte(r), Kolˈlege *m*, Kolˈlegin *f*, c) Riˈvale *m*, Riˈvalin *f*. –

II *v/t* **9.** a) (*j-n*) passend verheiraten (to, with mit), b) (*Tiere*) paaren, passend zuˈsammenstellen. – **10.** (*einer Person od. Sache*) etwas Gleiches gegenˈüberstellen, (*eine Person od. Sache*) verˈgleichen (with mit). – **11.** (*j-n*) in Gegensatz stellen, ausspielen (against gegen). – **12.** passend machen, zuˈsammen-, anpassen (to, with an *acc*). – **13.** (*j-m, einer Sache*) gleichen, entsprechen, passen zu: the carpet does not ~ the wallpaper der Teppich paßt nicht zur Tapete. – **14.** passend machen, zuˈsammenpassen, -fügen. – **15.** etwas Gleiches *od.* Passendes auswählen *od.* herˈbeischaffen *od.* finden zu: can you ~ this velvet for me? haben Sie etwas Passendes zu diesem Samt(stoff)? – **16.** *nur in der pass Konstruktion* to be ~ed (*j-m*) ebenbürtig *od.* gewachsen *od.* gleich sein, (*einer Sache*) gleichkommen, es aufnehmen (*mit j-m*), sich messen (*mit j-m*), (*j-m*) die Spitze bieten: not to be ~ed unerreichbar, unvergleichbar; the teams are well ~ed die Mannschaften sind gut ausgeglichen. – **17.** *Am. colloq.* a) (*Münze*) hochwerfen (*so daß sie auf die gleiche Seite fällt wie eine vorher geworfene Münze*), b) Münzen werfen mit (*j-m*). –

III *v/i* **18.** sich verheiraten, sich verbinden (with mit). – **19.** gleich sein (with *dat*), zuˈsammenpassen, überˈeinstimmen (with mit), entsprechen (to *dat*): she bought a brown coat and gloves to ~ sie kaufte einen braunen Mantel u. dazu passende Handschuhe; the colo(u)rs do not ~ die Farben passen nicht zusammen. –

IV *adj* **20.** passend, ebenbürtig. – **21.** Wettspiel...

match² [mætʃ] *s* **1.** Zünd-, Streichholz *n*. – **2.** Zündschnur *f*. – **3.** *obs. od. hist.* a) Zündstock *m*, b) Lunte *f*, Schwefelfaden *m*, c) (langsam brennendes) ˈZündpaˌpier.

match·a·ble [ˈmætʃəbl] *adj* **1.** vergleichbar. – **2.** *obs.* a) auf gleicher Stufe stehend, b) zuˈsammenpassend. — **ˈmatch·a·ble·ness** *s* Vergleichbarkeit *f*.

ˈmatch|ˌboard *tech.* **I** *s* Riemenbrett *n* (*beidseitig verzinktes Brett für Täfe-

lung, Parkett etc). – **II** *v/t* mit Riemenbrettern abdecken *od.* versehen. — **'~,board·ing** *s collect.* (Brett)Verzinkung *f*, Riemenwand *f*, Getäfel *n*, Täfelung *f*. — **'~,book** *s* Streichholzbrief *m*. — **'~,box** *s* Streichholz-, Zündholzschachtel *f*. — **'~,cloth** *s econ.* (*Art*) grober Wollstoff. — **'~,coat** *s hist.* Pelz-, Wollmantel *m* (*der nordamer. Indianer*). — **~ cord** *s hist.* Feuerzeugdocht *m*.

matched| board [mætʃt] → matchboard I. — **~ or·der** *s econ.* (*Börse*) *Auftrag, die gleiche Anzahl einer Aktie od. einer Ware zum gleichen Preis zu kaufen od. zu verkaufen.*

match·er ['mætʃər] *s* **1.** *tech.* a) → match plane, b) → matching machine. – **2.** *econ.* 'Warensor,tierer(in).

match| game *s sport* **1.** Spiel *n od.* Kampf *m* um die Meisterschaft, Entscheidungsspiel *n*. – **2.** *Am.* ebenbürtiges Spiel (*zwischen gleichstarken Seiten*). — **~ hook** *s oft pl mar. tech.* Doppeltakelhaken *m*.

match·ing ['mætʃiŋ] **I** *s tech.* **1.** Schwefeln *n* (*Fässer*). – **2.** *electr.* Anpassung *f*. – **II** *adj* **3.** (dazu) passend (*farblich etc abgestimmt*). — **~ con·dens·er** *s electr.* 'Abgleichkonden,sator *m*. — **~ ma·chine** *s tech.* 'Nuthobelma,schine *f*.

match joint *s tech.* Verzinkung *f*, Verspundung *f* (*Holz*).

match·less ['mætʃlis] *adj* **1.** unvergleichlich, einzig dastehend, ohnegleichen. – **2.** *econ.* konkur'renzlos. — **'match·less·ness** *s* Unvergleichlichkeit *f*, Einmaligkeit *f*.

'match,lock *s mil. hist.* **1.** Luntenschloß *n* (*der Muskete*). – **2.** 'Lunten(schloß)mus,kete *f*. [fabri,kant *m*.]

'match,mak·er[1] *s tech.* 'Streichholz-

'match,mak·er[2] *s* Ehestifter(in).

'match,mak·ing[1] *s* 'Streichholzfabrikati,on *f*.

'match,mak·ing[2] **I** *adj* ehestiftend, Heiraten vermittelnd. – **II** *s* Ehe-, Heiratsvermittlung *f*.

'match,mark *s tech.* Mon'tagezeichen *n*.

match| plane *s tech.* (*Holz*) Nut-, Spundhobel *m*, Nut- u. Spundhobel *m*, Pflug- u. Nuthobel *m*. — **~ play** *s sport* **1.** Spiel *n* in einem Wettkampf. – **2.** (*Golf*) Lochspiel *n* (*Spiel, bei dem die Zahl der gewonnenen od. verlorenen Löcher entscheidet*). — **~ point** *s sport* (für den Sieg) entscheidender Punkt, letzter zum Sieg nötiger Punkt. — **~ race** *s sport Am.* Wettrennen *n*. — **~ ri·fling** *s mil. hist.* Weitschußzüge *pl* (*einer Büchse*). — **~ rope** *s mil. hist.* Zündschnur *f* (*zu einer Kanone*). — **'~,safe** *s Am.* (feuersicherer) Streichholzbehälter. — **'~,stick**, *auch* **'~,stalk** *s tech.* Stab *m od.* (Holz)Draht *m* eines Streichhölzchens. — **~ wheel** *s tech.* in ein anderes eingreifendes Rad. — **'~,wood** *s* **1.** Streichhölzerholz *n*. – **2.** *collect.* (Holz)Späne *pl*, Splitter *pl*: to make ~ of s.th. aus etwas Kleinholz machen, etwas kurz u. klein schlagen.

mate[1] [meit] **I** *s* **1.** a) (Arbeits-, Werk-)Genosse *m*, Gefährte *m*, Kame'rad *m*, b) (*als Anruf*) Kame'rad *m*, Freund *m*, c) Gehilfe *m*, Hilfe *f*, Handlanger *m*. – **2.** (*in Zusammensetzungen*) Genosse *m*: → mess~ 1. – **3.** *eines von einem Paar*: a) Ehegefährte *m*, Gemahl(in), b) Männchen *n od.* Weibchen *n* (*bes. von Vögeln*), c) Gegenstück *n* (*von* [*Hand*]*Schuhen etc*). – **4.** (*Handelsmarine*) *Offiziersrang unter dem Kapitän* (*wo mehrere sind, unterscheidet man* first ~, second ~ *etc*). – **5.** *mar.* Maat *m*: a) Hilfskraft *f*, Gehilfe *m* (*einer bestimmten Charge*): cook's ~ Kochsmaat; gunner's ~ Hilfskanonier; b) (*amer. Flotte*) 'Linienoffi,zier *m* ohne Beförderungsmöglichkeit. – **6.** *obs.* Ebenbürtige(r), Gleichgestellte(r). – **II** *v/t* **7.** (*als Gefährten*) zu'sammen geben, beiein'ander sein lassen. – **8.** (*paarweise*) verbinden, vermählen, verheiraten. – **9.** (*Tiere*) paaren, gatten. – **10.** *fig.* gleichstellen, ein'ander anpassen: to ~ words with deeds auf Worte entsprechende Taten folgen lassen. – **III** *v/i* **11.** sich zu'sammengesellen. – **12.** sich (ehelich) verbinden, heiraten. – **13.** sich paaren, sich gatten (*Tiere*).

mate[2] [meit] **I** *v/t* **1.** (*Schach*) (schach)matt setzen. – **2.** *fig. obs.* (*j-n*) besiegen, über'wältigen, (*etwas*) zu'schanden machen. – **II** *v/i* **3.** ein (Schach)Matt erzielen. – **III** *s u. interj* **4.** (Schach)Matt *n*. – **IV** *adj* **5.** *obs.* (schach)matt, [besiegt.]

ma·te[3] *cf.* maté.

ma·té ['ma:tei; 'mætei] *s* **1.** Mate-, Para'guaytee *m*. – **2.** *bot.* Matestrauch *m* (*Ilex paraguayensis*). – **3.** → ~ gourd. — **~ gourd** *s bot.* Flaschenkürbis *m* (*Lagenaria leucantha*).

ma·te·las·sé [matla'se] (*Fr.*) **I** *adj* steppdeckenartig gemustert. – **II** *s* Matelas'sé *m*, steppdeckenartig gemusterter Seiden- *od.* Wollstoff.

ma·te·lot [mat'lo] (*Fr.*) *s* **1.** *sl.* Ma'trose *m*. – **2.** (*Art*) Rötlichblau *n*, O'lympischblau *n*.

mat·e·lote ['mætə,lout], **'mat·e,lotte** [-,lɒt] *s* Mate'lot *m*, Mate'lote *f* (*Fischragout mit scharfer Tunke*).

ma·ter ['meitər] (*Lat.*) *s Br.* (*Schülersprache*) die Mutter. — **~ do·lo·ro·sa** [,doulou'rousə] (*Lat.*) *s* Mater dolo'rosa *f*, die Schmerzensmutter Ma'ria.

ma·te·ri·a [mə'ti(ə)riə] (*Lat.*) *s* **1.** *philos. hist.* Ma'terie *f*: ~ prima Urstoff. – **2.** Ma'terie *f*, Wissensstoff *m*, Sachgebiet *n*.

ma·te·ri·al [mə'ti(ə)riəl] **I** *adj* **1.** (*zum Stofflichen gehörig*) materi'ell, physisch, körperlich, substanti'ell: ~ existence körperliches Dasein. – **2.** (*von der Materie herrührend*) stofflich, Material...: ~ consumption Materialverbrauch; ~ defect Materialfehler; ~ force. – **3.** leiblich, körperlich: ~ comfort; ~ pleasures; ~ well-being. – **4.** ungeistig, materia'listisch (*Anschauung, Lebensweise*). – **5.** materi'ell, wirtschaftlich, re'al: ~ civilization materielle Kultur. – **6.** *auch philos.* (*nicht formal, sondern sachlich wichtig*): a) ins Gewicht fallend, gewichtig, von Belang, b) wesentlich, ausschlaggebend, 'unum,gänglich (to für): ~ facts wesentliche Tatsachen. – **7.** *jur.* erheblich, rele'vant, einschlägig: a ~ witness ein unentbehrlicher Zeuge. – **8.** *econ.* Real..., Sach...: ~ damage Sachschaden; ~ expenses Sachkosten. – **9.** (*Logik*) (*nicht verbal od. formal*) sachlich: ~ consequence (distinction) sachliche Folgerung (Unterscheidung). – **10.** *math.* materi'ell: ~ line Linie von materiellen Punkten; ~ point materieller Punkt. – *SYN.* a) corporeal, objective, phenomenal, physical, sensible, b) *cf.* relevant. –

II *s* **11.** Materi'al *n*, Stoff *m*, Gut *n*, Sub'stanz *f*. – **12.** (Grund)Bestandteil *m*, Zubehör *n*, *m*: chief ~ Hauptmaterial. – **13.** Ma'terial *n*, Werkstoff *m*: ~ test(ing) Materialprüfung. – **14.** Gewebe *n*, Zeug *n*, Stoff *m*: dress ~ Stoff für ein Damenkleid. – **15.** *meist pl* notwendige Zutaten *pl*, Ausrüstung *f*: war ~ Kriegsmaterial; writing ~s Schreibmaterial(ien). – **16.** *oft pl fig.* Gegebenheiten *pl*, 'Unterlagen *pl*, Materi'alien *pl*, Materi'al *n* (*Sammlungen, Urkunden, Belege, Notizen, Ideen etc*): ~(s) for a biography. – **17.** *fig.* (formlose) Ma'terie, (Roh)Stoff *m*: the ~ from which history is made.

ma·te·ri·al·ism [mə'ti(ə)riə,lizəm] *s* **1.** *philos.* Materia'lismus *m*. – **2.** materi'elle *od.* rein praktische *od.* vorwiegend wirtschaftliche Inter'essen *pl*, Materia'lismus *m*. — **ma'te·ri·al·ist** **I** *s* Materia'list *m*. – **II** *adj* materia'listisch. — **ma,te·ri·al'is·tic**, *auch* **ma,te·ri·al'is·ti·cal** *adj* materia'listisch. — **ma,te·ri·al'is·ti·cal·ly** *adv* (*auch zu* materialistic). — **ma,te·ri·'al·i·ty** [-'æliti; -əti] *s* **1.** Stofflichkeit *f*, Körperlichkeit *f*. – **2.** *auch jur.* (Ge)Wichtigkeit *f*, Wesentlichkeit *f*, Bedeutung *f*, Erheblichkeit *f* (*einer Sache*). – **3.** materi'elle Dinge *pl*. – **4.** *obs.* Sub'stanz *f*.

ma·te·ri·al·i·za·tion [mə,ti(ə)riəlai'zeiʃən; -li'z-] *s* **1.** Verkörperung *f*, Versinnlichung *f*, Veranschaulichung *f*. – **2.** (*Spiritismus*) Materialisati'on *f*, Körperlichwerden *n* (*von Geistern*). — **ma'te·ri·al,ize** **I** *v/t* **1.** (*einer Sache*) materi'elle Form *od.* Beschaffenheit geben, (*etwas*) verwirklichen, reali'sieren, versinnlichen, anschaulich machen. – **2.** *bes. Am.* materia'listisch machen: to ~ thought. – **3.** (*Spiritismus*) (*Geister*) erscheinen lassen. – **II** *v/i* **4.** in stofflicher Form erscheinen, Gestalt annehmen, sinnlich wahrnehmbar *od.* faßbar werden, sich verkörpern (in in *dat*). – **5.** sich verwirklichen, Tatsache werden. – **6.** (*Spiritismus*) erscheinen, sichtbar werden (*Geister*).

ma·te·ri·al·ly [mə'ti(ə)riəli] *adv* **1.** erheblich, beträchtlich, wesentlich. – **2.** körperlich, stofflich, physisch. – **3.** *philos.* materi'ell.

ma'te·ri·al·man [-mən] *s irr tech. Am.* Materi'alliefe,rant *m* (*bes. von Baustoffen*).

ma·te·ri·a med·i·ca [mə'ti(ə)riə 'medikə] *s med.* **1.** *collect.* Arz'neimittel *pl*. – **2.** Arz'neimittel,lehre *f*, Pharmakolo'gie *f*.

ma·te·ri·ate **I** *adj* [mə'ti(ə)riit; -,eit] *obs.* stofflich. – **II** *v/t* [-,eit] *selten* verstofflichen.

ma·té·ri·el, ma·te·ri·el [mə,ti(ə)ri'el] *s* **1.** *econ.* Materi'al *n*, Ausrüstung *f*, Gerätschaft *f* (*eines Unternehmens; im Unterschied zu* personnel). – **2.** *mil.* a) 'Kriegsmateri,al *n*, -gerät *n*, -ausrüstung *f*, b) Versorgungsgüter *pl*.

ma·ter·nal [mə'tə:rnl] *adj* **1.** mütterlich: a) nach Mutterart, wie eine Mutter: ~ care, b) von mütterlicher Seite: ~ grandfather Großvater mütterlicherseits; ~ inheritance, c) Mütter...: ~ mortality Müttersterblichkeit; ~ welfare (work) Mütterfürsorge. – **2.** *med.* ma'tern. – **3.** *selten* für Mütter *od.* Wöchnerinnen bestimmt: ~ hospitals. – **4.** *humor.* mütterlich (*die eigene Mutter betreffend*). — **ma'ter·nal,ize** *v/t selten* mütterlich machen.

ma·ter·ni·ty [mə'tə:rniti; -əti] **I** *s* **1.** Mutterschaft *f*, -stand *m*, -sein *n*. – **2.** *med.* Materni'tät *f*. – **II** *adj* **3.** Wöchnerin(nen)..., Schwangerschafts..., Umstands...: ~ benefit Wochenhilfe, -fürsorge; ~ gown, ~ robe Umstandskleid; ~ home Entbindungsheim; ~ hospital Entbindungsanstalt, -klinik; ~ insurance Mutterschaftsversicherung; ~ relief Wochen(bei)hilfe; ~ ward Geburtenabteilung (*eines Spitals*).

mate·y, *Br. auch* **mat·y** ['meiti] **I** *adj* vertraut, kame'radschaftlich, famili'är. – **II** *s Br. colloq.* Freund *m*, Kame'rad *m* (*als familiäre Anrede*).

'mat,grass *s bot.* **1.** Strandhafer *m* (*Ammophila arenaria*). – **2.** Borstgras *n* (*Nardus stricta*).

math [mæθ] *s dial.* Mahd *f*.

math·e·mat·i·cal [,mæθi'mætikəl; -θə-] *adj* **1.** mathe'matisch, rechnerisch: ~ expectation (*Statistik*) mathematische Erwartung; ~ **logic** mathematische Logik; ~ **point** gedachter *od.* ideeller *od.* imaginärer Punkt. – **2.** *fig.* ex'akt, genau: ~ **instruments.** — ˌ**math·e·ma'ti·cian** [-mə'tiʃən] *s* Mathe'matiker *m.* — ˌ**math·e'mat·ics** [-'mætiks] *s pl* (*meist als sg konstruiert*) Mathema'tik *f*: **higher (elementary)** ~ höhere (elementare) Mathematik; **pure (applied)** ~ reine (angewandte) Mathematik. — '**math·e·maˌtize** [-məˌtaiz] **I** *v/t* mathemati'sieren, in mathe'matische Form bringen. – **II** *v/i* Mathema'tik stu'dieren *od.* gebrauchen.

math·es ['mæθis] *s bot.* **1.** Stinkende 'Hundskaˌmille (*Anthemis cotula*). – **2.** → **feverfew.**

ma·the·sis [mə'θiːsis] *s selten* (strenge) geistige Zucht (*bes. Mathematik*). — **ma'thet·ic** [-'θetik] *adj* den Geist gründlich schulend, der geistigen Diszi'plin dienend.

ma·ti·co [mə'tiːkou] *s* **1.** *bot.* Ma'tikostrauch *m* (*Piper angustifolium, Waltheria americana, Eupatorium glutinosum*). – **2.** *med.* Ma'tikoblätter *pl* (*blutstillendes Mittel*).

mat·ie ['mæti] *s bes. Scot.* Matjes-[hering *m.*]

ma·til·i·ja pop·py [mə'tiliˌhɑː] *s bot.* Kaliforn. Riesenmohn *m* (*Romneya coulteri*).

mat·in, *Br. auch* **mat·tin** ['mætin] **I** *s* **1.** *pl, oft* M~s *relig.* a) (*röm. kath. Kirche*) (Früh)Mette *f* (*erste der 7 Gebetsstunden*), b) (*Church of England*) 'Morgenliturˌgie *f*, Frühgottesdienst *m.* – **2.** *poet.* Morgenruf *m*, -lied *n* (*der Vögel*). – **II** *adj* **3.** *poet.* zum Morgen *od.* zur Morgenandacht gehörig. — '**mat·in·al** → **matin II.**

mat·i·nee, mat·i·née [*Br.* 'mætiˌnei; *Am.* ˌmætə'nei] **I** *s* **1.** 'Nachmittagsˌvorstellung *f*, -konˌzert *n*, -empfang *m.* – **2.** *Am.* Haus-, Morgenrock *m* (*der Frauen*). – **II** *adj* **3.** Nachmittags... — ~ **i·dol** *s* Liebling *m* der The'aterbesucherinnen.

mat·ing ['meitiŋ] *s* Paarung *f* (*von Tieren*): ~ **season** Paarungszeit.

mat·lo(w) ['mætlou] *Br. sl. Nebenform für* **matelot 1.**

ma·tral ['meitrəl] *adj med.* zur Hirnhaut gehörig, Hirnhaut...

mat·rass ['mætrəs] *s chem.* **1.** *hist.* Destil'lierkolben *m.* – **2.** kleine, an einem Ende geschlossene Glasröhre.

'**matˌreed** → **cattail 1.**

matri- [meitri; mætri] *Wortelement mit der Bedeutung* Mutter.

ma·tri·arch ['meitriˌɑːrk] *s sociol.* Fa'milien-, Stam(mes)mutter *f*, weibliches Stammesoberhaupt. — ˌ**ma·tri'ar·chal** *adj* matriar'chalisch, mutterrechtlich. — ˌ**ma·tri'ar·chalˌism** *s* matriar'chalisches Wesen. — '**ma·triˌarch·ate** [-kit; -keit] *s* **1.** Fa'milienmutterschaft *f*, Mutterherrschaft *f.* – **2.** *sociol.* Matriar'chat *n* (*Gesellschaft, in der die Stammesmutter regiert*). — ˌ**ma·tri'ar·chic** → **matriarchal.** — '**ma·triˌarch·y** *s* **1.** (Fa'milien)Mutter-, Stammutterherrschaft *f.* – **2.** *sociol.* matriar'chalisches Sy'stem, Mutterrecht *n.*

ma·tric[1] ['meitrik; 'mæt-] *adj math.* zur Matrix gehörig, Matrix...

ma·tric[2] [mə'trik] *Br. sl. Kurzform für* **matriculation.**

ma·tri·ces ['meitriˌsiːz; 'mæt-] *pl von* **matrix.**

ma·tri·cid·al [ˌmeitri'saidl; ˌmæt-] *adj* Muttermord..., muttermörderisch. — '**ma·triˌcide** *s* **1.** Muttermord *m.* – **2.** Muttermörder(in).

ma·tric·u·la [mə'trikjulə; -jə-] *pl* **-lae** [-ˌliː] (*Lat.*) *s hist.* **1.** Ma'trikel *f*, Re'gister *n*, Rodel *n.* – **2.** Beitrag *m* an Geld *od.* Mannschaft.

ma·tric·u·la·ble [mə'trikjuləbl; -jə-] *adj* immatriku'lierbar, zur Immatrikulati'on berechtigt. — **ma'tric·u·lant** *s* Immatrikulati'onsbewerber(in).

ma·tric·u·lar [mə'trikjulər; -jə-] *adj* **1.** *tech.* zu einer Ma'trize gehörig, Matrizen... – **2.** *med.* zur Gebärmutter gehörig, Gebärmutter...

ma·tric·u·late [mə'trikjuˌleit; -jə-] **I** *v/t* (*an einer Universität*) immatriku'lieren, (*in einen Verein*) als Mitglied aufnehmen, einschreiben. – **II** *v/i* sich immatriku'lieren, aufgenommen werden, sich einschreiben. – **III** *adj* [-lit] immatriku'liert. – **IV** *s* [-lit] Immatriku'lierte(r). — **maˌtric·u'la·tion** *s* Immatrikulati'on *f*: ~ **examination** *Br.* Zulassungsprüfung zum Universitätsstudium. — **ma'tric·uˌla·tor** [-tər] → **matriculant.** — **ma'tric·u·la·tor·y** [*Br.* -lətəri; *Am.* -ˌtɔːri] *adj* die Immatrikulati'on betreffend, Immatrikulations...

ma·tri·her·it·age [ˌmeitri'heritidʒ; -rət-; ˌmæt-] *s jur.* Erben *n od.* Erbschaft *f* in der weiblichen Linie.

mat·ri·mo·ni·al [ˌmætri'mouniəl; -rə-] *adj* ehelich, Ehe..., Heirats... – *SYN.* **conjugal, connubial, marital, nuptial.** — ˌ**mat·ri'mo·ni·ous** *adj obs.* zur Ehe gehörig, Ehe...

mat·ri·mo·ny [*Br.* 'mætriməni; *Am.* 'mætrəˌmouni] *s* **1.** *bes. jur. relig.* Ehe(stand *m*) *f*, Verehelichung *f*: **Holy M~** der Stand der heiligen Ehe; **to join in** ~ trauen. – **2.** a) *ein Kartenspiel*, b) *Trumpfkönig u. -dame od. König u. Dame derselben Farbe in gewissen Kartenspielen.* — ~ **vine** *s bot.* (*ein*) Bocksdorn *m* (*Lycium halimifolium u. L. barbarum*).

ma·trix ['meitriks; 'mæt-] *pl* '**ma·triˌces** [-triˌsiːz] *od.* '**ma·trix·es** *s* **1.** Mutter-, Nährboden *m*, 'Grundsubˌstanz *f*, -masse *f* (*woraus sich etwas entwickelt*). – **2.** *biol. med.* Matrix *f*: a) Mutterboden *m*, b) Gewebeschicht *f*, 'Grundsubˌstanz *f*, c) Gebärmutter *f*: **cartilage** ~ Knorpelgrundsubstanz; **nail** ~ Nagelbett, -matrix; ~ **of bone** Knochengrundsubstanz. – **3.** *bot.* Nährboden *m* (*der Pilze u. Moose*). – **4.** *min.* a) Grundmasse *f* (*in die etwas eingebettet ist*), b) Ganggestein *n*, -art *f.* – **5.** *tech.* Ma'trize *f* (*Gieß-, Stanz- od. Prägeform*): a) Prägestock *m*, -stempel *m*, b) (*Setzmaschine*) Matrize *f*, c) (*Stereotypie, Vervielfältigung*) Matrize *f*, Mater *f* (*aus Papiermaché*), d) Matrize *f* (*einer Schallplatte*). – **6.** *math.* Matrix *f*: **system of matrices** Matrizensystem; **square (symmetric)** ~ quadratische (symmetrische) Matrix.

ma·tron ['meitrən] *s* **1.** ältere (verheiratete) Frau, würdige Dame, Ma'trone *f.* – **2.** Hausmutter *f*, Wirtschafterin *f.* – **3.** Oberin *f*, Oberschwester *f*, Aufseherin *f*, Wärterin *f* (*Schule, Spital, Gefängnis, Heim etc*). — '**ma·tron·age** *s* **1.** Ma'tronentum *n*, Frauenstand *m*, Fraulichkeit *f.* – **2.** Hausmutterschaft *f*, Aufsicht *f* durch eine Ma'trone. – **3.** *colloq.* Ma'tronenschaft *f*, (verheiratete) Frauen *pl.* — '**ma·tron·al** *adj* **1.** Matronen... – **2.** würdig, gesetzt. – **3.** mütterlich. — '**ma·tronˌize** *v/t* **1.** ma'tronenhaft *od.* mütterlich machen. – **2.** nach Ma'tronenart behandeln, mütterlich behüten *od.* beaufsichtigen. — '**ma·tron·li·ness** *s* Ma'tronenhaftigkeit *f.* — '**ma·tron·ly I** *adj* ma'tronenhaft, würdig, gesetzt, hausmütterlich: ~ **duties** hausmütterliche Pflichten. – **II** *adv* ma'tronen-, frauenhaft.

ma·tron of hon·o(u)r *s* verheiratete Brautführerin.

mat·ro·nym·ic [ˌmætro'nimik] → **metronymic.**

ma·tross [mə'trɒs] *s mil. hist.* 'Unterkanoˌnier *m*, Troßknecht *m.*

mat rush *s bot.* Teichbinse *f* (*Scirpus lacustris*).

mat·ta·more [ˌmætə'mɔːr] *s selten orient.* 'unterirdischer Speicher.

matte [mæt] *tech.* **I** *s* **1.** (*Metallurgie*) Stein *m*, Lech *m* (*Schmelzprodukt von Kupfer- u. Bleisulfiderzen*). – **2.** Glanzlosigkeit *f*, Mattheit *f* (*Metall, Photo*). – **II** *v/t* **3.** in Stein *od.* Lech verwandeln.

mat·ted[1] ['mætid] *adj* mat'tiert, mit matter Oberfläche.

mat·ted[2] ['mætid] *adj* **1.** mit Matte(n) bedeckt: a ~ **floor.** – **2.** verflochten, verfilzt: ~ **hair.**

mat·ter ['mætər] **I** *s* **1.** Ma'terie *f*, Materi'al *n*, Stoff *m.* – **2.** *med.* a) Sub'stanz *f*, Stoff *m*: **sebaceous** ~ Hauttalg, b) Eiter *m*: **discharge of** ~ Absonderung von Eiter. – **3.** (physi'kalische) Sub'stanz, Ma'terie *f*: **organic** ~ organische Substanz; **air is gaseous** ~ die Luft ist ein gasförmiger Körper; **mind and** ~ Geist u. Materie. – **4.** (Streit)Sache *f*, Angelegenheit *f*: **this is a serious** ~; **the** ~ **in** (*od.* **at**) **hand** die vorliegende Angelegenheit; **it's no laughing** ~ es ist nichts zum Lachen; **a hanging** ~ ein mit Erhängen zu bestrafendes Verbrechen; **personal** ~**s** persönliche Angelegenheiten. – **5.** *pl* (*ohne Artikel*) die 'Umstände *pl*, die Dinge *pl*: **to make** ~**s worse** die Sache schlimmer machen, *oft als feststehende Wendung* was die Sache noch schlimmer macht; **he takes** ~**s easy** er nimmt die Sache leicht; **to carry** ~**s too far** es zu weit treiben; → **stand** 34. – **6. the** ~ die Schwierigkeit: **is there anything the** ~ **with him?** fehlt ihm etwas? ist ihm nicht wohl? **what's the** ~? was ist los? wo fehlt's? – **7. no** ~ etwas Unwichtiges: **it's no** ~ **whether he comes or not** es spielt keine Rolle, ob er kommt oder nicht; **no** ~ **what he says, don't trust him** was er auch sagt, trau ihm nicht; **no** ~! nichts von Bedeutung! es macht nichts (aus)! – **8. a** ~ **of** (*mit verblaßter Bedeutung*) Sache *f*, Ding *n*: **it's a** ~ **of £ 5** es kostet 5 Pfund; **a** ~ **of three weeks** (eine Dauer von) ungefähr 3 Wochen; **it's a** ~ **of common knowledge** es ist allgemein bekannt; **a** ~ **of moment** etwas von Belang; → **life** 5; **taste** 23. – **9.** Gelegenheit *f*, Veranlassung *f* (for zu): **a** ~ **for reflection** etwas zum Nachdenken. – **10.** (*im Gegensatz zur äußeren Form*) Stoff *m* (*Dichtung*), behandelter Gegenstand (*Aufsatz, Rede*), Inhalt *m* (*Buch*), (innerer) Gehalt: **strong in** ~ **but weak in style**; ~ **and manner** Gehalt u. Gestalt. – **11.** (*Literaturgeschichte des Mittelalters*) Sagenstoff *m*, -kreis *m*: ~ **of France** matière de France (*um Karl den Großen*); ~ **of Britain** Bretonischer Sagenkreis (*um König Arthur*); ~ **of Rome the great** Sagenstoff aus dem klassischen Altertum. – **12.** (*Logik*) Inhalt *m* eines Satzes. – **13.** *jur.* Beweisthema *n*, Streitgegenstand *m.* – **14.** *philos.* Ma'terie *f* (*das Wahrnehmbare, der rohe Stoff im Gegensatz zu* **mind, idea, form**): **prime** ~ Urstoff, -materie. – **15.** *phys.* Ma'terie *f* (*im Gegensatz zu* **energy**). – **16.** (Post)Sache *f*: **postal** (*Am.* **mail**) ~ Postsache. – **17.** *print.* a) Manu'skript *n*, b) (Schrift)Satz *m*: **dead** ~ Ablegesatz; **live** ~, **standing** ~ Stehsatz. – *Besondere Redewendungen*:

a ~ **of fact** eine Tatsache; **as a** ~ **of fact** in Wirklichkeit, um die Wahrheit zu sagen; **a** ~ **of course** etwas Selbstverständliches, etwas was sich von selbst ergibt; **for that** ~, **for the** ~ **of that** was das betrifft, übrigens, schließlich; **in the** ~ **of** bezüglich (*gen*), in Sachen (*nom*); **what** ~! was macht das aus! (to speak) to the ~ zur Sache (sprechen); what is the ~ with it? *sl.* warum ist es nicht gut genug *od.* genügt es nicht? he hasn't any gray ~ *sl.* ‚ihm fehlt's oben'. – **II** *v/i* **18.** von Bedeutung sein, darauf ankommen: it doesn't ~ much es macht nicht viel aus; it hardly ~s to me es ist mir kaum etwas daran gelegen. – **19.** eitern (*Wunden*).

'mat·ter|-of-'course *adj* selbstverständlich, na'türlich. — **'~-of-'fact** *adj* sich an Tatsachen haltend, phanta'sielos, pro'saisch, sachlich, nüchtern. — **'~-of-'fact·ness** *s* Phanta'sielosigkeit *f*, Sachlichkeit *f*, nüchterne Einstellung.

Mat·thew ['mæθjuː] *Bibl.* **I** *npr* Mat'thäus *m.* – **II** *s* (Evan'gelium *n* des) Mat'thäus.

mat·ter·y ['mætəri] *adj med. selten* eit(e)rig.

mat·tin ['mætin] *Br. Nebenform für* matin.

mat·ting¹ ['mætiŋ] *s tech.* **1.** Mattenflechten *n*, Verflechtung *f.* – **2.** Materi'al *n* zur 'Herstellung von (Stroh-, Hanf-, Bast)Matten. – **3.** *collect.* Matten *pl*, mattenähnliches Gewebe. – **4.** (*Art*) Zierrahmen *m.*

mat·ting² ['mætiŋ] *s tech.* **1.** Mat'tierung *f* (*einer Oberfläche*), Mat'tieren *n* (*durch Schleifen, Feilen, Firnis*). – **2.** Mattfläche *f*, mat'tierte Fläche.

mat·tock ['mætək] *s* **1.** *tech.* (Breit)-Haue *f*, (Breit)Hacke *f.* – **2.** *agr.* Karst *m.*

mat·toid ['mætɔid] *s* verrücktes Ge'nie, geni'aler Narr.

mat·trass *cf.* matrass 2.

mat·tress ['mætris] *s* **1.** Ma'tratze *f*: hair ~ Roßhaarmatratze. – **2.** (*Wasserbau*) Matte *f*, Strauchwerk *n*, Senkstück *n*, Packwerk *n* (*als Uferschutz*). – **3.** *agr. Am.* Zuckerrohrbeet *n.*

ma·tur·a·ble [mə'tju(ə)rəbl; *Am. auch* -'tur-] *adj* **1.** der Reifung *od.* Reife fähig (*auch fig.*). – **2.** *med.* eiterungsfähig. — **mat·u·rate** ['mætju₍reit; -tʃu-] **I** *v/i* **1.** *med.* reifen, zum Eitern kommen. – **2.** *obs.* reifen. – **II** *v/t* **3.** *med. selten* zum Reifen bringen. — **₍mat·u'ra·tion** *s* **1.** *med.* (Aus)Reifung *f*, Eiterung *f* (*Geschwür*). – **2.** *biol.* Reifen *n*, Reifwerden *n*, Ausbildung *f* (*Frucht, Zelle*): ~ **division** Reife-, Reduktionsteilung. – **3.** *fig.* Entwicklung *f*, Voll'endung *f* (*Gemüt, Geist*). — **ma·tur·a·tive** [mə'tju(ə)rətiv; -'tʃu-] **I** *adj* die Eiterung fördernd. – **II** *s* die Eiterung förderndes Mittel.

ma·ture [mə'tjur; *Am. auch* -'tur] **I** *adj* **1.** reif, vollentwickelt, ganz ausgebildet (*Tier- u. Pflanzenformen, Käse, Wein*). – **2.** reif, geistig u. körperlich entwickelt, erwachsen (*Personen*) (*auch fig.*): to be of a ~ **age** reiferen Alters sein; a ~ **appearance** ein reifes Aussehen. – **3.** *fig.* wohl über'legt, reiflich erwogen, durch'dacht: ~ **deliberation** reifliche Überlegung; ~ **plans** ausgearbeitete Pläne. – **4.** *econ.* fällig, abgelaufen, zahlbar (*Wechsel*). – **5.** *med.* reif (*Geschwür*). – **6.** *geogr.* a) durch Erosi'on stark eingeschnitten u. zerklüftet (*Landschaft*), b) der Ge'steinsstruk₍tur folgend (*Wasserlauf*). – **II** *v/t* **7.** (*Früchte, Wein, Käse, Pläne, Geschwür*) reifen, zur Reife bringen, (aus)reifen lassen. – **III** *v/i* **8.** reifen, reif werden, her'an-, ausreifen: **wine** ~**s with age** Wein reift durch langes Lagern. – **9.** *econ.* fällig werden, verfallen. — **ma'tured** *adj* **1.** (aus)gereift. – **2.** abgelagert. – **3.** *econ.* fällig. — **ma'ture·ness** *s* **1.** Reife *f* (*auch fig.*). – **2.** *econ.* Fälligkeit *f.* — **ma'tur·ing** *adj econ.* fällig werdend, fällig (*Wechsel*).

ma·tur·i·ty [mə'tju(ə)riti; -əti; *Am. auch* -'tur-] *s* **1.** Reife *f* (*auch fig.*): to bring (come) to ~ zur Reife bringen (kommen); ~ of judg(e)ment Reife des Urteils. – **2.** *med.* Reife *f* (*eines Geschwürs*). – **3.** *econ.* Fälligkeit *f*, Verfall(zeit *f*) *m*: at (*od.* on) ~ bei Verfall; ~ date Fälligkeitstag, -termin; ~ of a bill Ablauf eines Wechsels.

ma·tu·ti·nal [mə'tjuːtinl; *Am. auch* -'tuː-] *adj* morgendlich, Morgen..., früh. — **mat·u·tine** ['mætju₍tain] *adj* **1.** *astr.* mit od. kurz vor der Sonne aufgehend. – **2.** → matutinal.

mat| var·nish *s tech.* Mattlack *m.* — **'~₍weed** *s bot.* **1.** Strandhafer *m* (*Ammophila arenaria*). – **2.** Borstgras *n* (*Nardus stricta*). – **3.** Es'partogras *n* (*Lygeum spartum*).

mat·y¹ *Br. Nebenform für* matey.

mat·y² ['meiti] *s Br. Ind.* (eingeborener) Diener.

matz·o ['mɑːtsou] *pl* **'matz·oth** [-souθ], **'matz·os** [-sous] *s meist pl relig.* Matze *f*, Matzen *m* (*ungesäuertes [Passah]Brot der Juden*).

maud [mɔːd] *s* **1.** grau gestreifter 'Woll₍überwurf, Plaid *m, n* (*der schott. Schäfer*). – **2.** Reisedecke *f* (*aus solchem Stoff*).

mau·dle ['mɔːdl] **I** *v/t obs.* weinerlich (betrunken) *od.* sentimen'tal machen. – **II** *v/i selten* rührselig schwätzen *od.* duseln.

maud·lin ['mɔːdlin] **I** *s* **1.** *selten* Rührszene *f*, weinerliche Ge₍fühlsduse'lei. – **2.** *auch* **sweet** ~ *bot.* Süße Schafgarbe (*Achillea ageratum*). – **II** *adj* **3.** weinerlich sentimen'tal, rührselig, voller Ge₍fühlsduse'lei: a ~ poet; ~ eloquence. – **4.** weinerlich *od.* sentimen'tal betrunken.

mau·gre, *auch* **mau·ger** ['mɔːgər] *prep obs.* ungeachtet, trotz (*gen*).

maul [mɔːl] **I** *s* **1.** *tech.* Schlegel *m*, schwerer Holzhammer, Zuschlaghammer *m* (*zum Rammen*). – **2.** rohe Behandlung, Tracht *f* Prügel. – **3.** *obs.* schwere Keule. – **II** *v/t* **4.** schwer verprügeln, elend zurichten. – **5.** grob behandeln: to ~ s.o. about roh umgehen mit j-m, j-n traktieren (**with** mit). – **6.** verletzen, her'untermachen (*auch fig*). – **7.** *tech. Am.* spleißen (*mit Hammer u. Keil*).

maul·ey ['mɔːli] *s sl.* Faust *f*, ‚Tatze' *f*, ‚Klaue' *f* (*Hand*).

maul·ing ['mɔːliŋ] *s colloq.* Prügel *pl*, Tracht *f* Prügel, Schläge *pl.*

maul·stick ['mɔːl₍stik] *s* (*Kunst*) Malerstock *m.*

mau·met ['mɔːmit] *s dial.* **1.** (Draht)-Puppe *f*, Mario'nette *f.* – **2.** Vogelscheuche *f.* — **'mau·met·ry** [-ri] *s obs.* Götzendienst *m.*

maund [mɔːnd] *s* Man *m, n* (*indische, pers. u. türk. Gewichtseinheit*).

maun·der ['mɔːndər] **I** *v/i* **1.** vor sich hin reden, kindisch schwätzen, faseln, murmeln. – **2.** sich ziellos um'herbewegen *od.* gedankenlos handeln. – **3.** *obs.* jammern, winseln. – **II** *s* **4.** Gefasel *n*, Geschwätz *n.* – **5.** *obs.* Bettler *m.*

maun·dy ['mɔːndi] *relig.* **I** *s auch* ~ **money** *Br. Almosen, das der König od. die Königin am Gründonnerstag verteilen läßt*: **Royal** M~ königliche Almosenverteilung am Gründonnerstag. – **II** *adj* Fußwaschungs..., Gründonnerstags...: ~ **coins** Gründonnerstagmünzen; M~ **Thursday** Gründonnerstag.

Mau·ser ['mauzər] *s* 'Mausergewehr *n*, -pi₍stole *f* (*Markenname u. Typ*).

mau·so·le·an [₍mɔːsə'liːən], *selten* **₍mau·so'le·al** [-əl] *adj* **1.** mauso'leumartig. – **2.** monumen'tal.

mau·so·le·um [₍mɔːsə'liːəm] *pl* **₍mau·so'le·ums** *od.* **-'le·a** [-'liːə] *s* Mauso'leum *n*: a) M~ *antiq. Grabmal des Königs Mausolus zu Halikarnassus*, b) prunkvolles Grab, c) *humor.* düsterer Prunkbau.

mauve [mouv] **I** *s* Malvenfarbe *f.* – **II** *adj* malvenfarbig, mauve, 'bläulichvio₍lett, lila.

mauve·ine ['mouviːn; -in], *auch* **'mauve·in** [-in] *s chem.* Mauve'in *n* (*erster künstlicher Anilinfarbstoff*).

mav·er·ick ['mævərik] *Am.* **I** *s* **1.** Stück *n* Vieh ohne Eigentümermarke. – **2.** mutterloses Kalb. – **3.** *colloq.* Einzelgänger *m*, Außenseiter *m* (*bes. j-d der seine Partei verläßt, um Sonderpläne zu verfolgen*). – **II** *v/i* **4.** herrenlos um'herlaufen. – **5.** *colloq.* sich absondern.

ma·vis ['meivis] *s poet. od. dial.* Singdrossel *f* (*Turdus musicus*).

ma·vour·neen, *auch* **ma·vour·nin** [mə'vurniːn] *s Irish* mein Liebling, mein Schatz.

maw [mɔː] *s* **1.** (Tier)Magen *m*, *bes.* Labmagen *m* (*der Wiederkäuer*). – **2.** *biol.* Rachen *m*, Schlund *m* (*von Tieren*), Kropf *m* (*von Vögeln*). – **3.** *humor.* Wanst *m*, Schmerbauch *m.* – **4.** *fig.* Schlund *m*, Rachen *m*: death's ~.

mawk·ish ['mɔːkiʃ] *adj* **1.** leicht widerlich, abgestanden (*von Geschmack*). – **2.** *fig.* abgeschmackt, rührselig, süßlich, sentimen'tal. — **'mawk·ish·ness** *s* **1.** Widerlichkeit *f.* – **2.** (rührselige) Empfindsamkeit.

maw seed *s* Mohnsame(n) *m.*

'maw₍worm *s* **1.** *zo.* (*ein*) Madenwurm *m* (*Darmschmarotzer aus der Klasse Nematoda*). – **2.** *fig.* Heuchler *m*, Scheinheiliger *m.*

max·il·la [mæk'silə] *pl* **-lae** [-liː] *s* **1.** *med. zo.* (Ober)Kiefer *m*, Ma'xilla *f*, Kiefergerüst *n*, Kinnlade *f*, -backen *m*: **inferior** ~ Unterkiefer; **superior** ~ Oberkiefer. – **2.** *zo.* Fußkiefer *m* (*von Krustentieren*), Zange *f.* — **max·il·lar·y** [*Br.* mæk'siləri; *Am.* 'mæksə₍leri] **I** *adj med. zo.* maxil'lar, zum (Ober)Kiefer gehörig: ~ **bone** (Ober)-Kieferknochen; ~ **crest** Kieferleiste; ~ **gland** Backendrüse; ~ **notch** Kieferausschnitt; ~ **process** Kieferfortsatz; → **palpus** 1; **sinus** 3. – **II** *s med.* Oberkieferknochen. — **max·il·lif·er·ous** [₍mæksi'lifərəs] *adj biol.* mit Kieferknochen versehen. — **max·il·li·form** [mæk'sili₍fɔːrm] *adj biol.* kieferförmig. — **max'il·li₍ped** [-₍ped] *s zo.* Kieferfuß *m.*

maxillo- [mæksilo] *Wortelement mit der Bedeutung* Oberkiefer(knochen).

max·il·lo·pal·a·tal [mæk₍silo'pælətl], **max₍il·lo'pal·a·tine** [-₍tain; -tin] *adj biol.* ₍maxillopalati'nal, Kinn u. Gaumen betreffend. — **max₍il·lo'tur·bi·nal** [-'təːrbinl] *s med.* untere Nasenmuschel.

max·im ['mæksim] *s* Ma'xime *f*: a) allgemeine Wahrheit, b) (Haupt)-Grundsatz *m* des Handelns, c) Gemeinspruch *m*, Sen'tenz *f.* – *SYN.* adage, proverb, saw.

max·i·mal ['mæksiməl; -sə-] *adj* maxi'mal, höchst(er, e, es), größt(er, e, es), Höchst..., Maximal... — **'max·i·mal·ist** *s* **1.** Verfechter(in) radi'kalster Ansprüche ohne jegliche Kompro'mißlösung, 'Ultra-Radi₍kale(r). – **2.** *hist.* Maxima'list *m* (*Anhänger einer Splittergruppe der russ. Revolutionspartei*).

Max·im gun ['mæksim], *auch* **'Max·im** *s mil.* 'Maxim-(Ma₍schinen)Gewehr *n* (*wassergekühlter Rückstoßlader*).

max·i·mist ['mæksimist] *s* Sen'tenzenfreund *m.*

max·im·ite ['mæksi₍mait; -sə-] *s tech.* Maxi'mit *n* (*rauchloser Sprengstoff*).

max·i·mi·za·tion [₍mæksimai'zeiʃən; -səmə-] *s* **1.** höchste Steigerung. – **2.** strengste Auslegung. — **'max·i₍mize** [-₍maiz] **I** *v/t* ('übermäßig) vergrößern, verstärken, aufs Höchstmaß bringen. – **II** *v/i bes. relig.* die Lehre (über'trieben) streng auslegen. — '**max·i,miz·er** *s bes. relig.* j-d der der Unfehlbarkeit des Papstes allergrößten Wert beilegt.

max·i·mum ['mæksiməm; -sə-] **I** *s pl* **-ma** [-mə], **-mums 1.** Maximum *n*, Höhepunkt *m*, Höchstgrenze *f*, -maß *n*, -zahl *f*. – **2.** *math.* Höchstwert *m* (*Funktion*), Scheitel *m* (*Kurve*). – **3.** *econ.* Höchstpreis *m*, -angebot *n*. – **4.** Höchstwert *m* (*Temperatur etc*). – **II** *adj* **5.** höchst(er, e, es), Höchst..., Maximal...: ~ **deflection** *electr. phys.* Maximalauslenkung, Höchstausschlag; ~ **likelihood estimation** (*Statistik*) Schätzung nach dem höchsten Wahrscheinlichkeitswert; ~ **load** a) *biol.* Höchstlast, b) *electr.* Maximal-, Höchstbelastung; ~ **output** *econ.* Höchstleistung (*Produktion*); ~ **quota** *econ.* Höchstkontingent; ~ **thermometer** Maximumthermometer; ~ **wages** Maximal-, Spitzenlohn. – **6.** *tech.* höchstzulässig: ~ **load** Höchstbeanspruchung, Tragfähigkeit, Bruchbelastung, -last; ~ **punishment** Höchststrafe.

max·i·mus ['mæksiməs; -sə-] (*Lat.*) *adj Br.* ältester (*von mehreren gleichnamigen Personen, bes. in Schulen*): **Miller** ~ der älteste Miller.

max·well ['mækswel] *s electr.* Maxwell *n* (*Einheit des magnetischen Stroms*).

may[1] [mei], *obs. 2. sg pres* **mayst** [meist], *3. sg pres* **may**, *neg auch* **mayn't** [meint], *pret u. optativ* **might** [mait], *neg auch* **mightn't** [maitnt] *v irr* (*defektiv, meist Hilfsverb*; **might** *als pret ist heute selten außer in indirekter Rede*) **1.** (*Möglichkeit, Gelegenheit*) können, mögen: **it** ~ **happen any time** es kann jederzeit geschehen; **you** ~ **be right** du magst recht haben; **he** ~ **not come** vielleicht kommt er nicht; es ist möglich, daß er nicht kommt; **come what** ~ komme, was da wolle; **he might lose his way** er könnte sich verirren. – **2.** (*Erlaubnis*) dürfen, können: **you** ~ **go**; ~ **I ask?** darf ich fragen? **I wish I might tell you** ich wollte, ich dürfte (es) dir sagen; *selten mit neg*: **he** ~ **not do it** er darf es nicht tun (*dafür oft* **cannot** *od. eindringlicher* **must not**). – **3.** *mit* (**as**) **well, just as well**: **you** ~ **well say so** du hast gut reden; **well** ~ **you ask why!** (*ironisch*) du hast allen Grund zu fragen warum! **we might as well go** ebensogut könnten wir gehen, gehen wir schon; **he might just as well have been dismissed** er hätte geradeso gut entlassen werden können. – **4.** *ungewisse Frage*: **how old** ~ **she be?** wie alt mag sie wohl sein? **I wondered what he might be doing** ich fragte mich, was er wohl tue. – **5.** *Wunschgedanke, Segenswunsch*: ~ **God bless you!** ~ **you be happy!** ~ **it please your Grace** Euer Gnaden mögen geruhen. – **6.** *familiäre od. vorwurfsvolle Aufforderung*: **you** ~ **post this letter for me; you might help me** du könntest mir auch helfen; **you might at least offer to help** du könntest wenigstens deine Hilfe anbieten. – **7.** ~ *od.* **might** *als Konjunktionsumschreibung* (*Absichts-, Einräumungssatz, unbestimmter Relativsatz u. ähnliche Modalsätze*): **I shall write to him so that he** ~ **know our plans; though it** ~ **cost a good deal; whatever it** ~ **cost; difficult as it** ~ **be** so schwierig es auch sein mag; **we feared they might attack** wir fürchteten, sie würden angreifen. – **8.** *jur.* (*in Verordnungen*) müssen. – **9.** *obs.* fähig *od.* im'stande sein.

May[2] [mei] *s* **1.** Mai *m*: **in** ~ im (Monat) Mai; **the month of** ~ der Monat Mai. – **2.** *auch* **m**~ *fig.* Lebensmai *m*, -frühling *m*, Blütezeit *f*: **his** ~ **of youth** sein Jugendlenz. – **3. m**~ *bot.* a) → **hawthorn**, b) (*eine*) Ulme (*Gattg Ulmus*), c) (*eine*) Gänsekresse (*Gattg Arabis*). – **4.** Maifest *n*, -feier *f*. – **5.** *pl* → ~ **examination**. – **6.** *pl* → ~ **races**.

may[3] [mei] *s obs. od. poet.* Maid *f*, Jungfrau *f*.

Ma·ya[1] ['mɑːjə] *s* **1.** Maya *m, f* (*Angehöriger eines alten indianischen Kulturvolks von Mittelamerika*). – **2.** *ling.* Mayasprache *f*.

ma·ya[2] ['mɑːjɑː] **I** *s* (*Hinduismus*) Maja *f*: a) (Na'tur)Ma,gie *f*, b) täuschende Erscheinung (*eines Gottes*). – **II** *npr* **M**~ Maya *f* (*Name der Mutter Buddhas*).

Ma·yan ['mɑːjən] **I** *adj* zu den Mayas gehörig. – **II** *s* → **Maya**[1].

May ap·ple, '**may,ap·ple** *s bot. Am.* Maiapfel *m* (*Podophyllum peltatum*).

May bas·ket *s Am.* Geschenkkörbchen *n* mit Blumen *od.* Süßigkeiten (*das man seiner Freundin am 1. Mai an die Türklinke hängt*).

may·be ['meibiː; -bi] **I** *adv* **1.** viel'leicht, möglicherweise. – **II** *adj selten* **2.** wahr'scheinlich. – **3.** möglich. – **III** *s* **4.** Möglichkeit *f*, Wahr'scheinlichkeit *f*. – **5.** Ungewißheit *f*. — '**may-be** *cf.* maybe II *u.* III. — **may be** *cf.* maybe I.

May| bee·tle → **May bug**. — '~,**bird 1.** *Am. für* a) **bobolink**, b) **knot**[2]. – **2.** *Br. für* **whimbrel**. – **3.** → **wood thrush** 1. — '~,**bloom** → **hawthorn**. — ~ **blos·som** *s* **1.** *Am. für* **lily of the valley**. – **2.** → **hawthorn**. — ~ **bug** *s zo.* Maikäfer *m* (*Melolontha melolontha u. M. hippocastani*). — ~ **Day** *s* der 1. Mai, Maitag *m*: a) *als Frühlingsanfang, auch fig.* Freudentag *m*, b) *Tag der Arbeit* (*in Europa*). — '~-,**day** *adj* zum 1. Mai gehörig, Maitags... — ,**m**~'**day** *s mar.* (internatio'nales) 'Funk-Notsi,gnal. — ~ **ex·am·i·na·tion** *s Br. Universitätsprüfung am Ende des Frühjahrssemesters in Cambridge*.

May·fair ['mei,fɛr] *npr vornehmer Stadtteil in London östl. von Hyde Park*.

'**may,fish** *s zo. Am.* Alse *f* (*Fundulus majalis*).

'**May|,flow·er** *s* **1.** *Br. für* a) **hawthorn**, b) **cuckooflower** 1, c) **marsh marigold**. – **2.** *Am. für* a) **arbutus** 3, b) **hepatica**, c) **anemone** 1a, d) **spring beauty**. – **3.** *hist. Name des Schiffs, in dem die* **Pilgrim Fathers** *im Jahre 1620 von Southampton nach Amerika fuhren*. — ~ **fly** *s* **1.** *zo.* Eintagsfliege *f* (*sehr kurzlebiges Insekt der Ordng Ephemerida*) (*auch fig.*). – **2.** (*Angelsport*) *eine künstliche Fliege* (*nachgeahmte Eintagsfliege*). — ~ **games** *s pl* Maifeierbelustigungen *pl* (*Tänze um den Maibaum etc*).

may·hap [mei'hæp; 'mei,hæp], *auch* **may'haps** *od.* **may'hap·pen** [-pən] *adv obs. od. dial.* viel'leicht, möglicherweise.

may·hem ['meihem; 'meiəm] *s* **1.** *jur. hist.* (*strafbare*) *Verstümmelung einer Person, um sie wehrlos zu machen*. – **2.** *mil.* Selbstverstümmelung *f*, -beschädigung *f* (*um Entlassung aus der Armee zu erreichen*).

May·ing, m~ ['meiiŋ] *s hist.* das Feiern des Maitags: **to go a-maying** (*od.* ~) zum Maifest ziehen.

mayn't, maynt [meint] *colloq. für* **may not**.

may·on·naise [,meiə'neiz] *s* **1.** Mayon'naise *f*. – **2.** Mayon'naisegericht *n*: ~ **of lobster** Hummermayonnaise.

may·or [mɛr; *Am. auch* 'meiər] *s* Bürgermeister *m* (einer Stadt) (*in England meist ein repräsentatives Ehrenamt, in USA oft das vom Volk gewählte Haupt einer Stadtverwaltung mit wichtigen Funktionen*): ~'s **court** *Am.* Bürgermeistergericht. — '**may·or·al** *adj* bürgermeisterlich, Bürgermeister... — '**may·or·al·ty** [-ti] *s* **1.** Bürgermeisteramt *n*. – **2.** 'Amtsperi,ode *f* eines Bürgermeisters. — '**may·or·ess** *s* **1.** Gattin *f* des Bürgermeisters. – **2.** *Am.* Bürgermeisterin *f*, Inhaberin *f* des Bürgermeisteramts (= *Br.* **Lady Mayor**). – **3.** *Br. Dame, die, falls der Bürgermeister ein Junggeselle ist, gewisse repräsentative Verpflichtungen übernimmt, die sonst der Gattin des Bürgermeisters überlassen bleiben*.

'**May|,pole**, '**m**~,**pole** *s* Maibaum *m*. — '~,**pop**, '**m**~,**pop** *s bot.* (*eine nordamer.*) Passi'onsblume (*Passiflora incarnata*). — ~ **queen** *s* Maikönigin *f*. — ~ **rac·es** *s pl Br. Bootrennen in Cambridge, spät im Mai od. früh im Juni*. — '~,**thorn** → **hawthorn**. — '~,**tide**, '~,**time** *s* Mai(en)zeit *f*, Monat *m* Mai. — '**m**~,**weed** *s bot.* Stinkende 'Hundska,mille (*Anthemis cotula*). — '~,**wort** *s bot.* Kreuz-Labkraut *n* (*Galium cruciata*).

ma·za·me [mə'zɑːmei; -'sɑː-] *s zo.* **1.** Pampashirsch *m* (*Blastocerus campestris*). – **2.** → **pronghorn** I. – **3.** → **Rocky Mountain goat**.

maz·ard ['mæzərd] *s* **1.** *cf.* mazzard. – **2.** *obs.* Schale *f*, Topf *m*. – **3.** *obs.* Kopf *m*, Gesicht *n*.

maz·a·rine [,mæzə'riːn; 'mæzə,riːn] **I** *adj* **1. M**~ den Kardi'nal Maza'rin betreffend. – **2.** maza'rin-, dunkelblau. – **II** *s* **3.** Maza'rinblau *n*. – **4.** *obs.* blaues Tuch *od.* Amtskleid. — ~ **blue** *s* Maza'rin-, Dunkelblau *n*.

Maz·da·ism ['mæzdə,izəm] *s relig. hist.* Mazda'ismus *m* (*altpers. Religion Zoroasters*). — **Maz·de·an** ['mæzdiən; mæz'diːən] *adj* zoro'astrisch. — **Maz·de·ism** *cf.* Mazdaism.

maze [meiz] **I** *s* **1.** Irrgarten *m*, Laby'rinth *n* (*auch fig.*). – **2.** *fig.* Bestürzung *f*, Verwirrung *f*: **she was in a** ~ sie war verwirrt *od.* verblüfft. – **II** *v/t selten* **3.** verwirren, verblüffen, verdutzt machen. – **4.** schwindlig machen. — **mazed** *adj* verdutzt, verblüfft. — '**maz·ed·ly** [-idli] *adv*.

ma·zer ['meizər] *s* großes Trinkgefäß (*ehemals aus Maserholz u. mit Silber beschlagen*). — ~ **tree** *s bot.* Feldahorn *m*, Maßholder *m* (*Acer campestre*).

ma·zi·ness ['meizinis] *s* Bestürzung *f*, Verwirrung *f*, Verlegenheit *f*.

ma·zu·ma [mə'zuːmə] *s sl.* ‚Pinkepinke' *f*, ‚Mo'neten' *pl* (*Geld*).

ma·zur·ka [mə'zəːrkə] *s mus.* Ma'zurka *f*, Ma'surka *f*.

ma·zy ['meizi] *adj* **1.** voller Irrgänge (*wie ein Labyrinth*), voller Windungen. – **2.** verwirrend. – **3.** *bes. dial.* irr, verwirrt.

maz·zard ['mæzərd] *s bot.* wilde Süßkirsche (***Prunus avium***).

Mc·Car·thy·ism [mə'kɑːrθi,izəm] *s* McCarthy'ismus *m*: a) *öffentliche Anklage der Staatsfeindlichkeit, bes. prokommunistischer Einstellung*, b) *Voreingenommenheit in öffentlichen Untersuchungen*, c) *Aufspüren u. Verfolgen von Beamten, die staatsfeindlichen Organisationen angehören od. angehörten*.

Mc·Coy [mə'kɔi] *s Am. sl.* gutes Bier *od.* guter Whisky: **the real** ~ das Richtige, ‚der wahre Jakob'.

Mc·In·tosh ['mækin,tɒʃ], *auch* ~ **Red** *s Am. od. Canad.* Macintosh-Apfel *m* (*spätreifende Apfelsorte*).

M day *s* Mo'bilmachungstag *m*, Tag *m* des Kriegsausbruchs.

me [miː; mi] **I** *pron* **1.** (*dat*) mir: a) **he gave** ~ **money; he gave it (to)** ~,

b) *obs. od. dial. als ethischer dat*: I can buy ~ twenty; heat ~ these irons mach mir diese Eisen heiß, c) *obs. in Wendungen wie*: woe is ~ weh mir, d) *in Zusammensetzungen*: methinks, meseems mir scheint, mich dünkt. – **2.** (*acc*) mich: a) he took ~ away er führte mich weg; will you open the door for ~ willst du mir die Tür öffnen, b) *obs. od. dial. reflex*: I sat ~ down. – **3.** *colloq.* ich: a) it's ~ ich bin's; who? ~ wer? ich; don't you wish you were ~, b) *in Ausrufen*: dear ~ du meine Güte; poor ~ ich Arme(r); and ~ a widow wo ich doch Witwe bin, c) (*in Vergleichen*) *nach* as *u.* than: he is bigger than ~. – **4.** of ~ (*statt* my *od.* mine) *in Wendungen wie*: not for the life of ~ beileibe nicht, und wenn man mich umbrächte. – **II** *s* **5.** *oft* Me *psych.* Ich *n*: my inmost ~ mein innerstes Ich.

mea·cock [ˈmiːkɒk] *s obs.* Schwächling *m*.

mead¹ [miːd] *s* Met *m*, Honigwein *m*.

mead² [miːd] *poet. für* meadow 1.

mead·ow [ˈmedou] **I** *s* **1.** (Heu-, Berg-) Wiese *f*, Matte *f*, Anger *m*. – **2.** Grasniederung *f* (*in Fluß- od. Seenähe*). – **3.** Futterplatz *m* für Fische. – **4.** Wiesengrün *n*. – **II** *v/t* **5.** zu Wies(en)land machen, als Heuwiese benützen. — **~ beau·ty** *Am. für* deer grass 2. — **~ bird** *Am. für* bobolink. — **~ brown** *s zo.* Augenfalter *m* (*Fam. Satyridae*). — **~ cam·pi·on** → ragged robin. — **~ cat's-tail grass** → timothy². — **~ clo·ver** → red clover. — **~ crake** *Br. für* corn crake. — **~ cress** → cuckooflower 1. — **~ crow·foot** *s bot.* Knolliger Hahnenfuß (*Ranunculus bulbosus*). — **~ drake** → corn crake.

mead·ow·er [ˈmedoər] *s agr.* Wiesenbebauer *m*.

mead·ow| fern *s bot. Am.* Farnstrauch *m* (*Comptonia asplenifolia*). — **~ fes·cue** *s bot.* Wiesenschwingel *m*, -gras *n* (*Festuca pratensis*). — **~ fox·tail** *s bot.* Wiesenfuchsschwanzgras *n* (*Alopecurus pratensis*). — **~ grass** *s bot.* Rispengras *n* (*Gattg Poa*): smooth ~ Wiesenrispengras (*P. pratensis*). — **~ hen** *s zo.* **1.** Amer. Wasserhuhn *n* (*Fulica americana*). – **2.** Amer. Rohrdommel *f* (*Botaurus mugitans*). – **3.** *Am. für* clapper rail. — **ˈ~ˌland** *s* Wies(en)land *n*. — **~ lark** *s zo.* (*ein*) amer. Wiesenstärling *m* (*Gattg Sturnella, bes. S. magna u. S. neglecta*). — **~ mouse** *s irr zo.* (*eine*) amer. Feld-, Erdmaus (*Gattg Microtus, bes. M. pennsylvanicus*). — **~ mus·sel** *s zo.* Amer. Miesmuschel *f* (*Modiola plicatola*). — **~ ore** *s min.* Wiesen-, Sumpferz *n* (*Eisenhydroxyde*). — **~ pars·nip** *s bot.* **1.** Gemeines Heil-, Herkuleskraut, Unechte Bärenklaue (*Heracleum spondylium*). – **2.** *Am.* Böskraut *n* (*Gattg Thaspium*). — **~ pea** *s bot.* (Wiesen)Platterbse *f* (*Lathyrus pratensis*). — **~ pink** *s bot.* **1.** → ragged robin. – **2.** → maiden pink. – **3.** *Am. eine Orchidee* (*Blephariglottis grandiflora*). — **~ pip·it** *s zo.* Wiesenpieper *m* (*Anthus pratensis*). — **~ queen** → meadowsweet 2. — **~ rue** *s bot.* Wiesenraute *f* (*Gattg Thalictrum*). — **~ saf·fron** *s bot.* Zeitlose *f* (*Gattg Colchicum*), *bes.* Herbstzeitlose *f* (*C. autumnale*). — **~ sage** *s bot.* Wiesensalbei *m, f* (*Salvia pratensis*). — **~ sax·i·frage** *s bot.* **1.** (*ein*) Steinbrech *m* (*Saxifraga granulata*). – **2.** Wiesensilau *m* (*Silaus flavescens*). – **3.** Sesel *m* (*Gattg Seseli*). — **~ snipe** *s zo.* **1.** Gemeine Amer. Schnepfe (*Gallinago Wilsoni*). – **2.** *Am. für* pectoral sandpiper. — **ˈ~ˌsweet** *s bot.* **1.** Mädesüß *n* (*Gattg Filipendula, bes. F. ulmaria*). – **2.** *Am.* Spierstrauch *m* (*Gattg Spiraea*), *bes.* Weidenblättriger Spierstrauch (*S. salicifolia*).

mead·ow·y [ˈmedoi] *adj* wiesenartig, -reich, Wiesen...

mea·ger, *bes. Br.* **mea·gre** [ˈmiːgər] *adj* **1.** mager, dünn, dürr: a ~ face. – **2.** *fig.* dürftig, kärglich, arm(selig), kraftlos, iˈdeenarm. – *SYN.* exiguous, scant, scanty, spare, sparse. — **ˈmea·ger·ness**, *bes. Br.* **ˈmea·gre·ness** *s* **1.** Magerkeit *f*, Dürre *f*. – **2.** Dürftigkeit *f*, Armseligkeit *f*.

meak·ing i·ron [ˈmiːkiŋ] *s mar. hist.* Nahthaken *m* (*um altes Werg aus den Schiffsnähten zu zupfen*).

meal¹ [miːl] **I** *s* **1.** grobes (Getreide-) Mehl, Schrotmehl *n*: Indian ~, corn ~ *Am.* Maismehl (*im Gegensatz zu* flour, *dem feineren Weiß- od. Weizenmehl*); rye ~ Roggenmehl. – **2.** Mehl *n*, Pulver *n* (*aus Früchten, Nüssen, Mineralen etc*). – **II** *v/t* **3.** mit Mehl bestäuben. – **4.** zu Mehl machen. – **III** *v/i* **5.** Mehl geben. – **6.** zu Mehl werden.

meal² [miːl] **I** *s* **1.** Mahl(zeit *f*) *n*, Essen *n*: to have a ~; to take one's ~s; a square ~ eine reichliche Mahlzeit; to make a ~ of s.th. etwas verzehren, sich an etwas gütlich tun. – **2.** *agr.* Milchmenge *f* einer Kuh von einem Melken. – **II** *v/i* **3.** *bes. Am.* essen, Mahlzeit halten.

-meal [miːl] *obs. Wortelement mit der Bedeutung* ...weise: piecemeal stückweise, in kleine(n) Stückchen.

meal bee·tle *s zo.* (*ein*) Mehlkäfer *m*, (*ein*) Müller *m* (*Tenebrio molitor u. T. obscurus*).

meal·ie [ˈmiːli] (*S.Afr.*) *s* **1.** Maisähre *f*. – **2.** *meist pl* Mais *m*: ~(s) field Maisfeld; ~(s) meal Maismehl.

meal·i·ness [ˈmiːlinis] *s* mehlige Beschaffenheit, Mehligkeit *f*.

meal| moth *s zo.* (*ein*) Mehlzünsler *m* (*Pyralis farinalis u. Plodia interpunctella*). — **~ of·fer·ing** *s relig.* (jüd.) Speisopfer *n*. — **~ pen·nant** *s mar. Am.* Mahlzeitstander *m* (*rotes Dreieck; zeigt, daß die Schiffsmannschaft beim Essen ist*). — **~ tick·et** *s Am.* **1.** Gutschein *m* für eine Mahlzeit (*od. Beköstigung für eine gewisse Zeitspanne*). – **2.** *sl.* ,Gönner' *m* (*der für alle Ausgaben aufkommt*). — **ˈ~ˌtime** *s* Essenszeit *f*. — **~ worm** *s zo.* Mehlwurm *m* (*Larve der Mehlkäfer Tenebrio molitor u. T. obscurus*).

meal·y [ˈmiːli] *adj* **1.** mehlig, mehlartig: ~ potatoes. – **2.** Mehl enthaltend, mehlhaltig. – **3.** (wie) mit Mehl bestäubt. – **4.** blaß (*Gesicht*). – **5.** *Kurzform für* mealymouthed. – **6.** (weiß u. grau) gefleckt (*Pferd*). — **~ bug** *s zo.* (*eine*) Schildlaus (*bes. Gattg Pseudococcus*), *bes.* a) Kaffeelaus *f* (*P. adonidum*), b) Citruslaus *f* (*P. citri*). — **ˈ~ˌmouth** *s selten* **1.** j-d der sich zuˈrückhaltend ausdrückt. – **2.** Leisetreter *m*. — **ˈ~ˈmouthed** [-ˈmauðd] *adj* **1.** sanftzüngig, zuˈrückhaltend *od.* geziert (*in Worten*), kleinlaut. – **2.** leisetretend, vertuschend. – **3.** schmeichelnd, heuchlerisch, glattzüngig. — **ˌ~ˈmouth·ed·ly** [-idli] *adv.* — **ˌ~ˈmouth·ed·ness** *s* **1.** Sanftheit *f* im Reden, mildernde Ausdrucksweise, Vertuschung *f*. – **2.** Glattzüngigkeit *f*, Heucheˈlei *f*, ˌLeisetreteˈrei *f*. — **~ prim·rose** *s bot.* Mehlprimel *f* (*rote Primel mit weißen Blattunterseiten*). — **~ tree** *s bot.* **1.** Wolliger Schneeball, Schlinge *f*, Türk. Weide *f* (*Viburnum lantana*). – **2.** Gezackter Schneeball (*Viburnum dentatum*).

mean¹ [miːn] *pret u. pp* **meant** [ment] **I** *v/t* **1.** (*etwas*) im Sinn haben, im Auge haben, beabsichtigen, meinen, sich einfallen lassen: I ~ it es ist mir Ernst damit; to ~ to do s.th. etwas zu tun gedenken; he ~s business er meint es ernst, er macht Ernst; he meant mischief er hatte Böses im Sinn; I ~ what I say ich mein's, wie ich's sage; ich spaße nicht. – **2.** wollen: a) (*mit acc u. inf*): I ~ you to go ich will, daß du gehst, b) (*neg oft entschuldigend*): I didn't ~ to disturb you ich habe dich nicht stören wollen. – **3.** (*bes. pass*) bestimmen, (*für einen bes. Zweck*) aussehen: they were meant for each other; he was meant to be a soldier er war zum Soldaten bestimmt; this cake is meant to be eaten der Kuchen ist zum Essen da. – **4.** (*Bedeutung*) im Sinne haben, meinen, sagen wollen: by 'liberal' I ~ unter ,liberal' verstehe ich; I ~ his father ich meine seinen Vater. – **5.** bedeuten: he ~s all the world to me er bedeutet mir alles; a family ~s a lot of work. – **6.** (*von Wörtern u. Worten*) bedeuten, heißen: Latin 'pater' and English 'father' ~ the same; what does 'fair' ~? – **II** *v/i* **7.** *selten* gesonnen sein: to ~ well (ill) by (*od.* to) s.o. j-m wohl (übel) gesinnt sein. – **8.** bedeuten (to für *od. dat*): to ~ little (much) to s.o. j-m wenig (viel) bedeuten. – **9.** *obs.* Gedanken haben, meinen.

mean² [miːn] *adj* **1.** gemein, gering, niedrig (*dem Stande nach*): ~ birth niedrige Herkunft; ~ white *Am. hist.* Weißer (*in den Südstaaten*) ohne Landbesitz. – **2.** gering, ärmlich, armselig, schäbig, erbärmlich (*Aussehen, Verhältnisse etc*): ~ streets armselige Straßen. – **3.** schlecht, unbedeutend, gering: no ~ artist ein recht bedeutender Künstler; no ~ foe ein nicht zu unterschätzender Gegner. – **4.** gemein, niederträchtig, ehrlos. – **5.** geizig, knauserig, kleinlich, ungefällig, schäbig. – **6.** *colloq.* a) eigennützig, b) *Am.* boshaft, bissig, c) schäbig, kleinlich: to feel ~ sich seiner Kleinlichkeit bewußt sein, sich schäbig vorkommen, d) *Am.* unpäßlich: to feel ~ sich nicht wohl *od.* sich (körperlich) elend fühlen. – *SYN.* abject, ignoble, sordid.

mean³ [miːn] **I** *adj* **1.** mittel, mittler(er, e, es), Mittel...: ~ course *mar.* Mittelkurs; ~ distance *astr.* mittlere Entfernung; ~ height mittlere Höhe (*über dem Meeresspiegel*); ~ annual temperature Temperaturjahresmittel. – **2.** mittelmäßig, Durchschnitts...: ~ deviation *biol.* durchschnittliche Streuung; ~ output *econ.* Durchschnittsleistung. – **3.** *math.* Mittel..., Durchschnitts...: ~ proportional mittlere Proportionale; ~ quantity Durchschnittswert, -größe; ~ value theorem Mittelwertsatz. – **4.** daˈzwischenliegend, Zwischen... –

II *s* **5.** Mitte *f*, (*das*) Mittlere, Mittel *n*, ˈDurchschnitt *m*, Mittelweg *m*: to hit the happy ~ die goldene Mitte treffen. – **6.** *math.* ˈDurchschnittszahl *f*, Mittel(wert *m*) *n*: arithmetical ~ arithmetisches Mittel; corrected ~ korrigierter Mittelwert; to strike a ~ einen Mittelwert errechnen. – **7.** Mittelmaß *n*: there is a ~ in all things es gibt ein Maß in allen Dingen. – **8.** Mittelmäßigkeit *f*. – **9.** (*Logik*) Mittelsatz *m*. – **10.** *meist pl* (*als sg od. pl konstruiert*) Mittel *n*, Werkzeug *n*, Weg *m*: by all (manner of) ~s auf alle Fälle, schlechterdings; by any ~s a) etwa, vielleicht, möglicherweise, b) überhaupt, c) auf irgendwelche Weise; by no (manner of) ~s, not by any ~s durchaus nicht, keineswegs, auf keinen Fall; by some ~s or other auf die eine od. die andere Weise; no other ~s was left than es blieb kein anderes Mittel, als; a ~s of communication ein Verkehrsmittel; ~s of distribution Verbreitungsmittel; ~s of living Erwerbsmittel, -quelle; ~s of prevention Verhütungsmittel; ~s of protection Schutzmittel; ~s of transportation *Am.* Beförderungsmittel; by ~s of vermittelst, mittels, durch; by our ~s durch uns; by this ~s hierdurch; by fair ~s im Guten, in Güte; by foul ~s im Bösen, mit Gewalt; by this (*od.* these) ~s hierdurch; to adjust the ~s to the end die Mittel dem Zwecke anpassen; ways and ~s a) Mittel u. Wege, b) *pol.* Geldbeschaffung, -bereitstellung; → end[1] 18. – **11.** *pl* (Hilfs)Mittel *pl*, Vermögen *n*, Einkommen *n*: to live within (beyond) one's ~s seinen Verhältnissen entsprechend (über seine Verhältnisse) leben; limited ~s bescheidene Mittel; a man of ~s ein bemittelter Mann; current ~s *econ.* Umlaufvermögen. – *SYN.* a) agency, agent, instrument, medium, b) *cf.* average.

me·an·der [mi'ændər] **I** *npr* M~ **1.** *antiq.* Mä'ander *m* (*windungsreicher Fluß in Kleinasien, jetzt Menderes*). – **II** *s* **2.** *bes. pl* gewundener Lauf, verschlungener Pfad, Irrweg *m*, Windung *f*, Krümmung *f*, Laby'rinth *n*. – **3.** (*Kunst*) Mä'ander *m*, Kettenzug *m*, gebrochener Stab, Grecborte *f*, spi'ralförmiges Zierband, Muster *n* in Mä'anderlinien. – **III** *v/i* **4.** sich winden *od.* schlängeln, mä'andern. – **5.** ziellos wandern. – **IV** *v/t* **6.** winden, schlängeln, krümmen. – **7.** mit Mä'anderlinien *od.* verschlungenen Verzierungen *od.* Borten versehen. — **me'an·der·ing** *adj* gewunden, mä'andrig: ~ line Mäander(linie).

mean draft *s mar.* mittlerer Tiefgang.

me·an·drine [mi'ændrin] *adj* **1.** → meandering. – **2.** voll von Windungen. – **3.** *zo.* die 'Hirnkoˌrallen betreffend. — **me'an·drous** → meandering.

mean| ef·fect·ive pres·sure *s tech.* mittlerer Arbeits- *od.* Nutzdruck. — ~ **free trav·el** *s tech.* mittlere freie Weglänge. — ~ **high wa·ter** *s mar.* mittleres Hochwasser. — ~ **in·cre·ment** *s biol.* 'Durchschnittsˌzuwachs *m*.

mean·ing ['miːniŋ] **I** *s* **1.** Sinn *m*, Bedeutung *f* (*Wort etc*): full of ~, fraught with ~ bedeutungsvoll, bedeutsam; what's the ~ of this? was soll dies bedeuten? double ~ a) Doppelsinn, b) Zweideutigkeit; words with the same ~ Wörter mit gleicher Bedeutung. – **2.** Meinung *f*, Absicht *f*, Wille *m*, Zweck *m*, Ziel *n*. – **3.** Bedeutsamkeit *f*, (*das*) Bedeutungsvolle: a look full of ~ ein bedeutungsvoller Blick. – *SYN.* acceptation, import, sense, significance, signification. – **II** *adj* **4.** bedeutend. – **5.** bedeutungsvoll, bedeutsam (*Blick etc*). – **6.** (*in Zusammensetzungen*) mit ... Absicht: well-~ wohlmeinend, -wollend. — **'mean·ing·ful** [-ful; -fəl] *adj* bedeutungsvoll. — **'mean·ing·less** *adj* **1.** sinn-, bedeutungslos. – **2.** ausdruckslos (*Gesichtszüge*). — **'mean·ing·less·ness** *s* Sinn-, Bedeutungslosigkeit *f*. — **'mean·ing·ly** *adv* bedeutungsvoll.

mean| life *s irr* **1.** mittlere Lebensdauer. – **2.** *phys.* Halbwertzeit *f*. — ~ **low wa·ter** *s mar.* mittleres Niedrigwasser.

mean·ly ['miːnli] *adv* **1.** armselig, niedrig. – **2.** schlecht: ~ equipped schlecht ausgerüstet. – **3.** schäbig, knauserig.

mean·ness ['miːnnis] *s* **1.** Niedrigkeit *f*, niedriger Stand. – **2.** Wertlosigkeit *f*, Ärmlichkeit *f*, Armseligkeit *f*. – **3.** Niedrigkeit *f* (*Gesinnung*), Gemeinheit *f*, Niederträchtigkeit *f*: out of ~ aus Niederträchtigkeit. – **4.** Knauserigkeit *f*, Filzigkeit *f*.

mean| noon *s astr.* mittlerer Mittag. — ~ **range** *s mar.* mittlerer Tidenhub. — ~ **sea lev·el** *s phys.* (mittlere) Seehöhe, Nor'malnull *n*. — ~ **so·lar time** → mean time. — **'~-'spir·it·ed** *adj* **1.** niedrig gesinnt. – **2.** kriechend, verzagt. — **ˌ~-'spir·it·ed·ness** *s* **1.** Niedertracht *f*. – **2.** Verzagtheit *f*.

means test [miːnz] *s Br. econ.* **1.** *behördliche Einkommensermittlung zwecks Entscheidung über Wohlfahrtsunterstützung nach Aufhören der Arbeitslosenunterstützung.* – **2.** *Staffelung staatlicher od. öffentlicher Zuschüsse (z.B. an Studenten), die das Einkommen der Eltern (od. das gesamte Familieneinkommen) in Betracht zieht.*

mean| sun *s astr.* (*für Berechnungszwecke angenommene*) Sonne, die sich gleichförmig im Ä'quator bewegt. — ~ **term** *s math.* Innenglied *n* (*einer Proportion*).

meant [ment] *pret u. pp von* mean[1].

'mean|ˌtime I *adv* in'zwischen, mittler'weile, unter'dessen. – **II** *s* Zwischenzeit *f*: in the ~ inzwischen, mittlerweile, in der Zwischenzeit. — ~ **time** *s astr.* mittlere (Sonnen)Zeit. — **'~ˌwhile** → meantime.

mease [miːz] *s dial. ein Heringsmaß (gewöhnlich 500 Stück).*

mea·sle ['miːzl] *s zo.* Finne *f*, Blasenwurm *m* (*Gattg Taenia; Bandwurmlarve*). — **'mea·sled** *adj vet.* finnig (*Schweinefleisch*). — **'mea·sled·ness** *s* Finnigkeit *f*.

mea·sles ['miːzlz] *s pl* (*als sg konstruiert*) **1.** *med.* a) Masern *pl*, b) *Name ähnlicher Krankheiten*: false ~, German ~ Röteln, Rabiola. – **2.** *vet.* Finnen *pl* (*der Schweine, durch die Larven eines Tierbandwurms verursacht*). — **mea·sly** ['miːzli] *adj* **1.** *med.* masernkrank. – **2.** *vet.* finnig. – **3.** *sl.* elend, schäbig, lumpig: ~ little potatoes schäbige kleine Kartoffeln.

meas·ur·a·bil·i·ty [ˌmeʒərə'biliti; -əti] *s* Meßbarkeit *f*. — **'meas·ur·a·ble** *adj* **1.** meßbar. – **2.** mäßig: within ~ distance in kurzer Entfernung *od.* Frist. — **'meas·ur·a·ble·ness** → measurability. — **'meas·ur·a·bly** [-bli] *adv* **1.** in meßbaren Ausmaßen. – **2.** *Am.* (bis) zu einem gewissen Grad.

meas·ure ['meʒər] **I** *s* **1.** Maß(einheit *f*) *n*: cubic ~, solid ~ Körper-, Raum-, Kubikmaß; lineal ~, long ~ Längenmaß; square ~, superficial ~ Flächenmaß; ~ of capacity Hohlmaß; unit of ~ Maßeinheit; greatest common ~ *math.* größtes gemeinschaftliches Maß. – **2.** *fig.* richtiges Maß, Ausmaß *n*, richtige *od.* vernünftige Grenzen; beyond (*od.* out of) all ~ über alle Maßen, außerordentlich; in a great ~ in großem Maße, großenteils, überaus; in some ~, in a (certain) ~ gewissermaßen, bis zu einem gewissen Grade; without ~ ohne Maßen, sehr reichlich. – **3.** Messen *n*, Maß *n*: (made) to ~ nach Maß (gearbeitet); to take the ~ of s.th. (die Raumverhältnisse von) etwas abmessen; to take s.o.'s ~ a) j-m (*zu einem Anzug*) Maß nehmen, b) *fig.* j-n taxieren *od.* einschätzen, sich ein Urteil bilden über j-n. – **4.** Maß *n*, 'Meßinstruˌment *n*, -gerät *n*: tape ~ Maßband; yard ~ Maßband, -stock. – **5.** Verhältnis *n*, Maßstab *m* (of für): to be a ~ of s.th. einer Sache als Maßstab dienen; a chain's weakest link is the ~ of its strength das schwächste Glied einer Kette ist ein Maßstab für ihre Stärke. – **6.** Anteil *m*, Porti'on *f*, gewisse Menge. – **7.** a) *math.* Maß(einheit *f*) *n*, Teiler *m*, Faktor *m*, b) *phys.* Maßeinheit *f*: 2 is a ~ of 4 2 ist Teiler von 4; ~ of dispersion Streuungs-, Verteilungsmaß; ~ of variation Abweichungs-, Schwankungsmaß. – **8.** (abgemessener) Teil, Grenze *f*: to set a ~ to s.th. etwas begrenzen. – **9.** *Bibl.* vorgeschriebene Länge *od.* Dauer: the ~ of my days die Dauer meines Lebens. – **10.** *metr.* a) Silbenmaß *n*, b) Versglied *n*, c) Versmaß *n*, Metrum *n*. – **11.** *mus.* a) Zeitmaß *n*, Takt(art *f*) *m*: duple ~, two-in-a-~ Zweiertakt, b) Takt *m* (*als Quantität*): the first, opening ~, c) Zeitmaß *n*, Tempo *n*, d) (*Orgelpfeifen*) Men'sur *f*. – **12.** rhythmische, taktmäßige (*bes. auch* Tanz)-Bewegung, Rhythmus *m*, Takt *m*: to move in ~. – **13.** *hist.* gemessener (Schreit)Tanz: to tread a ~ sich im Takt *od.* Tanz bewegen *od.* drehen, tanzen. – **14.** *poet.* Weise *f*, Melo'die *f*. – **15.** *pl geol.* Lager *n*, Flöz *n*. – **16.** *chem.* Men'sur *f*, Maßeinheit *f*, Grad *m* (*eines graduierten Gefäßes*). – **17.** *print.* Zeilen-, Satz-, Ko'lumnenbreite *f*. – **18.** *arch.* Aufnahme *f*. – **19.** (*Fechten*) Men'sur *f*, Abstand *m*. – **20.** Maßnahme *f*, -regel *f*, Schritt *m*: as a temporary ~ als vorübergehende Maßnahme; to take ~s Maßregeln ergreifen; to take legal ~s den Rechtsweg beschreiten. – **21.** *jur.* gesetzliche Maßnahme, Verfügung *f*, Gesetz *n*: ~ of coercion, coercive ~ Zwangsmaßnahme; incisive ~ einschneidende Maßnahme. –

II *v/t* **22.** (ver)messen, ab-, aus-, zumessen: to ~ the depth (*Bergbau*) abseigern; to ~ a piece of ground ein Grundstück ausmessen; to ~ one's length *fig.* der Länge nach hinfallen; to ~ out a mine ein Bergwerk markscheiden; to ~ swords a) die Klingen messen (*um zu sehen, ob sie von gleicher Länge sind*), b) die Klingen kreuzen, sich messen, seine Kräfte messen (with mit); to ~ s.o. (to be *od.* get ~d) for a suit of clothes j-m Maß nehmen (sich Maß nehmen lassen) zu einem Anzug. – **23.** ~ out ausmessen, die Ausmaße *od.* Grenzen bestimmen. – **24.** *fig.* ermessen. – **25.** (ab)messen, abschätzen, einrichten (by an *dat*): ~d by gemessen an. – **26.** beurteilen (by nach). – **27.** vergleichen, messen (with mit): to ~ one's strength with s.o. seine Kräfte mit j-m messen. – **28.** (*Strecke*) durch'messen, -'laufen, zu'rücklegen. – **29.** *obs.* zumessen, zuteilen. –

III *v/i* **30.** Messungen vornehmen. – **31.** messen, an Maß enthalten, groß sein: it ~s 7 inches es mißt 7 Zoll, es ist 7 Zoll lang. – **32.** ~ up *Am.* die (gestellten) Ansprüche erfüllen, die (nötigen) Qualifikati'onen besitzen (to für).

meas·ured ['meʒərd] *adj* **1.** (ab)gemessen: ~ in the clear (*od.* day) *tech.* im Lichten gemessen; ~ distance *aer. tech.* Stoppstrecke; a ~ mile eine amtlich gemessene *od.* richtige *od.* geometrische Meile. – **2.** richtig proportio'niert. – **3.** (ab)gemessen, gleich-, regelmäßig: ~ tread gemessener Schritt. – **4.** begrenzt, bestimmt, 'wohlüberˌlegt, abgewogen, gemäßigt: to speak in ~ terms sich maßvoll ausdrücken. – **5.** im Versmaß, metrisch, rhythmisch.

meas·ure·less ['meʒərlis] *adj* unermeßlich, unbeschränkt. — **'meas·ure·less·ness** *s* Unermeßlichkeit *f*.

meas·ure·ment ['meʒərmənt] *s* **1.** Messung *f*, Messen *n*, Vermessung *f*, Abmessung *f*: ~ of field intensity *electr. phys.* Feldstärkemessung; ~ of voltage *electr.* Spannungsmessung. – **2.** *mar.* Eiche *f*, 'Meßmeˌthode *f*: builder's ~ Meßmethode des Schiffsbaumeisters; ~ of the tonnage of a ship Eiche, Meßmethode, Vermessung (*im theoretischen Schiffsbau*). – **3.** *mar.* Tonnengehalt *m*. – **4.** (*Bergbau*) a) Markscheidung *f*, b) Maß *n*:

final ~ Wehrzeug; **superficial** ~ verlorene Schnur. – **5.** Maß *n*: **to take s.o.'s ~s for a suit** j-m zu einem Anzug Maß nehmen. – **6.** 'Maßsyˌstem *n*. – **7.** *pl* Abmessungen *pl*, Größe *f*, Dimensi'on *f*, Ausmaße *pl*. – **8.** *math.* (Maß)Einheit *f*: **the ~ along the x-axis** die (Maß)Einheit(en) (auf) der X-Achse.

meas·ur·er ['meʒərər] *s* **1.** *j-d der od. etwas was mißt, bes.* Feld-, Landmesser *m*: **~'s rule** Maßstock. – **2.** Arbeitsmesser *m* (*beim Bauen*). – **3.** 'Meßinstruˌment *n*. – **4.** → **measuring worm.**

meas·ur·ing ['meʒəriŋ] *s* **1.** Messen *n*, (Ver)Messung *f*. – **2.** Meßkunst *f*. — **~ ap·pa·ra·tus** *s phys. tech.* Meßgerät *n*, -vorrichtung *f*. — **~ bridge** *s electr.* Meßbrücke *f*. — **~ ca·ble** *s electr.* Prüfkabel *n*. — **~ ca·pac·i·ty** *s phys.* Meßbereich *m*. — **~ chain** *s* (*Landvermessung*) Lachter-, Meßkette *f*. — **~ cord** *s tech.* Meßschnur *f*. — **~ glass** *s* 'Meßglas *n*, -zyˌlinder *m*, Men'surglas *n*. — **~ line** *s* **1.** *tech.* Meßstrich *m*, -marke *f*. – **2.** *electr.* Meßleitung *f*. — **'~-'off** *s math.* Abtragung *f*, Abmessung *f*. — **~ quan·ti·ty** *s math.* Meß-, Maßgröße *f*. — **~ range** *s phys.* Meßbereich *m*. — **~ rod** *s math. tech.* Maßstab *m*. — **~ staff** *s tech.* Meßlatte *f*. — **~ tape** *s tech.* Maß-, Meßband *n*, Bandmaß *n*. — **~ wheel** *s tech.* Meßrad *n*. — **~ worm** *s zo.* Spannerlarve *f* (*eines Schmetterlings der Fam. Geometridae*).

meat [miːt] *s* **1.** Fleisch *n* (*als Nahrung*): **butcher's ~** Schlachtfleisch; **potted ~, preserved ~** eingemachtes Fleisch; **that is ~ for your master** das ist zu gut für dich; → **green** 4; **minced.** – **2.** *fig.* Genuß *m*, Vergnügen *n*: **this is ~ and drink to me** es ist mir eine Wonne; **one man's ~ is another man's poison** des einen Tod ist des anderen Brot. – **3.** *obs. od. dial.* Nahrung *f*. – **4.** Speise *f* (*nur noch in Wendungen wie*): **after ~** nach dem Essen; **before ~** vor dem Essen; **~ and drink** Speise u. Trank. – **5.** Fleischspeise *f*, Gericht *n*. – **6.** *auch pl Am.* eßbarer Teil, Fleisch *n* (*von Früchten, Fischen etc*), Kern *m* (*einer Nuß*): **as full as an egg is of ~** (*auch Br.*) ganz voll. – **7.** *Bibl.* Speiseopfer *n*. – **8.** *fig.* Sub'stanz *f*, Gehalt *m*, Inhalt *m*: **full of ~** gehaltvoll. – **9.** *hunt. Am.* Strecke *f*, Beute *f*. – **10.** *Am. sl.* Opfer *n*, Beute *f* (*eines Stärkeren od. Gerisseneren*).

meat| ax(e) *s* Schlachtbeil *n*. — **~ ball** *s* Fleischklößchen *n*. — **~ broth** *s* Fleischbrühe *f*. — **~ chop·per** *s* **1.** Hackmesser *n*. – **2.** 'Fleischˌhackmaˌschine *f*, Fleischwolf *m*.

meat·ed ['miːtid] *adj* (*bes. in Zusammensetzungen*) fleischig: **well-~** a) viel Fleisch ergebend (*Schlachtvieh*), b) nahrhaft, fettreich (*Käse*); **open-~** saftig (*Käse*).

meat| ex·tract *s* 'Fleischexˌtrakt *m*. — **~ fly** → **flesh fly.** — **~ hawk** *Am. für* Canada jay.

meat·i·ness ['miːtinis] *s* **1.** Fleischigkeit *f*. – **2.** *fig.* Markigkeit *f*, Kraft *f* (*einer Rede etc*).

meat in·spec·tion *s* Fleischbeschau *f*.

meat·less ['miːtlis] *adj* fleischlos.

'meatˌman *s irr* **1.** *Am.* Metzger *m*, Fleischhauer *m*. – **2.** *bes. Am.* Fleischhändler *m*.

meato- [miːəto; mieito; miætə] *med. Wortelement mit der Bedeutung* Gang, Kanal.

meat of·fer·ing *s Bibl.* Speiseopfer *n*.

me·at·o·tome [mi'ætəˌtoum] *s med.* Meato'tom *n*, Strik'turenmesser *n*. — **me·a·tot·o·my** [ˌmiːə'tɒtəmi] *s* Meatoto'mie *f*, Me'atuserweiterung *f*, Strik'turenoperatiˌon *f* (*der Harnröhre*).

meat| pie *s* 'Fleischpaˌstete *f*. — **~ pud·ding** *s* Fleischpudding *m*. — **~ safe** *s* Fliegenschrank *m*.

me·a·tus [mi'eitəs] *pl* **-tus, -tus·es** *s med.* Me'atus *m*, Gang *m*, Ka'nal *m*: **external (internal) auditory ~** äußerer (innerer) Gehörgang; **nasal ~, ~ of the nose** Nasengang.

meat·y ['miːti] *adj* **1.** fleischig. – **2.** fleischartig: **~ flavo(u)r** Fleischgeschmack. – **3.** *fig.* gehaltvoll, so'lid, gedrungen, markig.

Mec·can ['mekən] **I** *adj* **1.** aus Mekka (stammend). – **2.** Mekka... – **II** *s* **3.** Bewohner(in) von Mekka.

Mec·can·o, m~ [*Br.* me'kɑːnou; *Am.* mə'kænou] (*TM*) *s* Sta'bilbaukasten *m* (*Spielzeug*).

me·chan·ic [mi'kænik; mə-] **I** *adj* **1.** manu'elle Arbeit *od.* das Handwerk betreffend, handwerklich, manuelle Geschicklichkeit erfordernd: **the ~ arts.** – **2.** Handwerker... – **3.** *obs.* handwerksmäßig, gemein. – **4.** me'chanisch, einen Mecha'nismus *od.* eine Ma'schine betreffend: **~ devices** mechanische Vorrichtungen. – **5.** *obs.* erfinderisch. – **II** *s* **6.** a) Autoschlosser *m*, Me'chaniker *m*, Maschi'nist *m*, Mon'teur *m*, b) Handwerker *m*. – **7.** *pl* (*als sg konstruiert*) *phys.* a) Me'chanik *f*, Bewegungslehre *f*, b) *auch* **practical ~s** Ma'schinenlehre *f*: **applied ~s** angewandte Mechanik; **~s of elastic fluids** *phys.* Mechanik der gasförmigen Körper, Aeromechanik; **developmental ~s** Entwicklungsmechanik; **~s of fluids** Flüssigkeitsmechanik, Mechanik der flüssigen Körper, Hydro-, Strömungsmechanik. – **8.** *pl* (*als sg konstruiert*) *tech.* Konstrukti'on *f* von Ma'schinen *etc*: **precision ~s** Feinmechanik. – **9.** *pl* (*als sg konstruiert*) Anordnung *f* (*der Teile*) einer Ma'schine *od.* einer Vorrichtung, Mecha'nismus *m*: **to study the ~s of a watch** den Mechanismus einer Uhr studieren. – **10.** *pl* (*als sg konstruiert*) me'chanische Einzelheiten *pl*: **the ~s of playwriting.** – **11.** *obs.* grober *od.* ordi'närer Mensch.

me·chan·i·cal [mi'kænikəl; mə-] *adj* **1.** me'chanisch, Bewegungs... – **2.** *tech.* Maschinen..., maschi'nell, durch einen Mecha'nismus bewirkt. – **3.** *fig.* ma'schinen-, gewohnheitsmäßig, geistlos, unbewußt, unwillkürlich, me'chanisch. – **4.** dem Handwerksstand angehörend, Handwerks..., Handwerker..., rou'tine-, handwerksmäßig: **~ dodge** *colloq.* Handwerkskniff. – **5.** in der Me'chanik erfahren, me'chanisch *od.* technisch veranlagt: **~ genius** mechanisches Genie. – **6.** me'chanisch 'hergestellt. – **7.** auf Me'chanik fußend, me'chanisch begründet *od.* erklärt. – **8.** *tech.* auto'matisch, selbsttätig. – **9.** materia'listisch (*gesinnt od. eingestellt*). – **10.** *obs.* a) ma'schinenartig, b) praktisch, c) technisch. – **11.** *obs.* niedrig, gemein. – *SYN. cf.* **spontaneous.** — **~ ad·van·tage** *s tech.* me'chanischer Wirkungsgrad. — **~ cen·trif·u·gal ta·chom·e·ter** *s tech.* 'Fliehpendeltachoˌmeter *n*. — **~ curve** *s math.* transzen'dente (*nicht durch algebraische Gleichung ausdrückbare*) Kurve. — **~ deaf·ness** *s med.* Schalleitungstaubheit *f*. — **~ draw·ing** *s* me'chanisches Zeichnen (*im Gegensatz zum Freihandzeichnen*). — **~ ef·fect** *s tech.* 'Nutzefˌfekt *m* (*Maschine*). — **~ en·gi·neer** *s* Ma'schinen(bau)techniker *m*. — **~ en·gi·neer·ing** *s tech.* Ma'schinenbau *m*. — **~ e·quiv·a·lent of heat** *s phys.* me'chanisches 'Wärmeäquivaˌlent. — **~ force** *s* me'chanische *od.* mechanisch ausgeübte Kraft.

me·chan·i·cal·ly [mi'kænikəli; mə-] *adv* (*auch zu* **mechanic** I) me'chanisch, ma'schinenmäßig, maschi'nell. — **~ mind·ed** *adj* für Me'chanik begabt, technisch veranlagt *od.* begabt *od.* eingestellt.

me·chan·i·cal·ness [mi'kænikəlnis; mə-] *s* (*das*) Me'chanische.

me·chan·i·cal| pow·er *s* **1.** *phys.* me'chanische Leistung. – **2.** *selten* einfache Ma'schine (*Schraube, Hebel etc*). — **~ press** *s tech.* Schnellpresse *f*.

mech·a·ni·cian [ˌmekə'niʃən] *s* **1.** Me'chaniker *m*, Ma'schinentechniker *m*. – **2.** *selten* Handwerker *m*.

mechanico- [mikæniko; mə-] *Wortelement mit der Bedeutung* mechanisch.

mech·a·nism ['mekəˌnizəm] *s* **1.** Mecha'nismus *m*, me'chanische Einrichtung *od.* Vorrichtung: **a skil(l)ful piece of ~** kunstreicher Mechanismus; **~ of government** *fig.* Regierungs-, Verwaltungsmaschine; **~ for dispersal** *biol.* Ausstreuvorrichtung. – **2.** (me'chanische) Betätigung *od.* Arbeitsweise, Wirkungsweise *f*. – **3.** *biol. philos.* Mecha'nismus *m* (*mechanistische Auffassung von der Entstehung der Natur etc*). – **4.** *med. psych.* Mecha'nismus *m*, me'chanisches Reakti'onsvermögen.

mech·a·nist ['mekənist] *s selten* Me'chaniker *m*, Maschi'nist *m*. — **ˌmech·a'nis·tic** *adj* **1.** me'chanisch bestimmt. – **2.** *philos.* mecha'nistisch, die mechanistische Philosophie betreffend. – **3.** → **mechanical.** — **ˌmech·a'nis·ti·cal·ly** *adv*.

mech·a·ni·za·tion [ˌmekənai'zeiʃən; -ni'z-] *s* Mechani'sierung *f*. — **'mech·aˌnize I** *v/t* **1.** mechani'sieren: **~d division** *mil.* Panzergrenadierdivision. – **2.** auf me'chanischen *od.* maschi'nellen Betrieb 'umstellen. – **3.** me'chanisch 'herstellen. – **II** *v/i selten* **4.** als Me'chaniker arbeiten.

mech·a·nol·o·gy [ˌmekə'nɒlədʒi] *s selten* Mechanolo'gie *f*, Kenntnis *f* der *od.* Abhandlung *f* über Me'chanik.

mech·a·no·ther·a·py [ˌmekəno'θerəpi] *s med.* Me'chanotheraˌpie *f* (*Anwendung mechanischer Mittel zu Heilzwecken*).

Mech·lin ['meklin], **~ lace** *s* Mechelner *od.* Bra'banter Spitzen *pl*.

me·cho·a·can [mi'kouəkən] *s bot.* Weiße Ja'lap(p)enwurzel (*Ipomoea pandurata*).

me·com·e·ter [mi'kɒmitər; -mət-] *s med.* Meko'meter *n* (*Längenmeßinstrument*).

me·con·ic [mi'kɒnik] *adj chem.* me'kon-, mohnsauer, Mekon... — **~ ac·id** *s chem.* Me'konsäure *f* ($C_7H_4O_7$; *Bestandteil des Opiums*).

mec·o·nin ['mekonin; -kə-] *s chem.* Meko'nin *n* ($C_{10}H_{10}O_4$; *Bestandteil des Opiums*).

me·co·ni·oid [mi'kouniˌɔid] *adj* kindspechartig. — **me'co·ni·um** [-əm] *s* **1.** *med.* Me'konium *n*, Kindspech *n*. – **2.** *obs.* Opium *n*, Mohnsaft *m*.

mecono- [mekəno] *Wortelement mit der Bedeutung* Opium.

mec·o·nol·o·gy [ˌmekə'nɒlədʒi] *s med.* Abhandlung *f* über Opium. — **ˌmec·o'noph·aˌgism** [-'nɒfəˌdʒizəm] *s med.* Opiumsucht *f*, -genuß *m*. — **ˌmec·o'noph·a·gist** *s* Opiumesser *m*.

med·al ['medl] **I** *s* **1.** Me'daille *f*, Denk-, Schaumünze *f*: **the reverse of the ~** *fig.* die Kehrseite der Medaille. – **2.** 'Ehrenmeˌdaille *f*, -auszeichnung *f*, Orden *m*: **service ~** Dienstmedaille. – **3.** *obs.* a) Bildnis *n* in einem Medail'lon, b) Münze *f*. – **II** *v/t pret u. pp* **'med·aled,** *bes. Br.* **'med·alled 4.** mit einer Me'daille verzieren, mit einer Denkmünze beschenken. – **5.** mit einer 'Ehrenme,daille auszeichnen, deko'rieren. — '**med·aled**, *bes. Br.* '**med·alled** *adj* mit einer Me'daille ausgezeichnet, mit Medaillen behängt (*Brust etc*).

Med·al for Mer·it *s Am.* Ver'dienstme,daille *f*, -orden *m* (*für Zivilpersonen*).

med·al·ist ['medəlist], *bes. Br.* '**med·al·list** *s* **1.** Medail'leur *m*, Me'daillen-, Stempelschneider *m*. – **2.** Me'daillen-, Münzenkenner *m*, -liebhaber *m*, -sammler *m*. – **3.** Inhaber(in) einer Ver'dienstme,daille: **gold** ~ Inhaber einer Goldmedaille. — **med·alled** *bes. Br. für* **medaled.** — **me·dal·lic** [mi'dælik; mə-] *adj* Medaillen..., Ordens...

me·dal·lion [mi'dæljən; mə-] **I** *s* **1.** große Denk- *od.* Schaumünze. – **2.** Medail'lon *n*, Rundbild *n*. – **II** *v/t* **3.** mit einem Medail'lon schmücken. – **4.** medail'lonförmig machen. — **me'dal·lioned** *adj* mit einem Medail'lon geschmückt. — **me'dal·lion·ist** *s* Medail'lonmacher *m*.

med·al·list *bes. Br. für* **medalist.**

Med·al| of Hon·or *s mil. Am.* 'Tapferkeitsme,daille *f*. — **m~ play** *s* (*Golf*) Zählwettspiel *n*.

med·dle ['medl] *v/i* **1.** sich (ungefragt) (ein)mischen (**with**, **in** in *acc*): **to** ~ **in** (*od.* **with**) **other people's affairs** sich in anderer Leute Angelegenheiten mischen. – **2.** sich (unaufgefordert) befassen, sich abgeben, sich einlassen (**with** mit): **do not** ~ **with him!** gib dich nicht mit ihm ab! **I will neither** ~ **nor make with it** *obs. od. dial.* ich will gar nichts damit zu schaffen haben. – **3.** her'umhan,tieren, -spielen (**with** mit). – **4.** *obs.* a) sich mischen, sich vermengen, b) geschlechtlich verkehren, c) sich beschäftigen (**with** mit). — '**med·dler** *s* j-d der sich in fremde Angelegenheiten mischt, Naseweis *m*, Unbefugte(r), Zudringliche(r). — '**med·dle·some** [-səm] *adj* sich ungefragt einmischend, lästig, naseweis, vorwitzig, zudringlich. – *SYN. cf.* **impertinent.** — '**med·dle·some·ness** *s* Sucht *f*, sich einzumischen, Auf-, Zudringlichkeit *f*. — '**med·dling** **I** *adj* → **meddlesome.** – **II** *s* (unerwünschte) Einmischung.

Mede [mi:d] *s antiq.* Meder(in): → **law**[1] 1.

me·di·a[1] ['mi:diə] *pl* **-di·ae** [-di,i:] *s* **1.** [*Br. auch* 'med-] *ling.* Media *f*, stimmhafter Verschlußlaut (*einer der Laute b, d, g*). – **2.** *med.* Media *f* (*mittlere Schicht, bes. von Gefäßen*). – **3.** *zo.* Mittelader *f* (*im Insektenflügel*).

me·di·a[2] ['mi:diə] *pl von* **medium.**

me·di·a·cy ['mi:diəsi] *s* **1.** Vermittlung *f*. – **2.** Zwischenzustand *m*.

me·di·ae·val, me·di·ae·val·ism, me·di·ae·val·ist *cf.* **medieval** *etc.*

me·di·al ['mi:diəl] **I** *adj* **1.** nach der Mitte zu (gelegen), mittler(er, e, es), Mittel...: ~ **line** Mittellinie. – **2.** *ling.* medi'al, in der Mitte eines Wortes liegend. – **3.** Durchschnitts..., Mischungs...: ~ **alligation** *math.* Durchschnittsrechnung. – **4.** *med.* medi'al: ~ **layer** Mittelschicht. – **II** *s* → **media**[1] 1 *u.* 3.

Me·di·an[1] ['mi:diən] **I** *adj* medisch. – **II** *s* Meder(in).

me·di·an[2] ['mi:diən] **I** *adj* **1.** die Mitte einnehmend, mittler(er, e, es), Mittel... – **2.** *meist* ~ **gray** mittelgrau (*Farbton*). – **3.** (*Statistik*) in der Mitte *od.* zen'tral liegend. – **4.** *math. med.* medi'an. – **5.** *med. zo.* die Mitte bildend, in der Mitte gelegen, Median...: ~ **cerebellar peduncle** Brückenschenkel, -arm; ~ **constrictor of the pharynx** Zungenbeinschlundschnürer. – **II** *s* **6.** *math.* a) → **bisector,** b) → ~ **point,** c) Zen'tral-, Mittelwert *m*, Medi'ane *f*. – *SYN. cf.* **average.**

me·di·an| dig·it *s biol.* Mittelzehe *f*, -finger *m*. — ~ **fold** *s* Medi'anwulst *m*. — ~ **groove** *s* Medi'anfurche *f*.

me·di·a·nim·ic [,mi:diə'nimik] *adj* (*Spiritismus*) mediu'mistisch.

me·di·an| line *s* **1.** *med.* Medi'an-, Mittellinie *f* (*des Körpers*). – **2.** *math.* a) Mittellinie *f*, b) Hal'bierungslinie *f*. — ~ **point** *s math.* Mittelpunkt *m*, Schnittpunkt *m* der 'Winkelhal,bierenden (*im Dreieck etc*). — ~ **section** *s math.* Mittelschnitt *m*.

me·di·ant ['mi:diənt] *s mus.* Medi'ante *f* (*dritte Stufe jeder Tonart*).

me·di·as·ti·nal [,mi:diæs'tainl] *adj med.* mediasti'nal, Mittelfell... — ,**me·di,as·ti'ni·tis** [-ti'naitis] *s* Mediasti'nitis *f* (*Affektion des Mittelfells*). — ,**me·di,as·ti'not·o·my** [-'nɒtəmi] *s* Mediastinoto'mie *f* (*Öffnen des Mittelfellraums*). — ,**me·di·as'ti·num** [-'tainəm] *pl* **-na** [-nə] *s* **1.** *med.* Media'stinum *n*, Mittelfell *n* (*Scheidewand zwischen beiden Brustfellhöhlen*). – **2.** *bot.* Mittelwand *f* der Schotenfrüchte, Replum *n*.

me·di·ate ['mi:di,eit] **I** *v/i* **1.** vermitteln, den Vermittler machen *od.* spielen (**between** zwischen *dat*). – **2.** *selten* in der Mitte *od.* da'zwischen liegen, einen mittleren Platz *od.* Standpunkt einnehmen (**between** zwischen *dat*). – **II** *v/t* **3.** (*Frieden, Heirat etc*) vermitteln, (*Streit*) beilegen: **to** ~ **a peace.** – **4.** (*als Zwischenträger od. Mittelsmann*) vermitteln, mitteilen. – *SYN. cf.* **interpose.** – **III** *adj* [-diit] **5.** in der Mitte *od.* da'zwischen befindlich, mittler(er, e, es), Mittel..., da'zwischenkommend. – **6.** 'indi,rekt, mittelbar: ~ **auscultation** *med.* Auskultation *od.* Behorchung mit Hilfe eines Stethoskops; ~ **certainty** mittelbare (*durch Schlüsse erlangte*) Gewißheit. – **7.** *jur. hist.* (*Feudalrecht*) mittelbar, nicht reichsunmittelbar, nicht souve'rän. — '**me·di·ate·ness** [-diitnis] *s* Mittelbarkeit *f*.

me·di·a·tion [,mi:di'eiʃən] *s* **1.** Vermittlung *f*, Da'zwischenkunft *f*, Fürsprache *f*, -bitte *f*: **through his** ~ durch seine Fürbitte. – **2.** *jur.* Mediati'on *f* (*Vermittlung in einem Streit zwischen 2 Mächten*). – **3.** *mus.* (*Gregorianik*) me'lodische 'Mittelfi,gur (*im Psalmton etc*). – **4.** *math. tech.* Zwischenschaltung *f*, Interpolati'on *f*.

me·di·a·tive ['mi:di,eitiv; -diət-] → **mediatorial.**

me·di·a·ti·za·tion [,mi:diətai'zeiʃən; -ti'z-] *s hist.* Mediati'sierung *f* (*Entkleidung herrscherlicher Hoheitsgewalt*). — '**me·di·a,tize** **I** *v/t* **1.** *hist.* a) (*einen Fürsten*) mediati'sieren, landsässig machen (*der Reichsunmittelbarkeit od. Souveränität entkleiden*), b) (*Gebiet*) einverleiben. – **2.** einen mittleren Platz einnehmen lassen. – **3.** *fig.* aufsaugen. – **II** *v/i* **4.** *hist.* mediati'siert werden, die Reichsunmittelbarkeit verlieren (*deutscher Fürst*). – **5.** einen Mittelplatz einnehmen.

me·di·a·tor ['mi:di,eitər] *s* **1.** Vermittler *m*, 'Unterhändler *m*. – **2.** **the M~** *relig.* der Mittler (*Christus*). – **3.** (*Art*) Lomber *n* (*Kartenspiel*). – **4.** *med.* Ambo'zeptor *m*, Zwischenkörper *m*. — ,**me·di·a'to·ri·al** [-diə'tɔ:riəl] *adj* vermittelnd, Vermittler..., Mittler... — '**me·di,a·tor,ship** *s* Vermittleramt *n*, Vermittlung *f*. — '**me·di·a·to·ry** [*Br.* -diətəri; *Am.* -,tɔ:ri] → **mediatorial.** — '**me·di,a·tress** [-,eitris], *auch* ,**me·di'a·trice** [-tris], ,**me·di'a·trix** [-triks] *s* **1.** Vermittlerin *f*. – **2.** 'Unterhändlerin *f*.

Me·dic[1] ['mi:dik] → **Median**[1].

med·ic[2] ['medik] **I** *adj* **1.** → **medical I.** – **II** *s* **2.** *obs.* Medi'ziner *m*, Arzt *m*. – **3.** *Am. colloq.* Medi'zinstu,dent(in).

med·ic[3] ['medik] *s bot.* Schneckenklee *m* (*Gattg Medicago*): **black** ~ Hopfenklee (*M. lupulina*); **purple** ~ Luzerne (*M. sativa*).

med·i·ca·ble ['medikəbl] *adj* **1.** heilbar (*Krankheit*). – **2.** *obs.* heilkräftig, heilend (*Kräuter etc*).

med·i·cal ['medikəl] **I** *adj* **1.** a) medi'zinisch, ärztlich, Kranken...: **our** ~ **man** unser Hausarzt, b) inter'nistisch. – **2.** Heilbehandlung erfordernd (*Krankheit*). – **3.** heilend, Heil... – **4.** *mar. mil.* Sanitäts... – **II** *s* **5.** *colloq.* Medi'ziner *m* (*Arzt od. Student*). – **6.** *mil. sl.* ärztliche Unter'suchung. — ~ **board** *s mil.* Sani'tätskommissi,on *f*. — ~ **care** *s* ärztliche Betreuung. — **M~ Corps** *s mil.* Sani'tätstruppe *f*. — ~ **di·rec·tor** *s mar. Am.* Ma'rineoberstarzt *m* (*im Range eines Kapitäns zur See*). — ~ **ex·am·in·er** *s* **1.** *Am.* ärztlicher Leichenbeschauer. – **2.** Vertrauensarzt *m* (*Krankenkasse*), Amtsarzt *m* (*Behörde*). — ~ **in·spec·tor** *s mar. Am.* Ma'rinearzt *m* zweiten Ranges (*im Range eines Korvettenkapitäns*). — ~ **ju·ris·pru·dence** *s jur.* Ge'richtsmedi,zin *f*. — ~ **man** *s irr* Arzt *m*. — ~ **of·fi·cer** *s* **1.** *Br.* (behördlich angestellter Amts-, Bezirks-, Fürsorge-, Schul- *etc*)Arzt. – **2.** *mil.* Sani'tätsoffi,zier *m*. — ~ **prac·ti·tion·er** *s* praktischer Arzt. — ~ **sci·ence** *s* Heilkunde *f*, medi'zinische Wissenschaft, Medi'zin *f*.

me·dic·a·ment [mi'dikəmənt; 'medik-] **I** *s* Medika'ment *n*, Heil-, Arz'neimittel *n* (*auch fig.*). – **II** *v/t* mit Arz'neimitteln behandeln, (*dat*) Medika'mente verabfolgen. — **med·i·ca·men·tal** [,medikə'mentl] *adj selten* medi'zinisch heilkräftig, heilsam. — ,**med·i·ca·men'ta·tion** *s* Heilmittelbehandlung *f*, -verabfolgung *f*. — ,**med·i·ca'men·tous** → **medicamental.**

med·i·cas·ter ['medi,kæstər] *s* Kurpfuscher *m*, Quacksalber *m*.

med·i·cate ['medi,keit] **I** *v/t* **1.** medi'zinisch behandeln, ku'rieren. – **2.** mit Arz'nei vermischen *od.* imprä'gnieren, heilkräftig machen. – **3.** *obs.* a) mit einem Medika'ment behandeln, b) (*einem Getränk etc*) ein Nar'kotikum beifügen, ‚pantschen'. – **II** *v/i* **4.** *selten* den ärztlichen Beruf ausüben. — '**med·i,cat·ed** *adj* heilkräftig, Arz'neistoffe enthaltend: ~ **bath** Heil-, Medizinalbad. — ,**med·i'ca·tion** *s med.* **1.** Beimischung *f* von Arz'neistoffen. – **2.** Medikati'on *f*, Verordnung *f*, medi'zinische Behandlung, Verabreichen *n* von Medika'menten. – **3.** Medika'ment *n*. — '**med·i·ca·tive** [-,keitiv; -kə-], *auch* '**med·i·ca·to·ry** [*Br.* -,keitəri; *Am.* -kə,tɔri] *adj* heilend, heilsam, heilkräftig.

Med·i·ce·an [,medi'si:ən] *adj* Medi'ceisch, Medici...: **the** ~ **planets** (*od.* **stars**) *astr.* die vier Jupitertrabanten.

me·dic·i·na·ble [mi'disinəbl; -sə-] *adj obs.* heilkräftig, heilsam.

me·dic·i·nal [me'disinl; -sə-; mə-] **I** *adj* **1.** medizi'nal, medi'zinisch, heilkräftig, heilsam, Heil..., arz'neiisch, als Arz'nei (dienend): ~ **herbs** Arznei-, Heilkräuter; ~ **properties** Heilkräfte; ~ **spring** Heilquelle. – **2.** *fig.* heilsam (**for** für). – **II** *s* **3.** Heilmittel *n*, Medi'zin *f*.

med·i·cine ['medisin; -dsən; *Br. auch* 'medsin] **I** *s* **1.** Medi'zin *f*, Arz'nei *f* (*auch fig.*): **to take one's** ~ a) seine Medizin nehmen, b) *fig.* sich dreinfügen, sich abfinden, ‚die Pille schlucken'. – **2.** a) Heilkunde *f*,

Medi'zin *f*, ärztliche Wissenschaft, b) innere Medi'zin (*im Gegensatz zur Chirurgie*): forensic ~ Gerichtsmedizin; → doctor 2. – 3. *obs.* (Zauber)Trank *m.* – 4. (*bei den nordamer. Indianern*) Zauber *m*, Medi'zin *f* (*Bezeichnung für alles Geheimnisvolle od. Zauberhafte*). – 5. → ~ man. – 6. *sl.* Schnaps *m.* – **II** *v/t* 7. ärztlich behandeln. – 8. wie Arz'nei wirken auf (*acc*).

med·i·cine| bag *s* Zauberbeutel *m*, Talisman *m* (*der Indianer*). — **~ ball** *s sport* Medi'zinball *m.* — **~ chest** *s* 1. Arz'neikasten *m*, 'Haus-, 'Reiseapo,theke *f.* – 2. *mar.* ('Schiffs)-Arz,neischrank *m*, -kiste *f.* — **~ lodge** *s* 1. *Gebäude zur Abhaltung von Zeremonien* (*der nordamer. Indianer*). – 2. M~ L~ *wichtigste Religionsgemeinschaft der algonkinischen Indianerstämme.* — **~ man** *s irr* Medi'zinmann *m*, Zauberer *m* (*auch Arzt, Wahrsager der Indianer*).

me·dic·i·ner [mi'disənər; 'med-] *s selten* 1. Medi'ziner *m*, Arzt *m.* – 2. → medicine man.

med·i·co ['medi,kou] *pl* **-cos** *s* 1. *colloq.* Medi'ziner *m*: a) Arzt *m*, b) Medi'zinstu,dent *m.* – 2. → surgeonfish.

medico- [mediko] *Wortelement mit der Bedeutung* medizinisch: ~chirurgic(al) medizinisch-chirurgisch; ~legal gerichtsmedizinisch, forensisch.

me·di·e·ty [mi'daiiti; -əti] *s* 1. *jur. od. obs.* Hälfte *f* (*z.B. einer Pfründe mit mehr als einem Pfründner*). – 2. *obs.* a) Mittel *n*, 'Durchschnitt *m*, b) Mäßigung *f.*

me·di·e·val [,medi'iːvəl; ,miːdi-] **I** *adj* 1. mittelalterlich. – 2. *Br. colloq.* altmodisch, vorsintflutlich. – **II** *s* 3. mittelalterlicher Mensch *od.* Schriftsteller, Mann *m* des Mittelalters. — **M~ Greek** *s ling.* Mittelgriechisch *n*, das Mittelgriechische (*etwa 700 bis 1500*).

me·di·e·val·ism [,medi'iːvə,lizəm; ,miːdi-] *s* 1. Eigentümlichkeit *f od.* Geist *m* des Mittelalters. – 2. mittelalterliche Richtung *od.* Neigung. – 3. Mittelalterlichkeit *f.* — **,me·di'e·val·ist** *s* 1. Erforscher(in) *od.* Kenner (-in) *od.* Darsteller(in) des Mittelalters. – 2. Verehrer(in) *od.* Nachahmer(in) des Mittelalters.

Me·di·e·val Lat·in *s* das 'Mittel-La,teinische, mittelalterliches La'tein (*Literatursprache von etwa 700 bis 1500*).

medio- [miːdio] *Wortelement mit der Bedeutung* Mitte, in der Mitte gelegen.

me·di·o·cre ['miːdi,oukər; ,miːdi'oukər] **I** *adj* mittelmäßig, von minderer Quali'tät, zweitklassig, gewöhnlich. – **II** *s selten* Mittelmäßige(r), nur mäßig Begabte(r). — **,me·di'oc·ri·ty** [-'ɒkriti; -əti] *s* 1. Mittelmäßigkeit *f*, mäßige Begabung. – 2. mittelmäßiger *od.* unbedeutender Mensch, Dutzendmensch *m.* – 3. *obs.* a) 'Durchschnitt *m*, Mittel *n*, b) Mäßigung *f*, c) Mittelmaß *n*, mittlere Menge *od.* Größe, d) bescheidene Mittel *pl.*

me·di·sect [,miːdi'sekt] *v/t zo.* (*von oben nach unten*) in der Mitte 'durchschneiden. — **,me·di'sec·tion** *s* Mittelschnitt *m* (*von oben nach unten*).

med·i·tant ['meditənt; -də-] → meditator.

med·i·tate ['medi,teit; -də-] **I** *v/i* 1. nachsinnen, -denken, grübeln, medi'tieren (on, upon über *acc*), über'legen (on, upon *acc*). – **II** *v/t* 2. im Sinn haben, planen, vorhaben. – 3. über'legen, erwägen, bedenken. – 4. *selten* aufmerksam *od.* wachsam beobachten. – *SYN. cf.* ponder. — **,med·i'ta·tion** *s* 1. tiefes Nachdenken, Sinnen *n.* – 2. Meditati'on *f*, fromme Betrachtung: book of ~s Erbauungsbuch. – 3. betrachtende Abhandlung (*die zum Nachdenken einlädt*): ~s Betrachtungen. — **'medi,ta·tist** *s selten* nachdenklicher, gedankenvoller Mensch.

med·i·ta·tive ['medi,teitiv; -də-; *Br. auch* -tətiv] *adj* 1. grübelnd, nachsinnend, nachdenklich. – 2. zum Nachdenken einladend. — **'med·i,ta·tive·ness** *s* Sinnen *n*, Grübeln *n*, Nachdenklichkeit *f.* — **'med·i,ta·tor** [-tər] *s* Grübler(in), Nachdenkende(r).

med·i·ter·ra·ne·an [,meditə'reiniən; -njən] **I** *adj* 1. von Land um'geben. – 2. M~ mittelmeerisch, mediter'ran, Mittelmeer... – 3. *selten* in-, mittel-, binnenländisch. – **II** *s* 4. M~ Mittelmeer *n*, Mittelländisches Meer. – 5. M~ Angehörige(r) der Mittelmeerrasse. – 6. *obs.* Binnenländer(in). — **M~ class** *s* mittelländische Geflügelrasse (*z.B. Leghornhühner*). — **M~ fe·ver** *s med.* Maltafieber *n*, Bruzel'lose *f.* — **~ fruit fly** *s zo.* Mittelmeerfruchtfliege *f* (*Ceratitis capitata*). — **M~ race** *s* (*Ethnologie*) Mittelmeerrasse *f.*

me·di·um ['miːdiəm; *auch* -djəm] **I** *s pl* **-di·a** [-diə], **-di·ums** 1. *fig.* Mitte *f*, Mittel *n*, Mittelweg *m*, -straße *f*, 'Durchschnitt *m*: the just ~ die richtige Mitte, der goldene Mittelweg; to hit (upon) *od.* find the happy ~ die richtige Mitte treffen. – 2. *phys.* Mittel *n*, Medium *n*: optical ~ optisches Mittel. – 3. (*Logik*) Mittelsatz *m.* – 4. Beweisgrund *m.* – 5. *biol. econ.* Medium *n*, vermittelnder Stoff, Träger *m*, Mittel *n*: circulating ~, currency ~ *econ.* Tausch-, Umlaufs-, Zahlungsmittel; dispersion ~ *med.* Dispersionsmittel; embedding ~ *med.* Einbettmasse; refractive ~ *phys.* brechendes Medium. – 6. 'Lebensele,ment *n*, -bedingungen *pl.* – 7. *fig.* Um'gebung *f*, Mili'eu *n.* – 8. Medium *n*, Mittel *n*, Zwischen-, Hilfsmittel *n*, Werkzeug *n*, Vermittlung *f*: by (*od.* through) the ~ of durch, vermittels. – 9. (*Malerei*) Bindemittel *n.* – 10. *med.* Medium *n* (*Hypnose*). – 11. (*Spiritismus*) Medium *n.* – 12. *econ.* Mittelware *f*, -gut *n.* – 13. *econ. print.* Medi'anpa,pier *n* (*engl. Druckpapier 18 × 28, Schreibpapier 17½ × 22 Zoll; amer. Druckpapier 19 × 24, Schreibpapier 18 × 23 Zoll*). – 14. *phot.* (*Art*) Lack *m* (*zum Bestreichen der Negative vor dem Retuschieren*). – 15. (*Theater*) bunter Beleuchtungsschirm (*zwischen Lichtquelle u. Bühne*). – 16. *obs.* Vermittler *m*, 'Mittelsper,son *f.* – *SYN. cf.* mean³. – **II** *adj* 17. mittelmäßig, gewöhnlich, mittel, Mittel...: ~ capacity, ~ talent mittelmäßige Befähigung *od.* Begabung; ~ quality Mittelqualität; ~ size Mittelgröße. – 18. *math.* Durchschnitts...

me·di·um| brown *s* Mattbraun *n.* — **~ faced** *adj print.* halbfett. — **~ force fit** *s tech.* Edelgleitsitz *m.*

me·di·um·is·tic [,miːdiə'mistik] *adj* (*Spiritismus*) 1. Medium... – 2. zum Medium fähig *od.* geeignet. — **'me·di·um,ize** [-,maiz] **I** *v/t* in einen Mediumzustand versetzen, zu einem Medium machen. – **II** *v/i* ein Medium werden.

me·di·um| load·ing *s electr.* mittlere Bespulung *od.* Pupini'sierung. — **~ of ex·change** *s econ.* 1. Tauschmittel *n.* – 2. Va'luta *f.* — **~ plane** *s math.* Mittelebene *f.* — **~ qual·i·ty** *s econ.* 'Mittel-, Se'kundaquali,tät *f.*

me·di·um·ship ['miːdiəm,ʃip; -djəm-] *s* (*Spiritismus*) Eigenschaft *f* als Medium, Zustand *m* eines Mediums.

me·di·um| size *s* Mittelgröße *f.* — **'~-'sized** *adj* mittelgroß. — **~ wave** *s electr.* Mittelwelle *f* (*200–800 m = 1500–350 kHz*).

me·di·us ['miːdiəs] *pl* **-di·i** [-di,ai] *s med.* Mittelfinger *m.*

me·dji·di·e(h) [me'dʒiːdi,e] *s* 1. Me'dschidije *f*: a) *türk. Silbermünze* (*ehemals 20 Piaster, heute etwa $0.405*), b) *türk. Goldmünze* (*100 Piaster od. $4.396*), c) *Silbermünze in Hejas.* – 2. M~ (*türk.*) Me'dschidijeorden *m.*

med·lar ['medlər] *s bot.* 1. *auch* ~ tree Mispelstrauch *m* (*Mespilus germanica*). – 2. Mispel *f* (*Frucht von* 1). – 3. *eine mispelähnliche Pflanze.*

med·ley ['medli] **I** *s* 1. Gemisch *n*, Mischmasch *m*: to make a ~ of s.th. etwas vermischen. – 2. gemischte Gesellschaft. – 3. Durchein'ander *n.* – 4. a) *mus.* Potpourri *n* (*bes. vokal*), b) lite'rarische Auswahl. – 5. me'lierter (Woll)Stoff. – 6. *obs.* Handgemenge *n.* – **II** *adj* 7. gemischt, wirr: ~ relay (*Schwimmen*) Lagenstaffel. – 8. *obs.* gemengt, vermischt, bunt. – **III** *v/t* 9. (ver)mischen.

Me·doc ['medɒk; me'dɒk] *s* Me'doc *m* (*franz. Weinsorte*).

med·rick ['medrik] *s zo.* 1. (*eine*) Seeschwalbe (*Gattg Sterna*). – 2. (*eine*) Möwe (*Gattg Larus*), *bes.* → Bonaparte's gull.

me·dul·la [mi'dʌlə; me-] *s* 1. *med.* a) *auch* ~ spinalis Rückenmark *n*, b) (Knochen)Mark *n*: adrenal ~ Nebennierenmark. – 2. *bot.* Mark *n*: a) *innerstes Achsengewebe höherer Pflanzen*, b) *Inneres des Thallus.* — **me'dul·lar** *adj med.* markig, das Mark betreffend, markartig.

med·ul·lar·y [mi'dʌləri; *Am. auch* 'medə,leri] *adj bot. med. zo.* medul'lär, markig, markhaltig, Mark... — **~ ca·nal** *s med.* 'Markka,nal *m*, -rohr *n.* — **~ lay·er** *s bot.* Markschicht *f* (*des Flechten-Thallus*). — **~ mem·brane** *s med.* Endo'steum *n.* — **~ ray** *s bot.* Markstrahl *m* (*des Holzes*). — **~ tube** *s med.* Medul'larrohr *n*, 'Rückenmarkska,nal *m.*

med·ul·lat·ed [mi'dʌleitid; *Am. auch* 'medə,l-] *adj med.* mit Markscheide versehen, markhaltig. — **med·ul·la·tion** [,medə'leiʃən] *s med.* Markscheidenbekleidung *f.* — **,med·ul'li·tis** [-'laitis] *s med.* Knochenmarkentzündung *f.* — **'med·ul,lose** [-,lous] *adj bot. med.* 1. mit Markgewebe (versehen). – 2. markartig.

Me·du·sa [mi'djuːzə; mə-; -sə; *Am. auch* -'duː-] **I** *npr antiq.* Me'dusa *f* (*eine der Gorgonen*): head of ~ Medusenhaupt. – **II** *s* m~, *pl* **-sas**, **-sae** [-siː] *zo.* Me'duse *f*, Qualle *f* (*Klasse Hydrozoa u. Scyphozoa*). — **Med·u·sae·an** [,medju'siːən; -jə-] *adj* Medusen..., me'dusisch. — **me·du·sal** [mi'djuːsl; mə-; *Am. auch* -'duː-] → medusan I. — **me'du·san** *zo.* **I** *adj* zu den Quallen gehörig, quallenartig. – **II** *s* → jellyfish.

Me·du·sa's head *s* 1. → basket fish. – 2. *zo.* Me'dusen-Haarstern *m* (*Pentacrinus caput-medusae*). – 3. *bot.* Me'dusenhaupt *n*, -wolfsmilch *f* (*Euphorbia caput-medusae*). – 4. *bot.* Me'dusenhaupt *n* (*Hydnum caputmedusae; Igelpilz*). – 5. *astr. eine Sterngruppe der Perseuskonstellation.*

me·du·si·form [mi'djuːsi,fɔːrm; *Am. auch* -'duː-] *adj zo.* me'dusenförmig. — **me'du·soid** *adj u. s* me'dusenartig(es Tier).

meed [miːd] *s* 1. *poet.* Lohn *m*, Belohnung *f*, Preis *m.* – 2. *obs.* a) Geschenk *n*, b) Verdienst *n.*

meek [miːk] *adj* 1. mild, sanft(mütig), freundlich, hold, leutselig, gütig. – 2. demütig, bescheiden. – 3. fromm (*von Tieren*): as ~ as a lamb lammfromm. – *SYN. cf.* humble. —

'meek·ness *s* **1.** Sanftmut *f*, Milde *f*. – **2.** Demut *f*, Bescheidenheit *f*.

meer·kat ['miːrkæt] *s zo.* **1.** Moorkatze *f* (*Cynictis penicillata*). – **2.** → suricate.

meer·schaum ['miːrʃəm; -ʃɔːm] *s* **1.** Meerschaum *m*. – **2.** *auch* ~ pipe Meerschaumpfeife *f*, -kopf *m*. – **3.** Meerschaumfarbe *f*.

meet [miːt] **I** *v/t pret u. pp* **met** [met] **1.** begegnen (*dat*), treffen, (zufällig *od.* nach Verabredung) zu'sammentreffen mit, in Berührung kommen mit, zu'sammenstoßen mit, treffen auf (*acc*), antreffen: to ~ s.o. in the street j-n auf der Straße treffen; to ~ each other (*od.* one another) einander begegnen, sich treffen; pleased to ~ you *colloq.* sehr erfreut, Sie kennenzulernen; well met! schön, daß wir uns treffen! ~ Mr. Brown *bes. Am.* gestatten Sie, daß ich Ihnen Herrn Brown vorstelle. – **2.** abholen, empfangen: to ~ s.o. at the station j-n von der Bahn abholen; to be met empfangen werden; the bus ~s all trains der Omnibus ist zu allen Zügen an der Bahn; to come (go, run) to ~ s.o. j-m entgegenkommen (-gehen, -laufen). – **3.** *fig.* (*j-m*) entgegenkommen: to ~ s.o. half-way j-m auf halbem Wege entgegenkommen; to ~ one's fate calmly seinem Schicksal in Ruhe entgegensehen. – **4.** gegen'übertreten (*dat*), sich stellen vor (*acc*). – **5.** (*feindlich*) zu'sammentreffen, -stoßen mit, begegnen (*dat*), (*einem Übel*) ent'gegentreten, über'winden, (*dat*) standhalten: to ~ difficulties Schwierigkeiten die Stirn bieten; to ~ trouble half-way Vorkehrungen gegen (etwaige) Unannehmlichkeiten treffen. – **6.** (*etwas*) anpacken, (*einer Sache*) abhelfen: to ~ s.th. auf etwas antworten, auf eine Sache entgegnen. – **7.** (*Einwände*) wider'legen: to ~ objections. – **8.** *fig.* (an)treffen, finden, erhalten, erfahren: → fate 2; to ~ due protection *econ.* richtig honoriert werden (*Wechsel*). – **9.** *pol.* sich vorstellen (*dat*): to ~ (the) parliament sich dem Parlament vorstellen (*neue Regierung*). – **10.** berühren, münden in (*acc*) (*Straßen*), stoßen *od.* treffen auf (*acc*), schneiden (*auch math.*): to ~ s.o.'s eye a) j-m ins Auge fallen (*von j-m bemerkt werden*), b) j-s Blick erwidern; to ~ the eye auffallen; there is more in it than ~s the eye da steckt mehr dahinter. – **11.** zu'sammenrufen, versammeln (*bes. pass*): to be met sich zusammengefunden haben, beisammen sein. – **12.** entsprechen (*dat*), in Über'einstimmung sein *od.* kommen mit, nach-, entgegenkommen (*dat*), befriedigen: the supply ~s the demand das Angebot entspricht der Nachfrage; to be well met gut zusammenpassen; that won't ~ my case das löst mein Problem nicht, damit komme ich nicht weiter, das hilft mir nicht. – **13.** (*j-s Wünschen*) entgegenkommen, (*Forderungen*) erfüllen, (*seinen Verpflichtungen*) nachkommen, (*Unkosten*) bestreiten (out of aus), (*etwas*) begleichen *od.* decken: to ~ s.o.'s wishes j-s Wünschen entsprechen; to ~ a demand einer Forderung nachkommen; to ~ s.o.'s expenses j-s Auslagen decken; to ~ a bill *econ.* einen Wechsel honorieren *od.* einlösen *od.* decken; to ~ the claims of one's creditors seine Gläubiger befriedigen. –
II *v/i* **14.** zu'sammenkommen, -treffen, -treten: Congress ~s next week der Kongreß tritt nächste Woche zusammen. – **15.** sich begegnen, sich treffen, sich finden, sich versammeln: to ~ again sich wiedersehen. – **16.** (*feindlich od. im Spiel*) zu'sammenstoßen, anein'andergeraten, sich messen. – **17.** sich kennenlernen, zu'sammentreffen. – **18.** sich vereinigen *od.* verbinden, sich berühren, in Berührung *od.* Beziehung kommen: where both roads ~ wo sich die beiden Straßen vereinigen. – **19.** genau zu'sammentreffen, -stimmen, -passen, sich decken: this coat does not ~ dieser Rock ist zu eng; → end[1] *b. Redw.* – **20.** ~ with a) zu'sammentreffen mit, sich vereinigen mit: to ~ up with s.o. *Am.* j-n einholen, b) (an)treffen, finden, (zufällig) stoßen auf (*acc*): it is not to be met with anywhere es ist nirgends zu finden, c) geraten in (*acc*), erleben, erleiden, erfahren, betroffen *od.* befallen werden, erhalten, bekommen: to ~ with an accident einen Unfall erleiden, verunglücken; to ~ with success Erfolg haben; to ~ with a kind reception freundlich aufgenommen werden; → approval 2, d) *Scot.* seinen Verpflichtungen nachkommen bei, e) *obs.* (*feindlich*) zu'sammenstoßen mit, f) *obs.* reichen bis, berühren (*Kleidungsstück etc*), g) *obs.* über'einstimmen mit. –
III *s* **21.** *Am.* a) Treffen *n* (*von Zügen etc*), b) → meeting 6b. – **22.** *hunt.* a) Zu'sammentreffen *n* (*von Fuchsjägern u. der Meute vor der Jagd*), Jagdtreffen *n*, b) Jagdgesellschaft *f*. – **23.** Sammelplatz *m*, Stelldichein *n*, Treffpunkt *m* (*bes. für Teilnehmer an einer Jagd*). –
IV *adj obs.* **24.** passend. – **25.** angemessen, tauglich, geziemend: it is ~ that es schickt sich, daß. – *SYN. cf.* fit[1].

meet her *interj mar.* stütz Ruder! (*Ruderkommando, um dem Drehen des Schiffs bei einem Drehmanöver entgegenzuwirken*).

meet·ing ['miːtiŋ] *s* **1.** Begegnung *f*, Zu'sammentreffen *n*, -kunft *f*. – **2.** Versammlung *f*, Beratung *f*, Konfe'renz *f*, Sitzung *f*, Tagung *f*: ~ of creditors Gläubigerversammlung; at a ~ auf einer Versammlung; to call a ~ for nine o'clock eine Versammlung auf neun Uhr einberufen; to break up (*od.* dissolve) a ~ eine Versammlung auflösen. – **3.** *relig.* gottesdienstliche Versammlung (*bes. mancher freikirchlichen Protestanten*). – **4.** Stelldichein *n*, Rendez'vous *n*. – **5.** Zweikampf *m*, Du'ell *n*. – **6.** *sport* a) *auch* race ~ Meeting *n*, Renntag *m*, b) *auch* track (and field) ~ (*leichtathletisches etc*) Treffen, Wettkampf *m*. – **7.** Versammlungsteilnehmer *pl*. – **8.** Zu'sammentreffen *n* (*zweier Linien etc*), Zu'sammenfluß *m* (*zweier Flüsse*). – **9.** Punkt *m* des Zu'sammentreffens: ~ of the cages (*Bergbau*) Wechselort (*im Schacht*). – **10.** *arch.* Fuge *f*, Stoß *m*. — '~,**house** *s* **1.** Andachts-, Bethaus *n*, Kirche *f* (*freikirchlicher Protestanten*). – **2.** Andachtshaus *n* der Quäker. – **3.** *pl bot.* Kanad. Ake'lei *f* (*Aquilegia canadensis*). — ~ **place** *s* Sammelplatz *m*, Treffpunkt *m*. — ~ **seed** *s Am. colloq.* Kümmel-, Fenchel- *od.* Dillsamen, die man ihres Aromas wegen kaut.

meet·ness ['miːtnis] *s* Schicklichkeit *f*, Tauglichkeit *f*, Angemessenheit *f*.

Meg [meg] **I** *npr Kurzform für* Margaret. – **II** *s* m~ *dial.* burschi'koses *od.* wildes Frauenzimmer.

meg-, mega- [megə] *Wortelement mit den Bedeutungen* a) groß, b) Million.

meg·a·ce·phal·ic [ˌmegəsi'fælik; -sə-], **ˌmeg·a'ceph·a·lous** [-'sefələs] *adj* **1.** *med. zo.* großköpfig, makroce'phal. – **2.** *bot.* großkopfig, -blumig. — **ˌmeg·a'ceph·a·ly** *s med.* Megalo-, Makrocepha'lie *f*, Großköpfigkeit *f*.

meg·a·cy·cle ['megəˌsaikl] *s electr.* Megahertz *n*.

meg·a·dont ['megəˌdɒnt] *adj zo.* großzähnig.

meg·a·dy·nam·ics [ˌmegədai'næmiks] *s pl* (*als sg konstruiert*) *geol.* Megady'namik *f* (*Lehre von den großen Erdbewegungen*).

Me·gae·ra [mi'dʒi(ə)rə; mə-] *npr antiq.* Me'gäre *f* (*eine der Furien*).

meg·a·fog ['megəˌfɒg; *Am. auch* -ˌfɔːg] *s mar.* *Signalapparat mit nach mehreren Richtungen wirkenden Megaphonen, um bei Nebel mit Schiffen in Verbindung zu treten.*

meg·a·ga·mete [ˌmegəgə'miːt] *s biol.* Makroga'met *m*.

megal- [megəl] → megalo-.

meg·a·lith ['megəliθ] *s* Mega'lith *m* (*prähistorischer großer Steinblock od. -bau*). — **ˌmeg·a'lith·ic** *adj* mega'lithisch, aus großen (unbehauenen) Steinen bestehend *od.* erbaut.

megalo- [megəlo] *Wortelement mit der Bedeutung* groß.

meg·a·lo·blast ['megəloˌblæst] *s med.* Megalo'blast *m* (*kernhaltiges rotes Blutkörperchen*).

meg·a·lo·car·di·a [ˌmegəlo'kaːrdiə] *s med.* Herzvergrößerung *f*, -erweiterung *f*.

meg·a·lo·ce·phal·ic [ˌmegəlosi'fælik; -sə-] → megacephalic. — **ˌmeg·a·lo'ceph·a·ly** [-'sefəli] → megacephaly.

meg·a·lo·cyte ['megəloˌsait] *s med.* Megalo'zyt *m*. — **ˌmeg·a·lo'cyt·ic** [-'sitik] *adj* megalo'zytisch. — **ˌmeg·a·lo·cy'to·sis** [-sai'tousis] *s med.* Megalo-, Makrozy'tose *f* (*Vorkommen von Megalozyten u. Megaloblasten im Blutstrom*).

meg·a·lo·ma·ni·a [ˌmegəlo'meiniə; -lə-; -njə] *s med.* Megaloma'nie *f*, Größenwahn *m*. — **ˌmeg·a·lo'ma·niˌac** [-niˌæk] *s* Größenwahnsinnige(r). — **ˌmeg·a·lo·ma'ni·a·cal** [-mə'naiəkəl] *adj* größenwahnsinnig.

meg·a·lo·pa [ˌmegə'loupə] → megalops.

meg·a·lo·phon·ic [ˌmegəlo'fɒnik], **ˌmeg·a'loph·o·nous** [-'lɒfənəs] *adj* lautstimmig, volltönig.

meg·a·lop·o·lis [ˌmegə'lɒpəlis] *s selten* Groß-, Hauptstadt *f*.

meg·a·lops ['megəˌlɒps] *s zo.* Mega'lopalarve *f* (*der Krabben*).

meg·a·lo·saur ['megəloˌsɔːr; -lə-] *s* Megalo'saurus *m* (*Gattg Megalosaurus; fossile Schuppeneidechse*). — **ˌmeg·a·lo'sau·ri·an** [-'sɔːriən], **ˌmeg·a·lo'sau·roid I** *adj* ˌmegalo'saurisch. – **II** *s* → megalosaur.

meg·a·phone ['megəˌfoun] **I** *s* Mega'phon *n*, Sprachrohr *n*. – **II** *v/t u. v/i* durch ein Sprachrohr sprechen *od.* bekanntgeben.

meg·a·pod ['megəˌpɒd] *zo.* **I** *adj* **1.** großfüßig. – **2.** zu den Großfußhühnern gehörig. – **II** *s* → megapode. — **'meg·aˌpode** [-ˌpoud] *s* Großfußhuhn *n*, Wallnister *m* (*Fam. Megapodiidae*).

me·gap·ter·ine [mi'gæptəˌrain; -rin] *zo.* **I** *adj* mit großen Flossen. – **II** *s* Buckelwal *m*, Finnfisch *m* (*Gattg Megaptera*).

Me·gar·i·an [mi'gɛ(ə)riən] *adj* me'garisch: ~ school (*von Euklid um 400 v. Chr. gegründete*) Schule von Megara. — **Me'gar·ic** [-'gærik] **I** *adj* → Megarian. – **II** *s* Me'gariker *m* (*Anhänger Euklids*).

meg·a·scope ['megəˌskoup] *s* **1.** *tech.* Mega'skop *n* (*Epidiaskop*). – **2.** *phot.* Vergrößerungskammer *f*. — **ˌmeg·a'scop·ic** [-'skɒpik], *auch* **ˌmeg·a'scop·i·cal** *adj* **1.** vergrößert, mittels Vergrößerungskammer 'hergestellt. – **2.** mit bloßem Auge *od.* mit einer Taschenlinse wahrnehmbar. — **ˌmeg·a'scop·i·cal·ly** *adv* (*auch zu* megascopic).

meg·a·seism ['megə,saizəm; -,sais-] *s geol.* heftiges Erdbeben. — **,meg·a·'seis·mic** [-mik] *adj* ein heftiges Erdbeben betreffend.

meg·a·spo·ran·gi·um [,megəspɔː'rændʒiəm] *pl* **-gi·a** [-dʒiə] *s bot.* Megaspo'rangium *n.* — **'meg·a,spore** *s bot.* Mega-, Groß-, Makrospore *f.*

me·gass(e) [mə'gæs] → bagasse.

meg·a·there ['megə,θiər] *s zo.* Mega'therium *n*, Riesenfaultier *n* (*Gattg Megatherium*; *fossil*).

meg·a·ton ['megə,tʌn] *s* **1.** Megatonne *f*, eine Milli'on Tonnen. – **2.** *Sprengkraft von 1000 Kilotonnen TNT*: ~ **bomb** Bombe mit der Sprengkraft von 1000 Kilotonnen TNT.

meg·a·type ['megə,taip] *s phot.* vergrößertes Positiv.

meg·ger ['megər] *s electr.* Megohm'meter *n*, Isolati'onsmesser *m.*

me·gilp [mi'gilp], **me'gilph** [-'gilf] **I** *s* (*Art*) Retu'schierfirnis *m* (*aus Leinöl u. Mastix*). – **II** *v/t* firnissen.

meg·ohm ['meg,oum] *s electr.* Meg'ohm *n* (= 10^6 *Ohm*).

me·grim ['miːgrim] *s* **1.** *med.* einseitiger Kopfschmerz, Mi'gräne *f.* – **2.** Grille *f*, Laune *f*, Spleen *m.* – **3.** *pl* Schwermut *f*, Melancho'lie *f*, Depressi'on *f*, Hypochon'drie *f.* – **4.** *pl vet.* Koller *m* (*der Pferde*).

me·guilp *cf.* megilp.

mein·ie, mein·y ['meini] *s* **1.** *obs.* Hausstand *m* (*einschließlich Gesinde*), Gefolge *n.* – **2.** *Scot.* Schar *f.*

mei·o·sis [mai'ousis] *s* **1.** *ling.* a) Li'totes *f*, b) Verkleinerung *f.* – **2.** *biol.* Mei'osis *f*, Redukti'onsteilung *f.* — **mei'ot·ic** [-'ɒtik] *adj* die Redukti'onsteilung betreffend.

Meis·ter·sing·er ['maistər,siŋər; -ziŋər] *s sg u. pl hist.* Meistersinger *m, pl.*

me·kom·e·ter [mi'kɒmitər; -mət-] *s mil.* Entfernungsmesser *m* (*aus 2 Sextanten*).

mel [mel] *s med.* Honig *m.*

me·la ['meilɑː] *s Br. Ind.* (*Art*) Messe *f* (*religiöses Fest u. Jahrmarkt*).

me·lac·o·nite [mi'lækə,nait; mə-] *s chem.* Kupferschwärze *f*, Schwarzkupfererz *n.*

me·la·da [mei'lɑːdɑː] *s* roher Zucker, Me'lasse *f.*

me·lae·na *cf.* melena. — **me·lae·nic** *cf.* melenic.

mel·am ['meləm] *s chem.* Melam *n* ($C_6H_9N_{11}$). — **'mel·a,mine** [-,miːn], *auch* **'mel·a·min** [-min] *s* Mela'min *n*, Cya'nursäurea,mid *n* ($C_3H_6N_6$). — **'mel·a,mine-form'al·de,hyde res·ins** *s pl* Mela'min-Formalde'hyd-Harze *pl* (*Kunststoff*).

melan- [melən] → melano-.

mel·an·cho·li·a [,melən'kouliə] *s med.* Melancho'lie *f*, Schwermut *f*, Trübsinn *m*, Depressi'on *f.* – *SYN. cf.* sadness. — **,mel·an'cho·li,ac** [-li,æk] **I** *adj* melan'cholisch, schwermütig. – **II** *s* Melan'choliker(in), Schwermütige(r). — **,mel·an'chol·ic** [-'kɒlik] **I** *adj* **1.** melan'cholisch, schwermütig, hypo'chondrisch, düster, traurig, unglücklich, schmerzlich. – **2.** *obs.* depri'mierend, traurig. – **II** *s* **3.** → melancholiac II. – **4.** *obs.* Schwermut *f.* — **,mel·an'chol·i·cal·ly** *adv.* — **,mel·an'cho·li·ous** [-'kouliəs] *selten für* melancholic I. — **'mel·an·cho,lize** [-kə,laiz] *obs.* **I** *v/i* schwermütig sein *od.* werden. – **II** *v/t* schwermütig machen.

mel·an·chol·y [*Br.* 'melənkəli; *Am.* -,kɑli] **I** *s* **1.** Melancho'lie *f*, Depressi'on *f*, Gemütskrankheit *f.* – **2.** Schwermut *f*, Trübsinn *m*, Niedergeschlagenheit *f.* – **3.** tiefes Sinnen, Nachdenklichkeit *f.* – **4.** *obs.* (Anfall *m* von) Reizbarkeit *f*, schlechte Laune. – *SYN. cf.* sadness. – **II** *adj* **5.** melan'cholisch, schwermütig, trübsinnig, hypo'chondrisch. – **6.** betrübend, traurig: ~ event; ~ music. – **7.** gedankenvoll, nachdenklich. – **8.** düster, trübe.

mel·a·ne·mi·a [,melə'niːmiə] *s med.* Hämachroma'tose *f.*

Mel·a·ne·sian [,melə'niːʒən; -ʃən] **I** *adj* mela'nesisch. – **II** *s* Mela'nesier(in).

mé·lange [mɛ'lɑ̃ːʒ] (*Fr.*) *s* **1.** (*meist äußerliche*) Mischung, Vermengung *f.* – **2.** → miscellany.

me·lange [mə'lɑ̃ːʒ] *v/t* (*Wolle, Garne, Farben*) mischen.

me·la·ni·an[1] [mi'leiniən] *zo.* **I** *s* Kronenschnecke *f* (*Gattg Melania*). – **II** *adj* zu den Kronenschnecken gehörig.

me·la·ni·an[2] [mi'leiniən] *adj* dunkelhäutig (*Rasse*).

me·lan·ic [mi'lænik] *adj* **1.** → melanotic. – **2.** → melanian[2].

me·lan·i·line [mi'lænəlin; -,lain; -,liːn] *s chem.* Melani'lin *n*, Diphe'nylguani,din *n* ($C_{13}H_{13}N_3$).

mel·a·nin ['melənin] *s biol. chem.* Mela'nin *n* (*braun-schwarzer Farbstoff*). — **'mel·a,nism** *s biol.* **1.** Mela'nismus *m*, Mela'nose *f* (*Entwicklung dunklen Farbstoffs in der Haut etc*). – **2.** Dunkelfarbigkeit *f*, Schwarzsucht *f.* — **,mel·a'nis·tic** *adj biol.* mit dunklem Farbstoff (behaftet).

mel·a·nite ['melə,nait] *s min.* Mela'nit *m*, schwarzer Gra'nat.

melano- [melәno] *Wortelement mit der Bedeutung* schwarz.

mel·a·no·blast ['meləno,blæst] *s biol.* Melano'blast *m*, (dunkle) Pig'mentzelle, mela'ninhaltige Zelle.

Mel·a·noch·ro·i [,melə'nɒkro,ai] *s pl* dunkelhaarige Kau'kasier *pl* (*mit heller Gesichtsfarbe*). — **,Mel·a'noch·roid** [-rɔid] *adj* die dunkelhaarigen Kau'kasier betreffend.

mel·a·no·chro·ite [,meləno'krouait] *s min.* Melanochro'it *m*, Phöni'cit *m* ($Pb_3O(CrO_4)_2$). — **mel·a·noch·ro·ous** [,melə'nɒkroəs] *adj biol.* dunkelfarbig (*von weißer Rasse*). — **,mel·a'noc·o·mous** [-'nɒkəməs] *adj biol.* dunkelhaarig. — **'mel·a,noid** *adj biol.* **1.** melano'id, dunkelgefärbt, stark pigmen'tiert. – **2.** mela'ninfarbig. — **,mel·a'no·ma** [-'noumə] *s med.* Mela'nom *n*, Melanobla'stom *n.* — **'mel·a·no,scope** [-no,skoup; -nə-] *s phys.* Melano'skop *n* (*Zusatzgerät zum Spektroskop*). — **'mel·a,nose** [-,nous] *s bot.* Mela'nose *f* (*Rebenkrankheit, verursacht durch den Pilz Septoria ampelina*).

mel·a·no·sis [,melə'nousis] *s med.* Mela'nose *f*, Schwarzsucht *f.* — **,mel·a'nos·i·ty** [-'nɒsiti; -əti] *s* (Neigung *f* zur) Dunkelheit *f od.* Schwärze *f* (*von Haar, Augen etc*), dunkler Teint. — **,mel·a'not·ic** [-'nɒtik] *adj* mela'notisch, schwarzsüchtig.

mel·a·nous ['melənəs] *adj biol.* von dunkler Gesichtsfarbe, dunkelhäutig.

me·lan·ter·ite [mi'læntə,rait] *s min.* na'türlicher 'Eisenvitri,ol ($FeSO_4 \cdot 7H_2O$).

mel·an·tha·ceous [,melən'θeiʃəs] *adj bot.* zu den Zeitlosengewächsen (*Fam. Melanthaceae*) gehörig.

mel·a·nu·re·sis [,melənju(ə)'riːsis], **,mel·a'nu·ri·a** [-'nju(ə)riə] *s med.* Melanu'rie *f* (*Ausscheiden schwärzlichen Urins*). — **,mel·a'nu·ric** *adj* mela'nurisch.

mel·a·phyre ['melə,fair] *s min.* Mela'phyr *m* (*porphyrartiges dunkelfarbiges Ergußgestein*).

me·las·ma [mi'læzmə] *s med.* Me'lasma *n*, Melano'derma *n* (*schwarze Hautflecke*). — **me'las·mic** *adj* me'lasmisch.

me·las·sic [mi'læsik] *adj chem.* Melassin...: ~ acid Melassinsäure.

Mel·ba toast ['melbə] *s* dünne hartgeröstete Brotscheiben *pl* (*nach der Sängerin Melba genannt*).

Mel·chiz·e·dek [mel'kizə,dek] *npr Bibl.* Melchi'sedek *m.*

meld[1] [meld] (*beim Kartenspiel Pinochle*) **I** *v/t u. v/i* melden. – **II** *s* zum Melden geeignete Kombinati'on.

meld[2] [meld] *Am.* **I** *v/i* sich (ver)mischen. – **II** *v/t* (ver)mischen.

mel·dom·e·ter [mel'dɒmitər; -mət-] *s phys.* Mine'ralien-Schmelzpunktmesser *m.*

mel·e·ag·rine [,meli'ægrain; -rin] *adj zo.* zu den Truthühnern gehörig.

me·lee, *auch* **mê·lée** ['melei; mei'lei] *s* **1.** Handgemenge *n.* – **2.** *fig.* Gewoge *n*, verworrenes Hin u. Her, Tu'mult *m.*

me·le·gue·ta pep·per [,meilei'geitə] *s* **1.** Para'dieskörner *pl* (*Samen von Aframomum melegueta*; *Gewürz*). – **2.** *bot.* Nelkenpfefferbaum *m* (*Pimenta officinalis*).

me·le·na [mi'liːnə] *s med.* Me'läna *f*, Blutbrechen *n.* — **me'le·nic** *adj* Blutbrechen betreffend.

me·li·a·ceous [,miːli'eiʃəs] *adj bot.* zu den Melia'ceen gehörig.

mel·ic ['melik] *adj* **1.** melisch, lyrisch. – **2.** für Gesang bestimmt.

mel·i·ce·ric [,meli'si(ə)rik] *adj med.* honiggeschwulstartig. — **,mel·i'ce·ris** [-ris] *s* Honiggeschwulst *f.* — **,mel·i'ce·rous** → meliceric.

mel·ic grass *s bot.* Perlgras *n* (*Gattg Melica*).

mel·i·lite ['meli,lait] *s min.* Meli'lith *m* (*Gemengteil im Basalt*).

mel·i·lot ['meli,lɒt] *s bot.* Stein-, Honigklee *m* (*Gattg Melilotus*).

me·line ['miːlain; -lin] *zo.* **I** *adj* dachsartig. – **II** *s* Dachs *m* (*Unterfam. Melinae*).

mel·i·nite ['meli,nait] *s* Meli'nit *n* (*Sprengstoff*).

mel·io·ra·ble ['miːljərəbl] *adj* verbesserungsfähig. — **'mel·io,rate** [-,reit] **I** *v/t* verbessern, veredeln. – **II** *v/i* besser werden, sich verbessern. — **,mel·io'ra·tion** *s* **1.** Verbesserung *f*, Veredelung *f.* – **2.** *econ.* ('Grundstücks-)Meliorati,on *f.* — **'mel·io,ra·tive** *adj selten* verbessernd, veredelnd. — **'mel·io,ra·tor** [-tər] *s* Verbesserer *m*, Veredler *m.*

mel·io·rism ['miːljə,rizəm] *s philos.* Melio'rismus *m*: a) *Lehre von der Verbesserungsfähigkeit der Welt*, b) *Streben nach Verbesserung der menschlichen Gesellschaft.* — **'mel·io·rist** **I** *s* Melio'rist *m*, Anhänger(in) des Melio'rismus. – **II** *adj* → melioristic. — **,mel·io'ris·tic** *adj* den Melio'rismus *od.* die Melio'risten betreffend.

mel'ior·i·ty [-'jɒriti; -əti; *Am. auch* -'jɔːr-] *s* Über'legenheit *f* (*an Qualität etc*).

me·liph·a·gous [mi'lifəgəs] *adj zo.* honigfressend.

me·lis·ma [mi'lizmə; -lis-] *s mus.* **1.** Me'lisma *n*: a) *mehrere Töne auf eine Textsilbe*, b) me'lodische Fi'gur, Kolora'tur *f*, c) 'voll-me,lodischer Gesang. – **2.** (mehrstimmige) melis'matische Ka'denz. — **mel·is·mat·ic** [,meliz'mætik] *adj* melis'matisch. — **,mel·is'mat·ics** *s pl* (*als sg konstruiert*) Melis'matik *f.*

me·lis·sa [mi'lisə] *s bot. med.* (Zi'tronen)Me,lisse *f* (*Melissa officinalis*).

me·lis·sic ac·id [mi'lisik] *s chem.* Melis'sinsäure *f* ($C_{30}H_{61}CO_2H$).

mel·i·t(a)e·mi·a [,meli'tiːmiə], **,mel·i'th(a)e·mi·a** [-'θiːmiə] *s med.* Melishä'mie *f*, Glykä'mie *f* (*erhöhter Blutzuckergehalt*). — **,mel·i'tu·ri·a** [-'tju(ə)riə] *s med.* Zuckerharnruhr *f*, Harnzuckerausscheidung *f.*

mell[1] [mel] *v/t u. v/i obs. od. dial.* (sich) mischen, (sich) (ein)mengen.

mell[2] [mel] *s obs.* Honig *m.*

mell[3] [mel] *Scot. od. dial.* **I** *s* (Holz)-Schlegel *m*, Stößel *m*, schwerer Hammer. – **II** *v/t* (zer)schlagen, prügeln.

mel·lay ['melei] → melee.

mel·le·ous ['meliəs] *adj* honigähnlich. — **mel·lif·er·ous** [me'lifərəs; mə-] *adj* **1.** *bot.* honigerzeugend. – **2.** *zo.* Honig tragend *od.* bereitend.

mel·lif·lu·ence [me'lifluəns; mə-] *s* **1.** Honigfluß *m.* – **2.** *fig.* glattes Da'hinfließen (*der Worte*). — **mel'lif·lu·ent** *adj* (wie Honig) süß *od.* glatt da'hinfließend. — **mel'lif·lu·ous** *adj* honigsüß, (lieblich) einschmeichelnd (*Worte*).

mel·lite ['melait] *s min.* Mel'lit *m*, Honigstein *m* ($Al_2C_{12}O_{12}·18H_2O$).

mel·lit·ic [me'litik; mə-] *adj chem.* Mellith..., Honigstein..., mel'lith-, honigsauer. — **~ ac·id** *s* Mel'lithsäure *f*, Ben'zolhexacar,bonsäure *f*, Honigsäure *f* ($C_{12}H_6O_{12}$).

mel·liv·o·rous [me'livərəs; mə-] *adj zo.* Honig fressend, von Honig lebend.

mel·lon ['melɒn], *auch* **'mel·lone** [-oun] *s chem.* Mel'lon *n* ($C_6H_3N_9$).

mel·low ['melou] **I** *adj* **1.** reif, saftig, mürbe, weich (*Obst*). – **2.** *agr.* a) leicht zu bearbeiten(d), locker, b) reich (*Boden*). – **3.** ausgereift, voll entwickelt, vollsaftig, (*durch Ausreifen*) weich, zart, süß (*Wein*). – **4.** sanft, mild, angenehm (*für die Sinne*): ~ tints zarte Farbtöne. – **5.** *mus.* weich, voll, lieblich: the ~ bullfinch der weich *od.* schmelzend singende Dompfaff. – **6.** *fig.* durch die Zeit gereift u. gemildert, mild, freundlich, jovi'al: of ~ age von gereiftem Alter. – **7.** angeheitert, benebelt. – **II** *v/t* **8.** weich *od.* mürbe machen, (*Boden*) auflockern, zermürben. – **9.** *fig.* sänftigen, mildern, erweichen, verbessern. – **10.** (aus)reifen, zur Reife bringen, reifen lassen (*auch fig.*). – **III** *v/i* **11.** weich *od.* mürbe *od.* mild *od.* reif werden (*Wein etc*). – **12.** *fig.* sich abklären. — **'mel·low·ing** *adj* weich, sanft, schmelzend (klingend) (*Stimme etc*). — **'mel·low·ness** *s* **1.** Weichheit *f*, Mürbheit *f.* – **2.** *agr.* Gare *f.* – **3.** Gereiftheit *f.* – **4.** Milde *f*, Sanftheit *f* (*Farbtöne etc*). – **5.** (*Brauerei*) Auflösung *f*, Gare *f* (*Malz*).

'mel·low-,toned *adj* von weichem u. sanftem Ton, lieblich tönend.

mel·low·y ['meloi] *adj* **1.** weich, milde, sanft. – **2.** locker, mürbe (*Boden*).

me·lo·de·on [mə'loudiən; mi-] *s mus.* **1.** Me'lodium(orgel *f*) *n* (*ein amer. Harmonium*). – **2.** (*Art*) Ak'kordeon *n.* – **3.** *Am.* Varie'téthe,ater *n.*

me·lod·ic [mə'lɒdik; mi-] *adj* me'lodisch, wohlklingend. — **me'lod·ics** *s pl* (*als sg konstruiert*) *mus.* Melo'dielehre *f*, Me'lodik *f.*

me·lo·di·ous [mə'loudiəs; mi-] *adj* melo'dienreich, wohlklingend, me'lodisch. — **me'lo·di·ous·ness** *s* Wohlklang *m.*

mel·o·dist ['melodist; -lə-] *s* **1.** Liedersänger(in). – **2.** Me'lodiker *m*, melo'dienreicher Kompo'nist.

me·lo·di·um [mə'loudiəm; mi-] → melodeon.

mel·o·dize ['melə,daiz] **I** *v/t* **1.** me'lodisch *od.* wohlklingend machen. – **2.** (*Lieder*) vertonen. – **II** *v/i* **3.** Melo'dien singen *od.* kompo'nieren.

mel·o·dra·ma ['melə,drɑːmə; *Am. auch* -,dræ-] *s* Melo'drama *n*: a) ro'mantisches Sensati'onsstück (*mit Musik*), b) *hist.* ro'mantisches *od.* sensatio'nelles (Volks)Stück, c) *hist.* Singspiel *n* (*in dem abwechselnd gesungen u. gesprochen wird*), d) *fig.* melodra'matisches Ereignis *od.* Benehmen, Rührszene *f.* — **,mel·o·dra'mat·ic** [-drə'mætik], *selten* **,melo·dra'mat·i·cal** *adj* melodra'matisch, rührselig, pa'thetisch. – *SYN. cf.* dramatic. — **,mel·o·dra'mat·i·cal·ly** *adv* (*auch zu* melodramatic). — **,mel·o·dra'mat·ics** *s pl* (*als pl konstruiert*) melodra'matisches Benehmen. — **,mel·o'dram·a·tist** [-'dræmətist] *s* Melo'dramenschreiber (-in). — **,mel·o'dram·a,tize** *v/t* melodra'matisch machen *od.* darstellen: to ~ s.th. aus einer Sache ein Melodrama machen, etwas in übertriebener (kitschig-romantischer, pathetischer *od.* rührseliger) Weise behandeln *od.* schildern.

mel·o·dy ['melədi] **I** *s* **1.** *mus.* Melo'die *f*: a) me'lodisches Ele'ment (*der Musik*), b) (*einstimmige musikalische*) Tonfolge, (Lied-, Sing)Weise *f*, c) Melodiestimme *f*, d) Wohllaut *m*, -klang *m.* – **2.** (*zum Singen gedachtes*) Lied. – **3.** *ling.* 'Sprach-, 'Satzmelo,die *f.* – **4.** *fig.* Melo'die(artiges *n*) *f*, (*etwas*) Me'lodisches: in ~ ineinander übergehend (*Farben*). – **II** *v/t u. v/i selten* **5.** melodi'sieren, singen.

mel·o·e ['melo,iː] *s zo.* Maiwurm *m*, Ölkäfer *m* (*Gattg Meloë*). — **'mel·oid** **I** *s* Blasenkäfer *m* (*Fam. Meloidae*). – **II** *adj* zu den Blasenkäfern gehörig. — **,mel·o'lon·thi·dan** [-'lɒnθidən] *s* Mai-, Laubkäfer *m* (*Gattg Melolontha*). — **,mel·o'lon·thine** [-θain; -θin] *adj* zu den Maikäfern gehörig.

mel·o·ma·ni·a [,melo'meiniə] *s* Meloma'nie *f*, närrische Mu,sikschwärme'rei. — **,mel·o'ma·ni,ac** [-ni,æk] *s* Mu'siknarr *m.*

mel·on ['melən] *s* **1.** *bot.* Me'lone *f* (*Cucumis melo*). – **2.** *econ. sl.* großer Pro'fit (*einer Firma*): to cut a ~ eine Riesendividende auszahlen. — **~ cac·tus** *s bot.* Me'lonenkaktus *m* (*Gattg Cactus*). — **~ cut·ting** *s econ. sl.* Riesengewinnauszahlung *f* (*in Dividenden an Aktionäre*). — **~ tree** *s bot.* Me'lonen-, Pa'payabaum *m* (*Carica papaya*).

mel·o·phone ['melo,foun; -lə-] *s mus.* Melo'phon *n* (*Art Harmonika*).

mel·o·phon·ic [,melo'fɒnik; -lə-] *adj* musi'kalisch, Musik... — **'mel·o·,pho·nist** [-,founist] *s selten* Me'lodiker *m.*

mel·o·plas·tic [,melo'plæstik; -lə-] *adj med.* wangenplastisch, melo'plastisch. — **'mel·o,plas·ty** *s* Melo'plastik *f*, Wangenplastik *f*, -neubildung *f.*

mel·o·poe·ia [,melo'piːjə; -lə-] *s mus.* Melopö'ie *f*, Melo'diebildung *f.*

mel·o·trope ['melo,troup; -lə-] *s mus.* Melo'trop *n* (*Piano zum Abspielen mechanisch aufgenommener Klaviermusik*).

Mel·pom·e·ne [mel'pɒmi,niː; -mə-; -ni] *npr antiq.* Mel'pomene *f* (*die Muse des Trauerspiels*).

melt [melt] **I** *v/i pret u. pp* **'melt·ed**, *obs. pp* **mol·ten** ['moultən] **1.** (zer)schmelzen, flüssig werden: to ~ down zerfließen. – **2.** sich auflösen. – **3.** aufgehen (into in *acc*), sich verflüchtigen, verschwinden. – **4.** zu'sammenschrumpfen, sich zu'sammenziehen. – **5.** *fig.* zerschmelzen, zerfließen (with vor *dat*): to ~ into tears zu Tränen gerührt werden. – **6.** *fig.* auftauen (*hartherziger od. verschlossener Mensch*): his heart ~ed. – **7.** *Bibl.* verzagen. – **8.** verschmelzen, verschwimmen (*Ränder, Farben etc*): outlines ~ing into each other. – **9.** (ver)schwinden, zur Neige gehen (*Geld etc*): to ~ away dahinschwinden, -schmelzen. – **10.** *humor.* vor Hitze vergehen, zerfließen. – **II** *v/t* **11.** schmelzen, lösen. – **12.** (zer)schmelzen *od.* (zer)fließen lassen (into in *acc*). – **13.** *fig.* rühren, weich machen: to ~ s.o.'s heart. – **14.** verschwinden lassen: the sun ~ed the morning mist. – **15.** (*Farben etc*) verschmelzen *od.* verschwimmen lassen. – **16.** *tech.* schmelzen: to ~ down a) nieder-, einschmelzen, b) (*Eisenverhüttung*) einrennen. – **III** *s* **17.** Schmelzen *n* (*Metall*): on the ~ schmelzend. – **18.** Schmelze *f*, geschmolzene Masse. – **19.** *tech.* Gicht *f*, Einsatz *m* (*in Schmelzöfen zum Schmelzen*). — **'melt·age** *s* Schmelze *f*, geschmolzene Menge *od.* Masse. — **'melt·er** *s* **1.** Schmelzer *m.* – **2.** *tech.* Schmelzgefäß *n*, *bes.* a) Schmelzofen *m*, b) Schmelztiegel *m*, -topf *m.*

melt·ing ['meltiŋ] **I** *adj* **1.** schmelzend, Schmelz...: ~ heat schwüle Hitze. – **2.** *fig.* weich, zart, mitleidig. – **3.** *fig.* rührend (*Sprache etc*). – **II** *s* **4.** Schmelzen *n*, Verschmelzung *f.* – **5.** *pl* Schmelzmasse *f.* — **~ charge** *s tech.* Schmelzgut *n*, -stoff *m*, Einsatz *m*, Beschickung *f.* — **~ cone** *s phys. tech.* Schmelz-, Seger-, Brennkegel *m.* — **~ fur·nace** *s tech.* Schmelzofen *m.* — **~ point** *s phys.* Schmelzpunkt *m.* — **~ pot** *s* **1.** Schmelztiegel *m*: to put into the ~ *fig.* von Grund auf ändern, gänzlich ummodeln. – **2.** *fig.* Schmelztiegel *m* (*ein Land, in welchem sich Angehörige vieler Nationen mit verschiedensten nationalen Eigenheiten zusammenfinden, bes. die USA*). — **~ stock** *s tech.* Charge *f*, Beschickungsgut *n* (*Hochofen*).

mel·ton ['meltən] *s* Melton *m* (*Wollstoff für Mäntel, Jagdröcke etc*). — **M~ Mow·bray pie** ['moubrei] *s* (*Art*) 'Fleischpa,stete *f.*

mem·ber ['membər] *s* **1.** Mitglied *n* (*Gesellschaft, Körperschaft, Familie, Partei etc*): ~ of the army Wehrmachtsangehöriger; ~ of Christ *relig.* Christ(in); ~ of the managing committee Vorstandsmitglied. – **2.** *pol.* a) *auch* M~ of Parliament *Br.* Abgeordnete(r) des 'Unterhauses, b) *auch* M~ of Congress *Am.* Kon'greßmitglied *n.* – **3.** *tech.* Glied *n*, Teil *m* (*eines Ganzen*). – **4.** *math.* a) Glied *n* (*Reihe etc*), b) Seite *f* (*Gleichung*). – **5.** *bot.* Einzelteil *m* (*eines Pflanzenkörpers*). – **6.** *arch.* untergeordneter Teil eines Gebäudes (*Fries, Karnies, Sims etc*): hollow ~ hohles Gesims, Hohlkehle; rounded ~s runde Glieder. – **7.** *ling.* Satzteil *m*, -glied *n.* – **8.** *aer.* Bauteil *m.* – **9.** *phys.* Fachwerkstab *m.* – **10.** *med. zo.* a) Glied(maße *f*) *n*, Extremi'tät *f*: the unruly ~ *fig.* die Zunge, b) das (männliche) Glied. – *SYN. cf.* part.

mem·bered ['membərd] *adj* **1.** gegliedert. – **2.** (*in Zusammensetzungen*) ...gliedrig: four-~ viergliedrig. – **3.** *her.* mit Gliedern von anderer Farbe (*als der Körper*).

mem·ber·less ['membərlis] *adj* gliedlos, einfach, ungeteilt.

mem·ber·ship ['membər,ʃip] *s* **1.** Mitgliedschaft *f*, Zugehörigkeit *f* (*zu einer Vereinigung etc*): ~ fee Mitgliedsbeitrag. – **2.** Mitgliederzahl *f.* – **3.** Gemeinschaft *f*, Gesellschaft *f*, Vereinigung *f.* – **4.** *collect.* Mitgliederschaft *f* (*Gesamtheit der Mitglieder eines Vereins etc*).

mem·bral ['membrəl] *adj med. zo.* Glied..., Glieder...

mem·bra·na·ceous [,membrə'neiʃəs] → membranous.

mem·brane ['membrein] *s* **1.** *med. zo.* Mem'bran(e) *f*, Häutchen *n*: covering ~ Deckmembran; drum ~ Trommelfell; ~ of connective tissue Bindegewebshaut; → mucous 3. – **2.** Mem'bran *f*, Perga'ment *n* (*zum Schreiben*). – **3.** *phys. tech.* Mem'bran(e) *f.* — **~ bone** *s med.* Bindegewebs-, Beleg-, Deckknochen *m.*

mem·bra·ne·ous [mem'breiniəs] → membranous. — **mem'bra·ni,form** [-,fɔːrm] *adj* hautartig, häutig. — **mem·bra·nous** ['membrənəs] *adj* *bot. med. zo.* häutig, mit *od.* aus Häutchen (bestehend), häutchenartig, membra'nös, Membran...: ~ **cartilage** Hautknorpel. — **mem·bra·nule** ['membrəˌnjuːl; mem'brei-] *s biol.* Flügelhäutchen *n.*

me·men·to [mi'mentou] *pl* **-tos** *s* **1.** Me'mento *n*, Erinnerung *f*, Mahnzeichen *n*: ~ **mori** Mahnung an den Tod. – **2.** M~ Me'mento *n* (*eines von 2 Gebeten der röm.-kath. Messe*).

Mem·non ['memnɒn] *npr antiq.* Memnon *m* (*König der Äthiopier, der von Zeus unsterblich gemacht wurde*). — **Mem'no·ni·an** [-'nouniən] *adj* den König Memnon betreffend, Memnon(s)...

mem·o ['memou] *s colloq.* No'tiz *f.*

mem·oir ['memwɑːr; -wɔːr] *s* **1.** Denkschrift *f*, Abhandlung *f*, Bericht *m.* – **2.** *pl* Me'moiren *pl*, Denkwürdigkeiten *pl*, Lebenserinnerungen *pl.* – **3.** wissenschaftliche Unter'suchung (**on** über *acc*). — **'mem·oir·ist** *s* Me'moirenschreiber(in), Bio'graph(in).

mem·o·ra·bil·i·a [ˌmemərə'biliə] *s pl* Denkwürdigkeiten *pl*, Erinnerungen *pl.* — **ˌmem·o·ra'bil·i·ty** *s* Denk-, Merkwürdigkeit *f.* — **'mem·o·ra·ble** *adj* **1.** denk-, merkwürdig. – **2.** *selten* (leicht) im Gedächtnis zu behalten(d). — **'mem·o·ra·ble·ness** → memorability.

mem·o·ran·dum [ˌmemə'rændəm] *pl* **-da** [-də], **-dums** *s* **1.** Merkzeichen *n*, Anmerkung *f*, Bemerkung *f*, Vermerk *m*, No'tiz *f*: **to make a** ~ notieren; **urgent** ~ Dringlichkeitsvermerk. – **2.** *econ. jur.* Vereinbarung *f*, Vertragsurkunde *f*: ~ **of association** Gründungsprotokoll (*einer Gesellschaft*); ~ **of deposit** Urkunde über einen Verwahrungs-, Depot- *od.* Hinterlegungsvertrag. – **3.** *econ.* a) Rechnung *f*, Nota *f*, b) Kommissi'onsnota *f*: **to send on a** ~ (*bes. Juwelen*) in Kommission senden. – **4.** *jur.* (kurze) Aufzeichnung (*vereinbarter Punkte*). – **5.** *pol.* diplo'matische Note, Denkschrift *f*, Memo'randum *n.* – **6.** Merkblatt *n.* — ~ **book** *s econ.* No'tizbuch *n*, Memori'al *n*, Manu'al *n*, Kladde *f*, Strazze *f.*

me·mo·ri·al [mi'mɔːriəl; mə-] **I** *adj* **1.** zum Andenken dienend, das Gedächtnis unter'stützend, Gedächtnis...: ~ **service** Gedenkgottesdienst; ~ **stone** Gedenkstein. – **II** *s* **2.** Denkmal *n*, Erinnerungs-, Gedenkzeichen *n*, -feier *f*: **Albert M~** *Br. Denkmal für den Prinzgemahl Albert im Hyde Park.* – **3.** Andenken *n* (**for** an *acc*). – **4.** *jur.* Abriß *m*, Auszug *m* (*aus einer Urkunde etc*). – **5.** Denk-, Bittschrift *f*, Eingabe *f* (*bes. an Behörden*). – **6.** diplo'matische Note. – **7.** *pl* → memoir 2. – **III** *v/t* → memorialize. — **M~ Day** *s Am.* Erinnerungstag *m* (*zum Gedächtnis gefallener Soldaten*; *30. Mai*).

me·mo·ri·al·ist [mi'mɔːriəlist; mə-] *s* **1.** Me'moirenschreiber(in). – **2.** j-d der eine Eingabe macht, Bittsteller(in). — **me'mo·ri·alˌize** *v/t* **1.** eine Denk- *od.* Bittschrift einreichen bei (*einer Behörde etc*): **to** ~ **Congress.** – **2.** erinnern an (*acc*), eine Gedenkfeier abhalten für, feiern.

me·mo·ri·al stone *s* **1.** Denkstein *m.* – **2.** *arch.* Grundstein *m.*

me·mo·ri·a tech·ni·ca [mi'mɔːriə 'teknikə] (*Lat.*) *s* **1.** Gedächtnisstütze *f.* – **2.** Mne'monik *f*, Gedächtniskunst *f.*

mem·o·rist ['memərist] *s* **1.** *obs.* Mahner *m.* – **2.** *Am. selten* j-d der ein gutes Gedächtnis hat.

me·mo·ri·ter [mi'mɒritər; mə-] (*Lat.*) *adv* auswendig, aus dem Gedächtnis.

mem·o·ri·za·tion [ˌmemərai'zeiʃən; -ri'z-] *s* Auswendiglernen *n*, Memo'rieren *n.* — **'mem·oˌrize** *v/t* **1.** im Gedächtnis behalten. – **2.** auswendig lernen, memo'rieren. – **3.** *obs.* denkwürdig *od.* berühmt machen.

mem·o·ry ['meməri] *s* **1.** Gedächtnis *n*, Erinnerungskraft *f*, Merkfähigkeit *f*: **art of** ~ Gedächtniskunst, Mnemonik; **from** ~, **by** ~ aus dem Gedächtnis, auswendig; **to call to** ~ sich (*dat*) ins Gedächtnis zurückrufen, sich erinnern an (*acc*); **to escape s.o.'s** ~ j-s Gedächtnis entfallen; **to have a good (weak)** ~ ein gutes (schwaches) Gedächtnis haben; ~ **image** *biol.* Erinnerungsvorstellung; **if my** ~ **serves me (right)** wenn ich mich recht erinnere; → **commit** 2. – **2.** Erinnerung(szeit) *f* (**of** an *acc*): **it is within living** ~ es leben noch Leute, die sich daran erinnern (können); **before** ~, **beyond** ~ vor Menschengedenken. – **3.** Andenken *n*, Erinnerung *f*: **in** ~ **of** zum Andenken an (*acc*); → **blessed** 1. – **4.** *obs.* Denkmal *n*, Denk-, Erinnerungszeichen *n* (*auch fig.*). – **5.** Remi'nis'zenz *f*, Erinnerung *f* (*an Vergangenes*): **the war became only a** ~. – *SYN.* **recollection, remembrance, reminiscence.**

Mem·phi·an ['memfiən] *adj antiq.* aus Memphis (*Hauptstadt des alten Ägyptens*), memphisch, ä'gyptisch: ~ **darkness** ägyptische Finsternis.

mem·sa·hib ['memˌsɑːib] *s Br. Ind.* euro'päische verheiratete Frau.

men [men] *pl von* man.

men·ace ['menis; -əs] **I** *v/t* **1.** (be)drohen, gefährden. – **2.** als Drohung ankündigen: **to** ~ **s.th.** etwas androhen. – **II** *v/i* **3.** sich drohend gebärden, Drohungen ausstoßen. – *SYN. cf.* **threaten.** – **III** *s* **4.** (Be)Drohung *f* (**to** *gen*). – **5.** drohende Gefahr (**to** für). — **'men·ac·ing** *adj* drohend, bedrohlich.

me·nad *cf.* maenad.

men·a·di·one [ˌmenə'daioun] *s chem.* Menadi'on *n* ($C_{11}H_8O_2$; *Vitamin-K-Ersatz*).

mé·nage [me'nɑːʒ], **me·nage** [mə'nɑːʒ] *s* Haushalt(ung *f*) *m.*

me·nag·er·ie [mi'nædʒəri; mə-] *s* **1.** Menage'rie *f*, Tierschau *f.* – **2.** Zwinger *m.* – **3.** *obs.* Vogelhaus *n.* — **me'nag·er·ist** *s* Inhaber *m* einer Menage'rie.

men·ald ['menəld] *adj* buntgefleckt (*Rotwild*).

me·nar·che [mi'nɑːrki] *s med.* Me'narche *f* (*erste Menstruation*).

mend [mend] **I** *v/t* **1.** ausbessern, flicken, wieder'herstellen: **to** ~ **boots (clothes)** Schuhe (Kleider) flicken *od.* ausbessern; **to** ~ **stockings** Strümpfe stopfen. – **2.** repa'rieren: **to get s.th.** ~**ed** etwas reparieren lassen. – **3.** (ver)bessern, berichtigen, besser machen: **to** ~ **one's efforts** seine Anstrengungen verdoppeln; **to** ~ **the fire** das Feuer schüren, nachlegen; **to** ~ **one's pace** den Schritt beschleunigen; **to** ~ **one's market** *econ.* seine (Handels)Bedingungen verbessern; **to** ~ **sails** *mar.* die Segel losmachen u. besser anschlagen; **to** ~ **one's ways** sich (sittlich) bessern; **least said soonest** ~**ed** je weniger gesagt wird, desto leichter wird alles wieder gut; ~ **or end!** besser machen od. Schluß machen! → **fence** 1. – **4.** *colloq.* schlagen, über'treffen (*bes. im Erzählen einer Geschichte*). – **5.** *obs.* fördern, helfen, (*Lohn etc*) erhöhen, vermehren. – **6.** *tech.* (*Gußeisen*) schweißen. – **II** *v/i* **7.** besser werden, sich bessern. – **8.** genesen: **to be** ~**ing** (*od. Am. dial.* **to be on the** ~**ing hand**) auf dem Wege der Besserung sein. – *SYN.* **patch, rebuild, remodel, repair.** – **III** *s* **9.** Besserung *f* (*gesundheitlich u. allg.*): **to be on the** ~ auf dem Wege der Besserung sein. – **10.** ausgebesserte Stelle, Flick-, Stopfstelle *f.* — **'mend·a·ble** *adj* (aus)besserungsfähig.

men·da·cious [men'deiʃəs] *adj* **1.** lügnerisch, trügerisch. – **2.** lügenhaft, falsch, unwahr. – **3.** verlogen. – *SYN. cf.* **dishonest.** — **men'dac·i·ty** [-'dæsiti; -əti] *s* **1.** Lügenhaftigkeit *f*, Verlogenheit *f.* – **2.** Lüge *f*, Unwahrheit *f.*

Men·de·le·ev's law [ˌmendə'leijefs] *s chem.* Mende'lejewsches Gesetz.

men·de·le·vi·um [ˌmendə'liːviəm] *s chem.* Mende'levium *n* (Md).

Men·de·li·an [men'diːliən] *adj biol.* Mendelsch(er, e, es), Mendel... (*nach J. G. Mendel*): ~ **ratio** Mendelsches Verhältnis, Spaltungszahlen. — **Men·del·ism** ['mendəˌlizəm], *auch* **Men'de·li·anˌism** [-'diːl-] *s* Mende'lismus *m*, Mendelsche Regeln *pl.* — **'Men·del·ist** *s* Anhänger(in) der Lehre Mendels. — **'Men·delˌize** *v/t* mendeln.

Men·del's laws ['mendəlz] *s pl biol.* die Mendelschen Gesetze *pl.*

Men·de·lye·ev's law *cf.* Mendeleev's law.

mend·er ['mendər] *s* j-d der ausbessert, Flicker(in): **net** ~; **road** ~.

men·di·can·cy ['mendikənsi] *s* **1.** Bette'lei *f*, Betteln *n.* – **2.** Bettelstand *m*, -armut *f.* — **'men·di·cant** **I** *adj* **1.** bettelnd, bettelarm, Bettel...: ~ **friar** Bettelmönch; ~ **order** Bettelorden. – **II** *s* **2.** Bettler(in). – **3.** Bettelmönch *m.*

men·dic·i·ty [men'disiti; -əti] *s* **1.** Bettelarmut *f.* – **2.** Bettelstand *m*: **to reduce to** ~ an den Bettelstab bringen. – **3.** Bette'lei *f.*

mend·ing ['mendiŋ] *s* **1.** (Aus)Bessern *n*, Flicken *n*: **his boots need** ~ seine Stiefel müssen geflickt werden; **invisible** ~ Kunststopfen. – **2.** *pl* Stopfgarn *n* (*aus Wolle u. Baumwolle*). – **3.** *selten* auszubessernde Gegenstände *pl.* – **4.** *selten* gestopfte Stelle, Flicken *m.*

men·do·za bea·ver [men'douzə] *s* Bibe'rette(kaˌnin *n*) *f* (*Kaninchenfell, dem für Handelszwecke ein biberpelzähnliches Aussehen verliehen wurde*).

me·ne, me·ne, te·kel, u·phar·sin ['miːni 'miːni 'tiːkəl ju'fɑːrsin; 'tek-] (*Aramaic*) *s Bibl.* Mene'tekel *n* (*drohende Warnung*; *Daniel 5,25*).

'menˌfolk, 'menˌfolks *s pl* Mannsvolk *n*, -leute *pl.*

men·ha·den [men'heidn] *s zo.* Men'haden *m*, Bunker *m* (*Brevoortia tyrannus*; *Heringsfisch*).

men·hir ['menhir] *s* Menhir *m*, Dru'idenstein *m*, Steinsäule *f.*

me·ni·al ['miːniəl] **I** *adj* **1.** zur Dienerschaft gehörig, Haus..., Diener... – **2.** knechtisch, niedrig, gemein (*Arbeit*): ~ **offices** niedrige Dienste. – **3.** knechtisch, unter'würfig. – *SYN. cf.* **subservient.** – **II** *s* **4.** Diener(in), Knecht *m*, Magd *f*, La'kai *m* (*bes. in verächtlichem Sinn*): ~**s** Gesinde.

me·nin·ge·al [mi'nindʒiəl] *adj med.* meninge'al, Hirnhaut... — **me'nin·ges** [-dʒiːz] *s pl* Hirnhäute *pl*, Me'ningen *pl.* — **me'nin·gism** [-dʒizəm] *s* Menin'gismus *m.* — **men·in·git·ic** [ˌmenin'dʒitik] *adj* menin'gitisch. — **ˌmen·in'gi·tis** [-'dʒaitis] *s* Menin'gitis *f*, (Ge)Hirnhautentzündung *f.*

me·nin·go·cele [mi'niŋgoˌsiːl] *s med.* Meningo'cele *f*, Hirnhautbruch *m.* — **meˌnin·go'coc·cal** [-'kɒkəl] *adj* Meningo'kokken betreffend. — **meˌnin·go·coc'ce·mi·a** [-kɒk'siːmiə] *s* Meningokokkä'mie *f*, Allge'meininfektiˌon *f* an Menningo'kokken. — **meˌnin·go'coc·cic** [-'kɒksik] → meningococcal. — **meˌnin·go'coc·cus** [-'kɒkəs] *s* Meningo'kokkus *m.*

men·is·ci·tis [ˌmeni'saitis] *s med.* Me'niskusaffektiˌon *f* (*bes. Entzündung*). — **me·nis·cus** [mi'niskəs] *pl* **-ci** [-'nisai] *s* **1.** Me'niskus *m*, Halbmond *m*, halbmondförmiger Körper. – **2.** *med.* Me'niskus *m*, Gelenkzwischenknorpel *m*, Gelenkscheibe *f.*

– 3. (*Optik*) kon'vex-kon'kave Linse, Me'niskenglas *n.* – 4. *phys.* Me'niskus *m* (*Wölbung der Flüssigkeitsoberfläche in Kapillaren*).

men·i·sper·ma·ceous [ˌmenispər'meiʃəs] *adj bot.* zu den Mondsamengewächsen gehörend.

men·i·sper·mine [ˌmeni'spəːrmiːn; -min] *s chem.* Menisper'min *n* ($C_{18}H_{24}N_2O_2$; *Alkaloid*).

Men·non·ite ['menəˌnait] *relig.* **I** *s* Menno'nit(in) (*Mitglied der nach dem Friesländer Menno Simons, 1492 bis 1559, genannten Sekte*). – **II** *adj* menno'nitisch.

meno- [meno] *Wortelement mit der Bedeutung* Monat.

me·nol·o·gy [mi'nɒlədʒi] *s* **1.** 'Monatsreˌgister *n.* – **2.** *relig.* 'Märtyrer-, 'Heiligenkaˌlender *m* (*der griech. Kirche*).

men·o·pau·sal [ˌmenə'pɔːzəl] *adj med.* die Meno'pause *od.* die Wechseljahre betreffend. — **'men·oˌpause** *s* Meno'pause *f*, Aufhören *n* der Menstruati'on, Klimak'terium *n*, Wechseljahre *pl*, kritisches Alter.

men·or·rha·gi·a [ˌmenə'reidʒiə] *s med.* Menorrha'gie *f*, 'übermäßige Regelblutung.

men·sa ['mensə] *pl* **-sae** [-siː] *s* **1.** Tisch *m*: **divorce a ~ et thoro** *jur.* Trennung von Tisch u. Bett. – **2.** *relig.* Al'tartisch *m.* – **3.** *med.* Mensa *f*, flache Oberfläche (*eines Backenzahns*).

men·sal[1] ['mensl] *adj* Tisch...

men·sal[2] ['mensl] *adj* monatlich.

men·ses ['mensiːz] *s pl med.* Menses *pl*, Monatsfluß *m*, Regel *f* (*der Frau*).

Men·she·vik, m~ ['menʃəvik] *pl* **-vi·ki** [ˌmenʃə'viːki *od.* -vi'kiː] *od.* **-viks** *s pol. hist.* Mensche'wik *m* (*Mitglied der gemäßigten russ. Sozialdemokraten*). — **'Men·sheˌvism, m~** *s* Mensche'wismus *m.* — **'Men·she·vist, m~** *s* Mensche'wist *m.*

men·stru·al[1] ['menstruəl] *adj* **1.** monatlich, Monats... – **2.** *selten* einen Monat dauernd (*Blume etc*). – **3.** *med.* menstru'al, Menstruations...

men·stru·al[2] ['menstruəl] *adj med.* ein Lösungsmittel betreffend, Menstruum...

men·stru·al| e·qua·tion *s astr.* Monatsgleichung *f.* — **~ flow** *s med.* Monatsfluß *m.*

men·stru·ant ['menstruənt] *adj med.* menstru'ierend. — **'men·struˌate** [-ˌeit] *v/i med.* menstru'ieren, den Monatsfluß *od.* die Regel haben. — **ˌmen·stru'a·tion** *s* Menstruati'on *f*, Regel *f.*

men·stru·ous ['menstruəs] *adj* **1.** → menstruant. – **2.** *med.* Menstruations... – **3.** monatlich.

men·stru·um ['menstruəm] *pl* **-stru·a** [-struə], **-stru·ums** *s chem. med.* Menstruum *n*, Lösemittel *n.*

men·su·al ['menʃuəl; -sjuəl] *adj* monatlich ('wiederkehrend).

men·sur·a·bil·i·ty [ˌmenʃurə'biliti; -ʃər-; -əti] *s* Meßbarkeit *f.* — **'men·sur·a·ble** *adj* **1.** meßbar. – **2.** *mus.* rhythmisch messend *od.* gemessen: **~ music** Mensuralmusik. — **'men·sur·a·ble·ness** *s* Meßbarkeit *f.* — **men·su·ral** ['menʃurəl; -sjurəl] *adj* **1.** mensu'ral, Maß... – **2.** *mus.* → mensurable 2.

men·su·rate ['menʃəˌreit; -sjə-] *v/t selten* messen. — **ˌmen·su'ra·tion** *s* **1.** Messung *f*, Ab-, Ausmessung *f*, Vermessung *f.* – **2.** *math.* Meßkunst *f.* – **3.** Meßbestimmung *f.* — **'men·suˌra·tive** *adj* meßbar, Meß...

men·tal[1] ['mentl] **I** *adj* **1.** geistig, innerlich, intellektu'ell, Geistes...: **~ arithmetic** Kopfrechnen; **~ power** Geisteskraft; **~ reservation** geheimer Vorbehalt, Gedankenvorbehalt, Mentalreservation; **~ state** Geisteszustand. – **2.** seelisch, geistig-seelisch. – **3.** *med.* geisteskrank, -gestört, Geistes...: **~ disease** Geisteskrankheit; **~ hospital** Klinik für Geisteskranke, Nervenklinik; **~ patient, ~ case** Geisteskranke(r). – **II** *s* **4.** *colloq.* Verrückte(r).

men·tal[2] ['mentl] *adj med. zo.* Kinn...: **~ apophysis** Kinnstachel; **~ foramen** Kinnloch.

men·tal| a·bil·i·ty *s* geistige Fähigkeit. — **~ age** *s psych.* geistiges Alter (*auf Grund eines Testsystems festgestellter Intelligenzgrad*): **a 10 year-old child with a ~ of 12.** — **~ de·fi·cien·cy** *s med.* geistige Minderwertigkeit, Schwachsinn *m.* — **~ de·range·ment** *s* **1.** *jur.* krankhafte Störung der Geistestätigkeit. – **2.** *med.* Geistesstörung *f*, Irresein *n*, Irrsinn *m.* — **~ heal·ing** *s med.* psycho'logische 'Heilmeˌthode. — **~ hy·giene** *s med.* geistige Hygi'ene, geistige Gesundheitspflege. — **~ im·age** *s* geistige Vorstellung.

men·tal·i·ty [men'tæliti; -əti] *s* Geistesrichtung *f*, Mentali'tät *f*, Denkweise *f*, Denkungsart *f*, Gesinnung *f.* — **men·tal·ly** ['mentəli] *adv* geistig, im Geiste, bei sich, in geistiger Beziehung.

men·tal| set *s ped.* geistige Einstellung. — **~ test** *s* psycho'logischer Test.

men·ta·tion [men'teiʃən] *s* **1.** Geistestätigkeit *f.* – **2.** Geisteszustand *m.*

men·tha·ceous [men'θeiʃəs] *adj bot.* zu den Minzen gehörig, minzenartig.

men·thane ['menθein], *auch* **'men·than** [-θæn] *s chem.* Men'than *n* ($C_{10}H_{20}$).

men·thene ['menθiːn] *s chem.* Men'then *n* ($C_{10}H_{18}$).

men·thol ['menθɒl; -θoul] *s chem.* Men'thol *n*, Men'thol-, Pfefferminzkampfer *m* ($C_{10}H_{20}O$). — **'men·thoˌlat·ed** [-θəˌleitid] *adj med.* **1.** mit Men'thol behandelt. – **2.** Men'thol enthaltend.

men·ti·cide ['mentiˌsaid] → brain-[washing.]

men·ti·cul·tur·al [ˌmenti'kʌltʃərəl] *adj selten* geistbildend.

men·tig·er·ous [men'tidʒərəs] *adj zo.* das Kinn tragend (*Insekt*).

men·tion ['menʃən] **I** *s* **1.** Erwähnung *f*, Meldung *f*: **to make (no) ~ of s.th.** etwas (nicht) erwähnen; **hono(u)rable ~** ehrenvolle Erwähnung; **to give individual ~ to** einzeln erwähnen. – **2.** lobende Erwähnung (*in Wettbewerben, Prüfungen etc an Stelle eines Preises*). – **II** *v/t* **3.** erwähnen, anführen, melden, anzeigen, gedenken (*gen*): **(please) don't ~ it!** gern geschehen! bitte sehr! (es ist) nicht der Rede wert! es hat nichts zu sagen! **not to ~** geschweige denn, abgesehen von; **not worth ~ing** nicht der Rede wert; **to be ~ed in dispatches** *mil. Br.* im Kriegsbericht (lobend) erwähnt werden. — **'men·tion·a·ble** *adj* erwähnens-, anführenswert, zu erwähnen(d). — **'men·tioned** *adj* erwähnt: **as ~ above** wie oben erwähnt; → afore~.

men·tor ['mentɔːr; -tər] **I** M~ *npr antiq.* Mentor *m* (*Berater u. Freund Telemachs*). – **II** *s* Mentor *m*, kluger u. treuer Ratgeber.

men·u ['menjuː] *pl* **-us** *s* Me'nü *n*, Speisenfolge *f*, Speise(n)karte *f*, Karte *f.*

men·yie, men·zie ['menji] → meinie.

me·ow [mi'au; mjau] **I** *v/i* mi'auen. – **II** *s* Mi'auen *n* (*Katze*).

Me·phis·to·phe·le·an, Me·phis·to·phe·li·an [ˌmefistə'fiːliən; -ljən] *adj* mephisto'phelisch, teuflisch, sar'kastisch.

me·phit·ic [mi'fitik] *adj bes. med.* me'phitisch, faul, verpestet, verpestend, giftig (*Luft, Geruch etc*): **~ air** Stickluft; **~ gas** (*Bergbau*) böse Wetter, Nachschwaden. — **me'phi·tis** [-'faitis] *s* faule, verpestete Ausdünstung, Stickluft *f*, Gestank *m.*

mep·ro·bam·ate [ˌmeprou'bæmeit] *s chem. med.* Meproba'mat *n* (*Psycho- u. Muskelrelaxans*).

mer·can·tile ['məːrkənˌtail; *Am. auch* -til] *adj* **1.** kaufmännisch, handeltreibend, Handels...: **~ interests** kaufmännische Interessen; **~ marine** Handelsmarine. – **2.** *econ.* Merkantil... — **~ a·gen·cy** *s econ.* 'Handels-, Kre'ditauskunfˌtei *f.* — **~ law** *s jur.* Handelsrecht *n.* — **~ pa·per** *s econ.* 'Warenpaˌpier *n*, -wechsel *m*, -akˌzept *n.* — **~ sys·tem** → mercantilism 3.

mer·can·til·ism ['məːrkəntaiˌlizəm; *Am. auch* -tiˌl-] *s* **1.** Handels-, Krämergeist *m.* – **2.** kaufmännischer Unter'nehmergeist. – **3.** *econ. hist.* Merkanti'lismus *m*, Merkan'tilsyˌstem *n* (*volkswirtschaftliche Lehre, nach der die Quelle des Reichtums der Handel ist, welcher Geld ins Land bringt*). — **'mer·can·til·ist** *s econ.* Merkanti'list *m*, Anhänger *m* des Merkan'tilsyˌstems.

mer·cap·tan [mər'kæptæn] *s chem.* Mercap'tan *n*, Thi'olalkohol *m* (*Verbindung der allg. Formel* RSH): **ethyl ~** Äthylmercaptan (C_2H_5SH). — **mer'cap·tide** [-taid; -tid] *s chem.* Mercap'tid *n* (*Salze der Mercaptane mit metallischen Basen*).

Mer·ca·tor's pro·jec·tion [mər'keitərz; -tɔːrz] *s geogr. math.* Mer'katorprojektiˌon *f.*

mer·ce·nar·i·ly [*Br.* 'məːrsənərili; *Am.* -ˌner-] *adv* um Lohn, für Geld, aus Gewinnsucht. — **'mer·ce·nar·i·ness** *s* **1.** Feilheit *f*, Käuflichkeit *f.* – **2.** Gewinnsucht *f.* — **'mer·ce·nar·y** **I** *adj* **1.** um Lohn dienend, gedungen, Lohn...: **~ troops** Söldnertruppen. – **2.** *fig.* feil, käuflich. – **3.** *fig.* Gewinn..., selbstsüchtig, Geld...: **~ marriage** Geldheirat. – **II** *s* **4.** *mil.* Söldner *m*: **mercenaries** Söldnertruppen. – **5.** Gedungener *m*, Mietling *m.*

mer·cer ['məːrsər] *s Br.* **1.** Seiden- u. Tex'tilienhändler *m*: **M~'s Company** (*od.* **Guild**) Seidenhändlergilde; **M~'s Hall** Zunfthaus der Seidenhändler (*in London*). – **2.** *fast obs.* Krämer *m.*

mer·cer·i·za·tion [ˌməːrsərai'zeiʃən; -ri'z-] *s tech.* Merzeri'sierung *f* (*nach dem engl. Kalikodrucker John Mercer, 1791–1866, benanntes Verfahren der Behandlung von Baumwollfasern mit starker kalter Natronlauge*). — **'mer·cerˌize** *v/t* (*Baumwollfasern*) merzeri'sieren.

mer·cer·y ['məːrsəri] *s econ.* **1.** Seiden-, Schnitt-, Manufak'turwaren *pl.* – **2.** Seiden-, Schnittwarenhandel *m.* – **3.** Seiden-, Schnittwarenhandlung *f.*

mer·chan·dise ['məːrtʃənˌdaiz] **I** *s* **1.** Waren *pl*, Handelsgüter *pl*: **an article of ~** eine Ware; **goods, wares and ~** Hab u. Gut. – **2.** *obs.* Handel *m.* – **II** *v/i* **3.** *Br. obs. od. Am.* Handel treiben, Waren vertreiben, Geschäfte machen. – **III** *v/t Br. obs. od. Am.* **4.** (*Waren*) verkaufen. – **5.** (*Waren*) dem Publikum empfehlen (*durch Reklame*), den Absatz (*einer Ware*) steigern. — **'mer·chanˌdis·ing** *econ.* **I** *s* **1.** *Am.* Ver'kaufspoliˌtik *f*, Verkauf *m.* – **2.** Handel(sgeschäfte *pl*) *m.* – **II** *adj* **3.** Handels...

mer·chant ['məːrtʃənt] *econ.* **I** *s* **1.** Großkaufmann *m*, -händler *m*: **the ~s** die Kaufmannschaft, die Handelskreise; **city ~** Kaufherr; **wholesale ~** Großhändler; **~'s clerk** Handlungsgehilfe; **„The M~ of Venice"** „Der Kaufmann von Venedig" (*Schauspiel von Shakespeare*). – **2.** *Am. od. Scot. od. dial.* Ladenbesitzer *m*, Krämer *m.*

– 3. *sl. Spezialist in einer Tätigkeit (meist abschätzig)*: speed ~ rücksichtsloser Autofahrer. – 4. *mar. obs.* Handelsschiff *n.* – **II** *adj* 5. Handels..., Kaufmanns... — **ˈmer·chant·a·ble** *adj econ.* zum Verkauf geeignet, marktgängig, gangbar, preiswürdig, verkäuflich: not ~ unverkäuflich.

mer·chant| ad·ven·tur·er *pl* **mer·chant(s) ad·ven·tur·ers** *s econ. hist.* 1. kaufmännischer ˈÜbersee-Spekuˌlant. – 2. M~ A~s *Titel einer in England eingetragenen Handelsgesellschaft, die vom 14. bis 17. Jh. ein Monopol im Wollexport von England besaß.* — ~ **bar** *s tech.* 1. Stab-, Stangeneisen *n*, Raffiˈnier-, Pakeˈtierschweiß-, Paˈketstahl *m.* – 2. *allg.* Eisen *n* in handelsüblicher Form.

mer·chant·er [ˈməːrtʃəntər], *auch* **ˌmer·chantˈeer** [-ˈtir] *s mar. Am. selten* Handelsschiff *n.*

mer·chant| fleet *s mar.* Handels-Kauffahrˈteiflotte *f.* — ˈ**~·man** [-mən] *s irr* 1. *mar.* Kauffahrˈtei-, Handelsschiff *n*: she is a ~ es ist ein Handelsschiff. – 2. *obs.* Kaufmann *m.* — ~ **ma·rine,** ~ **na·vy** *s mar.* ˈHandelsmaˌrine *f.* — ~ **prince** *s econ.* reicher Kaufherr, ˈHandelsfürst *m*, -maˌgnat *m.*

mer·chant·ry [ˈməːrtʃəntri] *s econ.* 1. kaufmännisches Gewerbe, Handel *m.* – 2. Kaufmannschaft *f.*

mer·chant| serv·ice *s mar.* 1. Handelsschiffahrt *f.* – 2. ˈHandelsmaˌrine *f.* – 3. *econ.* Seehandel *m.* — ~ **ship** *s* Handelsschiff *n.* — ~ **tai·lor** *s* 1. *hist.* (Herren)Schneider *m* (*der ein Stofflager hält*): the Company of Merchant Taylors *Name der alten Schneidergilde in London.* – 2. *Br.* (ehemaliger) Schüler der Merchant Taylors' School (*in London*). — ~ **ven·tur·er** → merchant adventurer.

mer·chet [ˈməːrtʃit] *s* (*Feudalrecht*) Abgabe *f* des Hörigen an seinen Lehnsherrn (*bei Verheiratung seiner Tochter*).

Mer·ci·an [ˈməːrʃiən] **I** *adj* 1. mercisch, zu (*dem angelsächsischen Königreich*) Mercia gehörig. – **II** *s* 2. Bewohner(in) von Mercia. – 3. Mercisch *n*, das Mercische (*altengl. Dialekt*).

mer·ci·ful [ˈməːrsiful; -fəl] *adj* (to) barmherzig, mitleidvoll (gegen), gütig (gegen, zu), gnädig (*dat*). — **ˈmer·ci·ful·ly** *adv* 1. barmherzig, gütig, gnädig. – 2. erfreulicher-, glücklicherweise. — **ˈmer·ci·ful·ness** *s* Barmherzigkeit *f*, Mitleid *n*, Erbarmen *n*, Gnade *f* (*Gottes*). — **ˈmer·ci·less** *adj* unbarmherzig, mitleidlos, schonungslos, grausam. — **ˈmer·ci·less·ness** *s* Unbarmherzigkeit *f*, Grausamkeit *f*, Schonungslosigkeit *f.*

mer·cu·rate [ˈməːrkjuˌreit] *v/t chem.* merkuˈrieren, mit Quecksilber(salz) verbinden *od.* behandeln. — **ˌmer·cuˈra·tion** *s* Merkuˈrierung *f*, Quecksilberbehandlung *f*, ˈUmsetzung *f* mit Quecksilbersalz.

mer·cu·ri·al [məːrˈkju(ə)riəl] **I** *adj* 1. lebhaft, munter, unbeständig, quecksilb(e)rig. – 2. *med.* merkuriˈal(isch), durch Quecksilber herˈvorgerufen (*Leiden*). – 3. *chem. tech.* quecksilberhaltig, -artig, Quecksilber...: ~ barometer Quecksilberbarometer. – 4. *astr.* dem (*Einfluß des Planeten*) Merˈkur unterˈworfen. – 5. M~ den Gott Merˈkur betreffend: M~ statue Hermessäule; M~ wand Merkurstab. – *SYN. cf.* inconstant. – **II** *s* 6. *med.* ˈQuecksilberpräpaˌrat *n.* — **merˈcu·ri·alˌism** *s med.* Merkuriaˈlismus *m*, Quecksilbervergiftung *f.* — **merˌcu·riˈal·i·ty** [-ˈæliti; -əti] *s* Lebhaftigkeit *f*, Flüchtigkeit *f*, Unbeständigkeit *f.* — **merˌcu·ri·al·iˈza·tion** *s* 1. *med.* Merkurialisatiˈon *f*, Quecksilberbehandlung *f.* – 2. *phot.* Quecksilberbehandlung *f.* — **merˈcu·ri·alˌize** *v/t* 1. quecksilb(e)rig machen. – 2. *med.* mit Quecksilber behandeln. – 3. *phot.* mit Quecksilber(dämpfen) behandeln. — **merˈcu·ri·al·ly** *adj* 1. flink, lebhaft, unbeständig. – 2. *med.* mittels Quecksilber.

mer·cu·ric [məːrˈkju(ə)rik] *adj chem.* Quecksilber..., Mercuri..., zweiwertiges Quecksilber enthaltend. — ~ **chlo·ride** *s chem.* ˈQuecksilberchloˌrid *n*, Subliˈmat *n* ($HgCl_2$). — ~ **ful·mi·nate** *s chem.* Knallquecksilber *n*, ˈQuecksilberfulmiˌnat *n* ($Hg(ONC)_2$; *Initialsprengstoff*).

mer·cu·ri·fi·ca·tion [məːrˌkju(ə)rifiˈkeiʃən; -rəfə-] *s chem.* Quecksilbergewinnung *f.* — **merˈcu·riˌfy** → mercurialize.

mer·cu·ro·chrome [məːrˈkju(ə)roˈkroum; -rəˌk-] *s* Merˈcurochrom *n* (*roter, quecksilberhaltiger, als Antiseptikum verwendeter Farbstoff*).

mer·cu·rous [ˈməːrkjurəs; *Am. auch* məːrˈkju(ə)-] *adj chem.* Quecksilber..., Mercuro..., einwertiges Quecksilber enthaltend: ~ chloride Kalomel, Quecksilber-(I)-Chlorid (Hg_2Cl_2).

Mer·cu·ry [ˈməːrkjəri; -kjuri] **I** *npr* 1. *antiq.* Merˈkur *m* (*röm. Gott der Kaufleute u. Diebe, Götterbote*). – **II** *s* 2. *astr.* Merˈkur *m* (*Planet*). – 3. Merˈkur-, Hermesstatue *f.* – 4. m~ *fig.* Merˈkur *m*, Bote *m*, Nachrichtenbringer *m* (*oft* M~ Merˈkur *als Titel von Zeitungen*). – 5. m~ *chem. med.* Quecksilber *n* (Hg): alloy of ~ Quecksilberlegierung, Amalgam; argental ~ Silberamalgam; fulminating ~ Knallquecksilber. – 6. m~ Quecksilber(säule *f*) *n* (*im Barometer u. Thermometer*): the ~ is rising das Barometer steigt. – 7. m~ *bot.* Bingelkraut *n* (*Gattg Mercurialis*), *bes.* Ausdauerndes Bingelkraut (*M. perennis*). – 8. m~ *med.* ˈQuecksilberpräpaˌrat *n.* – 9. m~ *obs.* Lebhaftigkeit *f*, Unbeständigkeit *f.* – 10. m~ *obs.* Verkäufer *m* von (kleinen) Schriftwerken *od.* Zeitschriften *etc.*

mer·cu·ry| break·er *s electr.* 1. Quecksilber(aus)schalter *m.* – 2. Quecksilberwippe *f.* — ~ **chlo·ride** → mercuric chloride. — ~ **con·vert·er** *s electr.* Quecksilbergleichrichter *m.* — ~ **ful·mi·nate** → mercuric fulminate. — ~ **lamp** → mercury-vapo(u)r lamp. — ~ **pres·sure ga(u)ge** *s phys.* ˈQuecksilbermanoˌmeter *n.* — ~ **re·lay** *s electr.* ˈQuecksilber(reˌlais)schalter *m.* — ˈ**~-ˌva·po(u)r lamp** *s phys.* Quecksilberdampflampe *f.*

mer·cy [ˈməːrsi] **I** *s* 1. Barmherzigkeit *f*, Mitleid *n*, Erbarmen *n*: Lord have ~ upon us! Herr, erbarme Dich unser! for ~'s sake! barmherziger Himmel! um Gottes willen! to show s.o. ~ sich j-s erbarmen; to be left to the tender mercies of ... (*ironisch*) der rauhen Behandlung von ... ausgeliefert sein. – 2. Gnade *f*, Vergebung *f*, Verzeihung *f*: to beg for ~ um Gnade flehen; to show no ~ keine Gnade walten lassen; without ~ ohne Gnade; to throw oneself on s.o.'s ~ sich j-m auf Gnade u. Ungnade ergeben. – 3. Gunst *f*, göttliche *od.* glückliche Fügung, Glück *n*, Segen *m*: it is a ~ I said no more (es ist) ein Glück, daß ich nicht mehr sagte. – 4. Gewalt *f*, Willkür *f*: to be (*od.* lie) at the ~ of s.o. in j-s Gewalt sein; to be at the ~ of the waves den Wellen preisgegeben sein. – *SYN.* charity, clemency, grace, lenity. – **II** *adj* 5. Mitleids..., Gnaden... — ~ **kill·ing** *s* Euthanaˈsie *f.* — ~ **seat** *s relig.* 1. Deckel *m* der Bundeslade. – 2. *fig.* Gottes Gnadenthron *m*, Gnade *f* Gottes. — ~ **stroke** *s selten* Gnadenstoß *m.*

mere[1] [mir] *adj* 1. bloß, nichts als, alˈlein(ig), rein, völlig: a ~ child (noch) ein reines Kind; ~ form bloße Formsache; ~ imagination bloße *od.* reine Einbildung; ~ nonsense purer Unsinn; to sell s.th. for a ~ song etwas um einen Pappenstiel verkaufen; a ~ trifle eine bloße Kleinigkeit; he is no ~ craftsman, he is an artist er ist kein bloßer Handwerker, er ist ein Künstler; the ~st accident der reinste Zufall. – 2. *jur.* rein, bloß (*ohne weitere Rechte*): ~ right bloßes Eigentum(srecht) (*ohne Nutzungsrecht*). – 3. *obs.* a) rein, lauter, b) völlig, unbedingt.

mere[2] [mir] *s* 1. kleiner See, Weiher *m*, Teich *m*, Pfuhl *m.* – 2. Sumpf *m.*

mere[3] [mir] *obs. od. dial.* **I** *s* Grenze *f*, Markstein *m.* – **II** *v/t* begrenzen, (ab)teilen.

-mere [mir] *biol. Endsilbe mit der Bedeutung* Teil.

mere·ly [ˈmirli] *adv* 1. bloß, rein, nur, lediglich. – 2. *obs.* gänzlich, völlig, durchaus.

me·ren·chy·ma [məˈreŋkimə] *s bot.* Merenˈchym *n* (*liegende Markstrahlzelle*). — **mer·en·chym·a·tous** [ˌmereŋˈkimətəs] *adj* merenˈchymartig.

meres·man [ˈmirzmən] *s irr Br. hist.* Grenzabmesser *m.*

mer·e·tri·cious [ˌmeriˈtriʃəs; -rə-] *adj* 1. unzüchtig, buhlerisch, hurenhaft, Huren... – 2. *fig.* verführerisch, auffallend, trügerich, unecht, kitschig. – *SYN. cf.* gaudy. — **ˌmer·eˈtri·cious·ness** *s* 1. unzüchtiges Wesen, Buhleˈrei *f.* – 2. *fig.* Verlockung *f* durch falschen Prunk, Unechtheit *f.* — **ˈmer·eˌtrix** [-ˌtriks] *pl* **-ˌtri·ces** [-ˌtraisiːz] *s* 1. Buhlerin *f*, Hure *f.* – 2. *zo.* Venusmuschel *f* (*Gattg Meretrix*).

mer·gan·ser [mərˈgænsər] *s zo.* Säger *m* (*Gattg Mergus*), *bes.* Gänsesäger *m* (*M. merganser*).

merge [məːrdʒ] **I** *v/t* 1. aufgehen lassen (in in *dat*): to be ~d in s.th. in etwas aufgehen. – 2. *jur.* a) (in) verschmelzen (mit), einverleiben (*dat*), b) tilgen, aufheben. – 3. *econ.* a) fusioˈnieren, b) (*Aktien*) zuˈsammenlegen. – 4. *obs.* ein-, ˈuntertauchen, sich versenken (in in *acc*). – **II** *v/i* 5. (in) sich verschmelzen (mit), aufgehen (in *dat*). – 6. *geol.* zuˈsammenfließen. – *SYN. cf.* mix. — **ˈmer·gence** *s* Aufgehen *n* (in in *dat*), Verschmelzung *f* (into mit).

Mer·gen·tha·ler [ˈməːrgənˌtɑːlər], *auch* ~ **li·no·type** *s print. Am.* Mergenthalersche Linotype (*Setzmaschine*).

merg·er [ˈməːrdʒər] *s* 1. *econ. jur.* Fusiˈon *f*, Fusioˈnierung *f*, Zuˈsammenschluß *m* (*mehrerer Konzerne etc*). – 2. *econ.* Zuˈsammenlegung *f* (*von Aktien*). – 3. *econ.* Verschmelzung(svertrag *m*) *f*, Aufgehen *n* (*eines Besitzes in einem größeren, eines Vertrages in einem neuen etc*): accession by ~ Eigentumserwerb durch Verschmelzung. – 4. *jur.* Konsumptiˈon *f* (*einer Straftat durch eine schwerere*). – 5. *jur.* Wegfall *m* einer kleineren Sicherheit durch Annahme einer größeren.

me·rid·i·an [məˈridiən] **I** *adj* 1. mittägig, Mittags... – 2. *astr.* kulmiˈnierend, Kulminations..., Meridian... – 3. *fig.* auf dem höchsten Punkt befindlich. – 4. *selten für* meridional I. – **II** *s* 5. *astr. geogr.* Meridiˈan *m*, Längen-, Mittagskreis *m*, -linie *f*: magnetic ~ magnetischer Meridian; ~ of longitude Längenkreis; ~ of a place Ortsmeridian. – 6. *poet.* Mittag(szeit *f*) *m.* – 7. *astr.* Kulminatiˈonspunkt *m* (*Gestirn*). – 8. *fig.*

höchster Grad, Gipfel *m*: ~ **of life (power)** Höhepunkt des Lebens (an Macht). – **9.** *fig.* Blüte(zeit) *f.* – **10.** *fig.* geistiger Hori'zont: **calculated for the ~ of the majority.** – *SYN.* *cf.* **summit.** — ~ **cir·cle** *s astr.* **1.** Meridi'an-, Mittagskreis *m.* – **2.** Meridi'ankreis *m* (*Instrument*). — ~ **mark** *s astr.* Meridi'anzeichen *n* (*zur Kontrolle eines Meridianinstruments*). — ~ **plane** *s math.* Meridi'anebene *f.* — ~ **trans·it** *s astr.* Meridi'an,durchgang *m* (*Stern*).

me·rid·i·o·nal [mə'ridiənl] **I** *adj* **1.** *astr.* meridio'nal, Meridian..., Mittags..., in der Richtung eines Meridi'ans laufend. – **2.** gegen Süden gerichtet, südlich, südländisch. – **II** *s* **3.** Südländer(in), *bes.* 'Südfran,zose *m*, 'Südfran,zösin *f.* — ~ **dif·fer·ence** *s mar.* 'Längendi,stanz *f* zweier Orte.

me·rid·i·o·nal·i·ty [mə,ridiə'næliti; -əti] *s* **1.** ,Sich-im-Meridi'an-Befinden *n.* – **2.** südliche Lage *od.* Richtung.

me·rid·i·o·nal| part *s mar.* Meridio'nalteil *m* (*von Merkators Seekarte*). — ~ **sec·tion** *s math.* Achsenschnitt *m.*

me·ringue [mə'ræŋ] *s* Me'ringe *f*, Bai'ser *n*, Schaumgebäck *n*: ~ **glacée** Baiser mit Eis u. Schlagsahne.

me·ri·no [mə'ri:nou] **I** *s pl* **-nos 1.** *auch* ~ **sheep** *zo.* Me'rinoschaf *n* (*Hausschafrasse Merino*). – **2.** Me'rinowolle *f* (*feine Kammwolle*). – **3.** Me'rino *m* (*feiner wollener Kammgarnstoff*). – **II** *adj* **4.** Merino...

mer·is·mat·ic [,meriz'mætik; -ris-] *adj biol.* durch Teilung in Zellen sich voll'ziehend: ~ **process** Fortpflanzungsprozeß durch Teilung.

mer·i·stem ['meri,stem] *s biol. bes. bot.* Meri'stem *n*, Teilungs-, Bildungsgewebe *n.* — ,**mer·i·ste'mat·ic** [-sti'mætik] *adj* meriste'matisch.

mer·it ['merit] **I** *s* **1.** Verdienst *n*, Wert *m*, Vortreff'lichkeit *f*, Vorzug *m*: **to make a ~ of, to take ~ to oneself for** sich zum Verdienst anrechnen, sich etwas zugute tun auf (*acc*). – **2. the ~s** *pl jur.* die Hauptpunkte *pl*, das Wesentliche (*einer Sache, ohne Berücksichtigung rein formeller Gesichtspunkte*), innerer Wert: **on its own ~s** aufs Wesentliche gesehen, an u. für sich betrachtet; **to discuss s.th. on its ~s** eine Sache ihrem wesentlichen Inhalt nach besprechen; **the matter must rest** (*od.* **stand**) **on its (own) ~s** die Sache muß nach ihrem eigentlichen Wert *od.* wahren Wesen beurteilt werden. – **II** *v/t* **3.** (*Lohn, Strafe etc*) verdienen. – **III** *v/i obs.* **4.** sich verdient machen. — '**mer·it·ed** *adj* verdient. — '**mer·it·ed·ly** *adv* verdientermaßen, nach Verdienst. — '**mer·it·less** *adj* verdienstlos, ohne Verdienst.

'**mer·it,mon·ger** *s j-d der sich auf seine guten Werke beruft, um die Seligkeit zu erlangen.*

mer·i·to·ri·ous [,meri'tɔ:riəs] *adj* verdienstlich, Anerkennung verdienend. — ,**mer·i'to·ri·ous·ness** *s* Verdienstlichkeit *f.*

mer·it sys·tem *s Am. auf Fähigkeit allein beruhendes Anstellungs- u. Beförderungssystem im öffentlichen Dienst* (*im Gegensatz zum System, nach welchem die siegreiche Partei ihre Anhänger mit öffentlichen Posten belohnt*).

mer·lin ['mə:rlin] *s zo.* Merlin-, Zwergfalke *m* (*Falco columbarius*).

mer·lon ['mə:rlən] *s mil. hist.* Zinnenzahn *m*, Mauerzacke *f*, Schartenbacke *f* (*zwischen 2 Schießscharten*).

mer·maid ['mə:r,meid], *auch* '**mer,maid·en** [-dn] *s* Meerweib *n*, Seejungfer *f*, Wassernixe *f*, Si'rene *f.*

'**mer,maid's|-'glove** *s zo.* (*ein*) Seeschwamm *m* (*Halichondria oculata*). — ~ **head** *s zo.* Herzigel *m* (*Echinocardium cordatum*).

mer·man ['mə:r,mæn] *s irr* Meermann *m*, Triton *m*, Nix *m.*

mero-[1] [mero] *Wortelement mit der Bedeutung* Teil.

mero-[2] [miro] *Wortelement mit der Bedeutung* Schenkel, Hüfte.

mer·o·blast ['mero,blæst] *s biol.* Mero'blast *n* (*Ei, bei dem nur partielle Furchung möglich ist*). — ,**mer·o'blas·tic** *adj* mero'blastisch.

me·ro·cele ['miro,si:l] *s med.* Schenkel-, Kru'ralbruch *m.*

mer·o·gen·e·sis [,mero'dʒenisis; -nə-] *s biol.* 'Furchungspro,zeß *m* (*beim Ei*).

me·rog·o·ny [mə'rɒgəni] *s biol.* Merogo'nie *f*, Ei-Teilentwicklung *f.*

mer·o·he·drism [,mero'hi:drizəm] *s* (*Kristalle*) Hemie'drie *f* (*Auftreten in halber Kristallgestalt*).

mer·o·mor·phic [,mero'mɔ:rfik] *adj math.* mero'morph.

me·rop·i·dan [mə'rɒpidən] *zo.* **I** *adj* zu den Bienenfressern gehörig. – **II** *s* Bienenfresser *m* (*Fam. Meropidae*).

mer·o·some ['merə,soum] *s zo.* Seg'ment *n*, Teilkörper *m.*

-merous [mərəs] *Endsilbe mit der Bedeutung* ...teilig: **trimerous** dreiteilig.

Mer·o·vin·gi·an [,mero'vindʒiən; -rə-] **I** *adj* merowingisch. – **II** *s* Merowinger *m*: **the ~s** die Merowinger (*fränkisches Königsgeschlecht von der Mitte des 5. Jh. bis 752*).

mer·o·zo·ite [,mero'zouait; -rə-] *s biol. med.* Merozo'it *m.*

mer·ri·ly ['merili; -əli] *adv* munter, lustig, fröhlich. — '**mer·ri·ment** *s* **1.** Fröhlichkeit *f*, Lustigkeit *f.* – **2.** Belustigung *f*, Lustbarkeit *f*, Spaß *m.* — '**mer·ri·ness** *s selten* Frohsinn *m*, Fröhlichkeit *f*, Lustigkeit *f.*

mer·ry ['meri] *adj* **1.** lustig, heiter, munter, fröhlich: **as ~ as a lark** (*od.* **cricket**) kreuzfidel; **a ~ Christmas (to you)!** fröhliche Weihnachten! (*Glückwunsch*); **M~ England** das lustige, gemütliche (alte) England (*bes. zur Zeit Elisabeths I.*); **to make ~** lustig sein, feiern, sich belustigen; **the M~ Monarch** *volkstümliche Bezeichnung für Karl II.* (*1630–85*). – **2.** scherzhaft, ergötzlich, spaßhaft, lustig: **to make ~ over** sich belustigen über (*acc*). – **3.** beschwipst, angeheitert, leicht betrunken. – **4.** *obs.* a) heiter (*Wetter*), b) frisch (*Wind*). – *SYN.* **blithe, jocund, jolly**[1], **jovial.** — ,~-'**an·drew** *s* **1.** Hanswurst *m*, Spaßmacher *m.* – **2.** *hist.* Gehilfe *m* eines Verkäufers (*von Patentmedizin u. anderen zweifelhaften Waren*) auf Jahrmärkten. — '~-**go-,round** *s* **1.** Karus'sell *n*, Ringelspiel *n.* – **2.** *fig.* Wirbel *m.* – **3.** *colloq.* Rund-, Kreisverkehr *m.* — '~,**make** *v/i irr selten* sich belustigen, lustig sein. — '~,**mak·er** *s* **1.** j-d der sich belustigt *od.* lustig ist. – **2.** Schmausende(r), Zechende(r). — '~,**mak·ing I** *adj* belustigend, erheiternd, fi'del. – **II** *s* Belustigung *f*, Lustbarkeit *f*, Gelage *n*, Fest *n.* — '~,**meet·ing** *s* Lustbarkeit *f*, Schmaus *m*, Gelage *n.* — '~,**thought** *s* Gabel-, Wunschbein *n* (*eines Huhns*): **to pull a ~ with s.o.** (*etwa*) mit j-m Vielliebchen essen (*je ein Ende des Gabelbeins fassen u. durch Ziehen zerbrechen; wer das längere Ende behält, heiratet zuerst od. ein Wunsch geht ihm in Erfüllung*).

mer·sal·yl [mər'sælil] (*TM*) *s chem. med.* Saly'gan *n* (*quecksilberhaltiges harntreibendes Mittel*).

Mer·thi·o·late [mə:r'θaiə,leit] (*TM*) *s med. ein Quecksilber enthaltendes Antiseptikum.*

me·ru·line ['meru,lain; -rə-] *adj zo* amselartig, zu den Drosseln gehörig.

mer·wom·an ['mə:r,wumən] *s irr* → **mermaid.**

mer·y·cism ['meri,sizəm] *s med.* Mery'zismus *m*, krankhaftes 'Wiederkäuen, Aufstoßen *n.*

mes- [mes] → **meso-.**

me·sa ['meisə] *s geogr. Am.* Tafelland *n*, Bergebene *f*, flaches Hochland (*im Südwesten der USA*).

mes·ac·o·nate [me'sækə,neit] *s chem.* **1.** mesa'consaures Salz. – **2.** Ester *m* der Mesa'consäure. — **mes·a·con·ic** [,mesə'kɒnik] *adj* mesa'consauer, Mesacon...: ~ **acid** Mesaconsäure, Methylfumarsäure ($C_5H_6O_4$).

mes·al ['mesəl] → **mesial.**

me·sa oak *s bot. Am.* Tischeiche *f* (*Quercus engelmannii Greene*).

mes·a·ra·ic [,mesə'reiik] → **mesenteric.**

mes·cal [mes'kæl] *s Am.* **1.** *bot.* Pey'ote-Kaktus *m* (*Lophophora williamsii, deren Saft von mexik. Eingeborenen als Rauschmittel verwendet wird*). – **2.** *bot.* 'Mescal-A,gave *f* (*Agave-Arten der Sektion Rigidae, bes. Agave tequilana u. A. utahensis*). – **3.** Meskal *n* (*Agavenbranntwein aus Pulque*). — **mes'cal·ine** [-i:n; -in], *auch* **mes'cal·in** [-in] *s chem.* Mesca'lin *n*, Pey'ote *m* ($C_{11}H_{17}NO_3$; *mexik. Rauschgift*).

me·seems [mi'si:mz] *v/impers obs. od. poet.* mir scheint, mich dünkt.

mes·em·bry·an·the·mum [me,zembri'ænθiməm; mi-] *s bot.* Mesembri'anthemum *n*, Mittags-, Faserblume *f* (*Gattg Mesembryanthemum*).

mes·en·ce·phal·ic [,mesensi'fælik; -sə'f-] *adj med.* Mittelhirn...: ~ **bend** Mittelhirnbeuge. — ,**mes·en'ceph·a,lon** [-'sefə,lɒn] *s* Mesen'cephalon *n*, Mittelhirn *n.*

mes·en·chy·mal [me'seŋkiməl] *adj biol.* mesenchy'mal. — '**mes·en·chyme** [-kim] *s* Mesen'chym *n*, Zwischenblatt *n* (*embryonales Bindegewebe*).

me·sen·na [mi'senə] *s bot. med.* Me'senna *f* (*Rinde von Albizzia anthelmintica; Bandwurmmittel*).

mes·en·te·ri·al [,mesen'ti(ə)riəl] → **mesenteric.**

mes·en·ter·ic [,mesen'terik; -ən-] *adj med. zo.* mesenteri'al, Mesenterial..., Gekrös...: ~ **artery** Gekrösarterie. — **mes·en·ter·i·tis** [mes,entə'raitis] *s med.* Mesente'ritis *f*, Gekrösentzündung *f.* — **mes·en·ter·y** [*Br.* 'mesəntəri; *Am.* -,teri] *s* **1.** *med. zo.* Mesen'terium *n*, Gekröse *n*: ~ **of small intestine** Dünndarmgekröse. – **2.** *zo.* Magen-, Radi'altasche *f* (*bei Nesseltieren*).

mes·eth·moid [me'seθmɔid] *med. zo.* **I** *adj* zum mittleren Siebbein gehörig. – **II** *s* Mittelsiebbein *n.*

mesh [meʃ] **I** *s* **1.** Masche *f* (*eines Netzes, Siebs etc*): **with small** (*od.* **fine**) **~es** fein-, kleinmaschig. – **2.** *pl* Netzwerk *n*, Geflecht *n.* – **3.** *tech.* Maschenweite *f.* – **4.** *meist pl fig.* Netz *n*, Schlingen *pl*: **to draw into one's ~es** in sein Netz ziehen; **to be caught in the ~es of the law** in die Schlingen des Gesetzes verstrickt sein. – **5.** *tech.* Inein'andergreifen *n*, Eingriff *m* (*von Zahnrädern*): **to be in ~** im Eingriff sein. – **6.** → ~ **connection.** – **II** *v/t* **7.** (*Netze*) knüpfen, stricken. – **8.** in ein Netz tun, in einem Netz fangen, verwickeln. – **9.** *tech.* (*Zahnräder*) inein'andergreifen lassen, einrücken, -kuppeln. – **10.** *fig.* um'stricken, um'garnen, im Netz fangen. – **III** *v/i* **11.** Maschen *od.* Netze machen. – **12.** *tech.* ein-, inein'andergreifen (*Zahnräder*). – **13.** zu'sammenpassen, eng verbunden sein, sich verbinden (**with** mit). – **14.** *fig.* sich verstricken, sich verfangen. — ~ **con·nec·tion** *s electr.* Maschen-, *bes.* Delta- *od.* Dreieckschaltung *f.*

meshed [meʃt] *adj* maschig, netzartig: close-~ engmaschig.
'mesh,work *s* Maschen *pl*, Netzwerk *n*.
mesh·y ['meʃi] *adj* netzartig (gestrickt), maschig.
me·si·al ['miːziəl] *adj* **1.** in der Mittelebene (*des Körpers etc*) gelegen. – **2.** (*Zahnmedizin*) mesi'al.
me·sic ['miːsik; 'mes-] *adj bot.* eine mittlere Feuchtigkeitsmenge benötigend (*Pflanze*).
mes·i·tine ['mesitin], *auch* ~ **spar** *od.* **'mes·i,tite** [-,tait] *s min.* Mesi'tinspat *m* ($2MgCO_3·FeCO_3$).
me·sit·y·lene [mi'siti,liːn; -tə-] *s chem.* Mesity'len *n*, Sym-Trime'thylben,zol *n* (C_9H_{12}).
mes·mer·ic [mez'merik; mes-], *auch* **mes'mer·i·cal** [-kəl] *adj* **1.** mesmerisch, 'heilma,gnetisch, hyp'notisch. – **2.** *fig.* 'unwider,stehlich, faszi'nierend. — **mes'mer·i·cal·ly** *adv* (*auch zu* mesmeric). — **'mes·mer,ism** [-mə,rizəm] *s* Mesme'rismus *m*, tierischer Magne'tismus (*nach dem Arzt Mesmer, 1734–1815*). — **'mes·mer·ist** *s* **1.** 'Heilmagneti,seur *m*, 'Heilmagneto,path *m*, Hypnoti'seur *m*. – **2.** Mesmeri'aner *m* (*Anhänger des Mesmerismus*).
mes·mer·i·za·tion [,mezmərai'zeiʃən; ,mes-; -ri'z-] *s* Mesmeri'sierung *f*, 'Heilmagneti,sierung *f*. — **'mes·mer,ize** *v/t* **1.** *med.* ('heil)magneti,sieren, hypnoti'sieren, mesmeri'sieren. – **2.** *fig.* faszi'nieren.
mes·mer·o·ma·ni·a [,mezmərо'meiniə; ,mes-] *s* Mesmeroma'nie *f* (*blindes Vertrauen auf den Mesmerismus*). — **,mes·mer·o'ma·ni,ac** [-ni,æk] *s* blinder Anhänger des Mesme'rismus.
mesn·al·ty ['miːnəlti] *s jur.* Afterlehensherrlichkeit *f*.
mesne [miːn] *adj jur.* da'zwischentretend, Zwischen..., Mittel...: ~ **lord** Afterlehensherr (*der zugleich Vasall eines anderen ist*). — ~ **in·ter·est** *s jur.* Zwischenzins *m*. — ~ **proc·ess** *s jur.* **1.** Verfahren *n* zur Erwirkung einer Verhaftung (*wegen Fluchtgefahr*). – **2.** während der Verhandlung einer Rechtssache entstehender 'Nebenpro,zeß. — ~ **prof·its** *s pl jur.* in'zwischen bezogene Erträgnisse *pl* (*Gewinn aus einem Grundstück während der Zeit, in welcher der rechtmäßige Eigentümer rechtswidrig von seinem Besitz ausgeschlossen ist*).
meso- [meso] *Wortelement mit der Bedeutung* Mitte, Zwischen..., Mittel...
,mes·o·ap'pen·dix *s med.* Mesente'riolum *n*, Wurmfortsatzgekröse *n*.
mes·o·blast ['meso,blæst] *s biol.* Meso'blast *n*, Meso'derm *n*, Mittelkeim *m*, Sameneikern *m*.
,mes·o'bran·chi·al *adj zo.* über der Mitte der Kiemenkammern (*von Krebsen*) gelegen.
,mes·o'cae·cal *adj med.* den Bauchfellsack betreffend. — **,mes·o'cae·cum** *s* Bauchfellsack *m*.
mes·o·car·di·a [,meso'kɑːrdiə] *s med.* Mesokar'die *f* (*Lage des Herzens in der Mittellinie*).
mes·o·carp ['meso,kɑːrp] *s bot.* mittlere Fruchthaut, Meso'karp *n*.
,mes·o·ce'phal·ic *adj med.* **1.** mittelköpfig, mesoze'phal. – **2.** das Mittelhirn betreffend. — **,mes·o'ceph·a,lism, ,mes·o'ceph·a·ly** *s* Mesozepha'lie *f*, Mittelköpfigkeit *f*.
mes·o·coele ['meso,siːl], *auch* **,mes·o'coe·li·a** [-liə] *s med.* Gehirnwassergang *m*.
,mes·o'col·ic *adj med.* meso'kolisch. — **,mes·o'co·lon** *s* Meso'kolon *n*, Dickdarmgekröse *n*.
mes·o·cra·nic [,meso'kreinik] *adj med.* mittelschäd(e)lig (*zwischen lang- u. kurzschäd[e]lig*).
mes·o·crat·ic [,meso'krætik] *adj geol.* meso'krat (*in gleicher Menge aus hellen u. dunklen Gesteinsarten bestehend*).
mes·ode ['mesoud] *s antiq.* Zwischengesang *m* (*zwischen Strophe u. Antistrophe*).
mes·o·derm ['meso,dəːrm] *s zo.* Meso'derm *n*, mittleres Keimblatt. — **,mes·o'der·mic** *adj* meso'derm.
mes·o·dont ['meso,dɒnt] *adj med.* mit mittelgroßen Zähnen.
,mes·o'gas·tric *adj med.* zur Mittelbauch- *od.* Nabelgegend gehörig, das Meso'gastrium betreffend. — **,mes·o'gas·tri·um** *s* Meso'gastrium *n*: a) Magengekröse *n*, b) Mittelbauchgegend *f*.
mes·o·gle·a, mes·o·gloe·a [,meso'gliːə] *s zo.* Meso'gloea *f* (*Gallertgewebe der Hohltiere*).
mes·og·nath·ic [,mesɒg'næθik] → mesognathous. — **me·sog·na·thism** [mi'sɒgnə,θizəm] → mesognathy.
me·sog·na·thous [mi'sɒgnəθəs] *adj med.* (einen Schädel) mit mäßig her'vortretenden Kinnladen (habend). — **me'sog·na·thy** *s* Behaftetsein *n* mit mäßig her'vortretenden Kinnladen.
mes·o·labe ['meso,leib] *s math.* Meso'labium *n* (*Instrument*).
mes·o·lite ['meso,lait] *s min.* Meso'lith *m*.
mes·o·lith·ic [,meso'liθik] *adj geol.* meso'lithisch, mittelsteinzeitlich.
mes·o·log·ic [,meso'lɒdʒik], **,mes·o'log·i·cal** [-kəl] *adj biol.* meso'logisch. — **me'sol·o·gy** [-'sɒlədʒi] *s* Meso'lo'gie *f*, 'Umweltlehre *f*, Lehre *f* von den Lebensbedingungen (*von Organismen*).
me·som·e·tral [me'sɒmitrəl; -mət-], **mes·o·met·ric** [,meso'metrik] *adj med.* meso'metrisch. — **,mes·o'me·tri·um** [-'miːtriəm] *s* Meso'metrium *n*.
mes·o·morph [,meso'mɔːrf] *s med.* menschlicher Körpertyp mittlerer Größe. — **,mes·o'mor·phic** *adj biol. chem.* meso'morph.
mes·on ['mesɒn] *s* **1.** *med. zo.* Mittelebene *f* (*des tierischen Körpers*). – **2.** *phys.* Meson *n*, Mesotron *n* (*Elementarteilchen*).
,mes·o'na·sal *adj med.* die mittlere Nasengegend betreffend. — **,mes·o'neph·ric** *adj biol.* die Urniere *od.* den Wolffschen Körper (*des tierischen Embryo*) betreffend. — **,mes·o'neph·ros** [-'nefrɒs] *s biol.* Meso'nephros *m*, Urniere *f*, Wolffscher Körper. — **mes·o·phrag·ma** [,meso'frægmə] *pl* **-ma·ta** [-mətə] *s zo.* Meso'phragma *n*, Querwand *f* (*zwischen Mittel- u. Hinterbrust der Insekten*). — **,mes·o'phrag·mal** *adj* Mesophragma...
mes·o·phyl(l) ['meso,fil] *s bot.* Meso'phyll *n*, Mittelblatt *n* (*Gewebe des Blattinnern zwischen oberer u. unterer Epidermis*). — **'mes·o,phyte** [-,fait] *s bot.* Meso'phyt *m* (*Pflanze mit mittlerem Wasseranspruch*). — **,mes·o'phyt·ic** [-'fitik] *adj* unter mäßigen Feuchtigkeitsbedingungen wachsend. — **'mes·o,plast** [-,plæst] *s biol.* Zellkern *m*, Sameneikern *m*. — **,mes·o'plas·tic** *adj* Zellkern...
Mes·o·po·ta·mi·an [,mesəpə'teimiən] *adj* mesopo'tamisch.
me·sor·chi·um [me'sɔːrkiəm] *s med.* Me'sorchium *n*. — **,mes·o'rec·tal** *adj med. zo.* das Mastdarmgekröse betreffend. — **,mes·o'rec·tum** *s* Mastdarmgekröse *n*. — **mes·or·rhine** ['mesə,rain] *adj med.* eine Nase von mäßiger Breite u. mit mittelhohem Nasenrücken habend. — **,mes·o(r)'rhin·i·um** [-'riniəm] *s zo.* Nasenscheidung *f* (*Teil des Vogelschnabels zwischen den Nasenlöchern*). — **,mes·o'sal·pinx** *s med.* Meso'salpinx *f*, Eileitergekröse *n*. — **,mes·o'scu·tal** [-'skjuːtl] *adj zo.* das Mittelrückenschild von In'sekten betreffend. — **,mes·o'scu·tum** [-təm] *s zo.* Mittelrückenschild *n* (*von Insekten*).
,mes·o'seis·mal *adj geol. phys.* den Mittelpunkt eines Erdbebens betreffend.
'mes·o,spore *s bot.* mittlere Sporenhaut (*der Selaginellen*).
,mes·o'ster·nal *adj med.* Mittelbrustbein... — **,mes·o'ster·num** *s med.* Mittelbrustbein *n*, Brustbeinkörper *m*.
mes·o·the·li·al [,meso'θiːliəl] *adj med.* Mesothel... — **,mes·o'the·li·um** [-liəm] *s* Meso'thel *n*, Endo'thelium *n*.
me·soth·e·sis [me'sɒθisis; -θə-] *s* Mittel-, Zwischenglied *n*.
,mes·o·tho'rac·ic *adj zo.* den Mittelbrustring (*der Insekten*) betreffend. — **,mes·o'tho·rax** *pl* **-rax·es, -rac·es** *s* Mittelbrustring *m* (*der Insekten*).
,mes·o'tho·ri·um *s chem.* Meso'thorium *n* (*radioaktives Zerfallsprodukt des Thoriums*).
mes·o·tron ['meso,trɒn; -sə-] → meson.
,mes·o'trop·ic *adj med.* in der Mitte einer Höhle gelegen.
'mes·o,type *s min.* Meso'typ *m*, 'Faserzeo,lith *m*.
mes·o·va·ri·an [,meso'vɛ(ə)riən] *adj biol. med.* das Eierstockgekröse betreffend. — **,mes·o'va·ri·um** [-əm] *s* Meso'varium *n*, Eierstockgekröse *n*. — **,mes·o'ven·tral** *adj med.* auf der Mitte des Bauches gelegen.
mes·ox·a·late [mes'ɒksə,leit] *s chem.* **1.** Mesoxa'lat *n*, meso'xalsaures Salz. – **2.** Ester *m* der Meso'xalsäure. — **,mes·ox'al·ic** [-ɒk'sælik] *adj chem.* Mesoxal...: ~ **acid** Mesoxalsäure ($CO(CO_2H)_2$).
Mes·o·zo·ic [,meso'zouik] *geol.* **I** *adj* meso'zoisch. – **II** *s* Meso'zoikum *n* (*geologische Formation, Mittelalter der Erdgeschichte*).
mes·quite [mes'kiːt; 'meskiːt] *s bot.* **1.** Süßhülsenbaum *m*, Algar'robo-, Mesquitstrauch *m* (*Gattg Prosopis, bes. P. juliflora*). – **2.** a) Gramagras *n* (*Gattg Bouteloua*), b) Buffalogras *n* (*Gattg Buchloë*). — ~ **grass** *s bot.* (*ein*) Grama-, Mos'kitogras *n* (*Gattg Bouteloua, bes. B. oligostachya u. B. curtipendula*).
mess [mes] **I** *s* **1.** *selten* Gericht *n*, Gang *m*, Speise *f*: ~ **of pottage** *Bibl.* Linsengericht (*Esaus*). – **2.** (Porti'on *f*) Viehfutter *n*. – **3.** *dial.* von einer Kuh beim Melken gegebene Milch. – **4.** *bes. mar. mil.* Regi'mentstisch *m*, Back(mannschaft) *f*, Messe *f*, Ka'sino *n*, Messe(gesellschaft) *f*: **captain of a** ~ *mar.* Backsmeister, -ältester; **cooks of the** ~ *mar.* Backschaft, Backsgasten; **officers'** ~ Offiziersmesse, -kasino. – **5.** *obs.* Vierzahl *f* von Per'sonen *od.* Sachen (*noch heute Gruppe von 4 Personen, die in den* **Inns of Court** *zusammen essen*). – **6.** Verwirrung *f*, Unordnung *f*, Schmutz *m*: **the house was in a pretty** ~ das Haus war in einem netten Zustand (*von Unordnung, Schmutz etc*); **to make a** ~ **of s.th.** a) etwas in Verwirrung *od.* Unordnung bringen, beschmutzen, b) etwas verpfuschen *od.* verderben; **you made a nice** ~ **of it** du hast was Schönes angerichtet. – **7.** Patsche *f*, Klemme *f*: **to be in a** ~ in der Patsche sitzen; **to get into a** ~ in die Klemme geraten. – **II** *v/t* **8.** (*j-m*) zu essen geben, (*Speisen*) in Porti'onen einteilen. – **9.** *auch* ~ **up** a) beschmutzen, beschmieren, b) in Unordnung *od.* Verwirrung bringen, c) *fig.* verpfuschen. – **III** *v/i* **10.** (*an einem gemeinsamen Tisch*) essen (**with** mit). – **11.** *mar. mil.* in der Messe *od.* im Ka'sino essen: **to** ~ **together** *mar.* Messe führen, zu einer Back gehören. – **12.** manschen, planschen (**in** in *dat*).

– 13. ~ in *Am.* sich einmengen; seine Nase in Dinge stecken, die einen nichts angehen. – 14. ~ **about,** ~ **around** her'ummurksen, (her'um)-schludern, (-)pfuschen.

mes·sage ['mesidʒ] **I** *s* **1.** Botschaft *f*, Sendung *f*: **to bear a** ~ eine Botschaft überbringen; **to deliver a** ~ eine Botschaft ausrichten. – **2.** Mitteilung *f*, Bericht *m*, Bescheid *m*: **to send a** ~ **to s.o.** j-m eine Mitteilung zukommen lassen; **telephone** ~ fernmündliche Mitteilung, telephonische Nachricht. – **3.** *bes. Am.* amtliche Botschaft, Sendschreiben *n* (*eines Präsidenten od. Gouverneurs an die gesetzgebende Körperschaft*). – **4.** *Bibl.* (*von Gott eingegebene*) Botschaft *od.* Verkündigung (*eines Propheten etc*). – **5.** *fig.* Botschaft *f*, Auftrag *m*, Mitteilung *f* von Bedeutung: **this poet has a** ~. – **II** *v/t* **6.** melden, ankündigen, verkündigen. – **III** *v/i selten* **7.** Botschaften ausrichten. — ~ **cen·ter,** *bes. Br.* ~ **cen·tre** *s mil.* Nachrichten-, Meldesammelstelle *f*, Meldekopf *m*.

mes·sa·line [ˌmesə'liːn] *s* Messa'line *f* (*ein weicher, meist seidener Stoff*).

mess| at·tend·ant *s mar. mil.* 'Messe-, Ka'sinoordonˌnanz *f*, zum Messe- *od.* Küchendienst komman'dierter Sol'dat. — ~ **beef** *s Am.* gepökeltes Rindfleisch. — ~ **boy** *s mar.* Lo'gis-, Ka'jüten-, Messejunge *m*. — ~ **coun·cil** *s mar. mil.* Messe-, Ka'sinovorstand *m*.

mes·sen·ger ['mesəndʒər; -sin-] *s* **1.** (Post-, Eil)Bote *m*, Ausläufer *m*: **express** ~, **special** ~ Eilbote; **by** ~ durch Boten; ~**'s fee** Botenlohn. – **2.** (Kabi'netts)Kuˌrier *m*: **King's** ~, **Queen's** ~ königlicher Kurier. – **3.** *mil.* Meldeläufer *m*, Ku'rier *m*. – **4.** *fig.* Bote *m*, Verkünder *m*, Vorbote *m*. – **5.** *pl Br. dial.* kleine Einzelwolken *pl*. – **6.** *jur.* Gerichtsdiener *m* beim Kon'kursgericht. – **7.** *mar.* a) Anholtau *n*, b) Ankerkette *f*, Kabelar *n*, Kabelaring *f*: **chain** ~ Kabelarkette. – **8.** A'postel *m*, Brief *m* (*Stück steifes Papier etc, das auf der Schnur eines Drachens durch den Wind bis zu diesem hinaufgetrieben wird*). — ~ **boy** *s* Laufbursche *m*, Botenjunge *m*, Ausläufer *m*. — ~ **ca·ble** *s electr.* Aufhänge-, Führungs-, Leit-, Stütz-, Tragkabel *n*. — ~ **chain** *s tech.* Treibkette *f*. — ~ **dog** *s* Meldehund *m*. — ~ **pi·geon** *s* Brieftaube *f*. — ~ **wheel** *s tech.* Treibrad *n*.

mess hall *s mar. mil.* Messe *f*, Ka'sinoraum *m*, Speisesaal *m*.

Mes·si·ah [mi'saiə; mə-] *s Bibl.* Mes'sias *m*, Erlöser *m*, Heiland *m*. — **Mes'si·ahˌship** *s* Mes'siasamt *n*. — **Mes·si·an·ic** [ˌmesi'ænik] *adj* messi'anisch. — **Mes'si·as** [-əs] → Messiah.

mes·sieurs *s pl* **1.** [me'sjəːr; mɛ'sjø] *pl von* **monsieur.** – **2.** ['mesərz] *cf.* **Messrs.**

mess·i·ness ['mesinis] *s* **1.** Unordentlichkeit *f*, Unordnung *f*. – **2.** schmutziger, verwahrloster Zustand.

mess| jack·et *s mar. mil.* kurze Uni'formjacke (*als kleiner Abendanzug*). — ~ **kit** *s* **1.** *mar. mil. bes. Am.* Koch-, Eßgeschirr *n*. – **2.** *mar.* Backsgeschirr *n* (*für den einzelnen Soldaten od. für ein ganzes Kasino*). — **'~·man** [-mən] *s irr mar. mil.* Essenholer *m*, 'Küchenordonˌnanz *f*. — **'~ˌmate** *s* **1.** *mar. mil.* 'Tisch-, 'Meßgenosse *m*, -kameˌrad *m*, 'Tischkolˌlege *m*, 'Backsgenosse *m*, -kameˌrad *m*. – **2.** → **commensal 2.** – **3.** *bot.* (*ein*) Euka'lyptusbaum *m* (*Gattg Eucalyptus, bes. E. amygdalina u. E. obliqua*). — ~ **pork** *s Am.* gepökeltes Schweinefleisch. — **'~ˌroom** → **mess hall.**

Messrs. ['mesərz] *s pl* **1.** (*die*) Herren *pl* (*vor mehreren Namen bei Aufzählung*). – **2.** Firma *f* (*bei Anschrift vor dem Firmennamen*).

mess| ser·geant *s mil.* 'Küchenˌunteroffiˌzier *m*, ‚Küchenbulle' *m*. — **'~ˌtin** *s mar. mil. bes. Br.* Koch-, Eßgeschirr *n*.

mes·suage ['meswidʒ] *s jur.* Wohnhaus *n* (*meist mit dazugehörigen Ländereien*), Anwesen *n*.

'mess-ˌup *s colloq.* Durchein'ander *n*, 'Mißverständnis *n*.

mess·y ['mesi] *adj* **1.** unordentlich. – **2.** unsauber, schmutzig.

mes·tee [mes'tiː] → mustee.

mes·ti·za [mes'tiːzɑː] *s* Me'stizin *f*. — **mes'ti·zo** [-zou] *pl* **-zos** *s* **1.** Me'stize *m* (*Abkömmling von Weißen u. Eingeborenen in Südamerika, den Philippinen u. orient. Ländern*). – **2.** *allg.* Mischling *m*.

met [met] *pret u. pp von* **meet.**

met- [met], **meta-** [metə] *Vorsilbe mit den Bedeutungen* a) mit, b) nach, c) höher, d) *med.* hinten, e) *chem.* Meta..., meta..., f) Verwandlung.

me·tab·a·sis [mi'tæbəsis] *pl* **-ses** [-ˌsiːz] *s* **1.** (*Rhetorik*) Me'tabasis *f*, 'Übergang *m*. – **2.** *med.* Veränderung *f* (*einer Krankheit etc*). [meta'batisch.]

met·a·bat·ic [ˌmetə'bætik] *adj phys.*

met·a·bol·ic [ˌmetə'bɒlik] *adj* **1.** *biol. med.* meta'bolisch, den Stoffwechsel betreffend, Stoffwechsel... – **2.** sich verwandelnd. — **me·tab·o·lism** [me'tæbəˌlizəm; mə-] *s* **1.** *biol.* Metabo'lismus *m*, Verwandlung *f*, Formveränderung *f*. – **2.** *biol. med.* Stoffwechsel *m*: **general** ~, **total** ~ Gesamtstoffwechsel. – **3.** *chem.* Metabo'lismus *m* (*chemische Vorgänge im lebenden Organismus*). – **4.** *bot.* 'Umsetzung *f*, Stoffwechsel *m*. — **me'tab·oˌlite** [-ˌlait] *s* **1.** *chem.* 'Stoffwechselproˌdukt *n*. – **2.** *min.* Metabo'lit *m* (*Meteoreisen*). — **me'tab·oˌlize** *v/t biol. chem.* 'umwandeln.

ˌmet·a'bran·chi·al *adj zo.* hinter den Kiemen liegend (*bes. von Krabben*).

ˌmet·a'car·pal *med.* **I** *adj* Mittelhand... – **II** *s* Mittelhandknochen *m*. — **ˌmet·a'car·pus** *pl* **-pi** *s med. zo.* **1.** Mittelhand *f*. – **2.** Vordermittelfuß *m*.

'met·aˌcen·ter, *bes. Br.* **'met·aˌcen·tre** *s* **1.** *mar. phys.* Meta'zentrum *n*. – **2.** *mar.* Schwankpunkt *m*. — **ˌmet·a'cen·tric** *adj phys.* meta'zentrisch.

ˌmet·a'chem·is·try *s* **1.** *philos.* meta'physische Che'mie. – **2.** *chem.* 'subatoˌmare Che'mie, 'Kerncheˌmie *f*. – **3.** *chem. Zweig der Chemie, der sich mit spezifischen Eigenschaften der Atome u. Moleküle befaßt; z.B. Kolloidchemie.*

ˌmet·a·chro'mat·ic *adj phys.* metachro'matisch. — **ˌmet·a'chro·maˌtism** *s* Metachroma'tismus *m*, Farbwechsel *m* (*bes. als Folge eines Temperaturwechsels*).

me·tach·ro·nism [me'tækrəˌnizəm; mə-] *s* Metachro'nismus *m* (*Versetzung eines Ereignisses in eine spätere Zeit*).

met·a·chro·sis [ˌmetə'krousis] *s* Farbenwechsel *m* (*z.B. beim Chamäleon*).

ˌmet·a'cy·clic *adj math. phys.* meta'zyklisch.

ˌmet·a'cy·mene *s chem.* Metacy'mol *n*, m-Cy'mol *n* ($C_{10}H_{14}$).

ˌmet·a'gal·ax·y *s astr.* Metaga'laxis *f*, Gesamtheit *f* der ga'laktischen Sy'steme.

met·age ['miːtidʒ] *s* **1.** amtliches Messen (*des Inhalts od. Gewichts bes. von Kohlen*). – **2.** Meß-, Waagegeld *n*.

ˌmet·a'gel·a·tin, *auch* **ˌmet·a'gel·a·tine** *s phot.* Metagela'tine *f*.

ˌmet·a'gen·e·sis *s biol.* Metage'nese *f* (*Generationswechsel, bei dem geschlechtlich sich vermehrende u. ungeschlechtlich sich vermehrende Generationen abwechseln*). — **ˌmet·a·ge'net·ic,** *auch* **ˌmet·a'gen·ic** *adj* metage'netisch.

me·tag·na·thism [me'tægnəˌθizəm; mə-] *s zo.* Kreuzschnäb(e)ligkeit *f*. — **me'tag·na·thous** *adj* kreuzschnäb(e)lig.

ˌmet·a'graph·ic [ˌmetə-] *adj* meta'graphisch. — **me·tag·ra·phy** [me'tægrəfi; mə-] *s ling.* Metagra'phie *f* (*Umschreibung der Buchstaben eines Alphabets in die eines anderen*).

met·a·ki·ne·sis [ˌmetəki'niːsis; -kai-] *s biol.* Metaki'nese *f*. — **ˌmet·a·ki'net·ic** [-'netik] *adj* metaki'netisch.

met·al ['metl] **I** *s* **1.** *chem. min.* Me'tall *n*: **base** ~, **ignoble** ~ unedles Metall; **native** ~, **virgin** ~ Jungfernmetall; → **heavy 2.** – **2.** *tech.* a) 'Nichteisenmeˌtall *n*, b) Me'tall-Leˌgierung *f*, *bes.* 'Typen-, Ge'schützmeˌtall *n*, c) Gußmetall *n*: **brittle** ~, **red** ~ Rotguß, -messing, Tombak; **fine** ~ Weiß-, Feinmetall; **gray** ~ graues Gußeisen; **rolled** ~ gewalztes Blech, Walzblech; **waste** ~ (Ge)Krätze; → **crude 2.** – **3.** *tech.* a) (Me'tall)König *m*, Regulus *m*, Korn *n*, b) Stein *m*, Lech *m*, Kupferstein *m*: **calcined** ~ gerösteter Kupferstein; **close** ~ dichter Kupferstein; ~ **of lead** Bleistein. – **4.** (*Bergbau*) Schieferton *m*. – **5.** *tech.* (flüssige) Glasmasse. – **6.** *mar.* (*Zahl, Kaliber etc der*) Geschütze *pl*, (*in weiterem Sinn*) Ka'none *f*. – **7.** *pl Br.* (Eisenbahn)Schienen *pl*, G(e)leise *pl*: **to run off the** ~**s** entgleisen. – **8.** *her.* Me'tall *n* (*Gold- u. Silberfarbe*). – **9.** (*Straßenbau*) Kiesfüllung *f*, Beschotterung *f*, Schotter *m*. – **10.** *fig.* Mut *m*. – **11.** *fig.* Materi'al *n*, Stoff *m*. – **12.** *obs.* Bergwerk *n*. – **II** *v/t pret u. pp* **'met·aled,** *bes. Br.* **'met·alled 13.** mit Me'tall bedecken *od.* versehen. – **14.** (*Eisenbahn u. Straßenbau*) beschottern, mit Schotter bedecken. – **III** *adj* **15.** Metall..., me'tallen, aus Me'tall (angefertigt).

met·al| age *s* Bronze- u. Eisenzeitalter *n*. — ~ **bar** *s tech.* Me'tallstange *f*, -barren *m*. — ~ **blind** *s* Me'tallrolladen *m*. — ~ **braid** *s* Me'tallgeflecht *n*. — **'~-ˌcoat** *v/t* mit Me'tall über'ziehen, metalli'sieren. — ~ **drill** *s* Me'tallbohrer *m*.

met·aled, *bes. Br.* **met·alled** ['metld] *adj* **1.** *tech.* beschottert, Schotter...: ~ **road** Schotterstraße. – **2.** *obs. für* **mettled.**

met·a·lep·sis [ˌmetə'lepsis] *s* (*Rhetorik*) Meta'lepsis *f* (*Vertauschung des Vorhergehenden mit dem Nachfolgenden*). — **ˌmet·a'lep·tic** [-tik], *auch* **ˌmet·a'lep·ti·cal** *adj* **1.** (*Rhetorik*) meta'leptisch. – **2.** *chem.* meta'leptisch (*Vertretung eines Elements durch ein anderes im gleichen Atomverhältnis*). – **3.** *med.* transver'sal, querliegend (*Muskel*), Quer...

met·al| fa·tigue *s tech.* Me'tallmüdigkeit *f*. — ~ **found·er** *s* Me'tallgießer *m*. — ~ **ga(u)ge** *s* Blechlehre *f*.

met·al·ine ['metəlin; -ˌliːn] *s tech.* Metal'lin *n*: a) *Schmiermittel,* b) *eine Kupferaluminiumlegierung.*

met·al·ing, *bes. Br.* **met·al·ling** ['metliŋ] *s* **1.** (*Straßenbau*) Beschotterung *f*. – **2.** (*Eisenbahn*) Schienenlegung *f*.

ˌmet·a·lin'guis·tics *s pl* (*als sg konstruiert*) *Am.* 'Metalinˌguistik *f* (*Zweig der Sprachwissenschaft, der sich mit dem Zusammenhang zwischen Sprache u. anderen Erscheinungen der Kulturwelt befaßt*).

met·al·ist, *bes. Br.* **met·al·list** ['metlist] *s* **1.** *selten* Me'tallarbeiter *m*. – **2.** *econ.* Verfechter *m* einer Me'tallwährung.

met·al·i·za·tion, *bes. Br.* **met·al·li·za·tion** [ˌmetəlaiˈzeiʃən; -liˈz-] *s* **1.** *tech.* Metalliˈsierung *f.* – **2.** *chem.* Imprä'gnierung *f* mit Meˈtallsalzen. — ˈ**met·alˌize**, *bes. Br.* ˈ**met·alˌlize** *v/t* **1.** *tech.* metalliˈsieren. – **2.** *chem.* mit Meˈtallsalzen imprä'gnieren.

met·alled *bes. Br. für* **metaled.**

me·tal·lic [miˈtælik] *adj* **1.** meˈtallen, Metall...: ~ **ceiling** metallene Decke; ~ **circuit** metallischer Stromkreis; ~ **cover** a) *tech.* Metallüberzug, b) *econ.* Metalldeckung; ~ **currency** *econ.* Metallwährung, Hartgeld. – **2.** meˈtallisch, wie Meˈtall glänzend: ~ **beetle** Prachtkäfer; ~ **lustre** Metallglanz. – **3.** meˈtallisch klingend: ~ **voice** helle Stimme. – **4.** → **metalliferous.** — **meˈtal·li·cal·ly** *adv* meˈtallisch.

met·al·lic·i·ty [ˌmetəˈlisiti; -əti] *s chem.* meˈtallische Eigenschaft *od.* Beschaffenheit.

me·tal·lic| ox·ide *s chem.* Meˈtalloˌxyd *n.* — ~ **pa·per** *s tech.* **1.** ˈKreidepaˌpier *n* (*auf dem mit Metallstift geschrieben werden kann*). – **2.** Meˈtallpaˌpier *n.* — ~ **soap** *s* Meˈtallseife *f.*

met·al·lif·er·ous [ˌmetəˈlifərəs] *adj* meˈtallführend, -reich: ~ **veins** (*Bergbau*) Erzadern, -gänge. — **me·tal·li·form** [miˈtæliˌfɔːrm; -lə-] *adj* meˈtallartig. — **met·al·line** [ˈmetəˌlain; -lin] *adj* **1.** meˈtallisch. – **2.** meˈtallhaltig.

met·al·ling, met·al·list, met·al·li·za·tion, met·al·lize *bes. Br. für* **metaling, metalist** *etc.*

me·tal·lo·chrome [miˈtæloˌkroum; mə-; -lə-] *s tech.* elektroˈlytisch erzeugte Meˈtall(oberflächen)färbung. — **meˈtal·loˌchro·my** *s* Metallochroˈmie *f.*

me·tal·lo·graph [miˈtæloˌgræ(ː)f; mə-; -lə-; *Br. auch* -ˌgrɑːf] *s tech.* Metallograˈphie *f*, metalloˈgraphischer Druck. — **meˌtal·loˈgraph·ic** [-ˈgræfik] *adj* metalloˈgraphisch. — **met·al·log·ra·phy** [ˌmetəˈlɒgrəfi] *s* Metallograˈphie *f*: a) Wissenschaft *f* von den Meˈtallen, b) Verzierung *f* von Metallen durch Aufdruck, c) Druck *m* mittels Metallplatten.

met·al·loid [ˈmetəˌlɔid] **I** *adj* metalloˈidisch, meˈtallartig. – **II** *s chem.* Metalloˈid *n*, ˈNichtmeˌtall *n.* — ˌ**met·alˈloi·dal** → **metalloid I.**

me·tal·lo·phone [miˈtæləˌfoun; mə-] *s mus.* Metalloˈphon *n* (*Instrument mit tönenden Metallstäben*).

me·tal·lo·plas·tic [miˌtæloˈplæstik; mə-; -lə-] *adj* galvanoˈplastisch.

me·tal·lo·ther·a·peu·tic [miˌtæloˌθerəˈpjuːtik; mə-] *adj med.* metallotheraˈpeutisch. — **meˌtal·loˈther·a·py** [-pi] *s* Metallotheraˈpie *f* (*Behandlung mit Metallen*).

met·al·lur·gic [ˌmetəˈləːrdʒik], ˌ**met·alˈlur·gi·cal** [-kəl] *adj* metallˈurgisch, Hütten... — ˌ**met·alˈlur·gi·cal·ly** *adv* (*auch zu* **metallurgic**). — **met·al·lur·gist** [ˌmetəˈləːrdʒist; meˈtælər-] *s* Metallˈurg *m*, Hüttenkundiger *m*, -mann *m.* — **met·al·lur·gy** [ˌmetəˈləːrdʒi; meˈtælər-] *s* Metallurˈgie *f*, Hüttenkunde *f*, -wesen *n.*

ˌ**met·aˈlog·ic** *s philos.* **1.** Metaphyˈsik *f* der Logik. – **2.** Pseudo-Logik *f.* — ˌ**met·aˈlog·i·cal** *adj* jenseits der Grenzen der Logik liegend.

ˈ**met·al|ˌwork** *s tech.* **1.** Meˈtallarbeit *f.* – **2.** *pl* Meˈtallwarenfaˌbrik *f.* — ˈ~ˌ**work·er** *s* Meˈtallarbeiter *m.*

ˌ**met·aˌmath·eˈmat·ics** *s pl* (*als sg konstruiert*) ˈMetamathemaˌtik *f.*

met·a·mer [ˈmetəmər] *s chem.* metaˈmere Verbindung.

me·tam·er·al [miˈtæmərəl; mə-] *adj bes. zo.* metaˈmer(isch), segmenˈtiert.

met·a·mere [ˈmetəˌmir] *s zo.* Folgestück *n*, Segˈment *n*, Glied *n*, (sekunˈdäres) ˈUrsegˌment. — ˌ**met·aˈmer·ic** [-ˈmerik] *adj chem. zo.* metaˈmer. — **me·tam·er·ism** [miˈtæməˌrizəm; mə-] *s* Metameˈrie *f*: a) *zo.* Gliederung *f*, Segmenˈtierung *f*, Zuˈsammengesetztsein *n* aus Folgestücken, b) *chem. besondere Art chemischer Isomerie.* — **meˈtam·erˌized** *adj zo.* segmenˈtiert, gegliedert.

met·a·mor·phic [ˌmetəˈmɔːrfik] *adj* **1.** *geol.* metaˈmorph. – **2.** *biol.* gestaltverändernd: ~ **capacity** Umwandlungsfähigkeit; ~ **stimulus** umgestaltender Reiz. — ˌ**met·aˈmor·phism** *s* **1.** *geol.* Metamorˈphismus *m.* – **2.** Metamorˈphose *f*, ˈUmgestaltung *f*, -wandlung *f.*

met·a·mor·phop·si·a [ˌmetəmɔːrˈfɒpsiə] *s med.* Metamorphopˈsie *f*, Verzerrtsehen *n.*

met·a·mor·phose [ˌmetəˈmɔːrfouz] **I** *v/t* **1.** ˈumgestalten, verwandeln (to, into in *acc*). – **2.** verzaubern, -wandeln (to, into in *acc*, zu). – **3.** metamorphiˈsieren, ˈumbilden. – **II** *v/i* **4.** *zo.* sich verwandeln. – *SYN. cf.* **transform.** – **III** *s selten für* **metamorphosis.** — ˌ**met·aˈmor·pho·sic** [-fəsik] *adj* ˈumwandelnd, ˈumgestaltend, verwandelnd.

met·a·mor·pho·sis [ˌmetəˈmɔːrfəsis; -mɔːrˈfou-] *pl* **-ses** [-siːz] *s* **1.** Metamorˈphose *f*, ˈUmwandlung *f*, Verwandlung *f*, Gestaltveränderung *f*, Verzauberung *f.* – **2.** auffallende Veränderung (*Aussehen, Charakter etc*). – **3.** *med.* Metamorˈphose *f*, ˈUmbildung *f* (*Organ*): **tissue** ~ Gewebsumwandlung. – **4.** *biol.* Metamorˈphose *f.* – **5.** „Metamorphoses" *pl* die „Metamorˈphosen" *pl* (*Ovids*). — ˌ**met·a·morˈphot·ic** [-mɔːrˈfɒtik] *adj* metamorˈphotisch, Verwandlungs...

ˌ**met·aˈneph·ric** *adj med.* die Nachniere betreffend: ~ **sphere** Nachnierenkugel. — ˌ**met·aˈneph·ros** [-ˈnefrɒs] *s* Metaˈnephros *m*, Nachniere *f.* [*n.*]

ˌ**met·aˈpep·tone** *s chem.* Metapepˈton

ˈ**met·aˌphase** *s med.* Metaˈphase *f*, zweite Kernteilungsphase.

met·a·phor [ˈmetəfər] *s* Meˈtapher *f*, bildlicher Ausdruck. — ˌ**met·aˈphor·i·cal** [-ˈfɒrikəl; *Am. auch* -ˈfɔːr-], *auch* ˌ**met·aˈphor·ic** *adj* metaˈphorisch, bildlich, fiˈgürlich. — ˌ**met·aˈphor·i·cal·ly** *adv* (*auch zu* **metaphoric**). — ˈ**met·a·phor·ist** [-fərist] *s* Metaˈphoriker(in).

ˌ**met·aˈphos·phate** *s chem.* metaˈphosphorsaures Salz, ˌMetaphosˈphat *n.* — ˌ**met·a·phosˈphor·ic ac·id** *s* Metaˈphosphorsäure *f* (HPO_3).

met·a·phragm [ˈmetəˌfræm], *s zo.* Scheidewand *f* (*der Brust- u. Bauchhöhle bei Insekten*). — ˌ**met·aˈphrag·mal** *adj* Scheidewand...

ˈ**met·aˌphrase I** *s* **1.** Metaˈphrase *f*, wörtliche Überˈsetzung. – **II** *v/t* **2.** wörtlich überˈtragen. – **3.** den Wortlaut ändern von. — **met·a·phrast** [ˈmetəˌfræst] *s* Metaˈphrast *m* (*j-d der Verse in Prosa od. in ein anderes Versmaß umsetzt*). — ˌ**met·aˈphras·tic** *adj* metaˈphrastisch, umˈschreibend. — ˌ**met·aˈphras·ti·cal·ly** *adv.*

ˌ**met·aˈphys·ic I** *adj selten für* **metaphysical.** – **II** *v/t irr selten* metaˈphysisch machen. — ˌ**met·aˈphys·i·cal** *adj* **1.** *philos.* metaˈphysisch. – **2.** ˈübersinnlich, abˈstrakt. – **3.** *die metaphysische Dichterschule des 17. Jhs. betreffend.* — ˌ**met·a·phyˈsi·cian** *s philos.* Metaˈphysiker *m.* — ˌ**met·aˈphys·ics** *s pl* (*als sg konstruiert*) *philos.* Metaphyˈsik *f.*

me·taph·y·sis [miˈtæfisis; mə-; -fə-] *s* **1.** *selten* ˈUmwandlung *f*, Verwandlung *f.* – **2.** *med.* Metaˈphyse *f* (*Knochenwachstumszone*).

met·a·pla·si·a [ˌmetəˈpleiʒiə] *s biol.* Metaplaˈsie *f*, Geˈwebeˌumbildung *f.*

me·tap·la·sis [miˈtæpləsis; mə-] *s biol.* Stadium *n* der Entwicklungsreife.

met·a·plasm [ˈmetəˌplæzəm] *s* **1.** *ling.* Metaˈplasmus *m*, ˈWortveränderung *f*, -ˌumbildung *f.* – **2.** *biol.* Metaˈplasma *n.* — ˈ**met·aˌplast** [-ˌplæst] *s ling.* ˈumgebildeter Wortstamm. — ˌ**met·aˈplas·tic** *adj* metaˈplastisch.

ˌ**met·a·pneuˈmon·ic** *adj med.* postpneuˈmonisch.

ˌ**met·aˈpol·i·tics** *s pl* (*als sg konstruiert*) Metapoliˈtik *f*, spekulaˈtive Poliˈtik, philoˈsophische Staatslehre.

ˌ**met·aˈpro·te·in** *s biol. chem.* ˈMetaproteˌin *n.*

ˌ**met·a·psyˈchol·o·gy** *s* ˈMeta-, ˈParapsycholoˌgie *f.*

me·tap·sy·cho·sis [miˌtæpsiˈkousis; mə-] *pl* **-ses** [-siːz] *s* ˈunterbewußte geistige Beeinflussung.

met·a·so·mat·ic [ˌmetəsoˈmætik] *adj geol.* metasoˈmatisch. — ˌ**met·aˈso·maˌtism** [-ˈsouməˌtizəm], ˌ**met·aˌso·maˈto·sis** [-ˈtousis] *s* ˈMetasomaˌtose *f* (*Verwandlung durch Lösungsumsatz*).

ˌ**met·aˈsta·ble** *adj chem. phys.* metastaˈbil.

met·a·stan·nate [ˌmetəˈstæneit] *s chem.* ˈMetastanˌnat *n.*

me·tas·ta·sis [miˈtæstəsis; mə-] *pl* **-ses** [-ˌsiːz] *s* **1.** *med.* Metaˈstase *f*, Tochtergeschwulst *f*, -herd *m.* – **2.** *biol.* Subˈstanz-, Stoffwechsel *m.* – **3.** *geol.* Verwandlung *f* einer Gesteinsart. – **4.** (*Rhetorik*) Metaˈstase *f.* — **meˈtas·taˌsize** *v/i med.* metastaˈsieren, Tochtergeschwülste bilden. — **met·a·stat·ic** [ˌmetəˈstætik], *auch* ˌ**met·aˈstat·i·cal** *adj* metaˈstatisch. — ˌ**met·aˈstat·i·cal·ly** *adv* (*auch zu* **metastatic**).

ˌ**met·aˈster·nal** *adj* **1.** *med.* den Schwertfortsatz betreffend. – **2.** *zo.* das ˈHinterbrustsegˌment betreffend. — ˌ**met·aˈster·num** *s* **1.** *med.* (knorpeliger) Schwertfortsatz. – **2.** *zo.* ˈHinterbrustsegˌment *n.*

ˌ**met·aˈsthen·ic** *adj bes. zo.* stark in den hinteren Teilen.

me·tas·to·ma [miˈtæstəmə; mə-] *pl* **-ma·ta** [ˌmetəˈstoumətə; -ˈstɒm-] *s zo.* ˈUnterlippe *f* der Krebse.

met·a·tar·sal [ˌmetəˈtɑːrsl] *med.* **I** *adj* metatarˈsal, Mittelfuß... – **II** *s* Metatarˈsal-, Mittelfußknochen *m.* — ˌ**met·aˈtar·sus** [-səs] *pl* **-si** [-sai] *s* **1.** *med.* Mittelfuß *m.* – **2.** *zo.* Mittelfuß *m*: a) erstes Fußglied, b) (*bisweilen*) *der ganze Hinterfuß*, c) Fersenglied *n* (*der Spinnen*).

me·tath·e·sis [miˈtæθisis; mə-; -θə-] *pl* **-ses** [-ˌsiːz] *s* Metaˈthese *f*: a) *ling.* ˈUmstellung *f*, Lautversetzung *f*, b) *med.* Radiˈkalaustausch *m*, ˈGruppenˌumstellung *f.* — **met·a·thet·ic** [ˌmetəˈθetik], ˌ**met·aˈthet·i·cal** *adj* eine Metaˈthese betreffend. — ˌ**met·aˈthet·i·cal·ly** *adv* (*auch zu* **metathetic**).

ˌ**met·a·thoˈrac·ic** *adj zo.* den hinteren Brustteil betreffend. — ˌ**met·aˈtho·rax** *s* hinterer Brustteil (*der Insekten*).

me·tax·ite [miˈtæksait; mə-] *s min.* Metaˈxit *m* (*Abart des Serpentins*).

met·a·xy·lem [ˌmetəˈzailem] *s bot.* Metaxyˈlem *n* (*nach dem ersten Xylem des jungen Zweiges gebildetes Holz*).

mé·ta·yage [meteˈjaːʒ] (*Fr.*) *s agr.* Halbpacht *f.* — **mé·ta·yer** [meteˈjei] *s agr.* Halbbauer *m*, -pächter *m* (*der ein Gut um die Häfte des Ertrags bewirtschaftet*).

met·a·zo·an [ˌmetəˈzouən] *zo.* **I** *adj* metaˈzoisch, die Metaˈzoen betreffend. – **II** *s* Vielzeller *m.* — ˌ**met·aˈzo·ic** *adj* metaˈzoisch, vielzellig.

mete [miːt] **I** *v/t* **1.** *poet.* (ab-, aus-, ˈdurch)messen. – **2.** *meist* ~ **out** zumessen (to *dat*): **to** ~ **s.th. out to s.o.**

in small portions j-m etwas in kleinen Mengen zumessen; to ~ out punishment Strafe zumessen. – 3. *fig.* ermessen. – II *s meist pl* 4. Maß *n*, Grenze *f*: to know one's ~s and bounds *fig.* seine Grenzen kennen, Maß u. Ziel kennen.

met·em·pir·ic [ˌmetemˈpirik] *philos.* I *adj* → metempirical. – II *s* Anhänger(in) der transzendenˈtalen Philosoˈphie. — ˌ**met·emˈpir·i·cal** *adj* transzendenˈtal, jenseits der Erfahrung liegend. — ˌ**met·emˈpir·i·cal·ly** *adv* (*auch zu* metempiric). — ˌ**met·emˈpir·iˌcism** [-ˌsizəm] *s* 1. transzendenˈtaler Ideaˈlismus, (Neigung *f* zur) Beschäftigung mit transzendenˈtaler Philosoˈphie. – 2. transzendenˈtale Lehre. — ˌ**met·emˈpir·i·cist** → metempiric II. — ˌ**met·emˈpir·ics** *s pl* (*als sg konstruiert*) transzendenˈtale Philosoˈphie.

me·temp·sy·chose [miˈtempsiˌkous; mə-] *v/t philos.* (*die Seele*) aus einem Körper versetzen (into in *einen anderen Körper*). — **meˌtemp·syˈcho·sis** [-sis; *auch* ˌmetemp-] *pl* **-ses** [-siːz] *s* Seelenwanderung *f*, Metempsyˈchose *f*.

met·emp·to·sis [ˌmetempˈtousis] *s* Metempˈtose *f* (*Auslassung des Schalttags alle 134 Jahre*).

met·en·ce·phal·ic [ˌmetensiˈfælik; -sə-] *adj med.* Hinterhirn... — ˌ**met·enˈceph·aˌlon** [-ˈsefəˌlɒn] *pl* **-la** [-lə] *s* Metenˈzephalon *n*, ˈHinter-, Nachhirn *n*.

met·en·so·ma·to·sis [ˌmetenˌsouməˈtousis] *s* ˈUmwandlung *f* eines Körpers in einen anderen.

me·te·or [ˈmiːtiər; -tjər] *s* 1. *astr.* a) Meteˈor *m*, b) Sternschnuppe *f*, c) ˈFeuerkugel *f*, -meteˌor *m*. – 2. *fig.* glänzende, flüchtige Erscheinung. — ~ **dust** *s astr.* kosmischer Staub.

me·te·or·ic [ˌmiːtiˈɒrik; *Am. auch* -ˈɔːrik] *adj* 1. *astr.* meteˈorisch, Meteor...: ~ iron Meteoreisen; ~ shower Sternschnuppenschwarm; ~ stone Meteorstein, Meteorolith. – 2. *fig.* glänzend aber flüchtig, blendend, meteˈorartig: ~ fame glänzender Ruhm. – 3. *fig.* rasend, schnell: his ~ rise to power sein meteorhafter Aufstieg zur Macht. — ˌ**meteˈor·i·cal·ly** *adv.*

me·te·or·ism [ˈmiːtiəˌrizəm] *s med.* Meteoˈrismus *m*, Gasbauch *m*, Blähsucht *f*, Flatuˈlenz *f*.

me·te·or·ite [ˈmiːtiəˌrait] *s astr.* Meteoˈrit *m*, Meteˈorstein *m*. — ˌ**me·te·orˈit·ic** [-ˈritik] I *adj* meteoˈritisch. – II *s pl* (*als sg konstruiert*) Lehre *f* von den Meteˈorsteinen.

me·te·or·ize [ˈmiːtiəˌraiz] I *v/t med.* Meteoˈrismus *od.* Flatuˈlenz verursachen bei. – II *v/i* (*wie ein Meteor*) kurz u. hell aufleuchten (*auch fig.*).

me·te·or·o·graph [ˈmiːtiərəˌgræ(ː)f; *Br. auch* -ˌgrɑːf] *s phys.* Meteoroˈgraph *m*. — ˌ**me·te·or·oˈgraph·ic** [-ˈgræfik] *adj* meteoroˈgraphisch. — ˌ**me·te·or·oˈgraph·i·cal·ly** *adv.* — ˌ**me·te·orˈog·ra·phy** [-ˈrɒgrəfi] *s* Meteorograˈphie *f* (*Aufzeichnung der Luft- u. Wettererscheinungen*).

me·te·or·oid [ˈmiːtiəˌrɔid] *s astr.* meteˈorartiger Körper. — ˌ**me·te·orˈoi·dal** *adj* meteˈorartig. — ˈ**me·te·or·oˌlite** [-rəˌlait] → meteorite.

me·te·or·o·log·ic [ˌmiːtiərəˈlɒdʒik], ˌ**me·te·or·oˈlog·i·cal** [-kəl] *adj phys.* meteoroˈlogisch, Wetter..., Luft...: meteorologic message a) Wetternachricht, b) *mil.* Barbarameldung. — ˌ**me·te·or·oˈlog·i·cal·ly** *adv* (*auch zu* meteorologic).

me·te·or·o·log·i·cal| ob·ser·va·tion *s* Wetterdienst *m*, -beobachtung *f*. — ~ **of·fice** *s* meteoroˈlogisches Amt, ˈWetterwarte *f*, -amt *n*, -statiˌon *f*.

me·te·or·ol·o·gist [ˌmiːtiəˈrɒlədʒist] *s phys.* Meteoroˈloge *m*, Wetterbeobachter *m*. — ˌ**me·te·orˈol·o·gy** [-dʒi] *s phys.* 1. Meteoroloˈgie *f*, Witterungskunde *f*. – 2. meteoroˈlogische Verhältnisse *pl* (*einer Gegend*).

me·te·or·om·e·ter [ˌmiːtiəˈrɒmitər; -mə-] *s phys.* Meteoroˈmeter *n*. — ˈ**me·te·or·oˌscope** [-rəˌskoup] *s phys.* Meteoroˈskop *n*.

me·te·or·ous [ˈmiːtiərəs] → meteoric.

me·te·or| steel *s tech.* Meteˈorstahl *m* (*Eisennickellegierung*). — ~ **sys·tem** *s astr.* Meteˈorschwarm *m*.

me·ter[1], *bes. Br.* **me·tre** [ˈmiːtər] *s* 1. Meter *n* (*Grundmaß des Dezimalsystems = 39,37 engl. Zoll*). – 2. *metr.* Metrum *n*, Vers-, Silbenmaß *n*. – 3. *mus.* a) Zeit-, Taktmaß *n*, b) Periˈodik *f*, Periˈodenbildung *f*, -bau *m*.

me·ter[2] [ˈmiːtər] I *s* 1. (*meist in Zusammensetzungen*) j-d der mißt, Messende(r). – 2. *tech.* Messer *m*, ˈMeßinstruˌment *n*, -werkzeug *n*, Zählwerk *n*, Zähler *m*; dry ~ trockene Gasuhr; electricity ~ elektrischer Strommesser *od.* Zähler; liquid ~ Wassermesser; wet ~ nasse Gasuhr. – II *v/t* 3. (*mit einem Meßinstrument*) messen.

me·ter[3] [ˈmiːtər] *s* (*Fischfang*) *Am.* Verstärkungsstrick *m* eines Schlagnetzes.

-meter [miːtər] *Endsilbe mit der Bedeutung* ...messer, ...meter.

me·ter·age [ˈmiːtəridʒ] *s* 1. Messen *n*, (Ver)Messung *f*. – 2. Meßgeld *n*. – 3. ˈMeßresulˌtat *n*.

me·ter| board *s electr.* Zählertafel *f*. — ~ **can·dle** *s math. phys.* Meterkerze *f*, Lux *n*.

me·tered mail [ˈmiːtərd] *s* (*Postdienst*) *Am.* durch (einen) Freistempler freigemachte Post.

ˈ**me·ter-ˈkil·o·gram-ˈsec·ond sys·tem** *s* ˈMeter-Kiloˈgramm-Seˈkundensyˌstem *n*.

ˈ**meteˌstick** *s mar.* Meßstab *m*.

meth- [meθ] → metho-.

meth·ac·ry·late [meˈθækriˌleit] *s chem.* Methacryˈlat *n*, Methaˈcrylsäureester *m*. — ~ **res·in**, *auch* ~ **plas·tic** *s chem.* Methaˈcrylharz *n* (*Kunststoff, bes. Plexiglas*).

meth·a·cryl·ic ac·id [ˌmeθəˈkrilik] *s chem.* Methaˈcrylsäure *f* ($C_4H_6O_2$).

meth·a·done [ˈmeθəˌdoun], *auch* ˈ**meth·aˌdon** [-ˌdɒn] (*TM*) *s chem. med.* Polamiˈdon *n* (*schmerzstillendes Mittel*).

met·hae·mo·glo·bin *etc cf.* methemoglobin *etc.*

meth·ane [ˈmeθein] *s chem.* Meˈthan *n*, Sumpf-, Grubengas *n*, leichtes Kohlenwasserstoffgas (CH_4). — ~ **se·ries** *s* Meˈthanreihe *f*.

meth·a·nol [ˈmeθəˌnɒl; -ˌnoul] *s chem.* Methaˈnol *n*, Meˈthylalkohol *m*. (CH_4O).

meth·a·nom·e·ter [ˌmeθəˈnɒmitər; -mət-] *s tech.* Methanoˈmeter *n* (*Apparat zur Grubengasmessung*).

me·theg·lin [miˈθeglin; mə-] *s dial.* Met *m*.

met·he·mo·glo·bin [metˌhiːmoˈgloubin; -mə-] *s biol.* Methämogloˈbin *n*. — **metˌhe·moˌglo·biˈne·mi·a** [-ˈniːmiə] *s med.* Methämoglobinäˈmie *f*.

me·the·na·mine [meˈθiːnəˌmiːn; -min] *s chem. med.* Hexameˈthylentetraˌmin *n*, Urotroˈpin *n* [$(CH_2)_6N_4$].

meth·ene [ˈmeθiːn] *s chem.* Methyˈlen *n* (CH_2).

meth·e·nyl [ˈmeθinil] *s chem. Methingruppe HC≡ mit 3 freien Valenzen.*

me·thinks [miˈθiŋks] *pret* **meˈthought** [-ˈθɔːt] *v/impers poet.* mich dünkt, mir scheint.

me·thi·o·nine [meˈθaioˌniːn; -əˌn-; -nin] *s chem.* Methioˈnin *n* ($C_5H_{11}NO_2S$).

metho- [meθo] *chem. Wortelement mit der Bedeutung* Methyl.

meth·od [ˈmeθəd] *s* 1. Meˈthode *f*, Art *f* u. Weise *f*: ~ of doing s.th. Art u. Weise, etwas zu tun; by a ~ nach einer Methode. – 2. *chem. tech.* (planmäßige) Verfahrensart, Verfahren *n*, Proˈzeß *m*: dry (wet) ~ trockener (nasser) Weg der Metallgewinnung; ~ of fire setting (*Bergbau*) Feuersetzen. – 3. *math.* Meˈthode *f*: differential ~ Differentialmethode; ~ of compensation Ausgleichungsrechnung. – 4. ˈLehrmeˌthode *f*, -weise *f*. – 5. Syˈstem *n*, (wissenschaftliche) Anordnung. – 6. *philos.* (logische) ˈDenkmeˌthode. – 7. (Gedanken)Ordnung *f*, Meˈthode *f*, Planmäßigkeit *f*: to work with ~ methodisch arbeiten; there is ~ in his madness was er tut, ist nicht so verrückt, wie es aussieht. – *SYN.* fashion, manner, mode[1], system, way[1].

me·thod·ic [miˈθɒdik; mə-] I *adj* → methodical. – II *s pl* (*auch als sg konstruiert*) Meˈthodik *f*. — **meˈthod·i·cal** *adj* 1. meˈthodisch, planmäßig (verfahrend), folgerecht, systeˈmatisch. – 2. überˈlegt. — **meˈthod·i·cal·ly** *adv* (*auch zu* methodic I).

meth·od·ism [ˈmeθəˌdizəm] *s* 1. meˈthodisches Verfahren. – 2. M~ *relig.* Methoˈdismus *m* (*Lehre der Methodisten*). — ˈ**meth·od·ist** I *s* 1. Meˈthodiker *m*. – 2. M~ *relig.* Methoˈdist(in) (*Anhänger einer 1729 von John u. Charles Wesley in Oxford ins Leben gerufenen religiösen Sekte*): M~ Episcopal Church *Titel der Methodistenkirche der USA (1784 in Baltimore gegründet u. im wesentlichen auf die engl. Methodistenkirche zurückgehend)*. – 3. *fig.* (*verächtlich*) Frömmler *m*, Mucker *m*. – II *adj* 4. M~ methoˈdistisch, Methodisten... — ˌ**meth·odˈis·tic** *adj* 1. streng meˈthodisch. – 2. *oft* M~ a) → methodist 4, b) methoˈdistenähnlich.

meth·od·i·za·tion [ˌmeθədaiˈzeiʃən; -diˈz-] *s* meˈthodische Anordnung. — ˈ**meth·odˌize** I *v/t* 1. meˈthodisch ordnen. – 2. M~ zum Methoˈdismus bekehren, methoˈdistisch machen. – II *v/i* 3. meˈthodisch verfahren. – 4. M~ wie ein Methoˈdist sprechen *od.* handeln. – *SYN. cf.* order.

meth·od·less [ˈmeθədlis] *adj* ohne Meˈthode, plan-, syˈstemlos.

meth·od·o·log·i·cal [ˌmeθədəˈlɒdʒikəl] *adj* methodoˈlogisch. — ˌ**meth·odˈol·o·gist** [-ˈdɒlədʒist] *s* Methodoˈloge *m*. — ˌ**meth·odˈol·o·gy** [-dʒi] *s* Meˈthodenlehre *f*, Methodoloˈgie *f*.

me·thought [miˈθɔːt] *pret von* methinks.

Me·thu·se·lah [miˈθjuːzələ; -ˈθuː-] *npr Bibl.* Meˈthusalah *m*, Meˈthusalem *m*: as old as ~ (so) alt wie Methusalem.

meth·yl [ˈmeθil; -əl] *s chem.* Meˈthyl *n* (CH_3). — ~ **ac·e·tate** *s chem.* Meˈthylaceˌtat *n* (CH_3COOCH_3).

meth·yl·al [ˌmeθiˈlæl; -θə-; ˈmeθiˌlæl] *s chem.* Methyˈlal *n* ($C_3H_8O_2$).

meth·yl al·co·hol *s chem.* Meˈthylalkohol *m*, Methaˈnol *n* (CH_4O).

meth·yl·a·mine [ˌmeθələˈmiːn; -ˈæmin] *s chem.* Methylaˈmin *n* (CH_3NH_2).

meth·yl·ate [ˈmeθiˌleit; -θə-] *chem.* I *v/t* 1. methyˈlieren. – 2. denatuˈrieren, mit Methaˈnol mischen. – II *s* 3. Methyˈlat *n*.

meth·yl·at·ed spir·it [ˈmeθiˌleitid; -θə-] *s chem.* denatuˈrierter *od.* vergällter Spiritus.

meth·yl·a·tion [ˌmeθiˈleiʃən; -θə-] *s chem.* Methyˈlierung *f*.

meth·yl blue *s chem.* Meˈthylblau *n*.

meth·yl·ene [ˈmeθiˌliːn; -θə-] *s chem.* Methyˈlen *n* (CH_2). — ~ **blue** *s chem.* Methyˈlenblau *n* ($C_{16}H_{18}N_3Cl$).

meth·yl green *s chem.* Me'thylgrün *n* ($C_{26}H_{33}N_3Cl$). [thyl...]
me·thyl·ic [mi'θilik] *adj chem.* Me-
meth·yl meth·a·cryl·ate *s chem.* Me'thyl-Methacry,lat *n*, Metha'crylsäureme,thylester *m* ($C_5H_8O_2$).
meth·yl·naph·tha·lene *s chem.* Me'thylnaphtha,lin *n* ($C_{11}H_{10}$).
met·ic ['metik] *s antiq.* Me'töke *m* (*angesiedelter Ausländer in griech. Städten*).
me·tic·u·los·i·ty [mi,tikju'lɒsiti; mə-; -jə-; -əti] *s* peinliche *od.* übertriebene Genauigkeit. — **me'tic·u·lous** *adj* peinlich genau, 'übergenau, pe'nibel. – *SYN. cf.* careful.
mé·tier [me'tje; 'metjei] *s* **1.** Gewerbe *n*, Handwerk *n*. – **2.** *fig.* Gebiet *n*, Me'tier *n*: that is his ~ das ist sein Fach *od.* Spezialgebiet. – *SYN cf.* work.
me·tis ['mi:tis], **mé·tis** [me'ti:s] *m*, **mé·tisse** [me'ti:s] *f s* **1.** *Am.* Abkömmling *m* von Weißen u. Quarte'ronen. – **2.** *Canad.* Abkömmling *m* von Fran'zosen u. Indi'anern. – **3.** *allg.* Mischling *m*, Me'stize *m*.
Me·tol ['mi:tɒl; -toul] (*TM*) *s phot.* Entwickler *m* (*Pulver*).
Me·ton·ic| cy·cle [mi'tɒnik] *s astr.* me'tonischer Zyklus (*des Mondes*). — **~ year** *s astr.* Jahr *n* des me'tonischen Zyklus (*von durchschnittlich 365,263 Tagen*).
met·o·nym ['metənim] *s* (*Rhetorik*) Meto'nym *n*. — **,met·o'nym·i·cal,** *auch* **,met·o'nym·ic** *adj* meto'nymisch. — **,met·o'nym·i·cal·ly** *adv* (*auch zu* metonymic). — **me·ton·y·mous** [mi'tɒniməs; -nə-] → metonymical. — **me'ton·y·my** *s* (*Rhetorik*) Metony'mie *f* (*Vertauschung eines Begriffs mit einem damit verbundenen, z. B.* Heaven *für* God).
met·o·pe ['metə,pi(:); -toup] *s arch.* Me'tope *f*, Zwischenfeld *n* (*zwischen zwei Dreischlitzen*). — **me·top·ic** [mi'tɒpik] *adj med.* me'topisch, Stirn...: ~ suture Stirnnaht.
me·to·pi·on [mi'toupi,ɒn] *s med.* Me'topion *n* (*anthropologischer Meßpunkt am menschlichen Schädel*).
met·o·po·man·cy ['metəpo,mænsi] *s* Metopoman'tie *f*, Wahrsagen *n* aus der Physiogno'mie *od.* aus der Stirn.
met·o·pon ['metou,pɒn] (*TM*) *s chem. med.* Dihydrome'thylmorphi,non *n* (*schmerzstillendes Morphiumderivat mit geringerer Suchtgefahr*).
met·o·po·scop·ic [,metəpo'skɒpik], **,met·o·po'scop·i·cal** [-kəl] *adj* metopo'skopisch. — **,met·o'pos·co·py** [-'pɒskəpi] *s* Metoposko'pie *f* (*Charakterlesekunst aus den Gesichtszügen, bes. den Stirnlinien*).
me·tre *bes. Br. für* meter[1].
met·ric ['metrik] **I** *adj* **1.** metrisch, Maß u. Gewicht betreffend: ~ method of analysis *chem.* Maßanalyse. – **2.** metrisch, das Meter (*als Einheit des Dezimalsystems*) betreffend: ~ system Dezimalsystem; ~ ton → ton[1] 1c. – **3.** → metrical 2. – **II** *s pl* (*als sg konstruiert*) **4.** Metrik *f*, Verslehre *f*. – **5.** *mus.* Rhythmik *f*, Taktlehre *f*, Peri'odik *f*. — **'met·ri·cal** *adj* **1.** → metric 1 *u.* 2. – **2.** a) metrisch, nach Verssilbenmaß gemessen, b) rhythmisch, peri'odisch. — **'met·ri·cal·ly** *adv* (*auch zu* metric I).
met·ric| horse·pow·er → French horsepower. — **~ hun·dred·weight** *s* Zentner *m* (*50 kg*).
me·tri·cian [me'triʃən] *s* Versmacher *m*, Metriker *m*.
met·ri·fi·ca·tion [,metrifi'keiʃən; -rəfə-] *s selten* Versemachen *n*. — **'met·ri,fy** [-,fai] *v/t* in Versform bringen. — **me·trist** ['mi:trist; 'me-] *s* **1.** Verskünstler *m*, Dichter *m*. – **2.** (geschickter) Metriker.
me·tri·tis [mi'traitis] *s med.* Me'tritis *f*, Gebärmutterentzündung *f*.
met·ro ['metrou] *s* Metro *f*, 'Untergrundbahn *f* (*in Paris, Madrid etc*).
metro-[1] [mi:tro; met-] *med. Wortelement mit der Bedeutung* Uterus.
metro-[2] [mi:tro; met-] *Wortelement mit der Bedeutung* Mutter.
metro-[3] [metro] *Wortelement mit der Bedeutung* Maß.
met·ro·log·i·cal [,metro'lɒdʒikəl; -rə-] *adj* metro'logisch. — **me·trol·o·gist** [mi'trɒlədʒist] *s* Metro'loge *m*. — **me'trol·o·gy** [-dʒi] *s* Metrolo'gie *f*, Maß- u. Gewichtskunde *f*.
met·ro·ma·ni·a [,metro'meiniə] *s* Metroma'nie *f*, Vers-, Reimsucht *f*. — **,met·ro'ma·ni,ac** [-ni,æk] **I** *s* Reimsüchtige(r). – **II** *adj* reimsüchtig.
met·ro·nome ['metrə,noum] *s mus.* Metro'nom *n*, Taktmesser *m*, Tempogeber *m*. — **,met·ro'nom·ic** [-'nɒmik], **,met·ro'nom·i·cal** *adj* **1.** metro'nomisch. – **2.** über'trieben regelmäßig, sklavisch dem Takt folgend. — **,met·ro'nom·i·cal·ly** *adv* (*auch zu* metronomic).
met·ro·nom·ic mark *s mus.* Metro'nombezeichnung *f*, Tempovorschrift *f*, -angabe *f*.
me·tro·nym·ic [,mi:trə'nimik] *ling.* **I** *adj* matro'nymisch, von der (Stamm)-Mutter abgeleitet, Mutter... – **II** *s* Matro'nymikum *n*, Muttername *m*.
me·trop·o·lis [mi'trɒpəlis; mə-] *s* **1.** Metro'pole *f*, Hauptstadt *f*. – **2.** Hauptzentrum *n*. – **3.** *antiq.* Mutterstadt *f* (*im Gegensatz zu den Kolonien*). – **4.** *relig.* Sitz *m* eines Metropo'liten *od.* Erzbischofs. – **5.** *zo.* Hauptherd *m*, -fundort *m*, Verbreitungsmittelpunkt *m*. – **6.** the M~ *Br.* London *n*. — **met·ro·pol·i·tan** [,metrə'pɒlitən; -lə-] **I** *adj* **1.** hauptstädtisch. – **2.** *relig.* Metropolitan..., erzbischöflich. – **3.** *selten* Mutterstadt..., -land... – **II** *s* **4.** *antiq.* Bewohner(in) einer Mutterstadt. – – **5.** *relig.* a) Metropo'lit *m* (*altgriech. Kirche*), b) Erzbischof *m*. – **6.** Bewohner(in) der Landeshauptstadt, Großstädter(in). — **,met·ro'pol·i·tan,ate** [-,neit; -nit] *s relig.* Amt *n od.* Sitz *m* eines Metropo'liten *od.* Erzbischofs.
met·ro·style ['metro,stail; -rə-] *mus.* **I** *s* Temporegler *m* (*bei mechanischen Klavieren*). – **II** *v/t u. v/i* das Tempo regeln *od.* einstellen (bei).
-metry [mitri; mə-] *Endsilbe mit der Bedeutung* ...messung, ...metrie.
met·tle ['metl] *s* **1.** a) Cha'rakter *m*, (na'türliche) Veranlagung, b) Geist *m*. – **2.** Eifer *m*, Enthusi'asmus *m*, Mut *m*, Herzhaftigkeit *f*: man of ~ tüchtiger Kerl, Mann von echtem Schrot u. Korn; to be on one's ~ angespornt werden, sein möglichstes zu tun; to put s.o. on his ~, to try s.o.'s ~ j-n auf die Probe stellen, j-n prüfen. – **3.** (Grund)Stoff *m*, Wesen *n*. – *SYN. cf.* courage. — **'met·tled, 'met·tle·some** [-səm] *adj* feurig, mutig (*bes. Pferd*).
mew[1] [mju:] *s zo.* Seemöwe *f* (*Gattg Larus*).
mew[2] [mju:] → meow.
mew[3] [mju:] **I** *v/t obs.* **1.** *zo.* (*Geweih, Haare etc*) verlieren, abwerfen: the bird ~s its feathers der Vogel mausert. – **2.** (*wie in einen Falkenkäfig*) einsperren. – **II** *v/i zo. obs.* **3.** mausern, federn, haaren. – **III** *s* **4.** Mauserkäfig *m* (*bes. für Falken*). – **5.** *Br. dial.* Brutkäfig *m*. – **6.** *poet.* Versteck *n*. – **7.** *pl* (*als sg konstruiert*) a) Stall *m*: the Royal M~s der Königliche Marstall (*in London*), b) Stallungen *pl* mit Re'misen, c) *bes. Br.* (*zu Wohnungen od. Garagen*) 'umgebaute ehemalige Stallungen *pl*.
mewl [mju:l] **I** *v/i* **1.** wimmern, schreien (*kleine Kinder*). – **2.** mi'auen. – **II** *s* **3.** Wimmern *n*, Schreien *n* (*Kind*). – **4.** Mi'auen *n* (*Katze*).
Mex·i·can ['meksikən] **I** *adj* **1.** mexi'kanisch. – **II** *s* **2.** Mexi'kaner(in). – **3.** Az'teke *m*. – **4.** *ling.* die Na'huatlsprache. – **5.** *Kurzform für* ~ dollar. — **~ as·phalt** *s* **1.** Destillati'onsrückstand *m* des mexik. Pe'troleums. – **2.** mexik. As'phalt *m* (*Chapapote*). — **~ bean bee·tle** *s zo.* Gefleckter Ma'rienkäfer (*Epilachna corrupta*). — **~ dol·lar** *s* mexik. Dollar *m*. — **~ elm** *s bot.* Mexik. Ulme *f* (*Ulmus mexicana*). — **~ hair·less dog** *s zo.* Nackthund *m* (*haarlose mexik. Hausrhundrasse*). — **~ pop·py** *s bot.* Stachelmohn *m* (*Gattg Argemone, bes. A. mexicana*). — **~ tea** *s bot.* Jesu'itentee *m* (*Chenopodium ambrosioides*). — **~ this·tle** *s bot.* **1.** Mexik. Distel *f* (*Cirsium conspicuum*). – **2.** → Mexican poppy. — **~ War** *s hist.* (*der*) Mexik.-Amer. Krieg (*1846 – 48*).
mez·cal [mes'ka:l] *s* **1.** *cf.* mescal. – **2.** → Mexican elm.
me·ze·re·on [mi'zi(ə)ri,ɒn; -ən] *s* **1.** *bot.* Seidelbast *m*, Kellerhals *m* (*Daphne mezereum*). – **2.** → mezereum 1.
me·ze·re·um [mi'zi(ə)riəm] *s* **1.** *med.* (getrocknete) Rinde des Seidelbasts (*od. anderer Pflanzen der Gattg Daphne*). – **2.** → mezereon 1.
me·zu·za(h) [me'zu:za:] *s* Me'susah *n* (*Bibelspruch an den Türpfosten der Häuser der Juden*).
mez·za ['medza:; 'met-] *adj mus.* mezza, mittel, halb: ~ voce mit halber Stimme.
mez·za·nine ['mezə,ni:n; -nin] *s arch.* **1.** Mezza'nin *n*, Entre'sol *n*, Zwischenstock *m*. – **2.** (*Theater*) Raum *m od.* Boden *m* unter der Bühne.
mez·zo ['medzou; 'met-] **I** *adj* **1.** *mus.* mezzo, mittel, halb: ~ forte halbstark. – **II** *s* **2.** → ~-soprano. – **3.** → ~tint. — **,~-re'lie·vo, ,~-ri'lie·vo** *s* (*Bildhauerei*) halberhabene Arbeit. — **'~-so'pra·no** *s mus.* 'Mezzoso,pran *m*. — **'~,tint I** *s* **1.** (*Kupferstecherei*) Mezzo'tinto *n*, Schabkunst *f*. – **2.** Schabkunstblatt *n*: ~ engraving Stechkunst in Mezzotintmanier. – **II** *v/t* **3.** in Mezzo'tint gra'vieren.
mho [mou] *s electr.* Siemens *n* (*Einheit der Leitfähigkeit*). — **mho·me·ter** ['mou,mi:tər] *s* (*direktanzeigender*) Leitwertmesser.
mi [mi:] *s mus.* **1.** mi *n* (*3. Stufe in der Solmisation*). – **2.** E *n* (*bes. im franz.-ital. System*).
mia·mia ['mai,mai] *s* (*aus Reisig od. Strauchholz hergestellte*) Hütte (*der austral. Eingeborenen*).
Mi·a·na bug [mi'a:nə] *s zo.* Mi'anawanze *f*, Pers. Saumzecke *f* (*Argas persicus*).
mi·aow [mi'au; mjau] → meow.
mi·asm ['maiæzəm], **mi'as·ma** [-'æzmə] *pl* **-ma·ta** [-mətə] *s med.* Mi'asma *n*, Krankheits-, Ansteckungsstoff *m*. — **mi'as·mal** *adj* mias'matisch. — **,mi·as'mat·ic** [-'mætik], **,mi·as'mat·i·cal** *adj* **1.** mias'matisch, ansteckend: ~ fever Malaria. – **2.** Miasma... — **,mi·as'mat·i·cal·ly** *adv* (*auch zu* miasmatic). — **mi'as·ma·tous** *adj* Mi'asmen erzeugend. — **mi'as·mic** → miasmatic. — **mi'as·mous** → miasmatous.
mi·aul [mi'aul; mjaul] *v/i* mi'auen.
mi·ca ['maikə] *min.* **I** *s* **1.** Glimmer(erde *f*) *m*: argentine ~ Silber-, Kaliglimmer, Katzensilber; black ~ schwarzer *od.* Magnesiaglimmer; yellow ~ Goldglimmer, Katzengold. – **2.** Fraueneis *n*, Ma'rienglas *n*. – **II** *adj* **3.** Glimmer...: ~ schist, ~ slate Glimmerschiefer; ~ sheet Glimmer-

blatt. — **mi'ca·ce·ous** [-'keiʃəs; -ʃiəs] *adj* **1.** glimmerartig, Glimmer...: ~ **iron ore** Eisenglimmer. – **2.** *fig.* funkelnd. — **mi·ca·cious** *cf.* micaceous 2.

Mi·cah ['maikə] *Bibl.* **I** *npr* Micha *m* (*Prophet*). – **II** *s* das Buch Micha (*des Alten Testaments*).

Mi·caw·ber·ish [mi'kɔːbəriʃ] *adj* im Unglück darauf vertrauend, daß sich alles zum Guten wendet; opti'mistisch (*nach Mr. Wilkins Micawber in „David Copperfield" von Dickens*). — **Mi'caw·berˌism** *s* Über'zeugung *f*, daß sich die Dinge (ohne per'sönliches Hin'zutun) bald bessern werden. — **Mi'caw·ber·ist** *s* Opti'mist *m* ohne Grund.

mice [mais] *pl von* mouse.

mi·cell [mi'sel], **mi'cel·la** [-'selə], **mi·celle** [mi'sel] *s* Mi'zell *n* (*Molekelaggregat begrenzt quellbarer Körper*).

Mi·chael ['maikl] *npr* **1.** *Bibl.* Michael *m* (*Erzengel*). – **2.** Michael *m*: (the most distinguished) Order of St. ~ and St. George *Br.* Sankt Michaels- u. Georgsorden.

Mich·ael·mas ['miklməs] *s bes. Br.* Micha'elitag *m*, -fest *n* (*29. September*). — ~ **dai·sy** *s* **1.** → heath aster. – **2.** → New England aster. — ~ **Day** *s* **1.** Michaelstag *m* (*29. September*). – **2.** *einer der vier brit. Quartalstage.* — ~ **sit·ting** *s Br.* 'Sitzungsperiˌode *f* an Kol'legien des Reichsgerichts (*in London, gewöhnlich kurz nach dem Michaelstag beginnend*). — ~ **term** *s Br.* 'Herbstseˌmester *n* (*an den älteren brit. Universitäten*).

miche [mitʃ] *v/i dial.* faulenzen, (die Schule) schwänzen.

Mi·che·as [mai'kiːəs] *npr Bibl.* Micha *m* (*Douay Bibel*).

Mi·chel·an·ge·lesque [ˌmaikəlˌændʒə'lesk] *adj* michelange'lesk, im Stil Michel'angelos.

Mick [mik] **I** *npr* Michael *m* (*Koseform*). – **II** *s* m~ *sl. od. humor.* Ire *m*, Irländer *m*.

Mick·ey ['miki] *s Am. sl.* **1.** *aer.* Flugzeug-Bordradar(gerät *n*) *m*: ~ navigator, ~ pilot Orter, Pilot eines Flugzeuges mit Bordradar. – **2.** → ~ Finn.

Mick·ey| Finn, m~ f~ ['miki 'fin] *s Am. sl.* Schlaf-, Betäubungstrunk *m*. — ~ **Mouse** *s irr* **1.** Mickymaus *f* (*Trickfilmfigur Walt Disneys*). – **2.** *aer. Br. sl.* elektr. 'Bombenˌabwurfgerät *n*.

mick·le ['mikl] *s obs. od. dial.* Menge *f*: many a little (*od.* pickle) makes a ~ viele Wenig machen ein Viel.

Mick·y ['miki] **I** *npr* **1.** Michael *m* (*Koseform*). – **II** *s* m~ **2.** *Am. sl.* junger Ire. – **3.** *sl.* junger (entlaufener) Stier (*Australien*).

Mic·mac ['mikmæk] *s* Mikmak *m* (*Angehöriger eines nordamer. Indianerstamms*).

mi·co ['miːkou] *s zo.* (*ein*) südamer. Seiden-, Pinseläffchen *n*, (*ein*) Saguin *m* (*Callithrix melanurus*).

mi·cra ['maikrə] *pl von* micron.

mi·cra·cous·tic [ˌmaikrə'kuːstik] *adj phys.* **1.** schwache Töne betreffend. – **2.** schwache Töne verstärkend.

mi·cri·fy ['maikriˌfai] *v/t* klein *od.* unbedeutend machen.

mi·cro ['maikro] *s zo.* Kleinschmetterling *m*.

micro- [maikro] *Wortelement mit den Bedeutungen* a) Mikro..., (sehr) klein, b) (*bei Maßbezeichnungen*) ein Millionstel, c) mikroskopisch.

mi·cro·am·me·ter [*Br.* ˌmaikro'æmitə; *Am.* -'æmˌmiːtər] *s electr.* 'Mikroˌampereˌmeter *n*. — **ˌmi·cro'bar·o·ˌgraph** *s phys.* ˌMikrobaro'graph *m*.

mi·crobe ['maikroub] *s biol.* Mi'krobe *f*, 'Mikroorgaˌnismus *m*, Kleinlebewesen *n*. — **mi'cro·bi·al, mi'cro·bi·an, mi'cro·bic** *adj* **1.** Mi'kroben betreffend. – **2.** durch Mi'kroben verursacht. — **mi'cro·biˌcid·al** [-biˌsaidl] *adj* mi'krobentötend, antibi'otisch. — **mi'cro·biˌcide** *s* Antibi'otikum *n*. — **ˌmi·cro·bi'ol·o·gy** *s* 'Mikrobioloˌgie *f*. — **ˌmi·cro·bi'o·sis** [-bai'ousis] *s med.* Mikrobi'ose *f*, Mi'krobeninfektiˌon *f*. — **'mi·croˌbism** *s* Mikro'bismus *m*.

'mi·croˌcard *s phot. tech.* Mikrokarte *f* (*photographierte Buchseiten auf einer Karte im Bibliotheksformat*).

ˌmi·cro'cen·trum *s biol. med.* Zentro'soma *n*.

mi·cro·ce·pha·li·a [ˌmaikrosi'feiliə; -sə-] *s med.* 'Mikrozephaˌlie *f*, Kleinköpfigkeit *f*. — **ˌmi·cro·ce'phal·ic** [-'fælik] *adj* mikroze'phal, kleinköpfig. — **ˌmi·cro'ceph·aˌlism** [-'sefəˌlizəm] *s* Kleinköpfigkeit *f*. — **ˌmi·cro'ceph·a·lous** → microcephalic. — **ˌmi·cro'ceph·a·lus** [-ləs] *pl* **-li** [-ˌlai] *s* ˌMikro'zephalus *m*. — **ˌmi·cro'ceph·a·ly** [-li] → microcephalia.

ˌmi·cro'chem·i·cal *adj chem.* ˌmikro'chemisch. — **ˌmi·cro'chem·is·try** *s* ˌMikroche'mie *f*.

ˌmi·cro·chro'nom·e·ter *s phys.* ˌMikrochrono'meter *n*.

ˌmi·croˌcin·e'mat·oˌgraph *s tech.* ˌmikroˌkinemato'graphischer 'Aufnahmeappaˌrat. — **ˌmi·croˌcin·e·ˌmat·o'graph·ic** *adj* ˌmikroˌkinemato'graphisch. — **ˌmi·croˌcin·e·ma'tog·ra·phy** *s* ˌMikroˌkinematogra'phie *f*, mikro'skopisches Filmen.

ˌmi·croˌcli·ma'tol·o·gy *s* ˌMikroklimatolo'gie *f*, Klimakunde *f* innerhalb kleiner Gebiete.

'mi·croˌcline *s min.* Mikro'klin *m* ($KAlSi_3O_8$; *trikliner Kalifeldspat*).

mi·cro·coc·cal [ˌmaikro'kɒkəl] *adj biol.* Mikro'kokken betreffend, Mikrokokken... — **ˌmi·cro'coc·cus** [-'kɒkəs] *pl* **-ci** [-'kɒksai] *s* Mikro'kokkus *m*, 'Kugelbakˌterium *n*.

'mi·croˌcop·y *s* Mikroko'pie *f*.

mi·cro·cosm ['maikroˌkɒzəm; -krə-] *s* Mikro'kosmos *m*: a) *philos.* Welt *f* im kleinen, b) kleine Gemeinschaft, Welt *f* für sich, c) einzelnes Indi'viduum, Mensch *m* als Welt im kleinen, d) kleine Darstellung. — **ˌmi·cro'cos·mic** *adj* mikro'kosmisch: ~ **salt** *chem.* mikrokosmisches Salz, Natriumammoniumphosphat, Phosphorsalz. — **ˌmi·cro·cos'mog·ra·phy** *s philos.* Beschreibung *f* des Menschen (*als Welt im kleinen*). — **ˌmi·cro·cos'mol·o·gy** *s selten* ˌMikrokosmolo'gie *f*.

ˌmi·cro'crys·tal·line *adj min.* ˌmikrokristal'linisch, aus mikro'skopisch kleinen Kri'stallen bestehend.

mi·cro·cyte ['maikroˌsait; -krə-] *s med.* Mikro'zyt *m*, ab'norm kleiner Erythro'zyt. — **ˌmi·cro'cyt·ic** [-'sitik] *adj* mikro'zytisch. — **ˌmi·cro·cy'to·sis** [-sai'tousis] *s* Mikrozy'tose *f*.

ˌmi·cro·de'tec·tor *s* **1.** *tech.* Mikrode'tektor *m*, 'Meßinstruˌment *n* für kleine Größen. – **2.** *electr.* hochempfindliches Galvano'meter.

mi·cro·dont ['maikroˌdɒnt] *adj med. zo.* kleinzähnig.

ˌmi·cro·eˌlec'trol·y·sis *s chem. phys.* ˌMikroelektro'lyse *f*.

ˌmi·cro'el·e·ment *s chem.* nur in kleinsten Mengen vorkommendes Ele'ment.

ˌmi·cro'far·ad *s electr.* Mikrofa'rad *n* (*ein millionstel Farad*).

'mi·croˌfilm *phot.* **I** *s* Mikrofilm *m*. – **II** *v/t* mikrofilmen. – **III** *v/i* Mikrofilmaufnahmen machen.

'mi·croˌgram, bes. *Br.* **'mi·cro·ˌgram·me** *s phys.* Mikrogramm *n* (*ein millionstel Gramm*).

'mi·croˌgraph *s* **1.** *tech.* (*Art*) Storchschnabel *m* (*Instrument zum Zeichnen od. Gravieren in kleinstem Ausmaß*). – **2.** mikro'graphische Darstellung. – **3.** *phys.* Mikro'graph *m* (*selbstregistrierendes Meßinstrument für kleinste Bewegungen*). — **ˌmi·cro'graph·ic** *adj* mikro'graphisch. — **ˌmi·cro'graph·i·cal·ly** *adv.* — **mi'crog·ra·phy** [mai'krɒgrəfi] *s phys.* Mikrogra'phie *f*.

'mi·croˌgroove *s tech.* **1.** Mikrorille *f* (*einer Schallplatte*). – **2.** Schallplatte *f* mit Mikrorillen.

'mi·croˌinch *s* ein milli'onstel Zoll.

mi·cro·lep·i·dop·ter [ˌmaikro'lepiˌdɒptər] *s zo.* Kleinschmetterling *m*. — **ˌmi·croˌlep·i'dop·ter·a** [-rə] *s pl* (*Sammelname für die*) Kleinschmetterlinge *pl*. — **ˌmi·croˌlep·i'dop·ter·an I** *adj* zu den Kleinschmetterlingen gehörig. – **II** *s* Kleinschmetterling *m*.

mi·cro·lite ['maikroˌlait; -krə-] *s* Mikro'lith *m*: a) *eingeschlossener mikroskopisch kleiner Kristall*, b) *Abart des Pyrochlors* ($Ca_2Ta_2O_7$).

'mi·croˌli·ter, *bes Br.* **'mi·croˌli·tre** *s* Mikroliter *n* (*ein millionstel Liter*).

mi·cro·lith ['maikroliθ; -krə-] *s* **1.** → microlite. – **2.** Mikro'lith *m* (*kleines steinzeitliches Feuersteingerät*). — **ˌmi·cro'lith·ic** *adj* aus kleinen Steinen bestehend. — **ˌmi·cro'lit·ic** [-'litik] *adj min.* mikro'litisch.

'mi·croˌli·tre *bes. Br. für* microliter.

ˌmi·cro'log·i·cal *adj* **1.** mikro'logisch. – **2.** pe'dantisch, kleinlich, ˌHaarspalte'reien treibend. — **mi·crol·o·gy** [mai'krɒlədʒi] *s* **1.** Mikrolo'gie *f*. – **2.** *fig.* ˌKleinigkeitskräme'rei *f*, ˌHaarspalte'rei *f*.

ˌmi·cro'ma·ni·a *s med.* Mikroma'nie *f*, Verkleinerungs-, Kleinheitswahn *m*. — **ˌmi·cro'ma·niˌac** *s* an Mikroma'nie Leidende(r).

mi·cro·mere ['maikroˌmir; -krə-] *s biol.* Mikro'mer *n* (*kleinere Furchungszelle*).

ˌmi·cro-'me·te·or·ite s 'Mikrometeoˌrit *m*.

mi·crom·e·ter [mai'krɒmitər; -mət-] *s* **1.** *phys.* Mikro'meter *n* (*ein millionstel Meter*, 10^{-6} *Meter*). – **2.** *tech.* Oku'lar-Mikroˌmeter *n* (*an Fernrohren u. Mikroskopen*). – **3.** *Kurzform für* ~ caliper. — ~ **cal·i·per** *s tech.* Mikro'meter *n*, Feinmeß-, Mikro'meterschraube *f*, Bügelschraub-, Feinmeß(schraub)-, Schraublehre *f*. — ~ **screw** *s phys.* **1.** → micrometer caliper. – **2.** (Meß-, Schraub)Spindel *f*, Meßschraube *f* (*einer Schraublehre*).

'mi·croˌmeth·od *s chem.* 'Mikromeˌthode *f*, -reaktiˌon *f*, -technik *f*.

ˌmi·cro'met·ric, ˌmi·cro'met·ri·cal *adj phys.* mikro'metrisch: ~ **eyepiece** Meßokular. — **mi·crom·e·try** [mai'krɒmitri; -mət-] *s* Mikrome'trie *f* (*Messen mit dem Mikrometer*).

ˌmi·croˌmi·cro'far·ad *s electr.* Picofa'rad *n* (= 10^{-12} *Farad*).

ˌmi·cro'mil·liˌme·ter, *bes. Br.* **ˌmi·cro'mil·liˌme·tre** *s* **1.** ˌMikromilli'meter *n* (*ein millionstel Millimeter*). – **2.** *biol.* Mikron *n* (*ein millionstel Meter*).

'mi·croˌmo·tion *s phys.* Mikrobewegung *f*.

mi·cron ['maikrɒn] *pl* **-crons, -cra** [-krə] *s chem. phys.* Mikron *n*, Mikro'meter *n* (= 1μ *od.* 10^{-4} *cm*).

Mi·cro·ne·sian [ˌmaikro'niːʃən; -krə-; -ʒən] **I** *adj* **1.** mikro'nesisch, Mikro'nesien (*eine Inselgruppe im Großen Ozean*) betreffend. – **II** *s* **2.** Mikro'nesier(in). – **3.** *ling.* Mikro'nesisch *n*, das Mikro'nesische (*Gruppe innerhalb der melanesischen Sprachen*).

mi·cro·nom·e·ter [ˌmaikro'nɒmitər; -krə-; -mət-] *s* 'Mikrochronoˌmeter *n*.

ˌmi·cro'nu·cle·us *s biol.* ˌMikro'nucleus *m*, akzes'sorischer Zellkern, Kleinkern *m* (*der Wimpertierchen*).

ˌmi·cro'nu·tri·ent *s biol.* Mikronährstoff *m*.

ˌmi·cro·orˈgan·ic *adj biol.* ˌmikroorˈganisch. — **ˌmi·croˈor·ganˌism** *s* ˌMikroorgaˈnismus *m* (*mikroskopisch kleiner Organismus*). — **ˌmi·croˌor·ganˈis·mal** → microorganic.

ˌmi·croˈpan·toˌgraph *s tech.* (*Art*) Storchschnabel *m* zum Zeichnen sehr kleiner Gegenstände.

ˌmi·croˈpeg·maˌtite *s geol.* ˌMikropegmaˈtit *m.* — **ˌmi·croˌpeg·maˈtit·ic** *adj* mit mikroˈskopischer Pegmaˈtitstrukˌtur.

mi·cro·phage [ˈmaikroˌfeidʒ; -krə-] *s med.* **1.** neutroˈphiler Geˈwebsgranuloˌzyt. – **2.** → microphagocyte. — **ˌmi·croˈphag·oˌcyte** *s* kleiner Phagoˈzyt.

mi·cro·phone [ˈmaikrəˌfoun] *s electr. phys.* **1.** Mikroˈphon *n*: at the ~ am Mikrophon; ~ amplifier Mikrophonverstärker; ~ key Mikrophon-, Sprechtaste. – **2.** *colloq.* Radio *n.* — **ˌmi·croˈphon·ic** [-ˈfɒnik] *adj* mikroˈphonisch. — **ˌmi·croˈphon·ics** *s pl* **1.** (*als sg konstruiert*) *phys.* Mikrophoˈnie *f* (*Lehre von der Verstärkung schwacher Töne*). – **2.** (*als pl konstruiert*) *electr.* Mikroˈphonefˌfekt *m*, aˈkustische Rückkopplung, Röhrenklingen *n* (*bei Verstärkerröhren*).

ˌmi·croˈpho·toˌgraph *s* **1.** ˌMikrophotoˈgramm *n* (*sehr kleine Photographie*). – **2.** → photomicrograph. — **ˌmi·croˌpho·toˈgraph·ic** *adj* ˌmikrophotoˈgraphisch. — **ˌmi·cro·phoˈtog·ra·phy** *s* ˌPhotomikrograˈphie *f.*

mi·cro·phyl·lous [ˌmaikroˈfiləs] *adj* *bot.* kleinblätt(e)rig.

mi·cro·phy·tal [ˌmaikroˈfaitl] *adj bot.* Mikrophyten... — **ˈmi·croˌphyte** *s* Mikroˈphyte *f*, pflanzliche Miˈkrobe. — **ˌmi·croˈphyt·ic** [-ˈfitik] → microphytal.

ˈmi·croˌprint *s* Mikrodruck *m.*

mi·crop·si·a [maiˈkrɒpsiə] *s med.* Mikropˈsie *f*, Kleinsehen *n.*

mi·crop·ter·ous [maiˈkrɒptərəs] *adj zo.* mit kurzen Flügeln *od.* Flossen.

mi·cro·py·lar [ˌmaikroˈpailər; -krə-] *adj bot. zo.* die Mikroˈpyle betreffend, Mikropyl... — **ˈmi·croˌpyle** *s* Mikroˈpyle *f*: a) *zo. feine Öffnung des Eies zum Eintritt der Samenfäden*, b) *bot.* Keimloch *n* (*der Samenanlage*).

ˌmi·cro·pyˈrom·e·ter *s tech.* optisches Pyroˈmeter (*für kleine Glühkörper*).

mi·cro·scope [ˈmaikrəˌskoup] *phys.* **I** *s* Mikroˈskop *n*: compound ~ Verbundmikroskop, zusammengesetztes Mikroskop; reflecting ~ Spiegelmikroskop; ~ stage Objektivtisch. – **II** *v/t* mikroˈskopisch unterˈsuchen. — **ˌmi·croˈscop·ic** [-ˈskɒpik], *auch* **ˌmi·croˈscop·i·cal** *adj* **1.** mikroˈskopisch: ~ examination mikroskopische Untersuchung; ~ slide Objektträger. – **2.** genau, ins kleinste gehend. – **3.** mikroˈskopisch klein, verschwindend klein. — **ˌmi·croˈscop·i·cal·ly** *adv* (*auch zu* microscopic). — **miˈcros·co·py** [-ˈkrɒskəpi] *s* Mikroskoˈpie *f.*

ˈmi·croˌseism *s phys.* leichtes Erdbeben. — **ˌmi·croˈseis·mic, ˌmi·croˈseis·mi·cal** *adj* mikroˈseismisch. — **ˌmi·croˈseis·moˌgraph, ˌmi·cro·seisˈmom·e·ter** *s phys.* ˌMikroseismoˈmeter *n* (*zur Feststellung leichter Erderschütterungen*). — **ˌmi·cro·seisˈmom·e·try** [-tri] *s* Messung *f* leichter Erderschütterungen.

mi·cros·mat·ic [ˌmaikrɒzˈmætik] *zo.* **I** *adj* mikrosˈmatisch, mit schwach entwickelten Geˈruchsorˌganen. – **II** *s* Mikrosˈmat *m*, schlecht witterndes Säugetier. — **miˈcros·maˌtism** [-məˌtizəm] *s* schlechte Witterung, ˈUnterentwicklung *f* der Geruchsorˈgane.

mi·cro·some [ˈmaikrəˌsoum] *s biol.* Mikroˈsom *n*, (eingelagertes) Körnchen, Klebekorn *n.*

ˌmi·cro·spoˈran·gi·um *s bot.* ˌMikrospoˈrangium *n*, Pollensack *m*, -fach *n.* — **ˈmi·croˌspore** *s bot.* Mikroˈspore *f*: a) Kleinspore *f* (*bei Farnpflanzen*), b) Pollenkorn *n* (*von Blütenpflanzen*). — **ˌmi·croˈspor·ic** [-ˈspɒrik; *Am. auch* -ˈspɔːr-] *adj* eine Mikroˈspore *od.* ein Pollenkorn betreffend. — **ˌmi·croˈspo·ro·phyll** *s bot.* ˌMikrosporoˈphyll *n*, männliches Sporoˈphyll *od.* Staubblatt.

mi·cro·stom·a·tous [ˌmaikroˈstɒmətəs; -ˈstou-], *auch* **miˈcros·to·mous** [-ˈkrɒstəməs] *adj zo.* mit kleinem Mund, kleinmündig.

ˌmi·croˈstruc·ture *s bes. geol.* mikroˈskopische Strukˈtur, Feingefüge *n.*

ˌmi·croˈtel·eˌphone *s electr.* ˌMikroteleˈphon *n*, Teleˈphon-, Sprechhörer *m*, ˈHandappaˌrat *m* (*Kombination von Mikrophon- u. Hörkapsel*).

ˈmi·croˌtherm *s bot.* Mikroˈtherme *f* (*Pflanze, die eine Kälteruhe u. eine mittlere Jahrestemperatur zwischen 15° u. 0° C. verlangt*).

mi·cro·tome [ˈmaikrəˌtoum] *s phys.* Mikroˈtom *n* (*Vorrichtung zum Schneiden sehr dünner mikroskopischer Präparate*). — **ˌmi·croˈtom·ic** [-ˈtɒmik], **ˌmi·croˈtom·i·cal** *adj* mikroˈtomisch. — **miˈcrot·o·mist** [-ˈkrɒtəmist] *s* Mikroˈtom-Benutzer *m.* — **miˈcrot·o·my** [-mi] *s phys.* Mikrotoˈmie *f*, Dünnschnittverfahren *n* (*Anfertigung mikroskopischer Schnittpräparate*).

ˈmi·croˌtone *s mus.* ˈKlein-Interˌvall *n* (*kleiner als temperierter Halbton*).

ˈmi·croˌvolt *s phys.* Mikrovolt *n*, ein milliˈonstel Volt, 10^{-6} Volt.

ˈmi·croˌwave *s electr.* Mikrowelle *f* (*kürzer als 1 cm*).

mi·cro·zo·a [ˌmaikroˈzouə] *s pl zo.* Mikroˈzoen *pl*, mikroˈskopisch kleine Tierchen *pl*, Urtiere *pl.* — **ˌmi·croˈzo·al, ˌmi·croˈzo·an I** *adj* mikroˈzoisch. – **II** *s* (*mikroskopisch kleines*) Urtier. — **ˌmi·croˈzo·ic** *adj* mikroˈzoisch.

ˌmi·croˈzo·oˌspore *s bot. zo.* kleine Schwärmspore. — **ˈmi·croˌzyme** *s* mikroˈskopischer Gärungskörper.

mic·tu·rate [ˈmiktʃəˌreit; *Br. auch* -tju-] *v/i med.* harnen, Harn lassen, uriˈnieren. — **ˌmic·tuˈri·tion** [-ˈriʃən] *s* **1.** (häufiger Drang zum) Harnen *n.* – **2.** (*fälschlich für*) Harnen *n*, Uriˈnieren *n.*

mid[1] [mid] **I** *adj comp fehlt, sup* **ˈmid·most** [-ˌmoust; -məst] **1.** (*attributiv od. in Zusammensetzungen*) mittler(er, e, es), Mittel...: in the ~ 16th century in der Mitte des 16. Jhs.; in ~-ocean auf offener See. – **2.** *ling.* halb(offen) (*Vokal*). – **II** *s* **3.** *obs. od. dial.* Mitte *f.* – **4.** *mar. sl. für* midshipman.

mid[2] [mid] *prep meist poet.* inˈmitten von (*od. gen*).

mid- [mid] *Wortelement mit der Bedeutung* Mittel..., Mitte.

ˌmid-ˈair *s* freie Luft, Äther *m*: to be in ~ frei schweben.

Mi·das [ˈmaidæs; -dəs] **I** *npr* **1.** *antiq.* Midas *m* (*König von Phrygien*). – **II** *s* m~ **2.** *zo.* Midasfliege *f*, Purpurmade *f* (*Fam. Midaidae*). – **3.** *fig.* reicher Mann, Krösus *m.*

ˈMi·dasʼs-ˈear *s zo.* Midasohr *n*, Kleinohrschnecke *f* (*Auricula aurismidae*).

ˈmid|ˌbrain *s med.* Mittelhirn *n.* — **ˈ~-ˈchan·nel** *s* Mittelströmung *f* (*Fluß etc*). — **ˈ~-ˌcourse** *s* **1.** Hälfte *f* des Laufes *od.* Weges. – **2.** *fig.* Mittelstraße *f.*

ˈmidˌday I *s* Mittag *m.* – **II** *adj* mittägig, Mittags... — **~ flow·er** → fig marigold.

mid·den [ˈmidn] **I** *s* **1.** *obs. od. dial.* Misthaufen *m*, Müllgrube *f.* – **2.** (*vorgeschichtlicher*) Kehrichthaufen. – **II** *adj obs. od. dial.* **3.** Mist...: ~stead Misthaufen.

mid·dle [ˈmidl] **I** *adj* **1.** mittler(er, e, es), in der Mitte gelegen, Mittel...: ~ finger Mittelfinger. – **2.** daˈzwischentretend, Zwischen... – **3.** *meist econ.* mittelmäßig groß *od.* gut: ~ quality Mittelqualität; ~ size Mittelgröße. – **4.** (*zeitlich etc*) in der Mitte liegend, Mittel... – **5.** *ling.* Mittel...: M~ Latin Mittellatein. – **6.** *ling.* mediˈal (*die griech. Verbalform, das Medium betreffend*). – **7.** (*Phonetik*) Mittel... – **II** *s* **8.** Mitte *f*: in the ~ in der Mitte; in the ~ of speaking mitten in der Rede; to take ~ (*Kricket*) das Schlagholz vor den mittleren Stab (*des* wicket) stellen. – **9.** Mittelweg *m.* – **10.** mittlerer Teil, Mittelstück *n.* – **11.** a) Mittelsmann *m*, b) Zwischenstück *n*, -teil *m, n.* – **12.** Mitte *f* (*des Leibes*), Gürtel *m.* – **13.** Mitte *f*, Zwischenzeit *f*, -raum *m*: in the ~ of July Mitte Juli; → knock 6. – **14.** *ling.* Medium *n* (*griech. Verbalform*). – **15.** *philos.* Mittelglied *n* (*eines logischen Schlusses*). – **16.** Mittelstück *n* (*eines Schlachttiers*). – **17.** (*Fußball*) Flankenball *m*, in die Mitte geflankter Ball. – **18.** *auch* ~ article *Br.* Feuilleˈton *n* (*in der Mitte einer Zeitung od. Zeitschrift*). – **III** *v/t* **19.** in die Mitte bringen *od.* stellen. – **20.** in der Mitte falten *od.* teilen. – **21.** (*Fußball*) zur Mitte flanken.

mid·dle| age *s* **1.** mittleres Alter. – **2.** the M~ A~s *pl* das Mittelalter. — **ˈM~-ˈAge** *adj* mittelalterlich. — **ˈ~-ˈaged** *adj* von mittlerem Alter. — **M~ At·lan·tic States** *s pl Am.* (*Sammelname für die Staaten*) New York, New Jersey u. Pennsylˈvania. — **ˈ~-ˈbrack·et** *adj* zur mittleren Gruppe gehörend: a ~ income ein mittleres Einkommen. — **ˈ~ˌbreak·er** → lister 1. — **ˈ~ˌbrow I** *adj* mit mittelmäßigen geistigen Interˈessen. – **II** *s* geistiger ‚Norˈmalverbraucher'. — **ˈ~ˌbust·er** → lister 1. — **~ C** *s mus.* eingestrichenes C (c'). — **ˈ~-ˈclass** *adj* zum Mittelstand gehörig, Mittelstands... — **~ class·es** *s pl*, *auch* **~ class** *sg* Mittelstand *m.* — **~ course** *s* Mittelweg *m.* — **~ deck** *s mar.* Mitteldeck *n.* — **~ dis·tance** *s* **1.** (*Malerei*) Mittelgrund *m* (*Gemälde*). – **2.** *phot.* Mittelgrund *m.* – **3.** (*Leichtathletik*) Mittelstrecke *f*, mittlere Diˈstanz (*800–1500 m*): ~ runner Mittelstreckenläufer. — **~ ear** *s med.* Mittelohr *n.* — **ˈ~-ˌearth** *s obs.* Erde *f* (*als zwischen Himmel u. Hölle liegend betrachtet*). — **M~ East** *s geogr.* **1.** (*der*) Mittlere Osten (*Iran, der Irak, Afghanistan u. manchmal Indien, Tibet u. Birma*). – **2.** *Br.* (*der*) Nahe Osten (*die Länder um das östliche Mittelmeer mit Ausnahme des Balkans*). — **M~ Em·pire** → Middle Kingdom 1. — **M~ Eng·lish** *s ling.* Mittelenglisch *n* (*etwa 1150–1500*). — **M~ French** *s ling.* ˈMittelfranˌzösisch *n* (*etwa 1400–1600*). — **M~ Greek** *s ling.* die griech. Sprache des Mittelalters. — **~ ground** *s* **1.** (*Malerei*) Mittelgrund *m* (*Gemälde*). – **2.** *mar.* seichte Stelle (*mit tiefem Wasser an beiden Seiten*). — **M~ High Ger·man** *s ling.* Mittelhochdeutsch *n* (*etwa 1100–1450*). — **M~ I·rish** *s ling.* Mittelirisch *n* (*bis um 1500*). — **M~ King·dom** *s* **1.** *antiq.* mittleres Königreich Äˈgypten (*etwa 2400 bis 1580 v. Chr.*). – **2.** Reich *n* der Mitte (*China*). — **~ la·mel·la** *s bot.* ˈMittel-Laˌmelle *f.* — **~ lat·i·tude** *s mar.* mittlere Breite. — **~ life** *s* mittleres Lebensalter. — **ˈ~ˌman** *s irr* **1.** ˈMittelsmann *m*, -perˌson *f.* – **2.** *econ.* Makler *m*, Zwischenhändler *m*: ~'s profit Zwischengewinn. –

3. *Am. Negersänger, der in der Mitte sitzt u. den Dialog leitet.* – 4. j-d der einen Mittelweg einschlägt. – 5. (*Bergbau*) Bergemittel *n* (*schmale Felsschicht zwischen 2 Kohlenflözen*). – 6. (*Journalistik*) *Br.* Feuilleto'nist *m.* — '~**most** [-ˌmoust; -məst] *adj* (*sup von* middle) mittelst(er, e, es), am meisten (nach) der Mitte zu. — '~-**of-the-'road** *adj* unabhängig, neu'tral. — ~ **path** *s* Mittelweg *m.* — ~ **post** → king post. — ~ **press·ure** *s tech.* mittlerer Druck.

mid·dler ['midlər] *s* 1. *Am.* Mitglied *n* der Mittelklasse (*an dreiklassigen Schulen od. Seminaren*). – 2. *tech. Arbeiter, der den mittleren von drei Arbeitsgängen besorgt.*

'**mid·dle|-ˌrate** *adj* mittelmäßig. — '~-'**sized** *adj* von mittlerer Größe. — **M~ States** *s pl Am.* (*Sammelname für die Staaten*) New York, New Jersey, Pennsyl'vania, Delaware u. (*manchmal*) Maryland. — **M~ Temple** *s Br. Name einer Anwaltsinnung od. Rechtsschule in London* (*eines der* Inns of Court). — ~ **term** *s philos.* Mittelglied *n* (*eines logischen Schlusses*), Mittelbegriff *m.* — ~ **tint**, ~ **tone** *s* (*Malerei*) Mittelfarbe *f.* — ~ **watch** *s mar.* Mittelwache *f*, 2. Wache *f*, ‚Hundewache' *f* (*zwischen Mitternacht u. 4 Uhr morgens*). — '~ˌ**weight** *s* (*Boxen, Ringen*) 1. Mittelgewicht *n.* – 2. Mittelgewichtler *m.* — **M~ West** *s* 1. *Am.* Mittelwesten *m*, (*der*) mittlere Westen (*Gebiet zwischen Rocky Mountains u. Alleghanies*). – 2. (*der*) kanad. Mittelwesten (*die Provinzen Manitoba, Saskatchewan u. Alberta umfassend*). — **M~ West·ern** *adj* den Mittelwesten (*der USA od. Kanadas*) betreffend. — **M~ West·ern·er** *s* Bewohner(in) des Mittelwestens (*der USA od. Kanadas*).

mid·dling ['midliŋ] **I** *adj* 1. von mittlerer Art *od.* Güte *od.* Sorte, von mittlerem Rang, mittelmäßig, Mittel...: fair to ~ ziemlich gut bis mittelmäßig; ~ quality Mittelqualität. – 2. *colloq.* leidlich (*Gesundheit*): to feel ~ sich leidlich gut fühlen. – 3. *colloq.* ziemlich groß. – 4. zum Mittelstand gehörig. – **II** *adv colloq.* 5. leidlich, ziemlich: ~ good leidlich gut; ~ large mittelgroß. – 6. ziemlich gut, ziemlich wohl. – **III** *s* 7. *meist pl econ.* Ware *f* (*bes. Baumwolle*) mittlerer Güte, Mittelsorte *f.* – 8. *pl* a) Mittelmehl *n*, b) (*mit Kleie etc vermischtes*) Futtermehl. – 9. *pl tech.* 'Zwischenproˌdukt *n* (*in der Metallgewinnung*). – 10. *auch* ~ of the shaft *mil.* Mittelschaft *m* (*des Gewehres*). — '**mid·dling·ly** *adv* ziemlich, leidlich, erträglich. — '**mid·dling·ness** *s* Mittelmäßigkeit *f.*

mid·dy ['midi] *s* 1. *colloq. für* midshipman. – 2. → ~ blouse. — ~ **blouse** *s* (*Art*) Ma'trosenbluse *f* (*für Damen u. Kinder*).

'**mid|-ˌearth** *s* Erdmitte *f.* — ˌ**M~-'Eu·rope** *s* 'Mitteleuˌropa *n.* — '**M~-ˌEu·ro'pe·an** *adj* 'mitteleuroˌpäisch.

midge [midʒ] *s* 1. *zo.* kleine Mücke, *bes.* Zuckmücke *f* (*Fam. Chironomidae*). – 2. → midget 1.

midg·et ['midʒit] **I** *s* 1. Zwerg *m*, Knirps *m*, kleines Kerlchen. – 2. (*etwas*) Winziges. – **II** *adj* 3. Zwerg..., Miniatur..., Kleinst... — ~ **race** *s sport* Kleinwagenrennen *n.* — ~ **sub·ma·rine** *s mar.* Kleinst-U-Boot *n* (*Ein- od. Zweimann-U-Boot*).

'**mid|-ˌgut** *s zo.* mittlerer Teil des 'Speisekaˌnals, Mitteldarm *m.* — '~ˌ**heav·en** *s* 1. Mitte *f* des Himmels. – 2. *astr.* 'Himmelsmeridiˌan *m.*

Mid·i·an·ite ['midiəˌnait] *Bibl.* **I** *adj* midia'nitisch. – **II** *s* Midia'niter(in) (*Nachkomme von Midian, dem Sohn Abrahams*).

mi·di·nette [midi'net] *s colloq.* Midi'nette *f* (*Pariser Ladenmädchen, bes. Putzmacherin*).

'**midˌi·ron** [-ˌaiərn] *s* (*Golf*) *ein leichter Eisenschläger.*

'**mid·land** [-lənd] **I** *s* 1. *meist pl* Mittelland *n.* – 2. the M~s *pl* Mittelengland *n.* – **II** *adj* 3. mitten im Lande gelegen, binnenländisch. – 4. M~ *geogr.* mittelenglisch: ~ counties mittelengl. Grafschaften. — **M~ di·a·lect** *s* Dia'lekt *m* Mittelenglands.

'**mid|ˌleg I** *s* 1. Mitte *f* des Beins. – 2. *zo.* mittleres Bein (*von Insekten*). – **II** *adv* 3. an der Mitte des Beins, mitten am Bein. — '**M~-ˌLent**, '**M~ˌlent** *s relig.* Mittfasten *pl*: ~ Sunday Sonntag Laetare. — '~ˌ**line** *s math.* Mittellinie *f*, Ort *m* der Mittelpunkte, Medi'ane *f.* — ~ **mash·ie** *s sport* (*ein*) Golfschläger *m.* — '~·**most** [-ˌmoust; -məst] **I** *adj* 1. mittelst(er, e, es). – 2. die genaue Mitte bildend, genau in der Mitte gelegen. – 3. innerst(er, e, es). – **II** *s* 4. (*das*) Innerste. – **III** *adv* 5. im Innern, in der Mitte.

'**midˌnight I** *s* 1. Mitternacht *f*: at ~ um Mitternacht. – 2. tiefe Dunkelheit. – 3. → ~ blue. – **II** *adj* 4. mitternächtig, Mitternachts...: to burn the ~ oil spät aufbleiben, bis spät in die Nacht arbeiten. — ~ **ap·point·ment** *s pol. Am.* Anstellung *f od.* Ernennung *f* von Be'amten in der letzten Minute (*vor dem Ablaufen der Amtsperiode einer Regierung*). — ~ **blue** *s* Mitternachtsblau *n* (*Farbe*). — ~ **sun** *s* 1. Mitternachtssonne *f.* – 2. *mar.* Nordersonne *f.*

'**mid|'noon** *s* Mittag *m.* — '~-ˌ**off** *s* (*Kricket*) 1. links vom Werfer stehender Spieler. – 2. links vom Werfer liegende Seite des Spielfelds. — '~-ˌ**on** *s* (*Kricket*) 1. rechts vom Werfer stehender Spieler. – 2. rechts vom Werfer liegende Seite des Spielfelds. — '~ˌ**par·ent** *s* (*Anthropologie*) als 'Durchschnitt von Vater u. Mutter (*in bezug auf Körpergröße*) angenommene Per'son.

mid·rash ['midræʃ] *pl* **mid·rash·im** [mid'rɑːʃiːm], **mid·rash·oth** [mid'rɑːʃouθ] *s relig.* 1. Midrasch *m* (*freie exegetische Auslegung des jüd. Gesetzes durch die Rabbiner*). – 2. M~ Midrasch *m* (*Kommentare enthaltende Buchserie zu einzelnen Büchern der Bibel*). — **mid'rash·ic** [-'ræʃik] *adj* den Midrasch betreffend, Midrasch...

'**mid|ˌrib** *s bot.* Mittelrippe *f* (*eines Blatts*). — '~ˌ**riff I** *s* 1. *med.* Zwerchfell *n.* – 2. *Am.* a) Mittelteil *m* eines Frauenkleids (*das sich eng an die Zwerchfellpartie des Körpers anlegt*), b) zweiteilige Kleidung (*welche die Zwerchfellpartie freiläßt*). – **II** *adj* 3. *med.* Zwerchfell... — '~ˌ**ship** *mar.* **I** *s* Mitte *f* des Schiffs. – **II** *adj* Mittschiffs...: ~ section Hauptspant. — '~ˌ**ship·man** [-mən] *s irr mar.* 1. *Br.* Leutnant *m* zur See. – 2. *Am.* Oberfähnrich *m.* — '~ˌ**shipˌmite** *s mar. humor.* 'Seekaˌdettchen *n.* — '~ˌ**ships** *adv mar.* mittschiffs.

midst [midst] **I** *s* (*das*) Mittelste, Mitte *f* (*nur in Verbindung mit Präpositionen*): from the ~ aus der Mitte; in the ~ of inmitten (*gen*), mitten unter (*dat*); in their (our) ~ mitten unter ihnen (uns); from our ~ aus unserer Mitte. – **II** *adv selten* in der Mitte. – **III** *prep obs. od. poet.* für amidst.

'**mid|ˌstream** *s* Strommitte *f.* — '~ˌ**styled** *adj bot.* mit mittellangem Griffel.

mid·sum·mer I *s* ['mid'sʌmər] 1. Mitte *f* des Sommers, Hochsommer *m.* – 2. *astr.* Sommersonnenwende *f* (*21. Juni*). – **II** *adj* ['midˌsʌmər] 3. hochsommerlich, Hochsommer...

'**midˌsum·mer| dais·y** *s bot.* Weiße Wucherblume, Margue'rite *f* (*Chrysanthemum leucanthemum*). — **M~ Day** *s* 1. Jo'hannistag *m* (*24. Juni*). – 2. *einer der 4 brit. Quartalstage.* — ~ **mad·ness** *s* Wahnsinn *m*, Verrücktheit *f.* — **M~ Night's Dream** *s* „Sommernachtstraum" *m* (*Lustspiel von Shakespeare*).

ˌ**mid'sum·mer·y** *adj* hochsommerlich.

'**Mid|-Vic'to·ri·an I** *adj* 1. die Mitte der viktori'anischen E'poche (*Regierungszeit der Königin Victoria 1837 bis 1901*) betreffend *od.* kennzeichnend: ~ ideas; ~ writers. – **II** *s* 2. *Mensch, der in der Mitte der viktorianischen Epoche lebte.* – 3. *Anhänger (-in) der Geisteshaltung der Epoche von etwa 1850–1875.* — '**m~ˌwatch** → middle watch. — **m~·way I** *s* ['mid'ˌwei] 1. Mitte *f od.* Hälfte *f* des Weges. – 2. *obs.* Mittelstraße *f*, -weg *m.* – 3. *Am.* Haupt-, Mittelstraße *f* (*auf Ausstellungen, Rummelplätzen etc*). – **II** *adj* 4. in der Mitte befindlich, mittler(er, e, es). – **III** *adv* ['mid'wei] 5. mitten auf dem Wege, auf halbem Wege. — '**m~ˌweek I** *s* 1. Mitte *f* der Woche. – 2. (*bei den Quäkern*) Mittwoch *m.* – **II** *adj* 3. in der Mitte der Woche stattfindend. — ˌ**m~'week·ly I** *adj* 1. → midweek 3. – 2. in der Mitte jeder Woche stattfindend. – **II** *adv* 3. in der Mitte der *od.* jeder Woche: this journal appears ~. — '~'**west** *Am.* **I** *s* → Middle West. – **II** *adj* den Mittelwesten betreffend. — ˌ~'**west·ern·er** *s Am.* Bewohner(in) des Mittelwestens. — '**m~-ˌwick·et** *s* (*Kricket*) *Spieler od. Stellung ungefähr gleich weit vom Ballwerfer u. vom Schlagmann entfernt*: ~ on (off) Spieler *od.* Stellung rechts (links) vom Ballwerfer (*in der* mid-wicket-*Gegend des Spielfelds*).

mid·wife ['midˌwaif] **I** *s irr* 1. Hebamme *f*, Geburtshelferin *f* (*auch fig.*). – **II** *v/i* 2. Hebammendienste leisten, entbinden. – **III** *v/t* 3. entbinden. – 4. *fig.* zu'tage fördern. — **mid·wife·ry** [*Br.* 'midwifəri; *Am.* -ˌwaif-] *s* 1. Geburtshilfe *f*, Hebammendienst *m.* – 2. *fig.* Bei-, Mithilfe *f.* — '**midˌwife toad** *s zo.* Geburtshelferkröte *f* (*Alytes obstetricans*).

'**mid|'win·ter** *s* 1. Mitte *f od.* Höhepunkt *m* des Winters. – 2. *astr.* Wintersonnenwende *f* (*21. Dezember*). — '~ˌ**year I** *adj* 1. in der Mitte des Jahres vorkommend, die Jahresmitte betreffend. – **II** *s* 2. Jahresmitte *f.* – 3. *Am. colloq.* a) um die Jahresmitte stattfindende Prüfung, b) *pl* Prüfungszeit *f* um die Jahresmitte. — '~ˌ**year set·tle·ment** *s econ.* Halbjahresabrechnung *f.*

mien [miːn] *s* Gebaren *n*, Haltung *f*: a man of haughty ~ ein Mann mit hochmütigem Auftreten; noble ~ vornehme Haltung; to make (a) ~ so tun als ob. – *SYN. cf.* bearing.

miff [mif] *colloq. od. dial.* **I** *s* 1. Unlust *f*, 'Mißmut *m.* – 2. Streit *m.* – **II** *adj selten* 3. 'mißmutig, ärgerlich. – **III** *v/t* (*meist passiv*) 4. ärgern, verdrießen: to be ~ed sich verletzt fühlen, beleidigt sein. – **IV** *v/i* 5. sich verletzt fühlen. – 6. *meist* ~ off leicht *od.* schnell welken, empfindlich sein (*Pflanze*). — '**miff·y** *adj colloq. od. dial.* 1. leicht beleidigt. – 2. leicht welkend (*Pflanze*).

mig(g) [mig] *s Am.* Murmel *f.*

might[1] [mait] *s* 1. Macht *f*, Gewalt *f*: ~ is (above) right Gewalt geht vor Recht. – 2. Stärke *f*, Kraft *f*, Vermögen *n*: with ~ and main, with all

one's ~ aus Leibeskräften, mit aller Gewalt.
might[2] [mait] *pret von* may[1].
'**might-**ˌ**be** *s* Möglichkeit *f* (*die eintreten könnte*), Eventuali'tät *f*.
might·ful ['maitful; -fəl] *adj obs.* mächtig.
'**might-have-**ˌ**been** *s* etwas was hätte sein können *od.* j-d der es zu etwas hätte bringen können: oh, for the glorious ~! es wäre so schön gewesen!
might·i·ly ['maitili; -əli] *adv* **1.** mit Macht, mit Gewalt, heftig, kräftig. – **2.** *colloq.* riesig, gewaltig, mächtig, sehr. — '**might·i·ness** *s* **1.** Macht *f*, Gewalt *f*, Größe *f*. – **2.** M~ *hist.* (*als Titel*) Hoheit *f* (*jetzt noch humor. od. ironisch*): your high ~ (*ironisch*) hoher Herr! Ihro Gnaden! — '**might·less** *adj obs.* kraftlos.
might·y ['maiti] **I** *adj* **1.** mächtig, kräftig, gewaltig, heftig, groß, stark: high and ~ a) hoch u. mächtig (*ehemals Anrede für hochgestellte Persönlichkeiten*), b) *colloq.* eingebildet, hochmütig. – **2.** *fig.* groß, bedeutend, wichtig, fabelhaft, gewaltig, riesig, mächtig: a ~ swell *colloq.* ‚ein großes Tier' (*wichtige Persönlichkeit*). – **II** *adv* **3.** (*vor adj u. adv*) *colloq.* höchst, sehr, kolos'sal, riesig, ungeheuer, 'überaus: ~ easy kolossal leicht; ~ smart äußerst elegant; ~ strong ungeheuer stark.
mig·ma·tite ['migməˌtait] *s geol.* Migma'tit *m*, Mischgestein *n*.
mi·gnon ['minjɒn; mi'ɲɔ̃] *m*, **mi·gnonne** ['minjɒn; mi'ɲɔn] *f adj* fein, zart, grazi'ös.
mi·gnon·ette [ˌminjə'net] *s* **1.** *bot.* Re'seda *f* (*Gattg Reseda*), *bes.* 'Garten-Reˌseda *f* (*R. odorata*). – **2.** → ~ green. – **3.** → ~ lace. — ~ **green** *s* Re'sedagrün *n*. — ~ **lace** *s* (*Art*) feine geklöppelte Zwirnspitze. — ~ **pep·per** *s* grob- *od.* ungemahlener Pfeffer.
mi·graine [mi(:)'grein; 'mig-; 'mai-] *s med.* Mi'gräne *f*: ocular ~ Augenmigräne. — **mi'grain·ous** *adj* Migräne..., durch Migräne verursacht.
mi·grant ['maigrənt] **I** *adj* **1.** Wander..., Zug... – **II** *s* **2.** Wanderer *m*. – **3.** *zo.* Zugvogel *m*, Wandertier *n*.
mi·grate ['maigreit; *Br. auch* mai'g-] *v/i* **1.** (aus)wandern, (aus)ziehen: to ~ from the country to the town vom Land in die Stadt übersiedeln. – **2.** *zo.* fortziehen (*Zugvogel*). – **3.** (*aus einer Gegend in eine andere*) wandern. – **4.** *Br.* (*aus einem Universitätscollege in ein anderes*) 'umziehen, 'überwechseln.
mi·gra·tion [mai'greiʃən] *s* **1.** Wandern *n*, Wanderung *f*: ~ of (the) peoples Völkerwanderung. – **2.** peri'odische Wanderung (*auch zo.*): seasonal ~. – **3.** Fortziehen *n* (*Völker u. Tiere*). – **4.** Zug *m* (*Menschen od. Wandertiere*). – **5.** *zo.* Wanderzeit *f* (*Zugvögel*). – **6.** *chem.* Wanderung *f*, Verschiebung *f* (*von Atomen od. Molekülbruchteilen während chemischer Reaktionen, bes. Umlagerungen*): intermolecular ~ inter- *od.* zwischenmolekulare Wanderung (*von einem Molekül zu einem andern*); intramolecular ~ intra- *od.* innermolekulare Wanderung (*innerhalb des Moleküls*); ~ of ions Ionenwanderung (*Elektrolyse*); ~ of zones Wanderung der Farbzonen (*Chromatographie*). – **7.** *geol. min.* na'türliche Wanderung *od.* Verschiebung von Erdölmassen. — **mi'gra·tion·al** *adj* Wander..., Zug...
mi·gra·to·ry [*Br.* 'maigrətəri; *Am.* -ˌtɔ:ri] *adj* **1.** (aus)wandernd. – **2.** *zo.* Zug..., Wander...: ~ animal Wandertier; ~ fish Wanderfisch. – **3.** um'herziehend, no'madisch: ~ life Wanderleben; ~ worker Wanderarbeiter. — ~ **ant** → driver ant. — ~ **bird** *s zo.* Zugvogel *m*. — ~ **lo·cust** → locust 1a. — ~ **thrush** *s zo. Am.* Wanderdrossel *f* (*Turdus migratorius*).
mi·ka·do, M~ [mi'kɑ:dou] *pl* **-dos** *s* Mi'kado *m* (*Titel des Kaisers von Japan*).
Mike[1] [maik] **I** *npr* Michel *m* (*Kosename für Michael*). – **II** *s* m~ *sl.* Ire *m*.
mike[2] [maik] *sl.* **I** *v/i* her'umlungern, faulenzen. – **II** *s* Her'umlungern *n*.
mike[3] [maik] *sl. Kurzform für* microphone. — ~ **talk** *s bes. Am. sl.* 'Radio- u. 'Fernsehjarˌgon *m*.
mi·kron *cf.* micron.
mil [mil] *s* **1.** Tausend *n*: per ~ per Mille, pro tausend Stück. – **2.** *electr.* $^1/_{1000}$ Zoll (*Einheit von Drahtdurchmessern*). – **3.** *mil.* Winkeleinheit *f*, (Teil)Strich *m*. – **4.** Mil *n* (*kleine Währungseinheit in Staaten des Nahen Orients*).
mi·la·dy [mi'leidi] *s* (*ausländische Fassung von* my lady) *Titel einer Dame der engl. Aristokratie.*
mil·age *cf.* mileage.
Mil·a·nese [ˌmilə'ni:z] **I** *adj* mailändisch. – **II** *s sg u. pl* Mailänder(in), Mailänder(innen) *pl*.
milch [miltʃ] *adj* milchgebend, Milch...: ~ cow Milchkuh; to look upon s.o. as a ~ cow j-n als unerschöpfliche Einnahmequelle betrachten. — '**milch·er** *s* Milchkuh *f*. — '**milch·y** *adj Am.* voll Milch *od.* Laich (*Auster*).
mild [maild] *adj* **1.** mild, gelind, sanft, leicht, schwach: ~ air milde Luft; ~ attempt schüchterner Versuch; ~ light sanftes Licht; to put it mild(ly) a) sich gelinde ausdrücken, b) (*als Redewendung*) gelinde gesagt; as ~ as a lamb lammfromm; → draw 51. – **2.** mild, nachsichtig, freundlich (*Charakter*). – **3.** mild, mäßig, glimpflich (*Strafe*). – **4.** *med.* a) erweichend, gelind wirkend (*Mittel*), b) leicht (*Krankheit*): a ~ case of pneumonia. – **5.** mild, leicht: a ~ cigar. – **6.** *sport* mäßig, schwach. – **7.** weichlich (*Person, Charakter*). – **8.** *tech. od. dial.* leicht zu bearbeiten(d): ~ steel Stahl mit geringem Kohlenstoffgehalt, schweißbarer Stahl. – *SYN. cf.* soft.
mild·en ['maildən] **I** *v/i* mild *od.* gelind werden, sich mildern. – **II** *v/t* mildern, mild stimmen, erweichen.
mil·dew ['milˌdju:; *Am. auch* -ˌdu:] **I** *s* **1.** *bot.* Mehltau(pilz) *m*, Brand *m* (*am Getreide*): a) Echter Mehltau(pilz) (*Fam. Erysiphaceae*), b) Falscher Mehltau(pilz) (*Fam. Peronosporaceae*). – **2.** Schimmel *m*, Moder *m*: a spot of ~ ein Moder- *od.* Stockfleck (*in Papier, Leder, Zeug etc*). – **II** *v/t* **3.** mit Mehltau *od.* Stock-, Schimmel- *od.* Moderflecken über'ziehen: to be ~ed verschimmelt sein (*auch fig.*). – **III** *v/i* **4.** brandig *od.* schimmelig *od.* moderig *od.* stockig werden (*auch fig.*). — '**mil**ˌ**dewed**, '**mil**ˌ**dew·y** *adj* **1.** brandig, moderig, schimm(e)lig. – **2.** *bot.* von Mehltau befallen, mehltauartig.
'**mild-**ˌ**fla·vo(u)red** *adj* von mildem A'roma (*z.B. Tabak*).
mild·ness ['maildnis] *s* **1.** Milde *f*, Gelindheit *f*, Sanftheit *f*. – **2.** Sanftmut *f*.
'**mild|-**ˌ**spok·en** *adj* mild in der Ausdrucksweise, freundlich. — '~-ˌ**tem·pered** *adj* sanftmütig, herzensgut, von weichem Tempera'ment.
mile [mail] *s* **1.** Meile *f* (*zu Land = 1,609 km*): Admiralty ~ *Br.* englische Seemeile (*= 1,8532 km*); air ~ Luftmeile (*=1,852 km*); geographical ~, nautical ~, sea ~ Seemeile (*1954 international auf 1,852 km festgesetzt*); → statute ~; ~ after ~ of fields, ~s and ~s of fields meilenweite Felder; a three ~ front eine Front von 3 Meilen; a three ~ swim Schwimmen über 3 Meilen; to make short ~s *mar.* schnell segeln; to miss s.th. by a ~ *fig.* etwas (meilen)weit verfehlen; four ~s (*sl. od. dial.* four ~) vier Meilen. – **2.** *sport* Meilenrennen *n*.
mile·age, *auch bes. Br.* **mil·age** ['mailidʒ] *s* **1.** Meilenlänge *f*, -zahl *f* (*Eisenbahn, Kanal etc*). – **2.** zu'rückgelegte Meilenzahl. – **3.** Meilengelder *pl* (*Reisevergütung nach Meilenzahl*). – **4.** Fahrpreis *m* per Meile. – **5.** *Kurzform für* ~ book. — ~ **book** *s* (*Eisenbahn*) *Am.* Fahrscheinheft *n* (*wobei jeder Fahrschein den Inhaber zur Zurücklegung einer od. mehrerer Meilen berechtigt*). — ~ **tick·et** *s Am.* Fahrkarte *f* eines Fahrscheinhefts.
mile post *s* Meilenstein *m*.
mil·er ['mailər] *s sport colloq.* **1.** Rennpferd *n* (*für Meilenrennen*). – **2.** Langstreckenläufer(in).
Mi·le·sian[1] [mai'li:ʃən; -ʒən; mi-] **I** *adj* Mi'let betreffend, aus Milet. – **II** *s* Einwohner(in) von Mi'let.
Mi·le·sian[2] [mai'li:ʃən; -ʒən; mi-] **I** *adj* irisch. – **II** *s* Irländer(in) (*als Abkömmling des sagenhaften Königs Milesius*).
'**mile**ˌ**stone** *s* **1.** Meilenstein *m*. – **2.** *fig.* Meilen-, Markstein *m*.
mil·foil ['milˌfɔil] → yarrow.
mil·i·a·ri·a [ˌmili'ɛ(ə)riə] *s med.* Frieselfieber *n*, Schweißfriesel *m*.
mil·i·ar·y [*Br.* 'miliəri; *Am. auch* -ˌeri] *adj med.* mili'ar, hirseförmig, hirsekornartig. — ~ **fe·ver** *s* Frieselfieber *n*. — ~ **gland** *s* Hirsedrüse *f*.
mi·lieu ['mi:ljə:] *s* Mili'eu *n*, Um'gebung *f*.
mil·i·o·lite ['miliəˌlait] *geol.* **I** *adj* → miliolitic. – **II** *s* Milio'lit *m*, fos'siles Fora'minifer. — ˌ**mil·i·o'lit·ic** [-'litik] *adj* Milio'liten betreffend *od.* enthaltend.
mil·i·tan·cy ['militənsi; -lə-] *s* **1.** Kriegszustand *m*, Krieg(führung *f*) *m*, Kampf *m*. – **2.** Angriffs-, Kampfgeist *m*.
mil·i·tant ['militənt; -lə-] **I** *adj* **1.** streitend, kämpfend, mili'tant, auf dem Kriegspfad stehend. – **2.** streitbar, kriegerisch. – *SYN. cf.* aggressive. – **II** *s* **3.** Kämpfer *m*, Streiter *m*. — '**mil·i·tant·ness** → militancy. — '**mil·i·ta·rist** [-tərist] *s* **1.** *pol.* Milita'rist *m* (*Verfechter des absoluten Vorrangs militärischer Zwecke u. Bedürfnisse*). – **2.** Fachmann *m* in mili'tärischen Angelegenheiten. — ˌ**mil·i·ta'ris·tic,** ˌ**mil·i·ta'ris·ti·cal** *adj* milita'ristisch. — ˌ**mil·i·ta'ris·ti·cal·ly** *adv* (*auch zu* militaristic). — ˌ**mil·i·ta·ri'za·tion** *s* Militari'sierung *f*. — '**mil·i·ta**ˌ**rize** *v/t* militari'sieren.
mil·i·tar·y [*Br.* 'militəri; *Am.* -əˌteri] **I** *adj* **1.** mili'tärisch, Militär... – **2.** Heeres..., Kriegs... – *SYN. cf.* martial. – **II** *s* (*als pl konstruiert*) **3.** Mili'tär *n*, Sol'daten *pl*, Truppen *pl*: to call in the ~ das Militär zu Hilfe rufen. — ~ **a·cad·e·my** *s* **1.** *Br.* 'Kriegsakadeˌmie *f*. – **2.** *Am.* (*zivile*) Schule mit mili'tärischer Diszi'plin u. Ausbildung. — ~ **ar·chi·tec·ture** *s* Kriegsbaukunst *f*. — ~ **art** *s mil.* Kriegskunst *f*. — ~ **at·ta·ché** *s* Mili'tärattaˌché *m*. — ~ **au·thor·i·ties** *s pl mil.* Mili'tärbehörden *pl*. — ~ **band** *s* Mili'tärkaˌpelle *f*. — ~ **code** *s jur. mil.* Mili'tärstrafgesetz(buch) *n*. — **M~ Cross** *s mil.* Mili'tärverdienstkreuz *n* (*England u. Belgien*). — ~ **cus·to·dy** *s mil.* Mili'tärgewahrsam *m*. — ~ **du·ty** *s* Mili'tär-, Kriegsdienst *m*. — ~ **fe·ver** *s med.* ('Unterleibs)Typhus *m*. — ~ **fly·ing school** *s mil.* Heeresfliegerschule *f*. — **M~ Gov·ern·ment** *s* Mili'täreˌgierung *f*. — ~ **hos·pi·tal** *s med.*

mil. Laza'rett *n.* — ~ **in·tel·li·gence** *s mil.* **1.** ausgewertete Feindnachrichten *pl.* – **2.** a) Nachrichtendienst *m*, b) *Am.* Heeresnachrichtendienst *m* (*unterschieden von Marine- u. Luftwaffen-Nachrichtendienst*). – **3.** Abwehr(dienst *m*) *f.* — ~ **law** *s jur. mil.* Kriegs-, Standrecht *n.* — ~ **man** *s irr* Krieger *m*, Sol'dat *m.* — ~ **map** *s mil.* Gene'ralstabskarte *f.* — ~ **of·fenc·es**, *bes. Am.* ~ **of·fens·es** *s pl jur. mil.* mili'tärische Vergehen *pl.* — ~ **po·lice** *s mil.* Mili'tärpoli,zei *f.* — ~ **pro·fes·sion** *s* Sol'datenstand *m.* — ~ **prop·er·ty** *s mil.* Heeresgut *n.* — ~ **school** → military academy 2. — ~ **serv·ice** *s* **1.** Mili'tär-, Wehrdienst *m.* – **2.** Kriegsdienst *m.* — ~ **serv·ice book** *s mil.* Wehrpaß *m.* — ~ **stores** *s pl* Mili'tärbedarf *m*, 'Kriegsmateri,al *n* (*Munition, Proviant etc*). — ~ **tes·ta·ment** *s jur. mil.* (*formbegünstigtes*) Testa'ment von Mili'tärper,sonen (*im Krieg*). — ~ **tri·bu·nal** *s mil.* Mili'tärgericht *n.*

mil·i·tate ['mili,teit; -lə-] *v/i* **1.** *fig.* (**against**) sprechen (gegen), wider'streiten (*dat*): to ~ **against** s.th. einer Sache entgegenwirken, gegen eine Sache sprechen; to ~ **in favo(u)r of** s.th. (s.o.) für etwas (j-n) sprechen. – **2.** *selten* Mili'tärdienst leisten. — ,**mil·i'ta·tion** *s* Kriegszustand *m*, Kampf *m*, Kon'flikt *m*, 'Widerstreit *m.*

mi·li·tia [mi'liʃə] *s mil.* **1.** Mi'liz *f*, Bürger-, Landwehr *f* (*in den USA alle wehrfähigen Männer zwischen dem 18. u. 45. Lebensjahr in zwei Gruppen*): **organized** ~ *u.* **reserve** ~. – **2.** *Br. die im Jahre 1939 ausgehobenen Wehrpflichtigen.* — **mi'li·tia·man** [-mən] *s irr mil.* Mi'lizsol,dat *m.*

mil·i·um ['miliəm] *s med.* Milium *n*, Hautgrieß *m.*

milk [milk] **I** *s* **1.** Milch *f*: **cow in** ~ frischmilchende Kuh; ~ **for babes** *fig.* einfache, leicht verständliche Literatur *od.* Lehre *etc*; ~ **and honey** *fig.* Milch u. Honig; Überfülle an allem, was das Herz begehrt; ~ **of human kindness** Milch der frommen Denkungsart; **skim(med)** ~ Magermilch; **it is no use crying over spilt** ~ geschehene Dinge sind nicht zu ändern, hin ist hin; → **coconut** 1; **flow** 7. – **2.** *bot.* (Pflanzen)Milch *f*, Milchsaft *m.* – **3.** Milch *f*, milchartige Flüssigkeit (*auch chem.*): ~ **of sulphur** Schwefelmilch. – **4.** *zo.* Austernlaich *m.* – **5.** *min.* Wolken *pl* (*in Diamanten*). – **6.** Milchfarbe *f.* – **II** *v/t* **7.** melken: **to** ~ **a cow** eine Kuh melken; **to** ~ **the pigeon** *colloq.* den Mohren weiß waschen, etwas Unmögliches versuchen. – **8.** *fig.* a) abzapfen, leeren, b) schröpfen, rupfen, ,melken'. – **9.** *electr.* (*Leitung etc*) ,anzapfen' (*um Nachrichten etc mitzuhören*). – **10.** (*Rennsport*) *Br. sl.* wetten gegen (*ein eignes Pferd, das nicht gewinnen kann od. soll*). – **III** *v/i* **11.** Milch geben. – **12.** melken.

milk| ad·der → **milk snake.** — ~ **and wa·ter** *s* **1.** mit Wasser verdünnte Milch. – **2.** *fig.* kraftloses *od.* sentimen'tales Zeug *od.* Gewäsch. – **3.** *fig.* Seichtheit *f*, Weichlichkeit *f.* — '~**-and-'wa·ter** *adj* saft- u. kraftlos, weichlich, sentimen'tal, zimperlich. — ~ **bar** *s* Milchbar *f*, -trinkhalle *f.* — ~ **crust** *s med.* Milchschorf *m.* — ~ **di·et** *s med.* 'Milchkost *f*, -di,ät *f.* — ~ **duct** *s med.* Milchdrüsengang *m*, 'Milchka,nälchen *n.*

milk·er ['milkər] *s* **1.** Melker(in). – **2.** *tech.* 'Melkma,schine *f.* – **3.** Milchkuh *f.* – **4.** *electr. colloq.* Abhörer *m* von Ferngesprächen.

milk| fe·ver *s med. vet.* Milchfieber *n.* — '~,**fish** *s zo.* Milchfisch *m* (*Chanos chanos, C. cyprinella, C. salmoneus*). — ~ **float** *s Br.* Milchwagen *m.* — ~ **glass** *s tech.* Milchglas *n.* — ~ **hedge** *s bot.* Besen-Wolfsmilch *f* (*Euphorbia tirucalli*).

milk·i·ness ['milkinis] *s* **1.** Milchigkeit *f*, Milchähnlichkeit *f.* – **2.** *fig.* Weichheit *f*, Zartheit *f*, Milde *f.* – **3.** *fig.* Weichlichkeit *f.*

milk·ing ['milkiŋ] *s* **1.** Melken *n*: ~ **machine** Melkmaschine, -vorrichtung. – **2.** bei einem Melkvorgang gewonnene Milch.

milk| jug *s* (*kleiner*) Milchtopf. — ~ **leg** *s* **1.** *med.* Venenentzündung *f* (im Wochenbett). – **2.** *vet.* Fußgeschwulst *f* (*bei Pferden*). — '~-,**liv·ered** *adj fig.* feig, furchtsam. — '~,**maid** *s* **1.** Milch-, Kuhmagd *f.* – **2.** Milchmädchen *n.* — '~**·man** [-,mæn; -mən] *s irr* Milchmann *m.* — ~ **of mag·ne·sia** *s chem. med.* Ma'gnesiamilch *f* ($Mg(OH)_2$). — ~ **pars·ley** *s bot.* Wilder Eppich (*Peucedanum palustre*). — ~ **plant** *s bot.* (*eine*) Wolfsmilch (*Euphorbia drummondii*). — ~ **plas·ma** *s biol. chem.* Milchplasma *n.* — ~ **pud·ding** *s* Milchpudding *m* (*Reis-, Grieß-, Sagopudding*). — ~ **punch** *s* Milchpunsch *m* (*aus Milch, Rum, Zucker u. Muskat*). — ~ **route** *s Am. die tägliche Runde des Milchmanns von Haus zu Haus.* — ~ **run** *s aer. Am. sl.* ,Milchmannstour' *f*, Rou'tineeinsatz *m*, -flug *m*, gefahrloser Einsatz. — ~ **shake** *s* Milchmischgetränk *n.* — '~,**shed** *s* Milch-Einzugsgebiet *n* (*einer Stadt*). — ~ **sick·ness** *s med. vet. Am.* Milchkrankheit *f.* — ~ **snake** *s zo.* Milchschlange *f* (*Lampropeltis triangulum*). — '~,**sop** *s* **1.** *fig.* Weichling *m*, Muttersöhnchen *n*, Schlappschwanz *m.* – **2.** *obs.* in Milch geweichtes Stück Semmel *od.* Brot, Milchbrei *m* (*für Kinder*). — '~,**stone** *s chem.* Milchstein *m* (*Ablagerung an Milch- und Melkgeräten*). — ~ **sug·ar** *s chem.* Milchzucker *m*, Lak'tose *f* ($C_{12}H_{22}O_{11}$). — ~ **this·tle** *s bot.* **1.** Ma'riendistel *f* (*Silybum marianum*). – **2.** Sau-, Gänsedistel *f* (*Sonchus oleraceus*). — ~ **toast** *s Am.* Röstbrot *n* aus in Milch eingeweichtem Brot. — ~ **tooth** *s irr med.* Milchzahn *m.* — ~ **tree** *s* **1.** → cow tree 1. – **2.** → milk hedge. — ~ **vetch** *s bot.* Bärenschote *f* (*Astragalus glycyphyllos*). — ~ **walk** *s Br. die tägliche Runde des Milchmanns von Haus zu Haus.* — '~,**weed** *s bot.* **1.** Schwalbenwurzgewächs *n*, Seidenpflanzengewächs *n* (*Fam. Asclepiadaceae*), *bes.* Seidenpflanze *f* (*Asclepias syriaca*). – **2.** Wolfsmilch *f* (*Gattg Euphorbia*). – **3.** Sau-, Gänsedistel *f* (*Sonchus oleraceus*). – **4.** → **milk parsley.** — '~-'**white** *adj* milchweiß: ~ **crystal** *min.* Milchquarz. — '~,**wood** → **milk hedge.** — '~,**wort** *s bot.* **1.** Kreuzblume *f* (*Gattg Polygala, bes. P. vulgaris*). – **2.** Meerstrandsmilchkraut *n* (*Glaux maritima*).

milk·y ['milki] *adj* **1.** milchig, milchartig. – **2.** molkig. – **3.** milchreich, -gebend. – **4.** *Am.* voll Milch *od.* Laich (*Austern*). – **5.** *min.* milchig, wolkig (*bes. Edelsteine*). – **6.** *fig.* mild, weich, sanft. – **7.** *fig.* schüchtern, ängstlich. — **M~ Way** *s astr.* **1.** Milchstraße *f.* – **2.** (*milchstraßenähnliche*) Ansammlung von Sternen.

mill[1] [mil] **I** *s* **1.** *tech.* (Mehl-, Mahl-) Mühle *f*: **the** ~**s of God grind slowly** Gottes Mühlen mahlen langsam; → **grist**[1] 1. – **2.** *tech. allg.* Mühle *f*, Zerkleinerungsvorrichtung *f*: **to go through the** ~ *fig.* a) durch Erfahrung gewitzigt werden, b) eine harte Schule durchmachen; **to put** s.o. **through the** ~ j-n in eine harte Schule schicken; **to have been through the** ~ viel mit- *od.* durchgemacht haben. – **3.** *tech.* Hütten-, Hammer-, Walzwerk *n.* – **4.** *auch* **spinning** ~ *tech.* Spinne'rei *f.* – **5.** *tech.* a) (*Münzerei*) Spindel-, Stoß-, Druck-, Prägwerk *n*, b) (*Glasherstellung*) Reib-, Schleifkasten *m.* – **6.** *print.* Druckwalze *f.* – **7.** *allg.* Fa'brik *f*, Werk *n*: **rolling** ~ Walzwerk. – **8.** *colloq.* Fa'brik *f* (*verächtlich*), fa'brikmäßige 'Herstellung: **diploma** ~. – **9.** *colloq.* Boxkampf *m*, Prüge'lei *f.* – **10.** *Scot.* Schnupftabaksdose *f.* – **II** *v/t* **11.** (*Korn etc*) mahlen. – **12.** *tech.* mittels einer Mühle *od.* Ma'schine verarbeiten. – **13.** *tech.* a) (*Bretter*) auf einer Ma'schine zurichten *od.* schneiden *od.* hobeln, b) (*Tafelblei, Papier etc*) (aus)walzen, c) (*Münzen*) rändeln, d) (*Tuch, Leder etc*) walken, e) (*Seide*) mouli'nieren, fi'lieren, zwirnen, f) (*Schokolade*) quirlen, schlagen, g) fräsen. – **14.** *colloq.* ,'durchwalken', ('durch)prügeln. – **III** *v/i* **15.** *colloq.* raufen, sich schlagen. – **16.** a) sich ständig im Kreis bewegen (*Rinder*), b) eine plötzliche Drehung machen (*Wal*). – **17.** *tech.* gefräst *od.* gewalzt werden, sich fräsen *od.* walzen lassen.

mill[2] [mil] *s Am.* Tausendstel *n* (*bes. 1/1000 Dollar od. 1/10 Cent*).

mill| bar *s tech.* Pla'tine *f*, Rohschiene *f.* — '~,**board** *s tech.* Buchbinderpappe *f*, starke Pappe, Pappdeckel *m.* — ~ **cake** *s* **1.** Ölkuchen *m.* – **2.** (*Pulverfabrikation*) Pulverkuchen *m.* — ~ **cin·der** *s tech.* Schweißofenschlacke *f.* — '~,**clack,** '~,**clap·per** *s tech.* Anschlag *m*, Mühlklapper *f.* — ~ **cog** *s tech.* Zahn *m* (*am Mühlrad*). — '~,**course** *s tech.* **1.** Mühlengerinne *n.* – **2.** Mahlgang *m.* — '~,**dam** *s* **1.** Mühlendamm *m*, Mühlwehr *n.* – **2.** Mühlenteich *m.*

milled [mild] *adj* gemahlen, gewalzt, gerändelt, gewalkt: ~ **lead** Walzblei.

mil·le·fi·o·ri glass, *auch* **mil·le·fi·o·re glass** [,milifi'ɔːri] *s tech.* Millefi'origlas *n* (*in weißer Glasmasse eingeschmolzene bunte Glasstäbchen od. Blumen*).

mil·le·nar·i·an [,mili'nɛ(ə)riən; -lə-] **I** *adj* **1.** auf tausend (Jahre) bezüglich, tausendjährig. – **2.** *relig.* das tausendjährige Reich Christi betreffend. – **II** *s* **3.** *relig.* Mille'narier *m*, Chili'ast *m.* — ,**mil·le'nar·i·an,ism** *s relig.* Lehre *f* der Mille'narier, Chili'asmus *m* (*Glaube an das tausendjährige Reich Christi auf Erden*). — '**mil·le·nar·y** [*Br.* -nəri; *Am.* -,neri] **I** *adj* **1.** aus tausend (Jahren) bestehend, von tausend Jahren. – **II** *s* **2.** (Jahr)-Tausend *n.* – **3.** Jahr'tausendfeier *f.* – **4.** → **millenarian** II.

mil·len·ni·al [mi'leniəl] *adj* **1.** das tausendjährige Reich betreffend. – **2.** eine Jahr'tausendfeier betreffend. – **3.** tausendjährig. — **M~ Church** *s Religionsgemeinschaft der* **Shakers.**

mil·len·ni·um [mi'leniəm] *pl* **-ni·ums** *od.* **-ni·a** [-niə] *s* **1.** Jahr'tausend *n.* – **2.** Jahr'tausendfeier *f.* – **3.** *relig.* tausendjähriges Reich Christi. – **4.** *fig.* zukünftiges Zeitalter des Weltfriedens u. allgemeinen Wohlstands.

mil·le·pede ['mili,piːd; -lə-] *s zo.* Tausendfuß *m*, Tausendfüßer *m* (*Ordng Chilognatha*).

mil·le·pore ['mili,pɔːr; -lə-] *s zo.* (*eine*) 'Punkt-, 'Nesselko,ralle (*Gattg Millepora*). — ,**mil·le'por·i,form** [-'pɒri,fɔːrm; *Am. auch* -'pɔːr-] *adj* 'nesselko,rallenartig. — '**mil·le,po·rine** [-,pɔːrain] *adj* zu den 'Nesselko,rallen (*Fam. Milleporidae*) gehörig, nesselkorallenartig. — '**mil·le,po·rite** *s geol.* fos'sile 'Nesselko,ralle.

mill·er ['milər] *s* **1.** Müller *m*: **every** ~ **draws water to his own mill** jeder ist sich selbst der Nächste; **to drown the** ~ a) zu viel Wasser zum Teig *od.* in ein alkoholisches Getränk schütten, b) *mar.* den Grog wässern. – **2.** *tech.* → milling machine. – **3.** *zo.* Mühler *m*, Müller *m* (*volkstümliche Bezeichnung für einige Motten*). – **4.** *zo.* (*ein*) Rochen *m* (*Aetobatus aquila*). – **5.** *zo.* männliche Kornweihe (*Circus cyaneus*). – **6.** *sl.* Boxer *m.* – **7.** (*Angelsport*) *eine müller(motten)ähnliche künstliche Fliege.*

Mill·er·ism [ˈmɪləˌrɪzəm] *s relig. hist. Millers Lehre von der baldigen Wiederkunft Christi* (*nach dem amer. Sektengründer William Miller, 1782–1849*).

Mill·er·ite[1] [ˈmɪləˌraɪt] *s relig. hist.* Anhänger(in) William Millers.

mill·er·ite[2] [ˈmɪləˌraɪt] *s min.* Milleˈrit *m*, Haar-, Nickelkies *m* (NiS).

mill·er's| dog *s zo.* Hundshai *m* (*Galeus canis*). — **~ scut·tle** *s tech.* Mehlloch *n*, -rinne *f* (*im Mehlkasten*). — **ˈ~-ˈthumb** *s zo.* (*ein*) Kaulkopf *m*, (*eine*) Groppe, (*eine*) Koppe (*Cottus gobio, C. ictalops, C. semiscaber, C. gracilis*).

mil·les·i·mal [mɪˈlesɪməl; -sə-] **I** *adj* **1.** tausendst(er, e, es). – **2.** aus Tausendsteln bestehend. – **II** *s* **3.** Tausendstel *n.*

mil·let [ˈmɪlɪt] *s bot.* (*eine*) Hirse, *bes.* a) Rispenhirse *f* (*Panicum miliaceum*), b) *auch* Italian **~** Ital. Borstenhirse *f*, Kolbenhirse *f* (*Setaria italica*). — **~ grass** *s bot.* Flattergras *n* (*Gattg Milium, bes. M. effusum*).

mill| eye *s tech.* Öffnung *f* im Mühlkasten (*zum Herausschleudern des Mehls*). — **~ fur·nace** *s tech.* Schweißofen *m.* — **~ hand** *s* Mühlen-, Faˈbrik-, Spinneˈreiarbeiter *m.* — **~ head** *s tech.* vor dem Mühlrad aufgestautes Wasser. — **~ hop·per** *s tech.* Mühlrumpf *m*, -trichter *m.*

milli- [mɪlɪ] *Wortelement mit der Bedeutung* Tausendstel.

ˌmil·liˈam·me·ter *s electr.* ˈMilliamˌpereˌmeter *n.* — **ˌmil·liˈam·pere** *s electr.* ˈMilliamˌpere *n*, ein tausendstel Amˈpere. — **ˌmil·liˈam·pereˌmeter** → milliammeter.

mil·li·ard [ˈmɪljɑːrd; -jərd] *s* Milliˈarde *f* (= *1000 Millionen*).

mil·li·ar·y [*Br.* ˈmɪljərɪ; *Am.* -lɪˌerɪ] **I** *adj* (*röm.*) Meilen anzeigend: **~** column Meilenstein. – **II** *s* (*röm.*) Meilenstein *m.*

ˈmil·liˌbar *s* (*Meteorologie*) Milliˈbar *n.* — **ˈmil·liˌcu·rie** *s phys.* Millicuˈrie *n* (*1/1000 Curie*).

ˈmil·liˌgram, *bes. Br.* **ˈmil·liˌgramme** *s* Milliˈgramm *n* (*1/1000 g*). — **ˈmil·liˌli·ter,** *bes. Br.* **ˈmil·liˌlitre** *s* Milliˈliter *n* (*1/1000 Liter*). — **ˈmil·liˌme·ter,** *bes. Br.* **ˈmil·liˌme·tre** *s* Milliˈmeter *n* (*1/1000 m*). — **ˈmil·liˌmi·cron** *s* Milliˈmikron *n* (*1/1000 Mikron, 10^{-9} m*).

mil·li·ner [ˈmɪlɪnər; -lə-] *s* **1.** Putzmacherin *f*, -händlerin *f*, Moˈdistin *f*: man **~** a) Putzmacher, b) *fig.* Kleinigkeitskrämer, Pedant. – **2.** *obs.* Modewaren-, Putzhändler *m.* — **ˈmil·li·ner·y** [-nərɪ; *Am. auch* -ˌnerɪ] *s* **1.** Putzmachen *n.* – **2.** Putz-, Modewaren *pl.* – **3.** Modewarengeschäft *n.*

mill·ing [ˈmɪlɪŋ] **I** *adj* **1.** mahlend, walkend, fräsend. – **II** *s* **2.** Mahlen *n*, Mülleˈrei *f.* – **3.** *tech.* a) Walken *n*, b) Rändeln *n*, c) Fräsen *n.* – **4.** *sl.* Tracht *f* Prügel. — **~ cut·ter** *s tech.* Fräser *m*, Fräsvorrichtung *f.* — **~ i·ron** *s tech.* Rändeleisen *n.* — **~ ma·chine** *s tech.* **1.** ˈFräsmaˌschine *f.* – **2.** Rändel-, Kräuselwerk *n.* — **~ plant** *s chem.* Piˈlieranlage *f* (*für Seifenerzeugung*). — **~ tool** *s tech.* Rändeleisen *n*, -gabel *f.* — **~ wheel** *s tech.* **1.** ˈFräsmaˌschine *f.* – **2.** Rändelrad *n.*

mil·lion [ˈmɪljən] **I** *s* **1.** Milliˈon *f*: a **~** times millionenmal; a country of ten **~** inhabitants ein Land von 10 Millionen Einwohnern; two **~** men 2 Millionen Mann; by the **~** nach Millionen. – **2.** Milliˈon *f* (*Vermögen*): to be worth two **~**s 2 Millionen (£ *od.* $) besitzen. – **3.** *fig.* gewaltig große Menge, Unmasse *f*: **~**s of people eine Unmasse Menschen. – **4.** the **~** die große Masse, das Volk. – **II** *adj* **5.** nach Milliˈonen zählend, Millionen... — **ˌmil·lionˈaire,** *auch bes. Am.* **ˌmil·lionˈnaire** [-ˈnɛr] *s* Millioˈnär *m.* — **ˌmil·lionˈair·ess** *s* Millioˈnärin *f*, Gattin *f* eines Millioˈnärs. — **ˈmil·lion·ar·y** [*Br.* -nərɪ; *Am.* -ˌnerɪ] **I** *adj* aus Milliˈonen bestehend, Millionen..., Millionen besitzend. – **II** *s selten* Millioˈnär *m.* — **ˈmil·lioned** *adj* **1.** milliˈonenfach. – **2.** milliˈonenreich. — **ˈmil·lionˌfold** [-ˌfoʊld] *adj* milliˈonenfältig, -fach. — **ˈmil·lionˌize** *v/t* **1.** mit einer Milliˈon multipliˈzieren. – **2.** zum Millioˈnär *od.* sehr reich machen. – **3.** an (das Zählen nach) Milliˈonen gewöhnen. — **mil·lion·naire** *cf.* millionaire. — **ˈmil·lionth** [-jənθ] **I** *adj* milliˈonst(er, e, es). – **II** *s* Milliˈonstel *n.*

mil·li·pede [ˈmɪlɪˌpiːd; -lə-], **ˈmil·li·ped** [-ped] → millepede.

ˈmil·liˌsec·ond *s* ˈMilliseˌkunde *f* (*1/1000 Sekunde*). — **ˈmil·liˌstere** *s* Milliˈster *n* (*1/1000 Ster od. 1 Kubikdezimeter = 61.023* cubic inches). — **ˈmil·liˌvolt** *s electr. phys.* Millivolt *n* (*1/1000 Volt*). — **ˈmil·li·voltˌme·ter** *s* Millivoltmeter *n.*

mill·oc·ra·cy [mɪlˈɒkrəsɪ] *s selten* Herrschaft *f* reicher Fabriˈkanten. — **ˈmill·oˌcrat** [-ləˌkræt] *s selten* Kapitaˈlist *m.*

ˈmill|ˌown·er *s* **1.** Mühlenbesitzer *m.* – **2.** Spinneˈrei-, Faˈbrikbesitzer *m.* — **ˈ~ˌpond** *s* Mühlteich *m.* — **ˈ~ˌrace** *s tech.* Mühlgerinne *n*, Fluder *m*, Flutgang *m.* — **~ ream** *s tech.* Ries *n* Paˈpier (*von 480 Bogen, von denen die zwei äußeren Buch schadhaft sind*). — **~ sail** *s* Windmühlenflügel *m.* — **~ saw** *s tech.* Säge *f* einer Schneidemühle.

Mills bomb [mɪlz], **Mills gre·nade** *s mil.* ˈEierhandgraˌnate *f* (*nach dem Erfinder Sir William Mills, 1856–1932*).

ˈmillˌstone *s* Mühlstein *m*: fixed **~**, lower **~**, nether **~**, under **~** Bodenstein; running **~**, upper **~** Läuferstein; to see through (*od.* far into) a **~** einen scharfen Blick haben, durch (neun) eiserne Türen sehen, das Gras wachsen hören; to weep **~**s keine Tränen haben; to be between the upper and nether **~** unausweichlichem Druck unterworfen sein, von zwei Seiten her unter Druck stehen. — **M~ Grit** *s geol.* Mühlen-, Kohlensandstein *m.*

ˈmill|ˌstream *s tech.* Strömung *f* eines Mühlgerinnes. — **ˈ~ˌtail** *s tech.* abfließendes Wasser unter dem Mühlgerinne. — **~ wheel** *s tech.* Mühlrad *n.* — **ˈ~ˌwork** *s tech.* **1.** Triebwerk *n.* – **2.** Mühlenbau *m.* – **3.** Mühlenerzeugnisse *pl.* — **ˈ~ˌwork·er** → mill hand. — **ˈ~ˌwright** *s tech.* Mühlen-, Maˈschinenbauer *m.*

mi·lor(d) [mɪˈlɔːr(d)] *s* (*ausländische Fassung von* my lord) *Titel u. Anrede eines Lords.*

mil·pa [ˈmɪlpɑː] *s* **1.** (ausgeholzte) Lichtung im Dschungel (*Zentralamerikas*). – **2.** *Am.* kleines bebautes (Getreide)Feld. — **~ sys·tem** *s agr.* periˈodisches Ausholzen von Lichtungen (*im zentralamer. Dschungel*).

milque·toast [ˈmɪlkˌtoʊst] *s Am.* Hasenfuß *m*, ängstlicher Mensch.

mil·reis [ˈmɪlˌreɪs] *s hist.* Milˈreis *n*: a) *brasil. Silbermünze zu 1000 Reis; bis 1942,* b) *portug. Rechnungsmünze von 1000 Reis; bis 1911.*

milt[1] [mɪlt] *s med.* Milz *f.*

milt[2] [mɪlt] *zo.* **I** *s* Milch *f* (*der männlichen Fische*). – **II** *v/t* (*den Rogen*) mit Milch befruchten.

milt·er [ˈmɪltər] *s zo.* Milch(n)er *m* (*männlicher Fisch zur Laichzeit*).

Mil·to·ni·an [mɪlˈtoʊnɪən], **Milˈton·ic** [-ˈtɒnɪk] *adj* milˈtonisch, im Stil Miltons, den engl. Dichter John Milton (*1608–74*) betreffend.

mil·vine [ˈmɪlvaɪn; -vɪn] *zo.* **I** *adj* miˈlanartig, zu den Miˈlanen gehörig. – **II** *s* Miˈlan *m* (*Fam. Milvinae*). — **milˈvi·nous** [-ˈvaɪnəs] → milvine I.

mime [maɪm] **I** *s* **1.** *antiq.* Mimus *m*, Gebärde *f*, Posse *f*, Possenspiel *n.* – **2** Mime *m*, Gebärden-, Possenspieler *m.* – **3.** Clown *m*, Possenreißer *m.* – **4.** *selten* Nachahmer *m*, Imiˈtator *m.* – **II** *v/t* **5.** mimisch darstellen. – **6.** mimen, nachahmen (*meist ohne Worte zu gebrauchen*). – **III** *v/i* **7.** als Mime auftreten, den Possenreißer spielen.

mim·e·o·graph [ˈmɪmɪəˌgræ(ː)f; *Br. auch* -ˌgrɑːf] **I** *s* Mimeoˈgraph *m* (*Abzieh-, Vervielfältigungsapparat*). – **II** *v/t* mittels Mimeoˈgraph vervielfältigen. — **ˌmim·e·oˈgraph·ic** [-ˈgræfɪk] *adj* mimeoˈgraphisch, mittels Mimeoˈgraph vervielfältigt. — **ˌmim·e·oˈgraph·i·cal·ly** *adv.*

mim·er [ˈmaɪmər] *s* **1.** Mime *m*, Schauspieler *m.* – **2.** Nachahmer *m*, Imiˈtator *m.* – **3.** Clown *m.*

mi·me·sis [mɪˈmiːsɪs; maɪ-] *s* **1.** (*Rhetorik*) Mimesis *f*, Nachahmung *f* (*der Rede eines anderen*). – **2.** → mimicry 3. – **3.** *bot.* Nachahmung *f.*

mi·met·ic [mɪˈmetɪk; maɪ-] *adj* **1.** nachahmend, miˈmetisch. – **2.** zur Nachahmung geschickt *od.* geneigt. – **3.** nachahmend, -äffend, Schein... – **4.** *biol.* fremde Formen nachbildend. – **5.** *ling.* nachahmend, onomatopoˈetisch, lautmalend. – **6.** *ling. selten* auf Analoˈgie beruhend. — **miˈmet·i·cal·ly** *adv.*

mim·e·tism [ˈmɪmɪˌtɪzəm; -mə-; ˈmaɪ-] → mimicry 3.

mim·e·tite [ˈmɪmɪˌtaɪt; -mə-; ˈmaɪ-] *s min.* Mimeteˈsit *m*, Mimeˈtit *m*, Flockenerz *n*, Grünbleierz *n.*

mim·ic [ˈmɪmɪk] **I** *adj* **1.** mimisch, (durch Gebärden) nachahmend. – **2.** Schauspiel...: **~** art Schauspielkunst. – **3.** nachgeahmt, Schein...: **~** warfare Kriegsspiel, Manöver. – **II** *s* **4.** Nachahmer *m*, Imiˈtator *m.* – **5.** *selten* Nachahmung *f*, Koˈpie *f.* – **6.** *obs.* Mime *m*, Schauspieler *m.* – **III** *v/t pret u. pp* **ˈmim·icked,** *pres p* **ˈmim·ick·ing 7.** nachahmen, -äffen. – **8.** *bot. zo.* (*fremde Formen od. Farben etc*) nachahmen. – *SYN. cf.* copy. — **ˈmim·i·cal·ly** *adv* mimisch. — **ˈmim·ick·er** *s* **1.** Mimiker *m*, Nachahmer *m*, -äffer *m.* – **2.** *zo.* Nachahmer *m* (*Tier*).

mim·ic·ry [ˈmɪmɪkrɪ] *s* **1.** possenhaftes Nachahmen (*bes. Gebärden*), Nachäffung *f*, Schauspielern *n.* – **2.** (Erzeugnis *n* der) Nachahmung *f*, Nachbildung *f* (*Kunstgegenstände etc*). – **3.** *zo.* Mimikry *f*, schützende Geˈstalt- u. ˈFarbenüberˌeinstimmung (*von Tieren mit der Umwelt*).

mim·ic thrush *s zo.* Spottdrossel *f* (*Fam. Mimidae, bes. Mimus polyglottus*).

Mi·mir [ˈmiːmɪr] *npr* (*nordische Mythologie*) Mimir *m*: a) *Riese am Brunnen bei der Weltesche,* b) *der Schmied, der Siegfried aufzog.*

mim·i·ny-pim·i·ny [ˌmɪmɪnɪˈpɪmɪnɪ; -mə-] *adj* affekˈtiert, vornehmtuend, geziert, geckenhaft.

mim·ma·tion [mɪˈmeɪʃən] *s ling.* häufiger Gebrauch des Buchstabenˈm, Anfügung *f* eines m (*an den Endvokal*).

mi·mog·ra·pher [miˈmɒgrəfər; mai-] *s* Mimoˈgraph *m*, Possendichter *m*.

mi·mo·sa [miˈmouzə; -sə] *s* **1.** *bot.* Miˈmose *f* (*Gattg Mimosa; bes. M. pudica*). – **2.** *bot.* Echte Aˈkazie, *auch gärtnerisch* Miˈmose *f* (*Gattg Acacia*). – **3.** Ziˈtronengelb *n*. — **~ bark** → wattle bark.

mim·o·sa·ceous [ˌmimoˈseiʃəs; -mə-; ˌmai-] *adj bot.* miˈmosenartig.

mim·u·lus [ˈmimjuləs; -jə-] *s bot.* Gaukler-, Affenblume *f* (*Gattg Mimulus*).

mi·na [ˈmainə] *s zo.* Mino *m*, Meinate *m* (*Gattg Eulabes; Star*), *bes.* Hügelatzel *m* (*E. religiosa*).

mi·na·cious [miˈneiʃəs] *adj* drohend. — **miˈna·cious·ness, miˈnac·i·ty** [-ˈnæsiti; -əti] *s selten* Neigung *f* zum Drohen, Droheˈrei *f*.

mi·nar [miˈnɑːr] *s Br. Ind.* Turm *m*.

min·a·ret [ˈminəˌret; ˌminəˈret] *s arch.* Minaˈrett *n* (*schlanker Turm einer Moschee*). — **ˈmin·aˌret·ed** *adj* mit Minaˈretten (versehen).

min·ar·gent [miˈnɑːrdʒənt] *s* Minarˈgent *n* (*ein Halbsilber aus Kupfer, Nickel, Wolfram u. Aluminium*).

min·a·to·ry [*Br.* ˈminətəri; *Am.* -ˌtɔːri], *auch* **ˌmin·aˈto·ri·al** [-ˈtɔːriəl] *adj* drohend, bedrohlich.

mince [mins] **I** *v/t* **1.** zerhacken, in kleine Stücke zerschneiden, zerstückeln: to ~ meat Fleisch hacken, Hackfleisch machen. – **2.** *fig.* mildern, beschönigen, bemänteln, (*aus Ziererei*) nur halb aussprechen, (*etwas*) verblümt ausdrücken: to ~ one's words geziert *od.* affektiert sprechen; not to ~ one's words (*od.* matters) kein Blatt vor den Mund nehmen, nichts beschönigen. – **3.** geziert tun *od.* machen: to ~ one's steps trippeln. – **II** *v/i* **4.** (*Fleisch, Fett, Gemüse*) zerkleinern, Hackfleisch machen. – **5.** sich geziert benehmen, geziert gehen, trippeln. – **III** *s* **6.** *bes. Br. für* ~meat 1. — **minced** *adj* kleingehackt: ~ meat gehacktes Fleisch, Hackfleisch.

ˈmince|ˌmeat I *s* **1.** Hackfleisch *n*, Gehacktes *n*, Haˈschee *n*: to make ~ of s.o. *fig.* ‚aus j-m Hackfleisch machen'; to make ~ of s.th. etwas (*ein Argument, Buch etc*) zerreißen *od.* zerpflücken *od.* vernichten. – **2.** *Mischung aus Korinthen, Äpfeln, Rosinen, Zucker, Hammelfett, Rum etc mit od. ohne Fleisch* (*für Pasteten*). — **~ pie** *s mit* mincemeat *gefüllte Pastete*.

minc·er [ˈminsər] *s* **1.** j-d der *od.* etwas was zerhackt *od.* zerkleinert. – **2.** → mincing machine.

minc·ing [ˈminsiŋ] **I** *adj* **1.** hackend, zerkleinernd, Hack... – **2.** geziert, zimperlich. – **II** *s* **3.** Hacken *n*, Zerkleinern *n*, Kleinhacken *n*. – **4.**Ziereˈrei *f*. — **M~ Lane** *npr* Mincing Lane (*Straße in London u. Zentrum des Teegroßhandels*).

minc·ing·ly [ˈminsiŋli] *adv* **1.** stückweise, unvollständig. – **2.** geziert. – **3.** vorsichtig, beschönigend, verblümt.

minc·ing ma·chine *s* ˈFleischzerkleinerungs-, ˈHack-, ˈWurstmaˌschine *f*, Fleischwolf *m*.

mind [maind] **I** *s* **1.** Sinn *m*, Gemüt *n*, Herz *n*: to relieve one's ~ sein Gewissen erleichtern *od.* beruhigen; it was a weight off my ~ *fig.* mir fiel ein Stein vom Herzen; to have s.th. on one's ~ etwas auf dem Herzen haben; → lie² 8. – **2.** Seele *f*, Verstand *m*: to be of sound ~, to be in one's right ~ bei vollem Verstand sein; to be unsettled in one's ~, to be of unsound ~, to be out of one's ~ nicht (recht) bei Sinnen sein, verrückt sein; to lose one's ~ den Verstand verlieren; → absence 3; presence 1. – **3.** Gesinnung *f*, Meinung *f*, Gedanken *pl*, Ansicht *f*, Urteil *n*: in (*od.* to) my ~ nach meiner Meinung *od.* meinem Geschmack; to be of s.o.'s ~ j-s Meinung sein; to change (*od.* alter) one's ~ sich anders besinnen; to speak (*od.* tell) one's ~ (freely) seine Meinung (frei) äußern; to follow one's ~ seiner Ansicht *od.* seinem Kopfe folgen; to give s.o. a (good) piece of one's ~ j-m (ordentlich *od.* gründlich) die Meinung sagen; to have a ~ of one's own, to know one's own ~ wissen, was man will; seine eigene Meinung haben; to read s.o.'s ~ j-s Gedanken lesen; to be in two ~s schwanken, unschlüssig sein. – **4.** Neigung *f*, Lust *f*, Verlangen *n*, Wille *m*: to give one's ~ to s.th. sich einer Sache befleißigen; to give all one's ~ to s.th. sich mit allem Eifer auf etwas werfen; to have a (good) ~ to do s.th. (gute) Lust haben, etwas zu tun; to have little (no) ~ to do s.th. wenig (keine) Lust haben, etwas zu tun; to make up one's ~ sich entschließen, zu dem Schluß *od.* zur Überzeugung kommen (that daß), sich klarwerden (about, on über *acc*), gefaßt *od.* vorbereitet sein (to auf *acc*), sich abfinden (to mit). – **5.** Sinn *m*, Meinung *f*: many men, many ~s viele Köpfe, viele Sinne *od.* Meinungen; there can be no two ~s es kann keine geteilte Meinung geben (about über *acc*); to enter (into) s.o.'s ~ j-m in den Sinn kommen. – **6.** Achtsamkeit *f*, Sorge *f*. – **7.** Absicht *f*, Vorhaben *n*, Zweck *m*. – **8.** Erinnerung *f*, Gedächtnis *n*: to bear (*od.* keep) in ~ im Gedächtnis behalten, nicht vergessen; to bring s.th. back to ~, to call s.th. to ~ sich etwas ins Gedächtnis zurückrufen, sich an etwas erinnern; to have s.th. in ~ sich wohl erinnern (that daß); to put s.o. in ~ of s.th. j-n an etwas erinnern; to cross (*od.* enter) one's ~ (plötzlich) in den Sinn kommen; time out of ~ seit undenklichen Zeiten; → sight 3. – **9.** Geisteszustand *m*: → frame 17. – **10.** Geistesrichtung *f*, Denken *n*: history of ~ Geistesgeschichte. – **11.** Geist *m* (*im Gegensatz zum Körper*): the human ~ der menschliche Geist; things of the ~ geistige Dinge; to cast one's ~ back sich im Geiste zurückversetzen (to nach); to close one's ~ to s.th. sich gegen etwas verschließen; to leave an impression on s.o.'s ~ einen Eindruck bei j-m hinterlassen. – **12.** *fig.* Denker *m*, Kopf *m*, Geist *m*: one of the greatest ~s of his time einer der größten Geister seiner Zeit. – **13.** (*Christian Science*) Gott *m*. – **14.** *philos.* Geist *m* (*im Gegensatz zur Materie*). – **15.** *philos.* Mensch *m* (*als geistiges Wesen*): average ~ Durchschnittsmensch. – **II** *v/t* **16.** merken, (be)achten, achtgeben *od.* hören auf (*acc*): to ~ one's P's and Q's *colloq.* sich ganz gehörig in acht nehmen; ~ you write *colloq.* denk daran *od.* vergiß nicht zu schreiben. – **17.** sich in acht nehmen *od.* auf der Hut sein *od.* sich hüten vor (*dat*): ~ the step! Achtung Stufe! ~ your head! Achte auf deinen Kopf! – **18.** sorgen für, sehen nach: to ~ the fire nach dem Feuer sehen. – **19.** sich kümmern um, betreuen: to ~ the children sich um die Kinder kümmern; never ~ him! kümmere dich nicht um ihn; don't ~ me! lassen Sie sich durch mich nicht stören! → business 9. – **20.** (*meist in negativen u. Fragesätzen*) sich etwas machen aus, nicht gern sehen *od.* mögen, (als) unangenehm empfinden, sich stoßen an (*dat*): do you ~ my smoking? haben Sie etwas dagegen, wenn ich rauche? would you ~ coming? würden Sie so freundlich sein zu kommen? I don't ~ ich habe nichts dagegen; I should not ~ a drink ich wäre nicht abgeneigt, etwas zu trinken. – **21.** *obs.* erinnern, mahnen (of an *acc*). – **22.** *obs.* sich erinnern an (*acc*). – **23.** *obs.* bemerken. – **III** *v/i* **24.** achthaben, aufpassen, bedenken: ~! a) wohlgemerkt, b) nimm dich in acht! sieh dich vor! ~ and come in good time! *colloq.* sieh zu, daß du rechtzeitig da bist! never ~! schon gut! es hat nichts zu sagen, es macht nichts. – **25.** etwas daˈgegen haben: I don't ~ ich habe nichts dagegen, meinetwegen! I don't ~ if I do *colloq.* ich möchte fast; wenn ich bitten darf; ja, ganz *od.* recht gern. – **26.** sich etwas daraus machen: he ~s a great deal er macht sich sehr viel daraus, es tut ihm sehr weh; never ~ mach dir nichts draus. – **27.** folgen: the dog ~s well der Hund folgt gut. – **28.** *obs. od. dial.* sich erinnern.

mind·ed [ˈmaindid] *adj* **1.** geneigt, gesonnen: if you are so ~ wenn das deine Absicht ist. – **2.** (*bes. in Zusammensetzungen*) gesinnt: evil-~ böse gesinnt; free-~ aufgeschlossen. — **ˈmind·ed·ness** [-nis] *s* (*in Zusammensetzungen*) Gesinnung *f*, Neigung *f* (zu): air-~ Flugbegeisterung; narrow-~ Engherzigkeit.

mind·er [ˈmaindər] *s* **1.** Aufseher *m*, Wärter *m*: machine ~. – **2.** *Br. hist.* (armes) Kost-, Pflegekind.

mind·ful [ˈmaindful; -fəl] *adj* (of) aufmerksam, achtsam (auf *acc*), eingedenk (*gen*): to be ~ of achten auf (*acc*). — **ˈmind·ful·ness** *s* Achtsamkeit *f*, Aufmerksamkeit *f*.

mind·less [ˈmaindlis] *adj* **1.** (of) unbekümmert (um), ohne Rücksicht (auf *acc*), uneingedenk (*gen*). – **2.** geistlos, ohne Intelliˈgenz, unbeseelt.

mind| read·er *s* Gedankenleser(in). — **~ read·ing** *s* Gedankenlesen *n*.

mind's eye *s* geistiges Auge, Einbildungskraft *f*: it stood vividly before his ~ es stand deutlich vor seinem geistigen Auge, im Geiste stand es ihm deutlich vor Augen.

mine[1] [main] **I** *pron* **1.** der, die, das meinige *od.* meine: what is ~ was mir gehört, das Meinige; a friend of ~ ein Freund von mir; me and ~ ich u. die Mein(ig)en. – **II** *adj poet. od. obs.* **2.** (*statt* my *vor mit Vokal od.* h *anlautenden Wörtern*) mein: ~ eyes meine Augen; ~ host (der) Herr Wirt. – **3.** (*auch nachgestellt*) mein: brother ~; lady ~.

mine[2] [main] **I** *v/i* **1.** miˈnieren, ˈunterirdische Wege graben. – **2.** schürfen, graben (for nach). – **3.** sich eingraben, sich vergraben (*Tiere*). – **II** *v/t* **4.** (*Erz, Kohlen*) abbauen, gewinnen. – **5.** graben in (*dat*): to ~ the earth for s.th. in der Erde nach etwas graben. – **6.** *mar. mil.* a) (*Gewässer, Gelände*) mit Minen belegen, verminen, b) miˈnieren. – **7.** *fig.* unterˈgraben, -ˈhöhlen, -miˈnieren. – **8.** ausgraben. – **III** *s* **9.** *oft pl tech.* Mine *f*, Bergwerk *n*, Zeche *f*, Grube *f*: he works in the ~s er arbeitet im Bergwerk. – **10.** *mar. mil.* Mine *f*: aerial ~ Luftmine; naval ~ Seemine. – **11.** *fig.* Fundgrube *f* (of an *dat*): a ~ of information eine Fundgrube an Wissen, ein reicher Wissensschatz. – **12.** *biol.* Mine *f*, Fraßgang *m*.

mine·a·bil·i·ty [ˌmainəˈbiliti; -əti] *s* (*Bergbau*) Abbaufähigkeit *f*, Bauwürdigkeit *f*. — **ˈmine·a·ble** *adj* abbaufähig, bauwürdig.

mine| car *s tech.* Gruben-, Förderwagen *m*, Hund *m*. — **~ cham·ber** *s mil. tech.* Spreng-, Minenkammer *f*.

— ~ **cra·ter** *s mil.* Minen-, Sprengtrichter *m.* — ~ **ex·plod·er** *s tech.* Minenzünder *m.* — ~ **fan** *s tech.* 'Wetterma͵schine *f,* 'Grubenventi͵lator *m.* — ~ **field** *s mil.* Minenfeld *n,* -sperre *f.* — ~ **fire** *s tech.* Grubenbrand *m.* — ~ **fore·man** *s irr tech.* Obersteiger *m.* — ~ **gal·ler·y** *s mil.* Minenstollen *m.* — ~ **gas** *s* 1. → methane. – 2. *tech.* Grubengas *n,* schlagende Wetter *pl.* — ~ **hoist** *s tech.* 'Förderma͵schine *f.* — ~ **lay·er** *s mar. mil.* Minenleger *m*: cruiser ~ Minenkreuzer. — ~ **op·er·a·tion** *s tech.* Schachtbetrieb *m.* — ~ **op·er·a·tor** *s econ.* 'Bergbauindustri͵eller *m,* -unter͵nehmer *m.*

min·er ['mainər] *s* 1. *tech.* Bergarbeiter *m,* -knappe *m,* -mann *m,* Grubenarbeiter *m,* Kumpel *m.* – 2. *mar. mil.* Mi'neur *m.* – 3. *zo.* (*ein*) austral. Honigfresser *m* (*Fam. Meliphagidae, bes. Myzantha melanocephala*). – 4. *zo. ein blätterminierendes Insekt.*

min·er·al ['minərəl] **I** *s* 1. *chem. med. min.* Mine'ral *n.* – 2. *pl* Grubengut *n.* – 3. *min. colloq.* Erz *n.* – 4. *bes. pl* Mine'ralwasser *n.* – **II** *adj* 5. mine'ralisch, Mineral... – 6. *chem.* 'anor͵ganisch.

min·er·al| blue *s min.* Bergblau *n.* — ~ **car·bon** *s min. tech.* Gra'phit *m.* — ~ **coal** *s min. tech.* Schwarz-, Steinkohle *f.* — ~ **col·o(u)r** *s tech.* Erd-, Mine'ralfarbe *f.* — ~ **de·pos·it** *s geol.* Erzlagerstätte *f.*

min·er·al·i·za·tion [͵minərəlai'zeiʃən; -li'z-] *s* 1. *geol. min.* Mineralisati'on *f,* Erz-, Mine'ralbildung *f,* Vererzung *f.* – 2. *med.* Verkalkung *f* (*Skelett*). — **'min·er·al͵ize I** *v/t geol.* 1. vererzen. – 2. minerali'sieren, in ein Mine'ral verwandeln, versteinern. – 3. mit 'anor͵ganischem Stoff durch'setzen. – **II** *v/i* 4. nach Mine'ralien suchen, Mineralien sammeln.

min·er·al jel·ly *s chem.* Vase'line *f.*

min·er·al·og·i·cal [͵minərə'lɒdʒikəl] *adj min.* minera'logisch. — **͵min·er'al·o·gist** [-'rælədʒist] *s* Minera'loge *m.* — **͵min·er'al·o·gy** [-dʒi] *s* Mineralo'gie *f,* Mine'ralienkunde *f.*

min·er·al| oil *s chem.* Erdöl *n,* Pe'troleum *n,* Mine'ralöl *n,* Paraf'finöl *n.* — ~ **pitch** *s tech.* As'phalt *m.* — ~ **spring** *s* Mine'ralquelle *f,* Heilbrunnen *m.* — ~ **vein** *s geol.* Erz-, Mine'ralgang *m,* Erzader *f.* — ~ **wa·ter** *s* Mine'ralwasser *n.* — ~ **wax** *s min. tech.* Ozoke'rit *m,* Zere'sin *n,* Berg-, Erdwachs *n.* — ~ **wool** *s* Schlackenwolle *f.*

min·er's| ham·mer ['mainərz] *s tech.* (Hand)Fäustel *m, n,* Handschlegel *m.* — ~ **lung** *s med.* Kohlen(staub)lunge *f,* Anthra'kose *f.*

Mi·ner·va [mi'nəːrvə] **I** *npr* Mi'nerva *f* (*röm. Göttin der Weisheit*). – **II** *s* kluge *od.* gelehrte Frau. — ~ **Press** *npr Londoner Verlag, der sich durch hypersentimentale Romane* (*etwa vom Jahre 1800 an*) *einen Namen machte.*

mine| sur·vey *s tech.* Gruben(ver)messung *f,* Markscheidung *f.* — ~ **sur·vey·or** *s tech.* Markscheider *m.* — ~ **sweep·er** *s mar. mil.* (Minen)-Räumfahrzeug *n,* -schiff *n,* -boot *n,* Minenräumer *m.* — ~ **sweep·ing gear** *s mar.* (Minen)Räumgerät *n.*

mi·nette [mi'net] *s geol.* Mi'nette *f.*

mine| tub·bing *s tech.* Grubenverschalung *f.* — ~ **ven·ti·la·tion** *s tech.* Grubenbewetterung *f,* Wetterführung *f.*

min·e·ver *cf.* miniver.

Ming [miŋ] **I** *s* 'Ming-Dyna͵stie *f,* -peri͵ode *f* (*in China, 1368–1644, berühmt wegen ihrer Kunstwerke*). – **II** *adj* Ming...: a ~ bowl eine Schale der Ming-Periode.

min·gle ['miŋgl] **I** *v/i* 1. verschmelzen, sich vermischen, sich vereinigen, sich verbinden (with mit). – 2. *fig.* sich (ein)mischen (in in *acc*), sich mischen (among, with unter *acc*): to ~ with the crowd sich unter die Menge begeben. – **II** *v/t* 3. vermischen, -mengen. – 4. vereinigen. – *SYN. cf.* mix.

min·gle-man·gle ['miŋgl͵mæŋgl] **I** *v/t* unordentlich durchein'anderwerfen, vermengen. – **II** *s* verworrenes Gemisch, Mischmasch *m,* ‚Kuddelmuddel' *m, n.*

min·gy ['mindʒi] *adj colloq.* geizig, ‚knickerig'.

min·i·ate I *v/t* ['mini͵eit] 1. (*mit Mennig*) rot färben *od.* malen. – 2. (*Buch*) illumi'nieren, mini'ieren. – **II** *adj* [-it; -͵eit] 3. *selten* mennigrot, -farben.

min·i·a·ture ['miniətʃər; -nitʃ-] **I** *s* 1. Minia'tur(gemälde *n*) *f.* – 2. *fig.* Minia'turausgabe *f*: in ~ im kleinen, ‚im Westentaschenformat'. – **II** *adj* 3. Miniatur..., im kleinen. – *SYN. cf.* small. – **III** *v/t* 4. in Minia'tur *od.* in kleinem For'mat darstellen *od.* malen. — ~ **cam·er·a** *s phot.* Kleinbildkamera *f.* — ~ **lamp** *s electr.* Zwerglampe *f,* Lampe *f* mit Zwergsockel.

min·i·a·tur·ist ['miniətʃərist; -nitʃ-] *s* 1. Mini'ator *m.* – 2. Miniatu'rist *m,* Minia'turenmaler *m.*

min·i·cab ['mini͵kæb] *s* kleineres Taxi.

min·i·cam ['mini͵kæm], **'min·i͵cam·er·a** [-mərə] *Kurzformen für* miniature camera. [*m.*]

min·i-car ['mini͵kɑːr] *s* Kleinstwagen

Min·i·é| ball ['mini; 'mini͵ei] *s* Miniékugel *f* (*Patrone*). — ~ **ri·fle** *s* Miniébüchse *f.*

min·i·fy ['mini͵fai; -nə-] *v/t* vermindern, verkleinern.

min·i·kin ['minikin] **I** *adj* 1. affek'tiert, geziert. – 2. winzig, zierlich, niedlich. – **II** *s* 3. *print. ein sehr kleiner, wenig gebrauchter Schriftgrad von* $3^1/_2$ *Punkten.*

min·im ['minim] **I** *s* 1. *mus.* halbe Note. – 2. (*etwas*) sehr Kleines, Zwerg *m,* kleines Wesen. – 3. *med.* $^1/_{60}$ Drachme *f* (*Apothekermaß*). – 4. Grundstrich *m* (*Kalligraphie*): ~ letters Buchstaben mit Grundstrich (*z.B. m, n*). – 5. M~ *pl relig.* Mi'nimen *pl,* mindere Brüder *pl* (*ein Bettelorden*). – 6. *zo.* Zwergarbeiterin *f* (*bei Ameisen*). – 7. *phot. ein Kubikmaß von* 0,06 cm^3. – **II** *adj* 8. mi'nim, winzig, mindest(er, e, es), kleinst(er, e, es).

min·i·mal ['miniməl] *adj* kleinst(er, e, es), geringst(er, e, es), mini'mal, Mindest...: ~ value Mindestwert.

Min·i·mal·ist ['miniməlist] *s pol.* (*russ.*) Minima'list *m,* Mensche'wik *m,* gemäßigter Sozia'list.

Min·im·ite ['mini͵mait] *relig.* **I** *s* Mi'nim *m* (*ein Bettelmönch*). – **II** *adj* Minimen...

min·i·mi·za·tion [͵minimai'zeiʃən; -nə-; -mi'z-] *s* Zu'rückführung *f* auf das kleinste Maß, Redu'zierung *f* auf das Minimum. — **'min·i͵mize** *v/t* 1. auf ein Minimum bringen, auf das kleinste Maß zu'rückführen. – 2. als geringfügig darstellen, unter'schätzen, her'absetzen, verkleinern: let us not ~ the difficulties. – *SYN. cf.* decry.

min·i·mum ['minimәm; -nә-] **I** *s pl* **-ma** [-mə] 1. Minimum *n,* (*das*) Kleinste *od.* Geringste, kleinste Größe: with a ~ of effort mit einem Minimum an *od.* von Anstrengung. – 2. Mindestbetrag *m.* – 3. Mindestmaß *n.* – 4. *math.* Minimum *n,* kleinster Abso'lutwert (*einer Funktion*). – 5. (*Meteorologie*) Tief(druckgebiet) *n.* – 6. → minim 3. – **II** *adj* 7. mini'mal, Minimal..., mindest(er, e, es), Mindest..., kleinst(er, e, es), geringst(er, e, es): ~ capacity *electr.* a) Minimumkapazität, b) Anfangskapazität (*eines Drehkondensators*); ~ limit Minimalgrenze; ~ reception *electr.* Empfangsminimum; ~ speed *phys.* Mindestgeschwindigkeit; ~ taxation *econ.* Steuermindestsatz; ~ voltage *electr.* Minimumspannung. – 8. *tech.* Minimum..., niedrigsten Meßwert regi'strierend: ~ thermometer. — ~ **out·put** *s electr. tech.* Mini'malleistung *f,* Leistungsminimum *n.* — ~ **pres·sure of re·sponse** *s tech.* Ansprechdruck *m.* — ~ **price** *s econ.* Mindestpreis *m,* Mini'malsatz *m.* — ~ **val·ue** *s* 1. *math.* Kleinst-, Mindest-, Mini'mal-, Minimumwert *m.* – 2. *auch* ~ of response *tech.* Ansprechwert *m.* — ~ **wage** *s econ.* Mindestlohn *m.*

min·i·mus ['minimәs; -nə-] **I** *adj* 1. *Br.* jüngst(er, e, es) (*an höheren Schulen für den jüngsten von mehreren gleichnamigen Schülern gebraucht*). – 2. *biol.* kleinst(er, e, es). – **II** *s* 3. kleinstes Wesen, Knirps *m.* – 4. *biol.* kleiner Finger, kleine Zehe.

min·ing ['mainiŋ] *tech.* **I** *s* Bergbau *m,* Gruben-, Bergwerk(s)betrieb *m,* Bergwesen *n*: ~ in open cuts, open-cast ~ Tagebau; ~ law Bergrecht. – **II** *adj* Bergwerks..., Berg..., mon'tan, Montan... — ~ **claim** *s econ. Am. od. Austral.* Rechtsanspruch *m* eines Ansiedlers auf eine von ihm entdeckte Erzmine. — ~ **en·gi·neer** *s econ.* 'Berg(bau)ingeni͵eur *m.* — ~ **in·dus·try** *s tech.* 'Bergwerks-, 'Bergbau-, Mon'tanindu͵strie *f.*

min·ion ['minjən] **I** *s* 1. Liebling *m,* Günstling *m,* Favo'rit *m.* – 2. (*verächtlich*) feiler Diener, Speichellecker *m*: ~ of the law Häscher, Exekutor, Gerichtsvollzieher. – 3. *selten* Geliebte *f,* Mä'tresse *f.* – 4. *print.* Mignon *f,* Kolo'nel *f* (*Schriftgrad*): double ~ Mittelschrift. – **II** *adj selten* 5. zart, zierlich. – 6. geliebt, Lieblings...

min·ion·ette [͵minjə'net] *s print. Am. kleiner Schriftgrad zwischen* minion *u.* nonpareil.

min·is·ter ['ministər] **I** *s* 1. *relig.* Geistlicher *m,* Priester *m,* Pfarrer *m,* Prediger *m* (*bes. einer Dissenterkirche*). – 2. *pol. Br.* Mi'nister *m*: M~ of Foreign Affairs Minister des Äußeren, Außenminister; M~ of Labour Arbeitsminister. – 3. *pol.* Gesandter *m*: ~ resident Ministerresident, ständiger Minister. – 4. *fig.* Diener *m,* Werkzeug *n*: ~ of God's will Werkzeug des göttlichen Willens. – **II** *v/t selten* 5. darbieten, -reichen, geben, spenden: to ~ the sacraments die Sakramente spenden. – **III** *v/i* 6. (to) behilflich *od.* nützlich *od.* dienlich sein (*dat*), helfen (*dat*), unter'stützen (*acc*): to ~ to the wants of others für die Bedürfnisse anderer sorgen. – 7. als Diener *od.* Geistlicher wirken.

min·is·te·ri·al [͵minis'ti(ə)riəl] *adj* 1. amtlich, Verwaltungs...: ~ officer Verwaltungs-, Exekutivbeamter. – 2. *relig.* geistlich, priesterlich. – 3. *pol.* ministeri'ell, Minister...: ~ benches Ministerbänke, Bänke der Regierungsfreunde. – 4. *pol.* Regierungs...: ~ bill Regierungsvorlage. – 5. *selten* Hilfs..., dienlich. — **͵min·is'te·ri·al·ist** *s pol.* Ministeri'eller *m,* Anhänger *m* der Re'gierung.

min·is·ter plen·i·po·ten·ti·ar·y *s pol.* bevollmächtigter Mi'nister (*Gesandter*).

min·is·trant ['ministrənt] **I** *adj* 1. (to) dienend (zu), dienstbar (*dat*). – **II** *s* 2. Diener(in). – 3. *relig.* Mini'strant *m,* Meßdiener *m.* — **͵min·is'tra·tion** [-'treiʃən] *s* Dienst *m,* Amt *n, bes. relig.* priesterlicher Beruf, Priester-,

Pfarrtätigkeit *f.* — **'min·is·tra·tive** [*Br.* -trətiv; *Am.* -ˌtreitiv] *adj* **1.** dienend, helfend. – **2.** *relig.* mini'strierend.

min·is·try ['ministri] *s* **1.** *relig.* geistliches *od.* priesterliches Amt, geistlicher *od.* priesterlicher Beruf. – **2.** *pol. Br.* Mi'nisterposten *m*, -amt *n.* – **3.** *pol. Br.* Amt *n* eines Gesandten. – **4.** *relig.* Geistlichkeit *f*, Priesterschaft *f.* – **5.** Betreuung *f*, (priesterliche) Obhut. – **6.** Amtsdauer *f* eines Mi'nisters *od.* Geistlichen: during Pitt's ~ während Pitt (leitender) Minister war, in Pitts Regierungszeit. – **7.** *pol. Br.* Mini'sterium *n*: a) Re'gierung *f*: the ~ has resigned die Regierung ist zurückgetreten, b) Re'gierungsabˌteilung *f*: he was given the ~ of Labour (Health) ihm wurde das Arbeits- (Gesundheits)ministerium zugeteilt, c) Re'gierungsgebäude *n*: most of the ministries are situated in Whitehall.

min·i·sub ['miniˌsʌb] → midget submarine.

min·i·track ['miniˌtræk] *s Verfolgen eines Satelliten in seiner Bahn mittels der von ihm ausgesandten Signale.*

min·i·um ['miniəm] *s* **1.** → vermilion. – **2.** *chem. min.* Mennige *f*, Minium *n*, rotes 'Bleioˌxyd (Pb_3O_4).

min·i·ver ['minivər; -nə-] *s* Grauwerk *n*, Fehfell *n* (*Fell des Eichhörnchens Sciurus vulgaris sibiricus*).

min·i·vet ['miniˌvet; -nə-] *s zo.* (*ein*) Mennigvogel *m* (*Gattg Pericrocotus*).

mink [miŋk] *s* **1.** *zo.* Mink *m*, Amer. Nerz *m* (*Mustela vison*). – **2.** Nerzfell *n*: she is in the ~ *Am. sl.* sie ist auf Rosen gebettet. — **'mink·er·y** [-əri] *s Am.* Mink-, Nerz(zucht)farm *f.*

min·ne·sing·er ['miniˌsiŋər] *s hist.* Minnesänger *m.* — **'min·neˌsong** *s* Minnesang *m.*

min·now ['minou] *s* **1.** *zo.* Elritze *f*, Pfrille *f* (*Phoxinus phoxinus*). – **2.** *zo. ein kleiner Karpfenfisch.* – **3.** *mar. mil. Am. sl.* ‚Aal' *m* (*Torpedo*).

mi·no ['miːnou] *s* Mantel *m od.* 'Umhang *m* aus Gras u. Hanffasern (*von jap. Bauern getragen*).

Mi·no·an [mi'nouən] *adj* mi'noisch: ~ culture minoische Kultur (*von ungefähr 3000 bis 1100 v. Chr.*).

mi·nom·e·ter [mi'nɒmitər; -mət-] *s phys.* Mino'meter *n* (*Lade- u. Meßgerät für Taschenionisationskammern*).

mi·nor ['mainər] **I** *adj* **1.** a) kleiner, geringer, b) klein, unbedeutend, geringfügig: ~ details unbedeutende Einzelheiten; the M~ Prophets *Bibl.* die kleinen Propheten. – **2.** Neben..., Hilfs..., Unter...: ~ axis *math. tech.* kleine Achse, Halb-, Nebenachse; a ~ group eine Untergruppe. – **3.** minderjährig. – **4.** *Br.* jünger (*in Schulen, zur Unterscheidung bei Gleichnamigkeit*): Smith ~ Smith der Jüngere. – **5.** *mus.* a) klein (*Terz etc*), b) Moll...: C ~ c-moll; ~ key Molltonart; ~ mode Mollgeschlecht. – **6.** *philos.* 'untergeordnet. – **7.** *ped. Am.* nebensächlich, Neben...: ~ subject Nebenfach. – **II** *s* **8.** Minderjährige(r). – **9.** 'Untergeordnete(r). – **10.** *mus.* a) Moll *n*, b) 'Mollakˌkord *m*, c) Molltonart *f*, d) *Wechselgeläut mit 6 Glocken.* – **11.** *philos.* 'Untersatz *m.* – **12.** M~ *relig.* Mino'rit *m*, Franzis'kaner *m.* – **13.** *Br.* der Jüngere (*in privaten höheren Schulen*). – **14.** *ped. Am.* Nebenfach *n*, -kurs *m.* – **15.** *pl sport Ligen, in denen die weniger bedeutenden* (*Fußball*)*Vereine zusammengefaßt sind.* – **III** *v/i* **16.** ~ in *ped. Am.* als *od.* im Nebenfach stu'dieren: he ~ed in German.

Mi·nor·ca [mi'nɔːrkə] *s* Mi'norkahuhn *n* (*Haushuhnrasse*).

mi·nor| de·ter·mi·nant *s math.* Minor *f*, 'Sub-, 'Unterdetermiˌnante *f.* — **~ di·am·e·ter** *s tech.* 'Kernˌdurchmesser *m* (*eines Gewindes*).

Mi·nor·ite ['mainəˌrait] *relig.* **I** *s* Mino'rit *m*, Franzis'kaner *m.* – **II** *adj* Minoriten..., Franziskaner...

mi·nor·i·ty [mai'nɒriti; -əti; mi-; *Am. auch* -'nɔːr-] *s* **1.** Minderjährigkeit *f*, Unmündigkeit *f* (*bis zur Vollendung des 21. Lebensjahrs*): he is still in his ~ er ist noch minderjährig. – **2.** Minori'tät *f*, Minderheit *f*, -zahl *f*: you are in a ~ of one du stehst allein gegen alle anderen; to be in the ~ in der Minderheit sein.

mi·nor| mode *s mus.* Moll(geschlecht) *n.* — **~ prem·ise** *s philos.* 'Untersatz *m.* — **~ scale** *s mus.* Molltonleiter *f.* — **~ sen·tence** *s ling.* unvollständiger Satz. — **~ suit** *s* (*Bridge*) geringere Farbe (*Karo od. Kreuz*).

Min·o·taur ['minəˌtɔːr] **I** *npr antiq.* Mino'taurus *m* (*Monstrum im Labyrinth zu Kreta*). – **II** *s fig.* Pest *f*, Plage *f.*

min·ster ['minstər] *s relig. meist Br.* **1.** Klosterkirche *f.* – **2.** Münster *n*, Kathe'drale *f*: York M~ die Kathedrale von York.

min·strel ['minstrəl] *s* **1.** *mus. hist.* fahrender Musi'kant, Spielmann *m* (*im Mittelalter*). – **2.** *poet.* Sänger *m*, Dichter *m.* – **3.** *Varietékünstler* (*bes. Sänger*), *der als Neger geschminkt auftritt*: ~ show. — **'min·strel·sy** [-si] *s* **1.** Musi'kantentum *n.* – **2.** a) Spielmannskunst *f*, -dichtung *f*, b) (Minne)Gesang *m*, c) *poet.* Dichtkunst *f.* – **3.** Musi'kantentruppe *f*, Spielleute *pl.* – **4.** Bal'ladensammlung *f*, Spielmannsdichtung *f.*

mint[1] [mint] *s* **1.** *bot.* Minze *f* (*Gattg Mentha*): crisped ~, curled ~ Krauseminze (*M. piperita var. crispula*). – **2.** 'Pfefferminz(liˌkör) *m.*

mint[2] [mint] **I** *s* **1.** *tech.* Münze *f*: a) Münzstätte *f*, -anstalt *f*, -werk *n*, b) Münzamt *n*: ~ mark Münzzeichen; ~ stamp Münzgepräge; master of the ~, ~-master Obermünzmeister. – **2.** *fig.* Werkstatt *f*, Fundgrube *f*, Quelle *f*: nature's ~ die Werkstatt der Natur. – **3.** *colloq.* Menge *f* (*Geld*): a ~ of money ein Haufen Geld; he is worth a ~ of money er ist steinreich. – **II** *adj* **4.** (wie) funkelnagelneu, unbeschädigt (*von Briefmarken u. Büchern*): in ~ condition. – **III** *v/t* **5.** (*Geld*) münzen, schlagen, (aus)prägen. – **6.** *fig.* prägen, schmieden, erfinden: to ~ a word ein Wort prägen.

mint·age ['mintidʒ] *s* **1.** Münzen *n*, (Aus)Prägung *f* (*auch fig.*). – **2.** (*das*) Geprägte, Geld *n.* – **3.** Prägegebühr *f.* – **4.** a) Münzgepräge *n*, b) *fig.* Gepräge *n.* – **5.** *tech.* Präg-, Schlagschatz *m.*

mint| cam·phor *s med.* Pfefferminz-, Menthakampfer *m*, Men'thol *n.* — **~ ju·lep** → julep 2. — **~ par of ex·change** *s econ.* Münzpari *n.* — **~ price** *s econ.* Münzfuß *m*, -preis *m*, -wert *m*, Prägewert *m.* — **~ sauce** *s* Minzsoße *f* (*aus feingehackter Minze, Essig u. Zucker, bes. zu Hammelfleisch*).

min·u·end ['minjuˌend] *s math.* Mi[nu'end(us) *m.*]

min·u·et [ˌminju'et] **I** *s mus.* Menu'ett *n* (*Tanz u. Musik*). – **II** *v/t* Menu'ett tanzen.

mi·nus ['mainəs] **I** *prep* **1.** *math.* minus, weniger: five ~ three equals two fünf weniger drei ist zwei. – **2.** *colloq.* ohne, mit Ausnahme von: he returned from the war ~ a leg er ist mit einem Bein weniger *od.* mit nur einem Bein aus dem Krieg zurückgekehrt. – **II** *adv* **3.** minus, unter null: the temperature is ~ twenty degrees es sind *od.* wir haben 20 Grad Kälte, es ist minus 20 Grad. – **III** *adj* **4.** Minus..., negativ: ~ amount Fehlbetrag; ~ quantity *math.* negative Größe: he is a ~ quantity *fig.* er zählt nicht. – **5.** *colloq.* fehlend: his manners are definitely ~ er hat überhaupt keine Manieren. – **6.** *bot.* minus-geschlechtig (*Mycel*). – **IV** *s* **7.** Minuszeichen *n.* – **8.** negative Größe. – **9.** Verlust *m*, Mangel *m.*

mi·nus·cu·lar [mi'nʌskjulər; -kjə-] → minuscule II. — **mi·nus·cule** [mi'nʌskjuːl] **I** *s* **1.** Mi'nuskel *f*, kleiner (Anfangs)Buchstabe. – **2.** Karo'lingische Mi'nuskel. – **II** *adj* **3.** Minuskel... – **4.** in Mi'nuskelschrift geschrieben. – **5.** *fig.* sehr klein.

min·ute[1] ['minit] **I** *s* **1.** Mi'nute *f*: for a ~ eine Minute (lang); ~ hand Minutenzeiger (*einer Uhr*); (up) to the ~ hypermodern, mit der neuesten Mode Schritt haltend. – **2.** (Zeit)Spanne *f*, Augenblick *m*: just a ~ einen Augenblick; come this ~! komm sofort! the ~ that sobald. – **3.** Weg *m* von einer Mi'nute: it's a ~ to the station on foot man geht eine Minute zum Bahnhof. – **4.** *econ.* a) Kon'zept *n*, kurzer schriftlicher Entwurf, b) *bes. Br.* No'tiz *f*, Memo'randum *n*, Proto'kolleintrag *m*: ~ book Protokollbuch; to enter in the ~ book protokollieren. – **5.** *pl jur. pol.* (Ver'handlungs)Protoˌkoll *n*, Niederschrift *f*, Sitzungsbericht *m*: (the) ~s of the proceedings Verhandlungsprotokoll, -bericht; to keep (take) the ~s das Protokoll führen (aufzeichnen); to read the ~s den Sitzungsbericht verlesen. – **6.** *astr. math.* Mi'nute *f* (*60. Teil eines Kreisgrades*): ~ of arc *math.* Bogenminute. – **7.** *arch.* Mi'nute *f* (*60. Teil eines Säulendurchmessers an der Basis*). – **II** *v/t* **8.** a) entwerfen, aufsetzen, b) no'tieren, protokol'lieren: the secretary ~d the statements. – **9.** die genaue Zeit *od.* Dauer bestimmen von: to ~ a match. – **III** *adj* **10.** in ganz kurzer Zeit vorbereitet: ~ steak.

mi·nute[2] [mai'njuːt; mi-; *Am. auch* -'nuːt] *adj* **1.** sehr klein, winzig, zierlich: in the ~st details in den kleinsten Einzelheiten; ~ differences feine *od.* ganz kleine Unterschiede. – **2.** *fig.* unbedeutend, geringfügig. – **3.** sorgfältig, sehr *od.* peinlich genau, minuzi'ös: a ~ report. – *SYN. cf* a) circumstantial, b) small.

min·ute| bell ['minit] *s* mi'nutenweise angeschlagene Glocke (*Zeichen der Trauer*). — **~ cur·rent** [mai'njuːt; mi-; *Am. auch* -'nuːt] *s electr.* Schwachstrom *m.* — **~ glass** ['minit] *s* Sanduhr, die eine Mi'nute läuft. — **~ guns** ['minit] *s pl mil.* Ka'nonenschüsse *pl*, die in Mi'nutenabständen abgefeuert werden, Notschüsse *pl.*

min·ute·ly[1] ['minitli] **I** *adj* jede Mi'nute geschehend, jeden Augenblick vor sich gehend, Minuten... – **II** *adv* jede Mi'nute, von Minute zu Minute, im Mi'nutenabstand.

mi·nute·ly[2] [mai'njuːtli; mi-; *Am.* -'nuːt-] *adv* sehr genau, 'umständlich.

min·ute·man ['minitˌmæn] *s irr Am. hist. Freiwilliger im amer. Unabhängigkeitskrieg, der sich zu unverzüglichem Heeresdienst bei Abruf verpflichtete.*

mi·nute·ness [mai'njuːtnis; mi-; *Am. auch* -'nuːt-] *s* **1.** Kleinheit *f*, Winzigkeit *f.* – **2.** (peinliche) Genauigkeit, 'Umständlichkeit *f*, Ex'aktheit *f.*

mi·nu·ti·a [mi'njuːʃiə; mai-; *Am. auch* -'nuː-] *pl* **-ti·ae** [-ʃiˌiː] (*Lat.*) *s* kleinster 'Umstand, Einzelheit *f*, De'tail *n.* — **mi'nu·tiˌose** [-ˌous], **mi'nu·ti·ous** [-əs] *adj* peinlich genau.

minx [minks] *s* ausgelassenes *od.* keckes Mädchen, Range *f*, Frechdachs *m*, Wildfang *m*, ‚wilde Hummel'.

Mi·o·cene ['maiə͵siːn] *geol.* **I** *s* Mio'zän(peri͵ode *f*) *n*, zweitjüngste Terti'äre͵poche. – **II** *adj* mio'zän, Miozän...

mi·o·sis, mi·ot·ic *cf.* meiosis *etc.*

mi·ra·cid·i·um [͵mairə'sidiəm] *s zo.* Wimperlarve *f* der Saugwürmer (*Ordng Trematodes*).

mir·a·cle ['mirəkl] *s* **1.** Wunder *n*, 'überna͵türliches Ereignis, Wunderwerk *n*, -tat *f*: to a ~ überraschend gut, ausgezeichnet; to work ~s Wunder wirken. – **2.** Wunder *n*, außergewöhnliches Ereignis *od.* Erzeugnis: the embroidery was a ~ of skill die Stickerei zeugte von hervorragender Geschicklichkeit *od.* war ein Wunder an Geschicklichkeit. – **3.** → ~ play. – **4.** (*Christliche Wissenschaft*) Na'turphäno͵men *n.* — ~ **play** *s* **1.** Mi'rakel(spiel) *n* (*mittelalterliches religiöses Schauspiel*). – **2.** → mystery[1] 9.

mi·rac·u·lous [mi'rækjuləs; -jə-] *adj* **1.** 'überna͵türlich, wunderbar, -sam, Wunder...: ~ cure Wunderkur; the ~ das Wunderbare. – **2.** erstaunlich. – **3.** *relig.* wundertätig, -wirkend. — **mi'rac·u·lous·ly** *adv* (wie) durch ein Wunder. — **mi'rac·u·lous·ness** *s* (*das*) 'Überna͵türliche *od.* Wunderbare *od.* Außerordentliche.

mir·a·dor [͵mirə'dɔːr] *s arch.* Bal'kon *m*, Söller *m* (*in Spanien*).

mi·rage [mi'rɑːʒ; 'mir-] *s* **1.** *phys.* Luftspiegelung *f*, Fata Mor'gana *f.* – **2.** *fig.* Luftbild *n*, Täuschung *f*, Wahn *m.* – *SYN cf.* delusion.

mire [mair] **I** *s* **1.** Schlamm *m*, Sumpf *m*, Kot *m*. – **2.** *fig.* Dreck *m*, ‚Klemme' *f*, ‚Patsche' *f*, Verlegenheit *f*: to be deep in the ~ ‚tief in der Klemme *od.* Tinte sitzen'; to drag s.o. into the ~ j-n in den Kot ziehen, j-n verunglimpfen. – **II** *v/t* **3.** in den Schlamm fahren *od.* setzen, im Sumpf festhalten: to ~ a horse. – **4.** beschmutzen, besudeln. – **5.** *fig.* in Schwierigkeiten bringen *od.* versetzen. – **III** *v/i* **6.** im Sumpf versinken *od.* steckenbleiben. — ~ **crow** *zo. Br.* Lachmöwe *f* (*Larus ridibundus*). — ~ **duck** *s zo. Am. od. dial.* Hausente *f.*

mi·rif·ic [mai'rifik] *adj selten* wundertätig, -bar.

mir·i·ti ['miriti], *auch* ~ **palm** *s bot.* Mi'riti-Palme *f* (*Mauritia flexuosa*).

mirk, mirk·y *cf.* murk, murky.

mi·ro ['miːrou] *s bot.* **1.** Rostrote Stein-Eibe (*Podocarpus ferruginea*). – **2.** Indischer Tulpenbaum, Falsches Rosenholz (*Thespesia populnea*).

mir·ror ['mirər] **I** *s* **1.** Spiegel *m*: concave ~ Hohlspiegel; magic ~ Zauberspiegel. – **2.** *phys. tech.* Rückstrahler *m*, Re'flektor *m.* – **3.** *fig.* Spiegel *m*, Muster *n*, Vorbild *n*: she is the ~ of fashion sie ist wie aus dem Modeheft geschnitten. – **4.** *zo.* Spiegel *m* (*glänzender Fleck auf den Flügeln der Vögel*). – **5.** *arch.* 'Eimedail͵lon *n.* – **II** *v/t* **6.** (ab-, 'wider)spiegeln: the figure was ~ed in the water die Gestalt spiegelte sich im Wasser. – **7.** mit Spiegel(n) versehen: ~ed room Spiegelzimmer. — ~ **com·pa·ra·tor** *s tech.* Spiegellehre *f.* — ~ **fin·ish** *s tech.* Hochglanz *m.* — ~ **im·age** *s math. med.* Spiegelbild *n.* — '~-**in͵vert·ed** *adj* seitenverkehrt, spiegelbildlich, gespiegelt: ~ image seitenverkehrte Abbildung.

mir·ror·scope ['mirər͵skoup] *s tech.* (*Art*) Lochkamera *f.*

mir·ror| sight *s tech.* 'Spiegelvi͵sier *n.* — ~ **sym·me·try** *s math. phys.* 'Spiegel͵bildlichkeit *f*, -symme͵trie *f.* — ~ **writ·ing** *s* Spiegelschrift *f.*

mirth [məːrθ] *s* **1.** Freude *f*, Fröhlichkeit *f*, Frohsinn *m.* – **2.** Heiterkeit *f.* – *SYN.* glee, hilarity, jollity. — '**mirth·ful** [-ful; -fəl] *adj* fröhlich, heiter, lustig. — '**mirth·ful·ness** *s* Fröhlichkeit *f.* — '**mirth·less** *adj* freudlos, traurig, trüb(e).

mir·y ['mai(ə)ri] *adj* **1.** sumpfig, schlammig, kotig. – **2.** *fig.* schmutzig, dreckig, gemein.

mir·za ['mirzɑː] (*Pers.*) *s* Mirza *m*: a) *pers. Ehrentitel* (*vor dem Namen*), b) Fürst *m* (*nach dem Namen*).

mis- [mis] *Wortelement mit der Bedeutung* falsch, schlecht, übel, miß..., verfehlt, Fehl..., fehlend, unzulänglich.

͵mis·ad'ven·ture *s* **1.** Unfall *m*, Unglück(sfall *m*) *n*: homicide by ~ *jur.* Unfall mit tödlichem Ausgang. – **2.** 'Mißgeschick *n.*

͵mis·ad'vise *v/t* falsch *od.* schlecht beraten *od.* unter'richten.

͵mis·a'lign·ment *s tech.* Flucht(ungs)fehler *m.*

͵mis·al'li·ance *s* ungeeignete Verbindung, *bes.* Mesalli'ance *f*, 'Mißheirat *f.* — **͵mis·al'ly** *v/t selten* schlecht zu'sammenpaaren *od.* -fügen, fehlerhaft verbinden.

mis·an·thrope ['misən͵θroup; 'miz-] *s* Menschenfeind *m*, Misan'throp *m.* — **͵mis·an'throp·ic** [-'θrɒpik], *auch* **͵mis·an'throp·i·cal** *adj* menschenfeindlich, misan'thropisch. – *SYN. cf.* cynical. — **mis·an·thro·pist** [mis'ænθrəpist; miz-] → misanthrope. — **mis'an·thro͵pize** *selten* **I** *v/t* zum Menschenfeind machen. — **II** *v/i* menschenfeindlich sein. — **mis'an·thro·py** [-pi] *s* Menschenfeindlichkeit *f*, -haß *m.*

͵mis·ap·pli'ca·tion *s* falsche Verwendung *od.* Anwendung *od.* Anbringung. — **͵mis·ap'ply** *v/t* **1.** falsch anbringen *od.* anwenden. – **2.** miß'brauchen: he has misapplied public money er hat öffentliche Gelder zu unerlaubten Zwecken verwendet.

͵mis·ap'pre·ci͵ate *v/t* nicht (richtig) würdigen, unter'schätzen. — **͵mis·ap͵pre·ci'a·tion** *s* ungenügende Würdigung, Unter'schätzung *f.* — **͵mis·ap'pre·ci·a·tive** *adj* nicht (richtig *od.* genügend) würdigend, unter'schätzend.

͵mis·ap·pre'hend *v/t* 'mißverstehen. — **͵mis·ap·pre'hen·sion** *s* 'Mißverständnis *n*, falsche Auffassung: to be (*od.* labo[u]r) under a ~ sich in einem Irrtum befinden.

͵mis·ap'pro·pri͵ate *v/t* **1.** sich unrechtmäßig *od.* 'widerrechtlich aneignen, unter'schlagen. – **2.** falsch anwenden: ~d capital *econ.* fehlgeleitetes Kapital. — **͵mis·ap͵pro·pri'a·tion** *s econ. jur.* unrechtmäßige *od.* 'widerrechtliche Aneignung *od.* Verwendung (*von fremdem Vermögen*), Unter'schlagung *f*, Veruntreuung *f*: ~ of public money Mißwirtschaft mit *od.* Veruntreuung von öffentlichen Geldern.

͵mis·ar'range *v/t* falsch *od.* schlecht (an)ordnen. — **͵mis·ar'range·ment** *s* falsche *od.* schlechte (An)Ordnung.

͵mis·be'come *v/t irr* (*j-m*) schlecht stehen, sich nicht schicken *od.* ziemen für (*j-n*). — **͵mis·be'com·ing** → unbecoming.

͵mis·be'got·ten *adj* **1.** unehelich (gezeugt). – **2.** *fig.* 'hergelaufen, hundsgemein.

͵mis·be'have *v/i od. v/reflex* **1.** sich schlecht *od.* unpassend benehmen: his boy ~d (*od.* ~d himself) sein Junge hat sich schlecht benommen. – **2.** ungebührlich handeln, sich vergehen. — **͵mis·be'hav·io(u)r** *s* **1.** schlechtes Benehmen *od.* Betragen, Ungezogenheit *f.* – **2.** *jur. mil.* Ungebühr *f*, ungebührliches Benehmen, schlechte Führung, schlechtes Betragen. – **3.** Vergehen *n.*

͵mis·be'lief *s* **1.** Irrglaube *m.* – **2.** *relig.* Irrglaube *m*, 'unortho͵doxe Ansicht, Häre'sie *f*, Ketze'rei *f.* — **͵mis·be'lieve** *v/i* einen falschen Glauben *od.* 'unortho͵doxe Auffassungen haben. — **͵mis·be'liev·er** *s* Irr-, Ungläubiger *m*, Ketzer *m*, Heide *m.*

͵mis·be'seem → misbecome.

͵mis·be'stow *v/t* unrichtig verwenden *od.* verleihen *od.* verteilen.

mis'birth *s med. selten* Fehlgeburt *f.*

mis'brand *v/t econ.* **1.** (*Waren*) falsch benennen. – **2.** unter falscher Bezeichnung in den Handel bringen. – **3.** mit gefälschter Eigentumsbezeichnung versehen.

mis'cal·cu͵late **I** *v/t* falsch berechnen *od.* (ab)schätzen. – **II** *v/i* sich verrechnen, sich verzählen, sich verkalku'lieren. — **mis͵cal·cu'la·tion** *s* Rechen-, Kalkulati'onsfehler *m*, falsche Rechnung, Fehl(be)rechnung *f.*

mis'call *v/t* falsch *od.* mit Unrecht (be)nennen: the ocean ~ed the Pacific der zu Unrecht ‚der Stille' genannte Ozean.

mis'car·riage *s* **1.** Fehlschlag(en *n*) *m*, Miß'lingen *n*: ~ of justice Fehlspruch, -urteil, Rechtsbeugung. – **2.** *econ.* Versandfehler *m.* – **3.** Fehlleitung *f*, Verlorengehen *n* (*Brief*). – **4.** *med.* Fehlgeburt *f*, Ab'ort *m.*

mis'car·ry *v/i* **1.** miß'lingen, -glücken, fehlschlagen, scheitern: his project miscarried sein Plan scheiterte. – **2.** verlorengehen (*Brief*). – **3.** *med.* eine Fehlgeburt haben, abor'tieren.

mis'cast *v/t irr* (*Theater*) **1.** (*Rollen*) unpassend besetzen *od.* verteilen. – **2.** (*j-m*) eine unpassende Rolle zuteilen: she was ~ as Ophelia die Rolle der Ophelia paßte nicht für sie. — **mis'cast·ing** *s* **1.** *econ.* Rechenfehler *m.* – **2.** (*Theater*) unpassende Besetzung *od.* Rollenverteilung, Fehlbesetzung *f.*

mis·ce·ge·na·tion [͵misidʒi'neiʃən; -dʒə-] *s* **1.** Rassenmischung *f.* – **2.** *jur. Am.* Rassenmischung *f* zwischen Weißen u. Farbigen (*bes. Negern*).

mis·cel·la·ne·a [͵misə'leiniə] *s pl* Sammlung *f* vermischter Gegenstände (*bes. Schriften*), Mis'zellen *pl.* — **͵mis·cel'la·ne·ous** *adj* **1.** ge-, vermischt: a ~ collection Diverses, eine gemischte Sammlung. – **2.** vielseitig, verschiedenartig, mannigfaltig. — **͵mis·cel'la·ne·ous·ness** *s* **1.** (*das*) Vermischte, Gemischtheit *f.* – **2.** Vielseitigkeit *f.* — **mis·cel·la·ny** ['misə͵leini; *Br. auch* mi'seləni] *s* **1.** Gemisch *n*, Sammlung *f*, Sammelband *m.* – **2.** Miszella'neen *pl*, Mis'zellen *pl*: a book of miscellanies ein Sammelband von vermischten Schriften *od.* Aufsätzen.

mis'chance *s* Unfall *m*, 'Mißgeschick *n*, unglücklicher Zufall: by ~ durch einen unglücklichen Zufall, unglücklicherweise. – *SYN. cf.* misfortune.

mis·chief ['mistʃif] *s* **1.** Unheil *n*, Unglück *n*, Schaden *m*: to do ~ Unheil anrichten; to be bent on ~, to intend (*od.* mean) ~ auf Unheil sinnen, Böses im Schilde führen; to make ~ between Zwietracht säen zwischen (*dat*); to do s.o. (some) ~ j-m Schaden zufügen; a load of ~ *colloq. od. humor.* (Ehe)Frau. – **2.** Verletzung *f*, (*körperlicher*) Schaden, Gefahr *f*: if you climb too high you will run into ~ wenn Sie zu hoch klettern, werden Sie in Gefahr geraten. – **3.** Ursache *f* des Unheils, Übelstand *m*, Unrecht *n*, Störenfried *m*: the ~ was a nail in the tyre (*od.* tire) die Ursache des Unheils war ein Nagel im Reifen. – **4.** Unfug *m*, Posse *f*, Schalkheit *f*: to get into ~ ‚etwas anstellen'; to keep out of ~ brav sein; that will keep you out of ~ a) das wird dafür sorgen, daß du auf keine schlimmen Gedanken kommst, b) *humor.* das wird dich voll beschäftigen, daran wirst du eine Weile zu tun haben. – **5.** Unband *m*, ‚Strick' *m*. – **6.** Mutwille *m*, Dummheit(en *pl*) *f*, Unfug *m*, Ausgelassenheit *f*: to be full of (*od.* up to) ~ immer zu Neckereien *od.* Dummheiten aufgelegt sein; it was more out of ~ than ill will das geschah mehr aus Mutwillen als aus Bosheit. – **7.** *colloq.* Teufel *m*: what the ~ are you doing? was zum Teufel machst du? to play the ~ with s.th. etwas auf den Kopf stellen.

'mis·chief|-ˌmak·er *s* **1.** Unheil-, Unruhestifter *m*, Störenfried *m*. – **2.** Ränkeschmied *m*, Intri'gant(in). – **3.** Hetzer *m*. — **'~-ˌmak·ing I** *adj* unheilstiftend, intri'gierend. – **II** *s* Unheilstiften *n*, Hetzen *n*, Intri'gieren *n*.

mis·chie·vous ['mistʃivəs] *adj* **1.** schädlich, nachteilig, verderblich. – **2.** boshaft, mutwillig, schadenfroh. – **3.** schelmisch. — **'mis·chie·vous·ness** *s* **1.** Schädlichkeit *f*, Nachteiligkeit *f*. – **2.** Bosheit *f*, Mutwille *m*. – **3.** Schalkhaftigkeit *f*, Neigung *f* zu dummen Streichen *od.* Ausgelassenheit.

misch·met·al ['miʃˌmetl] *s tech.* 'Mischmeˌtall *n*.

mis'choose *v/t u. v/i irr* falsch *od.* irrtümlich wählen.

mis·ci·bil·i·ty [ˌmisi'biliti; -sə-; -əti] *s* Mischbarkeit *f*. — **'mis·ci·ble** *adj* mischbar.

mis'cog·ni·zant *adj jur.* (of) nicht wissend (*acc*), nicht vertraut (mit).

mis'col·o(u)r *v/t* **1.** falsch färben. – **2.** *fig.* falsch darstellen, in falschem Licht zeigen.

ˌmis·com·pre'hend *v/t* 'mißverstehen.

ˌmis·com·pu'ta·tion *s econ.* falsche Schätzung, Fehlschätzung *f*, Fehlveranschlagung *f*.

ˌmis·con'ceive I *v/t* falsch auffassen, nicht richtig verstehen, sich einen falschen Begriff machen von. – **II** *v/i* eine unrichtige Meinung haben, falsche Ansichten hegen. — **ˌmis·con'cep·tion** *s* 'Mißverständnis *n*, falsche Auffassung.

mis·con·duct I *v/t* [ˌmiskən'dʌkt] **1.** schlecht führen, schlecht verwalten. – **2.** *reflex* sich schlecht betragen *od.* benehmen, einen Fehltritt begehen: to ~ oneself. – **II** *s* [mis'kɒndʌkt] **3.** Ungebühr *f*, schlechtes Betragen *od.* Benehmen. – **4.** Ehebruch *m*: to commit ~. – **5.** Fehltritt *m*. – **6.** *selten* schlechte Verwaltung. – **7.** *mil.* schlechte Führung.

ˌmis·con'stru·a·ble *adj* falscher Auslegung *od.* Deutung unter'worfen, miß'deutbar, doppeldeutig.

ˌmis·con'struc·tion *s* 'Mißdeutung *f*, -verständnis *n*. — **ˌmis·con'strue I** *v/t* **1.** falsch auslegen, miß'deuten, 'mißverstehen. – **2.** *selten* (*etwas*) falsch folgern. – **II** *v/i* **3.** falsche Folgerungen *od.* Schlüsse ziehen.

ˌmis·cor'rect *v/t* falsch verbessern, verschlimmbessern.

mis'coun·sel *v/t* schlecht beraten.

mis'count I *v/t* falsch (be)rechnen *od.* zählen *od.* kalku'lieren. – **II** *v/i* sich verrechnen. – **III** *s* Verrechnen *n*, Rechenfehler *m*, 'Fehlkalkulatiˌon *f*, falsche Zählung.

mis·cre·ance ['miskriəns] *s obs.* **1.** Irrglaube *m*. – **2.** Unglaube *m*, Ungläubigkeit *f*. — **'mis·cre·an·cy** *s* **1.** → miscreance. – **2.** Schurke'rei *f*, Gemeinheit *f*, Verworfenheit *f*. — **'mis·cre·ant I** *adj* **1.** schurkisch, gewissenlos, gemein, ab'scheulich. – **2.** *obs.* irr-, ungläubig. – **II** *s* **3.** Schurke *m*, Bösewicht *m*. – **4.** *obs.* Irr-, Ungläubige(r), Ketzer *m*.

ˌmis·cre'ate *v/t u. v/i selten* 'mißgestalten. — **ˌmis·cre'at·ed** *adj* 'mißerzeugt, 'mißgestalt(et), 'unnaˌtürlich. — **ˌmis·cre'a·tion** *s* 'Mißgestaltung *f*, 'Unnaˌtürlichkeit *f*.

mis'creed *s poet.* Irr-, Unglaube *m*.

mis'cue I *s* **1.** (*Billard*) Fehlstoß *m*, Kicks *m*. – **2.** *sl.* Fehler *m*. – **II** *v/i* **3.** (*Billard*) einen Fehlstoß machen, kicksen. – **4.** (*Theater*) den Auftritt verpassen, im unrichtigen Augenblick auftreten, falsch rea'gieren.

mis'date I *v/t* falsch da'tieren. – **II** *s* falsches Datum.

mis'deal I *v/t u. v/i irr* (*Kartenspiel*) (Karten) vergeben, falsch verteilen. – **II** *s* Vergeben *n*: to make a ~ (Karten) vergeben.

mis'deed *s* Misse-, Untat *f*, Verbrechen *n*.

ˌmis·de'mean *v/i od. v/reflex* sich schlecht betragen, sich vergehen. — **ˌmis·de'mean·ant** *s* **1.** Übel-, Missetäter *m*. – **2.** *jur.* Straffällige(r), Delin'quent(in). — **ˌmis·de'mean·o(u)r** *s* **1.** *jur.* Vergehen *n*, Über'tretung *f*, minderes De'likt: ~ in office Amtsvergehen; to commit (*od.* to make oneself guilty of) a ~ sich eines Vergehens schuldig machen. – **2.** *selten* schlechtes Betragen, Fehltritt *m*.

ˌmis·de'rive *v/t* falsch ableiten.

ˌmis·de'scribe *v/t* falsch *od.* ungenau beschreiben. — **ˌmis·de'scrip·tion** *s* falsche *od.* ungenaue Beschreibung.

ˌmis·di'rect *v/t* **1.** (*j-m od. einer Sache*) eine falsche Richtung geben, (*j-n od. etwas*) fehl-, irreleiten, falsch anbringen: ~ed charity falsch angebrachte Wohltätigkeit. – **2.** *jur.* falsch belehren *od.* unter'richten, irreleiten: the judge ~ed the jury der Richter hat die Geschworenen falsch belehrt. – **3.** (*Brief*) falsch adres'sieren. — **ˌmis·di'rec·tion** *s* **1.** Irreleiten *n*, -geleitetwerden *n*. – **2.** falsche Richtung. – **3.** falsche Verwendung. – **4.** *jur.* falsche *od.* unrichtige Belehrung, Irreleitung *f*, -führung *f*, unrichtige Rechtsbelehrung (*der Geschworenen*). – **5.** falsche Adres'sierung.

mis'do *v/t u. v/i irr* falsch *od.* unrichtig *od.* verfehlt ausführen *od.* handeln. — **mis'do·er** *s selten* Misse-, Übeltäter *m*. — **mis'do·ing** *s* Missetat *f*, Vergehen *n*.

mis'doubt *obs. od. dial.* **I** *v/t* **1.** (*j-n*) in Verdacht haben, (*j-m*) miß'trauen. – **2.** befürchten. – **II** *v/i* **3.** Verdacht *od.* 'Mißtrauen hegen, argwöhnisch sein. – **III** *s* **4.** Argwohn *m*, Verdacht *m*, Zweifel *m*.

mise [miːz; maiz] *s* **1.** *bes. jur.* Kosten *pl* u. Gebühren *pl* (*eines Verfahrens*). – **2.** Vertrag *m* (*nur noch in*): ~ of Amiens, ~ of Lewes *Verträge zwischen Heinrich III. u. den Baronen, 1264.* – **3.** *sport* Spieleinsatz *m*.

mise en scène [miːzɑ̃'sɛn] (*Fr.*) *s* **1.** Bühnenbild *n* (*mit allem Zubehör*). – **2.** Insze'nierung *f*. – **3.** *fig.* 'Umwelt *f*, Um'gebung *f*.

ˌmis·em'ploy *v/t* unrecht *od.* schlecht anwenden, miß'brauchen: to ~ one's time seine Zeit mißbrauchen *od.* vergeuden. — **ˌmis·em'ploy·ment** *s* schlechte Anwendung, 'Mißbrauch *m*.

mi·ser ['maizər] *s* **1.** Geizhals *m*, Geizige(r), Knicker(in), Filz *m*. – **2.** habgieriger Mensch.

mis·er·a·ble ['mizərəbl; 'mizrə-] **I** *adj* **1.** elend, unglücklich, jämmerlich, erbärmlich, armselig: a ~ cold ein erbärmlicher Schnupfen. – **2.** traurig, schlecht, kläglich, beklagenswert: a ~ existence ein klägliches Dasein. – **3.** verächtlich, nichtswürdig: a ~ character. – **II** *s* **4.** Elende(r), Traurige(r), Unglückliche(r). — **'mis·er·a·ble·ness** *s* Elend *n*, Erbärmlichkeit *f*, Jämmerlichkeit *f*.

mi·sère [mi'zɛːr] (*Fr.*) *s* (*Whist etc*) Mi'sère *f* (*Spiel, in dem man sich verpflichtet, keine Stiche zu machen*).

Mis·e·re·re [ˌmizə'ri(ə)ri; -'rɛ(ə)ri] *s* **1.** *mus. relig.* Mise'rere *n*, Bußpsalm *m*. – **2.** *relig.* Gebet *n* um Erbarmen. – **3.** m~ Miseri'kordie *f* (*Stütze an Kirchenstühlen, auf die man sich im Stehen stützen kann*).

mis·er·i·cord(e) ['mizəriˌkɔːrd; mi'zer-] *s* **1.** *hist. Dolch, mit dem der Ritter seinem Gegner den Gnadenstoß gab.* – **2.** *relig.* (*zeitweilige*) Milderung *od.* Bei'seitesetzung einer Ordensvorschrift. – **3.** *Raum im Kloster, in dem diejenigen Mönche speisten, die aus Gesundheitsrücksichten Dispens von den Ordensregeln erhalten hatten.* – **4.** → Miserere 3.

mi·ser·li·ness ['maizərlinis] *s* Geiz *m*, Knicke'rei *f*. — **'mi·ser·ly** *adj* geizig, filzig, knick(e)rig. – *SYN. cf.* stingy[1].

mis·er·y ['mizəri] *s* **1.** Elend *n*, Not *f*, Trübsal *f*, (seelischer) Schmerz. – **2.** *pl* Schicksalsschläge *pl*. – **3.** *dial.* Leiden *n*, (körperlicher) Schmerz. – **4.** *colloq. für* misère. – *SYN. cf.* distress.

ˌmis·es'teem I *v/t* miß'achten, zu gering achten, geringschätzen. – **II** *s* 'Mißachtung *f*, Geringschätzung *f*.

mis'es·tiˌmate I *v/t* falsch schätzen *od.* veranschlagen. – **II** *s* falsche Schätzung, fehlerhafter Voranschlag. — **misˌes·ti'ma·tion** *s* falsche Schätzung *od.* Beurteilung.

mis'faith *s* Mangel *m* an Glauben, 'Mißtrauen *n*.

mis'fea·sance *s jur.* **1.** pflichtwidrige Handlung. – **2.** 'Mißbrauch *m* (*der Amtsgewalt*). — **mis'fea·sor** [-zər] *s jur.* j-d der sich eines 'Amtsˌmißbrauchs *od.* einer pflichtwidrigen Handlung schuldig macht.

mis'fea·ture I *s* entstellter *od.* schlechter Gesichtszug. – **II** *v/t* (*j-s*) Gesichtszüge entstellen.

mis'field *sport* **I** *v/t* einen Fangfehler machen bei (*einem Ball*). – **II** *v/i* Fangfehler begehen. — **mis'field·ing** *s* Fangfehler *m*.

mis'fire I *v/i* **1.** *mil.* versagen (*Schuß*). – **2.** *tech.* fehlzünden, aussetzen (*bes. Verbrennungsmotor*). – **II** *s* **3.** Versagen *n*, Versager *m* (*beim Schießen etc*), Fehlzündung *f*. — **mis'fir·ing** → misfire II.

mis·fit [mis'fit] **I** *s* **1.** Nichtpassen *n* (*Kleidungsstücke etc*). – **2.** nichtpassender Gegenstand, fehlerhafte *od.* miß'ratene Arbeit. – **3.** [*auch* 'misfit] *colloq.* Eigenbrötler *m*, Einzelgänger *m*, seltsamer Kauz, j-d der sich seiner Um'gebung nicht anpassen kann. – **II** *v/t u. v/i* **4.** schlecht (an)passen. – **III** *adj* **5.** schlecht passend *od.* sitzend (*Kleidungsstück*).

mis'for·tune *s* **1.** 'Mißgeschick *n*, Unglück *n*: ~s seldom come singly ein Unglück kommt selten allein. – **2.** Unglücksfall *m*. – **3.** *dial. od. colloq.* a) Gebären *n* eines unehelichen Kindes, ‚Fehltritt *m* mit Folgen', b) uneheliches Kind. – *SYN.* adversity, mischance.

mis'give I *v/t irr* mit Befürchtung *od.* Zweifel erfüllen: my heart (*od.* mind) ~s me ich ahne nichts Gutes, mir schwant etwas. – **II** *v/i* Befürchtungen hegen, sich fürchten. — **mis'giv·ing** *s* Befürchtung *f*, Zweifel *m*, böse Ahnung: to feel ~ Böses ahnen.

mis'got·ten *adj* **1.** unrechtmäßig erworben. – **2.** illegitim, unehelich.

mis'gov·ern *v/t* schlecht re'gieren *od.* verwalten. — **mis'gov·ern·ment** *selten* **mis'gov·ern·ance** *s* 'Mißreˌgierung *f*, schlechte Re'gierung *od.* Verwaltung. — **mis'gov·er·nor** *s* schlechter Verwalter.

mis'growth *s* verkümmertes *od.* ab'normes Wachstum.

mis'guid·ance *s* Irreführung *f*, Verleitung *f*. — **mis'guide** *v/t* fehlleiten, verleiten, irreführen. — **mis'guid·ed** *adj* irregeleitet, -geführt: in a ~ moment I accepted her invitation in einem schwachen Augenblick habe ich ihre Einladung angenommen.

mis'han·dle *v/t* miß'handeln, falsch behandeln, schlecht handhaben.

mis·hap ['mishæp; mis'hæp] *s* **1.** Unglück *n*, Unfall *m*, (Auto)Panne *f*. – **2.** *euphem.* a) Fehltritt *m* (*eines Mädchens*), b) uneheliches Kind.

mis'hear *v/t u. v/i irr* falsch hören, sich verhören.

mish·mash ['miʃˌmæʃ] *s* Mischmasch [*m*, Gemenge *n*.]

mish·mee, mish·mi ['miʃmiː] *s bot. med.* Ma'mira *f*, Mischmibitter *n* (*getrocknete Wurzel von Coptis teeta; Stärkungsmittel*).

Mish·na(h) ['miʃnə] *s relig.* Mischna *f* (*1. Teil des Talmuds*). — **Mish'na·ic** [-'neiik], **'Mish·nic, 'Mish·ni·cal** *adj* zur Mischna gehörig.

ˌmis·im'prove *v/t* **1.** verschlimmbessern. – **2.** *Am. od. obs.* schlecht benutzen, miß'brauchen.

ˌmis·in'form I *v/t* (*j-n*) falsch belehren *od.* unter'richten. – **II** *v/i* falsch aussagen (against gegen). — **ˌmis·in'form·ant** → misinformer. — **ˌmis·in·for'ma·tion** *s* unrichtige Berichterstattung, falscher Bericht, falsche Angabe *od.* Informati'on. — **ˌmis·in'form·er** *s* j-d der einen falschen Bericht erstattet *od.* falsche Angaben macht.

ˌmis·in'tel·li·gence *s selten* **1.** 'Mißverständnis *n*. – **2.** Mangel *m* an Intelli'genz *od.* Verstand.

ˌmis·in'ter·pret *v/t u. v/i* miß'deuten, 'mißverstehen, falsch auffassen *od.* auslegen. — **ˌmis·in'ter·pret·a·ble** *adj* 'mißverständlich, der 'Mißdeutung fähig. — **ˌmis·inˌter·pre'ta·tion** *s* 'Mißdeutung *f*, falsche Auslegung.

mis'join·der *s jur.* unzulässige Vereinigung (*mehrerer Klagen od. Parteien in einem Prozeß*), ungehörige Hin'zuziehung (*eines Streitgenossen*).

mis'judge *v/t u. v/i* **1.** falsch od. ungerecht beurteilen, miß'deuten, verkennen. – **2.** falsch urteilen. – **3.** falsch schätzen: I ~d the distance. — **mis'judg(e)·ment** *s* irriges *od.* unrichtiges Urteil, Fehlurteil *n*, Verkennung *f*.

mis'know *v/t irr* **1.** schlecht wissen *od.* (er)kennen, verkennen. – **2.** igno'rieren, nicht beachten. – **3.** 'mißverstehen. — **mis'knowl·edge** *s* unvollkommene Kenntnis, 'Mißverständnis *n*.

mis'lay *v/t irr* an einen falschen Platz legen, verlegen: I have mislaid my gloves ich habe meine Handschuhe verlegt, ich kann meine Handschuhe nicht finden.

mis'lead *v/t irr* **1.** irreführen. – **2.** *fig.* verführen, verleiten (into doing zu tun): to be misled sich verleiten lassen. – **3.** *fig.* täuschen. – *SYN. cf.* deceive. — **mis'lead·ing** *adj* irreführend, -leitend, täuschend: her cheerfulness was ~ ihre Heiterkeit täuschte.

mis'like I *v/t poet.* **1.** miß'fallen (*dat*). – **2.** nicht mögen, miß'billigen. – **II** *s* **3.** 'Mißfallen *n*, Abneigung *f*, 'Widerwille *m*.

mis'make *v/t irr* **1.** schlecht *od.* fehlerhaft 'herstellen. – **2.** bei der 'Herstellung verderben, ‚verhunzen'.

mis'man·age *v/t u. v/i* schlecht verwalten *od.* führen, unrichtig *od.* ungeschickt behandeln *od.* handhaben. — **mis'man·age·ment** *s* schlechte Verwaltung *od.* Führung, 'Mißwirtschaft *f*.

mis'mar·riage *s* 'Mißheirat *f*, unpassende Heirat, Mesalli'ance *f*.

mis'match I *v/t* **1.** nicht richtig vereinigen *od.* paaren, schlecht zu'sammenstellen. – **2.** unpassend verheiraten. – **II** *s* **3.** unpassende Heirat. – **4.** *electr.* Fehlanpassung *f*.

mis'move *s Am.* falscher Schritt, falsche Maßnahme *od.* Bewegung.

mis'name *v/t* falsch benennen.

mis·no·mer [mis'noumər] *s* **1.** *jur.* Namensirrtum *m* (*falsche Benennung einer Person in einer Urkunde*). – **2.** irrtümliche Bezeichnung. – **3.** 'Mißbenennung *f*, unpassender Name. – **4.** *sport* falsche Besetzung (*in der Mannschaft*), Fehlbesetzung *f*.

miso- [miso; maiso] → mis-.

mi·sog·a·mist [mi'sɒgəmist] **I** *s* Miso'gam *m*, Ehefeind *m*. – **II** *adj* ehefeindlich. — **mi'sog·a·my** *s* Misoga'mie *f*, Ehehaß *m*.

mis·o·gyne ['misədʒin; 'mai-; -ˌdʒain] → misogynist. — **ˌmis·o'gyn·ic** [-'dʒinik] *adj* weiberfeindlich. – *SYN. cf.* cynical. — **mi'sog·y·nist** [-'sɒdʒinist; -dʒə-] *s* Miso'gyn *m*, Weiberfeind *m*. — **miˌsog·y'nis·tic** → misogynic. — **mi'sog·yˌnism** → misogyny. — **mi'sog·y·nous** → misogynic. — **mi'sog·y·ny** *s* Misogy'nie *f*, Weiberhaß *m*.

mi·sol·o·gist [mi'sɒlədʒist; mai-] *s* Vernunfthasser *m*, Feind *m* vernünftiger Diskussi'on *od.* logischer Unter'suchung. — **mi'sol·o·gy** *s* Misolo'gie *f*, Vernunfthaß *m*.

mis·o·ne·ism [ˌmiso'niːizəm; ˌmai-] *s psych.* Misone'ismus *m*, Neopho'bie *f*, Haß *m* gegen Neuerung.

mis'or·der *s selten* Unordnung *f*, Verwirrung *f*.

mis·o·the·ism ['misoˌθiːizəm; 'mai-] *s* Gotteshaß *m*.

mis'pay *v/t irr* falsch *od.* irrtümlich bezahlen.

mis·pick·el ['misˌpikəl] *s min.* Mispickel *m*, Ar'senkies *m* (FeAsS).

mis'place *v/t* **1.** (*etwas*) verlegen. – **2.** an eine falsche Stelle legen *od.* setzen: to ~ the decimal point *math.* das Komma falsch setzen. – **3.** *fig.* falsch *od.* übel anbringen: to be ~d unangebracht *od.* unberechtigt sein. — **mis'place·ment** *s* Verstellen *n*, Versetzen *n*, falsches Anbringen.

mis'play *Am.* **I** *s* **1.** falsches Spiel. – **2.** → mismove. – **II** *v/t u. v/i* **3.** falsch spielen.

mis'plead *v/t u. v/i bes. jur.* falsch plä'dieren, (sich) schlecht verteidigen. — **mis'plead·ing** *s* falsche *od.* schlechte Verteidigung.

mis·print I *v/t* [mis'print] verdrucken, fehldrucken. – **II** *s* [*auch* 'misprint] Druckfehler *m*, Fehldruck *m*.

mis·pri·sion[1] [mis'priʒən] *s* **1.** *jur.* Vergehen *n*, Versäumnis *f*, Vernachlässigung *f* einer Amtspflicht. – **2.** *jur.* Unter'lassung *f* der Anzeige: ~ of felony Nichtanzeige eines schweren Delikts; ~ of heresy (of treason) Nichtanzeige von Ketzerei (von Hochverrat). – **3.** *selten* 'Mißverständnis *n*, Verwechslung *f*.

mis·pri·sion[2] [mis'priʒən] *s obs.* Verachtung *f*, Geringschätzung *f*.

mis'prize I *v/t* **1.** verachten. – **2.** geringschätzen, miß'achten, nicht beachten, unter'schätzen. – **II** *s* **3.** *selten* Verachtung *f*, Spott *m*, Geringschätzung *f*.

ˌmis·pro'nounce *v/t u. v/i* falsch aussprechen. — **ˌmis·proˌnun·ci'a·tion** *s* falsche *od.* schlechte Aussprache.

mis'proud *adj obs.* hochmütig, anmaßend.

ˌmis·quo'ta·tion *s* falsche Anführung, falsches Zi'tat. — **mis'quote** *v/t u. v/i* falsch anführen *od.* zi'tieren.

mis'read *v/t irr* **1.** falsch lesen. – **2.** miß'deuten (*beim Lesen*).

mis'reck·on I *v/t* falsch berechnen. – **II** *v/i* sich verrechnen.

ˌmis·re'mem·ber *v/t u. v/i* **1.** sich falsch *od.* ungenau erinnern (*gen od.* an *acc*). – **2.** *dial.* sich nicht erinnern (*gen od.* an *acc*), vergessen.

ˌmis·re'port I *s* falscher *od.* ungenauer Bericht. – **II** *v/t u. v/i* falsch *od.* ungenau berichten.

ˌmis·rep·re'sent I *v/t* **1.** falsch *od.* irrtümlich *od.* ungenau darstellen. – **2.** entstellen, verdrehen. – **3.** (*Auftraggeber*) nicht richtig *od.* nicht gehörig vertreten. – **II** *v/i* **4.** ein falsches Bild geben, eine unrichtige Vorstellung geben. — **ˌmis·rep·re·sen'ta·tion** *s* **1.** falsche *od.* irrtümliche *od.* ungenaue Darstellung, irriger *od.* falscher Bericht, Verdrehung *f*, falsches Bild. – **2.** unrichtige *od.* ungehörige Vertretung (*eines Auftraggebers*).

mis'rule I *v/t* **1.** schlecht re'gieren. – **II** *s* **2.** schlechte Re'gierung, 'Mißreˌgierung *f*, ungerechte *od.* unverständige Leitung. – **3.** Unordnung *f*, Unfug *m*, Tu'mult *m*, Aufruhr *m*.

miss[1] [mis] *s* **1.** M~ (*mit folgendem Namen*) Fräulein *n* (*für unverheiratete Frauen, mit Ausnahme von denjenigen, die durch ihren Rang berechtigt sind, sich* Lady, Countess *etc zu nennen*): ~ Smith Fräulein Smith (*die einzige od. älteste unverheiratete Tochter der Familie*); ~ Rita Fräulein Rita (*jüngere unverheiratete Tochter*); the ~ Browns *colloq.*, the ~es Brown die Fräulein Brown; ~ America die Schönheitskönigin von Amerika; Miss 19.. das Mädchen von heute. – **2.** *humor. od. econ.* junges, unverheiratetes Mädchen, Backfisch *m*: Junior ~ shoes Schuhe für Backfische; a pert ~ ein schnippisches Ding. – **3.** *colloq.* (*ohne folgenden Namen*) Fräulein *n* (*Anrede für Kellnerinnen od. Verkäuferinnen*).

miss[2] [mis] **I** *v/t* **1.** verpassen, verfehlen, versäumen: to ~ an appointment eine Verabredung verpassen, zur verabredeten Zeit nicht erscheinen; to ~ a blow einen Schlag verfehlen; to ~ the bus (*od.* the boat) *colloq.* seine Chance verpassen; to ~ one's chance eine günstige Gelegenheit verpassen; to ~ fire versagen (*Gewehr u. fig.*); to ~ one's footing ausgleiten, -rutschen, fehltreten; to ~ a lesson eine Unterrichtsstunde versäumen; I ~ed her at the station ich habe sie am Bahnhof verpaßt *od.* nicht getroffen; to ~ one's opportunity (of doing s.th. *od.* to do s.th.) die Gelegenheit verpassen, sich die Gelegenheit entgehen lassen (etwas zu tun); to ~ the point (of an argument) das Wesentliche (eines Arguments) nicht begreifen; to ~ the train den Zug verpassen; → mark[1] 17. – **2.** *auch* ~ out auslassen, über'gehen, -'springen. – **3.** nicht haben, nicht bekommen: I ~ed my breakfast ich habe kein Frühstück (mehr) bekommen. – **4.** nicht hören können, über'hören. – **5.** (ver)missen, entbehren: we ~ her very much sie fehlt uns sehr. – **6.** entkommen (*dat*), -gehen (*dat*), vermeiden: he just ~ed being hurt er ist gerade einer Verletzung entgangen; we just ~ed the rain wir sind gerade dem Regen entkommen; I just ~ed running him over ich hätte ihn beinahe überfahren; ich habe gerade noch vermeiden können, ihn zu überfahren. – **7.** ~ stays *mar.* es nicht fertig bringen, das Schiff durch den Wind zu wenden. –

II *v/i* **8.** fehlen, nicht treffen (*beim Schießen etc*). – **9.** miß'glücken, -'lingen, fehlschlagen. – **10.** ~ out *Am.* leer ausgehen: he ~ed out on his turn er hat seine Chance verpaßt. – **11.** *obs.* nicht erreichen (of *acc*). –

III *s* **12.** Fehlschuß *m*, -wurf *m*, -schlag *m*, Fehl-, Vor'beistoß *m*: every shot a ~ jeder Schuß ging daneben. – **13.** Verpassen *n*, Versäumen *n*, Verfehlen *n*, Entrinnen *n*: a ~ is as good as a mile a) verfehlt ist verspielt, b) mit knapper Not entrinnen ist immerhin entrinnen; to give s.th. a ~ etwas vermeiden *od.* nicht nehmen *od.* nicht tun. – **14.** *bes. dial.* Verlust *m*: to feel the ~ of s.th. *colloq.* etwas vermissen.

mis·sal ['misəl] *relig.* **I** *s* Mis'sal(e) *n*, Meßbuch *n*. – **II** *adj* zur Messe gehörig, Meß...: ~ sacrifice Meßopfer.

mis'say *v/t u. v/i irr obs.* **1.** falsch sagen, sich versprechen. – **2.** verleumden, falsch aussagen.

mis'seem → misbecome.

mis·sel thrush ['misəl], *auch dial.* **mis·sel bird** *s zo.* Misteldrossel *f* (*Turdus viscivorus*).

mis'shape *v/t* verunstalten, entstellen. — **mis'shap·en** *adj* 'miß-, ungestalt(et), unförmig, häßlich. — **mis'shap·en·ness** *s* 'Mißgestalt *f*, Häßlichkeit *f*.

mis·sile [*Br.* 'misail; *Am.* -sl; -sil] **I** *s* **1.** (Wurf)Geschoß *n*, Schleuderwaffe *f*, Projek'til *n*. – **2.** *mil.* Flugkörper *m*, Fernlenkgeschoß *n*. – **II** *adj* **3.** Schleuder..., Wurf...

miss·ing ['misiŋ] *adj* **1.** fehlend, abwesend, ausbleibend, fort, nicht da: the ~ link a) das (nicht bekannte) fehlende Glied, b) (*Darwinismus*) die Zwischenstufe, das fehlende Glied in der Kette zwischen Mensch u. Affe; three books are ~ es fehlen 3 Bücher. – **2.** *bes. mil.* vermißt, verschollen: the ~ die Vermißten *od.* die Verschollenen; to be reported ~ als vermißt gemeldet werden. – **3.** *econ.* abgängig.

mis·sion ['miʃən] **I** *s* **1.** *pol.* Gesandtschaft *f*, Ge'sandtschaftsperso,nal *n*, Botschaft *f*. – **2.** *pol. Am.* ständige Gesandtschaft. – **3.** *pol.* Gesandtenposten *m*. – **4.** *bes. pol.* Auftrag *m*, Botschaft *f*, Missi'on *f*: on (a) special ~ mit besonderem Auftrag. – **5.** *relig.* a) Missi'on *f*, Sendung *f*, b) Missio'narstätigkeit *f*: foreign ~ äußere Mission (*Heidenbekehrung*); home ~ innere Mission (*Vertiefung der christlichen Lehre u. Bekehrung der Unbußfertigen bei christlichen Völkern*). – **6.** Missi'onskurse *pl*, -predigten *pl*. – **7.** *relig.* a) Missi'on(sgesellschaft) *f*, b) Missi'on(sstati,on) *f*, Missionshaus *n*, c) einem Missio'nar angewiesener Bezirk. – **8.** Missi'on *f*, (innerer) Beruf, Bestimmung *f*, Lebensaufgabe *f*. – **9.** *mar. mil.* Einsatzauftrag *m*, Kampfauftrag *m*, -aufgabe *f*. – **10.** *aer.* Feindflug *m*, (taktischer) Einsatz. – **II** *v/t* **11.** auf eine Missi'on ausschicken, beauftragen, entsenden. – **12.** *relig.* missio'nieren, Missi'on treiben in (*dat*) *od.* unter (*dat*). – **III** *v/i* **13.** *relig.* missio'nieren, als Missio'nar tätig sein. – **IV** *adj* **14.** zur Missi'on gehörig, Missions... — **'mis·sion·al** → mission 14.

mis·sion·ar·y [*Br.* 'miʃənəri; *Am.* -,neri] **I** *adj* **1.** missio'narisch, Missions...: ~ society Missionsgesellschaft; ~ zeal Missions-, Bekehrungseifer. – **II** *s* **2.** Missio'nar(in), Glaubensbote *m*, -botin *f*. – **3.** *fig.* Bote *m*, Botin *f*, Gesandte(r). — **'mis·sion·er** → missionary II.

mis·sis ['misiz] *s* **1.** *sl.* (*im Munde von Dienstboten*) gnädige Frau (*als Anrede der Hausfrau*). – **2.** *colloq. od. humor.* (Ehe)Frau *f*, ‚bessere Hälfte'.

miss·ish ['misiʃ] *adj* **1.** zimperlich, schmachtend. – **2.** geziert. – **3.** alt'jungfernhaft, -'jüngferlich.

Mis·sis·sip·pi·an [,misə'sipiən] **I** *adj* **1.** *den Fluß od. den Staat Mississippi betreffend.* – **2.** *geol. die unterkarbonische Abteilung Nordamerikas betreffend.* – **II** *s* **3.** Einwohner(in) von Missis'sippi. – **4.** *geol. unterkarbonische Abteilung Nordamerikas.*

mis·sive ['misiv] **I** *s* Sendschreiben *n*, Mis'siv *n*. – **II** *adj* gesandt, geschickt, Send...: letter ~ Sendschreiben einer Behörde *od.* eines Staatsoberhaupts.

Miss Nan·cy [mis 'nænsi] *s colloq.* **1.** schlaffer *od.* verzärtelter *od.* degene'rierter Mann. – **2.** Pe'dant *m*, heikler Mensch.

mis'spell *v/t u. v/i auch irr* falsch buchsta'bieren *od.* schreiben. — **mis'spell·ing** *s* falsches Buchsta'bieren, ortho'graphischer Fehler.

mis'spend *v/t irr* falsch verwenden, vergeuden, verschwenden, vertun: he regrets his misspent youth.

mis'state *v/t* falsch angeben, unrichtig darstellen. — **mis'state·ment** *s* falsche Angabe *od.* Darstellung.

mis'step *s* **1.** Fehltritt *m*, -treten *n*. – **2.** *fig.* 'Mißgriff *m*, verkehrtes Benehmen.

mis·sus ['misəs; -əz] → missis.

mis-'sworn *adj* **1.** meineidig. – **2.** in einem Fluch miß'braucht (*Name, bes. Name Gottes*).

miss·y ['misi] *s colloq. humor.* (*auch verächtlich*) kleines Fräulein, Fräuleinchen *n*.

mist [mist] **I** *s* **1.** (feiner, feuchter) Nebel: → Scotch ~. – **2.** (*Meteorologie*) a) leichter Nebel, feuchter Dunst, b) *Am.* Sprühregen *m*. – **3.** *fig.* Nebel *m*, Dunkelheit *f*, Schleier *m*: to be in a ~ ganz irre *od.* verdutzt sein. – **4.** *colloq.* Beschlag *m*, Hauch *m* (*auf einem Glase*). – **II** *v/i* **5.** *auch* ~ over nebeln, neblig sein (*auch fig.*): his eyes ~ over seine Augen trüben sich. – **III** *v/t* **6.** um'nebeln, um'wölken, um'düstern, verdunkeln. – *SYN. cf.* haze[1].

mis·tak·a·ble [mis'teikəbl] *adj* verkennbar, (leicht) zu verwechseln(d), 'mißzuverstehen(d).

mis·take [mis'teik] **I** *v/t irr* **1.** verwechseln, (fälschlich) halten (for für), verfehlen, nicht erkennen, verkennen, sich irren in (*dat*): you cannot ~ her for her sister du kannst *od.* man kann sie mit ihrer Schwester nicht verwechseln; to ~ s.o.'s character sich in j-s Charakter *od.* Wesen irren; to ~ one's (*od.* the) way sich verirren, sich verlaufen, seinen Weg verfehlen. – **2.** falsch verstehen, 'mißverstehen: I mistook his remark. – **II** *v/i* **3.** sich irren, sich versehen, sich täuschen, Fehler machen. – **III** *s* **4.** 'Mißverständnis *n*. – **5.** Irrtum *m*, Versehen *n*, 'Mißgriff *m*: bad ~ grober Irrtum; by ~ irrtümlich, aus Versehen; to make a ~ sich irren; and no ~ *colloq.* sicherlich, ohne Zweifel. – **6.** *jur.* Irrtum *m*. – **7.** (Schreib-, Sprach-, Rechen)Fehler *m*. – *SYN. cf.* error.

mis·tak·en [mis'teikən] *adj* **1.** im Irrtum, irrend: to be ~ sich versehen, sich irren; unless I am very much ~ wenn ich mich nicht sehr irre; we were quite ~ in him wir haben uns in ihm durchaus getäuscht. – **2.** irrtümlich, ungenau, falsch: a ~ opinion eine irrtümliche *od.* falsche Meinung; ~ kindness unangebrachte Freundlichkeit. — **mis'tak·ing** *s* Irrtum *m*.

mis'teach *v/t irr* falsch unter'richten *od.* lehren.

mis·ter ['mistər] **I** *s* **1.** M~ Herr *m* (*vor Familiennamen od. Titeln; fast stets in der abgekürzten Form* Mr.): Mr. Smith Herr Smith; Mr. Secretary Herr Sekretär. – **2.** M~ *vulg.* (*als bloße Anrede, ohne folgenden Familiennamen od. Titel*) Herr! – **3.** Herr *m* (*als Anredeform*): please don't call me ~! – **4.** Bürgerlicher *m*, gewöhnlicher Bürger (*Mann ohne Adelstitel etc*): a mere ~. – **5.** M~ *mar. mil.* Herr *m*: *Anrede für* a) *mil. einen Feldwebelleutnant od. Kadetten der US Militärakademie*, b) (*Kriegsmarine*) *j-n, der im Rang unter einem Fregattenkapitän steht*, c) *mar. jeden Schiffsoffizier außer dem Kapitän, bes. den Steuermann*: Mr. Mate. – **II** *v/t* **6.** *colloq.* mit ‚Herr' anreden, ‚Herr' titu'lieren.

'mist,flow·er *s bot.* Blauer Wasserdost(en) (*Eupatorium coelestinum*).

mis'think *irr* **I** *v/t* falsch, *bes.* ungünstig denken über (*acc*), ungünstig beurteilen. – **II** *v/i* eine falsche *od.* ungünstige Meinung haben, falsch *od.* ungünstig urteilen (of über *acc*).

mis·ti·gris ['mistigris] *s* (*Poker*) **1.** Joker *m*. – **2.** *Abart des Pokerspiels, bei der Joker verwendet werden.*

mis'time *v/t* **1.** zur unpassenden Zeit sagen *od.* tun. – **2.** die Zeit falsch einteilen für (*etwas*). – **3.** eine falsche Zeit angeben *od.* annehmen für. — **mis'timed** *adj* unpassend, unangebracht, zu falscher Zeit.

mist·i·ness ['mistinis] *s* **1.** Nebligkeit *f*, Dunstigkeit *f*. – **2.** Unklarheit *f*, Verschwommenheit *f* (*auch fig.*).

mis·tle·toe ['misl,tou] *s bot.* **1.** Mistel *f* (*Viscum album*). – **2.** Nordamer. Mistel *f* (*Phoradendron flavescens*). – **3.** Mistelzweig *m*: to kiss a girl under the ~ ein Mädchen küssen, das unter einer (*als Weihnachtsschmuck aufgehängten*) Mistel steht.

mis'took *pret u. obs. pp von* mistake.

mis·tral ['mistrəl; mis'trɑːl] *s* Mi'stral *m* (*kalter Nordwind in Südfrankreich*).

,mis·trans'late *v/t u. v/i* falsch über'setzen. — **,mis·trans'la·tion** *s* falsche Über'setzung.

mis'treat *v/t* miß'handeln, schlecht *od.* falsch behandeln. — **mis'treat·ment** *s* Miß'handlung *f*.

mis·tress ['mistris] *s* **1.** Herrin *f*, Gebieterin *f*, Besitzerin *f*: you are your own ~ du bist deine eigene Herrin; she is ~ of herself sie beherrscht sich; M~ of the Sea(s) Beherrscherin der Meere (*Großbritannien*); M~ of the World Herrin der Welt (*das alte Rom*). – **2.** Frau *f* des Hauses, Hausfrau *f*. – **3.** Leiterin *f*, Vorsteherin *f*: M~ of the Robes erste Kammerfrau (*der brit. Königin*). – **4.** *bes. Br.* Lehrerin *f*: chemistry ~ Chemielehrerin. – **5.** Kennerin *f*, Fachmännin *f*, Ex'pertin *f*: a ~ of music eine Musikkennerin. – **6.** Mä'tresse *f*, Geliebte *f*. – **7.** *poet. od. obs.* geliebte Frau, Geliebte *f*. – **8.** *obs. od. dial.* (*als bloße Anrede*) (gnädige) Frau! – **9.** M~ *obs. od. dial. Anrede, mit folgendem Familiennamen, an verheiratete od. unverheiratete Damen*; → Mrs.

mis'tri·al *s jur.* **1.** fehlerhaft geführter Pro'zeß. – **2.** *Am.* ergebnisloser Pro'zeß (*z. B. wenn sich die Geschworenen nicht einigen können*).

mis'trust **I** *s* **1.** 'Mißtrauen *n*, Argwohn *m* (of gegen). – *SYN. cf.* uncertainty. – **II** *v/t* **2.** (*j-m*) miß'trauen, nicht trauen. – **3.** zweifeln an (*dat*). – **4.** *selten* argwöhnen, (be)fürchten. – **III** *v/i* **5.** 'mißtrauisch sein, 'Mißtrauen hegen. — **mis'trust·ful** [-ful; -fəl] *adj* 'mißtrauisch, argwöhnisch (of gegen). — **mis'trust·ful·ness** *s* 'mißtrauisches Wesen, 'Mißtrauen *n*.

mist·y ['misti] *adj* **1.** (leicht) nebelig, dunstig. – **2.** *fig.* unklar, verschwommen, verworren.

,mis·un·der'stand *v/t u. v/i irr* 'mißverstehen. — **,mis·un·der'stand·ing** *s* **1.** 'Mißverständnis *n*, falsche Auslegung. – **2.** Uneinigkeit *f*, Diffe'renz *f*. — **,mis·un·der'stood** *adj* **1.** 'mißverstanden. – **2.** nicht richtig gewürdigt.

mis'us·age *s* **1.** 'Mißbrauch *m.* – **2.** falscher *od.* unsachgemäßer Gebrauch (*von Worten etc*). – **3.** Miß'handlung *f*, falsche *od.* schlechte Behandlung.

mis'use I *s* **1.** → misusage 1 *u.* 2. – **II** *v/t* **2.** miß'brauchen, falsch *od.* zu schlechten Zwecken gebrauchen, falsch verwenden *od.* anwenden. – **3.** miß'handeln, schlecht behandeln.

mis'val·ue *v/t* **1.** falsch einschätzen *od.* beurteilen. – **2.** geringschätzen, unter'schätzen.

mis'ven·ture → misadventure.

mis'word *v/t* in falsche Worte fassen, (*Botschaft*) falsch ausrichten.

mis'write *v/t irr* falsch schreiben.

mitch·board ['mitʃ,bɔːrd] *s mar. Br.* Stütze *f*, Stieper *m*, Mick *f* (*aufrecht stehende Gabel für den umlegbaren Mast etc*).

[*Acarina*).]

mite¹ [mait] *s zo.* (*eine*) Milbe (*Ordng*

mite² [mait] *s* **1.** *Münze sehr geringen Werts, bes.* a) halber Farthing, b) *allg.* Deut *m*, Heller *m.* – **2.** sehr kleine Geldsumme. – **3.** Scherflein *n*: **to contribute one's ~** to sein Scherflein beitragen zu. – **4.** *colloq.* kleines Ding, Dingelchen *n*, kleines Stückchen, (*das*) bißchen: **not a ~** kein bißchen. – **5.** kleines Wesen, *bes.* winziges Kind, Würmchen *n*: **a ~ of a child** ein kleines Würmchen.

mi·ter, *bes. Br.* **mi·tre** ['maitər] **I** *s* **1.** a) Mitra *f*, Inful *f*, Bischofsmütze *f*, b) *fig.* Bischofsamt *n*, -würde *f.* – **2.** *antiq.* (*Art*) Turban *m* (*der jüd. Hohenpriester*). – **3.** *antiq.* Mitra *f*: a) *Kopfbinde der griech. u. röm. Frauen*, b) *oriental. Mütze.* – **4.** *tech.* a) (Gehrungs)Fuge *f*, Gefüge *n*, b) Gehrungsfläche *f*, c) → **~ joint**, d) → **~ square.** – **5.** *zo.* → **~ shell.** – **II** *v/t* **6.** mit der Mitra schmücken, infu'lieren, zum Bischof machen. – **7.** *tech.* a) auf Gehrung verbinden, b) gehren, auf Gehrung zurichten *od.* schneiden. – **III** *v/i* **8.** *tech.* sich in einem Winkel treffen. — **~ block, ~ box** *s tech.* Kröpp-, Schneid-, Gehrungs(stoß)lade *f.* — **~ cut** *s tech.* Gehr-, Gehrungsschnitt *m.*

mi·tered, *bes. Br.* **mi·tred** ['maitərd] *adj* **1.** infu'liert, eine Mitra tragend *od.* zum Tragen einer Mitra berechtigt. – **2.** mitraförmig. — **~ ab·bot** *s* infu'lierter Abt, Abt *m* mit Bischofsrang.

mi·ter| gear, *bes. Br.* **mi·tre| gear** *s tech.* Kegel(an)trieb *m*, Kegelgetriebe *n.* — **~ joint** *s tech.* Gehrfuge *f*, -stoß *m*, Stoß *m* auf Gehrung. — **~ line** *s tech.* Gehrungslinie *f*, Kropfgrat *m*, -kante *f.* — **~ mush·room** *s bot.* Lorchel *f* (*Gattg Helvella*), *bes.* a) Herbstlorchel *f* (*H. crispa*), b) Bischofsmütze *f* (*H. infula*). — **~ post** *s tech.* Stemmsäule *f*, (An)Schlagsäule *f* (*der Schleuse*). — **~ shell** *s zo.* Mitraschnecke *f* (*Gattg Mitra*), *bes.* Bischofsmütze *f* (*M. episcopalis*). — **~ sill** *s tech.* Drempelarm *m*, Schlagschwelle *f* (*einer Schleuse*). — **~ square** *s tech.* Gehrdreieck *n*, festes Gehrmaß, 'Winkelline,al *n* von 45°. — **~ valve** *s tech.* 'Kegelven,til *n.* — **~ wheel** *s tech.* Kegel-, Winkelrad *n*, konisches Rad. — '**~,wort** *s bot.* **1.** Bischofskappe *f* (*Gattg Mitella*). – **2.** Amer. Hundstod *m* (*Cynoctonum mitreola*).

Mith·rae·um [miθ'riːəm] *pl* **-rae·a** [-'riːə] *s antiq. relig.* Mi'thräum *n*, Mithrasgrotte *f.* — **Mith'ra·ic** [-'reiik] *adj* Mithra(s)... — **Mith·ra·i·cism** [miθ'reii,sizəm], **Mith·ra·ism** ['miθrei,izəm] *s* Mithrasdienst *m*, -anbetung *f.* — '**Mith·ra·ist** *s* Mithrasanbeter *m.* — '**Mith·ras** [-ræs] *s* Mithra(s) *m* (*arischer Lichtgott*).

mith·ri·date ['miθri,deit; -rə-] *s med. hist.* Mithri'dat *n* (*Art Gegengift od. Schutzmittel gegen Gift*). — **,Mith·ri'dat·ic** [-'dætik] *adj* **1.** Mithri'datisch (*Mithridates VI. von Pontus betreffend*). – **2.** m~ gegen Gift immuni'siert. — '**mith·ri,da·tism** [-,deitizəm; -rə-] *s med.* Mithrida'tismus *m* (*Immunität gegen Gift durch langen Genuß desselben*). — '**mith·ri,dat·ize** *v/t* (*durch allmählich gesteigerte Dosen*) gegen Gift im'mun machen.

mit·i·ga·ble ['mitigəbl; -tə-] *adj* milderungsfähig, zu mildern(d). — '**mit·i·gant** *adj selten* mildernd, lindernd.

mit·i·gate ['miti,geit; -tə-] **I** *v/t* **1.** lindern, mildern, abschwächen. – **2.** (*Zorn etc*) besänftigen, mäßigen. – **3.** *selten* (*j-n*) besänftigen. – *SYN. cf.* relieve. – **II** *v/i* **4.** nachlassen (*Schmerz etc*), sich beruhigen, sich legen (*Zorn etc*). — **,mit·i'ga·tion** *s* **1.** Linderung *f*, Milderung *f.* – **2.** Milderung *f*, Abschwächung *f*, Erleichterung *f*: **~ of punishment** Strafmilderung; **to plead in ~** *jur.* für Strafmilderung plädieren. – **3.** Besänftigung *f*, Mäßigung *f.* – **4.** mildernder 'Umstand. — '**mit·i,ga·tive** *adj* **1.** lindernd, mildernd. – **2.** abschwächend, erleichternd. – **3.** besänftigend, mäßigend, beruhigend. — '**mit·i,ga·tor** [-tər] *s* Linderer *m*, Linderungsmittel *n.* — '**mit·i·ga·to·ry** [*Br.* -,geitəri; *Am.* -gə,tɔːri] → mitigative.

mi·tis ['miːtis; 'mai-] *s tech.* 'Mitis(me,tall) *n* (*durch Verflüssigung von Schmelzeisen mit Hilfe von Al-Zusätzen entstandenes Eisen*).

mi·to·sis [mi'tousis] *pl* **-ses** [-siːz] *s biol.* Mi'tose *f*, 'indi,rekte *od.* chromoso'male (Zell)Kernteilung. — **mi'tot·ic** [-'tɒtik] *adj biol.* mi'totisch: **~ activity** mitotische Tätigkeit; **~ figure** Kernteilungsfigur. — **mi'tot·i·cal·ly** *adv.*

mi·tral ['maitrəl] *adj* **1.** Mitra..., zu einer Bischofsmütze gehörend. – **2.** mi'tral, bischofsmützenförmig. – **3.** *med.* Mitral... — **~ valve** *s med.* Mi'tralklappe *f* (*eine Herzklappe*).

mi·tre, mi·tred *bes. Br. für* miter, mitered.

mi·tri·form ['maitri,fɔːrm] *adj* **1.** *bot.* mützenförmig. – **2.** *zo.* mitraschneckenförmig.

mits·vah *cf.* mitzvah.

mitt [mit] *s* **1.** langer Handschuh ohne Finger *od.* mit halben Fingern. – **2.** (*Baseball*) Fanghandschuh *m.* – **3.** → **mitten** 1. – **4.** *Am. sl.* ‚Flosse' *f* (*Hand*).

mit·ten ['mitn] *s* **1.** Fausthandschuh *m*, Fäustling *m*: **to get the ~** *colloq.* a) ‚einen Korb bekommen', abgewiesen werden, b) entlassen werden; **to give a lover the ~** *colloq.* einem Liebhaber ‚einen Korb geben'. – **2.** → mitt 1. – **3.** *pl sl.* a) Boxhandschuhe *pl*, b) *selten* ‚Flossen' *pl* (*Hände*).

mit·ti·mus ['mitiməs; -tə-] *s* **1.** *jur.* Mittimus *n*: a) *richterlicher Befehl an die Gefängnisbehörde zur Aufnahme eines Häftlings*, b) *Befehl zur Übersendung der Akten an ein anderes Gericht.* – **2.** *colloq.* ‚blauer Brief', Entlassung *f* (*aus dem Amt*).

mi·tu ['maitjuː] *s zo.* Brasil. Baumhuhn *n* (*Urax mitu*).

mit·y ['maiti] *adj* voller Milben, milbig.

mitz·vah ['mitsvɑː] *pl* **-voth** [-vouθ] *s* (*jüd. Religion*) **1.** *biblisches od. rabbinisches Gebot.* – **2.** *gutes Werk.*

mix [miks] **I** *v/t pret u. pp* **mixed** *od.* **mixt 1.** (ver)mischen, vermengen (**with** mit). – **2.** *oft* **~ up** zu'sammenmischen, -werfen, durchein'andermischen. – **3.** (**into**) mischen (in *acc*), beimischen (*dat*). – **4.** mischen, anrühren: **to ~ bread** Brotteig anrühren. – **5.** (*Cocktails etc*) mixen, mischen. – **6.** *biol.* kreuzen. – **7.** (*Weberei*) me'lieren. – **8.** verbinden: **to ~ work and pleasure.** – **9. ~ up** a) gründlich mischen, b) völlig durchein'anderbringen, c) verwechseln (**with** mit), d) **to be ~ed up** (*pass*) verbunden sein (**with** mit), verwickelt sein *od.* werden (**in, with** in *acc*). – **II** *v/i* **10.** sich (ver)mischen. – **11.** sich mischen lassen. – **12.** auskommen, sich vertragen: **they will not ~ well.** – **13.** verkehren (**with** mit; **in** in *dat*): **to ~ in the best society** in der besten Gesellschaft verkehren. – **14.** *biol.* kreuzen. – *SYN.* **amalgamate, blend, coalesce, commingle, fuse, merge, mingle.** – **III** *s* **15.** Mischung *f.* – **16.** *colloq.* Durchein'ander *n*, Mischmasch *m.* – **17.** Verwirrung *f.* – **18.** *sl.* Keile'rei *f*, Raufe'rei *f.* – **19.** *Am.* a) Speise *f* aus mehreren Bestandteilen, b) (koch- *od.* gebrauchsfertige) Mischung.

mixed [mikst] *adj* **1.** gemischt. – **2.** vermischt. – **3.** Misch... – **4.** *bes. Br.* Koedukations... – **5.** *fig.* gemischt (*Gefühle, Gesellschaft etc*). – **6.** angewandt (*Wissenschaft*). – **7.** *colloq.* verwirrt, kon'fus, *bes.* ‚beduselt'. – **8.** *bot.* gemischt, Misch... – **9.** (*Phonetik*) → **central** 5. — **~ bath·ing** *s* gemeinsames Baden beider Geschlechter, Fa'milienbad *n.* — **~ blood** *s* **1.** gemischtes Blut, gemischte (rassische) Abstammung: **a person of ~.** – **2.** Mischling *m*, Halbblut *n.* — **~ car·go** *pl* **-goes** *od.* **-gos** *s econ.* Stückgutladung *f.* — **~ cloth** *s* me'liertes Tuch. — **~ com·mis·sion** *s* gemischte Kommissi'on. — '**~-'cy·cle en·gine** *s tech.* Semidieselmotor *m.* — **~ dou·bles** *s pl* (*Tennis*) gemischtes Doppel. — **~ frac·tion** *s math.* gemischter Bruch. — **~ grill** *s* Mixed Grill *m* (*auf dem Rost gebratenes Mischgericht*). — **~ mar·riage** *s* Mischehe *f.* — **~ met·a·phor** *s* gemischte Me'tapher. — **~ num·ber** *s math.* gemischte Zahl. — **~ pick·les** *s pl* Mixed Pickles *pl* (*in Essig eingemachtes junges Mischgemüse*). — **~ price** *s econ.* Mischpreis *m.* — **~ pro·por·tion, ~ ra·tio** *s math.* gemischte Proporti'on, gemischtes Verhältnis. — **~ school** *s bes. Br.* Koedukati'onsschule *f*, Schule *f* mit Gemeinschaftserziehung beider Geschlechter. — **~ train** *s* gemischter Zug (*für Personen u. Güter*).

mix·en ['miksn] *s dial.* Misthaufen *m.*

mix·er ['miksər] *s* **1.** Mischer *m.* – **2.** Mixer *m* (*von Cocktails etc*). – **3.** *tech.* Mischer *m*, 'Mischma,schine *f*, -werk *n.* – **4.** 'Küchenma,schine *f.* – **5.** (*Elektroakustik*) Mischpult *n*, -verstärker *m.* – **6.** *colloq.* (*guter, bes. anpassungsfähiger*) Gesellschafter: **a good ~** ein guter Gesellschafter, ein geselliger Mensch.

mix·o·bar·bar·ic [,miksobɑːr'bærik] *adj* 'halbbar,barisch.

mix·ol·o·gist [mik'sɒlədʒist] *s Am. sl.* geübter Mixer (*von Bargetränken*).

mixt [mikst] *pret u. pp von* mix.

mix·ti·li·ne·ar [,miksti'liniər] *adj math.* gemischtlinig.

mix·tion ['mikstʃən] *s* (*Papierherstellung*) Mischung *f* (*Art Untergrund zur Befestigung von Blattgold*).

mix·ture ['mikstʃər] *s* **1.** Mischung *f*, Gemisch *n.* – **2.** (Ver)Mischung *f*, (Ver)Mischen *n*, Vermengen *n.* – **3.** Zu-, Beimischung *f.* – **4.** me'liertes Tuch. – **5.** Mischung *f* (*von Tee, Tabak etc*). – **6.** *tech.* Gas-Luftgemisch *n.* – **7.** *chem.* Gemenge *n*, Gemisch *n* (*im Gegensatz zur Verbindung*). – **8.** (*Pharmazie*) Mix'tur *f.* – **9.** *biol.* Kreuzung *f.*

– 10. *mus.* → ~ stop. — ~ **stop** *s mus.* Mix'tur *f* (*Orgelregister*).
mix·ty-max·ty ['miksti͵mæksti] *adj Scot. od. dial.* (unordentlich) durchein'andergemischt, -geworfen.
'**mix-**͵**up** *s colloq.* **1.** Wirrwarr *m*, Durchein'ander *n*. – **2.** Handgemenge *n*.
miz·en, miz·en·mast *cf.* mizzen, mizzenmast.
Miz·ra·im ['mizreiim] *s Bibl.* Ä'gypten *n*.
miz·zen ['mizn] *mar.* **I** *s* **1.** Be'san-(segel *n*) *m*. – **2.** → ~mast. – **II** *adj* **3.** Besan..., Kreuz... — '~͵**mast** *s* Be'san-, Kreuzmast *m*. — '~-͵**roy·al** *s* Kreuzoberbramsegel *n*, Achter-, Kreuzroil *f*. — '~-͵**sail** → mizzen 1. — '~-͵**top·gal·lant** *s* Kreuzbramsegel *n*.
miz·zle[1] ['mizl] *dial.* **I** *v/i* nieseln, fein regnen, sprühen. – **II** *s* Nieseln *n*, Sprüh-, Staubregen *m*.
miz·zle[2] ['mizl] *v/i* **1.** *sl.* ‚türmen', ‚abhauen', ‚verduften'. – **2.** *dial.* aufgeben, ‚es aufstecken'.
miz·zly ['mizli] *adj* nieselnd.
MKS sys·tem *s* MK'S-Sy͵stem *n*, 'Meter-Kilo'gramm-Se'kunde-Sy͵stem *n*.
mne·mon·ic [niː'mɒnik; ni-] **I** *adj* **1.** mnemo'technisch. – **2.** mne'monisch, Gedächtnis... – **II** *s* **3.** Gedächtnishilfe *f*. – **4.** → mnemonics 1. — **mne'mon·ics** *s pl* **1.** (*auch als sg konstruiert*) Mne'monik *f*, Mnemo-'technik *f*, Gedächtniskunst *f*. – **2.** mne'monische Zeichen *pl*. — **mne·mo·nist** ['niːmənist] *s* Mne'moniker(in), Gedächtniskünstler(in). — **mne·mo·tech·nics** [͵niːmo'tekniks] *s pl* (*auch als sg konstruiert*), '**mne·mo**͵**tech·ny** → mnemonics 1.
mo [mou] *s colloq.* Mo'ment *m*, Augenblick *m*: wait half a ~! warte einen kleinen Moment!
-mo [mou] *Suffix zur Angabe der Zahl der Blätter, die durch Faltung eines Bogens entstehen*: in sixteenmo, in 16mo im Sedezformat.
mo·a ['mouə] *s zo.* Moa *m* (*Fam. Dinornithidae; ausgestorbener Schnepfenstrauß Neuseelands*).
Mo·ab·ite ['mouə͵bait] *Bibl.* **I** *s* Moa'biter(in). – **II** *adj* moa'bitisch. — '**Mo·ab**͵**it·ess** *s* Moa'biterin *f*. — '**Mo·ab**͵**it·ish** *adj* moa'bitisch.
moan [moun] **I** *s* **1.** Stöhnen *n*, Ächzen *n*. – **2.** *fig.* a) Ächzen *n* (*Wind*), b) Murmeln *n* (*Wasser*). – **3.** Klage *f*, Klagen *n*: to make one's ~ klagen. – **II** *v/i* **4.** stöhnen, ächzen. – **5.** *fig.* a) ächzen (*Wind etc*), b) murmeln, rauschen (*Wasser*). – **6.** (weh)klagen, jammern. – **III** *v/t* **7.** beklagen, bejammern. – **8.** (*Worte etc*) (her'vor)stöhnen, klagend äußern. — '**moan·ful** [-ful; -fəl] *adj* (weh)klagend.
moat [mout] *mil.* **I** *s* (Wall-, Burg-, Stadt)Graben *m*. – **II** *v/t* mit einem Graben um'geben.
mob [mɒb] **I** *s* **1.** Mob *m*, zu'sammengerotteter Pöbel(haufen). – **2.** *sociol.* Masse *f*. – **3.** (unordentlicher) Haufen. – **4.** Pöbel *m*, Gesindel *n*. – **5.** *sl.* a) (Verbrecher)Bande *f*, b) Bande *f*, Sippschaft *f*, Haufen *m*: → swell ~; swellmobsman. – *SYN. cf.* crowd[1]. – **II** *v/t pret u. pp* **mobbed** **6.** lärmend bedrängen *od.* belästigen, anpöbeln. – **7.** in einer Rotte attac'kieren *od.* angreifen: he was ~bed er wurde vom Pöbel attackiert. – **III** *v/i* **8.** sich zu-'sammenrotten. — '**mob·bish** *adj* **1.** Mob..., gesetzlos. – **2.** pöbelhaft.
'**mob**͵**cap** *s* Morgenhaube *f* (*der Frauen; mit hoher Krone u. über die Ohren gehend*).
mo·bile ['moubil; -biːl; *Br. auch* -bail] **I** *adj* **1.** beweglich. – **2.** leicht *od.* schnell beweglich, behend, flink. – **3.** leichtflüssig. – **4.** lebhaft, ausdrucksvoll (*Gesichtszüge*). – **5.** wendig, beweglich (*Geist etc*). – **6.** veränderlich, unstet. – **7.** *mil.* mo'bil, beweglich, so'fort verlegbar *od.* verschiebbar. – **II** *s* **8.** beweglicher *od.* sich bewegender Körper, *bes. tech.* beweglicher Teil (*eines Mechanismus*). – **9.** Mobile *n* (*künstlerischer Raumschmuck aus dünnen, an Fäden od. federnden Drähten schwebenden Blechscheiben etc*). — ~ **li·brar·y** *s* 'Wander-, 'Autobüche͵rei *f*.
mo·bil·i·an·er [mo͵biːli'ænər] *s zo.* (*eine*) nordamer. Schmuckschildkröte (*Pseudemys mobiliensis*).
mo·bil·i·ty [mo'biliti; -əti] *s* **1.** Beweglichkeit *f*. – **2.** Leichtflüssigkeit *f*. – **3.** Wendigkeit *f*. – **4.** Lebhaftigkeit *f*. – **5.** Veränderlichkeit *f*. – **6.** *mil.* Mobili'tät *f*, (leichte) Beweglichkeit.
mo·bi·li·za·tion [͵moubilai'zeiʃən; -li-; -bələ-] *s* Mobili'sierung *f*: a) *mil.* Mo'bilmachung *f*, b) *bes. fig.* Akti-'vierung *f*, Aufgebot *n* (*Kräfte etc*), c) *econ.* Flüssigmachung *f*. — '**mo·bi**͵**lize** **I** *v/t* **1.** mobili'sieren: a) *mil.* mo'bilmachen, b) *fig.* (*Kräfte etc*) aufbieten, dar'an-, einsetzen, c) *econ.* (*Kapital*) flüssig machen. – **2.** in Bewegung *od.* 'Umlauf setzen. – **II** *v/i* **3.** *mil.* mo'bilmachen.
Mö·bi·us's sheet ['məːbiusiz] *s math.* Möbiussche Fläche.
mob law *s* 'Lynchju͵stiz *f*.
mob·oc·ra·cy [mɒ'bɒkrəsi] *s* **1.** Pöbelherrschaft *f*. – **2.** (herrschender) Pöbel. — **mob·o·crat** ['mɒbə͵kræt] *s* Führer *m* des Pöbels. — ͵**mob·o-'crat·ic,** ͵**mob·o'crat·i·cal** *adj* vom Pöbel dik'tiert *od.* beherrscht, Pöbelherrschafts...
mobs·man ['mɒbzmən] *s irr* **1.** Gangster *m*. – **2.** → swell~.
mob·ster ['mɒbstər] *Am. sl. für* mobsman 1.
moc·ca·sin ['mɒkəsin; -sn] *s* **1.** Mokas'sin *m* (*absatzloser Schuh aus einem Stück weichen Leders*). – **2.** *zo.* Mokas'sinschlange *f* (*Gattg Agkistrodon*), *bes.* → a) water ~, b) copperhead 1a. — ~ **flow·er** *s bot.* **1.** → lady's slipper 1. – **2.** *eine nordamer. Orchidee* (*Fissipes acaulis*).
moc·ca·socks ['mɒkə͵sɒks] *s pl* Hüttenschuhe *pl*.
mo·cha[1] ['moukə] **I** *s* **1.** *meist* M~ 'Mokka(kaf͵fee) *m*. – **2.** Mochaleder *n* (*feines Leder aus Zickel- od. Lammfellen*). – **II** *adj* **3.** Mokka..., (*aus Butter, Schokolade u. Kaffee hergestellt; Tortenglasur*).
mo·cha[2] ['moukə], **Mo·cha stone** *s min.* Mochastein *m* (*Art Chalzedon mit schwarzen Zeichnungen*).
mo·chras ['moukrəs] *s* Mala'bargummi *n* (*Ausscheidung der Rinde von Bombax malabaricum*).
mock [mɒk] **I** *v/t* **1.** verspotten, verhöhnen, lächerlich machen. – **2.** (*zum Spott*) nachäffen, -machen. – **3.** *poet.* nachahmen, -machen, vortäuschen. – **4.** täuschen, narren. – **5.** spotten (*gen*), trotzen (*dat*), Trotz bieten (*dat*), nicht achten (*acc*). – **II** *v/i* **6.** sich lustig machen, spotten (at über *acc*). – *SYN. cf.* a) copy, b) ridicule. – **III** *s* **7.** Spott *m*, Hohn *m*, Verhöhnung *f*. – **8.** Gespött *n*, Gegenstand *m* des Spottes: to make a ~ of s.o. j-n zum Gespött machen, j-n verhöhnen. – **9.** Nachäffung *f*, -ahmung *f*. – **10.** Nachahmung *f*, Fälschung *f*. – **IV** *adj* **11.** scheinbar, falsch, unecht, nachgemacht, Schein..., Pseudo... — ~ **ap·ple** *s bot.* Wilder Balsamapfel (*Echinocystis lobata*). — ~ **bid·der** *s* Scheinbieter *m* (*bei Auktionen*). — ~ **duck** *s colloq.* Schweinefleisch *n* mit Füllsel.
mock·er ['mɒkər] *s* **1.** Spötter(in), Spottvogel *m*. – **2.** Betrüger(in). – **3.** Nachäffer(in), -ahmer(in). – **4.** → mockingbird. — '~͵**nut** *s bot. Am.* Hickorybaum *m* (*Carya alba*).
mock·er·y ['mɒkəri] *s* **1.** Spott *m*, Hohn *m*, Spötte'rei *f*. – **2.** Gegenstand *m* des Spottes, Gespött *n*: to make a ~ of s.th. etwas zum Gespött machen. – **3.** Nachäffung *f*, -ahmung *f*. – **4.** Blendwerk *n*. – **5.** Schein *m*, The'ater *n*, Possenspiel *n*, Farce *f*: the trial is a ~ der Prozeß ist eine Farce. – **6.** (*etwas*) lächerlich Unzulängliches.
͵**mock|-he'ro·ic** **I** *adj* 'komisch-he'roisch (*bes. Literatur*): ~ poem komisches Heldengedicht, heroische Burleske. – **II** *s* 'komisch-he'roisches Werk. — ͵~**-he'ro·i·cal·ly** *adv.*
mock·ing ['mɒkiŋ] **I** *s* Spott *m*, Gespött *n*. – **II** *adj* spottend, spöttisch, höhnisch. — '~͵**bird** *s zo.* Spottdrossel *f* (*Gattg Mimus, bes. M. polyglottus*). — ~ **thrush** *s zo.* Spottdrossel *f* (*Unterfam. Miminae*), *bes.* → thrasher[2].
mock| moon *s astr.* Nebenmond *m*. — ~ **or·ange** *s bot.* **1.** *Am.* Falscher Jas'min, Pfeifenstrauch *m* (*Gattg Philadelphus*). – **2.** → Osage orange. – **3.** Karo'linischer Kirschlorbeer (*Prunus caroliniana*). – **4.** o'rangenähnlicher Kürbis. — ~ **plane** *s bot. Br.* Bergahorn *m* (*Acer pseudoplatanoides*). — ~ **priv·et** *s bot.* Steinlinde *f* (*Gattg Phillyrea*). — ~ **pur·chase** *s econ.* Scheinkauf *m*. — ~ **sun** *s astr.* Nebensonne *f*. — ~ **tri·al** *s jur.* 'Scheinpro͵zeß *m*. — ~ **tur·tle** *s* (*Kochkunst*) *Kalbskopf, der so zubereitet ist, daß er nach Schildkröte schmeckt.* — ~ **tur·tle soup** *s* (*Kochkunst*) Mockturtlesuppe *f*, falsche Schildkrötensuppe. — '~-͵**up** *s* Mo'dell *n* in na'türlicher Größe. — ~ **vel·vet** *s* Trippsamt *m*.
Mod [moud; mɒd] *s musikalisches u. literarisches Jahresfest der Hochlandschotten.*
mod·al ['moudl] **I** *adj* **1.** mo'dal: a) die Art u. Weise *od.* die Form bezeichnend, b) durch Verhältnisse bedingt. – **2.** *philos.* mo'dal, die Form betreffend, Form... – **3.** (*Grammatik, Logik, Musik*) mo'dal, Modal...: ~ proposition (*Logik*) Modalsatz. – **4.** *jur.* mit Anweisungen über die Ausführungs- *od.* Voll'streckungsart (ausgestattet): a ~ will. – **II** *s* **5.** (*Logik*) Mo'dalsatz *m*.
mod·al·ism ['moudə͵lizəm] *s relig.* Moda'lismus *m* (*Lehre des Sabellius im 3. Jh., welche Christus als bloße Erscheinungsform Gottvaters auffaßt*). — '**mod·al·ist** **I** *s* Moda'list *m*, Anhänger *m* des Moda'lismus. – **II** *adj* moda'listisch. — ͵**mod·al'is·tic** → modalist II.
mo·dal·i·ty [mo'dæliti; -əti] *s* **1.** Modali'tät *f*, Art *f* u. Weise *f*. – **2.** Modali'tät *f*, Ausführungsart *f*: modalities of payment Zahlungsmodalitäten. – **3.** Modali'tät *f*, mo'daler 'Umstand. – **4.** (*Logik*) Modali'tät *f*. – **5.** *med.* a) Anwendung *f* eines (physi'kalisch-technischen) Heilmittels, b) physi'kalisch-technisches Heilmittel.
mode[1] [moud] *s* **1.** (Art *f* u.) Weise *f*, Me'thode *f*: ~ of life Lebensweise; ~ of speaking Rede-, Sprechweise. – **2.** (Erscheinungs)Form *f*, Art *f*: heat is a ~ of motion Wärme ist eine Form der Bewegung. – **3.** (*Metaphysik*) Modus *m*, Seinsweise *f*, -zustand *m*. – **4.** (*Logik*) a) Modali'tät *f*, b) Modus *m* (*einer Schlußfigur*). – **5.** *mus.* Modus *m*, Ok'tavgattung *f*, Tongattung *f*, -geschlecht *n*, -art *f*: ecclesiastical ~s Kirchentonarten; major ~ Durgeschlecht; minor ~ Mollgeschlecht. – **6.** *mus.* (*Mittelalter*) Modus *m*, rhythmisches Schema. – **7.** *ling.* Modus *m*, Aussageweise *f*. –

8. (*Statistik*) Modus *m*, häufigster Wert: ~ of a frequency function Extrempunkt einer Häufigkeitsfunktion; ~ of frequency values Modus der Häufigkeitswerte. – 9. *geol.* quantita'tive minera'logische Zu'sammensetzung. – *SYN. cf.* method.

mode² [moud] *s selten* 1. Mode *f*, Brauch *m*: to be all the ~ ganz modern sein. – 2. Mode *n* (*Art Grau*). – *SYN. cf.* fashion.

mod·el ['mɒdl] **I** *s* 1. Muster *n*, Vorbild *n* (for für): after (*od.* on) the ~ of nach dem Muster von (*od. gen*); he is a ~ of self-control er ist ein Muster von Selbstbeherrschung. – 2. Mo'dell *n*, (verkleinerte) Nachbildung: working ~ Arbeitsmodell. – 3. Muster *n*, Vorlage *f*. – 4. (*bildende Kunst*) Mo'dell *n*: a) *genaues Vorbild des Gußstücks* (*aus Ton etc*), b) (*lebendes*) *Vorbild*: to act as a ~ to a painter einem Maler Modell stehen *od.* sitzen. – 5. Vorführdame *f*, Manne'quin *m*, *n*. – 6. Bau(weise *f*) *m*, Konstrukti'on *f*. – 7. Urbild *n*, -typ *m*. – 8. *dial.* Ebenbild *n*, (genaues) Abbild. – *SYN.* example, exemplar, ideal, pattern. – **II** *adj* 9. vorbildlich, musterhaft, Muster...: ~ husband Mustergatte. – 10. Modell...: ~ house Modellhaus. – **III** *v/t pret u. pp* **-eled**, *bes. Br.* **-elled** 11. nach Mo'dell formen *od.* 'herstellen. – 12. model'lieren, nachbilden. – 13. Form geben (*dat*), in richtige Form bringen. – 14. (*in Ton etc*) model'lieren. – 15. abformen, ein Mo'dell abnehmen von. – 16. formen, bilden, gestalten (after, on, upon nach): ~(l)ed on the U.S. constitution nach dem Vorbild der Verfassung der USA; to ~ oneself on sich ein Beispiel nehmen an (*dat*). – 17. (*Kleid etc*) vorführen. – **IV** *v/i* 18. ein Mo'dell *od.* Mo'delle 'herstellen. – 19. (*bildende Kunst*) model'lieren. – 20. plastische Gestalt annehmen, ein na'türliches Aussehen gewinnen (*Zeichnung etc*). – 21. Mo'dell stehen *od.* sitzen. – 22. als Vorführdame fun'gieren.

mod·el·er, *bes. Br.* **mod·el·ler** ['mɒdlər] *s* 1. Model'lierer *m*. – 2. Mo'dell-, Mustermacher *m*. — '**mod·el·ing**, *bes. Br.* '**mod·el·ling I** *s* 1. Model'lieren *n*. – 2. (*bildende Kunst*) Model'lieren *n*, Model'lierkunst *f*. – 3. Formgebung *f*, Formung *f*. – 4. (*Graphik*) Verleihen *n* eines plastischen Aussehens. – 5. Mo'dellstehen *n od.* -sitzen *n*. – **II** *adj* 6. Modellier...: ~ clay Modellierton. — **mod·el·ler, mod·el·ling** *bes. Br. für* modeler *etc.*

mod·el| plant *s econ.* Musterbetrieb *m*. — ~ **school** *s* Musterschule *f*. — **M~ T** → Model T Ford. — ~ **tank** *s* (*Schiffsbau*) Versuchstank *m*, 'Schleppkaˌnal *m*. — **M~ T Ford** *s* 1. *ein veralteter Fordtyp mit nur zwei Gängen.* – 2. *fig. Am.* veraltete Sache, (*etwas*) längst Über'holtes, vorsintflutliche Einrichtung.

mod·e·na ['mɒdinə] *s* dunkle Purpurfarbe.

mod·er·ate ['mɒdərit] **I** *adj* 1. gemäßigt, mäßig: ~ in drinking mäßig im Trinken. – 2. mäßig, einfach, fru'gal (*Lebensweise*). – 3. gemäßigt (*Sprache etc*). – 4. *oft* M~ *pol.* gemäßigt. – 5. mild (*Winter, Strafe etc*). – 6. mittelmäßig. – 7. vernünftig, mäßig (*Forderung etc*). – 8. angemessen, niedrig, vernünftig (*Preis*). – *SYN.* temperate. – **II** *s* 9. Gemäßigte(r), Per'son *f* mit gemäßigten Ansichten. – 10. *meist* M~ *pol.* Gemäßigte(r). – **III** *v/t* [-ˌreit] 11. mäßigen, mildern. – 12. lindern. – 13. beruhigen. – 14. einschränken. – 15. (*Versammlung etc*) leiten, den Vorsitz führen in (*dat*) *od.* bei. – 16. *obs.* (*Streit*) schlichten. – **IV** *v/i* 17. sich mäßigen. – 18. sich beruhigen, nachlassen (*Wind etc*). – 19. *bes. Scot.* den Vorsitz führen. – 20. vermitteln.

mod·er·ate| breeze *s* (*Meteorologie*) mäßige Brise (*Windstärke 4*). — ~ **gale** *s* (*Meteorologie*) steife Brise, steifer Wind (*Windstärke 7*).

mod·er·ate·ness ['mɒdəritnis] *s* 1. Mäßigkeit *f*. – 2. Gemäßigtheit *f*. – 3. Milde *f*. – 4. Mittelmäßigkeit *f*. – 5. Angemessenheit *f* (*einer Forderung*). – 6. Angemessenheit *f*, Niedrigkeit *f* (*des Preises*).

mod·er·a·tion [ˌmɒdə'reiʃən] *s* 1. Mäßigung *f*, Maß(halten) *n*: in ~ mit Maß. – 2. Mäßigkeit *f*. – 3. *pl* (*Oxford*) erste öffentliche Prüfung für den B.A.-Grad. – 4. Mäßigung *f*, Mäßigen *n*, Beruhigen *n*, Milderung *f*.

mod·er·at·ism ['mɒdəriˌtizəm] *s* Mäßigung *f*, gemäßigte Anschauung. — '**mod·er·at·ist** *s* Gemäßigte(r).

mod·e·ra·to [ˌmɒdə'rɑːtou] *mus.* **I** *adj u. adv* mode'rato, mäßig (*Zeitmaßbezeichnung*). – **II** *s* Mode'rato *n*.

mod·er·a·tor ['mɒdəˌreitər] *s* 1. Mäßiger *m*, Beruhiger *m*. – 2. Beruhigungsmittel *n*. – 3. Schiedsrichter *m*, Vermittler *m*. – 4. Vorsitzender *m*, Präsi'dent *m*. – 5. Mode'rator *m* (*Vorsitzender eines leitenden Kollegiums reformierter Kirchen*). – 6. *phys. tech.* Mode'rator *m*: a) Dämpfer *m*, b) Ölzuflußregler *m*, c) (*im Atommeiler*) Reakti'onsbremse *f*, 'Bremssubˌstanz *f*. – 7. (*Oxford*) *Prüfer bei den* moderations. – 8. (*Cambridge*) *Vorsitzender bei der höchsten Mathematikprüfung.*

mod·ern ['mɒdərn] **I** *adj* 1. mo'dern, neuzeitlich: a ~ writer ein moderner Schriftsteller; ~ times die Neuzeit; the ~ school (*od.* side) *Br.* die Realabteilung (*einer höheren Schule*); ~ pentathlon *sport* moderner Fünfkampf. – 2. mo'dern, (neu)modisch. – 3. *meist* M~ *ling.* a) mo'dern, Neu..., b) neuer(er, e, es): M~ Greek Neugriechisch; M~ Latin Neulatein; ~ languages neuere Sprachen; M~ Languages (*als Fach*) Neuphilologie. – *SYN. cf.* new. – **II** *s* 4. Mo'derne(r), Mensch *m* mit mo'dernen Anschauungen. – 5. Mensch *m* der Neuzeit: the ~s die Neueren. – 6. *print.* mo'derne An'tiqua. — **M~ Dance** *s* mo'derne Tanzkunst, Ausdruckstanz *m*. — **M~ Eng·lish** *s ling.* Neuenglisch *n*, das Neuenglische (*seit etwa 1500*). — **M~ Greats** *s pl* (*Oxford*) *Bezeichnung der Fächergruppe Staatswissenschaft, Volkswirtschaft u. Philosophie.* — ~ **his·to·ry** *s* Neue(re) Geschichte (*seit der Renaissance*).

mod·ern·ism ['mɒdərˌnizəm] *s* 1. Moder'nismus *m*, mo'derne Ansichten *pl*, Vorliebe *f* für das Neue. – 2. Moder'nismus *m*, *bes.* mo'dernes Wort, mo'derne Redewendungen *pl*, mo'derner Gebrauch. – 3. M~ *relig.* Moder'nismus *m*. — '**mod·ern·ist I** *s* 1. Moder'nist(in), Anhänger(in) mo'derner Richtungen. – 2. Befürworter(in) eines mo'dernen, *bes.* des neusprachlichen 'Unterrichts. – 3. (*Kunst*) Mo'derner *m*. – 4. M~ *relig.* Moder'nist *m*. – **II** *adj* 5. mo'dern orien'tiert. – 6. moder'nistisch. — ˌ**mod·ern'is·tic** → modernist II.

mo·der·ni·ty [mɒ'dəːrniti; -nə-] *s* 1. Moderni'tät *f*, (*das*) Mo'derne. – 2. (*etwas*) Mo'dernes.

mod·ern·i·za·tion [ˌmɒdərnai'zeiʃən; -ni-] *s* Moderni'sierung *f*, Anpassung *f* an neuzeitliche Verhältnisse. — '**mod·ernˌize I** *v/t* moderni'sieren, der Neuzeit anpassen. – **II** *v/i* sich moderni'sieren.

mod·ern·ness ['mɒdərnnis] *s* Moderni'tät *f*.

mod·est ['mɒdist] *adj* 1. bescheiden. – 2. anspruchslos (*Person od. Sache*). – 3. anständig, sittsam. – 4. maßvoll, bescheiden, vernünftig. – *SYN. cf.* a) chaste, b) humble, c) shy. — '**mod·es·ty** *s* 1. Bescheidenheit *f* (*Person, Einkommen etc*). – 2. Anspruchslosigkeit *f*, Einfachheit *f*. – 3. Anstand *m*, Sittsamkeit *f*. – 4. *selten* Mäßigung *f*, Maßhalten *n*. – 5. *auch* ~ **vest** Busenstreif *m* aus Spitzen (*über dem Korsett getragen*).

mod·i·cum ['mɒdikəm] *s* kleine Menge, (*ein*) wenig, (*ein*) bißchen: a ~ of flour ein bißchen Mehl; a ~ of truth ein Körnchen Wahrheit.

mod·i·fi·a·bil·i·ty [ˌmɒdiˌfaiə'biliti; -dә-; -əti] *s* 1. Modifi'zierbarkeit *f*, Abänderbarkeit *f*. – 2. *biol.* Modifikabili'tät *f*. — '**mod·iˌfi·a·ble** *adj* modifi'zierbar, (ab)änderungsfähig, abänderbar. — '**mod·iˌfi·a·ble·ness** → modifiability.

mod·i·fi·ca·tion [ˌmɒdifi'keiʃən; -də-fə-] *s* 1. Modifikati'on *f*, Abänderung *f*, Abwandlung *f*, teilweise 'Umwandlung: to make a ~ to s.th. etwas modifizieren, an einer Sache eine teilweise Änderung vornehmen. – 2. 'Umstellung *f*. – 3. Modifikati'on *f*, Abart *f*, modifi'zierte Form. – 4. Modifikati'on *f*, Einschränkung *f*, nähere Bestimmung. – 5. Milderung *f*, Mäßigung *f*. – 6. *biol.* Modifikati'on *f*, nichterbliche Abänderung. – 7. *ling.* Modifikati'on *f*: a) nähere Bestimmung, b) lautliche Veränderung, c) teilweise 'Umwandlung, *bes.* Angleichung (*eines Lehnworts*). – 8. *ling.* 'Umlautung *f*.

mod·i·fi·ca·tive ['mɒdifiˌkeitiv; -dəfə-] **I** *adj* modifi'zierend. – **II** *s* (*etwas*) Modifi'zierendes, *bes. ling.* Bestimmungswort *n*. — '**mod·i·fiˌca·to·ry** [-təri] *adj* modifi'zierend.

mod·i·fied milk ['mɒdiˌfaid; -də-] *s Milch von künstlich geänderter Zusammensetzung, bes. mit Laktosezusatz.*

mod·i·fi·er ['mɒdiˌfaiər; -də-] *s* 1. j-d der *od.* etwas was modifi'ziert. – 2. *ling.* a) nähere Bestimmung, b) eine lautliche Modifikati'on anzeigendes dia'kritisches Zeichen (*Umlautzeichen etc*).

mod·i·fy ['mɒdiˌfai; -də-] **I** *v/t* 1. modifi'zieren, abändern, abwandeln, teilweise 'umwandeln. – 2. modifi'zieren, einschränken, näher bestimmen. – 3. mildern, mäßigen. – 4. abschwächen. – 5. *ling.* näher bestimmen. – 6. *ling.* (*Vokal*) 'umlauten. – **II** *v/i* 7. modifi'zieren. – 8. modifi'ziert *od.* abgeändert werden, sich teilweise verändern. – *SYN. cf.* change.

mo·dil·lion [mo'diljən; mə-] *s arch.* Kon'sole *f* (*am korinthischen Gesims*).

mod·ish ['moudiʃ] *adj* 1. modisch, mo'dern, nach der Mode. – 2. Mode...: ~ lady Modedame. — '**mod·ish·ness** *s* 1. modisches Aussehen, (*das*) Modische. – 2. Befolgung *f* der Mode.

mo·diste [mou'diːst] *s* Mo'dist(in).

Mo·doc ['moudɒk] *s* 'Modok(indiˌaner) *m* (*Nordamerika*).

mods [mɒdz] *colloq. Kurzform für* moderation 3.

mod·u·lar [*Br.* 'mɒdjulər; *Am.* -dʒə-] *adj math.* Modul..., Model...

mod·u·late [*Br.* 'mɒdjuˌleit; *Am.* -dʒə-] **I** *v/t* 1. abstimmen, regu'lieren. – 2. anpassen (to an *acc*). – 3. dämpfen. – 4. (*Stimme*) modu'lieren. – 5. (*Ton etc*) modu'lieren, abstufen. – 6. (*Gebet etc*) rezi'tieren, im Sprechgesang sprechen. – 7. (*Funk*) modu'lieren. – **II** *v/i* 8. (*Funk*) modu'lieren. – 9. *mus.* modu'lieren (from von; to nach), von einer Tonart in eine andere 'übergehen. – 10. (*beim musikalischen Vortrag*) modu'lieren. – 11. all'mählich 'übergehen (into in *acc*). — ˌ**mod·u-**

'la·tion s 1. Abstimmung f, Regu'lierung f. – 2. Anpassung f. – 3. Dämpfung f. – 4. Modulati'on f (Stimme). – 5. Intonati'on f, Tonfall m, -gebung f. – 6. mus. Modulati'on f, 'Übergang m von einer Tonart in eine andere. – 7. (Funk) Modulati'on f (Beeinflussung der Trägerfrequenz durch die Signalfrequenz). – 8. arch. Bestimmung f der Proporti'onen durch den Modul. — '**mod·u·,la·tor** [-tər] s 1. j-d der od. etwas was modu'liert od. regu'liert. – 2. mus. die Tonverwandtschaft (nach der Tonic-Solfa-Methode) darstellende Skala. – 3. (Funk) Modu'lator(röhre f) m, Modulati'onsröhre f. — '**mod·u·la·to·ry** [Br. -ˌleitəri; Am. -ləˌtɔːri] adj mus. Modulations..., modu'lierend.

mod·ule [Br. 'mɒdjuːl; Am. -dʒuːl] s 1. Modul m, Model m, Maßeinheit f, Einheits-, Verhältniszahl f. – 2. arch. Modul m. – 3. (Numismatik) Modul m, Model m (Münzdurchmesser). – 4. tech. (Zahn)Teilungsmodul m. – 5. tech. Wasserflußzähler m, -regler m.

mod·u·lus [Br. 'mɒdjuləs; Am. -dʒə-] pl **-li** [-ˌlai] s 1. phys. Modul m, kon'stanter Koeffizi'ent: ~ **of elasticity** Elastizitätsmodul. – 2. math. Modul m: a) (absoluter) Wert einer komplexen Zahl, b) (Zahlentheorie) gemeinsamer Teiler, c) der Faktor, durch den sich Logarithmen verschiedener Systeme unterscheiden.

mo·dus ['moudəs] pl '**mo·di** [-dai] (Lat.) s 1. Modus m, Art f u. Weise f. – 2. jur. a) di'rekter Besitzerwerb, b) (röm. u. frühengl. Recht) Zusatzbestimmung f (bei Schenkung etc), c) (Kirchenrecht) Ablösung f des Zehnten durch Geld. — ~ **o·pe·ran·di** [ˌɒpə'rændai] (Lat.) s 1. Verfahrensweise f, Vorgehen n. – 2. Arbeitsweise f. — ~ **vi·ven·di** [vi'vendai] (Lat.) s 1. Lebensweise f. – 2. Modus m vi'vendi (einstweilige Abmachung od. leidliches Zusammenleben).

mo·el·lon ['mouəˌlɒn] s arch. Moel'lon m (roher Bruchstein).

Moe·so-Goth, Moe·so·goth ['miːsoˌgɒθ] s hist. Mösogote m (in Mösien lebender Gote). — ˌ**Moe·so-'Goth·ic,** ˌ**Moe·so'goth·ic I** adj mösogotisch. – **II** s ling. Mösogotisch n, das Mösogotische.

mo·fette, auch **mof·fette** [mo'fet] s geol. Mo'fette f.

mo·fus·sil [mo'fʌsəl] s Br. Ind. 'Land(diˌstrikt m) n, Pro'vinz f (im Gegensatz zur Residenz).

mog [mɒg] pret u. pp **mogged** Am. od. dial. **I** v/i weggehen, sich entfernen, weitergehen. – **II** v/t langsam fortbewegen.

Mo·gul [mo'gʌl; 'mougʌl] **I** s 1. Mon'gole m, Mon'golin f. – 2. Mogul m (mongolischer Beherrscher Indiens): **the** (**Great** od. **Grand**) ~ der Großmogul. – 3. **m~** wichtige Per'sönlichkeit, großer Herr, Ma'gnat m. – 4. **m~** Am. 1C-Per'sonen- u. 'Güterzuglokomoˌtive f (Radformel 2-6-0). – 5. **m~s** pl (Art) hochwertige Spielkarten pl. – **II** adj 6. Mogulen...: ~ **Empire** Reich der Mogulen.

Mo·gun·tine [mo'gʌntin] adj mainzerisch, Mainzer(...), aus Mainz (am Rhein).

mo·hair ['mouˌhɛr] s 1. Mo'här m, Mo'hair m: a) Wolle der Angoraziege, b) Gewebe aus Mohärgarnen. – 2. unechter Mo'här. – 3. Mo'här(Kleidungsstück n) m.

Mo·ham·med·an [mo'hæmidən; -mə-] **I** adj mohamme'danisch. – **II** s Mohamme'daner(in). — **Mo'ham·med·anˌism** s Mohammeda'nismus m, Is'lam m. — **Mo'ham·med·anˌize** v/t zum Is'lam bekehren, mohamme'danisch machen.

Mo·ha·ve [mo'hɑːvi] **I** s Mo'have-Indiˌaner(in), Mo'have m. – **II** adj Mohave... — ~ **as·ter** s bot. Mo'have-Aster f (Aster abatus). — ~ **rat·tle·snake** s zo. Mo'have-Klapperschlange f (Crotalus scutulatus).

Mo·hawk ['mouhɔːk] pl **-hawks** od. collect. **-hawk** s 1. 'Mohawk-Indiˌaner(in), Mohawk m. – 2. pl collect. 'Mohawk(-Indiˌaner) pl (ein Irokesenstamm). – 3. ling. Mohawk n. – 4. eine Figur beim Eiskunstlauf. — **m~ weed** s bot. Trauerglocke f (Uvularia perfoliata).

Mo·he·gan [mo'hiːgən] pl **-gans** od. collect. **-gan** s 1. Mo'hegan-Indiˌaner(in), Mo'hegan m. – 2. pl collect. Mo'hegan(-Indiˌaner) pl (im 17. Jh. in Connecticut lebend, jetzt ausgestorben). – 3. → **Mahican.**

Mo·hi·can [Br. 'mouikən; Am. mo'hiːkən] **I** s pl **-cans** od. collect. **-can** 1. Mohi'kaner(in). – 2. pl collect. Mohi'kaner pl (Indianerbund am oberen Hudson, jetzt ausgestorben). – **II** adj 3. mohi'kanisch.

Mo·hock ['mouhɒk] s Mitglied von größtenteils aus Aristokraten bestehenden Banden, die im 18. Jh. nachts die Straßen von London unsicher machten.

mohr [mɔːr] s zo. (eine) 'Damagaˌzelle (Gazella dama mhorr).

Mohs scale [mouz] s min. Mohs-Skala f, Mohssche Härteskala.

mo·hur ['mouhər] s Mohur m (Goldmünze Indiens = 15 Rupien).

moi·der ['mɔidər] dial. **I** v/t 1. verwirren, beunruhigen. – **II** v/i 2. Unsinn reden. – 3. schwer arbeiten.

moi·dore ['mɔidɔːr] s Moe'dor m (alte portug. u. brasil. Goldmünze).

moi·e·ty ['mɔiəti] s 1. Hälfte f. – 2. Teil m. – 3. (Anthropologie) Hälfte f (eines Stamms).

moil [mɔil] obs. od. dial. **I** v/i 1. sich schinden, sich abquälen. – **II** v/t 2. benetzen, befeuchten. – 3. besudeln. – **III** s 4. Schinde'rei f, Placke'rei f. – 5. Durchein'ander n. – 6. Ärger m, Plage f.

moiles [mɔilz] s (Glasbläserei) dem vom Blasrohr abgebrochenen Glas anhaftendes Metalloxyd.

moire [mwɑːr] s Moi'ré m, n, Mohr m, moi'rierter Stoff.

moi·ré [Br. 'mwɑːrei; Am. mwɑː'rei] **I** adj 1. moi'riert, gewässert, geflammt, mit Wellenmuster. – 2. mit feinen Wellenlinien auf der Rückseite (Briefmarke). – 3. wie moi'rierte Seide glänzend (Metall). – **II** s 4. Moi'ré m, n, Wasserglanz m. – 5. → **moire.**

moist [mɔist] adj 1. feucht. – 2. feucht, regnerisch (Klima). – 3. tränenfeucht, -naß (Augen). – 4. med. feucht, naß, nässend. – SYN. cf. wet. — ~ **col·o(u)r** s (Malerei) Wasserfarbe f in Teigform.

mois·ten ['mɔisn] **I** v/t 1. befeuchten, benetzen. – 2. fig. selten (Herz etc) erweichen. – **II** v/i 3. feucht werden. – 4. nässen.

moist·ness ['mɔistnis] s Feuchtheit f, Feuchtigkeit f.

mois·ture ['mɔistʃər] s Feuchtigkeit f. — '~**proof** adj feuchtigkeitsfest.

moke [mouk] s sl. 1. Esel m. – 2. Esel m, Dummkopf m. – 3. Am. Nigger m, Neger m. – 4. mehrere Instru'mente spielender Musiker.

mo·ki·ha·na [ˌmouki'hɑːnɑː] s bot. ein hawaiischer Rutaceenbaum (Pelea anisata).

mo·ko ['moukou] s eine Art des Tätowierens bei den Maori.

mol cf. mole[4].

mo·lal ['mouləl] s irr → **molar**[2] 2.

mo·lar[1] ['moulər] **I** s 1. Backen-, Mahlzahn m, Mo'lar m. – **II** adj 2. (zer)mahlend. – 3. Mahl..., Backen...: ~ **tooth.** – 4. Backenzahn..., Molar...

mo·lar[2] ['moulər] adj 1. phys. die Masse betreffend, Massen...: ~ **motion** Massenbewegung. – 2. chem. mo'lar, Molar..., Mol...: ~ **number** Molzahl; ~ **weight** Mol-, Molargewicht.

mo·lar[3] ['moulər] adj med. Molen...: ~ **pregnancy** Molenschwangerschaft.

mo·lar·i·form [mo'læriˌfɔːrm] adj zo. backenzahnförmig.

mo·lar tooth s irr → **molar**[1] 1.

Mo·lasse [mo'lɑːs] s geol. Mo'lasse f.

mo·las·ses [mə'læsiz] s sg u. pl 1. (Zuckerherstellung) Me'lasse f. – 2. Sirup m.

mold[1], bes. Br. **mould** [mould] **I** s 1. tech. (Gieß-, Guß)Form f: **firing** ~ Brennform; **cast in the same** ~ a) in derselben Form gegossen, b) fig. aus demselben Holz geschnitzt. – 2. (Körper)Bau m, Gestalt f, (äußere) Form. – 3. Art f, Na'tur f, Wesen n, Cha'rakter m. – 4. tech. a) Hohlform f, b) Preßform f, c) Ko'kille f, Hartgußform f, d) Ma'trize f, e) ('Form)Moˌdell n, f) Gesenk n, g) (Nadlerei) Knopfspindel f, h) (Dreherei) Druckfutter n. – 5. tech. 'Gußmateriˌal n. – 6. tech. Guß(stück n) m. – 7. (Schiffbau) Mall n. – 8. arch. a) Sims m, n, b) Leiste f, c) Hohlkehle f. – 9. (Kochkunst) a) Form f (für Speisen), b) in der Form hergestellte Speise. – 10. geol. Abdruck m (einer Versteinerung im Gestein). – **II** v/t 11. (in einem Modell) formen. – 12. gießen. – 13. model'lieren. – 14. formen, bilden (out of aus), gestalten, (einer Sache) Form od. Gestalt geben (on nach dem Muster von). – 15. (Teig etc) formen, kneten. – 16. (Gießerei) model'lieren, (ab)formen. – 17. mit erhabenen Mustern verzieren. – 18. (Holz) staben, profi'lieren. – **III** v/i 19. Form od. Gestalt annehmen, sich formen.

mold[2], bes. Br. **mould** [mould] **I** s 1. Schimmel m. – 2. bot. Schimmelpilz m (bes. Ordng Mucorales). – **II** v/i 3. (ver)schimmeln, schimm(e)lig werden. – **III** v/t 4. schimm(e)lig machen.

mold[3], bes. Br. **mould** [mould] **I** s 1. lockere Erde, bes. Ackerkrume f: a man of ~ ein bloßer Sterblicher. – 2. Humus m. – 3. fig. selten ('Werk)Stoff m, (-)Materiˌal n. – 4. obs. a) Erde f, Boden m, b) Grab n. – **II** v/t 5. mit Erde bedecken. – 6. begraben.

mold·a·ble, bes. Br. **mould·a·ble** ['mouldəbl] adj formbar, bildsam.

Mol·da·vi·an [mɒl'deiviən; -vjən] **I** adj moldauisch, Moldau... – **II** s Bewohner(in) der Moldau, Moldauer(in). — ~ **balm** s bot. Türk. Me'lisse f (Dracocephalum moldavica).

mol·da·vite ['mɒldəˌvait] s min. Molda'wit m, 'Glasmeteoˌrit m.

'**moldˌboard,** bes. Br. '**mouldˌboard** s 1. agr. Streichbrett n, -blech n (am Pflug). – 2. Formbrett n (der Maurer).

mold| can·dle, bes. Br. **mould| candle** s gegossene Kerze. — ~ **core** s tech. Formkern m.

mold·ed depth, bes. Br. **mould·ed depth** ['mouldid] s mar. Seitenhöhe f (des Schiffes). — **mold·ed draft,** bes. Br. **mould·ed draught** s 'Tauch-, Konstrukti'onstiefe f, Tiefgang m über Oberkante Kiel.

mold·er[1], bes. Br. **mould·er** ['mouldər] s 1. Former m, Gießer m. – 2. Kneter m. – 3. Model'lierer m, Bildner m. – 4. Formgießer m. – 5. 'Formmaˌschine f. – 6. print. 'Muttergalˌvano n.

mold·er[2], bes. Br. **mould·er** ['mouldər] **I** v/i auch ~ **away** vermodern, (zu

Staub) zerfallen, zerbröckeln. – **II** *v/t* vermodern lassen, dem Zerfall preisgeben.

mold·i·ness, *bes. Br.* **mould·i·ness** ['mouldinis] *s* **1.** Schimm(e)ligkeit *f.* – **2.** Schalheit *f (auch fig.).* – **3.** *sl.* Fadheit *f.*

mold·ing, *bes. Br.* **mould·ing** ['moulddiŋ] *s* **1.** Formen *n*, Formung *f*, Formgebung *f.* – **2.** ˌFormgieße'rei *f.* – **3.** Forme'rei *f.* – **4.** Model'lieren *n.* – **5.** *(etwas)* Geformtes. – **6.** *arch.* a) Sims *m, n,* b) Leiste *f*, c) Hohlkehle *f*, Kehlung *f.* – **7.** (Zier)Leiste *f (aus Holz etc).* — ~ **board** *s* **1.** Knetbrett *n.* – **2.** Kuchen-, Nudelbrett *n.* – **3.** Model'lierbrett *n.* — ~ **clay** *s tech.* Formerde *f*, -ton *m.* — ~ **com·po·si·tion** *s tech.* Preßmasse *f*, -stoff *m.* — ~ **ma·chine** *s tech.* **1.** 'Kehl(hobel)maˌschine *f (für Holzbearbeitung).* – **2.** *(Gießerei)* 'Formmaˌschine *f.* – **3.** 'Blechformmaˌschine *f.* – **4.** 'Spritzmaˌschine *f (für Spritzguß etc).* — ~ **plane** *s tech.* Kehl-, Hohlkehlenhobel *m.* — ~ **press** *s tech.* Formpresse *f.* — ~ **sand** *s tech.* Form-, Gießsand *m.*

mold loft, *bes. Br.* **mould loft** *s (Schiffsbau)* Mall-, Schnürboden *m (Zeichenfläche einer Werft).*

mold·y, *bes. Br.* **mould·y** ['mouldi] *adj* **1.** schimm(e)lig, verschimmelt. – **2.** Schimmel..., schimmelartig: ~ fungi Schimmelpilze. – **3.** muffig, schal, abgestanden *(auch fig.).* – **4.** *sl.* fad, langweilig.

mole[1] [moul] **I** *s* **1.** *zo.* Maulwurf *m (Fam. Talpidae):* **blind as a ~** stockblind. – **2.** *fig.* a) j-d der im Dunkeln arbeitet, b) j-d der schlecht sieht. – **3.** → **moleskin.** – **II** *v/t* **4.** von Maulwurfshügeln *od.* Maulwürfen säubern. – **5.** durch'wühlen.

mole[2] [moul] *s* (kleines) Muttermal, *bes.* Leberfleck *m.*

mole[3] [moul] *s* **1.** Mole *f*, Hafendamm *m.* – **2.** durch eine Mole geschützter Hafen. – **3.** *antiq.* Mauso'leum *n*, turmartiges Grabmal *(der Römer).* [moleˌkül *n.*]

mole[4] [moul] *s chem.* Mol *n*, 'Gramm-

mole[5] [moul] *s med.* Mole *f*, falsche Frucht, Mondkalb *n.*

mole crick·et *s zo.* Maulwurfsgrille *f (Fam. Gryllotalpidae).*

mo·lec·u·lar [mə'lekjulər; -jə-; mo-] *adj chem. phys.* moleku'lar, Molekular... — ~ **beam** *s phys.* Moleku'larstrahl *m.* — ~ **film** *s chem. phys.* ('mono)molekuˌlare Schicht. — ~ **heat** *s* Moleku'larwärme *f.*

mo·lec·u·lar·i·ty [məˌlekju'læriti; -jə-; -əti; mo-] *s chem. phys.* Moleku'larzustand *m.*

mo·lec·u·lar| ra·di·a·tion *s phys.* Moleku'larstrahlung *f.* — ~ **re·frac·tion** *s chem. phys.* Moleku'larbrechungsvermögen *n.* — ~ **weight** *s chem.* Moleku'largewicht *n.*

mol·e·cule ['mɒliˌkjuːl; -lə-] *s* **1.** *chem. phys.* Mole'kül *n*, Mo'lekel *f.* – **2.** *chem. phys.* Mol *n*, 'Grammoleˌkül *n.* – **3.** *fig.* winziges Teilchen.

'mole|ˌhead *s mar.* Molenkopf *m.* — **'~ˌhill** *s* **1.** Maulwurfshügel *m*, -haufen *m.* – **2.** *fig.* kleines Hindernis, leicht zu über'windende Schwierigkeit, Kleinigkeit *f:* → **mountain** 3. — ~ **plough,** *Am.* ~ **plow** *s agr.* Maulwurfspflug *m.* — ~ **rat** *s zo.* **1.** Stumpfschnauzenmull *m*, Blindmaus *f (Fam. Spalacidae).* – **2.** a) *(eine)* Maulwurfsratte, *(ein)* Sandgräber *m (Fam. Bathyergidae),* b) *auch* **Cape ~** Sandmull *m*, -gräber *m (Bathyergus maritimus).* — **'~ˌskin** *s* **1.** Maulwurfsfell *n.* – **2.** Moleskin *m, n*, Englischleder *n (ein sehr festes Baumwollgewebe).* – **3.** *pl* Kleidungsstücke *pl (bes.* Hosen *pl)* aus Moleskin.

mo·lest [mo'lest; mə-] *v/t* belästigen, *(j-m)* lästig werden, zur Last fallen. — **mo·les·ta·tion** [ˌmoules'teiʃən; -ləs-] *s* **1.** Belästigung *f.* – **2.** *selten* Ärger *m.*

mo·line ['moulin; mo'lain] *adj her.* kreuzeisenförmig, Anker...: **a cross ~** ein Ankerkreuz.

Mo·li·nism ['mouliˌnizəm; -lə-] *s relig.* **1.** Moli'nismus *m (von Luis de Molina 1588 aufgestellte Gnadenlehre).* – **2.** Quie'tismus *m (des span. Mystikers Miguel de Molinos, geb. 1627).*

Moll, m~ [mɒl] *s sl.* **1.** Dirne *f*, Prostitu'ierte *f.* – **2.** Gangsterbraut *f.*

mol·le ['mɒli] *adj mus.* einen halben Ton tiefer *(Note):* D ~ Des.

mol·les·cent [mə'lesnt] *adj* erweichend, weicher machend.

mol·li·fi·a·ble ['mɒliˌfaiəbl; -lə-] *adj* zu erweichen(d), erweichbar, zu besänftigend. — **ˌmol·li·fi'ca·tion** [-fi'keiʃən; -fə-] *s* **1.** Besänftigung *f.* – **2.** Erweichung *f.* – **3.** Milderung *f*, Linderung *f.* — **'mol·liˌfy** [-ˌfai] **I** *v/t* **1.** besänftigen, beruhigen, beschwichtigen. – **2.** lindern, mildern. – **3.** weich machen, erweichen. – **4.** *(Forderungen)* mäßigen. – *SYN. cf.* pacify. – **II** *v/i obs.* **5.** sich beruhigen. – **6.** sich erweichen lassen.

mol·li·pi·lose [ˌmɒli'pailous] *adj zo.* mit weichen Haaren *od.* Federn, flaumig.

mol·li·ti·es [mə'liʃiˌiːz] *s* **1.** *med.* Erweichung *f.* – **2.** Weichheit *f.*

mol·lusc *cf.* **mollusk.**

mol·lus·can [mə'lʌskən] **I** *adj* Weichtier... – **II** *s* Weichtier *n (Stamm Mollusca).* — **mol'lus·coid** *zo.* **I** *adj* **1.** weichtierähnlich. – **2.** zu den Muschellingen gehörig. – **II** *s* **3.** weichtierähnliches Tier. – **4.** Muschelling *m (Stamm Molluscoïdea).* — **mol'lus·cous** *adj* **1.** *zo.* Weichtier... – **2.** schwammig. – **3.** *fig.* weichlich, schlaff, zimperlich.

mol·lusk ['mɒləsk] *s zo.* Mol'luske *f*, Weichtier *n (Stamm Mollusca).*

mol·ly[1] ['mɒli] *sl. für* a) mollycoddle I, b) moll.

mol·ly[2] ['mɒli] *s zo. (ein)* Zahnkarpfen *m (Gattg Mollienisia).*

mol·ly·cod·dle ['mɒliˌkɒdl] **I** *s* Weichling *m*, Muttersöhnchen *n*, verweichlichter Mann *od.* Knabe. – **II** *v/t u. v/i* verweichlichen, verzärteln. – *SYN. cf.* indulge.

Mol·ly Ma·guire ['mɒli mə'gwair] *pl* **Mol·ly Ma·guires** *s* **1.** *Mitglied eines irischen Landpächter-Geheimbundes um 1843.* – **2.** *Mitglied eines bis 1877 in den Kohlendistrikten von Pennsylvanien tätigen irischen Geheimbundes.*

Mo·loch ['moulɒk] *s* **1.** Moloch *m (semitische Gottheit, der Menschen geopfert wurden).* – **2.** *auch* **m~** *fig.* Moloch *m (etwas was rücksichtslos Menschenleben fordert).* – **3.** **m~** *zo.* Moloch *m*, Dornteufel *m (Moloch horridus).*

mo·lom·pi [mo'lɒmpi; mə-] → **African rosewood.**

mo·los·sus [mo'lɒsəs; mə-] *s metr.* Mo'lossus *m (antiker Versfuß aus 3 Längen).*

Mol·o·tov| bread·bas·ket ['mɒləˌtɒf] *s aer. mil.* (Brand)Bombenabwurfgerät *n.* — ~ **cock·tail** *s mil.* Molotow-Cocktail *m (Flasche mit leicht entzündbarer Flüssigkeit und Sturmstreichholz zur Panzernahbekämpfung).*

molt, *bes. Br.* **moult** [moult] **I** *v/i* **1.** (sich) mausern. – **2.** sich häuten *od.* schälen. – **3.** die Hörner abwerfen. – **4.** *fig.* sich (ver)ändern. – **5.** *fig.* ‚sich mausern', die Gesinnung ändern. – **II** *v/t* **6.** *(Federn, Haare, Haut etc zwecks Erneuerung)* abstoßen *od.* abwerfen. – **III** *s* **7.** Mauser(ung) *f.* – **8.** Häutung *f*, Schälen *n (bes. von Schlangen).* – **9.** beim Mausern abgeworfene Federn *od.* Haare *pl*, abgestoßene Haut.

mol·ten ['moultən] *adj* **1.** geschmolzen, (schmelz)flüssig: ~ metal flüssiges Metall. – **2.** gegossen, Guß...

molt·er, *bes. Br.* **moult·er** ['moultər] *s* mausernder Vogel.

Mo·luc·ca [mə'lʌkə; mo-] *adj* Molukken..., von den Mo'lukken (kommend). — ~ **balm** *s bot.* Glatter Trichterkelch *(Moluccella laevis).*

mo·ly ['mouli] *s* **1.** *bot.* Goldlauch *m (Allium moly).* – **2.** Moly *n (zauberabwehrendes Kraut in der Odyssee).*

mo·lyb·date [mə'libdeit] *s* Molyb'dat *n*, molyb'dänsaures Salz. — **moˌlyb·de'nif·er·ous** [-di'nifərəs; -də-] *adj chem. min.* molyb'dänhaltig. — **mo'lyb·deˌnite** [-ˌnait] *s min.* Molybdä'nit *m*, Molyb'dänglanz *m* (MoS_2).

mo·lyb·de·num [mə'libdinəm; -də-] *s chem.* Molyb'dän *n* (Mo).

mo·lyb·dic [mə'libdik] *adj chem.* Molybdän..., *bes.* Molyb'dän mit höherer Wertigkeit enthaltend. — ~ **ac·id** *s chem.* Molyb'dänsäure *f* (*bes.* H_2MoO_4).

mo·lyb·dous [mə'libdəs] *adj chem.* Molybdän..., *bes.* Molyb'dän mit niedrigerer Wertigkeit enthaltend.

mo·ment ['moumənt] *s* **1.** Mo'ment *m*, Augenblick *m:* **wait a ~!** warte einen Augenblick! **one ~! half a ~!** (nur) einen Augenblick! **in a ~** in einem Augenblick, sofort. – **2.** *(bestimmter)* Zeitpunkt, Augenblick *m:* **come here this ~!** komm sofort her! **the very ~ I saw him** in dem Augenblick, in dem ich ihn sah; sobald ich ihn sah; **at the ~** im Augenblick, gerade (jetzt), (damals) gerade; **at the last ~** im letzten Augenblick; **not for the ~** im Augenblick nicht; **but this ~** noch eben, gerade; **to the ~** auf die Sekunde genau, pünktlich; **the ~** der (geeignete) Augenblick. – **3.** Punkt *m*, Stadium *n (einer Entwicklung).* – **4.** Wichtigkeit *f*, Bedeutung *f*, Tragweite *f*, Belang *m* **(to** für): **of (great, little) ~** von (großer, geringer) Bedeutung. – **5.** *philos.* Mo'ment *n (wesentlicher, unselbständiger Bestandteil).* – **6.** *phys.* Mo'ment *n:* **~ of flexure** Biegemoment; **~ of a force** Moment einer Kraft, Kraftmoment; **~ of inertia** Trägheitsmoment. – **7.** *(Statistik)* sta'tistisches Gewicht. – *SYN. cf.* importance. — **mo·men·tal** [mo'mentl] *adj phys.* ein Mo'ment betreffend, Momenten...

mo·men·tar·i·ly [*Br.* 'mouməntərili; *Am.* -ˌterəli] *adv* **1.** für einen Augenblick, kurz, vor'übergehend. – **2.** jeden Augenblick. – **3.** von Se'kunde zu Se'kunde: **danger ~ increasing.** — **'mo·men·tar·i·ness** *s* Flüchtigkeit *f*, kurze Dauer. — **'mo·men·tar·y** *adj* **1.** momen'tan, augenblicklich. — **2.** vor'übergehend, nur einen Augenblick dauernd, flüchtig. – **3.** jeden Augenblick geschehend *od.* sich wieder'holend, jeden Augenblick möglich. – **4.** *selten* beständig, fortwährend. – *SYN. cf.* **transient.**

mo·ment·ly ['moumәntli] *adv* **1.** augenblicklich, so'fort, in einem Augenblick. – **2.** von Augenblick zu Augenblick, von Se'kunde zu Se'kunde: **increasing ~.** – **3.** für einen *od.* den Augenblick, einen Augenblick lang.

mo·men·tous [mo'mentəs] *adj* wichtig, bedeutend, folgenschwer, von großer Tragweite. — **mo'men·tous·ness** *s* Bedeutung *f*, Wichtigkeit *f*, Tragweite *f.*

mo·men·tum [mo'mentəm] *pl* **-ta** [-tə] *od.* **-tums** *s* **1.** *phys.* Im'puls *m*, Bewegungsgröße *f.* – **2.** *tech.* Triebkraft *f*, bewegende Kraft. – **3.** *(un-*

wissenschaftlich) Wucht *f*, Schwung *m*, Stoßkraft *f*: to gather ~ Stoßkraft gewinnen. – 4. → moment 5. — ~ **the·o·rem** *s phys.* Mo'menten-, Im'pulssatz *m*.

Mo·mus ['mouməs] **I** *npr* Momus *m* (*Gott des Spottes*). – **II** *s* Beckmesser *m*, tadelsüchtiger Kritiker.

Mon [moun] *s* **1.** Mon *m* (*Angehöriger eines Volks in Burma*). – **2.** *ling.* Mon *n* (*eine der Mon-Khmer-Sprachen*).

mon- [mɒn] → mono-.

mo·na ['mounə] *s zo.* Mona-Meerkatze *f*, Nonnenaffe *m* (*Cercopithecus mona*).

mon·a·chal ['mɒnəkəl] *adj* mönchisch, mo'nastisch, Mönchs... — '**mon·a·ˌchism** → monasticism.

mon·ac·id [mɒ'næsid] → monoacid.

mon·ac·tine [mɒ'næktin; -tain], *auch* **mon'ac·ti·nal** [-nl] *s zo.* einstrahlig (*Schwamm*).

mon·ad ['mɒnæd; 'mou-] **I** *s* **1.** *philos.* Mo'nade *f*: a) *unteilbare Einheit*, b) *unausgedehnte, in sich abgeschlossene, unteilbare Einheit* (*reiner Kraft*). – **2.** *allg.* Einheit *f*, Einzahl *f*, Eingliedrigkeit *f*. – **3.** *biol.* Einzeller *m*, einzelliger Orga'nismus. – **4.** *zo.* Mo'nade *f* (*Art Geißeltierchen*). – **5.** *chem.* einwertiges Ele'ment *od.* A'tom *od.* Radi'kal. – **II** *adj* **6.** mo'nadisch, Monaden...

mon·a·delph ['mɒnəˌdelf] *s bot.* einbrüderige Pflanze. — ˌ**mon·a'del·phous** *adj* mona'delphisch, einbrüderig (*Staubgefäße, Blüte od. Pflanze*).

mo·nad·ic [mɒ'nædik; mə-] *adj* **1.** mo'nadisch, mo'nadenartig, Monaden... – **2.** *math.* eingliedrig, einstellig. — **mo'nad·i·cal·ly** *adv.* — **mon·ad·ism** ['mɒnəˌdizəm; 'mounæˌd-] *s philos.* Mo'nadenlehre *f*, Monadolo'gie *f*.

mo·nad·nock [mə'nædnɒk; mo-] *s geol.* Monadnock *m*, Insel-, Restberg *m*, Härtling *m*.

mon·ad·ol·o·gy [ˌmɒnə'dɒlədʒi; ˌmounæ'd-] → monadism.

mo·nan·der [mə'nændər; mo-] *s bot.* einmännige Pflanze. — **mo'nan·drous** *adj* **1.** *bot.* mo'nandrisch, einmännig, mit nur 'einem Staubgefäß. – **2.** mit nur 'einem Gatten (*Frau*). – **3.** Einehen... — **mo'nan·dry** [-dri] *s* **1.** Einehe *f* (*der Frau*). – **2.** *bot.* Einmännigkeit *f*. [*bot.* einblütig.]

mo·nan·thous [mə'nænθəs; mo-] *adj*

mon·arch ['mɒnərk] *s* **1.** Mon'arch(in): a) Herrscher(in), b) (*ursprünglich*) Al'leinherrscher(in). – **2.** *fig.* König(in), Herr(in), Beherrscher(in). – **3.** *zo.* Chry'sippusfalter *m* (*Danais chrysippus*). — **mo·nar·chal** [mə'nɑːrkəl] *adj* **1.** mon'archisch. – **2.** Monarchen... – **3.** königlich, einem Herrscher geziemend.

mo·nar·chi·an·ism[mə'nɑːrkiəˌnizəm] *s relig.* Monarchia'nismus *m* (*Lehre von der Einheit Gottes*). — **mo'nar·chi·an·ist** *s* Monarchi'aner *m*.

mo·nar·chic [mə'nɑːrkik], **mo'nar·chi·cal** [-kəl] *adj* **1.** mon'archisch. – **2.** monar'chistisch, monar'chiefreundlich. – **3.** königlich (*auch fig.*). — **mo'nar·chi·cal·ly** *adv* (*auch zu* monarchic).

mon·arch·ism ['mɒnərˌkizəm] *s* Monar'chismus *m*. — '**mon·arch·ist I** *s* Monar'chist(in). – **II** *adj* monar'chistisch.

mon·arch·y ['mɒnərki] *s* **1.** Monar'chie *f*: absolute (*od.* despotic) ~ absolute Monarchie; constitutional (*od.* limited) ~ konstitutionelle Monarchie. – **2.** Al'leinherrschaft *f*, Herrschaft *f* eines einzelnen.

mon·as ['mɒnæs; 'mou-] *pl* '**mon·a·ˌdes** [-nəˌdiːz] → monad.

mon·as·te·ri·al [ˌmɒnə'sti(ə)riəl] *adj* klösterlich, Kloster...

mon·as·ter·y [*Br.* 'mɒnəstri; *Am.* -ˌsteri] *s* **1.** (Mönchs)Kloster *n*. – **2.** Kloster(insassen *pl*) *n*. – *SYN. cf.* cloister.

mo·nas·tic [mə'næstik] **I** *adj* **1.** klösterlich, Kloster... – **2.** mönchisch, Mönchs...: ~ vows Mönchsgelübde. – **3.** *fig.* mönchisch, weltabgewandt. – **4.** (*Buchbinderei*) Blinddruck... – **II** *s* **5.** Mönch *m*. — **mo'nas·ti·cal·ly** *adv*. — **mo'nas·tiˌcism** [-tiˌsizəm; -tə-] *s* **1.** Mönch(s)tum *n*. – **2.** Klosterleben *n*, mönchisches Leben, As'kese *f*.

mon·a·tom·ic [ˌmɒnə'tɒmik] *adj chem.* **1.** monoato'mar, 'einaˌtomig. – **2.** → monohydric.

mon·au·ral [mɒ'nɔːrəl] *adj* **1.** einohrig. – **2.** monau'ral, 'einkaˌnalig (*Schallplatte*).

mon·ax·i·al [mɒ'næksiəl] *adj* einachsig.

mon·a·zite ['mɒnəˌzait] *s min.* Mona'zit *m* [(Ce, La, Nd, Pr) PO_4].

Mon·day ['mʌndi] *s* Montag *m*: Black ~ (*Schul-sl.*) *der erste Schultag nach langen Ferien*; on ~ am Montag; on ~s montags; St. ~ *Br.* blauer Montag. — '**Mon·day·ish** *adj* (am Montag) nicht zum Arbeiten aufgelegt.

monde [mɔ̃ːd] (*Fr.*) *s* **1.** (feine) Welt, (feine) Gesellschaft. – **2.** Welt *f*, Kreis *m* (*in dem man verkehrt*).

mon·di·al ['mɒndiəl] *adj* weltweit, Welt...

Mo·nel (met·al) [mo'nel] *s tech.* 'Monelmeˌtall *n* (*eine widerstandsfähige Legierung*).

mon·em·bry·on·ic [mɒˌnembri'ɒnik] *adj biol.* mit einem einzigen Embryo.

mon·e·tar·y [*Br.* 'mʌnitəri; 'mɒn-; *Am.* -nəˌteri] *adj econ.* **1.** mone'tär. – **2.** Währungs... – **3.** Münz...: ~ standard Münzfuß. – **4.** Geld..., geldlich, pekuni'är, finanzi'ell. – *SYN. cf.* financial. — ~ **cri·sis** *s econ.* Währungs-, Geldkrise *f*. — ~ **in·dem·ni·ty** *s* Geldabfindung *f*. — ~ **u·nit** *s econ.* Währungseinheit *f*.

mon·e·tize ['mʌniˌtaiz; -nə-; 'mɒn-] *v/t* **1.** zu Münzen prägen. – **2.** zum gesetzlichen Zahlungsmittel machen. – **3.** (*Metall, Münzen etc* [*dat*]) einen bestimmten Geldwert beilegen.

mon·ey ['mʌni] *s econ.* **1.** Geld *n*: call ~, ~ on (*od.* at) call, demand ~ täglich fälliges Geld, tägliches Geld; coined ~ Hartgeld; consigned ~ Depositengeld; consolidated ~ Festgeld; ready ~ bares Geld; short of ~ knapp an Geld, ‚schlecht bei Kasse'; ~ due ausstehendes Geld; ~ on account Guthaben; ~ on hand verfügbares Geld. – **2.** Geld *n*, Vermögen *n*, Reichtum *m*: to make ~ Geld machen, reich werden, gut verdienen (by bei, durch); to marry ~ Geld heiraten; → coin 4; time *b. Redw.* – **3.** pekuni'ärer Pro'fit: ~ for jam *Br. sl.* guter Profit für wenig Mühe. – **4.** Münze *f*: ~ of account Rechnungsmünze. – **5.** Geldsorte *f*. – **6.** Zahlungsmittel *n* (*jeder Art*). – **7.** Geldbetrag *m*, -summe *f*. – **8.** *pl jur. od. obs.* Gelder *pl*, Geldsummen *pl*, (Geld)Beträge *pl*. — '~ˌ**bag** *s* **1.** Geldbeutel *m*. – **2.** *pl colloq.* a) Geldsäcke *pl*, Reichtum *m*, b) (*als sg konstruiert*) ‚Geldsack' *m*, reiche Per'son. — ~ **bill** *s pol.* Geldbewilligungsantrag *m*, *bes.* Steuergesetzantrag *m*. — ~ **box** *s* Sparbüchse *f*. — ~ **bro·ker** *s econ.* Geldvermittler *m*, -makler *m*. — '~-ˌ**chang·er** *s* Geldwechsler *m*. — ~ **cir·cu·la·tion** *s* 'Geldˌumlauf *m*.

mon·eyed ['mʌnid] *adj* **1.** mit Geld versehen, reich, vermögend. – **2.** Geld..., aus Geld bestehend: ~ assistance finanzielle Hilfe. — ~ **cor·po·ra·tion** *s econ. Am. Unternehmen, dem es gestattet ist, am Geld als solchem zu verdienen, bes.* a) Bank *f*, b) Versicherungsgesellschaft *f*. — ~ **in·ter·est** *s econ.* Fi'nanzwelt *f*, 'Großfiˌnanz *f*, Kapita'listen *pl*.

mon·ey·er ['mʌniər] *s econ.* **1.** (Geld)-Münzer *m*. – **2.** *obs.* Banki'er *m*.

'**mon·ey|ˌgrub·ber** *s* Geldraffer *m*, Geizhals *m*. — '~ˌ**grub·bing I** *s* Geldraffen *n*. – **II** *adj* geldraffend, -gierig. — '~ˌ**lend·er** *s econ.* Geldverleiher *m*.

mon·ey·less ['mʌnilis] *adj* ohne Geld, mittellos.

mon·ey| let·ter *s econ.* Geld-, Wertbrief *m*. — ~ **loan** *s econ.* Kassendarlehen *n*. — '~-ˌ**mak·er** *s* **1.** Geldverdiener *m*, j-d der gut verdient. – **2.** einträgliche Sache (*Geschäft etc*). — '~-ˌ**mak·ing I** *adj* **1.** gewinnbringend, einträglich. – **2.** (geld)-verdienend. – **II** *s* **3.** Gelderwerb *m*, gutes Verdienen. — ~ **mar·ket** *s econ.* Geldmarkt *m*. — '~ˌ**mon·ger** *s econ.* Geldverleiher *m*, *bes.* Wucherer *m*. — ~ **or·der** *s econ.* **1.** 'Postanweisung *f*, -überˌweisung *f*. – **2.** Zahlungsanweisung *f*. — ~ **spi·der** *s* Glücksspinne *f* (*die Glück bringen soll*). — ~ **spin·ner** *s* **1.** → money spider. – **2.** a) erfolgreicher Speku'lant, b) Wucherer *m*. — ~ **sup·ply** *s econ.* Geldversorgung *f*. — ~ **trans·ac·tion** *s econ.* Geld-, Effek'tivgeschäft *n*.

mon·ey's worth *s* Geldeswert *m*: to get one's ~ etwas (*Vollwertiges*) für sein Geld bekommen.

'**mon·eyˌwort** *s bot.* Pfennigkraut *n* (*Lysimachia nummularia*).

mon·ger ['mʌŋgər] *s* (*fast nur in Zusammensetzungen*) **1.** Händler *m*, *bes.* Krämer *m*: cheese~ Käsehändler; fish~ Fischhändler. – **2.** *fig.* Krämer *m*, Verbreiter *m* (*von Gerüchten etc*), Macher *m*: news~ Neuigkeitenkrämer; verse~ Versemacher, -schmied; war~ Kriegshetzer. — '**mon·ger·ing** (*bes. in Zusammensetzungen u. meist verächtlich*) **I** *s* Kräme'rei *f*. – **II** *adj* vertreibend, verbreitend, kramend: scandal~ Skandalgeschichten verbreitend.

Mon·gol ['mɒŋgɒl; -gəl] **I** *s* **1.** Mon'gole *m*, Mon'golin *f*. – **2.** Mongo'lide(r), Angehörige(r) der mongo'liden *od.* gelben Rasse. – **3.** *ling.* Mon'golisch *n*, das Mon'golische. – **4.** → Mongolian 6. – **II** *adj* → Mongolian I. — **Mon'go·li·an** [-'gouliən; -ljən] **I** *adj* **1.** mon'golisch. – **2.** mongo'lid, gelb (*Rasse*). – **3.** *med.* an Mongo'lismus leidend. – **4.** Mongolen...: ~ spot *med.* Mongolenfleck. – **II** *s* **5.** → Mongol 1. – **6.** *med.* an Mongo'lismus Leidende(r). — **Mon'gol·ic** [-'gɒlik] **I** *adj* → Mongolian I. – **II** *s* → Mongol 3. — **Mon·gol·ism** ['mɒŋgəˌlizəm] *s med.* Mongo'lismus *m*, mongolo'ide Idio'tie. — '**Mon·golˌoid I** *adj* mongolo'id, mon'golenartig, -ähnlich. – **II** *s* Mongolo'ide(r).

mon·goose ['mɒŋguːs] *pl* **-goos·es** *s zo.* **1.** Mungo *m* (*Gattg Herpestes*), *bes.* Indischer Mungo (*H. edwardsii*; *Schleichkatze*). – **2.** Mongoz(maki) *m* (*Lemur mongoz*; *Halbaffe*).

mon·grel ['mʌŋgrəl] **I** *s* **1.** *biol.* Bastard *m*, 'Kreuzungsproˌdukt *n*. – **2.** Köter *m*, Prome'nadenmischung *f*. – **3.** (*beim Menschen*) Mischling *m*. – **4.** Zwischending *n*. – **II** *adj* **5.** Bastard..., nicht reinrassig, Misch...: ~ race Mischrasse. – **6.** nicht eindeutig bestimmt. — '**mon·grelˌize I** *v/t* zu einem Bastard machen. – **II** *v/i* ein Bastard *od.* Mischling werden.

'**mongst** [mʌŋst; mʌŋkst] *Kurzform für* amongst.

mon·i·ker, *auch* **mon·ick·er** ['mɒnikər] *s* **1.** Erkennungszeichen *n* (*eines Tramps*). – **2.** *sl.* (Spitz)Name *m*.

mon·i·lat·ed [ˈmɒniˌleitid; -nə-] → moniliform.

mo·nil·i·corn [moˈniliˌkɔːrn; mə-] *zo.* **I** *adj* mit perlschnurförmigen Fühlern. – **II** *s* Käfer *m* mit perlschnurförmigen Fühlern. — **moˈnil·iˌform** [-ˌfɔːrm] *adj bes. bot. zo.* perlschnurförmig.

mon·ism [ˈmɒnizəm] *s philos.* Moˈnismus *m.* — ˈ**mon·ist** *s* Moˈnist *m.* — **mo·nis·tic** [mɒˈnistik; mo-], **moˈnis·ti·cal** *adj* moˈnistisch.

mo·ni·tion [moˈniʃən; mɒ-] *s* **1.** (Er)Mahnung *f.* – **2.** Warnung *f.* – **3.** warnendes Zeichen. – **4.** *jur.* Vorladung *f.* – **5.** *relig.* Mahnschreiben *n* (*eines Bischofs an ihm unterstellte Geistliche*).

mon·i·tor [ˈmɒnitər; -nə-] **I** *s* **1.** (Er)Mahner *m.* – **2.** Warner *m.* – **3.** *ped.* Monitor *m* (*älterer Schüler, in USA auch Student, der Aufsichts- u. Strafgewalt hat*), *bes.* Klassenordner *m.* – **4.** Warnzeichen *n*, Warnung *f*, Mahnung *f.* – **5.** *mar.* a) Monitor *m*, Turmschiff *n* (*Art gepanzertes Kriegsschiff*), b) Feuerlöschboot *n* mit einer Spritze. – **6.** *tech.* Wendestrahlrohr *n.* – **7.** *electr.* a) Abhörer(in), b) Abhör-, Abhorchgerät *n*, Mithöreinrichtung *f.* – **8.** *zo.* Waˈran(eidechse *f*) *m* (*Fam. Varanidae*). – **II** *v/t* **9.** *electr.* (*Rundfunksendungen, Telephongespräche etc*) ab-, mithören, überˈwachen. – **10.** *electr.* mithören, (*Übertragungsweise etc*) durch Abhören kontrolˈlieren. – **11.** *phys.* auf (ˈradioakˌtive) ˈStrahlungsintensiˌtät überˈprüfen. – **III** *v/i* **12.** *electr.* mit-, abhören. – **13.** *phys.* die (ˈradioakˌtive) ˈStrahlungsintensiˌtät überˈprüfen. —ˌ**mon·iˈto·ri·al** [-ˈtɔːriəl] *adj* **1.** → monitory. – **2.** *ped.* Monitor..., Klassenordner...

mon·i·tor roof *s arch. Am. Dach mit erhöhtem Mittelteil, dessen Seiten von niederen Fensterreihen gebildet werden.*

mon·i·tor·ship [ˈmɒnitərʃip; -nə-] *s ped.* Stelle *f od.* Funktiˈon *f* eines Monitors. — ˈ**mon·i·to·ry** [*Br.* -təri; *Am.* -ˌtɔːri] **I** *adj* **1.** (er)mahnend, Mahn...: ~ letter. – **2.** warnend, Warnungs... – **II** *s* **3.** Mahnbrief *m* (*bes. eines Bischofs*). — ˈ**mon·i·tress** *s* **1.** (Er)Mahnerin *f*, Warnerin *f.* – **2.** Klassenordnerin *f.*

monk [mʌŋk] *s* **1.** Mönch *m.* – *SYN. cf.* religious. – **2.** *zo.* a) Mönchsaffe *m* (*Pithecia monachus*), b) → angelfish 1. – **3.** *print. bes. Br.* Schmierstelle *f*, Klecks *m.* — ˈ**monk·er·y** [-əri] *s* **1.** (*oft verächtlich*) a) Kloster-, Mönchsleben *n*, b) Mönch(s)tum *n*, c) *pl* Mönchspraktiken *pl.* – **2.** *collect.* Mönche *pl.* – **3.** Mönchskloster *n.*

mon·key [ˈmʌŋki] **I** *s* **1.** *zo.* a) Affe *m* (*Ordng Primates ohne die Halbaffen*), b) (*im engeren Sinn*) kleinerer (langschwänziger) Affe (*im Gegensatz zu* ape). – **2.** *fig.* Affe *m*, *bes.* a) Possenreißer *m*, Kasper *m*, b) Schlingel *m*, c) Narr *m*, Dummkopf *m.* – **3.** Affenfell *n.* – **4.** *tech.* a) Ramme *f*, Rammblock *m*, b) Fallhammer *m*, -block *m*, -klotz *m*, Hammerbär *m.* – **5.** (*Glasherstellung*) kleiner Schmelztiegel. – **6.** → goglet. – **7.** (*Kohlenbergbau*) kleiner Gang, kleine Öffnung, *bes.* Wetterschacht *m.* – **8.** *Br. sl.* Wut *f* (*in den Wendungen*): to get (*od.* put) s.o.'s ~ up j-n in Wut bringen, ‚j-n auf die Palme bringen'; to get one's ~ up in Wut geraten, fuchtig werden. – **9.** *Br. sl.* £500, 500 Pfund. – **II** *v/i* **10.** Possen *od.* Schabernack treiben. – **11.** *colloq.* (with) tändeln, spielen (mit), herˈumpfuschen (an *dat*): to ~ about herumspielen, ‚-blödeln'. – **III** *v/t* **12.** nachäffen. – **13.** verspotten.

mon·key| ap·ple *s bot.* Gelbe Clusie (*Clusia flava*). — ~ **boat** *s mar. Br. schmales, halbgedecktes Boot, in Docks u. auf der Themse gebraucht.* — ~ **bread** *s bot.* **1.** → baobab. – **2.** Affenbrotbaum-Frucht *f.* — ~ **business** *s sl.* **1.** Gauneˈrei *f*, Schwindel *m.* – **2.** ‚ˈAffentheˌater' *n.* — ~ **cup** *s bot.* Kannenpflanze *f* (*Gattg Nepenthes*). — ~ **deck** *s mar.* Peildeck *n.* — ~ **en·gine** *s tech.* ˈRammaˌschine *f*, Fallwerk *n.* — ~ **flow·er** *s bot.* Gauklerblume *f* (*Gattg Mimulus*). — ~ **gaff** *s mar. Am.* Flaggengaffel *f.* — ~ **grass** *s bot.* Piasˈsavafaser *f* (*der Piassavapalme Attalea funifera*). — ~ **ham·mer** *s tech.* Fallhammer *m*, (Ramm)Bär *m.* — ~ **house** *s* Affenhaus *n.* — ~ **jack·et** *s* Monki-, Munkijacke *f* (*kurze enganliegende Jacke bes. der Matrosen*). — ˈ~ˌ**nut** *Br. für* peanut. — ˈ~ˌ**pot** *s bot.* **1.** Frucht *f* des Topffruchtbaums. – **2.** Topffrucht-, Krukenbaum *m* (*Gattg Lecythis*). — ~ **puz·zle** *s bot.* Schuppentanne *f* (*Araucaria imbricata*). — ˈ~ˌ**shine** *s Am. sl.* (dummer *od.* ˈübermütiger) Streich, Possen *m.* — ~ **wrench** *s tech.* Franˈzose *m*, Engländer *m*, Univerˈsal(schrauben)schlüssel *m*: to throw a ~ into s.th. *Am. colloq.* etwas durcheinander bringen.

ˈ**monkˌfish** *s* **1.** → angelfish 1. – **2.** → angler 2.

Mon-Khmer [ˈmounˈkmer] *adj ling.* Mon-Khmer-...: ~ languages Mon-Khmer-Sprachen (*Gruppe der austroasiat. Sprachen*).

monk·hood [ˈmʌŋkhud] *s* **1.** Mönch(s)tum *n.* – **2.** *collect.* Mönche *pl.* — ˈ**monk·ish** *adj* **1.** Mönchs..., Kloster... – **2.** (*meist verächtlich*) mönchisch, pfäffisch, Pfaffen...

monk seal *s zo.* Mönchsrobbe *f* (*Monachus albiventer*).

monk·ship [ˈmʌŋkʃip] *s* Mönch(s)tum *n.*

ˈ**monksˌhood** *s bot.* Eisen-, Sturmhut *m* (*Gattg Aconitum, bes. A. napellus*).

monk's seam *s mar.* Kappnaht *f*, ˈdurchgenähte Naht (*eines Segels*).

mo·no [ˈmounou] *pl* **-nos** *s zo.* Caˈraya *m*, Schwarzer Brüllaffe (*Alouatta villosa*).

mono- [mɒno; -nə; monɒ; mə-] *Wortelement mit der Bedeutung* ein, einzeln, einfach, allein.

ˌ**mon·oˈac·id** *chem.* **I** *adj* einsäurig. – **II** *s* einbasige Säure, Säure *f* mit nur ˈeinem ersetzbaren ˈWasserstoffaˌtom. — ˌ**mon·oˈbas·ic** *adj* **1.** *chem.* einbasisch, einbasig. – **2.** → monotypic. — ˌ**mon·oˈbro·mat·ed** *adj chem.* monobroˈmiert, ein Aˈtom Brom enthaltend.

mon·o·carp [ˈmɒnoˌkɑːrp; -nə-] *s bot.* monoˈkarpische *od.* nur einmal fruchtende Pflanze. — ˌ**mon·oˈcar·pel·lar·y** *adj bot.* aus nur ˈeinem Fruchtblatt bestehend. — ˌ**mon·oˈcar·pic** *adj bot.* nur einmal fruchtend. — ˌ**mon·oˈcar·pous** *adj bot.* **1.** einfrüchtig (*Blüte*). – **2.** → monocarpic.

ˌ**mon·oˈcel·lu·lar** *adj biol.* einzellig.

ˌ**mon·oˈceph·a·lous** *adj bot.* einköpfig.

mo·noc·er·os [moˈnɒsərəs; mə-] *s* **1.** *zo. ein Fisch mit einem hornähnlichen Fortsatz, bes.* → a) swordfish, b) sawfish. – **2.** M~ *astr.* Einhorn *n* (*südl. Sternbild*). — **moˈnoc·er·ous** *adj* einhörnig.

mon·o·cha·si·um [ˌmɒnoˈkeiziəm; -nə-; -ʒiəm] *pl* **-si·a** [-ə] *s bot.* Monoˈchasium *n*, eingab(e)lige Trugdolde.

ˌ**mon·o·chlaˈmyd·e·ous** *adj bot.* monochlamyˈdeisch, mit einfacher Blütenhülle.

ˌ**mon·oˈchlo·ride** *s chem.* Monochloˈrid *n.*

ˈ**mon·oˌchord** *s* **1.** *mus.* Monoˈchord *n.* – **2.** *fig. selten* Einklang *m*, Überˈeinstimmung *f.*

ˌ**mon·o·chroˈmat·ic,** *auch* ˌ**mon·oˈchro·ic** [-ˈkrouik] *adj* monochroˈmatisch, einfarbig. — ˈ**mon·oˌchrome I** *s* **1.** einfarbiges Gemälde. – **2.** einfarbige Darstellung. – **II** *adj* **3.** monoˈchrom. — ˌ**mon·oˈchro·mic,** ˌ**mon·oˈchro·mi·cal** *adj* monoˈchrom, einfarbig. — ˈ**mon·oˌchrom·ist** *s* Speziaˈlist *m* für einfarbige Maleˈrei. — ˈ**mon·oˌchro·my** [-mi] *s* einfarbige Maleˈrei *od.* Darstellung.

ˌ**mon·oˈchron·ic** *adj selten* gleichzeitig (bestehend).

mon·o·cle [ˈmɒnəkl] *s* Monˈokel *n*, Einglas *n.* — ˈ**mon·o·cled** *adj* ein Monˈokel tragend, mit Monokel.

mon·o·cli·nal [ˌmɒnoˈklainl; -nə-] *geol.* **I** *adj* monoˈklin, in nur einer Richtung geneigt. – **II** *s* → monocline. — ˈ**mon·oˌcline** [-ˌklain] *s geol.* monoˈkline Falte. — ˌ**mon·oˈclin·ic** [-ˈklinik], ˌ**mon·oˌcli·noˈmet·ric** [-ˌklainoˈmetrik; -nə-] *adj min.* monoˈklin (*Kristall*). — ˌ**mon·oˈcli·nous** *adj bot.* monoˈklin, zwittrig, zweigeschlechtig.

mo·no·coque [mɒnəˈkɒk] (*Fr.*) *s aer.* **1.** Schalen-, Wickelrumpf *m.* – **2.** Flugzeug *n* mit Schalenrumpf. — ~ **con·struc·tion** *s tech.* Schalenbau(weise *f*) *m.*

mon·o·cot [ˈmɒnoˌkɒt; -nə-], ˌ**mon·oˈcot·yl** [-til] → monocotyledon. — ˌ**mon·oˌcot·yˈle·don** [-ˈliːdən] *s bot.* Monokotyleˈdone *f*, Monokoˈtyle *f*, Einkeimblättrige *f.* — ˌ**mon·oˌcot·yˈle·don·ous** *adj* einkeimblättrig.

mo·noc·ra·cy [moˈnɒkrəsi; mə-] *s* Monokraˈtie *f*, Alˈleinherrschaft *f.* — **mon·o·crat** [ˈmɒnoˌkræt; -nə-] *s* **1.** Autoˈkrat *m*, Alˈleinherrscher *m.* – **2.** *selten* Monarˈchist *m.* — ˌ**mon·oˈcrat·ic** *adj* mono-, autoˈkratisch.

mon·o·crot·ic [ˌmɒnoˈkrɒtik; -nə-] *adj med.* monoˈkrot, einschlägig (*Puls*).

mo·noc·u·lar [moˈnɒkjulər; mɒ-; -jə-] *adj* **1.** *selten* einäugig. – **2.** monokuˈlar, für nur ˈein Auge, nur mit ˈeinem Auge. — **mon·o·cule** [ˈmɒnoˌkjuːl; -nə-] *s zo.* einäugiges Tier.

ˈ**mon·oˌcul·ture** *s agr.* ˈMonokulˌtur *f* (*einseitiger Anbau einer bestimmten Wirtschafts- od. Kulturpflanzenart*).

ˈ**mon·oˌcy·cle** *s* Einrad *n*, einrädriges Fahrrad. — ˌ**mon·oˈcy·clic** *adj* **1.** nur ˈeinen Ring bildend *od.* habend. – **2.** *chem. math. phys.* monoˈzyklisch. – **3.** *bot. zo.* in nur ˈeinem Kreis angeordnet, aus nur ˈeinem Kreis bestehend.

mon·o·cyte [ˈmɒnoˌsait; -nə-] *s med.* Monoˈzyt *m* (*Art weißes Blutkörperchen*).

mon·o·dac·ty·lous [ˌmɒnoˈdæktiləs; -nə-], *auch* ˌ**mon·oˈdac·tyl** *adj zo.* einfingrig, einzehig.

mo·nod·ic [moˈnɒdik; mə-], *auch* **moˈnod·i·cal** [-kəl] *adj mus.* monˈodisch. — **mon·o·dist** [ˈmɒnədist] *s* Verfasser *m od.* Sänger *m* von Monoˈdien.

mon·o·dont [ˈmɒnoˌdɒnt; -nə-] *adj* [einzähnig.]

ˈ**mon·oˌdra·ma** *s* Monoˈdrama *n* (*Drama mit nur einer handelnden Person*). — ˌ**mon·o·draˈmat·ic** *adj* monodraˈmatisch.

mon·o·dy [ˈmɒnədi] *s* Monoˈdie *f*: a) Einzelgesang *m* (*z. B. im griech. Drama*), b) Klagelied *n*, Totenklage *f*, c) *mus.* unbegleitete Einstimmigkeit, d) *mus.* Mehrstimmigkeit *f* mit Vorherrschaft einer Meloˈdie, e) *mus.* Homophoˈnie *f*, f) *mus.* monˈodische Kompositiˈon.

mo·noe·cious [məˈniːʃəs; mo-] *adj* **1.** *bot.* moˈnözisch, einhäusig (*mit männlichen u. weiblichen Blüten auf derselben Pflanze*). – **2.** *zo.* moˈnözisch, hermaphroˈditisch, zwitterig. — **moˈnoe·cism** [-sizəm] *s biol.* Monöˈzie *f*, Zwitterigkeit *f*, Einhäusigkeit *f.*

ˈ**mon·oˌfilm** *s chem. phys.* monomolekuˈlare Schicht.

mon·o·gam·ic [ˌmɒno'gæmik; -nə-] → monogamous. — **mo·nog·a·mist** [mə'nɒgəmist; mo-] **I** *s* Monoga'mist(in), in Einehe Lebende(r). – **II** *adj* monoga'mistisch. — **moˌnog·a'mis·tic** → monogamist II. — **mo'nog·a·mous** *adj* mono'gam(isch). — **mo'nog·a·my** *s* Monoga'mie *f*: a) Einehe *f*, b) nur einmalige Ehe, c) *zo.* Einehe *f*, Paarung *f* auf Lebenszeit.

ˌmon·o'gen·e·sis *s* **1.** Monoge'nese *f*, Gleichheit *f* der Abstammung. – **2.** (*Theorie der*) *Entwicklung aller Lebewesen aus einer Urzelle.* – **3.** → monogenism. – **4.** *biol.* Monoge'nese *f*: a) *ungeschlechtliche Fortpflanzung*, b) *direkte Entwicklung ohne Metamorphose.* — **ˌmon·o·ge'net·ic** *adj* **1.** monoge'netisch. – **2.** *zo.* mono'genisch (*Saugwurm*). – **3.** *geol.* monoge'netisch, in nur 'einem Bildungsvorgang entstanden. — **ˌmon·o'gen·ic** *adj* **1.** mono'gen, gemeinsamen Ursprungs. – **2.** monoge'netisch. – **3.** *zo.* mono'genisch, sich nur auf 'eine Art fortpflanzend, ohne Generati'onswechsel. – **4.** *math.* mono'gen (*Funktion*). – **5.** *geol.* mono'gen (*aus nur einer Mineralart bestehend*). — **mo·nog·e·nism** [mə'nɒdʒəˌnizəm] *s* Monoge'nismus *m*, Monophyle'tismus *m* (*Ableitung aller heutigen Menschenrassen aus einer einzigen Stammform*). — **mo'nog·e·ny** *s* **1.** → monogenism. – **2.** → monogenesis 4a.

mon·o·glot ['mɒnəˌglɒt] **I** *adj* einsprachig. – **II** *s* einsprachige Per'son.

mo·nog·o·ny [mə'nɒgəni] *s biol.* Monogo'nie *f*, mono'gene *od.* ungeschlechtliche Fortpflanzung.

mon·o·gram ['mɒnəˌgræm] *s* Mono'gramm *n*. — **'mon·oˌgrammed** *adj* mit Mono'gramm (versehen). — **ˌmon·o·gram'mat·ic** [-grə'mætik] *adj* Monogramm..., mono'grammartig.

mon·o·graph ['mɒnəˌgræ(ː)f; *Br. auch* -ˌgrɑːf] **I** *s* Monogra'phie *f*, Einzeldarstellung *f* (*Abhandlung über einen einzelnen Gegenstand*). – **II** *v/t* in einer Monogra'phie behandeln. — **mo·nog·ra·pher** [mə'nɒgrəfər] *s* Verfasser *m* einer Monogra'phie. — **ˌmon·o'graph·ic** [-'græfik] *adj* **1.** mono'graphisch, in Einzeldarstellung. – **2.** mono'grammartig. — **ˌmon·o'graph·i·cal·ly** *adv*. — **mo'nog·ra·phist** → monographer.

mon·o·gy·noe·cial [ˌmɒnodʒi'niːʃəl; -dʒai-] *adj bot.* von einem einzigen Stempel gebildet (*Frucht*). — **mo·nog·y·nous** [mə'nɒdʒinəs; -dʒə-] *adj* **1.** *bot.* einweibig, mit nur 'einem Stempel. – **2.** mit nur 'einer Ehefrau. – **3.** *zo.* mit nur 'einem Weibchen. — **mo'nog·y·ny** *s* Monogy'nie *f*, Einweibigkeit *f*, Verbindung *f* mit nur 'einer Frau.

ˌmon·o'hy·drate *s chem.* Monohy'drat *n* (*mit einem Molekül Wasser*). — **ˌmon·o'hy·dric** *adj chem.* einwertig, ein leicht ersetzbares 'Wasserstoffaˌtom enthaltend: ~ alcohol.

mon·o·i·de·ism [ˌmɒnouai'diːizəm] *s psych.* Monoide'ismus *m* (*krankhaftes Vorherrschen einer einzigen Leitvorstellung*).

mo·nol·a·ter [mə'nɒlətər], **mo'nol·a·trist** [-trist] *s relig. j-d der nur einen Gott anbetet, die Existenz weiterer Götter aber nicht leugnet.* — **mo'nol·a·try** [-tri] *s* Monola'trie *f*.

ˌmon·o'lay·er *s chem. phys.* monomoleku'lare Schicht.

ˌmon·o'lin·gual *adj* einsprachig.

mon·o·lith ['mɒnoliθ; -nə-] *s* **1.** Mono'lith *m*: a) *großer Steinblock*, b) *aus einem einzigen Stein hergestelltes Kunstwerk.* – **2.** *meist* M~ (*TM*) Mono'lith *n* (*steinähnliches Material zur Herstellung von Fußböden*). — **ˌmon·o'lith·ic** *adj* **1.** mono'lith(isch), aus einem einzigen Steinblock (bestehend). – **2.** *fig.* mono'lithisch, wie aus 'einem Guß, unerschütterlich (fest).

ˌmon·o'lob·u·lar *adj zo.* einlappig.

mon·o·log *cf.* monologue. — **ˌmon·o'log·ic** [-'lɒdʒik], **ˌmon·o'log·i·cal** *adj* mono'logisch, nach Art eines Mono'logs. — **mo·nol·o·gist** [mə'nɒlədʒist] *s* **1.** j-d der einen Mono'log spricht. – **2.** Al'leinredner *m*, j-d der die Unter'haltung al'lein führt. — **mo'nol·oˌgize** *v/i* monologi'sieren, ein Selbstgespräch halten. — **'mon·oˌlogue** [-ˌlɒg; *Am. auch* -ˌlɔːg] *s* **1.** Mono'log *m*, Selbstgespräch *n* (*bes. im Drama*). – **2.** Mono'log *m* (*von einer Person aufgeführtes dramatisches Gedicht*). – **3.** lange Rede, Mono'log *m* (*in einer Unterhaltung*). — **'mon·oˌlogu·ist** → monologist 1. — **mo·nol·o·gy** [mə'nɒlədʒi] *s* Monologi'sieren *n*, Halten *n* von Selbstgesprächen.

ˌmon·o'ma·ni·a *s* **1.** Monoma'nie *f*: a) *Besessensein von einem bestimmten Gedanken od. Trieb*, b) *Geistesgestörtheit auf nur einem Gebiet.* – **2.** fixe I'dee. — **ˌmon·o'ma·niˌac** *s* Mono'mane *m*, Mono'manin *f*, von einer fixen I'dee Besessene(r). — **ˌmon·o·ma'ni·a·cal** *adj* mono'man, mono'manisch.

mon·o·mark ['mɒnoˌmɑːrk; -nə-] *s Br. als Identifikationszeichen registrierte Kombination von Buchstaben und/oder Ziffern.*

mon·o·mer ['mɒnomər; -nə-] *s chem.* Mono'mere *n* (*polymerisierbare Verbindung*). — **ˌmon·o'mer·ic** [-'merik] *adj* mono'mer (*aus einfachen Molekülen bestehend*).

mo·nom·er·ous [mə'nɒmərəs] *adj bot.* mono'mer, einglied(e)rig, -teilig.

mon·o·me·tal·lic [ˌmɒnomi'tælik; -mə't-] *adj econ.* **1.** aus nur 'einem Me'tall bestehend, nur 'ein Me'tall verwendend (*Münze, Währung etc*). – **2.** monometal'listisch. — **ˌmon·o'met·alˌlism** [-'metəˌlizəm] *s econ.* ˌMonometal'lismus *m* (*Verwendung nur eines Währungsmetalls*). — **ˌmon·o'met·al·list** *s* Verfechter *m* des ˌMonometal'lismus.

mo·nom·e·ter [mə'nɒmitər; -mət-] *s metr.* Mono'meter *m* (*nur aus einem Metrum bestehendes Kolon*).

mo·no·mi·al [mə'noumiəl; mo-] **I** *adj* **1.** *math.* mo'nomisch, eingliedrig. – **2.** *biol.* einwortig. – **II** *s* **3.** Mo'nom *n*, einwortige Bezeichnung. – **4.** *math.* Mo'nom *n*: a) eingliedrige Größe, b) eingliedriger Ausdruck.

ˌmon·o·mo'lec·u·lar *adj chem. phys.* monomoleku'lar (*nur aus einer Moleküllage bestehend*).

mon·o·mor·phic [ˌmɒno'mɔːrfik], **ˌmon·o'mor·phous** [-fəs] *adj* mono'morph, gleichgestaltet, eingestaltig, sich nicht verändernd.

ˌmon·o'nu·cle·ar *adj* einkernig.

ˌmon·o·pa're·sis *s med.* Monopa'rese *f*, Lähmung *f* eines einzelnen Körperteils.

ˌmon·o'pet·a·lous *adj bot.* **1.** → gamopetalous. – **2.** mit nur 'einem Kronblatt.

'mon·oˌphase, **ˌmon·o'phas·ic** *adj* [*electr.* einphasig.]

ˌmon·o'pho·bi·a *s* Monopho'bie *f* (*krankhafte Furcht vor dem Alleinsein*).

ˌmon·o'phon·ic → monodic.

mon·oph·thal·mus [ˌmɒnɒf'θælməs] *s med.* einäugige 'Mißgeburt.

mon·oph·thong ['mɒnəfˌθɒŋ; *Am. auch* -ˌθɔːŋ] *s* (*Phonetik*) Mono'phthong *m*, einfacher Selbstlaut. — **ˌmon·oph'thon·gal** [-gəl] *adj* mono'phthongisch. — **'mon·oph·thongˌize** [-ˌŋaiz] *v/t* monophthon'gieren.

ˌmon·o·phy'let·ic *adj biol.* monophy'letisch, einstämmig (*einer Stammform entsprossen od. einem einzigen Stamm zugehörig*). — **ˌmon·o'phyl·lous** [-'filəs] *adj bot.* einblättrig: a) aus einem einzigen Blatt bestehend, b) nur 'ein Blatt habend. — **ˌmon·o'phy·oˌdont** [-'faiəˌdɒnt] *zo.* **I** *s* Monophyo'dont *m*, Tier *n* ohne Zahnwechsel. – **II** *adj* monophyo'dont.

Mo·noph·y·site [mə'nɒfiˌsait; -fə-] *s relig.* Monophy'sit *m* (*christlicher Sektierer, der Christus nur eine Natur zuschreibt*). — **Mon·o·phy·sit·ic** [ˌmɒnofi'sitik] *adj* monophy'sitisch. — **Mo'noph·yˌsit·ism** [-ˌsaitizəm] *s* Monophysi'tismus *m*.

'mon·oˌplane *s aer.* Eindecker *m*.

ˌmon·o'plas·tic *adj biol.* gleich-, einförmig.

mon·o·ple·gi·a [ˌmɒno'pliːdʒiə; -nə-] *s med.* Monople'gie *f* (*Lähmung eines einzelnen Körperteils*). — **ˌmon·o'pleg·ic** [-'pledʒik; -'pliː-] *adj* mono'plegisch.

mon·o·pode ['mɒnəˌpoud] **I** *adj* **1.** einfüßig. – **II** *s* **2.** einfüßiges Wesen. – **3.** → monopodium. — **ˌmon·o'po·di·al** *adj bot.* monopodi'al, traubig. — **ˌmon·o'pod·ic** [-'pɒdik] *adj metr.* mono'podisch. — **ˌmon·o'po·di·um** [-'poudiəm] *pl* **-di·a** [-diə] *s bot.* Mono'podium *n*, echte Hauptachse. — **mo·nop·o·dy** [mə'nɒpədi] *s metr.* Monopo'die *f*, einzelner Versfuß.

mo·nop·o·lism [mə'nɒpəˌlizəm] *s econ.* Monopo'lismus *m*, Mono'polwirtschaft *f*. — **mo'nop·o·list** *s* **1.** *econ.* Monopo'list *m*. – **2.** *fig.* j-d der etwas monopoli'siert *od.* für sich al'lein in Anspruch nimmt. — **moˌnop·o'lis·tic** *adj* monopo'listisch, Monopol... — **moˌnop·o·li'za·tion** *s* Monopoli'sierung *f*. — **mo'nop·oˌlize** *v/t* **1.** *econ.* monopoli'sieren, ein Mono'pol erringen *od.* haben in (*dat*). – **2.** monopoli'sieren, für sich al'lein in Anspruch nehmen: to ~ the conversation. — **mo'nop·o·liz·er** *s* j-d der (*etwas*) monopoli'siert. — **mo'nop·o·ly** [-li] *s econ.* **1.** Mono'pol(stellung *f*) *n*. – **2.** Mono'pol *n*, Al'leinverkaufs-, Al'leinbetriebs-, Al'leinˌherstellungsrecht *n*: production ~ Fabrikationsmonopol; ~ of issuing bank notes Banknotenmonopol. – **3.** Mono'pol *n*, al'leiniger Besitz, al'leinige Beherrschung: ~ of learning Bildungsmonopol. – **4.** Mono'pol *n*, (*etwas*) Monopoli'siertes. – **5.** Mono'polgesellschaft *f*. – *SYN.* cartel, corner, pool[2], syndicate, trust.

mon·o·pol·y·logue [ˌmɒno'pɒliˌlɒg; -nə-; *Am. auch* -ˌlɔːg] *s* (*Theater*) *Aufführung, in der ein Schauspieler mehrere Rollen spielt.*

mon·o·psy·chism [ˌmɒno'saikizəm] *s philos.* Monopsy'chismus *m* (*Lehre, daß die Einzelseelen nur Manifestationen einer einzigen Weltseele seien*).

mo·nop·ter·al [mə'nɒptərəl] *adj* **1.** *zo.* a) einflügelig, b) einflossig. – **2.** *arch.* in Form eines Mo'nopteros (*d. h. eines von nur einer Säulenreihe umgebenen Tempels*).

mon·o·py·re·nous [ˌmɒnopai'riːnəs] *adj bot.* einkernig (*Frucht*).

'mon·oˌrail *s tech.* **1.** Einschiene *f*. – **2.** Einschienenbahn *f*.

mon·or·chid·ism [mɒ'nɔːrkiˌdizəm], **mon'or·chism** [-'nɔːrkizəm] *s med.* Monorchi'die *f*, Einhodigkeit *f*.

mon·or·gan·ic [ˌmɒnɔːr'gænik] *adj med.* nur 'ein Or'gan betreffend.

mon·o·sac·cha·ride [ˌmɒno'sækəˌraid; -rid] *s chem.* Monosacha'rid *n*, einfacher Zucker.

mon·o·sep·al·ous [ˌmɒno'sepələs] *adj bot.* **1.** mit nur 'einem Kelchblatt. – **2.** → gamosepalous. — **'mon·oˌsperm** *s bot.* einsamige Pflanze. —

ˌ**mon·o'sper·mous,** *auch* ˌ**mon·o-'sper·mal** *adj bot.* mono'spermisch, einsamig.

'**mon·oˌstich** *s metr.* Mo'nostichon *n*, Einzelvers *m*. — **mo·nos·ti·chous** [mə'nɒstikəs] *adj* **1.** *bot.* einreihig. – **2.** *zo.* aus einer einzelnen Schicht bestehend.

mon·o·stome ['mɒnoˌstoum], **mo-nos·to·mous** [mə'nɒstəməs] *adj zo.* mit nur 'einer Mund- *od.* Saugöffnung.

mo·nos·tro·phe [mə'nɒstrəfi; 'mɒnəˌstrouf] *s metr.* gleichstrophiges Gedicht. — ˌ**mon·o'stroph·ic** [-'strɒfik] *adj* aus gleichgebauten Strophen bestehend.

mon·o·sty·lous [ˌmɒno'stailəs; -nə-] *adj bot.* eingriff(e)lig, mit nur 'einem Griffel.

ˌ**mon·o·syl'lab·ic** *adj* **1.** einsilbig. – **2.** monosyl'labisch (*Sprache*). – **3.** *fig.* einsilbig (*Person*). — ˌ**mon·o·syl-'lab·i·cal·ly** *adv* einsilbig. — ˌ**mon-o'syl·laˌbism** *s* Einsilbigkeit *f*. — ˌ**mon·o'syl·laˌbize** *v/t* einsilbig machen. — '**mon·oˌsyl·la·ble** *s* Mono'syllabum *n*, einsilbiges Wort: to speak in ~s einsilbige Antworten geben.

ˌ**mon·o·sym'met·ric,** ˌ**mon·o·sym-'met·ri·cal** *adj* **1.** *bot.* einfach sym'metrisch, mit nur 'einer Symme'trieebene. – **2.** *min.* mono'klin.

ˌ**mon·o'tel·eˌphone** *s electr.* **1.** Tele'phon *n* zur Über'tragung bestimmter ('Hör)Freˌquenzen. – **2.** Kopfhörer *m* mit nur 'einer Hörmuschel, abgestimmter Hörer.

ˌ**mon·o'the·cal** *adj bot.* einfächerig.

'**mon·o·theˌism** *s relig.* Monothe'ismus *m* (*Glaube an einen einzigen Gott*). — '**mon·oˌthe·ist** *relig.* **I** *s* Monothe'ist *m*. – **II** *adj* monothe'istisch. — ˌ**mon·o·the'is·tic,** ˌ**mon-o·the'is·ti·cal** *adj* monothe'istisch, an einen einzigen Gott glaubend. — ˌ**mon·o·the'is·ti·cal·ly** *adv* (*auch zu* monotheistic).

Mo·noth·e·lete [mə'nɒθəˌliːt], **Mo-'noth·eˌlite** [-ˌlait] *s relig.* Monothe'let *m* (*christlicher Sektierer, der Christus zwar zwei Naturen, aber nur einen Willen zuschreibt*).

'**mon·oˌtint** → monochrome.

mo·not·o·cous [mə'nɒtəkəs] *adj zo.* **1.** nur 'ein Junges gebärend. – **2.** nur 'ein Ei legend.

mo·not·o·mous [mə'nɒtəməs] *adj min.* mono'tom, in nur 'einer Richtung spaltbar.

mon·o·tone ['mɒnəˌtoun] **I** *s* **1.** mono'tone Folge von Lauten, mono'tones Geräusch. – **2.** gleichbleibender Ton. – **3.** mono'tones Rezi'tieren *od.* Singen. – **4.** Monoto'nie *f*, Eintönigkeit *f* (*bes. fig.*). – **5.** Einfarbigkeit *f*. – **6.** *fig.* (ewiges) Einerlei. – **II** *adj* **7.** → monotonous. – **III** *v/t u. v/i* **8.** in gleichbleibendem Ton rezi'tieren *od.* singen. — ˌ**mon·o'ton·ic** [-'tɒnik] *adj* **1.** *mus.* mono'ton, eintönig. – **2.** *math.* mono'ton. — **mo·not·o·nous** [mə'nɒtənəs] *adj* **1.** mono'ton, eintönig, -förmig (*auch fig.*). – **2.** gleichbleibend (*Ton*). – **3.** *math.* mono'ton. — **mo'not·o·ny** [-ni], *auch* **mo'not-o·nous·ness** *s* **1.** Monoto'nie *f*, Eintönigkeit *f* (*auch fig.*). – **2.** Gleich-, Einförmigkeit *f*. – **3.** mono'tones Geräusch. – **4.** *math.* Monoto'nie *f*.

mon·o·trem·a·tous [ˌmɒno'tremətəs; -nə-] *adj zo.* zu den Klo'akentieren gehörend. — '**mon·oˌtreme** [-ˌtriːm] *s* Klo'akentier *n* (*Ordng Monotremata*).

mo·not·ri·cha [mə'nɒtrikə] *s pl bot.* eingeißlige Bak'terien *pl*. — **mo'not-ri·chous,** *auch* **mon·o·trich·ic** [ˌmɒno'trikik; -nə-] *adj biol.* eingeißlig, mit nur 'einer Geißel (ausgestattet).

'**mon·oˌtype**[1] *s print.* **1.** *meist* M~ (*TM*) Monotype *f* (*Setz- u. Gießmaschine für Einzelbuchstaben*). – **2.** Monotypesatz *m*. – **3.** Monoty'pie *f* (*Abdruck eines auf eine Metallplatte gemalten Bildes*).

'**mon·oˌtype**[2] *s biol.* einziger Vertreter *od.* Typus (*einer Gruppe*), *bes.* einzige Art (*einer Gattg etc*).

ˌ**mon·o'typ·ic** [-'tipik] *adj biol.* mono'typisch, *bes.* durch nur 'eine Art vertreten (*Gattg etc*).

ˌ**mon·o'va·lence,** ˌ**mon·o'va·len·cy** *s chem.* Einwertigkeit *f*. — ˌ**mon·o-'va·lent** *adj* **1.** *chem.* einwertig. – **2.** *med.* gegen eine bestimmte Art von Bak'terien 'widerstandsfähig (*durch Vorhandensein der spezifischen Antikörper*).

mon·ox·ide [mɒ'nɒksaid; mə-] *s chem.* 'MonoˌXyd *n*.

Mon·roe Doc·trine [mən'rou], **Mon-'roe·ism** [-izəm] *s pol.* Mon'roedokˌtrin *f* („*Amerika den Amerikanern*"; *1823 vom Präsidenten James Monroe ausgesprochen*).

mons [mɒnz] (*Lat.*) *s* Berg *m*, *bes. med.* Schamberg *m*.

Mon·sei·gneur [ˌmɒnsen'jəːr; mõse'nœːr] *pl* **Mes·sei·gneurs** [ˌmesen-'jəːrz; mɛse'nœːr] *s* **1.** Monsei'gneur *m*, gnädiger Herr (*Titel u. Anrede fürstlicher Personen u. hoher Geistlicher in Frankreich*). – **2.** *auch* m~ Monsei'gneur *m* (*Träger dieses Titels*).

mon·sieur [mə'sjəːr; m(ə)'sjø] *pl* **mes-sieurs** [me'sjəːr; mɛ'sjø] *s* **1.** (mein) Herr (*franz. Anrede u. Höflichkeitstitel; abgekürzt M., im pl MM. od. Messrs.*). – **2.** M~ *hist.* Mon'sieur *m* (*Titel des ältesten Bruders des Königs von Frankreich*). – **3.** (*oft verächtlich*) Fran'zose *m*.

Mon·si·gnor [mɒn'siːnjər] *pl* **-gnors** *od.* **-gno·ri** [ˌmɔːnsiː'njɔːriː] *s* **1.** Monsi'gnore *m* (*Titel u. Anrede kath. Prälaten*). – **2.** *auch* m~ Monsi'gnore *m* (*Träger dieses Titels*). — **Mon·si-gno·re** [monsi'ɲoːre] (*Ital.*) → Monsignor.

mon·soon [mɒn'suːn] *s* **1.** Mon'sun *m*: dry ~ Wintermonsun; wet ~ Sommer-, Regenmonsun. – **2.** sommerliche Regenzeit (*in Südasien*). — **mon-'soon·al** *adj* Monsun...

mon·ster ['mɒnstər] **I** *s* **1.** Ungeheuer *n*, Scheusal *n*. – **2.** Monstrum *n*, 'Mißgeburt *f*, -gestalt *f*. – **3.** Ungeheuer *n* (*auch fig.*), Wundertier *n*. – **4.** *obs.* Wunder(ding) *n*. – **II** *adj* **5.** ungeheuer(lich), e'norm, Riesen..., Monster...

mon·strance ['mɒnstrəns] *s relig.* Mon'stranz *f*.

mon·stros·i·ty [mɒn'strɒsiti; -əti] *s* **1.** Ungeheuerlichkeit *f*, 'Widernaˌtürlichkeit *f*. – **2.** 'Mißbildung *f*, -gestalt *f*. – **3.** Ungeheuer *n*.

mon·strous ['mɒnstrəs] **I** *adj* **1.** ungeheuer, e'norm, riesenhaft. – **2.** ungeheuerlich, fürchterlich, schrecklich, gräßlich. – **3.** 'un-, 'widernaˌtürlich. – **4.** 'mißgestaltet, unförmig, ungestalt. – **5.** lächerlich, ab'surd. – *SYN.* a) **prodigious, stupendous, tremendous,** b) *cf.* **outrageous.** – **II** *adv* **6.** *obs.* äußerst, außerordentlich. — '**mon·strous·ness** *s* **1.** Ungeheuerlichkeit *f*. – **2.** Riesenhaftigkeit *f*. – **3.** 'Widernaˌtürlichkeit *f*.

mon·tage [mɒn'tɑːʒ] **I** *s* **1.** 'Photo-, 'Bildmonˌtage *f*. – **2.** (*Film*) Mon'tage *f* (*schnelle Folge von Kurzszenen*). – **II** *v/t* **3.** eine Mon'tage 'herstellen von.

Mon·tan·an [mɒn'tænən] **I** *s* Bewohner(in) von Mon'tana (*USA*). – **II** *adj* aus *od.* von Mon'tana.

mon·tane ['mɒntein] *geogr.* **I** *adj* Gebirgs..., Berg... – **II** *s* niedrig gelegener Vegetati'onsgürtel der Berge.

Mon·ta·nism ['mɒntəˌnizəm] *s relig.* Monta'nismus *m* (*eine apokalyptisch-enthusiastische christliche Bewegung im 2. Jh.*).

mon·tan wax ['mɒntæn] *s tech.* Mon'tanwachs *n* (*aus Braunkohle, Torf etc gewonnen*).

mont·bre·ti·a [mɒnt'briːʃə; -ʃiə] *s bot.* Mont'bretie *f*, Tri'tonie *f* (*Gattg Tritonia*).

mon·te (bank) ['mɒnti; -tei] *s ein span. u. span.-amer. Karten-Glücksspiel.*

mon·teith [mɒn'tiːθ] *s* **1.** (*Art*) Punschbowle *f*, -gefäß *n* (*aus dem 17. Jh.*). – **2.** *baumwollenes Tuch mit weißen Flecken auf farbigem Grund.*

monte-jus ['mɔ̃ːt'ʒy] *s tech.* Monte-'jus *m*, Saftheber *m*.

Mon·te·ne·grin [ˌmɒntə'niːgrin] **I** *adj* **1.** montene'grinisch, aus Monte'negro. – **II** *s* **2.** Montene'griner(in). – **3.** m~ *Art enganliegendes, reichbesetztes Frauen-Überkleid.*

mon·te·ro [mon'tero] *pl* **-ros** (*Span.*) *s* (*Art*) Jagdmütze *f*.

Mon·tes·so·ri| meth·od [ˌmɒntə'sɔːri], ~ **sys·tem** *s ped.* Montes'sori-Meˌthode *f*.

mont·gol·fi·er [mɒnt'gɒlfiər] *s aer.* Montgolfi'ère *f*, 'Warm-, 'Heißluftbalˌlon *m*.

month [mʌnθ] *s* **1.** Monat *m*: solar ~ Sonnenmonat (*12. Teil des Sonnenjahrs*); this day ~ a) heute vor einem Monat, b) heute in einem Monat; by the ~ (all)monatlich; once a ~ einmal im Monat; a ~ of Sundays eine ewig lange Zeit. – **2.** (*volkstümlich*) vier Wochen *od.* 30 Tage.

month·ly ['mʌnθli] **I** *s* **1.** Monatsschrift *f*. – **2.** *pl med.* Menstruati'on *f*. – **II** *adj* **3.** einen Monat dauernd. – **4.** monatlich. – **5.** Monats...: ~ salary Monatsgehalt; ~ settlement Ultimoabrechnung. – **6.** *med.* Monats... – **III** *adv* **7.** monatlich, einmal im Monat, jeden Monat. — ~ **nurse** *s* Wochenschwester *f* während des ersten Monats nach der Niederkunft. — ~ **rose** → China rose 2.

month's mind *s* **1.** *relig.* Monatsgedächtnis *n* (*Gedenkmesse für einen Verstorbenen einen Monat nach seinem Tod*). – **2.** *obs. od. dial.* (to) Neigung *f* (zu), Verlangen *n* (nach).

mon·ti·cule ['mɒntiˌkjuːl] *s* **1.** (kleiner) Hügel. – **2.** kleiner Vul'kankegel. – **3.** Höckerchen *n*.

mon·u·ment ['mɒnjumənt; -jə-] *s* **1.** Monu'ment *n*, Denkmal *n* (to für): a ~ to s.o.'s memory. – **2.** Na'turdenkmal *n*. – **3.** Grabmal *n*, -stein *m*. – **4.** Statue *f*. – **5.** the M~ *eine hohe Säule in London zur Erinnerung an den großen Brand im Jahre 1666.* – **6.** *fig.* Denkmal *n*, über'liefertes Doku'ment: a ~ of literature ein Literaturdenkmal. – **7.** *fig.* bleibendes Denkmal. – **8.** Grenz-, Markstein *m*.

mon·u·men·tal [ˌmɒnju'mentl; -jə-] *adj* **1.** monumen'tal, eindrucksvoll, großartig, gewaltig. – **2.** (*Kunst*) 'überlebensgroß, monumen'tal. – **3.** her'vorstechend, -ragend, bedeutend: a ~ event. – **4.** *colloq.* kolos'sal, 'überdimensioˌnal: ~ stupidity. – **5.** Denkmal(s)...: ~ **inscription** Denkmalinschrift. – **6.** Gedenk...: ~ **chapel** Gedenkkapelle. – **7.** Grabmal(s)..., Grabstein... — ~ **brass** *s* bronzene Grabplatte. — **M~ Cit·y** *s Am.* (*Spitzname für*) Baltimore *n*.

mon·u·men·tal·i·ty [ˌmɒnjumen'tæliti; -jə-; -əti] *s* Monumentali'tät *f*, Großartigkeit *f*, gewaltige *od.* unvergängliche Größe. — ˌ**mon·u'men·talˌize** [-təˌlaiz] *v/t* (*j-m od. einer Sache*) ein Denkmal setzen, (*j-n od. etwas*) verewigen.

mon·u·men·tal ma·son *s* Friedhofssteinmetz *m*, 'Grabsteinˌhersteller *m*.

mon·zo·nite [ˈmɒnzəˌnait] *s geol.* Monzoˈnit *m* (*Art Eruptivgestein*).

moo [muː] **I** *v/i pret u. pp* **mooed** muhen. – **II** *s pl* **moos** Muhen *n*.

mooch [muːtʃ] *sl.* **I** *v/i* **1.** herˈumschleichen. – **2.** herˈumlungern, -strolchen: to ~ about sich herumtreiben; to ~ along dahinlatschen. – **II** *v/t* **3.** ‚klauen', ‚mausen', ‚abstauben', stehlen. – **4.** schnorren, ergattern.

mood[1] [muːd] *s* **1.** Stimmung *f*, Laune *f*, Gefühlslage *f*: to be in the ~ to work zur Arbeit aufgelegt sein; in no ~ for a walk nicht zu einem Spaziergang aufgelegt; a man of ~s ein launischer Mensch. – **2.** *pl* a) schlechte Laune, b) trübe Stimmung. – **3.** Gemüt *n*: of somber (*Br.* sombre) ~ von düsterem Gemüt. – **4.** *obs.* a) Wut *f*, Ärger *m*, b) Eifer *m*, c) Mut *m*. – *SYN.* humo(u)r, temper, vein.

mood[2] [muːd] *s* **1.** *ling.* Modus *m*, Aussageweise *f*. – **2.** → mode[1] 4 *u.* 6.

mood·i·ness [ˈmuːdinis] *s* **1.** Launenhaftigkeit *f*. – **2.** Übellaunigkeit *f*, Verstimmtheit *f*. – **3.** Niedergeschlagenheit *f*.

mood swing *s Am.* ˈStimmungs-[ˌumschwung *m*.]

mood·y [ˈmuːdi] *adj* **1.** launisch, launenhaft, wetterwendisch. – **2.** übelgelaunt, schlecht gestimmt, verstimmt. – **3.** niedergeschlagen, schwermütig.

mool·vi(e) [ˈmuːlvi] *s* moham. (Rechts)Gelehrter *m*.

moon [muːn] **I** *s* (*als Femininum konstruiert*) **1.** Mond *m*: waning (*od.* old) ~ abnehmender Mond; the old ~ in the arms of the new *der Mond bald nach Neumond, wenn der verdunkelte Teil der Scheibe durch die Erde schwach erhellt wird*; to shoot the ~ *colloq.* bei Nacht u. Nebel ausrücken (*ohne die Miete zu bezahlen*); a face like a full ~ ein Vollmondgesicht; → harvest ~; hunter 1. – **2.** *astr.* Mond *m*, Traˈbant *m*, Satelˈlit *m*. – **3.** Mond *m* (*als Symbol des Unerreichbaren*): to cry for the ~ nach dem Mond *od.* nach Unmöglichem verlangen. – **4.** *poet.* Mond *m*, Monat *m*. – **5.** Mondschein *m*, -licht *n*: there is a ~ der Mond scheint. – **6.** Mond *m*, (*etwas*) (Halb)Mondförmiges, *bes.* Halbmond *m* (*als Emblem der türk. Fahne*). – **7.** M~ Mondgöttin *f* (*bes. Diana*). – **8.** (*Alchimie*) Silber *n*. – **II** *v/i* **9.** (*wie ein Nachtwandler*) umˈherwandern, -irren. – **10.** geistesabwesend blicken. – **11.** *selten* a) wie der Mond scheinen, b) wie der Mond kreisen. – **III** *v/t* **12.** ~ away (*Zeit*) vertrödeln, verträumen.

ˈ**moon**|ˌ**beam** *s* Mondstrahl *m*. — ˈ~-ˌ**blind** *adj* **1.** *vet.* mondblind (*Pferd*). – **2.** *med.* nachtblind. – **3.** *obs.* (geistig) blind. — ~ **blind·ness** *s* **1.** *vet.* Mondblindheit *f*. – **2.** *med.* Nachtblindheit *f*. — ˈ~ˌ**calf** *s irr* **1.** ‚Mondkalb' *n*, Einfaltspinsel *m*, Tölpel *m*. – **2.** Träumer *m*, j-d der sich wie ein Nachtwandler benimmt. – **3.** → mole[5]. – **4.** *obs.* Monstrum *n*, Ungeheuer *n*. — ~ **dai·sy** *s bot.* Margeˈrite *f*, Weiße Wucherblume, Gänseblume *f* (*Chrysanthemum leucanthemum*).

mooned [muːnd] *adj* **1.** mit (Halb)Monden *od.* einem (Halb)Mond geschmückt. – **2.** (halb)mondförmig. – **3.** mondgleich. — ˈ**moon·er** *s* **1.** Mondsüchtige(r). – **2.** *fig.* Träumer(in).

ˈ**moon**|ˌ**eye** *s* **1.** *vet.* an Mondblindheit erkranktes Auge. – **2.** → moon blindness. – **3.** *zo.* Amer. Mondfisch *m* (*Gattg Hyodon, bes. H. tergisus*). — ˈ~-ˌ**eyed** *adj* **1.** → moon-blind 1 *u.* 2. – **2.** mit großen (erstaunten *od.* erschrockenen) Augen. — ˈ~ˌ**face** *s* Vollmondgesicht *n*. — ˈ~ˌ**faced** *adj* mit einem Vollmondgesicht. — ˈ~ˌ**fish** *s zo.* **1.** PerlˈmuttermondFisch *m* (*Selene vomer*). – **2.** → opah. – **3.** Mond-, Sonnenfisch *m* (*Orthagoriscus mola*). – **4.** Platy *m* (*Platypoecilus maculatus*). — ˈ~ˌ**flow·er** *s bot.* **1.** *Br. für* daisy 2. – **2.** *Am.* Mondwinde *f* (*Calonyction aculeatum*). — ˈ~ˌ**glade** *s poet. Am.* ˈWiderschein *m* des Mondes im Wasser. — ~ **knife** *s irr* (*Gerberei*) Halbmond *m*. — ˈ~ˌ**light I** *s* **1.** Mondlicht *n*, -schein *m*: M~ Sonata *mus.* Mondscheinsonate. – **2.** → moonshine 3. – **II** *adj* **3.** Mondlicht..., Mondschein...: ~ flitting *sl.* heimliches Ausziehen bei Nacht (*wegen Mietschulden*). – **4.** mondlichtartig. – **5.** → moonlit. — ˈ~ˌ**light·er** *s* **1.** *Am. colloq.* Doppelverdiener *m* (*j-d der 2 bezahlte Beschäftigungen hat*). – **2.** *hist.* Mondscheinler *m* (*Teilnehmer an nächtlichen Ausschreitungen gegen Grundbesitzer in Irland*). – **3.** → moonshiner. — ˈ~ˌ**light·ing** *s colloq.* Ausübung *f* einer Nebenbeschäftigung. — ˈ~ˌ**lit**, *auch poet.* ˈ~ˌ**lit·ten** [-ˌlitn] *adj* vom Mond beleuchtet, mondhell. — ˈ~-ˌ**mad** *adj* wahnsinnig, verrückt. — ~ **month** *s astr.* Mondmonat *m*. — ˈ~ˌ**rak·er** *s Br.* (*Spitzname für einen*) Bewohner von Wiltshire. — ˈ~ˌ**rise** *s* Mondaufgang *m*. — ˈ~ˌ**seed** *s bot.* Mondsame *m* (*Gattg Menispermum*). — ˈ~ˌ**set** *s* ˈMondˌuntergang *m*.

moon·shee [ˈmuːnʃiː] *s Br. Ind.* eingeborener Dolmetscher *od.* Sekreˈtär *od.* Sprachlehrer.

ˈ**moon**|ˌ**shine I** *s* **1.** Mondschein *m*, -licht *n*. – **2.** *fig.* a) leerer Schein, Schwindel *m*, b) Unsinn *m*, Gefasel *n*, Faseˈlei *f*: to talk ~ Unsinn reden. – **3.** *sl.* geschmuggelter *od.* unerlaubt gebrannter Schnaps (*bes. Whisky*). – **II** *adj* **4.** *fig.* leer, eitel, nichtig. – **5.** *sl.* geschmuggelt *od.* unerlaubt gebrannt, ‚schwarz'. – **III** *v/i* **6.** *Am. sl.* ˈilleˌgal Schnaps brennen. — ˈ~ˌ**shin·er** *s Am. sl. j-d der bei Nacht einer verbotenen Beschäftigung nachgeht, bes.* a) Branntweinschmuggler *m*, b) Schwarzbrenner *m*. — ˈ~ˌ**shin·ing** *s Am. sl.* Branntweinschmuggel *m*, Schwarzbrennen *n*. — ˈ~ˌ**shin·y** *adj* **1.** mondlichtartig. – **2.** → moonlit. – **3.** *fig.* unsinnig. — ˈ~ˌ**stone** *s min.* Mondstein *m*, echter Aduˈlar (*Varietät des Feldspats*). — ˈ~-ˌ**struck**, *auch* ˈ~-ˌ**strick·en** *adj* **1.** mondsüchtig. – **2.** verrückt, besessen, wahnsinnig. — ~ **tre·foil** *s bot.* Mond-, Schneckenklee *m* (*Medicago arborea*). — ˈ~ˌ**wort** *s bot.* **1.** Mondraute *f* (*Gattg Botrychium, bes. B. lunaria*). – **2.** → honesty 5.

moon·y [ˈmuːni] *adj* **1.** (halb)mondförmig. – **2.** Mond..., Mondes... – **3.** a) Mondlicht..., Mondschein..., b) mondlichtartig. – **4.** mondhell. – **5.** (allzu) verträumt, geistesabwesend. – **6.** *colloq.* beschwipst.

moor[1] [mur] *s* **1.** Moor *n*, *bes.* Heide-, Hochmoor *n*. – **2.** *Br.* Moorland umˈfassendes Wildgehege. – **3.** (*in Cornwall*) Heideland *n* mit Zinnvorkommen.

moor[2] [mur] *mar.* **I** *v/t* **1.** vermuren, vertäuen, festmachen. – **II** *v/i* **2.** festmachen, ein Schiff vertäuen. – **3.** sich vermuren, festmachen. – **4.** festgemacht *od.* vertäut liegen.

Moor[3] [mur] *s* **1.** Maure *m*, Mohr *m*: a) *arab.-berberischer Mohammedaner der Atlasländer*, b) *einer der sarazenischen Eroberer Spaniens od. einer ihrer Abkömmlinge*. – **2.** (*in Südindien u. Ceylon*) Mohammeˈdaner *m*. – **3.** *Angehöriger eines in Delaware, USA, lebenden Mischvolks, das durch Mischung zwischen Weißen, Indianern u. Negern entstand.*

moor·age [ˈmu(ə)ridʒ] *s mar.* **1.** Vertäuung *f*. – **2.** Liegeplatz *m*. – **3.** Festmachgebühr *f*.

ˈ**moor**|ˌ**ber·ry** *s bot.* Moorbeere *f* (*Gattg Vaccinium*), *bes.* a) Moor-, Trunkel-, Rauschbeere *f* (*V. uliginosum*), b) Moos-, Moorbeere *f* (*V. palustris*). — ˈ~ˌ**bird** → moorfowl. — ~ **cock** *s zo.* (*männliches*) Schott. Moor-Schneehuhn (*Lagopus scoticus*). — ˈ~ˌ**fowl**, ~ **game** *s zo.* Schott. Moor-Schneehuhn *n* (*Lagopus scoticus*). — ~ **hen** *s zo.* **1.** (*weibliches*) Schott. Moor-Schneehuhn (*Lagopus scoticus*). – **2.** Gemeines Teichhuhn (*Gallinula chloropus*).

moor·ing [ˈmu(ə)riŋ] *s mar.* **1.** Festmachen *n*. – **2.** *meist pl* Vertäuung *f* (*Schiff*). – **3.** *pl* Liegeplatz *m*. — ~ **buoy** *s mar.* Hafen-, Murings-, Vertäuungsboje *f*. — ~ **chocks** *s pl mar.* Muringklötze *pl*, Lippklampen *pl*, freistehende Verholklüsen *pl*. — ~ **mast** *s aer.* Ankermast *m* (*zum Festmachen eines Luftschiffs*). — ~ **shack·le**, ~ **swiv·el** *s mar.* Muringschäkel *m*, -wirbel *m*.

moor·ish[1] [ˈmu(ə)riʃ] *adj* **1.** moorig, sumpfig. – **2.** im Moor wachsend *od.* lebend, Moor...

Moor·ish[2] [ˈmu(ə)riʃ] *adj* **1.** maurisch. – **2.** *Br. Ind. colloq.* mohammeˈdanisch.

Moor·ish| **arch** *s arch.* maurischer (Hufeisen)Bogen. — ~ **ar·chi·tec·ture** *s arch.* maurischer Baustil.

ˈ**moor**|·**land** [-lənd; -ˌlænd] *s* Moor(land) *n*, *bes.* Heidemoor(land) *n*. — **M~ mon·key** *s zo.* ˈMohrenmaˌkak *m* (*Macaca maura*). — ˈ~ˌ**wort** *s bot.* Wilder Rosmaˈrin, ˈTorfrosmaˌrin *m*, Laˈvendelheide *f*, Gränke *f* (*Andromeda polifolia*).

moor·y[1] [ˈmu(ə)ri] *adj* **1.** moorig, moˈrastig. – **2.** Moor...

moo·ry[2] [ˈmu(ə)ri] *s* (*Art*) blauer Katˈtunstoff.

moose [muːs] *pl* **moose** *s* **1.** *zo.* Elch *m*: a) Amer. Elch *m* (*Alces americanus*), b) Riesenelch *m* (*A. gigas*), c) Europ. Elch *m*, Elen(tier) *n* (*A. alces*). – **2.** M~ *Mitglied des Geheimordens* Loyal Order of Moose. — ˈ~ˌ**ber·ry** *Am. für* hobblebush. — ˈ~ˌ**bird** *Am. für* Canada jay. — ˈ~ˌ**call** *s hunt. Horn aus zusammengerollter Birkenrinde zum Locken der Elche.* — ~ **fly** *s zo.* Elchfliege *f* (*Haematobia alcis*). — ˈ~ˌ**wood** *s bot.* **1.** Pennsylˈvanischer Ahorn (*Acer pennsylvanicum*). – **2.** → leatherwood.

moot [muːt] **I** *s* **1.** *hist.* (beratende) Volksversammlung. – **2.** Diskussiˈon *f* angenommener (Rechts)Fälle (*von Studenten zur Übung veranstaltet*). – **II** *v/t* **3.** (*Frage*) zur Diskussiˈon stellen, aufwerfen, anschneiden. – **4.** erörtern, (*bes. zu Übungszwecken*) diskuˈtieren. – **III** *v/i* **5.** zur Übung diskuˈtieren. – **IV** *adj* **6.** strittig, zu erörtern(d): a ~ point ein strittiger Punkt.

mop[1] [mɒp] **I** *s* **1.** Mop *m*, Staubbesen *m*. – **2.** Scheuer-, Wischlappen *m*. – **3.** Knäuel *m*. – **4.** Wust *m* (*von Haar*). – **5.** *Art Dredsche zum Fangen von Seesternen.* – **6.** *tech.* Schwabbelscheibe *f*. – **II** *v/t pret u. pp* **mopped 7.** moppen, mit dem Mop säubern *od.* (auf)wischen: to ~ the floor with s.o. *sl.* ‚mit j-m Schlitten fahren', mit j-m brutal umspringen. – **8.** (ab)wischen: to ~ one's face; to ~ the sweat from one's brow. – **9.** mit dem Mop auftragen. – **10.** *tech.* schwabbeln, mit der Schwabbelscheibe bearbeiten. – **11.** ~ up a) *mil. sl.* (*vom Feind*) säubern, b) *mil. sl.* (*versprengte Soldaten*) gefangennehmen *od.* niedermachen, c) (*mit dem Mop*) aufwischen, d) *sl.* (*Profit etc*) 'schlucken', e) *sl.* völlig erledigen, aufräumen mit, f) *Br. colloq.* austrinken.

mop² [mɒp] **I** *v/i pret u. pp* **mopped** Gesichter schneiden. – **II** *s* Gri'masse *f*: ~s **and mows** Grimassen.

mop³ [mɒp] *s Br. hist.* Bedientenmarkt *m* (*bei dem Dienstboten angeworben wurden*).

'mop,board *Am. für* **baseboard.**

mope [moup] **I** *v/i* **1.** a'pathisch sein *od.* dasitzen, Trübsal blasen. – **II** *v/t* **2.** a'pathisch *od.* lustlos machen. – **III** *s* **3.** fader Kerl, Trübsalbläser(in), Griesgram *m.* – **4.** *pl* Trübsal *f*, trübe Stimmung.

mo·ped ['mouped] *s* Moped *n.*

mop·er ['moupər] → **mope** 3.

'mop,head *s* **1.** Mopende *n* (*an dem die Lappen etc befestigt werden*). – **2.** *colloq.* a) Wuschelkopf *m*, b) Struw(w)elpeter *m.*

mop·ish ['moupiʃ] *adj* trübselig, a'pathisch, lustlos, griesgrämig. — **'mop·ish·ness** *s* Lustlosigkeit *f*, Griesgrämigkeit *f.*

mo·poke [,mou'pouk] → **morepork.**

mop·pet ['mɒpit] *s* **1.** langhaariger Schoßhund. – **2.** *colloq.* Puppe *f.* – **3.** *colloq.* Kind *n.* – **4.** *obs.* Liebling *m* (*Kosewort für junges Mädchen*).

'mop,stick *s* **1.** Stiel *m* eines Mops, Schrubberstiel *m.* – **2.** *mus. tech.* Fänger-, Dämpferstab *m* (*des Klaviers*).

mo·quette [mo'ket] *s* Mo'kett *m* (*Decken- u. Möbelplüsch*).

mo·ra¹ ['mɔːrə] *pl* **-rae** [-riː] *od.* **-ras** *s metr.* Mora *f*, More *f* (*Zeiteinheit*).

mo·ra² ['mɔːrə] *s* **1.** *bot.* Morabaum *m* (*Dimorphandra mora*). – **2.** Moraholz *n.*

mo·ra·ceous [mo'reiʃəs] *adj bot.* zu den Maulbeergewächsen (*Fam. Moraceae*) gehörig, Maulbeer...

mo·rain·al [mə'reinl; mɒ-; mo-] *adj geol.* Moränen... — **mo·raine** *s* ('Gletscher)Mo,räne *f*: **lateral** ~ Seitenmoräne; **medial** ~ Mittelmoräne. — **mo'rain·ic** *adj* Moränen...

mor·al ['mɒrəl; *Am. auch* 'mɔːr-] **I** *adj* **1.** mo'ralisch, sittlich: ~ **force** moralische *od.* sittliche Kraft; ~ **sense** moralisches *od.* sittliches Empfinden, Sittlichkeitsgefühl. – **2.** mo'ralisch: ~ **principles.** – **3.** mo'ralisch (*das Gewissen betreffend*): ~ **obligation** moralische Verpflichtung; ~ **pressure** moralischer Druck. – **4.** Moral..., Sitten...: ~ **law** Sittengesetz; ~ **theology** Moraltheologie. – **5.** mo'ralisch (belehrend): ~ **weeklies** moralische Wochenschriften. – **6.** mo'ralisch, auf dem Sittengesetz gründend: **a** ~ **right.** – **7.** dem Sittengesetz unter'worfen, sittlich verantwortlich. – **8.** mo'ralisch, sittenstreng, -rein, sittsam, tugendhaft: **a** ~ **life** ein sittenstrenges Leben. – **9.** (mo'ralisch) gut: **a** ~ **act.** – **10.** innerlich, cha'rakterlich: ~**ly firm** innerlich gefestigt. – **11.** mo'ralisch: ~ **support** moralische Unterstützung; **a** ~ **victory** ein moralischer Sieg. – **12.** mo'ralisch, in der Wahr'scheinlichkeit *od.* Vernunft *od.* Na'tur begründet: ~ **certainty** moralische Gewißheit. – *SYN.* **ethical, noble, righteous, virtuous.** – **II** *s* **13.** Mo'ral *f*, Lehre *f* (*einer Geschichte etc*): **to draw the** ~ **from** die Lehre ziehen aus. – **14.** mo'ralischer Grundsatz: **to point the** ~. – **15.** *pl* Mo'ral *f*, Sitten *pl*: **code of** ~**s** Sittenkodex; **loose** ~**s** lockere Moral, lockere Sitten. – **16.** *pl* (*als sg konstruiert*) Sittenlehre *f*, Ethik *f.* – **17.** [*Br.* mə'rɑːl; mɒ-; *Am.* -'ræ(ː)l] → **morale 1.** – **18.** *vulg.* Gegenstück *n*, Ebenbild *n*: **the very** ~ **of** das genaue Gegenstück zu.

mo·rale [*Br.* mə'rɑːl; mɒ-; *Am.* -'ræ(ː)l] *s* **1.** Mo'ral *f*, geistig-seelische Verfassung, Geist *m*, *bes.* Kampfgeist *m*: **the** ~ **of the army** die (Kampf)Moral der Armee. – **2.** *obs.* Mo'ral *f*, Morali'tät *f.*

mor·al| fac·ul·ty ['mɒrəl; *Am. auch* 'mɔːr-] *s* mo'ralisches Urteilsvermögen, Sittlichkeitsgefühl *n.* — ~ **haz·ard** *s* (*Versicherungswesen*) subjek'tives Risiko (*Risiko einer eventuellen Unehrlichkeit des Versicherten*). — ~ **in·san·i·ty** *s psych.* mo'ralischer De'fekt (*krankhaftes Fehlen sittlicher Begriffe u. Gefühle*).

mor·al·ism ['mɒrə,lizəm; *Am. auch* 'mɔːr-] *s* **1.** Mo'ral-, Sittenspruch *m.* – **2.** a) Mo'ralpredigt *f*, b) Morali'sieren *n.* – **3.** Leben *n* nach den Grundsätzen der bloßen Mo'ral (*im Gegensatz zum religiösen Leben*). — **'mor·al·ist** *s* **1.** Mora'list *m*, Sittenlehrer *m.* – **2.** Ethiker *m*, Lehrer *m od.* Schüler *m* der Mo'ralphiloso,phie. – **3.** (rein) mo'ralischer Mensch (*im Gegensatz zum gläubigen*). — **,mor·al'is·tic** *adj* mora'listisch.

mo·ral·i·ty [mə'ræliti; -əti] *s* **1.** Mo'ral *f*, Sittlichkeit *f*, sittliches Verhalten, Tugendhaftigkeit *f.* – **2.** Morali'tät *f*, sittliche Gesinnung. – **3.** mo'ralischer Cha'rakter. – **4.** Ethik *f*, Mo'ral *f*, Sittenlehre *f.* – **5.** *pl* mo'ralische Grundsätze *pl*, Ethik *f* (*einer Person etc*). – **6.** Mo'rallehre *f*, mo'ralische Belehrung, (*bes. verächtlich*) Mo'ralpredigt *f.* – **7.** Mo'ral *f* (*einer Geschichte etc*). – **8.** → ~ **play.** — ~ **play** *s hist.* Morali'tät *f* (*spätmittelalterliches Schauspiel*).

mor·al·i·za·tion [,mɒrəlai'zeiʃən; -li'z-; *Am. auch* ,mɔːr-] *s* **1.** mo'ralische Auslegung. – **2.** a) mo'ralische Betrachtung, b) Mo'ralpredigt *f.* – **3.** Versittlichung *f.* — **'mor·al,ize** **I** *v/i* **1.** morali'sieren, mo'ralische Betrachtungen anstellen (**on** über *acc*). – **II** *v/t* **2.** mo'ralisch auslegen, die Mo'ral aufzeigen von, eine Moral ziehen aus. – **3.** versittlichen, mo'ralisch bessern. — **'mor·al,iz·er** *s* j-d der morali'siert, Sittenprediger *m.* — **'mor·al·ly** [-rəli] *adv* **1.** mo'ralisch. – **2.** sittlich, tugendhaft. – **3.** vom mo'ralischen Standpunkt. – **4.** praktisch, genau genommen.

mor·al| phi·los·o·phy, ~ **sci·ence** *s* Mo'ralphiloso,phie *f*, Ethik *f.*

mo·rass [mə'ræs] *s* **1.** Mo'rast *m*, Sumpf(land *n*) *m.* – **2.** *fig.* Klemme *f*, schwierige Lage. — ~ **ore** *s min.* Mo'rast-, Sumpferz *n* (*Brauneisensteinabart*).

mo·rat ['mɔːræt] *s hist.* *Getränk aus Honig, mit Maulbeeren gewürzt.*

mor·a·to·ri·um [,mɒrə'tɔːriəm; *Am. auch* ,mɔːr-] *pl* **-ri·a** [-riə] *od.* **-ri·ums** *s econ.* Mora'torium *n*, Zahlungsaufschub *m*, Stillhalteabkommen *n*, Stundung *f.* — **'mor·a·to·ry** [*Br.* -təri; *Am.* -,tɔːri] *adj* Moratoriums..., Stundungs...

Mo·ra·vi·an¹ [mə'reiviən; mɒ-; mo-] **I** *s* **1.** Mähre *m*, Mährin *f.* – **2.** *relig.* Herrnhuter(in). – **3.** *ling.* Mährisch *n*, das Mährische. – **II** *adj* **4.** mährisch. – **5.** *relig.* herrnhutisch.

Mo·ra·vi·an² [mə'reiviən; mɒ-; mo-] **I** *s* Einwohner(in) der Grafschaft Moray (*Schottland*). – **II** *adj* aus Moray.

Mo·ra·vi·an| Breth·ren *s pl relig.* Herrnhuter *pl*, Brüdergemeine *f.* — ~ **Gate** *s geogr.* Mährische Pforte.

mo·ray ['mɔːrei; mɔː'rei] *s zo. Am.* Mu'räne *f* (*Fam. Muraenidae; Fisch*).

mor·bid ['mɔːrbid] *adj* **1.** mor'bid, krankhaft, patho'logisch. – **2.** 'überzart, -empfindlich. – **3.** *med.* patho'logisch: ~ **anatomy.** – **4.** grausig, schauerlich. — **mor'bid·i·ty** *s* **1.** Morbidi'tät *f*, Krankhaftigkeit *f.* – **2.** Kränklichkeit *f.* – **3.** Morbidi'tät *f*, Erkrankungsziffer *f.* — **'mor·bid·ness** → **morbidity** 1 *u.* 2.

mor·bif·er·ous [mɔːr'bifərəs] *adj med.* **1.** 'krankheitsüber,tragend. – **2.** krankheitserregend. — **mor'bif·ic** *adj* **1.** krankheitserregend. – **2.** krank machend.

mor·bil·li [mɔːr'bilai] *s pl med.* Masern *pl.* — **mor'bil·li,form** [-li,fɔːrm] *adj* masernartig.

mor·da·cious [mɔːr'deiʃəs] *adj* beißend, bissig (*bes. fig.*). — **mor'dac·i·ty** [-'dæsiti; -əti], **'mor·dan·cy** [-dənsi] *s* Bissigkeit *f*, beißende Schärfe.

mor·dant ['mɔːrdənt] **I** *adj* **1.** beißend, scharf, sar'kastisch (*Worte etc*). – **2.** *tech.* a) beizend, ätzend, b) (*Farben*) fi'xierend. – **3.** beißend, brennend (*Schmerz*). – **4.** *selten* bissig (*Hund*). – **II** *s* **5.** *tech.* a) Ätzwasser *n*, b) (*bes. Färberei*) Beize *f*, c) Grund *m*, Kleb(e)stoff *m.* – **III** *v/t* **6.** beizen.

Mor·de·cai [,mɔːrdi'keiai; 'mɔːrdi,kai] *npr Bibl.* Mardo'chai *m.*

mor·dent ['mɔːrdənt] *s mus.* Mor'dent *m* (*nach unten schlagender Pralltriller*).

more [mɔːr] **I** *adj* **1.** mehr, eine größere Menge (von), ein größeres Maß (von): ~ **hono(u)r** mehr Ehre; ~ **money** mehr Geld; ~ **than** mehr als. – **2.** mehr, zahlreicher, eine größere (An)Zahl (von): ~ **people** mehr Leute; **they are** ~ **than we** sie sind zahlreicher als wir. – **3.** mehr, noch (mehr), weiter, ferner: **some** ~ **tea** noch etwas Tee; **one** ~ **day** noch ein(en) Tag; **two** ~ **miles, two miles** ~ noch zwei Meilen, zwei weitere Meilen; **some** ~ **children** noch einige Kinder; **so much the** ~ **courage** um so mehr Mut; **no** ~ **mountains to see** keine Berge mehr zu sehen; **he is no** ~ er ist nicht mehr, er ist tot. – **4.** größer (*obs. außer in*): **the** ~ **fool** der größere Tor; **the** ~ **part** der größere Teil. –

II *adv* **5.** mehr, in größerem *od.* höherem Maße: **they work** ~ sie arbeiten mehr; ~ **in theory than in practice** mehr in der Theorie als in der Praxis; ~ **dead than alive** mehr *od.* eher tot als lebendig; ~ **than cautious** übervorsichtig; ~ **and** ~ immer mehr; ~ **and** ~ **difficult** immer schwieriger; ~ **or less** mehr oder weniger, ungefähr; **the** ~ um so mehr; **the** ~ **so because** um so mehr, da; **all the** ~ **so** nur um so mehr; **so much the** ~ **as** um so mehr als; **no** (*od.* **not any**) ~ **than** ebensowenig wie; **neither** (*od.* **no**) ~ **nor less than stupid** nicht mehr u. nicht weniger als dumm, einfach dumm. – **6.** (*zur Bildung des comp*): ~ **conscientiously** gewissenhafter; ~ **important** wichtiger; ~ **often** öfter. – **7.** noch: **never** ~ niemals wieder; **once** ~ noch einmal; **twice** ~ noch zweimal; **two hours** ~ noch zwei Stunden. – **8.** noch mehr, über'dies: **it is wrong and,** ~, **it is foolish.** –

III *s* **9.** Mehr *n* (**of an** *dat*). – **10.** mehr: ~ **than one person has seen it** mehr als einer hat es gesehen; **we shall see** ~ **of you** wir werden dich noch öfter sehen; **and what is** ~ und was noch wichtiger ist; **any** ~ **of this?** noch mehr davon? **no** ~ nichts mehr; **five gallons and** ~ fünf Gallonen u. darüber; ~ **than stupidity** mehr als Dummheit. – **11.** eine *od.* die größere Zahl. – **12. the** ~ *pl* die Höherstehenden *pl.*

mo·reen [mə'riːn] *s* (*meist gewässertes*) *schweres Gewebe aus Wolle od. Wolle u. Baumwolle.*

more·ish ['mɔːriʃ] *adj colloq.* nach mehr (schmeckend): **it tastes** ~ es schmeckt nach (noch) mehr.

mo·rel¹ [mə'rel; mo-; mɒ-] *s bot.* Morchel *f* (*Gattg Morchella*), *bes.* Speisemorchel *f* (*M. esculenta*).

mo·rel² [mə'rel; mo-; mɒ-] *s bot.* (*ein*) Nachtschatten *m* (*Gattg Solanum*), *bes.* Schwarzer Nachtschatten (*S. nigrum*).

mo·rel³ [mə'rel; mo-; mɒ-] → **morello.**

mo·rel·lo [mə'relou; mo-; mɒ-] *pl* **-los** *s bot.* Mo'relle *f*, Schwarze Sauerweichsel (*Prunus cerasus*).

more·o·ver [mɔːr'ouvər] *adv* außerdem, über'dies, noch da'zu.

more·pork [ˌmɔːr'pɔːrk] *s zo.* **1.** (*in Australien*) (*ein*) Schwalm *m* (*Gattg Podargus; Vogel*), *bes.* (Eulen-)Riesenschwalm *m* (*P. strigoides*). – **2.** (*in Neuseeland*) → **boobook.**

mo·res ['mɔːriːz] *s pl* Sitten *pl.*

Mo·resque [mo'resk; mə-] **I** *adj* maurisch. – **II** *s* maurischer Stil.

Mor·gan ['mɔːrgən] *s* Morgan-Pferd *n* (*ein leichtes amer. Zug- u. Reitpferd*).

mor·ga·nat·ic [ˌmɔːrgə'nætik] *adj* morga'natisch: → **marriage** 2. — **ˌmor·ga'nat·i·cal·ly** *adv.*

mor·gan·ite ['mɔːrgəˌnait] *s min.* Morga'nit *m* (*rosafarbige Abart des Berylls*).

morgue [mɔːrg] *s* **1.** Leichenschauhaus *n.* – **2.** *Am.* Ar'chiv *n* (*Zeitungsverlag etc*).

mor·i·bund ['mɒribʌnd; -rə-; *Am. auch* 'mɔːr-] **I** *adj* sterbend, im Sterben liegend, dem Tode geweiht (*auch fig.*). – **II** *s* Sterbende(r), Todgeweihte(r).

mo·ric ac·id ['mɔːrik] *s chem.* **1.** Maulbeerholzsäure *f.* – **2.** → **morin.**

mo·ril·lon [mo'rilən; mə-] *s* **1.** *zo.* Weibchen *n od.* junges Männchen der Schellente (*Bucephala clangula*). – **2.** *bot.* weißer Moril'lon (*Abart der Weintraube*).

mo·rin ['mɔːrin] *s chem.* Mo'rin(säure *f*) *n* ($C_{15}H_{10}O_7$).

mo·rin·din [mə'rindin; mo-; mɒ-] *s chem.* Morin'din *n* ($C_{26}H_{28}O_{14}$).

mo·ri·on ['mɔːriˌɒn] *s min.* Morion *m*, dunkler Rauchquarz.

Mo·ris·co [mə'riskou] **I** *s pl* **-cos** *od.* **-coes** **1.** Mo'riske *m*, Maure *m* (*bes. in Spanien*). – **2.** m~ a) Mo'risca *f*, maurischer Tanz, b) → **morris dance.** – **3.** maurischer Stil. – **II** *adj* **4.** maurisch.

Mor·mon ['mɔːrmən] **I** *s* **1.** *relig.* Mor'mone *m*, Mor'monin *f.* – **2.** *fig.* Polyga'mist(in). – **II** *adj* **3.** *relig.* mor'monisch: ~ **Church** mormonische Kirche, Kirche Jesu Christi der Heiligen der letzten Tage. — ~ **crick·et** *s zo.* Mor'monenheuschrecke *f* (*Anabrus simplex*).

Mor·mon·ism ['mɔːrməˌnizəm] *s relig.* Mor'monentum *n.* — **'Mor·monˌite** → **Mormon.**

Mor·mon| State *s* (*Beiname des Staates*) Utah *n.* — ~ **tea** *s bot.* Meerträubel *n*, Schachtelhalmstrauch *m* (*Gattg Ephedra*). — **'~ˌweed** *Am. für* **velvetleaf.**

mor·myr ['mɔːrmər], **'mor·myre** [-mair], **mor'myr·i·an** [-'miriən] *s zo.* Marmorbrasse *f*, Tapirfisch *m* (*Fam. Mormyridae*).

morn [mɔːrn] *s poet.* Morgen *m*: the ~ *Scot. od. obs.* morgen.

morn·ing ['mɔːrniŋ] **I** *s* **1.** Morgen *m*, Vormittag *m*: in the ~ morgens, am Morgen, vormittags; **early in the ~ früh'morgens, früh am Morgen; on the ~ of May 5** am Morgen des 5. Mai; **one ~** eines Morgens; **one fine ~** eines schönen Morgens; **on Sunday ~** am Sonntagmorgen; **(on) this ~** an diesem Morgen; **this ~** heute morgen *od.* früh; **tomorrow ~** morgen früh; **yesterday ~** gestern morgen *od.* früh; **the ~ after** am Morgen darauf, am darauffolgenden Morgen; **the ~ after the night before** *colloq.* der ‚Katzenjammer', der ‚Kater'; **with (the) ~** *poet.* gegen Morgen; **good ~!** guten Morgen! morning! *colloq.* ('n) Morgen! – **2.** *fig.* Morgen *m*, Anfang *m*, Beginn *m*: **the ~ of life** der Lebensmorgen. – **3.** Morgendämmerung *f.* – **4.** M~ Au'rora *f*, Eos *f.* – **II** *adj* **5.** a) Morgen..., Vormittags..., b) Früh...: ~ **hours** Morgenstunden.

morn·ing| call *s* Höflichkeitsbesuch *m* am frühen Nachmittag. — ~ **coat** *s* Cut(away) *m.* — ~ **dress** *s* **1.** Hauskleid *n* (*der Frau*). – **2.** Besuchs-, Konfe'renzanzug *m* (*schwarzer Rock, bes. Cut, mit gestreifter od. grauer Hose*). — ~ **gift** *s jur. hist.* Morgengabe *f.* — **'~-ˌglo·ry** *s bot.* **1.** Trichter-, Prunkwinde *f* (*Gattg Ipomoea*), *bes.* Purpurwinde *f* (*I. purpurea*). – **2.** *eine windenartige Pflanze, bes.* Winde *f* (*Gattg Convolvulus*). — ~ **gown** *s* Morgenrock *m*, Hauskleid *n* (*der Frau*). — ~ **gun** *s mil.* Weckschuß *m.* — ~ **per·form·ance** *s* Frühvorstellung *f*, Mati'nee *f.* — ~ **prayer** *s relig.* **1.** Morgengebet *n.* – **2.** Frühgottesdienst *m* (*der anglikanischen Kirche*). — ~ **room** *s* Damenzimmer *n* (*zum Morgenaufenthalt*). — ~ **sick·ness** *s med.* morgendliches Erbrechen (*bei Schwangeren*). — ~ **star** *s* **1.** *astr.* Morgenstern *m* (*bes. Venus*). – **2.** *bot.* Men'tzelie *f* (*Mentzelia lindleyi*). – **3.** *mil. hist.* Morgenstern *m.* — **'~ˌtide** *s poet.* Morgen *m* (*bes. fig.*). — ~ **watch** *s mar.* Morgenwache *f* (*4 bis 8 Uhr morgens*).

Mo·ro¹ ['mɔːrou] *pl* **-ros** *s* Moro *m* (*Angehöriger moham. Malaienstämme auf den südl. Philippinen*).

mo·ro² ['mɔːrou] *pl* **-ros** *s zo.* Wüstengimpel *m* (*Erythrospiza githaginea*).

Mo·roc·can [mə'rɒkən] **I** *adj* marok'kanisch. – **II** *s* Marok'kaner(in).

mo·roc·co [mə'rɒkou] *pl* **-cos** *s* Saffian(leder *n*) *m*, Maro'quin *m*: French ~ *ein minderwertiger Saffian.*

mo·ron ['mɔːrɒn] *s* **1.** Imbe'zille(r), Schwachsinnige(r). – **2.** Trottel *m*, Idi'ot *m.* – *SYN. cf.* **fool¹.** — **mo·ron·ic** [mə'rɒnik] *adj* imbe'zill, schwachsinnig. — **'mo·ronˌism, mo'ron·i·ty** *s* Imbezilli'tät *f*, Schwachsinn *m.*

mo·rose [mə'rous] *adj* mürrisch, grämlich, verdrießlich. – *SYN. cf.* **sullen.** — **mo'rose·ness** *s* Verdrießlichkeit *f*, mürrisches Wesen.

mo·rox·ite [mə'rɒksait] *s min.* Mo'roxit *m* (*Varietät des Apatits*).

morph- [mɔːrf] → **morpho-.**

-morph [mɔːrf] *Wortelement mit der Bedeutung* Form, Gestalt.

mor·phe·a [mɔːr'fiːə] *s med.* Mor'phea *f* (*Art Hautausschlag*).

Mor·phe·an ['mɔːrfiən] *adj* **1.** Morpheus (*den Gott der Träume*) betreffend. – **2.** Schlaf..., Traum...

mor·pheme ['mɔːrfiːm] *s ling.* Mor'phem *n*: a) *kleinstes bedeutungtragendes Sprachelement*, b) *gestaltbestimmendes Sprachelement.*

Mor·pheus ['mɔːrfjuːs; -fjəs] *npr* Morpheus *m* (*Gott der Träume*): **in the arms of ~** in Morpheus' Armen.

mor·phi·a ['mɔːrfiə] → **morphine.**

-morphic [mɔːrfik] *Wortelement mit der Bedeutung* ...förmig, ...gestaltig, ...artig.

mor·phine ['mɔːrfiːn; -fin], *auch* **'mor·phin** [-fin] *s chem.* Mor'phin *n*, Morphium *n* ($C_{17}H_{19}NO_3 \cdot H_2O$). — **'mor·phinˌism** *s* **1.** Morphi'nismus *m*, Mor'phinsucht *f.* – **2.** Mor'phinvergiftung *f.* — **'mor·phin·ist** *s* Morphi'nist(in). — **mor·phi·no·ma·ni·a** [ˌmɔːrfino'meiniə], **ˌmor·phi·o'ma·ni·a** [-fio-] → **morphinism** 1.

morpho- [mɔːrfo; -fə; -fɒ] *Wortelement mit der Bedeutung* Form, Gestalt.

mor·pho·gen·e·sis [ˌmɔːrfo'dʒenisis; -fə-; -nə-] *s biol.* Morpho'genesis *f*, Morphoge'nese *f*, Morphoge'nie *f*, Gestaltung *f*, Differen'zierung *f*, Selbstausformung *f*, Formentwicklung *f.* — **ˌmor·pho·ge'net·ic** [-dʒi'netik; -dʒə-], **ˌmor·pho'gen·ic** [-'dʒenik] *adj* morpho'gen, gestaltgebend, -bildend, forma'tiv, Gestaltungs..., Differenzierungs...

mor·phog·ra·pher [mɔːr'fɒgrəfər] *s* Gestalten-, Formenbeschreiber *m* (*bes. der Erdoberfläche*). — **ˌmor·pho'graph·ic** [-fo'græfik; -fə-], **ˌmor·pho'graph·i·cal** *adj* morpho'graphisch, formen-, gestaltbeschreibend. — **mor'phog·ra·phy** *s* Morphogra'phie *f*, Formen-, Gestaltbeschreibung *f.*

mor·pho·log·ic [ˌmɔːrfo'lɒdʒik; -fə-], **ˌmor·pho'log·i·cal** [-kəl] *adj* morpho'logisch, Form...: ~ **element** Formelement. — **ˌmor·pho'log·i·cal·ly** *adv* (*auch zu* **morphologic**). — **mor'phol·o·gist** [-'fɒlədʒist] *s* Morpho'loge *m.* — **mor'phol·o·gy** *s* **1.** Morpholo'gie *f*, Formen-, Gestaltlehre *f*, -forschung *f*, *bes.* a) *biol.* Gestaltlehre *f*, -forschung *f*, b) *geogr. Lehre von den Oberflächenformen der Erde*, c) *min. Formenlehre der Kristalle.* – **2.** *ling.* Morpholo'gie *f*: a) Formen- u. Wortbildungslehre *f*, b) *System der Wortbildung.* – **3.** Gestalt *f*, Form *f* (*eines Organismus*). – **4.** *geol.* äußere Ge'steinsstrukˌtur.

mor·phon ['mɔːrfɒn] *s biol.* Orga'nismus *m* von bestimmter Gestalt. — **mor'phon·o·my** [-əmi] *s* Morphono'mie *f* (*Lehre von den Gesetzen der Morphologie*). — **mor'pho·sis** [-'fousis] *s* Mor'phose *f*, Entwicklungsweise *f*, Gestaltbildung *f.*

-morphous [mɔːrfəs] → **-morphic.**

mor·ris ['mɒris; *Am. auch* 'mɔːr-] **I** *s* **1.** → ~ **dance.** – **II** *adj* **2.** Morisken(tanz)... – **3.** (einen Mo'riskentanz) tanzend. – **III** *v/i u. v/t* **4.** tanzen. — **M~ chair** *s ein Lehnstuhl mit verstellbarer Rückenlehne u. losen Sitzpolstern.* — ~ **dance** *s die engl. Form des Moriskentanzes, von verkleideten schellentragenden Männern getanzt.*

Mor·ri·son shel·ter ['mɒrisn; *Am. auch* 'mɔːr-] *s Br.* 'Morrison-'Unterstand *m* (*kleiner im Zimmer aufstellbarer Luftschutzunterstand aus Stahl*).

Mor·ris Plan bank *s Am. Bank, die Lohnempfängern kleine Anleihen gewährt.*

mor·ris tube *s tech.* Einsatzlauf *m* (*für Gewehre*).

mor·ro ['mɔrro] *pl* **-ros** (*Span.*) *s* runder Hügel: ~ **castle** auf einem runden Hügel gelegene Burg.

mor·row ['mɒrou; *Am. auch* 'mɔːr-] **I** *s* **1.** (*literarisch*) morgiger *od.* folgender Tag: **on the ~** am folgenden Tag; **the ~ of** a) der Tag nach, b) *fig.* die Zeit unmittelbar nach; **on the ~ of** *fig.* (in der Zeit) unmittelbar nach. – **2.** *obs.* Morgen *m.* – **II** *adj* **3.** morgig.

Morse¹ [mɔːrs] **I** *adj* Morse... – **II** *s colloq. für* a) ~ **code**, b) ~ **telegraph.** – **III** *v/t u. v/i* m~ morsen.

morse² [mɔːrs] → **walrus** 1.

morse³ [mɔːrs] *s* Spange *f* (*eines Chorrocks*).

Morse| code, *auch* ~ **al·pha·bet** *s* 'Morsealphaˌbet *n.*

mor·sel ['mɔːrsəl] **I** *s* **1.** Bissen *m*, Mundvoll *m.* – **2.** kleiner Brocken, Stückchen *n*, (*das*) bißchen. – **3.** Leckerbissen *m.* – **II** *v/t pret u. pp* **-seled**, *bes. Br.* **-selled** **4.** in kleine Stückchen teilen, in kleinen Porti'onen austeilen.

Morse tel·e·graph *s electr.* 'Morseteleˌgraph *m*, -appaˌrat *m.*

mort¹ [mɔːrt] *s hunt.* ('Hirsch)ˌTotsiˌgnal *n.*

mort² [mɔːrt] *s* dreijähriger Lachs.

mort[3] [mɔːrt] *s dial.* große Menge *od.* Zahl: a ~ of eine Menge.
mor·tal [ˈmɔːrtl] **I** *adj* **1.** sterblich: a ~ man ein Sterblicher. – **2.** tödlich, verderblich, todbringend (to für). – **3.** tödlich, erbittert: ~ **battle** erbitterte Schlacht; ~ **hatred** tödlicher Haß; ~ **offence** (*Am.* **offense**) tödliche Beleidigung. – **4.** Tod(es)...: ~ **agony** Todeskampf; ~ **enemies** Todfeinde; ~ **fear** Todesangst; ~ **hour** Todesstunde; ~ **sin** Todsünde. – **5.** menschlich, irdisch, vergänglich, Menschen...: **this** ~ **life** dieses vergängliche Leben; ~ **power** Menschenkraft. – **6.** *colloq.* menschenmöglich, irdisch, vorstellbar (*intens., bes. in Verneinungen*): **by no** ~ **means** auf keine menschenmögliche Art; **of no** ~ **use** absolut zwecklos. – **7.** *colloq.* ‚Mords...', ‚mordsmäßig': ~ **hurry** Mordseile. – **8.** *colloq.* endlos, ewig, todlangweilig: **three** ~ **hours** drei endlose Stunden. – *SYN. cf.* **deadly.** – **II** *adv* **9.** *selten* tödlich. – **10.** *dial.* furchtbar, schrecklich: ~ **hard** furchtbar hart. – **III** *s* **11.** Sterbliche(r). – **12.** *Bibl.* (*das*) Sterbliche *od.* Irdische. – **13.** *humor.* Kerl *m*, Mensch *m*: a **funny** ~ ein komischer Kerl.
mor·tal·i·ty [mɔːrˈtæliti; -əti] *s* **1.** Sterblichkeit *f*. – **2.** die (sterbliche) Menschheit. – **3.** Sterblichkeit(sziffer) *f*. — ~ **rate** → **mortality** 3. — ~ **ta·ble** *s* (*Versicherungswesen*) ˈSterblichkeitstaˌbelle *f*, Sterbetafel *f*.
mor·tal·ly [ˈmɔːrtəli] *adv* **1.** tödlich: ~ **offended** tödlich beleidigt; ~ **wounded** tödlich verwundet. – **2.** *colloq.* furchtbar, schrecklich: ~ **furious.** [sterblicher Geist.]
mor·tal mind *s* (*Christian Science*)
mor·tar[1] [ˈmɔːrtər] **I** *s* **1.** Mörser *m*, Reibschale *f*. – **2.** (*Hüttenwesen*) Poch-, Stampftrog *m*. – **3.** *mil.* a) Mörser *m* (*Geschütz*), b) Graˈnat-, Minenwerfer *m*. – **4.** ˈLebensrettungskaˌnone *f* (*zum Abschießen einer Notleine*). – **5.** *Gerät zum Abschießen von Feuerwerkskörpern.* – **II** *v/t* **6.** mit Mörsern beschießen.
mor·tar[2] [ˈmɔːrtər] *arch.* **I** *s* Mörtel *m*. – **II** *v/t* mörteln, mit Mörtel verbinden *od.* befestigen.
ˈ**mor·tar|ˌboard** *s* **1.** *tech.* Mörtelbrett *n* (*der Maurer*). – **2.** *ped. Mütze mit flachem quadratischem Oberteil* (*als Teil der akademischen Tracht*). — ~ **boat,** ~ **ves·sel** *s mar. hist.* Bomˈbarde *f*, Mörserschiff *n*.
mor·tar·y [ˈmɔːrtəri] *adj* mörtelig, Mörtel...
mort·gage [ˈmɔːrgidʒ] *jur.* **I** *s* **1.** Verpfändung *f*: **to be in** ~ verpfändet sein; **to give in** ~ verpfänden. – **2.** Pfandurkunde *f*, -brief *m*. – **3.** Pfandrecht *n*. – **4.** Hypoˈthek *f*: **by** ~ hypothekarisch, durch Verpfändung; **to borrow on** ~ auf Hypothek leihen; **to lend on** ~ auf Hypothek (ver)leihen; **to raise a** ~ eine Hypothek aufnehmen (on auf *acc*). – **5.** Hypoˈthekenbrief *m*. – **II** *v/t* **6.** (*auch fig.*) verpfänden (to an *acc*). – **7.** mit einer Hypoˈthek *od.* hypotheˈkarisch belasten, eine Hypoˈthek aufnehmen auf (*acc*). — ~ **deed** *s jur.* **1.** Pfandverschreibung *f*, -brief *m*. – **2.** Hypoˈthekenbrief *m*, -schein *m*, -urkunde *f*.
mort·ga·gee [ˌmɔːrgiˈdʒiː] *s jur.* Hypotheˈkar *m*, Pfand- *od.* Hypoˈthekengläubiger *m*. — ~ **clause** *s* Klausel *f* (*in der Feuerversicherungspolice*) zum Schutz des Hypoˈthekengläubigers.
mort·ga·gor [ˌmɔːrgiˈdʒɔːr; ˈmɔːrgidʒər], *auch* **mort·gag·er** [ˈmɔːrgidʒər] *s jur.* Pfand- *od.* Hypoˈthekenschuldner *m*.
mor·tice *cf.* **mortise.**
mor·ti·cian [mɔːrˈtiʃən] *s Am.* Leichenbestatter *m*.
mor·tif·er·ous [mɔːrˈtifərəs] *adj selten* tödlich, todbringend.
mor·ti·fi·ca·tion [ˌmɔːrtifiˈkeiʃən; -təfə-] *s* **1.** Demütigung *f*, Kränkung *f*. – **2.** Verletzung *f* (*Gefühl*). – **3.** Kaˈsteiung *f*. – **4.** Abtötung *f*, Ertötung *f* (*Leidenschaften*). – **5.** *med.* Mortifikatiˈon *f*, Brand *m*, Neˈkrose *f*. — ˈ**mor·tiˌfied** [-ˌfaid] *adj* **1.** gedemütigt, gekränkt (at über *acc*). – **2.** kaˈsteit. – **3.** abgetötet (*Leidenschaft etc*). – **4.** *med.* brandig. — ˈ**mor·tiˌfy** [-ˌfai] **I** *v/t* **1.** demütigen, kränken. – **2.** (*Gefühle*) verletzen. – **3.** (*Körper, Fleisch*) kaˈsteien. – **4.** (*Leidenschaften*) abtöten, ertöten. – **5.** *med.* brandig machen, absterben lassen. – **II** *v/i* **6.** sich kaˈsteien. – **7.** *med.* brandig werden, absterben.
mor·tise [ˈmɔːrtis] **I** *s* **1.** *tech.* a) Zapfenloch *n*, b) Stemmloch *n*, c) (Keil)Nut *f* (*einer Schwalbenschwanzverbindung etc*), d) Falz *m*, Fuge *f*, Ausschnitt *m*. – **2.** *fig.* fester Halt, feste Stütze. – **II** *v/t* **3.** *tech.* a) verzapfen, b) nuten, c) einzapfen (into in *acc*), durch Verzapfung befestigen (to an *dat*), d) einlassen, e) verzinken, verschwalben. – **4.** *allg.* fest verbinden. – **5.** *tech.* ein Zapfenloch (*etc*) schneiden in (*acc*). — ~ **chis·el** *s* Stech-, Lochbeitel *m*, Stemmeisen *n*, Stemmeißel *m*. — ~ **ga(u)ge** *s* (*Zimmerei*) Zapfenstreichmaß *n*, Zapfenlochlehre *f*. — ~ **joint** *s tech.* Zapfenverbindung *f*, Verzapfung *f*. — ~ **lock** *s tech.* (Ein)Steckschloß *n*.
mor·tis·er [ˈmɔːrtisər] *s tech.* **1.** Verzapfer *m*. – **2.** ˈStemmaˌschine *f*, ˈZapfenˌlochmaˌschine *f*.
ˈ**mor·tise wheel** *s tech.* **1.** Zapfenrad *n*, -getriebe *n*. – **2.** Zahnrad *n* mit Winkelzähnen.
mort·main [ˈmɔːrtmein] *s jur.* unveräußerlicher Besitz, Besitz *m* der Toten Hand: **in** ~ unveräußerlich.
mor·tu·ar·y [*Br.* ˈmɔːrtjuəri; *Am.* -tʃuˌeri] **I** *s* **1.** Leichenhalle *f*. – **2.** *hist.* Leichengebühr *f* (*an den Gemeindepfarrer*). – **II** *adj* **3.** Begräbnis... – **4.** Trauer... – **5.** Todes..., Toten...
mor·u·la [ˈmɒrulə; -ju-] *pl* **-lae** [-ˌliː] *s biol.* Morula *f*, Maulbeerkeim *m*: ~ **cell** Blastomere. — ˈ**mor·uˌloid** *adj* maulbeerartig (*keimendes Ei*).
mo·sa·ic[1] [moˈzeiik] **I** *s* **1.** Mosaˈik *n* (*auch fig.*). – **2.** Mosaˈikˌherstellung *f*. – **3.** *aer.* (ˈLuftbild)Mosaˌik *n*, Reihenbild *n*. – **4.** *bot.* Mosaˈikkrankheit *f*. – **II** *adj* **5.** Mosaik... – **6.** aus verschiedenartigen Einzelteilen zuˈsammengesetzt, mosaˈikartig, -ähnlich. – **III** *v/t pret u. pp* **-ˈsa·icked,** *pres p* **-ˈsa·ick·ing 7.** mit Mosaˈik schmükken. – **8.** zu einem Mosaˈik zuˈsammenstellen.
Mo·sa·ic[2] [moˈzeiik], *auch* **Moˈsa·i·cal** [-kəl] *adj* moˈsaisch: **Mosaic Law** mosaisches Gesetz (*bes. der Pentateuch*).
mo·sa·ic| dis·ease → **mosaic**[1] 4. — ~ **gold** *s* **1.** Muˈsivgold *n* (*kristallisiertes Zinnsulfid* SnS_2). – **2.** → **ormulu.** — ~ **hy·brid** *s biol.* Mutatiˈonschiˌmäre *f*.
mo·sa·i·cist [moˈzeiisist] *s* Mosaiˈzist *m* (*Hersteller von Mosaiken*).
mo·sa·ic vi·sion *s zo.* muˈsivisches Sehen (*Sehen mit Facettenaugen, z. B. bei Insekten*).
mo·san·drite [moˈzændrait] *s min.* Mosanˈdrit *m* (*ein Silikat der Cer-Metalle*).
mos·chate [ˈmɒskeit] *adj* nach Moschus duftend. — **mos·cha·tel** [ˌmɒskəˈtel] *s bot.* Moschus-, Bisamkraut *n* (*Adoxa moschatellina*). —
mos·chif·er·ous [mɒsˈkifərəs] *adj* Moschus erzeugend. [(wein) *m*.]
Mo·selle, m~ [moˈzel; mə-] *s* Mosel-
Mo·ses [ˈmouziz] **I** *npr* **1.** *Bibl.* Moses *m*. – **II** *s* **2.** *fig.* a) Führer *m*, b) demütiger Mann. – **3.** *fig.* jüd. Geldleiher *m*. – **4.** m~ → ~ **boat.** — ~ **bas·ket** *Br. für* **bassinet.** — ~ **boat** *s mar.* Mosesboot *n*, kleines leichtes Flachboot (*Westindien*).
mo·sey [ˈmouzi] *v/i Am. sl.* **1.** daˈhinschlendern, -schlürfen. – **2.** sich daˈvonmachen, ‚verduften'.
mo·sha·va [mouˈʃɑːvɑː] *s* Moschaw *n* (*landwirtschaftliche Siedlung in Israel*).
mosk *cf.* **mosque.**
Mos·lem [ˈmɒzləm] *pl* ˈ**Mos·lems** *od. collect.* ˈ**Mos·lem I** *s* Moslem *m*, Muselman *m*. – **II** *adj* muselmanisch, mohammeˈdanisch. — **Mosˈlem·ic** [-ˈlemik] → **Moslem** II. — ˈ**Mos·lemˌism** *s relig.* Mohammedaˈnismus *m*, Islam *m*.
mos·lings [ˈmɒzliŋz] *s pl* (*Gerberei*) Lederabschabsel *pl*.
mosque [mɒsk] *s* Moˈschee *f*.
mos·qui·tal [məsˈkiːtl] *adj* **1.** *zo.* Moskito..., Stechmücken... – **2.** *med.* von Mosˈkitos überˈtragen (*Krankheit*).
mos·qui·to [məsˈkiːtou] *s* **1.** *pl* **-toes** *zo.* Mosˈkito *m* (*Fam. Culicidae*). – **2.** *pl* **-toes** *od.* **-tos** *aer.* Mosˈkito *m* (*leichter brit. Bomber*). — ~ **boat,** ~ **craft** *s mar. mil.* Schnellboot *n*. — ~ **hawk** *Am. für* **nighthawk.** — ~ **net,** ~ **net·ting** *s* Mosˈkitonetz *n*. — **M~ State** *s Am.* (*Spitzname für*) New Jersey *n* (*USA*).
moss [mɒs; *Am. auch* mɔːs] **I** *s* **1.** Moos *n*: → **stone** *b. Redw.* – **2.** *bot.* Laubmoos *n* (*Klasse Musci*). – **3.** *bes. Scot.* (Torf)Moor *n*, sumpfiger Boden. – **II** *v/t* **4.** mit Moos bedecken. – **III** *v/i* **5.** sich mit Moos bedecken. — ~ **ag·ate** *s min.* ˈMoosaˌchat *m*. — ~ **an·i·mal** → **bryozoan** I. — ˈ~ˌ**back** *s* **1.** *alter Fisch etc, dessen Rücken Moos anzusetzen scheint.* – **2.** *Am. sl.* a) streng Konservaˈtiver *m*, Reaktioˈnär *m*, b) ‚Spießer' *m*, Perˈson *f* mit längst überˈholten Anschauungen. — ~ **bass** *s zo. Am.* Foˈrellenbarsch *m* (*Grystes salmoides*). — ˈ~ˌ**ber·ry** → **cranberry** a. — ˈ~ˌ**bunk·er** → **menhaden.** — ~ **cam·pi·on** *s bot.* Stengelloses Leimkraut (*Silene acaulis*). — ~ **cor·al** → **bryozoan** I. — ˈ~-ˌ**grown** *adj* **1.** moosbewachsen, bemoost. – **2.** *fig.* altmodisch, überˈholt. — ˈ~ˌ**head** *s zo. Am.* Schopfsäger *m* (*Lophodytes cucullatus*).
moss·i·ness [ˈmɒsinis; *Am. auch* ˈmɔːs-] *s* **1.** Moosigkeit *f*, Bemoostheit *f*. – **2.** Moosartigkeit *f*, *bes.* Weichheit *f*.
moss| pink *s bot.* Zwergphlox *m*, Pfriemenblättrige Flammenblume (*Phlox subulata*). — ~ **pol·yp** → **bryozoan** I. — ~ **rose** *s bot.* Moosrose *f* (*Rosa centifolia muscosa*). — ~ **rush** *s bot.* Moorbinse *f* (*Juncus squarrosus*). — ˈ~ˌ**troop·er** *s* Wegelagerer *m*, Straßenräuber *m* (*bes. im 17. Jh. an der engl.-schott. Grenze*). — ˈ~ˌ**troop·er·y** *s* ‚Straßenräubeˈrei *f*.
moss·y [ˈmɒsi; *Am. auch.* ˈmɔːsi] *adj* **1.** moosig, bemoost, moosbewachsen. – **2.** moosartig. – **3.** Moos...: ~ **green** Moosgrün. – **4.** *Scot.* moˈrastig, sumpfig, Moor...
most [moust] **I** *adj* **1.** meist(er, e, es), größt(er, e, es): **the** ~ **fear** die meiste *od.* größte Angst; **for the** ~ **part** größten-, meistenteils, in den meisten Fällen; **he has the** ~ **need of it** er braucht es am meisten *od.* dringendsten. – **2.** (*vor einem Substantiv im pl, ohne Artikel*) die meisten: ~ **accidents** die meisten Unfälle; ~ **people** die meisten Leute. – **3.** (*vor einem Substantiv im pl, mit od. auch ohne Artikel*) (die) meisten *pl*, die größte

Anzahl von *od.* an (*dat*): the ~ **votes** die meisten Stimmen. – **II** *s* **4.** (*das*) meiste, (*das*) Höchste, (*das*) Äußerste: **the** ~ **he accomplished** das Höchste, das er vollbrachte; to make the ~ of s.th. a) etwas aufs beste ausnützen, den größten Nutzen aus etwas ziehen, b) (*zum eigenen Vorteil*) etwas ins beste *od.* schlechteste Licht stellen; at (the) ~ höchstens; **this is at** ~ **a respite** dies ist bestenfalls eine Gnadenfrist. – **5.** das meiste, der größte Teil: **he spent** ~ **of his time there** er verbrachte die meiste Zeit dort. – **6.** die meisten *pl*: **better than** ~ besser als die meisten; ~ **of my friends** die meisten meiner Freunde. – **III** *adv* **7.** am meisten: **what** ~ **tempted me, what tempted me** ~ was mich am meisten lockte; **she screamed** ~ sie schrie am meisten; ~ **of all** am allermeisten. – **8.** (*zur Bildung des Superlativs*): **the** ~ **important point** der wichtigste Punkt; ~ **deeply impressed** am tiefsten beeindruckt; ~ **rapidly** am schnellsten, schnellstens. – **9.** höchst, äußerst, 'überaus: **it was** ~ **kind of you** es war äußerst freundlich von Ihnen; a ~ **indecent story** eine höchst unanständige Geschichte. – **10.** *Am. colloq. od. dial.* fast, beinahe.

-most [moust; məst] *Wortelement zur Bildung des Superlativs, z.B.* fore~, in~, top~ *etc.*

'most-'fa·vo(u)red-'na·tion clause *s pol.* Meistbegünstigungsklausel *f* (*Importzölle*).

most·ly ['moustli] *adv* **1.** größtenteils, im wesentlichen, in der Hauptsache. – **2.** hauptsächlich.

mot [mou] *s* Bon'mot *n*, geistreiche Wendung.

mo·ta·cil·line [ˌmoutə'silain; -lin] *adj zo.* stelzenartig, Stelzen...

mo·ta·to·ri·ous [ˌmoutə'tɔːriəs] *adj zo.* schwingend, zitternd (*Spinnen u. Insekten*).

mote[1] [mout] *s* **1.** Stäubchen *n*, winziges Teilchen: the ~ **in another's eye** *Bibl.* der Splitter im Auge des anderen. – **2.** (*Baumwollfabrikation*) kleine Verunreinigung, Knötchen *n*.

mote[2] [mout] *Hilfsverb obs.* mag, möge, darf: so ~ it be so sei es.

mo·tel [mou'tel] *s* Mo'tel *n* (*Kraftfahrerhotel*).

mo·tet [mo'tet] *s mus.* Mo'tette *f* (*geistliches Chorwerk, meist ohne Instrumentalbegleitung*).

moth [mɒθ; *Am. auch* mɔːθ] **I** *s* **1.** *zo.* Nachtfalter *m* (*Unterteilung Heterocera d. Ordng Lepidoptera*). – **2.** *pl* **moths** *od. collect* **moth** → **clothes moth**. – **3.** *fig.* j-d der mit dem Feuer spielt. – **II** *v/i* **4.** Motten jagen. — ~ **ball** *s* Mottenkugel *f*. — '~ˌ**ball** *v/t* (*Kleider, Kriegsschiffe*) einmotten. — ~ **bean** *s bot.* Indische Bohne (*Phaseolus aconitifolius*). — ~ **blight** *s zo.* Motten-Schildlaus *f* (*Gattg Aleurodes*). — '~-ˌ**eat·en** *adj* **1.** von Motten zerfressen. – **2.** veraltet, anti'quiert.

moth·er[1] ['mʌðər] **I** *s* **1.** Mutter *f*: a ~**'s heart** ein Mutterherz. – **2.** *oft* **M**~ die (*eigene*) Mutter. – **3.** Ahnin *f*, Ahnfrau *f*. – **4.** Mutter *f*, Mütterchen *n* (*Bezeichnung od. Anrede einer alten Frau, bes. von geringem Stand*). – **5.** Oberin *f*, Äb'tissin *f*. – **6.** *fig.* Mutter *f* (*mütterliche Regungen etc*): **at last the** ~ **awakes in her**. – **7.** *fig.* Mutter *f*, Ursprung *m*, Wurzel *f*, Quelle *f*. – **8.** *auch* **artificial** ~ künstliche Glucke. – **II** *adj* **9.** Mutter... – **III** *v/t* **10.** *meist fig.* gebären, her'vorbringen. – **11.** bemuttern, wie eine Mutter sorgen für. – **12.** an Kindes Statt annehmen. – **13.** die Mutterschaft anerkennen von, sich zur Mutter erklären von. – **14.** *fig.* die Verfasser- *od.* Urheberschaft anerkennen von. – **15.** die Mutterschaft *od.* Urheberschaft (*einer Sache*) zuschreiben (on s.o. j-m): to ~ a novel on s.o. j-m einen Roman zuschreiben.

moth·er[2] ['mʌðər] **I** *s* Essigmutter *f*. – **II** *v/i* Essigmutter ansetzen.

Moth·er Car·ey's| chick·en ['kɛ(ə)riz] *s zo.* (*eine*) Sturmschwalbe (*Fam. Hydrobatidae*), *bes.* → **stormy petrel 1**. — ~ **goose** *s irr* → **giant fulmar**.

moth·er| cell *s biol.* Mutterzelle *f*. — ~ **church** *s* **1.** Mutterkirche *f*. – **2.** Hauptkirche *f*, *bes.* Kathe'drale *f*. — ~ **coun·try** *s* **1.** Mutterland *n*. – **2.** Vater-, Heimatland *n*. — '~ˌ**craft** *s* **1.** mütterliches Können, mütterliche Begabung. – **2.** mütterliche Pflichten *pl*. — ~ **ditch** *s Am.* 'Hauptkaˌnal *m* (*einer Bewässerungsanlage*). — ~ **earth** *s* Mutter *f* Erde. — ~ **gate**, '~ˌ**gate** *s* (*Bergbau*) Hauptförderstrecke *f*. — **M**~ **Goose** *s* **1.** *vorgebliche Verfasserin od. Sammlerin alter Kinderreime, die unter dem Titel* **Mother Goose's Melodies** (*heute* **Mother Goose's Nursery Rhymes**) *1760 in London veröffentlicht wurden.* – **2.** *vorgebliche Erzählerin von Märchen, welche, von Ch. Perrault verfaßt, 1697 erstmals veröffentlicht wurden.*

moth·er·hood ['mʌðərˌhud] *s* **1.** Mutterschaft *f*. – **2.** *collect.* Mütter *pl*.

Moth·er Hub·bard ['hʌbərd] *s* **1.** (*Art*) weites, loses Frauenkleid. – **2.** *Figur aus den Kinderreimen* **Mother Goose**.

moth·er·ing ['mʌðəriŋ] *s Br. engl. Sitte, am vierten Fastensonntag einen Besuch bei seinen Eltern zu machen u. ihnen Geschenke zu bringen*: **M**~ **Sunday**.

'moth·er-in-ˌlaw *pl* **'moth·ers-in-ˌlaw** *s* **1.** Schwiegermutter *f*. – **2.** *obs. od. dial.* Stiefmutter *f*.

'moth·erˌland *s* **1.** Vaterland *n*, Heimatland *n*. – **2.** Mutterland *n*.

moth·er·less ['mʌðərlis] *adj* mutterlos, ohne Mutter. — **'moth·er·li·ness** *s* Mütterlichkeit *f*.

moth·er| liq·uor, *auch* ~ **liq·uid** *s chem.* Mutter-, Endlauge *f*. — ~ **lode** *s* (*Bergbau*) Hauptader *f*, -flöz *n*. — ~ **lodge** *s* Mutterloge *f*. — ~ **love** *s* Mutterliebe *f*.

moth·er·ly ['mʌðərli] **I** *adj* **1.** mütterlich. – **2.** *selten* Mutter... – **II** *adv* **3.** mütterlich, in mütterlicher Weise.

Moth·er| Maid, ~ **of God** *s* Mutter *f* Gottes, Jungfrau *f* Ma'ria. — **'m**~**-of-'mil·lions** *s bot.* Zymbelkraut *n* (*Linaria cymbalaria*). — **'m**~**-of-'pearl I** *s* Perl'mutter *f*, Perlmutt *n*. – **II** *adj* perl'muttern, Perlmutt... — ~ **of Pres·i·dents** *s Am.* (*Spitzname für*) Vir'ginia *n* (*in dem 8 amer. Präsidenten geboren wurden*). — ~ **of States** *s Am.* (*Spitzname für*) Vir'ginia *n* (*USA*). — **'m**~**-of-'thou·sands** → **mother-of-millions**. — **m**~ **of vin·e·gar** → **mother**[2] **I**.

Moth·er's Day *s* Muttertag *m*.

moth·er ship *s mar. Br.* Mutterschiff *n*: a) Tender *m*, b) U-Boot-Begleitschiff *n*.

moth·er's| mark *s* Muttermal *n*. — ~ **son** *s* Mann *m*: **every** ~ jeder(mann).

moth·er| su·pe·ri·or → **mother**[1] **5**. — ~ **tongue** *s* **1.** Muttersprache *f*. – **2.** *ling.* Stammsprache *f*. — ~ **wit** *s* Mutterwitz *m*. — '~ˌ**wort** *s bot.* **1.** Herzgespann *n* (*Leonurus cardiaca*). – **2.** Beifuß *m* (*Artemisia vulgaris*).

moth·er·y ['mʌðəri] *adj* hefig, trübe, eine Essigmutter enthaltend.

moth| gnat *s zo.* Schmetterlingsmücke *f* (*Fam. Psychodidae*). — ~ **hawk**, ~ **hunt·er** → **goatsucker**. — ~ **mul·lein** *s bot.* Motten-Wollkraut *n* (*Verbascum blattaria*). — ~ **patch** *s med.* Haut-, Leberfleck *m*. — '~ˌ**worm** *s zo.* Mottenlarve *f*.

moth·y ['mɒθi; *Am. auch* 'mɔːθi] *adj* **1.** vermottet, voller Motten. – **2.** mottenzerfressen.

mo·tif [mo'tiːf] *s* **1.** *mus.* a) Mo'tiv *n*, kurzes Thema, b) 'Leitmoˌtiv *n*. – **2.** (*Literatur u. Kunst*) Mo'tiv *n*, Vorwurf *m*. – **3.** *fig.* a) Leitgedanke *m*, b) Struk'turprinˌzip *n*. – **4.** (*Putzmacherei*) Applikati'on *f*, Aufnäharbeit *f*.

mo·tile ['moutil; -tl] **I** *adj biol.* freibeweglich, aus sich selbst bewegungsfähig. – **II** *s psych.* mo'torischer Mensch. — **mo'til·i·ty** [mo'tiliti; -əti] *s* Motili'tät *f*, selbständiges Bewegungsvermögen.

mo·tion ['mouʃən] **I** *s* **1.** Bewegung *f*: **law of** ~ *phys.* Bewegungsgesetz. – **2.** Gang *m*, Bewegung *f*: to put (*od.* set) in ~ in Gang bringen, in Bewegung setzen. – **3.** (Körper-, Hand)-Bewegung *f*, Wink *m*: ~ **of the head** Zeichen mit dem Kopf. – **4.** Antrieb *m*, Regung *f*: **of one's own** ~ aus eigenem Antrieb. – **5.** *pl* Schritte *pl*, Tun *n*, Handlungen *pl*: to watch s.o.'s ~s. – **6.** (Körper)Haltung *f* (*beim Tanzen, Gehen etc*). – **7.** *jur. pol.* Antrag *m*, Moti'on *f* (*in einer Versammlung*): **to carry a** ~ einen Antrag durchbringen; **to defeat a** ~ einen Antrag ablehnen; **to put** (*od.* **make**) **a** ~ einen Antrag stellen. – **8.** *tech.* a) Triebwerk *n*, b) Getriebe *n*, Gang-, Geh-, Räderwerk *n* (*der Uhr*), c) Kreuzkopf *m*, Querhaupt *n*. – **9.** *math. mus.* Bewegung *f*. – **10.** *med.* Stuhlgang *m*. – **11.** *obs.* Bewegungsfähigkeit *f*. – **12.** *obs.* a) Puppenspiel *n*, b) Puppe *f*, Mario'nette *f*. – **II** *v/i* **13.** winken (with mit; to *dat*): to ~ to s.o. j-m (zu)winken. – **III** *v/t* **14.** (*j-m*) (zu)winken, (*j-n*) durch einen Wink auffordern (to do zu tun). – **15.** *obs.* vorschlagen. — **'mo·tion·al** *adj* Bewegungs...

mo·tion bar *s tech.* Führungsstange *f*, Kopfführung *f*.

mo·tion·less ['mouʃənlis] *adj* bewegungslos, regungslos, unbeweglich. — **'mo·tion·less·ness** *s* Bewegungslosigkeit *f*.

mo·tion| pic·ture *s* Film *m*. — '~-ˌ**pic·ture** *adj* Film...: ~ **camera** Laufbild-, Filmkamera; ~ **projector** Filmvorführapparat. — ~ **plate** *s tech.* Paral'lelführungsstütze *f*. — ~ **sick·ness** *s med.* Kine'tose *f*, durch Fahren her'vorgerufene Übelkeit, *bes.* See-, Luft-, Autokrankheit *f*.

mo·ti·vate ['moutiˌveit; -tə-] *v/t* **1.** moti'vieren, begründen. – **2.** anregen, her'vorrufen. — ˌ**mo·ti'va·tion** *s* **1.** Moti'vierung *f*, Begründung *f*. – **2.** Anregung *f*. — ˌ**mo·ti'va·tion·al** *adj* Motiv...: ~ **research** Motivforschung (*in der Werbung*).

mo·tive ['moutiv] **I** *s* **1.** Mo'tiv *n*, Beweggrund *m*, Antrieb *m*. – **2.** → **motif 1** *u.* **2.** – **3.** *obs.* a) Urheber *m*, b) Ursache *f*, c) Vorschlag *m*. – *SYN.* **goad, impulse, incentive, inducement, spring, spur**. – **II** *adj* **4.** bewegend, treibend, Beweg... (*auch fig.*). – **III** *v/t* **5.** *meist pass* der Beweggrund sein von, veranlassen, bestimmen: **an act** ~**d by hatred** eine von Haß bestimmte Tat. – **6.** antreiben, bewegen. – **7.** (*einem Kunstwerk*) ein Mo'tiv zu'grundelegen. — ~ **pow·er** *s* bewegende Kraft, Trieb-, Antriebskraft *f*. — ~ **wa·ter** *s tech.* Aufschlagwasser *n* (*bei Turbinen etc*).

mo·tiv·i·ty [mo'tiviti; -əti] *s* Bewegungsfähigkeit *f*, -kraft *f*.

mot·ley ['mɒtli] **I** *adj* **1.** bunt, scheckig. – **2.** verschiedenartig, ungleich. – **3.** kunterbunt, durchein'ander. – **II** *s*

4. *hist.* Narrenkleid *n.* – 5. buntes Gemisch, Durchein'ander *n.* – 6. *obs.* Narr *m,* Possenreißer *m.* – III *v/t* 7. bunt machen.

mot·mot ['mɒtmɒt] *s zo.* Sägera(c)ke *f* (*Fam. Momotidae*).

mo·tor ['moutər] I *s* 1. *tech.* Motor *m,* 'Antriebs-, 'Kraftmaˌschine *f, bes.* a) Verbrennungsmotor *m,* b) E'lektromotor *m.* – 2. Triebkraft *f,* (an)treibendes Ele'ment. – 3. a) Kraftwagen *m,* Automo'bil *n,* b) Motorfahrzeug *n.* – 4. *med.* a) Muskel *m,* b) mo'torischer Nerv. – 5. *pl econ.* Automo'bilaktien *pl.* – II *adj* 6. bewegend, (an)treibend. – 7. Motor... – 8. Auto... – 9. *med. zo.* mo'torisch. – III *v/i* 10. (*in einem Kraftfahrzeug*) fahren. – IV *v/t* 11. in einem Kraftfahrzeug transpor'tieren. — ~ **ac·ci·dent** *s* Autounfall *m.* — ~ **am·bu·lance** *s* Krankenwagen *m,* Ambu'lanz *f.* — ~ **bi·cy·cle** → motorcycle I. — '~ˌ**bike** *colloq. für* motorcycle I. — '~ˌ**boat** *s* Motorboot *n.* — '~ˌ**boat·ing** *s* 1. Motorbootfahren *n,* -sport *m.* – 2. *electr.* Blubbern *n* (*Schwingen eines Tonfrequenzverstärkers mit sehr niedriger Frequenz*). — '~ˌ**bus** *s* Autobus *m,* Kraftomnibus *m.* — '~ˌ**cab** *s* Taxe *f,* Taxi *n,* Autodroschke *f.* — '~ˌ**cade** [-ˌkeid] *s Am.* 'Autokoˌlonne *f,* -korso *m.* — ~ **camp** *s Am.* Auto-Campingplatz *m.* — '~ˌ**car** *s* Kraftwagen *m,* -fahrzeug *n,* Auto(mo'bil) *n.* — ~ **coach** → motorbus. — ~ **court** → motel. — '~ˌ**cy·cle** I *s* Motor-, Kraftrad *n.* – II *v/i* motorradfahren. — '~ˌ**cy·cle trac·tor** *s mil.* Kettenk(raft)rad *n.* — '~ˌ**cy·clist** *s* Motorradfahrer(in). — ~ **drive** *s tech.* Motorantrieb *m.* — '~-ˌ**driv·en** *adj* mit Motorantrieb. — '~ˌ**drome** [-ˌdroum] *s* Auto- *od.* Motorrad(rund)rennstrecke *f.*

mo·tored ['moutərd] *adj tech.* 1. motori'siert, mit einem Motor *od.* mit Mo'toren versehen. – 2. ...motorig: bimotored zweimotorig.

mo·tor| en·gine *s tech.* 'Kraftmaˌschine *f.* — ~ **fit·ter** *s* Autoschlosser *m.* — ~ **gas** *s tech.* Kraftgas *n.* — ~ **gen·er·a·tor (set)** *s electr.* 'Motorgeneˌrator *m,* 'Umformer(aggreˌgat *n*) *m.* — ~ **head** *s tech.* Motorkopf *m.* — ~ **hood** *s tech.* Motorhaube *f.*

mo·to·ri·al [mo'tɔːriəl] *adj* 1. bewegend. – 2. mo'torisch. – 3. Bewegungs...

mo·tor·ing ['moutəriŋ] *s* 1. Autofahren *n.* – 2. Kraftfahrsport *m.* – 3. Kraftfahrzeugwesen *n.* — '**mo·tor·ist** *s* Kraft-, Autofahrer *m.*

mo·tor·i·za·tion [ˌmoutərai'zeiʃən; -ri'z-] *s* Motori'sierung *f.* — '**mo·torˌize** *v/t* motori'sieren: a) mit Kraftfahrzeugen versehen, b) mit einem Motor versehen.

mo·tor launch *s* 'Motorbarˌkasse *f.*

mo·tor·less flight ['moutərlis] *s aer.* Segelflug *m.*

mo·tor| lor·ry *s Br.* Lastkraftwagen *m.* — '~**·man** [-mən] *s irr* 1. Wagenführer *m* (*eines elektr. Triebwagens*). – 2. Motorbedienungsmann *m.* — ~ **me·chan·ic** *s* Autoschlosser *m.* — ~ **mus·cle** *s med. zo.* mo'torischer Muskel, Bewegungsmuskel *m.* — ~ **nerve** *s med. zo.* mo'torischer Nerv, Bewegungsnerv *m.* — ~ **oil** *s tech.* Mo'torenöl *n.* — ~ **point** *s med. zo.* mo'torischer Nervenpunkt, Reizpunkt *m.* — ~ **pool** *s mil.* Fahrbereitschaft *f.* — ~ **road** *s* Autostraße *f.* — ~ **school** *s* Fahrschule *f.* — ~ **scoot·er** *s* Motorroller *m.* — ~ **ship** *s mar.* Motorschiff *n.* — ~ **show** *s* Automo'bilausstellung *f.* — ~ **start·er** *s electr.* Anlasser *m.* — ~ **tor·pe·do boat** *s mar. mil.* Schnellboot *n.* — ~ **torque** *s tech.* 'Motorˌdrehmoˌment *n.* — ~ **trac·tor** *s* Traktor *m,* Schlepper *m,* 'Zugmaˌschine *f.* — ~ **truck** *s bes. Am.* Lastkraftwagen *m.* — ~ **van** *s Br.* (kleiner) Lastkraftwagen, Lieferwagen *m.* — ~ **ve·hi·cle** *s* Kraftfahrzeug *n.* — '~ˌ**way** *s Br.* Autobahn *f,* -straße *f.*

mo·tor·y ['moutəri] *adj* mo'torisch.

mott(e) [mɒt] *s Am. dial.* Baumgruppe *f* (*inmitten einer Prärie*).

mot·tle ['mɒtl] I *v/t* 1. sprenkeln, mit Farbflecken bemalen, marmo'rieren. – II *s* 2. (Farb)Fleck *m.* – 3. Sprenkelung *f.* – III *adj* → mottled. — '**mot·tled** *adj* gesprenkelt, gefleckt, bunt: ~ enamel fleckiger Zahnschmelz (*durch zuviel Fluor im Trinkwasser*). — '**mot·tling** *s* Sprenkelung *f,* Fleckung *f,* Tüpfelung *f*: confluent ~ zusammenfließende Flecken.

mot·to ['mɒtou] *pl* **-toes, -tos** *s* 1. Motto *n,* Sinnspruch *m.* – 2. Wahlspruch *m.* – 3. Grundsatz *m.* – 4. *mus.* Leitthema *n.* – 5. *Am.* Bon'bon *m, n,* Zuckerplätzchen *n* (*mit einem Vers zusammen in Buntpapier gewickelt*). — **mot·toed** ['mɒtoud] *adj* mit einem Motto versehen.

mou·char·a·by [muː'ʃærəbi] *s arch.* 1. Muscha'rabie *f* (*vergitterter Fensterbalkon*). – 2. Maschikulis *pl,* Gußlöcher *pl* (*an mittelalterlichen Festungen*).

mouf·(f)lon ['muːflɒn] *s zo.* Mufflon *m* (*Ovis musimon; Wildschaf*).

mouil·la·tion [muː'jeiʃən] *s* (*Phonetik*) palatali'sierte Aussprache, Mouil'lierung *f.* — **mouil·lé** [muː'jei] *adj* palatali'siert, mouil'liert.

mou·jik *cf.* muzhik.

mould[1] *bes. Br. für* mold[1-3].

mould[2] [mould] *s mar. Br. sl.* Tor'pedo *m,* ‚Aal' *m*: to squirt a ~ einen Torpedo abschießen.

mould·a·ble, mould·er, mould·i·ness, mould·ing, mould·y[1] *bes. Br. für* moldable *etc.*

mould·y[2] ['mouldi] → minnow 3.

mou·lin [mu'lɛ̃] (*Fr.*) *s geol.* Gletschermühle *f.*

mou·lin·age ['muːlinidʒ; -lə-] *s* (*Spinnerei*) Mouli'nage *f,* Zwirnen *n* (*der Seide*).

mou·li·net [ˌmuːli'net; -lə-; 'muːliˌnet] *s* 1. *tech.* a) Haspelwelle *f,* b) Dreh-, Windebaum *m* (*eines Krans etc*). – 2. *mil. hist.* Armbrustwinde *f,* -spanner *m.* – 3. (*Fechten*) Mouli'net *m* (*kreisförmiges Schwingen des Degens*).

moult, moult·er *bes. Br. für* molt *etc.*

mound[1] [maund] I *s* 1. Erdwall *m,* -hügel *m.* – 2. Damm *m.* – 3. a) Tumulus *m,* Grabhügel *m,* b) Mound *m* (*altindianischer Grabhügel od. -wall in Amerika*). – 4. *mil.* Schanzhügel *m,* Wall *m.* – 5. (*natürlicher*) Hügel, Erhebung *f.* – 6. Haufen *m,* Berg *m*: a ~ of leaves. – 7. (*Baseball*) (*leicht erhöhte*) Abwurfstelle (*von der aus der Werfer den Ball wirft*). – 8. *tech.* Maßhübel *m,* -kegel *m* (*bei Grabungen*). – II *v/t* 9. mit einem Erdwall um'geben *od.* versehen. – 10. a) zu einem Erdwall *od.* -hügel formen, b) auf-, zu'sammenhäufen. – III *v/i* 11. sich anhäufen, einen Wall *od.* Hügel bilden.

mound[2] [maund] *s hist.* Reichsapfel *m.*

mound| bird → megapode. — **M~ Build·ers** *s pl* Moundbuilders *pl,* -stämme *pl* (*nordamer. Indianerstämme*).

mount[1] [maunt] I *v/t* 1. (*Berg, Pferd, Fahrrad etc*) besteigen. – 2. (*Treppen*) hin'aufgehen, ersteigen. – 3. (*Fluß*) hin'auffahren. – 4. beritten machen: to ~ troops. – 5. (*auf einem Sockel etc*) aufstellen, mon'tieren, errichten. – 6. anbringen, einbauen, befestigen. – 7. (*Maschine etc*) mon'tieren, zu'sammenbauen, aufstellen. – 8. zu'sammenstellen, arran'gieren. – 9. *mil.* a) (*Geschütz*) in Stellung bringen, b) (*Posten*) aufstellen, c) (*Posten*) beziehen: → guard 13. – 10. *mar. mil.* ausgerüstet *od.* bewaffnet sein mit, (mit)führen, haben. – 11. (*Papier, Bild etc*) aufkleben, -ziehen. – 12. (*Briefmarke*) in ein Album kleben. – 13. *tech.* a) (*Edelstein*) fassen, b) (*Gewehr*) anschäften, c) (*Messer, Schwert etc*) stielen, mit einem Griff versehen, d) (*Werkstück*) einspannen. – 14. (*Theaterstück*) in Szene setzen. – 15. *biol. med.* (*Versuchsobjekt*) präpa'rieren. – 16. (*ein mikroskopisches Präparat*) fi'xieren, auflegen, auf den Ob'jektträger bringen. – 17. (*Kleidungsstück*) anziehen. – 18. *oft* ~ up *obs.* in die Höhe heben, erheben. – II *v/i* 19. steigen, auf-, em'por-, hin'auf-, hochsteigen: blood ~ed to his cheeks das Blut stieg ihm zu Kopf; the temperature ~ed *med.* das Fieber stieg. – 20. aufsitzen, aufs Pferd steigen. – 21. sich auftürmen, wachsen, zunehmen. – 22. sich belaufen (to auf *acc*). – 23. *Br. sl.* falsch zeugen. – *SYN. cf.* ascend. – III *s* 24. *das, worauf etwas angebracht wird, bes.* a) Gestell *n,* Träger *m,* b) Fassung *f,* c) Gehäuse *n,* d) 'Aufziehkarˌton *m,* -leinwand *f,* e) Passe-par'tout *n* (*eines Bildes*). – 25. *mil.* La'fette *f* (*eines Geschützes*). – 26. Reittier *n, bes.* Pferd *n.* – 27. *colloq.* Fahrrad *n.* – 28. (*Mikroskopie*) Ob'jektträger *m.* – 29. (*Philatelie*) Klebefalz *m.* – 30. Bezug *m* (*eines Fächers*). – 31. *colloq.* Ritt *m,* Gelegenheit *f* zum Reiten (*bes. in einem Rennen*): to have a ~ reiten dürfen. – 32. a) (Auf)Steigen *n,* b) Aufsitzen *n,* c) ('Auf)Monˌtieren *n.*

mount[2] [maunt] *s* 1. *poet.* a) Berg *m,* b) Hügel *m.* – 2. M~ (*in Eigennamen*) Berg *m*: M~ Sinai. – 3. *mil. hist.* (*Festungsbau*) Katze *f,* Kava'lier *m,* Reiter *m* (*erhöhte Bastion*). – 4. *her.* grünes hügeliges Feld (*am Fuß des Wappenschilds*). – 5. (*Handlesekunst*) (Hand)Berg *m.*

mount·a·ble ['mauntəbl] *adj* be-, ersteigbar.

moun·tain ['mauntin; -tən] I *s* 1. Berg *m.* – 2. *pl* Gebirge *n.* – 3. *fig.* riesige Menge, Berg *m*: a ~ of work ein Berg (von) Arbeit; to make a ~ out of a molehill aus einer Mücke einen Elefanten machen. – 4. (*Art*) Malagawein *m.* – 5. the M~ *hist.* der Berg (*Jakobinerpartei der franz. Nationalversammlung*). – II *adj* 6. Berg..., Gebirgs...: ~ artillery Gebirgsartillerie. – 7. *fig.* gewaltig, bergehoch.

moun·tain| an·te·lope → goat antelope. — ~ **ash** *s bot.* 1. (*ein*) Vogelbeerbaum *m,* (*eine*) Eberesche (*Sorbus aucuparia u. S. americana*). – 2. *ein austral. Fieberbaum* (*Gattg Eucalyptus*). — ~ **av·ens** *s bot.* Silberwurz *f* (*Dryas octopetala*). — ~ **balm** *s bot. Am.* 1. Bergbalsam *m* (*Eriodictyon angustifolium*). – 2. Scharlachrote Mo'narde (*Monarda didyma*). — ~ **ba·rom·e·ter** *s phys.* 'Höhenbaroˌmeter *n.* — ~ **bea·ver** → sewellel. — ~ **blue** *s* Bergblau *n* (*Farbe*). — ~ **blue·bird** *s zo. ein amer. Hüttensänger* (*Sialia currucoides*). — ~ **boom·er** *s zo. Am.* Rothörnchen *n* (*Sciurus hudsonicus*). — ~ **bram·ble** → cloudberry. — ~ **car·i·bou** *s zo. Am.* (*ein*) Karibu *n* (*Rangifer montanus*). — ~ **cat** *s* 1. → cougar. – 2. → bobcat. – 3. → cacomistle. — ~ **chain** *s* Berg-, Gebirgskette *f.* — ~ **cock** → capercaillie. — ~ **cork** *s* *min.* Bergkork *m* (*Abart des Asbestes*). — **~ cow·slip** *s bot.* Au'rikel *f* (*Primula auricula*). — **~ cran·ber·ry** *s bot.* Preiselbeere *f* (*Vaccinium vitis idaea*). — **~ crys·tal** *s min.* 'Bergkri,stall *m* (SiO_2). — **~ dam·son** *s bot.* Sima'rubabaum *m* (*Simarouba amara*). — **~ dew** *s colloq.* (schott.) Whisky *m.* — **~ eb·on·y** *s bot.* Bau'hinie *f*, Heuschreckenbaum *m* (*Bauhinia variegata*).

moun·tained ['mauntind; -tənd] *adj* **1.** bergig, gebirgig, mit Bergen bedeckt. – **2.** *poet.* in den Bergen *od.* auf einem Berg (gelegen).

moun·tain·eer [,maunti'nir; -tə-] **I** *s* **1.** Berg-, Gebirgsbewohner(in). – **2.** Bergsteiger *m.* – **II** *v/i* **3.** Berge ersteigen, bergsteigen. — **,moun·tain'eer·ing** *s* Bergsteigen *n.*

moun·tain| fern *s bot.* (*ein*) Berg-Punktfarn *m* (*Dryopteris oreopteris u. D. phegopteris*). — **~ finch** → **brambling.** — **~ flax** *s* **1.** *bot.* Wiesen-, Pur'gierlein *m* (*Linum catharticum*). – **2.** *bot.* Tausendgüldenkraut *n* (*Centaurium umbellatum*). – **3.** *min.* Bergflachs *m*, Ami'ant *m.* — **~ flesh** *s min.* (*Art*) Serpen'tin *m.* — **~ fringe** *s bot. Am.* Rankender Erdrauch (*Adlumia fungosa*). — **~ goat** *s zo.* Schneeziege *f* (*Oreamnos americanus*). — **~ grape** *s bot.* **1.** Kleiner Traubenbaum (*Coccoloba tenuifolia*). – **2.** → sand grape. — **~ green** *s* **1.** Berg-, Kupfergrün *n* (*Farbe*). – **2.** → mountain pride. — **~ hare** *s zo.* Schneehase *m* (*Lepus americanus*). — **~ hem·lock** *s bot. Am.* (*eine*) Hemlocktanne (*Tsuga mertensiana*). — **~ hol·ly** *s bot.* Bergstechpalme *f* (*Nemopanthes mucronata*). — **~ lau·rel** *s bot.* Breitblättrige Kalmie (*Kalmia latifolia*). — **~ leath·er** *s min.* Bergleder *n* (*Art stark verfilzter Serpentin*). — **~ li·lac** *s bot. Am.* Säckelblume *f* (*Gattg Ceanothus*). — **~ lin·net** → twite. — **~ li·on** → cougar. — **~ ma·hog·a·ny** *s bot.* Zuckerbirke *f* (*Betula lenta*). — **~ man·go** *s bot.* Gelbe Klusie (*Clusia flava*). — **~ ma·ple** *s bot.* (*ein*) Bergahorn *m* (*Acer spicatum*). — **~ mint** *s bot.* Bergminze *f* (*Gattg Pycnanthemum*).

moun·tain·ous ['mauntinəs; -tə-] *adj* **1.** bergig, gebirgig. – **2.** Berg..., Gebirgs... – **3.** *fig.* riesig, gewaltig.

moun·tain| pa·per → mountain leather. — **~ pars·ley** *s bot.* **1.** Grundheil *n* (*Peucedanum oreoselinum*). – **2.** Krauser Rollfarn (*Cryptogramma crispa*). — **~ plum** *s bot.* Amer. Xi'menie *f* (*Ximenia americana*). — **~ pride** *s bot.* Schaftbaum *m* (*Spathelia simplex*). — **~ range** *s* Gebirgszug *m*, -kette *f.* — **~ rhu·barb** *s bot.* Gebirgsampfer *m* (*Rumex alpinus*). — **~ rice** *s bot.* **1.** (*eine*) Grannenhirse (*Gattg Oryzopsis*). – **2.** Bergreis *m* (*auf trockenem Boden wachsende Rasse von Oryza sativa*). — **~ rose** *s bot.* Gebirgs-, Alpenrose *f* (*Rosa alpina*). — **~ sheep** *s zo.* **1.** Dickhornschaf *n* (*Ovis canadensis*). – **2.** Bergschaf *n.* — **~ sick·ness** *s med.* Berg-, Höhenkrankheit *f.* — **~ side** *s* Bergabhang *m*, Berglehne *f.* — **~ slide** *s* Bergsturz *m.* — **~ snow** → snow-on-the-mountain. — **~ sor·rel** *s bot.* Säuerling *m* (*Oxyria digyna*). — **~ spar·row** *s zo.* Feldsperling *m* (*Passer montanus*). — **~ spin·ach** *s bot.* Gartenmelde *f* (*Atriplex hortensis*). — **M~ stand·ard time** → Mountain time. — **M~ State** *s Am.* **1.** (*Beiname für*) Mon'tana *n* (*USA*). – **2.** (*Beiname für*) West Vir'ginia *n* (*USA*). – **3.** *jeder im Gebiet der Rocky Mountains gelegene Staat.* — **~ sweet** *s bot.* Säckelblume *f*, Jersey-Tee *m* (*Ceanothus americanus*). — **~ tal·low** *s min.* Bergtalg *m.* — **~ tea** *s bot.* Teebeerenstrauch *m*, Gaul'therie *f* (*Gaultheria procumbens*). — **M~ time** *s Standardzeit der Rocky-Mountains-Staaten* (*Basis: 105° W*). — **~ to·bac·co** *s bot.* Berg-Wohlverleih *m* (*Arnica montana*). — **~ troops** *s pl mil.* Gebirgstruppen *pl.* — **~ witch** *s zo.* Bergtaube *f* (*Geotrygon versicolor*). — **~ wood** *s min.* 'Holzas,best *m.*

moun·tant ['mauntənt] **I** *s tech.* Klebstoff *m.* – **II** *adj obs.* hoch, gehoben.

moun·te·bank ['maunti,bæŋk; -tə-] **I** *s* **1.** Quacksalber *m*, Kurpfuscher *m.* – **2.** Marktschreier *m*, Prahler *m.* – **3.** Scharlatan *m*, Betrüger *m.* – **II** *v/i* **4.** quacksalbern, kurpfuschen. – **5.** prahlen, großtun. — **'moun·te,bank·er·y** [-əri], **'moun·te,bank·ism** *s* **1.** ,Quacksalbe'rei *f*, ,Kurpfusche'rei *f.* – **2.** Prahle'rei *f*, ,Marktschreie'rei *f.* – **3.** Betrug *m*, Schwindel *m.*

mount·ed ['mauntid] *adj* **1.** beritten, zu Pferde: ~ police berittene Polizei. – **2.** *mil.* a) beritten, b) bespannt, c) in Stellung (gebracht), feuerbereit. – **3.** *tech.* a) mon'tiert, zu'sammengebaut, aufgestellt, b) gelagert, c) *phot.* aufgezogen (*Bild*), d) erhaben (gearbeitet), e) (ein)gefaßt (*Edelstein etc*). – **4.** *fig. selten* erhöht, erhaben. — **~ work** *s tech.* Silberwaren *pl* mit aufgelöteten Verzierungen.

mount·ing ['mauntiŋ] *s* **1.** *tech.* a) Einbau *m*, Aufstellung *f*, Installati'on *f*, Mon'tage *f*, b) Gestell *n*, Fassung *f*, Rahmen *m*, c) Befestigung *f*, Aufhängung *f*, d) (Auf)Lagerung *f*, Einbettung *f*, e) Arma'tur *f*, f) (Ein-)Fassung *f* (*Edelstein*), g) Garni'tur *f*, Ausstattung *f*, h) *pl* Fenster-, Türbeschläge *pl*, i) *pl* (*Schlosserei*) Gewirre *n* (*an Schlössern*), k) (*Weberei*) Geschirr *n*, Zeug *n.* – **2.** *electr.* (Ver)-Schaltung *f*, Installati'on *f.* – **3.** *mil.* a) La'fette *f*, b) Ausrüstung *f.* – **4.** Aufsteigen *n*, Aufstieg *m.* — **~ cone** *s tech.* Klemmkegel *m.* — **~ frame** *s tech.* **1.** Mon'tagerahmen *m.* – **2.** Aufhängerahmen *m.*

mourn [mɔːrn] **I** *v/i* **1.** trauern, sich grämen, klagen (at, over über *acc*; for, over um). – **2.** Trauer(kleidung) tragen, trauern. – **3.** *zo.* gurren (*Taube*). – **II** *v/t* **4.** (*j-n*) betrauern, beklagen, trauern um (*j-n*). – **5.** (*etwas*) beklagen, bedauern. – **6.** traurig *od.* klagend sagen *od.* singen. — **'mourn·er** *s* **1.** Trauernde(r), Leidtragende(r). – **2.** *relig. Am.* Büßer(in) (*j-d der öffentlich seine Sünden bekennt*): ~s' bench Büßerbank.

mourn·ful ['mɔːrnful; -fəl] *adj* **1.** trauervoll, düster, Trauer... – **2.** traurig. — **'mourn·ful·ness** *s* Traurigkeit *f.*

mourn·ful wid·ow *s bot.* Witwenblume *f* (*Scabiosa atropurpurea*).

mourn·ing ['mɔːrniŋ] **I** *s* **1.** Trauer *f*, Trauern *n.* – **2.** Trauer(kleidung) *f*: in ~ a) in Trauer (gekleidet), b) *sl.* blau(geschlagen) (*Auge*), c) *sl.* mit ,Trauerrändern', schmutzig (*Fingernägel*). – **II** *adj* **3.** trauernd, traurig, trauervoll. – **4.** Trauer...: ~ band Trauerband, -flor. — **~ bride** → mournful widow. — **~ cloak** *s* **1.** *hist.* Trauermantel *m.* – **2.** *zo.* Trauermantel(schmetterling) *m* (*Vanessa antiopa*). — **~ dove** *s zo.* Trauertaube *f* (*Zenaidura carolinensis*). — **~ pa·per** *s* 'Trauerpa,pier *n.* — **~ ring** *s* Trauerring *m* (*zum Andenken an Verstorbene getragen*). — **~ war·bler** *s zo.* Trauersänger *m* (*Oporornis philadelphia*). — **~ wid·ow** *s bot.* **1.** → mournful widow. – **2.** Brauner Storchschnabel (*Geranium phaeum*).

mouse I *s* [maus] *pl* **mice** [mais] **1.** *zo.* Maus *f* (*kleinere Arten d. Fam. Muridae*), *bes.* Hausmaus *f* (*Mus musculus*). – **2.** Maus *f*, Mäuschen *n* (*als Kosewort*). – **3.** *mar.* a) Mausknoten *m*, b) → mousing 2. – **4.** *tech.* Zugleine *f* mit Gewicht. – **5.** Hasenfuß *m*, Feigling *m*, Angsthase *m.* – **6.** *sl.* blaues Auge. – **II** *v/i* [mauz] **7.** mausen, Mäuse jagen *od.* fangen. – **8.** um'herspähen, her'umschnüffeln, um'herschleichen. – **9.** *Am.* angestrengt nachdenken: to ~ over s.th. *Am.* etwas gründlich studieren, etwas büffeln. – **III** *v/t* **10.** jagen, aufstöbern. – **11.** lauern auf (*acc*), um'herspähen nach. – **12.** *mar.* (*Haken*) einmausen *od.* sichern. — **~ bar·ley** *s bot.* Mäusegerste *f* (*Hordeum murinum*). — **'~,bird** *s zo.* Mausvogel *m* (*Gattg Colius*). — **~ chop** *s bot.* (*eine*) Mittagsblume (*Mesembryanthemum murinum*). — **'~-,col·o(u)red** *adj* mausfarbig, -grau. — **~ deer** → chevrotain. — **'~-,dun** *adj* mausgrau.

'mouse-,ear *s bot.* **1.** Mausöhrlein *n* (*Hieracium pilosella*). – **2.** (*ein*) Hornkraut *n* (*Cerastium vulgatum u. C. viscosum*). – **3.** Vergißmeinnicht *n* (*Gattg Myosotis*). — **~ chick·weed** → mouse-ear 2. — **~ cress** *s bot.* (*eine*) Schmalwand (*Arabidopsis thaliana*). — **~ hawk·weed** → mouse-ear 1.

'mouse|,fish *s zo.* **1.** → angler 2. – **2.** Sar'gassofisch *m* (*Histrio pictus*). — **'~,hawk** *s zo.* **1.** Rauhfußbussard *m* (*Buteo lagopus*). – **2.** → marsh hawk. — **~ le·mur** *s zo. ein Halbaffe* (*Gattg Chirogale*). — **~ owl** *s zo.* Sumpf-Ohreule *f* (*Asio flammeus*).

mous·er ['mauzər; -sər] *s* **1.** Mauser *m*, Mäusefänger *m* (*meist von Katzen*). – **2.** j-d der her'umlauert. – **3.** *sl.* Detek'tiv *m.*

'mouse|,tail *s bot.* Mauseschwanz *m* (*Gattg Myosurus*). — **~ thorn** → star thistle. — **'~,trap I** *s* **1.** Mausefalle *f.* – **2.** *humor.* kleines Häuschen. – **3.** *fig.* Köder *m*, Lockmittel *n.* – **II** *v/t pret u. pp* **-,trapped** **4.** in eine Falle locken, mit einer Falle fangen.

mous·ing ['mauziŋ; -siŋ] **I** *s* **1.** Mausen *n*, Mäusefangen *n.* – **2.** *mar.* (Stag)Maus *f*, Mausing *f.* – **3.** (*Weberei*) Sperrvorrichtung *f*, Hemmung *f.* – **II** *adj* **4.** mäusefangend. – **5.** *Am.* her'umspähend, -lauernd.

mous·que·taire [,muːskə'tɛr] *s mil. hist.* Muske'tier *m.*

mousse [muːs] *s* (*Kochkunst*) (*Art*) Kremeis *n.*

mous·tache, *Am.* **mus·tache** [*Br.* məs'tɑːʃ; *Am.* 'mʌstæʃ; məs'tæʃ] *s* **1.** Schnurrbart *m*: ~ cup Barttasse. – **2.** *fig.* Sol'dat *m*: old ~. – **3.** *zo.* a) Schnurrbart *m*, Schnurrhaare *pl* (*Tier*), b) (*in der Färbung abstechender*) Streifen an der Kopfseite (*eines Vogels*), c) → ~ monkey. — **mous·tached**, *Am.* **mus·tached** [*Br.* məs'tɑːʃt; *Am.* 'mʌstæʃt; məs'tæʃt] *adj* mit Schnurrbart.

mous·tache mon·key *s zo.* Schnurrbartaffe *m*, Mustak *m* (*Cercopithecus cephus*).

mous·tach·i·al, *Am.* **mus·tach·i·al** [*Br.* məs'tɑːʃiəl; *Am.* 'mʌstæʃiəl; məs'tæʃiəl] *adj zo.* schnurrbartähnlich, Schnurrbart...

Mous·t(i)e·ri·an [muːs'ti(ə)riən] *adj geol.* zum Moustéri'en (*letzte ältere Altsteinzeit*) gehörend, Moustérien...

mous·y ['mausi] *adj* **1.** mäusereich, von Mäusen heimgesucht. – **2.** Mäuse..., Mause... – **3.** *fig.* grau, trüb. – **4.** *fig.* still, leise.

mouth I *s* [mauθ] *pl* **mouths** [mauðz] **1.** Mund *m*: by word of ~ mündlich; to keep one's ~ shut *colloq.* den Mund

halten; down in the ~ *Am. colloq. u. Br.* niedergeschlagen, bedrückt; to laugh on the wrong side of one's ~ jammern, klagen. – **2.** Maul *n,* Schnauze *f,* Rachen *m (Tier).* – **3.** Mündung *f (Fluß, Flasche, Kanone etc).* – **4.** Öffnung *f (Sack).* – **5.** Ein-, Ausgang *m (Höhle, Röhre etc).* – **6.** Ein-, Ausfahrt *f (Hafen etc).* – **7.** Gri'masse *f,* schiefes Gesicht: to make ~s at s.o. j-m Gesichter schneiden. – **8.** *fig.* Ausdruck *m,* Äußerung *f:* to give ~ to one's thoughts seinen Gedanken Ausdruck verleihen. – **9.** *sl.* a) Schreihals *m,* b) Dummkopf *m,* Narr *m,* c) Unverschämtheit *f.* – **10.** *tech.* a) Mundloch *n,* b) Schnauze *f,* c) Mündung *f,* Öffnung *f,* d) Gichtöffnung *f (Hochofen),* e) Abstichloch *n (Hoch-, Schmelzofen),* f) Loch *n,* Öffnung *f,* Mundstück *n (Ofen, Behälter etc),* g) *pl* Rostfeuerungen *pl,* h) Keilloch *n (Hobel),* i) Maul *n (Brecher, Futter etc),* j) (Schacht)-Mundloch *n,* (Schacht)Mündung *f.* – **11.** *(beim Pferd)* Maul *n (Art der Reaktion auf Zügelhilfen):* with a good ~ weichmäulig; to have a hard ~ hartmäulig sein, in die Hand gehen. – **12.** *hunt.* Laut *m,* Gebell *n:* to give ~ Laut geben *(Hund).* – **13.** → mouthpiece 1. –
II *v/t* [mauð] **14.** *(etwas)* affek'tiert *od.* mit über'triebenem Pathos (aus)sprechen. – **15.** in den Mund *od.* ins Maul nehmen. – **16.** mit dem Mund *od.* Maul schnappen nach. – **17.** sorgfältig kauen, im Mund her'umwälzen. – **18.** *(Pferd)* an das Mundstück gewöhnen. –
III *v/i* **19.** laut *od.* affek'tiert sprechen. – **20.** für einen affek'tierten Redestil geeignet sein *(Worte etc).* – **21.** münden *(Fluß).* – **22.** Gesichter schneiden.

mouth·a·ble ['mauðəbl] *adj* gut klingend, fließend auszusprechen(d).

'mouth|ˌbreed·er ['mauθ-] *s zo.* Maulbrüter *m (verschiedene Buntbarscharten d. Fam. Cichlidae, bes. Haplochromis multicolor).* — **~ cav·i·ty** *s* Mundhöhle *f.*

mouthed [mauðd] *adj* mit einem Mund *od.* Maul *od.* einer Öffnung *etc* versehen: many-~ mit vielen Mündern, Öffnungen *etc.* — **'mouth·er** *s* bom'bastischer Redner, Phrasendrescher *m.*

'mouth|-ˌfill·ing ['mauθ-] *adj* bom'bastisch, geschwollen *(Ausdruck).* — **'~ˌfoot·ed** *adj zo.* kieferfüßig.

mouth·ful ['mauθful] *s* **1.** Mundvoll *m,* Bissen *m,* Brocken *m.* – **2.** kleine Menge, *(ein)* bißchen. – **3.** *Am. sl.* wichtige Äußerung, großes Wort.

mouth gag *s med.* Mundöffner *m,* -sperrer *m.*

mouth·i·ness ['mauðinis; -θinis] *s* **1.** Schwülstigkeit *f,* Schwulst *m.* – **2.** Großmäuligkeit *f.*

mouth| or·gan *s* **1.** *mus.* a) Panflöte *f,* b) 'Mundharˌmonika *f.* – **2.** *zo.* Freßwerkzeug *n.* — **~ part, '~ˌpart** *s zo.* Mundteil *m,* Freßwerkzeug *n (bes. der Insekten).* — **'~ˌpiece** *s* **1.** *mus.* Mundstück *n,* Ansatz *m (beim Blasinstrument).* – **2.** *tech.* a) Schalltrichter *m,* Sprechmuschel *f,* b) Mundstück *n,* Tülle *f.* – **3.** *fig.* Sprachrohr *n,* Wortführer *m,* Or'gan *n.* – **4.** Gebiß *n (des Pferdezaumes).* – **5.** *jur. sl.* (Straf)Verteidiger *m.* — **~ pipe** *s mus.* **1.** Labi'alpfeife *f (der Orgel).* – **2.** *meist* mouthpipe Anblasröhre *f (bei Blasinstrumenten).* — **'~ˌwash** *s med.* Mundwasser *n.*

mouth·y ['mauði; -θi] *adj* **1.** schwülstig, bom'bastisch. – **2.** großmäulig.

mou·ton ['mu:tɒn] *s* Biberlamm *n (auf Biber gefärbtes Lammfell).*

mou·ton·née [ˌmu:tə'nei], **ˌmou·ton'néed** [-'neid] *adj geol.* wie ein Schafrücken gerundet.

mov·a·bil·i·ty [ˌmu:və'biliti; -əti] *s* Beweglichkeit *f,* Bewegbarkeit *f.*

mov·a·ble ['mu:vəbl] **I** *adj* **1.** beweglich, bewegbar, lose. – **2.** a) verschiebbar, verstellbar, b) fahrbar. – **II** *s* **3.** *pl* Möbel *pl.* – **4.** *pl jur.* Mo'bilien *pl,* bewegliche Habe. — **~ feast** *s* beweglicher Festtag. — **~ goods** *s pl econ.* bewegliche Güter *pl,* Mo'bilien *pl.* — **~ kid·ney** *s med.* Wanderniere *f.*

mov·a·ble·ness ['mu:vəblnis] *s* Beweglichkeit *f.*

move [mu:v] **I** *v/t* **1.** fortbewegen, -ziehen, -rücken, -schieben, -tragen, von der Stelle bewegen, verschieben. – **2.** entfernen, fortbringen, -schaffen, -tun. – **3.** bewegen, in Bewegung setzen *od.* halten, in Gang bringen *od.* halten, (an)treiben: to ~ on vorwärtstreiben. – **4.** *fig.* bewegen, rühren, ergreifen: to be ~d to tears zu Tränen gerührt sein. – **5.** *(j-n)* veranlassen, bewegen, antreiben, anreizen, 'hinreißen (to zu). – **6.** *(beim Schach etc)* einen Zug machen mit. – **7.** *(Appetit, Organ etc)* anregen. – **8.** erregen, aufregen. – **9.** *(j-n, bes. Behörde)* ersuchen (for um). – **10.** *(etwas)* beantragen, einen Antrag stellen auf *(acc),* vorschlagen: to ~ an amendment *(Parlament)* einen Abänderungsantrag stellen. – **11.** *(Antrag)* stellen, einbringen. – *SYN.* actuate, drive, impel. –
II *v/i* **12.** sich bewegen, sich rühren, sich regen. – **13.** sich fortbewegen, gehen, fahren: to ~ on weitergehen. – **14.** ('um)ziehen (to nach): to ~ in einziehen; to ~ to London. – **15.** fortschreiten, weitergehen *(Vorgang).* – **16.** laufen, in Gang *od.* in Bewegung sein *(Maschine etc).* – **17.** sich entfernen, weggehen, abziehen. – **18.** verkehren, leben, sich bewegen *(in bestimmten Kreisen).* – **19.** vorgehen, Schritte tun, wirken (in s.th. in einer Sache; against gegen). – **20.** ~ for beantragen, einen Antrag stellen auf *(acc).* – **21.** *(Schach)* einen Zug machen, ziehen. – **22.** *med.* sich entleeren *(Darm):* his bowels have ~d er hat Stuhlgang gehabt. – **23.** *econ.* a) Absatz finden, gehen *(Ware),* b) ~ up anziehen, steigen *(Preise).* – **24.** *selten* grüßen, sich verbeugen. –
III *s* **25.** (Fort)Bewegung *f,* Aufbruch *m:* on the ~ in Bewegung, auf dem Marsch; to get a ~ on *sl.* sich regen, sich beeilen; to make a ~ aufbrechen. – **26.** 'Umzug *m.* – **27.** *fig.* Schritt *m,* Maßnahme *f:* a clever ~ ein kluger Schritt. – **28.** *(Schach etc)* Zug *m:* the ~ der Zug *(das Recht zum Ziehen).* – **29.** *selten* Antrag *m,* Vorschlag *m.*

move·a·bil·i·ty, move·a·ble, move·a·ble·ness *cf.* movability *etc.*

move·less ['mu:vlis] *adj* unbeweglich, regungslos.

move·ment ['mu:vmənt] *s* **1.** Bewegung *f.* – **2.** *meist pl* Handeln *n,* Tun *n,* Tätigkeit *f,* Schritte *pl,* Maßnahmen *pl.* – **3.** (rasche) Entwicklung, Fortschreiten *n (von Ereignissen).* – **4.** (Massen)Bewegung *f:* the prohibition ~. – **5.** Bestrebung *f,* Ten'denz *f,* Richtung *f.* – **6.** Fortgang *m (der Handlung eines Dramas etc).* – **7.** mo'derne Richtung *od.* Zeit: to be in the ~ mit der Zeit mitgehen. – **8.** Bewegung *f,* Leben *n,* Le'bendigkeit *f (in einem Kunstwerk etc).* – **9.** Rhythmus *m,* rhythmische Bewegung *(von Versen etc).* – **10.** *mus.* a) Satz *m,* b) Tempo *n,* Takt *m,* Zeitmaß *n,* c) Fortschreiten *n.* – **11.** *mil.* (Truppen- *od.* Flotten)Bewegung *f:* ~ by air Lufttransport. – **12.** *tech.* a) Bewegung *f,* b) Lauf *m (Maschine),* c) Gang-, Gehwerk *n (der Uhr),* 'Antriebsmechaˌnismus *m.* – **13.** *med.* *selten* a) Stuhlgang *m,* b) Stuhl *m.* – **14.** *econ.* Bewegung *f,* 'Umsatz *m,* Lebhaftigkeit *f:* upward ~ Steigen, Aufwärtsbewegung *(der Preise).* – **15.** *selten* (Gemüts)Bewegung *f,* Erregung *f.*

mov·er ['mu:vər] *s* **1.** *fig.* bewegende Kraft, Triebkraft *f,* Antrieb *m (Person od. Sache).* – **2.** *tech.* Triebwerk *n,* Motor *m:* prime ~ a) Hauptantrieb, b) *fig.* Hauptursache, c) *fig.* Urheber(in). – **3.** Anreger(in), Urheber(in). – **4.** Antragsteller(in). – **5.** *Am.* Spedi'teur *m,* 'Fuhrunterˌnehmer *m.*

mov·ie ['mu:vi] *Am. colloq.* **I** *s* **1.** Film(streifen) *m.* – **2.** *pl* a) Filmwesen *n,* b) Kino *n,* Lichtspielhaus *n,* c) Kinovorstellung *f,* Filmvorführung *f:* to go to the ~s ins Kino gehen. – **II** *adj* **3.** Film..., Kino..., Lichtspiel... — **'~ˌgo·er** *s Am. colloq.* Kinobesucher(in).

mov·ing ['mu:viŋ] *adj* **1.** beweglich, sich bewegend. – **2.** bewegend, treibend: ~ power treibende Kraft. – **3.** a) rührend, bewegend, b) eindringlich, packend. – *SYN.* affecting, impressive, pathetic, poignant, touching. — **~ cause** *s* Beweggrund *m.* — **~ coil** *s electr.* Schwing-, Drehspule *f.* — **'~ˌi·ron me·ter** *s electr.* Dreheisenmeßwerk *n,* Weicheisenmeßgerät *n.* — **~ man** *s irr Am.* **1.** Spedi'teur *m,* 'Fuhrunterˌnehmer *m.* – **2.** (Möbel)Packer *m.* — **~ pic·ture** *colloq. für* motion picture. — **~ sand** *s geol.* Wandersand *m.* — **~ stair·case, ~ stair·way** *s* Rolltreppe *f.* — **~ van** *s Am.* Möbelwagen *m.*

mow[1] [mou] *pret* **mowed**, *pp* **mowed** *od.* **mown** [moun] **I** *v/t* (ab)mähen, schneiden: to ~ down niedermähen *(auch fig.).* – **II** *v/i* mähen.

mow[2] [mou] **I** *s* **1.** Getreidegarbe *f,* Heuhaufen *m (in der Scheune aufgeschichtet).* – **2.** Heu-, Getreideboden *m (der Scheune).* – **II** *v/t* **3.** *(Heu, Getreide etc)* in der Scheune aufschichten.

mow[3] [mau; mou] **I** *s* **1.** Gri'masse *f,* schiefes Gesicht. – **2.** *obs.* Scherz *m,* Spaß *m.* – **II** *v/i* **3.** ein schiefes Gesicht ziehen, Gri'massen schneiden.

mow·er ['mouər] *s* **1.** Mäher(in), Schnitter(in). – **2.** *tech.* 'Mähmaˌschine *f.*

mow·ing ['mouiŋ] **I** *s* Mähen *n,* Mahd *f.* – **II** *adj* Mäh... — **~ ma·chine** → mower 2.

mown [moun] *pp von* mow[1].

mox·a ['mɒksə] *s* **1.** *med.* Moxe *f,* Brennkegel *m (Präparat aus Moxablättern).* – **2.** *bot.* Moxapflanze *f (Artemisia chinensis; Beifuß).*

moy·a ['mɔiə] *s geol.* von Vul'kanen ausgeworfener Schlamm.

Mo·zam·bi·can [ˌmouzəm'bi:kən] *adj* aus Mosam'bik, zu Mosambik gehörend.

Moz·ar·ab [mouz'ærəb] *s hist.* Moz'araber *m (unter den Mauren in Spanien lebender Christ).* — **ˌMoz·a'ra·bi·an** [-ə'reibiən], **Moz'ar·a·bic** *adj* moza'rabisch.

Mo·zar·te·an [mou'tsɑ:rtiən; mou'zɑ:r-] *adj* mozartisch, Mozartisch.

moz·zet·ta, *auch* **mo·zet·ta** [mo'zetə] *s relig.* Mo'zetta *f (Art Cape mit Kapuze, vom Papst u. von hohen Geistlichen getragen).*

Mr., Mr *cf.* mister 1.

M roof *s arch.* Doppel-Satteldach *n,* M-Dach *n.*

Mrs., Mrs ['misiz] *s* Frau *f (Anrede an verheiratete Frauen, mit folgendem Familiennamen):* ~ Smith Frau Smith.

mu [mju:; mu:] *s* My *n (zwölfter Buchstabe des griech. Alphabets).*

muc- [mju:k] → muco-.

mu·ce·dine [ˈmjuːsidin] *s bot.* (Köpfchen)Schimmelpilz *m* (*Ordng Mucorales*). — **mu·ced·i·nous** [mjuˈsedinəs] *adj* schimmelartig, meltauartig.

much [mʌtʃ] *comp* **more** [mɔːr] *sup* **most** [moust] **I** *adj* **1.** viel: too ~ zu viel; he is too ~ for me *colloq.* ich bin ihm nicht gewachsen; → ado. – **2.** *obs.* a) viele *pl*, b) groß, c) außerordentlich, -gewöhnlich. –
II *s* **3.** Menge *f*, große Sache, Besonderes *n*: it did not come to ~ es kam nicht viel dabei heraus; to think ~ of s.o. viel von j-m halten; he is not ~ of a scholar es ist nicht viel von einem Gelehrten an ihm, er ist kein großer Gelehrter; he is not ~ in sports im Sport leistet er nichts Besonderes; it is ~ of him even to come schon allein daß er kommt, will viel heißen; to make ~ of viel Wesens machen von. –
III *adv* **4.** (*bei v u. pp*) sehr: we ~ regret wir bedauern sehr. – **5.** (*in Zusammensetzungen*) viel...: ~-admired vielbewundert. – **6.** (*vor comp*) viel, weit: ~ stronger viel stärker. – **7.** (*vor sup*) bei weitem, weitaus: ~ the oldest bei weitem der Älteste; ~ the most important thing weitaus das Wichtigste. – **8.** fast, beinahe, ungefähr, annähernd, ziemlich (genau): he did it in ~ the same way er tat es auf ungefähr die gleiche Weise; it is ~ the same thing es ist ziemlich dasselbe. –
Besondere Redewendungen:
as ~ a) so viel, b) so sehr, c) ungefähr, etwa, mit anderen Worten; as ~ as so viel wie; as ~ more (*od.* again) noch einmal soviel; he said as ~ das war (ungefähr) der Sinn seiner Worte; this is as ~ as to say das soll so viel heißen wie, das heißt mit anderen Worten; as ~ as to say als wenn er sagen wollte; I thought as ~ das habe ich mir (ungefähr) gedacht; he, as ~ as any er so gut wie irgendeiner; so ~ a) so sehr, b) so viel, c) lauter, nichts als; so ~ the better um so besser; so ~ for today soviel für heute; so ~ for our plans dies wären also unsere Pläne, soviel wäre also zu unseren Plänen zu sagen; not so ~ as nicht einmal; without so ~ as to move ohne sich auch nur zu bewegen; so ~ so (und zwar) so sehr; ~ less a) viel weniger, b) geschweige denn; not ~ *colloq.* (*als Antwort*) wohl kaum, sehr unwahrscheinlich; ~ like a child ganz wie ein Kind.

much·ly [ˈmʌtʃli] *adv obs. od. humor.* sehr, viel, besonders.

much·ness [ˈmʌtʃnis] *s* große Menge *od.* Anzahl, Größe *f*: much of a ~ *colloq.* ziemlich dasselbe; they are much of a ~ *colloq.* sie sind praktisch einer wie der andere.

mu·cic [ˈmjuːsik] *adj* schleimig, zur Schleimsäure gehörig.

mu·cid [ˈmjuːsid] *adj selten* **1.** mod(e)rig, dumpf, muffig. – **2.** schleimig. — **ˈmu·cid·ness** *s* **1.** Mod(e)rigkeit *f*, Dumpfheit *f*. – **2.** Schleimigkeit *f*.

mu·cif·ic [mjuˈsifik] *adj med.* **1.** schleimbildend, die Schleimabsonderung anregend. – **2.** Schleim absondernd.

mu·ci·lage [ˈmjuːsilidʒ; -sə-] *s* **1.** *bot.* (Pflanzen)Schleim *m*. – **2.** *bes. Am.* Leim *m*, Klebstoff *m*, Gummilösung *f*. – **3.** weiche *od.* klebrige Masse. — **mu·ci·lag·i·nous** [ˌmjuːsiˈlædʒinəs; -sə-; -dʒə-] *adj* **1.** schleimig, schleimhaltig. – **2.** klebrig. – **3.** Schleim absondernd, Schleim...: ~ cell Schleimzelle. — **ˌmu·ciˈlag·i·nous·ness** *s* **1.** Schleimigkeit *f*. – **2.** Klebrigkeit *f*.

mu·cin [ˈmjuːsin] *s biol. chem.* Muˈcin *n*, Schleimstoff *m* (*des tierischen Körpers*). — **ˈmu·cinˌoid** *adj* muˈcinähnlich, schleimstoffartig. — **ˈmu·cin·ous** *adj* muˈcinig, muˈcinartig.

mu·ci·vore [ˈmjuːsiˌvɔːr] *s zo.* Schleimfresser *m* (*von Pflanzensäften lebendes Insekt*). — **mu·civ·o·rous** [mjuˈsivərəs] *adj* schleimfressend, von Pflanzensäften lebend.

muck [mʌk] **I** *s* **1.** Mist *m*, Dung *m*. – **2.** Kot *m*, Dreck *m*, Unrat *m*, Schmutz *m* (auch *fig.*). – **3.** *colloq.* ekelhaftes Zeug. – **4.** *colloq.* schmutziger Zustand, Schmutzigkeit *f*, Schmierigkeit *f*: in a ~ of sweat von Schweiß besudelt. – **5.** *Br. colloq.* Quatsch *m*, Blödsinn *m*, Schund *m*, ‚Mist' *m*: to make a ~ of s.th. etwas verpfuschen *od.* verhunzen *od* ‚versauen'. – **6.** (*verächtlich*) (schnödes) Geld, Mammon *m*. – **7.** *geol.* mooriger Boden, Sumpferde *f*. – **8.** (*Bergbau*) Kohlengrus *m*, -klein *n*, -lösche *f*. – **II** *v/t* **9.** misten, düngen. – **10.** *auch* ~ out ausmisten. – **11.** *oft* ~ up *colloq.* beschmutzen, besudeln. – **12.** *sl.* verpfuschen, ‚verkorksen', ‚vermasseln'. – **III** *v/i* **13.** *meist* ~ about *Br. sl.* a) herˈumlungern, sich herˈumtreiben, b) herˈumpfuschen. – **14.** *dial.* schuften, sich abplacken.

muck·er [ˈmʌkər] *s* **1.** *Am. sl.* gemeiner Kerl, Schuft *m*. – **2.** *sl.* a) schwerer Sturz, (Un)Fall *m*, b) *fig.* ‚Reinfall' *m*: to come a ~ a) stürzen, b) *fig.* ‚reinfallen'.

ˈmuckˌhill *s* Mist-, Dreckhaufen *m*.

muck·le[1] [ˈmʌkl] → mickle.

muck·le[2] [ˈmʌkl] *s* Holzkeule *f* (*zum Töten von Fischen*).

muck·le ham·mer *s tech.* schwerer Hammer (*zur Granitbearbeitung*).

muck| rake *s* Mistgabel *f*. — **ˈ~ˌrake** *v/i* **1.** *pol. Am. sl.* Korruptiˈonsfälle aufspüren *od.* aufbauschen u. poˈlitisch ausnützen. – **2.** *fig.* im Schmutz herˈumrühren. — **ˈ~ˌrak·er** *s* j-d der Korruptiˈonsfälle aufspürt. — **~ rolls** *s pl* (*Hüttenwesen*) Präpaˈrier-, Vorwalzen *pl*. — **ˈ~ˌworm** *s* **1.** *zo.* Mistwurm *m* (*im Mist lebende Insektenlarve*). – **2.** *fig.* Geizhals *m*, Knicker *m*.

muck·y [ˈmʌki] *adj* **1.** schmutzig, voll Kot, schmierig. – **2.** *Br. sl.* ‚dreckig', ekelhaft, verächtlich. – **3.** *selten* niederträchtig, gemein, schmutzig.

muco- [mjuːko] *Wortelement mit der Bedeutung* Schleim.

mu·co·cele [ˈmjuːkoˌsiːl] *s med.* Mukoˈcele *f*, Erweiterung *f* des Tränensacks. — **ˌmu·coˈder·mal** [-ˈdəːrməl] *adj* die Haut u. die Schleimhäute betreffend.

mu·coid [ˈmjuːkɔid] **I** *adj* schleimig, schleimartig. – **II** *s biol. chem.* Mucoˈid *n*, Mucinoˈid *n* (*ein Glukoproteid*).

mu·co·pro·te·in [ˌmjuːkoˈproutiːin; -tiːn] *s biol. chem.* ˈMucoproteˌid *n*, Mucoˈin *n*. — **ˌmu·coˈpu·ru·lent** [-ˈpju(ə)rulənt; -rə-] *adj med.* schleimig-eit(e)rig.

mu·cor [ˈmjuːkər] *s* **1.** → mucedine. – **2.** Schimm(e)ligkeit *f*, Muffigkeit *f*. – **3.** → mucus.

mu·co·sa [mjuˈkousə] *pl* **-sae** [-siː] *s med.* Schleimhaut *f*, Muˈcosa *f*. — **muˈcos·i·ty** [-ˈkɒsiti; -əti] *s* **1.** Schleimigkeit *f*, Schlüpfrigkeit *f*. – **2.** Schleimartigkeit *f*.

mu·cous [ˈmjuːkəs] *adj* **1.** schleimig, schlüpfrig. – **2.** schleimartig. – **3.** schleimhaltig, Schleim absondernd, Schleim...: ~ membrane *med.* Schleimhaut.

mu·cro [ˈmjuːkrou] *pl* **-cro·nes** [-ˈkrouniːz] *s bot. zo.* Spitze *f*, Fortsatz *m*, Stachel *m*. — **ˈmu·cro·nate** [-nit; -ˌneit], **ˈmu·croˌnat·ed**, **ˌmu·croˈnif·er·ous** [-ˈnifərəs] *adj* stachelspitzig. — **mu·cron·u·late** [mjuˈkrɒnjulit; -ˌleit; -jə-] *adj* fein stachelspitzig.

mu·cus [ˈmjuːkəs] *s biol. med.* Schleim *m*.

mud [mʌd] **I** *s* **1.** Schlamm *m*, Schlick *m*. – **2.** Moˈrast *m*. – **3.** *geol.* (Fein)Schlamm *m*. – **4.** Kot *m*, Schmutz *m* (*auch fig.*): to throw ~ at s.o. j-n mit Schmutz bewerfen. – **5.** *fig.* Abschaum *m*, minderwertigster Teil (*einer Sache*). – **II** *v/t pret u. pp* **ˈmud·ded 6.** schlammig *od.* trübe machen. – **7.** *fig. selten* beschmutzen, mit Schmutz bewerfen, besudeln. – **III** *v/i* **8.** sich im Schlamm verkriechen (*Aal etc*).

mu·dar [məˈdɑːr] *s bot.* (*eine*) Mudar-, Jerkumstaude (*Calotropis gigantea u. C. procera*).

mud| bass *s zo. ein Sonnnenbarsch* (*Acantharchus pomotis*). — **~ bath** *s med.* Moor-, Schlammbad *n*. — **~ boat** *s mar.* Baggerschute *f*. — **ˈ~ˌcap** (*Bergbau*) **I** *s* (ab)gedeckte Oberflächensprengung (*Abdeckung der Sprengladung durch Schlamm etc*). – **II** *v/t pret u. pp* **-ˌcapped** (*Sprengladung*) zur Exploˈsiˈon bringen. — **~ cat** *s zo. Am.* (*ein*) Katzenwels *m* (*Ameiurus platycephalus u. Opladelus olivaris.*) — **M~ Cat State** *s Am.* (*Spitzname für*) Missisˈsippi *n* (*USA*). — **~ coot** *s zo* Amer. Wasserhuhn *n* (*Fulicula americana*). — **~ daub·er** *s zo.* (*eine*) Grabwespe (*Fam. Sphecidae*). — **~ dev·il** → hellbender 1.

mud·di·ness [ˈmʌdinis] *s* **1.** Schlammigkeit *f*, Trübheit *f*. – **2.** Schmutzigkeit *f*. – **3.** *fig.* Unklarheit *f*, Verworrenheit *f*, Verschwommenheit *f*. – **4.** Unreinheit *f* (*Farbe etc*). – **5.** Trübheit *f* (*Licht*).

mud dip·per → ruddy duck.

mud·dle [ˈmʌdl] **I** *s* **1.** Durcheinˈander *n*, Unordnung *f*. – **2.** Verwirrung *f*, Verworrenheit *f*, Unklarheit *f*: to be in a ~ verwirrt *od.* in Verwirrung sein. – **3.** Wirrwarr *m*, unordentlicher *od.* verworrener Haufen: to make a ~ of s.th. etwas durcheinanderbringen *od.* verpfuschen, ‚vermasseln'. – **II** *v/t* **4.** (*Gedanken etc*) verwirren, in Verwirrung bringen. – **5.** *auch* ~ up verwechseln, vermengen, durcheinˈanderwerfen. – **6.** in Unordnung bringen, durcheinˈanderbringen. – **7.** ‚benebeln' (*bes. durch Alkohol*): to ~ one's brains sich benebeln. – **8.** verpfuschen, verderben. – **9.** (*Wasser*) trüben. – **10.** *Am.* (*Getränke*) auf-, ˈumrühren. – **III** *v/i* **11.** pfuschen, seine Sache schlecht machen. – **12.** *obs.* (im Schlamm) wühlen. –
Verbindungen mit Adverbien:
mud·dle| a·bout *v/i* herˈumpfuschen (with an *dat*). — **~ a·way I** *v/t* (*Vermögen etc*) unnütz vertun, ‚verläppern', verwirtschaften. – **II** *v/i* pfuschen, ‚herˈumwursteln', -pfuschen. — **~ on** *v/i* ‚weiterwursteln', -pfuschen. — **~ through** *v/i* ‚sich ˈdurchwursteln', recht u. schlecht ˈdurchkommen. — **~ up** → muddle 5.

mud·dle·dom [ˈmʌdldəm] *s humor.* Durcheinˈander *n*, Verwirrung *f*, Konfusiˈon *f*.

ˈmud·dle|ˌhead *s* Wirrkopf *m*. — **ˈ~ˈhead·ed** *adj* wirr(köpfig), konˈfus. — **ˌ~ˈhead·ed·ness** *s* Wirrköpfigkeit *f*, Wirrheit *f*.

mud·dler [ˈmʌdlər] *s* **1.** *Am.* (ˈUm)Rührlöffel *m*, -stab *m*. – **2.** a) j-d der (*etwas*) durcheinˈanderbringt, b) Pfuscher *m*, c) j-d der ‚sich ˈdurchwursteltʻ.

mud drag *s tech.* (Naß)Baggerbecher *m*, -eimer *m*.

mud·dy [ˈmʌdi] **I** *adj* **1.** schlammig, trüb(e). – **2.** (mit Schlamm) beschmiert, schmutzig. – **3.** *fig.* unklar, verworren, verschwommen, konˈfus. – **4.** unrein, verschwommen (*Farbe*).

– 5. trüb(e), matt (*Licht*). – 6. im Schlamm lebend, Schlamm... – 7. *obs.* finster, verdrießlich. – *SYN. cf.* turbid. – **II** *v/t* 8. schlammig *od.* trübe machen, trüben. – 9. beschmutzen, (mit Schlamm) beschmieren. – 10. *fig.* verwirren, verschwommen *od.* verworren machen. — **'~ˌbrained, '~-'head·ed** *adj* stumpfsinnig, stu'pid(e).

mud| eel *s zo.* 1. Armmolch *m* (*Siren lacertina*). – 2. Schlammaal *m* (*Amphiuma means*). — **'~ˌfish** *s zo. im Schlamm lebender Fisch, bes.* a) → lepidosiren, b) → loach, c) *Am. für* bowfin, d) → mud minnow, e) → killifish. — **~ flat** *s geol.* Schlammzone *f* (*einer Küste*). — **~ frog** *s zo.* Knoblauchkröte *f* (*Pelobates fuscus*). — **'~ˌguard** *s tech.* 1. Kotflügel *m*, Schutzblech *n*. – 2. Schmutzfänger *m*. — **'~ˌhead** *s colloq.* Dumm-, Schafskopf *m*. — **~ hen** *s zo.* 1. → mud coot. – 2. Wasserralle *f* (*Rallus rallus*). – 3. → gallinule. — **'~ˌhole** *s* 1. Schlammloch *n*, schlammige Pfütze. – 2. *tech.* Schlammablaß *m* (*an Kesseln etc*).

mu·dir [mu'dir] *s* Mu'dir *m* (*in Ägypten: Statthalter einer Provinz; in der Türkei: Titel verschiedener Beamter*).

mud| lark *s* 1. *sl.* a) *Armer, der in Schlamm u. Schmutz nach Kohlen, Schrott etc sucht,* b) Straßenbengel *m*, Gassenjunge *m*, Schmutzfink *m*, c) *sport Pferd, das auf schlammiger Strecke gut läuft.* – 2. *zo.* a) *Br. dial. für* pipit, b) *ein an feuchten Stellen lebender Vogel, bes.* → meadow lark *u.* shoveler 2. — **~ la·va** *s geol.* Schlammlava *f*, vul'kanischer Schlamm. — **~ min·now** *s zo.* Hundsfisch *m* (*Gattg Umbra*). — **~ pup·py** *s zo. ein amer. Salamander, bes.* a) → hellbender, b) Furchenmolch *m* (*Necturus maculosus*), c) Axo'lotl *m* (*Gattg Ambystoma*). — **~ rock** *s geol.* Schieferton *m*. — **~ shad** *s zo. ein Hering* (*Dorosoma cepedianum*). — **'~ˌsill** *s* 1. *arch.* Rostschwelle *f*. – 2. *Am. dial.* a) Hütte *f* mit gestampftem Lehmboden, b) *fig.* Angehörige(r) der untersten Bevölkerungsklassen. — **'~ˌsling·er** *s colloq.* Verleumder(in). — **'~ˌsling·ing** *colloq.* **I** *s* Beschmutzung *f*, Verleumdung *f*, Verächtlichmachung *f*. – **II** *adj* verleumderisch. — **'~ˌstone** *s geol.* Schlammstein *m*, -ton *m*. — **'~ˌsuck·er** *s zo.* 1. Schlamm-Wasservogel *m*. – 2. Kaliforn. Schlammfisch *m* (*Gillichthys mirabilis*). — **~ tor·toise, ~ tur·tle** *s zo. Am. eine amer. Schildkröte, bes.* a) Klappschildkröte *f* (*Gattg Kinosternon*), b) Alli'gatorschildkröte *f* (*Chelydra serpentina*). — **~ vol·ca·no** *s geol.* 'Schlammvulˌkan *m*. — **~ wall** *s* Lehm(stroh)wand *f*. — **~ wasp** → mud dauber. — **'~ˌweed,** *auch* **'~ˌwort** *s bot.* Schlammkraut *n* (*Gattg Limosella, bes. L. aquatica*).

mu·ez·zin [mu:'ezin; mju:-] *s* Mu'ezzin *m* (*moham. Gebetsrufer*).

muff [mʌf] **I** *s* 1. Muff *m*. – 2. *colloq.* tölpelhaftes Versehen, Versagen *n*. – 3. *sport* Entschlüpfenlassen *n* des Balls (*beim Versuch, ihn zu fangen*). – 4. *colloq.* Tölpel *m*, Stümper *m*. – 5. *tech.* a) Stutzen *m*, b) Muffe *f*, Flanschstück *n*, c) (*Glasherstellung*) Walze *f*, Zy'linder *m*. – 6. *zo.* Federbüschel *n* (*am Kopf mancher Vögel*). – **II** *v/t* 7. *colloq.* ungeschickt handhaben, verpfuschen. – 8. *sport* (*Ball*) entschlüpfen lassen. – **III** *v/i* 9. *colloq.* sich ungeschickt anstellen, pfuschen, stümpern. – 10. *sport* den Ball entschlüpfen lassen.

muf·fe·tee [ˌmʌfə'ti:] *s bes. Br. dial.* 1. Pulswärmer *m*. – 2. Halstuch *n*.

muf·fin ['mʌfin] *s* 1. *pl* Muffins *pl* (*engl. Teegebäck*). – 2. kleiner irdener Teller. — **~ cap** *s* runde flache Wollmütze (*der Armenschüler in England*).

muf·fin·eer [ˌmʌfi'nir] *s* 1. Schüssel *f* zum Warmhalten gerösteter Muffins. – 2. Salz- *od.* Zuckerstreubüchse *f* zum Bestreuen der Muffins.

muf·fle ['mʌfl] **I** *v/t* 1. *oft* ~ up verhüllen, um'hüllen, einhüllen, einwickeln. – 2. (*Ton etc*) dämpfen, schwächen (*auch fig.*). – 3. *fig.* zum Schweigen bringen. – **II** *s* 4. dumpfer *od.* gedämpfter Ton. – 5. (Schall-)Dämpfer *m*. – 6. *tech.* a) (*Hüttenwesen*) Muffel *f*, b) Rollkloben *m*, Flaschenzug *m*, c) Auspufftopf *m*. – 7. *zo.* Muffel *f*, Windfang *m* (*Teil der Tierschnauze*). – 8. Muff *m*. – 9. Schal *m*, Halstuch *n*. – 10. *obs.* Boxhandschuh *m*. — **~ fur·nace** *s* (*Hüttenwesen*) Muffelofen *m*.

muf·fler ['mʌflər] *s* 1. Schal *m*, Halstuch *n*. – 2. *tech.* a) Schalldämpfer *m*, b) Auspufftopf *m*. – 3. *mus.* Dämpfer *m*. – 4. Fausthandschuh *m*. – 5. Boxhandschuh *m*. – 6. Gesichtsschleier *m*.

muf·ti ['mʌfti] *s* 1. Mufti *m* (*moham. Rechtsgelehrter od. religiöser Führer*). – 2. *bes. mil.* Zi'vilkleidung *f* (*bes. wenn von einem Soldaten etc getragen*).

mug[1] [mʌg] **I** *s* 1. Kanne *f*, Krug *m*. – 2. (zy'linderförmiger) Becher. – 3. (kühler) Trunk. – 4. *sl.* a) Gesicht *n*, b) Mund *m*, c) Gri'masse *f*, Fratze *f*, d) *Br.* Dummkopf *m*, Tölpel *m*, Einfaltspinsel *m*, e) *Br.* ‚Büffler' *m*, Streber *m*. – **II** *v/t pret u. pp* **mugged** *sl.* 5. (*j-m*) Gesichter schneiden. – 6. (*bes. Verbrecher*) photogra'phieren. – 7. *auch* ~ up *Br.* (*etwas*) ‚büffeln', ‚ochsen'. – **III** *v/i sl.* 8. Gesichter schneiden. – 9. ~ up ‚sich anmalen', sich schminken.

mug[2] [mʌg] *pret u. pp* **mugged** *Am. sl.* **I** *v/t* über'fallen u. ausrauben. – **II** *v/i* einen 'Raubˌüberfall ausführen.

mu·ga ['mu:gə] *s* 1. *zo.* Mugaspinner *m* (*Antheraea assama; Schmetterling*). – 2. *auch* ~ silk Mugaseide *f*.

mugg *cf.* mug[2].

mug·ger, *auch* **mug·gar** ['mʌgər] *s zo.* 'Sumpfkrokoˌdil *n* (*Crocodilus palustris*).

mug·gi·ness ['mʌginis] *s* 1. Schwüle *f*, Schwülheit *f* (*Wetter*). – 2. Muffigkeit *f*.

mug·gins ['mʌginz] *s* 1. *sl.* Tölpel *m*, Einfaltspinsel *m*. – 2. *Art Dominospiel.* – 3. *Art einfaches Kartenspiel.*

mug·gy ['mʌgi] *adj* 1. feucht u. warm, schwül (*Wetter*). – 2. dumpfig, muffig.

mu·gil·oid ['mju:dʒiˌlɔid; -dʒə-] *zo.* **I** *s* meeräschenartiger Fisch (*Unterordng Mugiloidea*). – **II** *adj* meeräschenartig.

'mug|ˌweed *s bot.* 1. Kreuz-Labkraut *n* (*Galium cruciatum*). – 2. → mugwort 1a. — **'~ˌwort** *s bot.* 1. (*ein*) Beifuß *m* (*Gattg Artemisia*), *bes.* a) Gewöhnlicher Beifuß (*A. vulgaris*), b) Wermut *m* (*A. absinthium*). – 2. → mugweed 1.

mug·wump ['mʌgˌwʌmp] *s Am.* 1. *colloq.* ‚hohes Tier', wichtige Per'son. – 2. *pol. sl.* Unabhängiger *m*, Einzelgänger *m* (*j-d der keiner Partei angehört*). – 3. *pol. sl.* unzuverlässiges Par'teimitglied. — **'mugˌwump·er·y** [-əri] *s pol. Am. sl.* 1. Einzelgängertum *n*, Par'teilosigkeit *f*. – 2. Unzuverlässigkeit *f* (*eines Parteimitglieds*).

Mu·ham·mad·an [mu'hæmədən], **Mu·ham·med·an** [-mi-; -mə-] → Mohammedan.

Mu·har·ram [mu'hærəm] *s relig.* Mu'harrem *m*: a) *erster Monat des moham. Jahrs,* b) *religiöses Fest der Schiiten in diesem Monat.*

mu·jik *cf.* muzhik.

muk·luk ['mukluk], *auch* **'muk·lek** [-lek] *s* Seehundlederstiefel *m* (*der Eskimos*).

mu·lat·to [mə'lætou; mju:-] **I** *s pl* **-toes** Mu'latte *m*. – **II** *adj* mu'lattenfarbig, Mulatten...

mul·ber·ry ['mʌlbəri; -ˌberi] *s* 1. *bot.* Maulbeerbaum *m* (*Gattg Morus*). – 2. Maulbeere *f*. – 3. M~ *mil. Deckname für einen vorfabrizierten Hafen* (*bes. bei der Invasion 1944 verwendet*). — **~ blight** *s bot.* Beermelde *f* (*Blitum virgatum*). — **~ bush** *s Br. Art Kinderreigen.* — **'~-ˌfaced** *adj* mit blaurotem Gesicht *od.* mit blauroten Flecken im Gesicht.

mulch [mʌltʃ; *Br. auch* mʌlʃ] *agr.* **I** *s* Stroh-, Laubdecke *f* (*für Pflanzenwurzeln etc*). – **II** *v/t* mit Stroh *od.* Laub bedecken.

mulct [mʌlkt] **I** *s* 1. Geldstrafe *f*. – 2. *selten* Schandfleck *m*, Makel *m*. – **II** *v/t* 3. mit einer Geldstrafe belegen: to ~ s.o. in (*od.* of) a sum j-n mit einer Summe bestrafen. – 4. (*j-n*) bringen, betrügen (of um).

mule[1] [mju:l] *s* 1. *zo.* a) Maultier *n*, b) Maulesel *m*. – 2. *biol.* Bastard *m*, Hy'bride *f* (*bes. von Kanarienvögeln*). – 3. *fig.* störrischer Mensch, Dickkopf *m*. – 4. *tech.* a) (Motor-)Schlepper *m*, Traktor *m*, b) 'Treidel-, 'Förderlokomoˌtive *f*, c) (*Spinnerei*) Wagenspinner *m*, 'Mulemaˌschine *f*, Self'aktor *m*.

mule[2] [mju:l] *s* Pan'toffel *m* ohne Fersenteil.

mule| ar·ma·dil·lo *s zo.* Siebenbinden-Gürteltier *n* (*Dasypus septemcinctus*). — **'~ˌback** *s* Rücken *m* eines Maultiers: to go on (*od.* by) ~ auf einem Maultier reiten. — **~ ca·nar·y** *s zo.* Halbschläger *m* (*Bastard eines Kanarienvogels u. eines Finken*). — **~ deer** *s zo.* Großohr-, Maultierhirsch *m* (*Odocoileus hemionus*). — **~ rab·bit** *Am. für* jack rabbit. — **~ skin·ner** *s Am. colloq.* Maultiertreiber *m*.

mu·le·teer [ˌmju:li'tir; -lə-] *s* Maultiertreiber *m*.

mule| track *s* Saumpfad *m*. — **~ twist** *s tech.* Einschuß-, Mulegarn *n*.

mu·ley ['mju:li; 'mu:-; 'mu-] → mulley. — **~ ax·le** *s* (*Eisenbahn*) Achse *f* ohne Halsring. — **~ head** *s tech.* Schlitten *m* einer Blockbandsäge. — **~ saw** *s tech.* Blockbandsäge *f*.

mu·li·eb·ri·ty [ˌmju:li'ebriti; -əti] *s* 1. Weiblichkeit *f*, Fraulichkeit *f*. – 2. weibisches Wesen, Weichlichkeit *f*.

mu·li·er ['mju:liər] *selten* **I** *s obs.* (Ehe)Frau *f*. – **II** *adj* ehelich (*bes. in*): ~ puisne *jur.* jüngerer ehelicher Sohn (*im Gegensatz zu einem älteren unehelichen*).

mul·ish ['mju:liʃ] *adj* 1. wie ein Maultier, maultierähnlich. – 2. *fig.* störrisch, eigensinnig. – 3. *obs.* Bastard... – *SYN. cf.* obstinate. — **'mul·ish·ness** *s* Störrigkeit *f*, Eigensinn *m*.

mull[1] [mʌl] **I** *s* 1. *Br. colloq.* a) Wirrwarr *m*, Durchein'ander *n*, b) Fehlschlag *m*: to make a ~ of s.th. etwas verpfuschen, bei etwas ‚einen Bock schießen'. – 2. a) Torfmull *m*, b) *obs. od. dial.* Müll *m*, Kehricht *m*. – **II** *v/t* 3. *colloq.* verderben, verpfuschen. – **III** *v/i Am. colloq.* 4. nachdenken, -grübeln (over über *acc*).

mull[2] [mʌl] *v/t* (*Getränk*) heiß machen u. (süß) würzen: ~ed wine Glühwein.

mull[3] [mʌl] *s bes. med.* Mull *m*.

mull[4] [mʌl] *s Scot.* Vorgebirge *n*.

mull[5] [mʌl] *s Br.* Schnupftabaksdose *f*.

mul·lah, *auch* **mul·la** ['mʌlə] *s* Molla *m* (*moham. Rechtsgelehrter*).

mul·lar ['mʌlər] *s* Stempel *m* mit In'taglio-Graˌvierung.

mul·lein, *auch* **mul·len** ['mʌlin; -ən] *s bot.* Königskerze *f*, Wollkraut *n* (*Gattg Verbascum*).

mull·er[1] ['mʌlər] *s tech.* 1. Reibstein *m*, Läufer *m*. – 2. 'Mahl-,

ˈSchleifappaˌrat *m.* – **3.** (*Spiegelherstellung*) Reib-, Schleifkasten *m.*

mull·er² [ˈmʌlər] *s* **1.** Glühwein- *od.* Warmbierbereiter *m.* – **2.** *Gefäß zum Wärmen u. Würzen von Glühwein etc.*

mul·let¹ [ˈmʌlit] *s* **1.** → **gray** ~. – **2.** → **red** ~.

mul·let² [ˈmʌlit] *s her.* fünf- *od.* sechszackiger Stern.

mul·ley [ˈmuli; ˈmuː-] *Am.* **I** *adj* **1.** hornlos (*Rindvieh*). – **II** *s* **2.** hornloses Rind. – **3.** *dial.* (*od. Kindersprache*) Kuh *f.*

mul·li·gan [ˈmʌligən] *s Am. colloq. Art Eintopfgericht aus Fleisch, Gemüse etc.*

mul·li·ga·taw·ny [ˌmʌligəˈtɔːni] *s* Mulligaˈtawny-Suppe *f* (*mit Curry gewürzte indische Fleisch- od. Geflügelsuppe*).

mul·li·grubs [ˈmʌliˌgrʌbz] *s pl colloq. selten* **1.** Bauchgrimmen *n,* -weh *n.* – **2.** schlechte Laune, traurige Stimmung.

mul·lion [ˈmʌljən; -liən] *arch.* **I** *s* Mittelpfosten *m* (*Fenster od. sonstiges Rahmenwerk*). – **II** *v/t* mit Mittel- *od.* Längspfosten versehen *od.* abteilen.

mul·lock [ˈmʌlək] *s* (*Bergbau*) *Austral.* **1.** taubes Gestein, Abgang *m* (*ohne Goldgehalt*). – **2.** Abfall *m.*

mulsh [mʌlʃ] → **mulch.**

mult- [mʌlt] → **multi-.**

mul·tan·gu·lar [mʌlˈtæŋgjulər; -gjə-] *adj* vielwink(e)lig, -eckig.

mul·te·i·ty [mʌlˈtiːiti; -əti] *s* Vielheit *f.*

multi- [mʌlti] *Wortelement mit der Bedeutung* viel..., mehr..., reich an, ...reich, Mehrfach..., Multi...

ˌmul·tiˈax·le drive *s tech.* Mehrachsenantrieb *m.* — **ˈmul·tiˌbreak** *s electr.* Serienschalter *m,* Mehrfach(aus)schalter *m.* — **ˌmul·tiˈcel·lu·lar** *adj biol.* mehr-, vielzellig. — **ˈmul·tiˌcoil** *adj electr.* mit mehreren Wicklungen *od.* Spulen versehen. — **ˌmul·tiˈcol·o(u)r, ˌmul·tiˈcol·o(u)red** *adj* viel-, mehrfarbig, Mehrfarben... — **ˌmul·tiˈcus·piˌdate** *s zo.* Mahl-, Moˈlarzahn *m.* — **ˈmul·tiˌcy·cle** *s* Vielrad *n* (*Art Fahrrad*). — **ˌmul·tiˈcyl·in·der, ˌmul·tiˈcyl·in·dered** *adj tech.* ˈmehrzyˌlindrig. — **ˌmul·tiˈden·tate** *adj* vielzähnig. — **ˌmul·tiˈen·gine(d)** *adj tech.* ˈmehrmoˌtorig.

mul·ti·far·i·ous [ˌmʌltiˈfɛ(ə)riəs; -tə-] *adj* **1.** mannigfaltig. – **2.** *bot.* vielreihig. – **3.** *jur.* verschiedene ungleichartige Ansprüche in sich vereinigend (*Klageschrift*). — **ˌmul·tiˈfar·i·ous·ness** *s* Mannigfaltigkeit *f.*

mul·ti·fid [ˈmʌltifid; -tə-], **mulˈtif·i·dous** [-ˈtifidəs; -fə-] *adj bot.* vielspaltig. — **mul·ti·flo·rous** [ˌmʌltiˈflɔːrəs] *adj bot.* vielblütig. — **ˈmul·tiˌfoil** *arch.* **I** *s* Vielpaß *m,* -blatt *n.* – **II** *adj* mit mehr als fünf bogenförmigen Abteilungen. — **ˈmul·tiˌfoiled** → **multifoil** II. — **ˈmul·tiˌfold** *adj* vielfach, -fältig. — **ˌmul·tiˈfo·li·ate** *adj bot.* vielblätt(e)rig.

ˈmul·tiˌform **I** *adj* vielförmig, -gestaltig. – **II** *s* (*das*) Vielförmige *od.* -gestaltige. — **ˌmul·tiˈfor·mi·ty** *s* Vielförmigkeit *f,* -gestaltigkeit *f.*

ˈmul·tiˌgraph *print.* **I** *s* Verˈvielfältigungsmaˌschine *f.* – **II** *v/t u. v/i* vervielfältigen. — **ˈmul·tiˌgrid tube** *s electr.* Mehrgitterröhre *f.* — **ˌmul·tiˈlam·i·nate** *adj* aus vielen dünnen Plättchen *od.* Schichten bestehend. — **ˌmul·tiˈlat·er·al** *adj* **1.** vielseitig (*auch fig.*). – **2.** *pol.* multilateˈral. – **3.** *biol.* allseitwendig. — **ˌmul·tiˈlo·bar, ˌmul·tiˈlo·bate, ˈmul·tiˌlobed, ˌmul·tiˈlob·u·lar** *adj bot.* viellappig. — **ˌmul·tiˈloc·u·lar** *adj bot.* vielfächerig.

mul·til·o·quence [mʌlˈtiləkwəns] *s selten* Geschwätzigkeit *f,* Redseligkeit *f.* — **mulˈtil·o·quent, mulˈtil·o·quous** *adj* geschwätzig, redselig.

ˈmul·tiˌmil·lionˈaire *s* mehrfacher Millioˈnär, ˈMultimillioˌnär *m.* — **ˌmul·tiˈmod·al** *adj math.* mehrgipflig, mit mehreren Exˈtremwerten, *bes.* mit mehreren Maxima (*Häufigkeitskurve etc.*). — **ˌmul·ti·moˈlec·u·lar** *adj biol.* vielzellig. — **ˌmul·tiˈmo·tored** *adj tech.* ˈmehrmoˌtorig. — **ˌmul·tiˈnom·i·nal, ˌmul·tiˈnom·i·nous** *adj* vielnamig, viele Namen tragend. — **ˌmul·tiˈnu·cle·ar, ˌmul·tiˈnu·cle·ate** *adj biol.* mit vielen (Zell)Kernen, vielkernig (*Zelle*).

mul·tip·a·ra [mʌlˈtipərə] *pl* **-rae** [-ˌriː] *s med.* Mehrgebärende *f* (*Frau, die mehrere Kinder geboren hat*). — **ˌmul·tiˈpar·i·ty** [-ˈpæriti; -əti] *s* **1.** *zo.* Vielgeburt *f,* gleichzeitiges Gebären mehrerer Jungen. – **2.** *med. Tatsache, daß eine Frau mehrere Geburten durchgemacht hat.* — **mulˈtip·a·rous** *adj* **1.** *zo.* mehrere Junge gleichzeitig gebärend. – **2.** *med.* mehrgebärend.

ˌmul·tiˈpar·tite *adj* **1.** vielfach geteilt *od.* gespalten, vielteilig. – **2.** *pol.* mehrseitig, multilateˈral. — **mul·ti·ped** [ˈmʌltiˌped; -tə-], **ˈmul·tiˌpede** [-ˌpiːd] *zo.* **I** *adj* vielfüßig. – **II** *s selten* Vielfüßer *m.* — **ˈmul·tiˌphase** *adj electr.* mehrphasig: ~ **current** Mehrphasenstrom. — **ˈmul·tiˌplane** *s aer.* Mehr-, Vieldecker *m.*

mul·ti·ple [ˈmʌltipl; -tə-] **I** *adj* **1.** viel-, mehrfach. – **2.** mannigfaltig. – **3.** *biol. med.* mulˈtipel. – **4.** *electr. tech.* a) Mehr..., Mehrfach..., Vielfach..., b) Parallel... – **5.** *ling.* (aus mehreren nebengeordneten Teilen) zuˈsammengesetzt (*Satz*). – **II** *s* **6.** *math.* (*das*) Vielfache. – **7.** *electr.* Paralˈlelanordnung *f,* -schaltung *f:* in ~ parallel (geschaltet). — ~ **al·leles** *s pl biol.* mulˈtiple Alˈlele *pl.* — ~ **crop·ping** *s agr.* mehrfache Bebauung (*eines Feldes im selben Jahr*). — **ˈ~-ˈdisk clutch** *s tech.* Mehrscheibenkupplung *f.* — ~ **fac·tors** *s pl biol.* polyˈmere Gene *pl.* — ~ **fruit** *s bot.* Sammelfrucht *f.* — **ˈ~-ˈjet gear** *s tech.* Mehrfachdüsensatz *m.* — ~ **neu·ri·tis** *s med.* Polyneuˈritis *f.* — ~ **pro·duc·tion** *s econ.* ˈSerienˌherstellung *f.* — ~ **root** *s math.* mehrwertige Wurzel. — ~ **scle·ro·sis** *s med.* mulˈtiple Skleˈrose. — ~ **shop** *Br. für* **chain store.** — ~ **switch** *s electr.* Mehrfach-, Vielfachschalter *m.*

mul·ti·plet [ˈmʌltiˌplet; -tə-] *s phys.* ˈMehrfach(spekˌtral)linie *f.*

mul·ti·ple| tan·gent *s math.* mehrfache Tanˈgente. — ~ **thread** *s tech.* mehrgängiges Gewinde. — ~ **trans·mis·sion** *s electr.* ˈVielfachüberˌtragung *f,* Mehrfachbetrieb *m.* — ~ **vot·ing** *s pol.* mehrfache Stimmabgabe (*in verschiedenen Wahlkreisen bei derselben Wahl, bes. vor 1918 in England möglich*).

mul·ti·plex [ˈmʌltiˌpleks; -tə-] **I** *adj* **1.** mehr-, vielfach. – **2.** *electr.* Mehr(fach)... – **II** *v/t* **3.** *electr.* (*mehrere Nachrichten od. Signale*) gleichzeitig (über einen Draht *od.* eine Welle) senden. — ~ **te·leg·ra·phy** *s electr.* ˈMehrfachtelegraˌphie *f.*

mul·ti·pli·a·ble [ˈmʌltiˌplaiəbl; -tə-], **ˈmul·ti·pli·ca·ble** [-plikəbl] *adj* zu vervielfältigen(d), multipliˈzierbar. — **ˌmul·ti·pliˈcand** [-ˈkænd] *s math.* Multipliˈkand *m.* — **ˈmul·ti·pliˌcate** [-ˌkeit] *adj* mehr-, vielfach.

mul·ti·pli·ca·tion [ˌmʌltipliˈkeiʃən; -təplə-] *s* **1.** Vermehrung *f.* – **2.** *math.* a) Multiplikatiˈon *f,* b) Vervielfachung *f.* – **3.** *bot.* Vermehrung *f* (*der normalen Bestandteile einer Blüte*). – **4.** *tech.* (Geˈtriebe)Überˌsetzung *f.* — **ˌmul·ti·pliˈca·tion·al** *adj* Multiplikations...

mul·ti·pli·ca·tion ta·ble *s math.* Einmalˈeins *n.*

mul·ti·pli·ca·tive [ˈmʌltipliˌkeitiv; -təplə-] **I** *adj* **1.** vervielfältigend, vermehrend. – **2.** *math.* multiplikaˈtiv. – **II** *s* **3.** *ling.* Multiplikaˈtivum *n,* Vervielfältigungs-Zahlwort *n.* — **ˈmul·ti·pliˌca·tor** [-tər] → **multiplier.** — **ˌmul·tiˈplic·i·ty** [-ˈplisiti; -əti] *s* **1.** Vielfältigkeit *f,* Vielfalt *f.* – **2.** Mannigfaltigkeit *f.* – **3.** Menge *f,* Vielzahl *f,* -heit *f.* – **4.** *math.* a) Mehr-, Vielwertigkeit *f,* Vieldeutigkeit *f,* b) Mehrfachheit *f.*

mul·ti·pli·er [ˈmʌltiˌplaiər; -tə-] *s* **1.** Vermehrer *m.* – **2.** *math.* a) Multipliˈkator *m,* b) Multipliˈziermaˌschine *f.* – **3.** *phys.* a) Verstärker *m,* Vervielfacher *m,* b) Vergrößerungslinse *f,* -lupe *f.* – **4.** *electr.* ˈVor- *od.* ˈNebenˌwiderstand *m,* Shunt *m* (*für Meßgeräte*). – **5.** *tech.* Überˈsetzung *f.* – **6.** *bot.* Brut-, Seitenzwiebel *f.*

mul·ti·ply [ˈmʌltiˌplai; -tə-] **I** *v/t* **1.** vermehren, vervielfältigen. – **2.** *math.* multipliˈzieren (**by** mit). – **3.** *biol.* vermehren. – **4.** *electr.* vielfachschalten. – **II** *v/i* **5.** sich vermehren *od.* vervielfachen. – **6.** *math.* multipliˈzieren. – **7.** sich ausdehnen *od.* -breiten, zunehmen. – **8.** *biol.* sich vermehren. – *SYN. cf.* **increase.**

mul·ti·ply·ing glass [ˈmʌltiˌplaiiŋ; -tə-] *s* (*Optik*) Vergrößerungsglas *n.*

ˌmul·tiˈpo·lar *adj* **1.** *electr.* viel-, mehrpolig, multipoˈlar. – **2.** *med.* multi-, pluripoˈlar (*Nervenzelle*).

mul·tip·o·tent [mʌlˈtipətənt] *adj* vielvermögend.

ˌmul·tiˈpres·ence *s* (gleichzeitige) Gegenwart an vielen Orten. — **ˌmul·tiˈpres·ent** *adj* an vielen Orten (zugleich) gegenwärtig.

ˈmul·tiˌsect *bes. zo.* **I** *v/t* in viele Abschnitte *od.* Glieder (ein)teilen. – **II** *adj* vielteilig.

mul·tis·o·nous [mʌlˈtisənəs] *adj* vieltönig.

ˈmul·tiˌspar wing *s aer.* mehrholmiger Flügel, Mehrholmtragfläche *f.*

ˈmul·tiˌspeed trans·mis·sion *s tech.* Mehrganggetriebe *n.*

ˈmul·tiˌstage rock·et *s aer.* ˈMehrstufenraˌkete *f.*

ˌmul·tiˌsto·r(e)y *adj* Hochhaus...: ~ **car park** Hochhausparkplatz, Parkhaus.

ˈmul·tiˌsyl·la·ble *s* vielsilbiges Wort. — **ˌmul·ti·tuˈber·cu·late** *adj zo.* vielhöckerig (*Zähne*). — **ˌmul·tiˈtu·bu·lar** *adj tech.* mit vielen Röhren: ~ **boiler** (Mehr)Röhrenkessel.

mul·ti·tude [ˈmʌltiˌtjuːd; -təˌt-; *Am. auch* -ˌtuːd] *s* **1.** große Zahl, Menge *f.* – **2.** Vielheit *f.* – **3.** Menschenmenge *f:* the ~ der große Haufen, der Pöbel, die Masse. — **ˌmul·tiˈtu·diˌnism** *s* Prinˈzip *n* des Vorrechts der Masse (*vor dem Individuum*). — **ˌmul·tiˈtu·di·nous** *adj* **1.** sehr zahlreich. – **2.** mannigfaltig, -fach, vielfältig. – **3.** *poet.* mit Menschen dicht gefüllt, dicht bevölkert. — **ˌmul·tiˈtu·di·nous·ness** *s* **1.** Vielheit *f,* Vielzahl *f.* – **2.** Mannigfaltigkeit *f,* Vielfältigkeit *f.*

ˌmul·tiˈva·lence *s chem.* Mehr-, Vielwertigkeit *f.* — **ˌmul·tiˈva·lent** *adj* mehr-, vielwertig.

ˈmul·tiˌvalve *zo.* **I** *s* vielschalige Muschel. – **II** *adj* vielschalig.

mul·tiv·o·cal [mʌlˈtivəkəl] **I** *adj* vieldeutig. – **II** *s* vieldeutiges Wort.

ˈmul·tiˌway plug *s electr.* Vielfachstecker *m.*

mul·toc·u·lar [mʌlˈtɒkjulər; -jə-] *adj zo.* vieläugig.

mul·ture [ˈmʌltʃər] *s* Mahlgeld *n,* -lohn *m.*

mum¹ [mʌm] *colloq.* **I** *interj* pst! still! Ruhe! ~'s **the word!** nichts gesagt! still sein! kein Wort darüber! – **II** *s* Stille *f,* Schweigen *n.* – **III** *adj* still, schweigend.

mum² [mʌm] *pret u. pp* **mummed** *v/i* **1.** sich vermummen *od.* verkleiden, sich mas'kieren. – **2.** Mummenschanz treiben.

mum³ [mʌm] *s hist.* Mumme *f* (*süßliches dickes Bier*).

mum⁴ [mʌm] *s* **1.** *colloq. od. dial. für* **mother¹ 1.** – **2.** *dial. für* **madam.**

mum·ble ['mʌmbl] **I** *v/t u. v/i* **1.** murmeln, mummeln, undeutlich sprechen. – **2.** mummeln, knabbern, kauen. – **II** *s* **3.** Gemurmel *n*, Gemummel *n*. — **'~-the-ˌpeg** *s Am.* Messerwerfen *n* (*Art Kinderspiel, wobei ein Messer so geworfen wird, daß es im Boden steckenbleibt. Ursprünglich mußte der Verlierer einen Pflock mit den Zähnen aus der Erde ziehen*).

Mum·bo Jum·bo ['mʌmbou 'dʒʌmbou] *s* **1.** Schutzgeist *m*, Wächter *m* (*bei den Sudannegern*). – **2.** *auch* **m~ j~** Schreckgespenst *n*, Popanz *m*. – **3. m~ j~** Hokus'pokus *m*, fauler Zauber.

mu mes·on *s phys.* My-Meson *n*, *μ*-Meson *n* (*Elementarteilchen*).

mum·mer ['mʌmər] *s* **1.** Vermummte(r), Maske *f* (*Person*). – **2.** *humor.* Schauspieler *m*, Komödi'ant *m*. — **'mum·mer·y** *s* **1.** Mummenschanz *m*, Mumme'rei *f*, Maske'rade *f*. – **2.** Blendwerk *n*, ˌSpiegelfechte'rei *f*, Hokus'pokus *m*.

mum·mi·fi·ca·tion [ˌmʌmifi'keiʃən; -məfə-] *s* **1.** Mumifi'zierung *f*. – **2.** *med.* Mumifikati'on *f*, trockener Brand. — **'mum·miˌfied** [-ˌfaid] *adj* **1.** mumifi'ziert. – **2.** vertrocknet, verdörrt (*oft fig.*). – **3.** *med.* trocken brandig. — **'mum·miˌform** [-ˌfɔːrm] *adj zo.* mumienförmig, -artig (*Insektenlarven etc*). — **'mum·miˌfy** [-ˌfai] **I** *v/t* mumifi'zieren. – **II** *v/i* vertrocknen, verdorren.

mum·my¹ ['mʌmi] **I** *s* **1.** Mumie *f*, 'einbalsaˌmierter *od.* vertrockneter Leichnam: **to beat s.o. to a ~** *fig.* j-n braun u. blau schlagen. – **2.** *fig.* Mumie *f*, runzeliges u. eingeschrumpftes Geschöpf. – **3.** (*Malerei*) Mumie *f* (*braune Farbe*). – **4.** verfaulte u. dann vertrocknete Frucht. – **II** *v/t* **5.** mumifi'zieren, 'einbalsaˌmieren. – **6.** austrocknen, ausdörren.

mum·my² ['mʌmi] *s Br.* (*Kindersprache*) Mutti *f*.

mump [mʌmp] *v/i* **1.** ein langes Gesicht ziehen, schmollen, schlecht gelaunt sein. – **2.** *colloq.* betteln. — **'mump·ish** *adj* verdrießlich, mürrisch, grämlich. — **'mump·ish·ness** *s* Verdrießlichkeit *f*, Grämlichkeit *f*.

mumps [mʌmps] *s pl* **1.** (*als sg konstruiert*) *med.* Mumps *m*, Ziegenpeter *m*. – **2.** üble Laune, Trübsinn *m*.

mump·si·mus ['mʌmpsiməs] *s obs.* hartnäckiger Irrtum, Vorurteil *n*.

munch [mʌntʃ] **I** *v/t u. v/i* geräuschvoll kauen, schmatzend essen, schmatzen. – **II** *s* Geschmatze *n*, langsames (u. geräuschvolles) Kauen.

Mun·chau·sen [mʌn'tʃɔːzn] *s* phan'tastische Lügengeschichte, Münchhausi'ade *f*. — **Mun'chau·senˌism** *s* tolle ˌAufschneide'rei.

mun·dane ['mʌndein] *adj* **1.** weltlich, Welt... – **2.** irdisch, weltlich: **~ poetry** weltliche Dichtung. – **3.** Welten..., Weltall... – **4.** *astr.* den Hori'zont betreffend, Horizont... – *SYN. cf.* **earthly.** — **mun'dan·i·ty** [-'dæniti; -əti] *s* Weltlichkeit *f*, weltliches Denken u. Fühlen.

mun·dun·gus [mʌn'dʌŋgəs] *s obs.* schlecht riechender Tabak.

mun·ga ['mʌŋgə] → **bonnet macaque.**

mung bean [mʌŋ] *s bot.* Mungobohne *f* (*Phaseolus mungo*).

mun·go¹ ['mʌŋgou] *s bot.* Schlangenwurz *f* (*Ophiorrhiza mungos*).

mun·go² ['mʌŋgou] *s econ.* Mungo *m*, Kunstwolle *f* aus Tuchlumpen.

mun·gu·ba [mʌŋ'guːbə] *s bot.* Seidenwollenbaum *m* (*Bombax munguba*).

Mu·nich ['mjuːnik] *s pol. Nachgeben gegenüber einem Aggressor* (*nach dem Münchener Abkommen vom 29. Sept. 1938*): **not another ~** kein zweites München.

mu·nic·i·pal [mjuː'nisipəl; -sə-] *adj* **1.** städtisch, Stadt..., Gemeinde...: **~ elections** Gemeindewahlen. – **2.** Selbstverwaltungs...: **~ town** Stadt mit Selbstverwaltung. – **3.** Land(es)...: **~ law** Landesrecht, -gesetz. — **~ bank** *s econ.* Kommu'nalbank *f*. — **~ bonds** *s pl econ.* Kommu'nalobligatiˌonen *pl*, -anleihen *pl*, Stadtanleihen *pl*. — **~ cor·po·ra·tion** *s* **1.** Gemeindebehörde *f*. – **2.** inkorpo'rierte Stadt *od.* Gemeinde, Stadt *f* mit Selbstverwaltung. – **3.** Stadtverfassung *f*. — **~ court** *s* Stadtgericht *n*.

mu·nic·i·pal·ism [mjuː'nisipəˌlizəm; -sə-] *s* **1.** städtische Selbstverwaltung. – **2.** Eintreten *n* für städtische Selbstverwaltung. – **3.** Lo'kalpatrioˌtismus *m*. — **mu'nic·i·pal·ist** *s* **1.** Vertreter *m* des Selbstverwaltungsgedankens. – **2.** Lo'kalpatriˌot *m*.

mu·nic·i·pal·i·ty [ˌmjuːnisi'pæliti; -sə-; -əti; mjuːˌnis-] *s* **1.** Stadt *f* mit Selbstverwaltung. – **2.** Magi'strat *m*, Stadtbehörde *f*, -rat *m*. – **3.** Kreis *m* (*Philippinen*).

mu·nic·i·pal·i·za·tion [mjuːˌnisipəlai'zeiʃən; -sə-; -li'z-] *s* **1.** Verwandlung *f* in eine po'litische Gemeinde mit Selbstverwaltung. – **2.** Kommunali'sierung *f*, 'Überführung *f* (*eines Betriebs etc*) in städtischen Besitz. — **mu'nic·i·palˌize** *v/t* **1.** (*Stadt*) munizipali'sieren, mit Obrigkeitsgewalt ausstatten. – **2.** (*Betrieb etc*) in städtischen Besitz 'überführen, kommunali'sieren.

mu·nic·i·pal| loan *s econ.* Kommu'nalanleihe *f*, -kreˌdit *m*, Stadtanleihe *f*. — **~ rates, ~ tax·es** *s pl econ.* Gemeindesteuern *pl*, -abgaben *pl*, Stadtabgaben *pl*.

mu·nif·i·cence [mjuː'nifisns; -fə-] *s* Freigebigkeit *f*, Großzügigkeit *f*. — **mu'nif·i·cent** *adj* freigebig, großzügig. – *SYN. cf.* **liberal.**

mu·ni·ment ['mjuːnimənt; -nə-] *s* **1.** *pl jur.* Rechtsurkunde *f*, Doku'ment *n*. – **2.** Urkundensammlung *f*, Ar'chiv *n*. – **3.** Schutzmittel *n*, -waffe *f*.

mu·ni·tion [mjuː'niʃən] **I** *s* **1.** *meist pl mil.* 'Kriegsmateriˌal *n*, -vorräte *pl*, *bes.* Muniti'on *f*. – **2.** *allg.* Ausrüstung *f*. – **3.** *obs.* Bollwerk *n*, Festung *f*. – **II** *v/t* **4.** mit Materi'al *bes.* Muniti'on versehen.

mun·jis·tin [mʌn'dʒistin] *s chem.* Munji'stin *n* ($C_{15}H_8O_6$).

mun·nion ['mʌnjən] → **mullion.**

mun·shi ['munʃiː] → **moonshee.**

munt·jac, *auch* **munt·jak** ['mʌntdʒæk] *s zo.* **1.** Muntjak(hirsch) *m*, Bellhirsch *m* (*Gattg Muntiacus*), *bes.* Indischer Muntjak (*M. muntjac*). – **2.** Schopfhirsch *m* (*Gattg Elaphodus*).

mu·on ['mjuːɒn; 'muː-] → **mu meson.**

mu·rae·na [mju(ə)'riːnə] → **moray.** — **mu'rae·noid** *zo.* **I** *adj* mu'ränenartig. – **II** *s* mu'ränenartiger Fisch.

mu·rage ['mju(ə)ridʒ] *s hist.* Mauerzins *m* (*zur Erhaltung der Stadtmauern*).

mu·ral ['mju(ə)rəl] **I** *adj* **1.** Mauer..., Wand... – **2.** mauer-, wandartig, steil. – **3.** *med.* mu'ral (*an einer Organwand befindlich*). – **II** *s* **4.** Wandgemälde *n*. — **~ paint·ing** *s* ˌWandmale'rei *f*, Wandgemälde *n*.

Mu·ra·nese [ˌmju(ə)rə'niːz] *adj* Murano..., aus Mu'rano (*bei Venedig*).

mur·der ['məːrdər] **I** *s* **1.** (of) Mord *m* (an *dat*), Ermordung *f* (*gen*): **~ will out** *fig.* die Sonne bringt es an den Tag; **the ~ is out** *fig.* das Geheimnis ist gelüftet; **to cry blue ~** *colloq.* Zeter u. Mordio schreien. – **2.** *obs.* Gemetzel *n*. – **II** *v/t* **3.** (er)morden. – **4.** 'hinschlachten, -morden, bru'tal 'umbringen. – **5.** *fig.* a) verschandeln, verhunzen, verderben, b) (*Sprache*) entstellen, radebrechen, c) (*Zeit*) totschlagen. — **III** *v/i* **6.** morden, einen Mord begehen. – *SYN. cf.* **kill¹.** — **'mur·der·er** *s* Mörder *m*. — **'mur·der·ess** [-ris] *s* Mörderin *f*. — **'mur·der·ous** *adj* **1.** mörderisch. – **2.** Mord...: **~ intent** Mordabsicht; **~ weapon** Mordwaffe. – **3.** tödlich, todbringend. – **4.** blutdürstig. – **5.** *fig.* mörderisch: **~ heat.** — **'mur·der·ous·ness** *s* Mörderischkeit *f*.

mure [mjuər] *v/t* **1.** einmauern. – **2.** *auch* **~ up** einschließen, -sperren.

mu·rex ['mju(ə)reks] *pl* **-rex·es** *od.* **-ri·ces** [-riˌsiːz; -rə-] *s* **1.** *zo.* Wulst-, Stachelschnecke *f* (*Fam. Muricidae*). – **2.** (*Kunst*) 'Muscheltromˌpete *f*. – **3.** Purpurrot *n*. — **mu'rex·ide** [-'reksaid; -sid], *auch* **mu'rex·id** [-sid] *s chem.* Mure'xid *n*, purpursaures Ammoni'ak ($C_8H_8N_6O_6$).

mu·ri·ate ['mju(ə)riˌeit; -it] *s chem.* **1.** Muri'at *n*, Hydrochlo'rid *n*. – **2.** 'Kaliumchloˌrid *n*, Chlorkalium *n* (KCl; *Düngemittel*). — **'mu·riˌat·ed** *adj* muri'atisch, Chlo'ride *od.* ein Chlo'rid enthaltend, *bes.* kochsalzhaltig, Kochsalz... — **ˌmu·ri'at·ic** [-'ætik] *adj* muri'atisch, salzsauer: **~ acid** Salzsäure, Chlorwasserstoff (HCl).

mu·ri·cate ['mju(ə)riˌkeit; -kit], *auch* **'mu·riˌcat·ed** [-ˌkeitid] *adj bot. zo.* stach(e)lig.

mu·ri·form ['mju(ə)riˌfɔːrm] *adj bot.* mauerförmig.

mu·rine ['mju(ə)rain; -rin] *zo.* **I** *adj* zu den Mäusen gehörig. – **II** *s* Maus *f* (*Fam. Muridae*).

murk [məːrk] **I** *adj poet. od. dial.* **1.** dunkel, düster. – **2.** trüb. – **3.** dicht (*Nebel*). – **II** *s Scot. od. dial.* **4.** Dunkelheit *f*, Düsterheit *f*. — **'murk·i·ness** *s* **1.** Dunkelheit *f*, Düsterkeit *f*, Düsterheit *f*. – **2.** Nebligkeit *f*, Dunstigkeit *f*. – **3.** 'Undurchˌdringlichkeit *f*. – **4.** *fig.* Niedergeschlagenheit *f*. — **'murk·y** *adj* **1.** dunkel, düster. – **2.** voller Nebel, nebelerfüllt, dunstig, trüb. – **3.** dicht, 'undurchˌdringlich (*Nebel etc*). – **4.** *fig.* düster, niedergeschlagen (*Aussehen*). – *SYN. cf.* **dark.**

mur·mur ['məːrmər] **I** *s* **1.** Murmeln *n*, (leises) Rauschen (*Wasser, Wind etc*). – **2.** Gemurmel *n*. – **3.** Gemurr *n*, Murren *n*. – **4.** *med.* Geräusch *n*, Rasseln *n* (*beim Herzschlag*). – **II** *v/i* **5.** murmeln, leise rauschen (*Wind, Wasser etc*). – **6.** murmeln, leise *od.* undeutlich sprechen. – **7.** murren (**at, against** gegen). – **III** *v/t* **8.** murmeln, murmelnd *od.* undeutlich sagen. — **'mur·mu·ring** *adj* **1.** murmelnd. – **2.** murrend. — **'mur·mur·ous** *adj* **1.** murmelnd, (leise) rauschend. – **2.** gemurmelt, undeutlich (*Worte*). – **3.** wie ein Gemurmel, einem Gemurmel ähnlich. – **4.** murrend.

mur·phy ['məːrfi] *s sl.* Kar'toffel *f*.

mur·rain [*Br.* 'mʌrin; *Am.* 'məːr-] *s* **1.** *vet.* Viehseuche *f*. – **2.** *obs.* Pest *f*, Seuche *f*.

murre [məːr] *s zo.* (*eine*) Lumme (*Gattg Uria; Seevogel*), *bes.* Trottellumme *f* (*U. aalge*). — **'murre·let** [-lit] *s zo.* (*ein*) kleiner Alk (*Fam. Alcidae*): **marbled ~** Marmoralk (*Brachyramphus marmoratus*).

mur·rey [*Br.* 'mʌri; *Am.* 'məːri] *s her.* Braunrot *n*.

mur·rhine, *auch* **mur·rine** [*Br.* 'mʌrin; -ain; *Am.* 'məːr-] *antiq.* **I** *adj* mur'rinisch (*Gefäß*). – **II** *s* mur-

'rinisches Gefäß. — **~ glass** *s* mur'rinische Glaswaren *pl, bes.* Millefi'ori-Gefäße *pl.*

mu·sa·ceous [mju:'zeiʃəs] *adj bot.* zu den Ba'nanengewächsen (*Fam. Musaceae*) gehörig.

mus·al ['mju:zəl] *adj* Musen..., musisch, po'etisch.

mu·sang [mu:'sɑ:ŋ; -'sæŋ] *s zo.* Musang *m*, Palmenroller *m* (*Paradoxurus hermaphrodytus; Schleichkatze*).

mus·ca·del [ˌmʌskə'del] → **muscatel.**

mus·ca·dine ['mʌskədin; -ˌdain] *s* **1.** *bot.* Gemeine Fuchsrebe (*Vitis rotundifolia*). – **2.** *hist.* Muska'tellertraube *f*, -wein *m.*

mus·cae vo·li·tan·tes ['mʌsi: ˌvɒli'tænti:z] *s pl med.* Fliegen-, Mückensehen *n*, Mouches vo'lantes *pl.*

mus·car·dine ['mʌskərdin; -ˌdi:n] *s* Muskar'dine *f*, Kalksucht *f* (*der Seidenraupen*).

mus·ca·rine ['mʌskəˌri:n; -rin], *auch* **'mus·ca·rin** [-rin] *s chem.* Muska'rin *n* ($C_5H_{15}NO_3$).

mus·cat ['mʌskæt; -kət] *s* **1.** Muska'tellertraube *f.* – **2.** → **muscatel** 1. — **mus·ca·tel** [ˌmʌskə'tel] *s* **1.** Muska'tellerwein *m.* – **2.** → **muscat** 1. – **3.** Muska'tellerroˌsine *f.*

mus·cid ['mʌsid] *zo.* **I** *adj* zu den Vollfliegen gehörig. – **II** *s* Vollfliege *f* (*Fam. Muscidae*). — **'mus·ciˌform** [-ˌfɔ:rm] *adj* stubenfliegenartig.

mus·cle ['mʌsl] **I** *s* **1.** *med. zo.* Muskel *m*: **not to move a ~** *fig.* sich nicht rühren, mit keiner Wimper zucken. – **2.** Fleisch *n*, Muskeln *pl.* – **3.** *fig.* Muskelkraft *f.* – **II** *v/i* **4.** *bes. Am. colloq.* sich mit Gewalt einen Weg bahnen, sich rücksichtslos (vor)drängen: **to ~ in** sich rücksichtslos eindrängen. — **'~-ˌbound** *adj med.* Muskelstarre *od.* -kater habend.

mus·cled ['mʌsld] *adj* **1.** *med. zo.* mit Muskeln. – **2.** (*in Zusammensetzungen*) ...muskelig.

mus·cle| fi·ber, *bes. Br.* **~ fi·bre** *s med. zo.* Muskelfaser *f.*

mus·cle·less ['mʌsllis] *adj* **1.** muskellos, ohne Muskeln. – **2.** kraftlos, schwach.

mus·cle sense *s med. psych.* Muskelsinn *m.*

mus·coid ['mʌskɔid] *adj bot.* moosartig. — **mus'col·o·gy** [-'kɒlədʒi] *s* Mooskunde *f.*

mus·cone ['mʌskoun] *s chem.* Mus'con *n* ($C_{16}H_{30}O$).

mus·cose ['mʌskous] *adj bot.* moosähnlich, -artig.

mus·co·va·do [*Br.* ˌmʌskə'vɑ:dou; *Am.* -'vei-] *s econ.* Musko'vade *f* (*Zucker, der aus dem Nachprodukt durch Abtropfen gewonnen wird*).

Mus·co·vite ['mʌskəˌvait] **I** *s* **1.** Mosko'witer(in), Russe *m*, Russin *f.* – **2.** m~ *min.* Musko'wit *m*, heller Glimmer, Kaliglimmer *m.* – **II** *adj* **3.** mosko'witisch, russisch. — **ˌMus·co'vit·ic** [-'vitik] → **Muscovite** II.

Mus·co·vy ['mʌskəvi] *s hist.* Rußland *n.* — **~ duck** *s zo.* Moschusente *f* (*Cairina moschata*).

mus·cu·lar ['mʌskjulər; -kjə-] *adj* **1.** Muskel...: **~ atrophy** Muskelschwund; **~ strength** Muskelkraft. – **2.** musku'lös, muskelstark, kräftig. – **3.** *fig.* kraftvoll. — **ˌmus·cu'lar·i·ty** [-'læriti; -əti] *s* Muskulosi'tät *f*, Muskelkraft *f.* — **'mus·cu·la·ture** [-lətʃər] *s med. zo.* Muskula'tur *f.*

musculo- [mʌskjulo; -kjə-] *Wortelement mit der Bedeutung* Muskel.

mus·cu·lo·cu·ta·ne·ous [ˌmʌskjulokju:'teiniəs; -kjəl-] *adj med.* muskuloku'tan, Hautmuskel... (*Nerv*). — **ˌmus·cu·lo'phren·ic** [-'frenik] *adj* das Muskelgewebe des Zwerchfells betreffend.

muse[1] [mju:z] **I** *v/i* **1.** (nach)sinnen, (-)denken, (-)grübeln (**on, upon** über *acc*). – **2.** in Gedanken versunken sein, träumen. – **3.** nachdenklich blicken (**on, upon** auf *acc*). – **4.** *selten* sich wundern, staunen. – **II** *v/t* **5.** *selten* nachdenken *od.* -grübeln über (*acc*). – *SYN. cf.* **ponder.** – **III** *s* **6.** (Gedanken)Versunkenheit *f*, Sinnen *n.*

Muse[2] [mju:z] *s* **1.** (*Mythologie*) Muse *f.* – **2.** *auch* m~ Muse *f* (*eines Dichters*). – **3.** m~ *poet.* Dichter *m.*

muse·ful ['mju:zful; -fəl] *adj* gedankenvoll, in Gedanken versunken. — **'muse·less** *adj obs.* 'unpoˌetisch, nüchtern.

mu·se·ol·o·gy [ˌmju:zi'ɒlədʒi] *s* Mu'seumskunde *f.*

mu·sette [mju'zet] *s* **1.** *mus.* Mu'sette *f*: a) *Art kleiner Dudelsack*, b) *einfache Art Oboe*, c) *Zungenregister der Orgel*, d) *Art Dudelsackmelodie*, e) *Art Gavotte* (*Musik u. Tanz*). – **2.** → **~ bag.** — **~ bag** *s mil. Am.* Brotbeutel *m*, 'Umhängetasche *f.*

mu·se·um [mju:'zi:əm] *s* Mu'seum *n*: **~ piece** Museumsstück (*auch fig.*).

mush[1] [mʌʃ] **I** *s* **1.** weiche Masse, Brei *m.* – **2.** *Am.* (Maismehl)Brei *m.* – **3.** *colloq.* Geˌfühlsduse'lei *f.* – **4.** (*Radio*) Knistergeräusch *n* (*im Empfänger*). – **II** *v/t* **5.** *dial.* zu Brei stampfen. – **III** *v/i* **6.** *dial.* zerbröckeln, zerfallen.

mush[2] [mʌʃ] *Am.* **I** *v/i* zu Fuß reisen (*bes. mit Hunden durch Schnee*). – **II** *s* Fußmarsch *m* (*bes. mit Hunden durch den Schnee*). – **III** *interj* geh! vorwärts! (*Kommandoruf zum Anfeuern der Schlittenhunde*).

mush[3] [mʌʃ] *s Br. sl.* **1.** Regenschirm *m.* – **2.** kleiner Droschkenbesitzer.

mush·er[1] ['mʌʃər] *s Am.* Fußreisender *m* (*bes. mit Hundeschlitten*).

mush·er[2] ['mʌʃər] → **mush**[3] 2.

mush ice *s Am.* breiiges Eis, unvollkommen gefrorenes Wasser.

mush·i·ness ['mʌʃinis] *s* **1.** Breiigkeit *f*, Breiartigkeit *f.* – **2.** *fig.* Weichlichkeit *f.* – **3.** → **mush**[1] 3.

mush·room ['mʌʃru:m; -rum] **I** *s* **1.** *bot.* a) Ständerpilz *m* (*Klasse Basidiomycetes*), b) (*volkstümlich*) eßbarer Pilz, *bes.* Wiesenchampignon *m* (*Agaricus campestris*): **to grow like ~s** wie Pilze aus dem Boden schießen. – **2.** *fig.* Em'porkömmling *m.* – **3.** (*etwas*) Pilzförmiges, *bes.* a) *sl.* Regenschirm *m*, b) *colloq. Art* (*Stroh*)*Hut mit herabgebogener Krempe.* – **II** *adj* **4.** Pilz... – **5.** pilzförmig. – **6.** *fig.* rasch entstanden *od.* gewachsen (u. kurzlebig), Eintags...: **~ fame.** – **III** *v/i* **7.** Pilze sammeln. – **8.** wie ein Pilz em'porschießen. – **9.** pilzförmige Gestalt annehmen. – **10.** *mil.* pilzförmig breitgeschlagen werden (*Geschoß*). — **~ an·chor** *s mar.* Pilz-, Schirmanker *m.* — **~ bed** *s* Pilzbeet *n*, Mistbeet *n* für Pilze. — **~ growth** *s* **1.** ra'pides Wachstum. – **2.** (*etwas*) ra'pid Gewachsenes. — **~ spawn** *s bot.* 'Pilzmyˌzel *n.* — **~ strain·er** *s tech.* Saugkorb *m*, Seiherkasten *m* (*der Pumpe*).

mush·y ['mʌʃi] *adj* **1.** breiig, breiartig, weich. – **2.** *fig.* weichlich, kraftlos. – **3.** *colloq.* gefühlsduselig, sentimen'tal.

mu·sic ['mju:zik] *s* **1.** Mu'sik *f*, Tonkunst *f*: **to set to ~** in Musik setzen, vertonen; **dance ~** Tanzmusik; **rough ~** Krach; **to face the ~** *colloq.* die Folgen (seiner Handlungen) tragen, die Suppe (die man sich eingebrockt hat) auslöffeln, dafür geradestehen. – **2.** a) Mu'sikstück *n*, Kompositi'on *f*, b) *collect.* Kompositi'onen *pl.* – **3.** Noten(blatt *n*) *pl*: **to play from ~** vom Blatt spielen. – **4.** *collect.* Musi'kalien *pl.* – **5.** *fig.* Mu'sik *f*, Wohllaut *m*, Harmo'nie *f*, Gesang *m*: **the ~ of the birds** der Gesang der Vögel; → **sphere** 5. – **6.** Mu'sikverständnis *n*, Empfänglichkeit *f* für Mu'sik. – **7.** *hunt.* Geläute *n*, Gebell *n* der Jagdhunde (*beim Anblick des Wildes*). – **8.** (Mu'sik)Kaˌpelle *f*, Or'chester *n*: **Master of the King's M~** Hofkapellmeister.

mu·si·cal ['mju:zikəl] **I** *adj* **1.** Musik...: **~ instrument** Musikinstrument. – **2.** wohlklingend, me'lodisch, har'monisch. – **3.** musi'kalisch. – **II** *s* **4.** → **~ comedy.** – **5.** *Am. colloq. für* **musicale.** – **6.** *colloq. für* **~ film.** — **~ art** *s* (Kunst *f* der) Mu'sik, Tonkunst *f.* — **~ box** *s Br.* Spieldose *f.* — **~ chairs** *s* 'Stuhlpoloˌnaise *f*, Reise *f* nach Je'rusalem (*Gesellschaftsspiel*). — **~ com·e·dy** *s* musi'kalisches Lustspiel, komisches Singspiel (*mit Tanzeinlagen*).

mu·si·cale [*Br.* ˌmju:zi'kɑ:l; *Am.* -'kæl] *s mus.* 'Haus-, Pri'vatkonˌzert *n*, Mu'sikabend *m*, musi'kalische 'Abendunterˌhaltung.

mu·si·cal| film *s* Mu'sikfilm *m.* — **~ glass·es** *s pl mus.* 'Glasharˌmonika *f*, -harfe *f.*

mu·si·cal·i·ty [ˌmju:zi'kæliti; -əti] *s* **1.** Musikali'tät *f.* – **2.** Wohlklang *m*, (*das*) Musi'kalische.

mu·si·cal·ness ['mju:zikəlnis] → **musicality.**

mu·si·cal ride *s mil. mus.* Mu'sikreiten *n* (*Reitübung mit Musikbegleitung*).

'mu·sic|-apˌpre·ci'a·tion rec·ord *s* Schallplatte *f* mit mu'sikkundlichem Kommen'tar. — **~ book** *s* Notenheft *n*, -buch *n.* — **~ box** *Am. für* **musical box.** — **~ case** *s* **1.** Notenfach *n*, -schrank *m.* – **2.** Notenmappe *f.* – **3.** *print.* Kasten *m* für Notentypen. — **~ de·my** *s ein Papierformat* ($20\,^3/_4 \times 14\,^3/_8$ *Zoll*). — **~ dra·ma** *s mus.* Mu'sikdrama *n.* — **~ hall** *s* **1.** Mu'sik-, Kon'zerthalle *f.* – **2.** *Br.* Varie'té(theˌater) *n.* — **~ house** *s* Musi'kalienhandlung *f.*

mu·si·cian [mju:'ziʃən] *s* Musiker *m*: **to be a good ~** a) gut spielen *od.* singen, b) sehr musikalisch sein. — **mu'si·cian·ly** *adj* musi'kalisch her'vorragend *od.* einwandfrei. — **mu'si·cianˌship** *s* musi'kalisches Können.

musico- [mju:ziko] *Wortelement mit der Bedeutung* Musik, musikalisch.

mu·sic| pa·per *s* 'Notenpaˌpier *n.* — **~ rack** *s* Notenhalter *m*, -ständer *m.* — **~ shell** *s zo.* Notenschnecke *f* (*Voluta musica*). — **~ stool** *s* Kla'vierstuhl *m.* — **~ teach·er** *s* Mu'siklehrer(in). — **~ wire** *s mus.* **1.** Saitendraht *m.* – **2.** Draht-, Stahlsaite *f.*

mus·ing ['mju:ziŋ] **I** *s* **1.** Sinnen *n*, Grübeln *n*, Nachdenken *n*, Betrachtung *f.* – **2.** *pl* Träume'reien *pl.* – **II** *adj* **3.** nachdenklich, in Gedanken (versunken), träumerisch, sinnend.

mus·jid ['mʌsjid] → **masjid.**

musk [mʌsk] *s* **1.** Moschus *m*, Bisam *m.* – **2.** Moschusgeruch *m.* – **3.** → **~ deer.** – **4.** *bot.* Pflanze *f* mit Moschusgeruch. — **~ bag** *s zo.* Moschusbeutel *m.* — **~ bea·ver** → **muskrat.** — **~ bee·tle** *s zo.* Moschusbock *m* (*Aromia moschata*). — **~ ca·vy** *s zo.* (*eine*) Baumratte (*Gattg Capromys u. Geocapromys*). — **~ deer** *s zo.* **1.** Moschustier *n* (*Moschus moschiferus*). – **2.** → **chevrotain.** — **~ duck** *s zo.* **1.** → **Muscovy duck.** – **2.** *eine austral. Lappenente* (*Biziura lobata*).

mus·keg ['mʌskeg] *s* **1.** *Am. od. Canad.* (Tundra)Moor *n.* – **2.** *bot.* a) Torf-, Sumpfmoos *n* (*Gattg Sphagnum*), b) Schlafmoos *n* (*Gattg Hypnum*).

mus·kel·lunge ['mʌskəˌlʌndʒ] *pl* **'mus·kelˌlunge** *s zo.* Muskalunge *m* (*Esox masquinongy; Fisch*).

mus·ket ['mʌskit] *s mil. hist.* Mus'kete *f*, Flinte *f*. — ˌ**mus·ket'eer** [-'tir] *s* Muske'tier *m*. — '**mus·ket·ry** [-ri] *s* **1.** *hist. collect.* a) Mus'keten *pl*, b) Muske'tiere *pl*. – **2.** *hist.* Mus'ketenschießen *n*. – **3.** Gruppen-, Schießübung *f*, 'Schießˌunterricht *m*.
'**musk**|ˌ**flow·er** → musk plant. — **~ gland** *s zo.* Moschusdrüse *f* (*des männlichen Moschustiers*).
Mus·kho·ge·an [mʌs'kougiən] **I** *s ling.* Mas'koki(sprachen *pl*) *n* (*indianische Sprachfamilie in Nordamerika*). – **II** *adj* Maskoki...
musk| **hy·a·cinth** → grape hyacinth. — **~ mal·low** *s bot.* **1.** Moschusmalve *f* (*Malva moschata*). – **2.** → abelmosk. — '**~**ˌ**mel·on** *s bot.* 'Beutel-, 'Warzenmeˌlone *f* (*Cucumis melo*). — **~ mil·foil** *s bot.* Moschusgarbe *f* (*Achillea moschata*).
Mus·ko·ge·an *cf.* Muskhogean. — **Mus·ko·gee** [mʌs'kougi] *s ling.* Mus'kogi *n* (*Sprache der Krik-Indianer*).
musk| **or·chis** *s bot.* Einknollige Ragwurz (*Herminium monorchis*). — **~ ox** *s irr zo.* Moschusochse *m* (*Ovibos moschatus*). — **~ plant** *s bot.* Moschus-Gauklerblume *f* (*Mimulus moschatus*). — '**~**ˌ**rat** *s* **1.** *zo.* Bisamratte *f* (*Ondatra zibethica*). – **2.** Bisam *m* (*Fell der Bisamratte*). — **~ rose** *s bot.* **1.** Moschusrose *f* (*Rosa moschata*). — **2.** → musk mallow 1. — **~ seed** *s* Moschuskörner *pl* (*von Hibiscus abelmoschus*). — **~ sheep** → musk ox. — **~ shrew** *s zo.* Moschusspitzmaus *f* (*Suncus myosurus*). — **~ this·tle** *s bot.* Nickende Distel (*Carduus nutans*). — **~ tree** *s bot. eine austral. Baumaster* (*bes. Olearia argophylla*). — **~ tur·tle** *s zo.* Moschusschildkröte *f* (*Gattg Sternotherus, bes. S. odoratus*). — '**~**ˌ**wood** *s* **1.** *bot. ein trop.-amer. Meliaceen-Baum* (*Guarea trichilioides u. Trichilia moschata*). – **2.** *bot.* → musk tree. – **3.** Moschusholz *n* (*Holz von* 1 *od.* 2).
musk·y[1] ['mʌski] *adj* **1.** nach Moschus riechend. – **2.** moschusartig, Moschus...
mus·ky[2] ['mʌski] *colloq. für* muskellunge.
Mus·lem ['mʌzlem; -ləm], *auch* '**Mus·lim** [-lim] → Moslem.
mus·lin ['mʌzlin] *s* **1.** Musse'lin *m*. – **2.** *Am. Bezeichnung verschiedener schwererer Baumwollgewebe.* – **3.** *sl.* a) *mar.* Segel *pl*, b) *obs.* Frauen *pl*, Weiblichkeit *f*: a bit of ~ ein weibliches Wesen. — '**mus·lined** *adj* in Musse'lin gekleidet.
mus·lin·et(te) [ˌmʌzli'net] *s* Mussli'net *m*, grober Musse'lin.
mus·mon ['mʌsmɒn] → mouflon.
mu·soph·a·gine [mjuː'sɒfəˌdʒain; -dʒin] *adj zo.* zu den Tu'rakos *od.* Ba'nanenfressern (*Fam. Musophagidae*) gehörend (*Vogel*).
mus·quash ['mʌskwɒʃ] → muskrat.
mus·quaw ['mʌskwɔː] *s zo.* Baribal *m*, Amer. Schwarzbär *m* (*Ursus americanus*).
muss [mʌs] *Am. od. dial.* **I** *s* **1.** a) Durchein'ander *n*, Unordnung *f*, b) Plunder *m*, Gerümpel *n*. – **2.** Krach *m*, Streit *m*, Zank *m*. – **II** *v/t* **3.** durchein'anderbringen. – **4.** ,vermasseln', ,vermurksen'. – **5.** beschmutzen, ,versauen'. – **6.** ver-, zerknittern.
mus·sal [mə'sɑːl] *s Br. Ind.* Fackel *f* (*aus mit Öl getränkten Lumpen*).
mus·sel ['mʌsl] *s zo.* (*eine*) zweischalige Muschel, *bes.* a) Miesmuschel *f* (*Fam. Mytilidae*): common ~ Eßbare Miesmuschel (*Mytilus edulis*), b) Flußmuschel *f* (*Fam. Unionidae*). — **~ dig·ger** → gray whale.
mus·seled ['mʌsld] *adj* durch (Mies-)Muscheln vergiftet.
mus·sel plum *s eine dunkel-purpurfarbene Pflaume.*
mus·su(c)k ['mʌsək] *s Br. Ind.* lederner Wasserbeutel.
Mus·sul·man ['mʌslmən] **I** *s pl* **-mans**, *auch* **-men** Muselman(n) *m*. – **II** *adj* muselmanisch.
muss·y ['mʌsi] *adj Am. colloq.* **1.** unordentlich, schlampig. – **2.** beschmutzt, beschmiert. – **3.** verknittert.
must[1] [mʌst] **I** *Hilfsverb 3. sg pres* **must**, *pret* **must**, *inf u. Partizipien fehlen* **1.** muß, mußt, müssen, müßt: all men ~ die alle Menschen müssen sterben; I ~ go now ich muß jetzt gehen; ~ he do that? muß er das tun? he ~ be over eighty er muß über achtzig (Jahre alt) sein; it ~ look strange es muß (*notwendigerweise*) merkwürdig aussehen; you ~ have heard it du mußt es gehört haben. – **2.** (*mit Negationen*) darf, darfst, dürfen, dürft: you ~ not smoke here du darfst hier nicht rauchen. – **3.** (*als pret*) mußte, mußtest, mußten, mußtet (*nur in bestimmten Zusammenhängen gebraucht*): it was too late now, he ~ go on es war bereits zu spät, er mußte weitergehen; just as I was busiest, he ~ come gerade als ich am meisten zu tun hatte, mußte er kommen; if he had written a letter I ~ have got it wenn er einen Brief geschrieben hätte, hätte ich ihn erhalten müssen. – **4.** (*als pret mit Negationen*) durfte, durftest, durften, durftet. – **5.** (*mit Ellipse von* go, get *etc*): I ~ away ich muß fort, ich muß gehen. – **II** *adj* **6.** unerläßlich, unbedingt zu erledigend (*etc*), abso'lut notwendig: a ~ book ein Buch, das man lesen muß; a ~ restriction eine unerläßliche Einschränkung. – **III** *s* **7.** Muß *n*, Unerläßlichkeit *f*, unbedingtes Erfordernis, Notwendigkeit *f*: this book is a ~ dieses Buch muß man gelesen haben; this law is a ~ dieses Gesetz ist schon lange fällig. – **8.** *Am.* Buch (*etc*), das unbedingt veröffentlicht werden muß.
must[2] [mʌst] *s* Most *m* (*noch nicht vergorener Trauben- od. Obstsaft*).
must[3] [mʌst] *s* **1.** Moder *m*, Schimmel *m*. – **2.** Dumpfigkeit *f*, Modrigkeit *f*.
must[4] [mʌst] **I** *s* **1.** Brunst *f*, Wut *f* (*männlicher Elefanten od. Kamele*). – **2.** brünstiger Ele'fant *od.* Ka'melhengst. – **II** *adj* **3.** brünstig, wütend (*Elefant od. Kamel*).
mus·tache, mus·tached, mus·tach·i·al *bes. Am. für* moustache *etc.*
mus·ta·chio [məs'tɑːʃou] *pl* **-chios** → moustache. — **mus'ta·chioed** [-ʃoud] → moustached.
mus·tang ['mʌstæŋ] *s* **1.** *zo.* Mustang *m* (*halbwildes Präriepferd*). – **2.** M~ *aer.* Mustang *m* (*amer. Jagdflugzeugtyp P-51 im 2. Weltkrieg*). — **~ grape** *s bot.* Mustangtraube *f* (*Vitis candicans*).
mus·tard ['mʌstərd] *s* **1.** Senf *m*, Mostrich *m*: French ~ franz. Senf (*mit Essig*). – **2.** Senfmehl *n*. – **3.** *bot.* (*ein*) Senf *m* (*Gattg Brassica*), *bes.* a) *auch* white ~ Echter *od.* Weißer Senf (*B. alba*), b) *auch* leaf ~ Ruten-Sa'reptasenf *m* (*B. juncea*), c) *auch* black ~ Schwarzer Senf (*B. nigra*). – **4.** *Am. sl.* a) schneidiger *od.* rassiger Kerl, b) (*etwas*) Rassiges *od.* Schwungvolles. — **~ gas** *s chem.* Senfgas *n*, Gelbkreuz *n*, Ype'rit *n* [$(ClCH_2\text{-}CH_2)_2S$; *Kampfstoff*]. — **~ oil** *s chem.* ä'therisches Senföl. — **~ plas·ter** *s med.* Senfpflaster *n*. — **~ pot** *s* Senftopf *m*, -glas *n*. — **~ seed** *s* **1.** *bot.* Senfsame *m*: grain of ~ *Bibl.* Senfkorn. – **2.** *hunt.* Vogelschrot *m*, *n*. — **~ shrub** *s bot.* (*ein*) Kap(p)ernstrauch *m* (*Capparis ferruginea*).
mus·tee [mʌs'tiː; 'mʌstiː] *s* **1.** Quinte'ron(in) (*Abkömmling eines Weißen u. einer Quarteronin*). – **2.** *allg.* Mischling *m*.
mus·te·line ['mʌstəˌlain; -lin] **I** *adj* **1.** *zo.* zu den Mardern gehörig, marderartig. – **2.** wieselartig, -ähnlich. – **3.** lohfarben, braun. – **II** *s* **4.** *zo.* marderartiges Raubtier (*Fam. Mustelidae*).
mus·ter ['mʌstər] **I** *v/t* **1.** (*Soldaten etc*) antreten lassen, zu'sammenrufen, versammeln. – **2.** versammeln, zu'sammenbringen, -treiben. – **3.** *oft* ~ up aufbringen, zu'sammenbringen, sammeln, auftreiben: to ~ up all one's strength all seine Kraft zusammennehmen. – **4.** ~ in *mil. Am.* (*zum Wehrdienst*) einziehen. – **5.** ~ out *mil. Am.* (*vom Wehrdienst*) entlassen, ausmustern. – *SYN. cf.* summon. – **II** *v/i* **6.** *bes. mil.* antreten, sich versammeln. – **7.** sich versammeln, zu'sammenkommen, sich einfinden. – **III** *s* **8.** *mar. mil.* Antreten *n* zum Ap'pell. – **9.** Antreten *n*, Sammeln *n* (*zur Inspektion, Parade etc*): to pass ~ *fig.* für tauglich *od.* genügend erachtet werden, die Prüfung bestehen, Zustimmung finden (with bei). – **10.** Versammlung *f*. – **11.** 'Zu'sammenbringen *n*, -treiben *n*, -kommen *n*. – **12.** versammelte Menge. – **13.** Aufgebot *n*, Gesamtheit *f* der versammelten Truppen (*etc*). – **14.** → ~ roll. – **15.** *econ. selten* Muster *n*. — **~ book** *s mil.* Stammrollenbuch *n*. — **~ roll** *s* **1.** *mar.* Musterrolle *f*, Mannschaftsverzeichnis *n*. – **2.** *mil.* Stammrolle *f*.
mus·ti·ness ['mʌstinis] *s* **1.** Muffigkeit *f*. – **2.** Schimm(e)ligkeit *f*. – **3.** Schalheit *f* (*auch fig.*). – **4.** *fig.* Verstaubtheit *f*. – **5.** *fig.* Stumpfheit *f*.
mus·ty ['mʌsti] *adj* **1.** muffig. – *SYN. cf.* malodorous. – **2.** schimm(e)lig, mod(e)rig. – **3.** schal, abgestanden. – **4.** *fig.* verstaubt, veraltet, über'holt. – **5.** *fig.* fad(e), langweilig, geistlos, abgedroschen. – **6.** *fig.* schwunglos, stumpf.
mut *cf.* mutt.
mu·ta·bil·i·ty [ˌmjuːtə'biliti; -əti] *s* **1.** Veränderlichkeit *f*. – **2.** *fig.* Unbeständigkeit *f*. – **3.** *biol.* Mutabili'tät *f*, Mutati'onsfähigkeit *f*. — '**mu·ta·ble** *adj* **1.** veränderlich, wechselhaft. – **2.** *fig.* unbeständig, wankelmütig. – **3.** *biol.* mutati'onsfähig. — '**mu·ta·ble·ness** → mutability.
mu·tage ['mjuːtidʒ] *s* Schwefelung *f* (*des Mostes, um die Gärung zu unterbrechen*).
mu·tant ['mjuːtənt] *biol.* **I** *adj* **1.** mu'tierend. – **2.** durch Mutati'on entstanden. – **II** *s* **3.** durch Mutati'on entstandene Vari'ante.
mu·ta·ro·ta·tion [ˌmjuːtəro'teiʃən] *s chem. phys.* 'Mutarotatiˌon *f* (*Änderung des Drehungsvermögens für polarisiertes Licht*).
mu·tate [*Br.* mjuː'teit; *Am.* 'mjuːteit] **I** *v/t* **1.** verändern. – **2.** *ling.* 'umlauten: ~d vowel Umlaut. – **II** *v/i* **3.** sich ändern, wechseln. – **4.** *ling.* 'umlauten. – **5.** *biol.* mu'tieren.
mu·ta·tion [mjuː'teiʃən] *s* **1.** (Ver-)Änderung *f*, Wechsel *m*. – **2.** 'Umformung *f*, 'Umwandlung *f*: ~ of energy *phys.* Energienumformung. – **3.** *biol.* a) Mutati'on *f*, b) Mutati'onsproˌdukt *n*. – **4.** *ling.* 'Umlaut *m*. – **5.** *mus.* a) Mutati'on *f*, Stimmwechsel *m* (*beim Greifen auf Saiteninstrumenten*), b) → ~ stop. – *SYN. cf.* change. — **mu'ta·tion·al** *adj* Mutations..., Änderungs...
mu·ta·tion stop *s mus.* 'Oberton-, Ali'quotreˌgister *n*.
mu·ta·tive ['mjuːtətiv] *adj* **1.** muta'tiv, sich sprunghaft ändernd. – **2.** *ling.* muta'tiv, eine Veränderung ausdrückend (*Verbum*).

mute [mjuːt] **I** *adj* **1.** stumm, wort-, sprachlos: **to stand ~** stumm *od.* sprachlos dastehen; **to stand ~ (of malice)** *jur.* die Antwort verweigern, sich nicht verantworten. – **2.** still, lautlos, schweigend. – **3.** stumm, sprechunfähig. – **4.** *ling.* a) stumm, nicht ausgesprochen (*Buchstabe*), b) Verschluß... (*Laut*). – **5.** *hunt.* nicht Laut gebend (*Hund*). – **II** *s* **6.** (Taub-)Stumme(r). – **7.** Sta'tist(in). – **8.** *mus.* Dämpfer *m.* – **9.** *ling.* a) stummer Buchstabe, b) Verschlußlaut *m.* – **10.** (*im Orient*) stummer Diener. – **11.** bezahlter Begräbnisteilnehmer. – **III** *v/t* **12.** (*Instrument*) dämpfen. — **'mute·ness** *s* **1.** Stummheit *f.* – **2.** Lautlosigkeit *f.*

mute swan *s zo.* Höckerschwan *m* (*Cygnus olor*).

mu·tic ['mjuːtik] *adj* **1.** *zo.* unbewaffnet, *bes.* a) krallenlos, b) zahnlos. – **2.** *bot.* stachel-, dornlos. — **'mu·ti·cous** → mutic 2.

mu·ti·late ['mjuːtiˌleit; -tə-] **I** *v/t* **1.** verstümmeln (*auch fig.*). – **2.** (*Glied etc*) abhauen, gebrauchsunfähig machen. – **3.** (*Literatur*) verballhornen, zu'sammenstreichen. – **II** *adj* **4.** verstümmelt. – **5.** *zo.* verkürzt (*Flügeldecke gewisser Insekten*). — **ˌmu·ti'la·tion** *s* Verstümmelung *f.* — **'mu·tiˌla·tive** *adj* verstümmelnd. — **'mu·tiˌla·tor** [-tər] *s* Verstümmler *m.*

mu·ti·neer [ˌmjuːti'nir; -tə-] **I** *s* Meuterer *m.* – **II** *v/i* meutern. — **'mu·ti·nous** *adj* **1.** meuterisch. – **2.** aufrührerisch, re'bellisch.

mu·ti·ny ['mjuːtini; -tə-] **I** *s* **1.** Meute'rei *f*: **the (Indian) M~** die Meuterei der Sepoys (*in Indien, 1857–58*). – **2.** Auflehnung *f*, Rebelli'on *f.* – *SYN. cf.* **rebellion.** – **II** *v/i* **3.** meutern. — **M~ Act** *s brit.* Mili'tärstrafgesetz *n.*

mut·ism ['mjuːtizəm] *s* **1.** (Taub-)Stummheit *f.* – **2.** *psych.* Mu'tismus *m*, Schweigesucht *f.*

muto- [mjuːto] *Wortelement mit der Bedeutung* Wechsel, Bewegung.

mu·to·graph ['mjuːtoˌgræ(ː)f; -tə-; *Br. auch* -ˌgrɑːf] *phot.* **I** *s* (*Art*) Filmkamera *f.* – **II** *v/t* mit einer Filmkamera aufnehmen. — **'mu·toˌscope** [-ˌskoup] *s* Muto'skop *n*, Bewegungsseher *m* (*einfacher Kinematograph*).

mutt [mʌt] *s sl.* **1.** Tölpel *m*, Schafskopf *m.* – **2.** Köter *m*, (*nicht reinrassiger*) Hund.

mut·ter ['mʌtər] **I** *v/i* **1.** murmeln, brummen, undeutlich sprechen: **to ~ to oneself** vor sich hin murmeln. – **2.** murren (**at** über *acc*; **against** gegen). – **3.** rollen (*Donner*). – **II** *v/t* **4.** murmeln, undeutlich (aus)sprechen. – **5.** munkeln, heimlich erzählen. – **III** *s* **6.** Gemurmel *n*, Gebrumm *n.* – **7.** Gemunkel *n*, Gerücht *n.*

mut·ton ['mʌtn] *s* **1.** Hammel-, Schaffleisch *n*: **leg of ~** Hammelkeule; **dead as ~** mausetot; **to eat one's ~ with s.o.** mit j-m speisen; **to cut ~ with s.o.** *colloq.* j-s Gastfreundschaft genießen; **~ dressed like lamb** *colloq.* eine auf jung herausgeputzte Alte. – **2.** *selten* (*außer humor.*) Schaf *n*: **to our ~s!** *fig.* zurück zur Sache! — **'~ˌbird** *s zo.* **1.** (*ein*) Möwensturmvogel *m* (*Gattg Pterodroma*). – **2.** (*ein*) Sturmtaucher *m* (*Gattg Puffinus, bes. P. tenuirostris*). — **'~ˌchop** *adj* kote'lettförmig. — **~ chop** *s* **1.** 'Hammelkoteˌlett *n.* – **2.** *pl* Kote'letten *pl* (*Backenbartform*). — **'~-'dum·mies** *s pl Br.* Tennisschuhe *pl.* — **'~ˌfish** *s zo.* **1.** Hammelfisch *m* (*Lutianus analis*). – **2.** Seeohr *n* (*Gattg Haliotis; Schnecke*). – **3.** Hammelfleischfisch *m* (*Zoarces anguillaris*). — **'~ˌhead** *s colloq.* Dumm-, Schafskopf *m.* — **'~-ˌleg·ger** [-ˌlegər] *s mar.* **1.** Schafschinken *m*, Fledermaussegel *n* (*dreieckiges Segel*). – **2.** Boot *n* mit einem dreieckigen Segel.

mut·ton·y ['mʌtni] *adj* Hammel-(fleisch)..., hammelfleischartig.

mu·tu·al [*Br.* 'mjuːtjuəl; *Am.* -tʃu-] *adj* **1.** gegen-, wechselseitig: **~ admiration society** *humor.* Gesellschaft zur gegenseitigen Bewunderung (*Leute, die gegenseitig ihre Verdienste preisen*); **~ aid** gegenseitige Hilfe. – **2.** (*inkorrekt, aber oft gebraucht*) gemeinsam: **our ~ friends** unsere gemeinsamen Freunde. – **3.** (*Versicherungswesen*) wechselseitig, auf Gegenseitigkeit (beruhend). – *SYN. cf.* **reciprocal.** — **~ build·ing as·so·ci·a·tion** *s econ.* Baugenossenschaft *f.* — **~ im·prove·ment so·ci·e·ty** *s* Fortbildungsverein *m.* — **~ in·sur·ance** *s econ.* Versicherung *f* auf Gegenseitigkeit.

mu·tu·al·ism ['mjuːtʃuəˌlizəm; *Br. auch* -tju-] *s biol. sociol.* Mutua'lismus *m.* — **'mu·tu·al·ist I** *s* Mutua'list(in). – **II** *adj* mutua'listisch.

mu·tu·al·i·ty [ˌmjuːtʃu'æliti; -əti; *Br. auch* -tju-] *s* **1.** Gegenseitigkeit *f.* – **2.** (Austausch *m* von) Gefälligkeiten *pl od.* Vertraulichkeiten *pl.* — **'mu·tu·alˌize** [-əˌlaiz] *v/t* **1.** ein Gegenseitigkeitsverhältnis schaffen. – **2.** *econ.* (*eine Unternehmung*) *so organisieren od. umgestalten, daß die Angestellten od. Kunden die Mehrheit der Anteile besitzen.*

mu·tu·al sav·ings bank *s econ.* Sparkasse *f* (*auf genossenschaftlicher Grundlage*).

mu·tule [*Br.* 'mjuːtjuːl; *Am.* -tʃuːl] *s arch.* Sparren-, Dielenkopf *m* (*am dorischen Säulengebälk*).

mu·zhik, mu·zjik [muː'ʒik; 'muːʒik] *s* Muschik *m* (*russ. Bauer*).

muzz [mʌz] *Br. sl.* **I** *v/i* **1.** ‚büffeln'. – **2.** Zeit vertrödeln. – **II** *v/t* **3.** ‚benebeln' (*bes. durch Alkohol*). – **4.** verwirren.

muz·zle ['mʌzl] **I** *s* **1.** Maul *n*, Schnauze *f* (*Tier*). – **2.** Maulkorb *m.* – **3.** *mil.* a) Mündung *f* (*Geschütz*), b) Filter *m* (*der Gasmaske*), c) Gasmaske *f.* – **4.** *tech.* Mündung *f.* – **5.** *agr.* Pflugwaage *f.* – **II** *v/t* **6.** einen Maulkorb anlegen (*dat*). – **7.** *fig.* knebeln, mundtot machen. – **8.** *mar.* a) (*Schiff*) stillegen, b) (*Segel*) einholen. – **III** *v/i* **9.** (*mit der Schnauze*) her'umwühlen, -schnüffeln. — **~ brake** *s mil.* Mündungsbremse *f.* — **~ guide** *s mil.* Rohrklaue *f.* — **'~-'load·er** *s mil. hist.* Vorderlader *m.*

muz·zler ['mʌzlər] *s* **1.** (*Boxen*) Schlag *m* auf den Mund. – **2.** *mar.* Gegenwind *m.*

muz·zle ring *s mil.* Kopffries *m* (*einer Kanone od. eines Gewehrlaufs*), Mündungsring *m*, -verstärkung *f.* — **~ ve·loc·i·ty** *s mil.* **1.** Mündungsgeschwindigkeit *f* (*Geschoß*). – **2.** (*Ballistik*) Anfangsgeschwindigkeit *f.*

muz·zy ['mʌzi] *adj colloq. od. dial.* **1.** ‚benebelt', ‚beduselt' (*bes. durch Alkohol*). – **2.** verschwommen, unklar. – **3.** stumpf, langweilig.

my [mai] *possessive pron* mein, meine: **I must wash ~ face** ich muß mir das Gesicht waschen; **(oh) ~!** *colloq.* meine Güte! du lieber Gott!

my- [mai] → myo-.

my·al·gi·a [mai'ældʒiə] *s med.* Muskelschmerz *m*, Myal'gie *f.*

my·all[1] ['maiɔːl], *auch* **~ wood** *s bot.* Vio'lettholz *n* (*Acacia pendula u. A. homalophylla*).

my·all[2] ['maiɔːl] *Austral.* **I** *s* (*wilder*) Eingeborener (*Nord-Australiens*). – **II** *adj* wild, 'unziviliˌsiert.

my·ar·i·an [mai'ɛ(ə)riən] *zo.* **I** *adj* zu den Klaffmuscheln gehörend. – **II** *s* Klaffmuschel *f* (*Gattg Mya*).

my·as·the·ni·a [ˌmaiæs'θiːniə] *s med.* Myasthe'nie *f*, Muskelschwäche *f.* — **ˌmy·as'then·ic** [-'θenik] *adj* mya'sthenisch, muskelschwach.

myc- [maik; mais] *Wortelement mit der Bedeutung* Pilz.

my·ce·li·al [mai'siːliəl], **my'ce·li·an** [-ən] *adj bot.* Myzel... — **my'ce·liˌoid** *adj* my'zelartig.

my·ce·li·um [mai'siːliəm] *pl* **-li·a** [-ə] *s bot.* My'zel *n*, Pilzgeflecht *n.* — **'my·ceˌloid** [-siˌlɔid] *adj* my'zelartig.

My·ce·nae·an [ˌmaisi'niːən] *adj antiq.* my'kenisch.

-mycetes [maisiːtiːz] *Wortelement mit der Bedeutung* Pilz.

my·ce·tism ['maisiˌtizəm] *s med.* Myce'tismus *m*, Pilzvergiftung *f.*

my·ce·tol·o·gy [ˌmaisi'tɒlədʒi] *s bot.* Pilzkunde *f*, Myzetolo'gie *f.*

my·ce·to·ma [ˌmaisi'toumə] *pl* **-ma·ta** [-tə] *s med.* Ma'durafuß *m*, Myze'tom *n.*

my·ce·to·zo·an [maiˌsiːto'zouən] *bot.* **I** *adj* Schleimpilz..., zu den Schleimpilzen gehörig. – **II** *s* Schleimpilz *m* (*Gruppe Myxomycetes*).

myco- [maiko] → myc-.

my·co·derm ['maikoˌdəːrm] *s bot.* Kahmpilz *m* (*Formgattg Mycoderma der Fungi imperfecti*).

my·co·log·ic [ˌmaikə'lɒdʒik], **ˌmy·co'log·i·cal** [-kəl] *adj* myko'logisch. — **my'col·o·gist** [-'kɒlədʒist] *s* Myko'loge *m*, Pilzforscher *m.* — **my'col·o·gy** [-dʒi] *s bot.* **1.** Pilzkunde *f*, Mykolo'gie *f.* – **2.** Pilzflora *f*, Pilze *pl* (*eines bestimmten Gebiets*).

my·co(r)·rhi·za [ˌmaikə'raizə] *s bot.* Mykor'rhiza *f* (*Wurzelsymbiose höherer Pflanzen mit Pilzen*).

my·cose ['maikous] *s chem.* My'kose *f* ($C_{12}H_{22}O_{11}$ + $2H_2O$; *ein Zucker*).

my·co·sis [mai'kousis] *s med.* 'Pilzkrankheit *f*, -infektiˌon *f*, My'kose *f.* — **my'cot·ic** [-'kɒtik] *adj* my'kotisch.

my·dri·a·sis [mi'draiəsis; mai-] *s med.* My'driasis *f*, Pu'pillenerweiterung *f.* — **myd·ri·at·ic** [ˌmidri'ætik] **I** *adj* mydri'atisch. – **II** *s* Mydri'atikum *n*, pu'pillenerweiterndes Mittel.

myel- [maiəl] → myelo-.

my·e·la·troph·i·a [ˌmaiələ'troufiə] *s med.* Rückenmarkschwindsucht *f.*

my·e·len·ceph·a·lon [ˌmaiəlen'sefəˌlɒn] *s med. zo.* Myelen'cephalon *n*, Mark-, Nachhirn *n.*

my·e·lin ['maiəlin], *auch* **'my·eˌline** [-lin; -ˌliːn] *s biol.* Mye'lin *n* (*Lipoidstoff*).

my·e·lit·ic [ˌmaiə'litik] *adj med.* mye'litisch. — **ˌmy·e'li·tis** [-'laitis] *s* Mye'litis *f*: a) Rückenmarkentzündung *f*, b) Knochenmarkentzündung *f.*

myelo- [maiəlo; -lə] *Wortelement mit der Bedeutung* a) (Knochen)Mark, b) Rückenmark.

my·e·lo·cyte ['maiəloˌsait] *s med. zo.* Myelo'zyt *m* (*Leukozytenvorläufer aus dem Knochenmark*).

my·e·loid ['maiəˌlɔid] *adj med. zo.* myelo'id: a) Rückenmark..., b) Knochenmark..., markartig.

my·e·lon ['maiəˌlɒn] *s med. zo.* Rückenmark *n.* — **my'el·o·nal** [-'elənl], **ˌmy·e'lon·ic** [-ə'lɒnik] *adj* Rückenmark(s)...

my·el·o·plax [mai'eloˌplæks] *pl* **-ˌplax·es** *od.* **my·e·lop·la·ces** [ˌmaiə'lɒpləˌsiːz] *s med. zo.* vielkernige Knochenmarksriesenzelle.

myg·a·le ['migəˌliː] → shrew[2].

my·i·a·sis ['maijəsis] *s med.* My'iasis *f*, Stechfliegen-, Dasselfliegenkrankheit *f.*

my·lo·don(t) ['mailoˌdɒn(t)] *s zo.* Mylo'don(t) *n* (*fossiles Riesenfaultier*).

my·lo·hy·oid [ˌmailo'haiɔid] *med. zo.* **I** *adj* mylohyo'id. – **II** *s* 'Unterkiefer-Zungenbeinmuskel *m.*

my·lo·nite ['mailəˌnait; 'mil-] *s geol.* Mylo'nit *m*, Knetgestein *n.*

my·na(h) [ˈmainə] *s zo.* Hirtenstar *m* (*Acridotheres tristis*).
myn·heer [mainˈhɛr; -ˈhir] *s colloq.* Mijnˈheer *m*, Holländer *m*.
myo- [maio] *Wortelement mit der Bedeutung* a) Muskel, b) Maus.
my·o·car·di·o·gram [ˌmaioˈkɑːrdiəˌgræm] *s med.* EˌlektrokardioˈGramm *n*. — ˌ**my·oˈcar·di·oˌgraph** [-ˌgræ(ː)f; *Br. auch* -ˌgrɑːf] *s med.* Eˌlektrokardioˈgraph *m*, EKˈG-Appaˌrat *m*.
my·o·car·di·tis [ˌmaiokɑːrˈdaitis] *s med.* Myokarˈditis *f*, Herzmuskelentzündung *f*. — ˌ**my·oˈcar·di·um** [-diəm] *s zo.* Herzmuskel *m*, Myoˈkard(ium) *n*.
my·o·com·ma [ˌmaioˈkɒmə] *pl* **-ma·ta** [-tə] *s zo.* ˈMuskelsegˌment *n*.
my·o·cyte [ˈmaiəˌsait] *s med. zo.* Muskelzelle *f*.
my·o·dy·nam·ics [ˌmaiodaiˈnæmiks] *s pl* (*als sg u. pl konstruiert*) *med.* Physioloˈgie *f* der Muskeltätigkeit. — ˌ**my·o·ˌdy·naˈmom·e·ter** [-nəˈmɒmitər; -mət-] *s med. tech.* Muskelkraftmesser *m* (*Instrument*).
my·o·gen·ic [ˌmaioˈdʒenik] *adj med.* myoˈgen, vom Muskel ausgehend.
my·o·glo·bin [ˌmaioˈgloubin] → myoh(a)ematin.
my·o·gram [ˈmaiəˌgræm] *s med.* Myoˈgramm *n*, Muskelkurve *f*. — ˈ**my·oˌgraph** [-ˌgræ(ː)f; *Br. auch* -ˌgrɑːf] *s* Myoˈgraph *m*. — ˌ**my·oˈgraph·ic** [-ˈgræfik], ˌ**my·oˈgraph·i·cal** *adj* myoˈgraphisch. — **myˈog·ra·phy** [-ˈɒgrəfi] *s med.* **1.** Myograˈphie *f*. – **2.** Muskelbeschreibung *f*.
my·o·h(a)e·ma·tin [ˌmaioˈhiːmətin] *s biol. chem.* Cytoˈchrom *n*, Myohämaˈtin *n* (*Muskelfarbstoff*).
my·oid [ˈmaiɔid] *adj med. zo.* muskelartig, -ähnlich.
my·o·lem·ma [ˌmaioˈlemə] *s med. zo.* Muskelhülle *f*, Myoˈlemm *n*, Sarkoˈlemm *n*.
my·o·log·ic [ˌmaiəˈlɒdʒik], ˌ**my·oˈlog·i·cal** [-kəl] *adj* myoˈlogisch. — **myˈol·o·gist** [-ˈɒlədʒist] *s* Myoˈloge *m*. — **myˈol·o·gy** [-dʒi] *s* Myoloˈgie *f*, Muskelkunde *f*, -lehre *f*.
my·o·ma [maiˈoumə] *pl* **-ma·ta** [-tə] *od.* **-mas** *s med.* Muskelgeschwulst *f*, Myˈom *n*. — **myˈom·a·tous** [-ˈɒmətəs; -ˈou-] *adj* myomaˈtös.
my·o·mere [ˈmaiəmir] *s med. zo.* ˈMuskelsegˌment *n*.
my·o·mor·phic [ˌmaioˈmɔːrfik] *adj zo.* maus-, rattenförmig.
my·ope [ˈmaioup] *s med.* Kurzsichtige(r).
my·o·phys·ics [ˌmaioˈfiziks] *s pl* (*meist als sg konstruiert*) Phyˈsik *f* der Muskeltätigkeit.
my·o·pi·a [maiˈoupiə] *s med.* Myoˈpie *f*, Kurzsichtigkeit *f* (*auch fig.*). — **myˈop·ic** [-ˈɒpik] *adj* kurzsichtig. — ˈ**my·ops** [-ɒps] → myope. — ˈ**my·o·py** [-əpi] → myopia.
my·o·sar·co·ma [ˌmaiosɑːrˈkoumə] *pl* **-ma·ta** [-tə] *s med.* ˈMyosarˌkom *n*, sarkomaˈtöses Myˈom.
my·o·scope [ˈmaiəˌskoup] *s med. Instrument zur Beobachtung der Muskelzusammenziehungen.*
my·o·sin [ˈmaiəsin] *s biol. chem.* Muskeleiweiß *n*, Myoˈsin *n*.
my·o·sis [maiˈousis] *s med.* (*krankhafte*) Puˈpillenverengerung, Miˈosis *f*, Myˈose *f*.
my·o·si·tis [ˌmaioˈsaitis] *s med.* Muskelentzündung *f*, Myoˈsitis *f*.
my·o·so·tis [ˌmaiəˈsoutis], *auch* ˈ**my·oˌsote** *s bot.* Vergißmeinnicht *n* (*Gattg Myosotis*).
my·ot·ic [maiˈɒtik] *med.* **I** *adj* puˈpillenverengernd, miˈotisch. – **II** *s* Miˈotikum *n*, puˈpillenverengerndes Mittel.
my·o·tome [ˈmaiəˌtoum] *s* **1.** *med. zo.* Myoˈtom *n*, ˈMuskelursegˌment *n*. – **2.** *med.* Muskelmesser *n*. — ˌ**my·oˈtom·ic** [-ˈtɒmik] *adj* myoˈtomisch.
my·o·to·ni·a [ˌmaiəˈtouniə] *s med.* **1.** Muskelspannung *f*, Muskeltonus *m*. – **2.** Muskelkrampf *m*. — ˌ**my·oˈton·ic** [-ˈtɒnik] *adj* myoˈtonisch.
my·ox·ine [maiˈɒksain; -sin] *adj zo.* siebenschläferartig.
myri- [miri], **myria-** [miriə] *Wortelement mit der Bedeutung* zehntausend.
myr·i·a·can·thous [ˌmiriəˈkænθəs] *adj zo.* mit unzähligen Dornen (*Seestern*).
myr·i·ad [ˈmiriəd] **I** *s* **1.** Myriˈade *f*: a) *Anzahl von 10000*, b) *fig.* sehr große Menge. – **II** *adj* **2.** unzählig, zahllos. – **3.** unendlich vielseitig *od.* vielfältig. – **4.** zehntausend.
myr·i·a·gram(me) [ˈmiriəˌgræm] *s* Myriaˈgramm *n* (*10000 Gramm*).
myr·i·a·li·ter, *bes. Br.* **myr·i·a·li·tre** [ˈmiriəˌliːtər] *s* Myriaˈliter *n* (*10000 l*).
myr·i·a·me·ter, *bes. Br.* **myr·i·a·me·tre** [ˈmiriəˌmiːtər] *s* Myriaˈmeter *n* (*10000 m*).
myr·i·a·pod [ˈmiriəˌpɒd], ˌ**myr·iˈap·o·dan** [-ˈæpədən] *zo.* **I** *s* Tausendfuß *m*, -füßer *m* (*Klasse Myriapoda*). – **II** *adj* tausendfüßig.
myr·i·ca [miˈraikə] *s* Rinde *f* der Wachsmyrte (*Myrica cerifera*). — ~ **tal·low** *s* Myˈrika-, Myrtenwachs *n*.
myr·i·cin [ˈmirisin] *s chem.* Myriˈzin *n*.
myr·i·cyl [ˈmirisil] *s chem.* Melisˈsyl *n*, Myriˈzyl *n*.
myr·in·gi·tis [ˌmirinˈdʒaitis] *s med.* Myrinˈgitis *f*, Trommelfellentzündung *f*.
myr·i·o·ra·ma [ˌmiriəˈrɑːmə; -ˈræmə] *s* (*Art*) ˈLandschafts-KaleidoˌSkop *n*.
myr·i·o·scope [ˈmiriəˌskoup] *s tech.* Myrioˈskop *n* (*Art Kaleidoskop, vielfach in der Musterzeichnerei benutzt*).
my·ris·tic ac·id [miˈristik; mai-] *s chem.* Myriˈstinsäure *f* ($C_{13}H_{27}CO_2H$).
myrmeco- [məːrmiko] *Wortelement mit der Bedeutung* Ameise(n).
myr·me·cobe [ˈməːrmiˌkoub] *s zo.* Ameisenbär *m* (*Myrmecobius fasciatus*).
myr·me·co·log·i·cal [ˌməːrmikəˈlɒdʒikəl] *adj zo.* myrmekoˈlogisch. — ˌ**myr·meˈcol·o·gist** [-ˈkɒlədʒist] *s* Myrmekoˈloge *m*. — ˌ**myr·meˈcol·o·gy** [-dʒi] *s* Myrmekoloˈgie *f*, Ameisenkunde *f*.
myr·me·co·phile [ˈməːrmikoˌfail; -fil] *s zo.* Ameisengast *m* (*mit den Ameisen zusammenlebendes Insekt*). — ˌ**myr·meˈcoph·i·lous** [-ˈkɒfiləs; -fə-] *adj* ameisenliebend (*von gewissen Insekten u. Pflanzen*).
myr·mi·don [ˈməːrmidən; -ˌdɒn] *pl* **-dons** *od.* **myrˈmid·oˌnes** [-dəˌniːz] *s* **1.** Scherge *m*, skrupelloser Gefolgsmann (*der blind gehorcht*). – **2.** M~ *antiq.* Myrmiˈdone *m*.
my·rob·a·lan [maiˈrɒbələn; mi-] *s bot.* **1.** Myrobaˈlanenbaum *m* (*Terminalia chebula*). – **2.** Myrobaˈlane *f* (*Frucht von* 1).
my·ron·ic ac·id [maiˈrɒnik] *s chem.* Myˈronsäure *f* ($C_{10}H_{17}NO_9S_2$).
myr·o·sin [ˈmai(ə)rəsin; ˈmir-] *s chem.* Myroˈsin *n* (*Enzym der Senfsamen*).
myrrh [məːr] *s* **1.** *bot.* Myrrhe *f*, Süßdolde *f* (*Myrrhis odorata*). – **2.** Myrrhe *f* (*Harz des Balsambaums Commiphora myrrha*). — ˈ**myrrh·ic** *adj* aus Myrrhe, Myrrhen...
myr·rhol [ˈməːroul; -ɒl] *s chem.* Myrrhenöl *n* ($C_{10}H_{14}O$).
myr·rho·phore [ˈmirəˌfɔːr] *s Bibl.* Myrrhenträgerin *f*.
myrrh·y [ˈməːri] *adj* **1.** nach Myrrhe duftend. – **2.** Myrrhe enthaltend.
myr·ta·ceous [məːrˈteiʃəs] *adj bot.* myrtenartig, zu den Myrtaˈceen gehörend.
myr·ti·form [ˈməːrtiˌfɔːrm] *adj bot.* myrtenförmig, -ähnlich.
myr·tle [ˈməːrtl] *s bot.* **1.** Myrte *f* (*Gattg Myrtus, bes. M. communis*). – **2.** *Am.* a) Immergrün *n* (*Vinca minor*), b) Kaliforn. Berglorbeer *m* (*Umbellularia californica*). – **3.** *auch* ~ **green** Myrtengrün *n*. — ~ **ber·ry** *s* Myrtenbeere *f*. — ˈ~ˌ**ber·ry** *Am. für* farkleberry. — ~ **bird** → myrtle warbler. — ~ **flag**, ~ **grass**, ~ **sedge** *s bot.* Kalmus *m* (*Acorus calamus*). — ~ **war·bler** *s zo.* Baumwaldsänger *m* (*Dendroica coronata*). — ~ **wax** → myrica tallow.
my·self [maiˈself; mi-; mə-] *pl* **ourselves** [aurˈselvz] *pron* **1.** *intens* (ich) selbst: I did it ~ ich selbst habe es getan. – **2.** *reflex* mir (*dat*), mich (*acc*): I cut ~ ich habe mich geschnitten. – **3.** mir selbst, mich selbst: I brought it for ~ ich habe es für mich selbst mitgebracht.
my·so·pho·bi·a [ˌmaisoˈfoubiə] *s med.* Mysophoˈbie *f*, krankhafte Angst vor Beschmutzung, Berührungsfurcht *f*.
mys·ta·gog·ic [ˌmistəˈgɒdʒik], ˌ**mys·taˈgog·i·cal** [-kəl] *adj* mystaˈgogisch. — ˈ**mys·taˌgogue** [-ˌgɒg; *Am. auch* -ˌgɔːg] *s* **1.** *antiq. relig.* Mystaˈgoge *m* (*in die Mysterien einführender Priester*). – **2.** *fig.* Geheimniskrämer *m*. — ˈ**mys·taˌgo·gy** [-ˌgoudʒi] *s* **1.** Geheimlehre *f*, Mystagoˈgie *f*. – **2.** Einführung *f* in eine Geheimlehre.
mys·te·ri·ous [misˈti(ə)riəs] *adj* **1.** mysteriˈös, geheimnisvoll. – **2.** rätsel-, schleierhaft, unerklärlich. – *SYN.* inscrutable. — **mysˈte·ri·ous·ness** *s* Rätselhaftigkeit *f*, Unerklärlichkeit *f*, (*das*) Geheimnisvolle.
mys·ter·y[1] [ˈmistəri; -tri] *s* **1.** Geheimnis *n*, Rätsel *n*: to make a ~ of s.th. etwas verheimlichen. – **2.** (geheimnisvolles) Dunkel, Schleier *m* des Geheimnisses: to wrap s.th. in ~ etwas in geheimnisvolles Dunkel hüllen. – **3.** Rätselhaftigkeit *f*, Unerklärlichkeit *f*. – **4.** ˌHeimlichtueˈrei *f*, GeˌheimniskrämeˈRei *f*. – **5.** (*röm.-kath. u. morgenländische Kirche*) a) heilige Messe, b) (heilige) Wandlung (*von Brot u. Wein*), c) Sakraˈment *n*, d) Geheimnis *n* (*des Rosenkranzes*). – **6.** *relig.* Myˈsterium *n*, geoffenbarte Glaubenswahrheit. – **7.** *pl* Geheimlehre *f*, -dienst *m*, Myˈsterien *pl*. – **8.** *pl* (*ironisch*) Geheimnisse *pl* (*eines Berufs*). – **9.** *auch* ~ **play** Myˈsterienspiel *n*. – *SYN.* conundrum, enigma, problem, puzzle, riddle.
mys·ter·y[2] [ˈmistəri; -tri] *s obs.* **1.** Handwerk *n*, Beruf *m*. – **2.** Gilde *f*, Zunft *f*.
mys·ter·y| nov·el *s* Krimiˈnal-, Detekˈtivroˌman *m*. — ~ **play** → mystery[1] 9. — ~ **ship** *s mar.* U-Bootfalle *f* (*getarnt bewaffnetes Handelsschiff*).
mys·tic [ˈmistik] **I** *adj* **1.** mystisch. – **2.** *antiq. relig.* mystisch, die Myˈsterien betreffend. – **3.** esoˈterisch, geheim. – **4.** a) schleier-, rätselhaft, unerklärlich, mysteriˈös, dunkel, geheimnisvoll, b) vage, unklar. – **5.** Zauber..., zauberkräftig: ~ **formula** Zauberformel. – **6.** *jur. Am.* versiegelt, geheim (*Testament*). – **7.** → mystical 1. – **II** *s* **8.** Mystiker(in). – **9.** Mystiˈzist(in), Schwärmer(in).
mys·ti·cal [ˈmistikəl] *adj* **1.** symˈbolisch, mystisch, sinnbildlich. – **2.** *relig.* mystisch, intuiˈtiv, auf Intuitiˈon aufgebaut (*Kenntnis, Religion etc*). – **3.** → mystic 4. — ˈ**mys·ti·cal·ly** *adv* (*auch zu* mystic I). — ˈ**mys·ti·cal·ness** *s* **1.** Rätselhaftigkeit *f*, Unerklärlichkeit *f*, (*das*) Geheimnisvolle. – **2.** Sinnbildlichkeit *f*.
mys·ti·cete [ˈmistiˌsiːt] *s zo.* Bartenwal *m* (*Unterordng Mysticeti*).

mys·ti·cism ['misti͵sizəm; -tə-] *s* 1. *philos. relig.* a) Mysti'zismus *m*, ͵Glaubensschwärme'rei *f*, b) Mystik *f*. – 2. vage Mutmaßung, unbegründete Vermutung.

mys·ti·fi·ca·tion [͵mistifi'keiʃən; -təfə-] *s* 1. Täuschung *f*, Irreführung *f*, Mystifikati'on *f*. – 2. Foppe'rei *f*. – 3. Verwirrung *f*, Verblüffung *f*. — **'mys·ti·fi͵ca·tor** [-tər] *s* j-d der irreführt. — **'mys·ti͵fied** [-͵faid] *adj* verwirrt, verblüfft. — **'mys·ti͵fy** [-͵fai] *v/t* 1. täuschen, hinters Licht führen, anführen, foppen. – 2. verwirren, irremachen. – 3. in Dunkel hüllen.

myth [miθ] *s* 1. (Götter-, Helden)-Sage *f*, Mythos *m*, Mythus *m*, Mythe *f*. – 2. Märchen *n*, erfundene Geschichte. – 3. Phanta'siegebilde *n*. – 4. *collect.* Sagen *pl*, Mythen *pl*: realm of ~ Sagenwelt. – 5. *pol. sociol.* Mythos *m*. — **'myth·i·cal**, *selten* **'myth·ic** *adj* 1. in einer Sage behandelt, Sagen... – 2. mythisch, sagen-, märchenhaft. – 3. mythisch (*Literatur etc*). – 4. erdichtet, fik'tiv. – *SYN. cf.* fictitious. — **'myth·i·cal·ly** *adv* (*auch zu* mythic). — **'myth·i͵cism** [-͵sizəm] *s* Mythi'zismus *m* (*Erklärung übernatürlicher Ereignisse als Mythen*). — **'myth·i·cist** *s* Mytho'loge *m*. — **'myth·i͵cize** *v/t* 1. in eine Sage kleiden. – 2. als Sage *od.* Fabel auslegen.

mythico- [miθiko] *Wortelement mit der Bedeutung* mythisch.

mytho- [miθo; maiθo] *Wortelement mit der Bedeutung* Mythus, Sage, mytho..., mythisch.

my·tho·gen·e·sis [͵miθo'dʒenisis; -nə-; ͵mai-] *s* Mythenbildung *f*.

my·thog·ra·pher [mi'θɒgrəfər; mai-] *s* Mythenschreiber *m*, -erzähler *m*. — **my'thog·ra·phy** *s* 1. Mythendarstellung *f*. – 2. beschreibende Mytholo'gie.

my·thol·o·ger [mi'θɒlədʒər] → mythologist.

͵myth·o'log·i·cal, *auch* **͵myth·o'log·ic** *adj* mytho'logisch, mythisch, sagen-, fabelhaft. — **͵myth·o'log·i·cal·ly** *adv* (*auch zu* mythologic). — **my·thol·o·gist** [mi'θɒlədʒist; mai-] *s* 1. Mytho'loge *m*, Sagenkundiger *m*. – 2. Mythen-, Sagenschreiber *m*. — **my'thol·o͵gize I** *v/i* 1. Sagen erklären. – 2. Sagen erzählen. – **II** *v/t* 3. mythologi'sieren: a) mytho'logisch erklären, b) als Sage 'wiedergeben. — **my'thol·o·gy** [-dʒi] *s* 1. Mytholo'gie *f*, Götter- u. Heldensagen *pl*. – 2. Sagen-, Mythenforschung *f*, -kunde *f*.

myth·o·ma·ni·a [͵miθo'meiniə; -θə-] *s psych.* Mythoma'nie *f* (*krankhafter Hang zur Übertreibung u. Prahlerei*). — **͵myth·o'ma·ni͵ac** [-͵æk] *s* an Mythoma'nie Leidende(r).

myth·o·pe·ic, myth·o·pe·ist *bes. Am. für* mythopoeic, mythopoeist. —

myth·o·poe·ic [͵miθo'piːik; -θə-] *adj* Mythen *od.* Sagen her'vorbringend, Mythen schaffend. — **͵myth·o'poe·ism** *s* Mythen-, Sagenschöpfung *f*. — **͵myth·o'poe·ist** *s* Mythenschöpfer *m*.

myt·i·la·cean [͵miti'leiʃən] *zo.* **I** *s* Miesmuschel *f* (*Unterordng Mytilacea*). – **II** *adj* miesmuschelartig.

myx- [miks] → myxo-.

myx·e·de·ma [͵miksi'diːmə] *s med.* Myxö'dem *n* (*Schleimgeschwulst*). — **͵myx·e'dem·a·tous** [-'demətəs; -'diː-], **͵myx·e'dem·ic** *adj* myxödema'tös.

myx·i·noid ['miksi͵nɔid] *zo.* **I** *adj* zu den Schleimaalen gehörend. – **II** *s* Schleimaal *m*, Inger *m* (*Gattg Myxine*).

myxo- [mikso] *Wortelement mit der Bedeutung* Schleim.

myx·oe·de·ma, myx·oe·dem·a·tous, myx·oe·dem·ic *cf.* myxedema *etc.*

myx·o·ma [mik'soumə] *pl* **-ma·ta** [-tə] *s med.* Schleim-, Gallertgeschwulst *f*, My'xom *n*.

myx·o·ma·to·sis [͵miksəmə'tousis] *s* 1. *med.* Myxoma'tose *f*. – 2. *vet.* Myxoma'tose *f* (*tödliche Viruskrankheit der Kaninchen*). — **myx'om·a·tous** [-'sɒmətəs] *adj med.* myxoma'tös.

myx·o·my·cete [͵miksomai'siːt] *s bot.* Schleimpilz *m*, Myxomy'zet *m* (*Klasse Myxomycetes*). — **͵myx·o·my'ce·tous** *adj* zu den Schleimpilzen gehörend.

myx·os·po·rous [mik'sɒspərəs] *adj bot.* 1. Schleimsporen enthaltend *od.* erzeugend. – 2. Schleimsporen...